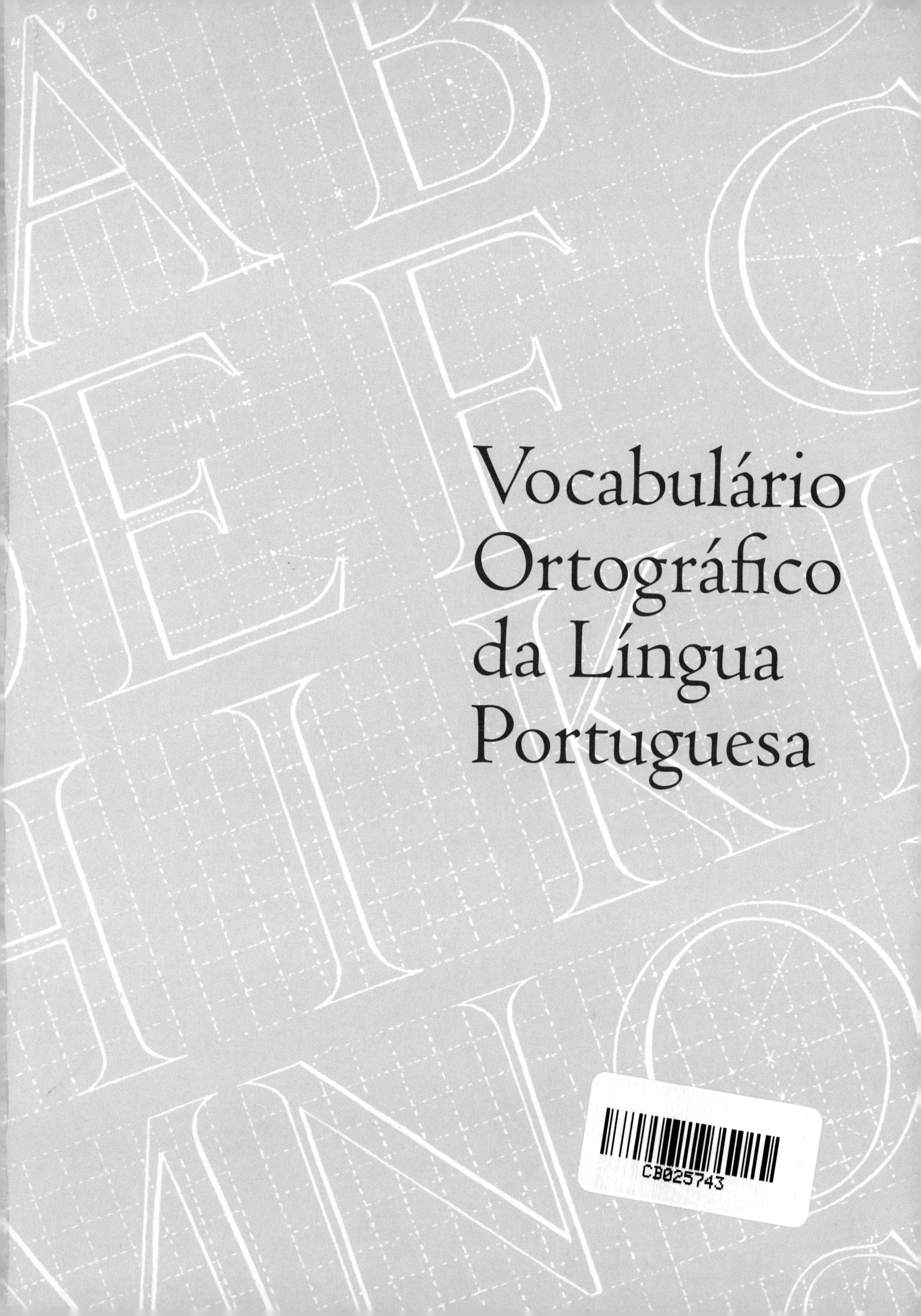

Vocabulário Ortográfico da Língua Portuguesa

Vocabulário Ortográfico da Língua Portuguesa

5ª edição

global
EDITORA

ACADEMIA BRASILEIRA DE LETRAS

Diretoria de 2008 e 2009
Presidente: *Cícero Sandroni*
Secretário-Geral: *Ivan Junqueira*
Primeiro-Secretário: *Alberto da Costa e Silva*
Segundo-Secretário: *Nelson Pereira dos Santos*
Tesoureiro: *Evanildo Cavalcante Bechara*

Comissão de Lexicologia e Lexicografia
Presidente: *Eduardo Portella*
Evanildo Cavalcante Bechara
Alfredo Bosi

Secretária-Geral da Com. de Lexicologia e Lexicografia
Rita Moutinho

Lexicógrafos
Ângela Barros Montez
Cláudio Mello Sobrinho
Débora Garcia Restom
Dylma Bezerra
Ronaldo Menegaz

Revisores
Aline Rodrigues Gomes
Ana Laura Mello Berner
Denise Teixeira Viana
João Luís Lisboa Pacheco
Paulo Teixeira Pinto Filho
Sandra Pássaro
Vânia Maria da Cunha Martins Santos (coordenadora)

Estagiários
Diogo Comba Canavezes
Feiga Fiszon E. dos Santos

Capa
Victor Burton

Toda correspondência deve ser endereçada à
Comissão de Lexicologia e Lexicografia da Academia Brasileira de Letras
Avenida Presidente Wilson, 203 – 5º andar – 20030-021 – Rio de Janeiro, RJ – Brasil
E-mail: ritamoutinho@academia.org.br

Aos que usam da língua
portuguesa como bem comum
– aqui chamados a colaborar
com achegas, sugestões,
críticas e correções, no
aperfeiçoamento desta obra.

5ª Edição, Global Editora, São Paulo 2009
1ª Reimpressão, 2009

Diretor Editorial
Jefferson L. Alves

Gerente de Produção
Flávio Samuel

Revisão
Thereza C. Pozzoli

Projeto gráfico e Paginação
Reverson R. Diniz

Editoração Eletrônica
Luana Alencar

Dados Internacionais de Catalogação na Publicação (CIP)
(Câmara Brasileira do Livro, SP, Brasil)

Vocabulário ortográfico da língua portuguesa / Academia Brasileira de Letras . -- 5. ed. -- São Paulo : Global, 2009.

ISBN 978-85-260-1363-6

1. Língua portuguesa - Vocabulários, glossários, etc. 2. Português - Ortografia I. Academia Brasileira de Letras.

09-00289 CDD-469.152

Índices para catálogo sistemático:

1. Ortografia : Português : Vocabulário : Linguística 469.152

Global Editora e
Distribuidora Ltda.

Rua Pirapitingui, 111 - Liberdade
CEP 01508-020 - São Paulo - SP
Tel.: (11) 3277-7999 - Fax: (11) 3277-8141
www.globaleditora.com.br
e-mail: global@globaleditora.com.br

Nº DE CATÁLOGO: 3113

Vocabulário Ortográfico da Língua Portuguesa

Sumário

Apresentação da 5ª edição

Esta 5ª edição do *Vocabulário Ortográfico da Língua Portuguesa* (*VOLP*) incorpora as Bases do Acordo Ortográfico da Língua Portuguesa aprovado em Lisboa aos 12 de outubro de 1990 pela Academia das Ciências de Lisboa, pela Academia Brasileira de Letras e por delegações de Angola, Cabo Verde, Guiné-Bissau, Moçambique e São Tomé e Príncipe, com adesão da delegação de observadores da Galiza. Com este projeto aprovado, a língua portuguesa deixa para trás a condição de ser um idioma cujo peso cultural e político encontra, na vigência de dois sistemas ortográficos oficiais, incômodo entrave a seu prestígio e difusão internacional.

Graças à contribuição dos nossos lexicógrafos e à colaboração sempre bem recebida dos consulentes do *VOLP* e do programa *ABL responde*, esta edição se apresenta aumentada em seu universo lexical, corrige falhas tipográficas e oferece informações ortoépicas sobre possíveis dúvidas resultantes de algumas novas normas ortográficas.

Ao oferecer ao público esta 5ª edição do *VOLP*, esperamos continuar cumprindo a tarefa que à Casa de Machado de Assis lhe foi conferida pelo governo brasileiro.

Cicero Sandroni
Presidente da Academia Brasileira de Letras

Acordo Ortográfico da Língua Portuguesa

Lisboa, 14, 15 e 16 de dezembro de 1990

Considerando que o projecto de texto de ortografia unificada de língua portuguesa aprovado em Lisboa, em 12 de outubro de 1990, pela Academia das Ciências de Lisboa, Academia Brasileira de Letras e delegações de Angola, Cabo Verde, Guiné-Bissau, Moçambique e São Tomé e Príncipe, com a adesão da delegação de observadores da Galiza, constitui um passo importante para a defesa da unidade essencial da língua portuguesa e para o seu prestígio internacional,

Considerando que o texto do acordo que ora se aprova resulta de um aprofundado debate nos Países Signatários,

a República Popular de Angola,

a República Federativa do Brasil,

a República de Cabo Verde,

a República da Guiné-Bissau,

a República de Moçambique,

a República Portuguesa

e a República Democrática de São Tomé e Príncipe,

Acordam no seguinte:

Artigo 1º - É aprovado o Acordo Ortográfico da Língua Portuguesa, que consta como anexo I ao presente instrumento de aprovação, sob a designação de Acordo Ortográfico da Língua Portuguesa (1990) e vai acompanhado da respectiva nota explicativa, que consta como anexo II ao mesmo instrumento de aprovação, sob a designação de Nota Explicativa do Acordo Ortográfico da Língua Portuguesa (1990).

Artigo 2º - Os Estados signatários tomarão, através das instituições e órgãos competentes, as providências necessárias com vista à elaboração, até 1º de janeiro de 1993, de um vocabulário ortográfico comum da língua portuguesa, tão completo quanto desejável e tão normalizador quanto possível, no que se refere às terminologias científicas e técnicas.

Artigo 3º - O Acordo Ortográfico da Língua Portuguesa entrará em vigor em 1º de Janeiro de 1994, após depositados os instrumentos de ratificação de todos os Estados junto do Governo da República Portuguesa.

Artigo 4º - Os Estados signatários adoptarão as medidas que entenderem adequadas ao efectivo respeito da data da entrada em vigor estabelecida no artigo 3º.

Em fé do que, os abaixo assinados, devidamente credenciados para o efeito, aprovam o presente acordo, redigido em língua portuguesa, em sete exemplares, todos igualmente autênticos.

Assinado em Lisboa, em 16 de dezembro de 1990.

PELA REPÚBLICA POPULAR DE ANGOLA,
José Mateus de Adelino Peixoto, Secretário de Estado da Cultura.

PELA REPÚBLICA FEDERATIVA DO BRASIL,
Carlos Alberto Gomes Chiarelli, Ministro da Educação.

PELA REPÚBLICA DE CABO VERDE,
David Hopffer Almada, Ministro da Informação, Cultura e Desportos.

PELA REPÚBLICA DA GUINÉ-BISSAU,
Alexandre Brito Ribeiro Furtado, Secretário de Estado da Cultura.

PELA REPÚBLICA DE MOÇAMBIQUE,
Luís Bernardo Honwana, Ministro da Cultura.

PELA REPÚBLICA PORTUGUESA,
Pedro Miguel de Santana Lopes, Secretário de Estado da Cultura.

PELA REPÚBLICA DEMOCRÁTICA DE SÃO TOMÉ E PRÍNCIPE,
Lígia Silva Graça do Espírito Santo Costa, Ministra da Educação e Cultura.

Anexo I
Acordo Ortográfico da Língua Portuguesa (1990)

Base I
Do alfabeto e dos nomes próprios estrangeiros e seus derivados

1º) O alfabeto da língua portuguesa é formado por vinte e seis letras, cada uma delas com uma forma minúscula e outra maiúscula:

a A (á)	j J (jota)	s S (esse)
b B (bê)	k K (capa ou cá)	t T (tê)
c C (cê)	l L (ele)	u U (u)
d D (dê)	m M (eme)	v V (vê)
e E (é)	n N (ene)	w W (dáblio)
f F (efe)	o O (ó)	x X (xis)
g G (gê ou guê)	p P (pê)	y Y (ípsilon)
h H (agá)	q Q (quê)	z Z (zê)
i I (i)	r R (erre)	

Obs.: 1. Além destas letras, usam-se o *ç* (cê cedilhado) e os seguintes dígrafos: *rr* (erre duplo), *ss* (esse duplo), *ch* (cê-agá), *lh* (ele-agá), *nh* (ene-agá), *gu* (guê-u) e *qu* (quê-u).

2. Os nomes das letras acima sugeridos não excluem outras formas de as designar.

2º) As letras *k*, *w* e *y* usam-se nos seguintes casos especiais:

a) Em antropónimos/antropônimos originários de outras línguas e seus derivados: *Franklin*, *frankliniano*; *Kant*, *kantismo*; *Darwin*, *darwinismo*; *Wagner*, *wagneriano*; *Byron*, *byroniano*; *Taylor*, *taylorista*;

b) Em topónimos/topônimos originários de outras línguas e seus derivados: *Kwanza*, *Kuwait*, *kuwaitiano*; *Malawi*, *malawiano*;

c) Em siglas, símbolos e mesmo em palavras adotadas como unidades de medida de curso internacional: *TWA*, *KLM*; *K - potássio* (de *kalium*), *W - oeste* (*West*); *kg - quilograma*, *km - quilómetro*, *kW - kilowatt*, *yd - jarda* (*yard*); *Watt*.

3º) Em congruência com o número anterior, mantêm-se nos vocábulos derivados eruditamente de nomes próprios estrangeiros quaisquer combinações gráficas ou sinais diacríticos não peculiares à nossa escrita que figurem nesses nomes: *comtista*, de *Comte*; *garrettiano*, de *Garrett*; *jeffersónia/jeffersônia*, de *Jefferson*; *mülleriano*, de *Müller*; *shakesperiano*, de *Shakespeare*.

Os vocábulos autorizados registarão grafias alternativas admissíveis, em casos de divulgação de certas palavras de tal tipo de origem (a exemplo de *fúcsia/fúchsia* e derivados, *bungavília/ bunganvílea/ bougainvíllea*).

4º) Os dígrafos finais de origem hebraica *ch*, *ph* e *th* podem conservar-se em formas onomásticas da tradição bíblica, como *Baruch*, *Loth*, *Moloch*, *Ziph*, ou então simplificar-se: *Baruc*, *Lot*, *Moloc*, *Zif*. Se qualquer um destes dígrafos, em formas do mesmo tipo, é invariavelmente mudo, elimina-se: *José*, *Nazaré*, em vez de

Joseph, *Nazareth*; e se algum deles, por força do uso, permite adaptação, substitui-se, recebendo uma adição vocálica: *Judite*, em vez de *Judith*.

5º) As consoantes finais grafadas *b*, *c*, *d*, *g* e *t* mantêm-se, quer sejam mudas, quer proferidas, nas formas onomásticas em que o uso as consagrou, nomeadamente antropónimos/antropônimos e topónimos/topônimos da tradição bíblica; *Jacob*, *Job*, *Moab*, *Isaac*; *David*, *Gad*; *Gog*, *Magog*; *Bensabat*, *Josafat*.

Integram-se também nesta forma: *Cid*, em que o *d* é sempre pronunciado; *Madrid* e *Valhadolid*, em que o *d* ora é pronunciado, ora não; e *Calecut* ou *Calicut*, em que o *t* se encontra nas mesmas condições.

Nada impede, entretanto, que dos antropónimos/antropônimos em apreço sejam usados sem a consoante final *Jó*, *Davi* e *Jacó*.

6º) Recomenda-se que os topónimos/topônimos de línguas estrangeiras se substituam, tanto quanto possível, por formas vernáculas, quando estas sejam antigas e ainda vivas em português ou quando entrem, ou possam entrar, no uso corrente. Exemplo: *Anvers*, substituído por *Antuérpia*; *Cherbourg*, por *Cherburgo*; *Garonne*, por *Garona*; *Genève*, por *Genebra*; *Jutland*, por *Jutlândia*; *Milano*, por *Milão*; *München*, por *Muniche*; *Torino*, por *Turim*; *Zürich*, por *Zurique*, etc.

Base II
Do *h* inicial e final

1º) O *h* inicial emprega-se:

a) Por força da etimologia: *haver*, *hélice*, *hera*, *hoje*, *hora*, *homem*, *humor*.

b) Em virtude da adoção convencional: *hã?*, *hem?*, *hum!*.

2º) O *h* inicial suprime-se:

a) Quando, apesar da etimologia, a sua supressão está inteiramente consagrada pelo uso: *erva*, em vez de *herva*; e, portanto, *ervaçal*, *ervanário*, *ervoso* (em contraste com *herbáceo*, *herbanário*, *herboso*, formas de origem erudita);

b) Quando, por via de composição, passa a interior e o elemento em que figura se aglutina ao precedente: *biebdomadário*, *desarmonia*, *desumano*, *exaurir*, *inábil*, *lobisomem*, *reabilitar*, *reaver*.

3º) O *h* inicial mantém-se, no entanto, quando, numa palavra composta, pertence a um elemento que está ligado ao anterior por meio de hífen: *anti-higiénico*/*anti-higiênico*, *contra-haste*, *pré-história*, *sobre-humano*.

4º) O *h* final emprega-se em interjeições: *ah! oh!*.

Base III
Da homofonia de certos grafemas consonânticos

Dada a homofonia existente entre certos grafemas consonânticos, torna-se necessário diferençar os seus empregos, que fundamentalmente se regulam pela história das palavras. É certo que a variedade das condições em que se fixam na escrita os grafemas consonânticos homófonos nem sempre permite fácil diferenciação dos casos em que se deve empregar uma letra e daqueles em que, diversamente, se deve empregar outra, ou outras, a representar o mesmo som.

Nesta conformidade, importa notar, principalmente, os seguintes casos:

1º) Distinção gráfica entre *ch* e *x*: *achar, archote, bucha, capacho, capucho, chamar, chave, Chico, chiste, chorar, colchão, colchete, endecha, estrebucha, facho, ficha, flecha, frincha, gancho, inchar, macho, mancha, murchar, nicho, pachorra, pecha, pechincha, penacho, rachar, sachar, tacho; ameixa, anexim, baixel, baixo, bexiga, bruxa, coaxar, coxia, debuxo, deixar, eixo, elixir, enxofre, faixa, feixe, madeixa, mexer, oxalá, praxe, puxar, rouxinol, vexar, xadrez, xarope, xenofobia, xerife, xícara.*

2º) Distinção gráfica entre *g*, com valor de fricativa palatal, e *j*: *adágio, alfageme, Álgebra, algema, algeroz, Algés, algibebe, algibeira, álgido, almarge, Alvorge, Argel, estrangeiro, falange, ferrugem, frigir, gelosia, gengiva, gergelim, geringonça. Gibraltar, ginete, ginja, girafa, gíria, herege, relógio, sege, Tânger, virgem*; *adjetivo, ajeitar, ajeru* (nome de planta indiana e de uma espécie de papagaio), *canjerê, canjica, enjeitar, granjear, hoje, intrujice, jecoral, jejum, jeira, jeito, Jeová, jenipapo, jequiri, jequitibá, Jeremias, Jericó, jerimum, Jerónimo, Jesus, jibóia, jiquipanga, jiquiró, jiquitaia, jirau, jiriti, jitirana, laranjeira, lojista, majestade, majestoso, manjerico, manjerona, mucujê, pajé, pegajento, rejeitar, sujeito, trejeito.*

3º) Distinção gráfica entre as letras *s, ss, c, ç* e *x*, que representam sibilantes surdas: *ânsia, ascensão, aspersão, cansar, conversão, esconso, farsa, ganso, imenso, mansão, mansarda, manso, pretensão, remanso, seara, seda, Seia, Sertã, Sernancelhe, serralheiro, Singapura, Sintra, sisa, tarso, terso, valsa; abadessa, acossar, amassar, arremessar, Asseiceira, asseio, atravessar, benesse, Cassilda, codesso* (identicamente *Codessal ou Codassal, Codesseda, Codessoso*, etc.), *crasso, devassar, dossel, egresso, endossar, escasso, fosso, gesso, molosso, mossa, obsessão, pêssego, possesso, remessa, sossegar, acém, acervo, alicerce, cebola, cereal, Cernache, cetim, Cinfães, Escócia, Macedo, obcecar, percevejo; açafate, açorda, açúcar, almaço, atenção, berço, Buçaco, caçanje, caçula, caraça, dançar, Eça, enguiço, Gonçalves, inserção, linguiça, maçada, Mação, maçar, Moçambique, Monção, muçulmano, murça, negaça, pança, peça, quiçaba, quiçaça, quiçama, quiçamba, Seiça* (grafia que pretere as errôneas/errôneas *Ceiça e Ceissa*), *Seiçal, Suíça, terço; auxílio, Maximiliano, Maximino, máximo, próximo, sintaxe.*

4º) Distinção gráfica entre *s* de fim de sílaba (inicial ou interior) e *x* e *z* com idêntico valor fónico/fônico: *adestrar, Calisto, escusar, esdrúxulo, esgotar, esplanada, esplêndido, espontâneo, espremer, esquisito, estender, Estremadura, Estremoz, inesgotável; extensão, explicar, extraordinário, inextricável, inexperto, sextante, têxtil; capazmente, infelizmente, velozmente*. De acordo com esta distinção convém notar dois casos:

a) Em final de sílaba que não seja final de palavra, o *x* = *s* muda para *s* sempre que está precedido de *i* ou *u*: *justapor, justalinear, misto, sistino* (cf. *Capela Sistina*), *Sisto*, em vez de *juxtapor, juxtalinear, mixto, sixtina, Sixto.*

b) Só nos advérbios em *-mente* se admite *z*, com valor idêntico ao de *s*, em final de sílaba seguida de outra consoante (cf. *capazmente*, etc.); de contrário, o *s* toma sempre o lugar do *z*: *Biscaia*, e não *Bizcaia*.

5º) Distinção gráfica entre *s* final de palavra e *x* e *z* com idêntico valor fónico/fônico: *aguarrás, aliás, anis, após, atrás, através, Avis, Brás, Dinis, Garcês, gás, Gerês, Inês, íris, Jesus, jus, lápis, Luís, país, português, Queirós, quis, retrós, revés, Tomás, Valdês; cálix, Félix, Fênix, flux; assaz, arroz, avestruz, dez, diz, fez* (substantivo e forma do verbo *fazer*), *fiz, Forjaz, Galaaz, giz, jaez, matiz, petiz, Queluz, Romariz,* [*Arcos de*] *Valdevez, Vaz*. A propósito, deve observar-se que é inadmissível *z* final equivalente a *s* em palavra não oxítona: *Cádis*, e não *Cádiz*.

6º) Distinção gráfica entre as letras interiores *s, x* e *z*, que representam sibilantes sonoras: *aceso, analisar, anestesia, artesão, asa, asilo, Baltasar, besouro, besuntar, blusa, brasa, brasão, Brasil, brisa,* [*Marco de*] *Canaveses, coliseu, defesa, duquesa, Elisa, empresa, Ermesinde, Esposende, frenesi* ou *frenesim, frisar, guisa, improviso, jusante, liso, lousa, Lousã, Luso* (nome de lugar, homónimo/homônimo de *Luso*, nome mitológico), *Matosinhos, Meneses, narciso, Nisa, obséquio, ousar, pesquisa, portuguesa, presa, raso, represa, Resende, sacerdotisa, Sesimbra, Sousa, surpresa, tisana, transe, trânsito, vaso; exalar, exemplo, exibir, exorbitar, exuberante, inexato, inexorável; abalizado, alfazema, Arcozelo, autorizar, azar, azedo, azo, azorrague, baliza, bazar, beleza, buzina, búzio, comezinho, deslizar, deslize, Ezequiel, fuzileiro, Galiza, guizo, helenizar, lambuzar, lezíria, Mouzinho, proeza, sazão, urze, vazar, Veneza, Vizela, Vouzela.*

Base IV
Das sequências consonânticas

1º) O *c*, com valor de oclusiva velar, das sequências interiores *cc* (segundo *c* com valor de sibilante), *cç* e *ct*, e o *p* das sequências interiores *pc* (*c* com valor de sibilante), *pç* e *pt*, ora se conservam, ora se eliminam.

Assim:

a) Conservam-se nos casos em que são invariavelmente proferidos nas pronúncias cultas da língua: *compacto, convicção, convicto, ficção, friccionar, pacto, pictural; adepto, apto, díptico, erupção, eucalipto, inepto, núpcias, rapto.*

b) Eliminam-se nos casos em que são invariavelmente mudos nas pronúncias cultas da língua: *ação, acionar, afetivo, aflição, aflito, ato, coleção, coletivo, direção, diretor, exato, objeção; adoção, adotar, batizar, Egito, ótimo.*

c) Conservam-se ou eliminam-se, facultativamente, quando se proferem numa pronúncia culta, quer geral, quer restritamente, ou então quando oscilam entre a prolação e o emudecimento: *aspecto* e *aspeto*, *cacto* e *cato*, *caracteres* e *carateres*, *dicção* e *dição*; *facto* e *fato*, *sector* e *setor*, *ceptro* e *cetro*, *concepção* e *conceção*, *corrupto* e *corruto*, *recepção* e *receção*.

d) Quando, nas sequências interiores *mpc*, *mpç* e *mpt* se eliminar o *p* de acordo com o determinado nos parágrafos precedentes, o *m* passa a *n*, escrevendo-se, respetivamente, *nc*, *nç* e *nt*: *assumpcionista* e *assuncionista*; *assumpção* e *assunção*; *assumptível* e *assuntível*; *peremptório* e *perentório*, *sumptuoso* e *suntuoso*, *sumptuosidade* e *suntuosidade*.

2º) Conservam-se ou eliminam-se, facultativamente, quando se proferem numa pronúncia culta, quer geral, quer restritamente, ou então quando oscilam entre a prolação e o emudecimento: o *b* da sequência *bd*, em *súbdito*; o *b* da sequência *bt*, em *subtil* e seus derivados; o *g* da sequência *gd*, em *amígdala, amigdalácea, amigdalar, amigdalato, amigdalite, amigdalóide, amigdalopatia, amigdalotomia*; o *m* da sequência *mn*, em *amnistia, amnistiar, indemne, indemnidade, indemnizar, omnímodo, omnipotente, omnisciente*, etc.; o *t* da sequência *tm*, em *aritmética* e *aritmético*.

Base V
Das vogais átonas

1º) O emprego do *e* e do *i*, assim como o do *o* e do *u*, em sílaba átona, regula-se fundamentalmente pela etimologia e por particularidades da história das palavras. Assim, se estabelecem variadíssimas grafias:

a) Com *e* e *i*: *ameaça, amealhar, antecipar, arrepiar, balnear, boreal, campeão, cardeal* (prelado, ave, planta; diferente de *cardial* = “relativo à cárdia”), *Ceará, côdea, enseada, enteado, Floreal, janeanes, lêndea, Leonardo, Leonel, Leonor, Leopoldo, Leote, linear, meão, melhor, nomear, peanha, quase* (em vez de *quási*), *real, semear, semelhante, várzea; ameixial, Ameixieira, amial, amieiro, arrieiro, artilharia, capitânia, cordial* (adjetivo e substantivo), *corriola, crânio, criar, diante, diminuir, Dinis, ferregial, Filinto, Filipe* (e identicamente *Filipa, Filipinas*, etc.), *freixial, giesta, Idanha, igual, imiscuir-se, inigualável, lampião, limiar, Lumiar, lumieiro, pátio, pior, tigela, tijolo, Vimieiro, Vimioso.*

b) Com *o* e *u*: *abolir, Alpendorada, assolar, borboleta, cobiça, consoada, consoar costume, díscolo, êmbolo, engolir, epístola, esbafonir-se, esboroar, farândola, femoral, Freixoeira, girândola, goela, jocoso, mágoa, névoa, nódoa, óbolo, Páscoa, Pascoal, Pascoela, polir, Rodolfo, távoa, tavoada, távola, tômbola, veio* (substantivo e forma do verbo *vir*); *açular, água, aluvião, arcuense, assumir, bulir, camândulas, curtir, curtume, embutir, entupir, fémur/fêmur, fistula, glândula, ínsua, jucundo, légua, Luanda, lucubração, lugar, mangual, Manuel, míngua, Nicarágua, pontual, régua, tábua, tabuada, tabuleta, trégua, vitualha.*

2º) Sendo muito variadas as condições etimológicas e histórico-fonéticas em que se fixam graficamente *e* e *i* ou *o* e *u* em sílaba átona, é evidente que só a consulta dos vocabulários ou dicionários pode indicar, muitas vezes, se deve empregar-se *e* ou *i*, se *o* ou *u*. Há, todavia, alguns casos em que o uso dessas vogais pode ser facilmente sistematizado. Convém fixar os seguintes:

a) Escrevem-se com *e*, e não com *i*, antes da sílaba tónica/tônica, os substantivos e adjetivos que procedem de substantivos terminados em *-eio* e *-eia*, ou com eles estão em relação direta. Assim se regulam: *aldeão, aldeola, aldeota* por *aldeia*; *areal, areeiro, areento, Areosa* por *areia*; *aveal por aveia*; *baleal* por *baleia*; *cadeado* por *cadeia*; *candeeiro* por *candeia*; *centeeira* e *centeeiro* por *centeio*; *colmeal* e *colmeeiro* por *colmeia*; *correada* e *correame* por *correia.*

b) Escrevem-se igualmente com *e*, antes de vogal ou ditongo da sílaba tónica/tônica, os derivados de palavras que terminam em *e* acentuado (o qual pode representar um antigo hiato: *ea, ee*): *galeão, galeota, galeote*, de *galé*; *coreano*, de *Coreia*; *daomeano*, de *Daomé*; *guineense*, de *Guiné*; *poleame* e *poleeiro*, de *polé*.

c) Escrevem-se com *i*, e não com *e*, antes da sílaba tónica/tônica, os adjetivos e substantivos derivados em que entram os sufixos mistos de formação vernácula *-iano* e *-iense*, os quais são o resultado da combinação dos sufixos *-ano* e *-ense* com um *i* de origem analógica (baseado em palavras onde *-ano* e *-ense* estão precedidos de *i* pertencente ao tema: *horaciano, italiano, duriense, flaviense*, etc.): *açoriano, acriano* (de *Acre*), *camoniano, goisiano* (relativo a Damião de Góis), *siniense* (de *Sines*), *sofocliano, torniano, torniense* (*de Torre*(*s*)).

d) Uniformizam-se com as terminações *-io* e *-ia* (átonas), em vez de *-eo* e *-ea*, os substantivos que constituem variações, obtidas por ampliação, de outros substantivos terminados em vogal; *cúmio* (popular), de *cume*; *hástia*, de *haste*; *réstia*, do antigo *reste, véstia*, de *veste*.

e) Os verbos em *-ear* podem distinguir-se praticamente, grande número de vezes, dos verbos em *-iar*, quer pela formação, quer pela conjugação e formação ao mesmo tempo. Estão no primeiro caso todos os verbos que se prendem a substantivos em *-eio* ou *-eia* (sejam formados em português ou venham já do latim); assim se regulam: *aldear*, por *aldeia*; *alhear*, por *alheio*; *cear* por *ceia*; *encadear* por *cadeia*; *pear*, por *peia*; etc. Estão no segundo caso todos os verbos que têm normalmente flexões rizotónicas/rizotônicas em *-eio, -eias*, etc.: *clarear, delinear, devanear, falsear, granjear, guerrear, hastear, nomear, semear*, etc. Existem, no entanto, verbos em *-iar*, ligados a substantivos com as terminações átonas *-ia* ou *-io*, que admitem variantes na conjugação: *negoceio* ou *negocio* (cf. *negócio*); *premeio* ou *premio* (cf. *prémio/prêmio*); etc.

f) Não é lícito o emprego do *u* final átono em palavras de origem latina. Escreve-se, por isso: *moto*, em vez de *mótu* (por exemplo, na expressão de *moto próprio*); *tribo*, em vez de *tríbu*.

g) Os verbos em *-oar* distinguem-se praticamente dos verbos em *-uar* pela sua conjugação nas formas rizotónicas/rizotônicas, que têm sempre *o* na sílaba acentuada: *abençoar* com *o*, como *abençoo, abençoas*, etc.; *destoar*, com *o*, como *destoo, destoas*, etc.; mas *acentuar*, com *u*, como *acentuo, acentuas*, etc.

Base VI
Das vogais nasais

Na representação das vogais nasais devem observar-se os seguintes preceitos:

1º) Quando uma vogal nasal ocorre em fim de palavra, ou em fim de elemento seguido de hífen, representa-se a nasalidade pelo til, se essa vogal é de timbre *a*; por *m*, se possui qualquer outro timbre e termina a palavra; e por *n*, se é de timbre diverso de *a* e está seguida de *s*: *afã, grã, Grã-Bretanha, lã, órfã, sã-braseiro* (forma dialetal; o mesmo que *são-brasense* = de S. Brás de Alportel); *clarim, tom, vacum, flautins, semitons, zunzuns*.

2º) Os vocábulos terminados em *-ã* transmitem esta representação do *a* nasal aos advérbios em *-mente* que deles se formem, assim como a derivados em que entrem sufixos iniciados por *z*: *cristãmente, irmãmente, sãmente; lãzudo, maçãzita, manhãzinha, romãzeira*.

Base VII
Dos ditongos

1º) Os ditongos orais, que tanto podem ser tónicos/tônicos como átonos, distribuem-se por dois grupos gráficos principais, conforme o segundo elemento do ditongo é representado por *i* ou *u*: *ai, ei, éi, ui; au, eu, éu, iu, ou*: *braçais, caixote, deveis, eirado, farnéis* (mas *farneizinhos*), *goivo, goivar, lençóis* (mas *lençoizinhos*), *tafuis, uivar, cacau, cacaueiro, deu, endeusar, ilhéu* (mas *ilheuzito*), *mediu, passou, regougar*.

Obs.: Admitem-se, todavia, excecionalmente, à parte destes dois grupos, os ditongos grafados *ae* (= *âi* ou *ai*) e *ao* (*âu* ou *au*): o primeiro, representado nos antropónimos/antropônimos *Caetano* e *Caetana*, assim como nos respetivos derivados e compostos (*caetaninha, são-caetano*, etc.); o segundo, representado nas combinações da preposição *a* com as formas masculinas do artigo ou pronome demonstrativo *o*, ou seja, *ao* e *aos*.

2º) Cumpre fixar, a propósito dos ditongos orais, os seguintes preceitos particulares:

a) É o ditongo grafado *ui*, e não a sequência vocálica grafada *ue*, que se emprega nas formas de 2ª e 3ª pessoas do singular do presente do indicativo e igualmente na da 2ª pessoa do singular do imperativo dos verbos em *-uir*: *constituis, influi, retribui*. Harmonizam-se, portanto, essas formas com todos os casos de ditongo grafado *ui* de sílaba final ou fim de palavra (*azuis, fui, Guardafui, Rui*, etc.); e ficam assim em paralelo gráfico-fonético com as formas de 2ª e 3ª pessoas do singular do presente do indicativo e de 2ª pessoa do singular do imperativo dos verbos em *-air* e em *-oer*: *atrais, cai, sai; móis, remói, sói*.

b) É o ditongo grafado *ui* que representa sempre, em palavras de origem latina, a união de um *u* a um *i* átono seguinte. Não divergem, portanto, formas como *fluido* de formas como *gratuito*. E isso não impede que nos derivados de formas daquele tipo as vogais grafadas *u* e *i* se separem: *fluídico, fluidez* (*u-i*).

c) Além dos ditongos orais propriamente ditos, os quais são todos decrescentes, admite-se, como é sabido, a existência de ditongos crescentes. Podem considerar-se no número deles as sequências vocálicas pós-tónicas/pós-tônicas, tais as que se representam graficamente por *ea, eo, ia, ie, io, oa, ua, ue, uo*: *áurea, áureo, calúnia, espécie, exímio, mágoa, míngua, tênue, tríduo*.

3º) Os ditongos nasais, que na sua maioria tanto podem ser tónicos/tônicos como átonos, pertencem graficamente a dois tipos fundamentais: ditongos representados por vogal com til e semivogal; ditongos representados por uma vogal seguida da consoante nasal *m*. Eis a indicação de uns e outros:

a) Os ditongos representados por vogal com til e semivogal são quatro, considerando-se apenas a língua padrão contemporânea: *ãe* (usado em vocábulos oxítonos e derivados), *ãi* (usado em vocábulos anoxítonos e derivados), *ão* e *õe*. Exemplos: *cães, Guimarães, mãe, mãezinha; cãibas, cãibeiro, cãibra, zãibo; mão, mãozinha, não, quão, sótão, sotãozinho, tão; Camões, orações, oraçõezinhas, põe, repões*. Ao lado de tais ditongos pode, por exemplo, colocar-se o ditongo *ũi*; mas este, embora se exemplifique numa forma popular como *rũi* = *ruim*, representa-se sem o til nas formas *muito* e *mui*, por obediência à tradição.

b) Os ditongos representados por uma vogal seguida da consoante nasal *m* são dois: *am* e *em*. Divergem, porém, nos seus empregos:

i) *am* (sempre átono) só se emprega em flexões verbais: *amam, deviam, escreveram, puseram*;

ii) *em* (tónico/tônico ou átono) emprega-se em palavras de categorias morfológicas diversas, incluindo flexões verbais, e pode apresentar variantes gráficas determinadas pela posição, pela acentuação ou, simultaneamente, pela posição e pela acentuação: *bem, Bembom, Bemposta, cem, devem, nem, quem, sem, tem, virgem*; *Bencanta, Benfeito, Benfica, benquisto, bens, enfim, enquanto, homenzarrão, homenzinho, nuvenzinha, tens, virgens, amém* (variação do *ámen*), *armazém, convém, mantém, ninguém, porém, Santarém, também*; *convêm, mantêm, têm* (3ªs pessoas do plural); *armazéns, desdéns, convéns, reténs*; *Belenzada, vintenzinho*.

Base VIII
Da acentuação gráfica das palavras oxítonas

1º) Acentuam-se com acento agudo:

a) As palavras oxítonas terminadas nas vogais tónicas/tônicas abertas grafadas *-a*, *-e* ou *-o*, seguidas ou não de *-s*: *está, estás, já, olá*; *até, é, és, olé, pontapé(s)*; *avó(s), dominó(s), paletó(s), só(s)*.

Obs.: Em algumas (poucas) palavras oxítonas terminadas em *-e* tónico/tônico, geralmente provenientes do francês, esta vogal, por ser articulada nas pronúncias cultas ora como aberta ora como fechada, admite tanto o acento agudo como o acento circunflexo: *bebé* ou *bebê*, *bidé* ou *bidê*, *canapé* ou *canapê*, *caraté* ou *caratê*, *croché* ou *crochê*, *guichê* ou *guichê*, *matiné* ou *matinê*, *nené* ou *nenê*, *ponjé* ou *ponjê*, *puré* ou *purê*, *rapé* ou *rapê*. O mesmo se verifica com formas como *cocó* e *cocô*, *ró* (letra do alfabeto grego) e *rô*. São igualmente admitidas formas como *judô*, a par de *judo*, e *metrô*, a par de *metro*.

b) As formas verbais oxítonas, quando, conjugadas com os pronomes clíticos *lo(s)* ou *la(s)*, ficam a terminar na vogal tónica/tônica aberta grafada *-a*, após a assimilação e perda das consoantes finais grafadas *-r*, *-s* ou *-z*: *adorá-lo(s)* (*de adorar-lo(s)*), *dá-la(s)* (*de dar-la(s)* ou *dá(s)-la(s)*), *fá-lo(s)* (de *faz-lo(s)*), *fá-lo(s)-às* (de *far-lo(s)-ás*), *habitá-la(s)-iam* (de *habitar-la(s)-iam*), *trá-la(s)-á* (de *trar-la(s)-á*).

c) As palavras oxítonas com mais de uma sílaba terminadas no ditongo nasal grafado *-em* (exceto as formas da 3ª pessoa do plural do presente do indicativo dos compostos de *ter* e *vir*: *retêm, sustêm*; *advêm, provêm*, etc.) ou *-ens*: *acém, detém, deténs, entretém, entreténs, harém, haréns, porém, provém, provéns, também*.

d) As palavras oxítonas com os ditongos abertos grafados *-éi, éu* ou *ói*, podendo estes dois últimos ser seguidos ou não de *-s*: *anéis, batéis, fiéis, papéis*; *céu(s), chapéu(s), ilhéu(s), véu(s)*; *corrói* (de *corroer*), *herói(s), remói* (de *remoer*), *sóis*.

2º) Acentuam-se com acento circunflexo:

a) As palavras oxítonas terminadas nas vogais tónicas/tônicas fechadas que se grafam *-e* ou *-o*, seguidas ou não de *-s*: *cortês, dê, dês* (de *dar*), *lê, lês* (de *ler*), *português, você(s)*; *avô(s), pôs* (de *pôr*), *robô(s)*;

b) As formas verbais oxítonas, quando conjugadas com os pronomes clíticos *-lo(s)* ou *-la(s)*, ficam a terminar nas vogais tónicas/tônicas fechadas que se grafam *-e* ou *-o*, após a assimilação e perda das consoantes finais grafadas *-r*, *-s* ou *-z*: *detê-lo(s)* (de *deter-lo-(s)*), *fazê-la(s)* (de *fazer-la(s)*), *fê-lo(s)* (de *fez-lo(s)*), *vê-la(s)* (de *ver-la(s)*), *compô-la(s)* (de *compor-la(s)*), *repô-la(s)* (de *repor-la(s)*), *pô-la(s)* (de *por-la(s)* ou *pôs-la(s)*).

3º) Prescinde-se de acento gráfico para distinguir palavras oxítonas homógrafas, mas heterofónicas/heterofônicas, do tipo de *cor* (*ô*), substantivo, e *cor* (*ó*), elemento da locução de *cor*; *colher* (*ê*), verbo, e *colher* (*é*), substantivo. Excetua-se a forma verbal *pôr*, para a distinguir da preposição *por*.

Base IX
Da acentuação gráfica das palavras paroxítonas

1º) As palavras paroxítonas não são em geral acentuadas graficamente: *enjoo, grave, homem, mesa, Tejo, vejo, velho, voo*; *avanço, floresta*; *abençoo, angolano, brasileiro*; *descobrimento, graficamente, moçambicano*.

2º) Recebem, no entanto, acento agudo:

a) As palavras paroxítonas que apresentam, na sílaba tónica/tônica, as vogais abertas grafadas *a, e, o* e ainda *i* ou *u* e que terminam em *-l, -n, -r, -x* e *-ps*, assim como, salvo raras exceções, as respectivas formas do plural, algumas das quais passam a proparoxítonas: *amável* (pl. *amáveis*), *Aníbal, dócil* (pl. *dóceis*), *dúctil* (pl. *dúcteis*), *fóssil* (pl. *fósseis*), *réptil* (pl. *répteis*; var. *reptil*, pl. *reptis*); *cármen* (pl. *cármenes* ou *carmens*; var. *carme*, pl. *carmes*); *dólmen* (pl. *dólmenes* ou *dolmens*), *éden* (pl. *édenes* ou *edens*), *líquen* (pl. *líquenes*), *lúmen* (pl. *lúmenes* ou *lumens*); *açúcar* (pl. *açúcares*), *almíscar* (pl. *almíscares*), *cadáver* (pl. *cadáveres*), *caráter* ou *carácter* (mas pl. *carateres* ou *caracteres*), *ímpar* (pl. *ímpares*); *Ájax, córtex* (pl. *córtex*; var. *córtice*, pl. *córtices, índex* (pl. *índex*; var. *índice*, pl. *índices*), *tórax* (pl. *tórax* ou *tóraxes*; var. *torace*, pl. *toraces*); *bíceps* (pl. *bíceps*; var. *bicípite*, pl. *bicípites*), *fórceps* (pl. *fórceps*; var. *fórcipe*, pl. *fórcipes*).

Obs.: Muito poucas palavras deste tipo, com as vogais tónicas/tônicas grafadas *e* e *o* em fim de sílaba, seguidas das consoantes nasais grafadas *m* e *n*, apresentam oscilação de timbre nas pronúncias cultas da língua e, por conseguinte, também de acento gráfico (agudo ou circunflexo): *sémen* e *sêmen, xénon* e *xênon*; *fêmur* e *fémur, vómer* e *vômer*; *Fénix* e *Fênix, ónix* e *ônix*.

b) As palavras paroxítonas que apresentam, na sílaba tónica/tônica, as vogais abertas grafadas *a, e, o* e ainda *i* ou *u* e que terminam em *-ã*(*s*), *-ão*(*s*), *-ei*(*s*), *-i*(*s*), *-um, -uns* ou *-us*: *órfã* (pl. *órfãs*), *acórdão* (pl. *acórdãos*), *órfão* (pl. *órfãos*), *órgão* (pl. *órgãos*), *sótão* (pl. *sótãos*); *hóquei, jóquei* (pl. *jóqueis*), *amáveis* (pl. de *amável*), *fáceis* (pl. de *fácil*), *fósseis* (pl. de *fóssil*), *amáreis* (de *amar*), *amáveis* (id.), *cantaríeis* (de *cantar*), *fizéreis* (de *fazer*), *fizésseis* (id.); *beribéri* (pl. *beribéris*), *bílis* (sg. e pl.), *íris* (sg. e pl.), *júri* (pl. *júris*), *oásis* (sg. e pl.); *álbum* (pl. *álbuns*), *fórum* (pl. *fóruns*); *húmus* (sg. e pl.), *vírus* (sg. e pl.).

Obs.: Muito poucas paroxítonas deste tipo, com as vogais tónicas/tônicas grafadas *e* e *o* em fim de sílaba, seguidas das consoantes nasais grafadas *m* e *n*, apresentam oscilação de timbre nas pronúncias cultas da língua, o qual é assinalado com acento agudo, se aberto, ou circunflexo, se fechado: *pónei* e *pônei*; *gónis* e *gônis, pénis* e *pênis, ténis* e *tênis*; *bónus* e *bônus, ónus* e *ônus, tónus* e *tônus, Vénus* e *Vênus*.

3º) Não se acentuam graficamente os ditongos representados por *ei* e *oi* da sílaba tónica/tônica das palavras paroxítonas, dado que existe oscilação em muitos casos entre o fechamento e a abertura na sua articulação: *assembleia, boleia, ideia*, tal como *aldeia, baleia, cadeia, cheia, meia*; *coreico, epopeico, onomatopeico, proteico*; *alcaloide, apoio* (do verbo *apoiar*), tal como *apoio* (subst.), *Azoia, boia, boina, comboio* (subst.), tal como *comboio, comboias*, etc. (do verbo *comboiar*), *dezoito, estroina, heroico, introito, jiboia, moina, paranoico, zoina*.

4º) É facultativo assinalar com acento agudo as formas verbais de pretérito perfeito do indicativo, do tipo *amámos, louvámos*, para as distinguir das correspondentes formas do presente do indicativo (*amamos, louvamos*), já que o timbre da vogal tónica/tônica é aberto naquele caso em certas variantes do português.

5º) Recebem acento circunflexo:

a) As palavras paroxítonas que contêm, na sílaba tónica/tônica, as vogais fechadas com a grafia *a, e, o* e que terminam em *-l, -n, -r,* ou *-x*, assim como as respetivas formas do plural, algumas das quais se tornam proparoxítonas: *cônsul* (pl. *cônsules*), *pênsil* (pl. *pênseis*), *têxtil* (pl. *têxteis*); *cânon*, var. *cânone* (pl. *cânones*), *plâncton* (pl. *plânctons*); *Almodôvar, aljôfar* (pl. *aljôfares*), *âmbar* (pl. *âmbares*), *Câncer, Tânger*; *bômbax* (sg. e pl.), *bômbix*, var. *bômbice* (pl. *bômbices*).

b) As palavras paroxítonas que contêm, na sílaba tónica/tônica, as vogais fechadas com a grafia *a, e, o* e que terminam em *-ão(s), -eis, -i(s)* ou *-us*: *bênção(s), côvão(s), Estêvão, zângão(s)*; *devêreis* (de *dever*), *escrevêsseis* (de *escrever*), *fôreis* (de *ser* e *ir*), *fôsseis* (id.), *pênseis* (pl. de *pênsil*), *têxteis* (pl. de *têxtil*); *dândi(s), Mênfis*; *ânus*.

c) As formas verbais *têm* e *vêm*, 3as pessoas do plural do presente do indicativo de *ter* e *vir*, que são foneticamente paroxítonas (respetivamente */tãjãj/, /vãjãj/ ou /têêj/, /vêêj/* ou ainda */têjêj/, /vêjêj/*); cf. as antigas grafias preteridas, *têem, vêem*, a fim de se distinguirem de *tem* e *vem*, 3as pessoas do singular do presente do indicativo ou 2as pessoas do singular do imperativo; e também as correspondentes formas compostas, tais como: *abstêm* (cf. *abstém*), *advêm* (cf. *advém*), *contêm* (cf. *contém*), *convêm* (cf. *convém*), *desconvêm* (cf. *desconvém*), *detêm* (cf. *detem*), *entretêm* (cf. *entretém*), *intervêm* (cf. *intervém*), *mantêm* (cf. *mantém*), *obtêm* (cf. *obtém*), *provêm* (cf. *provém*), *sobrevêm* (cf. *sobrevém*).

Obs.: Também neste caso são preteridas as antigas grafias *detêem, intervêem, mantêem, provêem*, etc.

6º) Assinalam-se com acento circunflexo:

a) Obrigatoriamente, *pôde* (3a pessoa do singular do pretérito perfeito do indicativo), que se distingue da correspondente forma do presente do indicativo (*pode*).

b) Facultativamente, *dêmos* (1a pessoa do plural do presente do conjuntivo), para se distinguir da correspondente forma do pretérito perfeito do indicativo (*demos*); *fôrma* (substantivo), distinta de *forma* (substantivo; 3a pessoa do singular do presente do indicativo ou 2a pessoa do singular do imperativo do verbo *formar*).

7º) Prescinde-se de acento circunflexo nas formas verbais paroxítonas que contêm um *e* tónico/tônico oral fechado em hiato com a terminação *-em* da 3a pessoa do plural do presente do indicativo ou do conjuntivo, conforme os casos: *creem, deem* (conj.), *descreem, desdeem* (conj.), *leem, preveem, redeem* (conj.), *releem, reveem, tresleem, veem*.

8º) Prescinde-se igualmente do acento circunflexo para assinalar a vogal tónica/tônica fechada com a grafia *o* em palavras paroxítonas como *enjoo*, substantivo e flexão de *enjoar, povoo*, flexão de *povoar, voo*, substantivo e flexão de *voar*, etc.

9º) Prescinde-se, quer do acento agudo, quer do circunflexo, para distinguir palavras paroxítonas que, tendo respectivamente vogal tónica/tônica aberta ou fechada, são homógrafas de palavras proclíticas. Assim, deixam de se distinguir pelo acento gráfico: *para* (*á*), flexão de *parar*, e *para*, preposição; *pela(s)* (*é*), substantivo e flexão de *pelar*, e *pela(s)*, combinação de *per* e *la(s)*; *pelo* (*é*), flexão de *pelar, pelo(s)* (*ê*), substantivo ou combinação de *per* e *lo(s)*; *polo(s)* (*ó*), substantivo, e *polo(s)*, combinação antiga e popular de *por* e *lo(s)*; etc.

10º) Prescinde-se igualmente de acento gráfico para distinguir paroxítonas homógrafas heterofónicas/heterofônicas do tipo de *acerto* (*ê*), substantivo, e *acerto* (*é*), flexão de *acertar*; *acordo* (*ô*), substantivo, e *acordo* (*ó*), flexão de *acordar*; *cerca* (*ê*), substantivo, advérbio e elemento da locução prepositiva *cerca de*, e *cerca* (*é*), flexão de *cercar*; *coro* (*ô*), substantivo, e *coro* (*ó*), flexão de *corar*; *deste* (*ê*), contração da preposição *de* com o demonstrativo *este*, e *deste* (*é*), flexão de *dar*; *fora* (*ô*), flexão de *ser* e *ir*, e *fora* (*ó*), advérbio, interjeição e substantivo; *piloto* (*ô*), substantivo, e *piloto* (*ó*), flexão de *pilotar*, etc.

Base X
Da acentuação das vogais tónicas/tônicas grafadas *i* e *u* das palavras oxítonas e paroxítonas

1º) As vogais tónicas/tônicas grafadas *i* e *u* das palavras oxítonas e paroxítonas levam acento agudo quando antecedidas de uma vogal com que não formam ditongo e desde que não constituam sílaba com a eventual consoante seguinte, excetuando o caso de *s*: *adaís* (pl. de *adail*), *aí, atraí* (de *atrair*), *baú, caís* (de *cair*), *Esaú, jacuí, Luís, país*, etc.; *alaúde, amiúde, Araújo, Ataíde, atraíam* (de *atrair*), *atraísse* (id.), *baía, balaústre, cafeína, ciúme, egoísmo, faísca, faúlha, graúdo, influíste* (de *influir*), *juízes, Luísa, miúdo, paraíso, raízes, recaída, ruína, saída, sanduíche*, etc.

2º) As vogais tónicas/tônicas grafadas *i* e *u* das palavras oxítonas e paroxítonas não levam acento agudo quando, antecedidas de vogal com que não formam ditongo, constituem sílaba com a consoante seguinte, como é o caso de *nh, l, m, n, r* e *z*: *bainha, moinho, rainha*; *adail, paul, Raul*; *Aboim, Coimbra, ruim*; *ainda, constituinte, oriundo, ruins, triunfo*; *atrair, demiurgo, influir, influirmos*; *juiz, raiz*, etc.

3º) Em conformidade com as regras anteriores leva acento agudo a vogal tónica/tônica grafada *i* das formas oxítonas terminadas em *r* dos verbos em *-air* e *-uir*, quando estas se combinam com as formas pronominais clíticas *-lo*(*s*), *-la*(*s*), que levam à assimilação e perda daquele *-r*: *atraí-lo*(*s*) (de *atrair-lo*(*s*)); *atraí-lo*(*s*)*-ia* (de *atrair-lo*(*s*)*-ia*); *possuí-la*(*s*) (de *possuir-la*(*s*)); *possuí-la*(*s*)*-ia* (de *possuir-la*(*s*)*-ia*).

4º) Prescinde-se do acento agudo nas vogais tónicas/tônicas grafadas *i* e *u* das palavras paroxítonas, quando elas estão precedidas de ditongo: *baiuca, boiuno, cauila* (var. *cauira*), *cheiinho* (de *cheio*), *saiinha* (de *saia*).

5º) Levam, porém, acento agudo as vogais tónicas/tônicas grafadas *i* e *u* quando, precedidas de ditongo, pertencem a palavras oxítonas e estão em posição final ou seguidas de *s*: *Piauí, teiú, teiús, tuiuiú, tuiuiús*.

Obs.: Se, neste caso, a consoante final for diferente de *s*, tais vogais dispensam o acento agudo: *cauim*.

6º) Prescinde-se do acento agudo nos ditongos tónicos/tônicos grafados *iu* e *ui*, quando precedidos de vogal: *distraiu, instruiu, pauis* (pl. de *paul*).

7º) Os verbos *arguir* e *redarguir* prescindem do acento agudo na vogal tónica/tônica grafada *u* nas formas rizotónicas/rizotônicas: *arguo, arguis, argui, arguem*; *argua, arguas, argua, arguam*. Os verbos do tipo de *aguar, apaniguar, apaziguar, apropinquar, averiguar, desaguar, enxaguar, obliquar, delinquir* e afins, por oferecerem dois paradigmas, ou têm as formas rizotónicas/rizotônicas igualmente acentuadas no *u* mas sem marca gráfica (a exemplo de *averiguo, averiguas, averigua, averiguam*; *averigue, averigues, averigue, averiguem*; *enxaguo, enxaguas, enxagua, enxaguam*; *enxague, enxagues, enxague, enxaguem*, etc.; *delinquo, delinquis, delinqui, delinquem*; mas *delinquimos, delinquís*) ou têm as formas rizotónicas/rizotônicas acentuadas fónica/fônica e graficamente nas vogais *a* ou *i* radicais (a exemplo de *averíguo, averíguas, averígua, averíguam*; *averígue, averígues, averígue, averíguem*; *enxáguo, enxáguas, enxágua, enxáguam*; *enxágue, enxágues, enxágue, enxáguem*; *delínquo, delínques, delínque, delínquem*; *delínqua, delínquas, delínqua, delínquam*).

Obs.: Em conexão com os casos acima referidos, registe-se que os verbos em *-ingir* (*atingir, cingir, constringir, infringir, tingir*, etc.) e os verbos em *-inguir* sem prolação do *u* (*distinguir, extinguir*, etc.) têm grafias absolutamente regulares (*atinjo, atinja, atinge, atingimos*, etc.; *distingo, distinga, distingue, distinguimos*, etc.).

Base XI
Da acentuação gráfica das palavras proparoxítonas

1º) Levam acento agudo:

a) As palavras proparoxítonas que apresentam na sílaba tónica/tônica as vogais abertas grafadas *a, e, o* e ainda *i, u* ou ditongo oral começado por vogal aberta: *árabe, cáustico, Cleópatra, esquálido, exército, hidráulico, líquido, míope, músico, plástico, prosélito, público, rústico, tétrico, último*;

b) As chamadas proparoxítonas aparentes, isto é, que apresentam na sílaba tónica/tônica as vogais abertas grafadas *a, e, o* e ainda *i, u* ou ditongo oral começado por vogal aberta, e que terminam por sequências vocálicas pós-tônicas praticamente consideradas como ditongos crescentes (*-ea, -eo, -ia, -ie, -io, -oa, -ua, -uo*, etc.): *álea, náusea*; *etéreo, níveo*; *enciclopédia, glória*; *barbárie, série*; *lírio, prélio*; *mágoa, nódoa*; *exígua, língua*; *exíguo, vácuo*.

2º) Levam acento circunflexo:

a) As palavras proparoxítonas que apresentam na sílaba tónica/tônica vogal fechada ou ditongo com a vogal básica fechada: *anacreôntico, brêtema, cânfora, cômputo, devêramos* (de *dever*), *dinâmico, êmbolo, excêntrico, fôssemos* (de *ser* e *ir*), *Grândola, hermenêutica, lâmpada, lôstrego, lôbrego, nêspera, plêiade, sôfrego, sonâmbulo, trôpego*;

b) As chamadas proparoxítonas aparentes, isto é, que apresentam vogais fechadas na sílaba tónica/tônica, e terminam por sequências vocálicas pós-tónicas/pós-tônicas praticamente consideradas como ditongos crescentes: *amêndoa, argênteo, côdea, Islândia, Mântua, serôdio*.

3º) Levam acento agudo ou acento circunflexo as palavras proparoxítonas, reais ou aparentes, cujas vogais tônicas/tônicas grafadas *e* ou *o* estão em final de sílaba e são seguidas das consoantes nasais grafadas *m* ou *n*, conforme o seu timbre é, respetivamente, aberto ou fechado nas pronúncias cultas da língua: *académico/acadêmico, anatómico/anatômico, cénico/cênico, cómodo/cômodo, fenómeno/fenômeno, género/gênero, topónimo/topônimo*; *Amazónia/Amazônia, António/Antônio, blasfémia/blasfêmia, fémea/fêmea, gémeo/gêmeo, génio/gênio, ténue/tênue*.

Base XII
Do emprego do acento grave

1º) Emprega-se o acento grave:

a) Na contração da preposição *a* com as formas femininas do artigo ou pronome demonstrativo *o*: *à* (de *a+a*), *às* (de *a+as*);

b) Na contração da preposição *a* com os demonstrativos *aquele, aquela, aqueles, aquelas e aquilo* ou ainda da mesma preposição com os compostos *aqueloutro* e suas flexões: *àquele(s), àquela(s), àquilo*; *àqueloutro(s), àqueloutra(s)*.

Base XIII
Da supressão dos acentos em palavras derivadas

1º) Nos advérbios em *-mente*, derivados de adjetivos com acento agudo ou circunflexo, estes são suprimidos: *avidamente* (de *ávido*), *debilmente* (de *débil*), *facilmente* (de *fácil*), *habilmente* (de *hábil*), *ingenuamente* (de *ingênuo*), *lucidamente* (de *lúcido*), *mamente* (de *má*), *somente* (de *só*), *unicamente* (de *único*), etc.; *candidamente* (de *cândido*), *cortesmente* (de *cortês*), *dinamicamente* (de *dinâmico*), *espontaneamente* (de *espontâneo*), *portuguesmente* (de *português*), *romanticamente* (de *romântico*).

2º) Nas palavras derivadas que contêm sufixos iniciados por *z* e cujas formas de base apresentam vogal tónica/tônica com acento agudo ou circunflexo, estes são suprimidos: *aneizinhos* (de *anéis*), *avozinha* (de *avó*), *bebezito* (de *bebê*), *cafezada* (de *café*), *chapeuzinho* (de *chapéu*), *chazeiro* (de *chá*), *heroizito* (de *herói*), *ilheuzito* (de *ilhéu*), *mazinha* (de *má*), *orfãozinho* (de *órfão*), *vintenzito* (de *vintém*), etc.; *avozinho* (de *avô*), *bençãozinha* (de *bênção*), *lampadazita* (de *lâmpada*), *pessegozito* (de *pêssego*).

Base XIV
Do trema

O trema, sinal de diérese, é inteiramente suprimido em palavras portuguesas ou aportuguesadas. Nem sequer se emprega na poesia, mesmo que haja separação de duas vogais que normalmente formam ditongo: *saudade*, e não *saüdade*, ainda que tetrassílabo; *saudar*, e não *saüdar*, ainda que trissílabo; etc.

Em virtude desta supressão, abstrai-se de sinal especial, quer para distinguir, em sílaba átona, um *i* ou um *u* de uma vogal da sílaba anterior, quer para distinguir, também em sílaba átona, um *i* ou um *u* de um ditongo precedente, quer para distinguir, em sílaba tónica/tônica ou átona, o *u* de *gu* ou de *qu* de um *e* ou *i* seguintes: *arruinar, constituiria, depoimento, esmiuçar, faiscar, faulhar, oleicultura, paraibano, reunião*; *abaiucado, auiqui, caiuá, cauixi, piauiense*; *aguentar, anguiforme, arguir, bilíngue* (ou *bilingue*), *lingueta, linguista, linguístico*; *cinquenta, equestre, frequentar, tranquilo, ubiquidade*.

Obs.: Conserva-se, no entanto, o trema, de acordo com a Base I, 3º, em palavras derivadas de nomes próprios estrangeiros: *hübneriano*, de *Hübner*, *mülleriano*, de *Müller*, etc.

Base XV
Do hífen em compostos, locuções e encadeamentos vocabulares

1º) Emprega-se o hífen nas palavras compostas por justaposição que não contêm formas de ligação e cujos elementos, de natureza nominal, adjetival, numeral ou verbal, constituem uma unidade sintagmática e semântica e mantêm acento próprio, podendo dar-se o caso de o primeiro elemento estar reduzido: *ano-luz, arcebispo-bispo, arco-íris, decreto-lei, és-sueste, médico-cirurgião, rainha-cláudia, tenente-coronel, tio-avô, turma-piloto*; *alcaide-mor, amor-perfeito, guarda-noturno, mato-grossense, norte-americano, porto-alegrense, sul-africano*; *afro-asiático, afro-luso-brasileiro, azul-escuro, luso-brasileiro, primeiro-ministro, primeiro-sargento, primo-infeção, segunda-feira*; *conta-gotas, finca-pé, guarda-chuva*.

Obs.: Certos compostos, em relação aos quais se perdeu, em certa medida, a noção de composição, grafam-se aglutinadamente: *girassol, madressilva, mandachuva, pontapé, paraquedas, paraquedista*, etc.

2º) Emprega-se o hífen nos topónimos/topônimos compostos iniciados pelos adjetivos *grã*, *grão* ou por forma verbal ou cujos elementos estejam ligados por artigo: *Grã-Bretanha, Grão-Pará*; *Abre-Campo*; *Passa-Quatro, Quebra-Costas, Quebra-Dentes, Traga-Mouros, Trinca-Fortes*; *Albergaria-a-Velha, Baía de Todos-os-Santos, Entre-os-Rios, Montemor-o-Novo, Trás-os-Montes*.

Obs.: Os outros topónimos/topônimos compostos escrevem-se com os elementos separados, sem hífen: *América do Sul, Belo Horizonte, Cabo Verde, Castelo Branco, Freixo de Espada à Cinta*, etc. O topónimo/topônimo *Guiné-Bissau* é, contudo, uma exceção consagrada pelo uso.

3º) Emprega-se o hífen nas palavras compostas que designam espécies botânicas e zoológicas, estejam ou não ligadas por preposição ou qualquer outro elemento: *abóbora-menina, couve-flor, erva-doce, feijão-verde*; *benção-de-deus, erva-do-chá, ervilha-de-cheiro, fava-de-santo-inácio, bem-me-quer* (nome de planta que também se dá à *margarida* e ao *malmequer*); *andorinha-grande, cobra-capelo, formiga-branca*; *andorinha-do-mar, cobra-d'água, lesma-de-conchinha*; *bem-te-vi* (nome de um pássaro).

4º) Emprega-se o hífen nos compostos com os advérbios *bem* e *mal*, quando estes formam com o elemento que se lhes segue uma unidade sintagmática e semântica e tal elemento começa por vogal ou *h*. No entanto, o advérbio *bem*, ao contrário de *mal*, pode não se aglutinar com palavras começadas por consoante. Eis alguns exemplos das várias situações: *bem-aventurado, bem-estar, bem-humorado*; *mal-afortunado, mal-estar, mal-humorado*; *bem-criado* (cf. *malcriado*), *bem-ditoso* (cf. *malditoso*), *bem-falante* (cf. *malfalante*), *bem-mandado* (cf. *malmandado*), *bem-nascido* (cf. *malnascido*), *bem-soante* (cf. *malsoante*), *bem-visto* (cf. *malvisto*).

Obs.: Em muitos compostos, o advérbio *bem* aparece aglutinado com o segundo elemento, quer este tenha ou não vida à parte: *benfazejo, benfeito, benfeitor, benquerença*, etc.

5º) Emprega-se o hífen nos compostos com os elementos *além, aquém, recém* e *sem*: *além-Atlântico, além-mar, além-fronteiras*; *aquém-mar, aquém-Pirenéus*; *recém-casado, recém-nascido*; *sem-cerimónia, sem-número, sem-vergonha*.

6º) Nas locuções de qualquer tipo, sejam elas substantivas, adjetivas, pronominais, adverbiais, prepositivas ou conjuncionais, não se emprega em geral o hífen, salvo algumas exceções já consagradas pelo uso (como é o caso de *água-de-colónia, arco-da-velha, cor-de-rosa, mais-que-perfeito, pé-de-meia, ao deus-dará, à queima-roupa*). Sirvam, pois, de exemplo de emprego sem hífen as seguintes locuções:

a) Substantivas: *cão de guarda, fim de semana, sala de jantar*;

b) Adjetivas: *cor de açafrão, cor de café com leite, cor de vinho*;

c) Pronominais: *cada um, ele próprio, nós mesmos, quem quer que seja*;

d) Adverbiais: *à parte* (note-se o substantivo *aparte*), *à vontade, de mais* (locução que se contrapõe a *de menos*; note-se *demais*, advérbio, conjunção, etc.), *depois de amanhã, em cima, por isso*;

e) Prepositivas: *abaixo de, acerca de, acima de, a fim de, a par de, à parte de, apesar de, aquando de, debaixo de, enquanto a, por baixo de, por cima de, quanto a*;

f) Conjuncionais: *a fim de que, ao passo que, contanto que, logo que, por conseguinte, visto que*.

7º) Emprega-se o hífen para ligar duas ou mais palavras que ocasionalmente se combinam, formando, não propriamente vocábulos, mas encadeamentos vocabulares (tipo: a divisa *Liberdade-Igualdade-Fraternidade*, a ponte *Rio-Niterói*, o percurso *Lisboa-Coimbra-Porto*, a ligação *Angola-Moçambique*, e bem assim nas combinações históricas ou ocasionais de topónimos/topônimos (tipo: *Áustria-Hungria, Alsácia-Lorena, Angola-Brasil, Tóquio-Rio de Janeiro*, etc.).

Base XVI
Do hífen nas formações por prefixação, recomposição e sufixação

1º) Nas formações com prefixos (como, por exemplo: *ante-, anti-, circum-, co-, contra-, entre-, extra-, hiper-, infra-, intra-, pós-, pré-, pró-, sobre-, sub-, super-, supra-, ultra-*, etc.) e em formações por recomposição, isto é, com elementos não autónomos ou falsos prefixos, de origem grega e latina (tais como: *aero-, agro-, arqui-, auto-, bio-, eletro-, geo-, hidro-, inter-, macro-, maxi-, micro-, mini-, multi-, neo-, pan-, pluri-, proto-, pseudo-, retro-, semi-, tele-*, etc.), só se emprega o hífen nos seguintes casos:

a) Nas formações em que o segundo elemento começa por *h*: *anti-higiênico, circum-hospitalar, co-herdeiro, contra-harmônico, extra-humano, pré-história, sub-hepático, super-homem, ultra-hiperbólico*; *arqui-hipérbole, eletro--higrômetro, geo-história, neo-helênico, pan-helenismo, semi-hospitalar*.

Obs.: Não se usa, no entanto, o hífen em formações que contêm em geral os prefixos *des-* e *in-* e nas quais o segundo elemento perdeu o *h* inicial: *desumano, desumidificar, inábil, inumano*, etc.

b) Nas formações em que o prefixo ou pseudoprefixo termina na mesma vogal com que se inicia o segundo elemento: *anti-ibérico, contra-almirante, infra-axilar, supra-auricular*; *arqui-irmandade, auto-observação, eletro-ótica, micro-onda, semi-interno*.

Obs.: Nas formações com o prefixo *co-*, este aglutina-se em geral com o segundo elemento mesmo quando iniciado por *o*: *coobrigação, coocupante, coordenar, cooperação, cooperar*, etc.

c) Nas formações com os prefixos *circum-* e *pan-*, quando o segundo elemento começa por vogal, *m* ou *n* [além de *h*, caso já considerado atrás na alínea a]: *circum-escolar, circum-murado, circum-navegação*; *pan--africano, pan-mágico, pan-negritude*;

d) Nas formações com os prefixos *hiper-*, *inter-* e *super-*, quando combinados com elementos iniciados por *r*: *hiper-requintado, inter-resistente, super-revista*.

e) Nas formações com os prefixos *ex-* (com o sentido de estado anterior ou cessamento), *sota-*, *soto-*, *vice-* e *vizo-*: *ex-almirante, ex-diretor, ex-hospedeira, ex-presidente, ex-primeiro-ministro, ex-rei*; *sota-piloto, soto-mestre, vice--presidente, vice-reitor, vizo-rei*;

f) Nas formações com os prefixos tónicos/tônicos acentuados graficamente *pós-*, *pré-* e *pró-*, quando o segundo elemento tem vida à parte (ao contrário do que acontece com as correspondentes formas átonas que se aglutinam com o elemento seguinte): *pós-graduação, pós-tónico/pós-tônicos* (mas *pospor*); *pré-escolar, pré--natal* (mas *prever*); *pró-africano, pró-europeu* (mas *promover*).

2º) Não se emprega, pois, o hífen:

a) Nas formações em que o prefixo ou falso prefixo termina em vogal e o segundo elemento começa por *r* ou *s*, devendo estas consoantes duplicar-se, prática aliás já generalizada em palavras deste tipo pertencentes aos domínios científico e técnico. Assim: *antirreligioso, antissemita, contrarregra, contrassenha, cosseno, extrarregular, infrassom, minissaia, tal como biorritmo, biossatélite, eletrossiderurgia, microssistema, microrradiografia*;

b) Nas formações em que o prefixo ou pseudoprefixo termina em vogal e o segundo elemento começa por vogal diferente, prática esta em geral já adotada também para os termos técnicos e científicos. Assim: *antiaéreo, coeducaçao, extraescolar, aeroespacial, autoestrada, autoaprendizagem, agroindustrial, hidroelétrico, plurianual*.

3º) Nas formações por sufixação apenas se emprega o hífen nos vocábulos terminados por sufixos de origem tupi-guarani que representam formas adjetivas, como *açu*, *guaçu* e *mirim*, quando o primeiro elemento acaba em vogal acentuada graficamente ou quando a pronúncia exige a distinção gráfica dos dois elementos: *amoré-guaçu, anajá-mirim, andá-açu, capim-açu, Ceará-Mirim*.

Base XVII
Do hífen na ênclise, na tmese e com o verbo *haver*

1º) Emprega-se o hífen na ênclise e na tmese: *amá-lo, dá-se, deixa-o, partir-lhe*; *amá-lo-ei, enviar-lhe-emos*.

2º) Não se emprega o hífen nas ligações da preposição *de* às formas monossilábicas do presente do indicativo do verbo haver: *hei de, hás de, hão de*, etc.

Obs.: 1. Embora estejam consagradas pelo uso as formas verbais *quer* e *requer*, dos verbos *querer* e *requerer*, em vez de *quere* e *requere*, estas últimas formas conservam-se, no entanto, nos casos de ênclise: *quere-o(s)*, *requere-o(s)*. Nestes contextos, as formas (legítimas, aliás) *qué-lo* e *requé-lo* são pouco usadas.

2. Usa-se também o hífen nas ligações de formas pronominais enclíticas ao advérbio *eis* (*eis-me, ei-lo*) e ainda nas combinações de formas pronominais do tipo *no-lo, vo-las*, quando em próclise (por ex.: *esperamos que no-lo comprem*).

Base XVIII
Do apóstrofo

1º) São os seguintes os casos de emprego do apóstrofo:

a) Faz-se uso do apóstrofo para cindir graficamente uma contração ou aglutinação vocabular, quando um elemento ou fração respetiva pertence propriamente a um conjunto vocabular distinto: *d'*Os Lusíadas, *d'*Os Sertões; *n'*Os Lusíadas, *n'*Os Sertões; *pel'*Os Lusíadas, *pel'*Os Sertões. Nada obsta, contudo, a que estas escritas sejam substituídas por empregos de preposições íntegras, se o exigir razão especial de clareza, expressividade ou ênfase: *de* Os Lusíadas, *em* Os Lusíadas, *por* Os Lusíadas, etc.

As cisões indicadas são análogas às dissoluções gráficas que se fazem, embora sem emprego do apóstrofo, em combinações da preposição *a* com palavras pertencentes a conjuntos vocabulares imediatos: *a* A Relíquia, *a* Os Lusíadas (exemplos: *importância atribuída a* A Relíquia; *recorro a* Os Lusíadas). Em tais casos, como é óbvio, entende-se que a dissolução gráfica nunca impede na leitura a combinação fonética: *a A* = *à*, *a Os* = *aos*, etc.

b) Pode cindir-se por meio do apóstrofo uma contração ou aglutinação vocabular, quando um elemento ou fração respetiva é forma pronominal e se lhe quer dar realce com o uso de maiúscula: *d'Ele, n'Ele, d'Aquele, n'Aquele, d'O, n'O, pel'O, m'O, t'O, lh'O*, casos em que a segunda parte, forma masculina, é aplicável a Deus, a Jesus, etc.; *d'Ela, n'Ela, d'Aquela, n'Aquela, d'A, n'A, pel'A, m'A, t'A, lh'A*, casos em que a segunda parte, forma feminina, é aplicável à mãe de Jesus, à Providência, etc. Exemplos frásicos: *confiamos n'O que nos salvou; esse milagre revelou-m'O; está n'Ela a nossa esperança; pugnemos pel'A que é nossa padroeira.*

À semelhança das cisões indicadas, pode dissolver-se graficamente, posto que sem uso do apóstrofo, uma combinação da preposição *a* com uma forma pronominal realçada pela maiúscula: *a O, a Aquele, a Aquela* (entendendo-se que a dissolução gráfica nunca impede na leitura a combinação fonética: *a O = ao, a Aquela = àquela*, etc.). Exemplos frásicos: *a O que tudo pode, a Aquela que nos protege.*

c) Emprega-se o apóstrofo nas ligações das formas *santo* e *santa* a nomes do hagiológio, quando importa representar a elisão das vogais finais *o* e *a*: *Sant'Ana, Sant'Iago*, etc. É, pois, correto escrever: *Calçada de Sant'Ana, Rua de Sant'Ana; culto de Sant'Iago, Ordem de Sant'Iago.* Mas, se as ligações deste gênero, como é o caso destas mesmas *Sant'Ana* e *Sant'Iago*, se tornam perfeitas unidades mórficas, aglutinam-se os dois elementos: *Fulano de Santana, ilhéu de Santana, Santana de Parnaíba; Fulano de Santiago, ilha de Santiago, Santiago do Cacém.*

Em paralelo com a grafia *Sant'Ana* e congéneres/congêneres, emprega-se também o apóstrofo nas ligações de duas formas antroponímicas, quando é necessário indicar que na primeira se elide um *o* final: *Nun'Álvares, Pedr'Eanes.*

Note-se que nos casos referidos as escritas com apóstrofo, indicativas de elisão, não impedem, de modo algum, as escritas sem apóstrofo: *Santa Ana, Nuno Álvares, Pedro Álvares*, etc.

d) Emprega-se o apóstrofo para assinalar, no interior de certos compostos, a elisão do *e* da preposição *de*, em combinação com substantivos: *borda-d'água, cobra-d'água, copo-d'água, estrela-d'alva, galinha-d'água, mãe-d'água, pau-d'água, pau-d'alho, pau-d'arco, pau-d'óleo.*

2°) São os seguintes os casos em que não se usa o apóstrofo:

Não é admissível o uso do apóstrofo nas combinações das preposições *de* e *em* com as formas do artigo definido, com formas pronominais diversas e com formas adverbiais (excetuado o que se estabelece nas alíneas 1° a e 1° b). Tais combinações são representadas:

a) Por uma só forma vocabular, se constituem, de modo fixo, uniões perfeitas:

i) *do, da, dos, das*; *dele, dela, deles, delas*; *deste, desta, destes, destas, disto*; *desse, dessa, desses, dessas, disso*; *daquele, daquela, daqueles, daquelas, daquilo*; *destoutro, destoutra, destoutros, destoutras*; *dessoutro, dessoutra, dessoutros, dessoutras*; *daqueloutro, daqueloutra, daqueloutros, daqueloutras*; *daqui*; *daí*; *dali*; *dacolá*; *donde*; *dantes* (= *antigamente*);

ii) *no, na, nos, nas*; *nele, nela, neles, nelas*; *neste, nesta, nestes, nestas, nisto*; *nesse, nessa, nesses, nessas, nisso*; *naquele, naquela, naqueles, naquelas, naquilo*; *nestoutro, nestoutra, nestoutros, nestoutras*; *nessoutro, nessoutra, nessoutros, nessoutras*; *naqueloutro, naqueloutra, naqueloutros, naqueloutras*; *num, numa, nuns, numas*; *noutro, noutra, noutros, noutras, noutrem*; *nalgum, nalguma, nalguns, nalgumas, nalguém.*

b) Por uma ou duas formas vocabulares, se não constituem, de modo fixo, uniões perfeitas (apesar de serem correntes com esta feição em algumas pronúncias): *de um, de uma, de uns, de umas, ou dum, duma, duns, dumas*; *de algum, de alguma, de alguns, de algumas, de alguém, de algo, de algures, de alhures, ou dalgum, dalguma, dalguns, dalgumas, dalguém, dalgo, dalgures, dalhures*; *de outro, de outra, de outros, de outras, de outrem, de outrora, ou doutro, doutra, doutros, doutras, doutrem, doutrora*; *de aquém ou daquém*; *de além ou dalém*; *de entre* ou *dentre*.

De acordo com os exemplos deste último tipo, tanto se admite o uso da locução adverbial *de ora avante* como do advérbio que representa a contração dos seus três elementos: *doravante*.

Obs.: Quando a preposição *de* se combina com as formas articulares ou pronominais *o, a, os, as,* ou com quaisquer pronomes ou advérbios começados por vogal, mas acontece estarem essas palavras integradas em construções de infinitivo, não se emprega o apóstrofo, nem se funde a preposição com a forma imediata, escrevendo-se estas duas separadamente: *a fim de ele compreender*; *apesar de o não ter visto*; *em virtude de os nossos pais serem bondosos*; *o facto de o conhecer*; *por causa de aqui estares*.

Base XIX
Das minúsculas e maiúsculas

1°) A letra minúscula inicial é usada:

a) Ordinariamente, em todos os vocábulos da língua nos usos correntes.

b) Nos nomes dos dias, meses, estações do ano: *segunda-feira*; *outubro*; *primavera*.

c) Nos bibliónimos/bibliônimos (após o primeiro elemento, que é com maiúscula, os demais vocábulos, podem ser escritos com minúscula, salvo nos nomes próprios nele contidos, tudo em grifo): *O Senhor do paço de Ninães* ou *O senhor do paço de Ninães*, *Menino de engenho* ou *Menino de Engenho*, *Árvore e Tambor* ou *Árvore e tambor*.

d) Nos usos de *fulano, sicrano, beltrano*.

e) Nos pontos cardeais (mas não nas suas abreviaturas): *norte, sul* (mas: *SW sudoeste*).

f) Nos axiónimos/axiônimos e hagiónimos/hagiônimos (opcionalmente, neste caso, também com maiúscula): *senhor doutor Joaquim da Silva, bacharel Mário Abrantes, o cardeal Bembo*; *santa Filomena* (ou *Santa Filomena*).

g) Nos nomes que designam domínios do saber, cursos e disciplinas (opcionalmente, também com maiúscula): *português* (ou *Português*), *matemática* (ou *Matemática*); *línguas e literaturas modernas* (ou *Línguas e Literaturas Modernas*).

2º) A letra maiúscula inicial é usada:

a) Nos antropónimos/antropônimos, reais ou fictícios: *Pedro Marques; Branca de Neve, D. Quixote.*

b) Nos topónimos/topônimos, reais ou fictícios: *Lisboa, Luanda, Maputo, Rio de Janeiro, Atlântida, Hespéria.*

c) Nos nomes de seres antropomorfizados ou mitológicos: *Adamastor; Neptuno/Netuno.*

d) Nos nomes que designam instituições: *Instituto de Pensões e Aposentadorias da Previdência Social.*

e) Nos nomes de festas e festividades: *Natal, Páscoa, Ramadão, Todos os Santos.*

f) Nos títulos de periódicos, que retêm o itálico: *O Primeiro de Janeiro, O Estado de São Paulo* (ou *S. Paulo*).

g) Nos pontos cardeais ou equivalentes, quando empregados absolutamente: *Nordeste*, por nordeste do Brasil, *Norte*, por norte de Portugal, *Meio-Dia*, pelo sul da França ou de outros países, *Ocidente*, por ocidente europeu, *Oriente*, por oriente asiático.

h) Em siglas, símbolos ou abreviaturas internacionais ou nacionalmente reguladas com maiúsculas, iniciais ou mediais ou finais ou o todo em maiúsculas: *FAO, NATO, ONU; H2O, Sr., V. Ex.ª*.

i) Opcionalmente, em palavras usadas reverencialmente, aulicamente ou hierarquicamente, em início de versos, em categorizações de logradouros públicos: (*rua* ou *Rua da Liberdade*, *largo* ou *Largo dos Leões*), de templos (*igreja* ou *Igreja do Bonfim*, *templo* ou *Templo do Apostolado Positivista*), de edifícios (*palácio* ou *Palácio da Cultura, edifício* ou *Edifício Azevedo Cunha*).

Obs.: As disposições sobre os usos das minúsculas e maiúsculas não obstam a que obras especializadas observem regras próprias, provindas de códigos ou normalizações específicas (terminologias antropológica, geológica, bibliológica, botânica, zoológica, etc.), promanadas de entidades científicas ou normalizadoras, reconhecidas internacionalmente.

Base XX
Da divisão silábica

A divisão silábica, que em regra se faz pela soletração (*a-ba-de, bru-ma, ca-cho, lha-no, ma-lha, ma-nha, má-xi-mo, ó-xi-do, ro-xo, te-me-se*), e na qual, por isso, se não tem de atender aos elementos constitutivos dos vocábulos segundo a etimologia (*a-ba-li-e-nar, bi-sa-vó, de-sa-pa-re-cer, di-sú ri-co, e-xâ-ni-me, hi-pe-ra-cús-ti-co, i-ná-bil, o-bo-val, su-bo-cu-lar, su-pe-rá-ci-do*), obedece a vários preceitos particulares, que rigorosamente cumpre seguir, quando se tem de fazer em fim de linha, mediante o emprego do hífen, a partição de uma palavra:

1º) São indivisíveis no interior de palavra, tal como inicialmente, e formam, portanto, sílaba para a frente as sucessões de duas consoantes que constituem perfeitos grupos, ou sejam (com exceção apenas de vários compostos cujos prefixos terminam em *b* ou *d*: *ab-legação, ad-ligar, sub-lunar*, etc., em vez de *a-blegação, a-dligar, su-blunar*, etc.) aquelas sucessões em que a primeira consoante é uma labial, uma velar, uma dental ou uma labiodental e a segunda um *l* ou um *r*: *a-blução, cele-brar, du-plicação, re-primir; a-clamar, de-creto, de-glutição, re-grado; a-tlético, cáte-dra, períme-tro; a-fluir, a-fricano, ne-vrose.*

2º) São divisíveis no interior da palavra as sucessões de duas consoantes que não constituem propriamente grupos e igualmente as sucessões de *m* ou *n*, com valor de nasalidade, e uma consoante: *ab-dicar, Ed-gardo, op-tar, sub-por, ab-soluto, ad-jetivo, af-ta, bet-samita, íp-silon, ob-viar; des-cer, dis-ciplina, flores-cer, nas-cer, res-cisão; ac-ne, ad-mirável, Daf-ne, diafrag-ma, drac-ma, ét-nico, rit-mo, sub-meter, am-nésico, interam-nense; bir-reme, cor-roer, pror-rogar; as-segurar, bis-secular, sos-segar; bissex-to, contex-to, ex-citar, atroz-mente, capaz-mente, infeliz-mente; am--bição, desen-ganar, en-xame, man-chu, Mân-lio*, etc.

3º) As sucessões de mais de duas consoantes ou de *m* ou *n*, com o valor de nasalidade, e duas ou mais consoantes são divisíveis por um de dois meios: se nelas entra um dos grupos que são indivisíveis (de acordo com o preceito 1º), esse grupo forma sílaba para diante, ficando a consoante ou consoantes que o precedem ligadas à sílaba anterior; se nelas não entra nenhum desses grupos, a divisão dá-se sempre antes da última consoante. Exemplos dos dois casos: *cam-braia, ec-lipse, em-blema, ex-plicar, in-cluir, ins-crição, subs--crever, trans-gredir; abs-tenção, disp-neia, inters-telar, lamb-dacismo, sols-ticial, Terp-sícore, tungs-ténio.*

4º) As vogais consecutivas que não pertencem a ditongos decrescentes (as que pertencem a ditongos deste tipo nunca se separam: *ai-roso, cadei-ra, insti-tui, ora-ção, sacris-tães, traves-sões*) podem, se a primeira delas não é *u* precedido de *g* ou *q*, e mesmo que sejam iguais, separar-se na escrita: *ala-úde, áre-as, ca-apeba, co-ordenar, do-er, flu-idez, perdo-as, vo-os*. O mesmo se aplica aos casos de contiguidade de ditongos, iguais ou diferentes, ou de ditongos e vogais: *cai-ais, cai-eis, ensai-os, flu-iu.*

5º) Os digramas *gu* e *qu*, em que o *u* se não pronuncia, nunca se separam da vogal ou ditongo imediato (*ne-gue, ne-guei; pe-que, pe-quei*), do mesmo modo que as combinações *gu* e *qu* em que o *u* se pronuncia: *á-gua, ambí-guo, averi-gueis; longín-quos, lo-quaz, quais-quer*.

6º) Na translineação de uma palavra composta ou de uma combinação de palavras em que há um hífen, ou mais, se a partição coincide com o final de um dos elementos ou membros, deve, por clareza gráfica, repetir-se o hífen no início da linha imediata: *ex- -alferes, serená- -los- -emos* ou *serená- -los- -emos, vice- -almirante*.

Base XXI
Das assinaturas e firmas

Para ressalva de direitos, cada qual poderá manter a escrita que, por costume ou registo legal, adote na assinatura do seu nome.

Com o mesmo fim, pode manter-se a grafia original de quaisquer firmas comerciais, nomes de sociedades, marcas e títulos que estejam inscritos em registo público.

Anexo II
Nota explicativa do Acordo Ortográfico da Língua Portuguesa (1990)

1. Memória breve dos acordos ortográficos

A existência de duas ortografias oficiais da língua portuguesa, a lusitana e a brasileira, tem sido considerada como largamente prejudicial para a unidade intercontinental do português e para o seu prestígio no Mundo.

Tal situação remonta, como é sabido, a 1911, ano em que foi adoptada em Portugal a primeira grande reforma ortográfica, mas que não foi extensiva ao Brasil.

Por iniciativa da Academia Brasileira de Letras, em consonância com a Academia das Ciências de Lisboa, com o objectivo de se minimizarem os inconvenientes desta situação, foi aprovado em 1931 o primeiro acordo ortográfico entre Portugal e o Brasil. Todavia, por razões que não importa agora mencionar, este acordo não produziu, afinal, a tão desejada unificação dos dois sistemas ortográficos, facto que levou mais tarde à convenção ortográfica de 1943. Perante as divergências persistentes nos *Vocabulários* entretanto publicados pelas duas Academias, que punham em evidência os parcos resultados práticos do Acordo de 1943, realizou-se, em 1945, em Lisboa, novo encontro entre representantes daquelas duas agremiações, o qual conduziu à chamada Convenção Ortográfica Luso-Brasileira de 1945. Mais uma vez, porém, este acordo não produziu os almejados efeitos, já que ele foi adoptado em Portugal, mas não no Brasil.

Em 1971, no Brasil, e em 1973, em Portugal, foram promulgadas leis que reduziram substancialmente as divergências ortográficas entre os dois países. Apesar destas louváveis iniciativas, continuavam a persistir, porém, divergências sérias entre os dois sistemas ortográficos.

No sentido de as reduzir, a Academia das Ciências de Lisboa e a Academia Brasileira de Letras elaboraram em 1975 um novo projecto de acordo que não foi, no entanto, aprovado oficialmente por razões de ordem política, sobretudo vigentes em Portugal.

E é neste contexto que surge o encontro do Rio de Janeiro, em maio de 1986, e no qual se encontram, pela primeira vez na história da língua portuguesa, representantes não apenas de Portugal e do Brasil mas também dos cinco novos países africanos lusófonos entretanto emergidos da descolonização portuguesa.

O Acordo Ortográfico de 1986, conseguido na reunião do Rio de Janeiro, ficou, porém, inviabilizado pela reação polêmica contra ele movida sobretudo em Portugal.

2. Razões do fracasso dos acordos ortográficos

Perante o fracasso sucessivo dos acordos ortográficos entre Portugal e o Brasil, abrangendo o de 1986 também os países lusófonos de África, importa reflectir seriamente sobre as razões de tal malogro.

Analisando sucintamente o conteúdo dos acordos de 1945 e de 1986, a conclusão que se colhe é a de que eles visavam impor uma unificação ortográfica absoluta.

Em termos quantitativos e com base em estudos desenvolvidos pela Academia das Ciências de Lisboa, com base num *corpus* de cerca de 110.000 palavras, conclui-se que o Acordo de 1986 conseguia a unificação ortográfica em cerca de 99,5% do vocabulário geral da língua. Mas conseguia-a, sobretudo, à custa da simplificação drástica do sistema de acentuação gráfica, pela supressão dos acentos nas palavras proparoxítonas e paroxítonas, o que não foi bem aceite por uma parte substancial da opinião pública portuguesa.

Também o Acordo de 1945 propunha uma unificação ortográfica absoluta que rondava os 100% do vocabulário geral da língua. Mas tal unificação assentava em dois princípios que se revelaram inaceitáveis para os brasileiros:

a) Conservação das chamadas consoantes mudas ou não articuladas, o que correspondia a uma verdadeira restauração destas consoantes no Brasil, uma vez que elas tinham há muito sido abolidas.

b) Resolução das divergências de acentuação das vogais tónicas *e* e *o*, seguidas das consoantes nasais *m* e *n*, das palavras proparoxítonas (ou esdrúxulas) no sentido da prática portuguesa, que consistia em as grafar com acento agudo e não circunflexo conforme a prática brasileira.

Assim se procurava, pois, resolver a divergência de acentuação gráfica de palavras como *António* e *Antônio, cómodo* e *cômodo, género* e *gênero, oxigénio* e *oxigênio*, etc., em favor da generalização da acentuação com o diacrítico agudo. Esta solução estipulava, contra toda a tradição ortográfica portuguesa, que o acento agudo, nestes casos, apenas assinalava a tonicidade da vogal e não o seu timbre, visando assim resolver as diferenças de pronúncia daquelas mesmas vogais.

A inviabilização prática de tais soluções leva-nos à conclusão de que não é possível unificar por via administrativa divergências que assentam em claras diferenças de pronúncia, um dos critérios, aliás, em que se baseia o sistema ortográfico da língua portuguesa.

Nestas condições, há que procurar uma versão de unificação ortográfica que acautele mais o futuro do que o passado e que não receie sacrificar a simplificação também pretendida em 1986, em favor da máxima unidade possível. Com a emergência de cinco novos países lusófonos, os factores de desagregação da unidade essencial da língua portuguesa far-se-ão sentir com mais acuidade e também no domínio ortográfico. Neste sentido importa, pois, consagrar uma versão de unificação ortográfica que fixe e delimite as diferenças atualmente existentes e previna contra a desagregação ortográfica da língua portuguesa.

Foi, pois, tendo presentes estes objetivos que se fixou o novo texto de unificação ortográfica, o qual representa uma versão menos forte do que as que foram conseguidas em 1945 e 1986. Mas ainda assim suficientemente forte para unificar ortograficamente cerca de 98% do vocabulário geral da língua.

3. Forma e substância do novo texto

O novo texto de unificação ortográfica agora proposto contém alterações de forma (ou estrutura) e de conteúdo, relativamente aos anteriores. Pode dizer-se, simplificando, que em termos de estrutura se aproxima mais do acordo de 1986, mas que em termos de conteúdo adopta uma posição mais conforme com o projecto de 1975, atrás referido.

Em relação às alterações de conteúdo, elas afetam sobretudo o caso das consoantes mudas ou não articuladas, o sistema de acentuação gráfica, especialmente das esdrúxulas, e a hifenação.

Pode dizer-se ainda que, no que respeita às alterações de conteúdo, de entre os princípios em que assenta a ortografia portuguesa se privilegiou o critério fonético (ou da pronúncia) com um certo detrimento para o critério etimológico.

É o critério da pronúncia que determina, aliás, a supressão gráfica das consoantes mudas ou não articuladas, que se têm conservado na ortografia lusitana essencialmente por razões de ordem etimológica.

É também o critério da pronúncia que nos leva a manter um certo número de grafias duplas do tipo de *caráter* e *carácter*, *facto* e *fato*, *sumptuoso* e *suntuoso*, etc.

É ainda o critério da pronúncia que conduz à manutenção da dupla acentuação gráfica do tipo de *económico* e *econômico*, *efémero* e *efêmero*, *género* e *gênero*, *génio* e *gênio*, ou de *bónus* e *bônus*, *sémen* e *sêmen*, *ténis* e *tênis*, ou ainda de *bebé* e *bebê*, ou *metro* e *metrô*, etc.

Explicitam-se em seguida as principais alterações introduzidas no novo texto de unificação ortográfica, assim com a respectiva justificação.

4. Conservação ou supressão das consoantes *c*, *p*, *b*, *g*, *m* e *t* em certas sequências consonânticas (Base IV)

4.1. Estado da questão

Como é sabido, uma das principais dificuldades na unificação da ortografia da língua portuguesa reside na solução a adoptar para a grafia das consoantes *c* e *p*, em certas sequências consonânticas interiores, já que existem fortes divergências na sua articulação.

Assim, umas vezes, estas consoantes são invariavelmente proferidas em todo o espaço geográfico da língua portuguesa, conforme sucede em casos como *compacto*, *ficção*, *pacto*; *adepto*, *aptidão*, *núpcias*; etc.

Neste caso, não existe qualquer problema ortográfico, já que tais consoantes não podem deixar de grafar-se (v. Base IV, 1° a).

Noutros casos, porém, dá-se a situação inversa da anterior, ou seja, tais consoantes não são proferidas em nenhuma pronúncia culta da língua, como acontece em *acção*, *afectivo*, *direcção*; *adopção*, *exacto*, *óptimo*; etc. Neste caso existe um problema. É que na norma gráfica brasileira há muito estas consoantes foram abolidas, ao contrário do que sucede na norma gráfica lusitana, em que tais consoantes se conservam. A solução que agora se adopta (v. Base IV, 1° b) é a de as suprimir, por uma questão de coerência e de uniformização de critérios (vejam-se as razões de tal supressão adiante, em 4.2).

As palavras afectadas por tal supressão representam 0,54% do vocabulário geral da língua, o que é pouco significativo em termos quantitativos (pouco mais de 600 palavras em cerca de 110000). Este número é, no entanto, qualitativamente importante, já que compreende vocábulos de uso muito frequente (como, por exemplo, *acção*, *actor*, *actual*, *colecção*, *colectivo*, *correcção*, *direcção*, *director*, *electricidade*, *factor*, *factura*, *inspector*, *lectivo*, *óptimo*, etc.).

O terceiro caso que se verifica relativamente às consoantes *c* e *p* diz respeito à oscilação de pronúncia, a qual ocorre umas vezes no interior da mesma norma culta (cf., por exemplo, *cacto* ou *cato*, *dicção* ou *dição*, *sector* ou *setor*, etc.), outras vezes entre normas cultas distintas (cf., por exemplo, *facto*, *receção* em Portugal, mas *fato*, *recepção* no Brasil).

A solução que se propõe para estes casos, no novo texto ortográfico, consagra a dupla grafia (v. Base IV, 1° c).

A estes casos de grafia dupla devem acrescentar-se as poucas variantes do tipo de *súbdito* e *súdito*, *subtil* e *sutil*, *amígdala* e *amídala*, *amnistia* e *anistia*, *aritmética* e *arimética*, nas quais a oscilação da pronúncia se verifica quanto às consoantes *b*, *g*, *m* e *t* (v. Base IV, 2°).

O número de palavras abrangidas pela dupla grafia é de cerca de 0,5% do vocabulário geral da língua, o que é pouco significativo (ou seja, pouco mais de 575 palavras em cerca de 110.000), embora nele se incluam também alguns vocábulos de uso muito frequente.

4.2. Justificação da supressão de consoantes não articuladas (Base IV, 1º b)

As razões que levaram à supressão das consoantes mudas ou não articuladas em palavras como *ação* (*acção*), *ativo* (*activo*), *diretor* (*director*), *ótimo* (*óptimo*) foram essencialmente as seguintes:

a) O argumento de que a manutenção de tais consoantes se justifica por motivos de ordem etimológica, permitindo assinalar melhor a similaridade com as palavras congéneres das outras línguas românicas, não tem consistência. Por um lado, várias consoantes etimológicas se foram perdendo na evolução das palavras ao longo da história da língua portuguesa. Vários são, por outro lado, os exemplos de palavras deste tipo pertencentes a diferentes línguas românicas, que, embora provenientes do mesmo étimo latino, revelam incongruências quanto à conservação ou não das referidas consoantes.

É o caso, por exemplo, da palavra *objecto*, proveniente do latim *objectu-*, que até agora conservava o *c*, ao contrário do que sucede em francês (cf. *objet*) ou em espanhol (cf. *objeto*). Do mesmo modo *projecto* (de *projectu-*) mantinha até agora a grafia com *c*, tal como acontece em espanhol (cf. *proyecto*), mas não em francês (cf. *projet*). Nestes casos o italiano dobra a consoante, por assimilação (cf. *oggetto* e *progetto*). A palavra *vitória* há muito se grafa sem *c*, apesar do espanhol *victoria*, do francês *victoire* ou do italiano *vittoria*. Muitos outros exemplos se poderiam citar. Aliás, não tem qualquer consistência a ideia de que a similaridade do português com as outras línguas românicas passa pela manutenção de consoantes etimológicas do tipo mencionado. Confrontem-se, por exemplo, formas como as seguintes: port. *acidente* (do lat. *accidente-*), esp. *accidente*, fr. *accident*, it. *accidente*; port. *dicionário* (do lat. *dictionariu-*), esp. *diccionario*, fr. *dictionnaire*, it. *dizionario*; port. *ditar* (do lat. *dictare*), esp. *dictar*, fr. *dicter*, it. *dettare*; port. *estrutura* (de *structura-*), esp. *estructura*, fr. *structure*, it. *struttura*; etc.

Em conclusão, as divergências entre as línguas românicas, neste domínio, são evidentes, o que não impede, aliás, o imediato reconhecimento da similaridade entre tais formas. Tais divergências levantam dificuldades à memorização da norma gráfica, na aprendizagem destas línguas, mas não é com certeza a manutenção de consoantes não articuladas em português que vai facilitar aquela tarefa.

b) A justificação de que as ditas consoantes mudas travam o fechamento da vogal precedente também é de fraco valor, já que, por um lado, se mantêm na língua palavras com vogal pré-tónica aberta, sem a presença de qualquer sinal diacrítico, como em *corar*, *padeiro*, *oblação*, *pregar* (= fazer uma prédica), etc., e, por outro, a conservação de tais consoantes não impede a tendência para o ensurdecimento da vogal anterior em casos como *accionar*, *actual*, *actualidade*, *exactidão*, *tactear*, etc.

c) É indiscutível que a supressão deste tipo de consoantes vem facilitar a prendizagem da grafia das palavras em que elas ocorriam. De facto, como é que uma criança de 6-7 anos pode compreender que em palavras como *concepção*, *excepção*, *recepção*, a consoante não articulada é um *p*, ao passo que em vocábulos como *correcção*, *direcção*, *objecção*, tal consoante é um *c*?

Só à custa de um enorme esforço de memorização que poderá ser vantajosamente canalizado para outras áreas da aprendizagem da língua.

d) A divergência de grafias existente neste domínio entre a norma lusitana, que teimosamente conserva consoantes que não se articulam em todo o domínio geográfico da língua portuguesa, e a norma brasileira, que há muito suprimiu tais consoantes, é incompreensível para os lusitanistas estrangeiros, nomeadamente para professores e estudantes de português, já que lhes cria dificuldades suplementares, nomeadamente na consulta dos dicionários, uma vez que as palavras em causa vêm em lugares diferentes da ordem alfabética, conforme apresentam ou não a consoante muda.

e) Uma outra razão, esta de natureza psicológica, embora nem por isso menos importante, consiste na convicção de que não haverá unificação ortográfica da língua portuguesa se tal disparidade não for resolvida.

f) Tal disparidade ortográfica só se pode resolver suprimindo da escrita as consoantes não articuladas, por uma questão de coerência, já que a pronúncia as ignora, e não tentando impor a sua grafia àqueles que há muito as não escrevem, justamente por elas não se pronunciarem.

4.3. Incongruências aparentes

A aplicação do princípio, baseado no critério da pronúncia, de que as consoantes *c* e *p* em certas sequências consonânticas se suprimem, quando não articuladas, conduz a algumas incongruências aparentes, conforme sucede em palavras como *apocalítico* ou *Egito* (sem *p*, já que este não se pronuncia), a par de *apocalipse* ou *egípcio* (visto que aqui o *p* se articula), *noturno* (sem *c*, por este ser mudo), ao lado de *noctívago* (com *c*, por este se pronunciar), etc.

Tal incongruência é apenas aparente. De facto, baseando-se a conservação ou supressão daquelas consoantes no critério da pronúncia, o que não faria sentido era mantê-las, em certos casos, por razões de parentesco lexical. Se se abrisse tal exceção, o utente, ao ter que escrever determinada palavra, teria que recordar previamente, para não cometer erros, se não haveria outros vocábulos da mesma família que se escrevessem com este tipo de consoante.

Aliás, divergências ortográficas do mesmo tipo das que agora se propõem foram já aceites nas bases de 1945 (v. base VI, último parágrafo), que consagraram grafias como *assunção* ao lado de *assumptivo*, *cativo* a par de *captor* e *captura*, *dicionário*, mas *dicção*, etc. A razão então aduzida foi a de que tais palavras entraram e se fixaram na língua em condições diferentes. A justificação da grafia com base na pronúncia é tão nobre como aquela razão.

4.4. Casos de dupla grafia (Base IV, 1º c, d e 2º)

Sendo a pronúncia um dos critérios em que assenta a ortografia da língua portuguesa, é inevitável que se aceitem grafias duplas naqueles casos em que existem divergências de articulação quanto às referidas consoantes *c* e *p* e ainda em outros casos de menor significado. Torna-se, porém, praticamente impossível enunciar uma regra clara e abrangente dos casos em que há oscilação entre o emudecimento e a prolação daquelas consoantes, já que todas as sequências consonânticas enunciadas, qualquer que seja a vogal precedente, admitem as duas alternativas: *cacto* e *cato*, *caracteres* e *carateres*, *dicção* e *dição*, *facto* e *fato*, *sector* e *setor*; *ceptro* e *cetro*; *concepção* e *conceção*, *recepção* e *receção*; *assumpção* e *assunção*, *peremptório* e *perentório*, *sumptuoso* e *suntuoso*; etc.

De um modo geral pode dizer-se que, nestes casos, o emudecimento da consoante (exceto em *dicção*, *facto*, *sumptuoso* e poucos mais) se verifica, sobretudo, em Portugal e nos países africanos, enquanto no Brasil há oscilação entre a prolação e o emudecimento da mesma consoante.

Também os outros casos de dupla grafia (já mencionados em 4.1), do tipo de *súbdito* e *súdito*, *subtil* e *sutil*, *amígdala* e *amídala*, *omnisciente* e *onisciente*, *aritmética* e *arimética*, muito menos relevantes em termos quantitativos do que os anteriores, se verificam sobretudo no Brasil.

Trata-se, afinal, de formas divergentes, isto é, do mesmo étimo. As palavras sem consoante, mais antigas e introduzidas na língua por via popular, foram já usadas em Portugal e encontram-se nomeadamente em escritores dos séculos XVI e XVII.

Os dicionários da língua portuguesa, que passarão a registar as duas formas em todos os casos de dupla grafia, esclarecerão, tanto quanto possível, sobre o alcance geográfico e social desta oscilação de pronúncia.

5. Sistema de acentuação gráfica (Bases VIII a XIII)

5.1. Análise geral da questão

O sistema de acentuação gráfica do português atualmente em vigor, extremamente complexo e minucioso, remonta essencialmente à Reforma Ortográfica de 1911.

Tal sistema não se limita, em geral, a assinalar apenas a tonicidade das vogais sobre as quais recaem os acentos gráficos, mas distingue também o timbre destas.

Tendo em conta as diferenças de pronúncia entre o português europeu e o do Brasil, era natural que surgissem divergências de acentuação gráfica entre as duas realizações da língua.

Tais divergências têm sido um obstáculo à unificação ortográfica do português.

É certo que em 1971, no Brasil, e em 1973, em Portugal, foram dados alguns passos significativos no sentido da unificação da acentuação gráfica, como se disse atrás. Mas, mesmo assim, subsistem divergências importantes neste domínio, sobretudo no que respeita à acentuação das paroxítonas.

Não tendo tido viabilidade prática a solução fixada na Convenção Ortográfica de 1945, conforme já foi referido, duas soluções eram possíveis para se procurar resolver esta questão.

Uma era conservar a dupla acentuação gráfica, o que constituía sempre um espinho contra a unificação da ortografia.

Outra era abolir os acentos gráficos, solução adoptada em 1986, no Encontro do Rio de Janeiro.

Esta solução, já preconizada no I Simpósio Luso-Brasileiro sobre a Língua Portuguesa Contemporânea, realizado em 1967 em Coimbra, tinha sobretudo a justificá-la o facto de a língua oral preceder a língua escrita, o que leva muitos utentes a não empregarem na prática os acentos gráficos, visto que não os consideram indispensáveis à leitura e compreensão dos textos escritos.

A abolição dos acentos gráficos nas palavras proparoxítonas e paroxítonas, preconizada no Acordo de 1986, foi, porém, contestada por uma larga parte da opinião pública portuguesa, sobretudo por tal medida ir contra a *tradição ortográfica* e não tanto por estar contra a *prática ortográfica*.

A questão da acentuação gráfica tinha, pois, de ser repensada.

Neste sentido, desenvolveram-se alguns estudos e fizeram-se vários levantamentos estatísticos com o objetivo de se delimitarem melhor e quantificarem com precisão as divergências existentes nesta matéria.

5.2. Casos de dupla acentuação

5.2.1. Nas proparoxítonas (Base XI)

Verificou-se assim que as divergências, no que respeita às proparoxítonas, se circunscrevem praticamente, como já foi destacado atrás, ao caso das vogais tónicas *e* e *o*, seguidas das consoantes nasais *m* e *n*, com as quais aquelas não formam sílaba (v. Base XI, 3º).

Estas vogais soam abertas em Portugal e nos países africanos recebendo, por isso, acento agudo, mas são do timbre fechado em grande parte do Brasil, grafando-se por conseguinte com acento circunflexo: *académico/acadêmico*, *cómodo/cômodo*, *efémero/efêmero*, *fenómeno/fenômeno*, *génio/gênio*, *tónico/tônico*, etc.

Existe uma ou outra exceção a esta regra, como, por exemplo, *cômoro* e *sêmola*, mas estes casos não são significativos.

Costuma, por vezes, referir-se que o *a* tónico das proparoxítonas, quando seguido de *m* ou *n* com que não forma sílaba, também está sujeito à referida divergência de acentuação gráfica. Mas tal não acontece, porém, já que o seu timbre soa praticamente sempre fechado nas pronúncias cultas da língua, recebendo, por isso, acento circunflexo: *âmago*, *ânimo*, *botânico*, *câmara*, *dinâmico*, *gerânio*, *pânico*, *pirâmide*.

As únicas exceções a este princípio são os nomes próprios de origem grega *Dánae*/*Dânae* e *Dánao*/*Dânao*.

Note-se que se as vogais *e* e *o*, assim como *a*, formam sílaba com as consoantes *m* ou *n*, o seu timbre é sempre fechado em qualquer pronúncia culta da língua, recebendo, por isso, acento circunflexo: *êmbolo*, *amêndoa*, *argênteo*, *excêntrico*, *têmpera*; *anacreôntico*, *cômputo*, *recôndito*; *cânfora*, *Grândola*, *Islândia*, *lâmpada*, *sonâmbulo*, etc.

5.2.2. Nas paroxítonas (Base IX)

Também nos casos especiais de acentuação das paroxítonas ou graves (v. Base IX, 2°), algumas palavras que contêm as vogais tónicas *e* e *o* em final de sílaba, seguidas das consoantes nasais *m* e *n*, apresentam oscilação de timbre, nas pronúncias cultas da língua.

Tais palavras são assinaladas com acento agudo, se o timbre da vogal tónica é aberto, ou com acento circunflexo, se o timbre é fechado: *fémur* ou *fêmur*, *Fénix* ou *Fênix*, *ónix* ou *ônix*, *sémen* ou *sêmen*, *xénon* ou *xênon*; *bónus* ou *bônus*, *ónus* ou *ônus*, *pónei* ou *pônei*, *ténis* ou *tênis*, *Vénus* ou *Vênus*; etc. No total, estes são pouco mais de uma dúzia de casos.

5.2.3. Nas oxítonas (Base VIII)

Encontramos igualmente nas oxítonas (v. Base VIII, 1° a, *obs.*) algumas divergências de timbre em palavras terminadas em *e* tónico, sobretudo provenientes do francês. Se esta vogal tónica soa aberta, recebe acento agudo; se soa fechada, grafa-se com acento circunflexo. Também aqui os exemplos pouco ultrapassam as duas dezenas: *bebé* ou *bebê*, *caraté* ou *caratê*, *croché* ou *crochê*, *guiché* ou *guichê*, *matiné* ou *matinê*, *puré* ou *purê*; etc. Existe também um caso ou outro de oxítonas terminadas em *o* ora aberto ora fechado, como sucede em *cocó* ou *cocô*, *ró* ou *rô*.

A par de casos como este há formas oxítonas terminadas em *o* fechado, às quais se opõem variantes paroxítonas, como acontece em *judô* e *judo*, *metrô* e *metro*, mas tais casos são muito raros.

5.2.4. Avaliação estatística dos casos de dupla acentuação gráfica

Tendo em conta o levantamento estatístico que se fez na Academia das Ciências de Lisboa, com base no já referido *corpus* de cerca de 110.000 palavras do vocabulário geral da língua, verificou-se que os citados casos de dupla acentuação gráfica abrangiam aproximadamente 1,27% (cerca de 1.400 palavras). Considerando que tais casos se encontram perfeitamente delimitados, como se referiu atrás, sendo assim possível enunciar a regra de aplicação, optou-se por fixar a dupla acentuação gráfica como a solução menos onerosa para a unificação ortográfica da língua portuguesa.

5.3 Razões da manutenção dos acentos gráficos nas proparoxítonas e paroxítonas

Resolvida a questão dos casos de dupla acentuação gráfica, como se disse atrás, já não tinha relevância o principal motivo que levou em 1986 a abolir os acentos nas palavras proparoxítonas e paroxítonas.

Em favor da manutenção dos acentos gráficos nestes casos, ponderaram-se, pois, essencialmente as seguintes razões:

a) Pouca representatividade (cerca de 1,27%) dos casos de dupla acentuação.

b) Eventual influência da língua escrita sobre a língua oral, com a possibilidade de, sem acentos gráficos, se intensificar a tendência para a paroxitonia, ou seja, deslocação do acento tónico da antepenúltima para a penúltima sílaba, lugar mais frequente de colocação do acento tônico em português.

c) Dificuldade em apreender correctamente a pronúncia de termos de âmbito técnico e científico, muitas vezes adquiridos através da língua escrita (leitura).

d) Dificuldades causadas, com a abolição dos acentos, à aprendizagem da língua, sobretudo quando esta se faz em condições precárias, como no caso dos países africanos, ou em situação de autoaprendizagem.

e) Alargamento, com a abolição dos acentos gráficos, dos casos de homografia, do tipo de *análise*(s.)/*analise*(v.), *fábrica*(s.)/*fabrica*(v.), *secretária*(s.)/*secretaria*(s. ou v.), *vária*(s.)/ *varia*(v.), etc., casos que apesar de dirimíveis pelo contexto sintático, levantariam por vezes algumas dúvidas e constituiriam sempre problema para o tratamento informatizado do léxico.

f) Dificuldade em determinar as regras de colocação do acento tónico em função da estrutura mórfica da palavra. Assim, as proparoxítonas, segundo os resultados estatísticos obtidos da análise de um *corpus* de 25.000 palavras, constituem 12%. Destes 12%, cerca de 30% são falsas esdrúxulas (cf. *génio*, *água*, etc.). Dos 70% restantes, que são as verdadeiras proparoxítonas (cf. *cómodo*, *género*, etc.), aproximadamente 29% são palavras que terminam em *-ico*/*-ica* (cf. *ártico*, *económico*, *módico*, *prático*, etc.). Os restantes 41% de verdadeiras esdrúxulas distribuem-se por cerca de 200 terminações diferentes, em geral de caráter erudito (cf. *espírito*, *ínclito*, *púlpito*; *filólogo*; *filósofo*; *esófago*; *epíteto*; *pássaro*; *pêsames*; *facílimo*; *lindíssimo*; *parêntesis*; etc.).

5.4. Supressão de acentos gráficos em certas palavras oxítonas e paroxítonas (Bases VIII, IX e X)

5.4.1. Em casos de homografia (Bases VIII, 3º e IX, 9º e 10º)

O novo texto ortográfico estabelece que deixem de se acentuar graficamente palavras do tipo de *para* (*á*), flexão de *parar*, *pelo* (*ê*), substantivo, *pelo* (*é*), flexão de *pelar*, etc., as quais são homógrafas, respectivamente, das proclíticas *para*, preposição, *pelo*, contração de *per* e *lo*, etc.

As razões por que se suprime, nestes casos, o acento gráfico são as seguintes:

a) Em primeiro lugar, por coerência com a abolição do acento gráfico já consagrada pelo Acordo de 1945, em Portugal, e pela Lei nº 5.765, de 1971.12.18, no Brasil, em casos semelhantes, como, por exemplo: *acerto* (*ê*), substantivo, e *acerto* (*é*), flexão de *acertar*; *acordo*(*ô*), substantivo, e *acordo* (*ó*), flexão de *acordar*; *cor* (*ô*), substantivo, e *cor* (*ó*), elemento da locução *de cor*; *sede* (*ê*) e *sede* (*é*), ambos substantivos; etc.;

b) Em segundo lugar, porque, tratando-se de pares cujos elementos pertencem a classes gramaticais diferentes, o contexto sintático permite distinguir claramente tais homógrafas.

5.4.2 Em paroxítonas com os ditongos *ei* e *oi* na sílaba tónica (Base IX, 3º)

O novo texto ortográfico propõe que não se acentuem graficamente os ditongos *ei* e *oi* tónicos das palavras paroxítonas. Assim, palavras como *assembleia*, *boleia*, *ideia*, que na norma gráfica brasileira se escrevem com acento agudo, por o ditongo soar aberto, passarão a escrever-se sem acento, tal como *aldeia*, *baleia*, *cheia*, etc.

Do mesmo modo, palavras como *comboio*, *dezoito*, *estroina*, etc., em que o timbre do ditongo oscila entre a abertura e o fechamento, oscilação que se traduz na facultatividade do emprego do acento agudo no Brasil, passarão a grafar-se sem acento.

A generalização da supressão do acento nestes casos justifica-se não apenas por permitir eliminar uma diferença entre a prática ortográfica brasileira e a lusitana, mas ainda pelas seguintes razões:

a) Tal supressão é coerente com a já consagrada eliminação do acento em casos de homografia heterofónica (v. Base IX, 10°, e, neste texto atrás, 5.4.1), como sucede, por exemplo, em *acerto*, substantivo, e *acerto*, flexão de *acertar*, *acordo*, substantivo, e *acordo*, flexão de *acordar*, *fora*, flexão de *ser* e *ir*, e *fora*, advérbio, etc.

b) No sistema ortográfico português não se assinala, em geral, o timbre das vogais tónicas *a*, *e* e *o* das palavras paroxítonas, já que a língua portuguesa se caracteriza pela sua tendência para a paroxitonia. O sistema ortográfico não admite, pois, a distinção entre, por exemplo: *cada* (*â*) e *fada* (*á*), *para* (*â*) e *tara* (*á*); *espelho* (*ê*) e *velho* (*é*), *janela* (*é*) e *janelo* (*ê*), *escrevera* (*ê*), flexão de *escrever*, e *Primavera* (*é*); *moda* (*ó*) e *toda* (*ô*), *virtuosa* (*ó*) e *virtuoso* (*ô*); etc.

Então, se não se torna necessário, nestes casos, distinguir pelo acento gráfico o timbre da vogal tónica, por que se há-de usar o diacrítico para assinalar a abertura dos ditongos *ei* e *oi* nas paroxítonas, tendo em conta que o seu timbre nem sempre é uniforme e a presença do acento constituiria um elemento perturbador da unificação ortográfica?

5.4.3. Em paroxítonas do tipo de *abençoo, enjoo, voo*, etc. (Base IX, 8°)

Por razões semelhantes às anteriores, o novo texto ortográfico consagra também a abolição do acento circunflexo, vigente no Brasil, em palavras paroxítonas como *abençoo*, flexão de *abençoar*, *enjoo*, substantivo e flexão de *enjoar*, *moo*, flexão de *moer*, *povoo*, flexão de *povoar*, *voo*, substantivo e flexão de *voar*, etc.

O uso do acento circunflexo não tem aqui qualquer razão de ser, já que ele ocorre em palavras paroxítonas cuja vogal tónica apresenta a mesma pronúncia em todo o domínio da língua portuguesa. Além de não ter, pois, qualquer vantagem nem justificação, constitui um factor que perturba a unificação do sistema ortográfico.

5.4.4 Em formas verbais com *u* e *ui* tónicos, precedidos de *g* e *q* (Base X, 7°)

Não há justificação para se acentuarem graficamente palavras como *apazigue*, *arguem*, etc., já que estas formas verbais são paroxítonas e a vogal *u* é sempre articulada, qualquer que seja a flexão do verbo respectivo.

No caso de formas verbais como *argui*, *delinquis*, etc., também não há justificação para o acento, pois se trata de oxítonas terminadas no ditongo tónico *ui*, que como tal nunca é acentuado graficamente.

Tais formas só serão acentuadas se a sequência *ui* não formar ditongo e a vogal tónica for *i*, como, por exemplo, *arguí* (1.ª pessoa do singular do pretérito perfeito do indicativo).

6. Emprego do hífen (Bases XV a XVII)

6.1. Estado da questão

No que respeita ao emprego do hífen, não há propriamente divergências assumidas entre a norma ortográfica lusitana e a brasileira. Ao compulsarmos, porém, os dicionários portugueses e brasileiros e ao lermos, por exemplo, jornais e revistas, deparam-se-nos muitas oscilações e um largo número de formações vocabulares com grafia dupla, ou seja, com hífen e sem hífen, o que aumenta desmesurada e desnecessariamente as entradas lexicais dos dicionários. Estas oscilações verificam-se sobretudo nas formações por prefixação e na chamada recomposição, ou seja, em formações com pseudoprefixos de origem grega ou latina.

Eis alguns exemplos de tais oscilações: *ante-rosto* e *anterrosto*, *co-educação* e *coeducação*, *pré-frontal* e *prefrontal*, *sobre-saia* e *sobressaia*, *sobre-saltar* e *sobressaltar*; *aero-espacial* e *aeroespacial*, *auto-aprendizagem* e *autoaprendizagem*, *agro-industrial* e *agroindustrial*, *agro-pecuária* e *agropecuária*, *alvéolo-dental* e *alvealodental*, *bolbo-raquidiano* e *bolborraquidiano*, *geo-história* e *geoistória*, *micro-onda* e *microonda*; etc.

Estas oscilações são, sem dúvida, devidas a uma certa ambiguidade e falta de sistematização das regras que sobre esta matéria foram consagradas no texto de 1945. Tornava-se, pois, necessário reformular tais regras de modo mais claro, sistemático e simples. Foi o que se tentou fazer em 1986.

A simplificação e redução operadas nessa altura, nem sempre bem compreendidas, provocaram igualmente polêmica na opinião pública portuguesa, não tanto por uma ou outra incongruência resultante da aplicação das novas regras, mas sobretudo por alterarem bastante a prática ortográfica neste domínio.

A posição que agora se adopta, muito embora tenha tido em conta as críticas fundamentadas ao texto de 1986, resulta, sobretudo, do estudo do uso do hífen nos dicionários portugueses e brasileiros, assim como em jornais e revistas.

6.2. O hífen nos compostos (Base XV)

Sintetizando, pode dizer-se que, quanto ao emprego do hífen nos compostos, locuções e encadeamentos vocabulares, se mantém o que foi estatuído em 1945, apenas se reformulando as regras de modo mais claro, sucinto e simples.

De facto, neste domínio não se verificam praticamente divergências nem nos dicionários nem na imprensa escrita.

6.3 O hífen nas formas derivadas (Base XVI)

Quanto ao emprego do hífen nas formações por prefixação e também por recomposição, isto é, nas formações com pseudoprefixos de origem grega ou latina, apresenta-se alguma inovação. Assim, algumas regras são formuladas em termos contextuais, como sucede nos seguintes casos:

a) Emprega-se o hífen quando o segundo elemento da formação começa por *h* ou pela mesma vogal ou consoante com que termina o prefixo ou pseudoprefixo (por exemplo: *anti-higiênico*, *contra-almirante*, *hiper-resistente*).

b) Emprega-se o hífen quando o prefixo ou falso prefixo termina em *m* e o segundo elemento começa por vogal, *m* ou *n* (por ex. *circum-murado*, *pan-africano*).

As restantes regras são formuladas em termos de unidades lexicais, como acontece com oito delas (*ex-*, *sota-* e *soto-*, *vice-* e *vizo-*; *pós-*, *pré-* e *pró-*).

Noutros casos, porém, uniformiza-se o não emprego do hífen, do modo seguinte:

a) Nos casos em que o prefixo ou o pseudoprefixo termina em vogal e o segundo elemento começa por *r* ou *s*, estas consoantes dobram-se, como já acontece com os termos técnicos e científicos (por ex. *antirreligioso*, *microssistema*).

b) Nos casos em que o prefixo ou o pseudoprefixo termina em vogal e o segundo elemento começa por vogal diferente daquela, as duas formas aglutinam-se, sem hífen, como já sucede igualmente no vocabulário científico e técnico (por exemplo: *antiaéreo*, *aeroespacial*).

6.4. O hífen na ênclise e tmese (Base XVII)

Quanto ao emprego do hífen na ênclise e na tmese mantêm-se as regras de 1945, exceto no caso das formas *hei de*, *hás de*, *há de*, etc., em que passa a suprimir-se o hífen. Nestas formas verbais o uso do hífen não tem justificação, já que a preposição *de* funciona ali como mero elemento de ligação ao infinitivo com que se forma a perífrase verbal (cf. *hei de ler*, etc.), na qual *de* é mais proclítica do que apoclítica.

7. Outras alterações de conteúdo

7.1. Inserção do alfabeto (Base I)

Uma inovação que o novo texto de unificação ortográfica apresenta, logo na base I, é a inclusão do alfabeto, acompanhado das designações que usualmente são dadas às diferentes letras. No alfabeto português passam a incluir-se também as letras *k*, *w* e *y*, pelas seguintes razões:

a) Os dicionários da língua já registam estas letras, pois existe um razoável número de palavras do léxico português iniciado por elas.

b) Na aprendizagem do alfabeto é necessário fixar qual a ordem que aquelas letras ocupam.

c) Nos países africanos de língua oficial portuguesa existem muitas palavras que se escrevem com aquelas letras.

Apesar da inclusão no alfabeto das letras *k*, *w* e *y*, mantiveram-se, no entanto, as regras já fixadas anteriormente, quanto ao seu uso restritivo, pois existem outros grafemas com o mesmo valor fónico daquelas. Se, de facto, se abolisse o uso restritivo daquelas letras, introduzir-se-ia no sistema ortográfico do português mais um factor de perturbação, ou seja, a possibilidade de representar, indiscriminadamente, por aquelas letras fonemas que já são transcritos por outras.

7.2 Abolição do trema (Base XIV)

No Brasil, só com a Lei nº 5.765, de 1971.12.18, o emprego de trema foi largamente restringido, ficando apenas reservado às sequências *gu* e *qu* seguidas de *e* ou *i*, nas quais *u* se pronuncia (cf. *aguentar*, *arguente*, *eloquente*, *equestre*, etc.).

O novo texto ortográfico propõe a supressão completa do trema, já acolhida, aliás, no Acordo de 1986, embora não figurasse explicitamente nas respectivas bases. A única ressalva, neste aspecto, diz respeito a palavras derivadas de nomes próprios estrangeiros com trema (cf. *mülleriano*, de *Müller*, etc.).

Generalizar a supressão do trema é eliminar mais um factor que perturba a unificação da ortografia portuguesa.

8. Estrutura e ortografia do novo texto

Na organização do novo texto de unificação ortográfica optou-se por conservar o modelo de estrutura já adoptado em 1986. Assim, houve a preocupação de reunir, numa mesma base, matéria afim, dispersa por diferentes bases de textos anteriores, donde resultou a redução destas a vinte e uma.

Através de um título sucinto, que antecede cada base, dá-se conta do conteúdo nela consagrado. Dentro de cada base adotou-se um sistema de numeração (tradicional) que permite uma melhor e mais clara arrumação da matéria aí contida.

Decreto nº 6.583 de 29 de setembro de 2008

Promulga o Acordo Ortográfico da Língua Portuguesa, assinado em Lisboa, em 16 de dezembro de 1990.

O PRESIDENTE DA REPÚBLICA, no uso da atribuição que lhe confere o art. 84, inciso IV, da Constituição, e

Considerando que o Congresso Nacional aprovou, por meio do Decreto Legislativo nº 54, de 18 de abril de 1995, o Acordo Ortográfico da Língua Portuguesa, assinado em Lisboa, em 16 de dezembro de 1990;

Considerando que o Governo brasileiro depositou o instrumento de ratificação do referido Acordo junto ao Ministério dos Negócios Estrangeiros da República Portuguesa, na qualidade de depositário do ato, em 24 de junho de 1996;

Considerando que o Acordo entrou em vigor internacional em 1º de janeiro de 2007, inclusive para o Brasil, no plano jurídico externo;

DECRETA:

Art. 1º O Acordo Ortográfico da Língua Portuguesa, entre os Governos da República de Angola, da República Federativa do Brasil, da República de Cabo Verde, da República de Guiné-Bissau, da República de Moçambique, da República Portuguesa e da República Democrática de São Tomé e Príncipe, de 16 de dezembro de 1990, apenso por cópia ao presente Decreto, será executado e cumprido tão inteiramente como nele se contém.

Art. 2º O referido Acordo produzirá efeitos somente a partir de 1º de janeiro de 2009.

Parágrafo único. A implementação do Acordo obedecerá ao período de transição de 1º de janeiro de 2009 a 31 de dezembro de 2012, durante o qual coexistirão a norma ortográfica atualmente em vigor e a nova norma estabelecida.

Art. 3º São sujeitos à aprovação do Congresso Nacional quaisquer atos que possam resultar em revisão do referido Acordo, assim como quaisquer ajustes complementares que, nos termos do art. 49, inciso I, da Constituição, acarretem encargos ou compromissos gravosos ao patrimônio nacional.

Art. 4º Este Decreto entra em vigor na data de sua publicação.

Brasília, 29 de setembro de 2008; 187º da Independência e 120º da República.

Decreto nº 6.584, de 29 de setembro de 2008

Promulga o Protocolo Modificativo ao Acordo Ortográfico da Língua Portuguesa, assinado em Praia, em 17 de julho de 1998.

O PRESIDENTE DA REPÚBLICA, no uso da atribuição que lhe confere o art. 84, inciso IV, da Constituição, e

Considerando que o Congresso Nacional aprovou, por meio do Decreto Legislativo nº 120, de 12 de junho de 2002, o Protocolo Modificativo ao Acordo Ortográfico da Língua Portuguesa, assinado em Praia, em 17 de julho de 1998;

Considerando que o Governo brasileiro depositou o instrumento de ratificação do referido Acordo junto ao Ministério dos Negócios Estrangeiros da República Portuguesa, na qualidade de depositário do ato, em 3 de setembro de 2004;

Considerando que o Protocolo Modificativo entrou em vigor internacional em 1º de janeiro de 2007, inclusive para o Brasil, no plano jurídico externo;

DECRETA:

Art. 1º O Protocolo Modificativo ao Acordo Ortográfico da Língua Portuguesa, entre os Governos da República de Angola, da República Federativa do Brasil, da República de Cabo Verde, da República de Guiné-Bissau, da República de Moçambique, da República Portuguesa e da República Democrática de São Tomé e Príncipe, de 17 de julho de 1998, apenso por cópia ao presente Decreto, será executado e cumprido tão inteiramente como nele se contém.

Art. 2º São sujeitos à aprovação do Congresso Nacional quaisquer atos que possam resultar em revisão do referido Protocolo, assim como quaisquer ajustes complementares que, nos termos do art. 49, inciso I, da Constituição, acarretem encargos ou compromissos gravosos ao patrimônio nacional.

Art. 3º Este Decreto entra em vigor na data de sua publicação.

Brasília, 29 de setembro de 2008; 187º da Independência e 120º da República.

Protocolo modificativo ao Acordo Ortográfico da Língua Portuguesa

Considerando que até a presente data o Acordo Ortográfico da Língua Portuguesa, assinado em Lisboa, em dezembro de 1990, ainda não foi ratificado por todas as partes contratantes;

Que o referido texto original do Acordo estabelecia, em seu artigo 3º, que o referido Acordo entraria em vigor no dia 1º de janeiro de 1994, após o depósito dos instrumentos de ratificação de todos os Estados junto ao Governo da República Portuguesa;

Que o artigo 2º do Acordo, por sua vez, previa a elaboração, até 1º de janeiro de 1993, de um vocabulário ortográfico comum da língua portuguesa, referente às terminologias científicas e técnicas;

Que o vocabulário ortográfico comum da língua portuguesa deverá ainda ser concluído;

Decidem as partes dar a seguinte nova redação aos dois citados artigos:

"Art. 2º – Os Estados signatários tomarão, através das instituições e órgãos competentes, as providências necessárias com vista à elaboração de um vocabulário ortográfico comum da língua portuguesa, tão completo quanto desejável e tão normalizador quanto possível, no que se refere às terminologias científicas e técnicas.

Art. 3º – O Acordo Ortográfico da Língua Portuguesa entrará em vigor após depositados os instrumentos de ratificação de todos os Estados junto do Governo da República Portuguesa".

Feito na Praia, em 17 de julho de 1998.

Decreto nº 6.585, de 29 de setembro de 2008

Dispõe sobre a execução do Segundo Protocolo Modificativo ao Acordo Ortográfico da Língua Portuguesa, assinado em São Tomé, em 25 de julho de 2004.

O PRESIDENTE DA REPÚBLICA, no uso da atribuição que lhe confere o art. 84, inciso IV, da Constituição, e

Considerando que foram cumpridos os requisitos para a entrada em vigor do Segundo Protocolo Modificativo ao Acordo Ortográfico da Língua Portuguesa;

Considerando que o Governo brasileiro notificou o Ministério dos Negócios Estrangeiros da República Portuguesa, na qualidade de depositário do ato, em 20 de outubro de 2004;

Considerando que o Acordo entrou em vigor internacional em 1º de janeiro de 2007, inclusive para o Brasil, no plano jurídico externo;

DECRETA:

Art. 1º O Segundo Protocolo Modificativo ao Acordo Ortográfico da Língua Portuguesa, entre os Governos da República de Angola, da República Federativa do Brasil, da República de Cabo Verde, da República de Guiné-Bissau, da República de Moçambique, da República Portuguesa, da República Democrática de São Tomé e Príncipe e da República Democrática de Timor-Leste, de 25 de julho de 2004, apenso por cópia ao presente Decreto, será executado e cumprido tão inteiramente como nele se contém.

Art. 2º Este Decreto entra em vigor na data de sua publicação.

Brasília, 29 de setembro de 2008; 187º da Independência e 120º da República.

V Conferência dos Chefes de Estado e de Governo da Comunidade dos Países de Língua Portuguesa

São Tomé, 26 e 27 de julho de 2004

Acordo do Segundo Protocolo Modificativo ao Acordo Ortográfico da Língua Portuguesa

A República de Angola, a República Federativa do Brasil, a República de Cabo Verde, a República da Guiné-Bissau, a República de Moçambique, a República Portuguesa, a República Democrática de São Tomé e Príncipe e a República Democrática de Timor-Leste:

Considerando que, até a presente data, o Acordo Ortográfico da Língua Portuguesa, assinado em Lisboa, a 16 de dezembro de 1990, ainda não pôde entrar em vigor por não ter sido ratificado por todas as partes contratantes;

Tendo em conta que, desde a IV Conferência de Chefes de Estado e de Governo da Comunidade de Países de Língua Portuguesa (CPLP), ocorrida em Brasília a 31 de julho e 1 de agosto de 2002, se adotou a prática, nos Acordos da CPLP, de estipular a entrada em vigor com o depósito do terceiro instrumento de ratificação;

Recordando que, em 2002, por ocasião da IV Conferência de Chefes de Estado e de Governo, a República Democrática de Timor-Leste aderiu à CPLP, tornando-se o oitavo membro da Comunidade;

Evocando a recomendação dos Ministros da Educação da CPLP que, reunidos, em Fortaleza, a 26 de maio de 2004, na V Reunião de Ministros da Educação, reiteraram ser o Acordo Ortográfico um dos fundamentos da Comunidade e decidiram elevar, à consideração da V Conferência de Chefes de Estado e de Governo da CPLP, a proposta de se aprovar o Protocolo Modificativo ao Acordo Ortográfico da Língua Portuguesa que, além de permitir a adesão de Timor-Leste, define a entrada em vigor do Acordo com o depósito dos instrumentos de ratificação por três países signatários;

DECIDEM as partes:

1. Dar a seguinte nova redação ao Artigo 3 do Acordo Ortográfico:

Artigo 3º

"O Acordo Ortográfico da Língua Portuguesa entrará em vigor com o terceiro depósito de instrumento de ratificação junto da República Portuguesa".

2. Acrescentar o seguinte artigo ao Acordo Ortográfico:

Artigo 5º

"O presente Acordo estará aberto à adesão da República Democrática de Timor-Leste".

3. Estabelecer que o presente Protocolo Modificativo entrará em vigor no primeiro dia do mês seguinte à data em que três Estados membros da CPLP tenham depositado, junto da República Portuguesa, os respectivos instrumentos de ratificação ou documentos equivalentes que os vinculem ao Protocolo.

Feito e assinado em São Tomé, a 25 de julho de 2004.

Nota explicativa

da Comissão de Lexicologia e Lexicografia da ABL sobre os procedimentos metodológicos seguidos na elaboração da 5ª edição do VOLP em consonância com o que dispõe o novo Acordo Ortográfico da Língua Portuguesa e a nota explicativa que lhe serve de adendo como Anexo II, aprovado em Lisboa em 1990

O sintético e enxuto texto oficial do novo Acordo Ortográfico da Língua Portuguesa levou esta Comissão e sua Equipe de Lexicografia a procederem a minuciosa análise de suas Bases para que o numeroso repertório lexical que integra a 5ª edição do VOLP correspondesse com rigor aos propósitos unificadores e simplificadores das delegações oficiais signatárias do supracitado texto.

Preliminarmente, cabe insistir no propósito de o novo Acordo Ortográfico proporcionar razoável simplificação no uso de sinais diacríticos auxiliares do sistema ortográfico, especialmente no emprego mais parcimonioso de acentos gráficos com função de diferenciação semântica e gramatical, como começara, no Brasil, nas alterações aprovadas em 1971, algumas das quais já correntes em Portugal, sancionadas pelo texto oficial de 1945.

Tais iniciativas devolviam ao contexto escrito – o que constituíra prática antiga no sistema ortográfico da língua portuguesa – a tarefa de desfazer possíveis duplicidades de interpretação motivadas pelas homografias entre palavras. O Acordo estendeu, por coerência, à participação elucidadora do contexto, o mesmo papel de desfazer ambiguidades, quando propôs a supressão do hífen nas locuções de quaisquer naturezas, eliminando ainda, com a providência, para o homem comum, a razão, nem sempre ao seu alcance, de perceber artificialismos gráficos do tipo, por exemplo, do emprego de *à toa* (sem hífen), quando locução adverbial ("viajou à toa"), de *à-toa* (com hífen), quando locução adjetiva ("problema à-toa"), práticas então vigentes entre brasileiros.

As críticas que em Portugal se fizeram ao texto de 1986 e hão, em rigor, de prevalecer para o texto de 1990, pelas quais o excesso de homografias provocado também pela omissão do hífen nas locuções iria trazer dificuldades para o entendimento do homem comum, não têm fundamento nem lógico nem histórico. Não têm fundamento lógico porque cresceu o número de homografias vocabulares quando o Acordo de 1945 suprimiu, em Portugal, o acento diferencial de formas como *sede* (ê) e *sede* (é), o primeiro, verbo e substantivo; o segundo, substantivo. Ninguém veio à rua brigar, protestando contra a simplificação. E a medida deve ter agradado tanto, que, em 1971, o Brasil a agasalhou, excluindo apenas os casos em que o acento agudo marcava a distinção entre vocábulos tônicos e vocábulos átonos, como *pára*, verbo, e *para*, preposição. Desapareceu, com isto, o fundamento histórico.

Se, desde o início da língua escrita portuguesa, aí pelos séculos XII ou XIII, até a época em que os ortógrafos do século XIX sistematizaram o emprego do acento diferencial, o contexto oral ou escrito, coadjuvado pela situação e pelos saberes que o utente opera em favor da perfeita comunicação linguística, cumpriu adequadamente seu papel desambiguizador das incômodas homografias, podemos ter a certeza de que os utentes do século XXI terão o poder de sagacidade para continuar dispensando tais artifícios diferenciadores num sistema ortográfico que se quer mais simples, coerente e científico.

Para viabilizar o rico repertório lexical desta 5ª edição do VOLP com o sintético e enxuto texto do Acordo de 1990, esta Comissão estabeleceu quatro princípios metodológicos que, pelo que se lhe afigura, garantem fiel compromisso aos propósitos dos signatários oficiais:

a) respeitar a lição do texto do Acordo;

b) estabelecer uma linha de coerência do texto como um todo;

c) acompanhar o espírito simplificador do texto do Acordo;

d) preservar a tradição ortográfica refletida nos formulários e vocabulários oficiais anteriores, quando das omissões do texto do Acordo.

São as seguintes as principais medidas tomadas por esta Comissão:

1) Restabelecer o acento gráfico nos paroxítonos com os ditongos **éi** e **ói** quando incluídos na regra geral dos terminados em -**r**: *Méier*, *destróier*.

2) Restabelecer o acento circunflexo nos paroxítonos com o encontro **ôo** quando incluídos na regra geral dos terminados em **-n**: *herôon*.

3) Incluir na regra geral de acentuação os paroxítonos terminados em **-om**: *iândom*, *rádom* (variante de *rádon*).

4) Incluir o emprego do acento gráfico na sequência **ui** de hiato, quando a vogal tônica for **i**, como na 1ª pessoa do singular do pretérito do indicativo: *arguí*.

5) Limitar as exceções de emprego do hífen às palavras explicitamente relacionadas no Acordo, admitindo apenas as formas derivadas e aquelas consagradas pela tradição ortográfica dos vocabulários oficiais, como *passatempo*, *varapau*.

6) Incluir no caso 1º da Base XV o emprego do hífen nos compostos formados com elementos repetidos, com ou sem alternância vocálica ou consonântica de formas onomatopeicas, por serem de natureza nominal, sem elemento de ligação, por constituírem unidade sintagmática e semântica e por manterem acento próprio: *blá-blá-blá*, *reco-reco*, *trouxe-mouxe*.

7) Incluir no caso 3º da Base XV, relativo às denominações botânicas e zoológicas, as formas designativas de espécies de plantas, flores, frutos, raízes e sementes, conforme prática da tradição ortográfica.

8) Excluir do emprego do hífen as formas homógrafas de denominações botânicas e zoológicas que têm significações diferentes àquelas: *bico de papagaio*, "nariz adunco", "saliência óssea".

9) Excluir o prefixo **co-** do caso 1º, letra a, da Base XVI, por merecer do Acordo exceção especial na observação da letra b da mesma Base XVI e por também poder ser incluído no caso 2º, letra b, da Base II (*coabitar*, *coabilidade,* etc.). Assim, por coerência, *co-herdeiro* passará a *coerdeiro*.

10) Incluir, por coerência e em atenção à tradição ortográfica, os prefixos **re-**, **pre-** e **pro-** à excepcionalidade do prefixo **co-**, referida na observação da letra b do caso 1º da Base XVI: *reaver*, *reeleição*, *preencher*, *proótico*.

11) Registrar a duplicidade de formas quando não houver perda de fonema vocálico do primeiro elemento e o elemento seguinte começar por **h-**, exceto os casos já consagrados, com eliminação desta letra: *bi-hebdomadário* e *biebdomadário*, *carbo-hidrato* e *carboidrato*, mas só *cloridrato*.

12) Incluir entre as locuções, portanto não hifenadas, as unidades fraseológicas constitutivas de lexias nominalizadas do tipo de *deus nos acuda*, *salve-se quem puder*, *faz de conta* etc.

13) Excluir o emprego do hífen nas expressões latinas quando não aportuguesadas: *ab ovo*, *ad immortalitatem*, *carpe diem*, *in octavo*, mas *in-oitavo*.

14) Excluir o emprego do hífen com o prefixo **an-** quando o segundo elemento começar por **h-**, letra que cai, à semelhança do que preceitua o texto do Acordo para os prefixos **des-** e **in-**: *anistórico*, *anepático*. Na forma **a-** usa-se o hífen e não se elimina o **h-**: *a-histórico*.

15) Excluir o emprego do hífen nos casos em que as palavras **não** e **quase** funcionam como prefixos: *não agressão, não fumante, quase delito, quase irmão.*

Está claro que, para atender a especiais situações de expressividade estilística com a utilização de recursos ortográficos, se pode recorrer ao emprego do hífen nestes e em todos os outros casos que o uso permitir. É recurso a que se socorrem muitas línguas. Deste **não** hifenado se serviram no alemão Fichte e Hegel para exercer importante função significativa nas respectivas terminologias filosóficas: *nicht-sein* e *nicht-ich*, de que outros idiomas europeus se apropriaram como calcos linguísticos. Não é, portanto, recurso para ser banalizado.

É evidente que tais propostas, sempre dimanadas de escrupulosa leitura e interpretação do texto do Acordo e de sua Nota Explicativa, estão sujeitas ao juízo crítico dos especialistas para sugestões e emendas que esta Comissão recolhe e agradece antecipada e cordialmente.

Eduardo Portella (Presidente)

Alfredo Bosi

Evanildo Bechara (Relator)

Nota editorial da 5ª edição

Esta nova edição do *Vocabulário Ortográfico da Língua Portuguesa* incorpora as Bases do Acordo Ortográfico de 1990, observados os seguintes princípios norteadores: a) a lição do Acordo; b) a coerência interna do texto do Acordo; c) o espírito do Acordo; d) a tradição lexicográfica. Trata-se de mais um esforço em direção à unidade de grafia, que reflete a maturidade linguística e política a que chegou a comunidade lusófona.

Neste sentido, a 5ª edição do VOLP pretende fazer um registro o mais completo possível não só dos vocábulos de uso comum como também da terminologia científica e técnica. Para tanto, observaram-se os seguintes novos procedimentos:

I - Quanto à acentuação gráfica:

Foi eliminado o acento gráfico nos seguintes casos:

1) Quando marcava o timbre aberto dos ditongos *ei* e *oi* dos vocábulos paroxítonos, como em *assembleia* (*é*), *heroico* (*ó*), desde que não incluído em outra regra geral de acentuação, como em *destróier, gêiser.*

2) Quando indicava o hiato de duas vogais iguais como em *voo*, *enjoo*, desde que não incluído em outra regra geral de acentuação, como em *herôon.*

3) Quando usado sobre o *i* ou *u* tônico precedido de ditongo decrescente em palavras paroxítonas, como em *feiura*, *baiuca.*

4) Quando usado como diferencial nas palavras paroxítonas que têm a vogal tônica aberta ou fechada, como em *pelo* (*ê*), *polo* (*ó*), *pera* (*ê*).

5) Quando usado como diferencial em *para*, flexão do verbo *parar*, como em *para-brisa*, *para-choque.*

II - Quanto ao trema:

O trema que marcava a pronúncia do *u* quando precedido de *g* e *q* e seguido de *e* e *i* foi suprimido, como em *linguiça* (*ü*), *tranquilo* (*ü*), *frequência* (*ü*).

Neste *Vocabulário*, serão assinaladas entre parênteses as indicações ortoépicas que possam oferecer dúvidas ao consulente.

III - Quanto ao hífen:

A - Em compostos

1) Emprega-se o hífen nos vocábulos onomatopaicos formados por elementos repetidos, com ou sem alternância vocálica ou consonântica, como *blá-blá-blá*, *lenga-lenga*, *tique-taque*, *trouxe-mouxe*, etc.

2) Não se emprega o hífen nos compostos por justaposição com termo de ligação, como *pé de moleque*, *folha de flandres*, *tomara que caia*, *quarto e sala*, exceto nos compostos que designam espécies botânicas e zoológicas, como *ipê-do-cerrado*, *bem-te-vi*, *porco-da-índia*, etc.

B – Nas formações com prefixos ou radicais

Emprega-se o hífen:

1) Quando o primeiro elemento termina por vogal ou consoante igual à que inicia o segundo elemento, como *anti-inflamatório*, *micro-ondas*, *auto-observação*; *ad-digital*, *sub-base*.

2) Quando não houve perda do som da vogal final do primeiro elemento, e o elemento seguinte começa por *h*, podem ser usadas duas formas gráficas distintas, como *bi-hebdomadário* e *biebdomadário*, *zoo-hematina* e *zooematina*.

3) Quando o primeiro elemento termina por *m* e o segundo elemento começa por vogal, *h*, *m* ou *n*, como *circum-hospitalar*, *circum-murado*, *circum-navegação*.

4) Quando o segundo elemento começa por *h*, como *adeno-hipófise*, *anti-herói*, *mega-hertz*.

Não se emprega o hífen:

1) Nas formações com os prefixos *co-*, *re-*, *pre-* e *pro-*, mesmo nos encontros de vogais iguais ou quando o segundo elemento começa por *h*, como *coautor*, *coocupante*, *coabitar*, *coerdeiro*; *reabilitar*, *reescrever*; *preexistência*; *proativo*.

2) Nas formações em que o primeiro elemento termina por vogal e o segundo elemento começa por *r* ou *s*, devendo estas consoantes duplicar-se, como em *antissocial*, *minissaia*, *suprarrenal*.

Observação: Não estão consignadas nesta 5ª edição do VOLP as formações com as palavras *não* e *quase* com função prefixal, como *não agressão*, *não fumante*, *quase nada* etc., por não serem os elementos de tais formações separados por hífen.

Comissão de Lexicografia da ABL
Presidente: Eduardo Portella
Evanildo Cavalcante Bechara
Alfredo Bosi

Equipe de Lexicógrafos
Ângela Barros Montez
Cláudio Mello Sobrinho
Débora Garcia Restom
Dylma Bezerra
Ronaldo Menegaz

Apresentação da 4ª edição

A Academia Brasileira de Letras entrega ao país a 4ª edição do *Vocabulário Ortográfico da Língua Portuguesa*. Durante quase dois anos, orientado permanentemente pela Comissão de Lexicografia da ABL, composta pelos Acadêmicos Eduardo Portella, Sergio Corrêa da Costa e Evanildo Cavalcante Bechara, um grupo de especialistas – formado por Cláudio Mello Sobrinho, Débora Garcia Restom, Dylma Bezerra, Rita Moutinho e Ronaldo Menegaz, sob a chefia de Sergio Pachá, e auxiliado pelos revisores Ana-Maria Barbosa, Denise Teixeira Viana, João Luiz Lisboa Pacheco, Paulo Teixeira Pinto Filho, Sandra Pássaro e Vania Maria da Cunha Martins Santos e pelas digitadoras Ana Laura Mello Berner, Beatriz Merched Fialho, Karina Antonela Simini e Lydia Sanada Rollemberg – trabalhou intensa e cuidadosamente para, a partir das edições anteriores, compor este *Vocabulário* com 344.440 palavras usadas no português culto contemporâneo do Brasil. Na Nota Editorial, descrevem-se os critérios que guiaram os trabalhos de revisão deste *Vocabulário*, não me cabendo insistir sobre as novidades que nele se contêm. Impõe-se, contudo, que, ciente de suas possíveis falhas, convide quem me lê a que apresente por escrito à Comissão de Lexicografia da Academia Brasileira de Letras as achegas e correções que julgue necessárias. Como esta é uma obra em constante progresso, no momento em que ela chega às livrarias começamos a preparar a 5ª edição.

Alberto da Costa e Silva
Presidente

Nota editorial da 4ª edição

Diversamente dos dicionários, que se ocupam de definir os vocábulos neles consignados ou, no caso dos dicionários bilíngues, de dar o equivalente de cada palavra em outra língua, um vocabulário ortográfico, obra de escopo distinto - mas, nem por isso, menos útil -, destina-se a visualizar, por assim dizer, o sistema ortográfico vigente e também, até certo ponto, a prosódia e a ortoépia das palavras de um idioma. Outra de suas funções é dar a classe gramatical dos vocábulos que arrola (substantivo, adjetivo, pronome, verbo, etc.) e, em alguns casos, a critério do editor de texto, outras informações úteis, tais como formas mais ou menos irregulares do feminino de substantivos e adjetivos, plurais de nomes compostos, homônimos e parônimos das palavras averbadas.

Esta quarta edição do *Vocabulário Ortográfico da Língua Portuguesa* distingue-se das anteriores pela preocupação em refletir, na medida do possível, os variados registros da norma culta do português contemporaneamente falado e escrito no Brasil. Removeram-se, por conseguinte, de seu texto numerosos arcaísmos, alguns dos quais, como *aramá*, *crás*, *esto*, *mentres*, *sojigar*, *samicas* e *tabeliom*, já haviam caído em desuso na linguagem dos letrados antes mesmo do nascimento de Camões, no primeiro quartel do século XVI. Outras formas, ainda correntes no texto de *Os Lusíadas*, tais como *dereito*, *despois*, *frauta*, *frecha*, *treição*, e, vez por outra, ainda subsistentes em falares locais, mas há muito desusadas no português padrão, receberam igual tratamento ao que se deu aos arcaísmos oriundos de extratos mais antigos da linguagem. O mesmo foi feito com centenas de termos dialetais porventura ainda usados em áreas remotas de Portugal, mas de todo em todo desconhecidos deste lado do Atlântico e - o que é mais - deixados de lado pelo próprio *Dicionário da Língua Portuguesa Contemporânea*, recentemente dado à estampa pela Academia das Ciências de Lisboa. Enfim, foram removidas desta quarta edição do *VOLP* certas palavras documentadas não mais que uma ou duas vezes em toda a longa história da língua portuguesa e jamais incorporadas ao falar de seus usuários de um e do outro lado do mar, como, por exemplo, *conchuim*, um termo que ocorre no capítulo 97 da *Peregrinação*, de Fernão Mendes Pinto (obra escrita na segunda metade do século XVI), e que designava a embarcação usada então na China para transportar mandarins em serviço.

A primeira, a principal preocupação dos responsáveis pela presente edição do *Vocabulário Ortográfico* não foi, portanto, listar exaustivamente todas as palavras alguma vez documentadas nos nove séculos de história da língua que falamos. Foi atender a determinadas necessidades, cotidianas e práticas, dos usuários de um idioma vivo - o português -, tal como dele se servem, contemporaneamente, as pessoas instruídas no Brasil. Assim, além de solver quaisquer dúvidas acerca da grafia das palavras (que é o que, antes de mais nada, se espera de obra de tal natureza), esta edição também atende a inúmeras questões de prosódia, ortoépia e morfologia, além de fazer certas aproximações de caráter contrastivo, que tenuemente enveredam pelo domínio da semântica. E é disto que falaremos a seguir.

No âmbito da prosódia e da ortoépia, encontrará o consulente deste vocabulário informações sobre:

1. O timbre das vogais tônicas fechadas, *ê* e *ô*, sempre que não esteja assinalado por acento gráfico no próprio vocábulo: *abadessa* (*ê*) s.f. / *alvoroço* (*ô*) s.m. / *abalador* (*ô*) adj. Isto não se fará, porém, com o infinitivo dos verbos não anômalos da segunda conjugação, cuja vogal temática, tal como ali aparece, é uniformemente fechada: *arder*, *beber*, *responder*, etc.

2. O timbre aberto do *ó* tônico nos femininos e plurais de substantivos e adjetivos cujo masculino singular tem essa vogal fechada: *abrolho* (*ô*) s.m.; pl. (*ó*) / *composto* (*ô*) adj. s.m.; f. (*ó*); pl. (*ó*) / *pavoroso* (*ô*) adj.; f. (*ó*); pl. (*ó*).

3. O timbre aberto do *è* e do *ò* em sílaba pretônica: *abaeteense* (*tè*) adj. s.2g. / *mocotoense* (*tò*) adj. s.2g.

4. A indicação da ocorrência de hiato formado por duas vogais átonas: *abaular* (*a-u*) v. / *coincidir* (*o-i*) v. / *deicida* (*e-i*) adj. s.2g. / *enraizar* (*a-i*) v.

5. A indicação das pronúncias facultativas de certos vocábulos, nos quais ocorre oscilação do timbre da vogal tônica: *acervo* (*ê* ou *é*) s.m. / *algoz* (*ô* ou *ó*) s.m. / *badejo* (*ê* ou *é*) s.m. / *ileso* (*ê* ou *é*) adj. / *interesse* (*ê* ou *é*) s.m. / *obeso* (*ê* ou *é*) adj. s.m. / *obsoleto* (*ê* ou *é*) s.m.

6. A indicação da pronúncia do *s*, em certos casos que se afiguram duvidosos, e do *x*, sempre que este não equivalha foneticamente a *ch*: *subsídio* (*si*) s.m. / *subsistir* (*si* ou *zi*) v. / *trânsito* (*zi*) s.m. / *axial* (*cs*) adj. / *êxito* (*z*) s.m. / *hexágono* (*z* ou *cs*) s.m. / *máximo* (*ss*) adj.

7. A indicação de que certas consoantes contíguas pertencem a sílabas distintas e, portanto, devem pronunciar-se separadamente: *adlegação* (*ad-le*) s.f. / *sublingual* (*sub-lin*) adj.2g. / *subliterato* (*sub-li*) s.m. / *sublocar* (*sub-lo*) v. Assinalam-se igualmente os casos de pronúncia facultativa: *sublevar* (*sub-le* ou *su-ble*) v. / *sublinhar* (*sub-li* ou *su-bli*).

No âmbito da morfologia, esta edição do *VOLP* registra a flexão de número dos substantivos compostos e as flexões de gênero e número dos adjetivos compostos, tanto dos que só têm uma forma de plural quanto dos que têm mais de uma. No caso dos plurais duplos (ou triplos) de substantivos, a forma que aparece em primeiro lugar é, por via de regra, aquela que se reputa mais consentânea com a boa tradição da língua portuguesa – o que, contudo, não significa que a outra ou as outras formas não sejam aceitáveis nem que se lhes neguem foros de cidade. Assim, por exemplo, teremos *fruta-pão* s.f.; pl. *frutas-pão* e *frutas-pães* / *guarda-marinha* s.m.; pl. *guardas-marinha*, *guardas-marinhas* e *guarda-marinhas* / *público-alvo* s.m.; pl. *públicos-alvo* e *públicos-alvos*. No caso dos adjetivos compostos, duas hipóteses são de considerar. A primeira é a dos adjetivos passíveis de serem substantivados. Destes, alguns só variam quando usados como substantivos, do que seja exemplo *amarelo-canário* adj.2g.2n. s.m; pl. do s. *amarelos-canário* e *amarelos-canários*. Outros variam, quer sejam empregados em função adjetiva, quer como substantivos; mas fazem-no por formas diferentes: *amarelo-cinzento* adj. s.m.; f. *amarelo-cinzenta*; pl. do adj. *amarelo-cinzentos*; pl. do s. *amarelos-cinzentos* / *alto-alemão* adj. s.m.; f. *alto-alemã*; pl. do adj. *alto-alemães*; pl. do s. *altos-alemães*. Outros, enfim, têm a mesma forma no plural, quer como adjetivos, quer como substantivos: *indo-europeu* adj. s.m.; f. *indo-europeia*; pl. *indo-europeus*. A segunda hipótese é a dos adjetivos compostos não passíveis de substantivação: nestes varia apenas o segundo elemento ao se lhes formar o plural. Exemplos: *médico-cirúrgico* adj.; f. *médico-cirúrgica*; pl. *médico-cirúrgicos* / *teológico-político* adj.; f. *teológico-política*; pl. *teológico-políticos*.

Ainda no capítulo das flexões de número, dar-se-ão os plurais de quaisquer nomes terminados em *-ão* que admitam mais de um plural. Teremos, assim: *corrimão* s.m.; pl. *corrimãos* e *corrimões* / *ancião* adj. s.m.; pl. *anciãos*, *anciões* e *anciães*.

Enfim, serão dados quaisquer femininos de substantivos ou de adjetivos formados por processos distintos da mera adjunção do morfema *-a* ao radical do vocábulo (ex., *português* / *portuguesa*) ou da substituição da vogal temática pelo mesmo morfema (*gato* / *gata*). Assim, por exemplo, teremos *abade* s.m.; f. *abadessa* / *ator* s.m.; f. *atriz* / *folião* s.m.; f. *foliona* / *leão* s.m.; f. *leoa* / *poeta* s.m.; f. *poetisa* / *alemão* adj. s.m.; f. *alemã* / *europeu* adj. s.m.; f. *europeia* / *sandeu* adj. s.m.; f. *sandia*.

Não se farão remissões, salvo as de caráter contrastivo, vale dizer, as que visam a apontar a existência de homônimos e parônimos ou a ocorrência de fonemas suprassegmentais diferenciadores de vocábulos que se grafam com as mesmas letras mas têm sílabas tônicas diferentes, como, *v.g.*, *médico* adj. s.m.; cf. *medico*, do v. *medicar* ou *sabiá* s.2g. "pássaro"; cf. *sábia* adj. s.f. e *sabia*, do v. *saber*. Ainda assim, estas remissões referir-se-ão à diferença entre dois vocábulos, e não à diferença entre um vocábulo propriamente dito e um vocábulo fonológico. Deste modo, não se justifica uma remissão do tipo *apelo* (*ê*) s.m. "chamamento"; cf. *a pelo* loc. adv.; ou *selo* (*ê*) s.m. "estampilha"; cf. *sê-lo*, do v. *ser* + pr. *lo*.

E, já agora, caberá uma palavra sobre aquelas tênues incursões pelos domínios da semântica, a que nos referíamos mais acima. Decorrem todas, conforme se verá, da necessidade de se estremarem, uns dos outros, os homônimos e os parônimos da língua que falamos e escrevemos. Assim, muito embora um vocabulário ortográfico não seja, nem aspire a ser, um dicionário, foram dadas brevíssimas indicações do significado dos vocábulos nos seguintes casos:

1. Nos pares de homógrafos heterofônicos, como *forma* s.f. "disposição exterior de algo"; cf. *forma* (*ô*) / *forma* (*ô*) s.f. "molde"; cf. *forma* s.f. e fl. do v. *formar*; *sede* s.f. "assento"; cf. *sede* (*ê*) / *sede* (*ê*) s.f. "desejo de beber água"; cf. *sede*; *beta* s.f. "segunda letra do alfabeto grego"; cf. *beta* (*ê*) / *beta* (*ê*) s.f. "listra, filão"; cf. *beta*; *relho* adj. "muito velho, revelho"; cf. *relho* (*ê*) / *relho* (*ê*) s.m. "chicote"; cf. "*relho*"; *tolo* s.m. "sepultura pré-histórica"; cf. *tolo* (*ô*) / *tolo* (*ô*) adj. s.m. "tonto, simplório"; cf. *tolo*.

2. Nos pares, ternos, etc. de parônimos, como *emergir* v. "vir à tona"; cf. *imergir* / *imergir* v. "mergulhar"; cf. *emergir*; *eludir* v. "evitar algo com destreza ou artimanha"; cf. *iludir* / *iludir* v. "enganar"; cf. *eludir*; *bofó* s.m. "cará-inhame"; cf. *bofo* (*ô*) s.m. e *bofo*, do v. *bofar* / *bofo* (ô) s.m. "canela gosmenta"; cf. *bofó* s.m. e *bofo*, do v. *bofar*.

3. Nos casos em que, por obra da convergência fonética, palavras diferentes quanto ao significado, senão mesmo quanto à classe gramatical, sejam idênticas quanto à grafia e ao timbre da vogal tônica. Sempre que tais vocábulos vieram a ser contrastados com um homógrafo heterofônico, deram-se, separadamente, os diferentes significados aplicáveis ao mesmo significante. Nos casos em que a significados diferentes correspondem classes gramaticais diferentes manteve-se a separação por classes e significados. Exemplo: *boto* (*ô*) adj. "rombudo" e s.m. "cetáceo"; cf. *boto* s.m. e fl. do v. *botar* / *boto* s.m. "odre"; cf. *boto* (*ô*).

Embora as grafias duplas não autorizadas pela etimologia ou pela norma ortográfica vigente devam, em princípio, ser evitadas, casos há em que o uso geral tende a impor uma segunda grafia, concorrente com a forma canônica do vocábulo, que não raro acaba por obter a chancela de lexicógrafos acatados. É o que se dá, por exemplo, com as formas *carboidrato* e *neuroipófise*, heterodoxas ambas, e, não obstante, agasalhadas pelos dicionários de Aurélio Buarque de Holanda e de Antônio Houaiss, a par das formas *carbo-hidrato* e *neuro-hipófise*, grafadas, estas, consoante as *Instruções para a Organização do Vocabulário Ortográfico da Língua Portuguesa*, que regem a ortografia em uso no Brasil. Lembrados, aqui como alhures, da sábia advertência de Horácio, segundo quem "o uso [...] é da língua sumo legislador e regra viva",[1] também o *VOLP* albergou grafias duplas do mesmo vocábulo sempre que autorizadas por ambos os dicionaristas mencionados. Outro tanto foi feito com o vocábulo *ab-rupto*: em consonância com uma prática lexicográfica inaugurada há sessenta anos por Antenor Nascentes e recentemente retomada por Antônio Houaiss, consignou-se aqui uma segunda grafia da mesma palavra, *abrupto*, que reflete fielmente outra maneira de pronunciá-la que se ouve entre nós.

O que tudo vem demonstrar que, posto de todo ponto necessárias a quem usa de uma língua de cultura, não se constituem as regras ortográficas em absolutos intransponíveis. Tome-se, por exemplo, o caso do acento diferencial, quase inteiramente abolido pela Lei 5.765, de 18 de dezembro de 1971: acatada ao pé da letra, a norma legal destruiria um jogo de palavras essencial à compreensão do poema "Os Sapos", de Manuel Bandeira:

> Vai por cinquenta anos
> Que lhes dei a norma:
> Reduzi sem danos
> A fôrmas a forma.

1 *Arte Poética*, de Q. Horacio Flacco, traduzida e illustrada em portuguez por Candido Lusitano. Nova edição. Lisboa: Na Typographia Rollandiana, 1833, p. 57 (vv. 71-72).

Neste caso, urge manter o acento circunflexo sobre a sílaba tônica da palavra *fôrmas*, que o poeta, muito de indústria, aqui contrapôs a sua homógrafa heterofônica, *forma*. Outro tanto se passa com o trema usado para assinalar os hiatos átonos e também abolido pelo texto legal já mencionado: foi jogando com a possibilidade de uma prolação ora trissilábica, ora tetrassilábica da palavra *saudade* que Almeida Garrett obteve um efeito poderosamente expressivo nos versos de abertura do *Camões*:

Saudade! Gosto amargo de infelizes,
Delicioso pungir de acerbo espinho,
Que me estás repassando o íntimo peito
Com dor que os seios d'alma dilacera,
Mas dor que tem prazeres – Saüdade!

A seguirmos cegamente a palavra do legislador, esquecidos de que *necessitas facit iustum quod de iure non est licitum*, não estaríamos tão somente desfigurando dois textos poéticos importantes – o equivalente, em termos estéticos, a deitar fora a criança com a água do banho. Estaríamos cometendo algo que Talleyrand reputava pior do que um erro: uma tolice.

A partir desta edição, os vocábulos e expressões de origem estrangeira ainda não naturalizados em nosso idioma, mas correntemente empregados entre nós, estarão alfabeticamente agrupados no final do vocabulário. Esperamos com isto facilitar a consulta dos leitores.

Os acréscimos lexicais que enriquecem a quarta edição do *VOLP* basearam-se, sobretudo, no *Dicionário Houaiss da Língua Portuguesa*, notável pela opulência da nominata e pelo grande rigor que presidiu a sua feitura, e na terceira edição do *Novo Aurélio Século XXI*: *O Dicionário da Língua Portuguesa*, também ele um modelo de lexicografia conscienciosa e vazada em excelente vernáculo. Foram-nos, igualmente, de grande valia duas obras especializadas, *Falares Africanos na Bahia*: *Um Vocabulário Afro-Brasileiro*, de Yeda Pessoa de Castro ([Rio de Janeiro]: Academia Brasileira de Letras/Topbooks, [2001]) e *Palavras sem Fronteiras*, de Sergio Corrêa da Costa (Rio de Janeiro/São Paulo: Record, 2000), cujos autores homenageamos aqui.

Equipe de Lexicógrafos
Sergio Pachá (Lexicógrafo-Chefe)
Cláudio Mello Sobrinho
Débora Garcia Restom
Dylma Bezerra
Rita Moutinho
Ronaldo Menegaz

Apresentação da 3ª edição

Com uma incrível velocidade, esgotou-se a segunda edição do *Vocabulário Ortográfico da Língua Portuguesa*, que editamos em setembro de 1998, com a preciosa colaboração da Imprensa Nacional. A diretoria da Academia Brasileira de Letras determinou a imediata autorização para que se imprimisse a terceira edição. Nesta, com a colaboração permanente da nossa Comissão de Lexicografia, inserimos alguns termos a mais, fruto de pesquisas cuidadosas que então se concluíram, ensejando a sua inserção. É o caso de: andragogia, backup, bicicletário, browser, butar, decassegui, desregulamentação, elencar, fax, flexibilização, infovia, infradotado, lincar, lipoaspiração, macrovisão, mecatrônica, megabyte, microvisão, minigênio, on-line, pervadir, recredenciamento, sashimi, setup, site (saite), sushi, tabule, terminalidade, upgrade.

No Natal de 1977, o presidente Austregésilo de Athayde fez a apresentação da primeira versão completa do *Vocabulário Ortográfico da Língua Portuguesa* (*VOLP*). O Relatório da Comissão Acadêmica foi subscrito, no dia 20/12/77, pelos acadêmicos Pedro Calmon, Barbosa Lima Sobrinho, Abgar Renault e Antônio Houaiss (relator).

Na ocasião, referindo-se à Lei nº 5.765, de 18 de dezembro de 1971, Austregésilo de Athayde afirmou que assim se oferecia à lexicologia e lexicografia da língua portuguesa "uma recolha tão exaustiva quanto possível do léxico da língua, na sua feição escrita ou documentada por escrito em letra de forma."

Em 19 de março de 1998, em nome do Conselho de Lexicografia da ABL, o acadêmico Antônio Houaiss solicitou uma segunda edição do atual *VOLP*, para atender à demanda pública até a publicação do chamado *Vocabulário Ortográfico Unificado da Língua Portuguesa*.

Convém recordar algumas particularidades da 1ª edição desta obra. Os seus 350 mil verbetes foram abrigados em livros de excelente padrão gráfico, a partir de uma conversa mantida em Teresópolis (RJ), inspirada pelo inesquecível médico Noel Nutels, que me apresentou ao acadêmico Antônio Houaiss. Com o seu jeito expansivo, reclamou que nenhuma editora havia até então se interessado pelo "trabalho patriótico" de Houaiss.

De imediato, ofereci os préstimos de Bloch Editores e assim, em 1981, foi possível lançar a primeira edição do *VOLP*, muito bem cuidada pelo zelo gráfico de Adolpho Bloch, que me disse com o seu jeito característico: "Vou colocar no Vocabulário o melhor papel do mundo, um bíblia alemão que deixará saudades." E assim foram feitos 20 mil exemplares, esgotados pelo ineditismo da obra.

Em matéria de obrigações, a ABL manteve-se fiel a uma tríplice preocupação: o *Dicionário*, o *Vocabulário* e o *Acordo Ortográfico de Unificação da Língua Portuguesa*. Este depende das assinaturas dos parlamentares das sete nações lusófonas; o Dicionário vai renascer, numa versão ampliada para 150 mil verbetes, com vistas ao próximo milênio; o *Vocabulário Ortográfico*, na sua 3ª edição, é a realidade com a qual nos defrontamos, oferecendo-o à consideração dos leitores brasileiros.

Em 1998, retomamos o trabalho de revisão e enriquecimento do *Vocabulário Ortográfico*. A Comissão de Lexicografia da ABL, composta pelos acadêmicos Antônio Houaiss, Eduardo Portella, Evaristo de Moraes Filho e Lêdo Ivo e a Comissão Externa de Lexicografia, constituída pelos especialistas Antônio José Chediak (coordenador-geral), Sílvio Elia, Evanildo Bechara e Diógenes de Almeida Campos (representante da Academia Brasileira de Ciências), depois de inúmeras e proveitosas reuniões, chegou ao total de 356 mil verbetes, com a inserção de cerca de 6 mil novos vocábulos, em geral relativos ao desenvolvimento científico e tecnológico. As mudanças nessa área são muito rápidas, caminhamos com velocidade para a Sociedade da Informação, como desconhecer a repercussão disso em nosso universo vocabular?

É claro que a Academia Brasileira de Letras, que tem a responsabilidade legal de editar o VOLP, agradece antecipadamente quaisquer contribuições feitas ao aperfeiçoamento desta obra fundamental.

Desde Machado de Assis, que insistia em citar um "dicionário etimológico" a ser futuramente produzido pela Academia, o assunto esteve presente nas discussões da ABL. Devemos ao acadêmico Afrânio Peixoto, na sessão de 4 de abril de 1940, a proposta de contratação de um filólogo, o professor Antenor

Nascentes, prometendo até que, se a obra não fosse aceita pela Academia, a quantia lhe seria restituída pelo autor da proposta.

Antenor Nascentes apresentou o trabalho a Afrânio Peixoto em 12 de novembro de 1943, que foi aprovado um mês depois, pela comissão integrada por Pedro Calmon e Rodolfo Garcia, com o seguinte e elucidativo comentário: "Sejam dados os agradecimentos da Academia ao Sr. Afrânio Peixoto, por ter cumprido a grave missão que, graciosamente, lhe confiou o plenário."

Devemos também uma homenagem especial ao acadêmico Josué Montello, ex-presidente da Casa de Machado de Assis, hoje vice-decano da ABL. A ele pode ser creditada a primeira edição do mencionado Dicionário da Língua Portuguesa organizado por Antenor Nascentes (meu saudoso colega e amigo da Faculdade de Educação da Universidade do Estado do Rio de Janeiro, em seus primórdios) e que teve a colaboração da Imprensa Nacional, em cumprimento à Lei Eduardo Ramos, de número 726, de 8 de dezembro de 1900. Essa parceria tornou-se possível graças a um decreto do presidente Juscelino Kubitschek de Oliveira, iniciativa do romancista Josué Montello, ao tempo em que, já acadêmico, ocupava funções de subchefe da Casa Civil da presidência da República (1957). O histórico decreto foi assinado por JK em visita à própria ABL, regulamentando a lei de 1900, assinada por Campos Sales e Epitácio Pessoa.

É preciso mencionar que o verdadeiro ponto de partida do *VOLP* foi uma proposta do professor Celso Cunha a Josué Montello, então presidente do Conselho Federal de Cultura. Este designou o escritor Guimarães Rosa para relator da matéria, que, aprovada no CFC, foi levada à aprovação do Conselho Federal de Educação. Lá, tendo como relator Celso Cunha, mereceu igual aprovação. Daí o assunto veio à ABL, que encaminhou as conclusões à presidência da República e desta ao Congresso Nacional, para aprovação final. Nasceram assim os fundamentos do *VOLP* e do futuro Acordo Ortográfico de Unificação da Língua Portuguesa, em que estamos todos empenhados.

Como curiosidade, vale ainda o registro de um comentário de Josué Montello, aqui reproduzido:

> "A Academia Francesa levou 60 anos para fazer o seu Dicionário. A Academia Brasileira, que se modelou pela Academia Francesa, vai apresentar ao público a primeira edição do seu dicionário, em 1957, precisamente quando completa 60 anos. E a idéia do Dicionário nasceu com a Academia."

Entendemos que, ao lado do *Vocabulário Ortográfico*, a Academia Brasileira de Letras tem a obrigação de preparar o *Dicionário da Língua Portuguesa*, cuja segunda edição, elaborada em Bloch Editores, foi lançada em março de 1988, ganhando sucessivas impressões, inclusive na versão míni.

Estamos vivendo novos tempos na ABL. A sua diretoria, interpretando os anseios do plenário, lançou-se à elaboração deste *Vocabulário Ortográfico*, para logo depois dedicar-se ao *Dicionário da Língua Portuguesa*. Todo esse esforço tem por escopo prestar uma efetiva contribuição à defesa e enriquecimento do nosso idioma, obrigação maior da Casa de Machado de Assis, desde as suas origens, há mais de 100 anos. Breve virá o *Vocabulário Onomástico*, determinação da Lei 5.765, que nossa diretoria se apresta a cumprir.

Nesta edição, houve o acréscimo de 1.200 vocábulos da área biomédica, graças à colaboração que recebemos da Academia Nacional de Medicina. Queremos ainda registrar o falecimento de duas figuras excepcionais da filologia brasileira – Antônio Houaiss e Sílvio Elia. Eles merecem a nossa sentida homenagem *post-mortem*. Os seus exemplos continuarão a nos servir de inspiração.

Rio de Janeiro, 16 de abril de 1999.

Arnaldo Niskier
Presidente

Relatório da Comissão Acadêmica do Vocabulário ao Presidente da Academia Brasileira de Letras

1 O mandato. A Comissão Acadêmica do Vocabulário, da Academia Brasileira de Letras, recebeu a incumbência de proceder à elaboração de vocabulário ortográfico da língua portuguesa nos termos do artigo 2º da Lei nº 5.765, de 18 de dezembro de 1971, *verbis*:

"Art. 2º A Academia Brasileira de Letras promoverá, dentro do prazo de dois anos, a atualização do Vocabulário Comum, a organização do *Vocabulário Onomástico* e a republicação do *Pequeno Vocabulário Ortográfico da Língua Portuguesa* nos termos da presente lei."

1.1 Teria sido fácil à Comissão interpretar os termos acima referidos da lei nos seus aspectos mais expeditos, cumprindo, assim, o mandato, sem acrescentar, entretanto, algo de relevante para a situação lexicográfica da língua portuguesa. Bastaria, para tanto, que se juntasse um número aleatório de palavras ao Vocabulário Comum previamente levantado e lhe anexasse o que há de colhido em vocábulários ou relações onomásticos existentes – antroponímicos, toponímicos e outros – tudo grafado segundo as muito pequenas inovações no uso dos diacríticos trazidas pela citada lei.

1.2 Seria essa, entretanto, tarefa de pequena monta e de duvidosa utilidade. De fato, a situação lexicográfica da língua portuguesa não é, no conjunto, satisfatória, impondo-se-lhe uma decidida vontade de atualização de pesquisas lexicológicas, a fim de que a língua, do seu lado lexical, possa entrar em compasso com as línguas de cultura contemporâneas.

1.3 Faltam-nos textos críticos, do período arcaico ao moderno; faltam-nos índices verbais, glossários, gerais ou especializados, regionais ou comuns, por períodos ou extensivos, por terminologias naturais ou científicas; faltam-nos estudos de estruturas, de cotejos das coletas acima referidas; faltam-nos concordâncias interterminológicas, e faltam, por fim – mas sem exaurir matéria –, simpósios interdisciplinares capazes de estabelecer normas aceitáveis em comum por certas ciências para os vocábulos e suas constelações que – eruditos – podem comportar um ato de vontade dos principais interessados no esforço de beneficiar-se intercomunicativamente dos resultados de uma normalização consensual. É que as sanções normativas até hoje em dia têm sido ditadas por filólogos ou linguistas, quando incidem de preferência sobre o significante da palavra, ao passo que quaisquer normalizações fecundas exigem muito mais, exigindo, por isso, a presença dos especialistas *ratione materiae*.

1.4 A Comissão Acadêmica do Vocabulário preferiu, em consequência, enveredar por caminhos mais trabalhosos, ainda que ampliando, assim, o mandato recebido, para melhor corresponder ao espírito que o animava. Pareceu-lhe imperativo que se procedesse, nessa altura, a uma coleta vocabular que, mesmo não sendo tão rica quanto possível, fosse tão rica que pudesse dar uma ideia objetiva, quantitativa e qualitativa daquilo com que, em termos verbais, a língua vem lidando. Com isso, carrear-se-ia para um só volume o grande acervo, que passaria a ser ponto de referência para vários fins críticos subsequentes.

2 O vocabulário comum. Tal como refletido neste volume, este acervo representa uma coleta confluente de quantos registros, relativamente idôneos, existem até esta data, no que tange à língua moderna e contemporânea, seja a partir do início do século XVI, admitidos registros de estados lexicais anteriores, se referidos, arqueologicamente, na fase moderna ou contemporânea.

2.1 Dada a ordem de grandeza do léxico admitido, abandonou-se automaticamente qualquer veleidade ou preocupação normativa: ficou-se fiel à finalidade estritamente ortográfica, se admitida a existência do vocábulo como da língua comum, das terminologias, das regiões, dos níveis sociais, das intenções psicológicas.

2.2 Há, contudo, um esboço do exercício crítico nos registros: a) com frequência, as formas variantes se remetem entre si e, em última análise não raro, a uma única – que é, destarte, reputada a preferível dentre as mais; b) com menor frequência, as remissões, em lugar de serem entre formas do significante, são entre significados (por exemplo, quando se registra "*apiterapia s.f.: melissoterapia*", presume-se que melissoterapia diz mais corretamente, mais canonicamente, mais compativelmente a noção que as duas palavras querem dizer); c) não raro, o registro consigna, depois de dois-pontos, outra forma ou palavra, que não aparece autonomamente como entrada própria: nesse caso, não se fez a opção, o que não significa que a opção seja impossível; quis-se, nesses casos, antes de tudo, juntar achegas para os futuros simpósios interdisciplinares, a fim de que tais opções, em lugar de serem tomadas em função de um, dois ou alguns casos, sejam em função da totalidade ou de grande amostragem, com solução aplicável a todos os casos iguais, semelhantes ou afins.

2.3 Num grande número de casos, há registros orientadores, já como dúvidas – por exemplo, a terminação *-óideo* alterna sempre com a terminação *-oídeo*, em face de congêneres do tipo *-eídeo* –, já como soluções – por exemplo, um registro remete para outro, que aparece autônomo sem remissão ao primeiro, porque é ele, esse autônomo, o preferível.

2.4 Ampliando a coleta – com inclusão das terminologias, dos regionalismos e das neologias em geral –, a rejeição crítica de entidades lexicais se reduziu àquelas que encerrassem gritantes anomalias de documentação prévia ou eram ostensivas erronias de transmissão textual.

2.5 A coleta assim realizada se fundou: a) num número apreciável de dicionários de várias finalidades, b) em léxicos, glossários e levantamentos lexicais particularizados e c) em notas, apontamentos e pesquisas individuais, sobretudo do relator, que, nos anos de sua atuação como organizador de duas enciclopédias, pôde conviver mais ou menos estreitamente com as neologias de diversíssimas áreas do saber. Durante todo o período de coleta, vários confrades fizeram chegar à Comissão contribuições pessoais suas coletadas de leituras em curso, merecendo a tal respeito referências especiais os acadêmicos Américo Jacobina Lacombe, José Honório Rodrigues e Josué Montello.

2.6 Do trabalho assim realizado parece ressaltar:

a) que a ordem de grandeza de 400.000 registros passa a ser a escala com que se possam aferir os dicionários e vocabulários existentes, pelo menos do mero ponto de vista quantitativo;

b) que a coleta, quer pela natureza intrinsecamente aberta do repertório lexical de uma língua, quer pelas próprias deficiências conjunturais com que se fez, está longe de poder ser reputada satisfatória, cabendo, destarte, incrementá-la no que bom concurso poderá advir do público, especializado ou não;

c) que é urgente que a Academia Brasileira de Letras, com assistência oficial e universitária, tome providências no sentido de que se façam esforços lexicológicos e lexicográficos colegiados e articulados, para que (criando uma memória lexical totalizadora, da diacronia, das sincronias, das diatopias e das sintopias – seja, através do tempo, em várias concomitâncias temporais, em lugares distintos, na concomitância dos lugares –, bem como dos estratos ou classes sociais e faixas etárias e dialetações outras de várias naturezas) se possam erguer dicionários gerais ou específicos, didáticos, médios, grandes, do dialeto literário, dos dialetos científicos, enfim, das segmentações imagináveis, que provenham de um conhecimento do conjunto. O tombamento inicial para esse esforço – que irá demandar a dedicação de algumas gerações de estudiosos – é, ou pode ser, representado pelo acervo encerrado neste volume.

2.7 Com esse programa ou prospectiva, não se quer insinuar um indefinido diferimento da consecução do léxico da língua devidamente estudado e sistematizado. Nem um léxico assim é a condição para que haja dicionários que satisfaçam as necessidades correntes; disso é prova, agora mesmo, a Academia das Ciências de Lisboa, ao dar a lume o primeiro volume do seu dicionário que, a estimar por essa amostra, irá ter número apreciável de volumes e aprofundamento decoroso dos fatos lexicais: e disso dão prova, também, alguns dicionários em curso entre nós, médios ou "inframédios" (como ao seu se referiu um dos nossos emitentes confrades, Aurélio Buarque de Holanda Ferreira).

3. Este vocabulário. A lei de que deriva este vocabulário estabelece distinção entre "vocabulário comum" e "vocabulário onomástico", deixando entender que pertencem ao "vocabulário comum" todos os vocábulos que não pertencerem aos onomásticos, isto é, aos chamados nomes próprios – antropônimos, topônimos, geônimos, astrônimos, intitulativos institucionais, comerciais, industriais, agrícolas, e um universo de palavras designativas de pontos tidos como únicos ou inequívocos ou tomados em sua unicidade--inequivocidade-singularidade. Com isso, não se entenda, aqui, por "vocabulário comum" aquele conjunto de palavras – gramaticais ou não, semantemas e afins – que pertencem (preservados traços fonológicos impertinentes para uma distinção lexical entre dois ou mais vocábulos) a quaisquer segmentos ou dialetos ou dialectações da língua portuguesa: *um* e os numerais cardinais (com diferenciações, do tipo *dezoito, dezóito, dezesseis, dezasseis*), os ordinais mais baixos, as preposições, conjunções, as interjeições mais correntes, advérbios, os verbos auxiliares e uns muito usuais, palavras significativas, relacionadas com o corpo, a cozinha, o vestuário, o trabalho genérico etc. – que são o mesmo, qualquer que seja a segmentação, dialeto ou dialectação subcultural dentro da cultura comum da língua portuguesa.

3.1 Admitidos, destarte, no vocabulário comum e neste vocabulário, há vocábulos "comuns" que – documentados – talvez só tenham sido empregados nessa única vez e, noutro extremo, há vocábulos que, nunca documentados ou ainda não documentados (fora de ocasional referência metalinguística), são, para certo nível de cultura linguística dos usuários, vocábulos cuja aceitação de curso, pelo menos passiva, não comporta vacilação. No momento em que a imprensa brasileira se faz eco de uma disputa intercorrente de se há *frustrador*, mas não *frustrante*, *frustrante* mas não *frustrador*, e, por fim *frustrante* e *frustrador* – nesse momento algo se ilumina nessa área: se os dicionários visam recomendar, de certo modo, certos usos e certas frequências (não podendo, *ipso facto*, consignar todos os usos e todas as frequências), um vocabulário comum será – como instrumento inespecífico – tanto mais útil quanto mais registros tiver.

3.2 Nesta ordem de ideias, ver-se-á que a neologia terminológica científica adquire traços internacionais cada vez mais comuns – não a todos os usuários de uma língua, mas a todos os usuários de todas as línguas, pelo menos as literatadas. Esse traço supracomum pode ser descrito por "motivação" dos elementos formadores: enquanto o prefixo grego *anti-*, por exemplo, no passado, se feiçoaria em português segundo os traços que adquire do grego (por exemplo, *antártico*), no presente passa a existir motivadamente íntegro, para preservar seu valor sêmico, seja o exemplo *antiaéreo*, que talvez perdesse poder comunicante se fosse *antaéreo*. Esse pormenor destina-se a prevenir o usuário quanto ao sem-número de vocábulos que têm registro dúplice ou mais, em função da preservação da integridade motivadora dos seus componentes, ora parcialmente elididos, ora não. Sem preocupação sistemática, encontram-se eles, sempre que lhes coexistindo as formas, registrados segundo duas ou mais cabeças, ora com remissivas, ora sem elas: registrá-las pareceu-nos o fundamental. Ora, não se cogita, destarte, de erigir como princípio a conveniência de formas vocabulares com duas, três ou mais variantes. O ideal seria o inverso: a ausência de variantes.

3.3 Se a ausência de variantes é impensável quando elas provêm de usos arraigados, mas diferenciados geolinguística ou sociolinguisticamente, é pensável a diminuição de variantes nos usos terminológicos, sobretudo científicos e eruditos. O caminho, nesse caso, parece ser o dos simpósios em que se representem a um tempo, filólogos, linguistas, lexicólogos e lexicógrafos, de um lado, e especialistas *ratione materiae* (na área biomédica, por exemplo, cuja terminologia é histórica, em parte, e viva, na outra parte, mas é de enorme riqueza, há predomínio de morfemas gregos, nem sempre integrados nem compostos de modos entre si compatíveis; isso poderia ensejar recomendações de feição purista, destinadas a jamais terem vida real, aumentando, assim, o hiato na comunicação e cultivando artificialmente um campo classificatório perigoso, o do "certo" e do "errado": no estado de coisas presentes, mesmo cinco, cada variante é suportada; o risco será o de preferir uma sexta, passando as cinco outras – vivas, documentadas, existentes ou toleradas entre si – a ser "erros").

4 As reimpressões futuras. Toda a crítica e autocrítica que por antecipação é feita a este trabalho pela própria Comissão Acadêmica que presidiu à sua elaboração visa, em última análise, esclarecer ao público o seguinte: este volume destina-se a ser reimpresso, sempre que sua tiragem estiver prestes a esgotar-se; a cada reimpressão, ser-lhe-á incorporado tudo que tiver sido reputado procedente, dentre achegas, omissões ou erros, provindos das críticas que forem feitas. A Comissão Acadêmica sentir-se-á ajudada sempre que o material crítico vier acompanhado de indicações documentais inequívocas: uma palavra omitida, recebida com indicação de autor, título, página ou páginas e linha ou linhas, pode – modernamente – ser ainda mais bem documentada, se vier com aqueles dados e uma cópia fotomecânica (de qualquer natureza da página).

4.1 Concomitante com esse tipo de aperfeiçoamento, a Comissão Acadêmica propõe que se proceda a outro, de tipo mais sistemático, em que também o público possa colaborar. Consistirá esse outro tipo de aperfeiçoamento em manter em atividade permanente uma subcomissão, encarregada de proceder a uma classificação sistemática do acervo lexical aqui registrado, em termos de usos históricos, espaciais e sociais dos vocábulos – sistemática que, estabelecida com critérios abrangentes, permitirá por certo que um sem-número de dúvidas lexicais seja dirimido ou, pelo menos, seja objeto de melhor discernimento.

4.2 A amplitude do registro deu, inevitavelmente, magnitude física ao volume. A fim de minorá-la ou, pelo menos, não aumentá-la, procedemos a simplificações que, se mal apreendidas, são capazes de gerar confusão: evitamos, por exemplo, distinguir, por significados diferentes, iguais significantes. Em consequência, o usuário, ao ver o registro "manga s.f.", não é informado de que deve sempre levar em conta a possibilidade de que, por trás dessa unidade, um dicionário poderia, acaso, abrir um verbete "manga s.f.¹" para definir a fruta, "manga s.f.²" para definir a parte de traje etc. Essa condensação também se manifesta nos casos em que o mesmo significante tem, para significados diferentes, diferença de gênero gramatical, caso em que "s.m.f." quer dizer isso. Convém, a tal respeito, ler com cuidado as abreviações usadas neste vocabulário. Notar-se-á, por fim, que se buscou uma convenção bibliológica e recursos tipográficos que pudessem proporcionar a maior economia de espaço neste volume.

5 Futuro da ortografia portuguesa. Ao fazer reproduzir, páginas a seguir, sem senões que o marcavam, o "Formulário ortográfico – instruções para a organização do *Vocabulário Ortográfico da Língua Portuguesa*", aprovadas unanimemente pela Academia Brasileira de Letras, na sessão de 12 de agosto de 1943, a Comissão Acadêmica ressalta que essas instruções, mais as alterações provindas da lei nº 5.765, de 18 de dezembro de 1971, lhe nortearam os trabalhos, cujo resultado é o presente volume. Ao fazê-lo, a Comissão Acadêmica crê de seu dever lembrar que, desse modo, perduram diferenças entre o sistema ortográfico vigente no Brasil e o vigente em Portugal e outros países soberanos que seguem o sistema de Portugal. A comissão Acadêmica crê mais. Crê o que se segue.

5.1 Entre as Academias irmãs estabeleceu-se um acordo graças ao qual as diferenças ora existentes podem ser superadas, com um mínimo de concessões recíprocas, tudo consubstanciado em texto que pode – ou deve – merecer aprovação das autoridades competentes do Brasil e de Portugal. Ao ocorrer essa aprovação – que esperamos não se delongue – o presente vocabulário poderá, sem grandes tropeços, ser adaptado às modificações decorrentes. Ao céticos, caberá dizer que teremos entrado na vigência de "mais um" regime ortográfico; aos outros, os esperançosos, caberá dizer, conosco, que teremos entrado na linha de um entendimento ortográfico geral da língua portuguesa que não subordinações de padrões linguísticos de quem quer que seja a quem quer que seja da nossa língua comum.

6 A elaboração deste vocabulário. Designada a Comissão Acadêmica do Vocabulário em inícios de 1972, pôde ela estabelecer os critérios críticos de uma primeira coleta pelos fins desse ano. Essa primeira coleta ficou aos cuidados de um grupo de estudantes de Letras da Pontifícia Universidade Católica, dirigido pelo professor Evanildo Bechara e secretariado pelo professor Marcos Margulies. Numa segunda fase, que se estendeu pelos anos de 1974 e 1975, o relator agregou à coleta sua recolha pessoal, complementada de fontes de primeira mão, em que trabalhou sob direta responsabilidade do relator o Sr. Mauro de Salles Villar. A terceira e última fase na preparação dos originais coube a um grupo de trabalho integrado pelo lexicógrafo Antônio Geraldo da Cunha e professores Diva de Oliveira Salles, Bruno Palma, Ronaldo Menegaz e Júlio César Castañón Guimarães, todos sob a direção do relator.

6.1 A Comissão Acadêmica do Vocabulário, ao dirigir seus agradecimentos a esses colaboradores, não quer omitir agradecimentos outros a confrades que cooperaram com sugestões e achegas, e aos funcionários de Bloch Editores S.A., em cuja sede a parte final da preparação dos originais se fez, tempo durante o qual os funcionários dessa editora, de seu chefe aos mais modestos auxiliares, deram à Comissão Acadêmica e a seus auxiliares as mais gentis atenções.

6.2 A Comissão Acadêmica deixa ao Presidente da Academia Brasileira de Letras os cuidados de lembrar a natureza dos vínculos que se criaram com o Ministério da Educação e Cultura para a ultimação deste *Vocabulário*.

Rio de Janeiro, 20 de dezembro de 1977

Pedro Calmon
Barbosa Lima Sobrinho
Abgar Renault
Antônio Houaiss (Relator)

Formulário Ortográfico*

Instruções para a Organização do Vocabulário Ortográfico da Língua Portuguêsa

Aprovadas unânimemente pela Academia Brasileira de Letras,
na sessão de 12 de agôsto de 1943

O Vocabulário Ortográfico da Língua Portuguêsa terá por base o *Vocabulário Ortográfico da Língua Portuguêsa* da Academia das Ciências de Lisboa, edição de 1940, consoante a sugestão do Sr. Ministro da Educação e Saúde, aprovada unânimemente pela Academia Brasileira de Letras, em 29 de janeiro de 1942. Para a sua organização se obedecerá rigorosamente aos itens seguintes:

1º - Inclusão dos brasileirismos consagrados pelo uso.

2º - Inclusão de estrangeirismos e neologismos de uso corrente no Brasil e necessários à língua literária.

3º - Substituição de certas formas usadas em Portugal pelas correspondentes formas usadas no Brasil, consoante a pronúncia e a morfologia consagradas.

4º - Fixação da grafia de vocábulos cuja etimologia ainda não está perfeitamente demonstrada, consignando-se em primeiro lugar a de uso mais generalizado.

5º - Fixação das grafias de vocábulos sincréticos e dos que têm uma ou mais variantes, tendo-se em vista o étimo e a história da língua, e registro de tais vocábulos um a par do outro, de maneira que figure em primeira plana, como preferível, o de uso mais generalizado.

6º - Evitar duplicidade gráfica ou prosódica de qualquer natureza, dando-se a cada vocábulo uma única forma, salvo se nêle há consoante que facultativamente se profira, ou se há mais de uma pronúncia legitimada pelo uso ou pela etimologia, casos em que se registrarão as duas formas, uma em seguida à outra, colocando-se em primeiro lugar a de uso mais generalizado.

7º - Registro de um significado ou da definição de todos os vocábulos homófonos não homógrafos, bem como dos homógrafos heterofônicos - mas não dos homógrafos perfeitos -, fazendo-se remissão de um para outro.

8º - Registro, entre parênteses, da vogal ou sílaba tônica de todo e qualquer vocábulo cuja pronúncia é duvidosa, ou cuja grafia não mostra claramente a sua ortoépia; não sendo, porém, indicada a sílaba tônica dos infinitos dos verbos, salvo se forem homógrafos heterofônicos.

9º - Registro, entre parênteses, do timbre da vogal tônica de palavras sem acento diacrítico, bem como da vogal da sílaba pretônica ou postônica, sempre que se faça mister, em especial quando há metafonia, tanto

* Mantém-se a grafia originária, que sofreu alterações, pela Lei nº 5.765, de 18 de dezembro de 1971, transcrita logo em seguida a este formulário.

no plural dos nomes e adjetivos quanto em formas verbais. Não será indicado, porém, o timbre aberto das vogais *e* e *o* nem o timbre fechado das dos vocábulos compostos ligados por hífen.

10º – Fixação dos femininos e plurais irregulares, que serão inscritos em seguida ao masculino singular.

11º – Registro de formas irregulares dos verbos mais usados em *ear* e *iar*, especialmente das do presente do indicativo, no todo ou em parte.

12º – Todos os vocábulos devem ser escritos e acentuados gràficamente de acôrdo com a ortoépia usual brasileira e sempre seguidos da indicação da categoria gramatical a que pertencem.

Para acentuar gràficamente as palavras de origem grega, ou indicar-lhes a prosódia entre parênteses, cumpre atender ao uso brasileiro: registra-se a pronúncia consagrada, embora esteja em desacôrdo com a primordial; mas, se ela é de uso apenas em certa arte ou ciência, e ainda esteja em tempo de se corrigir, convém seja corrigida, inscrevendo-se a forma etimológica em seguida à usual.

O *Vocabulário* conterá:

a) o formulário ortográfico, que são estas instruções;

b) o vocabulário comum;

c) registro de abreviaturas.

O *Vocabulário Onomástico* será publicado separadamente, depois de aprovado por decreto especial.

I
ALFABETO

1. O alfabeto português consta fundamentalmente de vinte e três letras: *a*, *b*, *c*, *d*, *e*, *f*, *g*, *h*, *i*, *j*, *l*, *m*, *n*, *o*, *p*, *q*, *r*, *s*, *t*, *u*, *v*, *x*, *z*.

2. Além dessas letras, há três que só se podem usar em casos especiais: *k*, *w*, *y*.

II
K, W, Y

3. O *k* é substituído por *qu* antes de *e*, *i*, e por *c* antes de outra qualquer letra: *breque*, *caqui*, *faquir*, *níquel*, etc.

4. Emprega-se em abreviaturas e símbolos, bem como em palavras estrangeiras de uso internacional: *K* = potássio; *Kr* = criptônio; *kg* = quilograma; *km* = quilômetro; *kw* = quilowatt; *kwh* = quilowatt-hora, etc.

5. Os derivados portuguêses de nomes próprios estrangeiros devem escrever-se de acôrdo com as formas primitivas: *frankliniano*, *kantismo*, *kepleriano*, *perkinismo*, etc.

6. O *w* substitui-se, em palavras portuguêsas ou aportuguesadas, por *u* ou *v*, conforme o seu valor fonético: *sanduíche*, *talvegue*, *visigodo*, etc.

7. Como símbolo e abreviatura, usa-se em *kw* = quilowatt; *W* = oeste ou tungstênio; *w* = watt; *ws* = watt--segundo, etc.

8. Nos derivados vernáculos de nomes próprios estrangeiros, cumpre adotar as formas que estão em harmonia com a primitiva: *darwinismo*, *wagneriano*, *zwinglianista*, etc.

9. O *y*, que é substituído pelo *i*, ainda se emprega em abreviaturas e como símbolo de alguns têrmos técnicos e científicos: *Y* = ítrio; *yd* = jarda, etc.

10. Nos derivados de nomes próprios estrangeiros, devem usar-se as formas que se acham de conformidade com a primitiva: *byroniano*, *maynardina*, *taylorista*, etc.

III
H

11. Esta letra não é propriamente consoante, mas um símbolo que, em razão da etimologia e da tradição escrita do nosso idioma, se conserva no princípio de várias palavras e no fim de algumas interjeições: *haver*, *hélice*, *hidrogênio*, *hóstia*, *humildade*; *hã!*, *hein?*, *puh!*, etc.

12. No interior do vocábulo, só se emprega em dois casos: quando faz parte do *ch*, do *lh* e do *nh*, que representam fonemas palatais, e nos compostos em que o segundo elemento, com *h* inicial etimológico, se une ao primeiro por meio de hífen: *chave*, *malho*, *rebanho*; *anti-higiênico*, *contra-haste*, *pré-história*, *sôbre-humano*, etc.

OBSERVAÇÃO – Nos compostos sem hífen, elimina-se o *h* do segundo elemento: *anarmônico*, *biebdomadário*, *coonestar*, *desarmonia*, *exausto*, *inabilitar*, *lobisomem*, *reaver*, etc.

13. No futuro do indicativo e no condicional, não se usa o *h* no último elemento, quando há pronome intercalado: *amá-lo-ei*, *dir-se-ia*, etc.

14. Quando a etimologia o não justifica, não se emprega: *arpejo* (substantivo), *ombro*, *ontem*, etc. E mesmo que o justifique, não se escreve no fim de substantivos nem no comêço de alguns vocábulos que o uso consagrou sem este símbolo: *andorinha*, *erva*, *felá*, *inverno*, etc.

15. Não se escreve *h* depois de *c* (salvo o disposto em o nº 12) nem depois de *p*, *r* e *t*; o *ph* é substituído por *f*, o *ch* (gutural) por *qu* antes de *e* ou *i* e por *c* antes de outra qualquer letra: *corografia*, *cristão*; *querubim*, *química*, *farmácia*, *fósforo*; *retórica*, *ruibarbo*; *teatro*, *turíbulo*, etc.

IV
CONSOANTES MUDAS

16. Não se escrevem as consoantes que se não proferem: *asma*, *assinatura*, *ciência*, *diretor*, *ginásio*, *inibir*, *inovação*, *ofício*, *ótimo*, *salmo*, e não *astma*, *assignatura*, *sciência*, *director*, *gymnasio*, *inhibir*, *innovação*, *officio*, *optimo*, *psalmo*.

OBSERVAÇÃO – Escreve-se, porém, o *s* em palavras, como *descer*, *florescer*, *nascer*, etc., e o *x* em vocábulos, como *exceto*, *excerto*, etc., apesar de nem sempre se pronunciarem essas consoantes.

17. Em sendo mudo o *p* no grupo *mpc*, ou *mpt*, escreve-se *nc* ou *nt*: *assuncionista*, *assunto*, *presunção*, *prontificar*, etc.

18. Devem-se registrar os vocábulos cujas consoantes facultativamente se pronunciam, pondo-se em primeiro lugar o de uso mais generalizado, e em seguida o outro. Assim, serão consignados, além de outros, êstes: *aspecto* e *aspeto*, *característico* e *caraterístico*, *circunspecto* e *circunspeto*, *conectivo* e *conetivo*, *contacto* e *contato*, *corrupção* e *corrução*, *corruptela* e *corrutela*, *dactilografia* e *datilografia*, *espectro* e *espetro*, *excepcional* e *excecional*, *expectativa* e *expetativa*, *infecção* e *infeção*, *optimismo* e *otimismo*, *respectivo* e *respetivo*, *secção* e *seção*, *sinóptico* e *sinótico*, *sucção* e *sução*, *sumptuoso* e *suntuoso*, *tacto* e *tato*, *tecto* e *teto*.

V
SC

19. Elimina-se o *s* do grupo inicial *sc*: *celerado*, *cena*, *cenografia*, *ciência*, *cientista*, *cindir*, *cintilar*, *ciografia*, *cisão*, etc.

20. Os compostos dessa classe de vocábulos, quando formados em nossa língua, são escritos sem o *s* antes do *c*: *anticientífico*, *contracenar*, *encenação*, etc.; mas, quando vierem já formados para o vernáculo, conservam o *s*: *consciência*, *cônscio*, *imprescindível*, *insciente*, *ínscio*, *multisciente*, *néscio*, *presciência*, *prescindir*, *proscênio*, *rescindir*, *rescisão*, etc.

VI
LETRAS DOBRADAS

21. Escrevem-se *rr* e *ss* quando, entre vogais, representam os sons simples do *r* e *s* iniciais; e *cc* ou *cç* quando o primeiro soa distintamente do segundo: *carro*, *farra*, *massa*, *passo*; *convicção*, *occipital*, etc.

22. Duplicam-se o *r* e o *s* todas as vezes que a um elemento de composição terminado em vogal se segue, sem interposição do hífen, palavra começada por uma daquelas letras: *albirrosado*, *arritmia*, *altíssono*, *derrogar*, *prerrogativa*, *pressentir*, *ressentimento*, *sacrossanto*, etc.

VII
VOGAIS NASAIS

23. As vogais nasais são representadas no fim dos vocábulos por *ã* (*ãs*), *im* (*ins*), *om* (*ons*), *um* (*uns*); *afã*, *cãs*, *flautim*, *folhetins*, *semiton*, *tons*, *tutum*, *zunzuns*, etc.

24. O *ã* pode figurar na sílaba tônica, pretônica ou átona: *ãatá*, *cristãmente*, *maçã*, *órfã*, *romãzeira*, etc.

25. Quando aquelas vogais são iniciais ou mediais, a nasalidade é expressa por *m* antes de *b* e *p*, e por *n* antes de outra qualquer consoante: *ambos*, *campo*; *contudo*, *enfim*, *enquanto*; *homenzinho*, *nuvenzinha*, *vintènzinho*, etc.

VIII
DITONGOS

26. Os ditongos orais escrevem-se com a subjuntiva *i* ou *u*: *aipo*, *cai*, *cauto*, *degrau*, *dei*, *fazeis*, *idéia*, *mausoléu*, *neurose*, *retorquiu*, *rói*, *sois*, *sou*, *souto*, *uivo*, *usufrui*, etc.

OBSERVAÇÃO – Escrevem-se com *i*, e não com *e*, a forma verbal *fui*, a 2ª e 3ª pessoas do singular do presente do indicativo e a 2ª do singular do imperativo dos verbos terminados em *uir*: *aflui*, *fruis*, *retribuis*, etc.

27. O ditongo *ou* alterna, em numerosos vocábulos, com *oi*: *balouçar* e *baloiçar*, *calouro* e *caloiro*, *dourar* e *doirar*, etc. Cumpre registrar em primeiro lugar a forma que mais se usa, e em seguida a variante.

28. Escrevem-se assim os ditongos nasais: *ãe*, *ãi*, *am*, *em*, *en*(*s*), *õe*, *ui*, (proferido *ui*); *mãe*, *pães*, *cãibra*, *acórdão*, *irmão*, *leãozinho*, *amam*, *bem*, *bens*, *devem*, *põe*, *repões*, *muito*, etc.

OBSERVAÇÃO 1ª – Dispensa-se o til do ditongo nasal *ui* em *mui* e *muito*.

OBSERVAÇÃO 2ª – Com o ditongo nasal *ão* se escrevem os monossílabos, tônicos ou não, e os polissílabos oxítonos: *cão*, *dão*, *grão*, *não*, *quão*, *são*, *tão*; *alcorão*, *capitão*, *cristão*, *então*, *irmão*, *senão*, *sentirão*, *servirão*, *viverão*, etc.

OBSERVAÇÃO 3ª – Também se escrevem com o ditongo *ão* os substantivos e adjetivos paroxítonos, acentuando-se, porém, a sílaba tônica: *órfão*, *órgão*, *sótão*, etc.

OBSERVAÇÃO 4ª – Nas formas verbais anoxítonas se escrevem *am*: *amaram*, *deveram*, *partiram*, *puseram*, etc.

OBSERVAÇÃO 5ª – Com o ditongo nasal *ãe* se escrevem os vocábulos oxítonos e os seus derivados; e os anoxítonos primitivos grafam-se com o ditongo *ãi*: *capitães*, *mães*, *pãezinhos*; *cãibo*, *zãibo*, etc.

OBSERVAÇÃO 6ª – O ditongo nasal *ei*(*s*) escreve-se *em* ou *en*(*s*) assim nos monossílabos como nos polissílabos de qualquer categoria gramatical: *bem*, *cem*, *convém*, *convéns*, *mantém*, *manténs*, *nem*, *sem*, *virgem*, *virgens*, *voragem*, *voragens*, etc.

29. Os encontros vocálicos átonos e finais que podem ser pronunciados como ditongos crescentes escrevem-se da seguinte forma: *ea* (*áurea*), *eo* (*cetáceo*), *ia* (*colônia*), *ie* (*espécie*), *io* (*exímio*), *oa* (*nódoa*), *ua* (*contínua*), *ue* (*tênue*), *uo* (*tríduo*), etc.

IX
HIATOS

30. A 1ª, 2ª e 3ª pessoas do singular do presente do conjuntivo e a 3ª do singular do imperativo dos verbos em *oar* escrevem-se com *oe*, e não *oi*: *abençoe*, *amaldiçoes*, *perdoe*, etc.

31. As três pessoas do singular do presente do conjuntivo e a 3ª do singular do imperativo dos verbos em *uar* escrevem-se com *ue*, e não com *ui*: *cultue*, *habitues*, *preceitue*, etc.

X
PARÔNIMOS E VOCÁBULOS DE GRAFIA DUPLA

32. Deve-se fazer a mais rigorosa distinção entre os vocábulos parônimos e os de grafia dupla que se escrevem com *e* ou com *i*, com *o* ou com *u*, com *c* ou *q*, com *ch* ou *x*, com *g* ou *j*, com *s*, *ss* ou *c*, *ç*, com *s* ou *x*, com *s* ou *z*, e com os diversos valores do *x*.

33. Deve-se registrar a grafia que seja mais conforme à etimologia do vocábulo e à sua história, mas que esteja em harmonia com a prosódia geral dos brasileiros, nem sempre idêntica à lusitana. E quando há dois vocábulos diferentes, v.g., um escrito com *e* e outro escrito com *i*, é necessário que ambos sejam acompanhados da sua definição ou do seu significado mais vulgar, salvo se forem de categorias gramaticais diferentes, porque, neste caso, serão acompanhados da indicação dessas categorias. Ex.: *censório*, adj. Cf. *sensório*, adj. e s.m.
Assim, pois, devem ser inscritos vocábulos como: *antecipar*, *criador*, *criança*, *criar*, *diminuir*, *discricionário*, *dividir*, *filintiano*, *filipino*, *idade*, *igreja*, *igual*, *imiscuir-se*, *invés*, *militar*, *ministro*, *pior*, *quase*, *quepe*, *tigela*, *tijolo*, *vizinho*, etc.

34. Palavras como *cardeal* e *cardial*, *desfear* e *desfiar*, *descrição* e *discrição*, *destinto* e *distinto*, *meado* e *miado*, *recrear* e *recriar*, *se* e *si* serão consignadas com o necessário esclarecimento e a devida remissão. Por exemplo: *descrição*, s.f.: *ação de descrever*. Cf. *discrição*. *Discrição*, s.f.: *qualidade do que é discreto*. Cf. *descrição*.

35. Os verbos mais usados em *ear* e *iar* serão seguidos das formas do presente do indicativo, no todo ou em parte.

36. De acordo com o critério exposto, far-se-á rigorosa distinção entre os vocábulos que se escrevem:

a) com *o* ou com *u*: *frágua*, *lugar*, *mágoa*, *manuelino*, *polir*, *tribo*, *urdir*, *veio* (v. ou subst.), etc.

b) com *c* ou *q*: *quatorze* (seguido de *catorze*), *cinqüenta*, *quociente* (seguido de *cociente*), etc.

c) com *ch* ou *x*: *anexim*, *bucha*, *cambaxirra*, *charque*, *chimarrão*, *coxia*, *estrebuchar*, *faxina*, *flecha*, *tachar* (notar; censurar), *taxar* (determinar a taxa; regular), *xícara*, etc.

d) com *g* ou *j*: *estrangeiro*, *jenipapo*, *genitivo*, *gíria*, *jeira*, *jeito*, *jibóia*, *jirau*, *laranjeira*, *lojista*, *majestade*, *viagem* (subst.), *viajem* (do v. *viajar*), etc.

e) com *s*, *ss* ou *c*, *ç*: *ânsia*, *anticéptico*, *boça* (cabo de navio), *bossa* (protuberância; aptidão), *bolçar* (vomitar), *bolsar* (fazer bolsos), *caçula*, *censual* (relativo a censo), *sensual* (lascivo), etc.
OBSERVAÇÃO – Não se emprega *ç* em início de palavra.

f) com *s* ou *x*: *espectador* (testemunha), *expectador* (pessoa que tem esperança), *experto* (perito; experimentado), *esperto* (ativo; acordado), *esplêndido*, *esplendor*, *extremoso*, *flux* (na locução *a flux*), *justafluvial*, *justapor*, *misto*, etc.

g) com *s* ou *z*: *alazão*, *alcaçuz* (planta), *alisar* (tornar liso), *alizar* (s.m.), *anestesiar*, *autorizar*, *bazar*, *blusa*, *brasileiro*, *buzina*, *coliseu*, *comezinho*, *cortês*, *dissensão*, *emprêsa*, *esfuziar*, *esvaziamento*, *frenesi* (seguido de *frenesim*), *garcês*, *guizo* (s.m.), *improvisar*, *irisar* (dar as cores do íris a), *irizar* (atacar [o iriz] o cafezeiro), *lambuzar*, *luzidio*, *mazorca*, *narcisar-se*, *obséquio*, *pezunho*, *prioresa*, *rizotônico*, *sacerdotisa*, *sazão*, *tapiz*, *trânsito*, *xadrez*, etc.

OBSERVAÇÃO 1ª – É sonoro o *s* de *obséquio* e seus derivados, bem como o do prefixo *trans*, em se lhe seguindo vogal, pelo que se deverá indicar a sua pronúncia entre parênteses: quando, porém, a esse prefixo se segue palavra iniciada por *s*, só se escreve um, que se profere como se fora dobrado: *obsequiar* (*ze*), *transoceânico* (*zo*); *transecular* (*se*), *transubstanciação* (*su*), etc.

OBSERVAÇÃO 2ª – No final de sílaba átona, seja no interior, seja no fim do vocábulo, emprega-se o *s* em lugar do *z*: *asteca*, *endes*, *mesquita*, etc.

37. O *x* continua a escrever-se com seus cinco valores, bem como nos casos em que pode ser mudo, qual em *exceto*, *excerto*, etc. Tem, pois, o som de:

1º – *ch*, no princípio e no interior de muitas palavras: *xairel*, *xerife*, *xícara*, *ameixa*, *envoxal*, *peixe*, etc.

OBSERVAÇÃO – Quando tem esse valor, não será indicada a sua pronúncia entre parênteses.

2º – *cs*, no meio e no fim de várias palavras: *anexo*, *complexidade*, *convexo*, *bórax*, *látex*, *sílex*, etc.

3º – *z*, quando ocorre no prefixo *exo*, ou *ex* seguido de vogal: *exame*, *êxito*, *êxodo*, *exosmose*, *exotérmico*, etc.

4º – *ss*: *aproximar*, *auxiliar*, *máximo*, *proximidade*, *sintaxe*, etc.

5º – *s*, final de sílaba: *contexto*, *fênix*, *pretextar*, *sexto*, *textual*, etc.

38. No final de sílabas iniciais e interiores se deve empregar o *s* em vez do *x*, quando não o precede a vogal *e*: *justafluvial*, *justaposição*, *misto*, *sistino*, etc.

XI
NOMES PRÓPRIOS

39. Os nomes próprios personativos, locativos e de qualquer natureza, sendo portuguêses ou aportuguesados, serão sujeitos às mesmas regras estabelecidas para os nomes comuns.

40. Para salvaguardar direitos individuais, quem o quiser manterá em sua assinatura a forma consuetudinária. Poderá também ser mantida a grafia original de quaisquer firmas, sociedades, títulos e marcas que *se achem inscritos em registro público*.

41. Os topônimos de origem estrangeira devem ser usados com as formas vernáculas de uso vulgar; e quando não têm formas vernáculas, transcrevem-se consoante as normas estatuídas pela Conferência de Geografia de 1926 que não contrariarem os princípios estabelecidos nestas *Instruções*.

42. Os topônimos de tradição histórica secular não sofrem alteração alguma na sua grafia, quando já esteja consagrada pelo consenso diuturno dos brasileiros. Sirva de exemplo o topônimo "Bahia", que conservará esta forma quando se aplicar em referência ao Estado e à cidade que têm esse nome.

OBSERVAÇÃO – Os compostos e derivados desses topônimos obedecerão às normas gerais do vocabulário comum.

XII
ACENTUAÇÃO GRÁFICA

43. A fim de que a acentuação gráfica satisfaça às necessidades do ensino – precípuo escopo da simplificação e regularização da ortografia nacional – e permita que todas as palavras sejam lidas corretamente, estejam ou não marcadas por sinal diacrítico, no *Vocabulário* será indicada, entre parênteses, a sílaba ou a vogal tônica e o timbre desta em todos os vocábulos cuja pronúncia possa dar azo a dúvidas.

A acentuação gráfica obedecerá às seguintes regras:

1ª – Assinalam-se com o acento agudo os vocábulos oxítonos que terminam em *a*, *e*, *o* abertos, *e* com o acento circunflexo e os que acabam em *e*, *o* fechados, seguidos, ou não, de *s*: *cajá*, *hás*, *jacaré*, *pés*, *seridó*, *sós*; *dendê*, *lês*; *pôs*, *trisavô*, etc.
OBSERVAÇÃO – Nesta regra se incluem as formas verbais em que, depois de *a*, *e*, *o*, se assimilaram, *r*, *s*, *z* ao *l* do pronome *lo*, *la*, *los*, *las*, caindo depois o primeiro *l*: *dá-lo*, *contá-la*, *fa-lo-á*, *fê-los*, *movê-las-ia*, *pô-los*, *qué-los*, *sabê-lo-emos*, *trá-lo-ás*, etc.

2ª – Tôdas as palavras proparoxítonas devem ser acentuadas gràficamente: recebem o acento agudo as que têm na antepenúltima sílaba as vogais *a*, *e*, *o* abertas ou *i*, *u*; e levam acento circunflexo as em que figuram na sílaba predominante as vogais *e*, *o* fechadas ou *a*, *e*, *o* seguidas de *m* ou *n*: *árabe*, *exército*, *gótico*, *límpido*, *louvaríamos*, *público*, *úmbrico*; *devêssemos*, *fôlego*, *lâmina*, *lâmpada*, *lêmures*, *pêndula*, *quilômetro*, *recôndito*, etc.
OBSERVAÇÃO – Incluem-se neste preceito os vocábulos terminados em encontros vocálicos que podem ser pronunciados como ditongos crescentes: *área*, *espontâneo*, *ignorância*, *imundície*, *lírio*, *mágoa*, *régua*, *tênue*, *vácuo*, etc.

3ª – Os vocábulos paroxítonos finalizados em *i* ou *u*, seguidos ou não de *s*, marcam-se com acento agudo quando na sílaba tônica figuram *a*, *e*, *o* abertos, *i* ou *u*; e com acento circunflexo quando nela figuram *e*, *o* fechados ou *a*, *e*, *o* seguidos de *m* ou *n*: *beribéri*, *bônus*, *dândi*, *íris*, *júri*, *lápis*, *miosótis*, *tênis*, etc.
OBSERVAÇÃO 1ª – Os paroxítonos terminados em *um*, *uns* têm acento agudo na sílaba tônica: *álbum*, *álbuns*, etc.
OBSERVAÇÃO 2ª – Não se acentuam os prefixos paroxítonos acabados em *i*: *semi-histórico*, etc.

4ª – Põe-se o acento agudo no *i* e no *u* tônicos que não formam ditongo com a vogal anterior: *aí, balaústre*, *cafeína*, *caís*, *contraí-la*, *distribuí-lo*, *egoísta*, *faísca*, *heroína*, *juízo*, *país*, *peúga*, *saía*, *saúde*, *timboúva*, *viúvo*, etc.
OBSERVAÇÃO 1ª – Não se coloca o acento agudo no *i* e no *u* quando, precedidos de vogal que com êles não forma ditongo, são seguidos de *l*, *m*, *n*, *r* ou *z* que não iniciam sílabas e, ainda, *nh*: *adail*, *contribuinte*, *demiurgo*, *juiz*, *paul*, *retribuirdes*, *ruim*, *tainha*, *ventoinha*, etc.
OBSERVAÇÃO 2ª – Também não se assinala com acento agudo a base dos ditongos tônicos *iu* e *ui*, quando precedidos de vogal: *atraiu, contribuiu, pauis,* etc.

5ª – Assinala-se com o acento agudo o *u* tônico precedido de *g* ou *q* e seguido de e ou *i*: *argúi*, *argúis*, *averigúe*, *averigúes*, *obliqúe*, *obliqúes*.

6ª – Põe-se o acento agudo na base dos ditongos abertos *éi*, *éu*, *ói*, quando tônicos: *assembléia*, *bacharéis*, *chapéu*, *jibóia*, *lóio*, *paranóico*, *rouxinóis*, etc.

7ª – Marca-se com o acento agudo o *e* da terminação *em* ou *en* das palavras oxítonas de mais de uma sílaba: *alguém*, *armazém*, *convém*, *convéns*, *detém-lo*, *mantém-na*, *parabéns*, *retém-no*, *também*, etc.
OBSERVAÇÃO 1ª – Não se acentuam gràficamente os vocábulos paroxítonos finalizados por *ens*: *imagens*, *jovens*, *nuvens*, etc.
OBSERVAÇÃO 2ª – A 3ª pessoa do plural do presente do indicativo dos verbos *ter*, *vir* e seus compostos recebe acento circunflexo no *e* da sílaba tônica: (êles) *contêm*, (elas) *convêm*, (êles) *têm*, (elas) *vêm*, etc.
OBSERVAÇÃO 3ª – Conserva-se, por clareza gráfica, o acento circunflexo do singular *en*, *dê*, *lê*, *vê*, no plural *crêem*, *dêem*, *lêem*, *vêem* e nos compostos desses verbos, como *descrêem*, *desdêem*, *relêem*, *revêem*, etc.

8ª – Sobrepõe-se o acento agudo ao *a*, *e*, *o* abertos e ao *i* ou *u* da penúltima sílaba dos vocábulos paroxítonos que acabem em *l*, *n*, *r* e *x* e o acento circunflexo ao *e*, *o* fechados e ao *a*, *e*, *o* seguidos de *m* ou em situação idêntica: *açúcar*, *afável*, *alúmens*, *córtex*, *éter*, *hífen*; *aljôfar*, *âmbar*, *cânon*, *êxul*, *fênix*, *vômer*, etc.

OBSERVAÇÃO – Não se acentuam gràficamente os prefixos paroxítonos terminados em *r*: *inter-helênico*, *super-homem*, etc.

9ª – Marca-se com o competente acento, agudo ou circunflexo, vogal da sílaba tônica dos vocábulos paroxítonos acabados em ditongo oral: *ágeis*, *devêreis*, *escrevêsseis*, *faríes*, *férteis*, *fósseis*, *fôsseis*, *imóveis*, *jóqueis*, *pênseis*, *pudésseis*, *quisésseis*, *tínheis*, *túneis*, *úteis*, *variáveis*, etc.

10ª - Recebe acento circunflexo o penúltimo *o* fechado do hiato *oo*, seguido ou não de *s*, nas palavras paroxítonas: *abençôo, enjôos, perdôo, vôos*, etc.

11ª - Usa-se o til para indicar nasalização, e vale como acento tônico se outro acento não figura no vocábulo: *afã, capitães, coração, devoções, põem*, etc.

OBSERVAÇÃO - Se é átona a sílaba onde figura o til, acentua-se gràficamente a predominante: *acórdão, bênção, órfã*, etc.

12ª - Emprega-se o trema no *u* que se pronuncia depois de *g* ou *q* e seguido de *e* ou *i*: *agüentar, argüição, eloqüente, tranqüilo*, etc.

OBSERVAÇÃO 1ª - Não se põe acento agudo na sílaba tônica das formas verbais terminadas em *que, quem*: *apropinque, delinquem*, etc.

OBSERVAÇÃO 2ª - É lícito o emprego do trema quando se quer indicar que um encontro de vogais não forma ditongo, mas hiato: *saüdade, vaïdade*, (com quatro sílabas), etc.

13ª - Mantêm-se o acento circunflexo e o til do primeiro elemento nos advérbios em *mente* e nos derivados em que figuram sufixos precedidos do infixo *z* (*zada, zal, zeiro, zinho, zista, zito, zona, zorro, zudo*, etc.): *cômodamente, cortêsmente, dendêzeiro, ôvozito, pêssegozinho, chãmente, cristãzinha, leõezinhos, mãozoada, romãzeira*, etc.; o acento agudo do primeiro elemento passará a ser acento grave nos derivados dessa natureza: *avòzinha, cafèzeiro, faìscazinha, indelèvelmente, opùsculozinho, sòmente, sòzinho, terrìvelmente, voluntàriozinho, volùvelmente*, etc.

14ª - Emprega-se o acento circunflexo como diferencial ou distintivo no *e* e no *o* fechados da sílaba tônica das palavras que estão em homografia com outras em que são abertos êsse *e* e êsse *o*: *acêrto* (s.m.) e *acerto* (v.); *aquêle, aquêles* (adj. ou pron. dem.) e *aquele, aqueles* (v.); *côr* (s.f.) e *cor* (s.m.); *côrte, côrtes* (s.f.) e *corte, cortes* (v.); *dêle, dêles* (contr. da prep. *de* com o pron. pess. *êle, êles*) e *dele, deles* (v.); *devêras* (v.) e *deveras* (adv.); *êsse, êsses, êste, êstes* (adj. ou pron. dem.) e *esse, esses, este, estes* (s.m.); *fêz* (s.m. e v.) e *fez* (s.f.); *fôr* (v.) e *for* (s.m.); *fôra* (v.) e *fora* (adv. interj. ou s.m.); *fôsse* (dos v. *ir* e *ser*) e *fosse* (do v. *fossar*); *nêle, nêles* (contr. da prep. *em* com o pron. pess. *êle, êles*) e *nele, neles* (s.m.); *pôde* (perf. ind.) e *pode* (pres. ind.); *sôbre* (prep.) e *sobre* (v.), etc.

OBSERVAÇÃO 1ª - Emprega-se também o acento circunflexo para distinguir de certos homógrafos inacentuados as palavras que têm *e* ou *o* fechados: *pêlo* (s.m) e *pelo* (*per* e *lo*); *pêra* (s.f.) e *pera* (prep. ant.); *pôlo, pôlos* (s.m.) e *polo, polos* (*por* e *lo* ou *los*); *pôr* (v.) e *por* (prep.); *porquê* (quando é subst. ou quando vem no fim da frase) e *porque* (conj.); *quê* (s.m., interj. ou pron. no fim da frase) e *que* (adv., conj., pron. ou part. expletiva).

OBSERVAÇÃO 2ª - Quando a flexão do vocabulário faz desaparecer a homografia, cessa o motivo do emprêgo do sinal diacrítico. Acentuam-se, por exemplo, o masculino singular *enfêrmo* e as formas femininas *enfêrma* e *enfêrmas*, em razão de existirem *enfermo, enferma* e *enfermas*, com *e* aberto, do verbo *enfermar*; porém não se acentua graficamente o substantivo plural *enfermos*, visto não haver igual forma com *e* aberto; *colhêr* e *colhêres*, formas do infinito e do futuro do conjuntivo do verbo *colhêr*, recebem acento circunflexo para se diferençarem dos homógrafos heterofônicos *colher* e *colheres*, substantivos femininos que se proferem com *e* aberto, mas não levam acento gráfico as outras pessoas daquele modo e tempo, em virtude da inexistência de formas cujo timbre da vogal tônica seja aberto.

15ª - Recebem acento agudo os seguintes vocábulos, que estão em homografia com outros: *ás* (s.m.), cf. *às* (contr. da prep. *a* com o art. ou pron. *as*); *pára* (v.), cf. *para* (prep.); *péla, pélas* (s.f. e v.), cf. *pela, pelas* (agl. da prep. *per* com o art. ou pron. *la, las*); *pélo* (v.), cf. *pelo* (agl. da prep. *per* com o art. ou pron. *lo*); *péra* (el. do s.f. comp. *péra-fita*), cf. *pera* (prep. ant.); *pólo, pólos* (s.m.), cf. *polo, polos* (agl. da prep. *por* com o art. ou pron. *lo, los*), etc.

OBSERVAÇÃO - Não se acentua gràficamente a terminação *amos* do pretérito perfeito do indicativo dos verbos da 1ª conjugação.

16ª - O acento grave, além de marcar a sílaba pretônica de que trata a regra 13ª, assinala as contrações da preposição *a* com o artigo *a* e com os adjetivos ou pronomes demonstrativos *a, aquêle, aqueloutro, aquilo*, os quais se escreverão assim: *à, às, àquele, àquela, àqueles, àquelas, àquilo, àqueloutro, àqueloutra, àqueloutros, àqueloutras*.

OBSERVAÇÃO – *Àquele* e *àqueles* dispensam o acento circunflexo, em razão de o acento grave os diferenciar dos homógrafos heterofônicos *aquele* e *aqueles.*

XIII
APÓSTROFO

44. Limita-se o emprêgo do apóstrofo aos seguintes casos:

1º – Indicar a supressão de uma letra ou letras no verso, por exigência da metrificação: *c'roa*, *esp'rança*, *of'recer*, *'star*, etc.

2º – Reproduzir certas pronúncias populares: *'tá*, *'teve*, etc.

3º – Indicar a supressão da vogal, já consagrada pelo uso, em certas palavras compostas ligadas pela preposição *de*: *copo-d'água*, (planta; lanche), *galinha-d'água*, *mãe-d'água*, *olho-d'água*, *pau-d'água* (árvore; ébrio), *pau-d'alho*, *pau-d'arco*, etc.

OBSERVAÇÃO – Restringindo-se o emprego do apóstrofo a esses casos, cumpre não se use dêle em nenhuma outra hipótese. Assim, não será empregado:

a) nas contrações das preposições *de* e *em* com artigos, adjetivos ou pronomes demonstrativos, indefinidos, pessoais e com alguns advérbios: *del* (em *aqui-del-rei*); *dum*, *duma* (a par de *de um*, *de uma*), *num*, *numa* (a par de *em um*, *em uma*); *dalgum*, *dalguma* (a par de *de algum*, *de alguma*), *nalgum*, *nalguma* (a par de *em algum*, *em alguma*); *dalguém*, *nalguém* (a par de *de alguém*, *em alguém*); *doutrem*, *noutrem* (a par de *de outrem*, *em outrem*); *dalgo*, *dalgures* (a par de *de algo*, *de algures*); *daquém*, *dalém*, *dacolá* (a par de *de aquém*, *de além*, *de acolá*); *doutro*, *noutro* (a par de *de outro*, *em outro*); *dêle*, *dela*, *nêle*, *nela*, *dêste*, *desta*, *nêste*, *nesta*, *daquêle*, *daquela*, *naquêle*, *naquela*, *disto*, *nisto*, *daquilo*, *naquilo*; *daqui*, *daí*, *dacolá*, *donde*, *dantes*, *dentre*; *doutrora* (a par de *de outrora*), *noutrora*; *doravante* (a par de *de ora avante*), etc.

b) nas combinações dos pronomes pessoais: *mo*, *ma*, *mos*, *mas*, *to*, *ta*, *tos*, *tas*, *lho*, *lha*, *lhos*, *lhas*, *no-lo*, *no-la*, *no-los*, *no-las*, *vo-lo*, *vo-la*, *vo-los*, *vo-las.*

c) nas expressões vocabulares que se tornaram unidades fonéticas e semânticas: *dessarte*, *destarte*, *homessa*, *tarrenego*, *tesconjuro*, *vivalma*, etc.

d) nas expressões de uso constante e geral na linguagem vulgar: *co*, *coa*, *ca*, *cos*, *cas*, *coas* (= *com o*, *com a*, *com os*, *com as*), *plo*, *pla*, *plos*, *plas*, (= *pelo*, *pela*, *pelos*, *pelas*), *pra* (= *para*), *pro*, *pra*, *pros*, *pras* (= *para o*, *para a*, *para os*, *para as*), etc.

XIV
HÍFEN

45. Só se ligam por hífen os elementos das palavras compostas em que se mantém a noção da composição, isto é, os elementos das palavras compostas que mantêm a sua independência fonética, conservando cada um a sua própria acentuação, porém formando o conjunto perfeita unidade de sentido.

46. Dentro dêsse princípio, deve-se empregar o hífen nos seguintes casos:

1º – Nas palavras compostas em que os elementos, com a sua acentuação própria, não conservam, considerados isoladamente, a sua significação, mas o conjunto constitui uma unidade semântica: *água-marinha*, *arco-íris*, *galinha-d'água*, *couve-flor*, *guarda-pó*, *pé-de-meia* (mealheiro; pecúlio), *pára-choque*, *porta-chapéus*, etc.

OBSERVAÇÃO 1ª – Incluem-se nesta norma os compostos em que figuram elementos fonèticamente reduzidos: *bel-prazer*, *és-sueste*, *mal-pecado*, *su-sueste*, etc.

OBSERVAÇÃO 2ª – O antigo artigo *el*, sem embargo de haver perdido o seu primitivo sentido e não ter vida à parte na língua, une-se por hífen ao substantivo *rei*, por ter este elemento evidência semântica.

OBSERVAÇÃO 3ª – Quando se perde a noção do composto, quase sempre em razão de um dos elementos não ter vida própria na língua, não se escreve com hífen, mas aglutinadamente: *abrolhos*, *bancarrota*, *fidalgo*, *vinagre*, etc.

OBSERVAÇÃO 4ª – Como as locuções não têm unidade de sentido, os seus elementos não devem ser unidos por hífen, seja qual for a categoria gramatical a que elas pertençam. Assim, escreve-se, v.g., *vós outros* (locução pronominal), *a desoras* (locução adverbial), *a fim de* (locução prepositiva), *contanto que* (locução conjuntiva), porque essas combinações vocabulares não são verdadeiros compostos, não formam perfeitas unidades semânticas. Quando porém as locuções se tornam unidades fonéticas, devem ser escritas numa só palavra: *acerca* (adv.), *afinal*, *apesar*, *debaixo*, *decerto*, *defronte*, *depressa*, *devagar*, *deveras*, *resvés*, etc.

OBSERVAÇÃO 5ª – As formas verbais com pronomes enclíticos ou mesoclíticos e os vocábulos compostos cujos elementos são ligados por hífen conservam seus acentos gráficos: *amá-lo-á*, *amáreis-me*, *amásseis-vos*, *devê-lo--ía*, *fá-la-emos*, *pô-las-íamos*, *possuí-las*, *provêm-lhes*, *retêm-nas*; *água-de-colônia*, *pão-de-ló*, *pára-sóis*, *pesa-papéis*, etc.

2º – Nas formas verbais com pronomes enclíticos ou mesoclíticos: *amá-lo* (*amas* e *lo*), *amá-lo* (*amar* e *lo*), *dê--se-lhe*, *fá-lo-á*, *oferecê-la-ia*, *repô-lo-eis*, *serenou-se-te*, *traz-me*, *vedou-te*, etc.

3º – Nos vocábulos formados pelos prefixos que representam formas adjetivas, com *anglo*, *greco*, *histórico*, *ínfero*, *latino*, *lusitano*, *luso*, *póstero*, *súpero*, etc.: *anglo-brasileiro*, *greco-romano*, *histórico-geográfico*, *ínfero-anterior*, *latino-americano*, *lusitano-castelhano*, *luso-brasileiro*, *póstero-palatal*, *súpero-posterior*, etc.

OBSERVAÇÃO – Ainda que esses elementos prefixais sejam reduções de adjetivos, não perdem a sua individualidade morfológica, e, por isso, devem unir-se por hífen, como sucede com *austro* (= *austríaco*), *dólico* (= *dolicocéfalo*), *euro* (= *europeu*), *telégrafo* (= *telégrafico*), etc.: *austro-húngaro*, *dólico-louro*, *euro-africano*, *telégrafo--postal*, etc.

4º – Nos vocábulos formados por sufixos que representam formas adjetivas como *açu*, *guaçu* e *mirim*, quando o exige a pronúncia e quando o primeiro elemento acaba em vogal acentuada gràficamente: *andá-açu*, *amoré-guaçu*, *anajá-mirim*, *capim-açú*, etc.

5º – Nos vocábulos formados pelos prefixos:

a) *auto*, *contra*, *extra*, *infra*, *intra*, *neo*, *proto*, *pseudo*, *semi* e *ultra*, quando se lhes seguem palavras começadas por *vogal*, *h*, *r* ou *s*: *auto-educação*, *contra-almirante*, *extra-oficial*, *infra-hepático*, *intra-ocular*, *neo-republicano*, *proto--revolucionário*, *pseudo-revelação*, *semi-selvagem*, *ultra-sensível*, etc.

OBSERVAÇÃO – A única exceção a esta regra é a palavra *extraordinário*, que já está consagrada pelo uso.

b) *ante*, *anti*, *arqui* e *sôbre*, quando seguidos de palavras iniciadas por *h*, *r* ou *s*: *ante-histórico*, *anti-higiênico*, *arqui-rabino*, *sobre-saia*, etc.

c) *supra*, quando se lhe segue palavra encetada por vogal, *r* ou *s*: *supra-auxiliar*, *supra-renal*, *supra-sensível*, etc.

d) *super*, quando seguido de palavra principiada por *h* ou *r*: *super-homem*, *super-requintado*, etc.

e) *ab*, *ad*, *ob*, *sob* e *sub*, quando seguidos de elementos iniciados por *r*: *ab-rogar*, *ad-renal*, *ob-reptício*, *sob-roda*, *sub-reino*, etc.

f) *pan* e *mal*, quando se lhes segue palavra começada por vogal ou *h*: *pan-asiático*, *pan-helenismo*, *mal-educado*, *mal-humorado*, etc.

g) *bem*, quando a palavra que lhe segue tem vida autônoma na língua ou quando a pronúncia o requer: *bem-ditoso*, *bem-aventurança*, etc.

h) *sem*, *sota*, *soto*, *vice*, *vizo*, *ex* (com o sentido de cessamento ou estado anterior), etc.: *sem-cerimônia*, *sota--pilôto*, *sota-ministro*, *vice-reitor*, *vizo-rei*, *ex-diretor*, etc.

i) *pós*, *pré*, e *pró*, que têm acento próprio, por causa da evidência dos seus significados e da sua pronunciação, ao contrário dos seus homógrafos inacentuados, que, por diversificados foneticamente, se aglutinam com o segundo elemento: *pós-meridiano*, *pré-escolar*, *pró-britânico*; mas *pospor*, *preanunciar*, *procônsul*, etc.

XV
DIVISÃO SILÁBICA

47. A divisão de qualquer vocábulo, assinalada pelo hífen, em regra se faz pela soletração, e não pelos seus elementos constitutivos segundo a etimologia.

48. Fundadas neste princípio geral, cumpre respeitar as seguintes normas:

1ª – A consoante inicial não seguida de vogal permanece na sílaba que a segue: *cni-do-se*, *dze-ta*, *gno-ma*, *mne-mô-ni-ca*, *pneu-má-ti-co*, etc.

2ª – No interior do vocábulo, sempre se conserva na sílaba que a precede a consoante não seguida de vogal: *ab-di-car*, *ac-ne*, *bet-as-mi-ta*, *daf-ne*, *drac-ma*, *ét-ni-co*, *nup-cial*, *ob-fir-mar*, *op-ção*, *sig-ma-tis-mo*, *sub-por*, *sub-ju-gar*, etc.

3ª – Não se separam os elementos dos grupos consonânticos iniciais de sílaba nem os dos digramas *ch*, *lh* e *nh*: *a-blu-ção*, *a-bra-sar*, *a-che-gar*, *fi-lho*, *ma-nhã*, etc.

OBSERVAÇÃO – Nem sempre formam grupos articulados as consonâncias *bl* e *br*: nalguns casos o *l* e o *r* se pronunciam separadamente, e a isso se atenderá na partição do vocábulo; e as consoantes *dl*, a não ser no termo anomatopéico, *dlim*, que exprime toque de campanhia, proferem-se desligadamente, e na divisão silábica ficará o hífen entre essas duas letras: Ex.: *sub-lin-gual*, *sub-ro-gar*, *ad-le-ga-ção*, etc.

4ª – O *sc* no interior do vocábulo biparte-se, ficando o *s* numa sílaba e o *c* na sílaba imediata: *a-do-les-cen-te*, *con-va-les-cer*, *des-cer*, *ins-ci-en-te*, *pres-cin-dir*, *res-ci-são*, etc.

OBSERVAÇÃO – Forma sílaba com o prefixo antecedente o *s* que precede consoante: *abs-tra-ir*, *ads-cre-ver*, *ins-cri-ção*, *ins-pe-tor*, *ins-tru-ir*, *in-ters-tí-cio*, *pers-pi-caz*, *subs-cre-ver*, *subs-ta-be-le-cer*, etc.

5ª – O *s* dos prefixos *bis*, *cis*, *des*, *dis*, *trans*, e o *x* do prefixo *ex* não se separam quando a sílaba seguinte começa por consoante; mas, se principia por vogal, formam sílaba com esta e separam-se do elemento prefixal: *bis-ne-to*, *cis-pla-ti-no*, *des-li-gar*, *dis-tra-ção*, *trans-por-tar*, *ex-tra-ir*, *bi-sa-vô*, *ci-san-di-no*, *de-ses-pe-rar*, *di-sem-té-ri-co*, *trans-a-tlân-ti-co*, *e-xér-ci-to*, etc.

6ª – As vogais idênticas e as letras *cc*, *cç*, *rr* e *ss* separam-se, ficando uma na sílaba que as precede e outra na sílaba seguinte: *ca-a-tin-ga*, *co-or-de-nar*, *du-ún-vi-ro*, *fri-ís-si-mo*, *ge-e-na*, *in-te-lec-ção*, *oc-ci-pi-tal*, *pror-ro-gar*, *res-sur-gir*, etc.

OBSERVAÇÃO – As vogais de hiatos, ainda que diferentes uma da outra, também se separam: *a-ta-ú-de*, *cai-ais*, *ca-í-eis*, *do-er*, *du-e-lo*, *fi-el*, *flu-iu*, *fru-ir*, *gra-ú-na*, *je-su-í-ta*, *le-al*, *mi-ú-do*, *po-ei-ra*, *ra-i-nha*, *sa-ú-de*, *vi-ví-eis*, *vo-ar*, etc.

7ª – Não se separam as vogais dos ditongos – crescentes e decrescentes – nem as dos tritongos: *ai-ro-so*, *a-ni-mais*, *au-ro-ra*, *a-ve-ri-güeis*, *ca-iu*, *cru-éis*, *en-jei-tar*, *fo-ga-réu*, *fu-giu*, *gló-ria*, *guai-ar*, *i-guais*, *já-mais*, *jói-as*, *ó-dio*, *quais*, *sá-bio*, *sa-guão*, *sa-guões*, *su-bor-nou*, *ta-fuis*, *vá-rios*, etc.

OBSERVAÇÃO 1ª – Não se separa do *u* precedido de *g* ou *q* a vogal que o segue, acompanhada ou não de consoante: *am-bí-guo*, *e-qui-va-ler*, *guer-ra*, *u-bí-quo*, etc.

XVI
EMPREGO DAS INICIAIS MAIÚSCULAS

49. Emprega-se letra inicial maiúscula:

1º – No começo do período, verso ou citação direta: Disse o PADRE ANTÔNIO VIEIRA: "Estar com Cristo em qualquer lugar, ainda que seja no inferno, é estar no Paraíso."

"Auriverde pendão de minha terra,
Que a brisa do Brasil beija e balança,
Estandarte que a luz do sol encerra
E as promessas divinas da Esperança..."
(CASTRO ALVES)

OBSERVAÇÃO – Alguns poetas usam, à espanhola, a minúscula no princípio de cada verso quando a pontuação o permite, como se vê em CASTILHO:

"Aqui, sim, no meu cantinho,
vendo rir-me o candeeiro,
gozo o bem de estar sòzinho
e esquecer o mundo inteiro."

2º – Nos substantivos próprios de qualquer espécie – antropônimos, topônimos, patronímicos, cognomes, alcunhas, tribos e castas, designações de comunidades religiosas e políticas, nomes sagrados e relativos a religiões, entidades mitológicas e astronômicas, etc.: *José, Maria, Macedo, Freitas, Brasil, América, Guanabara, Tietê, Atlântico, Antoninos, Afrosinhos, Conquistador, Magnânimo, Coração de Leão, Sem Pavor, Deus, Jeová, Alá, Assunção, Ressurreição, Júpiter, Baco, Cérbero, Via-Láctea, Canopo, Vênus*, etc.

OBSERVAÇÃO 1ª – As formas onomásticas que entram na composição de palavras do vocabulário comum escrevem-se com inicial minúscula quando constituem, com os elementos que se ligam por hífen, uma unidade semântica; quando não constituem unidade semântica, devem ser escritas sem hífen e com inicial maiúscula: *água-de-colônia, joão-de-barro, maria-rosa* (palmeira), etc.; *Além, Andes, aquém Atlântico*, etc.

OBSERVAÇÃO 2ª – Os nomes de povos escrevem-se com inicial minúscula, não só quando designam habitantes ou naturais de um estado, província, cidade, vila ou distrito, mas ainda quando representam coletivamente uma nação: *amazonenses, baianos, estremenhos, fluminenses, guarapuavanos, jequienses, paulistas, pontalenses, romenos, russos, suíços, uruguaios, venezuelanos*, etc.

3º – Nos nomes próprios de eras históricas e épocas notáveis: *Hégira, Idade Média, Quinhentos* (século XVI); *Seiscentos* (o século XVII), etc.

OBSERVAÇÃO – Os nomes dos meses devem escrever-se com inicial minúscula: *janeiro, fevereiro, março, abril, maio, junho, julho, agôsto, setembro, outubro, novembro* e *dezembro*.

4º – Nos nomes de vias e lugares públicos: *Avenida Rio Branco, Beco do Carmo, Largo da Carioca, Praia do Flamengo, Praça da Bandeira, Rua Larga, Rua do Ouvidor, Terreiro de São Francisco, Travessa do Comércio*, etc.

5º – Nos nomes que designam altos conceitos religiosos, políticos ou nacionalistas: *Igreja* (Católica, Apostólica, Romana), *Nação, Estado, Pátria, Raça*, etc.

OBSERVAÇÃO – Êsses nomes se escrevem com inicial minúscula quando são empregados em sentido geral ou indeterminado.

6º – Nos nomes que designam artes, ciências ou disciplinas, bem como nos que sintetizam, em sentido elevado, as manifestações do engenho do saber: *Agricultura, Arquitetura, Educação Física, Filologia Portuguêsa, Direito, Medicina, Engenharia, História do Brasil, Geografia, Matemática, Pintura, Arte, Ciência, Cultura*, etc.

OBSERVAÇÃO: Os nomes *idioma, idioma pátrio, língua, língua portuguêsa, vernáculo* e outros análogos escrevem-se com inicial maiúscula quando empregados com especial relêvo.

7º – Nos nomes que designam altos cargos, dignidades ou postos: *Papa, Cardeal, Arcebispo, Bispo, Patriarca, Vigário, Vigário-Geral, Presidente da República, Ministro da Educação, Governador do Estado, Embaixador, Almirantado, Secretário de Estado*, etc.

8º – Os nomes de repartições, corporações ou agremiações, edifícios, e estabelecimentos públicos ou particulares: *Diretoria-Geral do Ensino*, Inspetoria de Ensino Superior, *Ministério das Relações Exteriores, Academia Paranaense de Letras, Círculo de Estudos "Bandeirantes", Presidência da República, Instituto Brasileiro de Geografia e Estatística, Tesouro do Estado, Departamento Administrativo do Serviço Público, Banco do Brasil, Imprensa Nacional, Teatro de São José, Tipografia Rolandiana*, etc.

9º – Nos títulos de livros, jornais, revistas, produções artísticas, literárias e científicas: *Imitação de Cristo, Horas Marianas, Correio da Manhã, Revista Filológica, Transfiguração* (de RAFAEL), *Norma* (de BELLINI), *O Guarani* (de CARLOS GOMES), *O Espírito das Leis* (de MONTESQUIEU), etc.

OBSERVAÇÃO – Não se escrevem com maiúscula inicial as partículas monossilábicas que se acham no interior de vocábulos compostos ou de locuções ou expressões que têm iniciais maiúsculas: *Queda do Império, O Crepúsculo dos Deuses, Histórias sem Data, A Mão e a Luva, Festas e Tradições Populares do Brasil*, etc.

10º - Nos nomes de fatos históricos importantes, de atos solenes e de grandes empreendimentos públicos: *Centenário da Independência do Brasil, Descobrimento da América, Questão Religiosa, Reforma Ortográfica, Acôrdo Luso-Brasileiro, Exposição Nacional, Festa das Mães, Dia do Município, Glorificação da Língua Portuguesa,* etc.

OBSERVAÇÃO – Os nomes das festas pagãs ou populares escrevem-se com inicial minúscula: *carnaval, entrudo, saturnais,* etc.

11º - Nos nomes de escolas de qualquer espécie ou grau de ensino: *Faculdade de Filosofia, Escola Superior de Comércio, Ginásio do Estado, Colégio de Pedro II, Instituto de Educação, Grupo Escolar de Machado de Assis,* etc.

12º - Nos nomes comuns, quando personificados ou individuados, e de sêres morais ou fictícios: *A Capital da República, A Transbrasiliana,* moro na *Capital,* o *Natal* de Jesus, o *Poeta* Camões, a ciência da *Antiguidade,* os habitantes da *Península,* a *Bondade,* a *Virtude,* o *Amor,* a *Ira,* o *Mêdo,* o *Lôbo,* o *Cordeiro,* a *Cigarra,* a *Formiga,* etc.

OBSERVAÇÃO – Incluem-se nesta norma os nomes que designam atos das autoridades da República quando empregados em correspondência ou documentos oficiais: *a Lei de 13 de maio, o Decreto-Lei nº 292, o Decreto nº 20.108, a Portaria de 15 de junho, o Regulamento nº 737, o Acórdão de 3 de agosto, etc.*

13º - Nos nomes dos pontos cardeais, quando designam regiões: Os povos do *Oriente*; o falar do *Norte* é diferente do falar do *Sul*; a guerra do *Ocidente,* etc.

OBSERVAÇÃO – Os nomes dos pontos cardeais escrevem-se com inicial minúscula quando designam direções ou limites geográficos: percorri o país de *norte* a *sul* e de *leste* a *oeste.*

14º - Nos nomes, adjetivos, pronomes e expressões de tratamento ou reverência: *D.* (*Dom* ou *Dona*), *Sr.* (*Senhor*), *Sr.ª* (*Senhora*), *DD. ou Dig.ᵐᵒ* (*Digníssimo*), *MM. ou M.ᵐᵒ* (*Meritíssimo*), *Rev.ᵐᵒ* (*Reverendíssimo*), *V. Rev.ª* (*Vossa Reverência*), *S. E.* (*Sua Eminência*), *V. M.* (*Vossa Majestade*), *V. A.* (*Vossa Alteza*), *V. S.ª* (*Vossa Senhoria*), *V. Ex.ª* (*Vossa Excelência*), *V. Ex. Rev.ᵐᵃ* (*Vossa Excelência Reverendíssima*), *V. Exa.ᵃˢ* (*Vossas Excelências*), etc.

OBSERVAÇÃO - As formas que se acham ligadas a essas expressões de tratamento devem ser também escritas com iniciais maiúsculas: *D. Abade, Ex.ᵐᵃ Sr.ª Diretora, Sr. Almirante, Sr. Capitão-de-Mar-e-Guerra, MM. Juiz de Direito, Ex.ᵐᵒ* e *Rev.ᵐᵒ Sr. Arcebispo Primaz, Magnífico Reitor, Excelentísismo Senhor Presidente da República, Eminentíssimo Senhor Cardeal, Sua Majestade Imperial, Sua Alteza Real,* etc.

15º - Nas palavras que, no estilo epistolar, se dirigem a um amigo, a um colega, a uma pessoa respeitável, as quais, por deferência, consideração ou respeito, se queira realçar por esta maneira: *meu bom Amigo, caro Colega, meu prezado Mestre, estimado Professor, meu querido Pai, minha adorável Mãe, meu bom Padre, minha distinta Diretora, caro Dr., prezado Capitão,* etc.

XVII
SINAIS DE PONTUAÇÃO

50. *Aspas* - Quando a pausa coincide com o final da expressão ou sentença que se acha entre aspas, coloca-se o competente sinal de pontuação depois delas, se encerram apenas uma parte da proposição; quando, porém, as aspas abrangem todo o período, sentença, frase ou expressão, a respectiva notação fica abrangida por elas

> "Aí temos a lei", dizia o Florentino. "Mas quem
> as há de segurar? Ninguém."
> (RUI BARBOSA)

> "Mísera! tivesse eu aquela enorme, aquela
> Claridade imortal, que tôda a luz resume!"
> "Por que não nasci eu um simples vaga-lume?"
> (MACHADO DE ASSIS)

51. *Parênteses* – Quando uma pausa coincide com o início da construção parentética, o respectivo sinal de pontuação deve ficar depois dos parênteses; mas, estando a proposição ou a frase inteira encerrada pelos parênteses, dentro deles se põe a competente notação:

> "Não, filhos meus (deixai-me experimentar, uma vez que seja, convosco, êste suavíssimo nome); não: o coração não é tão frívolo, tão exterior, tão carnal, quanto se cuida."
>
> (RUI BARBOSA)

> "A imprensa (quem o contesta?) é o mais poderoso meio que se tem inventado para a divulgação do pensamento."
>
> (CARLOS DE LAET)

52. *Travessão* – Emprega-se o travessão, e não o hífen, para ligar palavras ou grupos de palavras que formam, pelo assim dizer, uma cadeia na frase: o trajeto *Mauá Cascadura*; a estrada de ferro *Rio Petrópolis*; a linha aérea *Brasil–Argentina*; o percurso *Barcas–Tijuca*, etc.

53. *Ponto-final* – Quando o período, oração ou frase termina por abreviatura, não se coloca o ponto-final adiante do ponto abreviativo, pois êste, quando coincide com aquêle, tem dupla serventia. Ex.: "O ponto abreviativo põe-se depois das palavras indicadas abreviadamente por suas iniciais ou por algumas das letras com que se representam, v.g.: V. S.ª, Il.$^{\underline{mo}}$, Ex.ª, etc." (Dr. ERNESTO CARNEIRO RIBEIRO).

Lei nº 5.765, de 18 de dezembro de 1971

Aprova alterações na ortografia da língua portuguesa e dá outras providências.

O Presidente da República

Faço saber que o Congresso Nacional decreta e eu sanciono a seguinte Lei:

Art. 1º De conformidade com parecer conjunto da Academia Brasileira de Letras e da Academia das Ciências de Lisboa, exarado a 22 de abril de 1971, segundo o disposto no art. III da Convenção Ortográfica celebrada a 29 de dezembro de 1943 entre o Brasil e Portugal, fica abolido o trema nos hiatos átonos; o acento circunflexo diferencial na letra *e* e na letra *o* da sílaba tônica das palavras homógrafas de outras em que são abertas a letra *e* e a letra *o*, exceção feita da forma *pôde*, que se acentuará por oposição a *pode*; o acento circunflexo e o grave com que se assinala a sílaba subtônica dos vocábulos derivados em que figura o sufixo *mente* ou sufixos iniciados por *z*.

Art. 2º A Academia Brasileira de Letras promoverá, dentro do prazo de dois anos, a atualização do Vocabulário Comum, a organização do Vocabulário Onomástico e a republicação do *Pequeno Vocabulário Ortográfico da Língua Portuguesa* nos termos da presente Lei.

Art. 3º Conceder-se-á às empresas editoras de livros e publicações o prazo de quatro anos para o cumprimento do que dispõe esta Lei.

Art. 4º Esta Lei, que revoga as disposições em contrário, entrará em vigor trinta dias após a sua publicação.

Brasília, 18 de dezembro de 1971;

150º da Independência e 83º da República.

Emílio G. Médici
Jarbas G. Passarinho

A Língua Portuguesa no século XXI*

Com 350 mil verbetes, a Academia Brasileira de Letras edita o *Vocabulário Ortográfico da Língua Portuguesa.* A primeira edição, produzida por Bloch Editores, sob a orientação do Acadêmico Antônio Houaiss, saiu em 1981, ficando fora do mercado mais de 10 anos.

Embora ainda não tenhamos o Acordo Ortográfico na unanimidade das sete nações da comunidade lusófona (Brasil, Portugal e Cabo Verde já deram sua aprovação), eliminando elementos quase supérfluos, como é o caso do trema, o certo é que a língua portuguesa cresceu, até mesmo em virtude da introjeção de termos ligados ao desenvolvimento científico e tecnológico ou de muitos estrangeirismos.

É o caso de palavras como *teleducação* (educação à distância), *acessar* (entrar), *deletar* (apagar, anular), *decasségui* (trabalhador brasileiro no Japão), *teleconferência* (conferência à distância), *lincar* (ligar), *internet*, *infovia*, *intranet*, etc.

Não há como conter esse crescimento, mesmo que, por vezes, seja ele fruto do que o crítico Wilson Martins chama de "desnacionalização" linguística ou, para ser mais forte, de um lamentável "linguicídio", palavra que, aliás, consta do nosso *Vocabulário.*

Os franceses reagiram de forma veemente a essa agressão ao seu idioma pelos anglicismos que se tornaram universais, em virtude, sobretudo, da força econômica dos Estados Unidos. A globalização só ajuda nessa expansão. Entre nós, somos vítimas ou beneficiários desse processo. Vítimas, se considerarmos a pureza da língua de Machado de Assis, e beneficiários, se pensarmos na inserção do país na comunidade das nações desenvolvidas. De toda forma, é preciso evitar os exageros imitativos.

O *VOLP* foi administrado, no Rio, por um Conselho de Lexicografia, constituído pelos especialistas Antônio José Chediak, Sílvio Elia, Evanildo Bechara e Diógenes de Almeida, este último representando a Academia Brasileira de Ciências. Esta edição contém mais de 5 mil palavras que não se encontravam na versão anterior. Assim que o Acordo Ortográfico entrar em vigor, e isso está sendo trabalhado junto ao nosso Ministério das Relações Exteriores, que recebeu orientação firme do presidente Fernando Henrique Cardoso no sentido de ativar os entendimentos, deveremos modificar cerca de 400 palavras hoje constantes do *VOLP.*

Isso retira do projeto de unidade ortográfica o caráter de catastrofismo que quiseram lhe imputar, em alguns casos por inspiração de pessoas interessadas, em outros "para evitar que o Brasil se torne ainda mais hegemônico". Na segunda hipótese, uma grande bobagem. A comunidade lusófona é constituída de 200 milhões de pessoas, representando o Brasil cerca de 80% desse total. O que se deve exaltar é o desejo de não impor nada, as nossas autoridades trabalhando pacientemente, com o apoio da ABL, para que a unificação se faça com a adesão de todas as nações concernentes.

Arnaldo Niskier

* Texto parcial relativo à 3ª edição (2003).

Uma introdução

Se atualmente estamos preocupados com o problema da unificação da ortografia, é interessante considerar que o problema talvez se origine há longo tempo. Que o digam as palavras bíblicas registradas no episódio da Torre de Babel...

"1.

Ora, em toda a terra havia apenas uma linguagem e uma só maneira de falar.

2.

Sucedeu que, partindo eles do Oriente, deram com uma planície na terra de Sinear; e habitaram ali.

3.

E disseram uns aos outros: Vinde, façamos tijolos, e queimemo-los bem. Os tijolos serviram-lhes de pedra, e o betume, de argamassa.

4.

Disseram: Vinde, edifiquemos para nós uma cidade, e uma torre cujo topo chegue até os céus, e tornemos célebre o nosso nome, para que não sejamos espalhados por toda a terra.

5.

Então, desceu o Senhor para ver a cidade e a torre, que os filhos dos homens edificavam;

6.

E disse: Eis que o povo é um, e todos têm a mesma linguagem. Isto é apenas o começo: agora não haverá restrição para tudo quanto intentam fazer.

7.

Vinde, desçamos e confundamos ali a sua linguagem, para que um não entenda a linguagem do outro.

8.

Destarte o Senhor os dispersou dali pela superfície da terra; e cessaram de edificar a cidade.

9.

Chamou-se-lhe, por isso, o nome de Babel, porque ali confundiu o Senhor a linguagem de toda a terra, e dali os dispersou por toda a superfície dela."

O idioma português

O idioma português é o quinto mais falado do mundo, alcançando 200 milhões de pessoas. A comunidade lusófona é constituída por Brasil, Portugal, Angola, Moçambique, Cabo Verde, Guiné-Bissau, São Tomé e Príncipe (os cinco últimos na África) e por Macau, Timor Leste e Goa no Oriente, onde também esteve presente a colonização portuguesa. O especialista Sílvio Elia tinha certeza de que, apesar dos pesares, o português está em expansão no mundo. A elaboração de um vocabulário geral da língua portuguesa é tarefa prioritária da Academia Brasileira de Letras, por intermédio do seu Conselho de Lexicografia.

Também premente é a necessidade de unificação da terminologia científica e técnica, no caso envolvendo grande interesse econômico, dadas as características vigentes de globalização.

A existência de duas ortografias oficiais da língua portuguesa, a lusitana e a brasileira, tem sido considerada como largamente prejudicial à unidade intercontinental do português e para seu prestígio no mundo.

Tal situação remonta a 1911, ano em que foi adotada, em Portugal, a primeira grande reforma ortográfica, mas que não foi extensiva ao Brasil.

Por iniciativa da Academia Brasileira de Letras, em consonância com a Academia das Ciências de Lisboa, com o objetivo de se minimizarem os inconvenientes desta situação, foi aprovado em 1931 o primeiro acordo ortográfico entre Portugal e o Brasil. Todavia, por motivos que não importa agora mencionar, o acordo não produziu, afinal, a tão desejada unificação dos dois sistemas ortográficos, fato que levou, mais tarde, à convenção ortográfica de 1943. Diante das divergências persistentes nos Vocabulários publicados pelas duas Academias, que evidenciavam os parcos resultados práticos do acordo de 1943, realizou-se em Lisboa, em 1945, novo encontro entre os representantes daquelas duas agremiações, o que levou à chamada Convenção Ortográfica Luso-Brasileira de 1945. Mais uma vez, entretanto, o acordo não produziu os efeitos desejados, adotado em Portugal, mas não no Brasil.

No Brasil, em 1971, e em Portugal, em 1973, foram promulgadas leis que reduziram substancialmente as divergências ortográficas entre os dois países. Apesar disso, ainda restavam divergências sérias entre os dois sistemas ortográficos.

Orientadas no sentido de reduzir tais divergências, a Academia das Ciências de Lisboa e a Academia Brasileira de Letras elaboraram, em 1975, novo projeto de acordo que não foi, no entanto, aprovado oficialmente por motivos de ordem política, sobretudo em Portugal.

Nesse contexto surge o encontro do Rio de Janeiro, em 1986, no qual se congregaram, pela primeira vez, na história da língua portuguesa, representantes não apenas de Portugal e do Brasil, mas também dos cinco novos países africanos de língua portuguesa, emergidos da descolonização portuguesa. E aqui vale fazer um parêntese, pois implica falar em cidadania.

A língua portuguesa e a cidadania

Há muitas interpretações para o termo *cidadania*, conforme a ótica adotada.

Historicamente, na Grécia Antiga, o cidadão integrava-se à *polis*, isto é, incluía-se entre aqueles que a dirigiam. Os metecos e os escravos não eram cidadãos. Só os nascidos em Roma eram considerados cidadãos. Os demais povos, apesar de possuidores também de cultura própria, eram bárbaros, aos quais ironicamente estava destinado, no futuro, o domínio do império, estilhaçando o que fora conquistado pelas armas.

No século XVIII, o conceito de cidadania foi introduzido pelos revolucionários franceses de 1789, inspirados pelas teses iluministas. Todos aqueles que se opunham aos privilégios da aristocracia eram cidadãos e gozavam, pelo menos teoricamente, dos direitos de liberdade, igualdade e fraternidade. Mais ou menos consolidados os princípios da Revolução, as atenções voltaram-se para a educação: o ensino obrigatório, o aperfeiçoamento das escolas normais e a adesão, às vezes forçada, dos professores aos ideais republicanos, deram novo sentido à palavra cidadania. Esta passava, necessariamente, pelos bancos escolares, dando coesão ao país, ameaçado por forças externas.

Há exemplos históricos de imposição da língua do conquistador para derrubar o orgulho nativo do conquistado, sem que o fato revertesse sempre em aquisição da cidadania do mais forte. O conquistado ficava reduzido à oralidade e acabava por perder sua autenticidade, sem adquirir outra. A classe dita culta mostra-se displicente em relação à língua nacional e a indigência vocabular tomou conta da juventude e dos não tão jovens assim, quase como se aqueles se orgulhassem da sua própria ignorância e estes quisessem voltar no tempo.

Novas formas de regência verbal são adotadas desde que um ex-candidato a um alto cargo as introduziu com galhardia. Também, por influência do economês, todos *oportunizam, absolutizam, otimizam, a nível* disto e daquilo e *colocam* perguntas e dúvidas, *enquanto* alunos... Os próprios jornais, que deveriam ser um modelo de correção por causa da sua circulação, não constituem *exceção*. Aliás, do ponto de vista vernacular estão errando como nunca.

Até há pouco, a chamada matéria *Comunicação e Expressão* abrigou todo e qualquer conhecimento, menos o da Língua Portuguesa em seu sentido estrito. Para que estudar verbos irregulares, se é mais fácil dizer *interviu* ou *manteu* ou, ainda, descobrir outras utilidades para o *aliás* e o *inclusive?* E o triste *houveram?*

É de lamentar que os cursos de Comunicação Social discutam Mc Luhan, Umberto Eco, Derrida, Adorno, Sapir e outros papas da Comunicação, da Semiótica e da Filosofia e os comunicólogos sejam socorridos pelo *idiota da objetividade*, como chamava Nelson Rodrigues ao copidesque.

Alguns brasileiros tanto não suportam seu idioma que os cursos de Pedagogia e de Direito se omitem no estudo da Língua Portuguesa. Esses cursos, mais que os outros, deveriam ser os primeiros a cultivá-la, senão por sentido cívico, por força do seu dever e da sua função junto à sociedade. A partir de 1998, espera-se que as coisas melhorem, com a introdução de *Códigos e Linguagens* em nossos currículos.

Hoje, no Brasil, há *boutiques* e não lojas; multiplicam-se os nomes fantasia em inglês e francês, como *Design, Fast Man, Déjà Vu, Crazy Machine, Company*. As lojas para a classe alta ostentam o seu *pedigree* em palavras estrangeiras e preços altos. As fachadas dos prédios sofisticados não se contentam com uma numeração honesta e conforme as posturas municipais. É preciso que elas se distingam de outras por inspirações estrangeiras.

A dublagem de filmes, por exemplo, por displicência do roteirista, é um acúmulo de frases sem sentido e sem conexão com o que se vê na tela, além de dubladores com dicção péssima, reproduzindo uma linguagem incorreta. É claro que seria mais agradável para quem entende inglês ou francês ouvir a voz original de Richard Burton, Ingrid Bergman ou Simone Signoret, mas a dublagem corresponde a uma necessidade social, não só em relação ao mercado de trabalho, mas também à possibilidade de proporcionar entretenimento a um maior número de pessoas.

Por outro lado, acreditamos que houve em nosso país um fenômeno social que, exagerando um pouco, fez mais pelo Brasil em termos de cidadania do que a escola. Estamos nos referindo ao futebol, que, por ocasião do seu aparecimento, aqui, exigia que todos os jogadores falassem em inglês, ou, como dizia Mário Filho, gritassem em inglês. Cabia ao capitão do time possuir o maior repertório e usar, se necessário, o *man on you*. As onze posições do time eram as da terminologia original, e o árbitro, o *referee*.

Os puristas da língua propunham o termo *balípodo* para substituir *football*, mas o povo se encarregou de democratizá-lo. Aos poucos, o *match* foi substituído por jogo, *ground* por campo e as posições transformaram-se em centro, lateral, goleiro, zagueiro, etc. Tudo isso sem a intervenção da língua culta. As posições convencionais, entendidas por todos, contribuíram, como acontece ainda, para que uma aglomeração de pessoas se transformasse, temporariamente, em multidão, acionada pelos mesmos objetivos.

Os chamados anglicismos estão, entre nós, nacionalizados e incorporados ao dicionário por transformação semântica ou morfológica: *bife, clube, bonde, dólar, deletar, iate, teste* não agridem mais a língua nacional.

Também não se pode ignorar a experiência tecnológica e científica, as relações comerciais, políticas e diplomáticas, que não prescindem de expressões como *blue ship, spread, primerate, bit, software* e muitas outras. Essas expressões pioneiras, expressivas e sintéticas, sem similares ainda em nossa língua, não chegam a arranhá-la porque constituem um jargão especializado que não interessa à população em geral, mais preocupada com o salário e os preços do arroz e do feijão...

Arnaldo Niskier

Apresentação da 2ª edição

No Natal de 1977, o presidente Austregésilo de Athayde fez a apresentação da primeira versão do *Vocabulário Ortográfico da Língua Portuguesa* (*VOLP*). O Relatório da Comissão Acadêmica foi subscrito, no dia 20/12/77, pelos acadêmicos Pedro Calmon, Barbosa Lima Sobrinho, Abgar Renault e Antônio Houaiss (relator).

Na ocasião, referindo-se à Lei nº 5.765, de 18 de dezembro de 1971, Austregésilo de Athayde afirmou que assim se oferecia à lexicologia e lexicografia da língua portuguesa "uma recolha tão exaustiva quanto possível do léxico da língua, na sua feição escrita ou documentada por escrito em letra de forma."

Em 19 de março de 1998, em nome do Conselho de Lexicografia da ABL, o acadêmico Antônio Houaiss solicitou uma segunda edição do atual *VOLP*, para atender à demanda pública até a publicação do chamado *Vocabulário Ortográfico Unificado da Língua Portuguesa.*

Convém recordar algumas particularidades da 1ª edição desta obra. Os seus 350 mil verbetes foram abrigados em livros de excelente padrão gráfico, a partir de uma conversa mantida em Teresópolis (RJ), inspirada pelo inesquecível médico Noel Nutels, que me apresentou ao acadêmico Antônio Houaiss. Com o seu jeito expansivo, reclamou que nenhuma editora havia até então se interessado pelo "trabalho patriótico" de Houaiss.

De imediato, ofereci os préstimos de Bloch Editores e assim, em 1981, foi possível lançar a primeira edição do *VOLP*, muito bem cuidada pelo zelo gráfico de Adolpho Bloch, que me disse com o seu jeito característico: "Vou colocar no Vocabulário o melhor papel do mundo, um bíblia alemão que deixará saudades." E assim foram feitos 20 mil exemplares, rapidamente esgotados pelo ineditismo da obra.

Passou-se o tempo e agora, em 1998, retomou-se o trabalho de revisão e enriquecimento do *Vocabulário Ortográfico*. O Conselho de Lexicografia da ABL, composto pelos acadêmicos Antônio Houaiss, Eduardo Portella e Evaristo de Moraes Filho e a Comissão externa de Lexicografia, constituída pelos especialistas Antônio José Chediak (coordenador-geral), Sílvio Elia, Evanildo Bechara e Diógenes de Almeida Campos (representante da Academia Brasileira de Ciências), depois de inúmeras e proveitosas reuniões, chegou ao total de 350 mil verbetes, com a inserção de cerca de 6 mil novos vocábulos, em geral relativos ao desenvolvimento científico e tecnológico. As mudanças nessa área são muito rápidas, caminhamos com velocidade para a Sociedade da Informação, como desconhecer a repercussão disso em nosso universo vocabular?

É claro que a Academia Brasileira de Letras, que tem a responsabilidade legal de editar o *VOLP*, agradece antecipadamente quaisquer contribuições feitas ao aperfeiçoamento desta obra fundamental. E deseja agradecer a forma profissional e carinhosa com que o assunto foi tratado pela Imprensa Nacional, tornando possível a sua 2ª edição, com qualidade.

Devemos, igualmente, uma homenagem especial ao acadêmico Josué Montello, ex-presidente da Casa de Machado de Assis, hoje vice-decano da ABL. A ele creditamos a primeira edição do *Dicionário da Língua Portuguesa*, organizado por uma equipe sob a supervisão técnica e filológica do professor Antenor Nascentes, com quem tive o privilégio de conviver, nas aulas da Faculdade de Educação da Universidade do Estado do Rio de Janeiro, em seus primórdios.

Desta equipe fez parte o saudoso acadêmico Celso Cunha, o que viabilizou a impressão do *Dicionário*, em 1959, nas oficinas da Imprensa Nacional, em cumprimento à Lei Eduardo Ramos, de n.° 726, de 8 de dezembro de 1900, que teve a histórica assinatura do presidente Campos Sales.

Entendemos que, ao lado do *Vocabulário Ortográfico*, a Academia Brasileira de Letras tem a obrigação de preparar o *Dicionário da Língua Portuguesa*, cuja segunda edição, elaborada em Bloch Editores, foi lançada em março de 1988, ganhando sucessivas impressões, inclusive na versão mini.

Estamos vivendo novos tempos na ABL. A sua diretoria, interpretando os anseios do plenário, lançou-se à elaboração deste *Vocabulário Ortográfico*, para logo depois dedicar-se ao *Dicionário da Língua Portuguesa*. Todo esse esforço tem por escopo prestar uma efetiva contribuição à defesa e enriquecimento do nosso idioma, obrigação maior da Casa de Machado de Assis, desde as suas origens, há mais de 100 anos.

Rio de Janeiro, 25 de julho de 1998.

Arnaldo Niskier
Presidente

Apresentação da 1ª edição

Como presidente da Academia Brasileira de Letras, honro-me de apresentar este vocabulário aos que usam de nossa língua, chamando-lhes atenção para o fato de que, por força da Lei nº 5.765, de 18 de dezembro de 1971, deveria ele ter sido tornado público até dois anos depois dessa data.

Razões por demais relevantes impediram que se cumprisse aquele mandato dentro do prazo fixado. É que a Comissão Acadêmica do Vocabulário – composta de meus confrades Pedro Calmon, Barbosa Lima Sobrinho, Abgar Renault e Antônio Houaiss, este último como relator da matéria – logo compreendeu quão pequena seria a utilidade da publicação, se limitada a atualizar a ortografia do vocabulário precedentemente elaborado pela Academia, ainda que algo atualizado e acompanhado de um vocabulário onomástico, nos termos da lei citada.

Acordou, desse modo, a Comissão Acadêmica que o melhor serviço que pode a Academia Brasileira de Letras oferecer à lexicologia e lexicografia da língua portuguesa, neste momento, é proceder a uma recolha tão exaustiva quanto possível do léxico da língua, na sua feição escrita ou documentada por escrito em letra de forma. Chegar-se-ia, assim, a um acervo lexical de base, que, com o concurso crítico dos que usam da língua comum, venha a ser ponto de referência para a elaboração de trabalhos lexicográficos especializados ou trabalhos lexicográficos mais aprofundados, um dos quais se faz sentir cada vez mais como indispensável, a saber, o dicionário quase exaustivo em bases históricas, fundamento para o banco ou memória das palavras da língua.

Importa, ainda, aqui consignar que, dentre congêneres chamados a oferecer seus préstimos, Bloch Editores S.A. foram escolhidos para compor, imprimir e editorar esta obra, com a condição de reeditorá-la (corrigida e aperfeiçoada) sempre que em vias de esgotar-se.

O Senhor Ney Braga, Ministro de Estado da Educação e Cultura, por intermédio da FENAME (Fundação Nacional de Material Escolar), houve por bem assistir a Academia nas despesas a que fez face para cumprimento das tarefas da coleta vocabular. Uma segunda parte, relacionada com o vocabulário onomástico, já em curso de execução, será tornada pública oportunamente.

Dado o espírito com que é publicada – o de ver na língua um bem comum, que será tanto mais de cada um quanto mais for de todos –, esta obra não apenas está aberta a receber, senão que instantemente pede sugestões críticas de aperfeiçoamento, de quantos nela queiram colaborar com ânimo construtivo.

Rio de Janeiro, Natal de 1977.

Austregésilo de Athayde
Presidente

Introdução do *Pequeno Vocabulário Ortográfico da Língua Portuguesa*, edição de 1943

A Academia Brasileira de Letras recebeu de Sua Excelência o Senhor Presidente da República a incumbência de elaborar o vocabulário ortográfico de que tratam os decretos-leis nº 292, de 23 de fevereiro de 1938, e nº 5.186, de 13 de janeiro de 1943.

Para esse fim, foi constituída a Comissão signatária, que organizou as necessárias instruções e convidou o filólogo Professor José de Sá Nunes para, como secretário, executar o trabalho.

Conforme sugestão do Ministro da Educação e Saúde, Doutor Gustavo Capanema, aprovada unanimemente pela Academia na sessão de 29 de janeiro de 1942, a Comissão determinou se tomasse por base o Vocabulário Ortográfico da Língua Portuguesa da Academia das Ciências de Lisboa, publicado em 1940.

O Presidente da Comissão houve por bem consultar vários filólogos e especialistas, não só brasileiros, mas também portugueses residentes no Brasil, acerca do projeto das Instruções, de todos solicitando auxílio para o aperfeiçoamento dos preceitos nelas contidos, e para o enriquecimento do Vocabulário com o acréscimo de termos científicos e, especialmente, de palavras correntes na linguagem vulgar do Brasil. Quase todos para isso concorreram com os seus valiosos esclarecimentos.

A Comissão do Vocabulário deixa consignada aqui a expressão do seu reconhecimento a todos quantos lhe trouxeram o desinteressado concurso.

Assim as Instruções como as provas tipográficas do *Vocabulário* foram enviadas à Academia das Ciências de Lisboa, que, depois de examiná-las detidamente, as aprovou sem reserva, dignando-se o preclaro Presidente daquela gloriosa Instituição, Senhor Doutor Júlio Dantas, comunicar à Academia Brasileira de Letras que a douta Corporação considera as Instruções "como expressão do perfeito acordo existente entre as duas Nações e as duas Academias no sentido da unidade, esplendor e prestígio do idioma comum".

Esse acordo concretizará a unidade linguística das duas Nações irmãs, cujos laços de profunda e sincera amizade mais se estreitam sob a influência de novos estímulos. Sendo a comunidade de língua um instrumento poderoso de comunicação na vida internacional, maior é essa influência quando o idioma comum possui grafia uniforme, capaz de propiciar aos povos assim vinculados melhores condições de progresso econômico, intelectual e moral.

A língua oficial do Brasil é a portuguesa, que o nosso Governo determinou fosse utilizada pelos seus representantes nas conferências internacionais, e, pois, em homenagem ao grande e nobre Povo que no-la herdou, assim continua a denominar-se. Em cerca de quatro centúrias e meia, tem sido ela o veículo de comunicação das ideias e sentimentos entre os brasileiros e os seus irmãos lusíadas, e assim será pelos séculos em fora. Se o Visconde de Cairu se admirava de ser o imenso Brasil totalmente povoado de gente da mesma religião e da mesma língua, considerando esse fato como único na história universal, justo é que os nossos filhos, e os filhos dos nossos filhos, também se admirem da unidade da língua de dois povos – brasileiros e portugueses – que, apesar da distância que os separa no espaço, perfeitamente se entendem no mesmo idioma escrito uniformemente.

Não sendo possível, em razão da urgência do aparecimento do código ortográfico, registrar todos os vocábulos que foram enviados e muitos outros que devem ser arrolados em trabalho desta natureza, sai agora a público o *Pequeno Vocabulário Ortográfico da Língua Portuguesa* para atender às necessidades gerais do ensino e do povo, e dentro em prazo não mui dilatado se dará à estampa outro mais copioso e perfeitamente adaptado às múltiplas manifestações da vida contemporânea.

Rio de Janeiro, 8 de dezembro de 1943.

José Carlos de Macedo Soares, Presidente
Fernando Magalhães
Cláudio de Souza
Rodolfo Garcia
Afonso d'Escragnolle Taunay

Abreviaturas usadas no Vocabulário

abrev.	abreviatura
adj.	adjetivo
adj.2g.	adjetivo de dois gêneros (*o especialista, a especialista*)
adj.2g.2n.	adjetivo de dois gêneros e dois números (*um terno cinza, uma saia cinza, dois ternos cinza, duas saias cinza*)
adj.2g. s.f.	adjetivo de dois gêneros e substantivo feminino (*a glândula tireoide, o sistema tireoide, a tireoide*)
adj.2g. s.m.	adjetivo de dois gêneros e substantivo masculino (*o reino animal, a riqueza animal, o animal feroz*)
adj. s.f.	adjetivo e substantivo feminino (*a linha diretriz, a diretriz das ações*)
adj. s.m.	adjetivo e substantivo masculino (*o povo brasileiro, o brasileiro*)
adj. s.2g.	adjetivo e substantivo de dois gêneros (*um desenhista hábil, uma desenhista habilidosa*; *um engenheiro desenhista, uma engenheira desenhista*)
adj. s.2g.2n.	adjetivo e substantivo de dois gêneros e dois números (*um homem simples, uma mulher simples, uns homens simples, umas mulheres simples*; *o simples, a simples, os simples, as simples*)
adv.	advérbio (excluíram-se os advérbios em *-mente*, com exceção de *somente* e *mormente*)
al.	alemão (como para as abreviações de outros nomes de línguas, usou-se o critério de consignar o vocábulo estrangeiro seguido de sua classificação gramatical e da abreviatura da língua: *biscuit* s.f. fr.)
art.	artigo
cf.	confira
conj.	conjunção
contr.	contração
dim.	diminutivo
din.	dinamarquês
el.	elemento (de composição)
esp.	espanhol
exp.	expressão
f.	feminino
fl.	flexão (verbal)
flam.	flamengo
fr.	francês
gr.	grego
hebr.	hebraico
hol.	holandês
iídiche	iíd.
ing.	inglês
interj.	interjeição
isl.	islandês
it.	italiano
jap.	japonês
lat.	latim
loc.	locução
nor.	norueguês

num.	numeral
pl.	plural
pol.	polonês
pref.	prefixo
prep.	preposição
pron.	pronome
rus.	russo
sâns.	sânscrito
sue.	sueco
s.f.	substantivo feminino
sing.	singular
s.m.	substantivo masculino
s.m.f.	substantivo masculino e substantivo feminino (refere-se a abreviatura a duas palavras distintas: uma do gênero masculino [*o grama*] e outra feminina [*a grama*])
s.2g.	substantivo de dois gêneros (*o sabiá, a sabiá*); (*o psiquiatra, a psiquiatra*)
s.f.2n.	substantivo feminino de dois números (*a práxis, as práxis*)
s.m.2n.	substantivo masculino de dois números (*o ônibus, os ônibus*)
s.m.f.2n.	substantivo masculino de dois números e substantivo feminino de dois números (*a íbis, as íbis, o íbis, os íbis*)
s.2g.2n.	substantivo de dois gêneros e dois números (*o papa-léguas, a papa-léguas, os papa-léguas, as papa--léguas*)
s.f.pl.	substantivo feminino plural (*as saturnais*)
s.m.pl.	substantivo masculino plural (*os óculos*)
sup.	superlativo
tb.	também
v.	verbo

Combinações ocasionais desses padrões far-se-ão compreensíveis pelos próprios padrões aqui oferecidos.

Vocabulário

Aa

a s.m.f.; sing. do art. e do pron. pess. ou dem. *o*; prep.
à contr. da prep. *a* com o art. ou pron. dem. *a*
á s.m.
aabora s.f.
aal s.m.f.
aalclim s.m.
aalcuabe s.m.
aaleniano adj. s.m.
aaleniense adj. s.2g.
aalênio adj. s.m.
aalense adj. s.m.
aálio s.m.
aaná adj. s.2g.
aaquenense adj.2g.
aaqueniano adj. s.m.
aaquênio adj. s.m.
aariano adj. s.m.
aarita s.f.
aarite s.f.
aarônico adj.
aarônida adj. s.2g.
aaronita adj. s.2g.
aaru s.m.
aasto s.m.
ãatá s.f.
aavora s.f.
aba s.f. "extremidade"; cf. *abá*
abá s.m. "manto"; cf. *aba* s.f. e fl. do v. *abar*
ababá adj. s.2g.
ababadado adj.
ababadar v.
ababaia s.f.
ababalhado adj.
ababalhar v.
ababalho s.m.
ababalhos s.m.pl.
ababalidade s.f.
ababaloalô s.m.
ababangai s.m.
abá baxé de ori s.m.
abá baxé de xangô s.m.
ababé s.m.
ababelação s.f.
ababelado adj.
ababelador (*ô*) adj.
ababelante adj.2g.
ababelar v.
ababelável adj.2g.
ababil s.m.
ababone s.f.
ababoni s.m.
ababosação s.f.
ababosado adj.
ababosador (*ô*) adj.
ababosamento s.m.
ababosante adj.2g.
ababosar v.
ababosável adj.2g.
ababroar v.
ababuá adj.2g.
ababuí s.m.
abacá s.m.
abaçá s.m.
abacado s.m.
abacaí s.m.
abaçaí s.m.
abacaíba s.f.
abacalhoado adj.
abacalhoar v.
abacamartado adj.
abaçanado adj.
abaçanador (*ô*) adj.
abaçanamento s.m.
abaçanante adj.2g.
abaçanar v.
abaçanável adj.2g.
abacanto s.m.
abacar adj. s.2g.
abacaro adj.
abacatada s.f.
abacataia s.f.
abacatal s.m.
abacate s.m.
abacate-do-mato s.m.; pl. *abacates-do-mato*
abacateira s.f.
abacateiral s.m.
abacateiro s.m.
abacatense adj. s.2g.
abacaterana s.f.
abacatiar adj. s.2g.
abacatina s.f.
abacatirana s.f.
abacatuaia s.f.
abacatuia s.f.
abacatúxia s.f.
abacaxi adj. s.2g. s.m.
abacaxibirra s.f.
abacaxi-branco s.m.; pl. *abacaxis-brancos*
abacaxicultor (*ô*) s.m.
abacaxicultura s.f.
abacaxicultural adj.2g.
abacaxi-de-tingir s.m.; pl. *abacaxis-de-tingir*
abacaxiense adj. s.2g.
abacaxi-silvestre s.m.; pl. *abacaxis-silvestres*
abacaxizado adj.
abacaxizal s.m.
abacaxizar v.
abacaxizeiro s.m.
abacé s.m. "abaçá"; cf. *ábace*
ábace s.m. "besouro"; cf. *abacé*
abaceias s.f.pl.
abacelado adj.
abacelamento s.m.
abacelar v.
abacelável adj.2g.
abacena adj. s.2g.
abacenino adj. s.m.
abaceto (*ê*) s.m.
abacharelado adj.
abacharelar v.
abachuchu s.m.
abaci s.m.
abácia s.f.
abaciado adj. s.m.
abacial adj.2g. s.f.
abaciamento s.m.
abaciar v.
abácias s.f.pl.
abaciato s.m.
abácida adj. s.2g.
abacinado adj.
abacinamento s.m.
abacinar v.
abacisco s.m.
abacismo s.m.
abacista s.m.
abacístico adj.
ábaco s.m.
ábaco de cálculo s.m.
ábaco de jogar s.m.
ábaco de leitura s.m.
ábaco-harmônico s.m.; pl. *ábacos-harmônicos*
ábaco-logístico s.m.; pl. *ábacos-logísticos*
ábaco-mágico s.m.; pl. *ábacos-mágicos*
abacômita s.m.
abacomitato s.m.
abacômite s.m.
abacondado s.m.
abaconde s.m.
abacóptere s.m.
abacóptero s.m.
abacote s.m.
abacteriano adj.
abactinal adj.2g.
abactínea adj. s.f.
abactíneo adj.
abactínico adj.
abacto s.m.
abactor (*ô*) s.m.
abáculo s.m.
abacur s.m.
abacutaia s.f.
abada s.f. "tambor", etc.; cf. *abadá*
abadá s.m. "bata"; cf. *abada*
aba da estrela s.f.
abadado adj. s.m.
abadágio s.m.
abadalado adj.
abadalar v.
abadalassa s.f.
abadalhocado adj.
abadalhocar v.
abadanado adj.
abadanar v.
abadão s.m.
abadar v.
abadavina s.f.
abade s.m.
abadecida s.2g.
abadecídio s.m.
abadejo (*é* ou *ê*) s.m.
abadengo adj. s.m.
abadengos s.m.pl.
abadense adj. s.2g.
abaderna s.f.
abadernado adj.
abadernar v.
abadesco (*ê*) adj.
abadessa (*ê*) s.f.; cf. *abadessa*, fl. do v. *abadessar*
abadessado adj. s.m.
abadessamento s.m.
abadessão s.m.
abadessar v.
abadia s.f.
abadiado adj. s.m.
abadianense adj. s.2g.
abadiar v.
abádica s.f.
abadico adj. s.m.
abádida adj. s.2g.
abadiense adj. s.2g.
abadim s.m.
abadinho s.m.
abadiota adj.2g.
abadir s.m.
abadita adj. s.2g.
abadiva s.f.
abádiza adj. s.2g.
abado adj. "que tem abas"; cf. *abadô*
abadô s.m. "milho"; cf. *abado*
abadom s.m.
abaetado adj.
abaetar v.
abaeté s.m. "indivíduo feio"; cf. *abaetê* e *abaité*
abaetê s.m. "homem de palavra"; cf. *abaeté* e *abaité*
abaeteense adj. s.2g.
abaetetubense adj. s.2g.
abaetezinhense adj. s.2g.
abafa s.m.f. interj.
abafa-banana s.m.; pl. *abafa-bananas*
abafa-banca s.m.; pl. *abafa-bancas*
abafação s.f.
abafadela s.f.
abafadiço adj.
abafado adj. s.m.
abafadoiro s.m.
abafador (*ô*) adj. s.m.
abafadouro s.m.
abafadura s.f.
abafamento s.m.
abafanético adj.
abafante adj.2g.
abafar v. s.m.
abafarete (*ê*) s.m.
abafas s.f.pl.
abafativo adj.
abafável adj.2g.
abafeira s.f.
abafeiro s.m.
abafo s.m.
abafura s.f.
abagaçado adj.
abagaçador (*ô*) s.m.
abagaçar v.
abagace adj. s.2g.
abagaceirado adj.
abagado adj.
abagamento s.m.
abaganhado adj.
abaganhar v.
abagar v.
abágaro s.m.
abagi s.m.
abagmento s.m.
abago s.m.
abagoado adj.
abagoar v.
abagoaria s.f.
abagualado adj.
abagualar-se v.
abaguim s.m.
abagulhado adj.
abagum s.m.
abagunçado adj.
abagunçador (*ô*) adj. s.m.
abagunçar v.
abaí s.m.
abaianada s.f.
abaianado adj.
abaianante adj.2g.
abaianar v.
abaianável adj.2g.
abaianense adj. s.2g.
abaiarense adj. s.2g.
abaiarino adj. s.m.
abaíba adj. s.2g.
abaibense adj. s.2g.
abainha s.f.
abainhado adj.
abainhar v.
abaiô s.f.
abaionetado adj.
abaionetar v.
abairense adj. s.2g.
abairrado adj.
abairramento s.m.
abairrar v.
abairreirar v.
abaisir s.m.
abaité s.m. "indivíduo feio"; cf. *abaeté* e *abaetê*
abaitinguense adj. s.2g.
abaiucado adj.
abaiucamento s.m.
abaiucar v.
abaixa s.f.
abaixação s.f.
abaixadela s.f.
abaixado adj.
abaixador (*ô*) adj. s.m.
abaixados s.m.pl.
abaixadura s.f.
abaixa-língua s.m.; pl. *abaixa-línguas*
abaixa-luz s.m.; pl. *abaixa-luzes*
abaixamento s.m.
abaixante adj. s.2g.
abaixa-pálpebra s.m.; pl. *abaixa-pálpebras*
abaixar v.
abaixável adj.2g.
abaixa-voz s.m.; pl. *abaixa-vozes*
abaixo adv. interj.
abaixo-assinado s.m.; pl. *abaixo-assinados*
abajá s.m.
abajá-mirim s.m.; pl. *abajás-mirins*
abajeru s.m.
abajoujado adj.
abajoujamento s.m.
abajoujar v.
abaju s.m.
abajur adj. s.2g.
abajúrdio s.m.
abal s.m.
abalá s.m.
abalada s.f.
abaladela s.f.
abaladiço adj.
abalado adj.
abalador (*ô*) adj. s.m.
abaladura s.f.
abalaiação s.f.
abalaiado adj.
abalaiamento s.m.
abalaiar v.
abalamento s.m.
abalancado adj.
abalançado adj.

abalançamento s.m.
abalançar v.
abalão s.m.
abalar v.
abalaú s.m.
abalaustrado adj.
abalaustrador (*ô*) adj. s.m.
abalaustramento s.m.
abalaustrar v.
abalaustrável adj.2g.
abalável adj.2g.
abalbutir v.
abalçado adj.
abalçar v.
abaldado adj.
abaldamento s.m.
abaldar v.
abaldeado adj.
abaldeamento s.m.
abaldear v.
abaldeirado adj.
abaldeiro adj.
abaldoado adj.
abaldoamento s.m.
abaldoar v.
abaldocado adj.
abaldocamento s.m.
abaldocar v.
abalhançado adj.
abaliedade s.f.
abalienação s.f.
abalienado adj.
abalienante adj.2g.
abalienar v.
abalienável adj.2g.
abalistado adj.
abalistar v.
abalizado adj.
abalizador (*ô*) adj. s.m.
abalizamento s.m.
abalizante adj.2g.
abalizar v.
abalizável adj.2g.
abalo s.m. "tremor"; cf. *ábalo* e *abalô*
abalô s.2g. "orixá"; cf. *abalo* s.m., fl. do v. *abalar* e *ábalo*
ábalo adj. s.m. "povo"; cf. *abalo* s.m., *abalô* e fl. do v. *abalar*
abaloado adj.
abaloamento s.m.
abaloar v.
abalofado adj.
abalofar v.
abalona s.f.
abalonado adj.
abalonar v.
abalonas s.f.pl.
abalone s.f.
abalorecer v.
abalorecido adj.
abalório s.m.
abalorocer v.
abaloso (*ô*) adj.; f. (*ó*); pl. (*ó*)
abalravento s.m.
abalroa (*ô*) s.f.
abalroação s.f.
abalroada s.f.
abalroadela s.f.
abalroado adj.
abalroador (*ô*) adj. s.m.
abalroamento s.m.
abalroante adj.2g.
abalroar v.
abalroável adj.2g.
abalsado adj.
abalsamado adj.
abalsamar v.
abalsar v.
abalseirado adj.
abalseirar v.
abaluartado adj.
abaluartamento s.m.
abaluartar v.
abalumado adj.
abalumar v.
abama s.f.
abambalhado adj.
abambar v.
abambolinado adj.
abambolinar v.
abambulacral adj.2g.
abambulacrário adj.
abambulante adj. s.2g.
abambular v.
abambulatório adj.
abâmea s.f.
abâmeo adj.
abâmita s.f.
abampere s.m.
abampère s.m.
abampério s.m.
abana s.f.
abanação s.f.
abana-cauda s.m.; pl. *abana--caudas*
abanadela s.f.
abanado adj.
abanador (*ô*) adj. s.m.
abanadora (*ô*) s.f.
abanadura s.f.
abanamento s.m.
abana-mosca s.m.; pl. *abana--moscas*
abana-moscas s.m.2n.
abananado adj.
abananar v.
abanando s.m.
abanante adj.2g.
abanão s.m.
abanar v.
abanazado adj.
abancado adj.
abancador (*ô*) adj.
abancamento s.m.
abancar v.
abancíada adj. s.2g.
abancíade adj. s.2g.
abâncio adj. s.m.
abandado adj.
abandalhação s.f.
abandalhado adj.
abandalhamento s.m.
abandalhar v.
abandar v.
abandeado adj.
abandear v.
abandeirado adj.
abandeiramento s.m.
abandeirar v.
abandejado adj.
abandejar v.
abandejo (*ê*) s.m.
abandião s.m.
abandidado adj.
abandidamento s.m.
abandidar v.
abandoado adj.
abandoar v.
abandolinado adj.
abandolinar v.
abandonação s.f.
abandonado adj. s.m.
abandonador (*ô*) adj. s.m.
abandonamento s.m.
abandonante adj.2g.
abandonar v.
abandonatário adj. s.m.
abandonável adj.2g.
abandono s.m.
abane s.m.
abaneém s.m.
abaneenga s.m.
abaneia (*é*) adj. s.f. de *abaneu*
abaneiro s.m.
abanés s.m.
abanete (*ê*) s.m.
abanga s.f.
abango s.m.
abangue s.m.
abanhar v.
abanheém s.m.
abanheemo s.m.
abanhenga s.m.
abanicado adj.
abanicar v.
abanico s.m.
abanito s.m.
abano adj. s.m.
abanquetado adj.
abanquetar v.
abanqueteado adj.
abanquetear v.
abante adj. s.2g.
abanteia (*é*) adj. s.f. de *abanteu*
abantesma (*ê*) s.2g.
abanteu adj. s.m.; f. *abanteia* (*é*)
abantíada adj. s.2g.
abantíade adj. s.2g.
abântico adj. s.m.
abântida adj. s.2g.
abântide adj. s.2g.
abântio adj. s.m.
abanto adj. s.m.
abaô s.2g.
abão s.m.
abaorta adj. s.2g.
abapanense adj. s.2g.
abapani adj. s.2g.
abapo s.m.
abaporu s.m.
abaptista s.m.
abaptisto s.m.
abápus s.m.
abaqueri de xangô s.m.
abaquetado adj.
abaquetar v.
abaquiar v.
abar v.
abará s.m.
abaraíba s.f.
abarambo adj.
abaratado adj.
abaratador (*ô*) adj.
abaratar v.
abarateado adj.
abaratear v.
abarbado adj.
abarbar v.
abarbarado adj.
abarbarar v.
abarbarizado adj.
abarbarizar v.
abarbatado adj.
abarbatador (*ô*) adj.
abarbatar v.
abarbear v.
abarbelado adj.
abarbelar v.
abarbetação s.f.
abarbetado adj.
abarbetamento s.m.
abarbetar v.
abarbilhado adj.
abarbilhar v.
abarca s.f.
abarcadeira s.f.
abarcado adj.
abarcadura s.f.
abarcamento s.m.
abarcante adj.2g.
abarcar v.
abarcas s.f.pl.
abarcável adj.2g.
abarcia s.f.
abardar v.
abaré adj.2g. s.2g. s.m. "sacerdote", etc.; cf. *ábare*
ábare adj. s.2g. "abaritano"; cf. *abaré*
abarebebê s.m.
abareense adj. s.2g.
abaré-guaçu s.m.; pl. *abarés--guaçus*
abarelecer v.
abarém s.m.; cf. *abarem*, fl. do v. *abar*
abaré-mirim s.m.; pl. *abarés--mirins*
abaremotemo s.m.
abaretado adj.
abaré-tucura s.m.; pl. *abarés--tucura* e *abarés-tucuras*
abarga s.f.
abargantado adj.
abargantar v.
abari adj. s.2g. s.m.
abariári adj.2g. s.m.
abárico adj.
abárida adj.2g. s.m.
abárido s.m.
abariga s.f.
abarino adj. s.m.
abaritano adj. s.m.
abaritão adj. s.m.; pl. *abaritãos*
abaritonado adj.
abaritonar v.
abarmão s.m.
abarnaás s.m.
abarnabas s.m.2n.
abarnalhas s.m.2n.
ábaro adj. s.m.
abarognose s.f.
abarognosia s.f.
abarognósico adj.
abarognóstico adj.
abarognótico adj.
abarolecer v.
abaronado adj.
abaronar v.
abaronizado adj.
abaronizar v.
abarqueirado adj.
abarqueiro s.m.
abarracado adj.
abarracador (*ô*) adj. s.m.
abarracamentense adj. s.2g.
abarracamento s.m.
abarracar v.
abarrada s.f.
abarrancadeiro s.m.
abarrancado adj.
abarrancar v.
abarrantar v.
abarraz s.m.
abarregado adj.
abarregamento s.m.
abarregar-se v.
abarreirado adj.
abarreiramento s.m.
abarreirar v.
abarretado adj.
abarretar v.
abarretinar v.
abarricamento s.m.
abarricar v.
abarrigar v.
abarrilado adj.
abarrilar v.
abarrilhado adj.
abarrilhar v.
abarroado adj.
abarroar v.
abarrocação s.f.
abarrocado adj.
abarrocamento s.m.
abarrocar v.
abarrotado adj.
abarrotador (*ô*) adj.
abarrotamento s.m.
abarrotante adj.2g.
abarrotar v.
abarrotável adj.2g.
abarruntar v.
abarticulação s.f.
abarticulamento s.m.
abarticular adj.2g.
abarticulatório adj.
abartrose s.f.
abartrósico adj.
abartrótico adj.
abaruna s.m.
abás s.m.
abasbacação s.f.
abasbacado adj.
abasbacamento s.m.
abasbacar v.
abasbacável adj.2g.
abascado adj.
abascante adj. s.2g.
abascanto adj. s.m.
abases s.m.2n.
abasgo adj. s.m.
abasia s.f.
abasia-astasia s.f.; pl. *abasias--astasias*
abasicarpo adj. s.m.
abásico adj. s.m.
abásida adj. s.2g.
abasilento adj.
abasina s.f.
abasinar v.
abasistasia s.f.
abasmado adj.
abasmar v.
abaso adj. s.m.
abasseno adj. s.m.
abassi adj. s.m. s.2g.
abássida adj. s.2g.
abassino adj. s.m.
abassor (*ô*) adj. s.m.
abastado adj.
abastamento s.m.
abastança s.f.
abastância s.f.
abastante adj.2g.
abastar v.
abastardado adj.
abastardamento s.m.
abastardar v.
abastardeado adj.
abastardeamento s.m.
abastardear v.
abastasia s.f.
abastásico adj.
abastecedoiro s.m.
abastecedor (*ô*) adj. s.m.
abastecedouro s.m.
abastecer v.
abastecido adj.
abastecimento s.m.
abáster s.2g.
abastida s.f.
abastimento s.m.
abastionado adj.
abastionar v.
abasto s.m.
abastonado adj.
abastonar v.
abastor (*ô*) adj. s.m.
abástor s.m.
abastoso (*ô*) adj.; f. (*ó*); pl. (*ó*)
abásvara s.m.
abatagem s.f.
abatanado s.m.
abatão s.m.
abatarda s.f.
abatatado adj.
abatatar v.
abate s.m.
abatedoiro s.m.
abatedômodon s.m.
abatedomodonte s.m.
abatedor (*ô*) adj. s.m.
abatedouro s.m.
abatelado adj.
abatelamento s.m.
abatelar v.
abater v.
abati s.m.
abátia s.f.; cf. *abatia*, fl. do v. *abater*
abatíada adj.2g. s.f.
abatiaense adj. s.2g.
abatiapé s.m.
abático adj. s.m.
abatida s.f.
abatido adj.
abatigoera s.f.
abatiguaçu s.m.
abatiguaniba s.m.
abatiguara adj. s.2g.
abatiguera (*ü*) s.f.
abatimento s.m.
abatimirim s.m.
abatina s.f.
abatinado adj.
abatinar v.
abatinás adj.2g. s.m.pl.
abatinga s.2g.
abatinguara adj. s.2g.
abatini s.m.
abatino adj.
abatipó adj. s.2g.
abatiputá s.m.
abatirá adj. s.2g.
abatis s.m.
abatista s.m.
abatistão s.m.
abatisto s.m.
abati-timbaí s.m.; pl. *abatis--timbaí* e *abatis-timbaís*

abatiuí s.m.
abatível adj.2g.
abativi s.m.
abatixi s.m.
ábato s.m.
abatocado adj.
abatocadura s.f.
abatocar v.
abatometria s.f.
abatométrico adj.
abatômetro s.m.
abatu s.m.
abatucado adj.
abatufado adj.
abatuma adj. s.2g.
abatumado adj. s.m.
abatumar v.
abaúbo s.m.
abaulado adj.
abaulador (*ô*) adj. s.m.
abaulagem s.f.
abaulamento s.m.
abaulante adj.2g.
abaular v.
abaúna adj. s.2g.
abaunilhado adj.
abaunilhar v.
abavi s.f.
abávia s.f.
abaviliano adj. s.m.
abávio s.m.
ábavo s.m.
abavúnculo s.m.
ábax (*cs*) s.m.; pl. *ábaces*
abaxi adj s.2g.
abaxial (*cs*) adj.2g.
abaxoide (*cs*) (*ó*) adj.2g.
abaz s.m.
abazar s.m.
abázia adj. s.2g.
abázio adj. s.m.
abbevilliano adj. s.m.
abc (*âbêcê*) s.m.
abcar s.m.
abcári s.m.
abcázio adj. s.m.
abcazita s.f.
abcedar v.
abcedária s.f.
abcedário s.m.
abcedável adj.2g.
abcedência s.f.
abcedente adj.2g.
abceder v.
abcedido adj.
abcesso s.m.
abcisão s.f.
abcissa s.f.
abcoulomb (*culom*) s.m.
abdá s.m.
abdal s.m.
abdalá s.m.
abdalão s.m.
abdalári s.m.
abdalávi s.m.
abdali adj. s.2g.
abdalita adj. s.m.
abdalite adj. s.2g.
abdar s.m.
abdelári s.m.
abdera s.m.f.
abderense adj. s.2g.
abderiano adj. s.m.
abderita adj. s.2g.
abderitano adj. s.m.
abderite s.m.
abderítico adj.
abderítida adj. s.2g.
abderitídeo adj. s.m.
abderitino adj.
abderitismo s.m.
abderito adj. s.m.
abdero s.m.
abderólogo adj. s.m.
abdeste s.m.
abdesto s.m.
abdicabilidade s.f.
abdicação s.f.
abdicacionismo s.m.
abdicacionista s.2g.
abdicacionístico adj.
abdicado adj.
abdicador (*ô*) adj. s.m.; f. *abdicadora* e *abdicatriz*
abdicadora adj. s.f. de *abdicador* (*ô*)
abdicante adj. s.2g.
abdicar v.
abdicatário adj. s.m.
abdicativo adj.
abdicatório adj.
abdicatriz adj. s.f. de *abdicador* (*ô*)
abdicável adj.2g.
abdímia s.f.
abdita adj. s.2g.
abditário s.m.
abditividade s.f.
abditivo adj.
ábdito adj. s.m.
abditolarva s.f.
abditolarvado adj.
abditório s.m.
abdome s.m.
abdômen s.m.
abdominado adj.
abdominal adj.2g. s.m.f.
abdominalgia s.f.
abdominálgico adj.
abdominanterior (*ô*) adj.2g.
abdominia s.f.
abdomínico adj.
abdoministerectomia s.f.
abdoministerectômico adj.
abdoministeretomia s.f.
abdoministerotômico adj.
abdominoanterior (*ô*) adj.2g.
abdominocentese s.f.
abdominocentésico adj.
abdominocentético adj.
abdominociese s.f.
abdominoescrotal adj.2g.
abdominogenital adj.2g.
abdômino-histerectomia s.f.
abdômino-histerectômico adj.
abdômino-histeretomia s.f.
abdômino-histeretômico adj.
abdominoisterectomia s.f.
abdominoisterectômico adj.
abdominoisteretomia s.f.
abdominoisteretômico adj.
abdominopata s.2g.
abdominópata s.2g.
abdominopatia s.f.
abdominopático adj.
abdominopelviano adj.
abdominoperineal adj.2g.
abdominoposterior (*ô*) adj.2g.
abdominoscopia s.f.
abdominoscópico adj.
abdominoscópio s.m.
abdominoscrotal adj.2g.
abdominoso (*ô*) adj.; f. (*ó*); pl. (*ó*)
abdominotorácico adj.
abdominovaginal adj.2g.
abdominovesical adj.2g.
abdominuterotomia s.f.
abdominuterotômico adj.
abdonense adj. s.2g.
abdonita adj. s.2g.
abdução s.f.
abducente adj.2g. s.m.
abdude s.m.
abduluata adj. s.2g.
abduluato adj. s.m.
abdutivo adj.
abduto adj.
abdutor (*ô*) adj. s.m.
abduzido adj.
abduzir v.
abé s.m. "canivete"; cf. *abê*
abê s.m. "orixá"; cf. *abé*
abeatado adj.
abeatar v.
abebé s.m.
abêbera s.f.
abeberação s.f.
abeberado adj.
abeberar v.
abebereira s.f.
abebra (*ê*) s.f.
abeca s.f.
abecado adj.
abecar v. "segurar pela gola"; cf. *abicar*
abecê s.m.
á-bê-cê s.m.; pl. *á-bê-cês*
abeceda s.2g.
abecedação s.f.
abecedado adj.
abecedar v.
abecedária s.f.
abecedariana s.f.
abecedarianismo s.m.
abecedarianista adj. s.2g.
abecedarianístico adj.
abecedariano adj. s.m.
abecedário adj. s.m.
abecedável adj. s.2g.
abecedê s.m.
abecedense adj. s.2g.
abecer v.
abechucho s.m.
abechudo s.m.
abecoinha s.f.
abectúrio adj.
abecuinha s.f.
abedal s.m.
abedalári s.m.
abedalávi s.m.
abedale s.m.
abedalita adj. s.m.
abedalite adj.2g. s.m.
abedária s.f.
abedarita adj. s.2g.
abedê s.m.
abedo s.m.
abegão s.m.; f. *abegoa*
abegetório s.m.
abegiato s.m.
abegoa (*ô*) s.f. de *abegão*
abegoaria s.f.
abei s.f.
abeiçado adj.
abeiçar v.
abeijarudo s.m.
abeirado adj.
abeiramento s.m.
abeirante adj.2g.
abeirão s.m.
abeirar v.
abeiro adj. s.m.
abeixamim s.m.
abejaruco s.m.
abela s.f.
abelânio adj. s.m.
abelano adj. s.m.
abelardense adj. s.2g.
abelardizado adj.
abelardizar v.
abelardo-luzense adj. s.2g.; pl. *abelardo-luzenses*
abelária s.m.
abelázia s.f.
abelere s.f.
abelézia s.f.
abel-figuereidense adj. s.2g.; pl. *abel-figuereidenses*
abelgar v.
abelha (*ê*) s.f.
abelha-africana s.f.; pl. *abelhas-africanas*
abelha-alemã s.f.; pl. *abelhas-alemãs*
abelha-amarela s.f.; pl. *abelhas-amarelas*
abelha-brava s.f.; pl. *abelhas-bravas*
abelha-cachorro s.f.; pl. *abelhas-cachorro* e *abelhas-cachorros*
abelha-caga-fogo s.f.; pl. *abelhas-caga-fogo*
abelha-campeadora s.f.; pl. *abelhas-campeadoras*
abelha-caucasiana s.f.; pl. *abelhas-caucasianas*
abelha-comum s.f.; pl. *abelhas-comuns*
abelha-criança s.f.; pl. *abelhas-criança* e *abelhas-crianças*
abelha-da-europa s.f.; pl. *abelhas-da-europa*
abelha-da-terra s.f.; pl. *abelhas-da-terra*
abelha-de-cachorro s.f.; pl. *abelhas-de-cachorro*
abelha-de-chão s.f.; pl. *abelhas-de-chão*
abelha-de-cupim s.f.; pl. *abelhas-de-cupim*
abelha-de-fogo s.f.; pl. *abelhas-de-fogo*
abelha-de-mel s.f.; pl. *abelhas-de-mel*
abelha de ouro s.f.
abelha-de-pau s.f.; pl. *abelhas-de-pau*
abelha-de-purga s.f.; pl. *abelhas-de-purga*
abelha-de-reino s.f.; pl. *abelhas-de-reino*
abelha-de-sapo s.f.; pl. *abelhas-de-sapo*
abelha-do-chão s.f.; pl. *abelhas-do-chão*
abelha-doméstica s.f.; pl. *abelhas-domésticas*
abelha-do-pau s.f.; pl. *abelhas-do-pau*
abelha-do-reino s.f.; pl. *abelhas-do-reino*
abelha-escura s.f.; pl. *abelhas-escuras*
abelha-europa s.f.; pl. *abelhas-europa* e *abelhas-europas*
abelha-europeia s.f.; pl. *abelhas-europeias*
abelha-flor s.f.; pl. *abelhas-flor* e *abelhas-flores*
abelha-indígena s.f.; pl. *abelhas-indígenas*
abelha-irapuá s.f.; pl. *abelhas-irapuá* e *abelhas-irapuás*
abelha-irapuã s.f.; pl. *abelhas-irapuã* e *abelhas-irapuãs*
abelha-italiana s.f.; pl. *abelhas-italianas*
abelha-italiana-amarela s.f.; pl. *abelhas-italianas-amarelas*
abelhal s.m.f.
abelha-limão s.f.; pl. *abelhas-limão* e *abelhas-limões*
abelha-macha s.f.; pl. *abelhas-machas*
abelha-macho s.f.; pl. *abelhas-machos*
abelha-mestra s.f.; pl. *abelhas-mestras*
abelhamirim s.f.
abelha-mosquito s.f.; pl. *abelhas-mosquito* e *abelhas-mosquitos*
abelha-mulata s.f.; pl. *abelhas-mulatas*
abelha-neutra s.f.; pl. *abelhas-neutras*
abelhão s.m.
abelha-obreira s.f.; pl. *abelhas-obreiras*
abelha-operária s.f.; pl. *abelhas-operárias*
abelha-ouro s.f.; pl. *abelhas-ouro* e *abelhas-ouros*
abelha-papa-terra s.f.; pl. *abelhas-papa-terra*
abelha-preta s.f.; pl. *abelhas-pretas*
abelhar v.
abelharuco s.m.
abelha-rainha s.f.; pl. *abelhas-rainhas*
abelha-sanharó s.f.; pl. *abelhas-sanharós*
abelha-sem-ferrão s.f.; pl. *abelhas-sem-ferrão*
abelha-uruçu s.f.; pl. *abelhas-uruçu* e *abelhas-uruçus*
abelheira s.f.
abelheiro s.m.
abelhense adj. s.2g.
abelhinha s.f.
abelhoado adj.
abelhoar v.
abelhuco s.m.
abelhudado adj.
abelhudar v.
abelhudice s.f.
abelhudo adj. s.m.
abélia s.f.
abeliana s.f.
abelianismo s.m.
abelianista adj. s.2g.
abelianístico adj.
abeliano adj. s.m.
abelicado adj.
abelícea s.f.
abelíceo adj.
abélico adj.
abelidado adj.
abelidar v.
abelim s.m.
abelinate adj. s.2g.
abelínio adj. s.m.
abelino adj. s.m.
abeliota adj. s.2g.
abelita adj. s.2g.
abelite s.f.
abelítico adj.
abelmeluco s.m.
abelmoluco s.m.
abeloira s.f.
abeloiro s.m.
abeloíta adj. s.2g.
abelonianismo s.m.
abelonianista adj. s.2g.
abelonianístico adj.
abeloniano adj. s.m.
abelônio adj. s.m.
abelonita adj. s.2g.
abelonitismo s.m.
abelonitista adj. s.2g.
abelonitístico adj.
abelota s.f.
abelotado adj.
abelotamento s.m.
abeloura s.f.
abelouro s.m.
abemolado adj.
abemolador (*ô*) adj.
abemolante adj.2g.
abemolar v.
abemolável adj.2g.
abênção s.f.
abencerrage adj. s.2g.
abencerragem adj. s.2g.
abençoadeira adj. s.m.
abençoadeiro adj. s.m.
abençoado adj.
abençoador (*ô*) adj. s.m.
abençoamento s.m.
abençoante adj.2g.
abençoar v.
abençoável adj.2g.
abendiçoado adj.
abendiçoador (*ô*) adj. s.m.
abendiçoante adj.2g.
abendiçoar v.
a bengala aponta s.f.2n.
abengalado adj.
abengalar v.
abentérico adj.
abentesma (*ê*) s.2g.
abenuz s.m.
abeona s.f.
abeono s.m.
abepitimia s.f.
abepitímico adj.
aber (*ê*) s.m.
aberas s.m.2n.
aberdim adj. s.2g.
aberém s.m.
aberema s.m.
aberemo s.m.
aberêmoa s.f.
abéria s.f.
aberido adj.
aberinjelado adj.
aberinjelar v.
aberir v.
aberita adj. s.2g.
aberlinado adj.
aberlinar v.

aberlindado adj.
aberlindar v.
abernatiita s.f.
abernunça s.f.
abernúncia s.f.
abernúncio s.m.
aberração s.f.
aberracional adj.2g.
aberracionalidade s.f.
aberrado adj.
aberrana s.f.
aberrância s.f.
aberrante adj.2g.
aberrar v.
aberratividade s.f.
aberrativo adj.
aberratório adj.
aberregar-se v.
aberrontar v.
aberroscopia s.f.
aberroscópico adj.
aberroscópio s.m.
aberrundado adj.
aberrundar v.
aberruntado adj.
aberta s.f.
abertada s.f.
abertal adj.2g.
abertanense adj. s.2g.
abertão s.m.
abertas s.f.pl.
aberteira s.f.
abertiço adj.
abertivo adj.
aberto adj. s.m.
abertoira s.f.
abertona s.f.
abertoura s.f.
abertura s.f.
abertural adj.2g.
aberturar v.
aberturista adj.2g.
abesana s.f.
abésano s.m.
abesantado adj.
abesantar v.
abésaso s.m.
abescoinha s.f.
abesconinha s.f.
abescuinha s.f.
abeselgado adj.
abesentar v.
abeses s.m.2n.
abesi s.m.
abesina s.f.
abesino adj. s.m.
abesir s.m.
abesoirado adj.
abesoirar v.
abesoiro s.m.
abesourado adj.
abesourar v.
abesouro s.m.
abespa (*ê*) s.f.
abespão s.m.
abespinhadiço adj.
abespinhado adj.
abespinhamento s.m.
abespinhar v.
abespinhável adj.2g.
abessana s.f.
abessedítico adj.
abessedito s.m.
abessedo (*ê*) s.m.
abesseiro adj. s.m.
abessi adj. s.2g. s.m.
abessim adj. s.2g.
abessínio adj. s.m.
abessino adj. s.m.
abessivo adj. s.m.
abestação s.f.
abestado adj.
abestalhado adj.
abestalhamento s.m.
abestalhar-se v.
abestamento s.m.
abestar v.
abesteirado adj.
abesteiragem s.f.
abesteirar v.
abestiado adj.
abestialização s.f.
abestializado adj.
abestializar v.
abestializável adj.2g.
abestiço s.m.
abestim s.m.
abestino adj.
abesto s.m.
abestunto s.m.
abeta (*ê*) s.f.
abetal s.m.
abetarda s.f.
abetarda-barbuda s.f.; pl. *abetardas-barbudas*
abetardado adj.
abetarda-grande s.f.; pl. *abetardas-grandes*
abetarda-pequena s.f.; pl. *abetardas-pequenas*
abete (*ê*) s.m.
abeterno adv.
abetesgado adj.
abético adj.
abetina s.f.
abetinado adj.
abetínea s.f.
abetíneo adj.
abetínico adj.
abetino adj.
abetinote s.m.
abeto (*ê*) s.m.
abeto-balsâmico s.m.; pl. *abetos-balsâmicos*
abeto-branco s.m.; pl. *abetos--brancos*
abeto-do-canadá s.m.; pl. *abetos-do-canadá*
abeto-do-norte s.m.; pl. *abetos-do-norte*
abeto-falso s.m.; pl. *abetos--falsos*
abetoinha s.f.
abetoiro s.m.
abetoninha s.f.
abetouro s.m.
abetualha s.f.
abetum s.m.
abetumado adj.
abetumador (*ô*) adj. s.m.
abetumar v.
abetureira s.f.
abevacuação s.f.
abevacuar v.
abeverado adj.
abeverar v.
abevilense adj. s.2g.
abeviliano adj. s.m.
abexedo (*ê*) s.m.
abexi adj. s.2g.
abexigado adj.
abexigar v.
abexim adj. s.2g.
abexitanta s.m.
abezerrado adj.
abezerrar v.
abfarad (*fárad*) s.m.
abgárida adj. s.2g.
abgatório s.m.
abgregação s.f.
abgregado adj.
abgregante adj.2g.
abgregar v.
ab-henry s.m.
abi s.m.
abiã s.f. "pré-noviça"; cf. *ábia*
ábia s.f. "inseto"; cf. *abiã*
abiaba s.f.
abiano s.m.
abibe s.m.
abibliotecado adj.
abibliotecar v.
abibura s.f.
abicado adj.
abicadoiro s.m.
abicadouro s.m.
abicar v. "aguçar"; cf. *abecar*
abicense adj. s.2g.
abichado adj.
abichador (*ô*) adj.
abichalhado adj. s.m.
abichalhamento s.m.
abichalhar v.
abichamento s.m.
abichar v.
abicharar v.
abiche s.m.
abicheca s.m.
abichira adj. s.2g.
abichita s.m.
abichite s.m.
abichítico adj.
abichito s.m.
abichornado adj.
abichornar v.
abichorno (*ô*) s.m.; cf. *abichorno*, fl. do v. *abichornar*
abicô s.2g.
abida s.f.
abidarma s.m.
abideno adj. s.m.
abidense adj. s.2g.
abidgito s.m.
abidueirinho s.m.
abidueiro s.m.
abiegna s.f.
abiegno adj.
abieiro s.m.
abieiro-da-mata s.m.; pl. *abieiros-da-mata*
abienergia s.f.
abiênico adj.
abieno adj. s.m.
ábies s.m.2n.
abietácea s.f.
abietáceo adj.
abietado s.m.
abietânico adj.
abietário adj.
abietático adj.
abietato s.m.
abíete s.f.
abietena s.f.
abietênico adj.
abieteno s.m.
abiético adj.
abietina s.f.
abietínea s.f.
abietíneo adj.
abietínico adj.
abietino adj.
abietita s.f.
abietite s.f.
abíeto s.m.
abietóidea s.f.
abietol s.m.
abietólico adj.
abifar v.
ábiga s.f.
abigarrado adj.
abigarramento s.m.
abigarrar v.
abigear v.
abigeatário s.m.
abigeato s.m.
abígeo s.m.
abigi s.m.
abigodado adj.
abigodar v.
abigornado adj.
abigornar v.
abigouro s.m.
abiiba s.m.
abijira adj. s.2g.
abilasão s.m.
abildegar s.m.
abileno adj. s.m.
abilgárdia s.f.
abilhado adj.
abilhamento s.m.
abilhar v.
abilo s.m.
abilolação s.f.
abilolado adj.
abilolamento s.m.
abilolar v.
abimálico s.m.
abinhadeira s.f.
abinhado adj.
abinhar v.
abinício adv.
abintestado adj. adv.
abintestamento s.m.
abintestar v.
abio s.m.
abioceno s.m.
abiocenose s.f.
abio-de-casca-fina s.m.; pl. *abios-de-casca-fina*
abio-do-mato s.m.; pl. *abios--do-mato*
abio-do-pará s.m.; pl. *abios--do-pará*
abioenergia s.f.
abioenérgico adj.
abiofilia s.f.
abiofílico adj.
abiogênese s.f.
abiogenesia s.f.
abiogenésico adj.
abiogenesista s.2g.
abiogenético adj.
abiogenia s.f.
abiogênico adj.
abiogenismo s.m.
abiogenista adj. s.2g.
abiogenístico adj.
abio-grande s.m.; pl. *abios--grandes*
abio-grande-da-terra-firme s.m.; pl. *abios-grandes-da--terra-firme*
abiolenose s.f.
abiologia s.f.
abiológico adj.
abiólogo s.m.
abiombado adj.
abiombar v.
abionarcia s.f.
abionárcico adj.
abionergia s.f.
abio-piloso s.m.; pl. *abios--pilosos*
abiorana s.f.
abiorana-da-mata s.f.; pl. *abioranas-da-mata*
abiorana-da-várzea s.f.; pl. *abioranas-da-várzea*
abiorana-grande s.f.; pl. *abioranas-grandes*
abiorana-guta s.f.; pl. *abioranas-guta* e *abioranas--gutas*
abiorana-preta s.f.; pl. *abioranas-pretas*
abiorana-vermelha s.f.; pl. *abioranas-vermelhas*
abiori s.m.
abio-roxo s.m.; pl. *abios-roxos*
abiose s.f.
abiossesto s.m.
abiótica s.f.
abiótico adj.
abioto (*ô*) adj. s.m.
abiotrofia s.f.
abiotrófico adj.
abipão adj. s.m.
abipona s.f.
abipone s.m.
abiquara s.m.
abiqueca s.m.
abiqueirado adj.
abiqueirar v.
abiquita s.f.
abiquite s.f.
abir s.m.
abira adj. s.2g.
abiraco s.m.
abirenajare s.f.
abiriano adj. s.m.
abirquajava s.f.
abirquajave s.m.
abirritabilidade s.f.
abirritação s.f.
abirritado adj.
abirritador (*ô*) adj. s.m.
abirritante adj. s.2g.
abirritar v.
abirritativo adj.
abirritável adj.2g.
abirubir s.m.
ábis s.m.
abisa s.f.
abisagrado adj.
abisagrar v.
abisca adj. s.2g.
abiscano adj. s.m.
abiscoitado adj.
abiscoitador (*ô*) s.m.
abiscoitar v.
abiscoutado adj.
abiscoutador (*ô*) s.m.
abiscoutar v.
abiselado adj.
abiselador (*ô*) adj. s.m.
abiseladura s.f.
abiselar v.
abisga s.f.
abismado adj.
abismador (*ô*) adj.
abismal adj.2g.
abismamento s.m.
abismante adj.2g.
abismar v.
abismático adj.
abismense adj. s.2g.
abísmico adj.
abismo s.m.
abismoso (*ô*) adj.; f. (*ó*); pl. (*ó*)
abisonhado adj.
abisonhar v.
abisonte adj. s.2g.
abispado adj.
abispar v.
abissal adj.2g. s.m.
abissar v.
abisseiro s.m.
abíssico adj.
abissim adj. s.2g.
abissínico adj. s.m.
abissínio adj.
abissinismo s.m.
abissinista adj. s.2g.
abissinístico adj.
abissino adj. s.m.
abisso s.m.
abissodinamia s.f.
abissodinâmico adj.
abissolítico adj.
abissólito s.m.
abita s.f.
abitado adj.
abitadura s.f.
abitaga adj. s.2g.
abitalhado adj.
abitalhar v.
abitana adj. s.2g.
abitão s.m.
abitar v. "prender na abita"; cf. *habitar*
abite s.m.
abitica adj. s.2g.
abitiga adj. s.2g.
abitílio s.m.
abitinense adj. s.2g.
abito s.m.; cf. *abito*, fl. do v. *abitar* e *habito*, fl. do v. *habitar*
abitolado adj.
abitolar v.
abitoninha s.f.
abitumado adj.
abitumar v.
abitureira s.f.
abiu s.m.
abiu-de-casca-fina s.m.; pl. *abius-de-casca-fina*
abiúdo adj.
abiu-do-mato s.m.; pl. *abius--do-mato*
abiu-do-pará s.m.; pl. *abius--do-pará*
abiu-grande s.m.; pl. *abius--grandes*
abiu-grande-da-terra-firme s.m.; pl. *abius-grandes-da--terra-firme*
abiu-piloso s.m.; pl. *abius--pilosos*
abiurana s.f.
abiurana-da-mata s.f.; pl. *abiuranas-da-mata*
abiurana-da-várzea s.f.; pl. *abiuranas-da-várzea*

abiurana-grande s.f.; pl. *abiuranas-grandes*
abiurana-guta s.f.; pl. *abiuranas-guta* e *abiuranas-gutas*
abiurana-preta s.f.; pl. *abiuranas-pretas*
abiurana-vermelha s.f.; pl. *abiuranas-vermelhas*
abiu-roxo s.m.; pl. *abius-roxos*
abivacado adj.
abivacamento s.m.
abivacar v.
abixeiro adj. s.m.
abizantinado adj.
abizantinar v.
abjeção s.f.
abjecção s.f.
abjecto adj. s.m.
abjeição s.f.
abjetivo adj.
abjeto adj. s.m.
abjudicabilidade s.f.
abjudicação s.f.
abjudicado adj.
abjudicador (*ô*) adj. s.m.
abjudicante adj. s.2g.
abjudicar v.
abjudicatório adj.
abjudicável adj.2g.
abjugado adj.
abjugar v.
abjugativo adj.
abjunção s.f.
abjungido adj.
abjungir v.
abjuntivo adj.
abjunto adj.
abjuração s.f.
abjurado adj.
abjurador (*ô*) adj. s.m.
abjuramento s.m.
abjurando adj. s.m.
abjurante adj. s.2g.
abjurar v.
abjuratório adj.
abjurável adj.2g.
abjurgação s.f.
abjurgado adj.
abjurgador (*ô*) adj. s.m.
abjurgante adj. s.2g.
abjurgar v.
abjurgatório adj.
ablabe s.2g.
ablábera s.f.
ablábero s.m.
ablaca s.f.
ablação s.f.
ablacômia s.f.
ablactação s.f.
ablactado adj.
ablactante adj. s.2g.
ablactar v.
ablactável adj.2g.
ablages s.f.2n.
ablamelar adj.2g.
ablamelares s.f.pl.
ablamelária s.f.
ablamelário adj.
ablaminar adj.2g. s.f.
ablaminária s.f.
ablaminário adj.
ablandamento s.m.
ablandar v.
ablânia s.f.
abláptico adj.
abláqua s.f.
ablaqueação s.f.
ablaqueado adj.
ablaqueador (*ô*) adj. s.m.
ablaquear v.
ablaquecer v.
ablaquecido adj.
ablaquetar v.
ablasonado adj.
ablasonar v.
ablastêmico adj.
ablastia s.f.
ablatina s.f.
ablatividade s.f.
ablativismo s.m.
ablativo adj. s.m.
able s.m.
ablecte s.m.
ablecto s.m.
ablefaria s.f.
ablefárico adj.
abléfaro adj. s.m.
ablefaroptose s.f.
ablefaroptótico adj. s.m.
ablefoptose s.f.
ablefoptótico adj. s.m.
ablegação (*ab-le*) s.f.
ablegado (*ab-le*) adj. s.m.
ablegador (*ab-le...ô*) adj. s.m.
ablegar (*ab-le*) v.
ablégminas s.f.pl.
ablégmino s.m.
ableia s.f.
ableitado adj.
ableitar v.
ablena s.f.
ableno s.m.
ablepsia s.f.
abléptico adj.
abletiado adj.
ableu s.m.
abligião s.f.
abliquita s.f.
ablitense adj. s.2g.
ablítero adj. s.m.
ablocação (*ab-lo*) s.f.
ablocado (*ab-lo*) adj.
ablocador (*ab-lo...ô*) adj. s.m.
ablocar (*ab-lo*) v.
ablocatário (*ab-lo*) s.m.
ablocável (*ab-lo*) adj.2g.
ablução s.f.
abluciomania s.f.
abluciomaníaco adj. s.m.
abluente adj.2g. s.m.
abluído adj.
abluir v.
ablutomania s.f.
ablutomaníaco adj. s.m.
ablutômano adj. s.m.
ablutor (*ô*) adj. s.m.
abluvião s.f.
abmaterialização s.f.
abmaterializar v.
abmatértera s.f.
abmigração s.f.
abmigrado adj. s.m.
abmigrador (*ô*) adj. s.m.
abmigrante adj. s.2g.
abmigrar v.
abmigratório adj.
abnadar v.
abnaque s.m.
abnegação s.f.
abnegado adj. s.m.
abnegador (*ô*) adj.
abnegante adj. s.2g.
abnegar v.
abnegatividade s.f.
abnegativismo s.m.
abnegativista adj. s.2g.
abnegativístico adj.
abnegativo adj.
abneto s.m.
abneural adj.2g.
abnodação s.f.
abnodado adj.
abnodar v.
abnodoso (*ô*) adj.; f. (*ó*); pl. (*ó*)
abnoitar v.
abnormal adj.2g.
abnormalidade s.f.
abnorme adj.2g.
abnórmea s.f.
abnormidade s.f.
abnóxio (*cs*) adj.
abnue s.m.
abnuência s.f.
abnuente adj.2g.
abnuição s.f.
abnuído adj.
abnuir v.
abnuível adj.2g.
abó s.m. "planta"; cf. *abô*
abô s.m. "infusão", etc.; cf. *abó*
aboa (*ô*) s.f.
aboado adj.
aboamento s.m.
aboar v.
aboarado adj.
abóbada s.f.; cf. *abobada*, fl. do v. *abobadar*
abobadado adj.
abobadar v.
abobadela s.f.
abobadilha s.f.
abobadilheiro s.m.
abobado adj.
abobalhação s.f.
abobalhado adj.
abobamento s.m.
abobar v. "abobalhar"; cf. *aboubar*
abobarrado adj.
abobechar v.
abóbeda s.f.
abobó s.m.
abóboda s.f.
abóbora s.2g.; cf. *abobora*, fl. do v. *aboborar*
abóbora-almíscar s.f.; pl. *abóboras-almíscar* e *abóboras-almíscares*
abóbora-amarela s.f.; pl. *abóboras-amarelas*
abóbora-baleia s.f.; pl. *abóboras-baleia* e *abóboras-baleias*
abóbora-branca s.f.; pl. *abóboras-brancas*
abóbora-cabaça s.f.; pl. *abóboras-cabaça* e *abóboras-cabaças*
abóbora-camalenga s.f.; pl. *abóboras-camalenga* e *abóboras-camalengas*
abóbora-cambalenga s.f.; pl. *abóboras-cambalenga* e *abóboras-cambalengas*
abóbora-carneira s.f.; pl. *abóboras-carneiras*
abóbora-catinga s.f.; pl. *abóboras-catinga* e *abóboras-catingas*
abóbora-cheirosa s.f.; pl. *abóboras-cheirosas*
abóbora-chila s.f.; pl. *abóboras-chila* e *abóboras-chilas*
abóbora-d'água s.f.; pl. *abóboras-d'água*
abóbora-d'anta s.f.; pl. *abóboras-d'anta*
abóbora-de-carneiro s.f.; pl. *abóboras-de-carneiro*
abóbora-de-coroa s.f.; pl. *abóboras-de-coroa*
abóbora-de-guiné s.f.; pl. *abóboras-de-guiné*
abóbora-de-impigem s.f.; pl. *abóboras-de-impigem*
abóbora-de-impingem s.f.; pl. *abóboras-de-impingem*
abóbora-de-pau s.f.; pl. *abóboras-de-pau*
abóbora-de-porco s.f.; pl. *abóboras-de-porco*
abóbora-de-tromba s.f.; pl. *abóboras-de-tromba*
aboborado adj.
abóbora-do-campo s.f.; pl. *abóboras-do-campo*
abóbora-do-mato s.f.; pl. *abóboras-do-mato*
abóbora-empadão s.f.; pl. *abóboras-empadão* e *abóboras-empadões*
abóbora-gigante s.f.; pl. *abóboras-gigantes*
abóbora-gila s.f.; pl. *abóboras-gila* e *abóboras-gilas*
abóbora-grande s.f.; pl. *abóboras-grandes*
abóbora-jacaré s.f.; pl. *abóboras-jacaré* e *abóboras-jacarés*
abóbora-jurumu s.f.; pl. *abóboras-jurumu* e *abóboras-jurumus*
aboboral s.m.
abóbora-laranja s.f.; pl. *abóboras-laranja* e *abóboras-laranjas*
abóbora-melão s.f.; pl. *abóboras-melão* e *abóboras-melões*
abóbora-menina s.f.; pl. *abóboras-meninas*
abóbora-moganga s.f.; pl. *abóboras-mogangas*
abóbora-moranga s.f.; pl. *abóboras-morangas*
abóbora-moranguinha s.f.; pl. *abóboras-moranguinhas*
abóbora-ovos s.f.; pl. *abóboras-ovos*
abóbora-pera s.f.; pl. *abóboras-pera* e *abóboras-peras*
abóbora-porqueira s.f.; pl. *abóboras-porqueiras*
aboborar v.
abóbora-sardosa s.f.; pl. *abóboras-sardosas*
abóbora-serpente s.f.; pl. *abóboras-serpente* e *abóboras-serpentes*
abóbora-taqueira s.f.; pl. *abóboras-taqueira* e *abóboras-taqueiras*
abóbora-térrea s.f.; pl. *abóboras-térreas*
abóbora-trombeta s.f.; pl. *abóboras-trombeta* e *abóboras-trombetas*
abóbora-turbante s.f.; pl. *abóboras-turbante* e *abóboras-turbantes*
abóbora-turca s.f.; pl. *abóboras-turcas*
aboboreira s.f.
aboboreira-do-mato s.f.; pl. *aboboreiras-do-mato*
aboborense adj. s.2g.
aboborinha s.f.
abobra s.f.
abobreira s.f.
abobrinha s.f.
abobrinha-do-mato s.f.; pl. *abobrinhas-do-mato*
abobrinha-do-norte s.f.; pl. *abobrinhas-do-norte*
abocadada s.f.
abocadar v.
abocado adj.
aboçado adj.
abocador (*ô*) adj. s.m.
abocadura s.f.
aboçadura s.f.
abocamento s.m.
aboçamento s.m.
abocanhado adj.
abocanhador (*ô*) adj. s.m.
abocanhamento s.m.
abocanhar v.
abocar v. "abocanhar"; cf. *aboucar*
aboçar v.
abocelar v.
abocetado adj.
abocetamento s.m.
abocetar v.
abochechar v.
abochicar v.
abochichar v.
abochornado adj.
abochornador (*ô*) adj. s.m.
abochornante adj.2g.
abochornar v.
abochornável adj.2g.
abocinar v.
abocoçô s.m.
aboço de nó torto s.m.
abodega s.f.
abodegação s.f.
abodegado adj.
abodegar v.
abodego (*ê*) s.m.; cf. *abodego*, fl. do v. *abodegar*
abodegueiro s.m.
abodocado adj.
abodocar v.
abodrito adj. s.m.
aboé s.m.
aboemiado adj.
aboemiar v.
aboenjeré adj. s.2g.
abofé adv.
abofetado adj.
abofetar v.
abofeteado adj.
abofetear v.
abogão s.m.
abohm s.m.
aboí s.m.
aboiadinho adj.
aboiado adj. s.m.
aboiador (*ô*) adj. s.m.
aboiar v.
aboinha s.f.
aboio (*ô*) s.m.; cf. *aboio* (*ó*), fl. do v. *aboiar*
aboiz s.f.
abojado adj.
abojamento s.m.
abojar v.
abola s.f.
abolachado adj.
abolachar v.
abolado adj.
aboladura s.f.
abolar v.
abolária s.f.
abolário adj.
abolaza s.f.
abolbodácea s.f.
abolbodáceo adj.
abolçado adj.; cf. *abolsado*
abolçar v. "vomitar"; cf. *abolsar*
aboldriado adj.
aboldriar v.
aboleado adj.
abolear v.
aboleimado adj.
aboleimar v.
aboleirado adj.
aboleirar v.
abolerecer v.
abolerecido adj.
aboletado adj.
aboletador (*ô*) adj. s.m.
aboletamento s.m.
aboletar v.
aboleto (*ê*) s.m.
abolhado adj.
abolhar v.
aboli s.m.
abolibilidade s.f.
abolição s.f.
abolicionismo s.m.
abolicionista adj. s.2g.
abolicionístico adj.
abolicismo s.m.
abolicista adj. s.2g.
abolicístico adj.
abolido adj.
abolidor (*ô*) adj. s.m.
abolim s.m.
abolimento s.m.
abolina s.f.
abolinado adj.
abolinadura s.f.
abolinar v.
abolir v.
abolitivo adj.
abolitório adj.
abolível adj.2g.
abolorecer v.
abolorecido adj.
abolorecimento s.m.
abolorentar v.
abolório s.m.
abolsado adj.; cf. *abolçado*
abolsar v. "enrugar"; cf. *abolçar*
abolumado adj.
abolumar v.
aboma s.f.
abomasite s.f.
abomaso s.m.

abomba s.f.
abombachado adj.
abombachar v.
abombado adj.
abombador (ô) adj. s.m.
abombamento s.m.
abombar v.
abominábil adj.2g.
abominabilidade s.f.
abominação s.f.
abominado adj.
abominador (ô) adj. s.m.
abominando adj.
abominar v.
abominário s.m.
abominatório adj.
abominável adj.2g.
abomínio s.m.
abominoso (ô) adj.; f. (ó); pl. (ó)
abonabilidade s.f.
abonação s.f.
abonado adj.
abonador (ô) adj. s.m.
abonamento s.m.
abonança s.f.
abonançado adj.
abonançador (ô) adj.
abonançar v.
abonar v.
abonatário adj. s.m.
abonatividade s.f.
abonativo adj.
abonatório adj.
abonável adj.2g.
abonaxi s.m.
aboncar v.
abonda interj.
abondado adj.
abondamento s.m.
abondar v.
abonde adv.
abondo adj.
abondoso (ô) adj.; f. (ó); pl. (ó)
abonecado adj.
abonecar v.
abono s.m.
aboque s.m.
aboquejado adj.
aboquejar v.
aboquejo (ê) s.m.
aboquilhado adj.
aboquilhar v.
abor adj.
aboral adj.2g.
aboralidade s.f.
aborbitação s.f.
aborbitado adj.
aborbitante adj.2g.
aborbitar v.
aborbitável adj.2g.
aborbotado adj.
aborbotar v.
aborbulhado adj.
aborbulhamento s.m.
aborbulhar v.
aborcado adj.
aborçado adj.
aborção s.f.
aborcar v.
aborçar v.
aborcionismo s.m.
aborcionista adj. s.2g.
aborcionístico adj.
abordabilidade s.f.
abordada s.f.
abordado adj.
abordador (ô) adj. s.m.
abordagem s.f.
abordante adj.2g.
abordar v.
abordável adj.2g.
aborde s.m.
abordo (ô) s.m.; cf. *abordo*, fl. do v. *abordar*
abordoado adj.
abordoar v.
aboré s.m.
aborelecer v.
aborícola adj. s.2g.
aborígene adj. s.2g.
aboriginal adj.2g.
aboriginário adj.
aborígine adj. s.2g.
aborigíneo adj.
aborletado adj.
aborletamento s.m.
aborletar v.
abornalado adj.
abornalar v.
aborquelado adj.
aborquelar v.
aborrascado adj.
aborrascamento s.m.
aborrascar v.
aborrecedor (ô) adj. s.m.
aborrecer v.
aborrecido adj.
aborrecimento s.m.
aborrecível adj.2g.
aborregado adj.
aborregar v.
aborrido adj.
aborrimento s.m.
aborrir v.
aborrível adj.2g.
aborsível adj.2g.
aborsivo adj.
aborso (ô) s.m.
abortação s.f.
abortadeira s.f.
abortadeiro adj. s.m.
abortado adj.
abortamento s.m.
abortar v.
abortável adj.2g.
aborteiro s.m.
aborticida adj.2g. s.2g.
aborticídio s.m.
abortício adj.
abortifaciente adj.2g. s.m.
abortífero adj.
abortigênico adj.
abortina s.f.
abortividade s.f.
abortivo adj. s.m.
aborto (ô) s.m.; cf. *aborto*, fl. do v. *abortar*
aboruma s.m.
aborzeguinado adj.
aborzeguinar v.
aboscar v.
abossadura s.f.
abostelado adj.
abostelar v.
abota s.m.
aboteca s.f.
abotecar v.
abotequinado adj.
abotequinar v.
aboticado adj.
aboticar v.
abotijado adj.
abotijamento s.m.
abotijar v.
abotilhão s.m.
abotinado adj.
abotinamento s.m.
abotinar v.
abotoação s.f.
abotoadeira s.f.
abotoado adj. s.m.
abotoador (ô) adj. s.m.
abotoadura s.f.
abotoamento s.m.
abotoar v.
abotoável adj.2g.
abotocado adj.
abotocadura s.f.
abotocar v.
abotoeira s.f.
abotumado adj.
abotumar v.
aboubado adj.
aboubagem s.f.
aboubar v. "ter boubas"; cf. *abobar*
aboucadela s.f.
aboucado adj.
aboucar v. "espancar"; cf. *abocar*
abougado adj.
abougar v.
aboulaza s.f.
abouna s.m.
abourbonado (*bur*) adj.
abouvila s.f.
abovila s.f.
abporal adj.2g.
abra s.f.
abraamense adj. s.2g.
abraâmia s.f.
abraamiano adj. s.m.
abraâmico adj.
abraâmida adj. s.2g.
abraâmio adj. s.m.
abraamismo s.m.
abraamista adj. s.2g.
abraamístico adj.
abraamita adj. s.2g.
abraamítico adj.
abraão s.m.
abraãozense adj. s.2g.
abraçada s.f.
abracadabra s.m.
abracadabrância s.f.
abracadabrante adj.2g.
abracadabrático adj.
abracadabresco (ê) adj.
abracadábrico adj.
abracadabrismo s.m.
abracadabrista adj. s.2g.
abracadabrístico adj.
abracadabro s.m.
abraçadeira s.f.
abraçado adj.
abraçador (ô) adj. s.m.
abraçadura s.f.
abracalã s.m.
abraçamento s.m.
abraça-mundo s.m.; pl. *abraça-mundos*
abraçante adj.2g.
abraça-palo s.m.; pl. *abraça--palos*
abraça-pau s.m.; pl. *abraça--paus*
abracar v.
abraçar v.
abraçável adj.2g.
abracinho s.m.
abracita s.f.
abracite s.f.
abracítico adj.
abracito s.m.
abraço s.m.
abraço-da-primavera s.m.; pl. *abraços-da-primavera*
abraço de paz s.m.
abraço-de-vide s.m.; pl. *abraços-de-vide*
abraços s.m.pl.
abracrino s.m.
abradado adj.
abradamento s.m.
abradante adj.2g.
abradar v.
abraemo s.m.
abraganhar v.
abrália s.f.
abrâmida s.m.
abrâmido s.m.
abrâmis s.m.
abrancaçado adj.
abrancaçar v.
abrancado adj.
abrancar v.
abranchense adj. s.2g.
abrandado adj.
abrandadura s.f.
abrandamento s.m.
abrandar v.
abrandecer v.
abrandecido adj.
abrandecimento s.m.
abrandura s.f.
abrangedor (ô) adj. s.m.
abrangência s.f.
abrangente adj.2g.
abranger v.
abrangido adj.
abrangidura s.f.
abrangimento s.m.
abrangível adj.2g.
abranquecer v.
abranquecido adj.
abranquecimento s.m.
abranquia s.f.
abrânquia s.f.
abranquiado adj. s.m.
abranquial adj.2g.
abranquiato s.m.
abrânquida adj.2g. s.m.
abrânquio adj. s.m.
abrantense adj. s.2g.
abrantino adj. s.m.
abrãoense adj. s.2g.
abraquia s.f.
abraquiano adj. s.m.
abráquico adj.
abráquio adj. s.m.
abraquiocefalia s.f.
abraquiocefálico adj.
abraquiocéfalo adj. s.m.
abraquionia s.f.
abrasado adj.
abrasador (ô) adj. s.m.
abrasadura s.f.
abrasamento s.m.
abrasante adj.2g.
abrasão s.f.
abrasar v.
abrásax (*cs*) s.m.2n.
abraseado adj.
abraseamento s.m.
abrasear v.
abrasido adj.
abrasileirado adj.
abrasileiramento s.m.
abrasileirar v.
abrasilianado adj.
abrasilianamento s.m.
abrasilianar v.
abrasim s.m.
abrasita s.f.
abrasite s.f.
abrasítico adj.
abrasito s.m.
abrasividade s.f.
abrasivo adj. s.m.
abrasoado adj.
abrasoar v.
abrasonado adj.
abrasonar v.
abrasor (ô) adj. s.m.
abrassino s.m.
abrastol s.m.
abraxa (*cs*) s.f.
abraxas (*cs*) s.m.2n.
abraxoide (*csó*) adj.2g. s.m.
abrazita s.f.
abrazite s.f.
abrazítico adj.
abrazito s.m.
abrazô s.m.
abre s.m.
ab-reação s.f.
ab-reagir v.
abre-alas s.m.2n.
abre-asas s.m.2n.
abre-asas-da-capoeira s.m.2n.
abre-asas-de-cabeça-cinza s.m.2n.
ab-reatividade s.f.
ab-reativo adj.
abre-boca s.m.; pl. *abre-bocas*
abre-bocas s.m.2n.
abre-bondade s.m.; pl. *abre--bondades*
abre-cabeçudo s.m.; pl. *abre--cabeçudos*
abrecado adj.
abre-campense adj. s.2g.; pl. *abre-campenses*
abre-campista adj. s.2g.; pl. *abre-campistas*
abrecar v.
abre-cartas s.m.2n.
abrécia s.f.
abre-coração s.m.; pl. *abre--corações*
abre-cu s.m.; pl. *abre-cus*
abre-e-fecha s.2g.2n.
abre-fecha s.2g.2n.
ábrego s.m.
abregoar v.
abre-ilhó s.m.; pl. *abre-ilhós*
abre-ilhós s.m.2n.; pl. tb. *abre-ilhoses*
abrejado adj.
abrejamento s.m.
abrejar v.
abrejeirado adj.
abrejeiramento s.m.
abrejeirar v.
abre-latas s.m.2n.
abrenhado adj.
abrenhadura s.f.
abrenhamento s.m.
abrenhar v.
abrenunça s.f.
abrenunciação s.f.
abrenunciado adj.
abrenunciar v.
abrenúncio s.m. interj.
abrenunza s.f.
abreografia s.f.
abreográfico adj.
abre-o-sol s.m.2n.
ab-reptício adj.
ab-repto adj.
abre-saca s.f.; pl. *abre-sacas*
abretanhado adj.
abretano adj. s.m.
abreteno adj. s.m.
abrétia s.f.
abretino adj. s.m.
abreu s.m.
abreuense adj. s.2g.
abreugrafia s.f.
abreugráfico adj.
abreu-limense adj. s.2g.; pl. *abreu-limenses*
abrevado adj.
abrevar v.
abreviação s.f.
abreviada s.f.
abreviado adj. s.m.
abreviador (ô) s.m.
abreviadura s.f.
abreviamento s.m.
abreviante adj.2g.
abreviar v.
abreviativo adj.
abreviatório adj.
abreviatura s.f.
abreviável adj.2g.
abriacanita s.f.
abriacanítico adj.
abriacanito s.m.
abriachanita s.f.
abriachanite s.f.
abriachanito s.m.
abrião s.m.
abrição s.f.
abrichado adj.
abricó s.m.
abricô s.m.
abricó-amarelo s.m.; pl. *abricós-amarelos*
abricó-da-praia s.m.; pl. *abricós-da-praia*
abricó-das-antilhas s.m.; pl. *abricós-das-antilhas*
abricó-de-macaco s.m.; pl. *abricós-de-macaco*
abricó-de-são-domingos s.m.; pl. *abricós-de-são--domingos*
abricó-do-brasil s.m.; pl. *abricós-do-brasil*
abricó-do-mato s.m.; pl. *abricós-do-mato*
abricó-do-pará s.m.; pl. *abricós-do-pará*
abricoeiro s.m.
abricoque s.m.
abricoqueiro s.m.
abricó-selvagem s.m.; pl. *abricós-selvagens*
abricote s.m.
abricoteiro s.m.
abricoteiro-do-brasil s.m.; pl. *abricoteiros-do-brasil*

abricoteiro-do-mato s.m.; pl. *abricoteiros-do-mato*
abricotina s.f.
abricozeiro s.m.
abrideira s.f.
abrideiro adj.
abridela s.f.
abridor (*ô*) adj. s.m.
abridora (*ô*) s.f.
abridura s.f.
abriga s.f.
abrigada s.f.
abrigado adj. s.m.
abrigadoiro s.m.
abrigador (*ô*) adj. s.m.
abrigadouro s.m.
abrigamento s.m.
abrigante adj. s.2g.
abrigar v.
abrigo s.m.
abrigoir v.
abrigoso (*ô*) adj.; f. (*ó*); pl. (*ó*)
abrigueiro s.m.
abril s.m.
abrilada s.f.
abrilhantadista adj. s.2g.
abrilhantado adj.
abrilhantador (*ô*) adj. s.m.
abrilhantamento s.m.
abrilhantar v.
abrilino adj.
abrimento s.m.
abrina s.f.
abrincátuo adj. s.m.
abrínico adj.
abrinismo s.m.
abrique s.m.
abrir v. s.m.
abrismo s.m.
abrita adj. s.2g.
abro s.m. "planta"; cf. *abro*, fl. do v. *abrir*
abroâni s.m.
abroba s.2g.
abrocadado adj.
abrocadar v.
abrocado adj. s.m.
abrocar v.
abrocelo s.m.
abrochadeira s.f.
abrochado adj.
abrochador (*ô*) s.m.
abrochadura s.f.
abrochar v.
abrochilho s.m.
abroco adj.
abrócoma s.f.
abrocomídeo adj. s.m.
abrócomo adj. s.m.
abrodieto adj.
abrodil s.m.
abrodílico adj.
abroeirado adj.
abrofilo s.m.
ab-rogabilidade s.f.
ab-rogação s.f.
ab-rogado adj.
ab-rogador (*ô*) adj. s.m.
ab-rogamento s.m.
ab-rogante adj.2g.
ab-rogar v.
ab-rogatário adj. s.m.
ab-rogativo adj.
ab-rogatório adj.
ab-rogável adj.2g.
abroito s.m.
abrojo (*ô*) s.m.
abrolhada s.f.
abrolhado adj.
abrolhador (*ô*) adj.
abrolhal s.m.
abrolhamento s.m.
abrolhante adj.2g.
abrolhar v.
abrolhinho s.m.
abrolho (*ô*) s.m.; pl. (*ó*); cf. *abrolho*, fl. do v. *abrolhar*
abrolho-aquático s.m.; pl. *abrolhos-aquáticos*
abrolhoso (*ô*) adj.; f. (*ó*); pl. (*ó*)
abroma s.f.
abromia s.f.
ab-rompido adj.
abroncado adj.
abronceiro s.m.
abronemose s.f.
abrônia s.f.
abronzado adj.
abronzamento s.m.
abronzar v.
abronzeado adj.
abronzeamento s.m.
abronzear v.
abropédilo adj.
abropétalo adj.
abroque s.m.
abroquelado adj.
abroquelar v.
abroquia s.f.
abrota s.f.
abrotado adj.
abrotadura s.f.
abrotal s.m.
abrotalo s.m.
abrotamento s.m.
abrotanela s.f.
abrotanina s.f.
abrotanínico adj.
abrótano s.m.
abrótano-fêmea s.m.; pl. *abrótanos-fêmeas*
abrótano-fêmeo s.m.; pl. *abrótanos-fêmeos*
abrotanoide (*ó*) adj.2g. s.f.
abrótano-macho s.m.; pl. *abrótanos-machos*
abrotar v.
abrote s.m.
abrótea s.f.
abrótea-da-costa s.f.; pl. *abróteas-da-costa*
abrótea-da-primavera s.f.; pl. *abróteas-da-primavera*
abrótea-de-poça s.f.; pl. *abróteas-de-poça*
abrótea-de-três-barbas s.f.; pl. *abróteas-de-três-barbas*
abrótea-de-verão s.f.; pl. *abróteas-de-verão*
abrótea-do-alto s.f.; pl. *abróteas-do-alto*
abrótea-do-baixo s.f.; pl. *abróteas-do-baixo*
abrótea-fina s.f.; pl. *abróteas-finas*
abrótea-fistulosa s.f.; pl. *abróteas-fistulosas*
abroteal s.m.
abrótea-menor s.f.; pl. *abróteas-menores*
abrótega s.f.
abrótia s.f.
abrótica s.f.
abrótiga s.f.
abrótinas s.f.pl.
abrotonela s.f.
abrotonina s.f.
abrotonínico adj.
abrotonita s.m.
abrótono s.m.
abrótono-fêmea s.m.; pl. *abrótonos-fêmeas*
abrótono-fêmeo s.m.; pl. *abrótonos-fêmeos*
abrotonoide (*ó*) adj.2g. s.f.
abrótono-macho s.m.; pl. *abrótonos-machos*
abrulho s.m.
abrumado adj.
abrumador (*ô*) adj.
abrumar v.
abrunhado adj.
abrunhal s.m.
abrunhar v.
abrunheira s.f.
abrunheiro s.m.
abrunheiro-bravo s.m.; pl. *abrunheiros-bravos*
abrunheiro-manso s.m.; pl. *abrunheiros-mansos*
abrunho s.m.
abrunho-branco s.m.; pl. *abrunhos-brancos*
abrunho-do-duque s.m.; pl. *abrunhos-do-duque*
abrunho-do-rei s.m.; pl. *abrunhos-do-rei*
ab-rupção s.f.
ab-ruptado adj.
ab-ruptela s.f.
ab-ruptinérveo adj.
ab-ruptipenado adj.
abrupto adj.
ab-rupto adj.
ab-ruptude s.f.
abruscalhado adj.
abrutado adj.
abrutalado adj.
abrutalar v.
abrutalhado adj.
abrutalhar v.
abrutamento s.m.
abrutanhar v.
abrutar v.
abrutecer v.
abrutecido adj.
abrutecimento s.m.
abrutela s.f.
absalônico adj.
absarokito s.m.
absaroquito s.m.
abscedência s.f.
abscedente adj.2g.
absceder v.
abscedido adj.
abscesso s.m.
abscidar v.
abscindir v.
abscisão s.f.
abscísico adj. s.m.
abscisina s.f.
absciso adj.
abscissa s.f.
abscissão s.f.
abscíssico adj.
abscisso adj.
absconder v.
abscondido adj.
abscôndito adj.
absconsa s.f.
abscônsia s.f.
absconso adj. s.m.
absecto s.m.
absência s.f.
absentado adj.
absentar v.
absente adj.
absenteísmo s.m.
absenteísta adj. s.2g.
absenteístico adj.
absêntia s.f.
absentismo s.m.
absentista adj. s.2g.
absentístico adj.
absentivo adj.
absicto s.m.
absida s.f.
absidado adj.
absidal adj.2g.
abside s.f.
absidíola s.f.
absidíolo s.m.
absímile adj.2g.
absimilhança s.f.
absimilhante adj.2g.
absintado adj.
absintar v.
absintático adj.
absintato s.m.
absintemia s.f.
absintêmico adj. s.m.
absínteo adj.
absintiado adj.
absintiar v.
absintiato s.m.
absíntico adj. s.m.
absintina s.f.
absintínico adj.
absíntio s.m.
absintiol s.m.
absintioso (*ô*) adj.; f. (*ó*); pl. (*ó*)
absintismo s.m.
absintista adj. s.2g.
absintístico adj.
absintita s.f.
absintite s.f.
absinto s.m.
absinto-comum s.m.; pl. *absintos-comuns*
absinto-de-portugal s.m.; pl. *absintos-de-portugal*
absinto-grande s.m.; pl. *absintos-grandes*
absintol s.m.
absinto-maior s.m.; pl. *absintos-maiores*
absintoso (*ô*) adj.; f. (*ó*); pl. (*ó*)
absintro s.m.
ábsis s.f.2n.
absistério s.m.
absogra s.f.
absogro (*ô*) s.m.; f. (*ó*); pl. (*ó*)
absolina s.f.
absolto (*ô*) adj.
absolução s.f.
absoluta s.f.
absolutamente adv.
absolutez s.f.
absolutismo s.m.
absolutista adj. s.2g.
absolutístico adj.
absolutivo adj.
absolutização s.f.
absolutizado adj.
absolutizante adj.2g.
absolutizar v.
absolutizável adj.2g.
absoluto adj. s.m.
absolutório adj.
absolvedor (*ô*) adj. s.m.
absolvente adj.2g.
absolver v.
absolvição s.f.
absolvido adj.
absolvimento s.m.
absonado adj.
absonância s.f.
absonante adj.2g.
absonar v.
ábsono adj.; cf. *absono*, fl. do v. *absonar*
absorbância s.f.
absorbante adj.2g. s.m.
absorbato s.m.
absorbência s.f.
absorbente adj.2g.
absorber v.
absorbição s.f.
absorbido adj.
absorbilidade s.f.
absorbimento s.m.
absorbível adj.2g.
absorção s.f.
absorciometria s.f.
absorciométrico adj.
absorciômetro s.m.
absorcionismo s.m.
absorcionista adj. s.2g.
absorcionístico adj.
absoriquita s.f.
absoroquite s.f.
absoroquito s.m.
absorsor (*ô*) s.m.
absortância s.f.
absortividade s.f.
absortivo adj.
absorto (*ô*) adj.
absorvância s.f.
absorvedoiro s.m.
absorvedor (*ô*) adj. s.m.
absorvedouro s.m.
absorvência s.f.
absorventar v.
absorvente adj.2g. s.m.
absorver v.
absorvibilidade s.f.
absorvição s.f.
absorvidade s.f.
absorvido adj.
absorvimento s.m.
absorvível adj.2g.
absorvo (*ô*) s.m.
abstemia s.f.
abstêmico adj.
abstêmio adj. s.m.
abstenção s.f.
abstencionismo s.m.
abstencionista adj. s.2g.
abstencionístico adj.
abstenciosismo s.m.
abstenciosista adj. s.2g.
abstenciosístico adj.
abstento adj.
abster v.
abstergência s.f.
abstergente adj.2g. s.m.
absterger v.
abstergido adj.
absterrâneo s.m.
abstersão s.f.
abstersivo adj. s.m.
absterso adj.
abstido adj.
abstinência s.f.
abstinente adj. s.2g.
abstração s.f.
abstracionismo s.m.
abstracionista adj. s.2g.
abstracionístico adj.
abstraente adj.2g.
abstraído adj.
abstraidor (*ô*) s.m.
abstraimento s.m.
abstrair v.
abstratício adj. s.m.
abstratismo s.m.
abstratístico adj.
abstrativar v.
abstratividade s.f.
abstrativismo s.m.
abstrativista adj. s.2g.
abstrativístico adj.
abstrativo adj.
abstratizado adj.
abstratizante adj.2g.
abstratizar v.
abstratizável adj.2g.
abstrato adj. s.m.
abstrator (*ô*) adj. s.m.
abstrique s.m.
abstruir v.
abstrusão s.f.
abstrusidade s.f.
abstrusismo s.m.
abstrusista adj. s.2g.
abstrusividade s.f.
abstrusivo adj.
abstruso adj.
absumido adj.
absumir v.
absunção s.f.
absunto adj.
absurdez (*ê*) s.f.
absurdeza (*ê*) s.f.
absurdidade s.f.
absurdo adj. s.m.
ábsus s.m.
abu adj. s.2g. s.m.
abua s.m.
abuanar v.
abuanes s.m.2n.
abube s.m.
abubir s.m.
abuçado adj.
abucaia s.f.
abuçar v.
abucasta s.f.
abucataia s.f.
abucheta (*ê*) s.m.
abuchuchu s.m.
abuco s.m.
abucórnio s.m.
abucumalita s.f.
abudo adj.
abufariense adj. s.2g.
abufelado adj.
abufelar v.
abufetar v.
abugalhado adj.
abugalhar v.
abugão s.m.
abugrado adj.
abugrar v.

abuiz s.f.
abujão s.2g.
abujede s.m.
abul adj. s.2g.
abulado adj.
abular v.
abulasão s.m.
abulaza s.f.
abulense adj. s.2g.
abulia s.f.
abulíaco adj. s.m.
abúlico adj. s.m.
abulomania s.f.
abulomaníaco adj. s.m.
abulômano s.m.
abuna s.m. "título honorífico", etc.; cf. *abunã*
abunã s.f. "iguaria"; cf. *abuna*
abunãense adj. s.2g.
abunanense adj. s.2g.
abundação s.f.
abundado adj.
abundância s.f.; cf. *abundancia*, fl. do v. *abundanciar*
abundancial adj.2g.
abundanciar v.
abundanciense adj. s.2g.
abundancismo s.m.
abundante adj.2g.
abundantismo s.m.
abundar v.
abundeza (ê) s.f.
abundoso (ô) adj.; f. (ó); pl. (ó)
abunhação s.f.
abunhadio s.m.
abunhado s.m.
abunhar v.
abuniense adj. s.2g.
abunuro s.m.
abur interj.
aburacado adj.
aburacar v.
aburbonado adj.
aburelado adj.
aburelar v.
aburguesado adj.
aburguesamento s.m.
aburguesar v.
aburilado adj.
aburilar v.
aburote s.m.
aburrado adj.
aburrão s.m.f.
aburrar v.
abúrria s.f.
aburricado adj.
aburricar v.
aburrinhado adj.
aburrinhar v.
aburu s.m.
abusado adj.
abusador (ô) adj. s.m.
abusamento s.m.
abusão s.f.
abusar v.
abuscar v.
abusear v.
abusinhão s.m.
abusivo adj.
abuso s.m.
abuta s.f.
abutardado adj.
abutilão s.m.
abutilhão s.m.
abutílio s.m.
abútilo s.m.
abutiloide (ó) adj.2g. s.f.
abutinha s.f.
abutonga adj.2g.
abutre s.m.
abutre-barbudo s.m.; pl. *abutres-barbudos*
abutre-branco-do-egito s.m.; pl. *abutres-brancos-do-egito*
abutre-cinéreo s.m.; pl. *abutres-cinéreos*
abutre-comum s.m.; pl. *abutres-comuns*
abutre-das-montanhas s.m.; pl. *abutres-das-montanhas*
abutre-do-coconote s.m.; pl. *abutres-do-coconote*
abutre-do-egito s.m.; pl. *abutres-do-egito*
abutre-do-novo-mundo s.m.; pl. *abutres-do-novo-mundo*
abutre-dos-cordeiros s.m.; pl. *abutres-dos-cordeiros*
abutre-fouveiro s.m.; pl. *abutres-fouveiros*
abutre-fusco s.m.; pl. *abutres-fuscos*
abutreiro s.m.
abutua s.f.
abútua s.f.
abutua-da-terra s.f.; pl. *abutuas-da-terra*
abutua-de-batata s.f.; pl. *abutuas-de-batata*
abutua-do-amazonas s.f.; pl. *abutuas-do-amazonas*
abutua-do-rio s.f.; pl. *abutuas-do-rio*
abutua-grande s.f.; pl. *abutuas-grandes*
abutua-legítima s.f.; pl. *abutuas-legítimas*
abutua-miúda s.f.; pl. *abutuas-miúdas*
abutua-preta s.f.; pl. *abutuas-pretas*
abutumado adj.
abutumar v.
abuxó s.m.
abuzinação s.f.
abuzinado adj.
abuzinar v.
abvacuação s.f.
abvacuar v.
abvolação s.f.
abvolar v.
abvolt s.m.
abvóltio s.m.
abwatt s.m.
abziritano adj. s.m.
ábzoa adj. s.2g.
abzugue s.m.
aca adj. s.2g. "povo", etc.; cf. *acá*
acá s.m. adv. "cá", "árvore", etc.; cf. *aca*
aça adj. s.2g. "albino"; cf. *açã* e *assa*, fl. do v. *assar*
açã s.m. "ácaro do queijo"; cf. *aça* adj. s.2g.
acaácido s.m.
acaãense adj. s.2g.
acaba s.f.
acabaçado adj.
acabaçar v.
acabadela s.f.
acabadelar v.
acabadiço adj.
acabadinho adj.
acabado adj. s.m.
acabador (ô) adj. s.m.
acabadora (ô) s.f.
acabadota adj.; f. de *acabadote*
acabadote adj.; f. *acabadota*
acabamento s.m.
acabanado adj.
acabanar v.
acabando adj.
acaba-novenas s.2g.2n.
acabante adj. s.2g.
acabar v.
açabarcador (ô) adj. s.m.
açabarcar v.
acabável adj.2g.
acabela s.f.
acabelado adj.
acabelar v.
acaber v.
acabidar v.
acabiras s.m.2n.
acabo s.m.
acaboclado adj.
acaboclar v.
acabotinado adj.
acabotinar v.
acabralhado adj.
acabralhar v.
acabramado adj.
acabramar v.
acabramo s.m.
acabritado adj.
acabronado adj.
acabrunhado adj.
acabrunhador (ô) adj.
acabrunhamento s.m.
acabrunhante adj.2g.
acabrunhar v.
acaburro adj. s.m.
acaçá s.m.
açacaia s.f.
açacal s.m.
açacaladeira s.f.
açacalado adj. s.m.
açacalador (ô) adj. s.m.
açacaladura s.f.
açacalamento s.m.
açacalar v.
acacale s.m.
acacális s.f.2n.
acacalo s.m.
acacalote s.m.
acacanhador (ô) adj.
acacanhar v.
açacanhar v.
acaçapado adj.
acaçapador (ô) adj. s.m.
acaçapamento s.m.
acaçapante adj.2g.
acaçapar v.
acaçar v.
acacetado adj.
acacetar v.
acacetina s.f.
acachaçado adj.
acachaçar v.
acachado adj.
acachafundado adj.
acachafundar v.
acachamorrar v.
acachapado adj.
acachapador (ô) adj. s.m.
acachapamento s.m.
acachapante adj.2g.
acachapar v.
acachaporrar v.
acachar v.
acacheado adj.
acachear v.
acachimbado adj.
acachimbar v.
acachoado adj.
acachoante adj.2g.
acachoar v.
acachoeirado adj.
acachoeirante adj.2g.
acachoeirar v.
acachuchar v.
acácia s.f.
acácia-amarela s.f.; pl. *acácias-amarelas*
acácia-angico s.f.; pl. *acácias-angico* e *acácias-angicos*
acácia-arábica s.f.; pl. *acácias-arábicas*
acácia-argentina s.f.; pl. *acácias-argentinas*
acácia-asiática s.f.; pl. *acácias-asiáticas*
acácia-bastarda s.f.; pl. *acácias-bastardas*
acácia-branca s.f.; pl. *acácias-brancas*
acaciácea s.f.
acaciáceo adj.
acácia-da-alemanha s.f.; pl. *acácias-da-alemanha*
acácia-da-austrália s.f.; pl. *acácias-da-austrália*
acácia-dealbada s.f.; pl. *acácias-dealbadas*
acácia-de-flores-vermelhas s.f.; pl. *acácias-de-flores-vermelhas*
acácia-do-egito s.f.; pl. *acácias-do-egito*
acácia-do-japão s.f.; pl. *acácias-do-japão*
acácia-do-levante s.f. pl.; pl. *acácias-do-levante*
acácia-do-méxico s.f.; pl. *acácias-do-méxico*
acácia-do-nilo s.f.; pl. *acácias-do-nilo*
acácia-dos-alemães s.f.; pl. *acácias-dos-alemães*
acácia-do-senegal s.f.; pl. *acácias-do-senegal*
acácia-falsa s.f.; pl. *acácias-falsas*
acácia-meleira s.f.; pl. *acácias-meleiras*
acácia-mimosa s.f.; pl. *acácias-mimosas*
acácia-negra s.f.; pl. *acácias-negras*
acacianismo s.m.
acacianista adj. s.2g.
acacianístico adj.
acaciano adj. s.m.
acácia-para-sol s.f.; pl. *acácias-para-sol*
acácia-verdadeira s.f.; pl. *acácias-verdadeiras*
acácia-vermelha s.f.; pl. *acácias-vermelhas*
acácico adj.
acaciense adj. s.2g.
acacifado adj.
acacifar v.
acacina s.f.
acácio s.m.
acacionismo s.m.
acacionista adj. s.2g.
acacionístico adj.
acacióxilo (cs) s.m.
acacismo s.m.
acacista adj. s.2g.
acacístico adj.
acaçoar v.
açacu s.m.
açacuguaçu s.m.
açacuí s.m.
acaculado adj.
acacular v.
açacumirim s.m.
açacurana s.f.
açacuzeiro s.m.
ácada adj. s.2g.
açadacã s.m.
açadacão s.m.
acadar v. s.m.
ácade adj. s.2g.
açadecão s.m.
acadeirado adj.
acadeirar-se v.
academia s.f. "associação"; cf. *acadêmia*
acadêmia s.f. "modelo plástico"; cf. *academia* s.f. e fl. do v. *academiar*
academial adj.2g.
academiar v.
acadêmica s.f.
academicial adj.2g.
academicidade s.f.
academicismo s.m.
academicista adj. s.2g.
academicístico adj.
academicizado adj.
academicizante adj. s.2g.
academicizar v.
acadêmico adj. s.m.
academiforme adj.2g.
academismo s.m.
academista adj. s.2g.
academístico adj.
academizante adj. s.2g.
academizar v.
academizável adj.2g.
acadialita s.f.
acadialite s.f.
acadiano adj. s.m.
acadible adj.2g.
acádico adj. s.m.
acadiense adj. s.2g.
acadimado adj.
acadimar v.
acadimento s.m.
acádio adj. s.m.
acadiro s.m.
acadremar v.
acadrimado adj.
acadrimar v.
acaé s.m.
acaecente adj.2g.
acaecer v.
acaecido adj.
acaecimento s.m.
acaém s.m.
acaeraisaua s.f.
açafaitado adj.
açafaitar v.
acafajestado adj.
acafajestamento s.m.
acafajestar v.
acafalar v.
açafanhamento s.m.
açafanhar v.
açafata s.f.
açafatado adj.
açafatamento s.m.
açafatar v.
açafate s.m.
açafate-de-oiro s.m.; pl. *açafates-de-oiro*
açafate-de-ouro s.m.; pl. *açafates-de-ouro*
açafate-de-prata s.m.; pl. *açafates-de-prata*
açafateiro s.m.
acafelado adj.
acafelador (ô) adj. s.m.
acafeladura s.f.
acafelamento s.m.
acafelar v.
acafetado adj.
acafetar v.
açaflor (ô) s.m.
acafobado adj.
acafobar v.
açafra s.f.
açafrado adj.
açafranado s.m.
açafrão s.m.
açafrão-agreste s.m.; pl. *açafrões-agrestes*
açafrão-bastardo s.m.; pl. *açafrões-bastardos*
açafrão-bravo s.m.; pl. *açafrões-bravos*
açafrão-da-índia s.m.; pl. *açafrões-da-índia*
açafrão-da-primavera s.m.; pl. *açafrões-da-primavera*
açafrão-da-terra s.m.; pl. *açafrões-da-terra*
açafrão-do-campo s.m.; pl. *açafrões-do-campo*
açafrão-do-mato s.m.; pl. *açafrões-do-mato*
açafrão-do-outono s.m.; pl. *açafrões-do-outono*
açafrão dos metais s.m.
açafrão-palhinha s.m.; pl. *açafrões-palhinha* e *açafrões-palhinhas*
açafrão-vermelho s.m.; pl. *açafrões-vermelhos*
açafrar v.
açafreiro s.m.
açafroa (ô) s.f.
açafroado adj.
açafroador (ô) s.m.
açafroal s.m.
açafroamento s.m.
açafroar v.
açafroeira s.f.
açafroeira-da-índia s.f.; pl. *açafroeiras-da-índia*
açafroeira-da-terra s.f.; pl. *açafroeiras-da-terra*
açafroeira-de-pernambuco s.f.; pl. *açafroeiras-de-pernambuco*
açafroeira-do-brasil s.f.; pl. *açafroeiras-do-brasil*
açafroeira-indígena s.f.; pl. *açafroeiras-indígenas*
açafroeiral s.m.
açafroeiro s.m.

açafroeiro-da-índia s.m.; pl. *açafroeiros-da-índia*
açafroína s.f.
açafroínico adj.
açafrol s.m.
açafrol-da-primavera s.m.; pl. *açafróis-da-primavera*
açafrol-do-outono s.m.; pl. *açafróis-do-outono*
acagaçado adj.
acagaçar v.
açagador (*ô*) s.m.
acagibado adj.
acagibar v.
acagina s.f.
acagual s.m.
acaguete (*üê*) s.m.
acaguladinho adj.
acagulado adj.
acagular v.
acaí s.m.
açaí s.m.
acaia s.f. "planta medicinal"; cf. *acaiá*
acaiá s.m. "cajazeira"; cf. *acaia*
acaiaba s.f.
acaiacá s.m.
acaiacano adj. s.m.
acaiacarana s.f.
acaiacatinga s.m.
acaiacense adj. s.2g.
acaiano adj. s.m.
acaiaquense adj. s.2g.
açaí-branco s.m.; pl. *açaís-brancos*
acaiçarado adj.
acaiçarar-se v.
açaí-catinga s.m.; pl. *açaís-catinga* e *açaís-catingas*
açaí-chumbo s.m.; pl. *açaís-chumbo* e *açaís-chumbos*
acaico adj. s.m.
açaí-de-caatinga s.m.; pl. *açaís-de-caatinga*
açaí-do-alto-amazonas s.m.; pl. *açaís-do-alto-amazonas*
açaí-do-pará s.m.; pl. *açaís-do-pará*
açaiense (*en*) adj. s.2g.
açailandense adj. s.2g.
açailandês adj. s.2g.
açailandiense adj. s.2g.
açaimado adj.
açaimador (*ô*) adj. s.m.
açaimar v.
açaime s.m.
açaí-mirim s.m.; pl. *açaís-mirins*
açaimo s.m.
acaio adj. s.m.
acaipirado adj.
acaipiramento s.m.
acaipirar-se v.
acair v.
açairana s.f.
acairelado adj.
acairelador (*ô*) adj. s.m.
acaireladura s.f.
acairelamento s.m.
acairelar v.
açaitubense adj. s.2g.
acaiura s.f.
acaixeirado adj.
acaixeirar v.
acaixilhado adj.
acaixilhar v.
acaixotado adj.
acaixotar v.
açaizal s.m.
açaizalense adj. s.2g.
açaizeiro s.m.
acajá s.m.
acajadado adj.
acajadar v.
acajadiço adj.
acajaíba s.f.
acajeitar v.
acajibado adj.
acajoadiço adj.
acaju s.m.
acajuba s.f.
acaju-catinga s.m.; pl. *acajus-catinga* e *acajus-catingas*
acajucica s.f.
acajueiro s.m.
acajuí s.m.
acajuíba s.f.
acajurana s.f.
acajutiba s.f.
acajutibense adj. s.2g.
acajutibiró s.m.
acal s.m.
açalá s.m.
acalabrear v.
acalaca s.f.
acalal s.m.
acalalacte s.m.
acalantado adj.
acalantar v.
acalanto s.m.
acalar v.
acalasia s.f.
acalásia s.f.
acalásico adj. s.m.
acalcado adj.
acalçado adj.
acalcador (*ô*) adj. s.m.
acalcamento s.m.
acalcanhado adj.
acalcanhamento s.m.
acalcanhar v.
acalcar v.
acalçar v.
acalcerose s.f.
acalco s.m.
acalculia s.f.
acalcúlico adj. s.m.
acalefa s.f.
acaléfico adj.
acalefídeo adj. s.m.
acaléfio adj. s.m.
acalefo adj. s.m.
acalefologia s.f.
acalefológico adj.
acalefologista s.2g.
acalefólogo s.m.
acalentado adj.
acalentador (*ô*) adj. s.m.
acalenta-menino s.m.; pl. *acalenta-meninos*
acalentamento s.m.
acalentante adj.2g.
acalentar v.
acalentável adj.2g.
acalento s.m.
acalhamaçado adj.
acalhamaçar v.
acali s.m.
acalibemia s.f.
acalibêmico adj. s.m.
acalical adj.2g.
acálice adj.2g.
acalicínio adj.
acalicino adj.
acaliculado adj.
acálifa s.f.
acalífea s.f.
acalífeo adj.
acálifo s.m.
acalinóptero adj. s.m.
acalipterado adj.
acalíptero s.m.
acalipto adj. s.m.
acaliptóspora s.f.
acaliptospórico adj.
acaliptósporo adj. s.m.
acaliptrado adj. s.m.
acalmação s.f.
acalmado adj.
acalmador (*ô*) adj. s.m.
açalmador (*ô*) adj. s.m.
acalmamento s.m.
açalmamento s.m.
acalmar v.
açalmar v.
acalmia s.f.
açalmo s.m.
acalmóptero adj. s.m.
acalo s.m.
açaloiado adj.
açaloiar v.
acalopisto s.m.
acalorado adj.
acaloramento s.m.
acalorar v.
acalote s.m.
acama s.m.f.
acamação s.f.
acamacia s.f.
acamacu s.m.
acamado adj.
açamado adj.
acamalhoar v.
acamamento s.m.
acamar v.
açamar v.
acamaradado adj.
acamaradamento s.m.
acamaradar v.
acamarado adj.
açamarcar v.
acamarqui s.m.
acamarquísida adj.2g. s.m.
acamarquisídeo adj. s.m.
açamarrado adj.
açamarrar v.
acamatanga s.f.
acâmato s.m.
acambado adj.
acambaiado adj.
acambaiar v.
açambarcação s.f.
açambarcadeira s.f.
açambarcado adj.
açambarcador (*ô*) adj. s.m.
açambarcagem s.f.
açambarcamento s.m.
açambarcante adj. s.2g.
açambarcar v.
açambarque s.m.
acambeca s.f.
acambetado adj.
acambetar v.
acamboado adj.
acamboar v.
acambolhado adj.
acambolhar v.
acambraiado adj.
acambraiar v.
acambulhado adj.
acambulhar v.
açame s.m.
acamelado adj.
acamelar v.
acamelte s.m.
acamisado adj.
acamisar v.
açamo s.m.
acamonia s.f.
acamote s.m.
açamoucado adj.
açamoucar v.
acampado adj.
acampainhado adj.
acampainhar v.
acampamentense adj. s.2g.
acampamento s.m.
acampanado adj. s.m.
acampanar v.
acampar v.
acampitá s.f.
acampo s.m.
acamponesação s.f.
acamponesamento s.m.
acamponesar v.
acampsia s.f.
acampto adj.
acamptossoma adj.2g. s.m.
acamptossômico adj.
acamptossomo adj. s.m.
acamurçado adj.
acamurçamento s.m.
acamurçar v.
acamutanga s.f.
acana s.f.
açaná s.f.
açanã s.f.
acanaca s.f.
acanácea s.f.
acanáceo adj.
acanada s.f.
acanãense adj. s.2g.
acanalado adj. s.m.
acanalador (*ô*) adj. s.m.
acanaladura s.f.
acanalamento s.m.
acanalar v.
acanalhação s.f.
acanalhado adj.
acanalhador (*ô*) adj. s.m.
acanalhamento s.m.
acanalhante adj.2g.
acanalhar v.
acananense adj. s.2g.
acanastrado adj.
acanastramento s.m.
acanastrar v.
acanati s.m.
acanati-de-bico-verde s.m.; pl. *acanatis-de-bico-verde*
acanatique s.m.
acanaveado adj.
acanaveadura s.f.
acanaveamento s.m.
acanavear v.
açancalhado adj.
açancalhar v.
açancanhado adj.
açancanhar v.
acancelado adj.
acancelar v.
acanceração s.f.
acancerado adj.
acanceramento s.m.
acancerar v.
acandes s.m.2n.
acandilado adj.
acandilar v.
acane s.f.
acaneia (*é*) s.f.
acanelado adj. s.m.
acanelador (*ô*) adj. s.m.
acaneladura s.f.
acanelamento s.m.
acanelar v.
acanga s.f.
acangaceirado adj.
acangaceirar v.
açangalhada s.f.
acangalhado adj.
acangalhar v.
açanganhar v.
acangapara s.2g.
acangapema s.f.
acangapeva s.m.
acangatar s.m.
acangatara s.m.
acange s.m.
acangi s.m.
acangoera s.m.
acanguane s.m.
acanguape s.m.
acanguare s.m.
acanguçu s.m.
acangulado adj.
acanhação s.f.
acanhadão adj. s.m.; f. *acanhadona*
acanhado adj.
acanhadona adj. s.f. de *acanhadão*
acanhador (*ô*) adj. s.m.
acanhamento s.m.
acanhar v.
açanharão s.m.
acanhinana s.f.
acanho s.m.
acanhoado adj.
acanhoador (*ô*) adj. s.m.
acanhoar v.
acanhoneado adj.
acanhoneador (*ô*) adj. s.m.
acanhonear v.
acanhotado adj.
acani s.m.
acânia s.f.
acaniácea s.f.
acaniáceo adj.
acaniano adj. s.m.
açanicar v.
acanito s.m.
acanivetado adj.
acanivetar v.
acanje s.m.
acanji s.m.
acânjio s.m.
ácano s.m.
acanoado adj.
acanoar v.
acanocarpo s.m.
acanônico adj.
acanonismo s.m.
acanonista adj. s.2g.
acanonístico adj.
acanor (*ô*) s.m.
acanta s.f.
acantábolo s.m.
acantácea s.f.
acantáceo adj.
acantactinela s.f.
acantágene adj.2g. s.m.
acantal adj.2g.
acantale s.f.
acantaposia s.f.
acantária s.f.
acantárida adj.2g. s.m.
acantarídeo adj. s.m.
acantaríneo adj. s.m.
acantarino s.m.
acantário adj. s.m.
acantáster s.m.
acante s.m.
acântea s.f.
acantefípio s.m.
acanteirado adj.
acanteirar v.
acantela s.f.
acânteo adj.
acantequino s.m.
acanterpeste s.m.
acanterpesto s.m.
acantestesia s.f.
acantestésico adj.
acantestético adj.
acântia s.m.
acantião s.m.
acantíbolo s.m.
acântico adj. s.m.
acantícone s.m.
acanticônio s.m.
acantictiose s.f.
acântida adj.2g. s.f.
acântide s.m.
acantídio s.m.
acantiídeo adj. s.m.
acantilado adj.
acantilar v.
acantilha s.f.
acântilo s.m.
acantina s.f.
acantínea s.f.
acantíneo adj.
acantinião s.m.
acântino adj.
acântio s.m.
acantiodonte s.m.
acantisitídeo adj. s.m.
acantita s.f.
acantite s.f.
acantítico adj.
acantiúro adj. s.m.
acantizídeo adj. s.m.
acanto s.m.
acantoado adj. s.m.
acantoamento s.m.
acantoar v.
acanto-bastardo s.m.; pl. *acantos-bastardos*
acantóbate s.m.
acantóbato s.m.
acantobdela s.f.
acantobdélico adj. s.m.
acantobdélida adj. s.2g.
acantobdelídeo adj. s.m.
acantobdélido adj. s.m.
acantóbolo s.m.
acantobótrio s.m.
acantocárdio s.m.
acantocárpico adj.
acantocárpio adj. s.m.
acantocarpo adj. s.m.
acantocefalíase s.f.
acantocefálico adj.
acantocéfalo adj. s.m.
acantocefalose s.f.

acantocefalósico adj.
acantocefalótico adj.
acantócera s.f.
acantoceratodermia s.f.
acantoceratodérmico adj.
acantocerco s.m.
acantocéreo s.m.
acantócero s.m.
acantochanado adj.
acantochanar v.
acantociato s.m.
acantocíbio s.m.
acantociclo s.m.
acantocíneo adj. s.m.
acantócino s.m.
acantocirco s.m.
acantociste s.f.
acantocístida adj.2g. s.m.
acantocistídeo adj. s.m.
acantocisto s.m.
acantócito s.m.
acantocitose s.f.
acantocládia s.f.
acantocladídea s.f.
acantocladídeo adj. s.m.
acantocládio adj. s.m.
acantóclado adj. s.m.
acantocrino s.m.
acantodáctilo s.m.
acantoderma s.m.
acantoderme s.f.
acantodermo s.m.
acantódero s.m.
acantodesmídea s.f.
acantodesmídeo adj. s.m.
acantodiano adj. s.m.
acantodião s.m.
acantodídeo adj. s.m.
acantódio adj. s.m.
acântodo s.m.
acantodorínida adj.2g. s.m.
acantodorinídeo adj. s.m.
acantodrilo s.m.
acanto-espinhoso s.m.; pl. *acantos-espinhosos*
acantofagia s.f.
acantofágico adj.
acantófago adj. s.m.
acântofe s.m.
acantofênix (*cs* ou *s*) s.f.2n.
acantofílico adj.
acantofilo s.m.
acantófilo adj. s.m.
acantofira s.f.
acantofiro s.m.
acântofis s.m.2n.
acantofiste s.f.
acantófora s.f.
acantoforado adj.
acantóforo adj. s.m.
acantoglossa s.f.
acantoglosso s.m.
acantoide (*ó*) adj.2g.
acantóidea s.f.
acantóideo adj.
acantolabro s.m.
acantolépide s.f.
acantolépido adj. s.m.
acantolimão s.m.
acantolimo s.m.
acantolino s.m.
acantólise s.f.
acantolítico adj.
acantólofo s.m.
acantologia s.f.
acantológico adj.
acantologista s.2g.
acantólogo s.m.
acantoma s.m.
acantomático adj.
acantomeria s.f.
acantoméria s.f.
acantômero s.m.
acantômetra s.m.
acantometrídeo adj. s.m.
acantômetro s.m.
acantômice s.m.
acantomiceto s.m.
acantomicose s.f.
acantominta s.f.
acantomínteo adj. s.m.
acantominto s.m.
acanto-mole s.m.; pl. *acantos-moles*
acantonada s.f.
acantonado adj.
acantonamento s.m.
acantonar v.
acantonema s.m.
acantonemo s.m.
acantônique s.m.
acantoníquia s.f.
acantônix (*cs*) s.m.2n
acantonoto s.m.
acantópana s.m.
acantopânace s.m.
acantopânaco s.m.
acantope adj.2g. s.m.
acantopelve s.f.
acantópio adj.
acantopleura s.f.
acantopo s.m.
acantópode adj.2g. s.m.
acantopódio s.m.
acantopomo s.m.
acantopórico adj.
acantóporo s.m.
acantoprásio adj. s.m.
acantopse s.f.
acantópsida adj.2g. s.m.
acantopsídeo adj. s.m.
acantópsis s.m.2n.
acantoptérige s.f.
acantopterigiano adj.
acantopterígio adj. s.m.
acantópterix (*cs*) s.m.2n.
acantóptero s.m.
acantoqueilonemo s.m.
acantoquiasma s.m.
acantoquila s.f.
acantoquilonemíase s.f.
acantoquilonemo s.m.
acantóquite s.m.
acantóquiton s.m.
acantoquitonino adj. s.m.
acântor s.m.
acantorina s.m.
acantorinco s.m.
acantoríneo adj.
acantorino s.m.
acantoriza s.f.
acantorrina s.m.
acantorrinco s.m.
acantorríneo adj.
acantorrino s.m.
acantorriza s.f.
acantóscele s.m.
acantoscélide s.m.
acantoscelídeo adj. s.m.
acantose s.f.
acanto-selvagem s.m.; pl. *acantos-selvagens*
acantosício s.m.
acantósico adj. s.m.
acantosíris s.m.2n.
acantospermo s.m.
acantospôngia s.f.
acantospôngio adj.
acantospórico adj.
acantósporo adj. s.m.
acantossoma s.m.
acantossomo s.m.
acantóstaque s.m.
acantostáquio adj. s.m.
acantóstaquis s.m.2n.
acantostauro s.m.
acantostigma s.m.
acantóstoma s.m.
acantostômida adj.2g. s.m.
acantostomídeo adj. s.m.
acantotamno s.m.
acantoteca s.f.
acantotélson s.m.
acantótico adj. s.m.
acantótido s.m.
acantótilo s.m.
acantotírio s.m.
acantótria s.f.
acantoxântio (*cs*) adj. s.m.
acantozoide (*ó*) adj.2g. s.m.
acanturídeo adj. s.m.
acanturo s.m.
acanudado adj.
acanudar v.
açanuíra s.f.
acanulado adj.
acanular v.
acanutado adj.
acanutar v.
acânzi s.m.
ação s.f.
acaovã s.m.
acapachado adj.
acapachamento s.m.
acapachar v.
açapado adj.
acapadoçado adj.
acapadoçar v.
acapalte s.m.
acapangado adj.
acapangar v.
açapar v.
acaparaçonado adj.
acaparaçonar v.
acaparado adj.
acaparador (*ô*) s.m.
acaparamento s.m.
acaparante adj.2g.
acaparar v.
acaparável adj.2g.
acaparrado adj.
acaparrar v.
acapelado adj.
acapelar v.
acapitã s.f.
acapitalar v.
acapitalismo s.m.
acapitalista adj. s.2g.
acapitalístico adj.
acápite adj.2g.
acápito s.m.
acapitulado adj.
acapitular v.
acapna s.f.
acapnia s.f.
acápnico adj.
acapnismo s.m.
acapnístico adj.
acapno adj. s.m.
acapociba s.f.
acapoeirado adj.
acapoeirar-se v.
acapora s.f.
acapori s.m.
acapotado adj.
acapotar v.
acaprichamento s.m.
acapu s.m.
acapua s.f.
acapuchado adj.
acapuchar v.
acapu-do-igapó s.m.; pl. *acapus-do-igapó*
acapulco s.m.
acapulhado adj.
acapulhar v.
acapurana s.f.
acapurana-da-terra-firme s.f.; pl. *acapuranas-da-terra-firme*
acapurana-da-várzea s.f.; pl. *acapuranas-da-várzea*
acapurana-vermelha s.f.; pl. *acapuranas-vermelhas*
açapuva s.f.
acaqueirado adj.
acaqueirar v.
ácar s.m.
acara s.m. "planta"; cf. *acará*
acará s.m. "peixe"; cf. *acara*
acará-açu s.m.; pl. *acarás-açus*
acaraaia s.m.
acará-aiá s.m.; pl. *acarás-aiá* e *acarás-aiás*
acaraajá s.m.
acará-apuã s.m.; pl. *acarás-apuã* e *acarás-apuãs*
acará-azul s.m.; pl. *acarás-azuis*
acará-bandeira s.m.; pl. *acarás-bandeira* e *acarás-bandeiras*
acará-bandeira-comum s.m.; pl. *acarás-bandeira-comuns* e *acarás-bandeiras-comuns*
acará-bararuá s.m.; pl. *acarás-bararuá* e *acarás-bararuás*
acará-bererê s.m.; pl. *acarás-bererê* e *acarás-bererês*
acará-bobo s.m.; pl. *acarás-bobo* e *acarás-bobos*
acará-boca-de-jiquiá s.m.; pl. *acarás-boca-de-jiquiá* e *acarás-bocas-de-jiquiá*
acará-branco s.m.; pl. *acarás-brancos*
acará-camaleão s.m.; pl. *acarás-camaleão* e *acarás-camaleões*
acará-cascudo s.m.; pl. *acarás-cascudos*
acará-chibante s.m.; pl. *acarás-chibantes*
acaracolar v.
acaraçu s.m.
acaracuaíma s.m.
acaracuíma s.m.
acará-de-véu s.m.; pl. *acarás-de-véu*
acará-diadema s.m.; pl. *acarás-diadema* e *acarás-diademas*
acará-disco s.m.; pl. *acarás-disco* e *acarás-discos*
acará-disco-azul s.m.; pl. *acarás-disco-azuis* e *acarás-discos-azuis*
acará-disco-castanho s.m.; pl. *acarás-disco-castanhos* e *acarás-discos-castanhos*
acará-disco-comum s.m.; pl. *acarás-disco-comuns* e *acarás-discos-comuns*
acará-disco-marrom s.m.; pl. *acarás-disco-marrons* e *acarás-discos-marrons*
acará-disco-verde s.m.; pl. *acarás-disco-verdes* e *acarás-discos-verdes*
acarado adj.
acaradola s.m.
acaraense adj. s.2g.
acará-fantasma s.m.; pl. *acarás-fantasma* e *acarás-fantasmas*
acará-ferreiro s.m.; pl. *acarás-ferreiros*
acará-ferro s.m.; pl. *acarás-ferro* e *acarás-ferros*
acará-festivo s.m.; pl. *acarás-festivos*
acará-fumaça s.m.; pl. *acarás-fumaça*
acará-fuso s.m.; pl. *acarás-fuso* e *acarás-fusos*
acará-grande s.m.; pl. *acarás-grandes*
acará-guaçu s.m.; pl. *acarás-guaçus*
acaraí s.m.
acaraiá s.m.
acaraiacuaíma s.m.
acaraiense (*en*) adj. s.2g.
acarajá s.2g.
acarajé s.m.
acará-manaçaravé s.m.; pl. *acarás-manaçaravé* e *acarás-manaçaravés*
acaramelado adj.
acaramelar v.
acará-mirim s.m.; pl. *acarás-mirins*
acará-mocó s.m.; pl. *acarás-mocó* e *acarás-mocós*
acaramuçar v.
acaramuçu s.m.
acaramujado adj.
acaramujar v.
acaramulado adj.
acaramular v.
acará-negro s.m.; pl. *acarás-negros*
acarangado adj.
acarangar v.
acaranguejado adj.
acarapaguá s.m.
acará-papagaio s.m.; pl. *acarás-papagaio* e *acarás-papagaios*
acaraparaguá s.m.
acaraparaná s.m.
acaraparauá s.m.
acará-pataquira s.m.; pl. *acarás-pataquira* e *acarás-pataquiras*
acarape s.m.
acarapeba s.m.
acarapense adj. s.2g.
acarapera s.m.
acarapeva s.m.
acarapi adj. s.2g.
acarapicu s.m.
acarapinaxame s.m.
acarapindá s.m.
acarapinhado adj.
acarapinhar v.
acará-pinima s.m.; pl. *acarás-pinima* e *acarás-pinimas*
acarapirambocaia s.m.
acarápis s.m.
acarapitanga s.m.
acarapitinga s.m.
acarapixuna s.m.
acará-prata s.m.; pl. *acarás-prata*
acará-preto s.m.; pl. *acarás-pretos*
acarapuã s.m.
acarapuçado adj.
acarapuçar v.
acarapucu s.m.
acarar v.
acará-salema s.m.; pl. *acarás-salema* e *acarás-salemas*
acará-saveiro s.m.; pl. *acarás-saveiro* e *acarás-saveiros*
acará-severo s.m.; pl. *acarás-severos*
acará-tilápia s.m.; pl. *acarás-tilápia* e *acarás-tilápias*
acaratimbó s.m.
acaratinga s.m.
acará-tonto s.m.; pl. *acarás-tontos*
acará-topete s.m.; pl. *acarás-topete* e *acarás-topetes*
acarauaçu s.m.
acaraú-açu s.m.; pl. *acaraús-açus*
acaraúba s.f.
acarauçu s.m.
acarauense (*en*) adj. s.2g.
acaraúna s.f.
acaraúna-azul s.f.; pl. *acaraúnas-azuis*
acaraúna-preta s.f.; pl. *acaraúnas-pretas*
acaravelhado adj.
acaravelhar v.
acarbodavina s.f.
acarbose s.f.
açarcalhar v.
açarcanhar v.
acarda s.f.
acardia s.f.
acardíaco adj. s.m.
acardiemia s.f.
acardiêmico adj.
acárdio adj.
acardioemia s.f.
acardioêmico adj. s.m.
acardionervia s.f.
acardionervo (*ê*) adj.
acardiotrofia s.f.
acardiotrófico adj.
acarditar v.
acardite s.f.
acardo adj. s.m.
acardumado adj.
acardumar v.
ácare s.m.
acareação s.f.
acareado adj.

acareador (*ô*) adj. s.m.
acareamento s.m.
acareante adj. s.2g.
acarear v.
açareense adj. s.2g.
acareio s.m.
acarel adv.
acarela s.f.
acarentado adj.
acarentar v.
acáreo adj. s.m.
acari s.m. "peixe"; cf. *ácari*
ácari s.m. "ácaro"; cf. *acari*
acariácea s.f.
acariáceo adj.
acariaçu s.m.
acari-amarelo s.m.; pl. *acaris-amarelos*
acariano adj.
acariase s.f.
acaríase s.f.
acaricaba s.f.
acari-cacimba s.m.; pl. *acaris-cacimba* e *acaris-cacimbas*
acari-chicote s.m.; pl. *acaris-chicote* e *acaris-chicotes*
acarícia s.f.
acariciado adj.
acariciador (*ô*) adj. s.m.
acariciamento s.m.
acariciante adj.2g.
acariciar v.
acariciativo adj.
acaricida adj.2g. s.m.
acaricídio s.m.
acariçoba s.f.
acariçoba-da-miúda s.f.; pl. *acariçobas-da-miúda*
acaricuara s.f.
acárida adj.2g. s.m.
acaridado adj.
acaridar v.
acaride adj.2g. s.m.
acarídeo adj. s.m.
acaridiano s.m.
acárido s.m.
acariense adj. s.2g.
acari-espada s.m.; pl. *acaris-espada* e *acaris-espadas*
acarígeno adj. s.m.
acarigenose s.f.
acariguaçu s.m.
acariguara s.f.
acarijarana s.f.
acarijuba s.m.
acari-laranja s.m.; pl. *acaris-laranja* e *acaris-laranjas*
açarilhado adj.
acari-lima s.m.; pl. *acaris-lima* e *acaris-limas*
acarima s.m.
acari-mole s.m.; pl. *acaris-moles*
acarinário s.m.
acaríneo adj. s.m.
acarinhado adj.
acarinhador (*ô*) adj. s.m.
acarinhamento s.m.
acarinhante adj.2g.
acarinhar v.
acarinhável adj.2g.
acarino s.m.
acarinose s.f.
acário s.m.
acariobionte s.m.
acariocítico adj.
acariócito s.m.
acariose s.f.
acariota s.f.
acariótico adj. s.m.
acari-pintado s.m.; pl. *acaris-pintados*
acariquara s.f.
acarirana s.m.
acariroba s.f.
acari-roncador s.m.; pl. *acaris-roncadores*
acaristo s.m.
acarítea s.f.
acaríteo adj.
acaritério s.m.
acariúba s.f.
acarlinga s.f.
acarminado adj.
acarminar v.
acarmo s.m.
acarna s.f.
acarnácea s.f.
acarnado adj.
acarnane adj. s.2g.
acarnaniano adj. s.m.
acarnânico adj.
acarnânio adj. s.m.
acarnano adj. s.m.
acarnar s.m.
acarne s.m.
acarneano adj. s.m.
acarneia (*é*) adj. s.f. de *acarneu*
acarneirado adj.
acarneirar v.
acarneu adj. s.m.; f. *acarneia* (*é*)
acarniano adj. s.m.
acarno s.m.
ácaro s.m.; cf. *acaro*, fl. do v. *acarar*
acaroá adj. s.2g.
acaroação s.f.
acaroado adj.
acaroamento s.m.
acaroar v.
acarobado adj.
acarocecídia s.f.
acarocecídio s.m.
acarochado adj.
acarochar v.
ácaro-da-sarna s.m.; pl. *ácaros-da-sarna*
ácaro-de-galinha s.m.; pl. *ácaros-de-galinha*
acarodermatite s.f.
acarodomácia s.f.
acarodomácio s.m.
ácaro-do-queijo s.m.; pl. *ácaros-do-queijo*
acarófila s.f.
acarofilia s.f.
acarofílico adj.
acarofilismo s.m.
acarofilístico adj.
acarófilo adj. s.m.
acarofitismo s.m.
acarofitístico adj.
acarófito s.m.
acarofobia s.f.
acarofóbico adj. s.m.
acarófobo adj. s.m.
acarogenia s.f.
acarogênico adj.
acarógeno adj. s.m.
acarogenose s.f.
acarogenótico adj.
acaroide (*ó*) adj.2g. s.f.
acarolista s.m.
acarologia s.f.
acarológico adj.
acarologista s.2g.
acarólogo s.m.
acaronita adj. s.2g.
acaropse s.m.
acarose s.f.
acaróspora s.f.
acarosporácea s.f.
acarosporáceo adj.
acarótico adj.
acarotóxica (*cs*) s.f.
acarotóxico (*cs*) adj. s.m.
acarpanteria s.f.
acarpantese s.f.
acarpelado adj.
acarpetado adj.
acarpetar v.
acarpia s.f.
acárpico adj.
acárpio adj.
acarpo adj.
acarpotropia s.f.
acarpotrópico adj.
acarquilhado adj.
acarquilhar v.
acarraçado adj.
acarraçar-se v.
acarrado adj.
acarradoiro s.m.
acarrador (*ô*) s.m.
acarradouro s.m.
acarramento s.m.
acarrancado adj.
acarrançado adj.
acarrancar v.
acarrançar v.
acarrapatado adj.
acarrapatar v.
acarrar v.
acarreado adj.
acarrear v.
acarreio s.m.
acarreja s.f.
acarrejada s.f.
acarrejar v.
acarretadeira s.f.
acarretado adj.
acarretador (*ô*) adj. s.m.
acarretadura s.f.
acarretamento s.m.
acarreta-papéis s.m.2n.
acarretar v.
acarreto (*ê*) s.m.; cf. *acarreto*, fl. do v. *acarretar*
acarro s.m.
acarta s.f.
acartadeira s.f.
acartado adj.
acartador (*ô*) adj. s.m.
acartadura s.f.
acartamento s.m.
acartar v.
acarto s.m.
acartolado adj.
acartolar v.
acartonado adj.
acartonar v.
acartuchado adj.
acartuchar v.
acártum s.m.
acarunchado adj.
acarunchar v.
acarvado adj.
acarvalhar v.
acarvar v.
acarvoado adj. s.m.
acarvoar v.
acas adj. s.2g.2n.
acasa s.m.
acasacado adj.
acasacar v.
acasalação s.f.
acasalado adj.
acasalamento s.m.
acasalar v.
acasamatado adj.
acasamatar v.
acascarrilhado adj.
acascarrilhar v.
acascófito adj.
acasdir s.m.
acaseadeira s.f.
acaseado adj.
acasear v.
acasernado adj.
acasernamento s.m.
acasernar v.
acasmurrado adj.
acasmurrar v.
acaso s.m. adv.
acasquilhado adj.
acasquilhar v.
acasta s.f.
acastanhado adj.
acastanhamento s.m.
acastanhar v.
acaste s.f.
acastelado adj.
acastelagem s.f.
acastelamento s.m.
acastelar v.
acastelhanado adj.
acastelhanamento s.m.
acastelhanar v.
acastelhanização s.f.
acastelhanizado adj.
acastelhanizador (*ô*) adj.
acastelhanizar v.
acastiçar v.
acástico adj.
acástida adj. s.2g.
acasto s.m.
acastoado adj.
acastoar v.
acastorado adj.
acastorar v.
acasulado adj.
acasulador (*ô*) adj.
acasular v.
acata s.m.
acatado adj.
acatador (*ô*) adj. s.m.
acatadura s.f.
acatafasia s.f.
acatafásico adj.
acatafático adj.
acataia s.f.
acatalasemia s.f.
acatalasêmico adj. s.m.
acatalasia s.f.
acataléctico adj.
acatalecto adj.
acatalepsia s.f.
acatalépsico adj.
acataléptico adj. s.m.
acatalético adj.
acatamatesia s.f.
acatamatésico adj.
acatamento s.m.
acatamesia s.f.
acatante adj. s.2g.
acataplético adj.
acataplexia (*cs*) s.f.
acatápose s.f.
acatar v.
acataratado adj.
acataratar v.
acatarrado adj.
acatarrar v.
acatarroado adj.
acatarroar v.
acatarsia s.f.
acatársico adj. s.m.
acatártico adj.
acatarto adj. s.m.
acatassol s.m.
acatassolado adj.
acatassolamento s.m.
acatassolar v.
acatastasia s.f.
acatastático adj.
acatável adj.2g.
acate s.f.
acatéctico adj.
acatena s.f.
acateno adj.
acatesia s.f.
acatético adj.
acatexia (*cs*) s.f.
acátia s.f.
acatina s.f.
acatingado adj. s.m.
acatinídeo adj. s.m.
acátio s.m.
acatisia s.f.
acatisto s.m.
acatitado adj.
acatitar v.
acato s.m. "acatamento"; cf. *ácato*
ácato s.m. "pequena embarcação"; cf. *acato* s.m. e fl. do v. *acatar*
acatocarpácea s.f.
acatocarpáceo adj.
acatocarpo s.m.
acatóforo s.m.
acatolicismo s.m.
acatolicista adj. s.2g.
acatolicístico adj.
acatólico adj. s.m.
acatorzado adj.
acatrimado adj.
acatrimar v.
acatruzado adj.
acatruzar v.
acaturrado adj.
acaturrar v.
acaú s.m.
acauá s.m. "árvore"; cf. *acauã*
acauã s.2g. "ave"; cf. *acauá*
acauai adj. s.2g.
acauaio adj. s.m.
acaudado adj.
acaudalado adj.
acaudalar v.
acaudatado adj.
acaudatar v.
acaudeçar v.
acaudelado adj.
acaudelamento s.m.
acaudelar v.
acaudilhado adj. s.m.
acaudilhador (*ô*) adj. s.m.
acaudilhamento s.m.
acaudilhar v.
acauense adj. s.2g.
açauiani adj. s.2g.
acaulado adj.
acaule adj.2g.
acaulescência s.f.
acaulescente adj.2g.
acaulescer v.
acáulico adj.
acaulino adj.
acauliose s.f.
acaulose s.f.
acaulosia s.f.
acausto adj.
acaustobiolítico adj.
acaustobiólito s.m.
acautelabilidade s.f.
acautelado adj.
acautelador (*ô*) adj. s.m.
acautelamento s.m.
acautelar v.
acautelatário adj. s.m.
acautelatório adj.
acautelável adj.2g.
acava s.f.
acaváceo adj. s.m.
acavalação s.f.
acavalado adj.
acavalamento s.m.
acavalar v.
acavaleirado adj.
acavaleirar v.
acavaletado adj.
acavaletar v.
acavalhar v.
acavaloado adj.
ácave s.m.
acaveirado adj.
acavéria s.f.
acaviaco s.m.
acaviaque s.m.
ácavo s.m.
acaxa s.m.
acaximba s.f.
acazir s.m.
accentor (*ô*) s.m.
accepção s.f.
accessibilidade s.f.
accessível adj.2g.
accessório adj. s.m.
accíacas s.f.pl.
accíaco adj.
acciano adj. s.m.
áccio adj. s.m.
acciolismo s.m.
acciolista adj. s.2g.
acciolístico adj.
accípiter s.m.
accipitrário s.m.
accípitre s.m.
accipitriano adj.
accipitrídeo adj. s.m.
accipitriforme adj. s.m.
accipitrinal adj.2g.
accipitrino adj.
acebar v.
acebocar v.
acebolado adj.
acebolar v.
aceca s.f.
aceche s.m.
acecloroplafina s.f.
acecofina s.f.
aceconítico adj.

acedação s.m.
acedares s.m.pl.
acedeção s.m.
acedência s.f.
acedente adj.2g. s.2g.
aceder v.
acedia s.f. "inércia"; cf. "assedia", fl. do v. *assediar*
acédia s.f.; cf. *acedia*, fl. do v. *aceder* e *assedia*, fl. do v. *assediar*
acediamina s.f.
acédico adj.
acedicone s.f.
acédio s.m. "inércia"; cf. *assédio* s.m. e *assedio*, fl. do v. *assediar*
acedioso (*ô*) adj.; f. (*ó*); pl. (*ó*)
acedível adj.2g.
acedrenchado adj.
acedrenche s.m.
acefalado adj.
acefalemia s.f.
acefalêmico adj. s.m.
acefalia s.f.
acefaliano s.m.
acefálico adj.
acefalino adj.
acefalismo s.m.
acefalista adj. s.2g.
acefalístico adj.
acefalita adj. s.2g.
acéfalo adj. s.m.
acefalóbraco adj. s.m.
acefalobraquia s.f.
acefalobráquio adj. s.m.
acefalocarde adj.2g.
acefalocardia s.f.
acefalocárdio adj. s.m.
acefalocismo s.m.
acefalociste s.f.
acefalocistia s.f.
acefalocístico adj. s.m.
acefalocisto s.m.
acefalócita adj. s.2g.
acefalófero adj. s.m.
acefalóforo adj.
acefalogastria s.f.
acefalogástrico adj. s.m.
acefalogástrio s.m.
acefalogastro adj. s.m.
acefálome adj.2g. s.m.
acefalomia s.f.
acefálomo adj. s.m.
acefalópode adj.2g. s.m.
acefalopodia s.f.
acefalópodo adj. s.m.
acefaloquiria s.f.
acefaloquiro adj. s.m.
acefalórraco adj. s.m.
acefalorraquia s.f.
acefalorráquio adj. s.m.
acefalostomia s.f.
acefalóstomo adj. s.m.
acefalotoracia s.f.
acefalotorácico adj. s.m.
acefalotoraxia (*cs*) s.f.
acefalotoria s.f.
acefalótoro adj. s.m.
acefe s.m.
aceficação s.f.
aceficado adj.
aceficar v.
acegonhado adj.
aceguaense adj. s.2g.
aceibar v.
aceifa s.f.
aceifa-canhota s.f.; pl. *aceifas-canhotas*
aceifador (*ô*) s.m.
aceifão s.m.
aceifar v.
aceifeiro adj. s.m.
aceimar v.
aceiração s.f.
aceirado adj.
aceiramento s.m.
aceirar v.
aceiraria s.f.
aceiro adj. s.m.
aceitã s.f.
aceitabilidade s.f.
aceitação s.f.
aceitado adj.
aceitador (*ô*) adj. s.m.
aceitamento s.m.
aceitança s.f.
aceitante adj. s.2g.
aceitar v. "consentir"; cf. *asseitar*
aceitativo adj.
aceitável adj.2g.
aceite adj.2g. s.m.
aceito adj. s.m.
aceitoso (*ô*) adj.; f. (*ó*); pl. (*ó*)
acejar v.
acejo (*ê*) s.m.
acela s.m.
acelca s.f.
aceleiramento s.m.
aceleirar v. "colocar em celeiro"; cf. *acelerar*
aceleração s.f.
acelerado adj. s.m.
acelerador (*ô*) adj. s.m.
aceleramento s.m.
acelerando s.m. adv.
acelerante adj.2g.
acelerar v. "aumentar a velocidade"; cf. *aceleirar*
acelerativo adj.
aceleratório adj.
aceleratriz adj. s.f.
acelerografia s.f.
acelerográfico adj.
acelerógrafo s.m.
acelerograma s.m.
acelerometria s.f.
acelerométrico adj.
acelerômetro s.m.
aceleumar v.
acelga s.f.
acelga-brava s.f.; pl. *acelgas-bravas*
acelga-vermelha s.f.; pl. *acelgas-vermelhas*
acelia s.f.
acélico adj.
acelifo adj.
acélio adj.
acelo adj. s.m.
acelomado adj. s.m.
acelomato s.m.
acelômato s.m.
acelulado adj.
acelular adj.2g.
acém s.m.
acemafor (*ô*) s.m.
acemasor (*ô*) s.m.
acemator (*ô*) s.m.
acemela s.f.
acemeta adj. s.2g.
acemeto adj. s.m.
acemia s.f.
acemista adj. s.2g.
acemita adj. s.2g.
acemite adj. s.2g.
acena s.f.
acenação s.f.
acenado adj. s.m.
acenaftênico adj.
acenafteno s.m.
acenaftilênico adj.
acenaftileno s.m.
acenamento s.m.
acenar v.
acendalha s.f.
acendalho s.m.
acendão s.m.
acendear v.
acende-candeia s.f.; pl. *acende-candeias*
acendedalha s.f.
acendedoiro adj. s.m.; cf. *ascendedoiro*
acendedor (*ô*) adj. s.m.
acendedouro adj. s.m.; cf. *ascendedouro*
acendedura s.f.
acendente adj.2g. s.m.; cf. *ascendente*
acender v. "atear fogo", etc.; cf. *ascender*
acendibilidade s.f.
acendido adj. "aceso"; cf. *ascendido*
acendimento s.m. "ato ou efeito de acender-se"; cf. *ascendimento*
acendível adj.2g. "inflamável"; cf. *ascendível*
acendração s.f.
acendrado adj.
acendrador (*ô*) adj. s.m.
acendramento s.m.
acendrante adj.2g.
acendrar v.
acendrável adj.2g.
acenestesia s.f.
acenestésico adj.
acenestético adj.
acenha s.f.
acenheira s.f.
acenheiro s.m.
aceniscar v.
aceno s.m.
acenoso (*ô*) adj.; f. (*ó*); pl. (*ó*)
acensão s.f. "acendimento"; cf. *ascensão*
acento s.m. "inflexão"; cf. *assento* s.m. e fl. do v. *assentar*
acentor (*ô*) s.m.
acentórida adj.2g. s.m.
acentorídeo adj. s.m.
acentoríneo adj. s.m.
acentorino s.m.
acentra s.f.
acentral adj.2g.
acentralidade s.f.
acentricidade s.f.
acêntrico adj.
acentro s.m.
acentrofórico adj.
acentróforo s.m.
acentroptérico adj.
acentróptero s.m.
acentuabilidade s.f.
acentuação s.f.
acentuado adj.
acentuador (*ô*) adj. s.m.
acentual adj.2g.
acentuante adj.2g.
acentuar v.
acentuável adj.2g.
acepção s.f.
acepcional adj.2g.
acepilhado adj.
acepilhador (*ô*) adj. s.m.
acepilhadura s.f.
acepilhamento s.m.
acepilhar v.
acepipado adj.
acepipar v.
acepipe s.m.
acepipeiro adj. s.m.
aceptábulo s.m.
aceptação s.f.
aceptado adj.
aceptador (*ô*) adj.
aceptante adj.2g.
aceptar v.
aceptativo adj.
aceptável adj.2g.
aceptilação s.f.
acepto adj.
aceptor (*ô*) adj. s.m.
acéquia s.f.
acequiado adj.
acequiador (*ô*) adj. s.m.
acequiar v.
ácer s.m.
ácera s.f.; cf. *acera*, fl. do v. *acerar*
aceração s.f.
acerácea s.f.
aceráceo adj.
acerácia s.f.
acerácio s.m.
acerada s.f.
acerado adj.
acerador (*ô*) adj. s.m.
aceragem s.f.
aceral adj.2g.
acerale s.f.
aceramento s.m.
acerante adj.2g.
acerântico adj.
aceranto s.m.
acerar v.
aceraria s.f.
acerário adj. s.m.
aceratério s.m.
acerátia s.f.
acerático adj.
acerato s.m.
aceratose s.f.
aceratosia s.f.
aceratotério s.m.
aceratótico adj.
acerbar v.
acerbice s.f.
acerbidade s.f.
acerbo adj.
acerca (*ê*) adv. na loc. *acerca de*; cf. *acerca*, fl. do v. *acercar*
acercado adj.
acercamento s.m.
acercar v.
acerdese s.f.
acerdésia s.f.
acerdésio adj. s.m.
acerdol s.m.
acerdólico adj.
acérea s.f.
acerear v.
acerejado adj.
acerejamento s.m.
acerejar v.
acerelado adj.
acerêntomo s.m.
acéreo adj.
aceréscomo adj.
aceria s.f.
acérico adj.
acérido adj. s.m.
acerífero adj.
acerífico adj.
acerifólio adj.
acerina s.f.
acerinado adj.
acerínea s.f.
aceríneo adj.
acerinídeo adj. s.m.
acerino adj.
acerita s.f.
acerite s.f.
acero (*ê*) s.m. "faixa de terreno"; cf. *ácero*
ácero adj. s.m. "sem antenas ou chifres"; cf. *acero* s.m. e fl. do v. *acerar*
acerodonte s.m.
acerofário s.m.
acerografia s.f.
acerográfico adj.
aceróidea s.f.
aceróideo adj.
acerola s.f.
acerolo (*ô*) s.m.
aceroso (*ô*) adj.; f. (*ó*); pl. (*ó*)
acerotério s.m.
acerotosia s.f.
acerra s.f.
acerrano adj.
acérrimo adj. sup. de *acre*
acersécoma adj.2g.
acertação s.f.
acertada s.f.
acertado adj.
acertador (*ô*) adj. s.m.
acertamento s.m.
acertar v. "achar ao certo"; cf. *assertar*
acerto (*ê*) s.m. "tino"; cf. *acerto*, fl. do v. *acertar*, e *asserto* (*ê*)
acerúria s.f.
acervação s.f.
acervar v.
acervejado adj.
acervejar v.
acervo (*é* ou *ê*) s.m.
acervoso (*ô*) adj.; f. (*ó*); pl. (*ó*)
acérvula s.f.
acervulária s.f.
acervulário s.m.
acérvulo s.m.
acervuloma s.m.
acervulomático adj.
acervulômico adj.
acescência s.f.
acescente adj.2g.
acesitense adj. s.2g.
aceso (*ê*) adj. s.m.
acesoado adj.
acesoar v.
acesonado adj.
acesonar v.
acessão s.f. "junção"; cf. *assessão*
acessar v.
acessibilidade s.f.
acessionabilidade s.f.
acessional adj.2g.
acessionalidade s.f.
acessível adj.2g.
acessivo adj.
acesso s.m.
acessoar v.
acessória s.f.
acessorial adj.2g.
acessório adj. s.m. "anexo"; cf. *assessório*
acessorista adj. s.2g.
acessual adj.2g.
acesta s.f.
aceste s.m.
acesteia (*é*) adj. s.f. de *acesteu*
acesteio adj.
acesteu adj. s.m.; f. *acesteia* (*é*)
acéstida s.f.
acéstide s.f.
acestoma s.m.
acestor (*ô*) s.m.
acestórida adj. s.2g.
acestóride s.f.
acestra s.f.
acéstride adj. s.2g.
acestrorinquíneo adj. s.m.
acestrura s.f.
acesume s.m.
acetábula s.f.
acetabulado adj.
acetabular adj.2g.
acetabulária s.f.
acetabulariado adj.
acetabulário s.m.
acetabulífero adj. s.m.
acetabuliforme adj.2g.
acetábulo s.m.
acetabuloso (*ô*) adj.; f. (*ó*); pl. (*ó*)
acetacetático adj.
acetacetato s.m.
acetacético adj. s.m.
acetacrílico adj.
acetaculífero adj. s.m.
acetafenetidina s.f.
acetafenetidínico adj.
acetal s.m.
acetalamina s.f.
acetalamínico adj.
acetaldeídico adj.
acetaldeído s.m.
acetaldol s.m.
acetaldólico adj.
acetaldoxima (*cs*) s.f.
acetaldoxímico (*cs*) adj.
acetalfenilsulfúrea s.f.
acetalfenilsulfúreo adj.
acetalílico adj.
acetalílio s.m.
acetalilmetilsulfúrea s.f.
acetalilmetilsulfúreo adj.
acetalilo s.m.
acetamida s.f.
acetamídico adj.
acetamidina s.f.
acetamidínico adj.
acetamido s.m.
acetaminofen s.m.
acetanilida s.f.
acetanilide s.f.
acetanilídico adj.
acetanilido s.m.
acetanilina s.f.

acetanilínico adj.
acetar v. "azedar"; cf. *assetar*
acetária s.f.
acetário adj. s.m.
acetarsenítico adj.
acetarsenito s.m.
acetarsol s.m.
acetarsólico adj.
acetático adj.
acetato s.m.
acetazolamida s.f.
acetazolamídico adj.
acetazotático adj.
acetazotato s.m.
acete s.m.
acetênico adj.
acetenilbenzina s.f.
acetenilbenzínico adj.
aceteno s.m.
acéter s.m.
acetia s.f.
acético adj. "relativo ao vinagre"; cf. *ascético* e *asséptico*
acetidina s.f.
acetidínico adj.
acetificação s.f.
acetificado adj.
acetificador (*ô*) adj. s.m.
acetificar v.
acetil s.m.
acetila s.f.
acetilação s.f.
acetilacético adj.
acetilacetona s.f.
acetilacetônico adj.
acetilacrilático adj.
acetilacrilato s.m.
acetilacrílico adj.
acetilado adj.
acetilaldeídico adj.
acetilaldeído s.m.
acetilaloína s.f.
acetilaloínico adj.
acetilamina s.f.
acetilamínico adj.
acetilaminobenzênico adj.
acetilaminobenzeno s.m.
acetilaminofenol s.m.
acetilaminofenólico adj.
acetilaminossalol s.m.
acetilaminossalólico adj.
acetilanilina s.f.
acetilanilínico adj.
acetilante adj.2g. s.f.
acetilapoaconitina s.f.
acetilapopseudoaconitina s.f.
acetilar v.
acetilarsinático adj.
acetilarsinato s.m.
acetilbenzênico adj.
acetilbenzeno s.m.
acetilbenzoico (*ó*) adj.
acetilbenzoilaconina s.f.
acetilbenzoilaconínico adj.
acetilbromodietilacetilureia (*é*) s.f.
acetilbromodietilacetilureico (*é*) adj.
acetilbutílico adj.
acetilbutírico adj.
acetilcaproico (*ó*) adj.
acetilcarbazol s.m.
acetilcarbazólico adj.
acetilcarbinol s.m.
acetilcarbinólico adj.
acetilcarbromal s.m.
acetilcarbromálico adj.
acetilcelulose s.f.
acetilcelulótico adj.
acetilcianida s.f.
acetilcianídico adj.
acetilcisteína s.f.
acetilcodeína s.f.
acetilcodeínico adj.
acetilcoenzima s.f.
acetilcoenzimático adj.
acetilcoenzímico adj.
acetilcolina s.f.
acetilcolinesterase s.f.
acetilcolínico adj.
acetilcreosotínico adj. s.m.
acetilcumênico adj.
acetilcumeno s.m.
acetilena s.f.
acetilene s.m.
acetilenético adj.
acetileneto (*ê*) s.m.
acetilênico adj.
acetilênio s.m.
acetileno s.m.
acetilenocarbônico adj.
acetilenogênio s.m.
acetilenógeno adj. s.m.
acetilenometria s.f.
acetilenométrico adj.
acetilenômetro s.m.
acetilético adj.
acetileto (*ê*) s.m.
acetileugenol s.m.
acetileugenólico adj.
acetilexaoxidifenílico (*lezaocsi*) adj.
acetilexaoxidifenilo (*lezaocsi*) s.m.
acetilfenetidina s.f.
acetilfenetidínico adj.
acetilfenilamina s.f.
acetilfenilamínico adj.
acetilfenilidrazina s.f.
acetilfenilidrazínico adj.
acetilfeniluretana s.f.
acetilfeniluretânico adj.
acetilfórmico adj.
acetilglicocola s.f.
acetilglicose s.f.
acetilglucose s.f.
acetílico adj.
acetilidênico adj.
acetilidênio s.m.
acetilideno s.m.
acetilinético adj.
acetilineto (*ê*) s.m.
acetílio s.m.
acetilionona s.f.
acetilionônico adj.
acetilmalático adj.
acetilmalato s.m.
acetilmalatobietílico adj. s.m.
acetilmetilsuccinatetílico adj. s.m.
acetilmetilsuccinato s.m.
acetilmorfina s.f.
acetilmorfínico adj.
acetilo s.m.
acetilogênio s.m.
acetilossalicilático adj.
acetilossalicilato s.m.
acetilparaetoxilfeniluretânico (*cs*) adj.
acetilparaetoxilfeniluretano (*cs*) s.m.
acetilparafenilenadiamina s.f.
acetilparafenilenadiamínico adj.
acetilparaoxifeniluretânico (*cs*) adj.
acetilparaoxilfeniluretano (*cs*) s.m.
acetilpirrol s.m.
acetilpirrólico adj.
acetilpiruvático adj.
acetilpiruvato s.m.
acetilpirúvico adj.
acetilpropilbenzênico adj.
acetilpropilbenzeno s.m.
acetilpropílico adj.
acetilpropilnitrobenzênico adj.
acetilpropilnitrobenzeno s.m.
acetilpropiônico adj.
acetilquercetina s.f.
acetilquercetínico adj.
acetilsalicilático adj.
acetilsalicilato s.m.
acetilsalicílico adj.
acetilsalicina s.f.
acetilsuccínico adj.
acetilsulfúrico adj.
aceltiltanínico adj.
acetiltanino adj. s.m.
acetiltartarático adj.
acetiltartarato s.m.
acetiltartárico adj.
acetiltimol s.m.
acetiltimólico adj.
acetiltrimetilênico adj.
acetiltrimetileno s.m.
acetilureia (*é*) s.f.
acetilureico (*é*) adj.
acetilureíde s.f.
acetilurético adj.
acetilureto (*ê*) s.m.
acetilvalérico adj.
acetimetria s.f.
acetimétrico adj.
acetímetro s.m.
acetina s.f.
acetinação s.f.
acetinadeira s.f.
acetinado adj.
acetinador (*ô*) s.m.
acetinagem s.f.
acetinar v.
acetisobutirático adj.
acetisobutirato s.m.
acetisobutírico adj.
acetito s.m.
aceto s.m. "acetato"; cf. *asseto*, fl. do v. *assetar*
acetoacetático adj.
acetoacetato s.m.
acetoarsenítico adj.
acetoarsenito s.m.
acetobenzoico (*ó*) adj.
acetobenzona s.f.
acetobenzônico adj.
acetobenzotartárico adj.
acetobromamida s.f.
acetobromamídico adj.
acetobromanilida s.f.
acetobromanilídico adj.
acetobromanilina s.f.
acetobromanilínico adj.
acetobromidrina s.f.
acetobromidrínico adj.
acetobutílico adj.
acetobutirático adj.
acetobutirato s.m.
acetobutírico adj.
acetocelulose s.f.
acetocelulótico adj.
acetocinâmico adj.
acetocinamona s.f.
acetocinamônico adj.
acetocloramida s.f.
acetocloramídico adj.
acetocloramina s.f.
acetocloramínico adj.
acetoclorídrico adj.
acetocloridrina s.f.
acetocloridrínico adj.
acetocloridrobromidrina s.f.
acetocloridrobromidrínico adj.
acetocumínico adj.
acetodiclorodinitroanilina s.f.
acetodiclorodinitroanilínico adj.
acetodinaftalida s.f.
acetodinaftalídico adj.
acetodinitranilida s.f.
acetodinitranilídico adj.
acetodissulfático adj.
acetodissulfato s.m.
acetofan s.m.
acetofenetidina s.f.
acetofenetidínico adj.
acetofenona s.f.
acetofenonacetilacético adj.
acetofenônico adj.
acetofenopinacona s.f.
acetofenopinacônico adj.
acetoglicólico adj.
acetoguanamina s.f.
acetoguanamínico adj.
acetoisobutiráfico adj.
acetoisobutirato s.m.
acetoisobutírico adj.
acetol s.m.
acetolactático adj.
acetolactato s.m.
acetoláctico adj.
acetolado adj.
acetolar v.
acetolático adj.
acetolativo s.m.
acetolato s.m.
acetolatura s.f.
acetóleo adj. s.m.
acetólico adj.
acetolina s.f.
acetolínico adj.
acetólise s.f.
acetolite s.m.
acetolítico adj.
acetolitivo adj. s.m.
acetomel s.m.
acetomelado s.m.
acetomelático adj.
acetomelato s.m.
acetomélico adj.
acetometria s.f.
acetométrico adj.
acetômetro s.m.
acetomonocloridrina s.f.
acetomonocloridrínico adj.
acetona s.f.
acetonaclorofórmio s.m.
acetonaftona s.f.
acetonaftônico adj.
acetonaloxibutírico (*cs*) adj.
acetonamina s.f.
acetonamínico adj.
acetonasma s.m.f.
acetonasmático s.m.
acetonático adj.
acetonato s.m.
acetonedicarbônico adj.
acetonemia s.f.
acetonêmico adj. s.m.
acetonetilmercaptan s.m.
acetônia s.f.
acetônico adj.
acetonilacetona s.f.
acetonilacetônico adj.
acetonilureia (*é*) s.f.
acetonilureico (*é*) adj.
acetonina s.f.
acetonínico adj.
acetonitrático adj.
acetonitrato s.m.
acetonitrílico adj.
acetonitrílio s.m.
acetonitrilo s.m.
acetono s.m.
acetonoxálico (*cs*) adj.
acetonuria s.f.
acetonúria s.f.
acetonúrico adj.
acetoparafenetidina s.f.
acetoparafenetidínico adj.
acetoparaminossalol s.m.
acetoparaminossalólico adj.
acetoparatartárico adj.
acetopirina s.f.
acetopirínico adj.
acetopropiônico adj.
acetosa s.f.
acetosamina s.f.
acetosamínico adj.
acetose s.f.
acetosela s.f.
acetoselada s.f.
acetoselado adj.
acetosidade s.f.
acetoso (*ô*) adj.; f. (*ó*); pl. (*ó*)
acetossalicina s.f.
acetossalicínico adj.
acetossilícico adj.
acetossulfanilático adj.
acetossulfanilato s.m.
acetotoluída s.f.
acetotoluídico adj.
acetotoluidina s.f.
acetotoluidínico adj.
acetóxi (*cs*) s.m.
acetoxicumarona (*cs*) s.f.
acetoxicumarônico (*cs*) adj.
acetoxilido (*cs*) s.m.
acetóxilo (*cs*) s.m.
acetoxima (*cs*) s.f.
acetoxímico (*cs*) adj.
acetulado adj. s.m.
acetulatura s.f.
acetulite s.f.
acétum s.m.
aceturático adj.
aceturato s.m.
acetúrico adj.
acevadar v.
acevado adj.
acevar v. s.m.
acha s.f.
achabaçar v.
achaboucado adj.
achacadiço adj.
achacado adj.
achacador (*ô*) adj. s.m.
achacana s.f.
achacar v.
achachi s.m.
achacoso (*ô*) adj.; f. (*ó*); pl. (*ó*)
achada s.f.
achadão s.m.
acha de armas s.f.
achádego s.m.
achadeira s.f.
achadeiro adj.
achadiço adj.
achadilha s.f.
achadio adj.
achadismo s.m.
achadista adj. s.2g.
achado adj. s.m.
achadoiro s.m.
achador (*ô*) adj. s.m.
achadouro s.m.
achafundado adj.
achafundador (*ô*) s.m.
achafundar v.
achafurdado adj.
achagado adj.
achagar v.
achaguá adj. s.2g.
achagual s.m.
achalezado adj.
achalezar v.
achaloucado adj.
achamalotado adj.
achamalotar v.
achamboado adj.
achamboar v.
achamboaria s.f.
achamboirado adj.
achambonado adj.
achambonar v.
achambourado adj.
achamegado adj.
achamegar v.
achamento s.m.
achamorrado adj.
achana adj. s.2g.
achanado adj.
achanador (*ô*) adj. s.m.
achanar v.
achanatado adj.
achanatar v.
achancado adj.
achancelado adj.
achancelar v.
achanci s.m.
achancil s.m.
achancilado s.m.
achanfanado adj.
achânia s.f.
achaninca adj. s.2g. s.m.
achantado adj.
achantar v.
achânti adj. s.2g.
achanzar v.
achãozar v.
achaparrado adj.
achaparrante adj.2g.
achaparrar v.
achapinhado adj.
achapinhar v.
achapoirar v.
achapourar v.
achaque s.m.

achaqueira s.f.
achaquento adj.
achaquilho s.m.
achar v. s.m.
acharamento s.m.
acharão s.m.
acharar v.
acharcar v.
achardo s.m.
acharismo s.m.
acharoado adj.
acharoador (*ô*) s.m.
acharoamento s.m.
acharoar v.
achatação s.f.
achatadela s.f.
achatado adj.
achatadura s.f.
achatamento s.m.
achatante adj.2g.
achatar v.
achatável adj.2g.
achavalita s.f.
achavascado adj. s.m.
achavascar v.
achável adj.2g.
ache s.m.f. "aipo"; cf. *axe*, *axe* (*cs*) e *axé*
achega (*ê*) s.f.
achegadeira s.f.
achegado adj. s.m.
achegador (*ô*) s.m.
achegamento s.m.
achegança s.f.
achegar v.
achego (*ê*) s.m.
acheguilho s.m.
acheira s.f.
achém adj. s.2g.
achetária s.f.
acheulense adj.2g.
acheuliano adj. s.m.
achi interj.
achiardita (*qui*) s.f.
achibantado adj.
achibantar v.
achicado adj.
achicador (*ô*) adj. s.m.
achicadura s.f.
achicanado adj.
achicanar v.
achicar v.
achichelado adj.
achichelamento s.m.
achichelar v.
achim adj. s.2g.
achinado adj.
achinar v.
achincalhação s.f.
achincalhado adj.
achincalhador (*ô*) adj. s.m.
achincalhamento s.m.
achincalhante adj. s.2g.
achincalhar v.
achincalhável adj.2g.
achincalhe s.m.
achincalho s.m.
achinelado adj.
achinelar v.
achinês adj. s.m.
achinesado adj.
achinesar v.
achinfrinado adj.
achinfrinar v.
achiota s.f.
achiote s.m.
achiri s.m.
achismo s.m.
achista adj. s.2g.
achoado adj.
achoar v.
achoçado adj.
achocalhado adj.
achocalhar v.
achocar v.
achoçar v.
achocolatado adj.
achocolatar v.
achoiriçado adj.
achoiriçar v.
achou s.m.
achoupanado adj.
achouriçado adj.
achouriçar v.
achourou s.m.
achoutar v.
achuçado adj.
achuçador (*ô*) s.m.
achuçar v.
achumaçado adj.
achumaçar v.
achumaço s.m.
achumbado adj.
achumbar v.
achumbrado adj.
achusmado adj.
achusmar v.
ácia s.f.
acíacas s.f.pl.
acíaco adj. s.m.
aciano adj. s.m.
acianoblepsia s.f.
acianobléptico adj. s.m.
acianopsia s.f.
acianóptico adj. s.m.
acianto s.m.
aciaria s.f.
aciário adj.
acibe s.m.
acica s.f.
acicalado adj.
acicalador (*ô*) s.m.
acicaladura s.f.
acicalar v.
acicalipto s.m.
acicarfa s.m.
acicárfio adj. s.m.
acicarfo s.m.
acicatado adj.
acicatar v.
acicate s.m.
acicateador (*ô*) adj. s.m.
acicatear v.
acicatura s.f.
acícero s.m.
aciclia s.f.
acíclico adj.
aciclovir s.m.
acicoca s.f.
acícula s.f.
aciculado adj.
acicular v. adj.2g.
aciculária s.f.; cf. *acicularia*, fl. do v. *acicular*
acicúlida adj. s.2g.
aciculídeo adj. s.m.
aciculifoliado adj.
aciculiforme adj.2g.
aciculina s.f.
aciculino adj.
aciculita s.f.
aciculite s.f.
aciculítico adj.
aciculito s.m.
acículo s.m.
acidação s.f.
acidade s.f.
acidado adj.
acidador (*ô*) s.m.
acidalbumina s.f.
acidalbumínico adj.
acidalcalimetria s.f.
acidalcalimétrico adj.
acidalcalímetro s.m.
acidália s.f.
acidaliano adj.
acidalino adj.
acidálio adj.
acidamina s.f.
acidaminar v.
acidamínico adj.
acidamino s.m.
acidaminuria s.f.
acidaminúria s.f.
acidandra s.f.
acidante adj.2g.
acidantera s.f.
acidantero s.m.
acidar v.
acidáspide s.f.
acidaspídeo adj. s.m.
acidáspis s.f.2n.
acidável adj.2g.
acidemia s.f.
acidêmico adj. s.m.
acidência s.f.
acidentabilidade s.f.
acidentação s.f.
acidentado adj. s.m.
acidental adj.2g.
acidentalidade s.f.
acidentalismo s.m.
acidentalista adj. s.2g.
acidentalístico adj.
acidentalização s.f.
acidentalizado adj.
acidentalizar v.
acidentar v.
acidentário adj.
acidentável adj.2g.
acidente s.m.
acidentologia s.m.
acidez (*ê*) s.f.
acidia s.f.
acídia s.f. "inércia"; cf. *ascídia*
acídica s.f.
acídico adj.
acididade s.f.
acidífero adj.
acidificação s.f.
acidificado adj.
acidificador (*ô*) adj. s.m.
acidificante adj.2g. s.m.
acidificar v.
acidificável adj.2g.
acidifílico adj.
acidifilo s.m.
acidílico adj.
acidilo s.m.
acidimetaproteína s.f.
acidimetaproteínico adj.
acidimetria s.f.
acidimétrico adj.
acidímetro s.m.
acídio adj.
acidioso (*ô*) adj.; f. (*ó*); pl. (*ó*)
acidiproteína s.f.
acidiproteínico adj.
ácido adj. s.m.
acidobásico adj. s.m.
acidobenzoico (*ó*) adj. s.m.
acidobenzoilglicocólico adj. s.m.
acidobibásico adj. s.m.
acidobutirometria s.m.
acidobutirométrico adj.
acidobutirômetro s.m.
acidocetose s.f.
acidócito s.m.
acidócrota s.f.
acidócroton s.m.
acidófilo adj.
acidófobo adj.
acidogêneo adj.
acidoide (*ó*) adj.2g. s.m.
acidol s.m.
acidólico adj.
acidólise s.f.
acidolítico adj.
acidometria s.f.
acidométrico adj.
acidômetro s.m.
acidopirástica s.f.
acidorresistência s.f.
acidorresistente adj.2g.
acidose s.f.
acidósico adj.
acidosteófito s.m.
acidótico adj.
acidoto adj. s.m.
acidrado adj.; cf. *assidrado*
acidrar v. "tomar feição do fruto cidra"; cf. *assidrar*
acidrite s.f.
acidrito s.m.
acidulação s.f.
acidulado adj.
acidulante adj.2g.
acidular v.
acidulce adj.2g.
acídulo adj.
aciduria s.f.
acidúria s.f.
acidúrico adj.
ácie s.f.
acierografia s.f.
acierográfico adj.
acierogravura s.f.
aciese s.f.
acièsia s.f.
acifilo adj. s.m.
acifórea s.f.
acifóreo adj.
aciforme adj.2g.
acíforo adj.
aciganado adj.
aciganar v.
acila s.f.
acilação s.f.
acilar v.
acilável adj.2g.
acilênico adj.
acileno s.m.
acilepo s.m.
acilhado adj.
acilhar v.
acilia s.f.
acílico adj.
acilindrado adj.
acílio adj. s.m.
acilo s.m.
aciloína s.f.
aciloínico adj.
acilrar v.
acima adv.
acimado adj.
acimar v.
acimentado adj.
acimentar v.
acimento s.m.
acimosia s.f.
acínace s.m.
acináceo adj.
acinacifoliado adj.
acinacifólio adj.
acinaciforme adj.2g.
acinária s.f.
acinário adj.
acinchelar v.
acincho s.m.
acinesatrofia s.f.
acinese s.f.
acinesia s.f.
acinesiatrofia s.f.
acinésico adj.
acineta s.f.
acinetário adj. s.m.
acinete s.f.
acinéteo s.m.
acinético adj.
acinétida adj.2g. s.f.
acinetídeo adj. s.m.
acinetina s.f.
acineto s.m.
acinetobacter s.m.
acinetósporo s.m.
acingir v.
acínia s.f.
acínico adj.
aciniforme adj.2g.
acinipe s.m.
acinipo s.m.
acinitrado adj.
ácino s.m.
acinócoro s.m.
acinodendro adj. s.m.
acinóforo adj. s.m.
acínopo s.m.
acinópode s.m.
acinoso (*ô*) adj.; f. (*ó*); pl. (*ó*)
acinotarsal adj.2g.
acinte s.m. adv.
acíntili s.f.
acintle s.f.
acíntli s.f.
acintoso (*ô*) adj.; f. (*ó*); pl. (*ó*)
acinturado adj.
acinturar adj.
acínula s.f.
acínulo s.m.
acinzado adj.
acinzador (*ô*) s.m.
acinzamento s.m.
acinzar v.
acinzeirado adj.
acinzelado adj.
acinzelar v.
acinzentado adj.
acinzentamento s.m.
acinzentar v.
ácio adj. s.m.
acioa (*ô*) s.f.
aciocá s.f.
aciolense adj. s.2g.
aciolismo s.m.
aciolista adj. s.2g.
acionabilidade s.f.
acionado adj. s.m.
acionador (*ô*) adj. s.m.
acional adj.2g.
acionalismo s.m.
acionalista adj. s.2g.
acionalístico adj.
acionamento s.m.
acionar v.
acionariado s.m.
acionário s.m.
acionável adj.2g.
aciônia s.f.
acionista adj. s.2g.
acionístico adj.
aciosa s.f.
acioto (*ô*) s.m.
ácipe s.m.
acipênser s.m.
acipensérida adj.2g. s.m.
acipensériде adj.2g. s.m.
acipenserídeo adj. s.m.
acipenseriforme adj.2g. s.m.
acipenserina s.f.
acipestral s.m.
acipiente adj. s.2g.
acípiter s.m.
acipitrário s.m.
acípitre s.m.
acipitria s.f.
acipitriano adj.
acipitrídeo adj. s.m.
acipitriforme adj.2g.
acipitrinal adj.2g. s.m.
acipitrino adj.
aciprestado s.m.
aciprestal s.m.
acipreste s.m.
aciprinoide (*ó*) adj.2g.
aciquélio s.m.
aciquílio s.m.
acirandado adj.
acirandagem s.f.
acirandar v.
acirate s.m.
acirologar v.
acirologia s.f.
acirológico adj.
acirólogo s.m.
acirrado adj.
acirramento s.m.
acirrante adj.2g. s.m.
acirrar v.
acirsa s.f.
acisa s.f.
acisantera s.f.
acisanteres s.m.2n.
acisantéria s.f.
acisantero s.m.
acisia s.f.
acísico adj.
acismo s.m.
aciso adj. s.m.
acisodente adj.2g. s.m.
acisodonte adj.2g. s.m.
acisperma s.f.
acistano s.m.
acistério s.m.
acistia s.f.; cf. *assistia*, fl. do v. *assistir*
acístico adj.
acistinervia s.f.
acistinérvico adj. s.m.
acistineuria s.f.
acístis s.f.2n.
acistoneuria s.f.
acistonêurico adj. s.m.
acistonevria s.f.

acisturonervia s.f.
acisturonérvico adj.
acisturoneuria s.f.
acisturonêurico adj. s.m.
acisturotrofia s.f.
acisturotrófico adj.
acitanão s.m.
acitara s.f.
acitário s.m.
acitrina s.f.
acitrinado adj.
acitrinar v.
acitrínico adj.
acitronado adj.
acitronar v.
acitronável adj.2g.
aciumado adj.
aciumar v.
acizanado adj.
acizanar v.
acizelar v.
acizentado adj.
acizentar v.
acládio s.m.
acladiose s.f.
áclado adj.
acladode s.m.
aclamação s.f.
aclamado adj.
aclamador (*ô*) adj. s.m.
aclamante adj. s.2g.
aclamar v.
aclamativo adj.
aclamatório adj.
aclâmida adj.2g.
aclamidado adj.
aclâmide adj.2g.
aclamídea s.f.
aclamídeo adj.
aclaração s.f.
aclarado adj.
aclarador (*ô*) adj. s.m.
aclaragem s.f.
aclaramento s.m.
aclarar v.
aclaratório adj.
aclarável adj.2g.
aclarear v.
aclarecer v.
áclase s.f.
aclásico adj.
aclasse s.f.
aclastia s.f.
aclástico adj.
aclasto adj.
aclático adj.
aclaustrado adj.
aclaustrar v.
aclavado adj.
aclaviculado adj.
aclavismo s.m.
aclavulado adj.
acle s.m.
acleia (*é*) s.f.
acleidiano adj.
acleistócero s.m.
acleitrocardia s.f.
aclerização s.f.
aclerizado adj.
aclerizar v.
aclésia s.f.
aclia s.f.
áclide s.f.
aclídeo s.m.
aclidiano adj. s.m.
aclídio adj.
aclido adj. s.m.
aclifodonte s.m.
aclimabilidade s.f.
aclimação s.f.
aclimado adj.
aclimador (*ô*) adj. s.m.
aclimagem s.f.
aclimamento s.m.
aclimar v.
aclimatabilidade s.f.
aclimatação s.f.
aclimatado adj.
aclimatar v.
aclimatável adj.2g.
aclimatização s.f.
aclimatizado adj.
aclimatizar v.
aclimatizável adj.2g.
aclimável adj.2g.
aclinado adj.
aclinal adj.2g.
aclíneo adj.
aclínico adj.
aclio s.m.
áclis s.f.
aclise s.f.
aclísia s.f.
aclistocardia s.f.
aclistocardíaco adj.
aclistócero adj.
aclitrocardia s.f.
aclitrocardíaco adj.
aclitrófito s.m.
aclivado adj.
aclive adj.2g. s.m.
aclividade s.f.
aclivoso (*ô*) adj.; f. (*ó*); pl. (*ó*)
aclope s.m.
aclopo s.m.
aclópsis s.m.2n.
acloretado adj.
acloridria s.f.
aclorídrico adj.
acloroblepsia s.f.
aclorobléptico adj. s.m.
aclorofiláceo adj.
aclorofilado adj.
aclorofilia s.f.
aclorofilo adj.
acloropsia s.f.
acloróptico adj. s.m.
aclusão s.f.
aclusita s.f.
acmadena s.f.
acmanita adj. s.2g. "aquele que pertence à seita dos acmanitas"; cf. *hacmanita*
acmão s.m.
acmástico adj.
acme s.m.
acmeia (*é*) s.f.
acmeídeo adj. s.m.
acmeísmo s.m.
acmeísta adj. s.2g.
acmeístico adj.
acmela s.f.
acmena s.f.
acmeódero s.m.
acmístico adj.
acmita s.f.
acmitaugita s.f.
acmite s.f.
acmítico adj.
acmito s.m.
acmo s.m.
acmócera s.m.
acmócero s.m.
acmonectomia s.f.
acmonense adj. s.2g.
acmônida adj. s.2g.
acmônio adj.
acmosporiácea s.f.
acmosporiáceo adj.
acmospório s.m.
acna s.f.
acnântea s.f.
acnânteo adj.
acnantera s.f.
acnantero s.m.
acnanto s.m.
acne s.f.
ácnea s.f.
acnéfalo s.m.
acneia (*é*) s.f.
acneico (*é*) adj.
acneiforme adj.2g.
acnemia s.f.
acnêmico adj.
acnemo adj. s.m.
acnéria s.f.
acneste s.f.
acnida s.f.
acnidário s.m.
acnide s.f.
acnisto s.m.
acnite s.f.
acnodal adj.2g.
acnodo s.m.
acnodonte s.m.
acnoso (*ô*) adj.; f. (*ó*); pl. (*ó*)
ácnua s.f.
aço adj. s.m.; cf. *asso*, fl. do v. *assar*
acoalhado adj.
acoalhar v.
acoalte s.f.
acoanhado adj.
acoanhar v.
acoar v.
acoaramuru s.m.
açobá s.m.
açobado adj.
açobar v.
acobardado adj.
acobardador (*ô*) adj. s.m.
acobardamento s.m.
acobardar v.
acobertado adj. s.m.
acobertador (*ô*) adj. s.m.
acobertalhar v.
acobertamento s.m.
acobertar v.
acoberto adj.
acobilhado adj.
acobilhar v.
acobreação s.f.
acobreado adj.
acobreamento s.m.
acobrear v.
acobu adj. s.2g.
açoca s.f.
acocação s.f.
acocado adj.
acocalã s.m.
acocantera s.f.
acocanterina s.f.
acocanterínico adj.
acocantina s.f.
acocantínico adj.
acoçapatá s.m.
acocar v.
acoçar v.
acocarar v.
aço-carbono s.m.; pl. *aços-carbono* e *aços-carbonos*
acocarinhar v.
acocéfalo s.m.
acócera s.m.
acochado adj.
acochambração s.f.
acochambrar v.
acochar v.
acochichado adj.
acochichar v.
acochinado adj.
acocho (*ô*) s.m.; cf. *acocho*, fl. do v. *acochar*
acóclida adj.2g. s.m.
acoclídeo adj. s.m.
acóclido s.m.
acocolino s.m.
acocoração s.f.
acocorado adj.
acocorador (*ô*) adj. s.m.
acocoramento s.m.
acocorar v.
acocorinhamento s.m.
acocorinhar v.
acocotle s.m.
acocoto s.m.
acocurutado adj.
acocurutar v.
açodado adj.
açodamento s.m.
açodar v.
acódon s.m.
açoeiro s.m.
acoela s.m.
acoelhado adj.
acoelhar-se v.
acoélio s.m.
açofaifa s.f.
açofaita s.f.
açôfar s.m.
açofeifa s.f.
açofeifa-maior s.f.; pl. *açofeifas-maiores*
açofeifa-menor s.f.; pl. *açofeifas-menores*
açofeifeira s.f.
acofiado adj.
acofiar v.
açofra (*ô*) s.f.
açogbá s.m.
acognose s.f.
acognosia s.f.
acogombrado adj.
acogombrar v.
acografia s.f.
acográfico adj.
acógrafo s.m.
acogulado adj.
acogulador (*ô*) adj. s.m.
acoguladura s.f.
acogular v.
acogumelado adj.
açoiaba s.f.
acoiçar v.
acoiceado adj.
acoiceamento s.m.
acoicear v.
acoicinhado adj.
acoicinhar v.
acoimado adj.
acoimador (*ô*) adj. s.m.
acoimamento s.m.
acoimar v.
acoimável adj.2g.
acoína s.f.
acoinar v.
acoinol s.m.
acoiraçado adj.
acoiraçar v.
acoirado adj.
acoirelado adj.
acoirelamento s.m.
acoirelar v.
açoita-cavalo s.m.; pl. *açoita-cavalos*
acoitadado adj.
acoitadar v.
açoitadeira s.f.
acoitadiço adj.
açoitadiço adj.
acoitado adj.
açoitado adj.
acoitador (*ô*) adj. s.m.
açoitador (*ô*) adj. s.m.
acoitadura s.f.
açoitadura s.f.
acoitamento s.m.
açoitamento s.m.
acoitar v.
açoitar v.
açoite s.m.
açoite de rio s.m.
açoiteira s.f.
acoiteza (*ê*) s.f.
acoito s.m.
açoito s.m.
acola s.f. "guloseima"; cf. *acolá*
acolá adv. "mais além"; cf. *acola*
acolada s.f.
acolado adj.
acolado adj.
acolalã s.f.
acolalano s.m.
acolar v.
acolasto s.m.
acolaú s.m.
acolcheado adj.
acolchear v.
acolchetado adj.
acolchetador (*ô*) adj. s.m.
acolchetamento s.m.
acolchetar v.
acolchoadeira s.f.
acolchoadinho s.m.
acolchoado adj. s.m.
acolchoador (*ô*) adj. s.m.
acolchoamento s.m.
acolchoar v.
acole s.m.
acoleijo s.m.
acolejo (*ê*) s.m.
acoletado adj.
acoletador (*ô*) adj. s.m.
acoletar v.
acolhedor (*ô*) adj. s.m.
acolheita s.f.
acolheitado adj.
acolheitar v.
acolheito adj.
acolhença s.f.
acolher v.
acolherado adj.
acolherar v.
acolhida s.f.
acolhido adj.
acolhimento s.m.
acolhível adj.2g.
acolho (*ô*) s.m.; cf. *acolho*, fl. do v. *acolher*
acoli s.m.
acolia s.f.
acólico adj. s.m.
acolictina s.f.
aço-liga s.m.; pl. *aços-liga* e *aços-ligas*
acolim s.m.
acólita s.f.
acolitado adj. s.m.
acolitar v.
acolitato s.m.
acolite s.f.
acólito s.m.; cf. *acolito*, fl. do v. *acolitar*
acolmado adj.
acolo adj. s.m.
acologia s.f.
acológico adj.
acólogo adj. s.m.
acolografia s.f.
acolográfico adj.
acolubrinado adj.
acoluria s.f.
acolúria s.f.
acolúrica s.f.
acolúrico adj.
acomadrado adj.
acomadrar v.
ácome s.m.
acomendar v.
acometedor (*ô*) adj. s.m.
acometer v.
acometida s.f.
acometido adj.
acometimento s.m.
acometível adj.2g.
acometividade s.f.
acomia s.f.
acômico adj.
acomiserar v.
acomodabilidade s.f.
acomodação s.f.
acomodadiço adj.
acomodado adj.
acomodador (*ô*) adj. s.m.
acomodadura s.f.
acomodamento s.m.
acomodar v.
acomodatício adj.
acomodatismo s.m.
acomodativo adj.
acomodável adj.2g.
acômodo adj. s.m.; cf. *acomodo*, fl. do v. *acomodar*
acomodometria s.f.
acomodométrico adj.
acomodômetro s.m.
acompadração s.f.
acompadrado adj. s.m.
acompadramento s.m.
acompadrar v.
acompanhadeira s.f.
acompanhado adj. s.m.
acompanhador (*ô*) adj. s.m.
acompanhamento s.m.
acompanhante adj. s.2g.
acompanhar v.
acompanhável adj.2g.
acompassado adj.
acompassador (*ô*) adj. s.m.
acompassar v.
acompleicionado adj.
acompleiçoado adj.
acompleiçonado adj.

acomplexionado (*cs*) adj.
acompridado adj.
acompridar v.
acompsia s.f.
acomunado adj.
acomunar v.
aconá adj. s.2g.
aconapado adj.
aconapar v.
aconático adj.
aconato s.m.
aconchado adj.
aconchar v.
aconchavado adj.
aconchavador (*ô*) adj. s.m.
aconchavar v.
aconcheado adj.
aconchear v.
aconchegado adj.
aconchegador (*ô*) adj. s.m.
aconchegante adj.2g.
aconchegar v.
aconchegativo adj.
aconchego (*ê*) s.m.
acôncia s.f.
acôncio s.m.
acondicionabilidade s.f.
acondicionação s.f.
acondicionado adj.
acondicionador (*ô*) adj. s.m.
acondicionamento s.m.
acondicionar v.
acondicionável adj.2g.
acondiçoado adj.
acondiçoar v.
acôndilo adj.
acondimentação s.f.
acondimentado adj.
acondimentar v.
acondrítico adj.
acondrito s.m.
acondroplasia s.f.
acondroplásico adj. s.m.
acondroplastia s.f.
acondroplástico adj. s.m.
acondutar v.
acone adj.2g.
aconeína s.f.
aconeínico adj.
aconela s.f.
aconelina s.f.
aconelínico adj.
aconetado adj.
aconetar v.
aconfeitado adj.
aconfeitar v.
aconfessional adj.2g.
aconfessionalismo s.m.
aconfessionalista adj. s.2g.
aconfessionalístico adj.
aconfradado adj.
aconfradar v.
aconhecer v.
aconhescer v.
acônico adj.
aconina s.f.
aconínico adj.
aconipicrina s.f.
aconipicrínico adj.
aconita s.f.
aconitanílico adj.
aconitanilida s.f.
aconitático adj.
aconitato s.m.
aconiteína s.f.
aconiteínico adj.
aconitela s.m.
aconitelo s.m.
aconítico adj. s.m.
aconitídeo adj.
aconitífero adj.
aconitiforme adj.2g.
aconitina s.f.
aconitínico adj.
acônito s.m.
aconitobialina s.f.
aconitobialínico adj.
aconitoxálico (*cs*) adj.
aconitoxina (*cs*) s.f.
aconitoxínico (*cs*) adj.
aconógona s.f.
aconselhadeira s.f.
aconselhado adj.
aconselhador (*ô*) adj. s.m.
aconselhamento s.m.
aconselhante adj. s.2g.
aconselhar v.
aconselhável adj.2g.
aconsoantado adj.
aconsoantar v.
aconsonantado adj.
aconsonantar v.
acôntea s.f.
acontecer v.
acontecido adj. s.m.
acontecimento s.m.
acontecível adj.2g.
aconteia (*é*) s.f.
acôntia s.f.
acontiado adj. s.m.
acontiador (*ô*) s.m.
acontiamento s.m.
acontiar v.
acôntida adj.2g. s.m.
acôntido adj. s.m.
acontinhar v.
acôntio s.m.; cf. *acontio*, fl. do v. *acontiar*
acontioso (*ô*) adj. s.m.; f. (*ó*); pl. (*ó*)
acontismologia s.f.
acontismólogo adj. s.m.
acontista s.2g.
acontito s.m.
aconto s.m.
acontraltado adj.
acontraltar v.
aconurese s.f.
aconurético adj.
acoo (*ô*) s.m.
ácope s.m.
acopiarino adj. s.m.
acópico adj.
acopirina s.f.
acoplação s.f.
acoplado adj.
acoplador (*ô*) adj. s.m.
acoplagem s.f.
acoplamento s.m.
acoplar v.
ácopo s.m.
acopódio s.m.
acoposo (*ô*) adj.; f. (*ó*); pl. (*ó*)
ácopro adj.
acoprose s.f.
acoprótico adj.
acoquinar v.
acor s.m. "erupção cutânea", etc.; cf. *açor* (*ô*) e *ácor*
açor (*ô*) s.m. "ave"; cf. *acor* e *ácor*
ácor s.m. "azia"; cf. *acor* e *açor* (*ô*)
acorácea s.f.
acoráceo adj.
acoraçoado adj.
acoraçoador (*ô*) adj. s.m.
acoraçoamento s.m.
acoraçoar v.
açorado adj.
açorador (*ô*) adj. s.m.
açoramento s.m.
açorar v.
acorçoado adj.
acorçoador (*ô*) adj. s.m.
acorçoamento s.m.
acorçoar v.
acorçoo (*ô*) s.m.
acorcovado adj.
acorcovamento s.m.
acorcovar v.
acorcundado adj.
acorcundar v.
açorda (*ô*) s.f.
acordabilidade s.f.
acordação s.f.
acordada s.f.
acordado adj.
acordador (*ô*) adj. s.m.
acordal adj.2g.
acordamento s.m.
açorda-mona s.f.; pl. *açordas-mona* e *açordas-monas*
acordança s.f.
acorda-negro s.m.; pl. *acorda-negros*
acordante adj.2g.
acórdão s.m.; pl. *acórdãos*; cf. *acordam*, fl. do v. *acordar*
acorda-povo s.m.; pl. *acorda-povos*
acordar v.
acordável adj.2g.
acorde adj.2g. s.m.
acordeão s.m.
acordelado adj.
acordelar v.
acordeom s.m.
acordeona s.f.
acordeonista adj. s.2g.
acordeonístico adj.
acórdico adj.
acordina s.f.
acórdio s.m.
acordo (*ô*) s.m.; cf. *acordo*, fl. do v. *acordar*
acordoação s.f.
acordoado adj.
acordoamento s.m.
acordoar v.
ácore s.m.
acoreia (*é*) s.f.
açoreiro s.m.
açorenha s.f.
açorenho adj. s.m.
açorense adj. s.2g.
acores s.m.pl.
acorese s.f.
acorésis s.f.
acorético adj.
acoretina s.f.
acori s.m.
acoria s.f.
açorianidade s.f.
açorianismo s.m.
açorianista adj. s.m.
açorianístico adj.
açoriano adj. s.m.
açórico adj. s.m.
acoridácea s.f.
acoridáceo adj.
acorídea s.f.
acorídeo adj.
acorídio s.m.
açoriense adj. s.2g.
acorina s.f.
acorinado adj.
acorínea s.f.
acoríneo adj.
açorino adj. s.m.
acório s.m.
acorista adj.2g.
acoristo adj.
açorita s.f.
acorite s.f.
açorite s.f.
açorito s.m.
acorizano adj. s.m.
acormia s.f.
acormiano adj.
acórmico adj.
acormo s.m.
acormóseo adj.
acorna s.f.
acornado adj.
acornar v.
acorneado adj.
acornear v.
ácoro s.m.
acoroá adj. s.2g.
ácoro-aromático s.m.; pl. *ácoros-aromáticos*
ácoro-bastardo s.m.; pl. *ácoros-bastardos*
acoroçoado adj.
acoroçoador (*ô*) adj. s.m.
acoroçoamento s.m.
acoroçoar v.
ácoro-falso s.m.; pl. *ácoros-falsos*
acoróidea s.f.
acoróideo adj.
acoronhado adj.
acoronhar v.
acorredor (*ô*) adj. s.m.
acorreitado adj.
acorreitar v.
acorrentado adj.
acorrentador (*ô*) adj. s.m.
acorrentamento s.m.
acorrentar v.
acorrer v.
acorrido adj.
acorrilhado adj.
acorrilhador (*ô*) adj. s.m.
acorrilhamento s.m.
acorrilhar v.
acorrimento s.m.
acorro (*ô*) s.m.
acortinado adj.
acortinamento s.m.
acortinar v.
acoruchado adj.
acoruchar v.
acorujado adj.
acoruto adj. s.m.
acosma s.f.
acosmécia s.f.
acosmia s.f.
acósmico adj.
acósmio s.m.
acosmismo s.m.
acosmista adj. s.2g.
acosmístico adj.
acosmo s.m.
acossa s.f.
acossado adj.
acossador (*ô*) adj. s.m.
acossamento s.m.
acossar v.
acosso (*ô*) s.m.; cf. *acosso*, fl. do v. *acossar*
acostabilidade s.f.
acostado adj. s.m.
acostagem s.f.
acostamento s.m.
acostar v.
acostável adj.2g.
acostelado adj.
acosto (*ô*) s.m.; cf. *acosto*, fl. do v. *acostar*
acostumação s.f.
acostumado adj. s.m.
acostumagem s.f.
acostumamento s.m.
acostumança s.f.
acostumar v.
acostumeado adj.
acostumear v.
acotado adj.
acotar v.
açoteado adj.
açoteamento s.m.
açotear v.
açoteia (*é*) s.f.
acotiado adj.
acotiar v.
acotiboia (*ó*) s.f.
acoticado adj.
acoticar v.
acótila s.f.
acotilédone adj.2g.
acotiledônea s.f.
acotiledôneo adj. s.m.
acotilédono adj.
acotíleo adj. s.m.
acótilo adj.
acotilóforo adj.
acotiloide (*ó*) adj.2g.
acotinhado adj.
acotinhar-se v.
acotoado adj.
acotoamento s.m.
acotoar v.
acotoína s.f.
acotonado adj.
acotonar v.
acotovelada s.f.
acotovelado adj.
acotovelador (*ô*) adj. s.m.
acotoveladura s.f.
acotovelamento s.m.
acotovelante adj.2g.
acotovelão s.m.
acotovelar v.
acoturnado adj.
acoturnar v.
acouçar v.
acouceado adj.
acouceamento s.m.
acoucear v.
acoucinhado adj.
acoucinhar v.
acoudelado adj.
acoudelador (*ô*) adj. s.m.
acoudelar v.
açougada s.f.
açougado s.m.
açougagem s.f.
açougaria s.f.
açougue s.m.
açougueiro s.m.
açouguice s.f.
acouraçado adj.
acouraçar v.
acourado adj.
acourelado adj.
acourelamento s.m.
acourelar v.
açouta-cavalo s.m.; pl. *açouta-cavalos*
açoutadeira s.f.
acoutadiço adj.
açoutadiço adj.
acoutado adj. s.m.
açoutado adj. s.m.
acoutador (*ô*) adj. s.m.
açoutador (*ô*) adj. s.m.
acoutadura s.f.
açoutadura s.f.
acoutamento s.m.
açoutamento s.m.
acoutar v.
açoutar v.
açoute s.m.
açoute de rio s.m.
açouteira s.f.
acouteza (*ê*) s.f.
acouti s.f.
acouto s.m.
acovado adj.
acovamento s.m.
acovar v.
acovardado adj.
acovardador (*ô*) adj. s.m.
acovardamento s.m.
acovardar v.
acovatado adj.
acovatar v.
acovilhado adj.
acovilhar v.
acpalô s.m.
acpamástico adj.
acrá adj. s.2g.
acracia s.f.
acracne s.m.
acraconitina s.f.
acradênia s.f.
ácraga s.m.
acragantino adj. s.m.
acral adj.2g.
acraldeído s.m.
acrama s.f.
acramalheirado adj.
acrandra s.f.
acrania s.f.
acranial adj.2g.
acraniano adj. s.m.
acrânico adj.
acrânio adj. s.m.
acraniota adj. s.2g.
acranta s.m.
acrantera s.f.
acranto adj.
acras s.f.2n.
acrasfixia (*cs*) s.f.
acrasia s.f.
acrasiácea s.f.
acrasiáceo adj.
acráspeda s.f.
acraspedito s.m.
acráspedo adj. s.m.
acraspédota s.f.
acraspedótico adj.
acrata adj. s.2g.
ácrata adj. s.2g.

acrátera s.f.
acrático adj.
acratismo s.m.
acratista adj. s.2g.
acratístico adj.
acrato adj.
acratófilo adj.
acratóforo s.m.
acratomel s.m.
acratoposia s.f.
acratópota adj. s.2g.
acratópoto adj. s.m.
acratoterma s.f.
acraturese s.f.
acraturético adj.
acravado adj.
acravamento s.m.
acravar v.
acraveirar v.
acravelhado adj.
acravelhar v.
acre adj.2g. s.m.; sup. *acérrimo*
acreção s.f.
acrecer v.
acrecionário adj.
acreditação s.f.
acreditado adj. s.m.
acreditador (*ô*) adj. s.m.
acreditar v.
acreditável adj.2g.
acre-doce adj.2g.; pl. *acre-doces*
acredor (*ô*) adj. s.m.
acreia s.f.
acreia (*é*) adj. s.f. de *acréu*
acreídeo adj. s.m.
acrementição s.f.
acrementicial adj.2g.
acrementício adj.
acremento s.m.
acremoniano adj.
acremônio s.m.
acrense adj. s.2g.
acrépalo adj.
acresção s.f.
acrescência s.f.
acrescentado adj. s.m.
acrescentador (*ô*) adj. s.m.
acrescentamento s.m.
acrescentar v.
acrescentável adj.2g.
acrescente adj.2g. s.m.
acrescento s.m.
acrescer v.
acrescidas s.f.pl.
acrescido adj. s.m.
acrescimento s.m.
acréscimo s.m.
acreta adj.2g.
acretivo adj.
acreto adj.
acréu adj. s.m.; f. *acreia* (*é*)
acreunense adj. s.2g.
acriançado adj.
acriançar v.
acriano adj. s.m.
acribia s.f.
acribologia s.f.
acribológico adj.
acribólogo s.m.
acribomania s.f.
acribometria s.f.
acribométrico adj.
acribômetro s.m.
acrículo adj.
ácrida s.m.
acridade s.f.
acridão s.f.
acrídeo adj. s.m.
acridez (*ê*) s.f.
acrídia s.f.
acridiano adj.
acrídico adj.
acrídida adj. s.2g.
acridídeo adj. s.m.
acridífago adj.
acridífero adj.
acridiforme adj.2g.
acridiida adj.2g. s.m.
acridiídeo adj. s.m.
acridilacrílico adj.
acridilacrilidato s.m.
acridiladeído s.m.
acridilbenzoico (*ó*) adj.
acridina s.f.
acridínico adj.
acridino adj.
acrídio s.m.
acridióideo adj. s.m.
acridocarpo s.m.
acridoce adj.2g.
acridofagia s.f.
acridofágico adj.
acridófago adj. s.m.
acridóforo adj.
acridogêneo adj.
acridógeno adj. s.m.
acridogenose s.f.
acridogenótico adj.
acridona s.f.
acridônico adj.
acridonitrila s.f.
acridopeza s.m.
acridoplagia s.f.
acridotero s.m.
acrífico adj.
acriflavina s.f.
acriflavínico adj.
acrifólio adj.
acrilaldeídico adj.
acrilaldeído s.m.
acrilático adj.
acrilato s.m.
acriléster s.m.
acrilestérico adj.
acrílico adj. s.m.
acrilolático adj.
acrilonitrila s.f.
acrilonitrílico adj.
acrimancia s.f.
acrimante s.2g.
acrimântico adj.
acriminação s.f.
acriminado adj.
acriminar v.
acrimônia s.f.; cf. *acrimonia*, fl. do v. *acrimoniar*
acrimonial adj.2g.
acrimoniar v.
acrimoniosidade s.f.
acrimonioso (*ô*) adj.; f. (*ó*); pl. (*ó*)
acrinia s.f.
acrínico adj.
acrinílico adj.
acrinilo s.m.
acriópsida adj.2g. s.f.
acriópside adj.2g. s.f.
acrioulado adj.
acrioular v.
acrípede adj.2g.
acripene adj.2g.
acriptogâmico adj.
acrise s.f.
acrisia s.f.
acrísio s.m.
acrisolado adj.
acrisolador (*ô*) adj. s.m.
acrisolamento s.m.
acrisolar v.
acristado adj.
acristalodiafania s.f.
acristanado adj.
acristanar v.
acrítico adj.
ácrito s.m.
acritocromacia s.f.
acritude s.f.
acriúlo s.m.
acrivado adj.
acrivar v.
acro adj. s.m.
acroá adj. s.2g.
acroama s.m.
acroamatário s.m.
acroamático adj.
acroâmato s.m.
acroanestesia s.f.
acroanestésico adj. s.m.
acroanestético adj. s.m.
acroante s.f.
acroanto s.m.
acroartrite s.f.
acroartrítico adj. s.m.
acroase s.f.
acroasfixia (*cs*) s.f.
acroásio s.m.
acroásis s.f.
acroata adj. s.2g.
acroatáctico adj. s.m.
acroataxia (*cs*) s.f.
acroático adj.
acrobacia s.f.
acrobalista s.m.
acrobapto adj.
acrobata s.2g.
acróbata s.2g.
acrobático adj.
acrobatismo s.m.
acrobatístico adj.
acróbio adj.
acrobistia s.f.
acrobistiolite s.f.
acrobistiolítico adj.
acrobistiólito s.m.
acrobistite s.f.
acrobistítico adj.
acrobisto adj. s.m.
acroblasta adj.2g. s.m.
acroblastese s.f.
acroblástico adj.
acroblasto s.m.
acroblastose s.f.
acroblastótico adj.
acrobolista s.m.
acróbrio s.m.
acrocárpea s.f.
acrocárpeo adj.
acrocárpico adj.
acrocarpo adj. s.m.
acrocecídio s.m.
acrocefalia s.f.
acrocefálico adj.
acrocéfalo adj. s.m.
acrocefalossindactilia s.f.
acrocefalossindatilia s.f.
acrocêntrico adj. s.m.
acrocentro s.m.
acrócera s.m.
acroceratoma s.m.
acroceratose s.f.
acroceráunio adj.
acrocérida adj. s.2g.
acrocerídeo adj. s.m.
acrócero s.m.
acrocerrete (*ê*) adj. s.2g.
acrochado adj.
acrochar-se v.
acrochordita s.f.
acrocianose s.f.
acrocianótico adj. s.m.
acrocídare s.m.
acrocina s.f.
acrocinesia s.f.
acrocinético adj. s.m.
acrocino s.m.
acrocirro s.m.
acrocisto s.m.
acrocládia s.f.
acróclado s.m.
acroclamídea s.f.
acroclamídeo adj.
acroclínio s.m.
acrocólia s.f.
acrocólio s.m.
acrocômia s.f.
acrócomo adj. s.m.
acroconídea s.f.
acrocontractura s.f.
acrocontratura s.f.
acrocoracoide (*ó*) adj.2g.
acrocordal adj.2g.
acrocórdia s.f.
acrocordídeo adj. s.m.
acrocórdio s.m.
acrocordo s.m.
acrocórdone s.f.
acrocório s.m.
acrodáctila s.f.
acrodáctilo s.m.
ácrode s.m.
acrodendrofilia s.f.
acrodendrofílico adj.
acrodermatite s.f.
acrodextrina (*cs*) s.f.
acrodextrínico (*cs*) adj.
acrodíclide s.2g.
acrodiclídeo adj. s.m.
acrodinia s.f.
acrodínico adj.
acrodisestesia s.f.
acrodisestésico adj.
acrodisestético adj.
ácrodo s.m.
acrodonte adj.2g. s.m.
acródrio s.m.
acrodrômico adj.
acródromo adj. s.m.
acroesclerodermia s.f.
acroesclerodérmico adj.
acroesfácelo s.m.
acrófalo s.m.
acrófilo adj.
acrófita s.f.
acrofitia s.f.
acrófito adj. s.m.
acrofobia s.f.
acrofóbico adj. s.m.
acrófobo adj. s.m.
acrofólio s.m.
acrofonético adj.
acrofonia s.f.
acrofônico adj.
acrófora s.f.
acróforo s.m.
acrófugo adj.
acrogamia s.f.
acrogâmica s.f.
acrogâmico adj.
acrógamo adj. s.m.
acrogânglio s.m.
acrogáster s.m.
acrogastro s.m.
acrógena s.f.
acrógene adj.2g.
acrogênese s.f.
acrogenético adj.
acrogenia s.f. "acrogênese"; cf. *acrogênia*
acrogênia s.f. "planta"; cf. *acrogenia*
acrogênico adj.
acrógenis s.m.pl.
acrógeno adj. s.m.
acrogeria s.f.
acrogínia s.f.
acrogínico adj.
acrogínio adj.
acrógino adj. s.m.
acrogiro adj. s.m.
acroglicogênio s.m.
acroglicogenuria s.f.
acroglicogenúria s.f.
acroglobina s.f.
acroglucogênio s.m.
acroglucogenúria s.f.
acrogonídio s.m.
acrografia s.f.
acrográfico adj.
acrógrafo s.m.
acrograma s.m.
acrogramático adj.
acroíta s.f.
acroíte s.f.
acroítico adj.
acroíto s.m.
acrol s.m.
acrolato s.m.
acroleato s.m.
acroleico adj. s.m.
acroleico (*é*) adj. s.m.
acroleína s.f.
acroleínico adj.
acroleíno adj.
acrolênio s.m.
acrolépia s.f.
acroleto s.m.
acrólico adj.
acrolínio s.m.
acrolítico adj.
acrólito adj. s.m.
acrólofo s.m.
acrologia s.f.
acrológico adj.
acrólogo s.m.
acroma s.m.
acromacia s.f.
acromácito s.m.
acromacria s.f.
acromácrico adj.
acromaíta s.f.
acromania s.f.
acromaníaco adj. s.m.
acromânico adj.
acrômano adj. s.m.
acromasia s.f.
acromastite s.f.
acromatia s.f.
acromática s.f.
acromaticidade s.f.
acromático adj.
acromatina s.f.
acromatínico adj.
acromatismo s.m.
acromatístico adj.
acromatização s.f.
acromatizado adj.
acromatizante adj.2g.
acromatizar v.
acrômato adj.
acromatócito s.m.
acromatófilo adj.
acromatólise s.f.
acromatolítico adj.
acromatoplasma s.m.
acromatoplasmático adj.
acromatopsia s.f.
acromatópsico adj. s.m.
acromatóptico adj. s.m.
acromatose s.f.
acromatosia s.f.
acromatósico adj. s.m.
acromatótico adj. s.m.
acromaturia s.f.
acromatúria s.f.
acromatúrico adj. s.m.
acromegalia s.f.
acromegálico adj. s.m.
acromegalismo s.m.
acromegalista adj. s.2g.
acromegalístico adj.
acromegaloide (*ó*) adj.2g.
acromelalgia s.f.
acromelálgico adj. s.m.
acrometagênese s.f.
acrometagenético adj.
acrometria s.f.
acrométrico adj.
acrômetro s.m.
acromia s.f.
acromial adj.2g.
acrômico adj.
acromicria s.f.
acromícrico adj. s.m.
acrômio s.m.
acromioclavicular adj.2g.
acromiocoracóideo adj.
acromiocoracoidiano adj.
acromioplastia s.f.
acromiospinal adj.2g.
acromiotorácico adj.
acromirmece s.f.
acromiumeral adj.2g.
acromo adj.
acromobacteriácea s.f.
acromobacteriáceo adj.
acromoderma s.m.
acromoderme adj.2g.
acromodermia s.f.
acromodérmico adj.
acromófilo adj.
acromolena s.f.
acromonograma s.m.
acromonogramático adj.
acromonossilábico adj.
acromonossílabo s.m.
acromóptico adj.
acromotricomia s.f.
acromotricômico adj.
acromotriquia s.f.
acromotríquico adj.
ácron s.m.
acronarcótico adj. s.m.
acronecrose s.f.
acronecrótico adj. s.m.

acronema s.m.
acronemático adj.
acroneurose s.f.
acroneurótico adj. s.m.
acronevrose s.f.
acronfálico adj.
acronfálio s.m.
acrônfalo s.m.
acronia s.f.
acronicidade s.f.
acrônico adj.
acronicta s.f.
acroníctida adj. s.2g.
acronicto adj. s.m.
acronimia s.f.
acronímia s.f.
acronímico adj.
acrônimo adj. s.m.
acronizoico (*ó*) adj.
ácrono adj.
acronologia s.f.
acronológico adj.
acronuro s.m.
acropaquia s.f.
acropáquico adj. s.m.
acroparalisia s.f.
acroparalítico adj. s.m.
acroparestesia s.f.
acroparestésico adj. s.m.
acroparestético adj. s.m.
acropata s.2g.
acrópata s.2g.
acropatia s.f.
acropático adj. s.m.
acropatologia s.f.
acropatológico adj.
acropedestre adj. s.2g.
acropelte s.f.
acropero s.m.
acropetal adj.2g.
acropétalo adj.
acrópeto adj.
acropínaco adj.
acropinacona s.m.
acropinacônico adj.
acroplateia (*é*) s.f.
acropleurógeno adj.
acrópode s.m.
acropódio s.m.
acrópodo s.m.
acrópole s.f.
acropólio s.m.
acróporo s.m.
acropóscia s.f.
acropóstia s.f.
acropostite s.f.
acropostítico adj.
acroptila s.f.
acropustulose s.f.
acroquetiácea s.f.
acroquetiáceo adj.
acroquétio s.m.
acroquirismo s.m.
acroquirista s.2g.
acroquirístico adj.
acroquiro s.m.
acrorrágio s.m.
acrorrago s.m.
acrosamina s.f.
acrosazona s.f.
acrosclerodermia s.f.
acrosclerodérmico adj.
acrosclerose s.f.
acrosclerótico adj.
acroscópico adj.
acrose s.f.
acrosfácelo s.m.
acrósida s.f.
acrosofia s.f.
acrosófico adj.
acrospermácea s.f.
acrospermáceo adj.
acrospérmica s.f.
acrospérmico adj.
acrospermo s.m.
acrospira s.f.
acrosporado adj.
acrospório s.m.
acrósporo s.m.
acrossalênia s.f.
acrossarca s.f.
acrossarco adj. s.m.
acrossauro s.m.
acrossazona s.f.
acrossema s.m.
acrossemia s.f.
acrossêmico adj.
acrossílabo adj. s.m.
acrossilabonímia s.f.
acrossilabonímico adj.
acrossilabônimo s.m.
acrossofia s.f.
acrossófico adj.
acrossoma s.m.
acrossômico adj.
acrossomo s.m.
acrostáquio adj.
acrosteleuto s.m.
acróstica s.f.
acrosticácea s.f.
acrosticáceo adj.
acrosticar v.
acróstico adj. s.m.; cf. *acrostico*, fl. do v. *acrosticar*
acrostilo s.m.
acrostíquea s.f.
acrostiqueno adj.
acrostíqueo adj.
acrostiquia s.f.
acrostódio s.m.
acrostólio s.m.
acróstolo s.m.
acróstoma s.f.
acróstomo s.m.
acrotâmnio s.m.
acrotarso s.m.
acroteca s.f.
acroteiro s.m.
acrotelêucio s.m.
acrotelêutico adj.
acroteleuto s.m.
acrotelêuton s.m.
acrotéria s.f.
acrotério s.m.
acroteriose s.f.
acroteriótico adj. s.m.
acrótero s.m.
acrótico adj.
acrotilácea s.f.
acrotiláceo adj.
acrótilo s.m.
acrotímio s.m.
acrotismo s.m.
acrotomia s.f.
acrotômico adj.
acrótomo adj. s.m.
acrotônico adj.
acrótono adj. s.m.
acrotorácico adj. s.m.
acrotrema s.f.
acrotreta s.f.
acrotreto s.m.
acrótrico adj.
acrotríquido adj.
acrotrofodinia s.f.
acrotrofodínico adj.
acrotrofoneurose s.f.
acrotrofoneurótico adj.
acrotrofonevrose s.f.
acrotrofonevrótico adj.
acrotrópico adj.
acrotropismo s.m.
acrotropístico adj.
acruoria s.f.
acruórico adj.
actância s.f.
actancial adj.2g.
actante s.m.
actarandita s.f.
actarandite s.f.
acteácea s.f.
acteáceo adj.
actéano adj.
acteão s.m.
actébia s.f.
acteia (*é*) s.f.
actel s.m.
actena s.f.
actenídeo adj. s.m.
actenista s.2g.
actenoda s.m.
actenode s.m.
actenoide (*ó*) adj.2g. s.m.
acteografia s.f.
acteográfico adj.
acteógrafo s.m.
acteômetro s.m.
acteonela s.f.
acteônida adj. s.2g.
acteonídeo s.m.
acteopirâmio s.m.
acteossauro s.m.
áctia s.f.
actíaco adj.
acticarbônico adj.
acticarbono s.m.
actídia s.f.
actídio s.m.
actigeia (*é*) s.f.
actígeo s.m.
actímero s.m.
actina s.f.
actinacanta s.f.
actinanta s.f.
actinanto s.m.
actinauta s.m.
actinauxismo (*cs*) s.m.
actinauxístico (*cs*) adj.
actineia (*é*) s.f.
actinela s.f.
actinelídeo adj. s.m.
actinênquima s.m.
actinenquimático adj.
actinéria s.f.
actínia s.f.
actiniano s.m.
actiniário adj. s.m.
actínico adj.
actínida adj.2g. s.m.
actinídeo adj. s.m.
actinidermo s.m.
actinídia s.f.
actinidiácea s.f.
actinidiáceo adj.
actínido s.m.
actinífero adj.
actiniforme adj. s.2g.
actiniida adj.2g. s.m.
actiniídea s.f.
actiniídeo adj. s.m.
actinimorfo adj.
actínio s.m.
actinioterapia s.f.
actinismo s.m.
actinístico adj.
actinite s.f.
actinítico adj.
actino s.m.
actinobacilose s.f.
actinobacilótico adj.
actinobactéria s.f.
actinobacterial adj.2g.
actinobiologia s.f.
actinobiológico adj.
actinobiologista adj. s.2g.
actinobiólogo adj. s.m.
actinoblástico adj.
actinoblasto s.m.
actinobolia s.f.
actinobólico adj.
actinobolismo s.m.
actinobolístico adj.
actinóbolo s.m.
actinobulia s.f.
actinocário s.m.
actinocárpica s.f.
actinocarpo adj. s.m.
actinocéfalo s.m.
actinocênia s.f.
actinocéramo s.m.
actinócero s.m.
actinociclo s.m.
actinocládio s.m.
actinóclado s.m.
actinócloa s.f.
actinócloe s.f.
actinococo s.m.
actinocongestina s.f.
actinocrínida adj.2g. s.m.
actinocrinita adj.2g. s.m.
actinocrinite s.f.
actinocrino s.m.
actinocutite s.f.
actinocutítico adj.
actinodafne s.f.
actinodafno s.m.
actinodendro s.m.
actinodermatite s.f.
actinodermatítico adj.
actinoderme s.f.
actinodérmico adj.
actinodermite s.f.
actinodermítico adj. s.m.
actinodermo s.m.
actinódio s.m.
actínodo s.m.
actinodonte s.m.
actinódromo adj.
actinoduro s.m.
actinófago s.m.
actinofilo s.m.
actinófito s.m.
actinoflebia s.f.
actinoflebite s.f.
actinoflebítico adj.
actinofone s.m.
actinofonia s.f.
actinofônico adj.
actinofono s.m.
actinófora s.f.
actinóforo adj.
actinofre s.m.
actinófrida s.m.
actinófrido adj. s.m.
actinofriida s.m.
actinofriido adj. s.m.
actinófris s.m.2n.
actinoftalmia s.f.
actinoftálmico adj.
actinoftalmo adj. s.m.
actinogênico adj.
actinogonídeo adj.
actinografia s.f.
actinográfico adj.
actinógrafo s.m.
actinograma s.m.
actinoide (*ó*) adj.2g.
actinolépide s.f.
actinólepis s.f.2n.
actinolita s.f.
actinolite s.f.
actinolítico adj.
actinólito s.m.
actinóloba s.f.
actinólobo s.m.
actinologia s.f.
actinológico adj.
actinólogo s.m.
actinoma s.m.
actinomancia s.f.
actinomante s.2g.
actinomântico adj.
actinômera s.f.
actinômero s.m.
actinometria s.f.
actinométrico adj.
actinômetro s.m.
actinômice s.m.
actinomicetácea s.f.
actinomicetáceo adj.
actinomicetal adj.2g.
actinomicetale s.f.
actinomicete s.m.
actinomiceto s.m.
actinomicetose s.f.
actinomicídeo adj. s.m.
actinomicina s.f.
actinomicínico adj.
actinomicoma s.m.
actinomicomático adj.
actinomicômico adj.
actinomicose s.f.
actinomicósico adj. s.m.
actinomicótico adj. s.m.
actinomicotina s.f.
actinomônada s.m.
actinomorfia s.f.
actinomórfico adj.
actinomorfismo s.m.
actinomorfo adj.
actínon s.m.
actinonema s.m.
actinoneurite s.f.
actinoneurítico adj.
actinonevrite s.f.
actinonevrítico adj.
actinônio s.m.
actinonte s.m.
actino-oftalmia s.f.
actino-oftálmico adj.
actino-oftalmo adj. s.m.
actinope s.m.
actinopo s.m.
actinópode s.m.
actinopódio s.m.
actinópora s.m.
actinóporo s.m.
actinopraxe (*cs*) s.f.
actinopterígeo adj. s.m.
actinóptico adj. s.m.
actinoquímica s.f.
actinoquímico adj. s.m.
actinorrizo s.m.
actinoscopia s.f.
actinoscópico adj.
actinosfério s.m.
actinospermo s.m.
actinospira s.f.
actinósporo s.m.
actinosquisto s.m.
actinossáurio s.m.
actinostelia s.f.
actinostélico adj.
actinóstelo s.m.
actinostema s.f.
actinostemo s.m.
actinosteófito s.m.
actinóstoma s.f.
actinóstomo adj.
actinota s.f.
actinotáctico adj.
actinotactismo s.m.
actinotático adj.
actinotatismo s.m.
actinotaxia (*cs*) s.f.
actinoteca s.f.
actinoterapia s.f.
actinoterápico adj.
actinótico adj.
actinotírio s.m.
actinoto s.m.
actinotoso (*ô*) adj.; f. (*ó*); pl. (*ó*)
actinotoxemia (*cs*) s.f.
actinotoxêmico (*cs*) adj. s.m.
actinótrico adj.
actinotripse s.m.
actinotríquia s.m.
actinotríquio s.m.
actinótroca s.f.
actinotrópico adj.
actinotropismo s.m.
actinourânio s.m.
actinozoário s.m.
actinozoo (*ô*) s.m.
actínula s.m.
actinulídeo adj. s.m.
actinuro s.m.
áctio adj.
actisteta s.2g.
actite s.f.
actóbio s.m.
actódromo s.m.
actofila s.f.
actografia s.f.
actográfico adj.
actógrafo s.m.
actol s.m.
actometria s.f.
actométrico adj.
actômetro s.m.
actomiosina s.f.
actomiosínico adj.
actoprotina s.f.
acu s.m.
acuã adj. s.2g.
acuação s.f.
acuado adj.
acuadoiro s.m.
acuador (*ô*) adj. s.m.
acuadouro s.m.
acuamento s.m.
acuar v.
acuasma s.f.
açubá s.f.
acubação s.f.

acubina s.f.
acúbito s.m.
acubitor (*ô*) s.m.
acubitório adj. s.m.
açúcar s.m. "substância doce"; cf. *assucar*
açucarado adj.
açucarador (*ô*) adj. s.m.
açucarar v.
açúcar-cande s.m.; pl. *açúcares-cande* e *açúcares-candes*
açúcar-cândi s.m.; pl. *açúcares-cândi* e *açúcares-cândis*
açucareira s.f.
açucareiro adj. s.m.
açucarilho s.m.
açucarocracia s.f.
açúcar-pedra s.m.; pl. *açúcares-pedra* e *açúcares-pedras*
açucena s.f.
açucena-branca s.f.; pl. *açucenas-brancas*
açucena-d'água s.f.; pl. *açucenas-d'água*
açucena-do-campo s.f.; pl. *açucenas-do-campo*
açucena-do-jardim s.f.; pl. *açucenas-do-jardim*
açucena-do-mato s.f.; pl. *açucenas-do-mato*
açucena-do-rio s.f.; pl. *açucenas-do-rio*
açucena-encarnada s.f.; pl. *açucenas-encarnadas*
açucena-formosa s.f.; pl. *açucenas-formosas*
açucenal s.m.
açucena-vermelha s.f.; pl. *açucenas-vermelhas*
açucenense adj.2g.
acuchi s.m.
acuchilado adj. s.m.
acuchilador (*ô*) adj. s.m.
acuchilamento s.m.
acuchilar v.
acuclausura s.f.
açucre s.m.
acucu adj. s.2g.
açuçuapara s.m.
acuculado adj.
acuculadura s.f.
acucular v.
açuda s.f.
açudada s.f.
açudado adj.
açudador (*ô*) adj. s.m.
açudagem s.f.
açudamento s.m.
açudar v.
açude s.m.f.
açudeco s.m.
acudido adj.
acudidor (*ô*) adj. s.m.
acudimento s.m.
acudir v.
açudre s.m.
acué adj. s.2g.
acuedino s.m.
acuém adj. s.2g.
açuense adj. s.2g.
acuera adj.2g. s.f.
açufeifa s.f.
açufeifeira s.f.
acufênio s.m.
acufeno s.m.
acúfeno s.m.
acugulado adj.
acugulador (*ô*) adj. s.m.
acugular v.
acuí adj. s.2g.
acuiari s.m.
acuição s.f.
acuidade s.f.
acuitado adj.
acuiuru s.m.
açulado adj.
açulador (*ô*) adj. s.m.
aculálio s.m.
açulamento s.m.
açular v.
aculeado adj. s.m.
aculeante adj.2g.
aculear v.
aculeativília s.f.
aculeiforme adj.2g.
acúleo s.m.
aculeolado adj.
aculéolo s.m.
aculeoso (*ô*) adj.; f. (*ó*); pl. (*ó*)
aculescente adj.2g.
aculiforme adj.2g.
açulo s.m.
aculturabilidade s.f.
aculturação s.f.
aculturado adj.
aculturador (*ô*) adj. s.m.
aculturamento s.m.
aculturante adj.2g.
aculturar v.
aculturativo adj.
aculturável adj.2g.
acumã s.m.
açumagrado adj.
açumagrar v.
açumagre s.m.
acumão s.m.
acumã-rasteiro s.m.; pl. *acumãs-rasteiros*
acumatanga s.f.
acumbar v.
acumbente adj.2g.
açumbre s.m.
acume s.m. "cume"; cf. *acumé*
acumé adj. s.2g. "indígena"; cf. *acume*
acumear v.
acúmen s.m.
acumetina s.f.
acumetria s.f.
acumétrico adj.
acúmetro s.m.
açumi s.m.
acuminação s.f.
acuminado adj.
acuminante adj.2g.
acuminar v.
acumíneo adj.
acuminífero adj.
acuminofoliado adj.
acuminofólio adj.
acuminoso (*ô*) adj.; f. (*ó*); pl. (*ó*)
acumpliciado adj.
acumpliciamento s.m.
acumpliciar v.
açum-preto s.m.; pl. *açuns-pretos*
acumulabilidade s.f.
acumulação s.f.
acumulada s.f.
acumulado adj.
acumulador (*ô*) adj. s.m.
acumulamento s.m.
acumular v.
acumulatividade s.f.
acumulativo adj.
acumulável adj.2g.
acúmulo s.m.; cf. *acumulo*, fl. do v. *acumular*
acumutanga s.f.
acuna s.f. "peixe"; cf. *acunã*
acunã s.f. "planta"; cf. *acuna*
acunati s.m.
acunha s.f.
acunhação s.f.
acunhado adj.
acunhagem s.f.
acunhamento s.m.
acunhar v.
acunheado adj.
acunhear v.
acuo s.m.
acuocapsulite s.f.
acuodino adj.
acuofênio s.m.
acuofone s.m.
acuofonia s.f.
acuofônico adj.
acuofono s.m.
acuometria s.f.
acuométrico adj.
acuômetro s.m.
acupalpo s.m.
acuplessia s.f.
acupléssico adj.
acupremir v.
acupressão s.f.
acupressura s.f.
acupunctor (*ô*) adj. s.m.
acupunctura s.f.
acupuncturação s.f.
acupuncturado adj.
acupuncturador (*ô*) adj.
acupunctural adj.2g.
acupuncturar v.
acupuncturista adj. s.2g.
acupuntor (*ô*) adj. s.m.
acupuntura s.f.
acupuntural adj.2g.
acupunturar v.
acupunturista adj. s.2g.
acurácia s.f.
acurado adj.
acurana s.f.
acurar v.
acurativo adj.
acurau s.m.
acuraua s.f.
acurbitária s.f.
acurbitário adj.
acurbitídeo adj.
acuré s.f.
acurebe s.m.
acuri s.m.
acurió adj. s.2g.
acurizal s.m.
acurralado adj.
acurralamento s.m.
acurralar v.
acurrar v.
acursar v.
acurso s.m.
acurtar v.
acuruí s.m.
acurvado adj.
acurvamento s.m.
acurvar v.
acurvejado adj.
acurvejar v.
acurvilhado adj.
acurvilhamento s.m.
acurvilhar v.
acurvinhar v.
acusabilidade s.f.
acusação s.f.
acusa-cristos s.2g.2n.
acusado adj. s.m.
acusadoiro adj.
acusador (*ô*) adj. s.m.
acusadouro adj.
acusamento s.m.
acusante adj. s.2g.
acusa-pilatos s.2g.2n.
acusar v.
acusativo adj. s.m.
acusatória s.f.
acusatório adj.
acusável adj.2g.
acuse s.m.
acusia s.f.
acusiometria s.f.
acusiométrico adj.
acusiômetro s.m.
acusma s.m.
acusmatagnosia s.f.
acusmatagnótico adj. s.m.
acusmático adj.
acúsmato s.m.
acusmatognosia s.f.
acusmatognósico adj. s.m.
acusmatognóstico adj. s.m.
acuso s.m.
acuspinhar v.
acústica s.f.
acústico adj.
acusticomalear adj.2g.
acusticomáleo adj. s.m.
acústicon s.m.
acusto s.m.
acuta s.f.
acutal adj.2g.
acutangulado adj.
acutangular adj.2g.
acutângulo adj.
acutanguloso (*ô*) adj.; f. (*ó*); pl. (*ó*)
acuteladiço adj.
acutelado adj.
acuteladura s.f.
acutelamento s.m.
acutelar v.
acutenáculo s.m.
acutez (*ê*) s.f.
acuti s.f.
acutiar v.
acutiboia (*ó*) s.f.
acuticaudado adj.
acuticaudato adj.
acuticaudo adj.
acuticórneo adj.
acuticostal adj.2g.
acuticósteo adj.
acutifloro adj.
acutifólia s.f.
acutifoliado adj.
acutifólio adj.
acutilabro adj.
acutiladiço adj. s.m.
acutilado adj.
acutilador (*ô*) adj. s.m.
acutiladura s.f.
acutilamento s.m.
acutilante adj.2g.
acutilar v.
acutilável adj.2g.
acutilíngue (*ü*) adj.2g. s.f.
acutilobado adj.
acutílobo adj.
acutilobulado adj.
acutimboia (*ó*) s.f.
acutímetro s.m.
acutinodoso (*ô*) adj.; f. (*ó*); pl. (*ó*)
acutipenado adj.
acutipene adj.2g.
acutipum s.m.
acutipuru s.m.
acutipuruaçu s.m.
acutirrostro adj.
acutíssimo adj. sup. de *agudo*
acuti-tapuia adj. s.2g.; pl. *acutis-tapuia* e *acutis-tapuias*
acutiúsculo adj.
acutizamento s.m.
acutizar v.
acutômetro s.m.
acutorção s.f.
acuuba s.f.
ada s.f.
adaba s.f.
adabalgabre s.f.
adábia s.f.
adaca s.f.
adacção s.f.
adace s.m.
adactilia s.f.
adáctilo adj. s.m.
adaga s.f.
adagada s.f.
adage s.m.
adagial adj.2g.
adagiar v.
adagiário s.m.
adagiarista s.2g.
adagiarístico adj.
adagieiro s.m.
adágio s.m. adj.; cf. *adagio*, fl. do v. *adagiar*
adague s.m.
adagueiro s.m.
adagueta (*ê*) s.f.
adaí s.f.
adaiado s.m.
adaião s.m.
adail s.m.
adail-mor s.m.; pl. *adaís-mores*
adajibe s.m.
adalária s.f.
adalbo s.m.
adali s.m.
adalide s.m.
adalina s.f.
adalinga adj. s.2g.
adalingo s.m.
adalita adj. s.2g.
adamado adj.
adamane s.m.
adamantanamina s.f.
adamantano s.m.
adamante s.m.
adamantinense adj. s.2g.
adamantino adj.
adamantinoma s.m.
adamantinomático adj.
adamanto s.m.
adamantoblástico adj.
adamantoblasto s.m.
adamantoma s.m.
adamantomático adj.
adamar v.
ádamas s.m.2n.
adamascado adj.
adamascar v.
adamásia s.f.
adamasquinado adj.
adamastor (*ô*) s.m.
adamastoriano adj.
adamastórico adj.
adamática s.f.
adamável adj.2g.
adamaxeno s.m.
adamelito s.m.
adamellito s.m.
adâmeo adj.
adâmia s.f.
adamiano adj. s.m.
adâmica s.f.
adâmico adj.
adamina s.f.
adamínico adj.
adamismo s.m.
adamista adj. s.2g.
adamístico adj.
adamita adj. s.2g. s.f.
adamite s.f.
adamítico adj.
adamo s.m.
adamona s.f.
adanar v.
adandu s.m.
adano s.m.
adansito s.m.
adansônia s.f.
adansonina s.f.
adão s.m.
adápide s.f.
adapídeo adj. s.m.
adapidorexe (*cs*) s.f.
ádapis s.f.2n.
adapísorex (*cs*) s.m.
adaptabilidade s.f.
adaptação s.f.
adaptado adj.
adaptador (*ô*) adj. s.m.
adaptamento s.m.
adaptante adj.2g.
adaptar v.
adaptatividade s.f.
adaptativo adj.
adaptável adj.2g.
adar s.m.
adarbe s.m.
adarce s.m.
adarconim s.m.
adarga s.f.
adargado adj. s.m.
adargar v.
adargueiro s.m.
adárige s.m.
adarme s.m.
adarmeira s.f.
adaroeira s.f.
adarrum s.m.
adarvado adj.
adarvar v.
adarve s.m.
adastra s.f.
adastrado adj.
adastragem s.f.
adastrar v.
adatilia s.f.
adátilo adj. s.m.
adatis s.m.2n.
adau s.m.

adaucto adj.
ádax (*cs*) s.m.; pl. *adaces*
adaxial (*cs*) adj.2g.
adclividade s.f.
ad-digital adj.2g.
addisoniano adj. s.m.
addisonismo s.m.
addisonista adj. s.2g.
addisonístico adj.
ade s.m. "pato selvagem"; cf. *adê*
adê s.m. "coroa usada no candomblé"; cf. *ade*
adebá s.m.
adeciduado adj. s.m.
adecoras s.f.pl.
adecto adj. s.m.
adedentro adv.
adefagia s.f.
adefágico adj.
adéfago adj. s.m.
adefantô s.m.
adefora adv.
adega s.f.
adegado adj.
adegar v.
adege s.m.
adegueiro s.m.
adeiina s.f.
adeína s.f.
adeira s.f.
adeiro s.m.
adeísmo s.m.
adeísta adj. s.2g.
adeístico adj.
adeito s.m.
adejado adj.
adejante adj.2g.
adejar v.
adejo (*ê*) adj. s.m.
adel s.m.
adela s.f.
adelaída s.f.
adelaide s.m.f.
adelaidinha s.f.
adelandense adj. s.2g.
adele s.m.
adeleia (*é*) s.f.
adeleira s.f.
adeleiro s.m.
adelfa s.f.
adelfal s.m.
adelfeira s.f.
adelfia s.f.
adélfico adj.
adelfixia (*cs*) s.f.
adelfo adj. s.m.
adelfofagia s.f.
adelfogamia s.f.
adelfogâmico adj.
adelfógamo s.m.
adelfolita s.f.
adelfolítico adj.
adelfolito s.m.
adelfone s.m.
adelfono s.m.
adelfotáctico adj.
adelfotaxia (*cs*) s.f.
adelgaçado adj.
adelgaçador (*ô*) adj. s.m.
adelgaçamento s.m.
adelgaçar v.
adelgadado adj.
adelgadar v.
adelgado adj.
adelgar v.
adelgina s.f.
adelha s.f.
adelhão s.m.
adélia s.f.
adelicadado adj.
adelicadar v.
adelídeo adj. s.m.
adélido adj.
adélio s.m.
adeliparia s.f.
adelita s.m.f.
adelite s.f.
adelítico adj. s.m.
adelito s.m.
adelo s.m.
adelóbio s.m.
adelobótrio s.m.
adelobótris s.m.2n.
adelobrânquio adj. s.m.
adelocalimna s.f.
adelocefalia s.f.
adelocefalídeo adj. s.m.
adelocefalismo s.m.
adelocéfalo adj. s.m.
adelócero adj. s.m.
adelocórdio adj. s.m.
adeloderme adj.2g.
adelodermia s.f.
adelodérmico adj.
adelodermo adj. s.m.
adelofícea s.f.
adelofíceo adj.
adelogênico adj.
adelógeno adj.
adelomicete s.m.
adelomiceto s.m.
adelomorfismo s.m.
adelomorfístico adj.
adelomorfo adj.
adelope s.m.
adelopneumonado adj.
adelopnêumone s.m.
adelopneumonia s.f.
adelópode adj.2g.
adelopodia s.f.
adelopódio adj.
adelópodo adj.
adelopso s.m.
adelosa s.f.
adelósia s.f.
adelosina s.f.
adelostomia s.f.
adelostômida adj.2g. s.m.
adelóstomo adj. s.m.
adéltica s.f.
adéltico adj.
adem s.2g.
adema s.f.
ademã s.m.
ademais adv.
ademane s.m.
ademão s.m.
ademarismo s.m.
ademarista adj. s.2g.
ademarístico adj.
ademenear v.
ademocrático adj.
ademonia s.f.
ademônico adj. s.m.
ademonismo s.m.
ademonista adj. s.2g.
ademonístico adj.
adempção s.f.
adenacanto s.m.
adenalgia s.f.
adenálgico adj. s.m.
adenandro s.m.
adenantera s.f.
adenantero s.m.
adenanto s.m.
adenaquena s.f.
adenária s.f.
adenastenia s.f.
adenastênico adj. s.m.
adenção s.f.
adenda s.f.
adendo s.m.
adenectomia s.f.
adenectômico adj. s.m.
adenectopia s.f.
adenectópico adj.
adenenfraxia (*cs*) s.f.
adenenfráxico (*cs*) adj.
adenepitelial adj.2g.
adenesclerose s.f.
adengado adj.
adengar v.
adenia s.f. "doença das glândulas"; cf. *adênia*
adênia s.f. "planta"; cf. *adenia*
adênico adj. s.m.
adeniforme adj.2g.
adenilciclase s.f.
adenilcíclase s.f.
adenilclase s.f.
adenilena s.f.
adenina s.f.
adenínico adj.
adênio s.m.
adenipofisário adj.
adenipófise s.f.
adenipofisiário adj.
adenite s.f.
adenítico adj. s.m.
adenização s.f.
adenizar v.
adenobásio s.m.
adenoblástico adj.
adenoblasto s.m.
adenocálice s.m.
adenocalíceo adj.
adenocalimna s.f.
adenocanceroma s.m.
adenocanceromático adj.
adenocancro s.m.
adenocarcinoma s.m.
adenocarcinomático adj.
adenocarcinômico adj.
adenocarpo s.m.
adenocaule s.m.
adenocele s.f.
adenocélico adj.
adenocelulite s.f.
adenocelulítico adj.
adenocilo s.m.
adenocístico adj.
adenocisto s.m.
adenocistoma s.m.
adenocistomático adj.
adenocistômico adj.
adenocondroma s.m.
adenocondromático adj.
adenocondrômico adj.
adenocrépida s.f.
adenodermia s.f.
adenodérmico adj.
adenodiástase s.f.
adenodiastásico adj.
adenodiastático adj.
adenodinia s.f.
adenodínico adj.
adenoepitelial adj.2g.
adenoesclerose s.f.
adenofaríngeo adj. s.m.
adenofaringite s.f.
adenofaringítico adj.
adenofibroma s.m.
adenofibromático adj.
adenofibrose s.f.
adenofibrótico adj.
adenófilo adj.
adenofleimão s.m.
adenófora s.f.
adenofório adj. s.m.
adenóforo adj.
adenoftalmia s.f.
adenoftálmico adj.
adenoftalmo s.m.
adenogáster s.m.
adenoglioma s.m.
adenogliomático adj.
adenógono s.m.
adenografia s.f.
adenográfico adj.
adenógrafo s.m.
adenograma s.m.
adeno-hipofisário adj.
adeno-hipófise s.f.
adeno-hipofisiário adj.
adenoide (*ó*) adj.2g. s.f.
adenoidectomia s.f.
adenoidectômico adj.
adenóideo adj. s.m.
adenoidismo s.m.
adenoidístico adj.
adenoidite s.f.
adenoidítico adj.
adenoipofisário adj.
adenoipófise s.f.
adenoipofisiário adj.
adenolépida s.f.
adenolim s.m.
adenolinfite s.f.
adenolinfocele s.f.
adenolipoma s.m.
adenolipomático adj.
adenolipomatose s.f.
adenolipomatótico adj.
adenologadite s.f.
adenologadítico adj.
adenologia s.f.
adenológico adj.
adenólogo s.m.
adenoma s.m.
adenomalacia s.f.
adenomalácico adj. s.m.
adenomectomia s.f.
adenomectômico adj.
adenomegalia s.f.
adenomegálico adj.
adenomeníngea s.f.
adenomeníngeo adj.
adenomeníngera s.f.
adenomesentérico adj.
adenomesenterite s.f.
adenomesenterítico adj.
adenomioma s.m.
adenomiomático adj.
adenomiose s.f.
adenomiótico adj.
adenomixoma (*cs*) s.m.
adenomixomático (*cs*) adj.
adenomorfo adj.
adenoncose s.f.
adenoncótico adj.
adenonema s.m.
adenonemático adj.
adenonervosa s.f.
adenonervoso (*ô*) adj.; f. (*ó*); pl. (*ó*)
adeno-oftalmia s.f.
adeno-oftálmico adj.
adeno-oftalmo adj. s.m.
adeno-oncose s.f.
adeno-oncótico adj.
adenopata s.2g.
adenópata s.2g.
adenopatia s.f.
adenopático adj.
adenope s.m.
adenopelta s.f.
adenopéltida adj.2g. s.f.
adenopetalia s.f.
adenoplégico adj.
adenópode adj.
adenopódico adj.
adenoquirapsologia s.f.
adenorrópio s.m.
adenosa s.f.
adenosclerose s.f.
adenosclerótico adj. s.m.
adenose s.f.
adenosina s.f.
adenosínico adj.
adenosma s.f.
adenosme s.f.
adenosmo s.m.
adenoso (*ô*) adj.; f. (*ó*); pl. (*ó*)
adenossagma s.m.
adenossarcoma s.m.
adenossarcomático adj.
adenossarcomatoso (*ô*) adj.; f. (*ó*); pl. (*ó*)
adenossinquitonite s.f.
adenossinquitonítico adj.
adenostema s.f.
adenostêmato s.m.
adenostemo adj.
adenostêmone adj.2g. s.m.
adenostilada s.f.
adenostilado adj.
adenostílea s.f.
adenostíleo adj.
adenostilo s.m.
adenóstoma s.m.
adenostômato s.m.
adenóstomo s.m.
adenótico adj.
adenoto s.m.
adenotomia s.f.
adenotômico adj.
adenotriquia s.f.
adenotríquico adj.
adenoviro s.m.
adenovirótico adj.
adensado adj.
adensador (*ô*) adj. s.m.
adensamento s.m.
adensa-nuvens adj. s.2g.2n.
adensar v.
adensável adj.2g.
adentada s.f.
adentado adj.
adental adj.2g. s.m.
adentar v.
adentrado adj.
adentramento s.m.
adentrar v.
adentro adv.
adenzinha s.f.
adeorbe s.m.
adeórbis s.m.2n.
adepção s.f.
adepsina s.f.
adeptismo s.m.
adeptista adj. s.2g.
adeptístico adj.
adepto adj. s.m.
adequabilidade s.f.
adequação s.f.
adequado adj.
adequar v.
adequável adj.2g.
aderado adj.
aderar v.
adereçado adj.
adereçador (*ô*) adj. s.m.
adereçagem s.f.
adereçamento s.m.
adereçar v.
aderece (*ê*) s.m.; cf. *aderece*, fl. do v. *adereçar*
aderecista s.2g.
adereço (*ê*) s.m.; cf. *adereço*, fl. do v. *adereçar*
aderência s.f.
aderenço s.m.
aderente adj. s.2g.
adergar v.
adergo (*ê*) s.m.; cf. *adergo*, fl. do v. *adergar*
aderido adj.
aderir v.
adermia s.f.
adérmico adj.
adermina s.f.
adermínico adj.
adermogênese s.f.
adermogenético adj.
adermogenia s.f.
adermogênico adj.
adermonervia s.f.
adermotrofia s.f.
adermotrófico adj.
adernação s.f.
adernado adj.
adernal s.m.
adernamento s.m.
adernar v.
aderne s.m.
aderno s.m.
aderno-bastardo s.m.; pl. *adernos-bastardos*
aderno-preto s.m.; pl. *adernos-pretos*
aderno-verdadeiro s.m.; pl. *adernos-verdadeiros*
adesão s.f.
adesina s.f.
adesionismo s.m.
adesionista adj. s.2g.
adesionístico adj.
adesiotomia s.f.
adesismo s.m.
adesista adj. s.2g.
adesístico adj.
adesivado adj.
adesivagem s.f.
adesividade s.f.
adesivismo s.m.
adesivista adj. s.2g.
adesivístico adj.
adesivo adj. s.m.
adesmáceo adj.
adesmacro s.m.
adesmia s.f. "ausência de junção"; cf. *adésmia*
adésmia s.f. "planta"; cf. *adesmia*
adeso adj.

adesol s.m.
adesorado adj.
adesorar v.
adéspota adj.2g.
adessenário adj. s.m.
adessênio adj. s.m.
adessivo adj. s.m.
adestração s.f.
adestrado adj.
adestrador (*ô*) adj. s.m.
adestramento s.m.
adestrar v.
adestras (*ê*) s.f.pl.; cf. *adestras*, fl. do v. *adestrar*
adestrável adj.2g.
adestro (*ê*) adj.; cf. *adestro*, fl. do v. *adestrar*
adeus s.m. interj.
adeusado adj.
adeusamento s.m.
adeusar v.
adeusinho s.m. interj.
adevão adj. s.m.
adeveres (*ê*) s.m.pl.
adevidos s.m.pl.
adevismo s.m.
adevista adj. s.2g.
adevístico adj.
adfalangina s.f.
adformante adj.2g.
adformativo adj.
adgeneração s.f.
adgenerado adj.
adgenerar v.
adgeração s.f.
adi s.m.f.
adiá s.f.; cf. *adia*, fl. do v. *adiar*
adiabara adj. s.2g.
adiábase s.f.
adiábata s.f.
adiabática s.f.
adiabático adj.
adiabatismo s.m.
adiabatístico adj.
adiabênico adj.
adiabeno adj. s.m.
adiabilidade s.f.
adiacritólatra adj.2g.
adiacritolatria s.f.
adiacritolátrico adj.
adiactínico adj.
adiado adj.
adiadococinese s.f.
adiadococinesia s.f.
adiadococinésico adj.
adiadococinético adj.
adiafa s.f.
adiafania s.f.
adiáfano adj.
adiáfora s.f.
adiaforese s.f.
adiaforético adj.
adiaforia s.f.
adiafórico adj.
adiaforismo s.m.
adiaforista adj. s.2g.
adiaforístico adj.
adiaforita adj. s.2g.
adiáforo adj.
adiamantado adj.
adiamantar v.
adiamantino adj.
adiamento s.m.
adiana adj. s.2g.
adiânene adj. s.2g.
adiantácea s.f.
adiantáceo adj.
adiantado adj. s.m.
adiantador (*ô*) adj. s.m.
adiantamento s.m.
adiantar v.
adiante s.m. adv. interj.; na loc. *adiante de*
adiantídeo adj.
adiantifoliado adj.
adiantifólio adj.
adiantite s.m.
adianto s.m.
adiantoide (*ó*) adj.2g.
adião s.m.
adiapneustia s.f.
adiapnêustico adj.
adiaptoto adj. s.m.
adiar v.
adiarreia (*é*) s.f.
adiarreico (*é*) adj.
adiástole s.f.
adiastolia s.f.
adiastólico adj.
adiatermancia s.f.
adiatérmano adj.
adiatermântico adj.
adiatermia s.f.
adiatérmico adj.
adiatésico adj.
adiatético adj.
adiável adj.2g.
adibal s.m.
adibate s.m.
adibe s.m. "chacal"; cf. *ádibe*
ádibe s.m. "adição"; cf. *adibe*
adibo s.m.
adibuda s.m.
adiça s.f.
adição s.f.
adicar v.
adicção s.f.
adiceiro adj. s.m.
adicente adj. s.2g.
adiciça s.f.
adicidade s.f.
adicionabilidade s.f.
adicionação s.f.
adicionado adj.
adicionador (*ô*) adj. s.m.
adicional adj.2g. s.m.
adicionamento s.m.
adicionante adj. s.2g.
adicionar v.
adicionável adj.2g.
adicogamia s.f.
adictício adj.
adicto adj. s.m.
adidância s.f.
adido adj. s.m.
adiemórrise s.f.
adieta s.f.
adietado adj.
adietar v.
adigar s.m.
adil s.m.
adilado adj.
adilar v.
adimensional adj.2g.
adimento s.m.
adimônia s.f.
adimplemento s.m.
adimplência s.f.
adimplente adj. s.2g.
adimplir v.
ádina s.f.
adinamandria s.f.
adinamândrico adj.
adinamia s.f.
adinâmico adj.
adinamismo s.m.
adinamístico adj.
adinamização s.f.
adinamizado adj.
adinamizar v.
adínamo adj.
adinamoatáctico adj.
adinamoataxia (*cs*) s.f.
adinamoatáxico (*cs*) adj.
adinandro s.m.
ádine s.m.
adinheirado adj.
adinheirar v.
adinho s.m.
adinimonadácea s.f.
adinimonadáceo adj.
ádino s.m.
adínole s.f.
adinomonadácea s.f.
adinomonadáceo adj.
adinotério s.m.
adintelado adj.
adio interj.
adioé adj. s.2g.
adíon s.m.
adiônio s.m.
adionte s.m.
adipa s.f.
adipamida s.f.
adipanduga s.f.
adipati s.m.
adipato adj. s.m.
ádipe s.2g.
adipectomia s.f.
adipescente adj.2g.
adípico adj.
adipífero adj.
adipínico adj.
adipiscente adj.2g.
adipita s.f.
adipite s.f.
ádipo s.m.
adipocele s.f.
adipocera (*ê*) s.f.
adipoceriforme adj.2g.
adipocerito s.m.
adipocira s.f.
adipocíria s.f.
adipociriforme adj.2g.
adipociro s.m.
adipociroso (*ô*) adj.; f. (*ó*); pl. (*ó*)
adipócito s.m.
adipofibroma s.m.
adipofibromático adj.
adipofibrômico adj.
adipóforo adj.
adipogenia s.f.
adipogênico adj.
adipol s.m.
adipólise s.f.
adipolítico adj.
adipoma s.m.
adipomálico adj.
adipometria s.f.
adipométrico adj.
adipômetro s.m.
adiponecrose s.f.
adipopéctico adj.
adipopético adj.
adipopexia (*cs*) s.f.
adipopéxico (*cs*) adj.
adiposa s.f.
adipose s.f.
adiposidade s.f.
adiposite s.f.
adiposo (*ô*) adj.; f. (*ó*); pl. (*ó*)
adiposo-genital adj.2g.; pl. *adiposos-genitais*
adiposuria s.f.
adiposúria s.f.
adiposúrico adj.
adipotartárico adj.
adipótico adj.
adipsia s.f.
adípsico adj. s.m.
adipso s.m.
adir v.
adirajá s.m.
adirmáquida adj. s.2g.
adiscal adj.2g.
adisco s.m.
adísio s.m.
adisônia s.f.
adisoniano adj.
adisonismo s.m.
adisonista adj. s.2g.
adisonístico adj.
aditabilidade s.f.
aditação s.f.
aditado adj.
aditamento s.m.
aditância s.f.
aditar v.
aditável adj.2g.
adítia s.m.
aditício adj.
aditículo s.m.
aditiva s.f.
aditivado adj.
aditividade s.f.
aditivo adj. s.m.
ádito adj. s.m.; cf. *adito*, fl. do v. *aditar*
aditor (*ô*) adj. s.m.
adive s.m.
adivinha s.f.; cf. *advinha*, fl. do v. *advir*
adivinhação s.f.
adivinhadeiro s.m.
adivinhado adj.
adivinhador (*ô*) adj. s.m.
adivinhamento s.m.
adivinhança s.f.
adivinhante adj. s.2g.
adivinhão s.m.
adivinhar v.
adivinhatório adj.
adivinhável adj.2g.
adivinhe-quem-vem-hoje s.m.2n.
adivinho adj. s.m.
adivira s.m.
adivo s.m.
adixá s.f.
adjá s.m.
adjacência s.f.
adjacente adj.2g. s.m.
adjazer v.
adjeção s.f.
adjer s.m.
adjetivabilidade s.f.
adjetivação s.f.
adjetivado adj.
adjetivador (*ô*) adj. s.m.
adjetival adj.2g.
adjetivamento s.m.
adjetivança s.f.
adjetivar v.
adjetivável adj.2g.
adjetividade s.f.
adjetivismo s.m.
adjetivista adj. s.2g.
adjetivístico adj.
adjetivização s.f.
adjetivizador (*ô*) adj. s.m.
adjetivizar v.
adjetivo adj. s.m.
adjeto adj. s.m.
adjigar s.f.
adjucante adj. s.2g.
adjuda s.f.
adjudador (*ô*) adj. s.m.
adjudante adj. s.m.
adjudar v.
adjudicabilidade s.f.
adjudicação s.f.
adjudicado adj.
adjudicador (*ô*) adj. s.m.
adjudicando adj. s.m.
adjudicar v.
adjudicatário adj. s.m.
adjudicativo adj.
adjudicatório adj. s.m.
adjudicável adj.2g.
adjudoiro s.m.
adjudouro s.m.
adjulona s.m.
adjunção s.f.
adjungido adj.
adjungir v.
adjungível adj.2g.
adjuntado adj.
adjuntamento s.m.
adjuntar v.
adjuntividade s.f.
adjuntivo adj. s.m.
adjunto adj. s.m.
adjuntoria s.f.
adjuntório s.m.
adjuração s.f.
adjurado adj.
adjurador (*ô*) adj. s.m.
adjurar v.
adjustor (*ô*) adj. s.m.
adjutatório adj. s.m.
adjutor (*ô*) adj. s.m.; f. *adjutora* e *adjutriz*
adjutora (*ô*) adj. s.f. de *adjutor* (*ô*)
adjutorar v.
adjutório adj. s.m.
adjutriz adj. s.f. de *adjutor* (*ô*)
adjuvante adj. s.2g.
adjuvar v.
adjuvato s.m.
adlecto s.m.
adlegação (*ad-le*) s.f.
adléria s.f.
adleriano adj. s.m.
adligação (*ad-li*) s.f.
adligado (*ad-li*) adj.
adligante (*ad-li*) adj.2g.
adligar-se (*ad-li*) v.
adlúmia (*ad-lú*) s.f.
adlumidina (*ad-lu*) s.f.
adlumina (*ad-lu*) s.f.
adlúmio (*ad-lú*) s.m.
adminiculado adj.
adminiculante adj.2g.
adminicular v. adj.2g.
adminiculativo adj.
adminículo s.m.; cf. *adminiculo*, fl. do v. *adminicular*
administrabilidade s.f.
administração s.f.
administração-geral s.f.; pl. *administrações-gerais*
administracionalizar v.
administradeira s.f.
administrado adj. s.m.
administrador (*ô*) adj. s.m.
administradora s.f.
administrador-geral s.m.; pl. *administradores-gerais*
administrança s.f.
administrante adj.2g.
administrar v.
administrativismo s.m.
administrativista adj. s.2g.
administrativístico adj.
administrativo adj.
administratório adj.
administrável adj.2g.
admirábil adj.2g.
admirabilidade s.f.
admiração s.f.
admirado adj.
admirador (*ô*) adj. s.m.
admirando adj.
admirante adj. s.2g.
admirar v.
admirativo adj.
admirável adj.2g.
admiromania s.f.
admiromaníaco adj. s.m.
admirômano adj. s.m.
admissão s.f.
admissibilidade s.f.
admissível adj.2g.
admistão s.f.
admitância s.f.
admitendo adj.
admitido adj.
admitir v.
admoestação s.f.
admoestado adj.
admoestador (*ô*) adj. s.m.
admoestante adj. s.2g.
admoestar v.
admoestativo adj.
admoestatório adj.
admoestável adj.2g.
admonenda s.f.
admonestar v.
admonição s.f.
admonitivo adj.
admonitor (*ô*) adj. s.m.
admonitório adj. s.m.
admotivo adj.
adnasal adj.2g. s.m.
adnascente adj.2g.
adnata s.f.
adnato adj.
adnefrina s.f.
adnepote s.m.
adnerval adj.2g.
adneural adj.2g.
adnexão (*cs*) s.f.
adnexo (*cs*) adj.
adnome s.m.
adnominação s.f.
adnominal adj.2g.
adnominar v.
adnominativo adj.
adnominável adj.2g.
adnotação s.f.
adnotado adj.
adnotar v.
adnumeração s.f.
adnumerado adj.
adnumerar v.

ado s.m. "nota", "adum"; cf. *adô*
adô s.m. "pequena cabaça"; cf. *ado*
adoado adj.
adoar v.
adoba (*ô*) s.f.; cf. *adoba*, fl. do v. *adobar*
adobado adj.
adobadoiro adj.
adobadourado adj.
adobadoirado adj.
adobale s.m.
adobar v. "algemar"; cf. *adubar*
adobaria s.f.
adobe (*ô*) s.m.; cf. *adobe*, fl. do v. *adobar*
adobeira s.f.
adobo (*ô*) s.m.; cf. *adobo*, fl. do v. *adobar*
adoboiro s.m.
adobouro s.m.
adoçado adj.; cf. *adossado*
adoçador (*ô*) adj. s.m.
adoçagem s.f.
adocaína s.f.
adoçamento s.m.
adoçante adj.2g. s.m.
adoção s.f.
adoçar v.
adocicado adj.
adocicador (*ô*) adj. s.m.
adocicamento s.m.
adocicante adj.2g.
adocicar v.
adocionismo s.m.
adocionista adj. s.2g.
adocionístico adj.
adoecer v.
adoecido adj.
adoecimento s.m.
adoentado adj.
adoentar v.
adoentício adj. s.m.
adoestado adj.
adoestar v.
adofiró s.m.
adogã s.m.
adogmático adj.
adogmatismo s.m.
adoidado adj.
adoidante adj.2g.
adoidar v.
adoidarrado adj.
adoidejado adj.
adoidejar v.
adoleia (*é*) s.f.
adolescência s.f.
adolescente adj. s.2g.
adolescêntulo s.m.
adolescer v.
adoli s.m.
adólia s.f.
adolim s.m.
adólio s.m.
adolorado adj.
adolorar v.
adomado adj.
adomar v.
adomesticado adj.
adomesticar v.
adomingado adj.
adomingamento s.m.
adomingar v.
adonai s.m.
adonairado adj.
adonairar v.
adonanto s.m.
adonar v.
adonde adv.
adôneo s.m.
adônia s.f.
adoníade adj.2g. s.f.
adoniano adj.
adônias s.f.pl.
adônico adj.
adônida adj.2g.
adônide s.m.
adonídea s.f.
adonídeo adj.
adonidina s.f.
adônido adj. s.m.
adonina s.f.
adônio adj.
adoniramismo s.m.
adoniramita adj. s.2g.
adônis s.m.2n.
adonisado adj.
adonisar v.
adônis-da-índia s.m.2n.
adônis-da-itália s.m.2n.
adonismo s.m.
adonista adj.
adonístico adj.
adônis-vernal s.m.; pl. *adônis-vernais*
adonita s.f.
adonital s.m.
adonítico adj.
adonjuanado adj.
adonjuanar v.
a do ó s.f.
adopção s.f.
adopciano adj. s.m.
adopcionismo s.m.
adopcionista adj. s.2g.
adopcionístico adj.
adoperado (*ad-o*) adj.
adoperar (*ad-o*) v.
adoptação s.f.
adoptado adj.
adoptante adj.2g.
adoptar v.
adoptável adj.2g.
adoptivo adj.
adoquina s.f.
ador (*ô*) s.m.
adora s.f.
adorabilidade s.f.
adorabundo adj.
adoração s.f.
adorado adj. s.m.
adoradoiro adj.
adorador (*ô*) adj. s.m.
adoradouro adj.
adoral adj.2g.
adoramento s.m.
adorando adj.
adorante adj.2g.
adorar v.
adorativo adj.
adoratório s.m.
adorável adj.2g.
adorbital (*ad-o*) adj.2g. s.m.
adoreia (*é*) s.f.
adoreto (*ê*) s.m.
adoriá adj. s.2g.
adório s.m.
adormecedor (*ô*) adj. s.m.
adormecente adj.2g.
adormecer v.
adormecido adj.
adormecimento s.m.
adormentado adj.
adormentador (*ô*) adj. s.m.
adormentamento s.m.
adormentar v.
adormido adj.
adorminhado adj.
adorna s.f.
adornação s.f.
adornado adj.
adornador (*ô*) adj. s.m.
adornamento s.m.
adornante adj.2g.
adornar v.
adornável adj.2g.
adornista s.2g.
adorno (*ô*) s.m.; cf. *adorno*, fl. do v. *adornar*
adortado adj.
adortar v.
adossado adj.; cf. *adoçado*
adosselado adj.
adosselar v.
adotabilidade s.f.
adotação s.f.
adotado adj.
adotando adj. s.m.
adotante adj. s.2g.
adotar v.
adotável adj.2g.
adotelo s.m.
adotianismo s.m.
adotianista adj. s.2g.
adotianístico adj.
adotiano adj. s.m.
adotivo adj.
adoudado adj.
adoudante adj.2g.
adoudar v.
adoudarrado adj.
adoudejado adj.
adoudejar v.
adoutrinação s.f.
adoutrinado adj.
adoutrinar v.
adova (*ô*) s.f.
adoxa (*cs*) s.f.
adoxácea (*cs*) s.f.
adoxáceo (*cs*) adj.
adoxo (*cs*) s.m.
adoxografia (*cs*) s.f.
adoxográfico (*cs*) adj.
adpátruo s.m.
adpedância s.f.
adpresso adj.
adquerido adj.
adqui s.m.
adquirente adj. s.2g.
adquirição s.f.
adquirido adj. s.m.
adquiridor (*ô*) adj. s.m.
adquirimento s.m.
adquirir v.
adquiritivo adj.
adquirível adj.2g.
adquisição s.f.
adquisitividade s.f.
adquisitivo adj.
adquisividade s.f.
adquisto adj. s.m.
adracanto s.m.
adracne s.f.
adraganta s.f.
adragante adj. s.m.
adragantina s.f.
adraganto adj. s.m.
adragar v.
adrago s.m.
adraguncho s.m.
adraísta adj. s.2g.
adrástea s.f.
adrastiano adj.
adrasto s.m.
ad-rectal adj.2g.
adrede (*ê*) adv.
ad-referendar v.
adrega adj. s.2g.
adregar v.
adregas adj. s.2g.2n.
adrego (*ê*) s.m.; cf. *adrego*, fl. do v. *adregar*
adreira s.f.
adrenal adj.2g. s.f.
ad-renal adj.2g. s.f.
adrenalectomia s.f.
adrenalectômico adj. s.m.
adrenalina s.f.
adrenalinemia s.f.
adrenalinêmico adj.
adrenalinérgico adj.
adrenalínico adj.
adrenalinogêneo adj.
adrenalinogênese s.f.
adrenalinogênico adj.
adrenalismo s.m.
adrenalístico adj.
adrenalite s.f.
adrenalona s.f.
adrenérgico adj.
adrenocórtico adj.
adrenocorticotrófico adj.
adrenocorticotrofina s.f.
adrenocorticotrofínico adj.
adrenocromo s.m.
adrenotrópico adj.
adrenotropismo s.m.
adressográfico adj.
adressógrafo s.m.
ad-retal adj.2g.
adriamicina s.f.
adriana s.f.
adrianais s.f.pl.
adrianal adj.2g.
adriâneas s.f.pl.
adrianismo s.m.
adrianista s.2g.
adrianístico adj.
adrianopolense adj. s.2g.
adrianopolitano adj. s.m.
adriático adj.
adriça s.f.
adriçado adj.
adriçamento s.m.
adriçar v.
adrina s.f.
adrípia s.f.
adro s.m.
adróbolo s.m.
adroeira s.f.
ad-rogação s.f.
ad-rogado adj. s.m.
ad-rogador (*ô*) adj. s.m.
ad-rogante adj.2g.
ad-rogar v.
ad-rostral adj.2g.
ad-rostrolabial adj.2g.
adrotério s.m.
adrumetano adj. s.m.
adscapeal adj.2g.
adscápulo s.m.
adscrever v.
adscrição s.f.
adscritício adj. s.m.
adscritivo adj.
adscrito adj. s.m.
adsidela s.f.
adsir s.m.
adsorção s.f.
adsorvato s.m.
adsorvente adj.2g. s.m.
adsorver v.
adsorvido adj. s.m.
adsperso adj.
adstipulado adj.
adstipular v.
adstrato s.m.
adstrição s.f.
adstrictório adj.
adstringência s.f.
adstringente adj.2g. s.m.
adstringimento s.m.
adstringir v.
adstringitivo adj.
adstringivo adj. s.m.
adstritivo adj.
adstrito adj.
adstritório adj.
adua s.f.
aduada s.f.
aduado adj.
aduagem s.f.
aduana s.f.
aduanado adj.
aduanar v.
aduaneiro adj. s.m.
aduar v. s.m.
aduático adj. s.m.
aduátuco adj. s.m.
aduba s.f.
adubação s.f.
adubada s.f.
adubadeira s.f.
adubadela s.f.
adubado adj.
adubador (*ô*) adj. s.m.
adubadura s.f.
adubagem s.f.
adubale s.m.
adubamento s.m.
adubar v. "fertilizar"; cf. *adobar*
adube s.m.
adubeira adj. s.f.
adubeiro adj. s.m.
adúbio s.m.
adubo s.m.
aduboiro s.m.
adubouro s.m.
adução s.f.
aducente adj.2g.
aducha s.f.
aduchado adj.
aduchar v.
aduchas s.f.pl.
aducho s.m.
aducido adj.
aducir v.
adueirismo s.m.
adueiro s.m.
aduela s.f.
aduelagem s.f.
adufa s.f.
adufada s.f.
adufado adj.
adufar v.
adufaria s.f.
adufe s.m.
adufeiro s.m.
adufo s.m.
adula s.f.
adulação s.f.
adulado adj. s.m.
adulador (*ô*) adj. s.m.; f. *adulatriz*
adulante adj. s.2g.
adulão adj. s.m.; f. *adulona*
adular v.
adulária s.f. "mineral"; cf. *adularia*, fl. do v. *adular*
adulativo adj.
adulatório adj.
adulatriz adj. s.f. de *adulador*
adulçorado adj.
adulçorar v.
adúlico adj.
adulita adj. s.2g.
adulona adj. s.f. de *adulão*
aduloso (*ô*) adj. s.m.; f. (*ó*); pl. (*ó*)
adulteração s.f.
adulterado adj.
adulterador (*ô*) adj. s.m.
adulteramento s.m.
adulterante adj.2g.
adulterar v.
adulterável adj.2g.
adulterinidade s.f.
adulterino adj.
adultério s.m.
adulterioso (*ô*) adj.; f. (*ó*); pl. (*ó*)
adulterismo s.m.
adulterista adj. s.2g.
adulterístico adj.
adúltero adj. s.m. "cônjuge infiel"; cf. *adultero*, fl. do v. *adulterar*
adulteroso (*ô*) adj.; f. (*ó*); pl. (*ó*)
adultícia s.f.
adultidade s.f.
adulto adj. s.m.
adum s.m.
adumar v.
adumbração s.f.
adumbrado adj.
adumbrar v.
adumbrativo adj.
adumerar v.
adunação s.f.
adunado adj.
adunamento s.m.
adunar v.
aduncado adj.
aduncar v.
aduncidade s.f.
aduncirrostro adj.
adunco adj.
adur adv.
adurar v.
adurência s.f.
adurente adj. s.2g.
adurir v.
adurol s.m.
adustão s.f.
adustez (*ê*) s.f.
adusteza (*ê*) s.f.
adustibilidade s.f.
adustinense adj. s.2g.
adustível adj.2g.
adustivo adj.
adusto adj.
adutivo adj.
adutor (*ô*) adj. s.m.
adutora (*ô*) s.f.
aduzido adj.

aduzir v.
aduzível adj.2g.
advecção s.f.
ádvena adj. s.2g.
advenida s.f.
advenidiço adj.
adveniente adj.2g.
advenomania s.f.
adventícia s.f.
adventício adj. s.m.
adventismo s.m.
adventista adj. s.2g.
adventístico adj.
advento s.m.
adverbal adj.2g.
adverbar v.
adverbiado adj.
adverbial adj.2g.
adverbialidade s.f.
adverbializado adj.
adverbializar v.
adverbiar v.
advérbio s.m. "classe de palavras"; cf. *adverbio*, fl. do v. *adverbiar*
adverbizar v.
adversado adj.
adversante adj.2g.
adversão s.f.
adversar v.
adversário adj. s.m.
adversativa s.f.
adversatividade s.f.
adversativo adj.
adversia s.f.
adversidade s.f.
adversifólio adj.
adverso adj. s.m.
adversor (*ô*) adj. s.m.
advertência s.f.
advertendo s.m.
advertido adj.
advertimento s.m.
advertir v.
advincular adj.2g.
advindo adj.
advipatel s.m.
advir v.
advocação s.f.
advocacia s.f.
advocado adj.
advocar v.
advocatário adj. s.m.
advocatício adj.
advocatório adj.
advocatura s.f.
advogacia s.f.
advogada s.f.
advogado adj. s.m.
advogar v.
advultação s.f.
advultamento s.m.
advultar v.
adzâneni adj. s.2g.
aeciano adj. s.m.
aédico adj.
aedíneo s.m.
aedítimo s.m.
aedo s.m.
aêmero adj.
aêneo adj.
aeração s.f.
aerador (ô) adj. s.m.
aeragem s.f.
aeranta s.f.
aeranto s.m.
aerário adj. s.m.
aerefônio s.m.
aerefono s.m.
aerelasticidade s.f.
aerelástico adj.
aeremia s.f.
aerêmico adj. s.m.
aeremoctonia s.f.
aeremoctônico adj.
aeremoto s.m.
aeremotoxia (*cs*) s.f.
aerendocardia s.f.
aerendocardíaco adj.
aerênquima s.m.
aerenquimático adj.
aerenterectasia s.f.
aéreo adj.
aerespacial adj.2g.
aerespaço s.m.
aeretmia s.f.
aeretmopneumonia s.f.
aeretmotoxia (*cs*) s.f.
aeriano adj. s.m.
aericlina s.f.
aérico adj.
aerícola adj.2g.
aérida adj.2g. s.f.
aeridáceo adj.
aéride adj.2g. s.f.
aérido adj. s.m.
aerídrico adj. s.m.
aeridro adj.
aeridropata s.2g.
aeridrópata s.2g.
aeridropatia s.f.
aeridropático adj.
aeridroterapia s.f.
aeridroterápico adj.
aeriduto s.m.
aeridutor (*ô*) s.m.
aerífero adj. s.m.
aerificação s.f.
aerificado adj.
aerificador (*ô*) adj. s.m.
aerificar v.
aerifluxo (*cs*) s.m.
aeriforme adj.2g.
aerincubadora (*ô*) s.f.
aerínea s.f.
aeríneo adj.
aerinita s.f.
aerinite s.f.
aerinito s.m.
aerita adj. s.2g.
aerivagante adj.2g.
aerívoro adj.
aerização s.f.
aerizar v.
aerizusa s.f.
aerobalística s.f.
aerobalístico adj.
aerobarco s.m.
aerobata s.2g.
aeróbata s.2g.
aeróbica s.f.
aeróbico adj.
aerobilia s.f.
aeróbio adj.
aerobionte adj.2g.
aerobiontia s.f.
aerobiôntico adj.
aerobioscopia s.f.
aerobioscópico adj.
aerobioscópio s.m.
aerobiose s.f.
aerobiótico adj.
aeroblástico adj.
aeroblasto s.m.
aerobote s.m.
aerobus s.m.
aeróbus s.m.2n.
aerocarpia s.f.
aerocárpico adj.
aerocartografia s.f.
aerocartográfico adj.
aerocartógrafo s.m.
aerocele s.m.
aerocélico adj. s.m.
aerocêntrico adj.
aerocintilometria s.f.
aerocintilométrico adj.
aerociste s.f.
aerocisto s.m.
aerocistografia s.f.
aerocistográfico adj.
aerocistoscopia s.f.
aerocistoscópico adj.
aerocistoscópio s.m.
aeroclavicórdio s.m.
aeroclinoscopia s.f.
aeroclinoscópico adj.
aeroclinoscópio s.m.
aeroclube s.m.
aeroclubismo s.m.
aeroclubista adj. s.2g.
aeroclubístico adj.
aerocolia s.f.
aerocólico adj. s.m.
aerocolpia s.f.
aerocólpico adj.
aerocondensador (*ô*) adj. s.m.
aerocreto s.m.
aerodermectasia s.f.
aerodermectásico adj.
aerodermectático adj.
aerodeslizador (*ô*) adj. s.m.
aerodiafanometria s.f.
aerodiafanométrico adj.
aerodiafanômetro s.m.
aerodinâmica s.f.
aerodinâmico adj.
aerodinamismo s.m.
aeródino s.m.
aerodontalgia s.f.
aerodontálgico adj.
aerodontodinia s.f.
aerodontodínico adj.
aerodrômico adj.
aeródromo s.m.
aeroduto s.m.
aerodutor (*ô*) s.m.
aeroelasticidade s.f.
aeroelástico adj.
aeroeletromagnetismo s.m.
aeroembolia s.f.
aeroembolismo s.m.
aeroespacial adj.2g.
aeroespaço s.m.
aerofagia s.f.
aerofágico adj.
aerófago adj. s.m.
aerófano adj.
aerofilácio s.m.
aerofilatelia s.m.
aerofilatélico adj.
aerofilatelista adj. s.2g.
aerofilatelístico adj.
aerofilme s.m.
aerofilo s.m. "folha submersa ou emergente"; cf. *aerófilo*
aerófilo adj. s.m. "que ou quem gosta de ar"; cf. *aerofilo*
aerofiltro s.m.
aerófita s.f.
aerófito adj. s.m.
aerofobia s.f.
aerofóbico adj.
aerófobo s.m.
aerofoguete (*ê*) s.m.
aerofólio s.m.
aerofone adj.2g. s.m.
aerofônico adj.
aerofônio adj.
aerofono adj. s.m.
aerófono adj. s.m.
aeróforo adj. s.m.
aerofoto s.f.
aerofotogeologia s.f.
aerofotogeológico adj.
aerofotogeólogo s.m.
aerofotografar v.
aerofotografia s.f.
aerofotográfico adj.
aerofotograma s.m.
aerofotogrametria s.f.
aerofotogramétrico adj.
aerofotômetra s.2g.
aerofotometria s.f.
aerofotométrico adj.
aerofreio s.m.
aerófugo adj.
aerogamaespectrometria s.f.
aerogamaespectrométrico adj.
aerogamaspectrometria s.f.
aerogamaspectrométrico adj.
aerogamespectrometria s.f.
aerogamespectrométrico adj.
aerogâmica s.f.
aerogâmico adj.
aerogáster s.m.
aerogastrectasia s.f.
aerogastrectásico adj.
aerogastrectático adj.
aerogastria s.f.
aerogástrico adj.
aerogastro s.m.
aerogel s.m.
aerogênese s.f.
aerogenético adj.
aerogênico adj.
aerogênio s.m.
aerógeno adj.
aerogeofísica s.f.
aerogeofísico adj.
aerognosia s.f.
aerognosta s.2g.
aerognóstico adj.
aerografia s.f.
aerográfico adj.
aerógrafo s.m.
aerograma s.m.
aero-hidro adj.; pl. *aero-hidros*
aero-hidropata s.2g.
aero-hidropatia s.f.
aero-hidroterapia s.f.
aero-hidroterápico adj.
aeroide (*ó*) adj.2g.
aeroídro adj.
aeroidropata s.2g.
aeroidropatia s.f.
aeroidroterapia s.f.
aeroidroterápico adj.
aeroincubadora (*ô*) s.f.
aérola s.f.
aerolevantamento s.m.
aerolita s.f.
aerolite s.f.
aerolítico adj.
aerólito s.m.
aerologia s.f.
aerológico adj.
aerólogo s.m.
aeromagnetometria s.f.
aeromagnetométrico adj.
aeromancia s.f.
aeromania s.f.
aeromaníaco adj. s.m.
aerômano adj. s.m.
aeromante s.2g.
aeromântica s.f.
aeromântico adj.
aeromecânica s.f.
aeromecânico adj.
aeromedicina s.f.
aeromedicinal adj.2g.
aeromédico adj. s.m.
aeromel s.m.
aerometeorógrafo s.m.
aerômetra s.2g.
aerometria s.f.
aerométrico adj.
aerômetro s.m.
aeromoça (*ô*) s.f.
aeromoço (*ô*) s.m.
aeromodelação s.f.
aeromodelagem s.f.
aeromodelar v.
aeromodelismo s.m.
aeromodelista adj. s.2g.
aeromodelístico adj.
aeromodelo (*ê*) s.m.; cf. *aeromodelo*, fl. do v. *aeromodelar*
aeromodelódromo s.m.
aeromorfose s.f.
aeromorfótico adj.
aeromoto s.m.
aeromotocicleta s.f.
aeromotociclismo s.m.
aeromotociclista adj. s.2g.
aeromotociclístico adj.
aeromotor (*ô*) s.m.
aeronaugrafia s.f.
aeronaugráfico adj.
aeronáugrafo s.m.
aeronauta s.2g.
aeronáutica s.f.
aeronáutico adj.
aeronaval adj.2g.
aeronave s.f.
aeronavegabilidade s.f.
aeronavegação s.f.
aeronavegar v.
aeronavegável adj.2g.
aeroneurose s.f.
aeroneurótico adj. s.m.
aeronomia s.f.
aeronômico adj.
aeropata s.2g.
aerópata s.2g.
aeropatia s.f.
aeropático adj.
aeropausa s.f.
aeropericardia s.f.
aeropericardíaco adj.
aeropericárdio s.m.
aeroperitoneu s.m.
aeroperitonia s.f.
aeroperitônico adj.
aeroperitônio s.m.
aeropiesia s.f.
aeropiesismo s.m.
aeropiesístico adj.
aeropiesoterapia s.f.
aeropiesoterápico adj.
aeropiesotermoterapia s.f.
aeropiesotermoterápico adj.
aeropioneiro adj. s.m.
aeropirotecnia s.f.
aeropirotécnico adj.
aeropista s.f.
aeroplanação s.f.
aeroplanagem s.f.
aeroplanar v.
aeroplancto s.m.
aeroplâncton s.m.
aeroplania s.f.
aeroplânico adj.
aeroplanismo s.m.
aeroplanista adj. s.2g.
aeroplanístico adj.
aeroplano s.m.
aeropletismografia s.f.
aeropletismográfico adj.
aeropletismógrafo s.m.
aeropleuria s.f.
aeropneumonasia s.f.
aeropneumonectasia s.f.
aeropneumonectásico adj.
aeropneumonectático adj.
aerópode adj.2g.
aerópodo adj.
aeroporostomia s.f.
aeroportação s.f.
aeroportagem s.f.
aeroportar v.
aeroporto (*ô*) s.m.; pl. (*ó*)
aeroportuário adj. s.m.
aeroposta s.f.
aeropostal adj.2g.
aeroquímico adj.
aerorraquia s.f.
aeróscafo s.m.
aeroscopia s.f.
aeroscópico adj.
aeroscópio s.m.
aerose s.f.
aerosfera s.f.
aerosférico adj.
aerósico adj.
aerosita s.f.
aerosite s.f.
aerosito s.m.
aerossinusite s.f.
aerossistilo s.m.
aerossol s.m.
aerossólico adj.
aerossolização s.f.
aerossolizado adj.
aerossolizador (*ô*) adj. s.m.
aerossolizar v.
aerossolterapia s.f.
aerossolterápico adj.
aerossoma s.m.
aerossonda s.f.
aerossondagem s.f.
aerossondar v.
aerostação s.f.
aeróstata s.2g.
aerostatação s.f.
aerostateiro s.m.
aerostaterapia s.f.
aerostaterápico adj.
aerostática s.f.
aerostático adj.
aerostátmio s.m.
aerostato s.m.

aeróstato s.m.
aerosteiro adj. s.m.
aerostilo s.m.
aerotáctico adj.
aerotactismo s.m.
aerotático adj.
aerotatismo s.m.
aerotaxe (*cs*) s.f.
aerotaxia (*cs*) s.f.
aerotecnia s.f.
aerotécnico adj.
aerotelúrico adj.
aeroterapêutica s.f.
aeroterapêutico adj.
aeroterapia s.f.
aeroterápico adj.
aerotérmico adj.
aerotermo s.m.
aerotermodinâmica s.f.
aerotermodinâmico adj.
aerotermoterapia s.f.
aerotermoterápico adj.
aeroterrestre adj.2g.
aerótico adj.
aerotite s.f.
aerotítico adj.
aerótono s.m.
aerotonometria s.f.
aerotonométrico adj.
aerotonômetro s.m.
aerotopografia s.f.
aerotórax (*cs*) s.m.2n.
aerotorpedo (*ê*) s.m.
aerotransportado adj.
aerotransportador (*ô*) adj. s.m.
aerotransportadora (*ô*) s.f.
aerotransportar v.
aerotransporte s.m.
aerotrator (*ô*) s.m.
aerotriangulabilidade s.f.
aerotriangulação s.f.
aerotriangular v. adj.2g.
aerotriangulatório adj.
aerotriangulável adj.2g.
aerotrópico adj.
aerotropismo s.m.
aeroturbina s.f.
aerouretroscopia s.f.
aerouretroscópico adj.
aerouretroscópio s.m.
aerovapor (*ô*) s.m.
aerovariômetro s.m.
aerovia s.f.
aeroviário adj. s.m.
aeroxidase (*cs*) s.f.
aeroxídase (*cs*) s.f.
aerozoário adj. s.m.
aeruginoso (*ô*) adj.; f. (*ó*); pl. (*ó*)
aerugita s.f.
aerugite s.f.
aerugítico adj.
aeruretroscopia s.f.
aeruretroscópico adj.
aeta adj. s.2g.
aetética s.f.
aético adj.
aetita s.f.
aetite s.f.
aetítico adj.
aetito s.m.
aetóforo s.m.
aetoma s.m.
aetomorfo adj. s.m.
aetossáurio s.m.
aetrioscopia s.f.
aetrioscópico adj.
aetrioscópio s.m.
afa s.m. "morte"; cf. *afã*
afã s.m. "lida"; cf. *afa*
afabilidade s.f.
afabilíssimo adj. sup. de *afável*
afabulação s.f.
afabulante adj.2g.
afabular v.
áfaca s.f.
afaçamado adj.
afaçanhado adj.
afaçanhar v.
afacia s.f.
afácico adj.
afadigado adj.
afadigador (*ô*) adj. s.m.
afadigar v.
afadigo s.m.
afadigoso (*ô*) adj.; f. (*ó*); pl. (*ó*)
afadistado adj.
afadistar v.
afagadeiro adj.
afagado adj.
afagador (*ô*) adj. s.m.
afagadora (*ô*) s.f.
afagamento s.m.
afagante adj.2g.
afagar v.
afagia s.f.
afágico adj.
afago s.m.
afagoso (*ô*) adj.; f. (*ó*); pl. (*ó*)
afaguear v.
afagueirado adj.
afagueirante adj.2g.
afagueirar v.
afagueiro adj.
afaimado adj.
afaimar v.
afainado adj.
afainar-se v.
afalado adj.
afalar v.
afalcaçado adj.
afalcaçar v.
afalcoado adj.
afalcoar v.
afalgesia s.f.
afalgésico adj.
afaluado adj.
afamado adj.
afamador (*ô*) adj. s.m.
afamanado adj.
afamanar v.
afamar v.
afamilhado adj.
afamilhar-se v.
afamiliado adj.
afamiliar-se v.
afanado adj.
afanador (*ô*) adj.
afanar v.
afancar v.
afanchonado adj.
afandangado adj.
afandangar v.
afanésia s.f.
afanésio s.m.
afanesita s.f.
afanesite s.f.
afanfar v.
afangar v.
afangoado adj.
afania s.f.
afânico adj.
afaníptero adj. s.m.
afânise s.f.
afanisia s.f.
afanismo s.m.
afanístico adj.
afanita s.f.
afanite s.f.
afanítico adj.
afanito s.m.
afano s.m.
afanopo s.m.
afanóptero adj. s.m.
afanosidade s.f.
afanoso (*ô*) adj.; f. (*ó*); pl. (*ó*)
afanozoário s.m.
afantochado adj.
afantochar v.
afaqueado adj.
afaquear v.
afaquia s.f.
afar s.2g.
afarar-se v.
afarelado adj.
afarelar v.
afarfalhado adj.
afarfalhar v.
afarinhado adj.
afarinhar v.
afarolado adj. s.m.
afarolador (*ô*) adj. s.m.
afarolante adj.2g.
afarolar v.
afarvado adj.
afarvar v.
afasia s.f.
afásico adj. s.m.
afasmídio adj. s.m.
afastado adj.
afastador (*ô*) adj. s.m.
afastamento s.m.
afastança s.f.
afastar v.
afasto s.m.
afatiado adj.
afatiar v.
afaveco s.m.
afável adj.2g.
afavelado adj.
afaxinado adj.
afaxinar v.
afazendado adj.
afazendar-se v.
afazer v. s.m.
afazeres (*ê*) s.m.pl.
afazimento s.m.
afeado adj.; cf. *afiado*
afeador (*ô*) adj. s.m.; cf. *afiador*
afeamento s.m.; cf. *afiamento*
afear v. "enfear"; cf. *afiar*
afeável adj.2g.; cf. *afiável*
afebriado adj.
afebril adj.2g.
afeção s.f.
afecção s.f.
afeccionabilidade s.f.
afeccional adj.2g.
afeccionalidade s.f.
afectação s.f.
afectado adj.
afectador (*ô*) adj.
afectante adj.2g.
afectar v.
afectativo adj.
afectividade s.f.
afectivo adj.
afecto adj. s.m.
afectuosidade s.f.
afectuoso (*ô*) adj.; f. (*ó*); pl. (*ó*)
afedorentar v.
afefé s.m.
afefobia s.f.
afegã adj. s.2g.
afegação s.f.
afegada s.f.
afegane adj. s.2g. s.m.
afegânico adj.
afeganita s.f.
afegão adj. s.m.
afegar v.
afeição s.f.
afeicionado adj.
afeiçoada s.f.
afeiçoado adj. s.m.
afeiçoador (*ô*) adj. s.m.
afeiçoamento s.m.
afeiçoar v.
afeijoado adj.
afeijoar v.
afeitação s.f.
afeitado adj.
afeitador (*ô*) adj. s.m.
afeitamento s.m.
afeitar v.
afeite s.m.
afeitear v.
afeito adj. s.m.
afelandra s.f.
afeleado adj.
afelear v.
afelenco s.m.
afélio s.m.
afeliotrópico adj.
afeliotropismo s.m.
afelócoma s.m.
afeloquiro s.m.
afelotério s.m.
afemeação s.f.
afemeado adj.
afemear v.
afemestesia s.f.
afemestésico adj.
afemestético adj.
afemia s.f.
afêmico adj. s.m.
afeminação s.f.
afeminado adj. s.m.
afeminamento s.m.
afeminar v.
afeofobia s.f.
afeofóbico adj. s.m.
afeófobo adj. s.m.
afer s.2g.
aferado adj.
aferar v.
aferência s.f.
aferente adj.2g.
aférese s.f.
aferesear v.
aferésico adj.
aferético adj.
afergulhado adj.
afergulhar v.
aferição s.f.
aferida s.f.
aferidar v.
aferido adj. s.m.
aferidor (*ô*) adj. s.m.
aferimento s.m.
aferir v.
aferível adj.2g.
afermentado adj.
afermentar v.
afermoseado adj.
afermosear v.
aferrada s.f.
aferrado adj.
aferrador (*ô*) s.m.
aferramento s.m.
aferrar v.
aferrenhado adj.
aferrenhar v.
aferretado adj.
aferretar v.
aferreteado adj.
aferretear v.
aferretoado adj.
aferretoador (*ô*) s.m.
aferretoamento s.m.
aferretoar v.
aferro (*ê*) s.m.; cf. *aferro*, fl. do v. *aferrar*
aferroado adj.
aferroador (*ô*) adj. s.m.
aferroar v.
aferrolhado adj.
aferrolhador (*ô*) adj. s.m.
aferrolhamento s.m.
aferrolhar v.
afervar v.
aferventação s.f.
aferventado adj. s.m.
aferventamento s.m.
aferventar v.
afervescer v.
afervescido adj.
afervoração s.f.
afervorado adj.
afervoramento s.m.
afervorar v.
afervorizado adj.
afervorizar v.
afesia s.f.
afestivado adj.
afestoado adj.
afestoar v.
afestonação s.f.
afestonado adj.
afestonagem s.f.
afestonar v.
afetabilidade s.f.
afetação s.f.
afetado adj.
afetador (*ô*) adj. s.m.
afetal adj.2g.
afetante adj.2g.
afetar v.
afetativo adj.
afetável adj.2g.
afetéria s.f.
afetibilidade s.f.
afetível adj.2g.
afetividade s.f.
afetivo adj.
afeto adj. s.m.
afetuosidade s.f.
afetuoso (*ô*) adj.; f. (*ó*); pl. (*ó*)
afezoar v.
afiação s.f.
afiada s.f.
afiadeira s.f.
afiado adj.; cf. *afeado*
afiador (*ô*) adj. s.m.; cf. *afeador*
afiadura s.f.
afial s.m.
afiambrado adj. s.m.
afiambramento s.m.
afiambrar v.
afiamento s.m.; cf. *afeamento*
afiançabilidade s.f.
afiançado adj.
afiançador (*ô*) adj. s.m.
afiançamento s.m.
afiançar v.
afiançável adj.2g.
afiar v. "aguçar"; cf. *afear*
afiável adj.2g.; cf. *afeável*
afibrinogenemia s.f.
aficado adj.
aficador (*ô*) adj. s.m.
aficamento s.m.
aficar v.
aficionado adj. s.m.
afidalgado adj.
afidalgamento s.m.
afidalgar v.
afídeo adj. s.m.
afidídeo adj. s.m.
afidífago adj. s.m.
afídio s.m.
afidívoro adj. s.m.
afido s.m.
afidófago adj. s.m.
afidóideo adj. s.m.
afifano adj. s.m.
afifar v.
afifense adj. s.2g.
afigada s.f.
afiguração s.f.
afigurado adj.
afigurador (*ô*) adj. s.m.
afiguramento s.m.
afigurar v.
afigurativo adj.
afilação s.f.
afiláctico adj.
afilado adj.
afilador (*ô*) adj. s.m.
afiladura s.f.
afilamento s.m.
afilanta s.f.
afilantácea s.f.
afilantáceo adj.
afilantes s.f.2n.
afilantropia s.f.
afilantrópico adj.
afilantropo (*ô*) s.m.
afilar v.
afilático adj.
afilaxia (*cs*) s.f.
afilhação s.f.
afilhada s.f.
afilhadagem s.f.
afilhadismo s.m.
afilhadista adj. s.2g.
afilhadístico adj.
afilhado adj. s.m.
afilhador (*ô*) adj. s.m.
afilhamento s.m.
afilhar v.
afilharado adj.
afilharar v.
afilhastro s.m.
afilia s.f.
afiliação s.f.
afiliado adj.
afiliar v.
afiligranado adj.
afiligranar v.
afilo adj.

afiloponia s.f.
afilopônico adj.
afilosofado adj.
afilosofar v.
afim adj. s.2g.; cf. na loc. *a fim de*
afinação s.f.
afinado adj.
afinador (*ô*) adj. s.m.
afinagem s.f.
afinal adv.
afinamento s.m.
afinar v.
afincado adj.
afincador (*ô*) adj. s.m.
afincamento s.m.
afincância s.f.
afincar v.
afinco s.m.
afincoamento s.m.
afincoar v.
afinfar v.
afingir v.
afinhar v.
afinheiro adj.
afínico adj.
afinidade s.f.
afinitário adj.
afino s.m.
áfio adj. s.m.
afiou s.m.
afírico adj.
afirmabilidade s.f.
afirmação s.f.
afirmado adj.
afirmador (*ô*) adj. s.m.
afirmamento s.m.
afirmante adj. s.2g.
afirmar v.
afirmativa s.f.
afirmativo adj.
afirmável adj.2g.
áfis s.m.2n.
afisocautério s.m.
afistulado adj.
afistular v.
afitado adj.
afitador (*ô*) adj. s.m.
afitamento s.m.
afitar v.
afito s.m.
afiuzado adj.
afiuzar v.
afivelação s.f.
afivelado adj.
afivelamento s.m.
afivelar v.
afixação (*cs*) s.f.
afixacional (*cs*) adj.2g.
afixado (*cs*) adj.
afixador (*cs...ô*) adj. s.m.
afixal (*cs*) adj.2g.
afixamento (*cs*) s.m.
afixar (*cs*) v.
afixivo (*cs*) adj.
afixo (*cs*) adj. s.m.
aflado adj.
aflamengado adj.
aflamengar v.
aflante adj.2g.
aflar v.
aflato s.m.
aflatoxina (*cs*) s.f.
aflautado adj.
aflautamento s.m.
aflautar v.
aflauteado adj.
aflautear v.
aflechado adj.
aflechar v.
afleia s.f.
afleimado adj.
afleimar v.
afleumado adj.
afleumar v.
aflição s.f.
afligente adj.2g.
afligido adj. s.m.
afligidor (*ô*) adj. s.m.
afligimento s.m.
afligir v.
aflitivo adj.
aflito adj. s.m.
aflogístico adj.
afloixar v.
afloração s.f.
aflorado adj.
afloramento s.m.
aflorante adj. s.2g.
aflorar v.
afluência s.f.
afluente adj.2g. s.m.
afluição s.f.
afluir v.
afluxo (*cs*) s.m.
afobação s.f.
afobado adj.
afobamento s.m.
afobar v.
afobo (*ô*) s.m.; cf. *afobo*, fl. do v. *afobar*
afocal adj.2g.
afocalização s.f.
afocalizar v.
afocar v.
afocinhado adj.
afocinhador (*ô*) adj. s.m.
afocinhamento s.m.
afocinhar v.
afodal adj.2g.
afodíneo adj. s.m.
afódio s.m.
áfodo s.m.
afodosia s.f.
afofado adj.
afofamento s.m.
afofar v.
afofiê s.f.
afogação s.f.
afogadela s.f.
afogadense adj. s.2g.
afogadiço adj.
afogadilha s.f.
afogadilho s.m.; na loc. *de afogadilho*
afogado adj. s.m.
afogadoiro s.m.
afogador (*ô*) adj. s.m.
afogadouro s.m.
afogadura s.f.
afogamento s.m.
afogar v.
afogativo adj.
afogo (*ô*) s.m.; pl. (*ó*); cf. *afogo*, fl. do v. *afogar*
afogueado adj. s.m.
afogueamento s.m.
afogueante adj. s.2g.
afoguear v.
afoguentado adj.
afoguentar v.
afoiçado adj. s.m.
afoiçamento s.m.
afoiçar v.
afoicinhado adj.
afoitado adj.
afoitamento s.m.
afoitar v.
afoiteza (*ê*) s.f.
afoito adj.
afolar v. s.m.
afolhado adj.
afolhamento s.m.
afolhar v.
afolhear v.
afolozado adj.
afolozar v.
afomear v.
afomentar v.
afonese s.f.
afonésico adj.
afonético adj.
afonia s.f.
afônico adj.
afonina s.f.
afonínico adj.
afonjá s.m.
afono adj.
áfono adj.
afonsa s.f.
afonsim adj.2g. s.m.
afonsina s.f.
afonsinho adj. s.m.
afonsino adj. s.m.
afonsismo s.m.
afonsista adj. s.2g.
afonsístico adj.
afonso s.m.
afonso-bezerrense adj. s.2g.; pl. *afonso-bezerrenses*
afonso-claudiense adj. s.2g.; pl. *afonso-claudienses*
afonso-cunhense adj. s.2g.; pl. *afonso-cunhenses*
afora adv. prep.
aforação s.f.
aforado adj.
aforador (*ô*) s.m.
aforamento s.m.
aforar v.
aforçar v.
aforciado adj.
aforciar v.
aforçurado adj.
aforçurador (*ô*) s.m.
aforçuramento s.m.
aforçurar-se v.
aforese s.f.
aforético adj.
aforia s.f.
afórico adj.
aforisma s.m.
aforismado adj.
aforismal adj.2g.
aforismar v.
aforismático adj.
aforismo s.m.
aforista s.2g.
aforístico adj.
aformalado adj.
aformalar v.
aformar v.
aforme adj.2g. s.f.
aformosado adj.
aformosar v.
aformoseado adj.
aformoseador (*ô*) adj. s.m.
aformoseamento s.m.
aformosear v.
aformosentado adj.
aformosentar v.
aforo (*ô*) s.m.; cf. *aforo*, fl. do v. *aforar*
aforquilhado adj.
aforquilhador (*ô*) adj.
aforquilhadura s.f.
aforquilhamento s.m.
aforquilhar v.
aforrado adj.
aforrador (*ô*) adj. s.m.
aforramento s.m.
aforrar v.
aforritar v.
aforro (*ô*) s.m.; pl. (*ó*); cf. *aforro*, fl. do v. *aforrar*
afortalecer v.
afortalecido adj.
afortalezado adj.
afortalezamento s.m.
afortalezar v.
afortunação s.f.
afortunado adj.
afortunar v.
afortunoso (*ô*) adj.; f. (*ó*); pl. (*ó*)
afose s.f.
afosia s.f.
afossilífero adj.
afótico adj.
afotista adj.2g.
afotométrico adj.
afotonita s.f.
afotonítico adj.
afototáctico adj.
afototaxia (*cs*) s.f.
afototropismo s.m.
afouçado adj.
afouçar v.
afoucinhado adj.
afoutado adj.
afoutamento s.m.
afoutar v.
afouteza (*ê*) s.f.
afouto s.m.
afoxé s.2g.
afracado adj.
afracamento s.m.
afracar v.
afracassar v.
afracto s.m.
afragatado adj.
afragatar v.
aframomo s.m.
afrancesado adj.
afrancesamento s.m.
afrancesar v.
afrânia s.f.
afraniense adj. s.2g.
afranzinar v.
afrasia s.f.
afrásico adj.
afrástico adj.
afrechado adj.
afrechar v.
afreguesado adj.
afreguesamento s.m.
afreguesar v.
afregulhado adj.
afregulhar v.
afreimado adj.
afreimar v.
afrentado adj.
afrentar v.
afrescado adj.
afrescalhação s.f.
afrescalhado adj.
afrescalhamento s.m.
afrescalhar v.
afrescar v.
afresco (*ê*) s.m.; cf. *afresco*, fl. do v. *afrescar*
afretado adj.
afretador (*ô*) s.m.
afretamento s.m.
afretar v.
áfrica s.f.
africação s.f.
africada s.f.
africado adj.
africana s.f.
africanada s.f.
africanado adj.
africanar v.
africânder adj. s.2g. s.m.
africanderofalante adj. s.2g.
africanderofonia s.f.
africanderófono adj. s.m.
africâner adj. s.2g. s.m.
africanerofalante adj. s.2g.
africanerofonia s.f.
africanerófono adj. s.m.
africanidade s.f.
africanismo s.m.
africanista adj. s.2g.
africanística s.f.
africanístico adj.
africanização s.f.
africanizado adj.
africanizante adj. s.2g.
africanizar v.
africanizável adj.2g.
africano adj. s.m.
africanologia s.f.
africanológico adj.
africanologista adj. s.2g.
africanólogo s.m.
africar v.
africata s.f.
africato adj.
africção s.f.
áfrico adj. s.m.
afridol s.m.
afrinigerização s.f.
afrinigerizado adj.
afrinigerizante adj.2g.
afrinigerizar v.
afrinigrologia s.f.
afrinigrologista s.2g.
afrinigrólogo s.m.
afrisoado adj.
afrissurar v.
afrita s.f.
afrite s.f.
afrito s.m.
afrizita s.f.
afrizítico adj.
afro adj. s.m.
afro-americano adj. s.m.; pl. *afro-americanos*
afro-ameríndio adj. s.m.; pl. *afro-ameríndios*
afro-árabe adj.2g.; pl. *afro-árabes*
afro-asiático adj. s.m.; pl. *afro-asiáticos*
afro-baiano adj. s.m.; pl. *afro-baianos*
afro-brasileirismo s.m.; pl. *afro-brasileirismos*
afro-brasileirista adj. s.2g.; pl. *afro-brasileiristas*
afro-brasileirístico adj. s.m.; pl. *afro-brasileirísticos*
afro-brasileiro adj. s.m.; pl. *afro-brasileiros*
afro-britânico adj. s.m.; pl. *afro-britânicos*
afrocalcita s.f.
afrocalcítico adj.
afro-cubano adj. s.m.; pl. *afro-cubanos*
afrode adj.2g.
afrodescendência s.f.
afrodescendente adj.2g. s.2g.
afrodescina s.f.
afródila s.f.
afrodina s.f.
afrodísea s.f.
afrodíseo adj.
afrodisia s.f.
afrodisíaco adj. s.m.
afrodisiasmo s.m.
afrodisiasta s.2g.
afrodisiástico adj.
afrodisiense adj. s.2g.
afrodisiografia s.f.
afrodisiográfico adj.
afrodisiógrafo s.m.
afrodisiomania s.f.
afrodita adj. s.2g.
afrodítico adj.
afrodítida adj.2g. s.m.
afroditídeo adj. s.m.
afrodito adj.
afroditografia s.f.
afroditográfico adj.
afroditógrafo s.m.
afrodo adj.
afróforo adj. s.m.
afro-francês adj. s.m.; pl. *afro-franceses*
afrógalo s.m.
afrogenia s.f.
afro-inglês adj.; pl. *afro-ingleses*
afroixado adj.
afroixador (*ô*) adj. s.m.
afroixamento s.m.
afroixar v.
afroixelado adj.
afroixelar v.
afrólatra s.2g.
afrolatria s.f.
afrolátrico adj.
afro-lusitanismo s.m.; pl. *afro-lusitanismos*
afro-lusitanista adj. s.2g.; pl. *afro-lusitanistas*
afro-lusitanístico adj.; pl. *afro-lusitanísticos*
afro-lusitano adj. s.m.; pl. *afro-lusitanos*
afromendôncia s.f.
afrométrico adj.
afrômetro s.m.
afronatrão s.m.
afronegrismo s.m.
afronegrista adj. s.2g.
afronegrístico adj.
afronegro adj. s.m.
afronesia s.f.
afronésia s.f.
afronésico adj.
afronético adj.
afronhado adj.

afronhar v.
afrônitro s.m.
afronta s.f.
afrontação s.f.
afrontadiço adj.
afrontado adj.
afrontador (*ô*) adj. s.m.
afrontamento s.m.
afrontante adj.2g.
afrontar v.
afrontável adj.2g.
afrontoso (*ô*) adj.; f. (*ó*); pl. (*ó*)
afrósina s.f.
afrossiderita s.f.
afrossiderite s.f.
afrossiderítico adj.
afrouxado adj.
afrouxador (*ô*) adj. s.m.
afrouxamento s.m.
afrouxar v.
afrouxelado adj.
afrouxelar v.
afrutado adj. s.m.
afrutar v.
afta s.f.
aftácida adj.2g. s.m.
aftaguir s.m.
aftalosa s.f.
aftalose s.f.
aftalósio s.m.
aftalosita s.f.
aftalosito s.m.
aftartodoceta s.2g.
aftásida s.m.
aftenxia (*cs*) s.f.
aftitalita s.f.
aftito s.m.
aftitolita s.f.
aftitolítico adj.
aftitólito s.m.
aftófito adj. s.m.
aftoide (*ó*) adj.2g.
aftongia s.f.
aftôngico adj.
aftonita s.f.
aftonítico adj.
áftono s.m.
aftosa s.f.
aftose s.f.
aftósico adj.
aftoso (*ô*) adj.; f. (*ó*); pl. (*ó*)
aftótico adj.
aftoviro s.m.
aftovírus s.m.2n.
afuaense adj. s.2g.
afuazado adj.
afufo s.m.
afugenta-demônios s.m.2n.
afugentado adj.
afugentador (*ô*) adj. s.m.
afugentamento s.m.
afugentar v.
afugentável adj.2g.
afuleimação s.f.
afuleimado adj.
afuleimar v.
afuliginação s.f.
afuliginamento s.m.
afuliginar v.
afulvar v.
afumaçado adj.
afumação s.f.
afumado adj.
afumadura s.f.
afumamento s.m.
afumar v.
afumeado adj.
afumear v.
afumegação s.f.
afumegado adj.
afumegamento s.m.
afumegar v.
afunado adj.
afunar v.
afundado adj.
afundamento s.m.
afundar v.
afundável adj.2g.
afundeação s.f.
afundeamento s.m.
afundear v.
afundido adj.
afundimento s.m.
afundir v.
afunilado adj.
afunilamento s.m.
afunilar v.
afurá s.m.
afuroado adj.
afuroador (*ô*) adj. s.m.
afuroante adj.2g.
afuroar v.
afurunculado adj.
afusado adj.
afusal s.m.
afusamento s.m.
afusão s.f.
afusar v.
afusel s.m.
afuselado adj.
afuselar v.
afustado adj.
afustar v.
afustuado adj.
afustuar v.
afutricação s.f.
afutricado adj.
afutricamento s.m.
afutricar v.
afuzilado adj.
afuzilamento s.m.
afuzilante adj.2g.
afuzilar v.
afuzilaria s.f.
afvilita s.f.
afwillita s.f.
afzélia s.f.
aga s.f. "planta"; cf. *agá*
agá s.m. "letra"; cf. *aga*
agabado adj.
agabador (*ô*) adj. s.m.
agabamento s.m.
agabanado adj.
agabão s.m.
agabar v.
agabe s.m.
agabelo s.m.
agabeno adj. s.m.
agábio s.m.
agácar s.f.
agacé adj. s.2g.
agacéfalo adj. s.m.
agacha s.f.
agachação s.f.
agachada s.f.
agachadeira s.f.
agachadela s.f.
agachado adj. s.m.
agachamento s.m.
agachar v.
agacho s.m.
agácia s.f.
agacturo adj. s.m.
agada s.m.f. "parte da medicina hindu"; cf. *agadá*
agadá s.m. "instrumento musical"; cf. *agada*
agadado adj.
agadanhado adj.
agadanhador (*ô*) adj. s.m.
agadanhamento s.m.
agadanhar v.
agadina s.f.
agadista adj. s.2g.
agadunhado adj.
agadunhador (*ô*) s.m.
agadunhamento s.m.
agadunhar v.
agafanhado adj.
agafanhador (*ô*) adj. s.m.
agafanhar v.
agafelo s.m.
agafita s.f.
agafítico adj.
agafito s.m.
agage adj. s.2g.
agágio adj. s.m.
agaí s.m.
agaiar v.
agaiatado adj.
agaiatar v.
agaiolado adj.
agaiolar v.
agaíta s.f.
agaitado adj.
agaitar v.
agaíte s.f.
agaíto s.m.
agajar v.
agajeiro s.m.
agala s.f.
agalacia s.f.
agalactação s.f.
agalactia s.f.
agaláctico adj.
agalacto adj. s.m.
agalanado adj.
agalanar v.
agalanceia (*é*) s.f.
agalar v.
agalardoado adj.
agalardoador (*ô*) s.m.
agalardoar v.
agalari s.m.
agalaxia (*cs*) s.f.
agalegado adj.
agalegar v.
agaleirado adj.
agaleirar v.
agalena s.f.
agalênida adj. s.2g.
agalgado adj.
agalgar v.
agalha s.f.
agalhado adj.
agalhar v.
agalhudo adj.
agália s.f.
agalicina s.f.
agálico adj.
agalimar v.
agalinhado adj.
agalinhar v.
agalinis s.2g.2n.
agalinol s.m.
agaliquemane s.m.
agalisiano s.m.
agalísica s.f.
agalísico adj.
agalita s.f.
agalite s.f.
agálito s.m.
agalma s.m.
agalmatolita s.f.
agalmatolítico adj.
agalmatólito s.m.
agálmida s.m.
agalmila s.f.
agalmilo s.m.
agalmopse s.f.
agaloado adj. s.m.
agaloadura s.f.
agaloamento s.m.
agaloar v.
agalochar v.
agáloco s.m.
agalopado adj.
agalopar v.
agáloque s.m.
agaloquita s.f.
agalorreia (*é*) s.f.
agamá s.m. "réptil"; cf. *ágama*
ágama s.m. "tratado tântrico"; cf. *agamá*
agamaglobulinemia s.f.
agamaglobulinêmico adj.
agamandrécia s.f.
agame adj. s.2g.
agamemnônida adj. s.2g.
agamenônida adj. s.2g.
agamermafrodítico adj.
agamermafroditismo s.m.
agamermafroditístico adj.
agâmeta s.m.
agâmeto s.m.
agami s.m.
agamia s.f.
agamiano adj. s.m.
agâmica s.f.
agâmico adj.
agâmida adj.2g. s.m.
agamídeo adj. s.m.
agamita s.2g.
ágamo adj.
agamóbio s.m.
agamogênese s.f.
agamogenético adj.
agamoginecia s.f.
agamoginomonoica (*ó*) s.f.
agamoginomonoico (*ó*) adj.
agamogonia s.f.
agamogônico adj.
agamoide (*ó*) adj.2g.
agamonte s.f.
agamospécie s.f.
agamospermia s.f.
agamospérmico adj.
agamospermo adj.
agamotrópico adj.
agamótropo adj.
aganado adj.
aganai s.m.
aganão s.m.
aganar v.
aganear v.
agangaila s.f.
agangliônico adj.
agangliose s.f.
agangrenado adj.
agangrenar v.
aganide s.m.
aganipe s.f.
aganipeia (*é*) adj.; f. de *aganipeu*
aganipeu adj.; f. *aganipeia* (*é*)
aganípido adj.
aganísia s.f.
aganista s.2g.
aganisto s.m.
aganju s.m.
aganobléfaro s.m.
aganoeiro s.m.
agantado adj.
agantar v.
agaonídeo adj. s.m.
ágapa s.f.
agapântea s.f. "planta"; cf. *agapântia*
agapânteo adj.
agapântia s.f. "inseto"; cf. *agapântea*
agapanto s.m.
agapátea s.f.
agapáteo adj.
ágape s.2g.
agapeta (*ê*) s.f.
agapeto (*ê*) s.m.
agapofita s.f.
agapofite s.f.
agaporne s.m.
agapórnis s.m.
ágar s.m.
agara s.m. "madeira"; cf. *agará*
agará s.m. "gênero de esponjas"; cf. *agara*
ágar-ágar s.m.; pl. *ágar-ágares*
agarani s.2g.
agarbate s.m.
agarçal s.m.
agárdhia s.f.
agardhiella s.f.
agárdia s.f.
agardiela s.f.
agardinela s.f.
agaré s.m.
agárea s.f.
agarejo (*ê*) s.m.
agareniano adj. s.m.
agareno adj. s.m.
agáreo adj.
agargalado adj.
agargalar v.
agari s.m.
agária s.f.
agárica s.f.
agaricácea s.f.
agaricáceo adj.
agarical adj.2g.
agaricale s.f.
agárice s.f.
agarícea s.f. "fungo"; cf. *agarícia*
agaríceo adj. s.m.
agarícia s.f. "pólipo"; cf. *agarícea*
agarícico adj.
agaricícola adj.2g.
agaricida adj. s.2g.
agaricídio s.m.
agariciforme adj.2g.
agaricina s.f.
agaricinático adj. s.m.
agaricinato s.m.
agaricínea s.f.
agaricíneo adj.
agaricínico adj.
agaricino adj. s.m.
agaricita s.f.
agaricite s.f.
agárico s.m.
agárico-branco s.m.; pl. *agáricos-brancos*
agárico-dos-farmacêuticos s.m.; pl. *agáricos-dos-farmacêuticos*
agárico-dos-médicos s.m.; pl. *agáricos-dos-médicos*
agaricófago adj. s.m.
agaricófilo s.m.
agaricoide (*ó*) adj.2g. s.m.
agaricol s.m.
agaricólico adj.
agarimado adj.
agarimar v.
agarina s.f.
agarínico adj.
agarístida adj.2g. s.m.
agaristídeo adj. s.m.
agaristo s.m.
agarnachado adj.
agarnachar v.
agarnel s.m.
ágaro s.m.
agarofênico adj.
agarofeno s.m.
agarol s.m.
agarônia s.f.
agarose s.f.
agarotado adj.
agarotar v.
agarra s.m. interj.
agarração s.f.
agarra-compadre s.m.; pl. *agarra-compadres*
agarradeira s.f.
agarra-diabos s.m.2n.
agarradiço adj.
agarrado adj. s.m.
agarrador (*ô*) adj. s.m.
agarramento s.m.
agarranado adj.
agarrante adj.2g. s.m.
agarra-pé s.m.; pl. *agarra-pés*
agarra-pinto s.m.; pl. *agarra-pintos*
agarrar v.
agarra-saia s.m.; pl. *agarra-saias*
agarratório adj.
agarro s.m.
agarrochado adj.; cf. *agarruchado*
agarrochador (*ô*) adj. s.m.
agarrochar v. "ferir com garrocha"; cf. *agarruchar*
agarrotado adj.
agarrotar v.
agarruchado adj.; cf. *agarrochado*
agarruchar v. "apertar com garrucha"; cf. *agarrochar*
agarrunchado adj.
agarrunchar v.
agarum s.m.
agasalhação s.f.
agasalhadeiro adj.
agasalhado adj. s.m.
agasalhador (*ô*) adj. s.m.
agasalhamento s.m.
agasalhante adj.2g.
agasalhar v.
agasalhável adj.2g.
agasalheiro adj.
agasalho s.m.

agasílide s.f.
agasílis s.f.2n.
agássia s.f.
agassízia s.f.
agassizócrino s.m.
agasta s.f.
agastadiço adj.
agastado adj.
agastadura s.f.
agastamento s.m.
agástaquis s.m.2n.
agastar v.
agaste s.m.
agasteira s.f.
agasto s.m.
agastra s.f.
agastrário adj.
agastria s.f.
agástrico adj.
agastro adj.
agastronervia s.f.
agastronérvico adj.
agastroneuria s.f.
agastroneûrico adj.
agastronevria s.f.
agastronomia s.f.
agastronômico adj.
agastrozoário adj. s.m.
agastura s.f.
ágata s.f.
ágata da islândia s.f.
agatafunhar v.
agatai adj. s.2g.
agatanhadela s.f.
agatanhado adj.
agatanhador (*ô*) adj. s.m.
agatanhadura s.f.
agatanhamento s.m.
agatanhar v.
agatarca s.2g.
agatário s.m.
agatarquia s.f.
agatárquico adj.
agatauma s.m.
ágate s.m.
agateado adj.
agateia (*é*) s.f.
agatélpide s.f.
agatélpido s.m.
agáteo adj.
ágates s.f.2n. "ágata"; cf. *ágatis*
agati s.m.
agátia s.f.
agático adj.
agátide s.f.
agatídeo adj.
agatídia s.f.
agatídio s.m.
agatífero adj.
agatificado adj.
agatificante adj.2g.
agatificar v.
agatifilia s.f.
agatina s.f.
agatinhado adj.
agatinhar v.
agatínico adj.
agatino adj. s.m.
agatirso s.m.
ágatis s.m.2n. "planta"; cf. *ágates*
agatismo s.m.
agatista adj. s.2g.
agatístega s.f.
agatístico adj.
agatizado adj.
agatizar v.
agatofilo s.m.
agatófito s.m.
agatoico (*ó*) adj.
agatoide (*ó*) adj.2g.
agatologia s.f.
agatológico adj.
agatólogo s.m.
agatomérida adj.2g. s.f.
agatômero s.m.
agatosma s.m.
agatosmo s.m.
agatunado adj.
agatunar v.
agaturgo s.m.
agaturrar v.
agaú s.m.
agauchado adj.
agauchante adj.2g.
agauchar v.
agaunense adj. s.2g.
agavácea s.f.
agaváceo adj.
agave s.f.
agávea s.f.
agaveácea s.f.
agaveáceo adj.
agavelado adj.
agavelar v.
agavetado adj.
agavio s.m.
agavo adj. s.m.
agavóidea s.f.
agavóideo adj.
agavosa s.f.
agazar v.
agazela s.f.
agazetado adj.
agazua s.f.
agazuado adj.
agazuar v.
agazulado adj.
agazular v.
agbê s.m.
agdestidácea adj.
agdestidáceo adj.
agdéstis s.m.2n.
agé s.m.
agedoíta s.f.
agedoíte s.f.
agedra s.f.
agédula s.f.
agegelado adj.
ageia (*é*) s.f.
agelacrinite s.m.
agelácrino s.m.
agelaio s.m.
agelasta s.f.
agelástica s.f.
agelasto adj.
agelatinar v.
ageleia (*é*) s.f.
agelena s.f.
agelenado adj. s.m.
agelenídeo adj. s.m.
agelenoide (*ó*) adj.2g. s.f.
ageleu s.m.
agelocrinita s.f.
agelocrinite s.f.
agelócrino s.m.
agema s.m.
agêmate s.m.
agenceio s.m.
agência s.f.; cf. *agencia*, fl. do v. *agenciar*
agenciação s.f.
agenciadeira adj. s.f.
agenciado adj.
agenciador (*ô*) adj. s.m.
agenciamento s.m.
agenciana s.f.
agenciar v.
agenciário adj. s.m.
agencioso (*ô*) adj.; f. (*ó*); pl. (*ó*)
agenda s.f.
agendar v.
agenealogia s.f.
ageneiosídeo adj. s.m.
agênese s.f.
agenesia s.f.
agenésico adj.
agenético adj.
agengibrado adj.
agengibrar v.
agênia s.f.
ageniano adj.
agênio s.m.
ageniose s.f.
ágeno adj.
agenor (*ô*) s.m.
agenóreo adj.
agenória s.f.
agenórida adj. s.2g.
agenóride adj. s.2g.
agenório adj.
agenossomia s.f.
agenossomo s.m.
agente adj. s.2g.
agentivo adj. s.m.
ageometria s.f.
ageométrico adj.
ageometrosia s.f.
ageotrópico adj.
ageotropismo s.m.
áger s.m.
ageração s.f.
ageramolho (*ô*) s.m.
agerar v.
agerasia s.f.
agerásico adj.
ageratado adj.
agerático adj.
agerato adj. s.m.
agérato adj. s.m.
agérato-do-méxico s.m.; pl. *agératos-do-méxico*
ageratoide (*ó*) adj.2g.
agere s.m.
agerina s.f.
agerínico adj.
agermanação s.f.
agermanado adj.
agermanamento s.m.
agermanar v.
agerminar v.
agermolho (*ô*) s.m.
agermulho s.m.
agerônia s.f.
ageronte s.m.
agérrimo adj. sup. de *agre* e *agro*
agervão s.m.
agesinate adj. s.2g.
agestado adj.
agestar v.
agesto s.m.
agéstrata s.f.
agéstrato s.m.
ageusia s.f.
ageuso adj.
ageustia s.f.
ageusto adj.
agi s.m.
agiar s.m.
agiasmo s.m.
agicrânio s.m.
ágida adj. s.2g.
agigantação s.f.
agigantado adj.
agigantamento s.m.
agigantar v.
agigantear v.
ágil adj.2g.
agilidade s.f.
agílimo adj. sup. de *ágil*
agilíssimo adj. sup. de *ágil*
agilitação s.f.
agilitado adj.
agilitador (*ô*) adj. s.m.
agilitar v.
agilitável adj. s.2g.
agilização s.f.
agilizado adj.
agilizador (*ô*) adj. s.m.
agilizar v.
agilizável adj.2g.
agina s.f.
aginário adj.
agínea s.f.
aginécea s.f.
aginéceo adj.
aginense adj. s.2g.
aginia s.f.
aginiano adj. s.m.
agínico adj.
ágino adj.
ágio s.m.; cf. *agio*, fl. do v. *agiar*
agiospermia s.f.
agiospérmico adj.
agiota adj. s.2g.
agiotado adj.
agiotador (*ô*) adj. s.m.
agiotagem s.f.
agiotar v.
agiotista adj. s.2g.
agir v.
agirafado adj.
agiria s.f.
agirina s.f.
agirínico adj.
agirmo s.m.
agironado adj.
agironar v.
agirta s.m.
agírtico adj.
agissimandro s.m.
agistagem s.f.
agistamento s.m.
agitabilidade s.m.
agitação s.f.
agitadiço adj.
agitado adj.
agitador (*ô*) adj. s.m.
agitamento s.m.
agitante adj.2g.
agitar v.
agitatriz s.f.
agitável adj.2g.
agito s.m.
agitofasia s.f.
agitofásico adj. s.m.
agitografia s.f.
agitográfico adj.
agitógrafo s.m.
agitolalia s.f.
agitolálico adj.
agla s.f.
aglábida adj. s.2g.
aglabita adj. s.2g.
aglaia s.f.
aglaíto s.m.
aglaope s.m.
aglaopo s.m.
aglaóspora s.f.
agláspide adj.2g.
aglaucope adj. s.2g.
aglaucopia s.f.
aglaucopsia s.f.
aglaucóptico adj.
aglaurita s.f.
aglena s.m.
agleno s.m.
aglia s.f. "cicatriz"; cf. *áglia*
áglia s.f. "inseto"; cf. *aglia*
aglicemia s.f.
aglicêmico adj. s.m.
aglícona s.f.
aglícone s.m.
áglifo adj. s.m.
aglifodôncia s.f.
aglifodonte adj.2g. s.m.
aglifodontia s.f.
aglobulia s.f.
aglobúlico adj.
aglobulismo s.m.
aglomeração s.f.
aglomerado adj. s.m.
aglomerador (*ô*) adj. s.m.
aglomerante adj.2g. s.m.
aglomerar v.
aglomerativo adj.
aglomerato s.m.
aglomerável adj.2g.
aglossa s.f.
aglossia s.f.
aglóssico adj.
aglosso adj. s.m.
aglossostomia s.f.
aglossostômico adj. s.m.
aglossóstomo s.m.
aglossostomografia s.f.
aglossostomográfico adj.
aglossostomógrafo s.m.
agloterar v.
aglótico adj.
aglutição s.f.
aglutinabilidade s.f.
aglutinação s.f.
aglutinado adj.
aglutinador (*ô*) adj. s.m.
aglutinamento s.m.
aglutinante adj.2g. s.m.
aglutinar v.
aglutinativo adj.
aglutinável adj.2g.
aglutinidade s.f.
aglutinina s.f.
aglutinínico adj.
aglutinóforo s.m.
aglutinogêneo adj. s.m.
aglutinogênico adj.
aglutinogênio s.m.
aglutinógeno adj. s.m.
aglutinoide (*ó*) adj. s.2g.
aglutinometria s.f.
aglutinométrico adj.
aglutinômetro s.m.
aglutinoscopia s.f.
aglutinoscópico adj.
aglutinoscópio s.m.
aglutinoso (*ô*) adj.; f. (*ó*); pl. (*ó*)
aglutometria s.f.
aglutométrico adj.
aglutômetro s.m.
agma s.m.
agmar s.m.
agmatina s.f.
agmatologia s.f.
agmatológico adj.
agmatólogo s.m.
ágmen s.m.
agmi s.m.
agminado adj.
agminal adj.2g.
agmíneo adj.
agna s.f.
agnação s.f.
agnacato s.m.
agnado adj. s.m.
agnal adj.2g.
agnálias s.f.pl.
agnanto s.m.
ágnata adj. s.2g.
agnatia s.f.
agnatício adj.
agnático adj.
agnato adj. s.m. "parente"; cf. *ágnato*
ágnato adj. s.m. "desprovido de queixo"; cf. *agnato*
agnatófero s.m.
agnatóstomo adj.
agne s.f.
agnelina s.f.
agnelino adj.
agnelo s.m.
agnésia s.f.
agnesita s.f.
agnesite s.f.
agnesito s.m.
ágni s.m.
agnição s.f.
agnicional adj.2g.
agnina s.f.
agnínio s.m.
agnino adj.
agnistério s.m.
agno s.m.
agnocastil s.m.
agnocasto s.m.
agnoeta s.2g.
agnoia (*ó*) s.f.
agnoiologia s.f.
agnoíta s.2g.
agnoitismo s.m.
agnolita s.f.
agnólito s.m.
agnome s.m.
agnonominação s.f.
agnopuro s.m.
agnosia s.f.
agnosiografia s.f.
agnosiográfico adj.
agnostério s.m.
agnosticismo s.m.
agnosticista adj. s.2g.
agnosticístico adj.
agnóstico adj. s.m.
agnostozoico (*ó*) adj. s.m.
agnotozoico (*ó*) adj. s.m.
ágnus-dei s.m.; pl. *ágnus-deis*
ago s.m. "planta medicinal"; cf. *agô*
agô s.m. "pedido de licença"; cf. *ago*
agocítico adj.
agodelhar v.

agoé s.m.
agoga s.f.
agoge s.f.
agógica s.f.
agógico adj.
agogô s.m.
agoguê s.m.
agoirado adj.
agoirador (*ô*) adj. s.m.
agoiral adj.2g.
agoirar v.
agoireiro adj. s.m.
agoirentado adj.
agoirentar v.
agoirento adj.
agoirice s.f.
agoiro s.m.
agolfinhado adj.
ágolo s.m.
agolpeado adj.
agolpear v.
agom s.m.
agomã s.m.
agomado adj.
agomamento s.m.
agomar v.
agô-mato s.m.; pl. *agôs-mato* e *agôs-matos*
agometria s.f.
agométrico adj.
agomia s.f.
agomiada s.f.
agomil s.m.
agomilado adj.
agomilar v.
agominar v.
agomitar v.
agonais s.f.pl.
agonal adj.2g. s.m.
agonandra s.f.
agonarca s.m.
agônata adj. s.2g.
agonense s.2g.
agonfíase s.f.
agonfo adj.
agonfose s.f.
agonfosíaco adj.
agonfósico adj.
agonfótico adj.
agongorado adj.
agongorar v.
agonia s.f.
agoniação s.f.
agoniada s.f.
agoniadina s.f.
agoniado adj.
agoniador (*ô*) adj.
agoniano adj. s.m.
agoniapicrina s.f.
agoniar v.
agoníclita s.m.
agônico adj.
agônida adj.2g. s.m.
agonídeo adj. s.m.
agoniento adj.
agoniologia s.f.
agoniológico adj.
agonioneuro s.m.
agonista s.2g.
agonistarca s.m.
agonística s.f.
agonístico adj.
agonizado adj.
agonizante adj. s.2g.
agonizar v.
ágono adj. s.m.
agonografia s.f.
agonográfico adj.
agonógrafo s.m.
agonossoma s.m.
agonossomo s.m.
agonóstoma s.m.
agonóstomo s.m.
agonotesia s.f.
agonóteta s.m.
agonotético adj.
agora adv. conj. interj. "já"; cf. *ágora e agorá*
agorá s.f. "moeda"; cf. *agora* e *ágora*
ágora s.f. "praça"; cf. *agora* e *agorá*
agora-agora adv.
agorácrito s.m.
agorafobia s.f.
agorafóbico adj.
agoráfobo s.m.
agoramania s.f.
agoramaníaco adj. s.m.
agorâmano s.m.
agoranomia s.f.
agoranômico adj.
agorânomo s.m.
agorarca s.2g.
agorasta s.2g.
agorastado adj.
agoraste s.m.
agorentado adj.; cf. *agourentado*
agorentador (*ô*) s.m.; cf. *agourentador*
agorentar v. "diminuir"; cf. *agourentar*
agóreo adj.
agori s.m.
agorim s.m.
agorinha adv.
agoromania s.f.
agostado adj.
agostadouro s.m.
agostamento s.m.
agostar v.
agosteiro adj.
agostinha s.f.
agostinho adj. s.m.
agostiniano adj. s.m.
agostinismo s.m.
agostinista adj. s.2g.
agostinístico adj.
agosto (*ô*) s.m. "mês do ano"; cf. *agosto*, fl. do v. *agostar*
agotar v.
agote adj. s.m.
agourado adj.
agourador (*ô*) adj.
agoural adj.2g.
agourar v.
agoureiro adj. s.m.
agourentado adj.; cf. *agorentado*
agourentador s.m.; cf. *agorentador*
agourentar v. "agourar"; cf. *agorentar*
agourento adj.
agourice s.f.
agouro s.m.
agousidade s.f.
agra s.f.
agracarambo s.m.
agraciabilidade s.f.
agraciação s.f.
agraciado adj.
agraciador (*ô*) adj. s.m.
agraciamento s.m.
agraciar v.
agraciável adj.2g.
agraço s.m.
agradabilidade s.f.
agradação s.f.
agradado adj.
agradador (*ô*) adj. s.m.
agradamento s.m.
agradar v.
agradável adj.2g. s.m.
agrade s.f.
agradecedor (*ô*) adj. s.m.
agradecer v.
agradecibilidade s.f.
agradecida s.f.
agradecido adj.
agradecimento s.m.
agradecível adj.2g.
agrado s.m.
agraduação s.f.
agraduado adj.
agraduar v.
agrafe s.m.
agrafia s.f.
agráfico adj. s.m.
agráfida adj.2g. s.f.
agráfide s.f.
agrafo s.m. "grampo"; cf. *ágrafo*
ágrafo adj. s.m. "sem escrita"; cf. *agrafo*
agragantino adj. s.m.
agral s.f.
agralheira s.f.
agramalheirado adj.
agramalheirar v.
agramatia s.f.
agramatical adj.2g.
agramaticalidade s.f.
agramaticidade s.f.
agramático adj.
agramatismo s.m.
agramatista adj. s.2g.
agramatístico adj.
agranado adj.
agranar v.
agrandado adj.
agrandamento s.m.
agrandar v.
agranelação s.f.
agranelado adj.
agranelamento s.m.
agranelar v.
agranitado adj.
agranitar v.
agranizar v.
agranulocitose s.f.
agranulocitótico adj.
agrão s.m.
agrapim s.m.
agrar v.
agrarianismo s.m.
agrarianista adj. s.2g.
agrarianístico adj.
agrariano adj. s.m.
agrariato s.m.
agrário adj. s.m.
agrarismo s.m.
agrarista adj. s.2g.
agrarístico adj.
agrarização s.f.
agrarizar v.
agrarizável adj.2g.
agraudado adj.
agraudar v.
agraula s.f.
agráulia s.f.
agraulo s.m.
agravabilidade s.f.
agravação s.f.
agravado adj. s.m.
agravador (*ô*) adj. s.m.
agravamento s.m.
agravançado adj.
agravançar v.
agravante adj. s.2g.
agravar v.
agravativo adj.
agravatório adj.
agravável adj.2g.
agraviado adj.
agraviar v.
agravio s.m.
agravista s.m.
agravo s.m.
agravonita adj. s.2g.
agravoso (*ô*) adj.; f. (*ó*); pl. (*ó*)
agraz adj.2g. s.m.
agre adj.2g.
agrear v.
agredido adj. s.m.
agredir v.
agregabilidade s.f.
agregação s.f.
agregado adj. s.m.
agregador (*ô*) adj. s.m.
agregar v.
agregatividade s.f.
agregativo adj.
agregato s.m.
agregável adj.2g.
agreia (*é*) adj. s.f.
agreira s.f.
agrela s.f.
agrelar v.
agrelita s.f.
agrelítico adj.
agrellita s.f.
agrém s.m.
agremiação s.f.
agremiado adj. s.m.
agremiador (*ô*) adj. s.m.
agremiar v.
agressão s.f.
agressina s.f.
agressividade s.f.
agressivo adj.
agressor (*ô*) adj. s.m.
agressório adj.
agresta s.f.
agrestado adj.
agrestal s.m.
agreste adj.2g. s.m.
agrestia s.f.
agrestice s.f.
agrestidade s.f.
agrestidão s.f.
agrestinense adj. s.2g.
agrestino adj.
agresto adj. s.m.
agreu adj. s.m.
ágria s.f.
agriano adj. s.m.
agrianto s.m.
agrião adj. s.m.
agrião-bravo s.m.; pl. *agriões-bravos*
agrião-da-ilha-de-frança s.m.; pl. *agriões-da-ilha-de-frança*
agrião-da-terra s.m.; pl. *agriões-da-terra*
agrião-do-brasil s.m.; pl. *agriões-do-brasil*
agrião-do-brejo s.m.; pl. *agriões-do-brejo*
agrião-do-méxico s.m.; pl. *agriões-do-méxico*
agrião-do-pântano s.m.; pl. *agriões-do-pântano*
agrião-do-pará s.m.; pl. *agriões-do-pará*
agrião-do-peru s.m.; pl. *agriões-do-peru*
agrião-dos-jardins s.m.; pl. *agriões-dos-jardins*
agrião-dos-prados s.m.; pl. *agriões-dos-prados*
agrião-falso s.m.; pl. *agriões-falsos*
agrião-menor s.m.; pl. *agriões-menores*
agrias s.m.2n.
agriástico adj.
agriçado adj.
agriçar v.
agricoindústria s.f.
agricoindustrial adj.2g.
agrícola adj.2g. s.m.
agricolandense adj. s.2g.
agricolar adj.2g.
agricolita s.f.
agricolite s.f.
agricolítico adj.
agricolito s.m.
agricoloindústria s.f.
agricoloindustrial adj.2g.
agricopecuária s.f.
agricopecuário adj.
agricultado adj.
agricultar v.
agricultável adj.2g.
agricultor (*ô*) adj. s.m.
agricultura s.f.
agricultural adj.2g.
agridoce (*ô*) adj.2g. s.m.
agridoçura s.f.
agridulce adj.2g.
agrieira s.f.
agrielcose s.f.
agrifado adj.
agrifar v.
agrifólio s.m.
agrigentino adj. s.m.
agrilar v.
agrilhado adj.
agrilhar v.
agrilhetar v.
agrilhoado adj.
agrilhoador (*ô*) adj. s.m.
agrilhoamento s.m.
agrilhoar v.
agrílica-de-rama s.f.; pl. *agrílicas-de-rama*
agrimar v.
agrimensão s.f.
agrimensar v.
agrimensor (*ô*) s.m.
agrimensora (*ô*) s.f.
agrimensorando adj. s.m.
agrimensório adj.
agrimensura s.f.
agrimensurando adj. s.m.
agrimônia s.f.
agrimônia-bastarda s.f.; pl. *agrimônias-bastardas*
agrimonoida (*ó*) adj.2g. s.f.
agrimusa s.f.
agrinaldado adj.
agrinaldar v.
ágrio adj.
agriodafno s.m.
agriodendro s.m.
agriofagia s.f.
agriófago adj. s.m.
agriologia s.f.
agriologista adj. s.2g.
agriólogo adj. s.m.
agriomorfia s.f.
agriomórfico adj.
agriomorfo adj. s.m.
ágrion s.m.
agriônia s.f.
agriônida adj.2g. s.f.
agriope s.m.
agriopo s.m.
agriórnis s.m.
agriórnite s.m.
agriórnito s.m.
agriota s.f.
agriote s.m.
agriotimia s.f.
agriotímico adj.
agriótipo s.m.
agrioto s.m.
agripa adj. s.2g.
agripalma s.f.
agripene adj.2g.
agripense adj. s.2g.
agripina s.f.
agripinense adj. s.2g.
agripiniano adj. s.m.
agripino adj.
agripnia s.f.
agripnítico adj.
agripno s.m.
agripnocoma s.m.
agripnode adj.2g.
agripnodo adj.
agripnótico adj.
agrisalhado adj.
agrisalhar v.
agro adj. s.m.
agroaçucareiro adj.
agroalimentar adj.2g.
agróbata s.m.
agrobioclima s.m.
agrobioclimático adj.
agrobiologia s.f.
agroclimatérico adj.
agroclimático adj.
agro-doce adj.2g.; pl. *agro-doces*
agródromo s.m.
agroecologia s.f.
agroecossistema s.m.
agroexportador (*ô*) adj. s.m.
agrofábrica s.f.
agrofabril adj.2g.
agrógano s.m.
agrogeografia s.f.
agrogeográfico adj.
agrogeógrafo s.m.
agrogeologia s.f.
agrogeológico adj.
agrogeologista adj. s.2g.
agrogeologística s.f.
agrogeologístico adj.
agrogeólogo adj. s.m.
agrografia s.f.

agrográfico adj.
agrógrafo s.m.
agroindústria s.f.
agroindustrial adj.2g.
agrolandense adj.2g.
agrologia s.f.
agrológico adj.
agrólogo s.m.
agromancia s.f.
agromania s.f.
agromaníaco adj. s.m.
agrômano adj. s.m.
agromante s.2g.
agromântico adj.
agromanufatura s.f.
agromanufatureiro adj. s.m.
agrômeno s.m.
agrometeorologia s.f.
agrometeorológico adj.
agrometria s.f.
agrométrico adj.
agrômetro s.m.
agromiza s.f.
agromizídeo adj. s.m.
agromotiva s.f.
agronegócio s.m.
agronomando adj. s.m.
agronometria s.f.
agronométrico adj.
agronomia s.f.
agronômico adj.
agrônomo s.m.
agropastoril adj.2g.
agropecuária s.f.
agropecuário adj.
agropecuarista s.2g.
agropédico adj.
agropila s.m.
agropiro s.m.
agroquímica s.f.
agroquímico adj.
agror (*ô*) s.m.
agroso (*ô*) adj.; f. (*ó*); pl. (*ó*)
agrosseirado adj.
agrosseirar v.
agrossocial adj.2g.
agroste s.f.
agróstea s.f.
agrostema s.f.
agrostemina s.f.
agrósteo adj.
agróstero s.m.
agrostícula s.f.
agróstide s.f.
agrostídea s.f.
agrostídeo adj.
agróstido s.m.
agrostiografia s.f.
agrostiográfico adj.
agrostiógrafo s.m.
agrostiologia s.f.
agrostiológico adj.
agrostiologista adj. s.2g.
agrostiólogo s.m.
agróstis s.f.2n.
agrostografia s.f.
agrostográfico adj.
agrostógrafo s.m.
agrostologia s.f.
agrostológico adj.
agrostologista adj. s.2g.
agrostólogo s.m.
ágrote s.f.
agrótera s.f.
agrótida adj. s.2g.
agrótide s.f.
agrotídeo adj. s.m.
agrótido s.m.
agrotíneo adj. s.m.
agrotino s.m.
agrotóxico (*cs*) s.m.
agroujado adj.
agrovia s.f.
agrovila s.f.
agrumação s.f.
agrumar v.
agrume s.m.
agrumelado adj.
agrumelar v.
agrumetado adj.
agrumetar v.
agrumulado adj.
agrumular v.
agrupabilidade s.f.
agrupação s.f.
agrupado adj.
agrupador (*ô*) adj. s.m.
agrupamento s.m.
agrupar v.
agrupável adj.2g.
agrura s.f.
água s.f. "substância líquida"; cf. *aguá*
aguá s.m. "sapo-cururu"; cf. *água* s.f. e fl. do v. *aguar*
água-aberta s.f.; pl. *águas-abertas*
água-amarga s.f.; pl. *águas-amargas*
água-azulense adj. s.2g.; pl. *água-azulenses*
água-benta s.f.; pl. *águas-bentas*
água-boense adj. s.2g.; pl. *água-boenses*
água-bórica s.f.; pl. *águas-bóricas*
água-branca s.f.; pl. *águas-brancas*
água-branquense adj. s.2g.; pl. *água-branquenses*
água-brava s.f.; pl. *águas-bravas*
aguabresa s.f.
água-bruta s.f.; pl. *águas-brutas*
aguaça s.f.
aguaçado adj.
aguaçal s.m.
aguaçar v.
aguacate s.m.
aguacateque s.m.
aguaceira s.f.
aguaceiro s.m.
aguacento adj.
aguachado adj.
aguachar v.
aguachento adj.
água-clarense adj. s.2g.; pl. *água-clarenses*
água com açúcar adj.2g.2n.
água-compridense adj. s.2g.; pl. *água-compridenses*
água-comum s.f.; pl. *águas-comuns*
aguaçu s.m.
aguada s.f.
água-da-colônia s.f.; pl. *águas-da-colônia*
água da guerra s.f.
água da rainha da hungria s.f.
água de ângeles s.f.
água de briga s.f.
água de cana s.f.
água de castanhas s.f.
água de cheiro s.f.
água de cloro s.f.
água de coco s.f.
água-de-colônia s.f.; pl. *águas-de-colônia*
água de flor s.f
água de flórida s.f.
água de goma s.f.
aguadeira adj. s.f.
aguadeiro adj. s.m.
água de luz s.f.
água de melissa s.f.
água de oxalá s.f.
água de oxalufã s.f.
água de perfume s.f.
água de rosas s.f.
água de setembro s.f.
água de toalete s.f.
água de végeto s.f.
aguadiá s.f.
aguadilha s.f.
aguado adj.
água-doce s.f.; pl. *águas-doces*
água-docense adj. s.2g.; pl. *água-docenses*
água do mato s.f.
aguador (*ô*) s.m.
aguadouro s.m.
aguadura s.f.
água-emendada s.f.; pl. *águas-emendadas*
água-flebê s.f.; pl. *águas-flebês*
água-flórida s.f.; pl. *águas-flóridas*
água-forte s.f.; pl. *águas-fortes*
água-fortista adj. s.2g.; pl. *água-fortistas*
água-friense adj. s.2g.; pl. *água-frienses*
água-furtada s.f.; pl. *águas-furtadas*
aguagem s.f.
água-goma s.f.; pl. *águas-gomas*
aguaí s.m.
aguaí-amarelo s.m.; pl. *aguaís-amarelos*
aguaiano adj. s.m.
aguaiense adj. s.2g.
aguaim s.m.
aguaí-vermelho s.m.; pl. *aguaís-vermelhos*
aguaizeiro s.m.
água-limpense adj. s.2g.; pl. *água-limpenses*
água-lisa s.f.; pl. *águas-lisas*
água-má s.f.; pl. *águas-más*
água-mãe s.f.; pl. *águas-mães*
água-marinha s.f.; pl. *águas-marinhas*
água-marinha da sibéria s.f.; pl. *águas-marinhas da sibéria*
água-marinha do sião s.f.; pl. *águas-marinhas do sião*
água-mato s.f.; pl. *águas-mato*
água-mel s.f.; pl. *águas-mel* e *águas-méis*
aguamento s.m.
água-mestra s.f.; pl. *águas-mestras*
aguamirã s.m.
água-morna adj. s.2g.; pl. *águas-mornas*
aguanambi s.m.
aguanilense adj.2g.
aguano adj. s.m.
água-novense adj. s.2g.; pl. *água-novenses*
aguante s.m.
aguapá s.f.
aguapé s.m.
água-pé s.f.; pl. *águas-pé* e *águas-pés*
aguapeaçoca s.f.
aguapé-branco s.m.; pl. *aguapés-brancos*
aguapeca s.f.
aguapé-cheiroso s.m.; pl. *aguapés-cheirosos*
aguapé-da-meia-noite s.m.; pl. *aguapés-da-meia-noite*
aguapé-do-amazonas s.m.; pl. *aguapés-do-amazonas*
aguapé-do-grande s.m.; pl. *aguapés-do-grande*
água-pedrense adj. s.2g.; pl. *água-pedrenses*
água-pegada s.f.; pl. *águas-pegadas*
água-perfumada s.f.; pl. *águas-perfumadas*
aguapezal s.m.
água pra tudo s.f.
água-pretano adj. s.m.; pl. *água-pretanos*
água-pretense adj. s.2g.; pl. *água-pretenses*
aguaquaquã s.m.
água que gato não bebe s.f.
água-quentense adj. s.2g.; pl. *água-quentenses*
água que passarinho não bebe s.f.
aguar v.
aguará s.m.
aguaraçu s.m.
aguará-guaçu s.m.; pl. *aguarás-guaçus*
aguaraíba s.f.
aguaraibá-guaçu s.f.; pl. *aguaraibás-guaçus*
aguarapondá s.f.
aguaraquiá s.m.
aguaraquiá-açu s.m.; pl. *aguaraquiás-açus*
aguaraquinhá s.m.
aguaraquinhaçu s.m.
aguaraúba s.f.
aguaraubaguaçu s.f.
aguaraçá s.m.
aguaraxaim s.m.
aguarda s.f.
aguardadeiro adj.
aguardado adj.
aguardadoiro adj.
aguardador (*ô*) adj. s.m.
aguardadouro adj.
aguardamento s.m.
aguardante adj.2g. s.m.
aguardar v.
aguardentação s.f.
aguardentado adj.
aguardentão s.m.; f. *aguardentona*
aguardentar v.
aguardentaria s.f.
aguardente s.f.
aguardenteiro s.m.
aguardentia s.f.
aguardentona adj.; f. de *aguardentão*
aguardentoso (*ô*) adj.; f. (*ó*); pl. (*ó*)
aguardo s.m.
água-redonda s.f.; pl. *águas-redondas*
água-régia s.f.; pl. *águas-régias*
aguareira s.f.
aguarela s.f.
aguarelado adj.
aguarelar v.
aguarelista s.2g.
aguarelístico adj.
aguarentado adj.
aguarentador (*ô*) s.m.
aguarentar v.
aguariça s.f.
aguariço s.m.
aguariguara s.f.
aguarina s.f.
aguarita s.f.
aguaritar v.
água-roxa s.f.; pl. *águas-roxas*
aguarrada s.f.
aguarrado adj.
aguarrás s.f.
água-ruça s.f.; pl. *águas-ruças*
águas-belense adj. s.2g.; pl. *águas-belenses*
águas de setembro s.f.pl.
águas-formosense adj. s.2g.; pl. *águas-formosenses*
águas-iguais s.f.pl.
águas-mestras s.f.pl.
águas-mornas s.f.2n.
águas-mornense adj. s.2g.; pl. *águas-mornenses*
águas-neves s.f.2n.
água-só s.m.; pl. *águas-sós*
águas-pegadas s.f.pl.
águas-puladeiras s.f.pl.
água-suja s.f.; pl. *águas-sujas*
águas-vermelhense adj. s.2g.; pl. *águas-vermelhenses*
aguatá adv.
aguatal s.f.
aguateiro adj.
água-tesa s.f.; pl. *águas-tesas*
água-tinta s.f.; pl. *águas-tinta* e *águas-tintas*
água-tintista adj. s.2g.; pl. *água-tintistas*
água-tofana s.f.; pl. *águas-tofanas*
água-vai interj.
água-vermelha s.f.; pl. *águas-vermelhas*
água-viva s.f.; pl. *águas-vivas*
aguaxado adj.
aguaxar v.
aguaxento adj.
aguaxima s.f.
aguaxima-do-mangue s.f.; pl. *aguaximas-do-mangue*
aguazil s.m.
aguazilado adj.
aguça s.f.
aguçadeira s.f.
aguçadeirinha s.f.
aguçadeiro adj.
aguçado adj.
aguçadoira s.f.
aguçador (*ô*) adj. s.m.
aguçadoura s.f.
aguçadura s.f.
aguçamento s.m.
aguçar v.
aguço s.m.
aguçoso (*ô*) adj.; f. (*ó*); pl. (*ó*)
agudamento s.m.
agudar v.
agude s.f.
agudecer v.
agudelho (*ê*) s.m.
agudenho s.m.
agudense adj. s.2g.
agudento adj.
agudez (*ê*) s.f.
agudeza (*ê*) s.f.
agúdia s.f.
agudião s.m.
agudização s.f.
agudizar v.
agudizável adj.2g.
agudo adj. s.m.
agué s.m.
aguê s.m.
aguê (*ü*) s.m. "cabaça"; cf. *ágüe* (*ü*), fl. do v. *aguar*
agueira (*ü*) s.f.
agueirar (*ü*) v.
agueiro (*ü*) s.m.
aguentado (*ü*) adj.
aguentador (*ü...ô*) adj. s.m.
aguentar (*ü*) v.
aguente (*ü*) s.m.
agueré s.m.
aguerê s.m.
aguerração s.f.
aguerreação s.f.
aguerreado adj.
aguerrear v.
aguerreirado adj.
aguerreirar v.
aguerrido adj.
aguerrilhado adj.
aguerrilhamento s.m.
aguerrilhar v.
aguerrimento s.m.
aguerrir v.
aguiã s.m.
águia s.f.
águia-belicosa s.f.; pl. *águias-belicosas*
águia-branquense adj. s.2g.; pl. *águia-branquenses*
águia-brasileira s.f.; pl. *águias-brasileiras*
águia-calva s.f.; pl. *águias-calvas*
águia-chilena s.f.; pl. *águias-chilenas*
águia-cinzenta s.f.; pl. *águias-cinzentas*
águia-coroada s.f.; pl. *águias-coroadas*
águia-de-cabeça-branca s.f.; pl. *águias-de-cabeça-branca*
águia-de-poupa s.f.; pl. *águias-de-poupa*
águia-destruidora s.f.; pl. *águias-destruidoras*
águia-equatorial s.f.; pl. *águias-equatoriais*
águia-gritadeira s.f.; pl. *águias-gritadeiras*
aguiamento s.m.
aguião s.m.
águia-pescadora s.f.; pl. *águias-pescadoras*

águia-pesqueira s.f.; pl. *águias-pesqueiras*
águia-rabalva s.f.; pl. *águias-rabalvas*
águia-real s.f.; pl. *águias-reais*
águia-real-europeia s.f.; pl. *águias-reais-europeias*
aguiarense adj. s.2g.
águia-sem-rabo s.f.; pl. *águias-sem-rabo*
aguichar v.
aguidão (*ü*) s.m.
aguidavi s.m.
aguieirado adj.
aguieiro s.m.
aguieta (*ê*) s.f.
aguiguiar v.
aguiguro adj. s.m.
aguila s.f. "tecido"; cf. *águila*
águila s.f. "planta"; cf. *aguila*
aguilarita s.f.
aguilarite s.f.
aguilarítico adj.
aguilarito s.m.
aguilenho adj.
aguilhada s.f.
aguilhado adj.
aguilhão s.m.
aguilhar v.
aguilheta (*ê*) s.f.
aguilhó s.m.
aguilhoada s.f.
aguilhoadela s.f.
aguilhoado adj.
aguilhoador (*ô*) adj. s.m.
aguilhoadura s.f.
aguilhoamento s.m.
aguilhoante adj.2g.
aguilhoar v.
aguilhoeiro s.m.
aguinha (*ü*) s.f.
aguinir v.
aguioto (*ô*) s.m.
aguisado adj.
aguisamento s.m.
aguisar v.
aguista (*ü*) adj. s.2g.
aguitarrado adj.
aguitarrar v.
aguizalhado adj.
aguizalhar v.
agulha s.f.
agulha-branca s.f.; pl. *agulhas-brancas*
agulha-crioula s.f.; pl. *agulhas-crioulas*
agulhada s.f.
agulha de marear s.f.
agulha-de-pastor s.f.; pl. *agulhas-de-pastor*
agulha-de-pastor-moscada s.f.; pl. *agulhas-de-pastor-moscadas*
agulhado s.m.
agulhadoiro s.m.
agulha-do-mar s.f.; pl. *agulhas-do-mar*
agulhadouro s.m.
agulha-ferrugenta s.2g.; pl. *agulhas-ferrugentas*
agulha-mãe s.f.; pl. *agulhas-mãe*
agulhão s.m.
agulhão-azul s.m.; pl. *agulhões-azuis*
agulhão-bandeira s.m.; pl. *agulhões-bandeira* e *agulhões-bandeiras*
agulhão-branco s.m.; pl. *agulhões-brancos*
agulhão-de-prata s.m.; pl. *agulhões-de-prata*
agulhão-de-trombeta s.m.; pl. *agulhões-de-trombeta*
agulhão-de-vela s.m.; pl. *agulhões-de-vela*
agulhão-lambaio s.m.; pl. *agulhões-lambaios*
agulhão-negro s.m.; pl. *agulhões-negros*
agulhão-roliço s.m.; pl. *agulhões-roliços*
agulhão-trombeta s.m.; pl. *agulhões-trombeta* e *agulhões-trombetas*
agulha-padrão s.f.; pl. *agulhas-padrão* e *agulhas-padrões*
agulha-preta s.f.; pl. *agulhas-pretas*
agulhar v.
agulharia s.f.
agulheado adj. s.m.
agulhear v.
agulheira s.f.
agulheira-menor s.f.; pl. *agulheiras-menores*
agulheira-moscada s.f.; pl. *agulheiras-moscadas*
agulheiro s.m.
agulhento adj.
agulheta (*ê*) s.f.; cf. *agulheta*, fl. do v. *agulhetar*
agulhetar v.
agulheteiro s.m.
agulhinha s.m.
agundu s.2g.
aguo s.m.
agurentar v. "agourar"; cf. *agorentar*
agurina s.f.
agustia s.f.
agústico adj.
agustina s.f.
agustita s.f.
agustite s.f.
agustito s.m.
agutaíno adj. s.m.
aguti s.m.
agutiguepa s.f.
agutiguepe s.m.
agutiguepe-obi s.m.; pl. *agutiguepes-obis*
agutipuru s.m.
agutipuruaçu s.m.
ah interj.
a-histórico adj.
ahn interj.
ai s.m. interj.
aí s.m. adv. interj.
aia s.f. "dama de companhia"; cf. *aiá*
aiá s.f. "árvore"; cf. *aia*
aiabeba s.f.
aiabutipitá s.f.
aiacá s.f.
aiaçá s.m.
aiacaná adj. s.2g. s.m.
aiacanã adj. s.2g. s.m.
aiaçari s.f.
aiado adj.
aiai s.m.
aiaia s.f. "brinquedo"; cf. *aiaiá*
aiaiá s.f. "ave"; cf. *aiaia*
aiala s.f.
aião s.m.
aiapá s.m.
aiapaina s.f.
aiapana s.f.
aiapé s.m.
aiapuá s.f.
aiar v. s.m.
aiará s.m.
aiaraçu s.m.
aiareba s.f.
ai a sari s.f.
aiatoctlo s.m.
aiatolá s.m.
aíba s.f.
aibi s.m.
aicá adj. s.2g.
aicaná adj. s.2g. s.m.
aicanã adj. s.2g. s.m.
aicuna interj.
aicuraba s.m.
aideísmo s.m.
aidendro s.m.
aidético adj. s.m.
aídia s.f.
aidje s.m.
aido s.m.
aidoite s.f.
aidro s.m.
aids s.f.2n.
aidurancá s.f.
aiê s.f.
aiênia s.f.
aier s.m.
aiereba s.f.
aigoto (*ô*) s.m.
aígue s.f.
aí-ibiretê s.m.; pl. *aís-ibiretês*
aí-igapó s.m.; pl. *aís-igapós*
ai-jesus s.m.2n. interj.
aijuba s.f.
aijulata s.f.
aijuna interj.
aikinita s.f.
ailá s.f.
ailanticultor (*ô*) s.m.
ailanticultura s.f.
ailantina s.f.
ailanto s.m.
ailila s.m.
ailó s.m. interj.
ailô s.m. interj.
ailuro s.m.
ailurofilia s.f.
ailurofobia s.f.
aimara s.f. "árvore"; cf. *aimará*
aimará adj. s.2g. s.m. "povo", "túnica", etc.; cf. *aimara*
aimarofalante adj. s.2g.
aimarofono adj. s.m.
aimaroparlante adj. s.2g.
aimbiré adj. s.2g.
aí-mirim s.m.; pl. *aís-mirins*
aimol s.m.
aimontabu s.m.
aimoré adj. s.2g. s.m.
aimoreense adj. s.2g.
aimuru s.m.
ainda adv.
aine s.m.
ainho s.m.
ainhum s.2g.
aino adj. s.m.
ainsa s.m.
ainu adj. s.2g.
aio s.m. "preceptor"; cf. *aió*
aió s.m. interj. "bolsa de palha"; cf. *aio*
aiocá s.m.
aiodina s.f.
aiola s.f.
aioro s.m.
aipá s.m.
aipé s.m.
aipim s.m.
aipiri s.m.
aí-pixuna s.m.; pl. *aís-pixunas*
aipo s.m.
aipo-bravo s.m.; pl. *aipos-bravos*
aipo-chimarrão s.m.; pl. *aipos-chimarrões*
aipo-da-água s.m.; pl. *aipos-da-água*
aipo-de-montevidéu s.m.; pl. *aipos-de-montevidéu*
aipo-do-banhado s.m.; pl. *aipos-do-banhado*
aipo-do-peru s.m.; pl. *aipos-do-peru*
aipo-do-rio-grande s.m.; pl. *aipos-do-rio-grande*
aipo-dos-pântanos s.m.; pl. *aipos-dos-pântanos*
aipo-falso s.m.; pl. *aipos-falsos*
aipo-hortense s.m.; pl. *aipos-hortenses*
aipo-rábano s.m.; pl. *aipos-rábano* e *aipos-rábanos*
aipo-salsão s.m.; pl. *aipos-salsões*
aiquarense adj. s.2g.
aiquidô s.m.
aiquinita s.f.
aiquinítico adj.
aira s.f.
airado adj.
airão s.m.
airãoense adj. s.2g.
airar v.
airatubeira-dos-índios s.f.; pl. *airatubeiras-dos-índios*
aire s.m.
airela s.f.
airi s.m.
airiaçu s.m.
airimirim s.f.
airini adj. s.2g.
airiri s.m.f.
airitucum s.m.
airo s.m.
airó s.m.
airoba s.f.
airol s.m.
airopse s.2g.
airópsis s.m.2n.
airosia s.f.
airosidade s.f.
airoso (*ô*) adj.; f. (*ó*); pl. (*ó*)
airuá adj. s.2g.
airute s.m.
ais s.m.pl.
aislado adj.
aislamento s.m.
aislar v.
aisuari adj. s.2g.
aitá s.f.
aitacás adj. s.2g.2n.
aitalita s.f.
aitão s.m.
aitau s.m.
aíte s.f.
aitiogênico adj.
aitiomorfose s.f.
aitona interj.
aitônia s.f.
aitotropismo s.m.
aiú s.m.
aiuá interj.
aiuaba s.f.
aiuabense adj. s.2g.
aiuara-aiuara s.f.; pl. *aiuara-aiuaras*
aiuateri adj. s.2g.
aiuba (*ai-u*) s.f.
aiúbida adj. s.2g.
aiucá s.m.
aiuçá s.f.
aiuê interj.
aiuimoroti s.m.
aiuiú s.m.
aiumará adj. s.2g.
aiunar v.
aiuri s.m.
aiuruapara s.m.
aiurucatinga s.m.
aiurueba s.m.
aiurueda (*ê*) s.m.
aiurujuba s.m.
aiuruoquense adj. s.2g.
aiurvédico adj.
aíva adj.2g. s.f.
aivaca s.f.
aivado s.m.
aival s.m.
aivanate s.m.
aivão s.m.
aiveca s.f.
aiveca da perna s.f.
aizoa (*ô*) s.f.
aizoácea s.f.
aizoáceo adj.
aizóon s.m.
ajã adj. s.2g.
ajabó s.m.
ajabô s.m.
ajabutipitá s.f.
ajacente adj.2g.
ajacintado adj.
ajacu s.m.
ajaez (*ê*) s.m.
ajaezado adj.
ajaezar v.
ajaja s.f. "buraco"; cf. *ajajá*
ajajá s.f. "ave"; cf. *ajaja*
ajame s.m.
ajana adj. s.2g.
ajanotado adj.
ajanotamento s.m.
ajanotar v.
ajantarado adj. s.m.
ajantarar v.
ajapá s.m.
ajaponado adj.
ajaponar v.
ajaquetado adj.
ajaquetar v.
ajará s.f.
ajaraí s.f.
ajardinado adj.
ajardinamento s.m.
ajardinar v.
ajaré s.m.
ajarobá s.m.
ajarretação s.f.
ajarretamento s.m.
ajarretar v.
ajasminado adj.
ajaulado adj.
ajaular v.
ajava adj. s.2g.
ajavardado adj.
ajavardar v.
ajé adj.2g.
ajê adj.2g.
ajedra s.f.
ajeirado adj.
ajeirar v.
ajeitação s.f.
ajeitadiço adj.
ajeitado adj.
ajeitamento s.m.
ajeitar v.
ajeitivar v.
ajenil s.m.
ajereba s.f.
ajeropigado adj.
ajeru s.m.
ajeruaçu s.m.
ajeruapara s.m.
ajeruetê s.m.
ajesuitado adj.
ajesuitar v.
ajetivar v.
ajeurarana s.f.
aji s.m.; cf. *agi*, fl. do v. *agir*
ajibonã s.f.
ajicuba s.m.
ajicubo s.m.
ajimez (*ê*) s.m.
ajindungar v.
ajipa s.f.
ajiquita s.f.
ajiquite s.f.
ajirauzado adj.
ajo s.m.
ajoanetado adj.
ajobó s.m.
ajoeirado adj.
ajoeirar v.
ajoelhação s.f.
ajoelhada s.f.
ajoelhado adj.
ajoelhadura s.f.
ajoelhamento s.m.
ajoelhar v.
ajoiamento s.m.
ajol s.m.
ajole s.m.
ajorca s.f.
ajorcado adj.
ajorcar v.
ajorjar v.
ajornalado adj.
ajornalar v.
ajoujado adj.
ajoujador (*ô*) adj. s.m.
ajoujamento s.m.
ajoujante adj.2g.
ajoujar v.
ajoujo s.m.
ajôvea s.f.
ajuacora s.f.
ajuaga s.f.
ajuba s.f.
ajubatipá s.f.
ajucará s.m.
ajuda s.f.
ajudada s.f.
ajudadeira s.f.
ajudado adj.

ajudadoiro s.m.
ajudador (*ô*) adj. s.m.
ajudadouro s.m.
ajudância s.f.
ajudanta s.f.
ajudante adj. s.2g.
ajudante de campo s.m.
ajudante de ordens s.m.
ajudar v.
ajudeado adj.
ajudear v.
ajudengado adj.
ajudengar v.
ajudeuzado adj.
ajudeuzar v.
ajuga s.f.
ajugaíba s.f.
ajugea s.f.
ajugoide (*ó*) adj.2g.
ajugóidea s.f.
ajugóideo adj.
ajuizado adj. s.m.
ajuizador (*ô*) adj. s.m.
ajuizamento s.m.
ajuizar v.
ajuizável adj.2g.
ajujuré adj. s.2g.
ajular v.
ajulata s.f.
ajumentado adj.
ajumentar v.
ajunta s.f.
ajuntadeira s.f.
ajuntadeiro adj. s.m.
ajuntadiço adj.
ajuntado adj.
ajuntadoiro s.m.
ajuntador (*ô*) adj. s.m.
ajuntadouro s.m.
ajuntadura s.f.
ajuntamento s.m.
ajunta-pedra s.m.; pl. *ajunta-pedras*
ajuntar v.
ajuntável adj.2g.
ajunto s.m.
ajuntoira s.f.
ajuntoura s.f.
ajupá s.m.
ajupe interj.
ajur s.m.
ajuramentação s.f.
ajuramentado adj.
ajuramentar v.
ajurana s.f.
ajuratiba s.f.
ajurativa s.f.
ajuri s.m.
ajuricaba s.m.
ajuricabense adj. s.2g.
ajuricidade s.f.
ajuritiba s.f.
ajuru adj. s.2g. s.m.
ajuruaçu s.m.
ajuruapara s.m.
ajuruatubira s.f.
ajurucatinga s.m.
ajurucurá s.m.
ajurucurau s.m.
ajurucuruca s.m.
ajuruense adj. s.2g.
ajuruetê s.m.
ajuruetê-açu s.m.; pl. *ajuruetês-açus*
ajuruí s.m.
ajurujuba s.2g.
ajurujubacanga s.m.
ajurujurá s.m.
ajurujurau s.m.
ajurujuru s.m.
ajurupurá s.m.
ajururé adj. s.2g.
ajurvédico s.m.
ajustabilidade s.f.
ajustado adj.
ajustador (*ô*) adj. s.m.
ajustagem s.f.
ajustamento s.m.
ajustar v.
ajustável adj.2g.
ajuste s.m.
ajustiçamento s.m.
ajustiçar v.
ajustiçável adj.2g.
ajustura s.f.
ajusturar v.
ajutório s.m.
akermanita s.f.
akermanítico adj.
ala s.f. interj. "asa", etc.; cf. *alá* e *hala*
alá s.m. adv. interj. "pálio"; cf. *ala* s.f. interj., fl. do v. *alar* e *hala*
alabá s.m.
alabaça s.f.
alabaçado adj.
alabação s.m.
alabama s.m.
alabamba s.m.
alabança s.f.
alabância s.f.
alabancioso (*ô*) adj.; f. (*ó*); pl. (*ó*)
alabanda s.f.
alabandeia (*é*) adj. s.f. de *alabandeu*
alabandeiro adj. s.m.
alabandeno adj. s.m.
alabandense adj. s.2g.
alabandeu adj. s.m.; f. *alabandeia* (*é*)
alabândico adj.
alabandina s.f.
alabandita s.f.
alabandite s.f.
alabandítico adj.
alabanense adj. s.2g.
alabão s.m.; pl. *alabães*
alabar v.
alabarado adj.
alabarar v.
alabarca s.m.f.
alabarda s.f.
alabardaço s.m.
alabardada s.f.
alabardado adj.
alabardar v.
alabardeiro s.m.
alabardiforme adj.2g.
alabardino adj.
alabarque s.m.
alabarquia s.f.
alabárquico adj.
alabastrado adj.
alabastrão s.m.
alabastrar v.
alabastrário s.m.
alabástrica s.f.
alabástrico adj.
alabastrilha s.f.
alabastrina s.f.
alabastrino adj.
alabastrita s.f.
alabastrite s.f.
alabastrito s.m.
alabastrização s.f.
alabastrizar v.
alabastrizável adj.2g.
alabastro s.m.
alabastro-calcário s.m.; pl. *alabastros-calcários*
alabastro-oriental s.m.; pl. *alabastros-orientais*
alabastroso (*ô*) adj.; f. (*ó*); pl. (*ó*)
alabastroteca s.f.
alabe s.m. "peixe"; cf. *alabê*
alabê s.m. "tocador de atabaque"; cf. *alabe*
alabiado adj.
alabiar v.
alabirintado adj.
alabirintar v.
alaboeiro s.m.
alabregado adj.
alabregar v.
alabuga s.m.
alacado adj.
alacaiado adj.
alacaiar v.
alação s.f.
alacar v. "vergar"; cf. *alácar*
alácar s.m. "lacre"; cf. *alacar*
alacil s.m.
alacir s.m.
alaclara s.f.
alacoado adj.
alacoali s.m.
alacoque s.m.
alacoquista adj. s.2g.
alaçor (*ô*) s.m.
alacrá s.m.
alacrã s.f.
alacrado adj.
alacraia s.f.
alacral s.m.
alacranado adj.
alacranar v.
alacraneira s.f.
alacrânida adj. s.2g.
alacranídeo adj. s.m.
alacrânido adj. s.m.
alacraniforme adj.2g.
alacrão s.m.
alacrar v.
alacrara s.f.
alacrau s.m.
alacre s.m. "lacre"; cf. *álacre*
álacre adj.2g. "alegre"; cf. *alacre* s.m. e fl. do v. *alacrar*
alacreado adj.
alacreante adj.2g.
alacrear v.
alacreatina s.f.
alacreatínico adj.
alacreatinina s.f.
alacreatinínico adj.
alacridade s.f.
alacrino adj.
alactado adj.
alactaga s.f.
alactamento s.m.
alactar v.
alactita s.f.
alactite s.f.
alactítico adj.
alada s.f.
aladainhado adj.
aladainhar v.
aladeirado adj. s.m.
aladeirar v.
aladiano s.m.
aladino adj.
alado adj.
aladroado adj.
aladroamento s.m.
aladroar v.
alaela s.f.
ala e larga s.f. interj.
alafé adv.
a la fé adv.
alafia s.f.
alaga s.m.
alagação s.f.
alagadeira s.f.
alagadeiro adj. s.m.
alagadela s.f.
alagadiceiro adj.
alagadiço adj.
alagado adj. s.m.
alagadoiro s.m.
alagador (*ô*) adj. s.m.
alagadouro s.m.
alagamar s.m.
alagamento s.m.
alagar v.
alagarido adj.
alagartado adj.
alagartar v.
alagarteado adj.
alagartear v.
alagartixado adj.
alagartixar v.
alagem s.f.
alagita s.f.
alagite s.f.
alagito s.m.
alago s.m.
alagoa (*ô*) s.f.
alagoado adj. s.m.
alagoa-grandense adj. s.2g.; pl. *alagoa-grandenses*
alagoano adj. s.m.
alagoa-novense adj. s.2g.; pl. *alagoa-novenses*
alagoar v.
alagoeiro s.m.
alagoense adj. s.2g.
alagoinha s.f.
alagoinhense adj. s.2g.
alagóptera s.f.
alagoso (*ô*) adj.; f. (*ó*); pl. (*ó*)
alagosta (*ô*) s.f.
alagostado adj.
alagostêmone adj.2g.
alagostice s.f.
alaguna s.f.
alagunado adj.
alagunar v.
alaim s.m.
alal interj.
alalá s.m. interj.
alali s.m.
alalia s.f.
alálico adj. s.m.
alalita s.f.
alalite s.f.
alalito s.m.
álalo adj. s.m.
alalonga s.f.
alamã adj. s.f. de *alamão*
alamal s.m.
alamanda s.f.
alamanda-amarela s.f.; pl. *alamandas-amarelas*
alamanda-cheirosa s.f.; pl. *alamandas-cheirosas*
alamanda-de-flor-grande s.f.; pl. *alamandas-de-flor-grande*
alamanda-de-jacobina s.f.; pl. *alamandas-de-jacobina*
alamânico adj.
alamano adj. s.m.
alamão adj. s.m.; f. *alamã* e *alamoa*; pl. *alamãos* e *alamões*
alamar s.m.
alamarado adj.
alamba s.f.
alambamento s.m.
alâmbar s.m.
alambarado adj.
alambarar v.
alambari s.m.
alambazado adj.
alambazar-se v.
alambel s.m.
alambicada s.f.
alambicado adj.
alambicador (*ô*) adj. s.m.
alambicadura s.f.
alambicamento s.m.
alambicar v.
alambique s.m.
alambiqueiro s.m.
alambor (*ô*) s.m.
alamborado adj.
alamborar v.
alambra s.f.
alambrado adj. s.m.
alambrador (*ô*) adj. s.m.
alambrar v.
alambre s.m.
alambreado adj. s.m.
alambrear v.
alambrês adj.
alambujar v.
alambuzado adj.
alambuzar v.
alameda (*ê*) s.f.; cf. *alameda*, fl. do v. *alamedar*
alamedado adj.
alamedar v.
alamia s.f.
alamim s.m.
alamina s.f.
alamínico adj.
alamiré s.m.
alamista s.m.
álamo s.m.
alamoa adj. s.f. de *alamão*
álamo-branco s.m.; pl. *álamos-brancos*
álamo-negro s.m.; pl. *álamos-negros*
álamo-preto s.m.; pl. *álamos-pretos*
alamosita s.f.
alamosítico adj.
alâmpada s.f.
alampadário s.m.
alampadeiro s.m.
alampado adj.
alampanhado adj.
alampanhar v.
alampar v.
alampreado adj.
alamutu s.m.
alana s.f.
alancado adj.
alancão s.m.
alancar v.
alance s.m.
alanceado adj.
alanceador (*ô*) adj. s.m.
alanceamento s.m.
alanceante adj.2g.
alancear v.
alanco s.m.
alândea s.f.
alandeado adj.
alândia s.f.
alandro s.m.
alandroal s.m.
alandroalense adj. s.2g.
alandroeiro s.m.
alangado adj.
alangiácea s.f.
alangiáceo adj.
alangião s.m.
alangina s.f.
alângio s.m.
alanguidar v.
alanha s.f.
alanhadela s.f.
alanhado adj.
alanhador (*ô*) adj. s.m.
alanhadura s.f.
alanhamento s.m.
alanhante adj.2g.
alanhar v.
alânia s.f.
alânico adj.
alanina s.f.
alaninato s.m.
alanínico adj.
alanita s.f.
alanite s.f.
alanito s.m.
alano adj. s.m.
alanta s.f.
alantamida s.f.
alante adj. s.2g.
alantense adj. s.2g.
alanterna s.f.
alanternado adj.
alanternar v.
alanterneado adj.
alanternear v.
alanterneiro s.m.
alantíase s.f.
alântico adj.
alantina s.f.
alanto s.m.
alantoico (*ó*) adj.
alantoide (*ó*) adj.2g. s.f.
alantóidea s.f.
alantoideia (*é*) adj.; f. de *alantoideu*
alantóideo adj.
alantoideu adj.; f. *alantoideia* (*é*)
alantoidiano adj.
alantoídico adj.
alantóidico adj.
alantoidina s.f.
alantoidínico adj.
alantoína s.f.
alantoínico adj.
alantol s.m.
alantolactona s.f.
alantolactônico adj.
alantolato s.m.
alantólico adj.

alantotóxico (*cs*) adj. s.m.
alantotoxina (*cs*) s.f.
alantoxânico (*cs*) adj.
alantóxico (*cs*) adj. s.m.
alantoxoidina (*cs*) s.f.
alantúrico adj.
alanzoado adj. s.m.
alanzoador (*ô*) adj. s.m.
alanzoar v.
alanzoeiro s.m.
alão s.m.; pl. *alães, alãos* e *alões*
alapado adj.
alapar v.
alapardado adj.
alapardar v.
alapi s.m.
alapoado adj.
alapoar-se v.
alapte s.m.
alapto s.m.
alapurina s.f.
alapuzado adj.
alapuzar v.
alaque s.m.
alaquear v.
alaqueca s.f.
alaquestesia s.f.
alar v. adj.2g. s.m.
alara s.f.
alárabe s.m.
alarachado adj.
alarachar v.
alarado adj.
alaranjado adj. s.m.
alaranjar v.
alarar v.
alarcônia s.f.
alarda s.f.
alardado adj.
alardar v.
alarde s.m.
alardeadeiro adj. s.m.
alardeado adj.
alardeador (*ô*) adj. s.m.
alardeamento s.m.
alardeante adj.2g.
alardear v.
alardeio s.m.
alardo s.m.
alardoador (*ô*) adj. s.m.
alare s.m.
alargadeira s.f.
alargadela s.f.
alargado adj.
alargador (*ô*) adj. s.m.
alargamento s.m.
alargar v.
alária s.f.
alariácea s.f.
alariáceo adj.
alariciano adj.
alarida s.f.
alarido s.m.
alarifaço adj. s.m.
alarifada s.f.
alarifagem s.f.
alarife adj.2g. s.m.
alarifona s.f.
alariz s.m.
alarma s.2g.
alarmado adj.
alarmador (*ô*) adj. s.m.
alarmante adj.2g.
alarmar v.
alarme s.m.
alarmismo s.m.
alarmista adj. s.2g.
alarmístico adj.
alaroso (*ô*) s.m.; pl. (*ó*)
alarpado adj.
alarpar-se v.
alaruá adj. s.2g.
alarvado adj.
alarvajado adj.
alarvajar v.
alarvaria s.f.
alarvático adj.
alarve adj. s.2g.
alarvejado adj.
alarvejar v.
alarvia s.f.
alarvice s.f.
alarvidade s.f.
alascaíte s.f.
alascaíto s.m.
alásia s.f.
alaskito s.m.
alaso adj. s.m.
alasquense adj.
alasquiano adj. s.m.
alasquite s.f.
alasquítico adj.
alasquito s.m.
alassar v.
alassoterapia s.f.
alassoterápico adj.
alastor (*ô*) s.m.
alastradeira s.f.
alastradiço adj.
alastrado adj. s.m.
alastrador (*ô*) adj. s.m.
alastramento s.m.
alastrante adj.2g.
alastrar v.
alastrim s.m.
alastro s.m.
alaterna s.f.
alaterno s.m.
alaternoide (*ó*) adj.2g.
alatinado adj.
alatinamento s.m.
alatinar v.
alatinável adj.2g.
alatinização s.f.
alatinizar v.
alatinizável adj.2g.
alatita s.f.
alatite s.f.
alatítico adj.
alatito s.m.
alativo adj. s.m.
alatoado adj.
alatoamento s.m.
alatoar v.
alau s.m.
alauate s.m.
alauda s.f.
alaudado adj.
alaudar v.
alaúde s.m.
alaudeira s.f.
aláudida adj. s.2g.
alaudídeo adj. s.m.
alaudíneo s.m.
alaudismo s.m.
alaudista adj. s.2g.
alaudístico adj.
alaur s.m.
alaúza s.f.
alavanca s.f.
alavancar v.
alavanco s.m.
alavancote s.m.
alavão adj. s.m.; pl. *alavães*
alavela s.f.
alavense adj. s.2g.
alavercado adj.
alavercar v.
alavês adj. s.m.
alavete (*ê*) s.m.
alavó s.m.
alavoeiro s.m.
alavradeirado adj.
alavradorado adj.
alazã adj. s.f. de *alazão*
alazão adj.; f. *alazã*; pl. *alazães* e *alazões*
alazão-estrela s.m.; pl. *alazões-estrela* e *alazões-estrelas*
alazar v.
alazarado adj.
alazeirado adj.
alba s.f.
albação s.f.
albacar s.m.
albacara s.f.
albacetense adj. s.2g.
albácido s.m.
albacor (*ô*) s.m.
albacora s.f.
albacora-azul s.f.; pl. *albacoras-azuis*
albacora-bandolim s.f.; pl. *albacoras-bandolim* e *albacoras-bandolins*
albacora-branca s.f.; pl. *albacoras-brancas*
albacora-cachorra s.f.; pl. *albacoras-cachorras*
albacora-de-laje s.f.; pl. *albacoras-de-laje*
albacora-de-olho-grande s.f.; pl. *albacoras-de-olho-grande*
albacora-lajeira s.f.; pl. *albacoras-lajeiras*
albacorão s.m.
albacora-verdadeira s.f.; pl. *albacoras-verdadeiras*
albacória s.f.
albacorinha s.f.
albadara s.m.
albafar s.m.
albaflor (*ô*) s.f.
albafor (*ô*) s.m.
albafora (*ô*) s.f.
albalã s.f.
albana s.f.
albandina s.f.
albanel s.m.
albanense adj. s.2g.
albanês adj. s.m.
albaníaco adj.
albanina s.f.
albano adj. s.m.
albanofalante adj. s.2g.
albanofonia s.f.
albanófono adj. s.m.
albanoparlante adj. s.2g.
albará s.f.
albarã s.f.
albaraço s.m.
albarada s.f.
albarajá adj. s.m.
albaraz s.m.
albarca s.f.
albarda s.f. "sela"; cf. *albardã*
albardã adj. s.f. "capuz"; cf. *albarda*
albardada s.f.
albardado adj.
albardadoiro s.m.
albardador (*ô*) adj. s.m.
albardadouro s.m.
albardadura s.f.
albardana s.f.
albardão s.m.
albardar v.
albardaria s.f.
albardeira s.f.
albardeirão adj. s.m.
albardeiro adj. s.m.
albardilha s.f.
albardilhado adj.
albardilhador (*ô*) adj. s.m.
albardilhar v.
albardim s.m.
albardina s.f.
albardona adj. s.f.
albarela s.f.
albarelo s.m.
albargina s.f.
albariça s.f.
albaricoque s.m.
albaricoqueiro s.m.
albário s.m.
albarnó s.m.
albarqueiro s.m.
albarrã adj. s.f. de *albarrão*
albarrada s.f.
albarrado adj.
albarrana s.f.
albarrâneo adj.
albarrania s.f.
albarranilha s.f.
albarrano adj. s.m.
albarrão adj. s.m.; f. *albarrã*
albarrar v.
albarraz s.m.
albaspidina s.f.
albatara s.f.
albato s.m.
albatoça s.f.
albatroz s.m.
albatroz-de-nariz-amarelo s.m.; pl. *albatrozes-de-nariz-amarelo*
albatroz-de-pescoço-pardo s.m.; pl. *albatrozes-de-pescoço-pardo*
albatroz-de-sobrancelha s.m.; pl. *albatrozes-de-sobrancelha*
albatroz-errante s.m.; pl. *albatrozes-errantes*
albatroz-gigante s.m.; pl. *albatrozes-gigantes*
albatroz-real s.m.; pl. *albatrozes-reais*
albatroz-viageiro s.m.; pl. *albatrozes-viageiros*
albecora s.f.
albecorque s.m.
albedém s.f.
albedo (*ê*) s.m.
albedômetro s.m.
albena s.f.
albenagem s.f.
albendazol s.m.
albende s.f.
albengala s.f.
albeno s.m.
albenoz s.m.
albense adj. s.2g.
albente adj.2g.
albeoge s.m.
albeogo s.m.
albeque s.m.
alberca s.f.
albercar v.
albercoque s.m.
albergada s.f.
albergado adj. s.m.
albergador (*ô*) adj. s.m.
albergadura s.f.
albergagem s.f.
albergamento s.m.
albergar v.
albergaria s.f.
albergariense adj. s.2g.
albergata s.f.
albergate s.m.
albergável adj.2g.
alberge s.m.
albergeiro s.m.
albergue s.m.
albergueiro s.m.
alberguista s.2g.
albericoque s.m.
albernó s.m.
albernoz s.m.
albérsia s.f.
alberta s.f.
albértea s.f.
albérteo adj.
albertina s.f.
albertinense adj. s.2g.
albertinho s.m.
albertínia s.f.
albertino s.m.
albertipia s.f.
albertismo s.m.
albertista adj. s.2g.
albertístico adj.
albertita s.f.
albertite s.f.
albertito s.m.
alberto s.m.
albertogalvano s.m.
alberzarim s.m.
albescência s.f.
albescente adj.2g.
albesco s.m.
albetoça s.f.
albiã adj. s.f. de *albião*
albiano adj. s.m.
albião adj. s.m.; f. *albiã* e *albiona*; pl. *albiões*
albibarbo adj.
albicação s.f.
albicante adj.2g. s.f.
albicarvão s.m.
albicastrense adj. s.2g.
albicauda adj.2g.
albicaude adj.2g.
albicaule adj.2g.
albicense adj. s.2g.
albíceps adj.2g.2n.
albicinéreo adj.
albicípite adj.2g.
álbico adj. s.m.
albicole adj.2g.
albicolo adj.
albicolor (*ô*) adj.2g.
albicórneo adj.
albicorque s.m.
albicorqueiro s.m.
albicroque s.m.
albicurata s.f.
albidar-se v.
albidipene adj.2g.
álbido adj.
albiduria s.f.
albidúria s.f.
albificação s.f.
albificado adj.
albificar v.
albiflor (*ô*) adj.2g.
albifloro adj.
albigense adj. s.2g.
albigensianismo s.m.
albigensianista adj. s.2g.
albigensianístico adj.
albigensiano adj.
albigensismo s.m.
albigensista adj. s.2g.
albigensístico adj.
albilabro adj.
albimaculado adj.
albímano adj.
albina s.f.
albinágio s.m.
albinervado adj.
albinerve adj.2g.
albinérveo adj.
albinervo adj.
albineuro adj.
albingaunense adj. s.2g.
albinia s.f. "albinismo"; cf. *albínia*
albínia s.f. "inseto"; cf. *albinia*
albínico adj.
albinismo s.m.
albinístico adj.
albinitense adj.2g.
albinitente adj.
albino adj. s.m.
albinote adj.
albinuria s.f.
albinúria s.f.
albiona adj. s.f. de *albião*
albíone s.f.
albionês adj. s.m.
albioniano adj. s.m.
albiônico adj.
albípede adj.2g.
albipene adj.2g.
albipérola s.f.
albirrosado adj.
albirrostro adj.
albistelado adj.
albita s.f.
albitana s.f.
albitana de popa s.f.
albitana de proa s.f.
albitano s.m.
albitarso adj.
albitartização s.f.
albitartizar v.
albitartizável adj.2g.
albite s.f.
albítico adj.
albito s.m.
albitoça s.f.
albitona s.f.
albitrajado adj.
albiventre adj.2g.
albiverde (*ê*) adj.2g.
albízia s.f.
albizo s.m.
albizzia s.f.
albizzo s.m.
albo s.m.

albocar v.
albocarvão s.m.
albocinéreo adj.
albocora s.f.
albocorque s.m.
albodáctico adj.
albogalero s.m.
albogue s.m.
alboguear v.
albogueiro s.m.
albói s.m.
alboio (*ó*) s.m.
albolita s.f.
albolite s.f.
albopanina s.f.
alboque s.m.
alboquebe s.m.
albor (*ô*) s.m.
albora s.f.
alboranita s.f.
alboranite s.f.
alboranito s.m.
alborcado adj.
alborcador (*ô*) s.m.
alborcar v.
alborear v.
alboricoque s.m.
albornó s.m.
albornoz s.m.
alboroque s.m.
alborotado adj.
alborotar v.
alboroto (*ô*) s.m.
alborque s.m.
alborqueiro s.m.
albrecha s.f.
albricoque s.m.
albricoqueiro s.m.
albrótea s.f.
albuca s.f.
albuco s.m.
albucor (*ô*) s.m.
albudeca s.f.
albudieca s.f.
albufar s.m.
albufeira s.f.
albufeirar v.
albugem s.f.
albuginácea s.f.
albugináceo adj.
albuginado adj.
albugínea s.f.
albugíneo adj.
albuginite s.f.
albuginoso (*ô*) adj.; f. (*ó*); pl. (*ó*)
albugo s.m.
álbula s.f.
albulídeo adj. s.m.
albuliforme adj.2g.
álbulo adj. s.m.
álbum s.m.
albume s.m.
albúmen s.m.
albumimetria s.f.
albumimétrico adj.
albumímetro s.m.
albumina s.f.
albuminado adj.
albuminagem s.f.
albuminar v.
albuminato s.m.
albuminemia s.f.
albuminêmico adj.
albumíneo adj.
albumínico adj.
albuminífero adj.
albuminiforme adj.2g.
albuminimetria s.f.
albuminimétrico adj.
albuminímetro s.m.
albuminina s.f.
albuminíparo adj.
albuminismo s.m.
albuminístico adj.
albuminocolia s.f.
albuminocólico adj.
albuminogênese s.f.
albuminogenético adj.
albuminogenia s.f.
albuminogênico adj.
albuminógeno adj. s.m.
albuminoide (*ó*) adj.2g. s.m.
albuminolisina s.f.
albuminometria s.f.
albuminométrico adj.
albuminômetro s.m.
albuminoprecipitina s.f.
albuminorreação s.f.
albuminorreativo adj.
albuminosa s.f.
albuminose s.f.
albuminoso (*ô*) adj.; f. (*ó*); pl. (*ó*)
albuminótico adj.
albuminurético adj.
albuminuria s.f.
albuminúria s.f.
albuminúrico adj. s.m.
albumoide (*ó*) adj.2g. s.m.
albumoptiose s.f.
albumoptise s.f.
albumoptisia s.f.
albumosa s.f.
albumose s.f.
albumosuria s.f.
albumosúria s.f.
albumosúrico adj.
albúnia s.f.
albuquerquense adj. s.2g.
albuquerquiano adj.
albur s.m.
alburne s.m.
albúrnea s.f.
alburnete (*ê*) s.m.
alburno s.m.
alca s.f.
alça s.f.
alcabala s.f.
alcabela s.f.
alcabila s.f.
alcabinar v.
alcabó s.m.
alcaboz s.m.
alcabró s.m.
alcabroz s.m.
alçação s.f.
alcaçar s.m.
alcaçareiro s.m.
alcaçarenho adj. s.m.
alcaçaria s.f.
alcaçárico adj.
alcácaro s.m.
alcaceira s.f.
alcacel s.m.
alcácema s.f.
alcacer s.m. "farragem"; cf. *alcácer*
alcácer s.m. "fortaleza"; cf. *alcacer*
alcacereiro s.m.
alcacereno adj. s.m.
alcacerense adj. s.2g.
alcáceva s.f.
alcachinado adj.
alcachinar v.
alcachofa s.f.
alcachofra (*ô*) s.f.
alcachofra-brava s.f.; pl. *alcachofras-bravas*
alcachofra-de-jerusalém s.f.; pl. *alcachofras-de-jerusalém*
alcachofra-de-são-joão s.f.; pl. *alcachofras-de-são-joão*
alcachofrado adj. s.m.
alcachofra-do-algarve s.f.; pl. *alcachofras-do-algarve*
alcachofra-dos-telhados s.f.; pl. *alcachofras-dos-telhados*
alcachofra-hortense s.f.; pl. *alcachofras-hortenses*
alcachofral s.m.
alcachofrar v.
alcachofre s.m.
alcachofreira s.f.
alcachofreiro s.m.
alcaclorofila s.f.
alcáçova s.f.
alcaçu s.m.
alçacu s.m.
alçacuelo s.m.
alcaçuz s.m.
alcaçuz-bravo s.m.; pl. *alcaçuzes-bravos*
alcaçuz-da-américa s.m.; pl. *alcaçuzes-da-américa*
alcaçuz-da-terra s.m.; pl. *alcaçuzes-da-terra*
alcaçuz-do-brasil s.m.; pl. *alcaçuzes-do-brasil*
alcaçuz-do-cerrado s.m.; pl. *alcaçuzes-do-cerrado*
alcaçuz-do-mato s.m.; pl. *alcaçuzes-do-mato*
alcaçuz-falso s.m.; pl. *alcaçuzes-falsos*
alcaçuz-indiano s.m.; pl. *alcaçuzes-indianos*
alcaçuz-silvestre s.m.; pl. *alcaçuzes-silvestres*
alçada s.f.
alcadafe s.m.
alcadaria s.f.
alcade s.m.
alcádea s.f.
alça de correr s.f.
alça de cosedura s.f.
alcadefe s.m.
alça de garganta s.f.
alçadeira s.f.
alçado adj. s.m.
alçadoiro s.m.
alçador (*ô*) adj. s.m.
alçadouro s.m.
alçadura s.f.
alcaeste s.m.
alcáfar s.m.
alcáfer s.m.
alcafor (*ô*) s.m.
alcaforado adj.
alcafurra s.f.
alçagem s.f.
alcagoita s.2g.
alcagoite s.f.
alcagota s.f.
alcagote s.m.
alcagueta (*üê*) s.2g.
alcaguetagem (*ü*) s.f.
alcaguetar (*ü*) v.
alcaguete (*uê* ou *üê*) s.2g.; cf. *alcaguete* (*ü*), fl. do v. *alcaguetar* (*ü*)
alcaiata s.f.
alcaiate s.m.
alcaico adj. s.m.
alcaidaria s.f.
alcaidaria-mor s.f.; pl. *alcaidarias-mores*
alcaide s.m.; f. *alcaidessa* (*ê*) e *alcaidina*
alcaide da corte s.m.
alcaide da honra s.m.
alcaide das presas s.m.
alcaide das sacas s.m.
alcaide da vara s.m.
alcaide do navio s.m.
alcaide dos donzéis s.m.
alcaide dos montes s.m.
alcaide-menor s.m.; pl. *alcaides-menores*
alcaide-mor s.m.; pl. *alcaides-mores*
alcaide-pequeno s.m.; pl. *alcaides-pequenos*
alcaideria s.f.
alcaides de santa teresa s.m.pl.
alcaidessa (*ê*) s.f. de *alcaide*
alcaidia s.f.
alcaidina s.f. de *alcaide*
alcaidista s.2g.
alcaima s.f.
alcaiota s.f. de *alcaiote*
alcaiotar v.
alcaiotaria s.f.
alcaiote s.m.; f. *alcaiota*
alcaiotismo s.m.
alcaixa s.f.
alcala s.f.
alcalada s.f.
alcalamida s.f.
alcalarense adj. s.2g.
alcaldada s.f.
alcaldamento s.m.
alcaldar v.
alcalde s.m.
alcalemia s.f.
alcalêmico adj.
alcalena s.f.
alcalescência s.f.
alcalescente adj.2g.
alcalharazes s.m.pl.
álcali s.m.
alcalicálcico adj.
alcalicidade s.f.
alcálico adj.
alcalificado adj.
alcalificante adj.2g.
alcalificar v.
alcalificável adj.2g.
alcaligenia s.f.
alcaligênico adj.
alcalígeno adj.
alcalimetria s.f.
alcalimétrico adj.
alcalímetro s.m.
alcalinar v.
alcalinável adj.2g.
alcalinidade s.f.
alcalinimetria s.f.
alcalinimétrico adj.
alcalinímetro s.m.
alcalinismo s.m.
alcalinístico adj.
alcalinização s.f.
alcalinizado adj.
alcalinizador (*ô*) adj. s.m.
alcalinizar v.
alcalinizável adj.2g.
alcalino adj. s.m.
alcalinofagia s.f.
alcalinofágico adj.
alcalinófago s.m.
alcalinoferruginoso (*ô*) adj.; f. (*ó*); pl. (*ó*)
alcalinogasoso (*ô*) adj.; f. (*ó*); pl. (*ó*)
alcalinoplumbífero adj.
alcalinoterapia s.f.
alcalinoterápico adj.
alcalinoterroso (*ô*) adj.; f. (*ó*); pl. (*ó*)
alcalínulo adj.
alcalinurético adj.
alcalinuria s.f.
alcalinúria s.f.
alcalinúrico adj.
alcaliotropismo s.m.
alcaliotropístico adj.
alcalipenia s.f.
alcaliproteína s.m.
alcaliproteínico adj.
alcaliterroso (*ô*) adj.; f. (*ó*); pl. (*ó*)
alcalizador (*ô*) adj.
alcalizar v.
alcalizável adj.2g.
alcalófito s.m.
alcaloide (*ó*) adj.2g. s.m.
alcaloideia (*é*) adj.; f. de *alcaloideu*
alcalóideo adj.
alcaloideu adj.; f. *alcaloideia* (*é*)
alcaloídico adj.
alcalóidico adj.
alcaloidometria s.f.
alcaloidométrico adj.
alcaloidômetro s.m.
alcalometria s.f.
alcalométrico adj.
alcalômetro s.m.
alcalopenia s.f.
alcalose s.f.
alcalótico adj.
alçamento s.m.
alcamina s.f.
alcamonia s.f.
alcamunia s.f.
alcana s.f.
alcânave adj.2g. s.m.
alcançabilidade s.f.
alcançadela s.f.
alcançadiço adj.
alcançado adj.
alcançador (*ô*) adj. s.m.
alcançadura s.f.
alcancali s.m.
alcançamento s.m.
alcançar v.
alcâncara s.f.
alcancareiro adj. s.m.
alcançável adj.2g.
alcance s.m.
alcanchal s.m.
alcancia s.f.
alcanciada s.f.
alcancilhada s.f.
alcancilho s.m.
alcanço s.m.
alcândara s.f.
alcandarês s.m.
alcândor s.m.
alcândora s.f.
alcandorado adj.
alcandorar-se v.
alcândore s.m.
alcandroz s.m.
alcanela s.f.
alcanenense adj. s.2g.
alcaneto s.m.
alcâneve adj.
alcanfor (*ô*) s.m.
alcânfora s.f.; cf. *alcanfora*, fl. do v. *alcanforar*
alcânfora-da-baía s.f.; pl. *alcânforas-da-baía*
alcanforado adj.
alcanforar v.
alcanforeira s.f.
alcanforeira-do-japão s.f.; pl. *alcanforeiras-do-japão*
alcanforeiro s.m.
alcaniça s.f.
alcânico adj.
alcanina s.f.
alcano s.m.
alcanol s.m.
alcanolamida s.f.
alcântara s.f.
alcantarense adj. s.2g.
alcantil s.m.
alcantilada s.f.
alcantilado adj.
alcantilar v.
alcantilense adj.2g.
alcantiloso (*ô*) adj.; f. (*ó*); pl. (*ó*)
alcanzia s.f.
alcanziada s.f.
alção s.m.
alçapão s.m.
alcaparra s.f.
alcaparrado adj.
alcaparral s.m.
alcaparrar v.
alcaparreira s.f.
alcaparreira-cheirosa s.f.; pl. *alcaparreiras-cheirosas*
alcaparreiro s.m.
alça-pé s.m.; pl. *alça-pés*
alça-perna s.m.; pl. *alça--pernas*
alçapoado adj.
alçaprema s.f.
alçapremado adj.
alçapremar v.
alçapreme s.m.
alcaptona s.f.
alcaptonuria s.f.
alcaptonúria s.f.
alcaptonúrico adj.
alcaptor (*ô*) s.m.
alcar s.m.
alçar v.
alcarapa s.f.
alcaravão s.m.; f. *alcaravona*
alcaravez s.m.
alcaravia s.f.
alcaraviz s.m.
alcaravona s.f. de *alcaravão*
alcaria s.f.
alcarial s.m.
alcarnache s.m.
alcarrada s.f.

alcarraza s.f.
alcarroteira s.f.
alcarroubão s.m.
alcarsina s.f.
alcatear v.
alcateia (*ê*) s.f.
alcatifa s.f.
alcatifado adj.
alcatifamento s.m.
alcatifar v.
alcatifeiro s.m.
alcatira s.f.
alcatra s.f.
alcatrão s.m.
alcatrate s.m.
alcatraz s.m.
alcatre s.m.
alcatreiro adj.
alcatroado adj. s.m.
alcatroagem s.f.
alcatroamento s.m.
alcatroar v.
alcatroeiro s.m.
alcatruz s.m.
alcatruzada s.f.
alcatruzado adj.
alcatruzar v.
alcavala s.f.
alcavaleiro s.m.
alcaverdina s.f.
alcaviaque s.m.
alcaxa s.f.
alcaz s.m.
alcázar s.m.
alcazarino adj.
alcazira s.f.
alce s.2g.
álcea s.f.
alceação s.f.
alceado adj.
alceador (*ô*) adj. s.m.
alceame s.m.
alceamento s.m.
alcear v.
alceciense adj. s.2g.
alcedião s.m.
alcedídeo adj. s.m.
alcedínida adj.2g. s.m.
alcedinídeo adj. s.m.
alcedino s.m.
alcedo (*ê*) s.m.
alcédone s.f.
alcedonídeo adj. s.m.
alceiro adj.
alcelafino s.m.
alcélafo s.m.
alcena s.f.
alcendoso (*ô*) adj.; f. (*ó*); pl. (*ó*)
alcenídeo adj. s.m.
alceno s.m.
alcenol s.m.
alcepão s.m.
alcercado adj.
alcetiense adj. s.2g.
alchandes s.m.2n.
alchatim s.m.
alchorneópsis s.2g.2n.
alchórnia s.f.
alchumoiço s.m.
alcião s.m.
alcicorne adj. s.2g.
alcicórnio adj.
álcida adj.2g. s.m.
alcide s.m.
alcídea s.f.
alcídeo adj. s.m.
alcides s.m.2n.
alcidião s.m.
alcímaco adj.
alcina s.f.
alcino s.m.
álcion s.m.
alcíona s.f.
alcionáceo adj. s.m.
alcionário s.m.
alcíone s.f.
alcionela s.f.
alciôneo adj.
alciônia s.f.
alciônico adj.
alciônida adj. s.2g.
alcionídia s.f.
alcionídida adj. s.2g.
alcionídio s.m.
alciônio s.m.
alcionita s.m.
alcípida adj. s.2g.
álcis s.m.2n.
alcista s.2g.
alcmaniano adj. s.m.
alcmânico adj. s.m.
alcmânio adj. s.m.
alcmena s.f.
alco s.m.
alcoato s.m.
alcoba (*ô*) s.f.
alcobaça s.m.
alcobacense adj. s.2g.
alcobilha s.f.
alcócaro s.m.
alcoceifa s.f.
alcocerino adj. s.m.
alcocheta (*ê*) s.f.
alcochetano adj. s.m.
alcocre s.m.
alcoetina s.f.
alcofa (*ô*) s.2g.; cf. *alcofa*, fl. do v. *alcofar*
alcofada s.f.
alcofado adj.
alcofar v.
alcofeira s.f.
alcofeiro s.m.
alcofinha s.2g.
alcoforado adj.
alcoforar v.
alcofra s.f.
alcoice s.m.
alcoiceira s.f.
alcoiceiro s.m.
alcoíla s.f.
alcoilação s.f.
alcoilado adj.
alcoilador adj. s.m.
alcoilar v.
alcoilarsina s.f.
alcoilarsínico adj.
alcoilato s.m.
alcoilbenzênico adj.
alcoilbenzeno s.m.
alcoilbenzenossulfonático adj.
alcoilbenzenossulfonato s.m.
alcoilenato s.m.
alcoilênico adj.
alcoilênio s.m.
alcoileno s.m.
alcoílico adj.
alcoilideno s.m.
alcoilidina (*o-i*) s.f.
alcoilidroxilamina (*cs*) s.f.
alcoílio s.m.
alcoilização s.f.
alcoilizado adj.
alcoilizar v.
alcoílo s.m.
alcoína s.f.
alcolaíno s.m.
alcoleno s.m.
alcomonia s.f.
alconário s.m.
álcool s.m.; pl. *álcoois* e *alcoóis*
alcoolado adj. s.m.
alcoolase s.f.
alcoólase s.f.
alcoolativo adj.
alcoolato s.m.
alcoólatra s.2g.
alcoolatria s.f.
alcoolátrico adj.
alcoolatura s.f.
alcooleiro adj. s.m.
alcoolemia s.f.
alcoolêmico adj.
alcoóleo s.m.
alcoolepilepsia s.f.
alcoolepiléptico adj.
alcoolicidade s.f.
alcoólico adj. s.m.
alcoólide s.m.
alcoolificação s.f.
alcoolificado adj.
alcoolificador (*ô*) adj.
alcoolificante adj.2g.
alcoolificar v.
alcoolificável adj.2g.
alcoolina s.f.
alcoólise s.f.
alcoolismo s.m.
alcoolista s.2g.
alcoolístico adj.
alcoolite s.f.
alcoolítico adj.
alcoolito s.m.
alcoolização s.f.
alcoolizado adj. s.m.
alcoolizar v.
alcoolizável adj.2g.
alcoolofilia s.f.
alcoolofílico adj.
alcoolofilismo s.m.
alcoolofilista adj. s.2g.
alcoolofilístico adj.
alcoolófilo adj. s.m.
alcoolofobia s.f.
alcoolofóbico adj. s.m.
alcoologia s.f.
alcoólogo s.m.
alcoolomania s.f.
alcoolomaníaco adj. s.m.
alcoolômano s.m.
alcoolometria s.f.
alcoolométrico adj.
alcoolômetro s.m.
alcooloscopia s.f.
alcooloscópico adj.
alcooloscópio s.m.
alcoolose s.f.
alcooloterapeuta s.2g.
alcooloterapêutica s.f.
alcooloterapêutico adj.
alcooloterapia s.f.
alcooloterápico adj.
alcooloxídase (*cs*) s.f.
alcoolquímica s.f.
alcooluria s.f.
alcoolúria s.f.
alcoomel s.m.
alcoomelado s.m.
alcoometria s.f.
alcoométrico adj.
alcoômetro s.m.
alcooscopia s.f.
alcooscópico adj.
alcooscópio s.m.
alcooterapia s.f.
alcooterápico adj.
alcooteste s.m.
alcope s.m.
alcopo s.m.
alcoques s.m.pl.
alcorana s.f.
alcorânico adj.
alcoranismo s.m.
alcoranista adj. s.2g.
alcoranístico adj.
alcorão s.m.; pl. *alcorães* e *alcorões*
alcorca s.f.
alcorça (*ô*) s.f.
alcorce (*ô*) s.m.
alcorcova s.f. "curva acentuada"; cf. *alcórcova*
alcórcova s.f. "vala"; cf. *alcorcova* s.f. e fl. do v. *alcorcovar*
alcorcovado adj.
alcorcovar v.
alcornina s.f.
alcornocal s.m.
alcornoco s.m.
alcornoque s.f.
alcorque s.m.
alcorraça s.f.
alcorraz s.m.
alcorreta (*ê*) s.m.
alcouce s.m.
alcouceira s.f.
alcouceiro s.m.
alcoucês s.m.
alcouço s.m.
alcoutenejo adj. s.m.
alcouve s.m.
alcova (*ô*) s.f.
alcovês s.m.
alcoveta (*ê*) s.f.; cf. *alcoveta*, fl. do v. *alcovetar*
alcovetar v.
alcoveto (*ê*) s.m.; cf. *alcoveto*, fl. do v. *alcovetar*
alcovilha s.f.
alcovista s.m.
alcovitado adj.
alcovitagem s.f.
alcovitar v.
alcovitaria s.f.
alcoviteira s.f.
alcoviteirice s.f.
alcoviteiro adj. s.m.
alcovitice s.f.
alcóxido (*cs*) s.m.
alcrevite s.m.
alcunha s.f.
alcunhado adj.
alcunhar v.
alcunho s.m.
alcursado adj.
alcursar v.
alcuscuz s.m.
alcuza s.f.
alda s.f.
aldagrante adj. s.2g.
aldama s.f.
aldanita s.f.
aldavana s.f.
aldavane s.m.
aldazina s.f.
aldeã adj. s.f. de *aldeão*; pl. *aldeãs*
aldeado adj.
aldeador (*ô*) adj. s.m.
aldeaga s.m.
aldeagado adj.
aldeagante adj.2g.
aldeagar v.
aldeamento s.m.
aldeano adj. s.m.
aldeão adj. s.m.; f. *aldeã*; pl. *aldeães*, *aldeãos* e *aldeões*
aldear v.
aldebul s.f.
aldeense adj. s.2g.
aldegar v.
aldeia s.f.
aldeidase s.f.
aldeídase s.f.
aldeidático adj.
aldeidato s.m.
aldeidêmico adj.
aldeideno s.m.
aldeídico adj.
aldeído s.m.
aldel s.f.
aldematense adj. s.2g.
aldemenos adv.
aldeola s.f.
aldeonato s.m.
aldeota s.f.
aldeote s.m.
alderela s.f.
aldermã s.m.
aldevane s.m.
aldimina s.f.
aldina s.f.
aldino adj. s.m.
aldo s.m.
aldol s.m.
aldolase s.f.
aldólase s.f.
aldolático adj.
aldólico adj.
aldolização s.f.
aldolizar v.
aldose s.f.
aldosterona s.f.
aldosterônico adj.
aldosteronismo s.m.
aldosteronístico adj.
aldosteronoma s.m.
aldoxima (*cs*) s.f.
aldoxímico (*cs*) adj.
aldoxose (*cs*) s.f.
aldoxótico (*cs*) adj.
aldraba s.f.
aldrabação s.f.
aldrabada s.f.
aldrabado adj.
aldrabagata s.f.
aldrabagate s.m.
aldrabagato s.m.
aldrabão s.m.
aldrabar v.
aldrabeiro s.m.
aldrabice s.f.
aldrabista s.2g.
aldrabona s.f.
aldracema s.f.
aldrava s.f.
aldravação s.f.
aldravada s.f.
aldravado adj.
aldravane s.m.
aldravão adj. s.m.; f. *aldravona*
aldravar v.
aldravaz s.m.
aldraveiro s.m.
aldravelo s.m.
aldravice s.f.
aldravista s.2g.
aldravona adj. s.f. de *aldravão*
aldravos s.m.pl.
aldrina s.f.
aldrope s.m.
aldrovanda s.f.
aldruba s.2g.
aldrube s.m.
aldrúbio s.m.
alé s.m.
álea s.f. "aleia"; cf. *aliá*
alealdação s.f.
alealdado adj.
alealdamento s.m.
alealdar v.
alear v. "voejar"; cf. *aliar*
aleatoriedade s.f.
aleatório adj.
aleatorização s.f.
aleatorizar v.
aleatorizável adj.2g.
alebrado adj.
alecítico adj.
alécito adj.
alecraia s.f.
alecrim s.m.
alecrim-bravo s.m.; pl. *alecrins-bravos*
alecrim-da-praia s.m.; pl. *alecrins-da-praia*
alecrim-da-serra s.m.; pl. *alecrins-da-serra*
alecrim-das-paredes s.m.; pl. *alecrins-das-paredes*
alecrim-de-angola s.m.; pl. *alecrins-de-angola*
alecrim-de-campina s.m.; pl. *alecrins-de-campina*
alecrim-de-cheiro s.m.; pl. *alecrins-de-cheiro*
alecrim-de-são-josé s.m.; pl. *alecrins-de-são-josé*
alecrim-do-campo s.m.; pl. *alecrins-do-campo*
alecrim-do-mato s.m.; pl. *alecrins-do-mato*
alecrim-do-norte s.m.; pl. *alecrins-do-norte*
alecrineiro s.m.
alecrinense adj. s.2g.
alecrinzeiro s.m.
alectélia s.f.
aléctico adj. s.m.
alecto s.m.
aléctor s.m.
alectória s.f.
alectoriano adj.
alectórida adj.2g. s.m.
alectório adj.
aléctoro s.m.
alectorofonema s.m.
alectorofonemático adj.
alectorólofo s.m.
alectoromancia s.f.
alectoromanciano s.m.

alectoromante s.2g.
alectoromântico adj.
alectoromaquia s.f.
alectoromáquico adj.
alectra s.f.
aléctrida adj.2g. s.f.
aléctrio s.m.
alectriofonema s.m.
alectriomancia s.f.
alectriomante s.m.
alectriomântico adj.
alectriomaquia s.f.
alectriomáquico adj.
alectriônia s.f.
alectruro adj.
alectuamento s.m.
alécula s.f.
aledar v.
alefangina s.f.
alefe s.m.
alefriz s.m.
alegabilidade s.f.
alegação s.f.
alegado adj. s.m.
alegância s.f.
alegânico adj.
alegante adj. s.2g.
alegar v.
alegável adj.2g.
alegoria s.f.
alegórico adj.
alegorismo s.m.
alegorista adj. s.2g.
alegorístico adj.
alegorização s.f.
alegorizado adj.
alegorizador (*ô*) adj. s.m.
alegorizante adj.2g.
alegorizar v.
alegra s.f.
alegra-campo s.m.; pl. *alegra-campos*
alegrado adj.
alegrador (*ô*) adj. s.m.
alegragem s.f.
alegramento s.m.
alegrão s.m.
alegrar v.
alegras s.f.pl.
alegrativo adj.
alegre adj.2g.
alegrense adj. s.2g.
alegrete (*ê*) adj.2g. s.m.
alegretense adj. s.2g.
alegreto (*ê*) s.m.
alegreza (*ê*) s.f.
alegria s.f.
alegriense adj.2g.
alegrinho s.m.
alegrinho-do-leste s.m.; pl. *alegrinhos-do-leste*
alegro s.m. adv.
alegrório s.m.
alegroso (*ô*) adj; f. (*ó*); pl. (*ó*).
alegrote adj.
aleguá s.m. interj.
aleia (*é*) s.f.
aleijada s.f.
aleijado adj. s.m.
aleijador (*ô*) adj. s.m.
aleijamento s.m.
aleijante adj.2g.
aleijão s.m.
aleijar v.
aleijável adj.2g.
aleiloamento s.m.
aleiloar v.
aleirado adj.
aleiramento s.m.
aleirar v.
aleirode s.m.
aleirodídeo adj. s.m.
aleitação s.f.
aleitado adj.
aleitamento s.m.
aleitar v.
aleitativo adj.
aleitoamento s.m.
aleitoar v.
aleive s.m.
aleivosia s.f.
aleivoso (*ô*) adj. s.m.; f.(*ó*); pl. (*ó*)
aleixo s.m.
aleja s.f.
alejá s.f.
alelarga s.f.
aleli s.m.
alélico adj.
alelismo s.m.
alelo adj. s.m.
alelobiose s.f.
alelobiósico adj.
alelobiótico adj.
alelognatia s.f.
alelognato adj. s.m.
alelômaco adj. s.m.
alelomaquia s.f.
alelomorfia s.f.
alelomórfico adj.
alelomorfismo s.m.
alelomorfo adj. s.m.
alelopatia s.f.
alelopático adj.
alelositismo s.m.
alelossitismo s.m.
alelotáctico adj.
alelotático adj.
alelotaxe (*cs*) s.f.
alelotaxia (*cs*) s.f.
aleluia s.f. interj.
aleluiado adj.
aleluiar v.
aleluiário s.m.
aleluiático adj.
aleluítico adj.
aleluquia s.f.
além s.m. adv.; na loc. *além de*
alemã adj. s.f. de *alemão*; pl. *alemãs*
alemanda s.f.
alemânico adj. s.m.
alemanidade s.f.
alemanisco adj.
alemanismo s.m.
alemanista adj. s.2g.
alemanístico adj.
alemanizado adj.
alemanizar v.
alemanizável adj.2g.
alemanofilia s.f.
alemanófilo adj. s.m.
alemanofobia s.f.
alemanófobo adj. s.m.
alemanofonia s.f.
alemanofônico adj.
alemanófono s.m.
alemão adj. s.m.; f. *alemã* e *alemoa* (*ô*); pl. *alemães*
além-Atlântico adv.
alembrado adj.
alembrança s.f.
alembrar v.
alembrete (*ê*) s.m.
alembrote adj. s.m.
além-fronteira adv.
além-fronteiras adv.
além-mar s.m. adv.; pl. *além-mares*
além-mundo s.m. adv.; pl. *além-mundos*
álemo s.m.
alemoa (*ô*) adj. s.f. de *alemão*
alemoado adj.
alemoar v.
alemontita s.f.
alemontite s.f.
alemontito s.m.
além-país s.m.; pl. *além-países*
além-paraibano adj. s.m.; pl. *além-paraibanos*
além-túmulo s.m.; pl. *além-túmulos*
alena s.f.
alencariano adj. s.m.
alencarino adj. s.m.
alencó s.m.
alendar s.m.
alendronato adj.
alenga s.f.
alênio s.m.
alenquerense adj. s.2g.
alentada s.f.
alentado adj.
alentador (*ô*) adj. s.m.
alentar v.
alentecer v.
alentecido adj.
alentecimento s.m.
alentejanismo s.m.
alentejanista adj. s.2g.
alentejanístico adj.
alentejano adj. s.m.
alentejão adj. s.m.
alentejo s.m.
alentejoado adj.
alentejoar v.
alêntese s.f.
alentético adj.
alentilhado adj.
alento s.m.
alentoso (*ô*) adj.; f. (*ó*); pl. (*ó*)
áleo adj.
aleobionte adj. s.m.
aleobiose s.f.
aleobiótico adj.
aleócara s.f.
aleócaro s.m.
aleogênese s.f.
aleogenético adj.
aleogenia s.f.
aleogênico adj.
aleógeno adj. s.m.
aleometria s.f.
aleométrico adj.
aleonado adj.
aleonar v.
aleopardado adj.
aleopardar v.
aleose s.f.
aleóstrofe s.f.
aleostrófico adj.
aleótico adj.
alépida s.f.
alepídea s.f.
alepídeo adj.
alepidote adj. s.m.
alepidoto adj. s.m.
alepina s.f.
alepino adj. s.m.
alepiro s.m.
alepissaurídeo adj. s.m.
alepo s.m.
alepocefálida adj. s.2g.
alepocéfalo adj. s.m.
aleptina s.f.
alequeado adj.
alequeca s.f.
alerce s.m.
alerdado adj.
alerdar v.
alergênico adj.
alergênio s.m.
alérgeno s.m.
alergia s.f.
alérgico adj. s.m.
alérgide s.f.
alergina s.f.
alergista s.2g.
alergização s.f.
alergizado adj.
alergizador (*ô*) adj. s.m.
alergizante adj.2g.
alergizar v.
alergodiagnóstico s.m.
alergoide (*ó*) adj.2g. s.f.
alergologia s.f.
alergológico adj.
alergologista adj. s.2g.
alergólogo s.m.
alergose s.f.
alergótico adj.
alerião s.m.
alerta adj.2g. s.m. adv. interj.
alertador (*ô*) adj. s.m.
alertar v.
alertear v.
alesado adj.
alesagem s.f.
alesar v.
alesmado adj.
alesmar v.
alestado adj.
alestamento s.m.
alestar v.
alestesia s.f.
alestésico adj.
alestético adj.
aleta (*ê*) s.f.
aletargado adj.
alético adj.
alétidas s.f.pl.
aleto s.m.
aletócito s.m.
aletófilo adj.
aletófito s.m.
aletologia s.f.
aletológico adj.
aletoptéride s.f.
aletópteris s.f.2n.
aletoscopia s.f.
aletoscópico adj.
aletoscópio s.m.
aletradado adj.
aletradar v.
aletrado s.m.
aletrar v.
aletre s.m.
aletria s.f.
aletria-de-pau s.f.; pl. *aletrias-de-pau*
aletriado adj.
aletriaria s.f.
alétride s.m.
aletrieiro s.m.
aletrina s.f.
aletrínea s.f.
aletríneo adj.
aletriniense adj. s.2g.
aletrino adj. s.m.
alétris s.m.2n.
aléu s.m.
aleucemia s.f.
aleucêmica s.f.
aleucêmico adj.
aleucia s.f.
alêucico adj.
aleucocitemia s.f.
aleucocitêmico adj.
aleucocitose s.f.
aleucocitótico adj.
aleudrina s.f.
aleudrínico adj.
aleuria s.f.
aleurioconídio s.m.
aleuriósporo s.m.
aleurisma s.m.
aleurismático adj.
aleurite s.f.
aleurítico adj.
aleuritina s.f.
aleuritínico adj.
aleuritoptéride s.f.
aleuritópteris s.f.2n.
aleurode s.m.
aleuródida adj.2g. s.m.
aleuroleucítico adj.
aleuroleucito s.m.
aleuromancia s.f.
aleuromanciano adj.
aleuromante s.2g.
aleuromântico adj.
aleurometria s.f.
aleurométrico adj.
aleurômetro s.m.
aleurona s.f.
aleuronático adj.
aleuronato s.m.
aleurônico adj.
aleuroscífeo s.m.
aleuroscopia s.f.
aleuroscópico adj.
aleuroscópio s.m.
aleurosticto s.m.
aleúte adj. s.2g.
aleútico adj.
aleutita s.f.
aleuzada s.f.
alevá interj.
alevadoiro s.m.
alevadouro s.m.
alevanta s.f.
alevantadeiro adj. s.m.
alevantadiço adj.
alevantado adj.
alevantador (*ô*) adj. s.m.
alevantamento s.m.
alevantar v.
alevante s.m.
alevanto s.m.
alevedado adj.
alevedar v.
alevianado adj.
alevianar v.
alevim s.m.
alevinagem s.f.
alevinário s.m.
alevineiro s.m.
alevino s.m.
alexânder (*cs*) s.m.
alexandre adj.2g.
alexandriense adj. s.2g.
alexandrinado adj.
alexandrinar v.
alexandrinismo s.m.
alexandrinista adj. s.2g.
alexandrinístico adj.
alexandrinite s.f.
alexandrinítico adj.
alexandrino adj. s.m.
alexandrismo s.m.
alexandrista adj. s.2g.
alexandrístico adj.
alexandrita s.f.
alexandrite s.f.
alexandrítico adj.
alexandrito s.m.
alexandrolita s.f.
alexanense adj. s.2g.
alexanor (*cs...ô*) s.m.
alexetérico (*cs*) adj.
alexetério (*cs*) s.m.
alexia (*cs*) s.f.
alexíaco (*cs*) adj.
alexiano (*cs*) s.m.
alexicaco (*cs*) adj.
aléxico (*cs*) adj.
alexifarmacêutico (*cs*) adj.
alexifármaco (*cs*) adj. s.m.
alexifarmacoso (*cs...ô*) adj.; f. (*ó*); pl. (*ó*)
alexina (*cs*) s.f.
alexínico (*cs*) adj.
alexipirético (*cs*) adj. s.m.
aléxis (*cs*) s.m.
alexitério (*cs*) s.m.
alexitimia (*cs*) s.f.
alexócito (*cs*) s.m.
alexótero (*cs*) adj.
aleziriado adj.
alfa s.m.f. "letra grega"; cf. *alfá*
alfá s.m. "sacerdote"; cf. *alfa*
alfa-aglutinação s.f.
alfabaca s.f.
alfábar s.m.
alfabareiro s.m.
alfabetação s.f.
alfabetado adj.
alfabetador (*ô*) adj. s.m.
alfabetal adj.2g.
alfabetamento s.m.
alfabetar v.
alfabetário adj. s.m.
alfabetável adj.2g.
alfabético adj.
alfabetismo s.m.
alfabetista adj. s.2g.
alfabetístico adj.
alfabetização s.f.
alfabetizado adj.
alfabetizador (*ô*) adj. s.m.
alfabetizando s.m.
alfabetizante adj.2g.
alfabetizar v.
alfabetizável adj.2g.
alfabeto s.m.
alfabetologia s.f.
alfabetológico adj.
alfaça s.f.
alfaçal s.m.
alface s.f.
alface-americana s.f.; pl. *alfaces-americanas*
alface-brava s.f.; pl. *alfaces-bravas*

alface-brava-maior s.f.; pl. *alfaces-bravas-maiores*
alface-brava-menor s.f.; pl. *alfaces-bravas-menores*
alface-crespa s.f.; pl. *alfaces-crespas*
alface-d'água s.f.; pl. *alfaces-d'água*
alface-de-alger s.f.; pl. *alfaces-de-alger*
alface-de-cão s.f.; pl. *alfaces-de-cão*
alface-de-cordeiro s.f.; pl. *alfaces-de-cordeiro*
alface-de-porco s.f.; pl. *alfaces-de-porco*
alface-do-campo s.f.; pl. *alfaces-do-campo*
alface-do-mar s.f.; pl. *alfaces-do-mar*
alface-do-monte s.f.; pl. *alfaces-do-monte*
alface-dos-rios s.f.; pl. *alfaces-dos-rios*
alface-frisada s.f.; pl. *alfaces-frisadas*
alfacelulose s.f.
alfacelulótico adj.
alface-orelha-de-mula s.f.; pl. *alfaces-orelha-de-mula* e *alfaces-orelhas-de-mula*
alface-paulista s.f.; pl. *alfaces-paulistas*
alface-repolhuda s.f.; pl. *alfaces-repolhudas*
alface-romana s.f.; pl. *alfaces-romanas*
alfácia s.f.
alfacinha adj. s.2g.
alfacinha-do-monte s.f.; pl. *alfacinhas-do-monte*
alfacinha-do-rio s.f.; pl. *alfacinhas-do-rio*
alfacloritita s.f.
alfaco s.m.
alfada s.f.
alfádega s.f.
alfádiga s.f.
alfado adj.
alfaélice s.f.
alfaemissão s.f.
alfaemissor (*ô*) adj. s.m.
alfafa s.f.
alfafa-arbórea s.f.; pl. *alfafas-arbóreas*
alfafa-brasileira s.f.; pl. *alfafas-brasileiras*
alfafa-da-suécia s.f.; pl. *alfafas-da-suécia*
alfafa-de-flor-amarela s.f.; pl. *alfafas-de-flor-amarela*
alfafa-de-flor-rósea s.f.; pl. *alfafas-de-flor-rósea*
alfafa-de-flor-roxa s.f.; pl. *alfafas-de-flor-roxa*
alfafa-de-folhas-manchadas s.f.; pl. *alfafas-de-folhas-manchadas*
alfafa-de-provença s.f.; pl. *alfafas-de-provença*
alfafa-de-sementes-espinhosas s.f.; pl. *alfafas-de-sementes-espinhosas*
alfafa-do-nordeste s.f.; pl. *alfafas-do-nordeste*
alfafa-do-rio-branco s.f.; pl. *alfafas-do-rio-branco*
alfafa-do-turquestão s.f.; pl. *alfafas-do-turquestão*
alfafado adj.
alfafa-espinhosa s.f.; pl. *alfafas-espinhosas*
alfafa-gigante s.f.; pl. *alfafas-gigantes*
alfafal s.m.
alfafa-lupulina s.f.; pl. *alfafas-lupulinas*
alfafa-mineira s.f.; pl. *alfafas-mineiras*
alfafa-nacional s.f.; pl. *alfafas-nacionais*
alfafa-rústica s.f.; pl. *alfafas-rústicas*
alfafa-sempre-verde s.f.; pl. *alfafas-sempre-verdes*
alfafa-verdadeira s.f.; pl. *alfafas-verdadeiras*
alfafetoproteína s.f.
alfagemaria s.f.
alfageme s.m.
alfagemeria s.f.
alfagemia s.f.
alfaglobulina s.f.
alfaglobulínico adj.
alfa-hélice s.f.
alfaia s.f.
alfaiado adj.
alfaiamento s.m.
alfaiar v.
alfaiata s.f.
alfaiata de encruzilhada s.f.
alfaiatar v.
alfaiataria s.f.
alfaiate s.m.
alfaique s.m.
alfaizar s.m.
alfalfa s.f.
alfama s.f.
alfâmar s.m.
alfâmbar s.m.
alfambareiro s.m.
alfamense adj. s.2g.
alfamia s.f.
alfamista adj. s.2g.
alfamoxa (*ô*) s.m.
alfanada s.f.
alfanado adj. s.m.
alfanar v.
alfândega s.f.; cf. *alfandega*, fl. do v. *alfandegar*
alfandegado adj.
alfandegagem s.f.
alfandegamento s.m.
alfandegar v. adj.2g.
alfandegário adj.
alfandegueiro adj. s.m.
alfandeguense adj.2g.
alfanege s.f.
alfaneque s.m.
alfanete (*ê*) s.m.
alfange s.m.
alfanja s.m.
alfanjada s.f.
alfanjado adj.
alfanjar v.
alfanje s.m.
alfanumeração s.f.
alfanumerado adj.
alfanumeral adj.
alfanumerar v.
alfanumérico adj.
alfanúmero s.m.
alfaque s.m.
alfaqueque s.m.
alfaquete (*ê*) s.m.
alfaqui s.m.
alfaquim s.m.
alfaquique s.m.
alfar v.
alfaraz adj.2g. s.m.
alfarda s.f.
alfarém s.m.
alfarema s.f.
alfareme s.m.
alfarge s.m.
alfarica s.f.
alfario adj.
alfarja s.f.
alfarje s.m.
alfarque s.m.
alfarrábio s.m.
alfarrabista adj. s.2g.
alfarrabístico adj.
alfarreca s.f.
alfarricoque s.m.
alfarroba (*ô*) s.f.; cf. *alfarroba*, fl. do v. *alfarrobar*
alfarrobado adj.
alfarrobal s.m.
alfarrobar v.
alfarrobeira s.f.
alfarrobeiral s.m.
alfarrobeirão s.m.
alfarva s.f.
alfas s.f.pl.
alfaterno adj. s.m.
alfatópico adj.
alfava s.f.
alfavaca s.f.
alfavaca-carpunha s.f.; pl. *alfavacas-carpunhas*
alfavaca-cheirosa s.f.; pl. *alfavacas-cheirosas*
alfavaca-da-cova s.f.; pl. *alfavacas-da-cova*
alfavaca-da-guiné s.f.; pl. *alfavacas-da-guiné*
alfavaca-de-caboclo s.f.; pl. *alfavacas-de-caboclo*
alfavaca-de-cheiro s.f.; pl. *alfavacas-de-cheiro*
alfavaca-de-cobra s.f.; pl. *alfavacas-de-cobra*
alfavaca-de-vaqueiro s.f.; pl. *alfavacas-de-vaqueiro*
alfavaca-do-campo s.f.; pl. *alfavacas-do-campo*
alfavaca-do-rio s.f.; pl. *alfavacas-do-rio*
alfavaca-dos-montes s.f.; pl. *alfavacas-dos-montes*
alfavaca-silvestre s.f.; pl. *alfavacas-silvestres*
alfávega s.f.
alfazar s.m.
alfazema s.f.
alfazema-brava s.f.; pl. *alfazemas-bravas*
alfazema-de-caboclo s.f.; pl. *alfazemas-de-caboclo*
alfazemado adj.
alfazemar v.
alfeça s.f.
alfece s.m.
alfeia (*é*) s.f.
alfeídeo adj. s.m.
alfeirada s.f.
alfeire s.m.
alfeireiro s.m.
alfeirio adj.
alfeiro adj. s.m.
alfeizar s.m.
alféloa s.f.
alfeloeiro s.m.
alfemissão s.f.
alfemissor (*ô*) adj. s.m.
alfena s.f.
alfenado adj.
alfenar v.
alfeneira s.f.
alfeneiro s.m.
alfeneiro-do-japão s.m.; pl. *alfeneiros-do-japão*
alfenense adj. s.2g.
alfenheira s.f.
alfenheiro s.m.
alfenheiro-do-japão s.m.; pl. *alfenheiros-do-japão*
alfeni s.m.
alfenicado adj.
alfênico adj. s.m.
alfenide s.m.
alfenim s.m.
alfeninado adj.
alfeninar v.
alfenique s.m.
alfenito s.m.
alfentanil s.m.
alfeque s.m.
alferça s.f.
alferce s.m.
alférece s.m.
alferena s.f.
alferes s.m.2n.
alferesia s.f.
alferga s.f.
alferilo s.m.
alferro s.m.
alfesso s.m.
alfétena s.f.
alfieriano adj.
alfil s.m.
alfim s.m.
alfinago s.m.
alfinetada s.f.
alfinetadela s.f.
alfinetado adj.
alfinetar v.
alfinete (*ê*) s.m.; cf. *alfinete*, fl. do v. *alfinetar*
alfineteado adj.
alfinetear v.
alfinete-de-toucar s.m.; pl. *alfinetes-de-toucar*
alfineteira s.f.
alfineteiro s.m.
alfinetes s.m.pl.; cf. *alfinetes*, fl. do v. *alfinetar*
alfinetes-da-terra s.m.pl.
alfinetes-de-dama s.m.pl.
alfir s.m.
alfirme s.m.
alfirmeira s.f.
alfitédone adj.2g.
alfitete s.m.
alfitóbio s.m.
alfitomancia s.f.
alfitomante s.2g.
alfitomântico adj.
alfitomor adj.
alfitomorfia s.f.
alfitra s.f.
alfo s.m.
alfobre (*ô*) s.m.
alfofre (*ô*) s.m.
alfol s.m.
alfola s.f.
alfombra s.f.
alfombrado adj.
alfombrar v.
alfonsi s.m.
alfonsia s.f.
alfonsim s.m.
alfonsino adj. s.m.
alfora s.f.
alforba (*ô*) s.f.
alforbe (*ô*) s.m.
alforfa (*ô*) s.f.
alforfião s.m.
alforfilhado adj.
alforfilhar v.
alforja s.f.
alforjada s.f.
alforjado adj.
alforjar v.
alforje s.m.
alforjeiro s.m.
alfornes s.m.pl.
alforques s.m.pl.
alforra (*ô*) s.f.; cf. *alforra*, fl. do v. *alforrar*
alforrado adj.
alforrar v.
alforre s.m.
alforreca s.f.
alforria s.f.
alforriado adj. s.m.
alforriar v.
alforva (*ô*) s.f.
alforva-brava s.f.; pl. *alforvas-bravas*
alfose s.f.
alfóstica s.f.
alfóstico s.m.
alfóstigo s.m.
alfóstigo-da-terra s.m.; pl. *alfóstigos-da-terra*
alfostigueiro s.m.
alfoucim s.m.
alfouve s.m.
alfova (*ô*) s.f.
alfovre (*ô*) s.m.
alfoz s.m.
alfre s.m.
alfreces s.m.pl.
alfrecha s.f.
alfrecheiro s.m.
alfredense adj. s.2g.
alfrédia s.f.
alfredo (*ê*) s.m.
alfridária s.f.
alfrocheira s.f.
alfrocheiro s.m.
alfrucheiro s.m.
alfúgera s.f.
alfuja s.f.
alfuje s.m.
alfújera s.f.
alfunda s.f.
alfur s.m.
alfura adj. s.2g.
alfurja s.f.
alfurje s.m.
alfuru adj. s.2g.
alfusqueiro s.m.
alfustrecos s.m.pl.
alfutrecos s.m.pl.
alga s.m.f.
algabarra s.f.
algaça s.f.
algáceo adj.
algaço s.m.
alga-da-córsega s.f.; pl. *algas-da-córsega*
algal adj.2g.
algália s.f.; cf. *algalia*, fl. do v. *algaliar*
algaliação s.f.
algaliado s.f.
algaliar v.
algamia s.f.
alganame s.m.
alga-perlada s.f.; pl. *algas-perladas*
algar s.m.
algara s.f.
algarabe s.f.
algarada s.f.
algarão s.m.
algaravazes s.m.pl.
algaravia s.f.
algaraviada s.f.
algaraviado adj.
algaraviano adj.
algaraviar v.
algaravio adj. s.m.
algaraviz s.m.
algarbiense adj. s.2g.
algareira s.f.
algarejo (*ê*) s.m.
algariado adj.
algariar v.
algariça s.f.
algarido s.m.
algarismado adj.
algarismar v.
algarismeira s.f.
algarísmico adj.
algarismo s.m.
algarítmico adj.
algarivão s.m.; f. *algarivona*
algarivona s.f. de *algarivão*
algarnaça adj. s.2g.
algaroba s.f.
algarobeira s.f.
algarobeira-preta s.f.; pl. *algarobeiras-pretas*
algaróbia s.f.
algarobilho s.m.
algarobo (*ô*) s.m.
algarote s.m.
algarrada s.f.
algarroba (*ô*) s.f.
algarrobeira s.f.
algarrobo (*ô*) s.m.
algaruna s.f.
algarvão s.m.
algarve adj.2g. s.m.
algarvia s.f.
algarviada s.f.
algarviado adj.
algarviar v.
algarvio adj. s.m.
algarvismo s.m.
algarvista adj. s.2g.
algarvístico adj.
algaz s.m.
algaza s.f.
algazar s.m.
algazarento adj.
algazarra s.f.
algazarrã s.f. de *algazarrão*
algazarrão s.m.; f. *algazarrã*
algazarrar v.
algazarrear v.

algazarreiro adj.
algazarrento adj.
algazel s.m.
algazela s.f.
algazu s.f.
algazurrar v.
álgebra s.f.
algebraico adj.
algébrico adj.
algebrismo s.m.
algebrista adj. s.2g.
algebrístico adj.
algebrização s.f.
algebrizado adj.
algebrizar v.
algebrizável adj.2g.
algecira s.f.
algedi s.m.
algedo (*ê*) s.m.
algédone s.m.
algedônico adj.
algela s.f.
algema s.f.
algemado adj.
algemador (*ô*) adj. s.m.
algemar v.
algemia s.f.
algemiado adj.
algemiar v.
algência s.f.
algente adj.2g.
alger s.m.
algeramolho (*ô*) s.m.
algeriano adj. s.m.
algerife s.m.
algerifeiro s.m.
algerita s.f.
algerítico adj.
algerive s.m.
algernônia s.f.
algerote s.m.
algeroz s.m.
algesia s.f.
algésico adj.
algesimetria s.f.
algesimétrico adj.
algesímetro s.m.
algesiocronometria s.f.
algesiocronométrico adj.
algesiocronômetro s.m.
algesiogenia s.f.
algesiogênico adj.
algesiógeno adj.
algesiometria s.f.
algesiométrico adj.
algesiômetro s.m.
algestese s.f.
algestesia s.f.
algestésico adj.
algestesiometria s.f.
algestesiométrico adj.
algestesiômetro s.m.
algestético adj.
algia s.f.
algibe s.m.
algibeba s.f. de *algibebe*
algibebe s.m.; f. *algibeba*
algibebista adj.2g.
algibeira s.f.
algibeiraça s.f.
algibeira-de-dama s.f.; pl. *algibeiras-de-dama*
algibeta (*ê*) s.f.
algibetaria s.f.
algicida adj.2g. s.m.
algico s.m. "língua indígena"; cf. *álgico*
álgico adj. "relativo a dor"; cf. *algico*
algícola adj.2g.
algidez (*ê*) s.f.
álgido adj.
algimetria s.f.
algimétrico adj.
algímetro s.m.
algina s.f.
alginato s.m.
algínico adj.
alginoide (*ó*) s.m.
alginurese s.f.
alginurético adj.
algiperestesia s.f.
algiperestésico adj.
algiperestético adj.
algipestesia s.f.
algipestésico adj.
algipestético adj.
algira s.m.
algirão s.m.
algiroz s.m.
algitermestesia s.f.
algívoro adj.
algo adv. pron.
algocultor (*ô*) adj. s.m.
algocultura s.f.
algocultural adj.2g.
algodão s.m.
algodão-bravo s.m.; pl. *algodões-bravos*
algodão-colódio s.m.; pl. *algodões-colódio* e *algodões-colódios*
algodão-cravo s.m.; pl. *algodões-cravo* e *algodões-cravos*
algodão-da-praia s.m.; pl. *algodões-da-praia*
algodão de açúcar s.m.
algodão de vidro s.m.
algodão-do-brejo s.m.; pl. *algodões-do-brejo*
algodão-do-campo s.m.; pl. *algodões-do-campo*
algodão-doce s.m.; pl. *algodões-doces*
algodão-do-mato s.m.; pl. *algodões-do-mato*
algodão-macaco s.m.; pl. *algodões-macaco* e *algodões-macacos*
algodão-pólvora s.m.; pl. *algodões-pólvora* e *algodões-pólvoras*
algodãorana s.f.
algodãozinho s.m.
algodãozinho-do-campo s.m.; pl. *algodõezinhos-do-campo*
algodoado adj.
algodoal s.m.
algodoamento s.m.
algodoar v.
algodoaria s.f.
algodoeiro adj. s.m.
algodoeiro-americano s.m.; pl. *algodoeiros-americanos*
algodoeiro-bravo s.m.; pl. *algodoeiros-bravos*
algodoeiro-crioulo s.m.; pl. *algodoeiros-crioulos*
algodoeiro-da-costa s.m.; pl. *algodoeiros-da-costa*
algodoeiro-da-guiné s.m.; pl. *algodoeiros-da-guiné*
algodoeiro-da-índia s.m.; pl. *algodoeiros-da-índia*
algodoeiro-da-praia s.m.; pl. *algodoeiros-da-praia*
algodoeiro-da-terra-alta s.m.; pl. *algodoeiros-da-terra-alta*
algodoeiro-de-pernambuco s.m.; pl. *algodoeiros-de-pernambuco*
algodoeiro-do-campo s.m.; pl. *algodoeiros-do-campo*
algodoeiro-gigante s.m.; pl. *algodoeiros-gigantes*
algodoento adj.
algodoim s.m.
algodonita s.f.
algodonítico adj.
algodonito s.m.
algodrão s.m.
algoespasmo s.m.
algoespasmódico adj.
algoestesímetro s.m.
algoestesiometria s.f.
algoestesiométrico adj.
algoestesiômetro s.m.
algófago adj. s.m.
algofilia s.f.
algofílico adj.
algófilo adj. s.m.
algofobia s.f.
algofóbico adj.
algófobo adj. s.m.
algogenia s.f.
algogênico adj.
algógeno s.m.
algo-hiperestesia s.f.
algo-hiperestésico adj.
algo-hiperestético adj.
algo-hipoestesia s.f.
algo-hipoestésico adj.
algo-hipoestético adj.
algoide (*ó*) adj.2g.
algoio s.m.
algoiperestesia s.f.
algoiperestésico adj.
algoiperestético adj.
algoipoestesia s.f.
algoipoestésico adj.
algoipoestético adj.
algol s.m.
algolagnia s.f.
algolagnista s.2g.
algologia s.f.
algológico adj.
algologista s.2g.
algólogo s.m.
algomania s.f.
algomaníaco adj. s.m.
algomaniano adj. s.m.
algômano s.m.
algomenorreia (*é*) s.f.
algomenorreico (*é*) adj.
algometria s.f.
algométrico adj.
algômetro s.m.
algomia s.f.
algonquiano adj. s.m.
algonquiense adj. s.2g.
algonquim adj. s.2g.
algonquinense adj. s.2g.
algonquino adj. s.m.
algontina s.f.
algopoese s.f.
algopoésico adj.
algopoético adj.
algopsicalgia s.f.
algopsicálgico adj.
algor (*ô*) s.m.
algorabão s.m.
algorabe s.m.
algoritmia s.f.
algorítmico adj.
algoritmo s.m.
algorova s.f.
algorovão s.m.
algorrém pron.
algoscopia s.f.
algoscópico adj.
algose s.f.
algoso (*ô*) adj.; f. (*ó*); pl. (*ó*); cf. *algozo*, fl. do v. *algozar*
algospasmo s.m.
algóstase s.m.
algostático adj.
algotermestesia s.f.
algotermestético adj.
algótico adj.
algovão s.m.
algoz (*ó* ou *ô*) s.m.; pl. (*ó* ou *ô*)
algozar v.
algozaria s.f.
algoz-das-árvores s.m.; pl. *algozes-das-árvores*
algrafia s.f.
algráfico adj.
algramandeado adj.
algramandear v.
algramandel s.m.
algramassa s.f.
algrame s.m.
algramojo (*ô*) s.m.
algravão s.m.
algravia s.f.
algraviada s.f.
algraviado adj.
algraviar v.
algregue s.m.
algrevão s.m.; f. *algrevona*
algrevona s.f. de *algrevão*
algrivão s.m.; f. *algrivona*
algrivona s.f. de *algrivão*
algrouvão s.m.; f. *algrouvona*
algrouvona s.f. de *algrouvão*
algual s.f.
alguazil s.m.
alguazilado s.m.
algudelos s.m.pl.
algueirar v.
algueireiro s.m.
algueiro s.m.
alguém s.m. pron.
alguergado adj.
alguergar v.
alguergue s.m.
alguervão s.m.
algueta (*ê*) s.f.
alguidar s.m.
alguidarada s.f.
alguirradeira s.f.
alguivão s.m.
algum s.m. pron.
alguma s.f.
algumia s.f.
algumim s.m.
algur adv.
algurandear v.
algures adv.
algurevão s.m.
alha s.f.
alhácea s.f.
alháceo adj.
alhada s.f.
alhadense adj. s.2g.
alhage s.m.
alhágea s.f.
alhal s.m.
alhalme s.m.
alhambra s.f.
alhambrês adj.
alhanado adj.
alhanar v.
alhandrense adj. s.2g.
alhar s.m.
alharca s.f.
alheabilidade s.f.
alheação s.f.
alheado adj.
alheador (*ô*) adj. s.m.
alheamento s.m.
alhear v.
alheatório adj.
alheável adj.2g.
alheio adj. s.m.
alheira s.f.
alheiro adj. s.m.
alhela s.f.
alhendros s.m.pl.
alheta (*ê*) s.f.
alhete (*ê*) s.m.
alheto (*ê*) s.m.
álhia s.f.
alho s.m.
alho-da-campina s.m.; pl. *alhos-da-campina*
alho-das-vinhas s.m.; pl. *alhos-das-vinhas*
alho-de-cheiro s.m.; pl. *alhos-de-cheiro*
alho-de-espanha s.m.; pl. *alhos-de-espanha*
alho-do-campo s.m.; pl. *alhos-do-campo*
alho-do-mato s.m.; pl. *alhos-do-mato*
alhodra s.f.
alho-espanhol s.f.; pl. *alhos-espanhóis*
alho-francês s.m.; pl. *alhos-franceses*
alho-grosso s.m.; pl. *alhos-grossos*
alho-grosso-de-espanha s.m.; pl. *alhos-grossos-de-espanha*
alho-íngreme s.m.; pl. *alhos-íngremes*
alho-macho s.m.; pl. *alhos-machos*
alho-mágico s.m.; pl. *alhos-mágicos*
alho-mourisco s.m.; pl. *alhos-mouriscos*
alho-ordinário s.m.; pl. *alhos-ordinários*
alho-poró s.m.; pl. *alhos-porós*
alho-porro s.m.; pl. *alhos-porros*
alho-porró s.m.; pl. *alhos-porrós*
alho-porrô s.m.; pl. *alhos-porrôs*
alhora interj.
alhorca s.f.
alhore interj.
alho-rocambole s.m.; pl. *alhos-rocambole* e *alhos-rocamboles*
alho-sem-mau-cheiro s.m.; pl. *alhos-sem-mau-cheiro*
alho-silvestre s.m.; pl. *alhos-silvestres*
alhures adv.
ali adv.
aliá s.f. "fêmea do elefante"; cf. *álea*
aliabilidade s.f.
aliácea s.f.
aliáceo adj.
aliadar v.
aliadismo s.m.
aliadista adj. s.2g.
aliadístico adj.
aliado adj. s.m.
aliadofilia s.f.
aliadófilo adj. s.m.
aliadofobia s.f.
aliadófobo adj. s.m.
aliafóbico adj. s.m.
aliagem s.f.
aliamba s.f.
aliança s.f.
aliançado adj.
aliançar v.
aliancense adj. s.2g.
aliancismo s.m.
aliancista adj. s.2g.
aliancístico adj.
aliar v. "associar"; cf. *alear*
aliária s.f. "gênero de planta"; cf. *aliaria*, fl. do v. *aliar* e *haliária*
aliás adv.
aliate s.m.
aliavas s.f.pl.
aliável adj.2g.
aliaxé s.m. "camarinha"; cf. *ariaxé*
aliazar s.m.
alibambado adj.
alibambar v.
alibano adj. s.m.
alibértia s.f.
álibi s.m.
alíbil adj.2g.
alibilidade s.f.
alibível adj.2g.
alibrosque s.2g.
álica s.f.
alicaído adj.
alical s.m.
alicanço s.m.
alicantado s.m.
alicântara s.f.
alicantina s.f.
alicantinador (*ô*) adj. s.m.
alicantineiro s.m.
alicantinismo s.m.
alicantinista adj. s.2g.
alicantino adj. s.m.
alicária s.f.
alicário s.m.
alicatado adj.
alicatão s.m.
alicate s.m.
alice s.f.
alicerçado adj.
alicerçador (*ô*) adj. s.m.
alicerçar v.
alicerce s.m.
alicercear v.
aliciação s.f.

aliciado adj.
aliciador (*ô*) adj. s.m.
aliciamento s.m.
aliciante adj.2g.
aliciar v.
aliciatório adj.
alicíclico adj.
aliciclo s.m.
aliciente adj.2g. s.m.
alicondo s.m.
alicorne s.m.
alicórnio s.m.
alícota adj. s.f.
alicranço s.m.
alicuí s.m.
alícula s.f.
aliculária s.f.
alicuri s.m.
alidada s.f.
alidade s.f.
alidor (*ô*) s.m.
alienabilidade s.f.
alienação s.f.
alienado adj. s.m.
alienador (*ô*) adj. s.m.
alienamento s.m.
alienante adj. s.2g.
alienar v.
alienatário s.m.
alienatório adj.
alienável adj.2g.
alienia s.f.
aliênico adj.
alienígena adj. s.2g.
alienigenismo s.m.
alienigenista adj. s.2g.
alienigenístico adj.
alienismo s.m.
alienista adj. s.2g.
alienístico adj.
alifafe s.m.
alifano adj. s.m.
alifante s.m.
alifático adj.
álife s.m.
alífero adj.
alifireia (*é*) adj. s.f. de *alifireu*
alifireu adj. s.m.; f. *alifireia* (*é*)
aliforme adj.2g.
alífugo adj.
alifur s.m.
aligado adj.
aligar v.
aligátor s.m.
aligatorelo s.m.
aligatórida adj.2g. s.m.
aligatorídeo adj. s.m.
aligatorina s.f.
aligeirado adj.
aligeiramento s.m.
aligeirar v.
alígero adj.
aligulada s.f.
aligulado adj.
aliina s.f.
aliínico adj.
aliínio adj.
alijação s.f.
alijado adj.
alijamento s.m.
alijar v.
alijo s.m.
alijoense adj. s.2g.
alil s.m.
alila s.f.
alilação s.f.
alilacético adj.
alilaceto s.m.
alilacetofenona s.f.
alilacetofenônico adj.
alilacetona s.f.
alilacetônico adj.
alilamida s.f.
alilamídico adj.
alilamina s.f.
alilamínico adj.
alilanilina s.f.
alilanilínico adj.
alilbenzênico adj.
alilbenzeno s.m.
alilbenzol s.m.
alilbenzólico adj.
alilcanamida s.f.
alilcanamídico adj.
alilcarbamida s.m.
alilcarbamídico adj.
alilena s.f.
alilênico adj.
alilenilidrazina s.f.
alilenilidrazínico adj.
alileno s.m.
aliletilena s.f.
aliletilênico adj.
alileto (*ê*) s.m.
alilfenidrazínico adj.
alilfenilidrazina s.f.
alilfenol s.m.
alilfenólico adj.
alílico adj.
alilina s.f.
alilínico adj.
alílio s.m.
aliliodol s.m.
aliliodólico adj.
alilmalônico adj.
alilo s.m.
aliloxibenzoico (*cs...ó*) adj.
alilpiperidina s.f.
alilpiperidínico adj.
alilpiridina s.f.
alilpiridínico adj.
alilpirocatequina s.f.
alilpirrol s.m.
alilpirrólico adj.
alilpropila s.f.
alilpropílico adj.
alilsevenol s.m.
alilsuccínico adj.
alilsuccínio s.m.
alilsucínico adj.
alilsucínio s.m.
alilsulfocarbamático adj.
alilsulfocarbamato s.m.
alilsulfocarbâmico adj.
alilsulfocarbamida s.f.
alilsulfocarbamídico adj.
alilsulfocarbonático adj.
alilsulfocarbonato s.m.
alilsulfureia (*é*) s.f.
alilsulfúrico adj.
alilteobromina s.f.
alilteobromínico adj.
aliltioureia (*é*) s.f.
aliltoluênico adj.
aliltolueno s.m.
aliltrimetoxibenzênico (*cs*) adj.
aliltrimetoxibenzeno (*cs*) s.m.
alilureia (*é*) s.f.
alilveratrol s.m.
alilveratrólico adj.
alimado adj.
alimal s.m.
alimália s.f.
alimanada s.f.
alimangariba s.m.
alimária s.f.
alimázio s.m.
álime s.m.
alimentação s.f.
alimentado adj.
alimentador (*ô*) adj. s.m.
alimental adj.2g.
alimentando adj. s.m.
alimentante adj. s.2g.
alimentar v. adj.2g.
alimentário adj. s.m.
alimentatividade s.f.
alimenteiro s.m.
alimentício adj.
alimentista s.2g.
alimentístico adj.
alimentividade s.f.
alimentivo adj.
alimento s.m.
alimentoso (*ô*) adj.; f. (*ó*); pl. (*ó*)
alimônia s.f.
alimpa s.f.
alimpação s.f.
alimpaços s.m.pl.
alimpadeira s.f.
alimpado adj.
alimpador (*ô*) adj. s.m.
alimpadura s.f.
alimpalhos s.m.pl.
alimpamento s.m.
alimpar v.
alimpativo adj.
alimpável adj.2g.
alimpo s.m.
alinasal adj.2g.
alindado adj.
alindamento s.m.
alindar v.
alinde s.m.
alínea s.f.
alineação s.f.
alineamento s.m.
alinear v.
alinegro (*ê*) adj.
alinevoso (*ô*) adj.; f. (*ó*); pl. (*ó*)
alinfia s.f.
alinguetado (*ü*) adj.
alinguetar (*ü*) v.
alinhado adj.
alinhador (*ô*) adj. s.m.
alinhamento s.m.
alinhar v.
alinhavadeira s.f.
alinhavado adj.
alinhavador (*ô*) s.m.
alinhavão s.m.
alinhavar v.
alinhave s.m.
alinhavo s.m.
alinheira s.f.
alinheiro s.m.
alinho s.m.
alinita s.f.
alinite s.f.
alio s.m. "árvore do Damão"; cf. *álio*
álio s.m. "planta"; cf. *alio* s.m. e fl. do v. *aliar*
aliônia s.f.
álios s.m.2n.
aliose s.f.
aliósio s.m.
aliótico adj.
alipante s.m.
alipata s.f.
alípede adj.2g.
alípilo s.m.
alipina s.f.
alipita s.f.
alipite s.f.
alipítico adj.
alipito s.m.
alipivre s.m.
alipivre-do-campo s.m.; pl. *alipivres-do-campo*
alipo adj. s.m.
alipotente adj.2g.
alipta s.m.
aliptério s.m.
alíptica s.f.
alipto s.m.
aliquanta adj. s.f.
aliquati interj.
alíquota (*co* ou *quo*) adj. s.f.
alisadeira s.f.
alisado adj. s.m.
alisador (*ô*) adj. s.m.
alisadura s.f.
alisamento s.m.
alisão s.f.
alisar v. "tornar plano"; cf. *alizar*
alisatina s.f.
alisatínico adj.
alisável adj.2g.
alisboetação s.f.
alisboetado adj.
alisboetar v.
aliselmíntico adj.
aliselminto s.m.
alíseo adj. s.m.
aliseu adj. s.m.
alisfenoidal adj.2g.
alisfenoide (*ó*) adj. s.2g.
alísia s.f.
alisicarpo s.m.
alisidião s.m.
alisina s.f.
alisínico adj.
alísio adj. s.m.
alisioide (*ó*) s.f.
alisma s.m.
alismácea s.f.
alismáceo adj.
alismatácea s.f.
alismatáceo adj.
alísmea s.f.
alismina s.f.
alismínico adj.
alismo s.m.
alismoide (*ó*) adj.2g.
alisoide (*ó*) s.f.
alisonita s.f.
alisonite s.f.
alisonito s.m.
alíssea s.f.
alísseo adj.
alisseptal adj.2g.
alissínea s.f.
alissíneo adj.
alisso s.m.
alisso-cheiroso s.m.; pl. *alissos-cheirosos*
alissoide (*ó*) s.f.
alistabilidade s.f.
alistado adj.
alistador (*ô*) adj. s.m.
alistamento s.m.
alistando adj. s.m.
alistão s.m.
alistar v.
alistável adj.2g.
alistridente adj.2g.
alita s.f. "pedra"; cf. *álita* s.m., *halita* s.f. e fl. do v. *halitar*
álita s.m. "guarda olímpico"; cf. *alita* s.f., *halita* s.f. e fl. do v. *halitar*
alitarca s.m.
alitarco s.m.
alitarquia s.f.
alitárquico adj.
aliteração s.f.
aliterado adj.
aliteramento s.m.
aliterante adj.2g.
aliterar-se v.
aliteratado adj.
aliteratar-se v.
aliteratividade s.f.
aliterativo adj.
alítico adj.
alitização s.f.
alitizado adj.
alitizar v.
alitronco s.m.
alitúrgico adj.
alitúrico adj.
alível adj.2g.
alivelado adj.
aliveloz adj.2g.
aliviação s.f.
aliviada s.f.
aliviado adj.
aliviadoiro s.m.
aliviador (*ô*) adj. s.m.
aliviadouro s.m.
aliviamento s.m.
aliviança s.f.
aliviante adj.2g.
aliviar v.
alívio s.m.; cf. *alivio*, fl. do v. *aliviar*
alivioso (*ô*) adj.; f. (*ó*); pl. (*ó*)
alixado adj.
alíxia s.f.
alizaba s.f.
alizar s.m. "guarnição de madeira"; cf. *alisar*
alizaramida s.f.
alizaramídico adj.
alizarático adj.
alizarato s.m.
alizareína s.f.
alizareínico adj.
alizari s.m.
alizárico adj.
alizarina s.f.
alizarinamida s.f.
alizarinamídico adj.
alizarínico adj.
alizeiro s.m.
alizita s.f.
alizito s.m.
aljabão s.m.
aljabeira s.f.
aljafra s.f.
aljamia s.f.
aljamiado adj.
aljamiar v.
aljarabia s.f.
aljaravia s.f.
aljaraz s.m.
aljaroz s.m.
aljarrim s.m.
aljava s.f.
aljavar v.
aljaveira s.f.
aljazar s.m.
aljibeba s.f.
aljezurense adj. s.2g.
aljôfar s.m.
aljofarado adj.
aljofarar v.
aljofareira s.f.
aljofrado adj.
aljofrar v.
aljofre (*ô*) s.m.; cf. *aljofre*, fl. do v. *aljofrar*
aljorce (*ô*) s.m.
aljorxe (*ô*) s.m.
aljorze (*ô*) s.m.
alju s.m.
aljuba s.f.
aljubádigo s.m.
aljubarrotense adj. s.2g.
aljube s.m.
aljubeiraça s.f.
aljubeiro s.m.
aljubeta (*ê*) s.f.
aljubeteiro s.m.
aljustrelense adj. s.2g.
aljuz s.m.
alkanassul s.f.
alladita s.f.
allanina s.f.
allaninato s.m.
allanínico adj.
allanita s.f.
allanite s.f.
allanito s.m.
allegânico adj.
alleghânico adj.
alleghanyita s.f.
allemontita s.f.
allemontito s.m.
allenita s.f.
allevardita s.f.
alliônia s.f.
allokita s.f.
alluandita s.f.
alma s.f. "princípio de vida"; cf. *halma*
almaala s.f.
almacave s.m.
almácega s.f.
almácego s.m.
almaço adj. s.m.
alma-danada s.2g.; pl. *almas-danadas*
alma-de-biafada s.f.; pl. *almas-de-biafada*
alma-de-caboclo s.f.; pl. *almas-de-caboclo*
alma-de-caçador s.f.; pl. *almas-de-caçador*
alma de cântaro s.f.
alma-de-caracará-preto s.f.; pl. *almas-de-caracará-preto*
alma-de-cavalo s.f.; pl. *almas-de-cavalo*
alma de chicharro s.2g.
alma-de-gato s.f.; pl. *almas-de-gato*
alma-de-mestre s.f.; pl. *almas-de-mestre*
alma de mil diabos s.2g.
alma de milho s.2g.

almádena s.f.
almadense adj. s.2g.
alma-de-pombo s.f.; pl. *almas-de-pombo*
alma de púcaro s.f.
alma de serpente s.2g.
alma-de-tapuio s.f.; pl. *almas--de-tapuio*
almadia s.f.
almadino adj. s.m.
alma do diabo s.2g.
alma-do-outro-mundo s.f.; pl. *almas-do-outro-mundo*
alma do padeiro s.f.
almadra s.f.
almadraba s.f.
almadrabilha s.f.
almadraque s.m.
almadrava s.f.
almadraveiro s.m.
almadrixa s.f.
almadrixado adj.
almafa s.f.
almaface s.f.
almafala s.f.
almafariz s.m.
almáfega s.f.
almáfego s.m.
almáfogo s.m.
almafre s.m.
almafreixe s.m.
almágega s.f.
almágege s.m.
almagra s.f.
almagrado adj.
almagral s.m.
almagrar v.
almagre s.m.
almagreira s.f.
almagrerita s.f.
almagrerite s.f.
almagrerito s.m.
almagro s.m.
almainha s.f.
almajarra s.f.
almajarrado adj.
almajarrar v.
almajesto s.m.
almala s.f.
almalafa s.f.
almaleque s.m.
almalha s.f.
almalho s.m.
almami s.m.
almamil s.m.
almanaque s.m.
almanaqueiro s.m.
almanáquico adj.
almança s.f.
almançor (*ô*) s.m.
almandina s.f.
almandínico adj.
almandita s.f.
almandite s.f.
almandítico adj.
almandito s.m.
almandra s.f.
almandrilha s.f.
almânia s.f.
almanicha s.m.
almanilha s.f.
almanjar s.f.
almanjarra s.f.
almanjarrado adj.
almanjarrar v.
almanxar s.m.
alma-perdida s.f.; pl. *almas--perdidas*
almarada s.f.
almarado adj.
almaraia s.f.
almaraz s.m.
almárcova s.f.
almareado adj.
almarear v.
almareio s.m.
almárfaga s.f.
almárfega s.f.
almarge s.2g.
almargeado adj. s.m.
almargeal s.m.
almargear v.
almargem s.2g.
almargio adj.
almarraxa s.f.
almártaga s.f.
almártega s.f.
almashita s.f.
almástica s.f.
almástiga s.f.
almatrá s.m.
almatrixa s.f.
almatrixado adj.
almatrixar v.
almaxar s.m.
almazém s.m.
almeazar s.m.
almece s.m.
almécega s.f.; cf. *almecega*, fl. do v. *almecegar*
almecegado adj.
almécega-do-oriente s.f.; pl. *almécegas-do-oriente*
almecegão s.m.
almecegar v.
almécega-verdadeira s.f.; pl. *almécegas-verdadeiras*
almecegueira s.f.
almecegueira-cheirosa s.f.; pl. *almecegueiras-cheirosas*
almecegueira-da-praia s.f.; pl. *almecegueiras-da-praia*
almecegueira-de-cheiro s.f.; pl. *almecegueiras-de-cheiro*
almecegueira-de-minas s.f.; pl. *almecegueiras-de-minas*
almecegueira-mansa s.f.; pl. *almecegueiras-mansas*
almecegueira-verdadeira s.f.; pl. *almecegueiras--verdadeiras*
almecegueira-vermelha s.f.; pl. *almecegueiras-vermelhas*
almecegueiro-bravo s.m.; pl. *almecegueiros-bravos*
almecibuçu s.m.
almedina s.f.
almegue s.m.
almeia s.f.
almeice s.m.
almeida s.m.f.
almêidea s.f.
almeidense adj. s.2g.
almêideo adj.
almeidina s.f.
almeirada s.f.
almeirão s.m.
almeirão-da-terra s.m.; pl. *almeirões-da-terra*
almeirão-do-campo s.m.; pl. *almeirões-do-campo*
almeiriense adj. s.2g.
almeirinense adj. s.2g.
almeiro s.m.
almeiroa (*ô*) s.f.
almeitiga s.f.
almeixar s.m.
almeixiar s.m.
almeizar s.m.
almejado adj.
almejante adj.2g.
almejar v.
almejável adj.2g.
almejo (*ê*) s.m.
almenar s.m.
almenara s.f.
almenarense adj. s.2g.
almendrilhas s.f.pl.
almenhaba s.f.
almenilha s.f.
almense adj. s.2g.
almeraíta s.f.
almeriita s.f.
almescarense adj. s.2g.
almesquinhense adj. s.2g.
almexar s.m.
almexia s.f.
almexica s.f.
almez (*ê*) s.m.
almeza (*ê*) s.f.
almezar s.m.
almiara s.f.
almiazar s.m.
almiça s.f.
almicântara s.f.
almicantarado s.m.
almicântaro s.m.
almicântur s.m.
almice s.m.
almiço s.m.
almifadir s.m.
almigrada s.f.
almilha s.f.
alminhaca s.f.
alminhas s.f.pl.
almino-afonsense adj. s.2g.; pl. *almino-afonsenses*
almiqui s.m.
almiranta s.f.
almirantado s.m.
almirante adj.2g. s.m.
almirantear v.
almirante de esquadra s.m.
almirante-mor s.m.; pl. *almirantes-mores*
almirante-vermelho s.m.; pl. *almirantes-vermelhos*
almiscado adj. s.m.
almíscar s.m.
almiscarado adj.
almiscarar v.
almiscareira s.f.
almiscareiro s.m.
almiscrar v.
almiscre s.m.
almiscrenho adj.
almiscrento adj.
almixar s.m.
almo adj.
almóada adj. s.2g.
almôada adj. s.2g.
almôade adj. s.2g.
almocábar s.m.
almoçadeira s.f.
almocadém s.m.
almoçado adj.
almoçador (*ô*) adj. s.m.
almocafo s.m.
almocafre s.m.
almoçala s.f.
almocântara s.f.
almocantarado s.m.
almoçar v.
almoçárabe s.m.
almoçarada s.f.
almocávar s.m.
almocave s.m.
almoceiro adj.
almocela s.f.
almoceleiro s.m.
almocense adj. s.2g.
almoço (*ô*) s.m.; pl. (*ó* ou *ô*); cf. *almoço*, fl. do v. *almoçar*
almoço-ajantarado s.m.; pl. *almoços-ajantarados*
almocouvar s.m.
almocrate s.m.
almocrevado adj.
almocrevar v.
almocrevaria s.f.
almocreve s.m.
almocreveria s.f.
almodovarense adj. s.2g.
almoeda s.f.
almoedado adj.
almoedar v.
almoedeiro s.m.
almofaça s.f.
almofaçado adj.
almofaçadura s.f.
almofaçar v.
almoface s.f.
almofacilha s.f.
almofada s.f.
almofadado adj. s.m.
almofadão s.m.
almofadar v.
almofadense adj. s.2g.
almofadilha s.f.
almofadinha s.m.f.
almofadismo s.m.
almofadístico adj.
almofala s.f.
almofália s.f.
almôfar s.m.
almofariz s.m.
almofate s.m.
almofeira s.f.
almofia s.f.
almofre s.m.
almofreixado adj.
almofreixar v.
almofreixe s.m.
almofrez (*ê*) s.m.
almogama s.f.
almogárave s.m.
almogaure s.m.
almogávar s.m.
almogavaria s.f.
almogavre s.m.
almojatre s.m.
almojávena s.f.
almolatânida adj. s.2g. s.m.
almolina s.f.
almôndega s.f.; cf. *almondega*, fl. do v. *almondegar*
almondegado adj.
almondegar v.
almópio adj. s.m.
almorabitino s.m.
almorávida adj. s.2g.
almorávide adj. s.2g.
almorreima s.f.
almorreimado adj.
almorreimal adj.2g.
almorreta (*ê*) s.f.
almorródia s.f.
almorroida (*ó*) s.f.
almotaçado adj.
almotaçar v.
almotaçaria s.f.
almotacé s.m.
almotacel s.m.
almotacé-mor s.m.; pl. *almotacés-mores*
almotaria s.f.
almotolia s.f.
almoxarifado s.m.
almoxarife s.m.
almoxatre s.m.
almuadem s.m.
almucábala s.f.
almucântara s.f.
almucantarado s.m.
almucela s.f.
almudação s.f.
almudada s.f.
almudado adj.
almudar v.
almude s.m.
almudeiral adj.2g.
almudeiro adj. s.m.
almudeirol adj.
almuédão s.m.
almugem s.m.
almuinha s.f.
almuinheiro s.m.
almuz s.m.
alna s.f.
alnaíbe s.m.
alnedo s.m.
alneíta s.f.
alneítico adj.
alneíto s.m.
alnico s.m.
alnite s.f.
alno s.m.
aló adv. "a barlavento"; cf. *alô*
alô s.m. interj. "cumprimento" etc.; cf. *aló*
aloá s.m.
aloandiense adj. s.2g.
aloanticorpo (*ô*) s.m.; pl. (*ó*)
aloantígeno s.m.
alobadado adj.
alóbaro adj.
alobatado adj.
alobiôntico adj.
alobiose s.f. "tipo diferente de vida"; cf. *halobiose*
alobiótico adj. "de vida diferente"; cf. *halobiótico*
alóbroge adj. s.2g.
alobrógico adj.
alóbrogo adj. s.m.
alobrucina s.f.
alobrucínico adj.
alocabilidade s.f.
alocação s.f.
alocafeína s.f.
alocafeínico adj.
alocaína s.f.
alocaínico adj.
alocar v.
alocarpo s.m.
alocásia s.f.
alocêntrico adj. s.m.
alocentrismo s.m.
alocentrista adj. s.2g.
alocentrístico adj.
alócero s.m.
alociclia s.f.
alocíclico adj.
alociclo s.m.
alocinamato s.m.
alocinâmico adj.
alocinesia s.f.
alocinético adj.
alocístico adj.
alocisto s.m.
aloclásio s.m.
aloclasita s.f.
aloclasito s.m.
aloclorofila s.f.
aloclorofilia s.f.
aloclorofílico adj.
alocríptico adj.
alocroado adj.
alocroico (*ó*) adj.
alocroísmo s.m.
alocroístico adj.
alocroíta s.f.
alocroíte s.f.
alocroítico adj.
alocromasia s.f.
alocromatia s.f.
alocromático adj.
alocromia s.f.
alocrômico adj.
alocromismo s.m.
alocromístico adj.
alocromo adj.
alócroo adj.
alóctone adj.2g.
aloctonia s.f.
aloctônico adj.
alocução s.f.
alocucional adj.2g.
alocúrtico adj.
alocurtose s.f.
alocutário s.m.
alocutivo adj. s.m.
alódapo s.m.
alodê s.m.
alodelfita s.f.
alodesmismo s.m.
alodesmístico adj.
alodial adj.2g.
alodialidade s.f.
alodinamia s.f.
alodinia s.f.
alódio s.m.
alodiploide (*ó*) adj.2g.
alodiploidia s.f.
alodiploidismo s.m.
alodiploidístico adj.
alodromia s.f.
alodrômico adj. s.m.
aloé s.m.
áloe s.m.
aloé-dos-cem-anos s.m.; pl. *aloés-dos-cem-anos*
aloendro s.m.
aloenxerto (*ê*) s.m.
aloeocélio adj. s.m.
aloerético adj.
aloerótico adj.
aloerotismo s.m.
aloerotístico adj.
aloés s.m.2n.
aloestesia s.f.
aloestésico adj.
aloestético adj.
aloetado s.m.
aloetático adj.

aloetato s.m.
aloético adj.
aloetina s.f.
aloetínico adj.
aloexílico (*cs*) adj.
aloexilo (*cs*) s.m.
alofana s.f.
alofanamida s.f.
alofanático adj.
alofanato s.m.
alofânico adj.
alofânio s.m.
alofano s.m.
alofe s.m.
aloferina s.f.
alofilaxia (*cs*) s.f.
alofilia s.f. "linhagem diferente"; cf. *halofilia*
alofílico adj. "de outra linhagem"; cf. *halofílico*
alofilo adj. s.m. "de outra linhagem"; cf. *halófilo*
alofita s.f. "planta diferente"; cf. *halofita*
alofite s.f.
alofítico adj. "de planta diferente"; cf. *halofítico*
álofo s.m.
alofone s.m.
alofonia s.f.
alofônico adj.
alófono s.m.
alóforo s.m.
aloftalmia s.f.
aloftálmico adj.
aloftalmo s.m.
alogamia s.f.
alogâmico adj.
alógamo adj. s.m.
alogandromielia s.f.
alogandromiélico adj.
alogeneico adj.
alogênico adj. "que tem origem em causas externas"; cf. *halogênico*
alogênio adj. s.m. "que tem diferente origem"; cf. *halogêneo* e *halogênio*
alógeno adj. s.m. "o mesmo que alogênico"; cf. *halógeno*
alogia s.f.
alogiano adj. s.m.
alógico adj.
alógio s.m.
alogismo s.m.
alogístico adj.
aloglota adj. s.2g.
aloglótico adj.
aloglotismo s.m.
aloglotístico adj.
alognose s.f.
alognosia s.f.
alognóstico adj.
álogo s.m.
alogonia s.f.
alogônico adj.
alogonita s.f.
alogonite s.f.
alogonítico adj.
alogonito s.m.
alógono adj.
alogotrofia s.f.
alogotrófico adj.
alografia s.f.
alográfico adj.
alógrafo s.m.
aloico (*ó*) adj.
aloide (*ó*) s.m.f.
aloilado adj.
aloimunização s.f.
aloína s.f.
aloinado adj.
aloínea s.f.
aloínico adj.
aloinose s.f.
aloinótico adj.
aloiobionte adj. s.m.
aloiobiose s.f.
aloiobiótico adj.
aloiogênese s.f.
aloiogenético adj.
aloiogenia s.f.
aloiogênico adj.
aloiometria s.f.
aloirado adj.
aloirar v.
aloisado adj.
aloisar v.
aloísia s.f.
aloísico adj.
aloisol s.m.
aloisólico adj.
aloisomerismo s.m.
aloisomerístico adj.
aloíta s.f.
aloitar v.
aloíte s.f.
aloíto s.m.
aloja s.f.
alojação s.f.
alojado adj.
alojador (*ô*) adj. s.m.
alojamento s.m.
alojar v.
alojo (*ô*) s.m.; cf. *alojo*, fl. do v. *alojar*
alolalia s.f.
alolálico adj.
alolo (*ô*) s.m.
alom interj.
alombado adj.
alombamento s.m.
alombar v.
alomegalia s.f.
alomegálico adj.
alomérico adj.
alomerismo s.m.
alomerístico adj.
alômero adj. s.m.
alometria s.f.
alométrico adj.
alômia s.f.
alomônio s.m.
alomorfe s.m.
alomorfia s.f.
alomórfico adj. "de forma diferente"; cf. *halomórfico*
alomorfismo s.m.
alomorfístico adj.
alomorfita s.f.
alomorfo adj. s.m.
alomorfose s.f.
alomorfótico adj.
alomucato s.m.
alomúcico adj.
alonga s.f.
alongado adj.
alongador (*ô*) adj. s.m.
alongamento s.m.
alongar v.
alonginquar v.
alongue s.m.
alonimato s.m.
alonimia s.f.
alonímia s.f.
alonímico adj.
alônimo adj. s.m.
alono adj. s.m.
alonomia s.f.
alonômico adj.
alônomo adj.
alonso adj. s.m.
alônsoa s.f.
alontanamento s.m.
alontanar v.
alontigicelo adj. s.m.
alopaládico adj.
alopaládio s.m.
aloparasitismo s.m.
alopata s.2g.
alópata s.2g.
alopatia s.f.
alopático adj.
alopatria s.f.
alopátrico adj.
alopecia s.f.
alopeciado s.m.
alopeciano s.m.
alopécico adj. s.m.
alopécio s.m.
alopecura s.f.
alopecuro s.m.
alopecuroide (*ó*) adj.2g.
alopelágico adj.
alópia s.f.
alopiézico adj.
alopiídeo adj. s.m.
aloplasia s.f.
aloplasma s.m.
aloplasmático adj.
aloplásmico adj.
aloplastia s.f.
aloplástico adj.
aloplasto s.m.
aloplecto s.m.
alopoliploide (*ó*) adj.2g.
alopoliploidia s.f.
alópolo adj. s.m.
aloponoto s.m.
aloporina s.f.
aloporino adj.
alóporo s.m.
alopração s.f.
aloprado adj.
aloprar v.
aloprossalo adj. s.m.
alopsicose s.f.
alopsicótico adj. s.m.
alopsíquico adj.
alopta s.m.
alóptero adj.
alóptico adj.
alopurinol s.m.
aloque s.m.
aloqueiro s.m.
aloquestesia s.f.
aloquete (*ê*) s.m.
aloquético adj.
aloquezia s.f.
aloquézico adj.
aloquia s.f.
aloquiria s.f.
aloquírico adj.
aloquiro adj. s.m.
alor (*ô*) s.m.
alorcinático adj.
alorcinato s.m.
alorcínico adj.
alorita adj. s.2g.
alorpado adj.
alorpar v.
alorritmia s.f.
alorrítmico adj.
alose s.f.
alosna s.f.
alósporo s.m.
alossauro s.m.
alossemático adj.
alossíndese s.f.
alossoma s.m.
alossomático adj.
alossômico adj.
alossomo s.m.
alosteria s.f.
alostérico adj.
alotador (*ô*) adj. s.m.
alotar v.
alote s.m.
aloteísmo s.m.
aloteísta adj. s.2g.
aloteístico adj.
alotério s.m.
alotermia s.f.
alotérmico adj. s.m.
alotermo adj. s.m.
aloterópsis s.f.2n.
alotetraploide (*ó*) adj. s.2g.
alotetraploidia s.f.
alotígeno adj.
alotipia s.f.
alotípico adj.
alótipo s.m.
alotone s.m.
alotônico adj.
alotransplantar v.
alotransplante s.m.
alotreta adj. s.2g.
alótria s.f.
alótrio s.m.
alotriodontia s.f.
alotriodôntico adj.
alotriofagia s.f.
alotriofágico adj.
alotriófago adj. s.m.
alotriofito adj. s.m.
alotriogeustia s.f.
alotriogêustico adj.
alotriolítico adj.
alotriólito s.m.
alotriologia s.f.
alotriológico adj.
alotriomórfico adj.
alotriomorfismo s.m.
alotriomorfístico adj.
alotriomorfo adj. s.m.
alotriosmia s.f.
alotriósmico adj. s.m.
alotriotecnia s.f.
alotriotécnico adj.
alotrofia s.f.
alotrófico adj.
alotropia s.f.
alotrópico adj.
alotropismo s.m.
alotropístico adj.
alótropo adj. s.m.
aloucado adj.
aloucamento s.m.
aloucar v.
alourado adj.
alourar v.
alousado adj.
alousar v.
alovuco s.m.
aloxana (*cs*) s.f.
aloxanático (*cs*) adj.
aloxanato (*cs*) s.m.
aloxânico (*cs*) adj.
aloxânio (*cs*) s.m.
aloxântico (*cs*) adj.
aloxantina (*cs*) s.f.
aloxantínico (*cs*) adj.
aloxanto (*cs*) s.m.
aloxina (*cs*) s.f.
aloxínico (*cs*) adj.
aloxita (*cs*) s.f.
aloxuremia (*cs*) s.f.
aloxurêmico (*cs*) adj. s.m.
aloxúria (*cs*) s.f.
aloxúrico (*cs*) adj.
aloysia s.f.
alozigótico adj.
alozigoto s.m.
alozima s.f.
alozooide (*ó*) adj.2g. s.m.
alpaca s.f.
alpacata s.f.
alpaco s.m.
alpaga s.f.
alpagata s.f.
alpagato s.m.
alpalhão s.m.; f. *alpalhona*
alpalheirão s.m.; f. *alpalheirona*
alpalheirona s.f. de *alpalheirão*
alpalhoeiro adj. s.m.
alpalhoense adj. s.2g.
alpalhona s.f. de *alpalhão*
alpantesma s.m.
alpão s.m.
alpaque s.m.
alparavaz s.m.
alparca s.f.
alparcata s.f.
alparcataria s.f.
alparcateiro s.m.
alparcheiro s.m.
alpargata s.f.
alpargataria s.f.
alpargate s.m.
alpargateiro s.m.
alpargateria s.f.
alparqueiro s.m.
alparvado adj.
alpe s.m.
álpea s.f.
alpece s.m.
alpechim s.m.
alpedo (*ê*) adv.
alpeiria s.f.
alpendorada s.f.
alpendorado adj.
alpendorar v.
alpendrada s.f.
alpendrado adj.
alpendrar v.
alpendre s.m.
alpendroada s.f.
alpendroado adj.
alpendroar v.
alpense adj. s.2g.
alpenstoque s.m.
alpercata s.f.
alpercataria s.f.
alpercate s.m.
alpercateiro s.m.
alpercatense adj. s.2g.
alperce s.m.
alperceiro s.m.
alperceiro-do-japão s.m.; pl. *alperceiros-do-japão*
alperche s.m.
alpercheiro s.m.
alperchim s.m.
alpergata s.f.
alpestrar v.
alpestre adj.2g.
alpestrense adj. s.2g.
alpéstrico adj.
alpestrino adj.
alpiarcense adj. s.2g.
álpico adj.
alpícola adj. s.2g.
alpicultor (*ô*) adj. s.m.
alpicultura s.f.
alpicultural adj.2g.
alpígeno adj.
alpinar v.
alpínia s.f.
alpinina s.f.
alpinínico adj.
alpinismo s.m.
alpinista adj. s.2g.
alpinístico adj.
alpino adj. s.m.
alpinol s.m.
alpinólico adj.
alpinopolense adj. s.2g.
alpinopolitano adj. s.m.
alpiste s.m.
alpiste-dos-prados s.m.; pl. *alpistes-dos-prados*
alpisteiro s.m.
alpiste-miúdo s.m.; pl. *alpistes-miúdos*
alpisto s.m.
alpivre s.m.
alpoldra s.f.
alpondra s.f.
alporama s.m.
alporca s.f.
alporcado adj.
alporcador (*ô*) adj. s.m.
alporcamento s.m.
alporcar v.
alporque s.m.
alporquento adj. s.m.
alporquia s.f.
alpostiz s.m.
álqua s.m.
alquebrado adj.
alquebramento s.m.
alquebrar v.
alquebre s.m.
alqueimão s.m.
alqueirado adj.
alqueiragem s.f.
alqueiramento s.m.
alqueirão s.m.
alqueirar v.
alqueire s.m.
alqueirinho s.m.
alqueivado adj.
alqueivar v.
alqueive s.m.
alquemila s.f.
alquemílico adj.
alqueno s.m.
alquequenje s.m.
alquequenje-amarelo s.m.; pl. *alquequenjes-amarelos*
alquequenje-bastardo s.m.; pl. *alquequenjes-bastardos*
alquequenjeria s.f.

alquequenque s.m.
alquerebites s.f.pl.
alqueria s.f.
alquermes s.m.2n.
alquerque s.m.
alqueve (*ê*) s.m.
alquiar v.
alquibla s.f.
alquicé s.m.
alquicel s.m.
alquicer s.m.
alquídico adj. s.m.
alquifa s.f.
alquifol s.m.
alquifu s.m.
alquila s.f.
alquilação s.f.
alquilado adj.
alquilador (*ô*) adj. s.m.
alquilante adj.2g.
alquilar v.
alquilaria s.f.
alquilarsina s.f.
alquilarsínico adj.
alquilato s.m.
alquilé s.m.
alquilênico adj.
alquilênio s.m.
alquileno s.m.
alquiler s.m.
alquílico adj.
alquilideno s.m.
alquilização s.f.
alquilizado adj.
alquilizar v.
alquilo s.m.
alquimão s.m.
alquimau s.m.
alquimia s.f.
alquimiado adj.
alquimiar v.
alquímico adj.
alquimila s.f.
alquimílico adj.
alquimista adj. s.2g.
alquimístico adj.
alquinal s.m.
alquinar v.
alquino s.m.
alquitara s.f.
alquitarra s.f.
alquitira s.f.
alquizel s.m.
alquizer s.m.
alrete (*ê*) s.m.
alrotado adj.
alrotador (*ô*) adj. s.m.
alrotaria s.f.
alrune s.f.
alrute s.m.
alsácia s.f.
alsaciano adj. s.m.
alsácio-loreno adj. s.m.; pl. *alsácio-lorenos*
alsbaquita s.f.
alsbaquite s.f.
alsbaquito s.m.
alsedita s.f.
álseis s.f.2n.
alseodafne s.f.
alsevósmia s.f.
alsevosmiácea s.f.
alsevosmiáceo adj.
alsídia s.f.
álsina s.f.
alsinácea s.f.
alsináceo adj.
álsine s.f.
alsínea s.f.
alsinela s.f.
alsino adj.
alsinóidea s.f.
alsinóideo adj.
alsódea s.f.
alsodínea s.f.
alsodíneo adj.
alsófila s.f.
alsófilo adj.
alsol s.m.
alsólico adj.
alsomitra s.f.
alsona s.f.
alsônia s.f.
alsoniácea s.f.
alsoniáceo adj.
alstônia s.f.
alstonina s.f.
alstonínico adj.
alstonita s.f.
alstonítico adj.
alstroeméria s.f.
alstroemeriácea s.f.
alstroemeriáceo adj.
alstroméria s.f.
alstromérico adj.
alta s.f.
altabaixo s.m.
altabrava s.f.
altaclave s.f.
alta-costura s.f.; pl. *altas-costuras*
alta-fidelidade s.f.; pl. *altas-fidelidades*
alta-florense adj. s.2g.; pl. *alta-florenses*
altaforma s.f.
altafrisco s.m.
altaico adj.
altairense adj. s.2g.
altaíta s.f.
altaítico adj.
alta-luz s.f.; pl. *altas-luzes*
altamado adj.
altamia s.f.
altamirense adj. s.2g.
altamisa s.f.
altanadice s.f.
altanado adj. s.m.
altanar v.
altanaria s.f.
altâncara s.f.
altâncaro s.m.
altaneação s.f.
altanear v.
altaneirense adj. s.2g.
altaneirino adj. s.m.
altaneiro adj.
altaneria s.f.
altania s.f.
altanto adv.
altar s.m.
altaragem s.f.
altareiro adj. s.m.
altaréu s.m.
altareza (*ê*) s.f.
altarinho s.m.
altarista s.m.
altar-mor s.m.; pl. *altares-mores*
alta-roda s.f.; pl. *altas-rodas*
altarum s.m.
altaruz s.m.
alta-tensão s.f.; pl. *altas-tensões*
altavela s.f.
altazimutal adj.2g.
altazimute s.m.
altazímute s.m.
alteação s.f.
alteadense adj. s.2g.
alteado adj.
alteador (*ô*) adj. s.m.
alteamento s.m.
altear v.
alteastro s.m.
alteia (*é*) s.f.; cf. *alteia*, fl. do v. *altear*
alteína s.f.
alteínico adj.
altenaria s.f.
altênia s.f.
altense adj. s.2g.
altenstênia s.f.
alter s.2g. "raça"; cf. *halter*
alterabilidade s.f.
alteração s.f.
alteradiço adj.
alterado adj. "que sofreu alteração"; cf. *halterado*
alterador (*ô*) adj. s.m.; f. *alteratriz*
alterante adj.2g. s.m.
alterar v.
alterativo adj.
alteratriz adj. s.f. de *alterador* (*ô*)
alterável adj.2g.
altercação s.f.
altercado adj.
altercador (*ô*) adj. s.m.
altercante adj.2g.
altercar v.
altercável adj.2g.
alterco (*ê*) s.m.; cf. *alterco*, fl. do v. *altercar*
alterense adj. s.2g.
alteridade s.f.
alternabilidade s.f.
alternação s.f.
alternado adj.
alternador (*ô*) adj. s.m.
alternância s.f.
alternante adj.2g.
alternantera s.f.
alternar v.
alternária s.f.; cf. *alternaria*, fl. do v. *alternar*
alternariose s.f.
alternativa s.f.
alternatividade s.f.
alternativo adj.
alternato s.m.
alternatura s.f.
alternável adj.2g.
alternidade s.f.
alterniflóreo adj.
alternifloro adj.
alternifoliado adj.
alternifólio adj.
alternípede adj.2g.
alternipenado adj.
alternipene adj.2g.
alternipétalo adj.
alternipinado adj.
alternissépalo adj.
alterno adj.
alternomotor (*ô*) s.m.
alterosense adj. s.2g.
alteroso (*ô*) adj.; f. (*ó*); pl. (*ó*)
alteza (*ê*) s.f.
althausita s.f.
altibaixa s.f.
altibaixo adj.
altibaixos s.m.pl.
altibordo s.m.
altica s.f.
alticamelo s.m.
alticanoro adj.
áltico s.m.
altícola adj.2g. s.m.
alticolúnio adj.
altícomo adj.
alticopo s.m.
alticópode adj. s.2g.
alticornígero adj.
alticúmulo s.m.
altiecoante adj.2g.
altieloquência (*ü*) s.f.
altieloquente (*ü*) adj. s.2g.
altifalante adj.2g. s.m.
altígrafo s.m.
altigrasnar v.
altigritante adj.2g.
altiletria s.f.
altíloco adj.
altiloquência (*ü*) s.f.
altiloquente (*ü*) adj.2g.
altiloquia s.f.
altilóquio s.m.
altíloquo (*co* ou *quo*) adj.
altim s.m.
altimetria s.f.
altimétrico adj.
altímetro s.m.
altimurado adj.
altincal s.m.
altincar v.
altinense adj. s.2g.
altingato s.m.
altingênio s.m.
altino s.m.
altinopolense adj. s.2g.
altinopolitano adj. s.m.
altionato s.m.
altiônico adj.
altipensante adj.2g.
altiperno adj.
altiplanação s.f.
altiplanar v.
altiplanigrafia s.f.
altiplanigráfico adj.
altiplanígrafo s.m.
altiplano s.m.
altiplanura s.f.
altipotência s.f.
altipotente adj.2g.
altirna s.f.
altirrostro adj.
altisa s.f.
altiscópico adj.
altiscópio s.m.
altíssimo adj. s.m. sup. de *alto*
altissonância s.f.
altissonante adj.2g.
altissonar v.
altíssono adj.
altissonoro adj.
altista adj. s.2g.
altístico adj.
altitonante adj.2g.
altitude s.f.
altitúdico adj.
altitudinal adj.2g.
altitudinalidade s.f.
altitudinário adj.
altivado adj.
altívago adj.
altivar v.
altivez (*ê*) s.f.
altiveza (*ê*) s.f.
altividade s.f.
altivo adj.
altivolante adj.2g.
altívolo adj.
alto adj. s.m. adv. interj.
alto-alecrinense adj. s.2g.; pl. *alto-alecrinenses*
alto-alegrense adj. s.2g.; pl. *alto-alegrenses*
alto-alemão adj. s.m.; f. *alto-alemã*; pl. do adj. *alto-alemães*; pl. do s. *altos-alemães*
alto-araguaiense adj. s.2g.; pl. *alto-araguaienses*
alto-astral adj.2g. s.m.; pl. do adj. *alto-astrais*; pl. do s. *altos-astrais*
alto-comando s.f.; pl. *altos-comandos*
alto-comissariado s.m.; pl. *altos-comissariados*
alto-comissariato s.m.; pl. *altos-comissariatos*
alto-comissário s.m.; pl. *altos-comissários*
alto-contraste s.m.; pl. *altos-contrastes*
alto-cúmulo s.m.; pl. *altos-cúmulos*
alto-duriense adj. s.2g.; pl. *alto-durienses*
alto e malo adv.
alto e mau adv.
altoense adj. s.2g.
alto-estrato s.m.; pl. *altos-estratos*
alto-explosivo adj. s.m.; pl. do adj. *alto-explosivos*; pl. do s. *altos-explosivos*
alto-falante s.m.; pl. *alto-falantes*
alto-forno s.m.; pl. *altos-fornos*
alto-fundo s.m.; pl. *altos-fundos*
alto-fuste s.m.; pl. *altos-fustes*
alto-garcense adj. s.2g.; pl. *alto-garcenses*
alto-grandense adj. s.2g.; pl. *alto-grandenses*
alto-horário s.m.; pl. *altos-horários*
alto-itaunense adj. s.2g.; pl. *alto-itaunenses*
alto-lajeadense adj. s.2g.; pl. *alto-lajeadenses*
alto-lisso s.m.; pl. *altos-lissos*
alto-longaense adj. s.2g.; pl. *alto-longaenses*
alto-madeirense adj. s.2g.; pl. *alto-madeirenses*
alto-mar s.m.; pl. *altos-mares*
alto-maranhense adj. s.2g.; pl. *alto-maranhenses*
altômetro s.m.
alto-minhoto adj. s.m.; pl. *alto-minhotos*
alto-navarro adj. s.m.; pl. *alto-navarros*
altoniense adj. s.2g.
altonista adj.2g. s.2g.
alto-paraguaiense adj. s.2g.; pl. *alto-paraguaienses*
alto-paraguaio adj. s.m.; pl. *alto-paraguaios*
alto-paraisense adj. s.2g.; pl. *alto-paraisenses*
alto-paranaense adj. s.2g.; pl. *alto-paranaenses*
alto-paranaibense adj. s.2g.; pl. *alto-paranaibenses*
alto-parnaibano adj. s.m.; pl. *alto-parnaibanos*
alto-piquirinense adj. s.2g.; pl. *alto-piquirinenses*
altoplano s.m.
altor (*ô*) adj. s.m.; f. *altriz*; cf. *autor* s.m.
alto-relevo s.m.; pl. *altos-relevos*
alto-rio-docense adj. s.2g.; pl. *alto-rio-docenses*
alto-rio-novense adj. s.2g.; pl. *alto-rio-novenses*
alto-rodriguense adj. s.2g.; pl. *alto-rodriguenses*
altos s.m.pl.
altosa s.f.
alto-santense adj. s.2g.; pl. *alto-santenses*
alto-saxão adj. s.m.; pl. do adj. *alto-saxões*; pl. do s. *altos-saxões*
alto-serrano adj. s.m.; pl. *alto-serranos*
altostrático adj.
altostrato s.m.
alto-vácuo s.m.; pl. *altos-vácuos*
alto-voltaico adj. s.m.; pl. do adj. *alto-voltaicos*; pl. do s. *altos-voltaicos*
alto-voltense adj. s.2g.; pl. do adj. *alto-voltenses*; pl. do s.2g. *altos-voltenses*
altrafisco s.m.
altriz adj. s.f. de *altor* (*ô*)
altrose s.f.
altruísmo s.m.
altruísta adj. s.2g.
altruístico adj.
altuense adj. s.2g.
altura s.f.
aluá s.m.
aluado adj. s.m.
aluamento s.m.
aluanda s.f.
aluandita s.f.
aluandítico adj.
aluandito s.m.
aluar v.
aluarado adj.
aluata s.m.
aluato s.m.
aluchi s.m.
alucinação s.f.
alucinado adj. s.m.
alucinador (*ô*) adj. s.m.
alucinamento s.m.
alucinante adj.2g.
alucinar v.
alucinatório adj.
alucinogenia s.f.
alucinogênico adj.
alucinogênio adj.

alucinógeno adj. s.m.
alucinose s.f.
alucinótico adj. s.m.
alucita s.f.
alucitídeo adj. s.m.
alucitíneo adj. s.m.
aluco s.m.
aluda s.f.
alude s.m.
aludel s.m.
aludido adj.
aludir v.
aludível adj.2g.
alueiro s.m.
alufá s.m. "sacerdote muçulmano"; cf. *alufã*
alufã s.m. "epíteto de Xangô"; cf. *alufá*
alufada s.f.
alugação s.f.
alugada s.f.
alugado adj. s.m.
alugador (*ô*) adj. s.m.
alugamento s.m.
alugar v.
alugatário s.m.
alugatriz s.f.
alugueiro s.m.
aluguel s.m.
aluguer s.m.
alugueta (*ê*) s.f.
aluição s.f.
aluído adj.
aluidor (*ô*) adj.
aluimento s.m.
aluio s.m.
aluir v.
alujá s.m.
álula s.f.
alulemba s.f.
alum s.m.
alumador (*ô*) adj. s.m.
alumagem s.f.
alumar v.
alumbrado adj. s.m.
alumbrador (*ô*) adj. s.m.
alumbramento s.m.
alumbrar v.
alumbre s.f.
alume s.m.
alumel s.m.
alúmen s.m.; pl. *alumens* e *alúmenes*
alumenal s.m.
alumia s.f.
alumiação s.f.
alumiada s.f.
alumiado adj.
alumiador (*ô*) adj. s.m.
alumiamento s.m.
alumiana s.f.
alumiante adj.2g.
alumiar v.
alumicina s.f.
alumicínico adj.
alumidífero adj.
alumieira s.f.
alumina s.f.
aluminação s.f.
aluminado adj.
aluminagem s.f.
aluminar v. adj.2g.
aluminaria s.f.
aluminático adj.
aluminato s.m.
alumínico adj.
aluminídeo adj. s.m.
aluminífero adj.
aluminiforme adj.2g.
alumínio s.m.
aluminioso (*ô*) adj.; f. (*ó*); pl. (*ó*)
aluminita s.f.
aluminite s.f.
aluminítico adj.
aluminito s.m.
aluminização s.f.
aluminizado adj.
aluminizar v.
aluminizável adj.2g.
aluminobenzoinado adj.
aluminocalcita s.f.
aluminocalcítico adj.
aluminocalcito s.m.
aluminocopiapita s.f.
aluminoférrico adj.
aluminogênio s.m.
aluminoglifia s.f.
aluminoglífico adj.
aluminogliptia s.f.
aluminoglíptico adj.
aluminogliptotipia s.f.
aluminogliptotípico adj.
aluminoglіptótipo s.m.
aluminografia s.f.
aluminográfico adj.
aluminol s.m.
aluminólico s.m.
aluminoplúmbico adj.
aluminose s.f.
aluminoso (*ô*) adj.; f. (*ó*); pl. (*ó*)
aluminossilicato s.m.
aluminotermia s.f.
aluminotérmico adj.
aluminótico adj.
aluminotipia s.f.
aluminóxido (*cs*) s.m.
alumio s.m.
alumioso (*ô*) adj.; f. (*ó*); pl. (*ó*)
alumita s.f.
alumnel s.m.
alumnol s.m.
alumobritolita s.f.
alumocalcita s.f.
alumocalcítico adj.
alumocalcito s.m.
alumocalcossiderita s.f.
alumocromita s.f.
alumogel s.f.
alumogênio s.m.
alumo-hidrocalcita s.f.
alumoidrocalcita s.f.
alumotriquia s.f.
alunação s.f.
alunado adj. s.m.
alunagem s.f.
alunar v.
alunato s.m.
alundo s.m.
alundum s.m.
alunense adj. s.2g.
alúnico adj.
alunífero adj.
alunissagem s.f.
alunissar v.
alunita s.f.
alunite s.f.
alunítico adj.
alunitização s.f.
alunitizado adj.
alunitizar v.
alunito s.m.
alunizagem s.f.
alunizar v.
aluno s.m.
alunogênio s.m.
alunol s.m.
aluno-mestre s.m.; pl. *alunos-mestres*
aluntino adj. s.m.
alupar v.
alurense adj. s.2g.
alurgita s.f.
alurgite s.f.
alurgítico adj.
alurne s.m.
alurno s.m.
alusão s.f.
alushtita s.f.
alusivo adj.
alustrar v.
alustre s.m.
aluta s.f.
alutação s.f.
alutácio adj.
alutado adj.
alutar v.
alutero s.m.
alutrense adj. s.2g.
alutriense adj. s.2g.
aluvai interj.
aluvial adj.2g.
aluviamento s.m.
aluviano adj.
aluvião s.f.
aluviar v.
alúvio s.f.
aluvional adj.2g.
aluvionamento s.m.
aluvionar adj.2g.
aluvionário adj.
aluvionável adj.2g.
aluviônico adj.
aluxar v.
aluz s.m.
aluziado adj.
aluziamento s.m.
aluziar v.
aluzir v.
alva s.f.
alvacá s.m.
alvaçã adj.; f. de *alvação*
alvacana s.f.
alvação adj.; f. *alvaçã*
alvaçãozense adj. s.2g.
alvaçar s.f.
alvaçaria s.f.
alvacentar v.
alvacento adj.
alvacó s.m.
alvacora s.f.
alvacote s.m.
alvaçuz s.m.
alvada s.f.
alvadio adj.
alvado s.m.
alvadoira s.f.
alvadorão s.m.
alvadoura s.f.
alvadura s.f.
alvadurão s.m.
alvaiação s.f.
alvaiadado adj.
alvaiadar v.
alvaiade s.m.
alvaiado adj.
alvaiar v.
alvaiazerense adj. s.2g.
alvalar v.
alvaliar v.
alvanária s.f.
alvanega s.f.
alvaneira s.f.
alvanel s.m.
alvaner s.m.
alvanesa (*ê*) s.f.
alvanhal s.m.
alvanil s.m.
alvanir s.m.
alvanita s.f.
alvão s.m.
alvaquilha s.f.
alvar adj.2g. s.m.
alvará s.m.
alvaraça s.f.
alvaraço s.m.
alvarada s.f.
alvarado s.m.
alvarádoa s.f.
alvaralhão s.m.
alvaranense adj. s.2g.
alvaraz s.m.
alvarazo s.m.
alvarazol s.m.
alvardão s.m.
alvarelha (*ê*) s.f.
alvarelhão adj. s.m.
alvarelhense adj. s.2g.
alvarelho (*ê*) s.m.
alvarelitense adj. s.2g.
alvarenga s.f.
alvarengo adj.
alvarengueiro s.m.
alvarenguense adj. s.2g.
alvarense adj. s.2g.
alvarento adj.
alvariça s.f.
alvaricoque s.m.
alvaricoqueiro s.m.
alvarilho s.m.
alvarinense adj. s.2g.
alvarinho adj. s.m.
alvarista adj. s.2g.
alvarístico adj.
alvarizado adj.
álvaro s.m.
alvaroca s.f.
álvaro-carvalhense adj. s.2g.; pl. *álvaro-carvalhenses*
alvaroco (*ô*) s.m.
alvaroque s.m.
alvarós s.m.
alvarrã adj. s.f. de *alvarrão*
alvarrada s.f.
alvarral s.m.
alvarrão adj. s.m.; f. *alvarrã*
alvazelha (*ê*) s.f.
alvazil s.m.
alvazir s.m.
alveado adj.
alveador (*ô*) adj. s.m.
alveamento s.m.
alvear v.
alvearco s.m.
alveário s.m.
alveci s.m.
alvecim s.m.
alvedrio s.m.
alveína s.f.
alveira s.f.
alveirar v.
alveiro adj. s.m.
alveitar v. s.m.
alveitarar v.
alveitaria s.f.
alvejado adj.
alvejador (*ô*) adj. s.m.
alvejamento s.m.
alvejante adj.2g.
alvejar v.
alvejável adj.2g.
alvela s.f.
alveliço s.m.
alveloz s.m.
alvena s.f.
alvenaria s.f.
alveneiro s.m.
alvenel s.m.
alvener s.m.
alvenéu s.m.
alvense adj. s.2g.
álveo s.m.
alveográfico adj.
alveógrafo s.m.
alvéola s.f.
alvéola-branca s.f.; pl. *alvéolas-brancas*
alveolação s.m.
alveolado adj.
alveolar adj.2g. s.f.
alveolariforme adj.2g.
alveolectomia s.f.
alveolectômico adj. s.m.
alveolífero adj.
alveoliforme adj.2g.
alveolina s.f.
alveólise s.f.
alveolismo s.m.
alveolístico adj.
alveolita s.f.
alveolite s.f.
alveolítico adj.
alveolito s.m.
alveolização s.f.
alveolizar v.
alveolizável adj.2g.
alvéolo s.m.
alveolocondiliano adj.
alveolodental adj.2g.
alveolodentário adj.
alveololabial adj.2g.
alveolonasal adj.2g. s.m.
alveolopalatal adj.2g.
alveolosubnasal adj.2g.
alveonídio s.m.
alverca s.f.
alvercação s.f.
alvercada s.f.
alvergado adj.
alvergar v.
alvergue s.m.
alvéroa s.f.
alvescente adj.2g.
alvescer v.
alvesense adj. s.2g.
alvesia s.f.
alvesiano adj.
alvião s.m.
alviargênteo adj.
alviceleste adj. s.2g.
alvicerúleo adj.
alvidar v.
alvidejectório adj. s.m.
alvidejetório adj. s.m.
alvidração s.f.
alvidrado adj.
alvidrador (*ô*) adj. s.m.
alvidramento s.m.
alvidrar v.
alvidrio s.m.
alviduco s.m.
alvidúlcido adj.
alviflorido adj.
alvilactescente adj.2g.
alvilandiense adj. s.2g.
alvilatescente adj.2g.
alvilha s.f.
alvilho s.m.
alvilumíneo adj.
alviluzente adj.2g.
alvinegro (*ê*) adj. s.m.
alvíneo adj.
alvinitência s.f.
alvinitente adj.2g.
alvinlandense adj. s.2g.
alvinlandiense adj. s.2g.
alvinlandino adj. s.m.
alvino adj.
alvinopolense adj. s.2g.
alvinopolitano adj.
alvinopolitense adj. s.2g.
alvirrosado adj.
alvirróseo adj.
alvirrubro adj. s.m.
alvíssara s.f.
alvissarar v.
alvíssaras s.f.pl. interj.; cf. *alvissaras*, fl. do v. *alvissarar*
alvissareiro adj. s.m.
alvita s.f.
alvitana s.f.
alvitanado adj.
alvitano s.m.
alvite s.2g.
alvitense adj. s.2g.
alvitorácico adj.
alvitórax (*cs*) adj. s.2g.2n.
alvitrador (*ô*) adj. s.m.
alvitrajado adj.
alvitramento s.m.
alvitrar v.
alvitrável adj.2g.
alvitre s.m.
alvitreiro adj. s.m.
alvitrista adj. s.2g.
alviverde (*ê*) adj. s.2g.
alvo adj. s.m.
alvor (*ô*) s.m.
alvoraçado adj.
alvoraçador (*ô*) adj. s.m.
alvoraçamento s.m.
alvoraçar v.
alvoraçoso (*ô*) adj.; f. (*ó*); pl. (*ó*)
alvorada s.f.
alvoradense adj. s.2g.
alvoradense-do-norte adj. s.2g.; pl. *alvoradenses-do-norte*
alvoradense-do-sul adj. s.2g.; pl. *alvoradenses-do-sul*
alvorado adj.
alvorar v.
alvorário s.m.
alvoreado adj.
alvoreamento s.m.
alvorear v.
alvorecer v.
alvorecido adj.
alvorejante adj.2g.
alvorejar v.
alvorejo (*ê*) s.m.
alvoriado adj. s.m.
alvoriçado adj.

alvoriçar v.
alvoriço s.m.
alvoro (ô) s.m.; cf. *alvoro*, fl. do v. *alvorar*
alvoroçado adj.
alvoroçador (ô) adj. s.m.
alvoroçamento s.m.
alvoroçante adj.2g.
alvoroçar v.
alvoroço (ô) s.m.; cf. *alvoroço*, fl. do v. *alvoroçar*
alvoroçoso (ô) adj.; f. (ó); pl. (ó)
alvorotado adj.
alvorotador (ô) adj. s.m.
alvorotamento s.m.
alvorotar v.
alvoroto (ô) s.m.; cf. *alvoroto*, fl. do v. *alvorotar*
alvotar v.
alvura s.f.
alxaima s.f.
alxarife s.m.
alzaror (ô) s.m.
alzátia s.f.
alzoiate s.f.
alzube s.m.
ama s.f. "babá", etc.; cf. *amã*
amã s.m. "perdão", etc.; cf. *ama* s.f. e fl. do v. *amar*
amabapaia s.f.
amabilidade s.f.
amabilismo s.m.
amabilíssimo adj. sup. de *amável*
amabilista s.2g.
amabilizado adj.
amabilizar v.
amacacado adj.
amacacar v.
amaçador (ô) s.m.; cf. *amassador*
amação s.f.
amaçar v. "massagear"; cf. *amassar*
amaçarocado adj.
amaçarocar v.
amacata s.f.
amacaxi adj. s.2g.
amachonado adj.
amachonar v.
amachorrado adj.
amachorrar v.
amachouchado adj.
amachouchar v.
amachucadela s.f.
amachucado adj.
amachucadura s.f.
amachucar v.
amaci s.m.
amaciado adj.
amaciamento s.m.
amacianense adj. s.2g.
amaciante adj.2g. s.m.
amaciar v.
amaciável adj.2g.
amaci ni ori s.m.2n.
amadeirado adj.
amadeiramento s.m.
amadeirar v.
amadeísmo s.m.
amadeísta adj. s.m.
amadeístico adj.
ama de leite s.f.
amadelfo adj.
amadeu adj. s.m.
amadia s.f.
amádigo s.m.
amadina s.f.
amadino s.m.
amadio s.m.
amadioso (ô) adj.; f. (ó); pl. (ó)
amadisíaco adj.
amado adj. s.m.
amadoiro adj.
amador (ô) adj. s.m.
amadorismo s.m.
amadorista adj. s.2g.
amadorístico adj.
amadornado adj.
amadornal adj.2g.
amadornar v.
amadorrado adj.
amadorrar v.
amadouro adj.
amadrastado adj.
amadriar v.
amadrinhado adj.
amadrinhador (ô) adj. s.m.
amadrinhar v.
amadrunhador (ô) s.m.
amadrunhar v.
amadu adj. s.2g.
amadurado adj.
amaduramento s.m.
amadurar v.
amadurecer v.
amadurecido adj.
amadurecimento s.m.
amaestrado adj.
amaestramento s.m.
amaestrar v.
amaga s.f.
amagalate s.2g.
amagar v.
amagat s.m.
amago s.m. "ameaça"; cf. *âmago*
âmago s.m. "cerne"; cf. *amago* s.m. e fl. do v. *amagar*
âmago-furado s.m.; pl. *âmagos-furados*
amagotado adj.
amagotar v.
amagrado adj.
amagrar v.
amagutilita s.f.
amainado adj.
amainar v.
amainho s.m.
amairicá adj. s.2g.
amairipucu s.m.
amajouva s.f.
amajuaca adj. s.2g.
amakinita s.f.
amal s.m.
amalá s.m.
amálaca s.m.
amalacto s.m.
amálago s.m.
amalaguetado adj.
amalaguetar v.
amalancornado adj.
amalandrado adj.
amalandrar v.
amalandroado adj.
amalandroar v.
amalçoar v.
amaldar s.m.
amaldiçoado adj.
amaldiçoador (ô) adj. s.m.
amaldiçoar v.
amalé s.m.
amalecita adj. s.2g.
amaleitado adj.
amaleitar v.
amalfil s.f.
amalfitano adj. s.m.
amálgama s.2g.; cf. *amalgama*, fl. do v. *amalgamar*
amalgamação s.f.
amalgamado adj.
amalgamador (ô) adj. s.m.
amalgamamento s.m.
amalgamante adj.2g.
amalgamar v.
amalgamativo adj.
amalgamável adj.2g.
amalgamento s.m.
amalgâmico adj.
amalhadeira s.f.
amalhado adj.
amalhar v.
amalhoar v.
amalhofar v.
amali s.m.
amálico adj.
âmalo s.m.
amalocado adj.
amalocar v.
amalócero s.m.
amalópode s.m.
amaltado adj.
amaltar v.
amalteia (é) s.f.
amalteídeo adj. s.m.
amaltesar v.
amaltócero s.m.
amalucado adj.
amalucar v.
amambaiense adj. s.2g.
amame adj.2g.
amamentação s.f.
amamentado adj.
amamentador (ô) adj.
amamentamento s.m.
amamentando adj. s.m.
amamentante adj.2g.
amamentar v.
amamentável adj.2g.
amamu s.m.
amana s.f. "nuvem espessa"; cf. *amaná*
amaná s.m. "peixe"; cf. *amana*
amanaca s.f.
amanaçaí s.f.
amanaçaia s.f.
amanaci s.f.
amanaçu s.m.
amanaga s.f.
amanaié adj. s.2g. s.m.
amanaiú s.m.
amanaja s.m.
amanajé adj. s.2g. s.m.
amanajó adj. s.2g.
amanamanha s.f.
amananense adj. s.2g.
amanão s.m.
amanar v.
amanarauá s.2g.
amanariense adj. s.2g.
amanás adj. s.2g.
amanata s.f.
amança s.f.
amancebado adj. s.m.
amancebamento s.m.
amancebar-se v.
amanchado adj.
amanchar-se v.
amanciano adj. s.m.
amandabense adj. s.2g.
amândala s.f.
amandar v.
amandense adj. s.2g.
amandina s.f.
amandurana s.f.
amanduri s.m.
amaneirado adj.
amaneiramento s.m.
amaneirar v.
amanequinado adj.
amanequinar v.
amangado adj.
amangar v.
amanhã s.m. adv.
amanhação s.f.
amanhado adj.
amanhador (ô) adj. s.m.
amanhar v.
amanhecedor (ô) adj. s.m.
amanhecense adj. s.2g.
amanhecente adj.2g.
amanhecer v. s.m.
amanhecido adj.
amanhecimento s.m.
amanhia s.f.
amanhio s.m.
amanho s.m.
amanhuçar v.
amaniá adj. s.2g. "indígena"; cf. *amânia*
amânia s.f. "planta"; cf. *amaniá*
amaninhado adj.
amaninhador (ô) adj.
amaninhar v.
amanita adj. s.2g.
amanitina s.f.
amanitínico adj.
amaniú adj. s.2g. s.m.
amaniuense adj. s.2g.
amânoa s.f.
amanonsiado adj.
amanonsiador (ô) s.m.
amanonsiar v.
amanoseado adj.
amanoseador (ô) s.m.
amanosear v.
amansa-besta s.f.; pl. *amansa-bestas*
amansação s.f.
amansadela s.f.
amansado adj.
amansador (ô) adj. s.m.
amansadura s.f.
amansamento s.m.
amansante adj.2g.
amansar v.
amansa-senhor s.m.; pl. *amansa-senhores*
amansável adj.2g.
amansia s.f.
amantadina s.f.
amantado adj.
amantar v.
amante adj. s.2g.
amanteigado adj.
amanteigar v.
amantelado adj.
amantelar v.
amantênico adj.
amanteno adj. s.m.
amantético adj. s.m.
amantiforme adj.2g.
amantilhado adj.
amantilhar v.
amantilho s.m.
amantina s.f.
amantino adj. s.m.
amanuensado s.m.
amanuensal adj.2g.
amanuensar v.
amanuense adj. s.2g.
amão s.m.
amapá s.m.
amapá-doce s.m.; pl. *amapás-doces*
amapaense adj. s.2g.
amaparana s.f.
amapola (ô) s.f.
amaporanense adj. s.2g.
amaporense adj. s.2g.
amapuru adj. s.2g.
amaquiar v.
amar v.
amara s.m.
amaraboia (ó) s.f.
amaracarpo s.m.
amarácino s.m.
amáraco s.m.
amarado adj.
amaragem s.f.
amarajiense adj. s.2g.
amaral s.f.
amaralense adj. s.2g.
amarália s.f.
amaralista adj. s.2g.
amarância s.f.
amaranhado adj.
amaranhamento s.m.
amaranhar v.
amarantácea s.f.
amarantáceo adj.
amarante s.f.
amarântea s.f.
amarantense adj. s.2g.
amarantês adj. s.m.
amarantina s.f.
amarantinense adj. s.2g.
amarantino adj. s.m.
amarantita s.f.
amarantite s.f.
amarantito s.m.
amaranto s.m.
amarantoide (ó) adj.2g.
amaranto-verde s.m.; pl. *amarantos-verdes*
amarar v.
amarasmado adj.
amarasmar v.
amarasmeado adj.
amarasmear v.
amarasmeio s.m.
amarcial adj.2g.
amardo adj. s.m.
amaré s.f.
amareado adj.
amarear v.
amarecente adj.2g.
amarecer v.
amarejado adj.
amarejar v.
amarela s.f.
amarelaço adj. s.m.
amarelado adj. s.m.
amarelante adj.2g. s.m.
amarelão s.m.
amarelar v.
amarelecer v.
amarelecido adj.
amarelecimento s.m.
amarelejante adj.2g.
amarelejar v.
amarelense adj. s.2g.
amarelentar v.
amarelento adj. s.m.
amarelete (ê) s.m.
amareleza (ê) s.f.
amarelidão s.f.
amarelidez (ê) s.f.
amarelido adj. s.m.
amarelinha s.f.
amarelinho s.m.
amarelinho-da-serra s.m.; pl. *amarelinhos-da-serra*
amarelir v.
amarelo adj. s.m.
amarelo-canário adj.2g.2n. s.m.; pl. do s. *amarelos-canário* e *amarelos-canários*
amarelo-cidrão adj.2g.2n. s.m.; pl. do s. *amarelos-cidrão* e *amarelos-cidrões*
amarelo-cinzento adj. s.m.; pl. do adj. *amarelo-cinzentos*; pl. do s. *amarelos-cinzentos*
amarelo-claro adj. s.m.; pl. do adj. *amarelo-claros*; pl. do s. *amarelos-claros*
amarelo-cobalto adj.2g.2n. s.m.; pl. do s. *amarelos-cobalto* e *amarelos-cobaltos*
amarelo de montanha s.m.
amarelo de nápoles s.m.
amarelo do ovo s.m. "gema"
amarelo-do-ovo s.m. "espécie de fruto"; pl. *amarelos-do-ovo*
amarelo-enxofre adj.2g.2n. s.m.; pl. do s. *amarelos-enxofre* e *amarelos-enxofres*
amarelo-escuro adj. s.m.; f. *amarelo-escura*; pl. do adj. *amarelo-escuros*; pl. do s. *amarelos-escuros*
amarelo-esverdeado adj. s.m; f. *amarelo-esverdeada*; pl. do adj. *amarelo-esverdeados*; pl. do s. *amarelos-esverdeados*
amarelo-fosco adj. s.m.; f. *amarelo-fosca*; pl. do adj. *amarelo-foscos*; pl. do s. *amarelos-foscos*
amarelo-gualdo adj. s.m.; f. *amarelo-gualda*; pl. do adj. *amarelo-gualdos*; pl. do s. *amarelos-gualdos*
amarelo-laranja adj.2g.2n. s.m.; pl. do s. *amarelos-laranja* e *amarelos-laranjas*
amarelo-limão adj.2g.2n. s.m.; pl. do s. *amarelos-limão* e *amarelos-limões*
amarelo-oca adj.2g.2n. s.m.; pl. do s. *amarelos-oca* e *amarelos-ocas*
amarelo-ocre adj.2g.2n. s.m.; pl. do s. *amarelos-ocre* e *amarelos-ocres*
amarelo-oiro adj.2g.2n. s.m.; pl. do s. *amarelos-oiro* e *amarelos-oiros*
amarelo-ouro adj.2g.2n. s.m.; pl. do s. *amarelos-ouro* e *amarelos-ouros*

amarelo-palha adj.2g.2n. s.m.; pl. do s. *amarelos-palha* e *amarelos-palhas*
amarelo-topázio adj.2g.2n. s.m.; pl. do s. *amarelos-topázio* e *amarelos-topázios*
amarelo-torrado adj. s.m.; f. *amarelo-torrada*; pl. do adj. *amarelo-torrados*; pl. do s. *amarelos-torrados*
amarense adj. s.2g.
amarescente adj.2g.
amarescer v.
amarfalhado adj.
amarfalhamento s.m.
amarfalhar v.
amarfanhado adj.
amarfanhamento s.m.
amarfanhar v.
amarfanho s.m.
amarfinado adj.
amarfinar v.
amargação s.f.
amargado adj.
amargamento s.m.
amargar v.
amargaritão s.m.
amargável adj.2g.
amargo adj. s.m.
amargor (*ô*) s.m.
amargoseira s.f.
amargosense adj. s.2g.
amargosita s.f.
amargoso (*ô*) adj. s.m.; f. (*ó*); pl. (*ó*)
amarguém s.m.; cf. *amarguem*, fl. do v. *amargar*
amargueza (*ê*) s.f.
amargura s.f.
amargurado adj.
amargurador (*ô*) adj.
amargurar v.
amarguroso (*ô*) adj.; f. (*ó*); pl. (*ó*)
amaribá adj. s.2g.
amaricado adj.
amaricante adj.2g.
amaricar v.
amariçar v.
amaricino s.m.
amariço s.m.
amárico adj. s.m.
amaridácea s.m.
amaridáceo adj.
amaridão s.f.
amaridar v.
amarídeo adj. s.m.
amaril s.m.
amarílea s.f.
amaríleo adj.
amarilha s.f.
amarilho adj. s.m.
amarílico adj.
amarilidácea s.f.
amarilidáceo adj.
amarílide s.f.
amarilídea s.f.
amarilídeo adj.
amarilidiforme adj.2g.
amarilidóidea s.f.
amarilidóideo adj.
amarilígeno adj.
amarilina s.f.
amarilínea s.f.
amarílis s.f.2n.
amarillita s.f.
amarina s.f.
amaríneo adj.
amarinhado adj.
amarinhar v.
amarinheirado adj.
amarinheirar v.
amarinita s.f.
amaríntias s.f.pl.
amaríntida adj. s.2g.
amaríntio adj.
amario adj.
amariolado adj.
amariolar v.
amaripá adj. s.2g.
amarísias s.f.pl.
amarísio adj.
amaríssimo adj. sup. de *amargo*
amarisso s.m.
amaritina s.f.
amaritrina s.f.
amaritude s.f.
amaritúdine s.f.
amarizar v.
amarlotado adj.
amarlotar v.
amarmaçado adj.
amarmaçar v.
amarnado adj.
amaro adj.
amaro-da-silva s.m.; pl. *amaros-da-silva*
amaroide (*ó*) adj. s.2g.
amaro-leitense adj. s.2g.; pl. *amaro-leitenses*
amarona s.f.
amaróría s.f.
amaroso (*ô*) adj.; f. (*ó*); pl. (*ó*)
amarotado adj.
amarotar v.
amarra s.f.
amarração s.f.
amarrada s.f.
amarrado adj. s.m.
amarradoiro s.m.
amarrador (*ô*) adj. s.m.
amarradouro s.m.
amarradura s.f.
amarrafado adj.
amarrafar v.
amarra-pinto s.m.; pl. *amarra-pintos*
amarrar v.
amarrecado adj.
amarrecar v.
amarreta (*ê*) s.f.
amarrilho s.m.
amarroada s.f.
amarroado adj.
amarroamento s.m.
amarroar v.
amarronzado adj.
amarronzar v.
amarroquinação s.f.
amarroquinado adj.
amarroquinar v.
amarrotado adj.
amarrotamento s.m.
amarrotar v.
amartelado adj.
amartelamento s.m.
amartelar v.
amartilhar v.
amarugem s.f.
amarujado adj.
amarujar v.
amarujento adj.
amarujo s.m.
amarulento adj.
amarulhar v.
amarulhento adj.
amarume s.m.
amás s.m.; cf. *amas*, fl. do v. *amar*
amasatina s.f.
ama-seca s.f.; pl. *amas-secas*
amásia s.f. "amante"; cf. *amasia*, fl. do v. *amasiar*, e *amazia* s.f.
amasiado adj.
amasiamento s.m.
amasiar-se v.
amasio s.m. "mancebia"; cf. *amásio*
amásio s.m. "amante"; cf. *amasio* s.m. e fl. do v. *amasiar*
amásis s.m.2n.
amasisa s.f.
amasônia s.f.
amassa-barro s.m.; pl. *amassa-barros*
amassadeira s.f.
amassadeiro s.m.
amassadela s.f.
amassado adj.
amassadoiro s.m.
amassador (*ô*) adj. s.m.; cf. *amaçador*
amassadoria s.m.
amassadouro s.m.
amassadura s.f.
amassagado adj.
amassamento s.m.
amassar v. "converter em massa"; cf. *amaçar*
amassara s.f.; cf. *amaçara*, fl. do v. *amaçar*
amassaria s.f.; cf. *amaçaria*, fl. do v. *amaçar*
amassilho s.m.
amasso s.m.; cf. *amaço*, fl. do v. *amaçar*
amastia s.f.
amastigota adj. s.m.
amasto adj. s.m.
amastozoário adj. s.m.
amastríaco adj. s.m.
amastriano adj. s.m.
amata adj. s.2g.
amatado adj.
amatalado adj.
amatalar v.
amatalotado adj.
amatalotar v.
amatar v.
amatariense adj. s.2g.
amatauraense adj. s.2g.
âmate s.m.
amateia (*é*) adj. s.f. de *amateu*
amáteo adj. s.m.
amaterialismo s.m.
amaterialista adj. s.2g.
amaterialístico adj.
amateu adj. s.m.; f. *amateia* (*é*)
amatícola adj. s.2g.
amatilhado adj.
amatilhar v.
amatividade s.f.
amativo adj.
amato s.m.
amatócero s.m.
amatófilo adj. s.m.
amatol s.m.
amatólico adj.
amatonga adj. s.2g.
amatório adj.
amatorismo s.m.
amatronação s.f.
amatronado adj.
amatronamento s.m.
amatronar v.
amatulado adj.
amatular-se v.
amatungado adj.
amatungar v.
amaturaense adj. s.2g.
amatúsia s.f.
amatusino adj. s.m.
amatutado adj.
amatutamento s.m.
amatutar-se v.
amauaca adj. s.2g.
amaúca adj. s.2g.
amaupirá adj. s.2g.
amáuria s.f.
amauro s.m.
amauróbio s.m.
amaurosar v.
amaurose s.f.
amauroso (*ô*) adj. s.m.; f. (*ó*); pl. (*ó*)
amaurósporo s.m.
amaurótico adj.
amaurotizado adj.
amaurotizar v.
amauta s.m.
amauzita s.f.
amauzite s.f.
amauzítico adj.
amável adj.2g.
amavia s.f.
amavio s.m.
amavioso (*ô*) adj.; f. (*ó*); pl. (*ó*)
amaxofobia (*cs*) s.f.
amaxofóbico (*cs*) adj. s.m.
amaxófobo (*cs*) adj. s.m.
amazegue adj. s.2g.
amazelado adj.
amazelar v.
amazelento adj.
amazia s.f. "privação de seios"; cf. *amasia*, fl. do v. *amasiar*, e *amásia* s.f.
amazilhado adj.
amazilhar v.
amazílio s.m.
amazona adj. s.f.
amazonense adj. s.2g.
amazoniano adj. s.m.
amazônico adj. s.m.
amazônida adj. s.2g.
amazonidade s.f.
amazônide adj. s.2g.
amazônido adj. s.m.
amazoniense adj. s.2g.
amazônio adj.
amazonismo s.m.
amazonista adj. s.2g.
amazonístico adj.
amazonita s.f.
amazonite s.f.
amazonítico adj.
amazonólogo s.m.
amazorrado adj.
amazulo adj. s.m.
amba s.f. "fruta"; cf. *ambã*
ambã s.m. "título"; cf. *amba*
ambabo adj. s.m.
ambaca adj. s.2g.
ambacte s.m.
ambacto s.m.
ambages s.2g.pl.
ambágio s.f.
ambagioso (*ô*) adj.; f. (*ó*); pl. (*ó*)
ambaiacaá s.m.
ambaiaembo s.f.
ambaíba s.f.
ambaibatinga s.f.
ambaitinga s.f.
ambajo s.m.
ambalão s.m.
ambali s.m.
ambaló s.m.
ambão s.m.
ambaquista adj. s.2g.
âmbar s.m.
ambarado adj.
ambarage s.m.
âmbar-amarelo s.m.; pl. *âmbares-amarelos*
ambarar v.
ambarato s.m.
âmbar-branco s.m.; pl. *âmbares-brancos*
âmbar-cinzento s.m.; pl. *âmbares-cinzentos*
ambareira s.f.
ambareiro s.m.
âmbar-gris s.m.; pl. *âmbares-grises*
ambárico adj.
ambarilha s.f.
ambarina s.f.
ambarinato s.m.
ambarínico adj.
ambarino adj.
ambarito s.m.
ambarização s.f.
ambarizado adj.
ambarizar v.
ambarizável adj.2g.
âmbar-mexueira s.m.; pl. *âmbares-mexueiras*
ambaró s.m.
âmbar-pardo s.m.; pl. *âmbares-pardos*
âmbar-preto s.m.; pl. *âmbares-pretos*
ambarraja s.m.
ambarro adj. s.m.
ambarvais s.f.pl.
ambarval adj.2g.
ambarvate s.m.
âmbar-vegetal s.m.; pl. *âmbares-vegetais*
âmbar-virgem s.m.; pl. *âmbares-virgens*
ambasso s.m.
ambatoarinita s.f.
ambaúba s.f.
ambaúba-mansa s.f.; pl. *ambaúbas-mansas*
ambaubeira s.f.
ambaúva s.f.
ambaúva-mansa s.f.; pl. *ambaúvas-mansas*
ambé adj.2g.
ambel s.m.
ambelana s.f.
ambelânia s.f.
ambeloneira s.f.
ambera s.f.
amberina s.f.
amberite s.f.
amberol s.m.
ambeti s.m.
ambi s.m.
âmbi s.m.
ambia s.f.
ambianense adj. s.2g.
ambiano adj. s.m.
ambianular adj.2g.
ambiar v. s.m.
ambibário adj. s.m.
ambibaro adj. s.m.
ambição s.f.
ambicídio s.m.
ambicionado adj.
ambicionar v.
ambicionável adj.2g.
ambicioneiro adj. s.m.
ambicioso (*ô*) adj. s.m.; f. (*ó*); pl. (*ó*)
ambiciúncula s.f.
ambidéster adj. s.m.
ambidesteridade s.f.
ambidestreza (*ê*) s.f.
ambidestria s.f.
ambidestridade s.f.
ambidestrismo s.m.
ambidestro (*é* ou *ê*) adj. s.m.
ambiegna s.f.
ambiência s.f.
ambientação s.f.
ambientado adj.
ambientador (*ô*) adj. s.m.
ambiental adj.2g.
ambientalismo s.m.
ambientalista adj. s.2g.
ambientalístico adj.
ambientar v.
ambientável adj.2g.
ambiente adj.2g. s.m.
ambiesquerdo (*ê*) adj.
ambifário adj.
ambígena s.f.
ambigenia s.f.
ambigênia s.f.
ambigênico adj.
ambígeno adj.
ambígua s.f.
ambiguidade (*ü*) s.f.
ambiguifloro (*ü*) adj.
ambíguo adj.
ambil s.m.
ambila s.f.
ambilateral adj.2g.
ambilátero adj.
ambilatro adj. s.m.
ambilevo adj.
ambília s.f.
ambiliano adj.
ambiliato adj. s.m.
ambílide s.f.
ambilogia s.f.
ambio adj. s.m.
ambiofonia s.f.
ambiope s.2g.
ambiopia s.f.
ambíparo adj.
ambir s.m.
ambira s.f.
ambisporangiado adj.
ambisséxuo (*cs*) adj.
ambissinistro adj.
ambístoma s.m.
ambistomatídeo adj. s.m.
ambistomídeo adj. s.m.

ambitendência s.f.
ambitendencial adj.2g.
ambitender v.
âmbito s.m.
ambitude s.f.
ambítuo adj. s.m.
ambivalência s.f.
ambivalente adj.2g.
ambivareto (*ê*) adj. s.m.
ambiversão s.f.
ambiverso adj.
ambiverter v.
ambivertido adj. s.m.
ambívio s.m.
amblema s.m.
amblêmida adj.2g. s.m.
amblemídio s.m.
amblêmido adj. s.m.
ambléstis s.m.2n.
âmblia s.f.
ambliacusia s.f.
ambliacúsico adj. s.m.
ambliacústico adj. s.m.
ambliafia s.f.
ambliáfico adj. s.m.
amblicarpo s.m.
amblicéfalo s.m.
amblícero s.m.
amblicromasia s.f.
amblicteno s.m.
ambligeustia s.f.
ambligêustico adj.
ambliglota s.f.
amblígnato adj. s.m.
ambligonita s.f.
ambligonite s.f.
ambligonítico adj.
amblígono adj.
amblímero s.m.
amblioma s.2g.
ambliope adj. s.2g.
amblíope adj. s.2g.
ambliopia s.f.
ambliópico adj.
ambliópode s.m.
ambliopsídeo adj. s.m.
amblíópsis s.m.2n.
ambliórnis s.m.2n.
amblioscópico adj.
amblioscópio s.m.
amblípigo adj. s.m.
amblípode adj.2g. s.m.
ambliptérige s.f.
amblípterix (*cs*) s.f.
amblirrinco s.m.
amblirrino s.m.
âmblis s.m.2n.
ambliscópico adj.
ambliscópio s.m.
amblisperme adj. s.2g.
amblissomo s.m.
amblistegita s.f.
amblistegítico adj.
amblistegito s.m.
amblístoma s.m.
amblistomídeo adj. s.m.
amblístomo s.m.
amblítero adj.
ambliúrio adj. s.m.
ambliúro s.m.
âmblonix (*cs*) s.m.
amblose s.f.
amblótico adj.
ambo adj. s.2g. s.m.
ambó adj. s.2g. s.m.
amboá s.m.
amboceptor (*ô*) s.m.
amboim adj.2g. s.m.
amboína s.f.
ambolé s.m.
ambolim s.m.
ambolina s.f.
amboló s.m.
ambom s.m.
ambone s.m.
amborá s.m.
amboré s.m.
amborela s.f.
amborelácea s.f.
amboreláceo adj.
ambóreo adj.
amborepinima s.m.
amborepixuna s.m.
ambornal s.m.
ambos pron.
ambotraço s.m.
ambrácico adj.
ambraciense adj. s.2g.
ambrácio adj. s.m.
ambraciota adj. s.2g.
ambrão adj. s.m.
ambrária s.f.
ambrazô s.m.
ambre s.m.
ambreada s.f.
ambreado adj.
ambrear v.
ambreato s.m.
ambreia (*é*) s.f.; cf. *ambreia*, fl. do v. *ambrear*
ambreína s.f.
ambreoso (*ô*) adj.; f. (*ó*); pl. (*ó*)
ambreta (*ê*) s.f.
ambrevade s.f.
âmbria s.f.
ambrina s.f.
ambrita s.f.
ambrite s.f.
ambroína s.f.
ambrologia s.f.
ambrológico adj.
ambroma s.f.
ambrone adj. s.2g.
ambrono adj. s.m.
ambrosia s.f. "manjar"; cf. *ambrósia*
ambrósia s.f. "planta"; cf. *ambrosia*
ambrósia-americana s.f.; pl. *ambrósias-americanas*
ambrosiácea s.f.
ambrosiáceo adj.
ambrosíaco adj.
ambrósia-das-boticas s.f.; pl. *ambrósias-das-boticas*
ambrosiado adj.
ambrósia-do-méxico s.f.; pl. *ambrósias-do-méxico*
ambrosial adj.2g.
ambrosiano adj. s.m.
ambrosiense adj. s.2g.
ambrosina s.f.
ambrosínia s.f.
ambrosino adj.
ambrósio adj. s.m.
ambrosnato s.m.
ambroso (*ô*) s.m.; f. (*ó*); pl. (*ó*)
ambrotipia s.f.
ambrozô s.m.
ambu s.m.
ambuá adj. s.2g. s.m.
ambubaia s.f.
ambúbia s.f.
ambude s.m.
ambuela adj. s.2g.
ambuém-do-obó s.m.; pl. *ambuéns-do-obó*
ambuí s.m.
âmbula s.f.; cf. *ambula*, fl. do v. *ambular*
ambulação s.f.
ambulacral adj.2g.
ambulacrário adj.
ambulacriforme adj.2g.
ambulacro s.m.
ambulância s.f.
ambulancial adj.2g.
ambulante adj. s.2g.
ambular v.
ambulativo adj.
ambulatorial adj.2g.
ambulatório adj. s.m.
ambulatriz s.f.
ambúlia s.f.
ambulicino s.m.
ambulípede adj.2g.
ambulomancia s.f.
ambundo adj. s.m.
amburana s.f.
amburbais s.f.pl.
amburbal adj.2g.
amburbiais s.f.pl.
amburbial adj.2g.
ambúrbio s.m.
ambustão s.f.
ameaça s.f.
ameaçação s.f.
ameaçado adj.
ameaçador (*ô*) adj. s.m.
ameaçante adj.2g.
ameaçar v.
ameaçativo adj.
ameaçável adj.2g.
ameace s.m.
ameaço s.m.
ameado adj.
amealhado adj.
amealhador (*ô*) adj. s.m.
amealhanço s.m.
amealhar v.
ameandoca s.f.
amear v.
ameba s.f.
amebeia (*é*) adj. f. de *amebeu*
amebeu adj.; f. *amebeia* (*é*)
amebiano adj.
amebíase s.f.
amebicida adj.2g. s.m.
amebicídio s.m.
amébico adj.
amébida adj.2g. s.m.
amebídeo adj. s.m.
amébido adj. s.m.
amebiforme adj.2g.
amebino adj. s.m.
amebismo s.m.
amebista adj. s.2g.
amebístico adj.
amebita s.f.
amebite s.f.
amebito s.m.
amebocítico adj.
amebócito s.m.
amebogênio adj. s.m.
ameboide (*ó*) adj.2g. s.m.
ameboísmo s.m.
ameboísta adj. s.2g.
ameboístico adj.
amebose s.m.
amebosporídeo adj. s.m.
amebótico adj.
amebozigótico adj.
amebozigoto s.m.
ameburia s.f.
amebúrico adj.
amechar v.
amedalhação s.f.
amedalhado adj.
amedalhamento s.m.
amedalhar v.
amedeia s.f.
amedinação s.f.
amedinar v.
amedorentado adj.
amedorentar v.
amedrentado adj.
amedrentador (*ô*) adj. s.m.
amedrentar v.
amedronhado adj.
amedronhar v.
amedrontação s.f.
amedrontado adj.
amedrontador (*ô*) adj. s.m.
amedrontamento s.m.
amedrontante adj.2g.
amedrontar v.
amedrontável adj.2g.
ameense adj. s.2g.
ameghinita s.f.
ameia s.f.
ameigado adj.
ameigador (*ô*) adj. s.m.
ameigante adj.2g.
ameigar v.
ameigável adj.2g.
ameigo s.m.
ameija s.f.
amêijoa s.f.; cf. *ameijoa*, fl. do v. *ameijoar*
amêijoa-branca s.f.; pl. *amêijoas-brancas*
ameijoada s.f.
ameijoado adj.
ameijoar v.
amêijoa-redonda s.f.; pl. *amêijoas-redondas*
ameiju s.m.
ameijua s.f.
ameijuba s.f.
ameiva s.f.
ameivídeo s.m.
ameixa s.f.
ameixa-amarela s.f.; pl. *ameixas-amarelas*
ameixa-americana s.f.; pl. *ameixas-americanas*
ameixa-da-baía s.f.; pl. *ameixas-da-baía*
ameixa-da-terra s.f.; pl. *ameixas-da-terra*
ameixa-de-espinho s.f.; pl. *ameixas-de-espinho*
ameixa-de-madagascar s.f.; pl. *ameixas-de-madagascar*
ameixa-do-canadá s.f.; pl. *ameixas-do-canadá*
ameixa-do-japão s.f.; pl. *ameixas-do-japão*
ameixa-do-pará s.f.; pl. *ameixas-do-pará*
ameixa-japonesa s.f.; pl. *ameixas-japonesas*
ameixal s.m.
ameixa-preta s.f.; pl. *ameixas-pretas*
ameixeira s.f.
ameixeira-brava s.f.; pl. *ameixeiras-bravas*
ameixeira-da-pérsia s.f.; pl. *ameixeiras-da-pérsia*
ameixeira-de-porto-natal s.f.; pl. *ameixeiras-de-porto-natal*
ameixeira-do-brasil s.f.; pl. *ameixeiras-do-brasil*
ameixeira-do-japão s.f.; pl. *ameixeiras-do-japão*
ameixeira-do-pará s.f.; pl. *ameixeiras-do-pará*
ameixense adj. s.2g.
ameixial s.m.
ameixieira s.f.
amêixoa s.f.
ameixoal s.m.
ameixoeira s.f.
ameju s.m.
amela s.f.
amelaçado adj.
amelaçamento s.m.
amelaçar v.
amelado adj.
amelanotipia s.f.
amelé s.m.
amelê s.m.
amelécia s.f.
ameleia (*é*) s.f.
amelenado adj.
amelétia s.f.
amelhorado adj.
amelia s.f. "ausência congênita de um membro"; cf. *amélia* e *hamélia*
amélia s.f. "mulher abnegada"; cf. *amelia* e *hamélia*
amélia-rodriguense adj. s.2g.; pl. *amélia-rodriguenses*
amélico adj.
amelida s.f.
ameliense adj. s.2g.
amelina s.f.
amelindrado adj.
amelindrar v.
amélio adj.
ameliopolense adj. s.2g.
ameliopolitano adj. s.m.
amelo s.m. "planta"; cf. *âmelo*
âmelo s.m. "indivíduo sem membros"; cf. *amelo*
ameloado adj.
ameloblástico adj.
ameloblasto s.m.
ameloblastoma s.m.
amelodentinária s.f.
amelogênese s.f.
amelogenético adj.
amelogenina s.f.
ameloma s.m.
amelopia s.f.
amelópico adj. s.m.
amelpo s.m.
amelroado adj.
amém s.m. adv. interj.; cf. *amem*, fl. do v. *amar*
amembranado adj.
amembranar v.
amém-jesus s.m.2n.
amência s.f.
amendina s.f.
amêndoa s.f.
amêndoa-brava s.f.; pl. *amêndoas-bravas*
amendoada s.f.
amêndoa-de-coco s.f.; pl. *amêndoas-de-coco*
amêndoa-de-espinho s.f.; pl. *amêndoas-de-espinho*
amendoado adj.
amêndoa-do-brasil s.f.; pl. *amêndoas-do-brasil*
amêndoa-do-peru s.f.; pl. *amêndoas-do-peru*
amêndoa-dos-andes s.f.; pl. *amêndoas-dos-andes*
amêndoa-durázia s.f.; pl. *amêndoas-durázias*
amendoal s.m.
amêndoa-molar s.f.; pl. *amêndoas-molares*
amendoca s.f.
amendoeira s.f.
amendoeira-coca s.f.; pl. *amendoeiras-coca* e *amendoeiras-cocas*
amendoeira-da-américa s.f.; pl. *amendoeiras-da-américa*
amendoeira-da-índia s.f.; pl. *amendoeiras-da-índia*
amendoeira-da-praia s.f.; pl. *amendoeiras-da-praia*
amendoeira-de-coco s.f.; pl. *amendoeiras-de-coco*
amendoeira-do-japão s.f.; pl. *amendoeiras-do-japão*
amendoeira-dos-andes s.f.; pl. *amendoeiras-dos-andes*
amendoeira-durázia s.f.; pl. *amendoeiras-durázias*
amendoeira-molar s.f.; pl. *amendoeiras-molares*
amendoeirana s.f.
amendoí s.m.
amendoim s.m.
amendoim-bravo s.m.; pl. *amendoins-bravos*
amendoim-de-árvore s.m.; pl. *amendoins-de-árvore*
amendoim-de-veado s.m.; pl. *amendoins-de-veado*
amendoim-do-maranhão s.m.; pl. *amendoins-do-maranhão*
amendoim-falso s.m.; pl. *amendoins-falsos*
amendoim-rajado s.m.; pl. *amendoins-rajados*
amendoim-rasteiro s.m.; pl. *amendoins-rasteiros*
amendoim-roxo s.m.; pl. *amendoins-roxos*
amendoína s.f.
amendoirana s.f.
amenia s.f.
amênico adj.
amenidade s.f.
amenidão s.f.
ameninado adj.
ameninar v.
amenismo s.m.
amenista adj. s.2g.
amenização s.f.
amenizado adj.
amenizador (*ô*) adj. s.m.
amenizante adj.2g.
amenizar v.
amenizável adj.2g.

ameno adj.
amenomania s.f.
amenomaníaco adj.
amenômano s.m.
amenorreia (*é*) s.f.
amenorreico (*é*) adj.
amenosiamento s.m.
amenosiar v.
amenoso (*ô*) adj.; f. (*ó*); pl. (*ó*)
amensal adj.2g.
amensalismo s.m.
amenta s.f.
amentação s.f.
amentácea s.f.
amentáceo adj.
amentador (*ô*) s.m.
amental adj.2g.
amentar v.
amente adj.2g.
amentífero adj.
amentifloro adj.
amentiforme adj.2g.
amentilho s.m.
amentilhoso (*ô*) adj.; f. (*ó*); pl. (*ó*)
amentio s.m.
amento s.m.
amentolia s.f.
ameraba adj. s.2g.
amerade s.m.
amerceado adj.
amerceador (*ô*) adj. s.m.
amerceadura s.f.
amerceamento s.m.
amercear v.
amerceável adj.2g.
amereurasiático adj.
amerger v.
amerguçar v.
américa s.f.
americana s.f.
americanada s.f.
americanense adj. s.2g.
americanice s.f.
americanidade s.f.
americanismo s.m.
americanista adj. s.2g.
americanístico adj.
americanite s.f.
americanização s.f.
americanizado adj.
americanizador (*ô*) adj. s.m.
americanizante adj. s.2g.
americanizar v.
americanizável adj.2g.
americano adj. s.m.
americano-do-norte adj. s.m.; pl. *americanos-do-norte*
americanofilia s.f.
americanofilismo s.m.
americanofilista adj. s.2g.
americanofilístico adj.
americanófilo adj. s.m.
americanofobia s.f.
americanofóbico adj.
americanófobo adj. s.m.
americanologia s.f.
americanológico adj.
americanologista s.2g.
americanólogo s.m.
americanomania s.f.
americanomaníaco adj. s.m.
americanômano adj. s.m.
americina s.f.
americio s.m.
américo adj.
américo-campista adj. s.2g.; pl. *américo-campistas*
americofilia s.f.
americofilismo s.m.
americofilista adj. s.2g.
americofilístico adj.
americófilo adj. s.m.
americofobia s.f.
americofóbico adj.
americófobo adj. s.m.
americologia s.f.
americológico adj.
americologista s.2g.
americólogo s.m.
americomania s.f.
americomaníaco adj. s.m.
americômano s.m.
amerigada s.f.
amerígena adj. s.2g.
amerígeno adj.
amerina s.f.
amerinado adj.
amerícola adj. s.2g.
ameríncolo adj.
amerindigenismo s.m.
ameríndio adj. s.m.
amerino adj. s.m.
amerismo s.m.
amerissagem s.f.
amerissar v.
amerita s.f.
amerospóreo s.m.
amerósporo s.m.
amerrissagem s.f.
amerrissar v.
amérstia s.f.
amerujar v.
amesendado adj.
amesendar v.
amesendrado adj.
amesendrar v.
amesita s.f.
amesítico adj.
amesquinhado adj.
amesquinhador (*ô*) adj. s.m.
amesquinhamento s.m.
amesquinhante adj.2g.
amesquinhar v.
amesquinhável adj.2g.
amesterdanês adj. s.m.
amestrado adj.
amestrador (*ô*) adj. s.m.
amestramento s.m.
amestrante adj.2g.
amestrar v.
amestratino adj. s.m.
amestrável adj.2g.
amesurado adj.
amesurar v.
ametabolia s.f.
ametabólico adj.
ametabolismo s.m.
ametábolo adj. s.m.
ametade s.f.
ametal s.m.
ametalado adj.
ametalar v.
ametálico adj.
ametamórfico adj.
ametamorfo adj. s.m.
ametamorfose s.f.
ametamorfótico adj.
amete s.f.
ametino adj. s.m.
ametisa s.f.
ametista s.f.
ametista-oriental s.f.; pl. *ametistas-orientais*
ametístea s.f.
ametístico adj.
ametistina s.f.
ametistino adj.
ametisto s.m.
ametódico adj. s.m.
ametoico (*ó*) adj.
ametremia s.f.
ametrêmico adj.
ametria s.f.
amétrico adj.
ametroemia s.f.
ametroêmico adj.
ametrômetro s.m.
ametrope adj. s.2g.
amétrope adj. s.2g.
ametropia s.f.
ametrópico adj.
amezinhado adj.
amezinhador (*ô*) s.m.
amezinhar v.
amezinhável adj.2g.
amhárico adj. s.m.
amhérstia s.f.
âmi s.m.
âmia s.f.
amiádeo adj. s.m.
amial s.m.
amialeiro adj. s.m.
amialita s.f.
amialite s.f.
amialito s.m.
amiantáceo adj.
amiântia s.f.
amiântico adj.
amiantiforme adj.2g.
amiantinina s.f.
amiantinita s.f.
amiantinite s.f.
amiantinito s.m.
amiantino adj.
amiantita s.f.
amiantite s.f.
amiantito s.m.
amianto s.m.
amiantoide (*ó*) adj.2g.
amiantose s.f.
amiantótico adj. s.m.
amiara adj. s.2g.
amiastenia s.f.
amiastênico adj. s.m.
amiatita s.f.
amiatite s.f.
amiatito s.m.
amiba s.f.
amibiano adj.
amibíase s.f.
amíbico adj.
amíbida adj.2g. s.m.
amibídeo adj. s.m.
amibiforme adj.2g.
amibismo s.m.
amibócito s.m.
amibogênio adj. s.m.
amiboide (*ó*) adj.2g. s.m.
amiboísmo s.m.
amibose s.f.
amibosporídeo adj. s.m.
amibozigoto (*ó* ou *ô*) s.m.
amibúria s.f.
amibúrico adj.
amicacina s.f.
amical adj.2g.
amichelado adj.
amichelar v.
amícia s.f.
amicícia s.f.
amicíssimo adj. sup. de *amigo*
amicleano s.m.
amicleia (*é*) adj.; f. de *amicleu*
amicles s.m.2n.
amicleu adj.; f. *amicleia* (*é*)
amicose s.f.
amicótico adj.
amicrobiano adj.
amicrônico adj.
amicrose s.f.
amicta s.f.
amíctero s.m.
amíctico adj.
amicto s.m.
amictogênese s.f.
amictório s.m.
amículo s.m.
amida s.f.
amidado adj.
amídala s.f.
amidalácea s.f.
amidalar adj.2g.
amidalase s.f.
amidálase s.f.
amidalato s.m.
amidálea s.f.
amidalectomia s.f.
amidaliano adj.
amidálico adj.
amidalífero adj.
amidaliforme adj.2g.
amidalina s.f.
amidalínico adj.
amidalino adj.
amidalite s.f.
amidalito s.m.
amidalóforo adj. s.m.
amidaloglosso adj. s.m.
amidaloide (*ó*) adj.2g. s.m.
amidalólito s.m.
amidalomo s.m.
amidalopatia s.f.
amidalotomia s.f.
amidalótomo s.m.
amidalotripsia s.f.
amidão s.m.
amidaria s.f.
amídeo adj. s.m.
amideria s.f.
amideto (*ê*) s.m.
amídico adj.
amidina s.f.
amidino s.m.
amido s.m.
âmido s.m.
amidoacetal s.m.
amidoacético adj.
amidoacetofenetidina s.f.
amidoácido s.m.
amidoado adj.
amidoantipirina s.f.
amidoar v.
amidoazobenzossulfônico adj.
amidoazotoluol s.m.
amidobenzilamina s.f.
amidobenzílico adj.
amidobenzoico (*ó*) adj.
amidobenzol s.m.
amidobutilbenzol s.m.
amidocafeína s.m.
amidocânfora s.f.
amidocaprônico adj.
amidocarbônico adj.
amidocinâmico adj.
amidociro s.m.
amidocrotônico adj.
amidodextrose s.f.
amidodicloropurina s.f.
amidodracílico adj.
amidoestricnina s.f.
amidoetílico adj.
amidoetilpiperonílico adj.
amidoetilsulfônico adj.
amidofenilvaleriânico adj.
amidofenina s.f.
amidofenínico adj.
amidofenitacético adj.
amidofenol s.m.
amidofenólico adj.
amidogênio s.m.
amidoglicocola s.f.
amido-hidrólise s.f.
amido-hidrolítico adj.
amidoidrólise s.f.
amidoidrolítico adj.
amidoisetiônico adj.
amidol s.m.
amidolado adj.
amidoleucítico adj.
amidoleucito s.m.
amidólico adj.
amidólise s.f.
amidolítico adj.
amido-mosqueado s.m.; pl. *amidos-mosqueados*
amidona s.f.
amidonado adj.
amidonaftalina s.f.
amidonaftol s.m.
amidonaftólico adj.
amidonaftolsulfônico adj.
amidonar v.
amido-negro s.m.; pl. *amidos-negros*
amidoneto (*ê*) s.m.
amidonita s.f.
amidopipitzaoico (*ó*) adj.
amidopiridina s.f.
amidopirina s.f.
amidopodocárpico adj.
amido-preto s.m.; pl. *amidos-pretos*
amidopropilbenzol s.m.
amidopropilbenzólico adj.
amidoquinolina s.f.
amidose s.f.
amidoso (*ô*) adj.; f. (*ó*); pl. (*ó*)
amidossalicílico adj.
amidossalol s.m.
amidossuccínico adj.
amidossulfossalicílico adj.
amidóstomo s.m.
amidotereftálico adj.
amidotimol s.m.
amidotoluico adj.
amidotoluol s.m.
amidotoluólico adj.
amidoureia (*é*) s.f.
amidovaleriânico adj.
amidovalérico adj.
amidovalério adj.
amidoxiantraquinona (*cs*) s.m.
amidoxibenzoato (*cs*) s.m.
amidoxibenzoico (*cs...ó*) adj.
amidoxilol (*cs*) s.m.
amidoxima (*cs*) s.f.
amidrazidina s.f.
amidrazona s.f.
amídrio s.m.
amidro s.m.
amidureto (*ê*) s.m.
amieira s.f.
amieiral s.m.
amieiro s.m.
amieiro-negro s.m.; pl. *amieiros-negros*
amielencefalia s.f.
amielencefálico adj.
amielencéfalo s.m.
amielia s.f.
amiélico adj.
amielínico adj.
amielo s.m.
amieloneuria s.f.
amielonêurico adj.
amielotrofia s.f.
amielotrófico adj.
amiencéfalo s.m.
amienense adj. s.2g.
amiense adj. s.2g.
amiga s.f.
amigação s.f.
amigaço s.m.
amigado adj.
amigalhaço s.m.
amigalhão s.m.; f. *amigalhona*
amigalhona s.f. de *amigalhão*
amigalhote s.m.
amigança s.f.
amigaço s.m.
amigão s.m.; f. *amigona*
amigar v.
amigável adj.2g.
amígdala s.f.
amigdalácea s.f.
amigdaláceo adj.
amigdalar adj.2g.
amigdalase s.f.
amigdálase s.f.
amigdalato s.m.
amigdálea s.f.
amigdalectomia s.f.
amigdalectômico adj. s.m.
amigdaliano adj.
amigdálico adj.
amigdalífero adj.
amigdaliforme adj.2g.
amigdalina s.f.
amigdalínico adj.
amigdalino adj.
amigdalite s.f.
amigdalítico adj.
amigdalito s.m.
amigdalófora s.f.
amigdalóforo adj. s.m.
amigdaloglóssico adj.
amigdaloglosso adj. s.m.
amigdaloide (*ó*) adj.2g. s.m.
amigdaloipocampectomia s.f.
amigdalólito s.m.
amigdalomo s.m.
amigdalopata s.2g.
amigdalopatia s.f.
amigdalopático adj.
amigdalotomia s.f.
amigdalotômico adj.
amigdalótomo s.m.
amigdalotripsia s.f.
amigdofinina s.f.
amigo adj. s.m.
amigo da onça s.m.
amigona s.f. de *amigão*

amigo-oculto s.m.; pl. *amigos-ocultos*
amigo-secreto s.m.; pl. *amigos-secretos*
amigote s.m.
amigo-urso s.m.; pl. *amigos-ursos*
amigueiro s.m.
amiídeo adj. s.m.
amiiforme adj.2g. s.m.
amil s.m.
amila s.f.
amiláceo adj.
amilacético adj.
amilaico adj.
amilálcool s.m.
amilamina s.f.
amilamoníaco adj. s.m.
amilana s.f.
amilase s.f.
amílase s.f.
amilasemia s.f.
amilasêmico adj. s.m.
amilasúria s.f.
amilato s.m.
amilazótico adj.
amilbenzeno s.m.
amilbenzoato adj.
amilbenzol s.m.
amilbibórico adj.
amilbromídico adj.
amilbutírico adj.
amilcarbamato adj.
amilcarbâmico adj.
amilcianamida s.f.
amilcianeto (*ê*) s.m.
amilcianídrico adj.
amilcitrato s.m.
amilcítrico adj.
amilclorídrico adj.
amilcupreína s.f.
amildissulfocarbonato s.m.
amildissulfocarbônico adj.
amilditiônico adj.
amilênico adj.
amilênio s.m.
amilenização s.f.
amilenizar v.
amileno s.m.
amilenocloral s.m.
amilenoglicol s.m.
amilenol s.m.
amilfenol s.m.
amilfosfático adj.
amilfosfato s.m.
amilfosfina s.f.
amilfosfínico adj.
amilfosfita s.f.
amilfosfite s.f.
amilfosfito s.m.
amilglicol s.m.
amilhado adj.
amilhagem s.f.
amilhamento s.m.
amilhar v.
amilíase s.f.
amílico adj.
amilífero adj.
amiliforme adj.2g.
amilina s.f.
amílio s.m.
amiliodeto (*ê*) s.m.
amiliodídrico adj.
amilismo s.m.
amilmalato s.m.
amilmálico adj.
amilnicotina s.f.
amilnicotínico adj.
amilnitrato s.m.
amilnítrico adj.
amilnitrito s.m.
amilo s.m.
amilobactéria s.f.
amilocarbol s.m.
amilocarpo s.m.
amilocelulose s.f.
amilodextrina s.f.
amilodispepsia s.f.
amilodispéptico adj.
amilofagia s.f.
amilofágico adj.
amilófago s.m.
amiloforme s.m.
amilofórmio s.m.
amilofosfático adj.
amilofosfato s.m.
amilofosfito s.m.
amilofosfórico adj.
amilogênese s.f.
amilogênio s.m.
amilógeno adj. s.m.
amilo-hidrólise s.f.
amilo-hidrolítico adj.
amiloide (*ó*) adj.2g. s.m.
amiloidismo s.m.
amiloidose s.f.
amiloidótico adj.
amiloidrólise s.f.
amiloidrolítico adj.
amiloína s.f.
amiloiodofórmio s.m.
amiloleucito s.m.
amilólise s.f.
amilolítico adj.
amiloma s.m.
amilombe s.f.
amilomicina s.f.
amilomicínico adj.
amilonina s.f.
amiloníníco adj.
amilopectina s.f.
amilopectínico adj.
amilopeptinase s.f.
amilopeptínase s.f.
amiloplasta s.m.
amiloplastia s.f.
amiloplastídio s.m.
amiloplasto s.m.
amilopsina s.f.
amilopsínico adj.
amilorida s.f.
amilose s.f.
amilossulfonal s.m.
amilosúria s.f.
amilótico adj.
amiloxalato (*cs*) s.m.
amiloxálico (*cs*) adj.
amiloxâmico (*cs*) adj.
amilpiperidina s.f.
amilpiperidínico adj.
amilsilícico adj.
amilsulfático adj.
amilsulfato s.m.
amilsulfídrico adj.
amilsulfítico adj.
amilsulfito s.m.
amilsulfotimol s.m.
amilsulfotimólico adj.
amilsulfúrico adj.
amilsulfuroso (*ô*) adj.; f. (*ó*); pl. (*ó*)
amiltartarato s.m.
amiltartárico adj.
amiltimol s.m.
amiltimólico adj.
amiltiossinamina s.f.
amiltiossinamínico adj.
amiluretânico adj.
amiluretano s.m.
amiluria s.f.
amilúria s.f.
amilvalérico adj.
amim s.m.
amimado adj.
amimador (*ô*) adj. s.m.
amimalhado adj.
amimalhar v.
amimar v.
amime s.f.
amimetobia s.f.
amimetóbico adj.
amimétobo s.m.
amimia s.f.
amímico adj.
amina s.f.
aminação s.f.
aminácido adj. s.m.
aminaciduria s.f.
aminacidúria s.f.
aminacidúrico adj.
aminado adj.
aminar v.
amínea s.f.
amineia (*é*) adj. s.f. de *amineu*
amineirado adj.
amineirar v.
amíneo adj.
amineu adj. s.m.; f. *amineia* (*é*)
aminguado adj.
aminguamento s.m.
aminguar v.
amínia s.f.
amínico adj.
aminículo s.m.
amino s.m.
aminoacético s.m.
aminoacetonitrilo s.m.
aminoacetopirocatequina s.f.
aminoacidemia s.f.
aminoacidêmico adj.
aminoácido adj. s.m.
aminoaciduria s.f.
aminoacidúria s.f.
aminoacidúrico adj.
aminoálcool s.m.
aminoalcoólico adj.
aminoazobenzênico adj.
aminoazobenzeno s.m.
aminoazoico (*ó*) adj.
aminobenzênico adj.
aminobenzeno s.m.
aminobenzoico (*ó*) adj.
aminobenzol s.m.
aminobenzólico adj.
aminocaproico (*ó*) adj.
aminocicloexano (*cs*) s.m.
aminocresol s.m.
aminocresólico adj.
aminocumarina s.f.
aminocumarínico adj.
aminodonte s.m.
aminoetano s.m.
aminoetanolpirocatequina s.f.
aminofenilarsinato s.m.
aminofenol s.m.
aminofenólico adj.
aminofilina s.f.
aminofita s.f.
aminofórmio s.m.
aminogênio s.m.
aminoguanidina s.f.
aminoisocaproico (*ó*) adj.
aminol s.m.
aminólico adj.
aminólise s.f.
aminometano s.m.
aminopeptidase s.f.
aminopeptídase s.f.
aminopiridina s.f.
aminopiridínico adj.
aminopirina s.f.
aminoplástico s.m.
aminopropiônico adj.
aminopterina s.f.
aminoração s.f.
aminoramento s.m.
aminorar v.
aminose s.f.
aminossalicílico adj.
aminossuccinâmico adj.
aminossuccínico adj.
aminosuria s.f.
aminosúria s.f.
aminótico adj.
aminotransferase s.f.
aminotransférase s.f.
aminotriazol s.m.
aminotriazólico adj.
aminovalérico adj.
aminta s.f.
amintar v.
amíntico adj.
amintinha s.m.
âmio s.m.
amioca s.m.
amiocardia s.f.
amiocardíaco adj.
amiocárdico adj.
amiodarona s.f.
amiolítico adj.
amiólito s.m.
âmio-maior s.m.; pl. *âmios-maiores*
amioplastia s.f.
amioso (*ô*) adj.; f. (*ó*); pl. (*ó*)
amiostasia s.f.
amiostásico adj. s.m.
amiostático adj. s.m.
amiostenia s.f.
amiostênico adj. s.m.
amiostesia s.f.
amiostésico adj. s.m.
amiostético adj. s.m.
amiotáctico adj. s.m.
amiotaxia (*cs*) s.f.
amiotonia s.f.
amiotônico adj. s.m.
amiotrofia s.f.
amiotrófico adj. s.m.
âmio-vulgar s.m.; pl. *âmios-vulgares*
amiqui s.m.
amir s.m.
amirado s.m.
amiraldismo s.m.
amiraldista adj. s.2g.
amiramolim s.m.
amirão s.m.
amiridácea s.f.
amiridáceo adj.
amíride adj.2g. s.f.
amirídea s.f.
amirídeo adj.
amirileno s.m.
amirina s.f.
amírio s.m.
amíris s.f.2n.
amirol s.m.
amirola s.m.
amirolina s.f.
amirquebir s.m.
amisatina s.f.
amisatínico adj.
amisaua s.f.
amiseração s.f.
amiserar v.
amissão s.f.
amissibilidade s.f.
amissível adj.2g.
amistar v.
amistoso (*ô*) adj. s.m.; f. (*ó*); pl. (*ó*)
amisulado adj.
amisular v.
âmita s.f.
amitado s.m.
amitágua adj. s.2g.
amitaônio adj.
amite s.2g.
amiternense adj. s.2g.
amiternino adj. s.m.
amiterno adj. s.m.
amitina s.f.
amitinense adj. s.2g.
amitino s.m.
amito s.m.
amitose s.f.
amitósico adj.
amitótico adj.
amitriptilina s.f.
amitro s.m.
amiudado adj.
amiudança s.f.
amiudar v.
amiúde adv.
amiúro s.m.
amixia (*cs*) s.f.
amíxico (*cs*) adj.
amixocaro (*cs*) adj. s.m.
amixorreia (*cs...é*) s.f.
amixorreico (*cs...é*) adj.
amizade s.f.
amizade-colorida s.f.; pl. *amizades-coloridas*
amizadense adj. s.2g.
amizadinha s.2g.
ammânnia s.f.
amnesia s.f.
amnésia s.f.; cf. *amnesia*, fl. do v. *amnesiar*
amnesiar v.
amnésico adj. s.m.
amnéstico adj.
amniado adj. s.m.
amniano adj.
amniático adj.
âmnico adj.
amnícola adj. s.2g.
âmnio s.m.
amnioblasto s.m.
amniocentese s.f.
amniocorial adj.2g.
amniogênese s.f.
amniogenésico adj.
amniogenético adj.
amniomancia s.f.
amniomanciano s.m.
amniomante s.2g.
amniomântico adj.
amniorreia (*é*) s.f.
amniorreico (*é*) adj.
amniorrexe (*cs*) s.f.
amnioscopia s.f.
amniota s.m.
amniótico adj.
amniotite s.f.
amniotítico adj.
amniotômico adj.
amniótomo s.m.
amo s.m.
amobarbital adj.2g. s.m.
amobata s.m.
amóbata s.m.
amobilidade s.f.
amóbio s.m.
amobroma s.f.
amobudu s.m.
amocado adj.; cf. *amoucado*
amoçado adj.; cf. *amossado*
amocaí s.m.
amocambado adj.
amocambamento s.m.
amocambar v.
amocambetar v.
amocar v. "bater com moca"; cf. *amoucar*
amoçar v. "juvenilizar"; cf. *amossar*
amocáris s.m.2n.
amocete s.m.
amochado adj.; cf. *amoixado* e *amouxado*
amochar v. "retrair"; cf. *amoixar* e *amouxar*
amochilado adj.
amochilar v.
amochoir v.
amoclisia s.f.
amoclismático adj.
amocrísino adj.
amocriso s.m.
amodal adj.2g.
amodauco s.m.
amodelar v.
amodendrão s.m.
amodendro s.m.
amodernado adj.
amodernar v.
amodernização adj.
amodernizado adj.
amodernizar v.
amodisco s.m.
amódita adj.2g. s.m.
amoditídeo adj. s.m.
amodornação s.f.
amodornado adj.
amodornar v.
amodorrado adj.
amodorramento s.m.
amodorrar v.
amodorrecer v.
amodorrecimento s.m.
amódromo s.m.
amoedação s.f.
amoedado adj.
amoedamento s.m.
amoedar v.
amoedável adj.2g.
amófila s.f.
amofílico adj.
amófilo adj.
amofinação s.f.
amofinado adj.
amofinador (*ô*) adj. s.m.
amofinar v.

amofinativo adj.
amofórico adj.
amóforo s.m.
amofumbar v.
amoiar v.
amoinado adj.
amoinar v.
amoipira adj. s.2g.
amoirado adj.
amoirar v.
amoiriscado adj.
amoiriscar v.
amoiroado adj.
amoiroar v.
amoitada s.f.
amoitado adj.
amoitar v.
amoixado adj.; cf. *amochado* e *amouxado*
amoixar v. "entesourar"; cf. *amochar* e *amouxar*
amojada s.f.
amojado adj.
amojar v.
amojo (*ô*) s.m.; cf. *amojo*, fl. do v. *amojar*
amojudo adj.
amola s.f.
amolação s.f.
amolada s.f.
amoladeira s.f.
amoladela s.f.
amolado adj.
amolador (*ô*) adj. s.m.
amoladura s.f.
amolago s.m.
amolambado adj.
amolancar v.
amolante adj.2g.
amolar v.
amolarense adj. s.2g.
amoldado adj.
amoldagem s.f.
amoldamento s.m.
amoldar v.
amoldável adj.2g.
amoldurado adj.
amoldurar v.
amolecado adj.
amolecar v.
amolecedor (*ô*) s.m.
amolecente adj.2g.
amolecer v.
amolecido adj.
amolecimento s.m.
amolegado adj.
amolegar v.
amolengado adj.
amolengamento s.m.
amolengar v.
amolentado adj.
amolentador (*ô*) adj.
amolentamento s.m.
amolentar v.
amolestado adj.
amolestador (*ô*) adj.
amolestar v.
amolgabilidade s.f.
amolgação s.f.
amolgadela s.f.
amolgado adj.
amolgadura s.f.
amolgamento s.m.
amolgar v.
amolgável adj.2g.
amolhação s.f.
amolhar v.
amólico adj.
amolina s.f.
amomácea s.f.
amomáceo adj.
amomana s.f.
amomar v.
amômea s.f.
amomeácea s.f.
amomeáceo adj.
amomo s.m.
amomocárpico adj.
amomocárpio s.m.
amomocarpo s.m.
amomofílico adj.
amomofilo s.m.
amonal s.m.
amonar-se v.
amoncalhar v.
amoncanhar v.
amondaua adj. s.2g.
amônia s.f.
amoníaca s.f.
amoniacado adj.
amoniacal adj.2g.
amoniáceo adj.
amoníaco adj. s.m.
amoniado adj.
amonialdeído s.m.
amonialume s.m.
amonialúmen s.m.
amoniano adj.
amoniato s.m.
amônico adj.
amoniemia s.f.
amoniêmico adj.
amoniense adj.2g.
amonieto (*ê*) s.m.
amonifélico adj.
amonificação s.f.
amonificar v.
amonímetro s.m.
amônio adj. s.m.
amonioborita s.f.
amoniogenia s.f.
amoniogênico adj.
amoniojarosita s.f.
amonita adj.2g. s.2g.
amonite s.f.
amoniterapia s.f.
amonitídeo adj. s.m.
amoniureto (*ê*) s.m.
amoniuria s.f.
amoniúria s.f.
amoniúrico adj.
amonização s.f.
amonizante adj.2g.
amonizar v.
amonjeaba s.f.
amonoide (*ó*) adj.2g. s.m.
amonoideia (*é*) s.f.
amonóideo adj. s.m.
amonólise s.f.
amonolítico adj.
amonometria s.f.
amonométrico adj.
amonômetro s.m.
amontadense adj. s.2g.
amontado adj.
amontanhação s.f.
amontanhamento s.m.
amontanhar v.
amontar v.
amontijado adj.
amontijar v.
amontilhado adj. s.m.
amontilhar v.
amontoa (*ô*) s.f.
amontoação s.f.
amontoado adj. s.m.
amontoador (*ô*) adj. s.m.
amontoamento s.m.
amontoante adj.2g.
amontoar v.
amontoável adj.2g.
amonturado adj.
amonturar v.
amoque s.m.
amoquecado adj.
amoquecar v.
amor (*ô*) s.m.
amora s.f.
amorabilidade s.f.
amora-branca s.f.; pl. *amoras-brancas*
amora-brava s.f.; pl. *amoras-bravas*
amora-da-mata s.f.; pl. *amoras-da-mata*
amorado adj.
amora-do-mato s.f.; pl. *amoras-do-mato*
amor-agarradinho s.m.; pl. *amores-agarradinhos*
amor-agarrado s.m.; pl. *amores-agarrados*
amoraíta adj. s.2g.
amoral adj. s.2g.
amoralidade s.f.
amoralismo s.m.
amoralista adj. s.2g.
amoralístico adj.
amoralizado adj.
amoralizar v.
amorança s.f.
amorançado adj.
amorangado adj.
amora-preta s.f.; pl. *amoras-pretas*
amorar v. "sair da morada"; cf. *amurar*
amorativo adj.
amorável adj.2g.
amora-verde s.f.; pl. *amoras-verdes*
amora-vermelha s.f.; pl. *amoras-vermelhas*
amorcegar v. "tomar ou deixar um veículo em marcha"; cf. *amorsegar*
amorcelado adj.
amor-crescido s.m.; pl. *amores-crescidos*
amordaçado adj.
amordaçamento s.m.
amordaçar v.
amor-das-onze-horas s.m.; pl. *amores-das-onze-horas*
amor-de-burro s.m.; pl. *amores-de-burro*
amor-de-hortelão s.m.; pl. *amores-de-hortelão*
amor-de-moça s.m.; pl. *amores-de-moça*
amor-de-negro s.m.; pl. *amores-de-negro*
amor-de-um-dia s.m.; pl. *amores-de-um-dia*
amor-de-vaqueiro s.m.; pl. *amores-de-vaqueiro*
amor-do-campo s.m.; pl. *amores-do-campo*
amor-do-mato s.m.; pl. *amores-do-mato*
amor-dos-homens s.m.; pl. *amores-dos-homens*
amoré s.m.
amoreco s.m.
amoré-guaçu s.m.; pl. *amorés-guaçus*
amoreia (*é*) s.f.
amoreira s.f.
amoreira-branca s.f.; pl. *amoreiras-brancas*
amoreira-cipó s.f.; pl. *amoreiras-cipó* e *amoreiras-cipós*
amoreira-da-silva s.f.; pl. *amoreiras-da-silva*
amoreira-de-árvore s.f.; pl. *amoreiras-de-árvore*
amoreira-de-espinho s.f.; pl. *amoreiras-de-espinho*
amoreira-do-brasil s.f.; pl. *amoreiras-do-brasil*
amoreira-do-mato s.f.; pl. *amoreiras-do-mato*
amoreira-do-papel s.f.; pl. *amoreiras-do-papel*
amoreiral s.m.
amoreira-negra s.f.; pl. *amoreiras-negras*
amoreira-preta s.f.; pl. *amoreiras-pretas*
amoreira-tataíba s.f.; pl. *amoreiras-tataíba* e *amoreiras-tataíbas*
amoreirense adj. s.2g.
amor-em-penca s.m.; pl. *amores-em-penca*
amorenado adj.
amorenar v.
amor-entrelaçado s.m.; pl. *amores-entrelaçados*
amorepinima s.m.
amorepixuna s.m.
amoré-preto s.m.; pl. *amorés-pretos*
amores-agarradinhos s.m.pl.
amorescense adj. s.2g.
amores-de-burro s.m.pl.
amores-de-negro s.m.2n.
amores-do-campo-sujo s.m.2n.
amorete (*ê*) s.m.
amoreuxia (*cs*) s.f.
amorfa s.f.
amorfanhar v.
amorfia s.f.
amórfico adj.
amorfismo s.m.
amorfístico adj.
amorfizar v.
amorfo adj.
amorfocálice s.f.
amorfocéfalo s.m.
amorfócero s.m.
amorfófalo s.m.
amorfófito adj. s.m.
amorfópode s.m.
amorfose s.f.
amorfospermo s.m.
amorfossomia s.f.
amorfossomo s.m.
amorfótico adj.
amorfozoário adj. s.m.
amori s.m.
amoriano adj. s.m.
amorico s.m.
amorífero adj.
amorífico adj.
amorim s.f.
amorinhos s.m.pl.
amorinopolense adj. s.2g.
amorinopolitano adj. s.m.
amorio s.m.
amoriscado adj.
amoriscar-se v.
amorita adj. s.2g.
amorite adj. s.2g.
amorlotado adj.
amorlotar v.
amormado adj.
amornado adj.
amornar v.
amornecer v.
amorosa s.f.
amorosense adj. s.2g.
amorosiano adj.
amorosidade s.f.
amoroso (*ô*) adj. s.m.; f. (*ó*); pl. (*ó*)
amor-perfeito s.m.; pl. *amores-perfeitos*
amor-perfeito-azul s.m.; pl. *amores-perfeitos-azuis*
amor-perfeito-bravo s.m.; pl. *amores-perfeitos-bravos*
amor-perfeito-da-china s.m.; pl. *amores-perfeitos-da-china*
amor-perfeito-de-jardim s.m.; pl. *amores-perfeitos-de-jardim*
amor-perfeito-do-mato s.m.; pl. *amores-perfeitos-do-mato*
amorpirá adj. s.2g.
amor-próprio s.m.; pl. *amores-próprios*
amorreado adj.
amorreano adj. s.m.
amorreia (*é*) adj. s.f. de *amorreu*
amorreu adj. s.m.; f. *amorreia* (*é*)
amorrinhado adj.
amorrinhar v.
amorrita adj. s.2g.
amorroado adj.
amorroar v.
amor-seco s.m.; pl. *amores-secos*
amorsegar v. "mordiscar"; cf. *amorcegar*
amortalhadeira s.f.
amortalhado adj. s.m.
amortalhador (*ô*) adj. s.m.
amortalhamento s.m.
amortalhar v.
amortecedor (*ô*) adj. s.m.
amortecer v.
amortecido adj.
amortecimento s.m.
amortiçado adj.
amortiçar v.
amortificado adj.
amortificar v.
amortiguado adj.
amortiguar v.
amortização s.f.
amortizado adj.
amortizador (*ô*) adj. s.m.
amortizante adj.2g.
amortizar v.
amortizável adj.2g.
amorudo adj.
amorzeiro adj. s.m.
amorzudo adj.
amosita s.f.
amossadela s.f.
amossado adj.; cf. *amoçado*
amossar v. "amolgar"; cf. *amoçar*
amossegado adj.
amossegar v.
amostado adj.
amostar v.
amostardado adj.
amostardar v.
amostra s.f.
amostração s.f.
amostradiço adj.
amostrador (*ô*) adj. s.m.
amostragem s.f.
amostramento s.m.
amostrança s.f.
amostrar s.f.
amostra-tipo s.f.; pl. *amostras-tipo* e *amostras-tipos*
amostrável adj.2g.
amostrinha s.f.
amota s.f.
amotado adj.
amotar v.
amoteia (*é*) s.f.
amoterapia s.f.
amoterápico adj.
amotinação s.f.
amotinada s.f.
amotinado adj. s.m.
amotinador (*ô*) adj. s.m.
amotinamento s.m.
amotinante adj.2g.
amotinar v.
amotinável adj.2g.
amótrago s.m.
amoucado adj.; cf. *amocado*
amoucar v. "tornar desesperado"; cf. *amocar*
amouco adj. s.m.
amourado adj.
amourar v.
amouriscado adj.
amouriscar v.
amouroado adj.
amouroador (*ô*) adj.
amouroar v.
amoutado adj.
amoutar v.
amouxado adj.; cf. *amochado* e *amoixado*
amouxar v. "entesourar"; cf. *amochar* e *amoixar*
amouxo s.m.
amover v.
amovível adj.2g.
amoxamado adj.
amoxamar v.
amoxicilina (*cs*) s.f.
ampa s.m.
ampalágua s.f.
ampalária s.f.
ampangabeita s.f.
ampaque s.m.
amparação s.f.
amparada s.f.
amparado adj.
amparador (*ô*) adj. s.m.

amparamento s.m.
amparante adj.2g.
amparar v.
amparável adj.2g.
amparense adj. s.2g.
amparo s.m.
ampédio s.m.
âmpedo s.m.
ampelágua s.f.
ampelano s.m.
ampelião s.m.
ampélico adj.
ampelidácea s.f.
ampelidáceo adj.
ampelídea s.f.
ampelídeo adj.
ampélido adj. s.m.
ampelina s.f.
ampélio s.m.
âmpelis s.m.2n.
ampelita s.f.
ampelite s.f.
ampelítico adj.
ampelito s.m.
ampelócera s.f.
ampelocisso s.m.
ampeloderme s.2g.
ampelodermo s.m.
ampelodesmo s.m.
ampelofagia s.f.
ampelofágico adj.
ampelófago adj. s.m.
ampelografia s.f.
ampelográfico adj.
ampelógrafo s.m.
ampelologia s.f.
ampelológico adj.
ampelólogo s.m.
ampelope s.2g.
ampelópraso s.m.
ampelopse s.2g.
ampeloptéride s.f.
ampelópteris s.f.2n.
ampeloterapia s.f.
ampeloterápico adj.
ampembre s.f.
amperagem s.f.
ampere s.m.
ampère s.m.
ampérea s.f.
ampere-espira s.m.; pl. *amperes-espira* e *amperes-espiras*
ampere-giro s.m.; pl. *amperes-giro* e *amperes-giros*
ampere-hora s.m.; pl. *amperes-hora* e *amperes-horas*
amperêmetro s.m.
amperense adj. s.2g.
ampere-segundo s.m.; pl. *amperes-segundo* e *amperes-segundos*
ampere-volta s.m.; pl. *amperes-volta* e *amperes-voltas*
amperimetria s.f.
amperimétrico adj.
amperímetro s.m.
ampério s.m.
ampério-espira s.m.; pl. *ampérios-espira* e *ampérios-espiras*
ampério-giro s.m.; pl. *ampérios-giro* e *ampérios-giros*
ampério-hora s.m.; pl. *ampérios-hora* e *ampérios-horas*
ampério-segundo s.m.; pl. *ampérios-segundo* e *ampérios-segundos*
ampério-volta s.m.; pl. *ampérios-volta* e *ampérios-voltas*
amperite s.f.
amperometria s.f.
amperométrico adj.
amperômetro s.m.
ampicilina s.f.
ampiolar v.
âmpix (*cs*) s.m.2n.
amplectivo adj.
ampletivo adj.
amplexão (*cs*) s.f.
amplexátil (*cs*) adj.2g.
amplexicaude (*cs*) adj.2g.
amplexicaule (*cs*) adj.2g.
amplexidade (*cs*) s.f.
amplexifloro (*cs*) adj.
amplexifoliado (*cs*) adj.
amplexifólio (*cs*) adj.
amplexividade (*cs*) s.f.
amplexivo (*cs*) adj.
amplexo (*cs*) s.m.
ampliação s.f.
ampliado adj.
ampliador (*ô*) adj. s.m.
ampliamento s.m.
ampliante adj.2g.
ampliar v.
ampliatifloro adj.
ampliatifólio adj.
ampliatífora s.f.
ampliatiforme adj.2g.
ampliatividade s.f.
ampliativo adj.
ampliatório adj.
ampliável adj.2g.
amplidão s.f.
amplidina s.f.
amplidínamo s.f.
amplidine s.f.
amplificação s.f.
amplificado adj.
amplificador (*ô*) adj. s.m.
amplificadora (*ô*) s.f.
amplificante adj.2g.
amplificar v.
amplificativo adj.
amplificável adj.2g.
amplífico adj.
amplimamoso (*ô*) adj.; f. (*ó*); pl. (*ó*)
amplipene adj.2g.
amplisselvoso (*ô*) adj.; f. (*ó*); pl. (*ó*)
amplitude s.f.
amplitudinal adj.2g.
amplitudinoso (*ô*) adj.; f. (*ó*); pl. (*ó*)
amplo adj.
ampola (*ô*) s.f.
ampula s.f.
ampuláceo adj.
ampular adj.2g.
ampulária s.f.
ampularídeo adj. s.m.
ampulário adj.
ampulheta (*ê*) s.f.
ampuliforme adj.2g.
ampulina s.f.
ampulite s.f.
ampuloide (*ó*) adj.2g.
ampuloma (*ô*) s.m.
ampurdana s.f.
amputação s.f.
amputado adj.
amputador (*ô*) s.m.
amputar v.
amputável adj.2g.
amraciano adj.
amredita adj. s.2g.
amritã s.m.
amsco s.m.
amsônia s.f.
amsterdamês adj. s.m.
amsterdamiano adj. s.m.
amu adj. s.2g.
amuação s.f.
amuado adj.
amuador (*ô*) adj.
amuamento s.m.
amuamuaipense adj. s.2g.
amuar v.
amuca adj. s.2g.
amucutucumucariá s.m.
amufeira s.f.
amufumbado adj.
amufumbar v.
amuganhar v.
amuimó adj. s.2g.
amulatado adj.
amulatar v.
amulético adj.
amuleto (*ê*) s.m.
amulherado adj.
amulherar v.
amulherengado adj.
amulherengar v.
amumiado adj.
amumiar v.
amunçar v.
amundiçado adj.
amunhecado adj.
amunhecar v.
amunhegado adj.
amuniciado adj.
amuniciamento s.m.
amuniciar v.
amunicionamento s.m.
amunicionar v.
amuniga adj. s.2g.
amuo s.m.
amura s.f.
amurada s.f.
amurado adj.
amuralhado adj.
amuralhamento s.m.
amuralhar v.
amuramento s.m.
amurar v. "prender os cabos de vela"; cf. *amorar*
amurca s.f.
amurchecer v.
amuré s.m.
amurê s.m.
amureta (*ê*) s.f.
amuri s.m.
amurilhado adj.
amurilhar v.
amusia s.f.
amúsico adj.
amuso adj.
amussar v.
amússio s.m.
amuxã s.m.
ana s.f. "língua africana", "antiga medida de extensão"; cf. *aná*
aná s.m. adv. "em partes iguais", "moeda antiga"; cf. *ana*
anã adj. s.f. de *anão*
anabantídeo adj. s.m.
anabaptismo s.m.
anabaptista adj. s.2g.
anabaptístico adj.
ânabas s.m.2n.
anábasa s.f.
anabasarta adj. s.f.
anábase s.f.
anabásea s.f.
anabáseo adj.
anabasia s.f.
anabásico adj.
anabasídea s.f.
anabasídeo adj.
anabasina s.f.
anabasitina s.f.
anábata s.m.
anábate s.m.
anábates s.m.2n.
anabático adj. s.m.
anabatismo s.m.
anabatista adj.2g. s.2g.
anabatístico adj.
anábato adj. s.m.
anábatro s.m.
anabena s.f.
anabendáctilo adj.
anabênea s.f.
anabenela s.f.
anabênico adj.
anabeno s.m.
anabenodáctilo adj.
anabenodátilo adj.
anabenossáurio s.m.
anabenossauro s.m.
anabergita s.f.
anabergite s.f.
anabergítico adj.
anabi s.f.
anabiose s.f.
anabiótico adj.
anablastemático adj.
anablastemo s.m.
anablepídeo adj. s.m.
anablepsídeo adj. s.m.
anablepso s.m.
anábola s.f.
anabolergia s.f.
anabolia s.f.
anabólico adj.
anabolismo s.m.
anabolístico adj.
anabolização s.f.
anabolizante adj. s.2g.
anabolizar v.
anabolizável adj.2g.
anabroquismo s.m.
anabrose s.f.
anabrótico adj. s.m.
anabsintina s.f.
anabsintínico adj.
anacá s.m.
anacã s.m.
anacado adj.
anaçado adj.
anacaína s.f.
anacaínico adj.
anacala s.f.
anacalipta s.f.
anacalipteria s.f.
anacalipteriano s.m.
anacaliptério s.m.
anacalipto s.m.
anacalo s.m.
anacã-mirim s.m.; pl. *anacãs-mirins*
anacâmpilo adj.
anacampse s.f.
anacâmpsero s.m.
anacampsia s.f.
anacâmpsida adj.2g. s.f.
anacâmpsis s.f.2n.
anacâmptica s.f.
anacâmptico adj.
anacâmptida adj.2g. s.f.
anacâmptide s.f.
anacâmptis s.m.2n.
anacampto s.m.
anacâmptodon s.m.
anacamptodonte s.m.
anacamptometria s.f.
anacamptométrico adj.
anacamptômetro s.m.
anacaná adj. s.2g.
anacantíneo adj. s.m.
anacantino adj. s.m.
anacanto s.m.
anaçar v.
anacara s.m.
anacarado adj.
anacarar v.
anacárdea s.f.
anacardeiro s.m.
anacárdeo adj.
anacardiácea s.f.
anacardiáceo adj.
anacárdico adj.
anacardina s.f.
anacardínea s.f.
anacardíneo adj.
anacardínico adj.
anacardino adj. s.m.
anacárdio s.m.
anacardita s.f.
anacardite s.f.
anacardito s.m.
anacardo s.m.
anácaris s.f.2n.
anacatadídimo s.m.
anacatarse s.f.
anacatarsia s.f.
anacatársico adj. s.m.
anacatártico adj. s.m.
anacatestesia s.f.
anacauita s.f.
anacé adj. s.2g.
anacefaleose s.f.
anacefaleótico adj.
anaceliasmo s.m.
anacenose s.f.
anacentar v.
anacíclico adj. s.m.
anaciclo s.m.
anacidez (*ê*) s.f.
anacinema s.f.
anacinemático adj.
anacinese s.f.
anacinesia s.f.
anacinético adj.
anacional adj.2g.
anacirtose s.f.
anaciste s.f.
anacisto s.m.
anáclase s.f.
anaclasímetro s.m.
anaclasômetro s.m.
anaclástica s.f.
anaclástico adj.
anaclese s.f.
anacletense adj. s.2g.
anacleteria s.f.
anacletéria s.f.
anacleteriano s.m.
anaclético adj. s.m.
anacleto s.m.
anaclinal adj.
anaclíneo adj.
anaclínico adj.
anaclino adj.
anaclinoide (*ó*) adj.2g. s.f.
anaclinópala s.f.
anaclinotropia s.f.
anaclinotropismo s.m.
anaclinotropístico adj.
anaclinótropo s.m.
anaclintério s.m.
anáclise s.f.
anaclisia s.f.
anaclítico adj.
anacloridria s.f.
anaclorídrico adj.
anacloridropepsia s.f.
anacloridropéptico adj.
anaco adj. s.m.
anaçoado adj.
anácola s.f.
anacolema s.m.
anacolemático adj.
anacolêmato s.m.
anacólia s.f.
anacólico adj.
anacolupa s.f.
anacolupo s.m.
anacolutia s.f.
anacolútico adj.
anacoluto s.m.
anaconda s.f.
anaconquilismo s.m.
anaconquilístico adj.
anacorese s.f.
anacoreta (*ê*) s.2g.
anacorético adj.
anacoretismo s.m.
anacoretomania s.f.
anacoretomaníaco adj.
anacoretômano adj. s.m.
anacoróptero s.m.
anacosta s.f.
anacral s.m.
anacreôntica s.f.
anacreôntico adj.
anacreontismo s.m.
anacreontista adj. s.2g.
anacreontístico adj.
anacreontização s.f.
anacreontizar v.
anacreontizável adj.2g.
anacroasia s.f.
anacrobionte s.m.
anacrobiôntico adj.
anacrógeno adj. s.m.
anacroginia s.f.
anacrogínico adj.
anacrógino adj. s.m.
anacromático adj.
anacromatismo s.m.
anacrônico adj.
anacronismo s.m.
anacronístico adj.
anacronização s.f.
anacronizar v.
anacrótico adj.
anacrotismo s.m.
anacrotístico adj.
anácroto adj.
anacrusa s.f.

anacruse s.f.
anacrúsico adj.
anacrústico adj.
anacta s.f.
anactesia s.f.
anactésico adj.
anactético adj.
anactídeo adj. s.m.
anactínea s.f.
anactíneo adj.
anáctis s.m.2n.
anacuíta s.f.
anacujá adj. s.2g.
anacuse s.f.
anacusia s.f.
anacúsico adj.
anacústico adj.
ana-da-costa s.f.; pl. *anas-da-costa*
anadal s.m.
anadalaria s.f.
anadar s.m.
anadara s.f.
anadeira s.f.
anadel s.m.
anadelaria s.f.
anadélfia s.f.
anadel-mor s.m.; pl. *anadéis-mores*
anadema s.m.
anademático adj.
anadenantera s.f.
anadendro s.m.
anadenia s.f.
anadênia s.f.
anadênico adj.
anadênio s.m.
anadeno s.m.
anadicrotismo s.m.
anadicrotístico adj.
anadícroto adj.
anadídimo s.m.
anadiense adj. s.2g.
anadiômena adj. s.f.
anadiomenácea s.f.
anadiomenáceo adj.
anadiômene adj. s.f.
anadiplose s.f.
anadiplótico adj.
anadipsia s.f.
anadípsico adj.
anadíptico adj.
anadir v.
anádose s.f.
anadótico adj.
anadrenalinemia s.f.
anadrenalinêmico adj.
anadrômico adj.
anadromina s.f.
anádromo adj. s.m.
anadúbia s.f.
anaerobia s.f.
anaeróbico adj. s.m.
anaeróbio adj. s.m.
anaerobionte s.m.
anaerobiôntico adj.
anaerobiose s.f.
anaerobiótico adj.
anaeroide (*ó*) adj.2g. s.m.
anaeroplastia s.f.
anaeroplástica s.f.
anaeroplástico adj.
anaerose s.f.
anaerótico adj.
anaeroxídase (*cs*) s.f.
anafa s.f.
anafa-cheirosa s.f.; pl. *anafas-cheirosas*
anafa-da-itália s.f.; pl. *anafas-da-itália*
anafado adj.
anafafe s.m.
anafaia s.f.
anafalacrose s.f.
anafalacrótico adj.
anafalantíase s.f.
anáfale s.f.
anáfalo adj. s.m.
anafa-maior s.f.; pl. *anafas-maiores*
anafar v.
anáfase s.f.
anafásico adj.
anafe s.f.
anafear v.
anáfega s.f.
anáfega-maior s.f.; pl. *anáfegas-maiores*
anáfega-menor s.f.; pl. *anáfegas-menores*
anáfego adj.
anafe-menor s.m.; pl. *anafes-menores*
anafe-ordinário s.m.; pl. *anafes-ordinários*
anafia s.f.
anafiar v.
anafigâmico adj.
anafigamo adj. s.m.
anafil adj. s.m.
anafiláctico adj.
anafilactina s.f.
anafilactizado adj.
anafilactizante adj.
anafilactizar v.
anafilactogêneo adj.
anafilactogênese s.f.
anafilactogênico adj.
anafilactoide (*ó*) adj.2g.
anafilático adj.
anafilatina s.f.
anafilatizado adj.
anafilatizante adj.
anafilatizar v.
anafilatogêneo adj.
anafilatogênese s.f.
anafilatogênico adj.
anafilatoide (*ó*) adj.2g.
anafilatoxina (*cs*) s.f.
anafilaxia (*cs*) s.f.
anafileiro s.m.
anafilo s.m.
anafilotoxina (*cs*) s.f.
anafilotoxínico (*cs*) adj.
anáfise s.f.
anafísico adj.
anáflase s.m.
anaflasma s.f.
anaflébia s.f.
anafonese s.f.
anafonético adj.
anáfora s.f.
anaforese s.f.
anaforia s.f.
anafórico adj.
anaforismo s.m.
anaforístico adj.
anafósia s.f.
anafrágmico adj.
anafrênio s.m.
anafrente s.f.
anafrodisia s.f.
anafrodisíaco adj. s.m.
anafrodisiano adj.
anafrodita adj. s.2g.
anafrodítico adj.
anafrodito adj. s.m.
anagal s.f.
anagaláctico adj.
anagalhar v.
anagália s.f.
anagálide adj.2g. s.f.
anagalídea s.f.
anagalídeo adj.
anagalidiastro s.m.
anagalidínea s.f.
anagalidíneo adj.
anagalínea s.f.
anagalíneo adj.
anagális s.f.2n.
anagami s.m.
anagamim s.m.
anagar v.
anagênese s.f.
anagenésico adj.
anagenético adj.
anagenia s.f.
anagênico adj.
anagenita s.f.
anagenite s.f.
anagenítico adj.
anagenito s.m.
anageotropia s.f.
anageotrópico adj.
anageotropismo s.m.
anageotropístico adj.
anagire s.2g.
anagirina s.f.
anagíris s.m.2n.
anagiro s.2g.
anaglicosuria s.f.
anaglicosúria s.f.
anaglicosúrico adj.
anáglifa s.f.
anaglifia s.f.
anaglífito adj.
anaglifo s.m.
anáglifo s.m.
anaglipta s.f.
anaglíptia s.f.
anaglíptica s.f.
anaglíptico adj.
anaglipto s.m.
anagliptografia s.f.
anagliptográfico adj.
anagliptógrafo s.m.
anagliptoscopia s.f.
anagliptoscópico adj.
anagliptoscópio s.m.
anaglucosuria s.f.
anaglucosúria s.f.
anagnino adj. s.m.
anagnosastenia s.f.
anagnose s.f.
anagnosia s.f.
anagnosiastenia s.f.
anagnosiastênico adj.
anagnosigrafia s.f.
anagnosigráfico adj.
anagnosígrafo s.m.
anagnosta s.2g.
anagnoste s.2g.
anagnostenia s.f.
anagnóstico adj.
anagnótico adj.
anagocítico adj.
anagoge s.f.
anagogia s.f.
anagógico adj.
anagogismo s.m.
anagogista adj. s.2g.
anagogístico adj.
anagonismo s.m.
anagonista adj. s.2g.
anagonístico adj.
anagosado adj.
anagotóxico (*cs*) adj.
anágrafe s.f.
anagrama s.m.
anagramático adj.
anagramatismo s.m.
anagramatista adj. s.2g.
anagramatístico adj.
anagramatizador (*ô*) s.m.
anagramatizar v.
anágua s.f.
anágua-de-vênus s.f.; pl. *anáguas-de-vênus*
anaguado adj.
anaguar v.
anaguel s.m.
anaguisgui adj. s.2g.
anaia s.f. "salvo-conduto"; cf. *anaiá*
anaiá s.m. "anajá"; cf. *anaia*
anainho adj. s.m.
anaiodina s.f.
anaipar v.
anais s.m.pl.
anaiuri s.f.
anajá adj. s.2g. s.m.
anajá-brava s.f.; pl. *anajás-bravas*
anajaense adj. s.2g.
anajá-mirim s.m.; pl. *anajás-mirins*
anajasense adj. s.2g.
anajatenense adj. s.2g.
anajatubense adj. s.2g.
anajé s.m.
anajeense adj.2g. s.2g.
anajense adj.2g. s.2g.
anal adj.2g.
análabo s.m.
analagmática s.f.
analagmático adj.
analampo s.m.
analandense adj. s.2g.
analandês adj. s.2g.
analandiense adj. s.2g.
analandino adj. s.2g.
analantoide (*ó*) adj.2g. s.m.
analantóideo s.m.
analantoidiano adj. s.m.
analaponoto s.m.
analático adj.
analatismo s.m.
analatístico adj.
analbita s.f.
analbítico adj.
analcima s.f.
análcime s.m.
análcimo s.m.
analciste s.f.
analcita s.f.
analdia s.f.
analecta s.f.
analectário s.m.
analecte s.m.
analéctis s.m.2n.
analecto s.m.
analector (*ô*) adj. s.m.
analegia s.f.
analema s.m.
analemática s.f.
analemático adj.
analepse s.f.
analepsia s.f.
analéptica s.f.
analéptico adj. s.m.
analergia s.f.
analérgico adj.
analfabético adj.
analfabetismo s.m.
analfabetístico adj.
analfabeto adj. s.m.
analgene s.f.
analgesia s.f.
analgésico adj. s.m.
analgesídeo adj. s.m.
analgesina s.f.
analgesíneo adj. s.m.
analgético adj. s.m.
analgia s.f.
análgico adj.
analgina s.f.
analgínico adj.
analgizar v.
analgo s.m.
analidade s.f.
analina s.f.
analipo s.m.
analisabilidade s.f.
analisado adj.
analisador (*ô*) adj. s.m.
analisando adj.
analisante adj.2g.
analisar v.
analisável adj.2g.
análise s.f.; cf. *analise*, fl. do v. *analisar*
analismo s.m.
analista adj. s.2g.
analística s.f.
analístico adj.
analita s.f.
analiticidade s.f.
analítico adj.
analitismo s.m.
analitista adj. s.2g.
analitístico adj.
analogado s.m.
analogético adj.
analogia s.f.
analógico adj.
analogio s.m.
analógio s.m.
analogismo s.m.
analogista adj. s.2g.
analogístico adj.
análogo adj. s.m.
analônio s.m.
analoponote s.m.
analose s.f.
analota s.m.
analote s.m.
analótico adj.
analtino adj.
analto adj. s.m.
analuvial adj.2g.
analuvião s.f.
analuvional adj.2g.
analuviônico adj.
anamanense adj.2g. s.2g.
anamariense adj. s.2g.
anamartesia s.f.
anambé adj. s.2g.
anambé-açu s.m.; pl. *anambés-açus*
anambé-azul s.m.; pl. *anambés-azuis*
anambé-branco s.m.; pl. *anambés-brancos*
anambé-branco-de-bochecha-parda s.m.; pl. *anambés-brancos-de-bochecha-parda*
anambé-branco-de-rabo-preto s.m.; pl. *anambés-brancos-de-rabo-preto*
anambé-de-capuz s.m.; pl. *anambés-de-capuz*
anambé-de-cauda-branca s.m.; pl. *anambés-de-cauda-branca*
anambé-de-peito-roxo s.m.; pl. *anambés-de-peito-roxo*
anambé-de-rabo-branco s.m.; pl. *anambés-de-rabo-branco*
anambé-grande s.m.; pl. *anambés-grandes*
anambé-militar s.m.; pl. *anambés-militares*
anambé-pitiú s.m.; pl. *anambés-pitiú* e *anambés-pitiús*
anambé-pombo s.m.; pl. *anambés-pombo* e *anambés-pombos*
anambé-pompador s.m.; pl. *anambés-pompadores*
anambé-preto s.m.; pl. *anambés-pretos*
anambé-raio-de-sol s.m.; pl. *anambés-raio-de-sol* e *anambés-raios-de-sol*
anambé-raio-de-sol-pequeno s.m.; pl. *anambés-raio-de-sol-pequeno* e *anambés-raios-de-sol-pequeno*
anambé-roxo s.m.; pl. *anambés-roxos*
anambé-sol s.m.; pl. *anambés-sol* e *anambés-sóis*
anambeúna s.m.
anambé-vermelho s.m.; pl. *anambés-vermelhos*
anambi s.m.
anamburucu s.2g.
aname adj. s.2g.
anamênia s.f.
anameria s.f.
anamérico adj.
anâmero adj. s.m.
anamês adj. s.m.
anamesita s.f.
anamesite s.f.
anamesito s.m.
anami s.m.
anâmico adj.
anamiri adj. s.2g.
anamirta s.f.
anamirtato s.m.
anamírtico adj.
anamirtina s.f.
anamirto s.m.
anamita adj. s.2g.
anamítico adj.
anamnese s.f.
anamnesia s.f.
anamnésia s.f.
anamnésico adj.
anamnéstico adj. s.m.
anamnético adj.
anamniado adj. s.m.

anamniano adj. s.m.
anamniota adj. s.2g.
anamniótico adj.
anamo s.m.
anamorfa adj. s.f.
anamorfia s.f.
anamórfico adj.
anamorfismo s.m.
anamorfístico adj.
anamorfo adj. s.m.
anamorfoscópio s.m.
anamorfose s.f.
anamorfoseador (*ô*) adj.
anamorfósico adj.
anamorfótico adj.
anamorsa s.f.
anampse s.m.
anampso s.m.
anamu s.m.
ananá s.m.
ananábase s.f.
ananabasia s.f.
ananabásico adj.
ananabático adj.
ananaí s.m.
ananaí-da-amazônia s.m.; pl. *ananaís-da-amazônia*
ananapla s.f.
ananás s.m.
ananasal s.m.
ananás-de-agulha s.m.; pl. *ananases-de-agulha*
ananás-de-caraguatá s.m.; pl. *ananases-de-caraguatá*
ananás-do-campo s.m.; pl. *ananases-do-campo*
ananás-do-mato s.m.; pl. *ananases-do-mato*
ananaseiro s.m.
ananás-selvagem s.m.; pl. *ananases-selvagens*
ananás-sem-coroa s.m.; pl. *ananases-sem-coroa*
ananasense adj. s.2g.
ananás-silvestre s.m.; pl. *ananases-silvestres*
ananastasia s.f.
ananatubense adj. s.2g.
ananceu s.m.
ananciclo s.m.
anâncilo s.f.
anancita s.f.
anancite s.f.
anandita s.f.
anandrária s.f.
anandrário adj.
anandria s.f.
anândrico adj.
anandrino adj. s.m.
anândrio adj. s.m.
anandro adj. s.m.
ananerá s.m.
anangioplasia s.f.
anangioplásico s.m.
anangioplástico adj.
anani s.m.
ananicado adj.
ananicar v.
ananico adj. s.m. "nanico"; cf. *anânico*
anânico adj. "semelhante a anão"; cf. *ananico* adj. s.m. e fl. do v. *ananicar*
ananidense adj. s.2g.
ananim s.m.
ananindeuense adj.2g.
ananismo s.m.
ananita adj. s.2g.
anano adj. s.m.
ananquite s.f.
ananquitíneo adj. s.m.
ananquito s.m.
ananta s.f.
anantapódoto s.m.
anantero adj.
ananto adj. s.m.
anantociclo s.m.
anantóforo adj.
anântopo s.m.
anantópode s.m.
ananzado adj.
ananzar v.
anão adj. s.m.; f. *anã*; pl. *anãos* e *anões*
anão-amarelo s.m.; pl. *anões-amarelos*
anaopsia s.f.
anapaíta s.f.
anapaítico adj.
anápala s.f.
anapausia s.f.
anapausoterapia s.f.
anapausoterápico adj.
anapéltis s.m.2n.
anápero s.m.
anapéstico adj.
anapesto s.m.
anapetia s.f.
anapétia s.f.
anapético adj.
ana-pinta s.f.; pl. *ana-pintas*
anapirático adj.
anaplasia s.f.
anaplásico s.f.
anaplasma s.m.
anaplasmático adj.
anaplasmose s.f.
anaplasmótico adj.
anaplastia s.f.
anaplástico adj.
anaplecto s.m.
anaplectóideo s.m.
anaplerose s.f.
anaplerótico adj.
anapneia (*é*) s.f.
anapneico (*e* ou *é*) adj.
anapneuse s.f.
anapnografia s.f.
anapnográfico adj.
anapnógrafo s.m.
anapnoico (*ó*) adj.
anapnometria s.f.
anapnométrico adj.
anapnômetro s.m.
anapnoterapia s.f.
anapnoterápico adj.
anapódise s.f.
anapódoto s.m.
anapófise s.f.
anapofisiário adj.
anapolino adj. s.m.
anapolitano adj. s.m.
anapórea s.f.
anaporeia (*é*) s.f.
anaprossemia s.f.
anaprossêmico adj.
anapsida adj.2g. s.m.
anapta s.f.
anáptico s.m.
anaptíctico adj.
anaptiquia s.f.
anaptisia s.f.
anaptítico adj.
anaptítise s.f.
anaptixe (*cs*) s.f.
anaptíxico (*cs*) adj.
anaptomorfo s.m.
anapuense adj. s.2g.
anapuru adj. s.2g. s.m.
anapuruense adj.2g. s.2g.
anaque adj. s.2g.
anaqué adj. s.2g.
anaquílio s.m.
anaraxia (*cs*) s.f.
anarca s.2g.
anarcisar v.
anarco s.m.
anarcoide (*ó*) adj.2g.
anarcossindicalismo s.m.
anarcossindicalista adj. s.2g.
anarcossindicalístico adj.
anarcotina s.f.
anarcotínico adj.
anaregma s.m.
anaregmático adj.
anaregmina s.f.
anaregmino adj.
anarete (*ê*) s.m.
anargiro s.m.
anari s.m.
anária s.2g.
anaríaco adj. s.m.
anariano adj. s.m.
anárico adj.
anarinco s.m.
anário adj. s.m.
anaritmia s.f.
anarítmico adj.
anaritmogrifo s.m.
anarmódio s.m.
anarmonia s.f.
anarmônico adj.
anarmóstico adj.
anarquia s.f.
anárquico adj.
anarquismo s.m.
anarquista adj. s.2g.
anarquístico adj.
anarquização s.f.
anarquizado adj.
anarquizador (*ô*) adj. s.m.
anarquizante adj. s.2g.
anarquizar v.
anarquizável adj.2g.
anarreia (*é*) s.f.
anarreico (*é*) adj.
anarrexia (*cs*) s.f.
anarricadídeo adj. s.m.
anárrico s.m.
anarrinco s.m.
anarrino s.m.
anarropia s.f.
anarrópico adj.
anarruga s.f.
anarta s.f.
anarte s.m.
anarto adj. s.m.
anartria s.f.
anártrico adj.
anartro adj. s.m.
anartroblastoma s.m.
anartroblastomático adj.
anartrocana s.f.
anartrofilo s.m.
anartroma s.m.
anartromático adj.
anartrosina s.f.
anasal s.m.
anasarca s.f.
anasarcado adj.
anasárcico adj.
anasarco adj.
anasártico adj.
anasastro s.m.
anascentar v.
anascítico adj.
anascopia s.f.
anascópico adj.
anascópio s.m.
anascotar v.
anascote s.m.
anásia s.f.
anasol s.m.
anasólico adj.
anaspadia s.f.
anaspádia s.f.
anaspádias s.m.2n.
anaspalina s.f.
anáspase s.f.
anaspástico adj.
anaspidáceo adj. s.m.
anáspide s.2g.
anaspídeo adj.
anáspis s.2g.2n.
anaspo s.m.
anassomia s.f.
anassômico adj.
anastaciano adj. s.m.
anastaciense adj. s.2g.
anastácio s.m.
anastalse s.f.
anastáltico adj.
anástase s.f.
anastasia s.f.
anastasiano adj. s.m.
anastática s.f.
anastatícea s.f.
anastatíceo adj.
anastático adj.
anastêmona s.f.
anastêmone s.f.
anastequiose s.f.
anastequiótico adj.
anastigma s.f.
anastigmata s.f.
anastigmático adj.
anastigmatismo s.m.
anastigmatístico adj.
anastígmato s.m.
anastilose s.f.
anastol s.m.
anástole s.f.
anástoma s.m.
anastomático adj.
anastomatíneo adj. s.m.
anastômico adj.
anástomo adj. s.m.
anastomosado adj.
anastomosante adj.2g.
anastomosar v.
anastomose s.f.
anastomótico adj.
anástrabo s.m.
anastráfia s.f.
anastral adj.2g.
anastrar v.
anastrefia s.f.
anástrobo s.m.
anástrofe s.f.
anastrofia s.f.
anastrófico adj.
anástrofo adj.
anata s.f.
anatáctico adj.
anatado adj.
anatar v.
anátase s.f.
anatásio s.m.
anatático adj.
anataxia (*cs*) s.f.
anate s.f. "urucum"; cf. *ânate*
ânate s.f. "adem"; cf. *anate* s.f. e fl. do v. *anatar*
anateirado adj.
anateirar v.
anátema adj.2g. s.m.
anatemático adj.
anatematismo s.m.
anatematístico adj.
anatematização s.f.
anatematizado adj.
anatematizador (*ô*) adj.
anatematizante adj.2g.
anatematizar v.
anatematizável adj.2g.
anateórico adj.
anaterapia s.f.
anaterápico adj.
ânates s.f.; cf. *anates*, fl. do v. *anatar*
anatexia (*cs*) s.f.
anatéxis (*cs*) s.f.2n.
anatexita (*cs*) s.f.
anati s.m.
anático adj.
anátida adj.2g. s.m.
anátide adj.2g. s.m.
anatídeo adj. s.m.
anatiense adj. s.2g.
anatifa s.f.
anatifo s.m.
anatílio adj. s.m.
anatina s.f.
anatínico adj.
anatiníneo adj. s.m.
anatista s.m.
anato s.m.
anatocismo s.m.
anatocístico adj.
anatoliano adj. s.m.
anatólico adj. s.m.
anatólio adj. s.m.
anatomia s.f.
anatômico adj. s.m.
anatomismo s.m.
anatomista adj. s.2g.
anatomístico adj.
anatomização s.f.
anatomizado adj.
anatomizador (*ô*) adj. s.m.
anatomizar v.
anatomizável adj.2g.
anatomocirurgia s.f.
anatomocirúrgico adj.
anatomoclínica s.f.
anatomoclínico adj.
anatomofisiologia s.f.
anatomofisiológico adj.
anatomofuncional adj.2g.
anatomopatologia s.f.
anatomopatológico adj.
anatomopatologista s.2g.
anatomozoológico adj.
anatônico adj.
anatonose s.f.
anatópico adj.
anatopismo s.m.
anatopístico adj.
anatoxicina (*cs*) s.f.
anatóxico (*cs*) adj.
anatoxina (*cs*) s.f.
anatoxínico (*cs*) adj.
anatoxirreação (*cs*) s.f.
anatoxirreativo (*cs*) adj. s.m.
anatoxiterapia (*cs*) s.f.
anatoxiterápico (*cs*) adj.
anatrão s.m.
anatréptica s.f.
anatréptico adj.
anatrese s.f.
anatresia s.f.
anatricrotísmico adj.
anatricrotismo s.m.
anatricrotístico adj.
anatripsia s.f.
anatrípsico adj.
anatripsiologia s.f.
anatripsiológico adj.
anatríptico adj.
anatrofia s.f.
anatrófico adj.
anátropa s.f.
anátrope s.f.
anatropia s.f.
anatrópico adj.
anatropismo s.m.
anatropístico adj.
anátropo adj.
anatural adj.2g.
anauaense adj. s.2g.
anaudia s.f.
anauê interj.
anauerá s.f.
anaufragar v.
anáulaco s.m.
anáulea s.f.
anauquá adj. s.m.
anauréctico adj.
anaurexia (*cs*) s.f.
anaurilandense adj. s.2g.
anaurilandês adj. s.m.
anauxita (*cs*) s.f.
anauxítico (*cs*) adj.
anauxito (*cs*) s.m.
anavalhado adj.
anavalhante adj.2g.
anavalhar v.
anavarrado adj.
ana-velha s.f.; pl. *anas-velhas*
anaveneno s.m.
anavetado adj.
anavi s.m.
anavinga s.f.
anaxagórea (*cs*) s.f.
anaxagóreo (*cs*) s.m.
anaxagoriano (*cs*) adj.
anaxagórico (*cs*) adj.
anaxatre (*cs*) s.m.
anaxeto (*cs*) s.m.
anaxial (*cs*) adj.2g.
anaximênico (*cs*) adj.
anaxírida (*cs*) s.f.
anaxônico (*cs*) adj.
anaxônio (*cs*) s.m.
anazarbeno adj. s.m.
anazótico adj.
anazoturia s.f.
anazotúria s.f.
anca adj.2g. s.f.
ancácia s.f.
ancada s.f.
ancado adj. s.m.
ancálita adj. s.2g.
ancálite adj. s.2g.
ançanense adj. s.2g.

ancarapiteco s.m.
ancarense adj. s.2g.
ancátia s.f.
anceia s.f.; cf. *anseia*, fl. do v. *ansiar*
ancenúbio s.m.
ancestral adj. s.2g.
ancestralidade s.f.
ancestre adj. s.2g.
ancéstrula s.f.
anceu s.m.
anchaci s.m.
anchacilado s.m.
anchão s.m.
anchar v.
ancheza (*ê*) s.f.
anchieta (*ê*) s.m.f.
anchietano adj.
anchiétea s.f.
anchietense adj. s.2g.
anchiéteo adj.
anchietina s.f.
ancho adj. s.m.
anchônea s.f.
anchôneo adj.
anchor (*ô*) s.m.
anchova (*ô*) s.f.
anchovado adj.
anchova-preta s.f.; pl. *anchovas-pretas*
anchovinha s.f.
anchura s.f.
anciã adj. s.f. de *ancião*
ancianense adj. s.2g.
anciania s.f.
ancianidade s.f.
anciano adj. s.m.
ancião adj. s.m.; f. *anciã*; pl. *anciães*, *anciãos* e *anciões*
anciate s.m.
ancil s.m.
ancila s.f.
ancilanto s.m.
ancilar adj.2g.
ancilário adj. s.m.
ancile s.m.
ancilenteria s.f.
ancilentérico adj.
ancília s.f.
ancílio s.m.
ancilistácea s.f.
ancilistáceo adj.
ancilisto s.m.
ancilita s.f.
ancilite s.f.
anciloblefaria s.f.
anciloblèfaro adj.
ancilócera s.f.
ancilócero s.m.
anciloclado s.m.
ancilocolpia s.f.
ancilocolpo s.m.
ancilocoria s.f.
ancilócoro s.m.
ancilodactilia s.f.
ancilodáctilo adj. s.m.
ancilodonte adj. s.2g.
ancilodontia s.f.
ancilofobia s.f.
ancilofóbico adj.
ancilófobo s.m.
anciloftalmia s.f.
anciloftalmo adj. s.m.
ancilógina s.m.
ancilolossa s.f.
anciloglosse s.f.
anciloglossia s.f.
anciloglóssico adj.
anciloglosso s.m.
anciloglossotomia s.f.
anciloglossótomo s.m.
anciloide (*ó*) adj.2g.
ancilômela s.f.
ancilômelo s.m.
ancilomérico adj.
ancilomerismo s.m.
ancilomerístico adj.
ancilômero s.m.
ancilope s.2g.
ancilopodia s.f.
ancilopódico adj.
anciloproctia s.f.
ancilopróctico adj.
anciloquilia s.f.
anciloquílico adj. s.m.
ancilorrinco s.m.
ancilorrinia s.f.
ancilorrínico adj.
ancilosado adj.
ancilosante adj.2g.
ancilosar v.
ancilose s.f.
anciloso (*ô*) adj.; f. (*ó*); pl. (*ó*)
ancilossauro s.m.
ancilosteotomia s.f.
ancilosteotômico adj.
ancilóstoma s.m.
ancilostomasia s.f.
ancilostomíase s.f.
ancilostomiásico adj. s.m.
ancilostômico adj.
ancilostomídeo adj. s.m.
ancilostomíneo adj. s.m.
ancilóstomo s.m.
ancilostomose s.f.
ancilostomótico adj.
ancilotermômetro s.m.
ancilotia s.f.
ancilótico adj.
ancilótomo s.m.
anciluretria s.f.
ancilurétrico adj.
ancinhar v.
ancinheiro adj. s.m.
ancinho s.m.
ancipitado adj.
ancipital adj.2g.
ancípite adj.2g.
ancirismo s.m.
ancirodoide (*ó*) s.f.
anciroide (*ó*) adj.2g.
ancistro s.m.
ancistrocária s.f.
ancistrocarpo s.m.
ancistrócero s.m.
ancistrocladácea s.f.
ancistrocladáceo adj.
ancistróclado s.m.
ancistrodesmo s.m.
ancistrofilo s.m.
ancistrólobo s.m.
ancivérbio s.m.
anclabre s.f.
anclabro s.m.
anclaca adj. s.2g.
anco s.m.
ancolia s.f.
ancólia s.f.
ancomênida s.2g.
ancomenino s.m.
ancômeno s.m.
ancona s.f.
anconagra s.f.
ancôncace s.f.
ancônea s.f.
ancôneo adj.
ancônio s.m.
anconitano adj. s.m.
anconite s.f.
anconócace s.f.
anconócaco s.m.
âncora s.f.; cf. *ancora*, fl. do v. *ancorar*
ancoração s.f.
ancorado adj. s.m.
ancoradoiro s.m.
ancoradouro s.m.
âncora-flutuante s.f.; pl. *âncoras-flutuantes*
ancoragem s.f.
ancorar v.
ancorela s.f.
ancoreta (*ê*) s.f.
ancorete (*ê*) s.m.
ancoriense adj. s.2g.
ancorina s.f.
ancorinídeo adj. s.m
ancorote s.m.
ancoxa (*ô*) s.m.
ancramite s.f.
ancramito s.m.
ancubi s.m.
ancudita s.f.
ancudo adj.
ancula s.f.
ancusa s.f.
ancúsea s.f.
ancúseo adj.
ancúsico adj.
ancusina s.f.
anda s.m.f. "andor"; cf. *andá*
andá s.m. "planta"; cf. *anda* s.m.f. e fl. do v. *andar*
andá-açu s.m.; pl. *andás-açus*
andábata s.m.
andaca s.f.
andacaá s.m.
andação s.m.
andaço s.m.
andada s.f.
andadeira s.f.
andadeiro adj. s.m.
andado adj.
andador (*ô*) adj. s.m.
andador das almas s.m.
andadoria s.f.
andadura s.f.
andagem s.f.
andaguaçu s.m.
andaiá s.f.
andaiá-açu s.f.; pl. *andaiás-açus*
andaimada s.f.
andaimado adj.
andaimar v.
andaimaria s.f.
andaime s.m.
andaimo s.m.
andaimoso (*ô*) adj.; f. (*ó*); pl. (*ó*)
andaina s.f.
andala s.f.
andalão adj. s.m.
andalgalai adj. s.2g.
andalha s.f.
andalim s.m.
andaluz adj. s.m.
andaluza s.f.
andaluzi adj. s.2g.
andaluzismo s.m.
andaluzista adj. s.2g.
andaluzístico adj.
andaluzita s.f.
andaluzite s.f.
andaluzítico adj.
andaluzito s.m.
andamanês adj. s.m.
andamano adj. s.m.
andamento s.m.
andamo s.m.
andamoso (*ô*) adj.; f. (*ó*); pl. (*ó*)
andana s.m.f.
andança s.f.
andanho s.m.
andanhos s.m.pl.
andante adj. s.2g. adv.
andantesco (*ê*) adj.
andantino s.m. adv.
andapé s.m.
andaquira s.f.
andar v. s.m.
andara s.m.
andaraiense adj. s.2g.
andareco adj. s.m.
andarego (*ê*) adj.
andarejo (*ê*) adj.
andarengo adj. s.m.
andaresa s.f.
andaricense adj. s.2g.
andarilhar v.
andarilho adj. s.m.
andarim s.m.
andarível s.m.
andarivelo s.m.
andarovel s.m.
andas s.f.pl.
andaval adj. s.2g.
andável adj.2g.
ande adj. s.2g.
andecavo adj. s.m.
andeclásico adj.
andeclásio s.m.
andécola s.2g.
andégavo adj. s.m.
andeirada s.f.
andeiro adj. s.m.
andeja (*ê*) s.f.
andejar v.
andejo (*ê*) adj. s.m.
anderesa (*ê*) s.f.
anderosita s.f.
anderosite s.f.
andersônia s.f.
andersonita s.f.
andesense adj. s.2g.
andesina s.f.
andesinita s.f.
andesino adj. s.m.
andesismo s.m.
andesista adj. s.2g.
andesístico adj.
andesita s.f.
andesite s.f.
andesítico adj.
andesitítico adj.
andesitito s.m.
andesito s.m.
andiche s.f.
andícola adj. s.2g.
andígena s.m.f.
andilha s.f.
andilhas s.f.pl.
andim s.m.
andim-palmeira s.m.; pl. *andins-palmeira* e *andins-palmeiras*
andinha s.f.
andinhas s.f.pl.
andinismo s.m.
andinista adj. s.2g.
andinístico adj.
andino adj. s.m.
andira adj. s.2g. s.f. "indígena", "planta"; cf. *andirá*
andirá adj. s.2g. s.m.f. "morcego", "planta"; cf. *andira*
andirá-açu s.m.; pl. *andirás-açus*
andirá-aibaiariba s.m.; pl. *andirás-aibaiaribas*
andirá-araroba s.m.; pl. *andirás-ararobas*
andiraçu s.m.
andirá-da-várzea s.m.; pl. *andirás-da-várzea*
andiraense adj. s.2g.
andirá-guaçu s.m.; pl. *andirás-guaçus*
andirá-guandirá s.m.; pl. *andirás-guandirás*
andiraguar adj. s.2g.
andiraí s.m.
andiraíba s.m.
andirapuampé s.2g.
andirá-puampé s.2g.; pl. *andirás-puampés*
andirassonde s.2g.
andirauxi s.m.
andirense adj. s.2g.
andirina s.f.
andiroba s.f.
andiroba-branca s.f.; pl. *andirobas-brancas*
andiroba-do-iguapó s.f.; pl. *andirobas-do-iguapó*
andiroba-jareuá s.f.; pl. *andirobas-jareuá* e *andirobas-jareuás*
andirobal s.m.
andirobalense adj. s.2g.
andirobana s.f.
andirobarana s.f.
andiroba-saruba s.f.; pl *andirobas-sarubas*
andiroba-suruba s.f.; pl. *andirobas-surubas*
andiroba-vermelha s.f.; pl. *andirobas-vermelhas*
andirobeira s.f.
andirobense adj. s.2g.
andirobina s.f.
andirobinha s.f.
andirotânico adj.
andirova s.f.
andiroval s.m.
ândito s.m.
andizete (*ê*) adj. s.2g.
andó adj.2g.
andoa (*ô*) s.f.
andoado adj.
andoar v.
andóbia s.f.
ando-boliviano adj.; pl. *ando-bolivianos*
ando-chileno adj.; pl. *ando-chilenos*
ando-colombiano adj.; pl. *ando-colombianos*
andoeira s.f.
ando-equatoriano adj.; pl. *ando-equatorianos*
andola s.f.
andolas s.f.pl.
andolo s.m.
andologense adj. s.2g.
andonde adj. s.2g.
andone s.m.
andongo adj. s.m.
andoni s.m.
ando-peruano adj.; pl. *ando-peruanos*
andor (*ô*) s.m.
andoria s.f.
andoriano adj. s.m.
andor-império s.m.; pl. *andores-império*
andorinha s.f.
andorinha-azul-e-branca s.f.; pl. *andorinhas-azuis-e-brancas*
andorinha-cavadeira s.f.; pl. *andorinhas-cavadeiras*
andorinha-coleira s.f.; pl. *andorinhas-coleiras*
andorinha-da-chaminé s.f.; pl. *andorinhas-da-chaminé*
andorinha-das-casas s.f.; pl. *andorinhas-das-casas*
andorinha-da-serra s.f.; pl. *andorinhas-da-serra*
andorinha-das-minas s.f.; pl. *andorinhas-das-minas*
andorinha-das-rochas s.f.; pl. *andorinhas-das-rochas*
andorinha-de-bando s.f.; pl. *andorinhas-de-bando*
andorinha-de-casa s.f.; pl. *andorinhas-de-casa*
andorinha-de-pau-oco s.f.; pl. *andorinhas-de-pau-oco*
andorinha-de-pescoço-vermelho s.f.; pl. *andorinhas-de-pescoço-vermelho*
andorinha-de-rabo-branco s.f.; pl. *andorinhas-de-rabo-branco*
andorinha-do-barranco s.f.; pl. *andorinhas-do-barranco*
andorinha-do-campo s.f.; pl. *andorinhas-do-campo*
andorinha-do-chão s.f.; pl. *andorinhas-do-chão*
andorinha-do-mar s.f.; pl. *andorinhas-do-mar*
andorinha-do-mar-preta s.f.; pl. *andorinhas-do-mar-pretas*
andorinha-do-mato s.f.; pl. *andorinhas-do-mato*
andorinha-doméstica-grande s.f.; pl. *andorinhas-domésticas-grandes*
andorinha-do-oco-do-pau s.f.; pl. *andorinhas-do-oco-do-pau*
andorinha-do-rio s.f.; pl. *andorinhas-do-rio*
andorinha-dos-beirais s.f.; pl. *andorinhas-dos-beirais*
andorinha-fusca s.f.; pl. *andorinhas-fuscas*
andorinhagem s.f.
andorinha-grande s.f.; pl. *andorinhas-grandes*

andorinhão s.m.
andorinhão-das-tormentas s.m.; pl. *andorinhões-das--tormentas*
andorinhão-de-coleira s.m.; pl. *andorinhões-de-coleira*
andorinhão-foguete s.m.; pl. *andorinhões-foguete* e *andorinhões-foguetes*
andorinhão-preto s.m.; pl. *andorinhões-pretos*
andorinha-parda s.f.; pl. *andorinhas-pardas*
andorinha-pequena s.f.; pl. *andorinhas-pequenas*
andorinha-pequena-de-casa s.f.; pl. *andorinhas-pequenas--de-casa*
andorinhar v.
andorinha-serradora s.f.; pl. *andorinhas-serradoras*
andorinhense adj. s.2g.
andorinho adj. s.m.
andorino adj.
andorita s.f.
andorite s.m.
andorítico adj.
andorito s.m.
andorrano adj. s.m.
andorrense adj. s.2g.
andracna s.f.
andracne s.f.
andracneia (*é*) s.f.
andracnina s.f.
andracnínico adj.
andrade s.m.
andradense adj. s.2g.
andradinense adj. s.2g.
andradinho s.m.
andradino adj.
andradita s.f.
andradite s.f.
andradítico adj.
andradito s.m.
andrães s.m.2n.
andragogia s.f.
andraguir adj. s.2g.
andrajo s.m.
andrajosidade s.f.
andrajoso (*ô*) adj.; f. (*ó*); pl. (*ó*)
andralogofelia s.f.
andralogomelia s.f.
andralogomélico adj.
andralogômelo s.m.
andralogopelia s.f.
andralogopélico adj.
andranatomia s.f.
andranatômico adj.
andrantossomo s.m.
andrão s.m.
andrapodismo s.m.
andrapodista adj. s.2g.
andrapodístico adj.
andrapodocapelo s.m.
andrartrocacia s.f.
andré adj. s.m.
andreácea s.f.
andreáceo adj.
andreal s.f.
andreale s.f.
andreasbergito s.m.
andrebelo s.m.
andré-belo s.m.; pl. *andrés-belos*
andrebelos s.m.pl.
andrécia s.f.
andrediz s.m.
andreense adj. s.2g.
andreia (*é*) s.f.
andrelandense adj. s.2g.
andrelandês adj. s.m.
andrelandiense adj. s.2g.
andremeyerita s.f.
andrena s.f.
andrenídeo adj. s.m.
andrenínео adj. s.m.
andrenoide (*ó*) adj.2g.
andreolita s.f.
andreolite s.f.
andreolito s.m.
andreólito s.m.
andrequicé s.m.
andrequiceense adj. s.2g.
andreusita s.f.
andreusite s.f.
andrewsita s.f.
andriago s.m.
andríala s.f.
andrialoide (*ó*) adj.2g. s.f.
andriana s.f.
andriapétalo s.m.
ândrias s.m.2n.
andrina s.f.
andrino adj.
andrinopla s.f.
andrinópola s.f.
andrinopolitano adj. s.m.
andrio s.m.
ândrio s.m.
andriopétalo adj. s.m.
androanatomia s.f.
androantossomo s.m.
androblastoma s.m.
androblastomático adj.
androcarta s.f.
androcefálio s.m.
androcefaloide (*ó*) adj.2g. s.m.
androceia (*é*) s.f.
androcêntrico adj.
androcentrismo s.m.
androcentrista adj. s.2g.
androcentrístico adj.
androcentro s.m.
andrócera s.f.
andrócero adj.
androceu s.m.
andrócia s.f.
androcímbio s.m.
androcítico adj.
andrócito s.m.
androclínio s.m.
andrócoma s.f.
androcônia s.f.
andrócoro adj.
androctonídeo adj. s.m.
andróctono s.m.
andródama s.m.
androdamante s.m.
androdiecia adj. s.f.
androdiécia adj. s.f.
androdinâmico adj.
andródinamo adj. s.m.
androdioico (*ó*) adj.
androfagia s.f.
androfágico adj.
andrófago adj. s.m.
androfilia s.f.
androfobia s.f.
androfóbico adj.
andrófobo adj. s.m.
androfobomania s.f.
androfobomaníaco adj. s.m.
androfobômano s.m.
androfonomania s.f.
androfonomaníaco adj. s.m.
androfonômano s.m.
andróforo adj. s.m.
andrófugo adj. s.m.
androgênese s.f.
androgenesia s.f.
androgenésico adj.
androgenético adj.
androgenia s.f.
androgênico adj.
androgenizar v.
andrógeno adj. s.m.
androgeôneas s.f.pl.
androgeoneia (*é*) adj.; f. de *androgeoneu*
androgeôneo adj.
androgeoneu adj.; f. *androgeoneia* (*é*)
androginário adj.
androginia s.f.
andrógínico adj.
androginifloro adj.
androginioma s.m.
androginismo s.m.
androginístico adj.
androginização s.f.
androginizante adj.2g.
androginizar v.
andrógino adj. s.m.
androginóforo s.m.
androginoide (*ó*) adj. s.2g.
androglossia s.f.
androglosso adj.
andrográfide s.m.
andrografídea s.f.
andrografídeo adj.
androide (*ó*) adj. s.2g.
androido (*ó*) adj. s.2g.
androl s.m.
andrólatra s.2g.
androlatria s.f.
androlátrico adj.
androlepsia s.f.
androléptico adj.
andrólico adj.
andrologia s.f.
andrológico adj.
andrologista s.2g.
andrólogo s.m.
androma s.m.
andromania s.f.
andromaníaco adj.
andrômano s.m.
andromático adj.
andrômeda s.f.
andromedatoxina (*cs*) s.f.
andromédea s.f.
andromédeo adj.
andromediana s.f.
andromedídio s.m.
andromedítico adj.
andromedotaxina (*cs*) s.f.
andromedotoxina (*cs*) s.f.
andromedotoxínico (*cs*) adj.
andromerogonia s.f.
andromídeo s.m.
andrômina s.f.
andromonecia s.f.
andromonécia s.f.
andromonoicia s.f.
andromonoícia s.f.
andromonoico (*ó*) adj.
andromorfo adj.
andromorfose s.f.
andromorfótico adj.
ândron s.m.
andrônico s.m.
andronímia s.f.
andronímico adj.
andrônimo s.m.
andronite s.f.
androníitide s.f.
andropado s.m.
andropatologia s.m.
andropatológico adj.
andropatologista s.2g.
andropatologístico adj.
andropatólogo s.m.
andropausa s.f.
andropétala s.f.
andropetalar adj.2g.
andropetalário adj.
andropétalo adj.
androplasma s.m.
androplasmático adj.
androplásmico adj.
andrópogão s.m.
andropogônea s.f.
andropogôneo adj.
andrósace s.m.
androsácea s.f.
androsáceo adj.
andrósaco s.m.
androsemo s.m.
androsfinge s.f.
androsperma s.m.
androsporângio s.m.
androspório s.m.
andrósporo s.m.
androssomático adj.
androssomia s.f.
androssômico adj.
androssomo s.m.
androstâmico adj.
andróstano s.m.
androstanodiol s.m.
androstanodiólico adj.
androstanodiona s.f.
androstanodiônico adj.
androstanolona s.f.
androstanolônico adj.
androstéfio s.m.
androstendiol s.m.
androstenediona s.f.
androsteno s.m.
androstenodiol s.m.
androstenodiólico adj.
androsterona s.f.
androsterônico adj.
androstílio s.m.
androstina s.f.
androstínico adj.
androstróbico adj.
andróstrobo s.m.
andrótoma s.f.
androtomia s.f.
androtômico adj.
andrótomo adj.
andrótrico s.m.
andrulim s.m.
andu s.m.
andua s.f.
anduatuco adj. s.m.
andubé s.m.
andudu s.m.
anduduzeiro s.m.
anduiá s.m.
andulim s.m.
andume s.m.
andurá s.m.
andurense adj. s.2g.
andurrial s.m.
anduzeiro s.m.
anduzinho s.m.
aneaqui adj. s.2g.
anear v.
anebecarpia s.f.
anebo adj.
anécio s.m.
anecoico (*ó*) adj.
anecoide (*ó*) adj.
anecral s.m.
anecril s.m.
anectasia s.f.
anectásico adj.
anectasina s.f.
anectivo adj.
anectocálice s.m.
anectoquilo s.m.
anecúmena s.f.
anecumenia s.f.
anecumenicidade s.f.
anecumênico adj.
anecúmeno adj. s.m.
anediado adj.
anediar v.
anedo adj. s.m.
anedoado adj.
anedonia s.f.
anedota s.f.
anedotário adj. s.m.
anedótico adj.
anedotismo s.m.
anedotista adj. s.2g.
anedotístico adj.
anedotização s.f.
anedotizado adj.
anedotizar v.
anedotomania s.f.
anedotomaníaco adj.
anedotômano s.m.
anedral adj.2g.
anédrico adj. s.m.
anegaça s.f.
anegado adj.
anegalhar v.
anegalheio s.m.
anegalhéis s.m.2n.; cf. *anegalheis*, fl. do v. *anegalhar*
anegar v.
anegociado adj.
anegração s.f.
anegrado adj.
anegralhado adj.
anegralhar v.
anegramento s.m.
anegrar v.
anegratado adj.
anegratar v.
anegrejado adj.
anegrejar v.
anegrestado adj.
anegriscado adj.
anegriscar v.
aneia s.f.
aneiçoado adj.
aneiro adj.
aneixa s.f.
aneixo adj.
anejo (*ê*) adj. s.m.
anel s.m.
anelação s.f.
anelado adj. s.m.
aneladura s.f.
anelamento s.m.
anelante adj.2g.
anelão s.m.
anelar v. adj.2g.
anelaste s.m.
anelasticidade s.f.
anelástico adj.
anelasto s.m.
aneléctrico adj.
anelectródio s.m.
aneléctrodo s.m.
anelectrotônico adj.
anelectrótono s.m.
aneleira s.f.
anelense adj. s.2g.
anelete (*ê*) s.m.
anelétrico adj.
aneletródio s.m.
anelétrodo s.m.
aneletrotônico adj.
aneletrótono s.m.
anelho (*ê*) adj.
anélida adj.2g. s.f.
anelidário s.m.
anélide adj. s.2g.
anelídeo adj. s.m.
anélido adj. s.m.
aneliense adj. s.2g.
aneliforme adj.2g.
anelinho s.m.
anelípede adj.2g.
anelipse s.f.
anelíptico adj.
anélito s.m.
anélitro adj.
anelo s.m.
anelóptero adj.
aneloso (*ô*) adj.; f. (*ó*); pl. (*ó*)
anema s.m.
anemagroste s.f.
anemagróstide s.f.
anemagróstis s.f.2n.
anemarrena s.f.
anêmase s.f.
anemasia s.f.
anemático adj.
anematigênico adj.
anematocromia s.f.
anematocrômico adj.
anematocromometria s.f.
anematocromométrico adj.
anematocromômetro s.m.
anematogênico adj.
anematopoese s.f.
anematopoético adj.
anematose s.f.
anematótico adj.
anementomofilia s.f.
anementomófilo adj. s.m.
anemia s.f. "estado de debilidade"; cf. *anêmia*
anêmia s.f. "árvore"; cf. *anemia* s.f. e fl. do v. *anemiar*
anemiado adj. s.f.
anemiante adj.2g.
anemiar v.
anêmico adj. s.m.
anemizado adj.
anemizante adj.2g.
anemizar v.
anemóbara s.f.
anemobárico adj.
anemóbaro s.m.
anemóbata s.2g.
anemobático adj.
anemocímetro s.m.

anemocinematografia s.f.
anemocoria s.f.
anemocórico adj.
anemofilia s.f.
anemófilo adj.
anemogamia s.f.
anemogâmico adj.
anemógamo adj.
anemografia s.f.
anemográfico adj.
anemógrafo s.m.
anemolita s.f.
anemologia s.f.
anemológico adj.
anemologista adj. s.2g.
anemologístico adj.
anemólogo s.m.
anemomancia s.f.
anemomante s.2g.
anemomântico adj.
anemometria s.f.
anemométrico adj.
anemômetro s.m.
anemometrografia s.f.
anemometrográfico adj.
anemometrógrafo s.m.
anemometrograma s.m.
anêmona s.f.
anêmona-da-itália s.f.; pl. *anêmonas-da-itália*
anêmona-de-dez-folhas s.f.; pl. *anêmonas-de-dez-folhas*
anêmona-do-mar s.f.; pl. *anêmonas-do-mar*
anêmona-dos-bosques s.f.; pl. *anêmonas-dos-bosques*
anêmona-pulsatila s.f.; pl. *anêmonas-pulsatila* e *anêmonas-pulsatilas*
anemônea s.f.
anemonela s.f.
anemôneo adj.
anemônia s.f.
anemônico adj.
anemonifoliado adj.
anemonina s.f.
anemonínico adj.
anemonol s.m.
anemonólico adj.
anemonospermo s.m.
anemopluviografia s.f.
anemopluviográfico adj.
anemopluviógrafo s.m.
anemopluviograma s.m.
anemorrena s.f.
anemoscopia s.f.
anemoscópico adj.
anemoscópio s.m.
anemóscopo s.m.
anemospermo s.m.
anemoterapia s.f.
anemoterápico adj.
anemotrópico adj.
anemotropismo s.m.
anemotropístico adj.
anemótropo s.m.
anemousita s.f.
anemuriense adj. s.2g.
anemutuense adj. s.2g.
anenai s.m.
anencefalemia s.f.
anencefalêmico adj. s.m.
anencefalia s.f.
anencefaliano s.m.
anencefálico adj.
anencéfalo adj. s.m.
anencefaloemia s.m.
anencefalomielia s.f.
anencefalomiélico adj.
anencefaloneuria s.f.
anencefalonêurico adj.
anencefalotrofia s.f.
anencefalotrófico adj.
anencefalótrofo adj. s.m.
anenergia s.f.
anenérgico adj.
anenteremia s.f.
anenterêmico adj. s.m.
anentéreo adj. s.m.
anenterotrofia s.f.
anenterotrófico adj.
anenterótrofo adj. s.m.
aneosinofilia s.f.
aneosinofílico adj.
anepatia s.f.
anepático adj. s.m.
anepatogênico adj.
anepia s.f.
anepigrafia s.f.
anepigráfico adj.
anepígrafo adj.
anepímaro s.m.
anepiploico (*ó*) adj. s.m.
anepisquese s.f.
anepisquesia s.f.
anepiticemia s.f.
anepiticêmico adj.
anepitimia s.f.
anepitímico adj.
anequim s.m.
anequites s.m.2g.2n.
anerana s.f.
anéreta s.m.
anérete s.m.
aneretisia s.f.
aneretísmico adj.
aneretismo s.m.
aneretístico adj.
anergasia s.f.
anérgata s.2g.
anérgate s.2g.
anergério adj.
anergia s.f.
anérgico adj.
anergizado adj.
anergizador (*ô*) adj.
anergizante adj.2g.
anergizar v.
aneritopoético adj.
aneritroblepsia s.f.
aneritroblepso adj. s.m.
aneritrobléptico adj.
aneritrocítico adj.
aneritrócito s.m.
aneritrópico s.m.
aneritropiese s.f.
aneritropiético adj.
aneritropoese s.f.
aneritropoético adj.
aneritropoiético adj.
aneritropsia s.f.
aneritróptico adj.
anermenia s.f.
anermênico adj. s.m.
aneróbio s.m.
anerodita s.f.
aneroide (*ó*) adj.2g. s.m.
aneroidografia s.f.
aneroidográfico adj.
aneroidógrafo s.m.
aneroidograma s.m.
anerosia s.f.
anerósico adj.
anerótico adj.
anérveo adj.
anervia s.f.
anervismo s.m.
anervístico adj.
anesa (*ê*) s.f.
anesférico adj.
anesia s.f.
anésico adj.
anesina s.f.
anéslea s.f.
anesona s.f.
anêspera s.f.
anespereira s.f.
anespíquese s.f.
anesplenia s.f.
anestecinesia s.f.
anestecinésico adj.
anestecinético adj.
anestesia s.f.
anestesiabilidade s.f.
anestesiação s.f.
anestesiado adj.
anestesiador (*ô*) adj. s.m.
anestesiante adj.2g. s.m.
anestesiar v.
anestesiável adj.2g.
anestésica s.f.
anestésico adj. s.m.
anestesíforo adj.
anestesimétrico adj.
anestesímetro s.m.
anestesina s.f.
anestesínico adj.
anestesióforo adj.
anestesiogênico adj.
anestesiologia s.f.
anestesiológico adj.
anestesiologista adj. s.2g.
anestesiologístico adj.
anestesiólogo s.m.
anestesiometria s.f.
anestesiométrico adj.
anestesiômetro s.m.
anestesiopasmo s.m.
anestesiospasmótico adj.
anestesismo s.m.
anestesista adj. s.2g.
anestesístico adj.
anestético adj. s.m.
anesteto s.m.
anéstico adj.
anestil s.m.
anéstrico adj.
anestro s.m.
anetanto s.m.
anete (*ê*) s.m.
anetênio s.m.
anético adj.
anetimológico adj.
aneto s.m.
anetodermia s.f.
anetodérmico adj.
anetol s.m.
anetólico adj.
anetolsulfona s.f.
anetolsulfônico adj.
anetoméria s.f.
anetoquilo s.m.
anêulofo s.m.
aneuploide (*ó*) adj.2g.
aneuploidia s.f.
aneura s.f.
aneuraxemia (*cs*) s.f.
aneuraxêmico (*cs*) adj. s.m.
anêurea s.f.
aneuremia s.f.
aneurêmico adj. s.m.
aneurestesia s.f.
aneurestésico adj.
aneurestético adj.
aneuria s.f.
aneurina s.f.
aneuríneo adj. s.m.
aneurisma s.m.
aneurismal adj.2g.
aneurismático adj.
aneurismatomia s.f.
aneurismatômico adj.
aneurismectomia s.f.
aneurismectômico adj.
aneurismo s.m.
aneurismorrafia s.f.
aneurismorráfico adj.
aneurismotomia s.f.
aneurismotômico adj.
aneurismotrauma s.m.
aneurismotraumático adj.
aneuritmia s.f.
aneurítmico adj.
aneuro adj. s.m.
aneuroemia s.f.
aneurose s.f.
aneurostenia s.f.
aneurostênico adj.
aneurostesia s.f.
aneurostésico adj.
aneurostético adj.
aneurótico adj.
aneurotrofia s.f.
aneurotrófico adj.
aneurótrofo s.m.
aneurrinco s.m.
aneurritmia s.f.
aneurrítmico adj.
anevrisma s.m.
anexa (*cs*) s.f.
anexabilidade (*cs*) s.f.
anexação (*cs*) s.f.
anexacionismo (*cs*) s.m.
anexacionista (*cs*) adj. s.2g.
anexacionístico (*cs*) adj.
anexado (*cs*) adj. s.m.
anexador (*cs...ô*) adj. s.m.
anexante (*cs*) adj.2g.
anexar (*cs*) v.
anexável (*cs*) adj.2g.
anexectomia (*cs*) s.f.
anexectômico (*cs*) adj.
anexidade (*cs*) s.f.
anexim s.m.
anexinismo s.m.
anexinista adj. s.2g.
anexinístico adj.
anexionismo (*cs*) s.m.
anexionista (*cs*) adj. s.2g.
anexionístico (*cs*) adj.
anexirismo s.m.
anexirista adj. s.2g.
anexirístico adj.
anexite (*cs*) s.f.
anexo (*cs*) adj. s.m.
anexopéctico (*cs*) adj.
anexopexia (*cs*) s.f.
anexotomia (*cs*) s.f.
anexotômico (*cs*) adj.
aneza (*ê*) s.f.
anfacanto s.m.
anfanfoterodiplopia s.f.
anfanto s.m.
anfaretídeo adj. s.m.
anfáreto s.m.
anfarístero adj.
anfásia s.f.
anfeclexe (*cs*) s.f.
anfemérina adj.2g. s.f.
anfemérino adj.
anfêmero adj.
anfepramona s.f.
anfetamina s.f.
anfetamínico adj.
anfianto s.m.
anfião s.m.
anfiáquiro s.m.
anfiaraíde adj. s.2g.
anfiareus adj. s.m.pl.
anfiarquiocroma s.f.
anfiartrodial adj.2g.
anfiartrose s.f.
anfiartrótico adj.
anfiáster s.m.
anfíbalo s.m.
anfibiano adj.
anfíbio s.m.
anfibiografia s.f.
anfibiográfico adj.
anfibiógrafo s.m.
anfibiolítico s.m.
anfibiólito s.m.
anfibiologia s.f.
anfibiológico adj.
anfibiólogo s.m.
anfibiótico adj. s.m.
anfibismo s.m.
anfibístico adj.
anfibivalente adj.2g.
anfiblástula s.f.
anfiblema s.f.
anfiblestria s.f.
anfiblestrite s.f.
anfiblestroide (*ó*) adj.2g. s.f.
anfiblestroidite s.f.
anfiblestroidítico adj.
anfiblestroidomalacia s.f.
anfibo s.m.
anfíbola s.f.
anfibolia s.f.
anfibólico adj.
anfibolífero adj.
anfibólio s.m.
anfíbolis s.f.2n.
anfibolita s.f.
anfibolite s.m.
anfibolítico adj.
anfibolito s.m.
anfíbolo adj. s.m.
anfibolocárpea s.f.
anfibolocárpeo adj.
anfibologia s.f.
anfibológico adj.
anfibologismo s.m.
anfibologista s.2g.
anfibologístico adj.
anfiboloide (*ó*) adj.2g.
anfibolosquisto s.m.
anfibolostilo adj.
anfiboluro s.m.
anfíbraco adj. s.m.
anfibrânquia s.f.
anfibráquico adj.
anfibreve adj. s.m.
anfibromo s.m.
anficália s.f.
anficário s.m.
anficárion s.m.
anficarpa s.m.
anficarpia s.f.
anficárpico adj.
anficarpo adj. s.m.
anficefálico adj.
anficéfalo adj. s.m.
anficeliano adj. s.m.
anficélico adj.
anficélio s.m.
anficelo adj.
anficêntrico adj.
anficíclico adj.
anficiclo s.m.
anficirto adj.
anficito s.m.
anficítula s.f.
anfícoma s.f.
anfícomo s.f.
anficorda s.f.
anficórdio adj. s.m.
anficrânia s.f.
anficreatina s.f.
anficreatínico adj.
anficribal adj.2g.
anficrivado adj.
anficroico (*ó*) adj.
anficromia s.f.
anficrômico adj.
anfictenídeo adj. s.m.
anficteno s.m.
anfictião s.m.
anfictíone s.m.
anfictionia s.f.
anfictiônico adj.
anfictiônide adj.2g. s.f.
anfictiônio adj. s.m.
anfictis s.m.2n.
anfidase s.2g.
anfidásio adj.
anfidasis s.2g.2n.
anfidaso adj.
anfideão s.m.
anfideon s.m.
anfiderme s.f.
anfidérmico adj.
anfidésmio s.m.
anfidesmo s.m.
anfidete s.m.
anfidético adj.
anfideto adj. s.m.
anfidéxio (*cs*) adj.
anfidiartrodial adj.2g.
anfidiartrose s.f.
anfidiartrótico adj.
anfídio s.m.
anfidiploide (*ó*) adj.2g. s.m.
anfidiploidia s.f.
anfidisco s.m.
anfidiscóforo s.m.
anfido s.m.
anfidônace s.m.
anfidônax (*cs*) s.m.2n.
anfidonte s.m.
anfidoro (*ô*) s.m.
anfidoxa (*cs*) s.f.
anfidoxo (*cs*) adj.
anfidoxotério (*cs*) s.m.
anfidromias s.f.pl.
anfidrômias s.f.pl.
anfidrômico adj.
anfidrômio adj.
anfidromo adj.
anfiexaédrico (*cs*) adj.
anfiexaedro (*cs*) s.m.
anfifagia s.f.
anfifágico adj.
anfífago adj. s.m.

anfífilo adj.
anfifloemático adj.
anfifloico (*ó*) adj.
anfigamia s.f.
anfigâmico adj.
anfígamo adj.
anfigáster s.m.
anfigástrio adj. s.m.
anfigastro s.m.
anfigástrula s.f.
anfígena s.f.
anfigêneo adj.
anfigênese s.f.
anfigenético adj.
anfigenia s.f.
anfigênia s.f.
anfigênico adj.
anfigênio s.m.
anfigenita s.f.
anfigenite s.f.
anfigenito s.m.
anfígeno adj. s.m.
anfigeronte adj. s.2g.
anfigerontia s.f.
anfigerôntico adj.
anfiginântea s.f.
anfiginânteo adj.
anfígio adj.
anfiglossa s.f.
anfigonia s.f.
anfigônico adj.
anfigônio adj. s.m.
anfiguri s.m.
anfigúrico adj.
anfigurismo s.m.
anfigurística s.f.
anfigurístico adj.
anfigurítico adj.
anfi-hexaédrico adj.
anfi-hexaedro s.m.
anfilasia s.f.
anfilepse s.f.
anfilita s.f.
anfílobo s.m.
anfilóbraco adj. s.m.
anfilobráquio adj.
anfíloco s.m.
anfilófio s.m.
anfílofo s.m.
anfilogia s.f.
anfilogismo s.m.
anfilogístico adj.
anfilogita s.f.
anfilogite s.f.
anfilogito s.m.
anfiloma s.f.
anfilóquia s.f.
anfiloquiano adj. s.m.
anfilóquico adj.
anfilóquio s.m.
anfímacro adj. s.m.
anfimalo s.m.
anfímeno s.m.
anfimetria s.f.
anfimétrico adj.
anfímia s.f.
anfimíctico adj.
anfimiético adj.
anfimimético adj.
anfimimetismo s.m.
anfimimetístico adj.
anfimítico adj.
anfimixia (*cs*) s.f.
anfimona s.f.
anfimônada s.f.
anfimonadácea s.f.
anfimonadáceo adj.
anfimônade s.f.
anfimônia s.f.
anfineuro s.m.
anfinoma s.f.
anfinômia s.f.
anfinomídeo adj. s.m.
anfiodonte s.m.
anfiônio adj.
anfióxida (*cs*) adj. s.2g.
anfioxídeo (*cs*) adj. s.m.
anfioxo (*cs*) s.m.
anfipático s.m.
anfipira s.f.
anfipirenina s.f.
anfipiro s.m.
anfiplaidia s.f.
anfiplastia s.f.
anfiplástico adj.
anfipleura s.f.
anfiploide (*ó*) adj.2g. s.m.
anfiploidia s.f.
anfipneusto adj. s.m.
anfipodal adj.2g.
anfípode adj.2g. s.m.
anfipogão s.m.
anfípole s.m.
anfipolita adj. s.2g.
anfipolitano adj. s.m.
anfipórida adj.2g. s.m.
anfiporídeo adj. s.m.
anfiporídio s.m.
anfíporo s.m.
anfipositivo s.m.
anfiprião s.m.
anfiprórida s.f.
anfiprostilar adj.2g.
anfiprostilo adj. s.m.
anfiprótico adj. s.m.
anfipterígio s.m.
anfíptero s.m.
anfiquelídeo adj. s.m.
anfírrox (*cs*) s.m.2n.
anfisarca s.m.
anfisbena s.f.
anfisbênida adj. s.2g.
anfisbenídeo adj. s.m.
anfisbeníneo adj. s.m.
anfisciano s.m.
anfíscio adj. s.m.
anfiscópia s.f.
anfísdromo adj. s.m.
anfisfera s.f.
anfisferácea s.f.
anfisferáceo adj.
anfisféria s.f.
anfisferiácea s.f.
anfisferiáceo adj.
anfisilo s.m.
anfismila s.f.
anfismilo s.m.
anfispermo adj.
anfispório s.m.
anfísporo s.m.
anfissáurida adj.2g. s.m.
anfissáurio s.m.
anfissauro s.m.
anfissense adj. s.2g.
anfíssio adj.
anfistauro s.m.
anfistelma s.f.
anfistério s.m.
anfistílico adj.
anfistomíase s.f.
anfistômida adj.2g. s.m.
anfistomo s.m.
anfistomose s.f.
anfistomótico adj.
anfitalâmico adj.
anfitalâmio s.m.
anfitálamo s.m.
anfitálea s.f.
anfitalita s.f.
anfitalite s.f.
anfitalito s.m.
anfitana s.f.
anfitapa s.f.
anfiteatral adj.2g.
anfiteátrico adj.
anfiteatro s.m.
anfitécio s.m.
anfitecna s.f.
anfiteísmo s.m.
anfiteísta s.2g.
anfiteístico adj.
anfiteno s.m.
anfitério s.m.
anfitimia s.f.
anfitímico adj. s.m.
anfitócia s.f.
anfitriã s.f. de *anfitrião*
anfitrião s.m.; f. *anfitriã* e *anfitrioa* (*ô*)
anfítrico adj.
anfitrioa (*ô*) s.f. de *anfitrião*
anfitriônio adj.
anfitrite s.f.
anfitrítico adj.
anfitritino adj. s.m.
anfitropia s.f.
anfitrópico adj.
anfítropo adj.
anfiúma s.f.
anfiumídeo adj. s.m.
anfiúrida adj.2g. s.m.
anfiúte s.f.
anfivasal adj.2g.
anfívoro adj. s.m.
anfixenose (*cs*) s.f.
anflexão (*cs*) s.f.
anfodelita s.f.
anfodelite s.f.
anfodelito s.m.
anfodiplopia s.f.
anfodiplópico adj.
anfodiplopsia s.f.
anfodiplóptico adj.
anfodonte s.m.
anfófilo adj.
anfólito s.m.
anfolofótrico adj.
anfolofotríqueo adj. s.m.
anfopeptona s.f.
anfopeptônico adj.
ânfora s.f.
anforal adj.2g.
anforário adj.
anforeta (*ê*) s.f.
anforicarpo s.m.
anforicidade s.f.
anfórico adj.
anforilóquica s.f.
anforilóquico adj.
anforíloquo adj. s.m.
anforismo s.m.
anforístico adj.
anforocálice s.m.
anforofonia s.f.
anforofônico adj.
anfórquio s.m.
anfórula s.f.
anfotericina s.f.
anfotérico adj.
anfoterismo s.m.
anfótero adj.
anfoterodiplopia s.f.
anfoterodiplópico adj.
anfótida s.f.
anfótide s.f.
anfotonia s.f.
anfotônico adj.
anfótrico adj.
anfotríqueo adj.
anfótropa s.f.
anfotrópico adj.
anfotropina s.f.
anfotropínico adj.
anfotropismo s.m.
anfotropístico adj.
anfracto adj. s.m.
anfractuosidade s.f.
anfractuoso (*ô*) adj.; f. (*ó*); pl. (*ó*)
anfractura s.f.
anfradênio s.m.
anfunge s.m.
anga s.m. "mau-olhado", etc.; cf. *angá* e *angaá*
angá s.m. "fruta"; cf. *anga* e *angaá*
angaá s.f. "serpente"; cf. *anga* e *angá*
angaço s.m.
angaiarense adj. s.2g.
angaíba s.f.
angaiense adj. s.2g.
angana s.m.f.
angando s.m.
angangá s.m.
anganja s.f.
angapanga s.f.
angapora s.f.
ângara s.m.
angaralita s.f.
angareira s.f.
angarela s.f.
angarelha (*ê*) s.f.
angareta (*ê*) s.f.
angária s.f.; cf. *angaria*, fl. do v. *angariar*
angariação s.f.
angariado adj.
angariador (*ô*) adj. s.m.
angariamento s.m.
angariano adj.
angariar v.
angariári s.f.
angariária s.f.
angarilha s.f.
angarita s.f.
ângaro s.m.
angatecô s.m.
angatubano adj. s.m.
angatubense adj. s.2g.
angaturama s.m.
angaturamense adj. s.2g.
angaú s.m.
angaxixica s.f.
angazeira s.f.
angazeiro s.m.
angectasia s.f.
angejense adj. s.2g.
angel s.m.
angelardita s.f.
angelato s.m.
angelellita s.f.
angelense adj. s.2g.
angélfito s.m.
angélia s.f.
angeliano adj.
angélica s.f.
angélica-branca s.f.; pl. *angélicas-brancas*
angélica-da-mata s.f.; pl. *angélicas-da-mata*
angélica-de-rama s.f.; pl. *angélicas-de-rama*
angélica-do-mato s.f.; pl. *angélicas-do-mato*
angélica-do-pará s.f.; pl. *angélicas-do-pará*
angélica-dos-jardins s.f.; pl. *angélicas-dos-jardins*
angelical adj.2g.
angélica-mansa s.f.; pl. *angélicas-mansas*
angelicato s.m.
angelícea s.f.
angelicense adj. s.2g.
angelíceo adj.
angelícico adj.
angelicida adj. s.2g.
angelicídio s.m.
angelicina s.f.
angelicó s.m. "trepadeira"; cf. *angélico*
angélico adj. s.m. "angelical"; cf. *angelicó*
angelilo s.m.
angelim s.m.
angelim-amarelo s.m.; pl. *angelins-amarelos*
angelim-amargo s.m.; pl. *angelins-amargos*
angelim-amargoso s.m.; pl. *angelins-amargosos*
angelim-araroba s.m.; pl. *angelins-araroba* e *angelins-ararobas*
angelim-coco s.m.; pl. *angelins-coco* e *angelins-cocos*
angelim-cor-de-rosa s.m.; pl. *angelins-cor-de-rosa*
angelim-de-espinho s.m.; pl. *angelins-de-espinho*
angelim-de-folha-grande s.m.; pl. *angelins-de-folha-grande*
angelim-de-folha-larga s.m.; pl. *angelins-de-folha-larga*
angelim-de-morcego s.m.; pl. *angelins-de-morcego*
angelim-do-campo s.m.; pl. *angelins-do-campo*
angelim-doce s.m.; pl. *angelins-doces*
angelim-do-mato s.m.; pl. *angelins-do-mato*
angelim-do-pará s.m.; pl. *angelins-do-pará*
angelim-pedra s.m.; pl. *angelins-pedra* e *angelins-pedras*
angelimpinima s.m.
angelim-pintado s.m.; pl. *angelins-pintados*
angelim-preto s.m.; pl. *angelins-pretos*
angelim-rajado s.m.; pl. *angelins-rajados*
angelim-rosa s.m.; pl. *angelins-rosa* e *angelins-rosas*
angelina s.f.
angelinense adj. s.2g.
angelino adj.
angelismo s.m.
angelista adj. s.2g.
angelístico adj.
angelita adj. s.2g.
angelitude s.f.
angelização s.f.
angelizado adj.
angelizar v.
angelizável adj.2g.
angelofania s.f.
angelófilo s.m.
angelogenia s.f.
angelogênico adj.
angelogonia s.f.
angelogônico adj.
angelografia s.f.
angelográfico adj.
angelógrafo s.m.
angeloide (*ó*) adj.2g.
angelólatra s.2g.
angelolatria s.f.
angelolátrico adj.
angelologia s.f.
angelológico adj.
angelólogo s.m.
angelônia s.f.
angelopogão s.m.
angelote s.m.
ângelus s.m.2n.
angema s.f.
angerato s.m.
angerina s.f.
angerona s.f.
angeronais s.f.pl.
angeronal adj.2g.
angervila s.f.
angevina s.f.
angevino adj. s.m.
angiaeria s.f.
angialgia s.f.
angiálgico adj.
angianta s.f.
angianto s.m.
angica s.f.
angical s.m.
angicalense adj. s.2g.
angicanense adj. s.2g.
angicano adj. s.m.
angicãozense adj. s.2g.
angicense adj. s.2g.
angico s.m.
angico-amarelo s.m.; pl. *angicos-amarelos*
angico-barbatimão s.m.; pl. *angicos-barbatimão* e *angicos-barbatimões*
angico-branco s.m.; pl. *angicos-brancos*
angico-cangalha s.m.; pl. *angicos-cangalha* e *angicos-cangalhas*
angico-cedro s.m.; pl. *angicos-cedro* e *angicos-cedros*
angico-de-banhado s.m.; pl. *angicos-de-banhado*
angico-de-curtume s.m.; pl. *angicos-de-curtume*
angico-de-minas s.m.; pl. *angicos-de-minas*
angico-de-montes s.m.; pl. *angicos-de-montes*
angico-do-campo s.m.; pl. *angicos-do-campo*
angico-preto s.m.; pl. *angicos-pretos*
angico-rajado s.m.; pl. *angicos-rajados*

angico-rosa s.m.; pl. *angicos-rosa* e *angicos-rosas*
angico-roxo s.m.; pl. *angicos-roxos*
angico-surucucu s.m.; pl. *angicos-surucucu* e *angicos-surucucus*
angico-verdadeiro s.m.; pl. *angicos-verdadeiros*
angico-vermelho s.m.; pl. *angicos-vermelhos*
angico-vermelho-do-campo s.m.; pl. *angicos-vermelhos-do-campo*
angídio s.m.
angidiospongo s.m.
angiectasia s.f.
angiectásico adj.
angiectomia s.f.
angiectômico adj. s.m.
angiectopia s.f.
angiectópico adj. s.m.
angiedema s.m.
angiedemático adj.
angielcose s.f.
angielcótico adj.
angielefantíase s.f.
angiemia s.f.
angiêmico adj.
angienfráctico adj.
angiepitelioma s.m.
angiepiteliomático adj.
angiite s.f.
angimacuriano adj. s.m.
angina s.f.
angina do peito s.f.
anginhos s.m.pl.
anginofobia s.f.
anginofóbico adj.
anginófobo s.m.
anginoide (*ó*) adj.2g. s.f.
anginoso (*ô*) adj. s.m.; f. (*ó*); pl. (*ó*)
angioblasto s.m.
angioblastoma s.m.
angiocardiocinético adj.
angiocardiografação s.f.
angiocardiografar v.
angiocardiografável adj.2g.
angiocardiografia s.f.
angiocardiográfico adj.
angiocardiógrafo adj. s.m.; cf. *angiocardiografo*, fl. do v. *angiocardiografar*
angiocardiograma s.m.
angiocardiopata s.2g.
angiocardiópata s.2g.
angiocardiopatia s.f.
angiocardiopático adj.
angiocardite s.f.
angiocarpia s.m.
angiocárpico adj.
angiocarpo adj. s.m.
angioceratoma s.m.
angioceratomático adj.
angioceratose s.f.
angioceratótico adj.
angioclasto s.m.
angiocolecistite s.f.
angiocolecistítico adj.
angiocoledocografia s.f.
angiocoledocográfico adj.
angiocoledocograma s.m.
angiocolite s.f.
angiocolose s.f.
angiocrinose s.f.
angiodermatite s.f.
angiodermite s.f.
angiodiascopia s.f.
angiodiascópico adj.
angiodiascópio s.m.
angiodiástase s.f.
angiodiastático adj.
angiodisplasia s.f.
angioedema s.m.
angioelefantíase s.f.
angioemia s.f.
angioendotelioma s.m.
angioepitelioma s.m.
angiofibroma s.m.
angióforo s.m.
angiogalia s.f.
angiogálico adj.
angiogastro adj.
angiogênese s.f.
angiogenia s.f.
angioglioma s.m.
angiogliomatose s.f.
angiogliomatótico adj.
angiografia s.f.
angiográfico adj.
angiógrafo s.m.
ângio-hialinose s.f.
ângio-hialinótico adj.
ângio-hidrografia s.f.
ângio-hidrográfico adj.
ângio-hidrógrafo s.f.
ângio-hidrologia s.f.
ângio-hidrológico adj.
ângio-hidrólogo s.m.
ângio-hidrotonia s.f.
ângio-hidrotônico adj.
ângio-hipertonia s.f.
ângio-hipotonia s.f.
angioide (*ó*) adj.2g.
angioleucite s.f.
angioleucologia s.f.
angioleucológico adj.
angioleucólogo s.m.
angioleucomérico adj.
angioleucômero s.m.
angiolinfite s.f.
angiolinfítico adj.
angiolinfoma s.m.
angiolinfomático adj.
angiolipoide (*ó*) adj.2g. s.f.
angiolipoma s.m.
angiolipomático adj.
angiólise s.f.
angiolitíase s.f.
angiolítico adj.
angiólito s.m.
angiologia s.f.
angiológico adj.
angiologista s.2g.
angiólogo s.m.
angiolupoide (*ó*) adj.2g. s.m.
angioma s.m.
angiomalacia s.f.
angiomático adj.
angiomatose s.f.
angiomatoso (*ô*) adj.; f. (*ó*); pl. (*ó*)
angiomatótico adj.
angiomegalia s.f.
angiomegálico adj.
angiomérico adj.
angiômero s.m.
angiometria s.f.
angiométrico adj.
angiômetro s.m.
angiomiceto s.m.
angiomiolipoma s.m.
angiomioma s.m.
angiomiomático adj.
angiomiossarcoma s.m.
angiomose s.f.
angiomótico adj.
angioneurectomia s.f.
angioneurectômico adj.
angioneurose s.f.
angioneurótico adj. s.m.
angionídeo adj. s.m.
angiônoma s.m.
angionomia s.f.
angionômico adj.
angionose s.f.
angionótico adj.
angiopancreatite s.f.
angiopancreatítico adj.
angioparalisia s.f.
angioparalítico adj.
angioparesia s.f.
angiopatia s.f.
angiopático adj.
angiopétalo s.m.
angiopiria s.f.
angiopírico adj.
angioplania s.f.
angioplânico adj.
angioplastia s.f.
angioplástico adj.
angioplerose s.f.
angioplerótico adj.
angióploce s.f.
angiopneumografia s.f.
angiopneumográfico adj.
angiopneumógrafo adj. s.m.
angiopneumograma s.m.
angiopressão s.f.
angiopressivo adj.
angiopitérico adj.
angiopterídea s.f.
angiopterídeo adj. s.m.
angióptero s.m.
angioqueratoma s.m.
angioqueratose s.f.
angioquiloscopia s.f.
angioquiloscópico adj.
angioquiloscópio s.m.
angiorídio s.m.
angiorrafia s.f.
angiorráfico adj.
angiorragia s.f.
angiorrágico adj.
angiorreia (*é*) s.f.
angiorreico (*é*) adj.
angiorrexe (*cs*) s.f.
angiorrigose s.f.
angiosclerose s.f.
angiosclerótico adj.
angioscopia s.f.
angioscópico adj.
angioscópio s.m.
angiose s.f.
angiospasmo s.m.
angiospasmódico adj.
angiospástico adj.
angiosperma s.m.
angiospermário adj.
angiosperme adj.2g.
angiospermia s.f.
angiospérmia s.f.
angiospérmica s.f.
angiospérmico adj.
angiospermo adj. s.m.
angiospôngio adj. s.m.
angiospongo s.m.
angiósporo adj.
angiossarco adj. s.m.
angiossarcoma s.m.
angiossarcomático adj.
angiossialite s.f.
angiostatina s.f.
angiostegnótico adj.
angiostenia s.f.
angiostênico adj.
angiostenose s.f.
angiostenótico adj.
angiosteose s.f.
angiosteótico adj.
angiosterona s.f.
angiosterônico adj.
angióstoma s.m.
angiostômida adj.2g. s.m.
angióstomo s.m.
angiostose s.f.
angiostótico adj.
angióstrofe s.f.
angiostrofia s.f.
angiostrófico adj.
angioteca s.f.
angiotelectasia s.f.
angiotenia s.f.
angiotênico adj.
angiotenite s.f.
angiotensina s.f.
angiotensínico adj.
angiotensinogênico adj.
angiotensinogênio s.m.
angiotensinógeno adj. s.m.
angiótico adj.
angiotite s.f.
angiotítico adj.
angiotomia s.f.
angiotômico adj.
angiotonia s.f.
angiotônico adj.
angiotonina s.f.
angiotonínico adj.
angiótribo s.m.
angiotripsia s.f.
angiotrípsico adj.
angiotríptico adj.
angiotrofia s.f.
angiotrófico adj.
angiova s.f.
angiporto (*ô*) s.m.; pl. (*ó*)
angiqueiro s.m.
angiquense adj. s.2g.
angira s.f.
angita s.f.
angite s.f.
angito s.m.
anglarita s.f.
anglasita s.f.
anglasítico adj.
anglesita s.f.
anglesítico adj.
anglesito s.m.
anglêuria s.f.
anglicanismo s.m.
anglicanista adj. s.2g.
anglicanístico adj.
anglicano adj. s.m.
anglicida adj. s.2g.
anglicídio s.m.
anglicismo s.m.
anglicista adj. s.2g.
anglicístico adj.
anglicização s.f.
anglicizado adj.
anglicizador (*ô*) adj.
anglicizante adj. s.2g.
anglicizar v.
anglicizável adj.2g.
ânglico adj. s.m.
ânglio adj.
anglização s.f.
anglizar v.
anglizável adj.2g.
anglo adj. s.m.
anglo-africano adj. s.m.; pl. *anglo-africanos*
anglo-americano adj. s.m.; pl. *anglo-americanos*
anglo-árabe adj. s.2g.; pl. *anglo-árabes*
anglo-asiático adj. s.m.; pl. *anglo-asiáticos*
anglo-brasileiro adj. s.m.; pl. *anglo-brasileiros*
anglo-bretão adj. s.m.; pl. *anglo-bretões*
anglo-canadense adj. s.2g.; pl. *anglo-canadenses*
anglo-canadiano adj. s.m.; pl. *anglo-canadianos*
anglocatolicismo s.m.
anglocatólico adj. s.m.
anglofalante adj.2g. s.2g.
anglofilia s.f.
anglofilismo s.m.
anglofilista adj. s.2g.
anglofilístico adj.
anglófilo adj. s.m.
anglofobia s.f.
anglofóbico adj.
anglófobo adj. s.m.
anglofonia s.f.
anglofônico adj.
anglófono adj. s.m.
anglo-francês adj. s.m.; pl. *anglo-franceses*
anglo-gaulês adj. s.m.; pl. *anglo-gauleses*
anglo-germânico adj. s.m.; pl. *anglo-germânicos*
anglo-indiano adj. s.m.; pl. *anglo-indianos*
anglo-israelismo s.m.; pl. *anglo-israelismos*
anglomania s.f.
anglomaníaco adj. s.m.
anglômano adj. s.m.
anglo-normando adj. s.m.; pl. *anglo-normandos*
anglo-norte-americano adj. s.m.; pl. *anglo-norte-americanos*
angloparlante adj. s.2g.
anglo-português adj. s.m.; pl. *anglo-portugueses*
anglo-russo adj. s.m.; pl. *anglo-russos*
anglo-saxão adj. s.m.; pl. *anglo-saxões*
anglo-saxônico adj. s.m.; pl. *anglo-saxônicos*
anglo-saxônio adj. s.m.; pl. *anglo-saxônios*
angófora s.f.
angofrasia s.f.
angofrástico adj.
angoia (*ó*) s.f.
angoja s.f.
angola adj. s.2g.
angolal s.m.
angolâmia s.f.
angolano adj. s.m.
angolão s.m.
angolar adj. s.2g.
angoleia (*é*) s.f.
angoleiro s.m.
angolense adj. s.2g.
angolês adj. s.m.
angolinha s.f.
angolismo s.m.
angolista s.f.
angolita s.f.
angoma s.f.
angombe s.m.
angona s.f.
angonal s.m.
angona-puíta s.2g.; pl. *angonas-puíta* e *angonas-puítas*
angoni adj. s.2g.
angor (*ô*) s.m.
angora adj. s.2g.
angorá adj. s.2g.
angoratina s.f.
angoreta (*ê*) s.f.
angorque s.m.
angostil adj.2g.
angostile s.f.
angosto (*ô*) adj.
angostura s.f.
angra s.f.
angracá s.m.
angreco s.m.
angrela s.f.
angrense adj. s.2g.
angreta (*ê*) s.f.
angrim s.m.
angrite s.m.
angrito s.m.
angrivário adj. s.m.
angstrom s.m.
angström s.m.
angu s.m.
anguada s.f.
anguaia s.f.
angu de caroço s.m.
ângue (*ü*) s.m.
angueira s.f.
anguense (*ü*) adj. s.2g.
anguerataense adj. s.2g.
anguerense adj. s.2g.
anguia s.f.
anguicida (*ü*) adj. s.2g.
anguicomado (*ü*) adj.
anguícomo (*ü*) adj.
ânguida (*ü*) adj. s.2g.
anguídeo (*ü*) adj. s.m.
anguífero (*ü*) adj.
anguiforme (*ü*) adj.2g.
anguígena (*ü*) adj. s.2g.
anguígeno (*ü*) adj.
anguila (*ü*) s.f.
anguilar (*ü*) adj.2g.
anguilária (*ü*) s.f.
anguilídeo (*ü*) adj. s.m.
anguiliforme (*ü*) adj.2g. s.m.
anguiloide (*ü...ó*) adj.2g.
anguílula (*ü*) s.f.
anguilulado (*ü*) adj.
anguilulíase (*ü*) s.f.
anguilúlida (*ü*) adj. s.2g.
anguilulídeo (*ü*) adj. s.m.
anguilulose (*ü*) s.f.
anguilulótico (*ü*) adj.
anguina (*ü*) s.f.
anguínea (*ü*) s.f.

anguíneo (*ü*) adj.
anguinha (*ü*) s.f.
anguino (*ü*) adj.
anguípede (*ü*) adj.2g.
anguirrodente (*ü*) adj.2g.
anguis (*ü*) s.m.2n.
anguissáurio (*ü*) s.m.
anguite (*ü*) s.f.
anguivípera (*ü*) s.f.
angul s.m.
angulação s.f.
angulado adj.
angulador (*ô*) adj.
angular v. adj.2g.
angulária s.f.; cf. *angularia*, fl. do v. *angular*
angularidade s.f.
angulário s.m.
angulatura s.f.
angulema s.f.
angulete (*ê*) s.m.
angulicolo adj.
angulífero adj.
angulinervado adj.
angulinérveo adj.
angulirrostro adj.
angulista s.f.
ângulo s.m.; cf. *angulo*, fl. do v. *angular*
angúloa s.f.
anguloide (*ó*) adj.2g. s.m.
angulometria s.f.
angulométrico adj.
angulômetro s.m.
angulomistilíneo adj. s.m.
angulosidade s.f.
anguloso (*ô*) adj.; f. (*ó*); pl. (*ó*)
anguri s.m.
angúria s.f.
angurrento adj.
angúrria s.f.
angurriado adj.
angurriar-se v.
angurriento adj.
anguru adj.2g.
angurucema s.f.
angurucemanvula s.f.
angustação s.f.
angústia s.f.; cf. *angustia*, fl. do v. *angustiar*
angustiação s.f.
angustiado adj.
angustiador (*ô*) adj.
angustiamento s.m.
angustiante adj.2g.
angustiar v.
angusticlave s.f.
angusticlávio s.m.
angusticlavo s.m.
angustidentado adj.
angustifoliado adj.
angustifólio adj.
angustilâmina s.f.
angustilaminar adj.2g.
angustímano adj.
angustioso (*ô*) adj.; f. (*ó*); pl. (*ó*)
angustipene adj.2g.
angustirreme adj.2g.
angustirrostro adj.
angustissépalo adj.
angustissepto adj.
angustita s.f.
angustite s.f.
angustito s.m.
angusto adj.
angustur s.m.
angustura s.f.
angusturense adj. s.2g.
angusturina s.f.
anguzada s.f.
anguzô s.m.
anhá s.m.
anhã s.m.
anhambi s.m.
anhamim s.m.
anhanduiense adj. s.2g.
anhanduizinhense adj. s.2g.
anhanga s.m.
anhangá s.m.
anhangaense adj. s.2g.
anhangaiense adj. s.2g.
anhangapa s.f.
anhangapiri s.f.
anhangapitã s.m.
anhanguense adj. s.2g.
anhanguera (*ü*) adj.2g. s.m.
anhanguerense (*ü*) adj.2g. s.m.
anhanguerino (*ü*) adj. s.m.
anhanha s.m.
anhanho s.m.
anhapa s.f.
anhara s.f.
anhauiná s.f.
anhaúva s.f.
anhembiense adj. s.2g.
anhima s.f.
anhímida adj. s.2g.
anhimídeo adj. s.m.
anhinga s.f.
anhingaíba s.f.
anhingídeo adj. s.m.
anho s.m.
anhonhecanhuva s.f.
anhote s.m.
anhoto (*ô*) adj.; f. (*ó*); pl. (*ó*)
anhuaque adj. s.2g.
anhuíba s.f.
anhuma s.f.
anhuma-do-pantanal s.f.; pl. *anhumas-do-pantanal*
anhumapoca s.f.
anhumense adj. s.2g.
anhupoca s.f.
anhuquicé adj. s.2g.
anhuquicê adj. s.2g.
ani s.m.
ania s.f.
aniadeiro s.m.
aniageiro s.m.
aniagem s.f.
aniana adj.2g. s.m.
aniantinopsia s.f.
aniantinópsico adj.
aniantinóptico adj.
anião s.m.
aniara s.f.
aniaro s.m.
aniarto s.m.
aniavá adj. s.m.
aniba s.f. "arbusto"; cf. *anibá*
anibá adj. s.2g. "indígena"; cf. *aniba*
anibalesco (*ê*) adj.
anibaliano adj. s.m.
anibalista adj. s.2g.
anibestre s.m.
anibu s.m.
anicalasca s.m.
anicauera (*ê*) s.2g.
anicavara s.f.
anichado adj.
anichar v.
anicilho s.m.
anício s.m.
anicoré adj. s.2g.
anictérico adj.
anicunense adj. s.2g.
anidade s.f.
anidalina s.f.
anidar v.
anideação s.f.
anideativo adj.
anideísmo s.m.
anídeo s.m.
anídio s.m.
anidiomórfico adj.
anido s.m.
anidracocarbônica s.f.
anidrase s.f.
anidrernia s.f.
anídrico adj.
anidrido s.m.
anídrido s.m.
anidridomielia s.f.
anidridomiélico adj.
anidrita s.f.
anidrite s.f.
anidrítico adj.
anidrito s.m.
anidrização s.f.
anidrizado adj.
anidrizante adj.2g.
anidrizar v.
anidro adj.
anidrobiose s.f.
anidrobiótico adj.
anidromielia s.f.
anidromiélico adj.
anidrona s.f.
anidrópico s.f.
anidrose s.f.
anidrótico adj.
anielado adj.
anielagem s.f.
anielar v.
aniera s.f.
anifena s.f.
anífera s.f.
anífero adj.
anigosanto s.m.
anigosia s.f.
anígrite s.f.
aniilação s.f.
aniilado adj.
aniilamento s.m.
aniilar v.
anijuacanga s.m.
anil adj.2g. s.m.
anila s.f.
anilação s.f.
anilaçu s.m.
anilado adj.
anilar v.
anil-bastardo s.m.; pl. *anis-bastardos*
anil-bravo s.m.; pl. *anis-bravos*
anil-do-mato s.m.; pl. *anis-do-mato*
anileína s.f.
anileínico adj.
anileira s.f.
anileira-verdadeira s.f.; pl. *anileiras-verdadeiras*
anileiro s.m.
anileiro-do-canadá s.m.; pl. *anileiros-do-canadá*
anileiro-do-japão s.m.; pl. *anileiros-do-japão*
anilema s.f.
anilense adj. s.2g.
anilese s.f.
anilha s.f.
anilhaçado adj.
anilhaçar v.
anilhado adj.
anilhar v.
anilho s.m.
anílico adj.
anilida s.f.
anilidado adj.
anilido s.m.
aniliídeo adj. s.m.
anilina s.f.
anilinado adj.
anilinar v.
anilínico adj.
anilinofilia s.f.
anilinófilo adj.
anilipirina s.f.
anilismo s.m.
anilístico adj.
anilita s.f.
anilite s.f.
anil-miúdo s.m.; pl. *anis-miúdos*
anilociânico adj.
anílocro s.m.
anilófilo adj.
anilpiruvato s.m.
anilpirúvico adj.
anil-trepador s.m.; pl. *anis-trepadores*
aniluvitonato s.m.
aniluvitônico adj.
aniluvitonina s.f.
aniluvitonínico adj.
animabilidade s.f.
animação s.f.
animado adj.
animador (*ô*) adj. s.m.
animadversão s.f.
animadverso adj. s.m.
animadvertir v.
animal adj.2g. s.m.
animalaço s.m.
animalada s.f.
animalão s.m.
animalco s.m.
animalcular adj.2g.
animalculismo s.m.
animalculista adj. s.2g.
animalculístico adj.
animálculo s.m.
animalculovismo s.m.
animalculovista adj.2g.
animalculovístico adj.
animalejo (*ê*) s.m.
animalesco (*ê*) s.m.
animal-flor s.f.; pl. *animais-flor* e *animais-flores*
animália s.f.
animalicida adj. s.2g.
animalicídio s.m.
animalicultura s.f.
animalidade s.f.
animalismo s.m.
animalista adj. s.2g.
animalístico adj.
animalito s.m.
animalização s.f.
animalizado adj.
animalizador (*ô*) adj.
animalizante adj.2g.
animalizar v.
animalizável adj.2g.
animal-máquina s.f.; pl. *animais-máquina* e *animais-máquinas*
animalogia s.f.
animalógico adj.
animal-planta s.m.; pl. *animais-planta* e *animais-plantas*
animalzinho s.m.
anima-membeca s.f.; pl. *anima-membecas*
animante adj. s.2g.
animar v.
animástica s.f.
animático adj.
animatismo s.m.
animatista adj. s.2g.
animatístico adj.
animato adj.
animatografar v.
animatográfico adj.
animatógrafo s.m.; cf. *animatografo*, fl. do v. *animatografar*
animável adj.2g.
anime s.f.
animicida s.2g.
animicídio s.m.
animicite s.f.
animicito s.m.
animicluso adj.
anímico adj.
animina s.f.
animínico adj.
animiquiano s.m.
animiquite s.f.
animiquito s.m.
animismo s.m.
animista adj. s.2g.
animístico adj.
animivitalismo s.m.
animivitalista adj. s.2g.
animivitalístico adj.
animização s.f.
animizado adj.
animizante adj.2g.
animizar v.
ânimo s.m.; cf. *animo*, fl. do v. *animar*
animosidade s.f.
animoso (*ô*) adj.; f. (*ó*); pl. (*ó*)
anina s.f.
aninado adj.
aninar v.
aninauá adj. s.2g.
aninga s.f.
aningaçu s.f.
aninga-da-água s.f.; pl. *aningas-da-água*
aninga-de-espinho s.f.; pl. *aningas-de-espinho*
aninga-de-macaco s.f.; pl. *aningas-de-macaco*
aninga-do-pará s.f.; pl. *aningas-do-pará*
aningaíba s.f.
aningal s.m.
aningapara s.f.
aningapari s.f.
aningaperé s.f.
aningaperê s.f.
aningapiri s.f.
aningaúba s.f.
aningaúva s.f.
aninha s.f.
aninhado adj. s.m.
aninhador (*ô*) adj. s.m.
aninhar v.
aninheiro s.m.
aninhense adj. s.2g.
aninho s.m.
aninsulina s.f.
aninsulínico adj.
aniodol s.m.
aniodólico adj.
aníon s.m.
ânion s.m.
aniônico adj.
anionte s.m.
aniontivo s.m.
aniôntico adj.
anipnia s.f.
anípnico adj.
aniqui s.f.
aniquilabilidade s.f.
aniquilação s.f.
aniquilacionismo s.m.
aniquilacionista adj. s.2g.
aniquilacionístico adj.
aniquilado adj.
aniquilador (*ô*) adj. s.m.
aniquiladorismo s.m.
aniquiladorista adj. s.2g.
aniquiladorístico adj.
aniquilamento s.m.
aniquilar v.
aniquilável adj.2g.
aniquim s.m.
aniria s.f.
aniridia s.f.
anis s.m.
anisacanta s.f.
anisacanto s.m.
anisado adj.
anisador (*ô*) s.m.
anisal s.m.
anisamato s.m.
anisâmico adj.
anisamida s.f.
anisamídico adj.
anisamina s.f.
anisamínico adj.
anisanilida s.f.
anisanilídico adj.
anisante adj.2g.
anisanto adj.
anisaquia s.f.
anisaquíase s.f.
anisar v.
anisato s.m.
aniscuria s.f.
aniscúria s.f.
anis-doce s.m.; pl. *anises-doces*
anísea s.f.
aniseira s.f.
anisergia s.f.
anisérgico adj.
anis-estrelado s.m.; pl. *anises-estrelados*
aniseta (*ê*) s.f.
anisete s.2g.
anísico adj.
anisidina s.f.
anisidínico adj.
anisidramida s.f.
anisidramídico adj.
anisiense adj. s.2g.
anisilático adj.

anisilato s.m.
anisílico adj.
anisilmetilacrílico adj.
anisilo s.m.
anisina s.f.
anisínico adj.
aniso adj.
anisoato s.m.
anisobríada adj.2g. s.f.
anisocárpico adj.
anisocéfalo adj.
anisócera s.f.
anisócero s.m.
anisociclo s.m.
anisocitose s.f.
anisocitótico adj.
anisoclético adj.
anisoclítico adj.
anisocoria s.f.
anisocórico adj.
anisocotilia s.f.
anisocótilo adj.
anisocrépida s.f.
anisocromático adj.
anisocromia s.f.
anisocrômico adj.
anisodáctilo adj.
anisódero s.m.
anísodo s.m.
anisodonte adj.2g. s.m.
anisodôntea s.f.
anisodônteo adj.
anisodontino adj. s.m.
anisofílea s.f.
anisofileácea s.f.
anisofileáceo adj.
anisofíleo adj.
anisofilia s.f.
anisofílico adj.
anisofilo adj.
anisofisa s.f.
anisogameta (*é* ou *ê*) s.m.
anisogâmeta s.m.
anisogamia s.f.
anisogâmico adj.
anisógamo adj.
anisógino adj.
anisógnato adj.
anisogônio s.m.
aniso-hiperleucocitose s.f.
aniso-hipocitose s.f.
aniso-hipoleucocitose s.f.
anisoico (*ó*) adj.
anisoiconia s.f.
anisoide (*ó*) adj.2g.
anisoílo s.m.
anisoína s.f.
anisoiontia s.f.
anisol s.m.
anisoleucocitose s.f.
anisólico adj.
anisolina s.f.
anisólobo s.m.
anisomastia s.f.
anisomástico adj.
anisômela s.f.
anisomelia s.f.
anisomélico adj.
anisômero adj.
anisometria s.f.
anisométrico adj.
anisometrope adj.
anisometropia s.f.
anisometrópico adj.
anisomiário s.m.
anisomorfia s.f.
anisomórfico adj.
anisomorfo adj. s.m.
anisonema s.f.
anisonemídeo adj. s.m.
anisonemo s.m.
anisônique s.m.
anisonitrilo s.m.
anisônix (*cs*) s.m.2n.
anisonixia (*cs*) s.f.
anisonormocitose s.f.
anisopapo s.m.
anisope adj. s.2g.
anisopelmo s.m.
anisopétalo adj. s.m.
anisopia s.f.
anisópico adj.
anisopiese s.f.
anisóplia s.f.
anisópoda adj.2g. s.f.
anisópode adj. s.2g.
anisopodia s.f.
anisópodo s.m.
anisopogão s.m.
anisopse s.f.
anisopsia s.f.
anisopterígio s.m.
anisoptérix (*cs*) s.m.2n.
anisóptero adj. s.m.
anisóptico adj.
anisoqueta (*ê*) s.f.
anisoqueto (*ê*) s.m.
anisoquilo s.m.
anisorranfo s.m.
anisorríneo s.m.
anisorritmia s.f.
anisorrítmico adj.
anisóscele s.m.
anisoscélida adj.2g. s.f.
anisosfigmia s.f.
anisosfígmico adj.
anisospérmico adj.
anisospermo s.m.
anisospório s.m.
anisósporo adj.
anisostêmona adj.2g.
anisostêmone adj.2g.
anisostemonia s.f.
anisostemopétalo adj. s.m.
anisostenia s.f.
anisostênico adj.
anisostigma s.m.
anisostilia s.f.
anisostíquio s.m.
anisóstomo s.m.
anisótaco adj.
anisotarso adj.
anisoteobromina s.f.
anisotermia s.f.
anisotérmico adj.
anisótico adj.
anisótoma s.f.
anisotômida adj.2g. s.m.
anisotomídeo adj. s.m.
anisótomo adj.
anisotonia s.f.
anisotônico adj.
anisótria s.f.
anisotriquia s.f.
anisotropia s.f.
anisotrópico adj.
anisótropo adj.
anista s.m.
anistia s.f.
anistiabilidade s.f.
anistiado adj. s.m.
anistiador (*ô*) adj.
anistiante adj.2g.
anistiar v.
anistiável adj.2g.
anistieiro s.m.
anisto adj.
anistoricidade s.f.
anistórico adj.
anisulmina s.f.
anisuria s.f.
anisúria s.f.
anisúrico adj.
anis-verde s.m.; pl. *anises-verdes*
anita s.f.
anitapolense adj. s.2g.
anite s.f.
anitérico adj.
anítico adj.
anitina s.f.
anitínico adj.
anitol s.m.
anitólico adj.
aniúba s.f.
anivelamento s.m.
anivelar v.
aniversariante adj. s.2g.
aniversariar v.
aniversário adj. s.m.; cf. *aniversario*, fl. do v. *aniversariar*
anixi s.m.
anixia (*cs*) s.f.
anixo s.m.; cf. *anicho*, fl. do v. *anichar*
anjango s.m.
anjão s.m.
anjeela s.f.
anji s.m.
anjilassonde s.2g.
anjinho s.m.
anjira s.f.
anjo s.m.
anjo-bento s.m.; pl. *anjos-bentos*
anjo-do-mar s.m.; pl. *anjos-do-mar*
anjola s.f.
anjo-mau s.m.; pl. *anjos-maus*
anjo-papudo s.m.; pl. *anjos-papudos*
anjo-viola s.m.; pl. *anjos-viola* e *anjos-violas*
anjuão s.m.
anjuba s.f.
anjuriá adj. s.2g.
anjuvino adj. s.m.
ankerita s.f.
anlaga s.m.
annabergita s.f.
annerodita s.f.
ano s.m.
ano-base s.m.; pl. *anos-base* e *anos-bases*
anobíida adj. s.2g.
anobiídeo adj. s.m.
anóbio s.m.
anoblepsia s.f.
anobléptico adj.
ano-bom s.m.; pl. *anos-bons*
anobulbar adj.2g.
anocarpo s.m.
anocatártico adj.
anoceliadelfia s.f.
anoceliadelfo adj. s.m.
anociassociação s.f.
anociassociativo adj.
anocivo adj.
anococcígeo adj.
anóculo s.m.
anocutâneo adj.
ânoda s.f.
anodal adj.2g.
anodão s.m.
anodendro s.m.
anoderma s.m.
anodia s.f.
anódico adj.
anodinação s.f.
anodinado adj.
anodinar v.
anodinável adj.2g.
anodinia s.f.
anodinina s.f.
anodinínico adj.
anodinização s.f.
anodinizante adj.2g.
anodinizar v.
anodinizável adj.2g.
anódino adj. s.m.
anódio s.m.
anodioluminescência s.f.
anodização s.f.
anodizado adj.
anodizante adj.2g.
anodizar v.
anodizável adj.2g.
anodmia s.f.
anódmico adj.
ânodo s.m.
anodoncia s.f.
anodôncio s.m.
anodonte adj.2g. s.m.
anodontia s.f.
anodôntico adj.
anodontita s.f.
anoectoquilo s.m.
ano e dia s.2g.
anoema s.2g.
anoesia s.f.
anoético adj.
anófele s.m.
anofelicida adj.2g. s.m.
anofelicídio s.m.
anofelífugo adj.
anofelíneo adj. s.m.
anofelino adj. s.m.
anofelismo s.m.
anofelístico adj.
anófelo s.m.
anófito s.m.
anoforita s.f.
anoftalmemia s.f.
anoftalmêmico adj.
anoftalmia s.f.
anoftálmico adj.
anoftalmo adj. s.m.
anoftalmoemia s.f.
anogeísso s.m.
anógina s.f.
anogisso s.m.
anogônio s.m.
anograma s.f.
anogrâmea s.f.
anogueira s.f.
anogueirado adj.
anogueirar v.
anoia (*ó*) s.f.
anoiganto s.m.
anoitação s.f.
anoitar v.
anoitecer v.
anoitecido adj.
anoitecimento s.m.
anoiuba (*ú*) adj. s.2g.
anoja s.f.
anojadiço adj.
anojado adj. s.m.
anojador (*ô*) adj. s.m.
anojal adj.2g.
anojamento s.m.
anojar v.
anojo (*ô*) adj. s.m.; cf. *anojo*, fl. do v. *anojar*
anojoso (*ô*) adj. s.m.; f. (*ó*); pl. (*ó*)
anol s.m.
anoleico (*é*) adj.
anolênico adj.
anóleno adj. s.m.
anolepto s.m.
anólis s.m.2n.
ano-luz s.m.; pl. *anos-luz*
ânoma s.f.
anômala s.f.
anomalecia s.f.
anomalia s.f.
anomalifloro adj.
anomalípede adj.2g.
anomalismo s.m.
anomalista adj. s.2g.
anomalístico adj.
anomalita s.f.
anomalite s.f.
anomalito s.m.
anômalo adj.
anomalonomia s.f.
anomalonômico adj.
anomalônomo s.m.
anomalopia s.f.
anomalópico adj.
anomalopídeo adj. s.m.
anomalóporo adj.
anomalopsia s.f.
anomalóptico adj.
anomaloscópico adj.
anomaloscópio s.m.
anomalose s.f.
anomalótico adj.
anomalotrofia s.f.
anomalotrófico adj.
anomalótrofo adj. s.m.
anomalurídeo adj. s.m.
anomaluro s.m.
anomantódia s.f.
anomateca s.f.
anômato s.m.
anomaza s.f.
anômea s.f.
anomear v.
anomenomeópsida adj.2g. s.m.
anomeópsis s.m.2n.
anomia s.f.
anomial adj.2g.
anomiano adj. s.m.
anômico adj.
anominação s.f.
anominata s.f.
anomiópsis s.m.
anomista adj. s.2g. s.m.
anomístico adj.
anomita s.f.
anomite s.f.
anomítico adj.
anomito s.m.
anomóbrio s.m.
anomocardiostenia s.f.
anomocardiostênico adj.
anomocárpio adj.
anomocarpo adj.
anomocefalia s.f.
anomocefálico adj.
anomocéfalo adj.
anomocelo adj. s.m.
anomocloa (*ô*) s.f.
anomócloa s.f.
anomocromático adj.
anomocromia s.f.
anomocrômico adj.
anomocromo adj.
anomodonte s.m.
anomósporo adj.
anomostéfio s.m.
anomoteca s.f.
anomuro adj.
anona s.f.
anonácea s.f.
anonáceo adj.
anonadado adj.
anonadar v.
anonado adj.
anonário adj.
anoneira s.f.
anônfalo adj.
anonimado adj. s.m.
anonimato s.m.
anonímia s.f.
anonímico adj.
anonimidade s.f.
anonimizado adj.
anonimizar v.
anônimo adj. s.m.
anonimografia s.f.
anoniquia s.f.
ano-novo s.m.; pl. *anos-novos*
anontivo s.m.
anonzé adj. s.2g.
anonzu adj. s.2g.
anoope adj. s.2g.
anoopia s.f.
ano-opsia s.f.
ano-óptico adj.
anopeniano adj.
anoperineal adj.2g.
anopétalo adj.
anopia s.f.
anopisto adj.
anopistográfico adj.
anopistógrafo adj. s.m.
anopíxide (*cs*) s.f.
anopíxis (*cs*) s.f.2n.
anoplanta s.f.
anoplista s.f.
ânoplo s.m.
anoplódera s.f.
anoploderma s.m.
anoplodermo s.m.
anoplódero s.m.
anoplófero s.m.
anoplóforo s.m.
anoplognátida adj.2g. s.m.
anoplógnato s.m.
anoplômero s.m.
anoplope s.m.
anoploquilo s.m.
anoplosterno s.m.
anoplotérida adj.2g. s.m.
anoploterídeo adj. s.m.
anoplotério s.m.
anopluro s.m.
anópoda s.m.
anopódio s.m.
anoprostático adj.
anopsia s.f.

anoptero s.m.
anóptico adj.
anopúbico adj.
anoque s.m.
anoqueto s.m.
anoraque s.m.
anorco adj. s.m.
anordestar v.
anordesteado adj.
anordestear v.
anoréctico adj.
anorexia (*cs*) s.f.
anoréxico (*cs*) adj.
anorexígeno (*cs*) adj.
anorgânico adj.
anorganismo s.m.
anorganístico adj.
anorganogenia s.f.
anorganogênico adj.
anorganógeno adj.
anorganognosia s.f.
anorganognóstico adj.
anorganografia s.f.
anorganográfico adj.
anorganólito s.m.
anorganologia s.f.
anorganológico adj.
anorganoquímico adj.
anorgasmia s.f.
anorgismo s.m.
anori s.m.
anoriaçuense adj. s.2g.
anoriense adj. s.2g.
anormal adj. s.2g.
anormalidade s.f.
anormalismo s.m.
anormalístico adj.
anorquia s.f.
anorquídeo adj.
anorquidia s.f.
anorquídico adj.
anorrectal adj.2g.
anorrectite s.f.
anorrinco adj.
anorteado adj.
anorteamento s.m.
anortear v.
anórtico adj.
anortistado adj.
anortistar v.
anortita s.f.
anortite s.f.
anortítico adj.
anortito s.m.
anortoclásio s.m.
anortografia s.f.
anortográfico adj.
anortógrafo s.m.
anortoíte s.f.
anortoíto s.m.
anortopia s.f.
anortóptico adj.
anortoscópico adj.
anortoscópio s.m.
anortose s.f.
anortosita s.f.
anortosite s.f.
anortosítico adj.
anortosito s.m.
anortótico adj.
anoruegado adj.
anosado adj.
anoscopia s.f.
anoscópio s.m.
anosfresia s.f.
anosfrético adj.
anosia s.f.
anosidade s.f.
anosmático adj.
anosmia s.f.
anósmico adj.
anoso (*ô*) adj.; f. (*ó*); pl. (*ó*)
anosognosia s.f.
anosognósico adj.
anosognóstico adj.
anosol s.m.
anosólico adj.
anósporo s.m.
anósteo adj.
anosteose s.f.
anosteótico adj.
anosteozoário adj. s.m.
anostomatíneo s.m.
anostomídeo adj. s.m.
anostomíneo adj. s.m.
anóstomo s.m.
anostose s.f.
anostóstomo s.m.
anostótico adj.
anostráceo adj. s.m.
anotação s.f.
anotado adj.
anotador (*ô*) adj. s.m.
anotar v.
anotia s.f.
anótico adj.
anótino adj.
anoto (*ô*) adj. s.m.; cf. *anoto*, fl. do v. *anotar*
anotropia s.f.
anotrópico adj.
anoutar v.
anoutecer v.
anoutecido adj.
anoutecimento s.m.
anovação s.f.
anovaginal adj.2g.
anovamento s.m.
anovar v.
anovaria s.f.
anoveado adj. s.m.
anovear v.
anóveas s.f.pl.
anovelado adj.
anovelar v.
anovesical adj.2g.
anovulação s.f.
anovulante adj.2g. s.m.
anovular adj.2g.
anovulatório adj.
anoxemia (*cs*) s.f.
anoxêmico (*cs*) adj.
anoxia (*cs*) s.f.
anoxibiose (*cs*) s.f.
anoxibiótico (*cs*) adj.
anóxico (*cs*) adj.
anoxiemia (*cs*) s.f.
anoxiêmico (*cs*) adj.
anoxigenia (*cs*) s.f.
anoxigênico (*cs*) adj.
anoxitonia (*cs*) s.f.
anoxitônico (*cs*) adj.
anoxítono (*cs*) adj. s.m.
anoxolina (*cs*) s.f.
anoz s.f.
anqueiro s.m.
anquerita s.f.
anquilha s.f.
anquilo s.m.
anquiloblefaria s.f.
anquilobléfaro adj.
anquilodactilia s.f.
anquilodontia s.f.
anquiloftalmia s.f.
anquiloglossa s.f.
anquiloglosse s.f.
anquiloglossia s.f.
anquiloglosso s.m.
anquiloglossotomia s.f.
anquiloglossótomo s.m.
anquilope s.2g.
anquiloquilia s.f.
anquilorrimia s.f.
anquilorrinco s.m.
anquilosado adj.
anquilosante adj.2g.
anquilosar v.
anquilose s.f.
anquiloso (*ô*) adj.; f. (*ó*); pl. (*ó*)
anquilossauro s.m.
anquilostomíase s.f.
anquilóstomo s.m.
anquilótico adj.
anquinha s.f.
anquinhas s.f.pl.
anquirina s.f.
anquisíada adj. s.2g.
anquissauro s.m.
anquistia s.f.
anquistrócero adj. s.m.
anquistrodesmo adj. s.m.
anquitério s.m.
anredera s.f.
anrique s.m.
ansa s.f. "asa"; cf. *hamsa* e *hansa*
ansar adj. s.2g.
ansariano adj. s.m.
ansarinha s.f.
ansarinha-branca s.f.; pl. *ansarinhas-brancas*
ansarinha-malhada s.f.; pl. *ansarinhas-malhadas*
ansarinha-vermífuga s.f.; pl. *ansarinhas-vermífugas*
ansarinho s.m.
anseio s.m.
ansélia s.f.
anselim s.m.
anselmiano adj.
ansenga adj. s.2g.
ânser s.m.
anserana s.f.
ansericultor (*ô*) adj. s.m.
ansericultura s.f.
ansérida adj. s.2g.
anserídeo adj. s.m.
anseriforme adj. s.2g.
anserina s.f.
anseríneo adj. s.m.
anserino adj.
ânsia s.f.
ansiado adj.
ansiamento s.m.
ansianense adj. s.2g.
ansiar v.
ansibário adj. s.m.
ansiedade s.f.
ansiforme adj.2g.
ansiólise s.f.
ansiolítico adj. s.m.
ansioso (*ô*) adj.; f. (*ó*); pl. (*ó*)
ansônia s.f.
anspeçada s.m.
anstrutéria s.f.
anta adj. s.2g. s.f. "mamífero", "indígena"; cf. *antã*
antã s.m. "periquito"; cf. *anta*
antacanta s.f.
antacanto s.m.
antácido s.m.
antactínia s.f.
antacuré s.f.
antadênia s.f.
antado adj.
antaeróftoro adj.
antafrodisíaco adj.
anta-gameleira s.f.; pl. *antas-gameleiras*
antagônico adj.
antagonismo s.m.
antagonista adj. s.2g.
antagonístico adj.
antagonistografia s.f.
antagonistográfico adj.
antagonistógrafo s.m.
antagonização s.f.
antagonizado adj.
antagonizador (*ô*) adj.
antagonizante adj. s.2g.
antagonizar v.
antagonizável adj.2g.
antal s.m.
antala s.f.
antalgia s.f.
antálgico adj.
antalma s.f.
antalo adj. s.m.
antaloceia (*é*) s.f.
antamba s.f.
antambulacral adj.2g.
antanáclase s.f.
antanagoge s.f.
antanagógico adj.
antanho adv.
antapódose s.f.
antapodótico adj.
antapologia s.f.
antapológico adj.
antaqui s.m.
antar v.
antárctia s.f.
antárctico adj.
antariano adj. s.m.
antário s.m.
antarquismo s.m.
antarquista adj. s.2g.
antarquístico adj.
antarticita s.f.
antártico adj.
anta-sapateira s.f.; pl. *antas-sapateiras*
antasfíctico adj.
antauge s.m.
antavares s.2g.pl.
antáxia (*cs*) s.f.
antaxuré s.f.
ante s.m. prep.
anteagora adv.
antealcova (*ô*) s.f.
antealexandrino adj.
antealvorada s.f.
antealvorar v.
anteâmbulo s.m.
anteambulone s.m.
ante à ré s.f.
anteato s.m.
anteaurora s.f.
anteavante s.f.
anteboca (*ô*) s.f.
antebraço s.m.
antebraquial adj.2g.
antecalva s.f.
antecama s.f.
antecâmara s.f.
antecambriano adj. s.m.
antecâmbrico adj. s.m.
antecâmera s.f.
antecanicular adj.2g.
antecanto s.m.
antecarga s.f.
antecarreira s.f.
antecasa s.f.
antecedência s.f.
antecedente adj.2g. s.m.
anteceder v.
antecena s.f.
antecessor (*ô*) adj. s.m.
antecéu s.m.
antécio s.m.
antecipação s.f.
antecipado adj.
antecipador (*ô*) adj.
antecipante adj.2g.
antecipar v.
antecipatório adj.
antecipável adj.2g.
antecipo s.m.
anteclássico adj. "pré-clássico"; cf. *anticlássico*
anteclípeo adj. s.m.
anteco adj. s.m.
antecoluna s.f.
antecomeço (*ê*) s.m.
anteconhecimento s.m.
anteconjugal adj.2g. "pré-conjugal"; cf. *anticonjugal*
anteconsonantal adj.2g.
anteconsonântico adj.
antecontrato s.m.
antecontratual adj.2g.
antecor s.m.
antecoração s.m.
antecordilheira s.f.
antecoro (*ô*) s.m.; pl. (*ó*)
antecos s.m.pl.
antecrepuscular adj.2g. "que antecede o crepúsculo"; cf. *anticrepuscular*
antecrítico adj. "pré-crítico"; cf. *anticrítico*
antecuco adj.
antecursor (*ô*) s.m.
antecurvatura s.f.
antedado adj.
antedar v.
antedata s.f.
antedatação s.f.
antedatado adj.
antedatar v.
antedatável adj.2g.
antedestro (*é* ou *ê*) adj.
antedesvio s.m.
antedevoniano adj.
antedia s.m. adv.
antediluvianismo s.m.
antediluvianista adj.2g.
antediluvianístico adj.
antediluviano adj. s.m.
antedito adj.
antedizer v.
antedizível adj.2g.
antedorsal adj.2g.
anteduna s.f.
ante-estreia (*é*) s.f.
anteface s.m.
antefase s.f.
antefazer v.
antefebril adj.2g.
anteferido adj.
anteferir v.
antefiáltico adj. s.m.
antefirma s.f.
antefixa (*cs*) s.f.
anteflexão (*cs*) s.f.
anteflexo (*cs*) adj.
antéfora s.f.
antefosso (*ô*) s.m.; pl. (*ó*)
antefruição s.f.
antefruimento s.m.
antefruir v.
antegabinete (*ê*) s.m.
antegalha s.f. "tomadouro"; cf. *antigalha*
antegare s.f.
antegenesia s.f.
antegostar v.
antegosto (*ô*) s.m.; cf. *antegosto*, fl. do v. *antegostar*
antegozar v.
antegozo (*ô*) s.m.; cf. *antegozo*, fl. do v. *antegozar*
antegramatical adj.2g. "pré-gramatical"; cf. *antigramatical*
antegregoriano adj.
anteguarda s.f.
ante-hipófise s.f.
ante-histórico adj. "pré-histórico"; cf. *anti-histórico*
anteiro adj. s.m.
anteislâmico adj. "pré-islâmico"; cf. *anti-islâmico*
antejulgamento s.m.
antejulgar v.
antejustiniano adj.
antela s.f.
antelabial adj.2g.
antelábio s.m.
antelação s.f.
antelado adj.
antelativo adj.
antélia s.f.
anteliano adj. s.m.
antelibado adj.
antelibar v.
antélice s.f.
antélico adj.
antelicotragiano adj.
antélio s.m.
antelitragiano adj.
antélix (*cs*) s.f.2n.
antélmia s.f.
antelmíntica s.f.
antelmíntico adj. s.m.
antelo s.m.
anteloquial adj.2g.
antelóquio s.m.
antelucano adj.
antemanhã s.f. adv.
antemão s.f. adv.; na loc. *de antemão*
antematinas s.f.pl.
antemedieval adj.2g.
antemeridiano adj.
antemesa (*ê*) s.f.
antêmico adj.
antêmide s.f.
antemídea s.f.
antemídeo adj.
antemidina s.f.
antemiedria s.f.
antemiédrico adj.
antemilha s.f.
antemina s.f.

antêmio s.m.
ântemis s.f.2n.
antemnate adj. s.2g.
antemol s.m.
antemolar adj.2g.
antemólico adj.
antemontanha s.f.
antemostrado adj.
antemostrar v.
antemostrável adj.2g.
antemover v.
antemovido adj.
antemultiplicação s.f.
antemultiplicar v.
antemurado adj.
antemural adj.2g. s.m.
antemuralha s.f.
antemurar v.
antemúria s.f.
antemuro s.m.
antena s.f.
antenado adj.
antenaedro s.m.
antenal adj.2g. s.m.
antenântia s.f.
antenapédia adj.
antenária s.f.
antenariídeo adj. s.m.
antenário adj. s.m.
antenasal adj.2g.
antenascer v.
antenascido adj.
antenatal adj.2g.
antenátula s.f.
antenífero adj.
anteniforme adj.2g.
antenilha s.f.
antenista s.2g.
antenóforo s.m.
antenoide (*ó*) adj.2g. s.m.
antenome s.m.
antenomeado adj.
antenomear v.
antenominal adj.2g.
antense adj. s.m.f.
antênula s.f.
antenular adj.2g.
antenupcial adj.2g. "pré--nupcial"; cf. *antinupcial*
anteocupação s.f.
anteocupado adj.
anteocupante adj.2g. s.2g.
anteocupar v.
anteolhos s.m.pl.
anteontem adv.
antepaga s.f.
antepagamento s.m.
antepagar v.
antepago adj. s.m.
antepaís s.m.
antepaixão s.f.
antepara s.f.
anteparado adj.
anteparança s.f.
anteparar v.
anteparas s.f.pl.
anteparo s.m.
anteparto s.m.
antepassado adj. s.m.
antepassar v.
antepasto s.m.
antepectoral adj.2g.
antepeitoral adj.2g.
antepenúltimo adj.
antepétalo adj.
antepilano s.m.
antepiléptico adj.
anteplatônico adj. "anterior ao platonismo"; cf. *antiplatônico*
antepopa (*ô*) s.f.
antepor (*ô*) v.
anteporta s.f.
anteportada s.f.
anteportal s.m.
anteportaria s.f.
anteporto (*ô*) s.m.; pl. (*ó*)
anteposição s.f.
antepositivo adj.
antepostar v.
anteposto (*ô*) adj.; f. (*ó*); pl. (*ó*)
antepotente adj.2g.
antepraia s.f.
antepredicamentais s.2g.pl.
antepredicamental adj.2g.
antepredicamento s.m.
anteprimeiro adj.
anteprograma s.m.
anteprogramático adj. "anterior ao programa"; cf. *antiprogramático*
anteprojeto s.m.
anteproposta s.f.
antepróstata s.f.
anteprova s.f.
anteprovar v.
antequino s.m.
antera s.f.
anteral adj.2g.
anteriana s.f.
anteriano adj.
antericácea s.f.
antericáceo adj.
anterícea s.f.
anteríceo adj.
antérico adj. s.m.
anterídeo adj. s.m.
anterídia s.f.
anteridial adj.2g.
anterídico adj.
anteridiforme adj.2g.
anterídio s.m.
anteridióforo s.m.
anterífero adj.
anteriforme adj.2g.
anterino adj. s.m.
anterior (*ô*) adj.2g.
anterioridade s.f.
anteriorização s.f.
anteriorizado adj.
anteriorizar v.
anteriorizável adj.2g.
anterístico s.m.
anteritrina s.f.
anteritrínico adj.
anterizar v.
anteroabdominal adj.2g.
anterodorsal adj.2g.
anteroexterior adj.2g.
anteroexterno adj.
anterofagia s.f.
anterófago adj. s.m.
anterofilia s.f.
anterofílico adj.
anterofinal adj.2g.
anterógeno adj.
anterógrado adj.
anteroide (*ó*) adj.2g.
anteroinferior adj.2g.
anterointerior adj.2g.
anterointerno adj.
anterolateral adj.2g.
anterologia s.f.
anterológico adj.
anteromedial adj.2g.
anteroposterior adj.2g.
anterossinfisia s.f.
anterossuperior adj.2g.
anterótoma s.m.
anteroventral adj.2g.
anterozoide (*ó*) adj.2g. s.m.
anterreal adj.2g. "pré-real"; cf. *antirreal*
anterrefeitoria s.f.
anterrefeitório s.m.
anterreforma s.f.
anterrepublicano adj. "pré-republicano"; cf. *antirrepublicano*
anterrosto s.m.
anterura s.f.
antes adv.
antese s.f.
antesfória s.m.
antespolão s.m.
antessabor s.m.
antessacristia s.f.
antessala s.f.
antessazão s.f.
antessentido adj.
antessentir v.
antessépalo adj.
antessignano s.m.
antessinistro adj.
antessocrático adj. "pré--socrático"; cf. *antissocrático*
antessujeito s.m.
antestatura s.f.
antestéria s.f.
antesterina s.f.
antesterínico adj.
antestério s.m.
antesterol s.m.
antestreia (*é*) s.f.
anteteca s.f.
antetempo adv.
anteterminal adj.2g.
antético adj.
antetítulo s.m.
antetônico adj.
antevelhice s.f.
antever v.
anteversão s.f.
anteverso adj.
anteverter v.
antevéspera s.f.
antevesperal adj.2g.
antevidência s.f.
antevidente adj. s.2g.
antevieiro adj.
antevigília s.f.
antevisão s.f.
antevisto adj.
antevo adj.
antevoar v.
antevocálico adj.
anti adj. s.2g.
ântia s.f.
antiaborsivo adj. s.m.
antiabortivo adj. s.m.
antiabrasivo adj.
antiabrina s.f.
antiabrínico adj.
antiabsolutismo s.m.
antiabsolutista adj. s.2g.
antiabsolutístico adj.
antiacademicismo s.m.
antiacademicista adj. s.2g.
antiacademicístico adj.
antiacadêmico adj.
antiacademismo s.m.
antiacademista adj. s.2g.
antiacademístico adj.
antiácido adj. s.m.
antiacoplamento s.m.
antiacústico adj.
antíada s.f.
antíade s.f.
antiaderente adj. s.2g.
antiadesina s.f.
antiadesismo s.m.
antiadesista adj. s.2g.
antiadesístico adj.
antiadiaforista s.m.
antiadite s.f.
antiadítico adj.
antiadministrativo adj.
antiaéreo adj.
antiaeróftoro adj. s.m.
antiaeronaval adj.2g.
antiafrodisíaco adj. s.m.
antiafrodítico adj.
antiaglutinante adj.2g. s.m.
antiaglutinina s.f.
antiaglutinínico adj.
antiagrário adj.
antiagressina s.f.
antiagressínico adj.
antiagrícola adj.2g.
antialbumida s.f.
antialbuminoide (*ó*) adj.
antialbumose s.f.
antialbumótico adj.
antialcalino adj. s.m.
antialcoólico adj. s.m.
antialcoolismo s.m.
antialcoolista adj. s.2g.
antialcoolístico adj.
antialérgeno adj. s.m.
antialérgico adj. s.m.
antialexina (*cs*) s.f.
antialexínico (*cs*) adj.
antiálgico adj. s.m.
antiamarílico adj.
antiamebiano adj. s.m.
antiamébico adj. s.m.
antiamericanismo s.m.
antiamericanista adj. s.2g.
antiamericanístico adj.
antiamericano adj.
antianaeróbio adj.
antianafilático adj.
antianafilaxia (*cs*) s.f.
antianêmico adj. s.m.
antianexionismo (*cs*) s.m.
antianexionista (*cs*) adj. s.2g.
antianexionístico (*cs*) adj.
antianglicano adj. s.m.
antiansiedade s.f.
antianticorpo (*ô*) s.m.
antiantitoxina (*cs*) s.f.
antiápex (*cs*) s.m.; pl. *antiápices*
antiápice s.m.
antiapologético adj.
antiapologia s.f.
antiapopléctico adj.
antiar s.m.
antiárabe adj. s.2g.
antiarabismo s.m.
antiarabista adj. s.2g.
antiarabístico adj.
antiaracnolisina s.f.
antiarigenina s.f.
antiarina s.f.
antiáris s.m.2n.
antiaristocracia s.f.
antiaristocrata adj. s.2g.
antiaristocrático adj.
antiarol s.m.
antiarólico adj.
antiarônico adj.
antiarosa s.f.
antiarose s.f.
antiarritmia s.f.
antiarrítmico adj.
antiarsenina s.f.
antiarsina s.f.
antiarte s.f.
antiartístico adj.
antiartrítico adj. s.m.
antiascítico adj. s.m.
antiasfíctico adj. s.m.
antiasmático adj. s.m.
antiassistólico adj.
antiastênico adj.
antiatáctico adj.
antiatávico adj.
antiatáxico (*cs*) adj.
antiatômico adj.
antiatrófico adj.
antiatrópico adj.
antiautomorfismo s.m.
antiautoritarismo s.m.
antiautoritarista adj. s.2g.
antiautoritarístico adj.
antiauxina (*cs*) s.f.
antiauxínico (*cs*) adj.
antibacharelismo s.m.
antibacharelista adj. s.2g.
antibacharelístico adj.
antibacilar adj.2g.
antibacteriano adj.
antibacteriofágico adj.
antibalístico adj.
antibalomênico adj. s.m.
antibalômeno adj.
antibaquíaco adj.
antibáquico adj.
antibáquio adj. s.m.
antibárbaro adj.
antibário s.m.
antibárion s.m.
antibatista adj. s.2g.
antibatístico adj.
antibelicismo s.m.
antibelicista adj. s.2g.
antibelicístico adj.
antibélico adj.
antiberibérico adj.
antiberiberina s.f.
antibíblico adj.
antibilioso (*ô*) adj.; f. (*ó*); pl. (*ó*)
antibiograma s.m.
antibionte adj.
antibiose s.f.
antibioterapia s.f.
antibioterápico adj.
antibiótico adj. s.m.
antibioticoterapia s.f.
antibioticoterápico adj.
antibissectriz adj. s.f.
antibissetriz adj. s.f.
antiblástico adj.
antiblenorrágico adj.
antibonapartismo s.m.
antibonapartista adj. s.m.
antibonapartístico adj.2g.
antibotrópico adj.
antibranco adj. s.m.
antibrasileiro adj. s.m.
antibritânico adj. s.m.
antibrômico adj.
antibula s.f.
antiburguês adj. s.m.
anticabralismo s.m.
anticabralista adj. s.2g.
anticacográfico adj.
anticacoquímico adj.
anticadência s.f.
anticadmia s.f.
anticálcio s.m.
anticalculoso (*ô*) adj. s.m.; f. (*ó*); pl. (*ó*)
anticancerígeno adj. s.m.
anticanceroso (*ô*) adj.; f. (*ó*); pl. (*ó*)
anticancrina s.f.
anticanônico adj.
anticapa s.m.
anticapacitativo adj.
anticapa-zero s.m.; pl. *anticapas-zero*
anticapitalismo s.m.
anticapitalista adj. s.2g.
anticapitalístico adj.
anticaquético adj. s.m.
anticarbunculoso (*ô*) adj.; f. (*ó*); pl. (*ó*)
anticarcinomatoso (*ô*) adj.; f. (*ó*); pl. (*ó*)
anticardeal s.m.
anticárdio s.m.
anticardiolipina s.f.
anticariense adj.2g.
anticarioso (*ô*) adj.; f. (*ó*); pl. (*ó*)
antícaris s.f.2n.
anticarlismo s.m.
anticarlista adj. s.2g.
anticarro adj.2g.2n.
anticaspa adj.2g.2n.
anticatafilaxia (*cs*) s.f.
anticatalisador (*ô*) adj. s.m.
anticatálise s.m.
anticatalítico adj.
anticatarral adj.2g. s.m.
anticatárrico adj.
anticatarse s.f.
anticatártico adj.
anticategoria s.f.
anticategorial adj.2g.
anticatódico s.m.
anticatódio s.m.
anticátodo s.m.
anticatolicismo s.m.
anticatolicista adj. s.2g.
anticatolicístico adj.
anticatólico adj. s.m.
anticáustica s.f.
anticáustico adj.
anticecal adj.2g.
anticefalálgico adj.
anticélio s.m.
anticéltico adj. s.m.
anticensório adj.
anticentro s.m.
anticepticismo s.m.
anticéptico adj. "contra os cépticos"; cf. *antisséptico*
anticésar s.m.
anticetogênio s.m.
antichoque adj.2g.2n.
anticiclogênese s.f.

anticiclogenético adj.
anticiclogênico adj.
anticiclonal adj.2g.
anticiclone s.m.
anticiclônico adj.
anticídeo s.m.
anticiência s.f.
anticientificismo s.m.
anticientificista adj. s.2g.
anticientificístico adj.
anticientífico adj.
anticientismo s.m.
anticientista adj.2g.
anticientístico adj.
anticíprio s.m.
anticira s.f.
anticircunflexo (*cs*) s.m.
anticirense adj. s.2g.
anticírico s.m.
anticíricon s.m.
anticitolisina s.f.
anticitolisínico adj.
anticitóxico (*cs*) adj. s.m.
anticívico adj.
anticivilizador (*ô*) adj.
anticivismo s.m.
anticivístico adj.
anticlássico adj. "contrário ao clássico"; cf. *anteclássico*
anticlerical adj. s.2g.
anticlericalismo s.m.
anticlericalista adj. s.2g.
anticlericalístico adj.
anticlímax (*cs*) s.m.
anticlina s.f.
anticlinal adj.2g.
anticlinanto s.m.
anticlínea s.f.
anticlíneo adj.
anticlinical adj.2g.
anticlínico adj.
anticlino s.m.
anticlinório s.m.
antíclise s.f.
anticlonal adj.2g.
anticlone s.m.
anticlóris s.m.2n.
anticlorístico adj.
anticlorítico adj.
anticloro s.m.
anticlorose s.f.
anticlorótico adj.
ântico adj. s.m.
anticoagulante adj.2g. s.m.
anticoagulina s.f.
anticódon s.m.
anticodônio s.m.
anticoesor (*ô*) adj. s.m.
anticoincidência s.f.
anticoincidente adj.2g.
anticolagogo (*ô*) adj. s.m.
anticolérico adj.
anticolerina s.f.
anticolerínico adj.
anticóli adj.2g.
anticolibacilar adj.2g.
anticólico adj.
anticolinérgico adj.
anticolinesterase s.f.
anticolinestérase s.f.
anticolinesterásico adj.
anticolinesterático adj.
anticolisão s.f.
anticolonialismo s.m.
anticolonialista adj. s.2g.
anticolonialístico adj.
anticolonista adj. s.2g.
anticomania s.f.
anticomaníaco adj. s.m.
anticômano adj. s.m.
anticombustibilidade s.f.
anticombustível adj.2g. s.m.
anticomercial adj.2g.
anticomessalismo s.m.
anticomplementar adj.2g.
anticomplementaridade s.f.
anticomunismo s.m.
anticomunista adj. s.2g.
anticomunístico adj.
anticomutativo adj.
anticoncepção s.f.
anticoncepcional adj.2g. s.m.
anticonceptivo adj. s.m.
anticonciliar adj.2g.
anticoncílio s.m.
anticoncordatário adj. s.m.
anticonformismo s.m.
anticonformista adj. s.2g.
anticongelante adj.2g. s.m.
anticonjugal adj.2g. "contrário à vida conjugal"; cf. *anteconjugal*
anticonstitucional adj.2g.
anticonstitucionalidade s.f.
anticonstitucionalismo s.m.
anticonstitucionalista adj. s.2g.
anticonstitucionalístico adj.
anticontagionista adj. s.2g.
anticontagioso (*ô*) adj.; f. (*ó*); pl. (*ó*)
anticontratual adj.2g.
anticontratualismo s.m.
anticontratualista adj. s.2g.
anticontratualístico adj.
anticonvulsivante adj.2g.
anticonvulsivo adj. s.m.
antícope s.f.
anticoposcópico adj.
anticoposcópio s.m.
anticorpo (*ô*) s.m.; pl. (*ó*)
anticorporativismo s.m.
anticorporativista adj. s.2g.
anticorporativístico adj.
anticorporativo adj.
anticorrosivo adj. s.m.
anticosmético adj. s.m.
anticosta s.f.
anticrepuscular adj.2g. "do lado oposto ao crepúsculo"; cf. *antecrepuscular*
anticrepúsculo s.m.
anticrese s.f.
anticresista adj. s.2g.
anticrético adj.
anticriptogâmico adj.
anticristandade s.f.
anticristão adj. s.m.
anticristianismo s.m.
anticristianista adj. s.2g.
anticristianístico adj.
anticristo s.m.
anticrítica s.f.
anticrítico adj. "que se opõe à crítica"; cf. *antecrítico*
anticrônico adj.
anticronismo s.m.
anticronístico adj.
anticrotálico adj.
anticrotina s.f.
antíctone s.m.
anticulicidiano adj.
anticultura s.f.
anticultural adj.2g.
antidáctilo adj. s.m.
antidafne s.f.
antidartroso (*ô*) adj.; f. (*ó*); pl. (*ó*)
antidátilo adj. s.m.
antídea s.f.
antideclamatório adj.
antidecorativo adj.
antideflagrante adj.2g. s.m.
antidemocracia s.f.
antidemocrata adj. s.2g.
antidemocrático adj. s.m.
antidemocratismo adj. s.m.
antidemoníaco adj. s.m.
antidepressante adj. s.2g.
antidepressivo adj. s.m.
antiderivada s.f.
antiderivado adj.
antiderivar v.
antiderivável adj.2g.
antiderrapagem s.f.
antiderrapante adj.2g. s.m.
antidesassimilador (*ô*) adj.
antidescritivo adj.
antideslizante adj.2g. s.m.
antidesma s.f.
antidésmea s.f.
antidesnutritivo adj.
antidesportividade s.f.
antidesportivo adj.
antidéspota adj. s.2g.
antidespótico adj.
antidespotismo s.m.
antidetonante adj.2g. s.m.
antideus s.m.
antidiabético adj. s.m.
antidiabetogênico adj.
antidiaforético adj.
antidiaforista adj. s.2g.
antidiarreico (*é*) adj. s.m.
antidiástase s.f.
antidiastático adj.
antidiátese s.f.
antidiatésico adj.
antidiatético adj.
antidicomarianita adj. s.2g.
antidiftérico adj.
antidigestivo adj. s.m.
antidinástico adj.
antidínico adj. s.m.
antídio s.m.
antidisentérico adj. s.m.
antidispéptico adj. s.m.
antidispneico (*é*) adj. s.m.
antidisrítmico adj. s.m.
antidistônico adj. s.m.
antidiurético adj. s.m.
antidivino adj.
antidivorcismo s.m.
antidivorcista adj. s.2g.
antidivorcístico adj.
antidogmático adj.
antidogmatismo s.m.
antidogmatista adj. s.2g.
antidogmatístico adj.
antidoral adj.2g.
antidoro s.m.
antídose s.f.
antidotal adj.2g.
antidotar v.
antidotário adj. s.m.
antidotismo s.m.
antidotístico adj.
antídoto s.m.
antidoutrinal adj.2g.
antidoutrinário adj.
antidramático adj.
antidreyfusista adj. s.2g.
antidroga adj.
antidrômico adj.
antídromo s.m.
antidual adj. s.2g.
antidualismo s.m.
antidualista adj. s.2g.
antidualístico adj.
antiduelismo s.m.
antiduelista adj.2g.
antiduelístico adj.
antídula s.f.
antieclesial adj.2g.
antieclesiástico adj.
antieconomicismo s.m.
antieconomicista adj. s.2g.
antieconomicístico adj.
antieconômico adj.
antieconomismo s.m.
antieconomista adj. s.2g.
antieconomístico adj.
antiedematoso (*ô*) adj.; f. (*ó*); pl. (*ó*)
antiedria s.f.
antiédrico adj.
antiedrito s.m.
antiefiáltico adj.
antieixismo s.m.
antieixista adj. s.2g.
antieixístico adj.
antielapíneo adj.
antieleitoral adj.2g.
antielitismo s.m.
antielitista adj. s.2g.
antielitístico adj.
antiembaçante adj.2g. s.m.
antiemético adj. s.m.
antiempiemático adj.
antieneaedria s.f.
antieneaédrico adj.
antieneaedro s.m.
antientropia s.f.
antientrópico adj.
antienzima s.f.
antienzimático adj.
antiepicêntrico adj.
antiepicentro s.m.
antiépico adj.
antiepidêmico adj.
antiepiléptico adj. s.m.
antiepilético adj. s.m.
antiescarlatinoso (*ô*) adj.; f. (*ó*); pl. (*ó*)
antiescolar adj.2g.
antiescolasticismo s.m.
antiescolasticista adj. s.2g.
antiescolasticístico adj.
antiescolástico adj.
antiescorbútico s.m.
antiescorpiônico adj.
antiescravagista adj. s.2g.
antiescravismo s.m.
antiescravista adj. s.2g.
antiescravístico adj.
antiescriturário adj. s.m.
antiescrupuloso (*ô*) adj.; f. (*ó*); pl. (*ó*)
antieslavismo s.m.
antieslavista adj. s.2g.
antieslavístico adj.
antieslavo adj. s.m.
antiespanhol adj.
antiespasmina s.f.
antiespasmínico adj.
antiespasmódico adj. s.m.
antiespirita adj. s.2g.
antiespírita adj. s.2g.
antiespiritismo s.m.
antiespiritista adj. s.2g.
antiespiritístico adj.
antiespiritual adj.2g.
antiespiritualismo s.m.
antiespiritualista adj. s.2g.
antiespiritualístico adj.
antiespiroquético adj.
antiesplenético adj.
antiesplenítico adj.
antiespumante adj. s.2g.
antiestabelecimento s.m.
antiestafilocóccico adj.
antiestafilocócico adj.
antiestático adj.
antiestatismo s.m.
antiestatista s.2g.
antiestatístico adj.
antiestegômico adj.
antiestereografia s.f.
antiestereográfico adj.
antiestético adj.
antiestreptocóccico adj.
antiestreptocócico adj.
antiestreptolisina s.f.
antiestreptolisínico adj.
antiestrumático adj.
antiestrumoso (*ô*) adj.; f. (*ó*); pl. (*ó*)
antiético adj. "contrário à moral"; cf. *anti-héctico*
antietílico adj.
antietilina s.f.
antietilínico adj.
antietimológico adj.
antieufônico adj.
antieuropeísmo s.m.
antieuropeísta adj. s.2g.
antieuropeu adj. s.m.
antievangélico adj.
antievolucionário adj.
antievolucionismo s.m.
antievolucionista adj. s.2g.
antievolucionístico adj.
antiexpectorante adj.2g. s.m.
antiface s.m.
antifagina s.f.
antifamilismo s.m.
antifamilista adj. s.2g.
antifamilístico adj.
antifármaco adj.
antifascínio s.m.
antifascismo s.m.
antifascista adj. s.2g.
antifascístico adj.
antifasia s.f.
antifásico adj.
antifaz s.m.
antifebril adj.2g. s.m.
antifebrina s.f.
antifeminino adj.
antifeminismo s.m.
antifeminista adj. s.2g.
antifeminístico adj.
antífen s.m.; pl. *antifens*
antifermentescível adj.2g.
antifermenticida adj. s.2g.
antifermenticídio s.m.
antifermentina s.f.
antifermento s.m.
antifernal adj.2g.
antiferromagnetismo s.m.
antiferromagneto s.m.
antiferrugem s.m.
antiferruginoso (*ô*) adj.; f. (*ó*); pl. (*ó*)
antifertilizina s.f.
antifertilizínico adj.
antifeudal adj.2g.
antifeudalismo s.m.
antifilantropia s.f.
antifilantrópico adj.
antifílico adj.
antifilo s.m.
antifilosofia s.m.
antifilosófico adj.
antifilosofismo s.m.
antifilosofístico adj.
antifilósofo s.m.
antifisético adj.
antifísico adj.
antifisiológico adj.
antífito s.m.
antiflatulente adj.2g.
antiflatulento adj.
antiflogismo s.m.
antiflogístico adj. s.m.
antiflutuador (*ô*) adj. s.m.
antifogo (*ô*) s.m.; pl. (*ó*)
antífona s.f.
antifonal adj.2g. s.m.
antifonar v.
antifonário adj. s.m.
antifone s.m.
antifoneiro adj. s.m.
antifonema s.m.
antifonemático adj.
antifonêmico adj.
antifonia s.f.
antifônico adj.
antifônio s.m.
antífono s.m.
antiformina s.f.
antiformoso (*ô*) adj.; f. (*ó*); pl. (*ó*)
antifosclerose s.f.
antifotogênico adj. s.m.
antifrancês adj. s.m.
antífrase s.f.
antifrasear v.
antifrástico adj.
antifricção s.f.
antifrictivo adj.
antifrinolisina s.f.
antiftiríaco adj.
antiftírico adj.
antiftórico adj.
antiftório s.m.
antifúngico adj.
antifungina s.f.
antifurto adj.2g.2n.
antifurunculoso (*ô*) adj.; f. (*ó*); pl. (*ó*)
antigalactagogo (*ô*) adj.
antigaláctico adj.
antigalático adj.
antigalha s.f. "coisa antiga"; cf. *antegalha*
antigalho s.m.
antigalicanismo s.m.
antigalicanista adj. s.2g.
antigalicanístico adj.
antigalicano adj. s.m.
antigalicismo s.m.
antigalicista adj. s.2g.
antigalicístico adj.

antigangrenoso (*ô*) adj.; f. (*ó*); pl. (*ó*)
antigás adj.2g.
antigásico adj.
antigel s.m.
antigênico adj.
antigenidiano adj.
antigênio s.m.
antígeno adj. s.m.
antigenoterapia s.f.
antigenoterápico adj.
antigeômetra s.2g.
antigeométrico adj.
antigermânico adj.
antigermanismo s.m.
antigermanista adj. s.2g.
antigermanístico adj.
antigermina s.f.
antiginástica s.f.
antiginástico adj.
antigiratório adj. s.m.
antiglaucofânio s.m.
antiglobulina s.f.
antigo adj. s.m.
antigonense adj. s.2g.
antigônia s.f.
antigônida adj. s.2g.
antigonita s.f.
antigonítico adj.
antigonocóccico adj.
antigonocócico adj.
antigório s.m.
antigorita s.f.
antigorite s.f.
antigorítico adj.
antigorito s.m.
antigostoso (*ô*) adj.; f. (*ó*); pl. (*ó*)
antigotoso (*ô*) adj.; f. (*ó*); pl. (*ó*)
antigovernamental adj. s.2g.
antigovernismo s.m.
antigovernista s.2g.
antigovernístico adj.
antígrafo s.m.
antigrama s.m.
antigramatical adj.2g. "contrário à gramática"; cf. *antegramatical*
antigranizo adj.2g.2n.
antigravidade s.f.
antigravitacional adj.2g.
antigreve adj.2g.2n.
antigrevista adj. s.2g.
antigripal adj.2g. s.m.
antiguado adj.
antigualha s.f.
antiguano adj.
antiguidade (*u* ou *ü*) s.f.
anti-halo s.m.
anti-héctico adj. "que combate a febre héctica"; cf. *antiético*
anti-helênico adj.
anti-hélice s.f.
anti-hélio s.m.
anti-helmíntico adj. s.m.
anti-hemiedria s.f.
anti-hemiédrico adj.
anti-hemofílico adj.
anti-hemoptoico adj.
anti-hemorrágico adj.
anti-hemorroidal adj.2g.
anti-hepático adj.
anti-herói s.m.
anti-heroico adj.
anti-heroísmo s.m.
anti-herpético adj.
anti-hético adj. "o mesmo que anti héctico"; cf. *antiético*
anti-hiático adj. s.m.
anti-hidrofóbico adj.
anti-hidrópico adj.
anti-hidrotropina s.f.
anti-higiênico adj.
anti-hipertensivo adj. s.m.
anti-hipnótico adj.
anti-hipnotismo s.m.
anti-hipocondríaco adj.
anti-histamina s.f.
anti-histamínico adj.
anti-histérico adj. s.m.
anti-histórico adj. "contrário à história"; cf. *ante-histórico*
anti-hitleriano adj. s.m.
anti-hitlerismo s.m.
anti-hitlerista adj. s.2g.
anti-hitlerístico adj.
anti-homólogo adj. s.m.
anti-horário adj.
anti-hormônio s.m.
anti-humanismo s.m.
anti-humanista adj. s.2g.
anti-humanístico adj.
anti-humanitário adj.
anti-humano adj.
anti-ibérico adj.
anti-iberismo s.m.
anti-iberista adj. s.2g.
anti-iberístico adj.
anti-ictérico adj.
anti-igualitário adj.
anti-igualitarismo s.m.
anti-igualitarista adj. s.2g.
anti-igualitarístico adj.
anti-iluminismo s.m.
anti-iluminista adj. s.2g.
anti-iluminístico adj.
anti-imediato adj.
anti-imigrantista adj. s.2g.
anti-imobilizador (*ô*) adj.
anti-imperialismo s.m.
anti-imperialista adj. s.2g.
anti-imperialístico adj.
anti-inatismo s.m.
anti-inatista adj. s.2g.
anti-inatístico adj.
anti-inato adj.
anti-indução s.f.
anti-industrial adj.2g.
anti-indutivo adj.
anti-íneo s.m.
anti-infabilístico adj.
anti-infalibilismo s.m.
anti-infalibilista adj. s.2g.
anti-infalibilístico adj.
anti-infeccioso (*ô*) adj.; f. (*ó*); pl. (*ó*)
anti-inflacionário adj.
anti-inflamatório adj.
anti-instintivismo s.m.
anti-instintivista adj. s.2g.
anti-instintivo adj.
anti-integralismo s.m.
anti-integralista adj. s.2g.
anti-integralístico adj.
anti-intelectual adj. s.2g.
anti-intelectualismo s.m.
anti-intelectualista adj.2g.
anti-intelectualístico adj.
anti-interferência s.f.
anti-interferencial adj.2g.
anti-islâmico adj. "contrário ao islamismo"; cf. *anteislâmico*
anti-israelense adj. s.2g.
anti-israelita adj. s.2g.
anti-itérico adj.
antijesuitismo s.m.
antijudaico adj. s.m.
antijudeu adj. s.m.; f. *antijudia*
antijudia adj. s.f. de *antijudeu*
antijuridicidade s.f.
antijurídico adj.
antílabe s.f.
antilacedemônio adj. s.m.
antilacitoso (*ô*) adj.; f. (*ó*); pl. (*ó*)
antilactagogo (*ô*) adj. s.m.
antilambda s.m.
antilarvar adj.2g.
antilarvário adj.
antilatino adj.
antilegal adj.2g.
antilegômeno adj. s.m.
antileitoso (*ô*) adj.; f. (*ó*); pl. (*ó*)
antilêmico adj.
antileproso (*ô*) adj.; f. (*ó*); pl. (*ó*)
antileprótico adj.
antilepse s.f.
antiléptico adj.
antiletárgico adj.
antileucêmico adj. s.m.
antileucorreico (*é*) adj. s.m.
antilhano adj. s.m.
antilhense adj. s.2g.
antilhita s.f.
antiliano adj. s.m.
antiliberal adj.2g.
antiliberalismo s.m.
antiliberalista adj. s.2g.
antiliberalístico adj.
antílico adj.
antílida adj.2g. s.f.
antilídea s.f.
antilídeo adj.
antílido s.m.
antílise s.f.
antilisina adj.
antilíssico adj.
antilisso adj. s.m.
antiliterário adj.
antilítico s.f.
antíloba s.f.
antilóbio s.m.
antílobo s.m.
antilocabra s.f.
antilocapra s.f.
antilocaprídeo adj. s.m.
antilogarítmico adj.
antilogaritmo s.m.
antilogia s.f.
antilógico adj.
antilogismo s.m.
antilogista adj. s.m.
antilogístico adj.
antílogo adj. s.m.
antilogômeno adj. s.m.
antilombrigoide (*ó*) adj.2g. s.m.
antílope s.m.
antílope-real s.m.; pl. *antílopes-reais*
antilopiano s.m.
antilopídeo adj. s.m.
antilopíneo adj. s.m.
antiluético adj.
antilusitanismo s.m.
antilusitanista adj. s.2g.
antilusitanístico adj.
antilusitano adj. s.m.
antiluso adj. s.m.
antiluteranismo s.m.
antiluteranista adj. s.2g.
antiluteranístico adj.
antiluterano adj. s.m.
antimacedônico adj.
antímaco s.m.
antimaçônico adj.
antimaçonismo s.m.
antimaculador (*ô*) adj. s.m.
antimagnético adj.
antimagnetismo s.m.
antimalárico adj.
antimarianista adj. s.2g.
antimariano adj.
antimarxismo (*cs*) s.m.
antimarxista (*cs*) adj. s.2g.
antimarxístico (*cs*) adj.
antimasculinismo s.m.
antimasculinista adj. s.2g.
antimasculino adj.
antimatéria s.f.
antimediador (*ô*) s.m.
antimedical adj.2g.
antimedicinal adj.2g.
antimédico adj. s.m.
antimefítico adj.
antimelancólico adj.
antimelina s.f.
antimelódico adj.
antimeningocóccico adj.
antimeningocócico adj.
antimentalismo s.m.
antimentalista adj. s.2g.
antimentalístico adj.
antimérico adj.
antimeridiano s.m.
antímero s.m.
antimesmerismo s.m.
antimesmerista adj. s.2g.
antimetábole s.f.
antimetabólito s.m.
antimetafísico adj.
antimetalepse s.f.
antimetátese s.f.
antimetrope adj. s.2g.
antimetropia s.f.
antimetrópico adj.
antimiasmático adj.
antimicina s.f.
antimicótico adj. s.m.
antimicrobiano adj.
antimicróbico adj. s.m.
antimilitar adj.2g.
antimilitarismo s.m.
antimilitarista adj. s.2g.
antimilitarístico adj.
antiministerial adj.2g.
antimiosina s.f.
antimíssil adj.2g. s.m.
antimnésia s.f.
antimnésico adj. s.m.
antimoda s.f.
antimodal adj.2g.
antimonacal adj.2g.
antimonárquico adj.
antimonarquismo s.m.
antimonarquista adj. s.2g.
antimonarquístico adj.
antimonástico adj.
antimoniado adj.
antimonial adj.2g.
antimoniático adj.
antimoniato s.m.
antimônico adj.
antimonieto (*ê*) s.m.
antimonífero adj.
antimonila s.f.
antimonina s.f.
antimônio s.m.
antimoniopiroclоro s.m.
antimonioso (*ô*) adj.; f. (*ó*); pl. (*ó*)
antimoniossulfeto (*ê*) s.m.
antimoniotartarato s.m.
antimoniotártaro s.m.
antimonióxido (*cs*) s.m.
antimonita s.f.
antimonítico adj.
antimonito s.m.
antimoniureto (*ê*) s.m.
antimonocre s.m.
antimonóxido (*cs*) s.m.
antimoral adj.2g. s.f.
antimoralismo s.m.
antimoralista adj. s.2g.
antimoralístico adj.
antimórfico adj.
antimormoso (*ô*) adj.; f. (*ó*); pl. (*ó*)
antimuçulmano adj.
antimudancismo s.m.
antimudancista adj. s.2g.
antimutagênico adj.
antina s.f.
antinacional adj.2g.
antinacionalismo s.m.
antinacionalista adj. s.2g.
antinacionalístico adj.
antinapoleônico adj.
antinarcótico adj. s.m.
antinate adj. s.2g.
antinatural adj.2g.
antinázi adj. s.2g.
antinazismo s.m.
antinazista adj. s.2g.
antinazístico adj.
antinefrítico adj.
antineoplásico adj.
antineoplástico adj.
antinervina s.f.
antinervoso (*ô*) adj.; f. (*ó*); pl. (*ó*)
antineurálgico adj.
antineurótico adj. s.m.
antineutrino s.m.
antinêutron s.m.
antineutrônico adj.
antinevrálgico adj. s.m.
antinevrótico adj. s.m.
antinha s.f.
antinhense adj. s.2g.
antinipônico adj.
antino adj. "que contém flores"; cf. *antinó*
antinó s.m. "antimodo"; cf. *antino*
antinobiliário adj.
antinobiliárquico adj.
antinodal adj.2g.
antinodo s.m.
antinódoa s.f.
antinomia s.f.
antinomianismo s.m.
antinomianístico adj.
antinomiano adj. s.m.
antinômico adj.
antinomismo s.m.
antinomista adj. s.2g.
antinomístico adj.
antínomo adj.
antinuclear adj.
antinupcial adj.2g. "contra o casamento"; cf. *antenupcial*
antiobésico adj.
antiodontálgico adj. s.m.
antiofídico adj.
antioftálmico adj. s.m.
antioligarquia s.f.
antioligárquico adj.
antiômega-mais s.m.; pl. *antiômegas-mais*
antíopa s.f.
antíope s.f.
antiópio s.m.
antiopsonina s.f.
antioqueno adj. s.m.
antioquiano adj. s.m.
antioquiense adj. s.2g.
antioquino adj. s.m.
antiorgástico adj.
antiotomano adj. s.m.
antioxidante (*cs*) adj.2g. s.m.
antioxigênio (*cs*) s.m.
antiozona s.f.
antiozonante adj. s.2g.
antiozone s.m.
antipacifismo s.m.
antipacifista adj. s.2g.
antipacifístico adj.
antipalúdico adj.
antipalustre adj.2g.
antipapa s.m.
antipapado s.m.
antipapal adj.2g.
antipapismo s.m.
antipapista adj. s.2g.
antipapístico adj.
antiparafuso adj. s.m.
antiparalela s.f.
antiparalelismo s.m.
antiparalelístico adj.
antiparalelo adj.
antiparalítico adj. s.m.
antiparasita adj.2g.
antiparasitário adj. s.m.
antiparasítico adj. s.m.
antiparástase s.f.
antiparastático adj.
antiparkinsoniano adj. s.f.
antiparlamentar adj.2g.
antiparlamentarismo s.m.
antiparlamentarista adj. s.2g.
antiparlamentarístico adj.
antipartícula s.f.
antipatário adj. s.m.
antípate s.m.
antipaternalismo s.m.
antipaternalista adj. s.2g.
antipaternalístico adj.
antipatia s.f.
antipático adj.
antipatídeo adj. s.m.
antipatizado adj.
antipatizante adj. s.2g.
antipatizar v.
antipatizável adj.2g.
antípato s.m.
antipatriarcalismo s.m.

antipatriarcalista adj. s.2g.
antipatriarcalístico adj.
antipátrida adj. s.2g.
antipatriota adj. s.2g.
antipatriótico adj.
antipatriotismo s.m.
antipeçonhento adj.
antipedagógico adj.
antipediculoso (*ô*) adj.; f. (*ó*); pl. (*ó*)
antipelagroso (*ô*) adj.; f. (*ó*); pl. (*ó*)
antipelicular adj.2g.
antipepsina s.f.
antipepsínico adj.
antipeptona s.f.
antipeptônico adj.
antiperiódico adj.
antiperistalse s.f.
antiperistáltico adj.
antiperistaltismo s.m.
antiperístase s.f.
antiperistático adj.
antiperitônico adj.
antipernicioso (*ô*) adj.; f. (*ó*); pl. (*ó*)
antipertita s.f.
antipessoal adj.2g.
antipestilência s.f.
antipestilencial adj.2g.
antipestilento adj.
antipestoso (*ô*) adj.; f. (*ó*); pl. (*ó*)
antipinturesco (*ê*) adj.
antipiogênico adj.
antipiógeno adj. s.m.
antipionina s.f.
antipionínico adj.
antipirese s.f.
antipirético adj. s.m.
antipirina s.f.
antipirinato s.m.
antipirínico adj.
antipirinismo s.m.
antipirótico adj. s.m.
antipitoresco (*ê*) adj.
antiplanático adj.
antiplástico adj. s.m.
antiplatônico adj. "contrário ao platonismo"; cf. *anteplatônico*
antipleurítico adj.
antiplutocrático adj.
antipneumocóccico adj.
antipneumocócico adj.
antipneumônico adj.
antipo s.m.
antípoda adj.2g. s.m.
antipodágrico adj. s.m.
antipódagro adj. s.m.
antipodal adj.2g.
antipodária s.f.
antípode adj. s.2g.
antipodiano adj.
antipódico adj.
antipodismo s.m.
antipodístico adj.
antipoeta adj. s.m.f.
antipoético adj.
antipófora s.f.
antipoliomielítico adj.
antipoliorcética s.f.
antipoliorcético adj.
antipolitano adj. s.m.
antipolítica s.f.
antipolítico adj.
antipologético adj.
antipoluente adj.2g.
antipontificado s.m.
antipopular adj.2g.
antiportuguês adj. s.m.
antiprático adj.
antipráxico (*cs*) adj.
antipredestinação s.f.
antiprescritivo adj.
antiprincipal adj.2g.
antiprogramático adj. "contrário ao programa"; cf. *anteprogramático*
antiprogressismo s.m.
antiprogressista adj. s.2g.
antiprogressístico adj.
antiprogressivo adj.
antiproibicionismo s.m.
antiproibicionista adj. s.2g.
antiproibicionístico adj.
antiproibitivo adj.
antiprojectividade s.f.
antiprosaico adj.
antiprosaísmo s.m.
antiprosaístico adj.
antiprotecionismo s.m.
antiprotecionista s.2g.
antiprotecionístico adj.
antiprotestante adj. s.2g.
antiprotestantismo s.m.
antiprotestantístico adj.
antipróton s.m.
antiprotozoário s.m.
antipruriginoso (*ô*) adj.; f. (*ó*); pl. (*ó*)
antipsicanálise s.f.
antipsicanalítico adj.
antipsicológico adj.
antipsicótico adj. s.m.
antipsiquiatria s.f.
antipsiquiátrico adj.
antipsórico adj. s.m.
antiptose s.f.
antiptótico adj.
antipulsador (*ô*) adj. s.m.
antipuritanismo s.m.
antipuritanístico adj.
antipuritano adj.
antipútrido adj.
antiquado adj.
antiqualha s.f.
antiquar v.
antiquariado s.m.
antiquariato s.m.
antiquário adj. s.m.
antiquark s.m.
antiquiro s.m.
antiquirótono adj.
antirrábico adj.
antirracional adj.2g.
antirracionalismo s.m.
antirracionalista adj. s.2g.
antirracionalístico adj.
antirradar adj.2g. s.m.
antirradiação s.f.
antirradical adj. s.2g.
antirradicalismo s.m.
antirradicalista adj. s.2g.
antirradicalístico adj.
antirraquítico adj.
antirreal adj.2g. "que se opõe ao real"; cf. *anterreal*
antirrealismo s.m.
antirrealista adj. s.2g.
antirrealístico adj.
antirreducionismo s.m.
antirreducionista adj. s.2g.
antirreducionístico adj.
antirreflexo adj.
antirreformismo s.m.
antirreformista adj. s.2g.
antirreformístico adj.
antirregimental adj.2g.
antirregulamentar adj.2g.
antirreligioso adj. s.m.
antirrepresentativo adj.
antirrepublicanismo s.m.
antirrepublicanístico adj.
antirrepublicano adj. "contrário à república"; cf. *anterrepublicano*
antirressonância s.f.
antirressonante adj.2g. s.m.
antirrético adj.
antirretroviral adj.2g.
antirreumático adj. s.m.
antirreumatismal adj.2g.
antirrevisionismo s.m.
antirrevisionista adj. s.2g.
antirrevisionístico adj.
antirrevolução s.f.
antirrevolucionário adj. s.m.
antirrina s.f.
antirrinácea s.f.
antirrináceo adj.
antirrínea s.f.
antirrínico adj.
antirrinina s.f.
antirrino s.m.
antirroubo adj.2g.2n.
antirruga adj.2g.
antirruído adj.2g.2n.
antirrusso adj. s.m.
antíscio s.m.
antíspase s.f.
antispasto s.m.
antissatélite s.m.
antissátira s.f.
antissatírico adj.
antissecretório adj. s.m.
antissegregacionismo s.m.
antissegregacionista adj. s.2g.
antissegregacionístico adj.
antisseia (*é*) adj. s.f. de *antisseu*
antisselene s.m.
antissemita adj. s.2g.
antissemítico adj.
antissemitismo s.m.
antissensual adj.2g.
antissensualismo s.m.
antissensualista adj. s.2g.
antissensualístico adj.
antissentimental adj.2g.
antissentimentalismo s.m.
antissentimentalista adj. s.2g.
antissentimentalístico adj.
antissepsia s.f.
antissepsiado adj.
antissepsiador adj.
antissepsiar v.
antisséptico adj. s.m. "desinfetante"; cf. *anticéptico*
antisseu adj. s.m.; f. *antisseia* (*é*)
antissezonático adj.
antissialagogo adj.
antissiálico adj.
antissifilítico adj. s.m.
antissigma s.m.
antissimbólico adj.
antissimbolismo s.m.
antissimbolista adj. s.2g.
antissimbolístico adj.
antissimétrico adj.
antissinodal adj.2g.
antissísmico adj.
antissociabilidade s.f.
antissocial adj.2g.
antissocialismo s.m.
antissocialista adj. s.2g.
antissocialístico adj.
antissociável adj.2g.
antissocrático adj. "contrário a Sócrates"; cf. *antessocrático*
antissofista adj. s.2g.
antissofístico adj.
antissolar adj.2g.
antissoro s.m.
antissorologia s.f.
antissorológico adj.
antissoviético adj.
antissovietismo s.m.
antissovietista adj. s.2g.
antissovietístico adj.
antissubmarino adj.
antissudoral adj. s.m.
antistalse s.f.
antiste s.m.
antistíria s.f.
antístite s.m.
antístoma s.m.
antístrofe s.f.
antistrumático adj. s.m.
antitabaco adj.2g.2n.
antitabagismo s.m.
antitanque adj.2g.2n.
antiteatral adj.2g.
antiteísmo s.m.
antiteísta adj. s.2g.
antiteístico adj.
antitênar s.m.
antiteocrático adj.
antiteológico adj.
antitérmico adj. s.m.
antiterrorismo s.m.
antiterrorista adj. s.2g.
antiterrorístico adj.
antítese s.f.
antitesia s.f.
antitetânico adj. s.m.
antitetário s.m.
antitética s.f.
antitético adj.
antitífico adj.
antitipia s.f.
antitípico adj.
antítipo s.m.
antitireóideo adj.
antitireoidiano adj.
antitireoidina s.f.
antitísico adj.
antítone s.m.
antitonia s.f.
antitônico adj.
antitonina s.f.
antitorpédico adj.
antitóxico (*cs*) adj. s.m.
antitoxina (*cs*) s.f.
antitraça adj.2g.2n.
antitradicional adj.2g.
antitradicionalismo s.m.
antitradicionalista adj. s.2g.
antitradicionalístico adj.
antitragiano adj. s.m.
antitrágico adj.
antitrágio adj.
antítrago s.m.
antitranspirante adj. s.m.
antitricofítico adj.
antitrigonométrico adj.
antitrinitário adj. s.m.
antitrinitarismo s.m.
antitrinitarista adj. s.2g.
antitrinitarístico adj.
antitripsina s.f.
antitríptico adj.
antitriquia s.f.
antitrismo s.m.
antitrombina s.f.
antítropo adj. s.m.
antitruste adj.2g.2n.
antituberculoso (*ô*) adj.; f. (*ó*); pl. (*ó*)
antitússico adj. s.m.
antitussígeno adj. s.m.
antitussivo adj. s.m.
antiultramontanismo s.m.
antiultramontanístico adj.
antiultramontano adj. s.m.
antiunionismo s.m.
antiunionista adj. s.2g.
antiunionístico adj.
antiunitário adj. s.m.
antiuniversitário adj.
antiúrico adj.
antiutilitário adj.
antiutopia s.f.
antiutópico adj.
antiutopista adj.2g.
antivacinador (*ô*) adj. s.m.
antivariólico adj.
antivaticanismo s.m.
antivaticanista adj. s.2g.
antivaticanístico adj.
antiveneno s.m.
antivenenoso (*ô*) adj.; f. (*ó*); pl. (*ó*)
antivenéreo adj.
antiverismo s.m.
antiverista adj.
antiverístico adj.
antiverminoso (*ô*) adj.; f. (*ó*); pl. (*ó*)
antivéu s.m.
antivibratório adj.
antivibrião adj.
antivida adj.2g.2n. s.f.
antiviral adj.2g. s.m.
antiviril adj.2g.
antivirulento adj.
antivírus adj.2g.2n. s.m.2n.
antivital adj.2g.
antivitamina s.f.
antivitamínico adj.
antivivisseccionista adj. s.2g.
antivivissecionista adj. s.2g.
antixênico (*cs*) adj.
antixenismo (*cs*) s.m.
antixenista (*cs*) adj. s.2g.
antixenístico (*cs*) adj.
antixeroftálmico (*cs*) adj.
antizímico adj.
antizimótico adj.
antizoma s.f.
antlerita s.f.
antlerite s.f.
antlerítico adj.
antliado adj. s.m.
antliarrino s.m.
anto adj. s.m.
antóbio s.m.
antobiologia s.f.
antobiológico adj.
antobiologista s.2g.
antobiólogo s.m.
antobólea s.f.
antobóleo adj.
antóbolo s.m.
antobótrio s.m.
antobrânquio adj.
antocárpico adj.
antocárpio adj.
antocarpo s.m.
antocéfalo adj. s.m.
antócera s.f.
antocerácea s.f.
antoceráceo adj.
antocércide s.m.
antocércis s.m.2n.
antócero s.m.
antocerota s.f.
antocerotácea s.f.
antocerotáceo adj.
antocerotal adj.
antocerotale s.f.
antocerótea s.f.
antoceróteo adj.
antocerotópsida s.f.
antociânico adj.
antocianidina s.f.
antocianidínico adj.
antocianina s.f.
antocianínico adj.
antociano s.m.
antoclâmide s.f.
antoclista s.f.
antócloa s.f.
antócloe s.f.
antócomo s.m.
antócoris s.m.2n.
antocorto s.m.
antocroíto s.m.
antodendro s.m.
antódico adj.
antódio s.m.
antodisco s.m.
antofagastense adj. s.2g.
antofagastita s.f.
antofagia s.f.
antofágico adj.
antófago adj. s.m.
antófila s.f.
antofílico adj.
antofilita s.f.
antofilite s.f.
antofilítico adj.
antofilito s.m.
antofilo s.m. "qualquer uma das folhas modificadas que compõem uma flor"; cf. *antófilo*
antófilo adj. "que gosta de flores"; cf. *antofilo*
antofiloide (*ó*) adj.2g.
antofisa s.f.
antofisídeo adj. s.m.
antófita s.f.
antófito adj. s.m.
antofobia s.f.
antofóbico adj.
antófobo adj. s.m.
antoforídeo adj. s.m.
antóforo adj. s.m.
antogênese s.f.
antogenesia s.f.
antogenésico adj.

antogenético adj.
antógeno adj.
antogeríngia s.f.
antogônia s.f.
antografia s.f.
antográfico adj.
antógrafo s.m.
antogramito s.m.
antoide (*ó*) adj.2g.
antojadiço adj.
antojado adj.
antojador (*ô*) s.m.
antojar v.
antojo (*ô*) s.m. "desejo"; pl. (*ó*); "nojo"; pl. (*ô*); cf. *antojo*, fl. do v. *antojar*
antolhadiço adj.
antolhado adj.
antolhar v.
antolho (*ô*) s.m.; pl. (*ó*); cf. *antolho*, fl. do v. *antolhar*
antólise s.f.
antologia s.f.
antologiar v.
antológico adj. s.m.
antológio s.m.
antologista adj. s.2g.
antologizar v.
antólogo s.m.
antomania s.f.
antomaníaco adj. s.m.
antômano adj. s.m.
antomedusa s.f.
antomedúseo adj.
antomiia s.f.
antomiídeo adj. s.m.
antona s.f.
antoniano adj. s.m.
antonímia s.f.
antonímica s.f.
antonímico adj.
antônimo adj. s.m.
antoninense adj. s.2g.
antoniniano adj.
antonino adj. s.m.
antônio-almeidense adj. s.2g.; pl. *antônio-almeidenses*
antônio-carlense adj. s.2g.; pl. *antônio-carlenses*
antônio-diense adj. s.2g.; pl. *antônio-dienses*
antônio-joanense adj. s.2g.; pl. *antônio-joanenses*
antônio-martinense adj. s.2g.; pl. *antônio-martinenses*
antoniopolita adj. s.2g.
antonista adj. s.2g.
antonomásia s.f.
antonomasta s.2g.
antonomástico adj.
antônomo s.m.
antopogão s.m.
antóptero s.m.
antoptosia s.f.
antorismo s.m.
antorista adj. s.2g.
antorístico adj.
antórnis s.2g.2n.
antoro s.m.
antorrizo adj.
antosato s.m.
antosperma s.m.
antospérmea s.f.
antospermo adj.
antossiderita s.f.
antossiderite s.f.
antossiderito s.m.
antossoma s.m.
antossomo s.m.
antostema s.m.
antóstoma s.m.
antóstomo adj. s.m.
antotáctico adj.
antotaxe (*cs*) s.m.
antotaxia (*cs*) s.f.
antótia s.f.
antótroco s.m.
antoxanteína (*cs*) s.f.
antoxantina (*cs*) s.f.
antoxantínea (*cs*) s.f.
antoxantíneo (*cs*) adj.
antoxanto (*cs*) s.m.
antozoário adj. s.m.
antozoide (*ó*) adj.2g. s.m.
antozonita s.f.
antozonite s.f.
antozonito s.m.
antracarídeo adj. s.m.
antracemia s.f.
antracêmico adj. s.m.
antracênico adj.
antracênio s.m.
antraceno s.m.
antracenusa s.f.
antrácia s.f.
antrácico adj.
antrácida adj.2g. s.m.
antracidóxido (*cs*) s.m.
antracífero adj.
antraciforme adj.2g.
antracina s.f.
antrácino adj.
antrácio adj.
antracite s.f.
antracito s.m.
antracitoso (*ô*) adj.; f. (*ó*); pl. (*ó*)
antracnose s.f.
antracnótico adj.
antracoblatina s.f.
antracoide (*ó*) adj.2g.
antracolítico adj. s.m.
antracólito s.m.
antracomancia s.f.
antracomante s.2g.
antracomântico adj.
antracomarato s.m.
antracomárico adj.
antracomartídeo adj. s.m.
antracomarto s.m.
antracometria s.f.
antracométrico adj.
antracômetro s.m.
antraconecrose s.f.
antraconecrótico adj.
antraconita s.f.
antraconite s.f.
antraconito s.m.
antracoproteína s.f.
antracoproteínico adj.
antracose s.f.
antracósico adj.
antracosídeo adj. s.m.
antracossáurio s.m.
antracossauro s.m.
antracossilicose s.f.
antracotérida adj.2g. s.m.
antracoterídeo adj. s.m.
antracotério s.m.
antracótico adj.
antracotifo s.m.
antracóxeno (*cs*) s.m.
antracrisona s.f.
antragalol s.m.
antragalólico adj.
antráglico s.m.
antramina s.f.
antramínico adj.
antranilato s.m.
antranílico adj.
antranilo s.m.
antranisol s.m.
antranisólico adj.
antranol s.m.
antranólico adj.
antrapinacona s.f.
antraquinoleína s.f.
antraquinolínico adj.
antraquinona s.f.
antraquinônico adj.
antrarrobina s.f.
antrarrufina s.f.
antrax (*cs*) s.m.
antraxântico (*cs*) adj.
antraz s.m.
antrectomia s.f.
antrectômico adj. s.m.
antreno s.m.
antrepto s.m.
antreteto (*ê*) s.m.
antribídeo adj. s.m.
antríbido adj. s.m.
antrimolita s.f.
antrimólito s.m.
antrisco s.m.
antrite s.f.
antrítico adj.
antro s.m.
antroaticotômico adj.
antrocarpo s.m.
antrocéfalo s.m.
antrocele s.m.
antróforo s.m.
antrofosia s.f.
antrol s.m.
antrona s.f.
antropagogia s.f.
antropagógico adj.
antropia s.f.
antrópico adj.
antropina s.f.
antropínico adj.
antropobiologia s.f.
antropobiológico adj.
antropobiologista s.2g.
antropobiólogo adj. s.m.
antropocefalia s.f.
antropocefálico adj.
antropocéfalo adj.
antropocêntrico adj.
antropocentrismo s.m.
antropocentrista adj. s.2g.
antropocentrístico adj.
antropocoria s.f.
antropocórico adj.
antropocoro adj.
antropodiceia (*é*) s.f.
antropofagia s.f.
antropofágico adj.
antropofagismo s.m.
antropofagístico adj.
antropófago adj. s.m.
antropofilético adj.
antropofilia s.f.
antropófilo adj. s.m.
antropófito adj. s.m.
antropofobia s.f.
antropofóbico adj.
antropófobo adj. s.m.
antropoforme adj.2g.
antropogênese s.f.
antropogenesia s.f.
antropogenésico adj.
antropogenético adj.
antropogenia s.f.
antropogênico adj.
antropogeografia s.f.
antropogeográfico adj.
antropogeógrafo s.m.
antropoglifita s.f.
antropoglifite s.f.
antropognosia s.f.
antropognósico adj.
antropognóstico adj.
antropogonia s.f.
antropogônico adj.
antropografia s.f.
antropográfico adj.
antropógrafo s.m.
antropogrifo s.m.
antropo-histografia s.f.
antropo-histográfico adj.
antropoide (*ó*) adj.2g. s.m.
antropólatra adj. s.2g.
antropolatria s.f.
antropolátrico adj.
antropolítico adj.
antropólito s.m.
antropologia s.f.
antropológico adj.
antropologismo s.m.
antropologista adj. s.2g.
antropologístico adj.
antropólogo s.m.
antropomagnético adj.
antropomagnetismo s.m.
antropomancia s.f.
antropomante s.2g.
antropomântico adj.
antropometria s.f.
antropométrico adj.
antropometrismo s.m.
antropometrista adj. s.2g.
antropometrístico adj.
antropomorfia s.f.
antropomórfico adj.
antropomorfismo s.m.
antropomorfista adj. s.2g.
antropomorfístico adj.
antropomorfita adj. s.2g.
antropomorfização s.f.
antropomorfizado adj.
antropomorfizante adj.2g.
antropomorfizar v.
antropomorfizável adj.2g.
antropomorfo adj. s.m.
antropomorfologia s.f.
antropomorfológico adj.
antropomorfologista adj. s.2g.
antroponímia s.f.
antroponímico adj.
antropônimo s.m.
antroponomia s.f.
antroponômico adj.
antroponosologia s.f.
antroponosológico adj.
antroponosologista s.2g.
antroponosólogo s.m.
antropopatia s.f.
antropopático adj.
antropopatismo s.m.
antropopiteco s.m.
antropoplastia s.f.
antropoplástico adj.
antropopsicologia s.f.
antropopsicológico adj.
antropopsicólogo s.m.
antropoquímica s.f.
antropoquímico adj.
antroporama s.m.
antroporâmico adj.
antroposcopia s.f.
antroposcópico adj.
antroposofia s.f.
antroposófico adj.
antropósofo s.m.
antropossocial adj.2g.
antropossociologia s.f.
antropossociológico adj.
antropossociólogo s.m.
antropossomatologia s.f.
antropossomatológico adj.
antropossomatólogo s.m.
antropotáctico adj.
antropotático adj.
antropotaxia (*cs*) s.f.
antropotáxico (*cs*) adj.
antropotecnia s.f.
antropotécnica s.f.
antropotécnico adj.
antropoteísmo s.m.
antropoteísta adj. s.2g.
antropoteístico adj.
antropoterapia s.f.
antropoterápico adj.
antropotomia s.f.
antropotômico adj.
antropotomista s.2g.
antropozoico (*ó*) adj.
antrorso adj.
antroscopia s.f.
antroscópico adj.
antroscópio s.m.
antrossalpingite s.f.
antrossalpingítico adj.
antrotimpanite s.f.
antrotomia s.f.
antrotômico adj.
antroxanato (*cs*) s.m.
antroxânico (*cs*) adj.
antrustião s.m.
antuerpiano adj. s.m.
antuerpiense adj. s.2g.
antunita s.f.
antunite s.f.
antura s.f.
antúrida adj.2g. s.m.
anturídeo adj. s.m.
antúrio s.m.
anturo s.m.
antusa s.f.
antuviado adj.
anu s.m.
ânua s.f.
anuaçu s.m.
anuaí s.m.
anual adj.2g. s.m.
anualidade s.f.
anuário adj. s.m.
anúbia s.f.
anu-branco s.m.; pl. *anus-brancos*
anubrar v.
anu-chorado s.m.; pl. *anus-chorados*
anucleado adj.
anu-coroca s.m.; pl. *anus-corocas*
anu-coroia s.m.; pl. *anus-coroias*
anu-corrido s.m.; pl. *anus-corridos*
anu-da-serra s.m.; pl. *anus-da-serra*
anu-de-enchente s.m.; pl. *anus-de-enchente*
anúdiva s.f.
anu-do-brejo s.m.; pl. *anus-do-brejo*
anu-do-campo s.m.; pl. *anus-do-campo*
anu-dourado s.m.; pl. *anus-dourados*
anúduva s.f.
anuência s.f.
anuente adj.2g.
anu-galego s.m.; pl. *anus-galegos*
anu-grande s.m.; pl. *anus-grandes*
anuguaçu s.m.
anu-guaicuru s.m.; pl. *anus-guaicurus*
anuí s.m.
anuiá s.m.
anuíba s.f.
anuição s.f.
anuidade s.f.
anuído adj.
anuir v.
anuitário adj.
anuível adj.2g.
anujá s.m.
anulabilidade s.f.
anulação s.f.
anulado adj.
anulador (*ô*) adj. s.m.
anulamento s.m.
anulante adj.2g.
anular v. adj. s.2g.
anulatário adj. s.m.
anulativo adj.
anulatório adj.
anulável adj.2g.
anulicorne adj.2g.
anuliforme adj.2g.
ânulo s.m.; cf. *anulo*, fl. do v. *anular*
anuloso (*ô*) adj.; f. (*ó*); pl. (*ó*)
anum s.m.
anum-branco s.m.; pl. *anuns-brancos*
anum-chorado s.m.; pl. *anuns-chorados*
anum-coroca s.m.; pl. *anuns-corocas*
anum-coroia s.m.; pl. *anuns-coroias*
anum-corrido s.m.; pl. *anuns-corridos*
anum-da-serra s.m.; pl. *anuns-da-serra*
anum-de-enchente s.m.; pl. *anuns-de-enchente*
anum-do-brejo s.m.; pl. *anuns-do-brejo*
anum-do-campo s.m.; pl. *anuns-do-campo*
anum-dourado s.m.; pl. *anuns-dourados*
anumeração s.f.
anumerar v.
anum-galego s.m.; pl. *anuns-galegos*

anum-grande s.m.; pl. *anuns-grandes*
anum-guaicuru s.m.; pl. *anuns-guaicurus*
anum-peixe s.m.; pl. *anuns-peixes*
anum-pequeno s.m.; pl. *anuns-pequenos*
anum-preto s.m.; pl. *anuns-pretos*
anum-velho s.m.; pl. *anuns-velhos*
anunciação s.f.
anunciada s.f.
anunciado adj.
anunciador (*ô*) adj. s.m.
anunciante adj. s.2g.
anunciar v.
anunciativo adj.
anúncio s.m.; cf. *anuncio*, fl. do v. *anunciar*
anúncio-sanduíche s.m.; pl. *anúncios-sanduíche* e *anúncios-sanduíches*
anuncista s.2g.
anunguaçu s.m.
anunzé adj. s.2g.
ânuo adj.; cf. *anuo*, fl. do v. *anuir*
anu-peixe s.m.; pl. *anus-peixes*
anu-pequeno s.m.; pl. *anus-pequenos*
anu-preto s.m.; pl. *anus-pretos*
anurássana s.m.
anurese s.f.
anurético adj.
anuri s.m.
anuria s.f.
anúria s.f.
anúrico adj.
anuro adj. s.m.
ânus s.m.2n.
anuscopia s.f.
anuscópico adj.
anusvara s.m.
anutibense adj. s.2g.
anuu s.m.
anu-velho s.m.; pl. *anus-velhos*
anuviado adj.
anuviador (*ô*) adj. s.m.
anuviamento s.m.
anuviar v.
anvali s.m.
anvaló s.m.
anverso adj. s.m.
anvula s.f.
anxanate (*cs*) adj. s.2g.
anzaruto s.m.
anzico adj. s.m.
anzina s.f.
anzinha s.f.
anzinheira s.f.
anzinho s.m.
anzol s.m.
anzolado adj.
anzolar v.
anzol-de-lontra s.2g.; pl. *anzóis-de-lontra*
anzoleiro s.m.
ao comb. da prep. *a* com o art. ou pron. *o*
aonde adv.
aônida adj. s.2g.
aônio adj. s.m.
aoqui adj. s.2g.
aorístico adj.
aoristo s.m.
aorta s.f.
aortalgia s.f.
aortálgico adj.
aortarctia s.f.
aortectasia s.f.
aortectático adj.
aorteurisma s.m.
aorteurismal adj.2g.
aorteurismático adj.
aórtico adj.
aortismo s.m.
aortite s.f.
aortítico adj.
aortóclase s.f.
aortoclasia s.f.
aortoclastia s.f.
aortoclástico adj.
aortografia s.f.
aortográfico adj.
aortomalacia s.f.
aortoptose s.f.
aortoptosia s.f.
aortoptótico adj.
aortostenia s.f.
aortostênico adj.
aortostenose s.f.
aortostenótico adj.
aoto s.m.
apa s.f. "doce"; cf. *apá*
apá s.f. "planta"; cf. *apa*
apacamã s.m.
apacanim s.m.
apacanim-branco s.m.; pl. *apacanins-brancos*
apache adj. s.2g.
apachismo s.m.
apachorrado adj.
apachorrar-se v.
apacificação s.f.
apacificador (*ô*) adj. s.m.
apacificar v.
apaconitina s.f.
apadana s.f.
apadreamento s.m.
apadrear v.
apadrezar v.
apadrinhação s.f.
apadrinhado adj.
apadrinhador (*ô*) adj. s.m.
apadrinhamento s.m.
apadrinhar v.
apadroado adj.
apadroamento s.m.
apadroar v.
apaduanado adj.
apaga s.f.
apagadiço adj.
apagado adj.
apagador (*ô*) adj. s.m.
apaga-fanóis s.m.2n.
apaga-gás s.m.; pl. *apaga-gases*
apagamento s.m.
apagão s.m.
apaga-penóis s.m.2n.
apaga-penol s.m.; pl. *apaga-penóis*
apaga-pó s.m.; pl. *apaga-pós*
apagar v.
apaga-tristeza s.f.; pl. *apaga-tristezas*
apagável adj.2g.
ápage interj.
apagma s.m.
apagmático adj.
apagoge s.f.
apagogia s.f.
apagógico adj.
apaí s.m.
apaiari s.m.
apaideguado adj.
apainelado adj. s.m.
apainelamento s.m.
apainelar v.
apaiolar v.
apaisanado adj.
apaisanar v.
apaixonadiço adj.
apaixonado adj. s.m.
apaixonamento s.m.
apaixonar v.
apaixonável adj.2g.
apajar v.
apajatubense adj. s.2g.
apajeado adj.
apajeamento s.m.
apajear v.
apalaçado adj.
apalaçar v.
apalacetado adj.
apalacetar v.
apalache adj. s.2g.
apalachiano adj. s.m.
apalachina s.f.
apalacianado adj.
apalacianar v.
apaladado adj.
apaladar v.
apálage s.f.
apalaí adj. s.2g.
apalancado adj.
apalancamento s.m.
apalancar v.
apalanquetear v.
apalavrado adj.
apalavramento s.m.
apalavrar v.
apalavrável adj.2g.
apalazador (*ô*) s.m.
apalazar v.
apaleação s.f.
apaleado adj. s.m.
apaleador (*ô*) s.m.
apaleamento s.m.
apalear v.
apalermado adj. s.m.
apalermar v.
apalhaçado adj.
apalhaçar v.
apalmado adj.
apalmar v.
apalmatoado adj.
apalmatoar v.
apalpação s.f.
apalpadeira s.f.
apalpadela s.f.
apalpado adj.
apalpador (*ô*) adj. s.m.
apalpamento s.m.
apalpão s.m.
apalpar v.
apalpável adj.2g.
apalpo s.m.
apamá adj. s.2g.
apameia (*é*) adj. s.f. de *apameu*
apamênio adj. s.m.
apameno adj. s.m.
apamestino adj. s.m.
apameu adj. s.m.; f. *apameia* (*é*)
apana s.m.
apanagem s.f.
apanagiar v.
apanágio s.m.
apanagista adj. s.2g.
apancar v.
apandado adj.
apandar v.
apandilhado adj.
apandilhar v.
apandria s.f.
apândrico adj.
apanha s.f.
apanhação s.f.
apanhada s.f.
apanhadeira s.f.
apanhadiço adj.
apanhado adj. s.m.
apanhador (*ô*) adj. s.m.
apanhadura s.f.
apanhamento s.m.
apanha-migalhas s.m.2n.
apanha-moscas s.2g.2n.
apanha o bago s.m.
apanhar v.
apanha-saia s.f.; pl. *apanha-saias*
apanhia s.f.
apanho s.m.
apanicado adj. s.m.
apanicar v.
apaniecra adj. s.2g.
apaniguado adj. s.m.
apaniguar v.
apantismo s.m.
apantomancia s.f.
apantomante s.2g.
apantomântico adj.
apantóptero adj. s.m.
apantropia s.f.
apantrópico adj.
apantropo adj. s.m.
apantufado adj.
apantufar v.
apapá s.m.
apapagaiado adj.
apaparicado adj.
apaparicador (*ô*) adj. s.m.
apaparicamento s.m.
apaparicar v.
apapá-verdadeiro s.m.; pl. *apapás-verdadeiros*
apapocuva adj. s.2g.
apapoilado adj.
apapoilar v.
apapoulado adj.
apapoular v.
apar s.m.; cf. na loc. *a par, a par de, a par com*, etc.
apara s.f. "pedaço", "sobra"; cf. *apará*
apará s.f. "moeda de prata da Índia"; cf. *apara* s.f. e fl. do v. *aparar*
aparabolar v.
aparação s.f.
aparada s.f.
aparadeira s.f.
aparadela s.f.
aparado adj. s.m.
aparador (*ô*) adj. s.m.
aparafusado adj.
aparafusamento s.m.
aparafusar v.
aparagatar v.
aparagem s.f.
aparaí adj. s.2g.
aparaiú s.m.
aparaju s.m.
apara-lápis s.m.2n.
apara-livros s.m.2n.
apara-mangaba adj. s.2g.; pl. *apara-mangabas*
aparamentado adj.
aparamentar v.
aparamento s.m.
aparamentoso (*ô*) adj.; f. (*ó*); pl. (*ó*)
aparar v.
aparasitado adj.
aparatado adj.
aparatar v.
aparativo adj.
aparato s.m.
aparatório s.m.
aparatoso (*ô*) adj.; f. (*ó*); pl. (*ó*)
aparceirado adj.
aparceiramento s.m.
aparceirar v.
aparcelado adj.
aparcelamento s.m.
aparcelar v.
apardaçado adj.
apardaçar v.
apardiscado adj.
aparecente adj.2g.
aparecer v.
aparecidense adj. s.2g.
aparecido adj.
aparecimento s.m.
aparedado adj.
apareíba s.f.
aparelhado adj.
aparelhador (*ô*) adj. s.m.
aparelhagem s.f.
aparelhamento s.m.
aparelhar v.
aparelhável adj.2g.
aparelho (*ê*) s.m.
aparelhos (*ê*) s.m.pl.
aparência s.f.
aparentado adj.
aparentalado adj.
aparentar v.
aparente adj.2g.
aparentelado adj.
apáreon s.m.
aparição s.f.
aparitmese s.f.
aparitmético adj.
aparo s.m.
aparoquiado adj.
aparoquianado adj.
aparoquianar-se v.
aparoquiar v.
aparração s.f.
aparrado adj.
aparrar v.
aparreirado adj.
aparreirar v.
aparta s.f.
apartação s.f.
apartada s.f.
apartadiço adj. s.m.
apartado adj. s.m.
apartador (*ô*) adj. s.m.
apartamento s.m.
apartar v.
aparte s.m.; cf. na loc. *à parte*
aparteador (*ô*) s.m.
aparteante adj. s.2g.
apartear v.
apart-hotel s.m.; pl. *apart-hotéis*
apartidário adj.
apartidarismo s.m.
apartidarista adj. s.2g.
apartidarístico adj.
apartista adj. s.2g.
aparvado adj.
aparvalhado adj.
aparvalhamento s.m.
aparvalhante adj.2g.
aparvalhar v.
aparvalhável adj.2g.
aparvamento s.m.
aparvanhado adj.
aparvejar v.
aparvoado adj.
aparvoamento s.m.
aparvoar v.
apascaçado adj.
apascaçar v.
apascentado adj.
apascentador (*ô*) s.m.
apascentamento s.m.
apascentar v.
apascoado adj.
apascoador (*ô*) s.m.
apascoamento s.m.
apascoar v.
apasquinado adj.
apassamanado adj.
apassamanar v.
apassamanice s.f.
apassionado adj.
apassivação s.f.
apassivado adj.
apassivador (*ô*) adj.
apassivamento s.m.
apassivante adj.2g.
apassivar v.
apastorar v.
apatacado adj.
apatanhar v.
apatetado adj.
apatetar v.
apatia s.f.
apático adj.
apatifado adj.
apatifar v.
apatita s.f.
apatite s.f.
apatítico adj.
apatizar v.
apatossauro s.m.
apátrida adj. s.2g.
apatridia s.f.
apatriota adj. s.2g.
apatriotismo s.m.
apatrizar v.
apatronar v.
apatropina s.f.
apatropínico adj.
apatúrias s.f.pl.
apatúrico adj.
apaulado adj.
apaulamento s.m.
apaular v.
apaulistado adj.
apaulistamento s.m.
apaulistanização s.f.
apaulistanizado adj.
apaulistanizar v.
apaulistar v.
apaunuariá adj. s.2g.
apautar v.
apavesado adj.

apavesar v.
apavonado adj.
apavonamento s.m.
apavonar v.
apavorado adj.
apavorador (*ô*) adj.
apavoramento s.m.
apavorante adj.2g.
apavorar v.
apazeiro s.m.
apaziguado adj.
apaziguador (*ô*) adj. s.m.
apaziguamento s.m.
apaziguante adj.2g.
apaziguar v.
apé s.m. "vitória-régia", etc.; cf. *apê*
apê s.m. "aguapé-da-meia-noite", etc.; cf. *apé*
apeadeira s.f.
apeadeiro s.m.
apeado adj.
apeadoiro s.m.
apeadouro s.m.
apealar v.
apeamento s.m.
apeançado adj.
apeançar v.
apeanha s.f.
apeanhado adj.
apeanhar v.
apear v.
apecilar adj.2g. "sem variedade"; cf. *apicilar*
apecilotérmico adj.
apeçonhado adj.
apeçonhamento adj.
apeçonhar v.
apeçonhentado s.m.
apeçonhentar v.
apecoriá adj. s.2g.
apecu s.m.
apecuitá s.m.
apecuitaíba s.f.
apecum s.m.
apecuriá adj. s.2g.
apedado adj.
apedantado adj.
apedantar v.
apedeuta adj. s.2g.
apedeutismo s.m.
apedeuto adj. s.m.
apedicelado adj.
apedido s.m.
apedrado adj.
apedramento s.m.
apedrar v.
apedregulhado adj.
apedregulhar v.
apedrejado adj.
apedrejador (*ô*) s.m.
apedrejamento s.m.
apedrejar v.
apedrejo (*ê*) s.m.
apegação s.f.
apegadiço adj.
apegado adj.
apegador (*ô*) adj. s.m.
apegamento s.m.
apegar v.
apegável adj.2g.
apego (*ê*) s.m.; cf. *apego*, fl. do v. *apegar*
apeia s.f.
apeíba s.f.
apeirado adj. s.m.
apeiragem s.f.
apeirar v.
apeiraria s.f.
apeiro s.m.
apejá s.m.
apejado adj.
apejar-se v.
apelabilidade s.f.
apelação s.f.
apelado adj. s.m.
apelador (*ô*) adj. s.m.
apelamento s.m.
apelante adj. s.2g.
apelar v.
apelativo adj. s.m.
apelatório adj.
apelável adj.2g.
apeliciano adj. s.m.
apelidação s.f.
apelidado adj.
apelidador (*ô*) adj. s.m.
apelidar v.
apelido s.m.
apelintrado adj.
apelintrar v.
apelita adj. s.2g.
apelo (*ê*) s.m.; cf. *apelo*, fl. do v. *apelar*
apenado adj. s.m.
apenar v.
apenari adj. s.2g.
apenas adv. conj.
apenável adj.2g.
apendente adj.2g.
apender v.
apendicalgia s.f.
apêndice s.m.
apendiceado adj.
apendicealgia s.f.
apendicectasia s.f.
apendicectomia s.f.
apendicectômico adj.
apendicemia s.f.
apendicêmico adj.
apendiciforme adj.2g.
apendicismo s.m.
apendicite s.f.
apendicítico adj.
apendicocele s.f.
apendicoenterostomia s.f.
apendicogastro adj. s.m.
apendicostomia s.f.
apendicostômico adj.
apendiculação s.f.
apendiculado adj.
apendicular v. adj.2g. s.m.
apendiculário adj. s.m.
apendículo s.m.; cf. *apendiculo*, fl. do v. *apendicular*
apêndix (*cs*) s.m.
apendoado adj.
apendoamento s.m.
apendoar v.
apenedado adj.
apenhado adj.
apenhador (*ô*) s.m.
apenhamento s.m.
apenhar v.
apenhascado adj.
apenhorado adj.
apenhoramento s.m.
apenhorar v.
apenínico adj.
apenינígena adj. s.2g.
apeninsulado adj.
apensa s.f.
apensação s.f.
apensado adj.
apensamento s.m.
apensão s.f.
apensar v.
apenso adj. s.m.
apenulado adj.
apenumbrado adj.
apenumbrar v.
apepinado adj.
apepinar v.
apepsia s.f.
apepsinia s.f.
apepsínico adj.
apéptico adj.
apequenado adj.
apequenamento s.m.
apequenar v.
aperado adj.
aperaltado adj.
aperaltar v.
aperalvilhado adj.
aperalvilhar v.
aperana s.2g.
aperâncio adj. s.m.
aperar v.
aperção s.f.
aperceber v.
apercebido adj.
apercebimento s.m.
apercebível adj.2g.
apercepção s.f.
aperceptibilidade s.f.
aperceptível adj.2g.
aperceptivo adj.
apereá s.f.
aperema s.m.
aperfeiçoado adj.
aperfeiçoador (*ô*) adj. s.m.
aperfeiçoamento s.m.
aperfeiçoar v.
aperfeiçoável adj.2g.
aperfiado adj.
apergaminhado adj.
apergaminhar v.
aperiantáceo adj.
aperiantado adj.
aperibense adj. s.2g.
apericarpo adj.
aperiente adj.2g. s.m.
aperiodicidade s.f.
aperiódico adj.
aperispérmico adj.
aperistalse s.f.
aperistáltico adj.
aperistaltismo s.m.
aperistomado adj.
aperístome adj.2g.
aperistômeo adj.
aperitivo adj. s.m.
aperitório adj. s.m.
apero (*ê*) s.m.; cf. *apero*, fl. do v. *aperar*
aperolado adj.
aperolar v.
aperrar v.
aperreação s.f.
aperreado adj.
aperreador (*ô*) s.m.
aperreamento s.m.
aperrear v.
aperreio s.m.
aperta a cunha s.f.2n.
aperta-chico s.m.; pl. *aperta-chicos*
apertada s.f.
apertadela s.f.
apertado adj. s.m.
apertador (*ô*) s.m.
apertadouro s.m.
aperta-galha s.m.; pl. *aperta-galhas*
aperta-goela s.f.; pl. *aperta-goelas*
aperta-livros s.m.2n.
aperta-luvas s.m.2n.
apertamento s.m.
aperta-nervos s.m.2n.
apertão s.m.
apertar v.
aperta-ruão s.m.; pl. *aperta-ruões*
apertinente adj.2g.
aperto (*ê*) s.m.; cf. *aperto*, fl. do v. *apertar*
apertométrico adj.
apertômetro s.m.
apertório adj. s.m.
apertucha s.f.
apertucho s.m.
apertuna s.f.
apertura s.f.
aperuação s.f.
aperuado adj.
aperuar v.
apesar adv. conj.; na loc. prep. *apesar de* e na loc. conj. *apesar de que*
apesarado adj.
apesarar v.
apesentado adj.
apesentar v.
apespontado adj.
apespontar v.
apesporadinho adj.
apessoado adj.
apessoar v.
apestado adj. s.m.
apestanado adj.
apestar v.
apesteado adj.
apestear v.
apétala s.f.
apetalado adj.
apetálea s.f.
apetalia s.f.
apetalífero adj.
apetalifloro adj.
apétalo adj. s.m.
apetalostêmone adj.2g.
apetar v.
apetarar v.
apeté s.m.
apetecedor (*ô*) adj.
apetecer v.
apetecibilidade s.f.
apetecido adj.
apetecível adj.2g.
apetência s.f.
apetente adj.2g.
apetibilidade s.f.
apetição s.f.
apetir v.
apetisco s.m.
apetiscos s.m.pl.
apetitar v.
apetite s.m.
apetitível adj.2g.
apetitivo adj.
apetito s.m.
apetitoso (*ô*) adj.; f. (*ó*); pl. (*ó*)
apetível adj.2g.
ápeto s.m.; cf. *apeto*, fl. do v. *apetar*
apetrar v.
apetrechado adj.
apetrechamento s.m.
apetrechar v.
apetrechável adj.2g.
apetrecho (*ê*) s.m.
ápetro s.m.; cf. *apetro*, fl. do v. *apetrar*
apetupá adj. s.2g.
apeturi adj. s.2g.
apeuense adj. s.2g.
ápex (*cs*) s.m.
apexiano (*cs*) adj.
apéxico (*cs*) adj.
apezinhado adj.
apezinhar v.
apezunhado adj.
apezunhar v.
apiaá s.m.
apiabar v.
apiabense adj. s.2g.
apiabeté adj. s.2g.
apiacá adj. s.2g.
apiacaense adj. s.2g.
apiácea s.f.
apiáceo adj.
apiadado adj.
apiadar v.
apiaiense adj. s.2g.
apiale s.f.
apianado adj.
apiançado adj.
apiançar v.
apião s.m.
apiari s.m.
apiário adj. s.m.
apiastro s.m.
apicaçado adj.
apicaçar v.
apicado adj.
apical adj.2g.
ápice s.m.
apicectomia s.f.
apicectômico adj.
apichado adj.
apichar v.
apichelado adj.
apichelar v.
apicholado adj.
apiciadura s.f.
apiciano adj.
apicicurvo adj.
apicida adj. s.2g.
apicídio s.m.
apicifixo (*cs*) adj.
apicifloro adj.
apiciforme adj.2g.
apicilar adj.2g. "apical"; cf. *apecilar*
apício adj. s.m.
apicite s.f.
apicítico adj.
apicnomorfo adj.
apicoação s.f.
apicoado adj.
apicoador (*ô*) adj. s.m.
apicoalveolar adj.2g.
apicoar v.
apicobasal adj.2g.
apicodental adj.2g.
apicoectomia s.f.
apicoectômico adj.
apícola adj. s.2g. "abelheiro"; cf. *apícula*
apicólise s.f.
apicolítico adj.
apicomplexo (*cs*) adj. s.m.
apicondrado adj.
apicostomia s.f.
apicra s.f.
apicu s.m.
apicuí s.m.
apícula s.f. "pontinha"; cf. *apícola*
apiculado adj.
apicular adj.2g.
apículo s.m.
apicultor (*ô*) s.m.
apicultura s.f.
apicultural adj.2g.
apicum s.m.
apicuru adj. s.2g.
ápida adj.2g. s.m.
apídea s.f.
apídeo adj. s.m.
apieçado adj.
apiedado adj.
apiedador (*ô*) adj. s.m.
apiedar v.
apiense adj.2g.
apifarado adj.
apífero adj.
apífilo adj. s.m.
apiflautado adj.
apifobia s.f.
apiforme adj.2g.
apífugo adj. s.m.
apigenina s.f.
apígeo adj. s.m.
apigmentado adj.
apii s.f.
apiíco adj.
apiina s.f.
apilarado adj.
apilarar v.
apildrar v.
apilema s.m.
apilemático adj.
apilese s.f.
apilético adj.
apilhado adj.
apilhar v.
apiloamento s.m.
apiloar v.
apilrar v.
apimentado adj.
apimentar v.
apimpolhado adj.
apimpolhar v.
apimponado adj.
apimponar v.
apinado adj.
apinaié adj. s.2g.
apinajé adj. s.2g.
apinajeense adj. s.2g.
apinar v.
apinário s.m.
apincelado adj.
apincelar v.
apinchar v.
apinealismo s.m.
apinel s.m.
apíneo adj. s.m.
apingentado adj.
apingentar v.
apingui adj. s.2g.
apinhado adj.
apinhamento s.m.
apinhar v.
apinheirado adj.

apinhoado adj.
apinhoar v.
apinhocar v.
apinhoscar v.
apinicado adj.
apintalhar v.
apintar v.
apinulado adj.
ápio s.m.
apioba s.f.
apiociste s.f.
apiocrínida adj.2g. s.m.
apiocrinídeo adj. s.m.
apiocrinita s.f.
apiocrinito s.m.
apiócrino s.m.
apiogênico adj.
apiógeno adj.
apioide (*ó*) adj.2g. s.f.
apióidea s.f.
apióideo adj.
apiol s.m.
apiólico adj.
apiolina s.f.
apiolínico adj.
apiona s.f.
apional s.m.
apiônico adj.
apionídeo adj. s.m.
apioníneo adj. s.m.
apíono adj. s.m.
ápios s.m.2n.
apiosa s.f.
apiose s.f.
apiospório s.m.
apiósporo s.m.
apipado adj.
apipar v.
apipiado adj.
apipódico adj.
apipódio s.m.
ápira s.f.
apiramidado adj.
apiramidar v.
apiranga s.f.
apiréctico adj.
apireno adj.
apirenomela s.f.
apirético adj.
apirexia (*cs*) s.f.
apiréxico (*cs*) adj.
apirina s.f.
apirita s.f.
apirite s.f.
apirítico adj.
apirito s.m.
ápiro adj. s.m.
apiróforo s.m.
apirogenético adj.
apiropatia s.f.
apiropático adj.
apirópode s.m.
apirótipo adj. s.m.
ápis s.m.2n.
apisação s.f.
apisina s.f.
apisinação s.f.
apisinar v.
apisoado adj.
apisoador (*ô*) adj.
apisoamento s.m.
apisoar v.
apisteiro s.m.
apisto s.m.
apistograma s.m.
apitã s.m.
apitação s.f.
apitadela s.f.
apitado adj.
apitador (*ô*) adj.
apitamento s.m.
apitante adj.2g.
apitar v.
apitau s.m.
apitável adj.2g.
apiterapia s.f.
apiterápico adj.
apito s.m.
apitu s.m.
apituitário adj.
apituitarismo s.m.
apiunense adj. s.2g.
apiúria s.f.
apívoro adj.
apjohnita s.f.
aplacabilidade s.f.
aplacação s.f.
aplacado adj.
aplacador (*ô*) adj. s.m.
aplacamento s.m.
aplacante adj.2g.
aplacar v.
aplacável adj.2g.
aplacentado adj.
aplacentário adj. s.m.
aplacóforo adj. s.m.
aplainação s.f.
aplainado adj.
aplainador (*ô*) adj. s.m.
aplainamento s.m.
aplainar v.
aplainável adj.2g.
aplanação s.f.
aplanado adj.
aplanador (*ô*) adj. s.m.
aplanadora (*ô*) s.f.
aplanamento s.m.
aplanar v.
aplanável adj.2g.
aplanético adj.
aplanetismo s.m.
aplanogameta s.m.
aplanogâmeta s.m.
aplanósforo adj.
aplanósporo adj. s.m.
aplasia s.f.
aplásico adj.
aplásmico adj.
aplastado adj.
aplastar v.
aplástico adj.
aplastrado adj.
aplastrar v.
aplaudente adj.2g.
aplaudibilidade s.f.
aplaudido adj.
aplaudidor (*ô*) adj. s.m.
aplaudímetro s.m.
aplaudir v.
aplaudível adj.2g.
aplausibilidade s.f.
aplausível adj.2g.
aplauso s.m.
aplebeado adj.
aplebear v.
aplectro s.m.
aplerótico adj.
aplestia s.f.
aplesto adj.
apleuria s.f.
aplêurico adj.
aplicabilidade s.f.
aplicação s.f.
aplicado adj. s.m.
aplicador (*ô*) adj.
aplicamento s.m.
aplicando adj. s.m.
aplicante adj. s.2g.
aplicar v.
aplicativo adj.
aplicatura s.f.
aplicável adj.2g.
aplídio s.m.
áplido s.m.
aplique s.2g.
aplísia s.f.
aplisiáceo adj. s.m.
aplísida adj.2g. s.m.
aplisídeo adj. s.m.
aplisina s.f.
aplisinídeo adj. s.m.
aplísio s.m.
aplisomorfo adj.
aplítico adj.
aplito s.m.
aplódero s.m.
aplodonte adj.2g. s.m.
aplofilo s.m.
aplomado adj.
aplomo s.m.
aplóstomo adj.
aplotomia s.f.
aplowita s.f.
apluda s.f.
aplumar v.
aplustre s.m.
aplustro s.m.
apluvião s.f.
aplúvio s.f.
apluvional adj.2g.
apluvionamento s.m.
apneia (*é*) s.f.
apneico (*é*) adj.
apneologia s.f.
apneológico adj.
apneosfixia (*cs*) s.f.
apneumático adj.
apneumatose s.f.
apneumatótico adj.
apneumia s.f.
apnêumone adj.2g. s.m.
apneumôneo adj. s.m.
apneumoneuria s.f.
apneumonêurico adj.
apneumonevria s.f.
apneumonia s.f.
apneumônico adj.
apnêumono s.m.
apneuse s.f.
apneustia s.f.
apneusto adj.
apo s.m.
apoa (*ô*) s.f.
apoaconina s.f.
apoaconitina s.f.
apoastro s.m.
apoatropina s.f.
apóbata s.m.
apobaterião s.m.
apobatério s.m.
apobático adj.
apobiose s.f.
apobiótico adj.
apobômio adj.
ápoca s.f.
apocã s.m.
apocafeína s.f.
apocalbase s.f.
apocalipse s.m.
apocalíptica s.f.
apocalíptico adj.
apocaliptismo s.m.
apocaliptista adj. s.2g.
apocaliptístico adj.
apocamnose s.f.
apocamnótico adj.
apocapnismo s.m.
apocarpado adj.
apocárpico adj.
apocarpo s.m.
apocatarsia s.f.
apocatástase s.f.
apocatastático adj.
apocatástico adj.
apoceirado adj.
apoceirar v.
apoceiro s.m.
apocelo s.m.
apocenose s.f.
apocenótico adj.
apocêntrico adj.
apocentro s.m.
apociese s.f.
apociesia s.f.
apocina s.f.
apocinácea s.f.
apocináceo adj.
apocínea s.f.
apocineína s.f.
apocíneo adj.
apocinina s.f.
apocinínico adj.
apócino s.m.
apocinqueno s.m.
apocíntio s.m.
apócito s.m.
apóclise s.f.
apoclítica s.f.
apoclítico adj.
apocodeína s.f.
apocodeínico adj.
apocônico adj.
apoconímia s.f.
apoconímico adj.
apocônimo s.m.
apoconitina s.f.
apocopado adj.
apocopar v.
apócope s.f.; cf. *apocope*, fl. do v. *apocopar*
apocópico s.m.
apocóptono s.m.
apocotiledonário adj.
apocotiledôneo adj.
apócrea s.f.
apocrêmptico adj.
apocrenato s.m.
apocrênico adj.
apócreo s.m.
apócrifa s.f.
apocrifia s.f.
apocrifidade s.f.
apócrifo adj. s.m.
apocrínico adj.
apócrino adj. s.m.
apocrisia s.f.
apocrisiário adj. s.m.
apocrítico adj.
apócrito adj. s.m.
apocromático adj.
apocromatismo s.m.
apocrômico adj.
apocromo adj.
apocromose s.f.
apocrústico adj.
apodação s.f.
apodacrítico adj. s.m.
apodadeira s.f.
apodado adj.
apodador (*ô*) s.m.
apodadura s.f.
apodante adj.2g. s.m.
apodantera s.f.
apodanto s.m.
apodar v.
ápode adj.2g. s.m.; cf. *apode*, fl. do v. *apodar*
apodectero s.m.
apodecto adj.
apódema s.m.
apodemático adj.
apodemia s.f.
apodemialgia s.f.
apodemiálgico adj.
apodemo adj. s.m.
apodengado adj.
apoderação s.f.
apoderado adj. s.m.
apoderador (*ô*) adj.
apoderamento s.m.
apoderante adj.2g.
apoderar v.
apoderável adj.2g.
apódero s.m.; cf. *apodero*, fl. do v. *apoderar*
apodia s.f.
apodiabolose s.f.
apodiabolótico adj.
apodiamento s.m.
apodiaxe (*cs*) s.f.
apódico adj.
apodíctica s.f.
apodíctico adj.
apódida adj.2g. s.m.
apodídeo adj. s.m.
apodiense adj. s.2g.
apodiforme adj.2g.
apodimorfo adj.
apodiocto adj. s.m.
apodioxe (*cs*) s.f.
apodipne s.f.
apódise s.f.
apoditério s.m.
apodítica s.f.
apodítico adj.
apodixe (*cs*) s.f.
apodização s.f.
apodizar v.
apodo (*ô*) s.m.; "dichote"; cf. *ápodo* adj. s.m. e *apodo*, fl. do v. *apodar*
ápodo adj. s.m. "sem pés"; cf. *apodo* (*ô*) s.m. e *apodo*, fl. do v. *apodar*
apodocéfala s.f.
apodocéfalo adj. s.m.
apodogáster adj.2g.
apodogástreo adj.
apodogástrio s.m.
apodogastro adj.
apodógino adj. s.m.
apodolírio s.m.
apodomorfo adj.
apodonte s.m.
apodopneico (*é*) adj.
apodópnico adj. s.m.
apódose s.f.
apodótico adj.
apódoto adj. s.m.
apodrecer v.
apodrecido adj.
apodrecimento s.m.
apodrecível adj.2g.
apodregado adj.
apodrentado adj.
apodrentamento s.m.
apodrentar v.
apodrido adj.
apodrir v.
apoenzima s.f.
apoenzímico adj.
apoenzimótico adj.
apoético adj.
apofanita s.f.
apófano adj.
apofântica s.f.
apofântico adj.
apófase s.f.
apofático adj.
apofe s.m.
apoferritina s.f.
apoferritínico adj.
apófige s.f.
apofiláctico adj.
apofilaxia (*cs*) s.f.
apofilênico adj.
apofilético adj.
apofilita s.f.
apofilite s.f.
apofilítico adj.
apofilito s.m.
apofilo s.m.
apofisado adj.
apofisalgia s.f.
apofisálgico adj.
apofisário adj.
apófise s.f.
apofisiário adj.
apofisiforme adj.2g.
apofisite s.f.
apofisítico adj.
apofisomorfo adj.
apofítico adj.
apófito s.m.
apoflegmático adj.
apoflegmatismo s.m.
apoflegmatizante adj. s.2g.
apoflegmatizar v.
apofoco s.m.
apofonema s.m.
apofonemático adj.
apofonêmico adj.
apofonia s.f.
apofônico adj.
apoforeta (*ê*) s.f.
apoforetos (*ê*) s.m.pl.
apófrado adj.
apoftegma s.m.
apoftegmático adj.
apoftegmatismo s.m.
apoftegmatista adj. s.2g.
apoftegmatístico adj.
apóftoro adj.
apogalactismo s.m.
apogametia s.f.
apogamia s.f.
apogâmico adj.
apógamo adj. s.m.
apogão s.m.
apogáster adj.2g.
apogástreo adj.
apogastro adj.
apogênese s.f.
apogenético adj.
apogenia s.f.

apogênico adj.
apógeno adj. s.m.
apogeotopia s.f.
apogeotópico adj.
apogeótopo adj. s.m.
apogeotropia s.f.
apogeotrópico adj.
apogeotropismo s.m.
apogeótropo adj. s.m.
apogético adj.
apogeu s.m.
apogeusia s.f.
apogêusico adj.
apogeustia s.f.
apogeusto adj. s.m.
apoginia s.f.
apogínico adj.
apógino adj.
apogístico adj.
apoglícico adj.
apogônia s.f.
apogônida adj.2g. s.m.
apogonídeo adj. s.m.
apogônio s.m.
apografia s.f.
apográfica s.f.
apográfico adj.
apógrafo adj. s.m.
apograma s.m.
apoiação s.f.
apoiado adj. s.m. interj.
apoiador (*ô*) adj. s.m.
apoia-mãos s.m.2n.
apoiamento s.m.
apoiante adj.2g.
apoiar v.
apoiável adj.2g.
apoídeo adj. s.m.
apoio (*ô*) s.m.; cf. *apoio* (*ó*), fl. do v. *apoiar*
apoitação s.f.
apoitado adj.
apoitagem s.f.
apoitaguara s.f.
apoitamento s.m.
apoitar v.
apojadeira adj.
apojado adj.
apojadura s.f.
apojamento s.m.
apojar v.
apojitaguara s.f.
apojo (*ô*) s.m.; cf. *apojo*, fl. do v. *apojar*
apójove s.m.
apolainado adj.
apolainar v.
apolar adj.2g.
apolazado adj.
apolazar v.
apoldrada s.f.
apoldrado adj.
apoldrar v.
apoleação s.f.
apoleado adj.
apoleador (*ô*) s.m.
apoleamento s.m.
apolear v.
apolegado adj.
apolegador (*ô*) adj. s.m.
apolegadura s.f.
apolegar v.
apoleina adj. s.2g.
apoleirado adj.
apoleirar v.
apolejado adj.
apolejador (*ô*) adj. s.m.
apolejadura s.f.
apolejar v.
apolentadeira s.f.
apolentado adj.
apolentador (*ô*) adj. s.m.
apolentar v.
apolepidismo s.m.
apolepismo s.m.
apólice s.f.
apoliciar v.
apólida adj. s.2g.
apolinar adj.2g.
apolinariense adj. s.2g.
apolinário adj.
apolinarismo s.m.
apolinarista adj. s.2g.
apolinarístico adj.
apolínea s.f.
apolíneo adj.
apolínico adj.
apolinose s.f.
apolipoproteína s.f.
apolipsia s.f.
apólise s.f.
apolisia s.f.
apolisina s.f.
apolisínico adj.
apolitana s.f.
apoliticalhação s.f.
apoliticalhado adj.
apoliticalhamento s.m.
apoliticalhar v.
apoliticidade s.f.
apolítico adj. s.m.
apolitismo s.m.
apolitista adj. s.2g.
apolitístico adj.
apolo s.m.
apologação s.f.
apologal adj.2g.
apologética s.f.
apologético adj. s.m.
apologia s.f.
apológico adj.
apologismo s.m.
apologista adj. s.2g.
apologístico adj.
apologizar v.
apólogo s.m.
apolônia s.f.
apoloniano adj.
apoloniata adj. s.2g.
apolônico adj. s.m.
apolônicon s.m.
apolonidense adj. s.2g.
apolonidiense adj. s.2g.
apoloniense adj. s.2g.
apolônio s.m.
apolônion s.m.
apoltronado adj.
apoltronar v.
apolúnio s.m.
apolvilhado adj.
apolvilhador (*ô*) adj. s.m.
apolvilhadura s.f.
apolvilhante adj.2g.
apolvilhar v.
apômaco adj. s.m.
apomatese s.f.
apomatesia s.f.
apomatóstoma s.m.
apomatóstomo s.m.
apombar v.
apombocado adj.
apomecometria s.f.
apomecométrico adj.
apomecômetro s.m.
apomeiose s.f.
apomeiótico adj.
apomerismo s.m.
apomíctico adj.
apomilena s.f.
apomilênico adj.
apomiose s.f.
apomiótico adj.
apomirismo s.m.
apomítico adj.
apomitose s.f.
apomitótico adj.
apomixia (*cs*) s.f.
apomorfina s.f.
apomorfínico adj.
apomorfofita s.f.
apomorfose s.f.
apomorfótico adj.
apompado adj.
apompar v.
ápona s.f.
aponã s.m.
aponal s.m.
aponariá adj. s.2g.
aponchar v.
ápone adj.2g.
aponeijicrã adj. s.2g.
aponejicrã adj. s.2g.
aponeurectomia s.f.
aponeurectômico adj.
aponeurografia s.f.
aponeurográfico adj.
aponeurologia s.f.
aponeurológico adj.
aponeurose s.f.
aponeurosite s.f.
aponeurótico adj.
aponeurotomia s.f.
aponeurotômico adj.
aponeurótomo s.m.
aponevrografia s.f.
aponevrográfico adj.
aponevrologia s.f.
aponevrológico adj.
aponevrose s.f.
aponevrosite s.f.
aponevrótico adj.
aponevrotomia s.f.
aponevrotômico adj.
aponevrótomo s.m.
aponia s.f.
apônico adj.
aponilhado adj.
aponitrose s.f.
ápono adj. s.m.
aponogetácea s.f.
aponogetáceo adj.
aponogétea s.f.
aponogéteo adj.
aponogeto s.m.
aponogéton s.m.
aponogetonácea s.f.
aponogetonâmico adj.
aponogitácea s.f.
aponogitáceo adj.
aponogítea s.f.
aponogíteo s.m.
aponogito s.m.
aponogíton s.m.
aponogitonácea s.f.
aponogitonáceo adj.
apontado adj. s.m.
apontador (*ô*) adj. s.m.
apontamento s.m.
apontar v.
apontável adj.2g.
aponteado adj. s.m.
aponteador (*ô*) s.m.
aponteamento s.m.
apontear v.
apontoação s.f.
apontoado adj. s.m.
apontoamento s.m.
apontoar v.
apopêmpticas s.f.pl.
apopêmptico adj.
apopétalo adj.
apoplanese s.f.
apoplanésia s.f.
apoplanético adj.
apoplasmodial adj.2g.
apopléctico adj. s.m.
apoplectiforme adj.2g.
apoplectoide (*ó*) adj.2g.
apoplectomorfo adj.
apoplético adj. s.m.
apopletiforme adj.2g.
apoplexia (*cs* ou *ss*) s.f.
apopneuse s.f.
apopnêustico adj.
apopníctico adj.
apopnixia (*cs*) s.f.
apóporo s.m.
apopsiquia s.f.
apoptose s.f.
apoptótico adj.
apoquentação s.f.
apoquentado adj. s.m.
apoquentador (*ô*) adj. s.m.
apoquentamento s.m.
apoquentante adj.2g.
apoquentar v.
apoquilisma s.m.
apoquilismático adj.
apoquinene s.f.
apoquinênio s.m.
apoquinina s.f.
apoquinínico adj.
apor (*ô*) v.
aporaense adj. s.2g.
aporeense adj. s.2g.
aporema s.m.
aporemático adj.
aporemense adj. s.2g.
aporese s.f.
aporética s.f.
aporético adj.
aporetina s.f.
aporfia s.f.
aporfiação s.f.
aporfiadeiro adj. s.m.
aporfiado adj.
aporfiador (*ô*) adj. s.m.
aporfiamento s.m.
aporfiar v.
aporia s.f. "impasse lógico"; cf. *apória*
apória s.f. "gênero de borboletas"; cf. *aporia* s.f. e fl. do v. *apor* (*ô*)
aporídio adj. s.m.
aporioneurose s.f.
aporioneurótico adj.
aporisina s.f.
aporismado adj.
aporismar v.
aporismo s.m.
áporo adj. s.m.
aporobrânquio adj. s.m.
aporocacto s.m.
aporocéfalo adj. s.m.
aporofalo s.m.
aporogamia s.f.
aporogâmico adj.
aporosa s.f.
aporraídeo adj. s.m.
aporral s.m.
aporreação s.f.
aporreado adj.
aporreador (*ô*) adj. s.m.
aporreamento s.m.
aporrear v.
aporrechar v.
aporregenina s.f.
aporreia (*é*) s.f.; cf. *aporreia*, fl. do v. *aporrear*
aporreína s.f.
aporreínico adj.
aporretado adj.
aporretar v.
aporretina s.f.
aporretínico adj.
aporrinhação s.f.
aporrinhado adj.
aporrinhador (*ô*) adj. s.m.
aporrinhamento s.m.
aporrinhante adj.2g.
aporrinhar v.
aporrinose s.f.
aporrinótico adj.
aporriza s.f.
aportação s.f.
aportada s.f.
aportado adj.
aportamento s.m.
aportar v.
aporte s.m.
aportelado adj.
aportelar v.
aportilhado adj.
aportilhar v.
aportinhar v.
aportuguesado adj.
aportuguesamento s.m.
aportuguesar v.
aportuguesável adj.2g.
aportunar v.
após adv. prep.
aposcasia s.f.
aposceparnismo s.m.
aposentação s.f.
aposentado adj. s.m.
aposentador (*ô*) adj. s.m.
aposentadoria s.f.
aposentador-mor s.m.; pl. *aposentadores-mores*
aposentamento s.m.
aposentar v.
aposento s.m.
aposepedina s.f.
aposepedínico adj.
aposfacelise s.f.
aposfacelítico adj.
aposfagma s.m.
aposfagmático adj.
aposféria s.f.
aposfragismo s.m.
após-guerra s.m.
aposia s.f.
aposição s.f.
aposiopese s.f.
aposirma s.m.
apositado adj.
apositia s.f.
aposítico adj.
apositividade s.f.
apositivo adj.
apósito adj. s.m.
apospasmo s.m.
apospasmódico adj.
apospástico adj. s.m.
apospongismo s.m.
aposporia s.f.
apospórico adj.
apossado adj.
apossador (*ô*) adj. s.m.
apossadura s.f.
apossafranina s.f.
apossamento s.m.
apossar v.
apossarco adj. s.m.
apossaturno s.m.
aposseado adj.
apossear v.
aposselene s.f.
apossema s.m.
apossemático adj.
apossépalo adj.
apossepsia s.f.
apossséptico adj.
apossínclise s.f.
apossinclítico adj.
apossórbico adj.
apossorbínico adj.
apossuir-se v.
aposta s.f.
apostado adj.
apostador (*ô*) adj. s.m.
apostalagma s.m.
apostalagmático adj.
apostamento s.m.
apostar v.
apostaréu s.m.
apóstase s.f.
apostasia s.f. "abjuração"; cf. *apostásia*
apostásia s.f. "planta"; cf. *apostasia*
apostasiácea s.f.
apostasiáceo adj.
apostasiar v.
apóstata adj. s.2g.; cf. *apostata*, fl. do v. *apostatar*
apostatar v.
apostático adj.
apostélio s.m.
apostema s.m.
apostemação s.f.
apostemado adj.
apostemar v.
apostemático adj.
apostemeira s.f.
apostemeiro s.m.
apostemoso (*ô*) adj.; f. (*ó*); pl. (*ó*)
aposteriorismo s.m.
aposteriorístico adj.
apostia s.f.
apostiça s.f.
apostiçar v.
apostila s.f.
apostilado adj.
apostilador (*ô*) adj. s.m.
apostilar v.
apostilha s.f.
apostilhar v.
aposto (*ô*) adj. s.m.; f. (*ó*); pl. (*ó*); cf. *aposto*, fl. do v. *apostar*
apostolacia s.f.
apostolado adj. s.m.

apostolar v. adj.2g.
apostolical adj.2g.
apostolicidade s.f.
apostolicismo s.m.
apostolicístico adj.
apostólico adj. s.m.
apostolino adj. s.m.
apostolização s.f.
apostolizado adj.
apostolizador (*ô*) adj. s.m.
apostolizante adj.2g.
apostolizar v.
apostolizável adj.2g.
apóstolo s.m.; cf. *apostolo*, fl. do v. *apostolar*
apostrofado adj.
apostrofar v.
apóstrofe s.f.; cf. *apostrofe*, fl. do v. *apostrofar*
apóstrofo s.m.; cf. *apostrofo*, fl. do v. *apostrofar*
apostura s.f.
aposturar v.
aposturas s.f.pl.
apota adj. s.2g.
apotáctico s.m.
apotáfio s.m.
apótafo s.m.
apotático s.m.
apoteca s.f.
apotecar v.
apotecário adj. s.m.
apotecial adj.2g.
apotécio s.m.
apotegma s.m.
apotegmático adj.
apotegmatismo s.m.
apotegmatista adj. s.2g.
apotegmatístico adj.
apotelesma s.m.
apotelesmática s.f.
apotelesmático adj.
apótema s.m.
apotemático adj.
apotentado adj.
apotentar v.
apoteobromina s.f.
apoteobromínico adj.
apoteosado adj.
apoteosamento s.m.
apoteosar v.
apoteose s.f.
apoteótico adj.
apoteotizar v.
apoterapêutica s.f.
apoterapia s.f.
apoterápico adj.
apoteriose s.f.
apotermo adj.
apótese s.f.
apotesina s.f.
apóteto adj.
apotiacorava s.f.
apotiense adj. s.2g.
apotijé adj. s.2g.
apotó adj. s.2g. "etnia indígena"; cf. *ápoto*
ápoto adj. s.m. "que não se presta a ser bebido"; cf. *apotó*
apótomo adj. s.m.
apotomóptero s.m.
apotoxina (*cs*) s.f.
apotrado adj.
apotrar-se v.
apotrause s.f.
apotropaico adj.
apotropeia (*é*) s.f. de *apotropeu*
apotropeico (*é*) adj.
apotropeio (*é*) adj.
apotropeu adj. s.m.; f. *apotropeia*
apotrópio adj.
apotropismo s.m.
apoucado adj.
apoucador (*ô*) adj. s.m.
apoucamento s.m.
apoucar v.
apoucável adj.2g.
apoupar v.
apousamento s.m.
apousar v.
apoutado adj.
apoutar v.
apovelosidina s.f.
apovelosina s.f.
apovelosol s.m.
apoxiômeno (*cs*) s.m.
apózema s.m.; cf. *apozema*, fl. do v. *apozemar*
apozemado adj.
apozemar v.
apozemático adj.
apraça s.f.
apracto adj.
apragia s.f.
apraiar v.
apraiú s.m.
apraju s.m.
apranchar v.
aprauá s.f.
apraxia (*cs*) s.f.
aprazado adj.
aprazador (*ô*) adj. s.m.
aprazamento s.m.
aprazar v.
aprazável adj.2g.
aprazedor (*ô*) adj. s.m.
aprazente adj.2g.
aprazenteiro adj. s.m.
aprazer v.
aprazerado adj.
aprazibilense adj. s.2g.
aprazibilidade s.f.
aprazimento s.m.
aprazível adj.2g.
aprazivelense adj. s.2g.
apre interj.
apreá s.f.
aprear v.
apreçado adj.; cf. *apressado*
apreçador (*ô*) s.m.; cf. *apressador*
apreçadura s.f.; cf. *apressadura*
apreçamento s.m.; cf. *apressamento*
apreçante adj. s.2g.; cf. *apressante*
apreçar v. "avaliar"; cf. *apressar*
aprecatado adj.
aprecatar v.
apreçável adj.2g.
apreciação s.f.
apreciado adj.
apreciador (*ô*) adj. s.m.
apreciamento s.m.
apreciar v.
apreciativo adj.
apreciável adj.2g.
apreço (*ê*) s.m. "estima"; cf. *apreço*, fl. do v. *apreçar*, e *apresso*, fl. do v. *apressar*
apreçoado adj.
apreendedor (*ô*) adj. s.m.
apreender v.
apreendido adj.
apreensão s.f.
apreensibilidade s.f.
apreensível adj.2g.
apreensivo adj.
apreenso adj.
apreensor (*ô*) adj. s.m.
apreensório adj.
aprefixado (*cs*) adj. s.m.
aprefixar (*cs*) v.
apregoado adj.
apregoador (*ô*) adj.
apregoamento s.m.
apregoar v.
apreguiçar-se v.
apremado adj.
apremador (*ô*) adj. s.m.
apremamento s.m.
apremar v.
apremedeira s.f.
apremer v.
apremiador (*ô*) adj. s.m.
apremiante adj.2g.
apremiar v.
aprender v.
aprendido adj.
aprendível adj.
aprendiz s.m.
aprendizado s.m.
aprendizagem s.f.
aprendiz-marinheiro s.m.; pl. *aprendizes-marinheiros*
aprensado adj.
apresado adj.
apresador (*ô*) adj.
apresamento s.m.
apresar v.
apresbiterar-se v.
apresentabilidade s.f.
apresentação s.f.
apresentado adj. s.m.
apresentador (*ô*) adj. s.m.
apresentante adj. s.2g.
apresentar v.
apresentável adj.2g.
apresigar v.
apresigo s.m.
apresilhado adj.
apresilhar v.
apressado adj.; cf. *apreçado*
apressador (*ô*) s.m.; cf. *apreçador* (*ô*)
apressadura s.f.; cf. *apreçadura*
apressamento s.m.; cf. *apreçamento*
apressante adj.2g.; cf. *apreçante*
apressão s.f.
apressar v. "acelerar"; cf. *apreçar*
apressório adj. s.m.
apressurado adj.
apressuramento s.m.
apressurar v.
aprestação s.f.
aprestado adj.
aprestador (*ô*) adj. s.m.
aprestamado adj.
aprestamar v.
aprestamento s.m.
apréstamo s.m.
aprestar v.
aprestável adj.2g.
apreste s.m.
apréstimo s.m.
apresto s.m.
apresuntado adj. s.m.
apresuntar v.
apretalhado adj.
apretalhar v.
aprico adj.
aprilino adj.
aprimoração s.f.
aprimorado adj.
aprimorador (*ô*) adj. s.m.
aprimoramento s.m.
aprimorar v.
aprimorável adj.2g.
aprincesado adj.
aprincesar v.
aprioridade s.f.
apriorismo s.m.
apriorista adj. s.2g.
apriorístico adj.
apriscado adj.
apriscar v.
aprisco s.m.
aprisionado adj.
aprisionador (*ô*) adj. s.m.
aprisionamento s.m.
aprisionante adj.2g.
aprisionar v.
aprisionável adj.2g.
aprismo s.m.
aprisoado adj.
aprisoamento s.m.
aprisoar v.
aprista adj. s.2g.
aprístico adj.
apristo s.m.
aproado adj.
aproagense adj. s.2g.
aproaguense adj. s.2g.
aproamento s.m.
aproar v.
aprobarbital s.m.
aprobatividade s.f.
aprobativo adj.
aprobatório adj.
aprochado adj.
aprochar v.
aproche s.m.
aprochegar-se v.
aproctia s.f.
aprocto adj.
aproctose s.f.
aproejar v.
aprofundação s.f.
aprofundado adj.
aprofundador (*ô*) adj. s.m.
aprofundamento s.m.
aprofundante adj.2g.
aprofundar v.
aprofundável adj.2g.
aprônia s.f.
aprontação s.m.
aprontado adj.
aprontador (*ô*) adj. s.m.
aprontamento s.m.
aprontante adj.2g.
aprontar v.
aprontável adj.2g.
apronte s.m.
apronto s.m.
apropinquação s.f.
apropinquado adj.
apropinquante adj.2g.
apropinquar v.
apropositado adj.
apropositar v.
a propósito s.m.; pl. *a propósitos*
apropriabilidade s.f.
apropriação s.f.
apropriado adj.
apropriador (*ô*) adj. s.m.
apropriagem s.f.
apropriamento s.m.
apropriante adj.2g.
apropriar v.
apropriável adj.2g.
aprosado adj.
aprosar v.
aprosexia (*cs*) s.f.
aprosódia s.f.
aprosômetro s.m.
aprosopia s.f.
aprótico adj.
aprotinina s.f.
aprovabilidade s.f.
aprovação s.f.
aprovado adj. s.m.
aprovador (*ô*) adj. s.m.
aprovante adj.2g.
aprovar v.
aprovatividade s.f.
aprovativo adj.
aprovatório adj.
aprovável adj.2g.
aproveitabilidade s.f.
aproveitação s.f.
aproveitadeira s.f.
aproveitado adj.
aproveitador (*ô*) adj. s.m.
aproveitamento s.m.
aproveitante adj.2g.
aproveitar v.
aproveitável adj.2g.
aproveitoso (*ô*) adj.; f. (*ó*); pl. (*ó*)
aprovisionação s.f.
aprovisionado adj.
aprovisionador (*ô*) s.m.
aprovisionamento s.m.
aprovisionar v.
aprovisionável adj.2g.
aproximação (*ss*) s.f.
aproximado (*ss*) adj.
aproximador (*ss...ô*) adj. s.m.
aproximar (*ss*) v.
aproximativo (*ss*) adj.
aproximável (*ss*) adj.2g.
aprumação s.f.
aprumado adj.
aprumar v.
aprumo s.m.
aprustano adj. s.m.
apsará s.f.
apseudo s.m.
apsidal adj.2g.
apside s.f.
apsidíolo s.m.
apsiforoide (*ó*) adj. s.2g.
apsila adj. s.2g.
apsiquia s.f.
apsíquico adj.
apsiquismo s.m.
apsitiria s.f.
apsitírico adj.
aptado adj.
aptaguir s.m.
aptandra s.f.
aptar v.
aptável adj.2g.
apteia (*é*) s.f.
apteira s.f.
aptenódita adj. s.2g.
aptense adj. s.2g.
apteranto s.m.
aptéria s.f.
aptérige adj.2g. s.f.
apterígia s.f.
apterigiano adj. s.m.
apterígida adj.2g. s.m.
apterigídeo adj. s.m.
apterigiforme adj. s.2g.
apterigíneo adj. s.m.
apterígio s.m.
apterigogêneo adj.
apterigogênio s.m.
apterigógeno adj. s.m.
apterigomorfo adj. s.m.
apterigota adj.2g. s.m.
apterigoto adj. s.m.
apterila s.f.
apterino s.m.
aptério adj. s.m.
ápterix (*cs*) s.f.
áptero adj. s.m.
apterodícero adj. s.m.
apterogênico adj.
apterogênio s.m.
apterologia s.f.
apterológico adj.
apterologista adj. s.2g.
apterólogo s.m.
apteronoto s.m.
apterópode s.m.
apterórnis s.m.2n.
apterornite s.m.
apterota s.2g.
apteruro s.m.
aptialia s.f.
aptialismo s.m.
aptiano adj.
áptico s.m.
aptidão s.f.
aptificado adj.
aptificar v.
aptigmático adj.
aptinha s.f.
aptino s.m.
aptitude s.f.
aptitudinal adj.2g.
aptitudinário adj.
apto adj.
aptodisforia s.f.
aptodisfórico adj.
aptógono s.m.
aptossímea s.f.
aptossímeo adj.
aptossimo s.m.
aptoteca s.f.
aptótico adj.
aptoto adj.
apuá s.m.
apuabetê adj. s.2g.
apuabetó adj. s.2g.
apuado adj.
apuaense adj. s.2g.
apuame s.m.
apuamento s.m.
apuano adj. s.m.
apuar v.
apuaremense adj. s.2g.

apuava adj.2g.
apucarado adj.
apucaranense adj. s.2g.
apucaraninhense adj. s.2g.
apucuitaua s.m.
apudorado adj.
apudorar v.
apué s.m.
apuí s.m.
apuié adj. s.2g.
apuiense adj. s.2g.
apuirana s.f.
apuiteré adj. s.2g.
apuizeiro s.m.
apujaré adj. s.2g.
apuladoiro s.m.
apulador (*ô*) adj. s.m.
apuladouro s.m.
apuleano adj.
apuleia (*é*) s.f.
apuleja (*ê*) s.f.
apulhastrar v.
apuliano adj. s.m.
apúlico adj.
apuliense adj. s.2g.
apúlio adj. s.m.
ápulo adj. s.m.
apulso s.m.
apulverizar v.
apunchar v.
apunga s.m.
apunhalado adj.
apunhalador (*ô*) adj. s.m.
apunhalante adj.2g.
apunhalar v.
apunhalável adj.2g.
apunhar v.
apúnia s.f.
apunto s.m.
apupada s.f.
apupado adj.
apupador (*ô*) adj. s.m.
apupar v.
apupável adj.2g.
apupo s.m.
apuração s.f.
apurada s.f.
apurado adj.
apurador (*ô*) adj. s.m.
apuramento s.m.
apurar v.
apurativo adj.
apurável adj.2g.
apurimaense adj. s.2g.
apuriná adj. s.2g.
apuro s.m.
apurpurado adj.
apurpurar v.
apurpureado adj.
apurpurear v.
apuruí s.m.
apúsida adj.2g. s.m.
apusídeo adj. s.m.
apútega s.f.
aputejuba s.m.
aputiá adj. s.2g.
aquabonense adj. s.2g.
aquacelerífero adj. s.m.
aquacultura s.f.
aquador (*ô*) s.m.
aquadrelado adj.
aquadrelamento s.m.
aquadrelar v.
aquadrilhado adj.
aquadrilhamento s.m.
aquadrilhar v.
aquadrinhar v.
aquaforte s.f.
aquafortismo s.m.
aquafortista adj. s.2g.
aqualirado adj.
aqualouco adj. s.m.
aquamanil s.m.
aquamanila s.f.
aquamotor (*ô*) s.m.
aquantiado s.m.
aquantiador (*ô*) s.m.
aquantiar v.
aquaplanado adj.
aquaplanagem s.f.
aquaplanar v.
aquaplano s.m.
aquaplatense adj. s.2g.
aquaporina s.f.
aquapunctura s.f.
aquapuncturar v.
aquapuntura s.f.
aquapunturar v.
aquarela s.f.
aquarelar v.
aquarelismo s.m.
aquarelista adj. s.2g.
aquarelístico adj.
aquarético adj. s.m.
aquariano adj. s.m.
aquarídio s.m.
aquário adj. s.m.
aquariofilia s.f.
aquariófilo adj.
aquariquara s.f.
aquarista s.2g.
aquartalado adj.
aquartelado adj.
aquartelamento s.m.
aquartelar v.
aquartilhado adj.
aquartilhador (*ô*) s.m.
aquartilhamento s.m.
aquartilhar v.
aquartolamento s.m.
aquático adj. s.m.
aquátil adj.2g.
aquatinta s.f.
aquatintado adj.
aquatintar v.
aquatintista adj. s.2g.
aquatofana s.f.
aquatubular adj.2g.
aquavita s.f.
aquebrantado adj.
aquebrantamento s.m.
aquebrantar v.
aquecedela s.f.
aquecedor (*ô*) adj. s.m.
aquecedouro s.m.
aquecer v.
aquecido adj.
aquecimento s.m.
aquecível adj.2g.
aquedado adj.
aquedar v.
aquedução s.f.
aqueduto s.m.
aqueia (*é*) adj. s.f. de *aqueu*
aqueixar-se v.
aquela s.f. pron.; cf. *aquela*, fl. do v. *aquelar*
àquela contr. da prep. *a* com o pron. *aquela*
aquelança s.f.
aquelar v.
aquele (*ê*) pron.; cf. *aquele*, fl. do v. *aquelar*
àquele (*ê*) contr. da prep. *a* com o pron. *aquele*
aqueloma s.m.
aqueloutro contr. do pron. *aquele* com o pron. *outro*
àqueloutro contr. da prep. *a* com o pron. *aqueloutro*
aquém adv. na loc. *aquém de*
aquemênida adj. s.2g.
aquemênio adj. s.m.
aquém-fronteiras adj.2g.2n. adv.
aquém-mar s.m. adv.; pl. *aquém-mares*
aquém-oceano adj.2g.2n.
aquém-Pireneus adj.2g.2n.
aquenicarpo adj.
aquênico adj.
aquênio adj. s.m.
aquenódio s.m.
aquenodonte s.m.
aquenóptero s.m.
aquense (*ü*) adj. s.2g.
aquentado adj. s.m.
aquentador (*ô*) adj. s.m.
aquentamento s.m.
aquentar v.
áqueo (*ü*) adj.
aquerençar v.
aquerenciadeira s.f.
aquerenciado adj. s.m.
aquerenciador (*ô*) adj. s.m.
aquerenciamento s.m.
aquerenciar v.
aquerente adj. s.2g.
aquerôncia s.f.
aqueronteia (*é*) adj.; f. de *aqueronteu*
aqueronteu adj.; f. *aqueronteia* (*é*)
aquerôntia s.m.
aquerôntico adj.
aquerontino adj. s.m.
aquesto s.m.
aqueta s.f.
aquetar v.
aquéteo adj. s.m.
aquetídeo adj. s.m.
aquetídio s.m.
aquetiódeo adj. s.m.
aqueto s.m.
aquetuado adj.
aqueu adj. s.m.; f. *aqueia* (*é*)
aqui adv.
aquicaldense (*ü*) adj. s.2g.
aquicalor (*ü...ô*) s.m.
aquícola (*ü*) adj. s.2g.
aquicultor (*ü...ô*) adj. s.m.
aquicultura (*ü*) s.f.
aquicultural (*ü*) adj.2g.
aquidabanense adj. s.2g.
aquidauanense adj. s.2g.
aquiescência s.f.
aquiescente adj.2g.
aquiescer v.
aquietação s.f.
aquietado adj.
aquietador (*ô*) adj. s.m.
aquietamento s.m.
aquietar v.
aquífero (*ü*) adj.
aquifoliácea (*ü*) s.f.
aquifoliáceo (*ü*) adj.
aquifólio (*ü*) s.m.
aquígeno (*ü*) adj.
aquijiró adj. s.2g.
áquila s.f.
aquilão s.m.
aquilar v.
aquilária s.f.
aquilariácea s.f.
aquilariáceo adj.
aquilarínea s.f.
aquilaríneo adj.
aquilarióidea s.f.
aquilarióideo adj.
aquilatação s.f.
aquilatado adj.
aquilatador (*ô*) s.m.
aquilatamento s.m.
aquilatar v.
aquilatável adj.2g.
aquileano adj.
aquileato s.m.
aquileense adj. s.2g.
aquilégia (*ü*) s.f.
aquilégio (*ü*) adj. s.m.
aquílego (*ü*) adj. s.m.
aquileia (*é*) s.f. de *aquileu*
aquileico (*é*) adj.
aquileína s.f.
aquileínico adj.
aquileoide (*ó*) adj.2g.
aquiles s.m.f.
aquiletina s.f.
aquileu adj.; f. *aquileia*
aquilhado adj.
aquilhão s.m.
aquilhar v.
aquilia s.f.
aquilíaco adj.
aquiliano adj.
aquílico adj. s.m.
aquilífero s.m.
aquilínea s.f.
aquilíneo adj.
aquilino adj.
aquilitano adj. s.m.
aquilo pron.; cf. *áquilo* e *àquilo*
áquilo s.m. "vento"; cf. *aquilo* e *àquilo*
àquilo contr. da prep. *a* com o pron. *aquilo*; cf. *aquilo* e *áquilo*
aquiloburside s.f.
aquilodinia s.f.
aquilodínico adj.
aquilombado adj.
aquilombar v.
aquilonal adj.2g.
aquilonar adj.2g.
aquilônio adj.
aquiloplastia s.f.
aquiloplástico adj.
aquilorrafia s.f.
aquilorráfico adj.
aquilose s.f.
aquilotado adj.
aquilotar v.
aquilótico adj.
aquilotomia s.f.
aquilotômico adj.
aquimenes s.m.2n.
aquimia s.f.
aquimose s.f.
aquimosia s.f.
aquimótico adj.
aquinate adj. s.2g.
aquinense adj. s.2g.
aquinhoação s.f.
aquinhoado adj.
aquinhoador (*ô*) s.m.
aquinhoamento s.m.
aquinhoar v.
aquíparo (*ü*) adj.
aquiqui s.m.
aquirabense adj. s.2g.
aquiranto s.m.
aquirantoide (*ó*) adj.2g.
aquiraqueno s.m.
aquirasense adj. s.2g.
aquirastro s.m.
aquirente adj.2g.
aquiria s.f.
aquirição s.f.
aquírico adj.
aquirídeo adj. s.m.
aquiridor (*ô*) s.m.
aquirijebó s.m. "frequentador assíduo de candomblé"; cf. *aquirijibó*
aquirijibó s.m. "despachador do ebó de Exu"; cf. *aquirijebó*
aquirimento s.m.
aquirir v.
aquiritivo adj.
aquiro s.m.
aquirófito adj.
aquiróforo s.m.
aquirologia s.f.
aquirônia s.f.
aquiropoético adj.
aquirospermo s.m.
aquirotálamo s.m.
aquisarmo s.m.
aquisição s.f.
aquisitividade s.f.
aquisitivo adj.
aquista (*ü*) adj. s.2g.
aquistado adj.
aquistar v.
aquitanense adj. s.2g.
aquitaniano adj. s.m.
aquitânico adj. s.m.
aquitano adj. s.m.
aquite s.m.
aquitônio s.m.
aquivo adj. s.m.
aquocapsulite s.f.
aquosidade s.f.
aquoso (*ô*) adj.; f. (*ó*); pl. (*ó*)
aquotiar v.
ar s.m.
ara s.f. "altar"; cf. *ará*
ará s.m.f. "pássaro"; cf. *ara* s.f. e fl. do v. *arar*
arabá s.m.f.
arabaca s.2g.
arabaçu s.m.
arabaiana s.m.
arabaiana-boca-de-rato s.m.; pl. *arabaianas-boca-de-rato* e *arabaianas-bocas-de-rato*
arabana s.f.
arabata s.m.f.
árabe adj. s.2g.
arabebéu s.m.
arabelense adj. s.2g.
araberu s.f.
árabe-saudita adj. s.2g.; pl. *árabe-sauditas*
arabesca (*ê*) s.f.; cf. *arabesca*, fl. do v. *arabescar*
arabescar v.
arabesco (*ê*) adj. s.m.; cf. *arabesco*, fl. do v. *arabescar*
arabêscula s.f.
arabeta (*ê*) s.f.
arabia s.f.
arabiado s.m.
arábias s.f.pl.
arábico adj. s.m.
arábico-britânico adj.; pl. *arábico-britânicos*
arábico-espanhol adj.; pl. *arábico-espanhóis*
arábico-português adj.; pl. *arábico-portugueses*
arabídea s.f.
arabídeo adj. s.m.
arábigo adj. s.m.
arábigo-britânico adj.; pl. *arábigo-britânicos*
arábigo-espanhol adj.; pl. *arábigo-espanhóis*
arábigo-português adj.; pl. *arábigo-portugueses*
arabilidade s.f.
arabina s.f.
arabinocloralose s.f.
arabinodiamidobenzeno s.m.
arabinose s.f.
arabinótico adj.
arábio adj. s.m.
árabis s.m.2n.
arabismo s.m.
arabissa s.f.
arabista adj. s.2g.
arabístico adj.
arabita s.f.
arabítico adj.
arabitol s.m.
arabitólico adj.
arabização s.f.
arabizado adj.
arabizante adj. s.2g.
arabizar v.
arabizável adj.2g.
arabofônico adj.
arabófono adj. s.m.
araboia (*ó*) s.f.
arabônico adj.
arabote s.m.
arabricense adj. s.2g.
arabrigense adj. s.2g.
arabu s.m.
arabutã s.m.
arabutanense adj. s.2g.
araca s.f.
araçá adj.2g. s.m.
araçá-branco s.m.; pl. *araçás-brancos*
araçá-bravo s.m.; pl. *araçás-bravos*
araçá-cagão s.m.; pl. *araçás-cagões*
aracacha s.f.
araçá-cinzento s.m.; pl. *araçás-cinzentos*
araçá-congonha s.m.; pl. *araçás-congonha* e *araçás-congonhas*
araçá-cotão s.m.; pl. *araçás-cotão* e *araçás-cotões*
araçaçu s.m.
araçaçuense adj. s.2g.
araçada s.f.
araçá-da-anta s.m.; pl. *araçás-da-anta*

aracadaini adj. s.2g.
araçá-da-praia s.m.; pl. *araçás-da-praia*
araçá-de-anta s.m.; pl. *araçás-de-anta*
araçá-de-cheiro s.m.; pl. *araçás-de-cheiro*
araçá-de-comer s.m.; pl. *araçás-de-comer*
araçá-de-coroa s.m.; pl. *araçás-de-coroa*
araçá-de-festa s.m.; pl. *araçás-de-festa*
araçá-de-flor-grande s.m.; pl. *araçás-de-flor-grande*
araçá-de-folha-grande s.m.; pl. *araçás-de-folha-grande*
araçá-de-minas s.m.; pl. *araçás-de-minas*
araçá-de-pomba s.m.; pl. *araçás-de-pomba*
araçá-de-são-paulo s.m.; pl. *araçás-de-são-paulo*
araçá-de-tinguijar s.m.; pl. *araçás-de-tinguijar*
araçá-de-umbigo s.m.; pl. *araçás-de-umbigo*
araçá-de-veado s.m.; pl. *araçás-de-veado*
araçá-do-brejo s.m.; pl. *araçás-do-brejo*
araçá-do-campo s.m.; pl. *araçás-do-campo*
araçá-do-mato s.m.; pl. *araçás-do-mato*
araçá-do-pará s.m.; pl. *araçás-do-pará*
araçaeiro s.m.
araçaense adj. s.2g.
araçá-felpudo s.m.; pl. *araçás-felpudos*
araçá-guaçu s.m.; pl. *araçás-guaçus*
araçaí s.m.
araçaíba s.m.
araçaibense adj. s.2g.
araçaí-do-campo s.m.; pl. *araçaís-do-campo*
araçaiense adj. s.2g.
araçaji s.m.
araçajiense adj. s.2g.
aracaju adj. s.2g.
aracajuano adj. s.m.
aracajuense adj. s.2g.
araçá-lima s.m.; pl. *araçás-lima* e *araçás-limas*
aracambé s.m.
aracambi s.m.
aracambus s.m.pl.
araçá-mirim s.m.; pl. *araçás-mirins*
araçandiva s.m.
araçanduba s.m.
aracane adj. s.2g.
aracanga s.f.
araçanga s.f.
aracanguira s.m.
araçanhuma s.m.
araçanhuna s.f.
aracanje s.m.
aração s.f.
araçapeba s.m.
araçá-pedra s.m.; pl. *araçás-pedra* e *araçás-pedras*
araçapiranga s.m.
araçapiroca s.m.
araçapoca s.m.
aracapuri s.m.
araçarana s.f.
araçarana-mirim s.f.; pl. *araçaranas-mirins*
araçareiro s.m.
araçari s.m.
araçari-banana s.m.; pl. *araçaris-banana* e *araçaris-bananas*
araçari-branco s.m.; pl. *araçaris-brancos*
araçari-de-minhoca s.m.; pl. *araçaris-de-minhoca*
araçariguamense adj. s.2g.
araçari-minhoca s.m.; pl. *araçaris-minhoca* e *araçaris-minhocas*
araçaripoca s.m.
araçari-preto s.m.; pl. *araçaris-pretos*
aracaroba s.m.
araçá-rosa s.m.; pl. *araçás-rosa* e *araçás-rosas*
araçá-roxo s.m.; pl. *araçás-roxos*
aracati s.m.
aracatiaçuense adj. s.2g.
aracatiarense adj. s.2g.
araçatibano adj. s.m.
aracatiense adj. s.2g.
aracatu s.m.
araçatuba s.f.
araçatubense adj. s.2g.
aracatuense adj. s.2g.
araçauaçu s.m.
araçaúva s.m.
araçá-verde s.m.; pl. *araçás-verdes*
araçá-vermelho s.m.; pl. *araçás-vermelhos*
araçazada s.f.
araçazal s.m.
araçazeiro s.m.
araçazinho s.m.
arácea s.f.
aráceo adj.
arache s.m.
araci adj. s.2g.
araciense adj. s.2g.
aracimbora s.f.
aracinafe s.f.
aracirana s.f.
aracitabense adj. s.2g.
araciuirá s.m.
aracnanto s.m.
aracneano adj.
aracneólito s.m.
aracniano adj.
aracnícola adj. s.2g.
aracnicultor (*ô*) adj. s.m.
aracnicultura s.f.
aracnicultural adj.2g.
aracnídeo adj. s.m.
aracnidismo s.m.
arácnido s.m.
aracnidomórfico adj.
aracnidomorfo adj. s.m.
aracnismo s.m.
aracnite s.f.
aracnização s.f.
aracnizar v.
aracnodactilia s.f.
aracnodérmico adj.
aracnodérmio adj.
aracnodermo adj.
aracnofilia s.f.
aracnófilo adj. s.m.
aracnogenose s.f.
aracnogenótico adj.
aracnoidal adj.2g.
aracnoide (*ó*) adj. s.2g.
aracnoideia (*é*) adj. s.f. de *aracnoideu*
aracnóideo adj.
aracnoideu adj. s.m.; f. *aracnoideia* (*é*)
aracnoidiano adj.
aracnoidismo s.m.
aracnoidite s.f.
aracnoidítico adj.
aracnologia s.f.
aracnológico adj.
aracnologista s.2g.
aracnólogo s.m.
aracnópode s.m.
aracnóptero s.m.
aracnótero s.m.
araçoeiro s.m.
araçoia (*ó*) s.f.
araçoiaba s.f.
araçoiabano adj. s.m.
aracoiabense adj. s.2g.
araçoiabense adj. s.2g.
aracorama s.f.
aracósio adj. s.m.
aracota adj. s.2g.
aracoto adj. s.m.
aracrucense adj. s.2g.
aracruzense adj. s.2g.
aracu adj. s.2g.
aracuã s.2g.
araçuaba s.2g.
araçuaiava s.m.
araçuaiense adj. s.2g.
aracuão s.m.
aracu-branco s.m.; pl. *aracus-brancos*
aracuí s.m.
araçuiava s.m.
aracuíta adj. s.2g.
aracujá adj. s.2g.
aracupinima s.m.
aracu-pintado s.m.; pl. *aracus-pintados*
aracuri s.m.
aracutinga s.m.
arada s.f.
aradar v.
aradeira s.f.
aradiano adj. s.m.
aradico s.m.
arádio adj. s.m.
arado adj. s.m.
arado de cobrir s.m.
arado de leveiro s.m.
arado de margear s.m.
aradoira s.f.
aradoiro s.m.
arador (*ô*) adj. s.m.
aradoura s.f.
aradouro s.m.
aradura s.f.
araê adj. s.2g.
aragano adj.
aragão s.m.
aragarcense adj. s.2g.
aragem s.f.
arágoa s.f.
aragoácea s.f.
aragoáceo adj.
aragoês adj. s.m.
aragoianense adj. s.2g.
aragonense adj. s.2g.
aragonês adj. s.m.
aragonesismo s.m.
aragonesista adj. s.2g.
aragonesístico adj.
aragonguira s.f.
aragonita s.f.
aragonite s.f.
aragonítico adj.
araguacemense adj. s.2g.
araguaciense adj. s.2g.
araguaçuense adj. s.2g.
araguaguá s.m.
araguaguaí s.m.
araguaí s.m.
araguaia adj. s.2g.
araguaiano adj. s.m.
araguaiarense adj. s.2g.
araguaiense adj. s.2g.
araguainense adj. s.2g.
araguainhense adj. s.2g.
aragualei s.m.
araguananense adj. s.2g.
araguapacense adj. s.2g.
araguara adj. s.m.
araguari s.m.
araguariense adj. s.2g.
araguarino adj. s.m.
araguatinense adj. s.2g.
araguato s.m.
araguirá s.m.
araiá s.f.
araiá-garapa s.f.; pl. *araiás-garapa* e *araiás-garapas*
araiá-pintada s.f.; pl. *araiás-pintadas*
araíba s.f.
araicá adj. s.2g.
araicu adj. s.m.
arainense adj. s.2g.
araini adj. s.2g.
araió adj. s.2g.
araiosense adj. s.2g.
araiú s.m.
arajarense adj. s.2g.
arajuba s.f.
aralha s.f. "novilha"; cf. *arália*
arália s.f. "planta"; cf. *aralha*
araliácea s.f.
araliáceo adj.
araliano adj. s.m.
arálico adj.
aralietina s.f.
aralina s.f.
aralo-caspiano adj.; pl. *aralo-caspianos*
aramã s.f.
aramaçá s.m.
aramaçã s.m.
aramado adj. s.m.
aramador (*ô*) adj. s.m.
aramagem s.f.
aramaico adj. s.m.
aramaísmo s.m.
aramaísta adj. s.2g.
aramaístico adj.
aramaização s.f.
aramaizante adj. s.2g.
aramaizar v.
aramandaiá s.m.
aramané s.f.
aramar v.
aramaré s.m.
aramariense adj. s.2g.
aramaris adj. s.2g.
aramatá s.m.
aramatiá s.m.
arambá s.m.
arambareense adj. s.2g.
arambitá s.m.
arame s.m.
arameia (*é*) adj. s.f. de *arameu*
arameiro s.m.
arameísmo s.m.
arameísta adj. s.2g.
arameístico adj.
arameização s.f.
arameizar v.
aramenha s.f.
arameu adj. s.m.; f. *arameia* (*é*)
arâmico adj. s.m.
aramídeo adj. s.m.
aramifício s.m.
aramina s.f.
araminense adj. s.2g.
arâmio s.m.
aramiotó adj. s.2g.
aramista adj. s.2g.
aramita adj. s.2g.
aramite s.f.
aramitxó adj. s.2g.
aramoso (*ô*) adj.; f. (*ó*); pl. (*ó*)
arampatere s.m.
aramudo adj.
aranã adj. s.2g.
aranane adj. s.2g.
arananense adj. s.2g.
aranaquacena adj. s.2g.
aranata s.m.
aranauense adj. s.2g.
arançada s.f.
arancim s.m.
arancuã s.m.
arandeiro s.m.
arandela s.f.
arandisita s.f.
arando s.m.
aranduense adj. s.2g.
araneano adj. s.m.
araneídea s.f.
araneídeo adj. s.m.
araneido adj. s.m.
araneífero adj.
araneiforme adj. s.2g.
araneísmo s.m.
arâneo adj.
araneografia s.f.
araneográfico adj.
araneógrafo adj. s.m.
araneologia s.f.
araneológico adj.
araneologista s.2g.
araneólogo s.m.
araneomorfo adj. s.m.
araneoso (*ô*) adj.; f. (*ó*); pl. (*ó*)
aranha adj.2g. s.f.
aranha-bode s.f.; pl. *aranhas-bode* e *aranhas-bodes*
aranha-caranguejeira s.f.; pl. *aranhas-caranguejeira* e *aranhas-caranguejeiras*
aranha-caranguejo s.f.; pl. *aranhas-caranguejo* e *aranhas-caranguejos*
aranhaçu s.f.
aranha-de-água s.f.; pl. *aranhas-de-água*
aranha de coco s.f.
aranha-do-mar s.f.; pl. *aranhas-do-mar*
aranha do travão s.f.
aranhagato s.m.
aranhão s.m.
aranhar v.
aranheira s.f.
aranheiro s.m.
aranhense adj. s.2g.
aranhento adj.
aranhiço s.m.
aranhol s.m.
aranhola s.f.
aranhoso (*ô*) adj.; f. (*ó*); pl. (*ó*)
aranhota s.f.
aranhuço s.m.
aranhuçu s.f.
araniti adj. s.2g.
arantacu s.m.
arantinense adj. s.2g.
aranzada s.f.
aranzeiro s.f.
aranzel s.2g. s.m.
araó adj. s.2g.
arão s.m.
arapabaca s.f.
arapace adj. s.2g.
arapaço s.m.
arapaçu-de-bico-agudo s.m.; pl. *arapaçus-de-bico-agudo*
arapaçu-de-bico-preto s.m.; pl. *arapaçus-de-bico-preto*
arapaçu-de-cabeça-cinza s.m.; pl. *arapaçus-de-cabeça-cinza*
arapaçu-de-garganta-branca s.m.; pl. *arapaçus-de-garganta-branca*
arapaçu-grande s.m.; pl. *arapaçus-grandes*
arapaçu-verde s.m.; pl. *arapaçus-verdes*
arapaense adj. s.2g.
arapaima s.m.
arapaju s.m.
arapalho s.m.
arapalhos s.m.pl.
arapaó adj. s.2g.
arapapá s.m.
arapapá-de-bico-comprido s.m.; pl. *arapapás-de-bico-comprido*
arapari s.m.
arapari-da-terra-firme s.m.; pl. *araparis-da-terra-firme*
arapariense adj. s.2g.
araparirana s.f.
arapari-vermelho s.m.; pl. *araparis-vermelhos*
araparizal s.m.
araparu s.m.
arapatão s.m.
arapati s.m.
arapaú adj. s.2g.
arapeba s.m.
arapeiense adj. s.2g.
arapene s.m.
araperu s.m.
arapinga s.m.
arapiraca s.f.
arapiracense adj. s.2g.
arapiraquense adj. s.2g.
arapirense adj. s.2g.
arapium adj. s.2g.
arapoca s.f.
arapoca-amarela s.f.; pl. *arapocas-amarelas*

arapoca-branca s.f.; pl. *arapocas-brancas*
arapoca-de-cheiro s.f.; pl. *arapocas-de-cheiro*
arapocajubá s.f.
arapoca-verdadeira s.f.; pl. *arapocas-verdadeiras*
arapoca-vermelha s.f.; pl. *arapocas-vermelhas*
arapoemense adj. s.2g.
araponga s.f.
araponga-da-amazônia s.f.; pl. *arapongas-da-amazônia*
araponga-da-horta s.f.; pl. *arapongas-da-horta*
araponga-do-horto s.f.; pl. *arapongas-do-horto*
araponguense adj. s.2g.
araponguinha s.f.
araponguinha-de-asa-branca s.f.; pl. *araponguinhas-de-asa-branca*
araponguinha-de-cara-preta s.f.; pl. *araponguinhas-de-cara-preta*
araponguinha-de-rabo-preto s.f.; pl. *araponguinhas-de-rabo-preto*
araponguira s.f.
arapopó s.m.
araporanense adj. s.2g.
arapotiense adj. s.2g.
arapu s.m.
arapuã s.f.
arapuaense adj. s.2g.
arapuar v.
arapuca s.f. "armadilha"; cf. *arapuçá*
arapuçá s.f. "gênero de tartaruga"; cf. *arapuca*
arapucu adj. s.2g.
arapuê s.m.
arapuqueiro adj.
arapuru s.m.
araputanga s.f.
araquaense adj. s.2g.
araquariense adj. s.2g.
araque s.2g. "acaso"; cf. *áraque*
áraque s.m. "bebida alcoólica"; cf. *araque*
araqueado adj.
araquenense adj. s.2g.
araquicé s.m.
aráquico adj.
aráquida s.f.
araquidato s.m.
aráquide s.f.
araquídeo adj.
araquídico adj.
araquidna s.f.
araquina s.f.
aráquis s.f.2n.
arar v.
arara s.2g. s.f. "pássaro", "etnia indígena", etc.; cf. *arará*
arará s.m. "cupim", etc.; cf. *arara* s.2g. s.f. e fl. do v. *arar*
arara-amarela s.f.; pl. *araras-amarelas*
arara-azul s.f.; pl. *araras-azuis*
arara-azul-clara s.f.; pl. *araras-azul-claras*
arara-azul-de-lear s.f.; pl. *araras-azuis-de-lear*
arara-azul-e-amarela s.f.; pl. *araras-azuis-e-amarelas*
arara-azul-grande s.f.; pl. *araras-azuis-grandes*
arara-azul-pequena s.f.; pl. *araras-azuis-pequenas*
araraboia (*ó*) s.f.
araracanga s.f.
araracangaçu s.f.
arara-canindé s.f.; pl. *araras-canindé* e *araras-canindés*
arara-caro adj. s.2g. s.m.; pl. *araras-caros*
arara-celeste s.f.; pl. *araras-celestes*
arara-chauanauá adj.2g. s.2g.; pl. *araras-chauanauá*
arara-cipó s.f.; pl. *araras-cipós*
araracu adj. s.2g.
araradá s.f.
arara-de-barriga-amarela s.f.; pl. *araras-de-barriga-amarela*
arara do aripuanã adj.2g. s.2g.
arara-do-beiradão adj. s.2g.; pl. *araras-do-beiradão*
arara-do-nordeste s.f.; pl. *araras-do-nordeste*
arara-hiacinta s.f.; pl. *araras-hiacintas*
ararai s.f.
araraiense adj. s.2g.
arara-jacinto s.f.; pl. *araras-jacintos*
ararajuba s.f.
ararama s.f.
arara-macau s.f.; pl. *araras-macau* e *araras-macaus*
ararambé s.m.
araramboia (*ó*) s.f.
araranã s.2g.
ararandéua s.f.
ararandeuara adj. s.2g.
araranguaense adj. s.2g.
ararapá s.m.
arara-pequena s.f.; pl. *araras-pequenas*
ararapirá s.f.
ararapiranga s.f.
ararapirense adj. s.2g.
arara-pitiú s.f.; pl. *araras-pitiú* e *araras-pitiús*
arara-preta s.f.; pl. *araras-pretas*
ararapuva s.f.
araraquarense adj. s.2g.
ararari s.m.
araratucuné s.f.
araratucupi s.2g.
ararau s.2g.
ararauá adj. s.2g.
araraúba s.f.
araraúba-da-terra-firme s.f.; pl. *araraúbas-da-terra-firme*
araraúba-da-várzea s.f.; pl. *araraúbas-da-várzea*
araraúna s.f.
araraúva s.f.
arara-verde s.f.; pl. *araras-verdes*
arara-vermelha s.f.; pl. *araras-vermelhas*
arara-vermelha-pequena s.f.; pl. *araras-vermelhas-pequenas*
ararendaense adj. s.2g.
ararense adj. s.2g.
araréua s.f.
arari adj. s.2g.
arariba s.f.
araribá s.f.
araribá-amarela s.f.; pl. *araribás-amarelas*
araribá-branca s.f.; pl. *araribás-brancas*
araribá-grande s.f.; pl. *araribás-grandes*
araribal s.m.
araribá-pequena s.f.; pl. *araribás-pequenas*
araribá-rosa s.f.; pl. *araribás-rosas*
araribá-roxa s.f.; pl. *araribás-roxas*
araribá-vermelha s.f.; pl. *araribás-vermelhas*
araribina s.f.
araribínico adj.
araribuna s.f.
ararica s.f.
araricaense adj. s.2g.
arariense adj. s.2g.
ararigã s.m.
ararina s.f.
ararinha s.f.
ararinha-de-cabeça-encarnada s.f.; pl. *ararinhas-de-cabeça-encarnada*
araripense adj. s.2g.
araripinense adj. s.2g.
araripirá s.m.
arariramba s.m.
arariua s.f.
arariusense adj. s.2g.
ararixá s.m.
araroba s.f.
araruá adj. s.2g.
araruama adj. s.2g.
araruamense adj. s.2g.
araruba s.f.
araruense adj. s.2g.
araruna s.f.
ararunaquarense adj. s.2g.
ararunense adj. s.2g.
araruta s.f.
araruta-bastarda s.f.; pl. *ararutas-bastardas*
araruta-caixulta s.f.; pl. *ararutas-caixultas*
araruta-comum s.f.; pl. *ararutas-comuns*
araruta-de-porco s.f.; pl. *ararutas-de-porco*
araruta-do-campo s.f.; pl. *ararutas-do-campo*
araruta do méxico s.f.
araruta-especial s.f.; pl. *ararutas-especiais*
araruta-gigante s.f.; pl. *ararutas-gigantes*
araruta-palmeira s.f.; pl. *ararutas-palmeira* e *ararutas-palmeiras*
araruta-raiz-redonda s.f.; pl. *ararutas-raízes-redondas*
araruta-ramosa s.f.; pl. *ararutas-ramosas*
araruva s.f.
araruvense adj. s.2g.
arasense adj. s.2g.
aratá adj. s.2g.
arataca adj.2g. s.2g. s.f.
aratacense adj. s.2g.
arataciú s.f.
arataiá s.m.
arataiaçu s.m.
aratamense adj. s.2g.
aratanha s.f.
aratauá s.m.
arati s.m.
aratibense adj. s.2g.
araticu s.m.
araticueiro s.m.
araticuense adj. s.2g.
araticum s.m.
araticum-abareno s.m.; pl. *araticuns-abarenos*
araticum-alvadio s.m.; pl. *araticuns-alvadios*
araticum-apê s.m.; pl. *araticuns-apê* e *araticuns-apês*
araticum-bravo s.m.; pl. *araticuns-bravos*
araticum-caca s.m.; pl. *araticuns-caca* e *araticuns-cacas*
araticum-cagão s.m.; pl. *araticuns-cagões*
araticum-cagão-fêmea s.m.; pl. *araticuns-cagões-fêmeas*
araticum-cagão-macho s.m.; pl. *araticuns-cagões-machos*
araticum-catinga s.m.; pl. *araticuns-catinga* e *araticuns-catingas*
araticum-cortiça s.m.; pl. *araticuns-cortiça* e *araticuns-cortiças*
araticum-da-água s.m.; pl. *araticuns-da-água*
araticum-da-areia s.m.; pl. *araticuns-da-areia*
araticum-da-beira-do-rio s.m.; pl. *araticuns-da-beira-do-rio*
araticum-da-lagoa s.m.; pl. *araticuns-da-lagoa*
araticum-da-mata s.m.; pl. *araticuns-da-mata*
araticum-da-praia s.m.; pl. *araticuns-da-praia*
araticum-de-boi s.m.; pl. *araticuns-de-boi*
araticum-de-boia s.m.; pl. *araticuns-de-boia*
araticum-de-cheiro s.m.; pl. *araticuns-de-cheiro*
araticum-de-espinho s.m.; pl. *araticuns-de-espinho*
araticum-de-jangada s.m.; pl. *araticuns-de-jangada*
araticum-de-paca s.m.; pl. *araticuns-de-paca*
araticum-de-santa-catarina s.m.; pl. *araticuns-de-santa-catarina*
araticum-do-alagadiço s.m.; pl. *araticuns-do-alagadiço*
araticum-do-brejo s.m.; pl. *araticuns-do-brejo*
araticum-do-campo s.m.; pl. *araticuns-do-campo*
araticum-do-mangue s.m.; pl. *araticuns-do-mangue*
araticum-do-mato s.m.; pl. *araticuns-do-mato*
araticum-do-morro s.m.; pl. *araticuns-do-morro*
araticum-do-pará s.m.; pl. *araticuns-do-pará*
araticum-do-sertão s.m.; pl. *araticuns-do-sertão*
araticum-dos-grandes s.m.; pl. *araticuns-dos-grandes*
araticum-dos-lisos s.m.; pl. *araticuns-dos-lisos*
araticum-fedorento s.m.; pl. *araticuns-fedorentos*
araticum-grande s.m.; pl. *araticuns-grandes*
araticum-mirim s.m.; pl. *araticuns-mirins*
araticum-peludo s.m.; pl. *araticuns-peludos*
araticum-pitaiá s.m.; pl. *araticuns-pitaiá* e *araticuns-pitaiás*
araticum-ponhê s.m.; pl. *araticuns-ponhês*
araticunzeiro s.m.
araticuzeiro s.m.
aratim s.m.
aratinga s.f.
aratingaubense adj. s.2g.
aratinguaçu s.m.
aratingui s.m.
aratório adj.
aratriforme adj.2g.
aratu s.m.
aratuba s.f.
aratubaia s.m.
aratubense adj. s.2g.
aratu-da-pedra s.m.; pl. *aratus-da-pedra*
aratu-do-mangue s.m.; pl. *aratus-do-mangue*
aratuipense adj. s.2g.
aratu-marinheiro s.m.; pl. *aratus-marinheiros*
aratupeba s.m.
aratupinima s.m.
araturé s.m.
aratu-vermelho s.m.; pl. *aratus-vermelhos*
aratu-vermelho-e-preto s.m.; pl. *aratus-vermelhos-e-pretos*
arau s.m.
arauá adj. s.2g.
arauaense adj. s.2g.
arauaná s.m.
arauari s.f.
arauató s.m.
arauatu s.m.
arauca adj. s.2g.
araucani adj. s.2g.
araucânio adj. s.m.
araucano adj. s.m.
araucari adj. s.2g.
araucária s.f.
araucariácea s.f.
araucariáceo adj.
araucária-da-austrália s.f.; pl. *araucárias-da-austrália*
araucária-da-caledônia s.f.; pl. *araucárias-da-caledônia*
araucariado adj.
araucária-do-brasil s.f.; pl. *araucárias-do-brasil*
araucária-do-chile s.f.; pl. *araucárias-do-chile*
araucária-do-japão s.f.; pl. *araucárias-do-japão*
araucariense adj. s.2g.
araucarita s.f.
araucarite s.f.
araucásia s.f.
araué s.f.
arauemboia (*ó*) s.f.
arauense adj. s.2g.
arauiri s.m.
arauiti adj. s.2g.
araúja s.f.
araujense adj. s.2g.
araújia s.f.
araúna s.f.
araunense adj. s.2g.
arautaçu s.m.
arauto s.m.
aravaco adj. s.m.
aravaque adj. s.2g.
araveca s.f.
arável adj.2g.
aravela s.f.
aravia s.f.
araviada s.f.
araviado adj.
araviar v.
aravine adj. s.2g.
aravisco adj. s.m.
aravo adj. s.m.
araxá adj. s.2g.
araxaense adj. s.2g.
araxana s.f.
araxaqué s.m.
araxaué s.m.
araximbora s.m.
araxina adj. s.f.
araxinu s.m.
araxixá adj. s.f.
araxixu s.m.
araxué adj. s.2g.
araza adj. s.2g.
arazoia (*ó*) s.f.
arbácia s.f.
arbácida adj.2g. s.f.
arbacídeo adj. s.m.
arbalestrilha s.f.
arbaleta (*ê*) s.f.
arbelo s.m.
arbelode s.m.
arbena s.f.
arbi s.m.
arbim s.m.
árbio adj. s.m.
arbita adj. s.2g.
árbitra s.f.; cf. *arbitra*, fl. do v. *arbitrar*
arbitrabilidade s.f.
arbitração s.f.
arbitrado adj.
arbitrador (*ô*) adj. s.m.
arbitragem s.f.
arbitragista s.2g.
arbitral adj.2g.
arbitramento s.m.
arbitrar v.
arbitrariedade s.f.
arbitrário adj.
arbitrarismo s.m.
arbitrativo adj.
arbitrável adj.2g.
arbitreiro s.m.
arbítrio s.m.
arbitrista s.2g.
árbitro s.m.; cf. *arbitro*, fl. do v. *arbitrar*
arboral adj.2g.
arbóreo adj.
arborescência s.f.
arborescente adj.2g.

arborescer v.
arboreto (*ê*) s.m.
arboricida adj. s.2g.
arboricídio s.m.
arborícola adj.2g.
arboricultivo adj. s.m.
arboricultor (*ô*) adj. s.m.
arboricultura s.f.
arboricultural adj.2g.
arboriforme adj.2g.
arborista s.2g.
arborização s.f.
arborizado adj.
arborizador (*ô*) adj. s.m.
arborizar v.
arborizável adj.2g.
arbovirose s.f.
arbovirótico adj.
arbovírus s.m.2n.
arbúscula s.f.
arbuscular adj.2g.
arbúsculo s.m.
arbustácea s.f.
arbustáceo adj.
arbustal adj.2g. s.m.
arbústeo adj.
arbustiforme adj.2g.
arbustivo adj.
arbusto s.m.
arbusto-da-independência s.m.; pl. *arbustos-da--independência*
arbusto-milagroso s.m.; pl. *arbustos-milagrosos*
arbutácea s.f.
arbutáceo adj.
arbutina s.f.
árbuto s.m.
arca s.f.
arçã s.f.
arcabém s.m.
arcaboiçado adj.
arcaboiçal adj.2g.
arcaboiçar v.
arcaboiço s.m.
arcabouçado adj.
arcabouçal adj.2g.
arcabouçar v.
arcabouço s.m.
arcabuz s.m.
arcabuzaço s.m.
arcabuzada s.f.
arcabuzadela s.f.
arcabuzado adj.
arcabuzamento s.m.
arcabuzar v.
arcabuzaria s.f.
arcabuzeada s.f.
arcabuzear v.
arcabuzeira s.f.
arcabuzeiro adj. s.m.
arcabuzeria s.f.
arcabuzeta (*ê*) s.f.
arcabuzete (*ê*) s.m.
arcáceo s.m.
arcada s.f.
arca-d'água s.f.; pl. *arcas--d'água*
arca da aliança s.f.
árcade adj. s.2g.
arca de noé s.f. "embarcação"
arca-de-noé s.f. "molusco"; pl. *arcas-de-noé*
arcadense adj. s.2g.
arcádia s.f.
arcadiano adj. s.m.
arcádico adj.
arcádio adj. s.m.
arcadismo s.m.
arcadista adj. s.2g.
arcadístico adj.
arcado adj.
arca do corpo s.f.
arca do dilúvio s.f.
arca do navio s.f.
arca do peito s.f.
arcador (*ô*) s.m.
arcadura s.f.
arcaico adj.
arcaísmo s.m.
arcaísta adj. s.2g.
arcaístico adj.
arcaização s.f.
arcaizamento s.m.
arcaizante adj. s.2g.
arcaizar v.
arcânea s.f.
arcangélica s.f.
arcangélico adj.
arcangelino adj.
arcanidade s.f.
arcanita s.f.
arcanite s.f.
arcanítico adj.
arcanito s.m.
arcanjo s.m.
arcano adj. s.m.
arcar v.
arcaria s.f.
arcário s.m.
arcarrachal s.m.
arcatura s.f.
arcaz s.m.
arce s.f.
arcebispado s.m.
arcebispal adj.2g.
arcebispo s.m.
arcebispo-bispo s.m.; pl. *arcebispos-bispos*
arceburguense adj. s.2g.
arcediagado s.m.
arcediago s.m.
arcela s.f.
arcelina s.f.
arcelinense adj. s.2g.
arcelíneo adj. s.m.
arcelino adj. s.m.
arcense adj. s.2g.
arcera s.f.
arcete (*ê*) s.m.
arcêutida s.f.
arcêutide s.f.
arceuto s.m.
arceutóbio s.m.
archa s.f.
archeiro s.m.
archerita s.f.
archete (*ê*) s.m.
archotada s.f.
archote s.m.
archoteiro s.m.
archotista s.2g.
arcífero adj. s.m.
arciforme adj.2g.
árcio s.m.
arcipotente adj.2g.
arciprestado s.m.
arciprestal adj.2g.
arcipreste s.m.
arcitenente adj.2g.
arco s.m.
arcobotante s.m.
arcobrigense adj. s.2g.
arco-celeste s.m.; pl. *arcos--celestes*
arcocêntrico adj.
arcocentro s.m.
arco da aliança s.m.
arco da chuva s.m.
arco-da-velha s.m.; pl. *arcos--da-velha*
arco de Deus s.m.
arco de flores s.m.
arco-de-pipa s.m.; pl. *arcos--de-pipa*
arco-de-pipa-miúdo s.m.; pl. *arcos-de-pipa-miúdos*
arco de pua s.m.
arco de triunfo s.m.
arco dos cafres s.m.
arco e flecha s.m.
arcoense adj. s.2g.
arco-íris s.m.; pl. *arcos-íris*
arco-irisado adj.; pl. *arcos--irisados*
arco-irisar v.
arco-irisense adj. s.2g.; pl. *arco-irisenses*
arcolim s.m.
ar-condicionado s.m.; pl. *ares-condicionados*
arcontado s.m.
arcontaria s.f.
arconte s.m.
arcôntico adj. s.m.
arcontismo s.m.
arcontístico adj.
arcontologia s.f.
arcontológico adj.
arcoplasma s.m.
arcoplasmático adj.
arcoptoma s.m.
arcoptomático adj.
arcoptose s.f.
arcoptótico adj.
arcorragia s.f.
arcorreia (*é*) s.f.
arcorreico (*é*) adj.
arcossáurio adj. s.m.
arcossauro adj. s.m.
arcossólio s.m.
arcostenose s.f.
arcostenótico adj.
arco-verdense adj. s.2g.; pl. *arco-verdenses*
arcózio s.m.
arctação s.f.
arctado adj.
arctar v.
árctico adj.
arctícola adj.2g.
arctídeo adj. s.m.
arctitude s.f.
árctoa s.f.
arctocefálico adj.
arctocéfalo adj. s.m.
arctocinoide (*ó*) adj. s.2g.
arctocinóideo adj. s.m.
arctocinonte s.m.
arctógala s.f.
arctogeia (*é*) s.f.
arctogeronte s.m.
arctolita s.f.
arctolítico adj.
arctólito s.m.
arctomeco s.m.
arctômida s.f.
arctopiteco s.m.
arctópode adj. s.2g.
arctoquiro adj.
arctórnis s.m.2n.
arctostáfilo s.m.
arctoteca s.f.
arctotídea s.f.
arctotídeo adj.
arctótis s.m.2n.
arcturo s.m.
arctuvina s.f.
arcuação s.f.
arcuadura s.f.
arcual adj.2g.
árcula s.f.
arcumã s.m.
arcunferência s.f.
arcunferente adj.2g.
árdea s.f.
ardealita s.f.
ardeate adj. s.2g.
ardeatino adj. s.m.
ar de dia s.m.
árdego adj.
ardeida adj.2g. s.m.
ardeídeo adj. s.m.
ardeiforme adj. s.2g.
ardeíneo adj. s.m.
ardejar v.
ardelião s.m.
ardência s.f.
ardenense adj. s.2g.
ardenês adj. s.m.
ardenita s.f.
ardenite s.f.
ardennita s.f.
ardente adj.2g.
ardentia s.f.
ardentoso (*ô*) adj.; f. (*ó*); pl. (*ó*)
arder v.
arderela s.f.
ar de vento s.m.
ardiano s.m.
ardidez (*ê*) s.f.
ardideza (*ê*) s.f.
ardido adj. s.m.
ardidoso (*ô*) adj.; f. (*ó*); pl. (*ó*)
ardieu adj. s.m.
ardífero adj.
ardigado adj.
ardil s.m.
ardilão s.m.
ardilez (*ê*) s.f.
ardileza (*ê*) s.f.
ardiloso (*ô*) adj.; f. (*ó*); pl. (*ó*)
ardimento s.m.
ardina s.m.
ardingo s.m.
ardísia s.f.
ardisiácea s.f.
ardisiáceo adj.
ardisiandra s.f.
ardisieia (*é*) s.f.
ardmorita s.f.
ardômetro s.m.
ardor (*ô*) s.m.
ardoroso (*ô*) adj.; f. (*ó*); pl. (*ó*)
ardosa s.f.
ardose s.f.
ardoseiro adj.
ardósia s.f.; cf. *ardosia*, fl. do v. *ardosiar*
ardosiado adj.
ardosiana s.f.
ardosiar v.
ardosiaria s.f.
ardósico adj.
ardosieira s.f.
ardosieiro s.m.
ardoso (*ô*) adj.; f. (*ó*); pl. (*ó*)
ar do vento s.m.
ardra adj. s.2g.
arduidade s.f.
arduína s.f.
arduínea s.f.
arduíneo adj.
arduiniano adj.
arduinita s.f.
ardume s.m.
árduo adj.
arduosidade s.f.
ardura s.f.
are s.m. "unidade de medida agrária"; cf. *aré*
aré adj. s.2g. "grupo indígena"; cf. *are*
área s.f. "superfície limitada"; cf. *ária* e *ariá*
areação s.f.
areacó s.m.
areaço s.m.
areadense adj. s.2g.
areado adj.
areador (*ô*) adj. s.m.
areal s.m.
arealense adj. s.2g.
arealu s.m.
arealvense adj. s.2g.
areamento s.m.
areanense adj. s.2g.
areão s.m.
areãozense adj. s.2g.
arear v.
areata adj. s.2g.
areática s.f.
areca s.f.
areca-bambu s.f.; pl. *arecas--bambu* e *arecas-bambus*
areca-banguá s.f.; pl. *arecas--banguá* e *arecas-banguás*
arecácea s.f.
arecáceo adj.
arecaidina s.f.
arecaidínico adj.
arecaína s.f.
arecaínico adj.
arecal s.m.
arecina s.f.
arecínea s.f.
arecíneo adj.
arecolina s.f.
arecolínico adj.
arecômico adj. s.m.
arecuna adj. s.2g.
arecuno s.m.
aredê adj. s.2g.
areeira s.f.
areeirice s.f.
areeiro s.m.
areense adj. s.2g.
areento adj.
arefação s.f.
areia s.f.
areia-branquense adj. s.2g.; pl. *areia-branquenses*
areia-engolideira s.f.; pl. *areias-engolideiras*
areia-gulosa s.f.; pl. *areias--gulosas*
areia-manteiga s.f.; pl. *areias-manteiga* e *areias--manteigas*
areia-preta s.f.; pl. *areias--pretas*
areias-gordas s.f.pl.
areinhense adj. s.2g.
areiopolense adj. s.2g.
areiopolitano adj. s.m.
areira s.f.
areísca s.f.
areísco adj. s.m.
areiusca s.f.
arejação s.f.
arejado adj.
arejador (*ô*) adj. s.m.
arejamento s.m.
arejar v.
arejo (*ê*) s.m.
arel s.m.
arelhana s.f.
arelo (*ê*) s.m.
arembepense adj. s.2g.
aremônia s.f.
aremórico adj. s.m.
arena s.f.
arenã adj. s.2g.
arenação s.f.
arenáceo adj.
arenado adj.
arenal s.m.
arenalense adj. s.2g.
arenapolense adj. s.2g.
arenapolitano adj. s.m.
arenária s.f.
arenário adj. s.m.
arenata s.f.
arenático adj.
arenato adj. s.m.
arenavírus s.m.2n.
arencu s.m.
arendalita s.f.
arendalite s.f.
arenga s.f.
arengação s.f.
arengada s.f.
arenga de mulher s.f.
arengado adj.
arengador (*ô*) adj. s.m.
arengar v.
arenguear v.
arengueiro adj. s.m.
arenícola adj. s.2g.
arenicolídeo adj. s.m.
arenífero adj.
areniforme adj.2g.
arenismo s.m.
arenista adj. s.2g.
arenístico adj.
areniteira s.f.
arenítico adj.
arenito s.m.
arenização s.f.
arenoargiloso adj.
areno-humoso adj.; pl. *areno--humosos*
arenopolitano adj. s.m.
arenoso (*ô*) adj.; f. (*ó*); pl. (*ó*)
arenossiltoso adj.
arenque s.m.
arenqueiro adj. s.m.
arensar v.
arenuláceo adj.
arenuloso (*ô*) adj.; f. (*ó*); pl. (*ó*)

areocêntrico adj.
areococo s.m.
areografia s.f.
areográfico adj.
areógrafo s.m.
areol s.m.
aréola s.f.
areolação s.f.
areolado adj.
areolar v. adj.2g.
areolite s.f.
areolítico adj.
areometria s.f.
areométrico adj.
areômetro s.m.
areopagita s.m.
areopagítico adj.
areópago s.m.
areosca s.f.
areoso (*ô*) adj.; f. (*ó*); pl. (*ó*)
areossacarímetro s.m.
areossarco adj.
areossistilo adj. s.m.
areostilo s.m.
areotectônica s.f.
areotectônico adj.
areótico adj.
areóxeno (*cs*) s.m.
arepaba adj. s.2g.
arepene s.m.
arequeira s.f.
arequembauense adj. s.2g.
arequena adj. s.2g.
arerê s.m.
arerense adj. s.2g.
ares s.m.pl.
aresense adj. s.2g.
aresta s.f.
arestado adj.
arestal adj.2g.
aresteiro s.m.
arestim s.m.
arestista s.2g.
arestizar v.
aresto s.m.
arestosidade s.f.
arestoso (*ô*) adj.; f. (*ó*); pl. (*ó*)
arestudo adj.
aretálogo s.m.
aretinismo s.m.
aretinista adj. s.2g.
aretinístico adj.
aretino adj. s.m.
aretista s.2g.
aretologia s.f.
aretológico adj.
aretólogo s.m.
aretu s.m.
aretusa s.f.
aretúsio adj. s.m.
aréu adj. s.m.
arévaco adj. s.m.
arfada s.f.
arfado adj. s.m.
arfador (*ô*) adj.
arfadura s.f.
arfagem s.f.
arfante adj.2g.
arfar v.
arféria s.f.
arfil s.m.
arfir s.m.
arfur s.m.
arfvedsonita s.f.
arfvedsonítico adj.
argaceiro s.m.
argaço s.m. interj.
argadilheiro adj. s.m.
argadilho s.m.
argadinho s.m.
argal s.m.f.
argala s.f.
argaldina s.f.
argalha s.f.
argalho s.m.
argali s.m.
argália s.f.
argalo s.m.
argamandel s.m.
argamassa s.f.
argamassado adj.
argamassador (*ô*) adj. s.m.
argamassar v.
argambliope adj. s.2g.
argambliopia s.f.
argamula s.f.
argana s.f.
arganaça s.f.
arganaz adj.2g. s.m.
arganel s.m.
arganéu s.m.
argânia s.f.
arganil s.m.
arganiz s.m.
argano s.m.
arganoeiro s.m.
argão s.m.
argárico adj.
argas s.m.2n.
argasina s.f.
argau s.m.
argavaço s.m.
argel adj.2g. s.m.
argelado adj.
argeliano adj. s.m.
argelino adj. s.m.
argém s.m.
ágema s.m.
argemona s.f.
argemonina s.f.
argemonínico adj.
argençana s.f.
argençana-dos-pastores s.f.; pl. *argençanas-dos-pastores*
argenção s.m.
argência s.f.
argenitense adj. s.2g.
argentado adj.
argentador (*ô*) adj. s.m.
argentafim adj.2g.
argentafínico adj.
argentafino adj.
argentafinoma s.m.
argentafinomático adj.
argentalilena s.f.
argentalileno s.m.
argentamina s.f.
argentão s.m.
argentar v.
argentaria s.f.
argentário adj. s.m.
argentarismo s.m.
argentarista adj. s.2g.
argentarístico adj.
argentata s.m.
argentato s.m.
argenteamento s.m.
argentear v.
argenteira s.f.
argentense adj. s.2g.
argênteo adj.
argentiarmado adj.
argenticerúleo adj.
argenticérulo adj.
argêntico adj.
argentífero adj.
argentífico adj.
argentifoliado adj.
argentifólio adj.
argentifronte adj.2g.
argentina adj. s.f.
argentinada s.f.
argentinar v.
argentinidade s.f.
argentinismo s.m.
argentinista adj. s.2g.
argentinístico adj.
argentinização s.f.
argentinizado adj.
argentinizador (*ô*) adj.
argentinizante adj. s.2g.
argentinizar v.
argentinizável adj.2g.
argentino adj. s.m.
argentismo s.m.
argentista adj. s.2g.
argentístico adj.
argentistrídulo adj.
argentita s.f.
argentite s.f.
argentítico adj.
argento s.m.
argentofílico adj.
argentófilo adj.
argentojarosita s.f.
argentometria s.f.
argentométrico adj.
argentômetro s.m.
argentopercylita s.f.
argentopirita s.f.
argentopirite s.f.
argentopirítico adj.
argentopirito s.m.
argentoso (*ô*) adj.; f. (*ó*); pl. (*ó*)
argento-vivo s.m.; pl. *argentos-vivos*
argentura s.f.
argerina s.f.
argeste s.m.
argiano adj. s.m.
argila s.f.
argiláceo adj.
argileira s.f.
argiletano adj. s.m.
argília s.f.
argilífero adj.
argiliforme adj.2g.
argilita s.f.
argilítico adj.
argilito s.m.
argilo s.m.
argiloarenoso adj.
argilocalcário adj. s.m.
argilofagia s.f.
argilofágico adj.
argilófago adj. s.m.
argilófero s.m.
argilófiro s.m.
argiloide (*ó*) adj.2g.
argilolítico adj.
argilólito s.m.
argilomicáceo adj.
argilorne s.m.
argilórnis s.2g.2n.
argiloso (*ô*) adj.; f. (*ó*); pl. (*ó*)
argina s.f.
argínico adj.
arginina s.f.
arginino s.m.
árgio s.m.
argiope s.f.
argiopídea s.f.
argiopídeo adj. s.m.
argipampa s.f.
árgira s.f.
argirântemo adj. s.m.
argiráspide s.m.
argírea s.f.
argireia (*é*) s.f.
argíreo adj.
argirescetina s.f.
argirescina s.f.
argirestia s.f.
argiria s.f.
argiríase s.f.
argírico adj.
argirina s.f.
argirismo s.m.
argirita s.f.
argirite s.f.
argiritense adj. s.2g.
argirito s.m.
argiritrose s.f.
argiritrósio s.m.
árgiro s.m.
argirocéfalo adj.
argiroceratita s.f.
argiroceratite s.f.
argiroceratito s.m.
argirócomo adj.
argirocracia s.f.
argirocrata s.2g.
argirocrático adj.
argirodendro s.m.
argirodita s.f.
argirodite s.f.
argirodítico adj.
argirodito s.m.
argirofilo adj.
argirofilose s.f.
argirofilótico adj.
argiróforo s.m.
argiroftalmo adj.
argirogonia s.f.
argirografia s.f.
argirográfico adj.
argirógrafo adj. s.m.
argiroide (*ó*) adj.2g. s.m.
argirol s.m.
argirólico adj.
argirólito s.m.
argirolóbio s.m.
argironeta s.f.
argironetídeo adj. s.m.
argiropeia (*é*) s.f.
argiropélico s.m.
argiropirite s.f.
argiroprata s.m.
argiróptero adj.
argirose s.f.
argirósio s.m.
argiróstomo adj.
argirotirso s.m.
argirotoxo (*cs*) adj.
argitânia s.f.
argite s.f.
argivo adj. s.m.
argo s.m.
argofílea s.f.
argofíleo adj.
argofilo s.m.
argoflavina s.f.
argoimense adj. s.2g.
argoinense adj. s.2g.
argol s.m.
argola s.f.
argolaço s.m.
argolada s.f.
argolado adj.
argolagem s.f.
argolame s.m.
argolão s.m.
argolar v.
argoleiro s.m.
argolense adj. s.2g.
argolete (*ê*) s.m.
argólico adj.
argolinha s.f.
argolismo s.m.
argolista s.2g.
argolístico adj.
argolório s.m.
argoma s.f.
árgon s.m.
argonaço adj. s.m.
argonar v.
argonauta s.2g.
argonautáceo adj.
argonáutica s.f.
argonáutico adj.
argonautídeo adj. s.m.
argonautografia s.f.
argonautográfico adj.
argonautógrafo s.m.
argoncilhense adj. s.2g.
argônido s.m.
argonina s.f.
argônio s.m.
argos s.m.2n.
argoselista adj. s.2g.
argostema s.2g.
argótico adj.
argotismo s.m.
argúcia s.f.; cf. *argucia*, fl. do v. *arguciar*
arguciado adj.
arguciador (*ô*) adj. s.m.
arguciar v.
argucioso (*ô*) adj.; f. (*ó*); pl. (*ó*)
argueirar v.
argueireiro adj. s.m.
argueirice s.f.
argueirinha adj. s.f.
argueiro s.m.
arguente (*ü*) adj. s.2g.
arguês s.m.
arguesiano adj.
arguibilidade (*ü*) s.f.
arguição (*ü*) s.f.
arguiço s.m.
arguido (*ü*) adj. s.m.
arguidor (*ô*) adj. s.m.
arguilheiro adj. s.m.
arguinte (*ü*) adj. s.2g.
arguir (*ü*) v.
arguitivo (*ü*) adj.
arguível (*ü*) adj.2g.
arguiz s.m.
argulídeo adj. s.m.
árgulo s.m.
argumentação s.f.
argumentado adj.
argumentador (*ô*) adj. s.m.
argumental adj.2g.
argumentante adj.2g.
argumentar v.
argumentativo adj.
argumentículo s.m.
argumentilho s.m.
argumentismo s.m.
argumentista adj. s.2g.
argumentístico adj.
argumento s.m.
arguto adj.
ariá s.f. "erva"; cf. *área* e *ária*
ária adj. s.2g. s.f. "ariano", "canção"; cf. *área* e *ariá*
ariacó s.m.
ariadna s.f.
ariadne s.f.
arianismo s.m.
arianista adj. s.2g.
ariantístico adj.
arianização s.f.
arianizante adj.2g.
arianizar v.
ariano adj. s.m.
arião s.m.
ariauá s.f.
ariaucane adj. s.2g.
ariauense adj. s.2g.
ariaxé s.m. "banho de cheiro"; cf. *aliaxé*
aribalo s.m.
aribé s.m.
aribina s.f.
aricá s.m.
aricaboé adj. s.2g.
aricado adj.
aricador (*ô*) adj. s.m.
aricana s.m.
aricanduvense adj. s.2g.
aricanguense adj. s.2g.
aricapu adj. s.2g.
arícia s.f.
ariciense adj. s.2g.
aricina s.f.
arícíneo adj. s.m.
aricinó adj. s.m.
aricita s.f.
aricite s.f.
aricito s.m.
aricó s.m.
árico adj. s.m.
aricobé adj. s.2g.
aricongo s.m.
aricorense adj. s.2g.
aricu s.m.
aricuí s.m.
aricuiá s.f.
aricuna adj. s.2g.
aricunane adj. s.2g.
aricungo s.m.
aricurana s.f.
aricuri s.m.
aricuriroba s.f.
aricurizal s.m.
aridade s.f.
aridez (*ê*) s.f.
aridificação s.f.
aridificado adj.
aridificar v.
aridificável adj.2g.
árido adj.
ariel s.m.
arielesco (*ê*) adj.
ariense adj. s.2g.
arieta (*ê*) s.f.
arietária s.f.
arietário adj.
aríete s.m.
arietino adj.
arife s.m.
arigboia (*ó*) s.f.
arigó adj. s.2g.

arigó da vazante s.m.
arigofe s.m.
ariini adj. s.2g.
arila s.f.
arilado adj.
arilaminossulfona s.f.
arilaminossulfônico adj.
arilário adj.
arilarsonato s.m.
arilarsônico adj.
arileno s.m.
arilhado adj.
arilhário adj.
arilho s.m.
arílico adj.
arilo s.m.
arilocarpo s.m.
arilódio s.m.
arilófio s.m.
ariloide (*ó*) adj.2g. s.m.
arimã s.m.
arimanense adj. s.2g.
arimaru s.f.
arimaspo adj. s.m.
arimbá s.m.
ariminense adj. s.2g.
arimo s.m.
ariná adj. s.2g.
arinchela s.f.
arinense adj. s.2g.
arinfeia (*é*) adj. s.f. de *arinfeu*
arinfeu adj. s.m.; f. *arinfeia* (*é*)
aringa s.f.
aringaíba s.f.
aringão s.m.
arinho s.m.
arinque s.m.
arinta s.f.
arinto s.m.
ariocó s.m.
ariofantídeo adj. s.m.
arionídeo adj. s.m.
ariosca s.f.
aripaquitsa adj. s.2g.
aripar v.
aripeiro s.m.
aripene s.m.
ariperana s.f.
aripiar v.
aripibriense adj. s.2g.
aripo s.m.
aripuá s.f.
aripuanense adj. s.2g.
arique s.m.
ariqueme adj. s.2g.
ariquemense adj. s.2g.
ariquena adj. s.2g.
ariquina adj. s.2g.
arirama s.m.
ariramba s.f.
ariramba-da-mata s.f.; pl. *arirambas-da-mata*
ariramba-da-mata-virgem s.f.; pl. *arirambas-da-mata-virgem*
ariramba-de-cauda-ruiva s.f.; pl. *arirambas-de-cauda-ruiva*
ariramba-do-mato-virgem s.f.; pl. *arirambas-do-mato-virgem*
ariramba-grande s.f.; pl. *arirambas-grandes*
ariramba-miudinha s.f.; pl. *arirambas-miudinhas*
ariramba-pequena s.f.; pl. *arirambas-pequenas*
ariramba-pintada s.f.; pl. *arirambas-pintadas*
ariramba-verde s.f.; pl. *arirambas-verdes*
arirambinha s.f.
arirana s.f.
ariranha s.f.
ariranha-mindinha s.f.; pl. *ariranhas-mindinhas*
ariranhense adj. s.2g.
arireaçu adj. s.2g.
ariri s.2g.
ariribá s.m.
ariri de festa s.m.
aririense adj. s.2g.
arisaro s.m.
arisca s.f.
ariscar v.
arisco adj. s.m.
arisema s.f.
arissantoriniano adj.
arista s.f.
aristado adj.
aristão s.m.
aristarainita s.f.
aristarco s.m.
aristária s.f.
aristenóideo adj.
aristepe s.2g.
aristerocardíaco adj.
aristerocárdio adj.
aristerocardiotropia s.f.
aristerocardiotrópico adj.
aristeuzense adj. s.2g.
arístida adj.2g. s.f.
aristidense adj. s.2g.
aristidínico adj.
aristiforme adj.2g.
aristínico adj.
aristo adj. s.m.
aristocracia s.f.
aristocracismo s.m.
aristocrata adj. s.2g.
aristocraticismo s.m.
aristocraticista adj. s.2g.
aristocraticístico adj.
aristocrático adj.
aristocratismo s.m.
aristocratista adj. s.2g.
aristocratístico adj.
aristocratização s.f.
aristocratizado adj.
aristocratizador (*ô*) adj.
aristocratizante adj.2g.
aristocratizar v.
aristocratizável adj.2g.
aristodemocracia s.f.
aristodemocrata adj. s.2g.
aristodemocrático adj.
aristofâneo adj.
aristofanesco (*ê*) adj.
aristofaniano adj.
aristofânico adj. s.m.
aristofanismo s.m.
aristofanista adj. s.2g.
aristofanístico adj.
aristofanização s.f.
aristofanizado adj.
aristofanizar v.
aristofanizável adj.2g.
aristogênese s.f.
aristogenético adj.
aristol s.m.
aristólico adj.
aristolóquia s.f.
aristoloquiácea s.f.
aristoloquiáceo adj.
aristoloquiale s.f.
aristolóquia-longa s.f.; pl. *aristolóquias-longas*
aristolóquia-menor s.f.; pl. *aristolóquias-menores*
aristolóquia-vulgar s.f.; pl. *aristolóquias-vulgares*
aristolóquico adj.
aristoloquieia (*é*) s.f.
aristoloquina s.f.
aristoloquínico adj.
aríston s.m.
aristoquina s.f.
aristoquínico adj.
aristoquinina s.f.
aristoquinínico adj.
aristoso (*ô*) adj.; f. (*ó*); pl. (*ó*)
aristotélia s.f.
aristotélico adj. s.m.
aristotelismo s.m.
aristotelista adj. s.2g.
aristotelístico adj.
aristotelização s.f.
aristotelizante adj.2g.
aristotelizar v.
aristotípico adj.
aristótipo s.m.
aristoxeniano (*cs*) adj. s.m.
aristu s.m.
arisuelense adj. s.2g.
aritá s.m.
aritagnaense adj. s.2g.
aritaraí adj. s.2g.
aritauá s.m.
arite s.f.
aritencéfalo adj. s.m.
ariteneal adj. s.2g.
aritenoepiglótico adj.
aritenoide (*ó*) adj.2g. s.f.
aritenoideia (*é*) adj. s.f. de *aritenoideu*
aritenóideo adj.
aritenoideu adj. s.m.; f. *aritenoideia* (*é*)
aritenoidiano adj.
aritenoidite s.f.
aritenoidítico adj.
ariti adj. s.2g.
aritica s.f.
aritirana s.f.
aritmética s.f.
aritmético adj. s.m.
aritmetógrafo s.m.
aritmóforo s.m.
aritmografia s.f.
aritmográfico adj.
aritmógrafo s.m.
aritmograma s.m.
aritmoide (*ó*) adj.2g.
aritmologia s.f.
aritmológico adj.
aritmólogo adj. s.m.
aritmomancia s.f.
aritmomania s.f.
aritmomaníaco adj.
aritmômano s.m.
aritmomante s.2g.
aritmomântico adj.
aritmometria s.f.
aritmométrico adj.
aritmômetro s.m.
aritmonomia s.f.
aritmonômico adj.
aritmônomo adj. s.m.
aritmoplanimetria s.f.
aritmoplanimétrico adj.
aritmoplanímetro s.m.
aritmosofia s.f.
aritmosófico adj.
aritmósofo s.m.
arito s.m.
arivate adj. s.2g.
arixenino (*cs*) s.m.
arizonense adj. s.2g.
arizonita s.f.
arjamolho (*ô*) s.m.
arjão s.m.
arjoada s.f.
arjoar v.
arjona s.f.
arjoz s.m.
arjunça s.f.
arjunção s.f.
arksutita s.f.
arlequim s.m.
arlequim-da-mata s.m.; pl. *arlequins-da-mata*
arlequim-grande s.m.; pl. *arlequins-grandes*
arlequim-pequeno s.m.; pl. *arlequins-pequenos*
arlequina s.f.
arlequinada s.f.
arlequinal adj.2g.
arlequíneo adj.
arlequinesco (*ê*) adj.
arlequino adj. s.m.
arlesiano adj. s.m.
arlota s.f.
arlotia s.f.
arma s.f.
armabutó adj. s.2g.
armação s.f.
armaçãozense adj. s.2g.
armada s.f.
armadeira s.f.
armadela s.f.
armadilha s.f.
armadilhar v.
armadilho s.m.
armadilídeo adj. s.m.
armadilíneo adj. s.m.
armado adj.
armado-comum s.m.; pl. *armados-comuns*
armador (*ô*) adj. s.m.
armador-gerente s.m.; pl. *armadores-gerentes*
armador-locatário s.m.; pl. *armadores-locatários*
armador-proprietário s.m.; pl. *armadores-proprietários*
armadoura s.f.
armadura s.f.
armalcolita s.f.
armálico adj.
armalina s.f.
armalol s.m.
armamentário adj.
armamentismo s.m.
armamentista adj. s.2g.
armamentístico adj.
armamento s.m.
armando s.m.
armanguita s.f.
armanha s.f.
armânia s.f.
armânsia s.f.
armanso s.m.
armantário adj.
armão s.m.
arma-questões s.2g.2n.
armar v.
armaria s.f.
armarinheiro s.m.
armarinho s.m.
armário s.m.
armatão s.m.
armatória s.f.
armatório adj.
armatoste s.m.
armatura s.f.
armazelo (*ê*) s.m.
armazém s.m.
armazenação s.f.
armazenado adj.
armazenador (*ô*) adj. s.m.
armazenagem s.f.
armazenamento s.m.
armazenar v.
armazenário s.m.
armazenável adj.2g.
armazeneiro s.m.
armazenense adj. s.2g.
armazenista adj. s.2g.
armeiro s.m.
armeiro-mor s.m.; pl. *armeiros-mores*
armela s.f.
armelim s.m.
armelina s.f.
armelino adj. s.m.
armelo s.m.
armengado adj.
armengar v.
armengue s.2g.
armenha s.f.
armeníaca s.f.
armeníaco adj. s.m.
armênico adj. s.m.
armênio adj. s.m.
armenismo s.m.
armenista s.2g.
armenístico adj.
armenita adj. s.2g.
armenizante adj. s.2g.
armenocálibe adj. s.2g.
armental adj.2g.
armentário adj. s.m.
armentio s.m.
armento s.m.
armentoso (*ô*) adj.; f. (*ó*); pl. (*ó*)
arméria s.f.
arméu s.m.
armezim s.m.
armiclausa s.f.
ármico adj.
armidouto adj.
armífero adj. s.m.
armígero adj. s.m.
armila s.f.
armilado adj.
armilar adj.2g.
armilária s.f.
armilha s.f.
armilheira s.f.
armilheiriça s.f.
armilheiro s.m.
armim s.m.
armina s.f.
arminado adj.
arminhado adj.
arminhar v.
arminho s.m.
arminhoso (*ô*) adj.; f. (*ó*); pl. (*ó*)
arminianismo s.m.
arminianista adj. s.2g.
arminianístico adj.
arminiano adj. s.m.
arminídeo adj. s.m.
arminita s.f.
arminite s.f.
arminito s.m.
armino s.m.
arminoso (*ô*) adj.; f. (*ó*); pl. (*ó*)
armio s.m.
armipossante adj.2g.
armipotência s.f.
armipotente adj. s.2g.
armismo s.m.
armíssono adj.
armista adj. s.2g.
armistício s.m.
armístico adj.
armistrondo s.m.
armizinho s.m.
armizino s.m.
armo s.m.
armola s.f.
armolão s.m.
armolato s.m.
armole s.2g.
armoles s.2g.2n.
armoles-bravos s.2g.2n.
armoles-silvestres s.2g.2n.
armólico adj.
armorácia s.f.
armorácio s.m.
armorejado adj.
armorejar v.
armoriado adj.
armorial adj.2g. s.m.
armoriar v.
armoricano adj. s.m.
armórico adj. s.m.
armósia s.f.
armoso (*ô*) adj.; f. (*ó*); pl. (*ó*)
armozeia (*é*) adj. s.f. de *armozeu*
armozeu adj. s.m.; f. *armozeia* (*é*)
armstronguita s.f.
armum s.m.
armur s.m.
armuzelo (*ê*) s.m.
arnabe s.m.
arnabo s.m.
arnabuto adj. s.m.
arnado adj. s.m.
arnal adj.2g. s.m.
arnaldismo s.m.
arnate adj. s.2g.
arnaz adj.2g. s.m.
arnazado adj.
arnazudo adj.
arnébia s.f.
arnecã s.f.
arnedo (*ê*) s.m.
arnegar v.
arneira s.f.
arneiração s.f.
arneirar v.
arneiro s.m.
arneirosense adj. s.2g.
arneiroso (*ô*) adj.; f. (*ó*); pl. (*ó*)
arnela s.f.
arnelha (*ê*) s.f.
arnelho (*ê*) s.m.
arnélia s.f.
arnelo s.m.

arnento adj.
arnês s.m.
arnesado adj. s.m.
arnesar v.
arni s.m.
arnica s.f.
arnica-brava s.f.; pl. *arnicas-bravas*
arnica-da-chapada s.f.; pl. *arnicas-da-chapada*
arnicado adj.
arnica-do-brasil s.f.; pl. *arnicas-do-brasil*
arnica-do-campo s.f.; pl. *arnicas-do-campo*
arnicar v.
arnica-silvestre s.f.; pl. *arnicas-silvestres*
arnicina s.f.
arnicínico adj.
arnidiol s.m.
arnidiólico adj.
arnilhas s.f.2n.
arnimita s.f.
arnimite s.f.
arnisterina s.f.
arnisterínico adj.
arnito s.m.
arnócia s.f.
arnodo (*ô*) s.m.
arnóldia s.f.
arnolta s.f.
arnoniense adj. s.2g.
arnopógon s.m.
arnopolitano adj. s.m.
arnosérido s.m.
arnoso (*ô*) adj. s.m.; f. (*ó*); pl. (*ó*)
arnote s.f.
aro s.m.
aroaqui adj. s.2g.
aroasense adj. s.2g.
arocelitano adj. s.m.
aroeira s.f.
aroeira-branca s.f.; pl. *aroeiras-brancas*
aroeira-brava s.f.; pl. *aroeiras-bravas*
aroeira-da-mata s.f.; pl. *aroeiras-da-mata*
aroeira-da-praia s.f.; pl. *aroeiras-da-praia*
aroeira-da-serra s.f.; pl. *aroeiras-da-serra*
aroeira-de-bugre s.f.; pl. *aroeiras-de-bugre*
aroeira-de-capoeira s.f.; pl. *aroeiras-de-capoeira*
aroeira-de-folha-branca s.f.; pl. *aroeiras-de-folha-branca*
aroeira-de-goiás s.f.; pl. *aroeiras-de-goiás*
aroeira-de-minas s.f.; pl. *aroeiras-de-minas*
aroeira-do-amazonas s.f.; pl. *aroeiras-do-amazonas*
aroeira-do-campo s.f.; pl. *aroeiras-do-campo*
aroeira-do-mato s.f.; pl. *aroeiras-do-mato*
aroeira-do-rio-grande s.f.; pl. *aroeiras-do-rio-grande*
aroeira-do-sertão s.f.; pl. *aroeiras-do-sertão*
aroeira-folha-de-salsa s.f.; pl. *aroeiras-folha-de-salsa* e *aroeiras-folhas-de-salsa*
aroeira-folha-de-salso s.f.; pl. *aroeiras-folha-de-salso* e *aroeiras-folhas-de-salso*
aroeira-mansa s.f.; pl. *aroeiras-mansas*
aroeira-mole s.f.; pl. *aroeiras-moles*
aroeira-mucuri s.f.; pl. *aroeiras-mucuri* e *aroeiras-mucuris*
aroeira-preta s.f.; pl. *aroeiras-pretas*
aroeira-rajada s.f.; pl. *aroeiras-rajadas*
aroeira-rasteira s.f.; pl. *aroeiras-rasteiras*
aroeira-salso s.f.; pl. *aroeiras-salso* e *aroeiras-salsos*
aroeira-vermelha s.f.; pl. *aroeiras-vermelhas*
aroeirense adj. s.2g.
aroeirinha s.f.
aroeirinha-do-campo s.f.; pl. *aroeirinhas-do-campo*
aroeirinha-preta s.f.; pl. *aroeirinhas-pretas*
aroeiro s.m.
aróidea s.f.
aróideo adj.
arola s.f.
arolas s.2g.2n.
arólio s.m.
arolo (*ô*) s.m.
aroma s.m.
aromadendrina s.f.
aromadendro s.m.
aromadendrônico adj.
aromado adj.
aromal adj.2g.
aromalizar v.
aromar v.
arômata s.m.
aromatário s.m.
arômatas s.m.pl.
aromaticidade s.f.
aromático adj.
aromatismo s.m.
aromatístico adj.
aromatita s.f.
aromatite s.f.
aromatito s.m.
aromatização s.f.
aromatizado adj.
aromatizador (*ô*) adj.
aromatizante adj.2g.
aromatizar v.
aromatizável adj.2g.
aromatodêndrico adj.
aromatodendrina s.f.
aromatodendrínico adj.
aromatodendro s.m.
aromatodendrônico adj.
aromatóforo s.m.
aromatopola s.2g.
aromatopolético adj.
aromatopólio s.m.
aromeira s.f.
aromia s.f.
aromoso (*ô*) adj.; f. (*ó*); pl. (*ó*)
arônea s.f.
aroscina s.f.
aroto s.m.
arouca s.f.
arouquense adj. s.2g.
arouquês adj.
arpado adj.; cf. *harpado*
arpalhão s.m.
arpão s.m.
arpar v. "arpoar"; cf. *harpar*
arpear v. "arpoar"; cf. *harpear*
arpédio s.m.
arpejado adj.
arpejante adj.2g.
arpejar v. "modular"; cf. *harpejar*
arpejo (*ê*) s.m.; cf. *harpejo* (*ê*) s.m. e fl. do v. *harpejar*
arpentagem s.f.
arpente s.m.
arpento s.m.
arpéu s.m.
arpinate adj. s.2g.
arpino adj. s.m.
arpista adj.2g. "arisco"; cf. *harpista*
arpoação s.f.
arpoadela s.f.
arpoado adj.
arpoador (*ô*) adj. s.m.
arpoadouro s.m.
arpoamento s.m.
arpoão s.m.
arpoar v.
arpoarense adj. s.2g.
arpoeira s.f.
arpoeiro adj. s.m.
arqueação s.f.
arqueado adj.
arqueador (*ô*) adj. s.m.
arqueadura s.f.
arqueamento s.m.
arqueano adj. s.m.
arquear v.
arqueável adj.2g.
arquebúlico adj.
arquegoníada s.f.
arquegoniado adj.
arquegonial adj.2g.
arquegônico adj.
arquegônio s.m.
arquegoniofítico adj.
arquegoniófito s.m.
arquegonióforo s.m.
arquégono s.m.
arquegonossauro s.m.
arqueia (*é*) s.f.
arqueídeo adj. s.m.
arqueio s.m.
arqueiro s.m.
arqueísmo s.m.
arqueísta adj. s.2g.
arqueístico adj.
arquejamento s.m.
arquejante adj.2g.
arquejar v.
arquejo (*ê*) s.m.
arquel s.m.
arquelha (*ê*) s.f.
arquelmíntico adj.
arquelminto s.m.
arquelogia s.f.
arquelógico adj.
arquélogo s.m.
arquencéfalo s.m.
arquense adj. s.2g.
arquentérico adj.
arquentério s.m.
arquêntero s.m.
arquênteron s.m.
arquêntomo s.m.
arqueoastronomia s.f.
arqueoastronômico adj.
arqueocetáceo adj. s.m.
arqueociático adj. s.m.
arqueogeografia s.f.
arqueogeográfico adj.
arqueogeógrafo s.m.
arqueogeologia s.f.
arqueogeológico adj.
arqueogeologista s.2g.
arqueogeólogo s.m.
arqueografia s.f.
arqueográfico adj.
arqueógrafo s.m.
arqueolítico adj.
arqueologia s.f.
arqueológico adj.
arqueólogo s.m.
arqueômetro s.m.
arqueonite s.f.
arqueoplasma s.m.
arqueoptérige s.m.
arqueopterígio s.m.
arqueoptérigo s.m.
arqueópterix (*cs*) s.m.
arqueórnite s.f.2n.
arqueornite s.f.
arqueozoico (*ó*) adj. s.m.
arqueozóitico adj.
arquepio s.m.
arquerita s.f.
arquerito s.m.
arquésporo s.m.
arqueta (*ê*) s.f.
arquete (*ê*) s.m.
arquetípico adj.
arquétipo adj.2g. s.m.
arqueu s.m.
arquiabade s.m.
arquiabadessa (*ê*) s.f.
arquiabadia s.f.
arquiacantocéfalo s.m.
arquiacólito s.m.
arquialaúde s.m.
arquianelídeo adj. s.m.
arquiapóstata s.2g.
arquiátrico adj.
arquiatro s.m.
arquiavaro adj.
arquiavô s.m.
arquibactéria s.f.
arquibancada s.f.
arquibanco s.m.
arquibasílica s.f.
arquibilionário adj. s.m.
arquiblástico adj.
arquiblasto s.m.
arquiblastoma s.m.
arquiblastomático adj.
arquiblástula s.f.
arquibrochado adj.
arquiburro adj.
arquicadeira s.f.
arquicamareiro s.m.
arquicamarista s.2g.
arquicancelário s.m.
arquicantor (*ô*) s.m.
arquicapelão s.m.
arquicélebre adj.2g.
arquicêmbalo s.m.
arquicérebro s.m.
arquichanceler s.m.
arquichantre s.m.
arquichinfrim adj.2g.
arquicítara s.f.
arquiclamídea s.f.
arquiclamídeo adj.
arquiclássico adj.
arquiclavo s.m.
arquiconfraria s.f.
arquiconhecido adj.
arquidemocrático adj.
arquidêndrico adj.
arquidendro s.m.
arquidesmo s.m.
arquidevasso adj.
arquidiácea s.f.
arquidiáceo adj.
arquidiaconado s.m.
arquidiaconato s.m.
arquidiácono s.m.
arquidial adj.2g.
arquidiale s.f.
arquidião s.m.
arquidiocesano adj.
arquidiocese s.f.
arquidiófita s.f.
arquidiófito s.m.
arquidivino adj.
arquidruida s.m.
arquiducado s.m.
arquiducal adj.2g.
arquiduque s.m.
arquiduquesa (*ê*) s.f.
arquiepiscopado s.m.
arquiepiscopal adj.2g.
arquiepíscopo s.m.
arquiescriba s.m.
arquiesdrúxulo adj.
arquiestratego s.m.
arquieunuco s.m.
arquiferecita s.m.
arquifilarco s.m.
arquiflâmine s.m.
arquifonema s.m.
arquifonemático adj.
arquifonêmico adj.
arquigalo s.m.
arquigastro s.m.
arquigástrula s.f.
arquigênese s.f.
arquigenista s.2g.
arquiginásio s.m.
arquigonia s.f.
arqui-hipérbole s.f.
arqui-hiperbólico adj.
arqui-imagem s.f.
arqui-imago s.f.
arqui-impossível adj.2g.
arqui-inimigo adj. s.m.
arqui-inimizade s.f.
arqui-inteligente adj.2g.
arqui-irmandade s.f.
arquilaquita adj. s.2g.
arquileitor (*ô*) s.m.
arquilejêunea s.f.
arquilento adj.
arquilevita s.m.
arquilexema (*cs*) s.m.
arquilexemático (*cs*) adj.
arquilexêmico (*cs*) adj.
arquilha s.f.
arquilho s.m.
arquilinfático adj.
arquiloquiano adj.
arquilóquio adj. s.m.
arquimagia s.f.
arquimagiro s.m.
arquimago s.m.
arquimandrita s.m.
arquimandritado s.m.
arquimandritato s.m.
arquimarechal s.m.
arquimarechalado s.m.
arquimarechalato s.m.
arquimártir s.m.
arquimedeia (*é*) s.f.
arquimediano adj.
arquimédico s.m.
arquimicete s.m.
arquimiceto s.m.
arquimilionário adj. s.m.
arquimimo s.m.
arquiministro s.m.
arquimoquenqueiro adj.
arquimorto (*ô*) adj.; f. (*ó*); pl. (*ó*)
arquimórula s.f.
arquimosteiro s.m.
arquinauta s.2g.
arquinave s.f.
arquinha s.f.
arquinho s.m.
arquinobre adj.2g.
arquinotário s.m.
arquio s.m.
arquiodôntea s.f.
arquioligarca s.m.
arquipadre s.m.
arquipálio s.m.
arquiparafonista s.m.
arquipedante adj.2g.
arquipelágico adj.
arquipélago s.m.
arquiperacita s.m.
arquipirata s.2g.
arquipirático adj.
arquiplasma s.m.
arquiplasto s.m.
arquipoeta s.m.
arquipolípode s.m.
arquipope s.m.
arquipotente adj.2g.
arquiprecioso (*ô*) adj.; f. (*ó*); pl. (*ó*)
arquipresbiterado s.m.
arquipresbiteral adj.2g.
arquipresbítero s.m.
arquipríncipe s.m.
arquiprior (*ô*) s.m.; f. *arquipriora* (*ê*)
arquipriorado s.m.
arquipriorato s.m.
arquiprioresa (*ê*) s.f. de *arquiprior* (*ô*)
arquiprofeta s.m.
arquiprofetisa s.f.
arquipterígio s.m.
arquíptero s.m.
arquipujante adj.2g.
arquipulha adj. s.2g.
arquiquiliarco s.m.
arquirrabi s.m.
arquirrabino s.m.
arquirrival adj. s.2g.
arquirrivalidade s.f.
arquirromântico adj. s.m.
arquissacerdote s.m.
arquissão adj.
arquissátrapa s.m.
arquissecular adj.2g.
arquissema s.m.
arquissemático adj.
arquissemema s.m.
arquissememático adj.
arquissemêmico adj.
arquissêmico adj.
arquissenador s.m.
arquissenescal s.m.
arquissinagoga s.f.

arquissistro s.m.
arquissofista adj. s.2g.
arquissogro s.m.
arquissolene adj.2g.
arquitaria s.f.
arquite s.f.
arquiteclino s.m.
arquiteia (*é*) s.f.
arquiteorba s.f.
arquitesoureiro s.m.
arquitetação s.f.
arquitetado adj.
arquitetar v.
arquitetável adj.2g.
arquiteto s.m.
arquitetônica s.f.
arquitetônico adj.
arquitetonografia s.f.
arquitetonográfico adj.
arquitetonógrafo s.m.
arquitetor (*ô*) s.m.
arquitetravô s.m.
arquitetura s.f.
arquitetural adj.2g.
arquiteturismo s.m.
arquiteturista adj. s.2g.
arquiteturístico adj.
arquítico adj.
arquitipógrafo s.m.
arquitolo (*ô*) adj. s.m.
arquitravada s.f.
arquitravado adj.
arquitrave s.f.
arquitriclino s.m.
arquítroca s.f.
arquitrono s.m.
arquitrovão s.m.
arquivação s.f.
arquivado adj.
arquival adj.2g.
arquivamento s.m.
arquivar v.
arquiviola s.f.
arquivista adj. s.2g.
arquivística s.f.
arquivístico adj.
arquivo s.m.
arquivologia s.f.
arquivológico adj.
arquivologista adj. s.2g.
arquivologístico adj.
arquivólogo s.m.
arquivolta s.f.
arquivonomia s.f.
arquivonômico adj.
arquivulgar adj.2g.
arrabaça s.f.
arrabaçar v.
arrabaceiro s.m.
arrabadão s.m.
arrabaldado adj.
arrabaldar v.
arrabalde s.m.
arrabaldeiro adj. s.m.
arrabaldino adj. s.m.
arrabaldio adj.
arrabel s.m.
arrabela s.f.
arrabídea s.f.
arrabídeo adj.
arrábido adj. s.m.
arrabil s.m.
arrabileiro s.m.
arrabilete (*ê*) s.m.
arrabinado adj.
arrabio s.m.
arrabique s.m.
arrabujar v.
arracacha s.f.
arracácia s.f.
arraçado adj.
arraçal s.m.
arraçar v. "apurar a raça"; cf. *arrassar*
arracimado adj.
arracimar v.
arraçoado adj.
arraçoamento s.m.
arraçoar v.
arráfico adj.
arrafim s.m.

arraia s.f.
arraia-acauã s.f.; pl. *arraias-acauã* e *arraias-acauãs*
arraia-amarela s.f.; pl. *arraias-amarelas*
arraia-arara s.f.; pl. *arraias-arara* e *arraias-araras*
arraia-boi s.f.; pl. *arraias-boi* e *arraias-bois*
arraia-borboleta s.f.; pl. *arraias-borboleta* e *arraias-borboletas*
arraia-boró s.f.; pl. *arraias-boró* e *arraias-borós*
arraia-branca s.f.; pl. *arraias-brancas*
arraia-chita s.f.; pl. *arraias-chita* e *arraias-chitas*
arraia-cocal s.f.; pl. *arraias-cocal* e *arraias-cocais*
arraiada s.f.
arraia-da-pedra s.f.; pl. *arraias-da-pedra*
arraia-de-coroa s.f.; pl. *arraias-de-coroa*
arraia-de-fogo s.f.; pl. *arraias-de-fogo*
arraiado adj.
arraia-elétrica s.f.; pl. *arraias-elétricas*
arraia-grande s.f.; pl. *arraias-grandes*
arraia-jamanta s.f.; pl. *arraias-jamanta* e *arraias-jamantas*
arraial s.m.
arraialada s.f.
arraialar v.
arraialeiro s.m.
arraialense adj. s.2g.
arraialesco (*ê*) adj.
arraia-listrada s.f.; pl. *arraias-listradas*
arraia-lixa s.f.; pl. *arraias-lixa* e *arraias-lixas*
arraia-maçã s.f.; pl. *arraias-maçã* e *arraias-maçãs*
arraia-manteiga s.f.; pl. *arraias-manteiga* e *arraias-manteigas*
arraiamento s.m.
arraia-mijona s.f.; pl. *arraias-mijonas*
arraia-miúda s.f.; pl. *arraias-miúdas*
arraiano adj. s.m.
arraião s.m.
arraia-papagaio s.f.; pl. *arraias-papagaio* e *arraias-papagaios*
arraia-pintada s.f.; pl. *arraias-pintadas*
arraia-pintadinha s.f.; pl. *arraias-pintadinhas*
arraia-prego s.f.; pl. *arraias-prego* e *arraias-pregos*
arraia-preta s.f.; pl. *arraias-pretas*
arraiar v.
arraia-santo s.f.; pl. *arraias-santo* e *arraias-santos*
arraia-sapo s.f.; pl. *arraias-sapo* e *arraias-sapos*
arraia-tremedeira s.f.; pl. *arraias-tremedeiras*
arraia-viola s.f.; pl. *arraias-viola* e *arraias-violas*
arraieira s.f.
arraieiro s.m.
arraigada s.f.
arraigadas s.f.pl.
arraigado adj.
arraigamento s.m.
arraigar v.
arraigo s.m.
arraigota s.f.
arraigotar v.
arraio s.m.
arraiolense adj. s.2g.
arraiolo (*ô*) s.m.
arraiolos (*ô*) s.m.2n.

arrais s.m.2n.
arrais da terra s.m.2n.
arral adj.2g.
arralado adj.
arralar v.
arralentado adj.
arralentar v.
arramada s.f.
arramado adj.
arramalhado adj.
arramalhar v.
arramar v.
arrampado adj. s.m.
arrampadouro s.m.
arrampanado adj.
arrampanar v.
arranca s.f.
arrancada s.f.
arrancadeira adj. s.f.
arrancadela s.f.
arranca-dentes s.m.2n.
arrancado adj.
arrancador (*ô*) adj. s.m.
arrancadouro s.m.
arrancadura s.f.
arranca-estrepe s.m.; pl. *arranca-estrepes*
arranca-língua s.m.; pl. *arranca-línguas*
arrancamento s.m.
arranca-milho s.m.; pl. *arranca-milhos*
arrancão s.m.
arranca-peito s.m.; pl. *arranca-peitos*
arranca-pelo s.m.; pl. *arranca-pelos*
arranca-pinheiros s.m.2n.
arranca-pregos s.m.2n.
arrancar v.
arrançar v.
arranca-rabo s.m.; pl. *arranca-rabos*
arranca-raízes s.m.2n.
arranca-sonda s.m.; pl. *arranca-sondas*
arranca-toco s.m.; pl. *arranca-tocos*
arranca-tocos s.m.2n.
arrancável adj.2g.
arranchação s.f.
arranchado s.m.
arranchamento s.m.
arranchar v.
arrancho s.m.
arranco s.m.
arrançoar v.
arrancorado adj.
arrancorar v.
arrangamalho s.m.
arrangaria s.f.
arranha s.f.
arranha-céu s.m.; pl. *arranha-céus*
arranha-dedo s.m.; pl. *arranha-dedos*
arranhadeira s.f.
arranhadela s.f.
arranhado adj.
arranhador (*ô*) adj. s.m.
arranhadura s.f.
arranha-gato s.m.; pl. *arranha-gatos*
arranha-lobos s.m.2n.
arranhão s.m.
arranhar v.
arranhosa s.f.
arranita s.f.
arranjadão s.m.
arranjadeira adj. s.f.
arranjadeiro adj.
arranjadela s.f.
arranjado adj.
arranjador (*ô*) s.m.
arranjamento s.m.
arranjão s.m.
arranjar v.
arranjável adj.2g.
arranja-vida s.2g.; pl. *arranja-vidas*
arranjinho s.m.

arranjismo s.m.
arranjista adj. s.2g.
arranjo s.m.
arranque s.m.
arrapazado adj.
arrapazar v.
arrapinar v.
arraposado adj.
arraposar v.
arras s.f.pl. "garantia de um contrato", "sinal"; cf. *arrás*
arrás s.m. "tapeçaria"; cf. *arras*
arrasa adj.2g. s.f.
arrasadeira s.f.
arrasado adj.
arrasador (*ô*) adj. s.m.
arrasadura s.f.
arrasamento s.m.
arrasante adj.2g. s.f.
arrasar v.
arrasável adj.2g.
arrascanhar v.
arrasista s.2g.
arraso s.m.
arrasoirar v.
arrasourar v.
arrassar s.m. "corrente"; cf. *arraçar*
arrasta s.m.
arrastadeira s.f.
arrastadeiro adj. s.m.
arrastadiço adj.
arrastado adj. s.m.
arrastador (*ô*) adj. s.m.
arrastadura s.f.
arrastamento s.f.
arrastante adj.2g.
arrastão s.m.
arrastão de praia s.m.
arrasta-pé s.m.; pl. *arrasta-pés*
arrastar v.
arraste s.m.
arrastelar v.
arrastelo (*ê*) s.m.; cf. *arrastelo*, fl. do v. *arrastelar*
arrasto s.m.
arrastra s.f.
arrastrado adj.
arrastrar v.
arrastre s.m.
arrastro s.m.
arratadura s.f.
arratar v.
arrátel s.m.
arratelado adj.
arratelar v.
arrazoação s.f.
arrazoado adj. s.m.
arrazoador (*ô*) adj. s.m.
arrazoamento s.m.
arrazoar v.
arrazoável adj.2g.
arre interj.
arreação s.f.; cf. *arriação*
arreada s.f.; cf. *arriada*
arreado adj.; cf. *arriado*
arreador (*ô*) adj. s.m.; cf. *arriador*
arrealado adj.
arrealar v.
arreamento s.m.; cf. *arriamento*
arrear v. "aparelhar"; cf. *arriar*
arrearia s.f.; cf. *arriaria* s.f. e fl. do v. *arriar*
arreata s.f.
arreatada s.f.
arreatado adj.
arreatadura s.f.
arreatar v.
arreaz s.m.
arrebaçar v.
arrebadela s.f.
arrebanhado adj.
arrebanhador (*ô*) adj. s.m.
arrebanhadura s.f.
arrebanhamento s.m.
arrebanhar v.
arrebanho s.m.

arrebatado adj.
arrebatador (*ô*) adj. s.m.
arrebatadura s.f.
arrebatamento s.m.
arrebatante adj.2g.
arrebata-punhadas s.2g.2n.
arrebatar v.
arrebate s.m.
arrebatinha s.f.
arrebato s.m.
arrebatoso (*ô*) adj.; f. (*ó*); pl. (*ó*)
arrebém s.m.
arrebenta s.m.
arrebenta-bois s.m.2n.
arrebenta-burro s.m.; pl. *arrebenta-burros*
arrebentação s.f.
arrebenta-cavalos s.m.2n.
arrebentadela s.f.
arrebenta-diabos s.m.2n.
arrebentadiço adj.
arrebentado adj.
arrebentadouro s.m.
arrebenta-fruto s.m.; pl. *arrebenta-frutos*
arrebentamento s.m.
arrebentante adj.2g.
arrebentão s.m.
arrebenta-panela s.m.; pl. *arrebenta-panelas*
arrebenta-pedra s.f.; pl. *arrebenta-pedras*
arrebenta-peito s.f.; pl. *arrebenta-peitos*
arrebenta-pinhais s.m.2n.
arrebenta-punhadas s.2g.2n.
arrebentar v.
arrebento s.m.
arrebicado adj.
arrebicar v.
arrebique s.m.
arrebitação s.f.
arrebitaço s.m.
arrebitado adj.
arrebitamento s.m.
arrebitar v.
arrebita-rabo s.f.; pl. *arrebita-rabos*
arrebite s.m.
arrebito s.m.
arrebol s.m.
arrebolado adj. s.m.
arrebolar v.
arreboleta (*ê*) s.f.
arrebunhadela s.f.
arrebunhana s.f.
arrebunhar v.
arre-burrinho s.m.; pl. *arre-burrinhos*
arreçã s.f.
arrecaba s.f.
arrecabe s.m.
arrecada s.f.
arrecadação s.f.
arrecadado adj.
arrecadador (*ô*) adj. s.m.
arrecadamento s.m.
arrecadar v.
arrecadas s.f.pl.
arrecadável adj.2g.
arrecádea s.f.
arreçaim s.m.
arreçal s.m.
arrecamado adj.
arrecamar v.
arreçanha s.f.
arreçanhal s.m.
arreceado adj.
arrecear v.
arreceio s.m.
arrecife s.m.
arrecifense adj. s.2g.
arreçoar v.
arrecova s.f.
arrecto adj.
arrecua s.f.; na loc. *às arrecuas*
arrecuadeira s.f.
arrecuão s.m.
arrecuar v.
arrecuas s.f.pl.

arreda interj.
arredação s.f.
arredado adj.
arredagem s.f.
arredamento s.m.
arredar v.
arredável adj.2g.
arredia s.f.
arre-diabo s.m.; pl. *arre-diabos*
arredio adj.
arredio-de-papo-amarelo s.m.; pl. *arredios-de-papo--amarelo*
arredio-do-rio s.m.; pl. *arredios-do-rio*
arredio-meridional s.m.; pl. *arredios-meridionais*
arredio-pálido s.m.; pl. *arredios-pálidos*
arredo adv.
arredoar v.
arredoiça s.f.
arredolar v.
arredonda-ângulos s.m.2n.
arredondadinho adj.
arredondado adj.
arredonda-dorso s.m.; pl. *arredonda-dorsos*
arredondamento s.m.
arredondar v.
arredor adj.2g. s.m. adv.
arredores s.m.pl.
arredouça s.f.
arredouçar v.
arredrar v.
arreeirada s.f.
arreeirado adj.
arreeiral adj.2g.
arreeirático adj.
arreeirice s.f.
arreeiro s.m.
arreense adj. s.2g.
arrefanhado adj.
arrefanhar v.
arrefeçado adj.
arrefeçar v.
arrefecedor (*ô*) adj. s.m.
arrefecer v.
arrefecido adj.
arrefecimento s.m.
arrefentado adj.
arrefentar v.
arrefertar v.
arreflexia (*cs*) s.f.
arreforia s.f.
arréforo adj. s.m.
ar-refrigerado s.m.; pl. *ares--refrigerados*
arregaça s.f.
arregaçada s.f.
arregaçado adj.
arregaçamento s.m.
arregaçar v.
arregace s.m.
arregacha s.f.
arregachina s.f.
arregaço s.m.
arregalado adj.
arregalar v.
arregambiar v.
arreganhação s.f.
arreganhada s.f.
arreganhado adj.
arreganhamento s.m.
arreganhar v.
arreganho s.m.
arregimentabilidade s.f.
arregimentação s.f.
arregimentado adj.
arregimentar v.
arregimentável adj.2g.
arreglado adj.
arreglador (*ô*) adj. s.m.
arreglar v.
arreglo (*ê*) s.m.; cf. *arreglo*, fl. do v. *arreglar*
arrego (*ê*) interj.
arregoa (*ô*) s.f.
arregoado adj.
arregoamento s.m.
arregoão s.m.
arregoar v.
arregola s.f.
arregougado adj.
arregração s.f.
arregramento s.m.
arregrar v.
arregrável adj.2g.
arreguiça s.f.
arreguiço s.m.
arreguingar v.
arreia s.f.
arreico (*é*) adj.
arreigada s.f.
arreigadas s.f.pl.
arreigado adj.
arreigamento s.m.
arreigar v.
arreio s.m.
arreísmo s.m.
arreístico adj.
arreitado adj.
arreitamento s.m.
arreitar v.
arreiteiro adj.
arreitela s.f.
arreiteta s.f.
arrejeitado adj.
arrejeitar v.
arrejeito s.m.
arrelampadinho adj.
arrelampado adj.
arrelampar v.
arrelhada s.f.
arrelhado adj.
arrelhador (*ô*) s.m.
arrelhar v.
arrelia s.f.
arreliação s.f.
arreliado adj.
arreliador (*ô*) adj. s.m.
arreliante adj.2g.
arreliar v.
arreliativo adj.
arreliento adj.
arrelioso (*ô*) adj.; f. (*ó*); pl. (*ó*)
arrelique s.m.
arrelvado adj.
arrelvamento s.m.
arrelvar v.
arremangado adj.
arremangar v.
arremansado adj.
arremansar v.
arrematação s.f.
arrematado adj.
arrematador (*ô*) adj. s.m.
arrematante adj. s.2g.
arrematar v.
arrematável adj.2g.
arremate s.m.
arremedação s.f.
arremedado adj.
arremedador (*ô*) adj. s.m.
arremedar v.
arremedeio s.m.
arremediado adj.
arremedilho s.m.
arremedo (*ê*) s.m.; cf. *arremedo*, fl. do v. *arremedar*
arremessado adj.
arremessador (*ô*) adj. s.m.
arremessamento s.m.
arremessante adj.2g.
arremessão s.m.
arremessar v.
arremessável adj.2g.
arremesso (*ê*) s.m.; cf. *arremesso*, fl. do v. *arremessar*
arremetão s.m.
arremetedor (*ô*) adj. s.m.
arremetedura s.f.
arremetente adj.2g.
arremeter v.
arremetida s.f.
arremetimento s.m.
arreminação s.f.
arreminado adj.
arreminar v.
arrenal s.m.
arrenátero s.m.
arrendabilidade s.f.
arrendação s.f.
arrendada s.f.
arrendado adj. s.m.
arrendador (*ô*) adj. s.m.
arrendados s.m.pl.
arrendamento s.m.
arrendante adj. s.2g.
arrendar v.
arrendatário s.m.
arrendativo adj.
arrendatório adj.
arrendável adj.2g.
arrendilhado adj.
arrendilhar v.
arrendo s.m.
arrenega s.2g.
arrenegação s.f.
arrenegada s.f.
arrenegado adj. s.m.
arrenegador (*ô*) adj. s.m.
arrenegar v.
arrenego (*ê*) s.m.; cf. *arrenego*, fl. do v. *arrenegar*
arrenego interj.
arreneirar v.
arreneiro s.m.
arrenela s.f.
arrengar v.
arrênico adj. s.m.
arrenita s.f.
arrenite s.f.
arrenito s.m.
arrenoblastoma s.m.
arrenoblastomático adj.
arrenogenia s.f.
arrenogênico adj.
arrenoplasma s.m.
arrenóptero s.m.
arrenoquia s.f.
arrenotocia s.f.
arrentar v.
arrenteleiro adj. s.m.
arrenuro s.m.
arrepanhado adj.
arrepanhar v.
arrepanhia s.f.
arrepanho s.m.
arrepelação s.f.
arrepelada s.f.
arrepeladela s.f.
arrepelador (*ô*) adj.
arrepelamento s.m.
arrepelante adj. s.2g.
arrepelão s.m.
arrepelar v.
arrepelo (*ê*) s.m.; cf. *arrepelo*, fl. do v. *arrepelar*
arrepender v.
arrependidense adj. s.2g.
arrependido adj.
arrependimento s.m.
arrepeso (*ê*) adj. s.m.
arrepia s.f.
arrepia-cabelo s.2g.; pl. *arrepia-cabelos*
arrepiação s.f.
arrepiado adj. s.m.
arrepiador (*ô*) adj. s.m.
arrepiadura s.f.
arrepiamento s.m.
arrepiante adj.2g.
arrepiar v.
arrepiável adj.2g.
arrepicar v.
arrepiento adj.
arrepinchar v.
arrepio s.m.
arrepique s.m.
arrepolhado adj.
arrepolhar v.
arrepsia s.f.
arreptício adj.
arrequentar v.
arrequifado adj.
arrequifar v.
arrequife s.m.
arrequim s.m.
arrer (*ê*) v.
arresinado adj.
arresinar v.
arrestado adj. s.m.
arrestalar v.
arrestando adj.
arrestante adj.2g.
arrestar v.
arrestelo (*ê*) s.m.
arresto s.m.
arrestralar v.
arretado adj.
arretar v.
arreto (*ê*) s.m.; cf. *arreto*, fl. do v. *arretar*
arreumático adj.
arrevém s.m.
arrevesado adj.; cf. *arrevessado*
arrevesamento s.m.
arrevesar v. "pôr às avessas"; cf. *arrevessar*
arrevessado adj.; cf. *arrevesado*
arrevessar v. "vomitar"; cf. *arrevesar*
arrevesso (*ê*) s.m.; cf. *arrevesso*, fl. do v. *arrevessar*
arrhenita s.f.
arriação s.f.; cf. *arreação*
arriada s.f.; cf. *arreada*
arriado adj.; cf. *arreado*
arriador (*ô*) adj. s.m.; cf. *arreador*
arriamento s.m.; cf. *arreamento*
arriar v. "abaixar"; cf. *arrear*
arriaria s.f.; cf. *arrearia*, fl. do v. *arrear*
arriaz s.m.
arriba s.f. adv. na loc. *arriba de*
arribaçã s.f.
arribação s.f.
arriba-coelha s.f.; pl. *arriba--coelhas*
arribada s.f.
arribadeiro s.m.
arribadiço adj.
arribado adj.
arribana s.f.
arribanceirado adj.
arribanceiro adj.
arribante adj.2g.
arribar v.
arribe s.m.
arriboflavinose s.f.
arriboflavinótico adj.
arriçado adj.
arriçar v.
arricaveiro s.m.
arrida s.f.
arridar v.
arridas s.f.pl.
arrieiro s.m.
arriel s.m.
arrifada s.f.
arrifana s.f.
arrifar v.
arrife s.m.
arrifeiro s.m.
arriga s.f.
arrigar v.
arrijado adj.
arrijar v.
arrilhada s.f.
arrilhado s.m.
arrimadiço adj.
arrimado adj.
arrimador (*ô*) adj. s.m.
arrimante adj.2g.
arrimar v.
arrimável adj.2g.
arrimo s.m.
arrincada s.f.
arrincado adj.
arrincão s.m.
arrincar v.
arrincoado adj.
arrincoar v.
arrinconado adj.
arrinconar v.
arrinencefalia s.f.
arrinencefálico adj.
arrinencéfalo adj. s.m.
arrinho s.m.
arrinia s.f.
arrínico adj.
arrió s.m.
arriol s.m.
arriola s.f.
arriós s.m.
arriosca s.f.
arrioste s.m.
arriota s.f.
arripar v.
arripunar v.
arriscada s.f.
arriscado adj.
arriscamento s.m.
arriscar v.
arrisco s.m.
arrispidado adj.
arrispidar v.
arritmia s.f.
arrítmico adj.
arritmo adj. s.m.
arritmocinesia s.f.
arritmocinético adj.
arrivismo s.m.
arrivista adj. s.2g.
arrivístico adj.
arrizado adj.
arrizar v.
arrizo adj.
arrizoblasto adj.
arrizófita s.f.
arrizotonia s.f.
arrizotônico adj.
arro s.m.
arroaz s.m.
arroba (*ô*) s.f.; cf. *arroba*, fl. do v. *arrobar*, e *arrouba*, fl. do v. *arroubar*
arrobação s.f.
arrobado adj.; cf. *arroubado*
arrobagem s.f.
arrobamento s.m.; cf. *arroubamento*
arrobar v. "pesar em arroba", etc.; cf. *arroubar*
arrobe (*ô*) s.m.; cf. *arrobe*, fl. do v. *arrobar*, e *arroube*, fl. do v. *arroubar*
arrobi adj. s.2g.
arrobobô s.m.
arrobustado adj.
arrobustar v.
arrocado adj.
arrocava s.f.
arrochada s.f.
arrochado adj.; cf. *arroxado*
arrochador (*ô*) adj. s.m.
arrochadora (*ô*) s.f.
arrochadura s.f.
arrochar v. "apertar"; cf. *arroxar*
arrocheirado s.m.
arrocheiro s.m.
arrochelado adj.
arrochelar v.
arrocho (*ô*) s.m.; cf. *arrocho*, fl. do v. *arrochar*, e *arroxo*, fl. do v. *arroxar*
arrociar v.
arrocinado adj.
arrocinador (*ô*) s.m.
arrocinar v.
arrocova s.m.
arrodeado adj.
arrodear v.
arrodeio s.m.
arrodelado adj.
arrodelar v.
arrodilhado adj.
arrodilhar v.
arrofo (*ô*) s.m.
arrogação s.f.
arrogado adj.
arrogador (*ô*) adj. s.m.
arrogância s.f.
arrogante adj. s.2g.
arrogantear v.
arrogar v.
arrogo (*ô*) s.m.; cf. *arrogo*, fl. do v. *arrogar*
arroiar v.

arroio (*ô*) s.m.; cf. *arroio* (*ó*), fl. do v. *arroiar*
arroio-grandense adj. s.2g.; pl. *arroio-grandenses*
arroio-meense adj. s.2g.; pl. *arroio-meenses*
arrojadense adj. s.2g.
arrojadiço adj.
arrojadita s.f.
arrojadite s.f.
arrojadítico adj.
arrojadito s.m.
arrojado adj. s.m.
arrojador (*ô*) adj. s.m.
arrojadura s.f.
arrojamento s.m.
arrojão s.m.
arrojar v.
arrojo (*ô*) s.m.; cf. *arrojo*, fl. do v. *arrojar*
arrolação s.f.
arrolada s.f.
arrolado adj. s.m.
arrolador (*ô*) adj. s.m.
arrolamento s.m.
arrolante adj. s.2g.
arrolar v.
arroleirado adj.
arroleirar v.
arrolhado adj.
arrolhador (*ô*) adj. s.m.
arrolhamento s.m.
arrolhar v.
arrolho (*ô*) s.m.; cf. *arrolho*, fl. do v. *arrolhar*
arrolo (*ô*) s.m.; cf. *arrolo*, fl. do v. *arrolar*
arromanar v.
arromançado adj.
arromançar v.
arromba s.f.
arrombada s.f.
arrombadela s.f.
arrombadiço adj.
arrombado adj.
arrombador (*ô*) adj. s.m.
arrombamento s.m.
arromba-peito adj. s.m.; pl. *arromba-peitos*
arrombar v.
arromeno s.m.
arrosetado adj.
arrosetamento s.m.
arrosetar v.
arrostação s.f.
arrostado adj.
arrostador (*ô*) adj. s.m.
arrostalhado adj.
arrostar v.
arrostóxilo (*cs*) s.m.
arrotação s.f.
arrotado adj.
arrotador (*ô*) adj. s.m.
arrotadura s.f.
arrotar v.
arroteação s.f.
arroteado adj.
arroteador (*ô*) adj. s.m.
arroteamento s.m.
arrotear v.
arroteável adj.2g.
arroteia (*é*) s.f.; cf. *arroteia*, fl. do v. *arrotear*
arroto (*ô*) s.m.; cf. *arroto*, fl. do v. *arrotar*
arroto-choco s.m.; pl. *arrotos-chocos*
arroto de gruna s.m.
arroubado adj.; cf. *arrobado*
arroubamento s.m.; cf. *arrobamento*
arroubar v. "extasiar"; cf. *arrobar*
arroubo s.m.; cf. *arrobo*, fl. do v. *arrobar*
arroupado adj.
arroupar v.
arrovaná s.m.
arroxado adj.; cf. *arrochado*
arroxar v. "tornar roxo"; cf. *arrochar*
arroxeado adj.
arroxear v.
arroz (*ô*) s.m.
arrozada s.f.
arroz-agulha s.m.; pl. *arrozes-agulha* e *arrozes-agulhas*
arrozal s.m.
arrozalense adj. s.2g.
arrozalina s.f.
arrozalva s.f.
arroz-amarelão s.m.; pl. *arrozes-amarelões*
arrozana s.f.
arroz-bravo s.m.; pl. *arrozes-bravos*
arroz-cateto s.m.; pl. *arrozes-cateto* e *arrozes-catetos*
arroz-crioulo s.m.; pl. *arrozes-crioulos*
arroz-d'água s.m.; pl. *arrozes-d'água*
arroz-da-guiana s.m.; pl. *arrozes-da-guiana*
arroz-da-rocha s.m.; pl. *arrozes-da-rocha*
arroz-de-cachorro s.m.; pl. *arrozes-de-cachorro*
arroz de carreteiro s.m.
arroz de casca s.m.
arroz de cuxá s.m.
arroz de festa s.m.
arroz de forno s.m.
arroz de função s.m.
arroz de hauçá s.m.
arroz de leite s.m.
arroz-de-rato s.m.; pl. *arrozes-de-rato*
arroz-de-telhado s.m.; pl. *arrozes-de-telhado*
arroz de viúva s.m.
arroz-do-brejo s.m.; pl. *arrozes-do-brejo*
arroz-do-campo s.m.; pl. *arrozes-do-campo*
arroz-doce s.m.; pl. *arrozes-doces*
arroz-doce de festa s.m.
arroz-doce de pagode s.m.
arroz-do-méxico s.m.; pl. *arrozes-do-méxico*
arroz-dos-telhados s.m.; pl. *arrozes-dos-telhados*
arrozeira s.f.
arrozeirense adj. s.2g.
arrozeiro adj. s.m.
arrozense adj. s.2g.
arrózia s.f.
arroz-pequeno s.m.; pl. *arrozes-pequenos*
arroz-silvestre s.m.; pl. *arrozes-silvestres*
arruá adj.2g.
arruaça s.f.
arruaçador (*ô*) adj. s.m.
arruação s.f.
arruaçar v.
arruaceiro adj. s.m.
arruadeira s.f.
arruado adj. s.m.
arruador (*ô*) adj. s.m.
arruamento s.m.
arruante adj. s.2g.
arruar v.
arrubé s.m.
arruçado adj.
arruçar v.
arruda s.f.
arruda-amarela s.f.; pl. *arrudas-amarelas*
arruda-brava s.f.; pl. *arrudas-bravas*
arruda-comum s.f.; pl. *arrudas-comuns*
arruda-da-praia s.f.; pl. *arrudas-da-praia*
arruda-de-campinas s.f.; pl. *arrudas-de-campinas*
arruda-de-folhas-miúdas s.f.; pl. *arrudas-de-folhas-miúdas*
arruda-de-são-paulo s.f.; pl. *arrudas-de-são-paulo*
arruda-de-são-pedro s.f.; pl. *arrudas-de-são-pedro*
arrudado adj.
arruda-do-campo s.f.; pl. *arrudas-do-campo*
arruda-do-mato s.f.; pl. *arrudas-do-mato*
arruda-dos-muros s.f.; pl. *arrudas-dos-muros*
arruda-fedorenta s.f.; pl. *arrudas-fedorentas*
arrudão s.m.
arruda-parietária s.f.; pl. *arrudas-parietária* e *arrudas-parietárias*
arruda-preta s.f.; pl. *arrudas-pretas*
arruda-rajada s.f.; pl. *arrudas-rajadas*
arruda-silvestre s.f.; pl. *arrudas-silvestres*
arruda-vermelha s.f.; pl. *arrudas-vermelhas*
arrudense adj. s.2g.
arrúdia s.f.
arruela s.f.
arruelado adj.
arruelar v.
arrufada s.f.
arrufadiço adj.
arrufado adj.
arrufamento s.m.
arrufar v.
arrufiado adj.
arrufianado adj.
arrufiar v.
arrufo s.m.
arrugado adj.
arrugador (*ô*) adj. s.m.
arrugadura s.f.
arrugamento s.m.
arrugar v.
arrúgia s.f.
arruído s.m.
arruína s.f.
arruinamento s.m.
arruivado adj.
arruivar v.
arruivascado adj.
arrular v.
arrulhador (*ô*) adj. s.m.
arrulhamento s.m.
arrulhante adj.2g.
arrulhar v.
arrulho s.m.
arrulo s.m.
arrumã s.f.
arrumação s.f.
arrumada s.f.
arrumadeira s.f.
arrumadela s.f.
arrumado adj.
arrumador (*ô*) adj. s.m.
arrumamento s.m.
arrumar v.
arrumbeva s.f.
arrumo s.m.
arsacetina s.f.
arsácida adj. s.2g.
arsagalita adj. s.2g.
arsamina s.f.
arsamônio s.m.
arsanilato s.m.
arsanílico adj.
arse s.f.
arsefenamina s.f.
arsefenamínico adj.
arsenal s.m.
arsenalista adj. s.2g.
arsenamida s.f.
arsenamínico adj.
arsenargentita s.f.
arsenargentite s.f.
arsenargentítico adj.
arsenargentito s.m.
arsenetílico adj.
arsenetilo s.m.
arseneto (*ê*) s.m.
arseníaco adj.
arseniado adj.
arseniase s.f.
arseníase s.f.
arseniatado adj.
arseniato s.m.
arsenicado adj.
arsenical adj.2g.
arsenicalismo s.m.
arseniciase s.f.
arsenicíase s.f.
arsenicismo s.m.
arsenicístico adj.
arsenicita s.f.
arsenicite s.f.
arsenicítico adj.
arsenicito s.m.
arsênico adj. s.m.
arsenicocrocita s.f.
arsenicofagia s.f.
arsenicófago adj. s.m.
arsenicoferrífero adj.
arsenicóxido (*cs*) s.m.
arsenietado adj.
arsenieto (*ê*) s.m.
arsenífero adj.
arsênio s.m.
arsenioardenita s.f.
arseniobismita s.f.
arsenioplefta s.f.
arsenioplesto s.m.
arsenioso (*ô*) adj.; f. (*ó*); pl. (*ó*)
arseniossiderita s.f.
arseniossulfeto (*ê*) s.m.
arsenita s.f.
arsenite s.f.
arsenítico adj.
arsenito s.m.
arseniurado adj.
arseniureto (*ê*) s.m.
arsenizita s.f.
arsenizítico adj.
arsenobenzênico adj.
arsenobenzeno s.m.
arsenobenzol s.m.
arsenobenzólico adj.
arsenobismútico adj.
arsenobismuto s.m.
arsenoclasita s.f.
arsenocracita s.f.
arsenocrocite s.f.
arsenocrocítico adj.
arsenocrocito s.m.
arsenofenil s.m.
arsenofenilglicina s.f.
arsenofenilglicínico adj.
arsenofenílico adj.
arsenofenilo s.m.
arsenofenol s.m.
arsenofenólico adj.
arsenoferrita s.f.
arsenofilita s.f.
arsenofilite s.f.
arsenoico (*ó*) adj. s.m.
arsenolamprita s.f.
arsenolamprite s.f.
arsenolamprítico adj.
arsenolamprito s.m.
arsenolita s.f.
arsenolítico adj.
arsenólito s.m.
arsenomelano s.m.
arsenomolibdato s.m.
arsenopirita s.f.
arsenopirite s.f.
arsenoplesto s.m.
arsenopolibasita s.f.
arsenossiderita s.f.
arsenossiderítico adj.
arsenossulfeto (*ê*) s.m.
arsenossulfurita s.f.
arsenossulvanita s.f.
arsenostibita s.f.
arsenostibite s.f.
arsenostibítico adj.
arsenostibito s.m.
arsenotelureto (*ê*) s.f.
arsenotelurita s.f.
arsenotelurítico adj.
arsenoterapia s.f.
arsenoterápico adj.
arsenotúngstico adj.
arsenovolfrâmico adj.
arsenuranilita s.f.
arsenurânio s.m.
arses s.m.2n. "ave"; cf. *ársis*
arshinovita s.f.
arsilina s.f.
arsina s.f.
arsínico adj.
ársis s.f.2n. "altura tonal"; cf. *arses*
arso adj. s.m.
arsônico adj.
arsônio s.m.
arsonvalização s.f.
arsonvalizado adj.
arsonvalizar v.
arstigita s.f.
ártaba s.f.
artabarita adj. s.2g.
artabótrio s.m.
artabótris s.m.2n.
ártabro adj. s.m.
artâmia s.f.
artamídeo adj. s.m.
artanita s.f.
artanitina s.f.
artântico adj.
artanto s.m.
artarina s.f.
arte s.f.
artédria s.f.
artefactado adj.
artefactar v.
artefacto s.m.
artefatado adj.
artefatar v.
artefato s.m.
arte-final s.f.; pl. *artes-finais*
arte-finalista s.2g.; pl. *arte-finalistas*
arte-finalizar v.
arteirice s.f.
arteiro adj. s.m.
arteiroso (*ô*) adj.; f. (*ó*); pl. (*ó*)
artejano s.m.
artelete (*ê*) s.m.
artelho (*ê*) s.m.
arte-maior s.f.; pl. *artes-maiores*
artemão s.m.
arte-menor s.f.; pl. *artes-menores*
artêmia s.f.
artêmida s.f.
artêmide s.f.
artemisense adj. s.2g.
artemísia s.f.
artemísia-brava s.f.; pl. *artemísias-bravas*
artemisiácea s.f.
artemisiáceo adj.
artemísia-da-praia s.f.; pl. *artemísias-da-praia*
artemísia-do-campo s.f.; pl. *artemísias-do-campo*
artemísia-dos-herbanários s.f.; pl. *artemísias-dos-herbanários*
artemísia-verdadeira s.f.; pl. *artemísias-verdadeiras*
artemisila s.f.
artemisina s.f.
artemisínico adj.
artemoniano adj. s.m.
artemonita adj. s.2g.
artena s.f.
artequim s.m.
arterenol s.m.
artéria s.f.
arteríaco adj.
arterial adj.2g.
arterialidade s.f.
arterialização s.f.
arterializado adj.
arterializar v.
arterializável adj.2g.
arteriarctia s.f.
arteriectasia s.f.
arteriectomia s.f.
arteriectômico adj.
arteriectopia s.f.
artério adj.
arteriocalasia s.f.

arteriocapilarite s.f.
arterióclise s.f.
arterioclítico adj.
arteriodema s.m.
arterioflebografia s.f.
arterioflebográfico adj.
arterioflebotomia s.f.
arterioflebotômico adj.
arteriogênese s.f.
arteriografação s.f.
arteriografar v.
arteriografável adj.2g.
arteriografia s.f.
arteriográfico adj.
arteriógrafo s.m.; cf. *arteriografo*, fl. do v. *arteriografar*
arteriograma s.m.
arteríola s.f.
arteriolite s.f.
arteriolítico adj.
arteriólito s.m.
arteriologia s.f.
arteriológico adj.
arteriologista adj. s.2g.
arteriólogo s.m.
arteriomalacia s.f.
arterioméríco adj.
arteriômero s.m.
arteriometria s.f.
arteriométrico adj.
arteriômetro s.m.
arterionecrose s.f.
arterionecrótico adj.
arteriopata s.2g.
arteriópata s.2g.
arteriopatia s.f.
arterioplania s.f.
arteriorrafia s.f.
arteriorráfico adj.
arteriorragia s.f.
arteriorrágico adj.
arteriorrexe (*cs*) s.f.
arteriosclerose s.f.
arterioscleroso (*ô*) adj.; f. (*ó*); pl. (*ó*)
arteriosclerótico adj.
arteriosidade s.f.
arterioso (*ô*) adj.; f. (*ó*); pl. (*ó*)
arteriostenose s.f.
arteriostenótico adj.
arteriosteose s.f.
arteriosteótico adj.
arteriotomia s.f.
arteriotômico adj.
arteriótomo s.m.
arteriotrepsia s.f.
arteriovenoso (*ô*) adj.; f. (*ó*); pl. (*ó*)
arterioxerose (*cs*) s.f.
arterioxerótico (*cs*) adj.
arterite s.f.
artesa (*ê*) s.f.
artesã s.f. de *artesão*
artesanal adj.2g.
artesanato s.m.
artesania s.f.
artesão s.m.; f. *artesã*
artesianismo s.m.
artesianístico adj.
artesiano adj. s.m.
artesoado adj. s.m.
artesoar v.
artesonado adj.
artesonar v.
artético adj.
arthurita s.f.
artice s.f.
articida adj. s.2g.
articídio s.m.
articita s.f.
articite s.f.
articito s.m.
ártico adj.
articulação s.f.
articulado adj. s.m.
articulador (*ô*) adj. s.m.
articulante adj.2g.
articular v. adj.2g.
articulatório adj.
articulável adj.2g.
articuleiro s.m.
articulismo s.m.
articulista adj. s.2g.
articulístico adj.
artículo s.m.; cf. *articulo*, fl. do v. *articular*
articuloso (*ô*) adj.; f. (*ó*); pl. (*ó*)
artífice s.m.
artificiado s.m.
artificial adj. s.2g.
artificialidade s.f.
artificialismo s.m.
artificialista adj. s.2g.
artificialístico adj.
artificialização s.f.
artificializado adj.
artificializante adj.2g.
artificializar v.
artificializável adj.2g.
artificiar v.
artifício s.m.; cf. *artificio*, fl. do v. *artificiar*
artificiosidade s.f.
artificioso (*ô*) adj.; f. (*ó*); pl. (*ó*)
artigo s.m.
artigueiro s.m.
artiguelho (*ê*) s.m.
artiguenho adj. s.m.
artiguete (*ê*) s.m.
artilhado adj.
artilhamento s.m.
artilhar v.
artilharia s.f.
artilheiro s.m.
artilheria s.f.
artimanha s.f.
artimanhoso (*ô*) adj.; f. (*ó*); pl. (*ó*)
artinha s.f.
artiodáctilo s.m.
artiodátilo s.m.
artioploide (*ó*) adj.2g.
artioploidia s.f.
artiozoário adj. s.m.
artista adj. s.2g.
artisticidade s.f.
artístico adj.
artobrânquio adj.
artocarpácea s.f.
artocarpáceo adj.
artocárpea s.f.
artocárpeo adj.
artocarpo s.m.
artocarpóidea s.f.
artocarpóideo adj.
artócopo s.m.
artófago adj.
artoforeira s.f.
artóforo s.m.
artógrafo s.m.
artola adj. s.2g.
artolar v.
artólatra s.2g.
artolatria s.f.
artolátrico adj.
artolice s.f.
artolítico adj.
artólito s.m.
artomel s.m.
artômio s.m.
artônia s.f.
artoniácea s.f.
artoniáceo adj.
artônio adj.
artonomia s.f.
artonômico adj.
artopirênia s.f.
artoplastia s.f.
artopoleiro adj. s.m.
artopolia s.f.
artorrízea s.f.
artorrízeo adj.
artoso (*ô*) adj.; f. (*ó*); pl. (*ó*)
artotélio s.m.
artotipia s.f.
artotirita s.2g.
artótrogo s.m.
artracanto s.m.
artragra s.f.
artralgia s.f.
artrálgico adj.
artrectasia s.f.
artrectomia s.f.
artrectômico adj.
artrêmbolo s.m.
artremia s.f.
artrêmico adj.
artrestesia s.f.
artrestésico adj.
artrifluente adj.2g.
artrite s.f.
artrítico adj.
artrítide s.f.
artritidia s.f.
artritina s.f.
artritismo s.m.
artrobactéria s.f.
artrobranquia s.f.
artrobrânquia s.f.
artrobranquial adj.2g.
artrobrânquio adj.
artrócaca s.f.
artrócace s.f.
artrocacia s.f.
artrocacologia s.f.
artrocéfalo s.m.
artrocele s.f.
artrocentese s.f.
artrocéreo s.m.
artrócero s.m.
artrocládia s.f.
artrocladiácea s.f.
artrocladiáceo adj.
artrocnemo s.m.
artrocondrite s.f.
artroconídia s.f.
artrodese s.f.
artródese s.f.
artrodesia s.f.
artrodia s.f.
artródia s.f.
artrodíada adj.2g. s.f.
artrodiado adj.
artrodial adj.2g.
artrodinia s.f.
artrodínico adj.
artródio s.m.
artrófito s.m.
artroflogose s.f.
artrofragma s.m.
artrogáster s.m.
artrogástrio s.m.
artrogastro s.m.
artrogoniometria s.f.
artrogoniométrico adj.
artrogoniômetro s.m.
artrografia s.f.
artrográfico adj.
artrogripose s.f.
artro-hidrina s.f.
artróidea s.f.
artróideo adj. s.m.
artroidrina s.f.
artrolalia s.f.
artrolálico adj.
artrólise s.f.
artrolitíase s.f.
artrolítico adj.
artrólito s.m.
artrolóbio s.m.
artrologia s.f.
artrológico adj.
artroluético adj.
artromeninge s.f.
artromeníngeo adj.
artromeniscartrose s.f.
artromeral adj.2g.
artromérico adj.
artrômero s.m.
artronária s.f.
artronco s.m.
artronema s.m.
artrópata s.2g.
artropatia s.f.
artropático adj.
artropiose s.f.
artropiótico adj.
artroplasia s.f.
artroplastia s.f.
artroplástica s.f.
artroplástico adj.
artropleura s.f.
artropleurídeo adj. s.m.
artropneumografia s.f.
artropneumográfico adj.
artropneumógrafo s.m.
artrópode s.m.
artropodia s.f.
artropodina s.f.
artropógon s.m.
artróptero s.m.
artroscopia s.f.
artroscópio s.m.
artrose s.f.
artrosia s.f.
artrospórico adj.
artrósporo s.m.
artrossinovite s.f.
artrosteíte s.f.
artrostema s.m.
artrostigma s.f.
artrostílida adj.2g. s.f.
artrostilo s.m.
artrostomia s.f.
artrostômico adj.
artrostráceo adj. s.m.
artrótico adj.
artrotifo s.m.
artrotomia s.f.
artrotômico adj.
artrotropismo s.m.
artróxese (*cs*) s.f.
artroxesia (*cs*) s.f.
artrozoário adj. s.m.
arturiano adj.
artur-nogueirense adj. s.2g.; pl. *artur-nogueirenses*
artuvina s.f.
aru s.m.
aruá adj. s.2g. s.m. "valentão"; cf. *aruã*
aruã adj. s.2g. "relativo à extinta tribo dos aruãs, no Pará"; cf. *aruá*
aruaco adj. s.m.
aruá-do-banhado s.m.; pl. *aruás-do-banhado*
aruá-do-brejo s.m.; pl. *aruás-do-brejo*
aruá-do-mato s.m.; pl. *aruás-do-mato*
aruagal adj. s.2g.
aruaí adj.2g. s.m.
aruajaense adj. s.2g.
aruaná adj. s.2g.
aruanã s.m.
aruananense adj. s.2g.
aruanda s.f.
aruanó adj. s.2g.
aruaque adj. s.2g.
aruaqui adj. s.2g.
aruaru s.m.
aruaruense adj. s.2g.
aruasense adj. s.2g.
aruaú adj. s.2g.
aruauense adj. s.2g.
aruba s.f.
arubé s.m.
arubeba s.f.
aruca s.f.
arucuiana adj. s.2g.
arucurana s.f.
arué s.m.
aruega s.f.
aruenda s.f.
aruense adj. s.2g.
aruga s.f.
arujaense adj. s.2g.
arujo s.m.
árula s.f.
árum s.m.
arumá adj. s.2g. "relativo à tribo dos arumás, no alto Xingu"; cf. *arumã*
arumã s.m. "espécie de junco"; cf. *arumá*
arumã-açu s.m.; pl. *arumãs-açus*
arumaçá s.m.
arumã-membeca s.m.; pl. *arumãs-membecas*
arumã-mirim s.m.; pl. *arumãs-mirins*
arumanduba s.f.
arumandubense adj. s.2g.
arumanense adj. s.2g.
arumará s.m.
arumarana s.f.
arumaru s.m.
arumbava adj. s.m.
arumbeba s.f.
aruminense adj. s.2g.
arunco s.m.
arunda s.f.
arundífero adj.
arundina s.f.
arundinácea s.f.
arundináceo adj.
arundinária s.f.
arundinário adj. s.m.
arundínea s.f.
arundinela s.f.
arundíneo adj.
arundinoso (*ô*) adj.; f. (*ó*); pl. (*ó*)
arundo s.m.
aruntense adj. s.2g.
arupa adj.2g. s.m.
arupanado adj.
arupema s.f.
arupemba s.f.
arurá adj.2g.
arurana s.f.
arurão s.m.
aruru s.m.
arusnate adj. s.2g.
aruspicação s.f.
aruspicatório adj.
arúspice s.m.
aruspicina s.f.
aruspicínia s.f.
aruspicino adj.
aruspício s.m.
aruspicismo s.m.
arutiense adj. s.2g.
arutipura s.f.
aruto adj.
arva s.f.
arvada s.f.
arvado s.m.
arval adj.2g. s.m.
arvela s.f.
arvelado adj.
arvéloa s.f.
arvense adj.2g.
arvernense adj. s.2g.
arverno adj. s.m.
arvião s.m.
arvícola adj. s.2g.
arvicolídeo adj. s.m.
arvicolíneo adj. s.m.
arvicultivo s.m.
arvicultor (*ô*) adj. s.m.
arvicultura s.f.
arvicultural adj.2g.
arvingel s.m.
arvoado adj.
arvoamento s.m.
arvoar v.
arvolário s.m.
arvorado adj. s.m.
arvoragem s.f.
arvorar v.
árvore s.f.; cf. *arvore*, fl. do v. *arvorar*
árvore-branca s.f.; pl. *árvores-brancas*
arvorecência s.f.
arvorecente adj.2g.
arvorecer v.
arvorecido adj.
arvorecimento s.m.
árvore-copal s.f.; pl. *árvores-copais*
árvore-da-borracha s.f.; pl. *árvores-da-borracha*
árvore-da-castidade s.f.; pl. *árvores-da-castidade*
árvore-da-chuva s.f.; pl. *árvores-da-chuva*
árvore-da-felicidade s.f.; pl. *árvores-da-felicidade*
árvore-da-goma-arábica s.f.; pl. *árvores-da-goma-arábica*

árvore-da-goma-elástica s.f.; pl. *árvores-da-goma-elástica*
árvore-da-independência s.f.; pl. *árvores-da-independência*
árvore-da-manteiga s.f.; pl. *árvores-da-manteiga*
árvore-da-morte s.f.; pl. *árvores-da-morte*
árvore-da-noite s.f.; pl. *árvores-da-noite*
árvore-da-pimenta s.f.; pl. *árvores-da-pimenta*
árvore-da-preguiça s.f.; pl. *árvores-da-preguiça*
árvore-da-pureza s.f.; pl. *árvores-da-pureza*
árvore-das-borboletas s.f.; pl. *árvores-das-borboletas*
árvore-da-seda s.f.; pl. *árvores-da-seda*
árvore-da-vida s.f.; pl. *árvores-da-vida*
árvore-de-anoz s.f.; pl. *árvores-de-anoz*
árvore-de-bálsamo s.f.; pl. *árvores-de-bálsamo*
árvore-de-chocalho s.f.; pl. *árvores-de-chocalho*
árvore-de-coral s.f.; pl. *árvores-de-coral*
árvore-de-cuia s.f.; pl. *árvores-de-cuia*
árvore-de-goma-da-índia s.f.; pl. *árvores-de-goma-da-índia*
árvore-de-gralha s.f.; pl. *árvores-de-gralha*
árvore-de-graxa s.f.; pl. *árvores-de-graxa*
árvore-de-incenso s.f.; pl. *árvores-de-incenso*
árvore-de-judas s.f.; pl. *árvores-de-judas*
árvore-de-lã s.f.; pl. *árvores-de-lã*
árvore-de-leite s.f.; pl. *árvores-de-leite*
árvore-de-lótus s.f.; pl. *árvores-de-lótus*
árvore de natal s.f. "conjunto de válvulas"
árvore-de-natal s.f. "espécie de árvore"; pl. *árvores-de-natal*
arvoredense adj. s.2g.
árvore-de-orquídea s.f.; pl. *árvores-de-orquídea*
árvore-de-pagode s.f.; pl. *árvores-de-pagode*
árvore-de-pão-de-macaco s.f.; pl. *árvores-de-pão-de-macaco*
árvore-de-ranho s.f.; pl. *árvores-de-ranho*
árvore-de-santa-luzia s.f.; pl. *árvores-de-santa-luzia*
árvore-de-são-sebastião s.f.; pl. *árvores-de-são-sebastião*
árvore-de-são-tomás s.f.; pl. *árvores-de-são-tomás*
árvore-de-sebo s.f.; pl. *árvores-de-sebo*
árvore-de-velas s.f.; pl. *árvores-de-velas*
arvoredo (*ê*) s.m.
árvore-do-algodão s.f.; pl. *árvores-do-algodão*
árvore-do-bálsamo s.f.; pl. *árvores-do-bálsamo*
árvore-do-brasil s.f.; pl. *árvores-do-brasil*
árvore-do-céu s.f.; pl. *árvores-do-céu*
árvore-do-coral s.f.; pl. *árvores-do-coral*
árvore-do-dragão s.f.; pl. *árvores-do-dragão*
árvore-do-leite s.f.; pl. *árvores-do-leite*
árvore-do-natal s.f.; pl. *árvores-do-natal*
árvore-do-óleo-cajepute s.f.; pl. *árvores-do-óleo-cajepute*
árvore-do-pão s.f.; pl. *árvores-do-pão*
árvore-do-papel s.f.; pl. *árvores-do-papel*
árvore-do-papel-de-arroz s.f.; pl. *árvores-do-papel-de-arroz*
árvore-do-sabão s.f.; pl. *árvores-do-sabão*
árvore-dos-banianos s.f.; pl. *árvores-dos-banianos*
árvore-do-sebo s.f.; pl. *árvores-do-sebo*
árvore-dos-espinhos s.f.; pl. *árvores-dos-espinhos*
árvore-dos-pagodes s.f.; pl. *árvores-dos-pagodes*
árvore-dos-rosários s.f.; pl. *árvores-dos-rosários*
árvore-do-viajante s.f.; pl. *árvores-do-viajante*
arvorejado adj.
arvorejar v.
árvore-mãe s.f.; pl. *árvores-mãe* e *árvores-mães*
árvore-santa s.f.; pl. *árvores-santas*
arvoreta (*ê*) s.f.
árvore-triste s.f.; pl. *árvores-tristes*
árvore-vaca s.f.; pl. *árvores-vaca* e *árvores-vacas*
arvorezinhense adj. s.2g.
arvoriforme adj.2g.
arvorinho s.m.
arzalar s.m.
arzanefe s.m.
arzegaia s.f.
arzel s.m.
arzenefe s.m.
arzila s.f.
arzola s.f.
arzrunita s.f.
ás s.m. "carta de baralho"; cf. *az*
asa s.f.; cf. *aza*, fl. do v. *azar*
asa-branca s.f.; pl. *asas-brancas*
asada s.f.
asa-de-barata s.f.; pl. *asas-de-barata*
asa-delta s.f.; pl. *asas-delta* e *asas-deltas*
asa de mosca s.f.
asa-de-palha s.f.; pl. *asas-de-palha*
asa-de-papagaio s.f.; pl. *asas-de-papagaio*
asa-de-sabre s.f.; pl. *asas-de-sabre*
asa-de-sabre-cinza s.f.; pl. *asas-de-sabre-cinza*
asa-de-telha s.f.; pl. *asas-de-telha*
asado adj. s.m.; cf. *azado* adj. e fl. do v. *azar*
asador (*ô*) adj. s.m. "que ou que dá asas a"; cf. *azador*
asa-dura s.f.; pl. *asas-duras*
asafia s.f.
asáfico adj.
asagraína s.f.
asal s.m.
asâmpata adj. s.2g.
asana s.f.
asa-negra s.2g.; pl. *asas-negras*
asa-nortista adj. s.2g.; pl. *asa-nortistas*
asaqueia (*é*) adj. s.f. de *asaqueu*
asaqueu adj. s.m.; f. *asaqueia* (*é*)
asar v. "pôr asas"; cf. *azar*
asarabácara s.f.
asarato s.m.
asarca s.f.
asarcia s.f.
asárcico adj.
asareida adj.2g. s.f.
asárico adj.
asarílico adj.
asarina s.f.
asarina-da-praia s.f.; pl. *asarinas-da-praia*
asarínea s.f.
asarita s.f.
ásaro s.m.
asaroide (*ó*) adj.2g.
asaróidea s.f.
asaróideo adj.
asarona s.f.
asaronato s.m.
asarônico adj.
asarótico adj.
asaroto (*ô*) s.m.
asase s.f.
asa-sulista adj. s.2g.; pl. *asa-sulistas*
asa-voadora s.f.; pl. *asas-voadoras*
asbecasita s.f.
asbestiforme adj.2g.
asbestina s.f.
asbestino adj.
asbesto s.m.
asbestoide (*ó*) adj.2g. s.m.
asbestose s.f.
asbista adj. s.2g.
asbolano s.m.
asbólico adj.
asbolina s.f.
asbolita s.f.
asbólita s.f.
asca s.f. "zanga"; cf. *ascá*
ascá s.m. "cabo para suspender a rede da pescada"; cf. *asca*
ascafilme s.m.
ascágrafo s.m.
ascagrama s.m.
ascairita s.f.
ascal s.m.
ascalaboto s.m.
ascalabotoide (*ó*) adj.2g.
ascaláfia s.f.
ascálafo s.m.
ascalônia s.f.
ascalônico adj.
ascalonita adj. s.2g.
ascaniano adj.
ascânio s.m.
ascaradiose s.f.
ascardamicto adj.
ascarel s.m.
ascarento adj.
ascari s.m.
ascaríase s.f.
ascaricida adj.2g. s.m.
ascaricídio s.m.
ascárida adj. s.2g.
ascáride adj. s.2g.
ascarídeo adj. s.m.
ascaridiano adj.
ascaridíase s.f.
ascaridídeo adj. s.m.
ascaridídio adj. s.m.
ascaridiídeo adj. s.m.
ascaridiose s.f.
ascaridol s.m.
ascaridose s.f.
ascarim s.m.
ascarina s.f.
ascaríneo adj. s.m.
áscaris s.f.
ascaroso (*ô*) adj.; f. (*ó*); pl. (*ó*)
ascaula s.f.
ascaule s.m.
asceína s.f.
áscele adj. s.2g.
ascelia s.f.
ascendedoiro adj.; cf. *acendedoiro*
ascendedouro adj.; cf. *acendedouro*
ascendência s.f.
ascendental adj.2g.
ascendente adj. s.2g.; cf. *acendente*
ascender v. "subir"; cf. *acender*
ascendido adj.; cf. *acendido*
ascendimento s.m.; cf. *acendimento*
ascendível adj.2g.; cf. *acendível*
ascensão s.f. "subida"; cf. *acensão*
ascensionabilidade s.f.
ascensional adj.2g.
ascensionar v.
ascensionário adj.
ascensionista s.2g.
ascensível adj.2g.
ascenso s.m.; cf. *assenso*
ascensor (*ô*) adj. s.m.
ascensorista s.2g.
ascese s.f.
asceta s.2g.; cf. *aceta*, fl. do v. *acetar*, e *asseta*, fl. do v. *assetar*
ascetano s.m.
ascetério s.m.
ascética s.f.
asceticismo s.m.
ascético adj. "místico"; cf. *acético* e *asséptico*
ascetismo s.m.
ascetizar v.
áscia s.f.
ascídia s.f. "animal tunicado"; cf. *acídia*
ascidiáceo adj. s.m.
ascidiado adj. s.m.
ascidiano adj.
ascidícola adj.2g. s.m.
ascidiforme adj.2g.
ascidígero adj.
ascídio s.m.
ascidiozóideo adj.
ascidoblásteo adj.
ascidoblástico adj.
ascífero adj.
asciforme adj.2g.
ascígeno adj.
ascígero adj.
ascinomancia s.f.
ascinomântico adj.
áscio adj. s.m.
ásciro s.m.
ascita adj. s.2g.
ascite s.f.
ascítico adj.
asclépia s.f.
asclepíada s.2g.
asclepiadácea s.f.
asclepiadáceo adj.
asclepíade s.2g.
asclepiadeia (*é*) adj. s.f. de *asclepiadeu*
asclepiadeu adj. s.m.; f. *asclepiadeia* (*é*)
asclepiadina s.f.
asclepiadínico adj.
asclepião s.m.
asclepina s.f.
asclépio s.m.
asclepiona s.f.
asclepitano adj. s.m.
asclero s.m.
asco s.m.
ascobacilo s.m.
ascobactério s.m.
ascobolácea s.f.
ascoboláceo adj.
ascobólea s.f.
ascobóleo adj.
ascóbolo s.m.
ascocárpico adj.
ascocarpo s.m.
ascocíclico adj.
ascociclo s.m.
ascocládio s.m.
ascococo s.m.
ascocorticiácea s.f.
ascocorticiáceo adj.
ascocortício s.m.
ascodesme s.m.
ascodrogita s.m.
ascófano s.m.
ascofilo s.m.
ascófita s.f.
ascófito s.m.
ascóforo adj. s.m.
ascogênico adj.
ascógeno adj. s.m.
ascoglena s.m.
ascogônio s.m.
ascólias s.f.pl.
ascolíquen s.m.
ascolíquene s.m.
ascolote s.m.
ascoma s.m.f.
ascomar v.
ascomarco adj. s.m.
ascomático adj.
ascomicete s.m.
ascomicetela s.f.
ascomicético adj.
ascomicetina s.f.
ascomiceto s.m.
ascômida s.f.
ascomídeo adj. s.m.
ascomisontídeo adj. s.m.
ascomorfa s.f.
ascomorfo adj.
áscon s.m.
asconense adj. s.2g.
ascônida adj. s.2g.
asconídea s.f.
asconídeo adj. s.m.
asconoide (*ó*) adj.2g. s.m.
ascóquita s.f.
ascóquito s.m.
ascoquitose s.f.
ascoquitótico adj.
ascórbico adj.
ascorosidade s.f.
ascoroso (*ô*) adj.; f. (*ó*); pl. (*ó*)
ascose s.f.
ascosidade s.f.
ascoso (*ô*) adj.; f. (*ó*); pl. (*ó*)
ascospóreo adj.
ascospórico adj.
ascostroma s.m.
ascotorácico s.m.
ascra s.f.
ascreia (*é*) adj. s.f. de *ascreu*
ascreu adj. s.m.; f. *ascreia* (*é*)
ascriano adj. s.m.
áscua s.f.
ascuar v.
asculano adj. s.m.
ascuma s.f.
ascumada s.f.
ascuna s.f.
ascunha s.f.
ascurrense adj. s.2g.
ás de copas s.m.
ás de paus s.m.
asdingo adj. s.m.
asdrubalense adj. s.2g.
aseboquercitina s.f.
asebotina s.f.
asebotoxina (*cs*) s.f.
aseia (*é*) adj. s.f. de *aseu*
aselha (*ê*) s.2g.
aselhado adj.
aselídeo adj. s.m.
asélido adj. s.m.
aselina s.f.
aselínico adj.
aselo s.m.
aseno adj. s.m.
aseu adj. s.m.; f. *aseia* (*é*)
asfalina s.f.
asfalita s.f.
asfalite s.f.
asfaltado adj.
asfaltador (*ô*) s.m.
asfaltagem s.f.
asfaltamento s.m.
asfaltar v.
asfaltaria s.f.
asfaltênico adj.
asfalteno s.m.
asfáltico adj.
asfaltita s.f.
asfaltite s.f.
asfaltito s.m.
asfaltização s.f.
asfalto s.m.
asfalto-vanadífero s.m.; pl. *asfaltos-vanadíferos*

asférico adj.
asfíctico adj.
asfigmia s.f.
asfixia (*cs*) s.f.
asfixiado (*cs*) adj. s.m.
asfixiador (*cs...ô*) adj. s.m.
asfixiante (*cs*) adj.2g.
asfixiar (*cs*) v.
asfíxico (*cs*) adj.
asfixioso (*cs...ô*) adj.; f. (*ó*); pl. (*ó*)
asfodelácea s.f.
asfodeláceo adj.
asfodélea s.f.
asfodéleo adj.
asfodelino s.m.
asfódelo s.m.
asiânico adj.
asianismo s.m.
asianista adj. s.2g.
asianístico adj.
asiano adj. s.m.
asianologia s.f.
asianológico adj.
asianólogo s.m.
asiarca s.m.
asiarcado s.m.
asiarcato s.m.
asiarquia s.f.
asiata adj. s.2g.
asiática s.f.
asiaticismo s.m.
asiaticista adj. s.2g.
asiaticístico adj.
asiático adj. s.m.
asiatismo s.m.
asiatista adj. s.2g.
asiatístico adj.
asiatização s.f.
asiatizado adj.
asiatizante adj. s.2g.
asiatizar v.
asiatizável adj.2g.
asido adj.
asifôneo s.m.
asilado adj. s.m.
asilador (*ô*) adj.
asilante adj. s.2g.
asilar v.
asilável adj.2g.
asílida adj.2g. s.m.
asilídeo adj. s.m.
asilíneo adj. s.m.
asilo s.m.
asilo-escola s.m.; pl. *asilos-escola* e *asilos-escolas*
asimina s.f.
asimineiro s.m.
asinal adj.2g.
asinário adj.
asinauricular adj.2g.
asinha adv. "sem demora"; cf. *azinha*
asinino adj. s.m.
ásio adj. s.m.
ásio-americano adj.; pl. *ásio-americanos*
ásio-australiano adj.; pl. *ásio-australianos*
ásio-brasileiro adj.; pl. *ásio-brasileiros*
ásio-francês adj.; pl. *ásio-franceses*
ásio-inglês adj.; pl. *ásio-ingleses*
ásio-lusitanismo s.m.; pl. *ásio-lusitanismos*
ásio-lusitanista adj. s.2g.; pl. *ásio-lusitanistas*
ásio-lusitanístico adj.; pl. *ásio-lusitanísticos*
ásio-lusitano adj.; pl. *ásio-lusitanos*
ásio-português adj.; pl. *ásio-portugueses*
ásio-saxão adj.; pl. *ásio-saxões*
asir v.
asisinate adj. s.2g.
askanita s.f.
asma s.f.
asmanita s.f.
asmanite s.f.
asmanito s.m.
asmático adj. s.m.
asmatiforme adj.2g.
asmento adj. s.m.
asmodeu s.m.
asmoneia (*é*) adj. s.f. de *asmoneu*
asmoneu adj. s.m.; f. *asmoneia* (*é*)
asmoniano adj. s.m.
asna s.f.
asnada s.f.
asnal adj.2g. s.m.
asnamento s.m.
asnar v. adj.2g.
asnaria s.f.
asnático adj.
asnear v.
asneira s.f.
asneirada s.f.
asneirão s.m.; f. *asneirona*
asneirar v.
asneirento adj.
asneirista adj. s.2g.
asneiro adj. s.m.
asneirola s.f.
asneirona s.f. de *asneirão*
asnice s.f.
asnidade s.f.
asnil adj.2g. s.m.
asnilho s.m.
asno s.m.
asofia s.f.
ásoo adj. s.m.
asor (*ô*) s.m.
asovskita s.f.
aspa s.f.
aspaço s.m.
aspado adj.
aspalacossomia s.f.
aspalacossomo s.m.
aspalassomia s.f.
aspalassomo s.m.
aspálato s.m.
aspar v.
asparagácea s.f.
asparagáceo adj.
asparagale s.f.
asparágea s.f.
asparágeo adj.
asparágico adj.
asparagicultivo s.m.
asparagicultor (*ô*) s.m.
asparagicultura s.f.
asparagicultural adj.2g.
asparagina s.f.
asparaginase s.f.
asparaginato s.m.
asparagínea s.f.
asparagíneo adj.
asparagínico adj.
aspárago s.m.
asparagolita s.f.
asparagolítico adj.
asparagólito s.m.
asparagópsis s.2g.2n.
asparamida s.f.
asparamídico adj.
aspárgico adj.
aspargo s.m.
aspargo-bravo s.m.; pl. *aspargos-bravos*
aspargo-bravo-maior s.m.; pl. *aspargos-bravos-maiores*
aspargo-bravo-menor s.m.; pl. *aspargos-bravos-menores*
aspargo-comum s.m.; pl. *aspargos-comuns*
aspargo-de-jardim s.m.; pl. *aspargos-de-jardim*
aspargo-de-sala s.m.; pl. *aspargos-de-sala*
aspargo-do-cabo s.m; pl. *aspargos-do-cabo*
aspargo-do-monte s.m.; pl. *aspargos-do-monte*
aspargo-hortense s.m; pl. *aspargos-hortenses*
aspartame s.m.
aspartato s.m.
aspártico adj.
asparto s.m.
asparxajata adj. s.2g.
aspas s.f.pl.
aspásia s.f.
aspasiolita s.f.
aspasiolítico adj.
aspasiólito s.m.
aspa-torcida s.f.; pl. *aspas-torcidas*
aspa-torta s.f.; pl. *aspas-tortas*
aspe s.2g.
aspeação s.f.
aspeado adj.
aspeamento s.m.
aspear v.
aspeçada s.m.
aspectável adj.2g.
aspectividade s.f.
aspectivo adj.
aspecto s.m.
aspectual adj.2g.
aspectualidade s.f.
aspegrênia s.f.
aspelina s.f.
áspera s.f.
asperejar v.
asperelínea s.f.
aspereza (*ê*) s.f.
asperges s.m.2n.
aspergido adj.
aspergilácea s.f.
aspergiláceo adj.
aspergilário adj.
aspergiliforme adj.2g.
aspergilina s.f.
aspergilo s.m.
aspergiloma s.m.
aspergilose s.f.
aspergilótico adj.
aspergimento s.m.
aspergir v.
aspericolo adj.
asperícomo adj.
aspericorne adj.2g.
aspericórneo adj.
asperidade s.f.
asperidão s.f.
asperifólia s.f.
asperifoliácea s.f.
asperifoliáceo adj.
asperifólio adj.
asperito s.m.
asperizar v.
aspermado adj.
aspermatismo s.m.
aspermatístico adj.
aspermia s.f.
aspérmico adj.
aspermismo s.m.
aspermístico adj.
aspermo adj.
áspero adj.
asperococácea s.f.
asperococáceo adj.
asperocóccico adj.
asperocócico adj.
asperococo s.m.
asperolita s.f.
asperolite s.f.
asperólito s.m.
aspérrimo adj. sup. de *áspero*
aspersão s.f.
aspersar v.
aspersionismo s.m.
aspersionista adj. s.2g.
aspersionístico adj.
asperso adj.
aspersor (*ô*) adj. s.m.
aspersório s.m.
aspertânico adj.
asperugo s.m.
aspérula s.f.
asperúlea s.m.
asperúleo adj.
aspérulo adj.
asperulósido adj. s.m.
aspetável adj.2g.
aspetividade s.f.
aspetivo adj.
aspeto s.m.
aspetual adj.
aspetualidade s.f.
aspicarpa s.f.
aspicarpo s.m.
aspiciência s.f.
aspiciente adj.2g.
áspide s.m.f.
aspidelita s.f.
aspidelite s.f.
aspidélito s.m.
aspídia s.f.
aspidiáceo adj.
aspidiado adj.
aspidiano adj.
aspidina s.f.
aspidínea s.f.
aspidíneo adj.
aspidino s.m.
aspídio s.m.
aspidiota s.m.
aspidioto s.m.
aspidisca s.f.
aspidíscida adj.2g. s.m.
aspidiscídeo adj. s.m.
aspidiscina s.f.
aspidisco s.m.
aspidistra s.f.
aspidite s.f.
aspidobranquial adj.2g.
aspidobrânquio adj. s.m.
aspidocarpo s.m.
aspidocéfalo adj. s.m.
aspidocólobo s.m.
aspidocótilo s.m.
aspidóforo adj.
aspidogáster s.m.
aspidogastro s.m.
aspidoglosso s.m.
aspidolita s.f.
aspidolite s.f.
aspidólito s.m.
aspidonecto s.m.
aspidopirênio s.m.
aspidóptero s.m.
aspidoquiro s.m.
aspidoquirota adj.2g. s.m.
aspidoquiroto adj. s.m.
aspidorrinco s.m.
aspidosperma s.m.
aspidospermatina s.f.
aspidospermina s.f.
aspidotânico adj.
aspidotélio s.m.
aspidura s.f.
aspiduro s.m.
aspília s.f.
aspiração s.f.
aspirada s.f.
aspirado adj.
aspirador (*ô*) adj. s.m.
aspirância s.f.
aspiranta s.f.
aspirantada s.f.
aspirante adj. s.2g.
aspirante-premente adj.2g.; pl. *aspirantes-prementes*
aspirar v.
aspirativo adj.
aspiratório adj.
aspirável adj.2g.
aspirina s.f.
aspirofênio s.m.
aspiróforo s.m.
áspis s.m.f.2n.
asplâncna s.m.
asplâncnico adj.
asplâncnida adj.2g. s.m.
asplancnídeo adj. s.m.
asplênia s.f.
aspleniácea s.f.
aspleniáceo adj.
asplênica s.f.
asplenídea s.f.
asplenídeo adj.
asplenino adj. s.m.
asplênio s.m.
asplenioide (*ó*) adj.2g.
asplenióidea s.f.
asplenióideo adj.
aspondílico adj.
ásporo adj.
asporogêneo adj.
asporógeno s.m.
asporulada s.f.
asporulado adj.
aspra s.f.
aspre s.m.
aspredinídeo adj. s.m.
aspredo (*ê*) s.m.
asprejar v.
asprejo (*ê*) s.m.
aspudo adj.
asquear v.
asquelminte adj. s.m.
asquelminto s.m.
asquematia s.f.
asquemático adj.
asquenaze adj. s.2g.
asquenazi adj. s.2g.
asquenazim adj. s.2g.
asquenazita adj. s.2g.
asquerosidade s.f.
asqueroso (*ô*) adj.; f. (*ó*); pl. (*ó*)
asquidiospermo adj. s.m.
asquino s.m.
asquirrol s.m.
asquístico adj. s.m.
asquistítico adj.
asquistito s.m.
asquistodactilia s.f.
asquistodáctilo adj. s.m.
asquistodatilia s.f.
asquistodátilo s.f.
asquizo adj. s.m.
assa s.f. "suco"; cf. *aça* adj. s.2g., *assa*, fl. do v. *assar*, e *açã*
assaborado adj.
assaborar v.
assaboreação s.f.
assaboreado adj.
assaboreamento s.m.
assaborear v.
assacada s.f.
assacadilha s.f.
assacado adj.
assacador (*ô*) adj. s.m.
assação s.f.
assacar v.
assa-carne s.m.; pl. *assa-carnes*
assacate s.m.
assácio s.m.
assacornado adj.
assacrado adj.
assadeira s.f.
assadeiro adj. s.m.
assado adj. s.m.
assador (*ô*) adj. s.m.
assadura s.f.
assa-fétida s.f.; pl. *assas-fétidas*
assafiado adj.
assalariabilidade s.f.
assalariação s.f.
assalariado adj. s.m.
assalariador (*ô*) adj. s.m.
assalariamento s.m.
assalariar v.
assalariável adj.2g.
assa-leitão s.m.; pl. *assa-leitões*
assalganhar v.
assalmoado adj.
assalmonado adj.
assaloiado adj.
assaloiar v.
assaltada s.f.
assaltado adj.
assaltador (*ô*) adj. s.m.
assaltante adj. s.2g.
assaltar v.
assaltável adj.2g.
assalteado adj.
assalteamento s.m.
assaltear v.
assalteável adj.2g.
assalto s.m.
assalvado adj.
assalveado adj.
assamar s.m.
assamara s.f.
assamarrado adj.
assamarrar v.

assambenitado adj.
assambenitar v.
assamento s.m.
assamês adj. s.m.
assami s.m.
assamina s.f.
assamoucado adj.
assamoucar v.
ássana s.f.
assanha s.f.
assanhação s.f.
assanhaço s.m.
assanhadiço adj.
assanhador (*ô*) adj. s.m.
assanhamento s.m.
assanhante adj.2g.
assanhar v.
assanhável adj.2g.
assanho s.m.
assapada s.f.
assapado adj.
assapar v.
assapatar v.
assapateirado adj.
assa-peixe s.m.; pl. *assa-peixes*
assaprol s.m.
assaque s.m.
assaquia s.f.
assar v.
assara s.f.
assarabaca s.f.
assarampado adj.
assaranzado adj.
assaranzar v.
assarapantação s.f.
assarapantado adj.
assarapantamento s.m.
assarapantar v.
assarapanto s.m.
assarapolhado adj.
assarapolhar v.
assarasi s.m.
assaria s.f.
assarilhado adj.
assarilhar v.
assarina s.f.
assario adj. s.m.
assassi s.m.
assassinado adj.
assassinador (*ô*) adj. s.m.
assassinamento s.m.
assassinar v.
assassinato s.m.
assassínio s.m.
assassino adj. s.m.
assativo adj.
assaturnado adj.
assave s.f.
assaz adv.
assazoado adj.
assazoamento s.m.
assazoar v.
assazoável adj.2g.
assazonação s.f.
assazonado adj.
assazonar v.
assazonável adj.2g.
asse s.m.
asseadaço adj.
asseado adj.
asseai s.m.
asseamento s.m.
assear v.
assecalhado adj.
assécio adj.
assecla s.2g.
asseçoar v.
assecuração s.f.
assecuratório adj.
assedação s.f.
assedadeira s.f.
assedadela s.f.
assedado adj.
assedador (*ô*) adj. s.m.
assedagem s.f.
assedamento s.m.
assedar v.
assedenhado adj.
assedenhamento s.m.
assedenhar v.
assedentação s.f.
assedentado adj.
assedentamento s.m.
assedentar v.
assediabilidade s.f.
assediado adj.
assediador (*ô*) adj. s.m.
assediante adj.2g.
assediar v.
assediável adj.2g.
assedilhado adj.
assédio s.m. "insistência"; cf. *acédio* s.m. e *assedio*, fl. do v. *assediar*
assegmentado adj.
asseguração s.f.
assegurado adj.
assegurador (*ô*) adj. s.m.
asseguramento s.m.
assegurar v.
assegurável adj.2g.
asseidade s.f.
asseio s.m.
asseitar v. "enganar"; cf. *aceitar*
asselado adj.
asselador (*ô*) adj. s.m.
asselar v.
asselvajado adj.
asselvajador (*ô*) adj. s.m.
asselvajamento s.m.
asselvajar v.
assemântico adj.
assemblagem s.f.
assembleante adj.2g.
assemblear v.
assembleia (*é*) s.f.
assemelhação s.f.
assemelhado adj.
assemelhador (*ô*) adj.
assemelhar v.
assemelhável adj.2g.
assemia s.f.
assêmico adj.
assêmio adj. s.m.
assenhorado adj.
assenhorar v.
assenhoreação s.f.
assenhoreado adj.
assenhoreador (*ô*) adj. s.m.
assenhoreamento s.m.
assenhorear v.
assenhoreável adj.2g.
assenhoritado adj.
assenso s.m. "assentimento"; cf. *ascenso*
assenta s.f.
assentação s.f.
assentada s.f.
assentadeira s.f.
assentadela s.f.
assentado adj. s.m.
assentador (*ô*) adj. s.m.
assentadura s.f.
assentamento s.m.
assenta-pau s.f.; pl. *assenta-paus*
assenta-pau-de-barriga-vermelha s.f.; pl. *assenta-paus-de-barriga-vermelha*
assentar v.
assente adj.2g. s.m.
assentimento s.m.
assentir v.
assentista s.2g.
assento s.m. "lugar em que se senta"; cf. *acento*
assenzalado adj.
assenzalamento s.m.
assenzalar v.
assépalo adj.
assepsia s.f.
assepsiar v.
asseptado adj.
asséptico adj. "imputrescível"; cf. *acético* e *ascético*
asseptização s.f.
asseptizar v.
asseptol s.m.
asseptólico adj.
asseptolina s.f.
asserção s.f.
asserenação s.f.
asserenado adj.
asserenador (*ô*) adj.
asserenamento s.m.
asserenante adj.2g.
asserenar v.
asserinar v.
asserio adj. s.m.
asserir v.
asserrilhado adj.
asserrilhar v.
assertar v. "asseverar"; cf. *acertar*
assertiva s.f.
assertividade s.f.
assertivo adj.
asserto (*ê*) adj. s.m.; cf. *acerto* (*ê*) s.m., fl. do v. *acertar* e do v. *assertar*
assertoado adj.
assertoar v.
assertor (*ô*) adj. s.m.
assertórico adj.
assertório adj.
assesiate adj. s.2g.
assessão s.f. "pousio"; cf. *acessão*
assessor (*ô*) adj. s.m.
assessorado s.m.
assessoramento s.m.
assessorar v.
assessoria s.f.
assessorial adj.2g.
assessório adj. "assistente"; cf. *acessório*
assestado adj.
assestar v.
assesto (*ê*) s.m.; cf. *assesto*, fl. do v. *assestar*
assetar v. "flechar"; cf. *acetar*
asseteado adj.
asseteador (*ô*) s.m.
assetear v.
asseteirado adj.
assevandijado adj.
assevandijamento s.m.
assevandijar v.
asseveração s.f.
asseverado adj.
asseverador (*ô*) adj. s.m.
asseverante adj. s.2g.
asseverar v.
asseverativo adj.
assexo (*cs*) adj.
assexuado (*cs*) adj.
assexual (*cs*) adj.2g.
assexualidade (*cs*) s.f.
assexualização (*cs*) s.f.
assexualizado (*cs*) adj.
assexualizador (*cs...ô*) adj.
assexualizante (*cs*) adj.2g.
assexualizar (*cs*) v.
assexualizável (*cs*) adj.2g.
assialia s.f.
assiálico adj.
assialoproteína s.f.
assialorreia (*é*) s.f.
assialorreico (*é*) adj.
assibilação s.f.
assibilado adj.
assibilador (*ô*) adj. s.m.
assibilar v.
assideia (*é*) adj. s.f. de *assideu*
assidera s.f.
assideração s.f.
assiderita s.f.
assiderite s.f.
assiderítico adj.
assiderito s.m.
assídese s.f.
assideu adj. s.m.; f. *assideia* (*é*)
assidiano adj. s.m.
assídio adj. s.m.
assidrado adj.; cf. *acidrado*
assidrar v. "tomar feição do vinho sidra"; cf. *acidrar*
assiduidade s.f.
assíduo adj.
assiense adj. s.2g.
assifonado adj.
assifôneo adj. s.m.
assifoniado s.m.
assifonobranquial adj.2g.
assifonobrânquio s.m.
assifonógama s.f.
assifonogamia s.f.
assifonogâmico adj.
assifonógamo adj. s.m.
assifonoide (*ó*) adj.2g.
assigmático adj.
assigmo adj.
assilabia s.f.
assilábico adj. s.m.
assílabo adj. s.m.
assilhar v.
assim adv.
assim-assim adv.
assimbolia s.f.
assimbólico adj.
assímbolo adj. s.m.
assimetria s.f.
assimétrico adj.
assímetro adj. s.m.
assimetrocarpia s.f.
assimetrocarpo adj.
assimilabilidade s.f.
assimilação s.f.
assimilacionismo s.m.
assimilacionista adj.2g.
assimilado adj. s.m.
assimilador (*ô*) adj. s.m.
assimilante adj.2g.
assimilar v.
assimilatividade s.f.
assimilativo adj.
assimilatório adj.
assimilável adj.2g.
assimilhar v.
assimínida adj.2g. s.m.
assiminídeo adj. s.m.
assiminópsis s.m.2n.
assimptota s.f.
assímptota s.f.
assimptótico adj.
assimptotismo s.m.
assimptotístico adj.
assimptoto adj.
assímptoto adj.
assimulação s.f.
assinação s.f.
assinado adj. s.m.
assinalação s.f.
assinalado adj.
assinalador (*ô*) adj. s.m.
assinalamento s.m.
assinalante adj.2g.
assinalar v.
assinalativo adj.
assinalável adj.2g.
assinamento s.m.
assinante adj. s.2g.
assina-ponto s.f.; pl. *assina-pontos*
assinapse s.f.
assinapsia s.f.
assináptico adj.
assinar v.
assinarteto adj. s.m.
assinativo adj.
assinatura s.f.
assinável adj.2g.
assínclise s.f.
assinclítico adj.
assinclitismo s.m.
assincronia s.f.
assincrônico adj.
assincronismo s.m.
assincronístico adj.
assíncrono adj.
assindactilia s.f.
assindáctilo adj. s.m.
assindatilia s.f.
assindátilo s.f.
assíndese s.f.
assindético adj.
assíndeto s.m.
assíndeton s.m.
assinergia s.f.
assinérgico adj.
assingelado adj.
assingelar v.
assiniano adj. s.m.
assinodia s.f.
assinódico adj.
assinóptico adj.
assinótico adj.
assinovial adj.2g.
assintáctico adj.
assintático adj.
assintáxico (*cs* e *ss*) adj.
assintético adj.
assintomático adj.
assintota s.f.
assíntota s.f.
assintotismo s.m.
assintotístico adj.
assintoto adj.
assíntoto adj.
assipôndio s.m.
assirato s.m.
assiriano adj. s.m.
assírico adj.
assírico-babilônio adj.; pl. *assírico-babilônios*
assirio s.m. "casta de uva"; cf. *assírio*
assírio adj. s.m. "da Assíria"; cf. *assirio*
assírio-babilônico adj.; pl. *assírio-babilônicos*
assírio-caldaico adj.; pl. *assírio-caldaicos*
assirioide (*ó*) adj. s.2g.
assiriologia s.f.
assiriológico adj.
assiriologista adj. s.2g.
assiriólogo s.m.
assisadeira s.f.
assisado adj.
assis-brasiliense adj.2g.; pl. *assis-brasilienses*
assisense adj. s.2g.
assisiano adj. s.m.
assísio s.m.
assismicidade s.f.
assísmico adj.
assistásia s.f.
assistemático adj.
assistência s.f.
assistencial adj.2g.
assistencialismo s.m.
assistencialista adj. s.2g.
assistencialístico adj.
assistenciário adj. s.m.
assistenciense adj. s.2g.
assistente adj. s.2g.
assistido adj.
assistimento s.m.
assistir v.
assistolia s.f.
assistólico adj.
assistuense adj. s.2g.
assitia s.f.
assoada s.f. "ato de assoar"; cf. *assuada*
assoadela s.f.
assoado adj.
assoalhada s.f.
assoalhado adj. s.m.
assoalhador (*ô*) adj. s.m.
assoalhadura s.f.
assoalhamento s.m.
assoalhar v.
assoalho s.m.
assoância s.f.
assoante adj. s.2g.
assoa-queixos s.m.2n.
assoar v. "tirar muco"; cf. *assuar*
assoberbação s.f.
assoberbado adj.
assoberbador (*ô*) adj.
assoberbamento s.m.
assoberbante adj.2g.
assoberbar v.
assobia-cachorro s.2g.; pl. *assobia-cachorros*
assobiada s.f.
assobiadeira s.f.
assobiadela s.f.
assobiado adj.
assobiador (*ô*) adj. s.m.
assobiadura s.f.

assobiante adj.2g.
assobiar v.
assobio s.m.
assobio-de-cobra s.m.; pl. *assobios-de-cobra*
assobio-de-folha s.m.; pl. *assobios-de-folha*
assobradado adj.
assobradar v.
associabilidade s.f.
associação s.f.
associacional adj.2g.
associacionismo s.m.
associacionista adj. s.2g.
associacionístico adj.
associado adj. s.m.
associal adj.2g.
associalização s.f.
assocializar v.
associamento s.m.
associar v.
associatividade s.f.
associativismo s.m.
associativista adj. s.2g.
associativístico adj.
associativo adj.
associável adj.2g.
assódico adj.
assoguilhado adj.
assoguilhar v.
assolação s.f.
assolado adj.
assolador (*ô*) adj. s.m.
assolamento s.m.
assolapado adj.
assolapador (*ô*) adj. s.m.
assolapar v.
assolar v.
assoldadado adj.
assoldadar v.
assoldado adj.
assoldar v.
assoleado adj.
assoleamento s.m.
assolear v.
assolhado adj.
assolhar v.
assomada s.f.
assomadiço adj.
assomado adj.
assomamento s.m.
assomante adj.2g.
assomar v.
assomático adj.
assomatismo s.m.
assômato adj.
assomatófita s.f.
assomatognosia s.f.
assomatognóstico adj.
assombração s.f.
assombradiço adj.
assombrado adj.
assombrador (*ô*) s.m.
assombramento s.m.
assombra-pau s.m.; pl. *assombra-paus*
assombrar v.
assombreado adj.
assombreamento s.m.
assombrear v.
assombro s.m.
assombroso (*ô*) adj.; f. (*ó*); pl. (*ó*)
assomo s.m.
assonamento s.m.
assonância s.f.
assonantado adj.
assonante adj.2g.
assonântico adj.
assonar v.
assonjo s.m.
ássono s.m.
assonorentado adj.
assonsado adj.
assonsar v.
assopeado adj.
assopear v.
assopitar v.
assopradela s.f.
assoprado adj.
assoprador (*ô*) adj. s.m.
assopradura s.f.
assopramento s.m.
assoprar v.
assopro (*ô*) s.m.; cf. *assopro*, fl. do v. *assoprar*
assoreabilidade s.f.
assoreação s.f.
assoreado adj.
assoreador (*ô*) adj.
assoreamento s.m.
assorear v.
assoreável adj.2g.
assorrelfado adj.
assorresinotanol s.m.
assossegado adj.
assossegador (*ô*) adj.
assossegamento s.m.
assossegar v.
assossego (*ê*) s.m.; cf. *assossego*, fl. do v. *assossegar*
assoturnado adj.
assovacado adj.
assovacar v.
assovelado adj.
assovelar v.
assovia-cachorro s.2g.; pl. *assovia-cachorros*
assoviada s.f.
assoviadeira s.f.
assoviadela s.f.
assoviado adj.
assoviador (*ô*) adj. s.m.
assoviadura s.f.
assoviante adj.2g.
assoviar v.
assovinado adj.
assovinar v.
assovinhar v.
assovio s.m.
assovio de cobra s.m.
assuã s.f.
assuada s.f. "vaia"; cf. *assoada*
assuanês adj. s.m.
assuar v. "vaiar"; cf. *assoar*
assubir v.
assubstantivado adj.
assubstantivar v.
assubtilado adj.
assubtilar v.
assucado adj.
assucador (*ô*) adj. s.m.
assucar v. "arar"; cf. *açúcar*
assugador (*ô*) adj. s.m.
assujeitar v.
assumagrado adj.
assumagrar v.
assumente adj. s.2g.
assumi s.m.
assumido adj.
assumir v.
assumpcionista adj. s.2g.
assumptível adj.2g.
assumptivo adj.
assumpto adj. s.m.
assunção s.f.
assuncionense adj. s.2g.
assuncionista adj. s.2g.
assungado adj.
assungar v.
assuntador (*ô*) adj. s.m.
assuntante adj.2g.
assuntar v.
assuntível adj.2g.
assuntivo adj.
assunto adj. s.m.
assurdinar v.
assurgente adj.2g.
assurgir v.
assustação s.f.
assustadiço adj.
assustado adj. s.m.
assustador (*ô*) adj. s.m.
assustar v.
assustoso (*ô*) adj.; f. (*ó*); pl. (*ó*)
asta adj. s.2g. "antigo povo da Trácia"; cf. *hasta*
astaceno adj. s.m.
astacícola adj.2g.
astacicultor (*ô*) s.m.
astacicultura s.f.
astácida adj.2g. s.m.
astacídeo adj. s.m.
astácido adj. s.m.
ástaco s.m.
astacoide (*ó*) adj.2g. s.m.
astacólito s.m.
astacópode s.m.
astacopódio s.m.
astapense adj. s.2g.
astarotita adj. s.2g.
astarte s.f.
astarteia (*é*) s.f.
astártida adj.2g. s.m.
astartídeo adj. s.m.
astartiense adj.2g.
ástase s.f.
astasia s.f.
astásico adj.
astasídeo adj. s.m.
ástata s.m.
ástate s.m.
astaticidade s.f.
astático adj.
astatíneo adj. s.m.
astatínio s.m.
astatino s.m.
ástato s.m.
asteatose s.f.
asteatósico adj.
asteatótico adj.
asteca adj. s.2g.
astecano adj. s.m.
asteísmo s.m.
astela s.f.
astélabo s.m.
astélia s.f.
asteliácea s.f.
asteliáceo adj.
astélica adj.
astelma s.f.
astema s.m.
astemático adj.
astenia s.f.
astênico adj.
astenocoreia (*é*) s.f.
astenocorese s.f.
astenocoria s.f.
astenofonia s.f.
astenologia s.f.
astenológico adj.
astenomania s.f.
astenômano adj. s.m.
astenopia s.f.
astenópico adj.
astenopirético adj.
astenopiria s.f.
astenosfera s.f.
astenosférico adj.
astenospermia s.f.
astenoxia (*cs*) s.f.
asteque adj. s.2g.
áster s.m.
asteracanta s.f.
asterácea s.f.
asteráceo adj.
asteral adj.2g.
asterale s.f.
asteranto s.m.
asterela s.f.
astereognose s.f.
astereognosia s.f.
astereognóstico adj.
astereometria s.f.
astereométrico adj.
astereômetro s.m.
astéria s.f.
asteriado adj.
astérico adj.
astérida adj.2g. s.m.
asterídio s.m.
asteriforme adj.2g.
asterídeo adj. s.m.
asterínida adj.2g. s.m.
asterinídeo adj. s.m.
asterino s.m.
asterinóideo adj.
astério s.m.
asteriognosia s.f.
asteriscão s.m.
asterisco s.m.
asterismo s.m.
asteristião s.m.
asterita s.f.
asterite s.f.
asterito s.m.
asterizar v.
asternal adj.2g.
asternia s.f.
asterocalamitácea s.f.
asterocalamitáceo adj.
asterocalamite s.f.
asterodermo s.m.
asterofilita s.f.
asterofilite s.f.
asterofilítico adj.
asterofilito s.m.
asterognosia s.f.
asteroide (*ó*) adj.2g. s.m.
asteróidea s.f.
asteróideo adj. s.m.
asteroíta s.f.
asterol s.m.
asterolampra s.m.
asterolamprina s.f.
asterolásia s.f.
asterolino s.m.
asteroma s.m.
asterometria s.f.
asterométrico adj.
asterômetro s.m.
asterônfalo s.m.
asterônia s.m.
asteronímia s.f.
asteronímico adj.
asterônimo s.m.
asteroqueto s.m.
asteróscopo s.m.
asterospôndilo s.m.
asterósporo s.m.
asterostigma s.f.
asterostomela s.f.
asterostomídio s.m.
asterostroma s.m.
asterotírio s.m.
asterozoário s.m.
astiano adj.
astianto s.m.
ástico adj. s.m.
asticoterapia s.f.
astidameia (*é*) s.f.
astidâmia s.f.
astiense adj. s.2g.
astigitano adj. s.m.
astigmação s.f.
astígmata s.2g.
astigmático adj.
astigmatismo s.m.
astigmatoscopia s.f.
astigmatoscópico adj.
astigmatoscópio s.m.
astigmia s.f.
astígmico adj.
astigmógrafo s.m.
astigmometria s.f.
astigmométrico adj.
astigmômetro s.m.
astigmomíope adj. s.2g.
astigmomiopia s.f.
astigrafia s.f.
astigráfico adj.
astígrafo s.m.
astil s.m.
astilbe s.m.
astilha s.f. "fragmento de madeira"; cf. *hastilha*
astilhaço s.m.
astilhado adj.
astilhar v.
astilheira s.f.
astilo adj.
astim s.m.
astinomia s.f.
astinômico adj.
astínomo s.m.
astionímia s.f.
astionímico adj.
astiônimo s.m.
astíria s.f.
astisia s.f.
astísico adj.
astismo s.m.
asto adj. s.m.
astogênese s.f.
astogenético adj.
astogênico adj.
astolfense adj. s.2g.
astolfo-dutrense adj. s.2g.; pl. *astolfo-dutrenses*
astômato adj.
astomia s.f.
ástomo adj. s.m.
astorgano adj. s.m.
astorguense adj. s.2g.
astra s.m.
astracã s.2g.
astracanita s.f.
astracanite s.f.
astracanito s.m.
astracanta s.f.
astrafialita s.f.
astrafialite s.f.
astrafialítico adj.
astrafialito s.m.
astragalectomia s.f.
astragalectômico adj.
astragália s.f.
astragaliano adj.
astragálico adj.
astragalina s.f.
astragalino adj.
astragalismo s.m.
astragalizante adj.
astrágalo s.m.
astragaloide (*ó*) adj.2g.
astragalomancia s.f.
astragalomante adj. s.2g.
astragalomântico adj.
astragalotomia s.f.
astragalotômico adj.
astrakanita s.f.
astral adj.2g. s.m.
astralão s.m.
astralidade s.f.
astralização s.f.
astralizar v.
astramita adj. s.2g.
astrança s.f.
astrância s.f.
ástrapa s.m.
astrápea s.f.
astrapeense adj. s.2g.
astrapeia (*é*) s.f.
astrápeo adj.
astrápia s.f.
ástrapo s.m.
astrapofobia s.f.
astrapófobo s.m.
astrapotério s.m.
astre s.m.
astreáceo s.m.
astreado adj.
astrébia s.f.
astréfia s.f.
astrego (*ê*) s.m.
astreia (*é*) s.f.
astreídeo adj. s.m.
ástreo adj.
astreópora s.f.
astreptonema s.f.
astresclereide s.f.
astresclereíde s.f.
astribordo s.m.
astricção s.f.
ástrico adj.
astridita s.f.
astrífero adj.
astrífico adj.
astrígero adj.
astringente adj.2g.
astriônica s.f.
astro s.m.
astroantena s.f.
astroarqueologia s.f.
astroarqueológico adj.
astrobiologia s.f.
astrobiológico adj.
astroblema s.m.
astroblepo s.m.
astrobolismo s.m.
astróbolo s.m.
astrobotânica s.f.
astrobotânico adj. s.m.
astrocário s.m.

astrocárpea s.f.
astrocárpeo adj.
astrocarpo s.m.
astrocinologia s.f.
astrocinológico adj.
astrociste s.f.
astrócito s.m.
astrocitoma s.m.
astrocitose adj. s.f.
astroclima s.m.
astroclimático adj.
astrococo s.m.
astrodendro s.m.
astroderma s.m.
astrodinâmica s.f.
astrodinâmico adj.
astroesclereide s.f.
astroesclereíde s.f.
astrofanometria s.f.
astrofanométrico adj.
astrofanômetro s.m.
astrofilita s.f.
astrofilite s.f.
astrofilítico adj.
astrofilito s.m.
astrofilo s.m.
astrofísica s.f.
astrofísico adj. s.m.
astrófita s.m.
astrofitida adj.2g. s.m.
astrofitídeo adj. s.m.
astrófito s.m.
astrofobia s.f.
astrofóbico adj.
astrófobo adj. s.m.
astróforo adj.
astrofotografar v.
astrofotografia s.f.
astrofotográfico adj.
astrofotógrafo s.m.; cf. *astrofotografo*, fl. do v. *astrofotografar*
astrofotometria s.f.
astrofotométrico adj.
astrofotômetro s.m.
astrogastro adj. s.m.
astrogênese s.f.
astrogenia s.f.
astrogênico adj.
astrogeologia s.f.
astrogeológico adj.
astrogeologista s.2g.
astrogeólogo s.m.
astrognosia s.f.
astrognósico adj.
astrognóstico adj.
astrogonia s.f.
astrogônico adj.
astrografia s.f.
astrográfico adj.
astrógrafo s.m.
astrograma s.m.
astroide (*ó*) adj. s.2g.
astroíta s.f.
astroíte s.f.
astroítico adj.
astroíto s.m.
astrola s.f.
astrolábio s.m.
astrolarva s.f.
astrólatra s.2g.
astrolatria s.f.
astrolátrico adj.
astroleno s.m.
astrolépade s.f.
astróligo s.m.
astrolina s.f.
astrólito s.m.
astrologia s.f.
astrológico adj.
astrólogo adj. s.m.
astroloma s.m.
astromancia s.f.
astromante s.2g.
astromântico adj.
astrômero s.m.
astrometeorologia s.f.
astrometeorológico adj.
astrometeorologista s.2g.
astrometeorólogo s.m.
astrômetra s.2g.
astrometria adj.
astrométrico s.f.
astrometrista s.2g.
astrômetro s.m.
astronauta s.2g.
astronáutica s.f.
astronáutico adj.
astronaval adj.2g.
astronave s.f.
astronavegabilidade s.f.
astronavegação s.f.
astronavegador (*ô*) s.m.
astronavegar v.
astronavegável adj.2g.
astronícida adj.2g. s.m.
astronicídeo adj. s.m.
astronímia s.f.
astronímico adj.
astrônimo s.m.
astrônio s.m.
astrônix (*cs*) s.m.2n.
astronomia s.f.
astronômico adj.
astrônomo s.m.
astropécten s.m.
astropectínida adj.2g. s.m.
astropectinídeo adj. s.m.
astropólio s.m.
astropórea s.f.
astroquélida adj.2g. s.m.
astroquelídeo adj. s.m.
astroquímica s.f.
astroquímico adj. s.m.
astrorriza s.f.
astrosclereide s.f.
astrosclereíde s.f.
astroscopia s.f.
astroscópico adj.
astroscópio s.m.
astrosfera s.f.
astrosférico adj.
astrosia s.f.
astroso (*ô*) adj.; f. (*ó*); pl. (*ó*)
astrosofia s.f.
astrosófico adj.
astrósofo s.m.
astrospórico adj.
astrósporo s.m.
astrosquema s.m.
astróstata s.m.
astrostática s.f.
astrostático adj.
astrostatística s.f.
astrostatístico adj.
astroteliácea s.f.
astroteliáceo adj.
astrotélio s.m.
astroteologia s.f.
astroteológico adj.
astrotesia s.f.
astrótrica s.f.
astrozoo (*ô*) s.m.
astrozoologia s.f.
astrozoológico adj.
astúcia s.f.; cf. *astucia*, fl. do v. *astuciar*
astuciar v.
astucioso (*ô*) adj.; f. (*ó*); pl. (*ó*)
ástur adj. s.2g.
ásture adj. s.2g.
asturiano adj. s.m.
asturião adj. s.m.
astúrico adj.
asturiense adj. s.2g.
asturina s.f.
astúrio adj. s.m.
asturo-galego adj. s.m.; pl. *asturo-galegos*
asturo-leonês adj. s.m.; pl. *asturo-leoneses*
astuto adj.
asueroterapia (*ss*) s.f.
asura s.m.
asurol s.m.
asvameda s.m.
ata s.f. "registro", etc.; cf. *atá*
atá s.m. "falta de rumo"; cf. *ata*
atabacado adj.
atabafado adj.
atabafador (*ô*) adj. s.m.
atabafamento s.m.
atabafar v.
atabafeira s.f.
atabafeiro s.m.
atabafilho s.m.
atabal s.m.
atabalaque s.m.
atabalar v.
atabale s.m.
atabaleiro s.m.
atabalhoação s.f.
atabalhoado adj.
atabalhoador (*ô*) s.m.
atabalhoamento s.m.
atabalhoar v.
atabalhoo (*ô*) s.m.
atabalinheiro s.m.
atabalinho s.m.
atabão s.m.
atabaque s.m.
atabaqueiro s.m.
atabarda s.f.
atabarqueiro s.m.
atabasca adj. s.2g. s.m.
atabasco adj. s.m.
atabefe s.m.
atabeque s.m.
atabernado adj.
atabernar v.
atabi s.m.
atabona s.f.
atabua s.f.
atabuado adj.
atabuar v.
atabucado adj.
atabucar v.
atabular v.
atábulo s.m.; cf. *atabulo*, fl. do v. *atabular*
ataburrar v.
ataca s.f.
atacã s.f.
atacabilidade s.f.
atacada s.f.
atacadas s.f.pl.
ataca de mão s.f.
ataca de pé s.f.
atacadista adj. s.2g.
atacado adj. s.m.
atacador (*ô*) adj. s.m.
atacadura s.f.
atacamenho adj. s.m.
atacameno adj. s.m.
atacamento s.m.
atacamita s.f.
atacanhar v.
atacaniça s.f.
atacante adj. s.2g.
atação s.f.
atacar v.
atacável adj.2g.
atacino adj. s.m.
átaco s.m.; cf. *ataco*, fl. do v. *atacar*
atacoado adj.
atacoar v.
atacolita s.f.
atacolite s.f.
atacolito s.m.
atacorla s.m.
atáctico adj. s.m.
atactomorfose s.f.
atactomorfótico adj.
atactostelia s.f.
atactostélico adj.
atactostelo s.m.
atada s.f.
atadeira s.f.
atadeiro adj. s.m.
atadilho s.m.
atado adj. s.m.
atador (*ô*) adj. s.m.
atadura s.f.
atafal s.m.
atafegação s.f.
atafegado adj.
atafegar v.
atafego (*ê*) s.m.; cf. *atafego*, fl. do v. *atafegar*
atafera s.f.
atafina s.f.
atafinda s.f.
atafona s.f.
atafoneira s.f.
atafoneiro s.m.
atafonense adj. s.2g.
atafulado adj.
atafular v.
atafulhado adj.
atafulhamento s.m.
atafulhar v.
atagã s.m.
ataganhar v.
ataganir v.
atagantado adj.
atagantar v.
atalá s.m.
atalaia s.2g.
atalaiado adj.
atalaiador (*ô*) s.m.
atalaiar v.
atalaiense adj. s.2g.
atálamo adj.
atalanta s.f.
atalantense adj. s.2g.
atalântia s.f.
atalaque s.m.
atálea s.f.
ataleense adj. s.2g.
ataleia (*é*) s.f.
ataleigar v.
atalense adj. s.2g.
atalhação s.f.
atalhada s.f.
atalhadiço adj.
atalhado adj.
atalhadoiro s.m.
atalhador (*ô*) adj. s.m.
atalhadouro s.m.
atalhamento s.m.
atalhar v.
atalhe s.m.
atalhense adj. s.2g.
atalho s.m.
atália s.f.
atálico adj.
atamã s.m.
atamado adj.
atamanca s.f.
atamancação s.f.
atamancado adj.
atamancador (*ô*) s.m.
atamancamento s.m.
atamancar v.
atamancum adj. s.2g.
atamane adj. s.2g.
atamanhado adj.
atamano adj. s.m.
atamanta s.f.
atamante adj. s.2g.
atamanteia (*é*) adj. s.f. de *atamanteu*
atamanteu adj. s.m.; f. *atamanteia* (*é*)
atamântico adj.
atamantina s.f.
atamantínico adj.
atamantoide (*ó*) adj.2g.
atamar v.
atamarado adj.
atambeirado adj.
atambia s.f.
atambor (*ô*) s.m.
atamento s.m.
atamiça s.f.
atamísquea s.f.
atamísqueo adj.
ataná s.f.
atanado adj. s.m.
atanar v.
atanário adj.
atânase s.f.
atanásia s.f.
atanásia-das-boticas s.f.; pl. *atanásias-das-boticas*
atanásia-marítima s.f.; pl. *atanásias-marítimas*
atanásico adj.
atanático adj.
atanatismo s.m.
atanatista adj. s.2g.
atanatístico adj.
atanatologia s.f.
atanatológico adj.
atanatólogo s.m.
atanazado adj.
atanazar v.
atanchar v.
atanda adj. s.2g.
atangará s.m.
atangaratinga s.m.
atanger v.
atanoado adj. s.m.
atanoar v.
atanor (*ô*) s.m.
atanúvio s.m.
atapala s.m.
atapasca adj. s.2g. s.m.
atapata s.m.
atapato s.m.
ataperado adj.
ataperar v.
atapetação s.f.
atapetado adj.
atapetador (*ô*) adj. s.m.
atapetamento s.m.
atapetar v.
atapetável adj.2g.
atapu s.m.
atapulgita s.f.
atapulgitta s.f.
atapulhado adj.
atapulhar v.
ataque s.m.
ataqueiro s.m.
ataquense adj. s.2g.
atar v. s.m.
atarabebê s.m.
ataraberê s.m.
ataráctico adj.
atarantação s.f.
atarantadela s.f.
atarantado adj.
atarantador (*ô*) adj. s.m.
atarantamento s.m.
atarantar v.
ataranto s.m.
atarático adj.
ataraú s.m.
ataraxia (*cs*) s.f.
ataráxico (*cs*) adj.
atardado adj.
atardamento s.m.
atardar v.
atarê s.m.
atareado adj.
atarear v.
atarefado adj.
atarefador (*ô*) adj.
atarefamento s.m.
atarefar v.
ataroucado adj.
ataroucar v.
atarracadela s.f.
atarracado adj.
atarraçado adj.
atarracador (*ô*) adj. s.m.
atarracamento s.m.
atarracar v.
atarraçar v.
atarrafa s.f.
atarrafado adj.
atarrafar v.
atarraque s.m.
atarraxação s.f.
atarraxado adj.
atarraxador (*ô*) adj. s.m.
atarraxamento s.m.
atarraxante adj.2g.
atarraxar v.
atartarugado adj.
atartarugar v.
atarubaqui s.m.
atarugar v.
atascadeiro s.m.
atascado adj.
atascal s.m.
atascar v.
atasqueiro s.m.
atassalhado adj.
atassalhador (*ô*) adj. s.m.
atassalhadura s.f.
atassalhamento s.m.
atassalhante adj.2g.

atassalhar v.
atassim s.m.
atataranhado adj.
atataranhar v.
atático adj. s.m.
atatino adj. s.m.
ataú s.m.
ataúba s.f.
ataubense adj. s.2g.
ataudado adj.
ataudar v.
ataúde s.m.
ataumasia s.f.
atauxia s.f.
atauxiado adj.
atauxiar v.
atavanado adj.
atavão s.m.
atavaque s.m.
atavernado adj.
atavernar v.
atávia s.f.; cf. *atavia*, fl. do v. *ataviar*
ataviado adj.
ataviador (*ô*) s.m.
ataviamento s.m.
ataviar v.
atávico adj.
atavio s.m.
atavismo s.m.
atavístico adj.
atavizar v.
átavo s.m.
atavolado s.m.
atavolar v.
atavonado adj.
ataxia (*cs*) s.f.
atáxico (*cs*) adj.
ataxiforme (*cs*) adj.2g.
ataxígrafo (*cs*) s.m.
ataxinomia (*cs*) s.f.
ataxinômico (*cs*) adj.
ataxita (*cs*) s.f.
ataxite (*cs*) s.f.
ataxítico (*cs*) adj.
ataxito (*cs*) s.m.
ataxocinese (*cs*) s.f.
ataxocinético (*cs*) adj.
ataxodinamia (*cs*) s.f.
ataxodinâmico (*cs*) adj.
ataxofemia (*cs*) s.f.
ataxofêmico (*cs*) adj.
ataxografia (*cs*) s.f.
ataxográfico (*cs*) adj.
ataxógrafo (*cs*) s.m.
ataxomorfia (*cs*) s.f.
ataxomórfico (*cs*) adj. s.m.
ataxomorfo (*cs*) adj. s.m.
ataxonomia (*cs*) s.f.
ataxonômico (*cs*) adj.
atazanado adj.
atazanar v.
até adv. prep.
ateado adj.
ateador (*ô*) adj. s.m.
atear v.
ateatrado adj.
atebrina s.f.
atecado adj.
atecária s.f.
atecnia s.f.
atécnico adj.
ateco s.m.
atectônico adj.
atedágua s.f.
atediado adj.
atediar v.
ateia (*é*) adj. s.f. de *ateu*; cf. *ateia*, fl. do v. *atear*
ateigado adj.
ateigamento s.m.
ateigar v.
ateimado adj.
ateimar v.
ateira s.f.
ateiró s.f.
ateísmo s.m.
ateísta adj. s.2g.
ateístico adj.
ateização s.m.
ateizar v.
atela s.f.
atélabo s.m.
atelana s.f.
atelandra s.f.
atelânico adj.
atelano adj. s.m.
atelantera s.f.
átele s.m.
atelectasia s.f.
atelectásico adj.
atelectático adj.
ateleia (*é*) s.f.
atelencefalia s.f.
atelencefálico adj.
atelencéfalo adj. s.m.
atelestita s.f.
atelestite s.f.
atelestítico adj.
atelestito s.m.
atelesto s.m.
ateletático adj.
ateleuto adj.
atelhado adj.
atelhamento s.m.
atelhar v.
atelia s.f.
atélico adj.
ateliê s.m.
atelina s.f.
ateliose s.f.
ateliótico adj.
atelita s.f.
atelocardia s.f.
atelocardíaco adj.
atelocárdico adj.
atelócero s.m.
atelocinesia s.f.
atelocinético adj.
ateloglossia s.f.
ateloglóssico adj.
ateloglótico adj.
atelógnata adj. s.2g.
atelognatia s.f.
atelografia s.f.
atelográfico adj.
atelógrafo adj. s.m.
atelomíctico adj.
atelomielia s.f.
atelomiélico adj.
atelomixia (*cs*) s.f.
atelópode adj.
atelopodia s.f.
atelopódico adj.
ateloprosopia s.f.
ateloprosópico adj.
ateloprosopo (*ô*) s.m.
ateloquilia s.f.
ateloquílico adj.
ateloquiria s.f.
ateloquírico adj.
atelorraquia s.f.
atelorráquico adj.
atelorraquidia s.f.
atelorraquidiano adj.
atelostomia s.f.
atemático adj.
atemorado adj.
atemorar v.
atemorizabilidade s.f.
atemorização s.f.
atemorizado adj.
atemorizador (*ô*) adj. s.m.
atemorizamento s.m.
atemorizante adj.2g.
atemorizar v.
atemorizável adj.2g.
atempação s.f.
atempado adj.
atempamento s.m.
atempar v.
atemperado adj.
atemperante adj.2g.
atemperar v.
atemporal adj.
atemporalidade s.f.
atenasita s.f.
atenaué adj. s.2g.
atenazado adj.
atenazador (*ô*) adj. s.m.
atenazamento s.m.
atenazar v.
atença s.f.
atenção s.f.
atencioso (*ô*) adj.; f. (*ó*); pl. (*ó*)
atenda s.f.
atendar v.
atendente adj. s.2g.
atender v.
atendibilidade s.f.
atendido adj.
atendimento s.m.
atendível adj.2g.
ateneia (*é*) adj. s.f. de *ateneu*
ateneopolita adj. s.2g.
ateneu adj. s.m.; f. *ateneia* (*é*)
ateniense adj. s.2g.
atenorado adj.
atenorar v.
atenorinado adj.
atenorizado adj.
atenorizar v.
aterrado adj.
atenrar v.
atentado adj. s.m.
atentador (*ô*) adj.
atentamento s.m.
atentar v.
atentato s.m.
atentatório adj.
atentivo adj.
atento adj.
atenuabilidade s.f.
atenuação s.f.
atenuado adj.
atenuador (*ô*) adj. s.m.
atenuante adj. s.2g.
atenuar v.
atenuativo adj.
atenuável adj.2g.
atequipera (*ê*) s.f.
ater v.
aterandra s.f.
aterantera s.f.
aterecer v.
aterecido adj.
ateréua s.f.
ateriano adj.
ateribá s.f.
atérica s.f.
aterícero s.m.
atericiado adj.
atericiar v.
aterina s.f.
aterínida adj.2g. s.m.
ateriníneo adj. s.m.
aterino s.m.
atermado adj.
atermal adj.2g.
atermancia s.f.
atermaneidade s.f.
atermâneo adj.
atermanidade s.f.
atérmano adj.
atermar v.
atermasia s.f.
atermia s.f.
atérmico adj.
aterminado adj.
atermossistáltico adj.
aterogênese s.f.
aterogênico adj.
ateroma s.m.
ateromasia s.f.
ateromatose s.f.
ateromatoso (*ô*) adj.; f. (*ó*); pl. (*ó*)
ateromatótico adj.
ateropógon s.m.
aterosclerose s.f.
ateroesclerótico adj.
aterosperma s.f.
aterospérmea s.f.
aterospérmeo adj.
aterospermo adj. s.m.
aterradense adj. s.2g.
aterradinhense adj. s.2g.
aterrado adj. s.m.
aterrador (*ô*) adj.
aterragem s.f.
aterramento s.m.
aterraplenado adj.
aterraplenagem s.f.
aterraplenar v.
aterrar v.
aterrecer v.
aterrecido adj.
aterrissagem s.f.
aterrissar v.
aterrizar v.
aterro (*ê*) s.m.; cf. *aterro*, fl. do v. *aterrar*
aterroada s.f.
aterroar v.
aterro-barragem s.m.; pl. *aterros-barragem* e *aterros-barragens*
aterroração s.f.
aterrorado adj.
aterrorador (*ô*) adj.
aterrorável adj.2g.
aterrorização s.f.
aterrorizado adj.
aterrorizador (*ô*) adj.
aterrorizante adj.2g.
aterrorizar v.
aterrorizável adj.2g.
atesado adj.
atesamento s.m.
atesar v.
atesia s.f.
atesoiração s.f.
atesoirado adj.
atesoiramento s.f.
atesoirar v.
atesouração s.f.
atesourado adj.
atesouramento s.m.
atesourar v.
atestabilidade s.f.
atestação s.f.
atestado adj. s.m.
atestador (*ô*) adj. s.m.
atestadura s.f.
atestamento s.m.
atestante adj. s.2g.
atestar v.
atestatório adj.
atestável adj.2g.
atestear v.
atestino adj. s.m.
atesto (*ê*) s.m.; cf. *atesto*, fl. do v. *atestar*
atetese s.f.
atetético adj.
atetoide (*ó*) adj.2g.
atetose s.f.
atetósico adj.
atetótico adj.
ateu adj. s.m.; f. *ateia* (*é*)
atezanar v.
athabascaíta s.f.
ati s.f.
atiá s.f.
atiaçuense adj. s.2g.
atiadeu adj. s.2g.
atiati s.f.
atibaçu s.m.
atibaia s.f.
atibaiano adj. s.m.
atibaiense adj. s.2g.
atibar v.
atibiado adj.
atibiar v.
atiça s.m.
atiçação s.f.
atiçado adj.
atiçador (*ô*) adj. s.m.
atiçamento s.m.
aticar v.
atiçar v.
aticismo s.m.
aticista adj. s.2g.
aticístico adj.
aticite s.f.
aticítico adj.
aticizar v.
atiço s.m.
ático adj. s.m.
atiçoado adj.
aticoantrotomia s.f.
aticoantrotômico adj.
atiçoar v.
atiçonado adj.
atiçu s.m.
aticum s.2g.
aticurga s.f.
aticurgo adj. s.m.
atidiate adj. s.2g.
atidiídeo adj. s.m.
atido adj.
atié adj. s.2g.
atigrado adj.
atigrar v.
atijolado adj.
atijolamento s.m.
atijolar v.
átila s.m.
atilação s.f.
atilado adj.
atilamento s.m.
atilar v.
atilhar v.
atilho s.m.
atiliano adj.
atiliense adj. s.2g.
atílio adj.
atilósia s.f.
atim s.m.
atimia s.f.
atímico adj.
atimirinense adj. s.2g.
atimirinzense adj. s.2g.
átimo s.m.
atimpania s.f.
atimpânico adj.
atinação s.f.
atinado adj.
atinar v.
atinate adj. s.2g.
atinável adj.2g.
atincal s.m.
atineado adj.
atinência s.f.
atinente adj.2g.
atinga s.f.
atingaçu s.m.
atingaú s.f.
atingibilidade s.f.
atingido adj.
atingimento s.m.
atingir v.
atingível adj.2g.
atinguaçu s.m.
atínia s.f.
atino s.m.
atintamento s.m.
atintar v.
atipia s.f.
atipicidade s.f.
atípico adj.
atípida adj.2g. s.m.
atipídeo adj. s.m.
atiplado adj.
atiplar v.
átipo s.m.
atipomorfose s.f.
atipomorfósico adj.
atipomorfótico adj.
atiquio s.m.
atirada s.f.
atiradeira s.f.
atiradense adj. s.2g.
atiradiço adj. s.m.
atirado adj.
atirador (*ô*) adj. s.m.
atiramento s.m.
atiranço s.m.
atirantar v.
atirante adj.2g.
atirar v.
atirável adj.2g.
atireoide (*ó*) adj.2g.
atireóideo adj.
atireoidia s.f.
atireoidismo s.m.
atireose s.f.
atireótico adj.
atiria s.f.
atiriba s.f.
atirocárpio s.m.
atirocarpo s.m.
atiroide (*ó*) adj.2g.
atiroideia (*é*) adj. s.f. de *atiroideu*

atiróideo adj.
atiroideu adj. s.m.; f. *atiroideia* (*é*)
atiroidia s.f.
atiroidismo s.m.
atitar v.
atito s.m.
atitude s.f.
atitudinal adj.2g.
atitular v.
atiuaçu s.m.
ativa s.f.
ativação s.f.
ativado adj.
ativador (*ô*) adj. s.m.
ativamento s.m.
ativante adj.2g.
ativar v.
ativável adj.2g.
atividade s.f.
ativismo s.m.
ativista adj. s.2g.
ativístico adj.
ativo adj. s.m.
atlanta s.f.
atlante adj. s.2g. s.m.
atlanticismo s.m.
atlanticista adj. s.2g.
atlântico adj. s.m.
atlântida adj.2g. s.f.
atlantidense adj. s.2g.
atlantídeo adj. s.m.
atlantização s.f.
atlantoccipital adj.2g.
atlantoidatlantoideia (*é*) s.f. de *atlantoidatlantoideu*
atlantoidatlantoideu s.m.; f. *atlantoidatlantoideia* (*é*)
atlantoidaxóideo (*cs*) adj.
atlantoide (*ó*) adj. s.2g.
atlantoideia (*é*) adj.; f. de *atlantoideu*
atlantóideo adj.
atlantoideu adj.; f. *atlantoideia* (*é*)
atlantoidiano adj.
atlantoidobasilar adj.2g.
atlantoidobasioccipital adj.2g.
atlantoidoccipital adj.2g.
atlantoidodontóideo adj.
atlantoidomastóideo adj.
atlanto-mediterrâneo adj. s.m.; pl. *atlanto-mediterrâneos*
atlantossáurida adj.2g. s.m.
atlantossaurídeo adj. s.m.
atlantossáurio s.m.
atlantossauro s.m.
atlas s.m.2n.
atlasiano adj.
atlasita s.f.
atlasite s.f.
atlasítico adj.
atlasito s.m.
atleta s.2g.
atlética s.f.
atleticano adj. s.m.
atleticismo s.m.
atlético adj.
atletismo s.m.
atletístico adj.
atlipse s.f.
atlíptico adj.
atlipto adj. s.m.
atlodídimo s.m.
atloidatloideia (*é*) adj.; f. de *atloidatloideu*
atloidatloideu adj.; f. *atloidatloideia* (*é*)
atloidaxóideo (*cs*) adj.
atloide (*ó*) adj. s.m.
atloideia (*é*) adj.; f. de *atloideu*
atlóideo adj.
atloideu adj.; f. *atloideia* (*é*)
atloidiano adj.
atloidobasilar adj.2g.
atloidobasioccipital adj.2g.
atloidoccipital adj.2g.
atloidodontóideo adj.
atloidomastóideo adj.
atlóteta s.m.
atma s.m.
atmã s.m.
atmiatria s.f.
atmiátrico adj.
átmico adj.
atmidiatria s.f.
atmidiátrica s.f.
atmidiátrico adj.
atmidometria s.f.
atmidométrico adj.
atmidômetro s.m.
atmidometrografia s.f.
atmidometrográfico adj.
atmidometrógrafo s.m.
atmidoscopia s.f.
atmidoscópio s.m.
atmizônico adj.
atmocause s.f.
atmoclástico adj.
atmófilo adj.
atmografia s.f.
atmográfico adj.
atmógrafo s.m.
atmolisador (*ô*) s.m.
atmólise s.f.
atmolítico adj.
atmologia s.f.
atmológico adj.
atmologista s.2g.
atmólogo s.m.
atmometamorfismo s.m.
atmometria s.f.
atmométrico adj.
atmômetro s.m.
atmorrinometria s.f.
atmorrinométrico adj.
atmorrinômetro s.m.
atmosfera s.f.
atmosférico adj. s.m.
atmosferografia s.f.
atmosferográfico adj.
atmosferógrafo s.m.
atmosferograma s.m.
atmosferologia s.f.
atmosferológico adj.
atmosferologista s.2g.
atmosferólogo s.m.
ato s.m.
à toa adv. adj.2g.2n.
atoada s.f.
atoado adj.
atoagem s.f.
atoalhado adj. s.m.
atoalhar v.
atoantado adj.
atoar v.
atoarda s.f.
atobá s.m.
atobá-grande s.m.; pl. *atobás-grandes*
atobá-mascarado s.m.; pl. *atobás-mascarados*
atobá-pardo s.m.; pl. *atobás-pardos*
atocaiação s.f.
atocaiada s.f.
atocaiado adj.
atocaiagem s.f.
atocaiar v.
atocalto s.m.
atocha s.f.
atochado adj.
atochador (*ô*) adj. s.m.
atochar v.
atocho (*ô*) s.m.; cf. *atocho*, fl. do v. *atochar*
atocia s.f.
atócio s.m.
atofã s.m.
atoicinhado adj.
atoicinhar v.
atoídeo adj. s.m.
atoídida adj.2g. s.m.
à toinha adj.2g.2n.
atoirado adj.
atokita s.f.
atol s.m.
atola s.f.
atolação s.f.
atoladeirense adj. s.2g.
atoladeiro s.m.
atoladela s.f.
atoladiço adj.
atolado adj.
atoladoiro s.m.
atolador (*ô*) adj. s.m.
atoladouro s.m.
atolambado adj.
atolambar v.
atolamento s.m.
atolar v.
atoleco adj.
atoledo (*ê*) s.m.
atoleimado adj. s.m.
atoleimar v.
atoleirense adj. s.2g.
atoleiro s.m.
atomária s.f.
atomário adj. s.m.
atomásio s.m.
atomatado adj.
atomatar v.
atombar v.
atomicidade s.f.
atômico adj.
atomífero adj.
atomismo s.m.
atomista adj. s.2g.
atomística s.f.
atomístico adj.
atomização s.f.
atomizado adj.
atomizador (*ô*) adj. s.m.
atomizar v.
atomizável adj.2g.
átomo s.m.
atomóforo adj.
átomo-grama s.m.; pl. *átomos-grama* e *átomos-gramas*
atomologia s.f.
atomológico adj.
atomologista s.2g.
atomólogo s.m.
atonado adj.
atonal adj.2g.
atonalidade s.f.
atonalismo s.m.
atonalista adj. s.2g.
atonalístico adj.
atonar v.
atonelado adj.
atonia s.f.
atoniado adj.
atoniador (*ô*) adj.
atoniar v.
atonicidade s.f.
atônico adj.
atonificação s.f.
atonificado adj.
atonificador (*ô*) adj.
atonificante adj.2g.
atonismo s.m.
atonístico adj.
atônito adj.
atonização s.f.
atonizado adj.
atonizador (*ô*) adj.
atonizante adj.2g.
atonizar v.
atonizável adj.2g.
átono adj.
atontadiço adj.
atontado adj.
atontante adj.2g.
atontar v.
atontear v.
atoo (*ô*) s.m.
atopa s.f.
atopar v.
atopema s.m.
atopemático adj.
atopetado adj.
atopetar v.
atopia s.f.
atópico adj.
atopita s.f.
atopite s.f.
atopito s.m.
atopo (*ô*) s.m.; cf. *atopo*, fl. do v. *atopar*
atopognose s.f.
atopognosia s.f.
atopognósico adj.
atopognóstico adj.
atopomenorreia (*é*) s.f.
atopomenorreico (*é*) adj.
atoquinol s.m.
ator (*ô*) s.m.; f. *atriz*
atora s.f.
atorácico adj.
atorácido adj. s.m.
atorado adj.; cf. *aturado*
atoraí adj. s.2g.
atorar v. "fazer toras"; cf. *aturar*
atorçalado adj.
atorçalador (*ô*) s.m.
atorçalar v.
atorcedor (*ô*) s.m.
atorcelado adj.
atorcelar v.
atorçoado adj.
atorçoar v.
atorcular adj.2g.
atordoação s.f.
atordoado adj.
atordoador (*ô*) adj.
atordoamento s.m.
atordoante adj.2g.
atordoar v.
atordoável adj.2g.
atori s.f.
atoríbida adj.2g. s.m.
atoribídeo adj. s.m.
atoríbio s.m.
atormentação s.f.
atormentadiço adj.
atormentado adj.
atormentador (*ô*) adj. s.m.
atormentamento s.m.
atormentante adj.2g.
atormentar v.
atormentativo adj.
atormentável adj.2g.
atorporante adj.2g.
atorreado adj.
atorrear v.
atorrejado adj.
atorresmado adj.
atorresmar v.
atorroado adj.
atorroar v.
atoscado adj.
atoscalhado adj.
ato-show s.m.; pl. *atos-show*
atossicar v.
atotô s.m.
atouaou s.m.
atoucado adj.
atoucar v.
atouçar v.
atoucinhado adj.
atoucinhar v.
atouco s.m.
atourado adj.
atourunar v.
atoxicar (*cs*) v.
atóxico (*cs*) adj.
atoxil (*cs*) s.m.
atoxilar (*cs*) v.
atoxílico (*cs*) adj.
atoxilização (*cs*) s.f.
atoxilizar (*cs*) v.
atrabile s.f.
atrabiliário adj. s.m.
atrabilioso (*ô*) adj.; f. (*ó*); pl. (*ó*)
atrabílis s.f.
atracação s.f.
atracadela s.f.
atracado adj.
atracadoiro s.m.
atracador (*ô*) s.m.
atracadouro s.m.
atracadura s.f.
atracamento s.m.
atração s.f.
atracar v.
atraciômetro s.m.
atracionário adj. s.m.
atractaspe s.2g.
atractáspide s.f.
atractaspidíneo adj. s.m.
atractilático adj.
atractilato s.m.
atractílico adj.
atractílide s.f.
atractiligenina s.f.
atractiligenínico adj.
atractilina s.f.
atractilínico adj.
atractóbolo s.m.
atractócero s.m.
atráctodo s.m.
atractômetro s.m.
atractor (*ô*) adj.
atractossomo s.m.
atractriz adj. s.f.
atraente adj.2g.
atrafegado adj.
atrafegar v.
atrágena s.f.
atraiçoado adj.
atraiçoador (*ô*) adj. s.m.
atraiçoamento s.m.
atraiçoante adj.2g.
atraiçoar v.
atraiçoável adj.2g.
atraído adj.
atraidor (*ô*) adj.
atraimento s.m.
atrainelar v.
atrair v.
atralhoar v.
atramado adj.
atramar v.
atrambolhado adj.
atrambolhar v.
atramentária s.f.
atramentário adj. s.m.
atramento s.m.
atramita adj. s.2g.
atrancado adj.
atrancamento s.m.
atrancar v.
atranco s.m.
atrangalhado adj.
atrangalhar v.
atrano adj. s.m.
atranorate s.m.
atranórico adj.
atranorínico adj.
atranqueirado adj.
atranqueirar v.
atranquilho s.m.
atrapachar v.
atrapado adj.
atrapalhação s.f.
atrapalhado adj.
atrapalhador (*ô*) s.m.
atrapalhar v.
atrapalho s.m.
atrapar v.
atrapolho (*ô*) s.m.
atraque s.m.
atraqueado adj. s.m.
atraqueata s.m.
atraquelia s.f.
atraquélico adj.
atraquelo adj.
atrárico adj.
atrás adv.
atrasado adj. s.m.
atrasador (*ô*) adj. s.m.
atrasamento s.m.
atrasar v.
atraso s.m.
atratantado adj.
atratantar v.
atratividade s.f.
atrativo adj. s.m.
atrator (*ô*) adj. s.m.
atravancado adj.
atravancador (*ô*) adj.
atravancamento s.m.
atravancante adj.2g.
atravancar v.
atravanco s.m.
através adv.
atravessa s.f.
atravessadeiro s.m.
atravessadiço adj.

atravessado adj.
atravessadoiro s.m.
atravessador (*ô*) adj. s.m.
atravessadouro s.m.
atravessamento s.m.
atravessante adj.2g.
atravessar v.
atravessável adj.2g.
atravincado adj.
atravincar v.
atrazina s.f.
atrébate adj. s.2g.
atrecer v.
atrecido adj.
atredado adj.
atredar v.
atreguado adj.
atreguar v.
atregulhado adj.
atregulhar v.
atreitar v.
atreito adj.
atrelação s.f.
atrelado adj. s.m.
atrelador (*ô*) adj. s.m.
atrelagem s.f.
atrelamento s.m.
atrelar v.
atrelurar v.
atrema s.f.
atremado adj. s.m.
atremamento s.m.
atremar v.
átreme s.2g.; cf. *atreme*, fl. do v. *atremar*
atremia s.f.
atrêmico adj.
atrenado adj.
atrepa s.f.
atrepadeira s.f.
atrepar v.
atrepsia s.f.
atrepsiante adj.
atrépsico adj.
atréptico adj.
atresia s.f.
atrésico adj.
atretelitria s.f.
atretenteria s.f.
atretentérico adj.
atrético adj.
atretismo s.m.
atretístico adj.
atretoblefaria s.f.
atretoblefárico adj.
atretobléfaro adj.
atretocefalia s.f.
atretocéfalo s.f.
atretocisia s.f.
atretocísico adj.
atretocistia s.f.
atretocístico adj.
atretocormia s.f.
atretocormo adj. s.m.
atretogastria s.f.
atretogastro adj. s.m.
atretolemia s.f.
atretolêmico adj.
atretometria s.f.
atretométrico adj.
atretopsia s.f.
atretóptico adj.
atretorrinia s.f.
atretorrínico adj.
atretostomia s.f.
atretostômico adj.
atreturetria s.f.
atreturétrico adj.
atrever v.
atrevida s.f.
atrevidaço adj.
atrevidão adj. s.m.; f. *atrevidona*
atrevidete (*ê*) adj.
atrevido adj.
atrevidona adj. s.f. de *atrevidão*
atrevidote adj.
atrevidura s.f.
atrevimento s.m.
atrevincar v.
atrezentar v.
atrial adj.2g.
atriano adj. s.m.
atriário s.m.
atribuição s.f.
atribuído adj.
atribuidor (*ô*) adj. s.m.
atribuinte adj.2g.
atribuir v.
atribuível adj.2g.
atribulação s.f.
atribulado adj.
atribulador (*ô*) adj. s.m.
atribulante adj.2g.
atribular v.
atribulativo adj.
atributado adj.
atributador (*ô*) adj. s.m.
atributar v.
atributividade s.f.
atributivo adj.
atributo s.m.
átrica s.f.
atricado adj.
atricanado adj.
atrição s.f.
atricapilo adj.
atricaudato adj.
atricaude adj.2g.
atricionário adj. s.m.
atricionismo s.m.
atricionista adj. s.2g.
atricionístico adj.
átrico adj. s.m.
atricolo adj.
atricolor (*ô*) adj.2g.
atricomia s.f.
atrícomo adj.
atricórneo adj.
atricornitídeo adj. s.m.
atricular v.
atrida adj. s.2g.
atrido adj.
atriense s.m.
atrigado adj.
atrigar v.
atrigueirado adj.
atrigueirar v.
atril s.m.
atrilício s.m.
atrimarginado adj.
atrimarginar v.
atrincheirado adj.
atrincheirar v.
átrio s.m.
atríolo s.m.
atriopeptina s.f.
atriósporo adj. s.m.
atriovascular adj.2g.
atrioventricular adj.2g.
atripeçar v.
atrípede adj.2g.
atríplex (*cs*) s.m.
atriplícea s.f.
atriplíceo adj.
atriplicismo s.m.
atripoide (*ó*) adj.2g.
atripóideo adj.
atriptotalássico adj.
atriptotalassoide (*ó*) adj.2g.
atripular v.
atripurpúreo adj.
atriquia s.f.
atriquíase s.f.
atríquio s.m.
atrirrostro adj.
atristado adj.
atristador (*ô*) adj.
atristar v.
atristurado adj.
atristurar v.
atritado adj.
atritar v.
atrito adj. s.m.
atriz s.f. de *ator* (*ô*)
atro adj.
atroação s.f.
atroada s.f.
atroado adj.
atroador (*ô*) adj. s.m.
atroamento s.m.
atroante adj.2g.
atroar v.
atroável adj.2g.
atroce adj.2g.
atrocidade s.f.
atrocitar v.
atrocitose s.f.
atrocitótico adj.
átroco adj.
atroçoado adj.
atroçoar v.
atroctóbalo s.m.
atrodia s.m.
atrofia s.f.
atrofiação s.f.
atrofiado adj.
atrofiador (*ô*) adj. s.m.
atrofiamento s.m.
atrofiante adj.2g.
atrofiar v.
atrófico adj.
atrófito s.m.
átrofo adj.
atrofodermatose s.f.
atrofodermatótico adj.
atrogalhado adj.
atrogalhar v.
atrogênico adj.
atrogular adj.2g.
atrola (*ô*) s.f.; cf. *atrola*, fl. do v. *atrolar*
atroláctico adj.
atrolar v.
atrolhar v.
atromarginado adj.
atromarginar v.
atrombador (*ô*) adj. s.m.
atrombar v.
atrombasia s.f.
atrombetado adj.
atronal s.m.
atronar v.
atronato s.m.
atronchado adj.
atrongalhado adj.
atrongalhar v.
atronia s.f.
atrônico adj.
atroo (*ô*) s.m.
atroóstaquis s.m.2n.
átropa s.f.; cf. *atropa*, fl. do v. *atropar*
atropado adj.
atropamina s.f.
atropar v.
atropateno adj. s.m.
atropelação s.f.
atropelada s.f.
atropeladela s.f.
atropelado adj. s.m.
atropelador (*ô*) adj. s.m.
atropelamento s.m.
atropelante adj.2g.
atropelar v.
atropelável adj.2g.
atropelo (*ê*) s.m.; cf. *atropelo*, fl. do v. *atropelar*
atrópico adj.
atrópida adj.2g. s.m.
atropídeo adj. s.m.
atropilhado adj.
atropilhamento s.m.
atropilhar v.
atropina s.f.
atropinização s.f.
atropinizar v.
átropis s.m.2n.
atropismo s.m.
atropístico adj.
átropo adj. s.m.; cf. *atropo*, fl. do v. *atropar*
atróptero adj.
atropurpúreo adj.
atrosina s.f.
atrosínico adj.
atrotáxis (*cs*) s.f.2n.
atrouviscado adj.
atroz adj.2g.
atruncar v.
atrupido s.m.
atrusado adj.
atrusar v.
atrutado adj.
attacolita s.f.
attapulgita s.f.
attapulguita s.f.
atu s.m.
atuá s.m.
atuação s.f.
atuado adj.
atuador (*ô*) adj.
atual adj.2g.
atualidade s.f.
atualismo s.m.
atualista adj. s.2g.
atualístico adj.
atualização s.f.
atualizado adj.
atualizador (*ô*) adj.
atualizar v.
atualizável adj.2g.
atuante adj.2g.
atuar v.
atuaré adj. s.2g.
atuária s.f.; cf. *atuaria*, fl. do v. *atuar*
atuarial adj.2g.
atuário adj. s.m.
atuarro s.m.
atuável adj.2g.
atubense adj. s.2g.
atubibar v.
atubo adj. s.m.
atucanado adj.
atucanar v.
atúdua s.m.
atueira s.f.
atufado adj.
atufamento s.m.
atufar v.
atuído adj.
atuir v.
atulhação s.f.
atulhado adj.
atulhador (*ô*) adj.
atulhamento s.m.
atulhar v.
atulho s.m.
atum s.m.
atuma adj. s.2g.
atum-azul s.m.; pl. *atuns-azuis*
atumba adj. s.2g.
atum-bandolim s.m.; pl. *atuns-bandolim* e *atuns-bandolins*
atum-branco s.m.; pl. *atuns-brancos*
atum-de-galha s.m.; pl. *atuns-de-galha*
atum-preto s.m.; pl. *atuns-pretos*
atumultuado adj.
atumultuador (*ô*) s.m.
atumultuamento s.m.
atumultuante adj.2g.
atumultuar v.
atum-verdadeiro s.m.; pl. *atuns-verdadeiros*
atundido adj.
atundir v.
atundo s.m.
atuneira s.f.
atuneiro adj. s.m.
atuosidade s.f.
atuoso (*ô*) adj.; f. (*ó*); pl. (*ó*)
aturá s.m.; cf. *atura*, fl. do v. *aturar*
aturação s.f.
aturado adj.; cf. *atorado*
aturador (*ô*) adj. s.m.
aturadouro adj.
aturamento s.m.
aturar v. "suportar"; cf. *atorar*
aturari adj. s.2g.
aturável adj.2g.
aturdente adj.
aturdição s.f.
aturdido adj.
aturdidor (*ô*) adj.
aturdimento s.m.
aturdir v.
aturdizado adj.
aturdizar v.
aturé adj. s.2g.
aturejar v.
aturgar v.
aturgir v.
aturiá s.f.
aturiaiense adj. s.2g.
aturiano adj. s.m.
aturiapompé s.m.
aturiazal s.m.
aturrear v.
aturvado adj.
aturvar v.
atuso s.m.
atutia s.f.
aú s.m.
auacari s.m.
auaçu s.m.
auacuri s.m.
auaduri s.m.
auaí s.m.
auaí-guaçu s.m.; pl. *auaís-guaçus*
auainamari adj. s.2g.
auaiú s.m.
auari s.m.
auati s.m.
aubepina s.f.
aubrito s.m.
auçá adj. s.2g. "caranguejo"; cf. *hauçá*
aú-cortado s.m.; pl. *aús-cortados*
aucrana s.f.
aucuba s.f.
aucubina s.f.
aucúpio s.m.
audácia s.f.
audacioso (*ô*) adj.; f. (*ó*); pl. (*ó*)
audaz adj.2g.
aúdes interj.
audiano adj. s.m.
audião s.m.
audibilidade s.f.
audição s.f.
audiclave s.f.
audiência s.f.
audiente adj.2g.
audímetro s.m.
audimudez (*ê*) s.f.
audimudo adj. s.m.
áudio s.m.
audioamplificador (*ô*) s.m.
audioamplificar v.
audiofone s.m.
audiofônico adj.
audiofrequência (*ü*) s.f.
audiograma s.m.
audiologia s.f.
audiológico adj.
audiologista s.2g.
audiólogo s.m.
audiometria s.f.
audiométrico adj.
audiômetro s.m.
audioscopia s.f.
audioscópico adj.
audioscópio s.m.
audiotransformador (*ô*) adj. s.m.
audiovisual adj.2g.
audiovisualização s.f.
audiovisualizado adj.
audiovisualizador (*ô*) adj.
audiovisualizante adj.2g.
audiovisualizar v.
auditagem s.f.
auditar v.
auditividade s.f.
auditivo adj.
audito s.m.
auditor (*ô*) adj. s.m.
auditoria s.f.
auditorial adj.2g.
auditório adj. s.m.
audível adj.2g.
audoínia s.f.
auê s.m.
auerbachita s.f.
auerita s.f.

auerite s.f.
auerítico adj.
auerito s.m.
auerlita s.f.
aueté adj. s.2g.
aueto adj. s.m.
aú-fechado s.m.; pl. *aús-fechados*
auferido adj.
auferidor (*ô*) adj.
auferir v.
auferível adj.2g.
aufidenate adj.2g.
aufinate adj. s.2g.
aufué s.m.
aufúgio s.m.
augalhar v.
auge s.m.
augelita s.f.
augengnaisse s.m.
augeolita s.f.
augeolítico adj.
augeólito s.m.
augíada adj.2g. s.m.
augiádeo adj. s.m.
augila adj. s.2g.
augir v.
augita s.f.
augite s.f.
augítico adj.
augitófiro s.m.
augnatismo s.m.
augnatístico adj.
áugnato adj. s.m.
augueira s.f.
auguração s.f.
auguráculo s.m.
augurado adj. s.m.
augurador (*ô*) adj.
augural adj.2g.
augurar v.
augurato s.m.
auguratório adj. s.m.
auguratriz adj. s.f.
áugure s.m.
augúrio s.m.
augusta s.f.
augustal adj.2g. s.m.
augustalidade s.f.
augustano adj. s.m.
augustato s.m.
augustial adj. s.m.
augustianismo s.m.
augustianista adj. s.2g.
augustinho s.m.
augustiniano adj. s.m.
augustinismo s.m.
augustinista adj. s.2g.
augustinístico adj.
augustino adj.
augusto adj. s.m.
augustobrigense adj. s.2g.
augusto-correense adj. s.2g.; pl. *augusto-correenses*
augustodunense adj. s.2g.
augusto-limense adj. s.2g.; pl. *augusto-limenses*
augusto-pestanense adj. s.2g.; pl. *augusto-pestanenses*
augusto-severense adj. s.2g.; pl. *augusto-severenses*
auí s.m.
auiba (*i*) s.f.
auina (*i*) s.f.
auinófiro s.m.
auiqui s.m.
auiti adj. s.2g.
aula s.f.
aulacântida adj.2g. s.m.
aulacantídeo adj. s.m.
aulacanto s.m.
áulace s.m.
aulácia s.f.
áulaco adj. s.m.
aulacocálice s.m.
aulacocarpo s.m.
aulacodisco s.m.
aulacodo s.m.
aulacômelo s.m.
aulacomítrio s.m.
aulaconiácea s.f.
aulacônio s.m.
aulacóstomo s.m.
aularca s.m.
áulax (*cs*) s.m.2n.
aulaxina (*cs*) s.f.
aulerco adj. s.m.
auleta (*ê*) s.m.
aulete (*ê*) s.m.
aulética s.f.
aulético adj.
aulétria s.f.
aulétride s.f.
auletriz s.f.
auleu s.m.
aulicano adj.
aulicismo s.m.
aulicista adj. s.2g.
aulicístico adj.
áulico adj. s.m.
aulido s.m.
aulir v.
aulista adj. s.2g.
aulo s.m.
aulodia s.f.
aulodonte adj.2g. s.m.
aulônio s.m.
aulopo s.m.
aulosfera s.f.
aulosférida adj.2g. s.m.
aulosferídeo adj. s.m.
aulosírea s.f.
aulosíreo adj.
aulóstomo s.m.
aumentabilidade s.f.
aumentação s.f.
aumentado adj.
aumentador (*ô*) adj. s.m.
aumentante adj.2g.
aumentar v.
aumentatividade s.f.
aumentativo adj. s.m.
aumentável adj.2g.
aumento s.m.
aunado adj.
aunar v.
auô s.m.
auquenomelia s.f.
auquenômelo s.m.
auquenóptero adj. s.m.
auquenorrinco adj. s.m.
auquenotomia s.f.
auquenotômico adj.
auquenótomo adj. s.m.
aura s.f.
aurada s.f.
auradina s.f.
auramálgama s.2g.
aúra-masda s.m.; pl. *aúra-masdas*
auramina s.f.
auramínico adj.
aurana s.f.
aurância s.f.
auranciácea s.f.
auranciáceo adj.
auranciamárico adj.
auranciamarina s.f.
auranciamarínico adj.
auranciina s.f.
auranciínico adj.
aurâncio s.m.
aurancióﬁlo adj.
auranciióidea s.f.
aurancióideo adj.
aurantiácea s.f.
aurantina s.f.
aurantínea s.f.
aurantíneo adj.
aurar v.
aurato s.m.
auraúna s.f.
aurécia s.f.
aurélia s.f.
aureliácea s.f.
aureliáceo adj.
aurelianense adj. s.2g.
aureliano adj.
aurélida adj.2g. s.m.
aurelídea s.f.
aurelídeo adj. s.m.
aurense adj. s.2g.
áureo adj. s.m.
auréola s.f.; cf. *aureola*, fl. do v. *aureolar*
aureolado adj.
aureolar v.
aureolina s.f.
aureolínico adj.
aureolização s.f.
aureolizar v.
aureomicina s.f.
aureomicínico adj.
aureto (*ê*) s.m.
auriazul adj.2g.
auriazulado adj.
auribarbo adj.
auribordado adj.
auribranco adj.
auribrilhante adj.2g.
auricalcita s.f.
auricalcite s.f.
auricalco s.m.
auricéfalo adj.
auricerúleo adj.
auricídia s.f.
auricila s.f.
auriclípeo adj.
áurico adj.
auricobre s.m.
auricol adj. s.2g.
auricolo adj. s.2g.
auricolor (*ô*) adj.2g.
auricoloventricular adj.2g.
auricomado adj.
aurícomo adj.
auricórneo adj.
auricravado adj.
auricrinante adj.2g.
auricrinito adj.
aurícula s.f.
auriculado adj.
auricular adj.2g.
auriculária s.f.
auriculariácea s.f.
auriculariáceo adj.
auriculariínea s.f.
auriculariíneo adj.
auriculífero adj.
auriculiforme adj.2g.
auriculista adj. s.2g.
aurículo s.m.
aurículo-occipital adj.2g.
auriculoso (*ô*) adj.; f. (*ó*); pl. (*ó*)
auriculotemporal adj.2g.
auriculoventricular adj.2g.
auridulce adj.2g.
auriense adj.2g.
aurifactório adj.
aurífero adj.
auriferrífero adj.
aurificação s.f.
aurificado adj.
aurificar v.
aurífice s.m.
aurifícia s.f.
aurificina s.f.
aurifício adj. s.m.
aurífico adj.; cf. *aurifico*, fl. do v. *aurificar*
auriflama s.f.
auriflamado adj.
auriflamante adj.2g.
auriflamense adj. s.2g.
auriflavo adj.
aurífluo adj.
auriforme adj.2g.
aurifrigiado adj.
aurifrigiato adj.
aurifrígio s.m.
aurifrísio s.m.
aurifulgente adj.2g.
aurifúlgido adj.
auriga s.m.
aurigário adj. s.m.
aurigastro adj.
aurigemante adj.2g.
aurígeno adj.
aurígero adj.
aurigia s.f.
aurígico adj.
auriginoso (*ô*) adj.; f. (*ó*); pl. (*ó*)
aurignacense adj.2g.
aurignaciano adj. s.m.
aurigo s.m.
aurila s.f.
aurilandense adj. s.2g.
aurilandês adj. s.m.
aurilandiense adj. s.2g.
aurilavrado adj.
auriluzente adj.2g.
auriluzir v.
aurimesclado adj.
aurina s.f.
aurinevado adj.
aurínia s.f.
aurínico adj.
aurino adj. s.m.
aurinotricarbônico adj.
auripene adj.2g.
auripigmento s.m.
auriplumbífero adj.
auriplume adj.2g.
auripubescente adj.2g.
auripunção s.f.
auripurpúreo adj.
aurir v. "perder o tino"; cf. *haurir*
aurirrosado adj.
aurirróseo adj.
aurirroxo (*ô*) adj.
aurirrubro adj.
aurirrútilo adj.
auriscalpo s.m.
auriscópio s.m.
aurisplendente adj.2g.
aurisplender v.
aurissamicto adj. s.m.
aurissono adj.
aurista s.2g.
auritelurita s.f.
auriterapia s.f.
aurito adj.
auritolerância s.f.
auritrêmulo adj.
auritrilice adj.2g.
auriverde (*ê*) adj.2g.
auriverdense adj. s.2g.
aurivirente adj.2g.
aurívoro adj.
aurizonense adj. s.2g.
aurobismutinita s.f.
aurocianeto (*ê*) s.m.
aurocloreto (*ê*) s.m.
aurocolargol s.m.
auroense adj.2g. s.2g.
auroferrífero adj.
aurogáster adj.
aurogástreo adj.
aurogastro s.m.
auroíride adj.2g. s.m.
aurônia s.f.
auroplumbífero adj.
auropó s.m.
auroprostasina s.f.
auropubescente adj.
auroque s.m.
aurora s.f.
aurora-de-asa-vermelha s.f.; pl. *auroras-de-asa-vermelha*
auroral adj.2g.
aurorar v.
auroraú adj. s.2g.
auroreal adj.2g.
aurorear v.
aurorejar v.
aurorense adj. s.2g.
aurorense-do-tocantins s.f.; pl. *aurorenses-do-tocantins*
aurorescente adj.2g.
aurorescer v.
aurorita s.f.
aurorrubro adj.
aurosmirídio s.m.
auroso (*ô*) adj.; f. (*ó*); pl. (*ó*)
aurossulfito s.m.
aurostibita s.f.
aurotelurita s.f.
aurotelurite s.f.
auroterapia s.f.
aurotina s.f.
aurotioglicose s.f.
aurunco adj. s.m.
ausão adj. s.m.
auscense adj. s.2g.
ausco adj. s.m.
ausculta s.f.
auscultação s.f.
auscultador (*ô*) adj. s.m.
auscultadora (*ô*) s.f.
auscultar v.
auscultatório adj.
auscultoscópico adj.
auscultoscópio s.m.
ausência s.f.
ausentado adj.
ausentano adj. s.m.
ausentar v.
ausente adj. s.2g.
ausentense adj. s.2g.
ausentismo s.m.
ausetano adj. s.m.
auso s.m.
ausonense adj. s.2g.
ausoniano adj.
ausônida adj. s.2g.
ausônio adj. s.m.
auspicado adj.
auspicar v.
auspicato s.m.
áuspice s.m.
auspiciado adj.
auspiciador (*ô*) adj.
auspiciar v.
auspicina s.f.
auspício s.m.; cf. *auspicio*, fl. do v. *auspiciar*
auspicioso (*ô*) adj.; f. (*ó*); pl. (*ó*)
auspicismo s.m.
austado adj.
austaga s.f.
austar v.
aúste s.m.
austenita s.f.
austenítico adj.
austereza (*ê*) s.f.
austeridade s.f.
austerismo s.m.
austerista adj. s.2g.
austerístico adj.
austerização s.f.
austerizar v.
austero adj.
austinita s.f.
austral adj.2g.
australasiano adj. s.m.
australásico adj. s.m.
australásio adj. s.m.
australeno s.m.
australês adj. s.m.
austrália s.f.
australiano adj. s.m.
austrálico adj. s.m.
australina s.f.
austrálio adj. s.m.
australita s.f.
australite s.f.
australítico adj.
australito s.m.
australopitecídeo adj. s.m.
australopitecino adj. s.m.
australopiteco s.m.
australopitecoide (*ó*) adj. s.2g.
australossauro adj. s.m.
austrapiroleno s.m.
austrasiano adj.
austrásio adj. s.m.
austríaco adj. s.m.
austrífero adj.
austrino adj.
áustrio s.m.
austro s.m.
austro-africano adj.; pl. *austro-africanos*
austro-áfrico adj.; pl. *austro-áfricos*
austro-alemão adj.; pl. *austro-alemães*
austro-asiático adj. s.m.; pl. *austro-asiáticos*
austrobaileyácea s.f.
austro-bávaro adj.; pl. *austro-bávaros*

austro-brasileiro adj.; pl. *austro-brasileiros*
austro-central adj.2g.; pl. *austro-centrais*
austro-flamengo adj.; pl. *austro-flamengos*
austro-holandês adj.; pl. *austro-holandeses*
austro-húngaro adj. s.m.; pl. *austro-húngaros*
austrônoto s.m.
austro-siberiano adj.; pl. *austro-siberianos*
ausuciate adj. s.2g.
autacoide (*ó*) adj. s.m.
autália s.f.
autarca s.2g.
autarcia s.f.
autarco adj.
autarcoglosso adj. s.m.
autariata adj. s.2g.
autarquia s.f.
autárquico adj.
autarquismo s.m.
autarquista adj. s.2g.
autarquístico adj.
autasasense adj. s.2g.
autécio adj.
auteco adj.
autente adj.2g.
autêntica s.f.; cf. *autentica*, fl. do v. *autenticar*
autenticabilidade s.f.
autenticação s.f.
autenticado adj.
autenticador (*ô*) adj. s.m.
autenticar v.
autenticatório adj.
autenticável adj.2g.
autenticidade s.f.
autêntico adj.; cf. *autentico*, fl. do v. *autenticar*
autentificação s.f.
autentificar v.
autentificável adj.2g.
autepsa s.f.
autígeno adj. s.m.
autismo s.m.
autista adj. s.2g.
autístico adj.
auto s.m.
autoacusação s.f.
autoacusador adj. s.m.
autoacusatório adj.
autoadesivo adj. s.m.
autoadministração s.f.
autoadministrado adj.
autoadministrar v.
autoadministrativo adj.
autoadministrável adj.2g.
autoadmiração s.f.
autoafirmação s.f.
autoafirmar v.
autoafirmativo adj.
autoaglutinação s.f.
autoaglutinante adj.2g.
autoaglutinatividade s.f.
autoaglutinativo adj.
autoagredir-se v.
autoagressão s.f.
autoajuda s.f.
autoalarme s.m.
autoalergia s.f.
autoalogamia s.f.
autoamputação s.f.
autoanalisar v.
autoanálise s.f.
autoanalítico adj.
autoantissepsia s.f.
autoaplicabilidade s.f.
autoaplicável adj.2g.
autoaprendizagem s.f.
autoatividade s.f.
autoaudível adj.2g.
autoavisador s.m.
autobasídio adj. s.m.
autobiografar v.
autobiografia s.f.
autobiográfico adj.
autobiógrafo s.m.; cf. *autobiografo*, fl. do v. *autobiografar*

autoblasta s.m.
autoblástico adj.
autobomba s.f.
autobonde s.m.
autocaminhão s.m.
autocampilotrópico adj.
autocanhão s.m.
autocapa s.f.
autocarga s.m.
autocarpácea s.f.
autocarpáceo adj.
autocarpia s.f.
autocarpiano adj.
autocárpico adj.
autocarpo s.m.
autocarro s.m.
autocartográfico adj.
autocartógrafo s.m.
autocastração s.f.
autocatálise s.f.
autocatalítico adj.
autocefalia s.f.
autocefálico adj.
autocéfalo adj. s.m.
autocentralidade s.f.
autocêntrico adj.
autocíclico adj.
autociclo s.m.
autocida adj. s.2g.
autocídio s.m.
autocinesia s.f.
autocinético adj.
autocinetismo s.m.
autocinetístico adj.
autocitação s.f.
autocitotóxico (*cs*) adj.
autocitotoxina (*cs*) s.f.
autóclase s.f.
autoclástico adj.
autoclave s.2g.
autoclínica s.f.
autoclínico s.m.
autóclise s.f.
autoclismo s.m.
autoclítico adj.
autocognição s.f.
autocognitivo adj.
autocolante adj. s.2g.
autocolimação s.f.
autocolimador (*ô*) adj. s.m.
autocolonização s.f.
autocolonizado adj.
autocolonizar v.
autocombustão s.f.
autocomiseração s.f.
autocomiserativo adj.
autocompatibilidade s.f.
autocomplacência s.f.
autocomplacente adj.2g.
autocomposição s.f.
autocondução s.f.
autoconfiança s.f.
autoconfiante adj.2g.
autoconhecer v.
autoconhecimento s.m.
autoconsciência s.f.
autoconsciente adj.2g.
autoconservação s.f.
autoconstrução s.f.
autocontemplação s.f.
autocontemplativo adj.
autocontenção s.f.
autocontrato s.m.
autocontratual adj.2g.
autocontrole (*ô*) s.m.
autocópia s.f.; cf. *autocopia*, fl. do v. *autocopiar*
autocopiar v.
autocopista s.2g.
autocoria s.f.
autocórico adj.
autocorologia s.f.
autocorológico adj.
autocorrelação s.f.
autocorrelativo adj.
autocorrelato adj. s.m.
autocorretivo adj.
autocorrigido adj.
autocracia s.f.
autocrata adj. s.2g.
autócrata adj. s.2g.

autocrático adj.
autocratismo s.m.
autocratista adj. s.2g.
autocratístico adj.
autocratriz s.f.
autocrínia s.f.
autocrítica s.f.
autocriticar v.
autocrítico adj.
autocromático adj.
autocromia s.f.
autocrômico adj.
autocromista s.2g.
autocromo s.m.
autóctone adj. s.2g.
autoctoneidade s.f.
autoctonia s.f.
autoctonismo s.m.
autocura s.f.
auto de fé s.m.
autodefender-se v.
autodefesa (*ê*) s.f.
autodemolição s.f.
autodemolir v.
autodenominação s.f.
autodenominar v.
autodepuração s.f.
autoderrotista adj.2g.
autodestruição s.f.
autodestruir v.
autodeterminação s.f.
autodiano s.m.
autodidagmático adj.
autodidata s.2g.
autodidática s.f.
autodidático adj.
autodidatismo s.m.
autodidaxia (*cs*) s.f.
autodiferenciação s.f.
autodigestão s.f.
autodinamia s.f.
autodinâmico adj.
autodisciplina s.f.
autodisciplinar v. adj.2g.
autodomínio s.m.
autódromo s.m.
autoecologia s.f.
autoecológico adj.
autoeducação s.f.
autoeducacional adj.2g.
autoeducativo adj.
autoelogio s.m.
autoendireitável adj.
autoenxerto s.m.
autoerótico adj.
autoerotismo s.m.
autoescola s.f.
autoescorvante adj.2g.
autoescultura s.f.
autoestabilização s.f.
autoestabilizador adj. s.m.
autoestabilizar v.
autoestabilizável adj.2g.
autoestéril adj.2g.
autoesterilidade s.f.
autoesterilizar v.
autoesterilizável adj.2g.
autoestetoscopia s.f.
autoestetoscópico s.m.
autoestima s.f.
autoestrada s.f.
autoexcitação s.f.
autoexcitado adj.
autoexcitadora s.f.
autoexcitar v.
autoexcitatriz s.f.
autoexecutável adj.
autoextermínio s.m.
autofagia s.f.
autofágico adj.
autofagismo s.m.
autófago adj. s.m.
autofalência s.f.
autofascinação s.f.
autofecundação s.f.
autofecundante adj.2g.
autofecundo adj.
autofértil adj.2g.
autofertilização s.f.
autofertilizar v.
autofilia s.f.

autofílico adj.
autofilismo s.m.
autófilo adj. s.m.
autofilogenia s.f.
autofinanciamento s.m.
autofinanciar v.
autofinanciável adj.2g.
autófito s.m.
autofobia s.f.
autofone adj.2g. s.m.
autofonia s.f.
autofônico adj.
autóforo adj.
autofotografia s.f.
autofotográfico adj.
autofunção s.f.
autogalera s.f.
autogamia s.f.
autogâmico adj.
autógamo adj. s.m.
autogasogênio s.m.
autogasógeno s.m.
autogêneo adj.
autogênese s.f.
autogenésico adj.
autogenético adj.
autogenia s.f.
autogênico adj.
autógeno adj. s.m.
autogeossinclinal adj.2g.
autogeossinclíneo adj. s.m.
autogeossinclínico adj.
autogestão s.f.
autogiro s.m.
autognose s.f.
autognosia s.f.
autognósico adj.
autognóstico adj.
autogonia s.f.
autogônico adj.
autogovernar-se v.
autogoverno (*ê*) s.m.
autografado adj.
autografar v.
autografia s.f.
autográfico adj.
autografismo s.m.
autografista s.2g.
autografístico adj.
autógrafo adj. s.m.; cf. *autografo*, fl. do v. *autografar*
autografófilo s.m.
autografófobo s.m.
autografomania s.f.
autografomaníaco adj. s.m.
autografômano s.m.
autografômetro s.m.
autografoteca s.f.
autografotecário adj. s.m.
autogratificação s.f.
autogratificar v.
autogratificável adj.2g.
autogravura s.f.
auto-hematoterapia s.f.
auto-hematoterápico adj.
auto-hemolisina s.f.
auto-hemoterapia s.f.
auto-hemoterápico adj.
auto-hipnose s.f.
auto-hipnotização s.f.
autoico (*ó*) adj.
autoidólatra adj. s.2g.
autoidolatria s.f.
autoignição s.f.
autoimolação s.f.
autoimposição s.f.
autoimune adj.2g.
autoimunidade s.f.
autoimunitário adj.
autoimunização s.f.
autoimunizante adj.2g.
autoimunizar v.
autoimunizatório adj.
autoincompatibilidade s.f.
autoincompatibilizar v.
autoincompatível adj.2g.
autoincriminação s.f.
autoindução s.f.
autoindutância s.f.
autoinfecção s.f.
autoinfestabilidade s.f.

autoinfestação s.f.
autoinfestado adj.
autoinfestador adj. s.m.
autoinfestante adj.2g.
autoinfestar v.
autoinflamação s.f.
autoinoculação s.f.
autoinoculado adj.
autoinoculador adj. s.m.
autoinoculante adj.2g.
autoinocular v.
autoinoculável adj.2g.
autoinstrução s.f.
autointoxicação s.f.
autointoxicado adj.
autointoxicador adj. s.m.
autointoxicante adj.2g.
autointoxicar v.
autointoxicável adj.2g.
autoionização s.f.
autolábio s.m.
autolamentação s.f.
autolamentar v.
autólatra adj. s.2g.
autolatria s.f.
autolátrico adj.
autolesão s.f.
autolimpante adj.2g.
autolisato s.m.
autólise s.f.
autolisina s.f.
autolítico adj.
autólito adj.
autolitografia s.f.
autolitotomia s.f.
autolocadora s.f.
autologamia s.f.
autologâmico adj.
autológamo adj.
autológico adj.
autólola adj. s.2g.
autolotação s.m.
autolubrificante adj.2g.
automaca s.f.
automação s.f.
automagnético adj.
automagnetismo s.m.
automalita s.f.
automalite s.f.
automalito s.m.
automaquia s.f.
automáquico adj.
automasturbação s.f.
automasturbatório adj.
automatar v.
automatário s.m.
automatia s.f.
automático adj.
automatismo s.m.
automatista s.2g.
automatístico adj.
automatização s.f.
automatizar v.
autômato s.m.
automatógrafo s.m.
automaturgo s.m.
automedicação s.f.
automedicar v.
automedonte s.m.
autometamorfismo s.m.
autometralhador (*ô*) adj. s.m.
autometralhadora (*ô*) s.f.
autômetro s.m.
automíctico adj.
automixia (*cs*) s.f.
automíxico (*cs*) adj.
automnésia s.f.
automnestia s.f.
automobilismo s.m.
automobilista adj. s.2g.
automobilístico adj.
automobilização s.f.
automobilizar v.
automodelismo s.m.
automodelista adj.2g. s.2g.
automolita s.f.
automolite s.f.
automórfico adj.
automorfismo s.m.
automorfista adj.2g. s.2g.

automorfístico adj.
automorfose s.f.
automotivação s.f.
automotivado adj.
automotivador (*ô*) adj.
automotivar v.
automotor (*ô*) adj. s.m.
automotora (*ô*) s.f.
automotriz adj. s.f.
automóvel adj.2g. s.m.
automutilação s.f.
autonarcose s.f.
autonarcótico adj.
autonastia s.f.
autonictitrópico adj.
autonímia s.f.
autonímico adj.
autônimo adj.
autonomear-se v.
autonomia s.f.
autonômico adj.
autonomismo s.m.
autonomista adj. s.2g.
autonomístico adj.
autonomização s.f.
autonomizar v.
autonomizável adj.2g.
autônomo adj. s.m.
autonuclear adj.2g.
auto-observação s.f.
auto-oftalmoscopia s.f.
auto-ônibus s.m.2n.
auto-ontivo s.m.
auto-organização s.f.
auto-organizar-se v.
auto-ortoterapia s.f.
auto-ortoterápico adj.
auto-oscilação s.f.
auto-oscilador adj.
auto-oxidação (*cs*) s.f.
auto-oxidado (*cs*) adj.
auto-oxidador (*cs...ô*) adj. s.m.
auto-oxidante (*cs*) adj.2g.
auto-oxidar (*cs*) v.
auto-oxidável (*cs*) adj.2g.
autopagnosia s.f.
autopata s.2g.
autopatia s.f.
autopatrol s.m.
autopeça s.f.
autoperpetuação s.f.
autoperpetuar v.
autopesador (*ô*) adj. s.m.
autopexia (*cs*) s.f.
autopiedade s.f.
autopiedoso (*ô*) adj.; f. (*ó*); pl. (*ó*)
autopista s.f.
autopistia s.f.
autoplano s.m.
autoplasta s.m.
autoplastia s.f.
autoplástico adj.
autopódio s.m.
autopoiese s.f.
autopolar adj.2g.
autopoligrafia s.f.
autopolígrafo s.m.
autopolinização s.f.
autopoliploide (*ó*) adj.2g.
autopoliploidia s.f.
autoponderado adj.
autopreservação s.f.
autoprojeção s.f.
autoprojetor (*ô*) adj. s.m.
autopromoção s.f.
autopromover v.
autopropagação s.f.
autopropaganda s.f.
autopropagar v.
autopropagável adj.2g.
autopropelir v.
autopropulsão s.f.
autopropulsionado adj.
autopropulsivo adj.
autopse s.f.
autopsia s.f.
autópsia s.f.; cf. *autopsia*, fl. do v. *autopsiar*
autopsiado adj.
autopsial adj.2g.
autopsiar v.
autópsico adj.
autopsicose s.f.
autopsicótico adj.
autóptico adj.
autopunição s.f.
autopunitivo adj.
autoquíria s.f.
autor (*ô*) s.m.; cf. *altor* adj. s.m.
autoral adj.2g.
autorama s.m.
autoria s.f.
autorial adj.2g.
autoricida s.2g.
autoricídio s.m.
autoridade s.f.
autorismo s.m.
autorista adj. s.2g.
autorístico adj.
autoritário adj.
autoritarismo s.m.
autoritarista adj. s.2g.
autoritarístico adj.
autoritativo adj.
autorização s.f.
autorizado adj.
autorizador (*ô*) adj. s.m.
autorizamento s.m.
autorizar v.
autorizável adj.
autorradiografar v.
autorradiografia s.f.
autorradiográfico adj.
autorrafia s.f.
autorrealização s.f.
autorrealizar-se v.
autorredenção s.f.
autorredução s.f.
autorredutor adj.
autorreferência s.f.
autorregeneração s.f.
autorregenerar v.
autorregressão s.f.
autorregressivo adj.
autorregulação s.f.
autorregulador adj.
autorrelevografia s.f.
autorrespeito s.m.
autorrestituidor s.m.
autorretratar v.
autorretrato s.m.
autóscafo s.m.
autoscoliotrópico adj.
autoscopia s.f.
autoscópico adj.
autoscópio s.m.
autosita s.f.
autositário s.m.
autosito s.m.
autospasia s.f.
autósporo s.m.
autosporulação s.f.
autosporular v.
autossarcasmo s.m.
autossarcástico adj.
autossátira s.f.
autossatírico adj.
autossatirização s.f.
autossatirizar v.
autossauro adj. s.m.
autosseroterapia s.f.
autosseroterápico adj.
autosserviço s.m.
autossoma s.m.
autossomático adj.
autossomia s.f.
autossômico adj.
autossomo s.m.
autossoroterapia s.f.
autossoroterápico adj.
autossuficiência s.f.
autossuficiente adj.2g.
autossugestão s.f.
autossugestionar v.
autossugestionável adj.2g.
autossustentável adj.2g.
autostereoscópico adj.
autostetoscópio s.m.
autotanque s.m.
autoteísmo s.m.
autoteísta adj. s.2g.
autoteístico adj.
autotelia s.f.
autotélico adj.
autotemno adj.
autotêmpera s.f.
autoterapia s.f.
autoterápico adj.
autotética s.f.
autotético adj.
autotetraploide (*ó*) adj.
autotetraploidia s.f.
autotipia s.f.
autotípico adj.
autotipo s.m.
autótipo s.m.
autotipografia s.f.
autotipolitografia s.f.
autotomia s.f.
autotomização s.f.
autotomizar v.
autótomo adj.
autotóxico (*cs*) adj.
autotoxina (*cs*) s.f.
autotransformação s.f.
autotransformador (*ô*) adj. s.m.
autotransformar v.
autotransfusão s.f.
autotransportar v.
autotransporte s.m.
autotrém s.m.
autotrofia s.f.
autotrófico s.m.
autotrofismo s.m.
autotrófito adj.
autótrofo adj.
autotropismo s.m.
autotuberculina s.f.
autotutela s.f.
autovacina s.f.
autovalor (*ô*) s.m.
autovalorização s.f.
autovalorizar-se v.
autoveículo s.m.
autovenoso (*ô*) adj.; f. (*ó*); pl. (*ó*)
autovetor (*ô*) adj. s.m.
autovetorial adj.2g.
autovia s.f.
autoviação s.f.
autoxêneo (*cs*) adj. s.m.
autoxidação (*cs*) s.f.
autoxidado (*cs*) adj.
autoxidador (*cs...ô*) adj. s.m.
autoxidante (*cs*) adj.2g.
autoxidar (*cs*) v.
autoxidável (*cs*) adj.2g.
autozigótico adj.
autozigoto (*ô*) s.m.
autozincografia s.f.
autozincográfico adj.
autrígone adj. s.2g.
autuação s.f.
autuado adj.
autuar v.
autuário s.m.
autunação s.f.
autunal adj.2g.
autuniano adj. s.m.
autunita s.f.
autunite s.f.
autuparana s.f.
auuva s.m.
auxanologia (*cs*) s.f.
auxanológico (*cs*) adj.
auxanologista (*cs*) s.2g.
auxanólogo (*cs*) s.m.
auxanometria (*cs*) s.f.
auxanométrico (*cs*) adj.
auxanômetro (*cs*) s.m.
auxanoscopia (*cs*) s.f.
auxanoscópio (*cs*) s.m.
auxenia (*cs*) s.f.
auxese (*cs*) s.f.
auxesia (*cs*) s.f.
auxia (*cs*) s.f.
auxifone (*cs*) s.m.
auxiliador (*ss...ô*) adj. s.m.
auxiliante (*ss*) adj. s.2g.
auxiliar (*ss*) v. adj. s.2g.
auxiliário (*ss*) adj.
auxílio (*ss*) s.m.; cf. *auxilio*, fl. do v. *auxiliar*
auxílio-doença s.m.; pl. *auxílios-doença*
auxílio-enfermidade s.m.; pl. *auxílios-enfermidade*
auxílio-funeral s.m.; pl. *auxílios-funeral*
auxílio-maternidade s.m.; pl. *auxílios-maternidade*
auxílio-natalidade s.m.; pl. *auxílios-natalidade*
auxílio-reclusão s.m.; pl. *auxílios-reclusão*
auximate (*cs*) adj. s.2g.
auximona (*cs*) s.m.
auximônia (*cs*) s.f.
auxina (*cs*) s.f.
auxínico (*cs*) adj.
auxiômetro (*cs*) s.m.
auxitano (*cs*) adj.
auxocardia (*cs*) s.f.
auxócito (*cs*) s.m.
auxocrômico (*cs*) adj.
auxocromo (*cs...ô*) s.m.
auxografia (*cs*) s.f.
auxográfico (*cs*) s.f.
auxologia (*cs*) s.f.
auxológico (*cs*) adj.
auxólogo (*cs*) s.m.
auxometria (*cs*) s.f.
auxométrico (*cs*) adj.
auxômetro (*cs*) s.m.
auxopiese (*cs*) s.f.
auxósporo (*cs*) s.m.
auxosporulação (*cs*) s.f.
auxotônico (*cs*) adj.
auxotrofia (*cs*) s.f.
auxotrófico (*cs*) adj.
ava s.f.
avacado adj.
avacalhação s.f.
avacalhado adj. s.m.
avacalhamento s.m.
avacalhar v.
avacote s.m.
avacuado adj.
avacuar v.
avadana s.m.
avaduta s.m.
avagarar v.
avaiense adj. s.2g.
avairana s.f.
avaitanhês adj. s.m.
avaiú s.m.
aval s.m.; pl. *avais* e *avales*
avaladado adj.
avaladar v.
avalancha s.f.
avalar v.
avalentado adj.
avalentoado adj.
avalentoar v.
avaliação s.f.
avaliado adj.
avaliador (*ô*) adj. s.m.
avaliamento s.m.
avaliança s.f.
avaliar v.
avaliatório adj.
avaliável adj.2g.
avalista s.2g.
avalita adj. s.2g.
avalização s.f.
avalizado adj.
avalizar v.
avalizável adj.2g.
avaluar v.
avalvular adj.2g.
avamba adj. s.2g. s.m.
avambraço s.m.
avampirar v.
avança s.m. s.2g.
avançada s.f.
avançado adj. s.m.
avançador (*ô*) adj. s.m.
avançamento s.m.
avançar v.
avancarga s.f.
avancargar v.
avance s.m.
avanço s.m.
avancorda s.f.
avandi s.f.
avangar v.
avanguarda s.f.
avanhandavense adj. s.2g.
avanheém s.m.
avanheenga s.m.
avania s.f.
avano s.m.
avantado adj.
avantagem s.f.
avantajado adj.
avantajamento s.m.
avantajar v.
avante adv.
avantesma (*ê*) s.2g.
avântico adj. s.m.
avaqueirado adj.
avará s.m.
avaração s.f.
avarado s.m.
avarandado adj. s.m.
avarandar v.
avaré s.f.
avareense adj.2g.
avaremotemo s.m.
avarento adj. s.m.
avaretado adj.
avareza (*ê*) s.f.
avargar v.
avari s.m.
avaria s.f.
avariação s.f.
avariado adj. s.m.
avariador (*ô*) adj. s.m.
avariar v.
avariável adj.2g.
avaricense adj. s.2g.
avarícia s.f.
avarigênese s.f.
avariose s.f.
avarismo s.m.
avarita adj. s.2g.
avarjador (*ô*) s.m.
avaro adj. s.m.
avarzeado adj.
avasconçado adj.
avascular adj.2g.
avasita s.f.
avassalado adj.
avassalador (*ô*) adj. s.m.
avassalamento s.m.
avassalante adj.2g.
avassalar v.
avatar s.m.
avatara s.m.
avati s.2g.
avatinquarense adj. s.2g.
ave s.f. interj.
aveadado adj.
aveado adj. "doido"; cf. *aviado*
aveal s.m.
aveão s.m. "aveia"; cf. *avião*
ave-capuchinha s.f.; pl. *aves-capuchinhas*
avecla s.f.
avecoinha s.f.
ave-de-crocodilo s.f.; pl. *aves-de-crocodilo*
ave-do-paraíso s.f.; pl. *aves-do-paraíso*
ave-elefante s.f.; pl. *aves-elefante* e *aves-elefantes*
ave-fria s.f.; pl. *aves-frias*
aveia s.f.
aveia-amarela s.f.; pl. *aveias-amarelas*
aveia-comum s.f.; pl. *aveias-comuns*
aveia-da-terra s.f.; pl. *aveias-da-terra*
aveia-do-campo s.f.; pl. *aveias-do-campo*
aveia-do-mato s.f.; pl. *aveias-do-mato*
aveia-estéril s.f.; pl. *aveias-estéreis*
aveicoma adj. s.2g.

aveirense adj. s.2g.
aveiro s.m.
avejão s.2g.
avejate adj.2g.
ável s.m.
avela s.f.
avelã s.f.
avelã-da-índia s.f.; pl. *avelãs--da-índia*
avelado adj.
avelal s.m.
avelamento s.m.
avelanado adj.
avelanal s.m.
avelanar v.
avelaneda (*ê*) s.f.
avelaneira s.f.
avelar v. s.m.
avelarense adj. s.2g.
avelãzeira s.f.
ave-leal s.f.; pl. *aves-leais*
aveleira s.f.
aveleiral s.m.
aveleiro adj.
avelhacado adj.
avelhacar v.
avelhado adj.
avelhantado adj.
avelhantador (*ô*) adj.
avelhantar v.
avelhar v.
avelhentado adj.
avelhentador (*ô*) adj. s.m.
avelhentar v.
avelhuscado adj.
avelhusco adj.
avelina s.f.
avelinate adj. s.2g.
aveliniforme adj.2g.
avelinoético adj.
avelinoíta s.f.
avelino-lopense adj. s.2g.; pl. *avelino-lopenses*
avelinopolitano adj. s.m.
ave-lira s.f.; pl. *aves-lira* e *aves-liras*
avelórios s.m.pl.
avelós s.m.
avélroa s.f.
aveludadeira s.f.
aveludado adj. s.m.
aveludador (*ô*) adj. s.m.
aveludar v.
ave-maria s.f.; pl. *ave-marias*
ave-mosca s.f.; pl. *aves--moscas*
avena s.f.
avenácea s.f.
avenáceo adj.
avenado adj.
avenaína s.f.
avenal s.m.
avenca s.f.
avença s.f.
avenca-branca s.f.; pl. *avencas-brancas*
avenca-brasileira s.f.; pl. *avencas-brasileiras*
avenca-cabelo-de-vênus s.f.; pl. *avencas-cabelo-de-vênus* e *avencas-cabelos-de-vênus*
avenca-cuneiforme s.f.; pl. *avencas-cuneiformes*
avenca-da-grande s.f.; pl. *avencas-da-grande*
avenca-da-terra s.f.; pl. *avencas-da-terra*
avenca-de-espiga s.f.; pl. *avencas-de-espiga*
avenca-de-espiga-de-filite s.f.; pl. *avencas-de-espiga-de-filite*
avenca-de-folha-miúda s.f.; pl. *avencas-de-folha-miúda*
avenca-de-minas s.f.; pl. *avencas-de-minas*
avençado adj.
avenca-do-canadá s.f.; pl. *avencas-do-canadá*
avençador (*ô*) s.m.
avenca-estrelada s.f.; pl. *avencas-estreladas*
avenca-grande s.f.; pl. *avencas-grandes*
avencal s.m.
avençal adj. s.2g.
avenca-miúda s.f.; pl. *avencas--miúdas*
avenca-negra s.f.; pl. *avencas--negras*
avencão s.m.
avencão-da-serra s.m.; pl. *avencões-da-serra*
avenca-paulista s.f.; pl. *avencas-paulistas*
avençar v.
avenca-trapeziforme s.f.; pl. *avencas-trapeziformes*
avencense adj. s.2g.
avenida s.f.
aveniforme adj.2g.
avenina s.f.
avenose s.f.
aventado adj.
aventador (*ô*) s.m.
avental s.m.
aventamento s.m.
aventar v.
aventura s.f.
aventurado adj.
aventurança s.f.
aventurar v.
aventureirismo s.m.
aventureiro adj. s.m.
aventurescência s.f.
aventurina s.f.
aventurinado adj.
aventurino s.m.
aventuroso (*ô*) adj.; f. (*ó*); pl. (*ó*)
averano s.m.
averbação s.f.
averbado adj.
averbamento s.m.
averbar v.
averbável adj.2g.
averdado adj.
averdengado adj.
averdengar v.
averduga s.f.
averdugada s.f.
averdugado adj.
averdugar v.
averdungado adj.
averdungar v.
averdurado adj.
ave-real s.f.; pl. *aves-reais*
averga s.f.
avergado adj.
avergalhar v.
avergar v.
avergastado adj.
avergoado adj.
avergoar v.
avergonhado adj.
avergonhar v.
averiguabilidade s.f.
averiguação s.f.
averiguador (*ô*) adj. s.m.
averiguar v.
averiguável adj.2g.
avermelhação s.f.
avermelhado adj. s.m.
avermelhador (*ô*) adj.
avermelhamento s.m.
avermelhar v.
avernal adj.2g.
avérneo adj.
averno adj. s.m.
avernoso (*ô*) adj.; f. (*ó*); pl. (*ó*)
averroa (*ô*) s.f.
averroídio s.m.
averroísmo s.m.
averroísta adj. s.2g.
averroístico adj.
averroização s.f.
averroizante adj. s.2g.
averroizar v.
averrugado adj.
averrugar v.
averrumar v.
aversão s.f.
aversidade s.f.
aversivo adj.
averso adj.
averter v.
avessada s.f.
avessado adj.
avessar v.
avessas (*ê*) s.f.pl. na loc. *às avessas*; cf. *avessas*, fl. do v. *avessar*
avessedo (*ê*) s.m.
avesseiro adj. s.m.
avessia s.f.
avessidade s.f.
avesso (*ê*) adj. s.m.; cf. *avesso*, fl. do v. *avessar*
avesta s.m.
avestaico adj.
avéstico adj. s.m.
avestruz s.2g.
avestruzário s.m.
avestruzeiro adj. s.m.
avetoninha s.f.
avexação s.f.
avexado adj.
avexador (*ô*) adj. s.m.
avexame s.f.
avexamento s.m.
avexar v.
avezado adj.
avezar v.
avezeirar v.
avezo (*ê*) adj.; cf. *avezo*, fl. do v. *avezar*
aviabilidade s.f.
aviaca s.f.
aviação s.f.
aviacionense adj. s.2g.
aviado adj. "preparado"; cf. *aveado*
aviador (*ô*) s.m.
aviajado adj.
aviamento s.m.
avião s.m. "aeroplano"; cf. *aveão*
avião-correio s.m.; pl. *aviões--correio* e *aviões-correios*
avião-suicida s.m.; pl. *aviões--suicidas*
avião-tanque s.m.; pl. *aviões--tanque* e *aviões-tanques*
aviar v.
aviário adj. s.m.
aviatório adj.
aviatriz adj. s.f.
avicela s.f.
avicena s.m.
avicênia s.f.
aviceniácea s.f.
aviceniáceo adj.
avicenismo s.m.
avicenista s.2g.
avicenístico adj.
avicennita s.f.
aviceptologia s.f.
aviceptológico adj.
avicida adj.2g.
avicídio s.m.
avicínio s.m.
avícola adj.2g. "avicultor"; cf. *avícula*
avícula adj. s.2g. "pequena ave"; cf. *avícola*
aviculado adj.
avicular adj.2g. s.m.
aviculária s.f.
aviculárida adj.2g. s.m.
avicularídeo adj. s.m.
aviculário adj. s.m.
avicúlida adj.2g. s.m.
aviculídeo adj. s.m.
aviculinha s.f.
avicultor (*ô*) s.m.
avicultura s.f.
avicultural adj.2g.
avidado adj.
avidar v.
avidez (*ê*) s.f.
ávido adj.; cf. *avido*, fl. do v. *avidar*
avieirado adj.
avieiro s.m.
aviesado adj.
aviesar v.
avifauna s.f.
avifaunístico adj.
avigoiro s.m.
avigoramento s.m.
avigorar v.
avigorentação s.f.
avigorentar v.
avigouro s.m.
ávila s.f.; cf. *avila*, fl. do v. *avilar*
avilanado adj.
avilanar v.
avilar v.
avildar v.
avilês adj. s.m.
avilhetar v.
aviltação s.f.
aviltado adj.
aviltador (*ô*) adj. s.m.
aviltamento s.m.
aviltante adj.2g.
aviltar v.
aviltoso (*ô*) adj.; f. (*ó*); pl. (*ó*)
avinagrado adj.
avinagrar v.
avincado adj.
avincar v.
avinculado adj.
avindador (*ô*) adj. s.m.
avindeiro s.m.
avindiço adj.
avindo adj.
avindor (*ô*) adj. s.m.
avineira s.f.
avingar v.
avinhado adj. s.m.
avinhar v.
avio s.m.
aviolado adj.
avioletado adj.
avioletar v.
aviominiatura s.f.
aviominiaturizar v.
avionado adj.
avioneta (*ê*) s.f.
aviônica s.f.
avir v.
avirama s.f.
avirana s.f.
avirulência s.f.
avirulento adj.
avisado adj.
avisador (*ô*) adj. s.m.
avisamento s.m.
avisante adj. s.2g.
avisar v.
avisável adj.2g.
aviscondalhar v.
aviso s.m.
aviso-prévio s.m.; pl. *avisos--prévios*
avispado adj.
avisseiro adj.
avissuga s.f.
avistada s.f.
avistar v.
avistável adj.2g.
avitaminose s.f.
avitaminótico adj.
avitelado adj.
avito adj.
avitualhado adj.
avitualhamento s.m.
avitualhar v.
aviú s.m.
avivação s.f.
avivado adj.
avivador (*ô*) adj. s.m.
avivamento s.m.
avivar v.
aviventação s.f.
aviventado adj.
aviventador (*ô*) adj. s.m.
aviventar v.
avizinhação s.f.
avizinhado adj.
avizinhador (*ô*) adj.
avizinhamento s.m.
avizinhança s.f.
avizinhar v.
avo s.m. "fração de unidade"; cf. *avó* e *avô*
avó s.f. de *avô*; cf. *avo* e *avô*
avô s.m.; f. *avó*; pl. *avós* e *avôs*; cf. *avo* e *avó*
avoação s.f.
avoaçar v.
avoadeira s.f.
avoadinha s.f.
avoado adj. s.m.
avoador (*ô*) adj. s.m.
avoamento s.m.
avoante adj.2g. s.f.
avoar v.
avocabilidade s.f.
avocação s.f.
avocado adj.
avocamento s.m.
avocante adj.2g.
avocar v.
avocateira s.f.
avocatório adj.
avocatura s.f.
avocável adj.2g.
avoceta (*ê*) s.f.
avocétula s.f.
avoeirinha s.f.
avoejar v.
avoejo (*ê*) s.m.
avoenga s.f.
avoengado adj. s.m.
avoengo adj. s.m.
avoengueiro adj.
avogador (*ô*) s.m.
avogadrita s.f.
avoira s.f.
avolumado adj.
avolumamento s.m.
avolumar v.
à vontade adv. s.m.
avorina s.f.
avosar v.
avozeado adj.
avozear v.
avozeirar v.
avulpinado adj.
avulsão s.f.
avulsivo adj.
avulso adj. s.m.
avultação s.f.
avultado adj.
avultamento s.m.
avultança s.f.
avultante adj.2g.
avultar v.
avultoso (*ô*) adj.; f. (*ó*); pl. (*ó*)
avunculado adj.
avuncular adj.2g.
avunculato s.m.
avuncullicida adj. s.2g.
avuncullicídio s.m.
avunculilocal adj.2g.
avunculocal adj.2g.
avusca s.f.
awaruíta s.f.
axá s.m.
axabeba s.f.
axaboucado adj.
axadrezado adj.
axadrezar v.
axaguá adj. s.2g.
axamentos (*cs*) s.m.pl.
axanometria (*cs*) s.f.
axanométrico (*cs*) adj.
axânti adj. s.2g.
axanto (*cs*) s.m.
axantropsia (*cs*) s.f.
axapona s.f.
axaraca s.f.
axe s.f. "ferida"; cf. *ache* s.m.f., fl. do v. *achar*, axe (*cs*) e *axé*
axe (*cs*) s.m. "eixo"; cf. *ache* s.m.f., fl. do v. *achar*, *axe* e *axé*
axé s.m. interj. "força sagrada no candomblé"; cf. *ache* s.m.f., fl. do v. *achar*, *axe* e *axe* (*cs*)

axelho (*cs...ê*) s.m.
axé-music s.f.
axeno (*cs*) s.m.
axeri s.m.
axexê s.m.
axi interj.
axial (*cs*) adj.2g.
axicarado adj.
axicarar v.
áxico (*cs*) adj.
axículo (*cs*) s.m.
axífero (*cs*) adj.
axifoide (*cs...ó*) adj.2g.
axifoidia (*cs*) adj.2g.
axiforme (*cs*) adj.2g.
axífugo (*cs*) s.m.
axigráfico (*cs*) adj.
axígrafo (*cs*) s.m.
áxil (*cs*) adj.2g.
axila (*cs*) s.f.
axilante (*cs*) adj.2g.
axilar (*cs*) adj.2g.
axilibarbudo (*cs*) adj.
axilifloro (*cs*) adj.
áxilo (*cs*) adj.
axilose (*cs*) s.f.
aximez (*ê*) s.m.
axina (*cs*) s.f.
axinandria (*cs*) s.f.
axineia (*cs...é*) s.f.
axinela (*cs*) s.f.
axíngia (*cs*) s.f.
axiniano (*cs*) adj.
axínico (*cs*) adj.
axininense adj. s.2g.
axininzense adj. s.2g.
axinita (*cs*) s.f.
axinite (*cs*) s.f.
axinítico (*cs*) adj.
axinito (*cs*) s.m.
axino (*cs*) s.m.
axinomancia (*cs*) s.f.
axinomante (*cs*) s.2g.
axinomântico (*cs*) adj.
axinopalpo (*cs*) s.m.
axiólito (*cs*) s.m.
axiologia (*cs*) s.f.
axiológico (*cs*) adj.
axiologista (*cs*) s.2g.
axiólogo (*cs*) s.m.
axioma (*cs* ou *ss*) s.m.
axiomancia (*cs*) s.f.
axiomante (*cs*) s.2g.
axiomântico (*cs*) adj.
axiomática (*cs* ou *ss*) s.f.
axiomático (*cs* ou *ss*) adj.
axiomatização (*cs* ou *ss*) s.f.
axiomatizar (*cs* ou *ss*) v.
axiômetro (*cs*) s.m.
axiomórfico (*cs*) adj.
axionímia (*cs*) s.f.
axionímico (*cs*) adj.
axiônimo (*cs*) s.m.
axiopistia (*cs*) s.f.
axipaie adj. s.2g.
axípeto (*cs*) adj.
axiri adj. s.2g.
áxis (*cs*) s.m.2n.
axixá s.m.
axixaense adj. s.2g.
axocela (*cs*) s.f.
axodendrito (*cs*) s.m.
axófito (*cs*) s.m.
axógrafo (*cs*) s.m.
axogum s.m.
axógum s.m.
axoidatlóideo (*cs*) adj.
axoide (*cs...ó*)) adj. s.2g.
axóideo (*cs*) adj.
axoidoccipital (*cs*) adj.
axoidocela (*cs*) s.f.
axólise (*cs*) s.f.
axolítico (*cs*) adj.
axolote (*cs*) s.m.
axolotle (*cs*) s.m.
axômetro (*cs*) s.m.
áxona (*cs*) s.m.
áxone (*cs*) s.m.
axonema (*cs*) s.m.
axonge (*cs*) s.m.
axônico (*cs*) adj.
axônio (*cs*) s.m.
axonódromo (*cs*) adj.
axonofilo (*cs*) s.m.
axonófito (*cs*) s.m.
axonoidatlóideo (*cs*) adj.
axonoide (*cs...ó*) adj.2g. s.m.
axonóideo (*cs*) adj.
axonometria (*cs*) s.f.
axonométrico (*cs*) adj.
axonomorfo (*cs*) adj.
axonope (*cs*) s.m.
axonoplasma (*cs*) s.m.
axonoplasmático (*cs*) adj.
axonoplásmico (*cs*) adj.
axonotmese (*cs*) s.f.
axoplasma (*cs*) s.m.
axostilo (*cs*) s.m.
axótomo (*cs*) adj.
axoxô s.m.
axuá s.f.
axuaju s.m.
axuarana s.f.
axúngia (*cs*) s.f.
az s.m. "ala de exército"; cf. *ás*
azabe s.m.
azabumbado adj.
azabumbante adj.2g.
azabumbar v.
azaburro s.m.
azadaracta s.f.
azadirina s.f.
azado adj.; cf. *asado* adj. s.m. e fl. do v. *asar*
azador (*ô*) adj. s.m. "ocasionador"; cf. *asador*
azáfama s.f.; cf. *azafama*, fl. do v. *azafamar*
azafamado adj.
azafamar v.
azafameiro adj.
azagaia s.f.
azagaiada s.f.
azagaiar v.
azagaieiro adj. s.m.
azagal s.m.
azagre s.m.
azagunchada s.f.
azagunchar v.
azaguncho s.m.
azaia s.f.
azaina s.f.
azal s.m.
azalácea s.f.
azaláceo adj.
azálea s.f.
azaleácea s.f.
azaleáceo adj.
azálea-da-china s.f.; pl. *azáleas-da-china*
azálea-da-índia s.f.; pl. *azáleas-da-índia*
azálea-do-japão s.f.; pl. *azáleas-do-japão*
azaleia (*é*) s.f.
azaleína s.f.
azalina s.f.
azálio adj. s.m.
azamar s.m.
azamboado adj.
azamboamento s.m.
azamboar v.
azambrado adj.
azambuja s.f.
azambujal s.m.
azambujeiro s.m.
azambujense adj. s.2g.
azambujino adj. s.m.
azambujo s.m.
azanegue adj. s.2g.
azanga s.f.
azangado adj.
azangar v.
azango s.m.
azaola s.f.
azaqui s.m.
azar v. s.m. "acaso", "ensejar"; cf. *asar*
azara s.m.f.
azaração s.f.
azarado adj. s.m.
azaranzado adj.
azaranzar v.
azarão s.m.
azarar v.
azarcão s.m.
azarento adj.
azares s.m.2n.
azaria s.f.
azarina s.f.
azarnefe s.m.
azarola s.f.
azarolado adj.
azaroleira s.f.
azaroleiro adj.
azatioprina s.f.
azauriense adj.2g. s.2g.
azaurólico adj.
azavá s.f.
azavere s.m.
azazel s.m.
azé s.m.
azebibe s.m.
azebrado adj.
azebrar v.
azebre (*ê*) s.m.; cf. *azebre*, fl. do v. *azebrar*
azebuado adj.
azebuar v.
azeche s.m.
azeda (*ê*) s.f.; cf. *azeda*, fl. do v. *azedar*
azeda-brava s.f.; pl. *azedas-bravas*
azedado adj.
azeda-do-brejo s.f.; pl. *azedas-do-brejo*
azedador (*ô*) adj. s.m.
azeda-espinhosa s.f.; pl. *azedas-espinhosas*
azeda-graúda s.f.; pl. *azedas-graúdas*
azedamento s.m.
azeda-miúda s.f.; pl. *azedas-miúdas*
azedão s.m.
azedar v.
azedaraque s.m.
azeda-romana s.f.; pl. *azedas-romanas*
azedas-de-ovelha s.f.pl.
azedeira s.f.
azedém s.m.
azederaque s.m.
azedete (*ê*) adj.2g.
azedia s.f.
azedinha s.f.
azedinha-aleluia s.f.; pl. *azedinhas-aleluia* e *azedinhas-aleluias*
azedinha-da-baía s.f.; pl. *azedinhas-da-baía*
azedinha-da-horta s.f.; pl. *azedinhas-da-horta*
azedinha-de-corumbá s.f.; pl. *azedinhas-de-corumbá*
azedinha-de-goiás s.f.; pl. *azedinhas-de-goiás*
azedinha-do-brejo s.f.; pl. *azedinhas-do-brejo*
azedinha-do-campo s.f.; pl. *azedinhas-do-campo*
azedinha-grande s.f.; pl. *azedinhas-grandes*
azedinha-miúda s.f.; pl. *azedinhas-miúdas*
azedo (*ê*) adj. s.m.; cf. *azedo*, fl. do v. *azedar*
azedote adj.2g.
azedume s.m.
azedura s.f.
azegi s.m.
azegue s.m.
azeirola s.f.
azeitada s.f.
azeitadeira s.f.
azeitado adj.
azeitador (*ô*) adj. s.m.
azeitão adj. s.m.
azeitar v.
azeite s.m.
azeite de carrapato s.m.
azeite de cheiro s.m.
azeite de dendê s.m.
azeite de luz s.m.
azeiteira s.f.
azeiteiro adj. s.m.
azeitinho s.m.
azeitona s.f.
azeitona-d'água s.f.; pl. *azeitonas-d'água*
azeitona-da-terra s.f.; pl. *azeitonas-da-terra*
azeitona-de-azeite s.f.; pl. *azeitonas-de-azeite*
azeitonado adj.
azeitona-do-mato s.f.; pl. *azeitonas-do-mato*
azeitonamento s.m.
azeitonar v.
azeitona-rei s.f.; pl. *azeitonas-rei* e *azeitonas-reis*
azeitoneira s.f.
azeitoneiro adj. s.m.
azeitonense adj. s.2g.
azel s.m.
azelaico adj.
azelaona s.f.
azélia s.f.
azélide s.m.
azeloínico adj.
azemafor s.m.
azêmala s.f.
azemel s.m.
azemeleiro s.m.
azemelheiro s.m.
azêmola s.f.
azenegue adj. s.2g.
azenha s.f.
azenheiro s.m.
azentio s.m.
ázeo adj. s.m.
azeotropia s.f.
azeotrópico adj.
azeotropismo s.m.
azeotropístico adj.
azeótropo s.m.
azerado adj.
azerar v.
azerbaidjano adj. s.m.
azerbaijano adj. s.m.
azerbe (*ê*) s.m.
azerbeidjano adj. s.m.
azerbeijano adj. s.m.
azerédia s.f.
azeredo (*ê*) s.m.
azereiro s.m.
azereiro-dos-danados s.m.; pl. *azereiros-dos-danados*
azereiro-pado s.m.; pl. *azereiros-pado* e *azereiros-pados*
azerola s.f.
azeroleira s.f.
azervada s.f.
azerve s.m.
azetino adj. s.m.
azevá s.f.
azevão s.m.
azêvar s.m.
azevedense adj. s.2g.
azevedo (*ê*) s.m.
azevém s.m.
azevém-italiano s.m.; pl. *azevéns-italianos*
azevia s.f.
azevichado adj.
azevichar v.
azeviche s.m.
azevieiro adj. s.m.
azevinheiro s.m.
azevinho s.m.
azevinho-espinhoso s.m.; pl. *azevinhos-espinhosos*
azevinho-pequeno s.m.; pl. *azevinhos-pequenos*
azevrar v.
azevre s.m.
azia s.f.; cf. *asia*, fl. do v. *asir*
aziago adj.
aziar s.m.
azíbar s.m.
azibó s.m.
aziche s.m.
azida s.f.
azídico adj.
azidina s.f.
azidotimidina s.f.
azígico adj.
azigite s.m.
ázigo adj. s.m.
azigócero adj.
azigografia s.f.
azigósporo adj.
azigoto (*ô*) s.m.
azilense adj.2g.
azilina s.f.
ázima s.f.
azimba s.f.
azimeria s.f.
azimia s.f.
azímico adj.
azimida adj. s.2g.
azimita adj. s.2g.
ázimo adj. s.m.
azimutal adj.2g.
azimute s.m.
azina s.f.
azinabã s.m.
azinavre s.m.
azinha s.f. "fruto da azinheira"; cf. *asinha*
azinhaga s.f.
azinhal s.m.
azinhavrar v.
azinhavre s.m.
azinheira s.f.
azinheira-da-bolota-doce s.f.; pl. *azinheiras-da-bolota-doce*
azinheira-doce s.f.; pl. *azinheiras-doces*
azinheiral s.m.
azinheira-macha s.f.; pl. *azinheiras-machas*
azinheiro s.m.
azinho s.m.
azinhoso (*ô*) adj.; f. (*ó*); pl. (*ó*)
azitromicina s.f.
aziumado adj.
aziumar v.
aziúme s.m.
azo s.m.; cf. *aso*, fl. do v. *asar*
azoada s.f.
azoado adj.
azoalquilfenílico adj.
azoamento s.m.
azoar v.
azobácter s.m.
azobenzênico adj.
azobenzeno s.m.
azobenzílico adj.
azobenzilo s.m.
azobenzoato s.m.
azobenzoico (*ó*) adj.
azobenzol s.m.
azobenzólico adj.
azocárbico adj.
azocarboneto (*ê*) s.m.
azocarbônico adj.
azocarbonilo s.m.
azocarbureto (*ê*) s.m.
azocardeal s.m.
azocianeto (*ê*) s.m.
azocloramida s.f.
azocochenilha s.f.
azocorinto s.m.
azocromina s.f.
azodermina s.f.
azodicarbonamida s.f.
azodol s.m.
azoeirado adj.
azoeritrina s.f.
azofenetol s.m.
azofenilamina s.f.
azofenileno s.m.
azofenol s.m.
azogranadina s.f.
azoiano adj. s.m.
azoico (*ó*) adj.
azoinado adj.
azoinante adj.2g.
azoinar v.

azol s.m.
azola s.f.
azolitmina s.f.
azoma s.m.
azomarato s.m.
azomárico adj.
azombado adj.
azonado adj.
azonaftaleno s.m.
azonaftol s.m.
azonal adj.2g.
azonitrila s.f.
azonitrílico adj.
azono adj.
azonzado adj.
azonzar v.
azoo (*ô*) s.m.
azoodinamia s.f.
azoodinâmico adj.
azoodínamo s.m.
azoofilia s.f.
azoofílico adj.
azoófilo adj.
azoospermatorreia (*é*) s.f.
azoospermatorreico (*é*) adj.
azoospermia s.f.
azoospérmico adj.
azoótico adj.
azoproíta s.f.
azoque (*ô*) s.m.
azoraque s.m.
azoratar v.
azoretado adj.
azoretar v.
azorita s.f.
azorite s.f.
azorpirrita s.f.
azorragada s.f.
azorragado adj.
azorragamento s.m.
azorragar v.
azorrague s.m.
azorrar v. "arrastar"; cf. *azurrar*
azorreia (*é*) s.f.
azorubina s.f.
azosma s.f.
azossalicilato s.m.
azossalicílico adj.
azossulfina s.f.
azossulfonato s.m.
azossulfônico adj.
azossulfopicramida s.f.
azossulfopicramina s.f.
azotação s.f.
azotado adj. s.m.
azótana s.m.
azotar v.
azotato s.m.
azote s.m.
azotemia s.f.
azotêmico adj.
azoteto (*ê*) s.m.
azótico adj.
azótido s.m.
azotídrico adj.
azotífero adj.
azotilo s.m.
azotímetro s.m.
azotina s.f.
azotiódico adj.
azotioprina s.f.
azotita adj. s.2g.
azotito s.m.
azotização s.f.
azotizar v.
azoto (*ô*) s.m.; cf. *azoto*, fl. do v. *azotar*
azotobactéria s.f.
azotoide (*ó*) adj.2g. s.m.
azotol s.m.
azotólico adj.
azotoluidina s.f.
azotometria s.f.
azotométrico adj.
azotômetro s.m.
azotorreia (*é*) s.f.
azotorreico (*é*) adj.
azotoso (*ô*) adj.; f. (*ó*); pl. (*ó*)
azotriasol s.m.
azotureto (*ê*) s.m.
azoturia s.f.
azotúria s.f.
azotúrico adj.
azougado adj.
azougamento s.m.
azougar v.
azougue s.m.
azougue-do-brasil s.m.; pl. *azougues-do-brasil*
azougue-do-campo s.m.; pl. *azougues-do-campo*
azougue-dos-pobres s.m.; pl. *azougues-dos-pobres*
azovalala s.m.
azoxassol (*cs*) s.m.
azoxianisólico (*cs*) adj.
azoxianissol (*cs*) s.m.
azoxibenzeno (*cs*) s.m.
azoxibenzol (*cs*) s.m.
azóxido (*cs*) s.m.
azuago adj. s.m.
azubo s.m.
azucrim s.m.
azucrinação s.f.
azucrinado adj.
azucrinante adj.2g.
azucrinar v.
azucrinol s.m.
azuela s.f.
azuis-loios (*ó*) s.m.pl.
azul adj.2g. s.m.
azuláceo adj.
azuladinha s.f.
azulado adj. s.m.
azulador (*ô*) adj.
azulão s.m.
azulão-bicudo s.m.; pl. *azulões-bicudos*
azulão-boia s.2g.; pl. *azulões-boia* e *azulões-boias*
azulão-da-serra s.m.; pl. *azulões-da-serra*
azulão-de-cabeça-encarnada s.m.; pl. *azulões-de-cabeça-encarnada*
azulão-do-campo s.m.; pl. *azulões-do-campo*
azular v.
azul-celeste adj.2g.2n. s.m.; pl. do s. *azuis-celestes*
azul-claro adj.2g.2n. s.m.; pl. do s. *azuis-claros*
azul-cobalto adj.2g.2n. s.m.; pl. do s. *azuis-cobalto* e *azuis-cobaltos*
azul de metileno s.m.
azul do céu adj.2g.2n. s.m.
azulear v.
azulecente adj.2g.
azulecer v.
azulecido adj.
azulego (*ê*) adj. s.m.
azuleiro adj.
azulejado adj.
azulejador (*ô*) adj. s.m.
azulejar v.
azulejaria s.f.
azulejista s.2g.
azulejo (*ê*) s.m.
azuleno s.m.
azul-escuro adj.2g.2n. s.m.; pl. do s. *azuis-escuros*
azul-faiança adj.2g.2n. s.m.; pl. do s. *azuis-faiança* e *azuis-faianças*
azul-ferrete adj.2g.2n. s.m.; pl. do s. *azuis-ferrete* e *azuis-ferretes*
azulfidina s.f.
azul-fino adj.2g.2n. s.m.; pl. do s. *azuis-finos*
azulina s.f.
azulinar v.
azulíneo adj.
azulinha s.f.
azulinho s.m.
azulino adj.
azulita s.f.
azul-marinho adj.2g.2n. s.m.; pl. do s. *azuis-marinhos*
azulmato s.m.
azúlmico adj.
azulmina s.f.
azulminato s.m.
azulofilia s.f.
azuloide (*ó*) adj.2g.
azuloio (*ó*) adj. s.m.
azulona s.f.
azul-pavão adj.2g.2n. s.m.; pl. do s. *azuis-pavão* e *azuis-pavões*
azul-piscina adj.2g.2n. s.m.; pl. do s. *azuis-piscina* e *azuis-piscinas*
azul-pombinho adj.2g.2n. s.m.; pl. do s. *azuis-pombinho* e *azuis-pombinhos*
azul-seda adj.2g.2n. s.m.; pl. do s. *azuis-seda* e *azuis-sedas*
azul-turquesa adj.2g.2n. s.m.; pl. *azuis-turquesa* e *azuis-turquesas*
azulzinha s.f.
azumara adj. s.2g.
azumbação s.f.
azumbar v.
azumbrado adj.
azumbrar v.
azumbre s.m.
azurado s.m.
azuraque s.m.
azurar v.
azurcalcedônia s.f.
azúrico s.m.
azurina s.f.
azurita s.f.
azurite s.f.
azuritense adj. s.2g.
azurlita s.f.
azurmalaquita s.f.
azurnar v.
azurófilo adj.
azurracha s.f.
azurrador (*ô*) adj.
azurrar v. "ornejar"; cf. *azorrar*
azuru s.m.
azurzir v.

Bb

b s.m.
bá s.f.
baageiro s.m.
baaísmo s.m.
baaísta adj. s.2g.
baaístico adj.
baal s.m.
baali s.m.
baalismo s.m.
baalita adj. s.2g.
baamense adj. s.2g.
baamês adj. s.m.
baamiano adj. s.m.
baamito s.m.
baanda s.f.
baango-lango s.m.; pl. *baangos-langos*
baango-largo s.m.; pl. *baangos-largos*
baanita adj. s.2g.
baarás s.m.2n.
baardinã s.m.
baau s.m.
baazas s.m.2n.
baba s.m.f. "saliva", etc.; cf. *babá*
babá s.m.f. "ama", etc.; cf. *baba* s.m.f. e fl. do v. *babar*
babá-alemão s.m.; pl. *babás-alemães*
bababi s.m.
bababudanita s.f.
babaca adj. s.2g. s.f.
babaça adj. s.2g.
babaço adj. s.m.
babaçu s.m.
babaçual s.m.
babaçuê s.m.
babaçuense adj. s.2g.
babaçulandês adj. s.m.
babaçulandiense adj. s.2g.
babaçuzal s.m.
babaçuzense adj. s.2g.
babada s.f.
baba-da-lesma s.f.; pl. *babas-da-lesma*
babadé s.m.
baba de boi s.f. "seiva"
baba-de-boi s.f. "espécie de palmeira"; pl. *babas-de-boi*
baba-de-boi-da-campina s.f.; pl. *babas-de-boi-da-campina*
babadeira s.f.
babadeiro s.m.
baba de moça s.f.
baba-de-sapo s.f.; pl. *babas-de-sapo*
babadinho adj.
babado adj. s.m.
babado-de-nossa-senhora s.m.; pl. *babados-de-nossa-senhora*
babadoiro s.m.
babador (*ô*) adj. s.m.
babadouro s.m.
babadura s.f.
babagore s.m.
babal s.m.
babala adj. s.2g.
babalaô s.m.
babalaxé s.m.
babália s.f.
babaloalô s.m.
babalorixá s.m.
babalossaim s.m.
babalotim s.m.
babaloxá s.m.
babanca s.2g.
babanense adj. s.2g.
babaniá s.m.
babanim s.m.
babanlá s.m.
babão adj. s.m.; f. *babona*
babaojé s.m.
baba-ovo s.m.; pl. *baba-ovos*
babaquara adj. s.2g.
babaquerê s.m.
babaquice s.f.
babar v. s.m.
babaré s.m. interj.
babaréu s.m.
babarilhar v.
babassa s.f.
babassuê s.m.
babatambi s.m.
babatar v.
babatembi s.m.
babau s.m. interj.
babaua adj. s.2g.
babaúca s.m.
babear v.
babeca s.m.
babece s.m.
babeco s.m.
babefita s.f.
babeira s.f.
babeiro s.m.
babel s.f.
babela s.f.
babelesco (*ê*) adj.
babélico adj.
babelismo s.m.
babelista adj. s.2g.
babelístico adj.
babelização s.f.
babelizado adj.
babelizar v.
babelquartzo s.m.
babelquarzo s.m.
baber adj. s.2g.
babérida adj. s.2g.
babésia s.f.
babesíase s.f.
babésida adj.2g. s.m.
babesídeo adj. s.m.
babesiela s.f.
babesielose s.f.
babesiose s.f.
babete s.2g.
babi adj. s.2g.
babiá s.m.
babiana s.f.
babiaque s.m.
babiense adj. s.2g.
babilarde s.m.
babilha s.f.
babilônia s.f.
babiloníaco adj. s.m.
babiloniado adj.
babilônica s.f.
babilônico adj. s.m.
babiloniense adj. s.2g.
babilônio adj. s.m.
babilonismo s.m.
babilonista adj. s.2g.
babilonístico adj.
babilonização s.f.
babilonizado adj.
babilonizar v.
babingtônia s.f.
babingtonita s.f.
babingtonite s.f.
babirrussa s.f.
babirussa s.f.
babismo s.m.
babista adj. s.2g.
babístico adj.
bablá s.m.
bablaque s.m.
bable adj.2g. s.m.
babo s.m.
baboca adj. s.2g. s.f.
babogeira s.f.
baboliá s.f.
babona adj. s.f. de *babão*
babongo adj. s.m.
babordo s.m.
baboré s.m.
babosa s.f.
babosa-branca s.f.; pl. *babosas-brancas*
babosa-brava s.f.; pl. *babosas-bravas*
babosa-de-árvore s.f.; pl. *babosas-de-árvore*
babosa-de-espiga s.f.; pl. *babosas-de-espiga*
babosa-de-pau s.f.; pl. *babosas-de-pau*
babosa-do-mato s.f.; pl. *babosas-do-mato*
babosear v.
baboseio s.m.
baboseira s.f.
baboseiro s.m.
babosice s.f.
baboso (*ô*) adj. s.m.; f. (*ó*); pl. (*ó*)
babouvismo s.m.
babouvista adj. s.2g.
babovismo s.m.
babovista adj. s.2g.
babovístico adj.
babu s.m.
babua s.m.
babucha s.f.
babuche s.f.
babuco adj. s.m.
babuendi adj. s.2g.
babuero adj. s.m.
babuge s.f.
babugeira s.f.
babugem s.f.
babugento adj.
babuí adj. s.2g.
babuíno s.m.
babujado adj.
babujante adj.2g.
babujar v.
babujaria s.f.
babul s.m.
babuma adj. s.2g.
babunda adj. s.2g.
babunha s.f.
babuvismo s.m.
babuvista adj.2g. s.2g.
babuvístico adj.
babuzar v. s.m.
baca s.m.f.
bacaa adj. s.2g.
bacaaí s.m.
bacaba s.f.
bacaba-branca s.f.; pl. *bacabas-brancas*
bacabaçu s.f.
bacabada s.f.
bacaba de azeite s.f. "fibra"; cf. *bacaba-de-azeite*
bacaba-de-azeite s.f. "espécie de palmeira, fruto dessa palmeira"; pl. *bacabas-de-azeite*; cf. *bacaba de azeite*
bacaba-de-leque s.f.; pl. *bacabas-de-leque*
bacaba-do-pará s.f.; pl. *bacabas-do-pará*
bacabaí s.f.
bacabal s.m.
bacabalense adj. s.2g.
bacabamirim s.f.
bacabão s.m.
bacabeira s.f.
bacabense adj. s.2g.
bacabinha s.f.
bacaca s.f.
bacáceo adj.
bacacu s.m.
bacacuá s.m.
bacacu-negro s.m.; pl. *bacacus-negros*
bacacu-preto s.m.; pl. *bacacus-pretos*
bacada s.f.
bacadense adj. s.2g.
bacaetavense adj. s.2g.
bacafuzada s.f.
bacafuzar v.
bacaiaúba s.f.
bacainense adj.2g. s.2g.
bacairi adj. s.2g.
bacaiuba (*ú*) s.f.
bacaiuva (*ú*) s.f.
bacaiuveira s.f.
bacal s.m.
bacalai adj. s.2g.
bacalar s.m.
bacalária s.f.
bacalário s.m.
bacalar-preto s.m.; pl. *bacalares-pretos*
bacalaureano adj.
bacalaureato s.m.
bacaláureo adj.
bacaláurio s.m.
bacalé s.m.
bacalhau s.m.
bacalhau de porta de tenda s.m.
bacalhau de porta de venda s.m.
bacalhau-de-praia s.m.; pl. *bacalhaus-de-praia*
bacalhau-do-brasil s.m.; pl. *bacalhaus-do-brasil*
bacalhau-dos-açores s.m.; pl. *bacalhaus-dos-açores*
bacalhau-do-sul s.m.; pl. *bacalhaus-do-sul*
bacalhau-frescal s.m.; pl. *bacalhaus-frescais*
bacalhaus s.m.pl.
bacalhauzada s.f.
bacalhoa (*ô*) s.f.
bacalhoada s.f.
bacalhoeiro adj. s.m.
bacalhuça s.m.
bacalhuço s.m.
bacálio s.m.
bacalita s.f.
bacama s.f.
bacamartada s.f.
bacamartão s.m.
bacamarte s.m. "arma de fogo"; cf. *bracamarte*
bacamartista s.2g.
bacamba adj. s.2g.
bacampicilina s.f.
bacana adj. s.2g.
bacanaço adj.
bacanais s.f.pl.
bacanal adj.2g. s.f.
bacanália s.f.
bacanálias s.f.pl.
bacanalizar v.
bacancala adj. s.2g.
bacâneo adj.
bacango s.m.
bacano adj. s.m.
bacante s.f.
bacântico adj.
bacão adj. s.m.
baçãozense adj. s.2g.
bacar s.m.
bacará s.m.
bacaraí s.m.
bacare s.m.
bacarejo (*ê*) s.m.
bacaréu s.m.
bacárida s.f.
bacaridastro s.m.
bacáride s.f.
bacaridina s.f.
bacarija s.f.
bacarim s.m.
baçarina s.f.
bacarinho s.m.
bacarioide (*ó*) adj.2g. s.f.
bácaris s.f.2n.
bacaro s.m.
bácaro s.m.
bacaroide (*ó*) adj.2g. s.f.
bacásia s.f.
bacassequere adj. s.2g.
bacatubense adj. s.2g.
bacatuense adj. s.2g.
bacaubense adj.2g. s.2g.
bacaular adj.2g. s.m.
bacáurea s.f.
bacaxaense adj. s.2g.
bacazi s.m.
bacázio s.m.
baceira s.f.
baceiro adj.
bacela s.f.
bacelada s.f.
bacelado adj.
bacelador (*ô*) s.m.
bacelaense adj. s.2g.
bacelar v.
bacelarense adj. s.2g.
baceleira s.f.
baceleiro adj. s.m.

bacelia s.f.
bacelo (*ê*) s.m.; cf. *bacelo*, fl. do v. *bacelar*
bacelo-liso s.m.; pl. *bacelos-lisos*
bacento adj.
baceta (*ê*) s.f.
bachaler s.m.
bachaleria s.f.
bachão s.m.
bachar adj. s.2g.
bacharel s.m.
bacharela s.f.
bacharelada s.f.
bacharelado adj. s.m.
bacharelamento s.m.
bacharelando s.m.
bacharelar v.
bacharelático adj.
bacharelato s.m.
bachareleiro adj.
bacharelesco (*ê*) adj.
bacharelete (*ê*) s.m.
bacharelho (*ê*) adj. s.m.
bacharelice s.f.
bacharelismo s.m.
bacharelista adj. s.2g.
bacharelístico adj.
bacharelo adj. s.m.
bacharelomania s.f.
bacharelote s.m.
bacharola adj. s.2g.
bacheiro s.m.
bachengue adj. s.2g.
bachi s.m.
bachiano (*qui*) adj.
bachibuzuque s.m.
bachicar v.
bachichá s.2g.
bachilango adj. s.2g.
bachinche s.m.
bachiné s.m.
bachocué adj. s.2g.
bachope adj. s.2g.
bachucar v.
bacia s.f.
baciácico adj.
baciada s.f.
bacia das almas s.f.
baciado adj.
bacial adj.2g.
baciano adj.
baciar v.
baciazinha s.f.
bacicaular adj.2g. s.m.
bacidez (*ê*) s.f.
bacídia s.f.
bacieta (*ê*) s.f.
bacífero adj.
baciforme adj.2g.
bacila s.f.
bacilácea s.f.
baciláceo adj.
bacilar adj.2g. s.m.
bacilareia (*é*) s.f.
bacilária s.f.
bacilariácea s.f.
bacilariáceo adj.
bacilarial adj.2g.
bacilariale s.f.
bacilário adj. s.m.
bacilarioficea s.f.
bacilarioficeo adj.
bacilariófita s.f.
bacilariófito adj. s.m.
bacilemia s.f.
bacilêmico adj.
bacilento adj.
bacilicida adj.2g. s.m.
bacilicídio s.m.
bacilífero adj.
baciliforme adj.2g.
bacilíparo adj.
bacilização s.f.
bacilizar v.
bacilo s.m.
bacilofilia s.f.
bacilofílico adj.
bacilofobia s.f.
bacilófobo adj. s.m.
bacilógero s.m.
baciloscopia s.f.
baciloscópico adj.
bacilose s.f.
baciloso (*ô*) adj.; f. (*ó*); pl. (*ó*)
baciloterapia s.f.
baciloterápico adj.
baciluria s.f.
bacilúria s.f.
bacineta (*ê*) s.f.
bacinete (*ê*) s.m.
bacinica s.f.
bacinico s.m.
baciniqueiro adj. s.m.
bacio s.m.
bacirrabo s.m.
bácis s.m.2n.
bacitracina s.f.
bacivóride adj. s.2g.
bacívoro adj.
backstroemita s.f.
baclava s.m.
baclavá s.m.
bacleia (*é*) s.f.
baco adj. s.m.
baço adj. s.m.
bacoanhoca adj. s.2g.
bacoani adj. s.2g.
baco-baco s.m.; pl. *baco-bacos*
bacocada s.f.
bacocaria s.f.
bacoco (*ô*) adj. s.m.; f. (*ó*); pl. (*ó*)
baco de leré s.m.
baco de mão s.m.
bacola s.2g.
bacolejar v.
bacoleré s.m.
bacólica s.f.
bacololo adj. s.m.
bacondê s.m.
bacongo adj. s.m.
baçongo adj. s.m.
bacônia s.f.
baconiano adj. s.m.
baconismo s.m.
baconista adj. s.2g.
baconístico adj.
bacopa s.f.
bacopá s.f.
bacoparé s.m.
bacopari s.m.
bacoparizeiro s.m.
bacoquice s.f.
bacoquismo s.m.
bacorá s.f.
bacorada s.f.
bacoragem s.f.
bacoral adj.2g. s.m.f.
bacorana s.f.
bacoreira s.f.
bacoreiro s.m.
bacorejado adj.
bacorejar v.
bacorejo (*ê*) s.m.
bacori adj. s.2g. s.m.
bacorice s.f.
baçórico adj.
bacorim s.m.
baçorina s.f.
bacorinha s.f.
bacorinhar v.
bacorinho s.m.
bácoro s.m.
bacoroca adj. s.2g.
bacorote s.m.
bacota adj. s.2g. s.m.
bacta s.2g.
bactéria s.f.
bacteriácea s.f.
bacteriáceo adj.
bacteriaglutinina s.f.
bacterial adj.2g.
bacteriano adj.
bacteriastro s.m.
bactericida adj.2g. s.m.
bactericídio s.m.
bactérico adj.
bacterídia s.f.
bacteridiano adj.
bacterídio s.m.
bacteriemia s.f.
bacteriêmico adj.
bacterina s.f.
bacterinoterapia s.f.
bacterinoterápico adj.
bactério s.m.
bacterioaglutinina s.f.
bacteriocecídia s.f.
bacteriocina s.f.
bacterioclorina s.f.
bacterioclorofila s.f.
bacteriofagia s.f.
bacteriofágico adj.
bacteriófago adj. s.m.
bacterióforo s.m.
bacterioide (*ó*) adj.2g. s.m.
bacteriólise s.f.
bacteriolisina s.f.
bacteriolítico adj.
bacteriólito s.m.
bacteriologia s.f.
bacteriológico adj.
bacteriologista adj. s.2g.
bacteriólogo s.m.
bacteriopéctico adj.
bacteriopexia (*cs*) s.f.
bacteriopéxico (*cs*) adj.
bacterioplancto s.m.
bacterioplâncton s.m.
bacteriopurpurina s.f.
bacteriopurpurínico adj.
bacteriorraquia s.f.
bacterioscopia s.f.
bacterioscópico adj.
bacteriose s.f.
bacteriostase s.f.
bacterióstase s.f.
bacteriostasia s.f.
bacteriostático adj. s.m.
bacteriotanina s.f.
bacterioterapia s.f.
bacterioterápico adj.
bacteriotoxemia (*cs*) s.f.
bacteriotoxêmico (*cs*) adj.
bacteriotoxicina (*cs*) s.f.
bacteriotoxina (*cs*) s.f.
bacteriotropia s.f.
bacteriotrópico adj.
bacteriotropina s.f.
bacteriotropismo s.m.
bacteriótropo adj.
bacterismo s.m.
bacteriuria s.f.
bacteriúria s.f.
bacteroide (*ó*) adj.2g. s.m.
bactiioga s.m.
bactiioguim s.m.
bactimarga s.f.
bactofórmio s.m.
báctrea s.f.
bactreno adj. s.m.
bactriano adj. s.m.
báctrico adj. s.m.
báctrida s.f.
báctride adj.2g. s.m.
bactrídea s.f.
bactrídeo adj. s.m.
bactridina s.f.
bactrídio s.m.
bactrino adj. s.m.
báctrio adj. s.m.
báctris s.m.2n.
bactrito s.m.
bactro adj. s.m.
bactrócero s.m.
bactromancia s.f.
bactromanciano s.m.
bactromante s.2g.
bactromântico adj.
bactróspora s.f.
bacu s.m.
bacuaí s.m.
bacuando adj. s.m.
bacuara adj. s.2g.
bacuba adj.2g.
bacubai adj. s.2g.
bacubixá s.f.
bacubixá-açu s.f.; pl. *bacubixás-açus*
bacubixá-branca s.f.; pl. *bacubixás-brancas*
bacucu s.m.
bacuçu s.m.
bacuda s.f.
bacu-de-pedra s.m.; pl. *bacus-de-pedra*
bacudileré s.m.
bacudimão s.m.
bacuejo (*ê*) s.m.
bacuém adj. s.2g.
bacuína s.f.
baculária s.f.
baculário adj. s.m.
baculejo (*ê*) s.m.
baculerê s.m.
baculífero adj.
baculiforme adj.2g.
baculino adj.
baculita s.f.
baculite s.f.
baculo adj. s.m.
báculo s.m.
báculo de jacó s.m.
báculo de jacob s.m.
baculometria s.f.
baculométrico adj.
baculômetro s.m.
bacumbu s.m.
bacumini adj. s.2g.
bacumixá s.2g.
bacumixá-açu s.f.; pl. *bacumixás-açus*
bacumixá-branca s.f.; pl. *bacumixás-brancas*
bacumixava s.m.
bacundo adj. s.2g.
bacuol s.m.
bacupã s.m.
bacupari s.m.
bacupariaçu s.m.
bacupari-cipó s.m.; pl. *bacuparis-cipó* e *bacuparis-cipós*
bacupari-da-bahia s.m.; pl. *bacuparis-da-bahia*
bacupari-de-capoeira s.m.; pl. *bacuparis-de-capoeira*
bacupari-do-amazonas s.m.; pl. *bacuparis-do-amazonas*
bacupari-do-campo s.m.; pl. *bacuparis-do-campo*
bacupari-do-mato s.m.; pl. *bacuparis-do-mato*
bacupari-grande s.m.; pl. *bacuparis-grandes*
bacupari-miúdo s.m.; pl. *bacuparis-miúdos*
bacuparizeiro s.m.
bacuparu s.m.
bacu-pedra s.m.; pl. *bacus-pedra*
bacupixá s.m.
bacupuá s.m.
bacura s.f.
bacurau s.m.
bacurau-americano s.m.; pl. *bacuraus-americanos*
bacurau-branco s.m.; pl. *bacuraus-brancos*
bacurau-branco-da-praia s.m.; pl. *bacuraus-brancos-da-praia*
bacurau-cauda-barrada s.m.; pl. *bacuraus-cauda-barrada*
bacurau-da-caatinga s.m.; pl. *bacuraus-da-caatinga*
bacurau-d'água s.m.; pl. *bacuraus-d'água*
bacurau-da-praia s.m.; pl. *bacuraus-da-praia*
bacurau-da-telha s.m.; pl. *bacuraus-da-telha*
bacurau-de-asa-fina s.m.; pl. *bacuraus-de-asa-fina*
bacurau-de-bando s.m.; pl. *bacuraus-de-bando*
bacurau-de-lajeado s.m.; pl. *bacuraus-de-lajeado*
bacurau-de-rabo-branco s.m.; pl. *bacuraus-de-rabo-branco*
bacurau-grande s.m.; pl. *bacuraus-grandes*
bacurau-negro s.m.; pl. *bacuraus-negros*
bacurau-norte-americano s.m.; pl. *bacuraus-norte-americanos*
bacurau-ocelado s.m.; pl. *bacuraus-ocelados*
bacurau-pequeno s.m.; pl. *bacuraus-pequenos*
bacurau-pintado s.m.; pl. *bacuraus-pintados*
bacurau-pituí s.m.; pl. *bacuraus-pituí* e *bacuraus-pituís*
bacurau-preto s.m.; pl. *bacuraus-pretos*
bacurau-rabo-maculado s.m.; pl. *bacuraus-rabo-maculado* e *bacuraus-rabos-maculados*
bacurau-rupestre s.m.; pl. *bacuraus-rupestres*
bacurau-tesoura s.m.; pl. *bacuraus-tesoura* e *bacuraus-tesouras*
bacurau-tesoura-gigante s.m.; pl. *bacuraus-tesoura-gigante* e *bacuraus-tesoura-gigantes*
bacurauzinho-da-caatinga s.m.; pl. *bacurauzinhos-da-caatinga*
bacuri adj. s.2g. s.m.
bacuri-de-cerca s.m.; pl. *bacuris-de-cerca*
bacuriense adj. s.2g.
bacurina s.f.
bacuripari s.m.
bacuripati s.m.
bacuriteuense adj. s.2g.
bacuritiense adj. s.2g.
bacuritubense adj. s.2g.
bacuriúba s.f.
bacurizal s.m.
bacurizeiro s.m.
bacurizinhense adj. s.2g.
bacurubu s.m.
bacurubu-ficheira s.m.; pl. *bacurubus-ficheira* e *bacurubus-ficheiras*
bacurumixá s.m.
bacururu s.m.
bacuruva s.f.
bacuruvu s.m.
bacutiara s.f.
bacuto adj. s.2g.
bacuva s.f.
bacuzinho-roncador s.m.; pl. *bacuzinhos-roncadores*
bada s.f.
badaga adj. s.2g.
badagaio s.m.
badaje s.m.
badajo adj.
badajola s.m.
badajoloa (*ô*) adj. s.m.
badajozense adj. s.2g.
badal s.m.
badala s.f.
badalação s.f.
badalada s.f.
badaladal s.m.
badalado adj.
badalador (*ô*) adj. s.m.
badalante adj.2g.
badalão s.m.
badalar v.
badalativo adj.
badalável adj.2g.
badalear v.
badaleira s.f.
badaleiro s.m.
badalejado adj.
badalejar v.
badalejo (*ê*) s.m.
badalho s.m.
badalhó s.m.
badalhoca s.f.
badalhocar v.
badalhocas s.f.pl.
badalhoiço s.m.
badalhoqueira s.f.
badalhoqueiras s.f.pl.

badalhoquice s.f.
badalhouço s.m.
badalim s.m.
badalinho s.m.
badalo s.m.
badalo de forquilha s.m.
badalo de gancho s.m.
badalo de martelo s.m.
badame s.m.
badameco s.m.
badamecos s.m.pl.
badameiro adj. s.m.
badamerda s.2g.
badâmia s.f.
badamo s.m.
badamu s.m.
badana s.f. s.2g.
badanado adj.
badanagem s.f.
badanal s.m.
badanar v.
badanas s.2g.pl.
badania s.f.
badano s.m.
badante adj.2g.
badariano adj. s.m.
badaroa (*ô*) s.f.
baddeleíta s.f.
baddelsita s.f.
badé s.m.
badejete (*ê*) s.m.
badejo (*ê* ou *é*) adj. s.m.
badejo-alto s.m.; pl. *badejos-altos*
badejo-bicudo s.m.; pl. *badejos-bicudos*
badejo-branco s.m.; pl. *badejos-brancos*
badejo-da-areia s.m.; pl. *badejos-da-areia*
badejo-da-pedra s.m.; pl. *badejos-da-pedra*
badejo-de-lista s.m.; pl. *badejos-de-lista*
badejo-ferro s.m.; pl. *badejos-ferro* e *badejos-ferros*
badejo-fogo s.m.; pl. *badejos-fogo* e *badejos-fogos*
badejo-mira s.m.; pl. *badejos-mira* e *badejos-miras*
badejo-padre s.m.; pl. *badejos-padre* e *badejos-padres*
badejo-pintado s.m.; pl. *badejos-pintados*
badejo-preto s.m.; pl. *badejos-pretos*
badejo-quadrado s.m.; pl. *badejos-quadrados*
badejo-sabão s.m.; pl. *badejos-sabão* e *badejos-sabões*
badejo-saltão s.m.; pl. *badejos-saltão* e *badejos-saltões*
badejo-sangue s.m.; pl. *badejos-sangue* e *badejos-sangues*
badejo-sapateiro s.m.; pl. *badejos-sapateiros*
badela s.f.
badele (*ê*) s.m.
badelear v.
badeleíta s.f.
badelo adj. s.m.
badelsita s.f.
badém s.m.
badenense adj. s.2g.
badenita s.f.
baderna s.f.
badernada s.f.
badernar v.
badernaria s.f.
badernas s.f.pl.
baderneiro adj. s.m.
badernento adj. s.m.
badernista adj. s.2g.
badi s.m.
badiana s.f.
badiana-da-china s.f.; pl. *badianas-da-china*
badiana-de-cheiro s.f.; pl. *badianas-de-cheiro*
badiânico adj.
badião s.m.
badiar s.m.
badico s.m.
badieira s.f.
badiera s.f.
badigó s.m.
badil s.m.
badinga adj. s.2g.
badireia (*é*) s.f.
badista s.m.
badistão s.m.
badiste s.m.
badisto s.m.
badó adj. s.2g.
badocho (*ô*) s.m.
badoém s.m.
badofe s.m.
badogue s.m.
badogueira adj. s.f.
badola s.2g.
badona s.f.
badongue adj. s.2g.
badoque s.m.
badorar v.
badosdoce (*ô*) s.m.
badossosso (*ô*) s.m.
baduca s.m.
badulão s.m.
badulaque s.m.
bádur s.m.
badusa s.f.
baé adj. s.2g. s.f.
baeckeia (*é*) s.f.
baeco adj.
baelé adj. s.2g.
baelebé adj. s.2g.
baenã adj. s.2g.
baenodáctilo s.m.
baenossauriano adj. s.m.
baependiense adj. s.2g.
baéria s.f.
baeta (*ê*) s.m.f.
baetal adj.2g.
baetão s.m.
baetense adj. s.2g.
baetídeo adj. s.m.
baetilha (*a-ê*) s.f.
baetinha (*a-ê*) s.f.
baetóideo adj. s.m.
baeumlerita s.f.
baeúna adj. s.2g.
bafa s.m.
bafafá s.m.
bafagem s.f.
bafar v.
bafara s.f.
bafarami adj. s.2g.
bafareira s.f.
bafari s.m.
bafejado adj.
bafejador (*ô*) adj. s.m.
bafejante adj.2g.
bafejar v.
bafejento adj.
bafejo (*ê*) s.m.
báfer s.m.
baferização s.f.
bafertisita s.f.
bafetá s.m.
báfia s.f.
bafiento adj.
bafiina s.f.
bafio s.m.
bafiópsis s.m.
bafioso (*ô*) adj.; f. (*ó*); pl. (*ó*)
bafo s.m. "hálito"; cf. *bafô*
bafô s.m. "baderna"; cf. *bafo* s.m. e fl. do v. *bafar*
bafo de tigre s.m.
bafo de urso s.m.
bafo de vento s.m.
bafoeira s.f.
bafoeirada s.f.
bafoeirar v.
bafoira s.2g.
bafometria s.f.
bafométrico adj.
bafômetro s.m.
baforada s.f.
baforão s.m.
baforar v.
baforda (*ô*) s.f.
bafordar v.
bafordo (*ô*) s.m.; cf. *bafordo*, fl. do v. *bafordar*
baforedo (*ê*) s.m.
baforeira s.f.
baforeiro adj.
baforejar v.
baforinha s.f.
baforriza s.f.
bafoura s.2g.
bafuge s.f.
bafugem s.f.
bafum s.m.
bafume s.m.
bafuntar v.
bafurdar v.
bafureira s.f.
baga adj. s.2g. s.f.
bagaça s.f.
bagaçada s.f.
bagaçal s.m.
bagaçaria s.f.
bagaceira s.f.
bagaceiro adj. s.m.
bagaceiro-seco s.m.; pl. *bagaceiros-secos*
bagaceiro-verde s.m.; pl. *bagaceiros-verdes*
bagacina s.f.
bagaço s.m.
bagaçose s.f.
bagada s.f. "quantidade de bagos"; cf. *bagadá*
bagadá adj. s.m. "povo"; cf. *bagada*
baga-de-caboclo s.f.; pl. *bagas-de-caboclo*
baga-de-louro s.f.; pl. *bagas-de-louro*
baga-de-pombo s.f.; pl. *bagas-de-pombo*
baga-de-praia s.f.; pl. *bagas-de-praia*
baga-de-tucano s.f.; pl. *bagas-de-tucano*
bagado adj.
bagadu s.m.
bagageira s.f.
bagageiro adj. s.m.
bagagem s.f.
bagagista s.2g.
bagagito s.m.
bagajudo adj. s.m.
bagala s.m.
bagalhal adj.2g. s.m.
bagalhão s.m.
bagalho s.m.
bagalhoça s.f.
bagalhudo adj.
bagana s.f.
bagançarim adj. s.m.
baganço adj. s.m.
baganda s.2g.
bagando s.m.
baganeiro adj. s.m.
baganha s.f.
baganhão s.m.
baganheira s.f.
baganho s.m.
bagar v.
bagara adj. s.2g.
bagarela s.f.
bagarim s.m.
bagarino s.m.
bagarmi s.m.
bagarota s.f.
bagarote s.m.
bagata s.m.f.
bagatela s.f.
bagateleiro s.m.
bagatelório s.m.
bagatino s.m.
bagaudas s.m.pl.
bagáudico adj.
bagaxa adj. s.2g.
bagdali adj. s.2g.
bage s.f.
bagear v.
bageense (*é-e*) adj. s.2g.
bageiro s.m.
bagem s.f.
bageri s.m.
bagibabo s.m.
bagiro s.m.
baglama s.f.
baglateia (*é*) s.f.
bago s.m.
bágoa s.f.
bagoado adj.
bagoal s.m.
bagoar v.
bagobo adj. s.2g.
bagochinho s.m.
bagocho (*ô*) s.m.
bago-de-chumbo s.m.; pl. *bagos-de-chumbo*
bagoeira s.f.
bagoeirada s.f.
bago-grosso s.m.; pl. *bagos-grossos*
bagoinha s.f.
bagos s.m.pl.
bagotita s.f.
bagralhão s.m.
bagrátida adj. s.2g.
bagrationita s.f.
bagre s.m.
bagre-africano s.m.; pl. *bagres-africanos*
bagre-amarelo s.m.; pl. *bagres-amarelos*
bagre-americano s.m.; pl. *bagres-americanos*
bagre-ariaçu s.m.; pl. *bagres-ariaçu* e *bagres-ariaçus*
bagre-bandeira s.m.; pl. *bagres-bandeira* e *bagres-bandeiras*
bagre-beiçudo s.m.; pl. *bagres-beiçudos*
bagre-boca-lisa s.m.; pl. *bagres-boca-lisa* e *bagres-bocas-lisas*
bagre-branco s.m.; pl. *bagres-brancos*
bagre-cabeçudo s.m.; pl. *bagres-cabeçudos*
bagre-cachola s.m.; pl. *bagres-cachola* e *bagres-cacholas*
bagre-cacumo s.m.; pl. *bagres-cacumo* e *bagres-cacumos*
bagre-caiacoco s.m.; pl. *bagres-caiacoco* e *bagres-caiacocos*
bagre-cambeja s.m.; pl. *bagres-cambeja* e *bagres-cambejas*
bagre-cangatá s.m.; pl. *bagres-cangatá* e *bagres-cangatás*
bagre-catinga s.m.; pl. *bagres-catinga* e *bagres-catingas*
bagre-cego s.m.; pl. *bagres-cegos*
bagre-ceguinho s.m.; pl. *bagres-ceguinhos*
bagre-cinzento s.m.; pl. *bagres-cinzentos*
bagre-d'água-doce s.m.; pl. *bagres-d'água-doce*
bagre-de-areia s.m.; pl. *bagres-de-areia*
bagre-de-lagoa s.m.; pl. *bagres-de-lagoa*
bagre-de-mangue s.m.; pl. *bagres-de-mangue*
bagre-de-manta s.m.; pl. *bagres-de-manta*
bagre-de-penacho s.m.; pl. *bagres-de-penacho*
bagre-do-canal s.m.; pl. *bagres-do-canal*
bagre-do-mar s.m.; pl. *bagres-do-mar*
bagre-do-natal s.m.; pl. *bagres-do-natal*
bagre-fita s.m.; pl. *bagres-fita* e *bagres-fitas*
bagre-gaivota s.m.; pl. *bagres-gaivota* e *bagres-gaivotas*
bagre-gonguito s.m.; pl. *bagres-gonguito* e *bagres-gonguitos*
bagre-guri s.m.; pl. *bagres-guri* e *bagres-guris*
bagre-leilão s.m.; pl. *bagres-leilão* e *bagres-leilões*
bagre-mandi s.m.; pl. *bagres-mandi* e *bagres-mandis*
bagre-mandim s.m.; pl. *bagres-mandim* e *bagres-mandins*
bagre-mole s.m.; pl. *bagres-moles*
bagre-morcego s.m.; pl. *bagres-morcego* e *bagres-morcegos*
bagrense adj. s.2g.
bagre-papai s.m.; pl. *bagres-papai* e *bagres-papais*
bagre-pintado s.m.; pl. *bagres-pintados*
bagre-rajado s.m.; pl. *bagres-rajados*
bagrês adj. s.m.
bagre-sapipoca s.m.; pl. *bagres-sapipoca* e *bagres-sapipocas*
bagre-sapo s.m.; pl. *bagres-sapo* e *bagres-sapos*
bagre-sapo-das-pedras s.m.; pl. *bagres-sapo-das-pedras* e *bagres-sapos-das-pedras*
bagre-sari s.m.; pl. *bagres-sari* e *bagres-saris*
bagre-surubim s.m.; pl. *bagres-surubim* e *bagres-surubins*
bagre-urutu s.m.; pl. *bagres-urutu* e *bagres-urutus*
bagre-veludo s.m.; pl. *bagres-veludo* e *bagres-veludos*
bagrídeo adj. s.m.
bagríneo adj. s.m.
bagrinho s.m.
bagrinho-d'água-doce s.m.; pl. *bagrinhos-d'água-doce*
bagrinho-da-serra s.m.; pl. *bagrinhos-da-serra*
bagrinho-roncador s.m.; pl. *bagrinhos-roncadores*
bagu s.m.
baguá adj.2g. s.m. "cavalo"; cf. *bágua*
bágua s.f. "lágrima"; cf. *baguá*
baguaça s.m.
baguaçu s.m.
baguaçuense adj. s.2g.
bagual adj.2g. s.m.
bagualada s.f.
bagualão adj. s.m.
baguari adj.2g. s.m.
baguariense adj. s.2g.
bagudo adj.
bague s.m.
bagueação s.f.
bagueado adj.
baguear v.
bagueiro s.m.
bagueta (*ê*) s.f.
baguete s.f.
baguiá s.m.
baguim s.m.
baguines s.m.pl.
baguió s.m.
baguixe s.m.
bagulhada s.f.
bagulhado adj.
bagulheira s.f.
bagulheiro s.m.
bagulhento adj.
bagulho s.m.
bagulhoso (*ô*) adj.; f. (*ó*); pl. (*ó*)
bagume s.m.
bagunça s.f.
bagunçada s.f.
bagunçado adj.
bagunçar v.
baguncear v.
bagunceira s.f.
bagunceiro adj. s.m.
baguri s.m.
bah interj.
bahaísmo (*barra*) s.m.
bahaísta (*barra*) adj. s.2g.

bahaístico (*barra*) adj.
bahamense (*barra*) adj. s.2g.
bahamiano (*barra*) adj. s.m.
bahia s.f.
baí s.f.
baia s.f. "compartimento da cavalariça"; cf. *baía*
baía s.f. "golfo"; cf. *baia*
baiaca adj. s.2g.
baiaco adj. s.m.
baiacu s.m.
baiacuaçu s.m.
baiacuará s.m.
baiacuarara s.m.
baiacuarará s.m.
baiacu-areia s.m.; pl. *baiacus-areia* e *baiacus-areias*
baiacu-bolsa s.m.; pl. *baiacus-bolsa* e *baiacus-bolsas*
baiacububu s.m.
baiacu-caixão s.m.; pl. *baiacus-caixão* e *baiacus-caixões*
baiacu-cofre s.m.; pl. *baiacus-cofre* e *baiacus-cofres*
baiacu-d'água-doce s.m.; pl. *baiacus-d'água-doce*
baiacu-de-chifre s.m.; pl. *baiacus-de-chifre*
baiacu-de-espinho s.m.; pl. *baiacus-de-espinho*
baiacu-de-espinho-pintado s.m.; pl. *baiacus-de-espinho-pintado*
baiacu-do-mangue s.m.; pl. *baiacus-do-mangue*
baiacu-dom-dom s.m.; pl. *baiacus-dom-dom* e *baiacus-dom-dons*
baiacu-espinho s.m.; pl. *baiacus-espinho* e *baiacus-espinhos*
baiacu-fofo s.m.; pl. *baiacus-fofos*
baiacu-franguinho s.m.; pl. *baiacus-franguinho* e *baiacus-franguinhos*
baiacu-gorajuba s.m.; pl. *baiacus-gorajuba* e *baiacus-gorajubas*
baiacu-graviola s.m.; pl. *baiacus-graviola* e *baiacus-graviolas*
baiacu-guaiama s.m.; pl. *baiacus-guaiama* e *baiacus-guaiamas*
baiacu-guaiamá s.m.; pl. *baiacus-guaiamá* e *baiacus-guaiamás*
baiacuguaíma s.m.
baiacu-guarajuba s.m.; pl. *baiacus-guarajuba* e *baiacus-guarajubas*
baiacuguima s.m.
baiacuguimbá s.m.
baiacu-liso s.m.; pl. *baiacus-lisos*
baiacumirim s.m.
baiacu-panela s.m.; pl. *baiacus-panela* e *baiacus-panelas*
baiacu-pinima s.m.; pl. *baiacus-pinima* e *baiacus-pinimas*
baiacu-pininga s.m.; pl. *baiacus-pininga* e *baiacus-piningas*
baiacu-pintado s.m.; pl. *baiacus-pintado* e *baiacus-pintados*
baiacuru s.m.
baiacu-sem-chifre s.m.; pl. *baiacus-sem-chifre*
baiacu-sem-espinhos s.m.; pl. *baiacus-sem-espinhos*
baiagu s.m.
baiaiá adj.2g.
baiana adj. s.2g. s.f. "natural da Bahia"; cf. *baianá*
baianá s.m. "baile popular"; cf. *baiana*
baianada s.f.
baianal s.m.
baianca s.f.
baianenim s.m.
baianense adj. s.2g.
baiâni s.m.
baianidade s.f.
baianim s.m.
baianismo s.m.
baianista adj. s.2g.
baianístico adj.
baiano adj. s.m.
baianopolitano adj. s.m.
baião s.m.
baião de dois s.m.
baiãozense adj. s.2g.
baiapua s.f.
baiar v.
baiardo s.m.
baiataca adj.2g. s.f.
baiaú adj. s.2g.
baibe s.m.
baibiri adj. s.2g.
baiburuá adj. s.2g.
baicália s.f.
baicalita s.f.
baicari adj. s.2g.
baiclacar s.m.
baicuri s.m.
baicurina s.f.
baicuró s.m.
baicuru s.m.
baidar s.m.
baié s.m.
baieié s.m.
baieiro s.m.
baiense adj. s.2g.
baiepanense adj. s.2g.
baierina s.f.
baifino s.m.
baila s.f.; na loc. *à baila*
bailada s.f.
bailadeira s.f.
bailadeiro adj. s.m.
bailado adj. s.m.
bailadoiro s.m.
bailador (*ô*) adj. s.m.
bailadouro s.m.
bailante adj.2g.
bailão adj. s.m.
bailar v.
bailareco s.m.
bailareta (*ê*) s.f.
bailarete (*ê*) s.m.
bailarico s.m.
bailarim s.m.
bailarina s.f.
bailarino s.m.
bailarino-escarlate s.m.; pl. *bailarinos-escarlates*
bailariqueiro adj. s.m.
bailarocar v.
bailarote s.m.
bailata s.f.
bailável adj.2g.
baildonita s.f.
baile s.m.
baileco s.m.
baileiro s.m.
bailense adj. s.2g.
bailete (*ê*) s.m.
bailéu s.m.
baileya (*é*) s.f.
bailiéria s.f.
bailio s.m.
bailique s.m.
bailiquense adj. s.2g.
baillônia s.f.
bailo s.m.
bailomania s.f.
bailomaníaco adj. s.m.
bailonela s.f.
bailundo adj. s.m.
bainha s.f.
bainha-de-espada s.f.; pl. *bainhas-de-espada*
bainha-de-faca s.f.; pl. *bainhas-de-faca*
bainhar v.
bainharia s.f.
bainheira s.f.
bainheiro s.m.
bainica s.f.
bainilha s.f.
bainita s.f.
bainoterapia s.f.
bainuque adj. s.2g.
baio adj. s.m.
baio-alvacento adj.; pl. *baios-alvacentos*
baio-amarelo adj.; pl. *baios-amarelos*
baio-branco adj.; pl. *baios-brancos*
baio-gateado adj.; pl. *baios-gateados*
baio-lobuno adj.; pl. *baios-lobunos*
baiona s.f.
baionense adj. s.2g.
baionés adj. s.m.
baionesa (*ê*) s.f.
baioneta (*ê*) s.f.
baionetaço s.m.
baionetada s.f.
baioneta-espanhola s.f.; pl. *baionetas-espanholas*
baionetar v.
baio-ruano adj.; pl. *baio-ruanos*
baiote adj. s.2g.
baio-tobiano adj.; pl. *baio-tobianos*
baio-zebruno adj.; pl. *baio-zebrunos*
baipiri adj. s.2g.
baiquara s.2g.
baiquieia (*é*) s.f.
bairã s.m.
baíra s.m.
bairão s.m.
bairari s.m.
baire s.m.
bairi s.m.
bairiri s.f.
bairrada s.m.
bairradino adj. s.m.
bairrado adj.
bairreiro s.m.
bairrismo s.m.
bairrista adj. s.2g.
bairrístico adj.
bairro s.m.
bairro de lata s.m.
baita adj.2g.
baitaca adj.2g. s.f.
baitaco adj.
baitária s.f.
baitarra adj. s.2g.
baite s.m.
baitola adj.2g. s.m.
baitolo adj. s.m.
baiuca (*ú*) s.f.
baiucal s.m.
baiucurá s.m.
baiucuru s.m.
baiuqueiro adj. s.m.
baixa s.f.
baixada s.f.
baixadão s.m.
baixadãozense adj. s.2g.
baixa da vinha s.f.
baixado adj. s.m.
baixa-falésia s.f.; pl. *baixas-falésias*
baixa-grandense adj. s.2g.; pl. *baixa-grandenses*
baixa-mar s.f.; pl. *baixa-mares*
baixante adj. s.2g.
baixão s.m.
baixãozense adj. s.2g.
baixãozinho s.m.
baixar v.
baixaria s.f.
baixate s.m.
baixa-verdense adj. s.2g.; pl. *baixa-verdenses*
baixeira s.f.
baixeiro adj. s.m.
baixel adj.2g. s.m.
baixela s.f.
baixelho (*ê*) adj.
baixense adj. s.2g.
baixete (*ê*) s.m.
baixeza (*ê*) s.f.
baixia s.f.
baixiense adj. s.2g.
baixinhense adj. s.2g.
baixinho adj. adv. s.m.
baixio s.m.
baixista adj. s.2g.
baixo adj. adv. s.m.
baixo-alemão adj. s.m.; f. *baixo-alemã*; pl. do adj. *baixo-alemães*; pl. do s. *baixos-alemães*
baixo-astral adj.2g. s.2g.; pl. do adj. *baixo-astrais*; pl. do s. *baixos-astrais*
baixo-bretão adj. s.m.; f. *baixo-bretã*; pl. do adj. *baixo-bretões*; pl. do s. *baixos-bretões*
baixo-cantante s.m.; pl. *baixo-cantantes*
baixo-espiritismo s.m.; pl. *baixos-espiritismos*
baixo-explosivo adj. s.m.; pl. do adj. *baixo-explosivos*; pl. do s. *baixos-explosivos*
baixo-guanduense adj. s.2g.; pl. *baixo-guanduenses*
baixo-império s.m.; pl. *baixos-impérios*
baixo-latim s.m.; pl. *baixos-latins*
baixo-nigeriano adj. s.m.; pl. do adj. *baixo-nigerianos*; pl. do s. *baixos-nigerianos*
baixo-relevo s.m.; pl. *baixos-relevos*
baixota adj. s.f.
baixote adj. s.m.
baixo-ventre s.m.; pl. *baixos-ventres*
baixura s.f.
baja s.f.
bajacu s.m.
bajana adj. s.2g.
bajanco s.m.
bajano adj. s.m.
bajar v.
bajear v.
bajeca adj. s.m.
bajeense adj. s.2g.
bajerê s.m.
bajesto s.m.
bajeto (*ê*) s.m.
bajiru s.m.
bajocasse adj. s.2g.
bajocassino adj. s.m.
bajocasso adj. s.m.
bajociano adj. s.m.
bajoco (*ô*) s.m.
bajogar v.
bajoujar v.
bajoujice s.f.
bajoujo adj. s.m.
bajoulada s.f.
bajoulo s.m.
bajouta s.f.
bajoutada s.f.
baju s.m.
bajuda s.f.
bajude s.f.
bajulação s.f.
bajulado adj.
bajulador (*ô*) adj. s.m.
bajulamento s.m.
bajulante adj.2g.
bajular v.
bajulatório adj.
bajulice s.f.
bajulismo s.m.
bájulo s.m.; cf. *bajulo*, fl. do v. *bajular*
bajunça s.f.
bajuri s.m.
bajurqui s.m.
bakeridésia s.f.
bakerita s.f.
bakuniniano adj.
bakuninismo s.m.
bakuninista adj. s.2g.
bakuninístico adj.
bal s.m.
bala s.f.
balabrega s.2g.
balaca s.f.
balache adj.2g. s.m.
balaclava s.f.
balaço s.m.
balacobaco s.m.
balacozenho adj. s.m.
balacubau s.m.
balada s.f.
baladeira s.f.
baladista s.2g.
balado s.m.
balador (*ô*) adj. s.m.
balafão s.m.
balafó s.m.
balafom s.m.
balagate s.m.
balagateiro s.m.
balagatinho s.m.
balagatino adj. s.m.
balaia s.f.
balaiada s.f.
balaiadense adj. s.2g.
balaieirense adj. s.2g.
balaieiro adj. s.m.
balainha s.f.
balaio s.m.
balaio de gatos s.m.
balais s.m.2n.
balala s.m.
balalaica s.f.
balalão s.m. interj.
balalina s.f.
balamalete (*ê*) s.m.
balambamba s.f.
balame s.m.
balamento s.m.
balancá s.m.
balança s.f.
balançado adj.
balança-flandre s.m.; pl. *balança-flandres*
balançançã s.m.
balança-os-cachos s.m.2n.
balançar v.
balança-rabo s.m.; pl. *balança-rabos*
balança-rabo-branco s.m.; pl. *balança-rabos-brancos*
balança-rabo-canela s.m.; pl. *balança-rabos-canela*
balança-rabo-de-bico-longo s.m.; pl. *balança-rabos-de-bico-longo*
balança-rabo-de-bico-torto s.m.; pl. *balança-rabos-de-bico-torto*
balança-rabo-de-chapéu-preto s.m.; pl. *balança-rabos-de-chapéu-preto*
balança-rabo-de-garganta-preta s.m.; pl. *balança-rabos-de-garganta-preta*
balança-rabo-de-máscara s.m.; pl. *balança-rabos-de-máscara*
balança-rabo-leitoso s.m.; pl. *balança-rabos-leitosos*
balança-rabo-rajado s.m.; pl. *balança-rabos-rajados*
balancê s.m.
balanceado adj. s.m.
balanceador (*ô*) s.m.
balanceadura s.f.
balanceamento s.m.
balanceante adj.2g.
balancear v.
balanceável adj.2g.
balanceio s.m.
balanceiro s.m.
balancela s.f.
balancete (*ê*) s.m.
balancia s.f.
balancim s.m.
balancina s.f.
balâncio s.m.
balancista s.2g.

balanco s.m.
balanço s.m.
balanço-d'água s.m.; pl. *balanços-d'água*
balancozenho adj. s.m.
balandira s.f.
balandra s.f.
balandrão s.m.
balandrau s.m.
balandro s.m.
balandronada s.f.
balaneta (*ê*) s.f.
balanga s.f.
balangado adj.
balangandã s.m.
balangandãs s.m.pl.
balangante adj.2g.
balangar v.
balango s.m.
balangue s.m.
balanguino s.m.
balânida adj.2g.
balânide adj.2g. s.m.
balanídeo adj. s.m.
balanídio s.m.
balanífero adj.
balanina s.f.
balaníneo adj. s.m.
balanino s.m.
balanismo s.m.
balanita s.m.
balanitácea s.f.
balanitáceo adj.
balanite s.m.f.
balanito s.m.
balanitóidea s.f.
balanitóideo adj.
balanitozoa (*ô*) s.f.
balanitozoo (*ô*) s.m.
bálano s.m.
balanóbio s.m.
balanocarpo s.m.
balanofagia s.f.
balanófago adj.
balanofilia s.f.
balanofílico adj.
balanófora s.f.
balanoforácea s.f.
balanoforáceo adj.
balanoforal adj.2g.
balanoforale s.f.
balanofórea s.f.
balanofóreo adj.
balanoforina s.f.
balanoforínea s.f.
balanofóro adj. s.m.
balanoforóidea s.f.
balanoforóideo adj.
balanofortite s.f.
balanoglosso s.m.
balanoide (*ó*) adj.2g.
balanomorfo s.m.
balanopácea s.f.
balanopáceo adj.
balanopal adj.2g.
balanopale s.f.
balanoplastia s.f.
balanopostite s.f.
balanoprepucial adj.2g.
bálanops s.m.
balanopsácea s.f.
balanopsáceo adj.
balanopsidácea s.f.
balanopsidal adj.2g.
balanopsidale s.f.
balanorragia s.f.
balanorrágico adj.
balanorreia (*é*) s.f.
balanorreico (*é*) adj.
balanquear v.
balanquim s.m.
balanquinho s.m.
balanquino s.m.
balanta adj. s.2g.
balante adj. s.2g.
balantidiano adj.
balantidíase s.f.
balantídio s.m.
balantidiose s.f.
balantioftalmia s.f.
balantioftálmico adj.
balantioftalmo adj. s.m.
balântion s.m.
balanto adj. s.m.
balão s.m.
balão-chinês s.m.; pl. *balões-chineses*
balão de ensaio s.m.
balão-de-são-josé s.m.; pl. *balões-de-são-josé*
balão-piloto s.m.; pl. *balões-piloto* e *balões-pilotos*
balão-sonda s.m.; pl. *balões-sonda* e *balões-sondas*
balãozinho s.m.
balaquear v.
balar v.
balária s.f.; cf. *balaria*, fl. do v. *balar*
bálaro adj. s.m.
balasco adj.
balas-reais s.f.pl.
balasto s.m.
balastraca s.f.
balastrado adj.
balastragem s.f.
balastrar v.
balastreira s.f.
balastreiro s.m.
balastro s.m.
balata s.f.
balatal s.m.
balata-rosada s.f.; pl. *balatas-rosadas*
balata-verdadeira s.f.; pl. *balatas-verdadeiras*
balateira s.f.
balateiro s.m.
balatina s.f.
balato s.m.
balatonita s.f.
balatonite s.m.
balatrão s.m.
balatro s.m.
bálatro s.m.
balau s.m.
balaúcha s.f.
balaústa s.f.
balausteiro s.m.
balaustino adj.
balaústio s.m.
balaustrada s.f.
balaustrado adj.
balaustrar v.
balaústre s.m.
balaustrilho s.m.
balaústro s.m.
balavinskita s.f.
balázio s.m.
bálbide s.f.
balbinense adj. s.2g.
balbísia s.f.
balbo adj.
balboa (*ô*) s.2g.
balborda s.f.
balbórdia s.f.
balbucente adj.2g.
balbuciação s.f.
balbuciadela s.f.
balbuciado adj.
balbuciador (*ô*) adj.
balbuciamento s.m.
balbuciante adj.2g.
balbuciar v.
balbúcie s.f.; cf. *balbucie*, fl. do v. *balbuciar*
balbuciência s.f.
balbuciente adj.2g.
balbucio s.m.
balbúrdia s.f.; cf. *balburdia*, fl. do v. *balburdiar*
balburdiamento s.m.
balburdiar v.
balbutir v.
balbuzarde s.m.
balbuzardo s.m.
balca s.f.
balça s.f. "mata"; cf. *balsa*
balcada s.f.
balçana s.f.
balcânico adj. s.m.
balcanização s.f.
balcanizado adj.
balcanizador (*ô*) adj.
balcanizante adj.2g.
balcanizar v.
balcanizável adj.2g.
balcano-búlgaro adj. s.m.; pl. *balcano-búlgaros*
balcano-grego adj. s.m.; pl. *balcano-gregos*
balcano-macedônio adj. s.m.; pl. *balcano-macedônios*
balcano-otomano adj. s.m.; pl. *balcano-otomanos*
balcano-romênico adj. s.m.; pl. *balcano-romênicos*
balcano-turco adj. s.m.; pl. *balcano-turcos*
balcão s.m.
balção s.m. "bandeira"; cf. *balsão*
balcão-frigorífico s.m.; pl. *balcões-frigoríficos*
balcare adj. s.2g.
balcarriada s.f.
balcedo (*ê*) s.m.
balcedoso (*ô*) adj.; f. (*ó*); pl. (*ó*)
balceira s.f.
balceiro adj. s.m. "relativo a mata"; cf. *balseiro*
balcelho (*ê*) adj. s.m.
balchão s.m.
balço s.m.
balconagem s.f.
balconista adj. s.2g.
balcorriada s.f.
balda s.f.
baldada s.f.
baldado adj.
baldante s.m.
baldão s.m.
baldápi s.m.
baldaquim s.m.
baldaquinado adj.
baldaquinar v.
baldaquino s.m.
baldar v.
baldaufita s.f.
balde s.m.
baldeação s.f.
baldeadeira s.f.
baldeado adj.
baldeador (*ô*) adj. s.m.
baldear v.
baldeiro adj.
baldinense adj. s.2g.
baldio adj. s.m.
baldisserita s.f.
baldisserite s.f.
baldista adj. s.2g.
baldo adj. s.m.
baldoado adj.
baldoador (*ô*) adj. s.m.
baldoar v.
baldoeira s.f.
baldoeiro s.m.
baldogeia (*é*) s.f.
baldoia (*ó*) s.f.
baldomera adj. s.2g.
baldoméria s.f.
baldorneira s.f.
baldorneiro adj. s.m.
baldosa s.f.
baldosinha s.f.
baldoso (*ô*) adj.; f. (*ó*); pl. (*ó*)
baldrame s.m.
baldrânico adj.
baldrejado adj.
baldréu s.m.
baldroa (*ô*) s.f.
baldroar v.
baldroca s.f.
baldrocado adj.
baldrocar v.
baldroega s.f.
baldrogueira s.f.
baldroqueiro adj.
balduim s.m.
balduína s.f.
balduínia s.f.
baldunzense adj. s.2g.
baldwínia s.f.
balé s.m.
baleã s.f.
baleação s.f.
baleado adj.
baleador (*ô*) adj.
baleadura s.f.
baleal s.m.
balear v. adj.2g.
baleárica s.f.
balearicíneo adj. s.m.
baleárico adj. s.m.
baleário adj. s.m.
baleato s.m.
baleeira s.f.
baleeira-branca s.f.; pl. *baleeiras-brancas*
baleeirão s.m.
baleeiro adj. s.m.
baleense adj. s.2g.
balegão s.m.
baleia s.f.
baleia-anã s.f.; pl. *baleias-anãs*
baleia-assassina s.f.; pl. *baleias-assassinas*
baleia-azul s.f.; pl. *baleias-azuis*
baleia-bicuda s.f.; pl. *baleias-bicudas*
baleia-bicuda-de-cuvier s.f.; pl. *baleias-bicudas-de-cuvier*
baleia-branca s.f.; pl. *baleias-brancas*
baleia-corcunda s.f.; pl. *baleias-corcundas*
baleia-de-barbatana s.f.; pl. *baleias-de-barbatana*
baleia-de-bico s.f.; pl. *baleias-de-bico*
baleia-de-bico-de-cuvier s.f.; pl. *baleias-de-bico-de-cuvier*
baleia-de-corcova s.f.; pl. *baleias-de-corcova*
baleia-de-gomo s.f.; pl. *baleias-de-gomo*
baleia-dente s.f.; pl. *baleias-dente* e *baleias-dentes*
baleia-espadarte s.f.; pl. *baleias-espadarte* e *baleias-espadartes*
baleia-franca s.f.; pl. *baleias-francas*
baleia-franca-austral s.f.; pl. *baleias-francas-austrais*
baleia-franca-pigmeia s.f.; pl. *baleias-francas-pigmeias*
baleia-lisa s.f.; pl. *baleias-lisas*
baleiamirim s.f.
baleia-pamonha s.f.; pl. *baleias-pamonha* e *baleias-pamonhas*
baleia-piloto s.f.; pl. *baleias-piloto* e *baleias-pilotos*
baleia-pintada s.f.; pl. *baleias-pintadas*
baleia-preta s.f.; pl. *baleias-pretas*
baleia-sei s.f.; pl. *baleias-sei*
baleia-verdadeira s.f.; pl. *baleias-verdadeiras*
baleiense adj. s.2g.
baleio s.m.
baleira s.f.
baleiro s.m.
balela s.f.
balema s.f.
balemático adj.
balempa adj. s.2g.
balenação s.f.
balenga adj. s.2g.
baleníceps s.m.
balenicípite s.m.
balenicipitídeo adj. s.m.
balênida adj.2g. s.m.
balenídeo adj. s.m.
balenóptera s.f.
balenoptérida adj.2g. s.m.
balenopterídeo adj. s.m.
balenóptero s.m.
balense adj. s.2g.
baleota s.f.
baleote s.m.
balé-pantomima s.m.; pl. *balés-pantomimas*
baléri s.m.
balesta s.f.
balestar v.
balesteiro s.m.
balesterosite s.f.
balesterosito s.m.
balestilha s.f.
balestilho s.m.
balestra s.f.
balestrão s.m.
balestrar v.
balestreiro s.m.
balestrilha s.f.
balestrilho s.m.
baletomania s.f.
baletômano s.m.
balfourodendro s.m.
balga s.f.
balgado s.m.
balgo s.m.
balguês adj. s.m.
balguesa (*ê*) s.f.
balha s.f.
balhada s.f.
balhana s.f.
balhardo s.m.
balharim s.m.
balhastro s.m.
balhau s.m.
balholha (*ô*) s.2g.
bali s.m. "língua"; cf. *báli*
báli s.m. "cemitério"; cf. *bali*
balia s.f. "baliado"; cf. *bália*
bália s.f. "revolta"; cf. *balia*
baliado s.m.
baliagem s.f.
baliana s.f.
balido s.m.
balieira s.f.
balifolita s.f.
balila s.2g.
balili s.m.
balim s.m.
balinês adj. s.m.
baliniense adj. s.2g.
balio s.m.
baliosperma s.m.
balipódio s.m.
balípodo s.m.
balir v.
balismo s.m.
balista s.m.f.
balistário s.m.
balística s.f.
balístico adj. s.m.
balístida adj.2g. s.m.
balistídeo adj. s.m.
balistita s.f.
balistite s.f.
balistocardiografia s.f.
balistocardiográfico adj.
balistocardiógrafo s.m.
balistocardiograma s.m.
balistoconídio s.m.
balistósporo s.m.
baliza s.f.
balização s.f.
balizado adj.
balizador (*ô*) s.m.
balizagem s.f.
balizamento s.m.
baliza-mestra s.f.; pl. *balizas-mestras*
balizar v.
balizável adj.
balizeiro adj. s.m.
balizense adj. s.2g.
baliziense adj. s.2g.
balmacedismo s.m.
balmacedista adj. s.2g.
balmacedístico adj.
balmaz s.m.
balmázio s.m.
balneação s.f.
balnear v. adj.2g.
balneariense adj. s.2g.
balneário adj. s.m.
balneatório adj.
balneável adj.2g.

balneografia s.f.
balneográfico adj.
balneógrafo s.m.
balneologia s.f.
balneológico adj.
balneologista s.2g.
balneólogo s.m.
bálneos s.m.pl.
balneotecnia s.f.
balneotécnico adj.
balneoterapia s.f.
balneoterápico adj.
balo s.m. "balido"; cf. *baló*
baló s.m. "árvore"; cf. *balo*
baloagem s.f.
baloana s.2g. s.f.
baloar v.
baloba (*ô*) s.f.
balobeiro s.m.
baloche adj. s.2g.
baloeiro s.m.
balofice s.f.
balofo (*ô*) adj.
balóguia s.f.
balogum s.m.
baloiçado adj.
baloiçador (*ô*) adj. s.m.
baloiçadora (*ô*) s.f.
baloiçamento s.m.
baloiçante adj.2g.
baloiçar v.
baloiço s.m.
baloiçoso (*ô*) adj.; f. (*ó*); pl. (*ó*)
balona s.f.
balonagem s.f.
balonamento s.m.
balonas s.f.pl.
balonda adj. s.2g.
baloneiro s.m.
balonete (*ê*) s.m.
balonismo s.m.
balonista adj. s.2g.
balônoto adj. s.m.
balóquia s.f.
balordo (*ô*) adj. s.m.
balota s.f.
balotada s.f.
balotagem s.f.
balotar v.
balote s.m.
balótea s.f.
baloteiro s.m.
balótica s.f.
balótiga s.f.
balotina s.f.
balouçado adj.
balouçador (*ô*) s.m.
balouçadora (*ô*) s.f.
balouçamento s.m.
balouçante adj.2g.
balouçar v.
balouço s.m.
balouçoso (*ô*) adj.; f. (*ó*); pl. (*ó*)
balquiama s.f.
balravento s.m.
balroa (*ô*) s.f.
balroação s.f.
balroada s.f.
balroadela s.f.
balroador (*ô*) s.m.
balroamento s.m.
balroar v.
balsa s.f. "jangada"; cf. *balça*
balsamácea s.f.
balsamáceo adj.
balsamadina s.f.
balsamar v.
balsamária s.f.; cf. *balsamaria*, fl. do v. *balsamar*
balsamário s.m.
balsame s.m.
balsâmea s.f.
balsameia (*é*) s.f.
balsameiro s.m.
balsameleão s.m.
balsamense adj. s.2g.
balsâmeo adj.
balsâmia s.f.
balsamiácea s.f.
balsamiáceo adj.
balsâmica s.f.
balsâmico adj.
balsamífero adj.
balsamificação s.f.
balsamificado adj.
balsamificador (*ô*) adj.
balsamificante adj.2g.
balsamificar v.
balsamíflua s.f.
balsamífluo adj.
balsamila s.f.
balsamina s.f.
balsâmina s.f.
balsaminácea s.f.
balsamináceo adj.
balsamina-de-purga s.f.; pl. *balsaminas-de-purga*
balsaminado s.m.
balsamina-do-mato s.f.; pl. *balsaminas-do-mato*
balsamina-longa s.f.; pl. *balsaminas-longas*
balsamínea s.f.
balsamíneo adj.
balsaminho s.m.
balsaminina s.f.
balsâmio adj.
balsamita s.f.
balsamita-bastarda s.f.; pl. *balsamitas-bastardas*
balsamita-vulgar s.f.; pl. *balsamitas-vulgares*
balsamítico adj.
balsamização s.f.
balsamizado adj.
balsamizante adj.2g.
balsamizar v.
bálsamo s.m.; cf. *balsamo*, fl. do v. *balsamar*
bálsamo-caboriba s.m.; pl. *bálsamos-caboriba* e *bálsamos-caboribas*
balsamocárpico adj.
balsamocarpo s.m.
bálsamo-cervino s.m.; pl. *bálsamos-cervinos*
balsamocitro s.m.
bálsamo-coral s.m.; pl. *bálsamos-coral* e *bálsamos-corais*
bálsamo-da-capitania s.m.; pl. *bálsamos-da-capitania*
bálsamo-das-missões s.m.; pl. *bálsamos-das-missões*
bálsamo-da-vida s.m.; pl. *bálsamos-da-vida*
bálsamo-de-arceu s.m.; pl. *bálsamos-de-arceu*
bálsamo-de-canudo s.m.; pl. *bálsamos-de-canudo*
bálsamo-de-cartagena s.m.; pl. *bálsamos-de-cartagena*
bálsamo-de-cheiro s.m.; pl. *bálsamos-de-cheiro*
balsamodendro s.m.
bálsamo-de-santa-maria s.m.; pl. *bálsamos-de-santa-maria*
bálsamo-de-são-tomé s.m.; pl. *bálsamos-de-são-tomé*
bálsamo de tolu s.m. "substância resinosa obtida do bálsamo-de-tolu"
bálsamo-de-tolu s.m. "espécie de árvore"; pl. *bálsamos-de-tolu*
bálsamo do canadá s.m.
bálsamo do peru s.m. "líquido resinado obtido do bálsamo-do-peru"
bálsamo-do-peru s.m. "espécie de árvore"; pl. *bálsamos-do-peru*
balsamoide (*ó*) s.m.
balsamoriza s.m.
bálsamo-tranquilo s.m.; pl. *bálsamos-tranquilos*
balsana s.f.
balsão s.m. "flutuador grande"; cf. *balção*
balsar v.
balsedo (*ê*) s.m.
balsedoso (*ô*) adj.; f. (*ó*); pl. (*ó*)
balseira s.f.
balseiro adj. s.m. "jangadeiro"; cf. *balceiro*
balselho (*ê*) adj. s.m.
balsense adj. s.2g.
balso s.m.
balta adj. s.2g.
baltar adj.2g.
baltasar s.m.
baltasarense adj. s.2g.
baltasariano adj. s.m.
bálteo s.m.
báltico adj. s.m.
baltimora s.f.
baltimore s.m.
baltimórea s.f.
baltimorita s.f.
baltimorite s.f.
baltistanês adj. s.m.
balto-eslávico adj.; pl. *balto-eslávicos*
balto-eslavo adj. s.m.; pl. *balto-eslavos*
balto-finês adj. s.m.; pl. *balto-fineses*
balto-fínico adj. s.m.; pl. *balto-fínicos*
baluartamento s.m.
baluartar v.
baluarte s.m.
baluartense adj. s.2g.
baluba adj. s.2g.
balúchi adj. s.m.
baluchitério s.m.
baluchofalante adj. s.2g.
baluchofonia s.f.
baluchófono adj. s.m.
balucre s.m.
baluda s.f.
baludo adj.
baluena adj. s.2g.
balufera s.f.
baluga s.f.
balugão s.m.
baluimbe adj. s.2g.
balula s.2g.
balule s.m.
baluma s.f.
balundo adj. s.m.
balurde s.m.
balúrdio s.m.
balurdo s.m.
balustrino s.m.
balvedrita s.f.
balvedrite s.f.
balzaca s.f.
balzaciano adj.
balzaquiana s.f.
balzaquiano adj. s.m.
bamalipe s.m.
bamanguato adj. s.m.
bamanquato adj. s.m.
bamaplói adj. s.2g.
bamba adj. s.2g. s.f. "valente", etc.; cf. *bambá*
bambá s.m. "resíduo", etc.; cf. *bamba*
bambaê s.m.
bambala adj. s.2g.
bambale adj. s.2g.
bambaleado adj.
bambaleadura s.f.
bambaleamento s.m.
bambaleante adj.2g.
bambalear v.
bambaleio s.m.
bambalhão adj. s.m.; f. *bambalhona*
bambalhona adj. s.f. de *bambalhão*
bambambã adj. s.2g.
bambão s.m.
bambaquerê s.m.
bambar v.
bambara adj. s.2g. s.m.
bambarã s.m.
bambaré s.m.
bambariado adj.
bambarofalante adj. s.2g.
bambarofonia s.f.
bambarófono adj. s.m.
bambatul s.m.
bambe s.f. "planta"; cf. *bambê* e *bâmbi*
bambê s.m. "cerca"; cf. *bambe* e *bâmbi*
bambeado adj.
bambear v.
bambeio s.m.
bambeiro s.m.
bambelô s.m.
bambera s.f.
bambeza (*ê*) s.f.
bâmbi s.m. "filhote de gazela"; cf. *bambe* e *bambê*
bambiá s.m.
bambinar v.
bambinela s.f.
bambino s.m.
bambo adj. s.m. "frouxo"; cf. *bambô*
bambô s.m. "ato de carregar", etc.; cf. *bambo*
bamboado adj.
bamboante adj.2g.
bamboão s.m.
bamboar v.
bambocha s.m.f.
bambochar v.
bambochata s.f.
bambolas s.2g.2n.
bambolê s.m.
bamboleadura s.f.
bamboleamento s.m.
bamboleante adj.2g.
bamboleão s.m.
bambolear v.
bamboleio s.m.
bambolim s.m.
bambolina s.f.
bambolineta (*ê*) s.f.
bambollaíta s.f.
bamboré s.m.
bambu s.m.
bambuada s.f.
bambual s.m.
bambu-áspero s.m.; pl. *bambus-ásperos*
bambuatá s.m.
bambu-balde s.m.; pl. *bambus-balde* e *bambus-baldes*
bambu-bengala s.m.; pl. *bambus-bengala* e *bambus-bengalas*
bambucada s.f.
bambu-cana s.m.; pl. *bambus-cana* e *bambus-canas*
bambucava s.f.
bambu-cheio-chinês s.m.; pl. *bambus-cheios-chineses*
bambu-chinês s.m.; pl. *bambus-chineses*
bambuco s.m.
bambu-comum s.m.; pl. *bambus-comuns*
bambu-da-china s.m.; pl. *bambus-da-china*
bambu-da-índia s.m.; pl. *bambus-da-índia*
bambu-de-caniço s.m.; pl. *bambus-de-caniço*
bambu-de-espinho s.m.; pl. *bambus-de-espinho*
bambu-de-mobília s.m.; pl. *bambus-de-mobília*
bambu-de-pescador s.m.; pl. *bambus-de-pescador*
bambudo s.m.
bambu-do-brejo s.m.; pl. *bambus-do-brejo*
bambu-do-campo s.m.; pl. *bambus-do-campo*
bambueira s.f.
bambuela adj. s.2g.
bambu-gigante s.m.; pl. *bambus-gigantes*
bambuiense (*u-i*) adj. s.2g.
bambu-imperial s.m.; pl. *bambus-imperiais*
bambu-japonês s.m.; pl. *bambus-japoneses*
bambula s.2g. s.f.
bambulim s.m.
bambu-listado s.m.; pl. *bambus-listados*
bambu-listrado s.m.; pl. *bambus-listrados*
bambum s.m.
bambu-macho s.m.; pl. *bambus-machos*
bambu-maciço s.m.; pl. *bambus-maciços*
bambu-preto s.m.; pl. *bambus-pretos*
bambur s.m.
bambura s.f.
bamburim s.m.
bamburral s.m.
bamburrar v.
bamburrice s.f.
bambúrrio s.m.
bamburrista adj. s.2g.
bamburro s.m.
bamburucema s.f.
bambusa s.f.
bambusácea s.f.
bambusáceo adj.
bambúsea s.f.
bambuseira s.f.
bambúseo adj.
bambusícola s.2g.
bambusina s.f.
bambu-taquara s.m.; pl. *bambus-taquara* e *bambus-taquaras*
bambuto adj. s.m.
bambu-trepador s.m.; pl. *bambus-trepadores*
bambu-verde s.m.; pl. *bambus-verdes*
bambuzal s.m.
bambuzinho s.m.
bame s.m.
bâmia s.f.
bamileque adj. s.2g.
bamporã s.m.
banaboia (*ó*) s.2g.
banabuinense (*u-i*) adj. s.2g.
banaca adj. s.2g.
banacatuba adj. s.2g.
banal adj.2g.
banália s.f.
banalidade s.f.
banalização s.f.
banalizado adj.
banalizador (*ô*) adj.
banalizar v.
banalsita s.f.
baná-muela s.f.; pl. *banás-muela* e *banás-muelas*
banana s.f. s.2g.
banana-anã s.f.; pl. *bananas-anãs*
banana-branca s.f.; pl. *bananas-brancas*
banana-caturra s.f.; pl. *bananas-caturras*
banana-comprida s.f.; pl. *bananas-compridas*
banana-d'água s.f.; pl. *bananas-d'água*
bananada s.f.
banana-da-terra s.f.; pl. *bananas-da-terra*
banana-de-imbé s.f.; pl. *bananas-de-imbé*
banana-de-macaco s.f.; pl. *bananas-de-macaco*
banana-de-morcego s.f.; pl. *bananas-de-morcego*
banana-de-papagaio s.f.; pl. *bananas-de-papagaio*
banana-de-sancho s.f.; pl. *bananas-de-sancho*
banana-de-são-tomé s.f.; pl. *bananas-de-são-tomé*
banana-de-sementes s.f.; pl. *bananas-de-sementes*
banana-do-brejo s.f.; pl. *bananas-do-brejo*

banana-do-mato s.f.; pl. *bananas-do-mato*
banana-figo s.f.; pl. *bananas-figo* e *bananas-figos*
banana-francesa s.f.; pl. *bananas-francesas*
banana-gabu s.f.; pl. *bananas-gabu* e *bananas-gabus*
banana-grande s.f.; pl. *bananas-grandes*
banana-inajá s.f.; pl. *bananas-inajá* e *bananas-inajás*
bananal s.m.
bananalense adj. s.2g.
banana-maçã s.f.; pl. *bananas-maçã* e *bananas-maçãs*
banana-mãe s.f.; pl. *bananas-mãe* e *bananas-mães*
banana-mânea s.f.; pl. *bananas-mânea* e *bananas-mâneas*
banana-menina s.f.; pl. *bananas-menina* e *bananas-meninas*
banana-mole s.2g.; pl. *bananas-moles*
banana-najá s.f.; pl. *bananas-najá* e *bananas-najás*
banana-nanica s.f.; pl. *bananas-nanicas*
banana-ouro s.f.; pl. *bananas-ouro*
banana-pacova s.f.; pl. *bananas-pacova* e *bananas-pacovas*
banana-pacová s.f.; pl. *bananas-pacová* e *bananas-pacovás*
banana-pão s.f.; pl. *bananas-pão* e *bananas-pães*
banana-passa s.f.; pl. *bananas-passa* e *bananas-passas*
banana-pedra s.f.; pl. *bananas-pedra* e *bananas-pedras*
banana-prata s.f.; pl. *bananas-prata* e *bananas-pratas*
banana-rajada s.f.; pl. *bananas-rajadas*
banana-real s.f.; pl. *bananas-reais*
banana-roxa s.f.; pl. *bananas-roxas*
banana-são-tomé s.f.; pl. *bananas-são-tomé*
banana-timbó s.f.; pl. *bananas-timbó* e *bananas-timbós*
banana-verde s.f.; pl. *bananas-verdes*
bananeira s.f.
bananeira-anã s.f.; pl. *bananeiras-anãs*
bananeira-branca s.f.; pl. *bananeiras-brancas*
bananeira-brava s.f.; pl. *bananeiras-bravas*
bananeira-chinesa s.f.; pl. *bananeiras-chinesas*
bananeira-d'água s.f.; pl. *bananeiras-d'água*
bananeira-da-abissínia s.f.; pl. *bananeiras-da-abissínia*
bananeira-da-china s.f.; pl. *bananeiras-da-china*
bananeira-da-rainha s.f.; pl. *bananeiras-da-rainha*
bananeira-da-terra s.f.; pl. *bananeiras-da-terra*
bananeira-de-corda s.f.; pl. *bananeiras-de-corda*
bananeira-de-flor s.f.; pl. *bananeiras-de-flor*
bananeira-de-italiano s.f.; pl. *bananeiras-de-italiano*
bananeira-de-jardim s.f.; pl. *bananeiras-de-jardim*
bananeira-de-leque s.f.; pl. *bananeiras-de-leque*
bananeira-de-madagascar s.f.; pl. *bananeiras-de--madagascar*
bananeira-de-madagáscar s.f.; pl. *bananeiras-de--madagáscar*
bananeira-de-papagaio s.f.; pl. *bananeiras-de-papagaio*
bananeira-de-sementes s.f.; pl. *bananeiras-de-sementes*
bananeira-do-campo s.f.; pl. *bananeiras-do-campo*
bananeira-do-mato s.f.; pl. *bananeiras-do-mato*
bananeira-grande-do-mato s.f.; pl. *bananeiras-grandes-do--mato*
bananeiral s.m.
bananeira-nanica s.f.; pl. *bananeiras-nanicas*
bananeira-petiça s.f.; pl. *bananeiras-petiças*
bananeira-rainha s.f.; pl. *bananeiras-rainhas*
bananeira-são-tomé s.f.; pl. *bananeiras-são-tomé*
bananeira-vermelha s.f.; pl. *bananeiras-vermelhas*
bananeirense adj. s.2g.
bananeirinha s.f.
bananeirinha-comum s.f.; pl. *bananeirinhas-comuns*
bananeirinha-da-índia s.f.; pl. *bananeirinhas-da-índia*
bananeirinha-da-jamaica s.f.; pl. *bananeirinhas-da--jamaica*
bananeirinha-de-flor s.f.; pl. *bananeirinhas-de-flor*
bananeirinha-de-flor--amarela s.f.; pl. *bananeirinhas-de-flor-amarela*
bananeirinha-de-salão s.f.; pl. *bananeirinhas-de-salão*
bananeirinha-de-touceira s.f.; pl. *bananeirinhas-de--touceira*
bananeirinha-do-brejo s.f.; pl. *bananeirinhas-do-brejo*
bananeirinha-do-charco s.f.; pl. *bananeirinhas-do-charco*
bananeirinha-do-mato s.f.; pl. *bananeirinhas-do-mato*
bananeirinha-dos-jardins s.f.; pl. *bananeirinhas-dos--jardins*
bananeirinha-roxa s.f.; pl. *bananeirinhas-roxas*
bananeirinha-zebra s.f.; pl. *bananeirinhas-zebra* e *bananeirinhas-zebras*
bananeiro adj. s.m.
bananense adj. s.2g.
bananica s.f.
bananice s.f.
banânico adj.
bananicultor (*ô*) s.m.
bananicultura s.f.
bananinha s.f.
bananista adj. s.2g. s.m.
bananívoro adj.
banano adj. s.m.
bananosa s.f.
bananose s.f.
bananzola s.2g.
banar adj. s.2g.
banara s.f.
banare adj. s.2g.
banaro s.m.
banastro s.m.
banatita s.f.
banatite s.f.
banatito s.m.
banato s.m.
banauá-iafi s.2g. s.m.; pl. *banauás-iafis*
banazola s.2g.
banca s.f. "mesa"; cf. *bancá*
bancá s.m. "arbusto"; cf. *banca*
bançá s.f.
bancação s.f.
bancada s.f.
bancado adj.
bancador (*ô*) adj. s.m.
bancal s.m.
bancalé s.m.
bancão s.m.
bancar v.
bancaria s.f.
bancário adj. s.m.
bancarrota (*ô*) s.f.
bancarrotear v.
bancarroteiro adj. s.m.
bancarrotismo s.m.
bancarrotista adj. s.2g.
bancarrotístico adj.
bâncio adj. s.m.
banco s.m.
banço s.m.
bancocracia s.f.
bancocrata s.2g.
bancocrático adj.
banco-d'água s.m.; pl. *bancos--d'água*
bancorroto (*ô*) s.m.
bancroftíase s.f.
bancroftose s.f.
bancroftósico adj.
bancroftótico adj.
bancudu s.m.
banculutemo s.f.
bancumbi adj. s.2g.
bancuncho s.m.
banda s.m.f.
bandacai s.m.
bandada s.f.
banda de congo s.f.
banda de couro s.f.
banda de esteira s.f.
banda-de-sargento s.f.; pl. *bandas-de-sargento*
bandado adj. s.m.
banda-forra s.f.; pl. *bandas--forras*
bandagem s.f.
bandagista s.2g.
bandala s.f.
bandalha s.f.
bandalhão adj. s.m.; f. *bandalhona*
bandalheira s.f.
bandalhice s.f.
bandalhismo s.m.
bandalhista adj. s.2g.
bandalho s.m.
bandalhona adj. s.f. de *bandalhão*
bandamaza s.f.
bandana s.f.
bandaneco s.m.
bandanês adj. s.m.
bandangila s.m.
bandão s.m.
bandar v. s.m.
bandara s.m.
bandarastal s.m.
bandari s.m.
bandarilha s.f.
bandarilhado adj.
bandarilhar v.
bandarilheiro s.m.
bandarim s.m.
bandarra s.2g. s.f.
bandarrear v.
bandarrense adj. s.2g.
bandarrice s.f.
bandárrico adj.
bandarrinha s.f.
bandarrismo s.m.
bandarrista adj. s.2g.
bandarrístico adj.
bandarro s.m.
bandaúlo s.m.
bandeação s.f.
bandeado adj.
bandeador (*ô*) adj. s.m.
bandeamento s.m.
bandear v.
bandeira s.f.
bandeira-alemã s.f.; pl. *bandeiras-alemãs*
bandeira-brasileira s.f.; pl. *bandeiras-brasileiras*
bandeirada s.f.
bandeira de reis s.f.
bandeira de são joão s.f.
bandeira de torre s.f.
bandeirado adj. s.m.
bandeira-do-campo s.f.; pl. *bandeiras-do-campo*
bandeira do divino s.f.
bandeira-espanhola s.f.; pl. *bandeiras-espanholas*
bandeiral s.m.
bandeiramento s.m.
bandeirante adj. s.2g. s.m.f.
bandeirante-do-sul s.m.; pl. *bandeirantes-do-sul*
bandeirantense adj. s.2g.
bandeirantismo s.m.
bandeirantista adj. s.2g.
bandeirantístico adj.
bandeira-paulista s.f.; pl. *bandeiras-paulistas*
bandeirar v.
bandeira-vogais s.f.; pl. *bandeiras-vogais*
bandeirear v.
bandeireiro s.m.
bandeirense adj. s.2g.
bandeirinha s.2g.
bandeirinha-de-rabo--amarelo s.m.; pl. *bandeirinhas-de-rabo-amarelo*
bandeirinha-de-rabo--vermelho s.m.; pl. *bandeirinhas-de-rabo-vermelho*
bandeirismo s.m.
bandeirista adj. s.2g.
bandeirístico adj.
bandeiro adj.
bandeirola s.f.
bandeirologia s.f.
bandeirológico adj.
bandeirólogo s.m.
bandeiroso (*ô*) adj.; f. (*ó*); pl. (*ó*)
bandeja s.f.
bandeja-d'água s.f.; pl. *bandejas-d'água*
bandejão s.m.
bandejar v.
bandejete (*ê*) s.m.
bandel s.m.
bandeta (*ê*) s.f.
bandicota s.m.
bandida s.f.
bandidaço s.m.
bandidagem s.f.
bandidismo s.m.
bandido adj. s.m.
bandigarrala s.m.
bandilibós s.m.2n.
bandim s.m.
bandir v.
bandismo s.m.
bandista s.2g.
bandístico adj.
banditismo s.m.
bandiva adj. s.2g.
bando s.m. "grupo"; cf. *bandó* e *bandô*
bandó s.m. "faixa de pano"; cf. *bando* e *bandô*
bandô s.m. "peça decorativa"; cf. *bando* e *bandó*
bandoeiro adj.
bandoga (*ô*) s.f.
bandola s.f.
bandolear v.
bandoleira s.f.
bandoleirismo s.m.
bandoleirista adj. s.2g.
bandoleiro adj. s.m.
bandoleta (*ê*) s.f.
bandolim s.m.
bandolina s.f.
bandolinar v.
bandolinista adj. s.2g.
bandoneon s.m.
bandonião s.m.
bandônio s.m.
bandônion s.m.
bandoria s.f.
bandouba s.f.
bandouga s.f.
bandouna s.f.
bandrá s.f.
bandrastal s.m.
bandulete (*ê*) s.m.
bandulho s.m.
banduque s.m.
bandurra s.f.
bandurrar v.
bandurrear v.
bandurreta s.f.
bandurria s.f.
bandurrilha s.f. s.2g.
bandurrinha s.f.
bandurrista adj. s.2g.
bandylita s.f.
bane s.m.
baneane s.m.
banfumo adj. s.m.
banga s.f. interj.
bangaçal s.m.
bangala adj. s.2g.
bangalada s.f.
bangalafumenga s.m.
bangalai s.m.
bangalé s.m.
bangaló s.m.
bangalô s.m.
bangaloango s.m.
bangba s.m.
bângia s.f.
bangiácea s.f.
bangiáceo adj.
bangial adj.2g.
bangiale s.f.
bangladense adj. s.2g.
bangladês adj. s.m.
bangladeshiano adj. s.m.
bango adj. s.m.
bangola s.m.
bangolar v.
bangu adj. s.2g.
bangu-bangu adj. s.2g.; pl. *bangu-bangus*
bangue s.m. "haxixe"; cf. *banguê* (*ü*)
banguê (*ü*) s.m. "engenho", etc.; cf. *bangue*
bangue-bangue s.m.; pl. *bangue-bangues*
bangueiro s.m. "viciado em bangue"; cf. *bangueiro* (*ü*)
bangueiro (*ü*) s.m. "trabalhador de engenho"; cf. *bangueiro*
banguejo (*ê*) s.m.
banguela adj. s.2g.
banguelê s.m.
banguelo adj. s.m.
banguense (*ü*) adj. s.2g.
bangueteiro adj. s.m.
banguezeiro (*ü*) s.m.
banguezista (*ü*) s.2g.
banguiá adj. s.2g.
banguina s.f.
bangula s.m.
bangular v.
bangulê s.m.
banguleiro adj.
banha s.f.
banhadal s.m.
banhado adj. s.m.
banhadoiro s.m.
banhador (*ô*) adj. s.m.
banhadouro s.m.
banhamento s.m.
banhaneca adj. s.2g.
banhâni s.m.
banhar v.
banhável adj.2g.
banheira s.f.
banheiro s.m.
banhema adj. s.2g.
banhista adj. s.2g.
banho s.m.
banho-cheiroso s.m.; pl. *banhos-cheirosos*
banho de cheiro s.m.

banho de cuia s.m.
banho de igreja s.m.
banho de maria s.m.
banho-de-pipoca s.m.; pl. *banhos-de-pipoca*
banho-maria s.m.; pl. *banhos-maria* e *banhos-marias*
banho-mariano s.m.; pl. *banhos-marianos*
banhos s.m.pl.
banhum adj. s.2g.
bani s.m.
bânia s.f.
baniana s.f.
baniane adj.2g. s.m.
baniano adj. s.m.
baniba adj. s.2g.
banibá adj. s.2g.
banição s.f.
banido adj. s.m.
banidor (*ô*) s.m.
banimento s.m.
banini s.m.
banir v.
banistau s.m.
banistera s.f.
banistéria s.f.
banisteríada s.f.
banisterina s.f.
banisteriópsis s.m.2n.
banisterita s.f.
banisterodes s.m.2n.
banisteroide (*ó*) adj.2g. s.m.
baniu s.m.
baníua adj.2g s.2g. s.m.
baniva adj. s.2g.
banível adj.2g.
banja s.f.
banjista adj. s.2g.
banjo s.m.
banjoísta adj. s.2g.
banjólea s.f.
banjolim s.m.
banjura adj. s.2g.
bannaquense adj. s.2g.
bannisterita s.f.
banque s.m.
banqueiro s.m.
banqueta (*ê*) s.f.
banquetaço s.m.
banquete (*ê*) s.m.
banqueteado adj.
banqueteador (*ô*) s.m.
banqueteante adj.2g.
banquetear v.
banqueteiro s.m.
banquetense adj. s.2g.
banquetismo s.m.
banquetuba adj. s.2g.
banquinha s.f.
banquisa s.f.
banquiva s.m.
bansá s.m.
bantá s.m. "lenço"; cf. *bantã*
bantã s.m. "tecido", etc.; cf. *bantá*
bantal s.m.
banté s.m.
bantengue s.m.
banti s.m.
bantiale s.f.
bantim s.m.
bantineiro s.m.
banto adj. s.m.
bantoide (*ó*) adj.2g.
bantóideo adj.
bantoísmo s.m.
bantologia s.f.
bantológico adj.
bantólogo s.m.
bantustão s.m.
bânua s.2g.
banulaque s.m.
banza s.f.
banzado adj.
banzaense adj. s.2g.
banzai s.m.
banzão s.m.
banzar v.
bânzara s.f.
banzativo adj.
banzé s.m.
banzear v.
banzé de cuia s.m.
banzeira s.f.
banzeiro adj. s.m.
banzento adj.
bânzera s.f.
banziri adj. s.2g.
banzo adj. s.m.
baobá s.m.
baobabe s.m.
baonesa (*ê*) s.f.
baotita s.f.
bapacari s.m.
bapeba s.f.
bapeira s.f.
bapende adj. s.2g.
bapeva s.f.
bapianá adj. s.2g.
bapo s.m.
baporogu s.m.
baporunga s.f.
bapta s.m.
bapte s.m.
baptigenetina s.f.
baptigenina s.f.
baptina s.f.
baptísia s.f.
baptisina s.f.
baptistônia s.f.
baptitoxina (*cs*) s.f.
bapuana s.f.
baquanhoca adj. s.2g.
baquani adj. s.2g.
baquara adj. s.2g.
baque s.m.
baqueadeira s.f.
baqueado adj.
baqueador (*ô*) s.m.
baqueano adj. s.m.
baquear v.
baqueche s.f.
baquecim s.m.
baquejadeira s.f.
baquejar v.
baquelita s.f.
baquelite s.f.
baquelo s.m.
baqueridésia s.f.
baquerubu s.m.
baqueruvu s.m.
baqueta (*ê*) s.f.; cf. *baqueta*, fl. do v. *baquetar*
baquetada s.f.
baquetar v.
baqueteamento s.m.
baquetear v.
baquetilha s.f.
baquíaco adj.
baquiador (*ô*) s.m.
baquiano adj. s.m.
baquice s.m.
báquico adj.
baquicúpido adj.
báquide s.f.
baquílica s.f.
baquina s.f.
baquinázio s.m.
baquio adj. s.m.
báquio adj. s.m.
baquiqui s.m.
baquismo s.m.
baquista adj. s.2g.
baquístico adj.
baquité s.m.
bar s.m.
baraba s.m.
barabadás s.m.
barabatana adj. s.2g.
barabô s.m.
barabu s.m.
baraça s.f.
baracafuzada s.f.
baracafuzar v.
baracajaense adj. s.2g.
baracara s.f.
baracejo (*ê*) s.m.
baracéu s.m.
baracha s.f.
barachão s.m.
barachar v.
barachil s.m.
barachinha s.f.
barachio s.m.
barachu adj. s.2g.
baracinha s.f.
baracinho s.m.
baraço s.m.
baracuí s.m.
baracutiara s.f.
barada s.m.
baradel s.m.
baradela s.2g.
barafunda s.f.
barafundar v.
barafundear v.
barafundo adj.
barafusta s.f.
barafustação s.f.
barafustado adj.
barafustador (*ô*) adj.
barafustamento s.m.
barafustar v.
baragnose s.f.
baragnosia s.f.
baragnósico adj.
baragnóstico adj.
baraia s.f.
barajá s.m.
barajo s.m.
barajuba s.f.
baralha s.f.
baralhada s.f.
baralhado adj.
baralhador (*ô*) adj. s.m.
baralhamento s.m.
baralhar v.
baralhau adj. s.m.
baralhável adj.2g.
baralho s.m. "cartas de jogo"; cf. *baralhó*
baralhó adj. s.m. "trapalhão"; cf. *baralho* s.m. e fl. do v. *baralhar*
baralipto s.m.
baralípton s.m.
baralita s.f.
baralite s.f.
barama s.m.
baramareca s.f.
barambaz s.m.
barambo s.m.
barânemo s.m.
baranestesia s.f.
baranestésico adj.
baranestético adj.
baranga s.f.
barangã s.m.
barangai s.m.
barangandã s.m.
baranha s.f.
baranho s.m.
baranto adj. s.2g.
barão s.m.; f. *baronesa* (*ê*)
barapibo s.m.
baraqueta (*ê*) s.m.
bararà interj.
bararau s.m.
barare s.m.
barareométrico adj.
barareômetro s.m.
bararita s.f.
bararuá s.2g.
bararuba s.2g.
barasana adj. s.2g. s.m.
barata s.f.
barata-alemã s.f.; pl. *baratas-alemãs*
barata-americana s.f.; pl. *baratas-americanas*
barata-australiana s.f.; pl. *baratas-australianas*
barata-cascuda s.f., pl. *baratas-cascudas*
barata-caseira s.f.; pl. *baratas-caseiras*
barata-d'água s.f.; pl. *baratas-d'água*
barata-da-bananeira s.f.; pl. *baratas-da-bananeira*
barata-da-praia s.f.; pl. *baratas-da-praia*
barata-das-palmeiras s.f.; pl. *baratas-das-palmeiras*
barata de igreja s.f.
barata de sacristia s.f.
barata-descascada s.f.; pl. *baratas-descascadas*
barata-do-arroz s.f.; pl. *baratas-do-arroz*
barata-do-coqueiro s.f.; pl. *baratas-do-coqueiro*
barata-do-fígado s.f.; pl. *baratas-do-fígado*
barata-do-mato s.f.; pl. *baratas-do-mato*
barata-francesa s.f.; pl. *baratas-francesas*
baratagem s.f.
barata-germânica s.f.; pl. *baratas-germânicas*
barata-noiva s.f.; pl. *baratas-noivas*
barata-nua s.f.; pl. *baratas-nuas*
baratão s.m.
barata-oriental s.f.; pl. *baratas-orientais*
baratar v.
barataria s.f.
barata-silvestre s.f.; pl. *baratas-silvestres*
barata-vermelha s.f.; pl. *baratas-vermelhas*
barata-voa s.f.2n.
barateado adj.
barateador (*ô*) adj. s.m.
barateamento s.m.
baratear v.
barateio s.m.
barateira s.f.
barateiro adj. s.m.
barateza (*ê*) s.f.
baraticida adj.2g. s.m.
baraticídio s.m.
baratilho s.m.
baratim s.m.
baratinado adj.
baratinar v.
baratinha s.f.
baratinha-d'água s.f.; pl. *baratinhas-d'água*
baratinha-da-praia s.f.; pl. *baratinhas-da-praia*
baratinha-das-pedras s.f.; pl. *baratinhas-das-pedras*
baratinha-do-fígado s.f.; pl. *baratinhas-do-fígado*
baratinha-francesa s.f.; pl. *baratinhas-francesas*
baratino s.m.
barato adj. adv. s.m.
baratométrico adj.
baratômetro s.m.
baratóstaquis s.m.2n.
baratovita s.f.
barátrico adj.
bátratro s.m.
baratrometria s.f.
baratrométrico adj.
baratrômetro s.m.
bará-tucano adj. s.2g.; pl. *barás-tucanos*
baratucho adj.
baraú adj. s.2g.
barauana adj. s.2g.
baraúna s.f.
baraunense adj. s.2g.
baraúva s.f.
baraxu adj. s.2g.
barba s.f.
barba-azul s.m.; pl. *barbas-azuis*
barba-branca s.f.; pl. *barbas-brancas*
barbacã s.f.
barbaça s.m.f.
barbacana s.f.
barbaçanas s.m.2n.
barbacão s.m.
barbaças s.m.2n.
barbacenas adj. s.2g.2n.
barbacenense adj. s.2g.
barbacênia s.f.
barbacho s.m.
barbaço adj.
barbaçote s.m.
barbacuá s.m.
barbaçudo adj.
barbada s.f.
barbadão adj.
barba-das-uvas s.f.; pl. *barbas-das-uvas*
barba de baleia s.f.
barba-de-barata s.f.; pl. *barbas-de-barata*
barba de bode s.m. "aquele que usa barba longa"
barba-de-bode s.f. "espécie de planta"; pl. *barbas-de-bode*
barba-de-bode-de-vassoura s.f.; pl. *barbas-de-bode-de-vassoura*
barba-de-bode-mansa s.f.; pl. *barbas-de-bode-mansas*
barba-de-boi s.f.; pl. *barbas-de-boi*
barba-de-cabra s.f.; pl. *barbas-de-cabra*
barba-de-camarão s.m.; pl. *barbas-de-camarão*
barba-de-capuchinho s.f.; pl. *barbas-de-capuchinho*
barba-de-chibo s.f.; pl. *barbas-de-chibo*
barba-de-lagoa s.f.; pl. *barbas-de-lagoa*
barbadense adj. s.2g.
barba-de-paca s.f.; pl. *barbas-de-paca*
barba-de-pau s.f.; pl. *barbas-de-pau*
barba-de-são-pedro s.f.; pl. *barbas-de-são-pedro*
barba-de-surubim s.f.; pl. *barbas-de-surubim*
barba-de-tigre s.f.; pl. *barbas-de-tigre*
barba-de-timão s.f.; pl. *barbas-de-timão*
barba-de-velho s.f.; pl. *barbas-de-velho*
barbadiano adj. s.m.
barbadinho adj. s.m.
barbado adj. s.m.
barba-espanhola s.f.; pl. *barbas-espanholas*
barbaísco s.m.
barbal s.m.
barbalhada s.f.
barbalhense adj. s.2g.
barbalho s.m.
barbalhoste adj.2g.
barbaloína s.f.
barbana s.f.
barbante s.m.
barbantinho s.m.
barbão adj. s.m.
barbaquá s.m.
barbaquim s.m.
barbar v.
barbará s.m.
bárbara s.f.; cf. *barbara*, fl. do v. *barbar*
barbarada s.f.
barbaraléxis (*cs*) s.f.2n.
barbárea s.f.
barbareia (*é*) s.f.
barbarense adj. s.2g.
barbaresco (*ê*) adj.
barbaria s.f.
barbaricário s.m.
barbarice s.f.
barbárico adj.
barbaridade s.f. interj.
barbárie s.f.
barbariloquia s.f.
barbaríloquo (*co* ou *quo*) adj. s.m.
barbarim s.m.
barbarina s.m.f.
barbarino s.m.
barbário adj. s.m.

barbarisco adj.
barbarismo s.m.
barbarissonante adj.2g.
barbarista adj. s.2g.
barbarístico adj.
barbarização s.f.
barbarizado adj.
barbarizador (*ô*) adj. s.m.
barbarizamento s.m.
barbarizante adj.2g.
barbarizar v.
barbarizável adj.2g.
barbarizo s.m.
bárbaro adj. s.m. interj.
barbarolexe (*cs*) s.f.
barbarolexia (*cs*) s.f.
barbaroléxis (*cs*) s.f.2n.
barbarrão s.m.
barba-ruiva s.m.; pl. *barbas-ruivas*
barbas s.m.2n.
barbasco s.m.
barbas de alho s.m.2n.
barbas-de-júpiter s.f.pl.
barbas-de-velho s.f.pl.
barbastela s.f.
barbastelo s.m.
barbata s.f.
barbatana s.f.
barbatanado adj.
barbatão adj. s.m.
barbate s.m.
barbateado adj.
barbatear v.
barbático adj.
barbatimão s.m.
barbatimão-de-folha-miúda s.m.; pl. *barbatimões-de-folha-miúda*
barbatimão-falso s.m.; pl. *barbatimões-falsos*
barbatimão-verdadeiro s.m.; pl. *barbatimões-verdadeiros*
barbatina s.f.
barbatínico adj.
barbato adj. s.m.
barbatoa (*ô*) s.f.
barbatolas s.m.2n.
barbatoque s.m.
barbátula s.f.
barbátulo s.m.
barbeação s.f.
barbeado adj.
barbeador (*ô*) s.m.
barbeadura s.f.
barbeamento s.m.
barbear v.
barbearia s.f.
barbechado adj.
barbechar v.
barbecho (*ê*) s.m.
barbeia (*é*) s.f.
barbeiácea s.f.
barbeiáceo adj.
barbeiastro s.m.
barbeira s.f.
barbeirada s.f.
barbeiragem s.f.
barbeirice s.f.
barbeirinho s.m.
barbeirismo s.m.
barbeiro adj. s.m.
barbeiro-amarelo s.m.; pl. *barbeiros-amarelos*
barbeiro-azul s.m.; pl. *barbeiros-azuis*
barbeirola s.m.
barbeiro-pardo s.m.; pl. *barbeiros-pardos*
barbeiro-preto s.m.; pl. *barbeiros-pretos*
barbeita s.f.
barbeito s.m.
barbela s.f.
barbelado adj.
barbelar v.
barbelhões s.m.pl.
barbelido s.m.
barbelo s.m.
barbélula s.f.
barbelulado adj.
barbena s.f.
barbequim s.m.
barbereta (*ê*) s.f.
barbertonita s.f.
barbeta (*ê*) s.f.
barbete (*ê*) s.m.
barbêvia s.f.
barbeviácea s.f.
barbeviáceo adj.
barbeya (*é*) s.f.
barbi adj. s.m.
barbialçado adj.
barbiana s.f.
barbiano s.m.
barbião s.m.
barbiargênteo adj.
barbiblanco adj.
barbibranco adj.
barbica s.f.
barbicacho s.m.
barbicano adj.
barbicas s.m.2n.
barbicela s.f.
barbicha s.f.
barbichas s.m.2n.
barbicorne s.m.
barbicórnio s.m.
barbiel s.m.
barbiera s.f.
barbiéria s.f.
barbierita s.f.
barbierítico adj.
barbifeito adj.
barbífero adj.
barbiforme adj.2g.
barbígero adj.
barbilha s.f.
barbilhão s.m.
barbilhão-amarelo s.m.; pl. *barbilhões-amarelos*
barbilhão-de-gola-branca s.m.; pl. *barbilhões-de-gola-branca*
barbilho s.m.
barbilho-amarelo s.m.; pl. *barbilhos-amarelos*
barbilho-vermelho s.m.; pl. *barbilhos-vermelhos*
barbilimpo adj.
barbiloiro adj.
barbilongo adj.
barbilouro adj.
barbinegro (*ê*) adj.
barbinérvea s.f.
barbinérveo adj.
barbinha s.f.
barbino s.m.
barbípede adj.2g.
barbipoente adj.2g.
barbiponente s.2g.
barbirrostro adj.
barbirruivo adj.
barbital s.m.
barbitão s.m.
barbiteso (*ê*) adj.
barbitista s.m.
bárbito s.m.
barbitona s.f.
barbiturado s.m.
barbiturato s.m.
barbitúrico adj. s.m.
barbiturismo s.m.
barbiturístico adj.
barbo s.m.
barboar v.
barbôneo adj.
barbono s.m.
barboreta (*ê*) s.f.
barbos s.m.pl.
barbosa s.f.
barbosalita s.f.
barbosense adj. s.2g.
barbota s.f.
barbote s.m.
barbo-ticto s.m.; pl. *barbos-tictos*
barbotina s.f.
barboto (*ô*) s.m.
barbourina s.f.
barbozinho s.m.
barbucho s.m.
barbuda s.f.
barbudão adj.
barbudinho s.m.
barbudinho-do-sul s.m.; pl. *barbudinhos-do-sul*
barbudo adj. s.m.
barbudo-rajado s.m.; pl. *barbudos-rajados*
bárbula s.f.
barbulado adj.
barbuloide (*ó*) adj.2g.
barbuna s.f.
bárbus s.m.2n.
bárbus-de-cinco-listras s.m.2n.
bárbus-sumatrano s.m.; pl. *bárbus-sumatranos*
bárbus-ticto s.m.; pl. *bárbus-tictos*
barbuta s.m.f.
barbuzano s.m.
barca s.f.
barça s.f.
barcaça s.f.
barcaça-cisterna s.f.; pl. *barcaças-cisterna* e *barcaças-cisternas*
barcaceiro s.m.
barcacinha s.f.
barca-d'água s.f.; pl. *barcas-d'água*
barcada s.f.
barcadense adj. s.2g.
barca de ouro s.f.
barca-farol s.f.; pl. *barcas-farol* e *barcas-faróis*
barcagem s.f.
barcalão s.m.
barcana s.f.
barcane s.f.
barcânio adj. s.m.
barcano adj. s.m.
barca-nova s.f.; pl. *barcas-novas*
barcarenense adj. s.2g.
barcarola s.f.
barcarolar v.
barcáusia s.f.
barca-volante s.f.; pl. *barcas-volantes*
barcego s.m.
barceia (*é*) adj. s.f. de *barceu*
barceiro s.m.
barcelada s.f.
barcelense adj. s.2g.
barcelo s.f.
barcelona s.f.
barcelonada s.f.
barcelonense adj. s.2g.
barcelonês adj. s.m.
barcena s.f.
barcenita s.f.
barcenite s.f.
barcenítico adj.
barcenito s.m.
barceu adj. s.m.; f. *barceia* (*é*)
barchim s.m.
bárcida adj. s.2g.
barcinão adj. s.m.
barcino adj.
barcinonense adj. s.2g.
barclaia s.f.
barclaya s.m.
barco s.m.
barco-armadilha s.m.; pl. *barcos-armadilha* e *barcos-armadilhas*
barco-automóvel s.m.; pl. *barcos-automóvel* e *barcos-automóveis*
barco-bomba s.m.; pl. *barcos-bomba* e *barcos-bombas*
barco-dragão s.m.; pl. *barcos-dragão* e *barcos-dragões*
barco-farol s.m.; pl. *barcos-farol* e *barcos-faróis*
barcolas s.f.pl.
barco-luz s.m.; pl. *barcos-luz* e *barcos-luzes*
barcote s.m.
barda s.f.
bardachote adj. s.m.
bardada s.f.
bardado adj.
bardaico adj.
bardal s.m.
bardalhão s.m.
bardalheira s.f.
bardamerda s.2g.
bardamerdas s.2g.2n.
bardana s.f.
bardanal s.m.
bardana-maior s.f.; pl. *bardanas-maiores*
bardana-menor s.f.; pl. *bardanas-menores*
bardana-ordinária s.f.; pl. *bardanas-ordinárias*
bardão s.m.
bardar v.
bardariense adj. s.2g.
bardariota s.m.
bardarista s.m.
bardasanita adj. s.2g.
bardaxa s.m.
bárdea s.f.
bardeia (*é*) adj. s.f. de *bardeu*
bardesanianismo s.m.
bardesanianista adj. s.2g.
bardesaniano adj. s.m.
bardesanismo s.m.
bardesanita adj. s.2g.
bardesano adj. s.m.
bardeu adj. s.m.; f. *bardeia* (*é*)
bardia s.f.
bardíaco adj.
bárdico adj.
bardilho adj. s.m.
bardino adj. s.m.
bardismo s.m.
bardista adj. s.2g.
bardístico adj.
bardito s.m.
bardo s.m.
bardocuculo s.m.
bardolita s.f.
bardulheira s.f.
bárdulo adj. s.m.
baré adj. s.2g. s.m.
barege s.f.
baregina s.f.
baregínico adj.
bareia (*é*) s.f.
bareinita adj. s.2g.
barela s.f.
barém adj. s.2g.
barema s.m.
baremático adj.
baremense adj. s.2g.
baremês adj. s.2g.
baremial adj.2g.
barêmico adj.
barêmio s.m.
baremo s.m.
barestesia s.f.
barestésico adj.
barestesímetro s.m.
barestesiometria s.f.
barestesiométrico adj.
barestesiômetro s.m.
bareta (*ê*) s.f.
baretita s.f.
baretite s.f.
baretítico adj.
baretito s.m.
barfol s.m.
barga s.f.
bargada s.f.
bargado adj.
bargalhote s.m.
barganha s.f.
barganhado adj.
barganhador (*ô*) adj. s.m.
barganhar v.
barganheiro s.m.
barganhista adj. s.2g.
bargani s.m.
barganim s.m.
bargantaço s.m.
bargantaria s.f.
bargante adj. s.2g.
bargantear v.
barganteria s.f.
bargantice s.f.
bargantim s.m.
bargela s.f.
bargelínia s.f.
bargemôntia s.f.
barges s.m.pl.
bargu s.m.
bargueira s.f.
bargueiro s.m.
barguicha s.f.
barguilha s.f.
bari adj. s.2g. s.m.
bária s.f.
bariandita s.f.
barião s.m.
bariatra s.2g.
bariatria s.f.
bariátrico adj.
bariba s.m.
baríbade s.m.
baribeno s.m.
baríbrote s.m.
baricalcítico adj.
baricalcito s.m.
baricêntrico adj.
baricentro s.m.
barícero adj. s.m.
bariciano adj. s.m.
bárico adj.
baricote s.m.
baricrino adj. s.m.
baridade s.f.
barídia s.f.
barídio s.m.
baridrodinâmica s.f.
baridrodinâmico adj.
baridrometria s.f.
baridrométrico adj.
baridrômetro s.m.
baridrostática s.f.
baridrostático adj.
bariecoía s.f.
bariencefalia s.f.
bariencefálico adj.
barifonia s.f.
barifônico adj.
barifono s.m.
bariga s.f.
bariglossia s.f.
bariglóssico adj.
barigui s.m.
baril adj.2g. interj.
barila s.f.
barilalia s.f.
barilálico adj.
barilego adj.
barilha s.f.
barilita s.f.
barilítico adj.
barílito s.m.
barim s.m.
barimbé s.m.
barimetria s.f.
barimétrico adj.
barimorfo adj. s.m.
barimorfose s.f.
barimorfótico adj.
barine s.m.
barinel s.m.
baringa adj. s.2g.
barinoto s.m.
bário s.m.
bário-hitchcockita s.f.; pl. *bário-hitchcockitas*
bariolagem s.f.
bariome s.m.
bárion s.m.
bariônico adj.
bariosma s.f.
baripa s.m.
baripente s.m.
baripento s.m.
barípode s.m.
baripodia s.f.
baripoestesia s.f.
bariri adj. s.2g. s.m.
baririçó s.m.
baririçó-amarelo s.m.; pl. *baririçós-amarelos*

bariricô-amarelo s.m.; pl. *bariricôs-amarelos*
baririense adj. s.2g.
baris adj. s.2g. s.m.
baríscelo s.m.
barisfera s.f.
barisférico adj.
barisfério s.m.
barisilita s.f.
barissoma s.m.
barissomático adj.
baristroncianítico adj.
baristroncianito s.m.
barita s.f.
baritargêntico adj.
baritedífana s.f.
baritense adj. s.2g.
baritério s.m.
bariteroide (*ó*) adj.2g. s.m.
barítica s.f.
barítico adj.
baritífero adj.
baritila s.f.
baritilito s.m.
baritimia s.f.
baritímico adj. s.m.
baritina s.f.
baritínea s.f.
baritíneo adj.
baritínico adj.
baritita s.f.
barítítico adj.
baritito s.m.
barito s.m.
baritoargêntico adj.
baritocalcita s.f.
baritocalcítico adj.
baritocalcito s.m.
baritocelestina s.f.
baritocelestita s.f.
baritocialcita s.f.
baritodífana s.f.
baritofilítico adj.
baritofilito s.m.
baritolamprofilita s.f.
baritonante adj.2g.
baritonese s.f.
baritonia s.f.
baritônico adj.
barítono adj. s.m.
barítopo s.m.
baritose s.f.
bariturанito s.m.
bárium s.m.
barixílico (*cs*) adj.
baríxilo (*cs*) s.m.
barjoeiro s.m.
barjoleta (*ê*) s.f.
barjona s.f.
barjônia s.f.
barjuleta (*ê*) s.f.
barkevikita s.f.
barkevikítico adj.
barkháusia s.f.
barlaque s.m.
barlaquear v.
barlaventeado adj.
barlaventeador (*ô*) adj. s.m.
barlaventear v.
barlaventejar v.
barlaventista s.2g.
barlavento s.m.
barlécia s.f.
barléria s.f.
barleríea s.f.
barlete (*ê*) s.m.
barline s.m.
barma adj. s.2g.
barmagué adj. s.2g.
barmandinga adj. s.2g.
barnabé s.2g.
barnabita adj.2g. s.m.
barnacle s.m.
barnadésia s.f.
barnagais s.m.2n.
barnárdia s.f.
bárnea s.f.
barnegal s.m.
barnéria s.f.
barnesita s.f.
baroa (*ô*) adj. s.f.
baroado s.m.
baroanestesia s.f.
baroanestésico adj.
baroce s.m.
barocêntrico adj.
barocentrismo s.m.
barociclonometria s.f.
barociclonométrico adj.
barociclonômetro s.m.
baroco (*ô*) adj. s.m.
barococo s.m.
barocoria s.f.
barocórico adj.
barodinâmica s.f.
barodinâmico adj.
barodontalgia s.f.
barodontálgico adj.
baroestesia s.f.
baroestésico adj.
baroestesiometria s.f.
baroestesiométrico adj.
baroestesiômetro adj.
baroestético adj.
barogiroscópico adj.
barogiroscópio s.m.
barognose s.f.
barognosia s.f.
barognósico adj.
barognóstico adj.
barografia s.f.
barógrafo s.m.
barograma s.m.
baro-hiperestesia s.f.
baro-hiperestésico adj.
baro-hipoestesia s.f.
baro-hipoestésico adj.
baroiperestesia s.f.
baroiperestésico adj.
baroipoestesia s.f.
baroipoestésico adj.
barolita s.f.
barolítico adj.
barólito s.m.
barolo (*ô*) s.m.
barologia s.f.
barológico adj.
barolongo adj. s.m.
baroma s.m.
baromacrometria s.f.
baromacrométrico adj.
baromacrômetro s.m.
barometria s.f.
barométrico adj.
barômetro s.m.
barometrografia s.f.
barometrográfico adj.
barometrógrafo s.m.
barometrograma s.m.
baromotor (*ô*) s.m.
baronado s.m.
baronagem s.f.
baronal adj.2g.
baronarcose s.f.
baronarcótico adj.
baronato s.m.
baronense adj. s.2g.
baronês s.m.
baronesa (*ê*) s.f. de *barão*
baronesas (*ê*) s.f.pl.
baroneso (*ê*) s.m.
baronete (*ê*) s.m.
baronia s.f.
baronial adj.2g.
baronista adj. s.2g.
baronização s.f.
baronizado adj.
baronizar v.
baropneumodinâmica s.f.
baropneumodinâmico adj.
baropneumostática s.f.
baropneumostático adj.
barorreceptor (*ô*) adj. s.m.
barorreflexo (*cs*) s.m.
barosalcânfer s.m.
barosânemo s.m.
baroscópico adj.
baroscópio s.m.
barosma s.m.
barosseísmico adj.
barosseísmo s.m.
barosselenite s.f.
barossensibilidade s.f.
barossensível adj.2g.
barossinusite s.f.
barossísmico adj.
barossismo s.m.
barostática s.f.
barostático adj.
barostato s.m.
baróstato s.m.
barostereodinâmica s.f.
barostereodinâmico adj.
barostereostática s.f.
barostereostático adj.
barotáctico adj.
barotalgia s.f.
barotálgico adj.
barotático adj.
barotaxia (*cs*) s.f.
barotáxico (*cs*) adj.
baroterapia s.f.
barotermográfico adj.
barotermógrafo s.m.
barotermo-higrométrico adj.
barotermo-higrômetro s.m.
barotermoigrométrico adj.
barotermoigrômetro s.m.
barotermométrico adj.
barotermômetro s.m.
barotite s.f.
barotítico adj.
barotrauma s.m.
barotraumático adj.
barotropia s.f.
barotrópico adj.
barotrópio adj. s.m.
barotropismo s.m.
barotropístico adj.
barovariometria s.f.
barovariométrico adj.
barovariômetro s.m.
barpur s.m.
barquê s.m.
barquear v.
barqueira s.f.
barqueiro s.m.
barquejar v.
barquel s.m.
barquense adj. s.2g.
barqueta (*ê*) s.f.
barquete (*ê*) s.m.
barquice s.m.
barquiço s.m.
barquilha s.f.
barquilheiro s.m.
barquilho s.m.
barquinha s.f.
barquinhense adj. s.2g.
barquinho s.m.
barquino s.m.
barra s.f. s.2g.
barra-alegrense adj. s.2g.; pl. *barra-alegrenses*
barra-bandeira s.f.; pl. *barra-bandeiras*
barrabandi s.m.
barra-bonitense adj. s.2g.; pl. *barra-bonitenses*
barra-bugrense adj. s.2g.; pl. *barra-bugrenses*
barraca s.f.
barracada s.f.
barraçal s.f.
barracame s.m.
barracamento s.m.
barracanita s.f.
barracão s.m.
barração s.f.
barracãozense adj. s.2g.
barracar v.
barracense adj. s.2g.
barracento adj.
barrachel s.m.
barraco s.m.
barraconense adj. s.2g.
barraconista adj. s.2g.
barra-cordense adj. s.2g.; pl. *barra-cordenses*
barracório s.m.
barracuda s.f.
barracudina s.f.
barrada s.f.
barradela s.f.
barradense adj. s.2g.
barrado adj. s.m.
barradura s.f.
barra-estivense adj. s.2g.; pl. *barra-estivenses*
barra-fogo s.m.; pl. *barra-fogos*
barra-francisquense adj. s.2g.; pl. *barra-francisquenses*
barragana s.f.
barragão s.m.
barra-garcense adj. s.2g.; pl. *barra-garcenses*
barrageiro s.m.
barragem s.f.
barragenense adj. s.2g.
barrajola s.f.
barral s.m.
barraldeia (*é*) s.f.
barra-limpa adj. s.2g.; pl. *barra-limpas*
barra-longuense adj. s.2g.; pl. *barra-longuenses*
barra-mansense adj. s.2g.; pl. *barra-mansenses*
barra-manteiga s.f.; pl. *barra-manteigas*
barramaque s.m.
barrambaz s.m.
barra-mendense adj. s.2g.; pl. *barra-mendenses*
barramento s.m.
barra-mina s.f.; pl. *barra-minas*
barramunda s.f.
barrana s.f.
barranca s.f.
barrancado adj.
barrancal s.m.
barranceira s.f.
barranceirense adj. s.2g.
barranco s.m.
barrancoso (*ô*) adj.; f. (*ó*); pl. (*ó*)
barrancudo adj.
barrandita s.f.
barrandito s.m.
barranha s.f.
barranhão s.m.
barranhar v.
barranheira s.f.
barranhola s.f.
barrano s.m.
barranqueador (*ô*) adj. s.m.
barranquear v.
barranqueira s.f.
barranqueiro adj. s.m.
barranqueiro-de-bico-fino s.m.; pl. *barranqueiros-de-bico-fino*
barranqueiro-de-bico-reto s.m.; pl. *barranqueiros-de-bico-reto*
barranqueiro-de-olho-branco s.m.; pl. *barranqueiros-de-olho-branco*
barranquenho adj. s.m.
barranquense adj. s.2g.
barrão s.m.; f. *barroa* (*ô*)
barra-pesada adj. s.2g.; pl. *barras-pesadas*
barraqueado adj.
barraqueamento s.m.
barraquear v.
barraqueiro adj. s.m.
barraquense adj. s.2g.
barraqueta (*ê*) s.f.
barraquim s.m.
barraquinha s.f.
barraquinhense adj. s.2g.
barraquista adj. s.2g.
barrar v.
barrascame s.m.
barrasco s.m.
barrasquice s.f.
barrasquinho s.m.
barravento s.m.
barreada s.f.
barreado adj. s.m.
barrear v.
barredalho s.m.
barredeiro s.m.
barredo (*ê*) s.m.
barredor (*ô*) s.m.
barredoura adj. s.f.
barregã s.f.
barregado adj.
barregamento s.m.
barregana s.f.
barregania s.f.
barregão s.m.
barregar v.
barrego (*ê*) s.m.; cf. *barrego*, fl. do v. *barregar*
barregueira s.f.
barregueiro s.m.
barreguice s.f.
barreio s.m.
barreira s.f.
barreirado adj. s.m.
barreiral s.m.
barreirãozense adj. s.2g.
barreirar v.
barreireiro adj. s.m.
barreirense adj. s.2g.
barreirento adj.
barreirinhense adj. s.2g.
barreiro s.m.
barreiroa (*ô*) s.f.
barreiro-do-brejo s.m.; pl. *barreiros-do-brejo*
barrejamento s.m.
barrejar v.
barrela s.f.
barrelada s.f.
barrelão s.m.; f. *barrelona*
barreleira s.f.
barreleiro adj. s.m.
barrelete (*ê*) s.m.
barrelo s.m.
barrelona s.f. de *barrelão*
barremiano adj. s.m.
barrena s.f.
barrenar v.
barreneiro s.m.
barrenha s.f.
barrenhão s.m.
barrenho adj. s.m.
barrenhola s.f.
barreno s.m.
barrense adj. s.2g.
barrenta s.f.
barrentense adj. s.2g.
barrento adj.
barrerita s.f.
barrestivense adj. s.2g.
barreta (*ê*) s.f.
barretada s.f.
barretar v.
barrete (*ê*) s.m.
barretear v.
barrete-de-clérigo s.m.; pl. *barretes-de-clérigo*
barrete-de-eleitor s.m.; pl. *barretes-de-eleitor*
barrete-de-padre s.m.; pl. *barretes-de-padre*
barreteiro s.m.
barretense adj. s.2g.
barretim s.m.
barretina s.f.
barretinar v.
barretinense adj. s.2g.
barrica s.f.
barricada s.f.
barricadar v.
barricão s.m.
barricar v.
barrido s.m.
barrieira s.f.
barriga s.f.
barriga-branca s.f.; pl. *barrigas-brancas*
barriga-cabeluda s.f.; pl. *barrigas-cabeludas*
barriga-d'água s.f.; pl. *barrigas-d'água*
barrigada s.f.
barriga de freira s.f. "mármore avermelhado"
barriga-de-freira s.f. "tipo de feijão"; pl. *barrigas-de-freira*

barrigadense adj. s.2g.
barriga de samburá s.f.
barrigadinho s.m.
barriga-grande s.m.; pl. *barrigas-grandes*
barrigal adj.2g.
barriga-listada s.f.; pl. *barrigas-listadas*
barrigana adj. s.2g.
barriga-negra s.m.; pl. *barrigas-negras*
barriganha adj. s.2g.
barrigão s.m.
barrigatintim s.m.
barriga-verde adj. s.2g.; pl. *barrigas-verdes*
barriguda s.f.
barriguda-de-espinho s.f.; pl. *barrigudas-de-espinho*
barriguda-lisa s.f.; pl. *barrigudas-lisas*
barrigudense adj. s.2g.
barrigudinho adj. s.m.
barrigudinho-pintado s.m.; pl. *barrigudinhos-pintados*
barrigudo adj. s.m.
barrigudo-cinzento s.m.; pl. *barrigudos-cinzentos*
barrigudo-pardo s.m.; pl. *barrigudos-pardos*
barrigueira s.f.
barrigueiro s.m.
barriguilha s.f.
barriguinha s.f.
barriguismo s.m.
barriguista adj. s.2g.
barriguístico adj.
barril s.m.
barrilada s.f.
barrileira s.f.
barrileiro s.m.
barrileta (*ê*) s.f.
barrilete (*ê*) s.m.
barrilha s.f.
barrilha-espinhosa s.f.; pl. *barrilhas-espinhosas*
barrilheira s.f.
barrilote s.m.
barringerito s.m.
barringtônia s.f.
barringtonita s.f.
barrinha s.f.
barrinhense adj. s.2g.
barrinhoa (*ô*) s.f.
barrio s.m.
barriqueiro adj. s.m.
barriquinha s.f.
barrir v.
barrisco s.m.
barrista adj. s.2g.
barrito s.m.
barro s.m.
barroa (*ô*) s.f. de *barrão*
barroada s.f.
barroar v.
barroca s.f.
barrocada s.f.
barrocal s.m.
barrocão s.m.
barroçãozense adj. s.2g.
barrocassalense adj. s.2g.
barrocha s.f.
barroco (*ô*) adj. s.m.
barrocoso (*ô*) adj.; f. (*ó*); pl. (*ó*)
barro-durense adj. s.2g.; pl. *barro-durenses*
barrofagia s.f.
barroisita s.f.
barrolandense adj. s.2g.
barromínico adj. "barroco"; cf. *borromínico*
barrondo adj.
barroneiro adj.
barro-pretense adj. s.2g.; pl. *barro-pretenses*
barroqueira s.f.
barroqueirada s.f.
barroqueiral s.m.
barroqueiro s.m.
barroquense adj. s.2g.
barroquice s.f.
barroquinhense adj. s.2g.
barroquismo s.m.
barroquista adj. s.2g.
barroquístico adj.
barros s.m.pl.
barrosã adj. s.f. de *barrosão*
barrosão adj. s.m.; f. *barrosã* e *barrosoa* (*ô*)
barroseiro adj.
barrosela s.f.
barrosense adj. s.2g.
barrosinho adj.
barroso (*ô*) adj. s.m.; f. (*ó*); pl. (*ó*)
barrosoa (*ô*) adj. s.f. de *barrosão*
barrotado adj. s.m.
barrotamento s.m.
barrotão s.m.
barrotar v.
barrote s.m.
barroteado adj.
barroteamento s.m.
barrotear v.
barroteiro s.m.
barrotim s.m.
barróvia s.f.
barruço s.m.
barrufada s.f.
barrufador (*ô*) s.m.
barrufar v.
barrufo s.m.
barrulheiro s.m.
barrunchão s.m.
barruncho s.m.
barrunta s.m.
barruntar v.
barrunto s.m.
barruscar v.
barsajote adj. s.m.
barsaniano s.m.
barsi s.m.
barsim s.m.
barsó s.m.
bartâmea s.f.
bartâmeo adj.
bartavela s.f.
bartedoiro s.m.
bartedouro s.m.
bartelemita adj.2g. s.m.
bartenelose s.f.
bartéria s.f.
barthita s.f.
bartholina s.f.
bartholinite s.f.
bartidoiro s.m.
bartidouro s.m.
bartíngia s.f.
bartlétia s.f.
bartolilho s.m.
bartolina s.f.
bartolínea s.f.
bartolíneo adj.
bartolinite s.f.
bartolismo s.m.
bartolomeu s.m.
bartolomita adj.2g. s.m.
bartonela s.f.
bartonelácea s.f.
bartoneláceo adj.
bartonelose s.f.
bartônia s.f.
bartoniano adj.
bartrâmia s.f.
bartramiácea s.f.
bartramiáceo adj.
bartramídula s.f.
bartraminoide (*ó*) adj.2g. s.f.
bartramioideia (*é*) s.f.
bártschia s.f.
bártsia s.f.
baru s.m.f.
baruense adj. s.2g.
barueriense adj. s.2g.
baruísta adj. s.2g.
barujo s.m.
barulhaço s.m.
barulhada s.f.
barulhado adj.
barulhante adj.2g.
barulhar v.
barulheira s.f.
barulheiro adj. s.m.
barulhento adj. s.m.
barulho s.m.
barulhoso (*ô*) adj.; f. (*ó*); pl. (*ó*)
baruria s.f.
barúria s.f.
baruriense adj. s.2g.
baruru adj. s.2g.
barururu adj. s.2g.
barutina s.f.
baruto s.m.
barvade adj. s.2g.
barzabu s.m.
barzabum s.m.
barzói s.m.
barzoneiro adj.
basa s.f.
basal adj.2g.
basalar adj.2g.
basalicão s.m.
basalisco s.m.
basaloma s.m.
basáltico adj.
basaltícola adj.2g.
basaltiforme adj.2g.
basaltígeno adj.
basaltina s.f.
basaltita s.f.
basaltite s.f.
basaltito s.m.
basalto s.m.
basaltoide (*ó*) adj.2g.
basaluminita s.f.
basamento s.m.
basana s.f.
básana s.f.
basanacanta s.f.
basanada s.f.
basananta s.f.
basango adj. s.m.
basanisto s.m.
basanita s.f.
basanite s.f.
basanito s.m.
basanitoide (*ó*) adj.2g. s.m.
basanomelano s.m.
basanomélano s.m.
basaréu s.m.
basarisco s.m.
basbacaria s.f.
basbana adj. s.2g.
basbaque adj. s.2g. s.m.
basbaquear v.
basbaqueira s.f.
basbaquice s.f.
basbaquismo s.m.
basca s.f.
bascamar v.
basco adj. s.m.
bascofalante adj. s.2g.
bascófilo adj. s.m.
bascofonia s.f.
bascofônico adj.
bascófono s.m.
bascolejado adj.
bascolejar v.
basconceiro adj.
basconço adj. s.m.
bascongado adj. s.m.
báscula s.f.
basculação s.f.
basculado adj.
basculador (*ô*) s.m.
basculante adj.2g. s.m.
bascular v.
basculhadeira s.f.
basculhadela s.f.
basculhador (*ô*) s.m.
basculhão s.m.
basculhar v.
basculho s.m.
básculo s.m.; cf. *basculo*, fl. do v. *bascular*
base s.f.
baseado adj. s.m.
baseamento s.m.
basear v.
basebol s.m.
basebolista adj. s.2g.
basebranquial adj.2g. s.m.
basedowiano adj.
basedowismo s.m.
basedowístico adj.
basedowizado adj.
basedowoide (*ó*) adj.2g.
basela s.f.
baselácea s.f.
baseláceo adj.
baselga adj. s.2g.
basenga adj. s.2g.
basenji adj. s.2g.
baseófilo s.m.
baseologia s.f.
baseológico adj.
basial adj. s.m.
basiaracnoidite s.f.
basicerina s.f.
basicidade s.f.
basicina s.f.
básico adj.
basicônico adj.
basicranial adj.2g.
basicromático adj.
basicromatina s.f.
basidade s.f.
baside s.m.
báside s.m.
basidial adj.2g.
basídio s.m.
basidiobolácea s.f.
basidioboláceo adj.
basidiobólico adj.
basidiobolínea s.f.
basidiobolíneo adj.
basidióbolo s.m.
basidiocárpico adj.
basidiocarpo s.m.
basidióforo s.m.
basidiogenético adj.
basidiogonídio s.m.
basidiogônio s.m.
basidiolíquen s.m.
basidiomicete s.m.
basidiomicético adj.
basidiomiceto s.m.
basidiomicotina s.f.
basidiosporado adj.
basidiospóreo adj.
basidiospórico adj.
basidiospório s.m.
basidiósporo s.m.
basificação s.f.
basificado adj.
basificante adj. s.2g.
basificar v.
basifixo (*cs*) adj.
basifobia s.f.
basífugo adj.
basigamia s.f.
basigâmico adj.
basígena adj.2g.
basigêneo adj.
basigínio adj. s.m.
basi-hial adj.2g. s.m.
basila s.f.
basilar adj.2g.
basileia (*é*) s.f.
basilema s.m.
basileólatra s.2g.
basileolatria s.f.
basileolátrico adj.
basileópátor s.m.
basileto s.m.
basileu s.m.
basiliano adj. s.m.
basílica s.f.
basilical adj.2g.
basilicão s.m.
basilicário adj. s.m.
basílico adj. s.m.
basílico-grande s.m.; pl. *basílicos-grandes*
basilícula s.f.
basílida adj. s.2g.
basilidianismo s.m.
basilidianista adj. s.2g.
basilidianístico adj.
basilidiano s.m.
basilídion s.m.
basiliense adj. s.2g.
basilina s.f.
basilisco s.m.
basílise s.f.
basilítico adj.
basiloma s.m.
basilossauro s.m.
basilóxilo (*cs*) s.m.
basim s.m.
basimba adj. s.2g.
basimetria s.f.
basimétrico adj.
basímetro s.m.
basinérveo adj.
básio s.m.
basioccipital adj.2g.
basioceratoglosso adj.
basiocestro s.m.
basiofaríngeo adj.
basiofobia s.f.
basiofóbico adj.
basioftalmite s.f.
basioftalmo s.m.
basioglosso adj. s.m.
basiomatóforo s.m.
básion s.m.
basiônimo s.m.
basiopinacoide (*ó*) adj.2g.
basiótico s.m.
basiótribo s.m.
basiotripsia s.f.
basípeta adj.2g.
basípeto adj.
basipinacoide (*ó*) adj.2g.
basiplasta adj.2g.
basipodito s.m.
basiprionote s.m.
basipterígio adj. s.m.
basirrinal adj.2g.
basirrostral adj.2g.
básis s.m.2n.
basiscópico adj.
basise s.m.
basisfenal adj.2g.
basisfenoidal adj.2g.
basisfenoide (*ó*) adj.2g. s.m.
basissolúteo adj.
basistasso s.m.
basistemo s.m.
basisterno s.m.
basitarso s.m.
basite s.f.
basitemporal adj.2g.
basítico adj.
basítona s.f.
basitoxo (*cs*) s.m.
basivertebral adj.2g.
baskervíllea s.f.
basnesita s.f.
basobismutita s.f.
basocelular adj.2g.
basofilia s.f.
basofilismo s.m.
basófilo adj. s.m.
basofobia s.f.
basófobo adj.
basoide (*ó*) adj.2g.
basoleia (*é*) s.f.
basomatóforo adj. s.m.
basonímico adj.
basônimo s.m.
basoquiano adj.
basquervílea s.f.
basquete s.m.
basquetebol s.m.
basquetebolista s.2g.
basquetebolístico adj.
basquete de bolso s.m.
basqueteira s.f.
basquetista s.2g.
basquine s.m.
basquinha s.f.
basquir adj. s.2g.
bassa s.m.
bassacata adj. s.2g.
bassanelo s.m.
bassanense adj. s.2g.
bassanita adj. s.2g.
bassari s.m.
bassaricião s.m.
bassarícion s.m.

bassáride s.2g.
bássaris s.f.2n.
bassarisco s.m.
bassê s.m.
basselínia s.f.
bassenga adj. s.2g.
bassenge s.m.
bassetita s.f.
bássia s.f.
bassoira s.f.
bassongo adj. s.m.
bassonista s.2g.
bassória s.f.
bassórico adj.
bassorina s.f.
bassorite s.f.
bassoura s.f.
bassuto adj. s.m.
basta s.m.f. interj.
bastagário s.m.
bastagiário s.m.
bastança s.f.
bastante adj.2g. adv.
bastão adj. s.m.
bastão-de-são-jorge s.m.; pl. *bastões-de-são-jorge*
bastão-de-são-josé s.m.; pl. *bastões-de-são-josé*
bastão-de-velho s.m.; pl. *bastões-de-velho*
bastão-do-imperador s.m.; pl. *bastões-do-imperador*
bastar v.
bastarda s.f.
bastarda-do-douro s.f.; pl. *bastardas-do-douro*
bastardão adj. s.m.
bastardeado adj.
bastardear v.
bastardeira s.f.
bastardeiro adj.
bastardia s.f. "condição de bastardo"; cf. *bastárdia*
bastárdia s.f. "planta"; cf. *bastardia*
bastardice s.f.
bastardilha s.f.
bastardinha s.f.
bastardinho adj. s.m.
bastardo adj. s.m.
bastardo-branco s.m.; pl. *bastardos-brancos*
bastardocária s.f.
bastardocarpia s.f.
bastardo-de-roma s.m.; pl. *bastardos-de-roma*
bastardo-do-douro s.m.; pl. *bastardos-do-douro*
bastardo-do-outeiro s.m.; pl. *bastardos-do-outeiro*
bastardo-francês s.m.; pl. *bastardos-franceses*
bastardo-grosso s.m.; pl. *bastardos-grossos*
bastardo-miúdo s.m.; pl. *bastardos-miúdos*
bastardo-negrinho s.m.; pl. *bastardos-negrinhos*
bastardo-preto s.m.; pl. *bastardos-pretos*
bastardo-roxo s.m.; pl. *bastardos-roxos*
bastardo-tinto s.m.; pl. *bastardos-tintos*
bastardo-vermelho s.m.; pl. *bastardos-vermelhos*
bastaréu s.m.
bastarna adj. s.2g.
bastarrão adj.
baste s.m.
basteadeira s.f.
basteado adj.
bastear v.
bastecedor (*ô*) adj. s.m.
bastecer v.
bastecido adj.
bastecimento s.m.
basteira s.f.
basteirado adj.
basteirar v.
basteiras s.f.pl.
basteireado adj.
basteirear v.
basteiro adj.
bastense adj. s.2g.
basterna adj. s.2g. s.f.
bastes adj.2g.2n. s.f.2n.
basteza (*ê*) s.f.
bastianense adj. s.2g.
bastião s.m.
bastião-de-arruda s.m.; pl. *bastiões-de-arruda*
bastiãozense adj. s.2g.
bastibarbo adj.
bastição s.f.
bastida s.f.
bastidão s.f.
bastido adj. s.m.
bastidor (*ô*) s.m.
bastidores s.m.pl.
bastilha s.f.
bastilhado adj.
bastilhão s.m.
bastimento s.m.
bastinho adj.
bastinita s.f.
bastio s.m.
bastiões s.m.pl.
bastir v.
bastissagem s.f.
bastita s.f.
bastite s.f.
bastito s.m.
bastnasita s.f.
bastnasite s.f.
bastnasítico adj.
basto adj. s.m.
bastonada s.f.
bastonário s.m.
bastonete (*ê*) adj. s.m.
bastonita s.f.
bastonite s.f.
bastonítico adj.
bastonito s.m.
bastos s.m.pl.
bastose s.f.
bastosense adj. s.2g.
bastricá s.m.
bástulo adj. s.m.
bastura s.f.
basua s.m.
basuto adj. s.m.
bata adj. s.2g. s.f. "traje", etc.; cf. *batá* e *batã*
batá adj. s.2g. s.m. "povo"; cf. *bata* e *batã*
batã s.f. "árvore"; cf. *bata* e *batá*
bataca adj. s.2g.
batacaço s.m.
batacão s.m.
batácea s.f.
batáceo adj.
batachim s.m.
bataclã s.m.
batacotó s.m.
batacotô s.m.
bata de feijão s.f.
bata de milho s.f.
batador (*ô*) s.m.
batafiol s.m.
bataforma s.f.
batagem s.f.
bataguaçuense adj. s.2g.
bataiporanense adj. s.2g.
batalha s.f.
batalhação s.f.
batalhado adj.
batalhador (*ô*) adj. s.m.
batalhamento s.m.
batalha-naval s.f.; pl. *batalhas-navais*
batalhante adj.2g.
batalhão s.m.
batalhar v.
batalhável adj.2g.
batalheira s.f.
batalhense adj. s.2g.
batalhinha s.f.
batalho s.m.
bataló s.m.
batalou s.m.
batanã s.m.
batanagem s.f.
batanda s.f.
bataneiro s.m.
batanga s.m.
batangas s.m.2n.
batano s.m.
batão s.m.
bataque adj. s.2g. s.m.
batará adj.2g. s.m.
batarda s.f.
batardão s.m.
batardinha s.f.
batardo adj.
bataréu s.m.
bataria s.f.
batarismo s.m.
bátaro adj. s.m.
batas s.f.pl.
batata s.f. "tubérculo"; cf. *batatá*
batatá s.m. "boitatá"; cf. *batata*
batata-aipo s.f.; pl. *batatas-aipo* e *batatas-aipos*
batata-atum s.f.; pl. *batatas-atum* e *batatas-atuns*
batata-baroa s.f.; pl. *batatas-baroas*
batata-baronesa s.f.; pl. *batatas-baronesas*
batata-branca s.f.; pl. *batatas-brancas*
batata-brava s.f.; pl. *batatas-bravas*
batata-ceará s.f.; pl. *batatas-ceará*
batata-cenoura s.f.; pl. *batatas-cenoura* e *batatas-cenouras*
batata-chinesa s.f.; pl. *batatas-chinesas*
batata-cogumelo s.f.; pl. *batatas-cogumelo* e *batatas-cogumelos*
batatada s.f.
batata-da-costa s.f.; pl. *batatas-da-costa*
batata-da-ilha s.f.; pl. *batatas-da-ilha*
batata-da-pedra s.f.; pl. *batatas-da-pedra*
batata-da-praia s.f.; pl. *batatas-da-praia*
batata-da-terra s.f.; pl. *batatas-da-terra*
batata-da-uva-do-mato s.f.; pl. *batatas-da-uva-do-mato*
batata-de-amaro s.f.; pl. *batatas-de-amaro*
batata-de-angola s.f.; pl. *batatas-de-angola*
batata-de-arroba s.f.; pl. *batatas-de-arroba*
batata-de-bainha s.f.; pl. *batatas-de-bainha*
batata-de-branco s.f.; pl. *batatas-de-branco*
batata-de-bugio s.f.; pl. *batatas-de-bugio*
batata-de-caboclo s.f.; pl. *batatas-de-caboclo*
batata-de-escamas s.f.; pl. *batatas-de-escamas*
batata-de-pedra s.f.; pl. *batatas-de-pedra*
batata-de-perdiz s.f.; pl. *batatas-de-perdiz*
batata-de-porco s.f.; pl. *batatas-de-porco*
batata-de-purga s.f.; pl. *batatas-de-purga*
batata-de-puri s.f.; pl. *batatas-de-puri*
batata-de-rama s.f.; pl. *batatas-de-rama*
batata-de-taiuiá s.f.; pl. *batatas-de-taiuiá*
batata-de-tiú s.f.; pl. *batatas-de-tiú*
batata-de-veado s.f.; pl. *batatas-de-veado*
batata-do-alto s.f.; pl. *batatas-do-alto*
batata-do-barão s.f.; pl. *batatas-do-barão*
batata-do-campo s.f.; pl. *batatas-do-campo*
batata-doce s.f.; pl. *batatas-doces*
batata-doce-amarela s.f.; pl. *batatas-doces-amarelas*
batata-do-inferno s.f.; pl. *batatas-do-inferno*
batata-do-japão s.f.; pl. *batatas-do-japão*
batata-do-mar s.f.; pl. *batatas-do-mar*
batata-do-peru s.f.; pl. *batatas-do-peru*
batata-do-reino s.f.; pl. *batatas-do-reino*
batata-do-rio s.f.; pl. *batatas-do-rio*
batataense adj. s.2g.
batataiense adj. s.2g.
batata-inglesa s.f.; pl. *batatas-inglesas*
batatal s.m.
batatalense adj. s.2g.
batata-miúda s.f.; pl. *batatas-miúdas*
batatão s.m.
batatão-amarelo s.m.; pl. *batatões-amarelos*
batatão-roxo s.m.; pl. *batatões-roxos*
batata-ovo s.f.; pl. *batatas-ovo* e *batatas-ovos*
batata-portuguesa s.f.; pl. *batatas-portuguesas*
batatarana s.f.
batata-roxa s.f.; pl. *batatas-roxas*
batata-salsa s.f.; pl. *batatas-salsa* e *batatas-salsas*
batata-silvestre s.f.; pl. *batatas-silvestres*
batata-suíça s.f.; pl. *batatas-suíças*
batate s.m.
batateira s.f.
batateiral s.m.
batateirense adj. s.2g.
batateiro adj. s.m.
batatífago adj. s.m.
batatinha s.f.
batatinha-amarela s.f.; pl. *batatinhas-amarelas*
batatinha-caapeba s.f.; pl. *batatinhas-caapebas*
batatinha-d'água s.f.; pl. *batatinhas-d'água*
batatinha-de-cobra s.f.; pl. *batatinhas-de-cobra*
batatinha-do-campo s.f.; pl. *batatinhas-do-campo*
batatinha-frita s.f.; pl. *batatinhas-fritas*
batatinha-miúda s.f.; pl. *batatinhas-miúdas*
batatinha-purgativa s.f.; pl. *batatinhas-purgativas*
batatolina s.f.
batatubense adj. s.2g.
batatudo adj.
batauá s.m.
bataúda s.f.
batávia s.f.
batávico adj. s.m.
batávio adj. s.m.
batavita s.f.
batavo adj. s.m.
batcar s.m.
batcará s.m.; f. *batcarina*
batcarado s.m.
batcarina s.f. de *batcará*
batcarismo s.m.
batchelorita s.f.
bate s.m.
bateação s.f.
bateada s.f.
bateado adj.
bateador (*ô*) s.m.
batear v.
bate-balas s.m.2n.
bate-barba s.m.; pl. *bate-barbas*
bate-bate s.m.; pl. *bate-bates* e *bates-bates*
bate-baú s.m.; pl. *bate-baús*
bate-bico s.m.; pl. *bate-bicos*
bate-boca s.m.; pl. *bate-bocas*
bate-bola s.m.; pl. *bate-bolas*
bate-bunda s.m.; pl. *bate-bundas*
bateca s.f.
bate-cabeça s.m.; pl. *bate-cabeças*
bate-caixa s.m.; pl. *bate-caixas*
bateção s.f.
batecar s.m.; f. *batecarina*
batecarado s.m.
batecarina s.f. de *batecar*
batecarismo s.m.
bate-casacas s.2g.2n.
bate-chapa s.2g.; pl. *bate-chapas*
bate-chapéu s.m.; pl. *bate-chapéus*
bate-chinela s.m.; pl. *bate-chinelas*
batecol s.m.
bate-colas s.m.2n.
batecondê s.m.
bate-coxa s.m.; pl. *bate-coxas*
bate-cu s.m.; pl. *bate-cus*
batecum s.m.
batedeira s.f.
batedela s.f.
batedoiro s.m.
batedor (*ô*) adj. s.m.
batedora (*ô*) s.f.
batedouro s.m.
batedura s.f.
bateeiro s.m.
bateense adj. s.2g.
bate-enxuga s.m.2n.
bate-estaca s.m.; pl. *bate-estacas*
bate-estacas s.m.2n.
bate-folha s.m.; pl. *bate-folhas*
bate-folhas s.m.2n.
bátega s.f.
bategada s.f.
bategar v.
bategaria s.f.
bátegas s.f.pl.
bateia s.f.
bateiense adj. s.2g.
bateira s.f.
batel s.m.
batela s.f.
batelada s.f.
batelão s.m.
batelãozense adj. s.2g.
bateleiro s.m.
batélia s.f.
bate-língua s.2g.; pl. *bate-línguas*
batelo s.m.
batemânia s.f.
bate-mão s.m.; pl. *bate-mãos*
bate-mar s.m.; pl. *bate-mares*
bátemis s.f.2n.
bate-muros s.m.2n.
bate não quara s.f.2n.
bateniano adj. s.m.
batennânia s.f.
bateno adj. s.m.
batense adj. s.2g.
batente adj.2g. s.m.
batentense adj. s.2g.
bate-orelha s.m.; pl. *bate-orelhas*
batepandé s.m.
bate-papo s.m.; pl. *bate-papos*
bate-pau s.m.; pl. *bate-paus*
bate-pé s.m.; pl. *bate-pés*
bate-prego s.m.; pl. *bate-pregos*
bate-pronto s.m.; pl. *bate-prontos*
bateque adj. s.2g.
bate-quilhas s.m.2n.

batequinha s.f.
bater v.
bateraléctoro s.m.
bateraptodáctilo s.m.
baterátera s.f.
baterátero s.m.
bateria s.f.
bateriense adj. s.2g.
baterista adj. s.2g.
baterna adj. s.2g.
baterocoropteno adj.
baterocoróptero s.m.
baterola s.f.
batérsia s.f.
bate-saco s.m.; pl. *bate-sacos*
bate-sela s.2g.; pl. *bate-selas*
batésia s.f.
batesiano adj.
bate-sola s.m.; pl. *bate-solas*
bate-sorna s.m.; pl. *bate--sornas*
bate-sornas s.m.2n.
batetê s.m.
bate-testa s.m.; pl. *bate-testas*
bate-virilha s.m.; pl. *bate--virilhas*
bati s.m.
batiá s.m.
batiáctis s.f.2n.
batíada adj. s.2g.
batial adj.2g.
batianestesia s.f.
batianestésico adj.
batianestético adj.
batiara adj. s.2g.
batibanda s.f.
batibarba s.2g.
batibarbo s.m.
batíbico adj.
batíbio s.m.
batibutá s.m.
batição s.f.
baticardia s.f.
baticardíaco adj.
baticárdico adj.
baticentese s.f.
baticentésico adj.
baticentético adj.
baticlinografia s.f.
baticlinográfico adj.
baticlinógrafo s.m.
batícola adj. s.2g.
baticrino adj. s.m.
baticum s.m.
batida s.f.
bátida adj.2g. s.m.
batidácea s.f.
batidáceo adj.
batidal adj.2g.
batidale s.f.
bátide s.f.
batídea s.f.
batidela s.f.
batídeo adj.
batido adj. s.m.
batídrico adj.
batidura s.f.
batiergídeo adj. s.m.
batiergo s.m.
batiestesia s.f.
batiestésico adj.
batiestético adj.
batifanto s.m.
batifone s.m.
batifono s.m.
batigado s.m.
batigrafia s.f.
batigráfico adj.
batígrafo s.m.
batigrama s.m.
bati-hiperestesia s.f.
bati-hiperestésico adj.
bati-hiperestético adj.
bati-hipoestesia s.f.
batilhar v.
batília s.f.
batilimnético adj.
batim s.m.
batimento s.m.
batimetria s.f.
batimétrico adj.
batímetro s.m.
batimo adj. s.m.
batina s.f.
batinas s.f.pl.
batinela s.f.
batinga s.f.
batinguacá s.f.
batinguaçu s.m.
batinguense adj. s.2g.
batínomo s.m.
batiorografia s.f.
batiorográfico adj.
batípata s.m.
batípate s.m.
batipelágico adj.
batipícron s.m.
batipitométrico adj.
batipitômetro s.m.
batiplancto s.m.
batiplâncton s.m.
batipoestésico adj.
batipoestético adj.
batiputá s.m.
batiputá-bravo s.m.; pl. *batiputás-bravos*
batiputá-manso s.m.; pl. *batiputás-mansos*
batique s.m.
batirreometria s.f.
batirreométrico adj.
batirreômetro s.m.
batirreôntico adj.
batirrinco s.m.
batirrio s.m.
batirríon s.m.
batirriônico adj.
batirrionte s.m.
bátis s.f.2n.
batisa s.f.
batiscafo s.m.
batíscafo s.m.
batisfera s.f.
batisférico adj.
batisita s.f.
batismal adj.2g.
batismo s.m.
batissa s.f.
batissauro s.m.
batissela s.2g.
batissísmico adj.
batissismo s.m.
batissófico adj.
batista adj. s.2g. s.f.
batistão s.m.
batistério s.m.
batistino adj.
batité s.m.
batitermografia s.f.
batitermográfico adj.
batitermógrafo s.m.
batitermograma s.m.
batítropo s.m.
batizado adj. s.m.
batizador (*ô*) adj. s.m.
batizamento s.m.
batizando adj. s.m.
batizante adj. s.2g.
batizar v.
batizo s.m.
bátmico adj.
bátmis s.f.2n.
batmismo s.m.
batmístico adj.
batmo s.m.
batmogênese s.f.
batmotrópico adj.
batmotropismo s.m.
batmótropo adj.
bato s.m. "medida"; cf. *bató*
bató s.m. "chinelo"; cf. *bato*
batoca s.f.
batocaço s.m.
batocada s.f. "prejuízo"; cf. *batucada*
batocado adj.
batocadura s.f.
batocar v. "arrolhar"; cf. *batucar*
batocarpo s.m.
batoco (*ô*) s.m.
batocromático adj.
batocromia s.f.
batocrômico adj.
batocromo s.m.
batofobia s.f.
batofóbico adj.
batófobo adj. s.m.
batografia s.f.
batográfico adj.
batógrafo s.m.
batoide (*ó*) adj.2g. s.m.
batóideo adj. s.m.
batoilo s.m.
batoiro s.m.
batola s.f.
batolítico adj.
batólito s.m.
batologia s.f.
batológico adj.
batólogo s.m.
batom s.m.
batometria s.f.
batométrico adj.
batômetro s.m.
batonga adj. s.2g.
batongue adj. s.2g.
batoque s.m.
batoqueira s.f.
batoqueiro s.m.
batoquense adj. s.2g.
batoré adj. s.2g.
batorelha (*ê*) s.2g.
batoréu s.m.
batos s.m.2n.
batosas s.f.pl.
batóscelo s.m.
batota s.f.
batotar v.
batotear v.
batoteiro adj. s.m.
batotermografia s.f.
batotermográfico adj.
batotermógrafo s.m.
batotice s.f.
batotinha s.f.
batotismo s.m.
batótono adj.
batoulo s.m.
batourar v.
batouro s.m.
batoviense adj. s.2g.
batraca s.f.
batrácida adj.2g. s.m.
batracina s.f.
batracínico adj.
batrácio s.m.
batracocefalia s.f.
batracocéfalo adj. s.m.
batracofagia s.f.
batracófago adj. s.m.
batracófido adj. s.m.
batracofobia s.f.
batracofóbico adj.
batracófobo adj. s.m.
batracografia s.f.
batracográfico adj.
batracógrafo s.m.
batracoide (*ó*) adj.2g. s.m.
batracoidídea s.f.
batracoidídeo adj. s.m.
batracoidiforme adj.2g. s.m.
batraconoto s.m.
batracoplastia s.f.
batracoplástico adj.
batracorina s.f.
batracorrino adj. s.m.
batracosioplastia s.f.
batracosioplástico adj.
batracosperma s.f.
batracospermácea s.f.
batracospermáceo adj.
batracospérmea s.f.
batracospermo s.m.
batracossioplastia s.f.
batracossioplástico adj.
batracóstomo s.m.
batracotetrígio s.m.
batracotoxina (*cs*) s.f.
batráquida adj.2g. s.m.
batraquídeo adj. s.m.
batraquina s.f.
batraquínico adj.
batráquio adj. s.m.
batraquita s.f.
batraquite s.f.
batraquito s.m.
batrátera s.f.
batrátero s.m.
batrique s.m.
batrocefalia s.f.
batrocéfalo adj. s.m.
bátsua adj. s.2g.
batu s.m.
batua adj. s.2g.
batuana adj. s.2g.
batucada s.f. "batuque"; cf. *batocada*
batucador (*ô*) adj. s.m.
batucajé s.m.
batucante adj.2g.
batucar v. "bater ritmadamente"; cf. *batocar*
batuda s.f.
batueira s.f.
batuera s.f.
batufeia s.f.
batuíra adj.2g. s.f.
batuíra-bicuda s.f.; pl. *batuíras-bicudas*
batuíra-cinzenta s.f.; pl. *batuíras-cinzentas*
batuíra-da-costa s.f.; pl. *batuíras-da-costa*
batuíra-de-axila-preta s.f.; pl. *batuíras-de-axila-preta*
batuíra-de-bando s.f.; pl. *batuíras-de-bando*
batuíra-de-colar-duplo s.f.; pl. *batuíras-de-colar-duplo*
batuíra-de-colar-simples s.f.; pl. *batuíras-de-colar--simples*
batuíra-de-coleira s.f.; pl. *batuíras-de-coleira*
batuíra-de-coleira-dupla s.f.; pl. *batuíras-de-coleira--dupla*
batuíra-de-esporão s.f.; pl. *batuíras-de-esporão*
batuíra-de-papo-ferrugíneo s.f.; pl. *batuíras-de-papo--ferrugíneo*
batuíra-de-peito--avermelhado s.f.; pl. *batuíras-de-peito-avermelhado*
batuíra-de-peito-tijolo s.f.; pl. *batuíras-de-peito-tijolo*
batuíra-do-campo s.f.; pl. *batuíras-do-campo*
batuíra-do-mar-grosso s.f.; pl. *batuíras-do-mar-grosso*
batuíra-dourada s.f.; pl. *batuíras-douradas*
batuíra-ferrugem s.f.; pl. *batuíras-ferrugem*
batuíra-norte-americana s.f.; pl. *batuíras-norte--americanas*
batuirão (*u-i*) s.m.
batuíra-prateada s.f.; pl. *batuíras-prateadas*
batuirinha (*u-i*) s.f.
batuiruçu (*u-i*) s.2g.
batuiruçu-de-axila-preta s.2g.; pl. *batuiruçus-de-axila--preta*
batuituí (*batu-i*) s.m.
batum adj. s.2g. s.m.
batumado adj.
batume s.m.
batuno adj. s.m.
batuque s.m.
batuquear v.
batuque-boi s.m.; pl. *batuques-boi e batuques-bois*
batuqueira s.f.
batuqueiro adj. s.m.
batuquense adj. s.2g.
batuquinha s.f.
batuquinho s.m.
batuquira s.f.
baturana s.f.
baturiteense adj. s.2g.
batuta adj. s.2g. s.f.
batuté adj. s.2g.
batuvira s.f.
bau s.m. "estrada"; cf. *baú*
baú s.m. "arca", cf. *bau*
bauá s.f.
bauaçu s.m.
bauana adj. s.2g.
bauari adj. s.2g.
baubau interj.
báucide s.f.
baud (*bô*) s.m.
baudelairesco (*bô-de-lè-rês*) adj.
baudelairiano (*bô-de-lè*) adj.
baudelairismo (*bô-de-lè*) s.m.
baudelairista (*bô-de-lè*) adj. s.2g.
baudelairístico (*bô-de-lè*) adj.
baudisserite (*bô*) s.f.
baudur s.m.
bauense adj. s.2g.
bauera s.f.
bauerácea s.f.
baueráceo adj.
bauhausiano adj. s.m.
bauhínia s.f.
bauinense adj. s.2g.
bauínia s.f.
baul s.m.
baúle adj. s.2g. s.m.
bauleiro s.m.
bauma adj.2g.
baumauerita s.f.
baumê (*bomê*) s.m.
baumhauerita s.f.
baumita s.f.
baúna s.f.
baúna-de-fogo s.f.; pl. *baúnas-de-fogo*
baúna-do-alto s.f.; pl. *baúnas--do-alto*
baúna-fogo s.f.; pl. *baúnas--fogo*
baunilha s.f.
baunilha-de-auacuri s.f.; pl. *baunilhas-de-auacuri*
baunilha-do-caçador s.f.; pl. *baunilhas-do-caçador*
baunilha-do-pará s.f.; pl. *baunilhas-do-pará*
baunilha-do-peru s.f.; pl. *baunilhas-do-peru*
baunilha-dos-jardins s.f.; pl. *baunilhas-dos-jardins*
baunilha-falsa s.f.; pl. *baunilhas-falsas*
baunilhal s.m.
baunilhão s.m.
baunilhazinha s.f.
baunilheira s.f.
baunilhense adj. s.2g.
báuquide s.f.
bauranoíta s.f.
baurim adj. s.2g.
bauru s.m.
bauruense adj. s.2g.
bautense adj. s.2g.
bauxiense adj. s.2g.
bauxita s.f.
bauxítico adj.
bauxitização s.f.
bauxitizado adj.
bauxitizar v.
bauxito s.m.
bavá s.m.
bávaro adj. s.m.
baveira s.f.
bavenita s.f.
bavete s.f.
bavezinho s.m.
baviera s.f.
bavina s.f.
baxá s.m.
baxado s.m.
baxalato s.m.
baxalia s.f.
baxalique s.m.
baxana s.f.
baxete (*ê*) s.m.
baxi s.m.

baxiará adj. s.2g.
baxim s.m.
baxinxe s.m.
baxiúba s.f.
baxixá s.2g.
baxixe s.m.
baxorum s.m.
baxtera (*cs*) s.f.
baxterianismo (*cs*) s.m.
baxterianista (*cs*) adj. s.2g.
baxterianístico (*cs*) adj.
baxteriano (*cs*) adj.
bayerita s.f.
bayeusense adj. s.2g.
bayldonita s.f.
bayleyíta s.f.
bayunita s.f.
bazana s.f.
bazanada s.f.
bazânia s.f.
bazar s.m.
bazareiro s.m.
bazarucada s.f.
bazaruco s.m.
bazarugo s.m.
bazé s.m.
bazemal s.m.
bazingeli s.m.
bazirita s.f.
bazo s.m.
bazoar s.m.
bazofeiro adj. s.m.
bazofento adj.
bazófia s.m.f.; cf. *bazofia*, fl. do v. *bazofiar*
bazofiador (*ô*) adj. s.m.
bazofiamento s.m.
bazofiante adj.2g.
bazofiar v.
bazófio adj. s.m.
bazuca s.f.
bazulaque s.m.
bazzita s.f.
bdalófito s.m.
bdalópode adj.2g.
bdalopodobatraciano adj. s.m.
bdela s.f.
bdelado s.m.
bdelar adj.2g.
bdelário adj. s.m.
bdelepiteca s.f.
bdeliano adj.
bdélida adj.2g. s.m.
bdelídeo adj. s.m.
bdeligma s.m.
bdeligmático adj.
bdeligmia s.f.
bdelígmico adj.
bdelíneo adj. s.m.
bdélio s.m.
bdeloida (*ó*) s.f.
bdeloide (*ó*) adj. s.2g.
bdelóideo adj. s.m.
bdelômetro s.m.
bdelonemérteo adj. s.m.
bdelonemertino adj. s.m.
bdelópode adj.2g.
bdelopodobatraciano adj. s.m.
bdelóstoma s.m.
bdeloteca s.f.
bdeógalo s.m.
beabá s.m.
bê-á-bá s.m.; pl. *bê-á-bás*
beabista s.m.
beaconita s.f.
beafada adj. s.2g.
beânia s.f.
beaqueo adj. s.2g. s.m.
bearfiche s.m.
bearnense adj. s.2g.
bearnês adj. s.m.
bearsita s.f.
beata s.f.
beatão s.m.
beataria s.f.
beateiro adj. s.m.
beatério s.m.
beatice s.f.
beático adj.
beatificação s.f.
beatificado adj.
beatificador (*ô*) adj. s.m.
beatificando adj. s.m.
beatificante adj.2g.
beatificar v.
beatificatório adj.
beatífico adj.; cf. *beatifico*, fl. do v. *beatificar*
beatilha s.f.
beatinha s.f.
beatismo s.m.
beatitude s.f.
beatitudinal adj.2g.
beato adj. s.m.
beatônia s.f.
beatorro (*ô*) s.m.
beatriz s.f.
beatsônia s.f.
beaucárnea (*bô*) s.f.
beaufórcia (*bô*) s.f.
beaufórtia (*bô*) s.f.
beaumôncia (*bô*) s.f.
beaumôntia (*bô*) s.f.
beaupreia (*bô...é*) s.f.
beaverita s.f.
beba (*ê*) s.f.
bebaça s.m.
bebaço s.m.
bêbado adj. s.m.
bebarraz adj. s.2g.
bebarro s.m.
bébbia s.f.
bebdomancia s.f.
bebé s.2g.; cf. *bebe*, fl. do v. *beber*
bebê s.2g.; cf. *bebe*, fl. do v. *beber*
bebe-água s.m.; pl. *bebe-águas*
bebearu s.m.
bebe-azeite s.2g.; pl. *bebe-azeites*
bebéculas s.f.pl.
bêbeda s.f.
bebedado adj. s.m.
bebedanas s.m.2n.
bebedeira s.f.
bebedeiro s.m.
bebedice s.f.
bebediço adj.
bêbedo adj. s.m.
bebedoiro s.m.
bebedolas s.2g.2n.
bebedor (*ô*) adj. s.m.
bebedourense adj. s.2g.
bebedouro s.m.
bebedura s.f.
bebe em branco adj. s.2g.2n.
bebeerina s.f.
bebeeru s.m.
bebe-fumo s.m.; pl. *bebe-fumos*
bebe-gás s.m.; pl. *bebe-gases*
bebe-leite s.m.; pl. *bebe-leites*
bebélis s.m.2n.
bebena s.f.
bebe o vento adj. s.2g.2n.
bebê-proveta s.2g.; pl. *bebês-provetas*
beber v.
bêbera s.f.
beberado adj.
beberagem s.f.
beberar v.
bebereira s.f.
beberes (*ê*) s.m.pl.
beberete (*ê*) s.m.
beberibense adj. s.2g.
bebericação s.f.
bebericador (*ô*) adj. s.m.
bebericar v.
beberico s.m.
beberina s.f.
beberragem s.f.
beberrão adj. s.m.; f. *beberrona*
beberraz adj. s.2g.
beberrica adj. s.2g.
beberricação s.f.
beberricado adj.
beberricador (*ô*) adj. s.m.
beberricar v.
beberricas adj. s.2g.2n.
beberrico s.m.
beberrolas adj. s.2g.2n.
beberrona adj. s.f. de *beberrão*
beberronia s.f.
beberrônio s.m.
beberrote s.m.
beberu s.m.
bebes s.m.pl.
bebesto (*ê*) adj.
bebezaina s.f.
bebezão adj. s.m.
bébia s.f.
bebiano adj. s.m.
bebica s.f.
bebida s.f.
bebido adj.
bebinca s.f.
bebinga s.f.
bebírico adj.
bebirina s.f.
bebiru s.m.
bebível adj.2g.
bebra (*ê*) s.f.
bebudo adj. s.m.
bebum adj. s.2g.
beca s.f.
beça s.m.; na loc. *à beça*
becabunga s.f.
becapado adj.
becapar v.
becape s.m.
becariofênix (*cs* ou *s*) s.f.
beccariofênix (*cs* ou *s*) s.f.
becedização s.f.
becedizar v.
becegite (*bêcê*) s.f.
bechamel adj.2g. s.m.
beche s.m.
bécher s.m.
bechilita s.f.
bechuana adj. s.2g.
bechuano adj. s.m.
bechucaria s.f.
beckelita s.f.
beckmânnia s.f.
beclometazona s.f.
beco (*ê*) s.m.
becortopneia (*é*) s.f.
becquerel s.m.
becquerélia s.f.
becquerelita s.f.
becqueriano adj.
bécua s.f.
becuíba s.f.
becuinha s.f.
bécula s.2g.
beculonense adj. s.2g.
becuna s.f.
bedalço s.m.
bedalha s.f.
bedame s.m.
bedamerda s.2g.
bedão s.m.
bedear v.
bedegar s.m.
bedeguar s.m.
bedegueba (*ü*) s.m.
bedel s.m.
bedela s.f.
bedelepítese s.f.
bedelhar v.
bedelheiro s.m.
bedelho (*ê*) s.m.
bedelia s.f. "função de bedel"; cf. *bedélia*
bedélia s.f. "inseto"; cf. *bedelia*
bedélio s.m.
bedém s.m.
bedengó s.m.
bedfórdia s.f.
bedião s.m.
bedoira s.f.
bedrelhos (*ê*) s.m.pl.
bedro (*ê*) s.m.
bedsônia s.f.
beduí s.m.
beduim s.m.
beduíno adj. s.m.
bedulha s.f.
bedulho s.m.
bedum s.m.
bedúsi s.m.
beegerita s.f.
beekita s.f.
beém s.m.
beém-branco s.m.; pl. *beéns-brancos*
beém-rubro s.m.; pl. *beéns-rubros*
beenel s.m.
beerímia s.f.
beerita s.f.
beerite s.f.
beethovenianismo s.m.
beethovenianista adj. s.2g.
beethovenianístico adj.
beethoveniano adj.
beethovênico adj.
beethovínico adj.
beethovinismo s.m.
beethovinista adj. s.2g.
beethovinístico adj.
beetria s.f.
befa s.f. "zombaria"; cf. *befá*
befá s.f. "cantoria"; cf. *befa*
befami s.m.
befanamita s.f.
befanita s.f.
befanite s.f.
befária s.f.
befe s.m.
befécio s.m.
begardo adj. s.m.
begarim s.m.
begbê s.f.
bege adj.2g.2n. s.m.
beggiátoa s.f.
beggiatoácea s.f.
beggiatoáceo adj.
begias s.f.pl.
begiátoa s.f.
begiatoácea s.f.
begiatoáceo adj.
begieiro s.m.
begônia s.f.
begônia-bengala s.f.; pl. *begônias-bengala* e *begônias-bengalas*
begoniácea s.f.
begoniáceo adj.
begônia-de-folha-estreita s.f.; pl. *begônias-de-folha-estreita*
begônia-real s.f.; pl. *begônias-reais*
begônia-sangue s.f.; pl. *begônias-sangue*
begônia-sempre-florida s.f.; pl. *begônias-sempre-floridas*
begônia-tuberosa s.f.; pl. *begônias-tuberosas*
begoniela s.f.
bégua adj.2g.
beguaba s.2g.
beguava s.2g.
begue s.m.
begueiro adj. s.m.
beguina s.f.
beguinaria s.f.
beguine s.f.
beguino adj. s.m.
beguira s.m.
beguiri s.m.
begum s.f.
begume s.f.
begúnia s.f.
behaísmo s.m.
behaísta adj. s.2g.
behaístico adj.
behaviorismo s.m.
behaviorista adj. s.2g.
behaviorístico adj.
behierita s.f.
behoíta s.f.
bei s.m.
beia (*é*) s.f.
beiapirá s.m.
beiapuca s.m.
beiça s.f.
beiçada s.f.
beicado s.m.
beiçado adj.
beiçana s.f. s.2g.
beiçar v.
beiçarra s.m.
beiçarrão s.m.
beiceira s.f.
beicinha s.f.
beicinho s.m.
beiço s.m. "lábio"; cf. *beiçó*
beiçó s.f. "moela"; cf. *beiço*
beiçoário s.m.
beiçoca s.f.
beiço de açúcar s.m.
beiço de lebre s.m.
beiço-de-negra s.m.; pl. *beiços-de-negra*
beiço de pau s.m.
beiçola s.f. s.2g.
beiçolada s.f.
beiçolina s.f.
beiçorra (*ô*) s.f.
beiçoso (*ô*) adj. s.m.; f. (*ó*); pl. (*ó*)
beiçote s.m.
beiçudo adj. s.m.
beidelita s.f.
beidellita s.f.
beiéria s.f.
beifes s.m.pl.
beiinhã s.f.
beija s.m.
beijação s.f.
beijadela s.f.
beijado adj.
beijador (*ô*) adj. s.m.
beija-flor s.m.; pl. *beija-flores*
beija-flor-acobreado s.m.; pl. *beija-flores-acobreados*
beija-flor-azul-de-rabo-branco s.m.; pl. *beija-flores-azuis-de-rabo-branco*
beija-flor-besourão s.m.; pl. *beija-flores-besourões*
beija-flor-besouro s.m.; pl. *beija-flores-besouros*
beija-flor-branco s.m.; pl. *beija-flores-brancos*
beija-flor-brilho-de-fogo s.m.; pl. *beija-flores-brilho-de-fogo*
beija-flor-cabeça-de-fogo s.m.; pl. *beija-flores-cabeça-de-fogo*
beija-flor-canela s.m.; pl. *beija-flores-canela*
beija-flor-cinza s.m.; pl. *beija-flores-cinza*
beija-flor-d'água s.m.; pl. *beija-flores-d'água*
beija-flor-da-guiné s.m.; pl. *beija-flores-da-guiné*
beija-flor-da-mata s.m.; pl. *beija-flores-da-mata*
beija-flor-da-mata-virgem s.m.; pl. *beija-flores-da-mata-virgem*
beija-flor-da-serra-pelada s.m.; pl. *beija-flores-da-serra-pelada*
beija-flor-de-banda-branca s.m.; pl. *beija-flores-de-banda-branca*
beija-flor-de-barriga-amarela s.m.; pl. *beija-flores-de-barriga-amarela*
beija-flor-de-barriga-branca s.m.; pl. *beija-flores-de-barriga-branca*
beija-flor-de-barriga-violeta s.m.; pl. *beija-flores-de-barriga-violeta*
beija-flor-de-bico-curvo s.m.; pl. *beija-flores-de-bico-curvo*
beija-flor-de-bico-vermelho s.m.; pl. *beija-flores-de-bico-vermelho*
beija-flor-de-bico-virado s.m.; pl. *beija-flores-de-bico-virado*

beija-flor-de-bigodes s.m.; pl. *beija-flores-de-bigodes*
beija-flor-de-bochecha-azul s.m.; pl. *beija-flores-de--bochecha-azul*
beija-flor-de-canto s.m.; pl. *beija-flores-de-canto*
beija-flor-de-chifre s.m.; pl. *beija-flores-de-chifre*
beija-flor-de-cinta s.m.; pl. *beija-flores-de-cinta*
beija-flor-de-colar s.m.; pl. *beija-flores-de-colar*
beija-flor-de-coleira s.m.; pl. *beija-flores-de-coleira*
beija-flor-de-costas-violeta s.m.; pl. *beija-flores-de-costas--violeta*
beija-flor-de-dohrn s.m.; pl. *beija-flores-de-dohrn*
beija-flor-de-fronte-violeta s.m.; pl. *beija-flores-de-fronte--violeta*
beija-flor-de-garganta-azul s.m.; pl. *beija-flores-de--garganta-azul*
beija-flor-de-garganta--marrom s.m.; pl. *beija--flores-de-garganta-marrom*
beija-flor-de-garganta-verde s.m.; pl. *beija-flores-de--garganta-verde*
beija-flor-de-gravata-verde s.m.; pl. *beija-flores-de--gravata-verde*
beija-flor-de-gravata--vermelha s.m.; pl. *beija--flores-de-gravata-vermelha*
beija-flor-de-orelha-violeta s.m.; pl. *beija-flores-de-orelha--violeta*
beija-flor-de-papo-branco s.m.; pl. *beija-flores-de-papo--branco*
beija-flor-de-papo-preto s.m.; pl. *beija-flores-de-papo--preto*
beija-flor-de-peito-azul s.m.; pl. *beija-flores-de-peito-azul*
beija-flor-de-penacho s.m.; pl. *beija-flores-de-penacho*
beija-flor-de-rabo-branco s.m.; pl. *beija-flores-de-rabo--branco*
beija-flor-de-raquetes s.m.; pl. *beija-flores-de-raquetes*
beija-flor-de-topete s.m.; pl. *beija-flores-de-topete*
beija-flor-de-veste-preta s.m.; pl. *beija-flores-de-veste-preta*
beija-flor-do-gabão s.m.; pl. *beija-flores-do-gabão*
beija-flor-do-mato s.m.; pl. *beija-flores-do-mato*
beija-flor-do-mato-virgem s.m.; pl. *beija-flores-do-mato--virgem*
beija-flor-do-papo-branco s.m.; pl. *beija-flores-do-papo--branco*
beija-flor-do-senegal s.m.; pl. *beija-flores-do-senegal*
beija-flor-dourado s.m.; pl. *beija-flores-dourados*
beija-flor-dourado-de-bico--curvo s.m.; pl. *beija-flores--dourados-de-bico-curvo*
beija-flor-esplêndido s.m.; pl. *beija-flores-esplêndidos*
beija-flor-fada s.m.; pl. *beija-flores-fada* e *beija--flores-fadas*
beija-flor-furta-cor s.m.; pl. *beija-flores-furta-cor*
beija-flor-grande s.m.; pl. *beija-flores-grandes*
beija-flor-grande-do-mato s.m.; pl. *beija-flores-grandes--do-mato*
beija-flor-magnífico s.m.; pl. *beija-flores-magníficos*
beija-flor-mosca s.m.; pl. *beija-flores-mosca* e *beija--flores-moscas*
beija-flor-papo-de-fogo s.m.; pl. *beija-flores-papos--de-fogo*
beija-flor-pardo s.m.; pl. *beija-flores-pardos*
beija-flor-preto s.m.; pl. *beija-flores-pretos*
beija-flor-preto-de-rabo--branco s.m.; pl. *beija-flores--pretos-de-rabo-branco*
beija-flor-preto-e-branco s.m.; pl. *beija-flores-pretos-e--brancos*
beija-flor-rabiverde s.m.; pl. *beija-flores-rabiverdes*
beija-flor-rabo-de-espinho s.m.; pl. *beija-flores-rabo-de--espinho*
beija-flor-rajado s.m.; pl. *beija-flores-rajados*
beija-flor-roxinho s.m.; pl. *beija-flores-roxinhos*
beija-flor-roxo s.m.; pl. *beija--flores-roxos*
beija-flor-rubi s.m.; pl. *beija--flores-rubi*
beija-flor-safira s.m.; pl. *beija-flores-safira*
beija-flor-tesoura s.m.; pl. *beija-flores-tesoura* e *beija--flores-tesouras*
beija-flor-tesoura-verde s.m.; pl. *beija-flores-tesoura--verdes* e *beija-flores-tesouras--verdes*
beija-flor-verde s.m.; pl. *beija-flores-verdes*
beija-flor-verde-e-branco s.m.; pl. *beija-flores-verdes-e--brancos*
beija-flor-verde-ouro s.m.; pl. *beija-flores-verde-ouro*
beija-flor-vermelho s.m.; pl. *beija-flores-vermelhos*
beija-flor-violeta s.m.; pl. *beija-flores-violeta*
beija-mão s.m.; pl. *beija-mãos*
beija-moça s.m.; pl. *beija--moças*
beijão-cru s.m.; pl. *beijões-crus*
beija-pé s.m.; pl. *beija-pés*
beijar v.
beijaroca s.f.
beiji s.m.
beijinho s.m.
beijinho de freira s.m.
beijo s.m.
beijoada s.f.
beijoado adj.
beijoca s.f.
beijocada s.f.
beijocadela s.f.
beijocado adj.
beijocador (*ô*) adj. s.m.
beijocar v.
beijo de burro s.m.
beijo-de-frade s.m.; pl. *beijos--de-frade*
beijo de freira s.m. "docinho de coco, castanha e açúcar"
beijo-de-freira s.m. "espécie de planta"; pl. *beijos-de-freira*
beijo de judas s.m.
beijo de moça s.m. "variedade de doce de ovos"
beijo-de-moça s.m. "espécie de planta"; pl. *beijos-de-moça*
beijo-de-palmas s.m.; pl. *beijos-de-palmas*
beijo de preta s.m.
beijo de preto s.m.
beijo de rainha s.m.
beijo de sinhá s.m.
beijo-do-mato s.m.; pl. *beijos--do-mato*
beijoeiro s.m.
beijo-frio s.m.; pl. *beijos-frios*
beijoim s.m.
beijoína s.f.
beijoínico adj.
beijo-pirá s.m.; pl. *beijos-pirá*
beijoqueiro adj. s.m.
beijoquinho s.m.
beijos-de-freira s.m.pl.
beiju s.m.
beijuaçu s.m.
beijucaba s.f.
beijucaua s.f.
beijucica s.m.
beijucuruba s.m.
beiju-de-potó s.m.; pl. *beijus--de-potó*
beijueira s.f.
beijueiro s.m.
beijuente adj. s.2g.
beijuguaçu s.m.
beiju-membeca s.m.; pl. *beijus-membecas*
beiju-moqueca s.m.
beijupirá s.m.
beiju-poqueca s.m.
beijuteica s.m.
beijuticanga s.m.
beijuxica s.m.
beilhique s.m.
beilhó s.m.
beilschmídtia s.f.
beilschmiedia s.f.
beinhã s.f.
beirã adj. s.f. de *beirão*
beira-campo s.m.; pl. *beira--campos*
beira-chão s.m.; pl. *beira-chãos*
beira-corgo s.2g.; pl. *beira--corgos*
beirada s.f.
beiradeã adj.; f. de *beiradeão*
beiradeão adj.; f. *beiradeã*
beiradear v.
beiradeiro adj. s.m.
beiradejar v.
beirado s.m.
beira-estrada s.f.; pl. *beira--estradas*
beiral s.m.
beiraltino adj. s.m.
beira-mar s.f.; pl. *beira-mares*
beira-marinho adj. s.m.; pl. *beira-marinhos*
beirame s.m.
beiraminho s.m.
beirante adj.2g.
beirão adj. s.m.; f. *beiroa* (*ô*) e *beirã*
beira-praia s.f.; pl. *beira-praias*
beira-praiano adj. s.m.; pl. *beira-praianos*
beirar v.
beira-riense adj. s.2g.; pl. *beira-rienses*
beira-rio s.f.; pl. *beira-rios*
beira-seveira s.f.; pl. *beiras--seveiras*
beira-sobeira s.f.; pl. *beiras--sobeiras*
beirense adj. s.2g.
beirinha s.f.
beiríquia s.f.
beiriquita s.f.
beiriquite s.f.
beiro s.m.
beiroa (*ô*) adj. s.f. de *beirão*
beiru s.m.
beirupirá s.m.
beirute s.m.
beisa s.f.
beisebol s.m.
beisebolista adj. s.2g.
beisebolístico adj.
beiupirá s.m.
beja s.f.
bejabã s.m.
bejagui (*ü*) s.m.
bejala s.f.
bejaldro s.m.
bejaqui s.m.
bejaranoa s.f.
bejária s.f.
bejaruco s.m.
beje (*ê*) s.m.
bejeiro adj. s.m.
bejel s.m.
bejense adj. s.2g.
bejerecum s.m.
beji s.m.
bejinho s.m.
bejoega s.f.
bejoga s.f.
bejuco s.m.
bejuense adj. s.2g.
bejula s.f.
bejupirá s.m.
bel adj.2g.2n. s.m.; na loc. *a bel-prazer* e *a seu bel-prazer*
bel (*ê*) s.m.
bela s.f.
bela-aia s.f.; pl. *belas-aias*
belacidade s.f.
belacíssimo adj. sup. de *belaz*
bela-cruzense adj. s.2g.; pl. *bela-cruzenses*
bela-dama s.f.; pl. *belas-damas*
beladambreia (*é*) s.m.
bela-da-noite s.f.; pl. *belas--da-noite*
bela-de-dia s.f.; pl. *belas-de-dia*
bela-de-felgueira s.f.; pl. *belas-de-felgueira*
bela-de-felgueiras s.f.; pl. *belas-de-felgueiras*
bela-de-noite s.f.; pl. *belas--de-noite*
bela-de-santarém; pl. *belas--de-santarém*
beladi s.m.
bela-diana s.f.; pl. *belas-dianas*
bela-do-dia s.f.; pl. *belas--do-dia*
beladona s.f.
beladona-das-antilhas s.f.; pl. *beladonas-das-antilhas*
beladonado adj.
beladona-do-cabo s.f.; pl. *beladonas-do-cabo*
beladona-dos-italianos s.f.; pl. *beladonas-dos-italianos*
beladona-falsa s.f.; pl. *beladonas-falsas*
beladonina s.f.
beladônio s.m.
bela-do-vale-de-abraão s.f.; pl. *belas-do-vale-de-abraão*
bela-emília s.f.; pl. *belas--emílias*
bela-face adj. s.m.; pl. *belas--faces*
belafão s.m.
bela-feia s.f.; pl. *belas-feias*
belafoice s.m.
bela-infanta s.f.; pl. *belas--infantas*
belala s.m.
belalbegue s.m.
bela-luísa s.f.; pl. *belas-luísas*
bela-luz s.f.; pl. *belas-luzes*
bela-margarida s.f.; pl. *belas--margaridas*
bela-maria s.f.; pl. *belas--marias*
belamarina s.f.
belambo s.m.
bela-morte s.f.; pl. *belas--mortes*
belancada s.f.
belancanda s.f.
belângera s.f.
bela-noite s.f.; pl. *belas-noites*
belanta s.f.
belantina s.f.
belão s.m.
belapola s.f.
belarbegue s.m.
belárdia s.f.
belardiela s.f.
belarmino s.m.
bela-rosa s.f.; pl. *belas-rosas*
belarte s.m.
belas s.f.pl.
belas-artes s.f.pl.
belasiano adj.
belas-letras s.f.pl.
belas-noites s.f.pl.
bela-sombra s.f.; pl. *belas--sombras*
belatrice s.f.
belatriz s.f.
belau s.m.
bela-vai-ela s.f.2n.
bela-vistano adj. s.2g.; pl. *bela-vistanos*
bela-vistense adj. s.2g.; pl. *bela-vistenses*
belaxira s.f.
belaz adj.2g.
belbarrete (*ê*) s.m.
belbas (*ê*) s.f.pl.
belbinate adj. s.2g.
belbinite adj. s.2g.
belbotreira s.f.
belbute s.m.
bélbute s.m.
belbutina s.f.
belchior s.m.
belchiorense adj. s.2g.
belcoria s.f.
beldade s.f.
beldão s.m.
beldar v.
beldegueira adj. s.f.
beldegueiro adj.
beldongrita s.f.
beldosa s.f.
beldre s.m.
beldrejo (*ê*) s.m.
beldro s.m.
beldroca s.f.
beldroega s.f.
beldroega-da-praia s.f.; pl. *beldroegas-da-praia*
beldroega-de-cuba s.f.; pl. *beldroegas-de-cuba*
beldroega-de-folha-grande s.f.; pl. *beldroegas-de-folha--grande*
beldroega-de-folha-larga s.f.; pl. *beldroegas-de-folha--larga*
beldroega-de-inverno s.f.; pl. *beldroegas-de-inverno*
beldroega-do-sul s.f.; pl. *beldroegas-do-sul*
beldroega-grande s.f.; pl. *beldroegas-grandes*
beldroega-miúda s.f.; pl. *beldroegas-miúdas*
beldroega-pequena s.f.; pl. *beldroegas-pequenas*
beldroegas adj. s.2g.2n.
beldroega-verdadeira s.f.; pl. *beldroegas-verdadeiras*
beledi adj. s.2g.
beleguim s.m.
beleguinaço s.m.
beleguinaz s.m.
belelê s.m.
beleléu s.m.; na loc. *ir para o beleléu*
belém s.m.
belemense adj. s.2g.
belém-francisquense adj. s.2g.; pl. *belém-francisquenses*
belêmia s.f.
belemita adj. s.2g.
belemítico adj.
belemnita s.f.
belemnite s.f.
belemnitela s.f.
belemnítico adj.
belemnítida s.m.
belemnitídea s.f.
belemnitídeo adj. s.m.
belemnitologia s.f.
belemnitológico adj.
belemnoide (*ó*) adj.2g. s.m.
belemnóideo adj. s.m.
belemnotêutis s.f.2n.
belena s.f.
belencada s.f.
belencufa s.f.
belenda s.f.
belendena s.f.

belendengue s.m.
belenense adj. s.2g.
beleno adj. s.m.
belenofobia s.f.
belenzada s.f.
beleóptero s.m.
belérico s.m.
belerofonte s.m.
belerofontídeo adj. s.m.
beleropo s.m.
beleroqueia (*é*) s.f.
beleta (*ê*) s.f.
beletreação s.f.
beletreado adj.
beletreante adj.2g.
beletrear v.
beletrismo s.m.
beletrista adj. s.2g.
beletrística s.f.
beletrístico adj.
beleua s.m.
belevália s.f.
beleza (*ê*) s.f.
belezaria s.f.
belezas (*ê*) s.f.pl.
belezense adj. s.2g.
belezinha s.f.
belezoca s.2g.
belezura s.f.
belfa s.f.
belfaça s.f.
belfarinheiro s.m.
belfas s.f.pl.
belfastada s.f.
belfécio s.m.
belfo adj. s.m.
belford-roxense adj. s.2g.; pl. *belford-roxenses*
belfudo adj.
belfurinha s.f.
belfurinhar v.
belfurinheiro s.m.
belga adj. s.2g. s.m.f.
belgata s.f.
belgate s.f.
belgicismo s.m.
belgicista adj. s.2g.
belgicístico adj.
bélgico adj.
belgita s.f.
belgite adj. s.2g.
belgo-brasileiro adj.; pl. *belgo-brasileiros*
belgo-congolês adj.; pl. *belgo-congoleses*
belgo-conguês adj.; pl. *belgo-congueses*
belgo-dinamarquês adj.; pl. *belgo-dinamarqueses*
belgo-flamengo adj.; pl. *belgo-flamengos*
belgo-francês adj.; pl. *belgo-franceses*
belgo-português adj.; pl. *belgo-portugueses*
belgradino adj. s.m.
belharocas s.f.pl.
belharoco (*ô*) s.m.
belho (*ê*) s.m. "bedelho"; cf. *belhó*
belhó s.m. "bola"; cf. *belho*
beli s.m.
bélia s.f.
belichaparo s.m.
beliche s.m.
belicheiro adj. s.m.
belichicali s.m.
belicismo s.m.
belicista adj. s.2g.
belicístico adj.
bélico adj.
belicosidade s.f.
belicoso (*ô*) adj.; f.(*ó*); pl.(*ó*)
belicuete (*ê*) s.m.
belida s.f. "mancha na córnea"; cf. *bélida*
bélida adj.2g. s.m. "planta"; cf. *belida*
belídea s.f.
belídeo s.m.
belidiastro s.m.
belidínea s.f.
belidíneo adj.
belidioide (*ó*) adj.2g. s.m.
belidiópsis s.f.2n.
belieiro s.m.
beligerância s.f.
beligerante adj. s.2g.
belígero adj.
belila s.f.
belindre s.m.
belindro s.m.
belinguinazo s.m.
belino adj. s.m.
belinografia s.f.
belinográfico adj.
belinógrafo s.m.
belinograma s.m.
belinúrida adj.2g. s.m.
belinurídeo adj. s.m.
belinuro s.m.
bélio s.m.
belionoto s.m.
belipotência s.f.
belipotente adj.2g.
beliquete (*ê*) s.m.
bélis s.f.2n.
belisária s.f.
belisariense adj. s.2g.
belisário adj. s.m.
belisca s.f.
beliscada s.f.
beliscadeira s.f.
beliscadela s.f.
beliscado adj.
beliscadura s.f.
beliscão s.m.
beliscão de frade s.m.
beliscar v.
belisco s.m.
belíssono adj.
belistreca s.f.
belita s.f.
belitano adj. s.m.
bélium s.m.
beliz adj. s.2g.
bel-jardinense adj. s.2g.; pl. *bel-jardinenses*
bellevália s.f.
bellidolita s.f.
bellingerita s.f.
belliniano adj.
bellita s.f.
bellótia s.f.
belmandil s.f.
belmaz s.m.
belmírico adj.
belmontense adj. s.2g.
belmôntia s.f.
belmontina s.f.
belmontino adj. s.m.
belmontita s.f.
belo adj. s.m.
belocasso adj. s.m.
belócia s.f.
belócoris s.m.2n.
belóculus s.m.
belodera s.f.
belófero s.m.
belofobia s.f.
belofóbico adj.
belófobo adj. s.m.
beloglossa s.m.
belo-horizontino adj. s.m.; pl. *belo-horizontinos*
beloira s.f.
beloirar v.
beloiro s.m.
belo-jardinense adj. s.2g.; pl. *belo-jardinenses*
belomancia s.f.
belomanciano adj.
belomandil s.f.
belomante s.2g.
belomitra s.m.
belona s.f.
belonário s.m.
belonave s.f.
belone s.2g.
belôneon s.m.
belonesita s.f.
belônia s.f.
belonicta s.f.
belonicto s.m.
belônida adj.2g. s.m.
belonídeo adj. s.m.
belonisita s.f.
belonite s.f.
belonofobia s.f.
belonofóbico adj.
belonófobo adj. s.m.
belonófora s.f.
belonogáster s.f.
belonoide (*ó*) adj.2g. s.f.
belônoto adj. s.m.
belopeia (*é*) s.f.
beloperone s.m.
beloperônide adj.2g. s.m.
belopeu s.m.
belopo s.m.
belópode s.m.
belóptero s.m.
belórino s.m.
belorrinco s.m.
belossépsia s.f.
belostêmano s.m.
belóstoma s.m.
belostomátida adj.2g. s.m.
belostomatídeo adj. s.m.
belostômida adj.2g. s.m.
belostomídeo adj. s.m.
belóstomo s.m.
belota s.f.
belota-decotada s.f.; pl. *belotas-decotadas*
belota-do-mar s.f.; pl. *belotas-do-mar*
belótia s.f.
belotripo s.m.
beloura s.f.
belourar v.
belouro s.m.
belóvaco adj. s.m.
belo-valense adj. s.2g.; pl. *belo-valenses*
belo-valino adj. s.m.; pl. *belo-valinos*
belovita s.f.
bel-prazer s.m.; pl. *bel-prazeres*
belro s.m.
belsofe s.m.
belterrense adj. s.2g.
beltiano adj. s.m.
beltrano s.m.
beltrão s.m.
bélua s.f.
beluaria s.f.
beluário s.m.
beluca s.f.
beluchi adj. s.2g.
belúcia s.f.
beluga s.f.
belugito s.m.
beluíno adj.
belulco s.m.
belunense adj. s.2g.
beluoso (*ô*) adj.; f. (*ó*); pl. (*ó*)
bélus s.m.2n.
beluta s.m.
bel-valense adj. s.2g.; pl. *bel-valenses*
belveder s.m.
belvedere (*dê*) s.m.
belvederense adj. s.2g.
belver (*ê*) s.m.
belverde (*ê*) s.m.
belvísia s.f.
belvisiácea s.f.
belvisiáceo adj.
belvoásia s.f.
belyankinita s.f.
belzebu s.m.
belzebútico adj.
bem adv. s.m.
bema s.m.
bem-acabado adj.; pl. *bem-acabados*
bem-aceito adj.; pl. *bem-aceitos*
bem-acondicionado adj.; pl. *bem-acondicionados*
bem-acondiçoado adj.; pl. *bem-acondiçoados*
bem-acostumado adj.; pl. *bem-acostumados*
bem-adaptado adj.; pl. *bem-adaptados*
bem-afamado adj.; pl. *bem-afamados*
bem-afortunado adj.; pl. *bem-afortunados*
bem-afortunar v.
bem-agradecido adj.; pl. *bem-agradecidos*
bem-ajambrado adj.; pl. *bem-ajambrados*
bem-amado adj. s.m.; pl. *bem-amados*
bem-andança s.f.; pl. *bem-andanças*
bem-andante adj.2g.; pl. *bem-andantes*
bem-apanhado adj.; pl. *bem-apanhados*
bem-apessoado adj.; pl. *bem-apessoados*
bem-apresentado adj.; pl. *bem-apresentados*
bem-arranjado adj.; pl. *bem-arranjados*
bem-arrumado adj.; pl. *bem-arrumados*
bem-aventurado adj. s.m.; pl. *bem-aventurados*
bem-aventurança s.f.; pl. *bem-aventuranças*
bem-aventurar v.
bem-avindo adj.; pl. *bem-avindos*
bem-avisado adj.; pl. *bem-avisados*
bemba adj. s.2g. s.f.
bembara adj. s.2g.
bembe s.m. "erva"; cf. *bembé*
bembé s.m. "inseto"; cf. *bembe*
bembel s.m.
bêmber s.m.
bembícia s.f.
bembícida adj.2g. s.m.
bembicídeo adj. s.m.
bembicíneo adj. s.m.
bembício s.m.
bembídio s.m.
bembil s.m.
bêmbix (*cs*) s.f.
bem-bom s.m.; pl. *bem-bons*
bembrice s.m.
bem-casadinho s.m.; pl. *bem-casadinhos*
bem-casadinhos s.m.pl.
bem-casado s.m.; pl. *bem-casados*
bem-casados s.m.2n.
bem-comportado adj.; pl. *bem-comportados*
bem-composto adj.; pl. *bem-compostos*
bem-conceituado adj.; pl. *bem-conceituados*
bem-conformado adj.; pl. *bem-conformados*
bem-criado adj.; pl. *bem-criados*
bem-curada s.f.; pl. *bem-curadas*
bem-dado s.m.; pl. *bem-dados*
bem de alma s.m.
bem de fala adj.2g. s.m.
bem-disposto adj.; pl. *bem-dispostos*
bem-ditoso adj.; pl. *bem-ditosos*
bem-dizente adj.2g.; pl. *bem-dizentes*
bem-dizer v.
bem-dormido adj.; pl. *bem-dormidos*
bem-dotado adj.; pl. *bem-dotados*
bem-educado adj.; pl. *bem-educados*
bem-encarado adj.; pl. *bem-encarados*
bem-ensinado adj.; pl. *bem-ensinados*
bementita s.f.
bem-estar s.m.; pl. *bem-estares*
bem-fadado adj.; pl. *bem-fadados*
bem-fadar v.
bem-falante adj. s.2g.; pl. *bem-falantes*
bem-fazer v.
bem-humorado adj.; pl. *bem-humorados*
bem-ido adj.; pl. *bem-idos*
bem-intencionado adj. s.m.; pl. *bem-intencionados*
bem-lançado adj.; pl. *bem-lançados*
bem-mandado adj.; pl. *bem-mandados*
bem-me-quer s.m.; pl. *bem-me-queres*
bem-merecer v.
bem-merecido adj.; pl. *bem-merecidos*
bem-nado adj.; pl. *bem-nados*
bem-nascido adj.; pl. *bem-nascidos*
bemol adj. s.m.
bemolado adj.
bemolar v.
bemolização s.f.
bemolizado adj.
bemolizar v.
bem-ordenado adj.; pl. *bem-ordenados*
bem-ouvido adj.; pl. *bem-ouvidos*
bem-parado adj.; pl. *bem-parados*
bem-parecido adj.; pl. *bem-parecidos*
bem-pensante adj. s.2g.; pl. *bem-pensantes*
bemposta s.f.
bempostano adj. s.m.
bempostense adj. s.2g.
bem-posto adj.; pl. *bem-postos*
bem-procedido adj.; pl. *bem-procedidos*
bem-proporcionado adj.; pl. *bem-proporcionados*
bem-querença s.f.; pl. *bem-querenças*
bem-querente adj.2g.; pl. *bem-querentes*
bem-querer v. s.m.; pl. *bem-quereres*
bem-queria s.f.; pl. *bem-querias*
bem-querido adj.; pl. *bem-queridos*
bem-sabido adj.; pl. *bem-sabidos*
bem-soante adj.2g.; pl. *bem-soantes*
bem-sonância s.f.; pl. *bem-sonâncias*
bem-sonante adj.2g.; pl. *bem-sonantes*
bem-sucedido adj.; pl. *bem-sucedidos*
bem-talhado adj.; pl. *bem-talhados*
bem-temente adj. s.2g.; pl. *bem-tementes*
bem te vi s.m. "simpatizante de partido político"
bem-te-vi s.m. "espécie de pássaro"; pl. *bem-te-vis*
bem-te-vi-araponga s.m.; pl. *bem-te-vis-araponga* e *bem-te-vis-arapongas*
bem-te-vi-assobiador s.m.; pl. *bem-te-vis-assobiadores*
bem-te-vi-barulhento s.m.; pl. *bem-te-vis-barulhentos*
bem-te-vi-cabeça-de-estaca s.m.; pl. *bem-te-vis-cabeça-de-estaca* e *bem-te-vis-cabeças-de-estaca*
bem-te-vi-carijó s.m.; pl. *bem-te-vis-carijó* e *bem-te-vis-carijós*

bem-te-vi-carrapateiro s.m.; pl. *bem-te-vis-carrapateiros*
bem-te-vi-cartola s.m.; pl. *bem-te-vis-cartola*
bem-te-vi-cavaleiro s.m.; pl. *bem-te-vis-cavaleiro* e *bem-te--vis-cavaleiros*
bem-te-vi-cinza s.m.; pl. *bem--te-vis-cinza* e *bem-te-vis-cinzas*
bem-te-vi-de-bico-chato s.m.; pl. *bem-te-vis-de-bico--chato*
bem-te-vi-de-cabeça-rajada s.m.; pl. *bem-te-vis-de-cabeça--rajada*
bem-te-vi-de-coroa s.m.; pl. *bem-te-vis-de-coroa*
bem-te-vi-de-coroa--vermelha s.m.; pl. *bem-te--vis-de-coroa-vermelha*
bem-te-vi-de-gamela s.m.; pl. *bem-te-vis-de-gamela*
bem-te-vi de igreja s.m.
bem-te-vi-de-três-riscas s.m.; pl. *bem-te-vis-de-três--riscas*
bem-te-vi-do-bico-chato s.m.; pl. *bem-te-vis-do-bico--chato*
bem-te-vi-do-bico-largo s.m.; pl. *bem-te-vis-do-bico--largo*
bem-te-vi-do-brejo s.m.; pl. *bem-te-vis-do-brejo*
bem-te-vi-do-chão s.m.; pl. *bem-te-vis-do-chão*
bem-te-vi-do-gado s.m.; pl. *bem-te-vis-do-gado*
bem-te-vi-do-mato s.m.; pl. *bem-te-vis-do-mato*
bem-te-vi-do-mato-virgem s.m.; pl. *bem-te-vis-do-mato--virgem*
bem-te-vi-escuro s.m.; pl. *bem-te-vis-escuros*
bem-te-vi-gamela s.m.; pl. *bem-te-vis-gamela*
bem-te-vi-gameleiro s.m.; pl. *bem-te-vis-gameleiros*
bem-te-vi-miúdo s.m.; pl. *bem-te-vis-miúdos*
bem-te-vi-pato s.m.; pl. *bem--te-vis-patos*
bem-te-vi-peitica s.m.; pl. *bem-te-vis-peiticas*
bem-te-vi-pequeno s.m.; pl. *bem-te-vis-pequenos*
bem-te-vi-pintado s.m.; pl. *bem-te-vis-pintados*
bem-te-vi-pirata s.m.; pl. *bem-te-vis-piratas*
bem-te-vi-preto s.m.; pl. *bem--te-vis-pretos*
bem-te-vi-rajado s.m.; pl. *bem-te-vis-rajados*
bem-te-vi-riscado s.m.; pl. *bem-te-vis-riscados*
bem-te-vi-solitário s.m.; pl. *bem-te-vis-solitários*
bem-te-vi-verdadeiro s.m.; pl. *bem-te-vis-verdadeiros*
bem-te-vizinho s.m.; pl. *bem--te-vizinhos*
bem-te-vizinho-de-asa--ferrugínea s.m.; pl. *bem-te--vizinhos-de-asa-ferrugínea*
bem-te-vizinho-de--penacho-vermelho s.m.; pl. *bem-te-vizinhos-de--penacho-vermelho*
bem-te-vizinho-do-brejo s.m.; pl. *bem-te-vizinhos-do--brejo*
bem-te-vizinho-ladrão s.m.; pl. *bem-te-vizinhos-ladrões*
bem-te-vizinho-rajado s.m.; pl. *bem-te-vizinhos-rajados*
bem-te-vizinho-riscado s.m.; pl. *bem-te-vizinhos-riscados*
bem-vestido adj.; pl. *bem--vestidos*
bem-vestir v. s.m.; pl. *bem--vestires*
bem-vindo adj.; pl. *bem--vindos*
bem-visto adj.; pl. *bem-vistos*
benado s.m.
benairo s.m.
benaventense adj. s.2g.
bença s.f.
benção s.f.; pl. *benções*
bênção s.f.; pl. *bênçãos*
bênção-de-deus s.f.; pl. *bênçãos-de-deus*
bênção de madrinha s.f.
bençoário s.m.
bencômia s.f.
benda s.m.f.
bendala s.m.
bendara s.m.
bendé s.m.
bendega s.m.
bendegó s.m.
bendelengar v.
bendengó s.m.
bendenguê s.m.
bendi s.m.
bendiapá adj. s.2g.
bendição s.f.
bendicionário s.m.
bendidela s.f.
benditismo s.m.
benditista adj. s.2g.
bendito adj. s.m.
bendizente adj.2g.
bendizer v.
bendó s.m.
benedição s.f.
benedicionário s.m.
benedícite s.m.
benedictela s.f.
benedíctia s.f.
benedita s.f.
benediteia (*é*) s.f.
beneditense adj. s.2g.
benedítia s.f.
beneditinense adj. s.2g.
beneditino adj. s.m.
beneditionário s.m.
beneditismo s.m.
beneditista adj. s.2g.
benedito s.m.
benedito-de-testa-amarela s.m.; pl. *beneditos-de-testa--amarela*
benedito-novense adj. s.2g.; pl. *benedito-novenses*
benefactivo adj.
benefactor (*ô*) adj. s.m.
benefactoria s.f.
benefe s.f.
benefe-da-beira s.f.; pl. *benefes-da-beira*
beneficência s.f.
beneficente adj.2g.
beneficentíssimo adj. sup. de *benéfico*
beneficiação s.f.
beneficiado adj. s.m.
beneficiador (*ô*) adj. s.m.
beneficial adj.2g.
beneficiamento s.m.
beneficiar v.
beneficiário adj. s.m.
beneficiável adj.2g.
benefício s.m.; cf. *beneficio*, fl. do v. *beneficiar*
beneficioso (*ô*) adj.; f. (*ó*); pl. (*ó*)
benéfico adj.
beneleitense adj. s.2g.
benemerência s.f.
benemerente adj.2g.
benemérito adj. s.m.
beneplácito s.m.
beneque s.m.
benesse s.2g.
benete s.m.
benetitace s.f.
benetitácea s.f.
benetitáceo adj.
benetital adj.2g.
benetitale adj.2g. s.f.
benetnache s.f.
beneventano adj. s.m.
beneventino adj. s.m.
benevenutense adj. s.2g.
benevidésia s.f.
benevidino adj. s.m.
benevolear v.
benevolência s.f.
benevolente adj.2g.
benevolentíssimo adj. sup. de *benevolente*
benévolo adj.
benfazejo (*ê*) adj.
benfazente adj.2g.
benfazer v.
benfeito adj. s.m.
benfeitor (*ô*) adj. s.m.
benfeitoria s.f.
benfeitorização s.f.
benfeitorizado adj.
benfeitorizador (*ô*) adj.
benfeitorizante adj. s.2g.
benfeitorizar v.
benfica s.2g.
benfiquense adj. s.2g.
benfiquista adj. s.2g.
benga adj. s.2g.
bengala adj. s.2g. s.f.
bengalada s.f.
bengala-de-camarão s.f.; pl. *bengalas-de-camarão*
bengala-de-folha-larga s.f.; pl. *bengalas-de-folha-larga*
bengala-de-folha-miúda s.f.; pl. *bengalas-de-folha-miúda*
bengala-grande s.f.; pl. *bengalas-grandes*
bengalão s.m.
bengalé s.m.
bengaleira s.f.
bengaleiro s.m.
bengalense adj. s.2g.
bengalês adj. s.m.
bengali adj. s.2g. s.m.
bengália s.m.
bengalim adj. s.2g. s.m.
bengalina s.f.
bengalinha s.f.
bengalofalante adj. s.2g.
bengalofonia s.f.
bengalófono adj. s.m.
bengaloparlante adj. s.2g.
bengalório s.m.
bengasiano adj. s.m.
benge s.f.
bengiri s.m.
bengola s.2g.
bengue s.m. "cânhamo"; cf. *benguê*
benguê s.m. "conjunto de objetos sagrados"; cf. *bengue*
benguê de obó s.m.
benguela adj. s.2g.
benguelense adj. s.2g.
benguelinha s.f.
benhã s.f.
bênia s.f.
bênico adj.
benignidade s.f.
benigno adj.
benílico adj.
benim adj. s.2g.
benimerini adj.2g.
benincasa s.f.
beninense adj. s.2g.
beninês adj. s.m.
beninidade s.f.
benino adj.
benintau s.m.
beniquê s.m.
benissa s.f.
benitoíta s.f.
benítzia s.f.
benjamim s.m.
benjamim-constantense adj. s.2g.; pl. *benjamim--constantenses*
benjamínia s.f.
benjaminita s.f.
benjamita adj. s.2g.
benjericum s.m.
benjoeiro s.m.
benjoí s.m.
benjoim s.m.
benjoína s.f.
benjoínico adj.
benjuim s.m.
bennettitácea s.f.
bennettitáceo adj.
bennettital adj.2g.
bennettitale s.f.
beno adj. s.m.
benodactilia s.f.
benodactílico adj.
benodáctilo adj.
benoesteárico adj.
benoleico (*é*) adj.
benomargárico adj.
benossauriano adj. s.m.
benoterapia s.f.
benoterápico adj.
benquerença s.f.
benquerente adj.2g.
benquerer v. s.m.
benqueria s.f.
benquerido adj.
benquistado adj.
benquistar v.
benquisto adj.
bens s.m.pl.
bensilho s.m.
benstonita s.f.
benta s.f.
bentabreuense adj. s.2g.
benta-fruto s.m.; pl. *benta--frutos*
bental adj.2g.
bentâmia s.f.
bentamismo s.m.
benteca s.f.
bentense adj. s.2g.
benterê s.m.
bentereré s.m.
bentererê s.m.
benteufáusia s.m.
benthâmia s.f.
benthamiano adj.
benthamismo s.m.
benthamista adj. s.2g.
benthamístico adj.
bêntico adj.
bentínckia s.f.
bentinhense adj. s.2g.
bentinho s.m.
bentinhos s.m.pl.
bentínquia s.f.
bento adj. s.m.
bento-abreuense adj. s.2g.; pl. *bento-abreuenses*
bento-fernandense adj. s.2g.; pl. *bento-fernandenses*
bentófita s.f.
bentófito adj.
bentogêneo adj.
bentogênico adj.
bento-gonçalvense adj. s.2g.; pl. *bento-gonçalvenses*
bentográfico adj.
bentógrafo s.m.
bentônico adj.
bentonita s.f.
bentoplancto s.m.
bentoplâncton s.m.
bentopolitano adj. s.m.
bentos s.m.pl.
benturongo s.m.
benza s.f.
benzacetina s.f.
benzaconina s.f.
benzal s.m.
benzalanilina s.f.
benzaldeídico adj.
benzaldeído s.m.
benzaldeidocianidrina s.f.
benzaldoxima (*cs*) s.m.
benzamarona s.f.
benzâmico adj.
benzamida s.f.
benzamilo s.m.
benzamínico adj.
benzanilida s.f.
benzaurina s.f.
benzazina s.f.
benzazurina s.f.
benze s.m.
benzeção s.f.
benzedeira s.f.
benzedeiro adj. s.m.
benzedela s.f.
benzedor (*ô*) s.m.
benzedrina s.f.
benzedrínico adj.
benzedura s.f.
benzeína s.f.
benzélico adj.
benzemonossubstituído adj.
benzemonossubstituir v.
benzênico adj.
benzenilo s.m.
benzênio s.m.
benzenita s.f.
benzenítico adj.
benzeno s.m.
benzenoazobenzênico adj.
benzenoazobenzeno s.m.
benzenodissulfona s.f.
benzenodissulfônico adj.
benzenoide (*ó*) adj.2g. s.m.
benzenol s.m.
benzenólico adj.
benzenossulfínico adj.
benzenossulfocloreto s.m.
benzenossulfona s.f.
benzenossulfonato s.m.
benzenossulfônico adj.
benzer v.
benzeugenol s.m.
benzidano s.m.
benzidina s.f.
benzidínico adj.
benzidinossulfona s.f.
benzidinossulfônico adj.
benzido adj.
benzidramida s.f.
benzidramídico adj.
benzidrazoína s.f.
benzidrazoínico adj.
benzidrilamina s.f.
benzidrilbenzoico (*ó*) adj.
benzidrilpropiônico adj.
benzidrol s.m.
benzidrólico adj.
benzil s.m.
benzila s.f.
benzilacético adj.
benzilamidotiofenol s.m.
benzilamina s.f.
benzilanilina s.f.
benzilanilínico adj.
benzilato s.m.
benzilbenzina s.f.
benzilbenzínico adj.
benzilbenzoico (*ó*) adj.
benzilcinâmico adj.
benzilênico adj.
benzileno s.m.
benzilfluoresceína s.f.
benzilhão s.m.
benzilheira s.f.
benzílico adj.
benzilidena s.f.
benzilidênico adj.
benzilideno s.m.
benzílio s.m.
benzilmalonato s.m.
benzilmalônico adj.
benzilmercaptã s.f.
benzilmetilanilina s.f.
benzilmorfina s.f.
benzilmorfínico adj.
benzilo s.m.
benzilol s.m.
benzilpenicilina s.f.
benzilpenicilínico adj.
benzilpirazolcarbônico adj.
benziltetrazótico adj.
benzimento s.m.
benzimidazol s.m.
benzimido s.m.
benzina s.f.
benzíngia s.f.
benzinheira s.f.

benzinho s.m.
benzinho-amor s.m.; pl. *benzinhos-amores*
benzinismo s.m.
benzinístico adj.
benzinofórmio s.m.
benzita s.f.
benzoacetina s.f.
benzoaldeídico adj.
benzoaldeído s.m.
benzoanitol s.m.
benzoato s.m.
benzoazurina s.f.
benzocaína s.f.
benzodiazepina s.f.
benzodiazepínico adj.
benzodiimidazol s.m.
benzoena s.f.
benzofenol s.m.
benzofenólico adj.
benzofenona s.f.
benzoflavina s.f.
benzofurano s.m.
benzofurfurano s.m.
benzofurílico adj.
benzofurilo s.m.
benzofuroína s.f.
benzoicina s.f.
benzoico (*ó*) adj.
benzoil s.m.
benzoíla s.f.
benzoilação s.f.
benzoilacético adj.
benzoilacetona s.f.
benzoilaconina s.f.
benzoilamide s.f.
benzoilamido s.m.
benzoilanilida s.f.
benzoilar v.
benzoilato s.m.
benzoilazótide s.f.
benzoilazótido s.m.
benzoilbenzoico (*ó*) adj.
benzoilbetanaftil s.m.
benzoilcarbinol s.m.
benzoilconina s.f.
benzoilcubebina s.f.
benzoilcumarona s.f.
benzoilecgonina s.f.
benzoiletílico adj.
benzoileugenol s.m.
benzoilfenilidrazina s.f.
benzoilftálico adj.
benzoilglicocola s.f.
benzoilglicólico adj.
benzoílico adj.
benzoilina s.f.
benzoilínico adj.
benzoílio s.m.
benzoilisoecgonina s.f.
benzoilmesitilênico adj.
benzoilmesitileno s.m.
benzoilmetilecgonina s.f.
benzoilmetílico adj.
benzoilmorfina s.f.
benzoilnaftol s.m.
benzoílo s.m.
benzoilparacresol s.m.
benzoilpropílico adj.
benzoilpropiônico adj.
benzoiltanino s.m.
benzoiltimol s.m.
benzoiltropeína s.f.
benzoim s.m.
benzoína s.f.
benzoinamida s.f.
benzoinamo s.m.
benzoínico adj.
benzoisotiasol s.m.
benzol s.m.
benzola s.f.
benzolcarbônico adj.
benzoldissulfônico adj.
benzólico adj.
benzolidramina s.f.
benzolina s.f.
benzolismo s.m.
benzolístico adj.
benzoloídio s.m.
benzolóidio s.m.
benzolona s.f.
benzolsulfínico adj.
benzolsulfônico adj.
benzona s.f.
benzonaftol s.m.
benzonaftolato s.m.
benzonalgene s.m.
benzônia s.f.
benzonitrato s.m.
benzonitrila s.f.
benzonitrílico adj.
benzonitrilo s.m.
benzopinacol s.m.
benzopinacólico adj.
benzopinacolina s.f.
benzopinacona s.f.
benzopireno s.m.
benzopiridina s.f.
benzopirrol s.m.
benzopurpurina s.f.
benzoquinona s.f.
benzorresinol s.m.
benzosol s.f.
benzossalina s.f.
benzossulfato s.m.
benzossulfona s.m.
benzostilbina s.f.
benzotartárico adj.
benzotiazida s.f.
benzotiazol s.m.
benzotiodiazol s.m.
benzotiofeno s.m.
benzoúrico s.m.
benzovaque s.m.
benzozona s.f.
benzúlmico adj.
beócio adj. s.m.
beoglossa s.m.
beoglosso s.m.
beola s.f.
beômetra s.f.
beomíceo s.m.
beomicetácea s.f.
beomiceto s.m.
beotarca s.m.
beotarquia s.f.
beotárquico adj.
beotice s.f.
beótico adj.
bequadrado adj. s.m.
bequadro s.m.
bequatrado adj. s.m.
beque s.m.
bêquea s.f.
beque-cheiroso s.m.; pl. *beques-cheirosos*
bequeia (*é*) s.f.
bequemânia s.f.
béquer s.m.
bequerélia s.f.
béquico adj. s.m.
bequilha s.f.
bequimoense adj. s.2g.
bequimonense adj. s.2g.
bequir adj. s.2g.
bequiro adj. s.m.
ber s.m.
bera adj. s.2g.
beraca s.m.
berajuba s.f.
berana s.m.
berárdia s.f.
berate s.m.
beraúna s.f.
beraunita s.f.
berba s.m.
berbaia s.m.
berbamina s.f.
berbão s.m.
berbe s.m.
berbechar v.
berbeixo s.m.
berbequim s.m.
berber s.m.
berberácea s.f.
berberáceo adj.
berberal s.m.
berbere adj. s.2g. "povo"; cf. *bérbere*
bérbere s.f. "uva"; cf. *berbere*
bérbere-da-terra s.f.; pl. *bérberes-da-terra*
berbéreo adj.
berberesco (*ê*) adj.
berbereta (*ê*) s.f.
berbérico adj.
berberidácea s.f.
berberidáceo adj.
berberídea s.f.
berberídeo adj.
berberidínico adj.
berberidóidea s.f.
berberidópsis s.2g.2n.
berberílico adj.
berberina s.f.
berberinal s.m.
bérberis s.f.2n.
berberisco adj. s.m.
bérberis-da-terra s.f.2n.
berberofalante s.m.
berberofonia s.f.
berberófono adj.
berberônico adj.
berberoparlante s.m.
berbião s.m.
berbicacho s.m.
berbigão s.m.
berbigão-comum-europeu s.m.; pl. *berbigões-comuns-europeus*
berbigão-europeu s.m.; pl. *berbigões-europeus*
berbigoeira s.f.
berbigueira s.f.
berbim s.m.
berborita s.f.
berça (*ê*) s.f.
berçada s.f.
berçajote s.m.
berçário s.m.
berceira s.f.
berceiro adj.
berchêmia s.f.
berchior s.m.
berciano adj. s.m.
berço (*ê*) s.m. "pequeno leito"; cf. *berçô*
berçô s.m. "cinzel"; cf. *berço* (*ê*)
berçola s.f.
berçudo adj.
berculino adj. s.m.
berda adj. s.2g.
berdamerda adj. s.2g.
berdelho (*ê*) s.m.
berdelho-feijão s.m.; pl. *berdelhos-feijão* e *berdelhos-feijões*
bereba s.f.
berebé s.m.
berebedé s.m.
beré-beré s.m.; pl. *beré-berés*
berebi s.m.
beregrano adj. s.m.
berendengue s.m.
berengário s.m.
berengelita s.f.
berenguendém s.m.
berenguendengue s.m.
berenice s.f.
berenicídea s.f.
bereré s.m. "conflito"; cf. *bererê*
bererê s.m. "peixe"; cf. *bereré*
beresito s.m.
beresofita s.f.
beresovita s.f.
beresovskita s.f.
beréu s.m.
bereva s.f.
bergadinha s.f.
bergamasca s.f.
bergamasco adj. s.m.
bergamasquita s.m.
bergamasquite s.f.
bergamileno s.m.
bergamina s.f.
bérgamo s.m.
bergamota s.f.
bergamoteira s.f.
bergamotênio s.m.
berganha s.f.
berganhar v.
berganista adj. s.2g.
bergante adj. s.m.
bergantil s.m.
bergantim s.m.
bergantina s.f.
bergantine s.m.
bergão s.m.
bergaptênico adj.
bergaptênio s.m.
bergapteno s.m.
bergela s.f.
bergelim s.m.; f. *bergelina*
bergelina s.f. de *bergelim*
bergênia s.f.
bergenina s.f.
bergenita s.f.
bergenite s.f.
bergentil s.m.
bergerocacto s.m.
bérgia s.f.
bergilte s.m.
berginização s.f.
bergistano adj. s.m.
bergitano adj. s.m.
bergmannita s.f.
bergo s.m.
bergômate adj. s.2g.
bergoniltra s.f.
bergsonianismo s.m.
bergsonianista adj. s.2g.
bergsonianístico adj.
bergsoniano adj.
bergsônico adj.
bergsonismo s.m.
bergsonista adj. s.2g.
bergsonístico adj.
beri s.m.
beriba adj. s.2g. "caipira", etc.; cf. *beribá*
beribá s.m. "comprador de cavalos"; cf. *beriba*
beribada s.f.
beribéri s.m.
beribérico adj. s.m.
beriberígeno adj.
beriberizar v.
beríbraco adj. s.2g.
berícida adj.2g. s.m.
berícídeo adj. s.m.
bericiforme adj.2g. s.m.
bericomorfo adj. s.m.
beride s.m.
berido s.m.
berifão s.m.
berija s.f.
beríjia s.f.
berilense adj. s.2g.
berílico adj.
berilino adj.
berílio s.m.
beriliose s.f.
beriliótico adj.
berilo s.m.
beriloide (*ó*) adj.2g. s.m.
berilonita s.f.
berilonite s.f.
berimbau s.m.
berimbau de barriga s.m.
berimbau de beiço s.m.
berimbau de boca s.m.
berimbau-viola s.m.; pl. *berimbaus-viola* e *berimbaus-violas*
berimbelo s.m.
beríneo adj. s.m.
berinjela s.f.
berinjela-branca s.f.; pl. *berinjelas-brancas*
berinjela-brissial s.f.; pl. *berinjelas-brissiais*
berinjela-comprida-da-china s.f.; pl. *berinjelas-compridas da china*
berinjela-roxa s.f.; pl. *berinjelas-roxas*
beripoconês adj. s.m.
beriquiense adj. s.2g.
beririçó s.m.
béris s.m.2n.
beritense adj. s.2g.
beriva adj. s.2g. "caipira"; cf. *berivá*
berivá s.m. "comprador de cavalos"; cf. *beriva*
berivada s.f.
berivana s.f.
bérix (*cs*) s.m.2n.
berjaçote adj. s.m.
berjoeira s.f.
berjoga s.f.
berkeia (*é*) s.f.
berkeleanismo s.m.
berkeleanista adj. s.2g.
berkeleanístico adj.
berkeleano adj. s.m.
berkeleia (*é*) s.f.
berkelianismo s.m.
berkelianista adj. s.2g.
berkelianístico adj.
berkeliano adj. s.m.
berkélico adj.
berkélio s.m.
berkeyíta s.f.
berkheya (*é*) s.f.
berlandieira s.f.
berlandiera s.f.
berlanguche s.m.
berlata s.m.
berlengas s.f.pl.
berlenguche s.m.
berlengueiro adj. s.m.
berlesiela s.f.
berliana s.f.
berlinda s.f.
berlinde s.m.
berlindó s.m.
berlínea s.f.
berlinense adj. s.2g.
berlinês adj. s.m.
berlinguete (*ê*) s.m.
berlínia s.f.
berlinita s.f.
berlinite s.f.
berliques s.m.pl.; na loc. *berliques e berloques*
berloque s.m.
berloques s.m.pl.; na loc. *berliques e berloques*
berlota s.f.
berlunga s.f.
berma s.f. "passagem estreita"; cf. *bermá* e *bermã*
bermá adj. s.2g. s.m. "birmanês"; cf. *berma* e *bermã*
bermã adj. s.2g. s.m. "birmanês"; cf. *berma* e *bermá*
bermanita s.f.
bermano adj. s.m.
bermuda s.f.
bermudão s.m.
bermudas s.m.pl.
bermudense adj. s.2g.
bermudês adj. s.m.
bermudo s.m.
bermudões s.m.pl.
bermunça s.f.
bernaca s.f.
bernacho s.m.
bernacla s.f.
bernaco s.m.
bernanha s.f.
bernarda s.f.
bernardão s.m.
bernardense adj. s.2g.
bernardesco (*ê*) adj.
bernárdia s.f.
bernardiano adj.
bernardice s.f.
bernardina s.f.
bernardinense adj. s.2g.
bernardínia s.f.
bernardino-campista adj. s.2g.; pl. *bernardino-campistas*
bernardo adj. s.m.
bernardo-eremita s.m.; pl. *bernardos-eremitas*
bernari s.m.
bernaz s.m.
berndtita s.f.
berne s.m.
bernear v.
bernense adj. s.2g.

bernento adj.
bernês adj.2g. s.m.
bernica s.f.
bernicha s.f.
bernicida adj. s.m.
bernicídio s.m.
bernicla s.m.
berniéria s.f.
bérnio s.m.
bernissártia s.m.
berno s.m.
bernoso (*ô*) adj.; f. (*ó*); pl. (*ó*)
bernotita s.f.
bernotite s.f.
bernoullia s.f.
bernunça s.f.
bernúncia s.f.
bernunza s.f.
bero (*ê*) s.m. "beiro"; cf. *beró* e *berô*
beró s.m. "égua"; cf. *bero* (*ê*) e *berô*
berô s.m. "cobertor"; cf. *bero* (*ê*) e *beró*
beroba s.f.
beroé s.m.
béroe s.m.
beróideo adj. s.m.
berol s.m.
berôncio s.m.
beronha s.f.
berônico adj.
beroso (*ô*) s.m.; pl. (*ó*)
berossoma s.m.
berossomo s.m.
berozail s.m.
berpilheiro adj.
berqueia (*é*) s.f.
berqueleia (*é*) s.f.
berquélico adj.
berquélio s.m.
berquinada s.f.
berra s.f.
berra-berra s.m.; pl. *berra-berras*
berra-boi s.m.; pl. *berra-bois*
berraçada s.f.
berração s.f.
berraceira s.f.
berrado adj.
berrador (*ô*) adj. s.m.
berradora (*ô*) s.f.
berradura s.f.
berrante adj.2g. s.m.
berranteiro s.m.
berrão s.m.; f. *berrona* e *berroa* (*ô*)
berrar v.
berraria s.f.
berrata s.f.
berratório s.m.
berrega (*ê*) s.2g.; cf. *berrega*, fl. do v. *berregar*
berregador (*ô*) adj. s.m.
berregadura s.f.
berregante adj.2g.
berregar v.
berregaria s.f.
berrego (*ê*) s.m.; cf. *berrego*, fl. do v. *berregar*
berreiro s.m.
berrelas s.2g.2n.
berrelho (*ê*) s.m.
berrendo adj.
berri s.f.
bérria s.f.
berrialho s.m.
berrichão adj. s.m.
berrincha s.f.
berriz s.m.
berro s.m.
berroa (*ô*) s.f. de *berrão*
berroíço adj.
berrona s.f. de *berrão*
berruga s.f.
berrugoso (*ô*) adj.; f. (*ó*); pl. (*ó*)
berruguento adj.
berrumeira s.f.
berrumeira-da-mata s.f.; pl. *berrumeiras-da-mata*
berruzão s.m.
bérrya s.f.
bersalher s.m.
bersama s.f.
berta s.m.
bertalha s.f.
bertalha-da-china s.f.; pl. *bertalhas-da-china*
bertangi s.m.
bertangil s.m.
bertela s.m.
bertelécia s.f.
bertelétia s.f.
bertelócia s.f.
bertelótia s.f.
bertéroa s.f.
berthelótia s.f.
berthiera s.f.
berthierina s.f.
berthierita s.f.
berthierite s.f.
berthierítia s.f.
bertholido s.m.
berthólido s.m.
bertholito s.m.
berthollétia s.f.
berthollídeo adj. s.m.
berthonita s.f.
berthonite s.f.
bertiela s.f.
bertiera s.f.
bertierina s.f.
bertierínico adj.
bertierita s.f.
bertierite s.f.
bertilhonagem s.f.
bertillonagem s.f.
bertilonagem s.f.
bertinal adj.2g.
bertinhense adj. s.2g.
bertioga s.f.
bertioguense adj. s.2g.
bertóldia s.f.
bertoldice s.f.
bertoldinho s.m.
bertoldo (*ô*) s.m.
bertolécia s.f.
bertolídeo adj. s.m.
bertolinense adj. s.2g.
bertolônia s.f.
bertolonieia (*é*) s.f.
bertonita s.f.
bertonite s.f.
bertopolitano adj. s.m.
bertossaíta s.f.
bertrandita s.f.
bertrandite s.f.
beru s.m.
beruanha s.f.
berucha adj.2g.
bérula s.f.
beruncha adj.2g.
berundanga s.f.
beruriense adj. s.2g.
bervaiá s.m.
berzabu s.m.
berzabum s.m.
berzebu s.m.
berzélia s.f.
berzelianita s.f.
berzelianite s.f.
berzeliite s.f.
berzelina s.f.
berzélio s.m.
berzelita s.f.
berzelite s.f.
berzélito s.m.
berzengalho s.m.
berzita adj. s.2g.
berzunda s.f.
berzundela s.f.
besantado adj.
besantar v.
besante s.m.
besbelho (*ê*) s.m.
bescalheira s.f.
bescalho s.m.
beschornéria s.f.
bescocinho s.m.
beselga s.f.
beselho (*ê*) s.m.
besiclômetro s.m.
besigue s.m.
besléria s.f.
besnéria s.f.
besnico s.m.
besoiragem s.f.
besoiral adj.2g.
besoirar v.
besoirinho s.m.
besoiro s.m.
besoiro-olhudo s.m.; pl. *besoiros-olhudos*
besolha (*ô*) s.f.
besolhão s.m.
besonha s.f.
besorche s.m.
besouragem s.f.
besoural adj.2g.
besourão s.m.
besourão-da-mata s.m.; pl. *besourões-da-mata*
besourão-de-rabo-branco s.m.; pl. *besourões-de-rabo-branco*
besourão-rajado s.m.; pl. *besourões-rajados*
besourar v.
besourense adj. s.2g.
besourento adj.
besourinho-ametista s.m.; pl. *besourinhos-ametista*
besourinho-da-mata s.m.; pl. *besourinhos-da-mata*
besourinho-de-bico-vermelho s.m.; pl. *besourinhos-de-bico-vermelho*
besourinho-de-rabo-grande s.m.; pl. *besourinhos-de-rabo-grande*
besourinho-do-fumo s.m.; pl. *besourinhos-do-fumo*
besourinho-vermelho s.m.; pl. *besourinhos-vermelhos*
besourinho-zumbidor s.m.; pl. *besourinhos-zumbidores*
besouro s.m.
besouro-amarelo s.m.; pl. *besouros-amarelos*
besouro-amarelo-do-eucaliptal s.m.; pl. *besouros-amarelos-do-eucaliptal*
besouro-artilheiro s.m.; pl. *besouros-artilheiros*
besouro-bola s.m.; pl. *besouros-bola* e *besouros-bolas*
besouro-bombardeiro s.m.; pl. *besouros-bombardeiros*
besouro-da-batata s.m.; pl. *besouros-da-batata*
besouro-da-figueira s.m.; pl. *besouros-da-figueira*
besouro-da-goiabeira s.m.; pl. *besouros-da-goiabeira*
besouro-de-água s.m.; pl. *besouros-de-água*
besouro-de-chifre s.m.; pl. *besouros-de-chifre*
besouro-de-limeira s.m.; pl. *besouros-de-limeira*
besouro-de-maio s.m.; pl. *besouros-de-maio*
besouro-do-esterco s.m.; pl. *besouros-do-esterco*
besouro-do-fumo s.m.; pl. *besouros-do-fumo*
besouro-golias s.m.; pl. *besouros-golias*
besouro-japonês s.m.; pl. *besouros-japoneses*
besouro-mangangá s.m.; pl. *besouros-mangangá* e *besouros-mangangás*
besouro-pardo s.m.; pl. *besouros-pardos*
besouro-pardo-da-videira s.m.; pl. *besouros-pardos-da-videira*
besouro-rinoceronte s.m.; pl. *besouros-rinoceronte* e *besouros-rinocerontes*
besouro-saltador s.m.; pl. *besouros-saltadores*
besouro-verde s.m.; pl. *besouros-verdes*
bespa (*ê*) s.f.
bespão s.m.
bespe s.m.
bespeiro s.m.
bespiça s.f.
bessarábio adj. s.m.
bessdiano adj.
besse s.m.
bessemer s.m.
bessemerização s.f.
bessemerizado adj.
bessemerizar v.
bessera s.f.
bessi s.m.
bessiclômetro s.m.
besso adj. s.m.
besta s.f. "arma"; cf. *besta* (*ê*)
besta (*ê*) s.f. "animal"; cf. *besta* s.f. e fl. do v. *bestar*
besta-fera s.2g.; pl. *bestas-feras*
bestagem s.f.
bestalhão adj. s.m.; f. *bestalhona*
bestalhona adj. s.f. de *bestalhão*
bestar v.
bestaraz s.m.
bestarel s.m.
bestaria (*é*) s.f.
bestaria (*ê*) s.f.
bestarrão s.m.
bestarraz s.m.
bestearia s.f.
besteira (*ê*) s.f.
besteira (*ê*) s.f.
besteirada s.f.
besteiro s.m.
besteirol s.m.
besteria s.f.
béstia s.f.
bestiaga s.f. s.2g.
bestiagem s.f.
bestial adj.2g.
bestialidade s.f.
bestialismo s.m.
bestialização s.f.
bestializado adj.
bestializador (*ô*) adj.
bestializante adj.2g.
bestializar v.
bestialogia s.f.
bestialógico adj. s.m.
bestiame s.m.
bestião s.m.
bestiário adj. s.m.
bestice s.f.
bestidade s.f.
bestificação s.f.
bestificado adj.
bestificador (*ô*) adj.
bestificamento s.m.
bestificante adj.2g.
bestificar v.
bestificável adj.2g.
bestigo s.m.
bestilha s.f.
bestiola s.f.
bestiológico adj.
bestoiro s.m.
bestouro s.m.
bestruço s.m.
bestuntação s.f.
bestuntamento s.m.
bestuntante adj. s.2g.
bestuntar v.
bestuntaria s.f.
bestunteira s.f.
bestunto s.m.
besugo s.m.
besugo-de-ovas s.m.; pl. *besugos-de-ovas*
besuntação s.f.
besuntadela s.f.
besuntado adj.
besuntamento s.m.
besuntão s.m.; f. *besuntona*
besuntar v.
besunto s.m.
besuntona s.f. de *besuntão*
besuntura s.f.
beta s.m.f. "letra do alfabeto grego", etc.; cf. *beta* (*ê*)
beta (*ê*) s.f. "listra", "veio"; cf. *beta* s.m.f. e fl. do v. *betar*
beta-amaunita s.f.; pl. *beta-amaunitas*
beta-amilase s.f.; pl. *beta-amilases*
beta-amílase s.f.; pl. *beta-amílases*
beta-amilose s.f.; pl. *beta-amiloses*
beta-amilótico adj.; pl. *beta-amilóticos*
betabactéria s.f.
betabacteriano adj.
betabactério s.m.
betabloqueador (*ô*) adj.
betabloquear v.
betacarotenemia s.f.
betacaroteno s.m.
betacelulose s.f.
betacelulósico adj.
betacismo s.m.
betacístico adj.
betacóccico adj.
betacoco s.m.
betacopiapita s.f.
betado adj.
betaemissor (*ô*) s.m.
betafergusonita s.f.
betafita s.f.
betaglicuronidase s.f.
betaglobulina s.f.
betaglobulínico adj.
beta-hemolítico adj.; pl. *beta-hemolíticos*
betaiblita s.f.
betaína s.f.
betaínico adj.
betal s.m.
betalactamase s.f.
betalactâmico adj.
betálico adj.
betalisina s.f.
betalomonosovita s.f.
betametasona s.f.
betamilase s.f.
betamílase s.f.
betamilose s.f.
betamilótico adj.
betamooreíta s.f.
betamurmanita s.f.
betanaftalênico adj.
betanaftaleno s.f.
betanaftalina s.f.
betanaftalínico adj.
betanaftanol s.m.
betanaftanólico adj.
betanaftol s.m.
betanaumanita s.f.
betaniense adj. s.2g.
betanita adj. s.2g.
betão s.m.
betaoxibutírico (*cs*) adj.
betaquerchenita s.f.
betar v.
betara s.f.
betarda s.f.
betarmão s.m.
betarroselita s.f.
betaru s.m.
betaru-amarelo s.m.; pl. *betarus-amarelos*
betásio adj. s.m.
betassepiolita s.f.
betaterapia s.f.
betaterápico adj.
betatópico adj.
betatrão s.m.
bétatron s.m.
betatrônio s.m.
betauranofânio s.f.
betauranopilita s.f.
betausbequita s.f.
betavredenburguita s.f.
bete s.m.
beteco s.m.
betekhtinita s.f.
bétel s.m.
betelal s.m.

bétele s.m.
betelemita s.m.
betelfenol s.m.
betelfenólico adj.
betemissor (*ô*) s.m.
betencúrtia s.f.
bétere s.m.
beterraba s.f.
beterraba-branca s.f.; pl. *beterrabas-brancas*
beterraba-campestre s.f.; pl. *beterrabas-campestres*
beterrabada s.f.
beterrabal s.m.
beterrabeira s.f.
beterrabeiro s.m.
betesga (*ê*) s.f.
bethencourtia s.f.
beti s.m.
beticano adj. s.m.
bético adj. s.m.
bético-lusitano adj.; pl. *bético-lusitanos*
betila s.f.
betilho s.m.
betílida adj.2g. s.m.
betilídeo adj. s.m.
bétilo s.m.
betimense adj. s.2g.
betinense adj. s.2g.
betiniano adj. s.m.
bétis s.f.2n.
betle s.m.
betleêmico adj.
betleemita adj. s.2g.
betleemítico adj.
betlêmico adj.
betlemita adj. s.2g.
betlemítico adj.
beto (*ê*) s.m.; cf. *beto*, fl. do v. *betar*
betói s.m.
betoia (*ó*) adj. s.2g.
betoiro s.m.
betol s.m.
betólico adj.
betom s.m.
betonada s.f.
betonado adj.
betonagem s.f.
betonar v.
betoneira s.f.
betoneirista adj. s.2g.
betoneiro s.m.
betôngia s.m.
betônia s.f.
betônica s.f.
betônica-bastarda s.f.; pl. *betônicas-bastardas*
betônica-brava s.f.; pl. *betônicas-bravas*
betônica-das-montanhas s.f.; pl. *betônicas-das-montanhas*
betônica-de-água s.f.; pl. *betônicas-de-água*
betônica-verdadeira s.f.; pl. *betônicas-verdadeiras*
betonicina s.f.
betonilha s.f.
betonismo s.m.
betonístico adj.
betonque s.f.
betorcinol s.m.
betouca s.f.
betouro s.m.
betpacdalita s.f.
betral s.m.
betratom s.m.
betre s.m.f.
bétris s.m.2n.
betsamita adj. s.2g.
betsi s.m.
betsileu adj. s.m.
betu s.m.
bétula s.f.
betulácea s.f.
betuláceo adj.
betulase s.f.
betúlase s.f.
betuláster s.m.
betúlea s.f.
betuleto (*ê*) s.m.
betúlico adj.
betuliense adj. s.2g.
betulina s.f.
betulínea s.f.
betulíneo adj.
betulino adj.
bétulo s.m.
betulonense adj. s.2g.
betulorretínico adj.
betum s.m.
betumadeira s.f.
betumado adj.
betumador (*ô*) s.m.
betumar v.
betume s.m.
betume da judeia (*é*) s.m.
betumeiro s.m.
betuminado adj.
betuminífero adj.
betuminização s.f.
betuminizado adj.
betuminizador (*ô*) adj. s.m.
betuminizar v.
betuminoso (*ô*) adj.; f. (*ó*); pl. (*ó*)
betune adj. s.2g.
betúrio adj. s.m.
beú s.f. "mosca"; cf. *béu*
béu s.m. "peixe"; cf. *beú*
beudantina s.f.
beudantita s.f.
beudantite s.f.
beúria s.f.
beusita s.f.
beustita s.f.
beustite s.f.
beutlina s.f.
bêvera s.f.
beverniense adj. s.2g.
beviláqua s.f.
bevo s.m.
bexicórdia s.f.
bexicória s.f.
bexiga s.f.
bexigada s.f.
bexigado adj. s.m.
bexiga do cacau s.f.
bexigal adj.2g.
bexigão s.m.
bexigar v.
bexigas s.f.pl.
bexigas de carneiro s.f.pl.
bexigoso (*ô*) adj. s.m.; f. (*ó*); pl. (*ó*)
bexigudo adj. s.m.
bexigueiro adj. s.m.
bexiguense adj. s.2g.
bexiguento adj. s.m.
bexuana adj. s.2g.
bexuco s.m.
bexugo s.m.
beyéria s.f.
beyerita s.f.
beylismo s.m.
beylista adj. s.2g.
beylístico adj.
beyrickita s.f.
beyricmia s.f.
bezar s.m.
bezau s.m.
bezedor (*ô*) s.m.
bezerra (*ê*) s.f.
bezerrada s.f.
bezerrão s.m.
bezerreiro s.m.
bezerrense adj. s.2g.
bezerro (*ê*) s.m.
bezerro-marinho s.m.; pl. *bezerros-marinhos*
bezerrote s.m.
bezerrum adj.
bezerruno adj.
bezestão s.m.
bezoante adj.2g.
bezoar v. s.m.
bezoar de saturno s.m.
bezoar de vênus s.m.
bezoardina s.f.
bezoártica s.f.
bezoarticar v.
bezoártico adj. s.m.
bezogo (*ô*) s.m.
bezoo (*ô*) s.m.
bi s.m.
bia s.f. "cerveja"; cf. *biá*
biá s.f. "árvore"; cf. *bia*
biaba s.f.
biaberto adj.
biabista s.2g.
biacetenilcarbônico adj.
biacetenilo s.m.
biacetileno s.m.
biacetilo s.m.
biácido adj. s.m.
biacromial adj.2g.
biaculeado adj.
biacúleo adj.
biacuminado adj.
biacuminal adj.2g. s.m.
biafada adj. s.2g. s.m.
biafare s.m.
biafrano adj. s.m.
biafrense adj. s.2g.
biagulhas s.f.2n.
biai s.m.
biaiometamorfose s.f.
biaiomorfose s.f.
bialado adj.
bialilo s.m.
bialmado adj.
bialumínico adj.
biambônea s.f.
biamericano adj.
biami s.m.
biamileno s.m.
biamilo s.m.
biamniótico adj.
biamoniacal adj.2g.
biana s.f.
bianchita s.f.
bianco s.m.
biandria s.f.
bianejo (*ê*) adj. s.m.
biango s.m.
biangulado adj.
biangular adj.2g.
bianódico adj.
bianótico adj.
bianterífero adj.
biantimoniato s.m.
biantrilo s.m.
bianual adj.2g.
biapiculado adj.
biapicular adj.2g.
biaquênio s.m.
biaquéu adj. s.2g.
biaquilhado adj.
biar s.m.
biarão s.m.
biarco s.m.
biáreo s.m.
biareolina s.f.
biari adj. s.2g. s.m.
biaribi s.m.
biaribu s.m.
biaristado adj.
biarmônico adj.
biaro s.m.
biarquia s.f.
biarseniato s.m.
biarticulado adj.
biarticular adj.2g.
biartrose s.f.
bias-fortense adj. s.2g.; pl. *bias-fortenses*
biasta s.m.
biastes s.m.2n.
biata s.f.
biatatá s.m.
biatleta s.2g.
biatlo s.m.
biátlon s.m.
biatômico adj.
biator (*ô*) s.m.
biatorela s.f.
biatorino s.m.
biauriculado adj.
biauricular adj.2g.
biaxial (*cs*) adj.2g.
biaxialidade (*cs*) s.f.
biaxífero (*cs*) adj.
biaxilar (*cs*) adj.
biazoico (*ó*) adj.
biazomorfose s.f.
biba s.f.
bibaga s.f.
bíbalo adj. s.m.
bibangu s.m.
bíbara s.f.
bibaritocalcita s.f.
bibaritocalcite s.m.
bibarrense adj. s.2g.
bibásico adj.
bibe s.m.
bibelô s.m.
bibelotista adj. s.2g.
bibenzilo s.m.
bíbera s.f.
biberão s.m.
bibi s.m.f.
bi-bi s.m.; pl. *bi-bis*
bibiá s.f.
bibiana s.f.
bibiano s.m.
bibicar v.
bibico adj. s.m.
bibinário adj.
bibindi s.m.
bibió s.m.
bibiônida adj.2g. s.m.
bibiônide adj.2g. s.m.
bibionídeo adj. s.m.
bibioníneo adj. s.m.
bibirina s.f.
bibiru s.m.
bibisalterno adj.
biblá s.f.
bíblia s.f. s.2g.
biblíaco adj.
bibliátrica s.f.
bibliátrico adj.
biblicismo s.m.
biblicista adj. s.2g.
biblicístico adj.
bíblico adj.
biblidácea s.f.
biblidáceo adj.
biblino adj.
bibliocanto s.m.
biblioclasmo s.m.
biblioclasta s.2g.
biblioclastia s.f.
biblioclepta s.2g.
bibliocleptomania s.f.
bibliocleptômano s.m.
bibliocriso s.m.
bibliocromia s.f.
bibliocrômico adj.
bibliofagia s.f.
bibliofágico adj.
bibliófago adj. s.m.
bibliofiláctico adj.
bibliofilático adj.
bibliofilaxia (*cs*) s.f.
bibliofilia s.f.
bibliofílico adj.
bibliofilmagem s.f.
bibliofilmar v.
bibliofilme s.m.
bibliófilo s.m.
bibliofobia s.f.
bibliófobo adj. s.m.
bibliófobo s.m.
bibliofotografia s.f.
bibliofotográfico adj.
bibliogênese s.f.
bibliogênico adj.
bibliognosia s.f.
bibliognosta s.2g.
bibliognóstico adj.
bibliografado adj.
bibliografar v.
bibliografia s.f.
bibliográfico adj.
bibliógrafo s.m.; cf. *bibliografo*, fl. do v. *bibliografar*
bíblio-historiografia s.f.
bíblio-historiográfico adj.
bíblio-historiógrafo s.m.
bibliólata s.2g.
bibliólatra s.2g.
bibliolatria s.f.
bibliolátrico adj.
bibliolítico adj.
bibliólito s.m.
bibliologia s.f.
bibliológico adj.
bibliologista adj. s.2g.
bibliólogo s.m.
bibliomancia s.f.
bibliomanciano adj.
bibliomania s.f.
bibliomaníaco adj.
bibliômano s.m.
bibliomante s.2g.
bibliomântico adj.
bibliomapa s.m.
bibliomática s.f.
bibliomático adj.
bibliômato s.m.
bibliômetra s.2g.
bibliometria s.f.
bibliométrica s.f.
bibliométrico adj.
bibliometrista adj. s.2g.
biblionímia s.f.
biblionímico adj.
bibliônimo s.m.
bibliopagia s.f.
bibliopatologia s.f.
bibliopatologista adj. s.2g.
bibliopegia s.f.
bibliopegista adj. s.2g.
bibliopegisto s.m.
bibliopeia (*é*) s.f.
bibliopirata adj. s.2g.
bibliopirataria s.f.
bibliopola s.2g.
biblioprofilático adj. s.m.
biblioprofilaxia (*cs*) s.f.
bibliopsicologia s.f.
bibliopsicológico adj.
bibliopsicólogo s.m.
bibliorrapta s.m.
bibliorrapto s.m.
bibliorreia (*é*) s.f.
bibliorreico (*é*) adj.
bibliosofia s.f.
bibliosófico adj.
biblíósofo s.m.
bibliossanidade s.f.
bibliossanitário adj.
bibliotacto s.m.
bibliotáfio s.m.
bibliótafo s.m.
biblioteca s.f.
bibliotecal adj.2g.
bibliotecário adj. s.m.
bibliotecnia s.f.
bibliotécnica s.f.
bibliotécnico adj. s.m.
bibliotecnografia s.f.
bibliotecnográfico adj.
bibliotecnologia s.f.
bibliotecnológico adj.
bibliotecografia s.f.
bibliotecográfico adj.
bibliotecologia s.f.
bibliotecológico adj.
bibliotecologista s.2g.
bibliotecólogo s.m.
biblioteconomia s.f.
biblioteconômico adj.
biblioteconomista s.2g.
bibliotecônomo s.m.
bibliotecopatologia s.f.
bibliotecopatológico adj.
bibliotecosofia s.f.
bibliotecosófico adj.
bibliotecotecnia s.f.
bibliotecotécnica s.f.
bibliotecotécnico adj.
bibliotecotecnografia s.f.
bibliotecotecnográfico adj.
bibliotecotecnologia s.f.
bibliotecotecnológico adj.
bibliotecoterapia s.f.
bibliotecoterápico adj.
biblioterapêutica s.f.
biblioterapêutico adj.
biblioterapia s.f.
biblioterápico adj.

bibliótica s.f.
bibliótico adj. s.m.
bíblis s.f.2n.
biblismo s.m.
biblista adj. s.2g.
biblística s.f.
biblístico adj.
biblomania s.f.
bibo s.m. "quantidade de ovelhas ou galinhas"; cf. *bibó*
bibó s.m. "planta"; cf. *bibo*
biboca s.f.
bibocal s.m.
bibocão s.m.
biboqueira s.f.
biboquense adj. s.2g.
biboraca s.f.
biborato s.m.
bibos s.m.
bibracteado adj.
bibrácteo adj.
bibracteolado adj.
bibractéolo adj.
bíbris s.m.
bíbroco adj. s.m.
bibromanilina s.f.
bibromisátide s.f.
bibromisatina s.f.
bíbulo adj. s.m.
bica s.f.; cf. *bica*, fl. do v. *bicar*
biça s.f.
bicácaro s.m.
bicaço s.m.
bicada s.f.
bica de jogo s.f.
bicado adj. s.m.
bical adj.2g. s.m.
bicalado s.m.
bicaliculado adj.
bicama s.f.
bicamarário adj.
bicame s.m.
bicameral adj.2g.
bicameralismo s.m.
bicameralista adj. s.2g.
bicameralístico adj.
bicamerário adj.
bicampeã adj. s.f. de *bicampeão*
bicampeão adj. s.m.; f. *bicampeã*
bicampeonato s.m.
bicanca adj. s.2g. s.f.
bicanço s.m.
bicancra adj. s.2g. s.f.
bicancudo adj.
bicançudo adj.
bicane s.m.
bicanforímide s.f.
bicanquense adj. s.2g.
bicão s.m.
bicapitado adj.
bicapsulado adj.
bicapsular adj.2g.
bicaquense adj. s.2g.
bicar v. s.m.
bicaracterística s.f.
bicarada s.f.
bicarbamidoxima (*cs*) s.f.
bicarbonado adj.
bicarbonático adj.
bicarbonato s.m.
bicarbonato de soda s.m.
bicarboneto (*ê*) s.m.
bicarbureto (*ê*) s.m.
bicardia s.f.
bicarenado adj.
bicaria s.f.
bicaró s.m.
bicarpelado adj. s.m.
bicarpelar adj.2g.
bicarpelo s.m.
bicarra s.f.
bicarrada s.f.
bicas s.f.pl.
bicasense adj. s.2g.
bicaudado adj.
bicaudal adj.2g.
bicecídea s.f.
bicecídeo adj.
bicefalia s.f.
bicefálico adj.
bicéfalo adj. s.m.
bicelário s.m.
bicelular adj.2g.
bicentenal adj.2g.
bicentenar adj.2g.
bicentenário adj. s.m.
bicentípede adj.
bicentricidade s.f.
bicêntrico adj.
bíceps s.m.2n.
bicerácea s.f.
biceráceo adj.
bicha s.2g.
bicha-alfinete s.f.; pl. *bichas-alfinete* e *bichas-alfinetes*
bicha-amarela s.f.; pl. *bichas-amarelas*
bicha-barbeira s.f.; pl. *bichas-barbeiras*
bicha-cadela s.f.; pl. *bichas-cadelas*
bichaco s.m.
bichaço s.m.
bicha de sete cabeças s.f.
bichado adj.
bicha do mato s.f.
bicha-do-milho s.f.; pl. *bichas-do-milho*
bichador (*ô*) s.m.
bicha-fera s.f.; pl. *bichas-feras*
bicha-louca s.2g.; pl. *bichas-loucas*
bicha-louquice s.f.; pl. *bichas-louquices*
bichana s.f.
bichanada s.f.
bichanado adj.
bichanar v.
bichanca s.f.
bichancrice s.f.
bichancro s.m.
bichancros s.m.pl.
bichando adj.
bichaneira s.f.
bichaneiro s.m.
bichanice s.f.
bichanina s.f.
bichano s.m.
bichanos s.m.pl.
bichão s.m.
bichar v.
bichará s.m.
bicharada s.f.
bicharedo (*ê*) s.m.
bicharengo s.m.
bicharia s.f.
bicharoca s.f.
bicharoco (*ô*) s.m.
bicharrão s.m.
bichátia s.f.
bicheira s.f.
bicheiro adj. s.m. "que se nutre de bichos", etc.; cf. *bixeiro*
bicheiro-de-conta s.m.; pl. *bicheiros-de-conta*
bicheiro-luzente s.m.; pl. *bicheiros-luzentes*
bichênia s.f.
bichento adj.
bicheza (*ê*) s.f.
bichice s.f.
bichinha s.f.
bichinha-gata s.f.; pl. *bichinhas-gatas*
bichinho s.m.
bichinho-da-seda s.m.; pl. *bichinhos-da-seda*
bichinina s.f.
bichir s.m.
bichismo s.m.
bichlamar s.m.
bicho s.m.
bicho-agrimensor s.m.; pl. *bichos-agrimensores*
bicho-barbeiro s.m.; pl. *bichos-barbeiros*
bicho-barulhento s.m.; pl. *bichos-barulhentos*
bicho-bola s.m.; pl. *bichos-bola* e *bichos-bolas*
bicho-bolo s.m.; pl. *bichos-bolo* e *bichos-bolos*
bicho-branco-do-estrume s.m.; pl. *bichos-brancos-do-estrume*
bichoca s.f.
bicho-cabeludo s.m.; pl. *bichos-cabeludos*
bicho-cadela s.m.; pl. *bichos-cadela* e *bichos-cadelas*
bicho-capixaba s.m.; pl. *bichos-capixabas*
bichocar v.
bicho-careta s.m.; pl. *bichos-caretas*
bicho-carpinteiro s.m.; pl. *bichos-carpinteiros*
bicho-claro s.m.; pl. *bichos-claros*
bichoco (*ô*) adj. s.m.; f. (*ó*); pl. (*ó*); cf. *bichoco*, fl. do v. *bichocar*
bicho-côdeas s.m.; pl. *bichos-côdeas*
bicho-colorado s.m.; pl. *bichos-colorados*
bicho-corado s.m.; pl. *bichos-corados*
bicho-da-américa s.m.; pl. *bichos-da-américa*
bicho-da-ata s.m.; pl. *bichos-da-ata*
bicho-da-cidade s.m.; pl. *bichos-da-cidade*
bicho da consciência s.m.
bicho-da-costa s.m.; pl. *bichos-da-costa*
bicho-da-farinha s.m.; pl. *bichos-da-farinha*
bicho-da-farinha-amarelo s.m.; pl. *bichos-da-farinha-amarelos*
bicho-da-fruta-de-conde s.m.; pl. *bichos-da-fruta-de-conde*
bicho-da-graviola s.m.; pl. *bichos-da-graviola*
bicho-da-lenha s.m.; pl. *bichos-da-lenha*
bicho-da-preguiça s.m.; pl. *bichos-da-preguiça*
bicho-da-seda s.m.; pl. *bichos-da-seda*
bicho-da-seda-africano s.m.; pl. *bichos-da-seda-africanos*
bicho-da-seda-brasileiro s.m.; pl. *bichos-da-seda-brasileiros*
bicho-da-seda-do-brasil s.m.; pl. *bichos-da-seda-do-brasil*
bicho-das-frutas s.m.; pl. *bichos-das-frutas*
bicho-das-palmeiras s.m.; pl. *bichos-das-palmeiras*
bicho-das-peles s.m.; pl. *bichos-das-peles*
bicho-da-taquara s.m.; pl. *bichos-da-taquara*
bicho-da-terra s.m.; pl. *bichos-da-terra*
bicho da toca s.m.
bicho-da-tromba-de-elefante s.m.; pl. *bichos-da-tromba-de-elefante*
bicho de buraco s.m.
bicho-de-cachorro s.m.; pl. *bichos-de-cachorro*
bicho-de-canastro s.m.; pl. *bichos-de-canastro*
bicho de carpinteiro s.m. "inquieto"
bicho-de-carpinteiro s.m. "escaravelho"; pl. *bichos-de-carpinteiro*
bicho-de-cesto s.m.; pl. *bichos-de-cesto*
bicho-de-chifre s.m.; pl. *bichos-de-chifre*
bicho de coco s.m. "cauteloso"
bicho-de-coco s.m. "espécie de inseto"; pl. *bichos-de-coco*
bicho de concha s.m.
bicho-de-conta s.m.; pl. *bichos-de-conta*
bicho-de-conta-aquáticos s.m.; pl. *bichos-de-conta-aquáticos*
bicho-de-conta-do-mar s.m.; pl. *bichos-de-conta-do-mar*
bicho-de-esterco s.m.; pl. *bichos-de-esterco*
bicho-de-fogo s.m.; pl. *bichos-de-fogo*
bicho-de-frade s.m.; pl. *bichos-de-frade*
bicho-de-galinha s.m.; pl. *bichos-de-galinha*
bicho-de-medrança s.m.; pl. *bichos-de-medrança*
bicho-de-mosca s.m.; pl. *bichos-de-mosca*
bicho-de-ouvido s.m.; pl. *bichos-de-ouvido*
bicho-de-parede s.m.; pl. *bichos-de-parede*
bicho-de-pau s.m.; pl. *bichos-de-pau*
bicho-de-pau-podre s.m.; pl. *bichos-de-pau-podre*
bicho-de-pé s.m.; pl. *bichos-de-pé*
bicho-de-pena s.m.; pl. *bichos-de-pena*
bicho-de-porco s.m.; pl. *bichos-de-porco*
bicho-de-rumo s.m.; pl. *bichos-de-rumo*
bicho-de-seda s.m.; pl. *bichos-de-seda*
bicho de sete cabeças s.m.
bicho-de-taquara s.m.; pl. *bichos-de-taquara*
bicho de unha s.m.
bicho-de-vareja s.m.; pl. *bichos-de-vareja*
bicho-de-veludo s.m.; pl. *bichos-de-veludo*
bicho-do-areeiro s.m.; pl. *bichos-do-areeiro*
bicho do buraco s.m.
bicho-do-café s.m.; pl. *bichos-do-café*
bicho-do-coco s.m.; pl. *bichos-do-coco*
bicho-do-faial s.m.; pl. *bichos-do-faial*
bicho-do-feijão s.m.; pl. *bichos-do-feijão*
bicho-do-fumo s.m.; pl. *bichos-do-fumo*
bicho-do-mar s.m.; pl. *bichos-do-mar*
bicho do mato s.m.
bicho do ouvido s.m.
bicho-do-pé s.m.; pl. *bichos-do-pé*
bicho-do-porco s.m.; pl. *bichos-do-porco*
bicho dos buracos s.m.
bicho-engenheiro s.m.; pl. *bichos-engenheiro* e *bichos-engenheiros*
bichófia s.f.
bichofita s.f.
bicho-folha s.m.; pl. *bichos-folha* e *bichos-folhas*
bicho-galo s.m.; pl. *bichos-galos*
bicho-geográfico s.m.; pl. *bichos-geográficos*
bicho-gordo s.m.; pl. *bichos-gordos*
bicho-grilo s.m.; pl. *bichos-grilos*
bicho-homem s.m.; pl. *bichos-homens*
bichoiro s.m.
bichoita s.f.
bicho-lixeiro s.m.; pl. *bichos-lixeiro* e *bichos-lixeiros*
bicho-luzente s.m.; pl. *bichos-luzentes*
bicho-medidor s.m.; pl. *bichos-medidores*
bicho-mineiro s.m.; pl. *bichos-mineiros*
bicho-mineiro-de-folha s.m.; pl. *bichos-mineiros-de-folha*
bicho-mineiro-do-café s.m.; pl. *bichos-mineiros-do-café*
bicho-mineiro-do-cafeeiro s.m.; pl. *bichos-mineiros-do-cafeeiro*
bicho-mole s.m.; pl. *bichos-moles*
bicho-mouro s.m.; pl. *bichos-mouros*
bichona s.f.
bicho-palha s.m.; pl. *bichos-palha* e *bichos-palhas*
bicho-papão s.m.; pl. *bichos-papões*
bicho-pau s.m.; pl. *bichos-pau* e *bichos-paus*
bicho-preguiça s.m.; pl. *bichos-preguiça*
bicho-preto s.m.; pl. *bichos-pretos*
bichoqueiro adj.
bichoquento adj.
bichorrada s.f.
bichorro (*ô*) s.m.
bichosa s.f.
bichoso (*ô*) adj.; f. (*ó*); pl. (*ó*)
bicho-trem s.m.; pl. *bichos-trem* e *bichos-trens*
bicho-tutu s.m.; pl. *bichos-tutu* e *bichos-tutus*
bichouro s.m.
bicho-verde s.m.; pl. *bichos-verdes*
bicho-vergonhoso s.m.; pl. *bichos-vergonhosos*
bícia s.f.
bicianato s.m.
bicicleta s.f.
bicicletário s.m.
bicicleteiro s.m.
bicicletista adj. s.2g.
bicíclico adj.
biciclismo s.m.
biciclista adj. s.2g.
biciclístico adj.
biciclizar v.
biciclo s.m.
biciliado adj.
biciliar adj.2g.
bicilíndrico adj.
bicínio s.m.
bicipitado adj.
bicipital adj.2g.
bicípite adj.2g. s.m.
bicircular adj.2g.
biclavado adj.
biclínio s.m.
bicloreto s.m.
bico s.m. "região das maxilas das aves", etc.; cf. *bicó*
bicó adj.2g. "cotó"; cf. *bico*
bico-aberto s.m.; pl. *bicos-abertos*
bico-agudo s.m.; pl. *bicos-agudos*
bico-assovelado s.m.; pl. *bicos-assovelados*
bico-blanco adj. s.m.; pl. *bicos-blancos*
bico-branco adj. s.m.; pl. *bicos-brancos*
bicocada s.f.
bico-chato s.m.; pl. *bicos-chatos*
bico-chato-amarelo s.m.; pl. *bicos-chatos-amarelos*
bico-chato-da-copa s.m.; pl. *bicos-chatos-da-copa*
bico-chato-de-cabeça-cinza s.m.; pl. *bicos-chatos-de-cabeça-cinza*
bico-chato-de-orelha-preta s.m.; pl. *bicos-chatos-de-orelha-preta*
bico-chato-grande s.m.; pl. *bicos-chatos-grandes*
bico-chato-oliváceo s.m.; pl. *bicos-chatos-oliváceos*

bicocídeo adj. s.m.
bicoco (*ô*) adj.; f. (*ó*); pl. (*ó*)
bico-cruzado s.m.; pl. *bicos-cruzados*
bico-curto s.m.; pl. *bicos-curtos*
bico-de-agulha s.m.; pl. *bicos-de-agulha*
bico-de-agulha-de-rabo-vermelho s.m.; pl. *bicos-de-agulha-de-rabo-vermelho*
bico de alfinete s.m.
bico-de-arara s.m.; pl. *bicos-de-arara*
bico de asno s.m.
bico-de-brás s.m.; pl. *bicos-de-brás*
bico-de-brasa s.m.; pl. *bicos-de-brasa*
bico-de-brasa-da-várzea s.m.; pl. *bicos-de-brasa-da-várzea*
bico-de-brasa-de-testa-branca s.m.; pl. *bicos-de-brasa-de-testa-branca*
bico-de-brasa-de-testa-preta s.m.; pl. *bicos-de-brasa-de-testa-preta*
bico de candeeiro s.m.
bico-de-cegonha s.m.; pl. *bicos-de-cegonha*
bico-de-cegonha-moscada s.m.; pl. *bicos-de-cegonha-moscada*
bico de clarinete s.m.
bico-de-coral s.m.; pl. *bicos-de-coral*
bico de coruja s.m.
bico-de-corvo s.m.; pl. *bicos-de-corvo*
bico-de-cravo s.m.; pl. *bicos-de-cravo*
bico-de-ferro s.m.; pl. *bicos-de-ferro*
bico-de-fogo s.m.; pl. *bicos-de-fogo*
bico-de-furo s.m.; pl. *bicos-de-furo*
bico-de-garça s.m.; pl. *bicos-de-garça*
bico de gavião s.m.
bico-de-grou s.m.; pl. *bicos-de-grou*
bico-de-grou-robertino s.m.; pl. *bicos-de-grou-robertino*
bico-de-grou-sanguíneo s.m.; pl. *bicos-de-grou-sanguíneo*
bicodeiro s.m.
bico de jaca s.m.
bico-de-lacre s.m.; pl. *bicos-de-lacre*
bico-de-lacre-comum s.m.; pl. *bicos-de-lacre-comum*
bico de lamparina s.m.
bico-de-latão s.m.; pl. *bicos-de-latão*
bico-de-milho s.m.; pl. *bicos-de-milho*
bico de mocho s.m.
bico de obra s.m.
bico-de-ouro s.m.; pl. *bicos-de-ouro*
bico de papagaio s.m. "formação óssea"; cf. *bico-de-papagaio*
bico-de-papagaio s.m. "espécie de planta"; pl. *bicos-de-papagaio*
bico de pato s.m. "arado", "pinça", "boné"
bico-de-pato s.m. "espécie de árvore"; pl. *bicos-de-pato*
bico de pena s.m.
bico-de-pimenta s.m.; pl. *bicos-de-pimenta*
bico-de-pimenta-da-amazônia s.m.; pl. *bicos-de-pimenta-da-amazônia*
bico-de-pomba s.m.; pl. *bicos-de-pomba*
bico-de-pomba-maior s.m.; pl. *bicos-de-pomba-maior*
bico-de-pomba-menor s.m.; pl. *bicos-de-pomba-menor*
bico-de-prata s.m.; pl. *bicos-de-prata*
bico-de-prata-da-nigéria s.m.; pl. *bicos-de-prata-da-nigéria*
bico-de-prata-dos-camarões s.m.; pl. *bicos-de-prata-dos-camarões*
bico-de-prata-do-senegal s.m.; pl. *bicos-de-prata-do-senegal*
bico de proa s.m.
bico-de-sabre s.m.; pl. *bicos-de-sabre*
bico-de-sapato s.m.; pl. *bicos-de-sapato*
bico-de-serra-cinzento s.m.; pl. *bicos-de-serra-cinzento*
bico-de-serra-preto s.m.; pl. *bicos-de-serra-preto*
bico-de-serrote s.m.; pl. *bicos-de-serrote*
bico-de-sovela s.m.; pl. *bicos-de-sovela*
bico-de-tamanco s.m.; pl. *bicos-de-tamanco*
bico-de-veludo s.m.; pl. *bicos-de-veludo*
bico de viúva s.m.
bico-doce s.m. s.2g.; pl. *bicos-doces*
bico-do-lac s.m.; pl. *bicos-do-lac*
bico-encarnado s.m.; pl. *bicos-encarnados*
bico-gordo s.m.; pl. *bicos-gordos*
bico-grosso s.m.; pl. *bicos-grossos*
bico-grosso-da-guiné s.m.; pl. *bicos-grossos-da-guiné*
bico-grosso-de-garganta-branca s.m.; pl. *bicos-grossos-de-garganta-branca*
bico-grosso-encarnado s.m.; pl. *bicos-grossos-encarnados*
bico-grossudo s.m.; pl. *bicos-grossudos*
bicolateral adj.2g.
bicolcácea s.f.
bicolcáceo adj.
bicoligado adj.
bicolor (*ô*) adj.2g.
bicolóreo adj.
bicolorido adj.
bicolorina s.f.
bicolorir v.
bicoma s.m.
bico-miúdo s.m.; pl. *bicos-miúdos*
bicomposto (*ô*) adj.; f. (*ó*); pl. (*ó*)
biconcavidade s.f.
bicôncavo adj.
biconcentricidade s.f.
biconcêntrico adj.
bicondicional adj.2g.
bicondilartrose s.f.
bicone s.m.
bicônico adj.
biconjugado adj.
biconsonantal adj.2g.
biconsonântico adj.
bicontinentalidade s.f.
bicontínuo adj.
bicontornado adj.
biconvexidade (*cs*) s.f.
biconvexo (*cs*) adj.
bico-pimenta s.m.; pl. *bicos-pimenta*
bico-pimenta-do-amazonas s.m.; pl. *bicos-pimenta-do-amazonas*
bico-preto s.m.; pl. *bicos-pretos*
bicoque s.m.
bicoquete s.m.
bicorada s.f.
bicorapiá s.m.
bicorar v.
bico-rasteiro s.m.; pl. *bicos-rasteiros*
bicorcovado adj.
bico-reto s.m.; pl. *bicos-retos*
bico-reto-azul s.m.; pl. *bicos-retos-azuis*
bico-reto-cinzento s.m.; pl. *bicos-retos-cinzentos*
bico-reto-de-banda-branca s.m.; pl. *bicos-retos-de-banda-branca*
bico-reto-verde s.m.; pl. *bicos-retos-verdes*
bico-revolto s.m.; pl. *bicos-revoltos*
bicorne adj.2g. s.m.
bicornela s.f.
bicórneo adj.
bicornígero adj.
bicornuto adj.
bicoroado adj.
bico-roxo s.m.; pl. *bicos-roxos*
bicorporal adj.2g.
bicorpóreo adj.
bicos-abertos s.m.2n.
bicos de alfaiate s.m.pl.
bico-será s.m.; pl. *bicos-será*
bicoso (*ô*) adj.; f. (*ó*); pl. (*ó*)
bicota s.f.
bicotar v.
bicotidiano adj.
bicotiledonado adj.
bicotilédone adj.2g.
bico-verde s.m.; pl. *bicos-verdes*
bico-vermelho s.m.; pl. *bicos-vermelhos*
bico-virado s.m.; pl. *bicos-virados*
bico-virado-da-caatinga s.m.; pl. *bicos-virados-da-caatinga*
bico-virado-do-sul s.m.; pl. *bicos-virados-do-sul*
bico-virado-grande s.m.; pl. *bicos-virados-grandes*
bico-virado-liso s.m.; pl. *bicos-virados-lisos*
bico-virado-maior s.m.; pl. *bicos-virados-maiores*
bico-virado-miudinho s.m.; pl. *bicos-virados-miudinhos*
bico-virado-miúdo s.m.; pl. *bicos-virados-miúdos*
bicresol s.m.
bicriptórquida adj.2g. s.m.
bicriptorquidia s.f.
bicromado adj.
bicromatado adj.
bicromatar v.
bicromato s.m.
bicromia s.f.
bicrônico adj.
bicu s.m.
bicubital adj.2g.
bicuda s.f.
bicuda-branca s.f.; pl. *bicudas-brancas*
bicuda-carana s.f.; pl. *bicudas-caranas*
bicuda-da-lama s.f.; pl. *bicudas-da-lama*
bicuda-de-corso s.f.; pl. *bicudas-de-corso*
bicuda-do-alto s.f.; pl. *bicudas-do-alto*
bicuda-goirana s.f.; pl. *bicudas-goiranas*
bicuda-grande s.f.; pl. *bicudas-grandes*
bicuda-guaraná s.f.; pl. *bicudas-guaraná* e *bicudas-guaranás*
bicuda-mangalô s.f.; pl. *bicudas-mangalô* e *bicudas-mangalôs*
bicudense adj. s.2g.
bicudez (*ê*) s.f.
bicudeza (*ê*) s.f.
bicudice s.f.
bicudinha s.f.
bicudinho s.m.
bicudinho-do-brejo s.m.; pl. *bicudinhos-do-brejo*
bicudo adj. s.m.
bicudo-do-algodoeiro s.m.; pl. *bicudos-do-algodoeiro*
bicudo-do-coqueiro s.m.; pl. *bicudos-do-coqueiro*
bicudo-do-norte s.m.; pl. *bicudos-do-norte*
bicudo-do-tabuleiro s.m.; pl. *bicudos-do-tabuleiro*
bicudo-encarnado s.m.; pl. *bicudos-encarnados*
bicudo-grande s.m.; pl. *bicudos-grandes*
bicudo-maior s.m.; pl. *bicudos-maiores*
bicudo-maquiné s.m.; pl. *bicudos-maquiné* e *bicudos-maquinés*
bicudo-pimenta s.m.; pl. *bicudos-pimenta* e *bicudos-pimentas*
bicudo-preto s.m.; pl. *bicudos-pretos*
bicudo-verdadeiro s.m.; pl. *bicudos-verdadeiros*
bicudo-vermelho s.m.; pl. *bicudos-vermelhos*
bicuíba s.f.
bicuíba-branca s.f.; pl. *bicuíbas-brancas*
bicuíba-cheirosa s.f.; pl. *bicuíbas-cheirosas*
bicuibaçu s.f.
bicuíba-de-folha-miúda s.f.; pl. *bicuíbas-de-folha-miúda*
bicuíba-de-mato-grosso s.f.; pl. *bicuíbas-de-mato-grosso*
bicuíba-do-amazonas s.f.; pl. *bicuíbas-do-amazonas*
bicuíba-redonda s.f.; pl. *bicuíbas-redondas*
bicuíba-vermelha s.f.; pl. *bicuíbas-vermelhas*
bicuibeira s.f.
bicuibense adj. s.2g.
bicuibuçu s.m.
bicuíva s.f.
bicula s.f.
bicultural adj.2g.
biculturalismo s.m.
bicuni s.f.
bicuspidado adj.
bicúspide adj.2g.
bidáctilo adj.
bidalotita s.f.
bidão s.m.
bidária s.f.
bidé s.m.
bidê s.m.
bideauxita s.f.
bideiro s.m.
bidéltico adj.
bidens s.m.2n.
bidense adj. s.2g.
bidentado adj.
bidental adj.2g. s.m.
bidente s.m.
bidenteado adj.
bidênteo adj.
bidenticulado adj.
bidentídea s.f.
bidentídeo adj.
biderivação s.f.
biderivado adj. s.m.
biderivante adj.2g.
biderivar v.
biderivável adj.2g.
bidestilado adj.
bideto (*ê*) s.m.
bidialectalismo s.m.
bidialectalista adj. s.2g.
bidialectalístico adj.
bidialetalismo s.m.
bidialetalista adj. s.2g.
bidialetalístico adj.
bidifenilpirrazol s.m.
bidifeniltriazol s.m.
bidigitado adj.
bidigitopenado adj.
bidimensional adj.2g.
bidimensionalidade s.f.
bidino adj. s.m.
bidirecional adj.2g.
bidirecionalidade s.f.
bidirecionalismo s.m.
bidirecionalista adj. s.2g.
bidirecionalístico adj.
bidó s.m.
bidogue s.m.
bidu adj.2g. s.m.
bidúcteo adj.
bidúlfia s.f.
bidúlfica s.f.
bidulfina s.f.
bidulfióidea s.f.
bidulfióideo adj.
bidum s.m.
biduma s.m.
bidunga s.f.
bíduo s.m.
biebdomadário adj. s.m.
bieberita s.f.
bieberstêinia s.f.
biela s.f.
bielectrólise s.f.
bielectrolítico adj.
bieletricidade s.f.
bielétrico adj.
bieletrólise s.f.
bieletrolítico adj.
biélida adj.2g. s.m.
bielídeo adj. s.m.
bielídio s.m.
bielorrusso adj. s.m.
biembrionado adj.
bienal adj.2g. s.f.
bienalidade s.f.
biênico adj.
biênio s.m.
bieno adj. s.m.
biequivocidade (*u* ou *ü*) s.f.
biequívoco (*u* ou *ü*) adj.
biermeriana adj.
biesdrúxulo adj.
biespatulado adj.
biespigado adj.
biespiralado adj.
biesporangiado adj.
biesporoado adj.
biestável adj.2g.
biestefânio adj.
biestipulado adj.
biestriado adj.
bietânato adj. s.m.
bifa s.f.
biface adj. s.2g. s.m.
bifaciado adj.
bifacial adj.2g.
bifacialidade s.f.
bifactorial adj.2g.
bifada s.f.
bifado adj.
bifalhada s.f.
bifana s.f.
bifar v.
bifária s.f.
bifaribrânquio adj.
bifário adj.
bífaro s.m.
bifarpado adj.
bifasciado adj.
bifásico adj.
bifatorial adj.2g.
bife s.m.
bifeira s.f.
bifemoral adj.2g.
bifendido adj.
bifenilazoxina (*cs*) s.f.
bifenileno s.m.
bifenilo s.m.
bífero adj.
biférrico adj.
bifesteque s.m.
bífido adj.
bifilar adj.2g.
bifilético adj.
bifilo s.m.
bifíssil adj.2g.

bifistuloso (*ô*) adj.; f. (*ó*); pl. (*ó*)
biflabelado adj.
biflagelado adj.
biflecha s.f.
biflecnodal adj.2g.
biflexão (*cs*) s.f.
biflexionado (*cs*) adj.
biflexionante (*cs*) adj.2g.
biflexionar (*cs*) v.
biflexionável (*cs*) adj.2g.
biflexível (*cs*) adj.2g.
biflexividade (*cs*) s.f.
biflexivo (*cs*) adj.
biflexo (*cs*) adj.
biflor (*ô*) adj.2g.
bifloro adj.
bifluoreto (*ê*) s.m.
bifocal adj.2g.
bifocalidade s.f.
bifocalismo s.m.
bifocalístico adj.
bifocular adj.2g.
bifolco s.m.
bifólia s.f.
bifoliado adj.
bifolicular adj.2g.
bifolículo s.m.
bifólio adj. s.m.
bifoliolado adj.
bifonêmico adj.
bífora s.f.
bífore adj.2g. s.m.
bifóreo adj. s.m.
biforina s.m.
biformântico adj.
biforme adj.2g.
bíforo adj. s.m.
bifosfamita s.f.
bifosfato s.m.
bifosfito s.m.
bifre s.f.
bifrenária s.f.
bifrontado adj.
bifrontal adj.2g.
bifronte adj. s.2g.
bifrôntico adj.
bifrontismo s.m.
bifrontista adj. s.2g.
bifrontístico adj.
biftalato s.m.
biftálico s.m.
biftalilo s.m.
bifu s.m.
bifuncional adj.2g.
bifurado adj.
bifurcação s.f.
bifurcado adj.
bifurcador (*ô*) adj.
bifurcamento s.m.
bifurcante adj.2g.
bifurcar v.
bifurcável adj.2g.
biga s.f.
bigalhó s.m.
bigâmea s.f.
bigâmeo adj.
bigamia s.f.
bigamizar v.
bígamo adj. s.m.
biganau s.m.
bigarade adj.2g. s.f.
bigário s.m.
bigarrona s.f.
bigate s.m.
bigato s.m.
bigelóvia s.f.
bigelówia s.f.
bigemado adj.
bigêmeo adj.
bigemia s.f.
bigeminado adj.
bigemínea s.f.
bigemíneo adj.
bigeminia s.f.
bigeminismo s.m.
bigeminístico adj.
bigêmino adj.
bígena adj.2g.
bígene adj.2g.
bigênere adj.2g.
bigenérico adj.
bigenerina s.f.
bigenerino s.m.
bigênero adj.
bigênito adj.
bigenitura s.f.
bigerrã adj. s.f. de *bigerrão*
bigerrão adj. s.m.; f. *bigerrã*, *bigerroa* e *bigerrona*
bigerro adj. s.m.
bigerroa (*ô*) adj. s.f. de *bigerrão*
bigerrona adj. s.f. de *bigerrão*
bigibosa s.f.
bigiboso (*ô*) adj.; f. (*ó*); pl. (*ó*)
bigla s.f.
biglábide s.f.
biglandular adj.2g.
biglandulária s.f.
biglanduloso (*ô*) adj.; f. (*ó*); pl. (*ó*)
bigle s.m.
biglobular adj.2g.
biglobularidade s.f.
biglobuloso (*ô*) adj.; f. (*ó*); pl. (*ó*)
biglúmeo adj.
bignônia s.f.
bignoniácea s.f.
bignoniáceo adj.
bignônica s.f.
bigodado adj.
bigode s.m.
bigodeado adj.
bigodear v.
bigode de arame s.m.
bigode de gato s.m.
bigodeira s.f.
bigodeiro adj. s.m.
bigodelha (*ê*) s.f.
bigodete (*ê*) s.m.
bigodinho s.m.
bigodudo adj. s.m.
bigola s.m.
bigoníaco adj.
bigorna s.f.
bigorne adj.2g. s.m.
bigorneta (*ê*) s.f.
bigorrilhas s.2g.
bigorrilhas s.2g.2n.
bigorrilho s.m.
bigota s.f.
bigotão s.m.
bigote s.m.
bigotismo s.m.
bigotista adj. s.2g.
bigotístico adj.
bigrádico adj.
bigrâmico adj.
bigranulado adj.
bigranular adj.2g.
bigu s.m.
biguá s.m. "ave"; cf. *bígua*
bígua adj.2g. "grande"; cf. *biguá*
biguaço adj.
biguaçu adj.2g. s.m.
biguaçuano adj. s.m.
biguaçuense adj. s.2g.
biguairim adj. s.m.
biguana adj.2g. s.f.
biguancha s.f.
biguane adj.2g.
biguanida s.f.
biguano adj.
biguar v.
biguarim s.m.
biguatinga s.f.
biguaúna s.m.
biguazinhense adj. s.2g.
bigue adj.2g.
bigue-bangue s.m.; pl. *bigue-bangues*
bigume adj.2g.
bigúmeo adj.
bigundo s.m.
bigúnia s.f.
bigutado adj.
bi-harmônico adj.
bi-hebdomadário adj. s.m.
bi-hidroquinona s.f.
bi-ilíaco adj.
bi-iodeto (*ê*) s.m.
bi-isocrotilo s.m.
bi-isquiático adj.
bijaco s.m.
bijaga s.f.
bijagó adj. s.2g.
bijajica s.f.
bijanilo s.m.
bijarro s.m.
bijeção s.f.
bijecção s.f.
bijeccional adj.2g.
bijecional adj.2g.
bijectivo adj.
bijector (*ô*) adj.
bijetivo adj.
bijetor (*ô*) adj.
bijorro (*ô*) s.m.
biju s.m.
bijuca adj. s.2g.
bijugado adj.
bíjugo adj.
bijuí s.f.
bijungaria s.f.
bijupirá s.m.
bijutaria s.f.
bijuteria s.f.
bikitaíta s.f.
bila s.f.
bilabiado adj.
bilabial adj.2g. s.f.
bilabialidade s.f.
bilabiodental adj.2g.
bilabiovelar adj.2g.
bilacense adj. s.2g.
bilamelado adj.
bilamelar adj.2g.
bilaminado adj.
bilaminoso (*ô*) adj.; f. (*ó*); pl. (*ó*)
bilanguete (*ê*) s.m.
bilaquense adj. s.2g.
bilaquiano adj. s.m.
bilardiera s.f.
bilardiérea s.f.
bilare s.m.
bilargo s.m.
bilaterado adj.
bilateral adj.2g. s.f.
bilateralidade s.f.
bilateralismo s.m.
bilateralista adj. s.2g.
bilateralístico adj.
bilatério adj. s.m.
bilato s.m.
bilbaíno adj. s.m.
bilbérgia s.f.
bilbergina s.f.
bilbode s.m.
bilboquê s.m.
bile adj. s.2g.
bilebode s.m.
bilemia s.f.
bilenar adj.2g.
bilenário adj. s.m.
bilênio s.m.
bileua s.f.
bilha s.f.
bilhafrão s.m.
bilhafre s.m.
bilhão num. s.m.
bilhar s.m.
bilharda s.f.
bilhardão s.m.; f. *bilhardona*
bilhardar v.
bilhardeira s.f.
bilhardeiro adj. s.m.
bilhardona s.f. de *bilhardão*
bilharista adj. s.2g.
bilharzia s.f.
bilhárzia s.f.
bilharzíase s.f.
bilharziose s.f.
bilharziótico adj.
bilheira s.f.
bilheirinha s.f.
bilhestre s.m.
bilhestro s.m.
bilheta (*ê*) s.f.
bilhetada s.f.
bilhetado adj.
bilhetaria s.f.
bilhete (*ê*) s.m.
bilhete-azul s.m.; pl. *bilhetes-azuis*
bilheteira s.f.
bilheteiro s.m.
bilhete-postal s.m.; pl. *bilhetes-postais*
bilheteria s.f.
bilhó s.f.
bilhoca s.f.
bilhoreta (*ê*) s.f.
bilhostre s.2g.
bilhostreira s.f.
bília s.f.
biliação s.f.
biliado adj.
bilião num. s.m.
biliar adj.2g.
biliardário adj. s.m.
biliário adj.
bilibérgia s.f.
bilibinita s.f.
bilice adj.2g.
bilicianina s.f.
bilicianuria s.f.
bilicianúria s.f.
bílico adj. s.m.
bilidense adj. s.2g.
biliense adj.2g.
bilifeico adj.
bilifena s.f.
bilificação s.f.
biliflavina s.f.
bilifucsina s.f.
bilifulvina s.f.
biligênese s.f.
biligenético adj.
biligênico adj.
biligulado adj.
biliguliforme adj.2g.
bilimbeiro s.m.
bilimbi s.m.
bilimbim s.m.
bilimbino s.m.
bilimi s.m.
bilina s.f.
bilinear adj.2g.
bilinearidade s.f.
bilineurina s.f.
bilinga s.m.
bilíngue (*ü*) adj. s.2g.
bilinguismo (*ü*) s.m.
bilinguista (*ü*) adj. s.2g.
bilinguístico (*ü*) adj.
bilinita s.f.
bilino adj. s.m.
biliogênese s.f.
biliogenético adj.
biliogênico adj.
bilionário adj. s.m.
bilionesimal adj.2g.
bilionésimo num. s.m.
biliosa s.f.
bilioso (*ô*) adj.; f. (*ó*); pl. (*ó*)
biliosséptico adj.
bilipirina s.f.
biliprasina s.f.
bilipurina s.f.
bilipurpurina s.f.
biliquenato s.m.
bilira s.f.
biliro s.m.
bilirrubina s.f.
bilirrubinato s.m.
bilirrubinemia s.f.
bilirrubinêmico adj.
bilirrubinuria s.f.
bilirrubinúria s.f.
bilirrubinúrico adj.
bílis s.f.2n.
biliteral adj.2g.
biliteralidade s.f.
biliteralismo s.m.
biliteralístico adj.
biliterismo s.m.
biliterístico adj.
bilítero adj.
bilitonito s.m.
biliuria s.f.
biliúria s.f.
biliverdina s.f.
biliverdinato s.m.
bilixantina (*cs*) s.f.
billardiera s.f.
billardiérea s.f.
billietita s.f.
bilmó s.m.
bilobado adj.
bilo-bilo s.m.; pl. *bilo-bilos*
bilobita s.f.
bilobite s.f.
bilobulado adj.
biloca s.f.
bilocação s.f.
bilocal adj.2g.
bilocalidade s.f.
bilócia s.f.
biloculação s.f.
bilocular adj.2g.
bilocularidade s.f.
biloculina s.f.
bilofodonte adj.2g. s.m.
bilogia s.f.
bilola (*ô*) s.f.
bilolado adj.
bilombado adj.
bilontra adj. s.2g. s.f.
bilontragem s.f.
bilontrar v.
bilontrice s.f.
bilontrismo s.m.
bilosca s.f.
bilótia s.f.
biloto (*ô*) s.m.
biloura s.f.
bilrar v.
bilreira s.f.
bilreiro adj. s.m.
bilro s.m.
biltra s.f.
biltraço s.m.
biltragem s.f.
biltraria s.f.
biltre adj. s.2g.
bilu-bilu s.m.; pl. *bilu-bilus*
bilunga s.f.
bilunulado adj.
bilva s.f.
bimaculado adj.
bimaleolar adj.2g.
bímane adj.2g.
bímano adj. s.m.
bimão s.m.
bimar adj.2g.
bímare adj.2g.
bimarginado adj.
bimastia s.f.
bimástico adj.
bimastismo s.m.
bimastoide (*ó*) adj.2g.
bimastóideo adj.
bimaxilar (*cs*) adj.2g.
bimba s.f. interj.
bimbada s.f.
bimbadela s.f.
bimbadura s.f.
bimbal s.m.
bimbalha s.f.
bimbalhada s.f.
bimbalhado adj.
bimbalhador (*ô*) adj. s.m.
bimbalhão s.m.
bimbalhar v.
bimba-n'água s.f.; pl. *bimbas-n'água*
bimbar v.
bimbarra s.f.
bimbarreta (*ê*) s.f.
bimbinha s.f.
bímbio adj. s.m.
bimbo adj. s.m.
bimbundo adj. s.m.
bime s.m.
bimembração s.f.
bimembralidade s.f.
bimembrar v.
bimembrável adj.2g.
bimembre adj.2g.
bimensal adj.2g.
bimensalidade s.f.

bimensário adj. s.m.
biméria s.f.
bimérida adj.2g. s.m.
bimerídea s.f.
bimerídeo adj. s.m.
bimestral adj.2g.
bimestralidade s.f.
bimestre adj.2g. s.m.
bimetal s.m.
bimetálico adj.
bimetalismo s.m.
bimetalista adj. s.2g.
bimetalístico adj.
bimilenar adj.2g.
bimilenaridade s.f.
bimilenariedade s.f.
bimilenário adj. s.m.
bimilênio s.m.
bimo adj. s.m.
bimodal adj.2g.
bimodalidade s.f.
bimodalismo s.m.
bimolecular adj.2g.
bimotor (*ô*) adj. s.m.
bimotriz adj. s.f.
bimucronado adj.
bimuscular adj.2g.
bina s.f.
binação s.f.
binacional adj.2g.
binacionalidade s.f.
binacionalismo s.m.
binacionalista adj. s.2g.
binacionalístico adj.
binada s.f.
binado adj.
binador (*ô*) adj. s.m.
binagem s.f.
binágio s.m.
binar v.
binária s.f.
binariado s.m.
binário adj. s.m.
binarismo s.m.
binarista adj. s.2g.
binarístico adj.
binascido adj. s.m.
binato adj.
binauricular adj.2g.
binda s.f.
binde s.m.
bindeimita s.f.
bindeimite s.f.
bindele s.m.
bindera s.f.
binderela s.f.
binderélea s.f.
binderéleo adj.
bindheimita s.f.
bindonga adj. s.2g.
binervado adj.
binerval adj.2g.
binérveo adj.
binga s.m.f.
bingada s.f.
bingar v.
bingo s.m.
binguense adj. s.2g.
bingundo s.m.
binha s.m.
binita s.f.
binite s.f.
biniú s.m.
binoculado adj.
binocular v. adj. s.2g.
binoculizar v.
binóculo s.m.
binodal adj.2g.
binome s.m.
binomial adj.2g.
binômico adj.
binominal adj.2g.
binômino adj. s.m.
binômio s.m.
binormal adj.2g. s.f.
binótia s.f.
bintanês adj. s.m.
bintangor (*ô*) s.m.
binturongue s.m.
binubo adj. s.m.
binucleação s.f.
binucleado adj. s.m.
binuclear adj.2g.
binucleária s.f.
binuclearidade s.f.
binucleolado adj.
bioacumulação s.f.
bioacústica s.f.
bioacústico adj.
bioaeração s.f.
bioaerado adj.
bioaerador (*ô*) adj.
bioaerar v.
bioampliação s.f.
bioaritmética s.f.
bioaritmético adj.
bioartificial adj.2g.
bioastronáutica s.f.
bioastronáutico adj.
bioastronomia s.f.
bioastronômico adj.
bioatividade s.f.
bioativo adj.
bioba s.f.
biobibliografia s.f.
biobibliográfico adj.
biobibliógrafo s.m.
biobjetividade s.f.
biobjetivo adj. s.m.
bioblasta s.m.
bioblasto s.m.
biobotânica s.f.
biobotânico adj.
biocatalisador (*ô*) s.m.
biocatálise s.f.
biocatalítico adj.
biocelado adj.
biocenologia s.f.
biocenose s.f.
biocenótica s.f.
biocenoticista adj. s.2g.
biocenótico adj.
biocibernética s.f.
biociberneticista adj. s.2g.
biociberneticístico adj.
biocibernético adj.
biocíclico adj.
biociclo s.m.
biocida adj.2g. s.m.
biocídio s.m.
biociência s.f.
biocientífico adj.
biocinética s.f.
biocinético adj.
biocitina s.f.
biócito s.m.
biocitoneurologia s.f.
biocitoneurológico adj.
bioclástico adj.
bioclasto s.m.
bioclima s.m.
bioclimática s.f.
bioclimático adj.
bioclimatologia s.f.
bioclimatológico adj.
bioclimatologista adj. s.2g.
bioclimatólogo adj. s.m.
bioco (*ô*) s.m.
biocoloide (*ó*) s.m.
biocombustível s.m.
bioconcentração s.f.
bioconsciência s.f.
biocontrole s.m.
bioconversão s.f.
biocoro s.m.
biocracia s.f.
biocrático adj.
biocristalização s.f.
biocromatologia s.f.
biocromatológico adj.
biocromatologista adj. s.2g.
biocromatologístico adj.
biocrônico adj.
biócrono adj.
biocronologia s.f.
biocronológico adj.
biocronologista adj. s.2g.
biocronólogo s.m.
bioctoneurologia s.f.
biodegradabilidade s.f.
biodegradação s.f.
biodegradante adj.2g. s.m.
biodegradar v.
biodegradável adj.2g.
biodigestor (*ô*) s.m.
biodinâmica s.f.
biodinâmico adj.
biodireito s.m.
biodisponibilidade s.f.
biodiversidade s.f.
bioecologia s.f.
bioecológico adj.
bioecologista s.2g.
bioecólogo s.m.
bioeletricidade s.f.
bioelétrico adj.
bioeletrônica s.f.
bioeletrônico adj.
bioenergética s.f.
bioenergético adj.
bioenergia s.f.
bioenérgico adj.
bioengenharia s.f.
bioengenheiro s.m.
bioensaiar v.
bioensaio s.m.
bioerma s.m.
bioermático adj.
bioerosão s.f.
bioestatística s.f.
bioestatístico adj. s.m.
bioestratigrafia s.f.
bioética s.f.
bioético adj.
bioexperimental adj.2g.
bioexperimentalismo s.m.
bioexperimentalista adj. s.2g.
bioexperimentalístico adj.
biofacial adj.2g.
biofácies s.f.2n.
biofagia s.f.
biofagismo s.m.
biofagístico adj.
biófago adj. s.m.
biofantascópico adj.
biofantascópio s.m.
biofarmacêutico adj. s.m.
biofarmácia s.f.
biofarmaco s.m.
biofenomenologia s.f.
biofenomenológico adj.
biofenomenologista adj. s.2g.
biofenomenólogo s.m.
biofertilizante s.m.
biofiláctico adj.
biofilaxia (*cs*) s.f.
biofilia s.f.
biofílico adj.
biófilo adj. s.m.
biofilosofante adj. s.2g.
biofilosofar v.
biofilosofia s.f.
biofilosófico adj.
biofilósofo s.m.
biofiltração s.f.
biofiltro s.m.
biofísica s.f.
biofisicista adj. s.2g.
biofísico adj. s.m.
biofisiologia s.f.
biofisiológico adj.
biofítico adj.
biófito s.m.
bioflavanoide (*ó*) adj.2g. s.m.
biofobia s.f.
biofóbico adj.
biófobo adj. s.m.
bioforina s.f.
bioforínico adj.
bióforo s.m.
biofotogênese s.f.
biofotogenético adj.
biofotografia s.f.
biofotográfico adj.
biofotógrafo s.m.
biofotograma s.m.
biogás s.m.
biogênese s.f.
biogenésico adj.
biogenético adj.
biogenia s.f.
biogênico adj.
biógeno s.m.
biogeocenose s.f.
biogeografia s.f.
biogeográfico adj.
biogeógrafo s.m.
biogeoquímica s.f.
biogeoquímico adj. s.m.
biognose s.f.
biognosia s.f.
biognosta s.2g.
biognóstico adj.
biografado adj. s.m.
biografagem s.f.
biografante adj. s.2g.
biografar v.
biografia s.f.
biográfico adj.
biografismo s.m.
biografista adj. s.2g.
biografístico adj.
biógrafo s.m.
biograma s.m.
bio-história s.f.
bio-historiador s.m.
bio-histórico adj.
bioindicador adj. s.m.
bioindústria s.f.
bioindustrial adj.2g.
bioinformática s.f.
bioinstrumentação s.f.
biolinguística (*ü*) s.f.
biólise s.f.
biolítico adj.
biolitítico adj.
biolitito s.m.
biolito s.m.
biólito s.m.
biologia s.f.
biologice s.f.
biológico adj.
biologismo s.m.
biologista adj. s.2g.
biologístico adj.
biólogo s.m.
bioluminescência s.f.
bioluminescente adj.2g.
bioma s.m.
biomagnético adj.
biomagnetismo s.m.
biomagnetização s.f.
biomagnetizar v.
biomagnetizável adj.2g.
biomagnificação s.m.
biomagnificador (*ô*) adj. s.m.
biomagnificante adj. s.2g.
biomagnificar v.
biomagnificável adj.2g.
biomancia s.f.
biomassa s.f.
biomatemática s.f.
biomatemático adj. s.m.
biomaterial s.m.
biomático adj.
biombo s.m.
biomecânica s.f.
biomecânico adj.
biomedicina s.f.
biomédico adj.
biomembrana s.f.
biomérico adj.
biômero s.m.
biometeorologia s.f.
biometeorológico adj.
biometeorologista s.2g.
biometeorólogo s.m.
biômetra adj. s.2g.
biometria s.f.
biométrica s.f.
biometricista adj. s.2g.
biométrico adj.
biometrista s.2g.
biômetro s.m.
biomicrorrudito s.m.
biomicrítico adj.
biomicrito s.m.
biomicroscopia s.f.
biomicroscópico adj.
biomicroscópio s.m.
biomolécula s.f.
biomolecular adj.2g.
biomônada s.f.
biomórfico adj.
biomorfismo s.m.
biomorfose s.f.
biomorfótico adj.
bionecrose s.f.
bionecrótico adj.
bionegatividade s.f.
bionegativo adj.
bionevoeiro s.m.
bionfalária s.f.
biongo s.m.
biônica s.f.
bionicista adj. s.2g.
biônico adj. s.m.
biônimo s.m.
bionomia s.f.
bionômico adj.
bionose s.f.
bionótico adj.
bionte s.m.
biôntico adj.
biontologia s.f.
biontológico adj.
biontologista s.2g.
biontólogo s.m.
biopático adj.
biopatologia s.f.
biopatológico adj.
biopatologista s.2g.
biopatólogo s.m.
biopelmicrito s.m.
biopirataria s.f.
bioplasma s.m.
bioplasmático adj.
bioplásmico adj.
bioplástico adj.
bioplasto adj. s.m.
biopoese s.m.
biopoético adj.
biopolímero s.m.
biopositivo adj.
biopotencial s.m.
biopse s.f.
biopsia s.f.
biópsia s.f.
biópsico adj.
biopsicologia s.f.
biopsicológico adj.
biopsicólogo s.m.
biopsicossocial adj.2g.
biopsicossociologia s.f.
biopsicossociológico adj.
biopsíquico adj.
biopsiquismo s.m.
bióptico adj.
biopulpectomia s.f.
biopulpectômico adj.
bioquice s.f.
bioquímica s.f.
bioquímico adj. s.m.
biorana s.f.
biorbitário adj.
biorreologia s.f.
biorreológico adj.
biorrexistasia (*cs*) s.f.
biorrexistásico (*cs*) adj.
biorrexistático (*cs*) adj.
biorrítmico adj.
biorritmo s.m.
biorritmologia s.f.
biorriza s.m.
bios s.m.2n.
biosciloscópio s.m.
bioscopia s.f.
bioscópico adj.
bioscópio s.m.
biose s.f.
biosfera s.f.
biosférico adj.
biosmose s.f.
biosmótico adj.
biosofia s.f.
biosófico adj.
biósofo s.m.
biosparito s.m.
biosparrodito s.m.
biospelsparito s.m.
biossatélite s.m.
biossesto s.m.
biosséston s.m.

biossíntese s.f.
biossintético adj.
biossintetizar v.
biossintetizável adj.2g.
biossistema s.m.
biossistemática s.f.
biossistemático adj.
biossistêmico adj.
biossocial adj.2g.
biossociologia s.f.
biossociológico adj.
biossociólogo s.m.
biossoma s.m.
biossomático adj.
biossomo s.m.
biostasia s.f.
biostática s.f.
biostático adj.
biostratigrafação s.f.
biostratigrafar v.
biostratigrafável adj.2g.
biostratigrafia s.f.
biostratigráfico adj.
biostratígrafo adj. s.m.
biostratigrama s.m.
biostratografação s.f.
biostratografar v.
biostratografável adj.2g.
biostratografia s.f.
biostratográfico adj.
biostratógrafo adj. s.m.
biostratograma s.m.
biostroma s.m.
biostromal adj.2g.
biostromático adj.
biostrômico adj.
biota s.f.
biotáctico adj.
biotactismo s.m.
biotânato adj. s.m.
biotático adj.
biotatismo s.m.
biotaxia (*cs*) s.f.
biotáxico (*cs*) adj.
biotaxinomia (*cs*) s.f.
biotaxinômico (*cs*) adj.
biotaxionomia (*cs*) s.f.
biotaxionômico (*cs*) adj.
biotaxiônomo (*cs*) s.m.
biotaxonômico (*cs*) adj.
biotaxonomista (*cs*) adj. s.2g.
biotaxônomo (*cs*) s.m.
biotecnia s.f.
biotécnica s.f.
biotécnico adj.
biotecnologia s.f.
biotecnológico adj.
biotecnologista adj. s.2g.
bioterapia s.f.
bioterápico adj.
biotério s.m.
bioterismo s.m.
bioterista adj. s.2g.
bioterístico adj.
biotermia s.f.
biotérmico adj.
biotermogenia s.f.
biotermogênico adj.
biotermógeno adj. s.m.
bioteste s.m.
biótica s.f.
biótico adj.
biotina s.f.
biotipia s.f.
biotípico adj.
biotipo s.m.
biótipo s.m.
biotipografia s.f.
biotipográfico adj.
biotipograma s.m.
biotipologia s.f.
biotipológico adj.
biotipologista adj. s.2g.
biotipólogo s.m.
biotita s.f.
biotite s.f.
biotítico adj.
biotito s.m.
biotologia s.f.
biotológico adj.
biotologista adj. s.2g.
biotomia s.f.
biotômico adj.
biótomo s.m.
biótono s.m.
biótopo s.m.
biotopografia s.f.
biotopográfico adj.
biotopografista s.2g.
biotopógrafo s.m.
biotopograma s.m.
biotoponímia s.f.
biotoponímico adj.
biotopônimo s.m.
biotoxicina (*cs*) s.f.
biotoxina (*cs*) s.f.
biotrofênio s.m.
biotrópico adj.
biotropismo s.m.
biotropístico adj.
biotropose s.f.
bioturbação s.f.
bioturbado adj.
bioturbar v.
biovulado adj.
biovular adj.2g.
biovulária s.f.
biovularidade s.f.
biovulário adj.
bioxalato (*cs*) s.m.
bioxálico (*cs*) adj.
bióxido (*cs*) s.m.
bipálio s.m.
bipalmado adj.
bipar v.
biparasita adj. s.2g.
biparasitário adj.
biparasito adj. s.m.
biparental adj. s.2g.
biparido adj.
biparietal adj.2g.
bíparo adj.
bipartição s.f.
bipartidário adj.
bipartidarismo s.m.
bipartidarista adj. s.2g.
bipartidarístico adj.
bipartido adj.
bipartir v.
bipartite adj.2g.
bipartível adj.2g.
bipatente adj.2g.
bipátrida s.m.
bipe s.m. "som"; cf. *bipé*
bipé s.m. "suporte"; cf. *bipe* s.m. e fl. do v. *bipar*
bipectinado adj.
bipectíneo adj.
bipedal adj.2g.
bipedalidade s.f.
bipedalismo s.m.
bipedante adj.2g.
bípede adj.2g. s.m.
bipedestração s.f.
bipeltado adj.
bipeltudo adj.
bipenado adj.
bipenatífido adj.
bipenatipartido adj.
bipenatissecto adj.
bipenato adj.
bipene adj. s.2g. s.f.
bipenífero adj.
bipeniforme adj.2g.
biperfurado adj.
bipetalado adj.
bipetalar adj.2g.
bipétalo adj.
bipinado adj.
bipinária s.f.
bipinário adj.
bipinatífido adj.
bipinatipartido adj.
bipinatissecto adj.
bipínula s.f.
bipinulado adj.
bipiramidal adj.2g.
bipirâmide s.f.
biplacentar adj.2g.
biplacentário adj.
biplano adj. s.m.
bíplex (*cs*) adj.2g. s.m.
biplicado adj.
bíplice adj.2g. s.m.
biplume adj.2g.
bipolar adj.2g.
bipolaridade s.f.
bipolarização s.f.
bipolarizado adj.
bipolarizador (*ô*) adj.
bipolarizante adj.2g.
bipolarizar v.
bipolarizável adj.2g.
bipolatinoide (ó) adj.2g. s.f.
bipolo s.m.
bípolo s.m.
biporoso (*ô*) adj.; f. (*ó*); pl. (*ó*)
bipostesia s.f.
bipotencial adj.2g.
bipotencialidade s.f.
biprisma s.m.
biproduto s.m.
bipropelente adj.2g. s.m.
bipropulsante adj.2g.
biquadrada s.f.
biquadrado adj.
biquadrático adj.
biquara s.f.
biquara-do-raso s.f.; pl. *biquaras-do-raso*
biquartzo s.m.
biquaterno s.m.
biquear v.
bique-bique s.m.; pl. *bique-biques*
biqueca s.f.
biqueira s.f.
biqueirada s.f.
biqueirão s.m.
biqueirão-branco s.m.; pl. *biqueirões-brancos*
biqueiro adj. s.m.
biquense adj. s.2g.
biquento adj.
biquilha s.f.
biquinário adj.
biquine s.m.
biquinha s.f.
biquinhense adj. s.2g.
biquinho s.m.
biquíni s.m.
biquintil adj. s.2g.
biquitaíta s.f.
biquotidiano adj.
bira s.f. "buraco"; cf. *birá*
birá s.m. "dança"; cf. *bira*
bira-bira s.f.; pl. *bira-biras*
biraia s.f.
biralha s.f.
biranismo s.m.
biranista adj. s.2g.
birapaçapara adj. s.2g.
biraró s.m.
biraúna s.f.
birba s.m.
birbantão adj. s.m.; f. *birbantona*
birbante adj. s.2g.
birbantona adj.; f. de *birbantão*
birço s.m.
birgo s.m.
birguela s.f.
biri s.m.
biriba adj. s.2g. s.m.f. "caipira", "jogo de cartas"; cf. *biribá*
biribá s.m. "árvore"; cf. *biriba*
biribada s.f.
biribá-de-pernambuco s.m.; pl. *biribás-de-pernambuco*
biribá-do-pará s.m.; pl. *biribás-do-pará*
biribarana s.f.
biribá-verdadeiro s.m.; pl. *biribás-verdadeiros*
biribazeiro s.m.
biribeirense adj. s.2g.
biri-biri s.m.; pl. *biri-biris*
biribiriense adj. s.2g.
biribuí s.m.
birica adj. s.2g.
biricera s.f.
biriçó s.m.
birico do boi s.m.
birifo s.m.
birigui s.m.
biriguiense (*ü*) adj. s.2g.
birinaite s.m.
birinata s.f.
birindiva s.f.
biringa s.f.
biringuccita s.f.
biriquete (*ê*) s.f.
biririçó s.m.
biririquense adj. s.2g.
birita s.f.
biritado adj.
biritador (*ô*) s.m.
biritar v.
biriteiro adj. s.m.
biritibense adj. s.2g.
biritinguense adj. s.2g.
biriva adj. s.2g.
birivada s.f.
birkénia s.f.
birliana s.f.
birmã adj. s.2g.
birmane adj. s.2g.
birmanense adj. s.2g.
birmanês adj. s.m.
birmaniano adj. s.m.
birmano adj. s.m.
birmanofalante adj. s.2g.
birmanofonia s.f.
birmanófono adj. s.m.
birmanoparlante adj. s.2g.
birmolo s.m.
birnessita s.f.
biró s.m. "bocado"; cf. *birô*
birô s.m. "escritório"; cf. *biró*
biroba s.f.
birola s.f.
birolho (*ô*) adj. s.m.
birolina s.f.
bironha s.f.
birônia s.f.
biroró s.m.
birosca s.f.
birosqueiro s.m.
birota s.f.
birote s.m.
birquênia s.f.
birqueniida adj.2g. s.m.
birqueniídeo adj. s.m.
birra s.f.
birracial adj.2g.
birracional adj.2g.
birracionalidade s.f.
birrada s.f.
birradial adj.2g.
birradialidade s.f.
birramoso (*ô*) adj.; f. (*ó*); pl. (*ó*)
birrar v.
birre s.m.
birreator (*ô*) adj. s.m.
birrefração s.f.
birrefracção s.f.
birrefrangência s.f.
birrefrangente adj.2g.
birrefringência s.f.
birrefringente adj.2g.
birrelatividade s.f.
birrelativo adj.
birreme adj.2g. s.f.
birrênqueo adj.
birrento adj. s.m.
birrepetente adj. s.2g.
birretangular adj.2g.
birretangularidade s.f.
birretângulo s.m.
birreto (*ê*) s.m.
bírrida adj.2g. s.m.
birrídeo adj. s.m.
birrimoso (*ô*) adj.; f. (*ó*); pl. (*ó*)
birríneo adj. s.m.
birro s.m.
birro-branco s.m.; pl. *birros-brancos*
birrogilha s.f.
birrostrado adj.
birrota s.f.
birrotação s.f.
birrudo adj.
birsônima s.f.
birsonimina s.f.
birsopsíneo adj. s.m.
biru s.2g. s.f.
biruanha s.f.
biruba s.m.
biru-listada s.f.; pl. *birus-listadas*
biru-listrada s.f.; pl. *birus-listradas*
biru-manso s.m.; pl. *birus-mansos*
biruta adj. s.2g. s.f.
birutado adj.
birutar v.
biruteiro adj. s.m.
birutice s.f.
bis adj. s.2g.2n. adv. interj.
bisa s.f.
bisação s.f.
bisaco s.m.
bisacodil s.m.
bisado adj.
bisador (*ô*) adj.
biságio s.m.
bisago s.m.
bisagra s.f.
bisaiano adj. s.m.
bisalhado adj.
bisalho s.m.
bisalta adj. s.2g.
bisanodonte adj.2g. s.m.
bisante s.m.
bisanual adj.2g.
bisanualidade s.f.
bisão s.m.
bisão-americano s.m.; pl. *bisões-americanos*
bisão-europeu s.m.; pl. *bisões-europeus*
bisar v.
bisarma s.f.
bísaro adj. s.m.
bisarrona s.f.
bisavó s.f. de *bisavô*
bisavô s.m.; f. *bisavó*; pl. *bisavós* e *bisavôs*
bisbeeíta s.f.
bisbilhante adj.2g.
bisbilhar v.
bisbilho s.m.
bisbilhotação s.f.
bisbilhotado adj.
bisbilhotamento s.m.
bisbilhotante adj.2g.
bisbilhotar v.
bisbilhotaria s.f.
bisbilhoteira s.f.
bisbilhoteiro adj. s.m.
bisbilhoteria s.f.
bisbilhotice s.f.
bis-bis s.m.2n.
bisboeckelera s.f.
bisbórria s.2g.
bisbórrias s.2g.2n.
bisbórrio s.m.
bisca adj.2g. s.f.
biscaia s.f.
biscaiense adj. s.2g.
biscainho adj. s.m.
biscaio adj. s.m.
biscalheira s.f.
biscalho s.m.
biscalongo s.m.
biscantar v.
biscar v.
biscargitano adj. s.m.
biscatar v.
biscate s.m.
biscateação s.f.
biscateado adj.
biscateador (*ô*) adj. s.m.
biscatear v.
biscateiro s.m.
biscato s.m.
bischofiácea s.f.
bischofiáceo adj.
bisco adj.
biscobra s.f.

biscoita s.f.
biscoitada s.f.
biscoitar v.
biscoitaria s.f.
biscoiteira s.f.
biscoiteiro s.m.
biscoito s.m.
biscornuto adj.
biscouta s.f.
biscoutar v.
biscoutaria s.f.
biscouteira s.f.
biscouteiro s.m.
biscouto s.m.
biscuí s.m.
biscutela s.f.
bisegre s.m.
biseira s.f.
biseiro adj. s.m.
bisel s.m.
biselado adj.
biselador (ô) adj. s.m.
biseladora (ô) s.f.
biseladura s.f.
biselagem s.f.
biselamento s.m.
biselar v.
biselho (ê) s.m.
biserrula s.f.
bisesdrúxulo adj. s.m.
bisfenol s.m.
bisgaia adj. s.2g.
bisganau s.m.
bisgargitano adj. s.m.
bisglazióvia s.f.
bishopálea s.f.
bishopiela s.f.
bisífero s.m.
bisilíaco s.m.
bisina s.f.
bislamá s.m.
bislíngua s.f.
bisma s.f.
bismal s.m.
bismárckia s.f.
bismarckiano adj.
bismarckismo s.m.
bismarckista adj. s.2g.
bismarckístico adj.
bismárquia s.f.
bismarquiano adj.
bismarquismo s.m.
bismarquista adj. s.2g.
bismarquístico adj.
bismela s.f.
bismilésimo num. s.m.
bismita s.f.
bismite s.f.
bismoclita s.f.
bismona s.f.
bismutado adj.
bismutal adj.2g.
bismutato s.m.
bismutesferite s.f.
bismutetilo s.m.
bismuteto (ê) s.m.
bismútico adj.
bismutífero adj.
bismutílio s.m.
bismutilo s.m.
bismutina s.f.
bismutinita s.f.
bismutinite s.f.
bismutino s.m.
bismutismo s.m.
bismutístico adj.
bismutita s.f.
bismutite s.f.
bismutítico adj.
bismutito s.m.
bismuto s.m.
bismutoesferita s.f.
bismutoesferite s.f.
bismutoesmaltita s.f.
bismutoetilo s.m.
bismutoferrita s.f.
bismutoferrite s.f.
bismutolamprite s.f.
bismutomania s.f.
bismutomicrolita s.f.
bismutoplagionita s.f.
bismutose s.f.
bismutotantalita s.f.
bismutoterapia s.f.
bismutoterápico adj.
bisnaga s.f.
bisnaga-bengala s.f.; pl. *bisnagas-bengala* e *bisnagas-bengalas*
bisnaga-crética s.f.; pl. *bisnagas-créticas*
bisnagada s.f.
bisnaga-das-searas s.f.; pl. *bisnagas-das-searas*
bisnaga-hortense s.f.; pl. *bisnagas-hortenses*
bisnaga-marinha s.f.; pl. *bisnagas-marinhas*
bisnagar v.
bisnagueira s.f.
bisnato adj.
bisnau adj. s.m.
bisneto s.m.
bisocárdio s.m.
bisolita s.f.
bisolite s.f.
bisolítico adj.
bisonde s.m.
bisonhar v.
bisonharia s.f.
bisonheria s.f.
bisonhice s.f.
bisonho adj. s.m.
bisonte s.m.
bisotação s.f.
bisotado adj.
bisotar v.
bisotê adj.2g.
bispa s.f.
bispada s.f.
bispado adj. s.m.
bispal adj.2g.
bispar v.
bispatulado adj.
bispiça s.f.
bispicida s.2g.
bispicídio s.m.
bispinho s.m.
bispiralado adj.
bispo s.m.
bispo-cardeal s.m.; pl. *bispos-cardeais*
bispo-conde s.m.; pl. *bispos-condes*
bispontar v.
bispotada s.f.
bispote s.m.
bispoteira s.f.
bisquite s.f.
bisra s.f.
bissa s.f.
bissáceo adj.
bissaco s.m.
bissacramental adj. s.2g.
bissagó adj. s.m.
bissaio adj.
bissal adj.2g. s.m.
bissanense adj. s.2g.
bissapo s.m.
bissauense adj. s.2g.
bisseção s.f.
bissecar v.
bissecção s.f.
bissectar v.
bissecto adj.
bissector (ô) adj. s.m.
bissectriz s.f.
bissecular adj.2g.
bissecularidade s.f.
bissegmentação s.f.
bissegmentado adj.
bissegmental adj.2g.
bissegmentante adj.2g.
bissegmentar v.
bissel s.m.
bisselão s.m.
bissélia s.f.
bisselom s.m.
bissemanal adj.2g.
bissemanário adj. s.m.
bissemestral adj.2g.
bissemestralidade s.f.
bissemia s.f.
bissêmico adj.
bisseptado adj.
bisseriação s.f.
bisseriado adj.
bisserial adj.2g.
bisseriar v.
bisserreado adj.
bisserrilhado adj.
bissérrula s.f.
bissetar v.
bisseto adj.
bissetor (ô) adj. s.m.
bissetoso (ô) adj; f. (ó); pl. (ó)
bissetriz s.f.
bissexo (cs) adj.
bissextil adj.2g. s.m.
bissexto (ê) adj. s.m.
bissexuado (cs) adj.
bissexual (cs) adj.2g.
bissexualidade (cs) s.f.
bissexualismo (cs) s.m.
bissexualista (cs) adj. s.2g.
bissexualístico (cs) adj.
bissexualizado (cs) adj.
bissexualizar (cs) v.
bissífero adj.
bissílabo adj. s.m.
bissilicato s.m.
bissimétrico adj.
bissinose s.f.
bissinótico adj.
bissinuado adj.
bissinuosidade s.f.
bissinuoso (ô) adj.; f. (ó); pl. (ó)
bisso s.m.
bissociação s.f.
bissociativo adj.
bissogênico adj.
bissogênio adj. s.m.
bissógeno adj.
bissoide (ó) adj.2g.
bissolita s.f.
bissolítico adj.
bissólito s.m.
bissonde s.m.
bíssono adj.
bissonoridade s.f.
bissonoro adj.
bissubstituído adj.
bissulcado adj.
bissulcar v.
bissulco adj.
bissulfato s.m.
bissulfeto (ê) s.m.
bissulfídrico adj.
bissulfitagem s.f.
bissulfítico adj.
bissulfito s.m.
bissulfureto (ê) s.m.
bistáculo s.m.
bistão s.m.
biste s.m.
bisteca s.f.
bístone adj. s.2g.
bistônida adj.2g. s.f.
bistônide adj.2g. s.f.
bistônio adj.
bistonto adj. s.m.
bistorta s.f.
bistrado adj.
bistre adj.2g. s.m.
bistrô s.m.
bistropógon s.m.
bisturi s.m.
bisturi-agulha s.m.; pl. *bisturis-agulha* e *bisturis-agulhas*
bisturião s.m.
bisturi-do-mato s.m.; pl. *bisturis-do-mato*
bisturi-lima s.m.; pl. *bisturis-lima* e *bisturis-limas*
bisturi-vegetal s.m.; pl. *bisturis-vegetais*
bisturizar v.
bisugo s.m.
bisultor (ô) adj. s.m.
bisumangala s.f.
bita s.f.
bitaca s.f.
bitacaia s.f.
bitacídeo adj. s.m.
bitaco s.m.
bitácula s.f.
bitafe s.m.
bitalha s.f.
bitálico adj.
bitangencial adj.2g.
bitangenciar v.
bitangente adj.2g. s.f.
bitar v.
bitartarato s.m.
bitartárico adj.
bitatá s.m.
bitate s.m.
bite s.m.
bite-bite s.m.; pl. *bite-bites*
biteca s.f.
bitegminado adj.
bitegumentado adj.
biteiro adj. s.m.
biteísmo s.m.
biteísta adj. s.2g.
biteístico adj.
bitelo adj. s.m.
bitelo-de-gente s.m.; pl. *bitelos-de-gente*
bitemática s.f.
bitemático adj.
bitematismo s.m.
bitematístico adj.
bitemporal adj.2g.
bitemporalidade s.f.
bíter s.m.
biterina s.f.
biterminado adj.
biternado adj.
bitesga (ê) s.f.
bitinela s.f.
bitinga s.f.
bitiniarca s.m.
bitiniarquia s.f.
bitinino s.m.
bitínio adj. s.m.
bitino adj. s.m.
bítio s.m.
bitiofeno s.m.
bitiol s.m.
bitípico adj.
bítis s.2g.2n.
bitnéria s.f.
bitneriácea s.f.
bitneriáceo adj.
bito s.m.
bitocatoca s.f.
bitocles s.m.2n.
bitoiro s.m.
bitola s.f.
bitolação s.f.
bitolado adj.
bitolador (ô) adj. s.m.
bitolagem s.f.
bitolamento s.m.
bitolar v.
bitonal adj.2g.
bitonalidade s.f.
bitonalismo s.m.
bitonalista adj. s.2g.
bitonalístico adj.
bitoncé s.m.
bitoncó s.m.
bitonga adj. s.2g.
bitonita s.f.
bitonta s.f.
bitóscopo s.m.
bitouro s.m.
bitransitividade (z) s.f.
bitransitivo (z) adj.
bitrar v.
bitre s.m.
bitributação s.f.
bitributado adj.
bitributador (ô) adj.
bitributamento s.m.
bitributante adj.2g.
bitributar v.
bitributável adj.2g.
bitrocantérico adj.
bitruca s.f.
bitu s.m.
bitualha s.f.
bituca s.m.
bituíra s.f.
bitumado adj.
bitumar v.
bitume s.m.
bitupitaense adj. s.2g.
bituranense adj. s.2g.
bitúrida adj.2g. s.m.
biturídeo adj. s.m.
bituriense adj. s.2g.
bitúrige adj. s.2g.
bitúrigo adj. s.m.
bituríneo adj. s.m.
bituro s.m.
biturunense adj. s.2g.
bituva s.f.
bityíta s.f.
biú s.m.
biuncial adj.2g.
biuncinado adj.
biungo s.m.
biunguiculado (ü) adj.
biunguicular (ü) adj.2g.
biunivocidade s.f.
biunívoco adj.
biupirá s.m.
biurá s.m.
biurana s.f.
biurético adj.
biureto (ê) s.m.
biúta s.f.
biva s.f.
bivacar v.
bivalência s.f.
bivalente adj. s.2g.
bivaler v.
bivalvar adj.2g.
bivalve adj. s.2g.
biválvula s.f.
bivalvulado adj.
bivalvular adj.2g.
bivalvularidade s.m.
bivaque s.m.
bivaqueiro adj. s.m.
bivariável adj.2g.
bivenoso (ô) adj.; f. (ó); pl. (ó)
biventral adj.2g.
biventralidade s.f.
biventricular adj.2g.
biventricularidade s.f.
bivernal adj.2g.
biviário adj.
bivinilo s.m.
bívio s.m.
bívira s.f.
bivitelino adj.
bivocal adj.2g.
bivocalidade s.f.
bivocalismo s.m.
bivocalista adj. s.2g.
bivocalístico adj.
bivoltinismo s.m.
bivoltino adj.
bívora s.f.
bixa (cs) s.f.
bixácea (cs) s.m.
bixáceo (cs) adj.
bixacorimbo s.m.
bixbita (cs) s.f.
bixbyita (cs) s.f.
bixbyite (cs) s.f.
bixeiro adj. s.m. "avesseiro"; cf. *bicheiro*
bixina (cs) s.f.
bixínea (cs) s.f.
bixíneo (cs) adj.
bixopaense adj. s.2g.
bixoxo s.m.
bixurro s.m.
biza s.f.
bizâncio s.m.
bizante s.m.
bizantina s.f.
bizantinice s.f.
bizantinismo s.m.
bizantinista adj. s.2g.
bizantinístico adj.
bizantinização s.f.
bizantinizado adj.
bizantinizante adj. s.2g.

bizantinizar v.
bizantino adj. s.m.
bizarraço adj. s.m.
bizarrão adj. s.m.; f. *bizarrona*
bizarrear v.
bizarrense adj. s.2g.
bizarria s.f.
bizarrice s.f.
bizarrismo s.m.
bizarro adj.
bizarrona adj. s.f. de *bizarrão*
bizer adj. s.2g.
bizigomático adj.
bizogue s.m.
bizu s.m.
bizuque s.m.
bjarebyita s.f.
blaberídeo adj.
blábero s.m.
blá-blá s.m.; pl. *blá-blás*
blá-blá-blá s.m.; pl. *blá-blá-blás*
blabosa s.f.
blackbúrnia s.f.
blackmorita s.f.
blackstônia s.f.
blade s.2g.
blákea s.f.
blakeíta s.f.
blanca s.f.
blanchétia s.f.
blanchetiastro s.m.
blandfórdia s.f.
blandfordiácea s.f.
blandfordiáceo adj.
blandibráctea s.f.
blandícia s.f.; cf. *blandicia*, fl. do v. *blandiciar*
blandiciado adj.
blandiciar v.
blandície s.f.; cf. *blandicie*, fl. do v. *blandiciar*
blandicioso (*ô*) adj.; f. (*ó*); pl. (*ó*)
blandídico adj.
blandífico adj.
blandífluo adj.
blandiloquente (*ü*) adj.
blandíloquo (*co* ou *quo*) adj.
blandimento s.m.
blandina s.f.
blandineira s.f.
blandineiro s.f.
blandinice s.f.
blândulo adj.
blanfórdia s.f.
blanfordita s.f.
blanha s.f.
blaníolo s.m.
blano s.m.
blanqueta s.f.
blanquinina s.f.
blanquismo s.m.
blanquista adj. s.2g.
blanstrandina s.f.
blanterina s.f.
blapse s.f.
blapsidária s.f.
blápside s.f.
blapsigônia s.f.
blápsis s.f.2n.
blapsito s.m.
blaptíneo adj. s.m.
blaptofobia s.f.
blaptofóbico adj.
blaptófobo adj. s.m.
blaque s.m.
blasfemação s.f.
blasfemador (*ô*) adj. s.m.
blasfemante adj.2g.
blasfemar v.
blasfemativo adj.
blasfematório adj.
blasfemável adj.2g.
blasfêmia s.f.
blasfemo (*ê*) adj. s.m.
blasmo s.m.
blasonado adj.
blasonador (*ô*) adj. s.m.
blasonamento s.m.
blasonante adj.2g.
blasonar v.
blasonaria s.f.
blasonário adj. s.m.
blasonável adj.2g.
blasônico adj.
blasta s.f.
blástea s.f.
blasteado adj. s.m.
blastema s.m.
blastemanto s.m.
blastemático adj.
blastenina s.f.
bláster s.m.
blastese s.f.
blastídia s.f.
blastídio s.m.
blastídula s.f.
blasto s.m.
blastobasídeo adj. s.m.
blastocardia s.f.
blastocárpico adj.
blastocarpo adj.
blastocáulon s.m.
blastocela s.f.
blastocele s.f.
blastocelia s.f.
blastocélio s.m.
blastócero s.m.
blastocinese s.f.
blastociste s.2g.
blastocisto s.m.
blastocítico adj.
blastócito s.m.
blastocitoma s.m.
blastocládia s.f.
blastocola s.f.
blastocolina s.f.
blastoconídeo s.m.
blastoderma s.m.
blastoderme s.f.
blastodérmico adj.
blastodésmia s.f.
blastodínia s.f.
blastodiniácea s.f.
blastodiniáceo adj.
blastodiniale s.f.
blastodínio s.m.
blastodiscal adj.2g.
blastodisco s.m.
blastoestroma s.m.
blastófago s.m.
blastofisa s.f.
blastofórico adj.
blastóforo s.m.
blastoftoria s.f.
blastoftórico adj.
blastogênese s.f.
blastogenesia s.f.
blastogenético adj.
blastogenia s.f.
blastogênico adj.
blastógeno adj. s.m.
blastografia s.f.
blastográfico adj.
blastogranítico adj.
blastoide (*ó*) adj.2g. s.m.
blastóideo adj. s.m.
blastoma s.m.
blastomania s.f.
blastomático adj.
blastomatose s.f.
blastomérico adj.
blastomério s.m.
blastômero s.m.
blastomiceta s.m.
blastomicético adj.
blastomiceto s.m.
blastômico adj.
blastomicose s.f.
blastomicótico adj.
blastoporal adj.2g.
blastopórico adj.
blastopório s.m.
blastóporo s.m.
blastoquema s.f.
blastoquilo s.m.
blastose s.f.
blastosfera s.f.
blastosférico adj.
blastosmília s.f.
blastosporio s.m.
blastósporo s.m.
blastostilo s.m.
blastostroma s.m.
blastótrico s.m.
blastótroco s.m.
blastovariação s.f.
blastovariado adj.
blastovariante adj. s.2g.
blastovariar v.
blastovariável adj. s.2g.
blastozoide (*ó*) s.m.
blástula s.f.
blastulação s.f.
blata s.f.
blatária s.f.
blatária-maior s.f.; pl. *blatárias-maiores*
blatário s.m.
blatela s.f.
blatelídeo adj. s.m.
blateração s.f.
blaterado adj.
blaterador (*ô*) adj. s.m.
blaterante adj.2g.
blaterão s.m.
blaterar v.
blaterável adj.2g.
blaterina s.f.
blátida adj.2g. s.m.
blatídeo adj. s.m.
blatíneo adj. s.m.
blatoide (*ó*) s.m.
blatóideo adj. s.m.
blatopteroide (ó) adj.2g. s.m.
blau adj.2g. s.m.
blau-nunense adj. s.2g.; pl. *blau-nunenses*
blecaute s.m.
blécia s.f.
blecnácea s.f.
blecnáceo adj.
blecnino adj. s.m.
blecno s.m.
bleco s.m.
blédio s.m.
bledo s.m.
blefação s.f.
blefadela s.f.
blefado adj.
blefador (*ô*) s.m.
blefaia s.f.
blefar v.
blefaradenite s.f.
blefaradenítico adj.
blefaradenoma s.m.
blefaranda s.f.
blefarateroma s.m.
blefarelose s.f.
blefaresfincterotomia s.f.
blefaresfincterotômico adj.
blefárico adj.
blefáride s.f.
bléfaris s.f.2n.
blefarisma s.m.
blefarismo s.m.
blefarite s.f.
blefarítico adj.
blefaroadenite s.f.
blefaroadenítico adj.
blefaroadenoma s.m.
blefaroateroma s.m.
blefaroblasto s.m.
blefaroblenorreia (*é*) s.f.
blefaroblenorreico (*é*) adj.
blefarocálase s.f.
blefarocálice s.m.
blefarocerídeo adj. s.m.
blefarócero s.m.
blefarocisto s.m.
blefaroclono s.m.
blefarocoloboma s.m.
blefarocolobomático adj.
blefaroconjuntivite s.f.
blefaroconjuntivítico adj.
blefarocromidrose s.f.
blefarodiástase s.f.
blefarodiastático adj.
blefárodon s.m.
blefarodonte s.m.
blefaroesfincterotomia s.f.
blefaroesfincterotômico adj.
blefarofima s.m.
blefarofimose s.f.
blefarofimótico adj.
blefarofriplastia s.f.
blefarofriplástico adj.
blefaroftalmia s.f.
blefaroftálmico adj.
blefaroncose s.f.
blefaroncótico adj.
blefaropigmentação s.f.
blefaropiorreia (*é*) s.f.
blefaropiorreico (*é*) adj.
blefaroplastia s.f.
blefaroplástico adj.
blefaroplasto s.m.
blefaroplegia s.f.
blefaroplégico adj.
blefaroptose s.f.
blefaroptótico adj.
blefaroquisto s.m.
blefarorrafia s.f.
blefarorráfico adj.
blefarosfincterotomia s.f.
blefarosfincterotômico adj.
blefarospasmo s.m.
blefarospasmódico adj.
blefarossinequia s.f.
blefarossinéquico adj.
blefaróstato s.m.
blefarostenose s.f.
blefarostenótico adj.
blefaróstoma s.m.
blefarotomia s.f.
blefarotômico adj.
blefarótomo adj. s.m.
blefável adj.2g.
blefe (*é* ou *ê*) s.m.
blefilia s.f.
blefista adj. s.2g.
bleforé s.m.
bleima s.f.
bleiniera s.f.
blêizer s.m.
blemômetro s.m.
blenadenite s.f.
blenadenítico adj.
blenda s.f.
blenda de bismuto s.f.
blenda de zinco s.f.
blenelitria s.f.
blenelítrico adj.
blenêmese s.f.
blenemético adj.
blenencefálico adj.
blenenteria s.f.
blenentérico adj.
blenenterite s.f.
blenenterítico adj.
blênia s.f.
blênida adj.2g. s.m.
blenídeo adj. s.m.
bleniforme adj.2g. s.m.
bleniídeo adj. s.m.
blênio s.m.
blenistmia s.f.
blenocampto s.m.
blenocistite s.f.
blenocistítico adj.
blenoftalmia s.f.
blenoftálmico adj.
blenogenia s.f.
blenogênico adj.
blenógeno adj.
blenometrite s.f.
blenometrítico adj.
blenorragia s.f.
blenorrágico adj.
blenorreia (*é*) s.f.
blenorreico (*é*) adj.
blenorrinia s.f.
blenorrínico adj.
blenorroide (*ó*) adj.2g.
blenose s.f.
blenosperma s.m.
blenóstase s.f.
blenostático adj.
blenotorácico adj.
blenotórax (*cs*) s.m.
blenotorreia (*é*) s.f.
blenotorreico (*é*) adj.
blenuretria s.f.
blenurétrico adj.
blenuria s.f.
blenúria s.f.
blerano adj. s.m.
blérico adj. s.m.
blesense adj. s.2g.
blesidade s.f.
bleso adj.
blestrismo s.m.
blestrizar v.
blétia s.f.
bletisa s.f.
bliabergsita s.f.
blica s.f.
blíghia s.f.
blíguia s.f.
blindação s.f.
blindado adj. s.m.
blindador (*ô*) adj.
blindagem s.f.
blindamento s.m.
blindar v.
blindas s.f.pl.
blindável adj.2g.
blíndia s.f.
blinhense adj. s.2g.
blisso s.m.
blitácea s.f.
blitáceo adj.
blixa (*cs*) s.f.
blíxea (*cs*) s.f.
blixita (*cs*) s.f.
blizar s.m.
blocado adj.
blocador (*ô*) adj. s.m.
blocagem s.f.
blocar v.
blockita s.f.
bloco s.m.
bloco-diagrama s.m.; pl. *blocos-diagramas*
bloco-matriz s.m.; pl. *blocos-matrizes*
blodgécia s.f.
blodgétia s.f.
bloedita s.f.
blogue s.m.
bloito s.m.
blomstrandina s.f.
blomstrandinita s.f.
blomstrandita s.f.
blondeliano adj.
blondelismo s.m.
blondelista adj. s.2g.
blondelístico adj.
blôngio s.m.
blongojubá s.m.
bloméria s.f.
bloomfieldiano adj.
bloque s.m.
bloqueado adj.
bloqueador (*ô*) adj. s.m.
bloqueamento s.m.
bloqueante adj.2g.
bloquear v.
bloqueável adj.2g.
bloqueio s.m.
bloqueiro s.m.
bloquista s.2g.
bluco adj.
blueíta s.f.
blúffia s.f.
blúmea s.f.
blumeia (*é*) s.f.
blumenauense adj. s.2g.
blumenávia s.f.
blumenbáchia (*qui*) s.f.
blumenbáquia s.f.
blusa s.f.
blusão s.m.
blusaria s.f.
bluseira s.f.
bluseiro s.m.
blythita s.f.
boa (*ô*) adj. s.f. "serpente", etc.; cf. *boá*
boá s.m. "espécie de estola"; cf. *boa* (*ô*)
boaba adj. s.2g. "emboaba"; cf. *boabá*
boabá s.m. "planta"; cf. *boaba*

boacatinga s.f.
boaciquense adj. s.2g.
boaço adj.
boaçuense adj. s.2g.
boada s.f.
boa-esperancense adj. s.2g.; pl. *boa-esperancenses*
boa-fé s.f.; pl. *boas-fés*
boáirico adj. s.m.
boal s.m.
boal-barreiro s.m.; pl. *boais-barreiros*
boal-bonifácio s.m.; pl. *boais-bonifácio* e *boais-bonifácios*
boal-cachudo s.m.; pl. *boais-cachudos*
boal-calhariz s.m.; pl. *boais-calharizes*
boal-carniceiro s.m.; pl. *boais-carniceiros*
boal-de-alicante s.m.; pl. *boais-de-alicante*
boal-esfarrapado s.m.; pl. *boais-esfarrapados*
boal-natura s.m.; pl. *boais-natura* e *boais-naturas*
boal-ratinho s.m.; pl. *boais-ratinho* e *boais-ratinhos*
boal-rico s.m.; pl. *boais-ricos*
boal-roxo s.m.; pl. *boais-roxos*
boal-tinto s.m.; pl. *boais-tintos*
boalvo s.m.
boamba s.f.
boana s.f.
boanari adj. s.2g. s.m.
boança s.f.
boane adj. s.2g.
boa-noite s.m.f.; pl. *boas-noites*
boa-noite-branca s.f.; pl. *boas-noites-brancas*
boa-noute s.m.f.; pl. *boas-noutes*
boa-nova s.f.; pl. *boas-novas*
boa-novense adj. s.2g.; pl. *boa-novenses*
boapabense adj. s.2g.
boa-peça s.2g.; pl. *boas-peças*
boa-pinta adj. s.2g.; pl. *boas-pintas*
boa-praça adj. s.2g.; pl. *boas-praças*
boa pra tudo s.f.
boari s.m.
boária s.f.
boármia adj. s.f.
boa-rolha s.2g.; pl. *boas-rolhas*
boas s.f.pl.; na loc. *às boas*
boas-entradas s.f.pl.
boas-festas s.f.pl.
boas-noites s.m.f.pl.
boas-pernas s.f.pl.
boas-tardes s.f.pl.
boas-vindas s.f.pl.
boatar v.
boa-tarde s.m.; pl. *boas-tardes*
boataria s.f.
boate s.f.
boateiro adj. s.m.
boatice s.f.
boato s.m.
boatologia s.f.
boatológico adj.
boa-união s.f.; pl. *boas-uniões*
boava adj. s.2g.
boa-venturança s.f.; pl. *boas-venturanças*
boa-viagense adj. s.2g.; pl. *boa-viagenses*
boa-vida adj. s.2g.; pl. *boas-vidas*
boa-vinda s.f.; pl. *boas-vindas*
boa-vistense adj. s.2g.; pl. *boa-vistenses*
boa-volta s.f.; pl. *boas-voltas*
boaz s.f.
boazinha s.f.
boazona adj.; f. de *bonzão*
boazuda s.f.
bobageira s.f.
bobagem s.f. "tolice"; cf. *boubagem*
bobaginha s.f.
bobai s.m.
bobajada s.f.
bobal s.m.
bobalhão adj. s.m.; f. *bobalhona*
bobalhona adj. s.f. de *bobalhão*
bobar v.
bobárcia s.f.
bobártia s.f.
bobata s.f.
bobático adj.
bobeada s.f.
bobear v.
bobeche s.m.
bobeia (*é*) s.f.; cf. *bobeia*, fl. do v. *bobear*
bobeira s.f.
bobelhes s.m.pl.
bobes s.m.pl.
bobice s.f.
bobícia s.f.
bobiciada s.f.
bobierrita s.f.
bobina s.f.
bobinadeira s.f.
bobinado adj.
bobinador (*ô*) s.m.
bobinagem s.f.
bobinão s.m.
bobinar v.
bobine s.f.
bobinete (*ê*) s.m.
bobo (*ô*) adj. s.m. "bufão"; cf. *bobó* s.m. e *bobo*, fl. do v. *bobar*
bobó s.m. "iguaria"; cf. *bobo* (*ô*) s.m. e *bobo*, fl. do v. *bobar*
boboca adj. s.2g. s.f.
bobocar v.
bobolojô s.m.
bóbonax (*cs*) s.m.2n.
boboquice s.f.
bobóti s.m.
bobrovquita s.f.
boburé adj. s.2g.
boca (*ô*) adj. s.2g. s.f.; cf. *boca*, fl. do v. *bocar*
boça s.f. "amarras"; cf. *bossa*
boca-aberta s.f.; pl. *bocas-abertas*
boca-acriano adj. s.m.; pl. *boca-acrianos*
bocaça s.f.
bocaciano adj.
boca-d'água s.m.; pl. *bocas-d'água*
bocada s.f.
boca-danada adj. s.2g.; pl. *bocas-danadas*
boca-da-noite s.f.; pl. *bocas-da-noite*
boca-de-acari s.f.; pl. *bocas-de-acari*
boca-de-água s.m.; pl. *bocas-de-água*
boca-de-aruá s.m.; pl. *bocas-de-aruá*
boca-de-barro s.f.; pl. *bocas-de-barro*
boca de cano s.f.
boca-de-cão s.f.; pl. *bocas-de-cão*
boca-de-cavalo s.m.; pl. *bocas-de-cavalo*
boca-de-colher s.m.; pl. *bocas-de-colher*
boca-de-dragão s.m.; pl. *bocas-de-dragão*
boca de favas s.2g.
boca de fogo s.f. "peça de artilharia"
boca-de-fogo s.m.f. "espécie de peixe"; pl. *bocas-de-fogo*
boca de forno s.f.
boca de fumo s.f.
boca de incêndio s.f.
boca de inferno s.2g.
boca de lagarto s.f.
boca-de-leão s.f.; pl. *bocas-de-leão*
boca-de-leão-do-banhado s.f.; pl. *bocas-de-leão-do-banhado*
boca de lobo s.f. "bueiro"
boca-de-lobo s.f. "espécie de erva"; pl. *bocas-de-lobo*
boca-de-mina s.f.; pl. *bocas-de-mina*
boca-de-moça s.f.; pl. *bocas-de-moça*
boca de moela s.2g.
boca-de-peixe s.f.; pl. *bocas-de-peixe*
boca-de-rato s.f.; pl. *bocas-de-rato*
boca de sapo s.2g. "pessoa de boca grande"
boca-de-sapo s.f. "espécie de arbusto"; pl. *bocas-de-sapo*
boca de sino s.f.
boca de siri s.f. interj.
boca-de-velha s.f.; pl. *bocas-de-velha*
bocadinho s.m.
bocado s.m.
boca-doce s.f.; pl. *bocas-doces*
bocado de adão s.m.
boca do lixo s.f.
bocadura s.f.
bocágea s.f.
bocagem s.f.
boçagem s.f. "amarradura"; cf. *bossagem*
bocagianismo s.m.
bocagianista adj. s.2g.
bocagianístico adj.
bocagiano adj.
bocaina s.f.
bocainense adj. s.2g.
bocaiú adj. s.2g.
bocaiuva (*ú*) s.f.
bocaiuva-de-são-lourenço s.f.; pl. *bocaiuvas-de-são-lourenço*
bocaiuva-dos-pantanais s.f.; pl. *bocaiuvas-dos-pantanais*
bocaiuvense adj. s.2g.
bocaiuvo (*ú*) adj. s.m.
bocal s.m. "boca"; cf. *bucal*
boçal adj. s.2g. "grosseiro"; cf. *buçal*
boçalar v.
boçalete (*ê*) s.m.
boçalidade s.f.
boca-lisa s.f.; pl. *bocas-lisas*
boçalismo s.m.
boca-livre s.2g.; pl. *bocas-livres*
boçalizar v.
bocalrão s.m.
bocalvo adj.
boca-mole s.2g.; pl. *bocas-moles*
bocana s.2g.
bocandeiro s.m.
boca-negra s.f. s.2g.; pl. *bocas-negras*
bocanha s.f.
boçanha s.f.
bocanhar v.
bocanheira s.f.
bocanhim s.m.
bocanho s.m.
bocanhudo adj.
bocão s.m.
bocapiú s.m.
boca-preta adj. s.2g.; pl. *bocas-pretas*
bocar v.
boçar v.
boca-rasa s.f.; pl. *bocas-rasas*
boçarda s.f.
bocardo s.m.
bocarejar v.
bocarela adj. s.2g.
bocaréu s.m.
boca-rica s.2g.; pl. *bocas-ricas*
bocárnea s.f.
boca-rota adj. s.2g.; pl. *bocas-rotas*
bocarra s.f.
bocarte s.m.
bocas-de-lobo s.f.pl.
bocassi s.m.
bocassim s.m.
boca-suja s.f.; pl. *bocas-sujas*
boca-torta s.2g.; pl. *bocas-tortas*
bocaxi s.m.
bocaxim s.m.
boccacciano adj.
bocejado adj.
bocejador (*ô*) adj. s.m.
bocejante adj.2g.
bocejar v.
bocejo (*ê*) s.m.
bocel s.m.
bocelado adj.
boceladura s.f.
bocelão s.m.
bocelar v.
bocelim s.m.
bocelinho s.m.
bocelino s.m.
boceta (*ê*) s.f.
boceta-de-mula s.f.; pl. *bocetas-de-mula*
bocete (*ê*) s.m.
boceteira s.f.
boceteiro s.m.
boceto (*ê*) adj.
bocha s.f. "jogo"; cf. *bocha* (*ô*)
bocha (*ô*) s.f. "chouriço"; cf. *bocha* s.f. e fl. do v. *bochar*
bochaca s.f.
bochacrar v.
bochacro s.m.
bochada s.f. "conjunto de boches"; cf. *buchada*
bochar v.
boche adj. s.2g.
bochecha (*ê*) s.f.
bochechada s.f.
bochechadela s.f.
bochecha-de-velho s.f.; pl. *bochechas-de-velho*
bochechão s.m.
bochechar v.
bochecho (*ê*) s.m.
bochechudo adj. s.m.
bochicho s.m.
bochinca s.f.
bochinchada s.f.
bochinchar v.
bochinche s.m.
bochincheiro adj. s.m.
bochincho s.m.
bochinho adj. s.m.
bochornal adj.2g.
bochorno (*ô*) s.m.
bochornoso (*ô*) adj.; f. (*ó*); pl. (*ó*)
bociado adj.
bocicódio adj. s.m.
bocidíneo adj. s.m.
bocídio s.m.
bocim s.m.
bocinador (*ô*) s.m.
bócio s.m.
bociógeno adj.
bocioso (*ô*) adj.; f. (*ó*); pl. (*ó*)
boco s.m. "planta"; cf. *boco* (*ô*) e *bocó*
boco (*ô*) s.m. "jogo"; cf. *boco* s.m., fl. do v. *bocar* e *bocó* adj. s.2g.
bocó adj. s.2g. "tolo"; cf. *boco* s.m., fl. do v. *bocar* e *boco* (*ô*) s.m.
bocoa (*ô*) s.f.
bocoió adj. s.m.
bocona s.f.
bocônia s.f.
bocopari s.m.
bocório adj. s.m.
boçoroca s.f.
boçoroquense adj. s.2g.
bocquillônia s.f.
boçu s.m.f.
bocuba s.f.
bocudo adj.
boçudo adj.
bocué adj. s.2g.
bocuiabá s.f.
bocuuvaçu s.f.
bocuva s.f.
bocuvuçu s.f.
boda s.f. "mestiço"; cf. *boda* (*ô*)
boda (*ô*) s.f. "casamento"; cf. *boda* s.f. e *boda*, fl. do v. *bodar*
bodalha s.f.
bodalhão s.m.
bodalhice s.f.
bodalho s.m.
bodana s.f.
bodanha s.f.
bodar v.
bodarrada s.f.
bodarrete (*ê*) adj. s.m.
bodas (*ô*) s.f.pl.
bode s.m.
bode-bicheiro s.m.; pl. *bodes-bicheiros*
bode-bravo s.m.; pl. *bodes-bravos*
bodeco s.m.
bodefe adj. s.m.
bodega s.f.
bodegada s.f.
bodegana s.f.
bodegão s.m.
bodego (*ê*) adj. s.m.
bodegonice s.f.
bodegueiro s.m.
bodeguice s.f.
bodeguim s.m.
bodeiro adj. s.m.
bodejar v.
bodejo (*ê*) s.m.
bodelgo s.m.
bodelha (*ê*) s.f.
bodelhão s.m.
bodelho (*ê*) adj. s.m.
bodemeria s.f.
bodenbenderita s.f.
bode-preto s.m.; pl. *bodes-pretos*
bodequim s.m.
bodete (*ê*) adj. s.m.
bodi s.f.
bodiame s.m.
bodiamo s.m.
bodianice s.f.
bodiano s.m.
bodião s.m.
bodião-amarelo s.m.; pl. *bodiões-amarelos*
bodião-azul s.m.; pl. *bodiões-azuis*
bodião-batata s.m.; pl. *bodiões-batata* e *bodiões-batatas*
bodião-dourado s.m.; pl. *bodiões-dourados*
bodião-lamego s.m.; pl. *bodiões-lamego* e *bodiões-lamegos*
bodião-papagaio s.m.; pl. *bodiões-papagaio* e *bodiões-papagaios*
bodião-preto s.m.; pl. *bodiões-pretos*
bodião-rabo-de-forquilha s.m.; pl. *bodiões-rabo-de-forquilha*
bodião-rajado s.m.; pl. *bodiões-rajados*
bodião-rei s.m.; pl. *bodiões-reis*
bodião-roxo s.m.; pl. *bodiões-roxos*
bodião-sabonete s.m.; pl. *bodiões-sabonete* e *bodiões-sabonetes*
bodião-tucano s.m.; pl. *bodiões-tucano* e *bodiões-tucanos*
bodião-verde s.m.; pl. *bodiões-verdes*
bodião-vermelho s.m.; pl. *bodiões-vermelhos*
bódico adj.
bodigo s.m.

bodincomagense adj. s.2g.
bodincômago adj. s.m.
bodinho s.m.
bodioa (*ô*) s.f.
bodiona s.f.
bodionada s.f.
bodionice s.f.
bodiônico adj.
bodiôntico adj. s.m.
bodisatva s.m.
bodivo s.m.
bodo s.m. "ser unicelular"; cf. *bodo* (*ô*) e *bodó*
bodo (*ô*) s.m. "partilha de alimentos"; cf. *bodo* s.m., fl. do v. *bodar* e *bodó* s.m.
bodó s.m. "peixe"; cf. *bodo* s.m., fl. do v. *bodar* e *bodo* (*ô*) s.m.
bodocada s.f.
bodocoense adj. s.2g.
bodocongoense adj. s.2g.
bodoense adj. s.2g.
bodoni s.m.
bodoniano adj.
bodônida adj.2g. s.m.
bodonídeo adj. s.m.
bodonido s.m.
bodoque s.m.
bodoqueiro s.m.
bodoquena adj. s.2g.
bodoquenense adj. s.2g.
bodorelho (*ê*) s.m.
bodoso (*ô*) adj.; f. (*ó*); pl. (*ó*)
bodotense adj. s.2g.
bodrelho (*ê*) s.m.
bodrié s.m.
bodum s.m.
boé s.m.
boedrômias s.f.pl.
boedrômio s.m.
boeggildita s.f.
boeguaçuense adj. s.2g.
boehmenismo s.m.
boehmenista adj. s.2g.
boehmenístico adj.
boehméria s.f.
boehmérie s.f.
boehmita s.f.
boehmítico adj.
boeio s.m.
boeira s.f.
boeiro s.m. "ave"; cf. *bueiro*
boemia s.f.
boêmia s.f.
boêmico adj.
boêmio adj. s.m.
boemista s.2g.
boemita s.f.
boemítico adj.
boenca s.m.
bôer adj. s.2g.
boerhaávia s.f.
boerhaaviina s.f.
boerhávia s.f.
bões s.m.pl.
boeta (*ê*) s.f.
boetarca s.m.
boetarquia s.f.
bofada s.f.
bofadela s.f.
bofar v. "golfar"; cf. *bufar*
bofe s.m. "pulmão"; cf. *bofé*
bofé s.f. "boa-fé"; cf. *bofe*
bofe-de-burro s.m.; pl. *bofes-de-burro*
bofejar v.
bofélia s.f.
bofes s.m.pl.
bofetá s.m.
bofetada s.f.
bofetadela s.f.
bofetão s.m.
bofetar v.
bofete (*é* ou *ê*) s.m. "bofetada"; cf. *bufete*
bofetear v.
bofetense adj. s.2g.
bofeto (*ê*) s.m.
bofetona s.f.
bófia s.f.
bofo (*ô*) s.m. "canela-gosmenta"; cf. *bofó* s.m. e *bofo*, fl. do v. *bofar*
bofó s.m. "cará-inhame"; cf. *bofo* (*ô*) s.m. e *bofo*, fl. do v. *bofar*
bofórcia s.f.
bofordo (*ô*) s.m.
boforinheiro s.m.
boforo s.m.
bofúrdio s.m.
boga s.f.
bogacho s.m.
bogalha s.f.
bogalhó s.m.
boga-lisa s.f.; pl. *bogas-lisas*
bogancho s.m.
boganga s.f.
bogango s.m.
bogante adj.2g. s.f.
bogar v. adj. s.2g.
bogardo s.m.
bogari s.m.
bogarim s.m.
bogarizeiro s.m.
bogaxo s.m.
bogó adj. s.2g. s.m.
bogomilianismo s.m.
bogomilianista adj. s.2g.
bogomilianístico adj.
bogomiliano adj.
bogomilismo s.m.
bogomilista adj. s.2g.
bogomilístico adj.
bogomilo adj. s.m.
bogotano adj. s.m.
boguaçuense adj. s.2g.
bogue s.m.
bogueira s.f.
bogueiro s.m.
bogum s.m.
bogunha s.f.
bohdanowiczita s.f.
boi s.m.
bói s.m.
boia (*ó*) s.f. "corpo flutuante"; cf. *boiá*
boiá s.m. "empregado"; cf. *boia* (*ó*)
boiaca s.f.
boiacaá s.f.
boia-calção s.f.; pl. *boias-calções*
boiaçu s.f.
boiaçuense adj. s.2g.
boiada s.f.
boiadão s.m.
boiadeiro adj. s.m.
boiado adj.
boiadoiro s.m.
boiador (*ô*) s.m.
boiadouro s.m.
boia-fria adj. s.2g.; pl. *boias-frias*
boi-almiscarado s.m.; pl. *bois-almiscarados*
boiama s.f.
boiante adj.2g.
boião s.m.
boiar v. s.m.
boiardo s.m.
boiarucense adj. s.2g.
boiaruquense adj. s.2g.
boiato s.m.
boia-unha-de-anta s.f.; pl. *boias-unha-de-anta*
boi-barroso s.m.; pl. *bois-barrosos*
boi-bento s.m.; pl. *bois-bentos*
boibi s.2g.
boi-bumbá s.m.; pl. *bois-bumbá* e *bois-bumbás*
boiça s.f.
boicaá s.f.
boi-calemba s.m.; pl. *bois-calemba* e *bois-calembas*
boi-calumba s.m.; pl. *bois-calumba* e *bois-calumbas*
boiçar v.
boi-cavalo s.m.; pl. *bois-cavalo* e *bois-cavalos*
boiceira s.f.
boiceiro s.m.
boicelado adj.
boicelo s.m.
boicenim-açu s.m.; pl. *boicenins-açus*
boicininga s.f.
boicipó s.f.
boicoatiara s.f.
boi com folhagens s.m.
boicorá s.f.
boicoral s.f.
boi-corneta s.m.; pl. *bois-cornetas*
boicotado adj.
boicotagem s.f.
boicotar v.
boicote s.m.
boicoteado adj.
boicotear v.
boiçu s.f.
boicuaba s.m.
boicuabá s.f.
boi-culemba s.m.; pl. *bois-culemba* e *bois-culembas*
boiçununga s.f.
boidana s.f.
boidanha s.f.
boi da ponta s.m.
boi de bico s.m.
boi-de-carro s.m.; pl. *bois-de-carro*
boi de cavalo s.m.
boi de cova s.m.
boi-de-deus s.m.; pl. *bois-de-deus*
boi de fogo s.m.
boi-de-guará s.m.; pl. *bois-de-guará*
boi de jacá s.m.
boi de lote s.m.
boi de mamão s.m.
boi de matraca s.m.
boi de melão s.m.
boídeo adj. s.m.
boi de orquestra s.m.
boi de reis s.m.
boi de zabumba s.m.
boieco s.m.
boieira s.f.
boieiro adj. s.m.
boi-espácio s.m.; pl. *bois-espácios*
boi-espaço s.m.; pl. *bois-espaços*
boiga s.f.
boigídeo adj. s.m.
boi-gordo s.m.; pl. *bois-gordos*
boiguaçu s.f.
boiil s.m.
boi-jaraguá s.m.; pl. *bois-jaraguás*
boi-marinho s.m.; pl. *bois-marinhos*
boi-marrequeiro s.m.; pl. *bois-marrequeiros*
boimé adj. s.2g.
boi-melão s.m.; pl. *bois-melões*
boi-moscado s.m.; pl. *bois-moscados*
boina s.f.
boi na corda s.m.
boi na vara s.m.
boina-verde s.m.; pl. *boinas-verdes*
boíneo adj. s.m.
boinha s.f.
boi no campo s.m.
boi no mato s.m.
boinungara s.f.
boio s.m.
boiobi s.2g.
boioçu s.2g.
boioçuboia (*ó*) s.2g.
boiola s.m.
boiota adj. s.2g. s.f.
boiote s.m.
boipeba s.f.
boipebaçu s.2g.
boi-pereiro s.m.; pl. *bois-pereiros*
boipeva s.f.
boipevaçu s.2g.
boi-pintadinho s.m.; pl. *bois-pintadinhos*
boipiranga s.f.
boiquatiara s.f.
boiqueira s.f.
boiquiba s.f.
boiquínia s.f.
boiquira s.f.
boirar v.
boi-ratinho s.m.; pl. *bois-ratinho* e *bois-ratinhos*
boirel s.m.
boiru s.f.
boi-santo s.m.; pl. *bois-santos*
boi-sonso s.m.; pl. *bois-sonsos*
bois-roubados s.m.pl.
boi-surubi s.m.; pl. *bois-surubi* e *bois-surubis*
boi-surubim s.m.; pl. *bois-surubim* e *bois-surubins*
boita s.f.
boita-assobiadeira s.f.; pl. *boitas-assobiadeiras*
boita-cantadeira s.f.; pl. *boitas-cantadeiras*
boita-da-guiné s.f.; pl. *boitas-da-guiné*
boita-de-asa-vermelha s.f.; pl. *boitas-de-asa-vermelha*
boita-de-bigodes s.f.; pl. *boitas-de-bigodes*
boita-do-natal s.f.; pl. *boitas-do-natal*
boitatá s.m.
boiteuxburguense adj. s.2g.
boitiaboia (*ó*) s.f.
boitiapó s.f.
boitiapoia (*ó*) s.f.
boituvano adj. s.m.
boituvense adj. s.2g.
boiubi s.2g.
boiubu s.2g.
boiuçu s.2g.
boiuçuboia (*ó*) s.2g.
boiuna (*ú*) s.f.
boiuno (*ú*) adj.
boi-vivo s.m.; pl. *bois-vivos*
boiz s.f.
boizama s.f.
boizana s.2g.
boi-zebu s.m.; pl. *bois-zebus*
boizinho s.m.
boizinho de são marcos s.m.
boizote s.m.
bojado adj.
bojador (*ô*) adj. s.m.
bojadura s.f.
bojaga s.f.
bojamento s.m.
bojanga s.f.
bojante adj.2g.
bojão s.m. "título hierárquico"; cf. *bujão*
bojar v.
bojarda s.f.
bojeço (*ê*) s.m.
bojega s.f.
bojego (*ê*) s.m.
bojéria s.f.
bojito s.m.
bojo (*ô*) s.m.; cf. *bojo*, fl. do v. *bojar*
bojobi s.2g.
bojudo adj.
bojuí s.f.
bojuruense adj. s.2g.
bola s.f. "corpo redondo"; cf. *bola* (*ô*)
bola (*ô*) s.f. "broa"; cf. *bola* s.f. e *bola*, fl. do v. *bolar*
bola ao cesto s.m.
bolação s.f.
bolacha s.f.
bolacha-d'água s.f.; pl. *bolachas-d'água*
bolacha-d'água e sal s.f.; pl. *bolachas-d'água e sal*
bolachada s.f.
bolacha-da-praia s.f.; pl. *bolachas-da-praia*
bolacha-quebrada s.f.; pl. *bolachas-quebradas*
bolacheira s.f.
bolacheiro adj. s.m.
bolachense adj. s.2g.
bolachinha s.f.
bolacho s.m.
bolachudo adj.
bolaço s.m.
bolada s.f.
bola de berlim s.f.
bola de milho s.f.
bola de neve s.f. "o que toma vulto rapidamente"
bola-de-neve s.f. "arbusto europeu"; pl. *bolas-de-neve*
bola-de-ovo s.m.; pl. *bolas-de-ovo*
bola de sabão s.f.
bola-de-vaca s.f.; pl. *bolas-de-vaca*
bolado adj.
bolaina s.f.
bolandas s.f.pl.; na loc. *em bolandas*
bolandear v.
bolandeira s.f.
bolandeja s.f.
bolandina s.f.
bolandismo adj.
bolandista adj. s.2g.
bolandístico adj.
bolanha s.f.
bolano adj. s.m.
bola no cesto s.f.
bolantim s.m.
bolão s.m.
bolapé s.m.
bola-pesada s.f.; pl. *bolas-pesadas*
bola-presa s.f.; pl. *bolas-presas*
bolar v. adj.2g.
bolarda s.f.
bolarento adj.
bola-reversa s.f.; pl. *bolas-reversas*
bolarmênico s.m.
bolaro s.m.
bolas s.2g.2n. interj.
bolas-de-neve s.f.2n.
bolata s.f.
bolatim s.m.
bolatra s.f.
bólax s.f.2n.
bolbáceo adj.
bolbar adj.2g.
bolbídeo s.m.
bolbífero adj.
bolbiforme adj.2g.
bolbígero adj.
bolbilho s.m.
bolbilífero adj.
bolbilogema s.f.
bolbíparo adj.
bolbítide s.f.
bólbitis s.f.2n.
bolbo (*ô*) s.m.
bolbócero s.m.
bolboide (*ó*) adj.2g.
bolbomania s.f.
bolbomaníaco adj.
bolboprotuberancial adj.2g.
bolborraquidiano adj.
bolboso (*ô*) adj.; f. (*ó*); pl. (*ó*)
bolbossomose s.f.
bolçada s.f.; cf. *bolsada*
bolçado s.m.; cf. *bolsado*
bolcão s.m.
bolcar v.
bolçar v. "golfar"; cf. *bolsar*
bolchevique adj. s.2g.
bolcheviquismo s.m.
bolcheviquista adj. s.2g.
bolcheviquístico adj.
bolchevismo s.m.
bolchevista adj. s.2g.
bolchevístico adj.
bolchevização s.f.
bolchevizado adj.
bolchevizador (*ô*) adj.
bolchevizamento s.m.

bolchevizante adj.2g.
bolchevizar v.
bolchevizável adj.2g.
bolco (*ô*) s.m.
bóldeo adj. s.m.
bóldia s.f.
boldiácea s.f.
boldiáceo adj.
boldina s.f.
boldo (*ô*) s.m.
bóldoa s.f.
boldo-do-chile s.m.; pl. *boldos-do-chile*
boldoglicina s.f.
boldoglucina s.f.
boldol s.m.
boldrego (*ê*) adj.
boldreguice s.f.
boldrié s.m.
bólea s.f.
boleação s.f.
boleadeira s.f.
boleadeiras s.f.pl.
boleado adj. s.m.
boleador (*ô*) s.m.
boleamento s.m.
bolear v.
bole-bole s.m.; pl. *bole-boles* e *boles-boles*
boleco (*ê*) adj.
boleeiro s.m.
bolegada s.f.
bolego (*ê*) s.m.
boleia (*é*) s.f.; cf. *boleia*, fl. do v. *bolear*
boleima s.f. s.2g.
boleio s.m.
boleira s.f.
boleiro adj. s.m.
boleíta s.f.
bolenga s.f.
boleno adj. s.m.
bóleo s.m.
bolero adj. s.m.
boleta (*ê*) s.f.; cf. *boleta*, fl. do v. *boletar*
boletácea s.f.
boletáceo adj.
boletada s.f.
boletado adj.
boletar v.
bolete (*ê*) s.m.; cf. *bolete*, fl. do v. *boletar*
boléteo adj. s.m.
bolético adj.
boletim s.m.
boletina s.f.
boletineiro s.m.
boletinesco (*ê*) adj.
boletinista s.2g.
boleto (*ê*) s.m.; cf. *boleto*, fl. do v. *boletar*
boletóbio s.m.
boleto-bom s.m.; pl. *boletos-bons*
boleto-da-isca s.m.; pl. *boletos-da-isca*
boleto-da-isca-de-couro s.m.; pl. *boletos-da-isca-de-couro*
boleto-doce s.m.; pl. *boletos-doces*
boletópsis s.2g.2n.
boletra (*ê*) s.f.
bolétria s.f.
boléu s.m.
bolgo s.m.
bolha (*ô*) adj. s.2g. s.f.; cf. *bolha*, fl. do v. *bolhar*
bolhaca s.f.
bolhaça s.f.
bolhaco s.m.
bolhaço s.m.
bolhacra s.f.
bolhante adj.2g.
bolhão s.m.
bolhar v.
bôlhara s.f.
bolhelho (*ê*) s.m.
bolhento adj. "bolhante"; cf. *bulhento*
bolhó s.m.
bolhoso (*ô*) adj.; f. (*ó*); pl. (*ó*)
bolhudo adj. s.m.
boli s.m.
bolichar v.
boliche s.m.
bolichear v.
bolicheira s.f.
bolicheiro s.m.
bolichense adj. s.2g.
bolico s.m.
boliço s.m.
bólide s.2g.
bólido s.m.
bolieríneo adj. s.m.
bolim s.m.
bolímetro s.m.
bolina s.f.
bolinação s.f.
bolinada s.f.
bolinadela s.f.
bolinado adj.
bolinador (*ô*) s.m.
bolinagem s.f.
bolinar v.
bolindro s.m.
bolineiro adj.
bolinete (*ê*) s.m.
bolinha s.f.
bolinho s.m.
bolinho de estudante s.m.
bolinhol s.m.
bolinholo (*ô*) s.m.
bolínia s.f.
boliníideo adj. s.m.
bolinópside s.f.
bolinópsis s.2g.2n.
bolisco s.m.
bolita s.f.
bolitóbio s.m.
bolitócara s.m.
bolitófago s.m.
bolitófila s.f.
bolitofilíneo adj. s.m.
bolitófilo s.m.
bolívar s.m.
bolivária s.f.
bolivarianismo s.m.
bolivarianista adj. s.2g.
bolivariano adj.
bolivário adj.
bolivarismo s.m.
bolivarista adj. s.2g.
bolivarístico adj.
bolivarita s.f.
bolívia s.f.
bolivianita s.f.
bolivianite s.f.
bolivianização s.f.
bolivianizar v.
boliviano adj. s.m.
bolivina s.f.
bolivite s.f.
bóllea s.f.
bolo s.m. "jogo"; cf. *bolo* (*ô*)
bolo (*ô*) s.m. "massa", "porção"; cf. *bolo*, fl. do v. *bolar*
bolo-amarelo s.m.; pl. *bolos-amarelos*
bolo-armênico s.m.; pl. *bolos-armênicos*
bolo-armênio s.m.; pl. *bolos-armênios*
bolocobó s.m.
bolo da armênia s.m.
bolo de creta s.m.
bolo-de-quinau s.m.; pl. *bolos-de-quinau*
bolo de rolo s.m.
bolo de sinopse s.m.
bolodório s.m.
bológrafo s.m.
bolograma s.m.
boloirar v.
boloiro s.m.
boloísta adj.2g.
boloito s.m.
bololô s.m.
bolomancia s.f.
bolomante adj. s.2g.
bolo-menino s.m.; pl. *bolos-meninos*
bolometria s.f.
bolométrico adj.
bolômetro s.m.
bolondo s.m.
bolongeta (*ê*) s.f.
bolonhês adj. s.m.
boloniense adj. s.2g.
bolônio adj.
bolonose s.f.
bolo-oriental s.m.; pl. *bolos-orientais*
bolo-podre s.m.; pl. *bolos-podres*
bolor (*ô*) s.m.
bolorecência s.f.
bolorecente adj.2g.
bolorecer v.
bolorecido adj.
bolorecimento s.m.
bolo-rei s.m.; pl. *bolos-rei* e *bolos-reis*
bolorência s.f.
bolorento adj.
boloscópio s.m.
bolostroca s.f.
bolota s.f.
bolotada s.f.
bolotado adj.
bolota-do-mar s.f.; pl. *bolotas-do-mar*
bolotagem s.f.
bolotal s.m.
bolotar v.
bolote s.m.
boloteca s.f.
boloteiro s.m.
bolotinho s.m.
bolourar v.
bolouro s.m.
bolpebra s.f.
bolsa (*ô*) s.m.f. "sacola", "tesoureira"; cf. *bolça*, fl. do v. *bolçar e bouça* s.f.
bolsada s.f.; cf. *bolçada*
bolsa-de-pastor s.f.; pl. *bolsas-de-pastor*
bolsado adj.; cf. *bolçado*
bolsão s.m.
bolsar v. "fazer bolsos"; cf. *bolçar*
bolsaria s.f.
bolseirão s.m.
bolseiro s.m. "bolsista"; cf. *bouceiro*
bolselho (*ê*) s.m.
bolsilho s.m.
bolsim s.m.
bolsinha s.f.
bolsinho s.m.
bolsista adj. s.2g.
bolsístico adj.
bolso (*ô*) s.m. "parte da roupa"; cf. *bouço*
boltênia s.f.
boltônia s.f.
boltonita s.f.
boltwoodita s.f.
boludo adj. s.m.
bolungueiro s.m.
bólus s.m.2n.
bolúsia s.f.
bolvedouro s.m.
bom adj. s.m.
boma s.m.f.
bomárea s.f.
bomassa s.m.
bomba s.f.
bombaça s.f.
bombacácea s.f.
bombacáceo adj.
bombácea s.f.
bombáceo adj.
bombacha s.f.
bombachas s.f.pl.
bombacho s.m.
bombachudo s.m.
bombaço s.m.
bomba-d'água s.f.; pl. *bombas-d'água*
bombada s.f.
bomba-foguete s.f.; pl. *bombas-foguete e bombas-foguetes*
bombagi s.m.
bomba-granada s.f.; pl. *bombas-granada* e *bombas-granadas*
bombaim s.m.
bombaiona s.f.
bombaísta adj. s.2g.
bombal s.m.
bombanaça s.f.
bombão s.m.
bomba-parafuso s.f.; pl. *bombas-parafuso* e *bombas-parafusos*
bombarato s.m.
bombarda s.f.
bombardada s.f.
bombardamento s.m.
bombardão s.m.
bombardar v.
bombardaria s.f.
bombardeado adj.
bombardeador (*ô*) adj. s.m.
bombardeamento s.m.
bombardear v.
bombardeio s.m.
bombardeira s.f.
bombardeiro adj. s.m.
bombardela s.f.
bombardeta (*ê*) s.f.
bombardiastro s.m.
bombardino s.m.
bomba-real s.f.; pl. *bombas-reais*
bomba-relógio s.f.; pl. *bombas-relógio* e *bombas-relógios*
bombaria s.f.
bom-barqueiro s.m.; pl. *bons-barqueiros*
bombasticidade s.f.
bombástico adj.
bomba-turbina s.f.; pl. *bombas-turbina* e *bombas-turbinas*
bómbax (*cs*) s.m.2n.
bombazina s.f.
bombeação s.f.
bombeado adj.
bombeador (*ô*) adj. s.m.
bombeamento s.m.
bombeante adj.2g.
bombear v.
bom-bedro s.m.; pl. *bons-bedros*
bombeirinho s.m.
bombeiro s.m.
bombejar v.
bombesina s.f.
bombiate s.m.
bombicar v.
bombice s.m.
bômbice s.m.
bombicela s.f.
bombícia s.f.
bombícico adj.
bombicicultor (*ô*) s.m.
bombicicultura s.f.
bombicídeo adj. s.m.
bombicila s.f.
bombicilídeo adj. s.m.
bombicíneo adj. s.m.
bombicino adj.
bombício adj. s.m.
bômbico adj.
bombicórneo adj. s.m.
bombicultor (*ô*) s.m.
bombicultura s.f.
bombídeo adj. s.m.
bombilha s.f.
bombilho s.m.
bombilídeo adj. s.m.
bombiliídeo adj. s.m.
bombilim s.m.
bombilíneo adj. s.m.
bombílio s.m.
bombilióspora s.f.
bombiliósporo s.m.
bombilo s.m.
bombim s.m.
bombinator (*ô*) s.m.
bombinátor s.m.
bombinatorídeo adj. s.m.
bombíneo adj. s.m.
bombinha s.f.
bombinho s.m.
bombista s.2g.
bombisterol s.m.
bombita s.f.
bômbix (*cs*) s.m.
bombo s.m. "tambor"; cf. *bombó*
bombó s.m. "mandioca fermentada"; cf. *bombo*
bom-bocado s.m.; pl. *bons-bocados*
bombojira s.m.
bombolim s.m.
bombolo s.m.
bombolo-de-portugal s.m.; pl. *bombolos-de-portugal*
bombom s.m.
bombona s.f.
bombonaça s.f.
bomboneira s.f.
bomboneiro s.m.
bomboneria s.f.
bombonjira s.m.
bombóptero adj. s.m.
bomborda s.f.
bombordo s.m.
bomboteiro s.m.
bom-calção s.2g.; pl. *bons-calções*
bom-conselhense adj. s.2g.; pl. *bom-conselhenses*
bom-copo s.2g.; pl. *bons-copos*
bom-cristão adj.; pl. *bons-cristãos*
bom-dente s.m.; pl. *bons-dentes*
bom-despachense adj. s.2g.; pl. *bom-despachenses*
bom-dia s.m.f.; pl. *bons-dias*
bom-dia-seu-chico s.m.2n.
bom-é s.f.; pl. *bom-és*
bomeria s.f.
bom-henrique s.m.; pl. *bons-henriques*
bom-homem s.m.; pl. *bons-homens*
bom-jardinense adj. s.2g.; pl. *bom-jardinenses*
bom-jesuense adj. s.2g.; pl. *bom-jesuenses*
bom-mocismo s.m.; pl. *bons-mocismos*
bom-moço s.m.; pl. *bons-moços*
bom-nome s.m.; pl. *bons-nomes*
bom-nome-bravo s.m.; pl. *bons-nomes-bravos*
bomoloquídeo adj. s.m.
bomôncia s.f.
bomoro (*ô*) s.m.
bom-pastor s.m.; pl. *bons-pastores*
bom-pé adj.2g.2n.
bomplândia s.f.
bomplandiela s.f.
bom pra tudo s.m.
bom-principiense adj. s.2g.; pl. *bom-principienses*
bom-repousense adj. s.2g.; pl. *bom-repousenses*
bom-retirense adj. s.2g.; pl. *bom-retirenses*
bom-senso s.m.; pl. *bons-sensos*
bom-serás s.m.2n.
bom-sucessense adj. s.2g.; pl. *bom-sucessenses*
bom-sucesso s.m.; pl. *bons-sucessos*
bom-talher s.2g.; pl. *bons-talheres*
bom-tom s.m.; pl. *bons-tons*
bom-vedro s.m.; pl. *bons-vedros*
bom-venturano adj. s.m.; pl. *bom-venturanos*
bonaboia (*ó*) s.2g.
bonachão adj. s.m.; f. *bonachona*

bonacheira s.f.
bonacheirão adj. s.m.; f. *bonacheirona*
bonacheiria s.f.
bonacheirice s.f.
bonacheiro adj. s.m.
bonacheirona adj. s.f. de *bonacheirão*
bona-chira s.f.; pl. *bona-chiras*
bonacho adj. s.m.
bonachona adj. s.f. de *bonachão*
bonaerense adj. s.2g.
bonaia s.f.
bonalismo s.m.
bonalista adj. s.2g.
bonâmia s.f.
bonamita s.f.
bonança s.f.
bonançar v.
bonancear v.
bonanceiro adj.
bonançoso (*ô*) adj.; f. (*ó*); pl. (*ó*)
bonapartismo s.m.
bonapartista adj. s.2g.
bonapartístico adj.
bonari adj. s.2g. s.m.
bonatita s.f.
bonatória s.f.
bonatório adj.
bonattita s.f.
bonavéria s.f.
bonçar v.
bonchevita s.f.
bonchi s.m.
bôncia s.f.
bonda s.f. interj.
bondade s.f.
bondade-de-nossa-senhora s.f.; pl. *bondades-de-nossa-senhora*
bondal s.m.
bondar v.
bondara s.f.
bonde s.m.
bondeco s.m.
bonde-elétrico s.m.; pl. *bondes-elétricos*
bonderização s.f.
bonderizado adj.
bonderizar v.
bondi s.m.
bondinho s.m.
bondista adj. s.2g.
bondo adj. s.m.
bondoseiro adj.
bondoso (*ô*) adj.; f. (*ó*); pl. (*ó*)
bondsdorffita s.f.
bonducina s.f.
bonducínico adj.
bonduque s.m.
boné s.m.
boneca s.f.
bonecada s.f.
bonecado adj.
bonecagem s.f.
bonecar v.
bonécia s.f.
boneco s.m.
bonecra s.f.
bonecrada s.f.
bonecragem s.f.
bonecreiro s.m.
bonecrice s.f.
bonecrito s.m.
bonecro s.m.
boné-de-bispo s.m.; pl. *bonés-de-bispo*
bonefre s.m.
boneja s.f.
bonélia s.f.
bonemesônia s.m.
bonemesoniácea s.f.
bonemesoniáceo adj.
bonense adj. s.2g.
boné-quadrado s.m.; pl. *bonés-quadrados*
bonequeiro s.m.
bonequice s.f.
bonequito s.m.
bonete s.m. "gorro"; cf. *bonete* (*ê*)
bonete (*ê*) s.m. "retículo"; cf. *bonete*
bonétia s.f.
bonfinense adj. s.2g.
bonfinopolitano adj. s.m.
bonga s.m.
bongada s.f.
bongar v.
bongárdia s.f.
bongaro s.m.
bonge s.m.
bongo s.m. "mamífero" etc.; cf. *bongô*
bongô s.m. "instrumento musical"; cf. *bongo* s.m. e fl. do v. *bongar*
bongono s.m.
bongue s.m.
bongui s.2g.
bonho s.m.
bonhuense adj. s.2g.
bônia s.f.
bonico s.m.
bonierila s.f.
bonifácia s.f.
bonifaciano adj. s.m.
bonifaciense adj. s.2g.
bonificação s.f.
bonificado adj.
bonificador (*ô*) adj.
bonificante adj.2g.
bonificar v.
bonificável adj.2g.
bonifrate s.m.
bonifrateiro adj. s.m.
bonina s.f.
bonina-do-campo s.f.; pl. *boninas-do-campo*
boninal s.m.
boninalense adj. s.2g.
boninito s.m.
boniqueiro s.m.
bonisco s.m.
boníssimo adj. sup. de *bom*
bonita s.f.
bonitaço adj.
bonitão adj. s.m.; f. *bonitona*
bonitário adj.
bonitense adj. s.2g.
bonitete (*ê*) adj.2g.
bonitez (*ê*) s.f.
boniteza (*ê*) s.f.
bonitinha s.f.
bonito adj. adv. s.m. interj.
bonito-cachorro s.m.; pl. *bonitos-cachorro* e *bonitos-cachorros*
bonito-canário s.m.; pl. *bonitos-canário* e *bonitos-canários*
bonito-cavala s.m.; pl. *bonitos-cavala* e *bonitos-cavalas*
bonito-de-barriga-listrada s.m.; pl. *bonitos-de-barriga-listrada*
bonito-de-barriga-pintada s.m.; pl. *bonitos-de-barriga-pintada*
bonito-de-barriga-riscada s.m.; pl. *bonitos-de-barriga-riscada*
bonito-do-campo s.m.; pl. *bonitos-do-campo*
bonito-dos-trópicos s.m.; pl. *bonitos-dos-trópicos*
bonito-fogo s.m.; pl. *bonitos-fogos*
bonito-lindo s.m.; pl. *bonitos-lindos*
bonito-listado s.m.; pl. *bonitos-listados*
bonito-listrado s.m.; pl. *bonitos-listrados*
bonitona adj. s.f. de *bonitão*
bonito-pintado s.m.; pl. *bonitos-pintados*
bonito-rajado s.m.; pl. *bonitos-rajados*
bonito-santa-feense adj. s.2g.; pl. *bonito-santa-feenses*
bonito-santa-fidense adj. s.2g.; pl. *bonito-santa-fidenses*
bonitote adj.2g.
boniúnia s.f.
bonjeânia s.f.
bonjesuense adj. s.2g.
bonjo s.m.
bonnemaisonácea (*bonemè*) s.f.
bonnemaisonáceo (*bonemè*) adj.
bonnemaisônia (*bonemè*) s.f.
bonnétia s.f.
bonobo (*ô*) s.m.
bonomia s.f.
bononiano adj. s.m.
bononiense adj. s.2g.
bonosiano s.m.
bonotom s.m.
bonretirense adj. s.2g.
bonsai s.m.
bons-dias s.m.pl.
bonsear v.
bonsuça adj. s.2g.
bonsucessense adj. s.2g.
bonsucesso adj. s.2g.
bontei s.m.
bôntia s.f.
bônus s.m.2n.
bonvoro (*ô*) s.m.
bonza s.f.
bonzão adj.; f. *boazona*
bonzaria s.f.
bonze s.m.
bonzenga s.f.
bônzia s.f.
bônzio s.m.
bonzo s.m. "sacerdote budista"; cf. *bonzó*
bonzó s.m. "cautela de rifa"; cf. *bonzo*
bonzunga s.f.
boofane s.m.
boófilo s.m.
boofone s.m.
booliano (*bu*) adj.
boope s.m.
boópida adj.2g. s.m.
boopídeo adj. s.m.
boopiídeo adj. s.m.
boóps s.m.2n.
boorá adj. s.2g.
boothita s.f.
bootita s.f.
boóttia s.f.
bopiano adj.
boppiano adj.
boque s.f.
boqueada s.f.
boquear v.
boqueira s.f.
boqueirão s.m.
boqueirãozense adj. s.2g.
boqueirense adj. s.2g.
boqueiro s.m.
boquejadura s.f.
boquejamento s.m.
boquejar v.
boquejo (*ê*) s.m.
boquelho (*ê*) s.m.
boquete s.m.
boquiaberto adj.
boquiabrir v.
boquialvo adj.
boquiardente adj.2g.
boquicheio adj.
boquiduro adj.
boquiense adj. s.2g.
boquifendido adj.
boquifranzido adj.
boquifresco (*ê*) adj.
boquila s.f.
boquilargo adj.
boquilavado adj.
boquilha s.f.
boquilheiro s.m.
boquilho s.m.
boquilônia s.f.
boquim s.m.
boquimole adj.2g.
boquinegro (*ê*) adj.
boquinense adj. s.2g.
boquinha s.f.
boquirense adj. s.2g.
boquirrasgado adj.
boquirroto (*ô*) adj.
boquisseco (*ê*) adj.
boquissumido adj.
boquitorto (*ô*) adj.; f. (*ó*); pl. (*ó*)
bor (*ô*) s.m.
bora s.2g. s.m. "indígena"; cf. *borá*
borá s.m. "medida de capacidade"; cf. *bora*
borá-boi s.m.; pl. *borás-boi* e *borás-bois*
borá-cavalo s.m.; pl. *borás-cavalo* e *borás-cavalos*
borace s.m.
boraceense adj. s.2g.
borácico adj.
boracífero adj.
boracita s.f.
boracite s.f.
boracítico adj.
boracito s.m.
borado adj.
boraense adj. s.2g.
boragem s.f.
boraginácea s.f.
boragináceo adj.
boragínea s.f.
boragíneo adj.
boraginóidea s.f.
boraginóideo adj. s.m.
borago s.m.
borajuba s.f.
boral s.m.
borânico adj.
borano s.m.
boraquira s.f.
borássea s.f.
borasso s.m.
borassodendro s.m.
borassóidea s.f.
borassóideo adj. s.m.
boratado adj.
borato s.m. "sal"; cf. *burato*
bórax (*cs*) s.m.
borazênico adj.
borazeno s.m.
borazina s.f.
borazol s.m.
borazólico adj.
borbadilho s.m.
borbense adj. s.2g.
borbeto (*ê*) s.m.
borbismo s.m.
borbista adj. s.2g.
borbístico adj.
borboleta (*ê*) s.f.
borboleta-amarela s.f.; pl. *borboletas-amarelas*
borboleta-amarela-da-mamoneira s.f.; pl. *borboletas-amarelas-da-mamoneira*
borboleta-azul s.f.; pl. *borboletas-azuis*
borboleta-azul-seda s.f.; pl. *borboletas-azuis-seda*
borboleta-branca s.f.; pl. *borboletas-brancas*
borboleta-branca-do-salgueiro s.f.; pl. *borboletas-brancas-do-salgueiro*
borboleta-carijó s.f.; pl. *borboletas-carijó* e *borboletas-carijós*
borboleta-coruja s.f.; pl. *borboletas-coruja* e *borboletas-corujas*
borboleta-corujinha s.f.; pl. *borboletas-corujinha* e *borboletas-corujinhas*
borboleta-da-ameixoeira s.f.; pl. *borboletas-da-ameixoeira*
borboleta-da-coronilha s.f.; pl. *borboletas-da-coronilha*
borboleta-da-couve s.f.; pl. *borboletas-da-couve*
borboleta-da-ervilha s.f.; pl. *borboletas-da-ervilha*
borboleta-da-maçã s.f.; pl. *borboletas-da-maçã*
borboleta-da-macieira s.f.; pl. *borboletas-da-macieira*
borboleta-da-pera s.f.; pl. *borboletas-da-pera*
borboleta-da-pereira s.f.; pl. *borboletas-da-pereira*
borboleta-da-restinga s.f.; pl. *borboletas-da-restinga*
borboleta-da-urtiga s.f.; pl. *borboletas-da-urtiga*
borboleta-da-vida s.f.; pl. *borboletas-da-vida*
borboleta-de-alface s.f.; pl. *borboletas-de-alface*
borboleta-de-amoreira s.f.; pl. *borboletas-de-amoreira*
borboleta-de-bando s.f.; pl. *borboletas-de-bando*
borboleta-de-carvalho s.f.; pl. *borboletas-de-carvalho*
borboleta-de-castanheiro-da-índia s.f.; pl. *borboletas-de-castanheiro-da-índia*
borboleta de gás s.f.
borboleta-de-pêssego s.f.; pl. *borboletas-de-pêssego*
borboleta-de-piracema s.f.; pl. *borboletas-de-piracema*
borboleta-do-manacá s.f.; pl. *borboletas-do-manacá*
borboleta-do-mar s.f.; pl. *borboletas-do-mar*
borboleta-do-milho s.f.; pl. *borboletas-do-milho*
borboleta-do-nabo s.f.; pl. *borboletas-do-nabo*
borboleta-do-pinheiro s.f.; pl. *borboletas-do-pinheiro*
borboleta-do-trigo s.f.; pl. *borboletas-do-trigo*
borboleta-espelho s.f.; pl. *borboletas-espelho* e *borboletas-espelhos*
borboleta-estaladeira s.f.; pl. *borboletas-estaladeiras*
borboleta-folha s.f.; pl. *borboletas-folha* e *borboletas-folhas*
borboleta-folha-seca s.f.; pl. *borboletas-folha-seca* e *borboletas-folhas-secas*
borboleta-gema s.f.; pl. *borboletas-gema* e *borboletas-gemas*
borboleta-imperador s.f.; pl. *borboletas-imperador* e *borboletas-imperadores*
borboleta-jandaia s.f.; pl. *borboletas-jandaia* e *borboletas-jandaias*
borboleta-listrada s.f.; pl. *borboletas-listradas*
borboleta-monarca s.f.; pl. *borboletas-monarcas*
borboleta-namorada s.f.; pl. *borboletas-namoradas*
borboleta-oitenta s.f.; pl. *borboletas-oitenta*
borboleta-oitenta-e-oito s.f.; pl. *borboletas-oitenta-e-oito*
borboleta-pequeno-caixão s.f.; pl. *borboletas-pequeno-caixão* e *borboletas-pequenos-caixões*
borboleta-rubi s.f.; pl. *borboletas-rubi* e *borboletas-rubis*
borboleta-transparente s.f.; pl. *borboletas-transparentes*
borboleta-vermelha s.f.; pl. *borboletas-vermelhas*
borboleta-vermelha-do-salgueiro s.f.; pl. *borboletas-vermelhas-do-salgueiro*
borboleta-viúva s.f.; pl. *borboletas-viúvas*

borboleta-zebra s.f.; pl. *borboletas-zebra* e *borboletas--zebras*
borboleteador (*ô*) adj. s.m.
borboleteamento s.m.
borboleteante adj.2g.
borboletear v.
borboleteio s.m.
borboletense adj. s.2g.
borboletice s.f.
borboletinha s.f.
borboletinha-do-mato s.f.; pl. *borboletinhas-do-mato*
borboletismo s.m.
borbolhagem s.f.
borboloto s.m.
borbônia s.f.
borboniano adj.
borbônico adj.
borbônio adj. s.m.
borborejar v.
borborema s.f.
borboremense adj. s.2g.
borbori s.m.
borboriano adj. s.m.
borborídeo adj. s.m.
borborigmo s.m.
borboríneo adj. s.m.
borborinhante adj.2g.
borborinhar v.
borborinho s.m.
borborismo s.m.
borborita adj. s.2g.
borboró adj. s.2g.
borboróporo s.m.
borbotado adj.
borbotão s.m.
borbotar v.
borbote s.m.
borboto (*ô*) s.m.; cf. *borboto*, fl. do v. *borbotar*
borbotoante adj.2g.
borbotoar v.
borbotonar v.
borbulha s.f.
borbulhação s.f.
borbulhaço s.m.
borbulhado adj.
borbulhador (*ô*) adj. s.m.
borbulhagem s.f.
borbulhamento s.m.
borbulhante adj.2g. s.f.
borbulhão s.m.
borbulhar v.
borbulhento adj.2g.
borbulhia s.f.
borbulhido s.m.
borbulho s.m.
borbulhoso (*ô*) adj.; f. (*ó*); pl. (*ó*)
borbulo s.m.
borcano adj. s.m.
borcar v.
borcarita s.f.
borcejote s.m.
borcelar v.
borcelo (*ê*) s.m.; cf. *borcelo*, fl. do v. *borcelar*
borcina s.f.
borcme s.m.
borco (*ô*) s.m.; na loc. *de borco* (*ô*); cf. *borco*, fl. do v. *borcar*
borda s.f.
bordaça s.f.
borda-d'água s.f. s.2g.; pl. *bordas-d'água*
bordada s.f.
bordadeira s.f.
bordado adj. s.m.
bordador (*ô*) adj. s.m.
bordadura s.f.
borda-falsa s.f.; pl. *bordas--falsas*
bordagem s.f.
bordaleira s.f.
bordaleiro adj. s.m.
bordalengo adj.
bordalês adj. s.m.
bordalesa (*ê*) s.f.
bordalete (*ê*) s.m.
borda-livre s.f.; pl. *bordas--livres*
bordalo s.m.
borda-mar s.f.; pl. *borda--mares*
borda-matense adj. s.2g.; pl. *borda-matenses*
bordamento s.m.
bordana s.f.
bordão s.m.
bordão-de-macaco s.m.; pl. *bordões-de-macaco*
bordão-de-santiago s.m.; pl. *bordões-de-santiago*
bordão-de-são-josé s.m.; pl. *bordões-de-são-josé*
bordão-de-velho s.m.; pl. *bordões-de-velho*
bordar v.
bordaria s.f.
bordate s.m.
borde s.m.
bordear v.
bordefronte s.m.
bordegã adj. s.f. de *bordegão*
bordegano adj. s.m.
bordegão adj. s.m.; f. *bordegã*
bordego s.m.
bordejado adj.
bordejar v.
bordejo (*ê*) s.m.
bordel s.m.
bordelão s.m.
bordeleiro adj. s.m.
bordelengo adj.
bordelense adj. s.2g.
bordelês adj. s.m.
bordelesco (*ê*) adj.
bordelete (*ê*) s.m.
bordérea s.f.
borderô s.m.
bordetela s.f.
bordéus s.m.2n.
bordidura s.f.
bordina s.f.
bordinau s.m.
bordo s.m. "lado ou rumo do navio"; cf. *bordo* (*ô*) e *bordô*
bordo (*ô*) s.m. "árvore"; cf. *bordo* s.m., fl. do v. *bordar* e *bordô* adj.2g.2n. s.m.
bordô adj.2g.2n. s.m. "cor vermelho-escura"; cf. *bordo* e *bordo* (*ô*) s.m.
bordoa (*ô*) s.f.
bordoada s.f.
bordoadela s.f.
bordoado adj.
bordo-campestre s.m.; pl. *bordos-campestres*
bordo-de-mompilher s.m.; pl. *bordos-de-mompilher*
bordo-de-montpellier s.m.; pl. *bordos-de-montpellier*
bordo-doce s.m.; pl. *bordos--doces*
bordoeira s.f.
bordoleja (*ê*) s.f.
bordo-livre s.m.; pl. *bordos--livres*
bordonel s.m.
bordo-sicômoro s.m.; pl. *bordos-sicômoro* e *bordos--sicômoros*
borduna s.f.
bordunada s.f.
bordura s.f.
boré s.m. "trombeta"; cf. *buré* e *burê*
boreáfilo s.m.
boreal adj.2g.
borear v.
bóreas s.m.2n.
boreava s.f.
borebiense adj. s.2g.
borelense adj. s.2g.
borelho (*ê*) s.m.
boreliano adj.
bóreo adj. s.m.
boreofáusia s.f.
boreofáusio s.m.
boreofuso s.m.
boreômisis s.m.2n.
boresca s.f.
boreste s.m.
boreto (*ê*) s.m.
borga s.f.
borganhiço s.m.
borgense adj. s.2g.
borgheticriníideo adj. s.m.
borgiesco (*ê*) adj.
borgo s.m.
borgonha s.m.
borgonhão s.m.
borgonhês adj. s.m.
borgonhona s.f.
borgonhota s.f.
borgstroemita s.f.
borguetense adj. s.2g.
borgueticriníideo adj. s.m.
borguinhão adj. s.m.; f. *burguinhona*
borguinhona s.f. de *borguinhão*
borguinhota s.f.
borguista adj. s.2g.
bori s.m. "planta"; cf. *buri*
boricado adj.
boricina s.f.
boricismo s.m.
borickita s.f.
bórico adj. s.m.
boridreto s.m.
boriena s.f.
borienídeo adj. s.m.
borílio s.m.
borilo s.m.
borina s.f.
borismene s.f.
borismo s.m.
boristênida adj. s.2g.
boristênio adj. s.m.
borja s.f.
borjaca s.f.
borla s.f.
borla-de-sargento s.f.; pl. *borlas-de-sargento*
borlado adj.
borlador (*ô*) s.m.
borlanda s.f.
borlar v.
borlásia s.f.
borleado adj.
borlear v.
borleta (*ê*) s.f. "pequena borla"; cf. *burleta* (*ê*)
borlhão s.m.
borlina s.f.
borlista adj. s.2g.
borlunga s.f.
bormano adj. s.m.
bornaceira s.f.
bornal s.m.
borne adj.2g. s.m.
borneamento s.m.
borneano adj. s.m.
bornear v.
borneco s.m.
borneína s.f.
borneio s.m.
borneira s.f.
borneiral s.m.
borneiro adj. s.m.
bornemanita s.f.
borneol s.m.
bornetela s.f.
bornética s.f.
bornéu adj. s.2g.
bornezita s.f.
bornezite s.f.
bornhardtita s.f.
borni s.m.
bórnia s.f.
bornil s.m.
bornila s.f.
bornilamina s.f.
bornilena s.f.
bornileno s.m.
bornílico adj.
bornilo adj.
bornim s.m.
bornina s.f.
bornita s.f.
bornite s.f.
bornito s.m.
bornivol s.m.
bornó s.m.
bornoz s.m.
bornu adj. s.2g.
bornudo adj. s.m.
boro s.m. "elemento químico"; cf. *boró* e *borô*
boró s.m. "ficha"; cf. *boro* e *borô*
borô s.m. "peixe"; cf. *boro* e *boró*
boroa (*ô*) s.f.
boroacético adj.
borobórax (*cs*) s.m.
borocalcita s.f.
borocalcite s.f.
borócero s.m.
borocítrico adj.
borocô s.f.
borococo s.m.
borocotó s.m.
borocoxô adj. s.2g.
borocurcumina s.f.
borodo s.m.
boroeiro adj. s.m.
boroetilo s.m.
borofluoreto (*ê*) s.m.
boroglicerídio s.m.
borogliçérido s.m.
borogodó s.m.
boroidreto (*ê*) s.m.
borol s.m.
borolanito s.m.
borolento adj.
boromagnesita s.f.
boromagnesite s.f.
borometilo s.m.
boromorfo s.m.
boronatrocalcita s.f.
boronatrocalcite s.f.
borônea s.f.
boronela s.f.
boror (*ô*) adj. s.2g.
bororé s.m.
bororeense adj. s.2g.
bororo (*ô*) adj. s.2g. s.m. "indígena"; cf. *bororó*
bororó adj. s.2g. s.m. "veado--roxo"; cf. *bororo* (*ô*)
borós s.m.pl.
borossalicilato s.m.
borossalicílico adj.
borossilicato s.m.
borossilícico adj.
borotartarato s.m.
borotitanato s.m.
borotoqué adj.2g. s.m.
borotungstato s.m.
borotúngstico adj. s.m.
bototuto s.m.
borovertina s.f.
borovskita s.f.
borqueirada s.f.
borqueiro s.m.
borquilho adj. s.m.
borquinho adj.
borra s.f. "diarreia"; cf. *borra* (*ô*)
borra (*ô*) s.f. "sedimento"; cf. *borra* s.f. e fl. do v. *borrar*
borra-botas s.2g.2n.
borra-botear v.
borraça s.f.
borraçal s.m.
borraçar v.
borraceira s.f.
borraceiro adj. s.m.
borracento adj.
borracha s.f.
borracha-chimarrona s.f.; pl. *borrachas-chimarronas*
borracha-crepe s.f.; pl. *borrachas-crepe* e *borrachas--crepes*
borrachada s.f.
borracha do ceilão s.f.
borrachão s.m.; f. *borrachona*
borracharia s.f.
borracheira s.f.
borracheiro s.m.
borrachense adj. s.2g.
borrachento adj.
borrachia s.f.
borrachice s.f.
borrachífero adj.
borrachinha s.f.
borracho adj. s.m.
borrachona s.f. de *borrachão*
borrachudo adj. s.m.
borraçudo adj.
borrada s.f.
borradela s.f.
borrado adj.
borrador (*ô*) adj. s.m.
borradura s.f.
borra-eiras s.m.2n.
borragem s.f.
borragem-brava s.f.; pl. *borragens-bravas*
borragem-chimarrona s.f.; pl. *borragens-chimarronas*
borragem-do-campo s.f.; pl. *borragens-do-campo*
borraginácea s.f.
borragináceo adj.
borragínea s.f.
borragíneo adj.
borraginóidea s.f.
borraginóideo adj.
borraginoso (*ô*) adj.; f. (*ó*); pl. (*ó*)
borrago s.m.
borraina s.f.
borraína s.f.
borrainha s.f.
borral s.m.
borralha s.f.
borralhão s.m.
borralhara s.f.
borralhara-assobiadora s.f.; pl. *borralharas-assobiadoras*
borralhara-pintada s.f.; pl. *borralharas-pintadas*
borralhara-preta s.f.; pl. *borralharas-pretas*
borralheira s.f.
borralheirar v.
borralheiro adj. s.m.
borralhento adj.
borralho adj. s.m.
borra-mosca s.f.; pl. *borra--moscas*
borranha s.f.
borranhar v.
borrão s.m.
borra-papéis adj. s.2g.2n.
borra-portas s.m.2n.
borrar v.
borras (*ô*) s.2g.2n.; cf. *borras*, fl. do v. *borrar*
borrasca s.f.
borrascoso (*ô*) adj.; f. (*ó*); pl. (*ó*)
borras-de-cuba s.f.2n.
borrasqueiro s.m.
borratada s.f.
borratão s.m.
borratar v.
borra-tintas s.2g.2n.
borrazeira s.f.
borrazeira-branca s.f.; pl. *borrazeiras-brancas*
borrazeira-preta s.f.; pl. *borrazeiras-pretas*
borrazopolitano adj. s.m.
borreca s.f.
borreco s.m.
borrefa s.f.
borrefo s.m.
borrega (*ê*) s.f. "ovelha"; cf. *borregã* s.f. e *borrega*, fl. do v. *borregar*
borregã s.f. "lã"; cf. *borrega* (*ê*)
borregada s.f.
borregagem s.f.
borregar v.
borregata s.f.
borrego (*ê*) s.m.; cf. *borrego*, fl. do v. *borregar*
borregueiro s.m.
borreguice s.f.
borreiro adj. s.m.

borrejo (*ê*) s.m.
borrelete (*ê*) s.m.
borrelfo s.m.
borrelho (*ê*) s.m.
borrelho-de-rabadilha-branca s.m.; pl. *borrelhos-de-rabadilha-branca*
borrélia s.f.
borrélio s.m.
borreliose s.f.
borreliota s.2g.
borreliotose s.f.
borrena s.f.
borrenta s.f.
borrento adj.
borréria s.f.
borreteadura s.f.
borretear v.
borriçar v.
borriceira s.f.
borriceiro adj. s.m.
borriço s.m.
borriçol s.m.
borrifação s.f.
borrifada s.f.
borrifadela s.f.
borrifado adj.
borrifador (*ô*) adj. s.m.
borrifamento s.m.
borrifante adj.2g.
borrifar v.
borrifável adj.2g.
borrifeiro adj. s.m.
borrifo s.m.
borríquia s.f.
borriscada s.f.
borriscar v.
borrisco s.m.
borro (*ô*) s.m.; cf. *borro*, fl. do v. *borrar*
borrominesco (*ê*) adj.
borromínico adj. "relativo a Francesco Borromini"; cf. *barromínico*
borroso (*ô*) adj.; f. (*ó*); pl. (*ó*)
borrotear v.
borru s.m.
borruíço s.m.
borrusquê s.m.
bortalá s.m.
boru-boru s.m.; pl. *boru-borus*
borússico adj. s.m.
borusso adj. s.m.
borzegui s.m.
borzeguiada s.f.
borzeguieiro s.m.
borzeguim s.m.
borzeguineiro s.m.
borzeleta (*ê*) s.f.
borzói s.m.
bós s.m.
bosa s.f.
bosão s.m.
bosboque s.m.
bosca s.f.
boscagem s.f.
boscarejo (*ê*) adj.
bóscia s.f.
boscoso (*ô*) adj.; f. (*ó*); pl. (*ó*)
bósea s.f.
bosear v.
boseira s.f.
boseirada s.f.
bosélafo s.m.
bosforano adj. s.m.
bosforita s.f.
bósforo s.m.
bosístoa s.f.
bosmina s.f.
bosminíneo adj. s.m.
bosnense adj. s.2g.
bosníaco adj. s.m.
bosniano adj. s.m.
bosniense adj. s.2g.
bósnio adj. s.m.
bosó s.m.
bóson s.m.
bosônico adj.
bosporano adj. s.m.
bosque s.m.
bosquedo (*ê*) s.m.
bosqueia (*é*) s.f.
bosquejado adj.
bosquejador (*ô*) adj.
bosquejar v.
bosquejo (*ê*) s.m.
bosquense adj. s.2g.
bosquerejar v.
bosquete (*ê*) s.m.
bosquilha s.f.
bosquimane adj. s.2g.
bosquímane adj. s.2g.
bosquimano adj. s.m.
bosquímano adj. s.m.
bossa s.f. "protuberância"; cf. *boça* s.f. e fl. do v. *boçar*
bossada s.f.
bossagem s.f. "abossadura"; cf. *boçagem*
bossa-nova adj.2g.2n.
bossa-novista adj. s.2g.; pl. *bossa-novistas*
bossar v.
bosselado adj.
bosseladura s.f.
bossieia (*é*) s.f.
bossudo adj.
bossuetismo s.m.
bossuetista adj. s.2g.
bossuetístico adj.
bosta s.f.
bosta de barata s.f.
bosta de cabra s.f.
bosta de rola s.f.
bosta de rolinha s.f.
bosta-do-diabo s.f.; pl. *bostas-do-diabo*
bostagem s.f.
bostal s.m.
bostalha s.f.
bostar v.
bostear v.
bosteira s.f.
bosteiro s.m.
bostejar v.
bostela s.f.
bostelento adj.
bostelo (*ê*) s.m.
bosteloso (*ô*) adj.; f. (*ó*); pl. (*ó*)
bostífero adj.
bostiqueira s.f.
bostiqueiro adj.
bosto (*ô*) s.m. "curral"; cf. *bosto*, fl. do v. *bostar*
bostoiro s.m.
bóston s.m.
bostonense adj. s.2g.
bostoniano adj. s.m.
bostonita s.f.
bostouro s.m.
bostreno adj. s.m.
bóstrico s.m.
bostricoide (*ó*) adj.2g.
bostrino adj. s.m.
bostríquia s.f.
bostríquida adj.2g. s.m.
bostriquídeo adj. s.m.
bostriquíneo adj. s.m.
bostriquita s.f.
bostriquite s.f.
bóstrix (*cs*) s.m.2n.
bosvélia s.f.
bosvelíea s.f.
bosvelínico adj.
boswéllia s.f.
boswelliano adj.
boswellíea s.f.
boswellínico adj.
bota s.f.
bota-abaixo s.m.2n.
botação s.f.
botada s.f.
bota de elástico s.2g.
botadela s.f.
bota de sete léguas s.2g.
botadia s.f.
botado adj.
botadoiro s.m.
botador (*ô*) s.m.
botafogano adj. s.m.
botafogo (*ô*) adj. s.2g.
bota-fogo adj. s.2g. s.m.; pl. *bota-fogos*
botafoguense adj. s.2g.
bota-fora s.m.2n.
bota-fumeiro s.m.; pl. *bota-fumeiros*
bota-gatos s.2g.2n.
botaina s.f.
botal s.m.
botallackita s.f.
botaló s.m.
botamento s.m.
bota-mesa s.m.; pl. *bota-mesas*
botana s.f.
botangil s.m.
botânica s.f.
botânico adj. s.m.
botânicon s.m.
botanista adj. s.2g.
botanofagia s.f.
botanófago adj. s.m.
botanofilia s.f.
botanófilo adj. s.m.
botanografia s.f.
botanográfico adj.
botanógrafo s.m.
botanologia s.f.
botanológico adj.
botanologista adj. s.2g.
botanólogo s.m.
botanomancia s.f.
botanomante s.2g.
botanomântico adj.
botanometria s.f.
botanométrico adj.
botante adj.2g. s.m.
botão s.m.
botão de casaca s.m. "cavalo muito pequeno"
botão-de-casaca s.m. "espécie de arbusto"; pl. *botões-de-casaca*
botão-de-farda s.m.; pl. *botões-de-farda*
botão de fogo s.m.
botão-de-ouro s.m.; pl. *botões-de-ouro*
botão-de-prata s.m.; pl. *botões-de-prata*
botão de rosa s.m.
botão-de-seda s.m.; pl. *botões-de-seda*
botão do oriente s.m.
botão-negro s.m.; pl. *botões-negros*
botão-polaina s.f.; pl. *botões-polaina* e *botões-polainas*
botão-vermelhão s.m.; pl. *botões-vermelhões*
botar v.
botara s.f.
botarego (*ê*) s.m.
botaréu s.m.
botarra s.f.
bota-sela s.m.; pl. *bota-selas*
bota-selas s.m.2n.
botauro s.m.
bote s.m.
boteca s.f.
botecar v.
boteco s.m.
botefa s.f.
boteifa s.f.
boteiro adj. s.m. "o que faz botes"; cf. *buteiro*
botelgo s.m.
botelha (*ê*) s.f.
botelharia s.f.
botelheira s.f.
botelheiro s.m.
botelhense adj. s.2g.
botelho (*ê*) s.m.
botelva s.f.
botense adj. s.2g.
botequim s.m.
botequineiro s.m.
botequinesco (*ê*) adj.
botesita s.f.
boteto s.m.
bótia s.f.
botica s.f.
boticada s.f.
boticão s.m.
boticaria s.f.
boticário s.m.
boticelesco (*ê*) adj.
boticeliano adj.
botiço s.m.
botídeo adj. s.m.
botieia (*é*) adj. s.f. de *botieu*
botieu adj. s.m.; f. *botieia* (*é*)
botifarra s.f.
botija s.f.
botijada s.f.
botijão s.m.
botijaria s.f.
botilhão s.m.
botilhão-vesiculoso s.m.; pl. *botilhões-vesiculosos*
botilho s.m.
botim s.m. "botinha"; cf. *butim*
botina s.f.
botinada s.f.
botineiro adj. s.m.
botinha s.f.
botino s.m.
botinódero s.m.
botió s.m.
botiqueiro s.m.
botiquense adj. s.2g.
botirão s.m.
bótis s.m.2n.
botníaco adj. s.m.
botniano adj. s.m.
boto s.m. "odre"; cf. *boto* (*ô*)
boto (*ô*) adj. s.m. "rombudo", "cetáceo"; cf. *boto* s.m. e fl. do v. *botar*
botoado adj. s.m.
botoadura s.f.
boto-amarelo s.m.; pl. *botos-amarelos*
botoar v.
botoaria s.f.
boto-branco s.m.; pl. *botos-brancos*
botocadura s.f.
botocar v.
boto-cinza s.m.; pl. *botos-cinza*
boto-comum s.m.; pl. *botos-comuns*
boto-cor-de-rosa s.m.; pl. *botos-cor-de-rosa*
botocudense adj. s.2g.
botocudismo s.m.
botocudo adj. s.m.
boto-de-óculos s.m.; pl. *botos-de-óculos*
botoeira s.f.
botoeiro s.m.
botões s.m.pl.
botoiral s.m.
botoiro s.m.
bóton s.m.
botonoso (*ô*) adj.; f. (*ó*); pl. (*ó*)
boto-preto s.m.; pl. *botos-pretos*
botoque s.m.
botori s.m.
boto-tucuxi s.m.; pl. *botos-tucuxi* e *botos-tucuxis*
boto-vermelho s.m.; pl. *botos-vermelhos*
botriado adj. s.m.
botrião s.m.
botrícera s.f.
botrídera s.f.
botrideríneo adj. s.m.
botrídero s.m.
botrídia s.f.
botridiácea s.f.
botridiáceo adj.
botridiíneo adj. s.m.
botridina s.f.
botridíneo adj. s.m.
botrídio s.m.
botriite s.f.
botriítide s.f.
botrilídea s.f.
botrilídeo adj. s.m.
botrilo s.m.
botrimoníneo adj. s.m.
botrímono s.m.
bótrio s.m.
botriocampa s.f.
botriocefalídeo adj. s.m.
botriocefalíneo adj. s.m.
botriocéfalo s.m.
botriocefalose s.f.
botriócero s.m.
botriocídaro s.m.
botriocidaroide (*ó*) adj.2g. s.m.
botriocírtio s.m.
botriococácea s.f.
botriococáceo adj.
botriococo s.m.
botriófilo s.m.
botrióforo s.m.
botriogênio s.m.
botrioide (*ó*) adj.2g. s.m.f.
botriolita s.f.
botriólita s.f.
botriolite s.f.
botriólito s.m.
botriomicete s.m.
botriomiceto s.m.
botriomicetose s.f.
botriomicoma s.m.
botriomicose s.f.
botriomirmece s.f.
botriomirmeco s.m.
botriomirmex (*cs*) s.f.
botriomorfo adj.
bótrion s.m.
botriópsis s.2g.2n.
botriopteridácea s.f.
botriopteridáceo adj.
botriopterídea s.f.
botriopterídeo adj.
botriópteris s.m.2n.
botriosféria s.f.
botrioso (*ô*) adj.; f. (*ó*); pl. (*ó*)
botriospermo s.m.
botrióspora s.f.
botriósporo s.m.
botriotênia s.f.
botrioteniídeo adj. s.m.
botrioterapia s.f.
botrioterápico adj.
botríquio s.m.
bótris s.m.2n.
botrite s.f.
botrítico adj.
botritídea s.f.
botritídeo adj.
botrítis s.f.2n.
botrodendrácea s.f.
botrodendráceo adj.
botrodendro s.m.
botroftalmo s.m.
botrope s.m.
botrópico adj.
botropismo s.m.
botropotoxina (*cs*) s.f.
bótrops s.m.
botruco s.m.
bótsua adj. s.2g.
botsuanense adj. s.2g.
botsuanês adj. s.m.
botsuano adj. s.m.
botticellesco (*ê*) adj.
botticelliano adj.
botuca s.f.
botucaraiense adj. s.2g.
botucatu s.m.
botucatuense adj. s.2g.
botucudense adj. s.2g.
botucudo adj. s.m.
botudo s.m.
botúlico adj.
botuliforme adj.2g.
botuligênio adj.
botulina s.f.
botulínico adj.
botulino adj.
botulismo s.m.
botumirinense adj. s.2g.
botuporanense adj. s.2g.
botuquarense adj. s.2g.
boturanense adj. s.2g.

botuto s.m.
botuveraense adj. s.2g.
bouba s.f. "doença"; cf. *boba* (*ô*)
bouba-da-praia s.f.; pl. *boubas-da-praia*
boubagem s.f. "surto de bouba"; cf. *bobagem*
boubela s.f.
boubento adj. s.m.
bouça s.f. "terreno baldio"; cf. *bolsa* (*ô*) s.f. e *bolça*, fl. do v. *bolçar*
bouçar v.
bouceira s.f.
bouceiro s.m. "instrumento agrícola"; cf. *bolseiro*
boucelado adj.
boucelo (*ê*) s.m.
boucha s.f.
bouchar v.
bouchárdia (*bu*) s.f.
bouchea s.f.
bouchéchia (*bu*) s.f.
bouchétia (*bu*) s.f.
boucim s.m.
bouço s.m. "associação"; cf. *bolso* (*ô*) s.m. e *bolço*, fl. do v. *bolçar*
bouda s.f.
boudíquia s.f.
boueia (*é*) s.f.
bouga adj.2g.
bougainvíllea s.f.
bouglisita s.f.
boulangerismo (*bu*) s.m.
boulangerista (*bu*) adj. s.2g.
boulangerita (*bu*) s.f.
boulangismo (*bu*) s.m.
boulangista (*bu*) adj. s.2g.
boumanita s.f.
boura s.f.
bourar v.
bourbonismo (*bur*) s.m.
bourbonista (*bur*) adj. s.2g.
bourbonístico (*bur*) adj.
bourgeia (*é*) s.f.
bourgia s.f.
bouri s.m.
bourlingtônia (*bur*) s.f.
bournonita (*bur*) s.f.
bournotita (*bur*) s.f.
bourréria (*bu*) s.f.
boussingaultia (*bussengoltia*) s.f.
boussinggaultita (*bussengoltita*) s.f.
boutônia (*bu*) s.f.
bouvárdia (*bu*) s.f.
bouzétia s.f.
bovárico adj.
bovarismo s.m.
bovarista adj. s.2g.
bovarístico adj.
bovarização s.f.
bovarizar v.
bovicida adj. s.2g.
bovicídio s.m.
bóvida adj.2g. s.m.
bovídeo adj. s.m.
bovilense adj. s.2g.
bovíneo adj. s.m.
bovinicultor (*ô*) s.m.
bovinicultura s.f.
bovino adj. s.m.
bovinotecnia s.f.
bovinotécnico adj.
bovista s.m.
bowalização (*bou*) s.f.
bowdíchia (*bou*) s.f.
bowdlerização (*bou*) s.f.
bowdlerizado (*bou*) adj.
bowdlerizar (*bou*) v.
bowellita (*bouue*) s.f.
bowênia (*bou*) s.f.
boweniácea (*bou*) s.f.
boweniáceo (*bou*) adj.
bowenita (*bouue*) s.f.
bowiea (*bou*) s.f.
bowkéria (*bou*) s.f.
bowlésia (*bou*) s.f.
bowleyita (*bou*) s.f.
bowlingita (*bou*) s.f.
bowlinguito (*bou*) s.m.
bowmanita (*bou*) s.f.
bowmanite (*bou*) s.f.
box (*cs*) s.m.
boxa s.f. "posição do barco"; cf. *boxá*
boxá s.f. "mala pequena"; cf. *boxa*
boxada (*cs*) s.m.
boxador (*cs...ô*) s.m.
boxar (*cs*) v.
boxe (*cs*) s.m.
boxeador (*cs...ô*) s.m.
boxear (*cs*) v.
boxego (*ê*) s.m.
bóxer (*cs*) s.m.
boxerismo (*cs*) s.m.
boximane adj. s.2g.
boximano adj. s.m.
boxímano adj. s.m.
boxista (*cs*) adj. s.2g.
boykínia s.f.
bozeira s.f.
bozenga s.f.
bozerra (*ê*) s.f.
bozó s.m.
bozoniano adj.
bozum s.m.
braba s.f.
brabanção adj. s.m.; f. *brabançona*
brabançona adj. s.f. de *brabanção*
brabante s.m.
brabantês adj. s.m.
brabantino adj. s.m.
brabar s.m.
brabejo (*ê*) s.m.
brabeza (*ê*) s.f.
brabila s.f.
brabista adj. s.2g.
brabo adj. s.m.
brabosidade s.f.
braboso (*ô*) adj.; f. (*ó*); pl. (*ó*)
brabura s.f.
braça s.f.
braçada s.f.
braçadeira s.f.
braçado s.m.
braçagem s.f. "trabalho braçal"; cf. *brassagem*
bracaiá s.m.
bracajá s.m.
bracajanambi s.f.
braçal adj.2g. s.m.
braçalão s.m.
braçalete (*ê*) s.m.
braçalote s.m.
bracamarte s.m. "espada curta"; cf. *bacamarte*
bracanjuba s.f.
bracântemo s.m.
bracaraugustano adj. s.m.
bracarense adj. s.2g.
braçaria s.f.
brácaro adj. s.m.
bracatinga s.f.
bracatingal s.m.
braceador (*ô*) adj. s.m.
braceagem s.f.
braceamento s.m.
bracear v.
braceira s.f.
braceiro adj. s.m.
bracejado adj. s.m.
bracejador (*ô*) adj.
bracejamento s.m.
bracejante adj.2g.
bracejar v.
bracejo (*ê*) s.m.
bracejote s.m.
bracel s.m.
bracelão s.m.
bracelatado adj.
braceleira s.f.
bracelete (*ê*) s.m.
bracelote s.m.
bracense adj. s.2g.
bracera s.f.
braces s.m.2n.
braceu s.m.
bracewellita s.f.
brachola s.f.
bráchtia s.f.
bracicândido adj.
bracicurto adj.
bracicurvo adj.
bracieira s.f.
bracinho s.m.
bracio s.m.
brackebuschita s.f.
brackenrídgea s.f.
brácmane adj.2g. s.m.
braco s.m.
braço s.m.
bracobi s.m.
bracócero s.m.
braço-curto s.m.; pl. *braços-curtos*
braço de armas s.m.
braço de ferro s.m.
braço-de-mono s.m.; pl. *braços-de-mono*
braço-de-preguiça s.m.; pl. *braços-de-preguiça*
braço-forte s.m.; pl. *braços-fortes*
bracoide (*ó*) adj.2g.
braçola s.f.
braçolada s.f.
braçolina s.f.
brácon s.m.
braconida adj.2g. s.m.
braconídeo adj. s.m.
braço-nortense adj. s.2g.; pl. *braço-nortenses*
bráctea s.f.
bracteado adj.
bracteal adj.2g.
bracteata s.f.
bracteífero adj.
bracteiforme adj.2g.
bracteocardiado adj.
bracteodia s.f.
bracteoide (*ó*) adj.2g.
bractéola s.f.
bracteolado adj.
bracteolar adj.2g.
bracteolária s.f.
bracteolário adj.
bractéolo s.m.
bracteoloide (*ó*) adj.2g. s.m.
bracteomania s.f.
bracteoso (*ô*) adj.; f. (*ó*); pl. (*ó*)
bracteossuculenta s.f.
bracteossuculento adj.
bractífero adj.
braçudo adj.
bracuí s.m.
bradado adj. s.m.
bradador (*ô*) adj. s.m.
bradal s.m.
bradante adj. s.2g.
bradar v.
bradável adj.2g.
bradbúria s.f.
brádea s.f.
bradejado adj.
bradejador (*ô*) adj.
bradejamento s.m.
bradejante adj.2g.
bradejar v.
bradel s.2g.
bradiacusia s.f.
bradiacúsico adj.
bradiacústico adj.
bradiarritmia s.f.
bradiartria s.f.
bradiártrico adj.
bradiastolia s.f.
bradiauxese (*cs*) s.f.
bradiauxético (*cs*) adj.
bradíbate s.m.
bradíbato s.m.
bradicardia s.f.
bradicardíaco adj.
bradicárdico adj.
bradicinesia s.f.
bradicinético adj.
bradicineto s.m.
bradicinina s.f.
bradicinínico adj.
bradicoria s.f.
bradicrótico adj.
bradidiastolia s.f.
bradidiastólico adj.
bradiestesia s.f.
bradiestésico adj.
bradiestético adj.
bradifagia s.f.
bradifágico adj.
bradífago adj. s.m.
bradifasia s.f.
bradifásico adj.
bradifemia s.f.
bradifêmico adj. s.m.
bradifibrina s.f.
bradifrasia s.f.
bradifrásico adj. s.m.
bradifrenia s.f.
bradifrênico adj.
bradigênese s.f.
bradigenético adj.
bradigerasia s.f.
bradigerásico adj.
bradigerático adj.
bradiglossia s.f.
bradigrafia s.f.
bradigráfico adj.
bradígrafo s.m.
bradilalia s.f.
bradilálico adj. s.m.
bradilálio adj.
bradilexia (*cs*) s.f.
bradiléxico (*cs*) adj.
bradilinese s.f.
bradilogia s.f.
bradilógico adj.
bradina s.f.
bradiodonte adj.2g. s.m.
bradiodonto s.m.
bradiórnis s.f.2n.
bradiornite s.f.
bradipepsia s.f.
bradipéptico adj.
bradipneia (*é*) s.f.
bradipneico (*é*) adj. s.m.
brádipo s.m.
bradípode adj.2g. s.m.
bradipódida adj.2g. s.m.
bradipodídeo adj. s.m.
bradípodo adj. s.m.
bradiporeia (*é*) s.f.
bradiprático adj.
bradipraxia (*cs*) s.f.
bradipsiquia s.f.
bradipsíquico adj.
bradipsiquismo s.m.
bradipterínea s.f.
bradipteríneo adj.
bradíptero adj. s.m.
bradiquinina s.f.
bradirritmia s.f.
bradirrítmico adj. s.m.
bradisfigmia s.f.
bradisfígmico adj.
bradisfixia (*cs*) s.f.
bradispermatismo s.m.
bradissáurio s.m.
bradisseísmico adj.
bradisseísmo s.m.
bradissísmico adj.
bradissismo s.m.
bradistesia s.f.
bradistésico adj.
bradistético adj.
braditeleocinesia s.f.
braditeleocinético adj.
braditélico adj.
braditério s.m.
bradito s.m.
braditoma s.m.
braditrofia s.f.
braditrófico adj.
bradiuria s.f.
bradiúria s.f.
bradiúrico adj.
bradizoíto s.m.
bradleyita s.f.
brado s.m.
bradório s.m.
braduria s.f.
brafoneira s.f.
braga s.f.
bragada s.f.
bragadas s.f.pl.
bragádiga s.f.
bragado adj. s.m.
bragadura s.f.
bragal s.m.
bragalhão s.m.
bragançã adj. s.f. de *bragançāo*
bragançano adj. s.m.
bragançāo adj. s.m.; f. *bragançã* e *bragançona*
bragancense adj. s.2g.
bragancês adj. s.m.
bragância s.f.
bragançona adj. s.f. de *bragançāo*
bragani s.m.
bragantão s.m.; f. *bragantona*
bragante adj. s.2g.
bragantear v.
bragântia s.f.
bragantim s.m.
bragantinense adj. s.2g.
bragantinismo s.m.
bragantinista adj. s.2g.
bragantino adj. s.m.
bragantismo s.m.
bragantista adj. s.2g.
bragantona s.f. de *bragantão*
bragas s.f.pl.
bragguita s.f.
bragueado adj.
braguear v.
bragueiro s.m.
braguense adj. s.2g.
braguês adj. s.m.
bragueta (*ê*) s.f.
braguilha s.f.
braguinha s.f.
bráhea s.f.
brai s.m.
braia s.f.
braiera s.f.
braierina s.f.
braile adj.2g. s.m.
braille adj.2g. s.m.
braínea s.f.
braitschita s.f.
brajá s.m.
brajoeira s.f.
brajola s.f.
brala s.f.
bralha s.f.
bralhador (*ô*) adj. s.m.
bralhar v.
bralmane adj.2g. s.m.
brama s.m.f. "deus dos hindus", etc.; cf. *bramá*
bramá adj. s.2g. "birmã"; cf. *brama*
bramadeiro s.m.
bramador (*ô*) adj. s.m.
bramaísmo s.m.
bramaísta adj. s.2g.
brâman s.2g.
brâmana s.2g.
brâmane adj. s.2g.
bramânico adj.
bramanismo s.m.
bramanista adj. s.2g.
bramanístico adj.
bramanização s.f.
bramanizado adj.
bramanizador (*ô*) adj.
bramanizante adj. s.2g.
bramanizar v.
bramante adj. s.2g.
bramantesco (*ê*) adj.
bramápico s.m.
bramar v.
bramarandra s.m.
brambanha s.m.
brame adj.2g. s.m.
bramear v.
brâmene adj. s.2g.
brami s.m.
bramídeo adj. s.m.
bramido s.m.

bramidor (*ô*) adj. s.m.
braminá adj. s.2g.
brâmine adj. s.2g.
bramíneo adj. s.m.
bramir v.
bramismo s.m.
bramista adj. s.2g.
brammallita s.f.
bramo s.m.
bramoísmo s.m.
bramoísta adj. s.2g.
bramosia s.f.
bramoso (*ô*) adj.; f. (*ó*); pl. (*ó*)
bramota s.f.
branca s.f.
brancacento adj.
brancaço adj.
brancagem s.f.
brancal adj.2g.
brançal s.m.
brancão s.m.
brancarana s.f.
brancarano adj. s.m.
brancarão adj. s.m.; f. *brancarona*
brancaria s.f.
brancarona adj. s.f. de *brancarão*
brancarrão adj. s.m.; f. *brancarrona*
brancarrona adj. s.f. de *brancarrão*
branca-ursina s.f.; pl. *brancas-ursinas*
brancelhe (*ê*) s.m.
brancelho (*ê*) s.m.
brancense adj. s.2g.
branciona s.f.
branco adj. s.m.
branco-couros-negros adj.; pl. *brancos-couros-negros*
branco da bahia s.m.
branco da baía s.m.
branco de baleia s.m.
branco-de-barita s.m.; pl. *brancos-de-barita*
branco de bismuto s.m.
branco de chumbo s.m.
branco de leite s.m.
branco de zinco s.m.
branco-fixo s.m.; pl. *brancos--fixos*
branco-parreira s.m.; pl. *brancos-parreira* e *brancos--parreiras*
brancor (*ô*) s.m.
branco-rijo-do-alentejo adj.2g. s.m.; pl. *brancos-rijos--do-alentejo*
brancoso (*ô*) adj.; f. (*ó*); pl. (*ó*)
brançoso (*ô*) adj.; f. (*ó*); pl. (*ó*)
branco-sujo adj.; pl. *brancos--sujos*
brancura s.f.
branda s.f.
brandal s.m.
brandalhão adj.; f. *brandalhona*
brandalhona adj.; f. de *brandalhão*
brandão s.m.
brandaosita s.f.
brandar v.
brande s.m.
brandear v.
brandeburguês adj. s.m.
brandecer v.
brandeiro s.m.
brandemburguês adj. s.2g.
brandesiano adj.
brandesita s.f.
brandesite s.f.
brandesito s.m.
brandeza (*ê*) s.f.
brandezém s.m.
brandíloquo (*co* ou *quo*) adj.
brandimento s.m.
brandir v.
brandisita s.f.
brandível adj.2g.
brando adj. s.m.
brandoiro s.m.
brandonense adj. s.2g.
brandouro s.m.
brandtita s.f.
brandtite s.f.
brandtito s.m.
brandura s.f.
brandurense adj. s.2g.
brandúzio adj.
brangoso (*ô*) adj. s.m.; f. (*ó*); pl. (*ó*)
branha s.f.
branil s.m.
branjo s.m.
brannerita s.f.
brannokita s.f.
branóbio adj. s.m.
branóvice adj. s.2g.
branóvico adj.
branóvio adj. s.m.
branqueação s.f.
branqueado adj.; cf. *branquiado*
branqueador (*ô*) adj. s.m.
branqueadura s.f.
branqueamento s.m.
branquear v.
branquearia s.f.
branqueável adj.2g.
branqueilema adj.
branqueio s.m.
branqueira s.f.
branqueiro s.m.
branquejação s.f.
branquejado adj.
branquejador (*ô*) adj. s.m.
branquejadura s.f.
branquejamento s.m.
branquejante adj.2g.
branquejar v.
branquejável adj.2g.
branqueles s.m.2n.
branquélio s.m.
branquelo adj. s.m.
branquém s.f.
branquense adj. s.2g.
branqueta (*ê*) s.f.
branquezinho adj. s.m.
brânquia s.f.
branquiado adj. s.m.; cf. *branqueado*
branquial adj.2g.
branquiato adj. s.m.
branquicelo s.m.
branquicento adj.
branquiço adj.
branquicolo s.m.
brânquida adj.2g. s.m.
branquidade s.f.
branquidão s.f.
branquídeo adj. s.m.
branquídio s.m.
branquidor (*ô*) s.m.
branquífero adj.
branquilhão s.m.
branquilho s.m.
branquimento s.m.
branquinha s.f.
branquinhense adj. s.2g.
branquinho s.m.
branquio s.m.
branquiobdela s.f.
branquiobdélida adj.2g. s.m.
branquiobdelídeo adj. s.m.
branquiocardíaco adj.
branquiocrânio s.m.
branquiodonte adj. s.m.
branquiodonto s.m.
branquiogastro s.m.
branquiogastrópode adj.2g. s.m.
branquiogêneo adj. s.m.
branquiógeno adj.
branquioma s.m.
branquiômeno s.m.
branquiomeria s.f.
branquiomérico adj.
branquiômero s.m.
branquiopalial adj.2g.
branquiopneusta adj. s.f.
branquiopnêustico adj.
branquiópode adj.2g. s.m.
branquiopodídeo adj. s.m.
branquiópodo adj. s.m.
branquióptero adj. s.m.
branquiopulmonado adj. s.m.
branquioso (*ô*) adj.; f. (*ó*); pl. (*ó*)
branquiossáurida adj.2g. s.m.
branquiossaurídeo adj. s.m.
branquiossáurio s.m.
branquiossauro s.m.
branquiossílio s.m.
branquióstega s.f.
branquiostegial adj.2g.
branquiostégida adj.2g. s.m.
branquiostegídeo adj. s.m.
branquiostégio s.m.
branquiostegito s.m.
branquióstego adj. s.m.
branquióstoma s.m.
branquiostomídeo adj. s.m.
branquióstomo s.m.
branquiotáctico adj.
branquiotactismo s.m.
branquiotaxia (*cs*) s.f.
branquiotrópico adj.
branquiotropismo s.m.
brânquipo s.m.
branquípode adj.2g. s.m.
branquipódida adj.2g. s.m.
branquipodídeo adj. s.m.
branquípodo adj. s.m.
branquir v.
branquirreme s.m.
branquiúro adj. s.m.
branta s.m.
branto s.m.
branza s.f.
braquear v.
braqueilema s.f.
braquélia s.f.
braquélitro s.m.
braquês adj. s.m.
braquia s.f.
bráquia s.f.
braquiacanto adj.
braquiação s.f.
braquial adj.2g.
braquialgia s.f.
braquiálgico adj.
braquiantes s.f.2n.
braquianticlinal adj.2g. s.m.
braquianto s.m.
braquiária s.f.
braquibasia s.f.
braquíbio s.m.
braquibiostigmático adj.
braquibiota adj.2g.
braquiblasto s.m.
braquicampto s.m.
braquicardia s.f.
braquicárdico adj.
braquicárpea s.f.
braquicarpo adj.
braquicataléctico adj.
braquicatalecto adj.
braquicataleico (*é*) adj.
braquicataleto adj.
braquicefalia s.f.
braquicefálico adj.
braquicefálida adj.2g. s.m.
braquicefalídeo adj. s.m.
braquicefalização s.f.
braquicefalizar v.
braquicéfalo adj. s.m.
braquicêntrico adj.
braquiceratope s.m.
braquicercia s.f.
braquicércio adj.
braquicerebral adj.2g.
braquiceríneo adj. s.m.
braquícero adj. s.m.
braquícito s.m.
braquicládio adj.
braquíclado adj. s.m.
braquícloa s.m.
braquicnemia s.f.
braquicnêmico adj.
braquicolo adj.
braquícome s.f.
braquicoreia (*é*) adj.; s.f. de *braquicoreu*
braquicoreu adj. s.m.; f. *braquicoreia* (*é*)
braquicranial adj.2g.
braquicrânico adj.
braquicrânio s.m.
braquicrossado adj. s.m.
braquicrossato adj. s.m.
braquicurieterapeuta s.2g.
braquicurieterapêutica s.f.
braquicurieterapêutico adj.
braquicurieterapia s.f.
braquicurieterápico adj.
braquidactilia s.f.
braquidactilismo s.m.
braquidáctilo adj.
braquidatilia s.f.
braquidatilismo s.m.
braquidátilo adj.
braquídeo adj.
braquidérea s.f.
braquideríneo adj. s.m.
braquídero s.m.
braquidiagonal adj.2g.
braquídio s.m.
braquidoma s.m.
braquídoma s.m.
braquiélitro adj. s.m.
braquielo s.m.
braquiesclereide s.f.
braquifacial adj.2g.
braquifalangia s.f.
braquifalângico adj.
braquifilo adj.
braquigalba s.f.
braquigáster s.m.
braquígina s.f.
braquígine s.f.
braquiglote s.f.
braquignatia s.f.
braquígnato adj. s.m.
braquigrafia s.f.
braquigráfico adj.
braquígrafo s.m.
braquigrama s.m.
braquigramático adj.
braquilábio s.m.
braquilemo s.m.
braquílobo s.m.
braquilogia s.f.
braquilógico adj.
braquimeiose s.f.
braquimeiótico adj.
braquimelia s.f.
braquímero s.m.
braquimetrope adj.2g.
braquimetropia s.f.
braquimórfico adj.
braquimorfo adj.
braquinema s.f.
braquinemo s.m.
braquínida adj.2g. s.m.
braquiníneo adj. s.m.
braquino s.m.
bráquio s.m.
braquiocapsular adj.2g.
braquiocefálico adj.
braquiocéfalo s.m.
braquiocubital adj.2g.
braquiodo (*ô*) s.m.
braquiodonte adj.2g. s.m.
braquiofiúro s.m.
braquióforo s.m.
braquioganoide (*ó*) adj.2g. s.m.
braquioganóideo adj. s.m.
braquioide (*ó*) adj.2g.
braquiolária s.f.
braquíolo s.m.
braquiologia s.f.
braquiológico adj.
braquiomanual adj.2g.
braquiônida adj.2g. s.m.
braquionídeo adj. s.m.
braquionímia s.f.
braquionímico adj.
braquiônimo s.m.
braquiono s.m.
braquionotomia s.f.
braquionotômico adj.
braquiope s.2g.
braquiópode adj.2g. s.m.
braquiopodista s.2g.
braquiópodo adj. s.m.
braquióptero adj. s.m.
braquioqueiro s.m.
braquioquiro s.m.
braquiossaurídeo adj. s.m.
braquiossauro s.m.
braquióstomo adj. s.m.
braquioto s.m.
braquiotomia s.f.
braquiotômico adj.
braquioulnar adj.2g.
braquipapo s.m.
braquipelta s.m.
braquipétalo adj.
braquipinacoide (*ó*) adj.2g. s.m.
braquipneia (*é*) s.f.
braquipneico (*é*) adj.
braquipo s.m.
bráquipo s.m.
braquípode adj.2g. s.m.
braquipódio s.m.
braquípodo adj. s.m.
braquipolar adj.2g.
braquípoto adj.
braquiprosopo adj. s.m.
braquípsida adj. s.2g.
braquipterigíneo adj. s.m.
braquipteríneo adj. s.m.
braquipterismo s.m.
braquipterno s.m.
braquíptero adj. s.m.
braquiqueta s.f.
braquiquilo s.m.
braquiquíton s.m.
braquíquiton s.m.
braquirranfo s.m.
braquirrinco adj. s.m.
braquirríneo adj. s.m.
braquirrinia s.f.
braquirrino adj. s.m.
braquiscelia s.f.
braquiscélico adj.
braquíscelo adj.
braquiscifa s.f.
braquíscio adj. s.m.
braquisclereide s.f.
braquisclereíde s.f.
braquisclereídeo s.m.
braquismo s.m.
braquíspata s.f.
braquisquelia s.f.
braquisquélico adj.
braquissema s.f.
braquissemia s.f.
braquissífon s.m.
braquissilábico adj.
braquissílabo s.m.
braquissinclinal adj.2g. s.f.
braquissoma adj.2g. s.m.
braquistáquio adj. s.m.
braquístaquis s.m.2n.
braquistase s.f.
braquístase s.f.
braquistéfano s.m.
braquistéfio s.m.
braquistégia s.f.
braquistele s.f.
braquistelma s.f.
braquistelo s.m.
braquistema s.f.
braquisteto s.m.
braquistilia s.f.
braquistilo adj.
braquistocefalia s.f.
braquistocefálico adj.
braquistocéfalo adj.
braquistócrona s.f.
braquistocrônico adj.
braquistócrono adj.
braquistódio s.m.
braquístoma s.m.
braquístomo s.m.
braquitálamo s.m.
braquitarso s.m.
braquiteciácea s.f.
braquiteciáceo adj.

braquitécio s.m.
braquitelescópico s.m.
braquitelostíleo adj.
braquiterapia s.f.
braquitérico adj.
braquítico adj.
braquitípico adj.
braquitipo s.m.
braquítipo s.m.
braquitmema s.m.
braquitripo s.m.
braquítropis s.f.2n.
braquiúro adj. s.m.
brarrum s.m.
brasa s.f.
brasabrantense adj. s.2g.
brasabrantino adj. s.m.
brasa-escondida s.f.; pl. *brasas-escondidas*
brasagem s.f.
brasalisco s.m.
brasão adj. s.m.
brasa-viva s.f.; pl. *brasas-vivas*
brasca s.f.
brásea s.f.
braseal s.m.
brasear v.
braseira s.f.
braseirinho s.m.
braseiro s.m.
brasênia s.f.
brasense adj. s.2g.
brásico adj.
brasídico adj.
brasido s.m.
brasil adj. s.2g. s.m.
brasilaçu s.m.
brasilaçu-rosado s.m.; pl. *brasilaçus-rosados*
brasilandense adj. s.2g.
brasilandês adj. s.m.
brasilandiense adj. s.2g.
brasileense adj. s.2g.
brasileiense adj. s.2g.
brasileína s.f.
brasileínico adj.
brasileira s.f.
brasileirada s.f.
brasileirense adj. s.2g.
brasileiresco (*ê*) adj.
brasileirice s.f.
brasileirinha s.f.
brasileirinho s.m.
brasileirismo s.m.
brasileirista adj. s.2g.
brasileirístico adj.
brasileiro adj. s.m.
brasileirote s.m.
brasilense adj. s.2g.
brasileossauro s.m.
brasilês adj. s.m.
brasilete (*ê*) s.m.
brasilétia s.f.
brasileto (*ê*) s.m.
brasilguaio adj. s.m.
brasília s.f.
brasilíada adj. s.2g.
brasiliana s.f.
brasilianismo s.m.
brasilianista adj. s.2g.
brasilianístico adj.
brasilianita s.f.
brasilianização s.f.
brasilianizado adj.
brasilianizador (*ô*) adj.
brasilianizamento s.m.
brasilianizante adj. s.2g.
brasilianizar v.
brasilianizável adj.2g.
brasiliano adj. s.m.
brasiliastro s.m.
brasilicacto s.m.
brasilicéreo s.m.
brasilicismo s.m.
brasilicista adj. s.2g.
brasilicístico adj.
brasílico adj.
brasilida adj. s.2g.
brasilidade s.f.
brasílide adj. s.2g.
brasiliense adj. s.2g.
brasilificação s.f.
brasilificado adj.
brasilificador (*ô*) adj.
brasilificante adj.2g.
brasilificar v.
brasilificável adj.2g.
brasilina s.f.
brasilíndio adj. s.m.
brasilínico adj.
brasílio adj. s.m.
brasiliopúncia s.f.
brasiliparódia s.f.
brasilismo s.m.
brasilista adj. s.2g.
brasilístico adj.
brasilita s.f.
brasilite s.f.
brasilítico adj.
brasilito s.m.
brasilização s.f.
brasilizado adj.
brasilizador (*ô*) adj.
brasilizante adj. s.2g.
brasilizar v.
brasilizável adj.2g.
brasil-novense adj. s.2g.; pl. *brasil-novenses*
brasilo-argentino adj.; pl. *brasilo-argentinos*
brasilo-boliviano adj.; pl. *brasilo-bolivianos*
brasilocálamo s.m.
brasilo-colombiano adj.; pl. *brasilo-colombianos*
brasilo-equatoriano adj.; pl. *brasilo-equatorianos*
brasilofilia s.f.
brasilófilo adj. s.m.
brasilofobia s.f.
brasilófobo adj. s.m.
brasilogia s.m.
brasilógico adj.
brasílogo s.m.
brasilografia s.f.
brasilográfico adj.
brasilógrafo s.m.
brasilo-guianense adj.; pl. *brasilo-guianenses*
brasilologia s.f.
brasilológico adj.
brasilólogo s.m.
brasilo-paraguaio adj.; pl. *brasilo-paraguaios*
brasilo-peruano adj.; pl. *brasilo-peruanos*
brasilo-surinamês adj.; pl. *brasilo-surinameses*
brasilo-uruguaio adj.; pl. *brasilo-uruguaios*
brasilo-venezuelano adj.; pl. *brasilo-venezuelanos*
brasil-rosado s.m.; pl. *brasis-rosados*
brasinense adj. s.2g.
brasino adj. s.m.
brasinol s.m.
brasio s.m.
brasiolense adj. s.2g.
brasis s.m.pl.
brasitanense adj. s.2g.
brasitano adj. s.m.
brasoar v.
brasoleico (*é*) adj.
brasolina s.f.
brasonado adj.
brasonador (*ô*) adj. s.m.
brasonamento s.m.
brasonante adj.2g.
brasonar v.
brasonaria s.f.
brasonário s.m.
brasônico adj.
brasopolense adj. s.2g.
brasopolitano adj. s.m.
brás-pirense adj. s.2g.; pl. *brás-pirenses*
brassadura s.f.
brassagem s.f. "fabrico da cerveja"; cf. *braçagem*
brassato s.m.
brassávola s.f.
brássia s.f.
brássica s.f.
brassicácea s.f.
brassicáceo adj.
brassicária s.f.
brassicário adj.
brassicastro s.m.
brassicela s.f.
brassícico adj.
brassicínea s.f.
brassicíneo adj.
brássico adj.
brassidato s.m.
brassídico adj.
brassílico adj.
brassiofênix (*cs* ou *s*) s.f.
brassita s.f.
brassocatleia (*é*) s.f.
brassocatlélia s.f.
brassocattleya (*é*) s.f.
brassoleato s.m.
brassoleico (*é*) adj.
brassoleliocatleia (*é*) s.f.
brassoleliocattleya (*é*) s.f.
brassólida adj.2g. s.m.
brassolídeo adj. s.m.
brassolíneo adj. s.m.
brassólis s.m.
brasuca adj. s.2g.
brasume s.m.
bratídio s.m.
brátis s.f.2n.
brau adj. s.m.
brauciona s.f.
braula s.m.
braulídeo adj. s.m.
braulino adj. s.m.
braúna adj. s.2g. s.f.
braúna-do-sertão s.f.; pl. *braúnas-do-sertão*
braúna-parda s.f.; pl. *braúnas-pardas*
braúna-preta s.f.; pl. *braúnas-pretas*
bráunea s.f.
braunense adj. s.2g.
braúneo adj.
brauniano adj.
braunita s.f.
braunite s.f.
brava s.f.
bravaisia s.f.
bravaisiana (*vè*) s.f.
bravaisita (*vè*) s.f.
bravaisite (*vè*) s.f.
bravaisito (*vè*) s.m.
braval s.m.
bravalho adj.
bravaria s.f.
bravata s.f.
bravatão s.m.; f. *bravatona*
bravateador (*ô*) adj. s.m.
bravatear v.
bravateiro adj. s.m.
bravatona s.f. de *bravatão*
bravear v.
braveira s.f.
bravejante adj.2g.
bravejar v.
bravense adj. s.2g.
braveza (*ê*) s.f.
bravia s.f.
bravio adj. s.m.
bravisco adj.
bravito adj.
bravo adj. s.m. interj.
brávoa s.f.
bravo-de-esmolfo s.m.; pl. *bravos-de-esmolfo*
bravo-de-mondão s.m.; pl. *bravos-de-mondão*
bravo-de-mundão s.m.; pl. *bravos-de-mundão*
bravoíta s.f.
bravoneira s.f.
bravor (*ô*) s.m.
bravosear v.
bravosidade s.f.
bravoso (*ô*) adj.; f. (*ó*); pl. (*ó*)
bravum s.m.
bravura s.f.
braxia (*cs*) s.f.
braya s.f.
brayera s.f.
brazabu s.m.
brazagal s.m.
breado adj.
breadura s.f.
breagem s.f.
breal adj.2g. s.f.
breamante s.m.
brear v.
breba (*ê*) s.f.
brebequim s.m.
brebião s.m.
brebigão s.m.
brebissônia s.f.
breca s.f.
breca-bica s.f.; pl. *breca-bicas*
brecada s.f.
brecagem s.f.
brecambuçu s.m.
brecante adj.2g. s.m.
brecar v.
brecha s.f.
brechação s.f.
brechado adj.
brechão s.m.
brechar v.
brechiforme adj.2g.
brechil s.m.
brechó s.m.
brechtiano adj.
brecumbucu s.m.
brecumbuçu s.m.
breda s.f.
bredbergita s.f.
bredbergite s.f.
bredemeyera s.f.
bredguita s.f.
bredinho s.m.
bredinho-da-praia s.m.; pl. *bredinhos-da-praia*
bredo (*ê*) s.m.
bredo-branco s.m.; pl. *bredos-brancos*
bredo-caruru s.m.; pl. *bredos-caruru e bredos-carurus*
bredo-da-praia s.m.; pl. *bredos-da-praia*
bredo-de-cabeça s.m.; pl. *bredos-de-cabeça*
bredo-de-espiga s.m.; pl. *bredos-de-espiga*
bredo-de-espinho s.m.; pl. *bredos-de-espinho*
bredo-de-jardim s.m.; pl. *bredos-de-jardim*
bredo-de-muro s.m.; pl. *bredos-de-muro*
bredo-de-namorado s.m.; pl. *bredos-de-namorado*
bredo-de-namoro s.m.; pl. *bredos-de-namoro*
bredo-de-porco s.m.; pl. *bredos-de-porco*
bredo-de-santo-antônio s.m.; pl. *bredos-de-santo-antônio*
bredo-de-veado s.m.; pl. *bredos-de-veado*
bredo-do-chile s.m.; pl. *bredos-do-chile*
bredo-dos-namorados s.m.; pl. *bredos-dos-namorados*
bredo-fedorento s.m.; pl. *bredos-fedorentos*
bredo-fêmea s.m.; pl. *bredos-fêmeas*
bredo-graúdo s.m.; pl. *bredos-graúdos*
bredo-macho s.m.; pl. *bredos-machos*
bredo-maior s.m.; pl. *bredos-maiores*
bredo-major-gomes s.m.; pl. *bredos-major-gomes*
bredo-malabar s.m.; pl. *bredos-malabares*
bredo-malho s.m.; pl. *bredos-malho e bredos-malhos*
bredo-mama s.m.; pl. *bredos-mama e bredos-mamas*
bredo-manjangome s.m.; pl. *bredos-manjangomes*
bredo-rabaça s.m.; pl. *bredos-rabaça e bredos-rabaças*
bredo-roxo s.m.; pl. *bredos-roxos*
bredo-verdadeiro s.m.; pl. *bredos-verdadeiros*
bredo-vermelho s.m.; pl. *bredos-vermelhos*
bredozinho-da-calçada s.m.; pl. *bredozinhos-da-calçada*
breeiro s.m.
brefa s.2g.
brefeldiácea s.f.
brefeldiáceo adj.
bréfico adj.
brefídeo adj. s.m.
brefo s.m.
brefoplástico adj.
brefotroféu s.m.
brefotrófio s.m.
brefótrofo s.m.
brega s.f.
bregado adj.
breganha s.f.
breganhar v.
bregma s.m.
bregmacerotídeo adj. s.m.
bregmal adj.2g.
brégmate s.m.
bregmático adj.
brégmato s.m.
brégmico adj.
breguece adj. s.2g.
bregueço (*ê*) s.m.
breguegui s.m.
breguigão s.m.
breia s.f.
breidina s.f.
breína s.f.
breithauptita s.f.
breja s.f.
brejado adj.
brejal adj.2g. s.m.
brejão s.m.
brejãozense adj. s.2g.
brejatubense adj. s.2g.
brejaúba s.f.
brejaubense adj. s.2g.
brejauvense adj. s.2g.
brejeira s.f.
brejeirada s.f.
brejeiral adj.2g.
brejeirão adj. s.m.; f. *brejeirona*
brejeirar v.
brejeirice s.f.
brejeiro adj. s.m.
brejeirona adj. s.f. de *brejeirão*
brejeirório adj. s.m.
brejeirote adj. s.2g.
brejense adj. s.2g.
brejento adj.
brejereba s.f.
brejetubense adj. s.2g.
brejina s.f.
brejinhense adj. s.2g.
brejo s.m.
brejo-crucense adj. s.2g.; pl. *brejo-crucenses*
brejo-cruzense adj. s.2g.; pl. *brejo-cruzenses*
brejoeira s.f.
brejoeiro s.m.
brejoense adj. s.2g.
brejo-grandense adj. s.2g.; pl. *brejo-grandenses*
brejonense adj. s.2g.
brejo-santense adj. s.2g.; pl. *brejo-santenses*
brejoso (*ô*) adj.; f. (*ó*); pl. (*ó*)
brejo-velhense adj. s.2g.; pl. *brejo-velhenses*
brelhe s.m.
brelho (*ê*) s.m.
brelim s.m.
brelina s.f.

breloque s.m.
brema s.m.f.
brema-do-mar s.f.; pl. *bremas-do-mar*
brêmia s.f.
brendeirinho s.m.
brendo s.m.
brenha s.f.
brenhoso (*ô*) adj.; f. (*ó*); pl. (*ó*)
breno s.m.
brenseda (*ê*) s.f.
brentaniano adj.
brentanismo s.m.
brentanista adj. s.2g.
brentanístico adj.
brêntida adj.2g. s.m.
brentídeo adj. s.m.
brentíneo adj. s.m.
brento s.m.
brenunça s.f.
brenúncia s.f.
brenunza s.f.
breque s.m.
brequefesta s.m.
brequefeste s.m.
brequista s.m.
brequite s.m.
bresca s.f.
bresciense adj. s.2g.
breslau s.m.
bresqueiro s.m.
bressanense adj. s.2g.
breta s.f.
bretã adj. s.f. de *bretão*
bretangil s.m.
bretanha s.f.
bretanhista adj.2g.
bretanhizar v.
bretão adj. s.m.; f. *bretã*
brete s.m. "armadilha"; cf. *brete* (*ê*)
brete (*ê*) s.m. "curral"; cf. *brete*
bretechado adj.
bretechar v.
bretense adj. s.2g.
bretesado adj.
bretesar v.
bretessado adj.
bretessar v.
bretílio s.m.
bretônica s.f.
bretônico adj. s.m.
bretschneidera (*bretxnai*) s.f.
bretschneiderácea (*bretxnai*) s.f.
bretschneideráceo (*bretxnai*) adj.
bretwalda s.m.
breu s.m.
breu-branco s.m.; pl. *breus-brancos*
breu-branco-da-várzea s.m.; pl. *breus-brancos-da-várzea*
breu-branco-verdadeiro s.m.; pl. *breus-brancos-verdadeiros*
breu-jauaricica s.m.; pl. *breus-jauaricica* e *breus-jauaricicas*
breunerita (*bròi*) s.f.
breunnerita (*bròi*) s.f.
breúno adj. s.m.
breu-preto s.m.; pl. *breus-pretos*
breu-sucuruba s.m.; pl. *breus-sucuruba* e *breus-sucurubas*
breva (*ê*) s.f.
brevagem s.f.
brevas (*ê*) s.f.pl.
breve adj.2g. s.m.f. adv. "de curta duração"; cf. *brevê*
brevê s.m. "diploma de piloto"; cf. *breve*
brevense adj. s.2g.
brevetação s.m.
brevetado adj. s.m.
brevetar v.
brevetável adj.2g.
breveza (*ê*) s.f.
brévia s.f.
breviado adj.
breviador (*ô*) s.m.
brevião s.m.
breviar v.
breviário s.m.
brevicauda adj.2g.
brevicaudato adj.
brevicaude adj.2g.
brevicaule adj.2g.
bréviceps s.m.
brevícipe s.m.
brevicita s.f.
brevicite s.f.
brevicolaspe s.m.
brevicolo adj.
brevicone s.m.
brevicórnio adj.
brevidade s.f.
brevidentado adj.
brevidente adj.2g.
brevidigitado adj.
brevídomo adj.
breviflora adj.2g.
brevifloro adj.
brevifoliado adj.
brevigastro adj.
brevilinear adj.2g.
brevilinearidade s.f.
brevilíneo adj. s.m.
brevilíngue (*ü*) adj. s.2g.
breviloquência (*ü*) s.f.
breviloquente (*ü*) adj.2g.
brevilóquio s.m.
brevipeciolado adj.
brevípede adj.2g.
brevipedicelado adj.
brevipedunculado adj.
brevipenado adj.
brevipene adj.2g. s.m.
brevirrostrado adj.
brevirrostro adj. s.m.
brevista s.m.
brevistilado adj.
brevistilo adj.
brevoórcia s.f.
brevoórtia s.f.
brewéria s.f.
brewerina s.f.
brewsteriano adj.
brewsterita s.f.
brewsterite s.f.
brewsterlina s.f.
brewstolina s.f.
bréxia (*cs*) s.f.
brexiácea (*cs*) s.f.
brexiáceo (*cs*) adj.
brêynia s.f.
brez (*ê*) adj.2g.
breza (*ê*) adj. s.f.
brézia s.f.
brezinaíta s.f.
brezo (*ê*) adj.
brezunda s.f.
brezundela s.f.
bria s.m.
briácea s.f.
briáceo adj.
briada s.f.
brial s.m.
briale s.f.
brianita s.f.
briântea s.f.
briântia s.f.
brianto s.m.
briareida adj.2g. s.m.
briareídeo adj. s.m.
briareíneo adj. s.m.
briareu s.m.
briaréu s.m.
briartita s.f.
briati s.m.
briba s.f.
bribado adj.
bribigão s.m.
brica s.f.
bricabraque s.m.
bricabraquista s.2g.
bricão s.m.
brica-quadrada s.f.; pl. *bricas-quadradas*
briche s.m.
bricheiro adj. s.m.
brichote s.m.
brickéllia s.f.
brickerita s.f.
bricola s.f.
bricomania s.f.
bricomaníaco adj. s.m.
bricômano s.m.
brida s.f.
bridado adj.
bridão s.m.
bridar v.
bride s.m.
bridélia s.f.
bridgista s.2g.
bríea s.f.
brieia (*é*) s.f.
briga s.f.
brigada s.f.
brigadear v.
brigadeirista adj. s.2g.
brigadeiro s.m.
brigadeiro do ar s.m.
brigadense adj. s.2g.
brigadiano adj. s.m.
brigadista s.m.
brigado adj.
brigador (*ô*) adj. s.m.
brigal adj.2g.
brigalhada s.f.
brigalhão adj. s.m.; f. *brigalhona*
brigalhona adj. s.f. de *brigalhão*
brigalim s.m.
brigandina s.f.
brigante adj. s.2g.
brigantina s.f.
brigantino adj. s.m.
briganto adj. s.m.
brigão adj. s.m.; f. *brigona*
brigar v.
brigecino adj. s.m.
brightismo (*brai*) s.m.
brigiano adj. s.m.
brígida s.f.
brigidense adj. s.2g.
brignólia s.f.
brigona adj. s.f. de *brigão*
brigoso (*ô*) adj. s.m.; f. (*ó*); pl. (*ó*)
brigue s.m.
brigue-barca s.m.; pl. *brigues-barca* e *brigues-barcas*
brigue-escuna s.m.; pl. *brigues-escuna* e *brigues-escunas*
brigueira s.f.
briguela s.m.
briguense adj. s.2g.
briguento adj. s.m.
briguigão s.m.
brijão s.m.
brijara s.f.
brilha s.f.
brilhado adj.
brilhador (*ô*) adj.
brilhância s.f.
brilhantaço adj.
brilhantar v.
brilhante adj.2g. s.m.
brilhantense adj. s.2g.
brilhantez (*ê*) s.f.
brilhanteza (*ê*) s.f.
brilhantina s.f.
brilhantina-brasileira s.f.; pl. *brilhantinas-brasileiras*
brilhantina-dos-telhados s.f.; pl. *brilhantinas-dos-telhados*
brilhantinense adj. s.2g.
brilhantismo s.m.
brilhantura s.f.
brilhar v.
brilhareco s.m.
brilharete (*ê*) s.m.
brilhareto (*ê*) s.m.
brilharêtur s.m.
brilhatura s.f.
brilheiro adj.
brilho s.m.
brilho-de-fogo s.m.; pl. *brilhos-de-fogo*
brilhoso (*ô*) adj.; f. (*ó*); pl. (*ó*)
brillantaísia s.f.
brim s.m.
brimbeque s.m.
brinca s.f.
brinça s.f.
brincadeira s.f.
brincado adj. s.m.
brincadoiro s.m.
brincador (*ô*) adj. s.m.
brincadouro s.m.
brincalhão adj. s.m.; f. *brincalhona*
brincalhar v.
brincalhete (*ê*) s.m.
brincalhona adj. s.f. de *brincalhão*
brincalhotar v.
brincalhotice s.f.
brincante s.2g.
brincão adj. s.m.; f. *brincona*
brincar v.
brincas s.f.pl.
brinca-tudo s.m.2n.
brincazão adj. s.m.
brinco s.m.
brinço s.m.
brinco-de-passarinho s.m.; pl. *brincos-de-passarinho*
brinco-de-princesa s.m.; pl. *brincos-de-princesa*
brinco-de-sagui s.m.; pl. *brincos-de-sagui*
brinco-de-saguim s.m.; pl. *brincos-de-saguim*
brinco-de-sauim s.m.; pl. *brincos-de-sauim*
brincona adj. s.f. de *brincão*
brincos-de-princesa s.m.pl.
brincos-de-rainha s.m.pl.
brincos-de-sagui (*ü*) s.m.pl.
brincos-de-sauim s.m.pl.
brincos-de-surubim s.m.pl.
brincos-de-vênus s.m.pl.
brincos-de-viúva s.m.pl.
brindado adj.
brindão s.m.
brindar v.
brinde s.m.
brindeiro s.m.
brindila s.f.
brindilha s.f.
brindoeiro s.m.
brindônia s.f.
brinhol s.m.
briniate adj. s.2g.
briniato adj. s.m.
brinje s.m.
brinquedo (*ê*) s.m.
brinquedo de caboclo s.m.
brinquedo-de-macaco s.m.; pl. *brinquedos-de-macaco*
brinquete (*ê*) s.m.
brinqueto (*ê*) s.m.
brinquinharia s.f.
brinquinheiro s.m.
brinquinho s.m.
brinzão s.m.
brio s.m. "amor-próprio"; cf. *brió*
brió s.m. "ave"; cf. *brio*
brióbia s.f.
briobião s.m.
brióbio s.m.
brioca adj.2g. s.f.
briocar v.
briocário s.m.
brioche s.m.
briocítico adj.
briócito s.m.
brioco adj.
brio-de-estudante s.m.; pl. *brios-de-estudante*
briofília s.f.
briofilo s.m.
briófilo adj.
briófita s.f.
briofiteto (*ê*) s.m.
briofítico adj.
briófito s.m.
brioftalmo s.m.
briogâmica s.f.
briogenina s.f.
brioidina s.f.
briol s.m.
briologia s.f.
briológico adj.
briologista adj. s.2g.
briólogo s.m.
briomerídeo adj. s.m.
bríon s.m.
briônia s.f.
brioniácea s.f.
brioniáceo adj.
brionicina s.f.
brionina s.f.
brionínico adj.
brionitina s.f.
brionitínico adj.
brionopse s.f.
briopogão s.m.
briopógon s.m.
briopse s.f.
briópsida s.f.
briopsidácea s.f.
briopsidáceo adj.
briopsídea s.f.
briópsis s.f.2n.
briorresina s.f.
briorretina s.f.
briosa s.f.
briosma s.m.
brioso (*ô*) adj.; f. (*ó*); pl. (*ó*)
brioteca s.f.
briozoário adj. s.m.
briozóideo adj. s.m.
briozoologia s.f.
briozoologista adj. s.2g.
brique adj.2g.2n. s.m.
briqueiro s.m.
briquetado adj.
briquetagem s.f.
briquetar v. "fazer briquetes"; cf. *briquitar*
briquete (*ê*) s.m.
briquétia s.f.
briquismo s.m.
briquitar v. "entreter-se"; cf. *briquetar*
brisa s.f. "aragem"; cf. *briza*
brisança s.f.
brisância s.f.
brisante adj.2g.
brisaque s.m.
brisar v.
brisca s.f.
brisego (*ê*) s.m.
brisinga s.f.
brisingídeo adj. s.m.
brísio adj.
brissíneo adj. s.m.
brisso s.m.
brissoide (*ó*) adj.2g.
brissônia s.f.
brissópsis s.f.2n.
brissotista adj. s.2g.
brístol s.m.
brita s.f.
britadeira s.f.
britado adj.
britador (*ô*) adj. s.m.
britagem s.f.
brita-gorjas s.2g.2n.
britamento s.m.
britanense adj. s.2g.
britango s.m.
britânia s.m.
britânico adj. s.m.
britaniense adj. s.2g.
britanismo s.m.
britanista s.2g.
britanístico adj.
britanização s.f.
britanizado adj.
britanizador (*ô*) adj.
britanizante adj.2g.
britanizar v.
britano adj. s.m.
britano-irlandês adj.; pl. *britano-irlandeses*
britano-israelismo s.m.; pl. *britano-israelismos*

brita-nozes s.m.2n.
brita-ossos s.m.2n.
britar v.
britense adj. s.2g.
brítio s.m.
britóleo s.m.
britólico s.m.
britolita s.f.
britônico adj. s.m.
britônio adj. s.m.
brivana s.f.
brive s.m.
brívia s.f.
brix (*cs*) s.m.
brixente (*cs*) adj. s.2g.
brixiano (*cs*) adj. s.m.
briza s.f. "planta"; cf. *brisa*
brizomancia s.f.
brizomante adj. s.2g.
brizomântico adj.
bró s.m.
broa (*ô*) s.f. s.2g.
broaça s.f.
broca s.f.
broça s.f.
brocação s.f.
broca-da-bananeira s.f.; pl. *brocas-da-bananeira*
broca-da-cana s.f.; pl. *brocas-da-cana*
broca-da-cana-de-açúcar s.f.; pl. *brocas-da-cana-de-açúcar*
broca-da-cereja-do-café s.f.; pl. *brocas-da-cereja-do-café*
brocadado adj.
broca-da-erva-mate s.f.; pl. *brocas-da-erva-mate*
broca-da-figueira s.f.; pl. *brocas-da-figueira*
broca-da-infrutescência s.f.; pl. *brocas-da-infrutescência*
broca-da-jaqueira s.f.; pl. *brocas-da-jaqueira*
broca-da-raiz-do-algodoeiro s.f.; pl. *brocas-da-raiz-do-algodoeiro*
broca-das-hastes s.f.; pl. *brocas-das-hastes*
broca-de-raiz s.f.; pl. *brocas-de-raiz*
brocadilho s.m.
brocado adj. s.m.
broca-do-algodoeiro s.f.; pl. *brocas-do-algodoeiro*
broca-do-bambu s.f.; pl. *brocas-do-bambu*
broca-do-café s.f.; pl. *brocas-do-café*
broca-do-coleto-do-algodoeiro s.f.; pl. *brocas-do-coleto-do-algodoeiro*
broca-do-coqueiro s.f.; pl. *brocas-do-coqueiro*
broca-do-fruto-do-tomateiro s.f.; pl. *brocas-do-fruto-do-tomateiro*
broca-do-olho-do-coqueiro s.f.; pl. *brocas-do-olho-do-coqueiro*
brocador (*ô*) s.m.
broca-dos-livros s.f.; pl. *brocas-dos-livros*
broca-do-tomate s.f.; pl. *brocas-do-tomate*
brocagem s.f.
brocal s.m.
brocamento s.m.
brocante adj.2g.
brocantita s.f.
brocão s.m.
broca-paulista s.f.; pl. *brocas-paulistas*
broca-pequena-dos-frutos-do-tomate s.f.; pl. *brocas-pequenas-dos-frutos-do-tomate*
broca-pequena-do-tomate s.f.; pl. *brocas-pequenas-do-tomate*
brocar v.
brocárdico adj.
brocardo s.m.
brocatel s.m.
brocatelo s.m.
brocha adj. s.2g. s.f.
brochadeira s.f.
brochado adj.
brochadoiro s.m.
brochador (*ô*) s.m.
brochadora (*ô*) s.f.
brochadouro s.m.
brochadura s.f.
brochagem s.f.
brochante adj. s.2g. s.m.
brochantita (*can*) s.f.
brochantite s.f.
brochão s.m.
brochar v.
broche s.m.
brochete s.f.
brocho (*ô*) s.m.; cf. *brocho*, fl. do v. *brochar*
brochote s.m.
brochura s.f.
brochurador (*ô*) adj. s.m.
brochureiro adj. s.m.
brochurista adj. s.2g.
bróciga s.f.
brocinhal s.m.
brockita s.f.
broco (*ô*) adj.; cf. *broco*, fl. do v. *brocar*
brococoense adj. s.2g.
brocoió s.m.
brocojó s.m.
brócoli s.m.
brócolis s.m.pl.
brócolo s.m.
brócolos s.m.pl.
brocotó s.m.
brodequim s.m.
brodíea s.f.
brodieia (*é*) s.f.
bródio s.m.
brodiôncio adj. s.m.
brodista adj. s.2g.
brodório s.m.
brodosquiano adj. s.m.
brodosquiense adj. s.2g.
brodrickita s.f.
brodriguésia s.f.
broega s.f.
broeggerita s.f.
broeira s.f. s.2g.
broeiro adj. s.m.
brofal s.m.
brogalhau s.m.
brogniartita (*bronhar*) s.f.
brogue s.m.
brogúncia s.f.
brogúncio s.m.
broinha s.f.
brolado adj.
broladura s.f.
brolar v.
brolhar v.
brolhe s.m.
brolho (*ô*) s.m.; cf. *brolho*, fl. do v. *brolhar*
broma adj. s.2g. s.f.
bromação s.f.
bromacético adj.
bromacetofenona s.f.
bromacetona s.f.
bromácio s.m.
bromado adj. s.m.
bromador (*ô*) adj.
bromal s.m.
bromalina s.f.
bromamida s.f.
bromar v.
bromargírio s.m.
bromargirita s.f.
bromargirite s.f.
bromato s.m.
bromatologia s.f.
bromatológico adj.
bromatologista s.2g.
bromatólogo s.m.
bromatometria s.f.
bromatométrico adj.
bromatometrista s.2g.
bromatonímia s.f.
bromatonímico adj.
bromatônimo s.m.
bromatotecnia s.f.
bromatotécnico adj.
bromatotecnologia s.f.
bromatotecnológico adj.
bromatotecnologista s.2g.
bromatotecnólogo s.m.
bromatoterapia s.f.
bromatoterápico adj.
bromatotoxicismo (*cs*) s.m.
bromatotoxina (*cs*) s.f.
bromatotoxismo (*cs*) s.m.
bromatoxicismo (*cs*) s.m.
bromatoxina (*cs*) s.f.
bromatoxismo (*cs*) s.m.
brome s.m.
bromeína s.f.
bromélia s.f.
bromeliácea s.f.
bromeliáceo adj.
bromeliale s.f.
bromelíea s.f.
bromeliiforme s.f.
bromeliínea s.f.
bromeliíneo adj.
bromelina s.f.
bromelínea s.f.
bromelíneo adj.
bromelita s.f.
bromellita s.f.
brometação s.f.
brometilo s.m.
brometo (*ê*) s.m.
bromféldia s.f.
brômico adj.
brômida s.f.
brômide s.f.
bromídia s.f.
bromidrato s.m.
bromidreto (*ê*) s.m.
bromídrico adj.
bromidrina s.f.
bromidrose s.f.
bromidrosofobia s.f.
bromidrosofóbico adj.
bromidrosófobo s.m.
bromidrótico adj.
bromina s.f.
bromínico adj.
brômio s.m.
bromiodeto (*ê*) s.m.
bromiper-hidrose s.f.
bromiperidrose s.f.
bromipina s.f.
bromirita s.f.
bromismo s.m.
bromista s.2g.
bromita s.f.
bromite s.f.
bromito s.m.
bromlita s.f.
bromlite s.f.
bromo s.m.
bromoacético adj.
bromoacetofenona s.f.
bromoacetona s.f.
bromobenzênico adj.
bromobenzeno s.m.
bromobenzenossulfona s.f.
bromobenzenossulfônico adj.
bromobenzina s.f.
bromobenzoico (*ó*) adj.
bromocloral adj.2g. s.m.
bromocola s.f.
bromocriptina s.f.
bromodermia s.f.
bromodérmico adj.
bromoéster s.m.
bromoetano s.m.
bromofenol s.m.
bromofenólico adj.
bromoformado s.m.
bromofórmio s.m.
bromografia s.f.
bromográfico adj.
bromógrafo s.m.
bromoisovalerianilureia (*é*) s.f.
bromol s.m.
bromoleína s.f.
bromólico adj.
bromomenorreia (*é*) s.f.
bromomenorreico (*é*) adj.
bromometria s.f.
bromométrico adj.
bromonaftalênico adj.
bromonaftaleno s.m.
bromopentano s.m.
bromoperidrose s.f.
bromoperidrótico adj.
bromopicrina s.f.
bromopneia (*é*) s.f.
bromopneico (*é*) adj.
bromoquinina s.f.
bromoquinínico adj.
bromossalicílico adj.
bromossalicina s.f.
bromossuccinimida s.f.
bromossucinimida s.f.
bromotânico adj.
bromotânio s.m.
bromotoluênico adj.
bromotolueno s.m.
bromovaleriânico adj.
bromovalerilfenetidina s.f.
bromurado adj.
bromural adj.2g. s.m.
bromureto (*ê*) s.m.
bromuro s.m.
bronca s.f.
broncadenite s.f.
brôncia s.f.
bronco adj. s.m.
broncoadenite s.f.
broncoblenorreia (*é*) s.f.
broncoblenorreico (*é*) adj.
broncocefalite s.f.
broncocele s.f.
broncodilatação s.f.
broncodilatador (*ô*) adj. s.m.
broncoectasia s.f.
broncoesofagoscopia s.f.
broncoesofagoscópico adj.
broncoesofagoscópio s.m.
broncoespirometria s.f.
broncoespirométrico adj.
broncofonia s.f.
broncofônico adj.
broncogênico adj.
broncografabilidade s.f.
broncografação s.f.
broncografar v.
broncografável adj.2g.
broncografia s.f.
broncográfico adj.
broncógrafo adj. s.m.
broncograma s.m.
broncoidiose s.f.
broncolitia s.f.
broncolitíase s.f.
broncolítico adj.
broncólito s.m.
broncologia s.f.
broncológico adj.
broncomicose s.f.
broncomicótico adj.
broncooidicose s.f.
broncooidicótico adj.
broncopatia s.f.
broncopático adj.
broncoplastia s.f.
broncoplástico adj.
broncoplegia s.f.
broncoplégico adj.
broncopleural adj.2g.
broncopleuris s.f.
broncopleurisia s.f.
broncopleurite s.f.
broncopleurítico adj.
broncopneumonia s.f.
broncopneumônico adj.
broncopneumonite s.f.
broncopneumopatia s.f.
broncopneumopático adj.
broncorragia s.f.
broncorrágico adj.
broncorreia (*é*) s.f.
broncorreico (*é*) adj.
broncoscopia s.f.
broncoscópico adj.
broncoscópio s.m.
broncoscopoterapia s.f.
broncoscopoterápico adj.
broncospásmico adj.
broncospasmo s.m.
broncospirometria s.f.
broncospirométrico adj.
broncospirômetro s.m.
broncostenose s.f.
broncostenótico adj.
broncotomia s.f.
broncotômico adj.
broncótomo s.m.
broncotraqueal adj.2g.
brongniártia (*bronhar*) s.f.
brongniartikêntia (*bronhar*) s.f.
brongniartina (*bronhar*) s.f.
brongniartita (*bronhar*) s.f.
brongniartite (*bronhar*) s.f.
brongo s.m.
bronha s.f.
bronheiro s.m.
bronhista s.m.
bronlita s.f.
bronolite s.f.
bronolito s.m.
bronqueação s.f.
bronqueado adj.
bronqueador (*ô*) adj. s.m.
bronqueamento s.m.
bronquear v.
bronquectasia s.f.
bronquectático adj.
bronquespirometria s.f.
bronquespirométrico adj.
bronquial adj.2g.
bronquiarctia s.f.
bronquice s.f.
brônquico adj.
bronquidão s.f.
bronquiectasia s.f.
bronquiectático adj.
brônquio s.m.
bronquiocele s.m.
bronquiolar adj.2g.
bronquiolite s.f.
bronquíolo s.m.
bronquismo s.m.
bronquite s.f.
bronquítico adj.
bronte s.f.
brontes s.m.2n.
brontesia s.f.
bronteu s.m.
brôntia s.f.
brontídeo adj. s.m.
brontíneo adj. s.m.
brontofobia s.f.
brontofóbico adj.
brontófono adj.
brontolita s.f.
brontolite s.f.
brontolítico adj.
brontólito s.m.
brontometria s.f.
brontométrico adj.
brontômetro s.m.
brontossáurio s.m.
brontossauro s.m.
brontoteriida adj.2g. s.m.
brontoteriídea s.f.
brontoteriídeo adj. s.m.
brontotério s.m.
brontoterioide (*ó*) adj.2g. s.m.
brontozoário s.m.
bronzagem s.f.
bronzaria s.f.
bronze s.m.
bronzeado adj. s.m.
bronzeador (*ô*) adj. s.m.
bronzeadora (*ô*) s.f.
bronzeamento s.m.
bronzear v.
bronzela s.f.
brônzeo adj.
bronzina s.f.
bronzípede adj.2g.
bronzista adj. s.2g.
bronzita s.f.

bronzite s.f.
bronzitita s.f.
bronzitite s.f.
bronzito s.m.
bronzo s.m.
brookésia s.f.
brookita s.f.
brookite s.f.
brookito s.m.
broque s.m.
broqueado adj.
broqueamento s.m.
broquear v.
broqueável adj.2g.
broqueiro s.m.
broquel s.m.
broquelar v.
broqueleira s.f.
broqueleiro s.m.
broquém s.m.
broquento adj.
bróquia s.f.
broquidódromo adj.
brosco s.m.
brosila s.f.
brosilão s.m.
brosilato s.m.
brosímea s.f.
brósimo s.m.
brosimopse s.f.
brosimópsis s.f.2n.
brosita s.f.
brosite s.f.
brosla s.f.
broslado adj.
broslador (*ô*) s.m.
brosladura s.f.
broslar v.
brosmículo s.m.
brosmiíneo adj. s.m.
brósmio s.m.
brossa s.f.
brossador (*ô*) s.m.
brossar v.
bróssea s.f.
brosseia (*é*) s.f.
brossimopse s.f.
brossográfico adj.
brossógrafo s.m.
brota s.f.
brotação s.f.
brotado adj.
brotador (*ô*) adj.
brotadura s.f.
brotamento s.m.
brotante adj.2g.
brotar v.
brotarca s.m.
brote s.m.
bróteas s.m.2n.
broteíneo adj. s.m.
brotense adj. s.2g.
bróteo s.m.
bróteon s.m.
brotera s.f.
brotinho s.m.
broto (*ô*) s.m.; c.f. *broto*, fl. do v. *brotar*
brotócara adj.2g. s.f.
brotocristal s.m.
brotoeja (*ê*) s.f.
brotoejar v.
brotógeris s.m.2n.
brotolândia s.f.
brotolômia s.f.
brótula s.m.
brotulídeo adj. s.m.
brousse (*bru*) s.f.
broussonécia (*bru*) s.f.
broussonétia (*bru*) s.f.
browallia (*brou*) s.f.
brównea (*bráu*) s.f.
brówneo (*bráu*) adj.
browniano (*brau*) adj.
brownismo (*brau*) s.m.
brownista (*brau*) adj. s.2g.
brownita (*brau*) s.f.
brownlówia (*braunlóv*) s.f.
broziado adj.
brózio s.m.
bru s.m.
bruaá s.m.
bruaca s.f.
bruaqueiro adj. s.m.
bruaquinha s.f.
brúcea s.f.
brucela s.f.
brucelácea s.f.
bruceláceo adj.
brucelar adj.2g.
brucelergina s.f.
brucelina s.f.
brucelose s.f.
brucelótico adj.
brúchia s.f.
bruciano adj. s.m.
brúcico adj.
brucina s.f.
brucínico adj.
brucinol s.m.
brucinólico adj.
brucinolona s.f.
brucinônico adj.
brucita s.f.
brucite s.f.
bruckenthália s.f.
bruco s.m.
bruco-de-salvaterra s.m.; pl. *brucos-de-salvaterra*
bruco-fétido s.m.; pl. *brucos-fétidos*
bruços s.m.pl.; na loc. *de bruços*
brúctero adj. s.m.
brucutu s.m. interj.
bruega s.m.f.
bruéu s.m.
brugalhau s.m.
brugalheira s.f.
brúgia s.f.
brugmânsia s.f.
brugnatellita (*brunha*) s.f.
brugo s.m.
brugueia (*é*) s.f.
bruguelo s.m.
bruguiera s.f.
brugus s.m.2n.
bruíço s.m.
bruitismo s.m.
bruitista adj. s.2g.
bruitístico adj.
brujarara s.f.
brulha s.f.
brulho s.m.
brulote s.2g.
bruma s.f.
brumaça s.f.
brumaceiro adj.
brumáceo adj.
brumadense adj. s.2g.
brumadiense adj. s.2g.
brumadinhense adj. s.2g.
brumado adj. s.m.
brumal adj.2g.
brumalense adj. s.2g.
brumalizar v.
brumar v.
brumário s.m.
brum-brum adj.2g.; pl. *brum-bruns*
brumeiro s.m.
brumo s.m.
brumoso (*ô*) adj.; f. (*ó*); pl. (*ó*)
brunáceo adj.
brunal adj.2g.
brunchita s.f.
brundisino adj. s.m.
brundueense adj. s.2g.
brundúsio adj.
bruneano adj. s.m.
bruneiro s.m.
brunela s.f.
brunélia s.f.
bruneliácea s.f.
bruneliáceo adj.
brunelina s.f.
brunéllia s.f.
brunelliácea s.f.
brunelliáceo adj.
brunete (*ê*) adj.2g. s.m.
brunfélsia s.f.
brunheiro s.m.
brunhento adj.
brunhete (*ê*) adj.2g. s.m.
brunhir v.
brunho s.m.
brunho-rei s.m.; pl. *brunhos-reis*
brúnia s.f.
bruniácea s.f.
bruniáceo adj.
brunideira s.f.
brunidela s.f.
brunido adj. s.m.
brunidor (*ô*) adj. s.m.
brunidura s.f.
brunimento s.m.
brunir v.
brunjanja s.f.
brünnense adj. s.2g.
brünniano adj.
bruno adj.
brunoleína s.f.
brunólico adj.
brunônia s.f.
brunoniácea s.f.
brunoniáceo adj.
brunoquídeo adj. s.m.
brunsdona s.f.
brunsfélsia s.f.
brúnsvia s.f.
brunsvígia s.f.
brunsvigita s.f.
bruquela s.f.
bruquelídeo adj. s.m.
brúquia s.f.
bruquídeo adj. s.m.
bruquilho adj. s.m.
bruquíneo adj. s.m.
bruquita s.f.
bruquite s.f.
bruquito s.m.
brurajara s.f.
brusca s.f.
brusco adj.
brushita (*chi*) s.f.
brushite (*chi*) s.f.
brusone s.f.
brusone-do-arroz s.f.; pl. *brusones-do-arroz*
brusquense adj. s.2g.
brusquidão s.f.
brusquidez (*ê*) s.f.
brussa s.f.
bruta s.f.; na loc. *à bruta*
brutal adj.2g.
brutalhada s.f.
brutalhaz s.m.
brutalidade s.f.
brutalismo s.m.
brutalista adj. s.2g.
brutalístico adj.
brutalização s.f.
brutalizado adj.
brutalizador (*ô*) adj.
brutalizante adj.2g.
brutalizar v.
brutalizável adj.2g.
brutamonte s.2g.
brutamontes s.2g.2n.
brutaria s.f.
brutaz adj.2g.
brutear v.
brutegas s.2g.2n.
bruteiro s.m.
brutelo s.m.
brutesco (*ê*) adj. s.m.
bruteza (*ê*) s.f.
brutiano adj. s.m.
brutidade s.f.
brutidão s.f.
brutificação s.f.
brutificado adj.
brutificador (*ô*) adj.
brutificante adj.2g.
brutificar v.
brutificável adj.2g.
brútio adj. s.m.
brutismo s.m.
brutista s.2g.
brutístico adj.
bruto adj. s.m.
bruxa s.f.
bruxar v.
bruxaria s.f.
bruxear v.
bruxedo (*ê*) s.m.
bruxelas s.f.2n.
bruxelense adj. s.2g.
bruxelês adj. s.m.
bruxinha s.f.
bruxismo s.m.
bruxo s.m.
bruxomania s.f.
bruxomaníaco adj. s.m.
bruxômano s.m.
bruxuleante adj.2g.
bruxulear v.
bruxuleio s.m.
bruxulhear v.
bruzelo (*ê*) s.m.
bruzundanga s.f.
bryanita (*braia*) s.f.
bua s.m. "água"; cf. *buá*
buá s.m. "feiticeiro"; cf. *bua*
buaçu s.m.
buágana adj. s.2g.
buáiida adj. s.2g.
buáirico adj. s.m.
bual s.m.
buala s.f.
buama s.f.
buamba s.m.
buana s.f.
buanari adj. s.2g.
buano s.m.
buantropia s.f.
buantrópico adj.
buara s.f.
buarense adj. s.2g.
buarqueiro adj. s.m.
buarremão s.m.
buase s.f.
buava adj.2g. s.f.
buba s.f. "doença"; cf. *bubã*
bubã s.f. "tumor"; cf. *buba*
bubal s.m.
bubálida adj.2g. s.m.
bubalídeo adj. s.m.
bubalíneo adj. s.m.
bubalino adj. s.m.
búbalis s.m.2n.
búbalo s.m.
bubânia s.f.
bubão s.m.
bubático adj.
bubela s.f.
bubento adj.
bubetano adj. s.m.
bubi adj. s.2g.
bubinga s.m.
bubo s.m.
bubonalgia s.f.
bubonálgico adj.
bubônia s.f.
bubônica s.f.
bubônico adj.
bubônida adj. s.2g.
bubonídeo adj. s.m.
bubonínea s.f.
buboníneo adj.
bubônio s.m.
bubonocele s.f.
bubonocelo s.m.
bubonodinia s.f.
bubonodínico adj.
bubonoide (*ó*) adj.2g.
bubu s.m.
bubuia s.f.
bubuiar v.
bubuituba s.f.
bubula s.f.
bubulco s.m.
bubulina s.f.
buburé adj. s.2g.
bucã adj. s.2g. s.m.
buçá s.m.
bucáfer s.m.
bucal adj.2g. "oral"; cf. *bocal*
buçal s.m. "focinheira"; cf. *boçal*
buçala s.f.
buçalar v.
buçalete (*ê*) s.m.
bucaneiro s.m.
bucanhe s.m.
buçarda s.f.
bucárdia s.f.
bucare s.m.
bucaré s.m.
bucarejo (*ê*) s.m.
bucarestense adj. s.2g.
bucarestino adj. s.m.
bucária s.f.
búcaro s.m.
bucarofagia s.f.
bucarófago adj. s.m.
bucéfala s.f.
bucefalídeo adj. s.m.
bucéfalo s.m.
bucelar adj.2g.
bucelário adj. s.m.
bucelas s.m.2n.
bucentauro s.m.
buceragênia s.f.
bucérida adj.2g. s.m.
bucerídeo adj. s.m.
búcero s.m.
bucerótida adj.2g. s.m.
bucerotídeo adj. s.m.
buceto (*ê*) s.m.
bucha s.f.
buchada s.f. "vísceras de animais"; cf. *bochada*
bucha da perna s.f.
bucha-de-purga s.f.; pl. *buchas-de-purga*
bucha-dos-caçadores s.f.; pl. *buchas-dos-caçadores*
bucha-dos-campistas s.f.; pl. *buchas-dos-campistas*
bucha-dos-paulistas s.f.; pl. *buchas-dos-paulistas*
bucha-dos-pescadores s.f.; pl. *buchas-dos-pescadores*
buchanânia s.f.
buchanita adj. s.2g.
bucharca s.f.
bucharote s.f.
bucheira s.f. "árvore"; cf. *buxeira*
bucheiro s.m. "tripeiro"; cf. *buxeiro*
buchela s.f.
buchenávia s.f.
buchete (*ê*) s.m.
buchhólzia s.f.
buchhôlzia s.f.
buchicho s.m.
buchigado adj.
buchim s.m.
buchincho s.m.
buchinha s.f.
buchinina s.f.
buchita s.f.
buchite s.f.
buchnera s.f.
bucho s.m. "estômago"; cf. *buxo*
bucho-de-boi s.m.; pl. *buchos-de-boi*
bucho de piaba s.m.
bucho-de-rã s.m.; pl. *buchos-de-rã*
bucho-de-veado s.m.
bucho-furado s.m.; pl. *buchos-furados*
buchona s.f.
bucho-virado s.m.; pl. *buchos-virados*
buchtiênia s.f.
buchu s.m.
buchudo adj.
buchwaldita s.f.
bucida s.f.
bucil s.m.
bucim s.m.
bucina s.f.
bucinador (*ô*) adj. s.m.
bucinanope s.m.
bucinatofaríngeo adj.
bucinatório adj.
bucinídeo adj. s.m.
buciníneo adj. s.m.
bucino s.m.
bucklândia s.f.

bucklandíea s.f.
bucklandióidea s.f.
bucklandita s.f.
bucklandite s.f.
bucle s.m. "cacho"; cf. *buclê*
buclê adj. "tecido"; cf. *bucle*
buclizina s.f.
búcloe s.f.
buco s.m.
buço s.m.
bucobu adj. s.2g.
bucofaringe s.f.
bucofaríngeo adj.
bucofaringite s.f.
bucofaringítico adj.
bucolabial adj.2g.
bucólica s.f.
bucólico adj. s.m.
bucolingual adj.2g.
bucolismo s.m.
bucolista adj. s.2g.
bucolístico adj.
bucolização s.f.
bucolizado adj.
bucolizar v.
buconasal adj.2g.
bucônida adj.2g. s.m.
buconídeo adj. s.m.
buconínea s.f.
buconíneo adj. s.m.
bucórax (*cs*) s.m.
bucrânio s.m.
bucre s.m.
bucu s.m.
buçu s.m.f.
bucué adj. s.2g.
bucuí s.m.
bucuibá s.f.
bucuitubense adj. s.2g.
búcula s.f.
bucumbi s.m.
bucumbumba s.m.
bucupari s.m.
bucurau s.m.
bucurubu s.m.
bucutá s.m.
bucuuva s.f.
bucuuvaçu s.f.
bucuuvuçu s.f.
bucuva adj. s.2g. s.f.
buda s.m.
budaísmo s.m.
budana s.f.
budapestense adj. s.2g.
budapestino adj. s.m.
buddingtonita s.f.
buddleia (*é*) s.f.
buddleiácea s.f.
buddleiáceo adj.
buddleióidea s.f.
buddlejácea s.f.
buddlejáceo s.f.
budeidade s.f.
budeleia (*é*) s.f.
budião s.m.
budico adj.
budidade s.f.
budino adj. s.m.
budismo s.m.
budista adj. s.2g.
budístico adj.
budite s.m.
budoar s.m.
budologia s.f.
budológico adj.
budólogo s.m.
buduna s.f.
bué s.m.
buechnera s.f.
bueira s.f.
bueiro s.m. "escoadouro"; cf. *boeiro*
buélia s.f.
bueliácea s.f.
bueliáceo adj.
buéllia s.f.
buelliácea s.f.
buelliáceo adj.
buém s.m.
buenacho adj.
buenaço adj.
buena-dicha s.f.; pl. *buenas-dichas*
buena-dicheira s.f.; pl. *buenas-dicheiras*
buenairense adj. s.2g.
buende s.m.
buenense adj. s.2g.
buenina s.f.
bueno-brandense adj. s.2g.; pl. *bueno-brandenses*
buenolandense adj. s.2g.
buenolandês adj. s.m.
buenopolense adj. s.2g.
buenopolitano adj. s.m.
bueraremense adj. s.2g.
buerguerita s.f.
buerre s.m.
buete s.m.
buetnéria s.f.
buettnera s.f.
buezão s.m.
bufa s.f. "peça de armadura", etc.; cf. *bufã*
bufã adj.2g.2n. "tipo de papel"; cf. *bufa* s.f. e fl. do v. *bufar*
bufada s.f.
bufadeirense adj. s.2g.
bufadela s.f.
bufado adj. s.m.
bufadoiro s.m.
bufador (*ô*) adj. s.m.
bufadouro s.m.
búfaga s.f.
bufagina s.f.
bufagíneo adj. s.m.
búfago s.m.
bufalina s.f.
bufalino adj.
búfalo s.m.
búfalo-africano s.m.; pl. *búfalos-africanos*
búfalo-asiático s.m.; pl. *búfalos-asiáticos*
búfane s.f.
bufaneira s.f.
bufanina s.f.
bufanínico adj.
bufano s.m.
bufante adj.2g. s.m.
bufão s.m.
bufar v. "soprar"; cf. *bofar*
bufareira s.f.
bufaria s.f.
bufarinha s.f.
bufarinhar v.
bufarinharia s.f.
bufarinheiro s.m.
bufarinho s.m.
búfaro s.m.
bufarra s.f.
bufas s.f.pl.
bufê s.m.
bufeira s.f.
bufento adj.
búfeo s.m.
bufete (*ê*) s.m. "aparador"; cf. *bofete* (*é* ou *ê*) s.m. e fl. do v. *bofetar*
buffônia s.f.
bufidina s.f.
bufido s.m.
bufina s.f.
bufir v.
bufo adj. s.m.
bufogenina s.f.
bufonada s.f.
bufonaria s.f.
bufonear v.
bufoneria s.f.
bufônia s.f.
bufônias s.f.pl.
bufonídeo adj. s.m.
bufonina s.f.
bufonite s.f.
bufo-real s.m.; pl. *bufos-reais*
bufosa s.f.
bufoso (*ô*) adj.; f. (*ó*); pl. (*ó*)
bufotalina s.f.
bufotalínico adj.
bufoteína s.f.
bufoteínico adj.
bufotenina s.f.
bufotenínico adj.
bufotoxina (*cs*) s.f.
bufra s.f.
buftalmia s.f.
buftálmico adj.
buftalmínea s.f.
buftalmíneo adj.
buftalmo s.m.
bufunfa s.f.
bufúrdio s.m.
bufurinheiro s.m.
bugacho s.m.
bugalha s.f.
bugalhal adj.2g. s.m.
bugalhão s.m.
bugalheiro adj.
bugalhinha s.f.
bugalho s.m. "noz de galha"; cf. *bugalhó*
bugalhó s.m. "planta"; cf. *bugalho*
bugalhudo adj.
buganda adj. s.2g.
buganvília s.f.
bugarrém s.m.
bugdió s.m.
bugego s.m.
bugelinho s.m.
bugerano s.m.
búgi adj. s.2g.
bugia s.f.
bugiada s.f.
bugiado adj.
bugiar v.
bugiaria s.f.
bugiganga s.f.
bugigangada s.f.
bugigangar v.
bugigângara s.f.
bugigangaria s.f.
bugina s.f.
bugínico s.m.
bugio adj. s.m.
bugio-labareda s.m.; pl. *bugios-labareda*
bugio-marinho s.m.; pl. *bugios-marinhos*
bugio-preto s.m.; pl. *bugios-pretos*
bugio-ruivo s.m.; pl. *bugios-ruivos*
bugio-vermelho s.m.; pl. *bugios-vermelhos*
bugle s.m.
buglossa s.f.
buglossa-calcárea s.f.; pl. *buglossas-calcáreas*
buglossa-menor s.f.; pl. *buglossas-menores*
buglossa-ondulada s.f.; pl. *buglossas-onduladas*
buglosso s.m.
bugra s.f.
bugrada s.f.
bugraria s.f.
bugre adj. s.2g. s.m.
bugre-branco s.m.; pl. *bugres-brancos*
bugreiro s.m.
bugrense adj. s.2g.
bugrinho s.m.
bugrismo s.m.
bugrístico adj.
bugroide (*ó*) adj.2g.
búgui adj. s.2g.
búgula s.f.
buí s.m.
buia s.f.
buia-buia interj.
buída adj. s.2g.
buído adj.
buíge s.m.
búiida adj. s.2g.
buílo s.m.
buinho s.m.
buiquense adj. s.2g.
buir v.
buítra s.f.
buítre s.m.
buitreira s.f.
buiuçu s.m.
buja s.f. interj.
bujago s.m.
bujamé adj.2g. s.m.
bujanga s.m.
bujangássana s.m.
bujão s.m. "recipiente arrolhador"; cf. *bojão*
bujarda s.f.
bujarrona s.f.
bujaruense adj. s.2g.
bujé adj. s.2g. s.m.
buji s.m.
bujiguara s.m.
bujinga s.f.
bukharinismo s.m.
bukharinista adj. s.2g.
bukharinístico adj.
bukovskyita s.f.
bul s.m.
bula s.f.
bula-bula s.f.; pl. *bula-bulas*
bulado adj.
bulala s.f.
bulama s.m.
bulangerismo s.m.
bulangismo s.m.
bular v.
bularídeo adj. s.m.
bulário s.m.
bulastenia s.f.
bulastênico adj.
bulático adj.
bulbáceo adj.
bulbar adj.2g.
bulbicultor (*ô*) s.m.
bulbicultura s.f.
bulbífero adj.
bulbiforme adj.2g.
bulbígero adj.
bulbilária s.f.
bulbilário adj.
bulbilho s.m.
bulbilífero adj.
bulbilo s.m.
bulbilogema s.f.
bulbina s.f.
bulbíparo adj.
bulbite s.f.
bulbo s.m.
bulbocapnina s.f.
bulbocavernoso (*ô*) adj.; f. (*ó*); pl. (*ó*)
bulboclitoridiano adj.
bulbocódio s.m.
bulbodentário adj. s.m.
bulboesponjoso (*ô*) adj.; f. (*ó*); pl. (*ó*)
bulbofilo s.m.
bulboide (*ó*) adj.2g.
bulbomania s.f.
bulbomaníaco adj.
bulbomedular adj.2g.
bulbopalpebral adj.2g.
bulbopeniano adj.
bulboprotuberancial adj.2g.
bulboso (*ô*) adj.; f. (*ó*); pl. (*ó*)
bulbouretral adj.2g.
bulbul s.m.
bulbulo s.m. "ave"; cf. *búlbulo*
búlbulo s.m. "pequeno bulbo"; cf. *bulbulo*
bulcão s.m.
buldo s.m.
buldogue s.m.
buldôzer s.m.
buldra s.f.
bule s.m.
bule-bule s.m.; pl. *bule-bules* e *bules-bules*
buleiro s.m.
bulese s.f.
bulevar s.m.
bulevardeiro adj.
bulevardismo s.m.
bulevardista adj. s.2g.
bulevardístico adj.
bulgarês adj. s.m.
bulgária s.f.
bulgariana s.f.
búlgaro adj. s.m.
bulgarofalante adj. s.2g.
bulgarofonia s.f.
bulgarófono adj. s.m.
bulgaroparlante adj. s.2g.
bulha s.f.
bulhaco s.m.
bulhacra s.f.
bulhafre s.m.
bulhão adj. s.m.; f. *bulhona*
bulhar v.
bulharaça s.f.
bulhento adj. s.m. "barulhento"; cf. *bolhento*
bulho s.m.
bulhona adj. s.f. de *bulhão*
bulhonense adj. s.2g.
bulhonismo s.m.
bulhonista adj. s.2g.
bulhonístico adj.
bulhufas pron.
buliarda s.f.
buliárdia s.f.
búlica s.f.
buliceira s.f.
bulício s.m.
buliço s.m.
buliçoso (*ô*) adj.; f. (*ó*); pl. (*ó*)
bulida s.f.
bulideira s.f.
bulideiro adj.
bulidela s.f.
bulídeo adj. s.m.
bulido adj.
bulidor (*ô*) adj. s.m.
buliforme adj.2g.
bulimarexia (*cs*) s.f.
bulimento s.m.
bulimia s.f.
bulimíase s.f.
bulímico adj.
bulimiforme adj.2g.
bulimiformia s.f.
bulimina s.f.
buliminíneo adj. s.m.
bulimo s.m.
bulimulídeo adj. s.m.
bulímulo s.m.
bulinete (*ê*) s.m.
bulino adj. s.m.
bulio s.m.
bulionismo s.m.
bulionista adj. s.2g.
bulionístico adj.
bulir v.
bulista s.m.
bulite s.2g.
buliu s.m.
bulnésia s.f.
bulolo adj. s.m.
bulose s.f.
bultfonteinita s.f.
bultrim adj. s.2g.
bulufas pron.
bululado adj.
bululu s.m.
bululuado adj.
bum s.m. interj.
bumba s.m.f. interj.
bumba-boi s.m.2n.
bumba meu boi s.m.2n.
bumbar v.
bumbarabum s.m. interj.
bumbarriabole s.f.
bumbarriachole s.f.
bumbarriala s.f.
bumbo s.m.
bumbódromo s.m.
bumbum s.m. "nádega"; cf. *bum-bum*
bum-bum s.m. "som do tambor"
bumélia s.f.
bumerangue s.m.
bumetanida s.f.
buna s.f.
bunamanássana s.m.
búnaque s.m.
bunce s.m.
buncho s.m.
buncósia s.f.

bunda adj. s.2g. s.f. "grupo banto", "nádegas"; cf. *bundá*
bundá s.m. "bagulho"; cf. *bunda*
bundaça s.f.
bundada s.f.
bundadela s.f.
bunda-de-mulata s.f.; pl. *bundas-de-mulata*
bunda-de-ouro s.f.; pl. *bundas-de-ouro*
bunda-mole s.2g.; pl. *bundas-moles*
bundana s.f.
bundança s.f.
bundão adj. s.m.
bunda-suja s.2g.; pl. *bundas-sujas*
bundear v.
bundo adj. s.m.
bundona s.f.
bundra s.f.
bundudo adj.
buneva s.m.
bungá s.f.
bungama s.f.
bungar v.
bungo s.m.
bungue s.m.
bunhar v.
bunhedo (*ê*) s.m.
bunheiro s.m.
bunho s.m.
buniádea s.f.
buniádeo adj.
búnias s.m.
buniavírus s.m.
bunica s.f.
bunídea s.f.
bunídeo adj.
búnio s.m.
bunocefalídeo adj. s.m.
bunode s.m.
bunodeópsis s.f.2n.
bunodídeo adj. s.m.
bunodonte adj.2g. s.m.
bunoide (*ó*) adj.2g.
bunolofodonte adj.2g.
bunosselenodonte adj.2g. s.m.
bunóstomo s.m.
bunsenina s.f.
bunsenita s.f.
bunsenite s.f.
búpalo s.m.
bupevense adj. s.2g.
bupivacaína s.f.
bupleuro s.m.
bupreste s.m.
buupréstide adj.2g. s.m.
buprestídeo adj. s.m.
buprestíneo adj. s.m.
buprosídeo adj. s.m.
buque s.m. "embarcação", etc.; cf. *buquê*
buquê s.m. "ramalhete"; cf. *buque*
buquê-de-noiva s.m.; pl. *buquês-de-noiva*
buqueiro s.m.
buquete (*ê*) s.m.
buquinado adj.
buquinador (*ô*) adj.
buquinar v.
buquinense adj. s.2g.
buquinista adj.2g.
bur adj. s.2g.
buraba s.f.
buraca s.f. "mala rústica"; cf. *búraca*
búraca s.f. "pequena cova"; cf. *buraca*
buracada s.f.
buracama s.f.
buraçanga s.f.
buracão s.m.
buracar v.
buracica s.f.
buracicense adj. s.2g.
buraciquense adj. s.2g.
buraco s.m.
buraco-feito s.m.; pl. *buracos-feitos*
buraco-soturno s.m.; pl. *buracos-soturnos*
burajada s.f.
burajuba s.f.
buramo s.m.
buranda s.f.
burangueiro adj. s.m.
buranhém s.m.
buranhenense adj. s.2g.
burão s.m.
burapinima s.f.
buraquara s.f.
buraqueira s.f.
buraqueiro adj. s.m.
burara s.f.
buraramense adj. s.2g.
burareiro s.m.
burarema s.f.
burasaia s.f.
buratéua s.f.
buratino s.m.
buratita s.f.
buratite s.f.
burato s.m. "estofo ralo"; cf. *borato*
burbankita s.f.
burbom s.m.
burbonês adj.; f. *burbonesa* (*ê*)
burbonesa (*ê*) adj. f. de *burbonês*
burbonismo s.m.
burbonista adj. s.2g.
burbonístico adj.
burburejar v.
burburinhar v.
burburinho s.m.
burca s.f.
burchéllia s.f.
búrcio s.m.
burckhardtiano (*burcarti*) adj.
burço s.m.
burdáchia s.f.
búrdia s.f.
burdigalense adj. s.2g.
burdigaliano adj. s.m.
burdigão s.m.
burdo adj. s.m.
buré s.m. "mingau de milho verde"; cf. *boré* e *burê*
burê s.m.; cf. *boré* e *buré*
burel s.m.
burela s.f.
burelado adj. s.m.
burelina s.f.
burenari adj. s.2g.
burendanga s.f.
bureta (*ê*) s.f.
bureva s.f.
burgalês adj. s.m.
burgalhão s.m.
burgalhau s.m.
burgandina s.f.
burganho s.m.
burgar v.
burgau s.m.
burgaudina s.f.
burgenheira s.f.
burgesice s.f.
burgesso (*ê*) s.m.
burgo s.m. "cidade"; cf. *burgó*
burgó s.m. "cascalho"; cf. *burgo*
burgomestra s.f.
burgomestrado s.m.
burgomestre s.m.
burgomestria s.f.
burgravado s.m.
burgrave s.m.
burgravina s.f.
burgrávio s.m.
burgsdórfia s.f.
burguês adj. s.m.
burguesada s.f.
burguesamento s.m.
burguesar v.
burguesia s.f.
burguesismo s.m.
burguesista adj. s.2g.
burguesístico adj.
burguesocracia s.f.
burguesocrata s.2g.
burguesocrático adj.
burguete (*ê*) s.m.
burguinhão adj. s.m.
burgundião adj. s.m.
burgúndio adj. s.m.
burgundo adj. s.m.
buri s.m. "palmeira"; cf. *bori*
buriata adj. s.2g.
buriato adj. s.m.
búrica s.f.
burichense adj. s.2g.
buricica s.f.
buri-da-praia s.m.; pl. *buris-da-praia*
buri-do-campo s.m.; pl. *buris-do-campo*
buriel s.m.
buriense adj. s.2g.
burietaense adj. s.2g.
buril s.m.
burilação s.f.
burilada s.f.
burilado adj.
burilador (*ô*) adj. s.m.
burilagem s.f.
burilamento s.m.
burilar v.
buril-escopro s.m.; pl. *buris-escopros*
burilista adj. s.2g.
burindanga s.f.
burinídeo adj. s.m.
burino s.m.
burinóidea s.f.
burinóideo adj.
búrio adj. s.m.
buriqui s.m.
buriquim s.m.
buriquioca s.f.
buritamense adj. s.2g.
buriti s.m.
buriti-alegrense adj. s.2g.; pl. *buriti-alegrenses*
buriti-bravense adj. s.2g.; pl. *buriti-bravenses*
buriti-bravo s.m.; pl. *buritis-bravos*
buriti-do-brejo s.m.; pl. *buritis-do-brejo*
buritiense adj. s.2g.
buritiguara adj. s.2g.
buriti-lopense adj. s.2g.; pl. *buriti-lopenses*
buritimirim s.m.
buritinana s.m.
buriti-palito s.m.; pl. *buritis-palito* e *buritis-palitos*
buriti-palmito s.m.; pl. *buritis-palmito* e *buritis-palmitos*
buritiramense adj. s.2g.
buritirana s.f.
buritiranense adj. s.2g.
buriti-tocantinense adj. s.2g.; pl. *buriti-tocantinenses*
buritizada s.f.
buritizal s.m.
buritizalense adj. s.2g.
buritizeirense adj. s.2g.
buritizeiro s.m.
buritizinhense adj. s.2g.
buritizinho s.m.
burizal s.m.
burizeirense adj. s.2g.
burjaca s.f.
burjaçote s.m.
burjassote s.m.
burjiada s.f.
burkeia (*é*) s.f.
burkeíta s.f.
burkinense adj. s.2g.
burla s.f.
burlado adj.
burlador (*ô*) adj. s.m.
burladora (*ô*) adj. s.f.
burlamento s.m.
burlandeiro adj.
burlante adj. s.2g.
burlantim s.m.
burlão adj. s.m.; f. *burlona*
burlar v.
burlaria s.f.
burlável adj.2g.
burlemárxia (*cs*) s.f.
burlequeador (*ô*) adj. s.m.
burlequear v.
burlescaria s.f.
burlesco (*ê*) adj. s.m.
burlesquear v.
burleta (*ê*) s.f. "farsa"; cf. *borleta* (*ê*)
burlete (*ê*) s.m.
burlina s.f.
burlingtônia s.f.
burlingtonita s.f.
burlingtonite s.f.
burlista adj. s.2g.
burlona adj. s.f. de *burlão*
burloso (*ô*) adj.; f. (*ó*); pl. (*ó*)
burmânia s.f.
burmaniácea s.f.
burmaniáceo adj.
burmaniínea s.f.
burmaniíneo adj.
burmanniale s.f.
burmeistera s.f.
burmita s.f.
burmite s.f.
burnácia s.f.
burneira adj. s.f.
burneiro adj.
burnésia s.m.
burnido adj.
burnir v.
burnó adj. s.2g.
burnu s.m.
burnus s.m.2n.
buro adj. s.m.
burocracia s.f.
burocracial adj.2g.
burocracismo s.m.
burocrata s.2g.
burocratês s.m.
burocrático adj.
burocratismo s.m.
burocratista adj. s.2g.
burocratístico adj.
burocratização s.f.
burocratizado adj.
burocratizador (*ô*) adj.
burocratizante adj.2g.
burocratizar v.
burocratizável adj.2g.
burpilheiro s.m.
burquinabê adj. s.2g.
burquinense adj. s.2g.
burquino adj. s.m.
burra s.f.
burraca s.f.
burrada s.f.
burra-de-leite s.f.; pl. *burras-de-leite*
burra de padre s.f.
burragem s.f.
burraina s.f.
burral s.m.
burra-leiteira s.f.; pl. *burras-leiteiras*
burrama s.f.
burrame s.m.
burrana s.2g.
burranca s.f.
burrancão s.m.
burrancas s.2g.2n.
burranco s.m.
burranha s.f.
burrão s.m.
burrar v.
burrear v.
burreca s.f.
burreco s.m.
burrefa s.f.
burrega (*ê*) s.f.
burrego (*ê*) adj. s.m.
burreiro s.m.
burrela s.2g.
burrequeiro adj. s.m.
burretiokêntia s.f.
burreza (*ê*) s.f.
burrica s.f.
burricada s.f.
burrical adj.2g.
burricalho s.m.
burricar v.
burrice s.f.
burricego adj.
burricida s.2g.
burricídio s.m.
burrico s.m.
burrié s.m.
burriélia s.f.
burrificação s.f.
burrificado adj.
burrificador (*ô*) adj.
burrificamento s.m.
burrificante adj.2g.
burrificar v.
burrificável adj.2g.
burrinha s.f.
burrinha de padre s.f.
burrinhar v.
burrinho s.m.
burrinho-da-batatinha s.m.; pl. *burrinhos-da-batatinha*
burrinho-das-solanáceas s.m.; pl. *burrinhos-das-solanáceas*
burrinho-zebrado s.m.; pl. *burrinhos-zebrados*
burriqueiro adj. s.m.
burriquete (*ê*) s.m.
burriquice s.f.
burriquito s.m.
burrista adj. s.2g.
burro adj. s.m.
burro-alto s.m.; pl. *burros-altos*
burro-burreiro s.m.; pl. *burros-burreiros*
burro-choro (*ô*) s.m.; pl. *burros-choros*
burro em pé s.m.
burroide (*ó*) adj. s.2g.
burro-machacaz s.m.; pl. *burros-machacazes*
burro-montês s.m.; pl. *burros-monteses*
burro sem rabo s.m.
burruíço s.m.
bursa s.f.
bursaíta s.f.
bursal adj.2g.
bursaonense adj. s.2g.
bursária s.f.
bursarídeo adj. s.m.
bursário adj. s.m.
bursasote s.m.
bursátil adj.2g.
burseguiada s.f.
bursera s.f.
burserácea s.f.
burseráceo adj.
burserante s.2g.
burserina s.f.
búrsico adj.
bursícula s.f.
bursicular adj.2g.
bursículo s.m.
bursina s.f.
bursite s.f.
bursítico adj.
burtônia s.f.
buru s.m.
buruanha s.f.
buruçanga s.f.
burucu adj.
burucutu adj.
burude s.f.
burué adj. s.2g.
buruganga s.f.
burum adj. s.2g.
burundagem s.f.
burundanga s.f.
burundiano adj. s.m.
burundiense adj. s.2g.
burundinês adj. s.m.
burundum s.m.
burundunga s.f.
burunganga s.f.
burungunço s.m.
burungunza s.f.
burunhão s.m.
buruquê adj.2g.
bururé s.m.

bururu adj. s.2g. s.m.
buruso s.m.
burusso s.m.
buruta s.f.
burzalaque s.m.
burzigada s.f.
burziguiada s.f.
burzilhão s.m.
burzunda s.f.
bus adj. s.2g. interj.
busanheira s.f.
busano s.m.
busaranha s.2g.
busaranho s.m.
busardo s.m.
busareio s.m.
busca s.f.
busca-amante s.f.2n.
busca-caixas s.m.2n.
buscado adj.
buscador (*ô*) adj. s.m.
busca-fundo s.m.; pl. *busca-fundos*
busca-joelhos adj.2g.2n. s.f.2n.
buscante adj.2g. s.m.
busca-pé s.m.; pl. *busca-pés*
busca-polos (*ó*) s.m.2n.
buscar v.
busca-três s.m.2n.
buscável adj.2g.
busca-vida s.m.; pl. *busca-vidas*
busca-vidas s.m.2n.
busco s.m.
buseira s.f.
buseirada s.f.
buseiro s.m.
buserelina s.f.
buserino s.m.
busil s.m.
busilhão s.m.
busílis s.m.2n.
busiquinho s.m.
buso s.m.
busquento adj.
busquipani adj. s.2g.
bussarda s.f.
bussil s.m.
bússola s.f.
bussolante s.m.
bussolar v.
bussolco s.m.
bussulfan s.f.
bustamantita s.f.
bustamantite s.f.
bustamita s.f.
bustamite s.f.
bustelma s.f.
bustiê s.m.
bustita s.f.
bustite s.f.
busto s.m.
busto-relicário s.m.; pl. *bustos-relicários*
bustrofeda s.f.
bustrofédico adj.
bustrofédon s.m.
bustuário s.m.
buszita s.f.
buta adj.2g. s.m.f.
butabarbital adj.2g. s.m.
butaca s.f.
butacaína s.f.
butadiênico adj.
butadieno s.m.
butalamina s.f.
butaldeído adj.
butana s.f.
butanal s.m.
butanediol s.m.
butanense adj. s.2g.
butanês adj. s.m.
butani adj. s.2g.
butâni adj. s.2g.
butânico adj.
butânio s.m.
butano s.m.
butanodioico (*ó*) adj.
butanodioldioico (*ó*) adj.
butanoico (*ó*) adj. s.m.
butanol s.m.
butanólico adj.
butanolido s.m.
butanona s.f.
butanônico adj.
butáquila s.f.
butar v.
butara s.f.
butarga s.f.
butau s.m.
bute s.m. interj.
bútea s.f.
buteia (*é*) s.f.
buteiro s.m. "alfaiate"; cf. *boteiro*
butelina s.f.
butelo s.m. "grande"; cf. *buttelo* (*ê*)
butenilo s.m.
buteno s.m.
búteo s.m.
butereiro s.m.
butergo s.m.
butesina s.f.
butessa s.f.
butiá s.m.
butiá-açu s.m.; pl. *butiás-açus*
butiá-azedo s.m.; pl. *butiás-azedos*
butiá-branco s.m.; pl. *butiás-brancos*
butiá-da-praia s.m.; pl. *butiás-da-praia*
butiá-da-serra s.m.; pl. *butiás-da-serra*
butiá-de-vinagre s.m.; pl. *butiás-de-vinagre*
butiá-do-campo s.m.; pl. *butiás-do-campo*
butiaense adj. s.2g.
butiá-miúdo s.m.; pl. *butiás-miúdos*
butiá-roxo s.m.; pl. *butiás-roxos*
butiatuba s.m.
butiá-verdadeiro s.m.; pl. *butiás-verdadeiros*
butiazal s.m.
butiazeiro s.m.
butico s.m.
butídeo adj. s.m.
butídio s.m.
butiga s.f.
butil s.m.
butila s.f.
butilacético adj.
butiláctico adj.
butilamina s.f.
butilamínico adj.
butilato s.m.
butilbenzol s.m.
butilbenzólico adj.
butilcarbônico adj.
butilcetona s.f.
butilcetônico adj.
butilcloral s.m.
butilcrotonato s.m.
butilênico adj.
butilênio s.m.
butileno s.m.
butilenoglicol s.m.
butiletilbarbitúrico adj.
butiletilmalonilureia (*é*) s.f.
butílico adj.
butilideno s.m.
butilidroquinona s.f.
butilidrotolueno s.m.
butílio s.m.
butilo s.m.
butiltoluol s.m.
butim s.m. "espólio"; cf. *botim*
butinha s.f.
butino s.m.
butinodiol s.m.
bútio s.m.
butiólago s.m.
butionídeo adj. s.m.
butioníneo adj. s.m.
butipitá s.f.
butique s.f.
butir s.m.
butiráceo adj.
butirada s.f.
butiral s.m.
butiraldeído s.m.
butiramida s.f.
butirão s.m.
butirato s.m.
butírico adj.
butiril s.m.
butirila s.f.
butirilo s.m.
butirina s.f.
butirinase s.f.
butirínase s.f.
butirita s.f.
butirite s.f.
butirofenona s.f.
butirolactona s.f.
butiroleico (*é*) adj.
butiroleína s.f.
butiróleo s.m.
butirometria s.f.
butirométrico adj.
butirômetro s.m.
butirona s.f.
butironítrico adj.
butiroscópio s.m.
butiroso (*ô*) adj.; f. (*ó*); pl. (*ó*)
butirosperma s.m.
butirospermo s.m.
butlerita s.f.
butnéria s.f.
buto s.m.
butomácea s.f.
butomáceo adj.
butomínea s.f.
butomíneo adj.
bútomo s.m.
butonga adj. s.2g.
butopironoxilo (*cs*) s.m.
butori s.m.
butóride s.2g.
butoxicarbonil (*cs*) s.m.
butoxicarbonílico (*cs*) adj.
butóxido (*cs*) s.m.
butóxilo (*cs*) s.m.
butráupio s.m.
butre s.m.
butschliita s.f.
buttelo (ê) s.m. "chouriço"; cf. *butelo*
buttgenbachita s.f.
buttnéria s.f.
buttneriácea s.f.
buttneriáceo adj.
butua s.f.
butua-catinguenta s.f.; pl. *butuas-catinguentas*
butua-de-corvo s.f.; pl. *butuas-de-corvo*
butuca s.f.
butucada s.f.
butucajé s.m.
butucar v.
butucari adj. s.2g.
butucum s.m.
butuinha s.f.
buuno s.m.
buva s.f.
buvar s.m.
buvuari s.m.
buxácea (*cs* ou *ch*) s.f.
buxáceo (*cs* ou *ch*) adj.
buxal s.m.
buxale (*cs*) s.f.
buxbáumia (*cs*) s.f.
buxbaumiácea (*cs*) s.f.
buxbaumiáceo (*cs*) adj.
buxbaumiale (*cs*) s.f.
buxeira s.f. "buxo"; cf. *bucheira*
buxeiro s.m. "buxo"; cf. *bucheiro*
buxidina (*cs* ou *ch*) s.f.
buxina (*cs* ou *ch*) s.f.
buxinamina (*cs* ou *ch*) s.f.
buxínea (*cs* ou *ch*) s.f.
buxíneo (*cs* ou *ch*) adj.
buxinidina (*cs* ou *ch*) s.f.
buxiqui s.m.
buxo s.m. "planta"; cf. *bucho*
buxo-anão s.m.; pl. *buxos-anões*
buxo-arborescente s.m.; pl. *buxos-arborescentes*
buxo-arbustivo s.m.; pl. *buxos-arbustivos*
buxo-da-rocha s.m.; pl. *buxos-da-rocha*
buxo-de-holanda s.m.; pl. *buxos-de-holanda*
buxo-grande s.m.; pl. *buxos-grandes*
buxo-humilde s.m.; pl. *buxos-humildes*
buxuari s.m.
búxulo s.m.
buza adj. s.2g. s.f.
buzanfã s.m.
buzanheira s.f.
búzara s.f.
buzarate adj. s.2g.
buzarato s.m.
buzegar v.
buzeira s.f.
buzeirada s.f.
buzeiro s.m.
buzeno s.m.
búzera s.f.
buzi s.m.
buzia s.f.
buziar v.
buzina adj. s.2g. s.f.
buzinação s.f.
buzinaço s.m.
buzinada s.f.
buzinadela s.f.
buzinado adj.
buzinador (*ô*) adj. s.m.
buzinão s.m.
buzinar v.
buzinaria s.f.
buzinas s.f.pl.
buzineiro adj.
buzineta (*ê*) s.f.
buzinote s.m.
buzinudo adj.
búzio adj. s.m.; cf. *buzio*, fl. do v. *buziar*
búzio-totó s.m.; pl. *búzios-totós*
búzio-tuberoso s.m.; pl. *búzios-tuberosos*
buzo s.m.
buzo-fêmea s.m.; pl. *buzos-fêmeas*
buzo-fêmeo s.m.; pl. *buzos-fêmeos*
buzo-macho s.m.; pl. *buzos-machos*
buzu s.m.
buzugo s.m.
buzum s.m.
byrônia s.f.
byronianismo (*bai*) s.m.
byronianista (*bai*) adj. s.2g.
byronianístico (*bai*) adj.
byroniano (*bai*) adj.
byrônico (*bai*) adj.
byronismo (*bai*) s.m.
byronista (*bai*) adj. s.2g.
byronístico (*bai*) adj.
byssolita (*bai*) s.f.
bystroemita s.f.
bytownita (*baitau*) s.f.
bytownortita (*baitau*) s.f.
byttnerácea s.f.
byttneráceo adj.
byttnéria s.f.

Cc

c (*cê*) s.m.
cá s.m. adv.
cã s.m.f.
caã adj. s.2g.
caá-açu s.f.; pl. *caás-açus*
caaba s.f.
caabopoxi s.f.
caacambu s.m.
caacambuí s.m.
caacica s.f.
caacó s.f.
caaçu s.f.
caacuí s.f.
caaeé s.f.
caaetê s.m.
caaguaçu s.m.
caaguaçuba s.f.
caaguaçuense adj. s.2g.
caaguará s.f.
caaia s.f.
caaigapó s.m.
caaingá s.f.
caajaçara s.f.
caajuçara s.f.
caama s.m.
caamanha s.f.
caamembeca s.f.
caami s.m.
caanda s.m.
caanema s.f.
caantio s.m.
caaobi s.m.
caaobitinga s.f.
caaopiá s.m.
caapara s.f.
caapeba s.f.
caapená s.f.
caapeno s.m.
caapepena s.f.
caapéua s.f.
caapeva s.f.
caapi s.m.
caapiá s.m.
caapiá-açu s.m.; pl. *caapiás-açus*
caapiá-do-rio-grande s.m.; pl. *caapiás-do-rio-grande*
caapiá-mirim s.m.; pl. *caapiás-mirins*
caapiá-preto s.m.; pl. *caapiás-pretos*
caapiranga s.f.
caapiranguense adj. s.2g.
caapitiú s.m.
caapitiú-fedorento s.m.; pl. *caapitiús-fedorentos*
caapiúna s.f.
caapoã s.f.
caapomonga s.f.
caaponga s.f.
caapor adj. s.2g.
caapora s.2g.
caaporanense adj. s.2g.
caapuã s.m.
caapucá s.f.
caapuçara s.f.
caapuera s.f.
caapuera-branca s.f.; pl. *caapueras-brancas*
caaquínio s.m.
caaraboa s.f.
caaretama s.f.
caarina s.f.
caaroba s.m.
caataia s.f.
caatanduva s.f.
caatibense adj. s.2g.
caatica s.f.
caatiguá s.m.
caatinga s.f.
caatingal s.f.
caatingueira s.f.
caatingueiro s.m.
caatinguense adj. s.2g.
caatininga s.f.
caatita adj. s.2g.
caaueti s.f.
caaúla s.f.
caavurana s.f.
caavurana-de-cunhã s.f.; pl. *caavuranas-de-cunhã*
caaxarama s.f.
caaxi s.f.
caaxió s.f.
caaxira s.f.
caba s.f. "vespa"; cf. *cabã*
cabã s.m. "casacão"; cf. *caba*
cabaaçu s.f.
cababa s.f.
caba-beiju s.f.; pl. *cabas-beiju* e *cabas-beijus*
cabaça s.m.f.
cabaça-amargosa s.f.; pl. *cabaças-amargosas*
caba-caçadeira s.f.; pl. *cabas-caçadeiras*
cabaçada s.f.
cabaça-de-trombeta s.f.; pl. *cabaças-de-trombeta*
cabaçal adj.2g. s.m.
caba-camaleão s.f.; pl. *cabas-camaleão* e *cabas-camaleões*
cabação s.m.
cabaça-purunga s.f.; pl. *cabaças-purunga* e *cabaças-purungas*
cabacear v.
caba-cega s.f.; pl. *cabas-cegas*
cabaceira s.f.
cabaceirense adj. s.2g.
cabaceiro s.m.
cabaceiro-amargoso s.m.; pl. *cabaceiros-amargosos*
cabacense adj. s.2g.
cabacinha s.f.
cabacinha-do-campo s.f.; pl. *cabacinhas-do-campo*
cabacinha-do-mato s.f.; pl. *cabacinhas-do-mato*
cabacinha-riscada s.f.; pl. *cabacinhas-riscadas*
cabacinha-verrugosa s.f.; pl. *cabacinhas-verrugosas*
cabacinho s.m.
cabaço s.m.
cabaço-amargoso s.m.; pl. *cabaços-amargosos*
cabaço-grogojó s.m.; pl. *cabaços-grogojó* e *cabaços-grogojós*
cabaço-marimba s.m.; pl. *cabaços-marimba* e *cabaços-marimbas*
cabaçu s.m.
cabaçuano adj. s.m.
cabaçuda s.f.
cabaçudo adj. s.m.
cabacurumim s.f.
cabada s.f.
cabadeia s.f.
caba-de-igreja s.f.; pl. *cabas-de-igreja*
caba-de-ladrão s.f.; pl. *cabas-de-ladrão*
cabadura s.f.
cabaia s.f.
cabaíba adj. s.2g.
cabaíva adj. s.2g.
cabajuba s.f.
cabal adj.2g. s.m.f.
cabala s.f.
cabalacaxengo s.m.
cabalar v.
cabaleta (*ê*) s.f.
cabalherote s.m.
cabália s.m.
cabalianense adj. s.2g.
cabalim s.m.
cabalina s.f.
cabalino adj.
cabalismo s.m.
cabalista adj. s.2g.
cabalístico adj.
cabalóber s.m.
cabamirim s.f.
cabamoatim s.m.
cabampé s.m.
caba-mutuca s.f.; pl. *cabas-mutuca* e *cabas-mutucas*
cabana s.m.f.
cabanada s.f.
cabanagem s.f.
cabanal s.m.
cabanão s.m.
cabane s.m.
cabaneira s.f.
cabaneiro s.m.
cabanejo (*ê*) s.m.
cabanel s.m.
cabanense adj. s.2g.
cabanha s.f.
cabanheiro s.m.
cabanhista s.2g.
cabanil s.m.
cabanilho s.m.
cabano adj. s.m.
cabapiranga s.f.
cabapitã s.m.
cabarbanda s.f.
cabaré s.m.
cabareteiro s.m.
cabari s.m.
cabarradas s.m.pl.
cabarro s.m.
cabatã s.f.
cabatatu s.f.
cabaú s.m.
cabaz s.m.
cabazada s.f.
cabazeiro s.m.
cabázia s.f.
cabázio s.m.
cabazita s.f.
cabe s.m.
cabear v.
cabeça (*ê*) s.m.f.
cabeça-amarga s.f.; pl. *cabeças-amargas*
cabeça-azul s.f.; pl. *cabeças-azuis*
cabeça-baixa s.2g.; pl. *cabeças-baixas*
cabeça-branca s.f.; pl. *cabeças-brancas*
cabeça-chata s.2g.; pl. *cabeças-chatas*
cabeça-d'água s.f.; pl. *cabeças-d'água*
cabeçada s.f.
cabeça de água s.f.
cabeça de alambique s.f.
cabeça de alcatrão s.2g.
cabeça de área s.2g.
cabeça de arroz s.2g.
cabeça de bagre s.2g.
cabeça-de-boi s.f.; pl. *cabeças-de-boi*
cabeça de burro s.m. "indivíduo estúpido"
cabeça-de-burro s.m. "espécie de peixe"; pl. *cabeças-de-burro*
cabeça de camarão s.2g.
cabeça de campo s.m.
cabeça-de-cão s.f.; pl. *cabeças-de-cão*
cabeça-de-capuco s.m.; pl. *cabeças-de-capuco*
cabeça de carneiro s.m.
cabeça de casal s.m.
cabeça de cavalo s.f.
cabeça de chave s.m.
cabeça de coco s.2g. s.m. "indivíduo desatento"
cabeça-de-coco s.2g. s.m. "espécie de peixe"; pl. *cabeças-de-coco*
cabeça de cuia s.m.
cabeça-de-cutia s.f.; pl. *cabeças-de-cutia*
cabeça de destrinça s.2g.
cabeça-de-ferro s.m.; pl. *cabeças-de-ferro*
cabeça-de-fogo s.m.; pl. *cabeças-de-fogo*
cabeça-de-frade s.f.; pl. *cabeças-de-frade*
cabeça-de-galinhola s.f.; pl. *cabeças-de-galinhola*
cabeça de galo s.m.
cabeça de jacaré s.m.
cabeça-de-leão s.m.; pl. *cabeças-de-leão*
cabeça de lobo s.f.
cabeça de medusa s.2g. s.f. "pessoa muito feia", "constelação"
cabeça-de-medusa s.2g. s.f. "animal equinodermo"; pl. *cabeças-de-medusa*
cabeça-de-monge s.f.; pl. *cabeças-de-monge*
cabeça-de-morto s.f.; pl. *cabeças-de-morto*
cabeça de mouro s.f.
cabeça de negro s.f. "variedade de bomba", "estouro"
cabeça-de-negro s.f. "espécie de fruto"; pl. *cabeças-de-negro*
cabeça de nós todos s.2g. s.f.
cabeça-de-onça s.f.; pl. *cabeças-de-onça*
cabeça-de-ouro s.f.; pl. *cabeças-de-ouro*
cabeça de passarinho s.2g.
cabeça-de-pedra s.f.; pl. *cabeças-de-pedra*
cabeça de ponte s.f.
cabeça de porco s.f.
cabeça de praia s.f.
cabeça-de-prata s.f.; pl. *cabeças-de-prata*
cabeça de prego s.f. "gíria tipográfica"
cabeça-de-prego s.f. "espécie de inseto"; pl. *cabeças-de-prego*
cabeça-de-preguiça s.f.; pl. *cabeças-de-preguiça*
cabeça-de-rubim s.m.; pl. *cabeças-de-rubim*
cabeça-desmiolada s.2g.; pl. *cabeças-desmioladas*
cabeça-de-tomate s.m.; pl. *cabeças-de-tomate*
cabeça-de-urubu s.f.; pl. *cabeças-de-urubu*
cabeça-de-vaca s.f.; pl. *cabeças-de-vaca*
cabeça-de-velha s.f.; pl. *cabeças-de-velha*
cabeça-de-velho s.f.; pl. *cabeças-de-velho*
cabeça de vento s.2g.
cabeça-de-vidro s.f.; pl. *cabeças-de-vidro*
cabeçado s.m.
cabeça-dura s.2g.; pl. *cabeças-duras*
cabeça-dura-focinho-de-rato s.f.; pl. *cabeças-duras-focinho-de-rato* e *cabeças-duras-focinhos-de-rato*
cabeça-dura-prego s.f.; pl. *cabeças-duras-prego* e *cabeças-duras-pregos*
cabeça-dura-relógio s.m.; pl. *cabeças-duras-relógio* e *cabeças-duras-relógios*
cabeça-encarnada s.m.; pl. *cabeças-encarnadas*
cabeça-feita s.m.; pl. *cabeças-feitas*
cabeça-forte s.f.; pl. *cabeças-fortes*
cabeça-inchada s.f.; pl. *cabeças-inchadas*
cabeçal s.m.
cabeça-leve s.2g.; pl. *cabeças-leves*
cabeçalha s.f.
cabeçalhão s.m.
cabeçalho s.m.
cabeçanense adj. s.2g.
cabeça no ar s.m.
cabeção s.m.
cabeça-oca s.2g.; pl. *cabeças-ocas*
cabeça-pelada s.2g.; pl. *cabeças-peladas*
cabeça-pitanga s.f.; pl. *cabeças-pitanga* e *cabeças-pitangas*

cabeçar v.
cabeça-rapada s.m.; pl. *cabeças-rapadas*
cabeçaria s.f.
cabeças-de-santo-antônio s.f.pl.
cabeça-seca s.2g. s.m.; pl. *cabeças-secas*
cabeça sem miolos s.2g.
cabeça-tonta s.2g.; pl. *cabeças-tontas*
cabeça-torta s.f.; pl. *cabeças-tortas*
cabeça-vermelha s.m.f.; pl. *cabeças-vermelhas*
cabecê s.m.
cabeceada s.f.
cabeceado adj. s.m.
cabeceador (*ô*) adj. s.m.
cabecear v.
cabeceio s.m.
cabeceira s.f.
cabeceirense adj. s.2g.
cabeceiro adj. s.m.
cabecel s.m.
cabecelaria s.f.
cabecelato s.m.
cabecense adj. s.2g.
cabecilha s.2g.
cabecinha s.f.
cabecinha-castanha s.f.; pl. *cabecinhas-castanhas*
cabecinha-de-castanha s.f.; pl. *cabecinhas-de-castanha*
cabecinha-encarnada s.f.; pl. *cabecinhas-encarnadas*
cabecinha-negra s.f.; pl. *cabecinhas-negras*
cabecinha-rosada s.f.; pl. *cabecinhas-rosadas*
cabeço (*ê*) s.m.
cabeçorra (*ô*) s.f.
cabeçorro (*ô*) s.m.
cabeçote s.m.
cabeçuda s.f.
cabeçudense adj. s.2g.
cabeçudo adj. s.m.
cabeçulinha s.f.
cabecumbe s.m.
cabedais s.m.pl.
cabedal adj.2g. s.m.
cabedaleiro s.m.
cabedar v.
cabedela s.f.
cabedeleiro s.m.
cabedelense adj. s.2g.
cabedelo (*ê*) s.m.
cabedulho s.m.
cabeio s.m.
cabeira s.f.
cabeiro adj. s.m.
cabela s.f.
cabeladura s.f.
cabelama s.f.
cabelame s.m.
cabeleira s.m.f.
cabeleira de vênus s.f.
cabeleireiro s.m.
cabeleirense adj. s.2g.
cabelinho s.m.
cabelo (*ê*) s.m.
cabelo de anjo s.m. "culinária"
cabelo-de-anjo s.m. "espécie de planta"; pl. *cabelos-de-anjo*
cabelo-de-bosta-de-rolinha s.m.; pl. *cabelos-de-bosta-de-rolinha*
cabelo de espeta caju s.m.
cabelo-de-negro s.m.; pl. *cabelos-de-negro*
cabelo de pimenta do reino s.m.
cabelo-de-semente-de-mamão s.m.; pl. *cabelos-de-semente-de-mamão*
cabelo-de-vênus s.m.; pl. *cabelos-de-vênus*
cabeloiro s.m.
cabelos-de-nossa-senhora s.m.pl.
cabelos-de-vênus s.m.pl.
cabelouro s.m.
cabelo-vermelho s.m.; pl. *cabelos-vermelhos*
cabelo-vivo s.m.; pl. *cabelos-vivos*
cabeluda s.f.
cabeludeira s.f.
cabeludo adj. s.m.
cabelugem s.f.
cabense adj. s.2g.
caber v.
cabeua s.m.
cabiai s.m.
cabida s.f.
cabide s.m.
cabide de empregos s.m.
cabidela s.f.
cabido adj. s.m.
cabídola adj. s.f.
cabidual adj.2g.
cabila adj. s.2g.
cabilangão s.m.
cabilão adj. s.m.
cabilda s.f.
cabildenho adj.
cabilonense adj. s.2g.
cabimento s.m.
cabina s.f.
cabinda adj. s.2g. s.m.f.
cabine s.f.
cabineiro s.m.
cabira s.m.f.
cabíri adj.2g. s.m.
cabirismo s.m.
cabirope s.m.
cabiropsíneo adj. s.m.
cabisalva s.f.
cabisbaixo adj.
cabiscaído adj.
cabitu s.f.
cabiú s.m.
cabiúna adj. s.2g. s.f.
cabiúna-do-campo s.f.; pl. *cabiúnas-do-campo*
cabiunense (*i-u*) adj. s.2g.
cabível adj.2g.
cabixi adj. s.2g. s.m.
cabixiana adj. s.2g.
cabixiense adj. s.2g.
cabizondo s.m.
cablar v.
cabo s.m.
caboatã s.f.
cabochão s.m. "pedra"; cf. *cabuchão*
cabocla (*ô*) s.f.
caboclada s.f.
caboclado adj.
cabocleiro s.m.
caboclense adj. s.2g.
caboclinha s.f.
caboclinho s.m.
caboclinho-da-baía s.m.; pl. *caboclinhos-da-baía*
caboclinho-do-norte s.m.; pl. *caboclinhos-do-norte*
caboclinhos s.m.pl.
caboclismo s.m.
caboclista adj. s.2g.
caboclístico adj.
caboclo (*ô*) adj. s.m.
caboclo-d'água s.m.; pl. *caboclos-d'água*
caboclofilia s.f.
caboclófilo adj. s.m.
caboclofobia s.f.
caboclófobo adj. s.m.
caboclo-lustroso s.m.; pl. *caboclos-lustrosos*
caboclo-retorcido s.m.; pl. *caboclos-retorcidos*
caboclos s.m.pl.
caboclote s.m.
caboclo-velho s.m.; pl. *caboclos-velhos*
caboclo-vermelho s.m.; pl. *caboclos-vermelhos*
cabocó s.m.
cabocolinho s.m.
cabodá s.m.
cabo de bode s.m.
cabo de esquadra s.m.
cabo de guerra s.m.
cabo-de-lança s.m.; pl. *cabos-de-lança*
cabo de tripa s.m.
cabo de tropa s.m.
cabódi s.m.
cabodifusão s.m.
cabo-friense adj. s.2g.; pl. *cabo-frienses*
cabografar v.
cabográfico adj.
cabograma s.m.
cabo-grandense adj. s.2g.; pl. *cabo-grandenses*
cabo-guia s.m.; pl. *cabos-guia* e *cabos-guias*
caboila s.f.
caboje s.m.
cabo-joanense adj. s.2g.; pl. *cabo-joanenses*
cabole s.m.
cabolebole s.m.
cabomba s.f.
cabombácea s.f.
cabombáceo adj.
cabombo s.m.
cabombóidea s.f.
cabombóideo adj.
cabo-negro s.m.; pl. *cabos-negros*
caboquena adj. s.2g.
caboraíba s.f.
caboré adj. s.2g.
caboreíba s.f.
caborje s.m.f.
caborjeiro adj. s.m.
caborjudo adj.
caboroca s.f.
caborocar v.
cabortagem s.f.
cabortar v.
cabortear v.
caborteirice s.f.
caborteiro adj. s.m.
cabortice s.f.
cabos-brancos adj. s.2g.pl.
cabos-negros adj. s.2g.pl.
cabotagem s.f.
cabotar v.
cabotinada s.f.
cabotinagem s.f.
cabotinão s.m.
cabotinar v.
cabotinice s.f.
cabotinismo s.m.
cabotinista adj. s.2g.
cabotinístico adj.
cabotino adj. s.m.
caboto (*ô*) s.m.; cf. *caboto*, fl. do v. *cabotar*
caboucador (*ô*) adj. s.m.
caboucar v.
cabouco s.m.
caboupa s.f.
cabouqueiro s.m.
cabo-verde s.2g.; pl. *cabos-verdes*
cabo-verdense adj. s.2g.; pl. *cabo-verdenses*
cabo-verdiano adj. s.m.; pl. *cabo-verdianos*
cabozeira s.f.
cabozeiro s.m.
cabra s.2g. s.f.
cabra-acamurçada s.f.; pl. *cabras-acamurçadas*
cabra-alpina s.f.; pl. *cabras-alpinas*
cabra-cabriola s.f.; pl. *cabras-cabriola* e *cabras-cabriolas*
cabra-cega s.f.; pl. *cabras-cegas*
cabrada s.f.
cabra da peste s.m.
cabra da rede rasgada s.m.
cabra de aió s.m.
cabra de assombração s.m.
cabra de chifre s.m.
cabra de peia s.m.
cabrado adj.
cabra-escolado s.m.; pl. *cabras-escolados*
cabra-escovado s.m.; pl. *cabras-escovados*
cabra-feio s.m.; pl. *cabras-feios*
cabragem s.f.
cabraia s.f.
cabrálea s.f.
cabralense adj. s.2g.
cabralhada s.f.
cabralhona s.f.
cabrália-paulistano adj. s.m.; pl. *cabrália-paulistanos*
cabralice s.f.
cabraliense adj. s.2g.
cabralino adj.
cabralismo s.m.
cabralista adj. s.2g.
cabralístico adj.
cabra-loira s.f.; pl. *cabras-loiras*
cabra-loura s.f.; pl. *cabras-louras*
cabra-macho s.m.; pl. *cabras-machos*
cabramo s.m.
cabra-montês s.f.; pl. *cabras-monteses*
cabra-montesa s.f.; pl. *cabras-montesas*
cabrão s.m.
cabra-onça s.m.; pl. *cabras-onças*
cabrapear v.
cabrapeia s.f.
cabra-preta s.f.; pl. *cabras-pretas*
cabrar v.
cabra-sarado s.m.; pl. *cabras-sarados*
cabra-seco s.m.; pl. *cabras-secos*
cabra-selvagem s.f.; pl. *cabras-selvagens*
cabra-silvestre s.f.; pl. *cabras-silvestres*
cabra-topetudo s.m.; pl. *cabras-topetudos*
cabravasco s.m.
cabrazana s.m.
cabrazão s.m.
cabrazar v.
cabre s.m.
cábrea s.f.
cabreado adj.
cabrear v.
cabreira s.f.
cabreirada s.f.
cabreiragem s.f.
cabreirice s.f.
cabreiro adj. s.m.
cabrejar v.
cabrema s.f.
cabrenista adj. s.2g.
cabrerita s.f.
cabrestante s.m.
cabrestão s.m.
cabresteado adj.
cabresteador (*ô*) adj. s.m.
cabresteamento s.m.
cabrestear v.
cabresteira s.f.
cabresteiro adj. s.m.
cabrestilho s.m.
cabresto (*ê*) s.m.
cabreta (*ê*) s.f.
cabreúva s.f.
cabreuvense adj.2g.
cabrião s.m.
cabrice s.f.
cabridade s.f.
cabril adj.2g. s.m.
cabrilha s.f.
cabrim s.m.
cabrinete (*ê*) s.m.
cabrinha s.f.
cabriola s.f.
cabriolante adj.2g.
cabriolar v.
cabriolé s.m.
cabriolear v.
cabrioleira s.f.
cabrioleiro adj.
cabriolice s.f.
cabriônico adj.
cabrita s.f.
cabritada s.f.
cabritão s.m.
cabritar v.
cabritear v.
cabriteiro s.m.
cabritilha s.f.
cabritinho s.m.
cabritino adj.
cabritismo s.m.
cabrito adj. s.m.
cabrito-montês s.m.; pl. *cabritos-monteses*
cabriúna s.f.
cabriúna-preta s.f.; pl. *cabriúnas-pretas*
cabriutinga s.f.
cabriúva s.f.
cabriúva-do-campo s.f.; pl. *cabriúvas-do-campo*
cabriuvano (*i-u*) adj. s.m.
cabriúva-parda s.f.; pl. *cabriúvas-pardas*
cabriúva-preta s.f.; pl. *cabriúvas-pretas*
cabriúva-vermelha s.f.; pl. *cabriúvas-vermelhas*
cabriuvense adj. s.2g.
cabriuvinha-do-campo s.f.; pl. *cabriuvinhas-do-campo*
cabro s.m.
cabroada s.f.
cabrobó s.m.
cabroboense adj. s.2g.
cabroca s.f.
cabrocado s.m.
cabrocar v.
cabrocha s.2g.
cabrochão s.m.
cabroche s.m.
cabroeira s.f.
cabroeiro s.m.
cabroila s.f.
cabroilo s.m.
cabronaz s.m.
cabruá adj. s.2g.
cabruca s.f.
cabrucar v.
cabrué s.m.
cabrum adj.2g.
cabrunista adj. s.2g.
cabruno adj.
cabu adj. s.m.
cabuchão s.m. "algo com forma cônica"; cf. *cabochão*
cabucho s.m.
cabuçu s.m.
cabuçuano adj. s.m.
cabuçuense adj. s.2g.
cabueta (*ê*) s.2g.
cabuetagem s.f.
cabuetar v.
cabugão s.m.
cabuí s.m.
cabuia s.f.
cabuíba s.f.
cabuim s.m.
cabul s.m.
cabula s.f. "seita afro-brasileira"; cf. *cábula*
cábula adj. s.2g. s.f. "indivíduo astuto"; cf. *cabula* s.f. e fl. do v. *cabular*
cabulagem s.f.
cabular v.
cabuleté s.m.
cabulice s.f.
cabuloso (*ô*) adj.; f. (*ó*); pl. (*ó*)
cabumba s.2g.
cabumbo s.m.
cabumbo-de-azeite s.m.; pl. *cabumbos-de-azeite*
cabundá s.m.
cabundo s.m.
cabungada s.f.
cabungo s.m.
cabungueira s.f.

cabungueiro adj. s.m.
cabúqui s.m.
cabur s.m.
caburaia s.f.
caburaíba s.f.
caburanense adj. s.2g.
caburé s.m.
caburé-de-orelha s.m.; pl. *caburés-de-orelha*
caburé-do-campo s.m.; pl. *caburés-do-campo*
caburé-do-sol s.m.; pl. *caburés-do-sol*
cabureense adj. s.2g.
cabureíba s.f.
cabureira s.f.
caburi s.m.
caburicena adj. s.2g.
caburo s.m.
cabuta s.f.
caca s.f.
cacá s.m.
cã-cã s.m. "ave"; pl. *cã-cãs*; cf. *cancã*
caça s.m.f. "ação de caçar", "avião"; cf. *cassa* s.f. e fl. do v. *cassar*
caçaba s.f.
caçabe s.m.
cacábide s.f.
cácabis s.f.2n.
caçabo s.m.
caçaboia (*ó*) s.f.
caça-bombardeiro s.m.; pl. *caças-bombardeiros*
cacaborrada s.f.
caçabuense adj. s.2g.
caçaburra s.f.
caça-cabeça s.m.; pl. *caça-cabeças*
caçace s.f.
cacada s.f.
caçada s.f.
cã-cã-da-praia s.m.; pl. *cã-cãs-da-praia*
caçade s.f.
cã-cã-de-anta s.m.; pl. *cã-cãs-de-anta*
caçadeira s.f.
caçadeiro adj.
caçado adj.; cf. *cassado*
caçador (*ô*) adj. s.m.
caçador-de-aranha s.m.; pl. *caçadores-de-aranha*
caçadorense adj. s.2g.
caçador-viajante s.m.; pl. *caçadores-viajantes*
caça-dotes s.2g.2n.
caça-escotas s.m.2n.
caça-fecho s.m.; pl. *caça-fechos*
caça-foices s.m.2n.
cacaieiro adj. s.m.
cacaiense adj. s.2g.
cacaio s.m.
cacajau s.m.
cacajau-de-cabeça-preta s.m.; pl. *cacajaus-de-cabeça-preta*
caçaje s.m.
caçajo s.m.
caçala s.f.
cacalaca s.f.
caçalacatoto s.m.
caçalanene s.m.
cacália s.f.
cacália-amarga s.f.; pl. *cacálias-amargas*
cacaliântemo s.m.
cacaliastro s.m.
cacaliópsis s.f.2n.
caçamba s.f.
caçambada s.f.
caçambar v.
caçambeador (*ô*) adj. s.m.
caçambear v.
caçambeiro adj. s.m.
caçambense adj. s.2g.
caça-minas s.m.2n.
caça-moedas s.m.2n.
caça-moscas s.m.2n.
caçamu adj. s.m.
caçamulo s.m.
caçanar s.m.
caçaneira s.f.
caçaneta (*ê*) s.f.
cacangélico adj. s.m.
cacanhágui s.m.
caça-níqueis s.m.2n.
caça-níquel s.m.; pl. *caça-níqueis*
caçanje adj. s.2g. s.m.
caçanjense adj. s.2g.
caçanjiense adj. s.2g.
caçanjista adj. s.2g.
caçante adj.2g.
cação s.m.
cação-alegrim s.m.; pl. *cações-alegrim* e *cações-alegrins*
cação-anequim s.m.; pl. *cações-anequim* e *cações-anequins*
cação-angolista s.m.; pl. *cações-angolista* e *cações-angolistas*
cação-anjo s.m.; pl. *cações-anjo* e *cações-anjos*
cação-bagre s.m.; pl. *cações-bagre* e *cações-bagres*
cação-baía s.m.; pl. *cações-baía* e *cações-baías*
cação-baleeiro s.m.; pl. *cações-baleeiros*
cação-bico-de-cristal s.m.; pl. *cações-bico-de-cristal* e *cações-bicos-de-cristal*
cação-bico-doce s.m.; pl. *cações-bico-doce* e *cações-bicos-doces*
cação-bicudo s.m.; pl. *cações-bicudos*
cação-branco s.m.; pl. *cações-brancos*
cação-de-areia s.m.; pl. *cações-de-areia*
cação-de-bico-doce s.m.; pl. *cações-de-bico-doce*
cação-de-escamas s.m.; pl. *cações-de-escamas*
cação-de-espinho s.m.; pl. *cações-de-espinho*
cação-de-fundo s.m.; pl. *cações-de-fundo*
cação-de-rio s.m.; pl. *cações-de-rio*
cação-do-salgado s.m.; pl. *cações-do-salgado*
cação-espadarte s.m.; pl. *cações-espadarte* e *cações-espadartes*
cação-espelho s.m.; pl. *cações-espelho* e *cações-espelhos*
cação-fidalgo s.m.; pl. *cações-fidalgos*
cação-fiúzo s.m.; pl. *cações-fiúzos*
cação-frango s.m.; pl. *cações-frango* e *cações-frangos*
cação-galha-preta s.m.; pl. *cações-galha-preta* e *cações-galhas-pretas*
cação-galhudo s.m.; pl. *cações-galhudos*
cação-garoupa s.m.; pl. *cações-garoupa* e *cações-garoupas*
cação-gata s.m.; pl. *cações-gata* e *cações-gatas*
cação-jaguara s.m.; pl. *cações-jaguara* e *cações-jaguaras*
cação-lixa s.m.; pl. *cações-lixa* e *cações-lixas*
cação-luminoso s.m.; pl. *cações-luminosos*
cação-mangona s.m.; pl. *cações-mangona* e *cações-mangonas*
cação-mangonga s.m.; pl. *cações-mangonga* e *cações-mangongas*
cação-martelo s.m.; pl. *cações-martelo* e *cações-martelos*
cação-morraceiro s.m.; pl. *cações-morraceiros*
cação-olho-de-gato s.m.; pl. *cações-olho-de-gato* e *cações-olhos-de-gato*
cação-panã s.m.; pl. *cações-panã* e *cações-panãs*
cação-pardo s.m.; pl. *cações-pardos*
cação-pata s.m.; pl. *cações-pata* e *cações-patas*
cação-pena s.m.; pl. *cações-pena* e *cações-penas*
cação-peru s.m.; pl. *cações-peru* e *cações-perus*
cação-pinto s.m.; pl. *cações-pinto* e *cações-pintos*
cação-pique s.m.; pl. *cações-pique* e *cações-piques*
cação-prego s.m.; pl. *cações-prego* e *cações-pregos*
cação-raposa s.m.; pl. *cações-raposa* e *cações-raposas*
cação-rodela s.m.; pl. *cações-rodela* e *cações-rodelas*
cação-sebastião s.m.; pl. *cações-sebastiões*
cação-severino s.m.; pl. *cações-severinos*
cação-sicuri s.m.; pl. *cações-sicuri* e *cações-sicuris*
cacaoso (*ô*) adj.; f. (*ó*); pl. (*ó*)
cação-tintureiro s.m.; pl. *cações-tintureiros*
cação-torrador s.m.; pl. *cações-torradores*
cação-viola s.m.; pl. *cações-viola* e *cações-violas*
caçapa s.f.
caçapava s.f.
caçapavano adj. s.m.
caçapavense adj. s.2g.
caçapear v.
caçapeira s.f.
caçapeiro s.m.
caça-peixe s.f.; pl. *caça-peixes*
caçapo s.m. "coelho"; cf. *caçapó*
caçapó s.f. "saúva"; cf. *caçapo*
cácapo s.m.
cacapuia adj. s.2g.
caçapuíle s.m.
caçar v. "perseguir ou apanhar animais"; cf. *cassar*
cacara s.m. "leguminosidade"; cf. *cacará*
cacará s.m. "pessoa desqualificada"; cf. *cacara*
caça-rabo s.m.; pl. *caça-rabos*
cacaracá s.m.
cacareco s.m.
cacarejador (*ô*) adj. s.m.
cacarejante adj.2g.
cacarejar v.
cacarejo (*ê*) s.m.
caçarema s.f.
caçarema-grande s.f.; pl. *caçaremas-grandes*
caçareta (*ê*) s.f.
caçarete (*ê*) s.m.
cacaréu s.m.
cacaréus s.m.pl.
cacaria s.f.
caçaria s.f. "caçada"; cf. *cassaria*, fl. do v. *cassar*
caçaroba s.f.
caçarola s.f.
caçarova s.f.
caça-sebo s.m.; pl. *caça-sebos*
caça-submarino s.m.; pl. *caça-submarinos*
cacatapuia adj. s.2g.
cacateira s.f.
caçatinga s.f.
cacatório adj.
caça-torpedeiros s.m.2n.
caça-tostões s.m.2n.
cacatu s.m.
cacatua s.f.
caçatubense adj. s.2g.
cacatuense adj. s.2g.
cacatuida adj.2g. s.m.
cacatuídeo adj. s.m.
cacatuli s.m.
cacau s.m.
caçaú s.m.
cacaual s.m.
cacaual de macaco s.m.
cacau-anguloso s.m.; pl. *cacaus-angulosos*
cacau-azul s.m.; pl. *cacaus-azuis*
cacau-branco s.m.; pl. *cacaus-brancos*
cacau-da-baía s.m.; pl. *cacaus-da-baía*
cacau-da-nova-granada s.m.; pl. *cacaus-da-nova-granada*
cacau-de-caiena s.m.; pl. *cacaus-de-caiena*
cacau-de-caracas s.m.; pl. *cacaus-de-caracas*
cacau-de-mico s.m.; pl. *cacaus-de-mico*
cacau-do-brasil s.m.; pl. *cacaus-do-brasil*
cacau-do-mato s.m.; pl. *cacaus-do-mato*
cacau-do-pará s.m.; pl. *cacaus-do-pará*
cacau-do-peru s.m.; pl. *cacaus-do-peru*
cacaué s.m.
cacauê s.m.
cacaueiro adj. s.m.
cacaueiro-crioulo s.m.; pl. *cacaueiros-crioulos*
cacaueiro-laranja s.m.; pl. *cacaueiros-laranja* e *cacaueiros-laranjas*
cacaueiro-macho s.m.; pl. *cacaueiros-machos*
cacaueiro-roxo s.m.; pl. *cacaueiros-roxos*
cacaueiro-suriname s.m.; pl. *cacaueiros-suriname* e *cacaueiros-surinames*
cacaueiro-trindade s.m.; pl. *cacaueiros-trindade*
cacaueiro-venezuela s.m.; pl. *cacaueiros-venezuela*
cacauí s.m.
cacauicultor (*ô*) s.m.
cacauicultura s.f.
cacauina (*í*) s.f.
cacauínico adj.
cacau-jacaré s.m.; pl. *cacaus-jacaré* e *cacaus-jacarés*
cacaulista adj. s.2g.
cacau-maracujá s.m.; pl. *cacaus-maracujá* e *cacaus-maracujás*
cacaunina s.f.
cacau-quadrado s.m.; pl. *cacaus-quadrados*
cacaurana s.f.
cacaurana-da-várzea s.f.; pl. *cacauranas-da-várzea*
cacaurana-de-fruto-amarelo s.f.; pl. *cacauranas-de-fruto-amarelo*
cacaurana-de-fruto-azul s.f.; pl. *cacauranas-de-fruto-azul*
cacau-selvagem s.m.; pl. *cacaus-selvagens*
cacau-silvestre s.m.; pl. *cacaus-silvestres*
cacau-verdadeiro s.m.; pl. *cacaus-verdadeiros*
cacau-verde-da-colômbia s.m.; pl. *cacaus-verdes-da-colômbia*
cacauzeiral s.m.
cacauzeiro s.m.
caçava s.f.; cf. *cassava*, fl. do v. *cassar*
caçave s.m.
cácavo s.m.
caccínia s.f.
cácea s.f. "ação de cacear"; cf. *cássia*
cacear v.
cacebi s.m.
cacebuense adj. s.2g.
caceio s.m.
cacênfato s.m.
cacequeza (*ê*) s.f.
cacequiense adj. s.2g.
cacera (*ê*) s.m.
cacerenga s.f.
cacerense adj. s.2g.
cacestesia s.f.
cacestésico adj.
cacestético adj.
caceta (*ê*) s.f.; cf. *caceta*, fl. do v. *cacetar*
cacetada s.f.
cacetão s.m.
cacetar v.
cacete (*ê*) adj. s.2g. s.m. "pedaço de madeira", etc.; cf. *cacete*, fl. do v. *cacetar* e *cassete*
caceteação s.f.
caceteada s.f.
caceteado adj.
caceteador (*ô*) adj. s.m.
cacetear v.
caceteiro s.m.
cacetense adj. s.2g.
cacetinho s.m.
cacha s.f. "ardil"; cf. *caixa* e *caxa*
cachabu s.m.
cachaça s.m.f.
cachaçada s.f.
cachação s.m.
cachaceira s.f.
cachaceiro adj. s.m.
cachacinha s.f.
cachacipançudo adj.
cachaço s.m.
cachaçudo adj. s.m.
cachada s.f.
cachado adj.
cachagens s.f.pl.
cachalote s.m.
cachalote-pequeno s.m.; pl. *cachalotes-pequenos*
cachamaço s.m.
cachamarim s.m.
cachamola s.f.
cachamorra (*ô*) s.f.
cachamorrada s.f.
cachamorreiro s.m.
cachão s.m. "borbotão", etc.; cf. *caixão* e *caxão*
cachão-porango s.m.; pl. *cachões-porango* e *cachões-porangos*
cachaporra (*ô*) s.f.
cachaporrada s.f.
cachaporra-do-gentio s.f.; pl. *cachaporras-do-gentio*
cachaporreiro s.m.
cachar v.
cacharolete (*ê*) s.m.
cacharréu s.m.
cache s.m.
cachê s.m.
cacheada s.f.
cacheadeira s.f.
cacheado adj.
cachear v.
cachecol s.m.
cacheira s.f.
cacheirada s.f. "cacetada"; cf. *caixeirada*
cacheiro adj. s.m. "que se esconde"; cf. *caixeiro*
cachenê s.m.
cachés s.m.pl.
cacheta (*ê*) s.f. "jogo"; cf. *cacheta*, fl. do v. *cachetar*, *caixeta* (*ê*) e *caxeta* (*ê*)
cachetada s.f.
cachetar v.
cachete (*ê*) s.m.; cf. *cachete*, fl. do v. *cachetar*
cachetear v.
cacheutaíta s.f.
cacheutite s.f.
cachia s.f.
cachicama s.m.
cachichola s.f.
cachil s.m.
cachim s.m.

cachimã s.f.
cachimana s.f.
cachimanha s.f.
cachimanteiro s.m.
cachimbada s.f.
cachimbadela s.f.
cachimbador (*ô*) adj. s.m.
cachimbante adj.2g.
cachimbar v.
cachimbear v.
cachimbeira s.f.
cachimbense adj. s.2g.
cachimbo s.m. "aparelho para fumar"; cf. *cachimbó*
cachimbó s.m. "ave"; cf. *cachimbo* s.m. e fl. do v. *cachimbar*
cachimbo-de-jabuti s.m.; pl. *cachimbos-de-jabuti*
cachimbo-de-macaco s.m.; pl. *cachimbos-de-macaco*
cachimbo-de-turco s.m.; pl. *cachimbos-de-turco*
cachimônia s.f.
cachimorra (*ô*) s.f.
cachinada s.f.
cachinador (*ô*) adj. s.m.
cachinante adj.2g.
cachinar v.
cachinha s.f. "conluio"; cf. *caixinha*
cachinho s.m.
cacho s.m. "conjunto de flores ou frutos"; cf. *caxo*
cachoante adj.2g.
cachoar v.
cachoça s.f.
cachoceira s.f.
cacho-de-mosquitos s.m.; pl. *cachos-de-mosquitos*
cacho-de-pedra s.m.; pl. *cachos-de-pedra*
cacho-dos-telhados s.m.; pl. *cachos-dos-telhados*
cachoeira s.f.
cachoeira-altense adj. s.2g.; pl. *cachoeira-altenses*
cachoeirano adj. s.m.
cachoeira-paulistano adj. s.2g.; pl. *cachoeira-paulistanos*
cachoeira-paulistense adj. s.2g.; pl. *cachoeira-paulistenses*
cachoeirar v.
cachoeirense adj. s.2g.
cachoeirinhense adj. s.2g.
cachoeirista adj. s.2g.
cachoeiro s.m.
cachoeiro-itapemirinense adj. s.2g.; pl. *cachoeiro-itapemirinenses*
cacho-enforcado s.m.; pl. *cachos-enforcados*
cachofelho (*ê*) s.m.
cachola s.f. "cabeça"; cf. *caixola*
cacholada s.f.
cacholeira s.f.
cacholeta (*ê*) s.f.
cacholudo adj.
cachombo s.m.
cachondé s.m.
cachondear v.
cachondeio s.m.
cachondice s.f.
cachondo adj.
cachopa (*ô*) s.f.
cachopada s.f.
cachoparrão s.m.
cachoparro s.m.
cachopeiro s.m.
cachopeiro-branco s.m.; pl. *cachopeiros-brancos*
cachopeiro-preto s.m.; pl. *cachopeiros-pretos*
cachopelho (*ê*) s.m.
cachopice s.f.
cachopo (*ô*) s.m.
cachopucho s.m.
cacho-roxo s.m.; pl. *cachos-roxos*
cachorra (*ô*) s.f.
cachorrada s.f.
cachorra da palmeira s.f.
cachorrado adj.
cachorrão s.m.
cachorreira s.f.
cachorreiro s.m.
cachorrense adj. s.2g.
cachorreta (*ê*) s.f.
cachorrete (*ê*) s.m.
cachorrice s.f.
cachorrinha-d'água s.f.; pl. *cachorrinhas-d'água*
cachorrinho s.m.
cachorrinho-da-areia s.m.; pl. *cachorrinhos-da-areia*
cachorrinho-d'água s.m.; pl. *cachorrinhos-d'água*
cachorrinho-da-terra s.m.; pl. *cachorrinhos-da-terra*
cachorrinho-de-mulher s.m.; pl. *cachorrinhos-de-mulher*
cachorrinho-de-nossa-senhora s.m.; pl. *cachorrinhos-de-nossa-senhora*
cachorrinho-do-mato s.m.; pl. *cachorrinhos-do-mato*
cachorrinho-do-padre s.m.; pl. *cachorrinhos-do-padre*
cachorrinho-fedorento s.m.; pl. *cachorrinhos-fedorentos*
cachorrismo s.m.
cachorro (*ô*) s.m.
cachorro-chimarrão s.m.; pl. *cachorros-chimarrões*
cachorro-da-areia s.m.; pl. *cachorros-da-areia*
cachorro-d'água s.m.; pl. *cachorros-d'água*
cachorro-da-terra s.m.; pl. *cachorros-da-terra*
cachorro de engenheiro s.m.
cachorro-de-padre s.m.; pl. *cachorros-de-padre*
cachorro-do-campo s.m.; pl. *cachorros-do-campo*
cachorro-do-mangue s.m.; pl. *cachorros-do-mangue*
cachorro-do-mato s.m.; pl. *cachorros-do-mato*
cachorro-do-mato-vinagre s.m.; pl. *cachorros-do-mato-vinagre*
cachorro-magro s.m.; pl. *cachorros-magros*
cachorro-quente s.m.; pl. *cachorros-quentes*
cachorro-rabeca s.m.; pl. *cachorros-rabeca* e *cachorros-rabecas*
cachorro-roxo s.m.; pl. *cachorros-roxos*
cachorros de proa s.m.pl.
cachorro-vermelho s.m.; pl. *cachorros-vermelhos*
cachotão s.m.
cachouço s.m.
cacho-vermelho s.m.; pl. *cachos-vermelhos*
cachu s.m.
cachuba s.f.
cachubão s.m.
cachubo s.m.
cachuça s.f.
cachucha s.f.
cachuchar v.
cachucho s.m.
cachudo adj. s.m.
cachul s.m.
cachulo adj. s.m.
cachundé s.m.
cachupa s.f.
cachutânico adj.
cachútico adj.
cacica s.f.
cacicado s.m.
cacical adj.2g.
cacicar v.
cacico s.m.
cacifar v.
cacife s.m.
cacifeiro s.m.
cacifo s.m.
cacifro s.m.
cacilheiro adj. s.m.
cacilho s.m.
cacim s.m.
cacimba s.f.
cacimbado adj.
cacimbagem s.f.
cacimbão s.m.
cacimbar v.
cacimbeiro s.m.
cacimbense adj. s.2g.
cacimbento adj.
cacimbinhense adj. s.2g.
cacimbo s.m.
cacinheiro adj. s.m.
cacique s.m. "chefe indígena"; cf. *cassique*
caciquismo s.m.
caciquista adj. s.2g.
caciquístico adj.
caciranga s.f.
cacite s.m.
caciz s.m.
caco s.m. "fragmentos"; cf. *cacó*
cacó s.m. "quartzo"; cf. *caco*
caço s.m. "frigideira"; cf. *casso* adj. s.m. e fl. do v. *cassar*
caçoada s.f.
caçoado adj.
caçoador (*ô*) adj. s.m.
caçoal s.f.
cacoalense adj. s.2g.
caçoante adj. s.2g.
caçoar v.
caçoaria s.f.
caçoca s.f.
caçocense adj. s.2g.
cacocloro s.m.
cacoco (*ô*) s.m.
cacocolia s.f.
cacocólico adj.
cacocondrite s.f.
cacocondrítico adj.
cacocrisia s.f.
cacocromático adj.
cacocromia s.f.
cacocrômico adj.
cacocromo adj.
cacodemonia s.f.
cacodemônico adj.
cacodemônio s.m.
cacodemonomania s.f.
cacodemonomaníaco s.m.
cacodemonômano s.m.
caco de telha s.m.
cacodila s.f.
cacodilato s.m.
cacodílico adj.
cacodilo s.m.
cacodontia s.f.
cacodôntico adj.
cacodoxia (*cs*) s.f.
cacodoxo (*cs*) adj.
caçoeira s.f.
cacoeiro s.m.
caçoeiro s.m.
cacoepia s.f.
cacoépia s.f.
cacoépico adj.
cacoestesia s.f.
cacoestésico adj.
cacoestético adj.
cacoete (*ê*) s.m.
cacoeteiro adj. s.m.
cacoético adj.
cacofagia s.f.
cacofágico adj.
cacófago adj. s.m.
cacófato s.m.
cacofatofobia s.f.
cacofatofóbico adj.
cacofatófobo adj. s.m.
cacofatomania s.f.
cacofatomaníaco adj. s.m.
cacofatômano adj. s.m.
cacófaton s.m.
cacofia s.f.
cacofilia s.f.
cacofílico adj.
cacófilo adj. s.m.
cacofixia (*cs*) s.f.
cacofonia s.f.
cacofoniar v.
cacofônico adj.
cacofonista adj. s.2g.
cacofonizar v.
cacofonofobia s.f.
cacofonofóbico adj.
cacofonófobo adj. s.m.
cacofonomania s.f.
cacofonomaníaco adj. s.m.
cacofonômano s.m.
cacofragia s.f.
cacofrágico adj.
cacogamia s.f.
cacogâmico adj.
cacogênese s.f.
cacogenético adj.
cacogenia s.f.
cacogênico adj.
cacogeusia s.f.
cacogêustico adj.
cacografação s.f.
cacografado adj.
cacografador (*ô*) adj. s.m.
cacografante adj.2g.
cacografar v.
cacografia s.f.
cacográfico adj.
cacografismo s.m.
cacógrafo s.m.; cf. *cacografo*, fl. do v. *cacografar*
cacograma s.m.
caçoila s.f.
caçoilada s.f.
caçoilo s.m.
caçoiro s.m.
caçoísmo s.m.
caçoísta adj. s.2g.
caçoístico adj.
cacola s.m.
caçola s.f.
cacolalia s.f.
cacolálico adj.
caçoleta (*ê*) s.f.
caçolete (*ê*) s.m.
cacolexia (*cs*) s.f.
cacoléxico (*cs*) adj.
cacolim s.m.
cacologia s.f.
cacológico adj.
cacólogo s.m.
cacolura s.f.
cacomântis s.m.
cacombro s.m.
cacome s.m.
cacometria s.f.
cacométrico adj.
cacomita s.f.
cacomite s.m.
cacomusia s.f.
cácona s.f.
caçonais s.m.pl.
caçonal s.m.
caconda adj. s.2g. s.m.
caconde s.m.
cacondê s.m.
cacondense adj. s.2g.
caçoneira s.f.
caçonete (*ê*) s.m. "cação pequeno"; cf. *cassonete* (*ê*)
cacongo adj. s.2g. s.m.
caçonito adj. s.m.
caconso adj.
cacopatia s.f.
cacopático adj.
cacoplastia s.f.
cacoplástico adj.
cacopragia s.f.
cacoprágico adj.
cacoquilia s.f.
cacoquílico adj.
cacoquimia s.f.
cacoquímico adj.
cacoquímio adj.
cacoquimo adj.
cacoquismo adj.
cacório adj.
cacorraquia s.f.
cacorráquico adj.
cacorraquite s.f.
cacorraquítico adj.
cacorritmia s.f.
cacorrítmico adj.
cacorritmo s.m.
cacoscélide s.f.
cacóscelis s.f.2n.
cacóscelo s.m.
cacosfixia (*cs*) s.f.
cacositia s.f.
cacosmia s.f. "má olfação"; cf. *cacósmia*
cacósmia s.f. "arbusto"; cf. *cacosmia*
cacósmico adj.
cacoso (*ô*) adj.; f. (*ó*); pl. (*ó*)
cacossínteto s.m.
cacossínteton s.m.
cacossitia s.f.
cacosterno s.m.
cacostomia s.f.
cacostômico adj.
cacóstomo adj. s.m.
cacostricnina s.f.
cacotanasia s.f.
cacotanásia s.f.
cacotanásico adj.
cacotanático adj.
caçote s.m.
cacotecnia s.f.
cacotécnico adj.
cacotelina s.f.
cacotenia s.f.
cacotênico adj.
cacotimia s.f.
cacotímico adj.
cacotipia s.f.
cacotriquia s.f.
cacotrofia s.f.
cacotrófico adj.
cacotumba s.m.
cacoucia s.f.
cacougue s.m.
caçoula s.f.
caçoulada s.f.
caçoulo s.m.
caçouro s.m.
cacoxênio (*cs*) s.m.
cacoxenita (*cs*) s.f.
cacóxeno (*cs*) s.m.
cacozelia s.f.
cacozelo (*ê*) s.m.
cactácea s.f.
cactáceo adj.
cactal adj.2g.
cactale s.f.
cáctea s.f.
cacteiro s.m.
cácteo adj.
cactifloro adj.
cactiforme adj.2g.
cactina s.f.
cactínico adj.
cactino s.m.
cacto s.m.
cacto-cabeludo s.m.; pl. *cactos-cabeludos*
cacto-das-pedras s.m.; pl. *cactos-das-pedras*
cacto-de-cabeça s.m.; pl. *cactos-de-cabeça*
cacto-do-peru s.m.; pl. *cactos-do-peru*
cactoide (*ó*) adj.2g.
cacto-japonês s.m.; pl. *cactos-japoneses*
cacto-melão s.m.; pl. *cactos-melão* e *cactos-melões*
cacto-miúdo s.m.; pl. *cactos-miúdos*
cactonita s.f.
cactonite s.f.
cactonítico adj.
cacto-ouriço s.m.; pl. *cactos-ouriço* e *cactos-ouriços*
cacto-rosa s.m.; pl. *cactos-rosa* e *cactos-rosas*
cacto-trepador s.m.; pl. *cactos-trepadores*
cacu s.m.

caçuá s.m.
cacual s.m.
cacuala s.f.
cacuana adj. s.2g.
cacuata s.m.
cacubi s.m.
cacuco s.m.
cacuema s.f.
cacuenca s.f.
caçuense adj. s.2g.
cacuera s.f.
caçueto (*ê*) s.m.
cacuia s.f.
caçuiroba s.f.
caçuirova s.f.
cacula s.m.f.
caçula adj. s.2g. s.f.
caculaje s.m.
cacular v.
caçular v.
caçulé s.m.
caçulê s.m.
caculeense adj. s.2g.
caçulense adj. s.2g.
caçuleta (*ê*) s.f.
caculo adj. s.m.
caçulo s.m.
caculucaje s.m.
caculxixi s.m.
cacumá s.m.
cacumate s.m.
cacumba s.f.
cacumbi s.m.
cacumbô s.m.
cacumbu s.m.
cacume s.m.
cacúmen s.m.; pl. *cacumens* e *cacúmenes*
cacuminal adj.2g.
cacuminalização s.f.
cacuminalizar v.
cacunda adj. s.2g. s.f.
cacundê s.m.
cacundeiro adj. s.m.
cacundo adj. s.m.
caçununga s.f.
caçununguçu s.m.
caçununguense adj. s.2g.
cacuri s.m.
cacurichiche s.m.
caçurrento adj.
caçurria s.f.
caçurro s.m.
cacurucai s.f.
cacurucaje s.f.
cacurucajo s.m.
cacuruquê s.m.
cacutu s.m.
caçutu s.m.
cada pron.
cadaba s.f.
cadafalso s.m.
cadai s.m.
cadaleno s.m.
cadamo s.m.
cadanarapuritana adj. s.2g.
cadaneiro adj.
cadarçado adj.
cadarço s.m.
cadarrão s.m.
cadaste s.m.
cadastrado adj. s.m.
cadastrador (*ô*) adj. s.m.
cadastragem s.f.
cadastral adj.2g.
cadastramento s.m.
cadastrar v.
cadastrável adj.2g.
cadastro s.m.
cadaupuritana adj. s.2g.
cadava s.f.
cadaval s.m.
cadavalense adj. s.2g.
cadáver s.m.
cadavéreo adj.
cadavérico adj.
cadaverina s.f.
cadaverínico adj.
cadaverismo s.m.
cadaverização s.f.
cadaverizado adj.
cadaverizar v.
cadaveroso (*ô*) adj.; f. (*ó*); pl. (*ó*)
cade s.m. "zimbro"; cf. *cadê* e *cádi*
cadê s.m.
cadê adv. "que é de"; cf. *cadê* e *cádi*
cadeá s.f.
cadeado s.m.
cadeamento s.m.
cadeeiro s.m.
cadeense adj. s.2g.
cádego s.m.
cadeia s.f.
cadeira s.f.
cadeirada s.f.
cadeirado adj. s.m.
cadeiral s.m.
cadeirame s.m.
cadeirante adj. s.2g.
cadeirão s.m.
cadeiras s.f.pl.
cadeireiro s.m.
cadeirim s.m.
cadeirinha s.f.
cadeirola s.f.
cadeiruda s.f.
cadeirudo adj.
cadeixo s.m.
cadela s.f.
cadelar v.
cadelari s.m.
cadeleira s.f.
cadeleiro adj.
cadelice s.f.
cadelinha s.f.
cadelinho s.m.
cadelita s.f.
cadelo (*ê*) s.m.
cadelona s.f.
cadena s.f.
cadena-pinchosa s.f.; pl. *cadenas-pinchosas*
cadência s.f.; cf. *cadencia*, fl. do v. *cadenciar*
cadenciado adj.
cadenciador (*ô*) adj.
cadencial adj.2g.
cadenciante adj.2g.
cadenciar v.
cadencioso (*ô*) adj.; f. (*ó*); pl. (*ó*)
cadenetas (*ê*) s.f.pl.
cadenetilha s.f.
cadenilha s.f.
cadente adj.2g. "que cai"; cf. *candente*
cadeota s.f.
caderina s.f.
caderita s.f.
caderna s.f.
cadernaço s.m.
cadernal s.m.
caderneta (*ê*) s.f.
caderno s.m.
cadeta (*ê*) s.f.
cadete (*ê*) s.m.
cadexo (*ê*) s.m.
cádi s.m. "juiz muçulmano"; cf. *cade* e *cadê*
cádia s.m.
cadiabuça s.f.
cadícera s.f.
cádico adj.
cadilha s.f.
cadilhado adj.
cadilho s.m.
cadima s.f.
cadime adj.2g.
cadimes s.m.pl.
cadimo adj.
cadina s.f.
cadinênico adj.
cadineno s.m.
cadinéu adj. s.2g.
cadingapuna s.f.
cadinhar v.
cadinho s.m.
cadino adj.
cadisco s.m.
cadiuéu adj. s.2g.
cadivéu adj. s.2g.
cadivo adj.
cadixe s.m.
cadixo s.m.
cadmeia (*é*) adj.; f. de *cadmeu*
cadmeu adj.; f. *cadmeia* (*é*)
cadmia s.f.
cadmiagem s.f.
cadmiano adj.
cadmiar v.
cádmico adj.
cadmífero adj.
cádmio s.m.
cádmium s.m.
cadmiumagem s.f.
cadmiumar v.
cadmoselita s.f.
cado s.m.
cadóforo s.m.
cadogam s.m.
cadoiço s.m.
cadoira s.f.
cadolo s.m.
cadômela s.f.
cadomeláceo adj. s.m.
cadômelo s.m.
cadoriense adj. s.2g.
cadorra (*ô*) s.f.
cadouço s.m.
cadoura s.f.
cadoxe s.m.
cadoz s.m.
cadozeira s.f.
cadozeiro s.m.
cadozense adj. s.2g.
cadozete (*ê*) s.m.
cadrômetro s.m.
cadsura s.f.
caduca s.f.
caducante adj.2g.
caducar v.
caducário adj.
caducável adj.2g.
caduceador (*ô*) s.m.
caduceu s.m.
caducibrânquio adj. s.m.
caducicorne adj.2g.
caducicorno adj.
caducidade s.f.
caducífero adj.
caducifloro adj.
caducifólio adj.
caduco adj.
caduê s.m.
cadulo s.m.
caduquez (*ê*) s.f.
caduquice s.f.
cadurça s.f.
cadúrcio adj.
cadurco adj. s.m.
cadúsio adj. s.m.
caduso adj. s.m.
caduveu adj. s.2g.
cadwaladerita s.f.
caeira s.f.
caeiro s.m.
caenense adj. s.2g.
caenzense adj. s.2g.
caetanense adj. s.2g.
caetaninha s.f.
caetano adj. s.m.
caetanopolitano adj. s.m.
caeté adj. s.2g. "indígena"; cf. *caetê* e *caité*
caetê s.m. "mata"; cf. *caeté* e *caité*
caeté-açu s.m.; pl. *caetés-açus*
caeté-bravo s.m.; pl. *caetés-bravos*
caeté-de-folha-grande s.m.; pl. *caetés-de-folha-grande*
caeté-de-talo-roxo s.m.; pl. *caetés-de-talo-roxo*
caeté-do-mato s.m.; pl. *caetés-do-mato*
caeteense adj. s.2g.
caeté-grande s.m.; pl. *caetés-grandes*
caeté-mirim s.m.; pl. *caetés-mirins*
caeté-roxo s.m.; pl. *caetés-roxos*
caeté-vermelho s.m.; pl. *caetés-vermelhos*
caetiteense adj. s.2g.
cafa s.m.
cafajestada s.f.
cafajestagem s.f.
cafajeste adj. s.2g.
cafajestice s.f.
cafajestismo s.m.
cafal s.m.
cafanga s.f.
cafangada s.f.
cafangagem s.f.
cafangar v.
cafangoso (*ô*) adj.; f. (*ó*); pl. (*ó*)
cafarnaú s.m.
cafarnaum s.m.
cafarnaunense adj. s.2g.
cafarreiro s.m.
cafarro s.m.
cafarsita s.f.
cafatar s.m.
cafe s.m. "letra do hebraico"; cf. *café*
café s.m. "fruto do cafeeiro"; cf. *cafe*
cafeal s.m.
cafeânico adj.
cafearense adj. s.2g.
cafearina s.f.
cafeato s.m.
café-beirão s.m.; pl. *cafés-beirões*
café-branco s.m.; pl. *cafés-brancos*
café-bravo s.m.; pl. *cafés-bravos*
café-bucha s.m.; pl. *cafés-bucha* e *cafés-buchas*
café-cabeça s.m.; pl. *cafés-cabeça* e *cafés-cabeças*
café-caldeado s.m.; pl. *cafés-caldeados*
café-caneca s.m.; pl. *cafés-caneca* e *cafés-canecas*
café-cantante s.m.; pl. *cafés-cantantes*
café-casado s.m.; pl. *cafés-casados*
café-chato s.m.; pl. *cafés-chatos*
café-chifre s.m.; pl. *cafés-chifre* e *cafés-chifres*
cafeco s.m.
café com isca s.m.
café com leite adj.2g.2n. s.m.
café com mistura s.m.
café-comprido s.m.; pl. *cafés-compridos*
café-concerto s.m.; pl. *cafés-concerto* e *cafés-concertos*
café-concha s.m.; pl. *cafés-concha* e *cafés-conchas*
café-conosco s.m.; pl. *cafés-conosco*
café da manhã s.m.
café-das-águas s.m.; pl. *cafés-das-águas*
café-de-bagueio s.m.; pl. *cafés-de-bagueio*
café-de-bugre s.m.; pl. *cafés-de-bugre*
café-de-chaleira s.m.; pl. *cafés-de-chaleira*
café de duas mãos s.m.
café-de-mato-grosso s.m.; pl. *cafés-de-mato-grosso*
café de quatro quinas s.m.
café-do-brasil s.m.; pl. *cafés-do-brasil*
café-do-diabo s.m.; pl. *cafés-do-diabo*
café-do-mato s.m.; pl. *cafés-do-mato*
café-do-pará s.m.; pl. *cafés-do-pará*
cafedório s.m.
café-do-sudão s.m.; pl. *cafés-do-sudão*
café-duro s.m.; pl. *cafés-duros*
cafeeiral s.m.
cafeeirense adj. s.2g.
cafeeiro s.m.
cafeeiro-do-mato s.m.; pl. *cafeeiros-do-mato*
cafeense adj.2g.
café-escolha s.m.; pl. *cafés-escolha* e *cafés-escolhas*
café-eugênio s.m.; pl. *cafés-eugênios*
café-expresso s.m.; pl. *cafés-expressos*
café-gordo s.m.; pl. *cafés-gordos*
cafeico (*é*) adj.
cafeicultor (*ô*) s.m.
cafeicultura s.f.
cafeidina s.f.
cafeidinocarbônico adj.
cafeína s.f.
cafeinado adj.
cafeinar v.
cafeínico adj.
cafeinismo s.m.
cafeísmo s.m.
cafelana s.f.
cafelandense adj. s.2g.
cafelandês adj. s.m.
cafelar v.
café-lavado s.m.; pl. *cafés-lavados*
cafelista adj. s.2g.
cafelo (*ê*) s.m.
café-mastigado s.m.; pl. *cafés-mastigados*
café-melado s.m.; pl. *cafés-melados*
café-mirinense adj. s.2g.; pl. *café-mirinenses*
café-moca s.m.; pl. *cafés-moca* e *cafés-mocas*
cafeocracia s.f.
cafeol s.m.
cafeólico adj.
cafeomancia s.f.
cafeomante s.2g.
cafeomântico adj.
cafeométrico adj.
cafeômetro s.m.
cafeona s.f.
café-pequeno s.m.; pl. *cafés-pequenos*
café-preto s.m.; pl. *cafés-pretos*
cafequezu s.m.
caferana s.f.
café-requentado s.m.; pl. *cafés-requentados*
café-soçaite s.m.; pl. *cafés-soçaites*
café-solúvel s.m.; pl. *cafés-solúveis*
cafetã s.f.
cafetal s.m.
cafetanato s.m.
cafetânico adj.
cafetanina s.f.
cafetão s.m.
café-teatro s.m.; pl. *cafés-teatro* e *cafés-teatros*
cafeteira s.f.
cafeteiro s.m.
cafeteria s.f.
cafetina s.f.
cafetinismo s.m.
cafetismo s.m.
cafetita s.f.
café-tropeiro s.m.; pl. *cafés-tropeiros*
cafezada s.f.
cafezal s.m.
cafezalense adj. s.2g.
cafezalzinhense adj. s.2g.
cafezeiro adj. s.m.
cafezense adj. s.2g.
cafezinho s.m.
cafezista adj. s.2g.
cafezopolitano adj. s.m.
cafiaspirina s.f.
cáfico adj.
cafifa s.2g.
cafifar v.
cafife s.m.
cafifento adj. s.m.
cafifice s.f.
cafifismo s.m.

cáfila s.f.
cafima adj. s.2g.
cafinfa s.2g.
cafinfim s.m.
cafiote s.m.
cafioto (*ô*) s.m.
cafireto s.m.
cafiroto (*ô*) s.m.
cafiz s.m.
cafofa (*ô*) s.f.
cafofo (*ô*) s.m.
cafolina s.f.
cafona adj. s.2g.
cafonice s.f.
cafoto (*ô*) s.m.
cafra s.f.
cafral adj.2g.
cafraria s.f.
cafre adj. s.2g.
cafreal adj.2g.
cafrealismo s.m.
cafrice s.f.
cafrina s.f.
cafrino adj. s.m.
cafta s.f. "iguaria"; cf. *caftã*
caftã s.m. "veste"; cf. *cafta*
caftan s.m.
cáften s.m.; f. *caftina*
caftina s.f. de *cáften*
caftinagem s.f.
caftinar v.
caftinização s.f.
caftinizado adj.
caftinizar v.
caftismo s.m.
cafua s.f.
cafuão s.m.
cafubá adj.2g.
cafubira s.f.
cafuca s.f.
cafuçu s.m.
cafuenfuco s.m.
cafuenho s.m.
cafufaense adj. s.2g.
cafuinha adj. s.2g.
cafuinho adj. s.m.
cafulatungo s.m.
cafuleta (*ê*) s.f.
cafuletar v.
cafuleteiro s.m.
cafulo s.m.
cafumango s.m.
cafunagem s.f.
cafunar v.
cafundó s.m.
cafundoca s.m.
cafundó de judas s.m.
cafundoense adj. s.2g.
cafundório s.m.
cafuné s.m.
cafunga s.m.
cafungagem s.f.
cafungar v.
cafungo s.m.
cafunje s.m.
cafunjice s.f.
cafúrico adj.
cafuringa s.m.
cafuringoma s.m.
cafurna s.f.
cafus s.m. "luso-fuso"; cf. *cafuz*
cafute s.m.
cafuz adj. s.2g. "cafuzo"; cf. *cafus*
cafuza s.f.
cafúzio adj. s.m.
cafuzo adj. s.m.
caga s.m.
caga-andando s.2g.2n.
caga-baixinho adj. s.2g.2n.
caga-brasas adj. s.2g. s.f.2n.
cagaçal s.m.
cagação adj. s.m.
cagachim s.m.
cagaço s.m.
cagada s.f.
cagadeira s.f.
cagadela s.f.
cagadense adj. s.2g.
cagadiça s.f.
cagadiço adj.
cagadinha s.f.
cagado adj. s.m. "que se cagou"; cf. *cágado*
cágado adj. s.m. "réptil"; cf. *cagado*
cágado-cabeça-de-cobra s.m.; pl. *cágados-cabeça-de-cobra* e *cágados-cabeças-de-cobra*
cagadócio adj.
cágado-d'água-doce s.m.; pl. *cágados-d'água-doce*
cágado-de-pescoço-comprido s.m.; pl. *cágados-de-pescoço-comprido*
cágado-de-pescoço-de-cobra s.m.; pl. *cágados-de-pescoço-de-cobra*
cagadoiro s.m.
cagadol s.m.
cagadouro s.m.
caga-estacas s.m.2n.
caga-fogo s.m.; pl. *caga-fogos*
cagaforra (*ô*) s.f.
cagafum s.m.
cagagésimo s.m.
cagaita s.f.
cagaiteira s.f.
cagaiteiro adj.
cagalhão s.m.
cagalheta (*ê*) s.f.
cagalho s.m.
cagalhoada s.f.
cagalhoças s.m.2n.
cagalismo s.m.
cagalizar v.
caga-lume s.m.; pl. *caga-lumes*
cagamasso s.m.
caganapo s.m.
caga na saquinha s.2g.2n.
caga na telha s.2g.2n.
caganátia s.f.
caganato s.m.
cagança s.f.
caganefa s.f.
caganeira s.f.
caganeta (*ê*) s.2g.
caganifância s.f.
caganifrância s.m.f.
caganifrante s.m.
caganita s.f.
caganitas s.f.pl.
caganito s.m.
caga no caquinho s.2g.2n.
cagão adj. s.m.; f. *cagona*
caga-pimenta s.m.; pl. *caga-pimentas*
cagaprati s.m.
cagar v.
caga-raiva s.2g.; pl. *caga-raivas*
caga-regra s.2g.; pl. *caga-regras*
caga-regras s.2g.2n.
cagaréu s.m.
cagarim s.m.
cagarinheiro adj. s.m.
cagarola s.2g.
cagarolas s.2g.2n.
cagarra s.f.
cagarracho s.m.
cagarralo s.m.
cagarrão s.m.
cagarraz s.m.
cagarreta (*ê*) s.2g.
cagarria s.f.
cagarrinha s.f.
cagarro s.m.
cagarrufa s.f.
caga-sebinho s.m.; pl. *caga-sebinhos*
caga-sebista s.2g.; pl. *caga-sebistas*
caga-sebite s.2g.; pl. *caga-sebites*
caga-sebito s.m.; pl. *caga-sebitos*
caga-sebo s.m.; pl. *caga-sebos*
cagástrico adj.
cagastro s.m.
cagatório s.m.
cagaval s.m.
caginga s.f.
cagirina s.f.
cagoã adj. s.2g.
cagócio s.m.
cagoiceiro s.m.
cagoiço s.m.
cagolulo s.m.
cagom s.m.
cagona adj. s.f. de *cagão*
cagópio s.m.
cagópite s.m.
cagoro (*ô*) s.m.
cagosanga s.f.
cagote s.m.
cagotilho s.m.
caguaçu s.m.
caguaçuense adj. s.2g.
caguama s.f.
caguani s.f.
caguará s.2g.
caguatã s.f.
caguatá s.m.
cagueiro s.m.
caguetagem (*ü*) s.f.
caguetar (*ü*) v.
caguete (*ü*) s.2g.
cagufa s.m.
caguincha adj. s.2g.
caguinchas adj. s.2g.2n.
caguincho adj. s.m.
caguinha adj.2g.
caguira adj. s.2g.
caguira (*ü*) adj. s.2g.
cagunço s.m.
cagunfa s.f.
cahnita s.f.
caí s.m.
caiabana s.f.
caiabava adj. s.2g.
caiabi adj. s.2g.
caiabuense adj. s.2g.
caiacanga s.f.
caiação s.f.
caiacó s.m.
caiaço s.m.
caiacu s.m.
caiacuense adj. s.2g.
caiada s.f.
caiadeira s.f.
caiadela s.f.
caiadense adj. s.2g.
caiado adj. s.m.
caiador (*ô*) adj. s.m.
caiadura s.f.
caiala s.f.
caiana s.m.f.
caiança s.f.
caianê s.m.
caianense adj. s.2g.
caiapa s.m.
caiapiá s.m.
caiapiá-da-lagoa-santa s.m.; pl. *caiapiás-da-lagoa-santa*
caiapiá-do-grande s.m.; pl. *caiapiás-do-grande*
caiapiá-do-rio-de-janeiro s.m.; pl. *caiapiás-do-rio-de-janeiro*
caiapiá-do-sul s.m.; pl. *caiapiás-do-sul*
caiapiá-preto s.m.; pl. *caiapiás-pretos*
caiapiá-verdadeiro s.m.; pl. *caiapiás-verdadeiros*
caiapó adj. s.2g. s.m.
caiapona s.f.
caiapônia s.f.
caiaponiano adj.
caiaponiense adj. s.2g.
caiaponina s.f.
caiaponínico adj.
caiapônio adj. s.m.
caiaque s.m.
caiar v.
caiarana s.f.
caiarara s.m.
caiarara-branco s.m.; pl. *caiararas-brancos*
caiaté s.f.
caiaxió s.m.
caíba s.f. "mato"; cf. *câiba*
câiba s.f. "parte do freio"; cf. *caíba*
caibateense adj. s.2g.
câibeiro s.m.
caibiense adj. s.2g.
câibra s.f.
caibração s.f.
caibrada s.f.
caibrado adj.
caibradura s.f.
caibral adj.2g.
caibramento s.m.
caibrar v.
caibro s.m.
câibro s.m.
caíca s.f.
caiçá s.m.
caiçaca s.f.
caicaco s.m.
caicai adj. s.2g.
cai-cai s.m.; pl. *cai-cais* e *cais-cais*
caicaís adj. s.2g.
caicanga s.m.
caicanha s.f.
caiçara adj. s.2g. s.f.
caiçarada s.f.
caiçarense adj. s.2g.
caicau s.m.
caiçava s.f.
caicaviano adj. s.m.
caicó s.m. "mulato velho"; cf. *caíco*
caíco s.m. "caíque"; cf. *caicó*
caicoense adj. s.2g.
caiçu s.m.
caicuidjana adj. s.2g.
caiçuma s.f.
caicumana s.m.
caicurá s.f.
caída s.f.
caideiro adj.
caidela s.f.
caidiço adj.
caidinho adj.
caído adj.
caidor (*ô*) adj. s.m.
caídos s.m.pl.
caieira s.f.
caieirense adj. s.2g.
caieiro s.m.
caiena adj. s.2g. s.f.
caienense adj. s.2g.
caiense adj. s.2g.
caieque s.m.
caietano adj. s.m.
caieté s.m.
caifás s.m.
caiguá adj.2g.
caiguataense adj. s.2g.
caim adj.2g. s.m.
caimacão s.m.
caimal s.m.
caimão s.m.
caimbá s.m.
caimbé s.m.
caimbeiro s.m.
caimberana s.m.
caimbezal s.m.
câimbo s.m.
câimbra s.f.
caimento s.m.
caimiri s.m.
caimita adj. s.2g.
caimiteiro s.m.
caimito s.m.
caimito-do-monte s.m.; pl. *caimitos-do-monte*
caimito-vermelho s.m.; pl. *caimitos-vermelhos*
cainamé s.m.
cainana s.f.
cai não cai s.m.2n.
cainca s.f.
cainça s.f.
cainçada s.f.
cainçalha s.f.
cainçar v.
caindo das molas s.m.2n.
caingá s.2g.
caingai s.m.
caingangue adj. s.2g.
cainguá adj. s.2g.
cainhar v.
cainheza (*ê*) s.f.
cainho adj. s.m.
cainho-branco s.m.; pl. *cainhos-brancos*
cainho-preto s.m.; pl. *cainhos-pretos*
cainita adj. s.2g. s.f.
cainiti s.m.
cainito s.m.
caíno s.m.
cainofobia s.f.
cainotérico s.m.
cainozoico (*ó*) adj.
caio s.m.
caionássana s.m.
caiongo adj.
caio-pradense adj. s.2g.; pl. *caio-pradenses*
caiorda s.m.
caiorro (*ô*) s.m.
caiota s.f.
caiová adj. s.2g.
caipa s.f.
caipão s.m.
caipaxora s.f.
caipira adj. s.2g. s.m.
caipirada s.f.
caipiragem s.f.
caipirense adj. s.2g.
caipirice s.f.
caipirinha s.f.
caipirismo s.m.
caipiríssima s.f.
caipirosca s.f.
caipora adj. s.2g. s.m.f.
caiporense adj. s.2g.
caiporice s.f.
caiporinha s.2g.
caiporismo s.m.
caipuense adj. s.2g.
caipuna s.f.
caíque s.m.
caiqueiro s.m.
caiquió s.m.
cair v.
caira s.f.
cairamidina s.f.
cairamina s.f.
cairana s.f.
cairara adj.2g. s.m.
caírariense adj. s.2g.
cairé s.m.f.
caireense adj. s.2g.
cairel s.m.
cairela s.f.
cairelado adj.
cairelar v.
cairi s.m.
cairiense adj. s.2g.
cairina s.f.
cairiri adj. s.2g. s.m.
cairo s.m.
cairota adj. s.2g.
cairuá s.m.
cairuçu s.m.
cairuçu-do-brejo s.m.; pl. *cairuçus-do-brejo*
cairuense adj. s.2g.
cairuqui s.m.
cairuquim s.m.
cais s.m.2n.
cáiser s.m.
caiserina s.f.
caiserismo s.m.
caiserista adj. s.2g.
caiserita s.f.
caiserítico adj.
caisiquita s.f.
caisuma s.m.
caíta adj. s.2g.
caitaense adj. s.2g.
caitauense adj. s.2g.
caitauzense adj. s.2g.
caité s.m. "planta"; cf. *caeté* e *caetê*
caiteense adj. s.2g.
caitia s.m.
caitité s.m.

caititeense adj. s.2g.
caititi s.f.
caititu s.m.
caitituada s.f.
caitituagem s.f.
caitituar v.
caitituense adj. s.2g.
caitó s.m.
caitoca s.f.
caitocaria s.f.
caiuá adj. s.2g.
caiuaense adj. s.2g.
caiubense adj. s.2g.
caiubiense adj. s.2g.
caiué s.m.
caiuense adj.2g.
caiugá adj. s.2g. s.m.
caiuia s.f.
caiuiaçu s.f.
caiuinha s.f.
caiulaque s.m.
caiumba s.f.
caiururé s.m.
caíva s.f.
caixa s.m.f. "recipiente"; cf. *cacha* s.f., fl. do v. *cachar*, e *caxa*
caixa-alta adj. s.2g. s.f.; pl. *caixas-altas*
caixa-baixa adj. s.2g. s.f.; pl. *caixas-baixas*
caixa-bomba s.f.; pl. *caixas-bomba* e *caixas-bombas*
caixa-clara s.f.; pl. *caixas-claras*
caixacobre s.f.
caixa-d'água s.f.; pl. *caixas-d'água*
caixa-d'aguense (*ü*) adj. s.2g.; pl. *caixa-d'aguenses* (*ü*)
caixa de catarro s.f.
caixa de fósforos s.f.
caixa de guerra s.f.
caixa de óculos s.f.
caixa de rua s.f.
caixa-d'óculos s.f.; pl. *caixas-d'óculos*
caixa-forte s.f.; pl. *caixas-fortes*
caixamarim s.m.
caixana adj. s.2g.
caixão s.m. "caixa grande", etc.; cf. *cachão* e *caxão*
caixão-de-defunto s.m.; pl. *caixões-de-defunto*
caixa-prego s.m.; pl. *caixas-pregos*
caixa-pregos s.m.2n.
caixa-preguense adj. s.2g.; pl. *caixa-preguenses*
caixa-preta s.f.; pl. *caixas-pretas*
caixaria s.f.
caixa-surda s.f.; pl. *caixas-surdas*
caixe s.f.
caixeirada s.f. "conjunto de caixeiros"; cf. *cacheirada*
caixeiragem s.f.
caixeiral adj.2g.
caixeirama s.f.
caixeirar v.
caixeiro s.m. "empregado de comércio"; cf. *cacheiro*
caixeirola s.m.
caixeiro-viajante s.m.; pl. *caixeiros-viajantes*
caixela s.f.
caixeta (*ê*) s.f. "caixa pequena"; cf. *cacheta*, fl. do v. *cachetar*, *cacheta* (*ê*) e *caxeta* (*ê*)
caixeta-amarela s.f.; pl. *caixetas-amarelas*
caixeta-do-interior s.f.; pl. *caixetas-do-interior*
caixilhame s.m.
caixilharia s.f.
caixilho s.m.
caixinha s.f. "caixa pequena"; cf. *cachinha*
caixinha das almas s.f.
caixinheira s.f.
caixista s.2g.
caixola s.f. "caixa pequena"; cf. *cachola*
caixota s.f.
caixotão s.m.
caixotaria s.f.
caixote s.m.
caixoteiro s.m.
caixotim s.m.
cajá s.m.
cajã s.m.
cajá-açu s.m.; pl. *cajás-açus*
cajabi adj. s.2g.
cajaça s.f.
cajadada s.f.
cajadela s.f.
cajadil s.m.
cajado s.m.
cajado-de-são-josé s.m.; pl. *cajados-de-são-josé*
cajaeiro s.m.
cajaense adj. s.2g.
cajafora s.f.
cajaíba s.f.
cajaibense adj. s.2g.
cajaja s.m.
cajalala s.f.
cajaleó s.m.
cajaléu s.m.
cajá-manga s.m.; pl. *cajás-manga* e *cajás-mangas*
cajamarense adj. s.2g.
cajá-mirim s.m.; pl. *cajás-mirins*
cajá-mirim-doce s.m.; pl. *cajás-mirins-doces*
cajamuru s.m.
cajânea adj.
cajanjá s.m.
cajano s.m.
cajante adj.2g.
cajá-pequeno s.m.; pl. *cajás-pequenos*
cajapioense adj. s.2g.
cajarana s.f.
cajariense adj. s.2g.
cajata s.f.
cajataí s.f.
cajateiro s.m.
cajati s.m.
cajatiense adj. s.2g.
cajá-vermelho s.m.; pl. *cajás-vermelhos*
cajazeira s.f.
cajazeira-de-fruto-grande s.f.; pl. *cajazeiras-de-fruto-grande*
cajazeirense adj. s.2g.
cajazeiro s.m.
cajazeiro-miúdo s.m.; pl. *cajazeiros-miúdos*
cajazinha s.f.
cajazinho s.m.
cajazinho-encontrado s.m.; pl. *cajazinhos-encontrados*
cajepute s.m.
cajeputeno s.m.
cajeputol s.m.
cajetilha s.m.
cajibá s.m.
cajila s.f.
cajinga s.m.
cajinjuva s.f.
cajitas s.m.2n.
cajitó s.m.
cajobiense adj. s.2g.
caju s.m.
cajuá s.m.
cajuaçu s.m.
cajuada s.f.
cajual s.m.
caju-amigo s.m.; pl. *cajus-amigos*
cajubi s.m.
cajubiense adj. s.2g.
cajubim s.m.
cajubinense adj. s.2g.
caju-bravo s.m.; pl. *cajus-bravos*
cajuçara s.m.
cajucica s.f.
caju-do-campo s.m.; pl. *cajus-do-campo*
caju-do-mato s.m.; pl. *cajus-do-mato*
cajueiral s.m.
cajueirense adj. s.2g.
cajueiro s.m.
cajueiro-bravo s.m.; pl. *cajueiros-bravos*
cajueiro-bravo-da-serra s.m.; pl. *cajueiros-bravos-da-serra*
cajueiro-bravo-do-campo s.m.; pl. *cajueiros-bravos-do-campo*
cajueiro-do-campo s.m.; pl. *cajueiros-do-campo*
cajueiro-do-mato s.m.; pl. *cajueiros-do-mato*
cajueiro-japonês s.m.; pl. *cajueiros-japoneses*
cajufará adj. s.2g.
caju-gigante s.m.; pl. *cajus-gigantes*
cajuí s.m.
cajuiense adj. s.2g.
cajuil s.m.
cajuim s.m.
cajuína s.f.
cajuizal s.m.
cajuló s.m.
cajumari s.m.
cajumirim s.m.
cajupeba s.f.
cajurana s.f.
caju-rasteiro s.m.; pl. *cajus-rasteiros*
cajuri s.m.
cajuriense adj. s.2g.
cajurim s.m.
cajuru s.m.
cajurubeba s.f.
cajuruense adj. s.2g.
cajuti adj. s.2g.
cajuuna s.m.
cajuvina s.f.
cajuzeirense adj. s.2g.
cajuzeiro s.m.
cajuzinho s.m.
cal s.f.; pl. *cales* e *cais*
cala s.2g. s.f.
calaariano adj. s.m.
calaba s.f.
calabaça adj. s.2g. s.f.
calabaceira s.f.
calabacense adj. s.2g.
calabar s.m.
calabária s.f.
calabarina s.f.
calabarino s.m.
calabarismo s.m.
calabarizar v.
calaboca (*ô*) s.m.
cala-boca s.m.; pl. *cala-bocas*
calaboiço s.m.
calaboucense adj. s.2g.
calabouço s.m.
calabre s.m.
calabreada s.f.
calabreado adj.
calabreador (*ô*) s.m.
calabreadura s.f.
calabrear v.
calabrês adj. s.m.
calabresa (*ê*) s.f.
calabrete (*ê*) s.m.
calábria s.f.
calabriano adj. s.m.
calábrico adj.
calabrotar v.
calabrote s.m.
calabroteado adj.
calabrotear v.
calabuco s.m.
calabura s.f.
calaburço s.m.
calaburo s.m.
calaça s.2g.
calação s.f.
calaçaria s.f.
calacear v.
calaceio s.m.
calaceirar v.
calaceirice s.f.
calaceiro adj. s.m.
calachurro s.m.
calacice s.f.
calacídeo adj. s.m.
calacre s.m.
calada s.f.
caladão adj. s.m.; f. *caladona*
caladari s.m.
caladênia s.f.
caladião s.m.
caladieia (*é*) adj. s.f.
caladigão s.m.
caladinho s.m.
caládio s.m.
calado adj. s.m.
calado-d'água s.m.; pl. *calados-d'água*
caladona adj. s.f. de *caladão*
calador (*ô*) s.m.
caladura s.f.
calafanje s.m.
calafate s.m.
calafatear v.
calafate-da-patagônia s.m.; pl. *calafates-da-patagônia*
calafatita s.f.
calafetação s.f.
calafetado adj.
calafetador (*ô*) s.m.
calafetagem s.f.
calafetamento s.m.
calafetão s.m.
calafetar v.
calafetear v.
calafeto (*ê*) s.m.; cf. *calafeto*, fl. do v. *calafetar*
calafona s.2g.
calafriado adj.
calafriar v.
calafriento adj.
calafrio s.m.
calagem s.f.
calaico adj. s.m.
calaim s.m.
calainito s.m.
calaíta s.f.
calajar s.m.
calala s.m.
calalanza s.f.
calalu s.m.
calaluz s.m.
calamagróstis s.f.2n.
calamandra s.f.
calamânia s.f.
calamão s.m.
calamar s.m.
calamara s.f.
calamária s.f.
calamariácea s.f.
calamariáceo adj.
calamarial adj.2g.
calamariale s.f.
calamárida adj.2g. s.m.
calamarídeo adj. s.m.
calamaríneo adj. s.m.
calamário s.m.
calamariópsis s.f.2n.
calamate s.m.
calamaulo s.m.
calambá s.m.
calambaque s.m.
calambauense adj. s.2g.
calambuca s.f.
calambuco s.m.
calâmea s.f.
calamel s.m.
calamense adj. s.2g.
calamento s.m.
calâmeo adj.
calameona s.f.
calameônico adj.
calâmico s.m.
calamidade s.f.
calamídeo adj. s.m.
calamífero adj.
calamiforme adj.2g.
calamina s.f.
calaminar adj.2g.
calamínico adj.
calaminta s.f.
calamintona s.f.
calamintônico adj.
calamistrado adj.
calamistrar v.
calamistro s.m.
calamita s.f.
calamitácea s.f.
calamitáceo adj.
calamital adj.2g.
calamitale s.f.
calamita-nevada s.f.; pl. *calamitas-nevadas*
calamitoide (*ó*) adj.2g.
calamitoso (*ô*) adj.; f. (*ó*); pl. (*ó*)
cálamo s.m.
cálamo-aromático s.m.; pl. *cálamos-aromáticos*
cálamo-bravo s.m.; pl. *cálamos-bravos*
calamocada s.f.
calamocado adj.
calamocar v.
calamodendrácea s.f.
calamodendráceo adj.
calamodita s.f.
calamodito s.m.
calamoérpida adj.2g. s.m.
calamoerpídeo adj. s.m.
calamoerpo s.m.
calamofiliíneo adj. s.m.
calamofitácea s.f.
calamofitáceo adj.
calamoíctis s.m.2n.
calamoide (*ó*) adj.2g.
calamopitiácea s.f.
calamopitiáceo adj.
calamopítis s.f.2n.
calamóporo s.m.
cálamo-selvagem s.m.; pl. *cálamos-selvagens*
cálamo-silvestre s.m.; pl. *cálamos-silvestres*
calamospiza s.f.
calamostáquide s.m.
calamóstaquis s.m.2n.
calamotânico adj.
calamóxilo (*cs*) s.m.
calamute s.m.
calanaquense adj. s.2g.
calanca s.f.
calancói s.m.
calândar s.m.
calandra s.f.
calandrado adj.
calandragem s.f.
calandrar v.
calandreira s.f.
calandreiro s.m.
calandrela s.f.
calândria s.f.
calandríctis s.m.2n.
calandríneo adj. s.m.
calandrini s.f.
calandrínia s.f.
calandrino s.m.
calandrista s.2g.
calango s.m.
calango-azul s.m.; pl. *calangos-azuis*
calango-verde s.m.; pl. *calangos-verdes*
calangro s.m.
calangué s.m.
calanguear v.
calangueiro s.m.
calânida adj.2g. s.m.
calanídeo adj. s.m.
calanja s.f.
calano s.m.
calanoide (*ó*) adj.2g. s.m.
calante adj.2g. s.m.
calanteia (*é*) s.f.
calântia s.m.
calântica s.f.
calântico adj. s.m.
calanza s.f.
calão s.m.
calapalo adj. s.2g.
calápida adj.2g. s.m.
calapídeo adj. s.m.

calapita s.f.
cálapo s.m.
calaque s.m.
calar v.
calaráspide s.f.
calaráspis s.f.2n.
calasia s.f.
calásico adj.
calasiodermia s.f.
calasiodérmico adj.
calasodermia s.f.
calasodérmico adj.
caláspide s.f.
caláspis s.f.2n.
calasse s.m.
calástico adj.
calastrogastro adj. s.m.
calata s.f.
calateia (*é*) s.f.
calátida adj.2g. s.m.
calátide s.f.
calatídeo adj. s.m.
calatidifloro adj.
calatiforme adj.2g.
calatino adj.
calatite s.m.
cálato s.m.
calatra s.f.
calatraia s.f.
calatrão s.m.
calatrave s.m.
calatravense adj. s.2g.
calatravo s.m.
calatre s.f.
calatroia (*ó*) s.f.
calau s.m.
calau-da-abissínia s.m.; pl. *calaus-da-abissínia*
calau-grande s.m.; pl. *calaus-grandes*
calavante s.f.
calávea s.f.
calaveira adj. s.2g. s.f.
calaveirada s.f.
calaverita s.f.
calaverite s.f.
calaverítico adj.
calaverito s.m.
calaverna s.f.
calaza s.f.
calazal adj.2g.
calazar s.m.
calazião s.m.
calazífero adj.
calázio s.m.
calazóforo adj.
calazogamal adj.2g.
calazogamale s.f.
calazogamia s.f.
calazogâmico adj.
calazógamo adj. s.m.
calbásio adj. s.m.
calca s.f.
calça s.f.
calcabrina s.f.
calça-curta s.m.; pl. *calças-curtas*
calcada s.f.
calçada s.f.
calcadeira s.f.
calçadeira s.f.
calcadeiro s.m.
calcadela s.f.
calçadense adj. s.2g.
calçadilha s.f.
calçadista s.2g.
calcado adj.
calçado adj. s.m.
calcadoiro s.m.
calcador (*ô*) adj. s.m.
calçador (*ô*) adj. s.m.
calcadouro s.m.
calcadura s.f.
calçadura s.f.
calça-fecho s.m.; pl. *calças-fechos*
calça-foice s.m.; pl. *calça-foices*
calcagem s.f.
calcalho s.m.
calcalunita s.f.
calcamar s.m.
calcamento s.m.
calçamento s.m.
calcaneano adj.
calcâneo adj. s.m.
calcaneoastragaliano adj.
calcaneoastragálio adj.
calcaneocuboide (*ó*) adj.2g.
calcaneodigital adj.2g.
calcaneoprimifalângico adj.
calcaneoquintifalângico adj.
calcaneoscafoide (*ó*) adj.2g.
calcaneotendinoso (*ô*) adj.; f. (*ó*); pl. (*ó*)
calcanha s.m.f.
calcanhar s.m.
calcanhar de aquiles s.m.
calcanhar de judas s.m.
calcanheira s.f.
calcanho s.m.
calcante adj.2g. s.m.
calcantita s.f.
calcantite s.f.
calcantítico adj.
calcão s.m.
calção s.m.
calção de couro s.m.
calção-de-velho s.m.; pl. *calções-de-velho*
calça-púcaros s.m.2n.
calcar v. s.m.
calçar v.
calcarado adj.
calcaré s.m.
calcarenítico adj.
calcarenito s.m.
calcarífero adj.
calcariforme adj.2g.
calcarina s.f.
calcarino adj.
calcário adj. s.m.
calcariobarita s.f.
calcariobarítico adj.
calcarização s.f.
calcarizado adj.
calcarizar v.
calcarizável adj.2g.
calças s.f.pl.
calças-de-cuco s.f.pl.
calças de figura s.f.pl.
calças de pegar marreca s.f.pl.
calças-de-velha s.f.pl.
calças-pardas s.f.pl.
calcatão s.m.
calce s.m.
calceário s.m.
calcedonense adj. s.2g.
calcedônia s.f.
calcedônico adj.
calcedoniense adj. s.2g.
calcedônio adj. s.m.
calcedonita s.f.
calcedonítico adj.
calcedonito s.m.
calcédonix (*cs*) s.m.2n.
calceiforme adj.2g.
calceirão s.m.
calceiro s.m.
calcemia s.f.
calcêmico adj.
cálceo adj. s.m.
calcéola s.f.
calceolado adj. s.m.
calceolária s.f.
calceolarícea s.f.
calceolaríceo adj.
calceólida adj.2g. s.m.
calceolídeo adj. s.m.
calcéolo s.m.
calceose s.f.
calceótico adj.
calcês s.m.
calceta (*ê*) s.2g. s.f.; cf. *calceta*, fl. do v. *calcetar*
calcetamento s.m.
calcetar v.
calcetaria s.f.
calceteiro s.m.
calciborita s.f.
calcicincita s.f.
calcicincite s.f.
calciclásio s.m.
cálcico adj.
calcícola adj.2g. s.f.
calcicose s.f.
calcicótico adj.
cálcide s.m.
calcidense adj. s.2g.
calcídeo adj.
calcídica s.f.
calcídico adj. s.m.
calcídida adj.2g. s.m.
calcidídeo adj. s.m.
calcídio s.m.
calcidóideo adj. s.m.
calcifeito adj.
calcífero adj.
calciferol s.m.
calcificabilidade s.f.
calcificação s.f.
calcificado adj.
calcificar v.
calcificável adj.2g.
calcifilaxia (*cs*) s.f.
calcifilia s.f.
calcifílico adj.
calcífilo adj. s.m.
calcífobo adj.
calcífugo adj.
calcilito s.m.
calcilutítico adj.
calcilutito s.m.
calcimetria s.f.
calcimétrico adj.
calcímetro s.m.
calcimorfo adj.
calcina s.f.
calcinação s.f.
calcinado adj.
calcinador (*ô*) adj. s.m.
calcinante adj.2g.
calcinar v.
calcinatório adj.
calcinável adj.2g.
calcinhas s.f.pl.
calcinitro s.m.
calcinose s.f.
calcinótico adj.
cálcio s.m.
calcioancilita s.f.
calciobárico adj.
calciobário s.m.
calciocarnotita s.f.
calciocatapleíta s.f.
calciocelestita s.f.
calciocopiapita s.f.
calcioestroncianita s.f.
calcioestroncianite s.f.
calcioferrita s.f.
calciofosfático adj.
calciofosfato s.m.
calciogadolinita s.f.
calciolarsenita s.f.
calciomagnesiano adj.
calcionte s.m.
calciose s.f.
calciossamarskita s.f.
calcioterapia s.f.
calcioterápico adj.
calciotermia s.f.
calciotérmico adj.
calciótico adj.
calciotorita s.f.
calciouranoíta s.f.
calciovolborthita s.f.
calcíparo s.m.
calcípeta adj.2g.
calcirrudítico adj.
calcirrudito s.m.
calcispôngia adj.2g. s.f.
calcispongiário adj. s.m.
calcita s.f.
calcite s.f.
calciterapia s.f.
calciterápico adj.
calcítico adj.
calcito s.m.
calcitonina s.f.
calcítrapa s.f.
calcitrápia s.f.
calcitrápico adj.
calcitrar v.
calciuria s.f.
calciúria s.f.
calciúrico adj.
calcívoro adj.
calcjarlita s.f.
calclacita s.f.
calco s.m.
calço s.m.
calcoalcalino adj.
calcoalumita s.f.
calcoblasto s.m.
calcocianita s.f.
calcocina s.f.
calcocisto s.m.
calcocita s.f.
calcocite s.f.
calcocítico adj.
calcocloro s.m.
calcocóccix (*cs*) s.m.
calcodita s.f.
calcodonte s.2g.
calçoenense adj. s.2g.
calcofanita s.f.
calcofanite s.f.
calcofanítico adj.
calcoferrite s.f.
calcoferrítico adj.
calcofilita s.f.
calcófilo adj.
calcófora s.f.
calcóforo s.m.
calcogêneo adj. s.m.
calcógeno s.m.
calcoglobulina s.f.
calcografado adj.
calcografar v.
calcografia s.f.
calcográfico adj.
calcógrafo s.m.; cf. *calcografo*, fl. do v. *calcografar*
calcoide (*ó*) s.m.
calcóideo adj.
calcolamprita s.f.
calçolas s.f.pl.
calcolita s.f.
calcolite s.f.
calcolítico adj. s.m.
calcolitografia s.f.
calcolitográfico adj.
calcomania s.f.
calcomaníaco adj. s.m.
calcomenita s.f.
calcomenite s.f.
calcomenítico adj.
calcomorfita s.f.
calcomorfite s.f.
calcomorfítico adj.
calçonico s.m.
calcopélia s.f.
calcopirita s.f.
calcopirite s.f.
calcopirítico adj.
calcopirrotina s.f.
calcopirrotita s.f.
calcóptero adj. s.m.
calcoquisto s.m.
calcoré s.m.
calcorreada s.f.
calcorreado adj.
calcorreador (*ô*) adj. s.m.
calcorreante adj.2g.
calcorrear v.
calcorros (*ô*) s.m.pl.
calcose s.f.
calcosferita s.f.
calcosferite s.f.
calcosina s.f.
calcosita s.f.
calcosite s.f.
calcosítico adj.
calcosito s.m.
calcossidérico adj.
calcossiderita s.f.
calcossiderite s.f.
calcossiderografia s.f.
calcossiderográfico adj.
calcossilicático adj.
calcossilicato s.m.
calcossódico adj.
calcossomo s.m.
calcostibita s.f.
calcostibítico adj.
calçota s.f.
calcotalita s.f.
calçote s.m.
calcoterapia s.f.
calcoterápico adj.
calcótico adj.
calcotipia s.f.
calcotípico adj.
calcotipo s.m.
calcótipo s.m.
calcotriquita s.f.
calcoxisto s.m.
calcrete (*ê*) s.m.
calçudo adj.
calculabilidade s.f.
calculação s.f.
calculado adj.
calculador (*ô*) adj. s.m.
calculadora (*ô*) s.f.
calculante adj. s.2g.
calcular v. adj.2g.
calculário s.m.
calculável adj.2g.
calculista adj. s.2g.
calculístico adj.
cálculo s.m.; cf. *calculo*, fl. do v. *calcular*
calculográfico adj.
calculógrafo s.m.
calculograma s.m.
calculose s.f.
calculoso (*ô*) adj.; f. (*ó*); pl. (*ó*)
calculótico adj.
calcurmolita s.f.
calcutaense adj. s.2g.
calda s.f.
caldaça s.f.
caldagem s.f.
caldaico adj. s.m.
caldaísmo s.m.
calda-novense adj. s.2g.; pl. *calda-novenses*
caldar v.
caldário adj. s.m.
caldas s.f.pl.
caldasco adj.
caldasita s.f.
caldeabilidade s.f.
caldeação s.f.
caldeado adj.
caldeador (*ô*) adj. s.m.
caldeamento s.m.
caldeante adj.2g.
caldear v.
caldeável adj.2g.
caldeia (*é*) adj. s.f. de *caldeu*
caldeio s.m.
caldeira s.f.
caldeiraça s.f.
caldeirada s.f.
caldeirão s.m.
caldeirãozense adj. s.2g.
caldeirar v.
caldeiraria s.f.
caldeireiro s.m.
caldeireta (*ê*) s.f.
caldeiria s.f.
caldeirinha s.f.
caldeiro adj. s.m.
caldeirote s.m.
caldeísmo s.m.
caldeísta adj. s.2g.
caldeístico adj.
caldejar v.
caldense adj. s.2g.
calderita s.f.
calderoniano adj.
caldeta (*ê*) s.f.
caldeu adj. s.m.; f. *caldeia* (*é*)
caldinho s.m.
caldivana s.f.
caldo s.m.
caldoça s.f.
caldo de cana s.m.
caldo-de-feijão s.m.; pl. *caldos-de-feijão*
caldoneira s.f.
caldoneiro s.m.
caldorro (*ô*) s.m.
caldoso (*ô*) adj.; f. (*ó*); pl. (*ó*)
calduça s.f.

calducha s.f.
calducho s.m.
caldudo s.m.
caldufa s.f.
calduro s.m.
cale s.2g. "rego"; cf. *cáli*
cálea s.f.
caleacta s.f.
caleadela s.f.
caleado adj.
caleamento s.m.
caleana s.f.
calear v.
calebita adj. s.2g.
caleça s.f.
caleceiro s.m.
caleche s.2g.
caleço (*ê*) s.m.
calectásia s.f.
calectasiácea s.f.
calectasiáceo adj.
caledoniano adj. s.m.
caledônico adj.
caledônio adj. s.m.
caledonita s.f.
caledonite s.f.
caledonítico adj.
calefação s.f.
calefaciente adj.2g.
calefator (*ô*) adj. s.m.
calefatório s.m.
calefriado adj.
calefriar v.
calefriento adj.
calefrio s.m.
caleia (*é*) s.f.
caleidoscópico adj.
caleidoscópio s.m.
caleira s.f.
caleiro s.m.
caleja (*ê*) s.f.
calejado adj.
calejador (*ô*) adj. s.m.
calejamento s.m.
calejar v.
calejável adj.2g.
calejo (*ê*) s.m.
calema s.f.
calemba s.f.
calembe s.m.
calembo s.m.
calembur s.m.
calemburar v.
calemburaria s.f.
calembureiro s.m.
calemburgar v.
calemburgo s.m.
calemburista adj. s.2g.
calemburístico adj.
calemburizar v.
calemute s.m.
calena s.f.
calenda s.f.
calendar adj.2g.
calendário adj. s.m.
calendarista s.2g.
calendas s.f.pl.
calênder s.m.
calêndimo s.m.
calêndula s.f.
calendulácea s.f.
calenduláceo adj.
calendulado adj.
calendúlea s.f.
calendúleo adj.
calendulina s.f.
calengo s.m.
caleno s.m.
calense adj. s.2g.
calento adj.
calentura s.f.
calepim s.m.
calepina s.f.
calepinada adj.
calepino s.m.
calepo s.m.
calepoti s.m.
caleptérige s.f.
calepterígio s.m.
calera s.f.
cáleta adj. s.2g.
calete (*ê*) s.m. "qualidade"; cf. *cálete*
cálete adj. s.2g. "povo"; cf. *calete* (*ê*)
caleto adj. s.m.
cáleto adj. s.m.
calgandrinha s.f.
calha s.f.
calhado adj.
calhadoiro s.m.
calhadouro s.m.
calhamaçada s.f.
calhamaçaria s.f.
calhamaço s.m.
calhamandreiro s.m.
calhambeque s.m.
calhambola s.f.
calhambórnio s.m.
calhameira s.f.
calhança s.f.
calhancar v.
calhanço s.m.
calhandra s.f.
calhandreira s.f.
calhandreiro adj. s.m.
calhandrina s.f.
calhandro s.m.
calhão s.m.
calhar v.
calhariz s.m.
calhastriz s.f.
calhastroz s.m.
calhau s.m.
calhe s.f.
calheira s.f.
calheirense adj. s.2g.
calheiro s.m.
calhestro (*ê*) s.m.
calheta (*ê*) s.f.
calhéu s.m.
calhezada s.f.
calhoada s.f.
calhoar v.
calhondre s.m.
calhorda adj. s.2g.
calhordas adj. s.2g.2n.
calhordice s.f.
calhorra (*ô*) s.f.
calhorro (*ô*) adj. s.m.
calhostra s.f.
calhostros s.m.pl.
cáli s.m. "planta"; cf. *cale*
cália s.f.
caliada s.f.
caliana s.f.
calianassa s.f.
calianássida adj.2g. s.m.
calianassídeo adj. s.m.
caliandra s.f.
calianira s.f.
calianita s.f.
caliântemo s.m.
caliaspídia s.f.
caliassídeo adj. s.m.
caliáster s.m.
caliástero s.m.
caliastro s.m.
caliaviro s.m.
caliavírus s.m.2n.
calibado adj.
cálibe adj. s.2g.
calibeado adj.
calíbio s.m.
calibita s.2g. s.f.
caliblefárida s.f.
cálibo adj. s.m.
calibografia s.f.
caliborita s.f.
calibração s.f.
calibradeira s.f.
calibrado adj.
calibrador (*ô*) adj. s.m.
calibragem s.f.
calibramento s.m.
calibrante adj.2g.
calibrar v.
calibrável adj.2g.
calibre s.m.
calibrina s.f.
calibroso (*ô*) adj.; f. (*ó*); pl. (*ó*)
caliça s.f.
caliçada s.f.
calicadência s.f.
calicadente adj.2g.
caliçagem s.f.
calicândria s.f.
calicantácea s.f.
calicantáceo adj.
calicante s.m.
calicântea s.f.
calicantemia s.f.
calicântemo adj. s.m.
calicânteo adj.
calicantina s.f.
calicanto s.m.
calicantracose s.f.
calicarpa s.f.
calicarpia s.f.
calicarpo s.m.
calicáster s.m.
cálice s.m.
caliceado adj.
calicebíneo adj. s.m.
calicebo s.m.
cálice-de-vênus s.m.; pl. *cálices-de-vênus*
calicela s.f.
calícera s.f.
calicerácea s.f.
caliceráceo adj.
calicerada s.f.
calicerado adj.
calicerale s.f.
calicérea s.f.
calicéreo adj.
calícero s.m.
caliche s.m.
caliciácea s.f.
caliciáceo adj.
caliciado adj.
calicícola adj.2g.
calicida adj.2g. s.m.
caliciflora s.f.
calicifloro adj.
caliciforme adj.2g.
calicílio s.m.
calicina s.f.
calicinal adj.2g.
calicinar adj.2g.
calicíneo adj.
calicinita s.f.
calicino adj.
calício s.m.
caliclâmide s.f.
calíclamis s.f.2n.
calicnêmide s.f.
calicnêmio s.m.
calicnêmis s.f.2n.
calicó s.m.
calicô s.m.
caliço s.m.
calicoblástico adj.
calicoblasto s.m.
calicódomo s.m.
calicoforídeo adj. s.m.
calicoide (*ó*) adj.2g.
calícola adj. s.2g.
calicose s.f.
calicostela s.f.
calicoteríida adj.2g. s.m.
calicoteriídeo adj. s.m.
calicotério s.m.
calicótico adj.
calicótomo s.m.
calicozoário adj. s.m.
calicreína s.f.
calicreínico adj.
calicrômico adj.
calicromo adj. s.m.
calictena s.f.
calictídeo adj. s.m.
calíctis s.m.2n.
caliculado adj.
calicular adj.2g.
caliculiforme adj.2g.
calículo s.m.
calídeo adj. s.m.
calidez (*ê*) s.f.
calidíctio s.m.
calididade s.f.
calidiíneo adj. s.m.
calidina s.f.
calidínico adj.
calidinogênio s.m.
calidinógeno adj. s.m.
calídio s.m.
cálido adj.
calidofone s.m.
calidofono s.m.
calidoscópico adj.
calidoscópio s.m.
calídris s.m.2n.
caliduto s.m.
caliemia s.f.
caliêmico adj.
caliendro s.m.
califa s.m.
califado s.m.
califasia s.f.
califásico adj.
califasista adj. s.2g.
califero adj.
califila s.f.
califita s.f.
califlogo s.m.
califom s.m.
califonia s.f.
califônico adj.
califora s.f.
califórico adj.
califorídeo adj. s.m.
califórnia s.f.
californiano adj. s.m.
califórnica s.f.
californiense adj. s.2g.
califórnio adj. s.m.
californita s.f.
cáliga s.f.
caligante adj. s.2g.
caligaresco (*ê*) adj.
caligariesco (*ê*) adj.
caligarismo s.m.
caligarista adj. s.2g.
caligarístico adj.
caligem s.f.
calígeno adj.
caligídeo adj. s.m.
caliginar v.
calígineo adj. s.m.
caliginoso (*ô*) adj.; f. (*ó*); pl. (*ó*)
calígio s.m.
caligo s.m.
calígono s.m.
caligórgia s.f.
caligrafação s.f.
caligrafado adj.
caligrafador (*ô*) adj. s.m.
caligrafar v.
caligrafável adj.2g.
caligrafia s.f.
caligráfico adj.
calígrafo s.m.; cf. *caligrafo*, fl. do v. *caligrafar*
caligrama s.m.
calígula s.f.
calilita s.f.
calilite s.f.
calilítico adj.
calilogia s.f.
calilógico adj.
calilu s.m.
calim s.m.f.
cálima s.f.
calimácio s.m.
calimártir s.m.
calimatóforo s.m.
calimbé s.m.
calime s.m.
calimeira s.f.
calimérida adj.2g. s.f.
calimerídeo adj. s.m.
calímeris s.m.2n.
calimico s.m.
calimiconíneo s.m.
calimócito s.m.
calina adj. s.2g.
calinada s.f.
calingo adj. s.m.
calinice s.f.
calínico adj. s.m.
calinita s.f.
calinite s.f.
calinítico adj.
calinito s.m.
calino adj. s.m.
calinoplastia s.f.
calinoplástico adj.
calinotomia s.f.
calinotômico adj.
caliofilita s.f.
caliofilite s.f.
caliofilítico adj.
calionímida adj.2g. s.m.
calionimídeo adj. s.m.
calíope s.f.
calipedia s.f.
calipédico adj.
calipelte s.m.
calipéltis s.m.2n.
calipétalo adj.
calipígico adj.
calipígio adj.
calipolense adj. s.2g.
calipso s.m.
calíptera s.f.
calipterado adj.
caliptéria s.f.
caliptéride s.f.
caliptério s.m.
calíptero adj. s.m.
calíptico adj.
calipto s.m.
caliptóbio s.m.
caliptoblástico adj. s.m.
caliptoblasto adj. s.m.
caliptobótrio s.m.
caliptobrânquio adj.
caliptocéfalo s.m.
caliptogênio s.m.
caliptolita s.f.
caliptolite s.f.
caliptolítico adj.
caliptólito s.m.
caliptra s.f.
caliptrácea adj.
caliptráceo adj.
caliptrada s.f.
caliptrado adj.
caliptrantes s.f.2n.
caliptrídio s.m.
caliptriforme adj.2g.
calíptrio s.m.
caliptrocálice s.m.
caliptrocária s.f.
caliptrocarpo s.m.
caliptrógene s.f.
caliptrógeno s.m.
caliptroide (*ó*) adj.2g.
caliptronema s.f.
caliptronêmida adj.2g. s.m.
caliptronemídeo adj. s.m.
caliptrospermo s.m.
caliptrostilo s.m.
calique s.m.
calísia s.f.
calismo s.m.
calista s.2g.
calístefo s.m.
calistégia s.f.
calistemo s.m.
calistenia s.f.
calistênico adj.
calistismo s.m.
calisto s.m.
calistodermo s.m.
calitâmnio s.m.
calite s.f.
calitecnia s.f.
calitécnico adj.
calitipia s.f.
calitípico adj.
calitricácea s.f.
calitricáceo adj.
calítrico s.m.
calitríplice s.m.
calítrique s.f.
calitríquea s.f.
calitríqueo adj.
calitriquídeo adj. s.m.
calitriquínea s.f.
calitriquíneo adj.
caliúria s.f.
cálix (*is*) s.m.

calkinsita s.f.
callaghanita s.f.
calma s.f.
calmante adj.2g. s.m.
calmão adj. s.m.
calmar v. s.m.
calmaria s.f.
calmativo adj. s.m.
calmável adj.2g.
calmázio s.m.
calmeira s.f.
calmeirão adj. s.m.
calmeiro adj. s.m.
calmersita s.f.
calmiça s.f.
calmo adj.
calmodulina s.f.
calmogra s.f.
calmonense adj. s.2g.
calmoroso (*ô*) adj.; f. (*ó*); pl. (*ó*)
calmorrear v.
calmoso (*ô*) adj.; f. (*ó*); pl. (*ó*)
calmuco adj. s.m.
calo s.m. "calosidade"; cf. *caló* e *calô*
caló s.m. "cigano", etc.; cf. *calo* s.m., fl. do v. *calar* e *calô*
calô s.m. "calão de marginais"; cf. *calo* s.m., fl. do v. *calar*, e *caló*
calóbata s.2g.
calocéfalo adj. s.m.
calocortácea s.f.
calocortáceo adj.
calocorto s.m.
calódemo s.m.
calodendro s.m.
calodermia s.f.
calodérmico adj.
calódero s.m.
calódio s.m.
calódisa s.f.
calódraco s.m.
calódromo s.m.
caloeira s.f.
caloeiro s.m.
calões s.m.pl.
calofácea s.f.
calofáceo adj.
calofásia s.m.
calofeno s.m.
calofile s.f.
calofilea s.f.
calofíleo adj.
calofilo adj. s.m.
calofilóidea s.f.
calofilóideo adj.
calofisa s.f.
calofiso s.m.
calófita s.f.
calóforo s.m.
calogerasita s.f.
calogerense adj. s.2g.
calógero s.m.
calogínia s.f.
caloglossa s.f.
calógnato s.m.
calóidea s.f.
caloidofone s.m.
caloirada s.f.
caloirato s.m.
caloirice s.f.
caloiro s.m.
caloji s.m.
calojiense adj. s.2g.
calolo (*ô*) s.m.
calom s.m.
calomania s.m.
calomaníaco adj. s.m.
calômato s.m.
calombado adj.
calombe s.m.
calombento adj.
calombo s.m.
calombro s.m.
calomecona s.f.
calomecono s.m.
calomel s.m.
calomelano s.m.
calomélano s.m.
calometria s.f.
calométrico adj.
calômetro s.m.
calona s.f.
calonde s.m.
calongo s.m.
caloníctio s.m.
calônio s.m.
calonita adj. s.2g.
calopíneo adj. s.m.
calopogônio s.m.
calopsita s.f.
calóptero adj.
calor (*ô*) s.m.
caloraça s.f.
caloraço s.m.
calorama s.f.
calorão s.m.
caloreira s.f.
calorento adj.
calorescência s.f.
caloria s.f.
calória s.f.
caloria-grama s.f.; pl. *calorias-grama* e *calorias-gramas*
caloricidade s.f.
calórico adj. s.m.
calorífero adj. s.m.
calorificação s.f.
calorificado adj.
calorificador (*ô*) adj. s.m.
calorificar v.
calorificável adj.
calorífico adj. s.m.; cf. *calorifico*, fl. do v. *calorificar*
calorífugo adj.
calorígeno adj.
calorígero adj.
calorim s.m.
calorimetria s.f.
calorimétrico adj.
calorímetro s.m.
calorimotor (*ô*) s.m.
caloripunctura s.f.
caloripuntura s.f.
calorização s.f.
calorizador (*ô*) s.m.
calorizar v.
calor nos olhos s.m.
caloroso (*ô*) adj.; f. (*ó*); pl. (*ó*)
calorrinco s.m.
calorrinquídeo adj. s.m.
calose s.f.
calósico adj.
calosidade s.f.
caloso (*ô*) adj.; f. (*ó*); pl. (*ó*)
calospiza s.f.
calossauro s.m.
calossomo s.m.
calostema s.m.
calostigmo s.m.
calóstoma s.f.
calostomatácea s.f.
calostomatáceo adj.
calota s.f.
calotâmnio s.m.
calotamno s.m.
calote s.m.f.
caloteação s.f.
caloteado adj.
caloteador (*ô*) adj. s.m.
caloteamento s.m.
calotear v.
caloteável adj.2g.
caloteirismo s.m.
caloteiro adj. s.m.
calotermes s.m.2n.
cálotes s.f.2n.
calotete s.f.
calotipia s.f.
calotípico adj.
calotipo s.m.
calótipo s.m.
calotismo s.m.
calotórax (*cs*) s.m.2n.
calourada s.f.
calourar v.
calourato s.m.
calourice s.f.
calourismo s.m.
calouro s.m.
calova s.f.
caloviano adj. s.m.
calpa s.f.
calpaina s.f.
calpandria s.f.
calpaque s.m.
cálpar s.m.
calpense adj. s.2g.
calpicarpo s.m.
cálpide adj.2g. s.f.
calpídia s.f.
calpiíneo adj. s.m.
calpo s.m.
calpúrnia s.f.
calque s.m.
calquina s.f.
calracho s.m.
calsequestrina s.f.
calta s.f.
caltoide (*ó*) adj.2g.
caltropela s.m.
cáltula s.f.
calu s.m.
calua s.f.
caluba s.f.
caluçanje s.m.
caluda s.f. interj.
caluena s.f.
caluete (*ê*) s.m.
caluga s.f.
caluiana s.f.
caluio adj. s.m.
caluje s.m.
calujeiro s.m.
calula s.f.
calulo s.m.
calum s.m.
calumba s.f. "cipó"; cf. *calumbá*
calumbá s.f. "garapa"; cf. *calumba*
calumba-da-carolina s.f.; pl. *calumbas-da-carolina*
calumba-do-brasil s.f.; pl. *calumbas-do-brasil*
calumbé s.m.
calumberembe s.m.
calumbi s.m.
calúmbico adj.
calumbi-d'água s.f.; pl. *calumbis-d'água*
calumbi-da-lagoa s.m.; pl. *calumbis-da-lagoa*
calumbiense adj. s.2g.
calumetita s.f.
caluna s.f.
calundeiro adj. s.m.
calundu s.m.
calunduzeiro adj. s.m.
calunga s.m.f.
calungagem s.f.
calungo s.m.
calungueira s.f.
calungueiro adj. s.m.
calungumbo s.m.
calúnia s.f.; cf. *calunia*, fl. do v. *caluniar*
caluniação s.f.
caluniado adj. s.m.
caluniador (*ô*) adj. s.m.
caluniamento s.m.
caluniante adj.2g.
caluniar v.
caluniável adj.2g.
calunioso (*ô*) adj.; f. (*ó*); pl. (*ó*)
caluno s.m.
caluqui s.m.
caluranje s.m.
caluro s.m.
cálus s.m.2n.
cálutron s.m.
calva s.f.
calvado adj. s.m.
calvar v.
calvária s.f.
calvário s.m.
calvarista adj. s.2g.
calvejar v.
calvez (*ê*) s.f.
calvície s.f.
calvim s.m.
calviniano adj.
calvinismo s.m.
calvinista adj. s.2g.
calvinístico adj.
calvino adj.
calvo adj. s.m.
calvonigrita s.f.
calvonigrite s.f.
calvura s.f.
calzirtita s.f.
cama s.m.f.
camaá s.m.
camaáxi s.f.
cama-beliche s.f.; pl. *camas-beliche* e *camas-beliches*
camacã adj. s.2g. s.m.
camaçada s.f.
camaçajiense adj. s.2g.
camacamará s.m.
camaçandiense adj. s.2g.
camacanense adj. s.2g.
camacaocense adj. s.2g.
camacaré s.m.
camaçari s.m.
camaçariense adj. s.2g.
camacãzense adj. s.2g.
camacheiro s.m.
camachense adj. s.2g.
camachismo s.m.
camachista adj. s.2g.
camacho adj. s.m.
camacibra s.f.
camacilra s.f.
camacinde s.m.
camacita s.f.
camacu s.m.
camacundi s.m.
camacupense adj. s.2g.
camada s.f.
camada-limite s.f.; pl. *camadas-limite* e *camadas-limites*
cama de bretão s.f.
cama de gato s.f.
camadeva (*ê*) s.m.
cama de varas s.f.
cama de vento s.f.
camafeu s.m.
camafonje s.m.
camaguã s.m.
camaia s.f.
camaipiense adj. s.2g.
camaísma s.2g.
camaiuá s.f.
camaiurá adj. s.2g.
camajari adj. s.2g.
camaji s.m.
camajondura s.f.
camal s.m.
camala s.f.
camalássana s.f.
camalauense adj. s.2g.
camáldulas s.f.pl.
camaldulense adj. s.2g.
camáldulo adj. s.m.
camaleão s.m.
camaleão-branco s.m.; pl. *camaleões-brancos*
camaleão-caba s.m.; pl. *camaleões-caba* e *camaleões-cabas*
camaleão-de-pedreira s.m.; pl. *camaleões-de-pedreira*
camaleão-ferro s.m.; pl. *camaleões-ferro* e *camaleões-ferros*
camaleão-grande s.m.; pl. *camaleões-grandes*
camaleão-mineral s.m.; pl. *camaleões-minerais*
camaleão-pequeno s.m.; pl. *camaleões-pequenos*
camaleão-preto s.m.; pl. *camaleões-pretos*
camaleão-verde s.m.; pl. *camaleões-verdes*
camaleão-vermelho s.m.; pl. *camaleões-vermelhos*
camalear v.
camaleonense adj. s.2g.
camaleônico adj.
camaleônida adj.2g. s.m.
camaleonídeo adj. s.m.
camaleonismo s.m.
camaleonístico adj.
camaleontídeo adj. s.m.
camalete (*ê*) s.m.
camalha s.f.
camalhão s.m.
camalho s.m.
camalirina s.f.
camalote s.m.
camalotilho s.m.
camamana s.f.
camambaia s.f.
camambu s.m.
camamu adj. s.2g.
camamuense adj. s.2g.
camamum s.m.
camamuri s.m.
camaná s.m.
camandro s.m.
camanduá s.m.
camanducaia s.f.
camanducaiense adj. s.2g.
camândulas s.f.pl.
camanguá s.f.
camanho adj.
camanioca s.f.
camansaí s.m.
camanturai s.m.
camanturari s.m.
camanxe s.f.
camão s.m.
camapé s.m.
camapu s.m.
camapuanense adj. s.2g.
camapuano adj. s.m.
camapuense adj. s.2g.
camapunho adj.
camaquanense adj. s.2g.
camaquão s.m.
camaquema s.f.
camaquense (*ü*) adj. s.2g.
camará s.m. "arbusto"; cf. *câmara*
câmara s.f. "aposento"; cf. *camará*
camará-açu s.m.; pl. *camarás-açus*
câmara-ardente s.f.; pl. *câmaras-ardentes*
camarabando s.m.
camará-branco s.m.; pl. *camarás-brancos*
camará-bravo s.m.; pl. *camarás-bravos*
câmara-caixão s.f.; pl. *câmaras-caixão* e *câmaras-caixões*
camaracubo s.m.
camarada adj. s.2g.
camaradagem s.f.
camaradal adj.2g.
camaradão s.m.
camaradar v.
camaradaria s.f.
câmara de ar s.f.
camará-de-bilro s.m.; pl. *camarás-de-bilro*
camará-de-boi s.m.; pl. *camarás-de-boi*
camará-de-cavalo s.m.; pl. *camarás-de-cavalo*
camará-de-cheiro s.m.; pl. *camarás-de-cheiro*
camará-de-espinho s.m.; pl. *camarás-de-espinho*
camaradeiro adj.
camaradense adj. s.2g.
camaradesco (*ê*) adj.
camaradinha s.2g. s.f.
camará-do-mato s.m.; pl. *camarás-do-mato*
camaraense adj. s.2g.
camarajapo s.m.
camarajibano adj. s.m.
camarajibense adj. s.2g.
camarajuba s.f.
camaral adj.2g.
camarambaia s.f.
camará-miúdo s.m.; pl. *camarás-miúdos*

camará-miúdo-de-espinho s.m.; pl. *camarás-miúdos-de-espinho*
camarano adj.
camarão adj. s.m.
camarão-braço-forte s.m.; pl. *camarões-braço-forte* e *camarões-braços-fortes*
camarão-branco s.m.; pl. *camarões-brancos*
camarão-bruto s.m.; pl. *camarões-brutos*
camarão-bruxo s.m.; pl. *camarões-bruxos*
camarão-caboclo s.m.; pl. *camarões-caboclos*
camarão-castanho s.m.; pl. *camarões-castanhos*
camarão-d'água-doce s.m.; pl. *camarões-d'água-doce*
camarão-da-areia s.m.; pl. *camarões-da-areia*
camarão-da-malásia s.m.; pl. *camarões-da-malásia*
camarão-das-corredeiras s.m.; pl. *camarões-das-corredeiras*
camarão-de-areia s.m.; pl. *camarões-de-areia*
camarão-de-estalo s.m.; pl. *camarões-de-estalo*
camarão-de-pedra s.m.; pl. *camarões-de-pedra*
camarão-de-penedo s.m.; pl. *camarões-de-penedo*
camarão-de-sete-barbas s.m.; pl. *camarões-de-sete-barbas*
camarão-do-lixo s.m.; pl. *camarões-do-lixo*
camarão-ferro s.m.; pl. *camarões-ferro* e *camarões-ferros*
camarão-gigante-da-malásia s.m.; pl. *camarões-gigantes-da-malásia*
camarão-grande s.m.; pl. *camarões-grandes*
camarão-lagosta s.m.; pl. *camarões-lagosta* e *camarões-lagostas*
camarão-legítimo s.m.; pl. *camarões-legítimos*
camarão-limpador s.m.; pl. *camarões-limpadores*
camarão-lixa s.m.; pl. *camarões-lixa* e *camarões-lixas*
camarão-lixo s.m.; pl. *camarões-lixo* e *camarões-lixos*
camarão-mouro s.m.; pl. *camarões-mouros*
camarão-pistola s.m.; pl. *camarões-pistola* e *camarões-pistolas*
camarão-rosa s.m.; pl. *camarões-rosa* e *camarões-rosas*
camarão-sossego s.m.; pl. *camarões-sossego* e *camarões-sossegos*
camarão-vegetal s.m.; pl. *camarões-vegetais*
camarão-verdadeiro s.m.; pl. *camarões-verdadeiros*
camarão-vermelho s.m.; pl. *camarões-vermelhos*
camarão-vila-franca s.m.; pl. *camarões-vila-franca* e *camarões-vilas-francas*
camarãozinho s.m.
camararé adj. s.2g.
camararia s.f.
camarário adj. s.m.
camará-roxo s.m.; pl. *camarás-roxos*
camarassauro s.m.
camarata s.f.
camaratão s.m.
camarate s.m.
camaratiba s.f.
camaratinga s.f.
camaratuba s.f.
camaratubense adj. s.2g.
camarau s.m.
camará-verdadeiro s.m.; pl. *camarás-verdadeiros*
camará-vermelho s.m.; pl. *camarás-vermelhos*
camaraxó adj. s.2g.
camarazal s.m.
camarbacute s.m.
camarbando s.m.
camarçada s.f.
camarção s.m.
camarço s.m.
camareana adj. s.2g.
camareira s.f.
camareira-mor s.f.; pl. *camareiras-mores*
camareiro s.m.
camareiro-mor s.m.; pl. *camareiros-mores*
camarense adj. s.2g.
camarento adj.
camareta (*ê*) s.f.
camargo adj. s.m.
camarguense adj. s.2g.
camaria s.f. "planta rasteira"; cf. *camária*
camária s.f. "inseto"; cf. *camaria*
camarilha s.f.
camarim s.m.
camarimba s.f.
camarina s.f.
camarinha s.f.
camarinhado adj.
camarinhar v.
camarinheira s.f.
camarino s.m.
camaripuguaçu s.m.
camarista s.2g.
camarita adj. s.2g.
camarlengado s.m.
camarlengo s.m.
camarneira s.f.
camarócrino adj. s.m.
camarodonte adj.2g. s.m.
camaroeira s.f.
camaroeiro s.m.
camarólogo s.m.
camaroneiro s.m.
camaronense adj. s.2g.
camaronês s.m.
camaronoto s.m.
camaropi s.m.
camaropim s.m.
camaróptera s.f.
camarose s.f.
camarossáurida adj.2g. s.m.
camarossaurídeo adj. s.m.
camarossáurio s.m.
camarota s.f.
camarote s.m.
camarote de boca s.m.
camarote de vento s.m.
camarote do sereno s.m.
camarote do torres s.m.
camaroteiro s.m.
camarotiba s.f.
camarótico adj.
camarótide adj.2g. s.f.
camaroto (*ô*) s.m.
camarrinco s.m.
camartelada s.f.
camartelador (*ô*) adj. s.m.
camartelar v.
camartelo s.m.
camaru s.m.
camaruji s.m.
camarupi s.m.
camarupim s.m.
camásia s.f.
camassino adj. s.m.
camastralho s.m.
camatanga s.f.
camate s.m.
camateiense adj. s.2g.
camateira s.f.
camatúlico adj. s.m.
camau s.m.
camauro adj. s.m.
camavo adj. s.m.
camaxi adj. s.2g.
camaxilra s.f.
camaxiri adj. s.2g.
camaxirra s.f.
camba adj. s.2g. s.m.f. "grupo indígena", etc.; cf. *cambá*
cambá s.2g. s.m. "negro", etc.; cf. *camba* adj. s.2g. s.m.f. e fl. do v. *cambar*
cambaaçá s.f.
cambacã s.f.
cambacece (*ê*) s.f.
cambacica s.f.
cambada s.f.
cambadela s.f.
cambado adj.
cambadoiro s.m.
cambador (*ô*) adj. s.m.
cambadouro s.m.
cambaí s.m.
cambaia s.f.
cambaião s.m.
cambaiar v.
cambaiate adj. s.2g.
cambaico adj. s.m.
cambaiense adj. s.2g.
cambaio adj. s.m.
cambal s.m.
cambala s.m.
cambalacha s.f.
cambalachar v.
cambalacheiro adj. s.m.
cambalacho s.m.
cambaleação s.f.
cambaleado adj.
cambaleador (*ô*) adj.
cambaleante adj.2g.
cambaleão s.m.
cambalear v.
cambaleio s.m.
cambalenga s.f.
cambalhão s.m.
cambalheira s.f.
cambalhota s.f.
cambalhotada s.f.
cambalhotar v.
cambalhoteiro s.m.
cambalim s.m.
cambaluço s.m.
cambaluz s.m.
cambamento s.m.
cambanambi s.m.
cambango s.m.
cambanje s.m.
cambanranguanjê s.m.
cambão adj. s.m.
cambapé s.m.
cambaquarense adj. s.2g.
cambar v.
cambará s.m.
cambará-amarelo s.m.; pl. *cambarás-amarelos*
cambará-branco s.m.; pl. *cambarás-brancos*
cambará-de-capoeira s.m.; pl. *cambarás-de-capoeira*
cambará-de-cheiro s.m.; pl. *cambarás-de-cheiro*
cambará-de-chumbo s.m.; pl. *cambarás-de-chumbo*
cambará-de-duas-cores s.m.; pl. *cambarás-de-duas-cores*
cambará-de-espinho s.m.; pl. *cambarás-de-espinho*
cambará-de-folha-grande s.m.; pl. *cambarás-de-folha-grande*
cambará-de-folha-miúda s.m.; pl. *cambarás-de-folha-miúda*
cambará-de-lixa s.m.; pl. *cambarás-de-lixa*
cambará-de-meia-légua s.m.; pl. *cambarás-de-meia-légua*
cambará-do-campo s.m.; pl. *cambarás-do-campo*
cambará-do-mato s.m.; pl. *cambarás-do-mato*
cambaraense adj. s.2g.
cambará-guaçu s.m.; pl. *cambarás-guaçus*
cambaraí s.m.
cambarajuba s.m.
cambará-miúdo s.m.; pl. *cambarás-miúdos*
cambará-miúdo-de-espinho s.m.; pl. *cambarás-miúdos-de-espinho*
cambará-pitanga s.m.; pl. *cambarás-pitanga* e *cambarás-pitangas*
cambará-preto s.m.; pl. *cambarás-pretos*
cambará-rosa s.m.; pl. *cambarás-rosa* e *cambarás-rosas*
cambará-roxo s.m.; pl. *cambarás-roxos*
cambaratibano adj. s.m.
cambaratibense adj. s.2g.
cambará-verdadeiro s.m.; pl. *cambarás-verdadeiros*
cambará-vermelho s.m.; pl. *cambarás-vermelhos*
cambarazinhense adj. s.2g.
cambarazinho s.m.
cambarba s.f.
cambareira s.f.
cambaricho s.m.
cambariçu s.m.
cambarriola s.f.
cambarro s.m.
cambau s.m.
cambaubense adj. s.2g.
cambaúva s.f.
cambaxilra s.f.
cambaxirra s.f.
cambaxirra-grande s.f.; pl. *cambaxirras-grandes*
cambaz adj.2g. s.m.
cambeba adj. s.2g. s.m.f.
cambeense adj. s.2g.
cambeia s.f.
cambeira s.f.
cambeirada s.f.
cambeiral s.m.
cambeiro adj. s.m.
cambelão s.m.
cambembe adj. s.2g.
cambéri s.m.
camberrano adj. s.m.
camberrense adj. s.2g.
cambeta (*ê*) adj. s.2g.
cambeteante adj.2g.
cambetear v.
cambéua s.f.
cambeúva adj.2g.
cambeva adj. s.2g. s.m.
cambiação s.f.
cambiacho s.m.
cambiaço s.m.
cambiado adj.
cambiador (*ô*) adj. s.m.
cambiagem s.f.
cambial adj. s.2g.
cambialidade s.f.
cambialização s.f.
cambializável adj.2g.
cambiamento s.m.
cambiância s.f.
cambiante adj.2g. s.m.
cambiar v.
cambiário adj.
cambiascense adj. s.2g.
cambiasquense adj. s.2g.
cambiável adj.2g.
cambica s.f.
cambicho s.m.
cambiço s.m.
cambiforme adj.2g.
cambimba s.f.
cambinda adj. s.2g.
cambindas s.f.pl.
câmbio s.m.; cf. *cambio*, fl. do v. *cambiar*
cambir s.m.
cambira s.f.
cambirense adj. s.2g.
cambirimba s.m.
cambiro s.m.
cambiroto (*ô*) s.m.
cambismo s.m.
cambista adj. s.2g.
cambístico adj.
cambitagem s.f.
cambitar v.
cambitear v.
cambiteira s.f.
cambiteiro s.m.
cambitinhos s.m.pl.
cambito s.m.
cambiuense adj. s.2g.
cambixo s.m.
cambo adj. s.m.
camboa (*ô*) s.f.
camboada s.f.
camboapinense adj. s.2g.
camboar v.
camboatá s.m.
camboatã s.m.
camboatã-branco s.m.; pl. *camboatãs-brancos*
camboatã-bravo s.m.; pl. *camboatãs-bravos*
camboatã-da-baía s.m.; pl. *camboatãs-da-baía*
camboatã-da-capoeira s.m.; pl. *camboatãs-da-capoeira*
camboatã-de-folha-grande s.m.; pl. *camboatãs-de-folha-grande*
camboatã-de-folha-miúda s.m.; pl. *camboatãs-de-folha-miúda*
camboatã-de-leite s.m.; pl. *camboatãs-de-leite*
camboataense adj. s.2g.
camboatã-mirim s.m.; pl. *camboatãs-mirins*
camboatã-mosquiteiro s.m.; pl. *camboatãs-mosquiteiros*
camboatã-pequeno s.m.; pl. *camboatãs-pequenos*
camboatã-vermelho s.m.; pl. *camboatãs-vermelhos*
camboeira s.f.
camboeiro s.m.
cambói s.m.
camboim s.m.
camboína s.f.
camboinense adj. s.2g.
camboja adj. s.2g.
cambojano adj. s.m.
cambójia s.f.
cambojiano adj. s.m.
cambola s.f.
cambolação s.f.
cambolador (*ô*) adj. s.m.
cambolar v.
cambolectro adj. s.m.
cambolim s.m.
cambona s.f.
cambonda s.f.
cambonde s.m.
cambondo adj. s.m.
cambone s.m.
cambonja s.f.
cambonje s.f.
cambono s.m.
cambonzo s.m.
camboriuense adj. s.2g.
cambota adj. s.2g. s.f.
cambota-brava s.f.; pl. *cambotas-bravas*
cambotado s.m.
cambotas adj. s.2g.2n.
cambote s.m.
camboté s.m.
camboteado adj.
cambraia adj.2g. s.f.
cambraieta (*ê*) s.f.
cambrainha s.f.
cambrão s.m.
cambrar v.
cambrática s.f.
cambriano adj. s.m.
câmbrico adj. s.m.
cambrina s.f.
cambriquite s.m.
cambroeira s.f.

cambroeira-bastarda s.f.; pl. *cambroeiras-bastardas*
cambrone s.m.
cambro-ordoviciano adj.; pl. *cambro-ordovicianos*
cambuaaca s.f.
cambuaca s.f.
cambuanza s.m.
cambuba s.m.
cambucá s.m.
cambucaense adj. s.2g.
cambucarana s.f.
cambucá-verdadeiro s.m.; pl. *cambucás-verdadeiros*
cambucazeiro s.m.
cambuci s.m.
cambucica adj.2g.
cambuciense adj. s.2g.
cambucu s.m.
cambuçuense adj. s.2g.
cambudice s.f.
cambudo adj.
cambueira s.f.
cambueiras s.f.pl.
cambueiro s.m.
cambuí s.m.
cambuí-amarelo s.m.; pl. *cambuís-amarelos*
cambuí-bala s.m.; pl. *cambuís-bala* e *cambuís-balas*
cambuí-da-praia s.m.; pl. *cambuís-da-praia*
cambuí-da-restinga s.m.; pl. *cambuís-da-restinga*
cambuí-de-cachorro s.m.; pl. *cambuís-de-cachorro*
cambuí-do-campo s.m.; pl. *cambuís-do-campo*
cambuiense adj. s.2g.
cambuí-preto s.m.; pl. *cambuís-pretos*
cambuí-roxo s.m.; pl. *cambuís-roxos*
cambuí-verdadeiro s.m.; pl. *cambuís-verdadeiros*
cambuizal s.m.
cambuizeiro s.m.
cambuizense adj. s.2g.
cambuizinho s.m.
cambula s.f.
cambulha s.f.
cambulhada s.f.
cambulhão s.m.
cambulho s.m.
cambulo s.m.
cambulubo s.m.
cambumba s.f.
cambundo s.m.
cambungo s.m.
cambuquira s.f.
cambuquirense adj. s.2g.
camburão s.m.
camburi s.m.
camburiapeva s.m.
camburiense adj. s.2g.
cambuta adj. s.2g.
cambuto adj. s.m.
cambuva s.f.
came s.f. "peça giratória"; cf. *camé*
camé adj. s.2g. "indígena"; cf. *came*
cameação s.f.
cameamígdala s.f.
camear v.
camecefalia s.f.
camecefálico adj.
camecéfalo adj. s.m.
camecíparis s.m.2n.
cameciparisso s.m.
cameconcho s.m.
cameconco adj.
cameconquia s.f.
camecônquico adj.
camecrã adj. s.2g.
camecranial adj.2g.
camedórea s.f.
camedóreo adj.
camédrios s.m.2n.
caméfita s.f.
caméfito adj. s.m.
cameia (*ê*) s.f.
camelão s.m.
camelaria s.f.
camelário adj. s.m.
cameleão s.m.
cameleia (*ê*) s.f.
cameleira s.f.
cameleiro adj. s.m.
camelense adj. s.2g.
cameleoniano adj. s.m.
cameleônico adj.
cameleônida adj.2g. s.m.
cameleonídeo adj. s.m.
cameleonismo s.m.
cameleontídeo adj. s.m.
cameleopardo s.m.
camelete (*ê*) s.m.
cameleucínea s.f.
cameleucíneo adj.
camélia s.f.
cameliácea s.f.
cameliáceo adj.
cameliano s.m.
camelice s.f.
camélida adj.2g. s.m.
camelídeo adj. s.m.
cameliforme adj.2g.
camelina s.f.
camelínea s.f.
camelíneo adj.
camelino adj.
camelo (*ê*) s.m. "animal"; cf. *camelô*
camelô s.2g. "vendedor ambulante"; cf. *camelo*
camelo-árabe s.m.; pl. *camelos-árabes*
camelo-de-uma-bossa s.m.; pl. *camelos-de-uma-bossa*
camelo-doméstico s.m.; pl. *camelos-domésticos*
camelódromo s.m.
cameloide (*ó*) adj.2g.
camelopárdale s.m.
camelopardálida adj.2g. s.m.
camelopardalídeo adj. s.m.
camelório s.m.
camelornito s.m.
camelote s.m.
camelotina s.f.
camena s.f.
camenal adj.2g.
camenes s.m.2n.
camengamenha s.f.
camepence s.f.
cameprosopia s.f.
cameprosópico adj.
cameprosopo adj.
câmera s.f.
camerado adj. s.m.
cameral adj.2g.
camerântemo s.m.
camerário adj. s.m.
camerino adj. s.m.
camerismo s.m.
camerista adj. s.2g.
camerístico adj.
cameritela s.f.
camerização s.f.
camerlengado s.m.
camerlengo adj. s.m.
cameronianismo s.m.
cameroniano adj. s.m.
camerônio s.m.
cameróstomo s.m.
camerrino adj.
camerte adj. s.2g.
camérula s.f.
camerunga s.f.
camessa s.f.
camessáurida adj.2g. s.m.
camessaurídeo adj. s.m.
camessauro s.m.
camessifão s.m.
camessifonácea s.f.
camessifonal adj.2g.
camessifonale s.f.
camestres s.m.2n.
camestros s.m.2n.
cametaense adj. s.2g.
cametaú s.m.
camexe s.m.
câmi s.m.
camião s.m.
camiapia s.f.
camica s.f.
camicase s.m.
camicaze s.m.
camichim s.m.
camila s.f.
camilesco (*ê*) adj.
camilha s.f.
camiliana s.f.
camilianismo s.m.
camilianista adj. s.2g.
camilianístico adj.
camiliano adj. s.m.
camilismo s.m.
camilista adj. s.2g.
camilo adj. s.m.
camina s.f.
caminaú s.m.
camindongage s.f.
caminha s.f.
caminhada s.f.
caminhadela s.f.
caminhador (*ô*) adj. s.m.
caminhamento s.m.
caminhante adj. s.2g.
caminhão s.m.
caminhão-baú s.m.; pl. *caminhões-baú* e *caminhões-baús*
caminhão-cisterna s.m.; pl. *caminhões-cisterna* e *caminhões-cisternas*
caminhão-tanque s.m.; pl. *caminhões-tanque* e *caminhões-tanques*
caminhãozeiro s.m.
caminhar v.
caminheira s.f.
caminheiro adj. s.m.
caminhense adj. s.2g.
caminheta (*ê*) s.f.
caminho s.m.
caminho de mesa s.m.
caminho de rato s.m.
caminhoneiro s.m.
caminhoneta (*ê*) s.f.
caminhonete s.f.
camini s.m.
camino s.m.
caminologia s.f.
caminológico adj.
caminotecnia s.f.
caminotécnico adj.
camionagem s.f.
camioneta (*ê*) s.f.
camionete s.f.
camionista adj. s.2g.
camira s.f.
camiranga s.f.
camiranguense adj. s.2g.
camirinense adj. s.2g.
camisa s.f.
camisa-d'água s.f.; pl. *camisas-d'água*
camisa de força s.f.
camisa de meia s.f. "camiseta"
camisa-de-meia s.f. "espécie de peixe"; "espécie de ave"; pl. *camisas-de-meia*
camisa de vênus s.f.
camisa-negra s.f.; pl. *camisas-negras*
camisão s.m.
camisaria s.f.
camisa-verde adj. s.2g.; pl. *camisas-verdes*
camiseira s.f.
camiseiro adj. s.m.
camiseta (*ê*) s.f.
camisinha s.f.
camisola s.f.
camisolão s.m.
camisoleira s.f.
camisoleiro s.m.
camisolim s.m.
camisote s.m.
camissônia s.f.
camisu s.m.
camita adj. s.2g.
camítico adj.
camito-hamítico adj.; pl. *camito-hamíticos*
camito-semita adj.; pl. *camito-semitas*
camito-semítico adj.; pl. *camito-semíticos*
camixela s.f.
camixi s.m.
camoatá s.m.
camoati s.m.
camoatim s.m.
camobiense adj. s.2g.
camoca s.f.
camocho (*ô*) s.m.
camocica s.m.
camocim-felicense adj. s.2g.; pl. *camocim-felicenses*
camocinense adj. s.2g.
camoeca s.f.
camoeiro s.m.
camoênsia s.f.
camoês adj.
camões s.m.2n.
camoesa (*ê*) s.f.
camoiro adj.
camoísta adj. s.2g.
camol s.m.
camolenga s.f.
camolenguense adj. s.2g.
camomila s.f.
camomila-amarela s.f.; pl. *camomilas-amarelas*
camomila-catinga s.f.; pl. *camomilas-catinga* e *camomilas-catingas*
camomila-dos-alemães s.f.; pl. *camomilas-dos-alemães*
camomila-fétida s.f.; pl. *camomilas-fétidas*
camomila-nobre s.f.; pl. *camomilas-nobres*
camomila-romana s.f.; pl. *camomilas-romanas*
camomila-verdadeira s.f.; pl. *camomilas-verdadeiras*
camomilena s.f.
camomilha s.f.
camondongo s.m.
camonha s.f.
camoniana s.f.
camonianismo s.m.
camonianista adj. s.2g.
camonianístico adj.
camoniano adj. s.m.
camonismo s.m.
camonista adj. s.2g.
camonístico adj.
camonizar v.
camonólatra adj. s.2g.
camonolatria s.f.
camonolátrico adj.
camonologia s.f.
camonológico adj.
camonólogo s.m.
camopiense adj. s.2g.
camopim s.m.
camoquenque s.m.
camorço (*ô*) s.m.
camorim s.m.
camorim-peba s.m.; pl. *camorins-pebas*
camorim-sovela s.m.; pl. *camorins-sovela* e *camorins-sovelas*
camorra (*ô*) s.f.
camorrismo s.m.
camorrista adj. s.2g.
camosita s.f.
camote s.m.
camotim s.m.
camouco s.m.
camouro adj.
campa adj. s.2g. s.f.
campação s.f.
campado adj. s.m.
campador (*ô*) adj. s.m.
câmpago s.m.
campainha (*aí*) s.f.
campainha-amarela s.f.; pl. *campainhas-amarelas*
campainha-azul s.f.; pl. *campainhas-azuis*
campainha-branca s.f.; pl. *campainhas-brancas*
campainha-caída s.f.; pl. *campainhas-caídas*
campainhada s.f.
campainha-de-canudo s.f.; pl. *campainhas-de-canudo*
campainha-de-ouro s.f.; pl. *campainhas-de-ouro*
campainha-do-outono s.f.; pl. *campainhas-do-outono*
campainha-dos-tintureiros s.f.; pl. *campainhas-dos-tintureiros*
campainha-grande s.f.; pl. *campainhas-grandes*
campainhão s.m.
campainhar v.
campainha-vermelha s.f.; pl. *campainhas-vermelhas*
campainheiro s.m.
campal adj.2g. s.m.
campana s.f.
campanado adj.
campanar v.
campanariense adj. s.2g.
campanário s.m.
campaneado adj.
campanear v.
campaneiro adj. s.m.
campanense adj. s.2g.
campanha s.f.
campanhense adj. s.2g.
campanhista adj. s.2g.
campanhol s.m.
campaniano adj. s.m.
campaniclave s.f.
campaniço adj. s.m.
campaniense adj. s.2g.
campanifloro adj.
campaniforme adj.2g.
campanil s.m.
campanilha s.f.
campanilho s.m.
campanilo s.m.
campanina s.f.
campânio adj. s.m.
campanista adj. s.2g.
campano adj. s.m.
campanologia s.f.
campanólogo adj. s.m.
campanomania s.f.
campanomaníaco adj. s.m.
campanudo adj.
campânula s.f.
campanulácea s.f.
campanuláceo adj.
campanulada s.f.
campanulado adj.
campanulal adj.2g.
campanulale s.f.
campanular v. adj.2g.
campanulária s.f.; cf. *campanularia*, fl. do v. *campanular*
campanulárida adj.2g. s.m.
campanularídeo adj. s.m.
campanulário adj. s.m.
campanulato adj. s.m.
campanúlea s.f.
campanúleo adj.
campanulifloro adj.
campanuliforme adj.2g.
campanulina s.f.
campanuloide (*ó*) adj.2g.
campanulóidea s.f.
campanulóideo adj. s.m.
campão s.m.
campar v.
camparesco (*ê*) adj.
campáscuo s.m.
campbellista adj. s.2g.
campbellita adj. s.2g.
campé adj. s.2g.
campeã adj. s.f. de *campeão*
campeação s.f.
campeada s.f.
campeador (*ô*) adj. s.m.

campeanada s.f.
campeanar v.
campeão adj. s.m.; f. *campeã*
campear v.
campeba adj. s.2g.
campeche s.m.
campecheiro s.m.
campechense adj. s.2g.
campefagia s.f.
campefágida adj.2g. s.m.
campefagídeo adj. s.m.
campefagínea s.f.
campefagíneo adj. s.m.
campéfago adj. s.m.
campéfilo adj. s.m.
campeia (*ê*) s.f.
campeio s.m.
campeira s.f.
campeiraço s.m.
campeirada s.f.
campeiragem s.f.
campeirar v.
campeireada s.f.
campeirear v.
campeirense adj. s.2g.
campeiro adj. s.m.
campelense adj. s.2g.
campélia s.f.
campelo (*ê*) s.m.
campenomia s.f.
campenômico adj.
campense adj. s.2g.
campeonato s.m.
campesinado s.m.
campesinato s.m.
campesinho adj.
campesino adj.
campesterol s.m.
campestrar v.
campestre adj.2g. s.m.
campestrense adj. s.2g.
campestrino adj. s.m.
campetera s.f.
campetero s.m.
campeva adj. s.2g.
campiano adj. s.m.
campichano adj.
campicho s.m.
campícola adj.2g. s.m.
campidanês adj. s.m.
campido s.m.
campidoctor s.m.
campilação s.f.
campilanto s.m.
campilão s.m.
campiláspida adj. s.m.
campiláspide s.f.
campilaspídeo adj. s.m.
campilídio s.m.
campílio s.m.
campilípodo s.m.
campilirrinco s.m.
campilita s.f.
câmpilo s.m.
campilobacter s.m.
campilocário s.m.
campilocarpo s.m.
campilocelo s.m.
campilocentro s.m.
campiloclínio s.m.
campilodisco s.m.
campilodonte s.m.
campilódromo adj.
campilófito adj. s.m.
campilógrafo s.m.
campilograma s.m.
campilometria s.f.
campilométrico adj.
campilômetro s.m.
campilomorfo adj. s.m.
campilonemo s.m.
campiloneuro adj.
campilope s.m.
campilopegmado s.m.
campilopo s.m.
campilópode s.m.
campilóptero s.m.
campiloquilo s.m.
campilormoato s.m.
campilorrinco s.m.
campilorrítida s.f.
campilospermada s.f.
campilospermado adj.
campilospérmico adj.
campilospermo adj.
campilósporo s.m.
campilossomo s.m.
campilostáquida adj.2g. s.f.
campilostélio s.m.
campiloteco s.m.
campilotropia s.f.
campilotrópico adj.
campilótropo adj.
campimetria s.f.
campimétrico adj.
campímetro s.m.
campina s.f.
campinação s.f.
campinaçuense adj. s.2g.
campinagem s.f.
campina-grandense adj. s.2g.; pl. *campina-grandenses*
campinar v.
campinarana s.f.
campina-verdense adj. s.2g.; pl. *campina-verdenses*
campineiro adj. s.m.
campinema s.f.
campinematácea s.f.
campinematáceo adj.
campinematóidea s.f.
campinematóideo adj.
campinense adj. s.2g.
campinense-da-lagoa adj. s.2g.; pl. *campinenses-da-lagoa*
campinhais s.m.pl.
campinhal s.f.
campinhano s.m.
campinina s.m.
campino adj. s.m.
campino-monte-alegrense adj. s.2g.; pl. *campino-monte-alegrenses*
campinortense adj. s.2g.
campir v.
campismo s.m.
campista adj. s.2g.
campístico adj.
campo s.m.
campo-alegrense adj. s.2g.; pl. *campo-alegrenses*
campo-altense adj. s.2g.; pl. *campo-altenses*
campo-belense adj. s.2g.; pl. *campo-belenses*
campo-bonense adj. s.2g.; pl. *campo-bonenses*
campo-bonitense adj. s.2g.; pl. *campo-bonitenses*
campo-britense adj. s.2g.; pl. *campo-britenses*
campochano adj.
campo-chave s.m.; pl. *campos-chave* e *campos-chaves*
campo-compridense adj. s.2g.; pl. *campo-compridenses*
campódea s.f.
campodeídeo adj. s.m.
campodeiforme adj.2g. s.m.
campódeo adj.
campodeóideo adj. s.m.
campódida adj.2g. s.m.
campodídeo adj. s.m.
campo-dobrado s.m.; pl. *campos-dobrados*
campodza s.m.
campo-erense adj. s.2g.; pl. *campo-erenses*
campofagíneo adj. s.m.
campófago adj. s.m.
campo-floridense adj. s.2g.; pl. *campo-floridenses*
campo-formosense adj. s.2g.; pl. *campo-formosenses*
campo-grandense adj. s.2g.; pl. *campo-grandenses*
campo-imagem s.m.; pl. *campos-imagem* e *campos-imagens*
campo-larguense adj. s.2g.; pl. *campo-larguenses*
campo-limpense adj. s.2g.; pl. *campo-limpenses*
campolina adj.2g. s.2g.
campo-maiorense adj. s.2g.; pl. *campo-maiorenses*
campomanésia s.f.
campo-meense adj. s.2g.; pl. *campo-meenses*
campo-mouranense adj. s.2g.; pl. *campo-mouranenses*
campo-mourense adj. s.2g.; pl. *campo-mourenses*
campo-nativo s.m.; pl. *campos-nativos*
camponês adj. s.m.
camponesas (*ê*) s.f.pl.
camponesismo s.m.
campônio adj. s.m.
camponisco s.m.
camponotídeo adj. s.m.
camponoto s.m.
campo-novense adj. s.2g.; pl. *campo-novenses*
campo-objeto s.m.; pl. *campos-objeto* e *campos-objetos*
campo-parelho s.m.; pl. *campos-parelhos*
campo-redondense adj. s.2g.; pl. *campo-redondenses*
campos-altense adj. s.2g.; pl. *campos-altenses*
campo-santo s.m.; pl. *campos-santos*
campos-belense adj. s.2g.; pl. *campos-belenses*
campos-borgense adj. s.2g.; pl. *campos-borgenses*
campóscia s.f.
campos-elisiense adj. s.2g.; pl. *campos-elisienses*
campos-geraiense adj. s.2g.; pl. *campos-geraienses*
campos-geralense adj. s.2g.; pl. *campos-geralenses*
campos-gonçalense adj. s.2g.; pl. *campos-gonçalenses*
camposino adj. s.m.
campos-jordanense adj. s.2g.; pl. *campos-jordanenses*
campos-joseense adj. s.2g.; pl. *campos-joseenses*
campos-miguelense adj. s.2g.; pl. *campos-miguelenses*
campos-novense adj. s.2g.; pl. *campos-novenses*
campos-novos-paulistense adj. s.2g.; pl. *campos-novos-paulistenses*
camposo (*ô*) adj.; f. (*ó*); pl. (*ó*)
campos-salense adj. s.2g.; pl. *campos-salenses*
campo-sujo s.m.; pl. *campos-sujos*
campote s.f.
campotera s.f.
campo-valerense adj. s.2g.; pl. *campo-valerenses*
campovassôuria s.f.
campo-verdense adj. s.2g.; pl. *campo-verdenses*
campo-vicentense adj. s.2g.; pl. *campo-vicentenses*
campsário s.m.
campse s.f.
campsia s.f.
campsiandra s.f.
campsicnemo s.m.
campsim s.m.
campsiúro s.m.
campsógnato s.m.
campta s.f.
camptócero s.m.
camptocormia s.f.
camptocórmico adj.
camptocosmia s.f.
camptodactilia s.f.
camptodáctilo adj.
camptoderme s.f.
camptodonte s.m.
camptódromo adj.
camptógnato s.m.
camptograma s.m.
camptolemo s.m.
camptologia s.f.
camptológico adj.
camptometria s.f.
camptométrico adj.
camptônico s.m.
camptonito s.m.
camptonotídeo adj. s.m.
camptonoto s.m.
camptorrinco s.m.
camptorrino s.m.
camptoscélida adj.2g. s.f.
camptoscelídeo adj. s.m.
camptóscelo s.m.
camptósporo s.m.
camptossáurida adj.2g. s.m.
camptossaurídeo adj. s.m.
camptossáurio s.m.
camptossauro s.m.
camptossema s.f.
camptossomo s.m.
camptossoro s.m.
camptosterno s.m.
camptotécio s.m.
camptótropo adj.
campuava s.f.
campucheano adj. s.m.
campuda s.f.
campudo adj.
campuleia (*é*) s.f.
camsellita s.f.
camuá s.f.
camuacá s.m.
camuatá s.m.
camuatim s.f.
camucá s.m.
camucé s.m.
camuci s.m.
camuciense adj. s.2g.
camucim s.m.
camucinense adj. s.2g.
camucu s.m.
camueca s.f.
camuengo s.m.
camuflado adj.
camuflador (*ô*) adj.
camuflagem s.f.
camuflar v.
camuflável adj.2g.
camuga s.f.
camujiri s.f.
camulaia s.f.
camulenga s.f.
camumbembe s.m.
camundi s.m.
camundongo s.m.
camundongo-do-mato s.m.; pl. *camundongos-do-mato*
camungluquira s.f.
camunha s.f.
camunheca s.f.
camunhengue adj.2g.
camúnio s.m.
camuno adj. s.m.
camunzé s.f.
camupim s.m.
camuquenque s.m.
camurapim s.m.
camurça adj.2g. s.f.
camurçado adj.
camurçagem s.f.
camurcina s.f.
camuri s.m.
camurim s.m.
camurim-açu s.m.; pl. *camurins-açus*
camurim-bicudo s.m.; pl. *camurins-bicudos*
camurim-branco s.m.; pl. *camurins-brancos*
camurim-cabo-de-machado s.m.; pl. *camurins-cabo-de-machado*
camurim-corcunda s.m.; pl. *camurins-corcunda* e *camurins-corcundas*
camurim-flecha s.m.; pl. *camurins-flecha* e *camurins-flechas*
camurimpeba s.m.
camurim-sovela s.m.; pl. *camurins-sovela* e *camurins-sovelas*
camurim-tapa s.m.; pl. *camurins-tapa* e *camurins-tapas*
camurim-ticopá s.m.; pl. *camurins-ticopá* e *camurins-ticopás*
camuripeba s.f.
camuripema s.m.
camuripi s.m.
camuripim s.m.
camuru s.m.
camuru-cariri adj. s.2g.; pl. *camurus-cariris*
camuru-de-cheiro s.m.; pl. *camurus-de-cheiro*
camurujiense adj. s.2g.
camurupeba s.f.
camurupi s.f.
camurupim s.m.
camurupinense adj. s.2g.
camuscadense adj. s.2g.
camussequere adj. s.2g.
camutanga s.f.
camutanguense adj. s.2g.
camutiense adj. s.2g.
camuto s.m.
cana s.f.
canaanense adj. s.2g.
canaanesco (*ê*) adj.
canaaneu adj. s.m.
canaanita s.f.
canaanite s.f.
canaanítico adj.
canabácea s.f.
canabáceo adj.
canabaço s.m.
canabarrense adj. s.2g.
canabarro s.m.
cânabe s.f.
canabebi s.m.
canabena s.f.
canabênico adj.
canabênio s.m.
canabina s.f.
canabinácea s.f.
canabináceo adj.
canabindol s.m.
canabínea s.f.
canabíneo adj.
canabinina s.f.
canabinínico adj.
canabinol s.m.
canabinólico adj.
canabinona s.f.
canabinônico adj.
cânabis s.f.2n.
canabismo s.m.
canabitetanina s.f.
canabóidea s.f.
canabóideo adj. s.m.
cana-branca s.f.; pl. *canas-brancas*
canabrás s.f.
cana-brava s.f.; pl. *canas-bravas*
cana-brava-legítima s.f.; pl. *canas-bravas-legítimas*
canabravense adj. s.2g.
canaca adj. s.2g. s.m.
cana-caiana s.f.; pl. *canas-caianas*
cana-capim s.f.; pl. *canas-capim* e *canas-capins*
canacápole s.m.
canacatajé adj. s.2g.
canácea s.f.
canáceo adj.
cana-cheirosa s.f.; pl. *canas-cheirosas*
cana-crioula s.f.; pl. *canas-crioulas*
canaçu s.f.
canaçuense adj. s.2g.
canacuriense adj. s.2g.
canada s.f. "medida de líquidos"; cf. *canadá*
canadá s.f. "videira"; cf. *canada*
canadagem s.f.

cana-da-índia s.f.; pl. *canas-da-índia*
cana-da-terra s.f.; pl. *canas-da-terra*
cana-de-açúcar s.f.; pl. *canas-de-açúcar*
cana-de-açúcar-da-china s.f.; pl. *canas-de-açúcar-da-china*
cana de bengala s.f.
cana de braço s.f.
cana-de-burro s.f.; pl. *canas-de-burro*
cana-de-cheiro s.f.; pl. *canas-de-cheiro*
cana-de-elefante s.f.; pl. *canas-de-elefante*
cana-de-frecha s.f.; pl. *canas-de-frecha*
cana-de-imbé s.f.; pl. *canas-de-imbé*
cana-de-jacaré s.f.; pl. *canas-de-jacaré*
canadela s.f.
cana-de-macaco s.f.; pl. *canas-de-macaco*
canadense adj. s.2g.
cana-de-passarinho s.f.; pl. *canas-de-passarinho*
cana-de-roca s.f.; pl. *canas-de-roca*
cana-de-são-paulo s.f.; pl. *canas-de-são-paulo*
cana-de-vassoira s.f.; pl. *canas-de-vassoira*
cana-de-vassoura s.f.; pl. *canas-de-vassoura*
cana-de-víbora s.f.; pl. *canas-de-víbora*
canadiano adj. s.m.
canádico adj.
canadiense adj. s.2g.
canadilho s.m.
canadina s.f.
canadínico adj.
canadinol s.m.
canadinólico adj.
canádio s.m.
canado s.m.
cana-do-brejo s.f.; pl. *canas-do-brejo*
cana-doce s.f.; pl. *canas-doces*
canadol s.m.
canadólico adj.
cana-do-mato s.f.; pl. *canas-do-mato*
cana-do-reino s.f.; pl. *canas-do-reino*
cana-do-rio s.f.; pl. *canas-do-rio*
cana-dos-pampas s.f.; pl. *canas-dos-pampas*
canaense adj. s.2g.
canafístula s.f.
canafístula-amarela s.f.; pl. *canafístulas-amarelas*
canafístula-brava s.f.; pl. *canafístulas-bravas*
canafístula-d'água s.f.; pl. *canafístulas-d'água*
canafístula-da-mata s.f.; pl. *canafístulas-da-mata*
canafístula-de-boi s.f.; pl. *canafístulas-de-boi*
canafístula-de-igapó s.f.; pl. *canafístulas-de-igapó*
canafístula-do-brejo s.f.; pl. *canafístulas-do-brejo*
canafístula-imperial s.f.; pl. *canafístulas-imperiais*
canafístula-verdadeira s.f.; pl. *canafístulas-verdadeiras*
canafistulense adj. s.2g.
canaflecha s.f.
cana-flor-de-lírio s.f.; pl. *canas-flor-de-lírio* e *canas-flores-de-lírio*
cana-forrageira s.f.; pl. *canas-forrageiras*
canafrista s.f.
canagra s.f.
canaiate s.f.
canaica s.f.
canaimé s.m.
canajeira s.f.
canal s.m.
canalado adj.
canalar adj.2g.
canalásia s.m.
canalegas s.m.2n.
canalense adj. s.2g.
canaleta (*ê*) s.f.
canalete (*ê*) s.m.
canalha adj. s.2g. s.f.
canalhada s.f.
canalhão s.m.
canalheta (*ê*) s.2g.
canalhice s.f.
canalhismo s.m.
canalhocracia s.f.
canalhocrata adj. s.2g.
canalhocrático adj. s.2g.
canalícula s.f.
canaliculação s.f.
canaliculado adj.
canalicular v. adj.2g.
canaliculite s.f.
canaliculização s.f.
canalículo s.m.
canalífero adj.
canaliforme adj.2g.
canalização s.f.
canalizado adj.
canalizador (*ô*) adj. s.m.
canalizar v.
canalizável adj.2g.
canamanense adj. s.2g.
cana-manteiga s.f.; pl. *canas-manteiga* e *canas-manteigas*
canamão s.m.
canamaré adj. s.2g.
canamari adj. s.2g. s.m.
canamariense adj. s.2g.
cana-marona s.f.; pl. *canas-maronas*
canambaia s.f.
canameira s.f.
canameiro s.m.
canamicina s.f.
canamilha s.f.
canamiri adj. s.2g.
canana s.f.
canana-capeta s.m.; pl. *cananas-capeta* e *cananas-capetas*
canané adj. s.m.
cananeense adj. s.2g.
cananeia (*é*) adj. s.f. de *cananeu*
cananeu adj. s.m.; f. *cananeia* (*é*)
cananga s.f.
cananga-do-japão s.f.; pl. *canangas-do-japão*
canango s.m.
canangundo s.m.
canapaúba s.f.
canapé s.m.
canapeteiro s.m.
canapolitano adj. s.m.
canaponga s.f.
canapu s.m.
canapuguaçu s.m.
canapuuva s.f.
canará adj. s.2g. s.m.
canarana s.f.
canarana-de-folha-miúda s.f.; pl. *canaranas-de-folha-miúda*
canarana-fina s.f.; pl. *canaranas-finas*
canarana-fluvial s.f.; pl. *canaranas-fluviais*
canaranal s.m.
canarana-rasteira s.f.; pl. *canaranas-rasteiras*
canarana-roxa s.f.; pl. *canaranas-roxas*
canarana-verdadeira s.f.; pl. *canaranas-verdadeiras*
canaranense adj. s.2g.
cana-reinense adj. s.2g.; pl. *canas-reinenses*
canareira s.f.
canarês adj. s.m.
canari adj. s.2g.
canaria s.f. "conjunto de canos"; cf. *canária*
canária s.f. "ave", "planta"; cf. *canaria*
canarianense adj. s.2g.
canaricultor (*ô*) s.m.
canaricultura s.f.
canariense adj. s.2g.
canarim adj. s.2g.
canarina s.f.
canarinho s.m.
canarinho-do-mato s.m.; pl. *canarinhos-do-mato*
canarino adj. s.m.
canário adj. s.m.
canário-assobio s.m.; pl. *canários-assobio* e *canários-assobios*
canário-assoviador s.m.; pl. *canários-assoviadores*
canário-baeta s.m.; pl. *canários-baeta* e *canários-baetas*
canário-belga s.m.; pl. *canários-belgas*
canário-da-horta s.m.; pl. *canários-da-horta*
canário-da-telha s.m.; pl. *canários-da-telha*
canário-da-terra s.m.; pl. *canários-da-terra*
canário-da-terra-verdadeiro s.m.; pl. *canários-da-terra-verdadeiros*
canário-de-crista-negra s.m.; pl. *canários-de-crista-negra*
canário-de-frança s.m.; pl. *canários-de-frança*
canário-do-brejo s.m.; pl. *canários-do-brejo*
canário-do-campo s.m.; pl. *canários-do-campo*
canário-do-ceará s.m.; pl. *canários-do-ceará*
canário-do-chão s.m.; pl. *canários-do-chão*
canário-do-mar s.m.; pl. *canários-do-mar*
canário-do-mato s.m.; pl. *canários-do-mato*
canário-do-reino s.m.; pl. *canários-do-reino*
canário-do-rio-grande s.m.; pl. *canários-do-rio-grande*
canário-do-sapé s.m.; pl. *canários-do-sapé*
canário-pardinho s.m.; pl. *canários-pardinhos*
canário-pardo s.m.; pl. *canários-pardos*
canarista adj. s.2g.
canarona s.f.
cana-roxa s.f.; pl. *canas-roxas*
canas s.f.pl.
cana-saperê s.f.; pl. *canas-saperê* e *canas-saperês*
canasita s.f.
canastra s.f.
canastrada s.f.
canastrado adj.
canastrão s.m.; f. *canastrona*
canastrãozense adj. s.2g.
canastreiro adj. s.m.
canastrel s.m.
canastrense adj. s.2g.
canastrinha s.f.
canastrinho s.m.
canastro s.m.
canastrona s.f. de *canastrão*
cana-tapuia s.f.; pl. *canas-tapuias*
cana-taquara s.f.; pl. *canas-taquara* e *canas-taquaras*
canatibense adj. s.2g.
canatinga s.f.
canato s.m.
canauaniense adj. s.2g.
cana-ubá s.f.; pl. *canas-ubá* e *canas-ubás*
canavã s.f.
canavália s.f.
canavari adj. s.2g.
cânave adj.2g. s.f.
canavear v.
canaveira s.f.
cana-verde s.f.; pl. *canas-verdes*
cana-verdense adj. s.2g.; pl. *cana-verdenses*
canavês adj. s.m.
canavial s.m.
canavialense adj. s.2g.
canavicultor (*ô*) s.m.
canavicultura s.f.
canavieira s.f.
canavieirense adj. s.2g.
canavieiro adj. s.m.
canavoira s.f.
canavoura s.f.
canaz s.m.
canbyita s.f.
cancã s.m. "dança"; cf. *cã-cã*
cancaborrada s.f.
câncamo s.m.
cancanã s.m.
cancanada s.f.
cancanar v.
cancanear v.
cancanense adj. s.2g.
cancanhe s.f.
cancanista adj. s.2g.
cancanizado adj.
cancanizar v.
cancão s.m.
cancão-grande s.m.; pl. *cancões-grandes*
canção s.f. "canto"; cf. *cansão*
canção-tema s.f.; pl. *canções-tema* e *canções-temas*
câncara s.f.
cancaro s.m.
cancatá s.m.
cancela s.f.
cancelação s.f.
cancelada s.f.
cancelado adj.
canceladura s.f.
cancelamento s.m.
cancelão s.m.
cancelãozense adj. s.2g.
cancelar v.
cancelária s.f.; cf. *cancelaria*, fl. do v. *cancelar*
cancelárida adj.2g. s.m.
cancelarídeo adj. s.m.
cancelário s.m.
cancelável adj.2g.
cancelense adj. s.2g.
cancelo (*ê*) s.m. "gradil"; cf. *cancelo*, fl. do v. *cancelar*
canceloso (*ô*) adj.; f. (*ó*); pl. (*ó*)
cancença s.f.
câncer s.m.
canceração s.f.
cancerado adj.
cancerante adj.2g.
cancerar v.
cancerável adj.2g.
canceremia s.f.
cancerêmico adj.
canceriano adj. s.m.
cancericida adj.2g.
canceriforme adj.2g.
cancerígeno adj.
cancerismo s.m.
cancerização s.f.
cancerizado adj.
cancerizante adj.2g.
cancerizar v.
cancerizável adj.2g.
cancerofobia s.f.
cancerófobo adj. s.m.
cancerogenia s.f.
cancerogênico adj.
cancerógeno adj.
cancerologia s.f.
cancerológico adj.
cancerologista adj. s.2g.
cancerólogo s.m.
cancerosa s.f.
canceroso (*ô*) adj.; f. (*ó*); pl. (*ó*)
cancha s.f.
canchadal s.m.
canchal s.m.
canchalágua s.f.
canchane s.m.
cancheação s.f.
cancheada s.f.
cancheadista adj. s.2g.
cancheado adj. s.m.
cancheador (*ô*) adj. s.m.
cancheamento s.m.
canchear v.
cancheense adj. s.2g.
cancheira s.f.
cancheiro adj. s.m.
canchenere s.m.
canchi s.m.
canchim s.m.
cancho s.m.
canchoso (*ô*) adj.; f. (*ó*); pl. (*ó*)
canchudo adj. s.m.
cancionador (*ô*) s.m.
cancioneiro s.m.
cancionista adj. s.2g.
cancleia (*é*) adj. s.f. de *cancleu*
cancleu adj. s.m.; f. *cancleia* (*é*)
cançoneta (*ê*) s.f.
cançonetear v.
cançoneteiro s.m.
cançonetismo s.m.
cançonetista adj. s.2g.
cançonetístico adj.
cançoropeba s.f.
cancorosa s.f.
cancra s.f.
cancrejo (*ê*) s.m.
cancrescente adj.2g.
cancrescer v.
cancrião s.m.
cancricante adj.2g.
cancricida adj.2g. s.m.
câncrida adj.2g. s.m.
cancrídeo adj. s.m.
cancriforme adj.2g.
cancrígeno adj.
cancríneo adj. s.m.
cancrinita s.f.
cancrinite s.f.
cancrinítico adj.
cancrinito s.m.
cancrita s.m.
cancrívoro adj.
cancrizante adj.2g.
cancro s.m.
cancrocida adj.2g. s.m.
cancrocirrose s.f.
cancrocirrótico adj.
cancrófago adj.
cancroide (*ó*) adj. s.2g.
cancróideo adj.
cancroma s.m.
cancromínea s.f.
cancromíneo adj.
cancrosa s.f.
cancrose s.f.
cancroso (*ô*) adj.; f. (*ó*); pl. (*ó*)
cancrótico adj.
canda s.f.
candabu s.m.
candado s.m.
candambi s.m.
candâmbia s.f.
candangada s.f.
candangado adj.
candango s.m.
candanim s.m.
candanje s.m.
candar adj.2g.
cândara s.m.
candarim s.m.
cândaro s.m.
cande s.m.
candeá s.m.
candeada s.f.
candeal s.m. "mato de candeias"; cf. *candial*

candealense adj. s.2g.
candeante adj.2g.
candear v.
candearia s.f.
candeeira s.f.
candeeirada s.f.
candeeireiro s.m.
candeeiro s.m.
candeense adj. s.2g.
candeia adj. s.2g. s.f.
candeia-de-caju s.f.; pl. *candeias-de-caju*
candeia-de-caramelo s.f.; pl. *candeias-de-caramelo*
candeia-de-folha-grande s.f.; pl. *candeias-de-folha-grande*
candeia-do-sertão s.f.; pl. *candeias-do-sertão*
candeia-verdadeira s.f.; pl. *candeias-verdadeiras*
candeína s.f.
candeio s.m.
candel s.m.
candela s.f.
candelabriforme adj.2g.
candelabro s.m.
candelária s.f.
candelária-dos-jardins s.f.; pl. *candelárias-dos-jardins*
candelariense adj. s.2g.
candeleja (*ê*) s.f.
candeliça s.f.
candelinha s.f.
candelita s.f.
candelítico adj.
candém s.m.
candembe s.m.
candena s.f.
candência s.f.
candente adj.2g. "que está em brasa"; cf. *cadente*
candeolo s.m.
candeu adj.
cândi s.m.
cândia s.m.
candial adj. s.2g. "diz-se de certa variedade de trigo"; cf. *candeal*
candial-de-grão-escuro s.m.; pl. *candiais-de-grão-escuro*
candialense adj. s.2g.
candiar v.
candibense adj. s.2g.
candicante s.f.
cândida s.f.
candidatado adj.
candidatar v.
candidato s.m.
candidatura s.f.
candidemia s.f.
candidez (*ê*) s.f.
candideza (*ê*) s.f.
candidíase s.f.
candidizar v.
cândido adj.
cândido-abreuense adj. s.2g.; pl. *cândido-abreuenses*
cândido-mendense adj. s.2g.; pl. *cândido-mendenses*
cândido-motense adj. s.2g.; pl. *cândido-motenses*
cândido-rodriguense adj. s.2g.; pl. *cândido-rodriguenses*
cândido-salense adj. s.2g.; pl. *cândido-salenses*
candidose s.f.
candídula s.f.
candil adj.2g. s.m.
candilar v.
candim s.m.
candimba s.m. "lebre"; cf. *candimbá*
candimbá s.m. "cacareco"; cf. *candimba*
candindé adj. s.2g.
candinga s.f.
candinha s.f.
cândio s.m.
candiota adj. s.2g.
candiru s.m.
candiruaçu s.m.
candiru-branco s.m.; pl. *candirus-brancos*
candiru-caju s.m.; pl. *candirus-caju* e *candirus-cajus*
candiruguaçu s.m.
candirupiranga s.m.
candiru-vermelho s.m.; pl. *candirus-vermelhos*
candiubá s.f.
candização s.f.
cando s.m. "certa parte do casco do cavalo"; cf. *candó*
candó s.m. "poda"; cf. *cando*
candoiense adj. s.2g.
candolar v.
candóllea s.f.
candolleácea s.f.
candolleáceo adj.
candólleo adj.
candoluminescência s.f.
candombá s.m.
candombe s.m.
candombeiro s.m.
candombense adj. s.2g.
candomblé s.m.
candomblé de caboclo s.m.
candomblezeira s.f.
candomblezeiro adj. s.m.
candona s.f.
candondo s.m.
candonga s.f.
candongagem s.f.
candongar v.
candongo s.m.
candonguear v.
candongueira s.f.
candongueiro adj. s.m.
candonguice s.f.
candor (*ô*) s.m.
candorça s.f.
candorim s.m.
candorna s.f.
candoroso (*ô*) adj.; f. (*ó*); pl. (*ó*)
candro s.m.
candua s.f. "planta angolana"; cf. *canduá*
canduá s.m. "líquen"; cf. *candua*
candum s.m.
candumbense adj. s.2g.
candundo s.m.
candundobala s.f.
candunga s.f.
candura s.f.
caneado adj.
caneante adj.2g.
caneapense adj. s.2g.
canear v.
canebás s.m.
caneca s.f.
canecada s.f.
canecão s.m.
canecense adj. s.2g.
caneco adj. s.m.
canedense adj. s.2g.
canéfora s.f.
canefórea s.f.
canefóreo adj.
caneforíneo adj. s.m.
canéforo s.m.
caneira s.f.
caneiro s.m.
caneixo adj.
caneja (*ê*) s.f.
canejo (*ê*) adj. s.m.
canela adj. s.2g. s.f.
canela-abacate s.f.; pl. *canelas-abacate* e *canelas-abacates*
canela-amarela s.f.; pl. *canelas-amarelas*
canela-amarela-de-cheiro s.f.; pl. *canelas-amarelas-de-cheiro*
canela-amarga s.f.; pl. *canelas-amargas*
canela-amargosa s.f.; pl. *canelas-amargosas*
canela-anhuíba s.f.; pl. *canelas-anhuíba* e *canelas-anhuíbas*
canela-à toa s.f.; pl. *canelas-à toa*
canela-azedinha s.f.; pl. *canelas-azedinhas*
canela-babosa s.f.; pl. *canelas-babosas*
canela-bagre s.f.; pl. *canelas-bagre* e *canelas-bagres*
canela-baraúna s.f.; pl. *canelas-baraúna* e *canelas-baraúnas*
canela-batalha s.f.; pl. *canelas-batalha* e *canelas-batalhas*
canela-batata s.f.; pl. *canelas-batata* e *canelas-batatas*
canela-bezerro s.f.; pl. *canelas-bezerro* e *canelas-bezerros*
canela-bibiru s.f.; pl. *canelas-bibiru* e *canelas-bibirus*
canela-branca s.f.; pl. *canelas-brancas*
canela-branca-do-brejo s.f.; pl. *canelas-brancas-do-brejo*
canela-branca-sedosa s.f.; pl. *canelas-brancas-sedosas*
canela-braúna s.f.; pl. *canelas-braúna* e *canelas-braúnas*
canela-brava s.f.; pl. *canelas-bravas*
canela-burra s.f.; pl. *canelas-burras*
canela-caixeta s.f.; pl. *canelas-caixeta* e *canelas-caixetas*
canela-capitão-mor s.f.; pl. *canelas-capitão-mor* e *canelas-capitães-mores*
canela-catiguá s.f.; pl. *canelas-catiguá* e *canelas-catiguás*
canelácea s.f.
canela-cedro s.f.; pl. *canelas-cedro* e *canelas-cedros*
canela-cega s.f.; pl. *canelas-cegas*
caneláceo adj.
canela-cheirosa s.f.; pl. *canelas-cheirosas*
canela-cravo s.f.; pl. *canelas-cravo* e *canelas-cravos*
canelada s.f.
canela-da-baía s.f.; pl. *canelas-da-baía*
canela-da-china s.f.; pl. *canelas-da-china*
canela-da-índia s.f.; pl. *canelas-da-índia*
canela-da-serra s.f.; pl. *canelas-da-serra*
canela-da-vargem s.f.; pl. *canelas-da-vargem*
canela-de-capoeira s.f.; pl. *canelas-de-capoeira*
canela-de-catarro s.f.; pl. *canelas-de-catarro*
canela-de-ceilão s.f.; pl. *canelas-de-ceilão*
canela-de-cheiro s.f.; pl. *canelas-de-cheiro*
canela-de-cutia s.f.; pl. *canelas-de-cutia*
canela-de-ema s.f.; pl. *canelas-de-ema*
canela-de-folha-grande s.f.; pl. *canelas-de-folha-grande*
canela-de-folha-larga s.f.; pl. *canelas-de-folha-larga*
canela-de-folha-miúda s.f.; pl. *canelas-de-folha-miúda*
canela-de-garça s.f.; pl. *canelas-de-garça*
canela-de-goiás s.f.; pl. *canelas-de-goiás*
canela-de-jacamim s.f.; pl. *canelas-de-jacamim*
canela-de-mau-cheiro s.f.; pl. *canelas-de-mau-cheiro*
canela-de-papagaio s.f.; pl. *canelas-de-papagaio*
canela-de-porco s.f.; pl. *canelas-de-porco*
canela-de-vargem s.f.; pl. *canelas-de-vargem*
canela-de-veado s.f.; pl. *canelas-de-veado*
canela-de-velha s.f.; pl. *canelas-de-velha*
canela-de-velho s.f.; pl. *canelas-de-velho*
canelado adj. s.m.
canela-do-brejo s.f.; pl. *canelas-do-brejo*
canela-do-malabar s.f.; pl. *canelas-do-malabar*
canela-do-maranhão s.f.; pl. *canelas-do-maranhão*
canela-do-mato s.f.; pl. *canelas-do-mato*
canela-do-piauí s.f.; pl. *canelas-do-piauí*
canela-do-rio-grande s.f.; pl. *canelas-do-rio-grande*
caneladura s.f. "canelura"; cf. *canela-dura*
canela-dura s.f. "planta"; cf. *caneladura*; pl. *canelas-duras*
canela-escura s.f.; pl. *canelas-escuras*
canela-falsa s.f.; pl. *canelas-falsas*
canela-fedida s.f.; pl. *canelas-fedidas*
canela-fedorenta s.f.; pl. *canelas-fedorentas*
canela-ferrugem s.f.; pl. *canelas-ferrugem* e *canelas-ferrugens*
canela-fétida s.f.; pl. *canelas-fétidas*
canela-fina adj.2g.; pl. *canelas-finas*
canela-fogo s.f.; pl. *canelas-fogo* e *canelas-fogos*
canela-funcho s.f.; pl. *canelas-funcho* e *canelas-funchos*
canelagem s.f.
canela-goiaba s.f.; pl. *canelas-goiaba* e *canelas-goiabas*
canela-goiacá s.f.; pl. *canelas-goiacá* e *canelas-goiacás*
canela-gosma s.f.; pl. *canelas-gosma* e *canelas-gosmas*
canela-gosmenta s.f.; pl. *canelas-gosmentas*
canela-grande s.f.; pl. *canelas-grandes*
canela-guacá s.f.; pl. *canelas-guacá* e *canelas-guacás*
canela-guaiacá s.f.; pl. *canelas-guaiacá* e *canelas-guaiacás*
canela-guaicá s.f.; pl. *canelas-guaicá* e *canelas-guaicás*
canela-imbuia s.f.; pl. *canelas-imbuia* e *canelas-imbuias*
canela-inhaíba s.f.; pl. *canelas-inhaíba* e *canelas-inhaíbas*
canela-inhaúba s.f.; pl. *canelas-inhaúba* e *canelas-inhaúbas*
canela-jacu s.f.; pl. *canelas-jacu* e *canelas-jacus*
canela-japu s.f.; pl. *canelas-japu* e *canelas-japus*
canela-lajiana s.f.; pl. *canelas-lajianas*
canela-lavada s.f.; pl. *canelas-lavadas*
canela-limão s.f.; pl. *canelas-limão* e *canelas-limões*
canela-limbosa s.f.; pl. *canelas-limbosas*
canela-louro s.f.; pl. *canelas-louro* e *canelas-louros*
canela-marmelada s.f.; pl. *canelas-marmelada* e *canelas-marmeladas*
canela-massapê s.f.; pl. *canelas-massapê* e *canelas-massapês*
canela-mate s.f.; pl. *canelas-mate* e *canelas-mates*
canela-merda s.f.; pl. *canelas-merda* e *canelas-merdas*
canela-mescla s.f.; pl. *canelas-mescla* e *canelas-mesclas*
canelamirim s.f.
canela-muriá s.f.; pl. *canelas-muriá* e *canelas-muriás*
canela-murici s.f.; pl. *canelas-murici* e *canelas-muricis*
canela-noz-moscada s.f.; pl. *canelas-noz-moscada* e *canelas-nozes-moscadas*
canelão s.m.
canela-oiti s.f.; pl. *canelas-oiti* e *canelas-oitis*
canela-parda s.f.; pl. *canelas-pardas*
canela-pimenta s.f.; pl. *canelas-pimenta* e *canelas-pimentas*
canela-pobre s.f.; pl. *canelas-pobres*
canela-poca s.f.; pl. *canelas-poca* e *canelas-pocas*
canela-podre s.f.; pl. *canelas-podres*
canela-pororoca s.f.; pl. *canelas-pororoca* e *canelas-pororocas*
canela-prego s.f.; pl. *canelas-prego* e *canelas-pregos*
canela-preta s.f.; pl. *canelas-pretas*
canela-preta-amargosa s.f.; pl. *canelas-pretas-amargosas*
canela-preta-da-serra s.f.; pl. *canelas-pretas-da-serra*
canela-preta-verdadeira s.f.; pl. *canelas-pretas-verdadeiras*
canelar v.
canela-rajada s.f.; pl. *canelas-rajadas*
canela-rapadura s.f.; pl. *canelas-rapadura* e *canelas-rapaduras*
canela-rosa s.f.; pl. *canelas-rosa* e *canelas-rosas*
canela-ruiva s.f.; pl. *canelas-ruivas*
canela-samambaia s.f.; pl. *canelas-samambaia* e *canelas-samambaias*
canela-santa s.f.; pl. *canelas-santas*
canela-sassafrás s.f.; pl. *canelas-sassafrás* e *canelas-sassafrases*
canela-sassafrás-da-serra s.f.; pl. *canelas-sassafrás-da-serra* e *canelas-sassafrases-da-serra*
canela-sassafrasinho-do-campo s.f.; pl. *canelas-sassafrasinho-do-campo* e *canelas-sassafrasinhos-do-campo*
canela-seca s.f.; pl. *canelas-secas*
canela-seiva s.f.; pl. *canelas-seiva* e *canelas-seivas*
canelas-ruivas s.f.pl.
canela-tapinha s.f.; pl. *canelas-tapinha* e *canelas-tapinhas*
canela-tapinhoã s.f.; pl. *canelas-tapinhoã* e *canelas-tapinhoãs*
canela-tatu s.f.; pl. *canelas-tatu* e *canelas-tatus*
canela-verdadeira s.f.; pl. *canelas-verdadeiras*
canela-vermelha s.f.; pl. *canelas-vermelhas*
caneleira s.f.
caneleira-cravo s.f.; pl. *caneleiras-cravo* e *caneleiras-cravos*
caneleira-da-índia s.f.; pl. *caneleiras-da-índia*
caneleira-da-praia s.f.; pl. *caneleiras-da-praia*

caneleira-de-cheiro s.f.; pl. *caneleiras-de-cheiro*
caneleira-de-ema s.f.; pl. *caneleiras-de-ema*
caneleira-do-ceilão s.f.; pl. *caneleiras-do-ceilão*
caneleira-do-mato s.f.; pl. *caneleiras-do-mato*
caneleirense adj. s.2g.
caneleirinho s.m.
caneleirinho-preto s.m.; pl. *caneleirinhos-pretos*
caneleiro adj. s.m.
caneleiros s.m.pl.
canelejo (*ê*) s.m.
canelense adj. s.2g.
caneleta (*ê*) s.f.
canelha (*ê*) s.f.
canelho (*ê*) s.m.
canélico adj.
canelim s.m.
canelina s.f.
canelinha s.f.
canelinha-amarela s.f.; pl. *canelinhas-amarelas*
canelinha-rajada s.f.; pl. *canelinhas-rajadas*
canelinha-ubá s.f.; pl. *canelinhas-ubá* e *canelinhas-ubás*
canelinhense adj. s.2g.
canelo (*ê*) s.m.; cf. *canelo*, fl. do v. *canelar*
canelone s.m.
caneludo adj. s.m.
canelura s.f.
canema s.f.
canembenembe s.m.
canembo adj. s.m.
canena s.f.
canense adj. s.2g.
caneolítico adj.
caneolito s.m.
caneólito s.m.
canepeteira s.f.
canequi s.m.
canequim s.m.
canequinha s.f.
canereno s.m.
canescente adj.2g.
caneta (*ê*) s.m.f.
canetaço s.m.
caneta-fonte s.f.; pl. *canetas-fonte* e *canetas-fontes*
canetar v.
caneta-tinteiro s.f.; pl. *canetas-tinteiro* e *canetas-tinteiros*
caneteiro s.m.
canetilha s.f.
canevão s.m.
canevás s.m.
canez (*ê*) s.f.
canfamina s.f.
canfamínico adj.
canfanático adj.
canfanato s.m.
canfânico adj.
canfano s.m.
canfanol s.m.
canfanólico adj.
canfático adj.
canfato s.m.
canfênico adj.
canfeno s.m.
canfenol s.m.
canfenólico adj.
cânfico adj.
canfieldita s.f.
canfilamina s.f.
canfilamínico adj.
canfilênico adj.
canfileno s.m.
canfina s.f.
canfínico adj.
canfocarbonato s.m.
canfocarbônico adj.
canfoglicurônico adj.
canfol s.m.
canfolênico adj.
canfoleno s.m.
canfólico adj.
cânfora s.f.; cf. *canfora*, fl. do v. *canforar*
canforáceo adj.
canforada s.f.
cânfora-de-bornéu s.f.; pl. *cânforas-de-bornéu*
canforado adj.
canforar v.
canforático adj.
canforato s.m.
canforeira s.f.
canforeiro s.m.
canforforona s.f.
canforicina s.f.
canfórico adj.
canforífero adj.
canforina s.f.
canforínico adj.
canforismo s.m.
canforoide (*ó*) adj.2g.
canforomania s.f.
canforona s.f.
canforônico adj.
canforosma s.f.
canforósmea s.f.
canforósmeo adj.
canforovínico adj.
canforoxima (*cs*) s.f.
canforquinona s.f.
canforquinônico adj.
canga adj. s.f. "jugo" etc.; cf. *cangá*
cangá s.m. "saco duplo"; cf. *canga* adj. s.f. e fl. do v. *cangar*
cangabicha s.f.
cangaçais s.m.pl.
cangaceirada s.f.
cangaceiragem s.f.
cangaceirismo s.m.
cangaceiro s.m.
canga-cheia s.f.; pl. *cangas-cheias*
cangaço s.m.
cangado adj.
cangadoiro s.m.
cangadouro s.m.
cangala s.f.
cangalanga s.f.
cangalanjamba s.f.
cangalha s.m.f.
cangalhada s.f.
cangalhão s.m.
cangalhas s.f.pl.
cangalhé s.m.
cangalheira s.f.
cangalheiro adj. s.m.
cangalhense adj. s.2g.
cangalheta (*ê*) s.f.
cangalhinha s.f.
cangalho s.m.
cangali s.m.
cangambá s.m.
cangancha s.f.
cangancheiro s.m.
cangancho s.m.
canganda s.m.
cangane s.m.
canganguá s.m.
canganho s.m.
cangão s.m.
cangapara s.f.
cangapé s.m.
cangapora s.m.
cangar v.
cangara s.f.
cangaraço s.m.
cangarilhada s.f.
cangarilhado adj.
cangarina s.f.
cangarinha s.f.
cangarinho s.m.
canga-rosa s.f.; pl. *cangas-rosa* e *cangas-rosas*
cangarra s.f.
cangatá s.m.
cangatense adj. s.2g.
cangati s.m.
cangatiense adj. s.2g.
cangauá s.m.
cangemoiro s.m.
cangemouro s.m.
cangengo adj.
cangira s.m.
cango s.m.
cangoá s.m.
cangocha (*ô*) s.f.
cangoeira s.f. "flauta"; cf. *cangueira*
cangola s.m.
cangolé s.m.
cangombe s.2g.
cangombo s.m.
cangome s.m.
cangoncha s.f.
cangoncheiro s.m.
cangongo s.m.
cangonha s.f.
cangorça s.f.
cangoropeba s.f.
cangosta (*ô*) s.f.
cangosteira s.f.
cangote s.m.
cangotear v.
cangotense adj. s.2g.
cangotilho s.m.
cangotinho s.m.
cangotudo adj.
cangraço s.m.
cangu s.m.
canguá s.m.
canguaí s.m.
canguara s.f.
canguaretamense adj. s.2g.
canguari s.m.
canguaxi s.f.
canguçu s.m.
canguçu-branco s.m.; pl. *canguçus-brancos*
canguçuense adj. s.2g.
canguçu-preto s.m.; pl. *canguçus-pretos*
cangue s.m.
cangueira s.f. "calosidade"; cf. *cangoeira*
cangueirão adj.
cangueireiro s.m.
cangueiro adj. s.m.
canguelo (*ê*) s.m.
canguenho s.m.
canguense adj. s.2g.
canguera (*ü*) s.f.
canguerejar v.
canguerense (*ü*) adj. s.2g.
canguiço s.m.
canguimbe s.m.
canguinha s.2g.
canguinhagem s.f.
canguinhar v.
canguinhas s.2g.2n.
canguinhez (*ê*) s.f.
canguinho adj. s.m.
canguinja s.f.
canguinxa s.f.
canguira (*ü*) s.f.
canguito s.m.
cangula s.f.
canguleiro s.m.
cangulo s.m.
cangulo-baié s.m.; pl. *cangulos-baié* e *cangulos-baiés*
cangulo-da-parede s.m.; pl. *cangulos-da-parede*
cangulo-de-fernando s.m.; pl. *cangulos-de-fernando*
cangulo-do-alto s.m.; pl. *cangulos-do-alto*
cangulo-preto s.m.; pl. *cangulos-pretos*
cangulo-rei s.m.; pl. *cangulos-rei* e *cangulos-reis*
cangulo-verdadeiro s.m.; pl. *cangulos-verdadeiros*
cangundo s.m.
cangunjo s.m.
cangupiri s.m.
cangurral s.m.
cangurro s.m.
canguru s.m.
canguru-da-índia s.m.; pl. *cangurus-da-índia*
cangurupeba s.m.
cangurupi s.m.
canguru-rato s.m.; pl. *cangurus-rato* e *cangurus-ratos*
canguruta s.f.
canha s.f. "cachaça"; cf. *canhá*
canhá s.m. "arbusto da savana africana"; cf. *canha*
canhabaque adj. s.2g.
canhada s.f.
canhadão s.m.
canhamaça s.f.
canhamação s.m.
canhamaço s.m.
canhambola s.2g.
canhambora s.2g.
canhameira s.f.
canhameiral s.m.
canhameiro s.m.
canhametra (*ê*) s.f.
canhametra-brava s.f.; pl. *canhametras-bravas*
canhamiço adj.
cânhamo s.m.
cânhamo-americano s.m.; pl. *cânhamos-americanos*
cânhamo-aquático s.m.; pl. *cânhamos-aquáticos*
cânhamo-brasileiro s.m.; pl. *cânhamos-brasileiros*
cânhamo-caloni s.m.; pl. *cânhamos-caloni* e *cânhamos-calonis*
cânhamo-da-áfrica s.m.; pl. *cânhamos-da-áfrica*
cânhamo-d'água s.m.; pl. *cânhamos-d'água*
cânhamo-da-índia s.m.; pl. *cânhamos-da-índia*
cânhamo-da-nova-zelândia s.m.; pl. *cânhamos-da-nova-zelândia*
cânhamo-de-áfrica s.m.; pl. *cânhamos-de-áfrica*
cânhamo-de-bengala s.m.; pl. *cânhamos-de-bengala*
cânhamo-de-bombaim s.m.; pl. *cânhamos-de-bombaim*
cânhamo-de-calcutá s.m.; pl. *cânhamos-de-calcutá*
cânhamo-de-creta s.m.; pl. *cânhamos-de-creta*
cânhamo-de-manila s.m.; pl. *cânhamos-de-manila*
cânhamo-de-manilha s.m.; pl. *cânhamos-de-manilha*
cânhamo-de-sisal s.m.; pl. *cânhamos-de-sisal*
cânhamo-do-canadá s.m.; pl. *cânhamos-do-canadá*
cânhamo-do-japão s.m.; pl. *cânhamos-do-japão*
cânhamo-indiano s.m.; pl. *cânhamos-indianos*
cânhamo-índico s.m.; pl. *cânhamos-índicos*
cânhamo-picante s.m.; pl. *cânhamos-picantes*
cânhamo-verdadeiro s.m.; pl. *cânhamos-verdadeiros*
canhanha s.f.
canhanho s.m.
canhão s.m.
canhão-arpão s.m.; pl. *canhões-arpão* e *canhões-arpões*
canhão-azul s.m.; pl. *canhões-azuis*
canhão-revólver s.m.; pl. *canhões-revólver* e *canhões-revólveres*
canhão-verde s.m.; pl. *canhões-verdes*
canhão-vermelho s.m.; pl. *canhões-vermelhos*
canharana s.f.
canharó s.m.
canheiro s.m.
canhembora s.2g.
canhemborense adj. s.2g.
canhengue adj.2g.
canhenha s.f.
canhenho adj. s.m.
canhenjila s.f.
canherana s.f.
canhestro (*ê*) adj.
canheta (*ê*) s.m.
canhim s.m.
canhimbora s.2g.
canhine adj. s.2g.
canho adj. s.m.
canhobense adj. s.2g.
canhoeira s.f.
canhol s.m.
canhona s.f.
canhonaça s.f.
canhonaço s.m.
canhonada s.f.
canhonar v.
canhonear v.
canhoneio s.m.
canhoneira s.f.
canhoneiro adj.
canhoneta (*ê*) s.f.
canhongo s.m.
canhorra (*ô*) s.m.
canhota s.f.
canhoteiro adj. s.m.
canhotinhense adj. s.2g.
canhotismo s.m.
canhoto (*ô*) adj. s.m.
canhumanense adj. s.2g.
cani s.m.
cânia s.f.
caniamalango s.m.
caniana s.f.
caniane s.m.
canibal adj. s.2g.
canibalesco (*ê*) adj.
canibalismo s.m.
canibalista adj. s.2g.
canibalístico adj.
canibalização s.f.
canibalizar v.
canica s.f.
caniça s.f.
caniçada s.f.
caniçado s.m.
caniçal s.m.
caniçalha s.f.
canicalho s.m.
canicaru s.m.
caniceira s.f.
caniceiro s.m.
canicho s.m.
canícia s.f.
canicida adj. s.2g.
canicídio s.m.
canície s.f.
canicinho s.m.
caniço s.m.
caniço-branco s.m.; pl. *caniços-brancos*
caniço-d'água s.m.; pl. *caniços-d'água*
caniço-de-água s.m.; pl. *caniços-de-água*
caniço-malhado s.m.; pl. *caniços-malhados*
caniço-preto s.m.; pl. *caniços-pretos*
caniçoso (*ô*) adj.; f. (*ó*); pl. (*ó*)
caniçote s.m.
canícula s.f.
canicular adj.2g.
caniculo s.m.
canicultor (*ô*) adj. s.m.
canicultura s.f.
canicultural adj.2g.
canicurá s.m.
canida s.f. "caraipé"; cf. *cânida*
cânida adj.2g. s.m. "mamífero"; cf. *canida*
canídeo adj. s.m.
canídia s.f.
canido s.m.
canife s.m.
canífobo adj. s.m.
caniforme adj.2g.
canifraz s.m.
canijo s.m.
canil s.m.
canilha s.f.

cânima s.f.
canimo adj. s.m.
canina s.f.
caninana s.f.
canindé s.m.
canindeense adj. s.2g.
canindezinhense adj. s.2g.
caninefate adj. s.2g.
canineiro adj. s.m.
caninga s.f.
caninguento adj.
caninha s.f.
caninha-verde s.f.; pl. *caninhas-verdes*
caniniforme adj.2g.
caninjini s.m.
canino adj. s.m.
cânion s.m.
canipa s.f.
canipreto (*ê*) adj.
caniqueiro adj. s.m.
caniquim s.m.
caniramina s.f.
canisiano adj. s.m.
canista adj. s.2g.
canistrel s.m.
canitar s.m.
canitarense adj. s.2g.
canito s.m.
canivado adj.
canivão s.m.
canivetaço s.m.
canivetada s.f.
canivete s.m.
caniveteação s.f.
canivetear v.
caniveteiro s.m.
canivetense adj. s.2g.
canizzarita s.f.
canja s.f.
cânjar s.m.
canjarana s.f.
canjarana-vermelha s.f.; pl. *canjaranas-vermelhas*
canjaranense adj. s.2g.
canje s.m.
canjebrina s.f.
canjenjera (*ê*) s.m.
canjerana s.f.
canjerana-do-brejo s.f.; pl. *canjeranas-do-brejo*
canjerana-falsa s.f.; pl. *canjeranas-falsas*
canjerana-grande s.f.; pl. *canjeranas-grandes*
canjeranamirim s.f.
canjerana-miúda s.f.; pl. *canjeranas-miúdas*
canjerê s.m.
cânjiar s.m.
canjica s.f.
canjicada s.f.
canjicado adj.
canjica-lustrosa s.f.; pl. *canjicas-lustrosas*
canjica-piruruca s.f.; pl. *canjicas-piruruca* e *canjicas-pirurucas*
canjinja s.m.
canjiqueira s.f.
canjiqueiro s.m.
canjiquense adj. s.2g.
canjiquinha s.f.
canjira s.m.
canjirão s.m.
canjo s.m.
canjonjo s.m.
canjuele s.m.
canjuí s.m.
canjurupi s.m.
canjurupim s.m.
cano adj. s.m.
canoa (*ô*) s.f.
canoagem s.f.
canoananense adj. s.2g.
canoanense adj. s.2g.
canoão s.m.
canoa-rosa s.f.; pl. *canoas-rosa* e *canoas-rosas*
canoata s.m.
canoco (*ô*) adj. s.m.
canóculo s.m.
canódromo s.m.
canoé s.m.
canoé-de-botão s.m.; pl. *canoés-de-botão*
canoeirense adj. s.2g.
canoeiro adj. s.m.
canoense adj. s.2g.
canoide (*ó*) adj.2g.
canoideia (*é*) adj. s.f. de *canoideu*
canóideo adj. s.m.
canoideu adj. s.m.; f. *canoideia* (*é*)
canoila s.f.
canoilo s.m.
canoinha s.f.
canoinhense adj. s.2g.
canoira s.f.
cânon s.m.
cânone s.m.
canonical adj.2g.
canônicas s.f.pl.
canonicato s.m.
canonicidade s.f.
canônico adj. s.m.
canonisa s.f. "religiosa do cabido regular"; cf. *canoniza*, fl. do v. *canonizar*
canonista adj. s.2g.
canonístico adj.
canonização s.f.
canonizado adj.
canonizador (*ô*) adj. s.m.
canonizamento s.m.
canonizar v.
canonizável adj.2g.
canopi s.m.
canópico adj.
canopla s.f.
canopo (*ô*) s.m.
canorço (*ô*) adj.
canório s.m.
canorizar v.
canoro adj.
canossiano adj. s.m.
canostômida adj.2g. s.m.
canostomídeo adj. s.m.
canotagem s.f.
canotão s.m.
canotaria s.f.
canótida adj.2g. s.m.
canotídeo adj. s.m.
canotilho s.m.
canoula s.f.
canoulo s.m.
canoura s.f.
canouro s.m.
canoviano adj.
canovismo s.m.
canovista adj. s.2g.
canovístico adj.
cansacento adj.
cansaço s.m.
cansado adj.
cansador (*ô*) adj.
cansamento s.m.
cansanção s.m.
cansanção-de-leite s.m.; pl. *cansanções-de-leite*
cansançãozense adj. s.2g.
cansão adj. "diz-se de cavalo que se cansa facilmente"; f. *cansona*; cf. *canção*
cansa-pernense adj. s.2g.; pl. *cansa-pernenses*
cansar v.
cansarina s.f.
cansativo adj.
cansável adj.2g.
canseira s.f.
canseiroso (*ô*) adj.; f. (*ó*); pl. (*ó*)
canseirudo adj.
cansim s.m.
canso adj. s.m.
cansona adj. f. de *cansão*
cantã s.f.
cantabanco s.m.
cantábrico adj.
cantábrio adj.
cântabro adj. s.m.
cantacantar v.
cantada s.f.
cantadeira s.f.
cantadeiro adj. s.m.
cantadela s.f.
cantado adj.
cantadoira s.f.
cantador (*ô*) adj. s.m.
cantador de ganzá s.m.
cantadoria s.f.
cantadoura s.f.
cantagalense adj. s.2g.
canta-galo s.m.; na loc. *a canta-galo*
cantal s.m.
cantalupo s.m.
cantanhedense adj. s.2g.
cantante adj. s.2g.
cantão s.m.
cantãozense adj. s.2g.
cantar v. s.m.
cântara s.f. "espécie de cântaro"; cf. *cantara*, fl. do v. *cantar*
cantarada s.f.
cantareira s.f.
cantareiro adj. s.m.
cantarejar v.
cantarejo (*ê*) s.m.
cantarela s.f.
cantarélea s.f.
cantaréleo adj.
cantarelo s.m.
cantarelo-alaranjado s.m.; pl. *cantarelos-alaranjados*
cantarênico adj.
cantareno s.m.
cantari adj.2g.
cantaria s.f.
cantaríase s.f.
cantaricar v.
cantárico adj.; cf. *cantarico*, fl. do v. *cantaricar*
cantárida s.f. "inseto coleóptero"; cf. *cantarida*, fl. do v. *cantaridar*
cantaridado adj.
cantárida-do-brasil s.f.; pl. *cantáridas-do-brasil*
cantaridal adj.2g.
cantaridar v.
cantaridato s.m.
cantáride s.f. "inseto coleóptero"; cf. *cantaride*, fl. do v. *cantaridar*
cantarídeo adj. s.m.
cantaridiano adj.
cantarídico adj.
cantaridina s.f.
cantaridínico adj.
cantaridismo s.m.
cantaril adj.2g. s.m.
cantarilha s.2g.
cantarilhega s.f.
cantarilho s.m.
cantarina s.f.
cantarinha s.f.
cantarino s.m.
cantarista adj. s.2g.
cantarite s.f.
cantarítico adj.
cântaro s.m.
cantarola s.f.
cantarolante adj.2g.
cantarolar v.
cantarolável adj.2g.
cantaruré adj. s.2g.
cantate s.m.
cantatório s.m.
cantatriz s.f.
cantável adj.2g.
cante s.m.
cantear v.
canteio s.m.
canteira s.f.
canteiro s.m.
cantela s.f.
cantelão s.m.
cantelra s.f.
cantelreiro s.m.
cantense adj. s.2g.
cânter s.m.
cântica s.f.
cântico s.m.
cantiga s.f.
cantiga de licença s.f.
cantil s.m.
cantilação s.f.
cantilena s.f.
cantiléver s.m.
cantimarão s.m.
cantimplora s.f.
cantimprosa s.f.
cantina s.f.
cantineiro s.m.
cantinhense adj. s.2g.
cantiplora s.f.
cantite s.f.
canto s.m.
canto-bonense adj. s.2g.; pl. *canto-bonenses*
canto-bonitense adj. s.2g.; pl. *canto-bonitenses*
canto-buritiense adj. s.2g.; pl. *canto-buritienses*
cantocampto s.m.
cantocapta adj. s.2g.
canto-cercadense adj. s.2g.; pl. *canto-cercadenses*
cantochanista s.2g.
cantochão s.m.
canto-chorado s.m.; pl. *cantos-chorados*
canto-compridense adj. s.2g.; pl. *canto-compridenses*
canto-de-passarinho s.m.; pl. *cantos-de-passarinho*
canto-de-sabiá s.m.; pl. *cantos-de-sabiá*
cantoeira s.f.
cantofábula s.f.
cantólise s.f.
cantonado adj.
cantonal adj.2g.
cantonalismo s.m.
cantonalista adj. s.2g.
cantonalístico adj.
cantoneira s.f.
cantoneiro s.m.
cantonense adj. s.2g.
cantonês adj. s.m.
cantonista s.2g.
cantonita s.f.
cantoplastia s.f.
cantoplástico adj.
cantor (*ô*) s.m.
cantora (*ô*) s.f.
canto-redondo s.m.; pl. *cantos-redondos*
cantoria s.f.
cantoriano adj.
cantorião s.m.
cantoriense adj. s.2g.
cantorina s.f.
cantorinhar v.
cantorino s.m.
cantorio s.m.
cantorrafia s.f.
cantorráfico adj.
cantossauro s.m.
cantotomia s.f.
cantotômico adj.
cantroço (*ô*) s.m.
cantua s.f.
cantuariense adj. s.2g.
cantufa s.f.
canturião s.m.
canturino s.m.
canturo s.m.
canudar v.
canudeiro s.m.
canudense adj. s.2g.
canudilho s.m.
canudinho s.m.
canudo s.m.
canudo-amargo s.m.; pl. *canudos-amargos*
canudo-amargoso s.m.; pl. *canudos-amargosos*
canudo-de-cachimbo s.m.; pl. *canudos-de-cachimbo*
canudo-de-lagoa s.m.; pl. *canudos-de-lagoa*
canudo-de-pita s.m.; pl. *canudos-de-pita*
canudo-de-pito s.m.; pl. *canudos-de-pito*
canudo-de-purga s.m.; pl. *canudos-de-purga*
canuenué s.m.
cânula s.f.
canulado adj.
canumanense adj. s.2g.
canumboto (*ô*) s.m.
canungloquira s.m.
canuque s.m.
canúri adj. s.2g.
canusino adj. s.m.
canutamense adj. s.2g.
canutilhar v.
canutilho s.m.
canutio s.m.
canuto s.m.
canuxi s.m.
canvi s.m.
canvo s.m.
canxim s.m.
canzá s.m.
canzala s.f.
canzana s.f.
canzarrão s.m.
canzeiro s.m.
canzense s.m.
canzianopolitano adj. s.m.
canzil s.m.
canzo s.m.
canzoada s.f.
canzoal adj.2g. s.m.
canzoeira s.f.
canzol s.m.
canzuá s.m.
canzuá de quimbe s.m.
canzuim s.m.
canzumbi s.m.
canzurrada s.f.
canzurral s.m.
caó s.m.
cão s.m.
caoba s.f.
caoba-das-planícies s.f.; pl. *caobas-das-planícies*
caoba-da-terra-nova s.f.; pl. *caobas-da-terra-nova*
caobângia s.m.
caoba-roxa s.f.; pl. *caobas-roxas*
caoba-venezuelana s.f.; pl. *caobas-venezuelanas*
caobi s.m.
caoboro s.m.
cão-cabila s.m.; pl. *cães-cabila* e *cães-cabilas*
caoco (*ô*) adj. s.m.
cão-da-costa s.m.; pl. *cães-da-costa*
cão-d'água s.m.; pl. *cães-d'água*
cão-da-ilha s.m.; pl. *cães-da-ilha*
caodaísmo s.m.
cão-de-elã s.m.; pl. *cães-de-elã*
cão de guarda s.m.
cão-de-porcelana s.m.; pl. *cães-de-porcelana*
cão-de-pradaria s.m.; pl. *cães-de-pradaria*
cão-de-são-bernardo s.m.; pl. *cães-de-são-bernardo*
cão-do-alentejo s.m.; pl. *cães-do-alentejo*
cão-do-mar s.m.; pl. *cães-do-mar*
cão-do-mato s.m.; pl. *cães-do-mato*
cão-hiena s.m.; pl. *cães-hiena* e *cães-hienas*
caol s.m.
caolha (*ô*) s.f.
caolho (*ô*) adj. s.m.
caologia s.f.
caológico adj.
caomancia s.f.
caomântico adj.

cão-marinho s.m.; pl. *cães-marinhos*
cão-martelo s.m.; pl. *cães-martelos*
caombe s.m.
cão-miúdo s.m.; pl. *cães-miúdos*
cáon s.m.
caonha s.f.
caônio s.m.
caopiá s.m.
cão-polícia s.m.; pl. *cães-polícia* e *cães-polícias*
cão-porcelana s.m.; pl. *cães-porcelana* e *cães-porcelanas*
caopunga s.f.
caori s.m.
caos s.m.2n.
caótico adj.
cão-tinhoso s.m.; pl. *cães-tinhosos*
caotização s.f.
caotizar v.
cãozeiro adj. s.m.
cãozinho s.m.
cãozito s.m.
capa s.m.f.
capa-bode s.2g.; pl. *capa-bodes*
capaça s.f.
capação s.f.
capa-capote s.f.; pl. *capas-capote* e *capas-capotes*
capaceia s.f.
capacete (*ê*) s.m.
capacete-de-júpiter s.m.; pl. *capacetes-de-júpiter*
capacetense adj. s.2g.
capacetinho-cinza s.m.; pl. *capacetinhos-cinza*
capacha s.f.
capachana s.f.
capachão s.m.
capacheira s.f.
capacheiro s.m.
capachice s.f.
capachinha s.f.
capachinho s.m.
capachismo s.m.
capacho s.m.
capacidade s.f.
capacimetria s.f.
capacimétrico adj.
capacímetro s.m.
capacíssimo adj. sup. de *capaz*
capacitação s.f.
capacitado adj.
capacitador (*ô*) adj. s.m.
capacitância s.f.
capacitar v.
capacitário adj.
capacitativo adj.
capacitável adj.2g.
capacitividade s.f.
capacitivo adj.
capacitometria s.f.
capacitométrico adj.
capacitômetro s.m.
capacitor (*ô*) s.m.
capada s.f.
capadaria s.f.
capadeira s.f.
capadeiro s.m.
capadense adj. s.2g.
capadete (*ê*) s.m.
capadinho s.m.
capado adj. s.m.
capadoçada s.f.
capadoçagem s.f.
capadoçal adj.2g.
capádoce adj. s.2g.
capadócio adj. s.m.
capador (*ô*) adj. s.m.
capadora (*ô*) s.f.
capadura s.f.
capa-encourada s.f.; pl. *capas-encouradas*
capa-garrote s.m.; pl. *capa-garrotes*
capage s.m.
capa-glossário s.m.; pl. *capa-glossários*
capa-gorja s.f.; pl. *capas-gorja* e *capas-gorjas*
capa-homem s.m.; pl. *capa-homens*
capaia s.f.
capa-magna s.f.; pl. *capas-magnas*
capa-mais s.m.; pl. *capas-mais*
capamba s.f.
capambo s.m.
capamonga s.f.
capaná adj. s.2g.
capanauá adj. s.2g.
capanda s.f.
capande s.f.
capandua s.f.
capaneense adj. s.2g.
capanema s.m.
capanemense adj. s.2g.
capanense adj. s.2g.
capanga s.m.f.
capangada s.f.
capangagem s.f.
capangar v.
capanguear v.
capangueiro s.m.
capanguice s.f.
capanguinha s.f.
capanho s.m.
capanídea s.f.
capanídeo adj.
capão s.m.
capão-altense adj. s.2g.; pl. *capão-altenses*
capão-bonitense adj. s.2g.; pl. *capão-bonitenses*
capão-voltense adj. s.2g.; pl. *capão-voltenses*
capãozense adj. s.2g.
capapago s.m.
capa-palhiça s.f.; pl. *capas-palhiça* e *capas-palhiças*
capa-palhoça s.f.; pl. *capas-palhoça* e *capas-palhoças*
capa-pele s.f.; pl. *capas-pele* e *capas-peles*
capar v.
capara s.f.
caparação s.m.
caparaçonado adj.
caparala s.f.
caparale s.f.
caparão s.m.
caparaozense adj. s.2g.
caparari s.m.
caparazão s.m.
caparazonado adj.
caparazonar v.
caparazoneiro s.m.
capareado adj.
capari s.m.
caparicano adj. s.m.
caparidácea s.f.
caparidáceo adj.
caparidale s.f.
caparídea s.f.
caparídeo adj.
caparidínea s.f.
caparidíneo adj.
caparidóidea s.f.
caparidóideo adj.
cáparis s.f.2n.
caparoado adj.
caparoca s.f.
caparoeiro adj.
caparonado adj.
caparoroca s.f.
capa-rota s.f.; pl. *capas-rotas*
caparrápi adj.
caparrápico adj.
caparrapiol s.m.
caparreno s.m.
caparro s.m.
caparrosa s.f.
caparrosa-azul s.f.; pl. *caparrosas-azuis*
caparrosa-branca s.f.; pl. *caparrosas-brancas*
caparrosa-da-chapada s.f.; pl. *caparrosas-da-chapada*
caparrosado adj.
caparrosa-do-campo s.f.; pl. *caparrosas-do-campo*
caparrosa-do-rosto s.f.; pl. *caparrosas-do-rosto*
caparrosa-silvestre s.f.; pl. *caparrosas-silvestres*
caparrosa-verde s.f.; pl. *caparrosas-verdes*
caparu s.m.
caparzão s.m.
capa-saia s.f.; pl. *capas-saia* e *capas-saias*
capassa s.f.
capata s.f.
capataço s.m.
capatanda s.f.
capatão s.m.
capatari s.m.
capatariense adj. s.2g.
capataz s.m.
capatazar v.
capatazeação s.f.
capatazeado adj.
capatazeamento s.m.
capatazear v.
capatazia s.f.
capatazio s.m. "capatazia"; cf. *capatázio*
capatázio adj. s.m. "consócio"; cf. *capatazio*
capatorra (*ô*) s.f.
capaua s.f.
capaude s.m.
capaúva s.f.
capa-verde s.m.; pl. *capas-verdes*
capaxó adj. s.2g.
capaz adj.2g.
capa-zero s.m.; pl. *capas-zero*
capazócio s.m.
capazório adj.
capciosidade s.f.
capcioso (*ô*) adj.; f. (*ó*); pl. (*ó*)
cape s.m.
cápea s.f.
capeação s.f.
capeado adj.
capeador (*ô*) adj. s.m.
capeamento s.m.
capear v.
capeável adj.2g.
capeba s.f.
capeba-cheirosa s.f.; pl. *capebas-cheirosas*
capeba-do-campo s.f.; pl. *capebas-do-campo*
capeba-do-mato s.f.; pl. *capebas-do-mato*
capeba-do-norte s.f.; pl. *capebas-do-norte*
capeba-mirim s.f.; pl. *capebas-mirins*
capeçuense adj. s.2g.
capego adj. s.m.
capeia s.f.
capeirão s.m.
capeirete (*ê*) s.m.
capeiro s.m.
capeirote s.m.
capejuba s.m.
capela s.f.
capela-altense adj. s.2g.; pl. *capela-altenses*
capela-ardente s.f.; pl. *capelas-ardentes*
capela-carapuça s.f.; pl. *capelas-carapuça* e *capelas-carapuças*
capelada s.f.
capela de cheiros s.f.
capela-de-viúva s.f.; pl. *capelas-de-viúva*
capela-jaguareense adj. s.2g.; pl. *capela-jaguareenses*
capela-mor s.f.; pl. *capelas-mores*
capelana s.f.
capelanato s.m.
capelania s.f.
capela-novense adj. s.2g.; pl. *capela-novenses*
capelão s.m.
capelão-mor s.m.; pl. *capelães-mores*
capela-santanense adj. s.2g.; pl. *capela-santanenses*
capeleio s.m.
capeleira s.f.
capeleiro s.m.
capelengau s.m.
capelense adj. s.2g.
capeles s.m.pl.
capeleta (*ê*) s.f.
capelete s.m.
capelhar s.m.
capeliço s.m.
capelifício s.m.
capelina s.f.
capeline s.f.
capelinense adj. s.2g.
capelinha s.f.
capelinha de melão s.f.
capelinhense adj. s.2g.
capelinita s.f.
capelista adj. s.2g.
capelo (*ê*) s.m.
capelobo (*ô*) s.m.
capelongo adj. s.m.
capeludo adj.
capemba s.f.
capenate adj. s.2g.
capendua s.f.
capenga adj. s.2g.
capengado adj.
capengador (*ô*) adj.
capengamento s.m.
capengante adj.2g.
capengar v.
capengueação s.f.
capenguear v.
capepena s.f.
capepuxi adj. s.2g.
capera s.f.
caperengalo s.m.
caperense adj. s.2g.
caperiçoba s.f.
caperiçoba-branca s.f.; pl. *caperiçobas-brancas*
caperiçoba-vermelha s.f.; pl. *caperiçobas-vermelhas*
caperom s.m.
caperônia s.f.
caperotada s.f.
caperuçu s.m.
capeta (*ê*) adj. s.2g.
capetagem s.f.
capetão s.m. "pão"; cf. *capitão*
capete (*ê*) s.m.
capetiano adj.
capetice s.f.
capetinga s.f.
capetinguense adj. s.2g.
capetinha s.2g.
capeua s.f.
capéua s.f.
capexapalu s.m.
capexene adj. s.2g.
capexingui s.m.
capiá s.m.
capiacanca s.f.
capiaense adj. s.2g.
capiagá s.m.
capiagássi s.m.
capialçado adj.
capialço s.m.
capiana s.f.
capianca s.f.
capianga s.f.
capiangada s.f.
capiangagem s.f.
capiangar v.
capiango s.m.
capianguçu s.m.
capiá-novense adj. s.2g.; pl. *capiá-novenses*
capiapia s.f.
capiar s.m.
capiau adj. s.m.; f. *capioa* (*ô*)
capibara s.f.
capibaribense adj. s.2g.
capicatinga s.f.
capicha s.f.
capichuela s.f.
capiçoba s.f.
capicongo s.m.
capiçova s.f.
capicua s.f.
capicuru s.m.
cápide s.f.
capídula s.f.
capídulo s.m.
capiecrã adj. s.2g.
capigorrão s.m.
capigorro (*ô*) s.m.
capiguará s.m.
capiji s.m.
capijuba s.m.
capiláceo adj.
capilamento s.m.
capilar adj.2g. s.m.
capilária s.f.
capilária-do-canadá s.f.; pl. *capilárias-do-canadá*
capilária-do-méxico s.f.; pl. *capilárias-do-méxico*
capilaríase s.f.
capilaridade s.f.
capilarimétrico adj.
capilarímetro s.m.
capilariose s.f.
capilariótico adj.
capilarite s.f.
capilarítico adj.
capilaroscopia s.f.
capilaroscópico adj.
capilaroscópio s.m.
capilato adj.
capilé s.m.
capilha s.f.
capilho s.m.
capilicial adj.2g.
capilício s.m.
capilículo s.m.
capilifoliado adj.
capiliforme adj.2g.
capilina s.f.
capilose s.f.
capilossada s.f.
capilota s.f.
capilotomia s.f.
capim s.m.f.
capim-açu s.m.; pl. *capins-açus*
capim-açu-da-baía s.m.; pl. *capins-açus-da-baía*
capim-açuense adj. s.2g.; pl. *capim-açuenses*
capim-agreste s.m.; pl. *capins-agrestes*
capim-agreste-de-itu s.m.; pl. *capins-agrestes-de-itu*
capim-agreste-do-piauí s.m.; pl. *capins-agrestes-do-piauí*
capim-alpiste s.m.; pl. *capins-alpiste* e *capins-alpistes*
capim-amarelo s.m.; pl. *capins-amarelos*
capim-amargoso s.m.; pl. *capins-amargosos*
capim-amonjeaba s.m.; pl. *capins-amonjeaba* e *capins-amonjeabas*
capim-amoroso s.m.; pl. *capins-amorosos*
capim-andacaá s.m.; pl. *capins-andacaá* e *capins-andacaás*
capim-andrequicé s.m.; pl. *capins-andrequicé* e *capins-andrequicés*
capim-angola s.m.; pl. *capins-angola* e *capins-angolas*
capim-angolão s.m.; pl. *capins-angolão* e *capins-angolões*
capim-angolinha s.m.; pl. *capins-angolinha* e *capins-angolinhas*
capim-apé s.m.; pl. *capins-apé* e *capins-apés*
capim-araguaí s.m.; pl. *capins-araguaí* e *capins-araguaís*
capim-araguaiano s.m.; pl. *capins-araguaianos*

capim-arroz s.m.; pl. *capins-arroz* e *capins-arrozes*
capim-arroz-do-mato s.m.; pl. *capins-arroz-do-mato* e *capins-arrozes-do-mato*
capim-atana s.m.; pl. *capins-atana* e *capins-atanas*
capim-aveia s.m.; pl. *capins-aveia* e *capins-aveias*
capim-azedense adj. s.2g.; pl. *capim-azedenses*
capim-azul s.m.; pl. *capins-azuis*
capim-balça s.m.; pl. *capins-balça* e *capins-balças*
capim-bambu s.m.; pl. *capins-bambu* e *capins-bambus*
capim-bambuzinho s.m.; pl. *capins-bambuzinho* e *capins-bambuzinhos*
capim-bandeira s.m.; pl. *capins-bandeira* e *capins-bandeiras*
capim-barata s.m.; pl. *capins-barata* e *capins-baratas*
capim-barba-de-bode s.m.; pl. *capins-barba-de-bode* e *capins-barbas-de-bode*
capim-barbado s.m.; pl. *capins-barbados*
capim-batatal s.m.; pl. *capins-batatal* e *capins-batatais*
capimbeba s.m.
capim-bengala s.m.; pl. *capins-bengala* e *capins-bengalas*
capim-bobó s.m.; pl. *capins-bobó* e *capins-bobós*
capim-bobô s.m.; pl. *capins-bobô* e *capins-bobôs*
capim-bolota s.m.; pl. *capins-bolota* e *capins-bolotas*
capim-bosta-de-rola s.m.; pl. *capins-bosta-de-rola* e *capins-bostas-de-rola*
capim-branco s.m.; pl. *capins-brancos*
capim-branco-de-talo-roxo s.m.; pl. *capins-brancos-de-talo-roxo*
capim-branquense adj. s.2g.; pl. *capim-branquenses*
capim-brilhante s.m.; pl. *capins-brilhantes*
capim-burrão s.m.; pl. *capins-burrão* e *capins-burrões*
capim-cabaiú s.m.; pl. *capins-cabaiú* e *capins-cabaiús*
capim-cabelo-de-negro s.m. pl. *capins-cabelo-de-negro* e *capins-cabelos-de-negro*
capim-cabeludo s.m.; pl. *capins-cabeludos*
capim-caiana s.m.; pl. *capins-caiana* e *capins-caianas*
capim-calandrínia s.m.; pl. *capins-calandrínia* e *capins-calandrínias*
capim-camalote s.m.; pl. *capins-camalote* e *capins-camalotes*
capim-camalote-da-água s.m.; pl. *capins-camalote-da-água* e *capins-camalotes-da-água*
capim-camalote-d'água s.m.; pl. *capins-camalote-d'água* e *capins-camalotes-d'água*
capim-camelão s.m.; pl. *capins-camelão* e *capins-camelões*
capim-canarana s.m.; pl. *capins-canarana* e *capins-canaranas*
capim-caninha s.m.; pl. *capins-caninha* e *capins-caninhas*
capim-canudinho s.m.; pl. *capins-canudinho* e *capins-canudinhos*
capim-canutão s.m.; pl. *capins-canutão* e *capins-canutões*
capim-capivara s.m.; pl. *capins-capivara* e *capins-capivaras*
capim-cati s.m.; pl. *capins-cati* e *capins-catis*
capim-catinga s.m.; pl. *capins-catinga* e *capins-catingas*
capim-catingueiro s.m.; pl. *capins-catingueiros*
capim-cauda-de-raposa s.m.; pl. *capins-cauda-de-raposa* e *capins-caudas-de-raposa*
capim-cebola s.m.; pl. *capins-cebola* e *capins-cebolas*
capim-cevada s.m.; pl. *capins-cevada* e *capins-cevadas*
capim-cevadinha s.m.; pl. *capins-cevadinha* e *capins-cevadinhas*
capim-chatinho s.m.; pl. *capins-chatinhos*
capim-cheiroso s.m.; pl. *capins-cheirosos*
capim-cheiroso-da-índia s.m.; pl. *capins-cheirosos-da-índia*
capim-chorão s.m.; pl. *capins-chorões*
capim-chuvisco s.m.; pl. *capins-chuvisco* e *capins-chuviscos*
capim-cidreira s.m.; pl. *capins-cidreira* e *capins-cidreiras*
capim-cidrilho s.m.; pl. *capins-cidrilho* e *capins-cidrilhos*
capim-cidró s.m.; pl. *capins-cidró* e *capins-cidrós*
capim-cocorobó s.m.; pl. *capins-cocorobó* e *capins-cocorobós*
capim-cola-de-lagarto s.m.; pl. *capins-cola-de-lagarto* e *capins-colas-de-lagarto*
capim-cola-de-zorro s.m.; pl. *capins-cola-de-zorro* e *capins-colas-de-zorro*
capim-colchão s.m.; pl. *capins-colchão* e *capins-colchões*
capim-cololó s.m.; pl. *capins-cololó* e *capins-cololós*
capim-colombiano s.m.; pl. *capins-colombianos*
capim-colônia s.m.; pl. *capins-colônia* e *capins-colônias*
capim-colônia-do-brejo s.m.; pl. *capins-colônia-do-brejo* e *capins-colônias-do-brejo*
capim-colonião s.m.; pl. *capins-colonião* e *capins-coloniões*
capim-comprido s.m.; pl. *capins-compridos*
capim-comprido-da-austrália s.m.; pl. *capins-compridos-da-austrália*
capim-coqueirinho s.m.; pl. *capins-coqueirinho* e *capins-coqueirinhos*
capim-cortante s.m.; pl. *capins-cortantes*
capim-cortesia s.m.; pl. *capins-cortesia* e *capins-cortesias*
capim-da-abissínia s.m.; pl. *capins-da-abissínia*
capim-da-areia s.m.; pl. *capins-da-areia*
capim-da-austrália s.m.; pl. *capins-da-austrália*
capim-da-cidade s.m.; pl. *capins-da-cidade*
capim-da-colônia s.m.; pl. *capins-da-colônia*
capim-d'água s.m.; pl. *capins-d'água*
capim-da-guiné s.m.; pl. *capins-da-guiné*
capim-da-praia s.m.; pl. *capins-da-praia*
capim-da-roça s.m.; pl. *capins-da-roça*
capim-da-roça-verdadeiro s.m.; pl. *capins-da-roça-verdadeiros*
capim-das-bermudas s.m.; pl. *capins-das-bermudas*
capim-das-hortas s.m.; pl. *capins-das-hortas*
capim-das-roças s.m.; pl. *capins-das-roças*
capim-da-terra s.m.; pl. *capins-da-terra*
capim-de-açude s.m.; pl. *capins-de-açude*
capim-de-andar s.m.; pl. *capins-de-andar*
capim-de-angola s.m.; pl. *capins-de-angola*
capim-de-bandeira s.m.; pl. *capins-de-bandeira*
capim-de-batatais s.m.; pl. *capins-de-batatais*
capim-de-bezerro s.m.; pl. *capins-de-bezerro*
capim-de-bode s.m.; pl. *capins-de-bode*
capim-de-bolota s.m.; pl. *capins-de-bolota*
capim-de-bota s.m.; pl. *capins-de-bota*
capim-de-botão s.m.; pl. *capins-de-botão*
capim-de-botão-grande s.m.; pl. *capins-de-botão-grande*
capim-de-bucha s.m.; pl. *capins-de-bucha*
capim-de-burro s.m.; pl. *capins-de-burro*
capim-de-cabra s.m.; pl. *capins-de-cabra*
capim-de-capivara s.m.; pl. *capins-de-capivara*
capim-de-carneiro s.m.; pl. *capins-de-carneiro*
capim-de-cavalo s.m.; pl. *capins-de-cavalo*
capim-de-cheiro s.m.; pl. *capins-de-cheiro*
capim-de-coco s.m.; pl. *capins-de-coco*
capim-de-contas s.m.; pl. *capins-de-contas*
capim-de-corte s.m.; pl. *capins-de-corte*
capim-de-cuba s.m.; pl. *capins-de-cuba*
capim-de-cuiabá s.m.; pl. *capins-de-cuiabá*
capim-de-diamante s.m.; pl. *capins-de-diamante*
capim-de-égua s.m.; pl. *capins-de-égua*
capim-de-esteira s.m.; pl. *capins-de-esteira*
capim-de-feixe s.m.; pl. *capins-de-feixe*
capim-de-flecha s.m.; pl. *capins-de-flecha*
capim-de-fogo s.m.; pl. *capins-de-fogo*
capim-de-folha-comprida s.m.; pl. *capins-de-folha-comprida*
capim-de-folhas-róseas s.m.; pl. *capins-de-folhas-róseas*
capim-de-forquilha s.m.; pl. *capins-de-forquilha*
capim-de-frei-luís s.m.; pl. *capins-de-frei-luís*
capim-de-itu s.m.; pl. *capins-de-itu*
capim-de-lastro s.m.; pl. *capins-de-lastro*
capim-de-manada s.m.; pl. *capins-de-manada*
capim-de-marreca s.m.; pl. *capins-de-marreca*
capim-de-mula s.m.; pl. *capins-de-mula*
capim-de-natal s.m.; pl. *capins-de-natal*
capim-de-nossa-senhora s.m.; pl. *capins-de-nossa-senhora*
capim-de-pasto s.m.; pl. *capins-de-pasto*
capim-de-pernambuco s.m.; pl. *capins-de-pernambuco*
capim-de-planta s.m.; pl. *capins-de-planta*
capim-de-pombo s.m.; pl. *capins-de-pombo*
capim-de-raiz s.m.; pl. *capins-de-raiz*
capim-de-rebanho s.m.; pl. *capins-de-rebanho*
capim-de-rodes s.m.; pl. *capins-de-rodes*
capim-de-rola s.m.; pl. *capins-de-rola*
capim-de-rosa s.m.; pl. *capins-de-rosa*
capim-de-santa-luzia s.m.; pl. *capins-de-santa-luzia*
capim-de-são-carlos s.m.; pl. *capins-de-são-carlos*
capim-de-são-paulo s.m.; pl. *capins-de-são-paulo*
capim-de-sapo s.m.; pl. *capins-de-sapo*
capim-de-soca s.m.; pl. *capins-de-soca*
capim-de-tartaruga s.m.; pl. *capins-de-tartaruga*
capim-de-tenerife s.m.; pl. *capins-de-tenerife*
capim-de-teso s.m.; pl. *capins-de-teso*
capim-de-touceira s.m.; pl. *capins-de-touceira*
capim-de-túnis s.m.; pl. *capins-de-túnis*
capim-de-um-só-botão s.m.; pl. *capins-de-um-só-botão*
capim-de-venezuela s.m.; pl. *capins-de-venezuela*
capim-do-araguaia s.m.; pl. *capins-do-araguaia*
capim-do-campo s.m.; pl. *capins-do-campo*
capim-doce s.m.; pl. *capins-doces*
capim-do-colorado s.m.; pl. *capins-do-colorado*
capim-do-descampado s.m.; pl. *capins-do-descampado*
capim-do-egito s.m.; pl. *capins-do-egito*
capim-doido s.m.; pl. *capins-doidos*
capim-do-pará s.m.; pl. *capins-do-pará*
capim-do-pasto s.m.; pl. *capins-do-pasto*
capim-do-pomar s.m.; pl. *capins-do-pomar*
capim-do-prado s.m.; pl. *capins-do-prado*
capim-dos-camalotes s.m.; pl. *capins-dos-camalotes*
capim-dos-capoeirões s.m.; pl. *capins-dos-capoeirões*
capim-dos-diamantes s.m.; pl. *capins-dos-diamantes*
capim-do-seco s.m.; pl. *capins-do-seco*
capim-dos-mimosos s.m.; pl. *capins-dos-mimosos*
capim-dos-nambiquaras s.m.; pl. *capins-dos-nambiquaras*
capim-dos-pampas s.m.; pl. *capins-dos-pampas*
capim-do-sudão s.m.; pl. *capins-do-sudão*
capim-do-teso s.m.; pl. *capins-do-teso*
capim-do-texas s.m.; pl. *capins-do-texas*
capim-elefante s.m.; pl. *capins-elefante* e *capins-elefantes*
capim-elefante-brasileiro s.m.; pl. *capins-elefante-brasileiros* e *capins-elefantes-brasileiros*
capim-elimo s.m.; pl. *capins-elimo* e *capins-elimos*
capim-espartilho s.m.; pl. *capins-espartilho* e *capins-espartilhos*
capim-esteira s.m.; pl. *capins-esteira* e *capins-esteiras*
capim-estrela s.m.; pl. *capins-estrela* e *capins-estrelas*
capim-fartura s.m.; pl. *capins-fartura* e *capins-farturas*
capim-favorito s.m.; pl. *capins-favoritos*
capim-ferro s.m.; pl. *capins-ferro* e *capins-ferros*
capim-fino s.m.; pl. *capins-finos*
capim-fino-de-folha-comprida s.m.; pl. *capins-finos-de-folha-comprida*
capim-flabelo s.m.; pl. *capins-flabelo* e *capins-flabelos*
capim-flecha s.m.; pl. *capins-flecha* e *capins-flechas*
capim-flechinha s.m.; pl. *capins-flechinha* e *capins-flechinhas*
capim-flor s.m.; pl. *capins-flor* e *capins-flores*
capim-foice s.m.; pl. *capins-foice* e *capins-foices*
capim-forquilha s.m.; pl. *capins-forquilha* e *capins-forquilhas*
capim-frecha s.m.; pl. *capins-frecha* e *capins-frechas*
capim-gafanhoto s.m.; pl. *capins-gafanhoto* e *capins-gafanhotos*
capim-gengibre s.m.; pl. *capins-gengibre* e *capins-gengibres*
capim-gigante s.m.; pl. *capins-gigantes*
capim-gigante-das-baixas s.m.; pl. *capins-gigantes-das-baixas*
capim-gomoso s.m.; pl. *capins-gomosos*
capim-gordo s.m.; pl. *capins-gordos*
capim-gordura s.m.; pl. *capins-gordura* e *capins-gorduras*
capim-grama s.m.; pl. *capins-grama* e *capins-gramas*
capim-grama-da-guiné s.m.; pl. *capins-grama-da-guiné* e *capins-gramas-da-guiné*
capim-grama-das-baixas s.m.; pl. *capins-grama-das-baixas* e *capins-gramas-das-baixas*
capim-grande s.m.; pl. *capins-grandes*
capim-grossense adj. s.2g.; pl. *capim-grossenses*
capim-guaiamum s.m.; pl. *capins-guaiamum* e *capins-guaiamuns*
capim-guatemala s.m.; pl. *capins-guatemala*
capim-guedes s.m.; pl. *capins-guedes*
capim-guiné s.m.; pl. *capins-guiné* e *capins-guinés*
capim-imperial s.m.; pl. *capins-imperiais*
capim-jaçapé s.m.; pl. *capins-jaçapé* e *capins-jaçapés*

capim-jaguaré s.m.; pl. *capins-jaguaré* e *capins-jaguarés*
capim-japonês s.m.; pl. *capins-japoneses*
capim-jaraguá s.m.; pl. *capins-jaraguá* e *capins-jaraguás*
capim-jasmim s.m.; pl. *capins-jasmim* e *capins-jasmins*
capim-jasmim-da-serra s.m.; pl. *capins-jasmim-da-serra* e *capins-jasmins-da-serra*
capim-jaú s.m.; pl. *capins-jaú* e *capins-jaús*
capim-jerivá s.m.; pl. *capins-jerivá* e *capins-jerivás*
capim-junco s.m.; pl. *capins-junco* e *capins-juncos*
capim-lágrima-de-nossa-senhora s.m.; pl. *capins-lágrima-de-nossa-senhora* e *capins-lágrimas-de-nossa-senhora*
capim-lambe-rosto s.m.; pl. *capins-lambe-rosto* e *capins-lambe-rostos*
capim-lanceta s.m.; pl. *capins-lanceta* e *capins-lancetas*
capim-lanoso s.m.; pl. *capins-lanosos*
capim-lanudo s.m.; pl. *capins-lanudos*
capim-leque s.m.; pl. *capins-leque* e *capins-leques*
capim-limão s.m.; pl. *capins-limão* e *capins-limões*
capim-lixa s.m.; pl. *capins-lixa* e *capins-lixas*
capim-lucas s.m.; pl. *capins-lucas*
capim-luís-da-silva s.m.; pl. *capins-luís-da-silva*
capim-maçambará s.m.; pl. *capins-maçambará* e *capins-maçambarás*
capim-maçambará-mirim s.m.; pl. *capins-maçambará-mirim* e *capins-maçambarás-mirins*
capim-macio-de-folha-larga s.m.; pl. *capins-macios-de-folha-larga*
capim-malota s.m.; pl. *capins-malota* e *capins-malotas*
capim-mandante s.m.; pl. *capins-mandantes*
capim-manga s.m.; pl. *capins-manga* e *capins-mangas*
capim-manga-do-campo s.m.; pl. *capins-manga-do-campo* e *capins-mangas-do-campo*
capim-manso s.m.; pl. *capins-mansos*
capim-mão-de-sapo s.m.; pl. *capins-mão-de-sapo* e *capins-mãos-de-sapo*
capim-marajó s.m.; pl. *capins-marajó* e *capins-marajós*
capim-marinho s.m.; pl. *capins-marinhos*
capim-marmelada s.m.; pl. *capins-marmelada* e *capins-marmeladas*
capim-marreca s.m.; pl. *capins-marreca* e *capins-marrecas*
capim-massapé s.m.; pl. *capins-massapé* e *capins-massapés*
capim-meladinho s.m.; pl. *capins-meladinhos*
capim-meladinho-mineiro s.m.; pl. *capins-meladinhos-mineiros*
capim-melado s.m.; pl. *capins-melados*
capim-meloso s.m.; pl. *capins-melosos*
capim-membeca s.m.; pl. *capins-membeca* e *capins-membecas*
capim-meruquiá s.m.; pl. *capins-meruquiá* e *capins-meruquiás*
capim-mexicano s.m.; pl. *capins-mexicanos*
capim-miçanga s.m.; pl. *capins-miçanga* e *capins-miçangas*
capim-milhã s.m.; pl. *capins-milhã* e *capins-milhãs*
capim-milhã-branco s.m.; pl. *capins-milhã-branco* e *capins-milhãs-brancos*
capim-milhã-do-brejo s.m.; pl. *capins-milhã-do-brejo* e *capins-milhãs-do-brejo*
capim-milhã-do-cacho-dourado s.m.; pl. *capins-milhã-do-cacho-dourado* e *capins-milhãs-do-cacho-dourado*
capim-milhã-do-campo s.m.; pl. *capins-milhã-do-campo* e *capins-milhãs-do-campo*
capim-milhã-do-talo-roxo s.m.; pl. *capins-milhã-do-talo-roxo* e *capins-milhãs-do-talo-roxo*
capim-milhã-dourado s.m.; pl. *capins-milhã-dourado* e *capins-milhãs-dourados*
capim-milhã-grande s.m.; pl. *capins-milhã-grande* e *capins-milhãs-grandes*
capim-milhã-roxo s.m.; pl. *capins-milhã-roxo* e *capins-milhãs-roxos*
capim-mimoso s.m.; pl. *capins-mimosos*
capim-mimoso-da-cabeça-roxa s.m.; pl. *capins-mimosos-da-cabeça-roxa*
capim-mimoso-da-zona-do-pantanal s.m.; pl. *capins-mimosos-da-zona-do-pantanal*
capim-mimoso-de-cacho s.m.; pl. *capins-mimosos-de-cacho*
capim-mimoso-de-cacho-roxo s.m.; pl. *capins-mimosos-de-cacho-roxo*
capim-mimoso-de-espiga s.m.; pl. *capins-mimosos-de-espiga*
capim-mimoso-de-folha-larga s.m.; pl. *capins-mimosos-de-folha-larga*
capim-mimoso-do-agreste s.m.; pl. *capins-mimosos-do-agreste*
capim-mimoso-do-ceará s.m.; pl. *capins-mimosos-do-ceará*
capim-mimoso-do-piauí s.m.; pl. *capins-mimosos-do-piauí*
capim-mina s.m.; pl. *capins-mina* e *capins-minas*
capim-mium s.m.; pl. *capins-mium* e *capins-miuns*
capim-mole s.m.; pl. *capins-moles*
capim-mole-do-brejo s.m.; pl. *capins-moles-do-brejo*
capim-mori s.m.; pl. *capins-mori* e *capins-moris*
capim-morotó s.m.; pl. *capins-morotó* e *capins-morotós*
capim-mourão s.m.; pl. *capins-mourão* e *capins-mourões*
capim-murim s.m.; pl. *capins-murim* e *capins-murins*
capim-mururu s.m.; pl. *capins-mururu* e *capins-mururus*
capim-napier s.m.; pl. *capins-napier*
capim-natal s.m.; pl. *capins-natal* e *capins-natais*
capim-nativo s.m.; pl. *capins-nativos*
capim-navalha s.m.; pl. *capins-navalha* e *capins-navalhas*
capim-navalheira s.m.; pl. *capins-navalheira* e *capins-navalheiras*
capim-navalheira-mole s.m.; pl. *capins-navalheira-mole* e *capins-navalheiras-moles*
capim-nó s.m.; pl. *capins-nó* e *capins-nós*
capim-onça s.m.; pl. *capins-onça* e *capins-onças*
capimonga s.f.
capim-orvalho s.m.; pl. *capins-orvalho* e *capins-orvalhos*
capim-palma s.m.; pl. *capins-palma* e *capins-palmas*
capim-palmeira s.m.; pl. *capins-palmeira* e *capins-palmeiras*
capim-palmeirinha s.m.; pl. *capins-palmeirinha* e *capins-palmeirinhas*
capim-panasco s.m.; pl. *capins-panasco* e *capins-panascos*
capim-panasco-do-tabuleiro s.m.; pl. *capins-panasco-do-tabuleiro* e *capins-panascos-do-tabuleiro*
capim-pancuã s.m.; pl. *capins-pancuã* e *capins-pancuãs*
capim-pangola s.m.; pl. *capins-pangola* e *capins-pangolas*
capim-papuã s.m.; pl. *capins-papuã* e *capins-papuãs*
capim-papudo s.m.; pl. *capins-papudos*
capim-paraturá s.m.; pl. *capins-paraturá* e *capins-paraturás*
capimpeba s.m.
capim-pé-de-galinha s.m.; pl. *capins-pé-de-galinha* e *capins-pés-de-galinha*
capim-pé-de-papagaio s.m.; pl. *capins-pé-de-papagaio* e *capins-pés-de-papagaio*
capim-peguento s.m.; pl. *capins-peguentos*
capim-peludo-do-massapê s.m.; pl. *capins-peludos-do-massapê*
capim-penacho s.m.; pl. *capins-penacho* e *capins-penachos*
capim-peripomongo s.m.; pl. *capins-peripomongo* e *capins-peripomongos*
capimpéua s.m.
capim-pintado s.m.; pl. *capins-pintados*
capim-piqui s.m.; pl. *capins-piqui* e *capins-piquis*
capim-pirimembeca s.m.; pl. *capins-pirimembeca* e *capins-pirimembecas*
capim-pororó s.m.; pl. *capins-pororó* e *capins-pororós*
capim-pororó-açu s.m.; pl. *capins-pororó-açu* e *capins-pororós-açus*
capim-provisório s.m.; pl. *capins-provisórios*
capimpuba s.m.
capim-pubense adj. s.2g.; pl. *capim-pubenses*
capim-quicé s.m.; pl. *capins-quicé* e *capins-quicés*
capim-quicuio s.m.; pl. *capins-quicuio* e *capins-quicuios*
capim-quicuiú s.m.; pl. *capins-quicuiú* e *capins-quicuiús*
capim-rabo-de-boi s.m.; pl. *capins-rabo-de-boi* e *capins-rabos-de-boi*
capim-rabo-de-burro s.m.; pl. *capins-rabo-de-burro* e *capins-rabos-de-burro*
capim-rabo-de-cachorro s.m.; pl. *capins-rabo-de-cachorro* e *capins-rabos-de-cachorro*
capim-rabo-de-gato s.m.; pl. *capins-rabo-de-gato* e *capins-rabos-de-gato*
capim-rabo-de-mucura s.m.; pl. *capins-rabo-de-mucura* e *capins-rabos-de-mucura*
capim-rabo-de-raposa s.m.; pl. *capins-rabo-de-raposa* e *capins-rabos-de-raposa*
capim-rabo-de-rato s.m.; pl. *capins-rabo-de-rato* e *capins-rabos-de-rato*
capim-rasteiro s.m.; pl. *capins-rasteiros*
capim-rasteiro-do-brejo s.m.; pl. *capins-rasteiros-do-brejo*
capim-rasteiro-dos-campos s.m.; pl. *capins-rasteiro-dos-campos* e *capins-rasteiros-dos-campos*
capim-rasteiro-do-seco s.m.; pl. *capins-rasteiro-do-seco* e *capins-rasteiros-do-seco*
capim-redondo s.m.; pl. *capins-redondos*
capim-rei s.m.; pl. *capins-rei* e *capins-reis*
capim-relvão s.m.; pl. *capins-relvão* e *capins-relvões*
capim-rosário s.m.; pl. *capins-rosário* e *capins-rosários*
capim-roseta s.m.; pl. *capins-roseta* e *capins-rosetas*
capim-roxo s.m.; pl. *capins-roxos*
capim-ruivo s.m.; pl. *capins-ruivos*
capim-salgado s.m.; pl. *capins-salgados*
capim-sanguinário s.m.; pl. *capins-sanguinários*
capim-santo s.m.; pl. *capins-santos*
capim-sapé s.m.; pl. *capins-sapé* e *capins-sapés*
capim-sapê s.m.; pl. *capins-sapê* e *capins-sapês*
capim-sapé-de-capoeira s.m.; pl. *capins-sapé-de-capoeira* e *capins-sapés-de-capoeira*
capim-sapé-do-brejo s.m.; pl. *capins-sapé-do-brejo* e *capins-sapés-do-brejo*
capim-sapé-macho s.m.; pl. *capins-sapé-macho* e *capins-sapés-machos*
capim-sapê-macho s.m.; pl. *capins-sapê-macho* e *capins-sapês-machos*
capim-seda s.m.; pl. *capins-seda* e *capins-sedas*
capim-sempre-verde s.m.; pl. *capins-sempre-verdes*
capim-sentinela s.m.; pl. *capins-sentinela* e *capins-sentinelas*
capim-serra s.m.; pl. *capins-serra* e *capins-serras*
capim-setária s.m.; pl. *capins-setária* e *capins-setárias*
capim-taboquinha s.m.; pl. *capins-taboquinha* e *capins-taboquinhas*
capim-taquari s.m.; pl. *capins-taquari* e *capins-taquaris*
capim-taquari-d'água s.m.; pl. *capins-taquari-d'água* e *capins-taquaris-d'água*
capim-taquarizinho s.m.; pl. *capins-taquarizinho* e *capins-taquarizinhos*
capim-taripucu s.m.; pl. *capins-taripucu* e *capins-taripucus*
capim-trapoeraba s.m.; pl. *capins-trapoeraba* e *capins-trapoerabas*
capim-treme-treme s.m.; pl. *capins-treme-treme*
capim-trigo s.m.; pl. *capins-trigo* e *capins-trigos*
capim-turipucu s.m.; pl. *capins-turipucu* e *capins-turipucus*
capim-uamá s.m.; pl. *capins-uamá* e *capins-uamás*
capim-um-só-botão s.m.; pl. *capins-um-só-botão*
capim-vassoura s.m.; pl. *capins-vassoura* e *capins-vassouras*
capim-veludo s.m.; pl. *capins-veludo* e *capins-veludos*
capim-verde s.m.; pl. *capins-verdes*
capim-vermelho s.m.; pl. *capins-vermelhos*
capim-vetiver s.m.; pl. *capins-vetiver* e *capins-vetiveres*
capim-viloso s.m.; pl. *capins-vilosos*
capim-voador s.m.; pl. *capins-voadores*
capim-zaranza s.m.; pl. *capins-zaranza* e *capins-zaranzas*
capina s.f.
capinã s.f.
capinação s.f.
capinadeira s.f.
capinado adj.
capinador (*ô*) adj. s.m.
capinadura s.f.
capinal s.m.
capinalense adj. s.2g.
capinamari adj. s.2g.
capinar v.
capinauá adj. s.2g.
capincho s.m.
capindó s.m.
capineira s.f.
capineiro s.m.
capinense adj. s.2g.
capinete (*ê*) s.m.
capinha s.m.f.
capinheiro s.m.
capinima s.f.
capininga s.f.
capinopolino adj. s.m.
capinopolitano adj. s.m.
capintinga s.f.
capintubense adj. s.2g.
capinzal s.m.
capinzalense adj. s.2g.
capioa (*ô*) s.f. de *capiau*
capiongo adj.
capipoatinga s.f.
capipreto (*ê*) adj.
capiragem s.f.
capiranga s.f.
capirereca s.f.
capirocho (*ô*) s.m.
capirona s.f.
capirotada s.f.
capirote adj.2g. s.m.
capiroto (*ô*) s.m.
capiscaba-mirim s.f.; pl. *capiscabas-mirins*
capiscação s.f.
capiscar v.
capiscol s.m.
capissaio s.m.
capista s.2g. s.m.
capistração s.f.
capistrana s.f.
capistranense adj. s.2g.
capistro s.m.
capita s.m.
capitã s.f. de *capitão*

capitação s.f. "imposto"; cf. *captação*
capitado adj. s.m.
capitaina s.f.
capital adj.2g. s.m.f.
capital-ações s.m.pl.
capitalado s.m.
capitalidade s.f.
capitalismo s.m.
capitalista adj. s.2g.
capitalístico adj.
capitalizabilidade s.f.
capitalização s.f.
capitalizado adj.
capitalizar v.
capitalizável adj.2g.
capital-obrigações s.m.pl.
capitana s.f.
capitaneado adj.
capitaneador (*ô*) s.m.
capitanear v.
capitanense adj. s.2g.
capitanete (*ê*) s.m.
capitango s.m.
capitania s.f. "posto", "dignidade"; cf. *capitânia*
capitânia adj. s.f. "nau"; cf. *capitania*
capitania-mor s.f.; pl. *capitanias-mores*
capitão s.m. "posto militar"; f. *capitã* e *capitoa* (*ô*); pl. *capitães*; cf. *capetão*
capitão-andradense adj. s.2g.; pl. *capitão-andradenses*
capitão-aviador s.m.; pl. *capitães-aviadores*
capitão-boca-mole s.m.; pl. *capitães-boca-mole* e *capitães-bocas-moles*
capitão-campense adj. s.2g.; pl. *capitão-campenses*
capitão-chico s.m.; pl. *capitães-chico* e *capitães-chicos*
capitão-da-porcaria s.m.; pl. *capitães-da-porcaria*
capitão-da-sala s.m.; pl. *capitães-da-sala*
capitão-das-porcarias s.m.; pl. *capitães-das-porcarias*
capitão de assaltos s.m.
capitão de bandeira s.m.
capitão-de-bigode s.m.; pl. *capitães-de-bigode*
capitão-de-bigodes s.m.; pl. *capitães-de-bigodes*
capitão de cabotagem s.m.
capitão de campo s.m.
capitão de corveta s.m.
capitão de estrada s.m.
capitão de fragata s.m.
capitão de ladrões s.m.
capitão de lanças s.m.
capitão de longo curso s.m.
capitão de mar e guerra s.m.
capitão de navios s.m.
capitão-de-pernambuco s.m.; pl. *capitães-de-pernambuco*
capitão-de-saíra s.m.; pl. *capitães-de-saíra*
capitão-de-sala s.m.; pl. *capitães-de-sala*
capitão do campo s.m. "feitor"
capitão-do-campo s.m. "planta"; pl. *capitães-do-campo*
capitão-do-mastro s.m.; pl. *capitães-do-mastro*
capitão do mato s.m. "feitor"
capitão-do-mato s.m. "espécie de ave"; "planta"; pl. *capitães-do-mato*
capitão do porto s.m.
capitão-eneense adj. s.2g.; pl. *capitão-eneenses*
capitão-general s.m.; pl. *capitães-generais*
capitão-geral s.m.; pl. *capitães-gerais*
capitão-mercante s.m.; pl. *capitães-mercantes*
capitão-mor s.m.; pl. *capitães-mores*
capitão-mor das ordenanças s.m.
capitão-pocense adj. s.2g.; pl. *capitão-pocenses*
capitão quartel mestre s.m.
capitão-tenente s.m.; pl. *capitães-tenentes*
capitãozinho s.m.; pl. *capitãezinhos*
capitar v. "impor capitação"; cf. *captar*
capitari s.m.
capitariense adj. s.2g.
capitarizeiro s.m.
capitata s.f.
capitato adj.
capitaú s.m.
capitel s.m.
capitela s.f.
capitelado adj.
capitelador (*ô*) adj. s.m.
capitélida adj.2g. s.m.
capitelídeo adj. s.m.
capitelo s.m.
capité-minanei adj. s.2g.; pl. *capités-minaneis*
capitéu s.m.
capitiçoba s.f.
capitiçova s.f.
capitiforme adj.2g.
capitilúvio s.m.
capitinga s.f.
capitisdiminuição s.f.
capitisdiminuído adj.
capitiú s.m.
capitiú-do-amazonas s.m.; pl. *capitiús-do-amazonas*
capitiú-fedorento s.m.; pl. *capitiús-fedorentos*
cápito s.m.
capitoa (*ô*) s.f. de *capitão*
capitol s.m.
capitoliense adj. s.2g.
capitolina s.f.
capitolino adj. s.m.
capitólio s.m.
capitomasto s.m.
capitonê adj.2g.
capitonídeo adj. s.m.
capitoso (*ô*) adj.; f. (*ó*); pl. (*ó*)
capitoto (*ô*) s.m.
capituba s.f.
capitubal s.m.
capítula s.f. "cada uma das preces do breviário", etc.; cf. *capitula*, fl. do v. *capitular*
capitulação s.f.
capitulacionismo s.m.
capitulacionista adj.2g. s.2g.
capitulacionístico adj.
capitulada s.f.
capitulado adj. s.m.
capitulador (*ô*) adj. s.m.
capitulante adj. s.2g.
capitular v. adj.2g. s.m.f.
capitulares s.f.pl.
capitulário s.m.
capitulável adj.2g.
capituleiro s.m.
capitulense adj. s.2g.
capituliforme adj.2g.
capítulo s.m.; cf. *capitulo*, fl. do v. *capitular*
capituva s.f.
capituval s.m.
capituvense adj. s.2g.
capiúna s.f.
capivara s.2g. s.f.
capivarada s.f.
capivarense adj. s.2g.
capivariano adj. s.m.
capivariense adj. s.2g.
capivaritense adj. s.2g.
capiverde (*ê*) s.m.
capixaba adj. s.2g. s.m.f.
capixabano adj. s.m.
capixabense adj. s.2g.
capixabinha s.m.
capixava adj. s.2g. s.m.f.
capixim s.m.
capixingui s.m.
capixingui-de-bicho s.m.; pl. *capixinguis-de-bicho*
capixuna s.f.
cápnia s.m.
capnita s.f.
capnite s.f.
capnito s.m.
capnódio s.m.
capnódis s.m.2n.
capnofilo s.m. "planta apiácea"; cf. *capnófilo*
capnófilo adj. "que gosta de fumo"; cf. *capnofilo*
capnófugo adj.
capnografia s.f.
capnoide (*ó*) adj.2g. s.m.
capnólio s.m.
capnomancia s.f.
capnomante s.2g.
capnomantecia s.f.
capnomântico adj.
capnomor s.m.
capnóptero adj.
cápnua s.m.
capnuso s.m.
capô s.m.
capoca s.f.
capoeira s.m.f.
capoeira-branca s.f.; pl. *capoeiras-brancas*
capoeiraçu s.f.
capoeirada s.f.
capoeira de angola s.f.
capoeira de machado s.f.
capoeira de pau de machado s.f.
capoeira-furada s.f.; pl. *capoeiras-furadas*
capoeiragem s.f.
capoeira-grande s.f.; pl. *capoeiras-grandes*
capoeiral s.m.
capoeira-mirim s.f.; pl. *capoeiras-mirins*
capoeirana s.f.
capoeiranense adj. s.2g.
capoeirano s.m.
capoeirão adj. s.m.
capoeirão de machado s.m.
capoeirar v.
capoeira-regional s.f.; pl. *capoeiras-regionais*
capoeireiro s.m.
capoeirense adj. s.2g.
capoeirinha s.f.
capoeirista s.2g.
capoeiro adj. s.m.
capoeiroso (*ô*) adj.; f. (*ó*); pl. (*ó*)
capoeiruçu s.2g.
capolacaxixe s.m.
capolim s.m.
capolo s.m.
capom adj. s.2g.
capona s.f.
caponada s.f.
caponagem s.f.
caponete (*ê*) s.m.
caponga s.f.
caponguense adj. s.2g.
capongui s.f.
capoque s.m.
caporal s.m.
caporalismo s.m.
caporanguense adj. s.2g.
caporcianita s.f.
caporcianite s.f.
caporo s.m.
capororo s.m.
capororoca s.f.
capororoca-branca s.f.; pl. *capororocas-brancas*
capororoca-comum s.f.; pl. *capororocas-comuns*
capororoca-comum-de-folha-larga s.f.; pl. *capororocas-comuns-de-folha-larga*
capororocaçu s.f.
capororoca-de-folha-larga s.f.; pl. *capororocas-de-folha-larga*
capororoca-mineira s.f.; pl. *capororocas-mineiras*
capororoca-picante s.f.; pl. *capororocas-picantes*
capororoca-verdadeira s.f.; pl. *capororocas-verdadeiras*
capororoca-vermelha s.f.; pl. *capororocas-vermelhas*
capororoquinha s.f.
caporreiro s.m.
caporro (*ô*) s.m.
capota s.f.
capotada s.f.
capotado adj.
capotagem s.f.
capotão s.m.
capotar v.
capotasto s.m.
capotável adj.2g.
capote s.m.
capotear v.
capote de pobre s.m.
capoteira s.f.
capoteiro s.m.
capotilha s.f.
capotilho s.m.
capotim s.m.
capotinho s.m.
capotiraguá s.m.
capoxo (*ô*) adj. s.m.
cappelenita s.f.
capra s.f.
capra-capela s.f.; pl. *capras-capela* e *capras-capelas*
capraldeído s.m.
capramida s.f.
capramidoxima (*cs*) s.f.
caprária s.f.
caprárico adj.
caprariense adj. s.2g.
caprário s.m.
caprático adj.
caprato s.m.
caprela s.f.
capreliano adj.
caprélida adj.2g. s.m.
caprelídeo adj. s.m.
cápreo adj.
capreoláceo adj.
capreolar adj.2g.
capreolário adj.
capréolo s.m.
capreúva s.f.
capribarbudo adj.
capricante adj.2g.
caprichado adj.
caprichar v.
capricheira s.f.
caprichense adj. s.2g.
caprichismo s.m.
capricho s.m.
caprichoso (*ô*) adj.; f. (*ó*); pl. (*ó*)
capricina s.f.
capricínico adj.
cáprico adj.
capricorniano adj. s.m.
capricórnio adj. s.m.
cáprida adj.2g. s.m.
caprídeo adj. s.m.
caprificação s.f.
caprificar v.
caprifigo s.m.
caprifigueira s.f.
caprifoliácea s.f.
caprifoliáceo adj.
caprifólio s.m.
caprígeno adj.
capriita s.f.
caprila s.f.
caprilático adj.
caprilato s.m.
caprílico adj.
caprilidênico adj.
caprilideno s.m.
caprilina s.f.
caprilínico adj.
caprilo s.m.
caprilona s.f.
caprilônico adj.
caprim s.m.
caprimúlgida adj.2g. s.m.
caprimulgídeo adj. s.m.
caprimulgiforme adj.2g. s.f.
caprimulgíneo adj. s.m.
caprimulgo s.m.
caprina s.f.
capríneo adj. s.m.
caprínico adj.
caprino adj. s.m.
caprinona s.f.
caprinônico adj.
caprípede adj.2g.
caprissaltante adj.2g.
caprizante adj.2g.
capro s.m.
caproático adj.
caproato s.m.
caproico (*ó*) adj.
caproida (*ó*) adj.2g. s.m.
caproídeo adj. s.m.
caproílico adj.
caproína s.f.
caproínico adj.
caprolactama s.f.
caprolactame s.m.
caprolactona s.f.
caprolactônico adj.
capromiídeo adj. s.m.
caprômio s.m.
cápromis s.m.2n.
caprona s.f.
caprônico adj.
caprotina s.f.
caprotino adj.
caprum adj.2g.
capsa s.f.
capsaicina s.f.
capsantina s.f.
capsário s.m.
capsela s.f.
capselínea s.f.
capselíneo adj.
capsense adj.2g.
capsicina s.f.
cápsico adj. s.m.
capsicodendro s.m.
capsicol s.m.
capsicólico adj.
cápsida adj.2g. s.m.
capsídeo adj. s.m.
capsídio s.m.
capsitano adj. s.m.
capsite s.f.
capsítico adj.
capso s.m.
capsônio s.m.
cápsula s.f.; cf. *capsula*, fl. do v. *capsular*
capsulação s.f.
capsuláceo adj.
capsulado adj.
capsulador (*ô*) s.m.
capsulante adj.2g.
capsular v. adj.2g.
capsulectomia s.f.
capsulectômico adj.
capsuletomia s.f.
capsuletômico adj.
capsulescínico adj.
capsulífero adj.
capsuliforme adj.2g.
capsulite s.f.
capsulítico adj.
capsulolenticular adj.2g.
capsulorrafia s.f.
capsulorráfico adj.
capsulotomia s.f.
capsulotômico adj.
capsulótomo s.m.
cáptã s.m.
captabilidade s.f.
captação s.f. "ato de obter"; cf. *capitação*
captáculo s.m.
captado adj.
captador (*ô*) adj. s.m.
captagem s.f.

captamento s.m.
captana s.f.
captante adj. s.2g.
captar v. "apreender"; cf. *capitar*
captatividade s.f.
captativo adj.
captatório adj.
captável adj.2g.
captia s.f.
captol s.m.
captólico adj.
captor (*ô*) adj. s.m.
captura s.f.
capturado adj.
capturador (*ô*) adj. s.m.
capturante adj.2g.
capturar v.
capturável adj.2g.
cápua s.f.
capuaba s.f.
capuano adj. s.m.
capuão s.m.
capuava adj. s.2g.
capuavense adj. s.2g.
capubinense adj. s.2g.
capucha s.f.
capuchana s.f.
capuchar v.
capucheira s.f.
capucheiro s.m.
capuchina s.f.
capuchinha s.f.
capuchinha-de-três-cores s.f.; pl. *capuchinhas-de-três-cores*
capuchinha-do-brasil s.f.; pl. *capuchinhas-do-brasil*
capuchinha-grande s.f.; pl. *capuchinhas-grandes*
capuchinha-miúda s.f.; pl. *capuchinhas-miúdas*
capuchinha-pequena s.f.; pl. *capuchinhas-pequenas*
capuchinha-tuberosa s.f.; pl. *capuchinhas-tuberosas*
capuchinha-viajante s.f.; pl. *capuchinhas-viajantes*
capuchinho adj. s.m.
capuchino s.m.
capucho adj. s.m.
capucim s.m.
capucinho s.m.
capucino s.m.
capuco s.m.
capuense adj. s.2g.
capuíbo adj. s.m.
capulana s.f.
capuleto (*ê*) adj. s.m.
capulho s.m.
capúlida adj.2g. s.m.
capulídeo adj. s.m.
capulina s.f.
cápulo s.m.
cápulo-de-seda s.m.; pl. *cápulos-de-seda*
capuloide (*ó*) adj.2g.
capumbense adj. s.2g.
capundó s.m.
capungopungo s.m.
capunza s.m.
capupuba s.m.
capuraçu s.m.
capuricena adj. s.2g.
capurina s.m.
capurínico adj.
capurreiro s.m.
caputatengue s.m.
caputi s.m.
caputirense adj. s.2g.
caputuna s.f.
caputuna-preta s.f.; pl. *caputunas-pretas*
caputuva s.f.
capuxu s.m.
capuz s.m.
capuz-de-frade s.m.; pl. *capuzes-de-frade*
capuz-de-fradinho s.m.; pl. *capuzes-de-fradinho*
caqueação s.f.
caqueado s.m.
caquear v.
caqueira s.f.
caqueirada s.f.
caqueiro s.m.
caqueje s.m.
caquelha (*ê*) s.2g.
caquemonense adj. s.2g.
caquemono s.m.
caquendense adj. s.2g.
caquene s.f.
caquengue s.f.
caqueque s.m.
caquera (*ê*) s.f.
caquera-fêmea s.f.; pl. *caqueras-fêmeas*
caquerejar v.
caquerlaque s.m.
caquesseitão s.m.
caquético adj.
caquetina s.f.
caquexia (*cs*) s.f.
caquexiar (*cs*) v.
caqui s.m. "fruta"; cf. *cáqui*
cáqui adj.2g. s.m. "cor", "tecido"; cf. *caqui*
caquibe s.m.
caquibosa s.f.
caquidrose s.f.
caquidrótico adj.
caquile s.f.
caquílea s.f.
caquíleo adj.
caquinada s.f.
caquinaquina s.f.
caquinar v.
caquinde s.m.
cáquio s.m.
caquiriamacocolo s.m.
caquistia s.f.
caquizalo s.m.
caquizeiro s.m.
cara s.m.f. "face"; cf. *cará*
cará s.m. "inhame"; cf. *cara*
caraá s.m.
cará-açu s.m.; pl. *carás-açus*
caraaense adj. s.2g.
caraba s.f.
carabácio s.m.
cará-barbado s.m.; pl. *carás-barbados*
carabé s.m.
carabelina s.f.
carábico adj. s.m.
carábida adj.2g. s.m.
carabídeo adj. s.m.
carabina s.f.
carabinada s.f.
carabinear v.
carabineiro s.m.
carabíneo adj. s.m.
carabinote s.m.
carabiúba s.f.
cárabo s.m.
cará-bobo s.m.; pl. *carás-bobos*
cara-branca s.f.; pl. *caras-brancas*
cará-branco s.m.; pl. *carás-brancos*
cará-bravo s.m.; pl. *carás-bravos*
carabu s.m.
carabuçu s.m.
carabuçuense adj. s.2g.
carabuiana adj. s.2g.
carabunha s.f.
caraca s.f. "meleca"; cf. *caracá*
caracá s.m. "planta"; cf. *caraca*
caraça s.m.f.
caracacá s.m.
caraca-das-pedras s.f.; pl. *caracas-das-pedras*
caracal s.m.
caracala s.f.
caracalho s.m.
caracânida adj. s.2g.
caracanirão s.m.
caracará s.m.
caracará-branco s.m.; pl. *caracarás-brancos*
caracaraense adj. s.2g.
caracaraí s.m.
caracaraiense adj. s.2g.
caracará-preto s.m.; pl. *caracarás-pretos*
caracaratinga s.m.
caracas s.m.2n.
caracatinga s.m.
caracaxá s.m.
carácea s.f.
caraceara s.f.
caráceo adj.
caracha s.f.
carachita adj. s.2g.
cara-chupada s.f.; pl. *caras-chupadas*
carácida adj.2g. s.m.
caracídeo adj. s.m.
caraciforme adj.2g. s.m.
caracina s.f.
caracíneo adj. s.m.
caracínico adj.
caracínida adj.2g. s.m.
caracinídeo adj. s.m.
caracino s.m.
carácio s.m.
caraco s.m.
caraço adj.
cará-coco s.m.; pl. *carás-coco* e *carás-cocos*
caracol s.m.
caracola s.f.
caracolado adj.
caracolante adj.2g.
caracolão s.m.
caracolar v.
caracoleado adj.
caracoleador (*ô*) adj.
caracoleamento s.m.
caracoleante adj.2g.
caracolear v.
caracoleio s.m.
caracoleiro s.m.
caracolejar v.
caracolense adj. s.2g.
caracolina s.f.
caracolita s.f.
caracol-rangente s.m.; pl. *caracóis-rangentes*
caracora s.f.
caracóstomo s.m.
cará-cova s.m.; pl. *carás-cova* e *carás-covas*
caractere s.m.
caracterial adj. s.2g.
caracterismo s.m.
característica s.f.
característico adj. s.m.
caracterização s.f.
caracterizado adj.
caracterizador (*ô*) adj. s.m.
caracterizante adj.2g.
caracterizar v.
caracterizável adj.2g.
caracterologia s.f.
caracterológico adj.
caracterologista adj. s.2g.
caracterólogo s.m.
caracu adj.2g. s.m.
caraçudo adj.
caracul adj.2g. s.m.
caracunda adj. s.2g.
caraçutinga s.f.
cará-d'água s.m.; pl. *carás-d'água*
cará-da-costa s.m.; pl. *carás-da-costa*
cará-da-guiné s.m.; pl. *carás-da-guiné*
cará-da-terra s.m.; pl. *carás-da-terra*
cara de açúcar s.m.
cará-de-água s.m.; pl. *carás-de-água*
cara de andré s.2g.
cará-de-angola s.m.; pl. *carás-de-angola*
cara de anjinho s.2g.
cara de anjo s.2g.
cara de ás de copas s.2g.
cara de asno s.2g.
cara de bode s.2g.
cara de bolacha s.2g.
cara de bolacha doce s.2g.
cara de boneca s.2g.
cara de cabaça s.2g.
cará-de-caboclo s.m.; pl. *carás-de-caboclo*
cara de cão s.2g.
cara de caralho s.2g.
cara de caso s.2g.
cara de cu s.2g.
cara de desmamar meninos s.2g.
cara de enterro s.2g.
cará-de-espinho s.m.; pl. *carás-de-espinho*
cara de figa s.2g.
cará-de-folha-colorida s.m.; pl. *carás-de-folha-colorida*
cará-de-folha-miúda s.m.; pl. *carás-de-folha-miúda*
cara de fome s.2g.
cara de fuinha s.2g.
cara-de-gato s.2g.; pl. *caras-de-gato*
cará-de-jardim s.m.; pl. *carás-de-jardim*
cara de leão de pedra s.2g.
cara-de-lua s.2g.; pl. *caras-de-lua*
cara de lua cheia s.2g.
cara de mamão-macho s.2g.
cara de menino jesus s.2g.
cara de nó cego s.2g.
cara de páscoa s.2g.
cara de pau adj. s.2g.
cará-de-pedra s.2g.; pl. *carás-de-pedra*
cará-de-pele-branca s.m.; pl. *carás-de-pele-branca*
cará-de-são-tomé s.m.; pl. *carás-de-são-tomé*
cará-de-sapateiro s.m.; pl. *carás-de-sapateiro*
cara de segunda-feira s.2g.
cara de tacho s.2g.
cara de vergalho s.2g.
cará-do-ar s.m.; pl. *carás-do-ar*
cará-do-campo s.m.; pl. *carás-do-campo*
cará-doce s.m.; pl. *carás-doces*
cará-do-mar s.m.; pl. *carás-do-mar*
cará-do-mato s.m.; pl. *carás-do-mato*
cará-do-pará s.m.; pl. *carás-do-pará*
caradrida adj. s.2g.
caradríida adj.2g. s.m.
caradriídeo adj. s.m.
caradriiforme adj.2g. s.m.
caradriíneo adj. s.m.
caradrina s.f.
caradrínide adj.2g. s.m.
caradrio s.m.
caradrióidea s.f.
caradrióideo adj. s.m.
caradura s.2g.
caradurismo s.m.
caraetê s.m.
carafá s.m.
carafauiana adj. s.2g.
cara-fechada s.f.; pl. *caras-fechadas*
cará-fígado-de-peru s.m.; pl. *carás-fígado-de-peru* e *carás-fígados-de-peru*
carafo s.m.
carafuz adj. s.2g.
carafuzo adj. s.m.
caraga adj. s.2g.
caragã s.f.
caragana s.f.
caragana-arborescente s.f.; pl. *caraganas-arborescentes*
caraganho s.m.
carago s.m. interj.
caragondó s.m.
cará-grande s.m.; pl. *carás-grandes*
caraguá s.m.
caraguala s.f.
caraguatá s.m.
caraguatá-acanga s.m.; pl. *caraguatás-acanga* e *caraguatás-acangas*
caraguatá-açu s.m.; pl. *caraguatás-açus*
caraguatá-branco s.m.; pl. *caraguatás-brancos*
caraguatá-de-jardim s.m.; pl. *caraguatás-de-jardim*
caraguatá-falso s.m.; pl. *caraguatás-falsos*
caraguatá-guaçu s.m.; pl. *caraguatás-guaçus*
caraguataí s.m.
caraguataiense adj. s.2g.
caraguatal s.m.
caraguatá-piteira s.m.; pl. *caraguatás-piteira* e *caraguatás-piteiras*
caraguatatuba s.f.
caraguatatubense adj. s.2g.
caraguatazal s.m.
caraguatazinho s.m.
caraí s.m.
caraiá adj. s.m.
caraiaí adj. s.2g.
caraíba adj. s.2g. s.m.f.
caraibal s.m.
caraibalense adj. s.2g.
caraibeira s.f.
caraibeirense adj. s.2g.
caraibense adj. s.2g.
caraíbico adj.
caraibismo s.m.
caraibunense adj.2g. s.2g.
caraibunho adj.
caraibuno adj.
caraiense adj. s.2g.
caraimonhaga s.f.
cara-inchada s.2g.; pl. *caras-inchadas*
carainha s.m.
cará-inhame s.m.; pl. *carás-inhame* e *carás-inhames*
caraípa s.f.
caraipé s.m.
caraipé-das-águas s.m.; pl. *caraipés-das-águas*
caraipense adj. s.2g.
caraiperana s.f.
caraipé-verdadeiro s.m.; pl. *caraipés-verdadeiros*
caraísmo s.m.
caraíta adj. s.2g.
caraíva s.f.
caraivense adj. s.2g.
carajá adj. s.2g. s.m.
carajá do norte adj. s.2g.
carajaense adj. s.2g.
carajaí adj. s.2g.
carajá-mirim adj. s.2g.; pl. *carajás-mirins*
carajaru s.m.
carajazal s.m.
carajazinhense adj. s.2g.
carajé s.m.
caraju s.m.
carajuá s.m.
carajuba s.f.
carajurina s.f.
carajurínico adj.
carajuru s.m.
carajuru-do-pará s.m.; pl. *carajurus-do-pará*
carajuvense adj. s.2g.
caral adj.2g.
carale s.f.
caralete (*ê*) s.m.
caralheira s.f.
caralheta (*ê*) s.f.
caralhete (*ê*) s.m.
caralho s.m. interj.
carália s.f.
cara-lisa s.2g.; pl. *caras-lisas*
cará-liso s.m.; pl. *carás-lisos*
caralitano adj. s.m.
caraluma s.f.
caramanchão s.m.

caramancheio s.m.
caramanchel s.m.
carámate s.f.
caramba interj.
carambano s.m.
carambato adj.
carambeiense adj. s.2g.
carambelo s.m.
carambina s.f.
carambó adj.2g.
carambola s.f.
carambolada s.f.
carambolado adj.
carambolar v.
caramboleira s.f.
caramboleira-amarela s.f.; pl. *caramboleiras-amarelas*
caramboleiro adj. s.m.
carambolice s.f.
carambolim s.m.
caramburu s.m.
caramelado s.m.
caramelana s.f.
caramelar v.
caramelejo (*ê*) s.m.
caramelga s.f.
caramelho (*ê*) s.m.
caramelina s.f.
caramelização s.f.
caramelizado adj.
caramelizar v.
caramelizável adj.2g.
caramelo s.m.
caramemo s.m.
cara-metade s.f.; pl. *caras-metades*
carametara s.f.
caramilho s.m.
caramilo s.m.
cará-mimoso s.m.; pl. *carás-mimosos*
caraminguá s.m.
caraminhola s.f.
caraminholar v.
caramita adj. s.2g.
caramo s.m.
caramoiço s.m.
caramol s.m.
caramolo (*ô*) s.m.
caramomom s.m.
caramona s.f.
caramonã adj. s.2g.
caramonho s.m.
caramono s.m.
caramouço s.m.
carampão s.m.
caramucé s.m.
caramucho s.m.
caramueiro s.m.
caramuja s.f.
caramujão s.m.
caramujeiro s.m.
caramuji s.m.
caramujo s.m.
caramujo-berrador s.m.; pl. *caramujos-berradores*
caramujo-boi s.m.; pl. *caramujos-boi* e *caramujos-bois*
caramujo-cascudo s.m.; pl. *caramujos-cascudo* e *caramujos-cascudos*
caramujo-do-banhado s.m.; pl. *caramujos-do-banhado*
caramujo-do-café s.m.; pl. *caramujos-do-café*
caramujo-do-cafeeiro s.m.; pl. *caramujos-do-cafeeiro*
caramujo-do-mato s.m.; pl. *caramujos-do-mato*
caramujo-maçã s.m.; pl. *caramujos-maçã* e *caramujos-maçãs*
caramujo-pião s.m.; pl. *caramujos-pião* e *caramujos-piões*
caramujo-tigela s.m.; pl. *caramujos-tigela* e *caramujos-tigelas*
caramulano adj. s.m.
caramuleiro adj.
caramulo s.m.
caramunha s.f.
caramunhado adj.
caramunhar v.
caramunheiro adj. s.m.
caramuri s.m.f.
caramurim s.m.f.
caramuru s.m.
caramuru-dourado s.m.; pl. *caramurus-dourados*
caramuruense adj. s.2g.
caramutanje adj. s.2g.
caramutara s.m.
carana s.f. "barracuda"; cf. *caraná*
caraná s.f. "palmeira"; cf. *carana*
caraná-branca s.f.; pl. *caranás-brancas*
caraná-do-rio-negro s.f.; pl. *caranás-do-rio-negro*
caranaí s.f.
caranaibense adj. s.2g.
caranaí-do-mato s.f.; pl. *caranaís-do-mato*
caranaí-mirim s.f.; pl. *caranaís-mirins*
caranambu s.m.
caranambuuba s.m.
carananaí s.f.
caranandinense adj. s.2g.
caranandubense adj. s.2g.
carananense adj. s.2g.
caranapatubense adj. s.2g.
carancho s.m.
caranchona s.f.
caranço s.m.
carançudo adj.
caranda s.f. "fruto da carandeira"; cf. *carandá*
carandá s.f. "palmeira"; cf. *caranda*
carandá-falso s.m.; pl. *carandás-falsos*
carandá-guaçu s.f.; pl. *carandás-guaçus*
carandaí s.m.
carandaiense adj. s.2g.
carandaí-guaçu s.m.; pl. *carandaís-guaçus*
carandaí-mirim s.m.; pl. *carandaís-mirins*
carandaizinho s.m.
carandal s.m.
carandá-muriti s.f.; pl. *carandás-muriti* e *carandás-muritis*
carandá-piranga s.f.; pl. *carandás-piranga* e *carandás-pirangas*
carandaú s.f.
carandaúba s.f.
carandazal s.m.
carandazalense adj. s.2g.
carandeira s.f.
carandeiro s.m.
caranense adj. s.2g.
caranga s.m.f.
caranganho s.m.
carangar v.
carângida adj.2g. s.m.
carangídeo adj. s.m.
carango s.m.
carangoide (*ó*) adj.2g.
carangola s.f.
carangolense adj. s.2g.
carangonço s.m.
caranguda s.f.
carangueiro adj. s.m.
caranguejo (*ê*) s.f.
caranguejada s.f.
caranguejado adj.
caranguejal adj.2g.
caranguejante adj.2g.
caranguejar v.
caranguejeira s.f.
caranguejeiro adj. s.m.
caranguejo (*ê*) s.m.
caranguejo-amarelo s.m.; pl. *caranguejos-amarelos*
caranguejo-aranha s.m.; pl. *caranguejos-aranha* e *caranguejos-aranhas*
caranguejo-baioneta s.m.; pl. *caranguejos-baioneta* e *caranguejos-baionetas*
caranguejo-d'água-doce s.m.; pl. *caranguejos-d'água-doce*
caranguejo-da-terra s.m.; pl. *caranguejos-da-terra*
caranguejo-de-água-doce s.m.; pl. *caranguejos-de-água-doce*
caranguejo-de-pedra s.m.; pl. *caranguejos-de-pedra*
caranguejo-do-mangue s.m.; pl. *caranguejos-do-mangue*
caranguejo-do-rio s.m.; pl. *caranguejos-do-rio*
caranguejo-dos-coqueiros s.m.; pl. *caranguejos-dos-coqueiros*
caranguejo-do-sol s.m.; pl. *caranguejos-do-sol*
caranguejo-felpudo s.m.; pl. *caranguejos-felpudos*
caranguejo-inglês s.m.; pl. *caranguejos-ingleses*
caranguejola s.f.
caranguejolado adj.
caranguejolar v.
caranguejo-mole s.m.; pl. *caranguejos-moles*
caranguejo-morto s.m.; pl. *caranguejos-mortos*
caranguejo-mouro s.m.; pl. *caranguejos-mouros*
caranguejo-mulato-da-terra s.m.; pl. *caranguejos-mulatos-da-terra*
caranguejo-preguiçoso s.m.; pl. *caranguejos-preguiçosos*
caranguejo-real s.m.; pl. *caranguejos-reais*
caranguejo-uçá s.m.; pl. *caranguejos-uçá* e *caranguejos-uçás*
caranguejo-verdadeiro s.m.; pl. *caranguejos-verdadeiros*
caranguejo-vermelho s.m.; pl. *caranguejos-vermelhos*
caranguejo-violinista s.m.; pl. *caranguejos-violinistas*
caranguje s.m.
caranha s.f.
caranha-de-rio s.f.; pl. *caranhas-de-rio*
caranha-de-toco s.f.; pl. *caranhas-de-toco*
caranha-de-viveiro s.f.; pl. *caranhas-de-viveiro*
caranha-do-mangue s.f.; pl. *caranhas-do-mangue*
caranha-verdadeira s.f.; pl. *caranhas-verdadeiras*
caranha-vermelha s.f.; pl. *caranhas-vermelhas*
caranho s.m.
caranhola s.f.
caranhota s.f.
caranho-verdadeiro s.m.; pl. *caranhos-verdadeiros*
caranho-vermelho s.m.; pl. *caranhos-vermelhos*
carano s.m.
carantela s.f.
carantonha s.f.
carantonhante adj.2g.
carantonhar v.
carantonhento adj.
carantuã s.m.
carântulas s.f.pl.
cáranx (*cs*) s.m.2n.
caraó adj. s.2g.
carão s.m.
carão-de-moça s.m.; pl. *carões-de-moça*
caraolho (*ô*) adj. s.m.
cara ou coroa s.m.2n.
carapa s.m.
carapaça s.f.
carapajoense adj. s.2g.
cara-pálida s.2g.; pl. *caras-pálidas*
carapaná s.m.f.
carapanã adj. s.2g. s.m.
carapanã-ora s.m.; pl. *carapanãs-ora* e *carapanãs-oras*
carapanã-pinima s.m.; pl. *carapanãs-pinima* e *carapanãs-pinimas*
carapanã-tapuia adj. s.2g.; pl. *carapanãs-tapuias*
carapanaúba s.m.
carapanho s.m.
carapanta s.f.
caraparu s.m.
caraparuense adj. s.2g.
carapata s.m.
carapau s.m.
carapau-azul s.m.; pl. *carapaus-azuis*
carapau-branco s.m.; pl. *carapaus-brancos*
carapau-grande s.m.; pl. *carapaus-grandes*
carapau-negrão s.m.; pl. *carapaus-negrões*
carapé adj.2g.
carápea s.f.
carapeba s.f.
carapeba-listada s.f.; pl. *carapebas-listadas*
carapeba-listrada s.f.; pl. *carapebas-listradas*
carapebense adj.2g.
carapebuense adj. s.2g.
carapeguaçu s.m.
carapeirana s.f.
carapela s.f.
carapeta s.f. "árvore"; cf. *carapeta* (*ê*)
carapeta (*ê*) s.f. "pião"; cf. *carapeta* s.f. e fl. do v. *carapetar*
carapetal s.m.
carapetão s.m.
carapetar v.
carapeteiro adj. s.m.
carapetento adj. s.m.
carapeto (*ê*) s.m.
carapevense adj. s.2g.
carapiá s.f.
carapiaçaba s.f.
carapicu s.m.
carapicuaçu s.m.
carapicubeba s.f.
carapicu-branco s.m.; pl. *carapicus-brancos*
carapicuibano adj. s.m.
carapicuibense adj. s.2g.
carapicupeba s.m.
carapicupéua s.m.
carapicu-sem-dente s.m.; pl. *carapicus-sem-dente*
carapicu-verdadeiro s.m.; pl. *carapicus-verdadeiros*
carapídeo adj. s.m.
carapiense adj. s.2g.
carapim s.m.
carapina s.m.f.
carapinense adj. s.2g.
carapinha s.f.
carapinhada s.f.
carapinhé s.m.
carapinheira s.f.
carapinheiro adj.
carapinho adj.
carapinhudo adj.
carapinima s.m.f.
carapintha s.f.
carapirá s.f.
carapitaia s.f.
carapitanga s.m.
carapitinga s.m.
carapito s.m.
carapó s.m.
carapobeba s.f.
carapoense adj. s.2g.
carapomonga s.m.
carapoti adj. s.2g.
carapotó adj. s.2g.
carapotoense adj. s.2g.
carapova s.f.
cará-preto s.m.; pl. *carás-pretos*
carapuá s.f.
carapuça s.f.
carapuçada s.f.
carapuçado adj.
carapução s.m.
carapuceiro adj. s.m.
carapuço s.m.
carapuçu s.m.
carapula s.f.
carapulo s.m.
carapuna adj. s.2g.
caraputanga s.m.
cara-quebrada s.f.; pl. *caras-quebradas*
caraquenho adj. s.m.
caraquento adj.
caraquina s.f.
carará adj. s.2g. s.m.
cara-raiada s.2g.; pl. *caras-raiadas*
cararapirá s.f.
cará-rasteiro s.m.; pl. *carás-rasteiros*
cararé s.m.
carari adj. s.2g.
cararídeo adj. s.m.
cararu s.m.
cara-seca s.2g.; pl. *caras-secas*
cará-sem-barba s.m.; pl. *carás-sem-barba*
cará-silvestre s.m.; pl. *carás-silvestres*
carássio s.m.
cara-suja s.2g.; pl. *caras-sujas*
carata s.f.
caratacense adj. s.2g.
carataí s.m.
carataí-mestiço s.m.; pl. *carataís-mestiços*
caratatenense adj. s.2g.
caratatinense adj. s.2g.
carate s.f. "doença"; cf. *caratê*
caratê s.m. "luta marcial"; cf. *carate*
carateca s.2g.
caráter s.m.; pl. *caracteres*
caratéria s.f.
caraterial adj. s.2g.
caraterismo s.m.
caraterística s.f.
caraterístico adj.
caraterização s.f.
caraterizado adj.
caraterizador (*ô*) adj. s.m.
caraterizante adj.2g.
caraterizar v.
caraterizável adj.2g.
caraterologia s.f.
caraterológico adj.
caraterologista adj. s.2g.
caraterólogo s.m.
caratéu adj. s.2g.
caratinga s.m.
caratinga-bravo s.m.; pl. *caratingas-bravos*
caratinga-do-mato s.m.; pl. *caratingas-do-mato*
caratinguense adj. s.2g.
caratiú adj. s.2g.
carato s.m.
caratuã s.m.
carátule s.m.
caratuna s.f.
caratuvense adj. s.2g.
caraú adj. s.2g.
carauá s.m.
carauaçu s.m.
carauatá s.m.
caraúba s.f.
caraúba-do-campo s.f.; pl. *caraúbas-do-campo*
caraubal s.m.
caraubeira s.f.
caraubense adj. s.2g.
carauçu s.m.
caraúna s.f.
caraunense adj. s.2g.
caraúno adj. s.m.
caráusio s.m.
carava s.f.
caravaggiano adj.

caravaggismo s.m.
caravaggista adj. s.2g.
caravaggístico adj.
caravana s.f.
caravançará s.m.
caravançarai s.m.
caravancerá s.m.
caravanceralho s.m.
caravaneiro s.m.
caravanho adj.
caravanista s.2g.
caravatá s.m.
caravataí s.m.
caraveiro s.m.
caravela s.f.
caravelão s.m.
caravela-portuguesa s.f.; pl. *caravelas-portuguesas*
caraveleiro s.m.
caravelense adj. s.2g.
caravelha (*ê*) s.f.
caravelho (*ê*) s.m.
caravenho adj.
caravina s.f.
cáravo s.m.
cara-volta s.f.; pl. *caras-volta* e *caras-voltas*
caravonada s.f.
caraxa s.f.
caraxe s.m.
caraxíneo adj. s.m.
caraxixu s.m.
caraxué s.m.
caraxué-da-capoeira s.m.; pl. *caraxués-da-capoeira*
caraxué-da-mata s.m.; pl. *caraxués-da-mata*
caraza s.m.
carazal s.m.
carazinhense adj. s.2g.
carazinho s.m.
carbalílico s.m.
carbamático adj.
carbamato s.m.
carbamazepina s.f.
carbâmico adj.
carbamida s.f.
carbamídico adj.
carbamila s.f.
carbamilo s.m.
carbamina s.f.
carbamínico adj.
carbamintiólico adj.
carbânico adj.
carbanila s.f.
carbanílico adj.
carbanilida s.f.
carbanilido s.m.
carbanilo s.m.
carbânio s.m.
carbânion s.m.
carbapatita s.f.
carbar s.m.
carbaril s.m.
cárbaso s.m.
carbatina s.f.
carbazida s.f.
carbazido s.m.
carbazol s.m.
carbazola s.f.
carbazolato s.m.
carbazólico adj.
carbazolina s.f.
carbazona s.f.
carbazônico adj.
carbazotático adj.
carbazotato s.m.
carbazótico adj.
carbenicilina s.f.
carbênico adj.
carbenina s.f.
carbeno s.m.
carberina s.f.
carbeto (*ê*) s.m.
carbilamina s.f.
carbilamínico adj.
carbimida s.f.
carbinol s.m.
carbinólico adj.
carbite s.f.
carbobenzóxi (*cs*) s.m.
carbobenzoxiaminoácido (*cs*) adj. s.m.
carboborita s.f.
carbocera (*ê*) s.f.
carbocerina s.f.
carbocernaíta s.f.
carbocíclico adj.
carbodiamida s.f.
carboemoglobina s.f.
carboferrita s.f.
carboferrítico adj.
carbogasoso (*ô*) adj.; f. (*ó*); pl. (*ó*)
carbogelo (*ê*) s.m.
carbogênio s.m.
carbogenioterapia s.f.
carbogenioterápico adj.
carbo-hemoglobina s.f.
carbo-hidrase s.f.
carbo-hídrase s.f.
carbo-hidrato s.m.
carbo-hidrazida s.f.
carboidrase s.f.
carboídrase s.f.
carboidrato s.m.
carbol s.m.
carbólico adj.
carbolíneo adj. s.m.
carbolismo s.m.
carbolite s.f.
carbometria s.f.
carbométrico adj.
carbômetro s.m.
carbonação s.f.
carbonáceo adj.
carbonada s.f.
carbonado adj. s.m.
carbonador (*ô*) s.m.
carbonante adj.2g. s.m.
carbonar v.
carbonária s.f.
carbonário adj. s.m.
carbonarismo s.m.
carbonarista adj. s.2g.
carbonatação s.f.
carbonatado adj.
carbonatar v.
carbonático adj.
carbonatítico adj.
carbonatito s.m.
carbonato s.m.
carbonatoapatita s.f.
carbonatocianotriquita s.f.
carbonável adj.2g.
carbone s.m.
carboneiro s.m.
carbonemia s.f.
carbonêmico adj.
carbôneo adj.
carbonetação s.f.
carbonetado adj.
carbonetar v.
carboneto (*ê*) s.m.; cf. *carboneto*, fl. do v. *carbonetar*
carbônico adj. s.m.
carbonífero adj. s.m.
carbonificação s.f.
carbonificar v.
carboniforme adj.2g.
carbonila s.f.
carbonilação s.f.
carbonilado adj.
carbonilar v.
carbonílico adj.
carbonílio s.m.
carbonilo s.m.
carbônio adj. s.m.
carbonita s.f.
carbonite s.f.
carbonitense adj. s.2g.
carbonítico adj.
carbonito s.m.
carbonitrogenação s.f.
carbonitrogenar v.
carbonização s.f.
carbonizado adj.
carbonizador (*ô*) adj. s.m.
carbonizante adj.2g.
carbonizar v.
carbonizável adj.2g.
carbono s.m.
carbonoide (*ó*) adj.2g.
carbonometria s.f.
carbonométrico adj.
carbonômetro s.m.
carbonoso (*ô*) adj.; f. (*ó*); pl. (*ó*)
carbonóxido (*cs*) s.m.
carboquímica s.f.
carboquímico adj. s.m.
carborânico adj.
carborano s.m.
carboretado adj.
carboretar v.
carborreator (*ô*) s.m.
carbossulfeto (*ê*) s.m.
carbossulfureto (*ê*) s.m.
carbossulfuroso (*ô*) adj.; f. (*ó*); pl. (*ó*)
carbotriamina s.f.
carbovinato s.m.
carbovínico adj.
carboxidomona (*cs*) s.f.
carboxiemoglobina (*cs*) s.f.
carboxifenacetina (*cs*) s.f.
carboxi-hemoglobina s.f.; pl. *carboxi-hemoglobinas*
carboxila (*cs*) s.f.
carboxilação (*cs*) s.f.
carboxilado (*cs*) adj.
carboxilar (*cs*) v.
carboxilase (*cs*) s.f.
carboxílase (*cs*) s.f.
carboxilato (*cs*) s.m.
carboxílico (*cs*) adj.
carboxilo (*cs*) s.m.
carboximetilcelulose (*cs*) s.f.
carboxipeptidase (*cs*) s.f.
carboxipeptídase (*cs*) s.f.
carbromal s.m.
carbuncular adj.2g.
carbúnculo s.m.
carbunculose s.f.
carbunculosidade s.f.
carbunculoso (*ô*) adj.; f. (*ó*); pl. (*ó*)
carburação s.f.
carburado adj.
carburador (*ô*) adj. s.m.
carburante adj.2g. s.m.
carburar v.
carbureto (*ê*) s.m.
carburização s.f.
carburizador (*ô*) adj. s.m.
carburizar v.
carcaça s.f.
carcachada s.f.
carcachar v.
carcacinha s.f.
carcacola s.f.
carcaio s.m.
carcaju s.m.
carcamano s.m.
carcanel s.m.
carcanha s.f.
carcanhão s.m.
carcanhense adj. s.2g.
carcanhóis s.m.pl.
carcanhola s.f.
carcão s.m.
carcapuleira s.f.
carcapuli s.m.
carcará s.m.
carcarear v.
carcária s.f.
carcárida adj.2g. s.m.
carcarídeo adj. s.m.
carcaríida adj.2g. s.m.
carcariídeo adj. s.m.
carcarodão s.m.
carcarodonte adj.2g. s.m.
carcarrínida adj.2g. s.m.
carcarrinídeo adj. s.m.
carcarriniforme adj. s.2g.
carcarrino s.m.
carcás s.m.
carcassonense adj. s.2g.
cárcava s.f.; cf. *carcava*, fl. do v. *carcavar*
carcavado adj.
carcavão s.m.
carcavar v.
carcavear v.
carcaveira s.f.
carcavelos s.m.2n.
carcel s.m.
carcela s.f.
carcela de reforço s.f.
carcelado adj.
carcélia s.f.
cárcer s.m.
carceragem s.f.
carcerar v.
carcerário adj.
carcerática s.f.
carcerático adj.
cárcere s.m.; cf. *carcere*, fl. do v. *carcerar*
carcereiro s.m.
carcérula s.f.
carcerular adj.2g.
carcha s.f.
carchaneta s.f.
carchanola s.f.
carcharídeo s.m.
carcheada s.f.
carcheado adj.
carcheador (*ô*) adj. s.m.
carchear v.
carcheio s.m.
carcilho s.m.
carcínia s.f.
carcinicultor (*ô*) adj. s.m.
carcinicultura s.f.
carcinite s.m.
cárcino s.m.
carcinoembriônico adj.
carcinofobia s.f.
carcinofóbico adj.
carcinófobo s.m.
carcinogêneo adj.
carcinogênese s.f.
carcinogenético adj.
carcinogenia s.f.
carcinogênico adj.
carcinógeno s.m.
carcinoide (*ó*) adj.2g. s.m.
carcinólise s.f.
carcinolítico adj.
carcinologia s.f.
carcinológico adj.
carcinologista adj. s.2g.
carcinólogo s.m.
carcinoma s.m.
carcinomático adj.
carcinomatoide (*ó*) adj.2g.
carcinomatose s.f.
carcinomatoso (*ô*) adj.; f. (*ó*); pl. (*ó*)
carcinomelcose s.f.
carcinomia s.f.
carcinópode s.m.
carcinópodo s.m.
carcinose s.f.
carcinossarcoma s.m.
carcinossarcomático adj.
carcinótico adj.
carcoda s.f.
carcódia s.f.
cárcola s.f.
carcoma s.f.
carcome s.m.
carcomer v.
carcomido adj.
carçonista adj. s.2g.
carcoré s.f.
cárcova s.f.
carcunda s.m.f.
carcundo adj.
carcuno s.m.
carda s.f.
cardã s.m.
cardação s.f.
cárdace adj.2g. s.m.
cárdaco adj. s.m.
cardaço s.m.
cardada s.f.
cardadeira s.f.
cardado adj.
cardador (*ô*) adj. s.m.
cardadura s.f.
cardagem s.f.
cardal s.m.
cardaleja (*ê*) s.f.
cardamento s.m.
cardamina s.f.
cardaminina s.f.
cardamomo s.m.
cardamomo-da-terra s.m.; pl. *cardamomos-da-terra*
cardamomo-do-mato s.m.; pl. *cardamomos-do-mato*
cardamomo-do-país s.m.; pl. *cardamomos-do-país*
cardamomo-falso s.m.; pl. *cardamomos-falsos*
cardanha s.f.
cardanhar v.
cardanhista s.2g.
cardanho s.m.
cardano s.m.
cardão adj. s.m.
cardão-rodado adj.; pl. *cardões-rodados*
cardápio s.m.
cardar v.
cardazol s.m.
cardazola s.f.
cardeal adj.2g. s.m. "prelado", etc.; cf. *cardial*
cardealádego s.m.
cardealado s.m.
cardeal-africano s.m.; pl. *cardeais-africanos*
cardeal-amarelo s.m.; pl. *cardeais-amarelos*
cardeal-americano s.m.; pl. *cardeais-americanos*
cardeal a quatro s.m.
cardeal-bispo s.m.; pl. *cardeais-bispo* e *cardeais-bispos*
cardeal-da-amazônia s.m.; pl. *cardeais-da-amazônia*
cardeal-de-montevidéu s.m.; pl. *cardeais-de-montevidéu*
cardeal-de-topete-vermelho s.m.; pl. *cardeais-de-topete-vermelho*
cardeal-diácono s.m.; pl. *cardeais-diácono* e *cardeais-diáconos*
cardeal-do-brasil s.m.; pl. *cardeais-do-brasil*
cardeal-do-japão s.m.; pl. *cardeais-do-japão*
cardeal-do-méxico s.m.; pl. *cardeais-do-méxico*
cardeal-do-nordeste s.m.; pl. *cardeais-do-nordeste*
cardeal-do-pantanal s.m.; pl. *cardeais-do-pantanal*
cardeal-do-sul s.m.; pl. *cardeais-do-sul*
cardealense adj.2g. s.2g.
cardealidade s.f.
cardealina s.f.
cardeal-pequeno s.m.; pl. *cardeais-pequenos*
cardeal-rasteiro s.m.; pl. *cardeais-rasteiros*
cardeal-vermelho s.m.; pl. *cardeais-vermelhos*
cardeal-violeta s.m.; pl. *cardeais-violeta* e *cardeais-violetas*
cardear v.
cardeira s.f.
cardeiro s.m.
cardeiro-baboso s.m.; pl. *cardeiros-babosos*
cardeiro-facheiro s.m.; pl. *cardeiros-facheiros*
cardeiro-rajado s.m.; pl. *cardeiros-rajados*
cardena s.f.
cardenha s.f.
cardenho s.m.
cardênico adj.
cardenilho s.m.
cardenilo s.m.
cardenita s.f.
cárdeno adj.
cárdeo adj.

cardeta (*ê*) s.m.
cardete (*ê*) s.m.
cárdia s.f.
cardíaca s.f.
cardiácea s.f.
cardiáceo adj. s.m.
cardíaco adj. s.m.
cardial adj.2g. "relativo a cárdia"; cf. *cardeal*
cardialgia s.f.
cardiálgico adj.
cardialina s.f.
cardianastrofia s.f.
cardianastrófico adj.
cardiápode s.m.
cardiápodo s.m.
cardiarticular adj.2g.
cardiastenia s.f.
cardiastênico adj.
cardiatáctico adj.
cardiatático adj.
cardiataxia (*cs*) s.f.
cardiatelia s.f.
cardiatélico adj.
cardiatrofia s.f.
cardiatrófico adj.
cardiazol s.m.
cardiazólico adj.
cárdice s.f.
cárdico adj. s.m.
cardiço s.m.
cárdida adj.2g. s.m.
cardídeo adj. s.m.
cardido adj.
cardiectasia s.f.
cardiectásico adj.
cardiectomia s.f.
cardiectômico adj.
cardieira s.f.
cardiela s.f.
cardielcose s.f.
cardielcótico adj.
cardiepático adj.
cardiepatomegalia s.f.
cardiepatomegálico adj.
cardiepatomégalo adj.
cardife s.m.
cardiforme adj.2g.
cardigã s.m.
cardigueira s.f.
cardi-hepático adj.; pl. *cardi-hepáticos*
cardi-hepatomegalia s.f.; pl. *cardi-hepatomegalias*
cardi-hepatomegálico adj.;pl. *cardi-hepatomegálicos*
cardi-hepatomégalo adj.; pl. *cardi-hepatomégalos*
cardíida adj.2g. s.m.
cardiídeo adj. s.m.
cardim adj.2g.
cardimento s.m.
cardina s.f.
cardinal adj.2g. s.m.
cardinala s.f.
cardinalado s.m.
cardinalato s.m.
cardinalesco (*ê*) adj.
cardinalício adj.
cardinalidade s.f.
cardinalíneo s.m.
cardinális s.m.2n.
cardinalismo s.m.
cardinalista adj. s.2g.
cardinalístico adj.
cardinha s.f.
cardinheira s.f.
cardinho s.m.
cardinho-das-almorreimas s.m.; pl. *cardinhos-das-almorreimas*
cardinhola s.f.
cardinífero adj.
cardino adj.
cárdio adj. s.m.
cardioblasto s.m.
cardiocarpo s.m.
cardiocateterismo s.m.
cardiocele s.f.
cardiocelo s.m.
cardiocentese s.f.
cardiocinese s.f.
cardiocinético adj.
cardiocirrose s.f.
cardiocirrótico adj.
cardiocôndila s.m.
cardiocôndilo s.m.
cardiodemia s.f.
cardiodêmico adj.
cardiodepressor (*ô*) adj. s.m.
cardiodinia s.f.
cardiodínico adj.
cardiodisemia s.f.
cardiodisêmico adj.
cardiodismorfia s.f.
cardiodismorfo adj.
cardiodisplasia s.f.
cardiodistrofia s.f.
cardiodistrófico adj.
cardiodistropia s.f.
cardiodistrópico adj.
cardioesclerose s.f.
cardioesclerótico adj.
cardioespasmo s.m.
cardioespasmódico adj.
cardiofágico adj.
cardiófilo adj. s.m.
cardiofobia s.f.
cardiofóbico adj.
cardióforo s.m.
cardiofrenoptose s.f.
cardiofrenoptótico adj.
cardiogênese s.f.
cardiogenia s.f.
cardiogênico adj.
cardiogeriatra s.2g.
cardiogeriatria s.f.
cardiogeriátrico adj.
cardioglosso s.m.
cardiografia s.f.
cardiográfico adj.
cardiografista s.2g.
cardiógrafo s.m.
cardiograma s.m.
cardioide (*ó*) adj.2g. s.m.
cardioinibitório adj.
cardiola s.f.
cardiolipídio s.m.
cardiolipina s.f.
cardiolipínico adj.
cardiólise s.f.
cardiolítico adj.
cardiólito s.m.
cardiologia s.f.
cardiológico adj.
cardiologista adj. s.2g.
cardiólogo s.m.
cardiolóquia s.f.
cardiomalacia s.f.
cardiomalácico adj.
cardiomegalia s.f.
cardiomegálico adj.
cardiomegetometria s.f.
cardiomegetométrico adj.
cardiômero s.m.
cardiometria s.f.
cardiométrico adj.
cardiômetro s.m.
cardiomiolipose s.f.
cardiomiolipótico adj.
cardiomiopatia s.f.
cardionemo s.m.
cardioneurose s.f.
cardionosia s.f.
cardiopalmia s.f.
cardiopálmico adj.
cardiopaludismo s.m.
cardiopata s.2g.
cardiópata s.2g.
cardiopatia s.f.
cardiopático adj.
cardiopatologia s.f.
cardiopatológico adj.
cardiopatologista adj. s.2g.
cardiopatólogo s.m.
cardiopericardite s.f.
cardiopericardítico adj.
cardiopétalo adj.
cardioplegia s.f.
cardioplégico adj.
cardiopneumático adj.
cardiopneumogástrico adj.
cardiopneumografia s.f.
cardiopneumográfico adj.
cardiopneumógrafo s.m.
cardiopneumograma s.m.
cardiopteridácea s.f.
cardiopteridáceo adj.
cardioptéris s.m.2n.
cardioptose s.f.
cardioptótico adj.
cardiopulmonar adj.2g.
cardiopunctura s.f.
cardiopuntura s.f.
cardioquimiografia s.f.
cardiorrafia s.f.
cardiorráfico adj.
cardiorrenal adj.2g.
cardiorrespiratório adj.
cardiorrexia (*cs*) s.f.
cardiorrino s.m.
cardiosclerose s.f.
cardiosclerótico adj.
cardioscopia s.f.
cardioscópico adj.
cardioscópio s.m.
cardiosfigmografia s.f.
cardiosfigmógrafo s.m.
cardiosfigmograma s.m.
cardiospasmo s.m.
cardiospasmódico adj.
cardiospermo s.m.
cardiossínfise s.f.
cardiossoma s.m.
cardiossomo s.m.
cardiostenose s.f.
cardiostenótico adj.
cardiotarso s.m.
cardioterapeuta s.2g.
cardioterapêutica s.f.
cardioterapêutico adj.
cardioterapia s.f.
cardioterápico adj.
cardiotireose s.f.
cardiotireótico adj.
cardiotirotoxicose (*cs*) s.f.
cardiotocografia s.f.
cardiotomia s.f.
cardiotômico adj.
cardiotonia s.f.
cardiotônico adj. s.m.
cardiotopometria s.f.
cardiotopométrico adj.
cardiotóxico (*cs*) adj. s.m.
cardiotrofia s.f.
cardiotrófico adj.
cardiotroto adj.
cardiovalvulite s.f.
cardiovalvulítico adj.
cardiovascular adj.2g.
cardiovascularite s.f.
cardiovascularítico adj.
cardiovascularização s.f.
cardiovascularizador (*ô*) adj. s.m.
cardiovascularizante adj.2g.
cardiovascularizar v.
cardiovasculização s.f.
cardiovasculizador (*ô*) adj. s.m.
cardiovasculizante adj.2g.
cardiovasculizar v.
cardioversão s.f.
cardioversividade s.f.
cardioversivo adj.
cardioviro s.m.
cardiovírus s.m.2n.
cardiovolumetria s.f.
cardiovolumétrico adj.
cardir v.
cardita s.f.
carditáceo adj.
cardite s.f.
cardítico adj.
cardítida adj.2g. s.m.
carditídeo adj. s.m.
cardiulcia s.f.
cardivalvulite s.f.
cardo adj. s.m.
cardoa (*ô*) s.f.
cardo-acanto s.m.; pl. *cardos-acanto* e *cardos-acantos*
cardo-ananá s.m.; pl. *cardos-ananá* e *cardos-ananás*
cardo-ananás s.m.; pl. *cardos-ananás* e *cardos-ananases*
cardo-asneiro s.m.; pl. *cardos-asneiros*
cardo-azul s.m.; pl. *cardos-azuis*
cardo-bento s.m.; pl. *cardos-bentos*
cardo-bosta s.m.; pl. *cardos-bosta* e *cardos-bostas*
cardoça s.f.
cardoçada s.f.
cardo-cardador s.m.; pl. *cardos-cardadores*
cardo-coalhante s.m.; pl. *cardos-coalhantes*
cardo-coroado s.m.; pl. *cardos-coroados*
cardo-corredor s.m.; pl. *cardos-corredores*
cardo-da-praia s.m.; pl. *cardos-da-praia*
cardo-de-burro s.m.; pl. *cardos-de-burro*
cardo-de-coalho s.m.; pl. *cardos-de-coalho*
cardo-de-cochonilha s.m.; pl. *cardos-de-cochonilha*
cardo-de-comer s.m.; pl. *cardos-de-comer*
cardo-de-isca s.m.; pl. *cardos-de-isca*
cardo-de-ouro s.m.; pl. *cardos-de-ouro*
cardo-de-santa-maria s.m.; pl. *cardos-de-santa-maria*
cardoeira s.f.
cardo-esporado s.m.; pl. *cardos-esporados*
cardo-estrelado s.m.; pl. *cardos-estrelados*
cardo-hortense s.m.; pl. *cardos-hortenses*
cardol s.m.
cardo-leiteiro s.m.; pl. *cardos-leiteiros*
cardólico adj.
cardo-limão s.m.; pl. *cardos-limão* e *cardos-limões*
cardo-mandacaru s.m.; pl. *cardos-mandacaru* e *cardos-mandacarus*
cardo-mariano s.m.; pl. *cardos-marianos*
cardo-marítimo s.m.; pl. *cardos-marítimos*
cardo-melão s.m.; pl. *cardos-melão* e *cardos-melões*
cardométrico adj.
cardomomo s.m.
cardo-morto s.m.; pl. *cardos-mortos*
cardo-negro s.m.; pl. *cardos-negros*
cardo-palmatória s.m.; pl. *cardos-palmatória* e *cardos-palmatórias*
cardopátea s.f.
cardopáteo adj.
cardópato s.m.
cardo-penteador s.m.; pl. *cardos-penteadores*
cardo-rolador s.m.; pl. *cardos-roladores*
cardosa s.f.
cardo-sanguinho s.m.; pl. *cardos-sanguinho* e *cardos-sanguinhos*
cardo-santo s.m.; pl. *cardos-santos*
cardo-selvagem s.m.; pl. *cardos-selvagens*
cardosense adj. s.2g.
cardoso-moreirense adj. s.2g.; pl. *cardoso-moreirenses*
carduácea s.f.
carduáceo adj.
carduça s.f.
carduçador (*ô*) adj. s.m.
carduçar v.
carduel s.m.
carduélis s.m.2n.
carduínea s.f.
carduíneo adj.
cardume s.m.
carduncelo s.m.
cardúnea s.f.
cardúneo adj.
caré s.m.
careação s.f.
careaçuense adj. s.2g.
careado adj.; cf. *cariado*
careador (*ô*) adj. s.m.
carear v. "acarear"; cf. *cariar*
cárebo s.m.
careca adj. s.2g. s.m.f.
carecedor (*ô*) adj. s.m.
carecente adj.2g.
carecer v.
carecido adj.
carecimento s.m.
carecível adj.2g.
careio s.m.
careirense adj. s.2g.
careiro adj. s.m.
carel s.m.
carelete (*ê*) s.m.
carélia s.f.
careliano adj. s.m.
carelinita s.f.
carelinite s.f.
carélio adj. s.m.
carena s.f.
carenação s.f.
carenada s.f.
carenado adj.
carenagem s.f.
carenal adj.2g.
carenamento s.m.
carenar v.
carência s.f.
carencial adj.2g.
carencialidade s.f.
careniforme adj.2g.
careno s.m.
carenostilo s.m.
carente adj.2g.
carepa s.f.
carepar v.
carepe s.m.
carepeba s.f.
carepento adj.
carepo s.m.
careposo (*ô*) adj.; f. (*ó*); pl. (*ó*)
careprocto s.m.
carestia s.f.
carestioso (*ô*) adj.; f. (*ó*); pl. (*ó*)
careta (*ê*) adj. s.2g. s.f.
caretada s.f.
caretear v.
careteira s.f.
careteiro adj. s.m.
caretém s.m.
caretete (*ê*) s.m.
caretice s.f.
careto (*ê*) adj. s.m.
caretoide (*ó*) adj. s.2g.
caréu s.m.
cárevo s.m.
cárex (*cs*) s.f.2n.
careza (*ê*) s.f.
carfálea s.f.
carfolita s.f.
carfologia s.f.
carfológico adj.
carfossiderita s.f.
carfossiderítico adj.
carga s.f.
carga-d'água s.f.; pl. *cargas-d'água*
carga-chumbo s.f.; pl. *cargas-chumbo* e *cargas-chumbos*
carga-limite s.f.; pl. *cargas-limite* e *cargas-limites*
cargar v.
cargo s.m.
cargosear v.
cargoso (*ô*) adj.; f. (*ó*); pl. (*ó*)
cargueirear v.
cargueiro adj. s.m.
carguejar v.

cari s.m.
cariá s.f. "formiga branca"; cf. *cária*
cária s.f. "cárie"; cf. *cariá*
cariabute s.m.
cariacari s.m.
cariacense adj. s.2g.
cariacicense adj. s.2g.
cariaciquense adj. s.2g.
cariacu s.m.
cariado adj.; cf. *careado*
cariaí adj. s.2g.
cariama s.f.
cariâmida adj.2g. s.f.
cariamídeo adj. s.m.
cariana adj. s.2g.
cariango s.m.
cariano adj. s.m.
cariapemba s.f.
cariar v. "corromper"; cf. *carear*
cariáster s.m.
cariátide s.f.
cariatídico adj.
cariazal s.2g.
caribana adj. s.2g.
caríbdea s.f.
caribe adj.2g. "caraíba"; cf. *caribé*
caribé s.m. "iguaria preparada com polpa de abacate"; cf. *caribe*
caribenho adj. s.m.
caribiano adj. s.m.
caribizi adj. s.2g.
cariboca s.2g.
caribu s.2g.
cárica s.f.; cf. *carica*, fl. do v. *caricar*
caricácea s.f.
caricáceo adj.
caricacho s.m.
caricar v.
caricato adj. s.m.
caricatura s.f.
caricaturado adj.
caricaturador (*ô*) adj.
caricatural adj.2g.
caricaturalidade s.f.
caricaturante adj. s.2g.
caricaturar v.
caricaturável adj.2g.
caricaturesco (*ê*) adj.
caricaturismo s.m.
caricaturista adj. s.2g.
caricaturístico adj.
cárice s.f.
carícea s.f. "inseto"; cf. *carícia*
cariceense adj. s.2g.
carícia s.f. "afago"; cf. *carícea* s.f. e *caricia*, fl. do v. *cariciar*
cariciar v.
cariciativo adj. s.m.
cariciável adj.2g.
caricida adj.2g. s.m.
caricina s.f.
caricioso (*ô*) adj.; f. (*ó*); pl. (*ó*)
caricleia (*é*) s.f.
carico s.m.
cariçó s.m.
caricoide (*ó*) adj.2g. s.m.
caricóidea s.f.
caricóideo adj.
caridade s.f.
caridadense adj. s.2g.
carideída adj. s.2g.
carídida adj.2g. s.m.
caridídeo adj. s.m.
caridina s.f.
caridjita adj. s.2g.
caridosa s.f.
caridoso (*ô*) adj.; f. (*ó*); pl. (*ó*)
cárie s.f.; cf. *carie*, fl. do v. *cariar*
cariênquima s.f.
carientismo s.m.
carifranzido adj.
carifranzir v.
carigo s.m.
cariguano adj. s.m.
cariî adj. s.2g.
carijada s.f.
carijar v.
carijita adj. s.2g.
carijo s.m. "armação de varas"; cf. *carijó*
carijó adj. s.2g. s.m. "diz-se de ou galináceo com penas pintalgadas de branco e preto"; cf. *carijo*
carijona adj. s.2g.
caril s.m.
carilha s.f.
carilho s.m.
carililacema s.f.
carilo s.m.
carilongo adj.
carimã adj.2g. s.2g.
carimanense adj. s.2g.
carimataense adj. s.2g.
carimbação s.f.
carimbada s.f.
carimbadela s.f.
carimbado adj.
carimbador (*ô*) adj. s,m.
carimbagem s.f.
carimbamba s.m.f.
carimbamento s.m.
carimbante adj.2g.
carimbar v.
carimbável adj.2g.
carimbé s.m.
carimbo s.m. "instrumento com que se marcam por meio de impressão papéis", etc.; cf. *carimbó*
carimbó s.m. "atabaque"; cf. *carimbo* s.m. e fl. do v. *carimbar*
carimbofilia s.f.
carimbologia s.f.
carimbo-mudo s.m.; pl. *carimbos-mudos*
carimbo-seco s.m.; pl. *carimbos-secos*
carimboto (*ô*) s.m.
carimé adj. s.2g.
carimi adj. s.2g.
cari-mole s.m.; pl. *caris-moles*
carina s.f. "crista"; cf. *cariná*
cariná s.f. "buritirana"; cf. *carina*
carinácea s.f.
carináceo adj.
carinado adj.
carinal adj.2g.
carinão s.m.
carinária s.f.
carinata s.f.
carinate s.2g.
carindiba s.f.
carinegro (*ê*) adj.
carinélida adj.2g. s.m.
carinelídeo adj. s.m.
caringassuro s.m.
caringo s.m.
carinha s.f.
carinhada s.f.
carinhanha s.f.
carinhanhense adj. s.2g.
carinho s.m.
carinhosa s.f.
carinhoso (*ô*) adj.; f. (*ó*); pl. (*ó*)
cariniana s.f.
carinífero adj.
carinina s.f.
carinita s.f.
carinite s.f.
carino s.m.
carinoma s.m.
carió adj. s.2g. "carijó"; cf. *cário*
cário adj. s.m. "diz-se de ou natural da Cária"; cf. *carió*
carioanabiose s.f.
carioba s.f.
cariobórico adj.
carioboro s.m.
carioca adj. s.2g.
cariocada s.f.
cariocado adj.
cariocar s.m.
cariocarácea s.f.
cariocaráceo adj.
cariocariácea s.f.
cariocariáceo adj.
cariocedro s.m.
cariocerita s.f.
cariocinese s.f.
cariocinético adj.
cariocinetotropia s.f.
cariocinetotrópico adj.
carióclase s.f.
carioclásico adj.
carioclasto adj.
cariocostino s.m.
cariocromatófilo adj.
cariocrômico adj.
cariocromo adj.
cariodiérese s.f.
cariodierético adj.
cariófase s.f.
cariofásico adj.
cariofilácea s.f.
cariofiláceo adj.
cariofilada s.f.
cariofilada-maior s.f.; pl. *cariofiladas-maiores*
cariofilado adj.
cariofilal adj.2g.
cariofilale s.f.
cariofílea s.f.
cariofileida adj.2g. s.m.
cariofileídeo adj. s.m.
cariofileno s.m.
cariofíleo adj. s.m.
cariofilia s.f.
cariofílico adj.
cariofilina s.f.
cariofilínea s.f.
cariofilíneo adj. s.m.
cariofilínico adj.
cariofilo s.m.
cariogameta (*ê*) s.m.
cariogâmeta s.m.
cariogamia s.f.
cariogâmico adj.
cariogênico adj.
cariograma s.m.
cariola s.f.
cariolinfa s.f.
cariolinha s.f.
cariólise s.f.
cariolítico adj.
cariologia s.f.
cariológico adj.
cariomembrana s.f.
cariômero s.m.
cariometria s.f.
cariométrico adj.
cariomicrossoma s.m.
cariomicrossomo s.m.
cariomitoma s.m.
cariomitoplasma s.m.
cariomitoplasmático adj.
cariomitose s.f.
cariomitósico adj.
cariomitótico adj.
cariopilita s.f.
cariopilite s.f.
carioplasma s.m.
carioplasmático adj.
cariopse s.f.
cariópsido s.m.
cariopso s.m.
carióptera s.f.
carióptere s.f.
cariopterídea s.f.
carióptico adj.
carioquense adj. s.2g.
carioquice s.f.
carioquidade s.f.
carioquilema s.m.
carioquismo s.m.
carioquização s.f.
carioquizado adj.
carioquizante adj. s.2g.
carioquizar v.
cariorréctico adj.
cariorrexe (*cs*) s.m.
cariorrexia (*cs*) s.f.
cariose s.f.
cariosfera s.f.
cariosférico adj.
carioso (*ô*) adj.; f. (*ó*); pl. (*ó*)
cariósquise s.f.
cariossoma s.m.
cariossomático adj.
cariossômico adj.
cariossomo s.m.
cariostenose s.f.
cariostenótico adj.
cariota s.f.
carioteca s.f.
cariotecal adj.2g.
cariotecário adj.
cariótico adj.
cariotina s.f.
cariotipia s.f.
cariotípico adj.
cariótipo s.m.
caripareense adj. s.2g.
caripé s.m.
cariperana s.f.
cariperana-de-folha-larga s.f.; pl. *cariperanas-de-folha-larga*
caripetirica s.f.
caripé-verdadeiro s.m.; pl. *caripés-verdadeiros*
caripiense adj. s.2g.
cari-pintado s.m.; pl. *caris-pintados*
caripira s.m.
cari-preto s.m.; pl. *caris-pretos*
caríptero s.m.
caripuna adj.2g.
caripuna do amapá adj. s.2g.
caríquio s.m.
carireense adj. s.2g.
carirense adj. s.2g.
cariri adj. s.2g. s.m.
caririaçuense adj. s.2g.
caririense adj. s.2g.
caririmirinense adj. s.2g.
cariri-xocó adj. s.2g.; pl. *cariris-xocós*
carirredondo adj.
cariru s.m.
cariseto s.m.
carisma s.m.
carismático adj.
carísmico adj.
carismocho (*ô*) adj.
carissa s.f.
carissina s.f.
carissínico adj.
carístio adj. s.m.
carita s.f.
caritativo adj.
caritê s.m.
caritel s.m.
caritelo s.m.
caritembe s.f.
caritenho adj. s.m.
caritense adj. s.2g.
cariti s.m.
caritiana adj. s.2g.
caritianense adj. s.2g.
carito s.m. "orifício de uma vasilha"; cf. *caritó*
caritó s.m. "casa pobre", etc.; cf. *carito*
cariú adj. s.2g. s.m.
cariúa adj. s.2g.
cariuaia adj. s.2g.
cariuense adj. s.2g.
cariutabense adj. s.2g.
cariva s.f.
carivelho adj.
carixo s.m.
cariz s.m.
carize s.m.
carlagâni s.m.
carlangâni s.m.
carlequim s.m.
carletonita s.f.
carlim s.m.
carlina s.f.
carlina-bastarda s.f.; pl. *carlinas-bastardas*
carlindogue s.m.
carlinga s.f.
carlingagem s.f.
carlíngio adj.
carlínico adj.
carlinina s.f.
carlinínea s.f.
carliníneo adj.
carlinita s.f.
carlino s.m.
carlismo s.m.
carlista adj. s.2g.
carlístico adj.
carlito s.m.
carlitos s.m.2n.
carlopolitano adj. s.m.
carlos-alvense adj. s.2g.; pl. *carlos-alvenses*
carlos-barbosense adj. s.2g.; pl. *carlos-barbosenses*
carlos-chaguense adj. s.2g.; pl. *carlos-chaguenses*
carlos-gomense adj. s.2g.; pl. *carlos-gomenses*
carlos-quinto s.m.; pl. *carlos-quintos*
carlostadiano adj.
carlota s.f.
carlotinha s.f.
carlovingiano adj.
carlovíngio adj.
carlsfriesita s.f.
carludovica s.f.
carludovica-brasileira s.f.; pl. *carludovicas-brasileiras*
carludovícea s.f.
carlyliano adj.
carma s.m.
carmafala s.m.
carmaioga s.m.
carmamarga s.m.
carmanhola s.f.
carmaniano adj. s.m.
carmânio adj. s.m.
carmano adj. s.m.
cármata adj. s.2g.
carmático adj. s.m.
carmatu s.m.
carme s.m.
carmeada s.f.
carmeadeira s.f.
carmeado adj.
carmeador (*ô*) adj. s.m.
carmeadura s.f.
carmear v.
carmelejo (*ê*) s.m.
carmelina s.f.
carmelita adj. s.2g.
carmelitana s.f.
carmelitano adj. s.m.
carmelito adj. s.2g.
carmelo s.m.
carmelopolitano adj. s.m.
carmense adj. s.2g.
carmental adj.2g. s.m.
carmentálias s.f.pl.
carmesi adj.2g. s.m.
carmesiense adj. s.2g.
carmesim adj.2g. s.m.
carmesinado adj.
carmesinar v.
carmichaélia s.f.
cármico adj.
carmim s.m.
carmim-de-cártamo s.m.; pl. *carmins-de-cártamo*
carmim de índigo s.m.
carmim-fibrina s.m.; pl. *carmins-fibrina* e *carmins-fibrinas*
carmim-nacará s.m.; pl. *carmins-nacará* e *carmins-nacarás*
carmim-nata s.m.; pl. *carmins-nata* e *carmins-natas*
carmina s.f.
carminado adj.
carminador (*ô*) adj.
carminante adj.2g.
carminar v.
carminativo adj. s.m.

carminável adj.2g.
carmíneo adj.
carmínico adj.
carminita s.f.
carminite s.f.
carminítico adj.
carminol s.m.
carminólico adj.
carmiquélia s.f.
carmo-cachoeirense adj. s.2g.; pl. *carmo-cachoeirenses*
carmo-cajuruense adj. s.2g.; pl. *carmo-cajuruenses*
carmo-matense adj. s.2g.; pl. *carmo-matenses*
carmo-mineiro adj. s.m.; pl. *carmo-mineiros*
carmona s.f.
carmonense adj. s.2g.
carmo-paranaibense adj. s.2g.; pl. *carmo-paranaibenses*
carmopoliense adj. s.2g.
carmópolis-mineiro adj. s.m.; pl. *carmópolis-mineiros*
carmopolitano adj. s.m.
carmo-rio-clarense adj. s.2g.; pl. *carmo-rio-clarenses*
carmo-rio-verdense adj. s.2g.; pl. *carmo-rio-verdenses*
carmoso (*ô*) adj.; f. (*ó*); pl. (*ó*)
carmustina s.f.
carnaça s.f.
carnaçal adj.2g.
carnação s.f.
carnaciano adj. s.m.
carnaco s.m.
carnada s.f.
carnadura s.f.
carnagão s.m.
carnagem s.f.
carnaíba s.f.
carnaibal s.m.
carnaibano adj. s.m.
carnaibense adj. s.2g.
carnal adj.2g. s.m.f.
carnalidade s.f.
carnalita s.f.
carnalite s.f.
carnalítico adj.
carnalito s.m.
carnalização s.f.
carnalizar v.
carnallita s.f.
carnallite s.f.
carnallítico adj.
carnallito s.m.
carname s.f.
carnante s.m.
carnar v.
carnário s.m.
carnatita s.f.
carnatite s.f.
carnatítico adj.
carnaúba s.f.
carnaúba-dantense adj. s.2g.; pl. *carnaúba-dantenses*
carnaubaense adj. s.2g.
carnaubal s.m.
carnaubalense adj. s.2g.
carnaubeira s.f.
carnaubeirense adj. s.2g.
carnaubense adj. s.2g.
carnaúbico adj.
carnaubílico adj.
carnaubinhense adj. s.2g.
carnaval s.m.
carnavalear v.
carnavalesco (*ê*) adj. s.m.
carnavalização s.f.
carnavalizado adj.
carnavalizador (*ô*) adj. s.m.
carnavalizar v.
carnaz s.m.
carne s.f. "a parte macia do corpo animal"; cf. *carnê*
carnê s.m. "talonário"; cf. *carne*
carneação s.f.
carneadeira s.f.
carneadismo s.m.
carneadista adj. s.2g.
carneadístico adj.
carneadoiro s.m.
carneador (*ô*) adj. s.m.
carneadouro s.m.
carneamento s.m.
carnear v.
carne-assada s.f.; pl. *carnes-assadas*
carneável adj.2g.
carnecoita s.f.
carnecoito adj.
carne-de-anta s.f.; pl. *carnes-de-anta*
carne de ceará s.f
carne de charque s.f.
carne-de-donzela s.f.; pl. *carnes-de-donzela*
carne de pescoço s.2g.
carne de sol s.f.
carne-de-vaca s.f.; pl. *carnes-de-vaca*
carne de vento s.f.
carne do ceará s.f.
carne do sertão s.f.
carne do sul s.f.
carneeiro adj.
carne-esfoladiça s.f.; pl. *carnes-esfoladiças*
carnegão s.m.
carnegíea s.f.
carneia (*é*) adj. s.f. de *carneu*
carneira s.f.
carneiraça s.f.
carneirada s.f.
carneirar v.
carneireiro s.m.
carneirenho adj. s.m.
carneirense adj. s.2g.
carneirento adj.
carneirina s.f.
carneirinhense adj. s.2g.
carneirinho s.m.
carneiro s.m. "mamífero lanígero da família dos bovídeos"; cf. *carneiró*
carneiró s.m. "ave da ilha da Madeira"; cf. *carneiro*
carneiro-almiscarado s.m.; pl. *carneiros-almiscarados*
carneiro-araucano s.m.; pl. *carneiros-araucanos*
carneiro-castiço s.m.; pl. *carneiros-castiços*
carneiro-do-cabo s.m.; pl. *carneiros-do-cabo*
carneiro do peru s.m.
carneiro-encantado s.m.; pl. *carneiros-encantados*
carneiroso (*ô*) adj.; f. (*ó*); pl. (*ó*)
carneirum adj.2g.
carnejão s.m.
carneliana s.f.
cárneo adj.
carneol s.m.
carnéola s.f.
carne-quebrada s.f.; pl. *carnes-quebradas*
carnerina s.f.
carne-seca s.f.; pl. *carnes-secas*
carnestolendas s.f.pl.
carneu adj. s.m.; f. *carneia* (*é*)
carne-velha s.f.; pl. *carnes-velhas*
carniça s.f.
carniçal adj.2g.
carnicão s.m.
carniçaria s.f.
carniceira s.f.
carniceiro adj. s.m.
carnicense adj. s.2g.
carnicento adj.
carniceria s.f.
carnicha s.f.
cárnico adj.
carnícula s.f.
carnifazer v.
carniferrina s.f.
carniferrínico adj.
cárnifex (*cs*) adj. s.2g.2n.
carnificação s.f.
carnificado adj.
carnificar v.
carnífice adj. s.2g.
carnificina s.f.
carniforme adj.2g.
carnigão s.m.
carnijó adj. s.2g.
carnina s.f.
carníncula s.f.
carninga s.f.
carnínico adj.
carniola s.f.
carnismo s.m.
carnista adj. s.2g.
carnístico adj.
carnita s.f.
carnitina s.f.
carnitínico adj.
carnivoraz adj. s.2g.
carnivoridade s.f.
carnivorismo s.m.
carnívoro adj. s.m.
carnização s.f.
carno adj. s.m.
carnobiense adj. s.2g.
carnoioense adj. s.2g.
carnosidade s.f.
carnosina s.f.
carnoso (*ô*) adj. s.m.; f. (*ó*); pl. (*ó*)
carnossauro s.m.
carnotita s.f.
carnotite s.f.
carnotítico adj.
carnotito s.m.
carnuça s.f.
carnucha s.f.
carnudo adj.
carnute adj. s.2g.
carnuteno adj. s.m.
carnutino adj. s.m.
carnuto adj. s.m.
caro adj. s.m. adv. "que tem preço elevado"; cf. *caró*
caró s.m. "medida agrária em Damão"; cf. *caro*
caroá s.m.
caroado adj.
caroal adj.2g.
caroara adj.2g. s.m.f.
caroaracaá s.m.
caroarense adj. s.2g.
caroatá s.m.
caroatá-açu s.m.; pl. *caroatás-açus*
caroatal s.m.
caroável adj.2g.
caroá-verdadeiro s.m.; pl. *caroás-verdadeiros*
caroazal s.m.
caroba s.f.
caroba-amarela s.f.; pl. *carobas-amarelas*
caroba-branca s.f.; pl. *carobas-brancas*
caroba-brava s.f.; pl. *carobas-bravas*
caroba-da-mata s.f.; pl. *carobas-da-mata*
caroba-de-cinco-folhas s.f.; pl. *carobas-de-cinco-folhas*
caroba-de-flor-branca s.f.; pl. *carobas-de-flor-branca*
caroba-de-flor-verde s.f.; pl. *carobas-de-flor-verde*
caroba-de-folha-estreita s.f.; pl. *carobas-de-folha-estreita*
caroba-de-goiás s.f.; pl. *carobas-de-goiás*
caroba-de-mato-grosso s.f.; pl. *carobas-de-mato-grosso*
caroba-de-minas-gerais s.f.; pl. *carobas-de-minas-gerais*
caroba-de-são-paulo s.f.; pl. *carobas-de-são-paulo*
caroba-do-campo s.f.; pl. *carobas-do-campo*
caroba-do-carrasco s.f.; pl. *carobas-do-carrasco*
caroba-do-mato s.f.; pl. *carobas-do-mato*
carobaguaçu s.f.
carobamirim s.f.
caroba-miúda s.f.; pl. *carobas-miúdas*
caroba-paulistana s.f.; pl. *carobas-paulistanas*
caroba-preta s.f.; pl. *carobas-pretas*
caroba-roxa s.f.; pl. *carobas-roxas*
carobeira s.f.
caróbico adj.
carobina s.f.
carobinha s.f.
carobinha-de-flor-verde s.f.; pl. *carobinhas-de-flor-verde*
carobinha-do-campo s.f.; pl. *carobinhas-do-campo*
carobinha-do-mato s.f.; pl. *carobinhas-do-mato*
carobinha-verde s.f.; pl. *carobinhas-verdes*
carobronze s.m.
carobuçu s.m.
caroca s.f.
caroça s.f.
caroçado adj.
caroçama s.f.
caroçame s.m.
carocar v.
caroceiro s.m.
carocha s.f. "carapuça"; cf. *carocha* (*ô*)
carocha (*ô*) s.f. "casta de uva"; cf. *carocha*
carochinha s.f.
carocho (*ô*) s.m.
caroço (*ô*) s.m.
caroço de alarce s.m.
caroçuda s.f.
caroçudo adj.
caródnia s.f.
caroé s.m.
carofícea s.f.
carófita s.f.
caróﬁto adj. s.m.
carola adj. s.2g. s.m.f.
carolada s.f.
carolagem s.f.
carolatina s.f.
carólia s.f.
carolice s.f.
carolim s.m.
carolina s.f.
carolina-miúda s.f.; pl. *carolinas-miúdas*
carolínea s.f.
carolinense adj. s.2g.
carolíneo adj.
carolingiano adj.
carolíngio adj. s.m.
carolínio s.m.
carolino adj. s.m.
carolismo s.m.
carolo (*ô*) s.m.
carolstadiano adj.
carombó adj.2g.
caromboeiro adj.
carona s.m.f.
caronaço s.m.
caronada s.f.
carone adj. s.2g.
caroneação s.f.
caroneada s.f.
caroneado adj.
caroneador (*ô*) adj.
caronear v.
caroneiro adj. s.m.
caronha s.f.
caronheira s.f.
carônico adj.
caronismo s.m.
caronista s.2g.
carontiano adj.
caropa s.f.
caropar v.
caroquento adj.
caroquinha s.f.
carorocoatá s.m.
carosol s.m.
carosse s.f.
carosseiro s.m.
carotena s.f.
carotenase s.f.
carotênase s.f.
carotenemia s.f.
carotenêmico adj.
carotênico adj.
carotênio s.m.
caroteno s.m.
carotenodermia s.f.
carotenodérmico adj.
carotenoide (*ó*) adj.2g. s.f.
carotenol s.m.
carótico adj.
caroticoclinóideo adj.
caroticotimpânico adj.
carótida s.f.
carótide adj.2g. s.f.
carotídeo adj.
carotidiano adj.
carotidínia s.f.
carotina s.f.
caroujo s.m.
caroupo adj.
carova s.f.
caroviense adj. s.2g.
carpa s.f.
carpacoca s.f.
carpadélio s.m.
carpaína s.f.
carpal adj.2g.
carpanel s.m.
carpanta s.f.
carpanto s.m.
carpar v.
carpário s.m.
carpata s.f.
carpático adj.
carpatita s.f.
cárpato adj. s.m.
carpeada s.f.
carpeadeira s.f.
carpeadela s.f.
carpeado adj.
carpeador (*ô*) adj. s.m.
carpeadura s.f.
carpear v.
carpectomia s.f.
carpectômico adj.
carpela s.f.
carpelar adj.2g.
carpelo (*ê*) s.m.
carpênico adj.
carpeno s.m.
carpentar v.
carpento s.m.
cárpeo adj.
carpésio adj. s.m.
carpeta (*ê*) s.f.
carpetado adj.
carpetano adj. s.m.
carpetar v.
carpete s.f.
carpeteador (*ô*) s.m.
carpetear v.
carpeteira s.f.
carpeteiro s.m.
carpetista adj. s.2g.
carpiano adj. s.m.
carpição s.f.
cárpico adj.
carpiço s.m.
carpicultor (*ô*) adj. s.m.
carpicultura s.f.
carpideira s.f.
carpídio s.m.
carpido adj. s.m.
carpidor (*ô*) adj. s.m.
carpidura s.f.
carpim s.m.
carpimento s.m.
carpina s.m.
carpincho s.m.
carpinense adj. s.2g.
carpinha s.f.
carpino s.m.
carpins s.m.pl.
carpintaria s.f.
carpinteiração s.f.
carpinteiragem s.f.
carpinteiral adj.2g.
carpinteirar v.

carpinteiro adj. s.m.
carpinteiro da praia s.m;
carpinteiro de praia s.m.
carpinteirola s.2g.
carpinteiro-negro s.m.; pl. *carpinteiros-negros*
carpintejar v.
carpintina s.f.
carpinzeira s.f.
cárpio s.m.
carpir v.
carpite s.f.
carpo s.m.
carpobálsamo s.m.
carpoblepto s.m.
carpobólea s.f.
carpobóleo adj.
carpóbolo s.m.
carpobroto (*ô*) s.m.
carpocalima s.m.
carpocapso s.m.
carpocárpico adj.
carpócero s.m.
carpocifose s.f.
carpocifótico adj.
carpócoris s.m.2n.
carpocraciano adj. s.m.
carpocratita adj. s.2g.
carpódaco s.m.
carpodésmia s.f.
carpódeto s.m.
carpodino s.m.
cárpodo s.m.
cárpodon s.m.
carpodonte s.m.
carpodôntea s.f.
carpodônteo adj.
carpofagia s.f.
carpófago adj. s.m.
carpofalângeo adj.
carpofilíneo adj. s.m.
carpofilo s.m. "folha carpelar"; cf. *carpófilo*
carpófilo adj. s.m. "que gosta de frutos"; cf. *carpofilo*
carpofloro adj.
carpóforo adj. s.m.
carpogênese s.f.
carpogenésico adj.
carpogenético adj.
carpóglifo s.m.
carpoglosso s.m.
carpogonial adj.2g.
carpogônio s.m.
carpógono s.m.
carpoide (*ó*) adj.2g. s.m.
carpolépide s.f.
carpólepis s.f.2n.
carpolítico adj.
carpólito s.m.
carpoliza s.f.
carpólobo s.m.
carpologia s.f.
carpológico adj.
carpologista s.2g.
carpólogo s.m.
carpomania s.f.
carpometacarpiano adj.
carpometacárpico adj.
carpometacarpo s.m.
carpomicete s.m.
carpomizo s.m.
carpomorfita s.2g.
carpomorfo adj.
carpopedal adj.2g.
carpopodito s.m.
carpopódito s.m.
carpopterigiano adj.
carpoptose s.f.
carpoptótico adj.
carposperma s.f.
carposporângio s.m.
carpospório s.m.
carpósporo s.m.
carposporófito s.m.
carpostégio s.m.
carpostômio s.m.
carpoteca s.f.
carpótrica s.f.
carpótroco s.m.
carpótroque s.m.
carpozigoto (*ó* ou *ô*) s.m.
carptor (*ô*) s.m.
carpúnia s.f.
carque s.m.
carqueja (*ê*) s.f.
carqueja-amargosa s.f.; pl. *carquejas-amargosas*
carqueja-de-bico-grande s.f.; pl. *carquejas-de-bico-grande*
carqueja-de-folha-grande s.f.; pl. *carquejas-de-folha--grande*
carqueja-doce s.f.; pl. *carquejas-doces*
carqueja-do-pântano s.f.; pl. *carquejas-do-pântano*
carqueja-folhuda s.f.; pl. *carquejas-folhudas*
carquejal s.m.
carqueja-miúda s.f.; pl. *carquejas-miúdas*
carquejeira s.f.
carquejeiro s.m.
carquejense adj. s.2g.
carquejina s.f.
carquejinha s.f.
carquesiano adj.
carquésio s.m.
carquilha s.f.
carquilheira s.f.
carquincho adj.
carrabocho (*ô*) s.m.
carraboiça s.f.
carraboiçal s.m.
carrabouça s.f.
carrabouçal s.m.
carrabouço s.m.
carraca s.f.
carraça s.f.
carraça-da-farinha s.f.; pl. *carraças-da-farinha*
carraça-do-queijo s.f.; pl. *carraças-do-queijo*
carraça-dos-frutos--passados s.f.; pl. *carraças--dos-frutos-passados*
carracão s.m.
carraçaria s.f.
carraceira s.f.
carraceno adj.
carracha s.f.
carrachesco (*ê*) adj.
carracho s.m.
carrachola s.f.
carrachucha s.f.
carrachucho s.m.
carrachuço s.m.
carracismo s.m.
carraço s.m.
carrada s.f.
carrafuso s.m.
carrajó s.m.
carral adj.2g.
carramelo (*ê*) s.m.
carramoiçada s.f.
carramoiço s.m.
carramouçada s.f.
carramouço s.m.
carranca s.f.
carrança adj. s.2g.
carrancada s.f.
carrancha s.f.
carranchada s.f.
carranchano s.m.
carranchas s.f.pl.
carranchichas s.f.pl.
carranchinhas s.f.pl.
carrancholas s.f.pl.
carranchuda s.f.
carrancice s.f.
carrancismo s.m.
carrancista adj. s.2g.
carrancuda s.f.
carrancudo adj.
carrane s.m.
carranha s.f.
carranhoso (*ô*) adj.; f. (*ó*); pl. (*ó*)
carranquear v.
carranquense adj. s.2g.
carranquinha s.f.
carrão s.m.
carrapata s.f.
carrapatal s.m.
carrapatar v.
carrapatear v.
carrapateira s.f.
carrapateira-branca s.f.; pl. *carrapateiras-brancas*
carrapateirense adj. s.2g.
carrapateiro s.m.
carrapatense adj. s.2g.
carrapatento adj.
carrapaticida adj.2g. s.m.
carrapatinha s.f.
carrapatinhense adj. s.2g.
carrapatinho s.m.
carrapato s.m.
carrapato-amarelo-do-cão s.m.; pl. *carrapatos-amarelos--do-cão*
carrapato-da-raiz s.m.; pl. *carrapatos-da-raiz*
carrapato-das-galinhas s.m.; pl. *carrapatos-das-galinhas*
carrapato-de-boi s.m.; pl. *carrapatos-de-boi*
carrapato-de-cavalo s.m.; pl. *carrapatos-de-cavalo*
carrapato-de-galinha s.m.; pl. *carrapatos-de-galinha*
carrapato-de-passarinho s.m.; pl. *carrapatos-de--passarinho*
carrapato-de-peixe s.m.; pl. *carrapatos-de-peixe*
carrapato-de-sapo s.m.; pl. *carrapatos-de-sapo*
carrapato-do-boi s.m.; pl. *carrapatos-do-boi*
carrapato-do-chão s.m.; pl. *carrapatos-do-chão*
carrapato-do-mato s.m.; pl. *carrapatos-do-mato*
carrapato-do-ouriço s.m.; pl. *carrapatos-do-ouriço*
carrapato-do-ouriço--cacheiro s.m.; pl. *carrapatos-do-ouriço-cacheiro*
carrapato-do-porco--espinho s.m.; pl. *carrapatos-do-porco-espinho*
carrapato-estrela s.m.; pl. *carrapatos-estrela* e *carrapatos--estrelas*
carrapato-fogo s.m.; pl. *carrapatos-fogo* e *carrapatos--fogos*
carrapato-pólvora s.m.; pl. *carrapatos-pólvora* e *carrapatos-pólvoras*
carrapato-redoleiro s.m.; pl. *carrapatos-redoleiros*
carrapato-rodolego s.m.; pl. *carrapatos-rodolegos*
carrapato-rodoleiro s.m.; pl. *carrapatos-rodoleiros*
carrapato-verde s.m.; pl. *carrapatos-verdes*
carrapeta (*ê*) s.f.
carrapeta-verdadeira s.f.; pl. *carrapetas-verdadeiras*
carrapiça s.f.
carrapiceiro s.m.
carrapicheiro s.m.
carrapichelense adj. s.2g.
carrapichinho s.m.
carrapicho s.m.
carrapicho-barbadinho s.m.; pl. *carrapichos--barbadinhos*
carrapicho-beiço-de-boi s.m.; pl. *carrapichos-beiço-de--boi* e *carrapichos-beiços-de-boi*
carrapicho-bravo s.m.; pl. *carrapichos-bravos*
carrapicho-da-calçada s.m.; pl. *carrapichos-da-calçada*
carrapicho-da-praia s.m.; pl. *carrapichos-da-praia*
carrapicho-de-agulha s.m.; pl. *carrapichos-de-agulha*
carrapicho-de-beiço-de-boi s.m.; pl. *carrapichos-de-beiço--de-boi*
carrapicho-de-calçada s.m.; pl. *carrapichos-de-calçada*
carrapicho-de-carneiro s.m.; pl. *carrapichos-de-carneiro*
carrapicho-de-cavalo s.m.; pl. *carrapichos-de-cavalo*
carrapicho-de-cigana s.m.; pl. *carrapichos-de-cigana*
carrapicho-de-duas-pontas s.m.; pl. *carrapichos-de-duas--pontas*
carrapicho de lã s.m.
carrapicho-de-linho s.m.; pl. *carrapichos-de-linho*
carrapicho-de-ovelha s.m.; pl. *carrapichos-de-ovelha*
carrapicho-de-santa-helena s.m.; pl. *carrapichos-de-santa--helena*
carrapicho-do-ceará s.m.; pl. *carrapichos-do-ceará*
carrapicho-do-grande s.m.; pl. *carrapichos-do-grande*
carrapicho-do-mato s.m.; pl. *carrapichos-do-mato*
carrapicho-dos-cavalos s.m.; pl. *carrapichos-dos-cavalos*
carrapicho-grande s.m.; pl. *carrapichos-grandes*
carrapicho-miúdo s.m.; pl. *carrapichos-miúdos*
carrapicho-rasteiro s.m.; pl. *carrapichos-rasteiros*
carrapicho-redondo s.m.; pl. *carrapichos-redondos*
carrapiço s.m.
carrapita s.f.
carrapitano adj.
carrapiteiro s.m.
carrapito s.m.
carraquicha s.f.
carrar v.
carrara s.m.
carrarense adj. s.2g.
carraria s.f.
carrasca s.f.
carrasca-bical s.f.; pl. *carrascas-bicais*
carrasca-espanhola s.f.; pl. *carrascas-espanholas*
carrasca-grossa s.f.; pl. *carrascas-grossas*
carrasca-grossa-acuminada s.f.; pl. *carrascas-grossas--acuminadas*
carrascal s.m.
carrasca-miúda s.f.; pl. *carrascas-miúdas*
carrasca-miúda-acuminada s.f.; pl. *carrascas-miúdas--acuminadas*
carrasca-miúda--arredondada s.f.; pl. *carrascas-miúdas--arredondadas*
carrasca-molar s.f.; pl. *carrascas-molares*
carrascana s.f.
carrasca-negral s.f.; pl. *carrascas-negrais*
carrascão adj. s.m.
carrasca-pele-de-cobra s.f.; pl. *carrascas-pele-de-cobra* e *carrascas-peles-de-cobra*
carrasca-redonda s.f.; pl. *carrascas-redondas*
carrascaria s.f.
carrasco s.m.
carrasco-do-campo s.m.; pl. *carrascos-do-campo*
carrasco-loureiro s.m.; pl. *carrascos-loureiros*
carrascoso (*ô*) adj.; f. (*ó*); pl. (*ó*)
carraspana s.f.
carraspeira s.f.
carraspinha s.f.
carraspudo adj.
carrasqueira s.f.
carrasqueiral s.m.
carrasqueiro s.m.
carrasquenha s.f.
carrasquenha-tinta s.f.; pl. *carrasquenhas-tintas*
carrasquenho adj. s.m.
carrasquenho-branco s.m.; pl. *carrasquenhos-brancos*
carrasquenho-bravo s.m.; pl. *carrasquenhos-bravos*
carrasquenho-miúdo s.m.; pl. *carrasquenhos-miúdos*
carrasquenho-tinto s.m.; pl. *carrasquenhos-tintos*
carrasquento adj.
carrasqueria s.f.
carrasquinha s.f.
carrasquinho s.m.
carrazedense adj. s.2g.
carrê s.m.
carreação s.f.
carreada s.f.
carreado adj.
carreadoiro s.m.
carreador (*ô*) s.m.
carreadouro s.m.
carrear v.
carreata s.f.
carreço (*ê*) s.m.
carreeira s.f.
carrega s.f. interj.
carrega-besta s.f.; pl. *carrega--bestas*
carrega-bestas s.f.2n.
carrega-burro s.f.; pl. *carrega--burros*
carregação s.f.
carregaceira s.f.
carregadas s.f.pl.
carregadeira s.f.
carregado adj.
carregador (*ô*) adj. s.m.
carregadora (*ô*) s.f.
carregadorense adj. s.2g.
carregal s.m.
carrega-madeira s.m.; pl. *carrega-madeiras*
carregamento s.m.
carregão s.m.
carregar v.
carrego (*ê*) s.m.; cf. *carrego*, fl. do v. *carregar*
carrego de omulu s.m.
carrego de santo s.m.
carregonceira s.f.
carregoso (*ô*) adj.; f. (*ó*); pl. (*ó*)
carreguio s.m.
carregume s.m.
carreia (*é*) adj.; f. de *carreu*
carreira s.f.
carreira de longo s.f.
carreira-grande s.f.; pl. *carreiras-grandes*
carreiramento s.m.
carreirão s.m.
carreirense adj. s.2g.
carreirinha s.f.
carreirismo s.m.
carreirista adj. s.2g.
carreirístico adj.
carreiro adj. s.m.
carreiró s.m.
carreirola s.f.
carreirote s.m.
carreito s.m.
carreja (*ê*) s.f.
carrejão s.m.
carrejar v.
carrejo (*ê*) s.m.
carrela s.f.
carrelada s.f.
carrelha (*ê*) s.f.
carrelo (*ê*) s.m.
carreno adj. s.m.
carrequim s.m.
carreta (*ê*) s.f.; cf. *carreta*, fl. do v. *carretar*
carretã s.f.
carretada s.f.
carretado adj.

carretador (*ô*) s.m.
carretagem s.f.
carretama s.f.
carretão s.m.
carretar v.
carrete (*ê*) s.m.; cf. *carrete*, fl. do v. *carretar*
carreteada s.f.
carretear v.
carreteira s.f.
carreteiro adj. s.m.
carretel s.m.
carretela s.f.
carreteleira s.f.
carretia s.f.
carretilha s.f.
carretilhada adj.
carretilho s.m.
carreto (*ê*) s.m.; cf. *carreto*, fl. do v. *carretar*
carreu adj. s.m.; f. *carreia* (*ê*)
carrexa (*ê*) s.f.
carri s.m.
carriagem s.f.
carrião s.m.
carriça s.f.
carriçada s.f.
carriçagem s.f.
carriçal s.m.
carricha s.f.
carricinha s.f.
carricinha-cristada s.f.; pl. *carricinhas-cristadas*
carricinha-das-moitas s.f.; pl. *carricinhas-das-moitas*
carricinha-esconderija s.f.; pl. *carricinhas-esconderijas*
carricinha-esconderijeira s.f.; pl. *carricinhas-esconderijeiras*
carriço s.m.
carricoche s.m.
carriço-da-areia s.m.; pl. *carriços-da-areia*
carrija s.m.
carrijó s.m.
carril s.m.
carrilamento s.m.
carrilano s.m.
carrilar v.
carrilhado adj.
carrilhador (*ô*) s.m.
carrilhana s.f.
carrilhanor (*ô*) s.m.
carrilhão s.m.
carrilhar v.
carrilheira s.f.
carrilho s.m.
carrilhonar v.
carrilhoneiro s.m.
carrilhonista s.2g.
carrimônia s.f.
carrimpana s.f.
carrinha s.f.
carrinhar v.
carrinho s.m.
carrinho de mão s.m.
carrinho do monte s.m.
carrinhola s.f.
carrinhos s.m.pl.
carriola s.f.
carripada s.f.
carripana s.f.
carripoila s.f.
carripota s.f.
carripoto (*ô*) s.m.
carripoula s.f.
carro s.m.
carro-bomba s.m.; pl. *carros-bomba* e *carros-bombas*
carroça s.f.
carroçada s.f.
carroçado adj.
carroçador (*ô*) s.m.
carroção s.m.
carroçar v.
carroçaria s.f.
carroçável adj.2g.
carroceiro s.m.
carroceria s.f.
carrocha s.f.
carro-chefe s.m.; pl. *carros-chefe* e *carros-chefes*
carrocho (*ô*) s.m.
carrocim s.m.
carrocinha s.f.
carro-conceito s.m.; pl. *carros-conceito* e *carros-conceitos*
carro de combate s.m.
carro-de-vênus s.m.; pl. *carros-de-vênus*
carro-dormitório s.m.; pl. *carros-dormitório* e *carros-dormitórios*
carro do sol s.m.
carro-forte s.m.; pl. *carros-fortes*
carro-guincho s.m.; pl. *carros-guincho* e *carros-guinchos*
carrola s.f.
carrolaço s.m.
carro-leito s.m.; pl. *carros-leito* e *carros-leitos*
carrolita s.f.
carrolite s.f.
carrolítico adj.
carro-madrinha s.m.; pl. *carros-madrinha* e *carros-madrinhas*
carromato s.m.
carronha s.f.
carronqueira s.f.
carro-pipa s.m.; pl. *carros-pipa* e *carros-pipas*
carroquim s.m.
carro-restaurante s.m.; pl. *carros-restaurante* e *carros-restaurantes*
carro-salão s.m.; pl. *carros-salão* e *carros-salões*
carrosol s.m.
carrossel s.m.
carrossol s.m.
carro-suporte s.m.; pl. *carros-suporte* e *carros-suportes*
carro-tanque s.m.; pl. *carros-tanque* e *carros-tanques*
carroucha s.f.
carroucho s.m.
carruageiro s.m.
carruagem s.f.; cf. *carruajem*, fl. do v. *carruajar*
carruagem-salão s.f.; pl. *carruagens-salão* e *carruagens-salões*
carruajado adj.
carruajar v.
carruajável adj.2g.
carruca s.f.
carruça s.f.
carruço s.m.
carruíra s.f.
carrulo s.m.
carseolano adj. s.m.
cársico adj.
carsitano adj. s.m.
carste s.m.
carstenite s.f.
carstenítico adj.
carstenito s.m.
cárstico adj.
carta s.f.
cartã s.f.
carta-bilhete s.f.; pl. *cartas-bilhete* e *cartas-bilhetes*
carta-bomba s.f.; pl. *cartas-bomba* e *cartas-bombas*
cartabuxa s.f.
cartabuxar v.
cartáceo adj.
cartaçola s.f.
cartada s.f.
carta de prego s.f.
cartaginense adj. s.2g.
cartaginês adj. s.m.
cartal s.m.
carta-limpa s.f.; pl. *cartas-limpas*
cartalo s.m.
cartalogia s.f.
cartalógico adj.
cartaloxo (*ô*) s.m.
cartâmea s.f.
cartameína s.f.
cartâmico adj.
cartamina s.f.
cartamínico adj.
cártamo s.m.
cartão s.m.
cartão-couro s.m.; pl. *cartões-couro* e *cartões-couros*
cartão-de-cromo s.m.; pl. *cartões-de-cromo*
cartão-fibra s.m.; pl. *cartões-fibra* e *cartões-fibras*
cartão-ficha s.m.; pl. *cartões-ficha* e *cartões-fichas*
cartão-janela s.m.; pl. *cartões-janela* e *cartões-janelas*
cartão-palha s.m.; pl. *cartões-palha* e *cartões-palhas*
cartão-pedra s.m.; pl. *cartões-pedra* e *cartões-pedras*
cartão-postal s.m.; pl. *cartões-postais*
cartão-resposta s.m.; pl. *cartões-resposta* e *cartões-respostas*
cartapácio s.m.
cartapaço s.m.
carta-partida s.f.; pl. *cartas-partidas*
cartapé s.m.
cartapele s.m.
carta-piloto s.f.; pl. *cartas-piloto* e *cartas-pilotos*
cartapisa s.f.
carta-postal s.f.; pl. *cartas-postais*
cartar v.
cartário s.m.
cartártops s.m.2n.
cartasana s.f.
carta-telegrama s.f.; pl. *cartas-telegrama* e *cartas-telegramas*
cartaxeiro adj. s.m.
cartaxense adj. s.2g.
cartaxinho adj. s.m.
cartaxo s.m.
cartaz s.m.
cartazana s.f.
cartazeiro s.m.
cartazete (*ê*) s.m.
cartazismo s.m.
cartazista adj. s.2g.
cartazístico adj.
carte s.m.
carteação s.f.
carteado adj. s.m.
carteador (*ô*) s.m.
carteamento s.m.
cartear v.
carteio s.m.
carteira s.f.
carteirada s.f.
carteirista adj. s.2g.
carteiro s.m.
carteirola s.f.
cartéis s.m.pl.
cartel s.m.
cartela s.f.
carteleta (*ê*) s.f.
cartelhana s.f.
cartelismo s.m.
cartelista adj. s.2g.
cartelístico adj.
cartelização s.f.
cartelizar v.
cartema s.m.
cárter s.m.
carterétia s.f.
cartergos s.m.2n.
cartérico s.m.
cártero s.m.
cartérodon s.m.
carterodonte s.m.
cartéronix (*cs*) s.m.
cartesianismo s.m.
cartesianista adj. s.2g.
cartesianístico adj.
cartesiano adj. s.m.
carteta (*ê*) s.f.
cartícula s.f.
cartilageína s.f.
cartilagem s.f.
cartilagíneo adj.
cartilaginificação s.f.
cartilaginificar v.
cartilaginiforme adj.2g.
cartilaginoide (*ó*) adj.2g.
cartilaginoso (*ô*) adj.; f. (*ó*); pl. (*ó*)
cartilha s.f.
cartimpolo s.m.
cartismo s.m.
cartista adj. s.2g.
cartístico adj.
cartobibliografia s.f.
cartobibliográfico adj.
cartobibliógrafo s.m.
cartodiagrama s.m.
cartódromo s.m.
cartofilácio s.m.
cartofilia s.f.
cartofílico adj. s.m.
cartofilista adj. s.2g.
cartófilo s.m.
cartografar v.
cartografia s.f.
cartográfico adj.
cartógrafo s.m.; cf. *cartografo*, fl. do v. *cartografar*
cartograma s.m.
cartola s.m.f.
cartolada s.f.
cartolagem s.f.
cartolina s.f.
cartologia s.f.
cartológico adj.
cartomancia s.f.
cartomante adj. s.2g.
cartomântico adj.
cartômetro s.m.
cartonado adj.
cartonador (*ô*) s.m.
cartonageiro s.m.
cartonagem s.f.
cartonar v.
cartonista adj. s.2g.
cartorário adj. s.m.
cartoreiro adj. s.m.
cartorial adj.2g.
cartorialismo s.m.
cartorialista adj. s.2g.
cartorialístico adj.
cartório s.m.
cartorista adj. s.2g.
cartuchame s.m.
cartucheira s.f.
cartucheiro s.m.
cartuchinho s.m.
cartucho s.m. "invólucro"; cf. *cartuxo*
cartufa s.m.
cártula s.f.
cartular adj.2g.
cartularidade s.f.
cartulário s.m.
cartulinho s.m.
cartum s.m.
cartunista s.2g.
cartusiana s.f.
cartusiano adj. s.m.
cartuxa s.f.
cartuxo adj. s.m. "monge"; cf. *cartucho*
caru s.m.
caruá s.m.
caruaense adj. s.2g.
caruagem s.f.
carualinense adj. s.2g.
caruana s.2g.
caruani s.m.
caruara adj.2g. s.m.f.
caruaracaá s.m.
caruarense adj. s.2g.
caruaru s.m.
caruaruense adj. s.2g.
caruatá s.m.
caruatá-açu s.m.; pl. *caruatás-açus*
caruatá-de-pau s.m.; pl. *caruatás-de-pau*
caruataiense adj. s.2g.
caruazal s.m.
caruba s.f.
carubina s.f.
carubinhense adj. s.2g.
caruca s.f.
carucaá s.m.
carucha s.f.
carucho s.m.
carucoruco s.m.
carueira s.f.
caruera (*ê*) s.f.
carugem s.m.f.
carugento adj.
caruiri s.m.
caruja s.f.
carujar v.
carujeira s.f.
carujeiro s.m.
carujem s.f.
carujento adj.
carujo s.m.
carula s.f.
carulha s.f.
carulo s.m.
cárum s.m.
caruma s.f.
caruma-cacueme s.f.; pl. *carumas-cacueme* e *carumas-cacuemes*
carumba s.f.
carumbamba s.m.
carumbé s.2g.
carumbeense adj. s.2g.
carumeira s.f.
carumocarungongo s.m.
carumpira s.m.
caruncato s.m.
carunchado adj.
carunchar v.
carunchento adj.
carunchinho s.m.
caruncho s.m.
caruncho-da-cereja-do-café s.m.; pl. *carunchos-da-cereja-do-café*
caruncho-das-tulhas s.m.; pl. *carunchos-das-tulhas*
caruncho-do-arroz s.m.; pl. *carunchos-do-arroz*
caruncho-do-cacau s.m.; pl. *carunchos-do-cacau*
caruncho-do-café s.m.; pl. *carunchos-do-café*
caruncho-do-feijão s.m.; pl. *carunchos-do-feijão*
caruncho-do-fumo s.m.; pl. *carunchos-do-fumo*
caruncho-do-milho s.m.; pl. *carunchos-do-milho*
caruncho-dos-livros s.m.; pl. *carunchos-dos-livros*
carunchoso (*ô*) adj.; f. (*ó*); pl. (*ó*)
carúncula s.f.
carunculáceo adj.
carunculado adj.
caruncular adj.2g.
carúnculo s.m.
carunculoso (*ô*) adj.; f. (*ó*); pl. (*ó*)
carundarundo s.m.
carunfa adj. s.2g. s.f.
carunfeiro adj. s.m.
carunha s.f.
carunho s.m.
carunjo s.m.
caruqué s.m.
caruré s.m.
caruro s.m.
caruru s.m.
caruruaçu s.m.
caruru-amarelo s.m.; pl. *carurus-amarelos*
caruru-amargo s.m.; pl. *carurus-amargos*
caruru-amargoso s.m.; pl. *carurus-amargosos*
caruru-azedo s.m.; pl. *carurus-azedos*
caruru-branco s.m.; pl. *carurus-brancos*

caruru-bravo s.m.; pl. *carurus-bravos*
caruru-crista-de-galo s.m.; pl. *carurus-crista-de-galo* e *carurus-cristas-de-galo*
caruru-da-baía s.m.; pl. *carurus-da-baía*
caruru-da-guiné s.m.; pl. *carurus-da-guiné*
caruru-da-mata s.m.; pl. *carurus-da-mata*
caruru-das-cachoeiras s.m.; pl. *carurus-das-cachoeiras*
caruru-de-cacho s.m.; pl. *carurus-de-cacho*
caruru de cosme e damião s.m.
caruru-de-espiga s.m.; pl. *carurus-de-espiga*
caruru-de-espinho s.m.; pl. *carurus-de-espinho*
caruru-de-pomba s.m.; pl. *carurus-de-pomba*
caruru-de-porco s.m.; pl. *carurus-de-porco*
caruru-de-são-cosme s.m.; pl. *carurus-de-são-cosme*
caruru-de-sapo s.m.; pl. *carurus-de-sapo*
caruru-de-soldado s.m.; pl. *carurus-de-soldado*
caruru-de-veado s.m.; pl. *carurus-de-veado*
caruru-do-mato s.m.; pl. *carurus-do-mato*
caruru-dos-meninos s.m.; pl. *carurus-dos-meninos*
caruru-grande s.m.; pl. *carurus-grandes*
caruruguaçu s.m.
caruru-miúdo s.m.; pl. *carurus-miúdos*
caruru-selvagem s.m.; pl. *carurus-selvagens*
caruru-verdadeiro s.m.; pl. *carurus-verdadeiros*
caruru-verde s.m.; pl. *carurus-verdes*
caruru-vermelho s.m.; pl. *carurus-vermelhos*
cárus s.m.2n.
carusma s.f.
carútana adj. s.2g.
carutaperense adj. s.2g.
caruto s.m.
caruviana s.f.
caruxindi s.m.
caruzuense adj. s.2g.
carva s.f.
carvacrol s.m.
carvacrotílico adj.
carvacrotínico adj.
carvalé s.m.
carvalha s.f.
carvalhal adj.2g. s.m.f.
carvalhas s.f.pl.
carvalheira s.f.
carvalheiro s.m.
carvalhense adj. s.2g.
carvalhiça s.f.
carvalhice s.f.
carvalhiço s.m.
carvalhido s.m.
carvalhinha s.f.
carvalhinho s.m.
carvalhinho-do-mar s.m.; pl. *carvalhinhos-do-mar*
carvalho s.m.
carvalho-africano s.m.; pl. *carvalhos-africanos*
carvalho-alvarinho s.m.; pl. *carvalhos-alvarinhos*
carvalho-anão s.m.; pl. *carvalhos-anão* e *carvalhos-anões*
carvalho-branco s.m.; pl. *carvalhos-brancos*
carvalho-brasileiro s.m.; pl. *carvalhos-brasileiros*
carvalho-cerquinho s.m.; pl. *carvalhos-cerquinhos*
carvalho-cerquinho-da-beira s.m.; pl. *carvalhos-cerquinhos-da-beira*
carvalho-comum s.m.; pl. *carvalhos-comuns*
carvalho-cortiça s.m.; pl. *carvalhos-cortiça* e *carvalhos-cortiças*
carvalho-corticeiro s.m.; pl. *carvalhos-corticeiros*
carvalho-da-américa s.m.; pl. *carvalhos-da-américa*
carvalho-da-europa s.m.; pl. *carvalhos-da-europa*
carvalho-das-antilhas s.m.; pl. *carvalhos-das-antilhas*
carvalho-das-canárias s.m.; pl. *carvalhos-das-canárias*
carvalho-de-cortiça s.m.; pl. *carvalhos-de-cortiça*
carvalho-do-brasil s.m.; pl. *carvalhos-do-brasil*
carvalho-dos-pântanos s.m.; pl. *carvalhos-dos-pântanos*
carvalho-enzinho s.m.; pl. *carvalhos-enzinhos*
carvalho-fêmeo s.m.; pl. *carvalhos-fêmeos*
carvalho-folhudo s.m.; pl. *carvalhos-folhudos*
carvalho-nacional s.m.; pl. *carvalhos-nacionais*
carvalho-negral s.m.; pl. *carvalhos-negrais*
carvalho-pardo-da-beira s.m.; pl. *carvalhos-pardos-da-beira*
carvalho-pequeno s.m.; pl. *carvalhos-pequenos*
carvalhopolitano s.m.
carvalho-português s.m.; pl. *carvalhos-portugueses*
carvalho-preto s.m.; pl. *carvalhos-pretos*
carvalho-roble s.m.; pl. *carvalhos-roble* e *carvalhos-robles*
carvalho-rosa s.m.; pl. *carvalhos-rosa*
carvalho-seco s.m.; pl. *carvalhos-secos*
carvalhoso (*ô*) adj.; f. (*ó*); pl. (*ó*)
carvalho-sobreiro s.m.; pl. *carvalhos-sobreiros*
carvalhoto (*ô*) s.m.
carvalho-trufeiro s.m.; pl. *carvalhos-trufeiros*
carvalho-verde s.m.; pl. *carvalhos-verdes*
carvalho-vermelho s.m.; pl. *carvalhos-vermelhos*
carvançará s.m.
carvanito s.m.
carvão s.m.
carvão-branco s.m.; pl. *carvões-brancos*
carvão-de-ferreiro s.m.; pl. *carvões-de-ferreiro*
carvão de pedra s.m.
carvão do milho s.m.
carvão-tição s.m.; pl. *carvões-tição* e *carvões-tições*
carvão-vermelho s.m.; pl. *carvões-vermelhos*
carvão-vermelho-verdadeiro s.m.; pl. *carvões-vermelhos-verdadeiros*
carveiro s.m.
carvejar v.
carveli s.m.
carvênico adj.
carvênio s.m.
carveno s.m.
carvenona s.f.
carvenônico adj.
carveol s.m.
carveólico adj.
carvestreno s.m.
carvi s.m.
carviçaleiro adj. s.m.
carviz s.m.
carvoal s.m.
carvoalense adj. s.2g.
carvoalzinhense adj. s.2g.
carvoaria s.f.
carvoeira s.f.
carvoeiras s.f.pl.
carvoeirense adj. s.2g.
carvoeiro adj. s.m.
carvoejado adj.
carvoejar v.
carvoento adj.
carvoíço s.m.
carvol s.m.
carvomenteno s.m.
carvomentol s.m.
carvomentólico adj.
carvomentona s.f.
carvomentônico adj.
carvona s.f.
carvônico adj.
carvóxima (*cs*) s.f.
cãs s.f.pl.
casa s.f.
casa-alugada s.f.; pl. *casas-alugadas*
casabeque s.m.
casablanquense adj. s.2g.
casa-branquense adj. s.2g.; pl. *casa-branquenses*
casaca s.m.f.
casaca-amarela s.f.; pl. *casacas-amarelas*
casaca de água s.f.
casaca-de-coiro s.2g.; pl. *casacas-de-coiro*
casaca-de-couro s.2g.; pl. *casacas-de-couro*
casaca-de-couro-amarelo s.2g.; pl. *casacas-de-couro-amarelo*
casaca-de-couro-da-lama s.2g.; pl. *casacas-de-couro-da-lama*
casaca de ferro s.m.
casaca de pau s.f.
casaca de penafiel s.f.
casacão s.m.
casação s.f.
casacasa s.f.
casaco s.m.
casaco-de-couro s.m.; pl. *casacos-de-couro*
casa-comum s.f.; pl. *casas-comuns*
casacudo s.m.
casada s.f.
casa da mãe joana s.f.
casa de abelha s.f..
casa de chá s.f.
casadeiro adj.
casa de mina s.f.
casa de nagô s.f.
casa de orates s.f.
casa de pouca farinha s.f.
casadinhos s.m.pl.
casado adj. s.m.
casadoiro adj.
casa dos homens s.f.
casadouro adj.
casa-forte s.f.; pl. *casas-fortes*
casa-grande s.f.; pl. *casas-grandes*
casa-grandense adj. s.2g.; pl. *casa-grandenses*
casal s.m.
casalar v.
casaleiro adj. s.m.
casalejo (*ê*) s.m.
casália s.f.
casalito s.m.
casamata s.f.
casamatado adj.
casamatar v.
casamentão s.m.
casamenteação s.f.
casamenteador (*ô*) adj. s.m.
casamentear v.
casamenteira s.f.
casamenteiro adj. s.m.
casamentício adj.
casamento s.m.
casamento-japonês s.m.; pl. *casamentos-japoneses*
casa-mestra s.f.; pl. *casas-mestras*
casamolho (*ô*) s.m.
casana s.f.
casanova s.m.
casa-novense adj. s.2g.; pl. *casa-novenses*
casanovesco (*ê*) adj.
casanovismo s.m.
casanovista adj. s.2g.
casante adj. s.2g.
casão s.m.
casa-pedrense adj. s.2g.; pl. *casa-pedrenses*
casa-piano adj. s.m.; pl. *casas-piano* e *casas-pianos*
casapo s.m.
casaquelho (*ê*) s.m.
casaqueta (*ê*) s.f.
casaquinha s.f.
casaquinho s.m.
casar v.
casarão s.m.
casarca s.m.
casaredo (*ê*) s.m.
casarelho (*ê*) s.m.
casaréu s.m.
casaria s.f.
casario s.m.
casarupa s.f.
casa-suspeita s.f.; pl. *casas-suspeitas*
casata s.f.
casa-telhense adj. s.2g.; pl. *casa-telhenses*
casa-torre s.f.; pl. *casas-torre* e *casas-torres*
casável adj.2g.
casa-velhense adj. s.2g.; pl. *casa-velhenses*
casaveque s.m.
casa-verdense adj. s.2g.; pl. *casa-verdenses*
casbá s.f.
casbião s.m.
casbiar v.
casca adj. s.2g. s.f.
casca-açucena s.f.; pl. *cascas-açucena* e *cascas-açucenas*
casca-amargosa s.f.; pl. *cascas-amargosas*
casca-branca s.f.; pl. *cascas-brancas*
cascabulhada s.f.
cascabulhagem s.f.
cascabulhar v.
cascabulheiro adj. s.m.
cascabulho s.m.
cascaburrento adj.
casca-cheirosa s.f.; pl. *cascas-cheirosas*
cascada s.f.
casca-da-mocidade s.f.; pl. *cascas-da-mocidade*
casca-da-virgindade s.f.; pl. *cascas-da-virgindade*
casca-de-anta s.f.; pl. *cascas-de-anta*
casca-de-anta-brava s.f.; pl. *cascas-de-anta-brava*
casca-de-carvalho s.f.; pl. *cascas-de-carvalho*
casca-de-caubi s.f.; pl. *cascas-de-caubi*
casca de ferida s.f.
casca-de-ferro s.f.; pl. *cascas-de-ferro*
casca-de-jacaré s.f.; pl. *cascas-de-jacaré*
casca-de-laranjeira-da-terra s.f.; pl. *cascas-de-laranjeira-da-terra*
casca de tatu s.m.
casca de vaca s.f.
cascado adj. s.m.
casca-do-brasil s.f.; pl. *cascas-do-brasil*
casca-doce s.f.; pl. *cascas-doces*
casca-do-maranhão s.f.; pl. *cascas-do-maranhão*
casca-do-panamá s.f.; pl. *cascas-do-panamá*
cascadura s.f.
casca-grossa adj.2g. s.2g.; pl. *cascas-grossas*
cascal s.m.
cascalense adj. s.2g.
cascalhada s.f.
cascalhador (*ô*) adj.
cascalhante adj.2g.
cascalhão s.m.
cascalhar v.
cascalheira s.f.
cascalheirense adj. s.2g.
cascalhense adj. s.2g.
cascalhento adj.
cascalhinho s.m.
cascalho s.m.
cascalho-riquense adj. s.2g.; pl. *cascalho-riquenses*
cascalhoso (*ô*) adj.; f. (*ó*); pl. (*ó*)
cascalhudo adj.
cascalvo adj.
cascamulho adj.
cascamurro adj.
cascana s.f.
cascantense adj.2g.
cascão s.m.
casca-para-tudo s.f.; pl. *cascas-para-tudo*
casca-pereira s.f.; pl. *cascas-pereira* e *cascas-pereiras*
casca-preciosa s.f.; pl. *cascas-preciosas*
casca-preta s.f.; pl. *cascas-pretas*
cascar v.
cáscara s.f.; cf. *cascara*, fl. do v. *cascar*
cáscara-amara s.f.; pl. *cáscaras-amaras*
cascarada s.f.
cáscara-sagrada s.f.; pl. *cáscaras-sagradas*
cascarejo (*ê*) adj. s.m.
cascareta (*ê*) s.f.
cascaria s.f.
cascariate s.m.
cascarilha s.f.
cascarilha-falsa s.f.; pl. *cascarilhas-falsas*
cascarílico adj.
cascarilina s.f.
cascarina s.f.
cascarínico adj.
cascarna s.f.
cascarnoso (*ô*) adj.; f. (*ó*); pl. (*ó*)
cascaroleta (*ê*) s.f.
cascaroso (*ô*) adj.; f. (*ó*); pl. (*ó*)
cascarra s.f.
cascarrão s.m.
cascarrear v.
cascarria s.f.
cascarrilha s.f.
cascarrolho (*ô*) s.m.
cascas-de-honduras s.f.pl.
cascassi s.m.
cascata s.f.
cascata-alegrense adj. s.2g.; pl. *cascata-alegrenses*
cascatar v.
cascateante adj.2g.
cascatear v.
cascateiro adj. s.m.
cascatense adj. s.2g.
cascatinhense adj. s.2g.
cascato s.m.
cascavel s.m.f.
cascavelado adj.
cascavelar v.
cascavel-de-quatro-ventas s.f.; pl. *cascavéis-de-quatro-ventas*
cascaveleira s.f.
cascavelense adj. s.2g.
cascavelheira s.f.
cascavelo s.m.

cascavilhar v.
cascélia s.f.
casco s.m.
cascó s.m.
casco de burro s.m.
casco-de-cavalo s.m.; pl. *cascos-de-cavalo*
casco de fazenda s.m.
casco-de-jabuti s.m.; pl. *cascos-de-jabuti*
casco de peba s.m.
casco-de-tatu s.m.; pl. *cascos-de-tatu*
cascol s.m.
cascorriento adj.
cascos s.m.pl.
cascosa s.f.
cascoso (*ô*) adj.; f. (*ó*); pl. (*ó*)
cascuda s.f.
cascudense adj. s.2g.
cascudinha s.f.
cascudinho s.m.
cascudo adj. s.m.
cascudo-barbado s.m.; pl. *cascudos-barbados*
cascudo-bicudo s.m.; pl. *cascudos-bicudos*
cascudo-comum s.m.; pl. *cascudos-comuns*
cascudo-de-aranha s.m.; pl. *cascudos-de-aranha*
cascudo-de-enfeite s.m.; pl. *cascudos-de-enfeite*
cascudo-espada s.m.; pl. *cascudos-espada* e *cascudos-espadas*
cascudo-espinho s.m.; pl. *cascudos-espinho* e *cascudos-espinhos*
cascudo-leiteiro s.m.; pl. *cascudos-leiteiros*
cascudo-lima s.m.; pl. *cascudos-lima* e *cascudos-limas*
cascudo-piririca s.m.; pl. *cascudos-piriricas*
cascudo-preto s.m.; pl. *cascudos-pretos*
cascudo-viola s.m.; pl. *cascudos-viola* e *cascudos-violas*
casculho s.m.
cascunhar v.
cascunho s.m.
caseação s.f.
caseadeira s.f.
caseado adj. s.m.
caseador (*ô*) adj. s.m.
casear v.
caseária s.f.; cf. *casearia*, fl. do v. *casear*
casease s.f.
caséase s.f.
caseato s.m.
casebeque s.m.
casebre s.m.
caseco s.m.
caseico adj.
caseico (*é*) adj.
caseificação s.f.
caseificado adj.
caseificador (*ô*) adj.
caseificante adj.2g.
caseificar v.
caseiforme adj.2g.
caseína s.f.
caseinase s.f.
caseínase s.f.
caseinato s.m.
caseínico adj.
caseíno adj.
caseinogênico adj.
caseinogênio s.m.
caseira s.f.
caseirense adj. s.2g.
caseiro adj. s.m.
casela s.f.
casemia s.f.
caseogênio s.m.
caseolítico adj.
caseose s.f.
caseoso (*ô*) adj.; f. (*ó*); pl. (*ó*)
caseque s.m.
caseria s.f.
caserna s.f.
casernaria s.f.
caserneiral adj.2g.
caserneiro s.m.
caseró s.m.
caseta (*ê*) s.f.
casetão s.m.
casevelense adj.2g.
cásia s.f.
casibeque s.m.
casimereta (*ê*) s.f.
casimira s.f.
casimirense adj. s.2g.
casimireta (*ê*) s.f.
casimiriano adj.
casimiro-abreuense adj. s.2g.; pl. *casimiro-abreuenses*
casinéu s.m.
casinga s.f.
casinga-cheirosa s.f.; pl. *casingas-cheirosas*
casinha s.f.
casinhense adj. s.2g.
casinhola s.f.
casinholo (*ô*) s.m.
casinhota s.f.
casinhoto (*ô*) s.m.
casinita s.f.
casinite s.f.
casiórnis s.2g.2n.
casiornite s.2g.
casisperme adj.2g.
casita s.f.
casitéu s.m.
casleu s.m.
casmanhato s.m.
casmantérea s.f.
casmofilia s.f.
casmófito s.m.
casmogamia s.f.
casmogâmico adj.
casmoideia (*é*) s.f.
casmorfita s.f.
casmorinco s.m.
casmurrada s.f.
casmurral adj.2g.
casmurrar v.
casmurrice s.f.
casmurro adj. s.m.
caso s.m.
casola s.f.
caso-limite s.m.; pl. *casos-limite* e *casos-limites*
casolita s.f.
casório s.m.
casota s.f.
casoto (*ô*) s.m.
caspa s.f.
caspachar v.
caspacho s.m.
caspa-de-são-josé s.f.; pl. *caspas-de-são-josé*
casparra s.f.
caspeira s.f.
caspento adj.
caspíada adj. s.2g.
caspiano adj. s.m.
caspilra s.f.
cáspio adj. s.m.
cáspite interj.
casposo (*ô*) adj.; f. (*ó*); pl. (*ó*)
casqueira s.f.
casqueiro s.m.
casquejar v.
casquelhada s.f.
casquelho (*ê*) s.m.
casquense adj. s.2g.
casquento adj.
casqueta (*ê*) s.f.
casquete s.2g.
casquibrando adj.
casquicheio adj.
casquicopado adj.
casquiderramado adj.
casquilha s.f.
casquilhada s.f.
casquilhagem s.f.
casquilhar v.
casquilharia s.f.
casquilheira s.f.
casquilheiro adj. s.m.
casquilhice s.f.
casquilho adj. s.m.
casquilhório adj. s.m.
casquilúzio adj.
casquimole adj.2g.
casquimulo adj.
casquinada s.f.
casquinador (*ô*) adj. s.m.
casquinar v.
casquinha s.m.f.
casquinhagem s.f.
casquinheiro s.m.
casquinho adj. s.m.
casquisseco (*ê*) adj.
casquivano adj.
cassa s.f. "tecido"; cf. *caça* s.m.f. e fl. do v. *caçar*
cassaba s.f.
cassação s.f.
cassaco s.m.
cassade s.f.
cassado adj.; cf. *caçado*
cassaje s.m.
cassame adj.2g. s.m.
cassamente s.m.
cassana s.f.
cassandra s.f.
cassandrear v.
cassanga adj. s.2g.
cassar v. "anular"; cf. *caçar*
cassata s.f.
cassatório adj.
cassélia s.f.
cassense adj. s.2g.
cassete s.m. "caixa com fita magnética"; cf. *cacete* (*ê*) adj. s.2g. s.m. e *cacete*, fl. do v. *cacetar*
cassetete s.m.
cássia s.f. "planta"; cf. *cácea*
cássia-amarela s.f.; pl. *cássias-amarelas*
cássia-aromática s.f.; pl. *cássias-aromáticas*
cássia-branca s.f.; pl. *cássias-brancas*
cássia-branca-de-virgílio s.f.; pl. *cássias-brancas-de-virgílio*
cassiácea s.f.
cassiáceo adj.
cássia-coqueirense adj. s.2g.; pl. *cássia-coqueirenses*
cássia-das-antilhas s.f.; pl. *cássias-das-antilhas*
cássia-das-impingens s.f.; pl. *cássias-das-impingens*
cássia-fístula s.f.; pl. *cássias-fístula* e *cássias-fístulas*
cássia-imperial s.f.; pl. *cássias-imperiais*
cassiana s.f.
cassianense adj. s.2g.
cassianista adj. s.2g.
cassiano adj. s.m.
cássia-rugosa s.f.; pl. *cássias-rugosas*
cássica s.f.
cassicínea s.f.
cassico s.m.
cassículo s.m.
cássida adj.2g. s.m.
cassidária s.f.
cassidário adj. s.m.
cásside s.f.
cassídea s.f.
cassídida adj.2g. s.m.
cassidídeo adj. s.m.
cassidiforme adj.2g.
cassidíneo adj. s.m.
cassidônia s.f.
cassidúlida adj.2g. s.f.
cassidulídeo adj. s.m.
cassidulina s.f.
cassidulíneo adj. s.m.
cassídulo s.m.
cassiduloide (*ó*) adj.2g. s.m.
cassidyta s.f.
cassiense adj. s.2g.
cassilandense adj. s.2g.
cassilandês adj. s.m.
cassilandiense adj. s.2g.
cassim s.m.
cassina s.f.
cassinense s.f.
cassineta (*ê*) s.f.
cassínia s.f.
cassiniana s.f.
cassiniano adj.
cassinita s.f.
cassino s.m.
cassinoide (*ó*) adj.2g. s.f.
cassionácea s.f.
cassionáceo adj.
cassíope s.f.
cassiopeia (*é*) adj. s.f. de *cassiopeu*
cassiopeida adj.2g. s.m.
cassiopeídeo adj. s.m.
cassiopeu adj. s.m.; f. *cassiopeia* (*é*)
cassiopno adj.
cassiótico adj.
cassipúrea s.f.
cassique s.m. "pássaro"; cf. *cacique* s.m. e fl. do v. *cacicar*
cassis s.m.2n.
cássis s.m.2n.
cassita adj.2g. s.2g.
cassítea s.f.
cassiterita s.f.
cassiterite s.f.
cassiteritense adj. s.2g.
cassiterítico adj.
cassiterito s.m.
cassiterografia s.f.
cassiterográfico adj.
casso adj. s.m. "povo"; cf. *caço* s.m. e fl. do v. *caçar*
cassoa (*ô*) s.f.
cassonato s.m.
cassoneira s.f.
cassonete (*ê*) s.m. "peça para fazer roscas de parafuso"; cf. *caçonete* (*ê*)
cassônico adj.
cassoquim s.m.
cassoquinho s.m.
cassuense adj. s.2g.
cassupa s.f.
casta s.f.
casta-de-correr s.f.; pl. *castas-de-correr*
casta-forte s.f.; pl. *castas-fortes*
castalho s.m.
castália s.f.
castálida adj.2g.
castálio adj.
castânea s.f.
castaneácea s.f.
castaneáceo adj.
castaneífero adj.
castâneo adj.
castanha s.f.
castanha-brava s.f.; pl. *castanhas-bravas*
castanha-caiaté s.f.; pl. *castanhas-caiaté* e *castanhas-caiatés*
castanha-comadre-de-azeite s.f.; pl. *castanhas-comadre-de-azeite* e *castanhas-comadres-de-azeite*
castanha-d'água s.f.; pl. *castanhas-d'água*
castanhada s.f.
castanha-da-áfrica s.f.; pl. *castanhas-da-áfrica*
castanha-da-austrália s.f.; pl. *castanhas-da-austrália*
castanha-da-índia s.f.; pl. *castanhas-da-índia*
castanha-da-vinhaça s.f.; pl. *castanhas-da-vinhaça*
castanha-de-áfrica s.f.; pl. *castanhas-de-áfrica*
castanha-de-água s.f.; pl. *castanhas-de-água*
castanha-de-anta s.f.; pl. *castanhas-de-anta*
castanha-de-arara s.f.; pl. *castanhas-de-arara*
castanha-de-bugre s.f.; pl. *castanhas-de-bugre*
castanha-de-caiaté s.f.; pl. *castanhas-de-caiaté*
castanha-de-cutia s.f.; pl. *castanhas-de-cutia*
castanha-de-jatobá s.f.; pl. *castanhas-de-jabotá*
castanha-de-macaco s.f.; pl. *castanhas-de-macaco*
castanha-de-minas s.f.; pl. *castanhas-de-minas*
castanha-de-moçambique s.f.; pl. *castanhas-de-moçambique*
castanha-de-peixe s.f.; pl. *castanhas-de-peixe*
castanha-de-puri s.f.; pl. *castanhas-de-puri*
castanha-do-ceará s.f.; pl. *castanhas-do-ceará*
castanha-do-mar s.f.; pl. *castanhas-do-mar*
castanha-do-maranhão s.f.; pl. *castanhas-do-maranhão*
castanha-do-mato s.f.; pl. *castanhas-do-mato*
castanha-do-pará s.f.; pl. *castanhas-do-pará*
castanha-jurera s.f.; pl. *castanhas-jurera* e *castanhas-jureras*
castanhal s.m.
castanhalense adj. s.2g.
castanha-mineira s.f.; pl. *castanhas-mineiras*
castanha-purgativa s.f.; pl. *castanhas-purgativas*
castanha-rebordã s.f.; pl. *castanhas-rebordãs*
castanhas s.f.pl.
castanha-sapucaia s.f.; pl. *castanhas-sapucaia* e *castanhas-sapucaias*
castanha-subterrânea s.f.; pl. *castanhas-subterrâneas*
castanha-subterrânea-maior s.f.; pl. *castanhas-subterrâneas-maiores*
castanha-subterrânea-menor s.f.; pl. *castanhas-subterrâneas-menores*
castanha-vermelha s.f.; pl. *castanhas-vermelhas*
castanhedo (*ê*) s.m.
castanheira s.f.
castanheira-do-maranhão s.f.; pl. *castanheiras-do-maranhão*
castanheira-do-pará s.f.; pl. *castanheiras-do-pará*
castanheirense adj. s.2g.
castanheiro s.m.
castanheiro-da-áfrica s.m.; pl. *castanheiros-da-áfrica*
castanheiro-da-europa s.m.; pl. *castanheiros-da-europa*
castanheiro-da-guiana s.m.; pl. *castanheiros-da-guiana*
castanheiro-da-índia s.m.; pl. *castanheiros-da-índia*
castanheiro-da-serra s.m.; pl. *castanheiros-da-serra*
castanheiro-das-guianas s.m.; pl. *castanheiros-das-guianas*
castanheiro-de-flores-vermelhas s.m.; pl. *castanheiros-de-flores-vermelhas*
castanheiro-de-minas s.m.; pl. *castanheiros-de-minas*
castanheiro-do-brejo s.m.; pl. *castanheiros-do-brejo*
castanheiro-do-maranhão s.m.; pl. *castanheiros-do-maranhão*
castanheiro-do-mato s.m.; pl. *castanheiros-do-mato*
castanheiro-do-pará s.m.; pl. *castanheiros-do-pará*

castanheiro-longal s.m.; pl. *castanheiros-longais*
castanheiro-mineiro s.m.; pl. *castanheiros-mineiros*
castanheiro-rebordão s.m.; pl. *castanheiros-rebordões*
castanhense adj. s.2g.
castanheta (*ê*) s.m.f.
castanhetado adj.
castanheteado adj.
castanhetear v.
castanho adj. s.m.
castanho-barril s.m.; pl. do adj. *castanhos-barril* e *castanhos-barris*
castanho-claro adj. s.m.; pl. do adj. *castanho-claros*; pl. do s. *castanhos-claros*
castanho-escuro adj. s.m.; pl. do adj. *castanho-escuros*; pl. do s. *castanhos-escuros*
castanhol s.m.
castanhola s.f.
castanholar v.
castanholas s.f.pl.
castanholeira s.f.
castanho-pipa s.m.; pl. *castanhos-pipa* e *castanhos-pipas*
castanhos s.m.pl.
castanhoso (*ô*) adj.; f. (*ó*); pl. (*ó*)
castanita s.f.
castanite s.f.
castanito s.m.
castanópsis s.2g.2n.
castão s.m.
casteado adj.
castear v.
castela s.f.
castelã adj. s.f. de *castelão*
castelada s.f.
castelado adj.
castelandense adj. s.2g.
castelandiense adj. s.2g.
castelania s.f.
castelão adj. s.m.; f. *castelã*, *casteloa* (*ô*) e *castelona*; pl. *castelães*, *castelãos* e *castelões*
castelar v. adj.2g.
castelaria s.f.
castelário adj. s.m.
castelarista adj. s.2g.
castelático adj. s.m.
castelatura s.f.
casteleira s.f.
casteleiro adj. s.m.
castelejo (*ê*) s.m.
castelense adj. s.2g.
casteleta (*ê*) s.f.
castelete (*ê*) s.m.
castelhana s.f.
castelhanada s.f.
castelhanaria s.f.
castelhanense adj. s.2g.
castelhanice s.f.
castelhanismo s.m.
castelhanista adj. s.2g.
castelhanístico adj.
castelhanização s.f.
castelhanizado adj.
castelhanizante adj.2g.
castelhanizar v.
castelhano adj. s.m.
castelhano-branco s.m.; pl. *castelhanos-brancos*
castelhano-da-rocha s.m.; pl. *castelhanos-da-rocha*
castelhano-preto s.m.; pl. *castelhanos-pretos*
castelinha s.f.
castelinhense adj. s.2g.
castelinho s.m.
castelismo s.m.
castelista adj. s.2g.
castelístico adj.
castelita s.f.
castelite s.f.
castelnávia s.f.
castelo s.m.
casteloa (*ô*) adj. s.f. de *castelão*
castelona adj. s.f. de *castelão*
castelo-novense adj. s.2g.; pl. *castelo-novenses*
castelo-piauiense adj. s.2g.; pl. *castelo-piauienses*
castelório s.m.
castelo-vidense adj. s.2g.; pl. *castelo-videnses*
castelperroniano adj. s.m.
casterliano adj. s.m.
casti s.m.
castiçal s.m.
castiçar v.
casticeira s.f.
casticeiro s.m.
casticidade s.f.
casticismo s.m.
casticista adj. s.2g.
casticístico adj.
castiço adj.
castidade s.f.
castificação s.f.
castificado adj.
castificante adj.2g.
castificar v.
castificável adj.2g.
castigação s.f.
castigado adj.
castigador (*ô*) adj. s.m.
castigamento s.m.
castigante adj.2g.
castigar v.
castigável adj.2g.
castiglionesco (*ê*) adj.
castigo s.m.
castigueira s.f.
castila s.f.
castileja (*ê*) s.f.
castilha s.f.
castilhense adj. s.2g.
castilhismo s.m.
castilhista adj. s.2g.
castilhístico adj.
castilho s.m.
castiliana s.f.
castiliano adj.
castillita s.f.
castina s.f.
castinça s.f.
castinçal s.m.
castinceira s.f.
castinceiro s.m.
castinço s.m.
castinha s.f.
castinheiro s.m.
castismo s.m.
castista adj. s.2g.
castístico adj.
cástnia s.f.
cástnida adj.2g. s.m.
castnídeo s.m.
casto adj.
castor (*ô*) s.m.
castorato s.m.
castor-da-montanha s.m.; pl. *castores-da-montanha*
castor-de-montanha s.m.; pl. *castores-de-montanha*
castorenho adj. s.m.
castóreo adj. s.m.
castórico adj.
castórida adj.2g. s.m.
castorídeo adj. s.m.
castorina s.f.
castório s.m.
castorita s.f.
castorite s.f.
castoroide (*ó*) adj.2g. s.m.
castórrex (*cs*) s.m.2n.
castra s.f.
castração s.f.
castrado adj. s.m.
castrador (*ô*) adj. s.m.
castraleucense adj. s.2g.
castramento s.m.
castrametação s.f.
castrametado adj.
castrametar v.
castrante adj.2g.
castrão s.m.
castrar v.
castrejo (*ê*) adj. s.m.
castrelo (*ê*) s.m.
castrense adj. s.2g.
castrinar v.
castrinopolitano adj. s.m.
castrismo s.m.
castrista adj. s.2g.
castrístico adj.
castro s.m.
castro-alvense adj. s.2g.; pl. *castro-alvenses*
castrolomancia s.f.
castrolomante s.2g.
castrolomântico adj.
castrorosa s.f.
castro-verdense adj. s.2g.; pl. *castro-verdenses*
castro-verdiano adj.; pl. *castro-verdianos*
cástula s.f.
castur s.m.
casturé s.m.
casturi s.m.
casual adj.2g.
casualidade s.f.
casualidadense adj. s.2g.
casualismo s.m.
casualista adj. s.2g.
casualístico adj.
casualização s.f.
casuar s.m.
casuárida adj.2g. s.m.
casuarídeo adj. s.m.
casuariforme adj. s.2g.
casuariídea s.f.
casuariídeo adj. s.m.
casuariiforme adj.2g. s.m.
casuarina s.f.
casuarinácea s.f.
casuarináceo adj.
casuarinale s.f.
casuarínea s.f.
casuaríneo adj.
casuário s.m.
casúbula s.f.
casucha s.f.
casuco s.m.
casucuta s.f.
casuísmo s.m.
casuísta adj. s.2g.
casuística s.f.
casuístico adj.
casula s.f.
casulo s.m.
casuloso (*ô*) adj.; f. (*ó*); pl. (*ó*)
casumbra s.f.
casunguel s.m.
cata s.f.
cataba s.f.
catabaio s.m.
catabanense adj. s.2g.
catabano adj. s.m.
catábase s.f.
catabásico adj.
catabático adj.
catabatismo s.m.
catabatista adj. s.2g.
catabatístico adj.
catabaucalese s.f.
catabeno adj. s.m.
catabi s.m.
catabibasmo s.m.
catabil s.m.
catabiose s.f.
catabiótico adj.
catabira s.f.
catablema s.m.
catabólico adj.
catabolismo s.m.
catabolito s.m.
catabólito s.m.
catabolizar v.
catabrosa s.f.
catacá s.m.
catacanto s.m.
catação s.f.
catacause s.f.
catacáustica s.f.
catacáustico adj.
cata-cavaco s.m.; pl. *cata-cavacos*
catacego adj. s.m.
catacinese s.f.
catacinético adj.
catáclase s.f.
cataclasia s.f.
cataclástico adj.
cataclinal adj.2g.
cataclíneo adj. s.m.
cataclínico adj.
cataclismático adj.
cataclismiano adj. s.m.
cataclísmico adj.
cataclismo s.m.
cataclismologia s.f.
cataclismológico adj.
cataclismologista adj. s.2g.
cataclismólogo s.m.
cataclista s.m.
catacrese s.f.
catacrotismo s.m.
catácroto adj.
catacumba s.f.
catacumbal adj.2g.
catacúmbio adj.
catacuses s.m.2n.
catacústica s.f.
catacústico adj.
catadeira s.f.
catadicrotismo s.m.
catadícroto adj.
catadidimia s.f.
catadídimo s.m.
catadióptrica s.f.
catadióptrico adj.
catado adj.
catador (*ô*) adj. s.m.
catadromia s.f.
catadrômico adj.
catádromo adj. s.m.
catadupa s.f.
catadupear v.
catadupejante adj.2g.
catadupejar v.
catadupo adj. s.m.
catadura s.f.
catafalco s.m.
catáfase s.f.
catafasia s.f.
catafásico adj.
catafático adj.
catafe s.f.
catafeder v.
catafelho (*ê*) s.m.
catafiláctico adj.
catafilar adj.2g.
catafilático adj.
catafilaxia (*cs*) s.f.
catafílico adj.
catafilo s.m.
catafonia s.f.
catafônica s.f.
catafônico adj.
catáfora s.f.
cataforese s.f.
cataforético adj.
cataforia s.f.
catafórico adj.
cataforita s.f.
cataforite s.f.
catafracta s.f.
catafractário adj. s.m.
catafracto adj. s.m.
catáfrase s.f.
catafraxe (*cs*) s.f.
catafrígio adj. s.m.
catagênese s.f.
catagenético adj.
cataglóssio s.m.
cataglosso s.m.
cataglótico adj.
cataglotismo s.m.
catagma s.m.
catagmático adj.
catagogia s.f.
catágrafo s.m.
catagrama s.f.
cataguá adj. s.2g. s.m.
cataguaçu s.m.
cataguarinense adj. s.2g.
cataguasense adj. s.2g.
cataia s.f.
cataiama s.f.
catajé s.m.
catalã adj. s.f. de *catalão*
cataláctica s.f.
cataláctico adj.
catalana s.f.
catalanense adj. s.2g.
catalanês adj. s.m.
catalanesco (*ê*) adj.
catalango s.m.
catalânico adj.
catalanismo s.m.
catalanista adj. s.2g.
catalanístico adj.
catalano adj. s.m.
catalão adj. s.m.; f. *catalã*; pl. *catalães*
catalase s.f.
catálase s.f.
catalasimétrico adj.
catalasímetro s.m.
catalática s.f.
catalático adj.
cataláunico adj.
cataláunio adj. s.m.
catalauno adj. s.m.
cataléctico adj. s.m.
catalecto s.m.
catalefo s.m.
catalepsia s.f.
cataléptica s.f.
cataléptico adj. s.m.
cataleptiforme adj.2g.
cataleptocatatonia s.f.
cataleptocatatônico adj.
cataleptoide (*ó*) adj.2g.
cataleto (*ê*) s.m.
catalina s.f.
catalinita s.f.
catalisação s.f.
catalisador (*ô*) adj. s.m.
catalisante adj.2g.
catalisar v.
catalisável adj.2g.
catálise s.f.; cf. *catalise*, fl. do v. *catalisar*
catalítico adj.
cátalo adj. s.m.
cataló s.m.
catalogabilidade s.f.
catalogação s.f.
catalogado adj.
catalogador (*ô*) adj. s.m.
catalogal adj.2g.
catalogamento s.m.
catalogante adj.2g.
catalogar v.
catalogável adj.2g.
catalogia s.f.
catalogizar v.
catálogo s.m.; cf. *catalogo*, fl. do v. *catalogar*
catálogo-dicionário s.m.; pl. *catálogos-dicionário* e *catálogos-dicionários*
catalografia s.f.
catalográfico adj.
catalografista s.2g.
catalógrafo s.m.
catalograma s.m.
catalombas s.f.pl.
catalpa s.f.
catalpina s.f.
catalpo s.m.
catalupa s.f.
catamarã s.m.
catambá s.m.
catamberita s.f.
catamberite s.f.
catamberito s.m.
catambruera s.f.
catambuera adj.2g. s.f.
catambuíxe s.m.
catamenial adj.2g.
catamênio s.m.
catamento s.m.
catametamórfico adj.
catamétopo s.m.
catamito s.m.
catamnésia s.f.
catamnésico adj.

catamórfico adj.
catamorfismo s.m.
catana s.f.
catanada s.f.
catanar v.
catanari s.m.
catança s.f.
catanda s.f.
catandama s.m.
catandice s.f.
catando s.m.
catanduba s.f.
catandur s.m.
catanduva s.f.
catanduval s.m.
catanduvense adj. s.2g.
catanear v.
catanga s.f.
catanguera (*ü*) s.f.
catanguês adj.
catanhão-tesoura s.m.; pl. *catanhões-tesoura* e *catanhões-tesouras*
catanhedense adj. s.2g.
catano s.m.
catão adj. s.m.
cataolo s.m.
catapa s.f.
catapã s.m.
catapaguroide (*ó*) adj.2g. s.m.
catapano s.m.
catapão s.m.
cataparta s.f.
catapasma s.m.
catapasmático adj.
catapasmo s.m.
catapereira s.f.
catapereiro s.m.
catapétalo adj.
catapíese s.f.
catapíesis s.m.2n.
cata-piolho s.m.; pl. *cata-piolhos*
catapiometria s.f.
catapiométrico adj.
catapiômetro s.m.
cataplasia s.f.
cataplasma s.2g.
cataplasmado adj.
cataplasmar v.
cataplasmático adj.
cataplasmoso (*ô*) adj.; f. (*ó*); pl. (*ó*)
cataplastia s.f.
cataplástico adj.
catapléctico adj.
catapleíta s.f.
catapleíte s.f.
cataplético adj.
cataplexia (*cs*) s.f.
cataplônia s.f.
catapócio s.m.
catapódio s.m.
catapolitana adj. s.2g.
catapora s.f.
catapsixia (*cs*) s.f.
cataptose s.f.
cataptótico adj.
catapu s.m.
catapúcia s.f.
catapúcia-maior s.f.; pl. *catapúcias-maiores*
catapúcia-menor s.f.; pl. *catapúcias-menores*
catapuia adj. s.2g.
catapulta s.f.
catapultagem s.f.
catapultamento s.m.
catapultar v.
catapultário adj.
catapultoso adj.; f. (*ó*); pl. (*ó*)
catar v. s.m.
cataraca s.f.
cataranha adj. s.2g.
catárase s.f.
catarata s.f.
cataratado adj.
catarateiro adj. s.m.
catarato adj.
cataratoso (*ô*) adj.; f. (*ó*); pl. (*ó*)
catarense adj. s.2g.
catari adj. s.2g.
catária s.f.; cf. *cataria*, fl. do v. *catar*
catariano adj. s.m.
catarina s.m.f.
catarinaconga s.f.
catarina-gomes s.f.; pl. *catarinas-gomes*
catarinas s.f.pl.
catarinas-queimadas s.f.pl.
catarínea s.f.
catarinense adj. s.2g.
catarineta (*ê*) adj. s.2g. s.f.
catarinete (*ê*) adj. s.2g.
catarinita s.f.
catarino adj.
catário adj.
catarismo s.m.
catarista adj. s.2g. s.m.
catarístico adj.
catarma s.m.
catarmático adj.
catarmo s.m.
cátaro adj. s.m.
catarômetro s.m.
catarqueano adj. s.m.
catarral adj.2g. s.f.
catarrão s.m.
catarrear v.
catarréctico adj.
catarreia (*é*) adj. s.f. de *catarreu*
catarreira s.f.
catarrento adj.
catarrético adj.
catarreu adj. s.m.; f. *catarreia* (*é*)
catarrine adj.2g. s.m.
catarríneo adj. s.m.
catarriniano adj. s.m.
catarrino adj. s.m.
catarrítio adj.
catarro s.m.
catarroso (*ô*) adj.; f. (*ó*); pl. (*ó*)
catarruça s.f.
catarse s.f.
catarsia s.f.
catársis s.f.2n.
catarta s.m.
catarte s.m.
catártico adj. s.m.
catartídeo adj. s.m.
catartidiforme adj.2g. s.m.
catartina s.f.
catartínico adj.
catartismo s.m.
catarto s.m.
catartogenina s.f.
catartomanita s.f.
catas-altense adj. s.2g.; pl. *catas-altenses*
catascópio s.m.
catáscopo s.m.
catassétea s.f.
catassetídea s.f.
catasseto (*ê*) s.m.
catassol s.m.
catasta s.f.
catastáltico adj.
catástase s.f.
catastático adj.
catástico adj.
catastina s.f.
catastínico adj.
catástrofe s.f.
catastrófico adj.
catastrofismo s.m.
catastrofista adj. s.2g.
catastrofístico adj.
catata s.f.
catatáctico adj.
catatau s.m.
catataxe (*cs*) s.f.
catatermometria s.f.
catatermométrico adj.
catatermômetro s.m.
catatiara s.f.
catatimia s.f.
catatímico adj.
catatipia s.f.
catatonia s.f.
catatônico adj.
catatonismo s.m.
catatraz interj.
catatropia s.f.
catatrópico adj.
catatua s.f. "ave da família dos cacatuídeos"; cf. *catatuá*
catatuá s.m. "caipira"; cf. *catatua*
catau s.m.
catauarense adj. s.2g.
catauari s.m.
cataúba s.f.
catauiana adj. s.2g.
catauixi adj. s.2g.
catauré s.m.
cata-vento s.m.; pl. *cata-ventos*
cataviana adj. s.2g.
cataxia (*cs*) s.f.
cataxu s.m.
catazola s.f.
catazona s.f.
catazonal adj.2g.
cate s.m.
cateação s.f.
cateamento s.m.
catear v.
cateauá adj. s.2g.
catechu s.m.
catechueira s.f.
catechueiro s.m.
catecismo s.m.
catecol s.m.
catecolamina s.f.
catecumenado s.m.
catecumenato s.m.
catecumênico adj.
catecumenização s.f.
catecumenizado adj.
catecumenizador (*ô*) adj. s.m.
catecumenizante adj.2g.
catecumenizar v.
catecumenizável adj.2g.
catecúmeno s.m.
catecutânico adj.
cátedra s.f.
catedral adj.2g. s.f.
catedralesco (*ê*) adj.
catedrático adj. s.m.
catedratismo s.m.
catedrilha s.f.
categorema s.m.
categoremática s.f.
categoremático adj.
categoria s.f.
categorial adj.2g.
categórico adj.
categorismo s.m.
categorista adj. s.2g.
categorístico adj.
categorização s.f.
categorizado adj.
categorizador (*ô*) s.m.
categorizante adj.2g.
categorizar v.
categorizável adj.2g.
categute s.m.
cateia s.f.
catejuá s.m.
cátel s.m.
cátele s.m.
cateléctron s.m.
catelectrônio s.m.
catelétrono s.m.
catemerino adj.
catena s.f.
catenação s.f.
catenária s.f.
catenariída adj.2g. s.m.
catenariídeo adj. s.m.
catenário adj. s.m.
catenate adj. s.2g.
catenatício s.m.
catende s.f.
catendense adj. s.2g.
catenela s.f.
catenga s.f.
catenífero adj.
cateniforme adj.2g.
catenípora s.f.
catenismo s.m.
catenista adj. s.2g.
catenoide (*ó*) adj.2g. s.f.
catenoteísmo s.m.
catenoteísta adj. s.2g.
catenoteístico adj.
catênula s.f.
catenulado adj.
catenular adj.2g.
catenuliforme adj.2g.
catepsina s.f.
catequese s.f.
catequesense adj. s.2g.
catequeta s.2g.
catequética s.f.
catequético adj.
catéquico adj.
catequina s.f.
catequínico adj.
catequismo s.m.
catequista adj. s.2g.
catequístico adj.
catequização s.f.
catequizado adj.
catequizador (*ô*) adj. s.m.
catequizante adj. s.2g.
catequizar v.
catequizável adj.2g.
catérese s.f.
cateretê s.m.
catereteiro s.m.
caterético adj. s.m.
cateriangonguense adj. s.2g.
caterina s.f.
caterinária s.f.
caterinário adj.
caterineta (*ê*) s.f.
caterinete (*ê*) s.m.
cateringoto (*ô*) s.m.
caterpílar s.m.
caterva s.f.
catervagem s.f.
catesbeia (*é*) s.f.
catetão s.m.
catete (*ê*) adj. s.m.
catetê s.m.
catetense adj. s.2g.
cateter s.m.
cateterismo s.m.
cateterização s.f.
cateterizado adj.
cateterizar v.
cateto (*ê*) adj. s.m.
catetometria s.f.
catetométrico adj.
catetômetro s.m.
catetron s.m.
catetrônio s.m.
catexe s.f.
cati s.f.
catião s.m.
catiarense adj. s.2g.
catiauá adj. s.2g.
catiba interj.
catiboabense adj. s.2g.
caticó s.m.
caticoco (*ô*) s.m.
catiguá s.m.
catiguaçu adj. s.2g.
catiguaense adj. s.2g.
catiguense (*ü*) adj. s.2g.
catilária s.f.
catília s.f.
catilinária s.f.
catim s.m.
catimba s.f.
catimbau adj. s.m.
catimbaua s.m.
catimbauense adj. s.2g.
catimbauzeiro s.m.
catimbeiro s.m.
catimbento s.m.
catimbó s.m.
catimboia (*ó*) s.f.
catimbozeiro (*ô*) s.m.
catimbueira s.f.
catimplora s.f.
catimpuera s.f.
catina s.f.
catinga s.2g. s.f.
catingá s.m.
catinga-branca s.f.; pl. *catingas-brancas*
catinga-de-barrão s.f.; pl. *catingas-de-barrão*
catinga-de-bode s.f.; pl. *catingas-de-bode*
catinga-de-cachorro s.f.; pl. *catingas-de-cachorro*
catinga-de-formiga s.f.; pl. *catingas-de-formiga*
catinga-de-macaca-brava s.f.; pl. *catingas-de-macaca-brava*
catinga-de-macaca-mansa s.f.; pl. *catingas-de-macaca-mansa*
catinga-de-macaco s.f.; pl. *catingas-de-macaco*
catinga-de-mulata s.f.; pl. *catingas-de-mulata*
catinga-de-negro s.f.; pl. *catingas-de-negro*
catinga-de-paga s.f.; pl. *catingas-de-paga*
catinga-de-porco s.f.; pl. *catingas-de-porco*
catinga-de-preto s.f.; pl. *catingas-de-preto*
catinga-de-tamanduá s.f.; pl. *catingas-de-tamanduá*
catinga-de-tatu s.f.; pl. *catingas-de-tatu*
catinga-de-urubu s.f.; pl. *catingas-de-urubu*
catingal s.m.
catingalense adj. s.2g.
catingante adj.2g.
catingão s.m.
catingar v.
catingoso (*ô*) adj.; f. (*ó*); pl. (*ó*)
catinguá s.m.
catingudo adj.
catingueira s.f.
catingueira-brava s.f.; pl. *catingueiras-bravas*
catingueirense adj. s.2g.
catingueiro adj. s.m.
catingueiro-de-folha-miúda s.m.; pl. *catingueiros-de-folha-miúda*
catingueiro-de-porco s.m.; pl. *catingueiros-de-porco*
catingueiro-roxo s.m.; pl. *catingueiros-roxos*
catinguense adj. s.2g.
catinguento adj.
catingueta (*ê*) s.f.
catinguro s.m.
catininga s.f.
catioa (*ô*) s.f.
catiom s.m.
cation s.m.
cátion s.m.
cationte s.m.
catiôntico adj.
catipé s.m.
catipirá s.m.
catipna s.f.
catípnico adj.
catípnida adj.2g. s.m.
catipnídeo adj. s.m.
catipnose s.f.
catipnótico adj.
catira s.2g.
catireiro s.m.
catirina s.f.
catiripapo s.m.
catirité s.m.
catirumbava s.f.
catisofobia s.f.
catita adj. s.2g. s.m.f.
catitar v.
catitense adj. s.2g.
catitice s.f.
catitismo s.m.
catito s.m.
catitu s.m.
cativa s.f.
cativação s.f.

cativado adj.
cativador (*ô*) adj.
cativamento s.m.
cativante adj.2g.
cativar v.
cativaria s.f.
cativeiro s.m.
cativeza (*ê*) s.f.
catividade s.f.
cativo adj. s.m.
cativo de chumbo s.m.
cativo de cobre s.m.
cativo de ferro s.m.
catixa interj.
catizófito s.m.
catleia (*é*) s.f.
catlinita s.f.
catlinite s.f.
cato adj. s.m.
catoblasto s.m.
catóblepa s.m.
catoca s.m.
catocala s.f.
catocálido s.m.
catocalite s.m.
catocatarse s.f.
catocatártico adj.
catocatoca s.m.
catocenadelfo adj.
catoclésia s.f.
catóclise s.f.
catoco (*ô*) s.m.
catocrisope s.m.
catocrísops s.m.2n.
catodal adj.2g.
catodão s.m.
catódico adj.
catódino s.m.
catódio s.m.
catodiofluorescência s.f.
catodiofluorescente adj.2g.
catodioluminescência s.f.
catodioluminescente adj.
catodo (*ô*) s.m.
cátodo s.m.
catodofluorescência s.f.
catodofluorescente adj.2g.
catodofono s.m.
catodófono s.m.
catodofosforescência s.f.
catodofosforescente adj.2g.
catodoluminescência s.f.
catodoluminescente adj.2g.
catodonte s.m.
catodôntia s.f.
catodôntida adj.2g. s.m.
catodontídeo adj. s.m.
catoeiro s.m.
catoféria s.f.
catoferióidea s.f.
catoferióideo adj.
catofractes s.m.2n.
catógeno adj.
catojé s.m.
catolaico adj.
catolandense adj. s.2g.
catolandiense adj. s.2g.
catolé s.m.
catoleense adj. s.2g.
catolereiro s.m.
catolé-rochense adj. s.2g.; pl. *catolé-rochenses*
catoletro s.m.
católetro s.m.
catolezinhense adj. s.2g.
catolicão s.m.
catoliciano adj. s.m.
catolicidade s.f.
catolicismo s.m.
catolicista adj. s.2g.
catolicístico adj.
catolicização s.f.
catolicizado adj.
catolicizar v.
católico adj. s.m.
católico-apostólico adj. s.m.; pl. *católicos-apostólicos*
católico-apostólico-romano adj. s.m.; pl. *católicos-apostólicos-romanos*
católicon s.m.
católico-romano adj. s.m.; pl. *católicos-romanos*
católito s.m.
catolização s.f.
catolizado adj.
catolizar v.
catombo s.m.
catometopo s.m.
catonga s.f.
catoniano adj.
catônico adj.
catonismo s.m.
catonizar v.
catopé s.m.
catopê s.m.
catópode adj.2g. s.m.
catópodo adj. s.m.
catopse s.f.
catopsimorfo s.m.
catóptero s.m.
catoptria s.f.
catóptrica s.f.
catóptrico adj.
catoptrita s.f.
catoptrofobia s.f.
catoptrofóbico adj.
catoptrófobo adj. s.m.
catoptromancia s.f.
catoptromante s.2g.
catoptromântico adj.
catoptrotopia s.f.
catoptrotópico adj.
catoquina adj. s.2g.
catorama s.f.
catorético adj.
catori s.m.
catorra (*ô*) s.f.
catorrita s.f.
catortoma s.m.
catortomático adj.
catortose s.f.
catortótico adj.
catorzada s.f.
catorze (*ô*) num.
catorzeno num.
catoscopiácea s.f.
catoscopiáceo adj.
catoscópio s.m.
catóstomo s.m.
catota (*ô*) s.f.
catota-de-espinho s.f.; pl. *catotas-de-espinho*
catotal s.m.
catoto (*ô*) s.m.
catotoca s.f.
catotol s.m.
catotropia s.f.
catotrópico adj.
catrabucha s.f.
catrabum interj.
catraca s.f.
catracego adj. s.m.
catracegueira s.f.
catrafa s.f.
catrafada s.f.
catrafecho (*ê*) s.m.
catrafiar v.
catrafilar v.
catraia s.f.
catraiar v.
catraieiral adj.2g.
catraieiro adj. s.m.
catraio s.m.
catrais s.f.2n.
catrambiado adj.
catrame s.m.
catrameço (*ê*) s.m.
catramolho (*ô*) s.m.
catramonho s.m.
catrapão s.m.
catrapeado adj.
catrapeanha s.f.
catrapear v.
catrapeço (*ê*) s.m.
catrapeiro s.m.
catrapéu s.m.
catrapiscador (*ô*) adj. s.m.
catrapiscar v.
catrapizonga s.f.
catrapoada s.f.
catrapoço (*ô*) s.m.
catrapós s.m. interj.
catrapus s.m. interj.
catrau s.m.
catre s.m.
catrefa s.f.
catrefada s.f.
catréfia s.f.
catreta adj.2g.
catreva s.f.
catrevada s.f.
catrevagem s.f.
catridentes s.m.2n.
catrimaniense adj. s.2g.
catrimpônia s.f.
catrina s.f.
catrinas s.f.pl.
catrinetas s.f.pl.
catrino s.m.
catrinotas s.f.pl.
catrofa s.f.
catrofe s.f.
catroia (*ó*) s.f.
catroio (*ó*) s.m.
catrongo s.m.
catronhos s.m.pl.
catrozada s.f.
catrubas s.m.2n.
catruchas s.f.pl.
catrumano s.m.
catrunha s.f.
cattierita s.f.
catuá s.f.
catuaba s.m.f.
catuaba-do-mato s.f.; pl. *catuabas-do-mato*
catuaba-verdadeira s.f.; pl. *catuabas-verdadeiras*
catual s.m.
catualaria s.f.
catualia s.f.
catuanense adj. s.2g.
catuçabense adj. s.2g.
catucação s.f.
catucada s.f.
catucador (*ô*) adj. s.m.
catucaém s.m.
catucaém-cabeludo s.m.; pl. *catucaéns-cabeludos*
catucaém-vermelho s.m.; pl. *catucaéns-vermelhos*
catucanhém s.m.
catucante adj.2g.
catucão s.m.
catucar v.
catucável adj.2g.
catueiro s.m.
catuena adj. s.2g.
catuense adj. s.2g.
catuíba s.f.
catuipense adj. s.2g.
catuixi adj. s.2g.
catula s.f.
catulé s.m.
catulé-babão s.m.; pl. *catulés-babões*
catuleense adj. s.2g.
catulereiro s.m.
catulé-rochense adj. s.2g.; pl. *catulé-rochenses*
catulezinhense adj. s.2g.
catulo s.m. "espécie de pato"; cf. *cátulo*
cátulo s.m. "cachorro"; cf. *catulo*
catulótico adj.
catuma s.f.
catumbi s.m.
catumbiense adj. s.2g.
catumbo s.m.
catunda s.f.
catundense adj. s.2g.
catunduva s.f.
catuneense adj. s.2g.
catuniense adj. s.2g.
catupé s.m.
catupê s.m.
catupiense adj. s.2g.
catuqui s.m.
catuquim s.m.
catuquina adj. s.2g.
catuquinaru adj. s.2g. s.m.
catuquira s.f.
caturaiense adj. s.2g.
caturambense adj. s.2g.
caturamense adj.2g. s.2g.
catureiro s.m.
caturiaense adj. s.2g.
catúrida adj.2g. s.m.
caturídeo adj. s.m.
catúrige adj. s.2g.
catúrigo adj. s.m.
caturiteense adj. s.2g.
caturo s.m.
caturra adj. s.2g. s.f.
caturrada s.f.
caturrante adj.2g.
caturrar v.
caturreira s.f.
caturrenho adj.
caturrice s.f.
caturrismo s.m.
caturrista adj.2g.
caturrita s.f.
caturrita-dos-cáctus s.f.; pl. *caturritas-dos-cáctus*
caturritar v.
caturro s.m.
catuta s.f.
catuto s.m.
catuzado adj.
cauá adj. s.2g.
cauã s.2g.
cauaba s.f.
cauaçu s.m.
cauaiá s.m.
cauaíba adj. s.2g.
cauana s.f.
cauanã s.m.
cauanda adj. s.2g.
cauanga s.f.
cauangue s.m.
cauará s.m.
cauaracaá s.m.
cauaré s.m.
cauari adj. s.2g.
cauá-tapuia adj. s.2g.; pl. *cauás-tapuias*
cauauã s.f.
cauaué s.m.
cauaxi adj. s.2g.
caúba s.f.
caubi s.m.
caubiense adj. s.2g.
caubila adj. s.2g.
caubói s.m.
caucaiense adj. s.2g.
cáucale s.f.
caucálide s.f.
caucalídea s.f.
caucalídeo adj.
caucalina s.f.
caucalínea s.f.
cáucalis s.f.2n.
caucamo s.m.
caução s.f.
caucasiano adj. s.m.
caucásico adj. s.m.
caucásio adj. s.m.
caucasiocentrismo s.m.
caucasiocentrista adj. s.2g.
cáucaso s.m.
caucasoide (*ó*) adj.2g.
cauchal adj.2g. s.m.
caucheiro s.m.
cauchênico adj.
caucheno s.m.
cauchim adj. s.m.
cauchina s.f.
cauchínico adj.
caucho s.m.
caucho-da-áfrica s.m.; pl. *cauchos-da-áfrica*
caucho-macho s.m.; pl. *cauchos-machos*
cauchorana s.f.
cauchu s.m.
caucionado adj.
caucionador (*ô*) adj. s.m.
caucionamento s.m.
caucionante adj. s.2g.
caucionar v.
caucionário adj. s.m.
caucionável adj.
cauda s.f.
caudação s.f.
cauda de andorinha s.f.
cauda-de-cavalo s.f.; pl. *caudas-de-cavalo*
cauda-de-leão s.f.; pl. *caudas-de-leão*
cauda-de-raposa s.f.; pl. *caudas-de-raposa*
cauda de rato s.f.
cauda-de-são-francisco s.f.; pl. *caudas-de-são-francisco*
cauda-de-véu s.m.; pl. *caudas-de-véu*
cauda-de-zorro s.f.; pl. *caudas-de-zorro*
caudado adj. s.m.
caudal adj. s.2g.
caudalosidade s.f.
caudaloso (*ô*) adj.; f. (*ó*); pl. (*ó*)
caudarim s.m.
caudatário adj. s.m.
caudatilenticular adj.2g.
caudato adj.
caudatolenticular adj.2g.
caudeiro s.m.
caudel s.m.
caudelar v.
caudelaria s.f.
cáudex (*cs*) s.m.; pl. *cáudices*
caudicária s.f.
caudicário adj. s.m.
cáudice s.m.
caudiciforme adj.2g.
caudícula s.f.
caudiculado adj.
caudículo s.m.
caudífero adj.
caudiforme adj.2g.
caudilhado adj.
caudilhagem s.f.
caudilhamento s.m.
caudilhar v.
caudilheiro adj.
caudilhesco (*ê*) adj.
caudilhete (*ê*) s.m.
caudilhismo s.m.
caudilhista s.2g.
caudilhístico adj.
caudilho s.m.
caudilhote s.m.
caudímano adj.
caudino adj. s.m.
cauduta s.f.
cauembe s.m.
cauera s.m.
cauí s.m.
cauiana adj. s.2g.
cauila adj. s.2g.
cauim s.m.
cauintã s.m.
cauintau s.m.
cauipe (*i*) s.m.
cauipense adj. s.2g.
cauira adj. s.2g.
cauireí s.m.
cauixana adj. s.2g.
cauixi s.m.
caule s.m.
caulelasmo s.m.
cauleoso (*ô*) adj.; f. (*ó*); pl. (*ó*)
caulerpa s.f.
caulerpácea s.f.
caulerpáceo adj.
caulescência s.f.
caulescente adj.2g.
caulesterina s.f.
caulicinal adj.2g.
caulícola adj.2g. s.f.
caulículo adj. s.m.
caulídio s.m.
caulífero adj.
caulificação s.f.
caulificar v.
cauliflória s.f.
caulifloro adj.
cauliforme adj.2g.
caulim s.m.
caulinar adj.2g.

caulínia s.f.
caulínico adj.
caulinícola adj.2g.
caulinita s.f.
caulinite s.f.
caulinítico adj.
caulinização s.f.
caulinizar v.
caulino adj. s.m.
caulinose s.f.
cauliode s.m.
cauliodonte s.m.
caulmogra s.f.
cauló s.m.
caulobácter s.m.
caulóbio s.m.
caulocárpico adj.
caulocarpo s.m.
caulofilina s.f.
caulogástrico s.m.
caulogástrio s.m.
caulogastro s.m.
cauloglosso s.m.
cauloide (*ó*) adj.2g. s.m.
cauloma s.m.
caulomático adj.
caulomerídeo adj. s.m.
cauloptéride s.f.
caulópteris s.f.2n.
caulorrizo adj.
caulosterina s.f.
caumã s.f.
caumatestesia s.f.
caumestesia s.f.
caumpulo s.m.
cauna s.f. "espécie de tartaruga", etc.; cf. *cauná* e *caúna*
cauná adj. s.f. "árvore da família das simplocáceas"; cf. *cauna* e *caúna*
caúna s.m.f. "diz-se de mate de má qualidade", etc.; cf. *cauna* e *cauná*
caúna-amargosa s.f.; pl. *caúnas-amargosas*
cáunace s.m.
cáunax (*cs*) s.m.2n.; pl. *cáunaces*
caunho s.m.
caunilha s.f.
cáunio adj. s.m.
caúno s.m.
caupi s.m.
cauranano adj. s.m.
cauré s.m.
caureí s.m.
caurense adj. s.2g.
cauri s.m.
cauril s.m.
caurim s.m.
caurinador (*ô*) adj. s.m.
caurinar v.
caurineiro s.m.
caurita s.f.
causa s.f.
causação s.f.
causado adj.
causador (*ô*) adj. s.m.
causal adj. s.2g.
causalgia s.f.
causálgico adj.
causalidade s.f.
causalismo s.m.
causalista s.2g.
causalístico adj.
causalização s.f.
causalizante adj.2g.
causalizar v.
causante adj. s.2g.
causar v.
causatividade s.f.
causativo adj.
causialgia s.f.
causídico s.m.
causo s.m.
cáustica s.f.; cf. *caustica*, fl. do v. *causticar*
causticação s.f.
causticado adj.
causticante adj.2g.
causticar v.
causticidade s.f.
cáustico adj. s.m.; cf. *caustico*, fl. do v. *causticar*
cáustico-vegetal s.m.; pl. *cáusticos-vegetais*
caustificação s.f.
caustificador (*ô*) s.m.
caustificante adj.2g.
caustificar v.
caustobiolítico adj.
caustobiólito s.m.
cautchu s.m.
cautela s.f.
cautelado adj.
cautelamento s.m.
cautelar v. adj.2g.
cautelatório adj.
cauteleiro s.m.
cauteloso (*ô*) adj.; f. (*ó*); pl. (*ó*)
cauteriar v.
cautério s.m.
cauterização s.f.
cauterizado adj.
cauterizador (*ô*) adj. s.m.
cauterizante adj.2g.
cauterizar v.
cautestesia s.f.
cauto adj.
cauxi s.m.
cava s.m.f.
cavaca s.f.
cavacão s.m.
cavação s.f.
cavacar v.
cavacaria s.f.
cavacava s.f.
cavaco s.m.
cavacué s.m.
cavada s.f.
cava da zinga s.f.
cavadeira s.f.
cavadeira-verde s.f.; pl. *cavadeiras-verdes*
cavadela s.f.
cavadia s.f.
cavadiço adj.
cavado adj. s.m.
cavador (*ô*) adj. s.m.
cavadora (*ô*) s.f.
cavadura s.f.
cavaíba adj. s.2g.
cavala s.f.
cavala-africana s.f.; pl. *cavalas-africanas*
cavala-aipim s.f.; pl. *cavalas-aipim* e *cavalas-aipins*
cavala-boca-larga s.f.; pl. *cavalas-boca-larga* e *cavalas-bocas-largas*
cavala-branca s.f.; pl. *cavalas-brancas*
cavala-canga s.f.; pl. *cavalas-canga* e *cavalas-cangas*
cavala-canguçu s.f.; pl. *cavalas-canguçu* e *cavalas-canguçus*
cavalaço s.m.
cavalada s.f.
cavalado adj.
cavalagem s.f.
cavalão s.m.
cavalão-negral s.m.; pl. *cavalões-negrais*
cavala-perna-de-moça s.f.; pl. *cavalas-perna-de-moça* e *cavalas-pernas-de-moça*
cavala-pintada s.f.; pl. *cavalas-pintadas*
cavala-preta s.f.; pl. *cavalas-pretas*
cavalar v. adj.2g.
cavalaria s.f.
cavalariano adj. s.m.
cavalariça s.f.
cavalariço adj. s.m.
cavala-sardinheira s.f.; pl. *cavalas-sardinheiras*
cavala-verdadeira s.f.; pl. *cavalas-verdadeiras*
cavalcantense adj. s.2g.
cavaleação s.f.
cavaleante adj.2g.
cavalear v.
cavaleira s.f.
cavaleirada s.f.
cavaleirado s.m.
cavaleirão adj. s.m.
cavaleirar v.
cavaleirato s.m.
cavaleirense adj. s.2g.
cavaleiresco (*ê*) adj. "cavalariano"; cf. *cavalheiresco* (*ê*)
cavaleiro adj. s.m. "montador"; cf. *cavalheiro*
cavaleiro-de-bandeirola s.m.; pl. *cavaleiros-de-bandeirola*
cavaleiro-fidalgo s.m.; pl. *cavaleiros-fidalgos*
cavaleiroso (*ô*) adj.; f. (*ó*); pl. (*ó*)
cavaleria s.f.
cavaleriano s.m.
cavaleta (*ê*) s.f.
cavalete (*ê*) s.m.
cavalgação s.f.
cavalgada s.f.
cavalgado adj.
cavalgador (*ô*) adj. s.m.
cavalgadura s.f.
cavalgamento s.m.
cavalgante adj. s.2g.
cavalgar v.
cavalgata s.f.
cavalgável adj.2g.
cavalhada s.f.
cavalhadas s.f.pl.
cavalhariça s.f.
cavalharice s.f.
cavalheirense adj. s.2g.
cavalheiresco (*ê*) adj. "cortês"; cf. *cavaleiresco*
cavalheirice s.f.
cavalheiriço s.m.
cavalheirismo s.m.
cavalheiritas s.f.pl.
cavalheiro adj. s.m. "homem bem-educado"; cf. *cavaleiro*
cavalheiro-das-onze-horas s.m.; pl. *cavalheiros-das-onze-horas*
cavalheiro-de-sala s.m.; pl. *cavalheiros-de-sala*
cavalheirosidade s.f.
cavalheiroso (*ô*) adj.; f. (*ó*); pl. (*ó*)
cavalheirote s.m.
cavalice s.f.
cavalicoque s.m.
cavalidade s.f.
cavalim s.m.
cavalinense adj. s.2g.
cavalinha s.f.
cavalinha-do-norte s.f.; pl. *cavalinhas-do-norte*
cavalinha-dos-reis s.f.; pl. *cavalinhas-dos-reis*
cavalinhense adj. s.2g.
cavalinho s.m.
cavalinho-d'água s.m.; pl. *cavalinhos-d'água*
cavalinho-de-cão s.m.; pl. *cavalinhos-de-cão*
cavalinho-de-deus s.m.; pl. *cavalinhos-de-deus*
cavalinho-de-judeu s.m.; pl. *cavalinhos-de-judeu*
cavalinho de pau s.m.
cavalinho-de-são-jorge s.m.; pl. *cavalinhos-de-são-jorge*
cavalinho-do-diabo s.m.; pl. *cavalinhos-do-diabo*
cavalinho-do-mar s.m.; pl. *cavalinhos-do-mar*
cavalinho-gigante s.m.; pl. *cavalinhos-gigantes*
cavalinho-mosca s.m.; pl. *cavalinhos-mosca* e *cavalinhos-moscas*
cavalinhos s.m.pl.
cavalinhos de pau s.m.pl.
cavalinhos-foscos s.m.pl.
cavalinhos-fuscos s.m.pl.
cavalino adj.
cavalitas s.f.pl.; na loc. *às cavalitas*
cavalo s.m.
cavaloada s.f.
cavaloar v.
cavalo-boi s.m.; pl. *cavalos-boi* e *cavalos-bois*
cavalo-branco s.m.; pl. *cavalos-brancos*
cavalo-d'água s.m.; pl. *cavalos-d'água*
cavalo-das-bruxas s.m.; pl. *cavalos-das-bruxas*
cavalo de batalha s.m. "argumento principal"
cavalo-de-batalha s.m. "árvore da família das lauráceas"; pl. *cavalos-de-batalha*
cavalo-de-cão s.m.; pl. *cavalos-de-cão*
cavalo de cem moedas s.m.
cavalo de crista s.m.
cavalo de feira s.m.
cavalo-de-judeu s.m.; pl. *cavalos-de-judeu*
cavalo de pau s.m.
cavalo de santo s.m.
cavalo de três pés s.m.
cavalo de troia (*ó*) s.m.
cavalo do cão s.m.
cavalo-do-demo s.m.; pl. *cavalos-do-demo*
cavalo do rio s.m.
cavalo do santo s.m.
cavalo-efetivo s.m.; pl. *cavalos-efetivos*
cavalo-fantasma s.m.; pl. *cavalos-fantasma* e *cavalos-fantasmas*
cavalo-frouxó s.m.; pl. *cavalos-frouxós*
cavalo furta moça s.m.
cavalo-hora s.m.; pl. *cavalos-hora* e *cavalos-horas*
cavalo-judeu s.m.; pl. *cavalos-judeus*
cavalo-marinho s.m.; pl. *cavalos-marinhos*
cavalo-mosca s.m.; pl. *cavalos-mosca* e *cavalos-moscas*
cavalona s.f.
cavalo-reiuno (*ú*) s.m.; pl. *cavalos-reiunos*
cavalo-rinchão s.m.; pl. *cavalos-rinchões*
cavalório s.m.
cavalo sem cabeça s.m.
cavalo-vapor s.m.; pl. *cavalos-vapor*
cavamento s.m.
cavanchana s.f.
cavanço s.m.
cavandela s.f.
cavanejo (*ê*) s.m.
cavanha s.2g.
cavanhaque s.m.
cavani s.m.
cavanilésia s.f.
cavansita s.f.
cavantã s.m.f.
cavão s.m.
cavapitã s.m.
cavaqueação s.f.
cavaqueado adj.
cavaqueador (*ô*) adj. s.m.
cavaquear v.
cavaqueio s.m.
cavaqueira s.f.
cavaqueiro s.m.
cavaquense adj. s.2g.
cavaquinha s.f.
cavaquinho s.m.
cavaquista adj. s.2g.
cavar v.
cavareno s.m.
cavas s.f.pl.
cava-terra s.m.; pl. *cava-terras*
cavatina s.f.
cavatinar v.
cavatura s.f.
cavaué s.m.
cave s.f.
cávea s.f.
cavear v. "abrir ou ampliar a cava"; cf. *caviar*
cáveda s.f.
cavedal s.m.
cavédio s.m.
caveira s.f.
caveira de burro s.f.
caveira de pau s.f.
caveirado adj.
caveirense adj. s.2g.
caveiro adj.
caveiroso (*ô*) adj.; f. (*ó*); pl. (*ó*)
cavelha (*ê*) s.f.
cavendísia s.f.
cavense adj. s.2g.
cavéolo s.m.
caverna s.f.
cavernal adj.2g.
cavername s.m.
caverna-mestra s.f.; pl. *cavernas-mestras*
cavernar v.
cavernário adj.
cavernelhe (*ê*) s.m.
cavernícola adj. s.2g.
cavernite s.f.
cavernoma s.m.
cavernosidade s.f.
cavernosite s.f.
cavernoso (*ô*) adj.; f. (*ó*); pl. (*ó*)
cavernostomia s.f.
cavernostômico adj.
caveto (*ê*) s.m.
cavi s.m.
caviano adj.
caviar s.m. "ovas de esturjão e de outros peixes"; cf. *cavear*
caviarina s.f.
caviário adj. s.m.
cavícola adj.2g.
cavicorne adj.2g.
cavicórneo adj. s.m.
cavidade s.f.
cavídeo adj. s.m.
caviida adj.2g. s.m.
caviídeo adj. s.m.
cavilação s.f.
cavilado adj.
cavilador (*ô*) adj. s.m.
cavilagem s.f.
cavilar v.
cavilha s.f.
cavilhação s.f.
cavilhado adj.
cavilhador (*ô*) adj. s.m.
cavilhame s.m.
cavilhamento s.m.
cavilhão s.m.
cavilhar v.
caviloso (*ô*) adj.; f. (*ó*); pl. (*ó*)
cavintau s.m.
cávio adj. s.m.
cavirão s.m.
cavirrostro adj.
cavitação s.f.
cavitar v.
cavitário adj.
cavite s.f.
cavitinga s.f.
caviúna s.f.
caviúna-rajada s.f.; pl. *caviúnas-rajadas*
cavo adj.
cavocístico adj.
cavodá s.m.
cavolina s.f.
cavolínia s.m.
cavoliniida adj.2g. s.m.
cavoliniídeo adj. s.m.
cavorteirice s.f.
cavorteiro adj. s.m.
cavoucação s.f.
cavoucado adj.
cavoucador (*ô*) adj. s.m.
cavoucar v.
cavouco s.m.
cavouqueiro adj. s.m.

cavu s.m.
cavucador (*ô*) s.m.
cavucar v.
caxa s.f. "moeda"; cf. *cacha* s.f., fl. do v. *cachar*, e *caixa*
caxambá s.m.
caxambu s.m.
caxambuense adj. s.2g.
caxandó s.m.
caxangá s.m.
caxango s.m.
caxanguense adj. s.2g.
caxão s.m. "casa aduaneira"; cf. *cachão* e *caixão*
caxarama s.f.
caxaramba s.f.
caxarana s.f.
caxaranfanfa s.f.
caxaranfunfa s.f.
caxarari adj. s.2g.
caxarela s.m.
caxarelo s.m.
caxaréu s.m.
caxarrel s.m.
caxarrela s.m.
caxarrelo s.m.
caxarréu s.m.
caxe s.m. "moeda", etc.; cf. *cache*, fl. do v. *cachar*
caxeense adj. s.2g.
caxemira s.m.f.
caxemirense adj. s.2g.
caxemiriano adj. s.m.
caxequengue s.m.
caxerenga s.f.
caxerenguengue s.m.
caxerim s.m.
caxeringuengue s.m.
caxeta (*ê*) s.f. "árvore"; cf. *cacheta*, fl. do v. *cachetar*, *cacheta* (*ê*) e *caixeta* (*ê*)
caxexa (*ê*) adj.2g.
caxianguelé s.m.
caxias adj. s.2g.2n.
caxibo adj. s.m.
caxibu s.m.
caxicaém s.m.
caxicama s.m.
caxicante s.m.
caxiense adj. s.2g.
caxim s.m.
caximbeque s.m.
caxinauá adj. s.2g.
caxinduba s.f.
caxiné adj. s.2g.
caxinê adj. s.2g.
caxinga s.f.
caxinganga s.m.
caxinganguelê s.m.
caxingar v.
caxinglê s.m.
caxingó adj. s.2g.
caxinguba s.f.
caxingue adj. s.2g.
caxinguelê s.m.
caxinguengue s.m.
caxinguento adj.
caxingui s.m.
caxinje s.2g.
caxinxa s.2g.
caxinxada s.f.
caxinxe s.m.
caxipara s.m.
caxirama s.f.
caxirenga s.f.
caxirengada s.f.
caxirengue s.m.
caxirenguengue s.m.
caxiri s.m.
caxirim s.m.
caxito adj. s.m.
caxitoreense adj. s.2g.
caxixe s.m.
caxixeiro s.m.
caxixi adj.2g. s.m.f.
caxo s.m. "moeda"; cf. *cacho* s.m. e fl. do v. *cachar*
caxuá s.f.
caxuá-branca s.f.; pl. *caxuás-brancas*
caxuana adj. s.2g.
caxuiana adj. s.2g.
caxumba s.f.
caxumbento adj.
caxundé s.m.
caxupa s.f.
cayeuxita s.f.
cazalbôni s.m.
cazaque adj. s.2g.
cazáquio adj. s.m.
cazelita s.f.
cazelite s.f.
cazelito s.m.
cazol s.m.
cazumba s.m.
cazumbi s.m.
cazumbra s.f.
cazuré s.m.
cazuza s.m.
cazuzinha s.f.
ceado adj.; cf. *ciado*
ceanoto s.m.
cear v. "comer a ceia"; cf. *ciar* e *siar*
ceará s.m.
ceará-branco s.m.; pl. *cearás-brancos*
ceará-bravo s.m.; pl. *cearás-bravos*
ceará-mirinense adj. s.2g.; pl. *ceará-mirinenses*
ceará-mirinhense adj. s.2g.; pl. *ceará-mirinhenses*
cearense adj. s.2g. "do Ceará"; cf. *searense*
ceata s.f.
ceba s.f.
cebar s.m.
cebedense adj.2g.
cebelha adj.
cebiano adj. s.m.
cebiche s.m.
cébida adj.2g. s.m.
cebídeo adj. s.m.
cebino adj. s.m.
cébio s.m.
cebite s.m. "ave"; cf. *sebite*
cebo s.m. "símio"; cf. *sebo*
cebo (*ê*) s.m.
cebocefalia s.f.
cebocefálico adj.
cebocéfalo s.m.
ceboide (*ó*) adj.2g. s.m.
cebóideo adj. s.m.
cebola (*ô*) s.f.
cebola-albarrã s.f.; pl. *cebolas-albarrãs*
cebola-alvarrã s.f.; pl. *cebolas-alvarrãs*
cebola-ascolônica s.f.; pl. *cebolas-ascolônicas*
cebola-barrão s.f.; pl. *cebolas-barrão* e *cebolas-barrões*
cebola-berrante s.f.; pl. *cebolas-berrantes*
cebola-branca s.f.; pl. *cebolas-brancas*
cebola-brava s.f.; pl. *cebolas-bravas*
cebola-brava-do-pará s.f.; pl. *cebolas-bravas-do-pará*
cebola-cecém s.f.; pl. *cebolas-cecém*
cebolada s.f.
cebola-de-cheiro s.f.; pl. *cebolas-de-cheiro*
cebola-de-lobo s.f.; pl. *cebolas-de-lobo*
cebola-de-portugal s.f.; pl. *cebolas-de-portugal*
cebola-de-são-tiago s.f.; pl. *cebolas-de-são-tiago*
cebola-de-todo-o-ano s.f.; pl. *cebolas-de-todo-o-ano*
cebolado adj.
cebola-do-campo s.f.; pl. *cebolas-do-campo*
cebola-do-mato s.f.; pl. *cebolas-do-mato*
cebola-grande-da-mata s.f.; pl. *cebolas-grandes-da-mata*
cebolal adj. s.m.
cebolame s.m.
cebolão s.m.
ceboleira s.f.
ceboleirense adj. s.2g.
ceboleiro s.m.
ceboleta (*ê*) s.f.
ceboleta-de-frança s.f.; pl. *ceboletas-de-frança*
cebolinha s.f.
cebolinha-branca s.f.; pl. *cebolinhas-brancas*
cebolinha-capim s.f.; pl. *cebolinhas-capins*
cebolinha-comum s.f.; pl. *cebolinhas-comuns*
cebolinha-da-várzea s.f.; pl. *cebolinhas-da-várzea*
cebolinha-de-cheiro s.f.; pl. *cebolinhas-de-cheiro*
cebolinha-francesa s.f.; pl. *cebolinhas-francesas*
cebolinha-galega s.f.; pl. *cebolinhas-galegas*
cebolinha-miúda s.f.; pl. *cebolinhas-miúdas*
cebolinho s.m.
cebolinho-branco s.m.; pl. *cebolinhos-brancos*
cebolinho-cheiroso s.m.; pl. *cebolinhos-cheirosos*
cebollita s.f.
cebolo (*ô*) s.m.
cebolório adj. interj.
ceboloso (*ô*) adj.; f. (*ó*); pl. (*ó*)
cebreno s.m.
cébrio s.m.
cebriônida adj.2g. s.m.
cebrionídea s.f.
cebrionídeo adj. s.m.
cebruno adj.
cebuano s.m.
cébus s.m.2n.
ceca s.f.; na loc. *ceca e meca*; cf. *seca* s.2g. s.f. e fl. do v. *secar*, e *seca* (*ê*)
cecal adj.2g.
ceção s.f. "frescura"; cf. *sessão*, *cessão*, *seção* e *secção*
cecé s.2g.
cê-cê s.m.; pl. *cê-cês*
ceceação s.f.
ceceado adj.
ceceadura s.f.
ceceamento s.m.
cecear v. "pronunciar com ceceio"; cf. *ciciar*
cecectomia s.f.
cecectômico adj.
cê-cedilha s.m.
cê-cedilhado s.m.
cê-cedilhar v.
cécega s.f.
ceceio s.m.
cecém s.f.
ceceoso (*ô*) adj. "que ceceia"; f. (*ó*); pl. (*ó*); cf. *cicioso*
cécias s.m.2n.
cecice s.f.
cécida adj.2g. s.m.
cecídeo adj. s.m.
cecídia s.f.
cecídio s.m.
cecidiófito s.m.
cecidiologia s.f.
cecidogênico adj.
cecidógeno adj.
cecidologia s.f.
cecidológico adj.
cecidólogo s.m.
cecidomia s.f. "doença"; cf. *cecidômia*
cecidômia s.f. "inseto"; cf. *cecidomia*
cecidômida adj.2g. s.m.
cecidomídeo adj. s.m.
cecidomiía s.f.
cecidomiída adj.2g. s.m.
cecidomiídeo adj. s.m.
cecidozoide (*ó*) adj.2g.
cecidozooide (*ó*) adj.2g.
ceciense adj. s.2g.
cecília s.f.
cecilianela s.m.
cecílida adj.2g. s.m.
cecilídeo adj. s.m.
ceciliída adj.2g. s.m.
ceciliídeo adj. s.m.
cecílio s.m.
cecite s.f.
ceco s.m. "parte do intestino"; cf. *seco* (*ê*) adj. s.m. e *seco*, fl. do v. *secar*
cecocele s.f.
cecocolostomia s.f.
cecocolostômico adj.
cecografia s.f.
cecográfico adj.
cecógrafo s.m.
cecomerídeo adj. s.m.
cecopexia (*cs*) s.f.
cecoplicação s.f.
cecoptose s.f.
cecoptótico adj.
cecostomia s.f.
cecostômico adj.
cecotomia s.f.
cecotômico adj.
cecrinha s.f.
cecrinho s.m.
cecrópia s.f.
cecrópida adj. s.2g.
cecrópide adj. s.2g.
cecrópido adj. s.m.
cecrópio adj. s.m.
cécrops s.m.2n.
cécuba s.m.
cécubo s.m.
cécum s.m.
cedasticidade s.f.
cedástico adj.
cê-dê-efe s.2g.; pl. *cê-dê-efes*
cedeira s.f.
cedém s.m.
cedência s.f.
cedente adj. s.2g.; cf. *sedente*
ceder v.
cedéstis s.m.2n.
cedi s.m.
cedibilidade s.f.
cediço adj.
cedido adj.
cedilha s.f.
cedilhado adj.
cedilhar v.
cedilho s.m.
cedimento s.m. "cessão"; cf. *sedimento*
cedinho adv.
cedível adj.2g.
cedo (*ê*) adv. "antes do tempo próprio ou da ocasião"; cf. *sedo*, fl. do v. *sedar*
cedoiro s.m.
cedouro s.m.
cedovém s.m.
cedovém-pequeno s.m.; pl. *cedovéns-pequenos*
cedral s.m.
cedralense adj. s.2g.
cedrão s.m.
cedreira s.f.
cedreirense adj. s.2g.
cedreiro adj. s.m.
cedrela s.f.
cedrelácea s.f.
cedreláceo adj.
cedrélea s.f.
cedréleo adj.
cedrelinga s.f.
cedrelóidea s.f.
cedrelóideo adj.
cedreno s.m.
cedrense adj. s.2g.
cedrera s.f.
cedrerana s.f.
cédria s.f.
cedrilho s.m.
cedrina s.f.
cedrinho s.m.
cedrino adj.
cedríntio s.m.
cedrita s.f.
cedro s.m.
cedro-amarelo s.m.; pl. *cedros-amarelos*
cedro-bastardo s.m.; pl. *cedros-bastardos*
cedro-batata s.m.; pl. *cedros-batata* e *cedros-batatas*
cedro-bordado s.m.; pl. *cedros-bordados*
cedro-branco s.m.; pl. *cedros-brancos*
cedro-bravo s.m.; pl. *cedros-bravos*
cedro-canela s.m.; pl. *cedros-canela* e *cedros-canelas*
cedro-canjerana s.m.; pl. *cedros-canjerana* e *cedros-canjeranas*
cedro-cheiroso s.m.; pl. *cedros-cheirosos*
cedro-cinzento s.m.; pl. *cedros-cinzentos*
cedro-das-barbadas s.m.; pl. *cedros-das-barbadas*
cedro-das-barracas s.m.; pl. *cedros-das-barracas*
cedro-das-bermudas s.m.; pl. *cedros-das-bermudas*
cedro-das-missões s.m.; pl. *cedros-das-missões*
cedro-da-várzea s.m.; pl. *cedros-da-várzea*
cedro-da-virgínia s.m.; pl. *cedros-da-virgínia*
cedro-de-cingapura s.m.; pl. *cedros-de-cingapura*
cedro-de-espanha s.m.; pl. *cedros-de-espanha*
cedro-de-goa s.m.; pl. *cedros-de-goa*
cedro-de-mato-grosso s.m.; pl. *cedros-de-mato-grosso*
cedro-de-virgínia s.m.; pl. *cedros-de-virgínia*
cedro-do-alasca s.m.; pl. *cedros-do-alasca*
cedro-do-atlas s.m.; pl. *cedros-do-atlas*
cedro-do-buçaco s.m.; pl. *cedros-do-buçaco*
cedro-do-ceilão s.m.; pl. *cedros-do-ceilão*
cedro-do-himalaia s.m.; pl. *cedros-do-himalaia*
cedro-do-incenso s.m.; pl. *cedros-do-incenso*
cedro-do-japão s.m.; pl. *cedros-do-japão*
cedro-do-líbano s.m.; pl. *cedros-do-líbano*
cedro-do-óregão s.m.; pl. *cedros-do-óregão*
cedro-do-pântano s.m.; pl. *cedros-do-pântano*
cedro-do-paraguai s.m.; pl. *cedros-do-paraguai*
cedro-do-rio-de-janeiro s.m.; pl. *cedros-do-rio-de-janeiro*
cedro-espanhol s.m.; pl. *cedros-espanhóis*
cedro-faia s.m.; pl. *cedros-faia* e *cedros-faias*
cedro-fêmea s.m.; pl. *cedros-fêmeas*
cedroí s.m.
cedro-japonês s.m.; pl. *cedros-japoneses*
cedrol s.m.
cedrolandense adj. s.2g.
cedrolandiense adj. s.2g.
cedróleo s.m.
cedro-macho s.m.; pl. *cedros-machos*
cedro-mogno s.m.; pl. *cedros-mogno* e *cedros-mognos*
cedronela s.f.
cedronha s.f.
cedro-palmar s.m.; pl. *cedros-palmares*
cedro-pardo s.m.; pl. *cedros-pardos*

cedro-português s.m.; pl. *cedros-portugueses*
cedro-preto s.m.; pl. *cedros-pretos*
cedro-rajado s.m.; pl. *cedros-rajados*
cedrorana s.f.
cedro-rosa s.m.; pl. *cedros-rosa* e *cedros-rosas*
cedrosta s.f.
cedro-verdadeiro s.m.; pl. *cedros-verdadeiros*
cedro-vermelho s.m.; pl. *cedros-vermelhos*
cedro-vermelho-da-austrália s.m.; pl. *cedros-vermelhos-da-austrália*
cedro-vermelho-do-óregão s.m.; pl. *cedros-vermelhos-do-óregão*
cédula s.f.
cedular adj.2g.
ceeiro s.m.
cefaele s.f.
cefaelina s.f.
céfala s.f.
cefalacântida adj.2g. s.m.
cefalacantídeo adj. s.m.
cefalacanto s.m.
cefalado adj.
cefalagra s.f.
cefalalgia s.f.
cefalálgico adj.
cefalandra s.f.
cefalanteína s.f.
cefalantera s.f.
cefalanterina s.f.
cefalantina s.f.
cefalanto s.m.
cefalapagia s.f.
cefalária s.f.
cefaláspide s.f.
cefalaspídeo adj.
cefaláspis s.f.2n.
cefaledema s.m.
cefaledemático adj.
cefaleditano adj. s.m.
cefaleia (*é*) s.f.
cefalematoma s.m.
cefalemia s.f.
cefalêmico adj.
cefalemíia s.f.
cefalemometria s.f.
cefalemométrico adj.
cefalemômetro s.m.
cefalene adj. s.2g.
cefáleo adj.
cefaleuro s.m.
cefalgra s.f.
cefalia s.f.
cefálico adj.
cefálida adj.2g. s.m.
cefalídeo adj. s.m.
cefalídio s.m.
cefalidrocele s.f.
cefalidrocelo adj. s.m.
cefalina s.f.
cefalínico adj.
cefálio s.m.
cefalismo s.m.
cefalite s.f.
cefalítico adj.
cefalização s.f.
cefalizado adj.
cefalizante adj.2g.
cefalizar v.
cefalizável adj.2g.
cefalnita adj. s.2g.
céfalo s.m.
cefaloauricular adj.2g.
cefalóbaro s.m.
cefalobenido adj. s.m.
cefálobo s.m.
cefalobrânquio adj. s.m.
cefalocáride adj.2g. s.f.
cefalocárido adj. s.m.
cefalocarpo s.m.
cefalocele s.f.
cefalocélio s.m.
cefalocentese s.f.
cefalocerco s.m.
cefalocéreo adj. s.m.
cefalócero s.m.
cefalociste s.f.
cefalocordado adj. s.m.
cefalocórdio s.m.
cefalocranialgia s.f.
cefalocraniálgico adj.
cefalodela s.f.
cefalodêndrico adj.
cefalodendro s.m.
cefalodial adj.2g.
cefalodiano adj.
cefalodidimia s.f.
cefalodídimo s.m.
cefalodimia s.f.
cefalódimo s.m.
cefalodinia s.f.
cefalódino adj. s.m.
cefalódio s.m.
cefalodiscídio adj. s.m.
cefalodisco s.m.
cefalodonte s.m.
cefaloematoma s.m.
cefaloemômetro s.m.
cefaloespinhal adj.2g.
cefalofaríngeo adj.
cefalofíneo adj. s.m.
cefálofo s.m.
cefalófora s.f.
cefalóforo adj.
cefalogênese s.f.
cefalogenético adj.
cefalogenia s.f.
cefalogênico adj.
cefalogiro adj.
cefalografia s.f.
cefalográfico adj.
cefalógrafo s.m.
cefalograma s.m.
céfalo-hematoma s.m.; pl. *céfalo-hematomas*
céfalo-hemômetro s.m.; pl. *céfalo-hemômetros*
céfalo-hidrocele s.f.; pl. *céfalo-gudriceles*
cefaloide (*ó*) adj.2g.
cefalóideo adj. s.m.
cefaloidrocele s.f.
cefaloleia (*é*) s.f.
cefalolépide s.f.
cefalolepínea s.m.
cefalolepta s.m.
cefaloleptídeo adj. s.m.
cefaloléptido s.m.
cefalolia s.f.
cefalólofo s.m.
cefalologia s.f.
cefalológico adj.
cefalologista adj. s.2g.
cefalólogo s.m.
cefaloma s.m.
cefalomancia s.f.
cefalômano s.m.
cefalomante s.2g.
cefalomântico adj.
cefalomático adj.
cefalomelia s.f.
cefalomélico adj.
cefalômelo s.m.
cefalomenia s.f.
cefalomênico adj.
cefalomeningite s.f.
cefalomeningítico adj.
cefalometria s.f.
cefalométrico adj.
cefalômetro s.m.
cefalomia s.m.
cefalomíia s.f.
cefalônia s.m.
cefalopagia s.f.
cefalópago s.m.
cefalopapo s.m.
cefalopelte s.m.
cefalopina s.f.
cefalopiose s.f.
cefalopiótico adj.
cefaloplegia s.f.
cefaloplégico adj.
cefaloplexia (*cs*) s.f.
cefalópode adj.2g. s.m.
cefalópodo adj. s.m.
cefaloponia s.f.
cefalopteríneo adj. s.m.
cefalóptero s.m.
cefalorbitário adj.
cefaloridina s.f.
cefalorraquiano adj.
cefalorraquidiano adj.
cefaloscopia s.f.
cefaloscópico adj.
cefalospinal adj.2g.
cefalospórea s.f.
cefalospóreo adj. s.m.
cefalosporina s.f.
cefalossifão s.m.
cefalossomo adj.
cefalostáquio s.m.
cefalostemo s.m.
cefalostigma s.m.
cefalotácea s.f.
cefalotáceo adj.
cefalotâmnio s.m.
cefalotaxácea (*cs*) s.f.
cefalotaxáceo (*cs*) adj.
cefalotáxea (*cs*) s.f.
cefalotáxeo (*cs*) adj.
cefalotaxo (*cs*) s.m.
cefalote s.m.
cefalótea s.f.
cefaloteca s.f.
cefalotécio s.m.
cefalotina s.f.
cefalotlasia s.f.
cefaloto adj. s.m.
cefalotomia s.f.
cefalotômico adj.
cefalótomo s.m.
cefalotórace s.m.
cefalotorácico adj.
cefalotoracópage s.m.
cefalotoracópago s.m.
cefalotórax (*cs*) s.m.2n.; pl. *cefalotóraces*
cefalótribo s.m.
cefalotrícida adj.2g. s.m.
cefalotricídeo adj. s.m.
cefalotripsia s.f.
cefalotripsina s.f.
cefalotríptico adj.
cefalotriptor (*ô*) s.m.
cefalotríquida s.2g.
cefalótroca adj.2g.
cefaloxia (*cs*) s.f.
cefaloziela s.f.
cefeida adj. s.2g.
cefele s.m.
cefélia s.f.
cefelina s.f.
cefene adj. s.2g.
cefênio s.m.
cefenomíia s.f.
cefídeo adj. s.m.
cefísio adj. s.m.
cefo (*ê*) s.m.
cega s.f. "réptil"; cf. *sega* s.f. e fl. do v. *segar*
cegada s.f.; cf. *segada*
cegado adj.; cf. *segado*
cegagem s.f.
cega-genros s.m.2n.
cega-machado s.f.; pl. *cega-machados*
cegamento s.m.
cegamita s.f.
cegamite s.f.
cegante adj.2g.
ceganucho adj. s.m.
cega-olho s.m.; pl. *cega-olhos*
cegar v. "tornar cego"; cf. *segar*
cega-rega s.f.; pl. *cega-regas*
cegetismo s.m.
cegetista adj. s.2g.
cego adj. s.m.; cf. *sego*, fl. do v. *segar*
cegonha s.f.
cegonha-branca s.f.; pl. *cegonhas-brancas*
cegonha-negra s.f.; pl. *cegonhas-negras*
cegonhão s.m.
cegonheiro s.m.
cegonho s.m.
cegude s.f.
cegudo s.m.
cegueira s.f.
ceguela adj. s.2g.
ceguelha (*ê*) adj. s.2g.
ceguelho (*ê*) s.m.
cegueta (*ê*) adj. s.2g.
ceguidade s.f.
ceguidão s.f.
ceguinha s.f.
ceguinho s.m.
ceia s.f.
ceiba s.f.
ceibo s.m.
ceiçal s.m.
ceiceiral s.m.
ceiceiro s.m.
ceifa s.f.
ceifadeira s.f.
ceifadeira-secadora s.f.; pl. *ceifadeiras-secadoras*
ceifadeira-trituradora-carregadora s.f.; pl. *ceifadeiras-trituradoras-carregadoras*
ceifadeiro s.m.
ceifado adj.
ceifador (*ô*) adj. s.m.
ceifão s.m.
ceifar v.
ceifeira s.f.
ceifeiro adj. s.m.
ceifoeiro s.m.
ceifões s.m.pl.
ceijupira s.f.
ceilanita s.f.
ceilanite s.f.
ceilonense adj. s.2g.
ceilonita s.f.
ceilonite s.f.
ceilonítico adj.
ceiote s.m.
ceira s.f. "peso indiano"; cf. *seira*
ceita s.f. "tributo"; cf. *seita*
ceitã s.f.
ceitão s.m.
ceiva s.f. "ato de soltar"; cf. *seiva*
ceivar v.
ceive s.m.
cejerana s.f.
cela s.f. "cubículo"; cf. *sela* s.f. e fl. do v. *selar*
celacantídeo adj. s.m.
celacantino adj. s.m.
celacanto s.m.
celação s.f.
celada s.f. "armadura"; cf. *selada*
celadofobia s.f.
celadolo s.m.
celadonita s.f.
celadonítico adj.
celafobia s.f.
celafóbico adj.
celáfobo s.m.
celagem s.f. "cariz"; cf. *selagem*
celamim s.m.
celareiro s.m.
celária s.f.
celárico adj. s.m.
celário s.m. "celoma"; cf. *selário*
celase s.f.
célase s.f.
celastrácea s.f.
celastráceo adj.
celastrale adj.2g. s.f.
celastrina s.f.
celastrínea s.f.
celastríneo adj. s.m.
celastro s.m.
celatito adj. s.m.
celatura s.f.
célcio s.m.
celé adj.2g.
celebérrimo adj. sup. de *célebre*
celebógina s.f.
celebração s.f.
celebrado adj.
celebrador (*ô*) adj. s.m.
celebrante adj. s.2g.
celebrão adj. s.m.
celebrar v.
celebrativo adj.
celebrável adj.2g.
célebre adj.2g.
celebreira s.f.
celebridade s.f.
celebrização s.f.
celebrizado adj.
celebrizador (*ô*) adj.
celebrizante adj.2g.
celebrizar v.
celebrizável adj.2g.
celebrório adj.
celéctomo s.m.
celeira s.f.
celeireiro s.m.
celeiro s.m. "depósito"; cf. *seleiro*
celejense adj. s.2g.
celelate adj. s.2g.
celelminto adj. s.m.
celena s.f.
celenaglífico adj.
celenáglifo s.m.
celeno s.m.
celenoglífico adj.
celenóglifo s.m.
celenopsíneo adj. s.m.
celenópsis s.2g.2n.
celense adj. s.2g.
celenterado adj. s.m.
celentéreo adj. s.m.
celêntero s.m.
celenterologia s.f.
celenterose s.f.
céleo s.m.
celépode s.m.
celépora s.f.
celeporáceo adj. s.m.
celepóreo adj. s.m.
celepórida adj.2g. s.m.
celeporídeo adj. s.m.
celeporina s.f.
celeporino s.m.
celéporo s.m.
celeradez (*ê*) s.f.
celeradeza (*ê*) s.f.
celerado adj. s.m.
celeratez (*ê*) s.f.
célere adj.2g.
céléria s.f.
celeridade s.f.
celerífero adj. s.m.
celerígrado adj. s.m.
celerimétrico adj.
celerímetro s.m.
celerino adj. s.m.
celerípede adj.2g.
celeritrina s.f.
celérrimo adj. sup. de *célere*
celescópio s.m.
celesta s.f.
celeste adj.2g. s.m.
celestial adj.2g.
celestianismo s.m.
celestianista adj. s.2g.
celestianístico adj.
celestiano adj. s.m.
celestina s.f.
celestinesco (*ê*) adj.
celestino adj. s.m.
celestita s.f.
celestite s.f.
celestítico adj.
celestito s.m.
celestitobarita s.f.
celestrina s.f.
celetista adj. s.2g.
celeto s.m. "inseto coleóptero"; cf. *seleto*
celeuma s.f.
celeumar v.
celeumear v.
celha (*ê*) s.f. "cílio"; cf. *selha* (*ê*)
celhado adj.

celheado adj.
celíaco adj.
celiadelfo adj. s.m.
celialgia s.f.
celiálgico adj.
celibado s.m.
celibatário adj. s.m.
celibatarismo s.m.
celibato s.m.
célibe adj. s.2g.
célico adj.
celícola adj. s.2g.
celicultor (*ô*) adj. s.m.
celidectomia s.f.
celidectômico adj.
celideia (*é*) s.f.
celidiácea s.f.
celidiáceo adj.
celídio s.m.
celidografia s.f.
celidográfico adj.
celidógrafo s.m.
celidograma s.m.
celidonato s.m.
celidônia s.f.
celidônia-menor s.f.; pl. *celidônias-menores*
celidônico adj.
celidonina s.f.
celidotério s.m.
celidoxantina (*cs*) s.f.
celiectasia s.f.
celiectásico adj.
celiectático adj.
celiectomia s.f.
celiectômico adj.
celiéctomo s.m.
celienterotomia s.f.
celienterotômico adj.
celífero adj.
celificar v.
celífluo adj.
celígena adj. s.2g.
celígeno adj. s.m.
celígero adj.
celina s.f. "inseto"; cf. *selina*
celinense adj. s.2g.
celiocentese s.f.
celiocentésico adj.
celiocentético adj.
celiocolpotomia s.f.
celiode s.m.
celioenterotomia s.f.
celioenterotômico adj.
celiogastrotomia s.f.
celiogastrotômico adj.
celio-histerotomia s.f.;pl. *célio-histerotomias*
celio-histerotômico adj.; pl. *celio-histerotômicos*
celioisterotomia s.f.
celioisterotômico adj.
celioma s.m.
celiomiomectomia s.f.
celiomiomectômico adj.
celiomiosite s.f.
celiomiosítico adj.
celioparacentese s.f.
celioparacentésico adj.
celioparacentético adj.
celiopiose s.f.
celiopiótico adj.
celiorrafia s.f.
celiorráfico adj.
celioscopia s.f.
celioscópico adj.
celioscópio s.m.
celiossalpingectomia s.f.
celiossalpingectômico adj.
celiossalpingite s.f.
celiossalpingítico adj.
celiotomia s.f.
celiotômico adj.
celioxe (*cs*) s.m.
celipotente adj.2g.
celita adj. s.2g. s.f.
celite s.f.
celítico adj.
celo s.m. "violoncelo"; cf. *selo* (*ê*) s.m. e *selo*, fl. do v. *selar*
celobiose s.f.
celobiótico adj.
celoblasto s.m.
celoblástula s.f.
célodon s.m.
celodonte s.m.
celofane s.m.
celofânico adj.
celoflebite s.f.
celoflebítico adj.
celogástrula s.f.
celogênio s.m.
celógina s.f.
celógine s.f.
celoidina s.f.
celoma s.m.
celomado adj. s.m.
celomático adj.
celomesoderma s.m.
celomesodérmico adj.
celomiário adj.
celomicilia s.f.
celômico adj.
celomielia s.f.
celomócito s.m.
celomoduto s.m.
celomolde s.m.
celomóstomo s.m.
celoniquia s.f.
celonite s.m.
celope s.m.
celopéltis s.m.2n.
celopleura s.f.
celópode s.m.
celóporo s.m.
celoricense adj. s.2g.
celoriqueiro adj. s.m.
celorrafia s.f.
celorráfico adj.
celorrinco s.m.
celosa s.f.
celose s.f.
celósia s.f.
celosíea s.f.
celossomia s.f.
celossomiano adj.
celossômico adj.
celossomo s.m.
celostático adj.
celóstato s.m.
celostelo s.m.
celoterapia s.f.
celotirba s.f.
celotomia s.f.
celotômico adj.
celótomo s.m.
celotriose s.f.
celotriótico adj.
celotropina s.f.
celozoico (*ó*) adj.
celsense adj. s.2g.
célsia s.f.
celsiana s.f.
celsiano s.m.
celsitude s.f.
célsius adj.2g.2n.
celso adj.
celta adj. s.2g. s.m.
celte s.m.
celtibérico adj.
celtibero adj. s.m.
celticidade s.f.
celticismo s.m.
celticista adj. s.2g.
celticístico adj.
celticizado adj.
celticizante adj. s.2g.
celticizar v.
céltico adj. s.m.
celtidácea s.f.
celtídea s.f.
celtidóidea s.f.
céltio s.m.
céltis s.m.2n.
celtismo s.m.
celtista adj. s.2g.
celtístico adj.
celtização s.f.
celtizado adj.
celtizar v.
celto-basco adj.; pl. *celto-bascos*
celto-britânico adj.; pl. *celto-britânicos*
celto-cítico adj.; pl. *celto-cíticos*
celto-eslávico adj.; pl. *celto-eslávicos*
celto-etrusco adj.; pl. *celto-etruscos*
celtofonia s.f.
celtofônico adj.
celtófono adj. s.m.
celto-germânico adj.; pl. *celto-germânicos*
celto-hispânico adj.; pl. *celto-hispânicos*
celto-hispano adj.; pl. *celto-hispanos*
celto-ibérico adj.; pl. *celto-ibéricos*
celtologia s.f.
celtológico adj.
celtólogo s.m.
celtomania s.f.
celtomaníaco adj. s.m.
celtômano s.m.
celto-romano adj. s.m.; pl. *celto-romanos*
celto-saxão adj. s.m.; pl. *celto-saxões*
celto-saxônico adj.; pl. *celto-saxônicos*
celto-vasconço adj. s.m.; pl. *celto-vasconços*
celtuce s.f.
célula s.f.
celulado adj.
célula-filha s.f.; pl. *células-filha* e *células-filhas*
célula-flama s.f.; pl. *células-flama* e *células-flamas*
célula-guarda s.f.; pl. *células-guarda* e *células-guardas*
celulalgia s.f.
celulálgico adj.
célula-mãe s.f.; pl. *células-mãe* e *células-mães*
célula-ovo s.f.; pl. *células-ovo* e *células-ovos*
celular adj.2g.
celularismo s.m.
celularização s.f.
celularizado adj.
celularizador (*ô*) adj.
celularizante adj.2g.
celularizar v.
celulase s.f.
celúlase s.f.
célula-tronco s.f.; pl. *células-tronco* e *células-troncos*
celúlico adj.
celulífero adj.
celuliforme adj.2g.
celulífugo adj.
celulina s.f.
celulípeto adj.
celulite s.f.
celulitelo adj.
celulítico adj.
celulito s.m.
celulocromose s.f.
celulografia s.f.
celulográfico adj.
celuloide (*ó*) s.2g.
celulolítico adj.
celulosa s.f.
celulose s.f.
celulósico adj.
celulosidade s.f.
celulosina s.f.
celuloso (*ô*) adj.; f. (*ó*); pl. (*ó*)
celulosólise s.f.
celulosolítico adj.
celulótico adj.
celulotipia s.f.
celulotípico adj.
celuro s.m.
celurossáurio adj. s.m.
celurossauro adj. s.m.
cem num. s.m.; cf. *sem*
cembro s.m.
cem-dobrado adj.; pl. *cem-dobrados*
cem-dobrar v.
cem-dobro s.m. adv.; pl. *cem-dobros*
cementação s.f.; cf. *cimentação*
cementado adj.; cf. *cimentado* e *sementado*
cementador (*ô*) s.m.
cementante adj.2g.
cementar v. "modificar as propriedades de um metal"; cf. *cimentar* e *sementar*
cementário adj.; cf. *sementário*
cementatório adj.
cementério s.m.
cementículo s.m.
cementificação s.f.
cementita s.f.
cementite s.f.
cementítico adj.
cemento s.m. "substância empregada para cementar"; cf. *cimento* s.m. e *semento*, fl. do v. *sementar*
cementoblasto s.m.
cementoblastoma s.m.
cementocítico adj.
cementócito s.m.
cementoclasia s.f.
cementogênese s.f.
cementoma s.m.
cementoplasta s.m.
cementose s.f.
cementoso (*ô*) adj.; f. (*ó*); pl. (*ó*)
cementótico adj.
cem-folhas s.f.2n.
cemiterial adj.2g.
cemitério s.m.
cemoabense adj. s.2g.
cemono s.m.
cempasso s.m.
cem-pés s.2g.2n.
cempse adj. s.2g.
cêmpsico adj.
cêmpsio adj. s.m.
cempso adj. s.m.
cem-virtudes s.f.2n.
cena s.f. "palco"; cf. *sena*
cenacular adj.2g.
cenáculo s.m. "refeitório"; cf. *senáculo*
cenadelfia s.f.
cenadelfo adj. s.m.
cenagal s.m.
cenagoso (*ô*) adj.; f. (*ó*); pl. (*ó*)
cenamil s.m.
cenângia s.f.
cenangiácea s.f.
cenângio s.m.
cenanto s.m.
cenário adj. s.m. "dispositivo cênico", etc.; cf. *senário*
cenarismo s.m.
cenarista adj. s.2g.
cenarístico adj.
cenatório adj. "referente a ceia"; cf. *senatório*
cencerra (*ê*) s.f.
cencerro (*ê*) s.m.
cencrame s.f.
cencrâmide s.f.
cencramo s.m.
cencridóbia s.f.
cencrite s.f.
cencro s.m.
cendal s.m.
cendrado adj.
cendrar v.
cendrino adj.
cendrisco s.m.
cenedesmo s.m.
cenema s.m. "unidade de expressão"; cf. *cinema* e *sinema*
cenemática s.f. "parte da glossemática"; cf. *cinemática*
cenemático adj. "relativo a cenema"; cf. *cinemático* e *sinemático*
cenencefalocele s.f.
cenestese s.f.
cenestesia s.f. "sentimento vago"; cf. *cinestesia* e *sinestesia*
cenestésico adj. "relativo a cenestesia"; cf. *cinestésico* e *sinestésico*
cenestesiopatia s.f.
cenestesiopático adj.
cenestético adj. "relativo a cenestesia"; cf. *cinestético* e *sinestético*
cenestopatia s.f.
cenestopático adj.
cenhir v.
cenho s.m. "semblante"; cf. *senho*
cenhoso (*ô*) adj.; f. (*ó*); pl. (*ó*)
cênico adj.
cenimagno adj. s.m.
cênio s.m. "fachada"; cf. *sênio*
cênis s.m.2n.
cenismo s.m. "vício de linguagem"; cf. *cinismo*
cenita s.f.
cenito s.m.
ceniz s.m.
ceno adj. s.m. "atoleiro"; cf. *seno*
cenóbia s.f.
cenobial adj.2g.
cenobiarca s.m.
cenobíneo adj.
cenóbio s.m.
cenobionar adj.2g. s.m.
cenobionte adj.2g.
cenobiose s.f.
cenobiótico adj.
cenobismo s.m.
cenobita s.2g.
cenobítico adj.
cenobitídeo adj. s.m.
cenobitismo s.m.
cenociato s.m.
cenocítico adj.
cenócito s.m.
cenococo s.m.
cenofídeo adj. s.m.
cenofobia s.f.
cenofóbico adj.
cenófobo s.m.
cenofonia s.f.
cenofono adj.
cenofronema s.m.
cenogameta (*ê*) s.m.
cenogâmeta s.m.
cenogáster s.m.
cenogastro s.m.
cenogênese s.f.
cenogenético adj.
cenogenia s.f.
cenógono adj. s.m.
cenografia s.f. "arte de projetar cenários"; cf. *cinografia*, *senografia* e *sinografia*
cenográfico adj. "relativo a cenografia"; cf. *cinográfico*, *senográfico* e *sinográfico*
cenografismo s.m.
cenografista adj. s.2g.
cenografístico adj.
cenógrafo s.m. "especialista em cenografia"; cf. *cinógrafo* e *sinógrafo*
cenoira s.f.
cenoleste s.m.
cenolestídeo adj. s.m.
cenologia s.f. "conferência entre médicos", etc.; cf. *cinologia* e *sinologia*
cenológico adj. "relativo a cenologia"; cf. *cinológico* e *sinológico*
cenomaníaco adj. s.m.
cenomaniano adj. s.m.
cenomânico adj.
cenomano adj. s.m.
cenomeria s.f.
cenômero s.m.
cenoninfa s.f.
cenopégia s.f.
cenopinida adj.2g. s.m.

cenopinídeo adj. s.m.
cenopino s.m.
cenoplastia s.f.
cenoplástico adj.
cenópode s.m.
cenórias interj.
cenosarco s.m.
cenoscopia s.f.
cenoscópico adj.
cenoscópio s.m.
cenose s.f.
cenósia s.f.
cenosidade s.f.
cenosítico adj.
cenoso (*ô*) adj.; f. (*ó*); pl. (*ó*)
cenosofia s.f.
cenosófico adj.
cenósofo s.m.
cenospécie s.f.
cenossarco s.m.
cenossomia s.f.
cenossomo s.m.
cenósteo s.m.
cenostigma s.m.
cenotáfio s.m.
cenote s.m.
cenotecário adj.
cenotécnica s.f.
cenotécnico adj. s.m.
cenoteriídeo s.m.
cenotério s.m.
cenoticismo s.m.
cenoticista adj. s.2g.
cenoticístico adj.
cenótico adj.
cenotoxicina (*cs*) s.f.
cenotoxina (*cs*) s.f.
cenótropo s.m.
cenoura s.f.
cenoura-amarela s.f.; pl. *cenouras-amarelas*
cenoura-branca s.f.; pl. *cenouras-brancas*
cenoura-carentan s.f.; pl. *cenouras-carentan*
cenoura-chatenay s.f.; pl. *cenouras-chatenay*
cenoura da rocha s.f.
cenoura-de-montevidéu s.f.; pl. *cenouras-de-montevidéu*
cenoura-do-chile s.f.; pl. *cenouras-do-chile*
cenoura-do-rio-grande s.f.; pl. *cenouras-do-rio-grande*
cenoura-hortense s.f.; pl. *cenouras-hortenses*
cenoura-nantes s.f.; pl. *cenouras-nantes*
cenozoico (*ó*) adj. s.m.
cenozona s.f.
cenozonal adj.2g.
cenrada s.f. "barrela"; cf. *senrada*
cenradeira s.f.
cenradeiro s.m.
cenreira s.f.
censatário adj. s.m.
censativo adj.
censionário adj. s.m.
censitário adj.
censítico adj.
censo s.m. "recenseamento"; cf. *senso*
censor (*ô*) s.m. "crítico"; cf. *sensor*
censoria s.f.
censorial adj.2g. "censório"; cf. *sensorial*
censorino adj.
censório adj. "relativo a censor ou a censura"; cf. *sensório*
censorizar v.
censual adj.2g. "censório"; cf. *sensual*
censualista adj. s.2g. "recensualista"; cf. *sensualista*
censuário adj. s.m.
censuente s.2g.
censuísta adj. s.2g.
censura s.f.
censurabilidade s.f.
censuração s.f.
censurado adj.
censurador (*ô*) adj. s.m.
censuramento s.m.
censurante adj.2g.
censurar v.
censurável adj.2g.
censuria s.f.
censurizar v.
centafolho (*ô*) s.m.
centanário adj. s.m.
centão s.m.
centarca s.m.
centaura s.f.
centáurea s.f.
centáurea-azul s.f.; pl. *centáureas-azuis*
centáurea-calcítrapa s.f.; pl. *centáureas-calcítrapa* e *centáureas-calcítrapas*
centáurea-da-babilônia s.f.; pl. *centáureas-da-babilônia*
centáurea-da-terra s.f.; pl. *centáureas-da-terra*
centáurea-de-jardim s.f.; pl. *centáureas-de-jardim*
centáurea-do-brasil s.f.; pl. *centáureas-do-brasil*
centáurea-maior s.f.; pl. *centáureas-maiores*
centáurea-menor s.f.; pl. *centáureas-menores*
centáurea-menor-perfoliada s.f.; pl. *centáureas-menores-perfoliadas*
centáurea-perfoliada s.f.; pl. *centáureas-perfoliadas*
centaureína s.f.
centaureínea s.f.
centáureo adj.
centaurina s.f.
centáurio s.m.
centauro s.m.
centaurômaco s.m.
centauromaquia s.f.
centauromáquico adj.
centavo s.m.
centeal s.m.
centeeira s.f.
centeeiro adj. s.m.
centeia s.f.
centeio adj. s.m.
centeio-espigado s.m.; pl. *centeios-espigados*
centeiro s.m.
centela s.m.
centelha (*ê*) s.f.
centelhado adj.
centelhador (*ô*) s.m.
centelhante adj.2g.
centelhar v.
centelhudo adj.
centena num. s.f.
centenar adj.2g. s.m.
centenariense adj. s.2g.
centenário adj. s.m.
centenarismo s.m.
centenarista adj. s.2g.
centenarístico adj.
centendial adj.2g.
centenial adj.2g.
centênico s.m.
centenilha s.f.
centenilho s.m.
centeninho s.m.
centênio s.m.
centenoso (*ô*) adj.; f. (*ó*); pl. (*ó*)
centeoso (*ô*) adj.; f. (*ó*); pl. (*ó*)
centese s.f.
centesimal adj.2g.
centésimo num. s.m.
centete s.m.
centétida adj.2g. s.m.
centetídeo adj. s.m.
centetíneo adj. s.m.
centezinho s.m.
centezino adj. s.m.
centiampere s.m.
centiampère s.m.
centiampérico adj.
centiare s.m.
centibar s.m.
centibárico adj.
centibário s.m.
centicular adj.2g.
centifólio adj.
centigrado s.m. "centésima parte do grado"; cf. *centígrado*
centígrado adj. s.m. "dividido em cem graus"; cf. *centigrado*
centigrama s.m.; cf. *cintigrama*
centigrama-força s.m.; pl. *centigramas-força* e *centigramas-forças*
centil adj.2g. s.m.
centilagem s.f.
centilhão num.
centilião num.
centilíngue (*ü*) adj.2g.
centilionesimal adj.2g.
centilionésimo adj. s.m.
centilitro s.m.
centímano adj.
centimétrico adj.
centímetro s.m.
centímetro-grama-força s.m.; pl. *centímetros-grama-força*
centimicro s.m.
centimilimétrico adj.
centimilímetro s.m.
cêntimo s.m.
centimorgan s.m.
centineto s.m.
centinódia s.f.
centinódoa s.f.
centinormal adj.2g.
centípeda s.f.
centípede adj.2g.
centipoise s.m.
centissecular adj.2g.
centistere s.m.
centistéreo s.m.
centistok s.m.
cento num. s.m.
centóculo adj. s.m.
centola s.f.
centolinha s.f.
centomania s.f.
centômano s.m.
centonário s.m.
centônico adj.
centonismo s.m.
centonização s.f.
centonizar v.
centopeia (*é*) s.f.
centopliado adj.
cêntore adj. s.2g.
centos s.m.pl.
centoteca s.f.
centração s.f.
centradênia s.f.
centrado adj.
centrador (*ô*) s.m.
centrafosia s.f.
centragem s.f.
central adj.2g. s.f.
central-americano adj. s.m.; pl. *centrais-americanos*
centralense adj. s.2g.
centralidade s.f.
centralinense adj. s.2g.
centralismo s.m.
centralista adj. s.2g.
centralístico adj.
centralizabilidade s.f.
centralização s.f.
centralizado adj.
centralizador (*ô*) adj. s.m.
centralizante adj.2g.
centralizar v.
centralizável adj.2g.
centrallasita s.f.
central-livre adj.2g.; pl. *centrais-livres*
centrante adj.2g.
centrantera s.f.
centrantero s.m.
centranto s.m.
centrão adj. s.m.
centrar v.
centrarco s.m.
centrárquida adj.2g. s.m.
centrarquídeo adj. s.m.
centratacante s.m.
centravante s.m.
centrável adj.2g.
centrencefálico adj.
centrencéfalo s.m.
cêntrica s.f.
centricipital adj.2g.
centricípite adj.2g. s.m.
centricipúcio s.m.
cêntrico adj.
centrificação s.f.
centrificado adj.
centrificador (*ô*) adj.
centrificante adj.2g.
centrificar v.
centrificável adj.2g.
centrífuga s.f.; cf. *centrifuga*, fl. do v. *centrifugar*
centrifugação s.f.
centrifugado adj.
centrifugador (*ô*) adj. s.m.
centrifugadora (*ô*) s.f.
centrifugamento s.m.
centrifugante adj.2g.
centrifugar v.
centrifugismo s.m.
centrífugo adj. s.m.; cf. *centrifugo*, fl. do v. *centrifugar*
centrina s.f.
centrino s.m.
centríolo s.m.
centripetismo s.m.
centrípeto adj.
centríscida adj.2g. s.m.
centriscídeo adj. s.m.
centrisco s.m.
centrismo s.m.
centrista adj. s.2g.
centrístico adj.
centriterrâneo adj.
centro s.m.
centro-africano adj. s.m.; pl. *centro-africanos*
centro-americanismo s.m.; pl. *centro-americanismos*
centro-americanista adj. s.2g.; pl. *centro-americanistas*
centro-americanístico adj.; pl. *centro-americanísticos*
centro-americano adj. s.m.; pl. *centro-americanos*
centroatacante s.2g.
centroavante s.2g.
centrobárico adj.
centroblasto s.m.
centroblefaroplasto s.m.
centrocerco s.m.
centrocinese s.f.
centrocinesia s.f.
centrocinésico adj.
centrocinético adj.
centrócito s.m.
centroclinal adj.2g.
centroclíneo adj. s.m.
centrodesmose s.f.
centrodesmótico adj.
centródico adj.
centrodiérese s.f.
centro-direita s.f.; pl. *centro-direitas*
cêntrodo s.m.
centrodonte adj.2g.
centrodorsal adj.2g.
centroencefálico adj.
centroencéfalo s.m.
centro-esquerda s.f.; pl. *centro-esquerdas*
centrofilo s.m. "gênero de plantas"; cf. *centrófilo*
centrófilo adj. "que busca o centro"; cf. *centrofilo*
centrofórmia s.f.
centróforo s.m.
centrofosia s.f.
centrogáster s.m.
centrogastro s.m.
centrogênico adj.
centrógina s.f.
centrógine s.f.
centroglossa s.f.
centroide (*ó*) adj.2g. s.m.
centrolabro s.m.
centrolecítico adj.
centrolécito s.m.
centrolepidácea s.f.
centrolepidáceo adj.
centrolépide adj.2g. s.f.
centrolita s.f.
centrolóbio s.m.
centrólofo s.m.
centromédio s.m.
centromérico adj.
centrômero s.m.
centrônia s.f.
centronictéride s.f.
centronícteris s.f.2n.
centronoto s.m.
centro-novense adj. s.2g.; pl. *centro-novenses*
centropétala s.f.
centrópigo s.m.
centropino s.m.
centroplasma s.m.
cêntropo s.m.
centrópode s.m.
centropodíneo adj. s.m.
centrópodo s.m.
centropogão s.m.
centropômida adj.2g. s.m.
centropomídeo adj. s.m.
centropomo s.m.
centropriste s.m.
centroprístis s.m.2n.
centróscelo s.m.
centroscimno s.m.
centroscopia s.f.
centroscópico adj.
centrose s.f.
centrosfera s.f.
centrosférico adj.
centrósis s.f.2n.
centrosperma s.m.
centrospermo adj. s.m.
centrossauro s.m.
centrossemo s.m.
centrossimetria s.f.
centrossimétrico adj.
centrossoma s.m.
centrossomático adj.
centrossômico adj.
centrossomo s.m.
centrostáltico adj.
centrostemo s.m.
centrotáctico adj.
centrotaxia (*cs*) s.f.
centroto (*ô*) s.m.
centrotomia s.f.
centrotômico adj.
centrúrido s.m.
centruro s.m.
centuncular adj.2g. s.m.
centúnculo s.m.
centundial adj.2g.
centúndio s.m.
centunvirado s.m.
centunviral adj.2g.
centunvirato s.m.
centúnviro s.m.
centuplar v.
centuplicado adj.
centuplicar v.
centúplice num. adj.2g.
cêntuplo num. s.m.
centúria s.f.
centuriação s.f.
centuriado adj. s.m.
centuriador (*ô*) adj. s.m.
centurial adj.2g.
centurião s.m.
centuriato adj. s.m.
centúrio s.m.
centurionado adj. s.m.
centurionato adj. s.m.
centuriônico adj.
centuripino adj. s.m.

cenudo adj.
cenuro s.m.
cenurose s.f.
cenurótico adj.
ceoma s.m.
ceomo s.m.
céomo s.m.
ceota s.f.
ceotar v.
ceote s.m.
cepa s.f. "árvore"; cf. *cepa* (*ê*)
cepa (*ê*) s.f. "videira"; cf. *cepa*
cepáceo adj.
cepeira s.f.
cepelho (*ê*) s.m.
cepilhado adj.
cepilhador (*ô*) adj. s.m.
cepilhadura s.f.
cepilhamento s.m.
cepilhar v.
cepilhável adj.2g.
cepilho s.m.
cepinho s.m.
cepipa s.f.
cepípola s.m.
cepirrão s.m.
cepisco adj.
cepitinato s.m.
cepitínico adj.
cepo (*ê*) s.m.
cépola s.f.
cepólida adj.2g. s.m.
cepolídeo adj. s.m.
cépsio adj. s.m.
cepticismo s.m.
céptico adj. s.m. "descrente"; cf. *séptico*
ceptofiláctico adj.
ceptofilaxia (*cs*) s.f.
ceptrífero adj.
ceptrígero adj.
cepudo adj.
cequim s.m.
cer s.m.
cera (*ê*) s.f.; cf. *cera*, fl. do v. *cerar*
cerabelar v.
cerabola s.f.
cerabolar v.
ceracele s.f.
ceracelo s.m.
ceráceo adj. "que se assemelha a cera"; cf. *cerácio*
ceracianina s.f.
cerácio s.m. "antigo peso"; cf. *ceráceo*
ceraciomixa (*cs*) s.f.
ceraciomixácea (*cs*) s.f.
ceraciomixáceo (*cs*) adj.
cerada s.f.
ceradodíneo adj. s.m.
cera-do-pereiro s.f.; pl. *ceras-do-pereiro*
cerafano adj. s.m.
cerafilocele s.m.
cerafilocelo s.m.
cerafiloso (*ô*) adj.; f. (*ó*); pl. (*ó*)
cerafrão s.f.
cerafro s.m.
cerafrontito s.m.
ceragênio s.m.
ceraimense adj. s.2g.
ceralumínio s.m.
cerambícida adj.2g. s.m.
cerambicídeo adj. s.m.
cerambicíneo adj. s.m.
cerambicino s.m.
cerame s.m.
cerameca s.f.
cerâmia s.f.
ceramiácea s.f.
ceramiáceo adj.
ceramial adj.2g.
ceramiale s.f.
ceramiária s.f.
cerâmica s.f.
ceramicense adj. s.2g.
cerâmico adj. s.m.
cerâmio s.m.
ceramismo s.m.
ceramista adj. s.2g.
ceramístico adj.
ceramita s.f.
cerâmo s.m.
ceramocristal s.m.
ceramografia s.f.
ceramográfico adj.
ceramologia s.f.
ceramológico adj.
ceramologista adj. s.2g.
ceramólogo s.m.
ceramoplasmar v.
ceramoplastia s.f.
ceramoplástica s.f.
ceramoplástico adj.
ceramopola s.2g.
ceramopoleiro s.m.
ceramopolia s.f.
ceramostaca s.f.
ceramurgia s.f.
ceramurgo s.m.
cerândria s.f.
cérapo s.m.
cerapodina s.f.
cerar v.
ceargírio s.m.
ceargirita s.f.
ceargirito s.m.
cerárgiro s.m.
cerásico adj.
cerasina s.f.
cerasínico adj.
cerasinose s.f.
cerasinótico adj.
cerasita s.f.
cerasite s.f.
cerasito s.m.
cerasma s.m.
cerasmático adj.
céraso s.m.
cerasta s.f.
ceraste s.m.
cerástio s.m.
cerastotômela s.f.
ceratandra s.f.
ceratectasia s.f.
ceratectásico adj.
ceratectático adj.
ceratectomia s.f.
ceratectômico adj.
ceratial s.m.
ceratíase s.f.
cerátida adj.2g. s.m.
ceratídeo adj. s.m.
ceratina s.f.
ceratinela s.m.
ceratíneo adj. s.m.
ceratínico adj.
ceratinização s.f.
ceratinizado adj.
ceratinizar v.
ceratinócito s.m.
ceratinofílico adj.
ceratinoso (*ô*) adj.; f. (*ó*); pl. (*ó*)
cerátio s.m.
ceratiocárida s.m.
ceratiste s.m.
ceratite s.f.
ceratítico adj.
ceratixode (*cs*) s.m.
cerato adj.
ceratobótrio s.m.
ceratobranquial adj.2g.
ceratocampídeo adj. s.m.
ceratocarpo adj. s.m.
ceratocéfalo s.m.
ceratocele s.f.
ceratocélico adj.
ceratocentese s.f.
ceratocone s.m.
ceratoconjuntivite s.f.
ceratoconjuntivítico adj.
ceratocricoide (*ó*) adj.2g.
ceratoderma s.f.
ceratodermatite s.f.
ceratodermatítico adj.
ceratodermia s.f.
ceratodérmico adj.
ceratódida adj.2g. s.m.
ceratodídeo adj. s.m.
ceratodo (*ô*) s.m.
ceratodonte adj.2g. s.m.
ceratodôntida adj.2g. s.m.
ceratodontídeo adj. s.m.
ceratodóride s.f.
ceratodóris s.f.2n.
ceratofaríngeo adj.
ceratoférico adj.
ceratofilácea s.f.
ceratofiláceo adj.
ceratofilo s.m. "planta"; cf. *ceratófilo*
ceratófilo s.m. "inseto"; cf. *ceratofilo*
ceratofilocele s.f.
ceratofilocélico adj.
ceratofírico adj.
ceratófiro s.m.
ceratofítico adj.
ceratófito s.m.
ceratofolhoso (*ô*) adj.; f. (*ó*); pl. (*ó*)
ceratóforo s.m.
ceratófris s.m.
ceratogêneo adj.
ceratogênese s.f.
ceratogenético adj.
ceratogênico adj.
ceratógeno adj.
ceratogimna s.m.
ceratoglobo (*ô*) s.m.
ceratóglobo s.m.
ceratoglosso adj.
ceratógnato s.m.
cerato-hial adj.2g. s.m.; pl. *cerato-hiais*
ceratoial adj.2g. s.m.
ceratoide (*ó*) adj.2g.
ceratoioideia (*é*) adj. f. de *ceratoioideu*
ceratoioideu adj.; f. *ceratoioideia* (*é*)
ceratoisidíneo adj. s.m.
ceratoísis s.f.2n.
ceratolácio s.f.
ceratoleno s.m.
ceratoleptise s.f.
ceratoleucoma s.m.
ceratólise s.f.
ceratolítico adj. s.m.
ceratólito s.m.
ceratólopo s.m.
ceratoma s.m.
ceratomalacia s.f.
ceratomandibular adj.2g.
ceratomático adj.
ceratomegalia s.f.
ceratomegálico adj.
ceratometria s.f.
ceratométrico adj.
ceratômetro s.m.
ceratomicetácea s.f.
ceratomicetáceo adj.
ceratomicose s.f.
ceratomicósico adj.
ceratomicótico adj.
ceratonereide s.f.
ceratonéreis s.f.2n.
ceratônia s.f.
ceratoniácea s.f.
ceratoniáceo adj.
ceratônico s.m.
cerátonix (*cs*) s.m.
ceratopétalo adj.
ceratoplastia s.f.
ceratoplástico adj.
ceratóplato s.m.
ceratópode s.m.
ceratopógon s.m.
ceratopogonídeo adj. s.m.
ceratopogoníneo adj. s.m.
ceratoproteína s.f.
ceratopsídeo adj. s.m.
ceratópsis s.f.2n.
ceratóptera s.f.
ceratoptéride s.f.
ceratópteris s.f.2n.
ceratóptero s.m.
ceratorrino s.m.
ceratosa s.f.
ceratosclerite s.f.
ceratoscopelo s.m.
ceratoscopia s.f.
ceratoscópico adj.
ceratoscópio s.m.
ceratose s.f.
ceratosféria s.f.
ceratósico adj.
ceratoso (*ô*) adj.; f. (*ó*); pl. (*ó*)
ceratospermo adj.
ceratospira s.f.
ceratospíride s.f.
ceratóspiris s.f.2n.
ceratospôngia s.f.
ceratospôngio adj. s.m.
ceratossáurio s.m.
ceratossauro s.m.
ceratostafilino adj.
ceratostigma s.m.
ceratostigmático adj.
ceratóstoma s.m.
ceratostomatácea s.f.
ceratostomatáceo adj.
ceratostomático adj.
ceratostomela s.m.
ceratóstomo s.m.
ceratoteca s.f.
ceratotério s.m.
ceratótico adj.
ceratotomia s.f.
ceratotômico adj.
ceratótomo s.m.
ceratótrico s.m.
ceratozâmia s.f.
ceraulofone s.m.
ceraulofônio s.m.
ceraulofono s.m.
ceraunalgia s.f.
ceraunálgico adj.
ceráunia s.f.
ceráunio s.m.
ceraunita s.f.
ceraunite s.f.
ceraunito s.m.
ceraunofobia s.f.
ceraunofóbico adj.
ceraunófobo adj. s.m.
ceraunografia s.f.
ceraunográfico adj.
ceraunógrafo s.m.
ceraunograma s.m.
ceraunometria s.f.
ceraunométrico adj.
ceraunômetro s.m.
ceraunoparalisia s.f.
ceraunoparalítico adj.
ceraunoscopia s.f.
ceraunoscópico adj.
cerbano adj. s.m.
cerbera s.f.
cerberina s.f.
cerberite s.f.
cerberitina s.f.
cerberitínico adj.
cérbero s.m.
cerbolita s.f.
cerca (*ê*) s.f. adv.; cf. *cerca*, fl. do v. *cercar*
cercã adj. s.f. de *cercão*
cercada s.f.
cercadeira s.f.
cercadense adj. s.2g.
cercado adj. s.m.
cercador (*ô*) adj. s.m.
cercadura s.f.
cercal s.m.
cercaleiro s.m.
cercalense adj. s.2g.
cerca-lourenço s.m.; pl. *cerca-lourenços*
cercamento s.m.
cercania s.f.
cercano adj.
cercante adj. s.2g.
cercão adj. s.m.; f. *cercã*
cerca-peru adj.2g.; pl. *cerca-perus*
cercar v. s.m.
cercária s.f.; cf. *cercaria*, fl. do v. *cercar*
cercariado adj. s.m.
cercaríea s.f.
cercariforme adj.2g.
cercário adj. s.m.
cercariodermatite s.f.
cercariodermatítico adj.
cerce adj.2g. adv.
cércea s.f.
cerceabilidade s.f.
cerceação s.f.
cerceado adj.
cerceador (*ô*) adj. s.m.
cerceadura s.f.
cerceal adj.2g. s.m.f.
cerceamento s.m.
cerceante adj.2g.
cercear v.
cerceável adj.2g.
cercécio adj. s.m.
cercefi s.2g.
cercefi-negra s.f.; pl. *cercefis-negras*
cerceio s.m.
cérceo adj. adv.
cércere s.f.
cérceris s.f.2n.
cerceta (*ê*) s.f. "ave"; cf. *cérceta*
cérceta adj. s.2g. "povo"; cf. *cerceta* (*ê*)
cercético adj. s.m.
cercião s.m.
cércide s.f.
cercídia s.m.
cercidifilácea s.f.
cercidifiláceo adj.
cercidifilo s.m.
cercilhado adj.
cercilhar v.
cercilho s.m.
cercinitano adj. s.m.
cercino s.m.
cércio s.m.
cerclagem s.f.
cercnide s.f.
cércnis s.f.2n.
cerco s.m. "apêndice sensorial"; cf. *cerco* (*ê*) s.m.
cerco (*ê*) s.m. "ato de cercar"; cf. *cerco* s.m. e fl. do v. *cercar*
cercobodo s.m.
cercocárpea s.f.
cercocárpeo adj.
cercocarpo s.m.
cercocebo s.m.
cercocisto s.m.
cercódea s.f.
cercódeo adj.
cercófora s.f.
cercólabe s.m.
cercolabíneo s.m.
cercolepto s.m.
cercomacra s.f.
cercômona s.f.
cercomônada s.f.
cercomônade s.f.
cercomonádida adj.2g. s.m.
cercomonadídeo adj. s.m.
cercomonádido s.m.
cercope adj. s.2g.
cercópida adj.2g. s.m.
cercopídeo adj. s.m.
cercopíneo adj. s.m.
cercopitécida adj. s.m.
cercopitecídeo adj. s.m.
cercopiteco s.m.
cercopitecóideo adj.
cercopitóideo adj.
cércops s.m.2n.
cercose s.f.
cercósico adj.
cercóspora s.f.
cercosporela s.f.
cercosporiose s.f.
cercosporiótico adj.
cercossauro s.m.
cercostilo s.m.
cercótico adj.
cercudo s.m.
cerda (*é* ou *ê*) s.f.
cerdáceo adj.
cerdana s.f.
cerdão s.m.
cerdear v.
cerdeira s.f.

cerdeiro s.m.
cerdiciate adj. s.2g.
cerdo (*é* ou *ê*) adj. s.m.
cerdoeira s.f.
cerdoeiro s.m.
cerdoniano s.m.
cerdonita s.2g.
cerdorística s.f.
cerdorístico adj.
cerdoso (*ô*) adj.; f. (*ó*); pl. (*ó*)
cereais s.f.pl.
cereal adj.2g. s.m. "gramínácea"; cf. *cirial*
cerealicultivo adj. s.m.
cerealicultor (*ô*) s.m.
cerealicultura s.f.
cerealífero adj.
cerealina s.f.
cerealista adj. s.2g.
cerealístico adj.
cerealose s.f.
cereba s.f.
cerebelar adj.2g.
cerebelite s.f.
cerebelítico adj.
cerebelo (*ê*) s.m.
cerebelose s.f.
cerebelósico adj.
cerebeloso (*ô*) adj.; f. (*ó*); pl. (*ó*)
cerebelospasmo s.m.
cerebelospasmódico adj.
cerebelospinal adj.2g.
cerebelótico adj.
cerebídeo adj. s.m.
cerebração s.f.
cerebral adj. s.2g.
cerebralidade s.f.
cerebralismo s.m.
cerebralizar v.
cerebrastenia s.f.
cerebrastênico adj. s.m.
cerebrátulo s.m.
cerebrespinhal adj.2g.
cerebrestimulina s.f.
cerebria s.f.
cerébrico adj.
cerebriforme adj.2g.
cerebrina s.f.
cerebrino adj.
cerebrípeto adj.
cerebrite s.f.
cerebrítico adj.
cérebro s.m.
cerebrocardíaco adj.
cerebroespinhal adj.2g.
cerebrogalactose s.f.
cerebrogalactótico adj.
cerebrografia s.f.
cerebrográfico adj.
cerebrógrafo s.m.
cerebroide (*ó*) adj.2g.
cerebrologia s.f.
cerebrológico adj.
cerebroma s.m.
cerebromalacia s.f.
cerebromático adj.
cerebrométrico adj.
cerebrômetro s.m.
cerebrômico adj.
cerebrônico adj.
cerebrônio s.m.
cerebropatia s.f.
cerebropático adj.
cerebroplegia s.f.
cerebroplégico adj.
cerebropsicose s.f.
cerebropsicótico adj.
cerebrorraquidiano adj.
cerebrosclerose s.f.
cerebrosclerótico adj.
cerebroscopia s.f.
cerebroscópico adj.
cerebroscópio s.m.
cerebrose s.f.
cerebrosídio s.m.
cerebrosido s.m.
cerebrospinal adj.2g.
cerebrostenia s.f.
cerebrostênico adj.
cerebrostimulina s.f.
cerebrosuria s.f.
cerebrosúria s.f.
cerebrotomia s.f.
cerebrotômico adj.
cerebrótomo s.m.
cerebrotonia s.f.
cerebrotônico adj.
cerebrovascular adj.2g.
cerebrovisceral adj.2g.
cerectasia s.f.
cerectomia s.f.
cerefolho (*ô*) s.m.
cerefólio s.m.
cerefólio-bravo s.m.; pl. *cerefólios-bravos*
cerefólio-tuberoso s.m.; pl. *cerefólios-tuberosos*
cereiforme adj.2g.
cereira s.f.
cereira-do-japão s.f.; pl. *cereiras-do-japão*
cereja (*ê*) adj.2g.2n. s.f.
cereja-azeda s.f.; pl. *cerejas-azedas*
cereja-das-antilhas s.f.; pl. *cerejas-das-antilhas*
cereja-da-serra s.f.; pl. *cerejas-da-serra*
cereja-da-terra s.f.; pl. *cerejas-da-terra*
cereja-de-caiena s.f.; pl. *cerejas-de-caiena*
cereja-de-purga s.f.; pl. *cerejas-de-purga*
cereja-do-brasil s.f.; pl. *cerejas-do-brasil*
cereja-do-mato s.f.; pl. *cerejas-do-mato*
cereja-do-rio-grande s.f.; pl. *cerejas-do-rio-grande*
cereja-dos-passarinhos s.f.; pl. *cerejas-dos-passarinhos*
cereja-do-uruguai s.f.; pl. *cerejas-do-uruguai*
cereja-europeia s.f.; pl. *cerejas-europeias*
cereja-galega s.f.; pl. *cerejas-galegas*
cerejal s.m.
cerejeira s.f.
cerejeira-bastarda s.f.; pl. *cerejeiras-bastardas*
cerejeira-brava s.f.; pl. *cerejeiras-bravas*
cerejeira-da-europa s.f.; pl. *cerejeiras-da-europa*
cerejeira-das-antilhas s.f.; pl. *cerejeiras-das-antilhas*
cerejeira-das-cerejas-pretas s.f.; pl. *cerejeiras-das-cerejas-pretas*
cerejeira-da-terra s.f.; pl. *cerejeiras-da-terra*
cerejeira-de-purga s.f.; pl. *cerejeiras-de-purga*
cerejeira-do-brasil s.f.; pl. *cerejeiras-do-brasil*
cerejeira-do-japão s.f.; pl. *cerejeiras-do-japão*
cerejeira-do-pará s.f.; pl. *cerejeiras-do-pará*
cerejeira-do-paraná s.f.; pl. *cerejeiras-do-paraná*
cerejeira-do-rio-grande s.f.; pl. *cerejeiras-do-rio-grande*
cerejeira-negra s.f.; pl. *cerejeiras-negras*
cerejeira-rajada s.f.; pl. *cerejeiras-rajadas*
cerejinha s.f.
cerejinho s.m.
cerejo (*ê*) s.m.
cerense adj. s.2g.
céreo adj. s.m. "de cera"; cf. *cério* e *sério*
cereocalcário adj.
cereodáfnia s.f.
cereolita s.f.
cereolite s.f.
cereopsíneo adj. s.m.
cereópsis s.f.2n.
cerério s.m.
cererita s.f.
cererite s.f.
ceres s.f.2n.
cerésia s.f.
ceresil s.m.
ceresina s.f.
ceresínico adj.
ceresino adj. s.m.
ceresita s.f.
cereso adj. s.m.
ceresopolitano adj. s.m.
cerfenino adj. s.m.
cergadolinita s.f.
cergideira s.f.
cergir v.
céria s.f.
cerianita s.f.
ceriantário s.m.
cerianto s.m.
ceriba s.f.
cérica s.f. "medicamento"; cf. *sérica*
cericiba s.f.
cérico adj. "ácido"; cf. *sérico*
cericória s.f.
céride s.m.
cerídeo adj. s.m.
cerieira s.f.
cerífero adj.
cerificação s.f.
cerificador (*ô*) adj. s.m.
cerificar v.
cerífico adj.
cerigado adj. s.m. "pintado"; cf. *cirigado* e *serigado*
cerigado-preto s.m.; pl. *cerigados-pretos*
cerigado-sabão s.m.; pl. *cerigados-sabão* e *cerigados-sabões*
cerigado-tapoã s.m.; pl. *cerigados-tapoã* e *cerigados-tapoãs*
cerigado-vermelho s.m.; pl. *cerigados-vermelhos*
cerígeno adj.
cerígero adj.
cerila s.f.
cerilão s.m.
cerile s.m.
cerilha s.f.
cerilhoso (*ô*) adj.; f. (*ó*); pl. (*ó*)
cerilhoto (*ô*) s.m.
cerilo s.m.
cerilonínео adj. s.m.
cerimônia s.f.; cf. *cerimonia*, fl. do v. *cerimoniar*
cerimoniado adj.
cerimonial adj.2g. s.m.
cerimonialismo s.m.
cerimonialista adj. s.2g.
cerimonialístico adj.
cerimoniar v.
cerimoniário s.m.
cerimoniático adj.
cerimonioso (*ô*) adj.; f. (*ó*); pl. (*ó*)
cerina s.f. "princípio da cera"; cf. *serina*
ceringonhar v.
cerino adj. s.m.
cerinta s.f.
ceríntea s.f.
cerinto s.m.
cério s.m. "elemento químico", etc.; cf. *céreo* e *sério*
ceriodáfnia s.f.
ceriolário s.m.
cérion s.m.
ceriópora s.f.
ceriopórida adj.2g. s.m.
cerioporídeo adj. s.m.
ceriopse s.f.
ceriórnis s.2g.2n.
ceriornite s.2g.
ceriosa s.f.
cerirrostro adj.
céris s.m.2n.
cerita s.f.
cérite adj. s.2g.
ceriterapeuta s.2g.
ceriterapia s.f.
ceriterápico adj.
cerítida adj.2g. s.m.
cerítide s.f.
ceritídeo adj. s.m.
ceriva s.f.
cermatobrídeo adj. s.m.
cermesíneo adj. s.m.
cermeto s.m.
cermococcíneo adj. s.m.
cermococo s.m.
cerna s.f.
cernachense adj. s.2g.
cernada s.f.
cernado adj.
cernagem s.f.
cernão s.m.
cernar v.
cerne s.m.
cerneia s.f.
cerneira s.f.
cerneiro adj.
cernelha (*ê*) s.f.
cernelhador (*ô*) s.m.
cérneo adj.
cernes adj.2g.2n.
cernideira s.f.
cernido adj.
cernir v.
cerno s.m.
cernoso (*ô*) adj.; f. (*ó*); pl. (*ó*)
ceró s.m.
cerócito s.m.
cerócoma s.f.
cerócomo s.m.
cerocteno s.m.
cerofala s.f.
ceroferário s.m.
cerofitíneo adj. s.m.
cerófito s.m.
ceróforo adj.
cerogênico adj.
cerogênio s.m.
cerógeno s.m.
cerografia s.f.
cerográfico adj.
cerogrilo s.m.
ceroide (*ó*) adj.2g. s.m.
ceroila s.f.
cerol s.m.
ceroleína s.f.
cerolina s.f.
cerolisina s.f.
cerolita s.f.
cerolite s.f.
ceroma s.f.
ceromancia s.f.
ceromante s.2g.
ceromântico adj.
cerome s.m.
ceromel s.m.
cerona s.f.
cerópale s.m.
cerópalo s.m.
ceropégia s.f.
ceropegiinas s.f.pl.
ceroplasta s.2g.
ceroplaste s.2g.
ceroplastia s.f.
ceroplástica s.f.
ceroplástico adj.
ceroplatíneo adj. s.m.
ceróplato s.m.
cerosa s.f.
ceroscopia s.f.
ceroscópico adj.
cerosidade s.f.
cerosina s.f.
ceroso (*ô*) adj. "céreo"; f. (*ó*); pl. (*ó*); cf. *seroso* (*ô*)
ceróstomo s.m.
cerotático adj.
cerotato s.m.
cerotênico adj.
ceroteno s.m.
ceroterapia s.f.
ceroterápico adj.
cerótico adj.
cerotínico adj.
cerotinona s.f.
cerotinônico adj.
cerotipia s.f.
cerotípico adj.
cerótipo s.m.
ceroto (*ô*) s.m.
cerótomo s.m.
ceroula s.f.
ceroxilina (*cs*) s.f.
ceróxilo (*cs*) s.m.
ceroxilóidea (*cs*) s.f.
ceroxilóideo (*cs*) adj.
ceróxilon (*cs*) s.m.
cerqueira s.f.
cerqueira-cesarense adj. s.2g.; pl. *cerqueira-cesarenses*
cerqueirense adj. s.2g.
cerqueiro adj. s.m.
cerquer s.m.
cerquido s.m.
cerquilhense adj. s.2g.
cerquinhense adj. s.2g.
cerquinho adj. s.m.
cerra-baile s.m.; pl. *cerra-bailes*
cerra-boca s.m.; pl. *cerra-bocas*
cerra-cabos s.m.2n.
cerra-cancela s.f.; pl. *cerra-cancelas*
cerração s.f. "nevoeiro"; cf. *serração*
cerraceiro s.m.
cerrada s.f.
cerradal s.m.
cerradão s.m.
cerradela s.f.
cerradiço adj.
cerradinha s.f.
cerradinhense adj. s.2g.
cerrado adj. s.m.; cf. *serrado*
cerradoiro s.m.
cerradouro s.m.
cerradura s.f.; cf. *serradura*
cerra-fila s.m.; pl. *cerra-filas*
cerral s.m.
cerra-livros s.m.2n.
cerramento s.m.; cf. *serramento*
cerrar v. "fechar"; cf. *serrar*
cerreiro adj.
cerrense adj. s.2g. "de Cerro"; cf. *serrense*
cerretano adj. s.m.
cerrete adj. s.2g. "cerretano"; cf. *serrete*
cerrilha s.f. "bordo dos dentes das cavalgaduras"; cf. *serrilha*
cerrilhada s.f.
cerritense adj. s.2g. "de Cerrito"; cf. *serritense*
cerrito s.m.
cerrito-alegrense adj. s.2g.; pl. *cerrito-alegrenses*
cerro (*ê*) s.m. "colina"; cf. *cerro*, fl. do v. *cerrar*, *serro* (*ê*) s.m. e *serro*, fl. do v. *serrar*
cerro-azulense adj. s.2g.; pl. *cerro-azulenses*
cerro-coraense adj. s.2g.; pl. *cerro-coraenses*
cerro-larguense adj. s.2g.; pl. *cerro-larguenses*
cerrote s.m. "montículo"; cf. *serrote*
cerrucho s.m.
cersefi s.m.
certa s.f.
certã adj. f. de *certão*; cf. *sertã*
certame s.m.
certâmen s.m.
certão adj. "certo"; cf. *sertão*
certar v.
certeiro adj.
certela s.f.
certeza (*ê*) s.f.
certia s.f.
cértida adj.2g. s.m.
certidão s.f.
certídea s.f.
certídeo adj. s.m.
certificabilidade s.f.

certificação s.f.
certificado adj. s.m.
certificador (*ô*) adj. s.m.
certificamento s.m.
certificante adj. s.2g.
certificar v.
certificativo adj.
certificatório adj.
certificável adj.2g.
certiida adj.2g. s.m.
certiidea s.f.
certiídeo adj. s.m.
certilha s.f.
certiomorfa s.f.
certo adj. s.m. adv. pron.
ceru s.m.
ceruana s.f.
ceruco s.m.
ceruda s.f.
ceruleína s.f.
ceruleínico adj.
ceruleíta s.f.
cerúleo adj. s.m.
ceruleolactita s.f.
cerulescência s.f.
cerulescente adj.2g.
cerulicrinito adj.
cerulina s.f.
cerulínico adj.
cerulinona s.f.
cerulinônico adj.
cerulípede adj.2g.
cerulipene adj.2g.
cérulo adj.
ceruloplasmina s.f.
cerume s.m.
cerúmen s.m.
ceruminoma s.m.
ceruminose s.f.
ceruminósico adj.
ceruminoso (*ô*) adj.; f. (*ó*); pl. (*ó*)
ceruminótico adj.
ceruquíneo adj. s.m.
cerura s.f.
cerurídeo adj. s.m.
cerusa s.f.
cerusita s.f.
cerusite s.f.
cerusítico adj.
cerusito s.m.
cerussa s.f.
cerussita s.f.
cerussite s.f.
cerussítico adj.
cerva s.f. "fêmea do cervo"; cf. *serva*
cerval adj.2g. s.m. "relativo a cervo", etc.; cf. *serval*
cervantesco (*ê*) adj.
cervantésia s.f.
cervantina s.f.
cervantinismo s.m.
cervantinista adj. s.2g.
cervantinístico adj.
cervantino adj.
cervantista adj. s.2g.
cervantístico adj.
cervantita s.f.
cervantite s.f.
cervantofilia s.f.
cervantófilo adj.
cervato s.m.
cervavo s.m.
cerveirense adj. s.2g.
cerveja (*ê*) s.f.
cervejada s.f.
cerveja de barbante s.f.
cerveja de cordão s.f.
cerveja-de-pobre s.f.; pl. *cervejas-de-pobre*
cervejar v.
cervejaria s.f.
cervejeiro adj. s.m.
cervejota s.f.
cervela s.f.
cervelato s.m.
cervelo s.m.
cervense adj. s.2g.
cérvia s.f.
cervicabra s.f.
cervical adj.2g.
cervicapra s.f.
cervicapríneo adj. s.m.
cervicartrose s.f.
cervice s.f.
cervicina s.f.
cerviciplexo (*cs*) adj.
cervicite s.f.
cervicítico adj.
cervicoacroniano adj.
cervicobrânquio adj.
cervicobraquial adj.2g.
cervicobregmático adj.
cervicodinia s.f.
cervicodorsocostal adj.2g.
cervicoescapular adj.2g.
cervicofacial adj.2g.
cervicolabial adj.2g.
cervicomastoideia (*é*) adj. f. de *cervicomastoideu*
cervicomastóideo adj.
cervicomastoideu adj.; f. *cervicomastoideia* (*é*)
cervicorne adj.2g.
cervicórneo adj.
cervicoscapular adj.2g.
cervicoso (*ô*) adj.; f. (*ó*); pl. (*ó*)
cerviculado adj.
cérvida adj.2g. s.m.
cervídeo adj. s.m.
cervigueira s.f.
cervilha s.f.
cervilheira s.f.
cervímetro s.m.
cervíneo adj. s.m.
cervinhense adj. s.2g.
cervino adj.
cervispina s.f.
cérvix (*cs*) s.f.2n.; pl. *cérvices*
cerviz s.f.
cervo (*é* ou *ê*) s.m. "veado"; cf. *servo*
cervo-do-pantanal s.m.; pl. *cervos-do-pantanal*
cervo-voador s.m.; pl. *cervos-voadores*
cervulíneo adj. s.m.
cérvulo s.m.
cervum adj.2g. s.m.
cerzideira s.f.
cerzido adj.
cerzidor (*ô*) adj. s.m.
cerzidura s.f.
cerzimento s.m.
cerzinho s.m.
cerzir v.
cesalpinácea s.f.
cesalpináceo adj.
cesalpíneo adj.
cesalpínia s.f.
cesalpiniácea s.f.
cesalpiniáceo adj.
cesalpínia-da-china s.f.; pl. *cesalpínias-da-china*
cesalpinóidea s.f.
cesalpinóideo adj.
cesão s.m.
césar s.m.
cesare s.m.
cesárea s.f. "cesariana"; cf. *cesária*
cesáreo adj.
cesareotomia s.f.
cesareotômico adj.
cesária s.f. "aparelho para cortar"; cf. *cesárea*
cesariana s.f.
cesariano adj.
cesariense adj. s.2g.
cesarina s.f.
cesarino adj.
cesário-langense adj. s.2g.; pl. *cesário-langenses*
cesaripapismo s.m.
cesaripapista adj. s.2g.
cesaripapístico adj.
cesarismo s.m.
cesarista adj. s.2g.
cesarístico adj.
cesarite s.f.
cesarização s.f.
cesarizado adj.
cesarizar v.
cesaro s.m.
cesarolita s.f.
cesaropapismo s.m.
cesaropapista adj. s.2g.
cesaropapístico adj.
cesina s.f.
césio s.m.
ceso adj. s.m.
cesoiro s.m.
cesouro s.m.
céspede s.m.
cespitar v.
cespitoso (*ô*) adj.; f. (*ó*); pl. (*ó*)
cespítulo s.m.
cessabilidade s.f.
cessação s.f.; cf. *sessação*
cessado adj.
cessador (*ô*) s.m. "parador"; cf. *sessador* (*ô*)
cessamento s.m.; cf. *sessamento*
cessante adj.2g.
cessão s.f. "ato de ceder"; cf. *ceção, secção, seção e sessão*
cessar v. "parar"; cf. *sessar*
cessar-fogo s.m.; pl. *cessar-fogos*
cessável adj.2g.
cessibilidade s.f.
cessionária s.f.
cessionário adj. s.m.
cessível adj.2g.
cesso s.m. "ave"; cf. *sesso* (*ê*) s.m. e *sesso*, fl. do v. *sessar*
cesta (*ê*) s.f. "utensílio"; cf. *sexta* (*ê*) *e sesta*
cestada s.f.
cestão s.m.
cestaria s.f.
cesta-rota adj. s.2g.; pl. *cestas-rotas*
cesta-vindima s.f.; pl. *cestas-vindimas*
cesteiro s.m. "aquele que faz ou vende cestos"; cf. *sesteiro*
céstida adj. s.m.
cestídeo adj. s.m.
cestina s.f.
cestinha s.2g.
cesto s.m. "manopla"; cf. *cesto* (*ê*), *sesto e sexto* (*ê*)
cesto (*ê*) s.m. "cesta"; cf. *sesto*
cestobol s.m.
cestobolismo s.m.
cestobolista adj. s.2g.
cestobolístico adj.
cestocause s.f.
cestodário adj. s.m.
cesto de cereja s.m.
cestodíase s.f.
cestódio s.m.
céstodo s.m.
cestóforo adj.
cestoide (*ó*) adj.2g. s.m. "classe de vermes"; cf. *cistoide* (*ó*)
cestóideo adj.2g. s.m.
cestóplano s.m.
cesto-roto s.m.; pl. *cestos-rotos*
cesto-vindimo s.m.; pl. *cestos-vindimos*
cestracião s.m.
cestraciônida adj.2g. s.m.
cestracionídeo adj. s.m.
céstrea s.f.
cestrina s.f.
cestrínea s.f.
cestrino adj. s.m.
cestro s.m. "gênero de plantas"; cf. *sestro* adj. s.m., fl. do v. *sestrar* e *sestro* (*ê*)
cestuado adj.
cesúlia s.f.
cesura s.f.
cesurado adj.
cesurar v.
cesurite s.f.
ceta s.f. "uva"; cf. *seta*
cetáceo adj. s.m. "mamífero"; cf. *setáceo*
cetal s.m.
cetaleno s.m.
cetânico adj.
cetano s.m.
cetazina s.f.
cetazínico adj.
cetena s.f. "carboidrato"; cf. *setena*
cetene s.f.
cetênico adj.
ceteno s.m. "composto gasoso"; cf. *seteno*
ceteptose s.f.
ceteraque s.m.
cetexose (*cs*) s.f.
ceticismo s.m.
cético adj. s.m.
cetil s.m.
cetilacético adj.
cetilacetilato s.m.
cetilacetílico adj.
cetilamina s.f.
cetilamínico adj.
cetilato s.m.
cetilbenzênico adj.
cetilbenzeno s.m.
cetilcítrico adj.
cetilênico adj.
cetileno s.m.
cetilha s.f. "coroa de dentes de rodas hidráulicas"; cf. *setilha*
cetílico adj.
cetilida s.f.
cetilide s.f.
cetílio s.m.
cetilmalonato s.m.
cetilmalônico adj.
cetilo s.m.
cetilsulfúrico adj.
cetiltoluênico adj.
cetiltolueno s.m.
cetim s.m.
cetimina s.f.
cetina s.f. "espermacete"; cf. *citina*
cetíneo adj.
cetineta (*ê*) s.f.
cetinoso (*ô*) adj.; f. (*ó*); pl. (*ó*)
cetiossauro s.m.
ceto s.m. "cetáceo", etc.; cf. *seto*
cetoácido s.m.
cetoacidose s.f.
cetoacidótico adj.
cetoaldeído s.m.
cetoaldeidomutase s.f.
cetoaldeidomútase s.f.
cetoconazol s.m.
cetoderivação s.f.
cetoderivado adj.
cetoderivar v.
cetodonte adj.2g. s.m.
cetodontídeo adj. s.m.
cetoéster s.m.
cetoesteroide (*ó*) adj.2g. s.m.
cetoexose (*z*) s.f.
cetoexósico (*z*) adj.
cetoexótico (*z*) adj.
cetofuranose s.f.
cetofuranósico adj.
cetofuranótico adj.
cetogênese s.f.
cetogênico adj.
cetogênio adj.
cetógeno s.m.
cetografia s.f.
cetográfico adj.
ceto-hexose s.f.
cetol s.m.
cetólico adj.
cetólise s.f.
cetolítico adj.
cetologia s.f.
cetológico adj.
cetologista adj. s.2g.
cetólogo s.m.
cetomimíneo adj. s.m.
cetomimo s.m.
cetona s.f.
cetonemia s.f.
cetonêmico adj.
cetônia s.f.
cetônico adj.
cetoniídeo adj. s.m.
cetoníneo adj. s.m.
cetonização s.f.
cetonizar v.
cetonuria s.f.
cetonúria s.f.
cetonúrico adj.
cetopentose s.f.
cetopiranose s.f.
cetópsida adj.2g. s.m.
cetopsídeo adj. s.m.
cetópsis s.f.2n.
cetorrino s.m.
cetose s.m.
cetosido s.m.
cetossalol s.m.
cetossalólico adj.
cetosteroide (*ó*) s.m.
cetosúria s.f.
cetotetrose s.f.
cetótico adj.
cetotólito s.m.
cetoxilose (*cs*) s.f.
cetoxima (*cs*) s.f.
cetra s.f. "escudo"; cf. *setra*
cetrarato s.m.
cetraria s.f. "falcoaria", etc.; cf. *cetrária*
cetrária s.f. "liquens"; cf. *cetraria*
cetrárico adj.
cetrarina s.f.
cetras s.f.pl.
cetreiro adj. s.m.
cetrífero adj.
cetrígero adj.
cetrino adj. "vermelho"; cf. *citrino*
cetro s.m.
céu s.m.
ceutense adj. s.2g.
ceutorrinco s.m.
ceutrão adj. s.m.
ceva s.f. "ato de cevar"; cf. *seva* s.f. e fl. do v. *sevar*
cevada s.f.
cevada-de-jardim s.f.; pl. *cevadas-de-jardim*
cevada-dos-ratos s.f.; pl. *cevadas-dos-ratos*
cevadal s.m.
cevada-marítima s.f.; pl. *cevadas-marítimas*
cevadaria s.f.
cevada-santa s.f.; pl. *cevadas-santas*
cevadato s.m.
cevadeira s.f. "alforje"; cf. *sevadeira*
cevadeiro s.m.
cevadiço adj.
cevádico adj.
cevadilha s.f.
cevadilheira s.f.
cevadilhina s.f.
cevadilina s.f.
cevadina s.f.
cevadinha s.f.
cevadinha-miúda s.f.; pl. *cevadinhas-miúdas*
cevado adj. s.m.; cf. *sevado*
cevadoiro s.m.
cevador (*ô*) s.m.; cf. *sevador*
cevadouro s.m.
cevadura s.f.
cevagem s.f.
cevalho s.m.
cevando adj.
cevão s.m.
cevar v. s.f. "engordar"; cf. *sevar*
cevaria s.f.
cevatício adj.
cevatriz adj. s.f.
ceveira s.f.
ceveiro s.m.
cevenol adj.
ceviana s.f.
ceviano adj.
cevidina s.f.

cevina s.f.
cevo (*ê*) s.m. "pasto"; cf. *cevo*, fl. do v. *cevar*, e *sevo*
cévola s.f.
cèzannesco (è...*ês*) adj.
cèzanniano (è) adj.
chá s.m. "beberagem"; cf. *xá*
chã s.f.
chaapta adj. s.2g.
chabacano s.m.
chabaçar v.
chabancas s.f.pl.
chabázia s.f.
chabázie s.f.
chabazta s.f.
chabelo (*ê*) s.m.
chabiana s.f.
chabiano adj. s.m.
chá-biriba s.m.; pl. *chás-biriba* e *chás-biribas*
chabó s.m.
chaboque s.m.
chaboqueiro adj. s.m.
chaboucar v.
chabouco adj. s.m.
chabouqueiro adj. s.m.
chabrada s.f.
chabraque s.m.
chá-bravo s.m.; pl. *chás-bravos*
chabrico s.m.
chabu s.m.
chabuco s.m.
chaça s.f.
chacal s.m.
chaçar v.
chácara s.f. "quinta"; cf. *xácara*
cháçara s.f.
chacareiro s.m.
chacarense adj. s.2g.
chacaréu s.m.
chacarola s.f.
chaceamento s.m.
chacha s.f.
chã-chã s.m.; pl. *chã-chãs*
chá-chá-chá s.m.; pl. *chá-chá-chás*
chachal s.m.
chachana s.f.
cháchara s.f.
chacim s.m.
chacina s.f.
chacinação s.f.
chacinado adj.
chacinador (*ô*) adj. s.m.
chacinamento s.m.
chacinante adj.2g.
chacinar v.
chacineiro s.m.
chacíneo adj. s.m.
chacma s.m.
chaco s.m.
chacó s.m.
chaço s.m.
chacoalhação s.f.
chacoalhada s.f.
chacoalhadela s.f.
chacoalhado adj.
chacoalhador (*ô*) adj. s.m.
chacoalhamento s.m.
chacoalhante adj.2g.
chacoalhar v.
chacoalho s.m.
chacoina s.f.
chacoli s.m.
chacona s.f.
chaconista adj. s.2g.
chacota s.f.
chacotada s.f.
chacoteação s.f.
chacoteado adj.
chacoteador (*ô*) adj. s.m.
chacotear v.
chacoteio s.m.
chacoteiro adj. s.m.
chacotice s.f.
chacotina s.f.
chacra s.m.
chacrã s.f.
chacrão s.m.
chacrássana s.m.
chacreiro s.m.
chacrete s.f.
chacrinha s.f.
chacta adj. s.2g.
chacuru s.m.
chá-da-américa s.m.; pl. *chás-da-américa*
chá-da-campanha s.m.; pl. *chás-da-campanha*
chá-da-china s.m.; pl. *chás-da-china*
chá-da-espanha s.m.; pl. *chás-da-espanha*
chá-da-europa s.m.; pl. *chás-da-europa*
chá-da-índia s.m.; pl. *chás-da-índia*
chá da meia noite s.m.
chã-d'anca s.f.; pl. *chãs-d'anca*
chá-dançante s.m.; pl. *chás-dançantes*
chá-da-terra s.m.; pl. *chás-da-terra*
chá de alecrim s.m.
chã de barriguinha s.m.
chá de bebê s.m.
chá de berço s.m.
chá de besta s.m.
chá de bico s.m.
chá-de-bugre s.m.; pl. *chás-de-bugre*
chã de bundinha s.m.
chá de burro s.m.
chá-de-caboclo s.m.; pl. *chás-de-caboclo*
chá de cadeira s.m.
chá de cana s.m.
chá de casca de vaca s.m.
chá de cipó s.m.
chá de cozinha s.m.
chã de dentro s.f.
chá de flor de toco s.m.
chã de fora s.f.
chá-de-frade s.m.; pl. *chás-de-frade*
chã de garfo s.m.
chá de homem s.m.
chadeiro s.m.
chá-de-java s.m.; pl. *chás-de-java*
chá-de-louro s.m.; pl. *chás-de-louro*
chá de macaco de caminhão s.m.
chá-de-marajá s.m.; pl. *chás-de-marajá*
chá de marmeleiro s.m.
chá-de-negro-mina s.m.; pl. *chás-de-negro-mina*
chá de panela s.m.
chá de parreira s.m.
chá de pau barbado s.m.
chá-de-pedestre s.m.; pl. *chás-de-pedestre*
chá-de-periquito s.m.; pl. *chás-de-periquito*
chá-de-príncipe s.m.; pl. *chás-de-príncipe*
chá-de-soldado s.m.; pl. *chás-de-soldado*
chá de sumiço s.m.
chá de vara de marmeleiro s.m.
chadiano adj. s.m.
chá-do-gabão s.m.; pl. *chás-do-gabão*
chá-do-mato s.m.; pl. *chás-do-mato*
chá-do-méxico s.m.; pl. *chás-do-méxico*
chá-do-rio s.m.; pl. *chás-do-rio*
chá-dos-jesuítas s.m.; pl. *chás-dos-jesuítas*
chaeira s.f.
chaém s.m.
chafaleiro adj.
chafalhão adj. s.m.
chafalhar v.
chafalheiro adj.
chafalho s.m.
chafardel s.m.
chafarica s.f.
chafariqueiro s.m.
chafariz s.m.
chafarizense adj. s.2g.
chafarrão s.m.
chafarrica s.f.
chafarruz s.m.
chafatrica s.f.
chafismo s.m.
chafita adj. s.2g.
chafranafra s.f.
chafundão s.m.
chafundar v.
chafurda s.f.
chafurdado adj.
chafurdar v.
chafurdeira s.f.
chafurdeiro s.m.
chafurdice s.f.
chafurdo s.m.
chafurrão s.m.
chaga s.f.
chagá s.f.
chaga de bauru s.f.
chagado adj.
chagador (*ô*) adj. s.m.
chagas s.f.pl.
chagas-da-miúda s.f.pl.
chagas-de-jesus s.f.pl.
chagas-de-são-francisco s.f.pl.
chagas-de-são-sebastião s.f.pl.
chagásia s.f.
chagásico adj. s.m.
chagas-miúdas s.f.pl.
chagas-verdes s.f.pl.
chagaz s.m.
chagoma s.m.f.
chã-grandense adj. s.2g.; pl. *chã-grandenses*
chagrém s.m.
chaguarçal s.m.
chaguarço s.m.
chagueira s.f.
chaguense adj. s.2g.
chaguense (*ü*) adj. s.2g.
chaguento adj.
chaguer s.m.
chaiá s.f.
chaima adj. s.2g.
chaina s.f.
chainça s.f.
chá-inglês s.m.; pl. *chás-ingleses*
chainha s.f.
chaiola s.f.
chaiota s.f.
chaiote s.m.
chaira s.f.
chairamento s.m.
chairar v.
chairel adj.2g. s.m.
chairelado adj.
chairo s.m.
chajá s.m.
chala s.f.
chalabar s.m.
chalaça s.f.
chalaçar v.
chalaceador (*ô*) adj. s.m.
chalacear v.
chalaceiro s.m.
chalacista adj. s.2g.
chalaçudo adj.
chalada s.f.
chalado adj.
chalana s.f.
chalandra s.f.
chalaneiro s.m.
chalante s.m.
chalantice s.f.
chalão s.m.
chalar v.
chalavação s.m.
chalavar s.m.
chalavegão s.m.
chalchuíta s.f.
chaldrar v.
chale s.m. "peixe"; cf. *xale*
chalé s.m.
chalebre s.m.
chalé de ossos s.2g.
chalé dos ossos s.2g.
chaleense adj. s.2g.
chaleira adj. s.2g. s.f.
chaleiramento s.m.
chaleirar v.
chaleirice s.f.
chaleirismo s.m.
chaleirista adj. s.2g.
chaleiros s.m.pl.
chaler v.
chaliá adj. s.2g.
chalibita s.f.
chalibítico adj.
chaliço s.m.
chalinque s.m.
challantita s.f.
chalma s.f.
chalmersita s.f.
chalmogra s.f.
chalmugra s.f.
chalmugrato s.m.
chalmúgrico adj.
chalo s.m.
chalocas s.f.pl.
chalorda s.f.
chalota s.f.
chalota-das-cozinhas s.f.; pl. *chalotas-das-cozinhas*
chalotas s.f.pl.
chalotinha s.f.
chalotinhas-do-gerês s.f.pl.
chalração s.f.
chalrado s.m.
chalrador (*ô*) adj. s.m.
chalrão s.m.
chalrar v.
chalreação s.f.
chalreada s.f.
chalreado adj.
chalreador (*ô*) adj. s.m.
chalreadura s.f.
chalrear v.
chalreio s.m.
chalreiro adj.
chalreta (*ê*) s.f.
chalrice s.f.
chalrote s.m.
chalupa s.f.
chalupas s.f.pl.
chalupeiro s.m.
cham adj. s.2g.
chama s.m.f. s.2g. "labareda", etc.; cf. *xama*
chamação s.f.
chamaceira s.f.
chamada s.f.
chamadeira s.f.
chamadeiro s.m.
chamadela s.f.
chamadilho s.m.
chamadinha s.f.
chamado adj. s.m.
chamadoiro s.m.
chamador (*ô*) s.m.
chamadouro s.m.
chamadura s.f.
chamalanca s.f.
chamalé s.m.
chamalotado s.m.
chamalotar v.
chamalote s.m.
chamaloteação s.f.
chamaloteado adj.
chamaloteante adj.2g.
chamalotear v.
chama-maré s.m.; pl. *chama-marés*
chamamento s.m.
chamancada s.f.
chamar v.
chamarada s.f.
chamaralda s.f.
chamareda (*ê*) s.f.
chamaredo (*ê*) s.m.
chamarela s.f.
chamarilho s.m.
chamarisco s.m.
chama-rita s.f.; pl. *chama-ritas*
chamariz s.m.
chamariz-gemado s.m.; pl. *chamarizes-gemados*
chamarra s.f.
chamarrado adj.
chamarrita s.f.
chamatão s.m.
chá-mate s.m.; pl. *chás-mate* e *chás-mates*; cf. *xamate*
chamatividade s.f.
chamativo adj.
chamató s.m.
chamba s.f.
chambã s.f.
chambaçal s.m.
chambadela s.f.
chambalé s.m.
chambamba s.f.
chambandela s.f.
chambão adj. s.m.
chambaril s.m.
chambas s.2g.2n.
chambãs s.f.pl.
chambeli s.m.
chamberga s.f.
chambergo s.m.
chambersita s.f.
chambeta (*ê*) adj.2g.
chambil s.m.
chambirra s.f.
chambo s.m.
chamboado adj.
chambocar v.
chamboíce s.f.
chamboque s.m.
chamboqueiro adj.
chambordismo s.m.
chambordista adj. s.2g.
chamborgas s.m.2n.
chamborreirão adj. s.m.
chambrana s.f.
chambravo s.m.
chambre s.m.
chambreado adj.
chambregada s.f.
chambregado adj.
chambregagem s.f.
chambregar v.
chambrego (*ê*) s.m.
chambrié s.m.
chambrinho s.m.
chambuco s.m.
chambuque s.m.
chamburu s.m.
chameado adj.
chameante adj.2g.
chamear v.
chamegar v.
chamego (*ê*) s.m.
chameguento adj.
chameguice s.f.
chameira s.f.
chamejamento s.m.
chamejante adj.2g.
chamejar v.
chamejo (*ê*) s.m.
chameli s.m.
chamelote s.m.
chamepite s.m.
chamiça s.f.
chamiceiro s.m.
chamico s.m.
chamiço s.m.
chaminé s.f.
chaminé de fada s.f.
chá-mineiro s.m.; pl. *chás-mineiros*
chá-mineiro-verdadeiro s.m.; pl. *chás-mineiros-verdadeiros*
chamíssoa s.f.
chamo s.m.
chamoisita s.f.
chamoisite s.f.
chamoisítico adj.
chamorana s.f.
chamorrice s.f.
chamorro (*ô*) adj. s.m.
chamosita s.f.
chamosítico adj.
chamote s.m.
chamotim s.m.

champa s.f.
champã s.2g.
champaca s.f.
champada s.f.
champana s.f.
champanha s.m.
champanhada s.f.
champanha da terra s.f.
champanha de cordão s.f.
champanhe s.2g.
champanhe de cordão s.m.
champanhense adj. s.2g.
champanhês adj. s.m.
champanhização s.f.
champanhizar v.
champanhota s.f.
champão s.m.
champar v.
champarrião s.m.
champe s.m.
champil s.m.
champilha s.m.
champinhom s.m.
champirrear v.
champló s.m.
champó s.m.
champor (*ô*) s.m.
champori s.m.
champorreado adj.
champorrear v.
champorreirão adj. s.m.
champorrião s.m.
champrão s.m.
champrudo adj.
champunha s.2g.
champurrião s.m.
champúrrio s.m.
chamuar s.m.
chamuna s.f.
chamurrinho s.m.
chamurro s.m.
chamusano s.m.
chamusca s.f.
chamuscada s.f.
chamuscadela s.f.
chamuscado adj.
chamuscadoiro s.m.
chamuscador (*ô*) adj. s.m.
chamuscadouro s.m.
chamuscadura s.f.
chamuscamento s.m.
chamuscante adj.2g.
chamuscar v.
chamuscável adj.2g.
chamusco s.m.
chana s.f.
chanambo s.m.
chanana s.f.
chanar adj. s.2g. s.m.
chanás adj. s.2g.2n.
chanascar v.
chanasco s.m.
chanato s.m.
chanca s.f.
chança s.f.
chancada s.f.
chancar v.
chançarel s.m.
chancarina s.f.
chancarona s.f.
chance s.f.
chancear v.
chanceiro adj.
chancela s.f.
chancelado adj.
chancelar v. adj.2g.
chancelaria s.f.
chancelário adj. s.m.
chanceler s.2g.
chanceleresco (*ê*) adj.
chanceler-mor s.m.; pl. *chanceleres-mores*
chanceleta (*ê*) s.f.
chancense adj. s.2g.
chanchada s.f.
chanchão s.m.
chanchito s.m.
chancho s.m.
chanchulim s.m.
chanco s.m.
chanço s.m.
chancra s.f.
chancudo adj.
chandala s.2g.
chandarrus s.m.2n.
chande s.m.
chandeirola s.f.
chandel s.m.
chandeu s.m.
chandleriano adj.
chandrássana s.m.
chanduló s.m.
chaneco s.m.
chanelar v.
chanesco (*ê*) adj.
chaneza (*ê*) s.f.
chanfa s.f.
chanfalhada s.f.
chanfalhão adj. s.m.
chanfalhar v.
chanfalheiro s.m.
chanfalhice s.f.
chanfalho s.m.
chanfana s.f.
chanfanada s.f.
chanfaneiro s.m.
chanfaranho s.m.
chanfeniteiro s.m.
chanfo s.m.
chanfra s.f.
chanfração s.f.
chanfradeira s.f.
chanfrado adj.
chanfrador (*ô*) s.m.
chanfrador-cortador s.m.; pl. *chanfradores-cortadores*
chanfradura s.f.
chanframento s.m.
chanfranafra s.f.
chanfrar v.
chanfreta (*ê*) s.f.
chanfro s.m.
changa s.f.
changaço s.m.
changador (*ô*) s.m.
changamera adj. s.2g.
changar v.
changarçal s.m.
changarço s.m.
changatá s.m.
changatar s.m.
changombi s.f.
changuarço s.m.
changueador (*ô*) adj. s.m.
changuear v.
changueirar v.
changueiro s.m.
changuerito s.m.
changui (*ü*) s.m.
chanha s.f.
chaniló s.m.
chanisco s.m.
chanoiú s.m.
chanque s.m.
chanquear v.
chanqueiro adj. s.m.
chanquelhar v.
chanqueta (*ê*) s.m.f.
chanquinha s.f.
chanta s.f.
chantação s.f.; cf. *xantação*
chantado s.m.; cf. *xantado*
chantadoria s.f.
chantadura s.f.
chantageação s.f.
chantageado adj.
chantageador (*ô*) adj. s.m.
chantageamento s.m.
chantagear v.
chantageável adj.2g.
chantagem s.f.
chantagismo s.m.
chantagista adj. s.2g.
chantagístico adj.
chantajar v.
chantão s.m.
chantar v. s.f. "plantar", "espécie de pano"; cf. *xantar*
chantel s.m.
chantili s.m.
chanto s.m. "pranto"; cf. *xanto*
chantoal s.m.
chantoar v.
chantoeira s.f.
chantra s.f.
chantrado s.m.
chantre s.m.
chantria s.f.
chanura s.f.
chão adj. s.m.; adj. f. *chã*; pl. *chãos*
chão-parado s.m.; pl. *chãos-parados*
chapa s.2g.
chapa-base s.f.; pl. *chapas-base* e *chapas-bases*
chapa-branca s.m.; pl. *chapas-brancas*
chapaçal s.m.
chapação s.f.
chapaceiro s.m.
chapada s.f.
chapadão s.m.
chapadãozense adj. s.2g.
chapada-vimaranense adj. s.2g.; pl. *chapada-vimaranenses*
chapadeiro s.m.
chapadela s.f.
chapadense adj. s.2g.
chapa de pé s.f.
chapadinhense adj. s.2g.
chapadinho s.m.
chapadista adj. s.2g.
chapado adj. s.m.
chapalheta (*ê*) s.f.
chapalhete (*ê*) s.m.
chapão s.m.
chapar v.
chaparia s.f.
chapariô-bravo s.m.; pl. *chapariôs-bravos*
chaparral s.m.
chaparreiro s.m.
chaparrinho s.m.
chaparro s.m.
chaparus interj.
chapatesta s.f.
chá-paulista s.m.; pl. *chás-paulistas*
chape s.m. interj.
chapeação s.f.
chapeado adj. s.m.
chapeador (*ô*) adj. s.m.
chapeadura s.f.
chapeamento s.m.
chapear v.
chapeável adj.2g.
chapeca s.f.
chape-chape s.m.; pl. *chape-chapes*
chapecoense adj. s.2g.
chapeira s.f.
chapeirada s.f.
chapeirão s.m.
chapeiro s.m.
chapejar v.
chapejo (*ê*) s.m.
chapel s.m.
chapelaço s.m.
chapelada s.f.
chapelão s.m.
chapelaria s.f.
chapeleira s.f.
chapeleirão s.m.
chapeleiro s.m.
chapeleta (*ê*) s.f.
chapelete (*ê*) s.m.
chapelina s.f.
chapelinha s.f.
chapelinho s.m.
chapelório s.m.
chapetão adj. s.m.
chapetonada s.f.
chapéu s.m. interj.
chapéu-armado s.m.; pl. *chapéus-armados*
chapéu-boneca s.m.; pl. *chapéus-boneca* e *chapéus-bonecas*
chapéu-chile s.m.; pl. *chapéus-chile*
chapéu-chinês s.m.; pl. *chapéus-chineses*
chapéu-coco s.m.; pl. *chapéus-coco* e *chapéus-cocos*
chapéu-cone s.m.; pl. *chapéus-cone* e *chapéus-cones*
chapéu-de-bispo s.m.; pl. *chapéus-de-bispo*
chapéu de capitão s.m.
chapéu de chuva s.m.
chapéu-de-cobra s.m.; pl. *chapéus-de-cobra*
chapéu de coco s.m.
chapéu de coiro s.m.
chapéu-de-coiro s.m.; pl. *chapéus-de-coiro*
chapéu de couro s.m. "tipo de beiju", "certo doce"
chapéu-de-couro s.m. "erva"; pl. *chapéus-de-couro*
chapéu-de-feiticeira s.m.; pl. *chapéus-de-feiticeira*
chapéu de ferro s.m.
chapéu de frade s.m. "diamante"
chapéu-de-frade s.m. "arbusto"; pl. *chapéus-de-frade*
chapéu-de-judeu s.m.; pl. *chapéus-de-judeu*
chapéu de mérito s.m.
chapéu-de-napoleão s.m.; pl. *chapéus-de-napoleão*
chapéu de romeiro s.m.
chapéu-de-sapo s.m.; pl. *chapéus-de-sapo*
chapéu de sol s.m. "guarda-sol"
chapéu-de-sol s.m. "espécie de árvore"; pl. *chapéus-de-sol*
chapéu-de-sol-chinês s.m.; pl. *chapéus-de-sol-chineses*
chapéu-de-sol-do-diabo s.m.; pl. *chapéus-de-sol-do-diabo*
chapéu de três ventos s.m.
chapéu-de-turco s.m.; pl. *chapéus-de-turco*
chapéu do capitão s.m.
chapéu do chile s.m.
chapéu-dos-telhados s.m.; pl. *chapéus-dos-telhados*
chapéu-panamá s.m.; pl. *chapéus-panamá*
chapéu-velho s.m.; pl. *chapéus-velhos*
chapeuzinho s.m.
chapiçada s.f.
chapiceiro s.m.
chapilhar v.
chapim s.m.
chapim-azul s.m.; pl. *chapins-azuis*
chapim-carvoeiro s.m.; pl. *chapins-carvoeiros*
chapim-rabilongo s.m.; pl. *chapins-rabilongos*
chapim-real s.m.; pl. *chapins-reais*
chapinada s.f.
chapinado adj.
chapinar v.
chapineiro s.m.
chapinha s.f.
chapinhada s.f.
chapinhadela s.f.
chapinhado adj.
chapinhar v.
chapinheira s.f.
chapinheiro s.m.
chapiscado adj.
chapiscador (*ô*) adj. s.m.
chapiscadura s.f.
chapiscamento s.m.
chapiscar v.
chapisco s.m.
chapista adj. s.2g.
chapitel s.m.
chapitéu s.m.
chaplinesco (*ê*) adj.
chapliniano adj. s.m.
chaplona s.f.
chapmanita s.f.
chapo adj.
chapoda s.f.
chapodado adj.
chapodar v.
chapodos s.m.2n.
chapoeirada s.f. "abundância"; cf. *xapoeirada*
chapoirada s.f.
chá-pomonga s.m.; pl. *chás-pomongas*
chaporra (*ô*) s.f.
chaporrada s.f.
chaporreirão s.m.
chapota s.f.
chapotado adj.
chapotar v.
chaprão s.m.
chã-pretense adj. s.2g.; pl. *chã-pretenses*
chá-preto s.m.; pl. *chás-pretos*
chapriz s.f.
chaptália s.f.
chá-pucá s.m.; pl. *chás-pucá* e *chás-pucás*
chapuçada s.f.
chapuçar v.
chapuço s.m.
chapujar v.
chapulhar v.
chapuz s.m.
chapuzar v.
chaquer s.m.
chaquéu s.m.
chaquiça s.f.
chaquiçar v.
chaquiço s.m.
chaquiza s.f.
chara s.f. "modo"; cf. *xara* e *xará*
charã s.f.
charabã s.m.
charabaldar v.
charabasca s.f.
charabascal s.m.
charabasco s.m.
charabasqueira s.f.
charabasqueiro s.m.
charabecos s.m.pl.
charabiá s.m.
charabilhado s.m.
charabilhano s.m.
charabiscal s.m.
charachina s.f.
characina s.f.
charada s.f. "enigma"; cf. *xarada*
charada-anagrama s.f.; pl. *charadas-anagrama* e *charadas-anagramas*
charada-metagrama s.f.; pl. *charadas-metagrama* e *charadas-metagramas*
charadear v.
charadicida adj. s.2g.
charadicídio s.m.
charadismo s.m.
charadista adj. s.2g.
charadístico adj.
charadó s.m.
charadomania s.f.
charadomaníaco adj.
charadômano s.m.
charais s.m.pl.
charamba s.f.
charamega (*ê*) s.f.
charamela s.m.f.
charamelar v.
charameleira s.f.
charameleiro s.m.
charamelinha s.f.
charamuga s.f.
charamusga s.f.
charana s.f.
charanga s.f.
charangar v.
charango s.m.
charangonha s.f.
charanguaço s.m.
charangueiro s.m.
charão s.m.
charãozinho-roxo s.m.; pl. *charõezinhos-roxos*
charapa s.f. "tartaruga"; cf. *xarapa*

charatone s.m.
charaval s.m.
charavasca s.f.
charavascal s.m.
charavasco s.m.
charaviscal s.m.
charaviscar v.
charavisqueira s.f.
charca s.f.
charcada s.f.
charco s.m.
charcoso (*ô*) adj.; f. (*ó*); pl. (*ó*)
charcutaria s.f.
charcuteiro s.m.
charda s.f. "feira"; cf. *xarda*
chardia s.m.
chardina s.f.
chardó s.m.
charela s.f.
charelo (*ê*) s.m.
charepe s.m.
chareta (*ê*) s.f. "lenha"; cf. *xareta* (*ê*)
chareto (*ê*) s.m.
charéu s.m. "reprimenda"; cf. *xaréu*
chargaçal s.m.
chargear v.
chargismo s.m.
chargista adj. s.2g.
chargístico adj.
chariano adj. s.m.
charingar v.
chariô s.m.
chari-uadaiano adj. s.m.; pl. *chari-uadaianos*
charivari s.m.
charivarizar v.
charla s.f.
charlador (*ô*) adj. s.m.
charlar v.
charlariento adj.
charlata s.2g.
charlatanaria s.f.
charlataneação s.f.
charlataneado adj.
charlatanear v.
charlatanesco (*ê*) adj.
charlatanice s.f.
charlatânico adj.
charlatanismo s.m.
charlatão adj. s.m.; f. *charlatona*; pl. *charlatães* e *charlatões*
charlataria s.f.
charlateira s.f.
charlateiras s.f.pl.
charlatona adj. s.f. de *charlatão*
charles s.m.2n.
charló adj. s.m.
charlota s.f.
charlote s.f.
charme s.m.
charminho s.m.
charmônio s.m.
charmosear v.
charmosino s.m.
charmoso (*ô*) adj.; f. (*ó*); pl. (*ó*)
charmutiano s.m.
charneca s.f.
charneco adj. s.m.
charneira s.f.
charnequeiro adj. s.m.
charnequenho adj. s.m.
charnockita s.f.
charnockite s.f.
charnockítico adj.
charnockito s.m.
charnoquita s.f.
charnoquite s.f.
charnoquítico adj.
charnoquito s.m.
charo s.m.
charoado adj.
charoar v.
chã-rochense adj. s.2g.; pl. *chã-rochenses*
charodó s.m.
charola s.f.
charolar v.
charoleiro s.m.
charolês adj. s.m.
charona s.f.
charonda s.f.
charondar v.
charpa s.f.
charque s.m.
charqueação s.f.
charqueada s.f.
charqueadense adj. s.2g.
charqueado adj. s.m.
charqueador (*ô*) s.m.
charqueamento s.m.
charquear v.
charque de vento s.m.
charqueio s.m.
charqueirão s.m.
charqueiro adj. s.m.
charrafusca s.f.
charrana s.m.
charrano s.m.
charrasca s.f. "toutinegra"; cf. *xarrasca*
charrascal s.f.
charrasco s.m.
charrasqueira s.f.
charrasqueiro s.m.
charravascal s.m.
charraviscal s.m.
charrela s.f.
charrete s.f.
charreteiro s.m.
charréu s.m.
charreza (*ê*) s.f.
charriscar v.
charro adj. s.m.
charroa (*ô*) s.f.
charrua adj. s.2g. s.f.
charruada s.f.
charruadeira s.f.
charruadela s.f.
charrua-grande s.f.; pl. *charruas-grandes*
charrua-pequena s.f.; pl. *charruas-pequenas*
charruar v.
charrueco s.m.
charruense adj. s.2g.
charruinha s.f.
charruinha-branca s.f.; pl. *charruinhas-brancas*
charrulice s.f.
charta s.2g.
chartamina s.f.
charteu s.m.
charu s.m.
charutanga s.f.
charutar v.
charutaria s.f.
charutear v.
charuteira s.f.
charuteiro s.m.
charuto s.m.
charuto-do-rei s.m.; pl. *charutos-do-rei*
charvaca s.m.
chás interj.
chasca s.f.
chascada s.f.
chascão s.m.
chascar v.
chás-chás s.m.2n.
chasco s.m.
chasco-branco s.m.; pl. *chascos-brancos*
chasco-de-leque s.m.; pl. *chascos-de-leque*
chasco-do-rego s.m.; pl. *chascos-do-rego*
chaspa s.f.
chaspeleta (*ê*) s.f.
chaspelete (*ê*) s.m.
chaspelinho s.m.
chaspulho s.m.
chasque s.m.
chasqueada s.f.
chasqueadela s.f.
chasqueado adj. s.m.
chasqueador (*ô*) adj. s.m.
chasqueamento s.m.
chasquear v.
chasqueio s.m.
chasqueiro adj. s.m.
chasquejo (*ê*) s.m.
chasquento adj.
chasqueta (*ê*) s.f.
chasquete (*ê*) s.m.
chasquinar v.
chasquinho s.m.
chasselás s.f.2n.
chassi s.m.
chasside adj. s.2g.
chassidiano adj. s.m.
chassídico adj.
chassidismo s.m.
chassidista adj. s.2g.
chassignito (*nhi*) s.m.
chata s.f.
chatada s.f.
chatão s.m.
chataputa s.f.
chaté s.m.
chateação s.f.
chateado adj.
chateador (*ô*) adj. s.m.
chateamento s.m.
chateante adj. s.2g.
chatear v.
chateável adj.2g.
chateiro s.m.
chateza (*ê*) s.f.
chatiano adj. s.m.
chatice s.f.
chatim s.m.
chatinado adj.
chatinador (*ô*) s.m.
chatinagem s.f.
chatinar v.
chatinaria s.f.
chatinha s.f.
chatinho s.m.
chatino s.m.
chatismo s.m.
chato adj. s.m. "plano"; cf. *chatô*
chatô s.m. "prostíbulo"; cf. *chato*
chatobriã s.m.
chátria s.2g.
chatura s.f.
chauá s.2g.
chauã s.m.
chau-chau s.m.2n.
chaudarim s.m.
chaudel s.m.
chauia (*í*) adj. s.2g.
chaulmogra s.f.
chaulmoogra s.f.
chaulmoógrico adj.
chaulmugra s.f.
chaumopala s.f.
chauvinismo (*cho*) s.m.
chauvinista (*cho*) adj. s.2g.
chauvinístico (*cho*) adj.
chauvinizar (*cho*) v.
chauvino (*cho*) adj. s.m.
chavádego s.m.
chavado adj.
chavalense adj. s.2g.
chavaniscar v.
chavão s.m.
chavaria s.f.
chavasca s.f.
chavascada s.f.
chavascado adj.
chavascal s.m.
chavascar v.
chavasco adj. s.m.
chavasqueira s.f.
chavasqueiro adj. s.m.
chavasquice s.f.
chave s.f.
chaveamento s.m.
chavear v.
chave-do-inferno s.f.; pl. *chaves-do-inferno*
chave-inglesa s.f.; pl. *chaves-inglesas*
chaveira s.f.
chaveirado adj.
chaveirão s.m.
chaveirento adj.
chaveiro s.m.
chaveiroado s.m.
chaveironado adj.
chaveirose s.f.
chaveiroso (*ô*) adj.; f. (*ó*); pl. (*ó*)
chavelha (*ê*) s.f.
chavelhal s.m.
chavelhame s.m.
chavelhão s.m.
chavelhento adj.
chavelho (*ê*) s.m.
chavelhote s.m.
chavelhudo adj. s.m.
chavem s.m.
chávena s.f.
chavense adj. s.2g.
chá-verde s.m.; pl. *chás-verdes*
chavesita s.f.
chaveta (*ê*) s.f.; cf. *chaveta*, fl. do v. *chavetar*
chavetado adj.
chavetamento s.m.
chavetar v.
chavetear v.
chaviana s.f.
chaviano adj. s.m.
chavibetol s.m.
chavibetólico adj.
chavícico adj.
chavicina s.m.
chavicínico adj.
chavicol s.m.
chaviense adj. s.2g.
chavina s.f.
chavinca s.f.
chavo s.m.
chavoso (*ô*) adj.; f. (*ó*); pl. (*ó*)
chazada s.f.
chazal s.m.
chazeiro adj. s.m.
chãzeiro s.m.
chazista adj. s.2g.
ché s.f.
chê interj.
chebate s.m.
chebê s.m.
chebulho s.m.
checa s.f.
checagem s.f.
checape s.m.
checar v. "conferir"; cf. *xecar*
checha s.f.
cheche s.m.
cheché s.m. "miga"; cf. *xexé*
chechene adj. s.2g.
checheno adj. s.m.
chechia s.f.
checo adj. s.m.
checo-eslovaco adj. s.m.; pl. *checo-eslovacos*
checoslovaco adj. s.m.
checreté s.2g.
cheda (*ê*) s.f.
chedeira s.f.
chedeiro s.m.
chedite s.f.
cheelita s.f. "minério de tungstênio"; cf. *xilita*
cheelítico adj.
chefado s.m.
chefança s.f.
chefão s.m.
chefaria s.f.
chefatura s.f.
chefe s.2g.
chefe-banda s.m.; pl. *chefes-banda* e *chefes-bandas*
chefe-barra s.m.; pl. *chefes-barra* e *chefes-barras*
chefe de divisão s.m.
chefe de esquadra s.m.
chefe-pala s.m.; pl. *chefes-pala* e *chefes-palas*
chefete (*ê*) s.m.
chefia s.f.
chefiação s.f.
chefiado adj.
chefiador (*ô*) adj. s.m.
chefiamento s.m.
chefiar v.
chefículo s.m.
chefoide (*ó*) s.2g.
chega (*ê*) s.2g.
chegada s.f.
chegadeira s.f.
chegadeiro adj.
chegadela s.f.
chegadiço adj. s.m.
chegadinha s.f.
chegadinho s.m.
chegado adj.
chegador (*ô*) adj. s.m.
chega-e-vira s.f.2n.
chegamento s.m.
chegança s.f.
cheganço s.m.
chegante adj. s.2g.
chega pra lá s.m.2n.
chegar v.
chego (*ê*) s.m.
cheguel s.m.
cheia s.f.
cheide s.m.
cheiene adj. s.2g.
cheila s.f.
cheina s.f.
cheio adj. s.m.
cheira s.2g.
cheira-bufas s.2g.2n.
cheira-cheira s.2g.2n.
cheira-cus s.2g.2n.
cheiradeira s.f.
cheirador (*ô*) adj. s.m.
cheira-fraldas s.2g.2n.
cheirante adj.2g.
cheirão s.m.
cheirar v.
cheireta (*ê*) s.2g.
cheirete (*ê*) s.m.
cheiricar v.
cheirinar v.
cheirinha adj. s.2g. s.f.
cheirinhas s.2g.2n.
cheirinho s.m.
cheirinho da loló s.m.
cheiro s.m. "odor"; cf. *xero* (*ê*)
cheiroso (*ô*) adj.; f. (*ó*); pl. (*ó*)
cheiro-verde s.m.; pl. *cheiros-verdes*
cheirum s.m.
cheirume s.m.
cheiume (*ú*) s.m.
cheiura (*ú*) s.f.
chela s.m.f.
cheldar v.
cheldra s.f.
cheleano adj. s.m.
cheleira s.f.
chelém s.m.
cheleme s.m.
chelense adj. s.2g.
chelim s.m. "pedra de jogo"; cf. *xelim*
chelindrar v.
chelinga s.f.
chelipa s.m.
chelipe s.m.
chelique s.m.
chelkarita s.f.
chelpa (*ê*) s.f.
chelpudo adj.
chelra s.f.
chelro s.m.
chemela s.f.
chempo s.m.
chena s.f.
chencau s.m.
chenchico s.m.
chenchicogim s.m.
chendo s.m.
chenevixita s.f.
chengue s.m.
chenile s.f.
chenilha s.f.
chenita s.f.
cheno s.m.
chepe-chepe s.m.; pl. *chepe-chepes*
cheque s.m. "ordem de pagamento"; cf. *xeque*
cheque-borracha s.m.; pl. *cheques-borracha* e *cheques-borrachas*
chequista adj. s.2g.

cheralita s.f.
cheramela s.f.
cheravascar v.
chercônia s.f.
cherelo (*ê*) s.m.
cheremisso adj. s.m.
chereta (*ê*) adj. s.2g.
cheretar v.
cherico s.m.
cherimólia s.f.
cheringalhão s.m.
cheringalho s.m.
cheringarço s.m.
cherinola s.f.
cherivia s.f.
cherléria s.f.
chermaquita s.f.
chermigita s.f.
cherna s.f.
cherna-preta s.f.; pl. *chernas-pretas*
cherne s.m.
cherne-pintado s.m.; pl. *chernes-pintados*
chernete (*ê*) s.m.
cherne-vermelho s.m.; pl. *chernes-vermelhos*
chernichevita s.f.
chernir v.
chernita s.f.
chernite s.f.
cherno s.m.
chernote s.m.
chernovita s.f.
chernykhita s.f.
cheroqui adj. s.2g.
cherovia s.f.
cherrafusca s.f.
cherrão s.m.
cherubia s.f.
cherumba s.f.
cherunda s.f.
cherundo s.m.
cherutão s.m.
cheruteca s.f.
cheruvia s.f.
chervetita s.f.
chessilita s.f.
chessilito s.m.
chesterlita s.f.
cheta (*ê*) s.f. "moeda", "ousadia"; cf. *xeta* (*ê*) e *xetá*
cheteni s.m.
chetini s.m.
cheto s.m.
cheúra s.f.
chevala s.f.
chevalo s.m.
cheveca s.f.
cheveco adj.
chevéquia s.f.
cheviote s.m.
cheviotina s.f.
chevkinita s.f.
chevquinita s.f.
chevreulia s.f.
chevró s.m.
chevrolata s.m.
chevrolé s.m.
chevronado adj.
chi s.m. interj.
chia s.f.
chia-chia s.f.2n.
chiada s.f.
chiadeira s.f.
chiado adj. s.m.
chiadoiro s.m.
chiador (*ô*) adj. s.m.
chiadorense adj. s.2g.
chiadouro s.m.
chiadura s.f.
chiamento s.m.
chiança s.f.
chiangar v.
chianha s.f.
chianino adj. s.m.
chiante adj.2g.
chião adj. s.m.
chiapetense adj. s.2g.
chiar v.
chiasco s.m.
chiasqueiro s.m.
chiata s.f.
chiatar v.
chiba s.f. "cabra", etc.; cf. *xiba*
chibaço s.m.
chibalé s.m.
chibamba s.m.
chibanca s.f.
chibança s.f.
chibantão adj.
chibantaria s.f.
chibante adj. s.2g. s.m.
chibantear v.
chibantesco (*ê*) adj.
chibantice s.f.
chibantismo s.m.
chibar v.
chibarra s.f.
chibarrada s.f.
chibarreiro s.m.
chibarro s.m.
chibata s.f.
chibatã s.f.
chibatada s.f.
chibatado adj.
chibata-grande s.f.; pl. *chibatas-grandes*
chibatão s.m.
chibatar v.
chibate s.m.
chibateamento s.m.
chibatear v.
chibateiro adj. s.m.
chibato s.m.
chibcha adj. s.2g. s.m.
chibé s.m.
chibeiro s.m.
chibelho (*ê*) s.m.
chibembe s.m.
chibense adj. s.2g.
chibeu s.m.
chibinítico adj.
chibinito s.m.
chibo s.m.
chibungo s.m.
chibuque s.m.
chica s.f.
chiça s.f. interj.
chicabequelababa s.f.
chica-boa s.f.; pl. *chicas-boas*
chica-chica s.f.; pl. *chica-chicas*
chicada s.f.
chicadeiro adj. s.m.
chica la fava s.f.
chicalhar v.
chicana s.f.
chicanada s.f.
chicanadela s.f.
chicanado adj.
chicanar v.
chicanável adj.2g.
chicandono s.m.
chicaneação s.f.
chicaneado adj.
chicaneador (*ô*) adj. s.m.
chicaneamento s.m.
chicanear v.
chicaneiro adj. s.m.
chicanga s.f.
chicango s.m.
chicanice s.f.
chicanista adj. s.2g.
chicante adj. s.2g.
chicão s.m.
chicar v.
chiçar v.
chicarola s.f.
chica-velha s.f.; pl. *chicas-velhas*
chiceiro s.m.
chicero s.m.
chicha s.f.
chichagem s.f.
chichar v.
chicharel s.m.
chícharo s.m.
chícharo-miúdo s.m.; pl. *chícharos-miúdos*
chícharo-selvagem s.m.; pl. *chícharos-selvagens*
chicharrão s.m.
chicharro s.m.
chicharro-branco s.m.; pl. *chicharros-brancos*
chicharro-calabar s.m.; pl. *chicharros-calabar* e *chicharros-calabares*
chicharro-cavala s.m.; pl. *chicharros-cavala* e *chicharros-cavalas*
chicharro-de-olho-grande s.m.; pl. *chicharros-de-olho-grande*
chicharro-pintado s.m.; pl. *chicharros-pintados*
chiche s.m.
chicheiro s.m.
chichelaço s.m.
chichelada s.f.
chichelar v.
chicheleira s.f.
chicheleiro adj.
chichelo s.m.
chicherisbéu s.m.
chichero s.m.
chichiar v.
chichica s.f. "marsupial"; cf. *xixica*
chichica-d'água s.f.; pl. *chichicas-d'água*
chichicuilote s.m.
chichiísmo s.m.
chichiita adj. s.2g.
chichila s.f.
chichimeca adj. s.2g.
chichimeco s.m.
chichinha s.f.
chichisbéu s.m.
chicho s.m. interj.
chichorro (*ô*) s.m.
chichorrobiar v.
chichorrobio adj. s.m.
chichuta s.m.
chicio s.m.
chiclã adj.2g.
chicle s.m.
chico adj. s.m.
chiço s.m.
chico-angu s.m.; pl. *chicos-angu* e *chicos-angus*
chico-chico s.m.; pl. *chico-chicos*
chicocoelho (*ê*) s.m.
chico da ronda s.m.
chico das dores s.m.
chico de roda s.m.
chicolapé s.m.
chicolerê s.m.
chico-magro s.m.; pl. *chicos-magros*
chicopa s.f.
chico-pires s.m.; pl. *chicos-pires*
chico-preto s.m.; pl. *chicos-pretos*
chico-puxado s.m.; pl. *chicos-puxados*
chi-coração s.m.; pl. *chi-corações*
chicória s.2g.
chicória-amarga s.f.; pl. *chicórias-amargas*
chicória-branca s.f.; pl. *chicórias-brancas*
chicória-brava s.f.; pl. *chicórias-bravas*
chicoriácea s.f.
chicoriáceo adj.
chicória-crespa s.f.; pl. *chicórias-crespas*
chicória-do-café s.f.; pl. *chicórias-do-café*
chicória-do-campo s.f.; pl. *chicórias-do-campo*
chicória-selvagem s.f.; pl. *chicórias-selvagens*
chicorrio s.m.
chicoso (*ô*) adj.; f. (*ó*); pl. (*ó*)
chicosuelo (*ê*) s.m.
chicotaço s.m.
chicotada s.f.
chicotadela s.f.
chicotado adj.
chicotar v.
chicote s.m.
chicoteação s.f.
chicoteada s.f.
chicoteadela s.f.
chicoteado adj. s.m.
chicoteador (*ô*) adj. s.m.
chicoteamento s.m.
chicoteante adj.2g.
chicotear v.
chicoteável adj.2g.
chicote-do-canadá s.m.; pl. *chicotes-do-canadá*
chicote-mordido s.m.; pl. *chicotes-mordidos*
chicote-queimado s.m.; pl. *chicotes-queimados*
chicotes-do-mar s.m.pl.
chicotina s.f.
chicotinho-queimado s.m.; pl. *chicotinhos-queimados*
chicu s.f. "árvore"; cf. *xicu*
chicua s.f.
chicuala s.f.
chicunco s.m.
chicuta s.f.
chidarro s.m.
chideiro s.m.
chidova s.m.
chidura s.f.
chieira s.f.
chieirento adj.
chifanga s.f.
chifarate s.m.
chifarica s.f.
chifarote s.m.
chifarro s.m.
chifonia s.f.
chifra s.f.
chifraço s.m.
chifrada s.f.
chifradeira s.f.
chifradela s.f.
chifrado adj.
chifrador (*ô*) adj.
chifrão s.m.
chifrar v.
chifre s.m.
chifre de boi s.m.
chifre de cabra s.2g.
chifre-de-cão s.m.; pl. *chifres-de-cão*
chifre-de-carneiro s.m.; pl. *chifres-de-carneiro*
chifre-de-ouro s.m.; pl. *chifres-de-ouro*
chifre-de-veado s.m.; pl. *chifres-de-veado*
chifre-do-diabo s.m.; pl. *chifres-do-diabo*
chifre-furado s.m.; pl. *chifres-furados*
chifrudo adj. s.m.
chifu s.m.
chiismo s.m.
chiista adj. s.2g.
chiístico adj.
chiita adj. s.2g.
chiítico adj.
chila s.f. "fazenda"; cf. *xila*
chilacaiota s.f.
chilaguita s.f.
chilaica s.f.
chilandrão s.m.
chilaras s.f.pl.
chilca s.f.
childrenita s.f.
chile s.m.
chileira s.f.
chileireiro s.m.
chileíta s.f.
chilena s.f. "espora"; cf. *xilena*
chileninha s.f.
chilenismo s.m.
chilenista adj. s.2g.
chilenístico adj.
chilenita s.f.
chilenização s.f.
chilenizante adj. s.2g.
chilenizar v.
chileno adj. s.m. "do Chile"; cf. *xileno*
chilense s.m.
chili s.m.
chilido s.m.
chilindra s.f.
chilindrão s.m.
chilique s.m.
chillaguita s.f.
chilo s.m. "delator"; cf. *xilo*
chilondra s.f.
chilra s.f.
chilrada s.f.
chilrador (*ô*) adj.
chilrão s.m.
chilrar v.
chilre adj.2g.
chilreada s.f.
chilreado adj. s.m.
chilreador (*ô*) adj. s.m.
chilreante adj.2g.
chilrear v.
chilreio s.m.
chilreiro adj.
chilreta (*ê*) s.f.
chilrido s.m.
chilro adj. s.m.
chim adj. s.2g.
chimangada s.f.
chimango s.m.
chimanguismo s.m.
chimanguista adj. s.2g.
chimanguístico adj.
chimano adj. s.m.
chimarona s.f.
chimarra s.f.
chimarrão adj. s.m.
chimarrear v.
chimarrita s.f.
chimarrita-balão s.f.; pl. *chimarritas-balão* e *chimarritas-balões*
chimarrona s.f.
chimarronear v.
chimarronense adj. s.2g.
chimba s.f.
chimbalau s.m.
chimbé adj.2g.
chimbear v.
chimbéu adj. s.2g.
chimbeva adj. s.2g.
chimbiar v.
chimbile s.m.
chimborgas s.m.2n.
chimela s.f.
chimiê s.m.
chimíer s.m.
chiminé s.f.
chimpanzé s.m.
chimpanzé-comum s.m.; pl. *chimpanzés-comuns*
chimpanzé-pigmeu s.m.; pl. *chimpanzés-pigmeus*
chimpanzé-preto s.m.; pl. *chimpanzés-pretos*
chimpanzoide (*ó*) adj.2g.
chimpar v.
chimparrear v.
chimporrada s.f.
chimu adj. s.2g. s.m.
china adj. s.2g. s.f.
chinaço s.f.
chinada s.f.
chinar v.
chinarada s.f.
chinarado s.m.
chinaredo (*ê*) s.m.
chinavol s.m.
chinca s.f.
chincada s.f.
chincadela s.f.
chincado adj.
chincafol s.m.
chincalhação s.f.
chincalhada s.f.
chincalhão s.m.
chincalhar v.
chincalho s.m.
chincapé s.f.
chincar v.

chincha s.f.
chinchadela s.f.
chincha-do-monte s.f.; pl. *chinchas-do-monte*
chinchador (*ô*) s.m.
chinchafão s.m.
chinchafóis s.m.2n.
chinchafol s.m.
chinchafoles s.m.2n.
chinchagem s.f.
chinchalaré s.m.
chinchão s.m.
chincha-pequena s.f.; pl. *chinchas-pequenas*
chinchar v.
chincharavelha s.f.
chincharavelho (*ê*) s.m.
chincharelha s.f.
chíncharo s.m.
chincharrabelho (*ê*) s.m.
chincharravelha s.f.
chincharravelho (*ê*) s.m.
chinchavarela adj.2g. s.f.
chinchavarelha s.f.
chinchavarelho (*ê*) s.m.
chinche s.m.
chincheiro s.m.
chincherineta (*ê*) s.m.
chinchila s.f.
chinchilaria s.f.
chinchilha s.2g.
chinchilídeo adj. s.m.
chinchinho adj.
chinchinim s.m.
chinchircoma s.f.
chincho s.m.
chinchona s.f.
chinchonácea s.f.
chinchonáceo adj.
chinchonina s.f.
chinchonino s.m.
chinchorina s.f.
chinchorro (*ô*) adj. s.m.
chinchoso (*ô*) adj.; f. (*ó*); pl. (*ó*)
chinchota s.f.
chinchote s.m.
chinchulim s.m.
chincoã s.m.
chincoã-pequeno s.m.; pl. *chincoãs-pequenos*
chincoca s.f.
chincola s.f.
chincra s.f.
chindau s.m.
chindim s.m.
chinear v.
chineiro adj. s.m.
chinela s.f.
chinelada s.f.
chinelão s.m.
chinelar v.
chinelas s.f.pl.
chineleiro adj. s.m.
chinelo s.m.
chinelos s.m.pl.
chinerio s.m.
chinês adj. s.m.
chinesada s.f.
chinesaria s.f.
chinesice s.f.
chinesismo s.m.
chinesista adj. s.2g.
chinesístico adj.
chineta (*ê*) s.f.
chinfra s.f.
chinfrão s.m.
chinfrar v.
chinfre s.m.
chinfreiro adj.
chinfrim adj.2g. s.m.
chinfrinação s.f.
chinfrinada s.f.
chinfrinado adj.
chinfrinar v.
chinfrineira s.f.
chinfrineiro adj.
chinfrinice s.f.
chinganja s.f.
chingla adj. s.2g.
chinglusuíta s.f.
chingo s.m.
chinguiço s.m.
chinguvo s.m.
chinico s.m.
chininha s.f.
chinite s.m.
chinização s.f.
chinizado adj.
chinizar v.
chinkolobwita s.f.
chino adj. s.m. "chinês"; cf. *chinó*
chinó s.m. "cabeleira postiça"; cf. *chino*
chino-britânico adj.; pl. *chino-britânicos*
chinoca s.f.
chinocão s.m.
chinofonia s.f.
chinófono adj. s.m.
chino-francês adj.; pl. *chino-franceses*
chinoíta s.f.
chino-mongólico adj.; pl. *chino-mongólicos*
chinoparlante adj. s.2g.
chinque s.m.
chinquilho s.m.
chinra s.f.
chinte s.m.
chintel s.m.
chintz s.m.
chinuque adj. s.2g.
chio s.m.
chioba s.m.
chiococa s.f.
chiococo (*ô*) s.m.
chiola s.f.
chiolas s.f.pl.
chiota s.f.
chiote s.m.
chipa s.f.
chipaia s.f. "espécie de cesto"; cf. *xipaia*
chipala s.f.
chipalada s.f.
chipanço s.m.
chipante s.m.
chipanzé s.m.
chipe s.m.
chipembe s.m.
chipevaio adj. s.m.
chipo s.m. "inseto", etc.; cf. *xipo*
chipó s.m.
chipolim s.m.
chipre s.f.
chipuar s.m.
chiquangue s.m.
chique adj. s.2g. s.m. "grã-fino"; cf. *chiquê*
chiquê s.m. "afetação pretensiosa de luxo"; cf. *chique*
chiqueira s.f. "pássaro"; cf. *chiqueirá*
chiqueirá s.m. "chicote"; cf. *chiqueira*
chiqueirador (*ô*) s.m.
chiqueirar v.
chiqueireiro adj.
chiqueirense adj. s.2g.
chiqueirinho s.m.
chiqueiro s.m.
chiquel s.m.
chiquento adj.
chiquete (*ê*) s.m.
chiqueza (*ê*) s.f.
chiquice s.f.
chiquilha s.f.
chiquismo s.m.
chiquita s.f.
chiquitano adj. s.m.
chiquiteira s.f.
chiquiteiro s.m.
chiquitense adj. s.2g.
chiquitinho adj.
chiquito adj. s.m.
chira s.f.
chirata s.f.
chirbulió s.m.
chirca s.f.
chirca-do-mato s.f.; pl. *chircas-do-mato*
chircal s.m.
chirelo (*ê*) s.m.
chirengue adj. s.2g.
chireta (*ê*) s.f.
chiria s.f.
chiriba s.m.
chiribiri s.m.
chiriguano adj. s.m.
chirila s.f.
chirimbote s.m.
chirimoia (*ó*) s.f.
chirina s.f.
chirinola s.f.
chiripa s.f.
chiripá s.m.
chiripear v.
chiripeiro adj.
chiripento adj. s.m.
chiriqui adj. s.2g.
chirivia s.f.
chirreada s.f.
chirreado s.m.
chirreante adj.2g.
chirriada s.f.
chirriado adj. s.m.
chirriante adj.2g.
chirriar v.
chirrio s.m.
chirrobia s.f.
chiru adj. s.m.
chiruzada s.f.
chisca s.f.
chiscar v.
chiscismelro s.m.
chisco s.m.
chismes s.m.pl.
chisnar v.
chispa s.f.
chispada s.f.
chispadela s.f.
chispado adj.
chispador (*ô*) adj.
chispalhada s.f.
chispante adj.2g.
chispar v.
chispe s.m.
chispeação s.f.
chispeada s.f.
chispeado adj.
chispeador (*ô*) adj.
chispeante adj.2g.
chispear v.
chispes s.m.pl.
chispo s.m.
chispométrico adj.
chispômetro s.m.
chisquice s.f.
chisquinho s.m.
chisquito s.m.
chissete s.f.
chissoco (*ô*) s.m.
chissonde s.m.
chiste s.m.
chistira s.f.
chistoso (*ô*) adj. "engraçado"; f. (*ó*); pl. (*ó*); cf. *xistoso* (*ô*)
chita adj.2g. s.f.
chitacaia s.f.
chita-crespa s.f.; pl. *chitas-crespas*
chitada s.f.
chitado adj.
chita-miúda s.f.; pl. *chitas-miúdas*
chitão s.m.
chita-rendada s.f.; pl. *chitas-rendadas*
chitaria s.f.
chitata s.f.
chitau s.m.
chite interj.
chitela s.f.
chitelha (*ê*) s.f.
chitim s.m.
chitomonoco s.m.
chitpavana s.2g.
chitungulo s.m.
chituredo (*ê*) s.m.
chiúla s.m.
chiuô s.m.
chiúra s.f.
chiviatita s.f.
chizia s.f.
chkalovita s.f.
chladnito s.m.
chlopinita s.f.
choapta adj. s.2g.
chobia s.f.
chobili s.2g.
choca s.f.
choça s.f.
chocadeira s.f.
chocadeiro s.m.
chocado adj.
chocador (*ô*) adj.
chocagem s.f.
chocalejar v.
chocalhada s.f.
chocalhado adj.
chocalhante adj.2g.
chocalhar v.
chocalheira s.f.
chocalheirada s.f.
chocalheirinha s.f.
chocalheiro adj. s.m.
chocalhice s.f.
chocalho s.m.
chocalho-de-cascavel s.m.; pl. *chocalhos-de-cascavel*
chocamento s.m.
chocante adj.2g.
chocão s.m.
chocão-carijó s.m.; pl. *chocões-carijós*
chocar v. "esbarrar", "incubar", etc.; cf. *xocar*
chocarraria s.f.
chocarrear v.
chocarreiro adj. s.m.
chocarreria s.f.
chocarrice s.f.
chochar v.
chochice s.f.
chochim s.m.
chochina s.2g.
chochinha s.2g.
chochinho s.m.
chocho (*ô*) adj. s.m. "sem miolo"; cf. *chocho*, fl. do v. *chochar*, e *xoxo* (*ô*)
chochó s.m.
chochone adj. s.2g.
choco (*ô*) adj. s.m.; cf. *choco*, fl. do v. *chocar*
choço (*ô*) s.m.
chocolatada s.f.
chocolatado adj.
chocolatar v.
chocolataria s.f.
chocolate s.m.
chocolateira s.f.
chocolateiro adj. s.m.
chocolita s.f.
chocorreta (*ê*) s.f.
chocoso (*ô*) s.m.; f. (*ó*); pl. (*ó*)
chocrão s.m.
chódane s.m.
chofar s.m.
chofaria s.f.
chofer s.m.
choferada s.f.
choferar v.
chofereação s.f.
choferear v.
chofrada s.f.
chofrado adj.
chofrão s.m.
chofrar v.
chofre (*ô*) s.m.; cf. *chofre*, fl. do v. *chofrar*
chofreiro adj. s.m.
chofrista adj. s.2g.
chofrudo adj.
chogó s.m.
choi s.m.
choina s.2g.
choinar v.
choinice s.f.
choira s.f.
choisinha s.2g.
choitar v.
choito s.m.
chola s.f. "cabeça"; cf. *chola* (*ô*)
chola (*ô*) s.f. "moça hispano-americana"; cf. *chola*
cholaga adj. s.2g.
choldabola s.f.
choldra (*ô*) s.f.
choldraboldra s.f.
chole s.m.
chóli s.m.
cholo (*ô*) s.m.
cholope s.m.
chomélia s.f.
chomskyano adj.
chona s.f. "noite"; cf. *xona*
chonão s.m.
chonar v.
chondracor (*ô*) s.m.
choninense adj. s.2g.
choninha s.2g.
choninhas s.2g.2n.
chono adj. s.m.
chonta s.f.
chopa (*ô*) s.f.
chopada s.f.
chopado adj.
chopar v.
choparia s.f.
chope (*ô*) s.m.
chope-duplo s.m.; pl. *chopes-duplos*
chopeira s.f.
chopi adj. s.2g.
chopim s.m.
chopim-gaudério s.m.; pl. *chopins-gaudérios*
chopiniano adj.
chopinzinhense adj. s.2g.
chopista adj. s.2g.
choque s.m.
choqueiro adj. s.m.
choquel s.m.
choquém s.m.
choquento adj.
choquice s.f.
choquiço s.m.
choquilha s.f.
choquilhão s.m.
choquilho s.m.
choquinha s.f.
chor (*ô*) s.f.
chora s.f.
chora-chora s.f.; pl. *chora-choras*
chora-chuva s.m.; pl. *chora-chuvas*
chora-chuva-de-cara-branca s.m.; pl. *chora-chuvas-de-cara-branca*
chora-chuva-preto s.m.; pl. *chora-chuvas-pretos*
choradeira s.f.
choradinho s.m.
chorado adj. s.m.
chora-doilos s.2g.2n.
chorador (*ô*) adj. s.m.
choradouro s.m.
choralambre s.m.
chora-lua s.m.; pl. *chora-luas*
chora-maré s.m.; pl. *chora-marés*
chora-menina s.f.; pl. *chora-meninas*
choramigador (*ô*) adj. s.m.
choramigão s.m.
choramigar v.
choramigas s.2g.2n.
choramigueiro adj.
choramiguento adj.
choramingador (*ô*) adj. s.m.
choramingão s.m.
choramingar v.
choramingas s.2g.2n.
choramingo s.m.
choramingona s.f.
chora-mínguas s.2g.2n.
choramingueiro adj.
choraminguento adj.
chorante s.f.
chorão adj. s.m.

chorão-dos-jardins s.f.; pl. *chorões-dos-jardins*
chorão-salgueiro s.m.; pl. *chorões-salgueiro* e *chorões--salgueiros*
chorãozense adj. s.2g.
chorãozinho s.m.; pl. *chorõezinhos*
chorar v. s.m.
choraria s.f.
chora-sangue s.m.; pl. *chora--sangues*
chora-vinagre s.m.; pl. *chora--vinagres*
chorco (*ô*) s.m.
chorecer v.
chorfa adj. s.2g.
chorguém s.m.
chorica s.2g.
choricas s.2g.2n.
chorina s.m.f.
chorinca s.2g.
chorincar v.
chorincas s.2g.2n.
chorinco s.m.
chorinha s.2g.
chorinhas s.2g.2n.
chorinho s.m.
chorinola s.f.
chorinquento adj.
chorinquice s.f.
chorlo s.m.
chorne s.m.
choro (*ô*) s.m.; cf. *choro*, fl. do v. *chorar*
choró-choró s.m.; pl. *choró--chorós*
choro da mulata s.m.
choroense adj. s.2g.
chorões s.m.pl.
chorolambre s.m.
choromeleiros s.m.pl.
chorona adj. s.f. de *chorão*
choro na rampa s.m.
chororão s.m.
chororó s.m.
choroso (*ô*) adj.; f. (*ó*); pl. (*ó*)
chorote adj. s.2g.
chorotega adj. s.2g.
chorozinhense adj. s.2g.
chorrar v.
chorreado adj.
chorreira s.f.
chorreiro s.m.
chorrilhar v.
chorrilho s.m.
chorriscar v.
chorro (*ô*) s.m. "forro"; cf. *chorró* s.m. e *chorro*, fl. do v. *chorrar*
chorró s.m. "pássaro"; cf. *chorro* (*ô*)
chorró-boi s.m.; pl. *chorrós--boi* e *chorrós-bois*
chorrochoense adj. s.2g.
chorudo adj.
chorume s.m.
chorumela s.f.
chorumento adj.
choruto adj.
chostra (*ô*) s.f.
chota s.f.
chotão s.m.
chotar v. "seguir"; cf. *xotar*
chote interj.
choti s.m.
chótis s.m.2n.
choto (*ô*) s.m.
chouca s.f.
choupa s.f.
choupada s.f.
choupado adj.
choupal s.m.
choupana s.f.
choupaneiro s.m.
choupar v.
choupeiro s.m.
choupelo (*ê*) s.m.
choupilo s.m.
choupo s.m.
choupo-branco s.m.; pl. *choupos-brancos*
choupo-da-carolina s.m.; pl. *choupos-da-carolina*
choupo-de-itália s.m.; pl. *choupos-de-itália*
choupo-do-bálsamo s.m.; pl. *choupos-do-bálsamo*
choupo-do-canadá s.m.; pl. *choupos-do-canadá*
choupo-mulato s.m.; pl. *choupos-mulatos*
choupo-negro s.m.; pl. *choupos-negros*
choupo-piramidal s.m.; pl. *choupos-piramidais*
choupo-preto s.m.; pl. *choupos-pretos*
choupo-suíço s.m.; pl. *choupos-suíços*
choupo-tremedor s.m.; pl. *choupos-tremedores*
choura s.f.
chourela s.f.
chourém s.m.
chouri s.m.
chouriça s.f.
chouriçada s.f.
chouriceiro s.m.
chouriço s.m.
chousa s.f.
chousal s.m.
chousar v.
chouseira s.f.
chouso s.m.
choussar v.
chousseira s.f.
chousura s.f.
choutã adj. s.f. de *choutão*
choutador (*ô*) adj. s.m.
choutão adj. s.m.; f. *choutã* e *choutona*
choutar v.
choute s.m.
choutear v.
chouteiro adj. s.m.
choutiá s.m.
chouto s.m.
choutona adj. s.f. de *choutão*
chovedice s.f.
chovediço adj.
chovedio adj.
chovedoiro s.m.
chovedouro s.m.
chove não molha s.2g.2n.
chove-petas s.2g.2n.
chover v.
chovido adj.
chovolo s.m.
christensênia (*cris*) s.f.
christenseniáceo (*cris*) adj.
christenseníada (*cris*) s.f.
christophita (*cris*) s.f.
chu s.m.
chuá s.m.
chuã s.m.
chuala-chavarana adj. s.2g.; pl. *chualas-chavaranas*
chubeto s.m.
chubutita s.f.
chuca s.f.
chuça s.f.
chuca-chuca s.m.; pl. *chuca--chucas*
chuçada s.f.
chuçado adj.
chuçante adj.2g.
chucar s.m.
chuçar v.
chuceiro s.m.
chucha s.f.
chuchada s.f.
chuchadeira s.f.
chuchado adj.
chucha-mel s.m.; pl. *chucha--méis* e *chucha-meles*
chucha-pitos s.m.2n.
chuchar v.
chucharrão s.m.; f. *chucharrona*
chucharrona s.f. de *chucharrão*
chuchas s.f.2n.
chuchável adj.2g.
chuchicala s.f.
chuchicalha s.f.
chucho s.m. "calafrio"; cf. *chuxo* e *xuxo*
chuchu s.m.
chuchuar v.
chuchurreada s.f.
chuchurreado adj.
chuchurrear v.
chuchurreio s.m.
chuchurro s.m.
chuchurrubiado adj.
chuchuzeiro s.m.
chuco s.m.
chuço adj. s.m.
chuços s.m.pl.
chucro adj. s.m.
chucrute s.m.
chucurié adj. s.2g.
chudobaíta s.f.
chué adj.2g. "apoucado"; cf. *xué* e *xuê*
chuetar v.
chufa s.f.
chufador (*ô*) adj. s.m.
chufar v.
chufear v.
chufista adj. s.2g.
chuí s.m.
chukhrovita s.f.
chula s.f.
chulada adj. s.f.
chulapé s.m.
chularia s.f.
chulata s.f.
chulca s.f.
chulé s.m.
chuleadeira s.f.
chuleado adj. s.m.
chuleadura s.f.
chulear v.
chuleco s.m.
chuleio s.m.
chuleiro adj.
chulepento adj. s.m.
chulerento adj. s.m.
chuleta (*ê*) s.f.
chulice s.f.
chulipa s.f.
chulipada s.f.
chulismo s.m.
chulista adj. s.2g.
chulo adj.
chulpo adj. s.m.
chumaçado adj.
chumaçar v.
chumaceira s.f.
chumacete (*ê*) s.m.
chumache adj.2g.
chumaço s.m.
chumarra s.f.
chumbação s.f.
chumbada s.f.
chumbado adj.
chumbadoiro s.m.
chumbador (*ô*) adj. s.m.
chumbadouro s.m.
chumbagem s.f.
chumbalé s.m.
chumbamento s.m.
chumbar v.
chumbeação s.f.
chumbeado adj.
chumbeador (*ô*) s.m.
chumbeamento s.m.
chumbear v.
chúmbeas s.f.pl.
chumbeira s.f.
chumbeiro s.m.
chumbense adj. s.2g.
chúmbeo adj.
chumbim s.m.
chumbinho adj. s.m.
chumbinho-roxo s.m.; pl. *chumbinhos-roxos*
chumbinhos s.m.pl.
chumbismo s.m.
chumbista adj. s.2g.
chumbo s.m.
chumbos s.m.pl.
chumbotetraetila s.m.
chumbotetraetílico adj.
chumbum s.m.
chúmea s.f.
chumear v.
chúmeas s.f.pl.
chumeco s.m.
chumela s.f.
chumequeiro s.m.
chumiço s.m.
chumieira s.f.
chumpim s.m.
chuna s.f.
chunambo s.m.
chuname s.m.
chunchão s.m.
chuncho adj. s.m.
chunense adj. s.2g.
chunga s.f.
chunguítico adj.
chunguito s.m.
chupa adj. s.2g. s.m.f.
chupa-cabra s.m.; pl. *chupa--cabras*
chupa-caldo s.2g.; pl. *chupa--caldos*
chupa-chupa s.2g.; pl. *chupa--chupas* e *chupas-chupas*
chupada s.f.
chupadeira s.f.
chupadela s.f.
chupadelo (*ê*) s.m.
chupa-dente s.2g.; pl. *chupa--dentes*
chupado adj.
chupadoiro s.m.
chupador (*ô*) adj. s.m.
chupador de anta s.m.
chupadouro s.m.
chupadura s.f.
chupa-ferro s.m.; pl. *chupa--ferros*
chupa-flor s.m.; pl. *chupa--flores*
chupa-galhetas s.m.2n.
chupa-gás s.m.; pl. *chupa-gases*
chupa-jantares s.2g.2n.
chupa-mel s.m.; pl. *chupa-méis* e *chupa-meles*
chupamento s.m.
chupa-molho s.m.; pl. *chupa--molhos*
chupança s.f.
chupança-do-cacau s.f.; pl. *chupanças-do-cacau*
chupante adj. s.2g.
chupão adj. s.m.
chupão-de-arroz s.m.; pl. *chupões-de-arroz*
chupa-ovo s.m.; pl. *chupa-ovos*
chupa-pedra s.m.; pl. *chupa--pedras*
chupa-pinto s.m.; pl. *chupa--pintos*
chupar v.
chuparino s.m.
chupa-rolha s.2g.; pl. *chupa--rolhas*
chupa-sangue s.2g.; pl. *chupa--sangues*
chupa-tinta s.m.; pl. *chupa--tintas*
chupeta (*ê*) s.f.
chupeteiro s.m.
chupim s.m.
chupim-do-banhado s.m.; pl. *chupins-do-banhado*
chupim-do-brejo s.m.; pl. *chupins-do-brejo*
chupim-do-charco s.m.; pl. *chupins-do-charco*
chupinhar v.
chupista adj. s.2g.
chupistar v.
chupita s.f.
chupitador (*ô*) adj. s.m.
chupitar v.
chupo s.m.
chuquiraga s.f.
churchilliano adj.
churchillita s.f.
churchita s.f.
churdar v.
churdo adj. s.m.
chureta (*ê*) s.m.
churi s.m.
churinar v.
churingas s.f.pl.
churma s.f.
churmigueira s.f.
churra s.m.f.
churrapa s.f.
churrascada s.f.
churrascado adj. s.m.
churrascaria s.f.
churrasco s.m.
churrasqueada s.f.
churrasqueado adj. s.m.
churrasqueador (*ô*) adj. s.m.
churrasquear v.
churrasqueira s.f.
churrasqueiro s.m.
churrasqueto (*ê*) s.m.
churrasquinho s.m.
churriado adj.
churrião s.m.
churriar v.
churrica s.f.
churrigueresco (*ê*) adj. s.m.
churriguerismo s.m.
churriguerista adj. s.2g.
churriguerístico adj.
churrio s.m.
churro adj. s.m. "sujidade", etc.; cf. *xurro*
churta s.f.
chus adv.
chusma s.f.
chusmado adj.
chusmar v.
chúsquea s.f.
chusqueia (*é*) s.f.
chusura s.f.
chuta interj.
chutado adj.
chutador (*ô*) adj. s.m.
chutar v.
chute s.m.
chuteira s.f.
chuva s.m.f.
chuvaceira s.f.
chuvaceiro s.m.
chuva-criadeira s.f.; pl. *chuvas-criadeiras*
chuvada s.f.
chuva de caju s.f.
chuva de caroço s.f.
chuva-de-imbu s.f.; pl. *chuvas-de-imbu*
chuva de manga s.f.
chuva-de-oiro s.f.; pl. *chuvas--de-oiro*
chuva-de-ouro s.f.; pl. *chuvas--de-ouro*
chuva de rama s.f.
chuva de santa luzia s.f.
chuva dos cajueiros s.f.
chuva dos imbus s.f.
chuvão s.m.
chuvarada s.f.
chuveirada s.f.
chuveirão s.m.
chuveirinho s.m.
chuveiro s.m.
chuvenisca s.2g.
chuveniscar v.
chuvenisco s.m.
chuveriscar v.
chuvilhar v.
chuvilho s.m.
chuvim s.m.
chuvinha s.f.
chuvinhar v.
chuviringana s.f.
chuviscação s.f.
chuviscado adj.
chuviscar v.
chuvisco s.m.
chuviscoso (*ô*) adj.; f. (*ó*); pl. (*ó*)
chuvisqueiro s.m.
chuvisquento adj.

chuvisquinho s.m.
chuvoso (*ô*) adj.; f. (*ó*); pl. (*ó*)
chuxo s.m. "espécie de peixe"; cf. *chucho* e *xuxo*
chuzes s.m.pl.
cia s.f. "ave"; cf. *ciá*, *ciã* e *sia*, fl. do v. *siar*
ciá s.m. "macaco-da-noite"; cf. *cia* e *ciã*
ciã adj. s.2g. "azul"; cf. *cia* e *ciá*
ciado adj.; cf. *ceado*
ciadocéfalo s.m.
ciadofilo s.m.
ciadopite s.m.
ciadopitióidea s.f.
ciadopitioideia (*é*) adj. f. de *ciadopitioideu*
ciadopitióideo adj.
ciadopitioideu adj.; f. *ciadopitioideia* (*é*)
ciáfila s.f.
ciáfilo adj. s.m.
ciameia (*é*) s.f.
ciamélida s.f.
ciâmetro s.m.
ciamídeo s.m.
cíamo s.m.
ciamoide (*ó*) adj.2g.
cianacético adj.
cianadiamina s.f.
cianado adj.
cianaldeído s.m.
cianamelido s.m.
cianamida s.f.
cianastrácea s.f.
cianastráceo adj.
cianastro s.m.
cianático adj.
cianato s.m.
ciânea s.f.
cianefidrose s.f.
cianefidrósico adj.
cianefidrótico adj.
cianeicolo adj.
cianeíneo adj. s.m.
cianela s.f.
cianemia s.f.
cianêmico adj.
cianemoglobina s.f.
cianemoglobínico adj.
ciâneo adj.
cianetação s.f.
cianetar v.
cianeto (*ê*) s.m.
ciânico adj.
cianicolo adj.
cianicórneo adj.
cianidina s.f.
cianido s.m.
cianidrato s.m.
cianídrico adj.
cianidrina s.f.
cianidrínico adj.
cianidro s.m.
cianidrose s.f.
cianidrósico adj.
cianidrótico adj.
cianina s.f.
cianínico adj.
cianípede adj.2g.
cianipene adj.2g.
cianipígio adj.
cianirrostro adj.
cianismo s.m.
cianita s.f.
cianite s.f.
cianítico adj.
cianito s.m.
cianização s.f.
cianizar v.
ciano adj. s.m.
cianobactéria s.f.
cianocalcita s.f.
cianocalcite s.f.
cianocalcítico adj.
cianocarpo adj.
cianocéfalo adj.
cianocetânico adj.
cianocetano s.m.
cianocinela s.m.
cianocobalamina s.f.
cianocórace s.f.
cianocristalina s.f.
cianocroíta s.f.
cianocroíte s.f.
cianocroítico adj.
cianocromo s.m.
cianodermia s.f.
cianodérmico adj.
cianoferrático adj.
cianoferrato s.m.
cianoferreto (*ê*) s.m.
cianoférrico adj.
cianoferrita s.f.
cianoferrite s.f.
cianoferrítico adj.
cianoferrito s.m.
cianoferro s.m.
cianoferrureto (*ê*) s.m.
cianofícea s.f.
cianofíceo adj.
cianoficina s.f.
cianofila s.f. "azul da clorofila"; cf. *cianófila*
cianófila adj. "que se deixa corar de azul"; cf. *cianofila*
cianofilia s.f.
cianofílico adj.
cianófilo adj.
cianófita s.f.
cianofórico adj.
cianofosfórico adj.
cianofósforo s.m.
cianoftálmico adj.
cianoftalmo adj.
cianogáster adj.2g. s.m.
cianogástreo adj.
cianogástrio s.m.
cianogastro adj.
cianogenado adj.
cianogenar v.
cianogênese s.f.
cianogenético adj.
cianogênico adj.
cianogênio s.m.
cianógino adj.
cianoide (*ó*) adj.2g.
cianol s.m.
cianolésbia s.f.
cianoleuco adj.
cianólico adj.
cianolíseo s.m.
cianolita s.f.
cianolite s.f.
cianolítico adj.
cianólito s.m.
cianomelano adj.
cianomélano adj.
cianometria s.f.
cianométrico adj.
cianômetro s.m.
cianopatia s.f.
cianopático adj.
cianopia s.f.
cianopígio adj.
cianopirro adj.
cianoplatinita s.f.
cianópode adj.2g.
cianópodo adj.
cianopólio s.m.
cianopotássico adj.
cianopsia s.f.
cianopsítaco s.m.
cianóptero adj.
cianóptico adj.
cianortense adj. s.2g.
cianosado adj.
cianosar v.
cianose s.f.
cianósio s.m.
cianosita s.f.
cianosítico adj.
cianoso (*ô*) adj.; f. (*ó*); pl. (*ó*)
cianótico adj.
cianotipia s.f.
cianotípico adj.
cianotriquita s.f.
cianotriquite s.f.
cianotriquítico adj.
cianuração s.f.
cianurado adj.
cianuramida s.f.
cianurar v.
cianurato s.m.
cianureto (*ê*) s.m.
cianuria s.f.
cianúria s.f.
cianúrico adj.
cianurina s.f.
cianurínico adj.
cião s.m.
ciaptérige s.m.
ciáptero s.m.
ciar v. "ter ciúmes", "mover-se para trás"; cf. *cear* e *siar*
ciara s.f.
ciascopia s.f.
ciascópico adj.
ciascópio s.m.
ciátea s.f.
ciateácea s.f.
ciateáceo adj.
ciática s.f.
ciático adj.
ciático-poplíteo adj.; pl. *ciático-poplíteos*
ciatiforme adj.2g.
ciátio s.m.
ciato s.m.
ciatocéfalo s.m.
ciatódio s.m.
ciatofilo s.m.
ciatóforo adj.
ciatoide (*ó*) adj.2g.
ciatolemo s.m.
ciatomástique s.f.
ciatopoma s.m.
ciatozóideo adj. s.m.
ciatozooide (*ó*) adj.2g.
ciatron s.m.
cíatron s.m.
ciatrônio s.m.
ciátula s.f.
ciavoga s.f.
cibação s.f.
cíbala s.f.
cibalgina s.f.
cibalhada s.f.
cibalho s.m.
cibálio s.m.
cibalióidea s.f.
cibalióideo adj.
cíbalo s.m.
cibaloso (*ô*) adj.; f. (*ó*); pl. (*ó*)
cibana s.f.
cibanco adj. s.m.
cibando s.m.
cibaque s.m.
cibar v. "alimentar"; cf. *sibar*
cibarco adj. s.m.
cibária s.f.; cf. *cibaria*, fl. do v. *cibar*
cibárico adj.
cibário s.m.
cibarrada s.f.
cibato s.m.
cibaumense adj. s.2g.
cibdelo s.m.
cibdelofânio s.m.
cibe s.m.
cibeia (*é*) s.f.
ciberespacial adj.2g.
ciberespaço s.m.
cibernauta s.2g.
cibernética s.f.
ciberneticista adj. s.2g.
ciberneticístico adj.
cibernético adj.
cibernetização s.f.
cibernetizado adj.
cibernetizar v.
cibernetologia s.f.
cibernetológico adj.
cibernetologista adj. s.2g.
cibernetólogo s.m.
ciberpirata s.2g.
cibianto s.m.
cibico s.m.
cibilitano adj. s.m.
cibinho s.m.
cíbio s.m.
cibiralá s.m.
cibisotômico adj.
cibisótomo s.m.
cibístax (*cs*) s.m.2n.
cibíster s.m.
cibística s.f.
cibístico adj.
cibo s.m.
ciboa (*ô*) s.f.
cibocefalíneo adj. s.m.
cibocéfalo s.m.
cibócio s.m.
cibofobia s.f.
cíbolo s.m.
cibonel adj.2g.
cibório s.m.
cibotáctico adj.
cibotático adj.
cibotaxe (*cs*) s.f.
cica s.f. "adstringência"; cf. *sica*
cicada s.f.
cicadácea s.f.
cicadáceo adj.
cicadal adj.2g.
cicadale s.f.
cicadária s.f.
cicadário adj. s.m.
cicádea s.f.
cicadela s.f.
cicadélida adj.2g. s.m.
cicadelídeo adj. s.m.
cicádeo adj.
cicadeoide (*ó*) adj. s.2g.
cicadeoideal adj.2g.
cicadeoideale s.f.
cicádida adj.2g. s.m.
cicadídeo adj. s.m.
cicadofilical adj.2g.
cicadofilicale s.f.
cicadofilicina s.f.
cicadófita s.f.
cicadópsida s.f.
cicadospadice s.m.
cicadospermo s.m.
cicadoxílea (*cs*) s.f.
cicadoxíleo (*cs*) adj.
cicadóxilo (*cs*) s.m.
cicadóxilon (*cs*) s.m.
cicata adj. s.2g.
cicate s.m.
cicateiro adj. s.m.
cicatice s.f.
cicatricial adj.2g.
cicatricialidade s.f.
cicatrícula s.f.
cicatricular adj.2g.
cicatriz s.f.
cicatrização s.f.
cicatrizado adj.
cicatrizante adj.2g. s.m.
cicatrizar v.
cicatrizável adj.2g.
cicendela s.f.
cicendeliano s.m.
cicendélida adj.2g. s.m.
cicendelídeo adj. s.m.
cicêndia s.f.
cícer s.m.
cicerado adj.
ciceragem s.f.
cicerar v.
cicérico adj.
cícero s.m.
cícero-dantense adj. s.2g.; pl. *cícero-dantenses*
ciceronagem s.f.
cicerone s.2g.
ciceronianismo s.m.
ciceronianista adj. s.2g.
ciceronianístico adj.
ciceronianizado adj.
ciceronianizante adj. s.2g.
ciceronianizar v.
ciceroniano adj. s.m.
cicerônico adj.
ciceronismo s.m.
ciceronista adj. s.2g.
ciceronístico adj.
ciceronizar v.
cichafonte s.m.
cicia s.f.
ciciamento s.m.
ciciante adj.2g.
ciciar s.f. "sibilar"; cf. *cecear*
cicica s.f.
cicieira s.f.
cicimento adj. s.m.
cicindela s.f.
cicindeliano s.m.
cicindélida adj.2g. s.m.
cicindelídeo adj. s.m.
cicínio s.m.
cicinuro s.m.
cicio s.m.
cicioso (*ô*) adj. "que cicia"; f. (*ó*); pl. (*ó*); cf. *ceceoso* (*ô*)
cicisbeia (*é*) s.f.
cicla s.f.
cíclade s.f.
cicladense adj. s.2g.
cicládico adj.
cicládida adj. s.2g.
cicladura s.f.
ciclagem s.f.
ciclamático adj.
ciclamato s.m.
ciclame s.m.
cíclame s.m.
cíclame-da-europa s.m.; pl. *cíclames-da-europa*
cíclame-da-pérsia s.m.; pl. *cíclames-da-pérsia*
cíclame-de-nápoles s.m.; pl. *cíclames-de-nápoles*
ciclâmico adj.
ciclamim s.m.
ciclamina s.f.
ciclamínea s.f.
ciclamíneo adj.
ciclamínico adj.
ciclamínio s.m.
ciclamino s.m.
ciclamiretina s.f.
ciclamiretínico adj.
ciclamor (*ô*) s.m.
ciclamose s.f.
ciclânico adj.
ciclanina s.f.
ciclano adj. s.m.
ciclanoico (*ó*) adj.
ciclanol s.m.
ciclanólico adj.
ciclanona s.f.
ciclanônico adj.
ciclantácea s.f.
ciclantáceo adj.
ciclantal adj.2g.
ciclantale s.f.
ciclântea s.f.
ciclânteo adj.
ciclantera s.f.
ciclantérea s.f.
ciclantéreo adj.
ciclanto s.m.
ciclárida adj.2g. s.m.
ciclarídeo adj. s.m.
ciclartrose s.f.
ciclartrósico adj.
ciclartrótico adj.
cicláspide s.f.
cicláspis s.f.2n.
ciclatão s.m.
ciclatom s.m.
ciclena s.f.
ciclênico adj.
cicleno s.m.
cicleta s.f.
ciclicidade s.f.
cíclico adj. s.m.
cíclida adj.2g. s.m.f.
ciclidade s.f.
ciclídeo adj. s.m.
ciclídeo-borboleta s.m.; pl. *ciclídeos-borboleta* e *ciclídeos-borboletas*
ciclídio s.m.
ciclina s.f.
ciclismo s.m.
ciclista adj. s.2g.
ciclístico adj.
ciclite s.f.
ciclitol s.m.
ciclitólico adj.

ciclizabilidade s.f.
ciclização s.f.
ciclizar v.
ciclizável adj.2g.
ciclo s.m. "série que se repete regularmente"; cf. *siclo*
cicloadição s.f.
cicloalcadiênico adj.
cicloalcadieno s.m.
cicloalcânico adj.
cicloalcano s.m.
cicloalceno s.m.
cicloalcínico adj.
cicloalcino s.m.
cicloalifático adj.
cicloalpinista adj. s.2g.
cicloalquênico adj.
cicloalqueno s.m.
ciclobarbital s.m.
ciclobrânquio s.m.
ciclobutadiênico adj.
ciclobutadieno s.m.
ciclobutânico adj.
ciclobutano s.m.
ciclocarpínea s.f.
ciclocarpíneo adj.
ciclocefalia s.f.
ciclocefaliano adj. s.m.
ciclocefálico adj.
ciclocéfalo s.m.
cicloceratite s.f.
ciclócero s.m.
ciclocilíndrica s.f.
ciclocilíndrico adj.
ciclocitral s.m.
cicloconversor (*ô*) s.m.
ciclocoroidite s.f.
ciclocósmia s.f.
ciclodérma s.m.
ciclodesidratação s.f.
ciclodiálise s.f.
ciclodialítico adj.
ciclodiatermia s.f.
ciclodiatérmico adj.
ciclodiatomia s.f.
ciclodiatômico adj.
cicloeptatrieno s.m.
cicloexadiênico (*cs* ou *z*) adj.
cicloexadieno (*cs* ou *z*) s.m.
cicloexano (*cs* ou *z*) s.m.
cicloexanodiona (*cs* ou *z*) s.f.
cicloexanodiônico (*cs* ou *z*) adj.
cicloexanol (*cs* ou *z*) s.m.
cicloexanólico (*cs* ou *z*) adj.
cicloexanona (*cs* ou *z*) s.f.
cicloexatriênico (*cs* ou *z*) adj.
cicloexatrieno (*cs* ou *z*) s.m.
cicloexênico (*cs* ou *z*) adj.
cicloexeno (*cs* ou *z*) s.m.
cicloexenol (*cs* ou *z*) s.m.
cicloexila (*cs* ou *z*) s.f.
cicloexilamina ((*cs* ou *z*) s.f.
cicloexilamínico (*cs* ou *z*) adj.
cicloexílico (*cs* ou *z*) adj.
cicloexilo (*cs* ou *z*) s.m.
cicloeximida (*cs* ou *z*) s.f.
ciclofilídea s.f.
ciclofilídeo adj.
ciclofilídio adj. s.m.
ciclofilo adj. "com folha globosa"; cf. *ciclófilo*
ciclófilo adj. s.m. "adepto do ciclismo"; cf. *ciclofilo*
ciclófora s.f.
cicloforia s.f.
ciclofórida adj.2g. s.m.
cicloforídeo adj. s.m.
ciclóforo s.m.
ciclofosfamida s.f.
ciclofrenia s.f.
ciclogênese s.f.
ciclogenético adj.
ciclogenia s.f.
ciclogênico adj.
ciclogiro s.m.
cicloglicilglicina s.f.
ciclografia s.f.
ciclográfico adj.
ciclógrafo s.m.
ciclograma s.m.
ciclo-heptatrieno s.m.
ciclo-hexadiênico (*cs* ou *z*) adj.
ciclo-hexadieno (*cs* ou *z*) s.m.
ciclo-hexano (cs ou z) s.m.
ciclo-hexanodiona (*cs* ou *z*) s.f.
ciclo-hexanodiônico (*cs* ou *z*) adj.
ciclo-hexanol (*cs* ou *z*) s.m.
ciclo-hexanólico (*cs* ou *z*) adj.
ciclo-hexanona (*cs* ou *z*) s.f.
ciclo-hexatriênico (*cs* ou *z*) adj.
ciclo-hexatrieno (*cs* ou *z*) s.m.
ciclo-hexênico (*cs* ou *z*) adj.
ciclo-hexeno (*cs* ou *z*) s.m.
ciclo-hexenol (*cs* ou *z*) s.m.
ciclo-hexila (*cs* ou *z*) s.f.
ciclo-hexilamina ((*cs* ou *z*) s.f.
ciclo-hexilamínico (*cs* ou *z*) adj.
ciclo-hexílico (*cs* ou *z*) adj.
ciclo-hexilo (*cs* ou *z*) s.m.
ciclo-heximida (*cs* ou *z*) s.f.
cicloidal adj.2g.
cicloide (*ó*) adj. s.2g.
ciclolefina s.f.
ciclolefínico adj.
ciclolepidoto (*ó* ou *ô*) s.m.
ciclólise s.f.
ciclolóbio s.m.
ciclometope s.m.
ciclometopo s.m.
ciclometria s.f.
ciclométrico adj.
ciclômetro s.m.
ciclomiário s.m.
ciclomorfa s.m.
ciclomórfico adj.
ciclomorfo adj. s.m.
ciclomorfose s.f.
ciclomotor (*ô*) s.m.
ciclonagem s.f.
ciclonal adj.2g.
ciclonato s.m.
ciclone s.m.
ciclônico s.m.
ciclônio adj.
ciclonita s.f.
ciclonite s.f.
ciclonítico adj.
ciclonomia s.f.
ciclonômico adj.
ciclonoscópio s.m.
ciclo-octatetraênico adj.
ciclo-octatetraeno s.m.
cicloparafina s.f.
cicloparafínico adj.
ciclope s.m.
ciclopedia s.f.
ciclopédia s.f.
ciclopédico adj.
ciclopentadiênico adj.
ciclopentadieno s.m.
ciclopentânico adj.
ciclopentano s.m.
ciclopentanol s.m.
ciclopentanólico adj.
ciclopentanona s.f.
ciclopenteno s.m.
ciclopentila s.f.
ciclopentílico adj.
ciclópeo adj.
ciclopeptido s.m.
ciclopéptido s.m.
ciclopia s.f.
ciclopiano adj. s.m.
ciclópico adj.
ciclópida adj.2g. s.m.
ciclopídeo adj. s.m.
ciclópio adj.
ciclopirita s.f.
ciclopirítico adj.
ciclopismo s.m.
ciclopista adj. s.2g.
cicloplegia s.f.
cicloplégico adj.
ciclopoide (*ó*) adj.2g. s.m.
ciclóporo s.m.
ciclopropânico adj.
ciclopropano s.m.
ciclopsina s.m.
cicloptérida adj.2g. s.m.
cicloptéride s.f.
ciclopterídeo adj. s.m.
ciclopterina s.f.
ciclopteríneo s.m.
ciclopterínico adj.
ciclópteris s.f.2n.
ciclóptero s.m.
cicloqueta (*ê*) s.m.
cicloquilácea s.f.
cicloquiláceo adj.
cicloquilo s.m.
ciclorama s.m.
ciclorâmico adj.
ciclorradioterapia s.f.
ciclorradioterápico adj.
ciclórrafo adj. s.m.
ciclorranfo s.m.
ciclosa s.f.
cicloscópico adj.
cicloscópio s.m.
ciclose s.f.
cicloserina s.f.
ciclospasmo s.m.
ciclospérmico adj.
ciclospermo adj.
ciclospôndilo s.m.
ciclospórea s.f.
ciclosporídio s.m.
ciclosporina s.f.
ciclossilicato s.m.
ciclossimétrico adj.
ciclossincroton s.m.
ciclossíncroton s.m.
ciclossincrotônico adj.
ciclossincrotônio s.m.
ciclossoro (*ô*) s.m.
ciclostádio s.m.
ciclostilo s.m.
ciclóstoma s.m.
ciclostomado adj. s.m.
ciclostomátida adj.2g. s.m.
ciclostomatídeo adj. s.m.
ciclostômida adj.2g. s.m.
ciclostomídeo adj. s.m.
ciclóstomo adj. s.m.
ciclostrema s.m.
ciclostremático adj.
ciclostremátida adj.2g. s.m.
ciclostrematídeo adj. s.m.
ciclostrófico adj.
ciclotecnia s.f.
ciclotécnico adj.
ciclotelemétrico adj.
ciclotelêmetro s.m.
ciclotema s.m.
ciclotemático adj.
cicloterapia s.f.
cicloterápico adj.
cicloteruênico adj.
cicloteruenо s.m.
ciclótico adj.
ciclotimia s.f.
ciclotímico adj. s.m.
ciclotomia s.f.
ciclotômico adj.
ciclótomo s.m.
ciclótono s.m.
ciclotrão s.m.
ciclótrico s.m.
ciclotron s.m.
cíclotron s.m.
ciclotrônio s.m.
ciclotropia s.f.
ciclotrópico adj.
ciclotúro s.m.
ciclovia s.f.
cicloviário adj.
ciclozoário s.m.
cicno s.m.
cicnoide (*ó*) adj.2g.
ciçó s.m.
cicoca s.f.
cícone adj. s.2g.
cicônia s.f.
ciconiano adj.
cicônida adj.2g. s.m.
ciconídea s.f.
ciconídeo adj. s.m.
ciconiforme adj.2g. s.m.
ciconiída adj.2g. s.m.
ciconiídea s.f.
ciconiídeo adj. s.m.
ciconiiforme adj.2g. s.m.
ciconiíneo adj. s.m.
ciconíneo adj. s.m.
cícono adj. s.m.
cicoriácea s.f.
cicoriáceo adj.
cicório s.m.
cicro s.m.
cicuta s.f.
cicuta-aquática s.f.; pl. *cicutas-aquáticas*
cicuta-da-américa s.f.; pl. *cicutas-da-américa*
cicuta-da-europa s.f.; pl. *cicutas-da-europa*
cicuta-da-horta s.f.; pl. *cicutas-da-horta*
cicutado adj.
cicuta-do-agrião s.f.; pl. *cicutas-do-agrião*
cicuta-falsa s.f.; pl. *cicutas--falsas*
cicuta-grande s.f.; pl. *cicutas--grandes*
cicutária s.f.
cicuta-virosa s.f.; pl. *cicutas--virosas*
cicutina s.f.
cicútio s.m.
cicútis s.m.2n.
cicutismo s.m.
cicutitoxina (*cs*) s.f.
cicutoxina (*cs*) s.f.
cid s.m.
cidã adj. s.f. de *cidão*
cidadã s.f. de *cidadão*
cidadania s.f.
cidadão s.m.; f. *cidadã* e *cidadoa* (*ô*)
cidade s.f.
cidade-cogumelo s.f.; pl. *cidades-cogumelo* e *cidades--cogumelos*
cidade-dormitório s.f.; pl. *cidades-dormitório* e *cidades--dormitórios*
cidade-estado s.f.; pl. *cidades--estado* e *cidades-estados*
cidade-gauchense adj. s.2g.; pl. *cidade-gauchenses*
cidade-irmã s.f.; pl. *cidades--irmãs*
cidade-jardim s.f.; pl. *cidades--jardim* e *cidades-jardins*
cidadela s.f.
cidadelha (*ê*) s.f.
cidade-linear s.f.; pl. *cidades--lineares*
cidade-museu s.f.; pl. *cidades--museu* e *cidades-museus*
cidade-satélite s.f.; pl. *cidades--satélite* e *cidades-satélites*
cidadesco (*ê*) adj.
cidadoa (*ô*) s.f. de *cidadão*
cidadonia s.f.
cidadota s.f.
cidaras s.m.2n.
cídare s.f.
cidaria s.f.
cidárida adj.2g. s.m.
cidarídeo adj. s.m.
cidariforme adj.2g.
cídaris s.m.2n.
cidarita adj.2g. s.m.
cídaro s.m.
cidaroide (*ó*) adj.2g. s.m.
cide s.m.
cídia s.f.
cídimo s.m.
cídimon s.m.
cídipe s.f.
cidípida adj. s.2g.
cidipídio adj. s.m.
cidmênida adj.2g. s.m.
cidmenídeo adj. s.m.
cidmeno s.m.
cidnídeo adj. s.m.
cidno s.m.
cidoiro s.m.
cidônia s.f.
cidonina s.f.
cidoro s.m.
cidose s.f.
cidouro s.m.
cidra s.f. "fruta"; cf. *sidra*
cidrada s.f.
cidral s.m.
cidrão s.m.
cidreira s.f.
cidreira-do-mato s.f.; pl. *cidreiras-do-mato*
cidreirense adj. s.2g.
cidreirinha s.f.
cidrilha s.f.
cidró s.m.
cié-cié s.m.pl. *cié-ciés*
ciecietê s.m.
cieiro adj. s.m.
ciempozuelita s.f.
ciena s.f.
ciência s.f.
cienciado adj.
cienciocracia s.f.
cienciocrata s.2g.
cienfuegósia s.f.
ciênida adj.2g. s.m.
cienídeo adj. s.m.
cieniforme adj.2g. s.m.
ciente adj.2g. s.m.
cienticismo s.m.
cienticista adj. s.2g.
cienticístico adj.
cientificação s.f.
cientificado adj.
cientificador (*ô*) adj.
cientificamento s.m.
cientificante adj.2g.
cientificar v.
cientificável adj.2g.
cientificismo s.m.
cientificista adj. s.2g.
cientificístico adj.
científico adj.; cf. *cientifico*, fl. do v. *cientificar*
científico-natural adj.2g.; pl. *científico-naturais*
cientificose s.f.
cientismo s.m.
cientista s.2g.
cientístico adj.
cientologia s.f.
cientológico adj.
cientólogo s.m.
cieropia s.f.
ciese s.f.
ciesiognose s.f.
ciesiologia s.f.
ciesognose s.f.
ciesognósico adj.
ciesognótico adj.
ciesologia s.f.
ciesologista adj. s.2g.
ciesólogo s.m.
ciesteína s.f.
cifa s.f.
cifada s.f.
cifado adj.
cifanta s.m.
cifão s.m.
cifar v.
cifato adj.
cifé s.m.
cifela s.f.
cifeliácea s.f.
cifeliáceo adj.
cifélio s.m.
cífia s.f.
cifídia s.m.
cififorme adj.2g.
cifinídeo adj. s.m.
cífio s.m.
cifióidea s.f.
cifioideia (*é*) adj. f. de *cifioideu*
cifióideo adj.

cifioideu adj.; f. *cifioideia* (*é*)
cifióstoma s.m.
cifióstomo s.m.
cifo s.m.
cifocrânio s.m.
cifoescoliose s.f.
cifoescoliósico adj.
cifoescoliótico adj.
cifoftalmo adj. s.m.
cifomandro s.m.
cifomedusa s.f.
cifomorfo adj.
cifonauta s.2g.
cifônio s.m.
cifonismo s.m.
cifonoide (*ó*) adj.2g.
cifoscoliose s.f.
cifoscoliósico adj.
cifoscoliótico adj.
cifose s.f.
cifósida adj.2g. s.m.
cifosídeo adj. s.m.
cifostegiácea s.f.
cifostegiáceo adj.
cifótico adj. s.m.
cifozoário adj. s.m.
cifra s.f.
cifração s.f.
cifrado adj.
cifrador (*ô*) s.m.
cifragem s.f.
ciframento s.m.
cifrante s.m.
cifrão s.m.
cifrar v.
cifrário s.m.
cifrável adj.2g.
cifreiro adj. s.m.
cífulo s.m.
cigalheiro adj.
cigalho s.m.
cigana s.f.
ciganada s.f.
ciganado adj.
cigana-do-mato s.f.; pl. *ciganas-do-mato*
ciganagem s.f.
ciganar v.
ciganaria s.f.
ciganeado adj.
ciganeador (*ô*) adj. s.m.
ciganear v.
ciganeiro adj. s.m.
ciganense adj. s.2g.
ciganice s.f.
ciganicida adj. s.2g.
ciganicídio s.m.
ciganismo s.m.
cigano adj. s.m.
ciganologia s.f.
ciganológico adj.
ciganologista adj. s.2g.
ciganólogo s.m.
cigarra s.f.
cigarra-cobra s.f.; pl. *cigarras-cobra* e *cigarras-cobras*
cigarrada s.f.
cigarra-de-peito-branco s.f.; pl. *cigarras-de-peito-branco*
cigarra-do-cafeeiro s.f.; pl. *cigarras-do-cafeeiro*
cigarra-do-cafezal s.f.; pl. *cigarras-do-cafezal*
cigarra-doida s.f.; pl. *cigarras-doidas*
cigarrar v.
cigarra-rainha s.f.; pl. *cigarras-rainha* e *cigarras-rainhas*
cigarraria s.f.
cigarrear v.
cigarreira s.f.
cigarreiro s.m.
cigarrilha s.f.
cigarrinha s.f.
cigarrinha-da-cana-de-açúcar s.f.; pl. *cigarrinhas-da-cana-de-açúcar*
cigarrinha-das-pastagens s.f.; pl. *cigarrinhas-das-pastagens*
cigarrinha-de-peito-branco s.f.; pl. *cigarrinhas-de-peito-branco*
cigarrinha-dos-canaviais s.f.; pl. *cigarrinhas-dos-canaviais*
cigarrinha-dos-capinzais s.f.; pl. *cigarrinhas-dos-capinzais*
cigarrinha-dos-pastos s.f.; pl. *cigarrinhas-dos-pastos*
cigarrinha-dos-pomares s.f.; pl. *cigarrinhas-dos-pomares*
cigarrinha-empoasca s.f.; pl. *cigarrinhas-empoasca* e *cigarrinhas-empoascas*
cigarrinha-verde s.f.; pl. *cigarrinhas-verdes*
cigarrinha-vermelha s.f.; pl. *cigarrinhas-vermelhas*
cigarrinho s.m.
cigarrista adj. s.2g.
cigarro s.m.
cigas s.f.pl.
cígneo adj.
cignínea s.f.
cigno s.m.
cígora s.f.
cígua s.f.
cigude s.m.
ciguelina s.f.
cijula s.f.
cila s.f. "narciso"; cf. *sila*
cila-brasileira s.f.; pl. *cilas-brasileiras*
cilaceia (*é*) adj. s.f. de *cilaceu*
cilaceu adj. s.m.; f. *cilaceia* (*é*)
cilacino adj. s.m.
cilada s.f.
cila-da-terra s.f.; pl. *cilas-da-terra*
cílade s.f.
ciladear v.
cilaína s.f.
cilareno s.m.
cilarídeo adj. s.m.
cílaro s.m.
cilastatina s.f.
cila-vermelha s.f.; pl. *cilas-vermelhas*
cilbiceno adj. s.m.
cílea s.f.
cileia (*é*) adj. s.f. de *cileu*
cilene s.m.
cileneia (*é*) adj. s.f. de *cileneu*
cileneu adj. s.m.; f. *cileneia* (*é*)
cilênia s.f.
cileno s.m.
cileu adj. s.m.; f. *cileia* (*é*)
cilha s.f. "cinta"; cf. *silha*
cilhado adj.
cilhadoiro s.m.
cilhadouro s.m.
cilha-mestra s.f.; pl. *cilhas-mestras*
cilhão adj. s.m. "peça de arreio", "cavalo"; cf. *silhão*
cilhar v. "cingir"; cf. *silhar*
cilheira s.f.
ciliação s.f.
ciliado adj. s.m.
ciliar adj.2g.
ciliário adj.
ciliarotomia s.f.
ciliarotômico adj.
ciliátulo adj.
cilibrânquio adj.
cílice adj. s.2g. s.m.f. "da Cilícia", etc.; cf. *sílice*
ciliciano adj. s.m.
ciliciar v.
ciliciense adj. s.2g.
cilício adj. s.m. "instrumento de mortificação"; cf. *cilicio*, fl. do v. *ciliciar*, e *silício*
cilicismo s.m.
cilicna s.f.
cilicno s.m.
cilicomorfa s.f.
cilicomorfo adj.
cilicóstomo s.m.
cílida adj.2g. s.m.
cilídeo adj. s.m.
cilídio s.m.
ciliectomia s.f.
ciliectômico adj.
cilífero adj.
ciliforme adj.2g.
cilígero adj.
ciligrado adj.
ciliida adj.2g. s.m.
ciliídeo adj. s.m.
cilindra s.f. "flor ornamental"; cf. *silindra*
cilindráceo adj.
cilindrada s.f.
cilindrado adj.
cilindrador (*ô*) s.m.
cilindragem s.f.
cilindramento s.m.
cilindrar v.
cilindrartrose s.f.
cilindrartrósico adj.
cilindrartrótico adj.
cilindraxe (*cs*) s.m.
cilindraxial (*cs*) adj.2g.
cilindreiro s.m.
cilindricidade s.f.
cilindrício s.m.
cilíndrico adj.
cilindricórneo adj.
cilindrifloro adj.
cilindriforme adj.2g.
cilindrimétrico adj.
cilindrímetro s.m.
cilindrista adj. s.2g.
cilindrita s.f.
cilindrite s.f.
cilindrítico adj.
cilindrito s.m.
cilindro s.m.
cilindrocapsa s.f.
cilindrocapsácea s.f.
cilindrocapsáceo adj.
cilindrocarpo adj.
cilindrocefalia s.f.
cilindrocéfalo adj.
cilindrocelular adj.2g.
cilindrociste s.f.
cilindrocônico adj.
cilindrocórneo adj.
cilindro-eixo s.m.; pl. *cilindros-eixo* e *cilindros-eixos*
cilíndrofis s.m.2n.
cilindrofloro adj.
cilindroforme adj.2g.
cilindrogival adj.2g.
cilindrográfico adj.
cilindrógrafo s.m.
cilindroide (*ó*) adj.2g. s.m.
cilindrolaimo s.m.
cilindrolemo s.m.
cilindroma s.m.
cilindromático adj.
cilindrométrico adj.
cilindrômetro s.m.
cilindromorfo s.m.
cilindroscópio s.m.
cilindrose s.f.
cilindrosperma s.f.
cilindrospermo s.m.
cilindrospório s.m.
cilindrossomo adj.
cilindróstomo s.m.
cilindrótomo s.m.
cilindruria s.f.
cilindrúria s.f.
cílio s.m.
ciliobrânquio adj.
ciliode s.m.
ciliodentado adj.
cilioespinhal adj.2g.
cilioflagelada s.f.
cilioflagelado adj.
ciliófora s.f.
cilióforo adj. s.m.
ciliófris s.f.2n.
cilíofris s.f.2n.
ciliógrado adj.
ciliolado adj.
ciliolâmnida adj.2g. s.m.
ciliolamnídeo adj. s.m.
cilíolo s.m.
ciliorrínida adj.2g. s.m.
ciliorrinídeo adj. s.m.
ciliorrino s.m.
ciliospinal adj.2g.
ciliotomia s.f.
ciliotômico adj.
cilípede adj.2g.
cilipicrina s.f.
cilista s.m.
cilístico adj. s.m.
cilita s.m.
cilítico adj.
cilitina s.f.
cilito s.m.
cilitoxina (*cs*) s.f.
cilo s.m. "tremor da pálpebra"; cf. *silo*
cilocáris s.f.2n.
cilopodia s.f.
cilopódico adj.
cilose s.f.
cilossoma s.m.
cilossomo s.m.
cilótico adj.
cima s.f. "parte superior"; cf. *sima*
cimácio s.m.
cimado adj.
cimafronte s.f.
cimalha s.f.
cimarina s.f.
cimarínico adj.
cimarol s.m.
cimarólico adj.
cimarra s.f.
cimarrão adj.
cimatina s.f.
cimatófora s.f.
cimatofórida adj.2g. s.m.
cimatoforídeo adj. s.m.
cimatóforo s.m.
cimatografia s.f.
cimatográfico adj.
cimatógrafo s.m.
cimatolita s.f.
cimatolite s.f.
cimatólito s.m.
cimatométrico adj.
cimatômetro s.m.
cimba s.f. "embarcação"; cf. *simba*
címbala s.f.
cimbalária s.f.
cimbaleiro s.m.
címbalo s.m.
cimbaloide (*ó*) adj.2g.
cimbalóptero s.m.
cimbeba s.f.
cimbela s.f.
cimbi s.f.
cimbicídeo adj. s.m.
cimbidíea s.f.
cimbídio s.m.
cimbifoliado adj.
cimbiforme adj.2g.
címbio s.m.
cimbire s.f.
cimbó s.m.
cimbocarpo adj.
cimbocefalia s.f.
cimbocéfalo s.m.
cimbonecte s.m.
cimbramento s.m.
cimbrar v.
cimbre s.m.
cimbrense adj. s.2g.
címbrico adj. s.m.
címbrio s.m.
cimbro adj. s.m.
cimbúlida adj.2g. s.m.
cimé s.m.
cimeira s.f.
cimeiro adj.
cimeliarca s.2g.
cimeliárquio s.m.
cimélio s.m.
cimênio s.m.
cimeno s.m.
cimenol s.m.
cimenólico adj.
cimentação s.f.; cf. *cementação*
cimentado adj.; cf. *cementado* e *sementado*
cimentar v. "argamassar"; cf. *cementar* e *sementar*
cimentária adj.
cimenteiro adj.
cimento s.m. "pó aglutinante"; cf. *cemento* s.m., fl. do v. *cementar* e *semento*, fl. do v. *sementar*
cimento-amianto s.m.; pl. *cimentos-amianto* e *cimentos-amiantos*
cimentoblasto s.m.
cimério adj. s.m.
cimetidina s.f.
címex (*cs*) s.m.; pl. *címeces*
cimianto s.m.
címice s.m.
cimícico adj.
cimicida adj.2g. s.m. "que ou o que mata percevejo"; cf. *cimícida*
cimícida adj.2g. s.m. "relativo a percevejo", "percevejo"; cf. *cimicida*
cimicídeo adj. s.m.
cimicídio s.m.
cimicífuga s.f.
cimicifugina s.f.
cimicifugínico adj.
cimicífugo adj.
cimicino adj.
cimidina s.f.
cimífuga s.f.
ciminde s.m.
cimíndis s.m.2n.
cimíneo adj. s.m.
ciminito s.m.
cimita s.f.
cimitarra s.f.
cimnida adj.2g. s.m.
cimnídeo adj. s.m.
cimníneo adj. s.m.
cimno s.m.
címnodon s.m.
cimnodonte s.m.
cimnorrínida adj.2g. s.m.
cimnorrinídeo adj. s.m.
cimnorrino s.m.
cimo s.m.
cimodócea s.f.
cimodóceo adj.
cimodocíea s.f.
cimódroma s.f.
cimófana s.f.
cimofânico adj.
cimofânio s.m.
cimófano adj.
cimofenol s.m.
cimofobia s.f.
cimogênio s.m.
cimografia s.f.
cimográfico adj.
cimógrafo s.m.
cimograma s.m.
cimoide (*ó*) adj.2g.
cimol s.m.
cimólia s.f.
cimoliano adj.
cimólio adj.
cimolita s.f.
cimolite s.f.
cimolítia s.f.
cimométrico adj.
cimômetro s.m.
cimônomo s.m.
cimopólia s.f.
cimopólio s.m.
cimosa s.f.
cimoscópio s.m.
cimoso (*ô*) adj.; f. (*ó*); pl. (*ó*)
cimótoa s.m.
cimotoida (*ó*) adj.2g. s.m.
cimótrico adj. s.m.
cimotriquia s.f.
cimpaio s.m.
cimue s.m.
címula s.f.
cina s.f. "árvore"; cf. *sina*
cinabarino adj.

cinabarita s.f.
cinabre s.m.
cinabrino adj.
cinábrio s.m.
cinabrita s.f.
cinacanta s.f.
cina-cina s.f.; pl. *cina-cinas*
cinaldeído s.m.
cinalmeína s.f.
cinamato s.m.
cinameína s.f.
cinamena s.f.
cinamênio s.m.
cinameno s.m.
cinâmico adj.
cinamila s.f.
cinamil-cocaína s.f.; pl. *cinamis-cocaína* e *cinamis-cocaínas*
cinamil-eugenol s.m.; pl. *cinamis-eugenóis*
cinamilo s.m.
cinamina s.f.
cínamo s.m.
cinamodendro s.m.
cinamol s.f.
cinamólogo s.m.
cinamômea s.f.
cinamômeo adj.
cinamomífero adj.
cinamomo s.m.
cinamosma s.f.
cinanche s.m.
cinância s.f.
cinanco s.m.
cinancóidea s.f.
cinancóideo adj.
cinaniense adj. s.2g.
cinanque s.f.
cinânquico adj.
cinantropia s.f.
cinantrópico adj.
cinantropo (*ô*) s.m. "alucinação"; cf. *sinantropo*
cínara s.f.
cinarase s.f.
cinárase s.f.
cinarazina s.f.
cinárea s.f.
cináreo adj.
cinarina s.f.
cinarocéfalo adj. s.m.
cinaroide (*ó*) adj.2g.
cinasco s.m.
cínase s.f.
cinastrácea s.f.
cinastráceo adj.
cinca s.f.
cincada s.f.
cincadilha s.f.
cincão s.m.
cincar v.
cinceira s.f.
cinceiro s.m. "nevoeiro"; cf. *sinceiro*
cincelada s.f.
cincelete (*ê*) s.m.
cinceloso (*ô*) adj.; f. (*ó*); pl. (*ó*)
cincenada s.f.
cincenho s.m.
cinceno s.m.
cincerro (*ê*) s.m.
cincha s.f.
cinchador (*ô*) s.m.
cinchão s.m.
cinchar v.
cincho s.m.
cinchocaína s.f.
cinchocerotina s.f.
cinchofena s.f.
cinchofênio s.m.
cinchol s.m.
cincholina s.f.
cinchomerônico adj.
cinchona s.f.
cinchonácea s.f.
cinchonáceo adj.
cinchonamina s.f.
cinchonato s.m.
cinchônea s.f.
cinchonetina s.f.
cinchonicina s.f.
cinchônico adj. s.m.
cinchonidina s.f.
cinchonina s.f.
cinchoninato s.m.
cinchonínico adj.
cinchonino s.m.
cinchonismo s.m.
cinchonizar v.
cinchonóidea s.f.
cinchonologia s.f.
cinchonológico adj.
cinchotânico adj.
cinchotina s.f.
cinchotoxina (*cs*) s.f.
cíncida adj.2g. s.m.
cincidela s.f.
cincídeo adj. s.m.
cincidóideo adj.
cincilete s.m.
cincino s.m.
cinclídeo adj. s.m.
cinclidótea s.f.
cinclídoto s.m.
cínclise s.f. "repetição rápida de um movimento"; cf. *sínclise*
cinclo s.m.
cinclossomo s.m.
cinco num.
cincocentismo s.m.
cincocentista adj. s.2g.
cinco-chagas s.f.2n.
cinco-em-rama s.f.2n.
cinco-folhas s.f.2n.
cinco-folhas-do-campo s.f.2n.
cincóideo adj. s.m.
cincomesino adj. s.m.
cincoquiálteras s.f.pl.
cinco-riense adj. s.2g.; pl. *cinco-rienses*
cinco-salomão s.m.; pl. *cinco-salomões*
cíncramo s.m.
cinctípede adj.2g. s.m.
cinctório s.m.
cindapso s.m.
cinde s.m.
cindido adj.
cindidor (*ô*) adj.
cindila s.f.
cindimento s.m.
cindir v.
cindível adj.2g.
cindros s.m.2n.
cindura s.f.
cine s.m.
cineamador (*ô*) adj. s.m.
cineamadorístico adj.
cineangiocardiografar v.
cineangiocardiografia s.f.
cineangiocardiográfico adj.
cineangiocardiógrafo s.m.
cineangiocardiograma s.m.
cineangiocoronariografar v.
cineangiocoronariografia s.f.
cineangiocoronariográfico adj.
cineangiocoronariógrafo s.m.
cineangiocoronariograma s.m.
cineasta s.2g.
cineástico adj.
cinece adj. s.2g.
cinécio adj. s.m.
cineclube s.m.
cineclubismo s.m.
cineclubista adj. s.2g.
cineclubístico adj.
cinecoronariografar v.
cinecoronariografia s.f.
cinecoronariográfico adj.
cinecoronariógrafo s.m.
cinecoronariograma s.m.
cinecromia s.f.
cinediletante adj. s.2g.
cinediletantismo s.m.
cinedo s.m.
cinedrama s.m.
cinefação s.f.
cinefacção s.f.
cineficar v.
cinefilia s.f.
cinéfilo adj. s.m.
cinefluorografia s.f.
cinefluorográfico adj.
cinefluorograma s.m.
cinefluoroscopia s.f.
cinefluoroscópico adj.
cinefluoroscópio s.m.
cinefoto s.m.
cinegética s.f.
cinegético adj.
cinegeticofilia s.f.
cinegeticófilo adj. s.m.
cinegetófilo adj.
cinegrafado adj.
cinegrafar v.
cinegrafia s.f.
cinegráfico adj.
cinegrafista adj. s.2g.
cinegrafístico adj.
cinegrama s.m.
cineia (*é*) adj. s.f. de *cineu*
cinejornal s.m.
cinejornalismo s.m.
cinejornalista adj. s.2g.
cinejornalístico adj.
cinelândia s.f.
cineluro s.m.
cinema s.m. "cinematografia"; cf. *cenema* e *sinema*
cinema-olho s.m.; pl. *cinemas-olho* e *cinemas-olhos*
cinemascópio s.m.
cinemateca s.f.
cinematecário adj. s.m.
cinemática s.f. "estudo dos movimentos"; cf. *cenemática*
cinemático adj. "de movimento"; cf. *cenemático* e *sinemático*
cinematização s.f.
cinematizado adj.
cinematizar v.
cinematoftalmia s.f.
cinematografar v.
cinematografia s.f.
cinematográfico adj.
cinematógrafo s.m.; cf. *cinematografo*, fl. do v. *cinematografar*
cinema-verdade s.m.; pl. *cinemas-verdade* e *cinemas-verdades*
cinemeiro adj. s.m.
cinemicrografar v.
cinemicrografia s.f.
cinemicrográfico adj.
cinemicrógrafo s.m.
cinemicrograma s.m.
cinemizar v.
cinemometria s.f.
cinemométrico adj.
cinemômetro s.m.
cineol s.m.
cineólico adj.
cineplastia s.f.
cineplástico adj.
cineração s.f.
cineral s.m.
cinerama s.m.
cinerâmico adj.
cinerar v.
cinerária s.f.; cf. *cineraria*, fl. do v. *cinerar*
cinerário adj. s.m.
cinérea s.f.
cinéreo adj.
cineríceo adj.
cineriforme adj.2g.
cinerina s.f.
cinerita s.f.
cinerite s.f.
cinerítico adj.
cinerito s.m.
cinerradiografação s.f.
cinerradiografar v.
cinerradiografável adj.2g.
cinerradiografia s.f.
cinerradiográfico adj.
cinerradiógrafo s.m.; cf. *cinerradiografo*, fl. do v. *cinerradiografar*
cinerradiograma s.m.
cinerradioterapia s.f.
cinerradioterápico adj.
cinerroentgenografia s.f.
cinerroentgenográfico adj.
cinesalgia s.f.
cinesálgico adj.
cinescopia s.f.
cinescópico adj.
cinescópio s.m.
cinese s.f. "movimento"; cf. *sínese*
cinesia s.f.
cinesialgia s.f.
cinesiálgico adj.
cinesiatria s.f.
cinesiátrica s.f.
cinesiátrico adj.
cinésica s.f.
cinésico adj.
cinesiergografia s.f.
cinesiergográfico adj.
cinesiergógrafo s.m.
cinesiergograma s.m.
cinesiestese s.f.
cinesiestesia s.f.
cinesiestésico adj.
cinesiestético adj.
cinesíforo s.m.
cinesimetria s.f.
cinesimétrico adj.
cinesímetro s.m.
cinésio adj. s.m.
cinesiologia s.f.
cinesiológico adj.
cinesiologista adj. s.2g.
cinesiólogo s.m.
cinesiometria s.f.
cinesiométrico adj.
cinesiômetro s.m.
cinesioneurose s.f.
cinesioterapeuta s.2g.
cinesioterapêutica s.f.
cinesioterapia s.f.
cinesioterápico adj.
cinesismo s.m.
cinesiterapia s.f.
cinesiterápico adj.
cinesódico adj.
cinesoterapia s.f.
cinestese s.f.
cinestesia s.f. "sentido da percepção de movimento, peso, resistência e posição do corpo"; cf. *cenestesia* e *sinestesia*
cinestésico adj. "relativo a cinestesia"; cf. *cenestésico* e *sinestésico*
cinestesiômetro s.m.
cinestético adj. "relativo a cinestesia"; cf. *cenestético* e *sinestético*
cinete adj. s.2g.
cineteatral adj.2g.
cineteatralidade s.f.
cineteatro s.m.
cinética s.f.
cinético adj. "relativo a movimento"; cf. *sinético*
cinetina s.f.
cinetínico adj.
cinétio adj. s.m.
cinetismo s.m.
cineto adj. s.m.
cinetoblasto s.m.
cinetocardiografia s.f.
cinetocílio s.m.
cinetocórico adj.
cinetocoro s.m.
cinetofone s.m.
cinetofônio s.m.
cinetofono s.m.
cinetogênese s.f.
cinetogenético adj.
cinetográfico adj.
cinetógrafo s.m.
cinetograma s.m.
cinetonúcleo s.m.
cinetoplasma s.m.
cinetoplasmático adj.
cinetoplasto s.m.
cinetoquílida adj.2g. s.m.
cinetoquilídeo adj. s.m.
cinetóscia s.f.
cinetoscopia s.f.
cinetoscópico adj.
cinetoscópio s.m.
cinetose s.f.
cinetósico adj.
cinetossomo s.m.
cinetótico adj.
cineu adj. s.m.; f. *cineia* (*é*)
cineventriculografar v.
cineventriculografia s.f.
cineventriculográfico adj.
cineventriculógrafo s.m.
cineventriculograma s.m.
cingalês adj. s.m.
cingandze s.m.
cingapurense adj. s.2g.
cingapuriano adj. s.m.
cingel s.m.
cingelada s.f.
cingelaria s.f.
cingeleiro s.m.
cingente adj.2g. s.m.
cingento s.m.
cingideira s.f.
cingido adj.
cingidoiro s.m.
cingidor (*ô*) adj. s.m.
cingidouro s.m.
cingigola s.f.
cingimento s.m.
cingir v.
cingível adj.2g.
cingulado adj.
cingulano adj. s.m.
cingular v. adj.2g. "de cíngulo", "cingir"; cf. *singular*
cingulária s.f.; cf. *cingularia*, fl. do v. *cingular*
cingulectomia s.f.
cingulectômico adj.
cíngulo s.m.
cingulotomia s.f.
cingulotômico adj.
cinguna s.f.
cinheirinho s.m.
cinheirinho-do-campo s.m.; pl. *cinheirinhos-do-campo*
ciniatria s.f.
ciniátrica s.f.
ciniátrico adj.
cinicércia s.f.
cinicércio s.m.
cínico adj. s.m. "impudico"; cf. *sínico*
cinicte s.m.
cínife s.m.
ciniflão s.m.
ciniflônia s.f.
cinifólio s.m.
cinina s.f.
cininase s.f.
cinínase s.f.
cinínico adj.
cininogênio s.m.
cininógeno adj. s.m.
cínipe s.m.
cinípida adj.2g. s.m.
cinipídeo adj. s.m.
cinipoide (*ó*) adj.2g.
cinira s.f.
ciniromorfa s.f.
ciniromorfo adj. s.m.
cinisga s.f.
cinismo s.m. "impudência"; cf. *cenismo*
cinobasto s.m.
cinocárdamo s.m.
cinocefaleia (*é*) s.f.
cinocefalia s.f. "ter cabeça de cão"; cf. *cinocefália*
cinocefália s.f. "planta"; cf. *cinocefalia*

cinocefálico adj.
cinocefálida adj.2g. s.m.
cinocefalídeo adj. s.m.
cinocefálio s.m.
cinocéfalo adj. s.m.
cinocramba s.f.
cinocrambácea s.f.
cinocrambáceo adj.
cinocrambe s.f.
cinoctonia s.f.
cinodão s.m.
cinodecto adj.
cinodina s.f.
cínodon s.m.
cinodôncio s.m.
cinodonte s.m.
cinodontiano adj. s.m.
cinódraco s.m.
cinodromia s.f.
cinodrômico adj.
cinódromo s.m.
cinofagia s.f.
cinofágico adj.
cinófago adj. s.m.
cinofélis s.m.2n.
cinofilia s.f.
cinofílico adj.
cinófilo adj. s.m.
cinofobia s.f.
cinofóbico adj.
cinófobo adj. s.m.
cinógalo s.m.
cinogênese s.f.
cinogenético adj.
cinogenia s.f.
cinogênico adj.
cinoglossa s.f.
cinoglossa-de-flor-fechada s.f.; pl. *cinoglossas-de-flor-fechada*
cinoglossa-de-flor-listrada s.f.; pl. *cinoglossas-de-flor-listrada*
cinoglossa-de-folha-de-goivo s.f.; pl. *cinoglossas-de-folha-de-goivo*
cinoglóssea s.f.
cinoglósseo adj.
cinoglosso s.m.
cinógnato s.m.
cinografia s.f. "tratado sobre cães"; cf. *cenografia*, *senografia* e *sinografia*
cinográfico adj. "relativo a cinografia"; cf. *cenográfico*, *senográfico* e *sinográfico*
cinógrafo s.m. "especialista em cinografia"; cf. *cenógrafo* e *sinógrafo*
cinólatra s.2g.
cinolatria s.f.
cinolátrico adj.
cinologia s.f. "estudo dos cães"; cf. *cenologia e sinologia*
cinológico adj. "relativo a cinologia"; cf. *cenológico* e *sinológico*
cinologista adj. s.2g.
cinômetra s.f.
cinométrea s.f.
cinométreo s.f.
cinométrico adj.
cinômetro s.m.
cinômia s.f.
cinômio s.m.
cínomis s.m.2n.
cinomorfo adj. s.m.
cinomoriácea s.f.
cinomoriáceo adj.
cinomoriínea s.f.
cinomoriíneo adj.
cinomório s.m.
cinomose s.f.
cinopesto s.m.
cinopitécida adj.2g. s.m.
cinopitecídeo adj. s.m.
cinopiteco s.m.
cinoplasma s.m.
cinoplástico adj.
cinopo s.m.
cinopse s.f. "planta"; cf. *sinopse*

cinor (*ô*) s.m.
cinorexia (*cs*) s.f.
cinorrexia (*cs*) s.f.
cinorródio s.m.
cinórrodo s.m.
cinórrodon s.m.
cinosarco s.m.
cinosargo s.m.
cinósbato s.m.
cinóscio s.m.
cinostérnida adj.2g. s.m.
cinosternídeo adj. s.m.
cinosura s.f.
cinosuro adj. s.m.
cinotecnia s.f.
cinotécnico adj.
cinoto s.m.
cinqueiro adj. s.m.
cinquena s.f.
cinquenta (*ü*) num.
cinquentão (*ü*) adj. s.m.; f. *cinquentona* (*ü*)
cinquentavo (*ü*) s.m.
cinquentena (*ü*) s.f.
cinquentenariense (*ü*) adj. s.2g.
cinquentenário (*ü*) adj. s.m.
cinquentesimal (*ü*) adj.2g.
cinquentésimo (*ü*) adj. s.m.
cinquentona (*ü*) adj. s.f. de *cinquentão* (*ü*)
cinquesma s.f.
cinquete (*ê*) s.m.
cinquinho s.m.
cinta s.f. "faixa"; cf. *sinta*, fl. do v. *sentir*
cinta-calça s.f.; pl. *cintas-calça* e *cintas-calças*
cintado adj. s.m.
cintador (*ô*) s.m.
cintagem s.f.
cinta-larga adj. s.2g.; pl. *cintas-largas*
cinta-liga s.f.; pl. *cintas-liga* e *cintas-ligas*
cinta-luva s.f.; pl. *cintas-luva* e *cintas-luvas*
cinta-meia s.f.; pl. *cintas-meia* e *cintas-meias*
cintamento s.m.
cintante adj.2g.
cintar v.
cintaraço s.m.
cintarel s.m.
cintável adj.2g.
cinteado adj.
cintear v.
cinteiro s.m.
cintel s.m.
cíntia s.f.
cintigrafia s.f.
cintigráfico adj.
cintigrama s.m. "cintilograma"; cf. *centigrama*
cintíida adj.2g. s.m.
cintiídeo adj. s.m.
cintiíneo adj. s.m.
cintila s.f.
cintilação s.f.
cintilado adj.
cintilador (*ô*) s.m.
cintilamento s.m.
cintilância s.f.
cintilante adj.2g.
cintilar v.
cintilável adj.2g.
cintilho s.m.
cíntilo adj.; cf. *cintilo*, fl. do v. *cintilar*
cintilografação s.f.
cintilografar v.
cintilografável adj.2g.
cintilografia s.f.
cintilográfico adj.
cintilógrafo adj. s.m.; cf. *cintilografo*, fl. do v. *cintilografar*
cintilograma s.m.
cintilometria s.f.
cintilométrico adj.
cintilômetro s.m.
cintiloscopia s.f.
cintiloscópico adj.

cintiloscópio s.m.
cinto s.m. "cintura"; cf. *sinto* s.m. e fl. do v. *sentir*
cinto de couro s.m.
cinto-de-netuno s.m.; pl. *cintos-de-netuno*
cinto-de-vênus s.m.; pl. *cintos-de-vênus*
cintráctia s.f.
cintrado adj.
cintradora (*ô*) s.f.
cintrar v.
cintro s.m.
cintura s.f.
cinturado adj.
cinturão s.m.
cinturar v.
cinturista adj. s.2g.
cinura s.f. "sinagoga"; cf. *sinura*
cinurênico adj.
cinurenina s.f.
cinurina s.f.
cinurínico adj.
cinza adj.2g.2n. s.f.
cinza-da-mangueira s.f.; pl. *cinzas-da-mangueira*
cinzado adj.
cinzador (*ô*) adj. s.m.
cinzal s.2g.
cinzão s.m.
cinzar v.
cinzas s.f.pl.
cinzas do levante s.f.pl.
cinzeiro s.m.
cinzeiro-branco s.m.; pl. *cinzeiros-brancos*
cinzel s.m.
cinzelado adj. s.m.
cinzelador (*ô*) adj. s.m.
cinzeladura s.f.
cinzelagem s.m.
cinzelamento s.m.
cinzelar v.
cinzelaria s.f.
cinzelável adj.2g.
cinzento adj. s.m.
cinzento-pérola adj.2g. s.m.; pl. *cinzentos-pérola* e *cinzentos-pérolas*
cinzete (*ê*) s.m.
cio s.m. "apetite sexual"; cf. *sio* s.m. e fl. do v. *siar*
cioado s.m.
cioba s.m.f.
cioba-mulata s.f.; pl. *ciobas-mulatas*
ciobinha s.f.
ciocho (*ô*) s.m.
cioco adj. s.m.
ciócoris s.m.2n.
ciocoto s.m.
ciocromia s.f.
ciocrômico adj.
ciocromo s.m.
ciófila s.f.
ciofilíneo adj. s.m.
ciófilo adj.
ciófita s.f.
ciografia s.f.
ciográfico adj.
ciógrafo s.m.
ciograma s.m.
ciomaquia s.f.
ciona s.f.
cíone s.m.
cionectomia s.f.
cionectômico adj.
cionelo s.m.
ciônida adj.2g. s.m.
cionídeo adj. s.m.
cionite s.f.
cíono s.m.
cionocrânio adj. s.m.
cionorrafia s.f.
cionorráfico adj.
cionotomia s.f.
cionotômico adj.
cionótomo s.m.
ciopino s.m.
cióptica s.f.

cióptico adj.
cioscopia s.f.
cioscópico adj.
cioso (*ô*) adj.; f. (*ó*); pl. (*ó*)
ciosofia s.f.
ciosofista adj. s.2g.
ciótico adj.
cioto (*ô*) s.m.
ciotomia s.f.
ciotômico adj.
ciótomo s.m.
cipaio s.m.
ciparisso s.m.
ciparoba s.f.
cipela s.f.
ciperácea s.f.
ciperáceo adj.
ciperal adj.2g.
ciperale s.f.
cipéride s.f.
ciperina s.f.
cíperis s.f.2n.
cipero s.m.
cipo s.m. "pedra tumular"; cf. *cipó*
cipó s.m.f. "planta"; cf. *cipo*
cipoaba s.m.
cipó-abacate s.m.; pl. *cipós-abacate* e *cipós-abacates*
cipoada s.f.
cipoal s.m.
cipoalense adj. s.2g.
cipó-alho s.m.; pl. *cipós-alho* e *cipós-alhos*
cipó-almécega s.m.; pl. *cipós-almécega* e *cipós-almécegas*
cipoama s.f.
cipó-amarelo s.m.; pl. *cipós-amarelos*
cipó-amargo s.m.; pl. *cipós-amargos*
cipó-amargoso s.m.; pl. *cipós-amargosos*
cipó-amarra-de-gigante s.m.; pl. *cipós-amarra-de-gigante* e *cipós-amarras-de-gigante*
cipó-amarra-de-jiqui s.m.; pl. *cipós-amarra-de-jiqui* e *cipós-amarras-de-jiqui*
cipoar v.
cipó-azougue s.m.; pl. *cipós-azougue* e *cipós-azougues*
cipó-azul s.m.; pl. *cipós-azuis*
cipó-barroca s.m.; pl. *cipós-barroca* e *cipós-barrocas*
cipó-bela-flor s.m.; pl. *cipós-bela-flor* e *cipós-belas-flores*
cipó-branco s.m.; pl. *cipós-brancos*
cipó-branco-de-arco s.m.; pl. *cipós-brancos-de-arco*
cipó-branco-de-caboclo s.m.; pl. *cipós-brancos-de-caboclo*
cipó-branco-de-cerca s.m.; pl. *cipós-brancos-de-cerca*
cipó-branco-de-rego s.m.; pl. *cipós-brancos-de-rego*
cipó-brasil s.m.; pl. *cipós-brasil* e *cipós-brasis*
cipó-bravo s.m.; pl. *cipós-bravos*
cipó-caatinga s.m.; pl. *cipós-caatinga* e *cipós-caatingas*
cipó-cabeludo s.m.; pl. *cipós-cabeludos*
cipó-caboclo s.m.; pl. *cipós-caboclo* e *cipós-caboclos*
cipó-caçaú s.m.; pl. *cipós-caçaú* e *cipós-caçaús*
cipó-café s.m.; pl. *cipós-café* e *cipós-cafés*
cipó-camarão s.m.; pl. *cipós-camarão* e *cipós-camarões*
cipó-canela-de-jacu s.m.; pl. *cipós-canela-de-jacu* e *cipós-canelas-de-jacu*
cipó-caniana s.m.; pl. *cipós-caniana* e *cipós-canianas*
cipó-capador s.m.; pl. *cipós-capadores*

cipó-capa-homem s.m.; pl. *cipós-capa-homem*
cipó-caravuí s.m.; pl. *cipós-caravuí* e *cipós-caravuís*
cipó-carijó s.m.; pl. *cipós-carijó* e *cipós-carijós*
cipó-carneiro s.m.; pl. *cipós-carneiro* e *cipós-carneiros*
cipó-catiguá s.m.; pl. *cipós-catiguá* e *cipós-catiguás*
cipó-catinga s.m.; pl. *cipós-catinga* e *cipós-catingas*
cipó-catinga-de-paca s.m.; pl. *cipós-catinga-de-paca* e *cipós-catingas-de-paca*
cipó-chumbo s.m.; pl. *cipós-chumbo* e *cipós-chumbos*
cipó-cobra s.m.; pl. *cipós-cobra* e *cipós-cobras*
cipó-cola s.m.; pl. *cipós-cola* e *cipós-colas*
cipó-corimbó s.m.; pl. *cipós-corimbó* e *cipós-corimbós*
cipó-correlha s.m.; pl. *cipós-correlha* e *cipós-correlhas*
cipó-cravo s.m.; pl. *cipós-cravo* e *cipós-cravos*
cipó-cruapé-branco s.m.; pl. *cipós-cruapé-branco* e *cipós-cruapés-brancos*
cipó-cruapé-vermelho s.m.; pl. *cipós-cruapé-vermelho* e *cipós-cruapés-vermelhos*
cipó-cruz s.m.; pl. *cipós-cruz* e *cipós-cruzes*
cipó-cruz-verdadeiro s.m.; pl. *cipós-cruz-verdadeiros* e *cipós-cruzes-verdadeiros*
cipó-cumaruapé s.m.; pl. *cipós-cumaruapé* e *cipós-cumaruapés*
cipó-curapé s.m.; pl. *cipós-curapé* e *cipós-curapés*
cipó-curimbó s.m.; pl. *cipós-curimbó* e *cipós-curimbós*
cipó-curura s.m.; pl. *cipós-curura* e *cipós-cururas*
cipó-cururu s.m.; pl. *cipós-cururu* e *cipós-cururus*
cipó-da-água s.m.; pl. *cipós-da-água*
cipó-da-areia s.m.; pl. *cipós-da-areia*
cipó-d'água s.m.; pl. *cipós-d'água*
cipó-d'alho s.m.; pl. *cipós-d'alho*
cipó-d'arco s.m.; pl. *cipós-d'arco*
cipó-da-beira-mar s.m.; pl. *cipós-da-beira-mar*
cipó-da-gota s.m.; pl. *cipós-da-gota*
cipó-da-mata s.m.; pl. *cipós-da-mata*
cipó-da-praia s.m.; pl. *cipós-da-praia*
cipó-das-areias s.m.; pl. *cipós-das-areias*
cipó-das-feridas s.m.; pl. *cipós-das-feridas*
cipó-de-água s.m.; pl. *cipós-de-água*
cipó-de-agulha s.m.; pl. *cipós-de-agulha*
cipó-de-alcaçuz s.m.; pl. *cipós-de-alcaçuz*
cipó-de-alho s.m.; pl. *cipós-de-alho*
cipó-de-amarrar s.m.; pl. *cipós-de-amarrar*
cipó-de-amarrar-caranguejo s.m.; pl. *cipós-de-amarrar-caranguejo*
cipó-de-arco s.m.; pl. *cipós-de-arco*
cipó-de-bamburral s.m.; pl. *cipós-de-bamburral*
cipó-de-barril s.m.; pl. *cipós-de-barril*

cipó-de-batata s.m.; pl. *cipós-de-batata*
cipó de boi s.m. "chicote"
cipó-de-boi s.m. "espécie de planta"; pl. *cipós-de-boi*
cipó-de-breu s.m.; pl. *cipós-de-breu*
cipó-de-cabaça s.m.; pl. *cipós-de-cabaça*
cipó-de-caboclo s.m.; pl. *cipós-de-caboclo*
cipó-de-canoa s.m.; pl. *cipós-de-canoa*
cipó-de-carijó s.m.; pl. *cipós-de-carijó*
cipó-de-carneiro s.m.; pl. *cipós-de-carneiro*
cipó-de-cesta s.m.; pl. *cipós-de-cesta*
cipó-de-cesto s.m.; pl. *cipós-de-cesto*
cipó-de-cesto-grande s.m.; pl. *cipós-de-cesto-grande*
cipó-de-chagas s.m.; pl. *cipós-de-chagas*
cipó-de-cinco-folhas s.m.; pl. *cipós-de-cinco-folhas*
cipó-de-cobra s.m.; pl. *cipós-de-cobra*
cipó-de-cola s.m.; pl. *cipós-de-cola*
cipó-de-copacabana s.m.; pl. *cipós-de-copacabana*
cipó-de-coração s.m.; pl. *cipós-de-coração*
cipó-de-corda s.m.; pl. *cipós-de-corda*
cipó de couro cru s.m.
cipó-de-cumanã s.m.; pl. *cipós-de-cumanã*
cipó-de-cunanã s.m.; pl. *cipós-de-cunanã*
cipó-de-embiri s.m.; pl. *cipós-de-embiri*
cipó-de-escada s.m.; pl. *cipós-de-escada*
cipó-de-fogo s.m.; pl. *cipós-de-fogo*
cipó-de-gato s.m.; pl. *cipós-de-gato*
cipó-de-gota s.m.; pl. *cipós-de-gota*
cipó-de-imbé s.m.; pl. *cipós-de-imbé*
cipó-de-impigem s.m.; pl. *cipós-de-impigem*
cipó-de-jabutá s.m.; pl. *cipós-de-jabutá*
cipó-de-jabuti s.m.; pl. *cipós-de-jabuti*
cipó-de-jarrinha s.m.; pl. *cipós-de-jarrinha*
cipó-de-junta s.m.; pl. *cipós-de-junta*
cipó-de-lavadeira s.m.; pl. *cipós-de-lavadeira*
cipó-de-leite s.m.; pl. *cipós-de-leite*
cipó-de-macaco s.m.; pl. *cipós-de-macaco*
cipó-de-mainibu s.m.; pl. *cipós-de-mainibu*
cipó-de-morcego s.m.; pl. *cipós-de-morcego*
cipó-de-mucuna s.m.; pl. *cipós-de-mucuna*
cipó-de-paina s.m.; pl. *cipós-de-paina*
cipó-de-paque s.m.; pl. *cipós-de-paque*
cipó-de-penas s.m.; pl. *cipós-de-penas*
cipó-de-poita s.m.; pl. *cipós-de-poita*
cipó-de-rego s.m.; pl. *cipós-de-rego*
cipó-de-são-francisco s.m.; pl. *cipós-de-são-francisco*
cipó-de-são-joão s.m.; pl. *cipós-de-são-joão*
cipó-de-sapo s.m.; pl. *cipós-de-sapo*
cipó-de-seda s.m.; pl. *cipós-de-seda*
cipó-de-tamanduá s.m.; pl. *cipós-de-tamanduá*
cipó-de-timbó s.m.; pl. *cipós-de-timbó*
cipó-de-tucunaré s.m.; pl. *cipós-de-tucunaré*
cipó-de-viúva s.m.; pl. *cipós-de-viúva*
cipó-do-imbé s.m.; pl. *cipós-do-imbé*
cipó-do-reino s.m.; pl. *cipós-do-reino*
cipó-dourado s.m.; pl. *cipós-dourados*
cipó-em s.m.; pl. *cipós-em*
cipó-emético s.m.; pl. *cipós-eméticos*
cipoense adj. s.2g.
cipó-escada s.m.; pl. *cipós-escada* e *cipós-escadas*
cipó-escova s.m.; pl. *cipós-escova* e *cipós-escovas*
cipó-florão s.m.; pl. *cipós-florão* e *cipós-florões*
cipó-flor-de-veado s.m.; pl. *cipós-flor-de-veado* e *cipós-flores-de-veado*
cipó-fraco s.m.; pl. *cipós-fracos*
cipó-gordo s.m.; pl. *cipós-gordos*
cipó-guaçu s.m.; pl. *cipós-guaçu* e *cipós-guaçus*
cipó-guibé s.m.; pl. *cipós-guibé* e *cipós-guibés*
cipó-guira s.m.; pl. *cipós-guira* e *cipós-guiras*
cipó-icica s.m.; pl. *cipós-icica* e *cipós-icicas*
cipó-imbé s.m.; pl. *cipós-imbé* e *cipós-imbés*
cipoíra s.m.
cipó-jabutá s.m.; pl. *cipós-jabutá* e *cipós-jabutás*
cipó-jagube s.m.; pl. *cipós-jagube* e *cipós-jagubes*
cipó-jarrinha s.m.; pl. *cipós-jarrinha* e *cipós-jarrinhas*
cipó-jatobá s.m.; pl. *cipós-jatobá* e *cipós-jatobás*
cipó-jiboia s.m.; pl. *cipós-jiboia* e *cipós-jiboias*
cipó-jiboia-vermelho s.m.; pl. *cipós-jiboia-vermelhos* e *cipós-jiboias-vermelhos*
cipolandense adj. s.2g.
cipó-língua s.m.; pl. *cipós-língua* e *cipós-línguas*
cipolino s.m.
cipó-mãe-boa s.m.; pl. *cipós-mãe-boa* e *cipós-mães-boas*
cipó-manuel-alves s.m.; pl. *cipós-manuel-alves*
cipó-mata s.m.; pl. *cipós-mata* e *cipós-matas*
cipó-mata-cobras s.m.; pl. *cipós-mata-cobras*
cipó-matador s.m.; pl. *cipós-matadores*
cipó-mata-pau s.m.; pl. *cipós-mata-pau*
cipó-mil-homens s.m.; pl. *cipós-mil-homens*
cipó-mole s.m.; pl. *cipós-moles*
cipó-morcego s.m.; pl. *cipós-morcego* e *cipós-morcegos*
cipó-mulatinho s.m.; pl. *cipós-mulatinhos*
cipônima s.f.
cipó-paratudo s.m.; pl. *cipós-paratudo*
cipó-paré s.m.; pl. *cipós-paré* e *cipós-marés*
cipó-pau s.m.; pl. *cipós-pau* e *cipós-paus*
cipó-pé-de-lagarto s.m.; pl. *cipós-pé-de-lagarto* e *cipós-pés-de-lagarto*
cipó-peludo s.m.; pl. *cipós-peludos*
cipó-prata s.m.; pl. *cipós-prata* e *cipós-pratas*
cipó-preto s.m.; pl. *cipós-pretos*
cipó-quebrador s.m.; pl. *cipós-quebradores*
cipó-quina s.m.; pl. *cipós-quinas*
cipó-rabo-de-timbu s.m.; pl. *cipós-rabo-de-timbu* e *cipós-rabos-de-timbu*
cipó-ramo s.m.; pl. *cipós-ramo* e *cipós-ramos*
cipó-raxa s.m.; pl. *cipós-raxa* e *cipós-raxas*
cipó-rego s.m.; pl. *cipós-rego* e *cipós-regos*
cipó-sangue s.m.; pl. *cipós-sangue* e *cipós-sangues*
cipó-santo s.m.; pl. *cipós-santos*
cipó-seco s.m.; pl. *cipós-secos*
cipó-seda s.m.; pl. *cipós-seda* e *cipós-sedas*
cipó-sem-nome s.m.; pl. *cipós-sem-nome*
cipó-sucuriju s.m.; pl. *cipós-sucuriju* e *cipós-sucurijus*
cipó-suma s.m.; pl. *cipós-suma* e *cipós-sumas*
cipó-sumá s.m.; pl. *cipós-sumá* e *cipós-sumás*
cipotá s.m.
cipotada s.f.
cipotaia s.m.
cipotaneano adj. s.m.
cipotanense adj. s.2g.
cipotâneo adj. s.m.
cipotaniano adj. s.m.
cipote s.m.
cipó-timbó s.m.; pl. *cipós-timbó* e *cipós-timbós*
cipó-titica s.m.; pl. *cipós-titica* e *cipós-titicas*
cipó-titora s.m.; pl. *cipós-titora* e *cipós-titoras*
cipó-tracuá s.m.; pl. *cipós-tracuá* e *cipós-tracuás*
cipó-três-quinas s.m.; pl. *cipós-três-quinas*
cipó-trindade s.m.; pl. *cipós-trindade* e *cipós-trindades*
cipó-tripa-de-galinha s.m.; pl. *cipós-tripa-de-galinha* e *cipós-tripas-de-galinha*
cipotuba s.f.
cipó-tucunaré s.m.; pl. *cipós-tucunaré* e *cipós-tucunarés*
cipó-una s.m.; pl. *cipós-unas*
cipó-unha-de-boi s.m.; pl. *cipós-unha-de-boi* e *cipós-unhas-de-boi*
cipó-unha-de-gato s.m.; pl. *cipós-unha-de-gato* e *cipós-unhas-de-gato*
cipó-urtiguinha s.m.; pl. *cipós-urtiguinha* e *cipós-urtiguinhas*
cipó-vassoura s.m.; pl. *cipós-vassoura* e *cipós-vassouras*
cipó-vermelho s.m.; pl. *cipós-vermelho* e *cipós-vermelhos*
cipó-violeta s.m.; pl. *cipós-violeta* e *cipós-violetas*
cipozinho-do-campo s.m.; pl. *cipozinhos-do-campo*
cipre s.m.
cipreia s.f.
cipreida adj.2g. s.m.
cipreídeo adj. s.m.
ciprestal s.m.
cipreste s.m.
cipreste-calvo s.m.; pl. *ciprestes-calvos*
cipreste-candeeiro s.m.; pl. *ciprestes-candeeiro* e *ciprestes-candeeiros*
cipreste-chorão s.m.; pl. *ciprestes-chorão* e *ciprestes-chorões*
cipreste-comum s.m.; pl. *ciprestes-comuns*
cipreste-da-itália s.m.; pl. *ciprestes-da-itália*
cipreste-da-luisiana s.m.; pl. *ciprestes-da-luisiana*
cipreste-de-lawson s.m.; pl. *ciprestes-de-lawson*
cipreste-do-brejo s.m.; pl. *ciprestes-do-brejo*
cipreste-do-japão s.m.; pl. *ciprestes-do-japão*
cipreste-dos-pântanos s.m.; pl. *ciprestes-dos-pântanos*
cipreste-horizontal s.m.; pl. *ciprestes-horizontais*
cipréstео adj.
cipreste-piramidal s.m.; pl. *ciprestes-piramidais*
ciprianense adj. s.2g.
cipriânico adj.
ciprianizar v.
cipriarca s.m.
cíprico adj.
cíprida adj.2g. s.m.
ciprídeo adj. s.m.
cipridina s.m.
cipridínida adj.2g. s.m.
cipridinídeo adj. s.m.
ciprídio s.m.
cipridofobia s.f.
cipridófobo adj. s.m.
cipridologia s.f.
cipridológico adj.
cipridólogo s.m.
cipridopatia s.f.
cipridopático adj.
ciprifobia s.f.
cipriforme adj.2g. s.m.
ciprina s.f.
ciprinicultor (*ô*) s.m.
ciprinicultura s.f.
ciprinicultural adj.2g.
cip rínida adj.2g. s.m.
ciprinídeo adj. s.m.
cipriníneo adj. s.m.
ciprino adj. s.m.
ciprinocultor (*ô*) s.m.
ciprinocultura s.f.
ciprinocultural adj.2g.
ciprinodonte adj.2g. s.m.
ciprinodôntida adj.2g. s.m.
ciprinodontídeo adj. s.m.
ciprinodontíneo adj. s.m.
ciprinoide (*ó*) adj.2g. s.m.
ciprinóideo adj. s.m.
cíprio adj. s.m.
cipriolítico adj.
cipriota adj. s.2g.
cipripedílea s.f.
cipripedilo s.m.
cipripédio s.m.
cípris s.m.2n.
ciprite s.f.
cipro s.m.
ciproeptadina s.f.
ciprofloxacina (*cs*) s.f.
cipróli da adj.2g. s.m.
ciprolídeo adj. s.m.
ciproníscida adj.2g. s.m.
cipronis cídeo adj. s.m.
ciproniscíneo adj. s.m.
cipronisco s.m.
ciproterona s.f.
ciprusita s.f.
cipsela s.f.
cipseleuro s.m.
cipsélia s.f.
cipsélida adj.2g. s.m.
cipselídeo adj. s.m.
cipseliforme adj.2g. s.m.
cipselínea s.f.
cipselino adj.
cipselo s.m.
cipseloide (*ó*) adj.2g.
cipselomorfa s.f.
cipselomorfo adj. s.m.
cipura s.f.
cira s.f. "floresta"; cf. *sira*
ciranda s.f.
cirandado adj.
cirandagem s.f.
cirandão s.m.
cirandar v.
cirandeira s.f.
cirandinha s.f.
ciranesco (*ê*) adj.
cirão s.m.
cirata s.f.
cirba s.m.
cirbásia s.f.
circada s.f.
circadiano adj.
circameridiana s.f.
circameridiano adj.
circassiana s.f.
circassiano adj. s.m.
circatejano adj.
circeense adj. s.2g.
circeia (*é*) adj. s.f. de *circeu*
circeiense adj. s.2g.
circeína s.f.
circeínea s.f.
circeio adj. s.m.
circense adj.2g. s.m.
circeu adj. s.m.; f. *circeia* (*é*)
circiadela s.f.
circiar v.
circídea s.f.
circinado adj.
circinal adj.2g.
circinar v.
circínea s.f.
circíneo adj.
círcio adj. s.m.; cf. *circio*, fl. do v. *circiar*
circitor (*ô*) s.m.
circo s.m.
circuição s.f.
circuitação s.f.
circuitado adj.
circuitar v.
circuito s.m.
circulação s.f.
circulado adj.
circulador (*ô*) adj. s.m.
circulante adj.2g. s.m.
circular v. adj.2g. s.f.
circularidade s.f.
circulatório adj.
circulável adj.2g.
circulina s.f.
círculo s.m.; cf. *circulo*, fl. do v. *circular*
circum-adjacência s.f.
circum-adjacente adj.2g.
circum-ambiência s.f.
circum-ambiente adj.2g.
circum-ambulação s.f.
circum-anal adj.2g.
circum-axial adj.2g.
circum-escolar adj.2g.
circum-esofagiano adj.
circum-hospitalar adj.2g.
circum-máxil adj.2g.
circum-mediterrâneo adj.
circum-meridiano adj.
circum-murado adj.
circum-murar v.
circum-navegação s.f.
circum-navegador (*ô*) adj. s.m.
circum-navegante adj. s.2g.
circum-navegar v.
circum-navegatório adj.
circum-navegável adj.2g.
circum-nutação s.f.
circumpacífico adj.
circumpalpebral adj.2g.
circumpatente adj.2g.
circumpercorrer v.
circumpercorrido adj.
circumpercurso adj. s.m.
circumpolar adj.2g.
circumpolaridade s.f.
circumpolarização s.f.
circumpolarizado adj.
circumposto (*ô*) adj.
circum-uretral adj.2g.
circuncelião s.m.
circuncentral adj.2g.
circuncentrar v.
circuncêntrico adj.
circuncentro s.m.

circuncidado adj. s.m.
circuncidar v.
circuncircular v. adj.2g.
circuncisão s.f.
circuncisfláutico adj.
circunciso adj. s.m.
circuncluso adj.
circuncrescência s.f.
circuncrescente adj.2g.
circundação s.f.
circundado adj.
circundador (*ô*) adj. s.m.
circundamento s.m.
circundante adj.2g.
circundar v.
circundenudação s.f.
circundenudado adj.
circundução s.f.
circunducto adj.
circundutar v.
circunduto adj.
circunfaringiano adj.
circunferência s.f.
circunferencial adj.2g.
circunferente adj.2g.
circunflexado (*cs*) adj.
circunflexão (*cs*) s.f.
circunflexar (*cs*) v.
circunflexo (*cs*) adj. s.m.
circunfluência s.f.
circunfluente adj.2g.
circunfluir v.
circúnfluo adj.
circunforâneo adj.
circunfundir v.
circunfusa s.f.
circunfusão s.f.
circunfuso adj.
circungiração s.f.
circungirar v.
circungiro adj.
circunjacência s.f.
circunjacente adj.2g.
circunjazer v.
circunlabial adj.2g.
circunlação s.f.
circunlental adj.2g.
circunlocução s.f.
circunlocucional adj.2g.
circunlocutório adj.
circunloquial adj.2g.
circunlóquio s.m.
circunlunar adj.2g.
circunrevolto (*ô*) adj.
circunrevoluto adj.
circunrodar v.
circunscrever v.
circunscrição s.f.
circunscricional adj.2g.
circunscriptivo adj.
circunscritível adj.2g.
circunscritivo adj.
circunscrito adj.
circunscritor (*ô*) adj.
circunsessão s.f.
circunséssil adj.2g.
circunsoante adj.2g.
circunsolar adj.2g.
circunsonante adj.2g.
circunsonar v.
circunspeção s.f.
circunspecção s.f.
circunspeccionar v.
circunspecionar v.
circunspecto adj.
circunspeto adj.
circunstância s.f.; cf. *circunstancia*, fl. do v. *circunstanciar*
circunstanciação s.f.
circunstanciado adj.
circunstanciador (*ô*) adj. s.m.
circunstancial adj.2g.
circunstancialismo s.m.
circunstancialista adj. s.2g.
circunstancialístico adj.
circunstancialização s.f.
circunstancializado adj.
circunstancializar v.
circunstanciante adj.2g.
circunstanciar v.
circunstanciativo adj.
circunstanciável adj.2g.
circunstancionado adj.
circunstancionar v.
circunstante adj. s.2g.
circunstar v.
circuntelúrico adj.
circunterrestre adj.2g.
circuntropical adj.2g.
circunvagante adj.2g.
circunvagar v.
circúnvago adj.; cf. *circunvago*, fl. do v. *circunvagar*
circunvalação s.f.
circunvalado adj.
circunvalar v.
circunver v.
circunvicinal adj.2g.
circunvizinhança s.f.
circunvizinhar v.
circunvizinho adj.
circunvoar v.
circunvolução s.f.
circunvolucionário adj.
circunvoluir v.
circunvolver v.
circunzenital adj.2g.
cirenaico adj. s.m.
cirenaísmo s.m.
cirenaísta adj. s.2g.
cirenaístico adj.
cireneia (*é*) adj. f. de *cireneu*
cirenense adj. s.2g.
cireneu adj.; f. *cireneia* (*é*)
cirênida adj.2g. s.m.
cirenídeo adj. s.m.
ciriacense adj. s.2g.
cirial s.m. "castiçal"; cf. *cereal*
ciricaia s.f.
ciricica s.f.
cirieiro s.m.
cirigado adj. s.m. "gado pontilhado"; cf. *cerigado* e *serigado*
cirigo s.m.
ciriguela (*ü*) s.f.
cirila s.f.
cirilácea s.f.
ciriláceo adj.
ciriliano adj.
cirílico adj.
cirilização s.f.
cirilizado adj.
cirilizante adj.2g.
cirilizar v.
cirilovita s.f.
cirininga s.f.
círio s.m. "vela de cera"; cf. *sírio*
círio-de-nossa-senhora s.m.; pl. *círios-de-nossa-senhora*
círio-do-norte s.m.; pl. *círios-do-norte*
círio-do-rei s.m.; pl. *círios-do-rei*
ciriologia s.f.
ciriológico adj.
ciriólogo s.m.
ciriri s.m.
ciriringa s.f.
ciriringar v.
círnio adj. s.m.
ciro adj. s.m.
cirofórias s.f.pl.
cirofório s.m.
cirolana s.f.
cirolaníneo adj. s.m.
cirolano s.m.
ciropedia s.f.
ciropédico adj.
cirópode s.m.
ciropódio s.m.
cirosita s.f.
círpea s.f.
círpeo adj.
cirpina s.f.
cirpo s.m.
cirpóidea s.f.
cirpóideo adj.
cirra s.f.
cirrar v.
cirratúlida adj.2g. s.m.
cirratulídeo adj. s.m.
cirreia (*é*) s.f.
cirreira s.f.
cirresta adj. s.2g.
círrico adj.
cirrífero adj.
cirrifilo s.m.
cirriforme adj.2g.
cirringa s.f.
cirringar v.
cirrípede adj.2g. s.m.
cirripédio s.m.
cirripipra s.f.
cirro s.m.
cirroblefaroncose s.m.
cirroblefaroncósico adj.
cirroblefaroncótico adj.
cirrocele s.f.
cirrocelo s.m.
cirro-cúmulo s.m.; pl. *cirros-cúmulo* e *cirros-cúmulos*
cirro-estrato s.m.; pl. *cirros-estrato* e *cirros-estratos*
cirroftalmia s.f.
cirroftalmo s.m.
cirrogastria s.f.
cirroide (*ó*) adj.2g.
cirrolita s.f.
cirro-nébula s.m.; pl. *cirros-nébula* e *cirros-nébulas*
cirronose s.f.
cirrópode s.m.
cirrópodo s.m.
cirrose s.f.
cirrosidade s.f.
cirrosílio s.m.
cirroso (*ô*) adj.; f. (*ó*); pl. (*ó*)
cirrostrato s.m.
cirrótico adj.
cirrovelo s.m.
cirsélio s.m.
církio s.m.
cirsocele s.f.
cirsoftalmia s.f.
cirsoftálmico adj.
cirsoide (*ó*) adj.2g.
cirsoideia (*é*) adj. s.f. de *cirsoideu*
cirsoideu adj. s.m.; f. *cirsoideia* (*é*)
cirsonfálico adj.
cirsônfalo s.m.
cirsotomia s.f.
cirsotômico adj.
cirtandra s.f.
cirtândrea s.f.
cirtândreo adj.
cirtandróidea s.f.
cirtandróideo adj.
cirtanto s.m.
cirtaro adj. s.m.
cirteia (*é*) adj. s.f. de *cirteu*
cirtense adj. s.2g.
cirteu adj. s.m.; f. *cirteia* (*é*)
cirtiano adj. s.m.
círtida adj.2g. s.m.
cirtídeo adj. s.m.
cirto s.m.
cirtocalpe s.m.
cirtocefalia s.f.
cirtocéfalo adj.
cirtodeira s.f.
cirtófio s.m.
cirtófora s.f.
cirtóforo s.m.
cirtógnato s.m.
cirtográfico adj.
cirtógrafo s.m.
cirtolélape s.f.
cirtolita s.f.
cirtolite s.f.
cirtolítico adj.
cirtólito s.m.
cirtoma s.m.
cirtometria s.f.
cirtométrico adj.
cirtômetro s.m.
cirtômio s.m.
cirtono s.m.
cirtópera s.f.
cirtopodácea s.f.
cirtopodáceo adj.
cirtópode adj.2g. s.m.
cirtopodícia s.f.
cirtopódio s.m.
cirtose s.f.
cirtósia s.m.
cirtotraquelo s.m.
cirtusa s.m.
ciru adj. s.2g.
ciruela s.f.
cirurgia s.f.
cirurgiã s.f. de *cirurgião*
cirurgião s.m.; f. *cirurgiã*
cirurgião-barbeiro s.m.; pl. *cirurgiões-barbeiro* e *cirurgiões-barbeiros*
cirurgião-dentista s.m.; pl. *cirurgiões-dentista* e *cirurgiões-dentistas*
cirurgião-mor s.m.; pl. *cirurgiões-mor* e *cirurgiões-mores*
cirurgião-parteiro s.m.; pl. *cirurgiões-parteiro* e *cirurgiões-parteiros*
cirurgiar v.
cirúrgico adj.
cirúrgico-dentário adj.; pl. *cirúrgico-dentários*
cirvilheira s.f.
cirzeta (*ê*) s.f.
cirzir v.
cis s.m.2n.
cisalha s.f.
cisalhamento s.m.
cisalhar v.
cisalhas s.f.pl.
cisalpino adj.
cisandino adj.
cisão s.f. "divisão"; cf. *sisão*
cisatlântico adj.
cisbalcânico adj.
cisbáltico adj.
cisbordo s.m.
cisca s.f.
ciscada s.f.
ciscadela s.f.
ciscado s.m.
ciscador (*ô*) adj. s.m.
ciscalhada s.f.
ciscalhagem s.f.
ciscalho s.m.
ciscamento s.m.
ciscante adj.2g. s.f.
ciscar v.
ciscarpático adj.
ciscaspiano adj.
ciscaucasiano adj.
ciscaucásico adj.
ciscaucásio adj.
cisco s.m.
ciscoso (*ô*) adj.; f. (*ó*); pl. (*ó*)
ciscudano adj.
cisdanubiano adj.
cisel s.m.
ciselador (*ô*) s.m.
ciseladura s.f.
ciselamento s.m.
ciselar v.
cisfretano adj.
cisgangético adj.
cisgola s.f.
císida adj.2g.
cisídeo adj. s.m.
císio s.m.
cisirão s.m.
cisirão-branco s.m.; pl. *cisirões-brancos*
cisjordaniano adj.
cisjordânico adj.
cisjordânio adj.
cisjordano adj.
cisjurano adj.
cisleitano adj.
cislunar adj.2g.
cisma s.m.f.
cismado adj.
cismador (*ô*) adj. s.m.
cismar v.
cismarento adj.
cismático adj. s.m.
cismativo adj.
cismento adj.
cismontanismo s.m.
cismontano adj. s.m.
cisne s.m.
cisne-branco s.m.; pl. *cisnes-brancos*
cisne-de-pescoço-preto s.m.; pl. *cisnes-de-pescoço-preto*
cisneirense adj. s.2g.
cisne-negro s.m.; pl. *cisnes-negros*
císneo adj.
cisne-preto s.m.; pl. *cisnes-pretos*
cisne-real s.m.; pl. *cisnes-reais*
cisne-trombeteiro s.m.; pl. *cisnes-trombeteiros*
cisnetuniano adj.
cisnífero adj.
cisoiro s.m.
cisório s.m.
cisouro s.m.
cispacífico adj.
cispadano adj.
cispado adj.
cispar v.
cispelho (*ê*) s.m.
císpio adj. s.m.
cispirenaico adj.
cisplandim s.m.
cisplatense adj.2g.
cisplatina s.f.
cisplatino adj.
cispolar adj.2g.
cispontino adj.
cisque interj.
cisqueiro s.m.
cisrenano adj.
cissampelídea s.f.
cissampelídeo adj.
cissampelina s.f.
cissâmpelo s.m.
cissão s.f.
cisserrano adj.
cissianto adj. s.m.
císsil adj.2g.
cissionário adj. s.m.
cissionismo s.m.
cissionista adj. s.2g.
cissionístico adj.
cissiparição s.f.
cissiparidade s.f.
cissíparo adj.
cisso s.m.
cissoidal adj.2g.
cissoide (*ó*) adj.2g. s.f.
cissura s.f.
cissurela s.f.
cissurelíneo adj. s.m.
cista s.f.
cistácea s.f.
cistáceo adj.
cistadenoma s.m.
cistagano adj.
cistalgia s.f.
cistálgico adj.
cistamina s.f.
cistamínico adj.
cistanastrofia s.f.
cistanque s.m.
cistariano s.m.
cistase s.f.
cistationina s.f.
cistatrofia s.f.
cistatrófico adj.
cistauquenite s.f.
cistauquenotomia s.f.
cistauquenotômico adj.
ciste s.f.
cístea s.f.
cistebutano s.m.
cisteciense adj. s.2g.
cistectasia s.f.
cistectomia s.f.
cistectômico adj.
cisteico adj.
cisteína s.f.
cisteínico adj.
cistela s.f.
cistelatriz s.f.
cistelcose s.f.

cistélida adj.2g. s.m.
cistelídeo adj. s.m.
cistelíneo adj. s.m.
cistelo s.m.
cistematoma s.m.
cistematomático adj.
cistencefalia s.f.
cistencéfalo s.m.
cistêncito s.m.
cistêndese s.f.
cistênquima s.m.
cisteógnato s.m.
cistepático adj.
cistepatilitíase s.f.
cistepitelioma s.m.
cisterciense adj. s.2g.
cisterna s.f.
cistiáctis s.m.2n.
cistiberino adj.
cistibrânquio adj.
cistibrino adj.
cisticectomia s.f.
cisticectômico adj.
cisticenterostomia s.f.
cisticenterostômico adj.
cisticercal adj.2g.
cisticercíneo adj. s.m.
cisticerco s.m.
cisticercoide (*ó*) adj. s.2g.
cisticercose s.f.
cisticercósico adj.
cisticercótico adj.
cisticida adj.2g. s.m.
cisticídio s.m.
cístico adj.
cisticoduodenostomia s.f.
cisticoduodenostômico adj.
cistícola s.2g.
cisticolestenia s.f.
cisticolestênico adj.
cisticolestenose s.f.
cisticolestenótico adj.
cisticolínea s.f.
cisticolíneo adj. s.m.
cisticolitectomia s.f.
cisticolitectômico adj.
cisticolitotripsia s.f.
cisticolitotríptico adj.
cisticotomia s.f.
cisticotômico adj.
cisticotraquelotomia s.f.
cisticotraquelotômico adj.
cistícula s.f.
cístida adj.2g. s.m.
cistídeo adj. s.m.
cistidiano adj.
cistidinia s.f.
cistídio s.m.
cístido s.m.
cistífero adj.
cistiflogia s.f.
cistifragma s.m.
cistígero adj.
cistígnato s.m.
cistigrino adj.
cistigritano adj.
cistina s.f.
cistínea s.f.
cistinefrose s.f.
cistinefrósico adj.
cistinefrótico adj.
cistinemia s.f.
cistinêmico adj.
cistíneo adj.
cistingitano adj.
cistínico adj.
cistinose adj. s.f.
cistinoso (*ô*) adj.; f. (*ó*); pl. (*ó*)
cistinuria s.f.
cistinúria s.f.
cistinúrico adj.
cistipatia s.f.
cistirragia s.f.
cistirreia (*é*) s.f.
cistisco s.m.
cistissoma s.m.
cistissômida adj.2g. s.m.
cistissomídeo adj. s.m.
cistissomo s.m.
cististaxe (*cs*) s.f.
cistite s.f.
cistítico adj.
cistitomia s.f.
cistítomo s.m.
cisto s.m.
cistoadenocarcinoma s.m.
cistoadenocarcinomático adj.
cistoadenoma s.m.
cistoadenomático adj.
cistoagra s.f.
cistobubonocele s.f.
cistocarcinoma s.m.
cistocarcinomático adj.
cistocarno s.m.
cistocele s.f.
cistocercária s.f.
cistocirro s.m.
cistócito s.m.
cistoclônio s.m.
cistocolicotripsia s.f.
cistocolite s.f.
cistocolítico adj.
cistocolostomia s.f.
cistocópio s.m.
cistocromoscopia s.f.
cistocromoscópico adj.
cistocromoscopista adj. s.2g.
cistodacrioma s.m.
cistodacrisia s.f.
cistodiagnóstico adj. s.m.
cistodinia adj.
cistodínico s.f.
cistoemia adj.
cistoêmico adj.
cistoemorragia s.f.
cistoemorrágico adj.
cistoenterocele s.f.
cistoenteroepiplocele s.f.
cistoepiplocele s.f.
cistoepitelioma s.m.
cistofibroma s.m.
cistofilo s.m.
cistoflagelado adj. s.m.
cistófora s.f.
cistoforíneo adj. s.m.
cistóforo s.m.
cistofotografia s.f.
cistofotográfico adj.
cistogenético adj.
cistogênico adj.
cistógeno adj.
cistografia s.f.
cistográfico adj.
cisto-hemorragia s.f.
cisto-hemorrágico adj.
cisto-hipersacarose s.f.
cistoide (*ó*) adj.2g. s.m. "em forma de bexiga"; cf. *cestoide* (ó)
cistóideo adj. s.m.
cistoipersarcose s.f.
cistolipoma s.m.
cistolitíase s.f.
cistolítico adj.
cistolitígero adj.
cistólito s.m.
cistoma s.m.
cistomático adj.
cistomatoso (*ô*) adj.; f. (*ó*); pl. (*ó*)
cistomeracele s.f.
cistomerocele s.f.
cistometria s.f.
cistométrico adj.
cistometrite s.f.
cistometrítico adj.
cistômetro s.m.
cistometrografia s.f.
cistometrográfico adj.
cistometrograma s.m.
cistomíase s.f.
cistomicrossomo s.m.
cistomítomo s.m.
cistomixoma (*cs*) s.m.
cistonecto s.m.
cistonefrose s.f.
cistonefrótico adj.
cistonevralgia s.f.
cistonevrálgico adj.
cistopexia (*cs*) s.f.
cistopielite s.f.
cistopielítico adj.
cistopielografia s.f.
cistopielográfico adj.
cistopielograma s.m.
cistopielonefrite s.f.
cistopielonefrítico adj.
cistopíico adj.
cistoplastia s.f.
cistoplástico adj.
cistoplegia s.f.
cistoplégico adj. s.m.
cistoplexia (*cs*) s.f.
cístopo s.m.
cistoptéride s.f.
cistópteris s.f.2n.
cistoptose s.f.
cistoptótico adj.
cistoptoto adj.
cistorradiografar v.
cistorradiografia s.f.
cistorradiográfico adj.
cistorradiograma s.m.
cistorrafia s.f.
cistorráfico adj.
cistorragia s.f.
cistorrágico adj.
cistorreia (*é*) s.f.
cistorreico (*é*) adj.
cistoscirro s.m.
cistoscopia s.f.
cistoscópico adj.
cistoscópio s.m.
cistosina s.f.
cistosira s.f.
cistosirossargácea s.f.
cistosirossargáceo adj.
cistospasmo s.m.
cistospático adj.
cistospermite s.f.
cistospório s.m.
cistosporite s.m.
cistósquise s.f.
cistossarcoma s.m.
cistossarcomático adj.
cistostenocoria s.f.
cistostomia s.f.
cistotomia s.f.
cistotômico adj.
cistótomo s.m.
cistotraquelotomia s.f.
cistotraquelotômico adj.
cistotripanossoma s.m.
cistotripanossomo s.m.
cistotromboide (*ó*) adj.2g.
cistotrombose s.f.
cistouretrítico adj.
cistouretroscopia s.f.
cistouretroscópico adj.
cistouretroscópio s.m.
cistozóideo adj. s.m.
cistre s.m.
cistro s.m. "alaúde"; cf. *sistro*
cístron s.m.
cistuda s.f.
cistudo s.m.
cístula s.f.
cistureterite s.f.
cisturetérítico adj.
cisturetroscopia s.f.
cisturetroscópico adj.
cisturetroscópio s.m.
cisuraliano adj.
cisurálico adj.
cisuraniano adj.
cisurânico adj.
cita adj. s.2g. s.m.f. "povo", "citação"; cf. *sita*
citabilidade s.f.
citação s.f.
cita-cristos s.m.2n.
citadela s.f.
citadino adj. s.m.
citado adj. s.m.
citador (*ô*) adj. s.m.
citálico adj. s.m.
citálida adj.2g. s.m.
citalídeo adj. s.m.
citalo s.m.
citamento s.m.
citamínea s.f.
citamíneo adj.
citando adj. s.m.
citânia s.f.
citaniense adj. s.2g.
citante adj. s.2g.
citanto s.m.
citar v. "mencionar"; cf. *sitar*
cítara s.f.
citarabina s.f.
citarédico adj.
citaredo (*ê*) s.m.
citaréxilo s.m.
citariácea s.f.
citariáceo adj.
citarina s.f.
citarinha s.f.
citarismo s.m.
citarista adj. s.2g.
citarística s.f.
citarístico adj.
citarístria s.f.
citarizar v.
cítaro s.m.
citarociato s.m.
citarodia s.f.
citaródia s.f.
citaródico adj.
citarra s.f.
citase s.f.
cítase s.f.
citáster s.f.
citatória s.f.
citatório adj.
citável adj.2g.
cite s.m.
citeandra s.f.
citeia (*é*) adj. s.f. de *citeu*
citeíneo adj. s.m.
citematometria s.f.
citematométrico adj.
citematômetro s.m.
citemia s.f.
citêmico adj.
citemólise s.f.
citemolítico adj.
citera s.f.
citereia (*é*) adj. s.f. de *citereu*
citéreo adj.
citereu adj. s.m.; f. *citereia* (*é*)
citérida adj.2g. s.m.
citerídeo adj. s.m.
citerior (*ô*) adj.2g.
citero s.m.
citeropse s.f.
citerópsis s.f.2n.
citeropterão s.m.
citeróptero s.m.
citerópteron s.m.
citeruro s.m.
citeu adj. s.m.; f. *citeia* (*é*)
cítico adj. s.m. "relativo a Cítia"; cf. *sítico*
citida adj.2g. s.m.
citidina s.f.
citígrado adj. s.m.
citila s.f.
citilo s.m.
citima s.f.
citina s.f. "planta"; cf. *cetina*
citínea s.f.
citino s.m.
citisina s.f.
citiso s.m.
citissa s.f.
citna s.f.
cito s.m. "jogo"; cf. *sito*
citoactina s.f.
citoarquitectônica s.f.
citoarquitectônico adj.
citobiologia s.f.
citobiológico adj.
citoblastema s.m.
citoblástico adj.
citoblástio s.m.
citoblasto s.m.
citocácio s.m.
citocalasina s.f.
citocanibalismo s.m.
citocida adj.2g. s.m.
citocídio s.m.
citocinese s.f.
citocinesia s.f.
citocinético adj.
citocinina s.f.
citocinínico adj.
citóclase s.f.
citoclástico adj.
citococo s.m.
citocôndrio s.m.
citocorismo s.m.
citocromatina s.f.
citocromia s.f.
citocrômico adj.
citocrômio s.m.
citocromo s.m.
citode s.m.
citodendrite s.f.
citodendrito s.m.
citodépsico adj.
citodiagnóstico adj. s.m.
citódico adj.
citódida adj.2g. s.m.
citodídeo adj. s.m.
citodiérese s.f.
citódio s.m.
citódite s.m.
citoditíneo adj. s.m.
citodrávida adj.2g.
citoesqueleto (*ê*) s.m.
citofagia s.f. "qualidade de citófago"; cf. *sitofagia*
citófago adj. "que destrói as células"; cf. *sitófago*
citofaringe s.f.
citofaringeia (*é*) adj. f. de *citofaringeu*
citofaríngeo adj.
citofaringeu adj.; f. *citofaringeia* (*é*)
citofiláctico adj.
citofilático adj.
citofilaxia (*cs*) s.f.
citofílico adj.
citófilo adj. "que favorece as células"; cf. *sitófilo*
citoflavina s.f.
citóforo s.m.
citofotometria s.f.
citofotométrico adj.
citofotômetro s.m.
citogamia s.f.
citogâmico adj.
citogênese s.f.
citogenética s.f.
citogeneticista s.2g.
citogenético adj.
citogenia s.f.
citogênico adj.
citogênio adj.
citogeografia s.f.
citogeográfico adj.
citoglobina s.f.
citografar v.
citografia s.f.
citográfico adj.
citograma s.m.
citoide (*ó*) adj.2g. s.m.
cítola s.f. "cítara"; cf. *sítula*
citolão s.m.
citolar v.
citole s.m.
citoleiro s.m.
citolinfa s.f.
citolisar v.
citolisato s.m.
citólise s.f.
citolisina s.f.
citolisínico adj.
citolisossoma s.m.
citolítico adj.
citólito s.m.
citologia s.f.
citológico adj.
citologista adj. s.2g.
citólogo s.m.
citoma s.m.
citomegalia s.f.
citomegálico adj.
citomegalovírus s.m.2n.
citomegavírus s.m.2n.
citomerismo s.m.
citômero s.m.
citometria s.f. "medição das células"; cf. *sitometria*

citométrico adj. "relativo a citometria"; cf. *sitométrico*
citômetro s.m. "instrumento para medição das células"; cf. *sitômetro*
citomicrocromossoma s.m.
citomicrocromossomo s.m.
citomitoma s.m.
citomitômio s.m.
citomorfose s.f.
citomorfósico adj.
citomorfótico adj.
citonema s.m.
citonematácea s.f.
citonematáceo adj.
citonêmea s.f.
citônio s.m. "célula"; cf. *sitônio*
citopatogenia s.f.
citopatogênico adj.
citopatógeno adj. s.m.
citopatologia s.f.
citopatológico adj.
citopatologista adj. s.2g.
citopatólogo adj. s.m.
citopéctico adj.
citopenia s.f.
citopênico adj.
citopetalácea s.f.
citopetaláceo adj.
citopetalínea s.f.
citopetalíneo adj.
citopexia (*cs*) s.f.
citopéxico (*cs*) adj.
citopígio s.m.
citoplasma s.m.
citoplasmático adj.
citoplásmico adj.
citoplástico adj.
citoplasto s.m.
citopoese s.f.
citopolita adj. s.2g.
citopolitano adj. s.m.
citoprocto s.m.
citoproteção s.f.
citoproteídeo adj. s.m.
citopse s.f.
citopsique s.f.
citopsíquico adj.
citópsis s.2g.2n.
citoqueratina s.f.
citoquilema s.m.
citoquímica s.f.
citoquímico adj.
citoquinina s.f.
citorretículo s.m.
citose s.f.
citósico adj.
citósifon s.m.
citosina s.f.
citosínico adj.
citosol s.m.
citospérmio s.m.
citospôngio s.m.
citossoma s.m.
citossomo s.m.
citóstase s.f.
citostático adj.
citosteatonecrose s.f.
citosteatonecrótico adj.
citóstoma s.m.
citostomal adj.2g.
citostomático adj.
citostômico adj.
citóstomo s.m.
citotáctico adj.
citotália s.f.
citotauro adj. s.m.
citotaxe (*cs*) s.f.
citotaxia (*cs*) s.f.
citotaxionomia (*cs*) s.f.
citotaxionômico (*cs*) adj.
citotaxionomista (*cs*) adj. s.2g.
citote s.m.
citotênia s.m.
citoterapia s.f.
citoterápico adj.
citótese s.f.
citotóxico (*cs*) adj.
citotoxidez (*cs...ê*) s.f.
citotoxina (*cs*) s.f.
citotrofoblástico adj.
citotrofoblasto s.m.
citotrofodermo s.m.
citotropia s.f.
citotrópico adj.
citotropismo s.m.
citótropo adj.
citotroquina s.f.
citóxico (*cs*) adj.
citozima s.f.
citozímico adj.
citozoário adj. s.m.
citozoico (*ó*) adj.
citozoide (*ó*) adj.2g. s.m.
citrácea s.f.
citráceo adj.
citraconato s.m.
citracônico adj.
citral s.m.
citramalato s.m.
citramálico adj.
citranjeira s.f.
citraria s.f.
citratado adj.
citratar v.
citratartrato s.m.
citratártrico adj.
citrato s.m.
citreína s.f.
citreiro adj. s.m.
citreno s.m.
cítreo adj.
cítrico adj.
citrícola adj.2g.
citricultivo adj.
citricultor (*ô*) s.m.
citricultura s.f.
citricultural adj.2g.
citrilo s.m.
citrina s.f.
citrinação s.f.
citrinela s.f.
citrinino adj.
citrinita s.f.
citrino adj. s.m. "da cor do limão"; cf. *cetrino*
citrino-madeira s.m.; pl. *citrinos-madeira* e *citrinos-madeiras*
citrino-sol s.m.; pl. *citrinos-sol* e *citrinos-sóis*
citro s.m.
citrocola s.f.
citrofagia s.f.
citrófago adj. s.m.
citrofênio s.m.
citrofeno s.m.
citrômice s.m.
citromiceto s.m.
citronato s.m.
citronela s.f.
citronelal s.m.
citronela-maior s.f.; pl. *citronelas-maiores*
citronela-menor s.f.; pl. *citronelas-menores*
citronélico adj.
citronelila s.f.
citronelol s.m.
citronelólico adj.
citrópia s.f.
citrotoluico adj.
citrotrifenetidina s.f.
citrulina s.f.
citrulínico adj.
citrulo s.m.
cítrus s.m.2n.
cítula s.m.f.
citúria s.f.
ciumada s.f.
ciumagem s.f.
ciumar v.
ciumaria s.f.
ciumata s.f.
ciúme s.m.
ciumeira s.f.
ciumento adj.
ciúmes s.m.pl.
ciumoso (*ô*) adj.; f. (*ó*); pl. (*ó*)
ciuravo s.m.
ciúrida adj.2g. s.m.
ciurídeo adj. s.m.
ciuríneo adj. s.m.
ciúro s.m.
ciuroide (*ó*) adj.2g.
ciuróideo adj.
ciuromorfo s.m.
ciuróptero s.m.
cível adj.2g. s.m.
civeta (*ê*) s.f.
civeto (*ê*) s.m.
civetona s.f.
cívico adj. s.m.
cividade s.f.
civil adj.2g. s.m.
civilidade s.f.
civilismo s.m.
civilista adj. s.2g.
civilístico adj.
civilizabilidade s.f.
civilização s.f.
civilizacional adj.2g.
civilizado adj. s.m.
civilizador (*ô*) adj. s.m.
civilizante adj. s.2g.
civilizar v.
civilizatório adj.
civilizável adj.2g.
civismo s.m.
civista adj. s.2g.
civístico adj.
cíxio (*cs*) s.m.
cizanar v.
cizanento adj.
cizânia s.f.; cf. *cizania*, fl. do v. *cizaniar*
cizaniar v.
cizanista adj. s.2g.
cizel s.m.
cizelar v.
cizicena s.f.
ciziceno adj. s.m.
cizicense adj. s.2g.
cizirão s.m.
clã s.m.
clache-clache s.m.; pl. *clache-claches*
clá-clá s.m.; pl. *clá-clás*
clactoniano adj. s.m.
cladântico adj.
cladanto adj. s.m.
cladautoico (*ó*) adj.
clade s.f.
cladeado adj.
cládio s.m.
cladística s.f.
cladístico adj.
cladnita s.f.
cladnito s.m.
clado s.m.
cladóbio s.m.
cladocárpio adj.
cladocarpo adj.
cladocélio s.m.
cladócero adj. s.m.
cladococo s.m.
cladode s.m.
cladódico adj.
cladódio s.m.
cladodíptero s.m.
cladofilo s.m.
cladofiúro adj. s.m.
cladófora s.f.
cladoforácea s.f.
cladoforáceo adj.
cladofórea s.f.
cladofóreo adj.
cladogênese s.f.
cladogenético adj.
cladogenia s.f.
cladogênico adj.
cladógeno adj.
cladógino s.m.
cladomônada s.f.
cladomônado s.m.
cladonema s.m.
cladonêmida adj.2g. s.m.
cladonemídeo adj. s.m.
cladônia s.f.
cladoniácea s.f.
cladoniáceo adj.
cladópode adj.2g.
cladópodo adj.
cladoptose s.f.
cladoptósico adj.
cladoptótico adj.
cladoquitriácea s.f.
cladoquitriáceo adj.
cladóscopo adj. s.m.
cladosício s.m.
cladoso (*ô*) adj.; f. (*ó*); pl. (*ó*)
cladosporíea s.f.
cladospório s.m.
cladosporiose s.f.
cladosselaquiídeo adj. s.m.
cladosseláquio s.m.
cladostéfea s.f.
cladostéfeo adj.
cladostefo s.m.
cladótria s.f.
cladótrico adj. s.m.
cladotricose s.f.
cladóxero (*cs*) s.m.
cladoxílea (*cs*) s.f.
cladoxíleo (*cs*) adj.
cladóxilo (*cs*) s.m.
clama s.f.
clamação s.f.
clamado adj.
clamador (*ô*) adj. s.m.
clamante adj.2g.
clamar v.
clamator (*ô*) adj. s.m.
clamável adj.2g.
clame s.m.
clamidado adj.
clâmide s.f.
clamidemia s.f.
clamídeo adj.
clamídero s.m.
clamídia s.f.
clamidiácea s.f.
clamidíase s.f.
clamídico adj.
clamidiforme adj.2g.
clamidobacteriácea s.f.
clamidobacteriáceo adj.
clamidoblasto adj.
clamidocária s.f.
clamidoconídia s.f.
clamidodonte s.m.
clamidodontídeo adj. s.m.
clamidodontíneo adj. s.m.
clamidóforo s.m.
clamidômona s.f.
clamidomônada s.f.
clamidospórico adj.
clamidospório s.m.
clamidósporo s.m.
clamidossáurio s.m.
clamidossauro s.m.
clamidossélaco s.m.
clamidosseláquida adj.2g. s.m.
clamidosselaquídeo adj. s.m.
clamidotério s.m.
clamidozoário s.m.
clamidozono s.m.
clamídula s.f.
clamífero s.m.
clamiforídeo adj. s.m.
clâmis s.f.2n.
clamo s.m.
clamoncada s.f.
clamor (*ô*) s.m.
clamorosa s.f.
clamoroso (*ô*) adj.; f. (*ó*); pl. (*ó*)
clampe s.m.
clampeamento s.m.
clampear v.
clanculário adj. s.m.
clânculo s.m.
clandestina s.f.
clandestinidade s.f.
clandestino adj. s.m.
clangor (*ô*) s.m.
clangorar v.
clangorejar v.
clangorosidade s.f.
clangoroso (*ô*) adj.; f. (*ó*); pl. (*ó*)
clangoso (*ô*) adj.; f. (*ó*); pl. (*ó*)
clanguista adj. s.2g.
clângulo s.m.
clânico adj.
clanídio s.m.
clape s.m. interj.
claprótia s.f.
claprotina s.f.
claprotita s.f.
claque s.m.f.
claquete s.f.
claquista adj. s.2g.
clara s.f.
clarabela s.f.
claraboia (*ó*) s.f.
claraboiar v.
clara-do-ovo s.f.; pl. *claras-do-ovo*
clara-d'ovo s.f.; pl. *claras-d'ovo*
claraíba s.f.
claraibense adj.2g.
claraim s.m.
clarananense adj. s.2g.
clarão s.m.
claravalense adj. s.2g.
clareação s.f.
clareamento s.m.
clareante adj.2g.
clarear v.
clareável adj.2g.
clareia s.f.
clareira s.f.
clarejar v.
clarênio s.m.
clarense adj. s.2g.
clarete (*ê*) adj.2g. s.m.
claretino adj. s.m.
clareza (*ê*) s.f.
claria s.f.
clariano adj. s.m.
clariaudição s.f.
clariaudiência s.f.
clariaudiente adj. s.2g.
claridade s.f.
clarificação s.f.
clarificado adj.
clarificador (*ô*) adj. s.m.
clarificante adj.2g.
clarificar v.
clarificativo adj.
clarificável adj.2g.
clarim s.m.
clarimostrar v.
clarina s.f.
clarinada s.f.
clarinante adj.2g.
clarinar v.
clarinear v.
clarineta (*ê*) s.f.
clarinete (*ê*) s.m.
clarinete-baixo s.m.; pl. *clarinetes-baixos*
clarinetista adj. s.2g.
clarineto (*ê*) s.m.
clariniense adj. s.2g.
clariofone s.m.
clarirrubro adj.
clarísia s.f.
clarissa adj. s.2g.
claríssono adj.
clarista adj. s.2g.
clarita s.f.
clarítico adj.
clarito s.m.
claritromicina s.f.
clarividência s.f.
clarividente adj.2g.
clarkeíta s.f.
claro adj. s.m. adv.
claro-escurecer v.
claro-escurismo s.m.; pl. *claro-escurismos*
claro-escurista adj. s.2g.; pl. *claro-escuristas*
claro-escuro adj. s.m.; pl. *claros-escuro* e *claros-escuros*
clarone s.m.
claror (*ô*) s.m.
clasímetro s.m.
clasma s.m.
clasmatocidose s.f.

clasmatocitário adj.
clasmatocitiforme adj.2g.
clasmatócito s.m.
clasmatose s.f.
classe s.f.
classema s.m.
classemática s.f.
classemático adj.
clássia s.f.
classicismo s.m.
classicista adj. s.2g.
classicístico adj.
classicizado adj.
classicizante adj.2g. s.m.
classicizar v.
clássico adj. s.m.
classificação s.f.
classificado adj. s.m.
classificador (*ô*) adj. s.m.
classificadora (*ô*) s.f.
classificamento s.m.
classificante adj.2g.
classificar v.
classificativo adj.
classificatório adj.
classificável adj.2g.
classismo s.m.
classista adj. s.2g.
classístico adj.
classudo adj.
clasterospório s.m.
clástica s.f.
clástico adj.
clastomania s.f.
clastomaníaco adj. s.m.
clastômano s.m.
clastra s.f.
clatraca s.f.
clatrácea s.f.
clatráceo adj.
clatrado adj.
clatratação s.f.
clatrático adj.
clatrato s.m.
clatro s.m.
clatrocisto s.m.
clatroptiquiácea s.f.
clatroptiquiáceo adj.
clatrótrope s.m.
clatrotropse s.f.
clatrulina s.m.
claturela s.m.
clau s.m.
claudeliano (*clô*) adj.
claudetita (*clô*) s.f.
claudetite (*clô*) s.f.
claudetítico (*clô*) adj.
cláudia s.f.
claudiano adj.
claudicação s.f.
claudicância s.f.
claudicante adj.2g.
claudicar v.
claudiense adj. s.2g.
claudina s.f.
claudino s.m.
cláudio s.m.
cláudio-manuelense adj. s.2g.; pl. *cláudio-manuelenses*
claudiopolitano adj. s.m.
clausena s.f.
clausília s.f.
clausílio s.m.
cláusilo s.m.
cláusio adj.
clauso adj. s.m.
claustalita s.f.
claustalite s.f.
claustra s.f.
claustração s.f.
claustrada s.f.
claustrado adj.
claustral adj.2g. s.m.
claustralidade s.f.
claustrar v.
claustro s.m.
claustrofobia s.f.
claustrofóbico adj.
claustrófobo adj. s.m.
cláusula s.f.; cf. *clausula*, fl. do v. *clausular*
clausulado adj.
clausular v. adj.2g.
clausura s.f.
clausurado adj.
clausural adj.2g.
clausurar v.
clausuras s.f.pl.
clava s.f.
clavacina s.f.
clavada s.f.
clavado adj.
clavadura s.f.
clavar v.
clavaria s.f. "ofício de clavário"; cf. *clavária*
clavária s.f. "cogumelo"; cf. *clavaria* s.f. e fl. do v. *clavar*
clavária-amarela s.f.; pl. *clavárias-amarelas*
clavariácea s.f.
clavariáceo adj.
clavária-pilão s.f.; pl. *clavárias-pilão* e *clavárias-pilões*
clavário s.m.; cf. *clavario*, fl. do v. *clavar*
clavatela s.m.
clavatélida adj.2g. s.m.
clavatelídio adj. s.m.
clavátula s.f.
clave s.f.
clavecinismo s.m.
clavecinista adj. s.2g.
clavecinístico adj.
clavecino s.m.
clavecítara s.f.
claveiro s.m.
clavelado adj.
clavelária s.f.
clavelário adj. s.m.
clavelina s.f.
clavelização s.f.
clavelizador (*ô*) s.m.
clavelizar v.
clavelizável adj.2g.
clávena s.f.
claveria s.f.
clavetado adj.
clavetela s.f.
clavicêmbalo s.m.
clavicilindro s.m.
clavicímbalo s.m.
clavicítara s.f.
clavicitarista adj. s.2g.
clavicitério s.m.
clavicítero s.m.
clavicórdio s.m.
clavicordista adj. s.2g.
clavicórneo adj. s.m.
clavícula s.f.
claviculado adj. s.m.
clavicular adj.2g.
claviculário s.m.
clávida adj.2g. s.m.
clavídeo adj. s.m.
clavifoliado adj.
claviforme adj.2g.
claviformina s.f.
clavígero adj. s.m.
clavija s.f.
clavilâmina s.f.
clavilha s.f.
clavilira s.f.
clavimamário adj.
clavina s.f.
clavinaço s.m.
clavineiro s.m.
clavinha s.f.
clavinhaço s.m.
clavinotaço s.m.
clavinote s.m.
clavinoteiro adj. s.m.
claviorganista adj. s.2g.
claviórgão s.m.
clavipectoral adj.2g.
clavipeitoral adj.2g.
clavissignato s.m.
clavisternal adj.2g.
clavo s.m.
clávula s.f.
clavulado adj.
clavulânico adj.
clavulária s.f.
clavulário s.m.
clavuliforme adj.2g.
clavulina s.f.
clayborniano adj.
claytonagem s.f.
claytônia s.f.
clazomenense adj. s.2g.
clazomeniano adj. s.m.
clazomênio adj. s.m.
cleavelandita (*clive*) s.f.
cleavelandítico (*clive*) adj.
clefta s.m.
cleistocarpo s.m.
cleistógama s.f.
cleistogamia s.f.
cleistogâmico adj.
cleistotécio s.m.
clélia s.f.
clemastina s.f.
clematicisso s.m.
clemátide s.f.
clematídeo adj. s.m.
clematina s.f.
clêmatis s.f.2n.
clematite s.f.
clematite-bastarda s.f.; pl. *clematites-bastardas*
clematite-cerúlea s.f.; pl. *clematites-cerúleas*
clematite-de-duas-cores s.f.; pl. *clematites-de-duas-cores*
clematite-de-folhas-grandes s.f.; pl. *clematites-de-folhas-grandes*
clematite-odorífera s.f.; pl. *clematites-odoríferas*
clematite-vibúrnea s.f.; pl. *clematites-vibúrneas*
clematopse s.f.
clemência s.f.; cf. *clemencia*, fl. do v. *clemenciar*
clemenciar v.
clemencinesco (*ê*) adj.
clemente adj.2g.
clementina s.f.
clementinas s.f.pl.
clementinense adj. s.2g.
clementino adj.
clêmis s.f.2n.
clemóidea s.f.
clemóideo adj.
clena s.f.
clenácea s.f.
clenáceo adj.
clenedoxa (*cs*) s.f.
cleniíneo adj. s.m.
clenínea s.f.
clenínéo adj.
clênio s.m.
clenoide (*ó*) adj.2g. s.m.
cleobúlia s.f.
cleócero s.m.
cleófana s.f.
cleofaníneo adj. s.m.
cleófano s.m.
cleome s.m.
cleomóidea s.f.
cleomóideo adj.
cleônia s.f.
cleoníneo adj. s.m.
cleonino s.m.
cleono s.m.
cleopatrino adj.
cleopatrizar v.
clepsidra s.f.
clepsidrina s.f.
clepsidrope s.m.
clepsidrópida adj.2g. s.m.
clepsidropídeo adj. s.m.
clepsigamia s.f.
clepsina s.f.
clepsinídeo adj. s.m.
cleptobiose s.f.
cleptobiótico adj.
cleptofobia s.f.
cleptofóbico adj.
cleptófobo s.m.
cleptomania s.f.
cleptomaníaco adj. s.m.
cleptômano s.m.
clerestório s.m.
clerezia s.f.
clerical adj.2g.
clericalha s.f.
clericalismo s.m.
clericalista adj. s.2g.
clericalístico adj.
clericalização s.f.
clericalizado adj.
clericalizante adj.2g.
clericalizar v.
clericato s.m.
clérida adj.2g. s.m.
clerídeo adj. s.m.
clériga s.f.
clérigo s.m.
clero s.m.
clerocracia s.f.
clerocrata adj. s.2g.
clerocrático adj.
clerodendro s.m.
clerodendro-cheiroso s.m.; pl. *clerodendros-cheirosos*
clerofobia s.f.
clerófobo adj. s.m.
cleromancia s.f.
cleromante s.2g.
cleromântico adj.
cleronomia s.f.
cleronômico adj.
cleruco s.m.
clerúquia s.f.
cletra s.f.
cletrácea s.f.
cletráceo adj.
clevasma s.m.
clevasmático adj.
clevasmo s.m.
clévea s.f.
cleveíta s.f.
cleveíte s.f.
clevelandense adj. s.2g.
cliachita s.f.
clianto s.m.
clibádio s.m.
clibanário s.m.
clicante adj.2g.
clicar v.
clichagem s.f.
clichê s.m.
clicheria s.f.
clicherista s.2g.
clícia s.f.
cliciotipia s.f.
cliciotípico adj.
clida s.f.
clidagra s.f.
clidanto s.m.
clidartrócaca s.f.
clidartrocacia s.f.
clidectomia s.f.
clidectômico adj.
clidênia s.f.
clídia s.f.
clidite s.f.
clidoacromial adj.2g.
clidoaponeurótico adj.
clidoartrite s.f.
clidoartrítico adj.
clidoccipital adj.2g.
clidócero s.m.
clidocoracoideia (*é*) adj. f. de *clidocoracoideu*
clidocoracoideu adj.; f. *clidocoracoideia* (*é*)
clidocostal adj.2g.
clidocranial adj.2g.
clidoepitrocliano adj.
clidomamário adj.
clidomancia s.f.
clidomante s.2g.
clidomântico adj.
clidomastoideia (*é*) adj. f. de *clidomastoideu*
clidomastoideu adj.; f. *clidomastoideia* (*é*)
clidônia s.f.
clidonitídeo adj. s.m.
clidonógrafo s.m.
clidonograma s.m.
clidonutritivo adj.
clidorrexia (*cs*) s.f.
clidoscapular adj.2g.
clidoscopia s.f.
clidoscópico adj.
clidosteose s.f.
clidosteósico adj.
clidosteótico adj.
clidostose s.f.
clidostótico adj.
clidotomia s.f.
clidotômico adj.
clidotransversário adj.
clidotripsia s.f.
clienta s.f.
cliente s.2g.
clientela s.f.
cliforddita s.f.
cliftônia s.f.
cliftonita s.f.
clima s.m.
climaciácea s.f.
climaciáceo adj.
climácio s.m.
climactérida adj.2g. s.m.
climacterídeo adj. s.m.
climálise s.f.
climalítico adj.
climatérico adj.
climatério s.m.
climático adj.
climatismo s.m.
climatização s.f.
climatizado adj.
climatizador (*ô*) adj.
climatizante adj.2g.
climatizar v.
climatizável adj.2g.
climatobotânica s.f.
climatobotânico adj.
climatocroísmo s.m.
climatofisiológico adj.
climatogênese s.f.
climatogenético adj.
climatogenia s.f.
climatogênico adj.
climatografia s.f.
climatográfico adj.
climatógrafo s.m.
climatograma s.m.
climatologia s.f.
climatológico adj.
climatologista adj.2g.
climatólogo s.m.
climatometria s.f.
climatométrico adj.
climatômetro s.m.
climatopatologia s.f.
climatopatológico adj.
climatoterapia s.f.
climatoterápico adj.
clímax (*cs*) s.m.
climena s.f.
climênia s.f.
climênida s.f.
clímico adj.
clina s.f.
clinâmen s.m.
clinanato s.m.
clinândrico adj.
clinândrio s.m.
clinandro s.m.
clinântio s.m.
clinanto s.m.
clindamicina s.f.
cline s.m.
clinêmia s.m.
clínica s.f.; cf. *clinica*, fl. do v. *clinicar*
clinicar v.
clínico adj. s.m.; cf. *clinico*, fl. do v. *clinicar*
clinicopatológico adj.
clino s.m.
clinoaugita s.f.
clinobasídio s.m.
clinobronzita s.f.
clinocefalia s.f.
clinocéfalo s.f.
clinócero s.m.
clinochevkinita s.f.
clinoclásio s.m.

clinoclasita s.f.
clinoclese s.f.
clinoclórida adj.2g. s.m.
clinoclorídeo adj. s.m.
clinoclorita s.f.
clinocloro s.m.
clinocóride s.f.
clinocrisotilo s.m.
clinocrocita s.f.
clinocroíta s.f.
clinodactilia s.f.
clinodáctilo adj. s.m.
clinodiagonal adj.2g. s.f.
clinodoma s.m.
clinodomático adj.
clinoédrico adj.
clinoedrita s.f.
clinoedrítico adj.
clinoenstatita s.f.
clinofeíta s.f.
clinoferrossilita s.f.
clinografia s.f.
clinográfico adj.
clinógrafo s.m.
clinoholmquistita s.f.
clinoide (*ó*) adj.2g.
clinoiperstênio s.m.
clinomania s.f.
clinomaníaco adj. s.m.
clinômano s.m.
clinometria s.f.
clinométrico adj.
clinômetro s.m.
clinopegia s.f.
clinopinacoide (*ó*) adj.2g. s.m.
clinopiroxênio (*cs*) s.m.
clinopódio s.m.
clinopólio s.m.
clinoprisma s.m.
clinoptilólito s.m.
clinorrinco s.m.
clinorrômbico adj.
clinoscópico adj.
clinoscópio s.m.
clinosklodvskita s.f.
clinóstase s.f.
clinostatismo s.m.
clinóstato s.m.
clinostigma s.m.
clinostigmático adj.
clinóstomo s.m.
clinotáctico adj.
clinotático adj.
clinotaxe (*cs*) s.f.
clinotaxia (*cs*) s.f.
clinoterapia s.f.
clinoterápico adj.
clinotrifilita s.f.
clinoungemachita s.f.
clinozoisita s.f.
clinozoisite s.f.
clinozoisítico adj.
clinozoisito s.m.
clínquer s.m.
clinquerização s.f.
clinquerizar v.
clinquerizável adj.2g.
clínton s.f.
clintônia s.f.
clintonita s.f.
clintonite s.f.
clinudo adj.
clinumita s.f.
clinumite s.f.
cliona s.f.
cliônida adj.2g. s.m.
clionídeo adj. s.m.
clipa s.f.
clipar v.
clipe s.m.
clipeáceo adj.
clipeado adj.
clipeal adj.2g.
clipeastérida adj.2g. s.m.
clipeasterídeo adj. s.m.
clipeasteroide (*ó*) adj.2g. s.m.
clipeasteróideo adj. s.m.
clipeástrida adj.2g. s.m.
clipeastrídeo adj. s.m.
clipeastríneo adj. s.m.
clipeastro s.m.
clipeastroide (*ó*) adj.2g. s.m.
clipeiforme adj.2g.
clípeo s.m.
clipéolo s.m.
clipeosferiácea s.f.
clipeosferiáceo adj.
clíper s.m.
clipítero s.m.
clique s.m. interj.
cliquetes s.m.pl.
clisagra s.f.
clisar v.
clisco s.m.
clise adj.2g. s.m.
clisíada adj.2g. s.m.
clisímetro s.m.
clísio s.m.
clisiobomba s.f.
clisma s.m.
clismático s.m.
clismeo adj.
clismiano adj.
clismo s.m.
clisobomba s.f.
clisório s.m.
clissor (*ô*) s.m.
clístax (*cs*) s.m.2n.
clíster s.m.
clisterização s.f.
clisterizar v.
clistimo s.m.
clistocarpo s.m.
clistogamia s.f.
clistogâmico adj.
clistógamo adj.
clistogenia s.f.
clistogênico adj.
clistógeno adj.
clistosáceo adj. s.m.
clistotécio s.m.
clita adj. s.2g.
clitambonite s.f.
clitambonitidina s.f.
clitambonitidínico adj.
clitambonitoide (*ó*) adj.2g. s.m.
clitandra s.f.
clitelado adj. s.m.
clitelina s.f.
clitélio s.m.
clitelo s.m.
cliternino adj. s.m.
clítico s.m.
clitíneo adj. s.m.
clitocarpo s.m.
clitócibe s.f.
clitócibe-afunilada s.f.; pl. *clitócibes-afuniladas*
clitocíbico adj.
clitofobia s.f.
clitófobo adj. s.m.
clitogástrico adj.
clitogastro s.m.
clitografia s.f.
clitográfico adj.
clitógrafo s.m.
clitolema s.m.
clitolemático adj.
clitomania s.f.
clitomaníaco adj. s.m.
clitômano adj. s.m.
clitopilo s.m.
clitoplatimétope adj.2g.
clitória s.f.
clitóride s.m.
clitoridectomia s.f.
clitoridectômico adj.
clitorídeo adj.
clitoridiano adj.
clitoridismo s.m.
clitoridite s.f.
clitoridotomia s.f.
clitoridotômico adj.
clitóris s.m.
clítoris s.m.
clitorismia s.f.
clitorismo s.m.
clitorite s.f.
clitorofobia s.f.
clitorofóbico adj.
clitorófobo adj. s.m.
clitra s.m.
clitrídia s.f.
clitríneo adj. s.m.
clitrofobia s.f.
clitrofóbico adj.
clitrófobo adj. s.m.
clitromaníaco adj. s.m.
clitrômano adj. s.m.
clivagem s.f.
clivar v.
clivável adj.2g.
clívia s.f.
cliviforme adj.2g.
clivina s.f.
clívis s.m.2n.
clivo s.m.
clivoso (*ô*) adj.; f. (*ó*); pl. (*ó*)
cloaca s.f.
cloacagem s.f.
cloacal adj.2g.
cloacário s.m.
cloacino adj.
cloacite s.f.
cloanta s.f.
cloante s.f.
cloântea s.f.
cloântico adj.
cloantita s.f.
cloantite s.f.
cloantítico adj.
cloanto s.m.
cloaqueiro adj. s.m.
cloasma s.f.
clocar v.
clocotó s.m.
cloéfaga s.m.
clofibrato s.m.
clompão s.m.
clonagem s.f.
clonal adj.2g.
clone s.m.
clônico adj.
clonidina s.f.
clonismo s.m.
clono s.m.
clonódia s.f.
clonografia s.f.
clonógrafo s.m.
clonorquíase s.f.
clonorquiose s.f.
clonórquis s.m.2n.
clônus s.m.
clopefobia s.f.
clopefóbico adj.
clopéfobo adj. s.m.
clopemania s.f.
clopemaníaco s.m.
clopêmano s.m.
clopofobia s.f.
clopofóbico adj.
clopófobo s.m.
clopomania s.m.
clopomaníaco adj. s.m.
clopômano s.m.
cloportídeo adj. s.m.
cloque s.m.
cloque-cloque s.m.; pl. *cloque--cloques*
clora s.f.
cloração s.f.
cloracetamida s.f.
cloracetato s.m.
cloraceteno s.m.
cloracético adj.
cloracetona s.f.
cloracidez (*ê*) s.f.
clorácido s.m.
clorado adj.
cloragem s.f.
cloragócito s.m.
cloragógeno adj.
cloral s.m.
cloralamida s.f.
cloralamide s.f.
cloralamilena s.f.
cloralcianidrina s.f.
cloralformamida s.f.
clorálico adj.
cloralida s.f.
cloralido s.m.
cloralílio s.m.
cloralimida s.f.
cloralismo s.m.
cloralização s.f.
cloralizar v.
cloralofobia s.f.
cloralofóbico adj.
cloralófobo adj. s.m.
cloralomania s.f.
cloralomaníaco s.m.
cloralômano s.m.
cloralose s.f.
cloralótico adj.
cloraluminato s.m.
cloraluminita s.f.
cloraluretano s.m.
cloralúrico adj.
clorambucil s.m.
clorameba s.f.
cloramida s.f.
cloramina s.f.
cloranfenicol s.m.
cloranila s.f.
cloranílico adj.
cloranilina s.f.
cloranilo s.m.
clorantácea s.f.
clorantáceo adj.
clorantia s.f.
cloranto adj. s.m.
clorapatita s.f.
clorar v.
clorargirita s.f.
clorargirite s.f.
clorargirito s.m.
clorarsenato s.m.
clorarsina s.f.
clorastrolita s.f.
cloratado s.m.
clorato s.m.
cloraurato s.m.
cloráurico adj.
cloraurito s.m.
clorazótico adj.
clordiazepóxido (*cs*) s.m.
clorefidrose s.f.
cloreia (*é*) s.f.
cloreína s.f.
clorela s.f.
clorelácea s.f.
cloreláceo adj.
cloremia s.f.
clorêmico adj.
clorênquima s.m.
clorenquimático adj.
clorenquimatoso (*ô*) adj.; f. (*ó*); pl. (*ó*)
cloretado adj.
cloretano s.m.
cloretemia s.f.
cloretêmico adj.
cloretião s.m.
cloretilênico adj.
cloretileno s.m.
cloretílico adj.
cloretílio s.m.
cloretilização s.f.
cloretilizado adj.
cloretilizar v.
cloretilo s.m.
cloretionte s.m.
cloreto (*ê*) s.m.
cloretona s.f.
clori s.f.
cloribase s.f.
clórico adj.
clórida adj.2g. s.m.
clóride s.f.
clorídea s.f.
cloridemia s.f.
cloridêmico adj.
clorídeo adj. s.m.
clorido s.m.
cloridrato s.m.
cloridria s.f.
clorídrico adj.
cloridrina s.f.
clorinidade s.f.
clorino adj. s.m.
clório s.m.
clorionínео adj. s.m.
clorionte s.m.
clóris s.f.2n.
cloriste s.m.
clorístico adj.
clorita s.f.
cloritado adj.
clorite s.f.
clorítico adj.
cloritização s.f.
cloritizado adj.
cloritizar v.
clorito s.m.
cloritoide (*ó*) s.m.
cloritoso (*ô*) adj.; f. (*ó*); pl. (*ó*)
cloritospato s.m.
clorização s.f.
clorizar v.
clormanganocalita s.f.
cloro s.m.
cloroacetato s.m.
cloroacético adj.
cloroaluminato s.m.
cloroaminotriazina s.f.
cloroanemia s.f.
cloroanêmico adj. s.m.
clorobacteriácea s.f.
clorobacteriáceo adj.
clorobenzênico adj.
clorobenzeno s.m.
clorobenzil s.m.
clorobenzílico adj.
clorobenzoico (*ó*) adj.
clorobenzoílo s.m.
clorobenzol s.m.
clorobrightismo s.m.
clorobromobenzeno s.m.
clorobromonitrobenzeno s.m.
clorocalcita s.f.
clorocalcite s.f.
clorocalcítico adj.
clorocanfeno s.m.
clorocarbonato s.m.
clorocarbônico adj.
clorocarveno s.m.
clorocefálico adj.
clorocéfalo adj.
clorocianogênio s.m.
clorocicla s.f.
clorociclo s.m.
clorocístico adj.
clorocisto s.m.
clorócito s.m.
clorococo s.m.
clorocódon s.m.
clorocroísmo s.m.
clorocruorina s.f.
cloroderivabilidade s.f.
cloroderivação s.f.
cloroderivado adj. s.m.
cloroderivador (*ô*) adj.
cloroderivante adj.2g.
cloroderivar v.
cloroderivável adj.2g.
clorodina s.f.
cloroematina s.f.
cloroespinélico adj.
cloroespinélio s.m.
clorófana s.f.
clorofânio s.m.
clorófano adj. s.m.
clorofeíta s.f.
clorofenicita s.f.
clorofenol s.m.
clorofícea s.f.
clorofíceo adj.
clorofila s.f.
clorofiláceo adj.
clorofilado adj.
clorofilana s.f.
clorofilânio s.m.
clorofilar v. adj.2g.
clorofílase s.f.
clorofiliano adj.
clorofílico adj.
clorofilino adj.
clorofilita s.f.
clorofilo adj.
clorofilógene s.f.
clorofiloso (*ô*) adj.; f. (*ó*); pl. (*ó*)

clorófita s.f.
clorófito s.m.
clorofônia s.m.
clorófora s.f.
cloroformado adj.
cloroformar v.
cloroformático adj.
cloroformato s.m.
cloroformiato s.m.
clorofórmico adj.
clorofórmio s.m.
cloroformização s.f.
cloroformizado adj.
cloroformizador (*ô*) s.m.
cloroformizar v.
cloroftálmico adj.
cloroftalmo s.m.
clorógalo s.m.
clorogênico adj.
clorogenina s.f.
clorógeno adj.
clorogônio s.m.
cloro-hematina s.f.
cloroide (*ó*) adj.2g.
cloroiodeto (*ê*) s.m.
cloroiodobenzênico adj.
cloroiodobenzeno s.m.
cloroiodofórmico adj.
cloroiodofórmio s.m.
cloroiodonitrobenzênico adj.
cloroiodonitrobenzeno s.m.
clorolampíneo s.m.
cloroleucemia s.f.
cloroleucêmico adj.
cloroleucítico adj.
cloroleucito s.m.
cloroleucocitemia s.f.
cloroleucocitêmico adj.
cloroleucossarcomatose s.f.
clorolianogênico adj.
clorolianogênio s.m.
clorolina s.f.
cloroma s.m.
cloromagnesita s.f.
cloromelanita s.f.
cloromelanite s.f.
clorometano s.m.
clorometilação s.f.
clorometílico adj.
clorometilo s.m.
clorometria s.f.
clorométrico adj.
clorômetro s.m.
cloromicetina s.f.
cloromieloblastoma s.m.
cloromielocitoma s.m.
cloromieloma s.m.
cloromielose s.f.
cloromonadácea s.f.
cloromonadáceo adj.
cloromonadino adj. s.m.
cloronaftaleno s.m.
cloronitrobenzeno s.m.
cloropala s.f.
cloropaludismo s.m.
clorope s.m.
cloropenia s.f.
cloropercha s.f.
cloroperla s.f.
cloropexia (*cs*) s.f.
cloropia s.f.
cloropicrina s.f.
cloropicrínico adj.
cloropídeo adj. s.m.
cloropínea s.m.
cloropíneo adj.
cloroplastídeo adj. s.m.
cloroplastídio s.m.
cloroplasto s.m.
cloroplatinato s.m.
cloroplatínico adj.
cloroprênico adj.
cloropreno s.m.
cloroprocaína s.f.
cloropromazina s.f.
cloropse s.f.
cloropsia s.f.
cloroquina s.f.
cloroquinado adj.
cloroquinona s.f.
cloroquítrio s.m.
clorose s.f.
clorosfera s.f.
clorosidade s.f.
cloroso (*ô*) adj.; f. (*ó*); pl. (*ó*)
clorospinela s.f.
clorosplênio s.m.
clorossuccínico adj.
clorossucínico adj.
clorossulfato s.m.
clorossulfeto (*ê*) s.m.
clorossulfona s.f.
clorossulfonar v.
clorossulfônico adj.
clorotalidona s.f.
clorotetraciclina s.f.
clorotiazida s.f.
clorótico adj.
clorotilo s.m.
clorotionita s.f.
clorotobiol s.m.
clorotobiólico adj.
clorotolueno s.m.
clorovaporização s.f.
clorovaporizar v.
cloroxilina (*cs*) s.f.
cloróxilo (*cs*) s.m.
clorpromazina s.f.
clorpropamida s.f.
clortetraciclina s.f.
cloruremia s.f.
clorurêmico adj.
clorureto (*ê*) s.m.
cloruria s.f.
clorúria s.f.
cloruro s.m.
clostera s.f.
clostério s.m.
clostridiálea s.f.
clostridiáleo adj.
clostrídio s.m.
clotila s.m.
cloto s.m.
clotoide (*ó*) adj. s.2g. s.f.
clotura s.f.
cloveno s.m.
clownesco adj.
cloxacilina (*cs*) s.f.
cluanto s.m.
clube s.m.
clubeco s.m.
clubiona s.f.
clubioníneo adj. s.m.
clubismo s.m.
clubista adj. s.2g.
clubístico adj.
clunâmbulo s.m.
clundo s.m.
clunesia s.f.
cluniacense adj. s.2g.
cluniense adj.2g.
clúnio s.m.
clunípede adj.2g. s.m.
clunisiano adj.
clunista adj. s.2g.
clupânodon s.m.
clupanodônico adj.
clupeia s.f.
clupeida adj.2g. s.m.
clupeídeo adj. s.m.
clupeiforme adj.2g. s.m.
clupeína s.f.
clupeíneo adj. s.m.
clupeio s.m.
clúpeo s.m.
clúsia s.f.
clusiácea s.f.
clusiáceo adj.
clusieia (*é*) s.f.
clusino adj. s.m.
clusióidea s.f.
clusióideo adj.
clusívio adj.
cluso s.m.
clusterina s.f.
cluva s.f.
cnemalgia s.f.
cnemálgico adj.
cnêmico adj.
cnêmide s.f.
cnemídio s.m.
cnemidóforo s.m.
cnemidósporo s.m.
cnemidoto s.m.
cnêmio adj.
cnemodactilia s.f.
cnemodáctilo s.m.
cneorácea s.f.
cneoráceo adj.
cneorino s.m.
cneoro s.m.
cneste s.m.
cnestídea s.f.
cnestídeo adj.
cnetocampa s.f.
cnetocampo s.m.
cnicina s.f.
cnico s.m.
cnida s.f.
cnidário adj. s.m.
cnídia s.f.
cnídio adj. s.m.
cnidoblasto s.m.
cnidocílio s.m.
cnidocisto s.m.
cnidóforo s.m.
cnidópode s.m.
cnidose s.f.
cnidosporídeo adj. s.m.
cnidossaco s.m.
cnipólego s.m.
cnismo s.m.
cnóssio adj. s.m.
cnu-cnu s.m.; pl. *cnu-cnus*
cnutar v.
cnute s.m.
coa s.f.
coabilidade s.f.
coabitabilidade s.f.
coabitação s.f.
coabitador (*ô*) adj. s.m.
coabitante adj. s.2g.
coabitar v.
coabitável adj.2g.
coação s.f.
coacervação s.f.
coacervado adj.
coacervar v.
coacervato s.m.
coactabilidade s.f.
coactado adj.
coactante adj. s.2g.
coactar v.
coactável adj.2g.
coáctil adj.2g.
coactividade s.f.
coactivo adj.
coacto adj.
coactor (*ô*) s.m.
coacusado s.m.
coacusante adj. s.2g.
coada s.f.
coadamismo s.m.
coadamita adj. s.2g.
coadaptabilidade s.f.
coadaptação s.f.
coadaptante adj. s.2g.
coadaptar v.
coadeira s.f.
coadeiro s.m.
coadela s.f.
coadinho adj.
coadjuto adj.
coadjutor (*ô*) adj. s.m.
coadjutoria s.f.
coadjuvabilidade s.f.
coadjuvação s.f.
coadjuvado adj.
coadjuvador (*ô*) adj. s.m.
coadjuvante adj. s.2g.
coadjuvar v.
coadministração s.f.
coadministrador (*ô*) s.m.
coadministrar v.
coado adj.
coador (*ô*) adj. s.m.
coadouro s.m.
coadquirente adj. s.2g.
coadquiribilidade s.f.
coadquirição s.f.
coadquirido adj.
coadquiridor (*ô*) adj. s.m.
coadquirir v.
coadquirível adj.2g.
coadunabilidade s.f.
coadunação s.f.
coadunado adj.
coadunador (*ô*) adj. s.m.
coadunante adj. s.2g.
coadunar v.
coadunativo adj.
coadunável adj.2g.
coadura s.f.
coagel s.m.
coagente adj.2g.
coagibilidade s.f.
coagido adj.
coagir v.
coagível adj.2g.
coaglutinação s.f.
coaglutinado adj.
coaglutinante adj.2g. s.m.
coaglutinar v.
coaglutinável adj.2g.
coaglutinina s.f.
coagmentabilidade s.f.
coagmentação s.f.
coagmentado adj.
coagmentar v.
coagmentável adj.2g.
coagmento s.m.
coagregabilidade s.f.
coagregação s.f.
coagregado adj.
coagregar v.
coagregável adj.2g.
coagulabilidade s.f.
coagulação s.f.
coagulado adj.
coagulador (*ô*) adj. s.m.
coagulante adj.2g. s.m.
coagular v.
coagulase s.f.
coagulativo adj.
coagulatório adj.
coagulável adj.2g.
coaguleno s.m.
coagulina s.f.
coágulo s.m.; cf. *coagulo*, fl. do v. *coagular*
coagulômetro s.m.
coaguloso (*ô*) adj.; f. (*ó*); pl. (*ó*)
coagulotomia s.f.
coaiatá s.m.
coajerucu s.m.
coajinguva s.f.
coajuba s.f.
coala s.m.
coalcoólatra s.2g.
coalescência s.f.
coalescente adj.2g.
coalescer v.
coalescido adj.
coalescimento s.m.
coalescível adj.2g.
coalhada s.f.
coalhadeiro s.m.
coalhado adj.
coalhadouro s.m.
coalhadura s.f.
coalha-leite s.f.; pl. *coalha-leites*
coalhamento s.m.
coalhante adj.2g. s.m.
coalhar v.
coalhável adj.2g.
coalheira s.f.
coalho s.m.
coalização s.f.
coalizado adj.
coalizante adj.2g.
coalizão s.f.
coalizar-se v.
coalizável adj.2g.
coaltar s.m.
coaluno s.m.
coamatim s.m.
cóana s.f.
coandu s.m.
coanéfora s.f.
coaneforácea s.f.
coaneforáceo adj.
coanexidade (*cs*) s.f.
coangustar v.
coanha s.f.
coanhadeira s.f.
coanhado adj.
coanhar v.
coanhável adj.2g.
coanhe s.m.
coanheira s.f.
coanho s.m.
coanicte s.f.
cóano s.m.
coanócito s.m.
coanoflagelado adj. s.m.
coanoide (*ó*) adj.2g.
coanolemo s.m.
coanorragia s.f.
coanorrágico adj.
coanossoma s.m.
coanossomo s.m.
coanotênia s.f.
coápia s.f.
coapostolado adj. s.m.
coapostolante adj.2g.
coapostolar v. adj.2g.
coapóstolo s.m.
coaptabilidade s.f.
coaptação s.f.
coaptado adj.
coaptante adj. s.2g.
coaptar v.
coaptável adj.2g.
coaptidão s.f.
coaptor (*ô*) s.m.
coaquisição s.f.
coar v.
coaração s.f.
coaraci s.m.
coaraciense adj. s.2g.
coaracimimbi s.m.
coaracinumbi s.m.
coaraciuirá s.m.
coarctabilidade s.f.
coarctação s.f.
coarctada s.f.
coarctado adj.
coarctante adj. s.2g.
coarctar v.
coarctativo adj.
coarctável adj.2g.
coarcto adj.
coarctotomia s.f.
coari s.m.
coari-bravo s.m.; pl. *coaris-bravos*
coariense adj. s.2g.
coariúba s.m.
coarrendabilidade s.f.
coarrendado adj.
coarrendador (*ô*) s.m.
coarrendamento s.m.
coarrendante adj. s.2g.
coarrendar v.
coarrendatário s.m.
coarrendável adj.2g.
coartabilidade s.f.
coartação s.f.
coartada s.f.
coartado adj.
coartante adj. s.2g.
coartar v.
coartativo adj.
coartável adj.2g.
coarticulação s.f.
coarto adj.
coartotomia s.f.
coassociabilidade s.f.
coassociação s.f.
coassociado s.m.
coassociante adj. s.2g.
coassociar v.
coassociável adj.2g.
coatá s.m.
coatá-branco s.m.; pl. *coatás-brancos*
coataquiçaua s.f.
coati s.m.
coatividade s.f.
coativo adj.
coato adj.
coator (*ô*) adj. s.m.

coatra adj. s.2g.
coautor s.m.
coautoria s.f.
coavalista s.2g.
coável adj.2g.
coaxação s.f.
coaxada s.f.
coaxado adj. s.m.
coaxante adj.2g.
coaxar v. s.m.
coaxi s.m.
coaxial adj.2g.
coáxil (*cs*) adj.2g.
coaxixá s.m.
coaxo s.m.
coba s.f.
cobaia s.f.
cobaio s.m.
cobalamina s.f.
cobalamínico adj.
cobalo adj. s.m.
cobaltado adj.
cobaltagem s.f.
cobaltar v.
cobaltato s.m.
cobalticiamina s.f.
cobalticianeto (*ê*) s.m.
cobáltico adj.
cobáltida s.m.
cobaltífero adj.
cobaltina s.f.
cobaltinita s.f.
cobaltinitrito s.m.
cobaltissulfito s.m.
cobaltita s.f.
cobaltite s.f.
cobaltito s.m.
cobaltizado adj.
cobaltizagem s.f.
cobaltizar v.
cobalto s.m.
cobaltoamina s.f.
cobaltocalcantita s.f.
cobaltocalcita s.f.
cobaltocalcítico adj.
cobaltomenita s.f.
cobaltopentlandita s.f.
cobaltopirita s.f.
cobaltosmithsonita s.f.
cobaltoso (*ô*) adj.; f. (*ó*); pl. (*ó*)
cobaltoterapia s.f.
cobaltoterápico adj.
cobamida s.f.
cobamídico adj.
cobarde adj. s.2g.
cobardia s.f.
cobeia (*é*) s.f.
cobela s.f.
cobeligerante adj. s.2g.
cobeóidea s.f.
coberta s.f.
cobertado adj.
cobertal s.m.
cobertalho s.m.
cobertão s.m.
coberteira s.f.
coberto adj. s.m.
cobertor (*ô*) s.m.
cobertor de pobre s.m.
cobertura s.f.
cobéua adj. s.2g.
cobião s.m.
cobiça s.f.
cobiçação s.f.
cobiçado adj.
cobiçador (*ô*) adj. s.m.
cobiçante adj.2g.
cobiçar v.
cobiçável adj.2g.
cobiçoso (*ô*) adj. s.m.; f. (*ó*); pl. (*ó*)
cóbio s.m.
cobió-do-pará s.m.; pl. *cobiós-do-pará*
cobiose s.f.
cobitídeo adj. s.m.
cobitíneo adj. s.m.
cobítis s.m.2n.
coblenciano adj. s.m.
cobo s.m.
cobocó s.m.
cobogenate adj. s.2g.
cobogó s.m.
cobol s.m.
cobólico adj.
cobra adj.2g. s.2g. s.f.
cobra-alcatifa s.f.; pl. *cobras-alcatifa* e *cobras-alcatifas*
cobrabilidade s.f.
cobra-caner-nova s.f.; pl. *cobras-caner-novas*
cobra-capelo s.f.; pl. *cobras-capelo* e *cobras-capelos*
cobra-capim s.f.; pl. *cobras-capim* e *cobras-capins*
cobra-cascavel s.f.; pl. *cobras-cascavel* e *cobras-cascavéis*
cobra-cega s.f.; pl. *cobras-cegas*
cobra-chata s.f.; pl. *cobras-chatas*
cobra-chicote s.f.; pl. *cobras-chicote* e *cobras-chicotes*
cobra-chumbo s.f.; pl. *cobras-chumbos*
cobra-cipó s.f.; pl. *cobras-cipó* e *cobras-cipós*
cobra-coral s.f.; pl. *cobras-coral* e *cobras-corais*
cobra-coral-falsa s.f.; pl. *cobras-corais-falsas*
cobra-coral-venenosa s.f.; pl. *cobras-corais-venenosas*
cobra-corre-campo s.f.; pl. *cobras-corre-campo*
cobra-covinha s.f.; pl. *cobras-covinhas*
cobra-cuspideira s.f.; pl. *cobras-cuspideiras*
cobrada s.f.
cobra-d'água s.f.; pl. *cobras-d'água*
cobra-da-serra s.f.; pl. *cobras-da-serra*
cobra-de-água s.f.; pl. *cobras-de-água*
cobra-de-ar s.f.; pl. *cobras-de-ar*
cobra-de-asa s.f.; pl. *cobras-de-asa*
cobra-de-barata s.f.; pl. *cobras-de-barata*
cobra-de-cabelo s.f.; pl. *cobras-de-cabelo*
cobra-de-caju s.f.; pl. *cobras-de-caju*
cobra-de-capelo s.f.; pl. *cobras-de-capelo*
cobra-de-capim s.f.; pl. *cobras-de-capim*
cobra-de-cascavel s.f.; pl. *cobras-de-cascavel*
cobra-de-cipó s.f.; pl. *cobras-de-cipó*
cobra-de-colchete s.f.; pl. *cobras-de-colchete*
cobra-de-coral s.f.; pl. *cobras-de-coral*
cobra-de-duas-cabeças s.f.; pl. *cobras-de-duas-cabeças*
cobra-de-ferradura s.f.; pl. *cobras-de-ferradura*
cobra de fogo s.f.
cobra-de-lixo s.f.; pl. *cobras-de-lixo*
cobra-de-oco s.f.; pl. *cobras-de-oco*
cobra-de-oito-passos s.f.; pl. *cobras-de-oito-passos*
cobra de pedra s.f.
cobra-de-pernas s.f.; pl. *cobras-de-pernas*
cobra-de-quatro-pés s.f.; pl. *cobras-de-quatro-pés*
cobra-de-rato s.f.; pl. *cobras-de-rato*
cobra-de-ratos s.f.; pl. *cobras-de-ratos*
cobra-de-veado s.f.; pl. *cobras-de-veado*
cobra-de-vidro s.f.; pl. *cobras-de-vidro*
cobrado adj.
cobra-do-ar s.f.; pl. *cobras-do-ar*
cobra-do-campo s.f.; pl. *cobras-do-campo*
cobra-do-mar s.f.; pl. *cobras-do-mar*
cobra-do-mato s.f.; pl. *cobras-do-mato*
cobrador (*ô*) adj. s.m.
cobradoria s.f.
cobradouro s.m.
cobra-escorpião s.f.; pl. *cobras-escorpião* e *cobras-escorpiões*
cobra-espada s.f.; pl. *cobras-espada* e *cobras-espadas*
cobra-facão s.f.; pl. *cobras-facão* e *cobras-facões*
cobra-furta-cor s.f.; pl. *cobras-furta-cor*
cobra-grande s.f.; pl. *cobras-grandes*
cobra-jabuti s.f.; pl. *cobras-jabuti* e *cobras-jabutis*
cobra-lisa s.f.; pl. *cobras-lisas*
cobra-madeira s.f.; pl. *cobras-madeira*
cobra-maria s.f.; pl. *cobras-marias*
cobramento s.m.
cobra-nariguda s.f.; pl. *cobras-narigudas*
cobrança s.f.
cobranceiro s.m.
cobrancista adj. s.2g.
cobrançosa s.f.
cobrançoso (*ô*) adj.; f. (*ó*); pl. (*ó*)
cobra-norato s.f.; pl. *cobras-norato*
cobra-nova s.f.; pl. *cobras-novas*
cobrão s.m.
cobra-papagaio s.f.; pl. *cobras-papagaio* e *cobras-papagaios*
cobra-papa-pinto s.f.; pl. *cobras-papa-pinto*
cobra-pilão s.f.; pl. *cobras-pilão* e *cobras-pilões*
cobra-pintada s.f.; pl. *cobras-pintadas*
cobra-preta s.f.; pl. *cobras-pretas*
cobrar v.
cobra-rainha s.f.; pl. *cobras-rainhas*
cobra-rateira s.f.; pl. *cobras-rateiras*
cobra-real s.f.; pl. *cobras-reais*
cobra-tigre s.f.; pl. *cobras-tigre* e *cobras-tigres*
cobra-topete s.f.; pl. *cobras-topete* e *cobras-topetes*
cobra-veadeira s.f.; pl. *cobras-veadeiras*
cobra-veado s.f.; pl. *cobras-veado* e *cobras-veados*
cobrável adj.2g.
cobra-verde s.f.; pl. *cobras-verdes*
cobra-verde-e-amarela s.f.; pl. *cobras-verde-e-amarela*
cobra-vidro s.f.; pl. *cobras-vidro* e *cobras-vidros*
cobra-voadora s.f.; pl. *cobras-voadoras*
cobre s.m.
cobreação s.f.
cobreado adj.
cobreador (*ô*) adj. s.m.
cobreagem s.f.
cobre-amarelo s.m.; pl. *cobres-amarelos*
cobrear v.
cobreável adj.2g.
cobre-branco s.m.; pl. *cobres-brancos*
cobre-casaca s.m.; pl. *cobre-casacas*
cobre-cinzento s.m.; pl. *cobres-cinzentos*
cobre-faces s.m.2n.
cóbrega s.f.
cobreia s.f.
cobreira s.f.
cobreiro s.m.
cobrejante adj.2g.
cobrejão s.m.
cobrejar v.
cobrejunta s.f.
cobre-leito s.m.; pl. *cobre-leitos*
cobrelo (*ê*) s.m.
cobre-mira s.m.; pl. *cobre-miras*
cobre-negro s.m.; pl. *cobres-negros*
cobrense adj. s.2g.
cobre-nuca s.m.; pl. *cobre-nucas*
cobre-peitos s.m.2n.
cobrésia s.f.
cobreúva s.f.
cobricama s.2g.
cobrição s.f.
cobricunha s.f.
cobridor (*ô*) adj. s.m.
cobril s.m.
cobrilha s.f.
cobrimento s.m.
cobrinha s.f.
cobrir v.
cobritor (*ô*) s.m.
cobrível adj.2g.
cobrízio adj.
cobro (*ô*) s.m.; cf. *cobro*, fl. do v. *cobrar*
cobu s.m.
cóbua s.f.
coburgo s.m.
cóbus s.m.2n.
coca s.f. "planta"; cf. *coca* (*ô*)
coca (*ô*) s.f. "capuz"; cf. *coca* s.f. e fl. do v. *cocar*
cocá s.f.
coça s.f. "espécie de canoa"; cf. *cossa*
coça-bichinhos s.m.2n.
cocácea s.f.
cocáceo adj.
cocada s.2g.
cocada-puxa s.f.; pl. *cocadas-puxa*
coca-de-água s.f.; pl. *cocas-de-água*
coçadeira s.f.
coçadela s.f.
coçado adj.
coca-do-levante s.f.; pl. *cocas-do-levante*
coca-do-paraguai s.f.; pl. *cocas-do-paraguai*
coçadouro s.m.
coçadura s.f.
cocaense adj. s.2g.
coçagem s.f.
cocaicina s.f.
cocaicínico adj.
cocaidina s.f.
cocaidínico adj.
cocaiense adj. s.2g.
cocaína s.f.
cocainismo s.m.
cocainização s.f.
cocainizado adj.
cocainizante adj.2g.
cocainizar v.
cocainizável adj.2g.
cocainofobia s.f.
cocainófobo adj.
cocainomania s.f.
cocainômano s.m.
cocal s.m.f.
cocaleira s.f.
cocalense adj. s.2g.
cocalera s.f.
cocalinhense adj. s.2g.
cocama adj. s.2g.
cocamanjila s.f.
cocamila adj. s.2g.
coca-minhocas s.m.2n.
cocanha s.f.
cocante s.m.
cocão s.m.
cocar v. s.m.
coçar v.
cócaras s.f.pl.
cocarboxilase (*cs*) s.f.
cocarboxílase (*cs*) s.f.
cocarda s.f.
cocaria s.f.
cocatânico adj.
cocauense adj. s.2g.
cocção s.f.
coccerina s.f.
coccicéfalo s.m.
coccicultura s.f.
cóccida adj.2g. s.m.
coccídeo adj. s.m.
coccideose s.f.
coccidinia s.f.
coccídio adj. s.m.
coccidioide (*ó*) s.m.
coccidioidomicose s.f.
coccidioidomicótico adj.
coccidiose s.f.
coccidiostático adj.
coccidiostato s.m.
coccidófago adj.
coccidologia s.f.
cóccidos s.m.pl.
coccige s.m.
coccigectomia s.f.
coccígeno adj.
coccígeo adj. s.m.
coccigeoanal adj.2g. s.m.
coccigeopúbico adj.
coccigiano adj.
coccigodinia s.f.
coccigomorfa s.f.
coccigotomia s.f.
coccigotômico adj.
coccimorfa s.f.
coccina s.f.
coccinela s.f.
coccinélida adj.2g. s.m.
coccinelídeo adj. s.m.
coccíneo adj.
coccinita s.f.
cóccix (*csis*) s.m.2n.
cócedra s.f.
cócega s.f.
cocegante adj.2g.
cocegar v.
cócegas s.f.pl.
coceguento adj.
coceira s.f. "prurido"; cf. *cosseira*
cocemegas s.f.pl.
cocha s.f. "empenho"; cf. *cocha* (*ô*) e *coxa* (*ô*)
cocha (*ô*) s.f. "gamela"; cf. *cocha* s.f., fl. do v. *cochar* e *coxa* (*ô*)
cochada s.f.
cochado adj.
cochança s.f.
cochar v.
cocharra s.f.
cocharrada s.f.
cocharro s.m.
cochável adj.2g.
coche (*ô*) s.m. "carruagem"; cf. *coche*, fl. do v. *cochar*, e *coxe*
cocheira s.f. "cavalariça"; cf. *coxeira*
cocheiral adj.2g.
cocheiro s.m.
cochela s.f.
cochicha s.f.
cochichada s.f.
cochichador (*ô*) adj. s.m.
cochichamento s.m.
cochichante adj.2g.
cochichar v.
cochichável adj.2g.
cochicheio s.m.
cochicho s.m. "ato de cochichar"; cf. *chochichó*
cochichó s.m. "aposento"; cf. *cochicho* s.m. e fl. do v. *cochichar*

cochichola s.f.
cochicholo s.m.
cochila s.f.
cochilação s.f.
cochilada s.f.
cochilado adj.
cochiladura s.f.
cochilamento s.m.
cochilante adj.2g.
cochilar v.
cochilha s.f.
cochilhão s.m.
cochilo s.m.
cochinada s.f.
cochinante adj.2g.
cochinar v.
cochinchina s.f.
cochinchinense adj. s.2g.
cochinchinês adj. s.m.
cochinchino adj. s.m.
cochinense adj. s.2g.
cochinês adj. s.m.
cochinilha s.f.
cochinilha-da-figueira s.f.; pl. *cochinilhas-da-figueira*
cochinilha-da-laranjeira s.f.; pl. *cochinilhas-da-laranjeira*
cochinilha-da-oliveira s.f.; pl. *cochinilhas-da-oliveira*
cochinilha-da-vinha s.f.; pl. *cochinilhas-da-vinha*
cochinilha-do-cacto s.f.; pl. *cochinilhas-do-cacto*
cochinilha-do-pessegueiro s.f.; pl. *cochinilhas-do-pessegueiro*
cochinilha-vegetal s.f.; pl. *cochinilhas-vegetais*
cochinilho s.m.
cochino adj. s.m.
cocho (*ô*) s.m. "vasilha"; cf. *cocho*, fl. do v. *cochar*, e *coxo* (*ô*)
cocho-grandense adj. s.2g.; pl. *cocho-grandenses*
cochonila s.f.
cochonilha s.f.
cochonilha-algodoada s.f.; pl. *cochonilhas-algodoadas*
cochonilha-australiana s.f.; pl. *cochonilhas-australianas*
cochonilha-branca s.f.; pl. *cochonilhas-brancas*
cochonilha-branca-da-amoreira s.f.; pl. *cochonilhas-brancas-da-amoreira*
cochonilha-branca-do-limoeiro s.f.; pl. *cochonilhas-brancas-do-limoeiro*
cochonilha-cabeça-de-prego s.f.; pl. *cochonilhas-cabeça-de-prego* e *cochonilhas-cabeças-de-prego*
cochonilha-da-laca s.f.; pl. *cochonilhas-da-laca*
cochonilha-da-laranjeira s.f.; pl. *cochonilhas-da-laranjeira*
cochonilha-da-oliveira s.f.; pl. *cochonilhas-da-oliveira*
cochonilha-das-amoreiras s.f.; pl. *cochonilhas-das-amoreiras*
cochonilha-das-macieiras s.f.; pl. *cochonilhas-das-macieiras*
cochonilha-da-videira s.f.; pl. *cochonilhas-da-videira*
cochonilha-da-vinha s.f.; pl. *cochonilhas-da-vinha*
cochonilha-de-cera s.f.; pl. *cochonilhas-de-cera*
cochonilha-do-carmim s.f.; pl. *cochonilhas-do-carmim*
cochonilha-do-marmeleiro s.f.; pl. *cochonilhas-do-marmeleiro*
cochonilha-do-pessegueiro s.f.; pl. *cochonilhas-do-pessegueiro*
cochonilha-dos-limoeiros s.f.; pl. *cochonilhas-dos-limoeiros*
cochonilha-farinha s.f.; pl. *cochonilhas-farinha* e *cochonilhas-farinhas*
cochonilha-marisco s.f.; pl. *cochonilhas-mariscos*
cochonilha-marrom s.f.; pl. *cochonilhas-marrons*
cochonilha-parda s.f.; pl. *cochonilhas-pardas*
cochonilha-pimenta s.f.; pl. *cochonilhas-pimenta* e *cochonilhas-pimentas*
cochonilha-preta s.f.; pl. *cochonilhas-pretas*
cochonilha-pulverulenta s.f.; pl. *cochonilhas-pulverulentas*
cochonilha-roxa s.f.; pl. *cochonilhas-roxas*
cochonilha-vegetal s.f.; pl. *cochonilhas-vegetais*
cochonilha-verde s.f.; pl. *cochonilhas-verdes*
cochonilha-vermelha s.f.; pl. *cochonilhas-vermelhas*
cochonilha-vírgula s.f.; pl. *cochonilhas-vírgula* e *cochonilhas-vírgulas*
cochonilheira s.f.
cochonilina s.f.
cocientar v.
cociente s.m.
cocinerita s.f.
cocivarado s.m.
cóclea s.f.
cocleado adj.
cocleante adj.2g.
coclear adj.2g. s.m.
cocleária s.f.; cf. *coclearia*, fl. do v. *coclear*
cocleária-dos-jardins s.f.; pl. *cocleárias-dos-jardins*
coclearídeo adj. s.m.
cocleariforme adj.2g.
coclearina s.f.
coclearínea s.f.
coclearíneo adj.
cocleário s.m.
cocleiforme adj.2g.
cocleíte s.f.
cocleoide (*ó*) adj.2g.
coclicela s.f.
coclícopa s.f.
coclidídeo adj. s.m.
cocliomíia s.f.
cocliopódio s.m.
cocliostema s.m.
coclorrinco s.m.
coclospermácea s.f.
coclospermáceo adj.
coclospermínea s.f.
coclospermo s.m.
coco s.m. "bactéria"; cf. *coco* (*ô*)
coco (*ô*) s.m. "fruto", "dança"; cf. *coco* s.m. e fl. do v. *cocar*
cocô s.m. "excremento"
có-có s.m. "galinha"; pl. *có-cós*
cocoa (*ô*) s.f.
coco-agalopado s.m.; pl. *cocos-agalopados*
coco-amargoso s.m.; pl. *cocos-amargosos*
coco-babaçu s.m.; pl. *cocos-babaçus*
coco-babão s.m.; pl. *cocos-babões*
coco-baboso s.m.; pl. *cocos-babosos*
cocobacilar adj.2g.
cocobaciliforme adj.2g.
cocobacilo s.m.
cocobactéria s.f.
coco-bingolê s.m.; pl. *cocos-bingolê* e *cocos-bingolês*
cocóbolo s.m.
coco-cabeçudo s.m.; pl. *cocos-cabeçudos*
coco-caboclo s.m.; pl. *cocos-caboclos*
coco-catulé s.m.; pl. *cocos-catulé* e *cocos-catulés*
cocociense adj. s.2g.
cococípselo s.m.
coco-da-baía s.m.; pl. *cocos-da-baía*
coco da praia s.m. "dança"
coco-da-praia s.m. "espécie de planta"; pl. *cocos-da-praia*
coco-da-quaresma s.m.; pl. *cocos-da-quaresma*
coco-da-serra s.m.; pl. *cocos-da-serra*
coco-das-ilhas s.m.; pl. *cocos-das-ilhas*
coco-das-maldivas s.m.; pl. *cocos-das-maldivas*
coco-das-seicheles s.m.; pl. *cocos-das-seicheles*
coco-de-airi s.m.; pl. *cocos-de-airi*
coco-de-bacaiaúba s.m.; pl. *cocos-de-bacaiauba*
coco-de-bacaiuba s.m.; pl. *cocos-de-bacaiuba*
coco-de-bocaiuva s.m.; pl. *cocos-de-bocaiuva*
coco-de-cachorro s.m.; pl. *cocos-de-cachorro*
coco-de-catala s.m.; pl. *cocos-de-catala*
coco-de-catarro s.m.; pl. *cocos-de-catarro*
coco-de-cigano s.m.; pl. *cocos-de-cigano*
coco-de-colher s.m.; pl. *cocos-de-colher*
coco de décima s.m.
coco-de-dendê s.m.; pl. *cocos-de-dendê*
coco-de-dendém s.m.; pl. *cocos-de-dendém*
coco de desafio s.m.
coco de embolada s.m.
coco de engenho s.m.
coco-de-espinho s.m.; pl. *cocos-de-espinho*
coco de ganzá s.m.
coco-de-guribi s.m.; pl. *cocos-de-guribi*
coco-de-indaiá s.m.; pl. *cocos-de-indaiá*
coco-de-iri s.m.; pl. *cocos-de-iri*
coco-de-macaco s.m.; pl. *cocos-de-macaco*
coco de mugonguê s.m.
coco-de-natal s.m.; pl. *cocos-de-natal*
coco-de-nazaré s.m.; pl. *cocos-de-nazaré*
coco de oitava s.m,
coco-de-palmeira s.m.; pl. *cocos-de-palmeira*
coco-de-pindoba s.m.; pl. *cocos-de-pindoba*
coco de praia s.m.
coco-de-purga s.m.; pl. *cocos-de-purga*
coco-de-quaresma s.m.; pl. *cocos-de-quaresma*
coco-de-quarta s.m.; pl. *cocos-de-quarta*
cocô de rola s.m.
coco-de-rosário s.m.; pl. *cocos-de-rosário*
coco-desafio s.m.; pl. *cocos-desafio*
coco-de-vaqueiro s.m.; pl. *cocos-de-vaqueiro*
coco-de-vassoura s.m.; pl. *cocos-de-vassoura*
coco-de-veado s.m.; pl. *cocos-de-veado*
coco-de-vinagre s.m.; pl. *cocos-de-vinagre*
coco de zambê s.m.
coco-dobrado s.m.; pl. *cocos-dobrados*
coco-do-brasil s.m.; pl. *cocos-do-brasil*
coco-do-campo s.m.; pl. *cocos-do-campo*
coco-do-mar s.m.; pl. *cocos-do-mar*
coco-do-mato s.m.; pl. *cocos-do-mato*
coco-do-natal s.m.; pl. *cocos-do-natal*
cocoeio (*ê*) adj.
coco em dois pés s.m.
coco-feijão s.m.; pl. *cocos-feijão* e *cocos-feijões*
cocofone s.m.
coco-gavião s.m.; pl. *cocos-gavião* e *cocos-gaviões*
cocogênico adj.
cocogônio s.m.
coco-guariroba s.m.; pl. *cocos-guariroba* e *cocos-guarirobas*
cocoide (*ó*) adj.2g. s.m.
cocóideo adj. s.m.
coco-inchado s.m.; pl. *cocos-inchados*
coco-indaiá s.m.; pl. *cocos-indaiá* e *cocos-indaiás*
cocoínea s.f.
cocoíneo adj.
cocola s.f.
coco-lanho s.m.; pl. *cocos-lanho* e *cocos-lanhos*
cocolene s.m.
cocolita s.f.
cocolite s.f.
cocolítico adj.
cocólito s.m.
cocolitoforidácea s.f.
cocolitoforidáceo adj.
cocolitoforídeo adj. s.m.
cocolo s.m.
cocóloba s.f.
cocolobeia (*é*) s.f.
cocolobóidea s.f.
cocololombua s.f.
coco-macaúba s.m.; pl. *cocos-macaúba* e *cocos-macaúbas*
cocombro s.m.
coco-menino s.m.; pl. *cocos-meninos*
cocomílio s.m.
coco-naiá s.m.; pl. *cocos-naiá* e *cocos-naiás*
coconão adj. s.m.
coconda adj. s.2g.
cocone s.m.
coconilha s.f.
coconinoíta s.f.
coconote s.m.
coconsciente adj.2g. s.m.
cocontratabilidade s.f.
cocontratado adj.
cocontratante adj. s.2g.
cocontratar v.
cocontratável adj.2g.
cocontrato s.m.
coconuzite s.f.
coco-peneruê s.m.; pl. *cocos-peneruê* e *cocos-peneruês*
coco-pindoba s.m.; pl. *cocos-pindoba* e *cocos-pindobas*
cócora s.f.
cocorador (*ô*) adj. s.m.
coco-ralado s.m.; pl. *cocos-ralados*
cocorar v.
cócoras s.f.pl.
cocorato s.m.
cocoré s.m.
cocoriar v.
cocoricante adj.2g.
cocoricar v.
cocoricó s.m.
cocoricô s.m.
cocorinhas s.f.pl.
cocório adj.
cocorismo s.m.
cocorobó s.m.
cocorobozado adj.
cocoroca adj. s.2g. s.f.
cocoroca-legítima s.f.; pl. *cocorocas-legítimas*
cocoroca-mulata s.f.; pl. *cocorocas-mulatas*
cocorocó s.m.
cocorocô s.m.
cocorote s.m.
cocoruta s.f.
cocosfera s.f.
cocossate adj. s.2g.
cocota s.f.
cocotabá s.f.
cocote s.f.
coco-velado s.m.; pl. *cocos-velados*
coco-verde s.m.; pl. *cocos-verdes*
cocozu adj. s.2g.
cocre s.m.
cocredor s.m.
coctível adj.2g.
cocto adj.
cocuana s.m.
coculado adj.
cocular v.
coculina s.f.
coculo s.m. "excesso"; cf. *cóculo*
cóculo s.m. "planta"; cf. *coculo*
cocumbi s.m.
cocuruta s.f.
cocurutado adj. s.m.
cocuruto s.m.
coda s.f.
codagápala s.f.
codagem s.f.
códago s.m.
codajacense adj. s.2g.
codajaense adj. s.2g.
codal s.m.
codamina s.f.
códano adj. s.m.
códão s.m.
codaque s.f.
codaste s.m.
codazzita s.f.
codé s.m.
códea s.f.
codeão s.m.
codear v.
códeas s.m.2n.
códega s.f.
codegueiro adj.
codeína s.f.
codeinomania s.f.
codeinometilo adj.
codeinona s.f.
codejado adj.
codejante adj.2g.
codejar v.
codejo (*ê*) s.m.
codelinquência (*ü*) s.f.
codelinquente (*ü*) adj. s.2g.
codelinquir (*ü*) v.
codema s.m.
codemandado adj.
codemandador adj. s.m.
codemandante adj. s.2g.
codemandar v.
codemandável adj.2g.
codemandista s.2g.
codemático adj.
codêmico adj.
codenicina s.f.
codenina s.f.
codenunciado s.m.
códeo s.m.
codeonal s.m.
codeoso (*ô*) adj.; f. (*ó*); pl. (*ó*)
codependente adj.2g.
codescoberta s.f.
codescoberto adj.
codescobridor s.m.
codescobrimento s.m.
codescobrir v.
codescobrível adj.2g.
codessal s.m.
codesseira s.f.
codesso (*ê*) s.m.
codesso-alto s.m.; pl. *codessos-altos*
codesso-bastardo s.m.; pl. *codessos-bastardos*

codesso-dos-alpes s.m.; pl. *codessos-dos-alpes*
codesso-rasteiro s.m.; pl. *codessos-rasteiros*
codeta s.f.
codetentor adj. s.m.
codeter v.
codetido adj.
codetilina s.f.
codeúdo adj.
codevedor adj. s.m.
codever v.
codevido adj.
códex (*cs*) s.m.; pl. *códices*
codiácea s.f.
codiáceo adj.
codialetal adj.2g.
codialeto s.m.
codicário s.m.
códice s.m.
codicilar adj.2g.
codicilo s.m.
codicismo s.m.
codicologia s.f.
codicológico adj.
codicologista s.2g.
codicólogo s.2g.
codieu s.m.
codificação s.f.
codificado adj.
codificador (*ô*) adj. s.m.
codificamento s.m.
codificante adj.2g.
codificar v.
codificatório adj.
codificável adj.2g.
código s.m.
código-fonte s.m.; pl. *códigos--fonte* e *códigos-fontes*
código-objeto s.m.; pl. *códigos-objeto* e *códigos-objetos*
codiguema s.m.
codiguemático adj.
codiguêmico adj.
codilhado adj.
codilhar v.
codilhável adj.2g.
codilheira s.f.
codilho s.m.
codinhar v.
codinho s.m.
codinome s.m.
codinomeação s.f.
codinomeado adj.
codinomear v.
códio s.m.
codíolo s.m.
codireção s.f.
codiretor s.m.
codiretoria s.f.
codito s.m.
codização s.f.
codizado adj.
codizante adj.2g.
codizar v.
codizável adj.2g.
codo s.m.
codoador s.m.
codoeira s.f.
codoense adj. s.2g.
codoiro s.m.
codominado adj.
codominância s.f.
codominante adj.2g.
codominar v.
codomínio s.m.
códon s.m.
codonanto s.m.
codonatário s.m.
codoneca s.m.
codonecídeo adj. s.m.
codonela s.m.
codonélida adj.2g. s.m.
codonelídeo adj. s.m.
codônida adj.2g.
codonídeo adj. s.m.
codonióidea s.f.
codonióideo adj.
codonocarpo s.m.
codonocládio s.m.
codonofone s.m.
codonofônico adj.
codonossígida adj.2g. s.m.
codonossigídeo adj. s.m.
codório s.m.
codorna s.f.
codorna-buraqueira s.f.; pl. *codornas-buraqueiras*
codorna-mineira s.f.; pl. *codornas-mineiras*
codorniz s.f.
codornizão s.m.
codorno s.m. "soneca"; cf. *codorno* (*ô*)
codorno (*ô*) s.m. "variedade de pera"; cf. *codorno*
codossiga s.f.
codrá s.m.
codrenina s.f.
coedição s.f.
coeditar v.
coeditor s.m.
coeducabilidade s.f.
coeducação s.f.
coeducacional adj.2g.
coeducacionismo s.m.
coeducacionista adj. s.2g.
coeducacionístico adj.
coeducado adj.
coeducador (*ô*) adj. s.m.
coeducante adj.2g.
coeducar v.
coeducativo adj.
coeducável adj.2g.
coeficiência s.f.
coeficiente s.m.
coefora s.f.
coéforo s.m.
coelegendo adj. s.m.
coeleger v.
coelegível adj.2g.
coeleito s.m.
coeleitor s.m.
coelha (*ê*) s.f.
coelhada s.f.
coelhal adj.2g.
coelhama s.f.
coelheira s.f.
coelheiro adj. s.m.
coelhinho s.m.
coelhinhos s.m.pl.
coelho (*ê*) s.m.
coelho-americano s.m.; pl. *coelhos-americanos*
coelho-borboleta s.m.; pl. *coelhos-borboleta* e *coelhos--borboletas*
coelho-das-areias s.m.; pl. *coelhos-das-areias*
coelho-do-mato s.m.; pl. *coelhos-do-mato*
coelho-netense adj. s.2g.; pl. *coelho-netenses*
coelho-rochense adj. s.2g.; pl. *coelho-rochenses*
coelva s.f.
coempção s.f.
coendíneo adj. s.m.
coendo s.m.
coendro s.m.
coendu s.m.
coenfiteuse s.f.
coenfiteuta s.2g.
coenfitêutico adj.
coenha s.f.
coenito s.m.
coentrada s.f.
coentral s.m.
coentrão s.m.
coentrela s.f.
coentrilho s.m.
coentro s.m.
coentro-bravo s.m.; pl. *coentros-bravos*
coentro-da-colônia s.m.; pl. *coentros-da-colônia*
coentro-de-caboclo s.m.; pl. *coentros-de-caboclos*
coentro-do-sertão s.m.; pl. *coentros-do-sertão*
coenzima s.f.
coenzímico adj.
coepiscopado s.m.
coepíscopo s.m.
coequação s.f.
coerana s.f.
coerana-amarela s.f.; pl. *coeranas-amarelas*
coerana-branca s.f.; pl. *coeranas-brancas*
coerana-da-baía s.f.; pl. *coeranas-da-baía*
coerana-das-alagoas s.f.; pl. *coeranas-das-alagoas*
coerana-de-caravelas s.f.; pl. *coeranas-de-caravelas*
coerana-de-flor-verde s.f.; pl. *coeranas-de-flor-verde*
coerana-de-minas s.f.; pl. *coeranas-de-minas*
coerana-de-pernambuco s.f.; pl. *coeranas-de-pernambuco*
coerana-de-são-paulo s.f.; pl. *coeranas-de-são-paulo*
coerana-do-rio-de-janeiro s.f.; pl. *coeranas-do-rio-de--janeiro*
coerana-do-rio-grande-do--sul s.f.; pl. *coeranas-do-rio--grande-do-sul*
coerana-falsa s.f.; pl. *coeranas-falsas*
coerão s.m.
coerção s.f.
coercibilidade s.f.
coercímetro s.m.
coercitividade s.f.
coercitivo adj.
coercível adj.2g.
coercividade s.f.
coercivo adj.
coerdade s.f.
coerdar v.
coerdeiro s.m.
coeremita s.2g.
coerência s.f.
coerente adj.2g.
coerido adj.
coerir v.
coerível adj.2g.
coermita s.m.
coeruna adj. s.2g.
coesão s.f.
coesímetro s.m.
coesita s.f.
coesividade s.f.
coesivo adj.
coeso (*é* ou *ê*) adj.
coesor (*ô*) s.m.
coespecificidade s.f.
coespecífico adj.
coesposa s.f.
coessência s.f.
coessencial adj.2g.
coesso s.m.
coestado s.m.
coestaduano adj.
coestender v.
coestendido adj.
coetaneidade s.f.
coetâneo adj.
coeternal adj.2g.
coeternidade s.f.
coeterno adj.
coevangelista s.2g.
coevidade s.f.
coevo adj. s.m.
coexistência (*z*) s.f.
coexistencial (*z*) adj.2g.
coexistente (*z*) adj.2g.
coexistir (*z*) v.
coextensão s.f.
coextensível adj.2g.
coextensividade s.f.
coextensivo adj.
cofator adj. s.m.
cófea s.f.
cofemia s.f.
cofeóidea s.f.
cofeóideo adj.
cóferdã s.m.
coferdame s.m.
cofermento s.m.
coffinita s.f.
cófia s.f.
cofiado adj.
cofiador s.m.
cofiante adj.2g.
cofiar v.
cofiável adj.2g.
cofinal adj.2g.
cofinhar v.
cofinho s.m.
cofino s.m.
cofió s.m.
cofo (*ô*) s.m.
cofose s.f.
cofragem s.f.
cofre s.m.
cofre-forte s.m.; pl. *cofres-fortes*
cofunção s.f.
cofuncional adj.2g.
cofundação s.f.
cofundador s.m.
cogente adj.2g.
coger v.
cogerência s.f.
cogerente s.m.
cogeribilidade s.f.
cogerido adj.
cogerir v.
cogerível adj.2g.
cogestão s.f.
cógia s.m.
cogiar v.
cogitabilidade s.f.
cogitabundo adj.
cogitação s.f.
cogitado adj.
cogitante adj.2g.
cogitar v.
cogitativo adj.
cogitável adj.2g.
cogiteira s.f.
cognação s.f.
cognado adj. s.m.
cognático adj.
cognato adj. s.m.
cognescer v.
cognição s.f.
cognitividade s.f.
cognitivo adj.
cógnito adj. adv.
cognome s.m.
cognomento s.m.
cognominabilidade s.f.
cognominação s.f.
cognominadas s.f.pl.
cognominado adj.
cognominados s.m.pl.
cognominal adj.2g.
cognominante adj.2g.
cognominar v.
cognominável adj.2g.
cognoscente adj. s.2g.
cognoscer v.
cognoscibilidade s.f.
cognoscitivo adj.
cognoscível adj.2g.
cogoilado adj.
cogoilo s.m.
cogombral s.m.
cogombro s.m.
cogote s.m.
cogotilho s.m.
cogotudo adj.
cogula s.f.
cogulado adj.
cogular v.
cogulhado adj.
cogulho s.m.
cogulo s.m.
cogumelada s.f.
cogumelado adj.
cogumelagem s.f.
cogumelar v.
cogumelaria s.f.
cogumelo s.m.
cogumelo-comestível s.m.; pl. *cogumelos-comestíveis*
cogumelo-cultivado s.m.; pl. *cogumelos-cultivados*
cogumelo-de-caboclo s.m.; pl. *cogumelos-de-caboclo*
cogumelo-de-chapéu s.m.; pl. *cogumelos-de-chapéu*
cogumelo-de-leite s.m.; pl. *cogumelos-de-leite*
cogumelo-de-paris s.m.; pl. *cogumelos-de-paris*
cogumelo-de-sangue s.m.; pl. *cogumelos-de-sangue*
cogumelo-do-mar s.m.; pl. *cogumelos-do-mar*
cogumeloso (*ô*) adj.; f. (*ó*); pl. (*ó*)
cohenita s.f.
cói s.m.
coibente adj.2g.
coibição s.f.
coibido adj.
coibidor (*ô*) adj. s.m.
coibimento s.m.
coibinha s.2g.
coibir v.
coibitivo adj.
coibível adj.2g.
coice (*ô*) s.f. "palmeira"; cf. *coice* s.m.
coice s.m. "pancada para trás dada com o pé"; cf. *coice* s.f.
coiceado adj.
coiceante adj.2g.
coicear v.
adj.2g.
coice de mula s.m.
coiceira s.f.
coiceiro adj. s.m.
coicieira s.f.
coicil s.m.
coicilhão s.m.
coicilho s.m.
coicinhar v.
coicinheiro s.m.
coicinho s.m.
coicoa (*ô*) s.f.
coiçoeira s.f.
coifa s.f.
coifado adj.
coifa-do-diabo s.f.; pl. *coifas--do-diabo*
coifagem s.f.
coifar v.
coifável adj.2g.
coifo adj.
coigual adj.2g.
coigualação s.f.
coigualar v.
coigualdade s.f.
coilão s.m.
coiloníquia s.f.
coim s.m.
coima s.f.
coimado adj.
coimante adj.2g.
coimar v.
coimável adj.2g.
coimbrão adj. s.m.
coimbrense adj. s.2g.
coimbrês adj.
coimeiro adj. s.m.
coimperador s.m.
coimperar v.
coina s.f.
coinado adj.
coinar v.
coinchado adj. s.m.
coinchante adj.2g.
coinchar v.
coincho s.m.
coincidência s.f.
coincidente adj.2g.
coincidido adj.
coincidir v.
coincidível adj.2g.
coindicabilidade s.f.
coindicação s.f.
coindicado adj.
coindicador (*ô*) adj. s.m.
coindicante adj.2g.
coindicar v.
coindicável adj.2g.
coinicial adj.2g.
coiniciante adj.2g.
coiniciar v.

coino s.m.
coinquilinato s.m.
coinquilino s.m.
coinquinabilidade s.f.
coinquinação s.f.
coinquinado adj.
coinquinador adj. s.m.
coinquinante adj. s.2g.
coinquinar v.
coinquinável adj.2g.
coinstantaneidade s.f.
coinstantâneo adj. s.m.
cointegrabilidade s.f.
cointegrado adj.
cointegrante adj. s.2g.
cointegrar v.
cointegrativo adj.
cointegrável adj.2g.
cointensidade s.f.
cointenso adj.
cointeressado adj. s.m.
cointeressar v.
cointeresse s.m.
coio adj. s.m. "esconderijo"; cf. *coió*
coió adj. s.2g. s.m. "tolo"; cf. *coio*
coió-coió s.m.; pl. *coió-coiós* e *coiós-coiós*
coioiar v.
coioíce s.f.
coioísmo s.m.
coiol s.m.
coiote s.m.
coipu s.m.
coiquinhar v.
coiquinho s.m.
coir s.m.
coira s.f.
coiraça s.f.
coiraçado adj. s.m.
coiraçador (*ô*) adj.
coiraçamento s.m.
coiraçante adj.2g.
coiraçar v.
coiraçável adj.2g.
coiraceiro s.m.
coiracho s.m.
coirada s.f.
coirália s.f.
coirama s.f.
coirana s.f.
coirana-amarela s.f.; pl. *coiranas-amarelas*
coirana-branca s.f.; pl. *coiranas-brancas*
coirana-da-baía s.f.; pl. *coiranas-da-baía*
coirana-das-alagoas s.f.; pl. *coiranas-das-alagoas*
coirana-de-caravelas s.f.; pl. *coiranas-de-caravelas*
coirana-de-flor-verde s.f.; pl. *coiranas-de-flor-verde*
coirana-de-minas s.f.; pl. *coiranas-de-minas*
coirana-de-pernambuco s.f.; pl. *coiranas-de-pernambuco*
coirana-de-são-paulo s.f.; pl. *coiranas-de-são-paulo*
coirana-do-rio-de-janeiro s.f.; pl. *coiranas-do-rio-de-janeiro*
coirana-do-rio-grande-do-sul s.f.; pl. *coiranas-do-rio-grande-do-sul*
coirana-falsa s.f.; pl. *coiranas-falsas*
coirão s.m.
coirapato s.m.
coirata s.f.
coirato s.m.
coireada s.f.
coireador (*ô*) s.m.
coirear v.
coireável adj.2g.
coireiro s.m.
coirela s.f.
coirelado adj.
coireleiro s.m.
coirense adj. s.2g.
coirinho s.m.
coirmanar v.
coirmandade s.f.
coirmão adj. s.m.
coiro s.m.
coirona s.f.
coirudo adj.
coisa s.f.
coisã adj. s.2g.
coisa à toa s.2g.
coisada s.f.
coisa em si s.f.
coisa-feita s.f.; pl. *coisas-feitas*
coisa-má s.f.; pl. *coisas-más*
coisar v.
coisarada s.f.
coisa-ruim s.f.; pl. *coisas-ruins*
coisável adj.2g.
coiseiro s.m.
coisica s.f.
coisico s.m.
coisificabilidade s.f.
coisificação s.f.
coisificado adj. s.m.
coisificador (*ô*) adj.
coisificante adj.2g.
coisificar v.
coisificável adj.2g.
coisinha s.f.
coisismo s.m.
coisíssima s.f.; na loc. *coisíssima nenhuma*
coisita s.f.
coiso s.m.
coita s.f.
coitada s.f.
coitado adj. s.m.
coitamento s.m.
coitar v.
coitaria s.f.
coité s.m.
coiteense adj. s.2g.
coiteiro s.m.
coiteiro-mor s.m.; pl. *coiteiros-mores*
coitelho (*ê*) s.m.
coitivo s.m.
coito adj. s.m.
coivão s.m.
coivara s.f.
coivarada s.f.
coivarado adj. s.m.
coivaral s.m.
coivaramento s.m.
coivarar v.
coivarense adj. s.2g.
coivismo s.m.
cóix (*cs*) s.f.; pl. *coices* (*ó*)
cola s.m.f.
cola-amarga s.f.; pl. *colas-amargas*
colabá s.m.
colabência s.f.
colabente adj.2g.
colaboração s.f.
colaboracionismo s.m.
colaboracionista adj. s.2g.
colaboracionístico adj.
colaborado adj.
colaborador (*ô*) adj. s.m.
colaborante adj. s.2g.
colaborar v.
colaborativo adj.
colaborável adj. s.2g.
colaça s.f.
colação s.f.
colacia s.f.
colacionado adj.
colacionador (*ô*) adj. s.m.
colacionante adj.2g.
colacionar v.
colacionável adj.2g.
colaço adj. s.m.
colacobiose s.f.
colácreta s.m.
colada s.f.
cola-de-cavalo s.f.; pl. *colas-de-cavalo*
coladeira s.f.
cola de peixe s.f.
cola-de-sapateiro s.f.; pl. *colas-de-sapateiro*
cola-de-zorro s.f.; pl. *colas-de-zorro*
coladina s.f.
colado adj.
colador (*ô*) adj. s.m.
cola-esmalte s.f.; pl. *colas-esmalte* e *colas-esmaltes*
colagem s.f.
colagenase s.f.
colagênico adj.
colagênio adj. s.m.
colágeno adj. s.m.
colagenose s.f.
colagenósico adj.
colagenoso (*ô*) adj.; f. (*ó*); pl. (*ó*)
colagenótico adj.
colagista adj. s.2g.
colagogo (*ô*) adj. s.m.
colaíta s.f.
colaíte s.f.
colaíto s.m.
colalato s.m.
colalemia s.f.
colalêmico adj.
colálico adj.
colama s.f.
colamento s.m.
colamina s.f.
colança s.f.
colandrejo (*ê*) s.m.
colandréu s.m.
colandrina s.f.
colandrino s.m.
colangia s.f.
colangiectasia s.f.
colangiectásico adj.
colangienterostomia s.f.
colangienterostômico adj.
colangiite s.f.
colangiítico adj.
colangiocarcinoma s.m.
colangiografia s.f.
colangiográfico adj.
colangiograma s.m.
colangiolite s.f.
colangiolítico adj.
colangíolo s.m.
colangioma s.m.
colangiostomia s.f.
colangiostômico adj.
colangiotomia s.f.
colangiotômico adj.
colangite s.f.
colânico adj.
colanina s.f.
colante adj.2g. s.m.
colantreno s.m.
colapiano adj. s.m.
colapisar v.
colapoleiro s.m.
colapsado adj.
colapsante adj.2g.
colapsar v.
colapso s.m.
colapsoterapia s.f.
colapsoterápico adj.
colar v. s.m.
colar de ifá s.m.
colar de pérolas s.m.
colareira s.f.
colareja (*ê*) adj. s.m.
colarejo (*ê*) s.f.
colarense adj. s.2g.
colares s.m.2n.
colarete (*ê*) s.m.
colargol s.m.
colariano adj. s.m.
colárico adj.
colarinho s.m.
colarinho-branco s.m.; pl. *colarinhos-brancos*
colário adj. s.m.
colarno adj. s.m.
colaspídea s.f.
colaspidema s.m.
colaspídeo adj. s.m.
colata s.f.
colatário s.m.
colateína s.f.
colateira s.f.
colateral adj.2g. s.m.
colateralidade s.f.
colatestase s.f.
colatício adj.
colatina s.f.
colatinense adj. s.2g.
colatino adj. s.m.
colatitude s.f.
colatitudinal adj.2g.
colativo adj.
colato s.m.
colator (*ô*) s.m.
colatório adj. s.m.
cola-tudo s.m.2n.
colau s.m.
colbaque s.m.
colbertismo s.m.
colbertista adj. s.2g.
colcha (*ô*) s.f.
colcha-amarela s.f.; pl. *colchas-amarelas*
colcha de retalhos s.f.
colchão s.m.
colchão de ar s.m.
colchão de noiva s.m.
colchão de noivo s.m.
colcheia s.f.
colcheiro s.m.
colcheta (*ê*) s.f.; cf. *colcheta*, fl. do v. *colchetar*
colchetado adj.
colchetar v.
colchetável adj.2g.
colchete (*ê*) s.m.; cf. *colchete*, fl. do v. *colchetar*
colchoado adj.
colchoante adj.2g.
colchoar v.
colchoaria s.f.
colchoeiro s.m.
colco adj. s.m.
colcóidea s.f.
colcóideo adj.
colcotar s.m.
colcoz s.m.
colcoziano adj.
coldrado s.m.
coldrato s.m.
coldre s.m.
cole s.m.
coleação s.f.
coleada s.f.
coleado adj.
coleadura s.f.
coleamento s.m.
coleante adj.2g.
coleanto s.m.
colear v.
coleato s.m.
cólebra s.f.
coleção s.f.
colécia s.f.
colecianina s.f.
colecieia (*é*) s.f.
colecionação s.f.
colecionado adj.
colecionador (*ô*) s.m.
colecionamento s.m.
colecionante adj.2g.
colecionar v.
colecionarismo s.m.
colecionarista adj. s.2g.
colecionarístico adj.
colecionismo s.m.
colecionista adj. s.2g.
colecionístico adj.
colecistalgia s.f.
colecistálgico adj.
coleciste s.f.
colecistectasia s.f.
colecistectásico adj.
colecistectomia s.f.
colecistectômico adj.
colecistenterorrafia s.f.
colecistenterorráfico adj.
colecistenterostomia s.f.
colecistenterostômico adj.
colecisticele s.f.
colecistiotomia s.f.
colecistite s.f.
colecistítico adj.
colecisto s.m.
colecistocele s.f.
colecistocinina s.f.
colecistoduodenostomia s.f.
colecistoduodenostômico adj.
colecistogastrotomia s.f.
colecistogastrotômico adj. s.m.
colecistografar v.
colecistografia s.f.
colecistográfico adj.
colecistograma s.m.
colecistolitíase s.f.
colecistólito s.m.
colecistolitotripsia s.f.
colecistopatia s.f.
colecistopático adj.
colecistopexia (*cs*) s.f.
colecistopéxico (*cs*) adj.
colecistoptose s.f.
colecistoptótico adj.
colecistoquinina s.f.
colecistorrafia s.f.
colecistorráfico adj.
colecistose adj. s.f.
colecistostomia s.f.
colecistostômico adj.
colecistotomia s.f.
colecistotômico adj.
colecroína s.f.
colecta s.f.
colectânea s.f.
colectâneo adj.
colectano s.m.
colectar v.
colectário s.m.
colectas s.f.pl.
colectável adj.2g.
colectício adj. s.m.
coléctico adj.
colectividade s.f.
colectivismo s.m.
colectivista adj. s.2g.
colectivo adj. s.m.
colecto adj.
colectomia s.f.
colectômico adj.
colector (*ô*) adj. s.m.
colectoria s.f.
coledocenterostomia s.f.
coledocenterostômico adj.
coledocite s.f.
coledocítico adj.
colédoco adj. s.m.
coledococele s.f.
coledocoduodenostomia s.f.
coledocoduodenostômico adj. s.m.
coledocoenterostomia s.f.
coledocoenterostômico adj.
coledocogastrostomia s.f.
coledocogastrostômico adj.
coledocojejunostomia s.f.
coledocolitíase s.f.
coledocolitiásico adj.
coledocolitotomia s.f.
coledocolitotômico adj.
coledocolitotripsia s.f.
coledocolitotripsíaco adj.
coledocoplastia s.f.
coledocoplástico adj.
coledocostomia s.f.
coledocostômico adj.
coledocotomia s.f.
coledocotômico adj.
colega s.2g.
colegado s.m.
colegatário s.m.
colegiada s.f.
colegiado adj. s.m.
colegial adj. s.2g.
colegialidade s.f.
colegiante adj. s.2g.
colegiar v.
colegiatura s.f.
colegiável adj.2g.
colegiense adj. s.2g.
colégio s.m.
colegislativo adj.
coleglobina s.f.

coleguismo s.m.
coleia s.f.
coleína s.f.
coleio s.m.
coleira s.m.f.
coleira-da-mata s.f.; pl. *coleiras-da-mata*
coleira-de-garganta-branca s.f.; pl. *coleiras-de-garganta-branca*
coleira-de-sapé s.f.; pl. *coleiras-de-sapé*
coleirado adj.
coleira-do-brejo s.f.; pl. *coleiras-do-brejo*
coleira-do-norte s.f.; pl. *coleiras-do-norte*
coleira-do-sertão s.f.; pl. *coleiras-do-sertão*
coleira-virada s.f.; pl. *coleiras-viradas*
coleirinha s.f.
coleirinha-da-serra s.f.; pl. *coleirinhas-da-serra*
coleirinha-do-brejo s.f.; pl. *coleirinhas-do-brejo*
coleirinha-dupla s.f.; pl. *coleirinhas-duplas*
coleirinho adj. s.m.
coleirinho-do-brejo s.m.; pl. *coleirinhos-do-brejo*
coleiro s.m.
coleiro-baiano s.m.; pl. *coleiros-baianos*
coleiro-brejal s.m.; pl. *coleiros-brejais*
coleiro-da-baía s.m.; pl. *coleiros-da-baía*
coleiro-da-serra s.m.; pl. *coleiros-da-serra*
coleiro-da-terra s.m.; pl. *coleiros-da-terra*
coleiro-de-garganta-branca s.m.; pl. *coleiros-de-garganta-branca*
coleiro-de-sapé s.m.; pl. *coleiros-de-sapé*
coleiro-do-brejo s.m.; pl. *coleiros-do-brejo*
coleiro-do-reino s.m.; pl. *coleiros-do-reino*
coleiro-pardinho s.m.; pl. *coleiros-pardinhos*
coleiro-virado s.m.; pl. *coleiros-virados*
coleita s.f.
coleíte s.f.
coleitor (*ô*) s.m.
colelitíase s.f.
colelitiásico adj.
colelítico adj.
colélito s.m.
colelitotomia s.f.
colelitotômico adj.
colelitotripsia s.f.
colelitotripsíaco s.m.
colelogia s.f.
colelógico adj.
colema s.m.
colemanita s.f.
colemanite s.f.
colêmbola s.f.
colêmbolo adj. s.m.
colêmese s.f.
colemético adj.
colemia s.f.
colêmico adj.
colemometria s.f.
colemométrico adj.
colemute s.m.
colêncito s.m.
colendo adj.
colênis s.m.2n.
colênquima s.m.
colenquimático adj.
colenquimatoso (*ô*) adj.; f. (*ó*); pl. (*ó*)
colenterite s.f.
colenterítico adj.
colentino adj. s.m.
cóleo s.m.
coleóbroca s.f.
coleocele s.f.
coleocistite s.f.
coleocistítico adj.
coleoderme adj.2g.
coleodermo adj.
coleofila s.f.
coleófita s.f.
coleófito s.m.
coleoforídeo adj. s.m.
coleóforo s.m.
coleofosfatase s.f.
coleomorfo s.m.
coleonema s.f.
coleópode adj.2g.
coleópodo adj.
coleopoese s.f.
coleopoético adj.
coleóptero adj. s.m.
coleopterologia s.f.
coleopterológico adj.
coleopterologista s.2g.
coleopterólogo s.m.
coleóptila s.f.
coleóptilo s.m.
coleoptose s.f.
coleoptótico adj.
coleoquetácea adj. s.f.
coleoquétea s.f.
coleorrético adj.
coleorrexe (*cs*) s.f.
coleorrexia (*cs*) s.f.
coleorriza s.f.
coleorrizado adj.
coleosporiácea s.f.
coleosporiáceo adj.
coleosporieia (*é*) s.f.
coleospório s.m.
coleostáquio s.m.
coleostenose s.f.
coleostenóstico adj.
coleperitôneo s.m.
colépida adj.2g. s.m.
colepídeo adj. s.m.
colepirrina s.f.
colepo s.m.
colepoese s.f.
colepoético adj.
cólera s.m.f.
colerado adj.
colerainita s.f.
cólera-morbo s.2g.; pl. *cóleras-morbos*
colerese s.f.
colerético adj. s.m.
colérico adj. s.m.
coleriforme adj.2g.
colerigênico adj.
colerígeno adj.
colerina s.f.
colerínico adj.
colerito s.m.
colerofobia s.f.
coleróvfobo adj.
colerogênico adj.
coleroide (*ó*) adj.2g.
coleromania s.f.
coleromaníaco adj. s.m.
colerômano adj. s.m.
colerragia s.f.
colerrágico adj.
colestano s.m.
colestanol s.m.
coléstase s.f.
colestearina s.f.
colesteatoma s.m.
colesteatomatoso (*ô*) adj.; f. (*ó*); pl. (*ó*)
colesteatomia s.f.
colesteatômico adj.
colesterato s.m.
colesteremia s.f.
colesterêmico adj.
colestérico adj.
colesterina s.f.
colesterinemia s.f.
colesterinêmico adj.
colesterol s.m.
colesterolemia s.f.
colesterolêmico adj. s.m.
colesterolestérase s.f.
colesterólico adj.
colesterólise s.f.
colesterolítico adj.
colesterologênese s.f.
colesterologenético adj.
colesterolose s.f.
colesterona s.f.
colesterose s.f.
colesterótico adj.
colestiramna s.f.
coleta s.f. "contribuição", "recolha"; cf. *coleta* (*ê*)
coleta (*ê*) s.f. "trança de cabelo"; cf. *coleta* s.f. e fl. do v. *coletar*
coletado adj. s.m.
coletador (*ô*) adj. s.m.
coletânea s.f.
coletâneo adj.
coletano s.m.
coletar v.
coletário s.m.
coletável adj.2g.
colete s.f. "abelha"; cf. *colete* (*ê*)
colete (*ê*) s.m. "peça de vestuário"; cf. *colete* s.f. e fl. do v. *coletar*
colete-curto s.m.; pl. *coletes-curtos*
colete de couro s.m.
colete-de-força s.m.; pl. *coletes-de-força*
coleteiro s.m.
coletério s.m.
colétia s.f.
coletício adj.
colético adj.
colétida adj.2g. s.m.
coletídeo adj. s.m.
coletiina s.f.
coletina s.f.
coletividade s.f.
coletivismo s.m.
coletivista adj. s.2g.
coletivístico adj.
coletivização s.f.
coletivizado adj.
coletivizador (*ô*) adj.
coletivizante adj.2g.
coletivizar v.
coletivizável adj.2g.
coletivo adj. s.m.
coleto adj. "coligido"; cf. *coleto* (*ê*)
coleto (*ê*) s.m. "limite entre raiz e caule"; cf. *coleto* adj. e fl. do v. *coletar*
coletomia s.f.
coletômico adj.
coletor (*ô*) adj. s.m.
coletoria s.f.
coletura s.f.
coleva s.m.
colevócera s.f.
colfisterectomia s.f.
colfisterectômico adj.
colfisteropexia (*cs*) s.f.
colfisteropéxico (*cs*) adj.
colfisterostomia s.f.
colfisterostômico adj.
colga s.f.
colgabilidade s.f.
colgado adj.
colgador (*ô*) adj.
colgadura s.f.
colgalho s.m.
colgante adj.2g.
colgar v.
colgável adj.2g.
colgo adj.
colha (*ô*) s.f.
colhada s.f.
colhado s.m.
colhal s.m.
colhão s.m.
colhareiro s.m.
colhedeira s.f.
colhediço s.m.
colhedor (*ô*) adj. s.m.
colhedouro s.m.
colheição s.f.
colheiceiro s.m.
colheira s.f.
colheireiro s.m.
colheirinha s.f.
colheita s.f.
colheitadeira s.f.
colheitana s.f.
colheitano adj.
colheiteiro s.m.
colheito adj.
colhença s.f.
colher s.f. "talher"; cf. *colher* (*ê*)
colher (*ê*) v. "coletar"; cf. *colher*
colhera s.f.; cf. *colhera* (*ê*), fl. do v. *colher* (*ê*)
colheraça s.f.
colherada s.f.
colherado adj. s.m.
colherão s.m.
colher-de-vaqueiro s.f.; pl. *colheres-de-vaqueiro*
colhereira s.f.
colhereiro s.m.
colherete (*ê*) s.m.
colheril s.m.
colherim s.m.
colherinha s.f.
colherudo s.m.
colhetano adj. s.m.
colhida s.f.
colhido adj.
colhimento s.m.
colhoal adj.2g.
colhoneira s.f.
colhoneiro s.m.
colhudo adj. s.m.
cóli s.m.
cólia s.f.
coliaerógeno adj.
coliâmbico adj.
coliambo s.m.
colibacilar adj.2g.
colibacilemia s.f.
colibacilêmico adj.
colibacilo s.m.
colibacilose s.f.
colibaciluria s.f.
colibacilúria s.f.
coliberto adj.
colíbia s.f.
colibístico adj.
colibri s.m.
colíbrio s.m.
cólica s.f.
colicativo adj.
colicina s.f.
colicistite s.f.
colicistítico adj.
cólico adj.
colicolite s.f.
colicolítico adj.
colicoplegia s.f.
colicoplégico adj.
colículo s.m.
colidente adj.2g.
colíder s.2g.
coliderado adj. s.m.
coliderança s.f.
coliderar v.
colidido adj.
colidina s.f.
colídio s.m.
colidir v.
colidível adj.2g.
coliducto s.m.
colífago s.m.
colífero adj. s.m.
colífio s.m.
coliflor (*ô*) s.f.
coliforme adj.2g.
colifrenia s.f.
coligabilidade s.f.
coligação s.f.
coligado adj. s.m.
coligador (*ô*) adj.
coligamento s.m.
coligância s.f.
coligante adj.2g.
coligar v.
coligatividade s.f.
coligativo adj.
coligável adj.2g.
colígeno adj.
coligibilidade s.f.
coligido adj.
coligidor (*ô*) adj. s.m.
coligir v.
coligível adj.2g.
colim s.m.
colima s.m.f.
colimação s.f.
colimado adj.
colimador (*ô*) adj. s.m.
colimadora (*ô*) s.f.
colimante adj.2g.
colimar v.
colimável adj.2g.
colímbida adj.2g. s.m.
colimbídea s.f.
colimbídeo adj. s.m.
colimbiforme adj. s.2g.
colimbo s.m.
colimbomorfa s.f.
colimbriense adj. s.2g.
colimicina s.f.
colimitação s.f.
colimitado adj.
colimitador (*ô*) adj. s.m.
colimitante adj.2g.
colimitar v.
colimitável adj.2g.
colina s.f.
colineação s.f.
colineado adj.
colineante adj.2g.
colinear adj.2g.
colinearidade s.f.
colinearização s.f.
colineável adj.2g.
colinefrite s.f.
colinense adj. s.2g.
colinergia s.f.
colinérgico adj.
colinesterase s.f.
colinestérase s.f.
colinesterasia s.f.
colinesterásico adj.
colino adj. s.m.
colinoacetilacético adj.
colinomimese s.f.
colinomimético adj.
colinoso (*ô*) adj.; f. (*ó*); pl. (*ó*)
colinsônia s.f.
colipéptico adj.
colipeu s.m.
colipielite s.f.
colipielítico adj.
colipiuria s.f.
colipiúria s.f.
colipiúrico adj.
coliponense adj. s.2g.
coliquação s.f.
coliquado adj.
coliquante adj.2g.
coliquar v.
coliquativo adj.
coliquável adj.2g.
colir s.m.
coliriado adj.
colirídio adj. s.m.
colírio s.m.
colirita s.f.
colirite s.f.
colirrostro adj. s.m.
colisão s.f.
coliseu s.m.
colisivo adj.
colissepse s.f.
colisséptico adj.
colistina s.f.
colita s.f.
colite s.f.
colítico adj.
colitigabilidade s.f.
colitigação s.f.
colitigante adj. s.2g.
colitigar v.
coliúro s.m.
collinsita s.f.

colma s.f.
colmaça s.f.
colmaçar v.
colmaço s.m.
colmado adj. s.m.
colmagem s.f.
colmanita s.f.
colmar v. adj.2g.
colmata s.f.
colmatagem s.f.
colmatar v.
colmato s.m.
colmeagem s.f.
colmeal s.m.
colmear v. s.m.
colmeeira s.f.
colmeeiro s.m.
colmeia (*é* ou *e*) s.f.
colmeiforme adj.2g.
colmeiro s.m.
colmeiroa (*ô*) s.f.
colmífero adj.
colmilho s.m.
colmilhoso (*ô*) adj.; f. (*ó*); pl. (*ó*)
colmilhudo adj.
colmo (*ô*) s.m.; cf. *colmo*, fl. do v. *colmar*
colo s.m.
colobacilar adj.2g.
colobacilemia s.f.
colobacilêmico adj.
colobacilo s.m.
colobacilose s.f.
colobaciluria s.f.
colobacilúria s.f.
colóbico s.m.
colóbio s.m.
coloblástico adj.
coloblasto s.m.
colobo s.m.
colobócera s.f.
colobógnato adj. s.m.
coloboma s.m.
colobópsis s.2g.2n.
colobreado adj.
colobrear v.
colobreta (*ê*) s.f.
colobrete (*ê*) s.m.
colocação s.f.
colocado adj.
colocador (*ô*) s.m.
colocália s.m.
colocar v.
colocásia s.f.
colocasieia (*é*) s.f.
colocasióidea s.f.
colocasióideo adj.
colocatário s.m.
colocável adj.2g.
colocentese s.f.
colocentético adj.
colocíntida s.f.
colocíntide s.f.
colocintidina s.f.
colocintina s.f.
colocinto s.m.
colocistoplastia s.f.
colocistoplástico adj.
colóclise s.f.
coloclítico adj.
colocólico adj.
colocolo s.m.
colocolostomia s.f.
colocolostômico adj.
colocoro s.m.
colocutor s.m.
colódio s.m.
colodionar v.
colodionito s.m.
colodra (*ô*) s.m.
colodro (*ô*) s.m.
coloenterite s.f.
coloenterítico adj.
colófana s.f.
colofânio s.m.
colofão s.m.
colofênio s.m.
colófio s.m.
cólofon s.m.
colofônia s.f.
colofoníaco adj. s.m.
colofônio adj. s.m.
colofonita s.f.
colofonite s.f.
cologaritmo s.m.
colografia s.f.
colôgrafo s.m.
colo-hematina s.f.
colo-hematínico adj.
colo-hepatopexia s.f.
colo-hepatopéxico adj.
coloidal adj.2g.
coloide (*ó*) adj.2g. s.m.
coloidina s.f.
coloidoclasia s.f.
coloidoclásico adj.
coloidoclástico adj.
coloidoma s.m.
coloidomático adj.
coloidômico adj.
coloidopexia (*cs*) s.f.
coloidopéxico (*cs*) adj.
coloidosmose s.f.
coloidosmótico adj.
coloidoterapia s.f.
coloidoterápico adj.
cololapaco s.m.
cololato s.m.
colólito s.m.
cololo (*ô*) adj. s.m.
coloma s.m.
colomastige s.f.
colomba s.f.
colombense adj. s.2g.
colômbia s.f.
colombiano adj. s.m. "natural da Colômbia"; cf. *coulombiano*
colômbico adj.
colombiense adj. s.2g.
colombífero adj.
colombina s.f.
colombino adj. s.m. "próprio de ou relativo a Cristóvão Colombo"; cf. *columbino*
colômbio s.m.
colombo s.m.
colombro s.m.
colometria s.f.
colométrico adj.
colomi s.m.
colômia s.f.
colomim s.m.
cólon s.m.
colonada s.f.
colonalgia s.f.
colonálgico adj.
colonato s.m.
colondrina s.f.
colondro s.m.
colonema s.m.
colongita s.f.
colongitude s.f.
colongitudinal adj.2g.
colongo s.m.
colonhão s.m.
colonia s.f. "contrato"; cf. *colônia*
colônia s.f. "povoação de colonos"; cf. *colonia*
colonial adj. s.2g.
colonialismo s.m.
colonialista adj. s.2g.
colonialístico adj.
colonialite s.f.
coloniano adj. s.m.
colonião s.m.
colônico adj.
coloniense adj. s.2g.
colonista adj. s.2g. "especialista em questões coloniais"; cf. *colunista*
colonitário adj.
colonizabilidade s.f.
colonização s.f.
colonizado adj.
colonizador (*ô*) adj. s.m.
colonizante adj.2g.
colonizar v.
colonizável adj.2g.
colono s.m.
colonoscopia s.f.
colonoscópico adj.
colonoscópio s.m.
colontilografia s.f.
colontilográfico adj.
colontilografismo s.m.
colontilografítico adj.
colopatia s.f.
colopático adj.
colopexia (*cs*) s.f.
colopéxico (*cs*) adj.
coloplania s.f.
coloplânico adj.
coloplicação s.f.
coloplizar v.
coloplizável adj.2g.
coloptose s.f.
coloptótico adj.
coloquial adj.2g.
coloquialismo s.m.
coloquiar v.
coloquiável adj.2g.
coloquinela s.f.
coloquíntida s.f.
coloquíntide s.f.
coloquintina s.f.
coloquinto s.m.
colóquio s.m.
color (*ô*) s.m.f.
colorabilidade s.f.
coloração s.f.
coloradense adj. s.2g.
colorado adj. s.m.
coloradoíta s.f.
coloradoíte s.f.
colorante adj.2g.
colorar v.
colorau s.m.
colorável adj.2g.
coloreado adj.
coloreante adj.2g.
colorear v.
coloreável adj.2g.
colorento adj.
coloribilidade s.f.
colorido adj. s.m.
colorífico adj.
colorígrado s.m.
colorimetria s.f.
colorimétrico adj.
colorimetrista adj. s.2g.
colorímetro s.m.
colorina s.f.
colorir v.
coloriscópio s.m.
colorismo s.m.
colorista adj. s.2g.
colorística s.f.
colorístico adj.
colorização s.f.
colorizado adj.
colorizante adj.2g.
colorizar v.
colorizável adj.2g.
colorrafia s.f.
colorragia s.f.
colorrágico adj.
colorreia (*é*) s.f.
colorreico (*é*) adj.
colorretal adj.2g.
colorretite s.f.
colorretítico adj.
colorretostomia s.f.
colorretostômico adj.
coloscopia s.f.
coloscópico adj.
colospéria s.f.
colossal adj.2g.
colossalidade s.f.
colossalismo s.m.
colossense adj. s.2g.
colossigmoidostomia s.f.
colossigmoidostômico adj.
colosso (*ô*) s.m.
colossóquelis s.f.2n.
colossucorreia (*é*) s.f.
colossucorreico (*é*) adj.
colostenose s.f.
colostenótico adj.
colostomia s.f.
colostômico adj. s.m.
colostomizado adj.
colostomizar v.
colostração s.f.
colostral adj.2g.
colostro (*ô*) s.m.
colote s.m.
colotiflite s.f.
colotifo s.m.
colotifoide (*ó*) s.f.
colotipia s.f.
colotípico adj.
colotomia s.f.
colotômico adj.
colotropina s.f.
colotuberculose s.f.
coloxilina (*cs*) s.f.
colpado adj.
colpalgia s.f.
colpálgico adj.
colpectomia s.f.
colpectômico adj.
colpeurinter s.m.
colpeurise s.f.
colpídio s.m.
colpiperplasia s.f.
colpisterectomia s.f.
colpisterectômico adj.
colpisteropectomia s.f.
colpisteropectômico adj.
colpisteropexia (*cs*) s.f.
colpisteropéxico (*cs*) adj.
colpisterostomia s.f.
colpisterostômico adj.
colpite s.f.
colpítico adj.
colpo s.m.
colpocefalia s.f.
colpocéfalo s.m.
colpocele s.f.
colpocélico adj.
colpoceliotomia s.f.
colpoceliotômico adj.
colpocistite s.f.
colpocistítico adj.
colpocistoplastia s.f.
colpocistoplástico adj.
colpocistossiringa s.f.
colpocistossiríngico adj.
colpocistotomia s.f.
colpocistotômico adj.
colpocisturetrocistostomia s.f.
colpocisturetrocistostômico adj.
colpocitologia s.f.
colpocitológico adj.
colpoclise s.f.
colpoclítico adj.
cólpoda s.f.
cólpode s.m.
colpodesmorrafia s.f.
colpodesmorráfico adj.
colpódia s.f.
colpodinia s.f.
colpódio s.m.
colpoencefalia s.f.
colpo-hiperplasia s.f.
colpo-hiperplásico adj.
colpo-histerectomia s.f.
colpo-histerectômico adj.
colpo-histeropexia s.f.
colpo-histeropéxico adj.
colpo-histerotomia s.f.
colpo-histerotômico adj.
colpomicetose s.f.
colpomicose s.f.
colpomicótico adj.
colpomiomectomia s.f.
colpomiomectômico adj.
colpomiotomia s.f.
colpomiotômico adj.
colponema s.f.
colpônico adj.
colpopatia s.f.
colpopático adj.
colpoperineoplastia s.f.
colpoperineoplástico adj.
colpoperineorrafia s.f.
colpoperineorráfico adj.
colpopexia (*cs*) s.f.
colpopéxico (*cs*) adj.
colpoplastia s.f.
colpoplástico adj.
colpopólipo s.m.
colpopoliposo (*ô*) adj.; f. (*ó*); pl. (*ó*)
colpoproctectomia s.f.
colpoproctectômico adj.
colpoproctotomia s.f.
colpoproctotômico adj.
colpoptose s.f.
colpoptótico adj.
colporrafia s.f.
colporráfico adj.
colporragia s.f.
colporrágico adj.
colportagem s.f.
colportor (*ô*) s.m.
colposcopia s.f.
colposcópico adj.
colposcópio s.m.
colpospásmico adj.
colpospasmo s.m.
colpóstato s.m.
colpostenose s.f.
colpostenótico adj.
colpostrictura s.f.
colpotérmico adj.
colpotermo s.m.
colpotomia s.f.
colpotômico adj.
colpoxerose (*cs*) s.f.
colquicácea s.f.
colquicáceo adj.
colquícea s.f.
colquiceína s.f.
colquiceinamida s.f.
colquíceo adj.
colquicina s.f.
colquicínico adj.
colquicinizar v.
colquicinomitose s.f.
colquicinomitótico adj.
cólquico adj. s.m.
colquicóidea s.f.
colquicóideo adj.
colquicosídeo s.m.
colquiploide (*ó*) adj.2g. s.f.
coltar s.m.
coltarização s.f.
coltarizar v.
coltarizável adj.2g.
cólua s.f.
coluária s.f.
colubrão s.m.
colubreado adj.
colubreante adj.2g.
colubrear v.
colubrejante adj.2g.
colubrejar v.
colubreta (*ê*) s.f.
colúbrida adj.2g. s.m.
colubrídeo adj. s.m.
colubriforme adj.2g.
colubrina s.f.
colubrineiro s.m.
colubríneo adj. s.m.
colubrino adj.
colubroide (*ó*) adj. s.2g.
coludente adj.2g.
coludir v.
coludo adj. s.m.
colugli s.m.
colugo s.m.
cólulo s.m.
columba s.f.
columbáceo adj.
columbamina s.f.
columbário s.m.
columbela s.f.
columbélida adj. s.2g.
columbelídeo adj. s.m.
colúmbeo adj.
colúmbia s.f.
colúmbico adj.
columbicultor (*ô*) s.m.
columbicultura s.f.
colúmbida adj.2g. s.m.
columbídeo adj. s.m.
columbiforme adj.2g. s.m.
columbigolina s.m.
columbínea s.f.

columbino adj. s.m. "relativo a pombo"; cf. *colombino*
colúmbio s.m.
columbita s.f.
columbite s.f.
columbo s.m.
columbofilia s.f.
columbofilismo s.m.
columbófilo adj. s.m.
columbograma s.m.
columbomicrolita s.f.
colúmbula s.m.
columela s.f.
columelado adj.
columelar adj.2g.
columélia s.f.
columeliácea s.f.
columeliáceo adj.
columelo adj.
columi s.m.
columim s.m.
colúmnea adj. s.f.
columneeia (*é*) s.f.
coluna s.f.
colunado adj.
colunal s.m.
colunante adj.2g.
colunar v. adj.2g. s.f.
colunário adj. s.m.
colunata s.f.
colunato s.m.
colunela s.f.
colunelo s.m.
colunense adj. s.2g.
coluneta (*ê*) s.f.
colunífera s.f.
colunífero adj.
colunismo s.m.
colunista adj. s.2g. "jornalista responsável por coluna"; cf. *colonista*
coluria s.f.
colúria s.f.
colúrico adj.
colúrida adj.2g. s.m.
colurídeo adj. s.m.
colurno s.m.
coluro s.m.
colusão s.f.
colusita s.f.
colusivo adj.
colusório adj.
colútea s.f.
colútea-bastarda s.f.; pl. *colúteas-bastardas*
colutório s.m.
coluvial adj.2g.
coluvião s.f.
coluviário adj.
colúvio s.m.
coluvionamento s.m.
colvá s.m.
colza (*ô*) s.f.
com prep.
coma s.m.f.
comabacilar adj.2g.
comabacilo s.m.
comácio s.m.
comado adj.
comadre s.f.
comadre-do-azeite s.f.; pl. *comadres-do-azeite*
comadres s.f.pl.
comadresco (*ê*) adj.
comadrice s.f.
comadrinha s.f.
comageno adj. s.m.
comagma s.m.
comagmático adj.
comalato s.m.
comalenga s.f.
com-aluno s.m.
comanche adj. s.2g.
comanchiano adj. s.m.
comanda s.f.; cf. *comandá*
comandá s.f.; cf. *comanda*
comandá-açu s.f.; pl. *comandás-açus*
comandado adj.
comandá-do-brejo s.m.; pl. *comandás-do-brejo*
comandaíba s.f.
comandamento s.m.
comandá-mirim s.m.; pl. *comandás-mirins*
comandância s.f.
comandante adj.2g. s.m.
comandante-chefe s.m.; pl. *comandantes-chefes*
comandante em chefe s.m.
comandante-geral s.m.; pl. *comandantes-gerais*
comandar v.
comandatário s.m.
comandatuba s.f.
comandatubamirim s.f.
comandatubense adj. s.2g.
comandita s.f.
comanditado adj. s.m.
comanditar v.
comanditário adj. s.m.
comando s.m.
comando-chefe s.m.; pl. *comandos-chefes*
comando em chefe s.m.
comando-geral s.m.; pl. *comandos-gerais*
comanense adj. s.2g.
comani adj. s.2g.
comano adj. s.m.
comante adj.2g.
comão s.m.
comarca s.f.
comarcão adj. s.m.
comarcar v.
comarco s.m.
comareiro s.m.
comari s.2g.
comarim s.m.f.
cômaro adj. s.m.
comarqueiro adj. s.m.
comarquia s.f.
comaru s.m.
comasta s.m.
comata s.f.
comati s.m.
comato adj.
comatógeno adj. s.m.
comatosidade s.f.
comatoso (*ô*) adj.; f. (*ó*); pl. (*ó*)
comátula s.f.
comatúlida adj.2g. s.m.
comatulídeo adj. s.m.
comazino s.m.
comazo s.m.
comba s.f.
combaca s.m.
combalenga s.f.
combalido adj.
combalir v.
combalível adj.2g.
combanir v.
combarim s.m.
combaro s.m.
combarrada s.f.
combarro s.m.
combataria s.f.
combate s.m.
combatedor (*ô*) adj. s.m.
combatente adj. s.2g. s.m.
combater v.
combatido adj.
combatimento s.m.
combatível adj.2g.
combatividade s.f.
combativo adj.
combe s.m.f.
combeiro s.m.
combeíta s.f.
combi s.m.
combinabilidade s.f.
combinação s.f.
combinada s.f.
combinadense adj. s.2g.
combinado adj. s.m.
combinador (*ô*) adj. s.m.
combinante adj.2g.
combinar v.
combinata s.f.
combinativo adj.
combinato s.m.
combinatório adj.
combinável adj.2g.
combió s.m.
combismo s.m.
comblanchiano s.m.
combleia (*é*) s.f.
combo adj. s.m.
comboca adj. s.2g.
combogó s.m.
combói s.m.
comboia (*ó*) s.f.
comboiado adj.
comboiamento s.m.
comboiar v.
comboieiro adj. s.m.
comboio s.m.
combona s.f.
comboniano adj. s.m.
comborça s.f.
comborçado adj.
comborçagem s.f.
comborçante adj.2g.
comborçar v.
comborçaria s.f.
comborçável adj.2g.
comborço (*ô*) s.m.; f. (*ó*); pl. (*ó*)
combrão s.m.
combretácea s.f.
combretáceo adj.
combreto s.m.
combretocarpo s.m.
combretodendro s.m.
combro s.m.
combua s.f.
comburente adj.2g. s.m.
comburibilidade s.f.
comburido adj.
comburimetria s.f.
comburimétrico adj.
comburímetro s.m.
comburir v.
comburível adj.2g.
comburívoro adj.
combustado adj.
combustão s.f.
combustar v.
combustibilidade s.f.
combustível adj.2g. s.m.
combustivo adj.
combusto adj.
combustor (*ô*) s.m.
cômea s.f.
come-aranha s.m.; pl. *come-aranhas*
começado adj.
começador (*ô*) adj. s.m.
come-calado s.2g.; pl. *come-calados*
começamento s.m.
começante adj.2g.
começar v.
começável adj.2g.
começo (*ê*) s.m.; cf. *começo*, fl. do v. *começar*
come-cobra s.m.; pl. *come-cobras*
comedão s.m.
comedeira s.f.
comedeiro adj. s.m.
come-deitado s.m.; pl. *come-deitados*
comedela s.f.
comedente adj. s.2g.
comedia s.f. "pastagem"; cf. *comédia*
comédia s.f. "peça teatral"; cf. *comedia* s.f. e fl. do v. *comediar*
comédia-bailado s.f.; pl. *comédias-bailado* e *comédias-bailados*
comédia-balé s.f.; pl. *comédias-balé* e *comédias-balés*
comédia de arte s.f.
comediado adj.
comediador s.m.
comédia-drama s.f.; pl. *comédias-drama* e *comédias-dramas*
comédia-farsa s.f.; pl. *comédias-farsa* e *comédias-farsas*
comedianta s.f.
comediante s.2g.
comédia-pastelão s.f.; pl. *comédias-pastelão* e *comédias-pastelões*
comediar v.
comedias s.f.pl.
comediável adj.2g.
comedido adj.
comedimento s.m.
comedinte adj.2g.
comediografia s.f.
comediográfico adj.
comediógrafo s.m.
comedir v.
comedista s.2g.
comedível adj.2g.
comedocarcinoma s.m.
comedoiro adj. s.m.
comedor (*ô*) adj. s.m.
comedor-de-açúcar s.m.; pl. *comedores-de-açúcar*
comedoria s.f.
come-dorme s.m.2n.
comedouro adj. s.m.
comedura s.f.
come-e-cala s.f.2n.
come e dorme s.2g.2n.
come em vão s.2g.2n.
come-espiga s.m.; pl. *come-espigas*
come-gente s.m.2n.
come-lhe-tudo s.2g.2n.
comelina s.f.
comelinácea s.f.
comelináceo adj.
comelínea s.f.
comelíneo adj.
comelinídio s.m.
comelinínea s.f.
comeliníneo adj.
come-longe s.2g.2n.
comemoração s.f.
comemorado adj.
comemorador (*ô*) adj.
comemorante adj.2g.
comemorar v.
comemorativo adj. s.m.
comemorável adj.2g.
comenda s.f.
comendação s.f.
comendadeira s.f. de *comendador*
comendado adj. s.m.
comendador (*ô*) s.m.; f. *comendadeira* e *comendadora*
comendadora s.f. de *comendador*
comendador-gomense adj. s.2g.; pl. *comendador-gomenses*
comendadoria s.f.
comendador-mor s.m.; pl. *comendadores-mores*
comendamento s.m.
comendar v.
comendara s.f.
comendataria s.f.
comendatário adj. s.m.
comendatício adj.
comendativo adj.
comendatório adj.
comendável adj.2g.
comendela s.f.
comendense adj. s.2g.
comendito s.m.
comênico s.m.
comenos s.m.2n.
comensal adj. s.2g.
comensalício adj.
comensalidade s.f.
comensalismo s.m.
comensalístico adj.
comensurabilidade s.f.
comensuração s.f.
comensurado adj.
comensurar v.
comensurativo adj.
comensurável adj.2g.
comentabilidade s.f.
comentação s.f.
comentado adj.
comentador (*ô*) adj. s.m.
comentante adj. s.2g.
comentar v.
comentário s.m.
comentarismo s.m.
comentarista adj. s.2g.
comentarístico adj.
comentável adj.2g.
comentício adj.
comentista s.2g.
comento s.m.
comer v. s.m.
comerciabilidade s.f.
comerciado adj. s.m.
comerciador (*ô*) adj. s.m.
comercial adj.2g. s.m.
comercialidade s.f.
comercialismo s.m.
comercialista adj. s.2g.
comercialístico adj.
comercialização s.f.
comercializado adj.
comercializador (*ô*) adj. s.m.
comercializante adj.2g.
comercializar v.
comercializável adj.2g.
comerciante adj. s.2g.
comerciar v.
comerciário adj. s.m.
comerciável adj.2g.
comerciense adj. s.2g.
comercinhense adj. s.2g.
comercinho s.m.
comércio s.m.; cf. *comercio*, fl. do v. *comerciar*
comer-de-arara s.m.; pl. *comeres-de-arara*
comerete (*ê*) s.m.
comes s.m.pl.
come-santo s.2g.; pl. *come-santos*
comestibilidade s.f.
comestio adj. s.m.
comestíveis s.m.pl.
comestível adj.2g. s.m.
comestivo adj. s.m.
cometa (*ê*) s.m.
cometário adj.
cometear v.
cometedor (*ô*) adj. s.m.
cometense adj. s.2g.
cometente s.2g.
cometer v.
cometida s.f.
cometido adj.
cometimento s.m.
cometografia s.f.
cometográfico adj.
cometógrafo s.m.
cometologia s.f.
cometológico adj.
cometologista adj. s.2g.
cometólogo s.m.
cometomancia s.f.
cometomante s.2g.
cometomântico adj.
comezaina s.f.
comezainice s.f.
comezinho adj.
cômia s.f.
cômica s.f.
comicha adj. s.2g.
comichã s.f.
comichão s.f.
comichar v.
comichento adj.
comichoso (*ô*) adj.; f. (*ó*); pl. (*ó*)
comiciado adj.
comicial adj.2g.
comicialidade s.f.
comicidade s.f.
comicieiro adj. s.m.
comício s.m.
cômico adj. s.m.
comida s.f.
comidade s.f.
comida de santo s.f.
comida-seca s.f.; pl. *comidas-secas*

comidela s.f.
comido adj.
comífero adj.
comífora s.f.
comigo pron.
comigo-ninguém-pode s.m.2n.
comil s.m.
comilagem s.f.
comilança s.f.
comilância s.f.
comilão s.m.; f. *comilona*
comilitão s.m.
comilona s.f. de *comilão*
cominação s.f.
cominado adj.
cominador (*ô*) adj. s.m.
cominante adj.2g.
cominar v.
cominativo adj.
cominatório adj.
cominável adj.2g.
cominformista adj. s.2g.
cominheiro s.m.
cominho s.m.
cominho-armênio s.m.; pl. *cominhos-armênios*
cominho-bastardo s.m.; pl. *cominhos-bastardos*
cominho-bravo s.m.; pl. *cominhos-bravos*
cominho-preto s.m.; pl. *cominhos-pretos*
cominístrança s.f.
cominístro s.m.
cominuição s.f.
cominuído adj.
cominuir v.
cominutivo adj.
cominuto s.m.
comiocarpo s.m.
comirado adj.
comirante adj.2g.
comirar v.
comiscado adj.
comiscante adj.2g.
comiscar v.
comiscável adj.2g.
comiseração s.f.
comiserado adj.
comiserador (*ô*) adj.
comiserando adj.
comiserante adj.2g.
comiserar v.
comiserativo adj.
comiserável adj.2g.
comissão s.f.
comissararia s.f.
comissariado s.m.
comissariado-geral s.m.; pl. *comissariados-gerais*
comissariaria s.f.
comissário s.m.
comissário-geral s.m.; pl. *comissários-gerais*
comissionado adj. s.m.
comissionamento s.m.
comissionante adj. s.2g.
comissionar v.
comissionável adj.2g.
comissionista s.2g.
comissivo adj.
comisso s.m.
comissório adj. s.m.
comissura s.f.
comissural adj.2g.
comissurante adj.2g.
comissurorrafia s.f.
comissurorráfico adj.
comissurotomia s.f.
comissurotômico adj.
comistão s.f.
comistura s.f.
comisturado adj.
comisturante adj.2g.
comisturar v.
comisturável adj.2g.
comitatividade s.f.
comitativo adj.
comitato s.m.
comitê s.m.
comitente adj. s.2g.
comitista adj. s.2g.
comitiva s.f.
comitiveiro adj. s.m.
comitre s.m.
comível adj.2g.
commelina s.f.
commelinácea s.f.
commelináceo adj.
commelínea s.f.
commelíneo adj.
commelinídio s.m.
commelinínea s.f.
commelinineo adj.
como adv. conj.
comoção s.f.
comocionado adj. s.m.
comocional adj.2g.
comocionar v.
comocládia s.f.
cômoda s.f.
comodante adj. s.2g.
comodatário s.m.
comodato s.m.
comodidade s.f.
comodismo s.m.
comodista adj. s.2g.
comodístico adj.
cômodo adj. s.m.
comodorense adj. s.m.
comodoro s.m.
comófilo adj.
comófita s.f.
comóforo adj.
comólia s.f.
comonia s.f.
comonitório s.m.
comonomérico adj.
comonomerização s.f.
comonomerizado adj.
comonomerizante adj.2g.
comonomerizar v.
comonômero s.m.
comoração s.f.
comorante adj.2g.
comorar v.
comorbidade s.f.
comoreiro s.m.
comorense adj. s.2g.
comoriano adj. s.m.
comoriência s.f.
comoriente adj.2g.
cômoro s.m.
comoso (*ô*) adj.; f. (*ó*); pl. (*ó*)
comotividade s.f.
comotivo adj.
comovedor (*ô*) adj.
comovente adj.2g.
comover v.
comovibilidade s.f.
comovido adj.
comovível adj.2g.
compacidade s.f.
compactação s.f.
compactado adj.
compactador (*ô*) adj. s.m.
compactagem s.f.
compactar v.
compactável adj.2g.
compacticidade s.f.
compacto adj. s.m.
compactuação s.f.
compactuado adj.
compactuador (*ô*) adj. s.m.
compactuante adj.2g.
compactuar v.
compactuável adj.2g.
compadecedor (*ô*) adj.
compadecer v.
compadecido adj.
compadecimento s.m.
compadecível adj.2g.
compadrada s.f.
compadrado adj. s.m.
compadrar v.
compadrasto s.m.
compadre s.m.
compadrear v.
compadre-chegadinho s.m.; pl. *compadres-chegadinhos*
compadre-do-azeite s.m.; pl. *compadres-do-azeite*
compádrego s.m.
compadresco (*ê*) adj. s.m.
compadria s.f.
compadrice s.f.
compadrinho s.m.
compadrio s.m.
compadrismo s.m.
compaginabilidade s.f.
compaginação s.f.
compaginado adj.
compaginador (*ô*) adj. s.m.
compaginar v.
compaginável adj.2g.
compaixão s.f.
companha s.m.f.
companhado adj.
companhão s.m.; f. *companhoa* (*ô*)
companhar v.
companheira s.f.
companheirada s.f.
companheirão s.m.; f. *companheirona*
companheirismo s.m.
companheiro adj. s.m.
companheirona s.f. de *companheirão*
companhia s.f.
companhia-das-índias s.f.
companhoa (*ô*) s.f. de *companhão*
cômpar adj.2g.
comparabilidade s.f.
comparação s.f.
comparado adj.
comparador (*ô*) adj. s.m.
comparança s.f.
comparante adj.2g.
comparar v.
comparascópio s.m.
comparatismo s.m.
comparatista adj. s.2g.
comparatístico adj.
comparativa s.f.
comparativismo s.m.
comparativista adj. s.2g.
comparativístico adj.
comparativo adj. s.m.
comparável adj.2g.
comparecença s.f.
comparecência s.f.
comparecente adj. s.2g.
comparecer v.
comparecibilidade s.f.
comparecido adj.
comparecimento s.m.
comparência s.f.
comparéttia s.f.
compário s.m.
comparoquial adj.2g.
comparoquiano adj. s.m.
comparoscópio s.m.
comparsa s.2g.
comparsaria s.f.
comparte adj. s.2g.
compartibilidade s.f.
compartição s.f.
comparticipação s.f.
comparticipado adj.
comparticipador (*ô*) adj.
comparticipante adj.2g.
comparticipar v.
comparticipável adj.2g.
compartícipe adj. s.2g.
compartido adj.
compartilha s.f.
compartilhação s.f.
compartilhado adj.
compartilhador (*ô*) adj.
compartilhamento s.m.
compartilhante adj. s.2g.
compartilhar v.
compartilhável adj.2g.
compartimentabilidade s.f.
compartimentação s.f.
compartimentado adj.
compartimentagem s.f.
compartimental adj.2g.
compartimentalização s.f.
compartimentalizado adj.
compartimentalizador (*ô*) adj. s.m.
compartimentalizante adj.2g.
compartimentalizar v.
compartimentalizável adj.2g.
compartimentante adj.2g.
compartimentar v.
compartimentável adj.2g.
compartimento s.m.
compartir v.
compartível adj.2g.
compáscuo s.m.
compassado adj.
compassageiro s.m.
compassamento s.m.
compassante adj.2g.
compassar v.
compassável adj.2g.
compassinho s.m.
compassível adj.2g.
compassividade s.f.
compassivo adj.
compasso adj. s.m.
compaternal adj.2g.
compaternidade s.f.
compaterno adj.
compatibilidade s.f.
compatibilizado adj.
compatibilizador (*ô*) adj. s.m.
compatibilizante adj.2g.
compatibilizar v.
compatibilizável adj.2g.
compatível adj.2g.
compatricial adj.2g.
compatrício adj. s.m.
compatriota adj. s.2g.
compatriotismo s.m.
compeçar v.
compecilho s.m.
compeço (*ê*) s.m.; cf. *compeço*, fl. do v. *compeçar*
cômpede s.m.f.
compedro adj.
compegado adj.
compegador (*ô*) adj. s.m.
compegar v.
compegável adj.2g.
compelação s.f.
compelativo adj. s.m.
compelido adj.
compelidor (*ô*) adj. s.m.
compelir v.
compelível adj.2g.
compendiado adj.
compendiador (*ô*) adj. s.m.
compendiante adj. s.2g.
compendiar v.
compendiário adj.
compendiável adj.2g.
compêndio s.m.; cf. *compendio*, fl. do v. *compendiar*
compendiógrafo s.m.
compendíolo s.m.
compendioso (*ô*) adj.; f. (*ó*); pl. (*ó*)
compenetrabilidade s.f.
compenetração s.f.
compenetrado adj.
compenetrante adj.2g.
compenetrar v.
compenetrável adj.2g.
compensabilidade s.f.
compensação s.f.
compensacionista adj. s.2g.
compensado adj. s.m.
compensador (*ô*) adj. s.m.
compensante adj.2g.
compensar v.
compensativo adj.
compensatório adj.
compensável adj.2g.
compermutabilidade s.f.
compermutação s.f.
compermutado adj.
compermutador (*ô*) adj. s.m.
compermutante adj.2g.
compermutar v.
compermutável adj.2g.
comperto adj.
compescente adj.2g.
compescer v.
competência s.f.
competente adj.2g.
competição s.f.
competido adj.
competidor (*ô*) adj. s.m.
competimento s.m.
competir v.
competitividade s.f.
competitivismo s.m.
competitivístico adj.
competitivo adj.
competível adj.2g.
competro adj.
compiedade s.f.
compiedoso (*ô*) adj.; f. (*ó*); pl. (*ó*)
compilação s.f.
compilado adj.
compilador (*ô*) adj. s.m.
compilante adj.2g.
compilar v.
compilatório adj.
compilável adj.2g.
compita s.f.
compitais s.f.pl.
compitalício adj.
cômpito s.m.; cf. *compito*, fl. do v. *competir*
complacência s.f.
complacente adj.2g.
complainar v.
complanação s.f.
complanado adj.
complanar v.
complanável adj.2g.
complectível adj.2g.
compleição s.f.
compleicionado adj.
compleicional adj.2g.
compleiçoado adj.
compleiçoar v.
complementação s.f.
complementado adj.
complementador (*ô*) adj.
complementante adj.2g.
complementar v. adj.2g.
complementaridade s.f.
complementariedade s.f.
complementário adj.
complementável adj.2g.
complemento s.m.
complente adj.2g.
completação s.f.
completado adj.
completador (*ô*) adj. s.m.
completamento s.m.
completar v.
completas s.f.pl.
completeza (*ê*) s.f.
completitude s.f.
completível adj.2g.
completivo adj. s.m.
completo adj. s.m.
completório s.m.
completude s.f.
completudinal adj.2g.
complexação (*cs*) s.f.
complexado (*cs*) adj.
complexante (*cs*) adj.2g.
complexão (*cs*) s.f.
complexar (*cs*) v.
complexável (*cs*) adj.2g.
complexidade (*cs*) s.f.
complexidão (*cs*) s.f.
complexionado (*cs*) adj.
complexional (*cs*) adj.2g.
complexismo (*cs*) s.m.
complexista (*cs*) adj. s.2g.
complexivo (*cs*) adj.
complexo (*cs*) adj. s.m.
complexometria (*cs*) s.f.
complexométrico (*cs*) adj.
compliância s.f.
complicação s.f.
complicado adj.
complicador (*ô*) adj. s.m.
complicante adj.2g.
complicar v.
complicável adj.2g.
cômplice adj. s.2g.

compliciado adj.
compliciar v.
complizar v.
complô s.m.
complotar v.
comploteiro s.m.
complutense adj. s.2g.
complúvio s.m.
componedor (*ô*) s.m.
componencial adj.2g.
componenda s.f.
componente adj. s.2g.
componer v.
componibilidade s.f.
componista adj. s.2g.
componível adj.2g.
compor (*ô*) v.
comporta s.f.
comportação s.f.
comportado adj.
comportamental adj.2g.
comportamentalismo s.m.
comportamentalista adj. s.2g.
comportamentalístico adj.
comportamentismo s.m.
comportamentista adj. s.2g.
comportamentístico adj.
comportamento s.m.
comportar v.
comportário s.m.
comportas s.f.pl.
comportável adj.2g.
comporte s.m.
composição s.f.
composicional adj.2g.
compósita s.f.
compositeiro s.m.
compositivo adj.
compósito adj. s.m.
compositor (*ô*) s.m.
compositora (*ô*) s.f.
composse s.f.
compossessão s.f.
compossessor (*ô*) s.m.
compossibilidade s.f.
compossível adj.2g.
compossuído adj.
compossuidor (*ô*) s.m.
compossuir v.
compossuível adj.2g.
composta s.f.
compostelano adj. s.m.
composto (*ô*) adj. s.m.; f. (*ó*); pl. (*ó*)
compostor (*ô*) s.m.
compostura s.f.
compota s.f.
compoteira s.f.
compra s.f.
compradia s.f.
compradiço adj.
comprado adj. s.m.
comprador (*ô*) s.m.
comprante s.2g.
comprar v.
compra-rixas s.m.2n.
comprativo adj.
compratório adj.
comprável adj.2g.
comprazedor (*ô*) adj. s.m.
comprazente adj.2g.
comprazer v.
comprazibilidade s.f.
comprazido adj. s.m.
comprazimento s.m.
comprazível adj.2g.
compreendedor (*ô*) adj.
compreendente adj.2g.
compreender v.
compreendido adj.
compreendimento s.m.
compreensão s.f.
compreensibilidade s.f.
compreensiva s.f.
compreensível adj.2g.
compreensividade s.f.
compreensivismo s.m.
compreensivista adj. s.2g.
compreensivístico adj.
compreensivo adj.
compreensor (*ô*) adj. s.m.
compreignacita s.f.
compressa s.f.
compressão s.f.
compressibilidade s.f.
compressicaude adj.2g.
compressicaudo adj.
compressicaule adj.2g.
compressicaulo adj.
compressicórneo adj.
compressimétrico adj.
compressímetro s.m.
compressível adj.2g.
compressivo adj.
compresso adj.
compressométrico adj.
compressômetro s.m.
compressor (*ô*) adj. s.m.
compressora (*ô*) s.f.
compressório adj.
comprida s.f.
compridaço adj.
compridão s.f.
compridez (*ê*) s.f.
comprideza (*ê*) s.f.
comprido adj. s.m. "longo"; cf. *cumprido*
comprimário adj. s.m.
comprimente adj.2g.; cf. *cumprimente*, fl. do v. *cumprimentar*
comprimento s.m. "extensão"; cf. *cumprimento* s.m. e fl. do v. *cumprimentar*
comprimibilidade s.f.
comprimido adj. s.m.
comprimidor (*ô*) adj. s.m.
comprimir v.
comprimível adj.2g.
comprista s.2g.
comprobabilidade s.f.
comprobação s.f.
comprobado adj.
comprobador (*ô*) s.m.
comprobante adj.2g. s.m.
comprobativo adj.
comprobatório adj.
comprometedor (*ô*) adj. s.m.
comprometer v.
comprometibilidade s.f.
comprometido adj.
comprometimento s.m.
comprometível adj.2g.
compromissado adj.
compromissal adj.2g.
compromissão s.f.
compromissar v.
compromissário adj.
compromissivo adj.
compromisso s.m.
compromissório adj.
compromitente adj. s.2g.
compropriedade s.f.
comproprietário s.m.
comprotetor s.m.
comprovabilidade s.f.
comprovação s.f.
comprovado adj.
comprovador (*ô*) adj. s.m.
comprovante adj.2g. s.m.
comprovar v.
comprovativo adj.
comprovatório adj.
comprovável adj.2g.
comprovincial adj.2g.
comprovinciano adj. s.m.
compsócero s.m.
compsógnato s.m.
compsogonácea s.f.
compsogonáceo adj.
compsoneura s.f.
compsossoma s.m.
compsossomo s.m.
compsótide s.f.
compsotlipídeo adj. s.m.
compto s.m.
comptonita s.f.
comptonite s.f.
comptonito s.m.
compugnante adj.2g.
compugnar v.
compugnável adj.2g.
compulsabilidade s.f.
compulsação s.f.
compulsado adj.
compulsador (*ô*) adj. s.m.
compulsão s.f.
compulsar v.
compulsável adj.2g.
compulsional adj.2g.
compulsividade s.f.
compulsivo adj.
compulso adj.
compulsória s.f.
compulsório adj.
compunção s.f.
compungido adj.
compungidor (*ô*) adj.
compungimento s.m.
compungir v.
compungitivo adj.
compungível adj.2g.
compurgabilidade s.f.
compurgação s.f.
compurgado adj. s.m.
compurgador (*ô*) adj. s.m.
compurgante adj.2g.
compurgar v.
compurgatório adj.
computabilidade s.f.
computação s.f.
computacional adj.2g.
computacionalidade s.f.
computado adj.
computador (*ô*) adj. s.m.
computadorização s.f.
computadorizado adj.
computadorizador (*ô*) adj. s.m.
computadorizante adj.2g.
computadorizar v.
computadorizável adj.2g.
computante adj.2g.
computar v.
computatorização s.f.
computatorizado adj.
computatorizador (*ô*) adj. s.m.
computatorizante adj.2g.
computatorizar v.
computatorizável adj.2g.
computável adj.2g.
computista s.2g.
cômputo s.m.; cf. *computo*, fl. do v. *computar*
comtesco (*ê*) adj.
comtiano adj. s.m.
comtismo s.m.
comtista adj. s.2g. "relativo a Comte"; cf. *contista*
comtístico adj.
comua s.f.
comuccita s.f.
comudabilidade s.f.
comudação s.f.
comudado adj.
comudador (*ô*) adj. s.m.
comudante adj.2g.
comudar v.
comudável adj.2g.
comum adj.2g. s.m.
comum de dois adj.2g.
comuna adj. s.2g. s.f.
comunal adj. s.2g.
comunalidade s.f.
comunalismo s.m.
comunalista adj. s.2g.
comunalístico adj.
comunário adj.
comuneiro s.m.
comunense adj. s.2g.
comuneza (*ê*) s.f.
comungabilidade s.f.
comungado adj.
comungador (*ô*) adj. s.m.
comungante adj. s.2g.
comungar v.
comungatório adj. s.m.
comungável adj.2g.
comunhão s.f.
comunheiro adj. s.m.
comúnia s.f.
comunial adj.2g.
comunião s.f.
comunicabilidade s.f.
comunicação s.f.
comunicacional adj.2g.
comunicado adj. s.m.
comunicador (*ô*) adj. s.m.
comunicante adj. s.2g.
comunicar v.
comunicatividade s.f.
comunicativo adj.
comunicável adj.2g.
comunicólogo s.m.
comunidade s.f.
comunismo s.m.
comunista adj. s.2g.
comunístico adj.
comunistoide (*ó*) adj. s.2g.
comunitário adj. s.m.
comunitarismo s.m.
comunitarista adj. s.2g.
comunitarístico adj.
comunitarização s.f.
comunização s.f.
comunizado adj.
comunizador (*ô*) adj.
comunizante adj.2g.
comunizar v.
comunizável adj.2g.
comurense adj. s.2g.
comutabilidade s.f.
comutação s.f.
comutado adj.
comutador (*ô*) adj. s.m.
comutamento s.m.
comutante adj.2g.
comutar v.
comutatividade s.f.
comutativo adj.
comutatriz s.f.
comutável adj.2g.
cona s.f.
conabi s.m.
conaça s.f.
conação s.f.
conairó s.m.
conairu s.m.
conambaia s.f.
conambi s.m.
conambim s.m.
conami s.m.
conana s.m.
conan-doylesco (*ê*) adj.; pl. *conan-doylescos*
conantera s.f.
conantérea s.f.
conantéreo adj.
conapa s.f.
conapado adj.
conapar v.
conapo s.m.
conarácea s.f.
conaráceo adj.
conárea s.f.
conáreo adj.
conarial adj.2g.
conário s.m.
conarita s.f.
conarito s.m.
conaro s.m.
conássana s.m.
conativo adj.
conato adj. s.m.
conatural adj.2g.
conaturalidade s.f.
conaturalização s.f.
conaturalizado adj.
conaturalizador (*ô*) adj. s.m.
conaturalizante adj.2g.
conaturalizar v.
conaturalizável adj.2g.
conca s.f.
concalhorda s.2g.
concameração s.f.
concamerado adj.
concane adj. s.2g.
concani adj. s.2g.
concânico adj.
concanim adj. s.2g.
concanizado adj.
concanizar v.
côncano adj. s.m.
concanônico s.m.
concão s.m.
conçar v.
concassante adj.2g.
concassivo adj.
concassor (*ô*) s.m.
concatenabilidade s.f.
concatenação s.f.
concatenado adj.
concatenador (*ô*) adj. s.m.
concatenamento s.m.
concatenante adj.2g.
concatenar v.
concatenável adj.2g.
concativo s.m.
concausa s.f.
concausal adj.2g.
concausalidade s.f.
côncava s.f.
concavado adj.
concavante adj.2g.
concavar v.
concavável adj.2g.
concavidade s.f.
concavifoliado adj.
concavifólio adj. s.m.
concavilíneo adj. s.m.
côncavo adj. s.m.; cf. *concavo*, fl. do v. *concavar*
côncavo-côncavo adj.; f. *côncavo-côncava*; pl. *côncavo-côncavos*
côncavo-convexo adj.; f. *côncavo-convexa*; pl. *côncavo-convexos*
côncavo-plano adj.; f. *côncavo-plana*; pl. *côncavo-planos*
conceber v.
concebido adj.
concebimento s.m.
concebível adj.2g.
concedente adj. s.2g.
conceder v.
concedido adj.
concedimento s.m.
concedível adj.2g.
conceição s.f.
conceição-alagoense adj. s.2g.; pl. *conceição-alagoenses*
conceição-almeidense adj. s.2g.; pl. *conceição-almeidenses*
conceição-aparecidense adj. s.2g.; pl. *conceição-aparecidenses*
conceição-araguaiense adj. s.2g.; pl. *conceição-araguaienses*
conceição-barrense adj. s.2g.; pl. *conceição-barrenses*
conceição-boa-vistense adj. s.2g.; pl. *conceição-boa-vistenses*
conceição-canindeense adj. s.2g.; pl. *conceição-canindeenses*
conceição-coiteense adj. s.2g.; pl. *conceição-coiteenses*
conceição-feirense adj. s.2g.; pl. *conceição-feirenses*
conceição-ibitipoquense adj. s.2g.; pl. *conceição-ibitipoquenses*
conceição-ipanemense adj. s.2g.; pl. *conceição-ipanemenses*
conceição-macabuense adj. s.2g.; pl. *conceição-macabuenses*
conceição-mato-dentrense adj. s.2g.; pl. *conceição-mato-dentrenses*
conceiçãonense adj. s.2g.
conceição-ourense adj. s.2g.; pl. *conceição-ourenses*
conceição-pedrense adj. s.2g.; pl. *conceição-pedrenses*
conceição-rio-verdense adj. s.2g.; pl. *conceição-rio-verdenses*

conceiçãozense adj. s.2g.
conceicionense adj. s.2g.
conceicionista adj. s.2g.
conceiçoense adj. s.2g.
conceira s.f.
conceitado adj.
conceitar v.
conceitarrão s.m.
conceitarraz s.m.
conceiteado adj.
conceitear v.
conceiteável adj.2g.
conceitista adj. s.2g.
conceito s.m.
conceituação s.f.
conceituado adj.
conceituador (*ô*) adj. s.m.
conceitual adj.2g.
conceitualismo s.m.
conceitualista adj. s.2g.
conceitualístico adj.
conceitualização s.f.
conceitualizado adj.
conceitualizador (*ô*) adj. s.m.
conceitualizante adj.2g.
conceitualizar v.
conceitualizável adj.2g.
conceituar v.
conceituável adj.2g.
conceituoso (*ô*) adj.; f. (*ó*); pl. (*ó*)
concelebração s.f.
concelebrado adj.
concelebrador (*ô*) adj. s.m.
concelebrante adj. s.2g.
concelebrar v.
concelebratividade s.f.
concelebrativo adj.
concelebrável adj.2g.
concelheiro adj. s.m. "relativo a concelho"; cf. *conselheiro*
concelhio adj.
concelho (*ê*) s.m. "município"; cf. *conselho* (*ê*)
concento s.m.
concentor (*ô*) s.m.
concentrabilidade s.f.
concentração s.f.
concentracional adj.2g.
concentracionalismo s.m.
concentracionalista adj. s.2g.
concentracionalístico adj.
concentracionário adj.
concentracionismo s.m.
concentracionista adj. s.2g.
concentracionístico adj.
concentrada s.f.
concentrado adj. s.m.
concentrador (*ô*) adj. s.m.
concentralidade s.f.
concentralização s.f.
concentralizado adj.
concentralizante adj.2g.
concentralizar v.
concentralizável adj.2g.
concentrar v.
concentrável adj.2g.
concentricidade s.f.
concêntrico adj.
concentrismo s.m.
concentrista adj. s.2g.
concentuoso (*ô*) adj.; f. (*ó*); pl. (*ó*)
concepção adj.2g.
concepcional adj.2g.
concepcionalismo s.m.
concepcionário adj. s.m.
concepcionense adj. s.2g.
concepcionista adj. s.2g.
conceptaculífero adj.
conceptáculo s.m.
conceptapular adj.2g.
conceptibilidade s.f.
conceptismo s.m.
conceptista adj. s.2g.
conceptístico adj.
conceptível adj.2g.
conceptividade s.f.
conceptivo adj.
concepto adj.
conceptual adj.2g.
conceptualismo s.m.
conceptualista adj. s.2g.
conceptualístico adj.
conceptualização s.f.
conceptualizado adj.
conceptualizador (*ô*) adj. s.m.
conceptualizante adj.2g.
conceptualizar v.
conceptualizável adj.2g.
conceptuoso (*ô*) adj.; f. (*ó*); pl. (*ó*)
concernência s.f.
concernente adj.2g.
concernibilidade s.f.
concernir v.
concernível adj.2g.
concertabilidade s.f.; cf. *consertabilidade*
concertado adj.; cf. *consertado*
concertador (*ô*) adj.; cf. *consertador*
concertamento s.m.; cf. *consertamento*
concertante adj.2g. s.m.; cf. *consertante*
concertar v. "harmonizar"; cf. *consertar*
concertável adj.2g.; cf. *consertável*
concertina s.f.
concertino s.m.
concertista s.2g.
concerto (*ê*) s.m.; cf. *concerto*, fl. do v. *concertar*, e *conserto* (*ê*)
concessão s.f.
concessionária s.f.
concessionário adj. s.m.
concessiva s.f.
concessível adj.2g.
concessividade s.f.
concessivo adj.
concesso s.m.
concessor (*ô*) s.m.
concessório adj.
concha s.f.
conchada s.f.
conchado adj.
conchador (*ô*) adj. s.m.
conchairamidina s.f.
conchairamina s.f.
conchal s.m.
conchalense adj. s.2g.
conchamblança s.f.
conchar v. s.m.
concharia s.f.
conchavado adj. s.m.
conchavador (*ô*) adj. s.m.
conchavante adj.2g.
conchavar v.
conchavável adj.2g.
conchavo s.m.
concheabilidade s.f.
concheado adj. s.m.
concheador (*ô*) adj. s.m.
concheante adj.2g.
conchear v.
concheável adj.2g.
conchegação s.f.
conchegado adj.
conchegador (*ô*) adj. s.m.
conchegante adj.2g.
conchegar v.
conchegativo adj.
conchegável adj.2g.
conchego (*ê*) s.m.
concheira s.f.
concheiro s.m.
conchela s.f.
conchelo s.m.
conchense adj. s.2g.
conchícola adj.
conchífero adj.
conchiforme adj.
conchilhão s.m.
conchista adj.2g. s.m.
concho adj. s.m.
conchoidal adj.2g.
conchoide (*ó*) adj.2g. s.f.
conchor (*ô*) s.m.
conchoso (*ô*) adj.; f. (*ó*); pl. (*ó*)
conchostráceo adj. s.m.
conchudo adj.
concião s.f.
concíclico adj.
concidadania s.f.
concidadão s.m.
conciliabilidade s.f.
conciliábulo s.m.
conciliação s.f.
conciliado adj.
conciliador (*ô*) adj. s.m.
conciliante adj.2g.
conciliar v. adj.2g.
conciliário adj. "relativo a concílio"; cf. *consiliário*
conciliarismo s.m.
conciliarista adj. s.2g.
conciliarístico adj.
conciliativo adj.
conciliatório adj.
conciliável adj.2g.
concílio s.m. "reunião de prelados católicos"; cf. *concilio*, fl. do v. *conciliar*, e *consílio*
concílio-geral s.m.; pl. *concílios-gerais*
concinidade s.f.
concional adj.2g.
concionar v.
concionário adj.
concionatório adj.
concisão s.f.
conciso adj.
concitabilidade s.f.
concitação s.f.
concitado adj.
concitador (*ô*) adj. s.m.
concitamento s.m.
concitar v.
concitativo adj.
concitável adj.2g.
conclamabilidade s.f.
conclamação s.f.
conclamado adj.
conclamador (*ô*) adj. s.m.
conclamante adj.2g.
conclamar v.
conclamável adj.2g.
conclave s.m.
conclavista adj. s.2g.
concliz s.m.
concludência s.f.
concludente adj.2g.
concludir v.
concluente adj.2g.
concluibilidade s.f.
concluído adj.
concluimento s.m.
concluinte adj. s.2g.
concluir v.
concluível adj.2g.
conclusão s.f.
conclusionista adj. s.2g.
conclusiva s.f.
conclusividade s.f.
conclusivo adj.
concluso adj.
concocção s.f.
concoctivo adj.
concoctor (*ô*) adj.
concoderma s.m.
concóforo adj.
concoidal adj.2g.
concoide (*ó*) adj.2g. s.f.
concologia s.f.
concológico adj.
concologista s.2g.
concólogo s.m.
concolor (*ô*) adj.2g.
concomancia s.f.
concomante adj. s.2g.
concomântico adj.
concometria s.f.
concométrico adj.
concômetro s.m.
concomitância s.f.
concomitante adj.2g.
concomitar v.
concóptero s.m.
concordado adj.
concordança s.f.
concordância s.f.
concordante adj.2g.
concordar v.
concordata s.f.
concordatário adj. s.m.
concordatista adj. s.2g.
concordável adj.2g.
concorde adj.2g.
concórdia s.f.
concordiano adj. s.m.
concordiense adj. s.2g.
concordismo s.m.
concordista adj. s.2g.
concordístico adj.
concorporeidade s.f.
concorpóreo adj.
concorrência s.f.
concorrencial adj.2g.
concorrente adj. s.2g.
concorrer v.
concorribilidade s.f.
concorrido adj.
concorrível adj.2g.
concorvo (*ô*) s.m.; pl. (*ó*)
concoscópio s.m.
concostráceo adj. s.m.
concotomia s.f.
concotômico adj.
concótomo s.m.
concreção s.f.
concrecionado adj.
concrecionador (*ô*) adj. s.m.
concrecional adj.2g.
concrecionante adj.2g.
concrecionar v.
concrecionável adj.2g.
concrescência s.f.
concrescente adj.2g.
concrescer v.
concrescibilidade s.f.
concrescido adj.
concrescível adj.2g.
concretabilidade s.f.
concretação s.f.
concretagem s.f.
concretar v.
concretável adj.2g.
concreticidade s.f.
concretidade s.f.
concretismo s.m.
concretista adj. s.2g.
concretístico adj.
concretitude s.f.
concretitudinal adj.2g.
concretização s.f.
concretizado adj.
concretizador (*ô*) adj. s.m.
concretizante adj.2g.
concretizar v.
concretizável adj.2g.
concreto adj. s.m.
concretude s.f.
concretudinal adj.2g.
concriabilidade s.f.
concriação s.f.
concriado adj.
concriador (*ô*) adj. s.m.
concriante adj.2g.
concriar v.
concriável adj.2g.
concriz s.m.
concruzela s.f.
concubina s.f.
concubinado adj. s.m.
concubinador (*ô*) adj. s.m.
concubinagem s.f.
concubinal adj.2g.
concubinar v.
concubinário adj. s.m.
concubinato s.m.
concubinável adj.2g.
concubino s.m.
concubitata s.f.
concúbito s.m.
conculcabilidade s.f.
conculcação s.f.
conculcado adj. s.m.
conculcador (*ô*) adj. s.m.
conculcante adj.2g.
conculcar v.
conculcável adj.2g.
conculha s.f.
concultura s.f.
conculturação s.f.
conculturado adj.
conculturador (*ô*) adj. s.m.
concultural adj.2g.
conculturamento s.m.
conculturante adj.2g.
conculturar v.
conculturável adj.2g.
concunhadio s.m.
concunhado s.m.
concupiscência s.f.
concupiscente adj.2g.
concupiscibilidade s.f.
concupiscível adj.2g.
concursado adj.
concursante adj.2g.
concursar v.
concursável adj.2g.
concursista s.2g.
concurso s.m.
concurvabilidade s.f.
concurvado adj.
concurvador (*ô*) adj. s.m.
concurvante adj.2g.
concurvar v.
concurvável adj.2g.
concussão s.f.
concussionário adj. s.m.
concusso adj.
concussor (*ô*) adj. s.m.
concutibilidade s.f.
concutido adj.
concutir v.
concutível adj.2g.
concutor (*ô*) s.m.
condadense adj. s.2g.
condado s.m.
condal adj.2g.
condália s.f.
condamínea s.f.
condamíneo adj.
condão s.m.
condaria s.f.
conde s.m.; f. *condessa* (*ê*)
condecoração s.f.
condecorado adj. s.m.
condecorador (*ô*) adj.
condecorar v.
condecorativo adj.
condecorável adj.2g.
condeia s.f.
condeixense adj. s.2g.
condenabilidade s.f.
condenação s.f.
condenado adj. s.m.
condenador (*ô*) adj. s.m.
condenamento s.m.
condenante adj.2g.
condenar v.
condenatório adj.
condenável adj.2g.
condensabilidade s.f.
condensação s.f.
condensado adj. s.m.
condensador (*ô*) adj. s.m.
condensante adj.2g.
condensar v.
condensativo adj.
condensável adj.2g.
condense adj. s.2g.
condensivo adj.
condensor (*ô*) adj. s.m.
conderim s.m.
condescendência s.f.
condescendente adj.2g.
condescender v.
condescendimento s.m.
condescendível adj.2g.
condessa (*ê*) s.f. de *conde*; cf. *condessa*, fl. do v. *condessar*
condessame s.m.
condessar v.
condesso (*ê*) s.m.; cf. *condesso*, fl. do v. *condessar*
condestablado s.m.
condestável s.m.

condeúba s.f.
condeubense adj. s.2g.
condevedor (*ô*) s.m.
condição s.f.
condiceiro s.m.
condicente adj.2g.
condiciado adj.
condiciante adj.2g.
condiciar v.
condicionabilidade s.f.
condicionado adj. s.m.
condicionador (*ô*) adj. s.m.
condicional adj.2g. s.m.f.
condicionalidade s.f.
condicionalismo s.m.
condicionalista adj. s.2g.
condicionalístico adj.
condicionamento s.m.
condicionante adj.2g. s.f.
condicionar v.
condicionável adj.2g.
condignidade s.f.
condigno adj.
condilar adj.2g.
condilártrico adj.
condilartro adj. s.m.
condilartrose s.f.
condilartrótico adj.
condiliano adj.
condiliartrose s.f.
condílio s.m.
côndilo s.m.
condilocarpo s.m.
condilóforo adj.
condiloide (*ó*) adj.2g.
condiloma s.m.
condilópode s.m.
condilóstomo s.m.
condilotomia s.f.
condilotômico adj.
condilotrocliano adj.
condilura s.f.
condimentabilidade s.f.
condimentação s.f.
condimentado adj.
condimentador (*ô*) adj. s.m.
condimentante adj.2g. s.2g.
condimentar v. adj.2g.
condimentável adj.2g.
condimentício adj.
condimento s.m.
condimentoso (*ô*) adj.; f. (*ó*); pl. (*ó*)
condir v.
condiscipulado s.m.
condiscipulato s.m.
condiscípulo s.m.
condistritano adj. s.m.
conditício adj.
côndito s.m.
conditório s.m.
condível adj.2g.
condividido adj.
condividir v.
condivisibilidade s.f.
condivisível adj.2g.
condiviso adj.
condivisor (*ô*) adj. s.m.
condizente adj.2g.
condizer v.
condizibilidade s.f.
condizível adj.2g.
condodendro s.m.
condoer v.
condoibilidade s.f.
condoído adj.
condoimento s.m.
condoível adj.2g.
condolência s.f.
condolente adj.2g.
condoma s.m.
condominial adj.2g.
condomínio s.m.
condômino s.m.
condonatário s.m.
condor (*ô*) s.m.
condoreirismo s.m.
condoreirista adj. s.2g.
condoreirístico adj.
condoreiro adj. s.m.
condorense adj. s.2g.
condórico s.m.
condorismo s.m.
condorista adj. s.2g.
condorístico adj.
condotierismo s.m.
condracântida adj.2g. s.m.
condracantídeo adj. s.m.
condracanto s.m.
condracor (*ô*) s.m.
condradenoma s.m.
condradenômico adj.
condral adj.2g.
condralbuminoide (*ó*) adj.2g.
condralgia s.f.
condrálgico adj.
condrangioma s.m.
condrartrócace s.f.
condrectomia s.f.
condrectômico adj.
condreícte s.2g.
condrênquima s.m.
condrenquimatoso (*ô*) adj.; f. (*ó*); pl. (*ó*)
condri s.m.
côndrico adj.
condricte adj.2g. s.m.
condrictio s.m.
condrificação s.f.
condrificado adj.
condrificar v.
condrila s.f.
condrilha s.f.
condrilheira s.f.
condrina s.f.
condrínico adj.
condrinogênio adj.
condriocinese s.f.
condrioconto s.m.
condriocrânio s.m.
condrioderma s.m.
condriodiérese s.f.
condrioma s.m.
condriômero s.m.
condriômico adj.
condriomítico adj.
condriomito s.m.
condriosfera s.f.
condriosférico adj.
condriossômico adj.
condriossomo s.m.
condrita s.f. "mineral"; cf. *condrite*
condrite s.f. "inflamação de cartilagem"; cf. *condrita*
condrítico adj.
condritina s.f.
condrito s.m.
condro s.m.
condroadenoma s.m.
condroadenômico adj.
condroangioma s.m.
condroangiômico adj.
condroarsenita s.f.
condroarsenite s.f.
condroarsenítico adj.
condroblástico adj.
condroblasto s.m.
condroblastoma s.m.
condroblastômico adj.
condrocalcinose s.f.
condrocarcinoma s.m.
condrocele s.f.
condrocélico adj.
condrocinese s.f.
condrocinético adj.
condrocitário adj.
condrocítico adj.
condrócito s.m.
condroclástico adj.
condroclasto s.m.
condrococo s.m.
condrocoracoidiano adj.
condrocostal adj.2g.
condrocranial adj.2g.
condrocrânio s.m.
condrodáctilo adj.
condrodendrítico adj.
condrodendro s.m.
condrodermático adj.
condrodermatite s.f.
condrodermatítico adj.
condrodinia s.f.
condrodínico adj.
condrodisplasia s.f.
condrodisplásico adj.
condrodistrofia s.f.
condrodistrófico adj.
condrodita s.f.
condrodonte s.m.
condrodôntico adj.
condroendotelioma s.f.
condroendoteliômico adj.
condroepífise s.f.
condroepifisite s.f.
condroepifisítico adj.
condroepitrocliânico adj.
condroepitrocliano adj.
condroesquelético adj.
condroesqueleto (*ê*) s.m.
condrofaríngeo s.m.
condrofibroma s.m.
condrofibromático adj.
condrofibrômico adj.
condrofítico adj.
condrófito s.m.
condrofórico adj.
condróforo adj. s.m.
condroganoide (*ó*) adj. s.2g.
condroganóideo adj. s.m.
condrogênese s.f.
condrogenético adj.
condrogênico adj.
condrogênio s.m.
condroglóssico adj.
condroglosso adj. s.m.
condrografia s.f.
condrográfico adj.
condroide (*ó*) adj.2g.
condroítico adj.
condroitina s.f.
condroitinossulfato s.m.
condroitinossulfúrico adj.
condrolipoma s.m.
condrolipomático adj.
condrolipômico adj.
condrologia s.f.
condrológico adj.
condroma s.m.
condromalacia s.f.
condromalático adj.
condromático adj.
condromatose s.f.
condromatoso (*ô*) adj.; f. (*ó*); pl. (*ó*)
condromatótico adj.
condrométrico adj.
condrômetro s.m.
condrômice s.m.
condromicete s.m.
condromiceto s.m.
condrômico adj.
condromioma s.m.
condromiomático adj.
condromixoma (*cs*) s.m.
condromixossarcoma (*cs*) s.m.
condromixossarcomático (*cs*) adj.
condromixossarcômico (*cs*) adj.
condromucoide (*ó*) adj.2g. s.m.
condromucóideo adj.
condroplasta s.m.
condroplastia s.f.
condroplástico adj.
condroplasto s.m.
condroproteína s.f.
condroproteínico adj.
condroprotídeo adj.2g. s.m.
condropterígio adj. s.m.
condrosamina s.f.
condrosamínico adj.
condrose s.f.
condrósida adj.2g. s.m.
condrosídeo adj. s.m.
condrosina s.f.
condrosínico adj.
condrospôngida adj.2g. s.f.
condrossarcoma s.m.
condrossarcomático adj.
condrossarcomatose s.f.
condrossarcomatoso (*ô*) adj.; f. (*ó*); pl. (*ó*)
condrossarcômico adj.
condrosséptico adj.
condrossepto s.m.
condrosteídeo adj. s.m.
condrósteo adj. s.m.
condrosteoma s.m.
condrosteomático adj.
condrosternal adj.2g.
condrostibiana s.f.
condrostibiânico adj.
condrostibiano s.m.
condróstomo s.m.
condrótico adj.
condrotomia s.f.
condrotômico adj.
condrótomo s.m.
condroxifoide (*cs* ou *ch...ó*) adj.2g.
côndrulo s.m.
condruso adj. s.m.
condução s.f.
conducente adj.2g.
conducível adj.2g.
conductibilidade s.f.
conductício adj.
conductível adj.2g.
conduíte s.m.
conduplicação s.f.
conduplicado adj.
conduplicante adj.2g.
conduplicar v.
conduplicável adj.2g.
condurangetina s.f.
condurangetínico adj.
condurângico adj.
condurangina s.f.
condurango s.m.
condurrite s.f.
condurrítico adj.
conduru s.m.
conduru-de-sangue s.m.; pl. *condurus-de-sangue*
conduru-do-pará s.m.; pl. *condurus-do-pará*
conduruense adj. s.2g.
conduta s.f.
condutado adj.
condutância s.f.
condutar v.
conduteiro s.m.
condutibilidade s.f.
condutício adj.
condutímetro s.m.
condutismo s.m.
condutista adj. s.2g.
condutístico adj. s.2g.
condutível adj.2g.
condutividade s.f.
condutivismo s.m.
condutivista adj. s.2g.
condutivístico adj.
condutivo adj.
conduto adj. s.m.
condutometria s.f.
condutométrico adj.
condutômetro s.m.
condutor (*ô*) adj. s.m.
conduzido adj.
conduzimento s.m.
conduzir v.
conduzível adj.2g.
cone s.m.
conectabilidade s.f.
conectado adj.
conectador (*ô*) adj. s.m.
conectante adj.2g.
conectar v.
conectável adj.2g.
conectículo s.m.
conectina s.f.
conectividade s.f.
conectivo adj. s.m.
conector (*ô*) adj. s.m.
cone em cone s.m.
cônega s.f.
cônego s.m.
conessina s.f.
conetivo adj. s.m.
conetor (*ô*) adj. s.m.
conexão (*cs*) s.f.
conexidade (*cs*) s.f.
conexionado (*cs*) adj.
conexionador (*cs...ô*) adj. s.m.
conexionante (*cs*) adj.2g.
conexionar (*cs*) v.
conexionável (*cs*) adj.2g.
conexionismo (*cs*) s.m.
conexionista (*cs*) adj. s.2g.
conexionístico (*cs*) adj.
conexivo (*cs*) adj.
conexo (*cs*) adj.
conezia s.f.
confabulação s.f.
confabulado adj.
confabulador (*ô*) adj. s.m.
confabulante adj.2g.
confabular v.
confabulável adj.2g.
confaciente adj.2g.
confarreação s.f.
confecção s.f.
confeccionado adj.
confeccionante adj.2g.
confeccionar v.
confeccionável adj.2g.
confeccionista s.2g. s.m.
confederabilidade s.f.
confederação s.f.
confederacional adj.2g.
confederacionalismo s.m.
confederacionalista adj. s.2g.
confederacionalístico adj.
confederacionismo s.m.
confederacionista adj. s.2g.
confederacionístico adj.
confederado adj. s.m.
confederador (*ô*) adj. s.m.
confederamento s.m.
confederante adj.2g.
confederar v.
confederativo adj.
confederável adj.2g.
confeição s.f.
confeiçoamento s.m.
confeiçoar v.
confeitadeira s.f.
confeitado adj.
confeitador (*ô*) adj. s.m.
confeitar v.
confeitaria s.f.
confeitável adj.2g.
confeiteira s.f.
confeiteiro s.m.
confeito adj. s.m.
confeitura s.f.
conferência s.f.; cf. *conferencia*, fl. do v. *conferenciar*
conferenciado adj.
conferenciador (*ô*) s.m.
conferencial adj.2g.
conferenciante s.2g.
conferenciar v.
conferenciável adj.2g.
conferencionista s.2g.
conferencista s.2g.
conferente adj. s.2g.
conferibilidade s.f.
conferição s.f.
conferido adj.
conferidor (*ô*) adj. s.m.
conferir v.
conferível adj.2g.
confertifloro adj.
conferva s.f.
confervácea s.f.
conferváceo adj.
conférvea s.f.
conférveo adj.
confervícola adj.2g.
conferviforme adj.2g.
confessa s.f.
confessabilidade s.f.
confessada s.f.
confessado adj. s.m.
confessador (*ô*) adj. s.m.
confessando adj. s.m.
confessante adj.2g.
confessar v.
confessatório adj.

confessável adj.2g.
confessional adj.2g.
confessionalismo s.m.
confessionalista adj. s.2g.
confessionalístico adj.
confessionário s.m.
confessionista adj. s.2g.
confesso adj. s.m. "que confessou"; cf. *confesso* (ê)
confesso (ê) s.m. "confissão"; cf. *confesso* adj. s.m. e fl. do v. *confessar*
confessor (ô) s.m.
confessoral adj.2g.
confessório adj.
confete s.m.
confiabilidade s.f.
confiado adj. s.m.
confiador (ô) adj. s.m.
confiança s.m.f.
confiante adj.2g.
confiar v.
confiável adj.2g.
conficionado adj.
conficionar v.
confidência s.f.; cf. *confidencia*, fl. do v. *confidenciar*
confidenciabilidade s.f.
confidenciado adj.
confidenciador (ô) adj. s.m.
confidencial adj.2g. s.f.
confidenciante adj.2g.
confidenciar v.
confidenciário s.m.
confidenciável adj.2g.
confidencioso (ô) adj.; f. (ó); pl. (ó)
confidente adj. s.2g.
configurabilidade s.f.
configuração s.f.
configurado adj.
configurador (ô) adj. s.m.
configurante adj.2g.
configurar v.
configurável adj.2g.
confim adj.2g. s.m.
confinabilidade s.f.
confinado adj.
confinador (ô) adj. s.m.
confinal adj.2g.
confinamento s.m.
confinante adj.2g.
confinar v.
confinável adj.2g.
confinense adj. s.2g.
confingido adj.
confingidor (ô) adj. s.m.
confingir v.
confingível adj.2g.
confinidade s.f.
confioso (ô) adj.; f. (ó); pl. (ó)
confirmabilidade s.f.
confirmação s.f.
confirmado adj. s.m.
confirmador (ô) adj. s.m.
confirmando s.m.
confirmante adj.2g.
confirmar v.
confirmativo adj.
confirmatório adj.
confirmável adj.2g.
confiscação s.f.
confiscado adj.
confiscador (ô) adj. s.m.
confiscante adj.2g.
confiscar v.
confiscável adj.2g.
confisco s.m.
confissão s.f.
confissionismo s.m.
confissionista adj. s.2g.
confissionístico adj.
confitente adj. s.2g.
conflagrabilidade s.f.
conflagração s.f.
conflagrado adj.
conflagrador (ô) adj. s.m.
conflagrante adj.2g.
conflagrar v.
conflagrável adj.2g.
conflexividade (*cs*) s.f.
conflexivo (*cs*) adj.
conflexo (*cs*) adj.
conflitado adj.
conflitante adj.2g.
conflitar v.
conflitável adj.2g.
conflito s.m.
conflitoso (ô) adj.; f. (ó); pl. (ó)
conflituosidade s.f.
conflituoso (ô) adj.; f. (ó); pl. (ó)
conflução s.f.
confluência s.f.
confluente adj.2g. s.m.
confluibilidade s.f.
confluidor (ô) adj. s.m.
confluir v.
confluível adj.2g.
confocal adj.2g.
confocalidade s.f.
conformabilidade s.f.
conformação s.f.
conformado adj. s.m.
conformador (ô) adj. s.m.
conformal adj.2g.
conformalidade s.f.
conformalizado adj.
conformalizador (ô) adj. s.m.
conformalizante adj.2g.
conformalizar v.
conformalizável adj.2g.
conformante adj.2g.
conformar v.
conformativa s.f.
conformativo adj.
conformável adj.2g.
conforme adj.2g. adv. conj. prep.
conformes s.m.pl.
conformidade s.f.
conformismo s.m.
conformista adj. s.2g.
conformístico adj.
confortabilidade s.f.
confortação s.f.
confortado adj.
confortador (ô) adj. s.m.
confortalecedor (ô) adj. s.m.
confortalecente adj.2g.
confortalecer v.
confortalecimento s.m.
confortalecível adj.2g.
confortamento s.m.
confortante adj.2g.
confortantes s.f.pl.
confortar v.
confortativo adj. s.m.
confortável adj.2g.
conforto (ô) s.m.; cf. *conforto*, fl. do v. *confortar*
confractório s.m.
confradaria s.f.
confrade s.m.; f. *confreira*
confragoso (ô) adj.; f. (ó); pl. (ó)
confrangedor (ô) adj.
confrangente adj.2g.
confranger v.
confrangibilidade s.f.
confrangido adj.
confrangimento s.m.
confrangível adj.2g.
confraria s.f.
confraternado adj.
confraternador (ô) adj. s.m.
confraternal adj.2g.
confraternante adj.2g.
confraternar v.
confraternável adj.2g.
confraternidade s.f.
confraternização s.f.
confraternizado adj.
confraternizador (ô) adj. s.m.
confraternizante adj.2g.
confraternizar v.
confraternizável adj.2g.
confreira s.f. de *confrade*
confreire s.m.
confricado adj.
confricante adj.2g.
confricar v.
confricável adj.2g.
confrontabilidade s.f.
confrontação s.f.
confrontações s.f.pl.
confrontado adj.
confrontador (ô) s.m.
confrontante adj.2g.
confrontar v.
confrontativo adj.
confrontável adj.2g.
confronte adj.2g. adv.
confronto s.m.
confucianismo s.m.
confucianista adj. s.2g.
confucianístico adj.
confuciano adj.
confucionismo s.m.
confucionista adj. s.2g.
confucionístico adj.
confugido adj.
confugir v.
confugitivo adj. s.m.
confundas s.f.pl.
confundibilidade s.f.
confundição s.f.
confundido adj.
confundidor (ô) adj.
confundimento s.m.
confundir v.
confundível adj.2g.
confusa s.f.
confusão s.f.
confusional adj.2g.
confusionismo s.m.
confusionista adj. s.2g.
confusionístico adj.
confusível adj.2g.
confuso adj.
confusote adj.2g.
confutabilidade s.f.
confutação s.f.
confutado adj.
confutador (ô) s.m.
confutante adj. s.2g.
confutar v.
confutável adj.2g.
conga s.f. "dança cubana" etc.; cf. *congá*
congá s.m. "cesta"; cf. *conga*
congada s.f.
congado s.m.
congalardoado adj.
congalardoante adj. s.2g.
congalardoar v.
congalardoável adj.2g.
congeia (é) s.f.
congelabilidade s.f.
congelação s.f.
congelado adj. s.m.
congelador (ô) adj. s.m.
congelamento s.m.
congelante adj.2g.
congelar v.
congelativo adj.
congelável adj.2g.
congeminação s.f.
congeminado adj.
congeminador (ô) adj. s.m.
congeminante adj.2g.
congeminar v.
congeminativo adj.
congeminável adj.2g.
congenerado adj.
congenerador (ô) adj.
congenerante adj.2g.
congenerar v.
congenerável adj.2g.
congênere adj. s.2g.
congenérico adj.
congeneridade s.f.
congenial adj.2g.
congenialidade s.f.
congenialismo s.m.
congenialístico adj.
congenital adj.2g.
congênito adj.
congeração s.f.
congerado adj.
congerador (ô) adj. s.m.
congerante adj.2g.
congerar v.
congerável adj.2g.
congéria s.f.
congerial adj.2g.
congérida adj.2g. s.m.
congerídeo adj. s.m.
congérie s.f.
congestão s.f.
congestionado adj. s.m.
congestionador (ô) adj. s.m.
congestionamento s.m.
congestionante adj.2g.
congestionar v.
congestionativo adj.
congestionável adj.2g.
congestivo adj.
congesto adj. s.m.
congiário s.m.
côngio s.m.
conglobação s.f.
conglobado adj.
conglobador (ô) adj. s.m.
conglobal adj.2g.
conglobante adj.2g.
conglobar v.
conglobável adj.2g.
conglomerabilidade s.f.
conglomeração s.f.
conglomerado adj. s.m.
conglomerador (ô) adj. s.m.
conglomerante adj. s.2g.
conglomerar v.
conglomerático adj.
conglomerativo adj.
conglomerato s.m.
conglomerável adj.2g.
conglutina s.f.
conglutinabilidade s.f.
conglutinação s.f.
conglutinado adj.
conglutinador (ô) adj. s.m.
conglutinante adj.2g.
conglutinar v.
conglutinatividade s.f.
conglutinativo adj.
conglutinável adj.2g.
conglutinina s.f.
conglutinínico adj.
conglutinoso (ô) adj.; f. (ó); pl. (ó)
congo adj. s.m.
congolense adj. s.2g.
congolês adj. s.m.
congolote s.m.
congonha s.f.
congonha-amarela s.f.; pl. *congonhas-amarelas*
congonha-brava s.f.; pl. *congonhas-bravas*
congonha-brava-de-folha-miúda s.f.; pl. *congonhas-bravas-de-folha-miúda*
congonha-cachimbo s.f.; pl. *congonhas-cachimbo* e *congonhas-cachimbos*
congonha-caixeta s.f.; pl. *congonhas-caixeta* e *congonhas-caixetas*
congonha-da-áfrica s.f.; pl. *congonhas-da-áfrica*
congonha-da-baía s.f.; pl. *congonhas-da-baía*
congonha-de-bugre s.f.; pl. *congonhas-de-bugre*
congonha-de-caixeta s.f.; pl. *congonhas-de-caixeta*
congonha-de-campo-alegre s.f.; pl. *congonhas-de-campo-alegre*
congonha-de-goiás s.f.; pl. *congonhas-de-goiás*
congonha-de-são-paulo s.f.; pl. *congonhas-de-são-paulo*
congonha-do-brejo s.f.; pl. *congonhas-do-brejo*
congonha-do-campo s.f.; pl. *congonhas-do-campo*
congonha-do-campo-alegre s.f.; pl. *congonhas-do-campo-alegre*
congonha-do-gentio s.f.; pl. *congonhas-do-gentio*
congonha-do-mato s.f.; pl. *congonhas-do-mato*
congonha-do-rio s.f.; pl. *congonhas-do-rio*
congonha-do-sertão s.f.; pl. *congonhas-do-sertão*
congonha-falsa s.f.; pl. *congonhas-falsas*
congonha-grande s.f.; pl. *congonhas-grandes*
congonhal s.m.
congonhalense adj. s.2g.
congonha-mansa s.f.; pl. *congonhas-mansas*
congonha-miúda s.f.; pl. *congonhas-miúdas*
congonha-miúda-do-brejo s.f.; pl. *congonhas-miúdas-do-brejo*
congonhão s.m.
congonha-pequena s.f.; pl. *congonhas-pequenas*
congonhar v.
congonha-verdadeira s.f.; pl. *congonhas-verdadeiras*
congonha-vermelha s.f.; pl. *congonhas-vermelhas*
congonheira s.f.
congonheiro s.m.
congonhense adj. s.2g.
congonhinha s.f.
congonhinhense adj. s.2g.
congorê adj. s.2g.
congoropeba s.f.
congorsa s.f.
congorsa-maior s.f.; pl. *congorsas-maiores*
congorsa-menor s.f.; pl. *congorsas-menores*
congossa s.f.
congosta (ô) s.f.
congote s.m.
congoxa (ô) s.f.
congoxado adj.
congoxeiro adj. s.m.
congoxoso (ô) adj.; f. (ó); pl. (ó)
congraçado adj.
congraçador (ô) adj. s.m.
congraçamento s.m.
congraçante adj. s.2g.
congraçar v.
congraçativo adj.
congraçável adj.2g.
congraciado adj.
congraciador (ô) adj. s.m.
congraciante adj. s.2g.
congraciar v.
congraciável adj.2g.
congratulação s.f.
congratulado adj.
congratulador (ô) adj. s.m.
congratulante adj. s.2g.
congratular v.
congratulatório adj.
congratulável adj.2g.
congregabilidade s.f.
congregação s.f.
congregacional adj.2g.
congregacionalismo s.m.
congregacionalista adj. s.2g.
congregacionalístico adj.
congregacionismo s.m.
congregacionista adj. s.2g.
congregacionístico adj.
congregado adj. s.m.
congreganismo s.m.
congreganista adj. s.2g.
congregante adj. s.2g.
congregar v.
congregável adj.2g.
congreira s.f.
congresseiro adj. s.m.
congressional adj.2g.
congressionalismo s.m.
congressionalista adj. s.2g.
congressionalístico adj.
congressismo s.m.
congressista adj. s.2g.

congressístico adj.
congresso s.m.
congressual adj.2g.
congrídeo adj. s.m.
congro s.m.
congro-real s.m.; pl. *congros-reais*
congro-rosa s.m.; pl. *congros-rosa e congros-rosas*
côngrua s.f.
congruado adj.
congruário adj.
congruência s.f.
congruencial adj.2g.
congruente adj.2g.
congruidade s.f.
congruísmo s.m.
congruísta adj. s.2g.
côngruo adj.
conguê s.m.
congueirão s.m.
conguense adj. s.2g.
conguês adj. s.m.
congui s.m.
conguice s.f.
conguinho s.m.
conguista s.2g.
conguruti s.2g.
conha s.f.
conhaque s.m.
conhaquizado adj.
conhaquizar v.
conhecedor (*ô*) adj. s.m.
conhecença s.f.
conhecente adj.2g.
conhecer v.
conhecido adj. s.m.
conhecimento s.m.
conhecível adj.2g.
coniaciano adj. s.m.
coníase s.f.
coniato s.m.
cônica s.f.
conicalcita s.f.
conicalcite s.f.
conicaleira s.f.
coniceidina s.f.
coniceidínico adj.
coniceína s.f.
coniceínico adj.
conicidade s.f.
conicina s.f.
cônico adj.
conicoide (*ó*) s.m.
coni-conió s.m.; pl. *coni-coniós*
conicrítico adj.
conidângio s.m.
conídea s.f.
conídeo adj. s.m.
conídia s.f.
conidial adj.2g.
conidiano adj.
conídico adj.
conídio s.m.
conidióbolo s.m.
conidiofórico adj.
conidióforo adj.
conidioide (*ó*) adj.2g.
conidíolo s.m.
conidioma s.m.
conidiomático adj.
conidiômico adj.
conidiospório s.m.
conidiósporo adj. s.m.
conidrina s.f.
conidrínico adj.
conífera s.f.
coniferina s.f.
coniferínico adj.
conífero adj.
conifloro adj.
coniforme adj.2g.
conigelina s.f.
conígeno adj.
coniina s.f.
coniísmo s.m.
coniístico adj.
conimbricense adj. s.2g.
conimbrigense adj. s.2g.
conimetria s.f.
conimétrico adj.
conímetro s.m.
conina s.f.
coninha s.f.
conínico adj.
conio s.m. "cicuta"; cf. *cônio*
cônio adj. s.m. "povo"; cf. *conio*
coniocarpínea s.f.
coniocarpíneo adj.
coniócibe s.m.
coniofibrose s.f.
coniófora s.f.
coniolinfóstase s.f.
coniometria s.f.
coniométrico adj.
coniômetro s.m.
coniomicete s.m.
conioptérige s.f.
coniopterígio s.m.
conioscopia s.f.
conioscópio s.m.
coniose s.f.
conioteca s.f.
coniótico adj.
coniotírio s.m.
coniotomia s.f.
conirrostro adj. s.m.
coniscopia s.f.
coniscópio s.m.
conistério s.m.
conistra s.f.
conita s.f.
conivalve adj.2g.
conivência s.f.
conivente adj.2g.
coniza s.f.
conização s.f.
conizina s.f.
conja s.f.
conjeção s.f.
conjectânea s.f.
conjector (*ô*) adj. s.m.
conjectura s.f.
conjecturabilidade s.f.
conjecturado adj.
conjecturador (*ô*) adj. s.m.
conjectural adj.2g.
conjecturante adj. s.2g.
conjecturar v.
conjecturável adj.2g.
conjecturista adj. s.2g.
conjeitura s.f.
conjeiturar v.
conjetânea s.f.
conjetor (*ô*) adj. s.m.
conjetura s.f.
conjeturabilidade s.f.
conjeturado adj.
conjeturador (*ô*) adj. s.m.
conjetural adj.2g.
conjeturante adj. s.2g.
conjeturar v.
conjeturável adj.2g.
conjeturista adj. s.2g.
conjugabilidade s.f.
conjugação s.f.
conjugada s.f.
conjugado adj. s.m.
conjugador (*ô*) adj. s.m.
conjugal adj.2g.
conjugalismo s.m.
conjugalístico adj.
conjugante adj.2g.
conjugar v.
conjugatividade s.f.
conjugativo adj.
conjugável adj.2g.
cônjuge adj. s.2g.
conjugicida adj. s.2g.
conjugicídio s.m.
conjúgio s.m.
conjuiz s.m.
conjuizado adj. s.m.
conjuizar v.
conjuizável adj.2g.
conjuminância s.f.
conjuminar v.
conjunção s.f.
conjuncional adj.2g.
conjungente adj.2g. s.2g.
conjungibilidade s.f.
conjungido adj.
conjungir v.
conjungível adj.2g.
conjunta s.f.
conjuntado adj.
conjuntante adj.2g. s.2g.
conjuntar v.
conjuntável adj.2g.
conjuntina s.f.
conjuntiva s.f.
conjuntival adj.2g.
conjuntividade s.f.
conjuntivite s.f.
conjuntivítico adj.
conjuntivo adj. s.m.
conjuntivoma s.m.
conjunto adj. s.m.
conjuntor (*ô*) adj. s.m.
conjuntura s.f.
conjuntural adj.2g.
conjunturista adj.2g.
conjunturístico adj.
conjunturologia s.f.
conjunturológico adj.
conjunturologista s.2g.
conjunturólogo s.m.
conjura s.f.
conjuração s.f.
conjurado adj. s.m.
conjurador (*ô*) s.m.
conjuramentado adj.
conjuramentador (*ô*) adj. s.m.
conjuramentante adj.2g.
conjuramentar v.
conjuramentável adj.2g.
conjuramento s.m.
conjurante adj.2g.
conjurar v.
conjuratório adj.
conjurável adj.2g.
conjúrio s.m.
conjuro s.m.
conluiado adj.
conluiador (*ô*) adj. s.m.
conluiante adj. s.2g.
conluiar v.
conluiável adj.2g.
conluio s.m.
conluioso (*ô*) adj.; f. (*ó*); pl. (*ó*)
connellita s.f.
cono s.m.
conóbia s.f.
conocárpio adj.
conocarpo adj. s.m.
conocéfalo adj. s.m.
conocefalóidea s.f.
conocefalóideo adj.
conócito s.m.
conodonte s.m.
conofaríngea s.f.
conofaríngeo adj.
conóforo s.m.
conoftalma adj.2g.
conoftalmia s.f.
conoftálmico adj.
conoftalmo adj.
conoidal adj.2g.
conoide (*ó*) adj.2g. s.m.
conóideo adj.
conolínio s.m.
conolítico adj.
conólito s.m.
conomeação s.f.
conomeado adj.
conomeante adj. s.2g.
conomear v.
conomeável adj.2g.
conometria s.f.
conométrico adj.
conômetro s.m.
conominação s.f.
conominar v.
conomitra s.f.
conomorfa s.f.
conomorfo adj.
cononita adj. s.2g.
cononítico adj.
cononjo s.m.
conopalpíneo adj. s.m.
conopalpo s.m.
conope s.m.
conopeu s.m.
conopial adj.2g.
conópida adj.2g. s.m.
conopídeo adj. s.m.
conopíneo adj. s.m.
conópio s.m.
conopleia (*é*) s.f.
conopódio s.m.
conopófaga s.f.
conopófage s.f.
conopofagídeo adj. s.m.
conopofagínea s.f.
conopofagíneo adj.
conoquete s.m.
conoquilo s.m.
conorranfo s.m.
conorrinco s.m.
conorrino s.m.
conosco (*ô*) pron.
conospérmea s.f.
conospérmeo adj.
conospermo s.m.
conostégia s.f.
conostigmo s.m.
conostílea s.f.
conostíleo adj.
conostilídea s.f.
conostilídeo adj.
conóstomo s.m.
conotação s.f.
conotado adj.
conotador (*ô*) adj. s.m.
conotante adj. s.2g.
conotar v.
conotatividade s.f.
conotativo adj.
conotável adj.2g.
conotríquido adj. s.m.
conquanto conj.
conquassivo adj.
conquécia s.m.
conquecíida adj.2g. s.m.
conqueciídeo adj. s.m.
conqueiro s.m.
conquém s.2g.
conqueta (*ê*) s.f.
conquial s.m.
conquícola adj.2g.
conquífero adj.
conquiforme adj.2g.
cônquile s.f.
conquilha s.f.
conquilhagem s.f.
conquiliado adj.
conquílio s.m.
conquilióforа s.m.
conquilióforo adj.
conquilioide (*ó*) adj.2g.
conquiliologia s.f.
conquiliológico adj.
conquiliologista adj. s.2g.
conquiliólogo s.m.
conquilioso (*ô*) adj.; f. (*ó*); pl. (*ó*)
conquiologia s.f.
conquiológico adj.
conquiologista adj. s.2g.
conquiólogo s.m.
conquista s.f.
conquistado adj. s.m.
conquistador (*ô*) adj. s.m.
conquistante adj.2g.
conquistar v.
conquistável adj.2g.
conquistense adj. s.2g.
conquisto adj.
conquito s.m.
conradense adj. s.2g.
conrearia s.f.
conreário s.m.
conreeiro s.m.
conríngia s.f.
consabedor (*ô*) adj. s.m.
consaber v.
consabido adj.
consacerdote s.m.
consagrabilidade s.f.
consagração s.f.
consagrado adj.
consagrador (*ô*) adj. s.m.
consagramento s.m.
consagrante adj. s.2g.
consagrar v.
consanguíneo (*ü*) adj. s.m.
consanguinidade (*ü*) s.f.
consarcinado adj.
consarcinador (*ô*) adj. s.m.
consarcinar v.
consciência s.f.
consciencial adj.2g.
conscientialização s.f.
consciencializado adj.
consciencializador (*ô*) adj. s.m.
consciencializante adj.2g.
consciencializar v.
consciencializável adj.2g.
consciencioso (*ô*) adj. s.m.; f. (*ó*); pl. (*ó*)
consciencização s.f.
consciencizado adj.
consciencizador (*ô*) adj. s.m.
consciencizante adj.2g.
consciencizar v.
consciencizável adj.2g.
consciente adj.2g. s.m.
conscientismo s.m.
conscientista adj. s.2g.
conscientístico adj.
conscientização s.f.
conscientizado adj.
conscientizador (*ô*) adj.2g.
conscientizante adj.2g.
conscientizar v.
conscientizável adj.2g.
cônscio adj.
conscrição s.f.
conscrito adj. s.m.
consecrado adj.
consecrante adj. s.2g.
consecrar v.
consecrativo adj.
consecratório adj.
consectário adj. s.m.
consecução s.f.
consecutiva s.f.
consecutividade s.f.
consecutivo adj.
conseguido adj.
conseguidor (*ô*) adj. s.m.
conseguidouro adj. s.m.
conseguimento s.m.
conseguinte adj.2g. s.m.
conseguir v.
conseguível adj.2g.
conselhado adj.
conselhador (*ô*) adj. s.m.
conselhante adj.2g. s.m.
conselhar v.
conselhável adj.
conselheirado adj.
conselheiral adj.2g.
conselheirar v.
conselheirático adj.
conselheiresco (*ê*) adj.
conselheirice s.f.
conselheirismo s.m.
conselheirista adj. s.2g.
conselheirístico adj.
conselheiro adj. s.m. "que aconselha"; cf. *concelheiro*
conselheiro-jovianense adj. s.2g.; pl. *conselheiro-jovianenses*
conselheiro-lafaietense adj. s.2g.; pl. *conselheiro-lafaietenses*
conselheiro-matense adj. s.2g.; pl. *conselheiro-matenses*
conselheiro-mayrinckense adj. s.2g.; pl. *conselheiro-mayrinckenses*
conselheiro-paulinense adj. s.2g.; pl. *conselheiro-paulinenses*
conselheiro-penense adj. s.2g.; pl. *conselheiro-penenses*
conselheiro-zacariense adj. s.2g.; pl. *conselheiro-zacarienses*
conselho (*ê*) s.m. "parecer"; cf. *concelho* (*ê*)

consemelhança s.f.
consemelhante adj. s.2g.
consencial adj.2g.
consenciente adj.2g.
consenhor (*ô*) s.m.
consenhoria s.f.
consensial adj.2g.
consenso s.m.
consensual adj.2g.
consensualidade s.f.
consentaneidade s.f.
consentâneo adj.
consentido adj.
consentidor (*ô*) adj. s.m.
consentimento s.m.
consentino adj. s.m.
consentinte adj.2g.
consentir v.
consentível adj.2g.
consequência (*ü*) s.f.
consequencial (*ü*) adj.2g.
consequente (*ü*) adj.2g. s.m.
consertabilidade s.f.; cf. *concertabilidade*
consertado adj.; cf. *concertado*
consertador (*ô*) adj. s.m.; cf. *concertador*
consertamento s.m.; cf. *concertamento*
consertante adj. s.2g.; cf. *concertante*
consertar v. "restaurar"; cf. *concertar*
consertável adj.2g.; cf. *concertável*
consertio s.m.
conserto (*ê*) s.m.; cf. *concerto* s.m. e *conserto*, fl. do v. *consertar*
conserva s.f.
conservabilidade s.f.
conservabilismo s.m.
conservabilista adj. s.2g.
conservabilístico adj.
conservação s.f.
conservacional adj.2g.
conservacionalismo s.m.
conservacionalista adj. s.2g.
conservacionalístico adj.
conservacionismo s.m.
conservacionista adj. s.2g.
conservacionístico adj.
conservado adj.
conservador (*ô*) adj. s.m.
conservadorismo s.m.
conservadorístico adj.
conservância s.f.
conservante adj.2g.
conservantismo s.m.
conservantista adj. s.2g.
conservantístico adj.
conservar v.
conservatividade s.f.
conservativismo s.m.
conservativista adj.
conservativístico adj.
conservativo adj.
conservatória s.f.
conservatório adj. s.m.
conservável adj.2g.
conserveiro adj. s.m.
conservidor (*ô*) s.m.
conservista adj. s.2g.
consideração s.f.
considerado adj.
considerador (*ô*) adj.
considerando s.m.
considerante adj.2g.
considerar v.
considerativo adj.
considerável adj.2g.
consignabilidade s.f.
consignação s.f.
consignado adj.
consignador (*ô*) adj. s.m.
consignante adj. s.2g.
consignar v.
consignatário s.m.
consignatividade s.f.
consignativo adj.
consignatório s.m.
consignável adj.2g.
consignificação s.f.
consignificado adj.
consignificador (*ô*) adj. s.m.
consignificante adj.2g.
consignificar v.
consignificativo adj.
consignificável adj.2g.
consigo pron.
consiliário adj. s.m. "conselheiro"; cf. *conciliário*
consílio s.m. "conselho"; cf. *concílio*
consimilar adj.2g.
consímile adj. s.2g.
consistência s.f.
consistente adj.2g.
consistido adj.
consistir v.
consistível adj.2g.
consistometria s.f.
consistométrico adj.
consistometrista s.2g.
consistômetro s.m.
consistorial adj.2g.
consistoriano adj.
consistório s.m.
consoada s.f.
consoado adj.
consoantar v.
consoantável adj.2g.
consoante adj.2g. s.m.f. prep. conj.
consoanteiro adj.
consoar v.
consoável adj.2g.
consobrinho s.m.
consociabilidade s.f.
consociação s.f.
consociado adj.
consociador (*ô*) adj. s.m.
consociante adj. s.2g.
consociar v.
consociatividade s.f.
consociativo adj.
consociável adj.2g.
consócio adj. s.m.; cf. *consocio*, fl. do v. *consociar*
consofredor (*ô*) adj. s.m.
consofrente adj.2g.
consofrer v.
consofrido adj.
consofrível adj.2g.
consogra s.f. de *consogro* (*ô*)
consograr v.
consogro (*ô*) s.m.; f. *consogra*
consol s.m.
consola s.f.
consolabilidade s.f.
consolação s.f.
consoladeza (*ê*) s.f.
consolado adj.
consolador (*ô*) adj. s.m.
consolamento s.m.
consolando adj.
consolante adj.2g.
consolar v.
consolatividade s.f.
consolativo adj.
consolatório adj.
consolável adj.2g.
consolda s.f.
consolda-do-cáucaso s.f.; pl. *consoldas-do-cáucaso*
consoldador (*ô*) adj. s.m.
consolda-espinhosa s.f.; pl. *consoldas-espinhosas*
consolda-gigante s.f.; pl. *consoldas-gigantes*
consolda-maior s.f.; pl. *consoldas-maiores*
consolda-média s.f.; pl. *consoldas-médias*
consolda-mediana s.f.; pl. *consoldas-medianas*
consoldamento s.m.
consoldante adj.2g. s.2g.
consolda-peluda s.f.; pl. *consoldas-peludas*
consoldar v.
consolda-real s.f.; pl. *consoldas-reais*
consoldável adj.2g.
console s.m.
consoleta (*ê*) s.f.
consoleta de estúdio s.f.
consoleta de sonorização s.f.
consólida s.f. "planta ranunculácea"; cf. *consolida*, fl. do v. *consolidar*
consolidabilidade s.f.
consolidação s.f.
consolidado adj. s.m.
consólida-do-cáucaso s.f.; pl. *consólidas-do-cáucaso*
consolidador (*ô*) adj. s.m.
consólida-maior s.f.; pl. *consólidas-maiores*
consolidante adj.2g.
consolidar v.
consolidativo adj.
consolidável adj.2g.
consolista adj. s.2g.
consolo s.m. "móvel"; cf. *consolo* (*ô*)
consolo (*ô*) s.m. "consolação"; cf. *consolo* s.m. e fl. do v. *consolar*
consolo de viúva s.m.
consomê s.m.
consonado adj.
consonância s.f.
consonantal adj.2g.
consonante adj.2g. s.f.
consonântico adj.
consonantismo s.m.
consonantização s.f.
consonantizado adj.
consonantizar v.
consonantizável adj.2g.
consonantoide (*ó*) adj.2g. s.f.
consonar v.
cônsono adj.; cf. *consono*, fl. do v. *consonar*
consorciação s.f.
consorciado adj.
consorciador (*ô*) adj. s.m.
consorciamento s.m.
consorciar v.
consorciativo adj.
consorciável adj.2g.
consórcio s.m.; cf. *consorcio*, fl. do v. *consorciar*
consóror s.f.
consorte adj. s.2g.
consortismo s.m.
conspecção s.f.
conspecto adj. s.m.
conspicuidade s.f.
conspícuo adj.
conspirabilidade s.f.
conspiração s.f.
conspirado adj.
conspirador (*ô*) adj. s.m.
conspirante adj. s.2g.
conspirar v.
conspirata s.f.
conspiratividade s.f.
conspirativo adj.
conspiratório adj.
conspirável adj.2g.
conspurcabilidade s.f.
conspurcação s.f.
conspurcado adj.
conspurcador (*ô*) adj. s.m.
conspurcante adj.2g.
conspurcar v.
conspurcativo adj.
conspurcável adj.2g.
consta s.m.
constância s.f.
constanciense adj. s.2g.
constante adj.2g. s.f.
constantina s.f.
constantinense adj. s.2g.
constantiniano adj.
constantinismo s.m.
constantinista adj. s.2g.
constantinístico adj.
constantino adj.
constantinopolitano adj. s.m.
constar v.
constatabilidade s.f.
constatação s.f.
constatado adj.
constatador (*ô*) adj. s.m.
constatante adj. s.2g.
constatar v.
constatável adj.2g.
constativo adj.
constável adj.2g.
constelação s.f.
constelado adj.
constelante adj.
constelar v. adj.2g.
constelatividade s.f.
constelativo s.m.
constelável adj.2g.
consternação s.f.
consternado adj.
consternador (*ô*) adj.
consternante adj.2g.
consternar v.
consternável adj.2g.
constipação s.f.
constipado adj. s.m.
constipante adj.2g.
constipar v.
constipativo adj.
constipável adj.2g.
constitucionado adj.
constitucional adj. s.2g.
constitucionalidade s.f.
constitucionalismo s.m.
constitucionalista adj. s.2g.
constitucionalística s.f.
constitucionalístico adj.
constitucionalização s.f.
constitucionalizado adj.
constitucionalizador (*ô*) adj. s.m.
constitucionalizante adj.2g.
constitucionalizar v.
constitucionalizável adj.2g.
constitucionante adj.2g.
constitucionar v.
constitucionário s.m.
constitucionável adj.2g.
constitucionismo s.m.
constitucionista adj. s.2g.
constitucionístico adj.
constituibilidade s.f.
constituição s.f.
constituído adj.
constituidor (*ô*) adj. s.m.
constituinte adj. s.2g. s.f.
constituir v.
constituível adj.2g.
constitutivo adj.
constituto-possessório s.m.; pl. *constitutos-possessórios*
consto s.m.
constório s.m.
constrangedor (*ô*) adj.
constrangente adj.2g.
constranger v.
constrangido adj.
constrangimento s.m.
constrangível adj.2g.
constrição s.f.
constringência s.f.
constringente adj.2g.
constringir v.
constringível adj.2g.
constritiva s.f.
constritividade s.f.
constritivo adj.
constrito adj.
constritor (*ô*) adj. s.m.
construção s.f.
constructal s.m.
constructo s.m.
construição s.f.
construído adj.
construidor (*ô*) adj. s.m.
construir v.
construível adj.2g.
construtividade s.f.
construtivismo s.m.
construtivista adj. s.2g.
construtivístico adj.
construtivo adj.
construto s.m.
construtor (*ô*) adj. s.m.
construtora (*ô*) s.f.
construtura s.f.
consuálias s.f.pl.
consuanete (*ê*) adj.2g. s.m.
consuarano adj. s.m.
consubstanciabilidade s.f.
consubstanciabilização s.f.
consubstanciabilizado adj.
consubstanciabilizador (*ô*) adj. s.m.
consubstanciabilizante adj.2g.
consubstanciabilizar v.
consubstanciabilizável adj.2g.
consubstanciação s.f.
consubstanciado adj.
consubstanciador (*ô*) adj. s.m.
consubstancial adj.2g.
consubstancialidade s.f.
consubstancialismo s.m.
consubstancialista adj. s.2g.
consubstancialístico adj.
consubstancialização s.f.
consubstancializado adj.
consubstancializador (*ô*) adj. s.m.
consubstancializante adj.2g.
consubstancializar v.
consubstancializável adj.2g.
consubstanciante adj.2g.
consubstanciar v.
consubstanciável adj.2g.
consueto adj.
consuetudinário adj.
consuetudinarismo s.m.
cônsul s.m.; f. *consulesa* (*ê*); pl. *cônsules*
consulado s.m.
consulado-geral s.m.; pl. *consulados-gerais*
consulagem s.f.
consular adj.2g.
consularidade s.f.
consulente adj. s.2g.
consulesa (*ê*) s.f.
cônsul-geral s.m.; pl. *cônsules-gerais*
consulta s.f.
consultabilidade s.f.
consultação s.f.
consultado adj.
consultador (*ô*) adj. s.m.
consultante adj. s.2g.
consultar v.
consultatividade s.f.
consultativo adj.
consultável adj.2g.
consultivo adj.
consulto adj. s.m.
consultor (*ô*) s.m.
consultoria s.f.
consultório s.m.
consumabilidade s.f.
consumação s.f.
consumado adj.
consumador (*ô*) adj. s.m.
consumar v.
consumatório adj.
consumável adj.2g.
consumerismo s.m.
consumição s.f.
consumiço s.m.
consumido adj.
consumidor (*ô*) adj. s.m.
consumir v.
consumismo s.m.
consumista adj. s.2g.
consumístico adj.
consumível adj.2g.
consumo s.m.
consumpção s.f.
consumptibilidade s.f.
consumptível adj.
consumptivo adj.
consumpto adj.
consumptor (*ô*) adj.
consunção s.f.

consuntibilidade s.f.
consuntível adj.
consuntivo adj.
consunto adj.
consuntor (*ô*) adj.
consurgido adj.
consurgidor (*ô*) adj. s.m.
consurgimento s.m.
consurgir v.
consurgível adj.2g.
consútil adj.2g.
conta s.f.
contabescência s.f.
contabescente adj.2g.
contabescer v.
contabescido adj.
contábil adj.2g.
contabilidade s.f.
contabilismo s.m.
contabilista adj. s.2g.
contabilístico adj.
contabilizabilidade s.f.
contabilização s.f.
contabilizado adj.
contabilizador (*ô*) adj. s.m.
contabilizante adj.2g.
contabilizar v.
contabilizável adj.2g.
conta-corrente s.f.; pl. *contas-correntes*
conta-correntista s.2g.; pl. *conta-correntistas*
conta-correntístico adj.; pl. *conta-correntísticos*
contactabilidade s.f.
contactação s.f.
contactado adj.
contactador (*ô*) adj. s.m.
contactante adj.2g.
contactar v.
contactável adj.2g.
contacto s.m.
contactor (*ô*) s.m.
contactoterapia s.f.
contactoterápico adj.
contactual adj.2g.
conta-de-cabra s.f.; pl. *contas-de-cabra*
contadeira s.f.
contado adj. s.m.
contador (*ô*) adj. s.m.
contadora (*ô*) s.f.
contadoria s.f.
contador-mor s.m.; pl. *contadores-mores*
conta-fios s.m.2n.
contagem s.f.
contagense adj. s.2g.
contagiabilidade s.f.
contagiado adj.
contagiador (*ô*) adj. s.m.
contagiante adj.2g.
contagião s.f.
contagiar v.
contagiável adj.2g.
contagífero adj.
contágio s.m.; cf. *contagio*, fl. do v. *contagiar*
contagional adj.2g.
contagionismo s.m.
contagionista adj. s.2g.
contagionístico adj.
contagiosidade s.f.
contagioso (*ô*) adj.; f. (*ó*); pl. (*ó*)
conta-giros s.m.2n.
conta-gotas s.m.2n.
contaminabilidade s.f.
contaminação s.f.
contaminado adj.
contaminador (*ô*) adj. s.m.
contaminante adj. s.2g.
contaminar v.
contaminável adj.2g.
contânico adj.
contano s.m.
contante s.m.
contanto adv.; na loc. *contanto que*
conta-passos s.m.2n.
conta-quilômetros s.m.2n.
contaquiro adj. s.2g.
contar v.
contarelo s.m.
contarênia s.f.
contaria s.f.
contarínia s.f.
conta-rotações s.m.2n.
contas-correntes s.m.2n.
contas-de-nossa-senhora s.f.pl.
contatabilidade s.f.
contatação s.f.
contatado adj.
contatador (*ô*) adj. s.m.
contatante adj.2g.
contatar v.
contatável adj.2g.
contativo adj.
contato s.m.
contator (*ô*) s.m.
contatoterapia s.f.
contatoterápico adj.
contatual adj.2g.
contável adj.2g.
conta-voltas s.m.2n.
conteco s.m.
contêiner s.m.
conteirado adj.
conteirar v.
conteiro s.m.
contemplação s.f.
contemplado adj.
contemplador (*ô*) adj. s.m.
contemplante adj.2g.
contemplar v.
contemplativa s.f.
contemplatividade s.f.
contemplativo adj. s.m.
contemplável adj.2g.
contemporaneidade s.f.
contemporâneo adj. s.m.
contemporão adj. s.m.
contemporizabilidade s.f.
contemporização s.f.
contemporizado adj.
contemporizador (*ô*) adj. s.m.
contemporizante adj.2g.
contemporizar v.
contemporizável adj.2g.
contemptível adj.2g.
contempto s.m.
contemptor (*ô*) adj. s.m.
contenção s.f. "contenda", etc.; cf. *contensão*
contencioso (*ô*) adj. s.m.; f. (*ó*); pl. (*ó*)
contenda s.f.
contendedor (*ô*) adj. s.m.
contendense adj. s.2g.
contendente adj. s.2g.
contender v.
contendido adj.
contendimento s.m.
contendível adj.2g.
contendor (*ô*) adj. s.m.
contenedor (*ô*) adj.
contenença s.f.
contenho s.m.
contensão s.f. "esforço"; cf. *contenção*
contenso adj.
contentabilidade s.f.
contentadiço adj.
contentado adj.
contentador (*ô*) adj. s.m.
contentamento s.m.
contentar v.
contentável adj.2g.
contente adj.2g.
contenteza (*ê*) s.f.
contentível adj.2g.
contentivo adj.
contento adj. s.m.
contentor (*ô*) adj. s.m.
contentorização s.f.
contentorizado adj.
contentorizador (*ô*) adj. s.m.
contentorizante adj.2g.
contentorizar v.
contentorizável adj.2g.
conter v.
contérmino adj. s.m.
conterraneidade s.f.
conterrâneo adj. s.m.
contérrito adj.
contestabilidade s.f.
contestação s.f.
contestadense adj. s.2g.
contestado adj. s.m.
contestador (*ô*) adj. s.m.
contestante adj. s.2g.
contestar v.
contestatário adj. s.m.
contestatividade s.f.
contestativo adj.
contestatório adj.
contestável adj.2g.
conteste adj.2g.
conteudismo s.m.
conteudista adj. s.2g.
conteudístico adj.
conteúdo adj. s.m.
contexto (*ês*) s.m.
contextuação (*es*) s.f.
contextuado (*es*) adj.
contextuador (*es*) (*ô*) adj. s.m.
contextual (*es*) adj.2g.
contextualismo (*es*) s.m.
contextualista (*es*) adj. s.2g.
contextualístico (*es*) adj.
contextualização (*es*) s.f.
contextualizado (*es*) adj.
contextualizador (*es...ô*) adj. s.m.
contextualizante (*es*) adj.2g.
contextualizar (*es*) v.
contextualizável (*es*) adj.2g.
contextuante (*es*) adj.2g.
contextuar (*es*) v.
contextuável (*es*) adj.2g.
contextura (*es*) s.f.
contextural (*es*) adj.2g.
contido adj.
contigo pron.
contiguação s.f.
contiguado adj.
contiguar v.
contiguidade (*ü*) s.f.
contíguo adj.
contilheira s.f.
continão s.m.
continência s.f.
continental adj.2g.
continentalidade s.f.
continentalismo s.m.
continentalista adj. s.2g.
continentalístico adj.
continente adj.2g. s.m.
continentino adj. s.m.
continentista adj. s.2g.
contingência s.f.
contingenciação s.f.
contingenciado adj.
contingenciador (*ô*) adj. s.m.
contingencial adj.2g.
contingenciamento s.m.
contingenciante adj.2g.
contingenciar v.
contingenciável adj.2g.
contingente adj.2g. s.m.
contingentismo s.m.
contingentista adj. s.2g.
contingentístico adj.
contínua s.f.
continuabilidade s.f.
continuação s.f.
continuado adj. s.m.
continuador (*ô*) adj. s.m.
continuamento s.m.
continuante s.m.
continuar v.
continuativa s.f.
continuatividade s.f.
continuativo adj.
continuável adj.2g.
continuidade s.f.
continuísmo s.m.
continuísta adj. s.2g.
continuístico adj.
contínuo adj. s.m.; cf. *continuo*, fl. do v. *continuar*
contista adj. s.2g. "que ou aquele que escreve contos"; cf. *comtista*
conto s.m.
contoada s.f.
conto da carochinha s.m.
conto do vigário s.m.
contoide (*ó*) adj.2g. s.m.
contométrico adj.
contômetro s.m.
contorção s.f.
contorcedor (*ô*) adj. s.m.
contorcente adj.2g.
contorcer v.
contorcibilidade s.f.
contorcido adj.
contorcimento s.m.
contorcionado adj.
contorcionador (*ô*) adj. s.m.
contorcionamento s.m.
contorcionante adj.2g.
contorcionar v.
contorcionável adj.2g.
contorcionismo s.m.
contorcionista adj. s.2g.
contorcionístico adj.
contorcista adj. s.2g.
contorcível adj.2g.
contornado adj.
contornador (*ô*) adj. s.m.
contornadora (*ô*) s.f.
contornamento s.m.
contornante adj.2g.
contornar v.
contornável adj.2g.
contorneabilidade s.f.
contorneado adj.
contorneador (*ô*) adj. s.m.
contornear v.
contorneável adj.2g.
contorno (*ô*) s.m.; cf. *contorno*, fl. do v. *contornar*
contorta s.f.
contorto (*ô*) adj.
contra s.m.f. prep. adv.
contra-abertura s.f.
contra-abitas s.f.pl.
contra-abside s.f.
contra-acusação s.f.
contra-acusado adj.
contra-acusador (*ô*) adj. s.m.
contra-acusante adj.2g.
contra-acusar v.
contra-acusável adj.2g.
contra-aleia (*é*) s.f.
contra-alisado s.m.
contra-alísio s.m.
contra-almeida s.f.
contra-almirantado s.m.
contra-almirante adj.2g. s.m.
contra-alquebrado adj.
contra-alquebramento s.m.
contra-alquebrar v.
contra-amantilho s.m.
contra-amura s.f.
contra-antena s.f.
contra-anunciação s.f.
contra-anunciado adj.
contra-anunciador adj. s.m.
contra-anunciante adj. s.2g.
contra-anunciar v.
contra-anunciável adj.2g.
contra-anúncio s.m.
contra-apelação s.f.
contra-apelado adj.
contra-apelador adj. s.m.
contra-apelante adj.2g.
contra-apelar v.
contra-apelável adj.2g.
contra-apelo s.m.
contra-aproche s.m.
contra-arcada s.f.
contra-arcadura s.f.
contra-arco s.m.
contra-arcopendural s.m.
contra-argumento s.m.
contra-arminhado adj.
contra-arminho s.m.
contra-arminhos s.m.2n.
contra-arrazoado s.m.
contra-arrazoador adj. s.m.
contra-arrazoante adj. s.2g.
contra-arrazoar v.
contra-arrazoável adj.2g.
contra-arrestado adj.
contra-arrestador adj. s.m.
contra-arrestante adj.2g.
contra-arrestar v.
contra-arrestável adj.2g.
contra-arresto s.m.
contra-asa s.f.
contra-assalto s.m.
contra-assembleia (*é*) s.f.
contra-assinado adj.
contra-assinador adj. s.m.
contra-assinante adj. s.2g.
contra-assinar v.
contra-assinatura s.f.
contra-assinável adj.2g.
contra-astúcia s.f.
contra-atacado adj. s.m.
contra-atacador adj. s.m.
contra-atacante adj. s.2g.
contra-atacar v.
contra-atacável adj.2g.
contra-ataque s.m.
contra-avisado adj.
contra-avisador adj. s.m.
contra-avisante adj.2g. s.2g.
contra-avisar v.
contra-avisável adj.2g.
contra-aviso s.m.
contrabainha s.f.
contrabaixista s.2g.
contrabaixo s.m.
contrabaixo-tuba s.m.; pl. *contrabaixos-tuba* e *contrabaixos-tubas*
contrabalançado adj.
contrabalançador (*ô*) adj. s.m.
contrabalançante adj. s.2g.
contrabalançar v.
contrabalançável adj.2g.
contrabalanceado adj.
contrabalanceador (*ô*) adj. s.m.
contrabalanceamento s.m.
contrabalanceante adj. s.2g.
contrabalancear v.
contrabalanceável adj.2g.
contrabalanço s.m.
contrabaldação s.f.
contrabaldado adj.
contrabaldador (*ô*) adj. s.m.
contrabaldar v.
contrabaluarte s.m.
contrabanco s.m.
contrabanda s.f.
contrabandado adj. s.m.
contrabandar v.
contrabandeabilidade s.f.
contrabandeado adj. s.m.
contrabandeador (*ô*) adj. s.m.
contrabandeante adj.2g.
contrabandear v.
contrabandeável adj.2g.
contrabandismo s.m.
contrabandista adj. s.2g.
contrabandístico adj.
contrabando s.m.
contrabaratear v.
contrabarra s.f.
contrabarrado adj. s.m.
contrabarreira s.f.
contrabarretar v.
contrabatedor (*ô*) s.m.
contrabatente adj. s.2g.
contrabater v.
contrabateria s.f.
contrabatido adj. s.m.
contrabatível adj.2g.
contrabatoque s.m.
contrabico s.m.
contraboça s.f.
contrabordo s.m.
contrabraceado adj.
contrabracear v.
contrabraço s.m.
contrabraçola s.f.
contrabretessado adj.

contrabujarrona s.f.
contraburelado adj. s.m.
contrabuzina s.f.
contracabeçote s.m.
contracabresto (*ê*) s.m.
contracaçoleta (*ê*) s.f.
contracadaste s.m.
contracaixa s.f.
contracaixilho s.m.
contracaldeira s.f.
contracalimba s.f.
contracambiado adj.
contracambiador (*ô*) adj. s.m.
contracambiante adj. s.2g.
contracambiar v.
contracambiável adj.2g.
contracâmbio s.m.; cf. *contracambio*, fl. do v. *contracambiar*
contracampanha s.f.
contracampo s.m.
contracanal s.m.
contracantado adj.
contracantador (*ô*) adj. s.m.
contracantante adj.2g.
contracantar v.
contracantável adj.2g.
contracanto s.m.
contração s.f.
contracapa s.f.
contracapitano s.m.
contracarena s.f.
contracarril s.m.
contracava s.f.
contracédula s.f.
contracena s.f.
contracenado adj.
contracenador (*ô*) adj. s.m.
contracenante adj. s.2g.
contracenar v.
contracenável adj.2g.
contracepção s.f.
contraceptividade s.f.
contraceptivo adj. s.m.
contracéu s.m.
contrachapa s.f.
contrachaveta (*ê*) s.f.
contrachefe s.m.
contracheque s.m.
contrachevronado adj.
contrachoque s.m.
contrachumaceira s.f.
contracientífico adj.
contracifra s.f.
contracinta s.f.
contraclave s.f.
contracobra s.f.
contracoice s.m.
contracoiceiro s.m.
contracolação s.f.
contracolado adj.
contracolagem s.f.
contracolante adj.2g.
contracolar v.
contracolável adj.2g.
contracoloração s.f.
contracordilheira s.f.
contracordilheirano adj. s.m.
contracorrente s.f.
contracosta s.f.
contracoticado adj. s.m.
contracoticar v.
contracouceiro s.m.
contracrítica s.f.
contracriticado adj.
contracriticador (*ô*) adj. s.m.
contracriticante adj. s.2g.
contracriticar v.
contracriticável adj.2g.
contracrítico adj. s.m.
contracruzada s.f.
contracruzado s.m.
contractibilidade s.f.
contráctil adj.2g.
contractilidade s.f.
contractível adj.2g.
contractividade s.f.
contractivo adj.
contracto adj.
contractômetro s.m.
contractura s.f.
contracturado adj.
contracturante adj.2g.
contracultura s.f.
contracultural adj.2g.
contracunhado adj. s.m.
contracunhador (*ô*) adj. s.m.
contracunhagem s.f.
contracunhante adj.2g.
contracunhar v.
contracunhável adj.2g.
contracunho s.m.
contracurva s.f.
contradança s.f.
contradançar v.
contradancista s.2g.
contradebruar v.
contradeciduado adj.
contradeclaração s.f.
contradeclarado adj.
contradeclarador (*ô*) adj. s.m.
contradeclarante adj.2g.
contradeclarar v.
contradeclaratório adj.
contradeclarável adj.2g.
contradeclive s.m.
contradecotado adj.
contrademonstração s.f.
contradescarga s.f.
contradesfeito adj.
contradiâmetro s.m.
contradição s.f.
contradique s.m.
contradistinção s.f.
contradistinguir v.
contradistinguível adj.2g.
contradita s.f.
contraditado adj.
contraditador (*ô*) adj. s.m.
contraditante adj. s.2g.
contraditar v.
contraditável adj.2g.
contradito adj.
contraditor (*ô*) adj. s.m.
contraditória s.f.
contraditório adj.
contradizedor (*ô*) adj. s.m.
contradizente adj. s.2g.
contradizer v.
contradizível adj.2g.
contradominial adj.2g.
contradomínio s.m.
contradormentes s.m.pl.
contradragona s.f.
contraedito s.m.
contraeixo s.m.
contraeletromotor s.m.
contraeletromotriz adj. s.f.
contraemboscada s.f.
contraemergente adj.2g.
contraempeno s.m.
contraencosta s.f.
contraente adj. s.2g.
contraenxuga s.f.
contra-erva s.f.; pl. *contra-ervas*
contra-erva-bastarda s.f.; pl. *contra-ervas-bastardas*
contra-erva-do-peru s.f.; pl. *contra-ervas-do-peru*
contraescarpa s.f.
contraescarpado adj.
contraescarpante adj.2g.
contraescarpar v.
contraescarpável adj.2g.
contraescota s.f.
contraescotim s.m.
contraescritura s.f.
contraescriturado adj.
contraescriturador adj. s.m.
contraescriturante adj.2g.
contraescriturar v.
contraescriturável adj.2g.
contraesfregar v.
contraespaldeira s.f.
contraespalmado adj.
contraespião s.m.
contraespionado adj.
contraespionagem s.f.
contraespionante adj.2g.
contraespionar v.
contraespionável adj.2g.
contraesquartelado adj.
contraesquarteladura s.f.
contraesquartelar v.
contraestadia s.f.
contraestai s.m.
contraestais s.m.pl.
contraestendedor adj. s.m.
contraestendente adj. s.2g.
contraestender v.
contraestendibilidade s.f.
contraestendido adj.
contraestendível adj.2g.
contraestimulação s.f.
contraestimulado adj.
contraestimulador adj. s.m.
contraestimulante adj.2g. s.m.
contraestimular v.
contraestimulável adj.2g.
contraestimulismo s.m.
contraestimulista adj. s.2g.
contraestímulo s.m.; cf. *contraestimulo*, fl. do v. *contraestimular*
contraestudo s.m.
contraexemplificação s.f.
contraexemplificado adj.
contraexemplificador adj. s.m.
contraexemplificante adj.2g.
contraexemplificar v.
contraexemplificatório adj.
contraexemplificável adj.2g.
contraexemplo s.m.
contraexplosão s.f.
contraexpoente adj. s.2g.
contraexponente adj.2g.
contraexponibilidade s.f.
contraexponível adj.2g.
contraexpor v.
contraexposição s.f.
contraexpositivo adj.
contraexpositor adj. s.m.
contraexpositório adj.
contraexposto adj. s.m.
contraextensão s.f.
contraextensivo adj.
contrafação s.f.
contrafaciente adj.2g.
contrafactor (*ô*) s.m.
contrafagote s.m.
contrafaixa s.f.
contrafaixado adj. s.m.
contrafaixar v.
contrafator (*ô*) s.m.
contrafatual adj.2g.
contrafazedor (*ô*) s.m.
contrafazente adj. s.2g.
contrafazer v.
contrafé s.f.
contrafecho (*ê*) s.m.
contrafeição s.f.
contrafeita s.f.
contrafeitiço s.m.
contrafeito adj. s.m.
contraferro s.m.
contrafigura s.f.
contrafiguração s.f.
contrafigurado adj.
contrafigurador (*ô*) adj. s.m.
contrafigurante adj.2g.
contrafigurar v.
contrafigurativo adj.
contrafigurável adj.2g.
contrafila s.f.
contrafilé s.m.
contrafileira s.f.
contrafiletar v.
contrafilete (*ê*) s.m.
contrafinal adj. s.2g.
contrafio s.m.
contrafixa (*cs*) s.f.
contrafixo (*cs*) s.m.
contraflanco s.m.
contraflexão (*cs*) s.f.
contrafloreado adj.
contrafloronado adj.
contrafogo (*ô*) s.m.
contrafolheado adj.
contraforma (*ô*) s.f.
contrafortar v.
contraforte s.m.
contrafosso (*ô*) s.m.
contrafratura s.f.
contrafrechal s.m.
contrafuga s.f.
contrafunda s.f.
contrafundo adv.
contrafuzil s.m.
contragambito s.m.
contrage s.f.
contragem s.f.
contrageminação s.f.
contrageminado adj.
contrageminador (*ô*) adj.
contrageminante adj.2g.
contrageminar v.
contrageminável adj.2g.
contragolpe s.m.
contragolpeado adj.
contragolpeador (*ô*) adj. s.m.
contragolpeante adj. s.2g.
contragolpear v.
contragolpeável adj.2g.
contragosto (*ô*) s.m.
contragoverno (*ê*) s.m.
contraguarda s.f.
contraguardar v.
contraguerrilha s.f.
contraguerrilhado adj.
contraguerrilhador (*ô*) adj. s.m.
contraguerrilhante adj. s.2g.
contraguerrilhar v.
contraguerrilheiro adj. s.m.
contraguia s.2g.
contragunga s.m.
contra-habitual adj.2g.
contra-habitualidade s.f.
contra-harmonia s.f.
contra-harmônico adj.
contra-haste s.f.
contra-homonímia s.f.
contra-homonímico adj.
contra-homônimo s.m.
contra-homonomia s.f.
contra-homonômico adj.
contra-homônomo adj.
contraibilidade s.f.
contraído adj.
contraimpelente adj. s.2g.
contraimpelido adj.
contraimpelidor adj. s.m.
contraimpelir v.
contraimpelível adj.2g.
contraimpulsão s.f.
contraimpulsionado adj.
contraimpulsionador adj. s.m.
contraimpulsionante adj. s.2g.
contraimpulsionar v.
contraimpulsionável adj.2g.
contraimpunidouro s.m.
contraimunoeletroforese s.f.
contraincisado adj.
contraincisador (*ô*) adj. s.m.
contraincisante adj. s.2g.
contraincisão s.f.
contraincisar v.
contraincisável adj.2g.
contraindicabilidade s.f.
contraindicação s.f.
contraindicado adj.
contraindicador (*ô*) adj. s.m.
contraindicante adj.2g.
contraindicar v.
contraindicatividade s.f.
contraindicativo adj.
contraindicável adj.2g.
contraindício s.m.
contrainformação s.f.
contrainformado adj.
contrainformador adj. s.m.
contrainformante adj. s.2g.
contrainformar v.
contrainquérito s.m.
contrainquirente adj. s.2g.
contrainquiribilidade s.f.
contrainquirição s.f.
contrainquirido adj. s.m.
contrainquiridor adj. s.m.
contrainquirir v.
contrainquisição s.f.
contrainquisidor adj.
contrainterpelação s.f.
contrainterpelado adj.
contrainterpelador adj. s.m.
contrainterpelante adj. s.2g.
contrainterpelar v.
contrainterpelável adj.2g.
contrainversão s.f.
contrainversibilidade s.f.
contrainvertedor adj. s.m.
contrainverter v.
contrainvertido adj. s.m.
contrair v.
contrairritação s.f.
contrairritante adj.2g. s.m.
contraível adj.2g.
contrajustiça s.f.
contralateral adj.2g.
contraliga s.f.
contralto s.m.
contraluz s.f.
contraluzente adj.2g.
contraluzir v.
contramalha s.f.
contramalhado adj.
contramalhante adj. s.2g.
contramalhar v.
contramalhável adj.2g.
contramalho s.m.
contramanco s.m.
contramandado s.m.
contramandador (*ô*) adj. s.m.
contramandante adj. s.2g.
contramandar v.
contramandável adj.2g.
contramando s.m.
contramangas s.f.pl.
contramanifestação s.f.
contramanifestado adj.
contramanifestador (*ô*) adj. s.m.
contramanifestante adj. s.2g.
contramanifestar v.
contramanifestativo adj.
contramanifestável adj.2g.
contramanifesto adj. s.m.
contramanivela s.f.
contramanobra s.f.
contramanobrado adj.
contramanobrador (*ô*) adj. s.m.
contramanobrante adj. s.2g.
contramanobrar v.
contramanobrável adj.2g.
contramão adj.2g. s.f.
contramarca s.f.
contramarcação s.f.
contramarcado adj.
contramarcador (*ô*) adj. s.m.
contramarcante adj. s.2g.
contramarcar v.
contramarcável adj.2g.
contramarcha s.f.
contramarchado adj.
contramarchador (*ô*) adj. s.m.
contramarchante adj. s.2g.
contramarchar v.
contramarchável adj.2g.
contramaré s.f.
contramargem s.f.
contramartelo s.m.
contramatriz s.f.
contrameão s.m.
contramedida s.f.
contramemorando adj. s.m.
contramérico adj.
contrâmero s.m.
contramestra s.f.
contramestre s.m.
contrametade s.f.
contramezena s.f.
contramina s.f.
contraminado adj.
contraminador (*ô*) adj. s.m.
contraminante adj.2g.
contraminar v.
contraminável adj.2g.

contramineiro s.m.
contraminuta s.f.
contraminutação s.f.
contraminutado adj.
contraminutador (*ô*) adj. s.m.
contraminutante adj.2g.
contraminutar v.
contraminutável adj.2g.
contramobilidade s.f.
contramola s.f.
contramoldado adj.
contramoldador (*ô*) adj. s.m.
contramoldagem s.f.
contramoldante adj. s.2g.
contramoldar v.
contramoldável adj.2g.
contramolde s.m.
contramonção s.f.
contramotilidade s.f.
contramotivação s.f.
contramotivado adj.
contramotivador (*ô*) adj. s.m.
contramotivante adj. s.2g.
contramotivar v.
contramotivável adj.2g.
contramotivo adj. s.m.
contramotor (*ô*) adj. s.m.
contramovedor (*ô*) adj. s.m.
contramóvel adj.2g.
contramovente adj. s.2g.
contramover v.
contramovido adj.
contramovimentação s.f.
contramovimentado adj.
contramovimentador (*ô*) adj. s.m.
contramovimentante adj. s.2g.
contramovimentar v.
contramovimentável adj.2g.
contramovimento s.m.
contramovível adj.2g.
contramuralha s.f.
contramuralhado adj.
contramuralhar v.
contramuramento s.m.
contramurante adj. s.2g.
contramurar v.
contramurável adj.2g.
contramuro s.m.
contranatura s.f.
contranatural adj.2g.
contranaturalidade s.f.
contranaturo adj.
contranitência s.f.
contranitente adj.2g.
contranível s.m.
contranivelação s.f.
contranivelado adj.
contranivelador (*ô*) adj. s.m.
contranivelamento s.m.
contranivelante adj.2g. s.m.
contranivelar v.
contranivelável adj.2g.
contranome s.m.
contranomeação s.f.
contranomeado adj.
contranomeador (*ô*) adj. s.m.
contranomeante adj. s.2g.
contranomear v.
contranomeável adj.2g.
contranota s.f.
contraofensiva s.f.
contraofensividade s.f.
contraofensivo adj.
contraoferta s.f.
contraofertar v.
contraoitava s.f.
contraopção s.f.
contraopcional adj.2g.
contraordem s.f.
contraordenado adj.
contraordenador adj. s.m.
contraordenamento s.m.
contraordenante adj. s.2g.
contraordenar v.
contraordenativo adj.
contraordenatório s.f.
contraordenável adj.2g.
contraosmótico adj.
contrapadieira s.f.
contrapala s.f.
contrapalado adj. s.m.
contrapalar v.
contrapancada s.f.
contrapante adj.2g. s.m.
contraparafuso s.m.
contraparente s.2g.
contraparentesco (*ê*) s.m.
contraparte s.f.
contrapartida s.f.
contrapartidário adj.
contrapartido s.m.
contrapassamento s.m.
contrapassante adj.2g.
contrapassar v.
contrapasso s.m.
contrapé s.m.
contrapeçonha s.f.
contrapedal s.m.
contrapedalar v.
contrapelo (*ê*) s.m.
contraperna s.f.
contrapesado adj.
contrapesador (*ô*) adj. s.m.
contrapesante adj. s.2g.
contrapesar v.
contrapesável adj.2g.
contrapeso (*ê*) s.m.; cf. *contrapeso*, fl. do v. *contrapesar*
contrapestana s.f.
contrapeste s.m.f.
contrapilastra s.f.
contrapinázio s.m.
contrapino s.m.
contrapisa s.f.
contrapiso s.m.
contraplaca s.f.
contraplacado adj. s.m.
contraplacar v.
contrapluma s.f.
contrapoço (*ô*) s.m.
contrapolarização s.f.
contrapolarizado adj.
contraponta s.f.
contrapontado adj.
contrapontador (*ô*) adj. s.m.
contrapontante adj.2g.
contrapontar v.
contrapontável adj.2g.
contraponteado adj.
contraponteador (*ô*) adj. s.m.
contraponteante adj.2g.
contrapontear v.
contraponteável adj.2g.
contrapontismo s.m.
contrapontista adj. s.2g.
contrapontístico adj.
contraponto s.m.
contrapor v.
contraporca s.f.
contraporta s.f.
contraposição s.f.
contraposicional adj.2g.
contraposta s.f.
contraposto (*ô*) adj.; f. (*ó*); pl. (*ó*)
contrapotenciado adj.
contrapreparação s.f.
contrapressão s.f.
contrapressionado adj.
contrapressionador (*ô*) adj. s.m.
contrapressionante adj.2g.
contrapressionar v.
contrapressionável adj.2g.
contrapressor (*ô*) s.m.
contraprestação s.f.
contraprincípio s.m.
contraproducência s.f.
contraproducente adj.2g.
contraproduzido adj.
contraproduzir v.
contraproduzível adj.2g.
contraproeiro s.m.
contraprograma s.m.
contraprogramação s.f.
contraprogramado adj.
contraprogramador (*ô*) adj. s.m.
contraprogramante adj. s.2g.
contraprogramar v.
contraprogramático adj.
contraprogramatização s.f.
contraprogramatizado adj.
contraprogramatizador (*ô*) adj. s.m.
contraprogramatizante adj.2g.
contraprogramatizar v.
contraprogramatizável adj.2g.
contraprogramável adj.2g.
contraprojetado adj.
contraprojetador (*ô*) adj. s.m.
contraprojetante adj.2g.
contraprojetar v.
contraprojetável adj.2g.
contraprojeto s.m.
contrapropaganda s.f.
contrapropagandista adj. s.2g.
contrapropagandístico adj.
contraproponente adj. s.2g.
contraproponível adj.2g.
contrapropor v.
contraproposta s.f.
contraproposto (*ô*) adj. s.m.
contraprotestado adj.
contraprotestador (*ô*) adj. s.m.
contraprotestante adj. s.2g.
contraprotestar v.
contraprotesto s.m.
contraprova s.f.
contraprovação s.f.
contraprovado adj.
contraprovador (*ô*) adj. s.m.
contraprovar v.
contraprovável adj.2g.
contrapunção s.f.
contrapunçoado adj.
contrapunçoador (*ô*) adj. s.m.
contrapunçoagem s.f.
contrapunçoante adj.2g.
contrapunçoar v.
contrapunçoável adj.
contrapunctura s.f.
contrapunho s.m.
contraquadro s.m.
contraquarteado adj.
contraquartel s.m.
contraquerena s.f.
contraquilha s.f.
contrari s.m.
contrariabilidade s.f.
contrariado adj.
contrariador (*ô*) adj. s.m.
contrariante adj.2g.
contrariar v.
contrariável adj.2g.
contrariedade s.f.
contrário adj. s.m.; cf. *contrario*, fl. do v. *contrariar*
contrarraciocinado adj.
contrarraciocinador adj. s.m.
contrarraciocinante adj.2g.
contrarraciocinar v.
contrarraciocinável adj.2g.
contrarraciocínio s.m.
contrarracional adj.2g.
contrarracionalidade s.f.
contrarrainha s.f.
contrarrampa s.f.
contrarrampante adj.2g.
contrarrancho s.m.
contrarreação s.f.
contrarreagente adj. s.2g.
contrarreagido adj.
contrarreagir v.
contrarreagível adj.2g.
contrarrebite s.m.
contrarreforma s.f.
contrarreformado adj.
contrarreformador adj. s.m.
contrarreformante adj. s.2g.
contrarreformar v.
contrarreformável adj.2g.
contrarreformista adj.2g.
contrarregra s.m.f.
contrarregrado adj.
contrarregrador adj. s.m.
contrarregragem s.f.
contrarregrante adj. s.2g.
contrarregrar v.
contrarregrável adj.2g.
contrarregulador s.m.
contrarreparo s.m.
contrarréplica s.f.; cf. *contrarreplica*, fl. do v. *contrarreplicar*
contrarreplicado adj. s.m.
contrarreplicador adj. s.m.
contrarreplicante adj. s.2g.
contrarreplicar v.
contrarreplicável adj.2g.
contrarreptabilidade s.f.
contrarreptado adj.
contrarreptador adj. s.m.
contrarreptante adj. s.2g.
contrarreptar v.
contrarreptável adj.2g.
contrarrepto s.m.
contrarrespondedor adj. s.m.
contrarrespondente adj. s.2g.
contrarresponder v.
contrarrespondido adj.
contrarrespondível adj.2g.
contrarresposta s.f.
contrarretábulo s.m.
contrarrevolta s.f.
contrarrevoltado adj.
contrarrevoltador adj. s.m.
contrarrevoltante adj. s.2g.
contrarrevoltar v.
contrarrevoltável adj.2g.
contrarrevolução s.f.
contrarrevolucionado adj.
contrarrevolucionador adj. s.m.
contrarrevolucional adj.
contrarrevolucionante adj. s.2g.
contrarrevolucionar v.
contrarrevolucionário adj. s.m.
contrarrevolucionável adj.2g.
contrarroda s.f.
contrarrolda s.f.
contrarrompedor adj. s.m.
contrarrompente adj. s.2g.
contrarromper v.
contrarrompido adj.
contrarrompível adj.2g.
contrarronda s.f.
contrarroquete s.m.
contrarrotura s.f.
contrarruptura s.f.
contrassafra s.f.
contrassalva s.f.
contrassalvado adj.
contrassalvar v.
contrassaudação s.f.
contrassaudado adj.
contrassaudador adj. s.m.
contrassaudante adj. s.2g.
contrassaudar v.
contrassaudável adj.2g.
contrassegurado adj. s.m.
contrassegurador adj. s.m.
contrassegurante adj. s.2g.
contrassegurar v.
contrassegurável adj.2g.
contrasseguro s.m.
contrasselado adj.
contrasselador adj. s.m.
contrasselante adj.2g.
contrasselar v.
contrasselável adj.2g.
contrasselo (*ê*) s.m.; cf. *contrasselo*, fl. do v. *contrasselar*
contrassenha s.f.
contrassenso s.m.
contrassignificação s.f.
contrassinal s.m.
contrassistema s.m.
contrassistemático adj.
contrassistêmico adj.
contrassoca s.f.
contrassortida s.f.
contrassugerido adj.
contrassugeridor adj. s.m.
contrassugerir v.
contrassugerível adj.2g.
contrassugestão s.f.
contrassugestividade s.f.
contrassugestivo adj.
contrassujeito s.m.
contrastação s.f.
contrastado adj.
contrastador (*ô*) adj. s.m.
contrastante adj.2g.
contrastar v.
contrastaria s.f.
contrastatividade s.f.
contrastativo adj.
contrastável adj.2g.
contraste s.m.
contrasteação s.f.
contrasteado adj.
contrasteador (*ô*) s.m.
contrasteante adj.2g.
contrastear v.
contrasteável adj.2g.
contrastina s.f.
contrastividade s.f.
contrastivo adj.
contrata s.f.
contratabilidade s.f.
contratação s.f.
contrataco s.m.
contratadeira s.f.
contratado adj. s.m.
contratador (*ô*) adj. s.m.
contratalho s.m.
contratante adj. s.2g.
contratar v.
contratável adj.2g.
contratejo s.m.
contratela s.f.
contratelado adj.
contratelador (*ô*) adj. s.m.
contratelante adj.2g.
contratelar v.
contratelável adj.2g.
contratema s.m.
contratematizado adj.
contratematizador (*ô*) adj. s.m.
contratematizante adj.2g.
contratematizar v.
contratematizável adj.2g.
contratempo s.m.
contraterraço s.m.
contratestemunhado adj. s.m.
contratestemunhador (*ô*) adj. s.m.
contratestemunhante adj. s.2g.
contratestemunhar v.
contratestemunhável adj.2g.
contratestemunho s.m.
contratibilidade s.f.
contrátil adj.2g.
contratilidade s.f.
contratimbre s.m.
contratipado s.f.
contratipagem s.f.
contratipar v.
contratipável adj.2g.
contratipo s.m.
contratirado adj.
contratirador (*ô*) adj. s.m.
contratirante s.m.
contratirar v.
contratirável adj.2g.
contratista adj. s.2g.
contratístico adj.
contratível adj.2g.
contratividade s.f.
contrativo adj.
contrato adj. s.m.
contratônico adj.
contratorpedeiro s.m.
contratorpedeiro-escolta s.m.; pl. *contratorpedeiros-escolta* e *contratorpedeiros-escoltas*

contratorpedeiro-líder s.m.; pl. *contratorpedeiros-líder* e *contratorpedeiros-líderes*
contratransferência s.f.
contratransferencial adj.
contratransferente adj. s.2g.
contratransferibilidade s.f.
contratransferido adj.
contratransferidor (*ô*) adj. s.m.
contratransferir v.
contratransferível adj.2g.
contratraquete (*ê*) s.m.
contratrilho s.m.
contratual adj.2g.
contratualidade s.f.
contratualismo s.m.
contratualista adj. s.2g.
contratualístico adj.
contratura s.f.
contraturado adj.
contraturante adj.2g.
contravalação s.f.
contravalado adj. s.m.
contravalador (*ô*) adj.
contravalante adj.2g.
contravalar v.
contravalável adj.2g.
contravalor (*ô*) s.m.
contravapor (*ô*) s.m.
contravariância s.f.
contravariante s.f.
contraveia adv.
contraveio s.m.
contraveirado adj. s.m.
contraveirador (*ô*) adj.
contraveirante adj.2g.
contraveirar v.
contraveirável adj.2g.
contraveiro s.m.
contravenção s.f.
contravencional adj.2g.
contraveneno s.m.
contraveniente adj. s.2g.
contraventamento s.m.
contraventante adj.2g.
contraventar v.
contravento s.m.
contraventor (*ô*) adj. s.m.
contraverdade s.f.
contravergente adj.2g.
contravergueiro s.m.
contraverguetado adj.
contraverguetar v.
contraversão s.f.
contravertedor (*ô*) adj.
contravertente s.f.
contraverter v.
contravertido adj.
contravertível adj.2g.
contravia s.f.
contravidraça s.f.
contravigia s.f.
contravir v.
contravoga s.m.
contravolição s.f.
contravolitivo adj.
contravolta s.f.
contravoltado adj.
contravoltador (*ô*) adj.
contravoltante adj.2g.
contravoltar v.
contravoltável adj.2g.
contravolteado adj.
contravolteador (*ô*) adj.
contravolteante adj.2g.
contravoltear v.
contravolteável adj.2g.
contravolteio s.m.
contravotação s.f.
contravotado adj.
contravotador (*ô*) adj. s.m.
contravotante adj. s.2g.
contravotar v.
contravotável adj.2g.
contravoto s.m.
contrectabilidade s.f.
contrectação s.f.
contrectado adj.
contrectador (*ô*) adj. s.m.
contrectante adj.2g.
contrectar v.
contrectável adj.2g.
contregum s.m.
contreito adj. s.m.
contretabilidade s.f.
contretação s.f.
contretado adj.
contretador (*ô*) adj. s.m.
contretante adj.2g.
contretar v.
contretável adj.2g.
contribar v.
contribuição s.f.
contribuído adj.
contribuidor (*ô*) adj. s.m.
contribuinte adj. s.2g.
contribuir v.
contributário adj. s.m.
contributividade s.f.
contributivo adj.
contributo s.m.
contrição s.f.
contriense adj. s.2g.
contristabilidade s.f.
contristação s.f.
contristado adj.
contristador (*ô*) adj. s.m.
contristamento s.m.
contristante adj.2g.
contristar v.
contristável adj.2g.
contrito adj.
contrivar v.
controlabidade s.f.
controlação s.f.
controlado adj.
controlador (*ô*) adj. s.m.
controladoria s.f.
controlante adj.2g.
controlar v.
controlável adj.2g.
controle (*ô*) s.m.; cf. *controle*, fl. do v. *controlar*
controlista adj. s.2g.
controlístico adj.
controvérsia s.f.
controversial adj.2g.
controversibilidade s.f.
controversista adj. s.2g.
controversível adj.2g.
controversivo adj.
controverso adj.
controverter v.
controvertibilidade s.f.
controvertido adj.
controvertível adj.2g.
contubernáculo s.m.
contubernal adj. s.2g.
contubernar v.
contubérnio s.m.
contubernizar v.
contudo conj.
contumácia s.f.
contumacial adj.2g.
contumacíssimo adj. sup. de *contumaz*
contumaz adj. s.2g.
contumélia s.f.
contumelioso (*ô*) adj. s.m.; f. (*ó*); pl. (*ó*)
contundência s.f.
contundente adj.2g.
contundibilidade s.f.
contundido adj.
contundir v.
contundível adj.2g.
conturbabilidade s.f.
conturbação s.f.
conturbado adj.
conturbador (*ô*) adj. s.m.
conturbante adj.2g.
conturbar v.
conturbatividade s.f.
conturbativo adj.
conturbável adj.2g.
contusão s.f.
contuso adj.
conubial adj.2g.
conúbio s.m.
conulária s.f.
conulário s.m.
conúleo s.m.
conumerabilidade s.f.
conumeração s.f.
conumerado adj.
conumerador (*ô*) adj. s.m.
conumerante adj.2g.
conumerar v.
conumerável adj.2g.
conurbação s.f.
conurbado adj.
conurbano adj. s.m.
conurbante adj.2g.
conurbar v.
conurbável adj.2g.
conurídeo adj. s.m.
conurínea s.m.
conuro s.m.
conuropse s.2g.
convalamaretina s.f.
convalamarina s.f.
convalaretina s.f.
convalária s.f.
convalaríea s.f.
convalarina s.f.
convales s.m.pl.
convalescença s.f.
convalescente adj. s.2g.
convalescer v.
convalescido adj. s.m.
convalescimento s.m.
convalidação s.f.
convalidado adj.
convalidante adj.2g.
convalidar v.
convalidável adj.2g.
convecção s.f. "transmissão de calor"; cf. *convexão* (*cs*)
convectividade s.f.
convectivo adj.
convelente adj.2g.
convelibilidade s.f.
convelido adj.
convelir v.
convelível adj.2g.
cônvena adj. s.2g.
convença s.f.
convenção s.f.
convencedor (*ô*) adj.
convencer v.
convencibilidade s.f.
convencido adj. s.m.
convencimento s.m.
convencionabilidade s.f.
convencionado adj. s.m.
convencionador (*ô*) adj. s.m.
convencional adj. s.2g.
convencionalidade s.f.
convencionalismo s.m.
convencionalista adj. s.2g.
convencionalístico adj.
convencionalização s.f.
convencionalizado adj.
convencionalizador (*ô*) adj. s.m.
convencionalizante adj.2g.
convencionalizar v.
convencionalizável adj.2g.
convencionante adj.2g.
convencionar v.
convencionável adj.2g.
convencível adj.2g.
convenente adj.2g.
conveniado adj. s.m.
convenial adj.2g.
conveniar v.
conveniência s.f.
convenienciioso (*ô*) adj.; f. (*ó*); pl. (*ó*)
conveniente adj.2g.
convênio s.m.; cf. *convenio*, fl. do v. *conveniar*
convenista adj. s.2g.
convenível adj.2g.
conventense adj. s.2g.
conventicular adj.2g.
conventiculismo s.m.
conventículo s.m.
conventilho s.m.
conventismo s.m.
conventista s.2g.
convento s.m.
conventual adj. s.2g.
conventualidade s.f.
converbal adj.2g.
converbalidade s.f.
convergência s.f.
convergente adj.2g. s.m.
convergibilidade s.f.
convergido adj.
convergir v.
convergível adj.2g.
conversa s.f.
conversabilidade s.f.
conversação s.f.
conversada s.f.
conversadeira s.f.
conversado adj. s.m.
conversador (*ô*) adj. s.m.
conversa-fiada s.2g.; pl. *conversas-fiadas*
conversalhável adj.2g.
conversante adj.2g.
conversão s.f.
conversar v.
conversativa adj.
conversável adj.2g.
conversibilidade s.f.
conversibilismo s.m.
conversibilista adj. s.2g.
conversibilístico adj.
conversível adj.2g. s.m.
conversividade s.f.
conversivo adj.
converso adj. s.m.
conversor (*ô*) adj. s.m.
convertedor (*ô*) adj. s.m.
convertente adj.2g. s.f.
converter v.
convertibilidade s.f.
convertido adj. s.m.
convertimento s.m.
convertiplano s.m.
convertível adj.2g.
convés s.m.
convescote s.m.
convexabilidade (*cs*) s.f.
convexado (*cs*) adj.
convexador (*cs...ô*) adj. s.m.
convexante (*cs*) adj. s.2g.
convexão (*cs*) s.f. "convexidade"; cf. *convecção*
convexar (*cs*) v.
convexável (*cs*) adj.2g.
convexidade (*cs*) s.f.
convexilinearidade (*cs*) s.f.
convexilíneo (*cs*) adj.
convexirrostro (*cs*) adj.
convexo (*cs*) adj.
convexobasia (*cs*) s.f.
convexobásico (*cs*) adj.
convexo-côncavo adj.; pl. *convexo-côncavos*
convexo-convexo adj.; pl. *convexo-convexos*
convibrabilidade s.f.
convibração s.f.
convibrado adj.
convibrador (*ô*) adj. s.m.
convibrante adj.2g.
convibrar v.
convibrável adj.2g.
convicção s.f.
convicina s.f.
convício s.m.
convicioso (*ô*) adj.; f. (*ó*); pl. (*ó*)
convicto adj.
convidado adj. s.m.
convidador (*ô*) adj. s.m.
convidante adj.2g.
convidar v.
convidativo adj.
convidável adj.2g.
convidoso (*ô*) adj.; f. (*ó*); pl. (*ó*)
convincente adj.2g.
convinde s.m.
convindo adj. s.m.
convinhável adj.2g.
convir v.
convite s.m.
conviva s.2g.
convival adj.2g.
convivência s.f.
convivente adj. s.2g.
conviver v.
convivial adj.2g.
convivibilidade s.f.
convivido adj.
convivilidade s.f.
convívio s.m.
convivível adj.2g.
convizinhado adj.
convizinhança s.f.
convizinhante adj.2g.
convizinhar v.
convizinhável adj.2g.
convizinho adj. s.m.
convocabilidade s.f.
convocação s.f.
convocado adj. s.m.
convocador (*ô*) adj. s.m.
convocante adj.2g.
convocar v.
convocatória s.f.
convocatório adj.
convocável adj.2g.
convolação s.f.
convolado adj.
convolador (*ô*) adj. s.m.
convolante adj.2g.
convolar v.
convolável adj.2g.
convolto (*ô*) adj.
convolução s.f.
convoluta s.f.
convolutividade s.f.
convolutivo adj.
convoluto adj. s.m.
convolutoso (*ô*) adj.; f. (*ó*); pl. (*ó*)
convolvedor (*ô*) adj. s.m.
convolvente adj. s.2g.
convolver v.
convolvibilidade s.f.
convolvido adj.
convolvível adj.2g.
convolvulácea s.f.
convolvuláceo adj.
convolvúlea s.f.
convolvúleo adj.
convolvúlico adj.
convolvulifoliado adj.
convolvulina s.f.
convolvulínea s.f.
convolvulíneo adj.
convolvulínico adj.
convolvulinol s.f.
convolvulinólico adj.
convólvulo s.m.
convolvuloide (*ó*) adj.2g.
convolvulóidea s.f.
convolvulóideo adj.
convosco (*ô*) pron.
convulsado adj.
convulsador (*ô*) adj. s.m.
convulsante adj.2g.
convulsão s.f.
convulsar v.
convulsável adj.2g.
convulsibilidade s.f.
convulsigenia s.f.
convulsígeno adj. s.m.
convulsionado adj.
convulsionador (*ô*) adj. s.m.
convulsionamento s.m.
convulsionante adj.2g.
convulsionar v.
convulsionário adj. s.m.
convulsionarismo s.m.
convulsionável adj.2g.
convulsionismo s.m.
convulsionista s.2g.
convulsioterapia s.f.
convulsioterápico adj.
convulsivado adj.
convulsivador (*ô*) adj. s.m.
convulsivante adj.2g.
convulsível adj.2g.
convulsividade s.f.
convulsivina s.f.
convulsivínico adj.
convulsivo adj.

convulso adj. s.m.
convulsoterapia s.f.
convulsoterápico adj.
coobação s.f.
coobado adj.
coobador (*ô*) adj.
coobante adj.2g.
coobar v.
coobável adj.2g.
coobrável adj.2g.
coobrigabilidade s.f.
coobrigação s.f.
coobrigado adj. s.m.
coobrigador (*ô*) adj. s.m.
coobrigante adj. s.2g.
coobrigar v.
coobrigável adj.2g.
coocupabilidade s.f.
coocupação s.f.
coocupado adj.
coocupador (*ô*) adj. s.m.
coocupante adj. s.2g.
coocupar v.
coocupável adj.2g.
cooficiabilidade s.f.
cooficiado adj.
cooficiador (*ô*) adj. s.m.
cooficiante adj. s.2g.
cooficiar v.
cooficiável adj.2g.
cookeíta s.f.
coomologia s.f.
coomólogo adj. s.m.
coonestabilidade s.f.
coonestação s.f.
coonestado adj.
coonestador (*ô*) adj. s.m.
coonestante adj.2g.
coonestar v.
coonestatividade s.f.
coonestativo adj.
coonestável adj.2g.
cooperabilidade s.f.
cooperação s.f.
cooperado adj. s.m.
cooperador (*ô*) adj. s.m.
cooperante adj.2g.
cooperar v.
cooperário adj. s.m.
cooperatismo s.m.
cooperatista adj. s.2g.
cooperatístico adj.
cooperativa s.f.
cooperativado s.m.
cooperatividade s.f.
cooperativismo s.m.
cooperativista adj. s.2g.
cooperativístico adj.
cooperativo adj.
cooperável adj.2g.
cooperita s.f.
cooperítico adj.
cooposição s.f.
coopositor s.m.
cooptabilidade s.f.
cooptação s.f.
cooptado adj.
cooptador (*ô*) adj. s.m.
cooptante adj. s.2g.
cooptar v.
cooptável adj.
coordenabilidade s.f.
coordenação s.f.
coordenada s.f.
coordenado adj.
coordenador (*ô*) adj. s.m.
coordenadoria s.f.
coordenante adj. s.2g.
coordenar v.
coordenativa s.f.
coordenatividade s.f.
coordenativo adj.
coordenatografia s.f.
coordenatográfico adj.
coordenatógrafo s.m.
coordenatômetro s.m.
coordenatriz adj. s.f.
coordenável adj.2g.
coordinatografia s.f.
coordinatográfico adj.
coordinatógrafo s.m.
coordinatômetro s.m.
coordinatriz adj. s.f.
coorte s.f.
coossificação s.f.
coossificado adj.
coossificador (*ô*) adj. s.m.
coossificante adj.2g.
coossificar v.
coossificável adj.2g.
copa s.m.f.
copacabanense adj. s.2g.
copacabânico adj.
copaço s.m.
copa-cozinha s.f.; pl. *copas-cozinhas*
copada s.f.
copado adj.
copador (*ô*) s.m.
copagem s.f.
copaíba s.f.
copaíba-branca s.f.; pl. *copaíbas-brancas*
copaíba-curiarana s.f.; pl. *copaíbas-curiaranas*
copaíba-da-várzea s.f.; pl. *copaíbas-da-várzea*
copaíba-do-pará s.f.; pl. *copaíbas-do-pará*
copaíba-jutaí s.f.; pl. *copaíbas-jutaí* e *copaíbas-jutaís*
copaibal s.m.
copaíba-marimari s.f.; pl. *copaíbas-marimari* e *copaíbas-marimaris*
copaíba-preta s.f.; pl. *copaíbas-pretas*
copaibarana s.f.
copaíba-verdadeira s.f.; pl. *copaíbas-verdadeiras*
copaíba-vermelha s.f.; pl. *copaíbas-vermelhas*
copaibeira s.f.
copaibeira-de-minas s.f.; pl. *copaibeiras-de-minas*
copaibeiro s.m.
copaibuçu s.m.
copaié s.m.
copaífera s.f.
copaína s.f.
copal adj.2g. s.m.f.
copal-cauri s.m.; pl. *copais-cauri* e *copais-cauris*
copalcocote s.m.
copalífero adj.
copalina s.f.
copalínico adj.
copalino adj.
copalita s.f.
copalmo s.m.
copalqui s.m.
copalquina s.f.
copano s.m.
copaque s.m.
copar v.
coparceiro s.m.
coparceria s.f.
coparia s.f.
coparrão s.m.
coparticipabilidade s.f.
coparticipação s.f.
coparticipado adj.
coparticipador adj. s.m.
coparticipante adj. s.2g.
coparticipar v.
coparticipável adj.2g.
copartícipe s.m.
copas s.f.pl.
copatanense adj. s.2g.
copaúba s.f.
copaubuçu s.m.
copaúva s.f.
copázio s.m.
cope s.m. "centro de rede"; cf. *copé*
copé s.m. "cabana dos guaranis"; cf. *cope*
copeira s.f.
copeirado adj.
copeirador (*ô*) adj.
copeiragem s.f.
copeirante adj.2g.
copeirar v.
copeirável adj.2g.
copeiro adj. s.m.
copeiro-mor s.m.; pl. *copeiros-mores*
copejada s.f.
copejador (*ô*) s.m.
copejadura s.f.
copejante adj.2g.
copejar v.
copejável adj.2g.
copejo (*ê*) s.m.
copel s.m.
copela s.f.
copelação s.f.
copelado adj.
copelador (*ô*) adj. s.m.
copelar v.
copelável adj.2g.
copelha (*ê*) s.f.
copenhaguense adj. s.2g.
copeógnato adj. s.m.
copépode adj.2g. s.m.
copépodo s.m.
copeque s.m.
coperazina s.f.
coperazínico adj.
coperiódico adj.
coperíodo s.m.
copernicano adj. s.m.
copernícia s.f.
coperniciano adj. s.m.
copérnico s.m.
copete (*ê*) s.m.
copiá s.m.
cópia s.f.; cf. *copia*, fl. do v. *copiar*
copiadeira s.f.
copiado adj.
copiador (*ô*) s.m.
copiadora (*ô*) s.f.
copiagem s.f.
copião s.m.
copiapita s.f.
copiapite s.f.
copiar v. s.m.
copiara s.f.
copiata s.m.
copiativo adj.
copiável adj.2g.
copico s.m.
copidescado adj.
copidescador (*ô*) adj. s.m.
copidescar v.
copidescável adj.2g.
copidesque s.m.
copidóptero s.m.
copilação s.f.
copilado adj.
copilador (*ô*) adj. s.m.
copilar v.
copilatório adj.
copilável adj.2g.
copília s.m.
copilo s.m.
copilotado adj.
copilotante adj.2g.
copilotar v.
copilotável adj.2g.
copiloto (*ô*) s.m.; cf. *copiloto*, fl. do v. *copilotar*
copinalense adj. s.2g.
copinete (*ê*) s.m.
copinho s.m.
copínia s.m.
copio s.m. "rede"; cf. *cupio*
copiografado adj.
copiografador (*ô*) adj. s.m.
copiografar v.
copiografável adj.2g.
copiografia s.f.
copiográfico adj.
copiógrafo s.m.; cf. *copiografo*, fl. do v. *copiografar*
copiopia s.f.
copiópico adj.
copiosidade s.f.
copioso (*ô*) adj.; f. (*ó*); pl. (*ó*)
copista adj. s.2g.
copistaria s.f.
copita s.f.
copiúba s.f.
copiúva s.f.
copla s.f.
coplanar adj.2g.
coplano s.m.
coplilha s.f.
coplista adj. s.2g.
coplístico adj.
copo s.m.
copo-balão s.m.; pl. *copos-balão* e *copos-balões*
copo-d'água s.m.f.; pl. *copos-d'água*
copodar adj.2g.
copo-de-caçador s.m.; pl. *copos-de-caçador*
copo-de-leite s.m.; pl. *copos-de-leite*
copodiscinesia s.f.
copodiscinésio adj.
copofobia s.f.
copofóbico adj.
copofone s.m.
copofonia s.f.
copofônico adj.
copolimérico adj.
copolimerização s.f.
copolimerizado s.m.
copolimerizar v.
copolímero s.m.
copolina adj.
coporístico adj.
copos s.m.pl.
copose s.f.
copótico adj.
copoxó adj. s.2g.
copra s.f.
copracrasia s.f. "incapacidade de defecar"; cf. *coprocrasia*
copracrásico adj. "relativo a copracrasia"; cf. *coprocrásico*
coprador (*ô*) s.m.
copragógico adj.
copragogo (*ô*) s.m.
copraol s.m.
copraólico adj.
copratina s.f.
coprêmese s.f.
copremésico adj.
copremia s.f.
coprêmico adj.
copretérito adj. s.m.
coprídeo adj. s.m.
coprocrasia s.f. "soltura de fezes"; cf. *copracrasia*
coprocrásico adj. "relativo a coprocrasia"; cf. *copracrásico*
coprocultura s.f.
coprocultural adj.2g.
coprocurador s.m.
coprocuradoria s.f.
copródio s.m.
coprodução s.f.
coprodução s.f.
coproducente adj.2g.
coproduto s.m.
coprodutor s.m.
coproduzido adj.
coproduzir v.
coproesclerose s.f.
coproesclerótico adj.
coprofagia s.f.
coprofágico adj.
coprófago adj. s.m.
coprofilia s.f.
coprofílico adj.
coprofilito s.m.
coprófilo adj. s.m.
coprofirina s.f.
coprófito s.m.
coprofobia s.f.
coprofóbico adj.
coprófobo adj. s.m.
coprofrasia s.f.
coprofrásico adj.
coprolagnia s.f.
coprolágnico adj.
coprolalia s.f.
coprolálico adj.
coprolítico adj.
coprólito s.m.
coprologia s.f.
coprológico adj.
coprólogo s.m.
coproma s.m.
copromania s.f.
copromaníaco adj. s.m.
coprômano adj. s.m.
copromático adj.
coprômico adj.
copropriedade s.f.
coproprietário s.m.
coprorreia (*é*) s.f.
coprorreico (*é*) adj.
coprosclerose s.f.
coprosclerótico adj.
coprosma s.f.
copróstase s.f.
coprostasia s.f.
coprostásico adj.
coprostasiofobia s.f.
coprostasiofóbico adj.
coprostasiófobo adj. s.m.
coprostático adj.
coprosterina s.f.
coprosterol s.m.
coprosterólico adj.
coproteger v.
coprotegido adj.
coprotegível adj.2g.
coproterapia s.f.
coproterápico adj.
coprotetor s.m.
coprotoxia (*cs*) s.f.
coprotóxico (*cs*) adj.
coprozoário s.m.
coprozoico (*ó*) adj.
copta adj. s.2g.
copte s.f.
cóptera s.f.
cóptico adj.
cóptido s.m.
coptina s.f.
coptínico adj.
cóptis s.m.2n.
coptizante adj.2g. s.m.
coptizar v.
copto adj. s.m.
coptódero s.m.
coptografia s.f.
coptográfico adj.
coptógrafo s.m.
coptossoma s.m.
coptossomíneo adj. s.m.
coptotermes s.m.2n.
copu s.m.
copuaçu s.m.
copuaçurana s.f.
copuda s.f.
copuda-miúda s.f.; pl. *copudas-miúdas*
copudo adj.
cópula s.f.; cf. *copula*, fl. do v. *copular*
copulação s.f.
copulado adj.
copulador (*ô*) adj. s.m.
copulante adj.2g.
copular v. adj.2g.
copulário adj. s.m.
copulativa s.f.
copulatividade s.f.
copulativo adj.
copulável adj.2g.
coque s.m.
coqueada s.f.
coqueificabilidade s.f.
coqueificação s.f.
coqueificado adj.
coqueificador (*ô*) adj. s.m.
coqueificante adj.2g.
coqueificar v.
coqueificável adj.2g.
coqueiral s.m.
coqueiralense adj. s.2g.
coqueirama s.f.
coqueirense adj. s.2g.
coqueirinho s.m.
coqueirinho-cabeçudo-do-campo s.m.; pl. *coqueirinhos-cabeçudos-do-campo*

coqueirinho-da-serra s.m.; pl. *coqueirinhos-da-serra*
coqueirinho-de-vênus s.m.; pl. *coqueirinhos-de-vênus*
coqueirinho-do-campo s.m.; pl. *coqueirinhos-do-campo*
coqueiro adj. s.m.
coqueiro-açaí s.m.; pl. *coqueiros-açaí* e *coqueiros-açaís*
coqueiro-acunã s.m.; pl. *coqueiros-acunã* e *coqueiros-acunãs*
coqueiro-airi s.m.; pl. *coqueiros-airi* e *coqueiros-airis*
coqueiro-amargoso s.m.; pl. *coqueiros-amargosos*
coqueiro-anaiá s.m.; pl. *coqueiros-anaiá* e *coqueiros-anaiás*
coqueiro-anão s.m.; pl. *coqueiros-anão* e *coqueiros-anões*
coqueiro-anão-da-praia s.m.; pl. *coqueiros-anão-da-praia* e *coqueiros-anões-da-praia*
coqueiro-aracuri s.m.; pl. *coqueiros-aracuri* e *coqueiros-aracuris*
coqueiro-ariri s.m.; pl. *coqueiros-ariri* e *coqueiros-ariris*
coqueiro-azedo s.m.; pl. *coqueiros-azedos*
coqueiro-babão s.m.; pl. *coqueiros-babões*
coqueiro-babunha s.m.; pl. *coqueiros-babunha* e *coqueiros-babunhas*
coqueiro-bacaba s.m.; pl. *coqueiros-bacaba* e *coqueiros-bacabas*
coqueiro-baixense adj. s.2g.; pl. *coqueiro-baixenses*
coqueiro-bocaiuva s.m.; pl. *coqueiros-bocaiuva* e *coqueiros-bocaiuvas*
coqueiro-brejaúba s.m.; pl. *coqueiros-brejaúba* e *coqueiros-brejaúbas*
coqueiro-buçu s.m.; pl. *coqueiros-buçu* e *coqueiros-buçus*
coqueiro-buriti s.m.; pl. *coqueiros-buriti* e *coqueiros-buritis*
coqueiro-cabeçudo s.m.; pl. *coqueiros-cabeçudos*
coqueiro-caiaué s.m.; pl. *coqueiros-caiaué* e *coqueiros-caiaués*
coqueiro-carandá s.m.; pl. *coqueiros-carandá* e *coqueiros-carandás*
coqueiro-carandaí s.m.; pl. *coqueiros-carandaí* e *coqueiros-carandaís*
coqueiro-catulé s.m.; pl. *coqueiros-catulé* e *coqueiros-catulés*
coqueiro-cauí s.m.; pl. *coqueiros-cauí* e *coqueiros-cauís*
coqueiro-da-baía s.m.; pl. *coqueiros-da-baía*
coqueiro-da-índia s.m.; pl. *coqueiros-da-índia*
coqueiro-da-praia s.m.; pl. *coqueiros-da-praia*
coqueiro-das-seicheles s.m.; pl. *coqueiros-das-seicheles*
coqueiro-de-dendê s.m.; pl. *coqueiros-de-dendê*
coqueiro-de-vassoura s.m.; pl. *coqueiros-de-vassoura*
coqueiro-de-vênus s.m.; pl. *coqueiros-de-vênus*
coqueiro-dicuri s.m.; pl. *coqueiros-dicuri* e *coqueiros-dicuris*
coqueiro-do-campo s.m.; pl. *coqueiros-do-campo*
coqueiro-guariroba s.m.; pl. *coqueiros-guariroba* e *coqueiros-gurarirobas*
coqueiro-guriri s.m.; pl. *coqueiros-guriri* e *coqueiros-guriris*
coqueiro-iri s.m.; pl. *coqueiros-iri* e *coqueiros-iris*
coqueiro-jataí s.m.; pl. *coqueiros-jataí* e *coqueiros-jataís*
coqueiro-javari s.m.; pl. *coqueiros-javari* e *coqueiros-javaris*
coqueiro-macho s.m.; pl. *coqueiros-macho* e *coqueiros-machos*
coqueiro-marajaíba s.m.; pl. *coqueiros-marajaíba* e *coqueiros-marajaíbas*
coqueiro-mumbaca s.m.; pl. *coqueiros-mumbaca* e *coqueiros-mumbacas*
coqueiro-naiá s.m.; pl. *coqueiros-naiá* e *coqueiros-naiás*
coqueiro-piaçaba s.m.; pl. *coqueiros-piaçaba* e *coqueiros-piaçabas*
coqueiro-pissandó s.m.; pl. *coqueiros-pissandó* e *coqueiros-pissandós*
coqueiro-rio-grandense s.m.; pl. *coqueiros-rio-grandenses*
coqueiro-sequense adj. s.2g.; pl. *coqueiro-sequenses*
coqueiro-tarampaba s.m.; pl. *coqueiros-tarampaba* e *coqueiros-tarampabas*
coqueiro-tucum s.m.; pl. *coqueiros-tucum* e *coqueiros-tucuns*
coqueiro-tucumã s.m.; pl. *coqueiros-tucumã* e *coqueiros-tucumãs*
coqueíte s.f.
coqueítico adj.
coqueíto s.m.
coqueluche s.f.
coqueluchoide (*ó*) adj.2g.
coquense adj. s.2g.
coqueria s.f.
coquete adj. s.f.
coqueteado adj.
coqueteador (*ô*) adj.
coqueteante adj.2g.
coquetear v.
coqueteável adj.2g.
coqueteio s.m.
coquetel s.m.
coquetelaria s.f.
coqueteleira s.f.
coquetel-molotov s.m.; pl. *coquetéis-molotovs*
coqueteria s.f.
coquetice s.f.
coquetismo s.m.
coquidá s.m.
coquilheiro s.m.
coquilho s.m.
coquimbita s.f.
coquimbite s.m.
coquinha s.f.
coquinhense adj. s.2g.
coquinho s.m.
coquinho-babá s.m.; pl. *coquinhos-babá* e *coquinhos-babás*
coquinho-do-campo s.m.; pl. *coquinhos-do-campo*
coquínico adj.
coquirana s.f.
coquista s.m.
coquito s.m.
coquito-do-chile s.m.; pl. *coquitos-do-chile*
cor s.m. "coração"; cf. *cor* (*ô*)
cor (*ô*) s.f. "coloração"; cf. *cor*
cora s.f. "escultura"; cf. *corá*
corá s.f. "canjica", etc.; cf. *cora* s.f. e fl. do v. *corar*
coracana s.f.
coraçane adj. s.2g.
coração s.m.f.
coração-ardente s.m.; pl. *corações-ardentes*
coração-da-índia s.m.; pl. *corações-da-índia*
coração-de-boi s.m.; pl. *corações-de-boi*
coração-de-bugre s.m.; pl. *corações-de-bugre*
coração-de-estudante s.m.; pl. *corações-de-estudante*
coração-de-galo s.m.; pl. *corações-de-galo*
coração-de-jesus s.m.; pl. *corações-de-jesus*
coração-de-lamarinau s.m.; pl. *corações-de-lamarinau*
coração-de-maria s.m.; pl. *corações-de-maria*
coração-de-negro s.m.; pl. *corações-de-negro*
coração-de-nossa-senhora s.m.; pl. *corações-de-nossa-senhora*
coração de pombo s.m.
coração-de-rainha s.m.; pl. *corações-de-rainha*
coração-de-são-tomás s.m.; pl. *corações-de-são-tomás*
coração-jesuense adj. s.2g.; pl. *coração-jesuenses*
coração-jesusense adj. s.2g.; pl. *coração-jesusenses*
coração-magoado s.m.; pl. *corações-magoados*
coração-mariano adj. s.m.; pl. *corações-marianos*
coração-mariense adj. s.2g.; pl. *coração-marienses*
coração-negro s.m.; pl. *corações-negros*
coração-verde s.m.; pl. *corações-verdes*
coraçãozinho s.m.
coraçará s.m.
córace s.m.
coráceo adj. s.m.
coracídio s.m.
coraciforme adj.2g. s.m.
coraciiforme adj.2g. s.m.
coracimorfo s.m.
coracina s.f.
corácino adj.
coracirrostro s.m.
coracita s.f.
coracobraquial adj.2g. s.m.
coracocapsular adj.2g.
coracoclavicular adj.2g.
coracocubital adj.2g.
coracoglenóideo adj.
coracoibídeo adj.
coracoidal adj.2g.
coracoide (*ó*) adj.2g. s.m.f.
coracóideo adj. s.m.
coracoidiano adj.
coracomancia s.f.
coracomante s.2g.
coracomântico adj.
coraçonada s.f.
coracora s.f.
coracorradial adj.2g.
coracoumeral adj.2g.
coraçudo adj.
coradinha s.f.
corado adj.
coradoiro s.m.
corador (*ô*) s.m.
coradouro s.m.
coragem s.f.
coragento adj.
coraixita adj. s.2g.
coraixítico adj. s.m.
corajado adj.
corajoso (*ô*) adj.; f. (*ó*); pl. (*ó*)
corajudo adj.
coral adj.2g.2n. s.m.f.
coralado adj.
coral-azul s.m.; pl. *corais-azuis*
coral-boia s.m.; pl. *corais-boia* e *corais-boias*
coral-branco s.m.; pl. *corais-brancos*
coral-cérebro s.m.; pl. *corais-cérebro* e *corais-cérebros*
coral-córneo s.m.; pl. *corais-córneos*
coral-d'água s.m.; pl. *corais-d'água*
coral-do-jardim s.m.; pl. *corais-do-jardim*
coral-dos-jardins s.m.; pl. *corais-dos-jardins*
coraleira adj.
coraleira-cristada s.f.; pl. *coraleiras-cristadas*
coraleiro adj. s.m.
corália s.f.
coraliáceo adj. s.m.
coraliano adj.
coraliário adj. s.m.
corálico adj.
corálida adj.2g. s.m.
coralídeo adj. s.m.
coralífero adj.
coraliforme adj.2g.
coralígeno adj.
coralígero adj.
coralim s.m.
coralimorfário adj. s.m.
coralina s.f.
coralinácea s.f.
coralináceo adj.
coralíneo adj.
coralinftaleína s.f.
coralinftaleínico adj.
coralínico adj.
coralino adj.
corálio s.m.
coraliofílida adj.2g. s.m.
coraliofilídeo adj. s.m.
coraliofilo s.m.
coraliste s.m.
coralistíneo adj. s.m.
coralítico adj.
coralito s.m.
coralizar v.
coral-mole s.m.; pl. *corais-moles*
coral-negro s.m.; pl. *corais-negros*
coralo adj. s.m.
coraloide (*ó*) adj.2g.
coralorriza s.f.
coral-pétreo s.m.; pl. *corais-pétreos*
coral-preto s.m.; pl. *corais-pretos*
coraltina s.f.
coraltínico adj.
coral-venenosa s.f.; pl. *corais-venenosas*
coral-verdadeira s.f.; pl. *corais-verdadeiras*
coral-verde s.m.; pl. *corais-verdes*
coral-vermelha s.f.; pl. *corais-vermelhas*
coral-vermelho s.m.; pl. *corais-vermelhos*
coramastro s.m.
coramento s.m.
coramina s.f.
coramínico adj.
coramo s.m.
corana s.f.
coranchim s.m.
corandel s.m.
corangarim s.m.
corange s.m.
corango s.m.
corânico adj.
coranita adj. s.2g.
corano adj. s.m.
corante adj.2g. s.m.
corão s.m.
corar v.
corásmio adj. s.m.
corasmo s.m.
corável adj.2g.
coraxo (*cs*) adj. s.m.
corazil s.m.
corbelha s.f.
corbícula s.f.
corbiculado adj.
corbicular adj.2g.
corbol s.m.
córbula s.f.
corbúlida adj.2g. s.m.
corbulídeo adj. s.m.
corbulíneo adj. s.m.
corbulômio s.m.
corça (*ô*) s.f. "cervídeo"; cf. *corsa* (*ô*)
corcalhé s.m.
corcel s.m.
corcha (*ô*) s.f.
corcho (*ô*) s.m.
corcireia (*é*) adj. s.f. de *corcireu*
corcirense adj. s.2g.
corcireu adj. s.m.; f. *corcireia* (*é*)
corço (*ô*) s.m. "veado"; cf. *corso* (*ô*)
córcoro s.m.
corcoroca s.f.
corcoroca-boca-de-fogo s.f.; pl. *corcorocas-boca-de-fogo* e *corcorocas-bocas-de-fogo*
corcoroca-boca-larga s.f.; pl. *corcorocas-boca-larga* e *corcorocas-bocas-largas*
corcoroca-da-pedra s.f.; pl. *corcorocas-da-pedra*
corcoroca-fluvial s.f.; pl. *corcorocas-fluviais*
corcoroca-jurumirim s.f.; pl. *corcorocas-jurumirim* e *corcorocas-jurumirins*
corcoroca-legítima s.f.; pl. *corcorocas-legítimas*
corcoroca-sargo s.f.; pl. *corcorocas-sargo* e *corcorocas-sargos*
corcova s.f.
corcovadense adj. s.2g.
corcovado adj. s.m.
corcovador (*ô*) adj. s.m.
corcovadura s.f.
corcovante adj.2g.
corcovar v.
corcovável adj.2g.
corcoveado adj.
corcoveador (*ô*) adj.
corcoveante adj.2g.
corcovear v.
corcoveável adj.2g.
corcovo (*ô*) s.m.; pl. (*ó*); cf. *corcovo*, fl. do v. *corcovar*
córculo s.m.
corcunda adj. s.2g. s.f.
corcundice s.f.
corda s.f.
cordácea s.f.
cordáceo adj.
cordacismo s.m.
cordacista adj. s.2g.
cordacístico adj.
cordada s.f.
corda-d'água s.f.; pl. *cordas-d'água*
corda de água s.f.
cordado adj. s.m.
corda-dorsal s.f.; pl. *cordas-dorsais*
cordagem s.f.
cordaianto s.m.
cordaicarpo s.m.
cordaióxio (*cs*) s.m.
cordaitale s.f.
cordaíte s.f.
cordal adj.2g.
cordame s.m.
cordamesoderma s.m.
cordamesodérmico adj.
cordante s.f.
cordão s.m.
cordão de bichos s.m.
cordão-de-frade s.m.; pl. *cordões-de-frade*
cordão-de-frade-branco s.m.; pl. *cordões-de-frade-branco*

cordão-de-frade-pequeno s.m.; pl. *cordões-de-frade-pequeno*
cordão-de-são-benedito s.m.; pl. *cordões-de-são-benedito*
cordão de são francisco s.m. "cordão de seda"
cordão-de-são-francisco s.m. "planta"; pl. *cordões-de-são-francisco*
cordão dos bichos s.m.
cordapso s.m.
cordária s.f.
cordato adj. s.m.
córdax (*cs*) s.m.
cordeação s.f.
cordeado s.m.
cordeador (*ô*) s.m.
cordeame s.m.
cordeamento s.m.
cordear v.
cor de burro quando foge adj.2g.2n.
cordeca s.f.
cor de carne adj.2g.2n.
cordectomia s.f.
cordectômico adj.
cordeína s.f.
cordeira s.f.
cordeiragem s.f.
cordeirense adj. s.2g.
cordeirinho s.m.
cordeiro s.m.
cordeiro de deus s.m. "oração"
cordeiro de Deus s.m. "Jesus Cristo"
cordeiropolense adj. s.2g.
cordeiropolitano adj. s.m.
cordel s.m.
cordela s.f.
cordelada s.f.
cordelejo (*ê*) s.m.
cordelinhos s.m.pl.
cordelista s.2g.
cordense adj. s.2g.
cordeona s.f.
corderoíta s.f.
cor-de-rosa adj.2g.2n. s.m.2n.
córdia s.f.
cordíaca s.f.
cordiácea s.f.
cordiáceo adj.
cordial adj.2g. s.m.
cordialidade s.f.
cordícola adj. s.2g.
cordierita s.f.
cordierite s.f.
cordierítico adj.
cordieritidácea s.f.
cordieritidáceo adj.
cordieritoantofilito s.m.
cordieritonorito s.m.
cordifólia s.f.
cordifoliado adj.
cordifólio adj.
cordiforme adj.2g.
cordígero adj.
cordijesuense adj. s.2g.
cordila s.f.
cordilha s.f.
cordilheira s.f.
cordilheira-altense adj. s.2g.; pl. *cordilheira-altenses*
cordilheira-altino adj. s.m.; pl. *cordilheira-altinos*
cordilheirano adj.
cordilheirense adj. s.2g.
cordilheiro adj.
cordiline s.f.
cordilita s.f.
cordilo s.m.
cordilóbia s.f.
cordilófora s.f.
cordilossáurico adj.
cordilossauro s.m.
cordiluríneo adj. s.m.
cordiluro s.m.
cordímano adj.
cordimariense adj. s.2g.
cordina s.f.
cordiólatra s.2g.
cordiolatria s.f.
cordiolátrico adj.
cordiona s.f.
cordisburguense adj. s.2g.
cordisburguês adj. s.m.
cordislandense adj. s.2g.
cordislandês adj. s.m.
cordistimulina s.f.
cordite s.f.
corditelo adj.
cordo (*ô*) adj. s.m.
cordoaço s.m.
cordoada s.f.
cordoado adj.
cordoagem s.f.
cordoajamento s.m.
cordoalha s.f.
cordoar v.
cordoaria s.f.
cordobã s.f.
córdoba s.m.
cordobense adj. s.2g.
cordocarcinoma s.m.
cordocarcinomático adj.
cordocentese s.f.
cordodido adj. s.m.
cordoeira s.f.
cordoeiro s.m.
cordoepitelioma s.m.
cordoepiteliomático adj.
cordofanês adj. s.m.
cordofaniano adj. s.m.
cordofânio s.m.
cordofone s.m.
cordofônico adj.
cordofônio s.m.
cordófono adj. s.m.
cordoide (*ó*) adj.2g.
cordol s.m.
cordolina s.f.
cordoma s.m.
cordometria s.f.
cordométrico adj.
cordômetro s.m.
cordonal adj.2g.
cordotomia s.f.
cordotômico adj. s.m.
cordotonal adj.2g.
cordotransversocordal adj.2g.
cordovaneiro s.m.
cordovão s.m.
cordoveado adj.
cordovear v.
cordoveia s.f.
cordoveias s.f.pl.
cordovês adj. s.m.
cordovia s.f.
cordovil adj.2g. s.f.
cordueno adj. s.m.
córdula s.f.
cordulegáster s.m.
cordúlia s.f.
córdulo s.m.
cordura s.f.
coreano adj. s.m.
corear v.
coreauense adj. s.2g.
corebeuá adj. s.2g.
corecaru adj. s.2g.
coreclise s.f.
coreclisto adj.
coreclítico adj.
corê-corê adj. s.2g.; pl. *corê-corês*
corectasia s.f.
corectásico adj.
corectomia s.f.
corectômico adj.
coréctomo s.m.
corectopia s.f.
corectópico adj.
corediálise s.f.
corediálítico adj.
corediástase s.f.
corediastásico adj.
corediastático adj.
corediástole s.f.
corediastólico adj.
coreense adj. s.2g.
coreftisia s.f.
coreftísico adj.
coregaié adj. s.2g.
coregia s.f.
corégico adj.
corego s.m.
coregrafia s.f.
coregráfico adj.
corégrafo s.m.
coreia (*é*) s.f.
coreico (*é*) adj.
coreida adj.2g. s.m.
coreídeo adj. s.m.
coreiforme adj.2g.
coreiro s.m. "aquele que canta ou reza num coro"; cf. *coureiro*
corélise s.f.
corelítico adj.
corema s.m.
coremense adj. s.2g.
coremetria s.f.
coremétrico adj.
corêmetro s.m.
corêmio s.m.
coremorfose s.f.
coremorfótico adj.
corênclise s.f.
corenclítico adj.
coreoatetoide (*ó*) adj.2g.
coreoatetose s.f.
coreoatetótico adj.
coreodrama s.m.
coreodramático adj.
coreofrasia s.f.
coreofrásico adj.
coreofrástico adj.
coreografia s.f.
coreográfico adj.
coreógrafo s.m.
coreoide (*ó*) adj.2g.
coreomania s.f.
coreomaníaco adj. s.m.
coreômano adj. s.m.
coreometria s.f.
coreométrico adj.
coreômetro s.m.
coreoplastia s.f.
coreoplástico adj.
coreopse s.2g.
coreopsidina s.f.
coreópsis s.2g.2n.
coreostenoma s.m.
coreostenomático adj.
coreotripanose s.f.
coreotripanótico adj.
coreparélcise s.f.
corepíscopo s.m.
corera (*ê*) s.f.
corescopia s.f.
corescópico adj.
corescópio s.m.
coresma s.f.
corestenoma s.f.
corestenomático adj.
coreto (*ê*) s.m.
coretomia s.f.
coretômico adj.
coretro s.m.
coretrura s.f.
coretu adj. s.2g.
coreu adj. s.m.
coreuta s.m.
corêutico adj.
coreutíneo adj. s.m.
corêutis s.m.2n.
corfinense adj. s.2g.
corfiniense adj. s.2g.
corfínio adj.
corfiota adj. s.2g.
corga s.f.
corguinhano adj. s.m.
corguinhense adj. s.2g.
corgul s.m.
corgulhada s.f.
cori s.m.
coriáceo adj. s.m.
coriadenoma s.m.
corial adj.2g.
corialantoide (*ó*) s.f.
coriâmbico adj.
coriambo s.m.
coriamirtina s.f.
coriamirtínico adj.
coriândrea s.f.
coriândreo adj.
coriandro s.m.
coriandrol s.m.
coriandrólico adj.
coriangioma s.f.
coriante s.f.
corianto s.m.
coriaque adj. s.2g.
coriaracno s.m.
coriária s.f.
coriariácea s.f.
coriariáceo adj.
coriariade s.f.
coriarídea s.f.
coriarídeo adj.
coriariínea s.f.
coriariíneo adj.
coriarina s.f.
coriarínico adj.
coriavo s.m.
coribante s.m.
coribânticas s.f.pl.
coribântico adj.
coribantismo s.m.
coribantístico adj.
coribense adj. s.2g.
coribulbina s.f.
coribulbínico adj.
corica s.f.
coricavamina s.f.
coricavamínico adj.
coricavina s.f.
coricavínico adj.
coriceida adj.2g. s.m.
coriceídeo adj. s.m.
coríceo adj. s.m.
coricida adj.2g. s.m.
corícide s.f.
coricídico adj.
corício adj. s.m.
córico adj. s.m.
coricobante s.m.
coricobântico adj.
coricobolia s.f.
coricobólico adj.
coricomaquia s.f.
coricomáquico adj.
coríiculo s.m.
coridaldina s.f.
coridálida s.f.
coridálido adj. s.m.
coridalina s.f.
corídalo s.m.
coridílico adj.
coridina s.f.
coridínico adj.
coridora (*ô*) s.f.
coridótimo s.m.
coriepitelioma s.m.
coriepiteliomático adj.
córifa s.f.
corífea s.f.
corifeia (*é*) s.f. de *corifeu*
corifela s.f.
corifemo s.m.
corifena s.f.
corifênida adj.2g. s.m.
corifenídeo adj. s.m.
corifeníneo adj. s.m.
corifeno s.m.
coríféo adj.
corifeu s.m.; f. *corifeia* (*é*)
corífilo adj.
corifina s.f.
corifínico adj.
corifodon s.m.
corifodonte adj.2g. s.m.
corifodôntida adj.2g. s.m.
corifodontídeo adj. s.m.
corifóidea s.f.
corifóideo adj.
coriga s.f.
corigo s.m.
coriídea s.f.
coriídeo adj.
coril s.m.
córila s.f.
corilácea s.f.
coriláceo adj.
corílea s.f.
coríleo adj.
corilina s.f.
corilínico adj.
córilo s.m.
corilófida adj.2g. s.m.
corilofídeo adj. s.m.
corilofíneo adj. s.m.
corílofo s.m.
corilopse s.2g.
corilópsis s.2g.2n.
corimá s.m.
corimã s.2g.
corimbactéria s.f.
corimbacteriano adj.
corimbe s.f.
corímbico adj.
corimbífera s.f.
corimbífero adj.
corimbiforme adj.2g.
corimbite s.m.
corimbo s.m. "tipo de inflorescência"; cf. *corimbó*
corimbó s.m. "trepadeira"; cf. *corimbo*
corimbó-açu s.m.; pl. *corimbós-açus*
corimbó-da-mata s.m.; pl. *corimbós-da-mata*
corimbofloro adj.
corimboque s.m.
corimboso (*ô*) adj.; f. (*ó*); pl. (*ó*)
corimbó-uaçu s.m.; pl. *corimbós-uaçus*
corimelena s.f.
corina s.f.
corinactíneo adj. s.m.
corinactino s.m.
corináctis s.m.2n.
corinante s.f.
corinantina s.f.
corinantínico adj.
corincho s.m.
corinda s.f.
corindiba s.f.
corindita s.f.
corindiúba s.f.
corindo s.m.
corindon s.m.
corindônico adj.
corine s.f.
corinebactéria s.f.
corinebacteriano adj.
corinéforo s.m.
corineliácea s.f.
corineliáceo adj.
corinense adj. s.2g.
coríneo adj. s.m.
corinete s.m.
corinetídeo adj. s.m.
corinétope s.m.
coringa s.m.f.
corínida adj.2g. s.m.
corinídeo adj. s.m.
coriniense adj. s.2g.
corinita s.f.
corinite s.f.
corinocarpácea s.f.
corinocarpáceo adj.
corinocarpo s.m.
corinofleácea s.f.
corinofleáceo adj.
corinóforo s.m.
corinólofo s.m.
corinoneuro s.m.
corinósporo s.m.
corinossomose s.f.
corinossomótico adj.
corinostílide s.f.
corinostílis s.f.2n.
corinta s.f.
corintense adj. s.2g.
corintíaco adj.
corintiano adj. s.m.
corintiário s.m.
coríntico adj.

coríntio adj. s.m.
corinto s.m.
cório s.m.
corioadenoma s.m.
corioadenomático adj.
corioadenômico adj.
corioangioma s.m.
corioangiomático adj.
corioangiômico adj.
corioblastoma s.m.
corioblastomiático adj.
corioblastose s.f.
corioblastótico adj.
coriocapilar s.f.
coriocarcinoma s.m.
coriocarcinomático adj.
coriocele s.f.
coriocélico adj.
corioepitelioma s.m.
corioepiteliomático adj.
corioide (*ó*) adj.2g.
coriolano adj. s.m.
corioma s.m.
coriomático adj.
coriomeningite s.f.
coriomeningítico adj.
córion s.m.
coriônico adj.
corionina s.f.
corionite s.f.
corionítico adj.
corióplace s.f.
corioplácio s.m.
corióplaco adj.
corioplastia s.f.
corioplástico adj.
corioplaxo (*cs*) s.m.
coriopte s.m.
corioptes s.m.2n.
corióptico adj.
coriorretiniano adj.
coriorretinite s.f.
coriorretinítico adj.
coripaca adj. s.2g.
coripaso s.m.
coripétala s.f.
coripétalo adj.
coriposense adj. s.2g.
coririense adj. s.2g.
córis s.m.2n.
corisca s.f.
coriscação s.f.
coriscada s.f.
coriscado adj.
coriscador (*ô*) adj.
coriscante adj.2g.
coriscar v.
coríscio s.m.
corisco s.m.
córise s.f.
corísia s.f.
corísida adj.2g. s.m.
corisídeo adj. s.m.
corispérmea s.f.
corispérmeo adj.
corispermo s.m.
coríspora s.f.
corisqueira s.f.
corissépalo adj.
corissômero s.m.
corista s.2g. "de coro teatral"; cf. *curista*
coristada s.f.
coristado s.m.
coristeídeo adj. s.m.
coristes s.m.2n.
corístida adj.2g. s.m.
coristídeo adj. s.m.
coristo s.m.
coristoblastoma s.m.
coristoblastomático adj.
coristocarpácea s.f.
coristocarpáceo adj.
coristocarpo s.m.
coristoma s.m.
coristomático adj.
coristospermácea s.f.
coristospermáceo adj.
coristospórea s.f.
coristospóreo adj.
coritano adj. s.m.
coritoloma s.f.
coritomante s.m.
coritomântis s.m.2n.
coritope s.m.
coritórnis s.2g.2n.
coritornite s.2g.
corituberina s.m.
corituberínico adj.
coriuvense adj. s.2g.
corixa s.f.
corixa (*cs*) s.m.
corixão s.m.
corixe s.m.
corixense adj. s.2g.
corixo s.m. "atoleiro"; cf. *corixó*
corixó s.m. "mandinga"; cf. *corixo*
coriza s.f.
corizante s.f.
corizema s.f.
corizo s.m.
corizonte s.m.
corizóporo s.m.
corja s.f.
corjedo s.m.
corjesuense adj. s.2g.
corkita s.f.
corla s.f.
corlideira s.f.
corma s.f.
cormariano adj. s.m.
cormariense adj. s.2g.
cormaró s.m.
cormelo s.m.
córmico adj.
cormídio s.m.
cormo s.m.
cormófita adj.2g. s.f.
cormofítico adj.
cormófito s.m.
cormoide (*ó*) adj.2g.
cormonema s.m.
cormoplegia s.f.
cormoplégico adj. s.m.
cormópode adj.2g. s.m.
cormorão s.m.
cormoso (*ô*) adj.; f. (*ó*); pl. (*ó*)
corna s.f.
cornaca s.m.
cornaça s.2g.
cornacate adj. s.2g.
cornácea s.f.
cornáceo adj.
cornacha s.f.
cornachado adj.
cornachar v.
cornaço s.m.
cornacuspôngio adj. s.m.
cornada s.f.
cornado adj.
cornadura s.f.
cornagem s.f.
cornal s.m.
cornalão adj. s.m.
cornalheira s.f.
cornalhuda s.f.
cornalina s.f.
cornalínico adj.
cornambana s.m.
cornamenta s.f.
cornamusa s.f.
cornante adj.2g. s.m.
cornar v.
cornaria s.f.
corne s.m.
córnea s.f.
corneação s.f.
corneado adj.
corneador (*ô*) adj.
corneal adj.2g.
corneana s.f.
corneano adj.
corneante adj. s.2g.
cornear v.
corneável adj.2g.
cornecha s.f.
corneiba s.f.
corneificação s.f.
corneificar v.
corneína s.f.
corne-inglês s.m.; pl. *cornes-ingleses*
corneira s.f.
corneítico adj.
cornejar v.
cornela s.f.
cornelha (*ê*) s.f.
cornelho (*ê*) s.m.
corneliano adj.
cornelina s.f.
cornélio s.m.
cornélio-procopiense adj. s.2g.; pl. *cornélio-procopienses*
cornelita s.f.
córneo adj.
cornéola s.f.
corneossilicioso (*ô*) adj.; f. (*ó*); pl. (*ó*)
cornerina s.f.
cornerupina s.f.
corneta (*ê*) adj.2g. s.m.f.
cornetada s.f.
cornetão s.m.
cornete (*ê*) s.m.
corneteada s.f.
corneteado adj.
corneteador (*ô*) adj. s.m.
corneteante adj.2g.
cornetear v.
corneteável adj.2g.
corneteiro s.m.
cornetilha s.f.
cornetim s.m.
cornetinha s.f.
cornetita s.f.
corneto (*ê*) s.m.
cornetola s.f.
corniaberto adj.
cornialto adj.
corniana s.f.
corniano adj.
corniavacado adj.
cornibaixo adj.
cornicabra adj.2g. s.f.
cornicabra-dos-algarvios s.f.; pl. *cornicabras-dos-algarvios*
cornicão s.m.
cornice s.f.
cornicesto (*ê*) s.m.
cornichão s.m.
cornichela s.f.
cornichiforme adj.2g.
cornicho s.m.
cornichoide (*ó*) adj.
cornichoso (*ô*) adj.; f. (*ó*); pl. (*ó*)
cornicina s.f.
cornico s.m.
córnico adj. s.m.
cornícula s.f.
corniculácea s.f.
corniculáceo adj.
corniculado adj.
corniculário s.m.
cornicúlifero adj.
corniculiforme adj.2g.
cornículo s.m.
corniculoide (*ó*) adj.2g.
cornicurto adj.
cornídia s.f.
cornidianteiro adj.
corniestreito adj.
cornífero adj.
cornifesto s.m.
cornificação s.f.
cornificado adj.
cornificador (*ô*) adj.
cornificar v.
cornificável adj.2g.
corniforme adj.2g.
cornifronte adj.2g.
cornigem s.f.
cornígero adj.
cornija s.f.
cornijal s.m.
cornijamento s.m.
cornijoulo s.m.
cornil s.m.
cornilargo adj.
cornilhal s.m.
cornilhão s.m.
cornilhó s.m.
cornilongo adj.
corniluzente adj.2g.
cornimboque s.m.
cornina s.f.
corninglês s.m.
corninho s.m.
cornino s.m.
corníola s.f.
corníolo s.m.
cornipasso adj.
cornípede adj.2g.
cornípeto adj. s.m.
cornipo s.m.
cornisal s.m.
corniso s.m. "arbusto cornáceo"; cf. *cornisó*
cornisó s.m. "cravagem do centeio"; cf. *corniso*
cornisol s.m.
cornisolo (*ô*) s.m.
cornitroante adj.2g.
cornitromba s.f.
cornitrombada s.f.
cornitrombado adj.
cornitrombador (*ô*) adj.
cornitrombante adj.2g.
cornitrombar v.
cornivoltado adj.
corno (*ô*) adj. s.m.; pl. (*ó* e *ô*); cf. *corno*, fl. do v. *cornar*
corno de cabra s.m.
corno-de-cheiro s.m.; pl. *cornos-de-cheiro*
corno de vaca s.m.
cornofone s.m.
cornofônico adj.
cornofônio s.m.
cornofono s.m.
cornogela s.f.
cornogodinho s.m.
cornoideia (*é*) s.f.
cornoilo s.m.
cornos-do-diabo s.m.2n.
cornozelo (*ê*) s.m.
cornozoilo s.m.
cornozoulo s.m.
cornuácea s.f.
cornuáceo adj.
cornualha s.f.
cornualhês adj. s.m.
cornualita s.f.
cornualite s.f.
cornualítico adj.
cornubianita s.f.
cornubianítico adj.
cornubianito s.m.
cornubita s.f.
cornucho s.m.
cornúcia s.m.
cornucópia s.f.
cornucópico adj.
cornuda s.f.
cornudado adj. s.m.
cornudador (*ô*) adj. s.m.
cornudagem s.f.
cornudante adj.2g.
cornudar v.
cornudável adj.2g.
cornudo adj. s.m.
cornuíta s.f.
cornulaca s.f.
cornulária s.m.
cornulárida s.m.
cornularídeo adj. s.m.
cornularíneo adj. s.m.
cornulário s.m.
cornúpeto adj. s.m.
cornuspira s.m.
cornusponja s.f.
cornuta s.f.
cornutela s.m.
cornutina s.f.
cornuto adj. s.m.
coro s.m. "vento de noroeste", etc.; cf. *coro* (*ô*) e *coró*
coro (*ô*) s.m. "conjunto de cantores", etc.; cf. *coro* s.m., fl. do v. *corar* e *coró*
coró s.m. "larva"; cf. *coro* s.m., fl. do v. *corar* e *coro* (*ô*)
coroa (*ô*) s.f. "ornamento circular sobre a cabeça"; cf. *coroá*
coroá adj. s.2g. s.m. "caiapós", etc.; cf. *coroa* (*ô*) s.f. e fl. do v. *coroar*
coroabilidade s.f.
coroacanga s.f.
coroação s.f.
coroa-chinesa s.f.; pl. *coroas-chinesas*
coroaciense adj. s.2g.
coroa-crísti s.f.; pl. *coroas-crísti*
coroa-da-semente s.f.; pl. *coroas-da-semente*
coroa-da-terra s.f.; pl. *coroas-da-terra*
coroa-de-cristo s.f.; pl. *coroas-de-cristo*
coroa-de-fogo s.f.; pl. *coroas-de-fogo*
coroa-de-frade s.f.; pl. *coroas-de-frade*
coroa-de-henrique s.f.; pl. *coroas-de-henrique*
coroa-del-rei s.f.; pl. *coroas-del-rei*
coroa-de-moçambique s.f.; pl. *coroas-de-moçambique*
coroa-de-nossa-senhora s.f.; pl. *coroas-de-nossa-senhora*
coroadense adj. s.2g.
coroa-de-rei s.f.; pl. *coroas-de-rei*
coroa-de-rei-odorosa s.f.; pl. *coroas-de-rei-odorosas*
coroa-de-viúva s.f.; pl. *coroas-de-viúva*
coroado adj. s.2g. s.m.
coroador (*ô*) adj. s.m.
coroa-do-rei-de-moçambique s.f.; pl. *coroas-do-rei-de-moçambique*
coroa-grandense adj. s.2g.; pl. *coroa-grandenses*
coroa-imperial s.f.; pl. *coroas-imperiais*
coroamento s.m.
coroanha s.f.
coroante adj.2g.
coroar v.
coroaracaá s.f.
coroa-real s.f.; pl. *coroas-reais*
coroatá s.m.
coroatá-açu s.m.; pl. *coroatás-açus*
coroataense adj. s.2g.
coroável adj.2g.
coroá-verdadeiro s.m.; pl. *coroás-verdadeiros*
corobicho adj.
corobó s.m.
coroboca s.f.
coroca adj. s.2g. s.m.f.
coroça s.f.
corocelo s.m.
corocha s.f.
coroço (*ô*) s.m.
corocomo s.m.
corocora s.f.
coró-coró s.m.; pl. *coró-corós*
corocoroca s.f.
corocoroca-boca-de-fogo s.f.; pl. *corocorocas-boca-de-fogo* e *corocorocas-bocas-de-fogo*
corocoroca-boca-larga s.f.; pl. *corocorocas-boca-larga* e *corocorocas-bocas-largas*
corocoroca-da-pedra s.f.; pl. *corocorocas-da-pedra*
corocoroca-legítima s.f.; pl. *corocorocas-legítimas*
corocoroca-mulata s.f.; pl. *corocorocas-mulatas*
corocoté s.m.
corocotéu s.m.
corocoturu s.m.

corocoxó s.m.
corodidáscalo s.m.
coroense adj. s.2g.
corofiida adj.2g. s.m.
corofiídeo adj. s.m.
corófilo s.m.
corófio s.m.
corogondó s.m.
corogondolo s.m.
corografar v.
corografia s.f.
corográfico adj.
corógrafo adj. s.m.; cf. *corografo*, fl. do v. *corografar*
coroia (*ó*) s.m.f.
coroide (*ó*) adj.2g. s.f.
coroideano adj.
coroidectomia s.f.
coroidectômico adj.
coroideia (*é*) s.f. de *coroideu*
coróideo adj.
coroideu s.m.; f. *coroideia*
coroidite s.f.
coroidítico adj.
coroidocapilar adj.2g.
coroidociclite s.f.
coroidociclítico adj.
coroidoirite s.f.
coroidoirítico adj.
coroidorretinite s.f.
coroinha s.m.f.
corola s.f.
coroláceo adj.
corolado adj.
corolário s.m.
corolífero adj.
coroliflora s.f.
corolifloro adj.
coroliforme adj.2g.
corolino adj.
corolítico adj.
corolitiflora s.f.
corologia s.f.
corológico adj.
corologista adj. s.2g.
corólogo adj. s.m.
corólula s.f.
coromandel s.m.
coromândel s.m.
coromandelense adj. s.2g.
corombó adj.2g.
coromem s.m.
coromidrose s.f.
coromidrótico adj.
corona s.f.
coronácris s.f.2n.
coronada adj.2g.
coronadita s.f.
coronado adj. s.m.
coronal adj.2g. s.m.
coronantera s.f.
coronantérea s.f.
coronantéreo adj.
coronaque s.m.
coronária s.f.
coronariano adj.
coronário adj.
coronariografar v.
coronariografia s.f.
coronariográfico adj.
coronariografista adj. s.2g.
coronariógrafo s.m.; cf. *coronariografo*, fl. do v. *coronariografar*
coronariograma s.m.
coronariopata s.2g.
coronariópata s.2g.
coronariopatia s.f.
coronariopático adj.
coronarite s.f.
coronarítico adj.
coronáster s.m.
coronauá adj. s.2g.
coronavírus s.m.2n.
coronavisor (*ô*) s.m.
coroncho s.m.
coronco s.m.
corondel s.m.
corondó s.m.
coroneia (*é*) adj. s.f. de *coroneu*
coronel s.m.
coronela s.f.
coronelato s.m.
coronel-aviador s.m.; pl. *coronéis-aviadores*
coronel-barrense adj. s.2g.; pl. *coronel-barrenses*
coronel-bicacense adj. s.2g.; pl. *coronel-bicacenses*
coronel-cardosense adj. s.2g.; pl. *coronel-cardosenses*
coronel de barranco s.m.
coronel-domingos-soaresense adj. s.2g.; pl. *coronel-domingos-soaresenses*
coronelense adj. s.2g.
coronel-ezequielense adj. s.2g.; pl. *coronel-ezequielenses*
coronel-fabricianense adj. s.2g.; pl. *coronel-fabricianenses*
coronel-finzitense adj. s.2g.; pl. *coronel-finzitenses*
coronel-firmino-martinense adj. s.2g.; pl. *coronel-firmino-martinenses*
coronel-freitense adj. s.2g.; pl. *coronel-freitenses*
coronel-general s.m.; pl. *coronéis-generais*
coronel-goulartense adj. s.2g.; pl. *coronel-goulartenses*
coronélia s.f.
coronelício adj.
coronelíneo adj. s.m.
coronelismo s.m.
coronelista adj. s.2g.
coronelístico adj.
coronel-joão-pessoense adj. s.2g.; pl. *coronel-joão-pessoenses*
coronel-joão-saense adj. s.2g.; pl. *coronel-joão-saenses*
coronel-juvenciense adj. s.2g.; pl. *coronel-juvencienses*
coronel-lucas-pinheirense adj. s.2g.; pl. *coronel-lucas-pinheirenses*
coronel-macedense adj. s.2g.; pl. *coronel-macedenses*
coronel-maiense adj. s.2g.; pl. *coronel-maienses*
coronel-martinense adj. s.2g.; pl. *coronel-martinenses*
coronel-merunense adj. s.2g.; pl. *coronel-merunenses*
coronel-moemense adj. s.2g.; pl. *coronel-moemenses*
coronel-muriciense adj. s.2g.; pl. *coronel-muricienses*
coronel-murtense adj. s.2g.; pl. *coronel-murtenses*
coronel-pachequense adj. s.2g.; pl. *coronel-pachequenses*
coronel-passos-maiense adj. s.2g.; pl. *coronel-passos-maienses*
coronel-pilarense adj. s.2g.; pl. *coronel-pilarenses*
coronel-poncense adj. s.2g.; pl. *coronel-poncenses*
coronel-quitense adj. s.2g.; pl. *coronel-quitenses*
coronel-teixeirense adj. s.2g.; pl. *coronel-teixeirenses*
coronel-vividense adj. s.2g.; pl. *coronel-vividenses*
coroneta (*ê*) s.f.
coroneu adj. s.m.; f. *coroneia* (*é*)
corongo s.m.
coronha s.f.
coronhada s.f.
coronhadela s.f.
coronheiro s.m.
coronho s.m.
corônide s.f.
coronídico adj.
coroniforme adj.2g.
coronila s.f.
coronilha s.m.f.
coronilha-dos-jardins s.f.; pl. *coronilhas-dos-jardins*
coronilho adj. s.m.
coronilina s.f.
coronilínico s.m.f.
coronímia s.f.
coronímico adj.
corônimo s.m.
coronina s.f.
corônio s.m.
corônis s.f.2n.
coronite s.f.
coronografia s.f.
coronográfico adj.
coronógrafo s.m.
coronografopolarimetria s.f.
coronografopolarimétrico adj.
coronografopolarímetro s.m.
coronograma s.f.
coronogrâmico adj.
coronoida (*ó*) s.f.
coronoide (*ó*) adj.2g. s.f.
coronoideano adj.
coronoideia (*é*) adj. f. de *coronoideu*
coronóideo adj.
coronoideu adj.; f. *coronoideia* (*é*)
corônopo s.m.
coronópode s.m.
coronopolarimetria s.f.
coronopolarimétrico adj.
coronopolarímetro s.m.
corônula s.f.
coronular adj.2g.
coronuloide (*ó*) adj.
coroplasta s.2g.
coroplastia s.f.
coropleta s.f.
coropó adj. s.2g.
coroque s.m.
coróquia s.f.
cororo s.m. "ave"; cf. *cororô*
cororô s.m. "arroz queimado que adere à panela"; cf. *cororo*
cororoá s.m.
coroscal s.m.
corossoma s.m.
corossomo s.m.
corote s.m.
corotéu s.m.
corótipo s.m.
corovina s.f.
corozil s.m.
corozo (*ô*) s.m.
corpaço s.m.
corpanço s.m.
corpanzão s.m.
corpanzil s.m.
corpanzudo adj.
corpeada s.f.
corpete (*ê*) s.m.
corpico s.m.
corpilo adj. s.m.
corpinheira s.f.
corpinheiro s.m.
corpinho s.m.
corpo (*ô*) s.m.; pl. (*ó*)
corpo-aberto s.m.; pl. *corpos-abertos*
corpo a corpo s.m.2n.
corpo-alado s.m.; pl. *corpos-alados*
corpo-amarelo s.m.; pl. *corpos-amarelos*
corpo de prova s.m.
corpo-fechado s.m.; pl. *corpos-fechados*
corpoferário s.m.
corpo-lúteo s.m.; pl. *corpos-lúteos*
corpopsíquico adj.
corpopsiquismo s.m.
corporação s.f.
corporal adj.2g. s.m.
corporalidade s.f.
corporalismo s.m.
corporalista adj. s.2g.
corporalístico adj.
corporalização s.f.
corporalizado adj.
corporalizador (*ô*) adj. s.m.
corporalizante adj.2g.
corporalizar v.
corporalizável adj.
corporatismo s.m.
corporatista adj. s.2g.
corporatístico adj.
corporatividade s.f.
corporativismo s.m.
corporativista adj. s.2g.
corporativístico adj.
corporativo adj.
corporatura s.f.
corporável adj.2g.
corporeidade s.f.
corpóreo adj.
corporificação s.f.
corporificado adj.
corporificador (*ô*) adj. s.m.
corporificante adj.2g.
corporificar v.
corporificativo adj.
corporificável adj.2g.
corporiforme adj.2g.
corporina s.f.
corporínico adj.
corporização s.f.
corporizado adj.
corporizador (*ô*) adj. s.m.
corporizante adj.2g.
corporizar v.
corporizável adj.2g.
corpo-santo s.m.; pl. *corpos-santos*
corpo-seco s.m.; pl. *corpos-secos*
corpudo adj.
corpulência s.f.
corpulento adj.
corpulmonale s.m.
corpuscular adj.2g.
corpuscularidade s.f.
corpuscularismo s.m.
corpuscularista adj. s.2g.
corpuscularístico adj.
corpusculismo s.m.
corpusculista adj. s.2g.
corpusculístico adj.
corpusculização s.f.
corpusculizado adj.
corpusculizador (*ô*) adj. s.m.
corpusculizante adj.2g.
corpusculizar v.
corpusculizável adj.2g.
corpúsculo s.m.
corqueja s.f.
corra (*ô*) s.f. "corrida"; cf. *corrá*
corrá s.m. "fruta"; cf. *corra* (*ô*) s.f. e fl. do v. *correr*
corradical adj.2g.
corradicalidade s.f.
corraleiro s.m.
corrão adj.
corre (*ô*) s.m.f.; cf. *corre*, fl. do v. *correr*
corré s.f. de *corréu*
córrea s.f.
correada s.f.
correado adj.
correagem s.f.
correal adj.2g.
correalidade s.f.
correama s.f.
correame s.m.
correão s.m. "correia grande"; cf. *corrião*
correar v.
correaria s.f.
corre-caminho s.m.; pl. *corre-caminhos*
corre-campo s.f.; pl. *corre-campos*
correção s.f. "ato de corrigir"; cf. *correição*
correcional adj. s.m.
correcionalidade s.f.
correcionalismo s.m.
correcionalista adj.2g.
correcionalístico adj.
corre-corre s.m.; pl. *corre-corres e corres-corres*
corre-costa s.m.; pl. *corre-costas*
corre-costas s.m.2n.
corredação s.f.
corredator s.m.
corredeira s.f.
corredeirense adj. s.2g.
corredeiro adj.
corredela s.f.
corredentor s.m.
corrediça s.f.
corrediço adj.
corredilha s.f.
corredinha s.f.
corredio adj.
corredoira s.f.
corredoiro s.m.
corredor (*ô*) adj. s.m.
corredora (*ô*) s.f.
corredor-mestre s.m.; pl. *corredores-mestres*
corredor-real s.m.; pl. *corredores-reais*
corredoura s.f.
corredouro s.m.
corredura s.f.
correeiro s.m.
correento adj.
correferência s.f.
correferente adj.2g.
correferido adj.
correferir v.
correferível adj.2g.
córrega s.f.
corregedoiro adj.
corregedor (*ô*) s.m.
corregedoria s.f.
corregedouro adj.
corregência s.f.
corregente adj. s.2g.
correger v.
correggesco (*ê*) adj.
correggiano adj.
correggiesco (*ê*) adj.
corregibilidade s.f.
corregido adj.
corregível adj.2g.
córrego s.m.
córrego-barrense adj. s.2g.; pl. *córrego-barrenses*
córrego-bom-jesusense adj. s.2g.; pl. *córrego-bom-jesusenses*
córrego-dantense adj. s.2g.; pl. *córrego-dantenses*
córrego-fundense adj. s.2g.; pl. *córrego-fundenses*
córrego-grandense adj. s.2g.; pl. *córrego-grandenses*
córrego-novense adj. s.2g.; pl. *córrego-novenses*
córrego-ourense adj. s.2g.; pl. *córrego-ourenses*
córrego-pratense adj. s.2g.; pl. *córrego-pratenses*
córrego-riquense adj. s.2g.; pl. *córrego-riquenses*
córrego-são-mateusense adj. s.2g.; pl. *córrego-são-mateusenses*
córrego-seco s.m.; pl. *córregos-secos*
corregourense adj. s.2g.
corregourino adj. s.m.
correguense adj. s.2g.
correia s.f.
correia-almeidense adj. s.2g.; pl. *correia-almeidenses*
correia-de-inverno s.m.; pl. *correias-de-inverno*
correia-freitense adj. s.2g.; pl. *correia-freitenses*
correia-pintense adj. s.2g.; pl. *correia-pintenses*
correição s.f. "ato de corrigir"; cf. *correção*
correio s.m.
correio-da-tarde s.m.; pl. *correios-da-tarde*

correio-geral s.m.; pl. *correios-gerais*
correio-mor s.m.; pl. *correios-mores*
correiro s.m.
correitor (*ô*) s.m.
correjales s.m.pl.
correjola s.f.
correlação s.f.
correlacionabilidade s.f.
correlacionação s.f.
correlacionado adj.
correlacionador (*ô*) adj. s.m.
correlacional adj.2g.
correlacionalidade s.f.
correlacionamento s.m.
correlacionante adj.2g.
correlacionar v.
correlacionável adj.2g.
correlatado adj.
correlatador (*ô*) adj. s.m.
correlatante adj. s.2g.
correlatar v.
correlatável adj.2g.
correlativa s.f.
correlatividade s.f.
correlativo adj. s.m.
correlato adj. s.m.
correlete (*ê*) s.m.
correligionário adj. s.m.
correligionarismo s.m.
correligionarista adj. s.2g.
correligionarístico adj.
correligiosismo s.m.
correligiosista adj. s.2g.
correligiosístico adj.
correlograma s.m.
corre-mundo s.2g.; pl. *corre-mundos*
correnҫa s.f.
corrensita s.f.
correntada s.f.
correntão adj. s.m.
corrente adv. adj.2g. s.m.f.
correntense adj. s.2g.
correnteza (*ê*) s.f.
correntezano adj. s.m.
correntinense adj. s.2g.
correntinhense adj. s.2g.
correntino adj. s.m.
correntio adj. s.m.
correntista adj. s.2g.
correntístico adj.
corrento adj.
correntografia s.f.
correntográfico adj.
correntógrafo s.m.
correntometria s.f.
correntométrico adj.
correntômetro s.m.
correntona s.f.
correntoso (*ô*) adj.; f. (*ó*); pl. (*ó*)
correol s.m.
correpção s.f.
correpto adj.
correr v.
correria s.f.
correspectivo adj.
correspondência s.f.
correspondente adj. s.2g.
corresponder v.
correspondido adj.
correspondível adj.2g.
corresponsabilidade s.f.
corresponsabilização s.f.
corresponsabilizado adj. s.m.
corresponsabilizador adj. s.m.
corresponsabilizante adj. s.2g.
corresponsabilizar v.
corresponsabilizável adj.2g.
corresponsável adj.2g.
corretã s.f.
corretagem s.f.
corretar v.
corretável adj.2g.
corretismo s.m.
corretista adj. s.2g.
corretístico adj.
corretividade s.f.
corretivo adj. s.m.
correto adj.
corretor (*ô*) s.m.
corretoria s.f.
corretório adj. s.m.
corretriz s.f.
corretura s.f.
corréu s.m.; f. *corré*
correxar v.
corrião s.m. "cinto"; cf. *correão*
corrica s.f.
corriça s.f.
corricação s.f.
corricado adj.
corricador (*ô*) adj.
corricante adj.2g.
corricão adj. s.m.
corrição s.f.
corricar v.
corricas s.f.pl.
corricável adj.2g.
corrichado adj.
corrichador (*ô*) adj.
corrichante adj.2g.
corrichar v.
corricho s.m.
corrico s.m.
corricoche s.m.
corrida s.f.
corridela s.f.
corridinha s.f.
corridinho s.m.
corrido adj. s.m.
corrientino adj. s.m.
corriento adj. s.m.
corrigano s.m.
corrigenda s.f.
corrigendo s.m.
corrigente adj.2g.
corrigibilidade s.f.
corrigimento s.m.
corrigíola s.f.
corrigir v.
corrigível adj.2g.
corrijola s.f.
corrilhão s.m.
corrilheiro adj. s.m.
corrilhismo s.m.
corrilhista adj. s.2g.
corrilhístico adj.
corrilho s.m. "conciliábulo"; cf. *corrilhó*
corrilhó s.m. "planta herbácea"; cf. *corrilho*
corrilório s.m.
corrimaca s.f.
corrimaça s.f.
corrimão s.m.; pl. *corrimãos* e *corrimões*
corrimboque s.m.
corrimento s.m.
corrimoque s.m.
corrina s.m.
corriol s.m.
corriola s.f.
corriola-bastarda s.f.; pl. *corriolas-bastardas*
corriola-brava s.f.; pl. *corriolas-bravas*
corriola-mansa s.f.; pl. *corriolas-mansas*
corripar v.
corripo s.m.
corripto s.m.
corrique s.m.
corriqueira s.f.
corriqueirice s.f.
corriqueirismo s.m.
corriqueiro adj. s.m. "trivial"; cf. *curriqueiro*
corriquinho s.m.
corritana s.f.
corrixo s.m.
corro (*ô*) s.m. "ajuntamento de pessoas"; cf. *corró*
corró s.m. "peixe"; cf. *corro* (*ô*) e fl. do v. *correr*
corroa (*ô*) s.f.
corróbia s.f.
corrobó s.m.
corroborabilidade s.f.
corroboração s.f.
corroborado adj.
corroborador (*ô*) adj. s.m.
corroborante adj.2g.
corroborar v.
corroborativo adj.
corroborável adj.2g.
corrodêncio s.m.
corrodente adj.2g. s.m.
corroedor (*ô*) adj.
corroer v.
corroído adj.
corroimento s.m.
corroio s.m.
corroível adj.2g.
corroló s.m.
corrompedor (*ô*) adj. s.m.
corrompente adj.2g.
corromper v.
corrompido adj.
corrompimento s.m.
corrompível adj.2g.
corrosão s.f.
corrosibilidade s.f.
corrosível adj.2g.
corrosividade s.f.
corrosivo adj. s.m.
corrubiana s.f.
corrubinha s.f.
corrução s.f.
corruchiado adj. s.m.
corruchiador (*ô*) adj. s.m.
corruchiante adj.2g.
corruchião s.m.
corruchiar v.
corruda s.f.
corruda-maior s.f.; pl. *corrudas-maiores*
corruda-menor s.f.; pl. *corrudas-menores*
corrugabilidade s.f.
corrugação s.f.
corrugadeira s.f.
corrugado adj.
corrugador (*ô*) adj. s.m.
corrugar v.
corrugável adj.2g.
corrugoso (*ô*) adj.; f. (*ó*); pl. (*ó*)
corruíla s.f.
corruíra s.f.
corruiraçu s.f.
corruíra-do-brejo s.f.; pl. *corruíras-do-brejo*
corruiruçu s.f.
corrumaça s.f.
corrumbá s.m.
corrume s.m.
corrupção s.f.
corrupia s.f.
corrupiado adj.
corrupiador (*ô*) adj. s.m.
corrupiana s.f.
corrupião s.m.
corrupiar v.
corrupiável adj.2g.
corrupiê s.m.
corrupio s.m.
corrupio-do-mar s.m.; pl. *corrupios-do-mar*
corrupixel s.m.
corruptela s.f.
corruptibilidade s.f.
corruptícola adj. s.2g.
corruptível adj.2g.
corruptividade s.f.
corruptivo adj.
corrupto adj. s.m.
corruptor (*ô*) adj. s.m.
corruscuba adj.2g.
corrute s.m.
corrutela s.f.
corrutibilidade s.f.
corrutícola adj. s.2g.
corrutível adj.2g.
corrutividade s.f.
corrutivo adj.
corruto adj. s.m.
corrutor (*ô*) adj. s.m.
corsa (*ô*) s.f. "veículo"; cf. *corça* (*ô*)
corsaco s.m.
corsão s.m.
corsário adj. s.m.
corseado adj.
corsear v.
corseiro adj.
corselete (*ê*) s.m.
córsia s.f.
córsico adj. s.m.
corsieia (*é*) s.f.
corsínia s.f.
corsinióidea s.f.
corsinióideo adj.
corsita s.f.
corsite s.f.
corsítico adj.
corso (*ô*) adj. s.m. "da Córsega"; cf. *corço* (*ô*)
corsolete (*ê*) s.m.
corta s.f.
corta a frio s.m.2n.
corta-água s.f.; pl. *corta-águas*
corta-arame s.m.; pl. *corta-arames*
corta-asma s.2g.; pl. *corta-asmas*
corta-bainha s.f.; pl. *corta-bainhas*
corta-bicos s.m.2n.
corta-bolsas s.m.2n.
corta-bolsos s.m.2n.
corta-brocha s.m.; pl. *corta-brochas*
corta-calos s.m.2n.
cortação s.f.
corta-capim s.m.; pl. *corta-capins*
corta-cauda s.m.; pl. *corta-caudas*
corta-cavilhas s.m.2n.
corta-charutos s.m.2n.
corta-chefe s.m.; pl. *corta-chefes*
corta-circuito s.m.; pl. *corta-circuitos*
cortada s.f.
corta-dedos s.m.2n.
cortadeira s.f.
cortadeira-mansa s.f.; pl. *cortadeiras-mansas*
cortadela s.f.
cortadéria s.f.
cortadilhos s.m.pl.
cortadinhos s.m.pl.
corta-discos s.m.2n.
cortado adj. s.m.
cortadoiro s.m.
cortador (*ô*) adj. s.m.
cortadora (*ô*) s.f.
cortadora-elevadora s.f.; pl. *cortadoras-elevadoras*
cortador-chanfrador s.m.; pl. *cortadores-chanfradores*
cortadouro s.m.
cortadura s.f.
corta-esmalte s.m.; pl. *corta-esmaltes*
corta-feno s.f.; pl. *corta-fenos*
corta-ferro s.m.; pl. *corta-ferros*
corta-fios s.m.2n.
corta-folhas s.m.2n.
corta-forragem s.m.; pl. *corta-forragens*
corta-frio s.m.; pl. *corta-frios*
corta-garoupa s.m.; pl. *corta-garoupas*
cortagem s.f.
corta-jaca s.2g. s.f.; pl. *corta-jacas*
corta-largo s.m.; pl. *corta-largos*
corta-legumes s.m.2n.
corta-línguas s.m.2n.
corta-luz s.m.; pl. *corta-luzes*
corta-mão s.m.; pl. *corta-mãos*
corta-mar s.m.; pl. *corta-mares*
corta-mato s.m.; pl. *corta-matos*
corta-mechas s.m.2n.
cortamento s.m.
corta-milho s.m.; pl. *corta-milhos*
corta-mortalha s.f.; pl. *corta-mortalhas*
cortanheiro s.m.
cortante adj.2g. s.m.
corta-palha s.f.; pl. *corta-palhas*
corta-papel s.m.; pl. *corta-papéis*
corta-pau s.m.; pl. *corta-paus*
corta-quente s.m.; pl. *corta-quentes*
cortar v.
corta-raízes s.m.2n.
corta-rama s.m.; pl. *corta-ramas*
corta-rebentos s.m.2n.
corta-rio s.m.; pl. *corta-rios*
corta-trapo s.m.; pl. *corta-trapos*
corta-tubos s.m.2n.
cortável adj.
corta-vento s.m.; pl. *corta-ventos*
corta-vides s.m.2n.
corta-vidros s.m.2n.
corte s.m.f. "ato ou efeito de cortar", etc.; cf. *corte* (*ô*)
corte (*ô*) s.f. "paço"; cf. *corte* s.m.f. e fl. do v. *cortar*
corteação s.f.
corteado adj.
corteamento s.m.
cortear v.
corteira s.f.
corteiro s.m.
cortejabilidade s.f.
cortejado adj.
cortejador (*ô*) adj. s.m.
cortejamento s.m.
cortejante adj.2g.
cortejar v.
cortejável adj.2g.
cortejo (*ê*) s.m.
corteleiro s.m.
cortelha (*ê*) s.f.
cortelhada s.f.
cortelho (*ê*) s.m.
cortepinitânico adj.
cortês adj.2g.
cortesã adj. s.f. de *cortesão*
cortesanesco (*ê*) adj.
cortesania s.f.
cortesanice s.f.
cortesanismo s.m.
cortesanista adj. s.2g.
cortesanístico adj.
cortesão adj. s.m.; f. *cortesã*; pl. *cortesãos* e *cortesões*
cortesense adj. s.2g.
cortesia s.f.
córtex (*cs*) s.m.; pl. *córtices*
cortexona (*cs*) s.f.
corteza (*ê*) s.f.
corti adj. s.2g.
cortiça s.f.
cortiça-brasileira s.f.; pl. *cortiças-brasileiras*
cortiçada s.f.
cortiça-de-montanha s.f.; pl. *cortiças-de-montanha*
corticado adj.
cortiçado adj.
cortiça-do-brejo s.f.; pl. *cortiças-do-brejo*
cortiça-fêmea s.f.; pl. *cortiças-fêmeas*
cortical adj.2g. s.m.
corticalidade s.f.
cortiça-macha s.f.; pl. *cortiças-machas*
corticária s.m.
cortiça-segundeira s.f.; pl. *cortiças-segundeiras*
córtice s.m.
corticeira s.f.
corticeira-do-banhado s.f.; pl. *corticeiras-do-banhado*

corticeira-do-brejo s.f.; pl. *corticeiras-do-brejo*
corticeira-do-campo s.f.; pl. *corticeiras-do-campo*
corticeira-do-mato s.f.; pl. *corticeiras-do-mato*
corticeiro adj. s.m.
corticeiro-do-mato s.m.; pl. *corticeiros-do-mato*
corticela s.f.
corticento adj.
cortíceo adj.
corticiácea s.f.
corticiáceo adj.
cortícico adj.
corticícola adj.2g.
corticífero adj.
corticiforme adj.2g.
corticífugo adj.
corticina s.f.
corticínea s.f.
corticíneo adj.
corticínico adj.
cortício s.m.
corticíola s.f.
corticípeto adj.
corticite s.f.
cortiço s.m.
corticoadrenal adj.2g.
corticoaferente adj.2g.
corticocerebeloso (*ô*) adj.; f. (*ó*); pl. (*ó*)
corticocerebral adj.2g.
corticoeferente adj.2g.
corticoestriado adj.
corticoganglionar adj.2g.
corticoide (*ó*) adj.2g. s.m.
corticoidoterapia s.f.
corticoidoterápico adj.
cortiçol s.m.
corticola s.f.
cortiçola adj.2g.
corticolenticular adj.2g.
corticomedular adj.2g.
corticomineral adj.2g. s.m.
cortico-óptico adj.; pl. *cortico-ópticos*
corticopeduncular adj.2g.
corticoplásmico adj.
corticopleurite s.f.
corticopleurítico adj.
corticopontino adj.
corticóptico adj.
corticoso (*ô*) adj.; f. (*ó*); pl. (*ó*)
cortiçoso (*ô*) adj.; f. (*ó*); pl. (*ó*)
corticospinal adj.2g.
corticossuprarrenal adj.2g.
corticossuprarrenaloma s.m.
corticossuprarrenalomático adj.
corticosteroide (*ó*) adj.2g. s.m.
corticosterona s.f.
corticosterônico adj.
corticostimulina s.f.
corticostimulínico adj.
corticostriado adj.
corticotalâmico adj.
corticoterapia s.f.
corticoterápico adj.
corticotrófico adj.
corticotrofina s.f.
corticotrofínico adj.
corticotrópico adj.
cortícula s.f.
cortijo s.m.
cortil s.m.
cortilha s.f.
cortilhado adj.
cortilhar v.
cortim s.m.
cortina s.f.
cortina-de-pobre s.f.; pl. *cortinas-de-pobre*
cortinado adj. s.m.
cortinador (*ô*) adj. s.m.
cortina-japonesa s.f.; pl. *cortinas-japonesas*
cortiname s.m.
cortinamento s.m.
cortinante adj.2g.
cortinar v.
cortinário s.m.
cortinável adj.2g.
cortineiro s.m.
cortinha s.f.
cortinhal s.m.
cortinheiro s.m.
cortisol s.m.
cortisólico adj.
cortisona s.f.
cortisônico adj.
cortlandito s.m.
cortlandtito s.m.
cortódero s.m.
cortonense adj. s.2g.
cortoniano adj.
cortonomia s.f.
cortonômico adj.
cortusa s.f.
coru s.m.
coruba s.f.
corububoia (*ó*) s.f.
corucão s.m.
corucelo s.m.
corucha s.f.
coruche s.f.
coruchense adj. s.2g.
coruchéu s.m.
corucho s.m.
coruja adj. s.2g. s.f.
coruja-batuqueira s.f.; pl. *corujas-batuqueiras*
coruja-branca s.f.; pl. *corujas-brancas*
coruja-buraqueira s.f.; pl. *corujas-buraqueiras*
coruja-católica s.f.; pl. *corujas-católicas*
coruja-das-torres s.f.; pl. *corujas-das-torres*
coruja-de-igreja s.f.; pl. *corujas-de-igreja*
corujado adj. s.m.
coruja-do-campo s.f.; pl. *corujas-do-campo*
coruja-do-mato s.f.; pl. *corujas-do-mato*
corujador (*ô*) adj.
coruja-mineira s.f.; pl. *corujas-mineiras*
corujante adj.2g.
corujão s.m.
corujão-de-igreja s.m.; pl. *corujões-de-igreja*
corujão-orelhudo s.m.; pl. *corujões-orelhudos*
coruja-preta s.f.; pl. *corujas-pretas*
corujar v.
corujeira s.f.
corujeiro adj. s.m.
corujento adj.
corujinha s.f.
corujinha-buraqueira s.f.; pl. *corujinhas-buraqueiras*
corujinha-do-buraco s.f.; pl. *corujinhas-do-buraco*
corujinha-do-mato s.f.; pl. *corujinhas-do-mato*
corujo s.m.
corumbá s.m.
corumbaense adj. s.2g.
corumbá-goiano adj. s.m.; pl. *corumbás-goianos*
corumbaibano adj. s.m.
corumbaibense adj. s.2g.
corumbamba s.m.
corumbataiense adj. s.2g.
corumbetaru s.m.
corumbi adj. s.2g.
corumbim s.m.
corumim s.m.
coruna adj. s.2g.
corundo s.m.
corundofilita s.f.
corundolítico adj.
corundólito s.m.
corundum s.m.
corunha s.f.
corunhar v.
corunhês adj. s.m.
corupaense adj. s.2g.
corupiá s.f.
coruquerê s.m.
coruripense adj. s.2g.
coruscação s.f.
coruscado adj.
coruscador (*ô*) adj.
coruscância s.f.
coruscante adj.2g.
coruscar v.
coruscável adj.2g.
coruta s.f.
corutilho s.m.
coruto s.m.
corva s.f. "peixe"; cf. *corva* (*ô*)
corva (*ô*) s.f. "fêmea do corvo"; cf. *corva*
corvaceira s.f.
corvacha s.f.
corvacho s.m.
corveia (*é*) s.f.
corveiro s.m. "curral"; cf. *curveiro*
corvejado adj. s.m.; cf. *curvejado*
corvejador (*ô*) adj. s.m.; cf. *curvejador*
corvejamento s.m.; cf. *curvejamento*
corvejante adj.2g.; cf. *curvejante*
corvejão s.m.
corvejar v. "crocitar"; cf. *curvejar*
corvense adj. s.2g.
corveta (*ê*) s.f.
corvetear v.
corvéu s.m.
córvida adj.2g. s.m.
corvídea s.f.
corvídeo adj. s.m.
corviforme adj.2g.
corvina s.f.
corvinaço s.m.
corvina-de-corso s.f.; pl. *corvinas-de-corso*
corvina-de-linha s.f.; pl. *corvinas-de-linha*
corvina-de-são-francisco s.f.; pl. *corvinas-de-são-francisco*
corvina-linha s.f.; pl. *corvinas-linha* e *corvinas-linhas*
corvina-marisqueira s.f.; pl. *corvinas-marisqueiras*
corvina-negra s.f.; pl. *corvinas-negras*
corvina-riscada s.f.; pl. *corvinas-riscadas*
corvínea s.f.
corvineira s.f.
corvineiro s.m.
corvinela s.f.
corvíneo adj.
corvineta (*ê*) s.f.
corvinhanha s.f.
corvino adj. s.m.
corvinota s.f.
corvinote s.m.
corvo (*ô*) s.m.; pl. (*ó*)
corvo-branco s.m.; pl. *corvos-brancos*
corvoide (*ó*) adj.2g.
corvo-marinho s.m.; pl. *corvos-marinhos*
corvo-noturno s.m.; pl. *corvos-noturnos*
corvúltur s.m.
corvusita s.f.
corxim s.m.
cós s.m.2n.
cosalita s.f.
cosano adj. s.m.
cosanza s.f.
cosca s.f.
coscinastéria s.m.
coscínio s.m.
coscinoderma s.m.
coscinodisco s.m.
coscínodon s.m.
coscinomancia s.f.
coscinomante s.2g.
coscinomântico adj.
coscinomonia s.f.
coscinoscopia s.f.
coscinoscópico adj.
cosco (*ô*) s.m.
coscoja s.f.
coscorado adj.
coscorador (*ô*) adj. s.m.
coscorão s.m.
coscorar v.
coscorejado adj.
coscorejador (*ô*) adj. s.m.
coscorejante adj.2g.
coscorejar v.
coscorejável adj.2g.
coscorel s.m.
coscoro (*ô*) s.m. "crosta"; cf. *cóscoro*
cóscoro adj. s.m. "que tem casca"; cf. *coscoro* (*ô*)
coscoroba s.f.
coscorrão s.m.
coscorrinho s.m.
coscós s.m.
coscoseado adj.
coscosear v.
coscoseiro adj.
cosculheiro adj. s.m.
coscuvilhado adj.
coscuvilhador (*ô*) adj.
coscuvilhar v.
coscuvilheira s.f.
coscuvilheiro adj. s.m.
coscuvilhice s.f.
cosedeira s.f. "tamiça"; cf. *cozedeira*
cosedor (*ô*) adj. s.m.; cf. *cozedor*
cosedora (*ô*) s.f.
cosedura s.f.; cf. *cozedura*
coser v. "costurar"; cf. *cozer*
cosicado adj.
cosicador (*ô*) adj. s.m.
cosicar v.
cosico s.m.
cosidela s.f.
cosido adj. s.m.; cf. *cozido*
cosimento s.m.; cf. *cozimento*
cosina s.f.
cosipado adj.
cosipar v.
cosível adj.2g.
cosmário s.m.
cosme s.m.
cósmea s.f.
cosme e damião s.m.
cosmeia (*é*) s.f.
cosmélia s.f.
cósmeo adj.
cosmética s.f.
cosmético adj. s.m.
cosmetologia s.f.
cosmetológico adj.
cosmetologista adj. s.2g.
cosmetólogo s.m.
cosmetório s.m.
cosmétria s.f.
cósmia s.f.
cosmibuena s.f.
cósmico adj. s.m.
cosmilra s.2g.
cosmina v.
cosminar v.
cosmo s.m.
cosmobiologia s.f.
cosmobiológico adj.
cosmocéfalo s.m.
cosmócera s.m.
cosmocerca s.f.
cosmocracia s.f.
cosmocrata adj. s.2g.
cosmocrático adj.
cosmodrômico adj.
cosmódromo s.m.
cosmogene s.f.
cosmógene s.f.
cosmogêneo adj.
cosmogênese s.f.
cosmogenético adj.
cosmogenia s.f.
cosmogênico adj.
cosmognose s.f.
cosmognosia s.f.
cosmognósico adj.
cosmognóstico adj.
cosmogonia s.f.
cosmogônico adj.
cosmogonismo s.m.
cosmogonista adj. s.2g.
cosmogonístico adj.
cosmografia s.f.
cosmográfico adj.
cosmógrafo s.m.
cosmógrafo-mor s.m.; pl. *cosmógrafos-mores*
cosmolábio s.m.
cosmolina s.f.
cosmologia s.f.
cosmológico adj.
cosmologista adj. s.2g.
cosmólogo s.m.
cosmômetra s.2g.
cosmometria s.f.
cosmométrico adj.
cosmometrista adj. s.2g.
cosmometrístico adj.
cosmonauta s.2g.
cosmonáutica s.f.
cosmonáutico adj.
cosmonave s.f.
cosmonomia s.f.
cosmonômico adj.
cosmopatologia s.f.
cosmopatológico adj.
cosmopeia (*é*) s.f.
cosmoplasma s.m.
cosmoplasmático adj.
cosmópole s.f.
cosmopolense adj. s.2g.
cosmópolis s.f.2n.
cosmopolita adj. s.2g.
cosmopolitano adj. s.m.
cosmopolítico adj.
cosmopolitismo s.m.
cosmopolitista adj. s.2g.
cosmopolitístico adj.
cosmopolização s.f.
cosmopolizado adj.
cosmopolizador (*ô*) adj. s.m.
cosmopolizante adj.2g.
cosmopolizar v.
cosmopolizável adj.2g.
cosmoquímica s.f.
cosmoquímico adj. s.m.
cosmorama s.m.
cosmoramense adj. s.2g.
cosmorâmico adj.
cosmos s.m.2n.
cosmosfera s.f.
cosmosférico adj.
cosmosofia s.f.
cosmosófico adj.
cosmósofo s.m.
cosmostigma s.f.
cosmótrica s.f.
cósmotron s.m.
cosmovisão s.f.
cosmovisionário adj.
cosmozoário s.m.
cosmozoico (*ó*) adj.
cosmozoísmo s.m.
cosmurgia s.f.
cosmúrgico adj.
cospe-cospe s.m.; pl. *cospe-cospes* e *cospes-cospes*
cosque s.m.
cosqueado adj.
cosqueador (*ô*) adj. s.m.
cosqueadura s.f.
cosquear v.
cosqueiro s.m.
cosquento adj.
cosquilhento adj.
cosquilhoso (*ô*) adj.; f. (*ó*); pl. (*ó*)
cosquilhudo adj.
cossa s.f. "embarcação", etc.; cf. *coça* s.f. e fl. do v. *coçar*
cossaca s.f.
cossaco adj. s.m.
cossecante s.f.

cossecantoide (*ó*) adj.2g. s.f.
cossegurabilidade s.f.
cossegurado adj. s.m.
cossegurador (*ô*) adj. s.m.
cossegurante adj. s.2g.
cossegurar v.
cossegurável adj.2g.
cosseguro s.m.
cosseira s.f. "batente"; cf. *coceira*
cosseísta s.f.
cosselete (*ê*) s.m.
cossenhor s.m.
cossenhoria s.f.
cosseno s.m.
cossenoidal adj.2g.
cossenoide (*ó*) adj.2g. s.f.
cossetano adj. s.m.
cossi s.m.
cóssida adj.2g. s.m.
cossídeo adj. s.m.
cossieia (*é*) adj. s.f. de *cossieu*
cossieu adj. s.m.; f. *cossieia* (*é*)
cóssifa s.f.
cóssifo s.m.
cossignatário s.m.
cossinete (*ê*) s.m.
cóssio s.m.
cossirita s.f.
cossirite s.f.
cossirítico adj.
cossísmico adj.
cossismo s.m.
cosso (*ô*) s.m. "perseguição"; cf. *coço*, fl. do v. *coçar*
cossoiro s.m.
cossolete (*ê*) s.m.
cossoleto (*ê*) s.m.
cossolução s.f.
cossolvente s.m.
cossoníneo adj. s.m.
cossono s.m.
cossouro s.m.
cossumo s.m.
cossurense adj. s.2g.
cossyrita s.f.
cossyrítico adj.
costa s.f.
costa-abaixo s.f.; pl. *costas-abaixo*
costa-acima s.f.; pl. *costas-acima*
costa-arriba s.f.; pl. *costas-arriba*
costabdominal adj.2g.
costabranca s.f.
costa-cadeiense adj. s.2g.; pl. *costa-cadeienses*
costada s.f.
costa-de-alvarelhos s.f.2n.
costado adj. s.m.
costadoiro s.m.
costadouro s.m.
costal adj.2g. s.m.
costaleira s.f.
costalgia s.f.
costálgico adj.
costa-machadense adj. s.2g.; pl. *costa-machadenses*
costa-marfinense adj. s.2g.; pl. *costa-marfinenses*
costaneira s.f.
costaneiro adj. s.m.
costão s.m.
costaponevrótico adj.
costa-ricense adj. s.2g.; pl. *costa-ricenses*
costa-riquenho adj. s.m.; pl. *costa-riquenhos*
costa-riquense adj. s.2g.; pl. *costa-riquenses*
costas s.f.pl.
costa-senense adj. s.2g.; pl. *costa-senenses*
costeado adj. "gado amansado", "bordejado", etc.; cf. *custeado*
costeador (*ô*) adj. s.m.; cf. *custeador*
costeagem s.f.
costeamento s.m.; cf. *custeamento*
costeante adj.2g.
costear v. "navegar próximo à costa"; cf. *custear*
costeável adj.2g.
costectomia s.f.
costectômico adj.
costeio s.m.; cf. *custeio*
costeira s.f.
costeiro adj. s.m.; cf. *custeiro*
costela s.f.
costela-de-adão s.f.; pl. *costelas-de-adão*
costela de vaca s.f.
costelado s.m.
costelame s.m.
costelante adj.2g.
costelão s.m.
costelar v.
costelável adj.2g.
costeleta (*ê*) s.f.
costeletada s.f.
costeletas (*ê*) s.f.pl.
costelétzquia s.f.
costense adj. s.2g.
costepitrocliano adj.
costescapular adj.2g.
costesternal adj.2g.
cóstia s.f.
costiase s.f.
costíase s.f.
costiásico adj.
costibita s.f.
costífero adj.
costiforme adj.2g.
costil s.m.
costilha s.f.
costilhar s.m.
costilhas s.f.pl.
costilho s.m.
costilíaco adj.
costiliolombar adj.2g.
costiliumbilical adj.2g.
costilo s.m.
costinha s.f.
costino adj.
costiopse s.f.
costo (*ô*) s.m.
costoabdominal adj.2g.
costo-bastardo s.m.; pl. *costos-bastardos*
costocentral adj.2g.
costoclavicular adj.2g.
costocondral adj.2g.
costocondrite s.m.
costocoracoide (*ó*) adj.2g.
costocoracoideia (*é*) adj.; f. de *costocoracoideu*
costocoracóideo adj.
costocoracoideu adj.; f. *costocoracoideia* (*é*)
costocoracoidiano adj.
costocoracoroideia (*é*) adj. f. de *costocoracoroideu*
costocoracoroideu adj.; f. *costocoracoroideia* (*é*)
costocordal adj.2g.
costocostal adj.2g.
costoescapular adj.2g.
costoesternal adj.2g.
costóidea s.f.
costóideo adj. s.m.
costolamelar adj.2g.
costomarsupial adj.2g.
costonutritivo adj.
costopubiano adj.
costoscapular adj.2g.
costosternal adj.2g.
costosternoclidumeral adj.
costosternopúbico adj.
costotomia s.f.
costotômico adj.
costótomo s.m.
costotorácico adj.
costotoráxico (*cs*) adj.
costotransversário adj.
costotransversectomia s.f.
costotransversectômico adj.
costotraqueliano adj.
costovertebral adj.2g.
costoxifoide (*ó*) adj.2g.
costoxifoideia (*é*) adj. f. de *costoxifoideu*
costoxifóideo adj.
costoxifoideu adj.; f. *costoxifoideia* (*é*)
cóstula s.f.
costumado adj. s.m.
costumagem s.f.
costumança s.f.
costumar v.
costumário adj.
costumável adj.2g.
costumbrismo s.m.
costumbrista adj. s.2g.
costumbrístico adj. s.m.
costume s.m.
costumeira s.f.
costumeiro adj. s.m.
costumismo s.m.
costumista adj. s.2g.
costumístico adj.
costura s.f. "ação de coser"; cf. *custura*
costuradeira s.f.
costurado adj.
costurador (*ô*) adj. s.m.
costuragem s.f.
costurante adj. s.2g.
costurar v.
costurável adj.2g.
costureira s.f.
costureiro adj. s.m.
cota adj. s.2g. s.f.
cotabaça s.f.
cotação s.f.
cotacoulão s.m.
cotada s.f.
cotado adj.
cotador (*ô*) s.m.
cotalício adj.
cotaluna s.f.
cotamento s.m.
cotanês adj. s.m.
cotangente adj.2g. s.f.
cotangentoide (*ó*) adj.2g. s.f.
cotanilhado adj.
cotanilhador (*ô*) adj. s.m.
cotanilhar v.
cotanilho s.m.
cotanilhoso (*ô*) adj.; f. (*ó*); pl. (*ó*)
cotanoso (*ô*) adj.; f. (*ó*); pl. (*ó*)
cotante adj.2g.
cotão s.m.
cota-parte s.f.; pl. *cotas-partes*
cotar v.
cótara s.f.
cotari s.m.
cotário adj. s.m.
cotarnâmico adj.
cotarnamínico adj.
cotárnico adj.
cotarnina s.f.
cotarnínico adj.
cotarninóxima (*cs*) s.f.
cotarnona s.f.
cotarnônico adj.
cotarro s.m.
cotável adj.2g.
cotaxeense adj. s.2g.
cotazão s.f.
cotchubeia (*é*) s.f.
cote s.m.
cotecá s.m.
coteife s.m.
coteira s.f.
coteiro s.m.
cotejabilidade s.f.
cotejado adj.
cotejador (*ô*) adj. s.m.
cotejamento s.m.
cotejante adj.2g.
cotejar v.
cotejável adj.2g.
cotejipano adj. s.m.
cotejipense adj. s.2g.
cotejo (*ê*) s.m.
cotelão s.m.
coteleiro adj. s.m. "boi manso"; cf. *cuteleiro*
cotelina s.f.
cotelínico adj.
cotendórfia s.f.
coterminal adj.2g.
cotete (*ê*) s.m.
coteto (*ê*) s.m.
cotia s.f. "embarcação"; cf. *cutia*
cotiado adj.
cotiador (*ô*) adj.
cotiano adj. s.m.
cotiar v.
cotiara s.f.
cotiarinha s.f.
cotica s.f.
coticado adj.
cotícula s.f. "pedra de toque"; cf. *cutícola* e *cutícula*
cótida adj.2g. s.m.
cotidade s.f.
cotidal adj.2g.
cotídeo adj. s.m.
cotidianidade s.f.
cotidianizar v.
cotidiano adj. s.m.
cotieira s.f.
cotiense adj. s.2g.
cótigo s.m.
cotil s.m.
cótila s.f.
cotiledo (*ê*) s.m.
cotiledonar adj.2g.
cotiledonário adj.
cotilédone s.2g.
cotiledônea s.f.
cotiledôneo adj.
cotiledonismo s.m.
cotiledonista adj.2g.
cotiléforo adj.
cotilemorfo adj.
cotíleo adj. s.m.
cotilhão s.m.
cotilíneo adj. s.m.
cótilo s.m.
cotilóforo adj.
cotiloide (*ó*) adj.2g.
cotiloideia (*é*) adj. f. de *cotiloideu*
cotilóideo adj.
cotiloideu adj.; f. *cotiloideia* (*é*)
cotiloidiano adj.
cotilossário s.m.
cotilossauro s.m.
cotim s.m.
cotinga s.f.
cotinga-azul s.f.; pl. *cotingas-azuis*
cotingal s.m.
cotíngida adj.2g. s.m.
cotingídeo adj. s.m.
cotingíneo adj. s.m.
cotino s.m.
cotio adj. s.m.
cótio-tinto s.m.; pl. *cótios-tintos*
cotípico adj.
cotipira s.f.
cotipo s.m.
cotiporanense adj. s.2g.
cotista adj. s.2g.
cotitiribá s.m.
cotito adj.
cotização s.f.; cf. *cutisação*
cotizado adj. s.m.
cotizador (*ô*) adj. s.m.
cotizante adj.2g.
cotizar v. "dividir em cotas"; cf. *cutisar*
cotizável adj.2g.
coto s.m. "saltério"; cf. *coto* (*ô*) e *cotó*
coto (*ô*) s.m. "pedaço"; cf. *coto* s.m.; fl. do v. *cotar* e *cotó*
cotó adj. s.2g. s.m. "mutilado"; cf. *coto* s.m.; fl. do v. *cotar* e *coto* (*ô*)
cotoco (*ô*) s.m.
cotó-cotó s.m.; pl. *cotó-cotós*
cotoína s.f.
cotomiço s.m.
cotonado adj.
cotonador (*ô*) adj.
cotonante adj.2g.
cotonar v.
cotonaria s.f. "algodoaria"; cf. *cotonária*
cotonária s.f. "planta"; cf. *cotonaria* e fl. do v. *cotonar*
cotonável adj.2g.
cotoneáster s.f.
cotoneira s.f.
cotonete s.m.
cotonia s.f.
cotonicultor (*ô*) s.m.
cotonicultura s.f.
cotonifício s.m.
cotonígero adj.
cotonoso (*ô*) adj.; f. (*ó*); pl. (*ó*)
cotovela (*ê*) s.f.; cf. *cotovela*, fl. do v. *cotovelar*
cotovelada s.f.
cotovelado adj.
cotovelador (*ô*) adj. s.m.
cotovelante adj.2g.
cotovelão s.m.
cotovelar v.
cotovelável adj.2g.
cotoveleira s.f.
cotovelo (*ê*) s.m.; cf. *cotovelo*, fl. do v. *cotovelar*
cotovelosa s.f.
cotoveloso (*ô*) adj.; f. (*ó*); pl. (*ó*)
cotovia s.f.
cotovia-de-poupa s.f.; pl. *cotovias-de-poupa*
cotovia-galega s.f.; pl. *cotovias-galegas*
cotovia-galucha s.f.; pl. *cotovias-galuchas*
cotovia-pequena s.f.; pl. *cotovias-pequenas*
cotoxé adj. s.2g.
cotoxó adj. s.2g.
cotra (*ô*) s.f.
cotrala s.f.
cotrão s.m.
cotreia (*é*) s.f.
cotrenha s.f.
cotriba s.m.
cotrim s.m.
cotrimazol s.m.
cotrino s.m.
cotrofe s.m.
cotroso (*ô*) adj.; f. (*ó*); pl. (*ó*)
cotruca s.2g.
cotruco s.m.
cottendórfia s.f.
cotterita s.f.
cotuba adj.2g.
cotubana s.f.
cotula s.f. "penacho"; cf. *cótula*
cótula s.f. "planta"; cf. *cotula* s.f. e fl. do v. *cotular*
cótula-bastarda s.f.; pl. *cótulas-bastardas*
cótula-galega s.f.; pl. *cótulas-galegas*
cotular v.
cotulo s.m.
cotuludo adj.
cotumba s.f.
cotunita s.f.
cotunite s.f.
coturna s.f.
coturnado adj.
cotúrnia s.f.
coturnice s.f.
coturnicicultor (*ô*) s.m.
coturnicicultura s.f.
coturnicultor (*ô*) s.m.
coturnicultura s.f.
cotúrnix (*cs*) s.m.; pl. *cotúrnices*
coturno s.m.
cotutela s.f.
cotutelado adj.
cotutelante adj.2g.
cotutelar v. adj.2g.
cotutelável adj.2g.
cotutor s.m.
cotutoria s.f.
couça s.f.
coucão s.m.
coução s.m.

couçar v.
couce s.m.
couceado adj.
couceador (*ô*) adj.
couceante adj.2g.
coucear v.
couceável adj.2g.
couceira s.f.
couceirismo s.m.
couceirista adj. s.2g.
couceiro adj. s.m.
coucelo (*ê*) s.m.
coucho s.m.
coucieira s.f.
coucieiro s.m.
coucil s.m.
coucilhão s.m.
coucilho s.m.
coucinhado adj.
coucinhador (*ô*) adj. s.m.
coucinhar v.
coucinheiro s.m.
coucinho s.m.
couco s.m.
couçoeira s.f.
coudecer v.
coudel s.m.
coudelar v.
coudelaria s.f.
coudélico adj.
coudilho s.m.
coudra s.f.
coulo s.m.
coulomb s.m.
coulombiano adj. "relativo a coulomb"; cf. *colombiano*
coulometria s.f.
coulométrico adj.
coulômetro s.m.
coulsonita s.f.
couma s.f.
coumarina s.f.
coumarouna s.f.
coumarourana s.f.
counivocidade s.f.
counívoco adj.
couperiniano adj.
couquilha s.f.
couquilhada s.f.
coura s.m.f.
couraça s.f.
couraçado adj. s.m.
couraçador (*ô*) adj.
couraçamento s.m.
couraçante adj.2g.
couraçar v.
couraçável adj.2g.
couraceiro s.m.
couracho s.m.
courada s.f.
courália s.f.
courama s.f.
courana s.m.
courão adj. s.m.
courata s.f.
couratari s.m.
couratária s.f.
courato s.m.
courbetiano adj.
courbônia s.f.
coureada s.f.
coureador (*ô*) s.m.
courear v.
coureável adj.2g.
coureiro s.m. "que ou quem comercializa couro"; cf. *coreiro*
coureixa s.f.
courela s.f.
courelado adj.
coureleiro s.m.
courense adj. s.2g.
courinho s.m.
couro s.m.
couro-branco s.m.; pl. *couros-brancos*
couro-cromo s.m.; pl. *couros-cromo* e *couros-cromos*
couro-dantense adj. s.2g.; pl. *couro-dantenses*
courol s.m.
courona s.f.
couro-n'água s.m.; pl. *couros-n'água*
coursécia s.f.
courudo adj.
couruno adj.
cousa s.f.
cousada s.f.
cousa em si s.f.
cousa-feita s.f.; pl. *cousas-feitas*
cousa-má s.f.; pl. *cousas-más*
cousar v.
cousa-ruim s.f.; pl. *cousas-ruins*
cousável adj.2g.
couseiro s.m.
cousica s.f.
cousificabilidade s.f.
cousificação s.f.
cousificado adj.
cousificador (*ô*) adj.
cousificante adj.2g.
cousificar v.
cousificável adj.2g.
cousinita s.f.
cousismo s.m.
cousíssima s.f.
cousita s.f.
coussápoa s.f.
coussárea s.f.
coussareia (*é*) s.f.
coussilgo s.m.
coussilho s.m.
coussina s.f.
coussínia s.f.
cousso s.m.
coussotoxina (*cs*) s.f.
coussotoxínico (*cs*) adj.
coutada s.f.
coutado adj.
coutamento s.m.
coutar v.
coutárea s.f.
coutáreo adj.
coutaria s.f.
couteiro s.m.
couteiro-geral s.m.; pl. *couteiros-gerais*
couteiro-mor s.m.; pl. *couteiros-mores*
coutelho (*ê*) s.m.
coutense adj. s.2g.
coutente adj.2g.
coutinhense adj. s.2g.
coutio s.m.
couto s.m.
couto-magalhanense adj. s.2g.; pl. *couto-magalhanenses*
couval s.m. "plantação de couves"; cf. *coval*
couvana s.f.
couvão s.m.
couvar v.
couve s.f.
couve-amarela s.f.; pl. *couves-amarelas*
couve-bastarda s.f.; pl. *couves-bastardas*
couve-brócolos s.f.; pl. *couves-brócolos*
couve-caraíba s.f.; pl. *couves-caraíba* e *couves-caraíbas*
couve-cavaleiro s.f.; pl. *couves-cavaleiro* e *couves-cavaleiros*
couve-chinesa s.f.; pl. *couves-chinesas*
couve-coco s.f.; pl. *couves-coco* e *couves-cocos*
couve-cravinho s.f.; pl. *couves-cravinho* e *couves-cravinhos*
couve-crespa s.f.; pl. *couves-crespas*
couve-da-água s.f.; pl. *couves-da-água*
couve-da-areia s.f.; pl. *couves-da-areia*
couve-da-china s.f.; pl. *couves-da-china*
couve-da-praia s.f.; pl. *couves-da-praia*
couve-da-rocha s.f.; pl. *couves-da-rocha*
couve-de-adorno s.f.; pl. *couves-de-adorno*
couve-de-água s.f.; pl. *couves-de-água*
couve-de-areia s.f.; pl. *couves-de-areia*
couve-de-bruxelas s.f.; pl. *couves-de-bruxelas*
couve-de-cortar s.f.; pl. *couves-de-cortar*
couve-de-milão s.f.; pl. *couves-de-milão*
couve-de-saboia s.f.; pl. *couves-de-saboia*
couve-de-saboia-de-olhos-repolhudos s.f.; pl. *couves-de-saboia-de-olhos-repolhudos*
couve-de-todo-o-ano s.f.; pl. *couves-de-todo-o-ano*
couve-do-mato s.f.; pl. *couves-do-mato*
couve-flor s.f.; pl. *couves-flor* e *couves-flores*
couve-galega s.f.; pl. *couves-galegas*
couve-gigante s. f.; pl. *couves-gigantes*
couveira s.f.
couveiro adj. s.m. "vendedor de couve"; cf. *coveiro*
couve-lombarda s.f.; pl. *couves-lombardas*
couve-manteiga s.f.; pl. *couves-manteiga* e *couves-manteigas*
couve-marinha s.f.; pl. *couves-marinhas*
couve-marítima s.f.; pl. *couves-marítimas*
couve-murciana s.f.; pl. *couves-murcianas*
couve-nabiça s.f.; pl. *couves-nabiça* e *couves-nabiças*
couve-nabo s.f.; pl. *couves-nabo* e *couves-nabos*
couve-palmista s.f.; pl. *couves-palmistas*
couve-penca s.f.; pl. *couves-penca* e *couves-pencas*
couve-penca-de-chaves s.f.; pl. *couves-penca-de-chaves* e *couves-pencas-de-chaves*
couve-portuguesa s.f.; pl. *couves-portuguesas*
couve-rábano s.f.; pl. *couves-rábano* e *couves-rábanos*
couve-rábão s.f.; pl. *couves-rábão* e *couves-rábãos*
couve-repolho s.f.; pl. *couves-repolho* e *couves-repolhos*
couve-repolhuda s.f.; pl. *couves-repolhudas*
couve-rosa s.f.; pl. *couves-rosa* e *couves-rosas*
couve-saboia s.f.; pl. *couves-saboia* e *couves-saboias*
couve-saboia-de-olhos-repolhudos s.f.; pl. *couves-saboia-de-olhos-repolhudos* e *couves-saboias-de-olhos-repolhudos*
couve-saloia s.f.; pl. *couves-saloias*
couvetinga s.f.
couve-troncha s.f.; pl. *couves-tronchas*
couve-tronchuda s.f.; pl. *couves-tronchudas*
couve-verde s.f.; pl. *couves-verdes*
couve-vermelha s.f.; pl. *couves-vermelhas*
couvinha s.f.
couvinha-do-mato s.f.; pl. *couvinhas-do-mato*
couvinho s.m.
couxilgo s.m.
couzo s.m.
cova s.f.
covachado adj.
covachador (*ô*) adj. s.m.
covachar v.
covacho s.m.
covacova s.f.
covada s.f.
cova de anjo s.f.
cova de ladrão s.f.
cova de lobo s.f.
cova-de-onça s.f.; pl. *covas-de-onça*
cova de touro s.f.
covádis s.m.2n.
covado adj. "relativo a cova"; cf. *côvado*
côvado s.m. "unidade de comprimento"; cf. *covado*
cova do ladrão s.f.
covadonga s.f.
covador (*ô*) adj. s.m.
covagem s.f.
coval s.m. "divisão dos cemitérios"; cf. *couval*
covalência s.f.
covalente adj.2g. s.m.
covanca s.f.
covante adj.2g.
covão s.m. "cova grande"; cf. *côvão*
côvão s.m. "cesto"; cf. *covão*
covardação s.f.
covarde adj. s.2g.
covardia s.f.
covardice s.f.
covardismo s.m.
covariação s.f.
covariança s.f.
covariância s.f.
covariante s.m.
covas de mandioca s.f.pl.
covassalagem s.f.
covassalo s.m.
covata s.f.
covato s.m.
covável adj.2g.
coveação s.f.
coveado adj.
coveador (*ô*) adj. s.m.
coveamento s.m.
coveante adj.2g.
covear v.
coveável adj.2g.
coveiro s.m. "sepultador"; cf. *couveiro*
coveitiano adj.
covela s.f.
covelina s.f.
covelita s.f.
covelite s.f.
covendar v.
covendedor s.m.
coveta (*ê*) s.f.
covidente adj. s.2g.
covil s.m.
covileiro adj. s.m.
covilhanense adj. s.2g.
covilhão s.m.
covilheiro s.m.
covilhense adj. s.2g.
covilhete (*ê*) adj. s.m.
covinha s.f.
covinhado adj.
covita s.f.
covite s.f.
covitinga s.f.
covito s.m.
covo s.m. "redil de pesca"; cf. *covo* (*ô*)
covo (*ô*) adj. s.m. "côncavo"; cf. *covo*
covoá s.m.
covoada s.f.
covoão s.m.
covoca s.f.
covocó s.m.
covoense adj. s.2g.
covoleta (*ê*) s.f.
covolume s.m.
covolumétrico adj.
covu s.m.
coxa (*ô*) adj. s.2g. s.f. "parte do membro inferior entre o quadril e a perna"; cf. *cocha* s.f., fl. do v. *cochar* e *cocha* (*ô*)
coxa-branca adj. s.2g.; pl. *coxas-brancas*
coxa-de-dama s.f.; pl. *coxas-de-dama*
coxa-de-dona s.f.; pl. *coxas-de-dona*
coxa-de-frango s.f.; pl. *coxas-de-frango*
coxa-de-freira s.f.; pl. *coxas-de-freira*
coxagra (*cs* ou *ch*) s.f.
coxal (*cs* ou *ch*) adj.2g.
coxalgia (*cs* ou *ch*) s.f.
coxálgico (*cs* ou *ch*) adj.
coxa-lisa s.f.; pl. *coxas-lisas*
coxambeta (*ê*) s.2g.
coxamblância s.f.
coxanga s.m.
coxão s.m.
coxa-plana s.f.; pl. *coxas-planas*
coxarro s.m.
coxartria (*cs* ou *ch*) s.f.
coxártrico (*cs* ou *ch*) adj.
coxartropatia (*cs* ou *ch*) s.f.
coxartropático (*cs* ou *ch*) adj.
coxartrose (*cs* ou *ch*) s.f.
coxartrótico (*cs* ou *ch*) adj.
coxa-valga s.f.; pl. *coxas-valgas*
coxa-vara s.f.; pl. *coxas-varas*
coxe s.m. "canoa"; cf. *coche* (*ô*) s.m. e *coche*, fl. do v. *cochar*
coxé adj.2g.
coxeado adj.
coxeador (*ô*) adj. s.m.
coxeadura s.f.
coxeante adj.2g.
coxear v.
coxeio s.m.
coxeira s.f. "coxeadura"; cf. *cocheira*
coxelas s.2g.2n.
coxelo s.m.
coxêndico (*cs*) adj.
coxete (*ê*) s.m.
cóxi s.m.
coxia s.f. "passagem estreita"; cf. *cóxia* (*cs*)
cóxia (*cs*) s.f. "planta"; cf. *coxia*
coxicoco (*ô*) s.m.
coxiela (*cs*) s.f.
coxilgo s.m.
coxilha s.f.
coxilha-grandense adj. s.2g.; pl. *coxilha-grandenses*
coxilhão s.m.
coxilha-riquense adj. s.2g.; pl. *coxilha-riquenses*
coxilhense adj. s.2g.
coxim s.m.
coximpim s.m.
coxinense adj. s.2g.
coxinha s.f.
coxinho adj.
coxinilho s.m.
coxípede (*cs*) adj.2g.
coxipedia (*cs*) s.f.
coxipó-ourense adj. s.2g.; pl. *coxipó-ourenses*
coxipó-pontense adj. s.2g.; pl. *coxipó-pontenses*
coxite (*cs*) s.f.
coxítico (*cs*) adj.
coxivarado s.m.
coxo (*ô*) adj. s.m. "que coxeia"; cf. *cocho* (*ô*) s.m. e *cocho*, fl. do v. *cochar*
coxodinia (*cs* ou *ch*) s.f.
coxofemoral (*cs* ou *ch*) adj.2g.
coxonilho s.m.
coxoplana (*cs* ou *ch*) s.f.
coxópode (*cs*) s.m.
coxopodita (*cs*) s.f.

coxopodite (*cs*) s.f.
coxopodítico (*cs*) adj.
coxopodito (*cs*) s.m.
coxopódito (*cs*) s.m.
coxote s.m.
coxotomia (*cs* ou *ch*) s.f.
coxotômico (*cs* ou *ch*) adj.
coxotuberculose (*cs* ou *ch*) s.f.
coxotuberculótico (*cs* ou *ch*) adj.
coxovalga (*cs* ou *ch*) s.f.
coxovara (*cs* ou *ch*) s.f.
coxovertebral (*cs* ou *ch*) adj.2g.
cozarini adj. s.2g.
cozedeira s.f. "tacho"; cf. *cosedeira*
cozedor (*ô*) adj. s.m.; cf. *cosedor*
cozedura s.f.; cf. *cosedura*
cozela s.f.
cozer v. "cozinhar"; cf. *coser*
cozida s.f.
cozido adj. s.m.; cf. *cosido*
cozimase s.f.
cozímase s.f.
cozimento s.m.; cf. *cosimento*
cozinha s.f.
cozinhada s.f.
cozinha de ferro s.f.
cozinhadeira s.f.
cozinhado adj. s.m.
cozinhador (*ô*) s.m.
cozinhante adj.2g.
cozinhar v.
cozinhável adj.2g.
cozinheira s.f.
cozinheiro s.m.
crã s.f.
crábea s.f.
crábeo adj.
crabilhano adj.
crabônida adj.2g. s.m.
crabonídeo adj. s.m.
craboníneo adj. s.m.
crabro s.m.
crabunha s.f.
crabunho s.m.
craca s.f.
craca-das-pedras s.f.; pl. *cracas-das-pedras*
craca-das-rochas s.f.; pl. *cracas-das-rochas*
craca-dos-navios s.f.; pl. *cracas-dos-navios*
cracanel s.m.
cracanélico adj.
cracati adj. s.2g.
cracaxá s.m.
crachá s.m.
crachena s.m.
crácida adj.2g. s.m.
cracídeo adj. s.m.
cracínea s.f.
cracíneo adj.
cracoiano adj.
cracóideo adj. s.m.
cracolé s.m.
cracovês adj. s.2g.
cracóvia s.f.
cracoviana s.f.
cracoviano adj. s.m.
cracovista s.m.
cracovístico adj.
cracticídeo adj. s.m.
crada s.f.
cradina s.f.
cradínico adj.
crafórdia s.f.
cragoatá s.m.
cragoatá-branco s.m.; pl. *cragoatás-brancos*
cragoatá-vermelho s.m.; pl. *cragoatás-vermelhos*
craguatá s.m.
craguatá-branco s.m.; pl. *craguatás-brancos*
craião s.m.
craibeira s.f.
craibense adj. s.2g.
cráibia s.f.
cráigia s.m.
craigmontita s.f.
craigmontite s.f.
craigmontítico adj.
craigmontito s.m.
craiom s.m.
craionar v.
crajuá s.m.
crajuru s.m.
cralhampana s.f.
crambambali s.m.
crambe s.f.
crambessa s.m.
crambéssida adj.2g. s.m.
crambessídeo adj. s.m.
crambídeo adj. s.m.
crambíneo adj. s.m.
crambo s.m.
craméria s.f.
crameriácea s.f.
crameriáceo adj.
cramérico adj.
cramerieia (*é*) s.f.
cramondongue s.m.
cramonha s.f.
crampa s.f.
cramulhano s.m.
cramuri s.m.
cranachiano (*qui*) adj. s.m.
crancelim s.m.
crancho adj.
crandallita s.f.
crangão s.m.
crangom s.m.
crangônida adj.2g. s.m.
crangonídeo adj. s.m.
crangoníneo adj. s.m.
cranhancore adj. s.2g.
crânia s.f.
craniação s.f.
craniacromial adj.2g.
craniado adj. s.m.
craniador (*ô*) adj. s.m.
cranial adj.2g.
craniano adj.
craniante adj.2g.
craniar v.
craniável adj.2g.
craniectomia s.f.
craniectômico adj.
craniela s.m.
craniencefálico adj.
crânio s.m.
cranioanfitomia s.f.
cranioanfitômico adj.
craniocaudal adj.2g.
craniocele s.f.
craniocélico adj.
craniocerebral adj.2g.
cranioclasia s.f.
cranioclásico adj.
cranioclasta adj.2g. s.m.
cranioclástico adj.
cranioclasto adj. s.m.
cranioclidodisostose s.f.
cranioclidodisostótico adj.
craniodidimia s.f.
craniodidímico adj.
craniodídimo s.m.
cranioencefálico adj.
craniofacial adj.2g.
craniofaríngeo adj.
craniofaringeoma s.m.
craniofaringeomático adj.
craniofemoral adj.2g.
craniófero s.m.
cranióforo s.m.
craniografia s.f.
craniográfico adj.
craniógrafo s.m.
cranioide (*ó*) adj.2g.
cranioidia s.f.
craniolar adj.2g.
craniolária s.f.
craniologia s.f.
craniológico adj.
craniologista adj. s.2g.
craniólogo s.m.
craniomalacia s.f.
craniomalácia s.f.
craniomalácico adj. s.m.
craniomalácio adj.
craniomancia s.f.
craniomandibular adj.2g.
craniomante s.2g.
craniomântico adj.
craniometria s.f.
craniométrico adj.
craniometrista adj. s.2g.
craniômetro s.m.
craniopagia s.f.
craniópago adj. s.m.
cranioplagiometria s.f.
cranioplagiométrico adj.
cranioplagiometrista adj. s.2g.
cranioplagiômetro s.m.
cranioplastia s.f.
cranioplástico adj.
craniorraquísquise s.f.
craniorraquisquítico adj.
craniorreia (*é*) s.f.
craniorreico (*é*) adj.
cranioscopia s.f.
cranioscópico adj.
cranioscópio s.m.
cranioscopista adj. s.2g.
cranioscopístico adj.
cranióscopo s.m.
craniospermo s.m.
craniospongiose s.f.
craniospongiótico adj.
craniósquise s.f.
craniosquítico adj.
craniossacral adj.2g.
craniossinostose s.f.
craniostático adj.
cranióstato s.m.
craniostenose s.f.
craniostenótico adj.
craniostose s.f.
craniostótico adj.
craniota adj. s.2g.
craniotabe s.f.
craniotabes s.f.2n.
craniotábico adj.
craniotimpânico adj.
craniotomia s.f.
craniotômico adj.
craniótomo s.m.
craniotonoscopia s.f.
craniotonoscópico adj.
craniotripese s.f.
craniotripeto adj.
cranite s.f.
cranítico adj.
cranivoso (*ô*) adj.; f. (*ó*); pl. (*ó*)
cranocarpo s.m.
cranque s.m.
crânquia s.m.
cranquiida adj.2g. s.m.
cranquiídeo adj. s.m.
cranquiinco adj. s.m.
cranter s.m.
crântzia s.f.
craó adj. s.2g.
craolandense adj. s.2g.
craonês adj. s.m.
crapela s.f.
crapete (*ê*) s.m.
crapiela s.f.
crapô s.m.
crapté adj. s.2g.
crapudina s.f.
crápula adj. s.2g. s.f.
crapuleação s.f.
crapuleado adj.
crapuleador (*ô*) adj. s.m.
crapulear v.
crapuloso (*ô*) adj.; f. (*ó*); pl. (*ó*)
craque adj. s.2g. s.m. interj.
craqueabilidade s.f.
craqueação s.f.
craqueado adj.
craqueador (*ô*) adj. s.m.
craqueamento s.m.
craqueante adj.2g.
craquear v.
craqueável adj.2g.
craqueio s.m.
craquejado adj. s.m.
craquejador (*ô*) adj. s.m.
craquejante adj.2g.
craquejar v.
craquelê adj.2g. s.m.
craquemum adj. s.2g.
craquento adj.
crarupização s.f.
crás s.m.2n. adv.
crase s.f.
craseabilidade s.f.
craseado adj.
craseador (*ô*) adj. s.m.
craseante adj.2g.
crasear v.
craseável adj.2g.
crásico adj.
crasiografia s.f.
crasiográfico adj.
crasiografista adj. s.2g.
crasiógrafo s.m.
crasiologia s.f.
crasiológico adj.
crasiologista adj. s.2g.
crasiólogo s.m.
crasiontologia s.f.
crasiontológico adj.
crasiontologista adj. s.2g.
crasiontólogo s.m.
crasiorística s.f.
crasiorístico adj.
craspedacustes s.m.2n.
cráspedo s.m.
craspedodromia s.f.
craspedódromo adj.
craspedoma s.m.
craspedomonadácea s.f.
craspedomonadáceo adj.
craspedóraque s.f.
craspedossomo s.m.
craspedota adj.2g. s.f.
craspedótica s.f.
craspedótico adj.
craspedoto adj. s.m.
crassatela s.f.
crassateláceo adj. s.m.
crassicaude adj.2g.
crassicaule adj.2g.
crassície s.f.
crassicolo adj.
crassicórneo adj.
crassidade s.f.
crassidão s.f.
crassifoliado adj.
crassifólio adj.
crassilíngue (*ü*) adj.2g. s.m.
crassinérveo adj.
crassípede adj.2g.
crassipene adj.2g.
crassipétalo adj.
crassiquamoso (*ô*) adj.; f. (*ó*); pl. (*ó*)
crassirrostro adj. s.m.
crassitude s.f.
crasso adj.
crassocéfalo s.m.
crassóstrea s.f.
crassóstreo adj.
crássula s.f.
crassulácea s.f.
crassuláceo adj.
crástino adj.
crastumiense adj. s.2g.
crategina s.f.
crategínico adj.
cratego s.m.
cratego-azeroleiro s.m.; pl. *crategos-azeroleiros*
cratego-de-borgonha s.m.; pl. *crategos-de-borgonha*
crategoméspilo s.m.
cratégone s.m.
cratégono s.m.
cratego-ordinário s.m.; pl. *crategos-ordinários*
cratego-pirliteiro s.m.; pl. *crategos-pirliteiros*
cratena s.m.
cratense adj. s.2g.
crateógono s.m.
cratera s.f.
cratera-lago s.f.; pl. *crateras-lago* e *crateras-lagos*
crateramento s.m.
craterela s.f.
craterelo s.m.
craterelo-cornucópia s.m.; pl. *craterelos-cornucópia* e *craterelos-cornucópias*
crateriforme adj.2g.
craterispermo s.m.
craterização s.f.
craterleta (*ê*) s.f.
craterômio s.m.
cratéropo s.m.
crateropóde s.m.
crateropódida s.m.
crateropodídeo adj. s.m.
craterostigma s.m.
crateusense adj. s.2g.
crático adj.
cratícula s.f.
craticulação s.f.
craticulado adj.
craticulador (*ô*) adj. s.m.
craticulante adj.2g.
craticular v. adj.2g.
craticulável adj.2g.
cratília s.f.
crato s.m.
cratogênico adj.
cratógeno s.m.
cratomorfo s.m.
cráton s.m.
cratônico adj.
cratóxilo (*cs*) s.m.
cratóxilon (*cs*) s.m.
crauá s.m.
crauaçu s.m.
crauatá s.m.
craúba s.f.
crauçá s.m.
crauçanga s.f.
craúna s.f.
craúno s.m.
craurita s.f.
craurite s.m.
craurítico adj.
craurose s.f.
craurótico adj.
crausina s.m.
crautá s.m.
crava s.2g.
cravabilidade s.f.
cravação s.f.
cravadeira s.f.
cravado adj.
cravador (*ô*) s.m.
cravadura s.f.
cravagem s.f.
cravagem-de-centeio s.f.; pl. *cravagens-de-centeio*
craval s.m.
cravamento s.m.
cravanço s.m.
cravaneiro s.m.
cravanho s.m.
cravanista adj.2g.
cravante adj. s.m.
cravar v.
cravaria s.f.
cravatá s.m.
cravável adj.2g.
craveira s.f.
craveiro adj. s.m.
craveiro-da-índia s.m.; pl. *craveiros-da-índia*
craveiro-da-terra s.m.; pl. *craveiros-da-terra*
craveiro-do-campo s.m.; pl. *craveiros-do-campo*
craveiro-do-maranhão s.m.; pl. *craveiros-do-maranhão*
cravejabilidade s.f.
cravejado adj.
cravejador (*ô*) s.m.
cravejamento s.m.
cravejante adj.2g.
cravejar v.
cravejável adj.2g.
cravela s.f.
craveleta (*ê*) s.f.
cravelha (*ê*) s.f.
cravelhal s.m.

cravelhame s.m.
cravelho (*ê*) s.m.
cravelina s.f.
cravelo (*ê*) s.m.
cravenho adj.
cravete (*ê*) s.m.
cravija s.f.
cravilhano s.m.
cravina s.f.
cravina-barbela s.f.; pl. *cravinas-barbelas*
cravinaço s.m.
cravina-da-arrábida s.f.; pl. *cravinas-da-arrábida*
cravina-d'água s.f.; pl. *cravinas-d'água*
cravina-da-china s.f.; pl. *cravinas-da-china*
cravina-das-areias s.f.; pl. *cravinas-das-areias*
cravina-da-sombra s.f.; pl. *cravinas-da-sombra*
cravina-de-água s.f.; pl. *cravinas-de-água*
cravina-de-lagartixa s.f.; pl. *cravinas-de-lagartixa*
cravina-de-pau s.f.; pl. *cravinas-de-pau*
cravina-de-tunes s.f.; pl. *cravinas-de-tunes*
cravina-de-túnis s.f.; pl. *cravinas-de-túnis*
cravina-do-campo s.f.; pl. *cravinas-do-campo*
cravina-do-pau s.f.; pl. *cravinas-do-pau*
cravina-do-poeta s.f.; pl. *cravinas-do-poeta*
cravina-dos-jardins s.f.; pl. *cravinas-dos-jardins*
cravina-dos-poetas s.f.; pl. *cravinas-dos-poetas*
cravinar v.
cravina-ramuda s.f.; pl. *cravinas-ramudas*
cravinas de ambrósio s.f.pl.
cravina-soberba s.f.; pl. *cravinas-soberbas*
cravineiro s.m.
cravinha s.f.
cravinhense adj. s.2g.
cravinho s.m.
cravinho-da-campina s.m.; pl. *cravinhos-da-campina*
cravinho-da-índia s.m.; pl. *cravinhos-da-índia*
cravinho-de-campina s.m.; pl. *cravinhos-de-campina*
cravinho-de-defunto s.m.; pl. *cravinhos-de-defunto*
cravinho-de-lagartixa s.m.; pl. *cravinhos-de-lagartixa*
cravinho-do-mato s.m.; pl. *cravinhos-do-mato*
cravinhoso (*ô*) adj.; f. (*ó*); pl. (*ó*)
cravinoso (*ô*) adj.; f. (*ó*); pl. (*ó*)
cravinote s.m.
craviorganista s.2g.
craviórgão s.m.
craviri s.m.
cravismo s.m.
cravista adj. s.2g.
cravístico adj.
cravo s.m.
cravo-americano s.m.; pl. *cravos-americanos*
cravoária s.f.
cravo-aromático s.m.; pl. *cravos-aromáticos*
cravo-barbudo s.m.; pl. *cravos-barbudos*
cravo-bordado s.m.; pl. *cravos-bordados*
cravo-branco s.m.; pl. *cravos--brancos*
cravo-bravo s.m.; pl. *cravos--bravos*
cravo-cabecinha s.m.; pl. *cravos-cabecinha* e *cravos--cabecinhas*
cravo-da-árvore s.m.; pl. *cravos-da-árvore*
cravo-da-boa-esperança s.m.; pl. *cravos-da-boa--esperança*
cravo-da-carolina s.m.; pl. *cravos-da-carolina*
cravo-da-índia s.m.; pl. *cravos-da-índia*
cravo-da-mata s.m.; pl. *cravos-da-mata*
cravo-da-roça s.m.; pl. *cravos--da-roça*
cravo-da-terra s.m.; pl. *cravos--da-terra*
cravo-da-terra-de-minas s.m.; pl. *cravos-da-terra-de-minas*
cravo-da-terra-de-são-paulo s.m.; pl. *cravos-da-terra-de--são-paulo*
cravo-da-terra-do-rio-de--janeiro s.m.; pl. *cravos-da--terra-do-rio-de-janeiro*
cravo-de-amor s.m.; pl. *cravos-de-amor*
cravo-de-bastão s.m.; pl. *cravos-de-bastão*
cravo de bom jardim s.m.
cravo-de-bouba s.m.; pl. *cravos-de-bouba*
cravo-de-burro s.m.; pl. *cravos-de-burro*
cravo-de-cabecinha s.m.; pl. *cravos-de-cabecinha*
cravo-de-defunto s.m.; pl. *cravos-de-defunto*
cravo-de-defunto-dobrado s.m.; pl. *cravos-de-defunto--dobrados*
cravo-de-esperança s.m.; pl. *cravos-de-esperança*
cravo-de-montpellier s.m.; pl. *cravos-de-montpellier*
cravo-de-pau s.m.; pl. *cravos--de-pau*
cravo-de-poeta s.m.; pl. *cravos-de-poeta*
cravo-de-seara s.m.; pl. *cravos-de-seara*
cravo-de-tunes s.m.; pl. *cravos-de-tunes*
cravo-de-túnis s.m.; pl. *cravos-de-túnis*
cravo-de-urubu s.m.; pl. *cravos-de-urubu*
cravo-do-campo s.m.; pl. *cravos-do-campo*
cravo-do-maranhão s.m.; pl. *cravos-do-maranhão*
cravo-do-mato s.m.; pl. *cravos-do-mato*
cravo-do-monte s.m.; pl. *cravos-do-monte*
cravo-encarnado s.m.; pl. *cravos-encarnados*
cravo-fétido-da-índia s.m.; pl. *cravos-fétidos-da-índia*
cravo-franjado s.m.; pl. *cravos-franjados*
cravo-giroflé s.m.; pl. *cravos--giroflé* e *cravos-giroflés*
cravoila s.f.
cravoilha s.f.
cravolandense adj. s.2g.
cravo-mimoso s.m.; pl. *cravos-mimosos*
cravo-minhardise s.m.; pl. *cravos-minhardise* e *cravos--minhardises*
cravo-ordinário s.m.; pl. *cravos-ordinários*
cravorana s.m.
cravo-renda s.m.; pl. *cravos--renda* e *cravos-rendas*
cravo-romano s.m.; pl. *cravos--romanos*
cravo-saloio s.m.; pl. *cravos--saloios*
cravo-soberbo s.m.; pl. *cravos-soberbos*
cré s.f.
creaca s.f.
creaseyita s.f.
creatina s.f.
creatinemia s.f.
creatinêmico adj.
creatínico adj.
creatinina s.f.
creatinofosfoquinase s.f.
creatinofosfórico adj.
creatinuria s.f.
creatinúria s.f.
creato s.m.
creatofagia s.f.
creatófago adj. s.m.
creatóforo adj.
creatorreia (*é*) s.f.
creatorreico (*é*) adj.
creatotoxismo (*cs*) s.m.
creatotoxístico (*cs*) adj.
crebro adj.
creche s.f.
crecisco s.m.
creçudo adj.
credeiro adj. s.m.
credeização s.f.
credença s.f.
credência s.f.
credenciabilidade s.f.
credenciação s.f.
credenciado adj.
credenciador (*ô*) adj. s.m.
credenciais s.f.pl.
credencial adj.2g. s.f.
credencialidade s.f.
credenciamento s.m.
credenciante adj. s.2g.
credenciar v.
credenciário s.m.
credenciável adj.2g.
credente adj. s.2g.
crediário adj. s.m.
crediarismo s.m.
crediarista adj. s.2g.
crediarístico adj.
credibilidade s.f.
credibilíssimo adj. sup. de *credível* e *crível*
creditabilidade s.f.
creditado adj.
creditador (*ô*) adj. s.m.
creditante adj. s.2g.
creditar v.
creditável adj.2g.
creditício adj.
creditista adj. s.2g.
crédito s.m.; cf. *credito*, fl. do v. *creditar*
creditório adj.
credível adj.2g.
crednéria s.f.
crednerita s.f.
crednerite s.f.
credneritico adj.
credo s.m. interj.
credo-cruz interj.
credo em cruz interj.
credor (*ô*) adj. s.m.
credulice s.f.
credulidade s.f.
crédulo adj. s.m.
credze s.m.
creedita s.f.
crega s.f.
creié adj. s.2g.
creio em deus padre s.m.2n. interj.
creiom s.m.
creitonita s.f.
creitonite s.f.
creitonítico adj.
creível adj.2g.
crejica s.f.
crejuá s.m.
crelar v.
cremabilidade s.f.
cremação s.f.
cremadeiro s.m.
cremado adj.
cremadoiro s.m.
cremador (*ô*) adj. s.m.
cremadouro s.m.
cremalheira s.f.
cremante adj.2g.
cremar v.
cremáspora s.f.
cremaster s.m.
cremáster s.m.
cremasteriano adj.
cremastérico adj.
cremasto s.m.
cremastogastro s.m.
cremastro s.m.
crematismo s.m.
crematista adj. s.2g.
crematística s.f.
crematístico adj. s.m.
crematologia s.f.
crematológico adj.
crematologista adj. s.2g.
crematólogo s.m.
crematonomia s.f.
crematonômico adj.
crematonomista adj. s.2g.
crematório adj. s.m.
cremável adj.2g.
crêmbalo s.m.
creme adj.2g. s.m.f.
cremeira s.f.
cremense adj. s.2g.
cremento s.m.
cremerense adj. s.2g.
cremnobata s.2g.
cremnóbata s.2g.
cremnofobia s.f.
cremnofóbico adj.
cremnófobo adj. s.m.
cremnometria s.f.
cremnométrico adj.
cremnometrista adj. s.2g.
cremnômetro s.m.
cremocárpio s.m.
cremocarpo s.m.
cremometria s.f.
cremométrico adj.
cremometrista adj. s.2g.
cremômetro s.m.
cremona s.m.f.
cremonense adj. s.2g.
cremoniano adj.
cremor (*ô*) s.m.
cremorização s.f.
cremorizado adj.
cremorizador (*ô*) adj.
cremorizante adj.2g.
cremorizar v.
cremorizável adj.2g.
cremosidade s.f.
cremoso (*ô*) adj.; f. (*ó*); pl. (*ó*)
crena s.f.
crenação s.f.
crenacarore adj. s.2g.
crenado adj.
crenador (*ô*) adj.
crenadura s.f.
crenagem s.f.
crenaque adj. s.2g.
crenar v.
crenatado adj.
crenato s.m.
crenátula s.f.
crenatura s.f.
crença s.f.
crendeirice s.f.
crendeiro adj. s.m.
crendice s.f.
crênea s.f.
crenela s.m.
crenelado adj.
crenicicla s.f.
crênico adj.
crenífero adj. "crenulado"; cf. *crinífero*
crenilabro s.m.
crenirrostro adj.
crenita s.f.
crenjê adj. s.2g.
creno s.m.
crenócito s.m.
crenologia s.f.
crenológico adj.
crenonímia s.f.
crenonímico adj.
crenônimo s.m.
crenoterapeuta s.2g.
crenoterapêutico adj.
crenoterapia s.f.
crenoterápico adj.
crenoterapista adj. s.2g.
crenotricácea s.f.
crente adj. s.2g.
crênula s.f.
crenulado adj.
creóbio s.m.
creodonte s.m.
creodonto s.m.
creofagia s.f.
creofágico adj.
creofagismo s.m.
creófago adj. s.m.
creofilia s.f.
creofilismo s.m.
creofilista adj. s.2g.
creofilístico adj.
creófilo adj. s.m.
creogenia s.f.
creogênico adj.
creogenismo s.m.
creogenista adj. s.2g.
creogenístico adj.
creografia s.f.
creográfico adj.
creolina s.f.
creolinar v.
creolita s.f.
creologia s.f.
creológico adj.
creólogo s.m.
creosal s.m.
creosende s.m.
creosocânfora s.f.
creosofórmio s.m.
creosol s.m.
creosota s.f.
creosotado adj.
creosotador (*ô*) adj. s.m.
creosotagem s.f.
creosotal s.m.
creosotante adj.2g.
creosotar v.
creosotato s.m.
creosotável adj.2g.
creosote s.m.
creosótico adj.
creosoto (*ô*) s.m.; cf. *creosoto*, fl. do v. *creosotar*
creosotol s.m.
creosotólico adj.
creoteca s.f.
crepe s.m.
crepe-cetim s.m.; pl. *crepes--cetim* e *crepes-cetins*
crepe-georgete s.m.; pl. *crepes-georgete* e *crepes--georgetes*
crepelina s.f.
crepe-marroquim s.m.; pl. *crepes-marroquim* e *crepes--marroquins*
crépida s.f. "sandália"; cf. *crépide*
crépide s.f. "planta"; cf. *crépida*
crepidina s.f.
crepidínea s.f.
crepidíneo adj.
crépido adj.
crepidópode adj.2g. s.m.
crepidospermo s.m.
crepidoto s.m.
crepídula s.f.
crepim s.m.
crepins s.m.pl.
crépis s.f.2n.
crepitação s.f.
crepitáculo s.m.
crepitado adj.
crepitador (*ô*) adj.
crepitante adj.2g.
crepitar v.
crepitável adj.2g.
crepitina s.f.
crepitínico adj.
crépito adj.; cf. *crepito*, fl. do v. *crepitar*

crepitoso (*ô*) adj.; f. (*ó*); pl. (*ó*)
creplos s.m.pl.
crepom s.m.
crepudina s.f.
cré-puncateié adj. s.2g.; pl. *crés-puncateiés*
crepúndios s.m.pl.
crepusculação s.f.
crepusculado adj.
crepusculador (*ô*) adj.
crepusculante adj.2g.
crepuscular adj.2g.
crepusculária s.f.
crepusculário adj. s.m.
crepusculejado adj.
crepusculejador (*ô*) adj.
crepusculejante adj.2g.
crepusculejar v.
crepuscúleo adj.
crepusculino adj.
crepusculização s.f.
crepusculizado adj.
crepusculizador (*ô*) adj.
crepusculizante adj.2g.
crepusculizar v.
crepúsculo s.m.
crer v.
cresalol s.m.
cresalólico adj.
cresamina s.f.
cresamínico adj.
cresatina s.f.
cresatínico adj.
cresce s.f.
crescença s.f.
crescência s.f.
crescendo s.m. adv.
crescente adj.2g. s.m.f.
crescêntia s.f.
crescentíea s.f.
crescentiforme adj.2g.
crescentígero adj.
crescer v.
crescida s.f.
crescido adj. s.m.
crescidote adj.
crescimento s.m.
créscimo s.m.
crescografia s.f.
crescográfico adj.
crescografista adj. s.2g.
crescógrafo s.m.
cresil s.m.
cresila s.f.
cresilacetato s.m.
cresilacético adj.
cresilato s.m.
cresilbutileno s.m.
cresileno s.m.
cresilglicurônico adj.
cresílico adj.
cresilina s.f.
cresilínico adj.
cresilite s.f.
cresilo s.m.
cresilol s.m.
cresilólico adj.
cresilpropionato s.m.
cresilpropiônico adj.
creso adj. s.m.
cresol s.m. "derivado do tolueno"; cf. *crisol*
cresólico adj.
cresolina s.f.
cresolínico adj.
cresolsaponato s.m.
cresotato s.m.
cresoterapeuta s.2g.
cresoterapêutico adj.
cresoterapia s.f.
cresoterápico adj.
cresótico adj.
crespa (*ê*) s.f.; cf. *crespa*, fl. do v. *crespar*
crespabilidade s.f.
crespação s.f.
crespadinha s.f.
crespado adj.
crespador (*ô*) adj.
crespadura s.f.
crespamento s.m.
crespante adj.2g.
crespão s.m.
crespar v.
crespatura s.f.
crespável adj.2g.
crespeira s.f.
crespeira-do-pessegueiro s.f.; pl. *crespeiras-do-pessegueiro*
crespidão s.f.
crespido adj. s.m.
crespina s.f.
crespir v.
crespo (*ê*) adj. s.m.; cf. *crespo*, fl. do v. *crespar*
crespor s.m.
cresposo (*ô*) adj.; f. (*ó*); pl. (*ó*)
crespuço s.m.
cressa s.f.
cresta s.f.
crestadeira s.f.
crestadela s.f.
crestado adj.
crestador (*ô*) adj.
crestadura s.f.
crestamento s.m.
crestante adj.2g.
crestão s.m.
crestar v.
crestável adj.2g.
crestmoreíta s.f.
crestmoreítico adj.
cresto (*ê*) s.m.; cf. *cresto*, fl. do v. *crestar*
crestomatia s.f.
crestomático adj.
crestumense adj. s.2g.
creta adj. s.2g. s.f.
cretáceo adj. s.m.
cretácico adj. s.m.
cretaico adj. s.m.
crete adj. s.2g.
cretense adj. s.2g.
crético adj. s.m.
cretificação s.f.
cretificado adj.
cretificador (*ô*) adj.
cretificamento s.m.
cretificante adj.2g.
cretificar v.
cretina s.f.
cretinação s.f.
cretinice s.f.
cretinina s.f.
cretinínico adj.
cretinismo s.m.
cretinístico adj.
cretinização s.f.
cretinizado adj.
cretinizador (*ô*) adj.
cretinizante adj.2g.
cretinizar v.
cretinizável adj.2g.
cretino adj. s.m.
cretinoide (*ó*) adj.2g. s.m.
cretinoso (*ô*) adj.; f. (*ó*); pl. (*ó*)
creto s.m.
cretone s.m.
creúsia s.m.
creve s.m.
crevete (*ê*) s.m.
crevetina s.f.
crevim s.m.
cria s.f.
criabilidade s.f.
criação s.f.
criacionismo s.m.
criacionista adj. s.2g.
criacionístico adj.
criada s.f.
criadagem s.f.
criadeira s.f.
criadeiro adj. s.m.
criadilha s.f.
criado adj. s.m.
criado-grave s.m.; pl. *criados-graves*
criadoiro s.m.
criadola s.f.
criado-mudo s.m.; pl. *criados-mudos*
criador (*ô*) adj. s.m.
criadora (*ô*) s.f.
criadório s.m.
criadouro s.m.
crialgesia s.f.
crialgésico adj.
criamento s.m.
criamoso (*ô*) adj.; f. (*ó*); pl. (*ó*)
crianássana s.m.
crianaule s.m.
criança adj.2g. s.f.
criançada s.f.
criançalha s.f.
criançalho s.m.
criançāo s.m.
criança-problema s.f.; pl. *crianças-problema* e *crianças-problemas*
criancelho (*ê*) s.m.
criancice s.f.
crianço s.m.
criançola s.2g.
criandário s.m.
crianestesia s.f.
crianestésico adj.
crianestético adj.
crianestia s.f.
criante adj.2g.
criar v.
criatividade s.f.
criativo adj.
criatório adj. s.m.
criatura s.f.
criaturo s.m.
criável adj.2g.
cribelado adj.
cribélico adj.
cribelo s.m.
cribrária s.f.
cribrariácea s.f.
cribrariáceo adj.
cribriforme adj.2g.
cribrocalina s.f.
crica s.f.
cricalha s.m.f.
cricaré s.m.
cricaritenoide (*ó*) adj.2g.
cricaritenoideia (*é*) adj. f. de *cricaritenoideu*
cricaritenóideo adj.
cricaritenoideu adj.; f. *cricaritenoideia* (*é*)
cricaritenoidiano adj.
cricataguê adj. s.2g.
cricataguê adj. s.2g.
cricati adj. s.2g.
cricetídeo adj. s.m.
criceto s.m.
cricetômio s.m.
cricêtomis s.m.2n.
crichaná adj. s.2g.
crichtonita s.f.
crichtonite s.f.
crichtonítico adj.
criciúma s.f.
criciúma-cipó s.f.; pl. *criciúmas-cipó* e *criciúmas-cipós*
criciumalense adj. s.2g.
criciúma-miúda s.f.; pl. *criciúmas-miúdas*
criciúme s.m.
criciumense adj. s.2g.
crico s.m.
cricoaritenoideia (*é*) adj. f. de *cricoaritenoideu*
cricoaritenóideo adj.
cricoaritenoideu adj.; f. *cricoaritenoideia* (*é*)
cricoaritenoidiano adj.
cricofaríngeo adj.
cricoide (*ó*) adj.2g. s.f.
cricoidectomia s.f.
cricoidectômico adj.
cricoideia (*é*) adj. s.f. de *cricoideu*
cricoideu s.m.; f. *cricoideia* (*é*)
cricoidinia s.f.
cricomé s.m.
cricostomia s.f.
cricostômico adj.
cricóstomo adj.
cricotireoideia (*é*) adj. f. de *cricotireoideu*
cricotireóideo adj.
cricotireoideu adj.; f. *cricotireoideia* (*é*)
cricotireotomia s.f.
cricotireotômico adj.
cricotiroideia (*é*) adj. f. de *cricotiroideu*
cricotiróideo adj.
cricotiroideu adj.; f. *cricotiroideia* (*é*)
cricotomia s.f.
cricotômico adj.
cricotraqueal adj.2g.
cri-cri adj.2g. s.m. "canto do grilo", "maçante" etc.; pl. *cri-cris*
cricrido s.m.
cricrilação s.f.
cricrilado adj.
cricrilador (*ô*) adj.
cricrilante adj.2g.
cricrilar v.
cri-crió s.m.; pl. *cri-criós*
cri-crió-seringueiro s.m.; pl. *cri-criós-seringueiros*
crícula s.f.
crido adj.
criergia s.f.
criérgico adj.
criestesia s.f.
criestésico adj.
criestético adj.
crífalo s.m.
crifeácea s.f.
crifeáceo adj.
crifeca s.m.
crifeia (*é*) s.f.
crifia s.f.
crifiacanto s.m.
crífio s.m.
crifiolita s.f.
crifiolite s.f.
crifiolítico adj.
crifiólito s.m.
criftelminte s.m.
criftorístico adj.
crijoá s.m.
crila s.m.
crilada s.f.
crime adj.2g. s.m.
crimeza (*ê*) s.f.
criminabilidade s.f.
criminação s.f.
criminado adj. s.m.
criminador (*ô*) adj. s.m.
criminal adj.2g. s.m.
criminalidade s.f.
criminalismo s.m.
criminalista adj. s.2g.
criminalística s.f.
criminalístico adj.
criminalização s.f.
criminalizado adj.
criminalizador (*ô*) adj.
criminalizante adj.2g.
criminalizar v.
criminalizável adj.2g.
criminaloide (*ó*) adj. s.2g.
criminante adj.2g.
criminar v.
criminável adj.2g.
criminogênese s.f.
criminogenético adj.
criminogenia s.f.
criminogênico adj.
criminógeno adj.
criminologia s.f.
criminológico adj.
criminologista adj. s.2g.
criminólogo s.m.
criminose s.f.
criminosidade s.f.
criminoso (*ô*) adj.; f. (*ó*); pl. (*ó*)
criminótico adj.
crimodinia s.f.
crimodínico adj.
crimódino adj.
crimofilia s.f.
crimofílico adj.
crimófilo adj.
crimofobia s.f.
crimofóbico adj.
crimófobo adj. s.m.
crimose s.f.
crimoterapeuta s.2g.
crimoterapêutico adj.
crimoterapia s.f.
crimoterápico adj.
crimoterapista adj. s.2g.
crimótico adj.
crina s.f.
crinagogo (*ô*) s.m.
crinal adj.2g. s.m.
crinalvo adj.
crináureo adj.
crindiúba s.f.
crindiúva s.f.
crinecrético s.m.
crineira s.f.
crines s.m.pl.
criniaspergir v.
crinicérulo adj.
crinicórneo adj.
crinífero adj. "que tem crina"; cf. *crenífero*
criníflco adj.
criniforme adj.2g.
críniger adj. s.m.
crinígero adj. s.m.
crinina s.f.
crinipreto (*ê*) adj.
crinisparso adj.
crinito adj.
crino s.m.
crinoidal adj.2g.
crinoide (*ó*) adj.2g. s.m.
crinóideo adj. s.m.
crinolina s.f.
crinolinado adj.
crinômiro s.m.
crinone s.m.
crinudo adj.
crínum s.m.
crioaeroterapeuta s.2g.
crioaeroterapêutico adj.
crioaeroterapia s.f.
crioaeroterápico adj.
crioanalgesia s.f.
criobiologia s.f.
criobiológico adj.
criobólico adj.
criobólio s.m.
criocautério s.m.
criocauterizabilidade s.f.
criocauterização s.f.
criocauterizado adj.
criocauterizador (*ô*) adj.
criocauterizante adj.2g.
criocauterizar v.
criocauterizável adj.2g.
criocefalíneo adj. s.m.
criocéfalo adj.
crióceo adj.
criócera s.f.
criocerídeo adj. s.m.
criocérido s.m.
criocerínéo adj. s.m.
criocerite s.f.
crióceró s.m.
crioceroide (*ó*) adj.2g. s.m.
criocirurgia s.f.
criocirúrgico adj.
crioconcentrabilidade s.f.
crioconcentração s.f.
crioconcentrado adj.
crioconcentrador (*ô*) adj.
crioconcentrante adj.2g.
crioconcentrar v.
crioconcentrável adj.2g.
criocondutor (*ô*) adj. s.m.
crioconservação s.f.
criodessecabilidade s.f.
criodessecação s.f.
criodessecado adj.
criodessecador (*ô*) adj.

criodessecamento s.m.
criodessecante adj.2g.
criodessecar v.
criodessecável adj.2g.
criodinia s.f.
criódino adj.
criodrílida adj.2g. s.m.
criodrilídeo s.m.
criodrilo s.m.
crioepilepsia s.f.
crioepiléptico adj.
crioextrator (*ô*) s.m.
criofacectomia s.f.
criófago adj. s.m.
criofilia s.f.
criofílico adj.
criofilita s.f.
criófilo adj.
criófita adj.2g.
criófito s.m.
criofobia s.f.
criofóbico adj.
criófobo adj. s.m.
crióforo s.m.
criofratura s.f.
criogenia s.f.
criogênico adj.
criogenina s.f.
criogênio adj.
criógeno adj.
crioglobulina s.f.
crioglobulinemia s.f.
crioglobulínico adj.
crio-hidrato s.m.
crio-hídrico adj.
crioidrato s.m.
crioídrico adj.
crioliotinite s.f.
crioliotinítico adj.
criolita s.f.
criolítico adj.
criolitionita s.f.
criolito s.m.
criólito s.m.
criologia s.f.
criológico adj.
criologista adj. s.2g.
criólogo s.m.
crioluminescência s.f.
crioluminescente adj.
criomagnético adj.
criomagnetismo s.m.
criometria s.f.
criométrico adj.
criometrista adj. s.2g.
criômetro s.m.
criônica s.f.
criônico adj.
criopedologia s.f.
criopedológico adj.
crioprecipitado s.m.
criorina s.f.
criorretinopexia (*cs*) s.f.
crioscopia s.f.
crioscópico adj.
crioscópio s.m.
crioscopista adj. s.2g.
criose s.f.
criostático adj.
criostato s.m.
crióstato s.m.
criotécnica s.f.
criotemperatura s.f.
crioterapeuta s.2g.
crioterapêutico adj.
crioterapia s.f.
crioterápico adj.
crioterapista adj. s.2g.
criótico adj.
criotrão s.m.
criotron s.m.
críotron s.m.
criotrônio s.m.
crioturbação s.f.
crioula s.f.
crioulada s.f.
crioulense adj. s.2g.
criouléu s.m.
crioulinho adj. s.m.
crioulismo s.m.
crioulista adj. s.2g.
crioulística s.f.
crioulístico adj.
crioulização s.f.
crioulo adj. s.m.
cripsida s.f.
cripsorque adj.2g. s.m.
cripsorquia s.f.
cripsórquida adj.2g. s.m.
cripsorquídeo adj. s.m.
cripsorquismo s.m.
cripta s.f.
criptadênia s.f.
criptagogia s.f.
criptagógico adj.
criptagogo (*ô*) s.m.
criptalita s.f.
criptalítico adj.
criptamnésia s.f.
criptamnésico adj.
criptanalisabilidade s.f.
criptanalisado adj.
criptanalisador (*ô*) adj.
criptanalisante adj.2g.
criptanalisar v.
criptanalisável adj.2g.
criptanálise s.f.; cf. *criptanalise*, fl. do v. *criptanalisar*
criptandro adj. s.m.
criptângio s.m.
criptantéreo adj.
criptanto s.m.
criptantose s.f.
críptão s.m.
criptarca s.m.
criptarrena s.f.
cripterônia s.f.
cripteroniácea s.f.
cripteroniáceo adj.
criptestesia s.f.
criptestésico adj.
criptestesista adj. s.2g.
criptestético adj.
criptia s.f.
cripticíneo adj. s.m.
críptico adj.
criptidina s.f.
criptina s.f.
criptíneo adj. s.m.
criptite s.f.
criptítico adj.
cripto s.m.
criptoalita s.f.
criptoalite s.f.
criptoalítico adj.
criptoamnésia s.f.
criptoamnésico adj.
criptoanalisabilidade s.f.
criptoanalisado adj.
criptoanalisador (*ô*) adj.
criptoanalisante adj.2g.
criptoanalisar v.
criptoanalisável adj.
criptoanálise s.f.; cf. *criptoanalise*, fl. do v. *criptoanalisar*
criptóbia s.f.
criptóbio s.m.
criptobiose s.f.
criptobiótico adj.
criptobioto adj. s.m.
criptoblasto s.m.
criptobrancoide (*ó*) adj.2g. s.m.
criptobranquídeo adj. s.m.
criptobrânquio adj. s.m.
criptocálice s.m.
criptocalvinismo s.m.
criptocalvinista adj. s.2g.
criptocalvinístico adj.
criptocampo s.m.
criptocária s.f.
criptocaríea s.f.
criptocaríeo adj.
criptocarpo adj. s.m.
criptocatolicismo s.m.
criptocatolicista adj. s.2g.
criptocatolicístico adj.
criptocatólico adj. s.m.
criptocefalia s.f.
criptocefálico adj.
criptocefalíneo adj. s.m.
criptocéfalo adj. s.m.
criptocentro s.m.
criptocerado adj. s.m.
criptocerato s.m.
criptócero adj.
criptocisto s.m.
criptoclásio s.m.
criptoclástico adj.
criptococácea s.f.
criptococáceo adj.
criptococo s.m.
criptococose s.f.
criptococósico adj.
criptococótico adj.
criptocomunismo s.m.
criptocomunista adj. s.2g.
criptocomunístico adj.
criptocória s.f.
criptocorina s.f.
criptocorine s.f.
criptocorpo (*ô*) s.m.
criptocotiledôneo adj. s.m.
criptocristal s.m.
criptocristalino adj.
criptódero adj. s.m.
criptodidimia s.f.
criptodídimo s.m.
criptodiro s.m.
criptodonte adj.2g. s.m.
criptodrílida adj.2g. s.m.
criptodrilídeo adj. s.m.
criptoélia s.m.
criptoestesia s.f.
criptoestésico adj.
criptoestesista adj. s.2g.
criptoestético adj.
criptofágida adj.2g. s.m.
criptofagídeo adj. s.m.
criptofagíneo adj. s.m.
criptófago s.m.
criptofascismo s.m.
criptofascista adj. s.2g.
criptofiálida adj.2g. s.m.
criptofialídeo adj. s.m.
criptofícea s.f.
criptofíceo adj.
criptofítico adj.
criptófito s.m.
criptofone s.m.
criptofonia s.f.
criptofônio s.m.
criptofono s.m.
criptoforanto s.m.
criptoftalmia s.f.
criptoftálmico adj.
criptoftalmo s.m.
criptógama s.f.
criptogamia s.f.
criptogâmia s.f.
criptogâmica s.f.
criptogâmico adj.
criptogamista adj. s.2g.
criptógamo adj. s.m.
criptogamologia s.f.
criptogamológico adj.
criptogamologista adj. s.2g.
criptogamólogo s.m.
criptogastro adj.
criptogênese s.f.
criptogenético adj.
criptogênico adj.
criptoglioma s.f.
criptoglossa s.f.
criptografado adj.
criptografante adj.2g.
criptografar v.
criptografável adj.2g.
criptografia s.f.
criptográfico adj.
criptografista adj. s.2g.
criptógrafo s.m.; cf. *criptografo*, fl. do v. *criptografar*
criptograma s.m.
criptogramático adj.
criptograme s.f.
criptogrâmico adj.
criptoide (*ó*) adj.2g.
criptojudaico adj.
criptojudaísmo s.m.
criptojudaísta adj. s.2g.
criptojudaístico adj.
criptojudeu s.m.; f. *criptojudia*
criptojudia s.f. de *criptojudeu*
criptolalia s.f.
criptolálico adj.
criptolépide s.f.
criptolita s.f.
criptolite s.f.
criptolitíase s.f.
criptolítico adj.
criptolito s.m.
criptólito s.m.
criptologia s.f.
criptológico adj.
criptologista adj. s.2g.
criptólogo s.m.
criptomelânico adj.
criptomelano s.m.
criptomenorreia (*é*) s.f.
criptomenorreico (*é*) adj.
criptoméria s.f.
criptomérico adj.
criptomeriol s.m.
criptomeriólico adj.
criptomerismo s.m.
criptômero adj. s.m.
criptometálico adj.
criptometalino adj.
criptometria s.f.
criptométrico adj.
criptometrista adj. s.2g.
criptômetro s.m.
criptomnésia s.f.
criptomnésico adj.
criptômona s.f.
criptomonadácea s.f.
criptomonadáceo adj. s.m.
criptomonadal adj.2g.
criptomonadale s.f.
criptomônade s.f.
criptomonadino adj. s.m.
criptomorfita s.f.
criptomorfite s.f.
criptomorfítico adj.
crípton s.m.
criptonectáreo adj.
criptonema s.m.
criptonemial adj.2g.
criptonemiale s.f.
criptonemídea s.f.
criptonemídeo adj.
criptoneural adj.2g.
criptoneuro adj.
criptônico adj.
criptonimia s.f.
criptonímia s.f.
criptonímico adj.
criptônimo adj. s.m.
criptônio s.m.
criptonisciíneo adj. s.m.
criptonisco s.m.
criptope s.m.
criptopentâmero adj. s.m.
criptopertita s.f.
criptopertite s.f.
criptopertítico adj.
criptopídeo adj. s.m.
criptopíico adj.
criptopina s.f.
criptopínico adj.
criptopioico (*ó*) adj.
criptopirrol s.m.
criptopirrolcarboxílico (*cs*) adj.
criptopirrólico adj.
criptoplasma s.m.
criptoplasmático adj.
criptoplásmico adj.
criptopleuro s.m.
críptopo s.m.
criptópode adj.2g. s.m.
criptopodia s.f.
criptoporia s.f.
criptóporo adj.
criptopórtico s.m.
criptoprocta s.m.
criptoproctino adj. s.m.
críptops s.m.2n.
criptóptero adj. s.m.
criptoquilo s.m.
criptorético adj.
criptorística s.f.
criptorístico adj.
criptorque adj.2g. s.m.
criptorquia s.f.
criptorquídeo adj.
criptorquidia s.f.
criptórquio adj. s.m.
criptorquismo s.m.
criptorreia (*é*) s.f.
criptorreico (*é*) adj.
criptorrinco s.m.
criptorrinquíneo adj. s.m.
criptoscopia s.f.
criptoscópico adj.
criptoscópio s.m.
criptoscopista adj. s.2g.
criptóspora s.f.
criptosporídio s.m.
criptosporidiose s.f.
criptossépalo s.m.
criptossiderito s.m.
criptostéfano s.m.
criptostégia s.f.
criptostema s.m.
criptostêmone adj.2g.
criptostemonia s.f.
criptostile s.f.
criptóstoma s.m.
criptostomado adj. s.m.
criptóstomo adj. s.m.
criptoteca s.f.
criptotetrâmero adj. s.m.
criptotila s.f.
criptotílico adj.
criptotóxico (*cs*) adj.
criptotoxina (*cs*) s.f.
criptotuberculose s.f.
criptotuberculoso (*ô*) adj.; f. (*ó*); pl. (*ó*)
criptotuberculótico adj.
criptoxantina (*cs*) s.f.
criptozigia s.f.
criptózigo adj.
criptozoário s.m.
criptozoico (*ó*) adj. s.m.
criptozoíto s.m.
cripturgo s.m.
cripturiforme adj.2g. s.m.
cripturo s.m.
criqueiro adj.
críquete s.m.
cris adj.2g. s.m.
crisacina s.f.
crisacínico adj.
crisada s.f.
crisalha s.f.
crisalho s.m.
crisálida s.f.; cf. *crisalida*, fl. do v. *crisalidar*
crisalidação s.f.
crisalidado adj.
crisalidador (*ô*) adj.
crisalidante adj.2g.
crisalidar v.
crisalidável adj.2g.
crisálide s.f.; cf. *crisalide*, fl. do v. *crisalidar*
crisalidocarpo s.m.
crisaloide (*ó*) adj.2g.
crisameba s.f.
crisamebiano adj.
crisamebíase s.f.
crisamébico adj.
crisâmico adj.
crisamina s.f.
crisamínico adj.
crisamonite s.f.
crisamonítico adj.
crisandália s.f.
crisanísico adj.
crisantelo s.m.
crisântema s.f.
crisantemina s.f.
crisantemínea s.f.
crisantemíneo adj.
crisantemista adj. s.2g.
crisantemístico adj.
crisântemo s.m.
crisântia s.m.
crisantina s.f.
crisanto s.m.
crisar v.
crisargiro s.m.

crisarobina s.f.
crisarobínico adj.
crisatrópico adj.
crise s.f.
crisedônico adj.
crisedonismo s.m.
criselefantina s.f.
criselefantino adj.
crisênico adj.
crisênio s.m.
criseno s.m.
críseo adj. s.m.
crísia s.f.
crisíase s.f.
crísida s.f.
críside s.f.
crisídida adj.2g. s.m.
crisidídeo adj. s.m.
crisídido adj. s.m.
crisimênia s.f.
crisina s.f.
crisínico adj.
crísis s.m.2n.
crisite s.f.
crisítico adj.
crisiúma s.f.
crislotique s.2g.
crisma s.m.f.
crismação s.f.
crismado adj.
crismador (*ô*) adj. s.m.
crismal adj.2g. s.m.
crismando adj. s.m.
crismante adj. s.2g.
crismar v.
crismatina s.f.
crismatínico adj.
crismatório s.m.
crismável adj.2g.
crismeira s.f.
crismino adj. s.m.
criso s.m.
crisobalanácea s.f.
crisobalanáceo adj.
crisobalânea s.f.
crisobalâneo adj.
crisobálano s.m.
crisoberilo s.m.
crisobótrio s.m.
crisobótris s.m.2n.
crisobulo s.m.
crisocalco s.m.
crisocálico adj.
crisócalo s.m.
crisocarpia s.f.
crisocarpo adj.
crisocefalia s.f.
crisocéfalo adj.
crisócio s.m.
crisoclame s.f.
crisoclâmide s.f.
crisoclista s.m.
crisoclóride s.f.
crisoclorídeo adj. s.m.
crisoclóris s.f.2n.
crisocloro adj. s.m.
crisococcige s.m.
crisocóccix (*cs*) s.m.2n.
crisocola s.f.
crisocólico adj.
crisocolita s.f.
crisocolite s.f.
crisocolítico adj.
crisócoma s.f.
crisocreatina s.f.
crisocreatinina s.f.
crisocreatinínico adj.
crisódomo s.m.
crisófana s.f.
crisofanato s.m.
crisofaneína s.f.
crisofânico adj.
crisofânio s.m.
crisofênico adj.
crisofenina s.f.
crisofeno s.m.
crisofenol s.m.
crisofenólico adj.
crisofícea s.f.
crisofíceo adj.
crisofila s.f.
crisofilia s.f.
crisofílico adj.
crisofilina s.f.
crisofilo adj. s.m. "planta"; cf. *crisófilo*
crisófilo adj. s.m. "que tem amor ao ouro"; cf. *crisofilo*
crisófita s.f.
crisófito s.m.
crisoflicte s.f.
crisofobia s.f.
crisofóbico adj.
crisofobismo s.m.
crisofobista adj. s.2g.
crisofobístico adj.
crisófobo adj. s.m.
crisofórmico adj.
crisofórmio s.m.
crisóforo s.m.
crisófris s.f.2n.
crisoftalmia s.f.
crisoftalmo adj.
crisogáster s.m.
crisogástreo adj.
crisogastria s.f.
crisogástrico adj.
crisogástrio adj.
crisogastro adj.
crisogenia s.f.
crisogênico adj.
crisogênio s.m.
crisoglifa s.f.
crisoglifia s.f.
crisoglífico adj.
crisoglifista adj. s.2g.
crisogônia s.f.
crisografia s.f.
crisográfico adj.
crisografismo s.m.
crisografista adj. s.2g.
crisografístico adj.
crisógrafo s.m.
crisoidina s.f.
crisoidínico adj.
crisol s.m. "cadinho"; cf. *cresol*
crisolado adj.
crisolador (*ô*) adj. s.m.
crisolâmpis s.m.2n.
crisolante adj.2g.
crisolar v.
crisolável adj.2g.
crisolépico adj.
crisoliense adj. s.2g.
crisolina s.f.
crisolínico adj.
crisólita s.f.
crisolitense adj. s.2g.
crisolítico adj.
crisólito s.m.
crisólofo s.m.
crisologia s.f.
crisológico adj.
crisologista adj. s.2g.
crisólogo adj. s.m.
crisômela s.f.
crisomélida adj.2g. s.m.
crisomelídeo adj. s.m.
crisômelo s.m.
crisomiia s.m.
crisomítris s.m.2n.
crisomixa (*cs*) s.f.
crisomíxea (*cs*) s.f.
crisomíxeo (*cs*) adj.
crisomonadal adj.2g.
crisomonadale s.f.
crisomonadino adj. s.m.
crisonela s.f.
crisônfalo s.m.
crisonomia s.f.
crisonômico adj.
crisonomista adj. s.2g.
crisônomo s.m.
crisopa s.f.
crisopala s.f.
crisope s.m.
crisopeia (*é*) s.f.
crisopeico (*é*) adj.
crisopeio adj.
crisopeleia (*é*) s.f.
crisópide s.m.
crisopídeo adj. s.m.
crisopilo s.m.
crisopixe (*cs*) s.f.
crisopógon s.m.
crisopolense adj. s.2g.
crisopolitano adj. s.m.
crisoprásico adj.
crisoprásio s.m.
crisópraso s.m.
crísops s.m.2n.
crisóptero adj.
crisoquinona s.f.
crisoquinônico adj.
crisorina s.f.
crisorínico adj.
crisorramnina s.f.
crisorramnínico adj.
crisosplênio s.m.
crisostomia s.f.
crisóstomo adj. s.m.
crisotamno s.m.
crisóteme s.f.
crisotêmide s.f.
crisoterapeuta s.2g.
crisoterapêutico adj.
crisoterapia s.f.
crisoterápico adj.
crisoterapismo s.m.
crisoterapista adj. s.2g.
crisótide s.f.
crisotila s.f.
crisotílico adj.
crisotilo s.m.
crisótis s.f.2n.
crisotoxina (*cs*) s.f.
crisotoxínico (*cs*) adj.
crisotricácea s.f.
crísotrix (*cs*) s.f.2n.
crispabilidade s.f.
crispação s.f.
crispado adj. s.m.
crispador (*ô*) adj.
crispadura s.f.
crispamento s.m.
crispante adj.2g.
crispão adj. s.m.
crispar v.
crispatura s.f.
crispável adj.2g.
crispifloro adj.
crispifoliado adj.
crispifólio adj.
crispim s.m.
crispim-jaquense adj. s.2g.; pl. *crispim-jaquenses*
crispina s.f.
crisso s.m.
crissonita s.f.
crissonite s.f.
crissonítico adj.
crista s.f.
cristã adj. s.f. de *cristão*
cristada s.f.
crista-de-galinha s.f.; pl. *cristas-de-galinha*
crista-de-galo s.f.; pl. *cristas-de-galo*
crista-de-galo-chorona s.f.; pl. *cristas-de-galo-choronas*
cristadela s.f.
cristadelfianismo s.m.
cristadelfo adj. s.m.
crista-de-mutum s.f.; pl. *cristas-de-mutum*
crista-de-negra s.f.; pl. *cristas-de-negra*
crista-de-peru s.f.; pl. *cristas-de-peru*
cristadino adj.
cristado adj.
crista-ervilha s.f.; pl. *cristas-ervilha* e *cristas-ervilhas*
cristais-paulistense adj. s.2g.; pl. *cristais-paulistenses*
cristal s.m.
cristalandense adj. s.2g.
cristalandês adj. s.2g.
cristalândia-piauiense adj. s.2g.; pl. *cristalândia-piauienses*
cristalandiense adj. s.2g.
cristalaria s.f.
cristalatômico adj.
cristal de rocha s.m.
cristaleira s.f.
cristaleiro s.m.
cristalelétrico adj.
cristalense adj. s.2g.
cristáleo adj.
cristaleria s.f.
cristalículo s.m.
cristaliense adj. s.2g.
cristalífero adj.
cristalina s.f.
cristalinense adj. s.2g.
cristaliniano adj.
cristalínico adj.
cristalinidade s.f.
cristalino adj. s.m.
cristalite s.f.
cristalítico adj.
cristalito s.m.
cristalizabilidade s.f.
cristalização s.f.
cristalizado adj.
cristalizador (*ô*) adj. s.m.
cristalizante adj.2g.
cristalizar v.
cristalizável adj.2g.
cristaloatômico adj.
cristaloblástico adj.
cristaloblasto s.m.
cristalóclase s.m.
cristaloclásico adj.
cristaloeletricidade s.f.
cristaloelétrico adj.
cristalofiliano adj.
cristalofílico adj.
cristalofísica s.f.
cristalofísico adj.
cristalofobia s.f.
cristalofóbico adj.
cristalófobo s.m.
cristalogênese s.f.
cristalogenético adj.
cristalogenia s.f.
cristalogênico adj.
cristalografia s.f.
cristalográfico adj.
cristalografista adj. s.2g.
cristalógrafo s.m.
cristaloide (*ó*) adj.2g. s.m.
cristaloidite s.f.
cristaloidítico adj.
cristalolítico adj.
cristalólito s.m.
cristalologia s.f.
cristalológico adj.
cristalologista adj. s.2g.
cristalólogo s.m.
cristaloluminescência s.f.
cristaloluminescente adj.2g.
cristalomagnético adj.
cristalomancia s.f.
cristalomante s.2g.
cristalomântico adj.
cristalometria s.f.
cristalométrico adj.
cristalomimese s.f.
cristalomimético adj.
cristalomímico adj.
cristalomorfologia s.f.
cristalomorfológico adj.
cristalomorfologista adj. s.2g.
cristalonomia s.f.
cristalonômico adj.
cristalóptica s.f.
cristalóptico adj.
cristaloquímica s.f.
cristaloquímico adj.
cristaloscopia s.f.
cristaloscópico adj.
cristalotecnia s.f.
cristalotécnico adj. s.m.
cristalotomia s.f.
cristalotômico adj.
cristaluria s.f.
cristalúria s.f.
cristalúrico adj.
cristaluridrose s.f.
cristaluridrótico adj.
crista-marinha s.f.; pl. *cristas-marinhas*
cristandade s.f.
cristanobudismo s.m.
cristanobudista adj. s.2g.
cristanobudístico adj.
cristão adj. s.m.; f. *cristã*
cristão-novo s.m.; pl. *cristãos-novos*
cristão-velho s.m.; pl. *cristãos-velhos*
cristaria s.f. "ornato em forma de cristas"; cf. *cristária*
cristária s.f. "planta"; cf. *cristaria*
cristata s.f.
cristatela s.f.
cristeado adj.
cristeador (*ô*) adj. s.m.
cristear v.
cristeiro s.m.
cristel s.m.
cristelária s.m.
cristeleira s.f.
cristeleiro s.m.
cristengo adj.
cristianapolitano adj. s.m.
cristianesco (*ê*) adj.
cristiânia s.f.
cristianicida s.2g.
cristianicídio s.m.
cristianismo s.m.
cristianíssimo adj. sup. de *cristão*
cristianista adj. s.2g.
cristianístico adj.
cristianita s.f.
cristianítico adj.
cristianizabilidade s.f.
cristianização s.f.
cristianizado adj.
cristianizador (*ô*) adj. s.m.
cristianizante adj.2g.
cristianizar v.
cristianizável adj.2g.
cristiano s.m.
cristianofobia s.f.
cristianofóbico adj.
cristianófobo adj. s.m.
cristiano-otoniense adj. s.2g.; pl. *cristiano-otonienses*
cristianopolense adj. s.2g.
cristianopolino adj. s.m.
cristianopolitano adj. s.m.
cristicida s.2g.
cristicídio s.m.
crístico adj.
cristícola s.2g.
cristífero adj.
cristiforme adj.2g.
cristina s.f.
cristinapolitano adj. s.m.
cristinense adj. s.2g.
cristino adj. s.m.
cristino-castrense adj. s.2g.; pl. *cristino-castrenses*
cristinopolense adj.2g.
cristípara s.f.
cristista adj. s.2g.
cristístico adj.
cristita s.m.
cristite s.m.
cristítico adj.
cristivômer s.m.
cristo s.m.
cristobalita s.f.
cristobalítico adj.
cristocêntrica s.f.
cristocêntrico adj.
cristocentrismo s.m.
cristocentrista adj. s.2g.
cristocentrístico adj.
cristódine s.f.
cristodinia s.f.
cristódino adj.
cristofania s.f.
cristofânico adj.
cristofita s.f.
cristofle s.m.
cristofobia s.f.
cristofóbico adj.

cristófobo adj.
cristólatra s.2g.
cristolatria s.f.
cristolátrico adj.
cristolatrismo s.m.
cristolatrista adj. s.2g.
cristolatrístico adj.
cristólito adj. s.m.
cristologia s.f.
cristológico adj.
cristologismo s.m.
cristologista adj. s.2g.
cristologístico adj.
cristologização s.f.
cristologizar v.
cristólogo s.m.
cristômaco s.m.
cristopolitano adj. s.m.
cristovense adj. s.2g.
crístula s.f.
cristulado adj.
critagra s.m.
critense adj. s.2g.
critério s.m.
criteriologia s.f.
criteriológico adj.
criteriólogo s.m.
criteriosidade s.f.
criterioso (*ô*) adj.; f. (*ó*); pl. (*ó*)
crítica s.f.; cf. *critica*, fl. do v. *criticar*
criticabilidade s.f.
criticado adj.
criticador (*ô*) s.m.
criticalidade s.f.
criticante adj. s.2g.
criticão s.m.
criticar v.
criticaria s.f.
criticastro s.m.
criticável adj.2g.
criticismo s.m.
criticista adj. s.2g.
criticístico adj.
crítico adj. s.m.; cf. *critico*, fl. do v. *criticar*
criticoide (*ó*) adj. s.2g.
critídio s.m.
critiqueiro s.m.
critiquice s.f.
critiquização s.f.
critiquizado adj.
critiquizador (*ô*) adj. s.m.
critiquizante adj.2g.
critiquizar v.
critiquizável adj.2g.
critmo s.m.
critmo-bastardo s.m.; pl. *critmos-bastardos*
critofagia s.m.
critófago adj.
critomancia s.f.
critomante s.2g.
critomântico adj.
critônia s.f.
criúba s.f.
criuri s.m.
criúva s.f.
criuvense adj. s.2g.
criva s.f.
crivabilidade s.f.
crivação s.f.
crivado adj.
crivador (*ô*) adj. s.m.
crivagem s.f.
crivante adj.2g.
crivar v.
crivável adj.2g.
criveira s.f.
criveiro s.m.
crível adj.2g.
crivelliano adj.
criviri s.m.
crivo s.m.
crivoso (*ô*) adj.; f. (*ó*); pl. (*ó*)
crixaense adj. s.2g.
crixalandense adj. s.2g.
crixalandês adj. s.m.
crixalandiense adj. s.2g.
crixaná adj. s.2g.
cró s.m.
croa (*ô*) s.f. "banco de areia"; cf. *croá*
croá s.m. "gravatá"; cf. *croa* (*ô*)
croaciano adj. s.m.
croácio adj. s.m.
croata adj. s.2g. "da Croácia"; cf. *croatá*
croatá s.m. "planta"; cf. *croata*
croataense adj. s.2g.
croatá-falso s.m.; pl. *croatás-falsos*
croatol s.m.
cróbilo s.m.
crobinaldeídico adj.
crobinaldeído s.m.
croca s.f.
croça s.f.
crocal s.f.
crocálico adj.
crocális s.f.2n.
crocante adj.2g.
croce s.f.
crócea s.f.
croceína s.f.
croceínico adj.
cróceo adj.
crocétia s.m.
crocetina s.f.
crocetínico adj.
croché s.m.
crochê s.m.
crochete s.m.
crocheteira s.f.
crocianismo s.m.
crocianista adj. s.2g.
crocianístico adj.
crociano adj. s.m.
crócico adj.
crocidismo s.m.
crocidístico adj.
crocidizado adj.
crocidizante adj.2g.
crocidizar v.
crocidolita s.f.
crocidolite s.f.
crocidolítico adj.
crocidólito s.m.
crocidura s.f.
crociduríneo adj. s.m.
crociduro s.m.
crocina s.f.
crocínico adj.
crócino adj.
crocípede adj.2g.
crocitado adj.
crocitador (*ô*) adj. s.m.
crocitante adj.2g.
crocitar v.
crocito s.m.
croco s.m. "gênero de plantas"; cf. *croco* (*ô*)
croco (*ô*) adj. "vazio"; cf. *croco*
croço s.m.
crocodília s.f.
crocodiliano adj. s.m.
crocodilicida adj.
crocodilicídio s.m.
crocodilídeo adj. s.m.
crocodilino s.m.
crocodílio s.m.
crocodilita s.f.
crocodilite s.f.
crocodilítico adj.
crocodilito s.m.
crocodilo s.m.
crocodilo-da-américa s.m.; pl. *crocodilos-da-américa*
crocodilo-do-ganges s.m.; pl. *crocodilos-do-ganges*
crocodiloide (*ó*) adj.2g.
crocóidea s.f.
crocóideo adj. s.m.
crocoió s.m.
crocoisita s.f.
crocoíta s.f.
crocoíte s.f.
crocoítico adj.
crocoíto s.m.
crocola s.f.
crocolói s.m.
crocomorfo s.m.
croconamato s.m.
croconâmico adj.
croconato s.m.
crocônico adj.
crocônio adj.
crocoroca s.f.
crocoroca-boca-larga s.f.; pl. *crocorocas-boca-larga* e *crocorocas-bocas-largas*
crocoroca-jurumim s.f.; pl. *crocorocas-jurumim* e *crocorocas-jurumins*
crocoroca-verde s.f.; pl. *crocorocas-verdes*
crocose s.f.
crocósmia s.f.
crocota s.f.
crocotó s.m.
crocótula s.f.
crócus s.m.2n.
crocuta s.f.
croeira s.f.
croia (*ó*) s.f.
croiatense adj.2g.
croinha s.m.
croio s.m.
croma s.m.f.
cromação s.f.
cromácio s.m.
cromado adj. s.m.
cromador (*ô*) adj. s.m.
cromadora (*ô*) s.m.
cromadorídio adj. s.m.
cromafim adj.
cromafínico adj.
cromafinidade s.f.
cromafino adj.
cromafinoblastoma s.f.
cromafinoblastomático adj.
cromafinoma s.f.
cromafinomático adj.
cromagem s.f.
cromagogia s.f.
cromagogo (*ô*) adj. s.m.
cromaltita s.f.
cromaltite s.f.
cromaltítico adj.
cromaltito s.m.
cromametria s.f.
cromametrista adj. s.2g.
cromâmetro s.m.
cromamina s.f.
cromamínico adj.
cromansil s.m.
cromansílico adj.
cromante adj. s.2g.
cromar v.
cromargentafim adj.2g.
cromargentafinidade s.f.
cromascopia s.f.
cromascópio s.m.
cromascopista adj. s.2g.
cromatado adj.
cromatagem s.f.
cromatelopsia s.f.
cromatelóptico adj. s.m.
cromatia s.f.
cromática s.f.
cromaticidade s.f.
cromático adj. s.m.
cromátide s.f.
cromatídio s.m.
cromatina s.f.
cromatínico adj.
cromatismo s.m.
cromatístico adj.
cromatita s.f.
cromatizabilidade s.f.
cromatização s.f.
cromatizado adj.
cromatizador (*ô*) adj. s.m.
cromatizante adj.2g.
cromatizar v.
cromatizável adj.2g.
cromato s.m.
cromatoblástico adj.
cromatoblasto s.m.
cromatocítico adj.
cromatócito s.m.
cromatocitoma s.m.
cromatocitomático adj.
cromatodisopsia s.f.
cromatodisóptico adj.
cromatófago adj.
cromatofilia s.f.
cromatofílico adj.
cromatófilo adj.
cromatofobia s.f.
cromatofóbico adj.
cromatófobo s.m.
cromatofórico adj.
cromatóforo adj. s.m.
cromatoforoma s.m.
cromatoforomático adj.
cromatogêneo adj.
cromatogenia s.f.
cromatogênico adj.
cromatógeno adj.
cromatografia s.f.
cromatográfico adj.
cromatógrafo s.m.
cromatólico adj.
cromatolisação s.f.
cromatolisado adj.
cromatolisador (*ô*) adj. s.m.
cromatolisante adj.2g.
cromatolisar v.
cromatolisável adj.2g.
cromatólise s.f.
cromatolítico adj.
cromatometablepsia s.f.
cromatometabléptico adj.
cromatometria s.f.
cromatométrico adj.
cromatometrista adj.2g.
cromatômetro s.m.
cromatopatia s.f.
cromatopático adj.
cromatopexia (*cs*) s.f.
cromatopéxico (*cs*) adj.
cromatoplasma s.m.
cromatoplasmático adj.
cromatoplastídeo adj. s.m.
cromatopseudopsia s.f.
cromatopseudóptico adj. s.m.
cromatopsia s.f.
cromatóptico adj.
cromatoptometria s.f.
cromatoptométrico adj.
cromatoptometrista adj. s.2g.
cromatoptômetro s.m.
cromatosciometria s.f.
cromatosciométrico adj.
cromatosciômetro s.m.
cromatoscopia s.f.
cromatoscópico adj.
cromatoscópio s.m.
cromatose s.f.
cromatotáctico adj.
cromatotaxia (*cs*) s.f.
cromatotáxico (*cs*) adj.
cromatótico adj.
cromaturia s.f.
cromatúria s.f.
cromatúrico adj.
cromável adj.2g.
cromáxico (*cs*) adj.
cromel s.m.
cromeriano adj. s.m.
cromestesia s.f.
cromestésico adj.
cromestético adj.
cromia s.f.
crômico adj.
crômida adj.2g. s.m.
cromídeo adj. s.m.
cromídia s.f.
cromídico adj.
cromídio s.m.
cromidrose s.f.
cromidrótico adj.
cromífero adj.
cromila s.m.
cromilo s.m.
crominância s.f.
crominiense adj. s.2g.
crômio s.m.
cromismo s.m.
cromista s.2g.
cromístico adj.
cromita s.f.
cromite s.f.
cromítico adj.
cromitita s.f.
cromito s.m.
cromização s.f.
cromizado adj.
cromizar v.
cromo s.m.
cromoalumínio s.m.
cromoargênteo adj.
cromobactéria s.f.
cromobacteriano adj.
cromobiotita s.f.
cromobiotite s.f.
cromobiotítico adj.
cromoblástico adj.
cromoblasto s.m.
cromoblastomicose s.f.
cromocalcografia s.f.
cromocalcográfico adj.
cromocalcografista adj. s.2g.
cromocalcógrafo s.m.
cromocalendário s.m.
cromocentro s.m.
cromociclita s.f.
cromocistoscopia s.f.
cromocistoscópico adj.
cromocistoscopista adj. s.2g.
cromócito s.m.
cromocitometria s.f.
cromocitométrico adj.
cromocitometrista adj. s.2g.
cromocitômetro s.m.
cromocobáltico adj.
cromocobalto s.m.
cromocolografia s.f.
cromocolográfico adj.
cromocolografista adj. s.2g.
cromocológrafo s.m.
cromocoloscopia s.f.
cromocoloscópico adj.
cromocoloscopista adj. s.2g.
cromocolotipia s.f.
cromocolotípico adj.
cromocolotipo s.m.
cromocolótipo s.m.
cromocrinia s.f.
cromocrínico adj.
cromocrisolitografia s.f.
cromocrisolitográfico adj.
cromocristalite s.f.
cromocristalítico adj.
cromodacriorreia (*é*) s.f.
cromodacriorreico (*é*) adj.
cromodiagnose s.f.
cromodiagnóstico s.m.
cromodiopsídio s.m.
cromodóride s.f.
cromofagia s.f.
cromófago s.m.
cromofagocitose s.f.
cromofagocitótico adj.
cromofânico adj.
cromofânio s.m.
cromofilia s.f.
cromofílico adj.
cromófilo adj. s.m.
cromofítico adj.
cromófito s.m.
cromofitose s.f.
cromofobia s.f.
cromofóbico adj.
cromófobo adj. s.m.
cromofônico adj.
cromofórico adj.
cromóforo adj. s.m.
cromofosia s.f.
cromofósico adj.
cromofotografado adj.
cromofotografador (*ô*) adj.
cromofotografante adj.2g.
cromofotografável adj.2g.
cromofotografia s.f.
cromofotográfico adj.
cromofotógrafo adj. s.m.
cromofotogravação s.f.
cromofotogravado adj. s.m.
cromofotogravador (*ô*) adj. s.m.
cromofotogravante adj.2g.

cromofotogravar v.
cromofotogravável adj.2g.
cromofotogravura s.f.
cromofotogravurista adj. s.2g.
cromofotolitado adj. s.m.
cromofotolitador (*ô*) adj.
cromofotolitagem s.f.
cromofotolitar v.
cromofotolito s.m.
cromofotolitografação s.f.
cromofotolitografado adj. s.m.
cromofotolitografador (*ô*) adj.
cromofotolitografia s.f.
cromofotolitográfico adj.
cromofotolitografista adj. s.2g.
cromofotolitógrafo adj. s.m.
cromofototerapia s.f.
cromofototerápico adj.
cromofototipia s.f.
cromofototípico adj.
cromofototipista adj. s.2g.
cromofototipo s.m.
cromofototipografação s.f.
cromofototipografado adj.
cromofototipografador (*ô*) adj.
cromofototipografia s.f.
cromofototipográfico adj.
cromofototipógrafo adj. s.m.
cromofototipogravação s.f.
cromofototipogravado adj.
cromofototipogravador (*ô*) adj.
cromofototipogravar v.
cromofototipogravura s.f.
cromofototipogravurista adj. s.2g.
cromofotozincografação s.f.
cromofotozincografado adj.
cromofotozincografador (*ô*) adj.
cromofotozincografia s.f.
cromofotozincográfico adj.
cromofotozincógrafo adj. s.m.
cromofotozincogravação s.f.
cromofotozincogravado adj.
cromofotozincogravador (*ô*) adj.
cromofotozincogravar v.
cromofotozincogravura s.f.
cromofotozincogravurista adj. s.2g.
cromofotozincotipia s.f.
cromofotozincotípico adj.
cromofotozincotipista adj. s.2g.
cromofotozincotipo s.m.
cromogelatina s.f.
cromogelatinoso (*ô*) adj.; f. (*ó*); pl. (*ó*)
cromogêneo adj. s.m.
cromogênese s.f.
cromogênico adj.
cromogênio s.m.
cromógeno adj. s.m.
cromoglicato s.m.
cromografia s.f.
cromográfico adj.
cromografista adj. s.2g.
cromógrafo s.m.
cromograma s.f.
cromogravação s.f.
cromogravado adj.
cromogravador (*ô*) adj. s.m.
cromogravar v.
cromogravura s.f.
cromogravurista adj. s.2g.
cromoleucita s.f.
cromoleucítico adj.
cromoleucito s.m.
cromolina s.f.
cromólise s.f.
cromolítico adj.
cromolitografação s.f.
cromolitografado adj.
cromolitografador (*ô*) adj. s.m.
cromolitografia s.f.
cromolitográfico adj.
cromolitografista adj. s.2g.
cromolitógrafo s.m.
cromolitogravação s.f.
cromolitogravado adj.
cromolitogravador (*ô*) adj. s.m.
cromolitogravar v.
cromolitogravura s.f.
cromolitogravurista adj. s.2g.
cromolucuma s.f.
cromoma s.f.
cromomagnetita s.f.
cromomático adj.
cromomérico adj.
cromômero s.m.
cromometalografia s.f.
cromometalográfico adj.
cromometalografista adj. s.2g.
cromometalógrafo s.m.
cromometria s.f.
cromométrico adj.
cromometrista adj. s.2g.
cromometrístico adj.
cromômetro s.m.
cromomicose s.f.
cromomicótico adj.
cromomolibdênico adj.
cromomolibdênio s.m.
cromonema s.m.
cromonemático adj.
cromonêmico adj.
cromóparo adj.
cromopexia (*cs*) s.f.
cromopéxico (*cs*) adj.
cromopicotita s.f.
cromoplasma s.m.
cromoplasmático adj.
cromoplástico adj.
cromoplastídeo adj. s.m.
cromoplastídio s.m.
cromoplasto s.m.
cromoplastofonia s.f.
cromoplastofônico adj.
cromoproteídeo adj. s.m.
cromoproteína s.f.
cromoproteínico adj.
cromopsia s.f.
cromóptico adj.
cromoptometria s.f.
cromoptométrico adj.
cromoptometrista adj. s.2g.
cromoptometrístico adj.
cromoptômetro s.m.
cromorno s.m.
cromorradiometria s.f.
cromorradiométrico adj.
cromorradiometrista adj. s.2g.
cromorradiômetro s.m.
cromoscopia s.f.
cromoscópico adj.
cromoscópio s.m.
cromoscopista adj. s.2g.
cromóscopo s.m.
cromosfera s.f.
cromosférico adj.
cromoso (*ô*) adj.; f. (*ó*); pl. (*ó*)
cromospermia s.f.
cromospérmico adj.
cromospórea s.f.
cromospóreo adj.
cromospório s.m.
cromossantonina s.f.
cromossantonínico adj.
cromossoma s.m.
cromossomaticidade s.f.
cromossomático adj.
cromossomial adj.2g.
cromossômico adj.
cromossomina s.f.
cromossômio s.m.
cromossomo s.m.
cromossomologia s.f.
cromossomológico adj.
cromostratigrafia s.f.
cromostratigráfico adj.
cromostratígrafo s.m.
cromostratigrama s.m.
cromoterapeuta s.2g.
cromoterapêutico adj.
cromoterapia s.f.
cromoterápico adj.
cromoterapista adj. s.2g.
cromotipia s.f.
cromotipiado adj.
cromotipiar v.
cromotípico adj.
cromotipista adj. s.2g.
cromotipo s.m.
cromótipo s.m.
cromotipografação s.f.
cromotipografado adj.
cromotipografador (*ô*) adj. s.m.
cromotipografável adj.
cromotipografia s.f.
cromotipográfico adj.
cromotipografista adj. s.2g.
cromotipógrafo adj. s.m.
cromotipogravação s.f.
cromotipogravado adj.
cromotipogravador (*ô*) adj. s.m.
cromotipogravar v.
cromotipogravura s.f.
cromotipogravurista adj. s.2g.
cromotricologia s.f.
cromotricológico adj.
cromotriquia s.f.
cromotríquico adj.
cromotropia s.f.
cromotrópico adj.
cromotropismo s.m.
cromótropo adj.
cromoureteroscopia s.f.
cromoureteroscópico adj.
cromoureteroscopista adj. s.2g.
cromourinografação s.f.
cromourinografado adj.
cromourinografador (*ô*) adj. s.m.
cromourinografia s.f.
cromourinográfico adj.
cromourinografista adj. s.2g.
cromourinógrafo adj. s.m.
cromourinograma s.m.
cromovanádico adj.
cromovanádio s.m.
cromoxilestereotipia (*cs* ou *ch*) s.f.
cromoxilestereotípico (*cs* ou *ch*) adj.
cromoxilestereotipista (*cs* ou *ch*) adj. s.2g.
cromoxilestereótipo (*cs* ou *ch*) s.m.
cromoxilografação (*cs* ou *ch*) s.f.
cromoxilografado (*cs* ou *ch*) adj.
cromoxilografador (*cs* ou *ch...ô*) adj. s.m.
cromoxilografar (*cs* ou *ch*) v.
cromoxilografia (*cs* ou *ch*) s.f.
cromoxilografista (*cs* ou *ch*) adj. s.2g.
cromoxilógrafo (*cs* ou *ch*) adj. s.m.
cromoxilogravação (*cs* ou *ch*) s.f.
cromoxilogravado (*cs* ou *ch*) adj.
cromoxilogravador (*cs* ou *ch...ô*) adj. s.m.
cromoxilogravar (*cs* ou *ch*) v.
cromoxilogravura (*cs* ou *ch*) s.f.
cromoxilogravurista (*cs* ou *ch*) adj. s.2g.
cromoxilostereotipia (*cs* ou *ch*) s.f.
cromoxilostereotípico (*cs* ou *ch*) adj.
cromoxilostereotipista (*cs* ou *ch*) adj. s.2g.
cromoxilostereótipo (*cs* ou *ch*) s.m.
cromozincografação s.f.
cromozincografado adj.
cromozincografador (*ô*) adj. s.m.
cromozincografia s.f.
cromozincográfico adj.
cromozincografista adj. s.2g.
cromozincógrafo adj. s.m.
cromozincogravação s.f.
cromozincogravado adj.
cromozincogravador (*ô*) adj. s.m.
cromozincogravar v.
cromozincogravura s.f.
cromozincogravurista adj. s.2g.
cromozincolitografação s.f.
cromozincolitografado adj.
cromozincolitografador (*ô*) adj. s.m.
cromozincolitografia s.f.
cromozincolitográfico adj.
cromozincolitografista adj. s.2g.
cromozincolitógrafo adj. s.m.
cromozincolitogravação s.f.
cromozincolitogravado adj.
cromozincolitogravador (*ô*) adj. s.m.
cromozincolitogravar v.
cromozincolitogravura s.f.
cromozincolitogravurista adj. s.2g.
cromozincotipia s.f.
cromozincotípico adj.
cromozincotipista adj. s.2g.
cromozincotipo s.m.
cromozincótipo s.m.
cromozincotipografação s.f.
cromozincotipografado adj.
cromozincotipografador (*ô*) adj. s.m.
cromozincotipografia s.f.
cromozincotipográfico adj.
cromozincotipografista adj. s.2g.
cromozincotipógrafo adj. s.m.
cromozincotipogravação s.f.
cromozincotipogravado adj.
cromozincotipogravador (*ô*) adj. s.m.
cromozincotipogravar v.
cromozincotipogravura s.f.
cromozincotipogravurista adj. s.2g.
crômula s.f.
cromulina s.f.
cromulinácea s.f.
cromulináceo adj.
cromureteroscopia s.f.
cromureteroscópico adj.
cromureteroscopista adj. s.2g.
cromurgia s.f.
cromúrgico adj.
cromurinografação s.f.
cromurinografado adj.
cromurinografador (*ô*) adj. s.m.
cromurinografia s.f.
cromurinográfico adj.
cromurinografista adj. s.2g.
cromurinógrafo adj. s.m.
cromurinograma s.m.
cron s.m.
cronarciácea s.f.
cronarciáceo adj.
cronárcio s.m.
cronaxia (*cs*) s.f.
cronáxico (*cs*) adj.
cronaximetria (*cs*) s.f.
cronaximétrico (*cs*) adj.
cronaximetrista (*cs*) adj. s.2g.
cronaxímetro (*cs*) s.m.
crondiossômico adj.
crondiossomo s.m.
cronema s.m.
cronemático adj.
cronêmica s.f.
cronêmico adj.
cronesfigmografia s.f.
cronesfigmográfico adj.
cronesfigmografista adj. s.2g.
cronesfigmógrafo adj. s.m.
cronesfigmograma s.m.
cronetílico adj.
cronetílio s.m.
cronha s.f.
cronhada s.f.
cronheiro s.m.
crônica s.f.; cf. *cronica*, fl. do v. *cronicar*
cronicabilidade s.f.
cronicado adj.
cronicador (*ô*) adj. s.m.
cronicante adj.2g.
cronicão s.m.
cronicar v.
cronicável adj.2g.
cronicidade s.f.
cronicismo s.m.
cronicista adj. s.2g.
cronicístico adj.
crônico adj. s.m.; cf. *cronico*, fl. do v. *cronicar*
crônicon s.m.
croniqueiro s.m.
croniquizar v.
croniquizável adj.2g.
cronismo s.m.
cronista s.2g.
cronista-mor s.2g.; pl. *cronistas-mores*
cronística s.f.
cronístico adj.
cronização s.f.
cronizado adj.
cronizador (*ô*) adj. s.m.
cronizante adj.2g.
cronizar v.
cronizável adj.2g.
cronizoico (*ó*) adj.
crono s.m.
cronobiologia s.f.
cronocinematografia s.f.
cronodistintividade s.f.
cronodistintivo adj.
cronoesfigmografia s.f.
cronoesfigmográfico adj.
cronoesfigmografista adj. s.2g.
cronoesfigmógrafo adj. s.m.
cronoesfigmograma s.m.
cronofone s.m.
cronofônico adj.
cronofotografado adj.
cronofotografador (*ô*) adj. s.m.
cronofotografável adj.2g.
cronofotografia s.f.
cronofotográfico adj.
cronofotógrafo s.m.
cronofotograma s.m.
cronogeologia s.f.
cronogeológico adj.
cronogeologista adj. s.2g.
cronogeólogo adj. s.m.
cronognose s.f.
cronognosia s.f.
cronognósico adj.
cronognóstica s.f.
cronognóstico adj.
cronogoniômetra s.2g.
cronogoniometrado adj.
cronogoniometrador (*ô*) adj. s.m.
cronogoniometragem s.f.
cronogoniometrante adj.2g.
cronogoniometrar v.
cronogoniometrável adj.
cronogoniometria s.f.
cronogoniométrico adj.
cronogoniometrista adj. s.2g.
cronogoniômetro s.m.
cronografação s.f.
cronografado adj.

cronografador (*ô*) adj. s.m.
cronografante adj.2g.
cronografável adj.2g.
cronografia s.f.
cronográfico adj.
cronografista adj. s.2g.
cronógrafo s.m.
cronograma s.m.
cronogramático adj.
cronogrâmico adj.
cronoinversão s.f.
cronoinvertido adj. s.m.
cronoisotermia s.f.
cronoisotérmica s.f.
cronoisotérmico adj.
cronólatra adj. s.2g.
cronolatria s.f.
cronolatrismo s.m.
cronolatrista adj. s.2g.
cronolatrístico adj.
cronologia s.f.
cronológico adj.
cronologista adj. s.2g.
cronólogo s.m.
cronomegafone s.m.
cronomegafônico adj.
cronometrabilidade s.f.
cronometrado adj.
cronometrador (*ô*) adj. s.m.
cronometragem s.f.
cronometrante adj.2g.
cronometrar v.
cronometrável adj.2g.
cronometria s.f.
cronométrico adj.
cronometrista adj. s.2g.
cronômetro s.m.; cf. *cronometro*, fl. do v. *cronometrar*
crononímia s.f.
crononímico adj.
cronônimo s.m.
cronopapo s.m.
cronoprojeção s.f.
cronoprojecional adj.2g.
cronoprojecionalidade s.f.
cronoprojetado adj.
cronoprojetador (*ô*) adj. s.m.
cronoprojetante adj.2g.
cronoprojetar v.
cronoprojetável adj.2g.
cronoprojetiva s.f.
cronoprojetivo adj.
cronoprojetor (*ô*) s.m.
cronoscopia s.f.
cronoscópico adj.
cronoscópio s.m.
cronoscopista adj. s.2g.
cronóscopo adj. s.m.
cronostático adj.
cronóstato s.m.
cronostiquial adj.
cronostíquio s.m.
cronostratigrafação s.f.
cronostratigrafado adj.
cronostratigrafador (*ô*) adj. s.m.
cronostratigrafante adj.2g.
cronostratigrafável adj.2g.
cronostratigrafia s.f.
cronostratigráfico adj.
cronostratigrafista adj. s.2g.
cronostratígrafo adj. s.m.
cronostratigrama s.m.
cronostratigramático adj.
cronotaquimetrado adj.
cronotaquimetrador (*ô*) adj. s.m.
cronotaquimetragem s.f.
cronotaquimetrar v.
cronotaquimetrável adj.
cronotaquimetria s.f.
cronotaquimétrico adj.
cronotaquimetrista adj. s.2g.
cronotaquímetro s.m.
cronotelemetrado adj.
cronotelemetrador (*ô*) adj. s.m.
cronotelemetragem s.f.
cronotelemetrante adj.2g.
cronotelemetrar v.
cronotelemetrável adj.2g.
cronotelemetria s.f.
cronotelemetrista adj. s.2g.
cronotelêmetro s.m.
cronotípico adj.
cronótipo s.m.
cronotropia s.f.
cronotrópico adj.
cronotropismo s.m.
cronotropístico adj.
cronótropo adj.
cronqui s.m.
cronstadtita s.f.
cronstadtite s.f.
cronstadtítico adj.
cronstedtita s.f.
croocal adj.2g.
croocale s.f.
croococácea s.f.
croococáceo adj.
croococálea s.f.
croococáleo adj.
croocócea s.f.
croocóceo adj.
croococo s.m.
crookesita (*cruque*) s.f.
crookesite (*cruque*) s.f.
crookesítico (*cruque*) adj.
croolepidácea s.f.
croolepidáceo adj.
croômia s.f.
cropogô s.m.
croque s.m.
croqué s.m.
croquete s.m.
croqui s.m.
croquinada s.f.
crosca (*ô*) s.f.
crossa s.m.f.
crossandra s.f.
crossarco s.m.
cróssima s.f.
crossita s.f.
crossocósmia s.f.
crossóforo s.m.
crossoptérige s.f.
crossopterígida adj.2g. s.m.
crossopterigídeo adj. s.m.
crossopterígio adj. s.m.
crossóptilo s.m.
crossóssoma s.m.
crossossomatácea s.f.
crossossomatáceo adj.
crossótropa s.f.
crossótrope s.f.
crosta (*ô*) s.f.
crostal adj.2g.
crosta-preta s.f.; pl. *crostas-pretas*
cróstomo s.m.
crostoso (*ô*) adj.; f. (*ó*); pl. (*ó*)
crota s.f.
crotaconato s.m.
crotacônico adj.
crotafal adj.2g.
crotáfico adj.
crotafita s.m.
crotafítico adj.
crotafito s.m.
crotafopéltis s.m.2n.
crotalária s.f.
crotalariose s.f.
crotália s.f.
crotálico adj.
crotálida adj.2g. s.m.
crotalídeo adj. s.m.
crotalina s.f.
crotalíneo adj. s.m.
crotalínico adj.
crotalismo s.m.
crotalista adj. s.2g.
crotalístico adj.
crotalístria s.f.
crótalo s.m.
crotaloide (*ó*) adj.2g. s.m.
crotalotoxina (*cs*) s.f.
crotaloxínico (*cs*) adj.
crotão s.m.
crotílico adj.
crotina s.f.
crotófaga s.f.
crotofagínea s.f.
crotofagíneo adj. s.m.
crotófago s.m.
crotófico adj.
crotofone s.m.
crotofônio s.m.
cróton s.m.; pl. *crótones* e *crótons*
crotonaldeídico adj.
crotonaldeído s.m.
crotonalina s.f.
crotonalínico adj.
crotonato s.m.
crotônea s.f.
crotôneo adj.
crotoneto (*ê*) s.m.
crotoniata adj. s.2g.
crotônico adj.
crotoniense adj. s.2g.
crotonilênico adj.
crotonileno s.m.
crotonina s.f.
crotonínico adj.
crotonização s.f.
crotonizado adj.
crotonizador (*ô*) adj.
crotonizante adj.2g.
crotonizar v.
crotonizável adj.2g.
crotonógino s.m.
crotonóidea s.f.
crotonóideo adj. s.m.
crotonol s.m.
crotonólico adj.
crotonópsida s.f.
crotopodômano adj.
crozófora s.f.
crozofórea s.f.
crozofóreo adj.
cru adj.
cruá s.f.
cruanha s.f.
cruanjiense adj. s.2g.
cruapé s.m.
crubixá s.m.
crubixaense adj. s.2g.
crubula s.f.
cruca s.f.
cruçaiense adj. s.2g.
cruçalmense adj. s.2g.
crucha s.f.
crucho s.m.
cruciação s.f.
cruciado adj.
cruciador (*ô*) adj. s.m.
crucial adj.2g.
crucialidade s.f.
cruciana s.f.
crucianela s.f.
cruciante adj.2g.
cruciar v.
cruciariedade s.f.
cruciário adj.
cruciato s.m.
cruciável adj.2g.
crucíbolo s.m.
cruciça s.f.
crucífera s.f.
cruciferário s.m.
crucífero adj. s.m.
crucificabilidade s.f.
crucificação s.f.
crucificado adj. s.m.
crucificador (*ô*) adj. s.m.
crucificamento s.m.
crucificante adj.2g.
crucificar v.
crucificável adj.2g.
crucifixado (*cs*) adj.
crucifixante (*cs*) adj.2g.
crucifixão (*cs*) s.f.
crucifixar (*cs*) v.
crucifixável (*cs*) adj.2g.
crucifixo (*cs*) adj. s.m.
cruciflora s.f.
crucifloro adj.
cruciforme adj.2g.
crucifrágio s.m.
crucigênia s.f.
crucígero adj.
crucigiado adj.
crucigiador (*ô*) adj. s.m.
crucigiar v.
crucigrama s.m.
crucigramático adj.
crucilandense adj. s.2g.
crucilandês adj. s.m.
crucilandiense adj. s.2g.
crucirrostro adj.
crucissignato adj.
crucita s.f.
crucite s.f.
crucito s.m.
cruciverba s.f.
cruciverbal adj.2g.
cruciverbo s.m.
crucutir v.
crucutível adj.2g.
crudeleza (*ê*) s.f.
crudelice s.f.
crudelidade s.f.
crudelíssimo adj. sup. de *cruel*
crudez (*ê*) s.f.
crudeza (*ê*) s.f.
crúdia s.f.
crudice s.f.
crudivoracidade s.f.
crudivoraz adj.2g.
crudivorismo s.m.
crudivorista adj. s.2g.
crudivorístico adj.
crudívoro adj.
crudo adj.
crué s.m.
crueira s.f.
crueiro s.m.
cruel adj.2g.
crueldade s.f.
cruelíssimo adj. sup. de *cruel*
cruentação s.f.
cruentado adj.
cruentador (*ô*) adj.
cruentante adj.2g.
cruentar v.
cruentável adj.2g.
cruenteza (*ê*) s.f.
cruentice s.f.
cruento adj.
cruera s.f.
crueza (*ê*) s.f.
cruga s.f.
crugidade s.f.
cruili s.f.
crumatá s.f.
crumatã s.m.
crumatografia s.f.
crumatográfico adj.
crumatografista adj. s.2g.
crumatógrafo adj. s.m.
crumatou s.m.
crume s.m.
crúmen s.m.; pl. *crúmens* e *crúmenes*
crumena s.f.
crumenária s.f.
crumirim s.m.
crunha s.f.
crunodal adj.2g.
crunodalidade s.f.
crunoidal adj.2g.
crunoidalidade s.f.
cruó s.m.
cruomania s.f.
cruomaníaco adj. s.m.
cruômano adj. s.m.
cruor (*ô*) s.m.
cruória s.f.
cruórico adj.
cruoridade s.f.
cruorina s.f.
cruorínico adj.
crupal adj.2g.
crupe s.m.
crupiara s.f.
crupiê s.m.
crupina s.f.
crural adj.2g.
crurifrágico adj.
crurifrágio s.m.
cruro adj.
crurogenital adj.2g.
crurogenitalidade s.f.
cruropelocímetro s.m.
cruropelvimetria s.f.
cruropelvimétrico adj.
cruropelvimetrista adj. s.2g.
cruropelvímetro s.m.
cruscante adj.2g.
cruscantismo s.m.
cruscantista adj. s.2g.
cruscantístico adj.
crusítira s.f.
crusta s.f.
crustáceo adj. s.m.
crustaceologia s.f.
crustaceológico adj.
crustaceologista adj. s.2g.
crustaceólogo s.m.
crustacita s.f.
crustacite s.f.
crustacítico adj.
crustacito s.m.
crustado adj. s.m.
crustal adj.2g.
crustalidade s.f.
crustaticultor (*ô*) adj. s.m.
crustaticultura s.f.
crustificação s.f.
crustificado adj.
crustificador (*ô*) adj.
crustificante adj.2g.
crustificar v.
crustificável adj.2g.
crustoderme adj.2g.
crustoso (*ô*) adj.; f. (*ó*); pl. (*ó*)
crústula s.f.
crustuliforme adj.2g.
crústulo s.m.
crustuloso (*ô*) adj.; f. (*ó*); pl. (*ó*)
crustuminense adj. s.2g.
crustumino adj. s.m.
cruta s.f.
cruto s.m.
cruviana s.f.
cruxatiense adj. s.2g.
cruz s.f. interj.
cruza s.f.
cruza-bico s.m.; pl. *cruza-bicos*
cruzada s.f.
cruzadinho s.m.
cruzadismo s.m.
cruzadista adj. s.2g.
cruzadístico adj.
cruzado adj. s.m.
cruzado-novo s.m.; pl. *cruzados-novos*
cruzador (*ô*) adj. s.m.
cruzador-escola (*ô*) s.m.; pl. *cruzadores-escola* e *cruzadores-escolas*
cruzaliense adj. s.2g.
cruz-almense adj. s.2g.; pl. *cruz-almenses*
cruz-altense adj. s.2g.; pl. *cruz-altenses*
cruz-altino adj. s.2g.; pl. *cruz-altinos*
cruzamento s.m.
cruzante adj.2g.
cruzar v.
cruzável adj.2g.
cruz-credo interj.
cruz de ferro s.f.
cruz-de-jerusalém s.f.; pl. *cruzes-de-jerusalém*
cruz-de-malta s.f.; pl. *cruzes-de-malta*
cruz-diabo s.m.; pl. *cruzes-diabo* e *cruzes-diabos*
cruz-d'oestano adj. s.m.; pl. *cruz-d'oestanos*
crúzea s.f.
cruzeira s.f.
cruzeirense adj. s.2g.
cruzeirense-do-norte adj. s.2g.; pl. *cruzeirenses-do-norte*
cruzeirense-do-oeste adj. s.2g.; pl. *cruzeirenses-do-oeste*
cruzeirense-do-sul adj. s.2g.; pl. *cruzeirenses-do-sul*
cruzeirinha s.f.

cruzeirinhense adj. s.2g.
cruzeiro adj. s.m.
cruzeiro-do-sul s.m.; pl. *cruzeiros-do-sul*
cruzeiro-fortalezense adj. s.2g.; pl. *cruzeiro-fortalezenses*
cruzeiro-nortense adj. s.2g.; pl. *cruzeiro-nortenses*
cruzeiro-oestense adj. s.2g.; pl. *cruzeiro-oestenses*
cruzeiro-peixotense adj. s.2g.; pl. *cruzeiro-peixotenses*
cruzeiro-sulense adj. s.2g.; pl. *cruzeiro-sulenses*
cruzelandense adj. s.2g.
cruzelandês adj. s.m.
cruzelandiense adj. s.2g.
cruzense adj. s.2g.
cruzes s.f.pl. interj.
cruz-espírito-santense adj. s.2g.; pl. *cruz-espírito-santenses*
cruzeta (*ê*) s.f.
cruzetado adj.
cruzeteado adj.
cruzetense adj. s.2g.
cruz-gracense adj. s.2g.; pl. *cruz-gracenses*
cruziana s.f.
cruzilhada s.f.
cruziliense adj. s.2g.
crúzio adj. s.m.
cruz-machadense adj. s.2g.; pl. *cruz-machadenses*
cruz-maltense adj. s.2g.; pl. *cruz-maltenses*
cruz-maltino adj. s.m.; pl. *cruz-maltinos*
cruzo s.m.
cruzoide (*ó*) s.f.
cruz-pedrense adj. s.2g.; pl. *cruz-pedrenses*
cruz-possense adj. s.2g.; pl. *cruz-possenses*
cruz-serrano adj. s.m.; pl. *cruz-serranos*
csi s.m.
csiclovaíta s.f.
ctamalíneo adj. s.m.
ctâmalo s.m.
ctena s.f.
ctenacantídeo adj. s.m.
ctenante s.m.
ctenário adj. s.m.
ctenélofo s.m.
ctenélofon s.m.
ctênida adj.2g. s.m.
ctenídeo adj. s.m.
ctenídia s.f.
ctenídio s.m.
ctênio s.m.
cteniopínio s.m.
cteníopo s.m.
cteniópode s.m.
ctenismo s.m.
ctenístico adj.
cteniza s.f.
ctenizídeo adj. s.m.
ctenobranquiado s.m.
ctenobrânquio adj. s.m.
ctenocéfalo s.m.
ctenócero adj. s.m.
ctenocisto s.m.
ctenodactilíneo adj. s.m.
ctênodon s.m.
ctenodonta s.f.
ctenodonte adj.2g. s.m.
ctenodontia s.f.
ctenófora s.f.
ctenóforo adj. s.m.
ctenoftalmo s.m.
ctenoide (*ó*) adj.2g.
ctenolabro s.m.
ctenomídeo adj. s.m.
ctênomo s.m.
ctenopoma s.f.
ctenopse s.m.
ctenopsila s.m.
ctenostomado adj. s.m.
ctenóstomo adj. s.m.
ctenotênia s.f.
ctetologia s.f.
ctetológico adj.
ctetologista adj. s.2g.
ctetólogo adj. s.m.
ctinófito s.m.
ctipeíta s.f.
ctipeítico adj.
ctonerpetão s.m.
ctoniano adj.
ctônico adj.
ctônio adj. s.m.
ctonismo s.m.
ctonista adj. s.2g.
ctonístico adj.
ctonofagia s.f.
ctonófago adj. s.m.
ctonogenia s.f.
ctonogênico adj.
ctonogênio adj. s.m.
ctonografado adj.
ctonografador (*ô*) adj.
ctonografia s.f.
ctonográfico adj.
ctonografista adj. s.2g.
ctonógrafo adj. s.m.
cu s.m.
cuaca s.f.
cuaco-branco s.m.; pl. *cuacos-brancos*
cuaco-malagueta s.m.; pl. *cuacos-malagueta* e *cuacos-malaguetas*
cuaga s.2g.
cuainhi s.f.
cuaitiano adj. s.m.
cuaje s.f.
cual s.m. "cesto"; cf. *qual*
cuale s.m.
cualeiro s.m.
cualicá s.f.
cualo s.m.
cualvo s.m.
cuamata adj. s.2g.
cuamatuí s.m.
cuambi adj. s.2g.
cuambo s.m.
cuamboia (*ó*) s.f.
cuambu s.m.
cuanda adj. s.2g.
cuandro adj. s.m.
cuandu s.m.
cuane s.f.
cuanga s.f.
cuangar adj. s.2g.
cuanha s.f.
cuanhado adj.
cuanhama adj. s.2g.
cuanhar v.
cuanheiro adj. s.m.
cuanho s.m.
cuapa s.f.
cuapada s.f.
cuapinguba s.f.
cuapra s.f.
cuará s.m.
cuaraci s.m.
cuaracimimbi s.m.
cuaraciuirá s.m.
cuari-bravo s.m.; pl. *cuaris-bravos*
cuariúba s.f.
cuariúva s.f.
cuarlar v.
cuaro-bravo s.m.; pl. *cuaros-bravos*
cuaruba s.f.
cuaruruguaçu s.m.
cuatá s.m.
cuatá-branco s.m.; pl. *cuatás-brancos*
cuatá-de-cara-vermelha s.m.; pl. *cuatás-de-cara-vermelha*
cuatá-de-testa-branca s.m.; pl. *cuatás-de-testa-branca*
cuatatere adj. s.2g.
cuati s.m.
cuatiaipé s.m.
cuatiara s.m.
cuatibo s.m.
cuatimirim s.m.
cuatimundé s.m.
cuatindiba s.f.
cuatinga s.f.
cuatintiba s.f.
cuatipuru s.m.
cuaxi s.m.
cuaxinduba s.f.
cuaxinguba s.f.
cuaxinguva s.f.
cuaxixá s.m.
cuazuma s.f.
cuba s.m.f.
cubação s.f.
cubado adj.
cubador (*ô*) adj. s.m.
cubagem s.f.
cubal adj. s.2g.
cubale adj. s.2g.
cubalo s.m.
cubandama s.m.
cubanita s.f.
cubanite s.f.
cubanítico adj.
cubanização s.f.
cubanizado adj.
cubanizar v.
cubanizável adj.2g.
cubano adj. s.m.
cubante adj.2g.
cubar v.
cubarira s.f.
cubata s.f.
cubatanense adj. s.2g.
cubatão s.m.
cubatãozense adj. s.2g.
cubatense adj. s.2g.
cubatiense adj. s.2g.
cubatura s.f.
cubável adj.2g.
cubé s.m.
cubeba s.f.
cubebeira s.f.
cubebena s.f.
cubebênico adj.
cubebênio adj. s.m.
cubebeno s.m.
cubébico adj.
cubebina s.f.
cubebínico adj.
cubeiro adj.
cubeíta s.f.
cubela s.f.
cubelela s.f.
cubelo (*ê*) s.m.
cubém-cragonotire adj. s.2g.; pl. *cubéns-cragonotires*
cubém-cranquém adj. s.2g.; pl. *cubéns-cranquéns*
cubencragonotire adj. s.2g.
cubencranquém adj. s.2g.
cubense adj. s.2g.
cubeta (*ê*) s.f.
cubeto (*ê*) adj. s.m.
cubi s.m.
cubiaganga s.f.
cúbica s.f.
cubicado adj.
cubicador (*ô*) adj.
cubicagem s.f.
cubicante adj.2g.
cubicar v.
cubicarpal adj.2g.
cubicável adj.2g.
cubícepe s.m.
cúbiceps s.m.2n.
cubicípite s.m.
cubicita s.f.
cubicite s.f.
cubicítico adj.
cúbico adj.; cf. *cubico*, fl. do v. *cubicar*
cubicular adj.2g.
cubiculário adj. s.m.
cubículo s.m.
cubié s.m.
cubificabilidade s.f.
cubificação s.f.
cubificado adj.
cubificador (*ô*) adj.
cubificante adj.2g.
cubificar v.
cubificável adj.2g.
cubiforme adj.2g.
cubilô s.m.
cubilote s.m.
cúbio s.m.
cubismo s.m.
cubista adj. s.2g.
cubístico adj.
cubital adj.2g.
cúbito s.m.
cubitocarpiano adj.
cubitocárpico adj.
cubitocutâneo adj.
cubitodigital adj.2g.
cubitodorsal adj.2g.
cubitofalangiano adj.
cubitoindicador (*ô*) adj.
cubitointerósseo adj.
cubitonutritivo adj.
cubitopalmar adj.2g.
cubitopolegar adj.2g.
cubitorradial adj.2g.
cubiú s.m.
cubizite s.f.
cubla s.f.
cubo adj. s.m.
cubocúbico adj.
cubo-cubo s.m.; pl. *cubo-cubos*
cubododecaedro s.m.
cubofuturismo s.m.
cubofuturista adj. s.2g.
cubofuturístico adj.
cuboide (*ó*) adj.2g. s.m.
cuboidocuniano adj.
cuboidoquintifalângico adj.
cuboidoquintimetársico adj.
cuboíte s.f.
cubomancia s.f.
cubomania s.f.
cubomaníaco adj.
cubomante s.2g.
cubomântico adj.
cubomedusa adj.2g. s.f.
cubondo s.m.
cuboprismático adj.
cubra s.f.
cubre s.m.
cubu s.m.
cuca s.m.f. interj.
cucada s.f.
cucado adj.
cucal s.m.
cucalaça s.f.
cucalite s.f.
cucalito s.m.
cuçambe s.m.
cucamplê s.m.
cucante adj.2g.
cuçari adj. s.2g.
cucarne s.m.
cuchada s.f.
cuchal s.m.
cuchança s.f.
cuchário adj. s.m.
cucharra s.f.
cucharrada s.f.
cucharro s.m.
cuchê s.m.
cuche-cuche interj.
cuchila s.f.
cuchilho s.m.
cuchimioco s.m.
cuchinara adj. s.2g.
cuchita adj. s.2g.
cuchite adj. s.2g.
cuchítico adj. s.m.
cucho s.m.
cuci s.m.
cúcio s.m.
cuciófera s.f.
cuco adj. s.m.
cuço s.m.
cucoecamecrã adj. s.2g.
cucolecole s.m.
cucolue s.m.
cuco-polpudo s.m.; pl. *cucos-polpudos*
cuco-rabilongo s.m.; pl. *cucos-rabilongos*
cu-cosido s.m.; pl. *cus-cosidos*
cucri s.m.
cu-cu s.m.; pl. *cu-cus*
cucúbalo s.m.
cucuia s.f.
cucuiada s.f.
cucuiana adj. s.2g.
cucuicogue s.m.
cucuiense adj. s.2g.
cucújida adj.2g. s.m.
cucujídeo adj. s.m.
cucujo s.m.
cucula s.f.
cuculado adj.
cuculador (*ô*) adj. s.m.
cuculante adj.2g.
cucular v. adj.2g.
cucúlea s.f.
cucúleo adj.
cucúlia s.f.
cucúlida adj.2g. s.m.
cuculídea s.f.
cuculídeo adj. s.m.
cuculífero adj.
cuculifólio adj.
cuculiforme adj.2g.
cuculim s.m.
cuculínea s.f.
cuculíneo s.m.
cuculo s.m.
cucumari s.m.
cucumária s.f.
cucumbe s.m.
cucumbi s.m.
cucumbu s.m.
cucume s.m.
cucumela s.f.
cucumela-branca s.f.; pl. *cucumelas-brancas*
cucumerina s.f.
cucumeropse s.f.
cucumiforme adj.2g.
cucura s.f.
cucúrbita s.f.; cf. *cucurbita*, fl. do v. *cucurbitar*
cucurbitácea s.f.
cucurbitáceo adj.
cucurbitado adj.
cucurbital adj.2g.
cucurbitale s.f.
cucurbitante adj.2g.
cucurbitar v.
cucurbitária s.f.; cf. *cucurbitaria*, fl. do v. *cucurbitar*
cucurbitariácea s.f.
cucurbitariáceo adj.
cucurbítea s.f.
cucurbitela s.f.
cucurbíteo adj.
cucurbitina s.f.
cucurbitino adj. s.m.
cucurechéu s.m.
cucuri s.m.
cucuricado adj. s.m.
cucuricador (*ô*) adj. s.m.
cucuricante adj.2g.
cucuricar v.
cucuritado adj. s.m.
cucuritador (*ô*) adj. s.m.
cucuritante adj.2g.
cucuritar v.
cucuru s.m.
cucurucu s.m. interj.
cucurutado s.m.
cucuta s.m.
cucutássana s.m.
cucutiribá s.f.
cucuza s.f.
cucuzo s.m.
cuda s.f.
cu da mãe joana s.m.
cudano adj. s.m.
cu da perua s.m.
cude s.m.
cu-de-aço adj. s.2g.; pl. *cus-de-aço*
cu de boi s.m.
cu de breu s.m.
cu-de-cachorro s.m.; pl. *cus-de-cachorro*

cu de ferro adj. s.2g.
cu de foca adj. s.2g.
cu de galinha s.m. "remendo"
cu-de-galinha s.m. "molusco"; pl. *cus-de-galinha*
cu de jegue s.m.
cu de judas s.m.
cudelume s.m.
cu de mãe joana s.m.
cu-de-mulata s.m.; pl. *cus-de--mulata*
cu de sete lares s.m.
cu-de-vaca s.m.; pl. *cus-de-vaca*
cu-de-velho s.m.; pl. *cus-de--velho*
cúdia s.f.
cudilim s.m.
cudimba s.f.
cudinho s.m.
cudismo s.m.
cudista adj. s.2g.
cudo s.m. "ruminante", "planta"; cf. *cudó*
cudó s.m. "planta"; cf. *cudo*
cu-doce s.2g.; pl. *cus-doces*
cu do conde s.m.
cudolim s.m.
cu do mundo s.m.
cudrânia s.f.
cudu s.m.
cudurru s.m.
cudzu s.m.
cuê interj.
cueba adj.2g.
cuebas s.m.2n.
cueca s.f.
cueira s.f.
cueiro s.m.
cuelva s.f.
cuemincabaru s.m.
cuena s.f.
cuenca s.m.
cuenhe s.m.
cuenje s.m.
cuepucha interj.
cuera s.f. "unheira"; cf. *quera* (*ü*)
cuerereca adj.2g.
cueretu adj. s.2g.
cuerudo adj. "que sofre de cuera"; cf. *querudo* (*ü*)
cufa s.f.
cufado adj.
cufaia s.f.
cufar v.
cúfea s.f.
cufeia s.f. (*é*)
cufênio s.m.
cúfia s.f.
cúfico adj.
cufólito s.m.
cugar s.m.
cugiar v.
cuguar s.m.
cuguará s.m.
cuguardo s.m.
cuí s.m.f.
cuia s.f.
cuiabá adj. s.2g.
cuiabaense adj. s.2g.
cuiabana s.f.
cuiabano adj. s.m.
cuiabá-paulistense adj. s.2g.; pl. *cuiabá-paulistenses*
cuiabém s.m.
cuiabense adj. s.2g.
cuiaca s.f.
cuiada s.f.
cuia-de-macaco s.f.; pl. *cuias--de-macaco*
cuia-do-brejo s.f.; pl. *cuias--do-brejo*
cuia-maracá s.f.; pl. *cuias--maracá* e *cuias-maracás*
cuiambuca s.f.
cuiambuquense adj. s.2g.
cuiame s.m.
cuiana adj. s.2g.
cuianaua adj. s.2g.
cuião s.m.
cuia-pequena-do-igapó s.f.; pl. *cuias-pequenas-do-igapó*
cuiapeua s.f.
cuiapéua s.f.
cuiapitinga s.f.
cuiara adj.2g. s.m.
cuiarana s.f.
cuiariense adj. s.2g.
cuiauano adj. s.m.
cuiavém s.m.
cuiba s.f.
cuibaba s.f.
cuíca s.f.
cuíca-cauda-de-rato s.f.; pl. *cuícas-cauda-de-rato* e *cuícas--caudas-de-rato*
cuíca-d'água s.f.; pl. *cuícas--d'água*
cuíca-de-quatro-olhos s.f.; pl. *cuícas-de-quatro-olhos*
cuíca-lanosa s.f.; pl. *cuícas--lanosas*
cuíca-verdadeira s.f.; pl. *cuícas-verdadeiras*
cuíce adj. s.2g.
cuicuru adj.2g. s.2g. s.m.
cuidação s.f.
cuidadeira s.f.
cuidadeiro adj.
cuidado adj. s.m. interj.
cuidador (*ô*) adj. s.m.
cuidados s.m.pl.
cuidadoso (*ô*) adj.; f. (*ó*); pl. (*ó*)
cuidança s.f.
cuidante adj.2g.
cuidar v.
cuidaru s.f.
cuidável adj.2g.
cuido s.m.
cuidoso (*ô*) adj.; f. (*ó*); pl. (*ó*)
cuieira s.f.
cuieirense adj. s.2g.
cuiepiá s.m.
cuieté s.m.
cuietê s.m.
cuieté-velhense adj. s.2g.; pl. *cuieté-velhenses*
cuietezeira s.f.
cuil s.m.
cuilili s.m.
cuim s.m.
cuinara s.f.
cuincar v.
cuinchar v.
cuincho s.m.
cuíne s.m.
cuinha s.f.
cuinhar v.
cuini s.m.
cuinira s.f.
cuintau s.m.
cuipana s.f.
cuipé s.f.
cuipeúna s.f.
cuipeva s.f.
cuipiranguense adj. s.2g.
cuipuna s.f.
cuíque s.m.
cuiquilhada s.f.
cuíra adj.2g.
cuiranense adj. s.2g.
cuisiano adj.
cuíssi adj. s.2g.
cuitá s.f.
cuité s.m.
cuité-açu s.m.; pl. *cuités-açus*
cuité-da-mata s.m.; pl. *cuités--da-mata*
cuiteense adj. s.2g.
cuitejiense adj. s.2g.
cuitelão s.m.
cuiteleiro s.m.
cuitelo s.m.
cuité-mamanguapense adj. s.2g.; pl. *cuité--mamanguapenses*
cuité-noiense adj. s.2g.; pl. *cuité-noienses*
cuitezeira s.f.
cuitezeirense adj. s.2g.
cuitezeiro s.m.
cuitó s.m.
cuiú s.m.
cuiuba s.f.
cuiú-cuiú s.m.; pl. *cuiú-cuiús*
cuiuira s.f.
cuiumari s.m.f.
cuiumarirana s.f.
cuiura s.f.
cujamarioba s.f.
cujara s.m.
cuje s.m.
cujelo s.m.
cujeté s.m.
cujiar v.
cujigenéri adj. s.2g.
cujinho s.m.
cujo adj. s.m. pron.
cujoeiro s.m.
cujuba s.f. interj.
cujubeira s.f.
cujubi s.m.
cujubiboia (*ó*) s.f.
cujubim s.m.
cuju-cuju s.m.; pl. *cuju-cujus*
cujudo adj.
cujueiro s.m.
cujumari s.m.
cujumari-da-guiana s.m.; pl. *cujumaris-da-guiana*
cujumarimirim s.m.
cujumarirana s.f.
cula s.f.
culaça s.f.
culachári s.m.
culacharim s.m.
culaculissa s.f.
culaga s.f.
culambas adj. s.2g.2n.
culampada s.f.
culandro s.m.
culantrilho s.m.
culapada s.f.
culapado adj.
culapar v.
culape s.m.
cúlaque s.m.
culastra s.f.
culatra s.f.
culatrado adj.
culatral adj.2g.
culatrão s.m.
culatrar v.
culatreado adj.
culatreador (*ô*) adj.
culatrear v.
culatreira s.f.
culatreiro adj. s.m.
culatrona s.f.
culcárni s.m.
culcásia s.f.
culcasíea s.f.
culciotêutide s.f.
culciotêutis s.f.2n.
cúlcita s.f.
cúlcitra s.f.
culcornim s.m.
culdeu s.m.
culdocentese s.f.
culdocentético adj.
culdoscopia s.f.
culdoscópico adj.
culdoscópio s.m.
cule s.m.
culebrina s.f.
cúleo s.m.
culepe (*ê*) s.m.
cúlex (*cs*) s.m.; pl. *cúlices*
culhuda s.f.
culhudeiro adj. s.m.
culi s.m.
cúlice s.m.
culicida adj.2g. s.m. "inseticida"; cf. *culícida*
culícida adj.2g. s.m. "inseto"; cf. *culicida*
culicídeo adj. s.m.
culicidiano adj.
culicídio s.m.
culicidismo s.m.
culiciforme adj.2g.
culicíneo adj. s.m.
culicívora s.f.
culicívoro adj. s.m.
culicoide (*ó*) adj.2g. s.m.
culilavã s.f.
culima s.f.
culimã adj. s.2g.
culimar v.
culimute s.m.
culina adj. s.2g.
culinária s.f.
culinário adj.
culino adj. s.m.
culita s.f.
cúlmen s.m.
culmífero adj.
culmigenia s.f.
culmígeno adj.
culminação s.f.
culminado adj.
culminador (*ô*) adj.
culminância s.f.
culminante adj.2g.
culminar v.
culminável adj.2g.
culmíneo adj.
culna s.f.
culombó s.m.
culori adj. s.2g.
culote s.2g.
culpa s.f.
culpabilidade s.f.
culpabilização s.f.
culpabilizado adj.
culpabilizar v.
culpabilizável adj.
culpado adj. s.m.
culpador (*ô*) adj. s.m.
culpando adj. s.m.
culpante adj.2g.
culpar v.
culpável adj.2g.
culposo (*ô*) adj.; f. (*ó*); pl. (*ó*)
culteranismo s.m.
culteranista adj. s.2g.
culteranístico adj.
culterano adj. s.m.
cultiparla adj.2g.
cultiparlante adj.2g.
cultismo s.m.
cultista adj.2g.
cultístico adj.
cultivabilidade s.f.
cultivação s.f.
cultivadeira s.f.
cultivado adj.
cultivador (*ô*) adj. s.m.
cultivamento s.m.
cultivante adj.2g.
cultivar v. s.m.
cultivável adj.2g.
cultivo s.m.
culto adj. s.m.
cultomania s.f.
cultomaníaco adj. s.m.
cultômano adj. s.m.
cultor (*ô*) s.m.
cultorista adj. s.2g.
cultricolo adj.
cultridentado adj.
cultrifoliado adj.
cultriforme adj.2g.
cultrirrostro adj. s.m.
cultro s.m.
cultuabilidade s.f.
cultuado adj.
cultuador (*ô*) adj. s.m.
cultual adj.2g. s.f.
cultualidade s.f.
cultualismo s.m.
cultualista adj. s.2g.
cultualístico adj.
cultuante adj.2g.
cultuar v.
cultuável adj.2g.
cultura s.f.
cultural adj.2g.
culturalidade s.f.
culturalismo s.m.
culturalista adj. s.2g.
culturalização s.f.
culturalizante adj.2g.
culturalizar v.
culturalizável adj.2g.
culturema s.m.
culturemático adj.
culturêmico adj.
culturismo s.m.
culturista adj. s.2g.
culturístico adj.
culumi s.m.
culundum s.m.
cumã s.f.
cumã-açu s.f.; pl. *cumãs-açus*
cumacá s.m.
cumacaá s.m.
cumacaí s.m.
cumacanga s.f.
cumáceo adj. s.m.
cumachama s.2g.
cumaclor (*ô*) s.m.
cumaco s.m.
cumacuã adj. s.2g.
cumã-das-caatingas s.f.; pl. *cumãs-das-caatingas*
cumaí s.m.
cumala s.f.
cumalato s.m.
cumaldeído s.m.
cumálico adj.
cumalina s.f.
cumalínico adj.
cumaltina s.f.
cumameri s.m.
cumaná adj. s.2g. s.f.
cumanã s.f.
cumanagolo adj. s.m.
cumanaru s.m.
cumanaxó adj. s.2g.
cumandá s.f.
cumandá-açu s.m.; pl. *cumandás-açus*
cumandaí s.m.
cumandália s.f.
cumandatiá s.f.
cumani adj. s.2g.
cumano adj. s.m.
cumaquã adj. s.2g.
cumara s.m.
cumarato s.m.
cumaré s.m.
cumari s.m.
cumaricica s.f.
cumárico adj.
cumariense adj. s.2g.
cumarílico adj.
cumarim s.m.
cumarina s.f.
cumarinato s.m.
cumarínico adj.
cumarino adj. s.m.
cumarirana s.f.
cumarona s.f.
cumarônico adj.
cumaru s.m.
cumaru-amarelo s.m.; pl. *cumarus-amarelos*
cumaru-de-cheiro s.m.; pl. *cumarus-de-cheiro*
cumaru-de-rato s.m.; pl. *cumarus-de-rato*
cumaru-do-amazonas s.m.; pl. *cumarus-do-amazonas*
cumaru-do-ceará s.m.; pl. *cumarus-do-ceará*
cumaruense adj. s.2g.
cumaru-ferro s.m.; pl. *cumarus-ferro* e *cumarus-ferros*
cumaruna s.f.
cumarurana s.f.
cumaru-verdadeiro s.m.; pl. *cumarus-verdadeiros*
cumaruzeiro s.m.
cumatanga s.f.
cumaté s.m.
cumati s.m.
cumatiá adj. s.2g.
cumatirana s.f.
cumatunga s.f.
cumã-uaçu s.f.; pl. *cumãs--uaçus*
cumaxama s.m.

cumázico adj.
cumazônico adj.
cumba adj. s.2g. "feiticeiro"; cf. *cumbá*
cumbá s.m. "saco"; cf. *cumba*
cumbaca s.f.
cumbacássana s.m.
cumbar s.m.
cumbari s.f.
cumbarim s.m.
cumbarro s.m.
cumbaru s.m.
cumbaru-das-caatingas s.m.; pl. *cumbarus-das-caatingas*
cumbe s.f. "cachaça"; cf. *cumbé*
cumbé s.m. "lesma"; cf. *cumbe*
cumbeba s.f.
cumbeca s.f.
cumbeira s.f.
cumbense adj. s.2g.
cumberlandiano adj. s.m.
cumberlandismo s.m.
cumberlandista adj. s.2g.
cumberlandístico adj.
cumberlandita s.f.
cumberlandite s.f.
cumberlandítico adj.
cumberlandito s.m.
cúmbia s.f.
cumbica s.f.
cumbicuri s.m.
cumbio s.m.
cumbira s.f.
cumbo adj. s.m.
cumbolém s.m.
cumbraíte s.f.
cumbraítico adj.
cumbraíto s.m.
cumbu s.m.
cumbuca s.f.
cumbuca-de-macaco s.f.; pl. *cumbucas-de-macaco*
cumbuco adj. s.m.
cumburu s.m.
cume s.m.
cumeada s.f.
cumeado adj.
cumeeira s.f.
cumeeira da casa s.m.
cúmel s.m.
cumela s.m.
cumélida adj.2g. s.m.
cumelídeo adj. s.m.
cumenacetato s.m.
cumenacético adj.
cumengeíta s.f.
cumengeítico adj.
cumeno s.m.
cumenol s.m.
cumenólico adj.
cúmera s.f.
cumerim s.m.
cumiana adj. s.2g.
cumichá s.m.
cúmida adj.2g. s.m.
cumídeo adj. s.m.
cumidina s.f.
cumidínico adj.
cumilamina s.f.
cumilamínico adj.
cumilo s.m.
cumim s.m.
cumina s.f.
cuminal adj.2g.
cuminamida s.f.
cuminamídico adj.
cuminato s.m.
cumingtonita s.f.
cumingtonítico adj.
cumínico adj.
cuminifoliado adj.
cuminilo s.m.
cumino s.m.
cuminoína s.f.
cuminoínico adj.
cuminol s.m.
cuminólico adj.
cuminurato s.m.
cuminúrico adj.
cúmis s.m.2n.
cumixá s.m.
cummingtonita s.f.
cummingtonite s.f.
cummingtonítico adj.
cumonitrilo s.m.
cumopse s.m.
cumpincha s.2g.
cúmplice adj. s.2g.
cumpliciabilidade s.f.
cumpliciado adj.
cumpliciador (*ô*) adj.
cumpliciante adj.2g.
cumpliciar v.
cumpliciável adj.2g.
cumplicidade s.f.
cumprido adj. "executado"; cf. *comprido*
cumpridoiro adj.
cumpridor (*ô*) adj. s.m.
cumpridouro adj.
cumprimentabilidade s.f.
cumprimentação s.f.
cumprimentadeiro adj.
cumprimentado adj.
cumprimentador (*ô*) adj.
cumprimentante adj.2g.
cumprimentar v.
cumprimentável adj.2g.
cumprimentear v.
cumprimenteiro adj.
cumprimento s.m. "execução"; cf. *comprimento*
cumprir v.
cumprível adj.2g.
cum-quíbus (*ü*) s.m.pl.
cumulabilidade s.f.
cumulação s.f.
cumulada s.f.
cumulado adj.
cumulador (*ô*) adj. s.m.
cumulaia s.f.
cumulante adj.2g. s.m.
cumular v.
cumulatividade s.f.
cumulativo adj.
cumulável adj.2g.
cumuliforme adj.2g.
cumulita s.f.
cumulite s.f.
cumulito s.m.
cúmulo s.m.; cf. *cumulo*, fl. do v. *cumular*
cúmulo-cirro s.m.; pl. *cúmulos-cirro* e *cúmulos-cirros*
cúmulo-estrato s.m.; pl. *cúmulos-estrato* e *cúmulos-estratos*
cumuloférico adj.
cúmulo-nimbo s.m.; pl. *cúmulos-nimbo* e *cúmulos-nimbos*
cumulose s.f.
cumulótico adj.
cúmulo-vulcão s.m.; pl. *cúmulos-vulcão* e *cúmulos-vulcões*
cumuramá adj. s.2g.
cumurupim s.m.
cumuruxatibense adj. s.2g.
cuna s.f.
cunã s.m.
cunabi s.m.
cunabim s.m.
cunama adj. s.2g.
cunamana adj. s.2g.
cunambi s.m.
cunanã s.m.
cunaniense adj. s.2g.
cunanta s.f.
cunântida adj.2g. s.m.
cunantídeo adj. s.m.
cunapu s.m.
cunarca s.m.
cunau s.m.
cunauaru s.m.
cunca s.m.f.
cuncamplê s.m.
cuncamplei s.m.
cuncharra s.f.
cunco s.m.
cunctabundo adj.
cunctação s.f.
cunctame s.m.
cunctante adj.2g.
cunctator (*ô*) adj. s.m.
cunctatório adj.
cundalinássana s.m.
cundalini s.m.
cundalini-ioga s.m.; pl. *cundalinis-iogas*
cundim s.m.
cundinamarquense adj. s.2g.
cunduna s.m.
cundunga s.m.
cundura s.f.
cundurangetina s.f.
cundurangetínico adj.
cundurângico adj.
cundurangina s.f.
cundurango s.m.
cundurim s.m.
cunduru s.m.
cunduruense adj. s.2g.
cuneado adj.
cuneal adj.2g.
cuneano adj.
cuneato s.m.
cuneifoliado adj.
cuneifólio adj.
cuneiforme adj.2g.
cuneirrostro adj. s.m.
cunenas s.2g.2n.
cúneo s.m.
cuneocubóideo adj.
cuneoescafóideo adj.
cuneoextensor (*ô*) adj.
cuneoflexor (*csô*) adj.
cuneo-histerectomia s.f.
cuneo-histerectômico adj.
cuneoisterectomia s.f.
cuneoisterectômico adj.
cuneolímbico adj.
cuneolina s.f.
cuneoprimifalângico adj.
cunerismo s.m.
cunerista adj. s.2g.
cunerístico adj.
cuneta (*ê*) s.f.
cunete (*ê*) s.m.
cunfres s.m.pl.
cungue adj.2g. s.m.
cunha s.f.
cunhã s.f.
cunhabilidade s.f.
cunhação s.f.
cunhada s.f.
cunhadia s.f.
cunhadio s.m.
cunhado adj. s.m.
cunhador (*ô*) adj. s.m.
cunhagem s.f.
cunhal s.m.
cunhambambe s.m.
cunhambebense adj. s.2g.
cunhamembira s.f.
cunhamento s.m.
cunhamucu s.f.
cunhandu s.m.
cunhanhã s.f.
cunhanhas s.m.2n.
cunhanhém s.m.
cunhanjiense adj. s.2g.
cunhantã s.f.
cunhantaim s.f.
cunhante adj.2g.
cunhantém s.f.
cunhanu s.f.
cunhã-poranense adj. s.2g.; pl. *cunhã-poranenses*
cunhapuiara s.f.
cunhar v.
cunharapixara adj.2g.
cunharupiã s.f.
cunharupiara s.m.
cunhatã s.f.
cunhataim s.f.
cunhável adj.2g.
cunheira s.f.
cunhense adj. s.2g.
cunhete (*ê*) s.m.
cunhira s.f.
cunho s.m.
cúnia s.f.
cuniba adj. s.2g.
cunibo adj. s.m.
cunico s.m.
cuniculado adj.
cunicular adj.2g.
cuniculário s.m.
cuniculicultor (*ô*) s.m.
cuniculicultura s.f.
cuniculídeo adj. s.m.
cuniculino adj.
cunículo s.m.
cunicultor (*ô*) s.m.
cunicultura s.f.
cunife s.m.
cunila s.f.
cunilíngua s.f.
cunilíngue (*ü*) s.f.
cunina s.f.
cuningâmia s.f.
cuninghâmia s.f.
cunipuzana adj. s.2g.
cunissa s.f.
cuno adj. s.m.
cunoctanta s.f.
cunoctona s.f.
cunona s.f.
cunônia s.f.
cunoniácea s.f.
cunoniáceo adj.
cunquate s.m.
cunquateiro s.m.
cunque s.m.
cunqueiro s.m.
cunquense adj. s.2g.
cunques s.m.pl.
cuntatório adj.
cunto s.m.
cunuaru s.m.
cunuri adj. s.2g. s.m.
cunzita s.f.
cunzítico adj.
cuojelo s.m.
cuorina s.f.
cuorínico adj.
cupa s.m. "pescada-amarela"; cf. *cupá*
cupá s.m. "corvina"; cf. *cupa*
cupaí s.m.
cupaíba s.f.
cupana s.f.
cupânia s.f.
cupanieia (*é*) s.f.
cupão s.m.
cuparaquense adj. s.2g.
cupaúba s.f.
cupaurana s.f.
cupé s.m. "alcunha dada a portugueses"; cf. *cupê*
cupê s.m. "carruagem fechada"; cf. *cupé*
cupediário adj. s.m.
cupedinário adj. s.m.
cupela s.f.
cupelobo (*ô*) s.m.
cupendiepe s.m.
cupenharo adj. s.2g.
cupez (*ê*) s.m.
cupferron s.m.
cupi s.m.
cupida s.f.
cupidez (*ê*) s.f.
cupidinário adj.
cupidíneo adj.
cupidinosidade s.f.
cupidinoso (*ô*) adj.; f. (*ó*); pl. (*ó*)
cupidismo s.m.
cupidista adj.2g.
cupidístico adj.
cupido s.m. "personificação do amor"; cf. *cúpido*
cúpido adj. "cobiçoso"; cf. *cupido*
cupieiro s.m.
cupiforme adj.2g.
cupim s.m.
cupincha s.2g.
cupineira s.f.
cupineiro s.m.
cupinense adj. s.2g.
cupinhoró adj. s.2g.
cupinudo adj.
cupinzama s.f.
cupinzeiro s.m.
cupio s.m. "pássaro"; cf. *copio* s.m. e fl. do v. *copiar*
cupira s.f.
cupirense adj. s.2g.
cupiúba s.f.
cupom s.m.
cupragol s.m.
cupragólico adj.
cupralumínico adj.
cupralumínio s.m.
cupramoniacal adj.2g.
cupramoníaco s.m.
cuprâmônio s.m.
cuprase s.f.
cúprase s.f.
cuprásico adj.
cuprato s.m.
cupreidina s.f.
cupreidínico adj.
cupreína s.f.
cupreínico adj.
cuprém s.m.
cupremia s.f.
cupreno s.m.
cúpreo adj.
cupressácea s.f.
cupressáceo adj.
cupréssea s.f.
cupresseo adj.
cupressifoliado adj.
cupressiforme adj.2g.
cupressinada s.f.
cupressínea s.f.
cupressíneo adj.
cupressino adj.
cupressite s.f.
cupressítico adj.
cupresso s.m.
cupressoida (*ó*) s.f.
cupressóideo adj. s.m.
cupriamônico adj.
cúprico adj.
cupricoamoníaco adj.
cupricobáltico adj.
cupricocobáltico adj.
cupricolo adj.
cupricopotássico adj.
cuprífero adj.
cuprifulminato s.m.
cuprina s.f.
cuprínico adj.
cuprino adj.
cupriosseptol s.m.
cupriosseptólico adj.
cupripene adj.2g.
cupripotássico adj.
cuprirrostro adj.
cuprita s.f.
cuprite s.f.
cuprítico adj.
cuprito s.m.
cuproaço s.m.
cuproadamita s.f.
cuproamônia s.f.
cuproamônico adj.
cuproasbolano s.m.
cuproberílico adj.
cuproberílio s.m.
cuprobismutita s.f.
cuprobismutite s.f.
cuprobismutítico adj.
cuprobismutito s.m.
cuprocalcita s.f.
cuprocalcite s.f.
cuprocalcítico adj.
cuprocitrol s.m.
cuprocitrólico adj.
cuprocopiapita s.f.
cuprocrômico adj.
cuprocromo s.m.
cuprodescloizita s.f.
cuprodescloizite s.f.
cuprodescloizítico adj.
cuproeskebornita s.f.
cuproespinélio s.m.
cuprofane s.m.
cuproferrítico adj.
cuproferrito s.m.
cuprofosfórico adj.

cuprofósforo s.m.
cuprofulminato s.m.
cuproglicínico adj.
cuproglicínio s.m.
cuproide (*ó*) adj.2g.
cuproiodargirita s.f.
cuprol s.m.
cuprólico adj.
cuproliga s.f.
cuprólise s.f.
cuprolítico adj.
cupromagnesita s.f.
cupromagnesítico adj.
cupromanganês s.m.
cupromanganésico adj.
cuproníquel s.m.
cupropiapita s.f.
cupropirita s.f.
cuproplatina s.f.
cuproplumbita s.f.
cuproplumbite s.f.
cuproplumbítico adj.
cupropotássico adj.
cuprorrivaíta s.f.
cuproscheelita s.f.
cuprosklodovskita s.f.
cuproso (*ô*) adj.; f. (*ó*); pl. (*ó*)
cuprossilício s.m.
cuproterapia s.f.
cuproterápico adj.
cuprotipia s.f.
cuprotípico adj.
cuprotipista adj. s.2g.
cuprotitânico adj.
cuprotitânio s.m.
cuprotungstita s.f.
cuprouranita s.f.
cuprovanádico adj.
cuprovanádio s.m.
cuprovudyavrita s.f.
cuproxídico (*cs*) adj.
cupróxido (*cs*) s.m.
cuprozincita s.f.
cupu s.m.
cupuaçu s.m.
cupuaçueiro s.m.
cupuaçurana s.2g.
cupuaçu-verdadeiro s.m.; pl. *cupuaçus-verdadeiros*
cupuaí s.m.
cupuaú s.m.
cupuim s.m.
cúpula s.f.
cupulácea s.f.
cupuláceo adj.
cupulado adj.
cupular adj.2g.
cupulária s.f.
cupulífera s.f.
cupulífero adj.
cupuliforme adj.2g.
cupulim s.m.
cupulita s.f.
cupulolitíase s.f.
cupunaçu s.m.
cupurana s.2g.
cuque s.m.
cuqueado adj.
cuqueador (*ô*) adj. s.m.
cuquear v.
cuqueável adj.2g.
cuqueiro adj. s.m.
cuqueznequene s.m.
cuquenha s.f.
cuquiada s.f.
cuquil s.m.
cuquilhada s.f.
cuquinhas s.f.pl.
cura s.m.f.
curã s.m.
curaba s.m.
curabi s.m.
curabilidade s.f.
curaca s.m.
curaçaense adj. s.2g.
curacanga s.f.
curação s.f.
curaçau s.m.
curaci s.f.
curacicaá s.f.
curacimirá s.f.
curá-curá s.m.; pl. *curá-curás*
curadá s.m.
curadeira s.f.
curadeiro s.m.
curadia s.f.
curado adj. s.m.
curador (*ô*) s.m.
curadoria s.f.
curagem s.f.
curairi s.m.
curajiru s.m.
curame s.m.
curamento s.m.
curamimese s.f.
curamimético adj.
curanau adj. s.2g.
curanchim s.m.
curandeira s.f.
curandeirice s.f.
curandeirismo s.m.
curandeirista adj. s.2g.
curandeirístico adj.
curandeiro s.m.
curandice s.f.
curante adj.2g.
curão s.m.
curapá s.m.
curapaí s.m.
curapiá s.m.
curar v.
curare s.m.
curárea s.f.
curariaense adj. s.2g.
curárico adj.
curariense adj. s.2g.
curariforme adj.2g.
curarimimético adj.
curarimimetismo s.m.
curarina s.f.
curarínico adj.
curarismo s.m.
curarização s.f.
curarizado adj.
curarizador (*ô*) adj.
curarizante adj.2g.
curarizar v.
curarizável adj.2g.
curarizinhense adj. s.2g.
curatá s.f.
curatela s.f.
curatelado adj. s.m.
curatelador (*ô*) adj. s.m.
curatelante adj.2g.
curatelar v.
curatelato adj. s.2g.
curatelável adj.2g.
curatiense adj. s.2g.
curatividade s.f.
curativo adj. s.m.
curato s.m.
curatriz adj. s.f.
cura-tudo s.m.2n.
curaturá s.m.
curau adj.2g. s.m.
curauá adj.2g. s.m.
curauá-da-amazônia s.m.; pl. *curauás-da-amazônia*
curável adj.2g.
curaxéu s.m.
curbilha s.f.
curca s.f.
curcúligo s.m.
curcúligo-da-terra s.m.; pl. *curcúligos-da-terra*
curcúlio s.m.
curculiônida adj.2g. s.m.
curculionídeo adj. s.m.
curculioníneo s.m.
curculionito s.m.
cúrcuma s.f.
curcumina s.f.
curcumínico adj.
curcumol s.m.
curcumólico adj.
curcurana s.f.
curdo adj. s.m.
cure s.f.
curema adj. s.2g.
curemaetá adj. s.2g.
curense adj. s.2g.
curera (*ê*) s.f.
cureré adj.2g.
cureta (*ê*) s.f.; cf. *cureta*, fl. do v. *curetar*
curetado adj.
curetador (*ô*) adj.
curetagem s.f.
curetante adj.2g.
curetar v.
curetável adj.2g.
curete (*ê*) adj. s.2g.; cf. *curete*, fl. do v. *curetar*
cureteiro s.m.
curético adj.
curetu adj. s.2g.
curi adj. s.2g. s.m. adv.
curia s.f.
curiaca s.f.
curiacica s.m.
curiacica-da-branca s.m.; pl. *curiacicas-da-branca*
curial adj.2g. s.m.
curialidade s.f.
curialismo s.m.
curialístico adj.
curiangada s.f.
curiango s.m.
curiango-comum s.m.; pl. *curiangos-comuns*
curiango-tesoura s.m.; pl. *curiangos-tesoura* e *curiangos-tesouras*
curiango-tesourão s.m.; pl. *curiangos-tesourão* e *curiangos-tesourões*
curiangu s.m.
curiantã s.m.
curião s.m.
curiar v.
curiatã s.m.
curiató adj. s.2g.
curiavo s.m.
curibatá s.f.
curiboca s.2g.
curica s.f.
curica-bacabal s.f.; pl. *curicas-bacabal* e *curicas-bacabais*
curicaca s.f.
curicaca-branca s.f.; pl. *curicacas-brancas*
curicaca-comum s.f.; pl. *curicacas-comuns*
curicaca-de-pescoço-branco s.f.; pl. *curicacas-de-pescoço-branco*
curicaca-parda s.f.; pl. *curicacas-pardas*
curica-de-bochecha-laranja s.f.; pl. *curicas-de-bochecha-laranja*
curicantã s.m.
curica-urubu s.2g.; pl. *curicas-urubu* e *curicas-urubus*
curicurê s.m.
curicuriariense adj. s.2g.
curie s.m.
curiepuntura s.f.
curieterapia s.f.
curieterápico adj.
curii s.m.
curiliano adj. s.m.
curilo adj. s.m.
curimã s.2g.
curimá s.m.
curimaí s.f.
curimari s.m.
curimatá s.m.
curimatã s.f.
curimatá-aíva s.m.; pl. *curimatás-aívas*
curimatá-beiçudo s.m.; pl. *curimatás-beiçudos*
curimataense adj.2g. s.2g.
curimataí s.m.
curimataiense adj. s.2g.
curimatã-pacu s.f.; pl. *curimatãs-pacu* e *curimatãs-pacus*
curimataú s.m.
curimatíneo adj. s.m.
curimato s.m.
curimba s.m.
curimbaba s.m.
curimbatá s.m.
curimbatã s.m.
curimbatá-da-lagoa s.m.; pl. *curimbatás-da-lagoa*
curimbó s.m.
curimbó-açu s.m.; pl. *curimbós-açus*
curimbó-da-mata s.m.; pl. *curimbós-da-mata*
curimbó-uaçu s.m.; pl. *curimbós-uaçus*
curina adj. s.2g. s.f.
curina-pano adj. s.2g.; pl. do adj. *curina-panos*; pl. do s. *curinas-panos*
curindiba s.f.
curindiúba s.f.
curinga s.m.
curingão s.m.
curínico adj.
curinqueã adj. s.2g.
curió s.m. "pássaro"; cf. *cúrio*
cúrio s.m. "elemento químico"; cf. *curió*
curió-do-brejo s.m.; pl. *curiós-do-brejo*
curiola s.f.
curiônia s.f.
curionopolense adj. s.2g.
curiosa s.f.
curiosado adj.
curiosador (*ô*) adj. s.m.
curiosar v.
curioseado adj.
curioseador (*ô*) adj. s.m.
curiosear v.
curiosice s.f.
curiosidade s.f.
curioso (*ô*) adj.; f. (*ó*); pl. (*ó*)
curiosolita adj. s.2g.
curiquingui s.f.
curismo s.m.
curista adj. s.2g. "pessoa que se hospeda em cidades termais"; cf. *corista*
curita s.f.
curitiba s.2g.
curitibanense adj. s.2g.
curitibano adj. s.m.
curitibense adj. s.2g.
curítico adj.
curitubense adj. s.2g.
curiuaia adj. s.2g.
curiúva s.f.
curiuvense adj. s.2g.
curivaurana adj. s.2g.
curixá adj. s.2g.
curixão s.m.
curixo s.m.
curmássana s.m.
curo s.m. "estátua"; cf. *curó* e *curô*
curó s.m. "planta apocinácea"; cf. *curo* s.m., fl. do v. *curar* e *curô*
curô s.m. "medida de capacidade para sólidos"; cf. *curo* s.m., fl. do v. *curar* e *curó*
curobalão s.m.
curo-curo s.m.; pl. *curo-curos*
curopalata s.m.
curopalate s.m.
curopalates s.m.2n.
curote s.m.
curpuna s.f.
curra s.f.
curração s.f.
currada s.f.
curradela s.f.
currado adj. s.m.
currador (*ô*) adj. s.m.
currais-novense adj. s.2g.; pl. *currais-novenses*
curral s.m.
curralada s.f.
curralagem s.f.
curralão s.m.
curral de peixe s.m.
curraleira s.f.
curraleiro adj. s.m.
curralejo (*ê*) s.m.
curralense adj. s.2g.
curralinhense adj. s.2g.
curral-novense adj. s.2g.; pl. *curral-novenses*
curralório s.m.
curral-pedrense adj. s.2g.; pl. *curral-pedrenses*
curral-queimadense adj. s.2g.; pl. *curral-queimadenses*
curral-sansimonense adj. s.2g.; pl. *curral-sansimonenses*
curral-velhense adj. s.2g.; pl. *curral-velhenses*
curramento s.m.
currar v.
curre s.f.
curre-curre s.m.; pl. *curre-curres*
currela s.f.
currelo (*ê*) s.m.
curriça s.f.
curricaca s.f.
curricana s.f.
curricular adj.2g.
curricularidade s.f.
currículo s.m.
cúrrio s.m.
curripaco adj. s.2g. s.m.
curriqueiro s.m. "ave"; cf. *corriqueiro*
curro s.m.
curro-curro s.m.; pl. *curro-curros*
currucai s.f.
currucho interj.
currucu s.m.
curruera (*ê*) s.f.
curruíra s.f.
curruiruçu s.m.
currumbá s.m.
currupira s.m.
cursabilidade s.f.
cursado adj.
cursador (*ô*) adj. s.m.
cursante adj. s.2g.
cursar v.
cursável adj.2g.
curseado adj.
cursear v.
curseta (*ê*) s.f.
cursilhismo s.m.
cursilhista adj. s.2g.
cursilhístico adj.
cursilho s.m.
cursinho s.m.
cúrsio s.m.
cursismo s.m.
cursista adj. s.2g.
cursístico adj.
cursividade s.f.
cursivinhador (*ô*) adj. s.m.
cursivinho s.m.
cursivo adj. s.m.
curso s.m.
cursometrado adj.
cursometragem s.f.
cursometrar v.
cursometria s.f.
cursométrico adj.
cursômetro s.m.
cursônia s.f.
cursor (*ô*) adj. s.m.
cursoriedade s.f.
cursoriídea s.m.
cursoriídeo adj.
cursoríneas s.m.pl.
cursoríneo adj.
cursório adj. s.m.
cursorípede adj.2g.
cursoripedia s.f.
curta s.m.f.
curtamão s.m.
curta-metragem s.f.; pl. *curtas-metragens*
curta-metragista adj. s.2g.; pl. *curtas-metragistas*
curtarém s.m.
curtata s.f.
curtato adj.
curteza (*ê*) s.f.

cúrtia s.f.
curtibilidade s.f.
curtição s.f.
cúrtico adj.
curtido adj.
curtidoira s.f.
curtidoiro s.m.
curtidor (*ô*) adj. s.m.
curtidoura s.f.
curtidouro s.m.
curtidura s.f.
curtim s.m.
curtimenta s.f.
curtimento s.m.
curtípede adj.2g.
curtipedia s.f.
curtir v.
curtirrostro adj.
curtísia s.f.
curtisióidea s.f.
curtisióideo adj. s.m.
curtível adj.2g.
curto adj. s.m.
curto-abdutor adj. s.m.; pl. do adj. *curto-abdutores*; pl. do s. *curtos-abdutores*
curto-circuitar v.
curto-circuito s.m.; pl. *curtos-circuitos*
curto-flexor adj. s.m.; pl. do adj. *curto-flexores*; pl. do s. *curtos-flexores*
curtoneura s.m.
curto-peroneal adj.2g. s.m.; pl. do adj. *curto-peroneais*; pl. do s. *curtos-peroneais*
curtose s.f.
curto-supinador adj. s.m.; pl. do adj. *curto-supinadores*; pl. do s. *curtos-supinadores*
curtótico adj.
curtume s.m.
curtumeiro s.m.
curu s.m.
curuá s.m.
curuá-açu s.m.; pl. *curuás-açus*
curuá-branco s.m.; pl. *curuás-brancos*
curuaca s.f.
curuaé adj. s.2g.
curuaense adj. s.2g.
curuaí s.m.
curuaia adj. s.2g.
curuaie adj. s.2g.
curuaiense adj. s.2g.
curuá-iuquira s.m.; pl. *curuás-iuquira* e *curuás-iuquiras*
curuana s.f.
curuapé s.m.
curuá-piranga s.m.; pl. *curuás-pirangas*
curuá-pixuna s.m.; pl. *curuás-pixuna* e *curuás-pixunas*
curuá-preto s.m.; pl. *curuás-pretos*
curuarana s.f.
curuatá s.m.
curuatá-açu s.m.; pl. *curuatás-açus*
curuataiense adj. s.2g.
curuatá-pinima s.m.; pl. *curuatás-pinimas*
curuati adj. s.2g.
curuatinga s.f.
curuaúna s.m.
curuaxiá adj. s.2g.
curuba s.f. "cipó"; cf. *curubá*
curubá s.f. "liana curcubitácea"; cf. *curuba*
curubaí-mirim s.m.; pl. *curubaís-mirins*
curubé s.m.
curubento adj. s.m.
curubixá s.m.
curuca adj. s.2g. s.m.f.
curucaca s.f.
curucaense adj. s.2g.
curuçaense adj. s.2g.
curuçambabense adj. s.2g.
curucanga s.f.
curucar v.
curucaru adj. s.2g.
curucicuri adj. s.2g.
curucu s.m.
curucucica s.m.
curucuí s.m.
curu-curu s.m.; pl. *curu-curus*
curucutari s.f.
curucuxa s.f.
curudiú s.m.
curueira s.f.
curuense adj. s.2g.
curuera (*ê*) s.f.
curugu s.m.
curuiri s.m.
curujo s.m.
curul adj.2g. s.f.
curulana s.f.
curule adj.2g. s.f.
curulidade s.f.
curulina s.f.
curumá s.2g.
curumã s.2g.
curumatá s.2g.
curumatã s.2g.
curumatão s.m.
curumba s.2g. s.f.
curumbada s.f.
curumbatá s.m.
curumbatã s.m.
curumbi s.m.
curumbim s.m.
curumi s.m.
curumim s.m.
curuminzada s.f.
curumuense adj. s.2g.
curumuiana adj. s.2g.
curunauá adj. s.2g.
curundu s.m.
curungo adj. s.m.
curunilha s.f.
curunuá s.m.
curupá s.m.
curupaense adj. s.2g.
curupaí s.m.
curupaíba s.f.
curupaicuru s.m.
curupaitiense adj. s.2g.
curupari s.m.
curupé s.f.
curuperé s.m.
curuperê s.m.
curupeté s.m.
curupeva s.f.
curupiá s.m.
curupicaí s.m.
curupira s.m.f.
curupireira s.f.
curupirense adj. s.2g.
curupitá s.f.
curupitã s.f.
curupu s.m.
curupuruí s.m.
curuquerê s.m.
curuquerê-da-couve s.m.; pl. *curuquerés-da-couve*
curuquerê-da-couve s.m.; pl. *curuquerês-da-couve*
curuquerê-do-algodoeiro s.m.; pl. *curuquerés-do-algodoeiro*
curuquerê-do-algodoeiro s.m.; pl. *curuquerês-do-algodoeiro*
curuquerê-do-capim s.m.; pl. *curuquerés-do-capim*
curuquerê-do-capim s.m.; pl. *curuquerês-do-capim*
curuquerê-do-milho s.m.; pl. *curuquerés-do-milho*
curuquerê-do-milho s.m.; pl. *curuquerês-do-milho*
curuquerê-dos-arrozais s.m.; pl. *curuquerés-dos-arrozais*
curuquerê-dos-arrozais s.m.; pl. *curuquerês-dos-arrozais*
curuquerê-dos-capinzais s.m.; pl. *curuquerés-dos-capinzais*
curuquerê-dos-capinzais s.m.; pl. *curuquerês-dos-capinzais*
curuquerê-dos-milharais s.m.; pl. *curuquerés-dos-milharais*
curuquerê-dos-milharais s.m.; pl. *curuquerês-dos-milharais*
curuqui s.m.
cururá s.m.
curureiro s.m.
cururi s.m.
cururipense adj. s.2g.
cururu s.m.
cururuá s.m.
cururuapé s.m.
cururuboia (*ó*) s.f.
cururuca s.f.
cururuca-branca s.f.; pl. *cururucas-brancas*
cururuca-lavrada s.f.; pl. *cururucas-lavradas*
cururucica s.f.
cururueiro s.m.
cururuí s.m.
cururupaba s.m.
cururu-pé-de-pato s.m.; pl. *cururus-pé-de-pato* e *cururus-pés-de-pato*
cururupuense adj. s.2g.
cururuxoré s.m.
curutá s.f.
curutié s.m.
curutu adj. s.2g.
curuzu s.m.
curuzuense adj. s.2g.
curva s.f.
curvabilidade s.f.
curvaça s.f.
curvadi s.m.
curvado adj.
curvador (*ô*) adj.
curvadura s.f.
curva-francesa s.f.; pl. *curvas-francesas*
curva-grandense adj. s.2g.; pl. *curva-grandenses*
curval adj.2g.
curvalidade s.f.
curva-linhas s.m.2n.
curvamento s.m.
curvane s.m.
curvante adj.2g.
curvar v.
curvatão s.m.
curvatividade s.f.
curvativo adj.
curvatura s.f.
curvável adj.2g.
curveação s.f.
curveiro s.m. "remoinho"; cf. *corveiro*
curvejado adj.; cf. *corvejado*
curvejador (*ô*) adj.; cf. *corvejador* (*ô*)
curvejamento s.m.; cf. *corvejamento*
curvejante adj.2g.; cf. *corvejante*
curvejão s.m.
curvejar v. "formar curvas"; cf. *corvejar*
curvejo (*ê*) s.m.
curvelamento s.m.
curvelano adj. s.m.
curvelense adj. s.2g.
curvelo (*ê*) s.m.
curvembrionado adj.
curveta (*ê*) s.f.
curvetado adj.
curvetar v.
curveteado adj.
curveteador (*ô*) adj. s.m.
curveteante adj.2g.
curvetear v.
curveteável adj.2g.
curveteio s.m.
curvéu s.m.
curviana s.f.
curviano adj.
curvicaudato adj.
curvicaude adj.2g.
curvicaule adj.2g.
curvícolo adj.
curvicórneo adj.
curvicósteo adj.
curvidade s.f.
curvidentado adj.
curviférreo adj.
curvifloro adj.
curvifoliado adj.
curvifronte adj.2g.
curvigrafação s.f.
curvigrafado adj.
curvigrafar v.
curvigrafia s.f.
curvigráfico adj.
curvígrafo s.m.; cf. *curvigrafo*, fl. do v. *curvigrafar*
curvilhão s.m.
curvilineação s.f.
curvilineado adj.
curvilineador (*ô*) adj. s.m.
curvilineante adj.2g.
curvilinear v. adj.2g.
curvilineável adj.
curvilíneo adj.
curvilogia s.f.
curvilógico adj.
curvimetria s.f.
curvimétrico adj.
curvimetrista adj. s.2g.
curvímetro s.m.
curvinervado adj.
curvinérveo adj.
curviparalelinervado adj.
curviparalelinérveo adj.
curvípede adj.2g.
curvirrostra s.f.
curvirrostro adj.
curvo adj.
cuscada s.f.
cusco s.m. "cão pequeno sem raça"; cf. *cuscó*
cuscó s.m. "árvore bignoniácea"; cf. *cusco*
cusconidina s.f.
cusconidínico adj.
cusconina s.f.
cusconínico adj.
cuscu s.m.
cuscúcio s.m.
cuscus s.m. "animal"; cf. *cuscuz*
cuscuta s.f.
cuscutácea s.f.
cuscutáceo adj.
cuscutóidea s.f.
cuscutóideo adj. s.m.
cuscuz s.m. "iguaria"; cf. *cuscus*
cuscuzeira s.f.
cuscuzeiro s.m.
cuscuz-paulista s.m.; pl. *cuscuzes-paulistas*
cuselita s.f.
cuselite s.f.
cuselito s.m.
cusilói s.m.
cusino s.m.
cusma s.f.
cuspada s.f.
cuspadela s.f.
cuspalhada s.f.
cusparada s.f.
cusparia s.f. "cusparada"; cf. *cuspária*
cuspária s.f. "planta"; cf. *cusparia*
cuspariea s.f.
cuspariina s.f.
cusparina s.f.
cusparínico adj.
cuspe s.m.
cuspe-cuspe s.m.; pl. *cuspe-cuspes*
cuspe-de-caipira s.m.; pl. *cuspes-de-caipira*
cuspe-de-tropeiro s.m.; pl. *cuspes-de-tropeiro*
cuspida s.f.
cuspidado adj.
cuspidal adj.2g. s.m.
cuspidária s.f.
cuspidato adj.
cúspide s.f.
cuspideira s.f.
cuspideiro adj.
cuspidela s.f.
cuspídia s.f.
cuspidífero adj.
cuspidifoliado adj.
cuspidifólio adj.
cuspidiforme adj.2g.
cuspidina s.f.
cuspidínico adj.
cuspido adj.
cuspidoiro s.m.
cuspidor (*ô*) adj. s.m.
cuspidouro s.m.
cuspidura s.f.
cuspilhado adj.
cuspilhador (*ô*) adj. s.m.
cuspilhar v.
cuspinhada s.f.
cuspinhadela s.f.
cuspinhador (*ô*) adj. s.m.
cuspinhadura s.f.
cuspinhagem s.f.
cuspinhar v.
cuspinheira s.f.
cuspinhento adj.
cuspinho s.m.
cuspir v.
cuspira s.f.
cuspível adj.2g.
cuspo s.m.
cuspo-de-caipira s.m.; pl. *cuspos-de-caipira*
cuspo-de-cuco s.m.; pl. *cuspos-de-cuco*
cuspo-de-raposa s.m.; pl. *cuspos-de-raposa*
cuspo-de-tropeiro s.m.; pl. *cuspos-de-tropeiro*
cusquenho adj. s.m.
cussita adj. s.2g.
cusso s.m.
cussônia s.f.
custa s.f.
custagem s.f.
custar v.
custas s.f.pl.
custeabilidade s.f.
custeado adj. "pago"; cf. *costeado*
custeador (*ô*) adj. s.m.; cf. *costeador*
custeamento s.m.; cf. *costeamento*
custear v. "prover a despesa"; cf. *costear*
custeio s.m.; cf. *costeio*
custeiro s.m.; cf. *costeiro*
custenau adj. s.2g.
custerita s.f.
custo s.m.
custode s.m.
custódia s.f.; cf. *custodia*, fl. do v. *custodiar*
custodiado adj. s.m.
custodial adj.2g.
custodiar v.
custodiense adj. s.2g.
custodino s.m.
custódio adj. s.m.; cf. *custodio*, fl. do v. *custodiar*
custódio-limense adj. s.2g.; pl. *custódio-limenses*
custodismo s.m.
custodista adj. s.2g.
custoso (*ô*) adj.; f. (*ó*); pl. (*ó*)
custura s.f. "dificuldade"; cf. *costura* s.f. e fl. do v. *costurar*
cuta adj.2g.
cutândia s.f.
cutâneo adj.
cutão s.m.
cu-tapado s.m.; pl. *cus-tapados*
cutarda s.f.
cutaxó adj. s.2g.
cutchiano adj. s.m.

cutchim s.m.
cute s.f.
cutela s.f.
cutelaço s.m.
cutelada s.f.
cuteladela s.f.
cutelaria s.f.
cuteleiro s.m. "fabricante de instrumentos de corte"; cf. *coteleiro*
cutelo s.m.
cúter s.m.
cuterebra s.f.
cutérebra s.f.
cuterébrida adj.2g. s.m.
cuterebrídeo adj. s.m.
cuterebríneo adj. s.m.
cutia s.f. "animal"; cf. *cotia* s.f. e fl. do v. *cotiar*
cutia-de-pau s.f.; pl. *cutias-de-pau*
cutia-de-rabo s.f.; pl. *cutias-de-rabo*
cutiaia s.f.
cutiaia-vermelha s.f.; pl. *cutiaias-vermelhas*
cutiambobola s.f.
cutiano adj. s.m.
cutia-preta s.f.; pl. *cutias-pretas*
cutiara s.f.
cutiarinha s.f.
cutia-vermelha s.f.; pl. *cutias-vermelhas*
cutiboia (*ó*) s.f.
cuticaém s.m.
cutícola adj.2g. "que vive na pele"; cf. *cotícula* e *cutícula*
cutícula s.f. "película"; cf. *cotícula* e *cutícola*
cuticular adj.2g.
cutículo s.m.
cuticuloso (*ô*) adj.; f. (*ó*); pl. (*ó*)
cutidura s.f.
cutieira s.f.
cutieiro s.m.
cutielão s.m.
cutiense adj. s.2g.
cutificação s.f.
cutigeral adj.2g.
cutila s.f.
cutilada s.f.
cutilado adj.
cutilador (*ô*) adj. s.m.
cutilante adj.2g.
cutilão s.m.
cutilar v.
cutilaria s.f.
cutilarização s.f.
cutilável adj.2g.
cutileiro s.m.
cutilipectomia s.f.
cutiliquê s.m.
cutim s.m.
cutimandioca s.f.
cutimboia (*ó*) s.f.
cutina s.f.
cutínico adj.
cutinização s.f.
cutinizado adj.
cutinizador (*ô*) adj.
cutinizante adj.2g.
cutinizar v.
cutinizável adj.2g.
cutinólise s.f.
cutinolítico adj.
cutinoso (*ô*) adj.; f. (*ó*); pl. (*ó*)
cutiofagia s.f.
cutiófago adj.
cutipaca s.m.
cutipira s.f.
cutipiribá s.m.
cutiporanense adj. s.2g.
cutipuru s.m.
cutipuruí s.m.
cutirreação s.f.
cutirreagente adj. s.2g.
cútis s.f.2n.
cutisação s.f.; cf. *cotização*
cutisar v. "converter em cútis"; cf. *cotizar*
cutisável adj.2g.; cf. *cotizável*
cutite s.f.
cutiti s.m.
cutítico adj.
cutitiribá s.m.
cutitiribá-grande s.m.; pl. *cutitiribás-grandes*
cutitiribá-guaçu s.m.; pl. *cutitiribás-guaçus*
cutitiribarana s.f.
cutiuaia s.f.
cutiúba s.f.
cutiubeira s.f.
cutiú-preto s.m.; pl. *cutiús-pretos*
cutivacinação s.f.
cutivacinado adj. s.m.
cutivacinador (*ô*) adj. s.m.
cutivacinar v.
cutixinere adj. s.2g.
cutléria s.f.
cutleriácea s.f.
cutleriáceo adj.
cutlerial adj.2g.
cutleriale s.f.
cutose s.f.
cutra s.f.
cutruca s.2g.
cutruco adj. s.m.
cutuba adj.2g.
cutubaça s.f.
cutubaço adj. s.m.
cutúbea s.f.
cutubeia (*é*) s.f.
cutúbeo adj.
cutuca s.f.
cutucação s.f.
cutucada s.f.
cutucadela s.f.
cutucado adj.
cutucador (*ô*) adj. s.m.
cutucaém s.m.
cutucanhé s.m.
cutucanhé-de-folha-grande s.m.; pl. *cutucanhés-de-folha-grande*
cutucante adj.2g.
cutucão s.m.
cutucar v.
cutucável adj.2g.
cutucurim s.m.
cutudém s.m.
cutugueó adj. s.2g.
cutuiá adj. s.2g.
cutulá adj. s.2g.
cutundrucuto s.m.
cututiribá s.m.
cuuaiti adj. s.2g.
cuuaitiano adj. s.m.
cuuracuão s.m.
cuuraquão s.m.
cuva s.f.
cuvaiti adj. s.2g.
cuvaitiano adj. s.m.
cuvatã s.m.
cuveiro adj.
cuveta (*ê*) s.f.
cuviara s.f.
cuvico s.m.
cuvieira s.f.
cuviéria s.f.
cuvilheira s.f.
cuvilheiro adj. s.m.
cuvitinga s.f.
cuvu s.m.
cuxá s.m.
cuxará adj. s.2g.
cuxarrá adj. s.2g.
cuxeri s.m.
cuxibe s.m.
cuxibi s.m.
cuxinara adj. s.2g.
cuxita adj. s.2g. s.m.
cuxitinere adj. s.2g.
cuxiú s.m.
cuxiú-comum s.m.; pl. *cuxiús-comuns*
cuxiú-de-nariz-branco s.m.; pl. *cuxiús-de-nariz-branco*
cuxiú-judeu s.m.; pl. *cuxiús-judeus*
cuxiú-negro s.m.; pl. *cuxiús-negros*
cuxiú-preto s.m.; pl. *cuxiús-pretos*
cuxu s.m.
cuxumari s.m.
cuzada s.f.
cuzapada s.f.
cuzapeirada s.f.
czar s.m.
czarda s.f.
czaréviche s.m.
czarevna s.f.
czariado adj.
czaricida adj. s.2g.
czaricídio s.m.
czarina s.f.
czarismo s.m.
czarista adj. s.2g.
czarístico adj.
czarizado adj.
czarizar v.

Dd

d (*dê*) s.m.
dã s.m.
dabá s.m.
dabada s.f.
dabécia s.f.
dabedeilismo s.m.
dabedeilista s.2g.
dabedeillismo s.m.
dabedeillista adj. s.2g.
dabelo adj. s.m.
dabema s.f.
dabi s.m.
dabio s.m.
dábitis s.m.2n.
dáblio s.m.
dabliú s.m.
dábliu s.m.
dabo s.m.
daboécia s.f.
daboia (*ó*) s.f.
dabom s.m.
dabu s.m.
dabua s.f.
dabucuri s.m.
dabula s.f.
dabuto s.m.
daca s.f.
daça s.f.
dacadequê s.m.
dação s.f.
dacar s.m.
dacarense adj. s.2g.
daçarum s.m.
dace adj. s.2g.
dacelo s.m.
dachani s.2g.
dachém s.m.
dachiardita (*qui*) s.f.
dachiardite (*qui*) s.f.
dachiardítico (*qui*) adj.
daciano adj. s.m.
dácico adj. s.m.
dacilo s.m.
dácio adj. s.m.
dacisco adj. s.m.
dacita s.f.
dacite s.f.
dacítico adj.
dacítido s.m.
dacito s.m.
dacitoida (*ó*) s.f.
dacitoide (*ó*) s.f.
dacitóidico adj.
dacitoido (*ó*) s.m.
dacma s.f.
dacnomania s.f.
dacnomaníaco adj. s.m.
dacnômano adj. s.m.
dacnomonomania s.f.
dacnomonomaníaco adj.
dacnomonômano adj. s.m.
daco s.m.
dacoa adj. s.2g.
dacolá contr. de *de* e *acolá*
dacoma s.f.
daco-romenismo s.m.; pl. *daco-romenismos*
daco-romenista adj. s.2g.; pl. *daco-romenistas*
daco-romenístico adj.; pl. *daco-romenísticos*
daco-romeno adj. s.m.; pl. *daco-romenos*
dacota adj. s.2g.
dacpo adj.2g. s.m.
dacriadenalgia s.f.
dacriadenálgico adj.
dacriadenectomia s.f.
dacriadenectômico adj.
dacriadenite s.f.
dacriadenítico adj.
dacriadenocírrico adj.
dacriadenocirro s.m.
dacriagogatresia s.f.
dacriagogatrésico adj.
dacriagogia s.f.
dacriagógico adj.
dacriagogo (*ô*) adj. s.m.
dacricistalgia s.f.
dacricistálgico adj.
dácrico adj.
dacrídio s.m.
dacrielcose s.f.
dacrielcósico adj.
dacrielcótico adj.
dacriemorrágico adj.
dacrigelose s.f.
dacrigelótico adj.
dacrina s.f.
dácrio s.m.
dacrioadenite s.f.
dacrioadenítico adj.
dacrioblenorreia (*é*) s.f.
dacrioblenorreico (*é*) adj.
dacriocele s.f.
dacriocélico adj.
dacriocistalgia s.f.
dacriocistálgico adj.
dacriociste s.f.
dacriocistectasia s.f.
dacriocistectásico adj.
dacriocistectomia s.f.
dacriocistectômico adj.
dacriocístico adj.
dacriocistite s.f.
dacriocistítico adj.
dacriocisto s.m.
dacriocistoblenorreia (*é*) s.f.
dacriocistoblenorreico (*é*) adj.
dacriocistocele s.f.
dacriocistocélico adj.
dacriocistoptose s.f.
dacriocistoptótico adj.
dacriocistorrinostenose s.f.
dacriocistorrinostenótico adj.
dacriocistorrinostomia s.f.
dacriocistorrinostômico adj.
dacriocistossiringotomia s.f.
dacriocistossiringotômico adj.
dacriocistotomia s.f.
dacriocistotômico adj.
dacriocistótomo adj. s.m.
dacriode s.m.
dacrioemorragia s.f.
dacrioemorrágico adj.
dacrioemorreia (*é*) s.f.
dacrioemorreico (*é*) adj.
dacrioide (*ó*) adj.2g.
dacrioidia s.f.
dacriolina s.f.
dacriolínico adj.
dacriolitíaco adj.
dacriolitíase s.f.
dacriolítico adj.
dacriólito s.m.
dacrioma s.m.
dacriomático adj.
dacriômice s.m.
dacriomicetácea s.f.
dacriomicetáceo adj.
dacriomicete s.m.
dacriomicetínea s.f.
dacriomicetíneo adj.
dacriomiceto s.m.
dacrion s.m.
dácrion s.m.
dacrionoma s.m.
dacrionomático adj.
dacriope s.2g.
dacriopeia (*é*) adj. f. de *dacriopeu*
dacriopeu adj.; f. *dacriopeia* (*é*)
dacriopiorreia (*é*) s.f.
dacriopiorreico (*é*) adj.
dacriopiose s.f.
dacriopiótico adj.
dácriops s.m.2n.
dacrióptico adj.
dacrioptose s.f.
dacrioptótico adj.
dacriórise s.f.
dacriorísico adj.
dacriorreia (*é*) s.f.
dacriorreico (*é*) adj.
dacriossinusite s.f.
dacriossinusítico adj.
dacriossiringe s.f.
dacriossiríngico adj.
dacriossolenite s.f.
dacriossolenítico adj.
dacrióstase s.f.
dacriostasia s.f.
dacriostásico adj.
dacriostático adj.
dacriostenose s.f.
dacriostenótico adj.
dacriostomia s.f.
dacriostômico adj.
dacristenose s.f.
dacriúria s.f.
dacriúrico adj.
dácron s.m.
dáctila s.f.
dactilado adj. s.m.
dactilagra s.f.
dactilágrico adj.
dactilalia s.f.
dactilálico adj.
dactilalismo s.m.
dactilalista adj. s.2g.
dactilalístico adj.
dactilandra s.f.
dactilanto s.m.
dactilantóidea s.f.
dactilantóideo adj.
dactilar adj.2g.
dáctile s.f.
dactiledema s.m.
dactiledemaciado adj.
dactiledemático adj.
dactiledematoso (*ô*) adj.; f. (*ó*); pl. (*ó*)
dactiledêmico adj.
dactileira s.f.
dactilena s.f.
dactiletra s.f.
dactilétrico adj.
dactiliandra s.f.
dactiliândria s.f.
dactiliândrico adj.
dactílico adj.
dactilicoespondaico adj. s.m.
dactilicoespondeu s.m.
dactilicoespondíaco adj.
dactilicospondaico adj. s.m.
dactilicospondeu adj. s.m.
dactilicospondíaco adj.
dactilicotrocaico adj. s.m.
dactilicotroqueu adj. s.m.
dactílida adj.2g. s.m.
dactilídeo adj. s.m.
dactilífero adj.
dactilino adj.
dactílio s.m.
dactilioglifia s.f.
dactilioglífico adj.
dactilióglifo s.m.
dactiliografação s.f.
dactiliografado adj.
dactiliografar v.
dactiliografia s.f.
dactiliográfico adj.
dactiliografista adj. s.2g.
dactiliógrafo adj. s.m.
dactiliologia s.f.
dactiliológico adj.
dactiliologista adj. s.2g.
dactiliólogo adj. s.m.
dactiliomancia s.f.
dactiliomante adj. s.2g.
dactiliomântico adj.
dactílion s.m.
dactilioteca s.f.
dactiliotecário adj. s.m.
dactilite s.f.
dactilítico adj.
dáctilo adj. s.m.
dactilobdela s.m.
dactílobo adj.
dactilocampsodinia s.f.
dactilocampsodínico adj.
dactilócera s.f.
dactilocópia s.f.
dactilocopiado adj.
dactilocopiador (*ô*) adj. s.m.
dactilocopiar v.
dactilocopista adj. s.2g.
dactilocótilo adj. s.m.
dactiloespásmico adj.
dactiloespasmo s.m.
dactiloespasmódico adj.
dactiloespástico adj.
dactilofasia s.f.
dactilofásico adj.
dactilogiro adj. s.m.
dactilognatia s.f.
dactilognátide s.f.
dactilógnato adj. s.m.
dactilografação s.f.
dactilografado adj.
dactilografador (*ô*) adj. s.m.
dactilografar v.
dactilografável adj.2g.
dactilografia s.f.
dactilográfico adj.
dactilógrafo adj. s.m.; cf. *dactilografo*, fl. do v. *dactilografar*
dactilograma s.m.
dactilogrifose s.f.
dactilogripose s.f.
dactilogripótico adj.
dactiloide (*ó*) adj.2g.
dactilolalia s.f.
dactilolálico adj.
dactilolalismo s.m.
dactilólise s.f.
dactilolítico adj.
dactilólobo adj.
dactilologia s.f.
dactilológico adj.
dactilomancia s.f.
dactilomante adj. s.2g.
dactilomântico adj.
dactilomegalia s.f.
dactilomegálico adj.
dactilomérido s.m.
dactilômetra s.f.
dactilômio s.m.
dactílomis s.m.2n.
dactilonomia s.f.
dactilonômico adj.
dactilopétalo adj. s.m.
dactilópio adj. s.m.
dactiloplastia s.f.
dactiloplástico adj.
dactilopodítico adj.
dactilopodito adj. s.m.
dactilopódito adj. s.m.
dactilóporo adj. s.m.
dactilopterídeo adj. s.m.
dactilóptero adj. s.m.
dactiloscopia s.f.
dactiloscópico adj.
dactiloscopista adj. s.2g.
dactilóscopo adj. s.m.
dactiloscrevente adj. s.2g.
dactiloscrever v.
dactiloscrito s.m.
dactilose s.f.
dactilosfera s.f.
dactilospásmico adj.
dactilospasmo s.m.
dactilospasmódico adj.
dactilossínfise s.f.
dactilossoma s.m.
dactilostégio s.m.
dactiloteca s.f.
dactilótico adj.
dactilozoário adj. s.m.
dactilozoide (*ó*) adj. s.m.
dactilozóideo adj. s.m.
dactilozooide (*ó*) adj. s.m.
dactilozoóideo adj. s.m.
dactinomicina s.f.
dada s.f. "dádiva"; cf. *dadá*
dadá adj. s.2g. s.m. "movimento artístico", etc.; cf. *dada*
dadaísmo s.m.
dadaísta adj. s.2g.
dadaístico adj.
dadane s.m.
dade s.f.

dadeira s.f.
dadeiro adj. s.m.
dádia s.f.
dádide s.f.
dadila s.f.
dadílico adj.
dadio adj. s.m.
dádiva s.f.; cf. *dadiva*, fl. do v. *dadivar*
dadival adj.2g.
dadivar v.
dadivosidade s.f.
dadivoso (*ô*) adj. s.m.; f. (*ó*); pl. (*ó*)
dado adj. s.m.
dador (*ô*) adj. s.m.
dadóxilo (*cs*) s.m.
dadóxilon (*cs*) s.m.
dadsonita s.f.
dadudu s.m.
dadupântico adj.
dadupantismo s.m.
dadupantista adj. s.2g.
dafilita s.f.
dafina s.f.
dafnácea s.f.
dafnáceo adj.
dafne s.f.
dafnefórias s.f.pl.
dafnéforo adj. s.m.
dafneia (*é*) adj. s.f. de *dafneu*
dafnense adj. s.2g.
dafnetina s.f.
dafnetínico adj.
dafneu adj. s.m.; f. *dafneia* (*é*)
dáfnia s.f.
dáfnico adj.
dafnídeo adj. s.m.
dafnifilácea s.f.
dafnifiláceo adj.
dafnifilo s.m.
dafníida adj.2g. s.m.
dafniídeo adj. s.m.
dafniíneo adj. s.m.
dafnina s.f.
dafníneo adj. s.m.
dafnismo s.m.
dafnístico adj.
dafnita s.f.
dafnite s.f.
dafnítico adj.
dafnóidea s.f.
dafnóideo adj.
dafnomancia s.f.
dafnomante adj. s.2g.
dafnomântico adj.
dafnopse s.f.
daga s.f. "adaga"; cf. *dagã*
dagã s.m. "filha de santo"; cf. *daga*
dágaba s.f.
dagadá s.m.
dagari adj. s.2g. s.m.
dagobá s.m.
dagomba adj. s.2g.
dagônico adj.
dagonismo s.m.
daguerreotipado adj.
daguerreotipador (*ô*) adj. s.m.
daguerreotipar v.
daguerreotipia s.f.
daguerreotípico adj.
daguerreotipista adj. s.2g.
daguerreótipo s.m.; cf. *daguerreotipo*, fl. do v. *daguerreotipar*
dagues s.m.2n.
daguestanense adj. s.2g.
dahigrênia s.f.
dahilita s.f.
dahir s.m.
dáhlia s.f.
dahlstédtia s.f.
daí contr. de *de* com *aí*
daia adj. s.2g. s.f.
daiaque adj. s.2g. s.m.
daicáulia s.f.
daico s.m.
daiji s.m.
dailigrafação s.f.
dailigrafado adj.
dailigrafar v.
dailígrafo s.m.
daim s.m.
daimão s.m.
daime s.m.
daimiado s.m.
daimial adj.2g.
daimiato s.m.
daimio s.m.
daimió s.m.
daimista adj. s.2g.
daimoso (*ô*) adj.; f. (*ó*); pl. (*ó*)
daina s.f.
dainagon s.m.
dainaqueiro s.m.
daineca s.f.
dainequeiro s.m.
dainogão s.m.
dainogom s.m.
daiquiri s.m.
dair s.m.
dairelense adj. s.2g.
dairena s.f.
dairo s.m.
dáitia s.m.
dajíneo adj. s.m.
dajo adj. s.m.
dakeíta s.f.
dal s.m.
dala s.f.
dalaça s.f.
dalai-lama s.m.; pl. *dalai-lamas*
dalastipia s.f.
dalastipo s.m.
dalatiídeo adj. s.m.
daláusia s.f.
dalbergária s.f.
dalbérgia s.f.
dalbergieia (*é*) s.f.
dalbergiela s.f.
dalbergiense adj. s.2g.
dalcerídeo adj. s.m.
dálea s.f.
dalechâmpia s.f.
dalechampieia (*é*) s.f.
dalém contr. de *de* e *além*
dalembértia s.f.
dalembertiano adj.
d'alembertiano adj.
dalense adj. s.2g.
dálete s.m.
dalfinho s.m.
dalgo contr. de *de* e *algo*
dalguém contr. de *de* e *alguém*
dalgum contr. de *de* e *algum*
dalgures contr. de *de* e *algures*
dalhousíea s.f.
dalhures contr. de *de* e *alhures*
dali contr. de *de* e *ali*
dali s.m.
dália s.f.
dália-anã s.f.; pl. *dálias-anãs*
dália-anêmona s.f.; pl. *dálias-anêmonas*
dália-cacto s.f.; pl. *dálias-cacto* e *dálias-cactos*
dália-crisântemo s.f.; pl. *dálias-crisântemo* e *dálias-crisântemos*
dália-de-colar s.f.; pl. *dálias-de-colar*
dália-decorativa s.f.; pl. *dálias-decorativas*
dália-fantasia s.f.; pl. *dálias-fantasias*
dália-liliputiana s.f.; pl. *dálias-liliputianas*
dália-pompom s.f.; pl. *dálias-pompom* e *dálias-pompons*
dália-show s.f.; pl. *dálias-show*
dália-verde s.f.; pl. *dálias-verdes*
dalibarda s.f.
dalina s.f.
dalincéria s.f.
dalingado adj.
dalingar v.
dalingéria s.f.
dalínia s.f.
daliniano adj.
dalínico adj.
dalita s.f.
dalite s.f.
dalmácia s.f.
dalmaciano adj. s.m.
dalmanela s.m.
dalmaneloide (*ó*) adj. s.2g.
dalmânia s.f.
dalmanite s.f.
dálmata adj. s.2g. s.m.
dalmatense adj. s.2g.
dalmática s.f.
dalmaticado adj.
dalmático adj. s.m.
dalmatino adj. s.m.
dálmato adj. s.m.
dalo s.m.
dalstédtia s.f.
dálton s.m.
daltoniano adj. s.m.
daltônico adj. s.m.
daltonismo s.m.
daltonístico adj.
daltonizado adj.
daltonizar v.
daltrense adj. s.2g.
dalyíta s.f.
dama adj. s.m.f. "mulher adulta", etc.; cf. *damã*
damã s.m. "árvore"; cf. *dama*
damácera s.f.
damacuri adj. s.2g.
dama-da-noite s.f.; pl. *damas-da-noite*
dama-das-onze-horas s.f.; pl. *damas-das-onze-horas*
dama-de-ovos s.f.; pl. *damas-de-ovos*
damado adj.
dama-do-bosque s.f.; pl. *damas-do-bosque*
dama-do-lago s.f.; pl. *damas-do-lago*
dama-dos-jardins s.f.; pl. *damas-dos-jardins*
dama-entre-verdes s.f.; pl. *damas-entre-verdes*
damáfana s.f.
damaísmo s.m.
damaístico adj.
damálico adj.
damalisco s.m.
damalurato s.m.
damalúrico adj.
damanense adj. s.2g.
damanitano adj. s.m.
damanivá adj. s.2g.
damante s.m.
dama-nua s.f.; pl. *damas-nuas*
damão s.m.
damapana s.f.
dâmar s.m.
damara adj. s.2g. "povo"; cf. *dâmara*
dâmara s.f. "planta"; cf. *damara*
damaresênico adj.
damareseno s.m.
damari s.m.
damaria s.f.
damárico adj.
damarólico adj.
damas s.f.pl.
damascado adj.
damascaria s.f.
damascenina s.f.
damascenínico adj.
damasceno adj. s.m.
damasco s.m.
damasco-de-são-domingos s.m.; pl. *damascos-de-são-domingos*
damasela s.f.
damasi s.m.
damasiano adj.
damasim s.m.
damasônio s.m.
damasqueiro s.m.
damasquete (*ê*) s.m.
damasquilho s.m.
damasquim s.m.
damasquinação s.f.
damasquinado adj.
damasquinador (*ô*) adj. s.m.
damasquinagem s.f.
damasquinar v.
damasquinaria s.f.
damasquinável adj.2g.
damasquinho s.m.
damasquino adj. s.m.
damassi s.m.
damassim s.m.
damatá s.m.
damba adj. s.2g. s.f.
dambê s.m.
dambi s.m.
dambira s.m.
dambirá s.m.
dambo s.m.
dambondula adj. s.2g.
dambonita s.f.
dambonítico adj.
damborá s.m.
dambose s.f.
dambósico adj.
dambrê s.m.
dambuê s.m.
damburita s.f.
damburite s.f.
damburítico adj.
damburyta s.f.
damejado adj.
damejador (*ô*) adj. s.m.
damejar v.
damenização s.f.
dâmeo adj. s.m.
damequejernítico adj.
damequejernito s.m.
damiana s.f.
damianismo s.m.
damianista adj. s.2g. s.f.
damianístico adj.
damianita adj. s.2g. s.f.
damianopolitano adj. s.m.
damice s.f.
damicórneo adj.
damisela s.f.
damismo s.m.
damista adj. s.2g.
damkjernítico adj.
damkjernito s.m.
damni s.f.
damo s.m.
damolandense adj. s.2g.
damolandês adj. s.m.
damolandiense adj. s.2g.
damólico adj.
damorá s.f.
damourita s.f.
damourite s.f.
damouritização s.f.
dampaca s.f.
dampiera s.f.
damuí s.m.
damurita s.f.
damurite s.f.
damuritização s.f.
dana s.f.
danabilidade s.f.
danaca s.f.
danação s.f.
danácea s.f.
danáceo adj.
danada s.f.
danadinha s.f.
danado adj. s.m.
danadona s.f.
danador (*ô*) adj. s.m.
dânae s.f.
danagem s.f.
danagla adj. s.2g.
danaida s.2g. s.f.
danaide s.f.
danaídeo adj. s.m.
danaína s.f.
danaíneo adj. s.m.
danaínico adj.
dânais s.m.2n.; cf. *danais*, fl. do v. *danar*
danaíta s.f.
danaíte s.f.
danaítico adj.
danalita s.f.
danalite s.f.
danamento s.m.
danante adj.2g.
dânao adj. s.m.
danaquil adj. s.2g.
danar v.
dânava s.m.; cf. *danava*, fl. do v. *danar*
danável adj.2g.
danazol s.m.
danburita s.f.
danburítico adj.
dança s.f.
dança-beriba s.f.; pl. *danças-beriba* e *danças-beribas*
dança-congo s.f.; pl. *danças-congo* e *danças-congos*
dança da santa cruz s.f.
dança das fitas s.f.
dança da trança s.f.
dança de camaradas s.f.
dança de cupido s.f.
dançadeira s.f.
dançadeiro adj. s.m.
dança de rato s.f.
dança de santo antônio s.f.
dança de são gonçalo s.f.
dança de são guido s.f.
dança de são vito s.f.
dança de velhos s.f.
dançado adj.
dança do lelê s.f.
dança do mastro s.f.
dança do pau de fita s.f.
dançador (*ô*) adj. s.m.
dançador-de-cabeça-dourada s.m.; pl. *dançadores-de-cabeça-dourada*
dançador-de-cabeça-encarnada s.m.; pl. *dançadores-de-cabeça-encarnada*
dançador-de-coroa-branca s.m.; pl. *dançadores-de-coroa-branca*
dançador-laranja s.m.; pl. *dançadores-laranja*
dança dos alfaiates s.f.
dança dos balainhos s.f.
dança dos carijós s.f.
dança dos congos s.f.
dança dos facões s.f.
dança dos jardineiros s.f.
dança dos músicos s.f.
dança dos pajés s.f.
dança dos quatis s.f.
dança dos romeiros s.f.
dança dos tapuias s.f.
dança do tambor s.f.
dança do tipiti s.f.
dança do trancelim s.f.
dança-grande s.f.; pl. *danças-grandes*
dancali adj. s.2g.
dançante adj. s.2g. s.m.
dançar v.
dançaricado adj. s.m.
dançaricador (*ô*) adj. s.m.
dançaricar v.
dançarico s.m.
dançarilhado adj. s.m.
dançarilhador (*ô*) adj. s.m.
dançarilhar v.
dançarilheiro adj. s.m.
dançarina s.f.
dançarinar v.
dançarinho s.m.
dançarino adj. s.m.
dançarino-coroa-de-fogo s.m.; pl. *dançarinos-coroa-de-fogo*
dançarino-de-cauda-cintada s.m.; pl. *dançarinos-de-cauda-cintada*
dançarino-ferrugem s.m.; pl. *dançarinos-ferrugem* e *dançarinos-ferrugens*
dançarino-rosado s.m.; pl. *dançarinos-rosados*

dançariqueiro adj. s.m.
dançarola s.f.
dançata s.f.
dançatriz s.f.
dançável adj.2g.
danceteria s.f.
dancista adj. s.2g.
danço-congo s.m.; pl. *danços-congo* e *danços-congos*
dançomania s.f.
dançomaníaco adj. s.m.
dançômano adj. s.m.
dandá s.m.
dandalunda s.f.
dandalunga s.f.
dandanhense adj. s.2g.
dandão-da-bananeira s.m.; pl. *dandões-da-bananeira*
dandãozinho s.m.
dandar v.
dandárida adj. s.2g.
dândaro adj. s.m.
dandazumba s.f.
dandélio s.m.
dândi s.m.
dandinado adj.
dandinamento s.m.
dandinar v.
dandinesco (*ê*) adj.
dandino adj. s.m.
dandinoso (*ô*) adj.; f. (*ó*); pl. (*ó*)
dandismo s.m.
daneácea s.f.
daneca s.f.
danega adj. s.m.
daneia (*é*) s.f.
danemorita s.f.
danemorite s.f.
danemorítico adj.
daneque s.m.
danês adj. s.m.
dangali s.m.
dângalo adj. s.m.
danguá s.2g.
dangue s.m.
danguena (*ü*) adj. s.2g. s.m.
dangui s.m.
danguibé s.m.
daniano adj. s.m.
daniela s.f.
daniel-carvalhense adj. s.2g.; pl. *daniel-carvalhenses*
danielense adj. s.2g.
daniélia s.f.
daniéllia s.f.
daniel-queirosense adj. s.2g.; pl. *daniel-queirosenses*
danificabilidade s.f.
danificação s.f.
danificado adj.
danificador (*ô*) adj. s.m.
danificamento s.m.
danificante adj.2g.
danificar v.
danificável adj.2g.
danífico adj.; cf. *danifico*, fl. do v. *danificar*
danília s.f.
daninhado adj.
daninhador (*ô*) adj. s.m.
daninhar v.
daninheza (*ê*) s.f.
daninho adj.
dânio adj. s.m.
dânio-gigante s.m.; pl. *dânios-gigantes*
dânio-pérola s.m.; pl. *dânios-pérola*
dânio-pintado s.m.; pl. *dânios-pintados*
danisco adj. s.m.
danismo s.m.
danista adj. s.2g.
danístico adj.
danita adj. s.2g.
dannemorita s.f.
dannunziano adj. s.m.
dano adj. s.m.
danofalante adj. s.2g.
danofonia s.f.
danófono adj. s.m.
danoparlante adj. s.2g.
danoso (*ô*) adj.; f. (*ó*); pl. (*ó*)
dansiense adj. s.2g.
dansita s.f.
danta s.f.
dante adj.2g. adv.
danteleta (*ê*) adj. s.2g.
dantense adj. s.2g.
dantes adv.
dantesco (*ê*) adj.
danthônia s.f.
danthoniópsis s.f.2n.
dantiano adj. s.m.
dântico adj.
dantino adj.
dantismo s.m.
dantista adj. s.2g.
dantístico adj.
dantófilo adj. s.m.
dantologia s.f.
dantológico adj.
dantólogo s.m.
dantônia s.f.
dantoniano adj. s.m.
dantoniopse s.f.
dantonismo s.m.
dantonista adj. s.2g.
dantzigano adj. s.m.
dantzigota adj. s.2g.
dantziguense adj. s.2g.
danubiano adj.
danubino adj. s.m.
danúbio s.m.
danura s.f.
danurássana s.m.
danvice s.f.
danzigano adj. s.m.
danzigota adj. s.2g.
danziguense adj. s.2g.
dão-dão s.m.; pl. *dão-dãos*
daomeano adj. s.m.
daorizo adj. s.m.
daorseia (*é*) s.f. de *daorseu*
daorseu adj. s.m.; f. *daorseia* (*é*)
daos s.f.2n.
dapiferado s.m.
dapiferato s.m.
dapífero s.m.
dapôndio s.m.
daporta s.f.
daposta s.f.
dapsa s.f.
dapsona s.f.
dapto s.m.
daqueiro s.m.
daquele (*ê*) contr. de *de* e *aquele* (*ê*)
daqueloutro contr. de *daquele* e *outro*
daquém contr. de *de* e *aquém*
daqui contr. de *de* e *aqui*
daquilo contr. de *de* e *aquilo*
dar v.
dara adj. s.2g. s.f.
darabiense adj. s.2g.
darabuca s.f.
daradesquita s.f.
daraf s.m.
darambo s.m.
darameçalá s.m.
daraná s.m.
darandela s.f.
darandina s.f.
darapesquite s.f.
darapiozita s.f.
darapskita s.f.
darapti s.m.
darariano adj.
dararismo s.m.
dararista adj. s.2g.
dararístico adj.
daratita adj. s.2g.
darazita s.m.
darba s.f.
darbar s.m.
darbismo s.m.
darbista adj. s.2g.
darbuca s.f.
darbysmo s.m.
darbysta adj. s.2g.
darcilandense adj. s.2g.
darcilandês adj. s.m.
darcilandiense adj. s.2g.
darda adj. s.2g.
dardada s.f.
dardado adj.
dardador (*ô*) adj. s.m.
dardamadeira s.f.
dardanádio adj. s.m.
dardanário s.m.
dardânico adj.
dardânida adj. s.2g.
dardânio adj. s.m.
dárdano adj. s.m.
dardar v.
dardeada s.f.
dardeado adj.
dardeador (*ô*) adj. s.m.
dardeamento s.m.
dardear v.
dardejação s.f.
dardejado adj.
dardejador (*ô*) adj. s.m.
dardejamento s.m.
dardejante adj.2g.
dardejar v.
dardejável adj.2g.
dardejo (*ê*) s.m.
dardi adj. s.2g. s.m.
dárdico adj. s.m.
dardistanense adj. s.2g.
dardistanês adj. s.m.
dardo adj. s.m.
darema adj. s.2g.
dares s.m.pl.; na loc. *dares e tomares*
darga s.f.
dárgua adj. s.2g.
darguiniano adj. s.m.
dari s.m.
dariá adj. s.2g.
dariabades s.f.2n.
darico s.m.
dárico s.m.
daride s.f.
dariense adj. s.2g.
darii s.m.
darina s.f.
dario s.m.
dário-meirense adj. s.2g.; pl. *dário-meirenses*
darlingtônia s.f.
darma s.m.
darmadeira s.f.
dárnua s.m.
daro adj. s.2g. s.m.
daroeira s.f.
daroês adj. s.m.
daroga s.m.
darona s.f.
darquense adj. s.2g.
darquimino s.m.
darra adj. s.2g.
darsana s.m.
dársana s.m.
darsonvalização s.f.
darsonvalizado adj.
darsonvalizar v.
darto s.m. "fina membrana"; cf. *dartro*
dartoico (*ó*) adj.
dartoide (*ó*) adj.2g.
dartoso (*ô*) adj.; f. (*ó*); pl. (*ó*)
dartrial s.m.
dartro s.m. "afecção cutânea"; cf. *darto*
dartrose s.f.
dartroso (*ô*) adj.; f. (*ó*); pl. (*ó*)
dartrótico adj.
daruês adj. s.m.
daruiniano adj. s.m.
daruínico adj.
daruinismo s.m.
daruinista adj. s.2g.
daruinístico adj.
daruinização s.f.
daruinizado adj.
daruinizador (*ô*) adj. s.m.
daruinizamento s.m.
daruinizante adj.2g.
daruinizar v.
daruinizável adj.2g.
darura s.f.
darvis adj.2g. s.m.
darvísio adj. s.m.
darwinela (*daru-i*) s.m.
darwinélida (*daru-i*) adj.2g. s.m.
darwinelídeo (*daru-i*) adj. s.m.
darwiniano (*daru-i*) adj. s.m.
darwínico (*daru-i*) adj.
darwinismo (*daru-i*) s.m.
darwinista (*daru-i*) adj. s.2g.
darwinístico (*daru-i*) adj.
darwinização (*daru-i*) s.f.
darwinizado (*daru-i*) adj.
darwinizador (*daru-i...ô*) adj. s.m.
darwinizamento (*daru-i*) s.m.
darwinizante (*daru-i*) adj.2g.
darwinizar (*daru-i*) v.
darwinizável (*daru-i*) adj.2g.
darxana s.m.
dasaterapeuta adj. s.2g.
dasaterapêutico adj.
dasaterapia s.f.
dasaterápico adj.
dascilídio adj. s.m.
dascilo s.m.
dashkesanita s.f.
dásia s.f.
dasiácea s.f.
dasiáceo adj.
dasiantera s.f.
dasianto s.m.
dasiátide s.f.
dasiatídeo adj. s.m.
dasíatis s.f.2n.
dasibranco s.m.
dasibrânquio adj. s.m.
dasicarpo adj.
dasicaule adj.2g.
dasicéfala s.f.
dasicéfalo adj. s.m.
dasícera s.f.
dasícero adj. s.m.
dasicladácea s.f.
dasicladáceo adj.
dasicladale s.f.
dasíclado s.m.
dasicôndilo s.m.
dasicono s.m.
dasídia s.f.
dasifilo adj.
dasigastra s.f.
dasigastro adj. s.m.
dasílepe s.f.
dasilépede s.f.
dasilírio s.m.
dasílofo s.m.
dasimalo adj.
dasimetrado adj.
dasimetragem s.f.
dasimetrar v.
dasimetria s.f.
dasimétrico adj.
dasimetrista adj. s.2g.
dasimetrístico adj.
dasímetro s.m.
dasímio s.m.
dásimis s.m.2n.
dasinema s.m.
dasioftalmo s.m.
dasipelte s.m.
dasipeltíneo adj. s.m.
dasipéltis s.m.2n.
dasipleuro adj.
dásipo s.m.
dasípoda s.f.
dasípode adj.2g. s.m.
dasipódida adj.2g. s.m.
dasipodídeo adj. s.m.
dasipodíneo adj. s.m.
dasipógon s.m.
dasipogonácea s.f.
dasipogonáceo adj.
dasipogônea s.f.
dasipogôneo adj.
dásipon s.m.
dasiprocta s.f.
dasiproctídeo adj. s.m.
dasiprocto s.m.
dasíptero s.m.
dasiquira s.f.
dasiscifa s.f.
dasiscópelo s.m.
dasístaque s.m.
dasistáquio adj.
dasistêmone adj.2g.
dasistilo adj.
dasístoma s.m.
dasite s.f.
dasiterapia s.f.
dasiterápico adj.
dasitídeo s.m.
dasitíneo s.m.
dasito s.m.
dasítrica s.f.
dasiurado adj.
dasiúrida adj.2g. s.m.
dasiurídeo adj. s.m.
dasiúro adj. s.m.
dasiuroide (*ó*) adj.2g. s.m.
dasocracia s.f.
dasocrático adj.
dasometrado adj.
dasometragem s.f.
dasometrar v.
dasometria s.f.
dasométrico adj.
dasometrista adj. s.2g.
dasonomia s.f.
dasonômico adj.
dasonomista adj. s.2g.
dasônomo adj. s.m.
dasoterapeuta adj. s.2g.
dasoterapêutico adj.
dasoterapia s.f.
dasoterápico adj.
dasótica s.f.
dasótico adj.
dasotomia s.f.
dasotômico adj.
daspiano adj.
dassa adj. s.2g.
dassarécio adj. s.m.
dassarense adj. s.2g.
dasserai s.m.
dastão s.m.
dastur s.m.
data s.f.
databilidade s.f.
datação s.f.
data de pães s.f.
data de sal s.f.
datado adj.
datador (*ô*) adj. s.m.
datal adj.2g.
datante adj. s.2g.
datar v.
dataria s.f.
datário s.m.
datável adj.2g.
datense adj. s.2g.
datiário s.m.
datil s.m.
dátila s.f.
datilado adj. s.m.
datilagra s.f.
datilágrico adj.
datilalia s.f.
datilálico adj.
datilalismo s.m.
datilalista adj. s.2g.
datilalístico adj.
datilandra s.f.
datilanto s.m.
datilantóidea s.f.
datilantóideo adj.
datilar adj.2g.
datiledema s.m.
datiledemaciado adj.
datiledemático adj.
datiledematoso (*ô*) adj.; f. (*ó*); pl. (*ó*)
datiledêmico adj.
datileira s.f.
datilena s.f.
datiletra s.f.
datilétrico adj.

datiliandra s.f.
datiliândria s.f.
datiliândrico adj.
datílico adj. s.m.
datilicoespondaico adj. s.m.
datilicoespondeu adj. s.m.
datilicospondaico adj. s.m.
datilicospondeu adj. s.m.
datilicospondíaco adj.
datilicotrocaico adj. s.m.
datilicotroqueu adj. s.m.
datílida s.m.
datilídeo adj. s.m.
datilífero adj.
datilino adj.
datílio s.m.
datilioglifia s.f.
datilioglífico adj.
datilióglifo s.m.
datiliografação s.f.
datiliografado adj.
datiliografar v.
datiliografia s.f.
datiliográfico adj.
datiliografista adj. s.2g.
datiliógrafo adj. s.m.
datiliologia s.f.
datiliológico adj.
datiliologista adj. s.2g.
datiliólogo adj. s.m.
datiliomancia s.f.
datiliomante adj. s.2g.
datiliomântico adj.
datílion s.m.
datilioteca s.f.
datiliotecário adj. s.m.
datilite s.f.
datilítico adj.
dátilo adj. s.m.
datilobdela s.m.
datílobo adj.
datilocampsodinia s.f.
datilocampsodínico adj.
datilócera s.f.
datilocomposição s.f.
datilocópia s.f.
datilocopiado adj. s.m.
datilocopiador (*ô*) adj. s.m.
datilocopiar v.
datilocopista adj. s.2g.
datilocótilo adj. s.m.
datiloctênio s.m.
datiloespásmico adj.
datiloespasmo s.m.
datiloespasmódico adj.
datiloespástico adj.
datilofasia s.f.
datilofásico adj.
datilogiro adj. s.m.
datilognatia s.f.
datilognátide s.f.
datilógnato adj. s.m.
datilografação s.f.
datilografado adj.
datilografador (*ô*) adj. s.m.
datilografar v.
datilografável adj.2g.
datilografia s.f.
datilográfico adj.
datilógrafo adj. s.m.; cf.*datilografo*, fl. do v. *datilografar*
datilograma s.m.
datilogrifose s.f.
datilogripose s.f.
datilogripótico adj.
datiloide (*ó*) adj.2g.
datilolalia s.f.
datilolálico adj.
datilolalismo s.m.
datilólise s.f.
datilolítico adj.
datilólobo adj. s.m.
datilologia s.f.
datilológico adj.
datilomancia s.f.
datilomante adj. s.2g.
datilomântico adj.
datilomegalia s.f.
datilomegálico adj.
datilomérido s.m.
datilômetra s.f.
datilômio s.m.
datilomis s.m.
datilonomia s.f.
datilonômico adj.
datilopétalo s.m.
datilopídeo adj. s.m.
datilopiídeo adj. s.m.
datilópio s.m.
datiloplastia s.f.
datiloplástico adj.
datilopodítico adj.
datilopódito s.m.
datilóporo s.m.
datilopterídeo adj. s.m.
datilóptero s.m.
datiloquirótida adj. s.m.
datiloscopia s.f.
datiloscópico adj.
datiloscopídeo adj. s.m.
datiloscopista adj. s.2g.
datilóscopo adj. s.m.
datiloscrevente adj. s.2g.
datiloscrever v.
datiloscrito adj. s.m.
datilose s.f.
datilosfera s.m.
datilospásmico adj.
datilospasmo s.m.
datilospasmódico adj.
datilossínfise s.f.
datilossoma s.m.
datilostégio s.m.
datiloteca s.f.
datilótico adj.
datilozoário s.m.
datilozoide (*ó*) adj. s.m.
datilozooide (*ó*) adj. s.m.
datilozoóideo adj. s.m.
datisca s.f.
datiscácea s.f.
datiscáceo adj.
datíscea s.f.
datísceo adj.
datiscetina s.f.
datiscetínico adj.
datiscina s.f.
datiscínea s.f.
datiscíneo adj.
datiscínico adj.
datisi s.m.
datismo s.m.
datista adj. s.2g.
datistina s.f.
dativo adj. s.m.
dato s.m. "prelado"; cf. *datô*
datô s.m. "chefe de aldeia"; cf. *dato*
datolita s.f.
datolite s.f.
datolítico adj.
datura s.f.
daturácea s.f.
daturáceo adj.
daturalina s.f.
daturalíneo adj.
daturalínico adj.
daturato s.m.
datúrea s.f.
datúreo adj.
datúrico adj.
daturina s.f.
daturínico adj.
daturismo s.m.
dau s.m. "madeira"; cf. *daú*
daú s.m. "iguaria"; cf. *dau*
dauane s.m.
daubentonídeo adj. s.m.
daubentoniídeo adj. s.m.
daubentonóideo adj. s.m.
dauberita s.f.
dauberítico adj.
daubreeíta s.f.
daubreeíte s.f.
daubreeítico adj.
daubreelita s.f.
daubreelítico adj.
dáucea s.f.
dáuceo adj.
dauciforme adj.2g.
daucina s.f.
daucínea s.f.
daucineácea s.f.
daucineáceo adj.
daucíneo adj.
daucínico adj.
daucípede adj.2g.
dauco s.m.
daucocrético adj. s.m.
daucoide (*ó*) adj.2g.
daudês adj. s.m.
daudetiano (*dôdè*) adj.
daufinite s.f.
dauma s.m.
daumieriano (*dômiê*) adj.
daúnio adj. s.m.
daunorrubicina s.f.
daura s.f. "embarcação"; cf. *daurá*
daurá s.f. "árvore"; cf. *daura*
daurina s.f.
daurínico adj.
dauro s.m.
daus s.f.2n.
dausônia s.f.
dausoniácea s.f.
dausoniáceo adj.
dausonite s.f.
dausonítico adj.
daute s.m.
dauve s.m.
dava s.m.
davadá s.m.
daváinea (*vê*) s.f.
daváineo (*vê*) adj.
davainítico (*vê*) adj.
davainito (*vê*) s.m.
davália s.f.
davaló s.m.
davandito adj. s.m.
daveana s.f.
dávela s.f.
davelo adj. s.m.
davérsio adj. s.m.
daves s.m.2n.
davi-caldense adj. s.2g.; pl. *davi-caldenses*
davídia s.f.
davidiácea s.f.
davidiáceo adj.
davidiano adj.
davídico adj.
davidióidea s.f.
davidióideo adj.
davidita s.f.
davidite s.f.
davidítico adj.
davidsoniácea s.f.
davidsoniáceo adj.
davidsonita s.f.
davidstonite s.f.
davidstonítico adj.
daviesita s.f.
dávila s.f.
davina s.f.
davine s.f.
davínea s.f.
davínico adj.
davinopolitano adj. s.m.
davique s.m.
davis s.m.2n.
davisiano adj.
davisonita s.f.
davite s.f.
davítico adj.
davreuxite s.f.
dawsônia s.f.
dawsoniácea s.f.
dawsoniáceo adj.
dawsonita s.f.
dawsonite s.f.
dawsonítico adj.
dazibao s.m.
dazilírio s.m.
d-ciclosserina s.f.
de prep.; cf. *dê*
dê s.m. "nome da letra d"; pl. *dês* ou *dd*; cf. *de*
deã s.f. de *deão*
deado s.m.
dealação s.f.
dealado adj. s.m.
dealbação s.f.
dealbado adj.
dealbador (*ô*) adj. s.m.
dealbamento s.m.
dealbante adj.2g.
dealbar v. s.m.
dealbável adj.2g.
dealbo s.m.
dealmática s.f.
dealvação s.f.
dealvado adj.
dealvador (*ô*) adj. s.m.
dealvamento s.m.
dealvante adj.2g.
dealvar v.
dealvável adj.2g.
deambulação s.f.
deambulado adj.
deambulador (*ô*) adj. s.m.
deambulante adj.2g.
deambular v.
deambulatório adj. s.m.
deambulável adj.2g.
deambulismo s.m.
deambulista adj. s.2g.
deandar v.
deão s.m.; f. *deã*
dearrazoado adj. s.m.
dearrazoar v.
dearticulação s.f.
dearticulado adj.
dearticulador (*ô*) adj. s.m.
dearticulante adj.2g.
dearticular v.
dearticulável adj.2g.
deaspiração s.f.
deativação s.f.
deativado adj.
deativador (*ô*) adj. s.m.
deativante adj.2g.
deativar v.
deativável adj.2g.
deauração s.f.
deaurado adj.
deaurador (*ô*) adj. s.m.
deaurante adj.2g.
deaurar v.
deaurável adj.2g.
debá s.m.
debabe s.f.
debacado adj.
debacador (*ô*) adj.
debacante adj.2g.
debacar v.
debacável adj.2g.
debaci s.m.
debacle s.f.
debaga s.f.
debagação s.f.
debagado adj.
debagador (*ô*) adj. s.m.
debagamento s.m.
debagar v.
debaixado adj.
debaixar v.
debaixo adv.; na loc. *debaixo de*
debalde adv.
debanado adj.
debanar v.
debandada s.f.
debandado adj.
debandador (*ô*) adj. s.m.
debandante adj.2g.
debandar v.
debandável adj.2g.
debangado adj.
debangar v.
debar v.
debariômice s.m.
debariomicete s.m.
debastado adj.
debastador (*ô*) adj. s.m.
debastamento s.m.
debastar v.
debastável adj.
debate s.m.
debatediço adj.
debatedor (*ô*) adj. s.m.
debatedura s.f.
debatente adj. s.2g.
debater v.
debatidiço adj.
debatido adj.
debatidura s.f.
debatimento s.m.
debatível adj.2g.
debato s.m.
debaugar v.
de-beber s.m.; pl. *de-beberes*
debelação s.f.
debelado adj.
debelador (*ô*) adj. s.m.
debelante adj.2g.
debelar v.
debelatório adj.
debelatriz s.f.
debelável adj.2g.
debentura s.f.
debenturagem s.f.
debenturante adj. s.2g.
debenturar v.
debênture s.f.; cf. *debenture*, fl. do v. *debenturar*
debenturista adj. s.2g.
debenturístico adj.
debesil s.m.
debicado adj.
debicador (*ô*) adj. s.m.
debicante adj.2g.
debicar v.
debicativo adj.
debicável adj.2g.
débil adj. s.2g.
debilidade s.f.
debilitação s.f.
debilitado adj.
debilitador (*ô*) adj. s.m.
debilitamento s.m.
debilitante adj.2g. s.m.
debilitar v.
debilitável adj.2g.
debiloide (*ó*) adj. s.2g.
debique s.m.
debiqueiro adj.
debiquista adj. s.2g.
debitado adj. s.m.
debitador (*ô*) adj. s.m.
debitância s.f.
debitancial adj.2g.
debitante adj. s.2g.
debitar v.
debitável adj.2g.
débito s.m.; cf. *debito*, fl. do v. *debitar*
deblateração s.f.
deblaterado adj.
deblaterador (*ô*) adj. s.m.
deblaterante adj.2g.
deblaterar v.
deblaterável adj.2g.
debloqueado adj.
debloqueador (*ô*) adj. s.m.
debloqueamento s.m.
debloqueante adj.2g.
debloquear v.
debloqueável adj.2g.
debloqueio s.m.
debo s.m. "casta de uva"; cf. *debo* (*ê*)
debo (*ê*) s.m. "diabo"; cf. *debo*
debochado adj. s.m.
debochador (*ô*) adj. s.m.
debochante adj. s.2g.
debochar v.
debochativo adj.
deboche s.m.
deboncheira s.f.
deboiçado adj.
deboiçar v.
deboiguir s.m.
debolado adj.
debolar v.
debolcação s.f.
debolcado adj.
debolcar v.
deborcado adj.
deborcar v.
debordado adj.
debordador (*ô*) adj. s.m.
debordamento s.m.
debordante adj.2g.

debordar v.
debordável adj.2g.
debotado adj.
debotador (*ô*) adj. s.m.
debotamento s.m.
debotante adj.2g.
debotar v. "desbotar", etc.; cf. *debutar*
debotável adj.2g.
debouçado adj.
debouçar v.
debrasado adj.
debrasador (*ô*) adj. s.m.
debrasamento s.m.
debrasante adj.2g.
debrasar v.
debrasável adj.2g.
debravado adj.
debravador (*ô*) adj. s.m.
debravamento s.m.
debravante adj.2g.
debravar v.
debravável adj.2g.
debreado adj.
debreador (*ô*) adj. s.m.
debreagem s.f.
debreante adj.2g.
debrear v.
debreável adj.2g.
debretiano adj. s.m.
debridamento s.m.
debridar v.
debrífim s.m.
debruação s.f.
debruadeira s.f.
debruado adj.
debruador (*ô*) adj. s.m.
debruamento s.m.
debruante adj.2g.
debruar v.
debruável adj.2g.
debruçado adj.
debruçador (*ô*) adj. s.m.
debruçamento s.m.
debruçante adj.2g.
debruçar v.
debruçável adj.2g.
debrum s.m.
debugar v.
debulha s.f.
debulhada s.f.
debulhadeira s.f.
debulhado adj.
debulhador (*ô*) adj. s.m.
debulhadora (*ô*) s.f.
debulhar v.
debulho s.m.
debussiano adj. s.m.
debussismo s.m.
debussista adj. s.2g.
debussístico adj.
debussyano adj. s.m.
debutação s.f.
debutado adj.
debutador (*ô*) adj.
debutanização s.f.
debutanizado adj.
debutanizador (*ô*) adj. s.m.
debutanizante adj.2g.
debutanizar v.
debutante adj. s.2g.
debutar v. "estrear"; cf. *debotar*
debutável adj.2g.
debute s.m.
debuxado adj.
debuxador (*ô*) adj. s.m.
debuxadura s.f.
debuxante adj.2g.
debuxar v.
debuxável adj.2g.
debuxo s.m.
deca s.m. "sistema de navegação"; cf. *decá*
decá s.m. "rito"; cf. *deca*
decaborânico adj.
decaborano s.m.
decabráquido adj.
decabrismo s.m.
decabrista adj. s.2g.
decabrístico adj.
decacampeão adj. s.m.
decacampeonato s.m.
decacanto adj. s.m.
decácero adj.
decacordo s.m.
decacúlico adj.
década s.f.
decadáctilo adj. s.m.
decadarca s.m.
decadário adj.
decadátilo adj.
decadência s.f.
decadencial adj.2g.
decadentado adj.
decadente adj. s.2g.
decadentismo s.m.
decadentista adj. s.2g.
decadentístico adj.
decadi s.m.
decadismo s.m.
decadista adj. s.2g.
decadístico adj.
decaedral adj.2g.
decaédrico adj.
decaedro adj. s.m.
decáfido adj.
decafilo adj.
decaginia s.f.
decagínia s.f.
decágino adj.
decagonal adj.2g.
decágono s.m.
decagonocarpo s.m.
decagrama s.m.
decagramático adj.
deca-hidratação s.f.
deca-hidratado adj.
deca-hidratador (*ô*) adj. s.m.
deca-hidratante adj. s.m.
deca-hidratar v.
deca-hidratato s.m.
deca-hidronaftalênico adj.
deca-hidronaftaleno s.m.
deca-hidronaftol s.m.
deca-hidronaftólico adj.
deçaí s.m.; f. *deçaína*
deçaiado s.m.
decaída s.f.
decaído adj. s.m.
decaidratação s.f.
decaidratado adj.
decaidratador (*ô*) adj. s.m.
decaidratante adj.2g.
decaidratar v.
decaidratato s.m.
decaidrato s.m.
decaidronaftalênico adj.
decaidronaftaleno s.m.
decaidronaftol s.m.
decaidronaftólico adj.
decaimento s.m.
deçaína s.f. de *deçaí*
decair v.
decaível adj.2g.
decalado adj.
decalador (*ô*) adj.
decalagem s.f.
decalaminado adj.
decalaminador (*ô*) adj. s.m.
decalaminagem s.f.
decalaminante adj. s.2g.
decalaminar v.
decalante adj. s.2g.
decalar v.
decalcação s.f.
decalcado adj.
decalcador (*ô*) adj. s.m.
decalcagem s.f.
decalcamento s.m.
decalcante adj.2g.
decalcar v.
decalcável adj.2g.
decalco s.m.
decalcomania s.f.
decalcomaníaco adj. s.m.
decalcômano adj. s.m.
decalescedor (*ô*) adj. s.m.
decalescência s.f.
decalescente adj. s.2g.
decalescer v.
decalescibilidade s.f.
decalescido adj.
decalescível adj.2g.
decalete (*ê*) s.m.
decalina s.f.
decalínico adj.
decalitro s.m.
decalobado adj.
decálogo s.m.
decalol s.m.
decalólico adj.
decalona s.f.
decalônico adj.
decalque s.m.
decalvação s.f.
decalvado adj.
decalvador (*ô*) adj. s.m.
decalvante adj.2g. s.m.
decalvar v.
decalvável adj.2g.
decamerão s.m.
decamérida s.f.
decâmero s.m.
decâmeron s.m.
decamerônico adj.
decametônio s.m.
decamétrico adj.
decâmetro s.m.
decampado adj.
decampador (*ô*) adj. s.m.
decampamento s.m.
decampante adj.2g.
decampar v.
decana adj. s.2g.
decanado s.m.
decanal adj.2g. s.m.
decanálico adj.
decanato s.m.
decandria s.f.
decândria s.f.
decândrico adj.
decandro adj.
deçanense adj. s.2g.
decangular adj.2g.
decangularidade s.f.
decani adj. s.2g.
decania s.f.
decânico adj.
decanim adj. s.2g.
decano s.m.
decanodioico (*ó*) adj.
decanoico (*ó*) adj.
decanoil s.m.
decanoila s.f.
decanol s.m.
decanólico adj.
decanona s.f.
decanônico adj.
decantabilidade s.f.
decantação s.f.
decantadeira s.f.
decantado adj.
decantador (*ô*) adj. s.m.
decantante adj.2g.
decantar v.
decantável adj.2g.
decapado adj.
decapador (*ô*) adj. s.m.
decapagem s.f.
decapante adj. s.2g.
decapar v.
decapável adj.2g.
decapê adj.2g s.m.
decapeptídeo adj. s.m.
decapetalado adj.
decapetaleado adj.
decapétalo adj.
decapitação s.f.
decapitado adj. s.m.
decapitador (*ô*) adj. s.m.
decapitante adj.2g.
decapitar v.
decapitável adj.2g.
decápoda adj.2g. s.m.
decápode adj.2g. s.m.
decapódeo adj.
decapodiforme adj.2g.
decapolitano adj. s.m.
decaprotia s.f.
decaproto (*ô*) s.m.
decapsulação s.f.
decapsulado adj.
decapsulador (*ô*) adj. s.m.
decapsulante adj. s.2g.
decapsular v.
decapsulável adj.2g.
decapterígio adj. s.m.
decarboxilação (*cs*) s.f.
decarboxilado (*cs*) adj.
decarboxilador (*cs...ô*) adj. s.m.
decarboxilante (*cs*) adj.2g.
decarboxilar (*cs*) v.
decarboxilável (*cs*) adj.2g.
decarca s.m.
decare s.m.
decarquia s.f.
decárquico adj.
decasségui s.m.
decassépalo adj.
decassilábico adj.
decassílabo adj. s.m.
decasteno s.m.
decastere s.m.
decastéreo s.m.
decástico adj.
decastilo adj. s.m.
decatir s.m.
decatizagem s.f.
decatleta s.2g.
decatlo s.m.
decátlon s.m.
decátomo adj.
decatron s.m.
decátron s.m.
decatrônico adj.
decébalo s.m.
deceder v.
decedura s.f.
deceinação s.f.
deceinado adj.
deceinar v.
deceleração s.f.
decelerar v.
decelerometrado adj.
decelerometragem s.f.
decelerometrar v.
decelerometria s.f.
decelerométrico adj.
decelerometrista adj. s.2g.
decelerômetro s.m.
decélico adj.
decembrismo s.m.
decembrista adj. s.2g.
decembrístico adj.
decemestral adj.2g.
decemestralidade s.f.
decemestre s.m.
decempartido adj.
decempartir v.
decêmpeda s.f.
decêmpede adj.2g.
decempedia s.f.
decemplicação s.f.
decemplicado adj.
decemplicante adj. s.2g.
decemplicar v.
decemplicável adj.2g.
decêmplice adj.2g. s.m.
decempontuado adj.
decena s.f.
decenal adj.2g.
decenalidade s.f.
decenário adj. s.m.
decencelular adj.2g.
decencelularidade s.f.
decência s.f.
decendial adj.2g.
decendialidade s.f.
decendiário adj.
decêndio s.m.
decênfido adj.
decênico adj.
decênio s.m.
decenlocular adj.2g.
decenlocularidade s.f.
deceno s.m.
decenol s.m.
decenólico adj.
decenona s.f.
decenônico adj.
decenoval adj.2g.
decenovenal adj.2g.
decente adj.2g. "decoroso"; cf. *descente*
decentrabilidade s.f.
decentração s.f.
decentrado adj.
decentrador (*ô*) adj. s.m.
decentragem s.f.
decentralização s.f.
decentralizado adj.
decentralizador (*ô*) adj. s.m.
decentralizante adj.2g.
decentralizar v.
decentralizável adj.2g.
decentrante adj.2g.
decentrar v.
decentrável adj.2g.
decentrização s.f.
decentrizado adj.
decentrizador (*ô*) adj. s.m.
decentrizante adj.2g.
decentrizar v.
decentrizável adj.2g.
decenvirado s.m.
decenviral adj.2g.
decenvirato s.m.
decênviro s.m.
decepado adj.; cf. *descepado*
decepador (*ô*) adj. s.m.; cf. *descepador*
decepagem s.f.
decepamento s.m.
decepante adj.2g.; cf. *descepante*
decepar v. "cortar", etc.; cf. *descepar*
decepável adj.2g.; cf. *descepável*
decepção s.f.
decepcionado adj.
decepcionador (*ô*) adj. s.m.
decepcionante adj.2g.
decepcionar v.
decepcionável adj.2g.
deceptivo adj.
deceptório adj.
decercado adj.
decercador (*ô*) adj. s.m.
decercamento s.m.
decercante adj.2g.
decercar v.
decercável adj.2g.
decernido adj.
decernir v. "decidir"; cf. *discernir*
decertar v. "combater"; cf. *dissertar*
decerto adv.; cf. *disserto*, fl. do v. *dissertar*
decesso s.m.
decessor (*ô*) s.m.
deceto (è) s.m.
dechenita s.f.
dechenite s.f.
dechenítico adj.
de-chiriquiano (*dequi*) adj.
decho (*ê*) s.m.
deciampere s.m.
deciampère s.m.
deciano adj. s.m.
deciare s.m.
deciate adj. s.2g.
decibel s.m.
decibelímetro s.m.
decidente adj. s.2g. "que cai", "decisório"; cf. *dissidente*
decidibilidade s.f.
decidido adj.
decididor (*ô*) adj. s.m.
decidir v.
decidível adj.2g.
decídua s.f.
deciduação s.f.
deciduado adj.
decidual adj.2g.
decidualite s.f.
decidualítico adj.
deciduidade s.f.
deciduifólio adj.
deciduíte s.f.
deciduítico adj.
decíduo adj.

deciduoma s.m.
deciduomático adj.
deciduossarcoma s.m.
deciduossarcomático adj.
deciduossarcômico adj.
deciesmilésimo num.
decifrabilidade s.f.
decifração s.f.
decifrado adj.
decifrador (ô) adj. s.m.
decifradora (ô) s.f.
deciframento s.m.
decifrante adj.2g.
decifrar v.
decifrável adj.2g.
decigal s.m.
decigrado s.m.
decígrado s.m.
decigrama s.m.
decil adj.2g. s.m.
decila s.f.
decilagem s.f.
decilaldeído s.m.
decilene s.f.
decilênico adj.
decileno s.m.
decilhão num.
decilião num.
decílico adj.
decilidade s.f.
decilionesimal adj.2g.
decilionésimo num.
decilitração s.f.
decilitrado adj.
decilitragem s.f.
decilitrar v.
decilitreiro s.m.
decilitro s.m.
décima s.f.; cf. *decima*, fl. do v. *decimar*
decimabilidade s.f.
decimação s.f.
decimado adj. s.m.
decimador (ô) adj. s.m.
decimal adj.2g. s.f.
decimalidade s.f.
decimalizabilidade s.f.
decimalização s.f.
decimalizado adj.
decimalizador (ô) adj. s.m.
decimalizante adj.2g.
decimalizar v.
decimalizável adj.2g.
decimamento s.m.
decimano adj. s.m.
decimante adj.2g.
decimar v.
decimate s.m.
decimável adj.2g.
decimetrado adj.
decimetrador (ô) adj. s.m.
decimetragem s.f.
decimetrante adj.2g.
decimetrar v.
decimetrável adj.2g.
decimétrico adj.
decímetro s.m.
decimilimetrado adj.
decimilimetragem s.f.
decimilimetrar v.
decimilimétrico adj.
decimilímetro s.m.
decimilimícron s.m.
décimo num. s.m.; cf. *decimo*, fl. do v. *decimar*
decimolar adj.
decina s.f.
decinal s.m.
decinéper s.m.
decínico adj.
decinilênico adj.
decinileno s.m.
decino s.m.
decinol s.m.
decinona s.f.
decinônico adj.
decinormal adj.2g.
decinormalidade s.f.
decinquintina s.f.
decípico adj.
decípio s.m.
decisa s.f.
decisão s.f.
decisibilidade s.f.
decisível adj.2g.
decisivo adj.
deciso s.m.
decisor (ô) adj. s.m.
decisório adj. s.m.
decissecular adj.2g.
decissecularidade s.f.
decisteno s.m.
decistere s.m.
decistéreo s.m.
decitex s.m.2n.
deckênia s.f.
declamabilidade s.f.
declamação s.f.
declamado adj.
declamador (ô) adj. s.m.
declamante adj. s.2g.
declamar v.
declamativo adj.
declamatório adj.
declamável adj.2g.
declanchabilidade s.f.
declanchado adj.
declanchador (ô) adj. s.m.
declanchamento s.m.
declanchante adj.2g.
declanchar v.
declanchável adj.2g.
declarabilidade s.f.
declaração s.f.
declaradas s.f.pl.; na loc. *às declaradas*
declarado adj.
declarador (ô) adj. s.m.
declaramento s.m.
declarante adj. s.2g.
declarar v.
declarativa s.f.
declarativo adj.
declaratório adj.
declarável adj.2g.
declareza (ê) s.f.
declatonista adj. s.2g.
decliêuxia (cs) s.f.
declina s.f.
declinabilidade s.f.
declinação s.f.
declinacional adj.2g.
declinado adj.
declinador (ô) adj. s.m.
declinante adj.2g.
declinar v.
declinatividade s.f.
declinativo adj.
declinatória s.f.
declinatório adj.
declinável adj.2g.
declínio s.m.
declinografação s.f.
declinografado adj.
declinografar v.
declinografia s.f.
declinográfico adj.
declinógrafo s.m.
declinometrado adj.
declinometrar v.
declinometria s.f.
declinométrico adj.
declinômetro s.m.
declinosidade s.f.
declinoso (ô) adj.; f. (ó); pl. (ó)
declivação s.f.
declivado adj.
declivamento s.m.
declivar v.
declive adj.2g. s.m.
declividade s.f.
declívio s.m.
declivoso (ô) adj.; f. (ó); pl. (ó)
decloretação s.f.
decloretado adj.
decloretador (ô) adj. s.m.
decloretamento s.m.
decloretante adj.2g.
decloretar v.
decloretável adj.2g.
deco s.m. "decodificador"; cf. *decô*
decô s.m. "estilo de arte"; cf. *deco*
decoação s.f.
decoada s.f.
decoado adj.
decoar v.
decocção s.f.
decocto adj. s.m.
decodificação s.f.
decodificado adj.
decodificador (ô) adj. s.m.
decodificante adj.2g.
decodificar v.
decodificável adj.2g.
decodização s.f.
decodizado adj.
decodizador (ô) adj. s.m.
decodizante adj.2g.
decodizar v.
decodizável adj.2g.
decoesor (ô) s.m.
decolação s.f.
decolado adj.
decolador (ô) adj.
decolagem s.f.
decolante adj.2g.
decolar v.
decolável adj.2g.
decolgação s.f.
decolgado adj.
decolgar v.
decolite s.m.
decoloração s.f.
decolorado adj.
decolorar v.
decombros s.m.pl.
de-comer s.m.; pl. *de-comeres*
decomponedor (ô) adj.
decomponente adj.2g.
decomponibilidade s.f.
decomponível adj.2g.
decompor (ô) v.
decomposição s.f.
decompositor (ô) adj. s.m.
decomposto (ô) adj.; f. (ó); pl. (ó)
decompressão s.f.
decompressividade s.f.
decompressivo adj.
decompressor (ô) adj. s.m.
decontação s.f.
decontado adj.
decontar v.
decoração s.f.
decorado adj.
decorador (ô) adj. s.m.
decoral adj.2g.
decoramento s.m.
decorante adj.2g.
decorar v.
decoratividade s.f.
decorativismo s.m.
decorativista adj. s.2g.
decorativístico adj.
decorativo adj.
decorável adj.2g.
decoreba s.f. s.2g.
decorina s.f.
decorista s.2g.
decoro (ô) s.m.; cf. *decoro*, fl. do v. *decorar*
decorosidade s.f.
decoroso (ô) adj.; f. (ó); pl. (ó)
decorrência s.f.
decorrencial adj.2g.
decorrente adj.2g.
decorrer v.
decorrido adj.
decorrível adj.2g.
decorticação s.f.
decorticado adj.
decorticador (ô) adj. s.m.
decorticante adj.2g.
decorticar v.
decorticável adj.2g.
decotação s.f.
decotado adj.
decotador (ô) adj. s.m.
decotadora (ô) s.f.
decotamento s.m.
decotante adj.2g.
decotar v.
decotável adj.2g.
decote s.m.
decóxido (cs) adj. s.m.
decremental adj.2g.
decrementalidade s.f.
decremento s.m.
decremetrado adj.
decremetragem s.f.
decremetrar v.
decrêmetro s.m.
decrepidez (ê) s.f.
decrepitação s.f.
decrepitado adj.
decrepitador (ô) adj. s.m.
decrepitante adj.2g.
decrepitar v.
decrepitável adj.2g.
decrépito adj.; cf. *decrepito*, fl. do v. *decrepitar*
decrepitude s.f.
decrescedor (ô) adj. s.m.
decrescença s.f.
decrescência s.f.
decrescendo s.m. adv.
decrescente adj.2g.
decrescer v.
decrescido adj.
decrescimento s.m.
decrescimetrado adj.
decrescimetragem s.f.
decrescimetrar v.
decrescímetro s.m.
decréscimo s.m.
decrescível adj.2g.
decretabilidade s.f.
decretação s.f.
decretado adj.
decretador (ô) adj. s.m.
decretal adj.2g. s.f.
decretalidade s.f.
decretalismo s.m.
decretalista adj. s.2g.
decretalístico adj.
decretamento s.m.
decretante adj.2g.
decretar v.
decretatório adj.
decretável adj.2g.
decretismo s.m.
decretista adj. s.2g.
decretístico adj.
decreto s.m.
decreto-lei s.m.; pl. *decretos-lei* e *decretos-leis*
decretório adj.
decriptabilidade s.f.
decriptação s.f.
decriptado adj.
decriptador (ô) adj. s.m.
decriptagem s.f.
decriptamento s.m.
decriptante adj.2g.
decriptar v.
decriptável adj.2g.
decroa (ô) s.f.
decroação s.f.
decroado adj.
decroamento s.m.
decroar v. "lavrar"; cf. *decruar*
decroliano adj.
decrolyano adj.
decrostação s.f.
decrostado adj.
decrostar v.
decrua s.f.
decruação s.f.
decruado adj.
decruagem s.f.
decruar v. "ferver levemente", etc.; cf. *decroar*
decrudescência s.f.
decrudescente adj.2g.
decrudescer v.
decrudescido adj.
decrudescimento s.m.
decrudescível adj.2g.
déctico s.m.
decubação s.f.
decubitário adj.
decúbito s.m.
deculano adj. s.m.
decum s.m.
decumano adj. s.m.
decúmano adj. s.m.
decumate s.m.
decumbente adj.2g.
decupado adj.
decupador (ô) adj. s.m.
decupagem s.f.
decupante adj.2g.
decupar v.
decupável adj.2g.
decuplação s.f.
decuplado adj.
decuplador (ô) adj. s.m.
decuplamento s.m.
decuplante adj.2g.
decuplar v.
decuplável adj.2g.
decuplete (ê) adj.2g. s.m.
decuplicabilidade s.f.
decuplicação s.f.
decuplicado adj.
decuplicador (ô) adj. s.m.
decuplicante adj.2g.
decuplicar v.
decuplicável adj.2g.
decúplice num. mult.
décuplo num. adj. s.m.; cf. *decuplo*, fl. do v. *decuplar*
decúria s.f.
decuriado s.m.
decurianato s.m.
decurião s.m.
decuriato s.m.
decurionato s.m.
decursado adj.
decursividade s.f.
decursivo adj.
decurso adj. s.m.
decussabilidade s.f.
decussação s.f.
decussado adj.
decussativo adj.
decusse s.m.
decússis s.m.2n.
decussório s.m.
dedada s.f.
dedal s.m.
dedalacanto s.m.
dedalar adj.2g.
dedalário s.m.
dedal-azul s.m.; pl. *dedais-azuis*
dedal-de-dama s.m.; pl. *dedais-de-dama*
dedal-de-dama-roxo s.m.; pl. *dedais-de-dama-roxos*
dedal de repuxo s.m.
dedal-de-rosa s.m.; pl. *dedais-de-rosa*
dedálea s.f.
dedaleira s.f.
dedaleira-amarela s.f.; pl. *dedaleiras-amarelas*
dedaleira-preta s.f.; pl. *dedaleiras-pretas*
dedaleira-vermelha s.f.; pl. *dedaleiras-vermelhas*
dedaleiro s.m.
dedaleiro-preto s.m.; pl. *dedaleiros-pretos*
dedaleiro-verdadeiro s.m.; pl. *dedaleiros-verdadeiros*
dedáleo adj.
dedálica s.f.
dedálico adj.
dédalo adj. s.m.
dedão s.m.
dedar v.
dedecorado adj.
dedecorador (ô) adj. s.m.
dedecoramento s.m.
dedecorante adj.2g.
dedecorar v.
dedecorável adj.2g.
dedeira s.f.
dedejar v.
dedejum s.m.
dedelindim s.m.
dedetê s.m.

dedetização s.f.
dedetizado adj.
dedetizador (*ô*) adj. s.m.
dedetizadora (*ô*) s.f.
dedetizante adj.2g.
dedetizar v.
dedetizável adj.2g.
dedi s.f.
dédica s.f.; cf. *dedica*, fl. do v. *dedicar*
dedicabilidade s.f.
dedicação s.f.
dedicado adj.
dedicador (*ô*) adj. s.m.
dedicante adj. s.2g.
dedicar v.
dedicatória s.f.
dedicatório adj.
dedicável adj.2g.
dedignação s.f.
dedignado adj. s.m.
dedignador (*ô*) adj. s.m.
dedignante adj.2g.
dedignar-se v.
dedignável adj.2g.
dedilhação s.f.
dedilhado adj. s.m.
dedilhador (*ô*) adj. s.m.
dedilhamento s.m.
dedilhante adj.2g.
dedilhar v.
dedilhável adj.2g.
dedilho s.m.
dedirróseo adj.
deditício adj.
dedo (*ê*) s.m. "parte articulada das mãos e dos pés"; cf. *dedó*
dedó s.m. "padrinho do noivo, na Índia"; cf. *dedo* (*ê*)
dedo-de-alicante s.m.; pl. *dedos-de-alicante*
dedo-de-dama s.m.; pl. *dedos-de-dama*
dedo-de-moça s.m.; pl. *dedos-de-moça*
dedo-durar v.
dedo-duro adj.2g. s.m.; pl. *dedos-duros*
dedo-grossense adj. s.2g.; pl. *dedo-grossenses*
dedução s.f. "conclusão"; cf. *didução*
deducente adj.2g.
deducional adj.2g.
dedudo adj.
deduração s.f.
dedurado adj.
dedurador (*ô*) adj. s.m.
deduragem s.f.
deduramento s.m.
dedurante adj.2g.
dedurar v.
dedurável adj.2g.
dedurismo s.m.
dedurista adj. s.2g.
dedurístico adj.
dedutibilidade s.f.
dedutível adj.2g.
dedutividade s.f.
dedutivo adj.
dedutor (*ô*) s.m.
deduzido adj. s.m.
deduzir v.
deduzível adj.2g.
deeckeíta s.f.
deembo s.m.
deênfase s.f.
deerita s.f.
defasado adj.
defasador (*ô*) adj. s.m.
defasagem s.f.
defasamento s.m.
defasante adj.2g.
defasar v.
defasável adj.2g.
defaunação s.f.
defaunado adj.
defaunar v.
defeação s.f.
defeado adj.
defeador (*ô*) adj. s.m.
defeamento s.m.
defear v.
defeável adj.2g.
defecação s.f.
defecado adj.
defecador (*ô*) adj. s.m.
defecalgesiofobia s.f.
defecalgesiofóbico adj.
defecalgesiófobo adj. s.m.
defecante adj. s.2g.
defecar v.
defecativo adj.
defecatório adj.
defecção s.f.
defectibilidade s.f.
defectível adj.2g.
defectividade s.f.
defectivo adj.
defectório adj.
defectoscopia s.f.
defectoscópico adj.
defectoscópio s.m.
defectuoso (*ô*) adj.; f. (*ó*); pl. (*ó*)
defedação s.f.
defeito s.m.
defeitoscopia s.f.
defeitoscópico adj.
defeitoscópio s.m.
defeituação s.f.
defeituado adj. s.m.
defeituador (*ô*) adj. s.m.
defeituamento s.m.
defeituante adj.2g.
defeituar v.
defeituável adj.2g.
defeituosidade s.f.
defeituoso (*ô*) adj.; f. (*ó*); pl. (*ó*)
defendedor (*ô*) adj. s.m.
defendente adj. s.2g.
defender v.
defendidiço adj.
defendido adj.
defendimento s.m.
defendível adj.2g.
defenestração s.f.
defenestrado adj.
defenestrador (*ô*) adj. s.m.
defenestramento s.m.
defenestrante adj. s.2g.
defenestrar v.
defenestrável adj.2g.
defensa s.f.
defensabilidade s.f.
defensado adj.
defensador (*ô*) adj. s.m.
defensante adj. s.2g.
defensão s.f.
defensar v.
defensável adj.2g.
defensibilidade s.f.
defensiva s.f.
defensível adj.2g.
defensividade s.f.
defensivismo s.m.
defensivista adj. s.2g.
defensivístico adj.
defensivo adj. s.m.
defensor (*ô*) adj. s.m.
defensoria s.f.
defensório adj.
deferência s.f.
deferencial adj.2g.
deferente adj.2g. "que acata"; cf. *diferente*
deferentectomia s.f.
deferentectômico adj.
deferentite s.f.
deferentítico adj.
deferentografia s.f.
deferentográfico adj.
deferentograma s.f.
deferenturetrosmia s.f.
deferenturetrostômico adj.
deferibilidade s.f.
deferido adj.; cf. *diferido*
deferidor (*ô*) adj.; cf. *diferidor* (*ô*)
deferimento s.m.; cf. *diferimento*
deferir v. "atender"; cf. *diferir*
deferitório adj.
deferível adj.2g.; cf. *diferível*
defervescedor (*ô*) adj. s.m.
defervescência s.f.
defervescente adj.2g.
defervescer v.
defervescido adj.
defervescível adj.2g.
defesa (*ê*) s.f.
defesado adj.
defesador (*ô*) adj. s.m.
defesamento s.m.
defesar v.
defeso (*ê*) adj. s.m.
defesso adj.
defibrilação s.f.
defibrilar v.
defibrinação s.f.
defibrinado adj.
defibrinador (*ô*) adj. s.m.
defibrinante adj.2g.
defibrinar v.
defibrinável adj.2g.
deficar v.
défice s.m.
deficiência s.f.
deficiente adj.2g. s.m.
deficitariedade s.f.
deficitário adj.
defina s.f.
definhação s.f.
definhado adj.
definhador (*ô*) adj. s.m.
definhamento s.m.
definhante adj.2g.
definhar v.
definhável adj.2g.
definibilidade s.f.
definição s.f.
definidade s.f.
definido adj. s.m.
definidor (*ô*) adj. s.m.
definir v.
definitivo adj.
definito adj. s.m.
definitoriedade s.f.
definitório adj. s.m.
definível adj.2g.
definula s.f.
deflação s.f.
deflacionabilidade s.f.
deflacionado adj.
deflacionador (*ô*) adj. s.m.
deflacional adj.2g.
deflacionalidade s.f.
deflacionamento s.m.
deflacionante adj.2g.
deflacionar v.
deflacionariedade s.f.
deflacionário adj.
deflacionável adj.2g.
deflacionismo s.m.
deflacionista adj. s.2g.
deflacionístico adj.
deflagrabilidade s.f.
deflagração s.f.
deflagrado adj.
deflagrador (*ô*) adj. s.m.
deflagrante adj.2g.
deflagrar v.
deflagrável adj.2g.
deflator (ô) adj. s.m.
deflectente adj.2g.
deflectibilidade s.f.
deflectido adj.
deflectidor (*ô*) adj. s.m.
deflectir v.
deflectível adj.2g.
deflectivo adj.
deflectografia s.f.
deflectográfico adj.
deflectógrafo s.m.
deflectograma s.m.
deflectometria s.f.
deflectométrico adj.
deflectômetro s.m.
deflector (*ô*) adj. s.m.
deflegmação s.f.
deflegmado adj.
deflegmador (*ô*) adj. s.m.
deflegmante adj.2g.
deflegmar v.
deflegmável adj.2g.
defletente adj.2g.
defletibilidade s.f.
defletido adj.
defletidor (*ô*) adj. s.m.
defletir v.
defletível adj.2g.
defletivo adj.
defletografia s.f.
defletográfico adj.
defletógrafo s.m.
defletograma s.m.
defletometria s.f.
defletométrico adj.
defletômetro s.m.
defletor (*ô*) adj. s.m.
deflexão (*cs*) s.f.
deflexionado (*cs*) adj.
deflexionador (*cs...ô*) adj. s.m.
deflexionamento (*cs*) s.m.
deflexionante (*cs*) adj.2g.
deflexionar (*cs*) v.
deflexionável (*cs*) adj.2g.
deflexo (*cs*) adj.
defloculação s.f.
defloculado adj.
defloculador (*ô*) adj. s.m.
defloculamento s.m.
defloculante adj.2g. s.m.
deflocular v.
defloculatividade s.f.
defloculativo adj.
defloculável adj.2g.
deflogisticação s.f.
deflogisticado adj.
deflogisticador (*ô*) adj. s.m.
deflogisticante adj.2g.
deflogisticar v.
deflogisticável adj.2g.
defloração s.f.
deflorado adj.
deflorador (*ô*) adj. s.m.
defloragem s.f.
defloramento s.m.
deflorar v.
deflorável adj.2g.
deflorescedor (*ô*) adj. s.m.
deflorescência s.f.
deflorescente adj.2g.
deflorescer v.
deflorescido adj.
deflorescimento s.m.
deflorescível adj.2g.
deflorestação s.f.
deflorestado adj.
deflorestador (*ô*) adj. s.m.
deflorestamento s.m.
deflorestante adj.2g.
deflorestar v.
deflorestável adj.2g.
defluência s.f.; cf. *difluência*
defluente adj.2g.; cf. *difluente*
defluído adj.
defluidor (*ô*) adj. s.m.
defluir v. "emanar"; cf. *difluir*
defluível adj.2g.
deflúvio s.m.
defluxão (*cs* ou *ss*) s.f.
defluxeira (*cs* ou *ss*) s.f.
defluxionário (*cs* ou *ss*) adj.
defluxo (*cs* ou *ss*) s.m.
defolgar v.
defoliação s.f.
deforete (*ê*) s.m.
deformabilidade s.f.
deformação s.f.
deformacional adj.2g.
deformacionalidade s.f.
deformado adj.
deformador (*ô*) adj. s.m.
deformante adj.2g.
deformar v.
deformatividade s.f.
deformativo adj.
deformatório adj.
deformável adj.2g.
deforme adj.2g.
deformidade s.f.
deformismo s.m.
deformista adj. s.2g.
deformístico adj.
deformometria s.f.
deformométrico adj.
deformômetro s.m.
defraudabilidade s.f.
defraudação s.f.
defraudado adj.
defraudador (*ô*) adj. s.m.
defraudamento s.m.
defraudante adj.2g.
defraudar v.
defraudativo adj.
defraudatório adj.
defraudável adj.2g.
defraudo s.m.
defrontabilidade s.f.
defrontação s.f.
defrontado adj.
defrontador (*ô*) adj. s.m.
defrontamento s.m.
defrontante adj.2g.
defrontar v.
defrontável adj.2g.
defronte adv.
defruto s.m.
defumação s.f.
defumadela s.f.
defumado adj.
defumadoiro s.m.
defumador (*ô*) adj. s.m.
defumadouro s.m.
defumadura s.f.
defumante adj.2g.
defumar v.
defumável adj.2g.
defunção s.f.
defunta s.f.
defuntado adj.
defuntar v.
defunteado adj.
defunteador (*ô*) adj. s.m.
defuntear v.
defunteiro adj. s.m.
defuntense adj. s.2g.
defuntismo s.m.
defuntista adj. s.2g.
defuntístico adj.
defunto adj. s.m.
deganha s.f.
deganheiro s.m.
degas s.m.2n.
degasação s.f.
degasado adj.
degasagem s.f.
degasamento s.m.
degasar v.
degasiano (*ss*) adj.
degastação s.f.
degastado adj.
degastador (*ô*) adj. s.m.
degastamento s.m.
degastante adj.2g.
degastar v.
degastável adj.2g.
degaullismo (*gô*) s.m.
degaullista (*gô*) adj. s.2g.
degaullístico (*gô*) adj.
degelado adj.
degeladoiro s.m.
degelador (*ô*) adj. s.m.
degeladouro s.m.
degelamento s.m.
degelante adj.2g.
degelar v.
degelável adj.2g.
degelo (*ê*) s.m.; cf. *degelo*, fl. do v. *degelar*
degema adj. s.2g.
degeminação s.f.
degeminado adj.
degeminador (*ô*) adj. s.m.
degeminante adj.2g. s.m.
degeminar v.
degeminável adj.2g.
degenerabilidade s.f.
degeneração s.f.
degenerado adj. s.m.
degenerador (*ô*) adj. s.m.
degenerante adj.2g.
degenerar v.

degeneratividade s.f.
degenerativo adj.
degenerável adj.2g.
degênere adj.2g.
degenerescença s.f.
degenerescência s.f.
degenerescente adj.2g.
degenéria s.f.
degeneriácea s.f.
degeneriáceo adj.
degeroíta s.f.
degeroíte s.f.
deglabração s.f.
deglaciação s.f.
deglobulização s.f.
deglobulizado adj.
deglobulizador (*ô*) adj. s.m.
deglobulizante adj.2g.
deglobulizar v.
deglobulizável adj.2g.
deglutente adj. s.2g.
deglutibilidade s.f.
deglutição s.f.
deglutido adj.
deglutidor (*ô*) adj.
deglutinabilidade s.f.
deglutinação s.f.
deglutinado adj.
deglutinador (*ô*) adj. s.m.
deglutinante adj.2g. s.m.
deglutinar v.
deglutinável adj.2g.
deglutir v.
deglutível adj.2g.
deglutividade s.f.
deglutivo adj.
degola s.f.
degolação s.f.
degolado adj. s.m.
degoladoiro s.m.
degolador (*ô*) adj. s.m.
degoladouro s.m.
degoladura s.f.
degolamento s.m.
degolante adj.2g.
degolar v.
degolável adj.2g.
degolo (*ô*) s.m.; cf. *degolo*, fl. do v. *degolar*
degotar v.
degote s.m.
degoto (*ô*) adj.
degradabilidade s.f.
degradação s.f.
degradado adj. s.m. "aviltado"; cf. *degredado*
degradador (*ô*) adj. s.m.
degradamento s.m.
degradante adj.2g.
degradar v. "aviltar"; cf. *degredar*
degradável adj.2g.
degraduação s.f.
degraduado adj. s.m.
degraduador (*ô*) adj.2g. s.m.
degraduante adj.2g.
degraduar v.
degraduável adj.2g.
degranação s.f.
degranadeira s.f.
degranado adj.
degranador (*ô*) adj. s.m.
degranamento s.m.
degranante adj.2g.
degranar v.
degranável adj.2g.
degranhação s.f.
degranhado adj.
degranhador (*ô*) adj. s.m.
degranhamento s.m.
degranhar v.
degrau s.m.
degredabilidade s.f.
degredado adj. s.m. "desterrado"; cf. *degradado*
degredador (*ô*) adj. s.m.
degredante adj.2g.
degredar v. "desterrar"; cf. *degradar*
degredável adj.2g.
degredo (*ê*) s.m.; cf. *degredo*, fl. do v. *degredar*
degressividade s.f.
degressivo adj. "minguante"; cf. *digressivo*
degringolação s.f.
degringolada s.f.
degringolado adj.
degringolador (*ô*) adj. s.m.
degringolamento s.m.
degringolante adj.2g.
degringolar v.
degringolável adj.2g.
degroíta s.f.
degroítico adj.
degu s.m.
deguélia s.f.
deguina s.f.
degustabilidade s.f.
degustação s.f.
degustado adj.
degustador (*ô*) s.m.
degustante adj.2g.
degustar v.
degustável adj.2g.
dehrnita s.f.
dei s.m.
deia (*é*) s.f. de *deus*
deicida adj. s.2g.
deicídio s.m.
deícola adj. s.2g.
dêictico adj.
deidade s.f.
deidâmia s.f.
deidrase s.f.
deídrase s.f.
deidrite s.f.
deidroacético adj.
deidroandrosterona s.f.
deidroandrosterônico adj.
deidrocanfórico adj.
deidrocinconina s.f.
deidrocinconínico adj.
deidrocinquênico adj.
deidrocinqueno s.m.
deidrocolato s.m.
deidrocolesterol s.m.
deidrocólico adj.
deidrocoridalina s.f.
deidrocoridalínico adj.
deidrodivanilina s.f.
deidrodivanilínico adj.
deidrogenase s.f.
deidrogênase s.f.
deidrometilfenilpiracina s.f.
deidrometilfenilpiracínico adj.
deidrotoluidina s.f.
deidrotoluidínico adj.
deificabilidade s.f.
deificação s.f.
deificado adj.
deificador (*ô*) adj. s.m.
deificamento s.m.
deificante adj.2g.
deificar v.
deificativo adj.
deificatório adj.
deificável adj.2g.
deífico adj.; cf. *deifico*, fl. do v. *deificar*
deiforme adj.2g.
deiléfila s.m.
deilo s.m.
deima s.m.
deimático adj.
deimátida adj.2g. s.m.
deimbólia s.f.
deimbóllia s.f.
deinopse s.2g.
deionização s.f.
deionizador (*ô*) s.m.
deípara s.f.
deíparo adj.
deipnófora s.f.
deipnofórias s.f.pl.
deipnossofista adj. s.2g.
deiscência s.f.
deiscente adj.2g.
deisidemônia s.f.
deísmo s.m.
deísta adj. s.2g.
deístico adj.
deita s.f.
deitada s.f.
deitadeira s.f.
deitado adj. s.m.
deitadura s.f.
deitar v.
dêitico adj.
deiviril adj.2g.
deivirilidade s.f.
deixa s.f.
deixação s.f.
deixa-correr s.2g.2n.
deixada s.f.
deixa-disso s.m.2n.
deixado adj.
deixamento s.m.
deixar v.
dêixis (*cs*) s.f.2n.
dejanira s.f.
dejarretamento s.m.
dejarretar v.
dejatata s.f.
dejeção s.f.
dejecção s.f.
dejectabilidade s.f.
dejectado adj.
dejectador (*ô*) adj. s.m.
dejectante adj.2g.
dejectar v.
dejectável adj.2g.
dejecto adj. s.m.
dejectório adj. s.m.
dejejua s.f.
dejejuadoiro s.m.
dejejuadouro s.m.
dejejuar v.
dejejum s.m.
dejetabilidade s.f.
dejetado adj.
dejetador (*ô*) adj. s.m.
dejetante adj.2g.
dejetar v.
dejetável adj.2g.
dejeto adj. s.m.
dejetor (*ô*) s.m.
dejetório adj. s.m.
dejua s.f.
dejuação s.f.
dejungente adj. s.2g.
dejungido adj.
dejungidor (*ô*) adj. s.m.
dejungir v.
dejungível adj.2g.
dejúrio s.m.
delação s.f. "denúncia"; cf. *dilação*
delacrimação s.f.
delacrimado adj.
delacrimador (*ô*) adj. s.m.
delacrimante adj.2g.
delacrimar v.
delacrimativo adj.
delacrimatório adj.
delacrimável adj.2g.
delacroixiano (*croazi*) adj.
deladeiro s.m.
deladoiro s.m.
deladouro s.m.
delafossita s.f.
delaidinha s.f.
delambedor (*ô*) adj. s.m.
delamber v.
delambição s.f.
delambido adj. s.m.
delaminação s.f.
delaminado adj.
delaminar v.
delandão s.m.; na loc. *ao delandão*
delandeiro s.m.
delanteira s.f.
delapidar v.
delas-frias s.f.2n.
delatabilidade s.f.; cf. *dilatabilidade*
delatação s.f.
delatado adj. s.m.; cf. *dilatado*
delatamento s.m.; cf. *dilatamento*
delatante adj.2g.; cf. *dilatante*
delatar v. "denunciar"; cf. *dilatar*
delatável adj.2g.; cf. *dilatável*
delatinita s.f.
delativo adj.
delator (*ô*) adj. s.m.
delatório adj.; cf. *dilatório*
delauar adj. s.2g.
delawarita s.f.
dele (*ê*) contr. de *de* e *ele* (*ê*); cf. *delê*
delê s.m. "qualidade de Ogum"; cf. *dele* (*ê*)
deleáster s.m.
delebilidade s.f.
deleção s.f.
delegação s.f.
delegacia s.f.
delegado adj. s.m.
delegado de laranjeiras s.m.
delegante adj. s.2g.
delegar v.
delegatário adj. s.m.
delegatório adj.
delegável adj.2g.
deleitação s.f.
deleitado adj.
deleitamento s.m.
deleitante adj.2g.
deleitar v.
deleitável adj.2g.
deleite s.m.
deleitoso (*ô*) adj.; f. (*ó*); pl. (*ó*)
deleixar v.
deleixo s.m.
delenítico adj.
delenito s.m.
deleriado adj.
delesséria s.f.
delesseriácea s.f.
delesseriáceo adj.
delessita s.f.
delessite s.f.
delessítico adj.
deletar v.
deleteriedade s.f.
deletério adj.
deletrar v.
deletreação s.f.
deletreado adj.
deletreador (*ô*) adj. s.m.
deletreamento s.m.
deletreante adj.2g.
deletrear v.
deletreável adj.2g.
delével adj.2g.
delfacídeo adj. s.m.
délfica s.f.
délfico adj. s.m.
delfim s.m.
delfim-moreirense adj. s.2g.; pl. *delfim-moreirenses*
delfina s.f.
delfinado s.m.
delfináptero s.m.
delfinense adj. s.2g.
delfinês adj. s.m.
delfínico adj.
delfínida adj.2g. s.m.
delfinídeo adj. s.m.
delfinídia s.f.
delfinina s.f.
delfinínio adj. s.m.
delfinino adj. s.m.
delfínio s.m.
delfinita s.f.
delfinítico adj.
delfino adj. s.m.
delfinoide (*ó*) adj.2g.
delfinoidina s.f.
delfinopolitano adj. s.m.
delfinorrinco s.m.
delfínula s.f.
delfisina s.f.
delfisínico adj.
delgaçado adj.
delgaçar v.
delgadense adj. s.2g.
delgadeza (*ê*) s.f.
delgadicho adj.
delgado adj. s.m.
delhayelita s.f.
délia s.f.
delíaco adj. s.m.
delíada s.f.
delianas s.f.pl.
délias s.f.pl.
deliasta s.m.
delibação s.f.
delibado adj.
delibador (*ô*) adj. s.m.
delibamento s.m.
delibante adj. s.2g.
delibar v.
delibável adj.2g.
deliberação s.f.
deliberado adj.
deliberador (*ô*) adj. s.m.
deliberante adj. s.2g.
deliberar v.
deliberativo adj.
deliberatório adj.
deliberável adj.2g.
delicada s.f.
delicadeza (*ê*) s.f.
delicado adj.
delicatéssen s.f.pl.
delícia s.f.; cf. *delicia*, fl. do v. *deliciar*
deliciado adj.
deliciador (*ô*) adj. s.m.
deliciamento s.m.
deliciante adj.2g.
deliciar v.
deliciável adj.2g.
deliciosa s.f.
deliciosa-da-beira s.f.; pl. *deliciosas-da-beira*
delicioso (*ô*) adj. s.m.; f. (*ó*); pl. (*ó*)
délico adj. s.m.
delicodoce (*ô*) adj.2g.
delido adj.
deligação s.f.
deligado adj.
deligador (*ô*) adj. s.m.
deligamento s.m.
deligante adj.2g.
deligar v.
deligável adj.2g.
delília s.f.
delima s.f.
delimento s.m.
deliminação s.f.
deliminado adj.
deliminador (*ô*) adj. s.m.
deliminante adj.2g.
deliminar v.
delimínável adj.2g.
delimitação s.f.
delimitado adj.
delimitador (*ô*) adj. s.m.
delimitante adj.2g.
delimitar v.
delimitativo adj.
delimitável adj.2g.
delineação s.f.
delineado adj.
delineador (*ô*) adj. s.m.
delineamento s.m.
delineante adj.2g.
delinear v.
delineativo adj.
delineável adj.2g.
delineio s.m.
delíneo adj. s.m.
delingação s.f.
delingado adj.
delingamento s.m.
delingar v.
delinquência (*ü*) s.f.
delinquencial (*ü*) adj.2g.
delinquente (*ü*) adj. s.2g.
delinquido (*ü*) adj.
delinquidor (*ü...ô*) adj. s.m.
delinquir (*ü*) v.
delinquível (*ü*) adj.2g.
délio adj. s.m.; cf. *delio*, fl. do v. *delir*
deliquação s.f.
deliquado adj.
deliquador (*ô*) adj. s.m.
deliquamento s.m.
deliquante adj.2g.

deliquar v.
deliquável adj.2g.
deliquescedor (*ü...ô*) adj. s.m.
deliquescência (*ü*) s.f.
deliquescente (*ü*) adj.2g.
deliquescer (*ü*) v.
deliquescibilidade (*ü*) s.f.
deliquescido (*ü*) adj.
deliquescível (*ü*) adj.2g.
delíquio s.m.
delir v.
deliração s.f.
delirado adj.
delirador (*ô*) adj. s.m.
deliramento s.m.
delirante adj.2g.
delirar v.
delirável adj.2g.
delirifaciente adj.2g.
deliriforme adj. s.2g.
delírio s.m.
delirioso (*ô*) adj.; f. (*ó*); pl. (*ó*)
deliroso (*ô*) adj.; f. (*ó*); pl. (*ó*)
delitescência s.f.
delitescente adj.2g.
delitescer v.
delitescido adj.
delitescível adj.2g.
delitivo adj.
delito s.m.
delitoso (*ô*) adj.; f. (*ó*); pl. (*ó*)
delituoso (*ô*) adj.; f. (*ó*); pl. (*ó*)
delível adj.2g.
delivração s.f.
delivrado adj.
delivrador (*ô*) adj. s.m.
delivramento s.m.
delivrança s.f.
delivrante adj.2g.
delivrar v.
dellaíta s.f.
della-robbiano adj.; pl. *della-robbianos*
delmirense adj. s.2g.
delmiro-gouveense adj. s.2g.; pl. *delmiro-gouveenses*
delocutivo s.m.
delodonte adj.
delogum s.m.
delombar v.
delomórfico adj.
delomorfo adj.
delonga s.f.
delongado adj.
delongador (*ô*) adj. s.m.
delongamento s.m.
delongante adj.2g.
delongar v.
delongatório adj.
delongável adj.2g.
delônix (*cs*) s.m.2n.
delorenzita s.f.
delóstoma s.m.
delóstomo s.m.
delrioíta s.f.
delta s.m.
deltacismo s.m.
deltacista adj. s.2g.
deltacístico adj.
delta-cortisona s.f.; pl. *delta-cortisonas*
delta-cortisônico adj.; pl. *delta-cortisônicos*
deltaico adj.
deltaíta s.f.
delta-mais s.m.; pl. *deltas-mais*
delta-mais-mais s.m.; pl. *deltas-mais-mais*
delta-menos s.m.; pl. *deltas-menos*
deltamooreíta s.f.
delta-zero s.m.; pl. *deltas-zero* e *deltas-zeros*
deltídeo adj. s.m.
deltidial adj.2g.
deltídio s.m.
deltirial adj.2g.
deltírio s.m.
deltocarpo adj.
deltocéfalo s.m.
deltocíato s.m.
deltoidal adj.2g.
deltoide (*ó*) adj.2g. s.m.
deltóideo adj.
deltoidiano adj.
deltoidite s.f.
deltoidítico adj.
deltômona s.2g.
deltomônada s.2g.
deltopeitoral s.m.
deltoquilo s.m.
deltoto s.m.
delturo adj.
delubro s.m.
delúcia s.f.
delucidação s.f.
delucidado adj.
delucidador (*ô*) adj. s.m.
delucidamento s.m.
delucidante adj.2g.
delucidar v.
delucidativo adj.
delucidatório adj.
delucidável adj.2g.
deludente adj.2g.
deludido adj.
deludir v.
deludível adj.2g.
delusão s.f.
deluso adj.
delusor (*ô*) adj. s.m.
delusório adj.
deluzente adj.2g.
deluzido adj.
deluzimento s.m.
deluzir v.
deluzível adj.2g.
delvauxiano (*vocs*) adj.
delvauxita (*vocs*) s.f.
dema adj.2g. s.m.
demaciácea s.f.
demaciáceo adj.
demácio s.m.
demacuri adj. s.2g.
demagogia s.f.
demagogice s.f.
demagógico adj.
demagogismo s.m.
demagogista adj. s.2g.
demagogístico adj.
demagogo (*ô*) adj. s.m.
demais pron. adv.
demanda s.f.
demandado adj. s.m.
demandador (*ô*) adj. s.m.
demandança s.f.
demandante adj. s.2g.
demandão s.m.
demandar v.
demandativo adj.
demandatório adj.
demandável adj.2g.
demandense adj. s.2g.
demandista adj. s.2g.
demantoide (*ó*) s.f.
demão s.f.; pl. *demãos*
demarca s.m.
demarcação s.f.
demarcacionense adj. s.2g.
demarcado adj.
demarcador (*ô*) adj. s.m.
demarcante adj.2g.
demarcar v.
demarcativo adj.
demarcatório adj.
demarcável adj.2g.
demarquia s.f.
demarração s.f.
demarrado adj.
demarrador (*ô*) adj.
demarragem s.f.
demarrante adj.2g.
demarrar v.
demarrativo adj.
demarrável adj.2g.
demasia s.f.
demasiado adj. adv.
demasiador (*ô*) adj.
demasiar v.
demasioso (*ô*) adj.; f. (*ó*); pl. (*ó*)
dematófora s.f.
demazéria s.f.
dembado s.m.
dembe s.m.
dembo adj. s.2g. s.m.
deme s.m.
demeclociclina s.f.
demeleia (*é*) s.f.
demência s.f.
demencial adj.2g.
demeniense adj. s.2g.
demenso s.m.
dementação s.f.
dementado adj. s.m.
dementante adj.2g.
dementar v.
dementável adj.2g.
demente adj. s.2g.
demerara s.m.f.
demergedor (*ô*) adj. s.m.
demergente adj.2g.
demerger v.
demérito adj. s.m.
demeritório adj.
demersal adj.2g.
demerso adj.
demerval-lobense adj. s.2g.; pl. *demerval-lobenses*
demesmaekerita s.f.
demétria s.m.
demétrio s.m.
demétrio-lemense adj. s.2g.; pl. *demétrio-lemenses*
demétrio-ribeirense adj. s.2g.; pl. *demétrio-ribeirenses*
dêmia s.f.
dêmico adj.
demidovita s.f.
demífugo adj.
demigola s.f.
demilunar adj.2g.
demineralização s.f.
demineralizado adj.
demineralizador (*ô*) adj. s.m.
demineralizagem s.f.
demineralizamento s.m.
demineralizante adj.2g.
demineralizar v.
demineralizável adj.2g.
demisela s.f.
demissão s.f.
demissibilidade s.f.
demissionado adj. s.m.
demissionador (*ô*) adj. s.m.
demissionamento s.m.
demissionante adj.2g.
demissionar v.
demissionário adj.
demissionativo adj.
demissionável adj.2g.
demissível adj.2g.
demisso adj.
demissor (*ô*) adj. s.m.
demissório adj.
demitado adj.
demitente adj.2g.
demitido adj. s.m.
demitir v.
demitização s.f.
demitizado adj.
demitizador (*ô*) adj. s.m.
demitizante adj.2g.
demitizar v.
demitizável adj.2g.
demitologização s.f.
demitologizado adj.
demitologizador (*ô*) adj. s.m.
demitologizamento s.m.
demitologizante adj.2g.
demitologizar v.
demitologizável adj.2g.
demiurgia s.f.
demiúrgico adj.
demiurgo s.m.
demo s.m.
demobolchevismo s.m.
demobolchevista adj. s.2g.
demobolchevístico adj.
demóboro adj.
democapitalismo s.m.
democapitalista adj. s.2g.
democapitalístico adj.
democedes s.m.2n.
democomunismo s.m.
democomunista adj. s.2g.
democomunístico adj.
democracia s.f.
democraciense adj. s.2g.
democrata adj. s.2g.
democrático adj. s.m.
democratismo s.m.
democratização s.f.
democratizado adj.
democratizador (*ô*) adj. s.m.
democratizante adj.2g.
democratizar v.
democratizável adj.2g.
demócrino s.m.
democritiano adj.
democrítico adj.
demodece s.m.
demodécia s.f.
demodécico adj.
demodécida adj.2g. s.m.
demodecídeo adj. s.m.
demodecidose s.f.
demodecidótico adj.
demodecose s.f.
demodecótico adj.
dêmodex (*cs*) s.m.
demodexose (*cs*) s.f.
demodexótico (*cs*) adj.
demodicídeo adj. s.m.
demodiciose s.f.
demodulação s.f.
demodulado adj.
demodulador (*ô*) adj. s.m.
demodulante adj.2g.
demodular v.
demodulável adj.2g.
demofilia s.f.
demofílico adj.
demófilo adj. s.m.
demofobia s.f.
demofóbico adj.
demófobo adj. s.m.
demogenia s.f.
demogênico adj.
demogeografia s.f.
demogeográfico adj.
demogeógrafo s.m.
demogeronte s.m.
demografia s.f.
demográfico adj.
demografista adj. s.2g.
demografizar v.
demógrafo s.m.
demolatra adj.
demólatra s.2g.
demolatria s.f.
demolátrico adj.
demóleo adj. s.m.
demolha s.f.
demolhado adj.
demolhar v.
demoliberal adj. s.2g.
demoliberalismo s.m.
demolição s.f.
demolido adj.
demolidor (*ô*) adj. s.m.
demolimento s.m.
demolir v.
demolitivo adj.
demolitório adj.
demologia s.f.
demológico adj.
demologismo s.m.
demologista adj. s.2g.
demologístico adj.
demonarca s.m.
demonarcado s.m.
demonarquia s.f.
demonázio s.m.
demoncho s.m.
demonete (*ê*) s.m.
demonetização s.f.
demonetizado adj.
demonetizador (*ô*) adj. s.m.
demonetizamento s.m.
demonetizante adj.2g.
demonetizar v.
demonetizável adj.2g.
demonho s.m.
demônia s.f.
demoniacal adj.2g.
demoníaco adj. s.m.
demoniado adj. s.m.
demonico s.m. "demoninho"; cf. *demônico*
demônico adj. "demoníaco"; cf. *demonico*
demonícola adj. s.2g.
demonifúgio s.m.
demonífugo adj.
demonímia s.f.
demonímico adj.
demônimo s.m.
demoningenhado adj.
demoninhado adj. s.m.
demoninharia s.f.
demônio s.m.
demoniomancia s.f.
demoniomania s.f.
demoniomaníaco adj. s.m.
demoniômano adj. s.m.
demoniomanta s.2g.
demoniomante s.2g.
demoniomântico adj.
demonismo s.m.
demonista adj. s.2g.
demonístico adj.
demonização s.f.
demonizado adj.
demonizador (*ô*) adj. s.m.
demonizamento s.m.
demonizante adj.2g.
demonizar v.
demonizável adj.2g.
demonocracia s.f.
demonocrata adj. s.2g.
demonocrático adj.
demonofobia s.f.
demonofóbico adj.
demonófobo s.m.
demonografia s.f.
demonográfico adj.
demonógrafo s.m.
demonolatra s.2g.
demonólatra s.2g.
demonolatria s.f.
demonolátrico adj.
demonologia s.f.
demonológico adj.
demonologista adj. s.2g.
demonólogo s.m.
demonomancia s.f.
demonomania s.f.
demonomaníaco adj. s.m.
demonômano adj. s.m.
demonomanta s.2g.
demonomante s.2g.
demonomântico adj.
demononimia s.f.
demononímico adj.
demonônimo s.m.
demonopata adj. s.2g.
demonópata adj. s.2g.
demonopatia s.f.
demonopático adj.
demonórope s.m.
demonórops s.f.
demonoscopia s.f.
demonoscópico adj.
demonstrabilidade s.f.
demonstração s.f.
demonstrado adj.
demonstrador (*ô*) adj. s.m.
demonstrança s.f.
demonstrante adj.2g.
demonstrar v.
demonstrativo adj. s.m.
demonstratório adj.
demonstrável adj.2g.
demonstrometria s.f.
demonstrométrico adj.
demonstrômetro s.m.
demontre s.m.
demopedia s.f.
demopédico adj.
demopedista adj. s.2g.
demopedístico adj.
demopolítica s.f.
demopolítico adj.
demopoliticologia s.f.

demopoliticológico adj.
demopoliticologismo s.m.
demopoliticologista adj. s.2g.
demopoliticologístico adj.
demopoliticólogo adj. s.m.
demopsicologia s.f.
demopsicológico adj.
demopsicologismo s.m.
demopsicologista adj. s.2g.
demopsicologístico adj.
demopsicólogo s.m.
demora s.f.
demorado adj.
demorador (*ô*) adj. s.m.
demorança s.f.
demorante adj.2g.
demorar v.
demorável adj.
demorfinização s.f.
demorfinizado adj.
demorfinizador (*ô*) adj. s.m.
demorfinizamento s.m.
demorfinizante adj.2g.
demorfinizar v.
demorfinizável adj.2g.
demorosidade s.f.
demoroso (*ô*) adj.; f. (*ó*); pl. (*ó*)
demoscopia s.f.
demoscópico adj.
demoscopismo s.m.
demoscopista adj. s.2g.
demoscopístico adj.
demóscopo adj. s.m.
demospôngia s.f.
demospôngio adj. s.m.
demossocialismo s.m.
demossocialista adj. s.2g.
demossocialístico adj.
demostênico adj.
demostra s.f.
demostração s.f.
demostrado adj. s.m.
demostrador (*ô*) adj. s.m.
demostragem s.f.
demostramento s.m.
demostrante adj.2g.
demostrar v.
demostrativo adj.
demostratório adj.
demótico adj. s.m.
demovedor (*ô*) adj. s.m.
demovente adj.2g.
demover v.
demovido adj.
demovimento s.m.
demovível adj.2g.
demudado adj.
demudamento s.m.
demudança s.f.
demudante adj.2g.
demudar v.
demudativo adj.
demudatório adj.
demudável adj.2g.
demulcedor (*ô*) adj. s.m.
demulcente adj.2g. s.m.
demulcido adj.
demulcimento s.m.
demulcir v.
demulcível adj.2g.
demultiplicação s.f.
demultiplicado adj.
demultiplicador (*ô*) adj. s.m.
demultiplicante adj. s.2g.
demultiplicar v.
demultiplicativo adj.
demultiplicatório adj.
demultiplicável adj.
demutante adj.2g.
demutativo adj.
demutatório adj.
demutável adj.2g.
denário adj. s.m.
dendê s.m.
dendê-de-papagaio s.m.; pl. *dendês-de-papagaio*
dendê-do-pará s.m.; pl. *dendês-do-pará*
dendeense adj. s.2g.
dendém s.m.
dendemburo s.m.
dendezal s.m.
dendezeirense adj. s.2g.
dendezeiro s.m.
dendezeiro-do-pará s.m.; pl. *dendezeiros-do-pará*
dendezense adj. s.2g.
dendi adj. s.2g.
dendo s.m.
dendo-grande s.m.; pl. *dendos-grandes*
dendraspe s.f.
dendráspide s.f.
dendráspis s.f.2n.
dendraxônio (*cs*) s.m.
dendrexastres (*cs*) s.m.2n.
dendria s.f.
dendrícola adj.2g.
dendrifantes s.m.2n.
dendriforme adj.2g.
dendrita s.f.
dendrite s.f.
dendrítica s.f.
dendrítico adj.
dendrito s.m.
dendrobângia s.f.
dendrobata adj. s.2g.
dendróbata adj. s.2g.
dendróbates s.m.2n.
dendrobatídeo adj. s.m.
dendrobenthâmia s.f.
dendrobieia (*é*) s.f.
dendróbio s.m.
dendrocálamo s.m.
dendrocárpio s.m.
dendrocarpo s.m.
dendrocélio adj. s.m.
dendrocelo adj. s.m.
dendrocerátida s.m.
dendrocerátido adj.
dendrócero s.m.
dendrocicno s.m.
dendrocigna s.f.
dendrocincla s.m.
dendrocládio s.m.
dendroclasta adj. s.2g.
dendroclastia s.f.
dendroclimatologia s.f.
dendroclimatológico adj.
dendrocolaptes s.m.2n.
dendrocolaptídeo adj. s.m.
dendrocolaptínea s.f.
dendrocolaptíneo adj.
dendrocono adj. s.m.
dendrócora s.m.
dendrocronologia s.f.
dendrocronológico adj.
dendrocronologista adj. s.2g.
dendrocronólogo adj. s.m.
dendróctono s.m.
dendrofagia s.f.
dendrofágico adj.
dendrófago adj. s.m.
dendrófida s.f.
dendrofilia s.f. "amor às árvores"; cf. *dendrofília*
dendrofília s.f. "gênero de pólipos"; cf. *dendrofilia*
dendrofilíneo adj. s.m.
dendrófilo adj. s.m.
dendrofíneo adj. s.m.
dendrófise s.f.
dendrofobia s.f.
dendrofóbico adj.
dendrófobo adj. s.m.
dendroforias s.f.pl.
dendróforo s.m.
dendrofriniscíneo adj. s.m.
dendrofrinisco s.m.
dendróftora s.f.
dendrógea s.f.
dendrógeo adj.
dendróglia s.f.
dendrografia s.f.
dendrográfico adj.
dendrografista adj. s.2g.
dendrógrafo s.m.
dendroide (*ó*) adj.2g.
dendróideo adj.
dendrólago s.m.
dendrolatra adj. s.2g.
dendrolatria s.f.
dendrolátrico adj.
dendrolênico adj.
dendroleno s.m.
dendrolimo s.m.
dendrolitário adj.
dendrolite s.m.
dendrolítico adj.
dendrólito s.m.
dendrologia s.f.
dendrológico adj.
dendrologista adj. s.2g.
dendrólogo s.m.
dendromancia s.f.
dendromanta s.2g.
dendromante s.2g.
dendromântico adj.
dendrometria s.f.
dendrométrico adj.
dendrometrista adj. s.2g.
dendrômetro s.m.
dendromonadíneo adj. s.m.
dendrômono s.m.
dendromorfismo s.m.
dendromorfístico adj.
dendromorfo adj.
dendrópico s.m.
dendroplego s.m.
dendróplex (*cs*) s.m.
dendroquilo s.m.
dendroquirota adj.2g. s.m.
dendroquirote adj.2g. s.m.
dendroquirótida s.m.
dendroquirótido s.m.
dendroquiroto (*ô*) adj. s.m.
dendrórnis s.2g.2n.
dendrornite s.2g.
dendrosipânea s.f.
dendrossere s.f.
dendrosseridina s.f.
dendrotomia s.f.
dendrotômico adj.
dendrotraqueia (*é*) s.f.
denegação s.f.
denegado adj.
denegador (*ô*) adj.
denegante adj.2g.
denegar v.
denegatividade s.f.
denegativo adj.
denegatório adj.
denegável adj.2g.
denegrecedor (*ô*) adj. s.m.
denegrecente adj.2g.
denegrecer v.
denegrecibilidade s.f.
denegrecido adj.
denegrecimento s.m.
denegrecível adj.2g.
denegribilidade s.f.
denegrido adj.
denegridor (*ô*) adj. s.m.
denegrinte adj.2g.
denegrir v.
denegritivo adj.
denegritório adj.
denegrível adj.2g.
denéquia s.f.
denervação s.f.
denervado adj.
denervador (*ô*) adj.
denervante adj.2g.
denervar v.
denervativo adj.
denervatório adj.
denervável adj.2g.
denga s.f.
dengado adj.
dengar v.
dengo s.m.
dengosa s.f.
dengosidade s.f.
dengoso (*ô*) adj.; f. (*ó*); pl. (*ó*)
dengue adj.2g. s.m.f. "dengoso", "denguice" e "doença"; cf. *dengué*
dengué s.m. "milho branco"; cf. *dengue*
dengue-de-mané s.m.; pl. *dengues-de-mané*
dengueiro adj.
denguice s.f.
denguim s.m.
deni adj. s.2g. s.m.
denicais s.f.pl.
denigota s.f.
denigrabilidade s.f.
denigração s.f.
denigrar v.
denigrativo adj.
denigratório adj.
denigrável adj.2g.
denigrescedor (*ô*) adj. s.m.
denigrescente adj.2g.
denigrescer v.
denigrescibilidade s.f.
denigrescido adj.
denigrescimento s.m.
denigrescível adj.2g.
denigribilidade s.f.
denigrido adj. s.m.
denigridor (*ô*) adj.
denigrinte adj.2g.
denigrir v.
denigritivo adj.
denigritório adj.
denigrível adj.2g.
deniva s.f.
denningita s.f.
dennisonita s.f.
dennstaédtia s.f.
dennstaedtiácea s.f.
dennstaedtiáceo adj.
denodado adj.
denodador (*ô*) adj. s.m.
denodamento s.m.
denodante adj.2g.
denodar v. "desatar"; cf. *denudar*
denodativo adj.
denodatório adj.
denodável adj.2g.
denodo (*ô*) s.m.; cf. *denodo*, fl. do v. *denodar*
denominação s.f.
denominacional adj.2g.
denominacionalidade s.f.
denominacionalismo s.m.
denominacionalista adj. s.2g.
denominacionalístico adj.
denominado adj.
denominador (*ô*) adj. s.m.
denominal adj.2g. s.m.
denominalidade s.f.
denominante adj.2g.
denominar v.
denominatividade s.f.
denominativo adj.
denominatório adj.
denominável adj.2g.
denosto s.m.
denotação s.f.
denotado adj.
denotador (*ô*) adj. s.m.
denotante adj.2g.
denotar v.
denotativo adj.
denotatório adj.
denotável adj.2g.
denovanose s.f.
denovanótico adj.
densação s.f.
densado adj.
densador (*ô*) adj. s.m.
densamento s.m.
densante adj.2g.
densar v.
denseleta (*ê*) adj.2g. s.m.
densidade s.f.
densidão s.f.
densificação s.f.
densificado adj.
densificador (*ô*) adj. s.m.
densificante adj.2g.
densificar v.
densificativo adj.
densificatório adj.
densificável adj.2g.
densifloro adj.
densifoliado adj.
densimetria s.f.
densimétrico adj.
densimetrista adj. s.2g.
densímetro s.m.
densirresistivo adj.
densitometria s.f.
densitométrico adj.
densitometrista adj. s.2g.
densitômetro s.m.
densiúsculo adj.
denso adj.
dentada s.f.
dentadela s.f.
dentado adj.
dentador (*ô*) adj. s.m.
dentadura s.f.
dentais s.f.pl.
dental adj.2g. s.m.f.
dental-alveolar adj. s.f.; pl. *dentais-alveolares*
dentalgia s.f.
dentálgico adj.
dentálida adj.2g. s.m.
dentalídeo adj. s.m.
dentaliida adj.2g. s.m.
dentaliídeo adj. s.m.
dentálio s.m.
dentalite s.f.
dentálito s.m.
dentama s.f.
dentão s.m.
dentar v.
dentária s.f.
dentário adj. s.m.
dente s.m.
denteação s.f.
denteado adj.
denteador (*ô*) adj. s.m.
denteadura s.f.
denteante adj.2g.
dentear v.
denteável adj.2g.
dentebrum s.m.
dentebrura s.f.
dente-da-terra s.m.; pl. *dentes-da-terra*
dente de cachorro s.m.
dente de cão s.m. "cravagem"
dente-de-cão s.m. "espécie de planta", "espécie de peixe"; pl. *dentes-de-cão*
dente-de-cavalo s.m.; pl. *dentes-de-cavalo*
dente de coelho s.m.
dente de cutia s.m.
dente-de-elefante s.m.; pl. *dentes-de-elefante*
dente de escarra s.m.
dente-de-escrava s.m.; pl. *dentes-de-escrava*
dente-de-gato s.m.; pl. *dentes-de-gato*
dente-de-leão s.m.; pl. *dentes-de-leão*
dente de leite adj. s.2g.
dente de lobo s.m.
dente de ovo s.m.
dente de serra s.m.
dente de velha s.m.
denteira s.f.
dentel s.m. "entalhe para regular prateleiras"; cf. *dintel*
dentelador (*ô*) adj. s.m.
dentelar v.
dentelária s.f.
dentelária-da-china s.f.; pl. *dentelárias-da-china*
dentelária-da-índia s.f.; pl. *dentelárias-da-índia*
dentelária-do-cabo s.f.; pl. *dentelárias-do-cabo*
dentelete (*ê*) s.m.
denteleto (*ê*) adj. s.m.
dentelha (*ê*) s.f.
dentelo (*ê*) s.m.; cf. *dentelo*, fl. do v. *dentelar*
dente-seco adj. s.m.; pl. *dentes-secos*
dêntex (*cs*) s.m.
dentição s.f.
dêntice s.m.

denticeto (*ê*) adj. s.m.
denticida adj.2g.
denticolo adj.
denticórneo adj.
denticulação s.f.
denticulado adj.
denticulador (*ô*) adj. s.m.
denticulamento s.m.
denticulante adj.2g.
denticular v. adj.2g.
denticulável adj.2g.
denticuliforme adj.2g.
dentículo s.m.; cf. *denticulo*, fl. do v. *denticular*
dentificação s.f.
dentificado adj.
dentificador (*ô*) adj. s.m.
dentificante adj.2g.
dentificar v.
dentificativo adj.
dentificável adj.2g.
dentifone s.m.
dentifônio s.m.
dentifono s.m.
dentiforme adj.2g.
dentifrício adj. s.m.
dentífrico adj.
dentígero adj.
dentilabial adj.2g. s.f.
dentilária s.f.
dentilária-da-china s.f.; pl. *dentilárias-da-china*
dentilha s.f.
dentilhão s.m.
dentilingual adj.2g.
dentimetria s.f.
dentimétrico adj.
dentímetro s.m.
dentina s.f.
dentinalgia s.f.
dentinálgico adj.
dentinar adj.2g.
dentinário adj.
dentínico adj.
dentinite s.f.
dentinítico adj.
dentinoblasto s.m.
dentinogênese s.f.
dentinogênico adj.
dentinoide (*ó*) adj.2g.
dentinosteoide (*ó*) s.m.
dentípede adj.2g.
dentiqueiro s.m.
dentirrostro adj.
dentista adj. s.2g.
dentistaria s.f.
dentoalveolite s.f.
dentoalveolítico adj.
dentoide (*ó*) adj.2g.
dentoidina s.f.
dentoidínico adj.
dentola s.m. s.2g.
dentolabial adj.2g.
dentolas s.2g.2n.
dentolingual adj.2g.
dentoma s.m.
dentona s.f.
dentoneira s.f.
dentosa s.f.
dentre contr. de *de* e *entre*
dentro adv.; na loc. *dentro de, dentro em*, etc.
dentrosa s.f.
dentuça s.f. s.2g.
dentuças s.2g.2n.
dentuço adj. s.m.
dentudo adj. s.m.
dentudo-comum s.m.; pl. *dentudos-comuns*
dentudo-dourado s.m.; pl. *dentudos-dourados*
dentudo-pintado s.m.; pl. *dentudos-pintados*
denudação s.f.
denudado adj.
denudador (*ô*) adj. s.m.
denudamento s.m.
denudante adj.2g.
denudar v. "desnudar"; cf. *denodar*
denudatividade s.f.
denudativo adj.
denudatório adj.
denudo adj.
denúncia s.f.; cf. *denuncia*, fl. do v. *denunciar*
denunciação s.f.
denunciada s.f.
denunciado adj.
denunciador (*ô*) adj. s.m.
denunciante adj. s.2g.
denunciar v.
denunciativo adj.
denunciatório adj.
denunciável adj.2g.
denutrição s.f.
denutrido adj.
denutrir v.
deodactilia s.f.
deodáctilo adj.
deodoração s.f.
deodorado adj.
deodorador (*ô*) adj. s.m.
deodoramento s.m.
deodorante adj.2g.
deodorar v.
deodorativo adj.
deodorense adj. s.2g.
deonestação s.f.
deonestado adj.
deonestador (*ô*) adj. s.m.
deonestante adj.2g.
deonestar v.
deonestável adj.2g.
deontolaimo s.m.
deontolemo s.m.
deontologia s.f.
deontológico adj.
deontologismo s.m.
deontologista adj. s.2g.
deontologístico adj.
deoperculado adj.
deparação s.f.
deparado s.m.
deparador (*ô*) adj. s.m.
deparante adj.2g.
deparar v.
deparável adj.2g.
departamental adj.2g.
departamentalidade s.f.
departamentalismo s.m.
departamentalista adj. s.2g.
departamentalístico adj.
departamentalização s.f.
departamentalizado adj.
departamentalizador (*ô*) adj. s.m.
departamentalizante adj.2g.
departamentalizar v.
departamentalizável adj.2g.
departamento s.m.; cf. *departimento*
departição s.f.
departido adj.
departidor (*ô*) adj. s.m.
departimento s.m.; cf. *departamento*
departir v.
depascente adj.2g.
depassado adj.
depassador (*ô*) adj. s.m.
depassagem s.f.
depassamento s.m.
depassante adj.2g.
depassar v.
depassável adj.2g.
depauperação s.f.
depauperado adj.
depauperador (*ô*) adj.
depauperamento s.m.
depauperante adj.2g.
depauperar v.
depauperativo adj.
depauperatório adj.
depauperável adj.2g.
depauperização s.f.
depauperizado adj.
depauperizador (*ô*) adj.
depauperizamento s.m.
depauperizante adj.2g.
depauperizar v.
depauperizativo adj.
depauperizável adj.2g.
depeia (*é*) s.f.
depelação s.f.
depelado adj.
depelador (*ô*) adj. s.m.
depelante adj.2g.
depelar v. "retirar a pele"; cf. *depilar*
depelatório adj.
depelável adj.2g.
depenação s.f.
depenado adj.
depenador (*ô*) adj. s.m.
depenadora (*ô*) s.f.
depenante adj.2g.
depenar v.
depenativo adj.
depenatório adj.
depenável adj.2g.
dependência s.f.
dependente adj. s.2g.
depender v.
dependura s.f.
dependuração s.f.
dependurado adj. s.m.
dependurador (*ô*) adj. s.m.
dependuramento s.m.
dependurante adj.2g.
dependurão s.m.; na loc. *ao dependurão*
dependurar v.
dependurável adj.2g.
dependuro s.m.
depenicação s.f.
depenicado adj.
depenicador (*ô*) adj. s.m.
depenicamento s.m.
depenicante adj.2g.
depenicar v.
depenicável adj.2g.
depenomania s.f.
depenomaníaco adj.
deperder v.
depérdito adj.
deperecedor (*ô*) adj. s.m.
deperecente adj.2g.
deperecer v.
deperecido adj.
deperecimento s.m.
deperecível adj.2g.
depilação s.f.
depilado adj.
depilador (*ô*) adj. s.m.
depilante adj.2g.
depilar v. "retirar os pelos"; cf. *depelar*
depilativo adj.
depilatório adj. s.m.
depilável adj.2g.
depistação s.f.
depistado adj.
depistador (*ô*) adj.
depistante adj.2g.
depistar v.
depistável adj.2g.
deplasmólise s.f.
depleção s.f.
depletividade s.f.
depletivo adj.
deplicação s.f.
deplicado adj.
deplicador (*ô*) adj.
deplicamento s.m.
deplicante adj.2g.
deplicar v.
deplicativo adj.
deplicável adj.2g.
deplorabilismo s.m.
deploração s.f.
deplorado adj.
deplorador (*ô*) adj. s.m.
deplorando adj.
deplorante adj.2g.
deplorar v.
deplorativo adj.
deploratório adj.
deplorável adj.2g.
deplumação s.f.
deplumado adj.
deplumador (*ô*) adj. s.m.
deplumante adj.2g.
deplumar v.
deplumativo adj.
deplumatório adj.
deplumável adj.2g.
depoência s.f.
depoente adj. s.2g.
depoimento s.m.
depois adv.
depolarização s.f.
depolarizado adj.
depolarizador (*ô*) adj. s.m.
depolarizante adj. s.2g.
depolarizar v.
depolarizável adj.2g.
depolimerização s.f.
depolimerizado adj.
depolimerizador (*ô*) adj. s.m.
depolimerizante adj.2g.
depolimerizar v.
depolimerizável adj.2g.
depolir v.
depolmar v.
deponente adj. s.2g.
depontano s.m.
depopulabilidade s.f.
depopulação s.f.
depopulacional adj.2g.
depopulado adj.
depopulador (*ô*) adj. s.m.
depopulante adj.2g.
depopular v.
depopularização s.f.
depopularizar v.
depopulatório adj.
depopulável adj.2g.
depor (*ô*) v.
deportação s.f.
deportado adj. s.m.
deportador (*ô*) adj. s.m.
deportante adj.2g.
deportar v.
deportativo adj.
deportatório adj.
deportável adj.2g.
deporte s.m.
deporto (*ô*) s.m.; cf. *deporto*, fl. do v. *deportar*
depós prep.; cf. *depôs*, fl. do v. *depor*
deposição s.f.
deposicional adj.2g.
depositado adj.
depositador (*ô*) s.m.
depositante adj. s.2g.
depositar v.
depositário s.m.
depositense adj. s.2g.
depósito s.m.; cf. *deposito*, fl. do v. *depositar*
depositor (*ô*) adj. s.m.
depositório adj.
deposto (*ô*) adj.; f.(*ó*); pl. (*ó*)
depravação s.f.
depravado adj. s.m.
depravador (*ô*) adj. s.m.
depravamento s.m.
depravante adj.2g.
depravar v.
depravativo adj.
depravatório adj.
depravável adj.2g.
deprecação s.f.
deprecada s.f.
deprecado adj.
deprecador (*ô*) adj. s.m.
deprecante adj. s.2g.
deprecar v.
deprecata s.f.
deprecativo adj.
deprecatória s.f.
deprecatório adj.
depreciação s.f.
depreciado adj.
depreciador (*ô*) adj. s.m.
depreciante adj.2g.
depreciar v.
depreciativo adj.
depreciável adj.2g.
depredação s.f.
depredado adj.
depredador (*ô*) adj. s.m.
depredamento s.m.
depredante adj.2g.
depredar v.
depredativo adj.
depredatório adj.
depredável adj.2g.
depreendedor (*ô*) adj. s.m.
depreendente adj.2g.
depreender v.
depreendido adj.
depreendimento s.m.
depreensão s.f.
depreensível adj.2g.
depressa adv.
depressão s.f.
depressária s.f.
depressicaude adj.2g.
depressicolo adj.
depressicorne adj.2g.
depressimetria s.f.
depressimétrico adj.
depressímetro s.m.
depressinha adv.
depressível adj.2g.
depressividade s.f.
depressivo adj.
depresso adj.
depressor (*ô*) adj. s.m.
deprimência s.f.
deprimente adj.2g.
deprimido adj.
deprimidor (*ô*) adj.
deprimir v.
depuração s.f.
depurado adj.
depurador (*ô*) adj. s.m.
depuramento s.m.
depurante adj.2g. s.m.
depurar v.
depurativo adj. s.m.
depuratório adj.
deputação s.f.
deputado adj. s.m.
deputador (*ô*) adj. s.m.
deputante adj. s.2g.
deputar v.
deputável adj.2g.
deque s.m.
dequeísmo s.m.
dequitação s.f.
dequitado adj.
dequitadura s.f.
dequitar-se v.
dequitativo adj.
deração s.f.
deradelfia s.f.
deradelfo adj. s.m.
deradenite s.f.
deradenítico adj.
deradenonco s.m.
derainiano (*derrè*) adj.
deranencefalia s.f.
deranencefálico adj.
deranencéfalo adj. s.m.
deranga adj. s.2g.
derba s.f.
derbal s.m.
derbata-cascudo s.m.; pl. *derbatas-cascudos*
derbeia (*é*) adj. s.f. de *derbeu*
derbésia s.f.
derbesiácea s.f.
derbesiáceo adj.
derbete (*ê*) adj. s.m.
derbeu adj. s.m.; f. *derbeia* (*é*)
dérbi s.m.
dérbice adj. s.2g.
derbício adj. s.m.
derbídeo adj. s.m.
derbilita s.f.
dérbio s.m.
derbylita s.f.
dercébio adj. s.m.
deré s.f.
dereísmo s.m.
dereístico adj.
derelição s.f.
derelicção s.f.
derelicto adj. s.m.
derelito adj. s.m.
derencefalia s.f.

derencefálico adj.
derencéfalo adj. s.m.
derencefalocele s.f.
derencefalocélico adj.
derengue s.m.
dereodo s.m.
deréodo s.m.
deretino adj. s.m.
deribande s.m.
deríbia s.f.
derisão s.f.
deriso adj. s.m.
derisor (*ô*) adj. s.m.
derisoriedade s.f.
derisório adj.
deriva s.f.
derivabilidade s.f.
derivação s.f.
derivacional adj.2g.
derivada s.f.
derivado adj. s.m.
derivador (*ô*) adj. s.m.
derivamento s.m.
derivante adj.2g.
derivar v.
derivativo adj. s.m.
derivatório adj.
derivável adj.2g.
derivometria s.f.
derivométrico adj.
derivômetro s.m.
derma s.m.
dermabrasão s.f.
dermabrasivo adj. s.m.
dermacentor (*ô*) s.m.
dermacentroxênico (*cs*) adj.
dermacentroxeno (*cs*) s.m.
dermáfito adj. s.m.
dermal adj.2g.
dermalgia s.f.
dermálgico adj.
dermanaplastia s.f.
dermanaplástico adj.
dermanissídeo adj. s.m.
dermanissíneo adj. s.m.
dermaníssio s.m.
dermanisso s.m.
dermáptero adj. s.m.
dermatabrasão s.f.
dermatagra s.f.
dermatágrico adj.
dermatalgia s.f.
dermatálgico adj.
dermatan adj.
dermataneuria s.f.
dermataneuro adj. s.m.
dermatatrofia s.f.
dermatatrófico adj.
dermatemia s.f.
dermatêmico adj.
dermatêmide s.f.2n.
dermatemídida adj.2g. s.m.
dermatemidídeo adj. s.m.
dermátemis s.f.2n.
dermatesclerose s.f.
dermatesclerótico adj.
dermático adj.
dermatina s.f.
dermatínico adj.
dermatino adj.
dermatite s.f.
dermatítico adj.
dermatoabrasão s.f.
dermatóbia s.f.
dermatobíase s.f.
dermatoblástico adj.
dermatoblasto s.m.
dermatobrânquio adj. s.m.
dermatocarpácea s.f.
dermatocarpáceo adj.
dermatocarpo s.m.
dermatocele s.f.
dermatocélico adj.
dermatocelidose s.f.
dermatocelidótico adj.
dermatocelite s.f.
dermatocelítico adj.
dermatocelulite s.f.
dermatocelulítico adj.
dermatocístico adj.
dermatocisto s.m.
dermatoconiose s.f.
dermatoconiótico adj.
dermatocoptes s.m.2n.
dermatocrânio s.m.
dermatode s.m.
dermatodecto s.m.
dermatodectomia s.f.
dermatodectos s.m.2n.
dermatodinia s.f.
dermatodínico adj.
dermatodonte adj.2g.
dermatodontia s.f.
dermatoeliose s.f.
dermatoesclerose s.f.
dermatoesclerótico adj.
dermatoeteroplastia s.f.
dermatoeteroplástico adj.
dermatofagia s.f.
dermatófago adj. s.m.
dermatofibroma s.m.
dermatofibromático adj.
dermatofibrômico adj.
dermatofídio adj.
dermatófido adj.
dermatofílida adj.2g. s.m.
dermatofilídeo adj. s.m.
dermatófilo s.m.
dermatofitia s.f.
dermatofítico adj.
dermatofitina s.f.
dermatófito s.m.
dermatofitose s.f.
dermatoflebite s.f.
dermatoflebítico adj.
dermatofobia s.f.
dermatofóbico adj.
dermatófobo adj. s.m.
dermatófone s.m.
dermatofonia s.f.
dermatofônio s.m.
dermatofono s.m.
dermatogáster s.m.
dermatogastro s.m.
dermatógene s.f.
dermatogenia s.f.
dermatogênico s.f.
dermatogênio s.m.
dermatógeno s.m.
dermatoglifia s.f.
dermatoglífico adj.
dermatóglifo adj. s.m.
dermatografia s.f.
dermatográfico adj.
dermatografismo s.m.
dermatografista adj. s.2g.
dermatógrafo s.m.
dermato-heteroplastia s.f.
dermato-heteroplástico adj.
dermato-histologia s.f.
dermato-histológico adj.
dermatoide (*ó*) adj.2g.
dermatoidectomia s.f.
dermatoidectômico adj.
dermatoistologia s.f.
dermatoistológico adj.
dermatol s.m.
dermatolabial adj.2g.
dermatólico adj.
dermatólise s.f.
dermatolisia s.f.
dermatolítico adj.
dermatologia s.f.
dermatológico adj.
dermatologista adj. s.2g.
dermatólogo s.m.
dermatoma s.m.
dermatomalacia s.f.
dermatomalácico adj.
dermatomaláquico adj.
dermatomático adj.
dermatomelasma s.m.
dermatomelasmático adj.
dermatomelásmico adj.
dermatomério s.m.
dermatômero s.m.
dermatômice s.m.
dermatômices s.m.2n.
dermatomiceto s.m.
dermatômico adj.
dermatomicose s.f.
dermatomicótico adj.
dermatomiíase s.f.
dermatomioma s.m.
dermatomiomático adj.
dermatomiômico adj.
dermatomiosite s.f.
dermatomiosítico adj.
dermátomo s.m.
dermatomucosomiosite s.f.
dermatomucosomiosítico adj.
dermatomuscular adj.2g.
dermatonecrose s.f.
dermatonecrótico adj.
dermatoneuria s.f.
dermatoneuro adj. s.m.
dermatoneurologia s.f.
dermatoneurológico adj.
dermatoneurologista s.2g.
dermatoneurólogo s.m.
dermatoneurose s.f.
dermatoneurótico adj.
dermatonevria s.f.
dermatonevrose s.f.
dermatonevrótico adj.
dermatopapilar adj.2g.
dermatopata adj. s.2g.
dermatopatia s.f.
dermatopático adj.
dermatopatologia s.f.
dermatopatológico adj.
dermatopatologista adj. s.2g.
dermatopatólogo adj. s.m.
dermatopia s.f.
dermatópico adj.
dermatoplasia s.f.
dermatoplásico adj.
dermatoplastia s.f.
dermatoplástico adj.
dermatopneusta adj.2g.
dermátopo adj. s.m.
dermatópode adj.2g. s.m.
dermatopodia s.f.
dermatopsia s.f.
dermatóptero s.m.
dermatóptico adj.
dermatoquélida adj.2g. s.m.
dermatoquelídeo adj. s.m.
dermatoquelidíneo adj. s.m.
dermatoquelidose s.f.
dermatoquelidótico adj.
dermatóquelis s.m.2n.
dermatóquelo s.m.
dermatorragia s.f.
dermatorrágico adj.
dermatorreia (*é*) s.f.
dermatorreico (*é*) adj.
dermatorrexe (*cs*) s.f.
dermatorrexia (*cs*) s.f.
dermatorréxico (*cs*) adj.
dermatorrinco s.m.
dermatosação s.f.
dermatosado adj.
dermatosador (*ô*) adj. s.m.
dermatosante adj.2g.
dermatosar v.
dermatosável adj.2g.
dermatosclerose s.f.
dermatosclerótico adj.
dermatoscopia s.f.
dermatoscópico adj.
dermatose s.f.
dermatosqueleto (*ê*) s.m.
dermatossífilis s.f.
dermatossifilítico adj.
dermatossifilografia s.f.
dermatossifilográfico adj.
dermatossifilografista adj. s.2g.
dermatossifilógrafo adj. s.m.
dermatossinovite s.f.
dermatossinovítico adj.
dermatossoma s.m.
dermatossomático adj.
dermatossomo s.m.
dermatosteose s.f.
dermatosteótico adj.
dermatotáctil adj.2g.
dermatoterapeuta adj. s.2g.
dermatoterapêutico adj.
dermatoterapia s.f.
dermatoterápico adj.
dermatoterapismo s.m.
dermatoterapista adj. s.2g.
dermatótico adj.
dermatotomia s.f.
dermatotômico adj.
dermatotomista adj. s.2g.
dermatótomo s.m.
dermatotrofia s.f.
dermatotrófico adj.
dermatotropia s.f.
dermatotrópico adj.
dermatotropismo s.m.
dermatotropístico adj.
dermatótropo adj. s.m.
dermatovacina s.f.
dermatovacinação s.f.
dermatovacinado adj.
dermatovacinador (*ô*) adj.
dermatovacinal adj.2g.
dermatovacinar v.
dermatovacinia s.f.
dermatovacínico adj.
dermatovacínida s.f.
dermatovacínide s.f.
dermatovacinífero adj.
dermatovacinofobia s.f.
dermatovacinofóbico adj.
dermatovacinófobo adj. s.m.
dermatovacinogenia s.f.
dermatovacinogênico adj.
dermatovacinoide (*ó*) adj.2g.
dermatovacinoprofiláctico adj.
dermatovacinoprofilaxia (*cs*) s.f.
dermatovacinoterapia s.f.
dermatovacinoterápico adj.
dermatozoário s.m.
dermatozoonose s.f.
dermatozoonótico adj.
dermatozoose s.f.
dermatozoótico adj.
dermatrofia s.f.
dermatrófico adj.
derme s.f.
dérmea s.f.
dermeano adj.
dermectasia s.f.
dermectásico adj.
dermectático adj.
dérmeo adj.
dermesta s.m.
dermestes s.m.2n.
derméstida adj.2g. s.m.
derméstide adj.2g.
dermestídeo adj. s.m.
dermesto s.m.
dérmico adj.
dermite s.f.
dermítico adj.
dermoabrasão s.f.
dermoblástico adj.
dermoblastio s.m.
dermoblasto s.m.
dermobrânquio adj. s.m.
dermocele s.f.
dermocélico adj.
dermócibe s.f.
dermocima s.m.
dermocimo s.m.
dermodermáptero adj. s.m.
dermodinia s.f.
dermodonte adj.2g. s.m.
dermodontia s.f.
dermofagia s.f.
dermófago adj. s.m.
dermofítico adj.
dermófito s.m.
dermoflebite s.f.
dermoflebítico adj.
dermogenia s.f.
dermogênico adj.
dermóglifo s.m.
dermografia s.f.
dermográfico adj.
dermografismo s.m.
dermografista adj. s.2g.
dermógrafo adj. s.m.
dermoide (*ó*) adj.2g.
dermoidectomia s.f.
dermoidectômico adj.
dermol s.m.
dermolabial adj.2g.
dermólico adj.
dermólise s.f.
dermolisia s.f.
dermolítico adj.
dermólito s.m.
dermologia s.f.
dermológico adj.
dermologista adj. s.2g.
dermólogo adj. s.m.
dermomicose s.f.
dermomicótico adj.
dermomiíase s.f.
dermomuscular adj.2g.
dermonecrose s.f.
dermopapilar adj.2g.
dermopapilografia s.f.
dermopapilográfico adj.
dermopapilógrafo adj. s.m.
dermopapilograma s.m.
dermopapiloscopia s.f.
dermopapiloscópico adj.
dermopatia s.f.
dermopático adj.
dermópio s.m.
dermoplastia s.f.
dermoplástico adj.
dermóptero adj. s.m.
dermoquelídeo adj. s.m.
dermóquelis s.m.2n.
dermorrexia (*cs*) s.f.
dermorréxico (*cs*) adj.
dermorrinco s.m.
dermosqueleto (*ê*) s.m.
dermossífilis s.f.2n.
dermossifilítico adj.
dermossinovite s.f.
dermossinovítico adj.
dermosteose s.f.
dermosteótico adj.
dermotáctil adj.2g.
dermoterapeuta adj. s.2g.
dermoterapêutico adj.
dermoterapia s.f.
dermoterápico adj.
dermoterapismo s.m.
dermoterapista adj. s.2g.
dermotomia s.f.
dermotômico adj.
dermótomo s.m.
dermotropia s.f.
dermotrópico adj.
dermotropismo s.m.
dermotropístico adj.
dermótropo adj. s.m.
dermovacina s.f.
dermovacinação s.f.
dermovacinado adj. s.m.
dermovacinador (*ô*) adj.
dermovacinal adj.2g.
dermovacinar v.
dermovacinia s.f.
dermovacínico adj.
dermovacínida s.f.
dermovacínide s.f.
dermovacinífero adj.
dermovacinofobia s.f.
dermovacinofóbico adj.
dermovacinófobo adj. s.m.
dermovacinogenia s.f.
dermovacinogênico adj.
dermovacinoide (*ó*) adj.2g.
dermovacinoprofiláctico adj.
dermovacinoprofilaxia (*cs*) s.f.
dermovacinoterapia s.f.
dermovacinoterápico adj.
dero s.m.
derodidimia s.f.
derodídimo s.m.
derodimia s.f.
deródimo s.m.
deroga s.m.f.
derogação s.f.
derogado adj.
derogador (*ô*) adj. s.m.
derogamento s.m.

derogante adj.2g.
derogar v.
derogatividade s.f.
derogativo adj.
derogatório adj.
derogável adj.2g.
deropásmico adj.
deropástico adj.
deróptio s.m.
derospasmo s.m.
derostomia s.f.
deróstomo adj. s.m.
derotomia s.f.
derotômico adj.
derotremado adj. s.m.
derotremo adj. s.m.
derotreto s.m.
derrabação s.f.
derrabado adj.
derrabanho s.m.
derrabar v.
derradeiras s.f.pl.
derradeiro adj.
derraiga s.f.
derraigar v.
derrama s.f.
derramação s.f.
derramada s.f.
derramadeira s.f.
derramado adj.
derramador (*ô*) adj. s.m.
derramagem s.f.
derramamento s.m.
derrama-molho s.m.; pl. *derrama-molhos*
derramante adj.2g.
derramar v.
derramável adj.2g.
derrame s.m.
derrancado adj.
derrancador (*ô*) adj. s.m.
derrancamento s.m.
derrancante adj.2g.
derrancar v.
derrancatório adj.
derrancável adj.2g.
derranco s.m.
derrangadeira s.f.
derranque s.m.
derrapado adj.
derrapador (*ô*) adj. s.m.
derrapagem s.f.
derrapante adj.2g.
derrapar v.
derrapativo adj.
derrapável adj.2g.
derratização s.f.
derratizado adj.
derratizador (*ô*) adj. s.m.
derratizante adj.2g.
derratizar v.
derratizável adj.2g.
derre s.f.
derreação s.f.
derreaço s.m.
derreada s.f.
derreadela s.f.
derreado adj.
derreador (*ô*) adj. s.m.
derreamento s.m.
derreante adj.2g.
derrear v.
derreativo adj.
derreatório adj.
derreável adj.2g.
derredor s.m. adv.; na loc. *em derredor de*, etc.
derreeira s.f.
derrega s.f.
derregação s.f.
derregado adj.
derregador (*ô*) s.m.
derregamento s.m.
derregar v.
derreiga s.f.
derreigar v.
derreio s.m.
derrelhado adj.
derrelhar v.
derrelição s.f.
derrelicção s.f.
derrelicto adj. s.m.
derrelito adj. s.m.
derrengação s.f.
derrengadeira s.f.
derrengado adj.
derrengador (*ô*) adj. s.m.
derrengamento s.m.
derrengante adj.2g.
derrengar v.
derrengativo adj.
derrengável adj.2g.
derrengo s.m.
derrengue s.m.
derrengueira s.f.
derrenguice s.f.
derrepastado adj.
derrepastar v.
derrete (*ê*) s.m.; cf. *derrete*, fl. do v. *derreter*
derreteado adj.
derreteamento s.m.
derretear v.
derretedor (*ô*) adj. s.m.
derretedura s.f.
derreter v.
derretido adj.
derretimento s.m.
derretível adj.2g.
derriba s.f.
derribação s.f.
derribada s.f.
derribadinha s.f.
derribadinhense adj. s.2g.
derribado adj.
derribador (*ô*) adj. s.m.
derribamento s.m.
derribante adj.2g.
derribar v.
derribativo adj.
derribatório adj.
derribável adj.2g.
derriça s.f.
derriçado adj.
derriçador (*ô*) adj. s.m.
derriçagem s.f.
derriçamento s.m.
derriçar v.
derriçável adj.2g.
derriço s.m.
dérris s.f.2n.
derrisão s.f.
derrisca s.f.
derriscado adj.
derriscador (*ô*) adj. s.m.
derriscamento s.m.
derriscante adj.2g.
derriscar v.
derriscável adj.2g.
derriso adj. s.m.
derrisor (*ô*) adj. s.m.
derrisoriedade s.f.
derrisório adj.
derrocação s.f.
derrocada s.f.
derrocado adj.
derroçado adj.
derrocador (*ô*) adj. s.m.
derroçador (*ô*) adj. s.m.
derrocamento s.m.
derroçamento s.m.
derrocante adj.2g.
derrocar v.
derroçar v.
derrocável adj.2g.
derrochar v.
derroga s.f.
derrogação s.f.
derrogado adj.
derrogador (*ô*) adj. s.m.
derrogamento s.m.
derrogante adj.2g.
derrogar v.
derrogatividade s.f.
derrogativo adj.
derrogatório adj.
derrogável adj.2g.
derronchado adj.
derronchar v.
derrota s.f.
derrotado adj. s.m.
derrotador (*ô*) adj. s.m.
derrotamento s.m.
derrotante adj.2g.
derrotar v.
derrotável adj.2g.
derrote s.m.
derroteiro s.m.
derrotismo s.m.
derrotista adj. s.2g.
derrotístico adj.
derroto (*ô*) adj.
derruba s.f.
derrubada s.f.
derrubadense adj. s.2g.
derrubado adj.
derrubador (*ô*) adj. s.m.
derrubamento s.m.
derrubar v.
derrubativo adj.
derrubatório adj.
derrubável adj.2g.
derrube s.m.
derruição s.f.
derruído adj.
derruidor (*ô*) adj. s.m.
derruimento s.m.
derruir v.
derruível adj.2g.
dervis s.m.
dervixe s.m.
dês prep.; na loc. *dês que*
desabado adj. s.m.
desabador (*ô*) adj. s.m.
desabafado adj.
desabafador (*ô*) adj. s.m.
desabafamento s.m.
desabafante adj.2g.
desabafar v.
desabafativo adj.
desabafatório adj.
desabafável adj.2g.
desabafo s.m.
desabalada s.f.
desabalado adj.
desabalador (*ô*) adj. s.m.
desabalar v.
desabalável adj.2g.
desabalizado adj.
desabalizador (*ô*) adj. s.m.
desabalizamento s.m.
desabalizante adj.2g.
desabalizar v.
desabalizável adj.2g.
desabalroado adj.
desabalroador (*ô*) adj. s.m.
desabalroamento s.m.
desabalroante adj.2g.
desabalroar v.
desabalroável adj.2g.
desabamento s.m.
desabancado adj.
desabancador (*ô*) adj. s.m.
desabancamento s.m.
desabancar v.
desabante adj.2g.
desabar v.
desabastado adj.
desabastar v.
desabastecer v.
desabastecido adj.
desabastecimento s.m.
desabativo adj.
desabatório adj.
desabável adj.2g.
desabe s.m.
desabeirado adj.
desabeiramento s.m.
desabeirar v.
desabelhado adj.
desabelhamento s.m.
desabelhar v.
desabelho (*ê*) s.m.
desabençoado adj.
desabençoador (*ô*) adj. s.m.
desabençoamento s.m.
desabençoante adj.2g.
desabençoar v.
desabezado adj.
desabezar v.
desábil adj.
desabilidade s.f.
desabilitado adj.
desabilitador (*ô*) adj. s.m.
desabilitante adj.2g.
desabilitar v.
desabilitável adj.2g.
desabitado adj.
desabitador (*ô*) adj.
desabitante adj.2g.
desabitar v.
desabitável adj.2g.
desábito s.m.; cf. *desabito*, fl. do v. *desabitar*
desabituação s.f.
desabituado adj.
desabituador (*ô*) adj.
desabituante adj.2g.
desabituar v.
desabituável adj.2g.
desaboçado adj.
desaboçamento s.m.
desabocar v.
desaboçar v.
desaboçável adj.2g.
desabonação s.f.
desabonado adj.
desabonador (*ô*) adj. s.m.
desabonante adj.2g.
desabonar v.
desabonável adj.2g.
desabono s.m.
desaborcar v.
desabordado adj.
desabordador (*ô*) adj. s.m.
desabordamento s.m.
desabordante adj.2g.
desabordar v.
desabordável adj.2g.
desaborrecedor (*ô*) adj. s.m.
desaborrecente adj.2g.
desaborrecer v.
desaborrecido adj.
desaborrecível adj.2g.
desaborrido adj.
desaborrimento s.m.
desaborrir v.
desabotinado adj.
desabotinar v.
desabotoado adj.
desabotoadura s.f.
desabotoamento s.m.
desabotoar v.
desabraçado adj.
desabraçamento s.m.
desabraçar v.
desabragalado adj.
desabragalar v.
desabrasileiração s.f.
desabrasileirado adj.
desabrasileiramento s.m.
desabrasileirar v.
desabrido adj.
desabrigado adj.
desabrigamento s.m.
desabrigante adj.2g.
desabrigar v.
desabrigável adj.2g.
desabrigo s.m.
desabrigoso (*ô*) adj.; f. (*ó*); pl. (*ó*)
desabrimento s.m.
desabrir v.
desabrochado adj.
desabrochador (*ô*) adj. s.m.
desabrochamento s.m.
desabrochante adj.2g.
desabrochar v.
desabrochável adj.2g.
desabrocho (*ô*) s.m.; cf. *desabrocho*, fl. do v. *desabrochar*
desabrolhado adj.
desabrolhador (*ô*) adj.
desabrolhamento s.m.
desabrolhante adj.2g.
desabrolhar v.
desabrolhável adj.2g.
desabusado adj.
desabusador (*ô*) adj.
desabusamento s.m.
desabusante adj.2g.
desabusar v.
desabusável adj.2g.
desabuso s.m.
desacadelado adj.
desacadelador (*ô*) adj.
desacadelamento s.m.
desacadelar v.
desaçaimado adj.
desaçaimamento s.m.
desaçaimar v.
desacamação s.f.
desaçamação s.f.
desacamado adj.
desaçamado adj.
desacamador (*ô*) adj.
desaçamador (*ô*) adj.
desacamante adj.2g.
desaçamante adj.2g.
desacamar v.
desaçamar v.
desacamaradado adj.
desacamaradar v.
desacamável adj.2g.
desaçamável adj.2g.
desacampado adj.
desacampamento s.m.
desacampante adj.2g.
desacampar v.
desacampável adj.2g.
desacanhado adj.
desacanhador (*ô*) adj.
desacanhamento s.m.
desacanhante adj.2g.
desacanhar v.
desacanhável adj.2g.
desacaravelhado adj.
desacaravelhar v.
desacasalado adj.
desacasalador (*ô*) adj.
desacasalamento s.m.
desacasalante adj.2g.
desacasalar v.
desacasalável adj.2g.
desacatado adj.
desacatador (*ô*) adj.
desacatamento s.m.
desacatante adj.2g.
desacatar v.
desacatável adj.2g.
desacato s.m.
desacaudelação s.f.
desacaudelado adj.
desacaudelamento s.m.
desacaudelar v.
desacaudilhado adj.
desacaudilhamento s.m.
desacaudilhar v.
desacautelado adj.
desacautelamento s.m.
desacautelar v.
desacavalado adj.
desacavalador (*ô*) adj.
desacavalamento s.m.
desacavalar v.
desacavalável adj.2g.
desaceitação s.f.
desaceitado adj.
desaceitador (*ô*) adj.
desaceitante adj.2g.
desaceitar v.
desaceitável adj.2g.
desaceite adj.2g.
desaceito adj.
desaceleração s.f.
desacelerado adj.
desacelerador (*ô*) adj. s.m.
desacelerante adj.2g.
desacelerar v.
desacelerável adj.2g.
desacentuação s.f.
desacentuado adj.
desacentuador (*ô*) adj.
desacentuante adj.2g.
desacentuar v.
desacentuável adj.2g.
desacepilhado adj.
desaceração s.f.
desacerado adj.
desacerar v.
desacerativo adj.
desacerável adj.2g.
desacerbação s.f.
desacerbado adj.
desacerbador (*ô*) adj.

desacerbante adj.2g.
desacerbar v.
desacerbativo adj.
desacerbatório adj.
desacerbável adj.2g.
desacertado adj.
desacertador (*ô*) adj.
desacertamento s.m.
desacertante adj.2g.
desacertar v.
desacertável adj.2g.
desacerto (*ê*) s.m.; cf. *desacerto*, fl. do v. *desacertar*
desachegado adj.
desachegador (*ô*) adj.
desachegamento s.m.
desachegante adj.2g.
desachegar v.
desachegável adj.2g.
desachorumado adj.
desachorumar v.
desacidentado adj.
desacidentar v.
desacidificação s.f.
desacidificado adj.
desacidificador (*ô*) adj.
desacidificante adj.2g. s.m.
desacidificar v.
desacidificável adj.2g.
desacidulação s.f.
desacidulado adj.
desacidulador (*ô*) adj.
desacidulante adj.2g.
desacidular v.
desacidulável adj.2g.
desacismado adj.
desacismar v.
desaclimação s.f.
desaclimado adj.
desaclimador (*ô*) adj. s.m.
desaclimante adj.2g.
desaclimar v.
desaclimatação s.f.
desaclimatado adj.
desaclimatador (*ô*) adj.
desaclimatante adj.2g.
desaclimatar v.
desaclimatável adj.2g.
desaclimável adj.2g.
desacobardado adj.
desacobardador (*ô*) adj.
desacobardamento s.m.
desacobardante adj.2g.
desacobardar v.
desacobardável adj.2g.
desacochado adj.
desacochador (*ô*) adj.
desacochagem s.f.
desacochante adj.2g.
desacochar v.
desacochável adj.2g.
desacoimação s.f.
desacoimado adj.
desacoimador (*ô*) adj.
desacoimante adj.2g.
desacoimar v.
desacoimável adj.2g.
desacoitado adj.
desacoitador (*ô*) adj. s.m.
desacoitamento s.m.
desacoitar v.
desacoitável adj.2g.
desacolchetado adj.
desacolchetador (*ô*) adj.
desacolchetamento s.m.
desacolchetar v.
desacolchetável adj.2g.
desacolchoado adj.
desacolchoador (*ô*) adj.
desacolchoamento s.m.
desacolchoante adj.2g.
desacolchoar v.
desacolchoável adj.2g.
desacolhedor (*ô*) adj.
desacolher v.
desacolherado adj.
desacolherar v.
desacolhida s.f.
desacolhido adj.
desacolhimento s.m.
desacomodação s.f.
desacomodado adj.
desacomodador (*ô*) adj.
desacomodante adj.2g.
desacomodar v.
desacomodativo adj.
desacomodável adj.2g.
desacompanhado adj.
desacompanhador (*ô*) adj.
desacompanhamento s.m.
desacompanhante adj.2g.
desacompanhar v.
desacompanhável adj.2g.
desacompassado adj.
desacompassador (*ô*) adj.
desacompassamento s.m.
desacompassante adj.2g.
desacompassar v.
desacompassável adj.2g.
desaconchegado adj.
desaconchegador (*ô*) adj.
desaconchegamento s.m.
desaconchegante adj.2g.
desaconchegar v.
desaconchegável adj.2g.
desaconchego (*ê*) s.m.
desaconselhado adj.
desaconselhador (*ô*) adj.
desaconselhamento s.m.
desaconselhante adj.2g.
desaconselhar v.
desaconselhável adj.2g.
desacoplação s.f.
desacoplado adj.
desacoplador (*ô*) adj.
desacoplamento s.m.
desacoplante adj.2g.
desacoplar v.
desacoplativo adj.
desacoplável adj.2g.
desacorçoado adj.
desacorçoamento s.m.
desacorçoante adj.2g.
desacorçoar v.
desacorçoativo adj.
desacorçoável adj.2g.
desacordado adj.
desacordador (*ô*) adj.
desacordante adj.2g.
desacordar v.
desacordável adj.2g.
desacorde adj.2g. s.m.
desacordo (*ô*) s.m.; cf. *desacordo*, fl. do v. *desacordar*
desacoroçoado adj. s.m.
desacoroçoador (*ô*) adj.
desacoroçoamento s.m.
desacoroçoante adj.2g.
desacoroçoar v.
desacoroçoativo adj.
desacoroçoável adj.
desacorredor (*ô*) adj.
desacorrentado adj.
desacorrentador (*ô*) adj.
desacorrentamento s.m.
desacorrentante adj.2g.
desacorrentar v.
desacorrentável adj.2g.
desacorrer v.
desacorrido adj.
desacostação s.f.
desacostado adj.
desacostador (*ô*) adj.
desacostamento s.m.
desacostante adj.2g.
desacostar v.
desacostável adj.2g.
desacostumado adj.
desacostumador (*ô*) adj.
desacostumante adj.2g.
desacostumar v.
desacostumável adj.2g.
desacotoação s.f.
desacotoado adj.
desacotoamento s.m.
desacotoar v.
desacoutado adj. s.m.
desacoutador (*ô*) adj.
desacoutamento s.m.
desacoutante adj.2g.
desacoutar v.
desacoutável adj.2g.
desacovardado adj.
desacovardador (*ô*) adj. s.m.
desacovardamento s.m.
desacovardante adj.2g.
desacovardar v.
desacovardável adj.2g.
desacravado adj.
desacravar v.
desacravelhar v.
desacreditado adj.
desacreditador (*ô*) adj.
desacreditante adj.2g.
desacreditar v.
desacreditável adj.2g.
desacuação s.f.
desacuado adj.
desacuar v.
desacuável adj.2g.
desacumulação s.f.
desacumulado adj.
desacumulador (*ô*) adj.
desacumulante adj.2g.
desacumular v.
desacumulativo adj.
desacumulatório adj.
desacumulável adj.2g.
desacunhado adj.
desacunhar v.
desacurado adj.
desacurar v.
desadaptabilidade s.f.
desadaptação s.f.
desadaptado adj. s.m.
desadaptador (*ô*) adj.
desadaptante adj.2g.
desadaptar v.
desadaptativo adj.
desadaptável adj.2g.
desadensado adj.
desadensador (*ô*) adj.
desadensamento s.m.
desadensante adj.2g.
desadensar v.
desadensável adj.2g.
desadereçado adj.
desadereçar v.
desaderência s.f.
desaderente adj. s.2g.
desaderido adj.
desaderimento s.m.
desaderir v.
desaderível adj.2g.
desadjetivação s.f.
desadjetivado adj.
desadjetivador (*ô*) adj.
desadjetivante adj.2g.
desadjetivar v.
desadjetivável adj.2g.
desadministração s.f.
desadministrado adj.
desadministrador (*ô*) adj.
desadministrante adj.2g.
desadministrar v.
desadministrativo adj.
desadministrável adj.2g.
desadmoestação s.f.
desadmoestado adj.
desadmoestador (*ô*) adj.
desadmoestante adj.2g.
desadmoestar v.
desadmoestatório adj.
desadmoestável adj.2g.
desadoração s.f.
desadorado adj.
desadorador (*ô*) adj.
desadorante adj.2g.
desadorar v.
desadorativo adj.
desadoratório adj.
desadorável adj.2g.
desadormecedor (*ô*) adj. s.m.
desadormecente adj.2g.
desadormecer v.
desadormecido adj.
desadormecimento s.m.
desadormecível adj.
desadormentado adj.
desadormentador (*ô*) adj.
desadormentante adj.2g.
desadormentar v.
desadormentativo adj.
desadornado adj.
desadornador (*ô*) adj.
desadornante adj.2g.
desadornar v.
desadornativo adj.
desadornável adj.2g.
desadorno (*ô*) s.m.; cf. *desadorno*, fl. do v. *desadornar*
desadoro (*ô*) s.m.; cf. *desadoro*, fl. do v. *desadorar*
desadouro s.m.
desaduchado adj.
desaduchar v.
desadulação s.f.
desadulado adj.
desadulador (*ô*) adj.
desadular v.
desadulável adj.2g.
desadunação s.f.
desadunado adj.
desadunador (*ô*) adj.
desadunamento s.m.
desadunante adj.2g.
desadunar v.
desadvertência s.f.
desadvertente adj.2g.
desadvertido adj.
desadvertir v.
desadvogado adj.
desadvogador (*ô*) adj.
desadvogante adj.2g.
desadvogar v.
desadvogável adj.2g.
desaeração s.f.
desaerado adj.
desaerador (*ô*) s.m.
desaerar v.
desafabilidade s.f.
desafagado adj.
desafagador (*ô*) adj.
desafagante adj.2g.
desafagar v.
desafagável adj.2g.
desafaimação s.f.
desafaimado adj.
desafaimador (*ô*) adj.
desafaimante adj.2g.
desafaimar v.
desafaimável adj.2g.
desafamado adj.
desafamador (*ô*) adj.
desafamante adj.2g.
desafamar v.
desafamável adj.2g.
desafastar v.
desafável adj.2g.
desafazer v. "desacostumar"; cf. *desfazer*
desafeação s.f.; cf. *desafiação*
desafeado adj.; cf. *desafiado*
desafeador (*ô*) adj.; cf. *desafiador* (*ô*)
desafeamento s.m.
desafear v. "tirar a fealdade"; cf. *desafiar*
desafeável adj.2g.; cf. *desafiável*
desafectação s.f.
desafectado adj.
desafectar v.
desafecto adj. s.m.
desafeição s.f.
desafeiçoado adj.
desafeiçoador (*ô*) adj.
desafeiçoamento s.m.
desafeiçoante adj.2g.
desafeiçoar v.
desafeiçoável adj.2g.
desafeitado adj.
desafeitador (*ô*) adj.
desafeitamento s.m.
desafeitar v.
desafeitável adj.2g.
desafeito adj.
desaferrado adj.
desaferrador (*ô*) adj.
desaferramento s.m.
desaferrante adj.2g.
desaferrar v.
desaferrável adj.2g.
desaferro (*ê*) s.m.; cf. *desaferro*, fl. do v. *desaferrar*
desaferroação s.f.
desaferroado adj.
desaferroador (*ô*) adj.
desaferroamento s.m.
desaferroante adj.2g.
desaferroar v.
desaferroável adj.2g.
desaferrolhado adj.
desaferrolhador (*ô*) adj.
desaferrolhamento s.m.
desaferrolhante adj.2g.
desaferrolhar v.
desaferrolhável adj.2g.
desafervorado adj.
desafervorador (*ô*) adj.
desafervoramento s.m.
desafervorar v.
desafervorável adj.2g.
desafetação s.f.
desafetado adj.
desafetador (*ô*) adj.
desafetante adj.2g.
desafetar v.
desafetável adj.2g.
desafetividade s.f.
desafetivo adj.
desafeto adj. s.m.
desafiação s.f.; cf. *desafeação*
desafiado adj. s.m.; cf. *desafeado*
desafiador (*ô*) adj. s.m.; cf. *desafeador* (*ô*)
desafiante adj. s.2g.; cf. *desafeante*
desafiar v. "provocar"; cf. *desafear*
desafiativo adj.
desafiatório adj.
desafiável adj. s.2g.; cf. *desafeável*
desafigurar v.
desafilhar v.
desafinação s.f.
desafinado adj.
desafinador (*ô*) adj.
desafinadote adj.2g.
desafinamento s.m.
desafinante adj.2g.
desafinar v.
desafinável adj.2g.
desafio s.m.
desafiuzado adj.
desafiuzar v.
desafivelado adj.
desafivelador (*ô*) adj.
desafivelamento s.m.
desafivelante adj.2g.
desafivelar v.
desafivelável adj.2g.
desafixação (*cs*) s.f.
desafixado (*cs*) adj.
desafixador (*cs...ô*) adj.
desafixar (*cs*) v.
desafixativo (*cs*) adj.
desafixável (*cs*) adj.2g.
desaflição s.f.
desafligente adj.2g.
desafligido adj.
desafligir v.
desafligível adj.2g.
desafogado adj.
desafogador (*ô*) adj.
desafogante adj.2g.
desafogar v.
desafogável adj.2g.
desafogo (*ô*) s.m.; cf. *desafogo*, fl. do v. *desafogar*
desafogueação s.f.
desafogueado adj.
desafogueador (*ô*) adj.
desafogueamento s.m.
desafogueante adj.2g.
desafoguear v.
desafogueável adj.2g.
desafolhado adj.
desafolhador (*ô*) adj.
desafolhamento s.m.
desafolhante adj.2g.
desafolhar v.
desafolhável adj.2g.
desaforado adj. s.m.

desaforador (*ô*) adj.
desaforama s.f.
desaforamento s.m.
desaforante adj.2g.
desaforar v.
desaforável adj.2g.
desaforido adj.
desaformoseado adj.
desaformoseador (*ô*) adj.
desaformoseamento s.m.
desaformoseante adj.2g.
desaformosear v.
desaformoseável adj.2g.
desaforo (*ô*) s.m.; cf. *desaforo*, fl. do v. *desaforar*
desafortunado adj. s.m.
desafortunador (*ô*) adj.
desafortunamento s.m.
desafortunar v.
desafortunável adj.2g.
desafrancesado adj.
desafrancesador (*ô*) adj.
desafrancesamento s.m.
desafrancesante adj.2g.
desafrancesar v.
desafrancesável adj.2g.
desafreguesado adj.
desafreguesador (*ô*) adj.
desafreguesamento s.m.
desafreguesante adj.2g.
desafreguesar v.
desafreguesável adj.2g.
desafreimado adj.
desafreimar v.
desafronta s.f.
desafrontado adj.
desafrontador (*ô*) adj.
desafrontamento s.m.
desafrontante adj.2g.
desafrontar v.
desafrontável adj.2g.
desafuado adj.
desafuar v.
desafueirado adj.
desafueirar v.
desafumado adj.
desafumar v.
desafundado adj.
desafundador (*ô*) adj.
desafundamento s.m.
desafundante adj.2g.
desafundar v.
desafundável adj.2g.
desafuscado adj.
desafuscador (*ô*) adj.
desafuscamento s.m.
desafuscante adj.2g.
desafuscar v.
desagalardoado adj.
desagalardoamento s.m.
desagalardoar v.
desagalinhação s.f.
desagalinhado adj.
desagalinhador (*ô*) adj.
desagalinhamento s.m.
desagalinhar v.
desagaloação s.f.
desagaloado adj.
desagaloador (*ô*) adj.
desagaloamento s.m.
desagaloar v.
desagalonação s.f.
desagalonado adj.
desagalonador (*ô*) adj.
desagalonagem s.f.
desagalonamento s.m.
desagalonante adj.2g.
desagalonar v.
desagalonável adj.2g.
desagarração s.f.
desagarrado adj.
desagarrador (*ô*) adj.
desagarramento s.m.
desagarrante adj.2g.
desagarrar v.
desagarrável adj.2g.
desagasalhado adj.
desagasalhador (*ô*) adj.
desagasalhamento s.m.
desagasalhante adj.2g.
desagasalhar v.
desagasalhável adj.2g.
desagasalho s.m.
desagastado adj.
desagastador (*ô*) adj.
desagastamento s.m.
desagastante adj.2g.
desagastar v. "reconciliar"; cf. *desgastar*
desagastável adj.2g.
deságio s.m.
desaglomeração s.f.
desaglomerado adj.
desaglomerador (*ô*) adj.
desaglomerante adj.2g.
desaglomerar v.
desaglomerativo adj.
desaglomerável adj.2g.
desagoirar v.
desagoniação s.f.
desagoniado adj.
desagoniador (*ô*) adj.
desagoniante adj.2g.
desagoniar v.
desagoniável adj.2g.
desagora adv.
desagourado adj.
desagourador (*ô*) adj. s.m.
desagouramento s.m.
desagourante adj.2g.
desagourar v.
desagourável adj.2g.
desagouro s.m.
desagradado adj.
desagradador (*ô*) adj.
desagradamento s.m.
desagradante adj.2g.
desagradar v.
desagradável adj.2g.
desagradecedor (*ô*) adj. s.m.
desagradecente adj.2g.
desagradecer v.
desagradecido adj.
desagradecimento s.m.
desagrado s.m.
desagravação s.f.
desagravado adj. s.m.
desagravador (*ô*) adj.
desagravante adj.2g.
desagravar v.
desagravativo adj.
desagravatório adj.
desagravável adj.2g.
desagravo s.m.
desagregação s.f.
desagregado adj.
desagregador (*ô*) adj.
desagregamento s.m.
desagregante adj.2g.
desagregar v.
desagregativo adj.
desagregatório adj.
desagregável adj.2g.
desagreste adj.2g.
desagrilhoado adj.
desagrilhoador (*ô*) adj.
desagrilhoamento s.m.
desagrilhoante adj.2g.
desagrilhoar v.
desagrilhoável adj.2g.
desagrupamento s.m.
desagrupar v.
desaguachado adj.
desaguachar v.
desaguache s.m.
desaguadeiro s.m.
desaguado adj.
desaguadoiro s.m.
desaguador (*ô*) adj. s.m.
desaguadouro s.m.
desaguamento s.m.
desaguante adj.2g.
desaguar v.
desaguativo adj.
desaguatório adj.
desaguável adj.2g.
desaguçado adj.
desaguçador (*ô*) adj.
desaguçamento s.m.
desaguçante adj.2g.
desaguçar v.
desaguçável adj.2g.
deságue (*ü*) s.m.
desaguisado adj. s.m.
desaguisador (*ô*) adj.
desaguisamento s.m.
desaguisante adj.2g.
desaguisar v.
desaguisável adj.2g.
desaguiso s.m.
desainado adj.
desainador (*ô*) adj.
desainadura s.f.
desainar v.
desairado adj.
desairador (*ô*) adj.
desairante adj.2g.
desairar v.
desairável adj.2g.
desaire s.m.
desairosidade s.f.
desairoso (*ô*) adj.; f. (*ó*); pl. (*ó*)
desajeitado adj.
desajeitamento s.m.
desajeitar v.
desajeitável adj.2g.
desajoujado adj.
desajoujamento s.m.
desajoujar v.
desajoujo s.m.
desajuda s.f.
desajudado adj.
desajudante adj. s.2g.
desajudar v.
desajudável adj.2g.
desajuizado adj. s.m.
desajuizamento s.m.
desajuizante adj.2g.
desajuizar v.
desajuntado adj.
desajuntar v.
desajustado adj. s.m.
desajustamento s.m.
desajustar v.
desajuste s.m.
desalação s.f.
desalado adj.
desalagado adj.
desalagador (*ô*) adj.
desalagamento s.m.
desalagante adj.2g.
desalagar v.
desalagável adj.2g.
desalapado adj.
desalapador (*ô*) adj. s.m.
desalapamento s.m.
desalapar v.
desalapável adj.2g.
desalargado adj.
desalargador (*ô*) adj.
desalargamento s.m.
desalargante adj.2g.
desalargar v.
desalargável adj.2g.
desalarmado adj.
desalarmador (*ô*) adj.
desalarmamento s.m.
desalarmante adj.2g.
desalarmar v.
desalarmável adj.2g.
desalastrado adj.
desalastramento s.m.
desalastrar v.
desalbardado adj.
desalbardador (*ô*) adj.
desalbardamento s.m.
desalbardar v.
desalcalização s.f.
desalcalizar v.
desalcançado adj.
desalcançar v.
desalcançável adj.2g.
desalcance s.m.
desalcoilação s.f.
desalcoilado adj.
desalcoilar v.
desalealdar v.
desalegrado adj.
desalegrador (*ô*) adj.
desalegramento s.m.
desalegrante adj.2g.
desalegrar v.
desalegratório adj.
desalegrável adj.2g.
desalegre adj.2g.
desaleitação s.f.
desaleitado adj. s.m.
desaleitador (*ô*) adj.
desaleitamento s.m.
desaleitante adj.2g.
desaleitar v.
desaleitável adj.2g.
desalentado adj. s.m.
desalentador (*ô*) adj.
desalentante adj.2g.
desalentar v.
desalentável adj.2g.
desalento s.m.
desalergização s.f.
desalergizado adj.
desalergizador (*ô*) adj.
desalergizante adj.2g.
desalergizar v.
desalergizável adj.2g.
desalfaiado adj.
desalfaiar v.
desalfandegação s.f.
desalfandegado adj.
desalfandegador (*ô*) adj.
desalfandegagem s.f.
desalfandegamento s.m.
desalfandegante adj.2g.
desalfandegar v.
desalfandegável adj.2g.
desalforjado adj.
desalforjar v.
desalgemação s.f.
desalgemado adj.
desalgemagem s.m.
desalgemamento s.m.
desalgemar v.
desalgemável adj.2g.
desalhear v.
desaliado adj.
desaliança s.f.
desaliar v.
desaliável adj.2g.
desalicerçado adj.
desalicerçador (*ô*) adj.
desalicerçamento s.m.
desalicerçante adj.2g.
desalicerçar v.
desalicerçável adj.2g.
desalijar v.
desalinhado adj.
desalinhador (*ô*) adj.
desalinhamento s.m.
desalinhante adj.2g.
desalinhar v.
desalinhavado adj. s.m.
desalinhavador (*ô*) adj.
desalinhavante adj.2g.
desalinhavar v.
desalinhavável adj.2g.
desalinhável adj.2g.
desalinhavo s.m.
desalinho s.m.
desalistado adj.
desalistador (*ô*) adj.
desalistagem s.f.
desalistamento s.m.
desalistante adj.2g.
desalistar v.
desalistável adj.2g.
desaliviar v.
desalmado adj. s.m.
desalmamento s.m.
desalmante adj.2g.
desalmar v.
desalmável adj.2g.
desalme s.m.
desalmejado adj.
desalmejar v.
desalmejo (*ê*) s.m.
desalmo adj.
desalogenação s.f.
desalogenado adj.
desalogenador (*ô*) adj.
desalogenante adj.2g.
desalogenar v.
desalogenável adj.2g.
desalojado adj.
desalojador (*ô*) adj.
desalojamento s.m.
desalojante adj.2g.
desalojar v.
desalojo (*ô*) s.m.; cf. *desalojo*, fl. do v. *desalojar*
desalquilação s.f.
desalquilado adj.
desalquilar v.
desalteração s.f.
desalterado adj.
desalterador (*ô*) adj.
desalterante adj.2g.
desalterar v.
desalterável adj.2g.
desalugado adj.
desalugar v.
desalugável adj.2g.
desalumbrado adj.
desalumbramento s.m.
desalumbrar v.
desalumiado adj.
desalvorado adj.
desalvoramento s.m.
desalvorar v.
desamabilidade s.f.
desamachucar v.
desamado adj. s.m.
desamador (*ô*) adj. s.m.
desamagoar-se v.
desamainar v.
desamalgamação s.f.
desamalgamado adj.
desamalgamador (*ô*) adj.
desamalgamante adj.2g.
desamalgamar v.
desamalgamável adj.2g.
desamamentação s.f.
desamamentado adj.
desamamentante adj.2g.
desamamentar v.
desamamentável adj.2g.
desamancebado adj.
desamancebamento s.m.
desamancebar v.
desamaneirado adj.
desamaneiramento s.m.
desamaneirar v.
desamanhação s.f.
desamanhado adj.
desamanhador (*ô*) adj.
desamanhar v.
desamanho s.m.
desamantado adj.
desamantar v.
desamante adj. s.2g.
desamantilhado adj.
desamantilhar v.
desamão s.f.; na loc. *à desamão*
desamar v.
desamaranho s.m.
desamarinhado adj.
desamarinhar v.
desamarinheirado adj.
desamarinheirar v.
desamarração s.f.
desamarrado adj.
desamarrador (*ô*) adj.
desamarrante adj.2g.
desamarrar v.
desamarrável adj.2g.
desamarrotado adj.
desamarrotador (*ô*) adj.
desamarrotamento s.m.
desamarrotante adj.2g.
desamarrotar v.
desamarrotável adj.2g.
desamartelado adj.
desamartelar v.
desamassado adj.
desamassador (*ô*) adj. s.m.
desamassadura s.f.
desamassamento s.m.
desamassante adj.2g.
desamassar v.
desamassável adj.2g.
desamável adj.2g.
desambição s.f.
desambicionado adj.
desambicionar v.
desambicionável adj.
desambicioso (*ô*) adj. s.m.; f. (*ó*); pl. (*ó*)

desambientação s.f.
desambientado adj.
desambientador (*ô*) adj.
desambientante adj.2g.
desambientar v.
desambientável adj.2g.
desambiguação s.f.
desambiguar v.
desambiguização (*ü*) s.f.
desambiguizar (*ü*) v.
desamealhação s.f.
desamealhado adj. s.m.
desamealhador (*ô*) adj.
desamealhamento s.m.
desamealhar v.
desamealhável adj.2g.
desamenidade s.f.
desameno adj.
desamidação s.f.
desamidar v.
desamigação s.f.
desamigado adj.
desamigador (*ô*) adj.
desamigante adj.2g.
desamigar v.
desamigativo adj.
desamigável adj.
desamigo adj.
desamimação s.f.
desamimado adj.
desamimador (*ô*) adj.
desamimamento s.m.
desamimante adj.2g.
desamimar v.
desamimável adj.2g.
desaminação s.f.
desaminado adj.
desaminador (*ô*) adj. s.m.
desaminante adj.2g.
desaminar v.
desaminase s.f.
desamínase s.f.
desaminativo adj.
desaminável adj.2g.
desaminização s.f.
desaminizar v.
desamistado adj.
desamistar v.
desamistável adj.2g.
desamistosidade s.f.
desamistoso (*ô*) adj.; f. (*ó*); pl. (*ó*)
desamizade s.f.
desamnistiado adj.
desamnistiar v.
desamoador (*ô*) s.m.
desamodorração s.f.
desamodorrado adj.
desamodorrador (*ô*) adj.
desamodorramento s.m.
desamodorrar v.
desamoedação s.f.
desamoedado adj.
desamoedador (*ô*) adj.
desamoedante adj.2g.
desamoedar v.
desamoedável adj.2g.
desamoestação s.f.
desamoestado adj.
desamoestador (*ô*) adj. s.m.
desamoestante adj.2g.
desamoestar v.
desamoestável adj.2g.
desamofinar v.
desamolgação s.f.
desamolgadela s.f.
desamolgado adj.
desamolgador (*ô*) adj. s.m.
desamolgadura s.f.
desamolgamento s.m.
desamolgante adj.2g.
desamolgar v.
desamolgável adj.2g.
desamontar v.
desamontoação s.f.
desamontoado adj.
desamontoador (*ô*) adj.
desamontoadora (*ô*) s.f.
desamontoamento s.m.
desamontoante adj.2g.
desamontoar v.
desamontoativo adj.
desamontoável adj.2g.
desamor (*ô*) s.m.
desamorado adj.
desamorador (*ô*) adj.
desamorável adj.2g.
desamorosidade s.f.
desamoroso (*ô*) adj.; f. (*ó*); pl. (*ó*)
desamortalhado adj.
desamortalhar v.
desamortalhável adj.2g.
desamortização s.f.
desamortizado adj.
desamortizador (*ô*) adj.
desamortizante adj.2g.
desamortizar v.
desamortizatório adj.
desamortizável adj.2g.
desamotinação s.f.
desamotinado adj.
desamotinar v.
desamotinável adj.2g.
desamoucado adj.
desamoucar v.
desamoucável adj.2g.
desamparadense adj. s.2g.
desamparado adj. s.m.
desamparador (*ô*) adj. s.m.
desamparamento s.m.
desamparante adj.2g.
desamparar v.
desamparável adj.2g.
desamparo s.m.
desamuado adj.
desamuador (*ô*) adj. s.m.
desamuamento s.m.
desamuar v.
desamuável adj.2g.
desamurado adj.
desamurar v.
desamurizado adj.
desamurizar v.
desana adj. s.2g. s.m.
desanacronizado adj.
desanacronizar v.
desanalfabetização s.f.
desanalfabetizado adj.
desanalfabetizar v.
desanalfabetizável adj.2g.
desanaturado adj.
desancado adj.
desancador (*ô*) adj. s.m.
desancamento s.m.
desancante adj.2g.
desancar v.
desancável adj.2g.
desancorado adj.
desancorador (*ô*) adj.
desancoragem s.f.
desancorar v.
desancorável adj.2g.
desanda s.f.
desandadeira s.f.
desandadela s.f.
desandado adj.
desandador (*ô*) adj. s.m.
desandamento s.m.
desandança s.f.
desandante adj.2g.
desandar v.
desandável adj.2g.
desandista s.m.
desando s.m.
desanegado adj.
desanelação s.f.
desanelado adj.
desaneladura s.f.
desanelamento s.m.
desanelante adj.2g.
desanelar v.
desanelável adj.2g.
desanexação (*cs*) s.f.
desanexado (*cs*) adj.
desanexador (*cs...ô*) adj.
desanexante (*cs*) adj.2g.
desanexar (*cs*) v.
desanexável (*cs*) adj.2g.
desanexo (*cs*) adj. s.m.
desangelizado adj.
desangelizar v.
desangustiado adj.
desangustiante adj.2g.
desangustiar v.
desangustiável adj.2g.
desanichado adj.
desanichar v.
desanilação s.f.
desanilado adj.
desanilador (*ô*) adj.
desanilar v.
desanimação s.f.
desanimado adj.
desanimador (*ô*) adj.
desanimalização s.f.
desanimalizado adj.
desanimalizador (*ô*) adj.
desanimalizante adj.2g.
desanimalizar v.
desanimalizável adj.2g.
desanimante adj.2g.
desanimar v.
desanimativo adj.
desanimatório adj.
desanimável adj.2g.
desanimizado adj.
desanimizar v.
desanimizável adj.2g.
desânimo s.m.; cf. *desanimo*, fl. do v. *desanimar*
desaninhação s.f.
desaninhado adj.
desaninhador (*ô*) adj.
desaninhamento s.m.
desaninhar v.
desaninhável adj.2g.
desanistia s.f.
desanistiado adj.
desanistiador (*ô*) adj.
desanistiante adj.2g.
desanistiar v.
desanistiável adj.2g.
desano adj. s.2g. s.m.
desanojado adj.
desanojamento s.m.
desanojante adj.2g.
desanojar v.
desanojável adj.2g.
desanojo (*ô*) s.m.; cf. *desanojo*, fl. do v. *desanojar*
desanular v.
desanuviação s.f.
desanuviado adj.
desanuviador (*ô*) adj.
desanuviamento s.m.
desanuviante adj.2g.
desanuviar v.
desanuviativo adj.
desanuviável adj.2g.
desapacientação s.f.
desapacientado adj.
desapacientador (*ô*) adj.
desapacientamento s.m.
desapacientante adj.2g.
desapacientar v.
desapacientável adj.2g.
desapadreado adj.
desapadreamento s.m.
desapadrear v.
desapadreável adj.2g.
desapadrinhado adj.
desapadrinhador (*ô*) adj.
desapadrinhamento s.m.
desapadrinhar v.
desapadrinhável adj.2g.
desapadroado adj.
desapadroamento s.m.
desapadroar v.
desapadronável adj.2g.
desapagar v.
desapaixonado adj.
desapaixonamento s.m.
desapaixonante adj.2g.
desapaixonar v.
desapaixonável adj.2g.
desaparafusado adj.
desaparafusador (*ô*) adj.
desaparafusagem s.f.
desaparafusamento s.m.
desaparafusar v.
desaparafusável adj.2g.
desaparato s.m.
desaparatoso (*ô*) adj.; f. (*ó*); pl. (*ó*)
desaparecedor (*ô*) adj. s.m.
desaparecente adj.2g.
desaparecer v.
desaparecido adj. s.m.
desaparecimento s.m.
desaparecível adj.2g.
desaparelhação s.f.
desaparelhado adj.
desaparelhador (*ô*) adj.
desaparelhagem s.f.
desaparelhamento s.m.
desaparelhante adj.2g.
desaparelhar v.
desaparelhável adj.2g.
desaparelho (*ê*) s.m.
desaparentado adj.
desaparentamento s.m.
desaparentar v.
desaparentável adj.2g.
desaparição s.f.
desapartação s.f.
desapartadiço adj.
desapartado adj.
desapartador (*ô*) adj.
desapartadura s.f.
desapartamento s.m.
desapartante adj.2g.
desapartar v.
desapartável adj.2g.
desapassionado adj.
desapassionar v.
desapavorado adj.
desapavorar v.
desapavorável adj.2g.
desapaziguado adj.
desapaziguador (*ô*) adj.
desapaziguamento s.m.
desapaziguante adj.2g.
desapaziguar v.
desapaziguável adj.2g.
desapeado adj.
desapeador (*ô*) adj. s.m.
desapeamento s.m.
desapeante adj.2g.
desapear v.
desapeável adj.2g.
desapeçonhado adj.
desapeçonhamento s.m.
desapeçonhante adj.2g.
desapeçonhar v.
desapeçonhável adj.2g.
desapeçonhentado adj.
desapeçonhentar v.
desapegado adj.
desapegador (*ô*) adj.
desapegamento s.m.
desapegante adj.2g.
desapegar v.
desapegável adj.2g.
desapego (*ê*) s.m.; cf. *desapego*, fl. do v. *desapegar*
desapeirado adj.
desapeirar v.
desapenado adj.
desapenamento s.m.
desapenar v.
desapendoado adj.
desapendoar v.
desapensar v.
desapercebedor (*ô*) adj.
desapercebente adj.2g.
desaperceber v.
desapercebido adj.
desapercebimento s.m.
desapercebível adj.2g.
desaperrado adj.
desaperramento s.m.
desaperrar v.
desapertadela s.f.
desapertado adj.
desapertador (*ô*) adj.
desapertamento s.m.
desapertante adj.2g.
desapertar v.
desapertável adj.2g.
desaperto (*ê*) s.m.; cf. *desaperto*, fl. do v. *desapertar*
desapetitoso (*ô*) adj.; f. (*ó*); pl. (*ó*)
desapiadar v.
desapiedado adj.
desapiedador (*ô*) adj.
desapiedamento s.m.
desapiedante adj.2g.
desapiedar v.
desapiedável adj.2g.
desaplaudido adj.
desaplaudir v.
desaplaudível adj.2g.
desaplauso s.m.
desaplicação s.f.
desaplicado adj.
desaplicador (*ô*) adj.
desaplicante adj.2g.
desaplicar v.
desaplicativo adj.
desaplicável adj.2g.
desapoderação s.f.
desapoderado adj.
desapoderador (*ô*) adj.
desapoderamento s.m.
desapoderante adj.2g.
desapoderar v.
desapoderável adj.2g.
desapoiado adj.
desapoiador (*ô*) adj.
desapoiamento s.m.
desapoiante adj.2g.
desapoiar v.
desapoiável adj.2g.
desapoio (*ô*) s.m.; cf. *desapoio* (*ó*), fl. do v. *desapoiar*
desapolvilhado adj.
desapolvilhar v.
desapontado adj.
desapontador (*ô*) adj.
desapontamento s.m.
desapontante adj.2g.
desapontar v.
desapontável adj.2g.
desaponte s.m.
desaponto s.m.
desapoquentação s.f.
desapoquentado adj.
desapoquentador (*ô*) adj.
desapoquentante adj.2g.
desapoquentar v.
desapoquentativo adj.
desapoquentável adj.2g.
desapor v.
desaportuguesado adj.
desaportuguesador (*ô*) adj.
desaportuguesamento s.m.
desaportuguesante adj.2g.
desaportuguesar v.
desaportuguesável adj.2g.
desaposentado adj. s.m.
desaposentar v.
desapossado adj.
desapossador (*ô*) adj.
desapossamento s.m.
desapossante adj.2g.
desapossar v.
desapossável adj.2g.
desaposto (*ô*) adj.
desaprazedor (*ô*) adj. s.m.
desaprazer v.
desaprazido adj.
desaprazimento s.m.
desaprazível adj.2g.
desapreçado adj.
desapreçador (*ô*) adj.
desapreçamento s.m.
desapreçante adj.2g.
desapreçar v.
desapreçável adj.2g.
desapreciado adj.
desapreciador (*ô*) adj. s.m.
desapreciamento s.m.
desapreciante adj.2g.
desapreciar v.
desapreciável adj.2g.
desapreço (*ê*) s.m.; cf. *desapreço*, fl. do v. *desapreçar* e *desapresso*, fl. do v. *desapressar*
desaprendedor (*ô*) adj. s.m.
desaprender v.
desaprendido adj.
desaprendível adj.2g.
desaprendizado s.m.

desaprendizagem s.f.
desapresilhado adj.
desapresilhamento s.m.
desapresilhar v.
desapressado adj.
desapressador (*ô*) adj.
desapressamento s.m.
desapressante adj.2g.
desapressar v.
desapressável adj.2g.
desaprestado adj.
desaprestador (*ô*) adj.
desaprestamento s.m.
desaprestar v.
desapresto (*ê*) s.m.; cf. *desapresto*, fl. do v. *desaprestar*
desaprimorado adj.
desaprimorador (*ô*) adj.
desaprimoramento s.m.
desaprimorante adj.2g.
desaprimorar v.
desaprimorável adj.2g.
desaprobativo adj.
desapropositado adj.
desapropositar v.
desapropósito s.m.
desapropriação s.f.
desapropriado adj. s.m.
desapropriador (*ô*) adj. s.m.
desapropriamento s.m.
desapropriando s.m.
desapropriante adj. s.2g.
desapropriar v.
desapropriativo adj.
desapropriatório adj.
desapropriável adj.2g.
desaprovação s.f.
desaprovado adj.
desaprovador (*ô*) adj. s.m.
desaprovante adj.2g.
desaprovar v.
desaprovativo adj.
desaprovatório adj.
desaprovável adj.2g.
desaproveitação s.f.
desaproveitado adj.
desaproveitador (*ô*) adj. s.m.
desaproveitamento s.m.
desaproveitante adj. s.2g.
desaproveitar v.
desaproveitativo adj.
desaproveitável adj.2g.
desaprovisionado adj.
desaprovisionamento s.m.
desaprovisionante adj.2g.
desaprovisionar v.
desaprovisionável adj.2g.
desaproximado (*ss*) adj.
desaproximar (*ss*) v.
desaprumação s.f.
desaprumado adj.
desaprumador (*ô*) adj. s.m.
desaprumante adj.2g.
desaprumar v.
desaprumável adj.2g.
desaprumo s.m.
desapurado adj.
desapurar v.
desapuro s.m.
desaquartelado adj.
desaquartelamento s.m.
desaquartelar v.
desaquecedor (*ô*) adj. s.m.
desaquecente adj.2g.
desaquecer v.
desaquecido adj.
desaquecimento s.m.
desaquecível adj.2g.
desaquerençar v.
desaquerenciado adj.
desaquerenciar v.
desaquinhoado adj.
desaquinhoar v.
desar s.m.
desaradela s.f.
desarado adj.
desaramento s.m.
desaranhado adj.
desaranhar v.
desaranhice s.f.
desarar v.
desarborização s.f.
desarborizado adj.
desarborizador (*ô*) adj. s.m.
desarborizante adj.2g.
desarborizar v.
desarborizável adj.2g.
desarcado adj.
desarcar v.
desareado adj.
desareamento s.m.
desarear v.
desarejado adj.
desarejamento s.m.
desarejar v.
desarejável adj.2g.
desarestado adj.
desarestador (*ô*) adj.
desarestamento s.m.
desarestar v.
desarestável adj.2g.
desargentado adj.
desargentar v.
desargentização s.f.
desargentizado adj.
desargentizante adj.2g.
desargentizar v.
desargentizável adj.2g.
desaristado adj.
desaristar v.
desarmação s.f.
desarmado adj.
desarmador (*ô*) adj. s.m.
desarmamentismo s.m.
desarmamentista adj. s.2g.
desarmamentístico adj.
desarmamento s.m.
desarmante adj.2g.
desarmar v.
desarmável adj.2g.
desarme s.m.
desarmonia s.f.
desarmônico adj.
desarmonioso (*ô*) adj.; f. (*ó*); pl. (*ó*)
desarmonização s.f.
desarmonizado adj.
desarmonizador (*ô*) adj.
desarmonizante adj.2g.
desarmonizar v.
desarmonizável adj.2g.
desaromação s.f.
desaromado adj.
desaromador (*ô*) adj.
desaromalizar v.
desaromante adj.2g.
desaromar v.
desaromatização s.f.
desaromatizado adj.
desaromatizador (*ô*) adj.
desaromatizante adj.2g.
desaromatizar v.
desaromatizável adj.2g.
desaromável adj.2g.
desarqueação s.f.
desarqueado adj.
desarqueador (*ô*) adj.
desarqueamento s.m.
desarqueante adj.2g.
desarquear v.
desarqueável adj.2g.
desarquitetado adj.
desarquitetar v.
desarquivamento s.m.
desarquivar v.
desarraigado adj.
desarraigador (*ô*) adj.
desarraigamento s.m.
desarraigante adj.2g.
desarraigar v.
desarraigável adj.2g.
desarraigo s.m.
desarrancar v.
desarranchação s.f.
desarranchado adj. s.m.
desarranchamento s.m.
desarranchar v.
desarranhado adj.
desarranhar v.
desarranjado adj.
desarranjador (*ô*) adj.
desarranjamento s.m.
desarranjante adj.2g.
desarranjar v.
desarranjável adj.2g.
desarranjo s.m.
desarrazoado adj.
desarrazoador (*ô*) adj.
desarrazoamento s.m.
desarrazoante adj.2g.
desarrazoar v.
desarrazoável adj.2g.
desarreado adj.
desarreamento s.m.
desarrear v.
desarreatado adj.
desarreatar v.
desarreável adj.2g.
desarrebitado adj.
desarrebitador (*ô*) adj.
desarrebitamento s.m.
desarrebitar v.
desarredar v.
desarredondado adj.
desarredondador (*ô*) adj.
desarredondamento s.m.
desarredondante adj.2g.
desarredondar v.
desarredondável adj.2g.
desarregaçada s.f.
desarregaçado adj.
desarregaçador (*ô*) adj.
desarregaçar v.
desarreigamento s.m.
desarreigar v.
desarremediado adj.
desarremediar v.
desarrenegação s.m.
desarrenegado adj. s.f.
desarrenegar v.
desarrepender v.
desarrependido adj.
desarrependimento s.m.
desarrestar v.
desarrevesado adj.
desarrevesador (*ô*) adj.
desarrevesamento s.m.
desarrevesante adj.2g.
desarrevesar v.
desarrigar v.
desarrimado adj.
desarrimador (*ô*) adj.
desarrimar v.
desarrimo s.m.
desarrinca s.f.
desarrincanço s.m.
desarrincar v.
desarrisca s.f.
desarriscado adj.
desarriscar v.
desarrochado adj.
desarrochador (*ô*) adj.
desarrochadura s.f.
desarrochante adj.2g.
desarrochar v.
desarrochável adj.2g.
desarrolhado adj.
desarrolhador (*ô*) adj.
desarrolhamento s.m.
desarrolhar v.
desarrolhável adj.2g.
desarrotado adj.
desarrotar v.
desarroteação s.f.
desarroteado adj.
desarroteador (*ô*) adj.
desarroteamento s.m.
desarrotear v.
desarroupado adj.
desarroupamento s.m.
desarroupar v.
desarruado adj.
desarruamento s.m.
desarruar v.
desarrufado adj.
desarrufamento s.m.
desarrufar v.
desarrufo s.m.
desarrugado adj.
desarrugamento s.m.
desarrugar v.
desarrumação s.f.
desarrumada s.f.
desarrumadela s.f.
desarrumado adj.
desarrumador (*ô*) adj.
desarrumamento s.m.
desarrumante adj.2g.
desarrumar v.
desarrumável adj.2g.
desarrumo s.m.
desarterialização s.f.
desarterializado adj.
desarterializador (*ô*) adj.
desarterializante adj.
desarterializar v.
desarterializável adj.2g.
desarticulação s.f.
desarticulado adj.
desarticulador (*ô*) adj.
desarticulamento s.m.
desarticulante adj.2g.
desarticular v.
desarticulável adj.2g.
desarticuloso (*ô*) adj.; f. (*ó*); pl. (*ó*)
desartificiado adj.
desartifício s.m.
desartificioso (*ô*) adj.; f. (*ó*); pl. (*ó*)
desartilhado adj.
desartilhar v.
desarvorado adj.
desarvorador (*ô*) adj.
desarvoramento s.m.
desarvorar v.
desarvorável adj.2g.
desasa s.f.
desasado adj. "que não tem asas"; cf. *desazado*
desasagem s.f.
desasar v. "partir as asas de"; cf. *desazar*
desasido adj.
desasir v.
desasnado adj.
desasnador (*ô*) adj.
desasnamento s.m.
desasnar v.
desasnável adj.2g.
desasneado adj.
desasneador (*ô*) adj.
desasneamento s.m.
desasnear v.
desasneável adj.2g.
desaspiração s.f.
desaspirado adj.
desaspirar v.
desassanhação s.f.
desassanhadiço adj.
desassanhado adj.
desassanhador (*ô*) adj.
desassanhamento s.m.
desassanhar v.
desassazoado adj.
desassazoador (*ô*) adj.
desassazoamento s.m.
desassazoar v.
desassazonação s.f.
desassazonado adj.
desassazonador (*ô*) adj.
desassazonamento s.m.
desassazonante adj.2g.
desassazonar v.
desasseado adj.
desasseamento s.m.
desassear v.
desasseio s.m.
desasselar v.
desasselvajado adj.
desasselvajamento s.m.
desasselvajar v.
desasselvajável adj.2g.
desassemelhação s.f.
desassemelhado adj.
desassemelhador (*ô*) adj.
desassemelhante adj.
desassemelhar v.
desassemelhável adj.2g.
desassenhoreado adj.
desassenhoreador (*ô*) adj.
desassenhoreamento s.m.
desassenhoreante adj.2g.
desassenhorear v.
desassenhoreável adj.2g.
desassentido adj.
desassentimento s.m.
desassentir v.
desassentível adj.
desassestador (*ô*) adj.
desassestamento s.m.
desassestar v.
desassimilação s.f.
desassimilado adj.
desassimilador (*ô*) adj.
desassimilante adj.2g.
desassimilar v.
desassimilativo adj.
desassimilável adj.2g.
desassimilhar v.
desassinalação s.f.
desassinalado adj.
desassinalador (*ô*) adj.
desassinalamento s.m.
desassinalante adj.2g.
desassinalar v.
desassisado adj. s.m.
desassisador (*ô*) adj.
desassisante adj.2g.
desassisar v.
desassisável adj.2g.
desassiso s.m.
desassistência s.f.
desassistencial adj.2g.
desassistente adj.2g. s.m.
desassistido adj. s.m.
desassistir v.
desassistível adj.2g.
desassociação s.f.
desassociado adj.
desassociador (*ô*) adj.
desassociante adj.2g.
desassociar v.
desassociativo adj.
desassociável adj.2g.
desassolvado adj.
desassolvar v.
desassomado adj.
desassomar v.
desassombrado adj.
desassombrador (*ô*) adj.
desassombramento s.m.
desassombrante adj.2g.
desassombrar v.
desassombrável adj.2g.
desassombro s.m.
desassoreado adj.
desassoreador (*ô*) adj.
desassoreamento s.m.
desassoreante adj.2g.
desassorear v.
desassoreativo adj.
desassoreatório adj.
desassoreável adj.2g.
desassossegado adj.
desassossegador (*ô*) adj.
desassossegante adj.2g.
desassossegar v.
desassossegável adj.2g.
desassossego (*ê*) s.m.; cf. *desassossego*, fl. do v. *desassossegar*
desassuntado adj. s.m.
desassuntar v.
desassunto s.m.
desassustado adj.
desassustador (*ô*) adj.
desassustante adj.2g.
desassustar v.
desastrado adj. s.m.
desastramento s.m.
desastre s.m.
desastroso (*ô*) adj.; f. (*ó*); pl. (*ó*)
desatabafado adj.
desatabafamento s.m.
desatabafar v.
desatabafável adj.2g.
desatabilidade s.f.
desatacação s.f.
desatacado adj.
desatacador (*ô*) adj.
desatacadura s.f.
desatacante adj.2g.
desatação s.f.

desatacar v.
desatacável adj.2g.
desatado adj.
desatador (*ô*) adj. s.m.
desatadura s.f.
desatafulhado adj.
desatafulhador (*ô*) adj.
desatafulhamento s.m.
desatafulhar v.
desataleigado adj.
desatamento s.m.
desatante adj.2g.
desatapetado adj.
desatapetamento s.m.
desatapetar v.
desatapetável adj.2g.
desatapulhação s.f.
desatapulhado adj.
desatapulhador (*ô*) adj.
desatapulhagem s.f.
desatapulhamento s.m.
desatapulhar v.
desatar v.
desatarraxado adj.
desatarraxador (*ô*) adj.
desatarraxamento s.m.
desatarraxante adj.2g.
desatarraxar v.
desatarraxável adj.2g.
desatascado adj.
desatascamento s.m.
desatascar v.
desataudado adj.
desataudar v.
desatável adj.2g.
desataviado adj.
desataviador (*ô*) adj.
desataviamento s.m.
desataviante adj.2g.
desataviar v.
desataviativo adj.
desataviável adj.2g.
desatavio s.m.
desate s.m.
desatediar v.
desatemorado adj.
desatemorador (*ô*) adj.
desatemoramento s.m.
desatemorante adj.2g.
desatemorar v.
desatemorável adj.2g.
desatemorizado adj.
desatemorizador (*ô*) adj. s.m.
desatemorizamento s.m.
desatemorizante adj.2g.
desatemorizar v.
desatemorizável adj.2g.
desatenção s.f.
desatenciosidade s.f.
desatencioso (*ô*) adj.; f. (*ó*); pl. (*ó*)
desatendedor (*ô*) adj. s.m.
desatendente adj.2g.
desatender v.
desatendido adj.
desatendimento s.m.
desatendível adj.2g.
desatentado adj.
desatentador (*ô*) adj.
desatentante adj.2g.
desatentar v.
desatentável adj.2g.
desatento adj. s.m.
desaterrado adj.
desaterrador (*ô*) adj.
desaterramento s.m.
desaterrante adj.2g.
desaterrar v.
desaterrável adj.2g.
desaterro (*ê*) s.m.; cf. *desaterro*, fl. do *v. desaterrar*
desatestação s.f.
desatestado adj.
desatestar v.
desatestável adj.2g.
desatilado adj.
desatilhado adj.
desatilhador (*ô*) adj.
desatilhamento s.m.
desatilhar v.
desatilhável adj.2g.
desatinação s.f.
desatinado adj. s.m.
desatinador (*ô*) adj.
desatinante adj.2g.
desatinar v.
desatinável adj.2g.
desatino s.m.
desativação s.f.
desativado adj.
desativador (*ô*) adj.
desativante adj.2g.
desativar v.
desativável adj.2g.
desatolado adj.
desatolador (*ô*) adj.
desatolamento s.m.
desatolante adj.2g.
desatolar v.
desatolável adj.2g.
desatordoado adj.
desatordoamento s.m.
desatordoante adj.2g.
desatordoar v.
desatordoável adj.2g.
desatracação s.f.
desatracado adj.
desatracador (*ô*) adj.
desatracante adj.2g.
desatração s.f.
desatracar v.
desatracável adj.2g.
desatrancado adj.
desatrancar v.
desatrativo adj.
desatravancado adj.
desatravancamento s.m.
desatravancante adj.2g.
desatravancar v.
desatravancável adj.2g.
desatravessado adj.
desatravessar v.
desatrelado adj.
desatrelar v.
desatrelável adj.2g.
desatremado adj.
desatremador (*ô*) adj.
desatremamento s.m.
desatremar v.
desatribulação s.f.
desatribulado adj.
desatribulador (*ô*) adj.
desatribulança s.f.
desatribulante adj.2g.
desatribular v.
desatribulável adj.2g.
desatualização s.f.
desatualizado adj.
desatualizar v.
desatupir v.
desaturdido s.m.
desaturdidor (*ô*) adj.
desaturdimento s.m.
desaturdir v.
desaturdível adj.
desaurido adj.
desaurina s.f.
desaurínico adj.
desaurir v.
desaustinação s.f.
desaustinado adj.
desautoração s.f.
desautorado adj.
desautorador (*ô*) adj.
desautorante adj.2g.
desautorar v.
desautorativo adj.
desautorável adj.2g.
desautoridade s.f.
desautorização s.f.
desautorizado adj.
desautorizador (*ô*) adj.
desautorizamento s.m.
desautorizante adj.2g.
desautorizar v.
desautorizativo adj.
desautorizatório adj.
desautorizável adj.2g.
desauxiliado (*ss*) adj.
desauxiliar (*ss*) v.
desauxílio (*ss*) s.m.
desavacalhação s.f.
desavacalhado adj.
desavacalhador (*ô*) adj.
desavacalhamento s.m.
desavacalhante adj.2g.
desavacalhar v.
desavacalhável adj.2g.
desavagado adj.
desavagar v.
desavantagem s.f.
desavantajado adj.
desavantajador (*ô*) adj.
desavantajante adj.2g.
desavantajar v.
desavantajável adj.2g.
desavantajoso (*ô*) adj.; f. (*ó*); pl. (*ó*)
desavença s.f.
desaventura s.f.
desaventurado adj.
desaventurador (*ô*) adj.
desaventurante adj.2g.
desaventurar v.
desaventurável adj.2g.
desaverbado adj.
desaverbador (*ô*) adj.
desaverbamento s.m.
desaverbante adj.2g.
desaverbar v.
desaverbável adj.2g.
desavergonhado adj. s.m.
desavergonhamento s.m.
desavergonhar v.
desavergonhável adj.2g.
desaveriguado adj.
desavesso (*ê*) adj.
desavexado adj.
desavexar v.
desavezado adj.
desavezador (*ô*) adj.
desavezamento s.m.
desavezar v.
desavezo (*ê*) s.m.; cf. *desavezo*, fl. do v. *desavezar*
desaviado adj.
desaviar v.
desavigorar v.
desaviltado adj.
desaviltamento s.m.
desaviltar v.
desavincar v.
desavindo adj.
desavinhado adj.
desavinhar v.
desavinho s.m.
desavir v.
desavisado adj. s.m.
desavisamento s.m.
desavisar v.
desaviso s.m.
desavistado adj.
desavistar v.
desavivado adj.
desavivar v.
desavolumado adj.
desavolumamento s.m.
desavolumar v.
desavultação s.f.
desavultado adj.
desavultador (*ô*) adj.
desavultar v.
desazado adj. "inoportuno"; cf. *desasado*
desazar v. "tratar impropriamente"; cf. *desasar*
desazinhavração s.f.
desazinhavrado adj.
desazinhavrador (*ô*) adj.
desazinhavramento s.m.
desazinhavrante adj.2g.
desazinhavrar v.
desazo s.m. "inoportunidade"; cf. *desaso*, fl. do v. *desasar*
desbabado adj.
desbabar v.
desbabelização s.f.
desbabelizado adj.
desbabelizamento s.m.
desbabelizar v.
desbabelizável adj.2g.
desbadalar v.
desbagado adj.
desbagador (*ô*) adj.
desbagamento s.m.
desbagar v.
desbagoação s.f.
desbagoado adj.
desbagoador (*ô*) adj. s.m.
desbagoamento s.m.
desbagoante adj.2g.
desbagoar v.
desbagoável adj.2g.
desbagulhado adj.
desbagulhador (*ô*) adj.
desbagulhamento s.m.
desbagulhar v.
desbalçado adj.
desbalçar v.
desbalisar v.
desbalização s.f.
desbalizado adj.
desbalizador (*ô*) adj.
desbalizamento s.m.
desbalizar v.
desbalizável adj.2g.
desbalsar v.
desbambado adj.
desbambar v.
desbanalizado adj.
desbanalizar v.
desbancação s.f.
desbancado adj.
desbancador (*ô*) adj. s.m.
desbancar v.
desbancável adj.2g.
desbanda s.f.
desbandada s.f.
desbandalhar v.
desbandar v.
desbandeira s.f.
desbandeirado adj.
desbandeiramento s.m.
desbandeirar v.
desbando s.m.
desbanque s.m.
desbarar v.
desbaratado adj.
desbaratador (*ô*) adj. s.m.
desbaratamento s.m.
desbaratante adj.2g.
desbaratar v.
desbaratável adj.2g.
desbarate s.m.
desbarato s.m.
desbarbado adj.
desbarbador (*ô*) s.m.
desbarbamento s.m.
desbarbar v.
desbarbarizado adj.
desbarbarizar v.
desbarbedo (*ê*) s.m.
desbaria s.f.
desbarrado adj.
desbarrancado adj. s.m.
desbarrancamento s.m.
desbarrancar v.
desbarranco s.m.
desbarrar v.
desbarretado adj.
desbarretamento s.m.
desbarretar v.
desbarrigado adj.
desbarrigar v.
desbastação s.f.
desbastado adj.
desbastador (*ô*) adj. s.m.
desbastamento s.m.
desbastante adj.2g.
desbastar v.
desbastardado adj.
desbastardamento s.m.
desbastardante adj.2g.
desbastardar v.
desbastardável adj.2g.
desbastardear v.
desbastável adj.2g.
desbaste s.m.
desbastecedor (*ô*) adj.
desbastecente adj.2g.
desbastecer v.
desbastecido adj.
desbastecimento s.m.
desbastecível adj.2g.
desbasto s.m.
desbatização s.f.
desbatizado adj.
desbatizador (*ô*) adj.
desbatizamento s.m.
desbatizante adj.2g.
desbatizar v.
desbatizável adj.2g.
desbatocado adj.
desbatocar v.
desbebeção s.f.
desbebedado adj. s.m.
desbebedor (*ô*) adj.
desbeber v.
desbebição s.f.
desbebido adj.
desbebível adj.2g.
desbeiçado adj.
desbeiçar v.
desbeiçável adj.2g.
desbeiço s.m.
desbendito adj.
desbenzido adj.
desbenzilação s.f.
desbenzoilação s.f.
desbenzoilado adj.
desbenzoilador (*ô*) adj.
desbenzoilante adj.2g.
desbenzoilar v.
desbenzoilável adj.2g.
desbenzolação s.f.
desbenzolado adj.
desbenzolador (*ô*) adj.
desbenzolamento s.m.
desbenzolante adj.2g.
desbenzolar v.
desbenzolável adj.2g.
desbestializado adj.
desbestializar v.
desbicado adj.
desbicar v.
desbloqueado adj.
desbloqueador (*ô*) adj.
desbloqueante adj.2g.
desbloquear v.
desbloqueável adj.2g.
desbloqueio s.m.
desbocação s.f.
desbocado adj. s.m.
desbocador (*ô*) adj.
desbocamento s.m.
desbocante adj.2g.
desbocar v.
desbocável adj.2g.
desboiar v.
desbolado adj.
desbolinação s.f.
desbolinado adj.
desbolinador (*ô*) adj.
desbolinamento s.m.
desbolinante adj.2g.
desbolinar v.
desbolinável adj.2g.
desbolotação s.f.
desbolotado adj.
desbolotador (*ô*) adj.
desbolotamento s.m.
desbolotar v.
desboqueiração s.f.
desboqueirado adj.
desboqueirador (*ô*) adj.
desboqueiramento s.m.
desboqueirar v.
desborcação s.f.
desborcado adj.
desborcador (*ô*) adj.
desborcamento s.m.
desborcar v.
desborcelação s.f.
desborcelado adj.
desborcelamento s.m.
desborcelar v.
desborcinação s.f.
desborcinado adj.
desborcinamento s.m.
desborcinar v.
desbordado adj.
desbordador (*ô*) adj.
desbordamento s.m.
desbordante adj.2g.

desbordar v.
desbordável adj.2g.
desbordo (*ô*) s.m.; cf. *desbordo*, fl. do v. *desbordar*
desboroado adj.
desboroador (*ô*) adj.
desboroamento s.m.
desboroante adj.2g.
desboroar v.
desborra (*ô*) s.f.
desborrado adj.
desborrador (*ô*) adj.
desborrar v.
desborrável adj.2g.
desbotado adj.
desbotador (*ô*) adj.
desbotadura s.f.
desbotamento s.m.
desbotante adj.2g.
desbotar v.
desbotável adj.2g.
desbote s.m.
desbotoar v.
desbragado adj. s.m.
desbragador (*ô*) adj.
desbragamento s.m.
desbragante adj.2g.
desbragar v.
desbragável adj.2g.
desbrasileiração s.f.
desbrasileirado adj.
desbrasileirador (*ô*) adj.
desbrasileiramento s.m.
desbrasileirante adj.2g.
desbrasileirar v.
desbrasileirável adj.2g.
desbravado adj.
desbravador (*ô*) adj. s.m.
desbravamento s.m.
desbravante adj.2g.
desbravar v.
desbravativo adj.
desbravatório adj.
desbravável adj.2g.
desbravecedor (*ô*) adj. s.m.
desbravecente adj.2g.
desbravecer v.
desbravecido adj.
desbravecimento s.m.
desbravecível adj.2g.
desbravejação s.f.
desbravejado adj.
desbravejador (*ô*) adj.
desbravejamento s.m.
desbravejante adj.2g.
desbravejar v.
desbravejável adj.2g.
desbravo s.m.
desbrecação s.f.
desbrecado adj.
desbrecador (*ô*) adj. s.m.
desbrecamento s.m.
desbrecante adj.2g.
desbrecar v.
desbrecável adj.2g.
desbriado adj. s.m.
desbriador (*ô*) adj. s.m.
desbriamento s.m.
desbriante adj.2g.
desbriar v.
desbriável adj.2g.
desbridação s.f.
desbridado adj.
desbridador (*ô*) adj.
desbridamento s.m.
desbridar v.
desbridável adj.2g.
desbrilho s.m.
desbrincado adj.
desbrincar v.
desbrio s.m.
desbriosidade s.f.
desbrioso (*ô*) adj.; f. (*ó*); pl. (*ó*)
desbritanização s.f.
desbritanizado adj.
desbritanizador (*ô*) adj.
desbritanizamento s.m.
desbritanizante adj.2g.
desbritanizar v.
desbritanizável adj.2g.
desbroado adj.
desbroador (*ô*) adj.
desbroamento s.m.
desbroar v.
desbrochar v.
desbrota s.f.
desbrotação s.f.
desbrotado adj.
desbrotador (*ô*) adj.
desbrotante adj.2g.
desbrotar v.
desbrotável adj.2g.
desbrumar v.
desbrutalização s.f.
desbrutalizado adj.
desbrutalizador (*ô*) adj.
desbrutalizante adj.2g.
desbrutalizar v.
desbrutalizável adj.2g.
desbuchar v.
desbulha s.f.
desbulhar v.
desbulho s.m.
desbundado adj.
desbundador (*ô*) adj. s.m.
desbundamento s.m.
desbundante adj.2g.
desbundar v.
desbundável adj.2g.
desbunde s.m.
desburocratização s.f.
desburocratizante adj.
desburocratizar v.
desburricação s.f.
desburricado adj.
desburricador (*ô*) adj.
desburricamento s.m.
desburricante adj.2g.
desburricar v.
desburricável adj.2g.
desburrificação s.f.
desburrificado adj.
desburrificador (*ô*) adj.
desburrificante adj.2g.
desburrificar v.
desburrificável adj.2g.
desbutanização s.f.
desbutanizar v.
descabaçado adj.
descabaçador (*ô*) adj. s.m.
descabaçamento s.m.
descabaçar v.
descabaçável adj.2g.
descabeçado adj. s.m.
descabeçador (*ô*) adj. s.m.
descabeçamento s.m.
descabeçante adj.2g.
descabeçar v.
descabeçável adj.2g.
descabela s.f.
descabelação s.f.
descabelada s.f.
descabelado adj.
descabelamento s.m.
descabelar v.
descabelativo adj.
descabelável adj.2g.
descabelo (*ê*) s.m.; cf. *descabelo*, fl. do v. *descabelar*
descabente adj.2g.
descaber v.
descabido adj.
descabimento s.m.
descabível adj.2g.
descabreação s.f.
descabreado adj.
descabreador (*ô*) adj.
descabreamento s.m.
descabreante adj.2g.
descabrear v.
descabreável adj.2g.
descabriado adj.
descaçação s.f.
descaçado adj.
descaçador (*ô*) adj.
descaçar-se v.
descachaçado adj.
descachaçar v.
descachelado adj.
descachelador (*ô*) adj.
descachelamento s.m.
descachelar v.
descacholação s.f.
descacholado adj.
descacholador (*ô*) adj.
descacholamento s.m.
descacholar v.
descadeado adj.
descadear v.
descadeiração s.f.
descadeirado adj.
descadeirador (*ô*) adj.
descadeiramento s.m.
descadeirar v.
descadeirável adj.2g.
descafeinação s.f.
descafeinado adj.
descafeinador (*ô*) adj. s.m.
descafeinante adj.2g.
descafeinar v.
descafeinável adj.2g.
descafeinização s.f.
descafeinizado adj.
descafeinizador (*ô*) adj.
descafeinizante adj.2g.
descafeinizar v.
descafeinizável adj.2g.
descafelação s.f.
descafelado adj.
descafelador (*ô*) adj. s.m.
descafelamento s.m.
descafelar v.
descafelo (*ê*) s.m.; cf. *descafelo*, fl. do v. *descafelar*
descaída s.f.
descaidela s.f.
descaído adj.
descaimento s.m.
descair v.
descaível adj.2g.
descalabrado adj.
descalabrar v.
descalabro s.m.
descalação s.f.
descalado adj.
descalador (*ô*) adj.
descalamento s.m.
descalar v.
descalavrado adj.
descalavrar v.
descalavro s.m.
descalçadeira s.f.
descalçadela s.f.
descalçado adj.
descalçador (*ô*) adj.
descalçadora (*ô*) s.f.
descalçadura s.f.
descalçamento s.m.
descalção s.m.
descalçar v.
descalçável adj.2g.
descalcez (*ê*) s.f.
descalcificação s.f.
descalcificado adj.
descalcificador (*ô*) adj.
descalcificante adj.2g.
descalcificar v.
descalcificativo adj.
descalcificatório adj.
descalcificável adj.2g.
descalço adj. s.m.
descaldeação s.f.
descaldeado adj.
descaldeamento s.m.
descaldear v.
descaldeirado adj.
descaldeirar v.
descalhoado adj.
descalhoar v.
descaliçado adj.
descaliçador (*ô*) adj.
descaliçamento s.m.
descaliçar v.
descaliçável adj.2g.
descalicino adj.
descalvação s.f.
descalvadense adj. s.2g.
descalvado adj.
descalvador (*ô*) adj.
descalvamento s.m.
descalvar v.
descalvável adj.2g.
descamação s.f.
descamado adj.
descamador (*ô*) adj.
descamante adj.2g.
descamar v.
descamativo adj.
descamável adj.2g.
descambação s.f.
descambada s.f.
descambadela s.f.
descambado adj. s.m.
descambador (*ô*) adj.
descambante adj.2g.
descambar v.
descambável adj.2g.
descambimbado adj.
descambimbar v.
descâmbio s.m.
descambulhado adj.
descambulhar v.
descaminhado adj.
descaminhador (*ô*) adj.
descaminhamento s.m.
descaminhante adj.2g.
descaminhar v.
descaminhável adj.2g.
descaminho s.m.
descamisa s.f.
descamisada s.f.
descamisado adj. s.m.
descamisador (*ô*) adj. s.m.
descamisar v.
descamisável adj.2g.
descampação s.f.
descampadense adj. s.2g.
descampado adj. s.m.
descampador (*ô*) adj. s.m.
descampamento s.m.
descampante adj.2g.
descampar v.
descampatória s.f.
descampatório adj. s.m.
descampável adj.2g.
descanado adj.
descanagem s.f.
descanar v.
descanção s.m.
descâncara s.f.
descancarado adj.
descancarar v.
descancelado adj.
descancelar v.
descanchado adj.
descanchar v.
descandalizar v.
descandelecer v.
descandelecido adj.
descanelação s.f.
descanelado adj.
descanelador (*ô*) adj.
descanelamento s.m.
descanelar v.
descanelável adj.2g.
descangação s.f.
descangado adj.
descangador (*ô*) adj. s.m.
descangalhação s.f.
descangalhado adj.
descangalhador (*ô*) adj. s.m.
descangalhamento s.m.
descangalhar v.
descangamento s.m.
descangar v.
descangotado adj.
descangotamento s.m.
descangotar v.
descanhotado adj.
descanhotador (*ô*) adj.
descanhotamento s.m.
descanhotar v.
descanjicação s.f.
descanjicado adj.
descanjicador (*ô*) adj.
descanjicamento s.m.
descanjicar v.
descansada s.f.
descansadeiro s.m.
descansado adj.
descansador (*ô*) adj. s.m.
descansante adj.2g.
descansar v.
descansativo adj.
descansável adj.2g.
descansense adj. s.2g.
descansilho s.m.
descanso s.m.
descantado adj.
descantador (*ô*) adj.
descantante adj.2g.
descantar v.
descantável adj.2g.
descante s.m.
descanteação s.f.
descanteado adj.
descanteador (*ô*) adj. s.m.
descanteamento s.m.
descantear v.
descantilhão s.m.
descanto s.m.
descapacitação s.f.
descapacitado adj.
descapacitador (*ô*) adj.
descapacitamento s.m.
descapacitante adj.2g.
descapacitar v.
descapacitável adj.2g.
descapado adj.
descapar v.
descapelada s.f.
descapelado adj.
descapelador (*ô*) adj. s.m.
descapelar v.
descapitalização s.f.
descapitalizado adj.
descapitalizador (*ô*) adj. s.m.
descapitalizante adj.2g.
descapitalizar v.
descapitalizativo adj.
descapitalizatório adj.
descapitalizável adj.2g.
descapotado adj.
descapotar v.
descapotável adj.2g.
descapsulação s.f.
descapsulado adj.
descapsulador (*ô*) adj.
descapsulante adj.2g.
descapsular v.
descapsulável adj.2g.
descaração s.f.
descaracterização s.f.
descaracterizado adj.
descaracterizador (*ô*) adj. s.m.
descaracterizante adj.2g.
descaracterizar v.
descaracterizável adj.2g.
descaradão adj. s.m.; f. *descaradona*
descarado adj. s.m.
descaradona adj. s.f. de *descaradão*
descaramento s.m.
descarapuçado adj.
descarapuçador (*ô*) adj.
descarapuçamento s.m.
descarapuçante adj.2g.
descarapuçar v.
descarar v.
descaraterização s.f.
descaraterizado adj.
descaraterizador (*ô*) adj. s.m.
descaraterizante adj.2g.
descaraterizar v.
descaraterizável adj.2g.
descarável adj.2g.
descarbonação s.f.
descarbonado adj.
descarbonador (*ô*) adj. s.m.
descarbonante adj.2g.
descarbonar v.
descarbonatação s.f.
descarbonatado adj.
descarbonatador (*ô*) adj.
descarbonatante adj.2g.
descarbonatar v.
descarbonatável adj.2g.
descarbonável adj.2g.
descarbonetação s.f.
descarbonetado adj.
descarbonetador (*ô*) adj.
descarbonetante adj.2g.
descarbonetar v.

descarbonetável adj.2g.
descarbonização s.f.
descarbonizado adj.
descarbonizador (*ô*) adj. s.m.
descarbonizante adj.2g.
descarbonizar v.
descarbonizável adj.2g.
descarboxilação (*cs*) s.f.
descarboxilado (*cs*) adj.
descarboxilador (*cs...ô*) adj.
descarboxilante (*cs*) adj.2g.
descarboxilar (*cs*) v.
descarboxilase (*cs*) s.f.
descarboxílase (*cs*) s.f.
descarboxilásico (*cs*) adj.
descarboxilático (*cs*) adj.
descarboxilável (*cs*) adj.2g.
descarburação s.f.
descarburado adj.
descarburador (*ô*) adj.
descarburante adj.2g. s.m.
descarburar v.
descarburável adj.2g.
descarburização s.f.
descarburizado adj.
descarburizador (*ô*) adj.
descarburizante adj. s.2g.
descarburizar v.
descarburizável adj.2g.
descarda s.f.
descarecedor (*ô*) adj.
descarecente adj.2g.
descarecer v.
descarecido adj.
descarecimento s.m.
descarecível adj.2g.
descarga s.f.
descargar v.
descargo s.m.
descaridade s.f.
descaridoso (*ô*) adj.; f. (*ó*); pl. (*ó*)
descarinho s.m.
descarinhoso (*ô*) adj.; f. (*ó*); pl. (*ó*)
descaritativo adj.
descarnação s.f.
descarnadeira s.f.
descarnado adj.
descarnador (*ô*) adj. s.m.
descarnadora (*ô*) s.f.
descarnadura s.f.
descarnagem s.f.
descarnal adj.2g.
descarnalidade s.f.
descarnalização s.f.
descarnalizado adj.
descarnalizador (*ô*) adj. s.m.
descarnalizante adj.2g.
descarnalizar v.
descarnalizável adj.2g.
descarnamento s.f.
descarnante adj.2g.
descarnar v.
descarnativo adj.
descarnável adj.2g.
descarnização s.f.
descarnizado adj.
descarnizador (*ô*) adj.
descarnizante adj.2g.
descarnizar v.
descarnizável adj.2g.
descaro s.m.
descaroado adj.
descaroável adj.2g.
descaroçado adj.
descaroçador (*ô*) adj. s.m.
descaroçadora (*ô*) s.f.
descaroçamento s.m.
descaroçante adj.2g.
descaroçar v.
descaroçável adj.2g.
descarolado adj.
descarolador (*ô*) adj. s.m.
descarolamento s.m.
descarolante adj.2g.
descarolar v.
descarolável adj.2g.
descarração s.f.
descarrado adj.
descarrador (*ô*) adj.
descarramento s.m.
descarrar v.
descarrascagem s.f.
descarrasque s.m.
descarrável adj.2g.
descarreado adj.
descarrega s.f.
descarregadeira s.f.
descarregado adj.
descarregadoiro s.m.
descarregador (*ô*) adj. s.m.
descarregadouro s.m.
descarregamento s.m.
descarregante adj.2g.
descarregar v.
descarregável adj.2g.
descarrego (*ê*) s.m.; cf. *descarrego*, fl. do v. *descarregar*
descarreirado adj.
descarreirador (*ô*) adj.
descarreiramento s.m.
descarreirante adj.2g.
descarreirar v.
descarreirável adj.2g.
descarretação s.f.
descarretado adj.
descarretador (*ô*) adj.
descarretamento s.m.
descarretar v.
descarretável adj.2g.
descarretense adj. s.2g.
descarreto (*ê*) s.m.; cf. *descarreto*, fl. do v. *descarretar*
descarriação s.f.
descarriado adj.
descarriador (*ô*) adj.
descarriamento s.m.
descarriante adj.2g.
descarriar v.
descarriável adj.2g.
descarrilado adj.
descarrilador (*ô*) adj.
descarrilamento s.m.
descarrilante adj.2g.
descarrilar v.
descarrilável adj.2g.
descarrilhado adj.
descarrilhamento s.m.
descarrilhar v.
descartabilidade s.f.
descartado adj.
descartador (*ô*) adj.
descartante adj.2g.
descartar v.
descartável adj.2g.
descarte s.m.
descartelização s.f.
descartelizado adj.
descartelizador (*ô*) adj.
descartelizante adj.2g.
descartelizar v.
descartelizável adj.2g.
descaruma s.f.
descasa-casados s.2g.2n.
descasado adj.
descasador (*ô*) adj.
descasadura s.f.
descasalado adj.
descasalamento s.m.
descasalar v.
descasamento s.m.
descasante adj. s.2g.
descasar v.
descasável adj.2g.
descasca s.f.
descascação s.f.
descascadeira s.f.
descascadela s.f.
descascadinha s.f.
descascado adj.
descascador (*ô*) adj. s.m.
descascadura s.f.
descascamento s.m.
descascante adj.2g.
descascar v.
descascável adj.2g.
descasco s.m.
descaso s.m.
descaspado adj.
descaspar v.
descasque s.m.
descasquejado adj.
descasquejar v.
descasulado adj.
descasulador (*ô*) adj. s.m.
descasulamento s.m.
descasulante adj.2g.
descasular v.
descasulável adj.2g.
descatequização s.f.
descatequizado adj.
descatequizador (*ô*) adj.
descatequizante adj.2g.
descatequizar v.
descatilho s.m.
descativação s.f.
descativado adj.
descativador (*ô*) adj.
descativante adj.2g.
descativar v.
descativável adj.2g.
descativeiro s.m.
descativo adj.
descatolização s.f.
descatolizado adj.
descatolizador (*ô*) adj.
descatolizante adj.2g.
descatolizar v.
descatolizável adj.2g.
descaudação s.f.
descaudado adj.
descaudador (*ô*) adj. s.m.
descaudamento s.m.
descaudante adj.2g.
descaudar v.
descaudato adj.
descaulino adj.
descautela s.f.
descautelado adj.
descauteloso (*ô*) adj.; f. (*ó*); pl. (*ó*)
descavação s.f.
descavado adj.
descavador (*ô*) adj.
descavalgado adj.
descavalgador (*ô*) adj.
descavalgamento s.m.
descavalgante adj.2g.
descavalgar v.
descavalgável adj.2g.
descavalheiresco (*ê*) adj.
descavalheiroso (*ô*) adj.; f. (*ó*); pl. (*ó*)
descavante adj.2g.
descavar v.
descavável adj.2g.
descaveiração s.f.
descaveirado adj.
descaveirador (*ô*) adj.
descaveiramento s.m.
descaveirante adj.2g.
descaveirar v.
descaveirável adj.2g.
descaxelado adj.
descaxelar v.
descedor (*ô*) adj. s.m.
descedura s.f.
descefalização s.f.
descefalizado adj.
descefalizar v.
descegado adj.
descegador (*ô*) adj.
descegamento s.m.
descegante adj.2g.
descegar v.
descegável adj.2g.
descelulado adj.
descelulador (*ô*) adj.
descelulamento s.m.
descelulante adj.2g.
descelular v.
descelulável adj.2g.
descementação s.f.
descementado adj.
descementador (*ô*) adj.
descementante adj.2g.
descementar v.
descementável adj.2g.
descementite s.f.
descementítico adj.
descementocele s.f.
descementocélico adj.
descendência s.f.
descendente adj. s.2g. s.f.
descender v.
descendido adj.
descendimento s.m.
descendível adj.2g.
descensão s.f. "descida"; cf. *dissensão*
descensional adj.2g.
descensionismo s.m.
descensionista adj. s.2g.
descensionístico adj.
descenso s.m.
descente adj.2g. s.f. "que desce" etc.; cf. *decente* e *discente*
descentração s.f.
descentrada s.f.
descentrado adj.
descentrador (*ô*) adj. s.m.
descentralismo s.m.
descentralista adj. s.2g.
descentralístico adj.
descentralização s.f.
descentralizado adj.
descentralizador (*ô*) adj.
descentralizante adj.2g.
descentralizar v.
descentralizável adj.2g.
descentramento s.m.
descentrante adj.2g.
descentrar v.
descentrável adj.2g.
descepado adj.; cf. *decepado*
descepador (*ô*) adj. s.m.; cf. *decepador*
descepante adj.2g.; cf. *decepante*
descepar v. "cortar as cepas"; cf. *decepar*
descepável adj.2g.; cf. *decepável*
descer v.
descercado adj.
descercador (*ô*) adj. s.m.
descercamento s.m.
descercar v.
descerco (*ê*) s.m.; cf. *descerco*, fl. do v. *descercar*
descerebelação s.f.
descerebelado adj.
descerebelador (*ô*) adj.
descerebelante adj.2g.
descerebelar v.
descerebelável adj.2g.
descerebração s.f.
descerebrado adj. s.m.
descerebrador (*ô*) adj.
descerebrante adj.2g.
descerebrar v.
descerebrável adj.2g.
descerebrização s.f.
descerebrizado adj.
descerebrizador (*ô*) adj.
descerebrizante adj.2g.
descerebrizar v.
descerebrizável adj.2g.
descerimônia s.f.
descerimoniosidade s.f.
descerimonioso (*ô*) adj.; f. (*ó*); pl. (*ó*)
descerrado adj.
descerrador (*ô*) adj.
descerramento s.m.
descerrar v.
descerrável adj.2g.
deschâmpsia s.m.
deschancelado adj.
deschancelador (*ô*) adj. s.m.
deschancelamento s.m.
deschancelante adj.2g.
deschancelar v.
deschancelável adj.2g.
deschapelado adj.
deschapelar v.
deschaveado adj.
deschavear v.
deschumbação s.f.
deschumbado adj.
deschumbador (*ô*) adj.
deschumbamento s.m.
deschumbante adj.2g.
deschumbar v.
deschumbável adj.2g.
desciclização s.f.
desciclizado adj.
desciclizador (*ô*) adj.
desciclizante adj.2g.
desciclizar v.
desciclizável adj.2g.
descida s.f.
descido adj. s.m.
descifrado adj.
descifrar v.
descimbração s.f.
descimbrado adj.
descimbrador (*ô*) adj.
descimbramento s.m.
descimbrante adj.2g.
descimbrar v.
descimbrável adj.2g.
descimentação s.f.
descimentado adj.
descimentador (*ô*) adj.
descimentante adj.2g.
descimentar v.
descimentável adj.2g.
descimento s.m.
desciminalizar v.
descingente adj.2g.
descingido adj.
descingidor (*ô*) adj.
descingimento s.m.
descingir v.
descingível adj.2g.
descintado adj.
descintador (*ô*) adj.
descintagem s.f.
descintante adj.2g.
descintar v.
descintável adj.2g.
descintrado adj.
descintrador (*ô*) adj.
descintragem s.f.
descintramento s.m.
descintrante adj.2g.
descintrar v.
descintrável adj.2g.
descível adj.2g.
descivilização s.f.
descivilizado adj.
descivilizador (*ô*) adj.
descivilizante adj.2g.
descivilizar v.
descivilizatório adj.
descivilizável adj.2g.
desclaridade s.f.
desclassificação s.f.
desclassificado adj. s.m.
desclassificador (*ô*) adj.
desclassificante adj.2g.
desclassificar v.
desclassificativo adj.
desclassificatório adj.
desclassificável adj.2g.
descloisita (*decloa*) s.f.
descloizita (*decloa*) s.f.
descloizite (*decloa*) s.f.
descloração s.f.
desclorado adj.
desclorar v.
descloretação s.f.
descloretado adj.
descloretador (*ô*) adj.
descloretante adj.2g.
descloretar v.
descloretável adj.2g.
descloridrização s.f.
descloridrizado adj.
descloridrizador (*ô*) adj.
descloridrizante adj.2g.
descloridrizar v.
descloridrizável adj.2g.
descloroformização s.f.
descloroformizado adj.
descloroformizar v.
descoagulação s.f.
descoagulado adj.
descoagulador (*ô*) adj.
descoagulamento s.m.
descoagulante adj.2g.
descoagular v.
descoagulativo adj.

descoagulatório adj.
descoagulável adj.2g.
descoalhado adj.
descoalhador (*ô*) adj.
descoalhadura s.f.
descoalhamento s.m.
descoalhar v.
descoalho s.m.
descoberta s.f.
descobertense adj. s.2g.
descoberto adj. s.m.
descobertura s.f.
descobiça s.f.
descobiçoso (*ô*) adj.; f. (*ó*); pl. (*ó*)
descobridor (*ô*) adj. s.m.
descobrimento s.m.
descobrir v.
descobrível adj.2g.
descocação s.f.
descocado adj.
descocador (*ô*) adj.
descocamento s.m.
descocante adj.2g.
descocar-se v.
descocável adj.2g.
descochado adj.
descochador (*ô*) adj. s.m.
descochagem s.f.
descochante adj.2g.
descochar v.
descochável adj.2g.
descoco (*ô*) s.m.; cf. *descoco*, fl. do v. *descocar*
descodeado adj.
descodear v.
descodificabilidade s.f.
descodificação s.f.
descodificado adj.
descodificador (*ô*) adj. s.m.
descodificante adj.2g.
descodificar v.
descodificável adj.2g.
descofrado adj.
descofrador (*ô*) adj.
descofragem s.f.
descofrar v.
descofrável adj.2g.
descogotação s.f.
descogotado adj.
descogotador (*ô*) adj.
descogotamento s.m.
descogotar v.
descogoteação s.f.
descogoteado adj.
descogoteamento s.m.
descogotear v.
descoifado adj.
descoifamento s.m.
descoifar v.
descoimação s.f.
descoimado adj.
descoimador (*ô*) adj.
descoimar v.
descoitado adj.
descoitamento s.m.
descoitar v.
descoivaração s.f.
descoivarado adj.
descoivaramento s.m.
descoivarar v.
descolado adj.
descolador (*ô*) adj. s.m.
descolagem s.f.
descolamento s.m.
descolante adj.2g.
descolar v.
descolável adj.2g.
descolesterinação s.f.
descolesterolização s.f.
descolgação s.f.
descolgado adj.
descolgador (*ô*) adj.
descolgante adj.2g.
descolgar v.
descolmação s.f.
descolmado adj.
descolmador (*ô*) adj.
descolmante adj.2g.
descolmar v.
descolmável adj.2g.
descolocação s.f.
descolocado adj.
descolocador (*ô*) adj.
descolocante adj.2g.
descolocar v.
descolocável adj.2g.
descolonização s.f.
descolonizado adj.
descolonizador (*ô*) adj.
descolonizante adj.2g.
descolonizar v.
descolonizatório adj.
descolonizável adj.2g.
descoloração s.f.
descolorado adj.
descolorador (*ô*) adj.
descoloramento s.m.
descolorante adj.2g. s.m.
descolorar v.
descolorável adj.2g.
descolorido adj.
descoloridor (*ô*) adj.
descolorimetria s.f.
descolorimétrico adj.
descolorímetro s.m.
descolorir v.
descolorível adj.2g.
descolorização s.f.
descolorizado adj.
descolorizador (*ô*) adj.
descolorizante adj.2g.
descolorizar v.
descolorizável adj.2g.
descombinado adj.
descombinar v.
descombramento s.m.
descombros s.m.pl.
descomedido adj.
descomedimento s.m.
descomedir-se v.
descomedível adj.2g.
descomedor (*ô*) adj.
descomer v.
descomercial adj.2g.
descomercialidade s.f.
descomércio s.m.
descometedor (*ô*) adj. s.m.
descometente adj. s.2g.
descometer v.
descometido adj.
descometimento s.m.
descomido adj.
descomível adj.2g.
descomodidade s.f.
descômodo adj. s.m.
descomovedor (*ô*) adj. s.m.
descomovente adj.2g.
descomover v.
descomovido adj.
descomovível adj.2g.
descompactar v.
descompadecedor (*ô*) adj.
descompadecente adj.2g.
descompadecer v.
descompadecimento s.m.
descompadecível adj.2g.
descompadração s.f.
descompadrado adj.
descompadrador (*ô*) adj.
descompadramento s.m.
descompadrar v.
descompaginação s.f.
descompaginado adj.
descompaginador (*ô*) adj.
descompaginar v.
descompaixão s.f.
descompanhar v.
descompassado adj.
descompassador (*ô*) adj.
descompassante adj.2g.
descompassar v.
descompassável adj.2g.
descompassivo adj.
descompasso s.m.
descompensação s.f.
descompensado adj.
descompensador (*ô*) adj.
descompensante adj.2g.
descompensar v.
descompensativo adj.
descompensatório adj.
descompensável adj.2g.
descomplicação s.f.
descomplicado adj.
descomplicador (*ô*) adj.
descomplicante adj.2g.
descomplicar v.
descomplicativo adj.
descomplicatório adj.
descomplicável adj.2g.
descomponedor (*ô*) adj.
descomponenda s.f.
descomponente adj.2g.
descomponível adj.2g.
descompor v.
descomposição s.f.
descomposto (*ô*) adj.
descompostura s.f.
descomprazedor (*ô*) adj.
descomprazente adj.2g.
descomprazer v.
descomprazido adj.
descomprazimento s.m.
descomprazível adj.2g.
descompreender v.
descompreendido adj.
descompreendível adj.2g.
descompreensão s.f.
descompreensível adj.2g.
descompressado adj.
descompressão s.f.
descompressivo adj.
descompressor (*ô*) adj. s.m.
descomprimido adj.
descomprimir v.
descomprimível adj.2g.
descomprometer v.
descomprometido adj.
descomprometível adj.2g.
descompromissado adj.
descompromissar v.
descompromisso s.m.
descomunal adj.2g.
descomunaleza (*ê*) s.f.
descomunalidade s.f.
descomungado adj.
descomungador (*ô*) adj.
descomungante adj.2g.
descomungar v.
descomungatório adj.
descomungável adj.2g.
descomunhão s.f.
descomunização s.f.
descomunizado adj.
descomunizador (*ô*) adj.
descomunizante adj.2g.
descomunizar v.
descomunizativo adj.
descomunizatório adj.
descomunizável adj.2g.
desconceber v.
desconcebido adj.
desconcebível adj.2g.
desconceito s.m.
desconceituação s.f.
desconceituado adj.
desconceituador (*ô*) adj.
desconceituante adj.2g.
desconceituar v.
desconceituável adj.2g.
desconcentração s.f.
desconcentrado adj.
desconcentrador (*ô*) adj.
desconcentrante adj.2g.
desconcentrar v.
desconcentrável adj.2g.
desconcertado adj.; cf. *desconsertado*
desconcertador (*ô*) adj. s.m.; cf. *desconsertador*
desconcertante adj.2g.; cf. *desconsertante*
desconcertar v. "desacertar", etc.; cf. *desconsertar*
desconcertável adj.2g.; cf. *desconsertável*
desconcerto (*ê*) s.m. "desalinho"; cf. *desconcerto*, fl. do v. *desconcertar*, *desconserto* (*ê*) s.m. e *desconserto*, fl. do v. *desconsertar*
desconchavado adj.
desconchavante adj.2g.
desconchavar v.
desconchavo s.m.
desconchegado adj.
desconchegador (*ô*) adj.
desconchegante adj.2g.
desconchegar v.
desconchego (*ê*) s.m.
desconciliação s.f.
desconciliado adj.
desconciliador (*ô*) adj.
desconciliante adj.2g.
desconciliar v.
desconciliável adj.2g.
desconcordado adj. s.m.
desconcordador (*ô*) adj.
desconcordância s.f.
desconcordante adj.2g.
desconcordar v.
desconcordável adj.2g.
desconcorde adj.2g.
desconcórdia s.f.
descondenação s.f.
descondenado adj.
descondenador (*ô*) adj.
descondenar v.
descondenável adj.2g.
descondensação s.f.
descondensado adj.
descondensador (*ô*) adj.
descondensante adj.2g.
descondensar v.
descondensável adj.2g.
descondicionamento s.m.
descondicionar v.
desconectação s.f.
desconectado adj.
desconectador (*ô*) adj.
desconectante adj.2g.
desconectar v.
desconectável adj.2g.
desconexão (*cs*) s.f.
desconexidade (*cs*) s.f.
desconexo (*cs*) adj.
desconfeito adj.
desconfessado adj.
desconfessar v.
desconfessável adj.2g.
desconfesso adj.
desconfiabilidade s.f.
desconfiado adj. s.m.
desconfiador (*ô*) adj.
desconfiança s.f.
desconfiante adj.2g.
desconfiar v.
desconfiável adj.2g.
desconfiômetro s.m.
desconfioso (*ô*) adj.; f. (*ó*); pl. (*ó*)
desconfissão s.f.
desconformação s.f.
desconformado adj.
desconformador (*ô*) adj.
desconformante adj.2g.
desconformar v.
desconforme adj.2g.
desconformidade s.f.
desconfortado adj.
desconfortador (*ô*) adj.
desconfortante adj.2g.
desconfortar v.
desconfortativo adj.
desconfortável adj.2g.
desconforto (*ô*) s.m.; cf. *desconforto*, fl. do v. *desconfortar*
desconfrangedor (*ô*) adj. s.m.
desconfrangente adj.2g.
desconfranger v.
desconfrangido adj.
desconfrangimento s.m.
desconfrangível adj.2g.
desconfundido adj.
desconfundidor (*ô*) adj.
desconfundimento s.m.
desconfundir v.
desconfundível adj.2g.
desconfusão s.f.
descongelação s.f.
descongelado adj.
descongelador (*ô*) adj.
descongelamento s.m.
descongelante adj.2g.
descongelar v.
descongelável adj.2g.
descongestionado adj.
descongestionador (*ô*) adj.
descongestionamento s.m.
descongestionante adj.2g. s.m.
descongestionar v.
descongestionável adj.2g.
descongestivo adj.
desconhado adj.
desconhecedor (*ô*) adj. s.m.
desconhecença s.f.
desconhecente adj.2g.
desconhecer v.
desconhecido adj. s.m.
desconhecimento s.m.
desconhecível adj.2g.
desconjugação s.f.
desconjugado adj.
desconjugador (*ô*) adj.
desconjugante adj.2g.
desconjugar v.
desconjugativo adj.
desconjugável adj.2g.
desconjunção s.f.
desconjuntação s.f.
desconjuntado adj.
desconjuntador (*ô*) adj.
desconjuntamento s.m.
desconjuntante adj.2g.
desconjuntar v.
desconjuntativo adj.
desconjuntável adj.2g.
desconjuntiva s.f.
desconjuntividade s.f.
desconjuntivo adj.
desconjunto adj.
desconjuntura s.f.
desconjuntural adj.2g.
desconjunturalidade s.f.
desconjuração s.f.
desconjurado adj.
desconjurador (*ô*) adj.
desconjurante adj.2g.
desconjurar v.
desconjurável adj.2g.
desconsagração s.f.
desconsagrado adj.
desconsagrador (*ô*) adj.
desconsagrante adj.2g.
desconsagrar v.
desconsagrável adj.2g.
desconsciência s.f.
desconsciencioso (*ô*) adj.; f. (*ó*); pl. (*ó*)
desconselhar v.
desconsentido adj.
desconsentidor (*ô*) adj.
desconsentimento s.m.
desconsentir v.
desconsentível adj.2g.
desconsertado adj.; cf. *desconcertado*
desconsertador (*ô*) adj.; cf. *desconcertador*
desconsertante adj.2g.; cf. *desconcertante*
desconsertar v. "desarranjar"; cf. *desconcertar*
desconsertável adj.2g.; cf. *desconcertável*
desconserto (*ê*) s.m. "desarranjo"; cf. *desconserto*, fl. do v. *desconsertar*, *desconcerto* (*ê*) s.m. e *desconcerto*, fl. do v. *desconcertar*
desconsideração s.f.
desconsiderado adj.
desconsiderador (*ô*) adj.
desconsiderante adj.2g.
desconsiderar v.
desconsiderativo adj.
desconsiderável adj.2g.
desconsistência s.f.
desconsistente adj.2g.
desconsoante adj.2g.
desconsolação s.f.
desconsoladeza (*ê*) s.f.
desconsolado adj. s.m.
desconsolador (*ô*) adj. s.m.; f. *desconsolatriz*

desconsolante adj.2g.
desconsolar v.
desconsolativo adj.
desconsolatriz adj. f. de *desconsolador* (*ô*)
desconsolável adj.2g.
desconsolo (*ô*) s.m.; cf. *desconsolo*, fl. do v. *desconsolar*
desconsoloso (*ô*) adj.; f. (*ó*); pl. (*ó*)
desconstitucional adj.2g.
desconstitucionalidade s.f.
desconstitucionalização s.f.
desconstitucionalizado adj.
desconstitucionalizador (*ô*) adj.
desconstitucionalizante adj.2g.
desconstitucionalizar v.
desconstitucionalizável adj.2g.
desconstituição s.f.
desconstituir v.
desconstrangedor (*ô*) adj.
desconstrangente adj.2g.
desconstranger v.
desconstrangido adj.
desconstrangimento s.m.
desconstrangível adj.2g.
desconstrução s.f.
desconstrucionismo s.m.
desconstrucionista adj. s.2g.
desconstruído adj.
desconstruidor (*ô*) adj.
desconstruir v.
desconstruível adj.2g.
desconstrutivo adj.
desconstrutor (*ô*) adj.
descontabilidade s.f.
descontado adj.
descontador (*ô*) adj.
descontagem s.f.
descontamento s.m.
descontaminação s.f.
descontaminado adj.
descontaminador (*ô*) adj.
descontaminante adj.2g.
descontaminar v.
descontaminável adj.2g.
descontante adj.2g.
descontar v.
descontário adj. s.m.
descontatário adj. s.m.
descontável adj.2g.
descontentadiço adj.
descontentado adj.
descontentador (*ô*) adj.
descontentamento s.m.
descontentante adj.2g.
descontentar v.
descontentativo adj.
descontentável adj.2g.
descontente adj. s.2g.
descontento s.m.
descontinência s.f.
descontinuação s.f.
descontinuado adj.
descontinuador (*ô*) adj.
descontinuante adj.2g.
descontinuar v.
descontinuativo adj.
descontinuável adj.2g.
descontinuidade s.f.
descontínuo adj. s.m.; cf. *descontinuo*, fl. do v. *descontinuar*
desconto s.m.
descontração s.f.
descontraente adj.2g.
descontraído adj.
descontrair v.
descontraível adj.2g.
descontramantelo (*ê*) s.m.
descontratação s.f.
descontratado adj.
descontratador (*ô*) adj. s.m.
descontratante adj. s.2g.
descontratar v.
descontratatável adj.2g.
descontratativo adj.
descontrolado adj. s.m.
descontrolador (*ô*) adj.
descontrolante adj.2g.
descontrolar v.
descontrolável adj.2g.
descontrole (*ô*) s.m.; cf. *descontrole*, fl. do v. *descontrolar*
desconturbação s.f.
desconturbado adj.
desconturbador (*ô*) adj.
desconturbante adj.2g.
desconturbar v.
desconturbável adj.2g.
desconvencedor (*ô*) adj.
desconvencer v.
desconvencido adj.
desconvencimento s.m.
desconvencível adj.2g.
desconveniência s.f.
desconveniente adj.2g.
desconversação s.f.
desconversado adj.
desconversador (*ô*) adj.
desconversante adj.2g.
desconversão s.f.
desconversar v.
desconversável adj.2g.
desconversível adj.2g.
desconverso adj.
desconversor (*ô*) adj. s.m.
desconvertedor (*ô*) adj. s.m.
desconvertente adj.2g.
desconverter v.
desconvertido adj.
desconvertível adj.2g.
desconvidado adj.
desconvidador (*ô*) adj. s.m.
desconvidante adj.2g.
desconvidar v.
desconvidativo adj.
desconvincente adj.2g.
desconvindo adj.
desconvinhável adj.2g.
desconvir v.
desconvivedor (*ô*) adj.
desconvivência s.f.
desconvivente adj.2g.
desconviver v.
desconvivido adj.
desconvivível adj.2g.
desconvizinhança s.f.
desconvizinho adj.
descoordenação s.f.
descoordenado adj.
descoordenador (*ô*) adj.
descoordenante adj.2g.
descoordenar v.
descoordenativo adj.
descoordenável adj.2g.
descopado adj.
descor (*ô*) s.f.
descora s.f.
descoraçoado adj.
descoraçoador (*ô*) adj.
descoraçoamento s.m.
descoraçoante adj.2g.
descoraçoar v.
descoraçoável adj.2g.
descorado adj.
descorador (*ô*) adj. s.m.
descoragem s.f.
descorajado adj.
descorajador (*ô*) adj.
descorajamento s.m.
descorajante adj.2g.
descorajar v.
descorajável adj.2g.
descoramento s.m.
descorante adj.2g. s.m.
descorar v.
descorativo adj.
descorável adj.2g.
descorchar v.
descorçoado adj.
descorçoador (*ô*) adj.
descorçoamento s.m.
descorçoante adj.2g.
descorçoar v.
descorçoável adj.2g.
descordado adj.
descordar v. "cortar a medula do touro"; cf. *discordar*
descordo (*ô*) s.m. "poesia", etc.; cf. *discordo* (*ô*) s.m., *descordo*, fl. do v. *descordar* e *discordo*, fl. do v. *discordar*
descorentar v.
descornado adj.
descornador (*ô*) s.m.
descornamento s.m.
descornante adj.2g.
descornar v.
descornável adj.2g.
descorne s.m.
descoroação s.f.
descoroado adj.
descoroador (*ô*) adj.
descoroante adj.2g.
descoroar v.
descoroável adj.2g.
descoroçoado adj.
descoroçoador (*ô*) adj.
descoroçoamento s.m.
descoroçoante adj.2g.
descoroçoar v.
descoroçoável adj.2g.
descorolado adj.
descoronhado adj.
descorporificar v.
descorporização s.f.
descorporizado adj.
descorporizador (*ô*) adj.
descorporizante adj.2g.
descorporizar v.
descorporizável adj.2g.
descorregedor (*ô*) adj. s.m.
descorreger v.
descorrelação s.f.
descorrelacionado adj.
descorrelacionador (*ô*) adj.
descorrelacionamento s.m.
descorrelacionante adj.2g.
descorrelacionar v.
descorrelacionável adj.2g.
descorrelato adj.
descorrentado adj.
descorrentador (*ô*) adj.
descorrentamento s.m.
descorrentante adj.2g.
descorrentar v.
descorrentável adj.2g.
descorrespondência s.f.
descorrespondente adj.2g.
descorresponder v.
descorrespondido adj.
descorrespondível adj.2g.
descorrimento s.m.
descortejado adj.
descortejador (*ô*) adj.
descortejante adj.2g.
descortejar v.
descortejável adj.2g.
descortejo (*ê*) s.m.
descortês adj.2g.
descortesia s.f.
descorticação s.f.
descortiçação s.f.
descorticado adj.
descortiçado adj.
descorticador (*ô*) adj. s.m.
descortiçador (*ô*) adj. s.m.
descortiçamento s.m.
descorticante adj.2g.
descortiçante adj.2g.
descorticar v.
descortiçar v.
descorticável adj.2g.
descortiçável adj.2g.
descortinação s.f.
descortinado adj.
descortinador (*ô*) adj.
descortinante adj.2g.
descortinar v.
descortinável adj.2g.
descortínio s.m.
descortino s.m.
descoruchar v.
descosedor (*ô*) adj.
descosedura s.f.
descoser v.
descosido adj.
descosimento s.m.
descosível adj.2g.
descostar v.
descostumado adj.
descostumar v.
descostume s.m.
descostura s.f.
descosturado adj.
descosturador (*ô*) adj.
descosturante adj.
descosturar v.
descosturável adj.2g.
descotado adj.
descotoado adj.
descotoar v.
descoutado adj.
descoutar v.
descraseado adj.
descrasear v.
descravação s.f.
descravado adj.
descravador (*ô*) adj. s.m.
descravadura s.f.
descravagem s.f.
descravamento s.m.
descravante adj.2g.
descravar v.
descravável adj.2g.
descraveirado adj.
descraveirar v.
descravejado adj.
descravejador (*ô*) adj.
descravejamento s.m.
descravejar v.
descravizar v.
descredenciado adj.
descredenciamento s.m.
descredenciar v.
descreditado adj.
descreditador (*ô*) adj.
descreditante adj.2g.
descreditar v.
descreditável adj.2g.
descrédito s.m.; cf. *descredito*, fl. do v. *descreditar*
descremação s.f.
descremado adj.
descremar v.
descrença s.f.
descrendo adj.
descrente adj. s.2g.
descrer v.
descrevedor (*ô*) adj. s.m.
descrevente s.m.
descrever v.
descrevível adj.2g.
descriado adj.
descrição s.f. "ação de descrever"; cf. *discrição*
descrido adj. s.m.
descriminação s.f.; cf. *discriminação*
descriminado adj.; cf. *discriminado*
descriminador (*ô*) adj. s.m.; cf. *discriminador* (*ô*)
descriminalização s.f.
descriminalizador (*ô*) adj. s.m.
descriminalizante adj.2g.
descriminalizar v.
descriminalizável adj.2g.
descriminante adj. s.2g.; cf. *discriminante*
descriminar v. "tirar a culpa"; cf. *discriminar*
descriminável adj.2g.; cf. *discriminável*
descristação s.f.
descristado adj.
descristamento s.m.
descristar v.
descristianização s.f.
descristianizado adj.
descristianizador (*ô*) adj.
descristianizante adj.2g.
descristianizar v.
descristianizável adj.2g.
descritério s.m.
descriteriosidade s.f.
descriterioso (*ô*) adj.; f. (*ó*); pl. (*ó*)
descritiva s.f.
descritível adj.2g.
descritividade s.f.
descritivismo s.m.
descritivista adj. s.2g.
descritivístico adj.
descritivo adj. s.m.
descrito adj.
descritor (*ô*) adj. s.m.
descrível adj.2g.
descromação s.f.
descromado adj.
descromador (*ô*) adj. s.m.
descromagem s.f.
descromante adj.2g.
descromar v.
descromável adj.2g.
descruzado adj.
descruzador (*ô*) adj.
descruzamento s.m.
descruzante adj.2g.
descruzar v.
descruzável adj.2g.
descuidado adj. s.m.
descuidador (*ô*) adj. s.m.
descuidadoso (*ô*) adj.; f. (*ó*); pl. (*ó*)
descuidança s.f.
descuidante adj.2g.
descuidar v.
descuidável adj.2g.
descuidismo s.m.
descuidista adj. s.2g.
descuido s.m.
descuidosidade s.f.
descuidoso (*ô*) adj.; f. (*ó*); pl. (*ó*)
desculatração s.f.
desculatrado adj.
desculatrador (*ô*) adj.
desculatramento s.m.
desculatrar v.
desculpa s.f.
desculpabilidade s.f.
desculpação s.f.
desculpado adj.
desculpador (*ô*) adj.
desculpante adj.2g.
desculpar v.
desculpável adj.2g.
descultivação s.f.
descultivado adj.
descultivador (*ô*) adj.
descultivamento s.m.
descultivante adj.2g.
descultivar v.
descultivável adj.2g.
descultivo s.m.
desculto adj. s.m.
descultuação s.f.
descultuado adj.
descultuador (*ô*) adj.
descultuamento s.m.
descultuante adj.2g.
descultuar v.
descultuável adj.2g.
descultura s.f.
desculturação s.f.
desculturar v.
descumprido adj.
descumpridor (*ô*) adj. s.m.
descumprimento s.m.
descumprir v.
descumprível adj.2g.
descunhado adj.
descunhagem s.f.
descunhamento s.m.
descunhar v.
descunhável adj.2g.
descupinização s.f.
descupinizar v.
descurado adj.
descurador (*ô*) adj. s.m.
descurâinia s.f.
descuramento s.m.
descurante adj.2g.
descurar v.
descurativo adj.
descurável adj.2g.
descuriosidade s.f.
descurioso (*ô*) adj.; f. (*ó*); pl. (*ó*)

descuro s.m.
descurvado adj.
descurvador (*ô*) adj.
descurvamento s.m.
descurvante adj.2g.
descurvar v.
descurvável adj.2g.
descuscutado adj.
descuscutar v.
desdação s.f.
desdado adj.
desdador (*ô*) adj. s.m.
desdante adj. s.2g.
desdar v.
desdável adj.2g.
desde (*ê*) prep.
desdeixado adj. s.m.
desdeixar v.
desdém s.m.
desdêmona s.f.
desdemonização s.f.
desdemonizado adj.
desdemonizador (*ô*) adj.
desdemonizamento s.m.
desdemonizante adj.2g.
desdemonizar v.
desdemonizável adj.2g.
desdenhado adj.
desdenhador (*ô*) adj. s.m.
desdenhante adj.2g.
desdenhar v.
desdenhativo adj.
desdenhável adj.2g.
desdenho s.m.
desdenhosidade s.f.
desdenhoso (*ô*) adj.; f. (*ó*); pl. (*ó*)
desdenominação s.f.
desdenominado adj.
desdenominador (*ô*) adj.
desdenominante adj.2g.
desdenominar v.
desdenominável adj.2g.
desdentado adj. s.m.
desdentador (*ô*) adj.
desdentamento s.m.
desdentante adj.2g.
desdentar v.
desdentável adj.2g.
desdentição s.f.
desdiferenciação s.f.
desdiferenciado adj.
desdiferenciador (*ô*) adj.
desdiferenciante adj.2g.
desdiferenciar v.
desdiferenciável adj.2g.
desdita s.f.
desditado adj.
desdito adj.
desditoso (*ô*) adj.; f. (*ó*); pl. (*ó*)
desdizedor (*ô*) adj. s.m.
desdizente adj.2g.
desdizer v.
desdizimento s.m.
desdizível adj.2g.
desdobação s.f.
desdobado adj.
desdobar v.
desdobrada s.f.
desdobradeira s.f.
desdobrado adj.
desdobrador (*ô*) adj.
desdobramento s.m.
desdobrante adj.2g.
desdobrar v.
desdobrável adj.2g.
desdobre s.m.
desdobro (*ô*) s.m.; cf. *desdobro*, fl. do v. *desdobrar*
desdoiração s.f.
desdoirado adj.
desdoirador (*ô*) adj.
desdoiramento s.m.
desdoirante adj.2g.
desdoirar v.
desdoirável adj.2g.
desdoiro s.m.
desdoiroso (*ô*) adj.; f. (*ó*); pl. (*ó*)
desdormido adj.
desdormir v.
desdouração s.f.
desdourado adj.
desdourador (*ô*) adj.
desdouramento s.m.
desdourante adj.2g.
desdourar v.
desdouro s.m.
desdouroso (*ô*) adj.; f. (*ó*); pl. (*ó*)
desdoutrina s.f.
desdoutrinação s.f.
desdoutrinado adj.
desdoutrinador (*ô*) adj. s.m.
desdoutrinamento s.m.
desdoutrinante adj.2g.
desdoutrinar v.
desdoutrinável adj.2g.
desdramatização s.f.
desdramatizado adj.
desdramatizador (*ô*) adj.
desdramatizante adj.2g.
desdramatizar v.
desdramatizável adj.2g.
deseclipsação s.f.
deseclipsado adj.
deseclipsador (*ô*) adj.
deseclipsamento s.m.
deseclipsante adj.2g.
deseclipsar v.
deseclipsável adj.2g.
deseconomia s.f.
deseconômico adj.
deseconomização s.f.
deseconomizado adj.
deseconomizador (*ô*) adj.
deseconomizante adj.2g.
deseconomizar v.
deseconomizável adj.2g.
desedificação s.f.
desedificado adj.
desedificador (*ô*) adj.
desedificante adj.2g.
desedificar v.
desedificativo adj.
desedificável adj.2g.
deseducação s.f.
deseducado adj.
deseducador (*ô*) adj.
deseducante adj.2g.
deseducar v.
deseducativo adj.
deseducável adj.2g.
desefeminação s.f.
desefeminado adj.
desefeminador (*ô*) adj.
desefeminante adj.2g.
desefeminar v.
desefeminável adj.2g.
deseivado adj.
deseivar v.
deseixado adj.
deseixador (*ô*) adj.
deseixamento s.m.
deseixante adj.2g.
deseixar v.
deseixável adj.2g.
desejabilidade s.f.
desejado adj. s.m.
desejador (*ô*) adj. s.m.
desejante adj.2g.
desejar v.
desejável adj.2g.
desejo (*ê*) s.m.
desejoso (*ô*) adj.; f. (*ó*); pl. (*ó*)
desejum s.m.
deselegância s.f.
deselegante adj. s.2g.
delegente adj.2g.
deseleger v.
deselegível adj.2g.
deseleito adj.
deseletrização s.f.
deseletrizado adj.
deseletrizador (*ô*) adj. s.m.
deseletrizante adj.2g.
deseletrizar v.
deseletrizável adj.2g.
deseliminado adj.
deseliminar v.
desemaçado adj.
desemaçar v.
desemadeirado adj.
desemadeirar v.
desemalação s.f.
desemalado adj.
desemalador (*ô*) adj.
desemalar v.
desemalável adj.2g.
desemalhado adj.
desemalhar v.
desemalhetado adj.
desemalhetar v.
desemaranhado adj.
desemaranhador (*ô*) adj.
desemaranhamento s.m.
desemaranhante adj.2g.
desemaranhar v.
desemasteado adj.
desemasteamento s.m.
desemastear v.
desemastreado adj.
desemastrear v.
desematilhado adj.
desematilhar v.
desembaçado adj.
desembaçador (*ô*) adj.
desembaçamento s.m.
desembaçante adj.2g.
desembaçar v.
desembaçável adj.2g.
desembaciado adj.
desembaciador (*ô*) adj.
desembaciamento s.m.
desembaciante adj.2g.
desembaciar v.
desembaciável adj.2g.
desembainhação s.f.
desembainhado adj.
desembainhador (*ô*) adj.
desembainhamento s.m.
desembainhante adj.2g.
desembainhar v.
desembainhável adj.2g.
desembalado adj.
desembalador (*ô*) adj. s.m.
desembalagem s.f.
desembalante adj.2g.
desembalar v.
desembalável adj.2g.
desembalsado adj.
desembalsador (*ô*) adj. s.m.
desembalsamado adj.
desembalsamador (*ô*) adj. s.m.
desembalsamamento s.m.
desembalsamante adj.2g.
desembalsamar v.
desembalsamável adj.2g.
desembalsamento s.m.
desembalsante adj.2g.
desembalsar v.
desembalsável adj.2g.
desembandeiração s.f.
desembandeirado adj.
desembandeiramento s.m.
desembandeirar v.
desembandeirável adj.2g.
desembaraçado adj.
desembaraçador (*ô*) adj. s.m.
desembaraçamento s.m.
desembaraçante adj.2g.
desembaraçar v.
desembaraçável adj.2g.
desembaraço s.m.
desembaralhado adj.
desembaralhador (*ô*) adj. s.m.
desembaralhamento s.m.
desembaralhante adj.2g.
desembaralhar v.
desembaralhável adj.2g.
desembarcação s.f.
desembarcadeiro s.m.
desembarcado adj.
desembarcadoiro s.m.
desembarcador (*ô*) adj.
desembarcadouro s.m.
desembarcante adj.2g.
desembarcar v.
desembarcável adj.2g.
desembarco s.m.
desembargadeiro adj.
desembargado adj.
desembargador (*ô*) adj. s.m.
desembargamento s.m.
desembargante adj.2g.
desembargar v.
desembargatoria s.f.
desembargatório adj.
desembargo s.m.
desembarque s.m.
desembarrancado adj.
desembarrancar v.
desembarrar v.
desembarrigado adj.
desembarrigar v.
desembarrilação s.f.
desembarrilado adj.
desembarrilador (*ô*) adj.
desembarrilagem s.f.
desembarrilar v.
desembatiado adj.
desembatiar v.
desembaulação s.f.
desembaulado adj.
desembaulador (*ô*) adj.
desembaulamento s.m.
desembaular v.
desembaulável adj.2g.
desembebedado adj.
desembebedador (*ô*) adj.
desembebedamento s.m.
desembebedar v.
desembebedável adj.2g.
desembeber v.
desembebido adj.
desembeiçar v.
desembestação s.f.
desembestada s.f.
desembestado adj.
desembestador (*ô*) adj.
desembestamento s.m.
desembestante adj.2g.
desembestar v.
desembestável adj.2g.
desembezerrado adj.
desembezerrar v.
desembirrado adj.
desembirrar v.
desemblinhar v.
desembocado adj.
desembocador (*ô*) adj.
desembocadura s.f.
desembocante adj.2g.
desembocar v.
desembocável adj.2g.
desembolação s.f.
desembolado adj.
desembolador (*ô*) adj.
desembolamento s.m.
desembolante adj.2g.
desembolar v.
desembolável adj.2g.
desembolsado adj.
desembolsador (*ô*) adj. s.m.
desembolsante adj.2g.
desembolsar v.
desembolsável adj.2g. s.m.
desembolso (*ô*) s.m.; cf. *desembolso*, fl. do v. *desembolsar*
desemboque s.m.
desemboquense adj. s.2g.
desemborcação s.f.
desemborcado adj.
desemborcador (*ô*) adj.
desemborcar v.
desemborcável adj.2g.
desemborque s.m.
desemborra (*ô*) s.f.; cf. *desemborra*, fl. do v. *desemborrar*
desemborração s.f.
desemborrachado adj.
desemborrachar v.
desemborrado adj.
desemborrar v.
desemborrascado adj.
desemborrascar v.
desemboscado adj.
desemboscar v.
desembotado adj.
desembotador (*ô*) adj.
desembotadura s.f.
desembotamento s.m.
desembotante adj.2g.
desembotar v.
desembotável adj.2g.
desembraçado adj.
desembraçar v.
desembraiar v.
desembramar v.
desembravecedor (*ô*) adj.
desembravecente adj.2g.
desembravecer v.
desembravecido adj.
desembravecimento s.m.
desembravecível adj.2g.
desembreado adj.
desembreador (*ô*) adj. s.m.
desembreagem s.f.
desembreante adj.2g.
desembrear v.
desembreável adj.2g.
desembrechado adj.
desembrechador (*ô*) adj.
desembrechamento s.m.
desembrechante adj.2g.
desembrechar v.
desembrechável adj.2g.
desembrenhação s.f.
desembrenhado adj.
desembrenhador (*ô*) adj.
desembrenhamento s.m.
desembrenhante adj.2g.
desembrenhar v.
desembrenhável adj.2g.
desembriagado adj.
desembriagar v.
desembridação s.f.
desembridado adj.
desembridador (*ô*) adj.
desembridamento s.m.
desembridar v.
desembrionado adj.
desembrionar v.
desembromar v.
desembrulhado adj.
desembrulhador (*ô*) adj. s.m.
desembrulhamento s.m.
desembrulhar v.
desembrulhável adj.2g.
desembrulho s.m.
desembrumação s.f.
desembrumado adj.
desembrumar v.
desembruscação s.f.
desembruscado adj.
desembruscamento s.m.
desembruscar v.
desembrutecedor (*ô*) adj. s.m.
desembrutecer v.
desembrutecido adj.
desembrutecimento s.m.
desembrutecível adj.2g.
desembruxação s.f.
desembruxado adj.
desembruxador (*ô*) adj. s.m.
desembruxamento s.m.
desembruxante adj.2g.
desembruxar v.
desembruxável adj.2g.
desembuçado adj.
desembuçar v.
desembuçável adj.2g.
desembuchação s.f.
desembuchado adj.
desembuchador (*ô*) adj. s.m.
desembuchamento s.m.
desembuchar v.
desembuchável adj.2g.
desembuço s.m.
desemburilhar v.
desemburração s.f.
desemburradela s.f.
desemburrado adj.
desemburrador (*ô*) adj. s.m.
desemburramento s.m.
desemburrante adj.2g.
desemburrar v.
desemburrável adj.2g.
desemburricação s.f.
desemburricado adj.
desemburricador (*ô*) adj. s.m.

desemburricamento s.m.
desemburricante adj.2g.
desemburricar v.
desemburricável adj.2g.
desembutido adj.
desembutir v.
desemedar v.
desemendado adj.
desemendar v.
desemetinização s.f.
desemetinizado adj.
desemetinizante adj.2g.
desemetinizar v.
desemoçado adj.
desemoçar v.
desemoglobinização s.f.
desemoglobinizado adj.
desemoglobinizante adj.2g.
desemoglobinizar v.
desemoglobinizável adj.2g.
desemoinhado adj.
desemoinhar v.
desemolduração s.f.
desemoldurado adj.
desemoldurador (*ô*) adj.
desemolduramento s.m.
desemoldurar v.
desemoldurável adj.2g.
desempacação s.f.
desempacado adj.
desempacamento s.m.
desempacar v.
desempacável adj.2g.
desempachado adj.
desempachamento s.m.
desempachar v.
desempachável adj.2g.
desempacho s.m.
desempacotado adj.
desempacotador (*ô*) adj. s.m.
desempacotamento s.m.
desempacotante adj.2g.
desempacotar v.
desempacotável adj.2g.
desempado adj.
desempador (*ô*) adj. s.m.
desempadralhação s.f.
desempadralhado adj.
desempadralhamento s.m.
desempadralhar v.
desempalação s.f.
desempalado adj.
desempalar v.
desempalável adj.2g.
desempalhação s.f.
desempalhado adj.
desempalhador (*ô*) adj. s.m.
desempalhamento s.m.
desempalhante adj.2g.
desempalhar v.
desempalhável adj.2g.
desempalheirado adj.
desempalmação s.f.
desempalmado adj.
desempalmar v.
desempambado adj.
desempamento s.m.
desempanado adj.
desempanar v.
desempandeirado adj.
desempandeirar v.
desempapado adj.
desempapador (*ô*) adj.
desempapagem s.f.
desempapante adj.2g.
desempapar v.
desempapável adj.2g.
desempapelado adj.
desempapelamento s.m.
desempapelar v.
desempar v.
desemparceirado adj.
desemparceirador (*ô*) adj.
desemparceiramento s.m.
desemparceirante adj.2g.
desemparceirar v.
desemparceirável adj.2g.
desemparedado adj.
desemparedamento s.m.
desemparedante adj.2g.
desemparedar v.
desemparedável adj.2g.
desemparelhado adj.
desemparelhamento s.m.
desemparelhante adj.2g.
desemparelhar v.
desemparelhável adj.2g.
desempastado adj.
desempastamento s.m.
desempastante adj.2g.
desempastar v.
desempastável adj.2g.
desempastelado adj.
desempastelamento s.m.
desempastelar v.
desempastelável adj.2g.
desempatado adj.
desempatador (*ô*) adj. s.m.
desempatante adj.2g.
desempatar v.
desempatável adj.2g.
desempate s.m.
desempavesado adj.
desempavesar v.
desempeçado adj.
desempeçar v.
desempecedor (*ô*) adj. s.m.
desempecente adj.2g.
desempecer v.
desempecido adj.
desempecilhado adj.
desempecilhar v.
desempecilho s.m.
desempecimento s.m.
desempecível adj.2g.
desempeço (*ê*) s.m.; cf. *desempeço*, fl. do v. *desempeçar, desempeço* (*ê*), fl. do v. *desempecer* e *desimpeço*, fl. do v. *desimpedir*
desempeçonhado adj.
desempeçonhamento s.m.
desempeçonhar v.
desempedernecer v.
desempedernecido adj.
desempedernecimento s.m.
desempedernecível adj.2g.
desempedernido adj.
desempedernimento s.m.
desempedernir v.
desempedernível adj.2g.
desempedrado adj.
desempedrador (*ô*) adj. s.m.
desempedramento s.m.
desempedrar v.
desempedrável adj.2g.
desempegado adj.
desempegar v.
desempego (*ê*) s.m.; cf. *desempego*, fl. do v. *desempegar*
desempenadeira s.f.
desempenado adj.
desempenador (*ô*) adj. s.m.
desempenamento s.m.
desempenante adj.2g.
desempenar v.
desempenável adj.2g.
desempencar v.
desempenhado adj.
desempenhador (*ô*) adj. s.m.
desempenhamento s.m.
desempenhante adj. s.2g.
desempenhar v.
desempenhável adj.2g.
desempenho s.m.
desempeno s.m.
desempernado adj.
desempernar v.
desemperrado adj.
desemperrador (*ô*) adj.
desemperramento s.m.
desemperrante adj.2g.
desemperrar v.
desemperrável adj.2g.
desemperro (*ê*) s.m.; cf. *desemperro*, fl. do v. *desemperrar*
desempertigado adj.
desempertigamento s.m.
desempertigar v.
desempestação s.f.
desempestado adj.
desempestador (*ô*) adj.
desempestamento s.m.
desempestante adj.2g.
desempestar v.
desempestável adj.2g.
desempilhado adj.
desempilhador (*ô*) adj.
desempilhamento s.m.
desempilhante adj.2g.
desempilhar v.
desempilhável adj.2g.
desempinado adj.
desempinar v.
desemplastação s.f.
desemplastado adj.
desemplastar v.
desemplasto s.m.
desemplastração s.f.
desemplastrado adj.
desemplastrador (*ô*) adj. s.m.
desemplastragem s.f.
desemplastramento s.m.
desemplastrante adj.2g.
desemplastrar v.
desemplastrável adj.2g.
desemplastro s.m.
desemplumado adj.
desemplumar v.
desemplumável adj.2g.
desempoadela s.f.
desempoado adj.
desempoador (*ô*) adj. s.m.
desempoamento s.m.
desempoante adj.2g.
desempoar v.
desempoável adj.2g.
desempobrecedor (*ô*) adj. s.m.
desempobrecente adj.2g.
desempobrecer v.
desempobrecido adj.
desempobrecimento s.m.
desempobrecível adj.2g.
desempoçado adj.; cf. *desempossado*
desempoçador (*ô*) adj.; cf. *desempossador*
desempoçamento s.m.; cf. *desempossamento*
desempoçante adj.2g.; cf. *desempossante*
desempoçar v. "tirar do poço"; cf. *desempossar*
desempoçável adj.2g.; cf. *desempossável*
desempoeirado adj.
desempoeirador (*ô*) adj.
desempoeiramento s.m.
desempoeirante adj.2g.
desempoeirar v.
desempoeirável adj.2g.
desempoladeira s.f.
desempolado adj.
desempolador (*ô*) adj. s.m.
desempolamento s.m.
desempolante adj.2g.
desempolar v.
desempolável adj.2g.
desempolear v.
desempoleiração s.f.
desempoleirado adj.
desempoleirador (*ô*) adj. s.m.
desempoleiramento s.m.
desempoleirar v.
desempolgação s.f.
desempolgado adj.
desempolgador (*ô*) adj. s.m.
desempolgadura s.f.
desempolgamento s.m.
desempolgante adj.2g.
desempolgar v.
desempolgável adj.2g.
desempolhado adj.
desempolhador (*ô*) adj. s.m.
desempolhante adj.2g.
desempolhar v.
desempolhável adj.2g.
desempossado adj.; cf. *desempoçado*
desempossador (*ô*) adj. s.m.; cf. *desempoçador*
desempossamento s.m.; cf. *desempoçamento*
desempossante adj.2g.; cf. *desempoçante*
desempossar v. "privar da posse"; cf. *desempoçar*
desempossável adj.2g.; cf. *desempoçável*
desempregado adj. s.m.
desempregador (*ô*) adj. s.m.
desempregante adj.2g.
desempregar v.
desempregável adj.2g.
desemprego (*ê*) s.m.; cf. *desemprego*, fl. do v. *desempregar*
desemprenhação s.f.
desemprenhado adj.
desemprenhador (*ô*) adj. s.m.
desemprenhamento s.m.
desemprenhante adj.2g.
desemprenhar v.
desemprenhável adj.2g.
desemproado adj.
desemproador (*ô*) adj.
desemproamento s.m.
desemproante adj.2g.
desemproar v.
desemproável adj.2g.
desempulhação s.f.
desempulhado adj.
desempulhador (*ô*) adj.
desempulhante adj.2g.
desempulhar-se v.
desempulhável adj.2g.
desempunhação s.f.
desempunhado adj.
desempunhador (*ô*) adj. s.m.
desempunhamento s.m.
desempunhante adj.2g.
desempunhar v.
desempunhável adj.2g.
desemudecedor (*ô*) adj. s.m.
desemudecente adj.2g.
desemudecer v.
desemudecido adj.
desemudecimento s.m.
desemudecível adj.2g.
desemulsificação s.f.
desemulsificado adj.
desemulsificador (*ô*) adj.
desemulsificante adj. s.2g.
desemulsificar v.
desemulsificável adj.2g.
desemulsionação s.f.
desemulsionado adj.
desemulsionador (*ô*) adj.
desemulsionante adj. s.2g.
desemulsionar v.
desemulsionável adj.2g.
desenamoração s.f.
desenamorado adj.
desenamorador (*ô*) adj. s.m.
desenamoramento s.m.
desenamorante adj.2g.
desenamorar v.
desenamorável adj.2g.
desenarcado adj.
desenastrado adj.
desenastramento s.m.
desenastrar v.
desenatar v.
desencabação s.f.
desencabado adj.
desencabamento s.m.
desencabar v.
desencabeçado adj.
desencabeçador (*ô*) adj. s.m.
desencabeçamento s.m.
desencabeçante adj.2g.
desencabeçar v.
desencabeçável adj.2g.
desencabelado adj.
desencabelar v.
desencabrestado adj.
desencabrestamento s.m.
desencabrestante adj.2g.
desencabrestar v.
desencabrestável adj.2g.
desencabritado adj.
desencabritamento s.m.
desencabritante adj.2g.
desencabritar v.
desencabulação s.f.
desencabulado adj.
desencabulador (*ô*) adj.
desencabulamento s.m.
desencabulante adj.2g.
desencabular v.
desencabulável adj.2g.
desencachaçado adj.
desencachaçamento s.m.
desencachaçante adj.2g.
desencachação s.f.
desencachaçar v.
desencachaçável adj.
desencachado adj.; cf. *desencaixado*
desencachar v. "tirar o encacho"; cf. *desencaixar*
desencadeação s.f.
desencadeado adj.
desencadeador (*ô*) adj.
desencadeamento s.m.
desencadeante adj.2g.
desencadear v.
desencadeável adj.2g.
desencadeio s.m.; cf. *desencadeio*, fl. do v. *desencadear*
desencadernação s.f.
desencadernado adj.
desencadernador (*ô*) adj.
desencadernante adj.2g.
desencadernar v.
desencadernável adj.2g.
desencadilhação s.f.
desencadilhado adj.
desencadilhar v.
desencafifação s.f.
desencafifado adj.
desencafifador (*ô*) adj.
desencafifamento s.m.
desencafifar v.
desencafuar v.
desencaiporação s.f.
desencaiporado adj.
desencaiporador (*ô*) adj.
desencaiporamento s.m.
desencaiporar v.
desencaixado adj.; cf. *desencachado*
desencaixadura s.f.
desencaixamento s.m.
desencaixante adj.2g.
desencaixar v. "deslocar"; cf. *desencachar*
desencaixável adj.2g.
desencaixe s.m.
desencaixilhação s.f.
desencaixilhado adj.
desencaixilhador (*ô*) adj.
desencaixilhamento s.m.
desencaixilhante adj.2g.
desencaixilhar v.
desencaixilhável adj.2g.
desencaixotado adj.
desencaixotador (*ô*) adj. s.m.
desencaixotamento s.m.
desencaixotante adj.2g.
desencaixotar v.
desencaixotável adj.2g.
desencalacração s.f.
desencalacrado adj.
desencalacrador (*ô*) adj.
desencalacrante adj.2g.
desencalacrar v.
desencalacrável adj.2g.
desencalhação s.f.
desencalhado adj.
desencalhador (*ô*) adj. s.m.
desencalhamento s.m.
desencalhante adj.2g.
desencalhar v.
desencalhável adj.2g.
desencalhe s.m.
desencalho s.m.
desencalmado adj.
desencalmador (*ô*) adj. s.m.
desencalmamento s.m.
desencalmante adj.2g.
desencalmar v.

desencalmável adj.
desencamaradado adj.
desencamaradador (*ô*) adj.
desencamaradagem s.f.
desencamaradante adj.2g.
desencamaradar v.
desencambação s.f.
desencambado adj.
desencambador (*ô*) adj.
desencambamento s.m.
desencambante adj.2g.
desencambar v.
desencambável adj.2g.
desencaminhado adj.
desencaminhador (*ô*) adj. s.m.
desencaminhamento s.m.
desencaminhante adj.2g.
desencaminhar v.
desencaminhável adj.2g.
desencamisada s.f.
desencamisar v.
desencampação s.f.
desencampado adj.
desencampador (*ô*) adj. s.m.
desencampante adj.2g.
desencampar v.
desencampável adj.2g.
desencanação s.f.
desencanado adj.
desencanador (*ô*) adj.
desencanalhação s.f.
desencanalhado adj.
desencanalhador (*ô*) adj.
desencanalhamento s.m.
desencanalhante adj.2g.
desencanalhar v.
desencanalhável adj.2g.
desencanamento s.m.
desencanante adj.2g.
desencanar v.
desencanastração s.f.
desencanastrado adj.
desencanastrar v.
desencanável adj.2g.
desencangação s.f.
desencangado adj.
desencangalhação s.f.
desencangalhado adj.
desencangalhamento s.m.
desencangalhar v.
desencangamento s.m.
desencangar v.
desencantação s.f.
desencantado adj.
desencantador (*ô*) adj. s.m.
desencantamento s.m.
desencantante adj.2g.
desencantar v.
desencantatório adj.
desencantável adj.2g.
desencanto s.m.
desencantoação s.f.
desencantoado adj.
desencantoamento s.m.
desencantoar v.
desencanudado adj.
desencanudamento s.m.
desencanudar v.
desencapação s.f.
desencapado adj.
desencapador (*ô*) adj. s.m.
desencapamento s.m.
desencapante adj.2g.
desencapar v.
desencaparação s.f.
desencaparado adj.
desencaparamento s.m.
desencaparar v.
desencapável adj.2g.
desencapelado adj.
desencapelar v.
desencapoeirado adj.
desencapoeirar v.
desencapotado adj.
desencapotamento s.m.
desencapotar v.
desencapotável adj.2g.
desencaracolação s.f.
desencaracolado adj.
desencaracolador (*ô*) adj.
desencaracolamento s.m.
desencaracolante adj.2g.
desencaracolar v.
desencaracolável adj.2g.
desencaralhado adj.
desencaralhar v.
desencarangação s.f.
desencarangado adj.
desencarangar v.
desencarapelado adj.
desencarapelar v.
desencarapinhado adj.
desencarapinhar v.
desencarapuçado adj.
desencarapuçamento s.m.
desencarapuçante adj.2g.
desencarapuçar v.
desencarapuçável adj.2g.
desencarceração s.f.
desencarcerado adj.
desencarcerador (*ô*) adj. s.m.
desencarceramento s.m.
desencarcerante adj.2g.
desencarcerar v.
desencarcerável adj.2g.
desencardideira s.f.
desencardido adj.
desencardidor (*ô*) adj.
desencardimento s.m.
desencardir v.
desencardível adj.2g.
desencarecedor (*ô*) adj. s.m.
desencarecente adj.2g.
desencarecer v.
desencarecido adj.
desencarecimento s.m.
desencarecível adj.2g.
desencargar v.
desencargo s.m.
desencarnação s.f.
desencarnado adj. s.m.
desencarnador (*ô*) adj.
desencarnante adj.2g.
desencarnar v.
desencarnável adj.2g.
desencarquilhado adj.
desencarquilhador (*ô*) adj.
desencarquilhamento s.m.
desencarquilhante adj.2g.
desencarquilhar v.
desencarquilhável adj.2g.
desencarrado adj.
desencarrador (*ô*) adj. s.m.
desencarramento s.m.
desencarrancação s.f.
desencarrancado adj.
desencarrancamento s.m.
desencarrancar v.
desencarrapitado adj.
desencarrapitar v.
desencarrar v.
desencarrável adj.2g.
desencarregado adj.
desencarregador (*ô*) adj.
desencarregamento s.m.
desencarregante adj.2g.
desencarregar v.
desencarregatura s.f.
desencarregável adj.2g.
desencarrego (*ê*) s.m.; cf. *desencarrego*, fl. do v. *desencarregar*
desencarregue adj.2g.
desencarreirado adj.
desencarreirador (*ô*) adj.
desencarreiramento s.m.
desencarreirante adj.2g.
desencarreirar v.
desencarreirável adj.2g.
desencarretado adj.
desencarretar v.
desencarrilamento s.m.
desencarrilar v.
desencarrilhamento s.m.
desencarrilhar v.
desencartação s.f.
desencartado adj.
desencartador (*ô*) adj.
desencartamento s.m.
desencartante adj.2g.
desencartar v.
desencartável adj.2g.
desencasacação s.f.
desencasacado adj.
desencasacamento s.m.
desencasacar v.
desencasado adj.
desencasamento s.m.
desencasar v.
desencascação s.f.
desencascado adj.
desencascador (*ô*) adj. s.m.
desencascamento s.m.
desencascante adj.2g.
desencascar v.
desencascável adj.2g.
desencasqueação s.f.
desencasqueado adj.
desencasqueador (*ô*) adj.
desencasqueamento s.m.
desencasquear v.
desencasquetação s.f.
desencasquetado adj.
desencasquetamento s.m.
desencasquetar v.
desencastelado adj.
desencastelador (*ô*) adj. s.m.
desencastelamento s.m.
desencastelante adj.2g.
desencastelar v.
desencastelável adj.2g.
desencastoado adj.
desencastoador (*ô*) adj. s.m.
desencastoamento s.m.
desencastoante adj.2g.
desencastoar v.
desencastoável adj.2g.
desencatarração s.f.
desencatarrado adj.
desencatarramento s.m.
desencatarrante adj. s.2g.
desencatarrar v.
desencatarroação s.f.
desencatarroado adj.
desencatarroador (*ô*) adj. s.m.
desencatarroamento s.m.
desencatarroar v.
desencavacação s.f.
desencavacado adj.
desencavacador (*ô*) adj. s.m.
desencavacamento s.m.
desencavacante adj.2g.
desencavação s.f.
desencavacar v.
desencavado adj.
desencavador (*ô*) adj.
desencavalgado adj.
desencavalgamento s.m.
desencavalgar v.
desencavamento s.m.
desencavante adj.2g.
desencavar v.
desencavável adj.2g.
desencavernado adj.
desencavernar v.
desencavilhação s.f.
desencavilhado adj.
desencavilhador (*ô*) adj.
desencavilhamento s.m.
desencavilhante adj.2g.
desencavilhar v.
desencavilhável adj.2g.
desencepado adj.
desencepar v.
desencerado adj.
desenceramento s.m.
desencerar v.
desencerável adj.2g.
desencerrado adj.
desencerrador (*ô*) adj.
desencerramento s.m.
desencerrante adj.2g.
desencerrar v.
desencerrável adj.2g.
desencharcado adj.
desencharcamento s.m.
desencharcante adj.2g.
desencharcar v.
desenchavetação s.f.
desenchavetadeira s.f.
desenchavetado adj.
desenchavetador (*ô*) adj. s.m.
desenchavetamento s.m.
desenchavetante adj.2g.
desenchavetar v.
desenchavetável adj.2g.
desenchedor (*ô*) adj. s.m.
desenchente adj.2g.
desencher v.
desenchido adj.
desenchimento s.m.
desenchível adj.2g.
desencilhado adj.
desencilhador (*ô*) adj. s.m.
desencilhamento s.m.
desencilhar v.
desenclaustrado adj.
desenclaustrar v.
desenclausuração s.f.
desenclausurado adj.
desenclausurador (*ô*) adj.
desenclausurante adj.2g.
desenclausurar v.
desenclausurável adj.2g.
desenclavinhação s.f.
desenclavinhado adj.
desenclavinhamento s.m.
desenclavinhar v.
desencoberto adj.
desencobrado adj.
desencobrar v.
desencobreado adj.
desencobreamento s.m.
desencobrear v.
desencobridor (*ô*) adj. s.m.
desencobrimento s.m.
desencobrir v.
desencobrível adj.2g.
desencocado adj.
desencocar v.
desencodear v.
desencofrado adj.
desencofragem s.f.
desencoframento s.m.
desencofrar v.
desencoifação s.f.
desencoifado adj.
desencoifamento s.m.
desencoifar v.
desencoiraçado adj.
desencoiraçador (*ô*) adj. s.m.
desencoiraçamento s.m.
desencoiraçante adj.2g.
desencoiração s.f.
desencoiraçar v.
desencoiraçável adj.2g.
desencoirado adj.
desencoirador (*ô*) adj. s.m.
desencoiramento s.m.
desencoirante adj.2g.
desencoirar v.
desencoirável adj.2g.
desencoivação s.f.
desencoivado adj.
desencoivar v.
desencoivaração s.f.
desencoivarado adj.
desencoivarador (*ô*) adj. s.m.
desencoivaramento s.m.
desencoivarar v.
desencolado adj.2g.
desencolador (*ô*) adj. s.m.
desencolamento s.m.
desencolar v.
desencolerização s.f.
desencolerizado adj.
desencolerizador (*ô*) adj. s.m.
desencolerizante adj.2g.
desencolerizar v.
desencolerizável adj.2g.
desencolhedor (*ô*) adj.
desencolher v.
desencolhido adj.
desencolhimento s.m.
desencolhível adj.2g.
desencomendação s.f.
desencomendado adj.
desencomendador (*ô*) adj.
desencomendamento s.m.
desencomendante adj. s.2g.
desencomendar v.
desencomendável adj.2g.
desenconchação s.f.
desenconchado adj.
desenconchador (*ô*) adj.
desenconchamento s.m.
desenconchar v.
desencontradiço adj.
desencontrado adj.
desencontrador (*ô*) adj.
desencontrante adj.2g.
desencontrar v.
desencontrável adj.2g.
desencontro s.m.
desencorado adj.
desencorajado adj.
desencorajador (*ô*) adj. s.m.
desencorajamento s.m.
desencorajante adj.2g.
desencorajar v.
desencorajável adj.2g.
desencorar v.
desencordoação s.f.
desencordoado adj.
desencordoador (*ô*) adj.
desencordoamento s.m.
desencordoante adj.2g.
desencordoar v.
desencordoável adj.2g.
desencorpado adj.
desencorpamento s.m.
desencorpante adj.2g.
desencorpar v.
desencorpável adj.2g.
desencorporação s.f.
desencorporado adj.
desencorporador (*ô*) adj. s.m.
desencorporante adj.2g.
desencorporar v.
desencorporável adj.2g.
desencorreado adj.
desencorrear v.
desencortiçado adj.
desencortiçador (*ô*) adj. s.m.
desencortiçamento s.m.
desencortiçante adj.2g.
desencortiçar v.
desencoscorado adj.
desencoscoramento s.m.
desencoscorante adj.2g.
desencoscorar v.
desencostado adj.
desencostalado adj.
desencostalamento s.m.
desencostalar v.
desencostamento s.m.
desencostante adj.2g.
desencostar v.
desencostável adj.2g.
desencouraçado adj.
desencouraçador (*ô*) adj. s.m.
desencouraçamento s.m.
desencouraçante adj.2g.
desencouração s.f.
desencouraçar v.
desencouraçável adj.2g.
desencourado adj.
desencourador (*ô*) adj. s.m.
desencouramento s.m.
desencourante adj.2g.
desencourar v.
desencourável adj.2g.
desencoutar v.
desencovado adj.
desencovador (*ô*) adj. s.m.
desencovamento s.m.
desencovante adj.2g.
desencovar v.
desencovável adj.2g.
desencovilado adj.
desencovilar v.
desencravação s.f.
desencravado adj.
desencravador (*ô*) adj. s.m.
desencravamento s.m.
desencravante adj.2g.
desencravar v.
desencravável adj.2g.
desencravelhação s.f.
desencravelhado adj.

desencravelhar v.
desencravilhação s.f.
desencravilhado adj.
desencravilhar v.
desencrencado adj.
desencrencamento s.m.
desencrencar v.
desencrespação s.f.
desencrespado adj.
desencrespador (*ô*) adj. s.m.
desencrespamento s.m.
desencrespante adj.2g.
desencrespar v.
desencrespável adj.2g.
desencrostação s.f.
desencrostado adj.
desencrostar v.
desencruado adj.
desencruador (*ô*) adj. s.m.
desencruamento s.m.
desencruar v.
desencruável adj.2g.
desencruzado adj.
desencruzamento s.m.
desencruzar v.
desencubação s.f.; cf. *desincubação*
desencubado adj.; cf. *desincubado*
desencubador (*ô*) adj. s.m.; cf. *desincubador*
desencubar v. "tirar algo de cuba"; cf. *desincubar*
desenculatrado adj.
desenculatramento s.m.
desenculatrar v.
desencurralado adj.
desencurralamento s.m.
desencurralar v.
desencurvação s.f.
desencurvado adj.
desencurvador (*ô*) adj.
desencurvamento s.m.
desencurvante adj.2g.
desencurvar v.
desencurvável adj.2g.
desendemoninhado adj.
desendemoninhar v.
desendeusado adj.
desendeusamento s.m.
desendeusar v.
desendeusável adj.2g.
desendireitar v.
desendividado adj.
desendividador (*ô*) adj.
desendividamento s.m.
desendividante adj.2g.
desendividar v.
desendividável adj.2g.
desenegrecedor (*ô*) adj.
desenegrecente adj.2g.
desenegrecer v.
desenegrecido adj.
desenegrecimento s.m.
desenegrecível adj.2g.
desenervação s.f.
desenervado adj.
desenervador (*ô*) adj.
desenervante adj.2g.
desenervar v.
desenervável adj.2g.
desenevoação s.f.
desenevoado adj.
desenevoador (*ô*) adj.
desenevoamento s.m.
desenevoante adj.2g.
desenevoar v.
desenevoável adj.2g.
desenfadadiço adj.
desenfadado adj.
desenfadador (*ô*) adj.
desenfadamento s.m.
desenfadante adj.2g.
desenfadar v.
desenfadável adj.2g.
desenfado s.m.
desenfaixado adj.
desenfaixar v.
desenfardado adj.
desenfardador (*ô*) adj. s.m.
desenfardamento s.m.
desenfardante adj.2g.
desenfardar v.
desenfardável adj.2g.
desenfardelado adj.
desenfardelar v.
desenfardo s.m.
desenfarpelado adj.
desenfarpelar v.
desenfarruscado adj.
desenfarruscamento s.m.
desenfarruscante adj.2g.
desenfarruscar v.
desenfarruscável adj.2g.
desenfartação s.f.
desenfartado adj.
desenfartador (*ô*) adj.
desenfartamento s.m.
desenfartante adj.2g.
desenfartar v.
desenfartável adj.2g.
desenfarte s.m.
desenfastiadiço adj.
desenfastiado adj.
desenfastiamento s.m.
desenfastiante adj.2g.
desenfastiar v.
desenfastiável adj.2g.
desenfastioso adj.; f. (*ó*); pl. (*ó*)
desenfeitado adj.
desenfeitador (*ô*) adj.
desenfeitamento s.m.
desenfeitante adj.2g.
desenfeitar v.
desenfeitável adj.2g.
desenfeite s.m.
desenfeitiçado adj.
desenfeitiçador (*ô*) adj.
desenfeitiçamento s.m.
desenfeitiçante adj.2g.
desenfeitiçar v.
desenfeitiçável adj.2g.
desenfeixado adj.
desenfeixador (*ô*) adj.
desenfeixamento s.m.
desenfeixante adj.2g.
desenfeixar v.
desenfeixável adj.2g.
desenfermado adj.
desenfermar v.
desenfermável adj.2g.
desenferrujado adj.
desenferrujador (*ô*) adj. s.m.
desenferrujamento s.m.
desenferrujante adj.2g.
desenferrujar v.
desenferrujável adj.2g.
desenfestação s.f.; cf. *desinfestação*
desenfestado adj.; cf. *desenfestado*
desenfestador (*ô*) adj. s.m.; cf. *desenfestador*
desenfestamento s.m.; cf. *desinfestamento*
desenfestante adj.2g.; cf. *desinfestante*
desenfestar v. "desdobrar"; cf. *desinfestar*
desenfestável adj.2g.; cf. *desinfestável*
desenfeudação s.f.
desenfeudado adj.
desenfeudador (*ô*) adj.
desenfeudante adj.2g.
desenfeudar v.
desenfeudável adj.2g.
desenfezado adj.
desenfezador (*ô*) adj.
desenfezamento s.m.
desenfezante adj.2g.
desenfezar v.
desenfezável adj.2g.
desenfiação s.f.
desenfiado adj.
desenfiador (*ô*) adj.
desenfiamento s.m.
desenfiante adj.2g.
desenfiar v.
desenfiável adj.2g.
desenfileirado adj.
desenfileirador (*ô*) adj.
desenfileiramento s.m.
desenfileirante adj.2g.
desenfileirar v.
desenfileirável adj.2g.
desenfloração s.f.
desenflorado adj.
desenflorador (*ô*) adj.
desenfloramento s.m.
desenflorante adj.2g.
desenflorar v.
desenflorável adj.2g.
desenforcar v.
desenforjado adj.
desenforjar v.
desenformação s.f.; cf. *desinformação*
desenformado adj.; cf. *desinformado*
desenformar v. "tirar da forma"; cf. *desinformar*
desenfornado adj.2g.
desenfornadora (*ô*) s.m.
desenfornagem s.f.
desenfornamento s.m.
desenfornar v.
desenfrascado adj.
desenfrascar v.
desenfrascável adj.2g.
desenfreado adj.
desenfreamento s.m.
desenfreante adj.2g.
desenfrear v.
desenfreável adj.2g.
desenfrechado adj.
desenfrechamento s.m.
desenfrechante adj.2g.
desenfrechar v.
desenfrechável adj.2g.
desenfreio s.m.
desenfrenar v.
desenfronhação s.f.
desenfronhado adj.
desenfronhador (*ô*) adj. s.m.
desenfronhamento s.m.
desenfronhante adj.2g.
desenfronhar v.
desenfronhável adj.2g.
desenfueirado adj.
desenfueirar v.
desenfunação s.f.
desenfunado adj.
desenfunador (*ô*) adj.
desenfunante adj.2g.
desenfunar v.
desenfunável adj.2g.
desenfurecedor (*ô*) adj. s.m.
desenfurecente adj.2g.
desenfurecer v.
desenfurecido adj.
desenfurecimento s.m.
desenfurecível adj.2g.
desenfurnação s.f.
desenfurnado adj.
desenfurnador (*ô*) adj. s.m.
desenfurnamento s.m.
desenfurnante adj.2g.
desenfurnar v.
desenfurnável adj.2g.
desenfuscação s.f.
desenfuscado adj.
desenfuscador (*ô*) adj.
desenfuscamento s.m.
desenfuscante adj.2g.
desenfuscar v.
desengaçadeira s.f.
desengaçado adj.
desengaçador (*ô*) adj. s.m.
desengaçar v.
desengaçável adj.2g.
desengace s.m.
desengaço s.m.
desengaiolado adj.
desengaiolar v.
desengaiolável adj.2g.
desengajado adj. s.m.
desengajador (*ô*) adj. s.m.
desengajamento s.m.
desengajante adj.2g.
desengajar v.
desengajável adj.2g.
desengalapado adj.
desengalapar v.
desengalfinhado adj.
desengalfinhamento s.m.
desengalfinhar v.
desengalfinhável adj.2g.
desengaliado adj.
desengaliar-se v.
desengamiado adj.
desengamiar v.
desenganação s.f.
desenganadiço adj.
desenganado adj.
desenganador (*ô*) adj. s.m.
desenganante adj.2g.
desenganar v.
desenganável adj.2g.
desenganchado adj.
desenganchador (*ô*) adj. s.m.
desenganchamento s.m.
desenganchante adj.2g.
desenganchar v.
desenganchável adj.2g.
desenganense adj. s.2g.
desengano s.m.
desengaranhado adj.
desengaranhar v.
desengarrafado adj.
desengarrafador (*ô*) adj. s.m.
desengarrafamento s.m.
desengarrafante adj.2g.
desengarrafar v.
desengarrafável adj.2g.
desengarranchar v.
desengasgação s.f.
desengasgado adj.
desengasgador (*ô*) adj. s.m.
desengasgante adj.2g.
desengasgar v.
desengasgável adj.2g.
desengasgo s.m.
desengasgue s.m.
desengastado adj.
desengastador (*ô*) adj. s.m.
desengastalhação s.f.
desengastalhado adj.
desengastalhador (*ô*) adj. s.m.
desengastalhamento s.m.
desengastalhante adj.2g.
desengastalhar v.
desengastalhável adj.2g.
desengastamento s.m.
desengastante adj.2g.
desengastar v.
desengastável adj.
desengatado adj.
desengatador (*ô*) adj. s.m.
desengatamento s.m.
desengatante adj.2g.
desengatar v.
desengatável adj.2g.
desengate s.m.
desengatilhado adj.
desengatilhador (*ô*) adj.
desengatilhamento s.m.
desengatilhante adj.2g.
desengatilhar v.
desengatilhável adj.2g.
desengavetado adj.
desengavetador (*ô*) adj. s.m.
desengavetamento s.m.
desengavetante adj.2g.
desengavetar v.
desengavetável adj.2g.
desengelhado adj.
desengelhante adj.2g.
desengelhar v.
desengelhável adj.2g.
desengenhoso (*ô*) adj.; f. (*ó*); pl. (*ó*)
desenglobado adj.
desenglobamento s.m.
desenglobante adj.2g.
desenglobar v.
desenglobável adj.2g.
desengodado adj.
desengodador (*ô*) adj.
desengodamento s.m.
desengodar v.
desengodável adj.2g.
desengodo (*ô*) s.m.
desengolfado adj.
desengolfamento s.m.
desengolfante adj.2g.
desengolfar v.
desengolido adj.
desengolir v.
desengomadeira s.f.
desengomado adj.
desengomar v.
desengomável adj.2g.
desengonçado adj.
desengonçador (*ô*) adj.
desengonçamento s.m.
desengonçante adj.2g.
desengonçar v.
desengonçável adj.2g.
desengonço s.m.
desengorda s.f.
desengordado adj.
desengordador (*ô*) adj. s.m.
desengordamento s.m.
desengordante adj.2g.
desengordar v.
desengordurado adj.
desengordurador (*ô*) adj. s.m.
desengorduradora (*ô*) s.f.
desengorduramento s.m.
desengordurante adj.2g. s.m.
desengordurar v.
desengordurável adj.2g.
desengraçado adj. s.m.
desengraçar v.
desengradado adj.
desengradador (*ô*) adj. s.m.
desengradamento s.m.
desengradante adj.2g.
desengradar v.
desengradável adj.2g.
desengrainhação s.f.
desengrainhado adj.
desengrainhar v.
desengralhado adj.
desengralhar v.
desengrandecedor (*ô*) adj. s.m.
desengrandecente adj.2g.
desengrandecer v.
desengrandecido adj.
desengrandecimento adj.
desengrandecível adj.2g.
desengranzado adj.
desengranzar v.
desengravatado adj.
desengravatamento s.m.
desengravatar v.
desengravecedor (ô) adj. s.m.
desengravecer v.
desengravecido adj.
desengravecimento s.m.
desengravecível adj.2g.
desengravescedor (*ô*) adj. s.m.
desengravescente adj.2g.
desengravescer v.
desengravescido adj.
desengravescimento s.m.
desengravescível adj.2g.
desengravitado adj.
desengravitar v.
desengraxado adj.
desengraxador (*ô*) adj.
desengraxamento s.m.
desengraxante adj.2g.
desengraxar v.
desengrazador (*ô*) adj. s.m.
desengrazamento s.m.
desengrazante adj.2g.
desengrazar v.
desengrenada s.f.
desengrenado adj.
desengrenador (*ô*) adj. s.m.
desengrenagem s.f.
desengrenante adj.2g.
desengrenar v.
desengrenável adj.2g.
desengrenhar v.
desengrilado adj.
desengrilar v.
desengrilável adj.2g.

desengrimpado adj.
desengrimpar-se v.
desengrimpinado adj.
desengrimpinar-se v.
desengrimponado adj.
desengrimponar-se v.
desengrinaldado adj.
desengrinaldamento s.m.
desengrinaldar v.
desengripar v.
desengrossadeira s.f.
desengrossado adj.
desengrossador (*ô*) adj.
desengrossadora (*ô*) s.f.
desengrossamento s.m.
desengrossante adj.2g.
desengrossar v.
desengrossatividade s.f.
desengrossável adj.2g.
desengrosso (*ô*) s.m.; cf. *desengrosso*, fl. do v. *desengrossar*
desengrumado adj.
desengrumar v.
desengrunado adj.
desengrunar v.
desengrunhido adj.
desengrunhir v.
desenguaranchado adj.
desenguaranchar v.
desenguiçado adj.
desenguiçador (*ô*) adj.
desenguiçante adj.2g.
desenguiçar v.
desenguiçável adj.2g.
desenguiço s.m.; cf. *desenguiço*, fl. do v. *desenguiçar*
desengulhado adj.
desengulhar v.
desengulho s.m.
desengurunhado adj.
desengurunhar v.
desenhação s.f.
desenhado adj.
desenhador (*ô*) adj. s.m.
desenhante adj.2g.
desenhar v.
desenhativo adj.
desenhável adj.2g.
desenhismo s.m.
desenhista adj. s.2g.
desenhístico adj.
desenho s.m.
desenho de produto s.m.
desenjaulado adj.
desenjaulamento s.m.
desenjaular v.
desenjaulável adj.2g.
desenjoado adj.
desenjoar v.
desenjoativo adj. s.m.
desenjoo (*ô*) s.m.
desenjorcado adj.
desenjorcar v.
desenlaçado adj.
desenlaçamento s.m.
desenlaçar v.
desenlace s.m.
desenlambuzado adj.
desenlambuzar v.
desenlameado adj.
desenlameador (*ô*) adj.
desenlameante adj.2g.
desenlamear v.
desenlapado adj.
desenlapar v.
desenleado adj.
desenlear v.
desenleável adj.2g.
desenleio s.m.
desenlevado adj.
desenlevador (*ô*) adj.
desenlevamento s.m.
desenlevante adj.2g.
desenlevar v.
desenlevável adj.2g.
desenliçado adj.
desenliçar v.
desenlodaçado adj.
desenlodaçador (*ô*) adj.
desenlodaçamento s.m.
desenlodaçante adj.2g.
desenlodação s.m.
desenlodaçar v.
desenlodaçável adj.2g.
desenlodado adj.
desenlodamento s.m.
desenlodar v.
desenlodável adj.2g.
desenlouquecer v.
desenlouquecido adj.
desenlouquecimento s.m.
desenlouquecível adj.2g.
desenlutado adj.
desenlutamento s.m.
desenlutar v.
desenluvado adj.
desenluvar v.
desenobrecedor (*ô*) adj. s.m.
desenobrecente adj.2g.
desenobrecer v.
desenobrecido adj.
desenobrecimento s.m.
desenobrecível adj.2g.
desenodoado adj.
desenodoador (*ô*) adj. s.m.
desenodoamento s.m.
desenodoante adj.2g.
desenodoar v.
desenodoável adj.2g.
desenojado adj.
desenojar v.
desenovelado adj.
desenovelar v.
desenquadração s.f.
desenquadrado adj.
desenquadramento s.m.
desenquadrante adj.2g.
desenquadrar v.
desenquadrável adj.2g.
desenqueixar v.
desenraiado adj.
desenraiar v.
desenraivado adj.
desenraivar v.
desenraivecedor (*ô*) adj.
desenraivecente adj.2g.
desenraivecer v.
desenraivecido adj.
desenraivecimento s.m.
desenraivecível adj.2g.
desenraizado adj.
desenraizador (*ô*) adj. s.m.
desenraizamento s.m.
desenraizante adj.2g.
desenraizar v.
desenraizável adj.2g.
desenramado adj.
desenramar v.
desenrascado adj.
desenrascar v.
desenrascável adj.2g.
desenredado adj.
desenredador (*ô*) adj. s.m.
desenredamento s.m.
desenredante adj.2g.
desenredar v.
desenredável adj.2g.
desenredo (*ê*) s.m.; cf. *desenredo*, fl. do v. *desenredar*
desenregelado adj.
desenregelador (*ô*) adj.
desenregelamento s.m.
desenregelante adj.2g.
desenregelar v.
desenregelável adj.2g.
desenriçado adj.
desenriçador (*ô*) adj.
desenriçamento s.m.
desenriçante adj.2g.
desenriçar v.
desenriçável adj.2g.
desenrijado adj.
desenrijamento s.m.
desenrijar v.
desenrijável adj.2g.
desenriquecedor (*ô*) adj.
desenriquecer v.
desenriquecido adj.
desenriquecimento s.m.
desenriquecível adj.2g.
desenristado adj.
desenristar v.
desenriste s.m.
desenrizado adj.
desenrizar v.
desenrodilhado adj.
desenrodilhamento s.m.
desenrodilhar v.
desenrolado adj.
desenrolamento s.m.
desenrolante adj.2g.
desenrolar v.
desenrolável adj.2g.
desenrolhado adj.
desenrolhar v.
desenroscado adj.
desenroscar v.
desenroscável adj.2g.
desenroupado adj.
desenroupar v.
desenrouquecedor (*ô*) adj.
desenrouquecente adj.2g.
desenrouquecer v.
desenrouquecido adj.
desenrouquecimento s.m.
desenrouquecível adj.2g.
desenrubescedor (*ô*) adj.
desenrubescente adj.2g.
desenrubescer v.
desenrubescido adj.
desenrubescimento s.m.
desenrubescível adj.2g.
desenrugação s.f.
desenrugado adj.
desenrugador (*ô*) adj. s.m.
desenrugamento s.m.
desenrugante adj.2g.
desenrugar v.
desenrugável adj.2g.
desensaboada s.f.
desensaboadela s.f.
desensaboado adj.
desensaboador (*ô*) adj.
desensaboadura s.f.
desensaboamento s.m.
desensaboante adj.2g.
desensaboar v.
desensaboável adj.2g.
desensaburrado adj.
desensaburrar v.
desensacado adj.
desensacador (*ô*) adj. s.m.
desensacagem s.f.
desensacamento s.m.
desensacante adj.2g.
desensacar v.
desensacável adj.2g.
desensandecedor (*ô*) adj.
desensandecente adj.2g.
desensandecer v.
desensandecido adj.
desensandecimento s.m.
desensandecível adj.2g.
desensanguentado (*ü*) adj.
desensanguentar (*ü*) v.
desensanguentável (*ü*) adj.2g.
desensarado adj. s.m.
desensarilhado adj.
desensarilhamento s.m.
desensarilhar v.
desensarilhável adj.2g.
desensartado adj.
desensartar v.
desensebado adj.
desensebar v.
desensinado adj.
desensinador (*ô*) adj. s.m.
desensinamento s.m.
desensinança s.f.
desensinante adj. s.2g.
desensinar v.
desensinável adj.2g.
desensino s.m.
desensoberbecedor (*ô*) adj.
desensoberbecente adj.2g.
desensoberbecer v.
desensoberbecido adj.
desensoberbecimento s.m.
desensoberbecível adj.2g.
desensocar v.
desensolvado adj.
desensolvar v.
desensombrado adj.
desensombrar v.
desensopado adj.
desensopar v.
desensurdecedor (*ô*) adj.
desensurdecente adj.2g.
desensurdecer v.
desensurdecido adj.
desensurdecimento s.m.
desensurdecível adj.2g.
desensurrado adj.
desensurrar v.
desentabuado adj.
desentabuar v.
desentabuável adj.2g.
desentabulado adj.
desentabular v.
desentabulável adj.2g.
desentaipado adj.
desentaipar v.
desentaipável adj.2g.
desentalação s.f.
desentalado adj.
desentalador (*ô*) adj.
desentalante adj.2g.
desentalar v.
desentalável adj.2g.
desentaliscado adj.
desentaliscar v.
desentaloado adj.
desentaloar v.
desentaramelado adj.
desentaramelar v.
desentaramelável adj.2g.
desentarraxar v.
desentediação s.f.
desentediado adj.
desentediador (*ô*) adj.
desentediamento s.m.
desentediante adj.2g.
desentediar v.
desentediável adj.2g.
desentedioso (*ô*) adj.; f. (*ó*); pl. (*ó*)
desentendedor (*ô*) adj. s.m.
desentendente adj. s.2g.
desentender v.
desentendido adj. s.m.
desentendimento s.m.
desentendível adj.2g.
desentenebrecedor (*ô*) adj.
desentenebrecente adj.2g.
desentenebrecer v.
desentenebrecido adj.
desentenebrecimento s.m.
desentenebrecível adj.2g.
desenternecedor (*ô*) adj. s.m.
desenternecente adj.2g.
desenternecer v.
desenternecido adj.
desenternecimento s.m.
desenternecível adj.2g.
desenterrado adj.
desenterrador (*ô*) adj. s.m.
desenterramento s.m.
desenterrante adj.2g.
desenterrar v.
desenterrável adj.2g.
desenterro (*ê*) s.m.; cf. *desenterro*, fl. do v. *desenterrar*
desenterroado adj.
desenterroamento s.m.
desenterroar v.
desentesado adj.
desentesar v.
desentesável adj.2g.
desentesoirado adj.
desentesoirador (*ô*) adj. s.m.
desentesoiramento s.m.
desentesoirante adj.2g.
desentesoirar v.
desentesoirável adj.2g.
desentesourador (*ô*) adj. s.m.
desentesouramento s.m.
desentesourante adj.2g.
desentesourar v.
desentesourável adj.2g.
desentibiado adj.
desentibiamento s.m.
desentibiante adj.2g.
desentibiar v.
desentibiável adj.2g.
desentoação s.f.
desentoado adj.
desentoador (*ô*) adj. s.m.
desentoamento s.m.
desentoante adj.2g.
desentoar v.
desentoável adj.2g.
desentocado adj.
desentocador (*ô*) adj. s.m.
desentocamento s.m.
desentocante adj.2g.
desentocar v.
desentocável adj.2g.
desentolhedor (*ô*) adj. s.m.
desentolhente adj.2g.
desentolher v.
desentolhido adj.
desentolhimento s.m.
desentolhível adj.2g.
desentonação s.f.
desentonado adj.
desentonar v.
desentoo (*ô*) s.m.
desentorpecedor (*ô*) adj. s.m.
desentorpecente adj.2g.
desentorpecer v.
desentorpecido adj.
desentorpecimento s.m.
desentorpecível adj.2g.
desentorrado adj.
desentorroamento s.m.
desentorroar v.
desentortado adj.
desentortador (*ô*) adj. s.m.
desentortadura s.f.
desentortante adj.2g.
desentortar v.
desentortável adj.2g.
desentralhação s.f.
desentralhado adj.
desentralhar v.
desentralhável adj.2g.
desentramelado adj.
desentramelar v.
desentramelável adj.2g.
desentrançado adj.
desentrançador (*ô*) adj. s.m.
desentrançamento s.m.
desentrançante adj.2g.
desentrançar v.
desentrançável adj.2g.
desentranhado adj.
desentranhador (*ô*) adj. s.m.
desentranhamento s.m.
desentranhante adj.2g.
desentranhar v.
desentranhável adj.2g.
desentrapado adj.
desentrapar v.
desentravado adj.
desentravar v.
desentravável adj.2g.
desentrecho (*ê*) s.m.
desentregue adj.2g.
desentrelaçado adj.
desentrelaçar v.
desentrelaçável adj.2g.
desentrelinhado adj.
desentrelinhamento s.m.
desentrelinhar v.
desentressolhado adj.
desentressolhar v.
desentretecedor (*ô*) adj. s.m.
desentretecente adj.2g.
desentretecer v.
desentretecido adj.
desentretecimento s.m.
desentretecível adj.2g.
desentrevado adj.
desentrevar v.
desentreverado adj.
desentreverador (*ô*) adj. s.m.
desentreveramento s.m.
desentreverar v.
desentrevero (*ê*) s.m.; cf. *desentrevero*, fl. do v. *desentreverar*
desentrincheirado adj.
desentrincheirar v.

desentristecedor (*ô*) adj. s.m.
desentristecente adj.2g.
desentristecer v.
desentristecido adj.
desentristecimento s.m.
desentristecível adj.2g.
desentroixado adj.
desentroixamento s.m.
desentroixar v.
desentroncado adj.
desentroncamento s.m.
desentroncar v.
desentroncável adj.2g.
desentronização s.f.
desentronizado adj.
desentronizador (*ô*) adj.
desentronizante adj.2g.
desentronizar v.
desentronizável adj.2g.
desentropilhado adj.
desentropilhar v.
desentrosado adj.
desentrosamento s.m.
desentrosar v.
desentrouxado adj.
desentrouxamento s.m.
desentrouxar v.
desentulhado adj.
desentulhador (*ô*) adj. s.m.
desentulhagem s.f.
desentulhamento s.m.
desentulhante adj.2g.
desentulhar v.
desentulhável adj.2g.
desentulho s.m.
desentumescer v.
desentupido adj.
desentupidor (*ô*) adj. s.m.
desentupimento s.m.
desentupir v.
desentupível adj.2g.
desenturmação s.f.
desenturmado adj.
desenturmar v.
desenturvado adj.
desenturvador (*ô*) adj. s.m.
desenturvante adj.2g.
desenturvar v.
desenturvável adj.2g.
desentusiasmado adj.
desentusiasmador (*ô*) adj. s.m.
desentusiasmante adj.2g.
desentusiasmar v.
desentusiasmável adj.2g.
desentusiasmo s.m.
desenublado adj.
desenublante adj.2g.
desenublar v.
desenublável adj.2g.
desenvasado adj.
desenvasador (*ô*) adj. s.m.
desenvasamento s.m.
desenvasar v.
desenvasável adj.2g.
desenvasilhado adj.
desenvasilhador (*ô*) adj. s.m.
desenvasilhagem s.f.
desenvasilhamento s.m.
desenvasilhar v.
desenvasilhável adj.2g.
desenvencilhado adj.
desenvencilhador (*ô*) adj. s.m.
desenvencilhamento s.m.
desenvencilhante adj.2g.
desenvencilhar v.
desenvencilhável adj.2g.
desenvenenado adj.
desenvenenamento s.m.
desenvenenar v.
desenvenenável adj.2g.
desenveredado adj.
desenveredamento s.m.
desenveredar v.
desenvergado adj.
desenvergar v.
desenvergonhado adj.
desenvergonhamento s.m.
desenvergonhar v.
desenvergonhável adj.2g.
desenvernizado adj.
desenvernizadura s.f.
desenvernizamento s.m.
desenvernizar v.
desenvernizável adj.2g.
desenviesado adj.
desenviesamento s.m.
desenviesar v.
desenviesável adj.2g.
desenvincilhado adj.
desenvincilhamento s.m.
desenvincilhar v.
desenvincilhável adj.2g.
desenviolado adj.
desenviolar v.
desenviscado adj.
desenviscar v.
desenviscável adj.2g.
desenvolto (*ô*) adj.
desenvoltoso (*ô*) adj.; f. (*ó*); pl. (*ó*)
desenvoltura s.f.
desenvolução s.f.
desenvolvedor (*ô*) adj. s.m.
desenvolvente adj.2g.
desenvolver v.
desenvolvida s.f.
desenvolvido adj.
desenvolvimentismo s.m.
desenvolvimentista adj. s.2g.
desenvolvimentístico adj.
desenvolvimento s.m.
desenvolvível adj.2g.
desenxabidez (*ê*) s.f.
desenxabido adj.
desenxabimento s.m.
desenxabir v.
desenxameação s.f.
desenxameado adj.
desenxameador (*ô*) adj. s.m.
desenxameamento s.m.
desenxameante adj.2g.
desenxamear v.
desenxameável adj.2g.
desenxarciado adj.
desenxarciar v.
desenxavido adj.
desenxavir v.
desenxergado adj.
desenxergar v.
desenxofradela s.f.
desenxofrado adj.
desenxofrador (*ô*) adj. s.m.
desenxoframento s.m.
desenxofrante adj.2g.
desenxofrar v.
desenxofrável adj.2g.
desenxovado adj.
desenxovalhado adj.
desenxovalhamento s.m.
desenxovalhar v.
desenxovalhável adj.2g.
desenxovalho s.m.
desenxovar v.
desequilibração s.f.
desequilibrado adj. s.m.
desequilibrador (*ô*) adj.
desequilibrante adj.2g.
desequilibrar v.
desequilibrável adj.2g.
desequilíbrio s.m.
desequipação s.f.
desequipado adj.
desequipamento s.m.
desequipar v.
desequipável adj.2g.
desequivocação s.f.
desequivocado adj.
desequivocador (*ô*) adj. s.m.
desequivocante adj.2g.
desequivocar v.
desequivocável adj.2g.
deserção s.f.
deserdação s.f.
deserdado adj. s.m.
deserdador (*ô*) adj. s.m.
deserdamento s.m.
deserdante adj.2g.
deserdar v.
deserdável adj.2g.
desertação s.f.
desertado adj.
desertar v.
desertável adj.2g.
desertense adj. s.2g.
desértico adj.
desertícola adj. s.2g.
desertificação s.f.
desertificado adj.
desertificador (*ô*) adj. s.m.
desertificante adj.2g.
desertificar v.
desertificável adj.2g.
deserto adj. s.m. "ermo"; cf. *deserto*, fl. do v. *desertar* e *diserto*
desertor (*ô*) s.m.
desescalação s.f.
desescalada s.f.
desescalado adj.
desescalador (*ô*) adj. s.m.
desescalante adj.2g.
desescalar v.
desescalável adj.2g.
desescolaridade s.f.
desescolarização s.f.
desescolarizado adj.
desescolarizante adj.2g.
desescolarizar v.
desescolarizável adj.2g.
desescudado adj.
desescudamento s.m.
desescudar v.
desescudável adj.2g.
desescurecedor (*ô*) adj. s.m.
desescurecente adj.2g.
desescurecer v.
desescurecido adj.
desescurecimento s.m.
desescurecível adj.2g.
desespantado adj.
desespantador (*ô*) adj. s.m.
desespantar v.
desespantável adj.2g.
desespanto s.m.
desespartilhado adj.
desespartilhar v.
desesperação s.f.
desesperado adj. s.m.
desesperador (*ô*) adj. s.m.
desesperança s.f.
desesperançado adj. s.m.
desesperançador (*ô*) adj. s.m.
desesperançamento s.m.
desesperançante adj.2g.
desesperançar v.
desesperançável adj.2g.
desesperançoso (*ô*) adj.; f. (*ó*); pl. (*ó*)
desesperante adj.2g.
desesperar v.
desesperativo adj.
desesperável adj.2g.
desespero (*ê*) s.m.; cf. *desespero*, fl. do v. *desesperar*
desespero-dos-pintores s.m.; pl. *desesperos-dos-pintores*
desespinhado adj.
desespinhamento s.m.
desespinhar v.
desespiralizado adj.
desespiralizar v.
desespiritualização s.f.
desespiritualizado adj.
desespiritualizador (*ô*) adj.
desespiritualizante adj.2g.
desespiritualizar v.
desesquipado adj.
desesquipar v.
desessenciação s.f.
desessenciado adj.
desessenciar v.
desessenciável adj.2g.
desestabilização s.f.
desestabilizado adj.
desestabilizador (*ô*) adj. s.m.
desestabilizante adj.2g.
desestabilizar v.
desestabilizativo adj.
desestabilizatório adj.
desestabilizável adj.2g.
desestagnação s.f.
desestagnado adj.
desestagnante adj.2g.
desestagnar v.
desestagnável adj.2g.
desestalinização s.f.
desestalinizado adj.
desestalinizador (*ô*) adj. s.m.
desestalinizante adj.2g.
desestalinizar v.
desestalinizável adj.2g.
desestanhado adj.
desestanhador (*ô*) adj. s.m.
desestanhagem s.f.
desestanhante adj.2g.
desestanhar v.
desestanhável adj.2g.
desestatização s.f.
desestatizado adj.
desestatizar v.
desesteirado adj.
desesteirar v.
desestima s.f.
desestimação s.f.
desestimado adj.
desestimador (*ô*) adj. s.m.
desestimante adj.2g.
desestimar v.
desestimável adj.2g.
desestimulado adj.
desestimulador (*ô*) adj. s.m.
desestimulante adj.2g.
desestimular v.
desestimulável adj.2g.
desestímulo s.m.; cf. *desestimulo*, fl. do v. *desestimular*
desestiva s.f.
desestivar v.
desestorvado adj.
desestorvador (*ô*) adj. s.m.
desestorvamento s.m.
desestorvante adj.2g.
desestorvar v.
desestorvável adj.2g.
desestorvo (*ô*) s.m.; cf. *desestorvo*, fl. do v. *desestorvar*
desestrado adj.
desestramento s.m.
desestrar v.
desestrelejado adj.
desestrelejar v.
desestribado adj.
desestribamento s.m.
desestribar v.
desestruturação s.f.
desestruturado adj.
desestruturador (*ô*) adj. s.m.
desestruturante adj.2g.
desestruturar v.
desestruturativo adj.
desestruturatório adj.
desestruturável adj.2g.
desestudado adj.
desestudar v.
desestudo s.m.
desetanização s.f.
desetanizado adj.
desetanizador (*ô*) adj. s.m.
desetanizante adj.2g.
desetanizar v.
desetanizável adj.2g.
deseuropeização s.f.
deseuropeizado adj.
deseuropeizador (*ô*) adj. s.m.
deseuropeizante adj.2g.
deseuropeizar v.
deseuropeizável adj.2g.
desevangelização s.f.
desevangelizado adj.
desevangelizador (*ô*) adj. s.m.
desevangelizante adj.2g.
desevangelizar v.
desevangelizável adj.2g.
desexcitar v.
desexcomungação s.f.
desexcomungada s.f.
desexcomungado adj.
desexcomungador (*ô*) adj. s.m.
desexcomungante adj. s.2g.
desexcomungar v.
desexcomungável adj.2g.
desexcomunhão s.f.
desfabricado adj.
desfabricar v.
desfabulação s.f.
desfabulado adj.
desfabulador (*ô*) adj. s.m.
desfabulante adj.2g.
desfabular v.
desfabulável adj.2g.
desfaçado adj.
desfaçamento s.m.
desfaçar-se v.
desfaçatez (*ê*) s.f.
desfaçatoso (*ô*) adj.; f. (*ó*); pl. (*ó*)
desfadiga s.f.
desfadigado adj.
desfadigador (*ô*) adj. s.m.
desfadigante adj.2g.
desfadigar v.
desfadigável adj.2g.
desfaiado adj.
desfaiar v.
desfalcaçado adj.
desfalcaçar v.
desfalcaçável adj.2g.
desfalcado adj.
desfalcador (*ô*) adj. s.m.
desfalcamento s.m.
desfalcante adj.2g.
desfalcar v.
desfalcável adj.2g.
desfalco s.m.
desfalcoar v.
desfalecedor (*ô*) adj. s.m.
desfalecência s.f.
desfalecente adj.2g.
desfalecer v.
desfalecido adj.
desfalecimento s.m.
desfalecível adj.2g.
desfalência s.f.
desfalimento s.m.
desfalque s.m.
desfanatização s.f.
desfanatizado adj.
desfanatizador (*ô*) adj. s.m.
desfanatizante adj.2g.
desfanatizar v.
desfanatizável adj.2g.
desfantasiado adj.
desfantasiar v.
desfardado adj.
desfardar v.
desfardável adj.2g.
desfarelado adj.
desfarelador (*ô*) adj. s.m.
desfarelamento s.m.
desfarelante adj.2g.
desfarelar v.
desfarelável adj.2g.
desfarinhado adj.
desfarinhador (*ô*) adj. s.m.
desfarinhamento s.m.
desfarinhante adj.2g.
desfarinhar v.
desfarinhável adj.2g.
desfasado adj.
desfasador (*ô*) adj. s.m.
desfasamento s.m.
desfasante adj.2g.
desfasar v.
desfasável adj.2g.
desfastio s.m.
desfatalizado adj.
desfatalizante adj.2g.
desfatalizar v.
desfatalizável adj.2g.
desfatanado adj.
desfatanar v.
desfavelamento s.m.
desfavelar v.
desfavor (*ô*) s.m.
desfavorável adj.2g.
desfavorecedor (*ô*) adj. s.m.
desfavorecente adj.2g.
desfavorecer v.
desfavorecido adj. s.m.
desfavorecimento s.m.

desfavorecível adj.2g.
desfazedor (*ô*) adj. s.m.
desfazente adj.2g.
desfazer v. "desmanchar"; cf. *desafazer*
desfazimento s.m.
desfazível adj.2g.
desfeação s.f.; cf. *desfiação*
desfeado adj.; cf. *desfiado*
desfeante adj.2g.; cf. *desfiante*
desfear v. "enfear"; cf. *desfiar*
desfebrado adj.; cf. *desfibrado*
desfebramento s.m.; cf. *desfibramento*
desfebrar v. "cortar em febras"; cf. *desfibrar*
desfebrável adj.2g.; cf. *desfibrável*
desfechado adj.
desfechamento s.m.
desfechante adj.2g.
desfechar v.
desfechável adj.2g.
desfecho (*ê*) s.m.
desfeita s.f.
desfeiteação s.f.
desfeiteado adj.
desfeiteador (*ô*) adj. s.m.
desfeiteamento s.m.
desfeiteante adj.2g.
desfeitear v.
desfeiteável adj.2g.
desfeiteira s.f.
desfeito adj. s.m.
desfeltradeira s.f.
desfeminização s.f.
desfeminizar v.
desfenestração s.f.
desfenestrado adj.
desfenestrador (*ô*) adj. s.m.
desfenestrante adj.2g.
desfenestrar v.
desfenestrável adj.2g.
desferido adj.; cf. *disferido*
desferidor (*ô*) adj. s.m.; cf. *disferidor* (*ô*)
desferimento s.m.; cf. *disferimento*
desferinte adj.2g.; cf. *disferinte*
desferir v. "lançar", etc.; cf. *disferir*
desferível adj.2g.; cf. *disferível*
desferrado adj.
desferrador (*ô*) adj. s.m.
desferragem s.f.
desferramento s.m.
desferrante adj.2g.
desferrar v.
desferrável adj.2g.
desferrolhado adj.
desferrolhador (*ô*) adj. s.m.
desferrolhamento s.m.
desferrolhante adj.2g.
desferrolhar v.
desferrolhável adj.2g.
desferroxamina (*cs*) s.f.
desferrujado adj.
desferrujamento s.m.
desferrujante adj.2g.
desferrujar v.
desferrujável adj.2g.
desfertilização s.f.
desfertilizado adj.
desfertilizador (*ô*) adj. s.m.
desfertilizante adj. s.2g.
desfertilizar v.
desfertilizável adj.2g.
desfervorosidade s.f.
desfervoroso (*ô*) adj.; f. (*ó*); pl. (*ó*)
desfiação s.f.; cf. *desfeação*
desfiadeira s.f.; cf. *desfeadeira*
desfiado adj. s.m.; cf. *desfeado*
desfiador (*ô*) adj. s.m.; cf. *desfeador*
desfiadura s.f.
desfiante adj.2g.; cf. *desfeante*
desfiar v. "desfazer em fios"; cf. *desfear*
desfia-trapos s.m.2n.
desfiável adj.2g.; cf. *desfeável*
desfibração s.f.
desfibradeira s.f.
desfibrado adj. s.m.
desfibrador (*ô*) adj. s.m.
desfibradora (*ô*) s.f.
desfibramento s.m.; cf. *desfebramento*
desfibrante adj.2g.; cf. *desfebrante*
desfibrar v. "desfiar"; cf. *desfebrar*
desfibrativo adj.
desfibrável adj.2g.; cf. *desfebrável*
desfibrilação s.f.
desfibrilado adj.
desfibrilador (*ô*) adj. s.m.
desfibrilante adj.2g.
desfibrilar v.
desfibrilável adj.2g.
desfibrinação s.f.
desfibrinado adj.
desfibrinador (*ô*) adj. s.m.
desfibrinante adj.2g.
desfibrinar v.
desfibrinável adj.2g.
desfiguração s.f.
desfigurado adj.
desfigurador (*ô*) adj. s.m.
desfiguramento s.m.
desfigurante adj.2g.
desfigurar v.
desfigurável adj.2g.
desfilada s.f.
desfiladeiro s.m.
desfilado adj.
desfilador (*ô*) adj. s.m.
desfiladora (*ô*) s.f.
desfilamento s.m.
desfilante adj.2g.
desfilar v.
desfilável adj.2g.
desfile s.m.
desfileiração s.f.
desfileirado adj.
desfileirador (*ô*) adj. s.m.
desfileiramento s.m.
desfileirante adj.2g.
desfileirar v.
desfileirável adj.2g.
desfilha s.f.
desfilhação s.f.
desfilhado adj.
desfilhar v.
desfilipização s.f.
desfilipizado adj.
desfilipizante adj.2g.
desfilipizar v.
desfitado adj.
desfitar v.
desfivelado adj.
desfivelador (*ô*) adj. s.m.
desfivelamento s.m.
desfivelante adj.2g.
desfivelar v.
desflechar v.
desflectir v.
desflegmação s.f.
desflegmado adj.
desflegmador (*ô*) s.m.
desflegmar v.
desflegmasiado adj.
desflegmasiar v.
desflegmável adj.2g.
desfletir v.
desflexão (*cs*) s.f.
desfloração s.f.
desflorado adj.
desflorador (*ô*) adj. s.m.
desfloramento s.m.
desflorante adj.2g.
desflorar v.
desflorável adj.2g.
desflorescedor (*ô*) adj. s.m.
desflorescência s.f.
desflorescente adj.2g.
desflorescer v.
desflorescido adj.
desflorescimento s.m.
desflorescível adj.2g.
desflorestação s.f.
desflorestado adj.
desflorestador (*ô*) adj. s.m.
desflorestamento s.m.
desflorestante adj.2g.
desflorestar v.
desflorestável adj.2g.
desflorido adj.
desflorir v.
desfluoração s.f.
desfluorado adj.
desfluorar v.
desfocado adj.
desfocamento s.m.
desfocante adj.2g.
desfocar v.
desfocável adj.2g.
desfogonado adj.
desfogonar-se v.
desfolegar v.
desfolgado adj.
desfolgante adj.2g.
desfolgar v.
desfolgável adj.2g.
desfolha s.f.
desfolhação s.f.
desfolhada s.f.
desfolhado adj.
desfolhador (*ô*) adj. s.m.
desfolhadura s.f.
desfolhamento s.m.
desfolhante adj.2g.
desfolhar v.
desfolhável adj.2g.
desfolho (*ô*) s.m.; cf. *desfolho*, fl. do v. *desfolhar*
desfoliação s.f.
desfoliar v.
desfonologização s.f.
desfonologizado adj.
desfonologizador (*ô*) adj.
desfonologizante adj.2g.
desfonologizar v.
desfonologizável adj.2g.
desfontâinea (*tê*) s.f.
desfontainiácea (*te*) s.f.
desfontainiáceo (*te*) adj.
desfoque s.m.
desforçado adj.
desforçador (*ô*) adj. s.m.
desforçamento s.m.
desforçante adj.2g.
desforçar v.
desforçativo adj.
desforçável adj.2g.
desforço (*ô*) s.m.; cf. *desforço*, fl. do v. *desforçar*
desforma s.f.
desformação s.f.
desformado adj.
desformagem s.f.
desformante adj.2g.
desformar v.
desformativo adj.
desformável adj.2g.
desforme adj.2g.
desformidade s.f.
desformoseado adj.
desformoseador (*ô*) adj. s.m.
desformoseamento s.m.
desformoseante adj.2g.
desformosear v.
desformoseável adj.2g.
desformosidade s.f.
desformoso (*ô*) adj.; f. (*ó*); pl. (*ó*)
desfornar v.
desforra s.f.
desforrado adj.
desforrador (*ô*) adj. s.m.
desforrante adj.2g.
desforrar v.
desforrável adj.2g.
desforro (*ô*) s.m.; cf. *desforro*, fl. do v. *desforrar*
desfortalecedor (*ô*) adj. s.m.
desfortalecente adj.2g.
desfortalecer v.
desfortalecido adj.
desfortalecimento s.m.
desfortalecível adj.2g.
desfortificado adj.
desfortificar v.
desfortificável adj.2g.
desfortuna s.f.
desfortunado adj.
desfortúnio s.m.
desfortunoso (*ô*) adj.; f. (*ó*); pl. (*ó*)
desfosforação s.f.
desfosforado adj.
desfosforante adj.2g.
desfosforar v.
desfosforável adj.2g.
desfosforilação s.f.
desfosforilar v.
desfradado adj.
desfradar v.
desfragmentação s.f.
desfragmentador (*ô*) adj. s.m.
desfragmentar v.
desfraldação s.f.
desfraldado adj.
desfraldador (*ô*) adj. s.m.
desfraldamento s.m.
desfraldante adj.2g.
desfraldar v.
desfraldável adj.2g.
desfrangir v.
desfranjado adj.
desfranjar v.
desfranqueado adj.
desfranquear v.
desfranzido adj.
desfranzidor (*ô*) adj. s.m.
desfranzimento s.m.
desfranzir v.
desfranzível adj.2g.
desfraternizado adj.
desfraternizar v.
desfraternizável adj.2g.
desfreado adj.
desfreagem s.f.
desfreamento s.m.
desfrear v.
desfreável adj.2g.
desfrechado adj.
desfrechador (*ô*) adj. s.m.
desfrechante adj.2g.
desfrechar v.
desfrechável adj.2g.
desfreio s.m.
desfrequência (*ü*) s.f.
desfrequentado (*ü*) adj.
desfrequentar (*ü*) v.
desfrisado adj.
desfrisante adj.2g.
desfrisar v.
desfrisável adj.2g.
desfrondescedor (*ô*) adj. s.m.
desfrondescente adj.2g.
desfrondescer v.
desfrondescido adj.
desfrondescimento s.m.
desfrondescível adj.2g.
desfrouxado adj.
desfrouxar v.
desfrouxo s.m.
desfruição s.f.
desfruído adj.
desfruidor (*ô*) adj. s.m.
desfruir v.
desfruível adj.2g.
desfrunchar v.
desfruta s.f.
desfrutação s.f.
desfrutado adj.
desfrutador (*ô*) adj. s.m.
desfrutante adj.2g.
desfrutar v.
desfrutável adj. s.2g.
desfrute s.m.
desfrutescência s.f.
desfrutescente adj.2g.
desfrutescer v.
desfrutescido adj.
desfrutescimento s.m.
desfruto s.m.
desfunção s.f.
desfunchar v.
desfuncional adj.2g.
desfuncionamento s.m.; cf. *disfuncionamento*
desfuncionante adj.2g.; cf. *disfuncionante*
desfuncionar v. "deixar de funcionar"; cf. *disfuncionar*
desfuncionável adj.2g.; cf. *disfuncionável*
desfundado adj.
desfundar v.
desfundente adj.2g.
desfundição s.f.
desfundido adj.
desfundir v.
desfundível adj.2g.
desfurfuração s.f.
desfurfurado adj.
desfurfurar v.
desgabado adj.
desgabador (*ô*) adj. s.m.
desgabamento s.m.
desgabar v.
desgabo s.m.
desgadelhado adj.
desgadelhar v.
desgafado adj.
desgafar v.
desgaira s.f.; na loc. *à desgaira*
desgaiva s.f.
desgaivado adj.
desgaivar v.
desgalante adj.2g.
desgalgado adj.
desgalgar v.
desgalgue s.m.
desgalha s.f.
desgalhado adj.
desgalhador (*ô*) adj. s.m.
desgalhamento s.m.
desgalhante adj.2g.
desgalhar v.
desgalhável adj.2g.
desgalvanização s.f.
desgalvanizado adj.
desgalvanizante adj.2g.
desgalvanizar v.
desgalvanizável adj.2g.
desgarantia s.f.
desgarantido adj.
desgarantir v.
desgargalado adj.
desgargalar v.
desgarrada s.f.
desgarrado adj.
desgarrador (*ô*) adj. s.m.
desgarramento s.m.
desgarrante adj.2g.
desgarrão adj. s.m.
desgarrar v.
desgarrável adj.2g.
desgarre s.m.
desgarro s.m.
desgarronado adj.
desgarronar v.
desgasar v.
desgasconização s.f.
desgasconizado adj.
desgasconizar v.
desgasconizável adj.2g.
desgaseificação s.f.
desgaseificado adj.
desgaseificador (*ô*) adj. s.m.
desgaseificante adj.2g.
desgaseificar v.
desgaseificável adj.2g.
desgasificação s.f.
desgasificado adj.
desgasificador (*ô*) adj. s.m.
desgasificante adj.2g.
desgasificar v.
desgasificável adj.2g.
desgastado adj.
desgastador (*ô*) adj.
desgastamento s.m.
desgastante adj.2g.
desgastar v. "corroer"; cf. *desagastar*
desgastável adj.2g.
desgaste s.m.
desgasto adj. s.m.
desgavelado adj.

desgavelar v.
desgelado adj.
desgelador (*ô*) adj. s.m.
desgelante adj.2g.
desgelar v.
desgelável adj.2g.
desgelo (*ê*) s.m.; cf. *desgelo*, fl. do v. *desgelar*
desgeneroso (*ô*) adj.; f. (*ó*); pl. (*ó*)
desgenitalização s.f.
desgenitalizado adj.
desgenitalizante adj.2g.
desgenitalizar v.
desgenitalizável adj.2g.
desgentilizado adj.
desgentilizar v.
desgentilizável adj.2g.
desgeometrização s.f.
desgeometrizado adj.
desgeometrizante adj.2g.
desgeometrizar v.
desgeometrizável adj.2g.
desgermanização s.f.
desgermanizado adj.
desgermanizador (*ô*) adj.
desgermanizante adj.2g.
desgermanizar v.
desgermanizável adj.2g.
desgerminado adj.
desgerminante adj.2g.
desgerminar v.
desglababração s.f.
desglabrado adj.
desglabrador (*ô*) adj. s.m.
desglabrar v.
desglicerinização s.f.
desglicerinizado adj.
desglicerinizante adj.2g.
desglicerinizar v.
desglicerinizável adj.2g.
desglobulização s.f.
desglobulizado adj.
desglobulizante adj.2g.
desglobulizar v.
desglobulizável adj.2g.
desglosamento s.m.
desglosar v.
desgoelação s.f.
desgoelado adj.
desgoelador (*ô*) adj. s.m.
desgoelamento s.m.
desgoelante adj.2g.
desgoelar v.
desgoelável adj.2g.
desgonteneácea s.f.
desgonteneáceo adj.
desgordurado adj.
desgordurador (*ô*) adj.
desgorduramento s.m.
desgordurante adj.2g. s.m.
desgordurar v.
desgordurável adj.2g.
desgorgomilado adj.
desgorgomilar v.
desgorjado adj.
desgorjar v.
desgorjável adj.2g.
desgornido adj.
desgornir v.
desgostado adj.
desgostador (*ô*) adj. s.m.
desgostamento s.m.
desgostante adj.2g.
desgostar v.
desgostável adj.2g.
desgosto (*ô*) s.m.; cf. *desgosto*, fl. do v. *desgostar*
desgostoso (*ô*) adj.; f. (*ó*); pl. (*ó*)
desgovernação s.f.
desgovernado adj.
desgovernante adj.2g.
desgovernar v.
desgovernável adj.2g.
desgoverno (*ê*) s.m.; cf. *desgoverno*, fl. do v. *desgovernar*
desgraça s.f.
desgraçado adj. s.m.
desgraçador (*ô*) adj. s.m.
desgraçamento s.m.
desgraçante adj.2g.
desgraçar v.
desgraçável adj.2g.
desgraceira s.f.
desgraciado adj.
desgraciador (*ô*) adj. s.m.
desgraciamento s.m.
desgraciante adj.2g.
desgraciar v.
desgraciável adj.2g.
desgraciosidade s.f.
desgracioso (*ô*) adj.; f. (*ó*); pl. (*ó*)
desgradeado adj.
desgradear v.
desgraduação s.f.
desgraduado adj.
desgradual adj.2g.
desgraduamento s.m.
desgraduante adj.2g.
desgraduar v.
desgraduável adj.2g.
desgrama s.f.
desgramação s.f.
desgramado adj.
desgramar v.
desgramaticalização s.f.
desgramaticalizar v.
desgrameira s.f.
desgranado adj.
desgranar v.
desgranhado adj. s.m.
desgranido adj. s.m.
desgravação s.f.
desgravar v.
desgravidação s.f.
desgravidado adj.
desgravidar v.
desgravidável adj.2g.
desgravitado adj.
desgravitar v.
desgravizado adj.
desgravizar v.
desgravizável adj.2g.
desgravoso (*ô*) adj.; f. (*ó*); pl. (*ó*)
desgraxado adj.
desgraxamento s.m.
desgraxar v.
desgraxável adj.2g.
desgregação s.f.
desgregado adj.
desgregador (*ô*) adj. s.m.
desgregante adj.2g.
desgregar v.
desgregável adj.2g.
desgrenhado adj.
desgrenhamento s.m.
desgrenhante adj.2g.
desgrenhar v.
desgretado adj.
desgretar v.
desgrilhoação s.f.
desgrilhoado adj.
desgrilhoador (*ô*) adj. s.m.
desgrilhoante adj.2g.
desgrilhoar v.
desgrilhoável adj.2g.
desgrinaldado adj.
desgrinaldar v.
desgrudação s.f.
desgrudado adj.
desgrudador (*ô*) adj. s.m.
desgrudante adj. s.2g.
desgrudar v.
desgrudável adj.2g.
desgrumado adj.
desgrumar v.
desgrumável adj.2g.
desguampado adj.
desguampar v.
desguardado adj.
desguardar v.
desguardável adj.2g.
desguaritado adj.
desguaritar v.
desguarnecedor (*ô*) adj. s.m.
desguarnecente adj.2g.
desguarnecer v.
desguarnecido adj.
desguarnecimento s.m.
desguarnecível adj.2g.
desguedelhado adj.
desguedelhar v.
desguiado adj.
desguiar v.
desidealização s.f.
desidealizado adj.
desidealizador (*ô*) adj. s.m.
desidealizante adj. s.2g.
desidealizar v.
desidealizável adj.2g.
desidentificação s.f.
desidentificado adj.
desidentificar v.
desideologização s.m.
desideologizar v.
desiderando s.m.
desideratividade s.f.
desiderativo adj.
desiderato s.m.
desidéria s.f.
desideriense adj. s.2g.
desídia s.f.
desídio s.m.
desidioso (*ô*) adj.; f. (*ó*); pl. (*ó*)
desidrase s.f.
desídrase s.f.
desidratação s.f.
desidratado adj. s.m.
desidratador (*ô*) adj.
desidratante adj.2g. s.m.
desidratar v.
desidratásico adj.
desidratático adj.
desidratável adj.2g.
desidremia s.f.
desidrêmico adj.
desidrociclização s.f.
desidrocongelação s.f.
desidrocongelado adj.
desidrogenação s.f.
desidrogenado adj.
desidrogenante adj.2g.
desidrogenar v.
desidrogenase s.f.
desidrogênase s.f.
desidrogenização s.f.
desidrogenizado adj.
desidrogenizante adj.2g.
desidrogenizar v.
desidrogenizável adj.2g.
desidrose s.f.
designação s.f.
designado adj. s.m.
designador (*ô*) adj. s.m.
designante adj. s.2g.
designar v.
designatário adj. s.m.
designativo adj.
designatório adj.
designiense adj. s.2g.
desígnio s.m.
desigual adj.2g.
desigualação s.f.
desigualado adj.
desigualador (*ô*) adj. s.m.
desigualamento s.m.
desigualante adj.2g.
desigualar v.
desigualável adj.2g.
desigualdade s.f.
desiludente adj. s.2g.
desiludido adj. s.m.
desiludidor (*ô*) adj. s.m.
desiludir v.
desiludível adj.2g.
desiluminado adj.
desiluminante adj.2g.
desiluminar v.
desilusão s.f.
desilusionado adj.
desilusionante adj.2g.
desilusionar v.
desilusionável adj.2g.
desilusivo adj.
desiluso adj.
desilusório adj.
desilustrado adj.
desilustrar v.
desimaginado adj.
desimaginar v.
desimaginativo adj.
desimaginável adj.2g.
desimaginoso (*ô*) adj.; f. (*ó*); pl. (*ó*)
desimanação s.f.
desimanado adj.
desimanar v.
desimanização s.f.
desimanizado adj.
desimanizante adj.2g.
desimanizar v.
desimanizável adj.2g.
desimantação s.f.
desimantado adj.
desimantador (*ô*) adj.
desimantante adj.2g.
desimantar v.
desimantável adj.2g.
desimbuição s.f.
desimbuído adj.
desimbuir v.
desimobilização s.f.
desimobilizar v.
desimpedido adj.
desimpedimento s.m.
desimpedir v.
desimpeditivo adj.
desimplantar v.
desimplicação s.f.
desimplicado adj.
desimplicar v.
desimpor v.
desimportante adj.2g.
desimposição s.f.
desimpossibilitado adj.
desimpossibilitar v.
desimpossibilizado adj.
desimpossibilizar v.
desimpregnação s.f.
desimpregnado adj.
desimpregnante adj.2g.
desimpregnar v.
desimpregnável adj.2g.
desimprensado adj.
desimprensar v.
desimpressionado adj.
desimpressionar v.
desimpressionável adj.2g.
desimprimido adj.
desimprimir v.
desimpureza (*ê*) s.f.
desinçado adj.
desinçante adj.2g.
desinçar v.
desinchação s.f.
desinchado adj.
desinchar v.
desinchável adj.2g.
desincho s.m.
desinclinação s.f.
desinclinado adj.
desinclinante adj.2g.
desinclinar v.
desinclinável adj.2g.
desinço s.m.
desincompatibilização s.f.
desincompatibilizado adj.
desincompatibilizador (*ô*) adj. s.m.
desincompatibilizante adj.2g.
desincompatibilizar v.
desincompatibilizável adj.2g.
desincorporação s.f.
desincorporado adj.
desincorporador (*ô*) adj. s.m.
desincorporante adj.2g.
desincorporar v.
desincorporável adj.2g.
desincrustação s.f.
desincrustado adj.
desincrustador (*ô*) adj. s.m.
desincrustante adj.2g. s.m.
desincrustar v.
desincrustável adj.2g.
desincubação s.f.; cf. *desencubação*
desincubado adj.; cf. *desencubado*
desincubador (*ô*) adj. s.m.; cf. *desencubador*
desincubar v. "tirar do choco"; cf. *desencubar*
desincumbência s.f.
desincumbente adj. s.2g.
desincumbido adj.
desincumbidor (*ô*) adj. s.m.
desincumbir v.
desincumbível adj.2g.
desindexação (*cs*) s.f.
desindexar (*cs*) v.
desindicação s.f.
desindicado adj.
desindicar v.
desindicável adj.2g.
desindiciação s.f.
desindiciado adj. s.m.
desindiciador (*ô*) adj. s.m.
desindiciamento s.m.
desindiciante adj. s.2g.
desindiciar v.
desindiciável adj.2g.
desindividualização s.f.
desindividualizado adj.
desindividualizante adj.2g.
desindividualizar v.
desinência s.f.
desinencial adj.2g.
desinencialidade s.f.
desinente adj.2g.
desinfamação s.f.
desinfamado adj.
desinfamador (*ô*) adj. s.m.
desinfamante adj. s.2g.
desinfamar v.
desinfamável adj.2g.
desinfarto s.m.
desinfeção s.f.
desinfecção s.f.
desinfeccionado adj.
desinfeccionador (*ô*) adj. s.m.
desinfeccionante adj.2g.
desinfeccionar v.
desinfecionar v.
desinfectação s.f.
desinfectado adj.
desinfectador (*ô*) adj. s.m.
desinfectante adj. s.2g.
desinfectar v.
desinfectável adj.2g.
desinfectório adj. s.m.
desinfelicidade s.f.
desinfeliz adj. s.2g.
desinfernação s.f.
desinfernado adj.
desinfernante adj.2g.
desinfernar v.
desinfernável adj.2g.
desinfestação s.f.; cf. *desenfestação*
desinfestado adj.; cf. *desenfestado*
desinfestador (*ô*) adj. s.m.; cf. *desenfestador*
desinfestante adj.2g.; cf. *desenfestante*
desinfestar v. "livrar"; cf. *desenfestar*
desinfestável adj.2g.; cf. *desenfestável*
desinfetação s.f.
desinfetado adj.
desinfetador (*ô*) adj. s.m.
desinfetante adj.2g. s.m.
desinfetar v.
desinfetável adj.2g.
desinfetório s.m.
desinficionado adj.
desinficionar v.
desinficionável adj.2g.
desinflação s.f.
desinflacional adj.2g.
desinflacionalidade s.f.
desinflacionar v.
desinflacionário adj.
desinflado adj.
desinflador (*ô*) adj. s.m.
desinflamação s.f.
desinflamado adj.
desinflamador (*ô*) adj.
desinflamante adj.2g. s.m.

desinflamar v.
desinflamativo adj.
desinflamatório adj. s.m.
desinflamável adj.2g.
desinflante adj.2g.
desinflar v.
desinflável adj.2g.
desinfluenciado adj.
desinfluenciar v.
desinfluenciável adj.2g.
desinfluente adj.2g.
desinfluído adj.
desinfluir v.
desinfluível adj.2g.
desinformação s.f.; cf. *desenformação*
desinformado adj. s.m.; cf. *desenformado*
desinformar v. "informar mal"; cf. *desenformar*
desinfortunado adj.
desinglesado adj.
desinglesamento s.m.
desinglesar v.
desinglesável adj.2g.
desingurgitação s.f.
desingurgitado adj.
desingurgitador (*ô*) adj. s.m.
desingurgitamento s.m.
desingurgitante adj.2g.
desingurgitar v.
desingurgitável adj.2g.
desinibição s.f.
desinibido adj.
desinibidor (*ô*) adj. s.m.
desinibir v.
desinibitivo adj.
desinibitória s.f.
desinibitório adj.
desinibível adj.2g.
desinjúria s.f.
desinjuriado adj.
desinjuriador (*ô*) adj. s.m.
desinjuriante adj.2g.
desinjuriar v.
desinjuriável adj.2g.
desinjurioso (*ô*) adj.; f. (*ó*); pl. (*ó*)
desinquietação s.f.
desinquietado adj.
desinquietador (*ô*) adj. s.m.
desinquietamento s.m.
desinquietante adj.2g.
desinquietar v.
desinquietável adj.2g.
desinquieto adj.
desinquietude s.f.
desinsarado adj.
desinsculpido adj.
desinsculpir v.
desinsetação s.f.
desinsetado adj.
desinsetador (*ô*) adj. s.m.
desinsetante adj.2g.
desinsetar v.
desinsetável adj.2g.
desinsetização s.f.
desinsetizado adj.
desinsetizador (*ô*) adj. s.m.
desinsetizante adj.2g.
desinsetizar v.
desinsetizável adj.2g.
desinsofrido adj.
desinsofrimento s.m.
desinstitucionalização s.f.
desinstitucionalizado adj.
desinstitucionalizador (*ô*) adj. s.m.
desinstitucionalizante adj.2g.
desinstitucionalizar v.
desinstitucionalizável adj.2g.
desinstruído adj.
desinstruidor (*ô*) adj. s.m.
desinstruir v.
desinstruível adj.2g.
desinstrutor (*ô*) adj. s.m.
desintegração s.f.
desintegrado adj.
desintegrador (*ô*) adj. s.m.
desintegrante adj.2g.
desintegrar v.
desintegrativo adj.
desintegratório adj.
desintegrável adj.2g.
desinteiração s.f.
desinteirado adj.
desinteirador (*ô*) adj.
desinteirante adj.2g.
desinteirar v.
desinteirável adj.2g.
desinteiriçado adj.
desinteiriçador (*ô*) adj.
desinteiriçamento s.m.
desinteiriçante adj.2g.
desinteiriçar v.
desinteiriçável adj.2g.
desinteligência s.f.
desinteligente adj.2g.
desintencionado adj.
desintencional adj.2g.
desintencionalidade s.f.
desinterditar v.
desinteressado adj. s.m.
desinteressador (*ô*) adj. s.m.
desinteressal adj.2g.
desinteressante adj.2g.
desinteressar v.
desinteressável adj.2g.
desinteresse (*ê* ou *é*) s.m.; cf. *desinteresse*, fl. do v. *desinteressar*
desinteresseiro adj.
desinternação s.f.
desinternacionalização s.f.
desinternacionalizado adj.
desinternacionalizante adj.2g.
desinternacionalizar v.
desinternacionalizável adj.2g.
desinternado adj.
desinternamento s.m.
desinternar v.
desinternável adj.2g.
desinterpretar v.
desintervenção s.f.
desintestinar v.
desintimidação s.f.
desintimidado adj.
desintimidante adj.2g.
desintimidar v.
desintimidável adj.2g.
desintoxicação (*cs*) s.f.
desintoxicado (*cs*) adj.
desintoxicador (*cs...ô*) adj. s.m.
desintoxicante (*cs*) adj.2g. s.m.
desintoxicar (*cs*) v.
desintoxicável (*cs*) adj.2g.
desintricado adj.
desintricante adj.2g.
desintricar v.
desintricável adj.2g.
desintrincado adj.
desintrincante adj.2g.
desintrincar v.
desintrincável adj.2g.
desintrometido adj.
desintubação s.f.
desintumescedor (*ô*) adj. s.m.
desintumescência s.f.
desintumescente adj.2g.
desintumescer v.
desintumescido adj.
desintumescimento s.m.
desintumescível adj.2g.
desinvaginação s.f.
desinvaginado adj.
desinvaginador (*ô*) adj.
desinvaginante adj.2g.
desinvaginar v.
desinvaginável adj.2g.
desinveja s.f.
desinvejoso (*ô*) adj.; f. (*ó*); pl. (*ó*)
desinvernação s.f.
desinvernado adj.
desinvernar v.
desinvestido adj.
desinvestidor (*ô*) adj.
desinvestir v.
desinvestível adj.2g.
desinviolado adj.
desinviolar v.
desinvolução s.f.
desinvoluído adj.
desinvoluidor (*ô*) adj. s.m.
desinvoluinte adj.2g.
desinvoluir v.
desinvoluível adj.2g.
desionização s.f.
desionizado adj.
desionizador (*ô*) adj. s.m.
desionizante adj.2g.
desionizar v.
desionizável adj.2g.
desipnoterapia s.f.
desipnoterápico adj.
desipnotizar v.
desipotecado adj.
desipotecar v.
desipotecável adj.2g.
desirando s.m.
desiriado adj.
desirmã adj. f. de *desirmão*
desirmanação s.f.
desirmanado adj.
desirmanador (*ô*) adj. s.m.
desirmanante adj.2g.
desirmanar v.
desirmanável adj.2g.
desirmão adj.; f. *desirmã*
desiscado adj.
desiscar v.
desislamização s.f.
desislamizado adj.
desislamizador (*ô*) adj. s.m.
desislamizante adj.2g.
desislamizar v.
desislamizável adj.2g.
desistência s.f.
desistente adj. s.2g.
desistição s.f.
desistido adj.
desistidor (*ô*) adj. s.m.
desistimento s.m.
desistir v.
desistível adj.2g.
desistivo adj.
desistória s.f.
desitivo adj.
desjarretado adj.
desjarretamento s.m.
desjarretar v.
desjeito s.m.
desjeitoso (*ô*) adj.; f. (*ó*); pl. (*ó*)
desjejua s.f.
desjejuação s.f.
desjejuado adj.
desjejuador (*ô*) adj. s.m.
desjejuar v.
desjejum s.m.
desjudaização s.f.
desjudaizado adj.
desjudaizador (*ô*) adj. s.m.
desjudaizante adj.2g.
desjudaizar v.
desjuidaizável adj.2g.
desjuizado adj.
desjuizamento s.m.
desjuizante adj.2g.
desjuizar v.
desjungir v. "desatrelar"; cf. *disjungir*
desjuntação s.f.
desjuntado adj.
desjuntamento s.m.
desjuntar v.
desjuntável adj.2g.
deslabiado adj.
deslabialização s.f.
deslabializado adj.
deslabializar v.
deslaçado adj.; cf. *deslassado*
deslaçador (*ô*) adj. s.m.; cf. *deslassador*
deslaçamento s.m.
deslaçar v. "soltar o laço"; cf. *deslassar*
deslacração s.f.
deslacrado adj.
deslacramento s.m.
deslacrante adj.2g.
deslacrar v.
deslacrável adj.2g.
desladeiro s.m.
deslado s.m.
desladrilhado adj.
desladrilhador (*ô*) s.m.
desladrilhamento s.m.
desladrilhar v.
desladrilhável adj.2g.
desladrilho s.m.
deslaiado adj.
deslaio s.m.
deslajeado adj.
deslajeamento s.m.
deslajear v.
deslamber v.
deslambido adj.
deslanado adj.
deslanar v.
deslanchado adj.
deslanchador (*ô*) adj. s.m.
deslanchamento s.m.
deslanchante adj.2g.
deslanchar v.
deslanchável adj.2g.
deslandesiano adj.
deslandiano adj.
deslapado adj.
deslapar v.
deslapidação s.f.
deslapidado adj.
deslapidar v.
deslapidável adj.2g.
deslargado adj.
deslargar v.
deslarvação s.f.
deslarvado adj.
deslarvador (*ô*) adj. s.m.
deslarvamento s.m.
deslarvante adj.2g.
deslarvar v.
deslarvável adj.2g.
deslassado adj.; cf. *deslaçado*
deslassador (*ô*) adj. s.m.; cf. *deslaçador*
deslassante adj.2g.; cf. *deslaçante*
deslassar v. "afrouxar"; cf. *deslaçar*
deslasso adj.
deslastração s.f.
deslastrado adj.
deslastrador (*ô*) s.m.
deslastramento s.m.
deslastrar v.
deslastre s.m.
deslastreação s.f.
deslastreado adj.
deslastreador (*ô*) adj. s.m.
deslastreamento s.m.
deslastreante adj.2g.
deslastrear v.
deslastreável adj.2g.
deslastro s.m.
deslatado adj.
deslatar v.
deslaudado adj.
deslaudador (*ô*) adj. s.m.
deslaudante adj.2g.
deslaudar v.
deslaudatório adj.
deslaudável adj.2g.
deslaureação s.f.
deslaureado adj. s.m.
deslaurear v.
deslaureável adj.2g.
deslavado adj.
deslavamento s.m.
deslavar v.
deslavra s.f.
deslavrado adj.
deslavrador (*ô*) adj.
deslavrar v.
deslavrável adj.2g.
deslavre s.m.
desleal adj.2g.
deslealdade s.f.
deslealdado adj.
deslealdar v.
deslealdável adj.2g.
deslealdoso (*ô*) adj.; f. (*ó*); pl. (*ó*)
deslegação s.f.
deslegado adj.
deslegador (*ô*) adj. s.m.
deslegar v.
deslegável adj.2g.
deslegitimação s.f.
deslegitimado adj.
deslegitimador (*ô*) adj. s.m.
deslegitimante adj. s.2g.
deslegitimar v.
deslegitimável adj.2g.
desleigado adj.
desleigar v.
desleita s.f.
desleitado adj.
desleitadora (*ô*) s.f.
desleitagem s.f.
desleitar v.
desleitável adj.2g.
desleixação s.f.
desleixado adj. s.m.
desleixamento s.m.
desleixar v.
desleixável adj.2g.
desleixo s.m.
deslembrado adj.
deslembrança s.f.
deslembrar v.
deslembrativo adj.
deslembrável adj.2g.
deslendeado adj.
deslendear v.
desletrado adj. s.m.
desliado adj.
desliamento s.m.
desliar v.
desliável adj.2g.
desligação s.f.
desligadão s.m.; f. *desligadona*
desligado adj. s.m.
desligadona adj. s.f. de *desligadão*
desligador (*ô*) adj. s.m.
desligadura s.f.
desligamento s.m.
desligante adj.2g.
desligar v.
desligativo adj.
desligatório adj.
desligável adj.2g.
deslignificação s.f.
deslignificado adj.
deslignificante adj.2g.
deslignificar v.
deslignificável adj.2g.
deslimar v.
deslimpidez (*ê*) s.f.
deslindação s.f.
deslindado adj.
deslindador (*ô*) adj. s.m.
deslindamento s.m.
deslindante adj.2g.
deslindar v.
deslindável adj.2g.
deslinde s.m.
deslinguado adj. s.m.
deslinguamento s.m.
deslinguar v.
deslinguável adj.2g.
deslinhificação s.f.
deslinhificado adj.
deslinhificante adj.2g.
deslinhificar v.
deslinhificável adj.2g.
deslintado adj.
deslintagem s.f.
deslintar v.
deslisado adj.; cf. *deslizado*
deslisar v. "alisar"; cf. *deslizar*
deslisável adj.2g.; cf. *deslizável*
deslisura s.f.
deslivrado adj.
deslivramento s.m.
deslivrante adj.2g.
deslivrar v.
deslivrável adj.2g.

deslizadeiro s.m.
deslizado adj.; cf. *desligado*
deslizador (*ô*) adj. s.m.; cf. *deslisador*
deslizamento s.m.
deslizante adj.2g.
deslizar v. "escorregar"; cf. *deslisar*
deslizável adj.2g.
deslize s.m.
deslizo s.m.
deslocação s.f.
deslocado adj.
deslocador (*ô*) adj. s.m.
deslocadura s.f.
deslocalização s.f.
deslocalizado adj.
deslocalizante adj.2g.
deslocalizar v.
deslocalizável adj.2g.
deslocamento s.m.
deslocante adj.2g.
deslocar v. "transferir"; cf. *desloucar*
deslocável adj.2g.
deslodado adj.
deslodamento s.m.
deslodar v.
deslodável adj.2g.
deslodo (*ô*) s.m.; cf. *deslodo*, fl. do v. *deslodar*
deslogrado adj.
deslogrador (*ô*) adj. s.m.
deslogramento s.m.
deslograr v.
deslombado adj.
deslombamento s.m.
deslombar v.
desloucado adj.
desloucar v. "gradar a terra"; cf. *deslocar*
deslouvação s.f.
deslouvado adj.
deslouvador (*ô*) adj. s.m.
deslouvante adj.2g.
deslouvar v.
deslouvável adj.2g.
deslouvor (*ô*) s.m.
deslumbrado adj. s.m.
deslumbrador (*ô*) adj. s.m.
deslumbramento s.m.
deslumbrante adj.2g.
deslumbrar v.
deslumbrativo adj.
deslumbrável adj.2g.
deslumbre s.m.
deslumbroso (*ô*) adj.; f. (*ó*); pl. (*ó*)
deslustração s.f.
deslustrado adj.
deslustrador (*ô*) adj. s.m.
deslustral adj.2g.
deslustrante adj.2g.
deslustrar v.
deslustre s.m.
deslustro s.m.
deslustroso (*ô*) adj.; f. (*ó*); pl. (*ó*)
desluvado adj.
desluvar v.
desluzente adj.2g.
desluzido adj.
desluzidor (*ô*) adj. s.m.
desluzimento s.m.
desluzir v.
desluzível adj.2g.
desma s.f.
desmacidônida adj.2g. s.m.
desmacidonídeo adj. s.m.
desmácito s.m.
desmactínia s.f.
desmactínico adj.
desmaculação s.f.
desmaculado adj. s.m.
desmacular v.
desmaculável adj.2g.
desmadeirado adj.
desmadeiramento s.m.
desmadeirar v.
desmaecedor (*ô*) adj. s.m.
desmaecente adj.2g.
desmaecer v.
desmaecido adj.
desmaecimento s.m.
desmaecível adj.2g.
desmaginado adj.
desmaginar v.
desmagnetização s.f.
desmagnetizado adj.
desmagnetizador (*ô*) adj. s.m.
desmagnetizante adj.2g.
desmagnetizar v.
desmagnetizável adj.2g.
desmaiado adj. s.m.
desmaiar v.
desmainar v.
desmaio s.m.
desmalencolizar v.
desmalgia s.f.
desmálgico adj.
desmalhação s.f.
desmalhado adj.
desmalhar v.
desmalhe s.m.
desmaliciação s.f.
desmaliciado adj.
desmaliciar v.
desmalicioso (*ô*) adj.; f. (*ó*); pl. (*ó*)
desmaltas s.f.pl.; na loc. *andar às desmaltas*
desmama s.f.
desmamação s.f.
desmamadeira s.f.
desmamadela s.f.
desmamado adj. s.m.
desmamador (*ô*) adj.
desmamamento s.m.
desmamar v.
desmamável adj.2g.
desmame s.m.
desmamo s.m.
desmanado adj.
desmanar v.
desmancha s.f.
desmanchada s.f.
desmanchadão adj. s.m.; f. *desmanchadona*
desmanchadeira s.f.
desmanchadela s.f.
desmanchadiço adj.
desmanchado adj. s.m.
desmanchadoiro s.m.
desmanchadona adj. s.f. de *desmanchadão*
desmanchador (*ô*) adj. s.m.
desmanchadouro s.m.
desmancha-dúvidas s.m.2n.
desmanchante adj.2g.
desmancha-prazeres s.2g.2n.
desmanchar v.
desmancha-samba s.f.; pl. *desmancha-sambas*
desmancha-sambas s.2g.2n.
desmancha-teimas s.m.2n.
desmanchável adj.2g.
desmanche s.m.
desmancho s.m.
desmandado adj.
desmandamento s.m.
desmandar v.
desmandável adj.2g.
desmandibulação s.f.
desmandibulado adj.
desmandibular v.
desmando s.m.
desmaneado adj.
desmanear v.
desmangado adj.
desmangalhação s.f.
desmangalhado adj.
desmangalhamento s.m.
desmangalhar v.
desmanganesar v.
desmangar v.
desmangolado adj.
desmanho s.m.
desmanhoso (*ô*) adj.; f. (*ó*); pl. (*ó*)
desmanilhado adj.
desmanilhar v.
desmaninhado adj.
desmaninhar v.
desmanivado adj.
desmanivar v.
desmantadela s.f.
desmantado adj.
desmantador (*ô*) adj. s.m.
desmantar v.
desmantelado adj.
desmantelador (*ô*) adj. s.m.
desmantelamento s.m.
desmantelante adj.2g.
desmantelar v.
desmantelo (*ê*) s.m.; cf. *desmantelo*, fl. do v. *desmantelar*
desmantilhado adj.
desmantilhar v.
desmanto s.m.
desmanzelado adj.
desmaquear v.
desmaquilar v.
desmaranhação s.f.
desmaranhado adj.
desmaranhamento s.m.
desmaranhante adj.2g.
desmaranhar v.
desmaranhável adj.2g.
desmaranho s.m.
desmarcação s.f.
desmarcado adj.
desmarcar v.
desmarcativo adj.
desmarcável adj.2g.
desmarchetação s.f.
desmarchetado adj.
desmarchetar v.
desmarchetável adj.2g.
desmarcialização s.f.
desmarcializado adj.
desmarcializar v.
desmarcializável adj.2g.
desmareação s.f.
desmareado adj.
desmareamento s.m.
desmarear v.
desmareável adj.2g.
desmarelecedor (*ô*) adj. s.m.
desmarelecente adj.2g.
desmarelecer v.
desmaréstia s.f.
desmarestiácea s.f.
desmarestiáceo adj.
desmargarinização s.f.
desmargarinizado adj.
desmargarinizante adj.2g.
desmargarinizar v.
desmarginação s.f.
desmarginado adj.
desmarginante adj.2g.
desmarginar v.
desmarginável adj.2g.
desmariscar v.
desmascarado adj.
desmascarador (*ô*) adj. s.m.
desmascaramento s.m.
desmascarante adj.2g.
desmascarar v.
desmascarável adj.2g.
desmasia s.f.
desmastear v.
desmastrado adj.
desmastrar v.
desmastreada s.f.
desmastreado adj.
desmastreamento s.m.
desmastrear v.
desmastreável adj.2g.
desmastreio s.m.
desmatado adj.
desmatador (*ô*) adj. s.m.
desmatamento s.m.
desmatante adj.2g.
desmatar v.
desmatável adj.2g.
desmate s.m.
desmaterialização s.f.
desmaterializado adj. s.m.
desmaterializador (*ô*) adj. s.m.
desmaterializante adj.2g.
desmaterializar v.
desmaterializável adj.2g.
desmático adj.
désmato s.m.
desmatócito s.m.
desmatodonte s.f.
desmazelado adj. s.m.
desmazelamento s.m.
desmazelar v.
desmazelo (*ê*) s.m.; cf. *desmazelo*, fl. do v. *desmazelar*
desmazéria s.f.
desmazorrado adj.
desmazorrar v.
desmeado adj.
desmear v.
desmectasia s.f.
desmectásico adj.
desmedida s.f.
desmedido adj.
desmedir v.
desmedra s.f.
desmedrado adj.
desmedramento s.m.
desmedrança s.f.
desmedrar v.
desmedrável adj.2g.
desmedro (*ê*) s.m.; cf. *desmedro*, fl. do v. *desmedrar*
desmedroso (*ô*) adj.; f. (*ó*); pl. (*ó*)
desmedulado adj.
desmedular v.
desmelancolizado adj.
desmelancolizar v.
desmelenado adj.
desmelenar v.
desmelhorado adj.
desmelhorador (*ô*) adj. s.m.
desmelhoramento s.m.
desmelhorante adj.2g.
desmelhorar v.
desmelhorável adj.2g.
desmelindrado adj.
desmelindrante adj.2g.
desmelindrar v.
desmelindrável adj.2g.
desmelindre s.m.
desmembração s.f.
desmembrado adj.
desmembrador (*ô*) adj. s.m.
desmembramento s.m.
desmembrante adj.2g.
desmembrar v.
desmembrável adj.2g.
desmemória s.f.; cf. *desmemoria*, fl. do v. *desmemoriar*
desmemoriação s.f.
desmemoriado adj. s.m.
desmemoriador (*ô*) adj. s.m.
desmemoriamento s.m.
desmemoriante adj.2g.
desmemoriar v.
desmendar-se v.
desmensurabilidade s.f.
desmensurado adj.
desmensuramento s.m.
desmensurante adj.2g.
desmensurar v.
desmensurável adj.2g.
desmentação s.f.
desmentado adj.
desmentar v.
desmentido adj. s.m.
desmentidor (*ô*) adj. s.m.
desmentidura s.f.
desmentimento s.m.
desmentir v.
desmentível adj.2g.
desmercear v.
desmerecedor (*ô*) adj. s.m.
desmerecente adj.2g.
desmerecer v.
desmerecido adj.
desmerecimento s.m.
desmerecível adj.2g.
desmergato s.m.
desmergulhar v.
desmérito s.m.
desmesclado adj.
desmesclar v.
desmesmerização s.f.
desmesmerizado adj.
desmesmerizador (*ô*) adj. s.m.
desmesmerizar v.
desmesmerizável adj.2g.
desmesura s.f.
desmesurabillidade s.f.
desmesuração s.f.
desmesurado adj.
desmesuramento s.m.
desmesurante adj.2g.
desmesurar v.
desmesurável adj.2g.
desmetalização s.f.
desmetalizado adj.
desmetalizador (*ô*) adj.
desmetalizante adj. s.2g.
desmetalizar v.
desmetalizável adj.2g.
desmetódico adj.
desmetodizado adj.
desmetodizar v.
desmetodizável adj.2g.
désmico adj.
desmidiácea s.f.
desmidiáceo adj.
desmidiálea s.f.
desmidiáleo adj.
desmidínea s.f.
desmidíneo adj.
desmídio s.m.
desmielinação s.f.
desmielinado adj.
desmielinar v.
desmielinização s.f.
desmielinizado adj.
desmielinizador (*ô*) adj.
desmielinizante adj.2g.
desmielinizar v.
desmielinizável adj.2g.
desmilinguido (*ü*) adj.
desmilinguir-se (*ü*) v.
desmilitarização s.f.
desmilitarizado adj.
desmilitarizador (*ô*) adj. s.m.
desmilitarizante adj.2g.
desmilitarizar v.
desmilitarizável adj.2g.
desmina s.f.
desminado adj.
desminar v.
desmineralização s.f.
desmineralizado adj.
desmineralizador (*ô*) adj.
desmineralizante adj.2g.
desmineralizar v.
desmineralizável adj.2g.
desmínico adj.
desmiógnata adj. s.2g.
desmiognatia s.f.
desmiógnato adj. s.m.
desmiolado adj. s.m.
desmiolar v.
desmisericórdia s.f.
desmisericordioso (*ô*) adj.; f. (*ó*); pl. (*ó*)
desmistificação s.f.
desmistificar v.
desmite s.f.
desmítico adj.
desmitificação s.f.
desmitificado adj.
desmitificador (*ô*) adj. s.m.
desmitificante adj.2g.
desmitificar v.
desmitificativo adj.
desmitificatório adj.
desmitificável adj.2g.
desmiuçado adj.
desmiuçador (*ô*) adj. s.m.
desmiuçamento s.m.
desmiuçante adj.2g.
desmiuçar v.
desmiuçável adj.2g.
desmiudação s.f.
desmiudado adj.
desmiudador (*ô*) adj. s.m.
desmiudamento s.m.
desmiudante adj.2g.
desmiudar v.
desmiudável adj.2g.

desmobactéria s.f.
desmobacteriano adj.
desmobactericida adj.2g.
desmobilação s.f.
desmobilado adj.
desmobilar v.
desmobilável adj.2g.
desmobilhação s.f.
desmobilhado adj.
desmobilhar v.
desmobilhável adj.2g.
desmobiliação s.f.
desmobiliado adj.
desmobiliador (*ô*) adj. s.m.
desmobiliante adj.2g.
desmobiliar v.
desmobiliável adj.2g.
desmobilização s.f.
desmobilizado adj.
desmobilizador (*ô*) adj. s.m.
desmobilizante adj.2g.
desmobilizar v.
desmobilizável adj.2g.
desmoblasto s.m.
desmobranquial adj.2g.
desmobrânquio s.m.
desmoçado adj.
desmoçar v.
desmócera s.f.
desmochado adj.
desmochar v.
desmoche (*ô*) s.m.; cf. *desmoche*, fl. do v. *desmochar*
desmocítico adj.
desmócito s.m.
desmocitoma s.m.
desmocitomático adj.
desmocolina s.f.
desmocrânio s.m.
desmoda s.f.
desmodado adj.
desmoderação s.f.
desmoderado adj.
desmoderar v.
desmoderável adj.2g.
desmodíneo adj. s.m.
desmodinia s.f.
desmodínico adj.
desmódio s.m.
desmodonte adj.2g. s.m.
desmodôntida adj.2g. s.m.
desmodontídeo adj. s.m.
desmodontíneo adj. s.m.
desmodorídeo adj. s.m.
desmodrilo adj. s.m.
desmodrômico adj.
desmódromo s.m.
desmodulação s.f.
desmodulado adj.
desmodulador (*ô*) adj. s.m.
desmodular v.
desmodulável adj.2g.
desmoedação s.f.
desmoedado adj.
desmoedar v.
desmoedável adj.2g.
desmofícea s.f.
desmofíceo adj.
desmófilo s.m.
desmoflogia s.f.
desmoflógico adj. s.m.
desmoflogose s.f.
desmoflogótico adj.
desmogêneo adj.
desmógeno s.m.
desmogleína s.f.
desmógnate s.2g.
desmognatia s.f.
desmognatismo s.m.
desmógnato adj. s.m.
desmografia s.f.
desmográfico adj.
desmografista adj. s.2g.
desmógrafo s.m.
desmoide (*ó*) adj.2g. s.m.
desmóideo adj.
desmoinhadeira s.f.
desmoirar v.
desmoita s.f.
desmoitação s.f.
desmoitado adj.
desmoitador (*ô*) adj. s.m.
desmoitante adj.2g.
desmoitar v.
desmoitável adj.2g.
desmolase s.f.
desmólase s.f.
desmoldação s.f.
desmoldado adj.
desmoldador (*ô*) adj. s.m.
desmoldagem s.f.
desmoldante adj. s.2g.
desmoldar v.
desmoldável adj.2g.
desmolde s.m.
desmólise s.f.
desmolítico adj.
desmologia s.f.
desmológico adj.
desmologista adj. s.2g.
desmólogo s.m.
desmoma s.m.
desmomático adj.
desmométope s.f.
desmomiário s.m.
desmonco s.m.
desmondado adj.
desmondar v.
desmonema s.2g.
desmoneoplasma s.m.
desmoneoplasmático adj.
desmoneoplásmico adj.
desmonetização s.f.
desmonetizado adj.
desmonetizador (*ô*) adj. s.m.
desmonetizante adj.2g.
desmonetizar v.
desmonetizável adj.2g.
desmonopolização s.f.
desmonopolizado adj.
desmonopolizador (*ô*) adj. s.m.
desmonopolizante adj.2g.
desmonopolizar v.
desmonopolizável adj.2g.
desmonotonização s.f.
desmonotonizado adj.
desmonotonizador (*ô*) adj. s.m.
desmonotonizante adj.2g.
desmonotonizar v.
desmonotonizável adj.2g.
desmonta s.f.
desmontada s.f.
desmontado adj.
desmontador (*ô*) adj. s.m.
desmontagem s.f.
desmontante adj.2g.
desmontar v.
desmontável adj.2g.
desmonte s.m.
desmontoado adj.
desmontoar v.
desmopatia s.f.
desmopático adj. s.m.
desmopéctico adj.
desmopexia (*cs*) s.f.
desmopicnose s.f.
desmopicnótico adj.
desmoplaquina s.f.
desmoplástico s.m.
desmopressina s.f.
desmopríon s.m.
desmoprione s.m.
desmoralidade s.f.
desmoralização s.f.
desmoralizado adj. s.m.
desmoralizador (*ô*) adj. s.m.
desmoralizante adj.2g.
desmoralizar v.
desmoralizável adj.2g.
desmorder v.
desmorecer v.
desmorfinização s.f.
desmorfinizado adj.
desmorfinizador (*ô*) adj.
desmorfinizante adj.2g.
desmorfinizar v.
desmorfinizável adj.2g.
desmoronação s.f.
desmoronadiço adj.
desmoronado adj.
desmoronador (*ô*) adj.
desmoronamento s.m.
desmoronante adj.2g.
desmoronar v.
desmoronável adj.2g.
desmorréctico adj.
desmorrer v.
desmorrexia (*cs*) s.f.
desmortalhado adj.
desmortalhar v.
desmortes s.f.pl.; na loc. *às desmortes*
desmortificado adj.
desmortificar v.
desmóscele s.f.
desmóscelis s.f.2n.
desmoscolécida adj.2g. s.m.
desmoscolecídeo adj. s.m.
desmoscoleco s.m.
desmoscólex (*cs*) s.m.
desmose s.f.
desmosina s.f.
desmosite s.f.
desmosito s.m.
desmossoma s.m.
desmossomo s.m.
desmostíleo adj. s.m.
desmostiliforme adj.2g.
desmostilo s.m.
desmostilomorfo adj.
desmotivação s.f.
desmotivado adj.
desmotivador (*ô*) adj.
desmotivante adj.2g.
desmotivar v.
desmotivativo adj.
desmotivável adj.2g.
desmotomia s.f.
desmotômico adj.
desmótrico s.m.
desmotropia s.f.
desmotrópico adj.
desmotropismo s.m.
desmótropo s.m.
desmourado adj.
desmourar v.
desmouta s.f.
desmoutação s.f.
desmoutado adj.
desmoutador (*ô*) adj. s.m.
desmoutar v.
desmuca s.m.
desmucilagem s.f.
desmudado adj.
desmudança s.f.
desmudar v.
desmudo adj. s.m.
desmulsificador (*ô*) adj. s.m.
desmultiplicação s.f.
desmultiplicador (*ô*) s.m.
desmultiplicar v.
desmunhecado adj. s.m.
desmunhecador (*ô*) adj. s.m.
desmunhecamento s.m.
desmunhecante adj.2g.
desmunhecar v.
desmunhecável adj.2g.
desmunição s.f.
desmuniciado adj.
desmuniciamento s.m.
desmuniciar v.
desmunicionado adj.
desmunicionamento s.m.
desmunicionar v.
desmunido adj.
desmunir v.
desmurado adj.
desmurar v.
desmurchado adj.
desmurchar v.
desmurgia s.f.
desmúrgico adj.
desmusculação s.f.
desmusculado adj.
desmusculador (*ô*) adj. s.m.
desmusculante adj.2g.
desmuscular v.
desmusculável adj.2g.
desmusgado adj.
desmusgador (*ô*) adj. s.m.
desmusgamento s.m.
desmusgar v.
desmúsica s.f.
desmúsico adj.
desnacional adj.2g.
desnacionalidade s.f.
desnacionalização s.f.
desnacionalizado adj.
desnacionalizador (*ô*) adj. s.m.
desnacionalizante adj.2g.
desnacionalizar v.
desnacionalizável adj.2g.
desnalgado adj.
desnalgar-se v.
desnamorado adj.
desnamorar v.
desnarigado adj.
desnarigar v.
desnasalação s.f.
desnasalado adj.
desnasalador (*ô*) adj.
desnasalamento s.m.
desnasalante adj.2g.
desnasalar v.
desnasalável adj.2g.
desnasalização s.f.
desnasalizado adj.
desnasalizador (*ô*) adj.
desnasalizante adj.2g.
desnasalizar v.
desnasalizável adj.2g.
desnascer v.
desnascido adj.
desnastrado adj.
desnastrar v.
desnatação s.f.
desnatadeira s.f.
desnatado adj.
desnatador (*ô*) adj.
desnatadora (*ô*) s.f.
desnatagem s.f.
desnatar v.
desnatável adj.2g.
desnaturação s.f.
desnaturado adj. s.m.
desnaturador (*ô*) adj. s.m.
desnatural adj.2g.
desnaturalidade s.f.
desnaturalismo s.m.
desnaturalista adj.
desnaturalístico adj.
desnaturalização s.f.
desnaturalizado adj.
desnaturalizador (*ô*) adj. s.m.
desnaturalizante adj.2g.
desnaturalizar v.
desnaturalizável adj.2g.
desnaturamento s.m.
desnaturante adj.2g. s.m.
desnaturar v.
desnaturável adj.2g.
desnavegável adj.2g.
desnazificação s.f.
desnazificado adj.
desnazificador (*ô*) adj.
desnazificante adj.2g.
desnazificar v.
desnazificável adj.2g.
desnecessário adj.
desnecessidade s.f.
desnecessitado adj.
desnecessitar v.
desnegado adj.
desnegar v.
desnegociado adj.
desnegociar v.
desneixa s.f.
desneixado adj.
desneixar v.
desneixo adj.
desnervado adj.
desnervamento s.m.
desnervar v.
desneutralizado adj.
desneutralizar v.
desnevada s.f.
desnevado adj.
desnevar v.
desnevoado adj.
desnevoar v.
desnevoso (*ô*) adj.; f. (*ó*); pl. (*ó*)
desnexo (*cs*) s.m.
desnichado adj.
desnichar v.
desnicotinação s.f.
desnicotinado adj.
desnicotinar v.
desnicotinização s.f.
desnicotinizado adj.
desnicotinizante adj.2g.
desnicotinizar v.
desnicotinizável adj.2g.
desnidado adj.
desnidar v.
desninhado adj.
desninhar v.
desniquelado adj.
desniquelagem s.f.
desniquelar v.
desnitração s.f.
desnitrado adj.
desnitrar v.
desnitrificação s.f.
desnitrificado adj.
desnitrificador (*ô*) adj.
desnitrificante adj.2g.
desnitrificar v.
desnitrificável adj.2g.
desnitrogenação s.f.
desnitrogenar v.
desnível s.m.
desnivelado adj.
desnivelador (*ô*) adj.
desnivelamento s.m.
desnivelante adj.2g.
desnivelar v.
desnivelável adj.2g.
desnobilíssimo adj.; sup. de *desnobre*
desnobilitação s.f.
desnobilitado adj.
desnobilitante adj.2g.
desnobilitar v.
desnobilitável adj.2g.
desnobre adj.2g.
desnobrecedor (*ô*) adj. s.m.
desnobrecente adj.2g.
desnobrecer v.
desnobrecido adj.
desnobrecimento s.m.
desnobrecível adj.2g.
desnoca s.f.
desnocado adj.
desnocamento s.m.
desnocar v.
desnodado adj.
desnodar v.
desnodável adj.2g.
desnodoado adj.
desnodoante adj.2g.
desnodoar v.
desnodoso (*ô*) adj.; f. (*ó*); pl. (*ó*)
desnoitado adj.
desnoitar v.
desnoivado adj.
desnoivar v.
desnomear v.
desnorteação s.f.
desnorteado adj. s.m.
desnorteador (*ô*) adj. s.m.
desnorteamento s.m.
desnorteante adj.2g.
desnortear v.
desnorteável adj.2g.
desnorteio s.m.
desnotar v.
desnoutar v.
desnovelado adj.
desnovelar v.
desnu adj.
desnuar v.
desnublado adj.
desnublar v.
desnucado adj.
desnucar v.
desnucleação s.f.
desnucleado adj.
desnucleador (*ô*) adj.
desnucleante adj.2g.

desnuclear v.
desnuclearização s.f.
desnuclearizado adj.
desnuclearizador (*ô*) adj.
desnuclearizar v.
desnuclearizável adj.2g.
desnucleável adj.2g.
desnudação s.f.
desnudado adj.
desnudador (*ô*) adj.
desnudamento s.m.
desnudante adj.2g.
desnudar v.
desnudável adj.2g.
desnudez (*ê*) s.f.
desnudeza (*ê*) s.f.
desnudo adj.
desnutrição s.f.
desnutrido adj.
desnutridor (*ô*) adj.
desnutriente adj.2g.
desnutrir v.
desnutritivo adj.
desnuviar v.
desobedecedor (*ô*) adj. s.m.
desobedecer v.
desobedecido adj.
desobedecível adj.2g.
desobediência s.f.
desobediente adj. s.2g.
desobjetivação s.f.
desobjetivado adj.
desobjetivar v.
desobjetivável adj.2g.
desobra s.f.
desobriga s.f.
desobrigação s.f.
desobrigada s.f.
desobrigado adj.
desobrigador (*ô*) adj.
desobrigante adj.2g.
desobrigar v.
desobrigativo adj.
desobrigatório adj.
desobrigável adj.2g.
desobscurecedor (*ô*) adj. s.m.
desobscurecente adj.2g.
desobscurecer v.
desobscurecido adj.
desobsequioso (*ô*) adj.; f. (*ó*); pl. (*ó*)
desobstinado adj.
desobstrução s.f.
desobstruência s.f.
desobstruente adj.2g.
desobstruído adj.
desobstruidor (*ô*) adj.
desobstruimento s.m.
desobstruinte adj.2g.
desobstruir v.
desobstruível adj.2g.
desobstrutivo adj.
desobumbração s.f.
desobumbrado adj.
desobumbramento s.m.
desobumbrar v.
desocupação s.f.
desocupado adj. s.m.
desocupador (*ô*) adj.
desocupante adj.2g.
desocupar v.
desocupável adj.2g.
desodorado adj.
desodorador (*ô*) adj.
desodorante adj.2g. s.m.
desodorar v.
desodorização s.f.
desodorizado adj.
desodorizador (*ô*) adj.
desodorizante adj.2g.
desodorizar v.
desodorizável adj.2g.
desofego (*ê*) s.m.
desoficialização s.f.
desoficializado adj.
desoficializador (*ô*) adj. s.m.
desoficializar v.
desofuscado adj.
desofuscar v.
desolação s.f.
desolado adj.
desolador (*ô*) adj. s.m.
desolamento s.m.
desolante adj.2g.
desolar v.
desolável adj.2g.
desoleificação s.f.
desoleificado adj.
desoleificador (*ô*) adj.
desoleificante adj.2g.
desoleificar v.
desoleificável adj.2g.
desolha s.f.
desolhado adj.
desolhador (*ô*) adj.
desolhante adj.2g.
desolhar v.
desolhatividade s.f.
desolhável adj.2g.
desoligarquização s.f.
desoligarquizado adj.
desoligarquizador (*ô*) adj.
desoligarquizante adj.2g.
desoligarquizar v.
desoneração s.f.
desonerado adj.
desonerador (*ô*) adj.
desonerante adj.2g.
desonerar v.
desonerável adj.2g.
desonestado adj.
desonestador (*ô*) adj.
desonestante adj. s.2g.
desonestar v.
desonestativo adj.
desonestidade s.f.
desonesto adj. s.m.
desonor (*ô*) s.m.
desonra s.f.
desonradez (*ê*) s.f.
desonradiço adj.
desonrado adj.
desonrador (*ô*) adj. s.m.
desonrante adj.2g.
desonrar v.
desonrável adj.2g.
desonroso (*ô*) adj.; f. (*ó*); pl. (*ó*)
desoperculação s.f.
desoperculado adj.
desoperculador (*ô*) adj.
desoperculante adj.2g.
desopercular v.
desoperculável adj.2g.
desopilação s.f.
desopilado adj.
desopilador (*ô*) adj. s.m.
desopilante adj.2g.
desopilar v.
desopilativo adj.
desopilável adj.2g.
desoportuno adj.
desopressado adj.
desopressão s.f.
desopressar v.
desopressivo adj.
desopresso adj.
desopressor (*ô*) adj. s.m.
desoprimente adj.2g.
desoprimido adj.
desoprimir v.
desoprimível adj.2g.
desopulência s.f.
desopulentado adj.
desopulentar v.
desorado adj.
desoras s.f.pl.; na loc. *a desoras*
desorbitado adj.
desorbitante adj.2g.
desorbitar v.
desorbitável adj.2g.
desordear v.
desordeiro adj. s.m.
desordem s.f.
desordenação s.f.
desordenado adj.
desordenador (*ô*) adj. s.m.
desordenamento s.m.
desordenança s.f.
desordenante adj.2g.
desordenar v.
desordenável adj.2g.
desordinário adj.
desorelhado adj.
desorelhamento s.m.
desorelhar v.
desorfado adj.
desorganização s.f.
desorganizado adj.
desorganizador (*ô*) adj. s.m.
desorganizante adj.2g.
desorganizar v.
desorganizatório adj.
desorganizável adj.2g.
desorientação s.f.
desorientado adj. s.m.
desorientador (*ô*) adj. s.m.
desorientamento s.m.
desorientante adj.2g.
desorientar v.
desoriginal adj.2g.
desornado adj.
desornamentado adj.
desornamentar v.
desornar v.
desorvalhado adj.
desorvalhar v.
desospedado adj.
desossa s.f.
desossado adj.
desossador (*ô*) adj.
desossamento s.m.
desossante adj.2g.
desossar v.
desossável adj.2g.
desossificação s.f.
desossificado adj.
desossificar-se v.
desougado adj.
desougar v.
desouriçar v.
desouvido adj.
desouvir v.
desova s.f.
desovação s.f.
desovadeira s.f.
desovado adj.
desovadoiro s.m.
desovador (*ô*) adj.
desovadouro s.m.
desovamento s.m.
desovante adj.2g.
desovar v.
desovável adj.2g.
desoxalato (*cs*) s.m.
desoxálico (*cs*) adj.
desoxibenzoína (*cs*) s.f.
desoxibenzoínico (*cs*) adj.
desoxicorticosterona (*cs*) s.f.
desoxicorticosterônico (*cs*) adj.
desoxicortona (*cs*) s.f.
desoxidação (*cs*) s.f.
desoxidado (*cs*) adj.
desoxidador (*cs...ô*) adj.
desoxidante (*cs*) adj.2g.
desoxidar (*cs*) v.
desoxidável (*cs*) adj.2g.
desoxigenação (*cs*) s.f.
desoxigenado (*cs*) adj.
desoxigenador (*cs...ô*) adj.
desoxigenante (*cs*) adj.2g.
desoxigenar (*cs*) v.
desoxiglicose (*cs*) s.f.
desoxiglicótico (*cs*) adj.
desoxirribonuclease (*cs*) s.f.
desoxirribonucléase (*cs*) s.f.
desoxirribonucleico (*cs...é*) ou (*cs...ê*) adj.
desoxirribonucleoprotei-deo (*cs*) adj. s.m.
desoxirribonucleoproteína (*cs*) s.f.
desoxirribonucleosídeo (*cs*) adj. s.m.
desoxirribonucleosídio (*cs*) s.m.
desoxirribonucleotídeo (*cs*) adj. s.m.
desoxirribonucleotídio (*cs*) s.m.
desoxirribose (*cs*) s.f.
desoxirribótico (*cs*) adj.
desoxivirótico (*cs*) adj.
desoxivírus (*cs*) s.m.2n.
desozonizado adj.
desozonizador (*ô*) adj. s.m.
desozonizante adj.2g.
desozonizar v.
despachadão adj. s.m.; f. *despachadona*
despachado adj. s.m.
despachadona adj. s.f. de *despachadão*
despachador (*ô*) adj.
despachante adj. s.2g.
despachar v.
despachável adj.2g.
despacho s.m.
despaciência s.f.
despacientado adj.
despacientador (*ô*) adj.
despacientante adj.2g.
despacientar v.
despacientável adj.2g.
despaciente adj.2g.
despadrado adj.
despadrar v.
despaganizado adj. s.m.
despaganizar v.
despaginação s.f.
despaginado adj.
despaginador (*ô*) adj.
despaginante adj.2g.
despaginar v.
despaginável adj.2g.
despaisado adj.
despaisador (*ô*) adj.
despaisante adj.2g.
despaisar v.
despaisável adj.2g.
despalatalização s.f.
despalatalizado adj.
despalatalizador (*ô*) adj.
despalatalizante adj.2g.
despalatalizar v.
despalatalizável adj.2g.
despalatização s.f.
despalatizado adj.
despalatizador (*ô*) adj.
despalatizante adj.2g.
despalatizar v.
despalatizável adj.2g.
despaletado adj.
despaletar v.
despaleteado adj.
despaletear v.
despalha s.f.
despalhado adj.
despalhamento s.m.
despalhar v.
despalhetado adj.
despalhetar v.
despalmado adj.
despalmar v.
despalmilhado adj.
despalmilhar v.
despampa s.f.
despampado adj.
despampanado adj.
despampanar v.
despancreatizar v.
despanda s.m.
despapado adj.
despapar v.
desparafinação s.f.
desparafinado adj.
desparafinador (*ô*) adj.
desparafinar v.
desparafinável adj.2g.
desparafusado adj.
desparafusador (*ô*) adj. s.m.
desparafusagem s.f.
desparafusar v.
desparafusável adj.2g.
desparalelo s.m.
desparamentado adj.
desparamentar v.
desparceirar v.
desparcelado adj.
desparcelamento s.m.
desparcelar v.
desparcelável adj.2g.
desparecer v.
desparecido adj.
desparecimento s.m.
desparelhado adj.
desparelhamento s.m.
desparelhar v.
despargido adj.
despargidor (*ô*) adj. s.m.
despargir v.
desparra s.f.
desparrado adj.
desparramação s.f.
desparramado adj.
desparramador (*ô*) adj. s.m.
desparramamento s.m.
desparramante adj.2g.
desparramar v.
desparramável adj.2g.
desparramo s.m.
desparrante adj.2g.
desparrar v.
desparrável adj.2g.
despartição s.f.
despartido adj.
despartidor (*ô*) adj. s.m.
despartir v.
desparvado adj.
desparvar v.
desparzido adj.
desparzir v.
despassado adj.
despassagem s.f.
despassamento s.m.
despassar v.
despassarinhado adj.
despasse s.m.
despastar v.
despatriado adj.
despatriota adj. s.2g.
despatriótico adj.
despatriotismo s.m.
despaulificado adj.
despaulificante adj.2g.
despaulificar v.
despautação s.f.
despautério s.m.
despavilar v.
despavorido adj.
despavorir v.
despeado adj.
despear v.
despeçado adj.
despeçar v.
despecuniado adj.
despecuniar v.
despedaçado adj.
despedaçador (*ô*) adj. s.m.
despedaçamento s.m.
despedaçar v.
despedaçável adj.2g.
despedição s.f.
despedida s.f.
despedidas-de-verão s.f.pl.
despedido adj.
despediente adj.2g.
despedimento s.m.
despedir v.
despedível adj.2g.
despedração s.f.
despedrado adj.
despedramento s.m.
despedrar v.
despedregoado adj.
despegado adj.
despegamento s.m.
despegante adj.2g.
despegar v.
despegável adj.2g.
despego (*ê*) s.m.; cf. *despego*, fl. do v. *despegar*
despeitado adj. s.m.
despeitador (*ô*) adj. s.m.
despeitamento s.m.
despeitar v.
despeito s.m.
despeitorado adj.
despeitoramento s.m.
despeitorante adj.2g.
despeitorar v.
despeitoso (*ô*) adj.; f. (*ó*); pl. (*ó*)
despejado adj.
despejadoiro s.m.

despejador (*ô*) adj. s.m.
despejadouro s.m.
despejamento s.m.
despejante adj.2g.
despejar v.
despejável adj.2g.
despejo (*ê*) s.m.
despela s.f.
despelado adj.
despelar v.
despelhar v.
despenado adj.
despenador (*ô*) adj.
despenadora (*ô*) s.f.
despenar v.
despencado adj.
despencamento s.m.
despencar v.
despendedor (*ô*) adj. s.m.
despender v.
despendido adj.
despendimento s.m.
despendível adj.2g.
despendurado adj.
despendurar v.
despenhadeiro s.m.
despenhadense adj. s.2g.
despenhado adj.
despenhamento s.m.
despenhão s.m.
despenhar v.
despenhável adj.2g.
despenho s.m.
despenhoso (*ô*) adj.; f. (*ó*); pl. (*ó*)
despenque s.m.
despensa s.f. "lugar para guardar mantimentos"; cf. *dispensa*
despenseiro s.m. "encarregado da despensa"; cf. *dispenseiro*
despentanização s.f.
despentanizado adj.
despentanizador (*ô*) adj. s.m.
despentanizante adj.2g.
despentanizar v.
despenteado adj.
despenteador (*ô*) adj.
despenteamento s.m.
despenteante adj.2g.
despentear v.
despenteável adj.2g.
desperança s.f.
despercebedor (*ô*) adj. s.m.
desperceber v.
despercebido adj.
despercebimento s.m.
despercebível adj.2g.
desperdiçado adj. s.m.
desperdiçador (*ô*) adj. s.m.
desperdiçamento s.m.
desperdiçante adj.2g.
desperdiçar v.
desperdiçável adj.2g.
desperdício s.m.
desperecer v.
desperecimento s.m.
desperfilado adj.
desperfilador (*ô*) adj.
desperfilamento s.m.
desperfilar v.
despersonalização s.f.
despersonalizado adj.
despersonalizador (*ô*) adj.
despersonalizante adj.2g.
despersonalizar v.
despersonalizável adj.2g.
despersuadido adj.
despersuadir v.
despersuadível adj.2g.
despersuasão s.f.
despersuasivo adj.
despersuasor (*ô*) adj. s.m.
despertado adj.
despertador (*ô*) adj. s.m.
despertamento s.m.
despertante adj.2g.
despertar v.
despertativo adj. s.m.
despertez (*ê*) s.f.
desperto adj.
despesa (*ê*) s.f.
despesão s.m.
despesar v.
despesca s.f.
despescado adj.
despescar v.
despeso (*ê*) adj.
despestanado adj.
despestanar v.
despetalação s.f.
despetalado adj.
despetalamento s.m.
despetalar v.
despetalável adj.2g.
despetaleado adj.
despetalear v.
despetrechado adj.
despetrechar v.
despetrechável adj.2g.
despicado adj.
despicador (*ô*) adj. s.m.
despicar v.
despicativo adj.
despiciendo adj.
despiciente adj.2g.
despido adj.
despidor (*ô*) adj.
despiedade s.f.
despiedado adj.
despiedar v.
despiedoso (*ô*) adj.; f. (*ó*); pl. (*ó*)
despigmentação s.f.
despigmentado adj.
despigmentador (*ô*) adj.
despigmentante adj.2g.
despigmentar v.
despigmentável adj.2g.
despilamento s.m.
despilchado adj.
despilchar v.
despimento s.m.
despinça s.f.
despinçadeira s.f.
despinçado adj.
despinçar v.
despingar v.
despinguelado adj.
despinhalizado adj.
despinhalizar v.
despinicação s.f.
despinicado adj.
despinicador (*ô*) adj.
despinicar v.
despintado adj.
despintar v.
despintável adj.2g.
despiolhação s.f.
despiolhado adj.
despiolhadoiro s.m.
despiolhador (*ô*) adj.
despiolhadouro s.m.
despiolhamento s.m.
despiolhar v.
despique s.m.
despir v.
despirocado adj. s.m.
despirocar v.
despistado adj.
despistador (*ô*) adj. s.m.
despistamento s.m.
despistante adj.2g.
despistar v.
despistável adj.2g.
despiste s.m.
despitorrado adj.
despível adj.2g.
desplantação s.f.
desplantado adj.
desplantador (*ô*) adj. s.m.
desplantar v.
desplantável adj.2g.
desplante s.m.
desplasmado adj.
desplasmar v.
desplastificado adj.
desplastificar v.
desplátsia s.f.
desplugado adj.
desplugar v.
desplumado adj.
desplumar v.
despluralizado adj.
despluralizar v.
despoeirado adj.
despoeirador (*ô*) adj. s.m.
despoeiramento s.m.
despoeirante adj.2g.
despoeirar v.
despoético adj.
despoetização s.f.
despoetizado adj.
despoetizador (*ô*) adj. s.m.
despoetizamento s.m.
despoetizar v.
despojado adj.
despojador (*ô*) adj. s.m.
despojamento s.m.
despojante adj.2g.
despojar v.
despojável adj.2g.
despojo (*ô*) s.m.; pl. (*ó*)
despojos s.m.pl.
despolarização s.f.
despolarizado adj.
despolarizador (*ô*) adj. s.m.
despolarizante adj.2g. s.m.
despolarizar v.
despolarizável adj.2g.
despoletado adj.
despoletar v.
despoliar v.
despolidez (*ê*) s.f.
despolido adj.
despolidor (*ô*) adj.
despolimento s.m.
despolimerase s.f.
despolimérase s.f.
despolimerização s.f.
despolimerizado adj.
despolimerizador (*ô*) adj. s.m.
despolimerizante adj.2g.
despolimerizar v.
despolimerizável adj.2g.
despolir v.
despolível adj.2g.
despolonização s.f.
despolonizado adj.
despolonizar v.
despolpa (*ô*) s.f.; cf. *despolpa*, fl. do v. *despolpar*
despolpado adj.
despolpador (*ô*) adj. s.m.
despolpamento s.m.
despolpante adj.2g.
despolpar v.
despolpável adj.2g.
despoluente adj. s.2g.
despoluição s.f.
despoluído adj.
despoluidor (*ô*) adj.
despoluir v.
despoluível adj.2g.
despolvilhado adj.
despolvilhar v.
desponderação s.f.
desponderado adj.
desponderar v.
despongar v.
desponsório s.m.
desponta s.f.
despontado adj.
despontador (*ô*) adj. s.m.
despontadora (*ô*) s.f.
despontante adj.2g.
despontar v.
despontável adj.2g.
desponte s.m.
despontear v.
despontilhado adj.
despontuação s.f.
despontuado adj.
despontuador (*ô*) adj. s.m.
despontual adj.2g.
despontualidade s.f.
despontuante adj.2g.
despontuar v.
despontuável adj.2g.
despopulação s.f.
despopulado adj.
despopulador (*ô*) adj. s.m.
despopulante adj.2g.
despopular v.
despopularização s.f.
despopularizado adj.
despopularizador (*ô*) adj.
despopularizante adj.2g.
despopularizar v.
despopularizável adj.2g.
despopulável adj.2g.
despor v. "depor"; cf. *dispor*
desporobo s.m.
desporte s.m.
despórtico adj.
desportilhado adj.
desportilhar v.
desportismo s.m.
desportista adj. s.2g.
desportístico adj.
desportivismo s.m.
desportivo adj.
desporto (*ô*) s.m.; pl. (*ó*)
desportuguês adj.
desportuguesado adj.
desportuguesador (*ô*) adj.
desportuguesamento s.m.
desportuguesante adj.2g.
desportuguesar v.
desportuguesável adj.2g.
desposado adj. s.m.
desposador (*ô*) adj. s.m.
desposante adj.2g.
desposar v.
desposável adj.2g.
desposório s.m.
despossado adj.
despossar v.
despossessão s.f.
despossesso adj.
despossuído adj.
despossuir v.
despostiçado adj.
despostiçar v.
despostigar v.
déspota adj. s.2g.
despotado s.m.
despotia s.f.
despótico adj.
despotismo s.m.
despotização s.f.
despotizado adj.
despotizar v.
despovoação s.f.
despovoado adj. s.m.
despovoador (*ô*) adj. s.m.
despovoamento s.m.
despovoante adj.2g.
despovoar v.
despovoável adj.2g.
despraguejado adj.
despraguejamento s.m.
despraguejar v.
desprateação s.f.
desprateado adj.
desprateador (*ô*) adj.
desprateadura s.f.
desprateamento s.m.
desprateante adj.2g.
despratear v.
desprateável adj.2g.
desprazedor (*ô*) adj. s.m.
desprazente adj. s.2g.
desprazer v. s.m.
desprazido adj.
desprazimento s.m.
desprazível adj.2g.
desprecatação s.f.
desprecatado adj.
desprecatamento s.m.
desprecatar-se v.
desprecatável adj.2g.
desprecaução s.f.
desprecaver v.
desprecavido adj. s.m.
desprecavimento s.m.
desprecavível adj.2g.
despreciar v.
despreço (*ê*) s.m.
despreconcebedor (*ô*) adj. s.m.
despreconceber v.
despreconcebido adj.
despreconcebimento s.m.
despreconcebível adj.2g.
despreconceito s.m.
despreconceitual adj.2g.
despregado adj.
despregador (*ô*) adj. s.m.
despregadura s.f.
despregamento s.m.
despregante adj. s.2g.
despregar v.
despregável adj.2g.
despreguiçar v.
despremiado adj.
despremiar v.
desprendado adj. s.m.
desprendedor (*ô*) adj. s.m.
desprendente adj. s.2g.
desprender v.
desprendido adj.
desprendimento s.m.
desprendível adj.2g.
desprenhação s.f.
desprenhada s.f.
desprenhado adj.
desprenhar v.
despreocupação s.f.
despreocupado adj.
despreocupador (*ô*) adj.
despreocupante adj.2g.
despreocupar v.
despreocupável adj.2g.
despreparação s.f.
despreparado adj.
despreparador (*ô*) adj. s.m.
despreparante adj.2g.
despreparar v.
despreparável adj.2g.
despreparo s.m.
despresilhado adj.
despresilhar v.
despressentido adj.
despressentir v.
despressurização s.f.
despressurizado adj.
despressurizar v.
desprestigiado adj.
desprestigiador (*ô*) adj. s.m.
desprestigiante adj.2g.
desprestigiar v.
desprestigiável adj.2g.
desprestígio s.m.; cf. *desprestigio*, fl. do v. *desprestigiar*
despréstimo s.m.
despresumido adj.
despresunção s.f.
despresunçoso (*ô*) adj.; f. (*ó*); pl. (*ó*)
despretensão s.f.
despretensiosidade s.f.
despretensioso (*ô*) adj.; f. (*ó*); pl. (*ó*)
desprevenção s.f.
desprevenir v.
desprezado adj.
desprezador (*ô*) adj. s.m.
desprezamento s.m.
desprezante adj.2g.
desprezar v.
desprezativo adj.
desprezável adj.2g.
desprezibilidade s.f.
desprezilho s.m.
desprezível adj.2g.
desprezivo adj.
desprezo (*ê*) s.m.; cf. *desprezo*, fl. do v. *desprezar*
desprimor (*ô*) s.m.
desprimorado adj.
desprimoramento s.m.
desprimorante adj.2g.
desprimorar v.
desprimorosidade s.f.
desprimoroso (*ô*) adj.; f. (*ó*); pl. (*ó*)
despriorado adj.
despriorar v.
desprivado adj.
desprivança s.f.
desprivar v.
desprivilegiação s.f.
desprivilegiado adj.

desprivilegiador (*ô*) adj.
desprivilegiante adj.2g.
desprivilegiar v.
desprivilegiável adj.2g.
desprodutividade s.f.
desprodutivo adj.
desprofanação s.f.
desprofanado adj.
desprofanante adj.2g.
desprofanar v.
desprogramação s.f.
desprogramar v.
desproletarização s.f.
desproletarizado adj.
desproletarizar v.
despromover v.
despromovido adj.
despronúncia s.f.; cf. *despronuncia*, fl. do v. *despronunciar*
despronunciado adj. s.m.
despronunciador (*ô*) adj. s.m.
despronunciamento s.m.
despronunciante adj.2g.
despronunciar v.
despronunciável adj.2g.
despropanização s.f.
despropanizado adj.
despropanizador (*ô*) s.m.
despropanizante adj.2g.
despropanizar v.
despropanizável adj.2g.
despropério s.m.
desproporção s.f.
desproporcionação s.f.
desproporcionado adj.
desproporcionador (*ô*) adj.
desproporcional adj.2g.
desproporcionalidade s.f.
desproporcionamento s.m.
desproporcionante adj.2g.
desproporcionar v.
despropositado adj.
despropositar v.
despropositável adj.2g.
despropósito s.m.; cf. *desproposito*, fl. do v. *despropositar*
despropriação s.f.
despropriado adj.
despropriador (*ô*) s.m.
despropriamento s.m.
despropriando s.m.
despropriante adj.2g.
despropriar v.
despropriável adj.2g.
desproteção s.f.
desprotegedor (*ô*) adj.
desprotegente adj.2g.
desproteger v.
desprotegido adj. s.m.
desprotegimento s.m.
desprotegível adj.2g.
desproteinização s.f.
desproteinizar v.
desprovedor (*ô*) adj. s.m.
desproveito s.m.
desproveitoso (*ô*) adj.; f. (*ó*); pl. (*ó*)
desprover v.
desprovido adj.
desprovimento s.m.
desprumada s.f.
desprumado adj.
desprumar v.
desprumável adj.2g.
desprussianização s.f.
desprussianizado adj.
desprussianizador (*ô*) adj. s.m.
desprussianizante adj.2g.
desprussianizar v.
desprussianizável adj.2g.
despucelado adj.
despucelagem s.f.
despucelar v.
despudor (*ô*) s.m.
despudorado adj. s.m.
despuerilização s.f.
despuerilizado adj.
despuerilizar v.
despumação s.f.
despumar v.
despundonor (*ô*) s.m.
despundonorado adj.
despundonorosidade s.f.
despundonoroso (*ô*) adj.; f. (*ó*); pl. (*ó*)
despurificação s.f.
despurificado adj.
despurificador (*ô*) adj. s.m.
despurificante adj.2g.
despurificar v.
despurificável adj.2g.
desquadrado adj.
desquadrar v.
desquadrilado adj.
desquadrilhar v.
desquadrinhar v.
desqualificação s.f.
desqualificado adj. s.m.
desqualificador (*ô*) adj. s.m.
desqualificante adj.2g.
desqualificar v.
desqualificativo adj. s.m.
desqualificável adj.2g.
desquamar v.
desquartado adj.
desquartar v.
desquartinar v.
desquebrado adj.
desquebrar v.
desqueixado adj.
desqueixador (*ô*) adj. s.m.
desqueixar v.
desqueixelado adj.
desqueixolado adj.
desqueixolar v.
desquerer v.
desquerido adj.
desquiciado adj.
desquiciar v.
desquietação s.f.
desquietado adj.
desquietador (*ô*) adj. s.m.
desquietante adj.2g.
desquietar v.
desquitação s.f.
desquitado adj. s.m.
desquitando adj. s.m.
desquitante adj.2g.
desquitar v.
desquitável adj.2g.
desquite s.m.
desrabado adj.
desrabamento s.m.
desrabar v.
desraigar v.
desraizado adj.
desraizamento s.m.
desraizar v.
desraizável adj.2g.
desrama s.f.
desramado adj.
desramagem s.f.
desramar v.
desramável adj.2g.
desrame s.f.
desratado adj.
desratar v.
desratização s.f.
desratizado adj.
desratizador (*ô*) adj. s.m.
desratizante adj.2g.
desratizar v.
desratizável adj.2g.
desrazão s.f.
desrazoado adj.
desrazoável adj.2g.
desrealização s.f.
desrebuçado adj.
desrecalcação s.f.
desrecalcado adj.
desrecalcamento s.m.
desrecalcante adj.2g.
desrecalcar v.
desrecalcável adj.2g.
desrecalque s.m.
desrefolhado adj.
desrefolhar v.
desrefolho (*ô*) s.m.; cf. *desrefolho*, fl. do v. *desrefolhar*
desreger v.
desregido adj.
desregrado adj. s.m.
desregramento s.m.
desregrar v.
desregulação s.f.
desregulado adj.
desregulamentação s.f.
desregulamentar v.
desregular v.
desrelacionado adj. s.m.
desrelvado adj.
desrelvar v.
desremediado adj. s.m.
desremediar v.
desrepressão s.f.
desreprimir v.
desrepublicanização s.f.
desrepublicanizado adj.
desrepublicanizar v.
desresinação s.f.
desresinar v.
desrespeitabilidade s.f.
desrespeitado adj.
desrespeitador (*ô*) adj. s.m.
desrespeitar v.
desrespeito s.m.
desrespeitoso (*ô*) adj.; f. (*ó*); pl. (*ó*)
desresponsabilização s.f.
desresponsabilizado adj.
desresponsabilizar v.
desresponsabilizável adj.2g.
desretratação s.f.
desretratado adj.
desretratar v.
desreverência s.f.
desreverente adj. s.2g.
desrevestido adj.
desrevestir v.
desriçado adj.
desriçar v.
desriscado adj.
desriscar v.
desriso s.m.
desrisonhar v.
desrizar v.
desrochação s.f.
desrochado adj.
desrochar v.
desrolhado adj.
desrolhador (*ô*) adj. s.m.
desrolhamento s.m.
desrolhar v.
desromanização s.f.
desromanizado adj.
desromanizar v.
desromantização s.f.
desromantizado adj.
desromantizador (*ô*) adj. s.m.
desromantizante adj.2g.
desromantizar v.
desromantizável adj.2g.
desroscado adj.
desroscar v.
desroupado adj.
desroupar v.
desrugado adj.
desrugar v.
desruidoso (*ô*) adj.; f. (*ó*); pl. (*ó*)
desrumado adj.
desrumar v.
desrussificação s.f.
desrussificado adj.
desrussificador (*ô*) adj. s.m.
desrussificamento s.m.
desrussificante adj.2g.
desrussificar v.
desrussificável adj.2g.
dessabedor (*ô*) adj. s.m.
dessabença s.f.
dessaber v.
dessabido adj.
dessabor (*ô*) s.m. "falta de sabor"; cf. *dissabor*
dessaborado adj.
dessaborar v.
dessaboreação s.f.
dessaboreada s.f.
dessaboreado adj.
dessaborear v. "tornar insípido"; cf. *dissaborear*
dessaborido adj. "insípido"; cf. *dissaborido*
dessaboroso (*ô*) adj.; f. (*ó*); pl. (*ó*)
dessaburrado adj.
dessaburrar v.
dessacração s.f.
dessacrado adj.
dessacralização s.f.
dessacralizado adj.
dessacralizante adj.2g.
dessacralizar v.
dessacralizável adj.2g.
dessacramento s.m.
dessacrante adj.2g.
dessacrar v.
dessacrável adj.2g.
dessagrado adj.
dessagrante adj.2g.
dessagrar v.
dessagrável adj.2g.
dessaí adj.2g. s.m.; f. *dessaína*
dessaiado s.m.
dessaibrado adj.
dessaibrar v.
dessaína s.f. de *dessaí*
dessainado adj.
dessainar v.
dessalação s.f.
dessalado adj.
dessalador (*ô*) adj.
dessalamento s.m.
dessalante adj.2g.
dessalar v.
dessalável adj.2g.
dessalgação s.f.
dessalgado adj.
dessalgador (*ô*) adj. s.m.
dessalgamento s.m.
dessalgante adj.2g.
dessalgar v.
dessalgável adj.2g.
dessalificação s.f.
dessalificado adj.
dessalificador (*ô*) adj.
dessalificante adj.2g.
dessalificar v.
dessalificável adj.2g.
dessalinificação s.f.
dessalinificado adj.
dessalinificador (*ô*) adj.
dessalinificante adj.2g.
dessalinificar v.
dessalinificável adj.2g.
dessalinização s.f.
dessalinizado adj.
dessalinizador (*ô*) adj.
dessalinizante adj.2g.
dessalinizar v.
dessalinizável adj.2g.
dessalitração s.f.
dessalitrado adj.
dessalitrador (*ô*) adj. s.m.
dessalitrante adj.2g.
dessalitrar v.
dessalitrável adj.2g.
dessamoucado adj.
dessamoucar v.
dessangradeiro s.m.
dessangrado adj.
dessangramento s.m.
dessangrante adj.2g.
dessangrar v.
dessangrável adj.2g.
dessar v.
dessarrado adj.
dessarrar v.
dessarroado adj.
dessarroar v.
dessarte adv.
dessatisfação s.f.
dessatisfazente adj.2g.
dessatisfazer v.
dessatisfeito adj.
dessaudar v.
dessaudoso (*ô*) adj.; f. (*ó*); pl. (*ó*)
dessazonado adj.
dessazonar v.
desse (*ê*) contr. de *de* e *esse* (*ê*); cf. *desse*, fl. do v. *dar*
dessecação s.f.; cf. *dissecação*
dessecado adj.; cf. *dissecado*
dessecador (*ô*) adj. s.m.; cf. *dissecador*
dessecagem s.f.
dessecamento s.m.
dessecante adj.2g. s.m.; cf. *dissecante*
dessecar v. "secar"; cf. *dissecar*
dessecativo adj. s.m.
dessecável adj.2g.
dessedentação s.f.
dessedentado adj.
dessedentador (*ô*) adj. s.m.
dessedentamento s.m.
dessedentante adj.2g.
dessedentar v.
dessedentável adj.2g.
dessegredado adj.
dessegredar v.
dessegredável adj.2g.
dessegredo (*ê*) s.m.; cf. *dessegredo*, fl. do v. *dessegredar*
dessegregação s.f.
dessegregado adj.
dessegregador (*ô*) adj.
dessegregamento s.m.
dessegregante adj.2g.
dessegregar v.
dessegregatório adj.
dessegregável adj.2g.
desseguido adj.
desseguir v.
dessegurado adj.
dessegurador (*ô*) adj. s.m.
dessegurança s.f.
dessegurar v.
dessegurável adj.2g.
desseinado adj.
desseinar v.
desseivado adj.
desseivagem s.f.
desseivar v.
desselado adj.
desselar v.
dessemelhação s.f.
dessemelhado adj.
dessemelhador (*ô*) adj. s.m.
dessemelhança s.f.
dessemelhante adj.2g.
dessemelhar v.
dessemelhável adj.2g.
dessensibilização s.f.
dessensibilizado adj.
dessensibilizador (*ô*) adj. s.m.
dessensibilizante adj.2g. s.m.
dessensibilizar v.
dessensibilizável adj.2g.
dessentido adj.; cf. *dissentido*
dessentidor (*ô*) adj. s.m.; cf. *dissentidor*
dessentimento s.m.; cf. *dissentimento*
dessentir v. "não sentir"; cf. *dissentir*
dessentível adj.2g.; cf. *dissentível*
dessepultado adj.
dessepultamento s.m.
dessepultar v.
dessepultável adj.2g.
dessepulto adj. s.m.
dessequioso (*ô*) adj.; f. (*ó*); pl. (*ó*)
desservente adj. s.2g.
desserviçal adj.2g.
desserviço s.m.
desservido adj.
desservidor (*ô*) adj. s.m.
desservir v.
desservível adj.2g.
dessesmado adj.
dessesmar v.
dessexuação (*cs*) s.f.
dessexuado (*cs*) adj.
dessexualização (*cs*) s.f.
dessexualizado (*cs*) adj.

dessexualizador (*cs...ô*) adj. s.m.
dessexualizante (*cs*) adj.2g.
dessexualizar (*cs*) v.
dessexualizável (*cs*) adj.2g.
dessexuante (*cs*) adj.2g.
dessexuar (*cs*) v.
dessexuável (*cs*) adj.2g.
dessilicado adj.
dessilicante adj.2g.
dessilicar v.
dessilicatação s.f.
dessilicatar v.
dessilicável adj.2g.
dessilicificação s.f.
dessilicificado adj.
dessilicificante adj.2g.
dessilicificar v.
dessilicificável adj.2g.
dessimetria s.f.
dessimétrico adj.
dessimpatia s.f.
dessimpático adj.
dessimpatizado adj.
dessimpatizante adj. s.2g.
dessimpatizar v.
dessimpatizável adj.2g.
dessinalação s.f.
dessinalado adj.
dessinalamento s.m.
dessinalante adj.2g.
dessinalar v.
dessinalável adj.2g.
dessincronização s.f.
dessincronizar v.
dessintonia s.f.
dessintônico adj.
dessintonização s.f.
dessintonizado adj.
dessintonizador (*ô*) adj.
dessintonizante adj.2g.
dessintonizar v.
dessintonizável adj.2g.
dessiso s.m.
dessistema s.m.
dessisudo adj.
dessitiado adj.
dessitiar v.
dessituado adj.
dessoado adj.; cf. *dessuado*
dessoalhado adj.
dessoalhar v.
dessoante adj.2g.
dessoar v. "destoar"; cf. *dessuar*
dessobraçado adj.
dessobraçar v.
dessobressaltado adj.
dessocado adj.
dessocar v.
dessocável adj.2g.
dessocialização s.f.
dessocializar-se v.
dessociável adj.2g.; cf. *dissociável*
dessoçobrado adj.
dessoçobrar v.
dessoçobro (*ô*) s.m.; cf. *dessoçobro*, fl. do v. *dessoçobrar*
dessocorrer v.
dessocorrido adj.
dessocorrível adj.2g.
dessolado adj.
dessolar v.
dessoldado adj.
dessoldadura s.f.
dessoldar v.
dessolhar v.
dessolidarizado adj.
dessolidarizador (*ô*) adj.
dessolidarizante adj.2g.
dessolidarizar v.
dessolidarizável adj.2g.
dessolvatado adj.
dessolvatar v.
dessonoro adj.
dessorado adj.
dessorador (*ô*) adj. s.m.
dessoradouro s.m.
dessoragem s.f.
dessoramento s.m.
dessorante adj.2g.
dessorar v.
dessorável adj.2g.
dessorção s.f.
dessorrido adj.
dessorrir v.
dessorteado adj.
dessortear v.
dessorvático adj.
dessorvato s.m.
dessorvedor (*ô*) adj.
dessorvente adj.2g. s.m.
dessorver v.
dessorvido adj.
dessorvimento s.m.
dessorvível adj.2g.
dessossegado adj.
dessossegador (*ô*) adj. s.m.
dessossegante adj.2g.
dessossegar v.
dessossegável adj.2g.
dessossego (*ê*) s.m.; cf. *dessossego*, fl. do v. *dessossegar*
dessoterrado adj.
dessoterrador (*ô*) adj.
dessoterramento s.m.
dessoterrante adj.2g.
dessoterrar v.
dessoterrável adj.2g.
dessoutro contr. de *desse* (*ê*) e *outro*
dessovado adj.
dessuado adj.; cf. *dessoado*
dessuar v. "não suar"; cf. *dessoar*
dessubjugado adj.
dessubjugar v.
dessublimação s.f.
dessublimado adj.
dessublimar v.
dessubstanciado adj.
dessubstanciar v.
dessudação s.f.
dessudado adj.
dessudador (*ô*) adj. s.m.
dessudante adj.2g.
dessudar v.
dessudável adj.2g.
dessueto adj.
dessuetude s.f.
dessujado adj.
dessujar v.
dessujeito adj.
dessujo adj.
dessulfonação s.f.
dessulfonar v.
dessulfuração s.f.
dessulfurado adj.
dessulfurador (*ô*) adj.
dessulfurante adj.2g.
dessulfurar v.
dessulfurativo adj.
dessulfurável adj.2g.
dessulfurização s.f.
dessulfurizado adj.
dessulfurizador (*ô*) adj.
dessulfurizante adj.2g.
dessulfurizar v.
dessulfurizativo adj.
dessulfurizável adj.2g.
dessultor (*ô*) s.m.
dessultório adj.
dessumido adj.
dessumir v.
dessurado adj.
dessurdo adj.
dessurrado adj.
dessurrar v.
dessuspeitoso (*ô*) adj., f. (*ó*); pl. (*ó*)
destabacado adj.
destabada s.f.
destabado adj.
destabocada s.f.
destabocado adj.
destabocamento s.m.
destabocar v.
destacada s.f.
destacado adj. s.m.
destacador (*ô*) adj.
destacamento s.m.
destacante adj.2g.
destacar v.
destacável adj.2g.
destala s.f.
destalado adj.
destalar v.
destalento s.m.
destalentoso (*ô*) adj.; f. (*ó*); pl. (*ó*)
destalhado adj.
destalhar v.
destalheira s.f.
destalho s.m.
destalingado adj.
destalingar v.
destampação s.f.
destampado adj.
destampadoiro s.m.
destampador (*ô*) adj. s.m.
destampadouro s.m.
destampadura s.f.
destampamento s.m.
destampante adj.2g.
destampar v.
destampativo adj.
destampatória s.f.
destampatório adj. s.m.
destampo s.m.
destanchado adj.
destanchagem s.f.
destanchar v.
destanização s.f.
destanizado adj.
destanizador (*ô*) adj.
destanizante adj.2g.
destanizar v.
destanizável adj.2g.
destapado adj.
destapador (*ô*) adj.
destapamento s.m.
destapante adj.2g. s.m.
destapar v.
destapatório adj.
destapável adj.2g.
destaque s.m.
destaqueado adj.
destaqueamento s.m.
destaquear v.
destarado adj.
destaramelado adj.
destaramelar v.
destarar v.
destarelado adj.
destarrachar v.
destarte adv.
deste (*ê*) contr. de *de* e *este* (*ê*); cf. *deste*, fl. do v. *dar*
destecedor (*ô*) adj.
destecedura s.f.
destecelagem s.f.
destecer v.
destecido adj.
desteladeira s.f.
destelado adj.
destelar v.
destelhado adj.
destelhamento s.m.
destelhar v.
destelhável adj.2g.
destelo (*ê*) s.m.; cf. *destelo*, fl. do v. *destelar*
destemer v.
destemerosidade s.f.
destemeroso (*ô*) adj.; f. (*ó*); pl. (*ó*)
destemidez (*ê*) s.f. "intrepidez"; cf. *destimidez* (*ê*)
destemido adj. "intrépido"; cf. *destímido*
destemor (*ô*) s.m.
destêmpera s.f.; cf. *destempera*, fl. do v. *destemperar*
destemperação s.f.
destemperado adj. s.m.
destemperador (*ô*) adj.
destemperamento s.m.
destemperança s.f.
destemperante adj.2g.
destemperar v.
destempero (*ê*) s.m.; cf. *destempero*, fl. do v. *destemperar*
destempo s.m.; na loc. *a destempo, ao destempo*
desténs s.m.pl.
desteridade s.f.
desterneirado adj.
desterneirar v.
desterrado adj. s.m.
desterrador (*ô*) adj. s.m.
desterramento s.m.
desterrante adj.2g.
desterraplenado adj.
desterraplenador (*ô*) adj. s.m.
desterraplenagem s.f.
desterraplenar v.
desterraplenável adj.2g.
desterrar v.
desterrativo adj.
desterratório adj.
desterrável adj.2g.
desterrense adj. s.2g.
desterro (*ê*) s.m.; cf. *desterro*, fl. do v. *desterrar*
desterroado adj.
desterroador (*ô*) adj. s.m.
desterroamento s.m.
desterroar v.
desterro-entre-riano adj. s.m.; pl. *desterro-entre-rianos*
desterro-entre-riense adj. s.2g.; pl. *desterro-entre-rienses*
desterro-maltense adj. s.2g.; pl. *desterro-maltenses*
desterro-melense adj. s.2g.; pl. *desterro-melenses*
destetadeira s.f.
destetado adj.
destetar v.
destilação s.f.
destiladeira s.f.
destilado adj. s.m.
destilador (*ô*) adj. s.m.
destilamento s.m.
destilante adj.2g.
destilar v.
destilaria s.f.
destilativo adj.
destilatório adj.
destilável adj.2g.
destimezita s.f.
destimidez (*ê*) s.f. "não timidez"; cf. *destemidez* (*ê*)
destímido adj. "não tímido"; cf. *destemido*
destinação s.f.
destinado adj.
destinador (*ô*) adj. s.m.
destinante adj.2g.
destinar v.
destinatário s.m.
destinativo adj.
destinatório adj.
destinável adj.2g.
destingido adj.
destingidor (*ô*) adj. s.m.
destingir v.
destingível adj.2g.
destino s.m.
destintagem s.f.
destinto adj. "destingido"; cf. *distinto*
destintura s.f.
destiranizado adj.
destiranizar v.
destisna s.f.
destisnado adj.
destisnar v.
destituição s.f.
destituído adj.
destituidor (*ô*) adj. s.m.
destituinte adj.2g.
destituir v.
destituível adj.2g.
destitutório adj.
destoação s.f.
destoado adj.
destoador (*ô*) adj.
destoante adj.2g.
destoar v.
destoável adj.2g.
destoca s.f.
destocação s.f.
destocado adj.
destocador (*ô*) adj. s.m.
destocamento s.m.
destocante adj.2g.
destocar v. "arrancar toco, reparar"; cf. *destoucar*
destocável adj.2g.
destoitiçado adj.
destoitiçar v.
destoituçado adj.
destoldado adj.
destoldar v.
destolhedor (*ô*) adj.
destolher v.
destolhido adj.
destolhimento s.m.
destom s.m.
destombamento s.m.
destombar v.
destonado adj.
destonar v.
destopadeira s.f.
destopeteação s.f.
destopeteado adj.
destopetear v.
destorado adj.
destorar v.
destorção s.f.; cf. *distorção*
destorcedor (*ô*) adj. s.m.
destorcente adj.2g.; cf. *distorcente*
destorcer v. "endireitar"; cf. *distorcer*
destorcido adj.; cf. *distorcido*
destorcimento s.m.; cf. *distorcimento*
destorcível adj.2g.; cf. *distorcível*
destornilhado adj.
destornilhar v.
destorpecedor (*ô*) adj.
destorpecente adj.2g. s.m.
destorpecer v.
destorpecido adj.
destorpecimento s.m.
destorpecível adj.2g.
destorroado adj.
destorroador (*ô*) adj. s.m.
destorroamento s.m.
destorroante adj.2g.
destorroar v.
destorvar v.
destoucado adj.
destoucar v. "tirar a touca"; cf. *destocar*
destouticado adj.
destoutiçado adj.
destoutiçar v.
destoutro contr. de *deste* (*ê*) e *outro*
destoutuçado adj.
destoutuçar v.
destoxificação (*cs*) s.f.
destoxificado (*cs*) adj.
destoxificar (*cs*) v.
destra (*ê* ou *é*) s.f.
destraçado adj.
destraçar v.
destragado adj.
destragar v.
destrago s.m.
destrajado adj.
destrajar v.
destramado adj.
destramar v.
destramável adj.2g.
destrambelhado adj. s.m.
destrambelhamento s.m.
destrambelhar v.
destrambelhável adj.2g.
destrambelho (*ê*) s.m.
destramelado adj.
destramelar v.
destramenhado adj.
destrancado adj.
destrançado adj.
destrancador (*ô*) adj.
destrançador (*ô*) adj.
destrancamento s.m.
destrançamento s.m.
destrancante adj.2g.
destrançante adj.2g.

destrancar v.
destrançar v.
destrancável adj.2g.
destrançável adj.2g.
destranque s.m.
destratado adj.; cf. *distratado*
destratador (*ô*) adj. s.m.; cf. *distratador*
destratamento s.m.; cf. *distratamento*
destratante adj.2g.; cf. *distratante*
destratar v. "insultar"; cf. *distratar*
destratável adj.2g.; cf. *distratável*
destrato s.m.; cf. *distrato*
destravação s.f.
destravada s.f.
destravado adj.
destravador (*ô*) adj. s.m.
destravagem s.f.
destravamento s.m.
destravancado adj.
destravancador (*ô*) adj.
destravancante adj.2g.
destravancar v.
destravancável adj.2g.
destravante adj.2g.
destravar v.
destravável adj.2g.
destravessado adj.
destravessar v.
destreinado adj.
destreinador (*ô*) adj.
destreinamento s.m.
destreinar v.
destreinável adj.2g.
destreino s.m.
destrelado adj.
destrelar v.
destrepado adj.
destrepar v.
destreza (*ê*) s.f.
destribação s.f.
destribado adj.
destribalização s.f.
destribalizado adj.
destribalizador (*ô*) adj.
destribalizante adj.2g.
destribalizar v.
destribalizável adj.2g.
destribar v.
destriçar v.
destridade s.f.
destrigado adj.
destrigar v.
destrimanismo s.m.
destrimanístico adj.
destrímano adj. s.m.
destrímetro s.m.
destrinça s.f.
destrincado adj.
destrinçado adj.
destrinçador (*ô*) adj. s.m.
destrinçante adj.2g.
destrincar v.
destrinçar v.
destrincável adj.2g.
destrinçável adj.2g.
destrince s.m.
destrinchado adj.
destrinchador (*ô*) adj. s.m.
destrinchamento s.m.
destrinchante adj.2g.
destrinchar v.
destrinchável adj.2g.
destripação s.f.
destripado adj.
destripador (*ô*) adj. s.m.
destripamento s.m.
destripar v.
destripável adj.2g.
destripulado adj.
destripular v.
destrismo s.m.
destrista adj. s.2g.
destristecedor (*ô*) adj. s.m.
destristecer v.
destristecido adj.
destrístico adj.
destro (*ê* ou *é*) adj. s.m.
destroca s.f.
destrocado adj.
destroçado adj.
destrocador (*ô*) adj. s.m.
destroçador (*ô*) adj. s.m.
destrocante adj.2g.
destroçante adj.2g.
destrocar v.
destroçar v.
destroçável adj.2g.
destroço (*ô*) s.m.; pl. (*ó*)
destrógrado adj.
destróier s.m.
destronação s.f.
destronado adj.
destronador (*ô*) adj. s.m.
destronamento s.m.
destronante adj.2g.
destronar v.
destronável adj.2g.
destroncada s.f.
destroncadela s.f.
destroncado adj.
destroncador (*ô*) adj. s.m.
destroncamento s.m.
destroncante adj.2g.
destroncar v.
destroncável adj.2g.
destronização s.f.
destronizado adj.
destronizador (*ô*) adj. s.m.
destronizante adj.2g.
destronizar v.
destronizável adj.2g.
destronque s.m.
destronquecido adj.
destropilhado adj.
destropilhar v.
destrucionismo s.m.
destrucionista adj. s.2g.
destruente adj.2g.
destrugido adj. s.m.
destrugir v.
destruição s.f.
destruído adj.
destruidor (*ô*) adj. s.m.
destruimento s.m.
destruir v.
destruível adj.2g.
destrunfado adj.
destrunfar v.
destrunfável adj.2g.
destrutibilidade s.f.
destrutível adj.2g.
destrutividade s.f.
destrutivismo s.m.
destrutivista adj. s.2g.
destrutivístico adj.
destrutivo adj.
destrutor (*ô*) adj. s.m.
desturvado adj.
desturvar v.
destutelado adj.
destutelar v.
destutelável adj.2g.
desugado adj.
desugar v.
desultrajado adj.
desultrajador (*ô*) adj. s.m.
desultrajante adj.2g.
desultrajar v.
desultrajável adj.2g.
desultrajoso (*ô*) adj.; f. (*ó*); pl. (*ó*)
desumanação s.f.
desumanado adj.
desumanador (*ô*) adj. s.m.
desumanal adj.2g.
desumanante adj.2g.
desumanar v.
desumanável adj.2g.
desumanidade s.f.
desumanização s.f.
desumanizado adj.
desumanizador (*ô*) adj. s.m.
desumanizante adj.2g.
desumanizar v.
desumanizável adj.2g.
desumano adj.
desumbrado adj.
desumectante adj.2g. s.m.
desumectar v.
desumedecer v.
desumedecido adj.
desumedecimento s.m.
desumedecível adj.2g.
desumidificação s.f.
desumidificado adj.
desumidificador (*ô*) adj. s.m.
desumidificante adj.2g.
desumidificar v.
desumidificável adj.2g.
desumilde adj.2g.
desumir v.
desunhado adj.
desunhar v.
desunião s.f.
desunidade s.f.
desunido adj.
desunidor (*ô*) adj. s.m.
desunificação s.f.
desunificado adj.
desunificador (*ô*) adj. s.m.
desunificante adj.2g.
desunificar v.
desunificativo adj.
desunificável adj.2g.
desuniforme adj.2g.
desuniformidade s.f.
desunir v.
desunível adj.2g.
desurbanidade s.f.
desurbanização s.f.
desurbanizado adj.
desurbanizador (*ô*) adj.
desurbanizante adj.2g.
desurbanizar v.
desurbanizável adj.2g.
desurbano adj.
desurdido adj.
desurdidor (*ô*) adj. s.m.
desurdidura s.f.
desurdimento s.m.
desurdir v.
desurdível adj.2g.
desusado adj.
desusança s.f.
desusar v.
desusável adj.2g.
desuso s.m.
desútil adj.2g.
desutilidade s.f.
desuviate adj. s.2g.
desvacação s.f.
desvacado adj.
desvacar v.
desvaecer v.
desvaecido adj.
desvaecimento s.m.
desvaecível adj.2g.
desvaidade s.f.
desvaído adj.
desvaidor (*ô*) adj.
desvaidoso (*ô*) adj.; f. (*ó*); pl. (*ó*)
desvaimento s.m.
desvair v.
desvairado adj. s.m.
desvairador (*ô*) adj.
desvairamento s.m.
desvairança s.f.
desvairante adj.2g.
desvairar v.
desvairável adj.2g.
desvaire s.m.
desvairo s.m.
desvairoso (*ô*) adj.; f. (*ó*); pl. (*ó*)
desvaível adj.2g.
desvalado adj.
desvaledor (*ô*) adj. s.m.
desvalença s.f.; na loc. *à desvalença*
desvalente adj.2g.
desvaler v.
desvalia s.f.
desvaliação s.f.
desvaliado adj.
desvaliador (*ô*) adj.
desvaliar v.
desvalidação s.f.
desvalidado adj.
desvalidante adj.2g.
desvalidar v.
desvalidável adj.2g.
desvalido adj. s.m.
desvalijado adj.
desvalijamento s.m.
desvalijar v.
desvalimento s.m.
desvalioso (*ô*) adj.; f. (*ó*); pl. (*ó*)
desvalisado adj.
desvalisamento s.m.
desvalisar v.
desvalor (*ô*) s.m.
desvaloração s.f.
desvalorado adj.
desvalorador (*ô*) adj. s.m.
desvalorante adj.2g.
desvalorar v.
desvalorativo adj.
desvaloratório adj.
desvalorável adj.2g.
desvalorização s.f.
desvalorizado adj.
desvalorizador (*ô*) adj. s.m.
desvalorizante adj.2g.
desvalorizar v.
desvalorizativo adj.
desvalorizatório adj.
desvalorizável adj.2g.
desvaloroso (*ô*) adj.; f. (*ó*); pl. (*ó*)
desvalvulado adj.
desvalvular v.
desvanado adj.
desvaneado adj.
desvanear v.
desvaneável adj.2g.
desvanecedor (*ô*) adj. s.m.
desvanecente adj.2g.
desvanecer v.
desvanecido adj.
desvanecimento s.m.
desvanecível adj.2g.
desvaneio s.m.
desvantagem s.f.
desvantajoso (*ô*) adj.; f. (*ó*); pl. (*ó*)
desvão s.m.; pl. *desvãos*
desvarado adj.
desvaramento s.m.
desvarar v.
desvariado adj.
desvariar v.
desvariável adj.2g.
desvaricado adj.
desvario s.m.
desvascularização s.f.
desvascularizado adj.
desvascularizar v.
desvascularizável adj.2g.
desvassalado adj.
desvassalar v.
desvassalável adj.2g.
desvatado adj.
desvelação s.f.
desvelado adj.
desvelador (*ô*) adj. s.m.
desvelamento s.m.
desvelante adj.2g.
desvelar v.
desvelável adj.2g.
desvelejado adj.
desvelejar v.
desvelejável adj.2g.
desvelo (*ê*) s.m.; cf. *desvelo*, fl. do v. *desvelar*
desvencilhado adj.
desvencilhador (*ô*) adj. s.m.
desvencilhamento s.m.
desvencilhante adj.2g.
desvencilhar v.
desvencilhável adj.2g.
desvendado adj.
desvendador (*ô*) adj. s.m.
desvendamento s.m.
desvendante adj.2g.
desvendar v.
desvendável adj.2g.
desveneração s.f.
desvenerado adj.
desvenerar v.
desvenerável adj.2g.
desvenoso (*ô*) adj.; f. (*ó*); pl. (*ó*)
desventoso (*ô*) adj.; f. (*ó*); pl. (*ó*)
desventração s.f.
desventrado adj.
desventrador (*ô*) adj. s.m.
desventramento s.m.
desventrante adj.2g.
desventrar v.
desventrável adj.2g.
desventura s.f.
desventurado adj.
desventurar v.
desventuroso (*ô*) adj.; f. (*ó*); pl. (*ó*)
desver v.
desverde (*ê*) adj.2g.
desverdecedor (*ô*) adj. s.m.
desverdecente adj.2g.
desverdecer v.
desverdecido adj.
desverdecimento s.m.
desverdecível adj.2g.
desvergonha s.f.
desvergonhado adj. s.m.
desvergonhamento s.m.
desvergonhante adj.2g.
desvergonhar v.
desvergonhável adj.2g.
desvergonhoso (*ô*) adj.; f. (*ó*); pl. (*ó*)
desverminação s.f.
desverminar v.
desvertebração s.f.
desvertebrado adj.
desvertebrante adj.2g.
desvertebrar v.
desverticalização s.f.
desverticalizado adj.
desverticalizar v.
desvestido adj.
desvestir v.
desvezado adj.
desvezar v.
desviação s.f.
desviacionismo s.m.
desviacionista adj. s.m.
desviacionístico adj.
desviado adj. s.m.
desviador (*ô*) adj. s.m.
desviante adj.2g.
desviar v.
desviável adj.2g.
desviçado adj.
desviçoso (*ô*) adj.; f. (*ó*); pl. (*ó*)
desvidraçado adj.
desvidraçar v.
desvidrado adj.
desvidrar v.
desviense adj. s.2g.
desvigado adj.
desvigar v.
desvigiado adj.
desvigiar v.
desvigorado adj.
desvigorador (*ô*) adj.
desvigoramento s.m.
desvigorante adj.2g.
desvigorar v.
desvigorável adj.2g.
desvigorização s.f.
desvigorizado adj.
desvigorizador (*ô*) adj. s.m.
desvigorizante adj.2g.
desvigorizar v.
desvigorizável adj.2g.
desvigoroso (*ô*) adj.; f. (*ó*); pl. (*ó*)
desvincado adj.
desvincador (*ô*) adj.
desvincamento s.m.
desvincante adj.2g.
desvincar v.
desvincável adj.2g.
desvincilhar v.
desvinculação s.f.
desvinculado adj.

desvinculador (ô) adj.
desvinculante adj.2g.
desvincular v.
desvinculável adj.2g.
desvingado adj.
desvio s.m.
desvio-machadense adj. s.2g.; pl. *desvio-machadenses*
desviômetro s.m.
desvio-ribense adj. s.2g.; pl. *desvio-ribenses*
desvirado adj.
desviramento s.m.
desvirar v.
desvirgado adj.
desvirgar v.
desvirginado adj.
desvirginador (ô) adj. s.m.
desvirginamento s.m.
desvirginante adj.2g.
desvirginar v.
desvirginável adj.2g.
desvirginização adj.
desvirginizado adj.
desvirginizador (ô) adj. s.m.
desvirginizante adj.2g.
desvirginizar v.
desvirginizável adj.2g.
desvirgulado adj.
desvirgular v.
desviril adj.2g.
desvirilidade s.f.
desvirilização s.f.
desvirilizado adj.
desvirilizador (ô) adj.
desvirilizante adj.2g.
desvirilizar v.
desvirilizável adj.2g.
desvirtuação s.f.
desvirtuado adj.
desvirtuador (ô) adj.
desvirtuamento s.m.
desvirtuante adj.2g.
desvirtuar v.
desvirtuável adj.2g.
desvirtude s.f.
desvirtuosidade s.f.
desvirtuoso (ô) adj.; f. (ó); pl. (ó)
desvisão s.f.
desviscerado adj.
desviscerador (ô) adj.
desviscerante adj.2g.
desviscerar v.
desviscerável adj.2g.
desvisgado adj.
desvisgar v.
desvisto adj.
desvitalização s.f.
desvitalizado adj.
desvitalizador (ô) adj.
desvitalizante adj.2g.
desvitalizar v.
desvitalizável adj.2g.
desvitaminação s.f.
desvitaminado adj.
desvitaminador (ô) adj.
desvitaminante adj.2g.
desvitaminar v.
desvitaminável adj.2g.
desvitaminização s.f.
desvitaminizado adj.
desvitaminizante adj.2g.
desvitaminizar v.
desvitaminizável adj.2g.
desvitrificação s.f.
desvitrificado adj.
desvitrificador (ô) adj.
desvitrificante adj.2g.
desvitrificar v.
desvitrificável adj.2g.
desvivente adj.2g.
desviver v.
desvivido adj.
desvivível adj.2g.
desvizinhado adj.
desvizinhar v.
desvizinho adj. s.m.
desvocalização s.f.
desvocalizado adj.
desvocalizador (ô) adj.
desvocalizante adj.2g.
desvocalizar v.
desvocalizável adj.2g.
desvolumado adj.
desvolumar v.
desvoluntariado adj.
desvoluntariar v.
desvolvado adj.
desvulcanização s.f.
desvulcanizado adj.
desvulcanizador (ô) adj.
desvulcanizante adj.2g.
desvulcanizar v.
desvulcanizável adj.2g.
desvulgarização s.f.
desvulgarizado adj.
desvulgarizador (ô) adj.
desvulgarizante adj.2g.
desvulgarizar v.
desvulgarizável adj.2g.
deswattado adj.
desxadrezado adj.
desxadrezar v.
desxaretado adj.
desxaretar v.
deszelado adj.
deszelar v.
deszincado adj.
deszincar v.
deszincicação s.f.
deszincificação s.f.
detalhação s.f.
detalhado adj.
detalhador (ô) adj. s.m.
detalhamento s.m.
detalhante adj.2g.
detalhar v.
detalhável adj.2g.
detalhe s.m.
detalhismo s.m.
detalhista adj. s.2g.
detalhístico adj.
detalonagem s.f.
detardação s.f.
detardado adj.
detardador (ô) adj.
detardança s.f.
detardante adj.2g.
detardar v.
detardável adj.2g.
detecção s.f.
detectabilidade s.f.
detectado adj.
detectador (ô) adj. s.m.
detectafone s.m.
detectafonia s.f.
detectafono s.m.
detectante adj.2g.
detectar v.
detectável adj.2g.
detective s.m.
detector (ô) adj. s.m.
detectora (ô) s.f.
detença s.f.
detençado adj.
detenção s.f.
detençar v.
detençor (ô) adj. s.m.
detençoso (ô) adj.; f. (ó); pl. (ó)
detenedor (ô) adj. s.m.
detento s.m.
detentor (ô) adj. s.m.
deter v.
detergedor (ô) adj.
detergência s.f.
detergente adj.2g. s.m.
detergido adj.
detergir v.
detergitivo adj. s.m.
detergível adj.2g.
deterior (ô) adj.2g.
deterioração s.f.
deteriorado adj.
deteriorador (ô) adj. s.m.
deterioramento s.m.
deteriorante adj.2g.
deteriorar v.
deteriorável adj.2g.
determinabilidade s.f.
determinação s.f.
determinado adj.
determinador (ô) adj. s.m.
determinante adj.2g. s.m.f.
determinar v.
determinatividade s.f.
determinativo adj.
determinatório adj.
determinável adj.2g.
determinismo s.m.
determinista adj. s.2g.
determinístico adj.
detersão s.f.
detersivo adj.
detersório adj.
detestação s.f.
detestado adj.
detestador (ô) adj. s.m.
detestando adj.
detestante adj.2g.
detestar v.
detestável adj.2g.
detetabilidade s.f.
detetado adj.
detetador (ô) adj. s.m.
detetafone s.m.
detetafonia s.f.
detetafono s.m.
detetante adj.2g.
detetar v.
detetável adj.2g.
detetive s.m.
detetivesco (ê) adj.
detetor (ô) adj. s.m.
detetora (ô) s.f.
detido adj. s.m.
detimento s.m.
detonação s.f.
detonado adj.
detonador (ô) adj. s.m.
detonante adj.2g. s.m.
detonar v.
detonável adj.2g.
detono s.m.
detorado adj.
detorar v.
detração s.f.
detraente adj.2g.
detraído adj.
detraidor (ô) adj. s.m.
detrair v.
detraível adj.2g.
detramado adj.
detramar v.
detrás adv.
detratação s.f.
detratado adj.
detratador (ô) adj. s.m.
detratante adj. s.2g.
detratar v.
detratável adj.2g.
detrativo adj.
detrator (ô) adj. s.m.
detre s.f.
detrectar v.
detrição s.f.
detrimento s.m.
detrimentoso (ô) adj.; f. (ó); pl. (ó)
detrinçar v.
detritário adj.
detrítico adj.
detritívoro adj. s.m.
detrito s.m.
detritóvoro adj. s.m.
detronar v.
detruncar v.
detrusão s.f.
detruso s.m.
detrusor (ô) s.m.
detuaná adj. s.2g.
detumescedor (ô) adj. s.m.
detumescência s.f.
detumescente adj.2g.
detumescer v.
detumescido adj.
detumescimento s.m.
detumescível adj.2g.
deturbação s.f.
deturbado adj.
deturbar v.
deturpabilidade s.f.
deturpação s.f.
deturpado adj.
deturpador (ô) adj. s.m.
deturpante adj.2g.
deturpar v.
deturpatório adj.
deturpável adj.2g.
déu s.m.; na loc. *de déu em déu*; cf. *deu*, fl. do v. *dar*
deucalíaco adj.
deucaliano adj.
deunce (*e-ún*) s.m.
deus s.m.; f. *deusa* e *deia* (é)
deusa s.f. de *deus*
deus-dará s.m.; na loc. *ao deus-dará*
deus me livre s.m.2n.
deus-me-livrense adj. s.2g.; pl. *deus-me-livrenses*
deus nos acuda s.m.2n.
deussum s.m.
deus-te-dê s.m.2n.
deutencéfalo adj. s.m.
deuteragonismo s.m.
deuteragonista adj. s.2g.
deuteragonístico adj.
deuteralbumose s.f.
deuteralbumótico adj.
deuteranomalopia s.f.
deuteranomalópico adj.
deuteranomalóptico adj.
deuteranope s.2g.
deuteranopia s.f.
deuteranópico adj.
deuteranopo s.m.
deuteranóptico adj.
deuteranótico adj.
deuterelastose s.f.
deuterelastótico adj.
deuterergia s.f.
deuterérgico adj.
deutergia s.f.
deutérgico adj.
deuteria s.f.
deutérico adj.
deuterina s.f.
deutério s.m.
dêutero s.m.
deuteroanomalopia s.f.
deuteroanomalópico adj.
deuteroanomalóptico adj.
deuterocânon s.m.
deuterocânone s.m.
deuterocanônico adj.
deuterocaseose s.f.
deuterocaseótico adj.
deuterocele s.f.
deuterocélico adj.
deuterocerebral adj.2g.
deuterocérebro s.m.
deuterocômide s.f.
deuterocone s.m.
deuterocônia s.f.
deuteroconídea s.f.
deuteroconídeo adj.
deuterofibrinose s.f.
deuterofibrinótico adj.
deuterogamia s.f.
deuterogâmico adj.
deuterógamo s.m.
deuterogênese s.f.
deuterogenético adj.
deuterogenia s.f.
deuterogênico adj.
deuterógeno adj.
deuteroglobulose s.f.
deuteroglobulótico adj.
deuterognatia s.f.
deuterógnato adj. s.m.
deuterolecítico adj.
deuterolécito s.m.
deuterologia s.f.
deuterológico adj.
deuterologista adj. s.2g.
deuterólogo s.m.
deuteromalaio adj. s.m.
deuteromerita s.m.
deuteromerítico adj.
deuteromicete s.m.
deuteromiceto s.m.
deuteromiozimose s.f.
deuteromiozimótico adj.
deuteromórfico adj.
deuteromorfismo s.m.
deuteromorfo adj.
dêuteron s.m.
deuteronômico adj.
deuteronômio s.m.
deuteronomista adj. s.2g.
deuteropatia s.f.
deuteropático adj.
deuteropiramidal adj.2g.
deuteropirâmide s.f.
deuteroplasma s.m.
deuteroplasmático adj.
deuteroplásmico adj.
deuteroprisma s.m.
deuteroprismático adj.
deuteroproteose s.f.
deuteroproteótico adj.
deuterorromboédrico adj.
deuterorromboedro s.m.
deuteroscolece s.m.
deuteroscoleco s.m.
deuteroscólex (*cs*) s.m.
deuteroscopia s.f.
deuteroscópico adj.
deuteroscopismo s.m.
deuterose s.f.
deuterosfenoédrico adj.
deuterosfenoedro s.m.
deuteróstoma s.m.
deuterostomático adj.
deuterostomiado adj. s.m.
deuterostomiano adj. s.m.
deuterostômico adj.
deuterostômio s.m.
deuteróstomo s.m.
deuterostrofia s.f.
deuterostrófico adj.
deuterótico adj.
deuterotonia s.f.
deuterotônico adj.
deuterotoquia s.f.
deuterotóquico adj.
deuterotoxina (*cs*) s.f.
deuterotoxínico (*cs*) adj.
deuteroxila (*cs*) s.f.
deuterozooide (ó) s.m.
deutialossômico adj.
deutialossomo s.m.
deutiodeto (ê) s.m.
deutiodureto (ê) s.m.
deutípara s.f.
deutíparo adj.
deutocarbonado adj.
deutocerebral adj.2g.
deutocérebro s.m.
deutocloreto (ê) s.m.
deutogenia s.f.
deutógeno adj.
deutolécito s.m.
deutômala s.f.
deutomerídio s.m.
deutomerita s.m.
dêuton s.m.
deutoneurônico adj.
deutoneurônio s.m.
deutoninfa s.f.
deutoplasma s.m.
deutoplasmático adj.
deutoplásmico adj.
deutoplasmólise s.f.
deutoplasmolítico adj.
deutoscolece s.m.
deutoscoleco s.m.
deutoscólex (*cs*) s.m.
deutosperma s.m.
deutospermático adj.
deutospermatoblástico adj.
deutospermatoblasto s.m.
deutospermoblástico adj.
deutospermoblasto s.m.
deutosseleniureto (ê) s.m.
deutossômico adj.
deutossomo s.m.
deutossulfureto (ê) s.m.
deutovértebra s.f.
deutovertebral adj.
deutovo (ô) s.m.
deutóxido (*cs*) s.m.
dêutzia s.f.

deva (*ê*) s.m.f.
devadássi s.f.
devagar adv. "sem pressa"; cf. *divagar*
devalante s.m.
devalquita s.f.
devalquite s.f.
devanágari adj.2g. s.m.
devanagárico adj.
devanágrico adj.
devaneação s.f.
devaneado adj.
devaneador (*ô*) adj. s.m.
devaneamento s.m.
devaneante adj.2g.
devanear v.
devaneável adj.2g.
devaneio s.m.
devassa s.f.
devassação s.f.
devassado adj.
devassador (*ô*) adj. s.m.
devassamento s.m.
devassante adj.2g.
devassar v.
devassável adj.2g.
devassidade s.f.
devassidão s.f.
devasso adj. s.m.
devastação s.f.
devastado adj.
devastador (*ô*) adj. s.m.
devastante adj.2g.
devastar v.
devastável adj.2g.
deve s.m.
devedado adj.
devedor (*ô*) adj. s.m.
deve-haver s.m.2n.
deveilita s.f.
develação s.f.
develado adj.
develador (*ô*) adj.
develamento s.m.
develante adj.2g.
develar v.
develável adj.2g.
devenir v. s.m.
devente adj. s.2g.
deventração s.f.
deventrado adj.
deventrador (*ô*) adj. s.m.
deventramento s.m.
deventrar v.
deventrável adj.2g.
deventre s.m.
dever v. s.m.
deveras adv.; cf. *deveras* (*ê*), fl. do v. *dever*
deverbal adj.2g. s.m.
deverbalidade s.f.
deverbatividade s.f.
deverbativo adj.
devesa (*ê*) s.f.
devesal s.m.
devévrea s.f.
devévreo adj.
devi s.f.
deviação s.f.
deviacionismo s.m.
deviacionista adj. s.2g.
deviacionístico adj.
devido adj. s.m.
devilite s.f.
devillina s.f.
devillita s.f.
devillite s.f.
dévio adj.
devir v. s.m.
devisado adj.
devisador (*ô*) adj. s.m.
devisar v.
devisável adj.2g.
devitrificação s.f.
devitrificado adj.
devitrificador (*ô*) adj. s.m.
devitrificante adj.2g.
devitrificar v.
devitrita s.f.
devitrite s.f.
devoção s.f.
devocional adj.2g.
devocionário adj. s.m.
devocioneiro adj.
devocionismo s.m.
devocionista adj. s.2g.
devocionístico adj.
devolução s.f.
devolutário s.m.
devolutivo adj.
devoluto adj.
devolutório adj. s.m.
devolvedor (*ô*) adj. s.m.
devolvente adj.2g.
devolver v.
devolvido adj.
devolvível adj.2g.
devoniano adj. s.m.
devônico adj.
devonita s.f.
devonite s.f.
devonito s.m.
devoração s.f.
devorado adj.
devorador (*ô*) adj. s.m.
devoramento s.m.
devorante adj.2g.
devorar v.
devorável adj.2g.
devorismo s.m.
devorista adj. s.2g.
devorístico adj.
devota s.f.
devotação s.f.
devotado adj.
devotador (*ô*) adj. s.m.
devotamento s.m.
devotante adj.2g.
devotar v.
devotável adj.2g.
devoto adj. s.m.
devulcanização s.f.
devulcanizado adj.
devulcanizar v.
devulcanizável adj.2g.
dewalquita s.f.
dewalquite s.f.
dewara s.m.
dewattado adj.
dewévrea s.f.
deweylita s.f.
dewindtita s.f.
déxia (*cs*) s.f.
dexiare (*cs*) s.f.
deximontano (*cs*) adj. s.m.
dexiocardia (*cs*) s.f.
dexiocardíaco (*cs*) s.f.
dexiocárdico (*cs*) adj.
dexioprocta (*cs*) s.m.
dexiotrópico (*cs*) adj.
dextante (*es*) s.m.
dexteridade (*es*) s.f.
dextil (*es*) s.m.
dextrana (*es*) s.f.
dextrano (*es*) s.m.
dextrase (*es*) s.f.
dêxtrase (*ês*) s.f.
dextraural (*es*) adj. s.2g.
dextrauralidade (*es*) s.f.
dextrianismo (*es*) s.m.
dextrianista (*es*) adj. s.2g.
dextrimanismo (*es*) s.m.
dextrimanístico (*es*) adj.
dextrímano (*es*) adj. s.m.
dextrimetria (*es*) s.f.
dextrímetro (*es*) s.m.
dextrina (*es*) s.f.
dextrinado (*es*) adj.
dextrinase (*es*) s.f.
dextrínase (*es*) s.f.
dextrínico (*es*) adj.
dextrinístico (*es*) adj.
dextrinogênico (*es*) adj.
dextrinuria (*es*) s.f.
dextrinúria (*es*) s.f.
dextrivolubilidade (*es*) s.f.
dextrivolúvel (*es*) adj.2g.
dextroanfetamina (*es*) s.f.
dextrocardia (*es*) s.f.
dextrocardíaco (*es*) adj. s.m.
dextrocardiograma (*es*) s.m.
dextrocerebral (*es*) adj.2g.
dextrocerebralidade (*es*) s.f.
dextrocular (*es*) adj.2g.
dextrocularidade (*es*) s.f.
dextrodução (*es*) s.f.
dextrofobia (*es*) s.f.
dextrofóbico (*es*) adj.
dextrófobo (*es*) s.m.
dextroforia (*es*) s.f.
dextrofórmio (*es*) s.m.
dextróforo (*es*) adj. s.m.
dextrogastria (*es*) s.f.
dextrogástrico (*es*) adj.
dextrogiro (*es*) adj.
dextroglicose (*es*) s.f.
dextroglicótico (*es*) adj.
dextrômano (*es*) adj. s.m.
dextropedal (*es*) adj.2g.
dextropedalidade (*es*) s.f.
dextroposição (*es*) s.f.
dextroqueiro (*es*) s.m.
dextroquero (*es*) s.m.
dextroquiro (*es*) s.m.
dextrorrotatório (*es*) adj.
dextrorso (*es*) adj.
dextrose (*es*) s.f.
dextrosidade (*es*) s.f.
dextroso (*es...ô*) adj.; f. (*ó*); pl. (*ó*)
dextrossacarina (*es*) s.f.
dextrossinistro (*es*) adj.
dextrosuria (*es*) s.f.
dextrosúria (*es*) s.f.
dextrosúrico (*es*) adj.
dextrotorção (*es*) s.f.
dextrotorso (*es*) adj.
dextroversão (*es*) s.f.
dextrovolubilidade (*es*) s.f.
dextrovolúvel (*es*) adj.2g.
dez num. s.m.2n.
dezanove num. s.m.
dezanovena s.f.
dezasseis num. s.m.
dezassete num. s.m.
dez-bofas s.m.pl.
dez de queixo caído s.m.2n.
dezembrada s.f.
dezembrano adj.
dezembrino adj.
dezembrismo s.m.
dezembrista adj. s.2g.
dezembro s.m.
dezena s.f.
dezenário s.m.
dezeno num.
dezenove num. s.m.
dezenovena s.f.
dezesseis num. s.m.
dezesseistanado adj.
dezessete num. s.m.
dez e um s.2g.2n.
dezidela s.f.
dezincado adj.
dezincagem s.f.
dezincar v.
dezincificação s.f.
dezincificado adj.
dezincificante adj.2g.
dezincificar v.
dezincificável adj.2g.
dez-maiense adj. s.2g.; pl. *dez-maienses*
dez-novembrense adj. s.2g.; pl. *dez-novembrenses*
dezoito (*ô*) num. s.m.
dezoito-grande s.m.; pl. *dezoito-grandes*
dezoito-miúdo s.m.; pl. *dezoito-miúdos*
dezoito-pequeno s.m.; pl. *dezoito-pequenos*
dez pés em quadrão s.m.2n.
dez-réis s.m.2n.
dia s.m. "tempo"; cf. *diá*
diá s.m. "diabo"; cf. *dia*
diã adj. s.2g.
dia a dia s.m.
diaba s.f.
diabada s.f.
diabalaústio s.m.
diabalma s.m.
diabame s.m.
diabantacronine s.f.
diabantacronínico adj.
diabantita s.f.
diabantite s.f.
diabantítico adj.
diabão s.m.
diábase s.f.
diabásico adj.
diabásio s.m.
diabático adj.
diabelha (*ê*) s.f.
diabeta s.f.
diabete s.2g.
diabetes s.2g.2n.
diabético s.2g.
diabétide s.f.
diabetogênese s.f.
diabetogenético adj.
diabetogenia s.f.
diabetogênico adj.
diabetologia s.f.
diabetológico adj.
diabetologista adj. s.2g.
diabetólogo s.m.
diabetometria s.f.
diabetométrico adj.
diabetometrista adj. s.2g.
diabetômetro s.m.
diabetose s.f.
diabetótico adj.
diabinho s.m.
diabinho-maluco s.m.; pl. *diabinhos-malucos*
diabinhos s.m.pl.
diabites s.f.
diablástico adj.
diablindo adj. s.m.
diablinte adj. s.2g.
diablinto adj. s.m.
diablotim s.m.
diabo s.m. interj.
diáboa s.f.
diabo-alma s.m.; pl. *diabos-alma* e *diabos-almas*
diabo-da-tasmânia s.m.; pl. *diabos-da-tasmânia*
diabo-do-mar s.m.; pl. *diabos-do-mar*
diaboleíta s.f.
diabolia s.f.
diabolical adj.2g.
diabolice s.f.
diabólico adj.
diabolismo s.m.
diabolista adj. s.2g.
diabolístico adj.
diabolização s.f.
diabolizado adj.
diabolizador (*ô*) adj. s.m.
diabolizante adj.2g.
diabolizar v.
diabolizável adj.2g.
diabolô s.m.
diábolo s.m.
diabo-marinho s.m.; pl. *diabos-marinhos*
diabórax (*cs*) s.m.2n.
diabra s.f.
diabre s.m.
diabrete (*ê*) s.m.
diabretes (*ê*) s.m.pl.
diabril adj.2g.
diabrilho s.m.
diabrino adj.
diabriônia s.f.
diabriônico adj.
diabro s.m.
diabrose s.f.
diabrótica s.f.
diabrótico adj.
diabrura s.f.
diacalaminta s.f.
diacalamíntico adj.
diacálase s.f.
diacalático adj.
diacanta s.f.
diacanto s.m.
diacário s.m.
diacarpa s.f.
diacártamo s.m.
diacástica s.f.
diacatolicão s.m.
diacatólico s.m.
diacause s.f.
diacausia s.f.
diacáustica s.f.
diacáustico adj. s.m.
diacele s.m.
diacélico adj.
diacenismo s.m.
diacentro s.m.
diacetamida s.f.
diacetamídico adj.
diacetamina s.f.
diacetamínico adj.
diacetanilida s.f.
diacetanilídico adj.
diacetato s.m.
diacetemia s.f.
diacetêmico adj.
diacético adj.
diacetilacetato s.m.
diacetilacético adj.
diacetilacetona s.f.
diacetilacetônico adj.
diacetilantrapurpurina s.f.
diacetilantrapurpurínico adj.
diacetilcodeína s.f.
diacetilcodeínico adj.
diacetilênico adj.
diacetileno s.m.
diacetilenodicarbonato s.m.
diacetilenodicarbônico adj.
diacetilmorfina s.f.
diacetilmorfínico adj.
diacetilo s.m.
diacetilomorfina s.f.
diacetilomorfínico adj.
diacetilossuccinato s.m.
diacetilossuccínico adj.
diacetilotânico adj.
diacetilotanínico adj.
diacetilotanino s.m.
diacetina s.f.
diacetínico adj.
diacetinilcarbônico adj.
diacetinilo s.m.
diacetona s.f.
diacetonalcamina s.f.
diacetonalcamínico adj.
diacetônico adj.
diacetonuria s.f.
diacetonúria s.f.
diacetonúrico adj.
diacetotartarato s.m.
diacetotartárico adj.
diaceturia s.f.
diacetúria s.f.
diacetúrico adj.
diacho s.m. interj.
diacianídrico adj.
diacídia s.f.
diácido adj. s.m.
diacidônio s.m.
diacidrão s.m.
diacimino s.m.
diacinamomo s.f.
diacinese s.f.
diacinético adj.
diaclasado adj.
diaclasamento s.m.
diaclasar v.
diaclasável adj.2g.
diáclase s.f.
diaclasita s.f.
diaclasite s.f.
diaclasítico adj.
diaclasito s.m.
diaclasto s.m.
diaclinal adj.2g.
diaclinalidade s.f.
diácmico adj.
diaco s.m.
diacocinesia s.f.
diacocinésico adj.
diacocinético adj.
diacódio s.m.
diacoloquíntido s.m.
diacolpoproctectomia s.f.
diacolpoproctectômico adj.
diacomática s.f.

diacomático adj.
diaconado s.m.
diaconal adj.2g.
diaconato s.m.
diaconia s.f.
diaconiano adj.
diacônico adj.
diaconisa s.f. de *diácono*
diácono s.m.; f. *diaconisa*
diacopado adj.
diácope s.f.
diacoprégia s.f.
diacorema s.m.
diacoremático adj.
diacorese s.f.
diacorético adj.
diacosmese s.f.
diacosmético adj.
diacosto s.m.
diacraniano adj.
diacrantérico adj.
diacrantério adj.
diácria s.m.
diacriano adj.
diácrino adj.
diacrinoso (*ô*) adj.; f. (*ó*); pl. (*ó*)
diácrio s.m.
diácrise s.f.
diacrisiografia s.f.
diacrisiográfico adj.
diacrisiógrafo adj. s.m.
diacrítica s.f.
diacrítico adj. s.m.
diacritismo s.m.
diácrodão s.m.
diácrodon s.m.
diacromatopsia s.f.
diacromia s.f.
diacromial adj.2g.
diacrômico adj.
diacromiodo s.m.
diacronia s.f.
diacrônico adj.
diacronismo s.m.
diacronista adj. s.2g.
diacronístico adj.
diactinismo s.m.
diacúrcuma s.f.
diacústica s.f.
diacústico adj.
díada s.f.
díade s.f.
diadectes s.m.2n.
diadéctida adj.2g. s.m.
diadectídeo adj. s.m.
diadélfia s.f.
diadélfico adj.
diadelfita s.f.
diadelfite s.f.
diadelfito s.m.
diadelfo adj.
diadema s.m.
diademado adj. s.m.
diademar v.
diadema-real s.m.; pl. *diademas-reais*
diademátida adj.2g. s.m.
diadematídeo adj.2g. s.m.
diadematoida (*ó*) adj.2g. s.m.
diademense adj. s.2g.
diadêmida adj.2g. s.m.
diademídeo adj. s.m.
diadênio s.m.
diaderma s.m.
diaderme s.f.
diadermia s.f.
diadérmico adj.
diadexia (*cs*) s.f.
diádico adj. s.m.
diadictamno s.m.
diadictamno-branco s.m.; pl. *diadictamnos-brancos*
diadocídia s.f.
diadocidiíneo adj. s.m.
diádoco s.m.
diadococinese s.f.
diadococinesia s.f.
diadococinético adj.
diadoquita s.f.
diadoquite s.f.
diádose s.f.
diádromo adj.
diaelétrico s.m.
diaeliotrópico adj.
diaeliotropismo s.m.
diaeliotropístico adj.
diafa s.f.
diafanante s.f.
diafananto s.m.
diafaneidade s.f.
diafania s.f.
diafanidade s.f.
diafanipene adj.
diafanização s.f.
diafanizado adj.
diafanizante adj.2g.
diafanizar v.
diafanizável adj.2g.
diáfano adj.
diafanocefálico adj.
diafanocéfalo s.m.
diafanogenia s.f.
diafanógeno adj.
diafanografia s.f.
diafanográfico adj.
diafanógrafo s.m.
diafanometria s.f.
diafanométrico adj.
diafanometrista adj.2g.
diafanômetro s.m.
diafanóptero adj. s.m.
diafanorama s.m.
diafanorâmico adj.
diafanoscopia s.f.
diafanoscópico adj.
diafanoscópio s.m.
diafantografia s.f.
diafantográfico adj.
diafantógrafo s.m.
diafemetria s.f.
diafemétrico adj.
diafenicão s.m.
diafeno s.m.
diafiláctico adj.
diafilático adj.
diafilme s.m.
diafílmico adj.
diafisário adj.
diáfise s.f.
diafisectomia s.f.
diafisectômico adj.
diafísico adj.
diafisite s.f.
diafisítico adj.
diáfona s.f.
diafone s.m.
diafonia s.f.
diafônico adj.
diafônio s.m.
diafonometria s.f.
diafonométrico adj.
diafonometrista adj. s.2g.
diafonômetro s.m.
diáfora s.f.
diaforese s.f.
diaforético adj. s.m.
diaforita s.f.
diaforite s.f.
diaforófis s.m.2n.
diafotia s.f.
diafototrópico adj.
diafototropismo s.m.
diafototropístico adj.
diafragma s.m.
diafragmação s.f.
diafragmado adj.
diafragma-íris s.m.; pl. *diafragmas-íris*
diafragmalgia s.f.
diafragmálgico adj.
diafragmar v.
diafragmatalgia s.f.
diafragmatálgico adj.
diafragmático adj.
diafragmatite s.f.
diafragmatítico adj.
diafragmatocele s.f.
diafragmatocélico adj.
diafragmatodinia s.f.
diafragmite s.f.
diafragmítico adj.
diafragmodinia s.f.
diafragmométrico adj.
diafragmômetro s.m.
diaftorese s.f.
diaftorito s.m.
diagal adj.2g. s.m.
diagalves adj.2g. s.m.
diagênese s.f.
diagenético adj.
diageotrópico adj.
diageotropismo s.m.
diaglífico adj.
diáglifo s.m.
diaglíptico adj.
diaglipto s.m.
diagnópodo s.m.
diagnorrenol s.m.
diagnorrenólico adj.
diagnose s.f.
diagnosticação s.f.
diagnosticado adj.
diagnosticador (*ô*) adj. s.m.
diagnosticante adj.2g.
diagnosticar v.
diagnosticável adj.2g.
diagnóstico adj. s.m.; cf. *diagnostico*, fl. do v. *diagnosticar*
diagometria s.f.
diagométrico adj.
diagômetro s.m.
diagonal adj.2g. s.f.
diagonalidade s.f.
diagonalização s.f.
diagonalizar v.
diagonalizável adj.2g.
diagonópode s.m.
diagrafia s.f.
diagráfico adj.
diagrafista adj. s.2g.
diagrafita s.f.
diagrafite s.f.
diagrafito s.m.
diágrafo s.m.
diagrama s.m.
diagramação s.f.
diagramado adj.
diagramador (*ô*) adj. s.m.
diagramante adj.2g.
diagramar v.
diagramático adj.
diagramável adj.2g.
diagramismo s.m.
diagramista adj. s.2g.
diagrídio s.m.
diaguita adj. s.2g.
dial adj.2g. s.m.
dialaca s.f.
diálage s.f.
dialágico adj.
dialágio s.m.
dialagita s.f.
dialagite s.f.
dialagítico adj.
dialagito s.m.
dialceno s.m.
dialcoilamina s.f.
dialcoílo adj. s.m.
diálcool s.m.
dialcoólico adj.
dialdeído s.m.
diale s.m.
dialectação s.f.
dialectado adj.
dialectador (*ô*) adj.
dialectal adj.2g.
dialectalidade s.f.
dialectalismo s.m.
dialectante adj.2g.
dialectar v.
dialectável adj.2g.
dialéctica s.f.
dialéctico adj. s.m.
dialectismo s.m.
dialectista adj. s.2g.
dialectístico adj.
dialecto s.m.
dialectologia s.f.
dialectológico adj.
dialectologista adj. s.2g.
dialectólogo s.m.
dialegma s.m.
dialegmático adj.
dialélico adj.
dialelo s.m.
dialetação s.f.
dialetado adj.
dialetador (*ô*) adj.
dialetal adj.2g.
dialetalidade s.f.
dialetalismo s.m.
dialetante adj.2g.
dialetar v.
dialetável adj.2g.
dialética s.f.
dialético adj. s.m.
dialetismo s.m.
dialetista adj. s.2g.
dialetístico adj.
dialeto s.m.
dialetologia s.f.
dialetológico adj.
dialetologista adj. s.2g.
dialetólogo s.m.
dialeurode s.m.
dialho s.m. "diacho"; cf. *diálio*
dialiantera s.f.
dialicarbinol s.m.
dialicarbinólico adj.
dialicarpelar adj.2g.
dialila s.f.
dialileno s.m.
dialílico adj.
dialilo s.m.
dialilobarbitúrico adj.
dialilocarbinol s.m.
dialilocarbinólico adj.
dialilometilocarbinol s.m.
dialilometilocarbinólico adj.
dialilopropilocarbinol s.m.
dialilopropilocarbinólico adj.
dialineuria s.f.
dialineuro adj.
diálio s.m. "gênero de plantas"; cf. *dialho*
dialiocarpelar adj.2g.
dialiopétala s.f.
dialiopétalo adj. s.m.
dialiossépalo adj.
dialiostêmone adj.2g.
dialipetalantácea s.f.
dialipetalantáceo adj.
dialipetalanto s.m.
dialipétalo adj. s.m.
dialipira s.f.
dialipsa s.f.
dialisação s.f.
dialisado adj.
dialisador (*ô*) adj. s.m.
dialisar v.
dialisável adj.2g.
diálise s.f.; cf. *dialise*, fl. do v. *dialisar*
dialissepalia s.f.
dialissépalo adj.
dialistêmone adj.2g.
dialistemonia s.f.
dialíster s.m.
dialitepalia s.f.
dialitépalo adj.
dialítico adj.
dialitopetalia s.f.
dialitopétalo adj.
dialitostêmone adj.2g.
dialitostemonia s.f.
dialoés s.m.2n.
diáloes s.m.2n.
dialogação s.f.
dialogado adj.
dialogador (*ô*) adj. s.m.
dialogal adj.2g.
dialogante adj. s.2g.
dialogar v.
dialogativo adj.
dialogatório adj.
dialogável adj.2g.
dialogenado adj.
dialogeneto (*ê*) s.m.
dialogia s.f.
dialogicidade s.m.
dialógico adj.
dialogismo s.m.
dialogista adj. s.2g.
dialogístico adj.
dialogita s.f.
dialogite s.f.
dialogítico adj.
dialogito s.m.
diálogo s.m.; cf. *dialogo*, fl. do v. *dialogar*
dialondirê s.m.
dialonguirei s.m.
dialose s.f.
dialquilamina s.f.
dialquilarsina s.f.
dialquilo s.m.
dialteia (*é*) s.f.
dialurato s.m.
dialúrico adj.
diamagnético adj.
diamagnetismo s.m.
diamagnetista adj. s.2g.
diamagnetita s.f.
diamagnetite s.f.
diamagnetítico adj.
diamagnetito s.m.
diamagnetômetro s.m.
diamantado adj.
diamantário s.m.
diamante adj.2g. s.m.
diamante-alençon s.m.; pl. *diamantes-alençon*
diamante-alpino s.m.; pl. *diamantes-alpinos*
diamante-arkansas s.m.; pl. *diamantes-arkansas*
diamante-benefício s.m.; pl. *diamantes-benefício* e *diamantes-benefícios*
diamante-bristol s.m.; pl. *diamantes-bristol*
diamante-chapa s.m.; pl. *diamantes-chapa* e *diamantes-chapas*
diamante de enxofre s.m.
diamante-de-gould s.m.; pl. *diamantes-de-gould*
diamante do canadá s.m.
diamante do reno s.m.
diamante-fazenda s.m.; pl. *diamantes-fazenda* e *diamantes-fazendas*
diamante-matura s.m.; pl. *diamantes-matura* e *diamantes-maturas*
diamante-mesa s.m.; pl. *diamantes-mesa*
diamante-mexicano s.m.; pl. *diamantes-mexicanos*
diamante-nortense adj. s.2g.; pl. *diamante-nortenses*
diamantense adj. s.2g.
diamante-rosa s.m.; pl. *diamantes-rosa* e *diamantes-rosas*
diamante-saboiano s.m.; pl. *diamantes-saboianos*
diamante-tabla s.m.; pl. *diamantes-tabla*
diamante-ubaense adj. s.2g.; pl. *diamante-ubaenses*
diamântico adj.
diamantífero adj.
diamantinense adj. s.2g.
diamantinismo s.m.
diamantino adj. s.m.
diamantista adj. s.2g.
diamantístico adj.
diamantização s.f.
diamantizado adj.
diamantizador (*ô*) adj. s.m.
diamantizante adj.2g.
diamantizar v.
diamantizável adj.2g.
diamantoide (*ó*) adj.2g. s.m.
diamão s.m.; pl. *diamães*
diamasema s.m.
diamasemático adj.
diamasêmico adj.
diamastigose s.f.
diamazi s.f.
diamba s.f.

diambarana s.f.
diambe s.m.
diametilformamida s.f.
diametilformamídico adj.
diametral adj.2g.
diametralidade s.f.
diâmetro s.m.
diamictítico adj.
diamictito s.m.
diamida s.f.
diamídico adj.
diamido s.m.
diamidobenzol s.m.
diamidobenzólico adj.
diamidodifenílico adj.
diamidodifenilo s.m.
diamidodioxiarsenobenzol (*cs*) s.m.
diamidofenol s.m.
diamidofenólico adj.
diamidogênico adj.
diamidogênio s.m.
diamidopropionato s.m.
diamidopropiônico adj.
diamidossuccinato s.m.
diamidossuccínico adj.
diamileno s.m.
diamílico adj.
diamilo s.m.
diamina s.f.
diaminácido s.m.
diamínico adj.
diaminiótico adj.
diaminobenzênico adj.
diaminobenzeno s.m.
diaminocaproico (*ó*) adj.
diaminofenol s.m.
diaminofenólico adj.
diaminogênio adj. s.m.
diaminureia (*é*) s.f.
diaminureico (*é*) adj.
diaminuria s.f.
diaminúria s.f.
diaminúrico adj.
diamônico adj.
diamônio adj.
diamorão s.m.
diamorfina s.f.
diamorfínico adj.
diamorfismo s.m.
diamorfístico adj.
diamoro s.m.
diamorúsia s.f.
diamotose s.f.
diamoxalato (*cs*) s.m.
diamoxálico (*cs*) adj.
diamusco s.m.
diana s.m.f.
diandria s.f.
diândria s.f.
diândrico adj.
diandro adj.
dianegativo adj. s.m.
dianela s.f.
dianelina s.f.
dianema s.f.
dianense adj. s.2g.
dianética s.f.
dianético adj.
dianfipnoico (*ó*) adj.
diangas s.m.2n.
diangolo s.m.
diangras s.m.2n.
diângua s.f.
dianho s.m.
dianião s.m.
diânion s.m.
dianiônico adj.
dianionte s.m.
dianiôntico adj.
dianita s.f.
dianite s.f.
dianito s.m.
dianjá s.m.
dianoético adj.
dianomégrafo s.m.
dianomometria s.f.
dianomométrico adj.
dianomômetro s.m.
dianopolino adj. s.m.
dianopolitano adj. s.m.
diantácea s.f.
diantáceo adj.
diante adv. prep.
diântea s.f.
diantécia s.f.
dianteira s.f.
dianteiro adj. s.m.
dianteiro-centro s.m.; pl. *dianteiros-centro* e *dianteiros-centros*
diânteo adj.
diantia s.f.
dianto adj. s.m.
diantracênico adj.
diantraceno s.m.
dianuco s.m.
diapalmo s.m.
diapasão s.m.
diapasma s.m.
diapasmo s.m.
diapausa s.f.
diapedese s.f.
diapenídio s.m.
diapensal adj.2g.
diapensale s.f.
diapênsia s.f.
diapensiácea s.f.
diapensiáceo adj.
diapensial adj.2g.
diapensiale s.f.
diapensieia (*é*) s.f.
diapente s.m.
diápero s.m.
diapiema s.m.
diapiemático adj.
diapiese s.f.
diapiético adj.
diapir s.m.
diapira s.f.
diapírico adj.
diapirismo s.m.
diapirístico adj.
diapiro s.m.
diápiro s.m.
diáplase s.f.
diaplasia s.f.
diaplásico adj.
diaplegia s.f.
diaplégico adj.
diapneia (*é*) s.f.
diapneico (*é*) adj.
diapnético adj.
diapnogenia s.f.
diapnogênico adj.
diapnoico (*ó*) adj. s.m.
diapnometria s.f.
diapnométrico adj.
diapnômetro s.m.
diapófise s.f.
diaporama s.m.
diaporema s.m.
diaporese s.f.
diaporético adj.
diaporte s.m.
diapositivo adj. s.m.
diaprídeo adj. s.m.
diapriídeo adj. s.m.
diapruno s.m.
diapse s.m.
diapsida adj.2g. s.f.
diapside adj.2g. s.f.
diaptomídeo adj. s.m.
diáptomo s.m.
diaptose s.f.
diaptótico adj.
diaquênio s.m.
diaquilão s.m.
diaquílio s.m.
diáquima s.f.
diaquimático adj.
diaquimatoso (*ô*) adj.; f. (*ó*); pl. (*ó*)
diaquiria s.f.
diaquírico adj.
diaquirismo s.m.
diáquise s.f.
diáquito s.m.
diara adj. s.2g.
diarca s.m.
diarco adj.
diária s.f.
diário adj. s.m.
diarismo s.m.
diarista adj. s.2g.
diarização s.f.
diarizado adj.
diarizar v.
diarquia s.f.
diárquico adj.
diarreia (*é*) s.f.
diarreico (*é*) adj. s.m.
diarremia s.f.
diarrêmico adj.
diarrodão s.m.
diarródio s.m.
diarsênico adj.
diarsenieto (*ê*) s.m.
diarsênio s.m.
diarsônico adj.
diarsônio s.m.
diarticular adj.2g.
diartranfiartrose s.f.
diartranfiartrótico adj.
diartrodial adj.2g.
diartrose s.f.
diartrósico adj.
diartrótico adj.
dias s.m.pl.
dia-santo s.m.; pl. *dias-santos*
diasceva s.f.
diásceva s.f.
diascevasta s.m.
diascevástica s.f.
diáscia s.f.
diasco s.m.
dias-coelhense adj. s.2g.; pl. *dias-coelhenses*
diascopia s.f.
diascópico adj.
diascópio s.m.
diascórdio s.m.
diascro s.m.
dias-d'avilense adj. s.2g.; pl. *dias-d'avilenses*
diasense adj. s.2g.
diasfendonese s.f.
diasfixia (*cs*) s.f.
diasirmo s.m.
diasóstica s.f.
diasóstico adj.
diaspásmico adj.
diaspasmo s.m.
diaspástico adj.
diáspide s.f.
diaspídeo adj. s.m.
diaspidídeo adj. s.m.
diaspinel s.m.
diáspis s.m.
diáspora s.f.
diaspório s.m.
diásporo s.m.
diasporogelita s.f.
diasporometria s.f.
diasporométrico adj.
diasporômetro s.m.
diásquise s.f.
diasquisma s.m.
diasquístico adj.
diasquistítico adj.
diasquistito s.m.
diasquisto s.m.
diasquiza s.m.
diassanje s.m.
diassaturno s.m.
diassene s.m.
diassênico adj.
diássico adj.
diassintonia s.f.
diassintônico adj.
diassistema s.m.
diassistemático adj.
diassistêmico adj.
diastalse s.f.
diastáltico adj.
diastase s.f.
diástase s.f.
diastasemetria s.f.
diastasemétrico adj.
diastasemia s.f.
diastasêmico adj.
diastásico adj.
diastasífero adj.
diastasigenia s.f.
diastasígeno adj.
diastasimetria s.f.
diastasimétrico adj.
diastasímetro s.m.
diastasiometria s.f.
diastasiométrico adj.
diastasiômetro s.m.
diastático adj.
diastatita s.f.
diastatite s.f.
diastatítico adj.
diastatito s.m.
diastatoma s.m.
diastema s.m.
diastematelitria s.f.
diastematelítrico adj.
diastematencefalia s.f.
diastematencefálico adj.
diastematia s.f.
diastemática s.f.
diastemático adj.
diastematocaulia s.f.
diastematocáulico adj.
diastematocistia s.f.
diastematocístico adj.
diastematocormia s.f.
diastematocórmico adj.
diastematocrania s.f.
diastematocrânio adj.
diastematofilia s.f.
diastematófilo adj.
diastematogastria s.f.
diastematogástrico adj.
diastematoglossia s.f.
diastematoglóssico adj.
diastematognatia s.f.
diastematógnato adj.
diastematometria s.f.
diastematométrico adj.
diastematomielia s.f.
diastematomielorraquia s.f.
diastematomielorráquico adj.
diastematopielia s.f.
diastematopiélico adj.
diastematoqueilia s.f.
diastematoquilia s.f.
diastematoquílico adj.
diastematorraquia s.f.
diastematorráquico adj.
diastematorrinia s.f.
diastematorrínico adj.
diastematostafilia s.f.
diastematostafílico adj.
diastematosternia s.f.
diastematostérnico adj.
diastementeria s.f.
diastementérico adj.
diastêmico adj.
diastemometria s.f.
diastemométrico adj.
diastemômetro s.m.
diáster s.m.
diastereoisomeria s.f.
diastereoisômetro adj. s.m.
diastesemia s.f.
diastesêmico adj.
diastíctis s.m.2n.
diastilia s.m.
diastílida adj.2g. s.m.
diastilídea s.f.
diastilídeo adj. s.m.
diastílio s.m.
diastilo s.m.
diastimetria s.f.
diastimétrico adj.
diastímetro s.m.
diastimometria s.f.
diastimométrico adj.
diastimômetro s.m.
diástole s.f.
diastolia s.f.
diastólico adj.
diastometria s.f.
diastométrico adj.
diastômetro adj. s.m.
diastratia s.f.
diastrático adj.
diastrefofilo adj.
diastrefor (*ô*) s.m.
diastro s.m.
diastrofia s.f.
diastrófico adj.
diastrofismo s.m.
diatáctico adj.
diatático adj.
diataxia (*cs*) s.f.
diatáxico (*cs*) adj.
diate s.m.
diatela s.f.
diatélico adj.
diatenoptérice s.f.
diatenópterix (*cs*) s.f.
diaterma s.f.
diatermanismo s.m.
diatérmano adj.
diatermasia s.f.
diatermia s.f.
diatérmico adj.
diatermocoagulação s.f.
diatermocoagulado adj.
diatermocoagulador (*ô*) adj. s.m.
diatermocoagulante adj.2g. s.m.
diatermocoagular v.
diatermocoagulável adj.2g.
diatermostática s.f.
diatermostático adj.
diatermoterapia s.f.
diatermoterápico adj.
diatermoterapista adj. s.2g.
diátese s.f.
diatésico adj.
diatessarão s.m.
diatético adj.
diatêutica s.f.
diatima s.f.
diatipose s.f.
diatipótico adj.
diátiro s.m.
diatleta s.2g.
diatlo s.m.
diátlon s.m.
diatom s.m.
diátoma s.f.
diatomácea s.f.
diatomáceo adj.
diatomal adj.2g.
diatomale s.f.
diatômico adj.
diatomina s.f.
diatomito s.m.
diátomo s.m.
diatônico adj.
diatonismo s.m.
diátono s.m.
diatopia s.f.
diatópico s.m.
diatórico adj.
diatragacanto s.m.
diátrea s.f.
diatrema s.m.
diatreme s.m.
diatreta s.f.
diatreto adj. s.m.
diatriba s.f.
diatribe s.f.
diátribe s.f.
diátrima s.f.
diatrimídeo adj. s.m.
diatripácea s.f.
diatripáceo adj.
diatripe s.f.
diatripela s.f.
diatripese s.f.
diatripético adj.
diatripeto adj.
diátrita s.f.
diatritário adj. s.m.
diátrite s.f.
diatrítico adj.
diatropia s.f.
diatrópico adj.
diatropismo s.m.
diatunda s.f.
diau adj. s.2g. s.m.
diaulo s.m.
diaulódromo s.m.
diavolino s.m.
diaxiloaloés (*cs*) s.m.2n.

diaxiloáloes (*cs*) s.m.2n.
diáxone (*cs*) s.m.
diazamina s.f.
diazaminado adj.
diazamínico adj.
diazaminobenzênico adj.
diazaminobenzeno s.m.
diazepam s.m.
diazepínico adj. s.m.
diazetanossulfonato s.m.
diazetanossulfônico adj.
diazeuxe (*cs*) s.f.
diazina s.f.
diazínico adj.
diazo s.m.
diazoacético adj.
diazoaminado adj.
diazoaminobenzênico adj.
diazoaminobenzeno s.m.
diazoato s.m.
diazobenzenanilina s.f.
diazobenzenanilínico adj.
diazobenzênico adj.
diazobenzeno s.m.
diazobenzolsulfonato s.m.
diazobenzolsulfônico adj.
diazocomposto (*ô*) adj. s.m.
diazocorante adj.2g. s.m.
diazodinitrofenol s.m.
diazodinitrofenólico adj.
diazoico (*ó*) adj.
diazoidrato (*o-i*) s.m.
diazoidróxido (*o-i...cs*) s.m.
diazol s.m.
diazoma s.m.
diazometânico adj.
diazometano s.m.
diazona s.f.
diazônico s.m.
diazônio s.m.
diazoniotetrafluorborate s.m.
diazorreação s.f.
diazotação s.f.
diazotado s.m.
diazotador (*ô*) adj.
diazotante adj.2g.
diazotar v.
diazotato adj.
diazotipo s.m.
diazótipo s.m.
diazotização s.f.
diazotizado adj.
diazotizador (*ô*) adj.
diazotizante adj.2g.
diazotizar v.
diazotizável adj.2g.
diazoxiaminobenzênico (*cs*) adj.
diazoxiaminobenzeno (*cs*) s.m.
diazóxido (*cs*) s.m.
dibá s.m.
dibala s.f.
dibamídeo adj. s.m.
dibanhame s.m.
dibase s.f.
díbase s.f.
dibásico adj.
dibatista adj. s.2g.
dibela s.f.
dibenzilacetato s.m.
dibenzilacético adj.
dibenzilacetona s.f.
dibenzilacetônico adj.
dibenziletano s.m.
dibenzilo s.m.
dibenzilobenzeno s.m.
dibenzilocarbonato s.m.
dibenzilocarbônico adj.
dibenzilometânico adj.
dibenzilometano s.m.
dibenzoil s.m.
dibenzoíla s.f.
dibenzoilobenzênico adj.
dibenzoilobenzeno s.m.
dibenzoilobenzoato s.m.
dibenzoilobenzoico (*ó*) adj.
dibenzoilomalônico adj.
diberara s.f.
dibididibi s.m.
dibionense adj. s.2g.
dibiose s.f.
dibiótico adj.
dibixi s.m.
diblástico adj.
diblástula s.f.
dibo s.m.
dibólia s.f.
diborânico adj.
diborano s.m.
diborático adj.
diborato s.m.
dibótrio adj. s.m.
dibotriocefalia s.f.
dibotriocefalíase s.f.
dibotriocéfalo s.m.
dibotrioide (*ó*) adj.2g. s.m.
díbraco adj. s.m.
dibracteado adj.
dibrácteo adj.
dibracteolado adj.
dibractéolo s.m.
dibranco adj. s.m.
dibranquiado adj. s.m.
dibranquial adj.2g. s.m.
dibranquíase s.f.
dibrânquio adj. s.m.
dibraquia s.f.
dibráquico adj.
dibromado adj.
dibromantraquinoma s.f.
dibromantraquinônico adj.
dibrometânico adj.
dibrometano s.m.
dibrometo (*ê*) s.m.
dibromobenzênico adj.
dibromobenzeno s.m.
dibromogalhato s.m.
dibromogálhico adj.
dibromoíndigo s.m.
dibromopropânico adj.
dibromopropano s.m.
dibromopropiônico adj.
dibulo s.m.
dibungo s.m.
dibutilofosfina s.f.
dibutilofosfínido adj.
dibutírico adj.
dibutirina s.f.
dica s.f.
dicaba s.f.
dicabacaba s.f.
dicação s.f.
dicacidade s.f.
dicacídeo adj. s.m.
dicacíssimo adj. sup. de *dicaz*
dicado adj.
dicalanga s.f.
dicálcico adj.
dicalco s.m.
dicamptodontídeo adj. s.m.
dicana adj. s.2g.
dicanfenodiona s.f.
dicanfenodiônico adj.
dicânfora s.f.
dicante adj. s.2g.
dicântio s.m.
dição s.f.
dicapetalácea s.f.
dicapetaláceo adj.
dicapetalínea s.f.
dicapetalíneo adj.
dicapétalo s.m.
dicar v.
dicarboxila (*cs*) s.f.
dicarboxílico (*cs*) adj.
dicário s.m.
dicariocítico adj.
dicariócito s.m.
dicariodismo s.m.
dicariófase s.f.
dicariofásico adj.
dicariótico adj.
dicariotismo s.m.
dicarpelar adj.2g. s.m.
dicarpelaridade s.f.
dicarpelário adj.
dicarpo adj.
dicasial adj.2g.
dicásio s.m.
dicasiófase s.f.
dicasiótico adj.
dicasso s.m.
dicasta s.m.
dicastério s.m.
dicataléctico adj.
dicatalético adj.
dicatalexia (*cs*) s.f.
dicáxi s.f.
dicaz adj.2g.
dicção s.f.
dicearco adj. s.m.
dicearqueia (*é*) s.f. de *dicearqueu*
dicearqueu adj. s.m.; f. *dicearqueia* (*é*)
dicefalia s.f.
dicéfalo adj. s.m.
diceida adj.2g. s.m.
diceídea s.f.
diceídeo adj. s.m.
dicela s.f.
dicelia s.f. "cavidade dos dois lados"; cf. *dicélia*
dicélia s.f. "farsa"; cf. *dicelia*
dicélido s.m.
dicelifo adj.
dicélio adj.
dicelista adj. s.2g.
dicelo s.m.
dícelo s.m.
dicentra s.f.
dicêntrico adj.
dicentrina s.f.
dicentro s.m.
diceologia s.f.
diceológico adj.
diceologista adj. s.2g.
diceólogo s.m.
diceósina s.f.
díceras s.m.2n.
dicerátida adj.2g. s.m.
diceratídeo adj. s.m.
dicerato s.m.
diceratótico adj.
dicerca s.f.
diceriano adj. s.m.
diceriense adj. s.2g.
dicério s.m.
dícero adj. s.m.
dicerόbatis s.m.2n.
dicerocário s.m.
dicestedo s.m.
dicetona s.f.
dicetônico adj.
dicetopiperazina s.f.
dicetopiperazínico adj.
dicha s.f.
dichote s.m.
dichotesco (*ê*) adj.
dicianato s.m.
dicianimida s.f.
dicianimídico adj.
dicianimidina s.f.
dicianimidínico adj.
dicianogênio s.m.
dicíclico adj. s.m.
diciclo s.m.
diciêmida adj.2g. s.m.
diciemídeo adj. s.m.
diciêmio adj. s.m.
dicifo s.m.
dicimbe s.f.
dicímbio s.m.
dicinchonina s.f.
dicinchonínico adj.
dicinodonte s.m.
dicionariação s.f.
dicionariado adj.
dicionariar v.
dicionariável adj.2g.
dicionário s.m.
dicionariofilia s.f.
dicionariófilo s.m.
dicionarista adj. s.2g.
dicionarístico adj.
dicionarização s.f.
dicionarizado adj.
dicionarizador (*ô*) adj. s.m.
dicionarizar v.
dicionarizável adj.2g.
dicionia s.f.
diciônico adj.
dicipélio s.m.
dicirtoma s.m.
dickensiano s.m.
dickinsonita s.f.
dickita s.f.
dickítico adj.
dicksônia s.f.
dicksoniácea s.f.
dicksoniáceo adj.
dicksonieia (*é*) s.f.
diclamídeo adj.
diclésia s.f.
diclidantera s.f.
diclidanterácea s.f.
diclidanteráceo adj.
diclidite s.f.
diclidítico adj.
diclidosteose s.f.
diclidosteótico adj.
diclidostose s.f.
diclidostótico adj.
diclidotomia s.f.
diclidotômico adj.
diclinal adj.2g.
diclinalidade s.f.
diclinanona s.f.
dicline adj.2g.
diclínea s.f.
diclíneo adj.
diclinia s.f.
diclínico adj.
diclínio adj.
diclinismo s.m.
diclinístico adj.
diclino adj.
diclinoedria s.f.
diclinoédrico adj.
diclipélio s.m.
diclíptera s.f.
diclíptero adj. s.m.
díclis s.m.2n.
diclísia s.f.
dicliso s.m.
diclofenaco s.m.
dicloma s.f.
diclonia s.f.
diclônico adj.
dicloracético adj.
dicloracetona s.f.
dicloracetônico adj.
diclorado adj.
dicloralilo s.m.
dicloramina s.f.
dicloramínico adj.
dicloretano s.m.
diclorético adj.
dicloretila s.f.
dicloretileno s.m.
dicloreto (*ê*) s.m.
diclória s.f.
dicloridrato s.m.
diclorídrico adj.
dicloridrina s.f.
dicloroacético adj.
dicloroacetona s.f.
dicloroacetônico adj.
diclorobenzênico adj.
diclorobenzeno s.m.
dicloroetila s.f.
dicloroetílico adj.
diclorometânico adj.
diclorometano s.m.
dicloropropilênico adj.
dicloropropileno s.m.
dicloxacilina (*cs*) s.f.
diclume s.m.
dico s.m.
dicoblastia s.f.
dicoblástico adj.
dicobunídeo adj. s.m.
dicoca s.f.
dicocarpia s.f.
dicocarpo adj.
dicoco adj.
dicode s.f.
dicodôncio s.m.
dicogamia s.f.
dicogâmico adj.
dicógamo adj.
dicogenia s.f.
dicógeno adj.
dicoglótico adj.
dicógrafo s.m.
dicole s.m.
dico-leopoldinense adj. s.2g.; pl. *dico-leopoldinenses*
dicólico adj.
dicólon s.m.
dicólopo s.m.
dicoma s.f.
dicômice s.m.
dicomicete s.m.
dicondiliano adj.
dicondílico adj.
dicondo s.m.
dicondra s.f.
dicôndrea s.f.
dicôndreo adj.
dicondulula s.f.
dicongo s.m.
diconroque s.m.
dicopetalia s.f.
dicopétalo adj.
dicópode adj.2g. s.m.
dicopodia s.f.
dicopódio s.m.
dicopteria s.f.
dicóptero adj.
dicóptico adj.
dicórdio s.m.
dicoreu s.m.
dicori s.m.
dicoria s.f.
dicórico adj.
dicorínia s.f.
dicoriônico adj.
dicorisandra s.f.
dicorrínico adj.
dicossema s.m.
dicossimetria s.f.
dicossimétrico adj.
dicostilia s.f.
dicostilo adj.
dicótico adj.
dicótile s.m.
dicotílea s.f.
dicotiledonado adj.
dicotilédone adj.2g.
dicotiledônea s.f.
dicotiledôneo adj.
dicotíleo adj.
dicótiles s.m.2n.
dicotílida adj.2g. s.m.
dicotilídeo adj. s.m.
dicótilo adj.
dicotomal adj.2g.
dicotômea s.f.
dicotômeo adj.
dicotomia s.f.
dicotômico adj.
dicotomista adj. s.2g.
dicotomístico adj.
dicotomitização s.f.
dicotomizado adj.
dicotomizador (*ô*) adj.
dicotomizante adj.2g.
dicotomizar v.
dicotomizável adj.2g.
dicótomo adj.
dicotomofilia s.f.
dicotomofilo adj.
dicranale s.f.
dicraneácea s.f.
dicraneácio adj.
dicrâneo adj. s.m. "bifurcado"; cf. *dicrânio*
dicrânio s.m. "dicéfalo"; cf. *dicrâneo*
dicrano s.m.
dicranobranquia s.f.
dicranobrânquio adj. s.m.
dicranócero adj. s.m.
dicranodôncio s.m.
dicranofilo s.m.
dicranóideo adj.
dicranolepse s.f.
dicranolépsis s.f.2n.
dicranópteris s.f.2n.
dicranostílea s.f.
dicranostíleo adj.
dicranota s.m.

dicranotênia s.f.
dicranura s.f.
dicresiletânico adj.
dicresiletano s.m.
dicresiletilênico adj.
dicresiletileno s.m.
dicresílico adj.
dicresilo s.m.
dicresilofenilometânico adj.
dicresilofenilometano s.m.
dicresilometânico adj.
dicresilometano s.m.
dicresilopropionato s.m.
dicresilopropiônico adj.
dicriptórquida adj.2g. s.m.
dicriptorquídeo adj. s.m.
dícroa s.f.
dicroantia s.f.
dicroanto adj. s.m.
dicrocéfala s.f.
dicrocelíase s.f.
dicrocélida adj.2g. s.m.
dicrocelídeo adj. s.m.
dicrocélio s.m.
dicroceliose s.f.
dicroceliótico adj.
dicroico (*ó*) adj.
dicroísmo s.m.
dicroístico adj.
dicroíta s.f.
dicroíte s.f.
dicroíto s.m.
dicromatado adj.
dicromatato s.m.
dicromático adj.
dicromatismo s.m.
dicromatístico adj.
dicromato s.m.
dicromatopsia s.f.
dicromatópsico adj.
dicromia s.f.
dicrômico adj.
dicromo adj.
dícrono adj.
dicroscopia s.f.
dicroscópico adj.
dicroscópio s.m.
dicroscopista adj. s.2g.
dicróstaque s.f.
dicróstaquis s.f.2n.
dicrótico adj.
dicrotismo s.m.
dicrotístico adj.
dícroto adj.
dicrouria s.f.
dicroúro adj.
dicruria s.f.
dicrúrida adj.2g. s.m.
dicrurídeo adj. s.m.
dicruro s.m.
dicsônia s.f.
dicsonieia (*é*) s.f.
dictadiógina s.f.
dictafone s.m.
dictafonia s.f.
dictafono s.m.
dictamno s.m.
dicteia (*é*) s.f. de *dicteu*
dicteríade s.f.
dictério s.m.
dicteu adj.; f. *dicteia* (*é*)
dictiandra s.f.
díctico adj.
dictiite s.f.
dictiítico adj.
dictina s.f.
dictínida adj.2g. s.m.
dictinídeo adj. s.m.
dictíoca s.f.
dictiocácea s.f.
dictiocáceo adj.
dictiocário s.m.
dictiocarpia s.f.
dictiocarpo adj. s.m.
dictiocaule s.m.
dictiocaulíase s.f.
dictiocinese s.f.
dictiocista s.f.
dictiodesmo s.m.
dictiodiérese s.f.
dictiodierético adj.
dictiódromo s.m.
dictiófico adj.
dictiófora s.f.
dictióforo s.m.
dictiógena s.f.
dictiogenia s.f.
dictiógeno adj.
dictioide (*ó*) adj.2g.
dictioidia s.f.
dictioloma s.m.
dictiolômea s.f.
dictiolômeo adj.
dictioma s.m.
dictionelo s.m.
dictionina s.f.
dictionino adj.
dictionota s.m.
dictiopsia s.f.
dictióptere s.f.
dictiopterídea s.f.
dictiopterídeo adj.
dictioptérige s.f.
dictiópteris s.f.2n.
dictiópterix (*cs*) s.f.2n.
dictióptero adj. s.m.
dictiorrizia s.f.
dictiorrizo adj.
dictioscopia s.f.
dictioscópico adj.
dictiosféria s.f.
dictiosperma s.m.
dictiosporângio s.m.
dictiospório s.m.
dictiossifão s.m.
dictiossífon s.m.
dictiossifonace s.f.
dictiossifonácea s.f.
dictiossifonáceo adj.
dictiossoma s.m.
dictiossomático adj.
dictiossômico adj.
dictiossomo s.m.
dictióstega s.f.
dictiostelia s.f.
dictiosteliácea s.f.
dictiosteliáceo adj.
dictiostélico adj.
dictiostélio s.m.
dictiosteliomiceto s.m.
dictiostelo s.m.
dictiota s.f.
dictiotácea s.f.
dictiotáceo adj.
dictiotal adj.2g.
dictiotale s.f.
dictiótea s.f.
dictióteo adj.
dictite s.f.
dictiúco s.m.
dictósporo s.m.
dictriz s.f.
dicumarina s.f.
dicumarínico adj.
dicumarol s.m.
dicumarólico adj.
dicumbo s.m.
dicumenol s.m.
dicumenólico adj.
dicuri s.m.
didá s.f.
didáctilo adj.
didanosina s.f.
didascal adj.2g.
didascale s.f.
didascália s.f.
didascálica s.f.
didascálico adj.
didáscalo s.m.
didata s.2g.
didática s.f.
didático adj.
didatilia s.f.
didatilismo s.m.
didátilo adj.
didatismo s.m.
didatista adj. s.2g.
didatístico adj.
didatologia s.f.
didatológico s.f.
didatologista adj. s.2g.
didatólogo s.m.
dídea s.f.
didecaédrico adj.
didecaedro adj.
dideceno s.m.
didelfia s.f.
didélfico adj.
didélfide s.m.
didelfiida adj.2g. s.m.
didelfiídeo adj. s.m.
didélfio adj. s.m.
didélfis s.m.2n.
didelfo adj. s.m.
didelfoide (*ó*) adj.2g.
didêmnida adj.2g. s.m.
didemnídeo adj. s.m.
didemno s.m.
didemnoide (*ó*) s.m.
diderichita s.f.
didermia s.f.
didérmico adj.
didérmis s.m.2n.
diderotiano adj.
didi s.f.
didialetal adj.2g.
didialetalismo s.m.
didi-da-porteira s.f.; pl. *didis--da-porteira*
didiérea s.f.
didiereácea s.f.
didiereáceo adj.
didiereína s.f.
didiereínea s.f.
didiereíneo adj.
didimalgia s.f.
didimálgico adj.
didimelácea s.f.
didimeláceo adj.
didimelal adj.2g.
didimelale s.f.
didimeles s.m.2n.
didímio s.m.
didimite s.f.
didimítico adj.
dídimo adj. s.m.
didimocárpea s.f.
didimocárpeo adj.
didimocarpo s.m.
didimoclena s.f.
didimodão s.m.
didimodinia s.f.
didimodínico adj.
didímodon s.m.
didimofimia s.f.
didimograpto s.m.
didimolita s.f.
didimopânace s.m.
didimópanax (*cs*) s.m.
didimopiia s.f.
didimopíico adj.
didimosféria s.f.
didimosperma s.m.
didimospermo s.m.
didimospórico adj.
didimospório s.m.
didimósporo s.m.
didimozoa (*ô*) s.f.
didimozoônida adj.2g. s.m.
didimozoonídeo adj. s.m.
didinamia s.f.
didinâmia s.f.
didinâmico adj.
didínamo adj.
didínio s.m.
dídio adj.
didisco s.m.
diditano adj. s.m.
didodecaédrico adj.
didodecaedro s.m.
didolantídeo adj. s.m.
didolodontídeo adj. s.m.
didoniano adj. s.m.
didracma s.f.
didracmo s.m.
didução s.f. "mastigação"; cf. *dedução*
diduncúlida adj.2g. s.m.
didunculídeo adj. s.m.
didúnculo s.m.
didutor (*ô*) adj.
diebdomadário adj. s.m.
diecbólico adj.
diecia s.f. "qualidade de dieco"; cf. *diécia*
diécia s.f. "classe de plantas"; cf. *diecia*
diécico adj.
diecidade s.f.
diécio adj.
dieco adj.
diéctase s.f.
diectásico adj.
diectático adj.
diedral adj.2g.
diédrico adj.
diedro adj. s.m.
diedrogoniometria s.f.
diedrogoniométrico adj.
diedrogoniômetro s.m.
diefenbáquia s.f.
diefenbaquieia (*é*) s.f.
diegese s.f.
diegeta s.2g.
diegético adj.
dieldrina s.f.
dieldrínico adj.
dieletricidade s.f.
dielétrico adj. s.m.
dieletrina s.f.
dieletrínico adj.
dieletrólise s.f.
dieletrolítico adj.
diélia s.f.
dieliotrópico adj.
dieliotropismo s.m.
dieliotropístico adj.
diélitra s.f.
diembe s.f.
diembo s.m.
diencefálico adj.
diencéfalo s.m.
dienerita s.f.
dienestrol s.m.
diénia s.f.
diênico adj.
dieno s.m.
dienófilo adj.
diense adj. s.2g.
dientameba s.f.
dientamebíase s.f.
dientamebídeo adj. s.m.
dientâmera s.f.
dientomofilia s.f.
diepês adj. s.m.
dieptápode adj.2g.
dieptápodo adj.
diérese s.f.
dieresília s.f.
dierético adj.
dierófito s.m.
diervila s.f.
diervila-do-japão s.f.; pl. *diervilas-do-japão*
diervilla s.f.
diervilla-do-japão s.f.; pl. *diervillas-do-japão*
diesação s.f.
diesado adj.
diesador (*ô*) adj.
diesamento s.m.
diesar v.
diesável adj.2g.
diese s.f.
díese s.f.
diesel-elétrico adj.; pl. *diesel--elétricos*
diesel-hidráulico adj.; pl. *diesel-hidráulicos*
dieselização (*i*) s.f.
dieselizado (*i*) adj.
dieselizador (*i...ô*) adj. s.m.
dieselizante (*i*) adj.2g.
dieselizar (*i*) v.
dieselizável (*i*) adj.2g.
diésis s.f.2n.
dísesis s.f.2n.
diestearático adj.
diestearato s.m.
diéster s.m.
diesterase s.f.
diestérase s.f.
diestro s.m.
dieta s.f.
dietanolamina s.f.
dietário s.m.
diéter s.m.
dieteta s.2g.
dietética s.f.
dietético adj.
dietetista adj. s.2g.
dietêutica s.f.
dietilacetato s.m.
dietilacético adj.
dietilacetona s.f.
dietilacetônico adj.
dietilalilocarbinol s.m.
dietilalilocarbinólico adj.
dietilamida s.f.
dietilamina s.f.
dietilamínico adj.
dietilamino s.m.
dietilarsina s.f.
dietilarsínico adj.
dietilbarbitúrico adj. s.m.
dietilcarbamazina s.f.
dietilcetona s.f.
dietilcetônico adj.
dietilditiocarbamático adj.
dietilditiocarbamato s.m.
dietilenadiamina s.f.
dietilenadiamínico adj.
dietilênico adj.
dietileno s.m.
dietilenoglicol s.m.
dietilenoglicólico adj.
dietilestilbestrol s.m.
dietilestilbestrólico adj.
dietílico adj.
dietilina s.f.
dietilínico adj.
dietilmalonilureia (*é*) s.f.
dietilmalonilureico (*é*) adj.
dietilo s.m.
dietiloacetona s.f.
dietiloacetônico adj.
dietilobarbiturático adj.
dietilobarbiturato s.m.
dietilobarbitúrico s.m.
dietilobenzênico adj.
dietilobenzeno s.m.
dietilobenzoato s.m.
dietilobenzoico (*ó*) adj.
dietilocarbinol s.m.
dietilocarbinólico adj.
dietilocarbobenzoático adj.
dietilocarbobenzoato s.m.
dietilocarbobenzoico (*ó*) adj.
dietilocianamida s.f.
dietilocianamídico adj.
dietilofenilopropionático adj.
dietilofenilopropionato s.m.
dietilofenilopropiônico adj.
dietilofosfina s.f.
dietilofosfínico adj.
dietilopropilocarbinol s.m.
dietilopropilocarbinólico adj.
dietilossuccinático adj.
dietilossuccinato s.m.
dietilossuccínico adj.
dietilstilbestrol s.m.
dietilstilbestrólico adj.
dietina s.f.
dietínico adj.
dietismo s.m.
dietista adj. s.2g.
dietístico adj.
dietoterapeuta adj. s.2g.
dietoterapêutica s.f.
dietoterapêutico adj.
dietoterapia s.f.
dietoterápico adj.
dietoterapista adj. s.2g.
dietotoxicidade (*cs*) s.f.
dietotóxico (*cs*) adj.
dietotoxidade (*cs*) s.f.
dietoxalático (*cs*) adj.
dietoxalato (*cs*) s.m.
dietoxálico (*cs*) adj.
dietoxiglicolato (*cs*) s.m.

dietoxiglicólico (*cs*) adj.
dietriquita s.f.
dietropia s.f.
dietrópico adj.
dietzeíta s.f.
diexaédrico (*cs* ou *z*) adj.
diexaedro (*cs* ou *z*) s.m.
diexagonal (*cs* ou *z*) adj.2g.
diexagonalidade (*cs* ou *z*) s.f.
diexágono (*cs* ou *z*) s.m.
diexismo (*cs*) s.m.
diexista (*cs*) adj. s.2g.
diexístico (*cs*) adj.
difa s.f.
difalangarquia s.f.
difalangárquico adj.
difalangia s.f.
difalângico adj.
difalia s.f.
difálico adj.
difalo adj. s.m.
difamação s.f.
difamado adj.
difamador (*ô*) adj. s.m.
difamante adj.2g.
difamar v.
difamativo adj.
difamatório adj.
difamável adj.2g.
difanda s.f.
difarreação s.f.
difásico adj.
difásio adj.
difemo s.m.
difenano s.m.
difenático adj.
difenato s.m.
difênico adj.
difenidramina s.f.
difenil s.m.
difenila s.f.
difenilacetaldeídico adj.
difenilacetaldeído s.m.
difenilacetático adj.
difenilacetato s.m.
difenilacético adj.
difenilamina s.f.
difenilamínico adj.
difenilamino s.m.
difenilazoxina (*cs*) s.f.
difenilazoxínico (*cs*) adj.
difenilcarbinol s.m.
difenilcarbinólico adj.
difenilcetona s.f.
difenilcetônico adj.
difenilclorarsina s.f.
difenilênico adj.
difenilenimida s.f.
difenilenimídico adj.
difenileno s.m.
difeniletânico adj.
difeniletano s.m.
difeniletilênico adj.
difeniletileno s.m.
difenilfenilodiamina s.f.
difenilfenilodiamínico adj.
difenilguanidina s.f.
difenílico adj.
difenilidantoína s.f.
difenilidrazina s.f.
difenilidrazínico adj.
difenililênico adj.
difenilileno s.m.
difenilmetânico adj.
difenilmetano s.m.
difenilo s.m.
difenilobenzamida s.f.
difenilobenzamídico adj.
difenilobenzênico adj.
difenilobenzeno s.m.
difenilobutânico adj.
difenilobutano s.m.
difenilocarbinol s.m.
difenilocarbinólico adj.
difenilocianamida s.f.
difenilocianamídico adj.
difenilodicloretânico adj.
difenilodicloretano s.m.
difenilodicloretilênico adj.
difenilodicloretileno s.m.
difenilodiclorometânico adj.
difenilodiclorometano s.m.
difenilodietilenodiamina s.f.
difenilodietilenodiamínico adj.
difenilodimetiletânico adj.
difenilodimetiletano s.m.
difenilofenilênico adj.
difenilofenileno s.m.
difenilometânico adj.
difenilometano s.m.
difenilopropânico adj.
difenilopropano s.m.
difenilopropiônico adj.
difenilpirazolina s.f.
difenilpirazolínico adj.
difenilsubstituição s.f.
difenilsubstituído adj.
difenilsubstituinte adj.2g.
difenilsulfona s.f.
difenilsulfônico adj.
difenilureico (*é*) adj.
difenina s.f.
difenínico adj.
difenol s.m.
difenoletânico adj.
difenoletano s.m.
difenólico adj.
difeomorfismo s.m.
difeomorfo adj.
diferença s.f.
diferençado adj.
diferençador (*ô*) adj. s.m.
diferençal adj.2g.
diferençalidade s.f.
diferençante adj.2g.
diferençar v.
diferençável adj.2g.
diferenciabilidade s.f.
diferenciação s.f.
diferenciado adj.
diferenciador (*ô*) adj. s.m.
diferencial adj.2g. s.m.f.
diferencialidade s.f.
diferenciante adj.2g.
diferenciar v.
diferenciativo adj.
diferenciatório adj.
diferenciável adj.2g.
diferenciometria s.f.
diferenciométrico adj.
diferenciômetro s.m.
diferendo s.m.
diferente adj.2g.; cf. *deferente*
diferido adj.; cf. *deferido*
diferidor (*ô*) adj.; cf. *deferidor*
diferimento s.m.; cf. *deferimento*
diferir v. "adiar"; cf. *deferir*
diferível adj.2g.; cf. *deferível*
dífia s.f.
dificerca s.f.
dificerco adj.
difícil adj.2g. s.m.
dificílimo adj. sup. de *difícil*
dificilíssimo adj. sup. de *difícil*
dificuldade s.f.
dificultação s.f.
dificultado adj.
dificultador (*ô*) adj. s.m.
dificultante adj.2g.
dificultar v.
dificultável adj.2g.
dificultoso (*ô*) adj.; f. (*ó*); pl. (*ó*)
difidência s.f.
difidente adj.2g.
difigenia s.f.
difigênico adj.
difíida adj.2g. s.m.
difiídeo adj. s.m.
difila s.f.
difileia (*é*) s.f.
difilético adj.
difilídeo adj. s.m.
difilídio s.m.
difilo adj.
difilobotríase s.f.
difilobotrídeo adj. s.m.
difilobotriída adj.2g. s.m.
difilobotriídeo adj. s.m.
difilobótrio s.m.
difilobotriose s.f.
difilobotriótico adj.
difilobrânquio adj.
difilodo (*ô*) s.m.
difiodonte adj.2g. s.m.
difiodontia s.f.
difiope s.m.
difiozoide (*ó*) adj.2g. s.m.
difiozooide (*ó*) adj.2g. s.m.
difisciácea s.f.
difisciáceo adj.
difisciale s.f.
difíscio s.m.
difisismo s.m.
difletor (*ô*) s.m.
diflorígero adj.
difluência s.f.; cf. *defluência*
difluente adj.2g.; cf. *defluente*
difluído adj.
difluir v. "difundir-se"; cf. *defluir*
difluível adj.2g.
difluoreto (*ê*) s.m.
difocócico adj.
difococo s.m.
difole s.f.
difólis s.f.2n.
difonia s.f.
difônico adj.
diformina s.f.
diformínico adj.
difos s.m.
difosfático adj.
difosfato s.m.
difosfemita s.f.
difosfemítico adj.
difosfina s.f.
difosfínico adj.
difosfítico adj.
difosfito s.m.
difosgênio s.m.
difração s.f.
difractometria s.f.
difractométrico adj.
difractômetro s.m.
difratado adj.
difratador (*ô*) adj.
difratante adj.2g.
difratar v.
difratável adj.2g.
difrativo adj.
difratometria s.f.
difratométrico adj.
difratômetro s.m.
difringência s.f.
difringente adj.2g.
diftálico adj.
diftalílico adj.
diftalilo s.m.
díftera s.f.
difteria s.f.
diftérico adj.
difterinorreação s.f.
difterite s.f.
difterítico adj.
difterófera s.f.
difteroide (*ó*) adj.2g. s.m.
difterolisina s.f.
difterolisínico adj.
difterotóxico (*cs*) adj.
difterotoxina (*cs*) s.f.
diftógrafo s.m.
diftongia s.f.
diftôngico adj.
diftonia s.f.
diftônico adj.
difumbe s.f.
difundido adj.
difundidor (*ô*) adj.
difundir v.
difusão s.f.
difusibilidade s.f.
difusidade s.f.
difusiometria s.f.
difusiométrico adj.
difusiometrista adj. s.2g.
difusiômetro s.m.
difusionismo s.m.
difusionista adj. s.2g.
difusionístico adj.
difusível adj.2g.
difusividade s.f.
difusivo adj.
difuso adj.
difusor (*ô*) adj. s.m.
digalêncio adj.
digaleno s.m.
digalhático adj.
digalhato s.m.
digálhico adj.
digálico adj. s.m.
digama s.m.
digamético adj.
digamia s.f.
dígamo adj. s.m.
digar s.m.
digástreo adj.
digástrico adj. s.m.
digastroscopia s.f.
digastroscópico adj.
digêneo adj. s.m.
digênese s.f.
digenético adj.
digenia s.f.
digênico adj.
digênie s.f.
digenismo s.m.
digenista adj. s.2g.
digenita s.f.
digerido adj.
digeridor (*ô*) adj.
digerir v.
digerível adj.2g.
digestão s.f.
digestibilidade s.f.
digestir v.
digestível adj.2g.
digestividade s.f.
digestivo adj. s.m.
digesto adj. s.m.
digestor (*ô*) adj. s.m.
digestório adj.
digícia s.f.
diginia s.f.
digino adj.
digitação s.f.
digitado adj.
digitador (*ô*) adj.
digital adj.2g. s.f.
digitalado adj.
digitálea s.f.
digitaleático adj.
digitaleato s.m.
digitaleico (*é*) adj.
digitaleína s.f.
digitaleínico adj.
digitalênico adj.
digitaleno s.m.
digitáleo adj.
digitalético adj.
digitálico adj. s.m.
digitálide s.f.
digitaliforme adj.2g.
digitaliformia s.f.
digitaligenina s.f.
digitaligenínico adj.
digitalina s.f.
digitalínico adj.
digitalinização s.f.
digitalinizado adj.
digitalinizador (*ô*) adj.
digitalinizante adj.2g.
digitalinizar v.
digitalinizável adj.2g.
digitális s.f.2n.
digitalismo s.m.
digitalístico adj.
digitalização s.f.
digitalizado adj.
digitalizador (*ô*) adj.
digitalizante adj.2g.
digitalizar v.
digitalizável adj.2g.
digitalona s.f.
digitalônico adj.
digitalosamina s.f.
digitalosamínico adj.
digitalose s.f.
digitalósico adj.
digitalótico adj.
digitante adj.2g.
digitar v.
digitária s.f.
digitável adj.2g.
dígite s.m.
digitífero adj.
digitifoliado adj.
digitiforme adj.2g.
digitígrado adj. s.m.
digitina s.f.
digitinervado adj.
digitínico adj.
digitipalmado adj.
digitipenado adj.
digitipene adj.2g.
digitipinado adj.
dígito s.m.; cf. *digito*, fl. do v. *digitar*
digitofilina s.f.
digitogenina s.f.
digitogenínico adj.
digitonervado adj.
digitonina s.f.
digitonínico adj.
digitopenado adj.
digitoplantar adj.2g.
digitoplastia s.f.
digitoplástica adj.
digitoxigenina (*cs*) s.f.
digitoxina (*cs*) s.f.
digitoxínico (*cs*) adj.
digitoxose (*cs*) s.f.
digitoxósico (*cs*) adj.
digitoxótico (*cs*) adj.
digladiação s.f.
digladiado adj. s.m.
digladiador (*ô*) adj. s.m.
digladiante adj. s.2g.
digladiar v.
digladiável adj.2g.
digleno s.m.
diglicérida s.f.
diglicerina s.f.
diglicerínico adj.
diglicerol s.m.
diglicol s.m.
diglicolático adj.
diglicolato s.m.
diglicólico adj.
diglicosido s.m.
diglífico adj.
díglifo s.m.
diglossa s.m.
diglossia s.f.
diglóssico adj.
diglótico adj.
diglotismo s.m.
dignação s.f.
dignante adj.2g.
dignar v.
dignatário s.m.
dignatia s.f.
dígnato adj. s.m.
dignatodontídeo adj. s.m.
dignável adj.2g.
dignidade s.f.
dignificação s.f.
dignificado adj.
dignificador (*ô*) adj.
dignificante adj.2g.
dignificar v.
dignificativo adj.
dignificatório adj.
dignificável adj.2g.
dignitário s.m.
digno adj.
digograma s.m.
digonal adj.2g.
digonalidade s.f.
digonêutico adj.
digônfia s.f.
digonia s.f.
dígono adj.
digononte adj. s.m.
digonopórico adj.
digonóporo s.m.
digoxigenia (*cs*) s.f.
digoxigênico (*cs*) adj.
digoxigenina (*cs*) s.f.
digoxina (*cs*) s.f.
digoxínico (*cs*) adj.
digrafia s.f.

digráfico adj.
dígrafo adj. s.m.
digrama s.m.
digramático adj.
digrâmico adj.
digressado adj.
digressão s.f.
digressar v.
digressável adj.2g.
digressionado adj.
digressionador (*ô*) adj.
digressionante adj.2g.
digressionar v.
digressionário s.m.
digressionável adj.2g.
digressionismo s.m.
digressionista adj. s.2g.
digressionístico adj.
digressividade s.f.
digressivo adj. "que divaga"; cf. *degressivo*
digresso s.m.
diguice s.f.
diguti adj. s.2g. s.m.
di-hebdomadário adj. s.m.
di-hibridez (*ê*) s.f.
di-hibridismo s.m.
di-híbrido adj. s.m.
di-hidratado adj.
di-hidrato s.m.
di-hidrazina s.f.
di-hidrazínico adj.
di-hidrazona s.f.
di-hidrestreptomicina s.f.
di-hídrico adj.
di-hidrita s.f.
di-hidrite s.f.
di-hidrobenzoático adj.
di-hidrobenzoato s.m.
di-hidrobenzoico (*ó*) adj.
di-hidrocarboxílico (*cs*) adj.
di-hidrocodeinona s.f.
di-hidrocolesterol s.m.
di-hidrocolesterólico adj.
di-hidrododeinômico adj.
di-hidroergotamina s.f.
di-hidroergotomínico adj.
di-hidroestreptomicínico adj.
di-hidrofoculina s.f.
di-hidrofoliculínico adj.
di-hidroftalático adj.
di-hidroftalato s.m.
di-hidroftálico adj.
di-hidrogenado adj.
di-hidroglioxalina (*cs*) s.f.
di-hidroglioxalínico (*cs*) adj.
di-hidrol s.m.
di-hidrólico adj.
di-hidrolutidina s.f.
di-hidrolutidínico adj.
di-hidromorfina s.f.
di-hidromorfínico adj.
di-hidromorfinona s.f.
di-hidronaftalina s.f.
di-hidronaftalínico adj.
di-hidropapaverina s.f.
di-hidropapaverínico adj.
di-hidropinólico adj.
di-hidropropinol s.m.
di-hidroquinômico adj.
di-hidroquinona s.f.
di-hidrortoxilêmico (*cs*) adj.
di-hidrortoxilena (*cs*) s.f.
di-hidrostreptomicina s.f.
di-hidrostreptomicínico adj.
di-hidrostricnia s.f.
di-hidrostricnímico adj.
di-hidrostricnona s.f.
di-hidrostricnônico adj.
di-hidroternadite s.f.
di-hidroternadítico adj.
di-hidrotestosterona s.f.
di-hidrotestosterônico adj.
di-hidroxiacetona (*cs*) s.f.
di-hidroxiacetônico (*cs*) adj.
di-hidroxiantroquinômico (*cs*) adj.
di-hidroxiantroquinona (*cs*) s.f.
di-hidroxicinâmico (*cs*) adj.
di-hidróxido (*cs*) adj. s.m.
di-hidroxiesteárico (*cs*) adj.
di-hidroxifenilamina (*cs*) s.f.
di-hidroxifenilamínico (*cs*) adj.
di-hidroxilado (*cs*) adj.
di-histeria s.f.
di-histérico adj.
di-iâmbico adj.
di-iambo s.m.
di-iodado adj.
di-iodetânico adj.
di-iodetano s.m.
di-iodético adj.
di-iodeto (*ê*) s.m.
di-iodidrina s.f.
di-iodidrínico adj.
di-iodobenzênico adj.
di-iodobenzeno s.m.
di-iodofórmico adj.
di-iodofórmio s.m.
di-iodometano s.m.
di-iodoparafenolsulfônico adj.
di-iodotimol s.m.
di-iodotimólico adj.
di-isobutileno s.m.
di-isocianático adj.
di-isocianato s.m.
di-isocrotílico adj.
di-isocrotilo s.m.
di-isopropilalilocarbinol s.m.
di-isopropilalilocarbinólico adj.
di-isopropílico adj.
di-isopropilo s.m.
di-isquiático adj.
dijá s.m.
dijâmbico adj.
dijambo s.m.
dijiça s.f.
dijina s.f.
díjina s.f.
dijole s.m.
dilação s.f. "adiamento"; cf. *delação*
dilaceração s.f.
dilacerado adj.
dilacerador (*ô*) adj.
dilaceramento s.m.
dilacerante adj.2g.
dilacerar v.
dilacerável adj.2g.
diláctico adj.
dilactilático adj.
dilactilato s.m.
dilactílico adj.
dilactona s.f.
dilambdodonte adj.2g.
dilanda s.f.
dilaniar v.
dilantina s.f.
dilapidação s.f.
dilapidado adj.
dilapidador (*ô*) adj. s.m.
dilapidante adj.2g.
dilapidar v.
dilapidatório adj.
dilapidável adj.2g.
dilargado adj.
dilatabilidade s.f.; cf. *delatabilidade*
dilatação s.f.
dilatado adj.; cf. *delatado*
dilatador (*ô*) adj. s.m.
dilatamento s.m.; cf. *delatamento*
dilatância s.f.
dilatante adj.2g.; cf. *delatante*
dilatar v. "estender", etc.; cf. *delatar*
dilatável adj.2g.; cf. *delatável*
dilaticórneo adj.
dilativo adj.
dilatometria s.f.
dilatométrico adj.
dilatometrista adj. s.2g.
dilatômetro s.m.
dilatório adj. "que retarda"; cf. *delatório*
dileção s.f.
dilema s.m.
dilemático adj.
dilenácea s.f.
dilenáceo adj.
dilênia s.f.
dileniácea s.f.
dileniáceo adj.
dileniale s.f.
dilépide adj.2g.
dilepidinídeo adj. s.m.
dilépido adj.
dilepto s.m.
dilermando-aguiarense adj. s.2g.; pl. *dilermando-aguiarenses*
diletante adj. s.2g.
diletantismo s.m.
diletantista adj. s.2g.
diletantístico adj.
dileto adj.
dileuó s.m.
diligência s.f.; cf. *diligencia*, fl. do v. *diligenciar*
diligenciado adj.
diligenciador (*ô*) adj. s.m.
diligenciante adj.2g.
diligenciar v.
diligenciável adj.2g.
diligente adj.2g.
diligó s.m.
diliteral adj.2g.
diliteralidade s.f.
dilítero s.m.
dilitúrático adj.
diliturato adj.2g.
dilitúrico adj.
dílkea s.f.
dílkeo adj.
dillênia s.f.
dilleniácea s.f.
dilleniáceo adj.
dilleniale s.f.
dillinita s.f.
dilo s.m.
diloba s.f.
dilobódero s.m.
dilobulado adj.
dilocular adj.2g.
dilodendro s.m.
dílofo adj. s.m.
dilogia s.f.
dilógico adj.
dilogum s.m.
dilolo s.m.
dilolo-ambulo s.m.; pl. *dilolos-ambulos*
dilonga s.f.
diloquia s.f.
dilóquico adj.
dílquea s.f.
dílqueo adj.
dilucidação s.f.
dilucidado adj.
dilucidador (*ô*) adj. s.m.
dilucidamento s.m.
dilucidante adj.2g.
dilucidar v.
dilucidativo adj.
dilucidável adj.2g.
dilúcido adj.; cf. *dilucido*, fl. do v. *dilucidar*
diluculado adj.
dilucular adj.2g.
dilúculo s.m.
diluência s.f.
diluente adj.2g. s.m.
diluia s.f.
diluição s.f.
diluído adj.
diluidor (*ô*) adj. s.m.
diluimento s.m.
diluir v.
diluível adj.2g.
dilula s.f.
diluto adj.
diluvial adj.2g.
diluvialismo s.m.
diluvialista adj. s.2g.
diluvialístico adj.
diluviano adj.
diluvião s.f.
diluviar v.
dilúvio s.m.
diluvional adj.2g.
diluviosidade s.f.
diluvioso (*ô*) adj.; f. (*ó*); pl. (*ó*)
diluvo s.m.
dima s.m.
dimal s.m.
dimálico adj.
dimanação s.f.
dimanado adj.
dimanador (*ô*) adj.
dimanante adj.2g.
dimanar v.
dimanável adj.2g.
dimastigameba s.f.
dimátida adj.2g. s.m.
dimatídeo adj. s.m.
dimatis s.m.
dimba adj. s.2g. s.m.
dimbedimbe s.m.
dimbui s.m.
dim-dim s.m.
dimeia (*é*) adj. s.f. de *dimeu*
dimensão s.f.
dimensionado adj.
dimensionador (*ô*) adj. s.m.
dimensional adj.2g.
dimensionalidade s.f.
dimensionamento s.m.
dimensionante adj.2g.
dimensionar v.
dimensionável adj.2g.
dimensível adj.2g.
dimensório adj.
dimentoxiviolantrona (*cs*) s.f.
dimentoxiviolantrônico (*cs*) adj.
dimerandra s.f.
dimercaprol s.m.
dimercaprólico adj.
dimercatopropanol s.m.
dímere adj.2g. s.m.
dimérico adj.
dimerismo s.m.
dimerita s.f.
dimerização s.f.
dimerizar v.
dímero adj. s.m.
dimerocosto s.m.
dimerômice s.m.
dimeromicete s.m.
dimerostema s.m.
dimetacarpoanifalângico adj.
dimetacarpofalângico adj.
dimetacarpoindifalângico adj.
dimetacarpomedifalângico adj.
dimetatarsofalângico adj.
dimetatarsoquartifalângico adj.
dimetatarsotercifalângico adj.
dimetil s.m.
dimetilacetal s.m.
dimetilacetilênico adj.
dimetilacetileno s.m.
dimetilalilocarbinol s.m.
dimetilalilocarbinólico adj.
dimetilamidacético adj.
dimetilamina s.f.
dimetilaminantipirina s.f.
dimetilaminantipirínico adj.
dimetilamínico adj.
dimetilamino s.m.
dimetilaminofenol s.m.
dimetilaminofenólico adj.
dimetilanilina s.f.
dimetilanilínico adj.
dimetilapomorfina s.f.
dimetilapomorfínico adj.
dimetilarsinático adj.
dimetilarsinato s.m.
dimetilarsínico adj.
dimetilarsino s.m.
dimetilbenzênico adj.
dimetilbenzeno s.m.
dimetilcarbinol s.m.
dimetilcarbinólico adj.
dimetilcetona s.f.
dimetilcetônico adj.
dimetilestricnina s.f.
dimetilestricnínico adj.
dimetiletanol s.m.
dimetiletanólico adj.
dimetiletilacetático adj.
dimetiletilacetato s.m.
dimetiletilacético adj.
dimetiletilênico adj.
dimetiletileno s.m.
dimetiletilobenzênico adj.
dimetiletilobenzeno s.m.
dimetiletilocarbinol s.m.
dimetiletilocarbinólico adj.
dimetiletilopirrol s.m.
dimetiletilopirrólico adj.
dimetilformamida s.f.
dimetilformamídico adj.
dimetilglioxima (*cs*) s.f.
dimetilglioxímico (*cs*) adj.
dimetílico adj.
dimetil-hidrazina s.f.
dimetil-hidrazínico adj.
dimetilidrorressorcina s.f.
dimetilidrorressorcínico adj.
dimetilisobutilocarbinol s.m.
dimetilisobutilocarbinólico adj.
dimetilisopropilocarbinólico adj.
dimetilmalônico adj.
dimetilo s.m.
dimetilobenzênico adj.
dimetilobenzeno s.m.
dimetilobenzina s.f.
dimetilobenzínico adj.
dimetilobenzoático adj.
dimetilobenzoato s.m.
dimetilobenzoico (*ó*) adj.
dimetilobenzol s.m.
dimetilobenzólico adj.
dimetilocarbinol s.m.
dimetilocarbinólico adj.
dimetilofenol s.m.
dimetilofenólico adj.
dimetiloglicocola s.f.
dimetiloglicocólico adj.
dimetiloglutário adj.
dimetilognanidina s.f.
dimetilognanidínico adj.
dimetiloxantina (*cs*) s.f.
dimetiloxantínico (*cs*) adj.
dimetiloxiquinizina (*cs*) s.f.
dimetiloxiquinizínico (*cs*) adj.
dimetilureia (*é*) s.f.
dimetilxantina (*cs*) s.f.
dimetilxantínico (*cs*) adj.
dimetria s.f.
dimétrico adj.
dímetro adj. s.m.
dimétrodon s.m.
dimetrodonte s.m.
dimeu adj. s.m.; f. *dimeia* (*é*)
dimiário adj. s.m.
dimidiação s.f.
dimidiado adj.
dimidiar v.
dimidiato adj.
dimidiável adj.2g.
dimídio s.m.; cf. *dimidio*, fl. do v. *dimidiar*
dimina s.f.
diminhiminhi s.f.
diminuendo s.m. adv.
diminuente adj.2g.
diminuição s.f.
diminuído adj. s.m.
diminuidor (*ô*) adj. s.m.
diminuimento s.m.
diminuindo s.m. adv.
diminuir v.
diminuível adj.2g.
diminutivo adj. s.m.
diminuto adj.
dimissória s.f.

dimissorial adj.2g.
dimissório adj.
dimiti s.m.
dimondita s.f.
dimondite s.f.
dimondítico adj.
dimonecia s.f.
dimorfandra s.f.
dimorfândrea s.f.
dimorfândreo adj.
dimorfia s.f.
dimórfico adj.
dimorfídeo adj. s.m.
dimorfina s.f.
dimorfínico adj.
dimorfismo s.m.
dimorfístico adj.
dimorfita s.f.
dimorfo adj.
dimorfobiose s.f.
dimorfobiótico adj.
dimorfodonte s.m.
dimorfômice s.m.
dimorfomicete s.m.
dimorfomiceto s.m.
dimorfoteca s.f.
dimunho s.m.
dimuro adj. s.m.
dina s.m.
dina-centímetro s.m.; pl. *dinas-centímetro*
dinaftal s.m.
dinaftalenossulfona s.f.
dinaftalenossulfônico adj.
dinaftálico adj.
dinaftílico adj.
dinaftilo s.m.
dinaftilometânico adj.
dinaftilometano s.m.
dinaftol s.m.
dinagráfico adj.
dinágrafo s.m.
dinamarquês adj. s.m.
díname s.f.
dinamelétrico adj.
dinametria s.f.
dinamétrico adj.
dinâmetro s.m.
dinamia s.f.
dinâmica s.f.
dinâmico adj.
dinamiogênese s.f.
dinamiogenético adj.
dinamiogenia s.f.
dinamiogênico adj.
dinamiologia s.f.
dinamiológico adj.
dinamiologista adj. s.2g.
dinamiólogo s.m.
dinamiometria s.f.
dinamiométrico adj.
dinamiômetro s.m.
dinamioscopia s.f.
dinamioscópico adj.
dinamioscópio s.m.
dinamismo s.m.
dinamista adj. s.2g.
dinamístico adj.
dinamitação s.f.
dinamitado adj.
dinamitador (*ô*) adj. s.m.
dinamitante adj. s.2g.
dinamitar v.
dinamitaria s.f.
dinamitável adj.2g.
dinamite s.f.
dinamiteiro adj. s.m.
dinamítico adj.
dinamitista adj. s.2g.
dinamitização s.f.
dinamitizado adj.
dinamitizador (*ô*) adj.
dinamitizante adj.2g.
dinamitizar v.
dinamitizável adj.2g.
dinamização s.f.
dinamizado adj.
dinamizador (*ô*) adj. s.m.
dinamizante adj.2g.
dinamizar v.
dinamizável adj.2g.
dínamo s.m.
dinamocorda s.f.
dinamoelétrico adj.
dinamóforo adj. s.m.
dinamoge s.f.
dinamogênese s.f.
dinamogenético adj.
dinamogenia s.f.
dinamogênico adj.
dinamografia s.f.
dinamográfico adj.
dinamografista adj. s.2g.
dinamógrafo s.m.
dinamograma s.m.
dinamol s.m.
dinamologia s.f.
dinamológico adj.
dinamologista adj. s.2g.
dinamólogo adj. s.m.
dinamomagnético adj.
dinamomagnetismo s.m.
dinamometamórfico adj.
dinamometamorfismo s.m.
dinamometria s.f.
dinamométrico adj.
dinamometrista adj. s.2g.
dinamômetro s.m.
dinamoneuro s.m.
dinamoscopia s.f.
dinamoscópico adj.
dinamoscópio s.m.
dinamose s.f.
dinamostático adj.
dinamostênico adj.
dinamostênio s.m.
dinamotermal adj.2g.
dinamotermia s.f.
dinamotérmico adj.
dinamótico adj.
dinamotor (*ô*) s.m.
dinanciano adj. s.m.
dinanderia s.f.
dinar s.m.
dinarda s.f.
dinariano adj. s.m.
dinárico adj. s.m.
dinarídeo adj.
dinarmonia s.f.
dinarmônico adj.
dinasta s.m.
dinastes s.m.2n.
dinastia s.f.
dinástico adj.
dinastídeo adj. s.m.
dinastíneo adj. s.m.
dinatron s.m.
dínatron s.m.
dinatrônio s.m.
dinca adj. s.2g. s.m.
díndaro adj. s.m.
dindié s.m.
dindim s.m.
dindinha s.f.
dindinho s.m.
dindo s.m.
dine s.m.
dinebra s.f.
dinegatividade s.f.
dinegativo adj.
dineína s.f.
dinema s.m.
dinemático adj.
dinematura s.f.
dinematuríneo adj. s.m.
dinematuro s.m.
dinemo adj.
dinergato s.m.
díneto s.m.
dinêutron s.m.
dinga s.f.
dingo s.m.
dinguange adj. s.2g.
dinguiânguia s.f.
dinhângua s.f.
dinheirada s.f.
dinheiral s.m.
dinheirama s.f.
dinheirame s.m.
dinheirão s.m.
dinheirento adj.
dinheiro s.m.
dinheiro de raposa s.m.
dinheiro-em-penca s.m.; pl. *dinheiros-em-penca*
dinheiro-papel s.m.; pl. *dinheiros-papel* e *dinheiros-papéis*
dinheiros-molhados s.m.pl.
dinheiroso (*ô*) adj.; f. (*ó*); pl. (*ó*)
dinheiros-secos s.m.pl.
dinheirudo adj.
dínico adj.
dinié s.m.
diniense adj. s.2g.
dínio s.m.
dinisiense adj. s.2g.
dinitrado adj.
dinitramidobenzoico (*ó*) adj.
dinitrático adj.
dinitrato s.m.
dinitrila s.f.
dinitrílico adj.
dinitrilo s.m.
dinitro adj.
dinitrobenzênico adj.
dinitrobenzeno s.m.
dinitrobenzenodiazoóxido (*cs*) s.m.
dinitrobenzol s.m.
dinitrobenzólico adj.
dinitrocelulose s.f.
dinitrocelulótico adj.
dinitrocresol s.m.
dinitrocresólico adj.
dinitrocrisina s.f.
dinitrocrisínico adj.
dinitrofenilidrazina s.f.
dinitrofenilidrazínico adj.
dinitrofenilidrazona s.f.
dinitrofenilidrazônico adj.
dinitrofenol s.m.
dinitrofenólico adj.
dinitrogênico adj.
dinitrogênio s.m.
dinitronaftalênico adj.
dinitronaftaleno s.m.
dinitronaftol s.m.
dinitronaftólico adj.
dinitroparafina s.f.
dinitroparafínico adj.
dinitropropânico adj.
dinitropropano s.m.
dinitrostricnina s.f.
dinitrostricnínico adj.
dinitrostricnol s.m.
dinitrostricnolcarbônico adj.
dinitrostricnólico adj.
dinitrotoluênico adj.
dinitrotolueno s.m.
dinízia s.f.
dino s.m.
dinobótrio s.m.
dinobrião s.m.
dinóbrion s.m.
dinobriôneo adj. s.m.
dinocaride s.f.
dinocarídeo adj. s.m.
dinocáris s.f.2n.
dinocerado adj. s.m.
dinocerátida adj.2g. s.m.
dinocerátide adj.2g. s.m.
dinoceratídeo adj. s.m.
dinocerato adj. s.m.
dinócloa s.f.
dinococal adj.2g.
dinococale s.f.
dinódero s.m.
dinódico adj.
dinódio s.m.
dínodo s.m.
dinofícea s.f.
dinofíceo adj.
dinofilídeo adj. s.m.
dinoflagelado adj. s.m.
dinofobia s.f.
dinofóbico adj.
dinófobo adj. s.m.
dinoio (*ó*) s.m.
dinomania s.f.
dinomaníaco adj.
dinômano adj. s.m.
dinomiídeo adj. s.m.
dinômio s.m.
dínomis s.m.2n.
dinomônada s.2g.
dinomonadina adj.2g. s.f.
dinômonas s.2g.2n.
dinonicossáurio s.m.
dinonicossauro s.m.
dinope s.f.
dinópis s.f.2n.
dinopse s.2g.
dinórnis s.2g.
dinornite s.2g.
dinornites s.2g.2n.
dinornítico adj.
dinornítida adj.2g. s.m.
dinornitídeo adj. s.m.
dinornito s.m.
dinossáurico adj.
dinossáurio s.m.
dinossauro s.m.
dinossauro-bico-de-pato s.m.; pl. *dinossauros-bico-de-pato*
dinotério s.m.
dinotim s.m.
dinstáfico adj.
dinstato s.m.
dintel s.m. "verga"; cf. *dentel*
dintorno (*ô*) s.m.
dinueleotídeo adj. s.m.
dinumeração s.f.
dinumerado adj.
dinumerador (*ô*) adj.
dinumerante adj.2g.
dinumerar v.
dinumerável adj.2g.
dinunga s.f.
dinungo s.m.
diobesso adj. s.m.
dióbolo s.m.
diocesano adj. s.m.
diocese s.f.
diocleciano adj.
diocleciense adj. s.2g.
diocleia (*é*) s.f.
dioctaédrico adj.
dioctaedro s.m.
dioctilacetático adj.
dioctilacetato s.m.
dioctilacético adj.
dioctilacetona s.f.
dioctilacetônico adj.
dioctilflalato s.m.
dioctílico adj.
dioctilo s.m.
dioctilocarbinol s.m.
dioctilocarbinólico adj.
dioctofimatídio adj. s.m.
dioctofimatino adj. s.m.
dioctofimídeo adj. s.m.
dioctofimo s.m.
dioctofimóidea s.f.
dioctofimóideo adj.
dioctogonal adj.2g.
dioctogonalidade s.f.
diodângio s.m.
diodense adj.2g.
diodesma s.m.
diódia s.f.
diódico adj.
diodina s.f.
diódio adj. s.m.
diodirrinco s.m.
diodo s.m.
díodo s.m.
diódon s.m.
diodoncefalia s.f.
diodoncefálico adj.
diodoncéfalo s.m.
diodonte adj.2g. s.m.
diodôntida adj.2g. s.m.
diodontídeo adj. s.m.
diodontocefalia s.f.
diodontocefálico adj.
diodontocéfalo s.m.
diodorense adj. s.2g.
dioense adj. s.2g.
diofântico adj.
diofantino adj.
diofisicismo s.m.
diofisicista adj. s.2g.
diofisicístico adj.
diofisismo s.m.
diofisista adj. s.2g.
diofisístico adj.
diofórmio s.m.
dioga s.m.
diógenes s.m.2n.
diógenes-sampaiense adj. s.2g.; pl. *diógenes-sampaienses*
diogenítico adj.
diogenito s.m.
diogo (*ô*) s.m.
diogo-lopense adj. s.2g.; pl. *diogo-lopenses*
diogo-vasconcelense adj. s.2g.; pl. *diogo-vasconcelenses*
dioicia s.f.
dioicidade s.f.
dioico (*ó*) adj.
diol s.m.
diola adj. s.2g.
diolandense adj. s.2g.
diolefina s.f.
dioleína s.f.
dioleínico adj.
diolena s.f.
diólico adj.
diolosídeo adj. s.m.
dioma s.f.
diomédea s.f.
diomedeídea s.f.
diomedeídeo adj. s.m.
diomédeo adj.
diomedídeo adj. s.m.
diona s.f.
dioncofilácea s.f.
dioncofiláceo adj.
dioncófilo s.m.
dioncose s.f.
dioncósico adj.
dioncótico adj.
diônea s.f.
dioneácea s.f.
dioneáceo adj.
dioneia (*é*) s.f.
diôneo adj.
diônico adj.
dionina s.f.
dionínico adj.
dionisíaca s.f.
dionisíacas s.f.pl.
dionisíaco adj.
dionisíada s.f.
dionisiano adj. s.m.
dionisiarca s.m.
dionísias s.f.pl.
dionísico adj.
dioniside s.f.
dionisiense adj. s.2g.
dionísio adj.
dionísio-cerqueirense adj. s.2g.; pl. *dionísio-cerqueirenses*
dionisopolita adj. s.2g.
dióon s.m.
diopa s.f.
díopa s.f.
díope s.f.
diópside s.m.
diopsídeo adj. s.m.
diopsídico adj.
diopsídio s.m.
diopsidítico adj.
diopsidito s.m.
diopsimetria s.f.
diopsimétrico adj.
diopsímetro s.m.
diopsiometria s.f.
diopsiométrico adj.
diopsiômetro s.m.
dioptase s.f.
dióptase s.f.
dioptásico adj.
dioptásio s.m.
dioptasita s.f.
dioptasite s.f.
dioptasítico adj.
dioptasito s.m.
dioptografia s.f.

dioptográfico adj.
dioptógrafo s.m.
dioptometria s.f.
dioptométrico adj.
dioptômetro s.m.
dioptoscopia s.f.
dioptoscópico adj.
dioptoscopista adj. s.2g.
dioptra s.f.
dioptrado adj.
dioptria s.f.
dióptrica s.f.
dióptrico adj.
dioptro s.m.
dioptrometria s.f.
dioptrométrico adj.
dioptrômetro s.m.
dioptroscopia s.f.
dioptroscópico adj.
diorama s.m.
dioramático adj.
dioramense adj. s.2g.
diorâmico adj.
diore adj. s.2g.
diorese s.f. "hemorragia"; cf. *diurese*
diorético adj.
dioríctria s.f.
diorita s.f.
diorite s.f.
diorítico adj.
diorito s.m.
diorquita s.m.
diorquítico adj.
diorrinha s.f.
diorrose s.f.
diorrótico adj.
diorsélico adj.
diortonte s.m.
diortose s.f.
diortota s.2g.
diortótico adj.
dioscopia s.f.
dioscópico adj.
dioscópio s.m.
dioscórea s.f.
dioscoreácea s.f.
dioscoreáceo adj.
dioscoreale s.f.
dioscóreo adj.
dioscoreofilo s.m.
dioscoriano adj. s.m.
dioscorieia (*é*) s.f.
dioscorina s.f.
dioscúria s.f.
dioscúrios s.m.pl.
dioscuro s.m.
diose s.f.
diosgenina s.f.
diósico adj.
diosierita adj. s.2g.
diosieronita adj. s.2g.
diosma s.f.
diosmácea s.f.
diosmáceo adj.
diosmaleoptênico adj.
diosmaleopteno s.m.
diósmea s.f.
diósmeo adj.
diosmina s.f.
diosmínico adj.
diosmose s.f.
diosmótico adj.
dioso (*ô*) adj.; f. (*ó*); pl. (*ó*)
diospirácea s.f.
diospiráceo adj.
diospireiro s.m.
diospirínea s.f.
diospiríneo adj.
dióspiro s.m.
diospolitano adj. s.m.
diostílico adj.
diostilo s.m.
diostose s.f.
diostótico adj.
diote s.f.
diótico adj.
diótipa s.f.
diotocárdio adj. s.m.
dioxana (*cs*) s.f.
dioxânico (*cs*) adj.
dioxano (*cs*) s.m.
dioxia (*cs*) s.f.
dioxiantraquinona (*cs*) s.f.
dioxiantraquinônico (*cs*) adj.
dioxibenzoático (*cs*) adj.
dioxibenzoato (*cs*) s.f.
dioxibenzoico (*cs...ó*) adj.
dioxibutirático (*cs*) adj.
dioxibutirato (*cs*) s.m.
dioxibutírico (*cs*) adj.
dioxicanfórico (*cs*) adj.
dioxicinâmico (*cs*) adj.
dioxicumarina (*cs*) s.f.
dioxicumarínico (*cs*) adj.
dióxido (*cs*) s.m.
dioxifenantrênico (*cs*) adj.
dioxifenantreno (*cs*) s.m.
dioxifenilacetático (*cs*) adj.
dioxifenilacetato (*cs*) s.m.
dioxifenilacético (*cs*) adj.
dioxifenol (*cs*) s.m.
dioxifenólico (*cs*) adj.
dioxiflavona (*cs*) s.f.
dioxiflavônico (*cs*) adj.
dioxima (*cs*) s.f.
dioximalônico (*cs*) adj.
dioxina (*cs*) s.f.
dioxinaftalina (*cs*) s.f.
dioxinaftalínico (*cs*) adj.
dioxínico (*cs*) adj.
dioxinitrato (*cs*) s.m.
dioxipurina (*cs*) s.f.
dioxipurínico (*cs*) adj.
dioxirribonucleico (*cs...é*) adj.
dipa s.f.
dipalmitina s.f.
dípcade s.m.
dipentênico adj.
dipenteno s.m.
dipêntodon s.m.
dipentodontácea s.f.
dipentodontáceo adj.
dipeptídeo adj. s.m.
dipeptídico adj.
dipeptídio s.m.
dipéptido s.m.
diperiantado adj.
diperiantia s.f.
diperiântico adj.
dipetalia s.f.
dipétalo adj.
dipetalonema s.m.
dipetalonemose s.f.
dipetalonemótico adj.
dipigia s.f.
dipígico adj.
dipígio s.m.
dípigo adj. s.m.
dipílico adj.
dipilídio s.m.
dipilidiose s.f.
dipilidiótico adj.
dípilo s.m.
dipirenado adj.
dipirênico adj.
dipireno adj. s.m.
dipírico adj.
dipiridamol s.m.
dipiridílico adj.
dipiridilo s.m.
dipiridina s.f.
dipiridínico adj.
dipírio s.m.
dipirita s.f.
dipirítico adj.
dipiro s.m.
dipirona s.f.
dipírrico adj. s.m.
dipirrilmetânico adj.
dipirrilmetano s.m.
dipirrilmetênico adj.
dipirrilmeteno s.m.
dipirríquio adj. s.m.
dipirrotina s.f.
dipirrotínico adj.
diplacanto s.m.
diplacne s.f.
diplacro s.m.
diplacusia s.f.
dipladênia s.f.
diplalbuminuria s.f.
diplalbuminúria s.f.
diplanético adj.
diplantera s.f.
diplantidiano adj.
diplarto adj.
diplásia s.f.
diplasiásmico adj.
diplasiasmo s.m.
diplásio s.m.
diplasiocelo adj. s.m.
diplastéria s.f.
diplázio s.m.
diple s.f.
diplectano s.m.
diplectro s.m.
diplegia s.f.
diplégico adj.
dipleidoscopia s.f.
dipleidoscópico adj.
dipleidoscópio s.m.
dipleiscopia s.f.
dipleiscópico adj.
dipleiscópio s.m.
diplêurula s.f.
diplidoscopia s.f.
diplidoscópico adj.
diplidoscópio s.m.
dipliscopia s.f.
diplíscópico adj.
diplíscópio s.m.
diplo s.m.
díploa s.f.
diploacusia s.f.
diploaplonte s.m.
diploaplôntico adj.
diplobacilar adj.2g.
diplobacilo s.m.
diplobactéria s.f.
diplobacteriano adj.
diplobionte s.m.
diplobiose s.f.
diplobiótico adj.
diploblastia s.f.
diploblástico adj. s.m.
diplobótrio s.m.
diplocardia s.f.
diplocardíaco adj.
diplocário s.m.
diplocaulescente adj.2g.
diplocefalia s.f.
diplocefálico adj.
diplocéfalo s.m.
diplocélico adj.
diplocelo s.m.
diplocócico adj.
diplococo s.m.
diplococoide (*ó*) adj.2g. s.m.
diplocopto s.m.
diplocoria s.f.
diplocórico adj.
diplocótilo s.m.
diplocromossomo s.m.
diplodal adj.2g.
diplódia s.f.
diplodínio s.m.
diplodisco s.m.
díplodo s.m.
diplódoco s.m.
diplodonte s.m.
diplodôntico adj.
diplodonto s.m.
díploe s.f.
diploédrico adj.
diploedro s.m.
diploemiedria s.f.
diploemiédrico adj.
diplofase s.f.
diplófase s.f.
diplofílico adj.
diplofilo s.m.
diplofonia s.f.
diplofônico adj.
diploganglionar adj.2g.
diplogáster s.m.
diplogastria s.f.
diplogástrico adj.
diplogenérico adj.
diplogênese s.f.
diplogenético adj.
diploglossado adj. s.m.
diploglosso s.m.
diplogonóforo s.m.
diplogonoporose s.f.
diplogonoporótico adj.
diplografia s.f.
diplográfico adj.
diplógrafo s.m.
diplograpto s.m.
diploico (*ó*) adj.
diploide (*ó*) adj.2g. s.m.
diploidia s.f.
diploidização s.f.
diploidizar v.
diploíta s.f.
diplolófio s.m.
diploma s.m.
diplomação s.f.
diplomacia s.f.
diplomaciar v.
diplomado adj. s.m.
diplomando s.m.
diplomar v.
diplomata s.2g.
diplomateca s.f.
diplomática s.f.
diplomático adj. s.m.
diplomatista adj. s.2g.
diplomatístico adj.
diplomatização s.f.
diplomatizado adj.
diplomatizar v.
diplomatizável adj.2g.
diplomatoteca s.f.
diplomatotecário adj. s.m.
diplomável adj.2g.
diplomelituria s.f.
diplomelitúria s.f.
diplomelitúrico adj.
diplomérico adj.
diplometria s.f.
diplométrico adj.
diplômetro s.m.
diplomielia s.f.
diplomiélico adj.
diplomita s.m.
diplonefrídio s.m.
diploneural adj.2g.
diploneuro adj.
diplonte s.m.
diplopapo s.m.
diplópara s.f.
diplopartenogênese s.f.
diplopartenogenético adj.
diplopia s.f.
diplópico adj.
diplopiometria s.f.
diplopiométrico adj.
diplopiômetro s.m.
diploplagiédrico adj.
diplópode adj.2g. s.m.
diplópodo adj. s.m.
diplopogona s.f.
diplópora s.f.
diploporia s.f.
diplopórico adj.
diplóporo s.m.
diplopriāo s.m.
diplopríon s.m.
diplóptere s.f.
diplopteria s.f.
diplopterínea s.f.
diplopteríneo adj. s.m.
diplóptero adj. s.m.
diplorrinco s.m.
diplorromboédrico adj.
diplorromboedro s.m.
diplosal s.m.
diplosálico adj.
diploscópico adj.
diploscópio s.m.
diplose s.f.
diplosfena s.f.
diplósis s.f.2n.
diplosomia s.f.
diplosômico adj.
diplosporia s.f.
diplospório adj.
diplósporo s.m.
diplosquistácea s.f.
diplosquistáceo adj.
diplosquiste s.m.
diplossegmental adj.2g.
diplossegmentalidade s.f.
diplossegmentar adj.2g.
diplossegmentário adj.
diplossegmento s.m.
diplossomia s.f.
diplossômico adj.
diplossomito s.m.
diplossomo adj. s.m.
diplostemo s.m.
diplostêmone adj.2g. s.m.
diplostemonia s.m.
diplóstoma s.m.
diplostômico adj.
diplóstomo s.m.
diplóstraco adj. s.m.
diplotaxe (*cs*) s.f.
diplotáxis (*cs*) s.m.2n.
diplotégeo adj. s.m.
diplotégio s.m.
diplótego s.m.
diplotêmio s.m.
diplotênico adj.
diplóteno s.m.
diploteratografia s.f.
diploteratográfico adj.
diploteratógrafo s.m.
diploteratologia s.f.
diploteratológico adj.
diploteratólogo s.m.
diplótrope s.f.
diplótropis s.f.2n.
diplóxilo (*cs*) adj.
diplozoão s.m.
diplozoário s.m.
diplozoico (*ó*) adj.
diplozoo (*ô*) s.m.
diplozóon s.m.
diplúrida adj.2g. s.m.
dipluro adj. s.m.
diplusódão s.m.
dipneia (*é*) s.f.
dipneu s.m.
dipnêumone adj.2g. s.m.
dipneumôneo adj.
dipnêumono s.m.
dipneusta adj.2g. s.m.
dipneusto adj. s.m.
dipno s.m.
dipnófora s.f.
dipnofórias s.f.pl.
dipnoia (*ó*) s.f.
dipnoico (*ó*) adj. s.m.
dipnona s.f.
dipnônico adj.
dipnorrínquida adj.2g. s.m.
dipnossofista adj. s.2g.
dipo s.m.
dipodascácea s.f.
dipodascáceo adj.
dipodasco s.m.
dípode adj.2g.
dipodia s.f.
dipódico adj.
dipódida adj.2g. s.m.
dipodídeo adj. s.m.
dipodíneo adj. s.m.
dipódio s.m.
dipodomiídeo adj. s.m.
dipodômio s.m.
dipódomis s.m.2n.
dipolar adj.2g.
dipolaridade s.f.
dipolicotiledôneo adj.
dipolo s.m.
dípolo s.m.
diporo s.m.
díporo s.m.
dipose s.f.
diposis s.f.2n.
dipotássico adj.
diprionídeo adj. s.m.
diprismático adj.
diprólico adj.
dipropargilato s.m.
dipropargílico adj.
dipropargilo s.m.
dipropilcetona s.f.
dipropilcetônico adj.
dipropilênico adj.
dipropileno s.m.

dipropílico adj.
dipropilo s.m.
dipropilobarbiturático adj.
dipropilobarbiturato s.m.
dipropilobarbitúrico adj.
dipropilomalonilureia (*é*) s.f.
dipropilomalonilureico (*é*) adj.
diprosopia s.f.
diprosópico adj.
diprosopo s.m.
diprótodon s.m.
diprotodonte adj.2g. s.m.
dipsa s.f.
dipsacácea s.f.
dipsacáceo adj.
dipsacal adj.2g.
dipsacale s.f.
dipsácea s.f.
dipsáceo adj.
dipsacíneo adj. s.m.
dípsaco s.m.
dípsada s.f.
dípsade s.f.
dipsádida adj.2g. s.m.
dipsadídeo adj. s.m.
dipsadíneo adj. s.m.
dipsadomorfídeo adj. s.m.
dipsadomorfo s.m.
dipsas s.2g.2n.
dipserígio s.m.
dipsético adj.
dipseudocumenol s.m.
dipseudocumenólico adj.
dípsido s.m.
dípsis s.m.2n.
dipsofobia s.f.
dipsofóbico adj.
dipsófobo adj. s.m.
dipsomania s.f.
dipsomaníaco adj. s.m.
dipsômano adj. s.m.
dipsopata adj. s.2g.
dipsopatia s.f.
dipsopático adj.
dipsorréctico adj.
dipsorrexia (*cs*) s.f.
dipsorréxico (*cs*) adj.
dipsose s.f.
dipsoterapia s.f.
dipsoterápico adj.
dipsótico adj.
dipteracanto s.m.
dipterácea s.f.
dipteráceo adj.
dipteranto s.m.
diptérico adj.
dipteridácea s.f.
dipteridáceo adj.
diptérige s.f.
dipterígia s.f.
dipterígio adj. s.m.
dipterigióidea s.f.
dipterigióideo adj.
dípteris s.f.2n.
dípterix (*cs*) s.f.2n.
díptero adj. s.m.
dipterocarpácea s.f.
dipterocarpáceo adj.
dipterocarpo s.m.
dipterocecídia s.f.
dipterodonte s.m.
dipterologia s.f.
dipterológico adj.
dipterologista adj. s.2g.
dipterólogo s.m.
dipterônia s.f.
dipteropelte s.f.
diptérula s.f.
dipticandra s.f.
díptico s.m.
diptírrico s.m.
diptoto adj. s.m.
diquara s.f.
dique s.m.
diqueia (*é*) s.f.
diqueilonema s.m.
diqueira s.f.
diqueje s.f.
diqueláspide s.f.
diqueláspis s.f.2n.
diquele adj. s.2g.
diquélia s.f.
diquelima s.f.
diquelocéfalo s.m.
diquelostema s.f.
diquelostiídeo adj. s.m.
diquemale s.m.
diquemáli s.m.
diquenácea s.f.
diquenáceo adj.
diquetantera s.f.
díquia s.f.
diquilonema s.m.
diracma s.f.
diracmácea s.f.
diracmáceo adj.
dirandela s.f.
dirca s.f.
dírcea s.f.
dirceíneo adj. s.m.
dirce-reisense adj. s.2g.; pl. *dirce-reisenses*
dirceu-barcelense adj. s.2g.; pl. *dirceu-barcelenses*
dirceuense adj. s.2g.
direção s.f.
direção-geral s.f.; pl. *direções-gerais*
direcionabilidade s.f.
direcionador (ô) adj. s.m.
direcional adj.2g.
direcionalidade s.f.
direcionar v.
direcionável adj.2g.
direita s.f.
direiteiro s.m.
direiteza (*ê*) s.f.
direitidade s.f.
direitidão s.f.
direitinho adj. adv. s.m.
direitismo s.m.
direitista adj. s.2g.
direitístico adj.
direito adj. adv. s.m.
direitura s.f.
direitureiro adj.
dirém s.m.
direta s.f.
diretiva s.f.
diretividade s.f.
diretivo adj.
direto adj. adv. s.m.
diretor (*ô*) adj. s.m.
diretorado s.m.
diretor-geral s.m.; pl. *diretores-gerais*
diretor-gerente s.m.; pl. *diretores-gerentes*
diretoria s.f.
diretoria-geral s.f.; pl. *diretorias-gerais*
diretorial adj.2g.
diretório adj.2g.2n. s.m.
diretor-secretário s.m.; pl. *diretores-secretários*
diretriz adj. s.f.
diriano s.m.
diribitor (*ô*) s.m.
diribitório s.m.
diriclécia s.f.
dirigente adj. s.2g.
dirigibilidade s.f.
dirigido adj.
dirigidor (*ô*) adj. s.m.
dirígio s.m.
dirigir v.
dirigismo s.m.
dirigista adj. s.2g.
dirigístico adj.
dirigível adj.2g. s.m.
dirijo s.m.
dirimente adj.2g. s.f.
dirimibilidade s.f.
dirimição s.f.
dirimido adj.
dirimidor (*ô*) s.m.
dirimir v.
dirimível adj.2g.
dirina s.f.
dirinácea s.f.
dirináceo adj.
dirino adj. s.m.
diriri s.m.
diro adj.
dirofilária s.m.
dirofilaríase s.f.
dirofilariose s.f.
dirofilariótico adj.
dirqui s.f.
dirrã s.m.
dirradicar v.
dirraqueno adj. s.m.
dirraquino adj. s.m.
diruir v.
dirupção s.f.
diruptivo adj.
diruptor (*ô*) s.m.
disa s.f.
disabsortopata adj. s.2g.
disabsortopatia s.f.
disabsortopático adj.
dísaco s.m.
disacrílico adj.
disacrilo s.m.
disacusia s.f.
disacúsico adj.
disacusmia s.f.
disacúsmico adj.
disacústica s.f.
disacústico adj.
disafia s.f. "perturbação do tato"; cf. *desafia*, fl. do v. *desafiar*
disáfico adj.
disalbumose s.f.
disalbumótico adj.
disalelógnata adj. s.2g.
disalelognatia s.f.
disalelognático adj.
disamis s.m.
disanagnosia s.f.
disanagnósico adj.
disanagnóstico adj.
disanagogia s.f.
disanagógico adj.
disanalita s.f.
disanha s.f.
disantigrafia s.f.
disantigráfico adj.
disapoctástase s.f.
disapoctastásico adj.
disaponotocia s.f.
disaponotócico adj.
disaptação s.f.
disaptado adj. s.m.
disaraxia (*cs*) s.f.
disarteriotonia s.f.
disarteriotônico adj.
disartria s.f.
disártrico adj.
disartrose s.f.
disartrósico adj.
disartrótico adj.
disautonomia s.f.
disazoico (*ó*) adj.
dísbase s.f.
disbasia s.f.
disbásico adj.
disblenia s.f.
disblênico adj.
disbulia s.f.
disbúlico adj.
disbulismo s.m.
discação s.f.
discácea s.f.
discáceo adj.
discado s.m.
discador (*ô*) adj. s.m.
discagem s.f.
discal adj.2g.
discálea s.f. "cogumelo"; cf. *discália*
discáleo adj.
discália s.f. "pólipo"; cf. *discálea*
discalídeo adj. s.m.
discantar v.
discante s.m.
discar v.
discária s.f.
discartrose s.f.
discartrótico adj.
discatabrose s.f.
discatabrótico adj.
discatapose s.f.
discataposia s.f.
discatapósico adj.
discelácea s.f.
disceláceo adj.
discélio s.m.
discemese s.f.
discemesia s.f.
discência s.f.
discenestesia s.f.
discenestésico adj.
discente adj.2g. "relativo a alunos"; cf. *descente*
disceptação s.f.
disceratose s.f.
discernente adj.2g.
discernibilidade s.f.
discernículo s.m.
discernido adj.
discernidor (*ô*) adj. s.m.
discernimento s.m.
discernir v. "distinguir"; cf. *decernir*
discernitivo adj.
discernitório adj.
discernível adj.2g.
discídio s.m. "protozoário"; cf. *dissídio*
discifânia s.f.
discífero adj.
disciflora s.f.
discifloro adj.
discifo s.m.
disciforme adj.2g.
discigranulado adj.
discina s.f.
discinesia s.f.
discinésico adj.
discinético adj.
disciníideo adj. s.m.
discinisco s.m.
disciplina s.f.
disciplinação s.f.
disciplina-de-freira s.f.; pl. *disciplinas-de-freira*
disciplinado adj. s.m.
disciplinador (*ô*) adj. s.m.
disciplinamento s.m.
disciplinante adj.2g. s.m.
disciplinar v. adj.2g.
disciplinaridade s.f.
disciplinário s.m.
disciplinas s.f.pl.
disciplinas-de-freiras s.f.pl.
disciplinativo adj.
disciplinatório adj.
disciplinável adj.2g.
discipulado s.m.
discipular adj.2g.
discipulato s.m.
discípulo adj. s.m.
discissão s.f.
discite s.f.
discítico adj.
disclazita s.f.
disclazite s.f.
disclímax (*cs*) s.m.
disclusão s.f.
discluso adj.
disco s.m.
discoblástico adj.
discoblástula s.f.
discóbolo s.m.
discocacto s.m.
discocárpio s.m.
discocarpo s.m.
discocéfalo adj. s.m.
discocélio s.m.
discodáctico s.m.
discodáctilo adj. s.m.
discodátilo adj. s.m.
discofilia s.f.
discófilo adj. s.m.
discófora s.f.
discóforo adj. s.m.
discogástrula s.f.
discoglossídeo adj. s.m.
discoglosso s.m.
discografia s.f.
discográfico adj.
discografismo s.m.
discografista adj. s.2g.
discógrafo s.m.
discoidal adj.2g.
discoidalidade s.f.
discoide (*ó*) adj.2g. s.f.
discóidea s.f.
discóideo adj.
discoidia s.f.
discoimesia s.f.
discolabídeo adj. s.m.
discólabo s.m.
discolia s.f.
discólico adj.
discolíquen s.m.
discolítico adj.
discólito s.m.
díscolo adj. s.m.
discolóbio s.m.
discolomídeo adj. s.m.
discolor (*ô*) adj.2g.
discoluma s.f.
disco-madre s.m.; pl. *discos-madre* e *discos-madres*
disco-mãe s.m.; pl. *discos-mãe* e *discos-mães*
discomedusa s.f.
disco-mestre s.m.; pl. *discos-mestre* e *discos-mestres*
discométrico adj.
discômetro s.m.
discomicete s.m.
discomiceto s.m.
discomicose s.f.
discomicótico adj.
discômite s.m.
discomítico adj.
discômito s.m.
discômodo adj.
disconália s.m.
disconanto adj. s.m.
discondroplasia s.f.
discondroplásico adj.
discondrosteose s.f.
discondrosteótico adj.
disconecto s.m.
disconforme adj.2g.
disconformidade s.f.
discopatia s.f.
discopático adj.
discoplacenta s.f.
discoplacentário adj. s.m.
discoplasma s.f.
discoplasmático adj.
discópode adj.2g.
discopoma s.m.
discópsio s.m.
discorbina s.m.
discordado adj.
discordador (*ô*) adj. s.m.
discordância s.f.
discordante adj. s.2g.
discordar v. "divergir"; cf. *descordar*
discordável adj.2g.
discorde adj.2g.
discórdia s.f.
discordo (*ô*) s.m. "divergência"; cf. *discordo*, fl. do v. *discordar* e *descordo* (*ô*) s.m. e *descordo*, fl. do v. *descordar*
discoria s.f.
discórico adj.
discoriste s.m.
discorredor (*ô*) adj. s.m.
discorrência s.f.
discorrente adj.2g.
discorrer v.
discorrido adj.
discorrimento s.m.
discorrível adj.2g.
discossomia s.f.
discossomo adj.
discoteca s.f.
discotecário s.m.
discótrico adj. s.m.
discotríquio adj. s.m.
discralita s.f.
díscrase s.f.

discrasia s.f.
discrasiado adj.
discrásico adj. s.m.
discrásio s.m.
discrasita s.f.
discrasite s.m.
discrasítico adj.
discrepado adj.
discrepador (*ô*) adj. s.m.
discrepância s.f.
discrepante adj.2g.
discrepar v.
discrepável adj.2g.
discreta s.f.
discreteação s.f.
discreteado adj.
discreteador (*ô*) adj. s.m.
discreteante adj.2g.
discretear v.
discreteável adj.2g.
discretivo adj.
discreto adj. s.m.
discretório s.m.
discrição s.f. "reserva"; cf. *descrição*
discricional adj.2g.
discricionalidade s.f.
discricionariedade s.f.
discricionário adj.
discrime s.m.
discrímen s.m.
discriminação s.f.
discriminado adj.
discriminador (*ô*) adj. s.m.
discriminal adj.2g.
discriminante adj. s.2g.
discriminar v. "diferençar"; cf. *descriminar*
discriminativo adj.
discriminatório adj.
discriminável adj.2g.
discroia (*ó*) s.f.
discromasia s.f.
discromásico adj.
discromático adj.
discromatismo s.m.
discromatístico adj.
discromatopsia s.f.
discromatópsico adj.
discromatoso (*ô*) adj., f. (*ó*); pl. (*ó*)
discromia s.f.
discrômico adj.
discromo adj.
discromodermia s.f.
discromodérmico adj.
discromopsia s.f.
discromópsico adj.
discromóptico adj.
discropsia s.f.
discrópsico adj.
discuria s.f.
discuriosidade s.f.
discursado adj.
discursador (*ô*) adj. s.m.
discursal adj.2g.
discursalidade s.f.
discursante adj.2g.
discursar v.
discursata s.f.
discursável adj.2g.
discurseira s.f.
discurseta (*ê*) s.f.
discursista adj. s.2g.
discursividade s.f.
discursivo adj.
discurso s.m.
discursório s.m.
discursorreia (*é*) s.f.
discursorreico (*é*) adj.
discussão s.f.
discutição s.f.
discutido adj.
discutidor (*ô*) adj. s.m.
discutimento s.m.
discutinhar v.
discutir v.
discutível adj.2g.
disdacria s.f.
disdácrico adj.
disdera s.f.
disdérida adj.2g. s.m.
disderídeo adj. s.m.
disdiaclástico adj.
disdiaclasto s.m.
disdiadococinesia s.f.
disdiadococinésico adj.
disdiadococinético adj.
disdipsia s.f.
disdípsico adj.
diseceia (*é*) s.f.
disectasia s.f.
disectásico adj.
disectático adj.
disedemonia s.f.
disedemônico adj.
dísel adj.2g. s.m.
dísel-elétrico adj.; pl. *dísel-elétricos*
dísel-hidráulico s.f.; pl. *dísel-hidráulicos*
diselização s.f.
diselizado adj.
diselizador (*ô*) adj. s.m.
diselizante adj.2g.
diselizar v.
diselizável adj.2g.
diselma s.f.
disema s.m.
disematopoiese s.f.
disematopoiético adj.
disembrioma s.m.
disembriomático adj.
disembriômico adj.
disembrioplasia s.f.
disembrioplásico adj.
disembrioplasmoma s.m.
disembrioplasmômico adj.
disembrioplasoma s.f.
disembrioplastia s.f.
disembrioplástico adj.
disêmese s.f.
disemétrico adj.
disemia s.f.
dissêmico adj.
disendocrínico adj.
disendocrinismo s.m.
disendócrino adj.
disenteria s.f.
disentérico adj. s.m.
disenteriforme adj.2g.
disepatia s.f.
disepático adj.
disergasia s.f.
disergástico adj.
disergia s.f.
disérgico adj.
diserto adj. "eloquente"; cf. *deserto* adj. s.m. e fl. do v. *desertar*
disespermático adj.
disespermatismo s.m.
disestesia s.f.
disestético adj.
disfagia s.f.
disfágico adj.
disfânia s.f.
disfaniáceo adj.
disfaniácia s.f.
disfarçada s.f.
disfarçado adj. s.m.
disfarçador (*ô*) adj. s.m.
disfarçante adj. s.2g.
disfarçar v.
disfarçável adj.2g.
disfarce s.m.
disfarceira s.f.
disfarceiro adj.
disfarço s.m.
disfarçuda s.f.
disfarçudo adj.
disfaringe s.f.
disfárinx s.m.2n.
disfasia s.f.
disfásico adj.
disfatnia s.f.
disfátnico adj.
disfemia s.f.
disfêmico adj.
disfemismo s.m.
disfemista adj. s.2g.
disfemístico adj.
disfenoédrico adj.
disfenoedro s.m.
disferir v. "dilatar"; cf. *desferir*
disfibrinogenemia s.f.
disfogênio s.m.
disfólide s.f.
disfólido s.m.
disfonia s.f.
disfônico adj.
dísfono adj. s.m.
disforia s.f.
disfórico adj.
disformação s.f.
disformado adj.
disformador (*ô*) adj.
disformante adj.2g.
disformar v.; cf. *desformar*
disformável adj.2g.
disforme adj.2g.
disformia s.f.
disfórmico adj.
disformidade s.f.
disfótico adj.
disfrasia s.f.
disfrásico adj.
disfrenia s.f.
disfrênico adj.
disfunção s.f.
disfuncional adj.2g.
disga s.f.
disgalactia s.f.
disgaláctico adj.
disgenesia s.f.
disgenésico adj.
disgenético adj.
disgenia s.f.
disgênica s.f.
disgênico adj.
disgenital adj.2g.
disgenitalidade s.f.
disgenitalismo s.m.
disgenizante adj.2g.
disgenopatia s.f.
disgenopático adj.
disgeógeno adj.
disgerminoma s.m.
disgerminômico adj.
disgeusia s.f.
disglandular adj.2g.
disglandularidade s.f.
disglobulinemia s.f.
disgnosia s.f.
disgnósico adj.
disgnóstico adj.
disgônico adj.
disgra s.f.
disgrafia s.f.
disgráfico adj.
disgrama s.m.
disgramado adj.
disgramar v.
disgramático adj.
disgramatismo s.m.
disgramatístico adj.
disgrameira s.f.
disgregação s.f.
disgregado adj.
disgregador (*ô*) adj.
disgregante adj.2g.
disgregar v.
disgregável adj.2g.
disgrudo adj.
disidemônia s.f.
disidria s.f.
disídrico adj.
disidrose s.f.
disidrótico adj.
disintegrina s.f.
disintribita s.f.
disjunção s.f.
disjungido adj.
disjungidor (*ô*) adj. s.m.
disjungir v. "separar"; cf. *desjungir*
disjungível adj.2g.
disjunta s.f.
disjuntado adj.
disjuntador (*ô*) adj.
disjuntante adj.2g.
disjuntar v.
disjuntável adj.2g.
disjuntifloro adj.
disjuntiva s.f.
disjuntividade s.f.
disjuntivo adj.
disjunto adj. s.m.
disjuntor (*ô*) s.m.
dislalia s.f.
disláico adj.
dislate s.m.
disléctico adj. s.m.
dislético adj.
dislexia (*cs*) s.f.
disléxico (*cs*) adj.
disliita s.f.
disliite s.f.
disliítico adj.
dislipidemia s.f.
dislogia s.f.
dislógico adj.
dislogístico adj.
disloquia s.f.
dislóquico adj.
disluíta s.f.
disluíte s.f.
dismassessia s.f.
dismegalopsia s.f.
dismegalópsico adj.
dismenia s.f.
dismênico adj.
dismenorreia (*é*) s.f.
dismenorreico (*é*) adj.
dismetria s.f.
dismétrico adj.
dismicrítico adj.
dismícrito s.m.
dismimia s.f.
dismímico adj.
disminesia s.f.
dismiotonia s.f.
dismiotônico adj.
dismnésia s.f.
dismnésico adj.
dismorfia s.f.
dismórfico adj.
dismorfismo s.m.
dismorfo adj.
dismorfofobia s.f.
dismorfofóbico adj.
dismorfófobo adj. s.m.
dismorfopsia s.f.
dismorfópsico adj.
dismorfose s.f.
dismorfósico adj.
dismorfosteopalinclástico adj.
dismorfosteopalinclasto s.m.
dismutação s.f.
disna s.f.
disnervado adj.
disneuria s.f.
disnêurico adj.
disnoosia s.f.
disnusia s.f.
disocacto s.m.
disodia s.f.
disódico adj.
disodila s.f.
disodmia s.f.
disodonte adj.2g. s.m.
disodontíase s.f.
disombe s.f.
disomeósio s.m.
disomia s.f.
disômico adj.
disontogênese s.f.
disontogenético adj.
disontogênico adj.
disopia s.f.
disópico adj.
disopsia s.f.
disóptico adj.
disoréctico adj.
disorético adj.
disorexia (*cs*) s.f.
disoréxico (*cs*) adj.
disorganoplasia s.f.
disorganoplásico adj.
disortografia s.f.
disortográfico adj.
disosmia s.f.
disósmico adj.
disosteose s.f.
disosteótico adj.
disostose s.f.
disostótico adj.
disovarismo s.m.
disóxilo (*cs*) s.m.
dispancreático adj.
dispancreatismo s.m.
díspar adj.2g.
disparada s.f.
disparado adj.
disparador (*ô*) adj. s.m.
disparante adj.2g.
disparar v.
disparatada s.f.
disparatado adj.
disparatar v.
disparatável adj.2g.
disparate s.m.
disparateiro adj.
disparatireoidismo s.m.
disparatireoidístico adj.
disparatiroidismo s.m.
disparatiroidístico adj.
disparecer v.
dispareunia s.f.
disparêunico adj.
disparidade s.f.
disparípede adj.2g.2n.
dispáripes s.m.2n.
disparissonante adj.2g.
disparo s.m.
dispartição s.f.
dispartido adj.
dispartir v.
dispartível adj.2g.
dispêndio s.m.
dispendiosidade s.f.
dispendioso (*ô*) adj.; f. (*ó*); pl. (*ó*)
dispensa s.f. "licença"; cf. *despensa*
dispensabilidade s.f.
dispensação s.f.
dispensado adj.
dispensador (*ô*) adj. s.m.
dispensante adj.2g.
dispensar v.
dispensário s.m.
dispensatário s.m.
dispensativo adj.
dispensatório adj. s.m.
dispensável adj.2g.
dispenseiro s.m. "aquele que desobriga"; cf. *despenseiro*
dispepsia s.f.
dispepsodinia s.f.
dispepsodínico adj.
dispéptico adj. s.m.
disperdedor (*ô*) adj.
disperder v.
disperdido adj.
disperdimento s.m.
disperdível adj.2g.
dispergente s.m.
dispergido adj.
dispergir v.
disperistalse s.f.
disperma s.m.
dispermático adj.
dispermatismo s.m.
dispermatístico adj.
dispermia s.f.
dispérmico adj.
dispermo adj.
dispermoteca s.f.
dispersado adj.
dispersador (*ô*) adj. s.m.
dispersante s.m.
dispersão s.f.
dispersar v.
dispersável adj.2g.
dispersível adj.2g.
dispersividade s.f.
dispersivo adj.
disperso adj.
dispersoide (*ó*) s.m.
dispersor (*ô*) adj.
dispinealismo s.m.
dispinealístico adj.
dispirema s.m.

dispiria s.f. "má combustão"; cf. *despiria*, fl. do v. *despir*
dispírico adj.
dispituitarismo s.m.
dispituitarístico adj.
displasia s.f.
displásico adj.
displástico adj.
displicência s.f.
displicente adj. s.2g.
dispneia (*é*) s.f.
dispneico (*é*) adj. s.m.
dispneumia s.f.
dispnêumico adj.
dispoente adj. s.2g.
dispoeta s.2g.
dispoético adj.
dispondaico adj.
dispondeu s.m.
dispondilose s.f.
dispondilótico adj.
disponente adj. s.2g.
disponibilidade s.f.
disponibilizar v.
disponível adj.2g.
dispor (*ô*) v. s.m. "pôr em ordem"; cf. *despor*
dísporo adj.
disposição s.f.
dispositivo adj. s.m.
dispositor (*ô*) adj. s.m.
disposto (*ô*) adj. s.m.; f. (*ó*); pl. (*ó*)
dispráctico adj.
dispragia s.f.
disprágico adj.
dispraxia (*cs*) s.f.
dispráxico (*cs*) adj.
disprósico adj.
disprósio s.m.
disprosódia s.f.
disprosódico adj.
disprósodo adj.
dispsiquia s.f.
dispsíquico adj.
dispsiquismo s.m.
disputa s.f.
disputação s.f.
disputado adj.
disputador (*ô*) adj. s.m.
disputal adj.2g.
disputando adj.
disputante adj. s.2g.
disputar v.
disputativo adj.
disputatório adj.
disputável adj.2g.
disqueratose s.f.
disqueratótico adj.
disquete s.m.
disquezia s.f.
disquézico adj.
dísquides s.m.2n.
disquídia s.f.
disquilia s.f.
disquílico adj.
disquiria s.f.
disquirição s.f.
disquírico adj.
disquírio s.m.
disquisição s.f.
disquisitório s.m.
disquito s.m.
disrafia s.f.
disráfico adj.
disrexistasia (*cs*) s.f.
disrexistático (*cs*) adj.
disrexitocia (*cs*) s.f.
disrexitócico (*cs*) adj.
disritmia s.f.
disrítmico adj.
disrupção s.f.
disruptividade s.f.
disruptivo adj.
dissaba s.m.f.
dissabor (*ô*) s.m. "desgosto"; cf. *dessabor*
dissaborado adj.
dissaboreado adj.
dissaboreador (*ô*) adj. s.m.
dissaboreante adj.2g.
dissaborear v. "aborrecer"; cf. *dessaborear*
dissaboreável adj.2g.
dissaborido adj. "triste"; cf. *dessaborido*
dissaboroso (*ô*) adj.; f. (*ó*); pl. (*ó*)
dissacaridase s.f.
dissacarídase s.f.
dissacaridásico adj.
dissacaridático adj.
dissacarídeo adj. s.m.
dissacárido adj. s.m.
dissaco s.m.
dissâmara s.f.
dissano s.m.
dissava s.m.f.
dissebácea s.f.
dissecação s.f.; pl. *dessecação*
dissecado adj.; cf. *dessecado*
dissecador (*ô*) s.m.; cf. *dessecador*
dissecante adj.2g.; cf. *dessecante*
disseção s.f.
dissecar v. "retalhar"; cf. *dessecar*
dissecativo adj.; cf. *dessecativo*
dissecável adj.2g.; cf. *dessecável*
dissecção s.f.
dissectividade s.f.
dissectivo adj.
dissector (*ô*) adj. s.m.
dissectorial adj.2g.
disse me disse s.m.2n.
dissemelhação s.f.
dissemelhado adj.
dissemelhador (*ô*) adj. s.m.
dissemelhança s.f.
dissemelhante adj.2g.
dissemelhar v.
dissemelhável adj.2g.
dissemia s.f.
dissêmico adj.
disseminação s.f.
disseminado adj.
disseminador (*ô*) adj. s.m.
disseminante adj.2g.
disseminar v.
disseminativo adj.
disseminatório adj.
disseminável adj.2g.
dissemínula s.f.
dissena s.f.
disse não disse s.m.2n.
dissenda s.f.
dissenga s.f.
dissensão s.f. "discordância"; cf. *descensão*
dissenso s.m.
dissentaneidade s.f.
dissentâneo adj.
dissentido adj.
dissentidor (*ô*) adj. s.m.; cf. *dessentidor* (*ô*)
dissentimento s.m.; cf. *dessentimento*
dissentir v. "divergir"; cf. *dessentir*
dissentível adj.2g.; cf. *dessensível*
dissepalia s.f.
dissépalo adj.
dissepimento s.m.
disse que disse s.m.2n.
dissertação s.f.
dissertado adj. s.m.
dissertador (*ô*) s.m.
dissertante adj.2g.
dissertar v. "discorrer"; cf. *decertar*
dissertativo adj.
dissertatório adj.
dissertável adj.2g.
dissesse (*ê*) s.f. "larva de inseto"; cf. *dissesse*, fl. do v. *dizer*
dissetivo adj.
dissetor (*ô*) s.m.
dissetorial adj.2g.
dissialorreia (*é*) s.f.
dissialorreico (*é*) adj.
dissidência s.f.
dissidente adj. s.2g. "divergente"; cf. *decidente*
dissidiado adj.
dissidiador (*ô*) adj.
dissidiante adj.2g.
dissidiar v.
dissidiável adj.2g.
dissídio s.m. "divergência"; cf. *discídio* s.m. e *dissidio*, fl. do v. *dissidiar*
dissidir v. "divergir"; cf. *decidir*
dissilábico adj.
dissilabismo s.m.
dissilabístico adj.
dissílabo adj. s.m.
dissilano s.m.
dissilicano s.m.
dissilícico adj.
dissilicoetano s.m.
dissiliência s.f.
dissiliente adj.2g.
dissimetria s.f.
dissimétrico adj.
dissimetrização s.f.
dissimetrizado adj.
dissimetrizador (*ô*) adj.
dissimetrizante adj.2g.
dissimetrizar v.
dissimetrizável adj.2g.
dissímil adj.2g.
dissimilação s.f.
dissimilado adj.
dissimilador (*ô*) adj.
dissimilante adj.2g.
dissimilar v. adj.2g.
dissimilaridade s.f.
dissimilativo adj.
dissimilatório adj.
dissimilável adj.2g.
dissimilidade s.f.
dissimílimo adj. sup. de *dissímil*
dissimilitude s.f.
dissimulação s.f.
dissimulado adj. s.m.
dissimulador (*ô*) adj. s.m.
dissimulante adj.2g.
dissimular v.
dissimulativo adj.
dissimulatório adj.
dissimulável adj.2g.
dissímulo s.m.; cf. *dissimulo*, fl. do v. *dissimular*
dissínclise s.f.
dissinclítico adj.
dissinergético adj.
dissinergia s.f.
dissinérgico adj.
dissintonia s.f.
dissintônico adj.
dissinusia s.f.
dissinúsico adj.
dissipabilidade s.f.
dissipação s.f.
dissipado adj. s.m.
dissipador (*ô*) adj. s.m.
dissipante adj.2g.
dissipar v.
dissipativo adj.
dissipatório adj.
dissipável adj.2g.
dissistolia s.f.
dissistólico adj.
disso contr. de *de* e *isso*
dissociabilidade s.f.
dissociação s.f.
dissociado adj.
dissociador (*ô*) adj.
dissocial adj.2g.
dissociante adj.2g. s.m.
dissociar v.
dissociativo adj.
dissociável adj.2g.; cf. *dessociável*
dissódico adj.
dissogenia s.f.
dissolto (*ô*) adj.
dissolubilidade s.f.
dissolução s.f.
dissolucionismo s.m.
dissolucionista adj. s.2g.
dissolutivo adj. s.m.
dissoluto adj.
dissolutório adj.
dissolúvel adj.2g.
dissolvedor (*ô*) adj.
dissolvência s.f.
dissolvente adj.2g. s.m.
dissolver v.
dissolvido adj.
dissolvível adj.2g.
dissomatia s.f.
dissomático adj.
dissomia s.f.
dissômico adj.
dissomo s.m.
dissonação s.f.
dissonado adj.
dissonador (*ô*) adj.
dissonância s.f.
dissonante adj.2g.
dissonar v.
dissonável adj.2g.
dissonia s.f.
díssono adj.; cf. *dissono*, fl. do v. *dissonar*
dissonoridade s.f.
dissonoro adj.
dissote s.f.
dissótis s.f.2n.
dissótrix (*cs*) s.f.
dissuadido adj.
dissuadidor (*ô*) adj. s.m.
dissuadimento s.m.
dissuadir v.
dissuadível adj.2g.
dissuasão s.f.
dissuasivo adj.
dissuasor (*ô*) adj. s.m.
dissuasório adj.
dissubstituição s.f.
dissubstituído adj.
dissulfato s.m.
dissulfeto (*ê*) s.m.
dissulfiram s.m.
dissulfonato s.m.
dissulfureto (*ê*) s.m.
distáctico adj. "mal-organizado"; cf. *distático*
distado adj.
distal adj.2g.
distanasia s.f.
distanásia s.f.
distanásico adj.
distanático adj.
distância s.f.; cf. *distancia*, fl. do v. *distanciar*
distanciação s.f.
distanciado adj.
distanciador (*ô*) adj. s.m.
distanciamento s.m.
distanciante adj.2g.
distanciar v.
distanciável adj.2g.
distanciômetro s.m.
distante adj.2g.
distáquio adj.
distar v.
distasia s.f.
distásico adj.
distático adj. "malparado"; cf. *distáctico*
distaxia (*cs*) s.f.
distáxico (*cs*) adj.
disteganto s.m.
distelazia s.f.
distelázico adj.
disteleologia s.f.
disteleológico adj.
disteleologista adj. s.2g.
disteleólogo adj. s.m.
distêmone adj.2g.
distendedor (*ô*) adj.
distendente adj.2g.
distender v.
distendido adj.
distendimento s.m.
distendível adj.2g.
distenia s.f.
distênico adj.
distênio s.m.
disteno s.m.
dísteno s.m.
distensão s.f.
distensibilidade s.f.
distensionar v.
distensível adj.2g.
distenso adj.
distensor (*ô*) adj. s.m.
disteomose s.f.
distermasia s.f.
distermásico adj.
distermático adj.
distermia s.f.
distérmico adj.
distermose s.f.
distermósico adj.
distermótico adj.
distesia s.f.
distésico adj.
distético adj.
disticado adj.
disticídeo adj. s.m.
dístico adj. s.m.
disticofilia s.f.
disticofílico adj.
disticofilo adj.
distictela s.f.
distilar v.
distílico adj.
distilo adj. s.m.; "que tem dois estiletes"; cf. *destilo*, fl. do v. *destilar*
distimbria s.f.
distímbrico adj.
distimia s.f.
distímico adj.
distímio adj.
distinção s.f.
distinguibilidade s.f.
distinguido adj.
distinguidor (*ô*) s.m.
distinguir v.
distinguível adj.2g.
distintividade s.f.
distintivo adj. s.m.
distinto adj. "diferente"; cf. *destinto*
distiquíase s.f.
distíquio s.m.
distirenático adj.
distirenato s.m.
distirênico adj.
distireoidia s.f.
distireóidico adj.
distireoidismo s.m.
distiroidia s.f.
distiróidico adj.
distiroidismo s.m.
disto contr. de *de* e *isto*; cf. *disto*, fl. do v. *distar*
distobucal adj.2g.
distobucoclusal adj.2g.
distobucopulpar adj.2g.
distocervical adj.2g.
distocia s.f.
distocíaco adj.
distócico adj.
distoclusão s.f.
distolabial adj.2g.
distolingual adj.2g.
distoma s.m.
distomatácea s.f.
distomatáceo adj.
distomatal adj.2g.
distomatale s.f.
distomático adj.
distomátida adj.2g. s.m.
distomatídeo adj. s.m.
distomatose s.f.
distomatósico adj.
distomatótico adj.
distomia s.f.
distomiano adj. s.m.
distomíase s.f.
distômico adj.
distômida adj.2g. s.m.
distômio s.m.
dístomo adj. s.m.
distonia s.f.

distônico adj. s.m.
distopia s.f.
distópico adj.
distorção s.f.; cf. *destorção*
distorcente adj.2g.; cf. *destorcente*
distorcer v. "desvirtuar"; cf. *destorcer*
distorcido adj.; cf. *destorcido*
distorcimento s.m.; cf. *destorcimento*
distorciométrico adj.
distorciômetro s.m.
distorcível adj.2g.; cf. *destorcível*
distorto (ô) adj.; f. (ó); pl. (ó)
distração s.f.
distráctil adj.2g.
distractivo adj.
distraído adj. s.m.
distraidor (ô) adj. s.m.
distraimento s.m.
distrair v.
distraível adj.2g.
distranque s.m.
distratado adj.; cf. *destratado*
distratador (ô) adj. s.m.; cf. *destratador*
distratamento s.m.; cf. *destratamento*
distratante adj.2g.; cf. *destratante*
distratar v. "romper contrato"; cf. *destratar*
distratativo adj.
distratável adj.2g; cf. *destratável*
distrate s.m.
distrátil adj.2g.
distrativo adj.
distrato s.m.; cf. *destrato*
distrepsia s.f. "má rotação troncal"; cf. *distripsia*
distrépsico adj.
distréptico adj.
distribucional adj.2g.
distribucionalismo s.m.
distribucionalista adj. s.2g.
distribucionalístico adj.
distribucionismo s.m.
distribucionista adj. s.2g.
distribuição s.f.
distribuído adj.
distribuidor (ô) adj. s.m.
distribuidora (ô) s.f.
distribuinte adj.2g.
distribuir v.
distribuível adj.2g.
distributário adj. s.m.
distributividade s.f.
distributivismo s.m.
distributivista adj. s.2g.
distributivístico adj.
distributivo adj. s.m.
distrição s.f.
distripsia s.f. "perturbação digestiva"; cf. *distrepsia*
distrípsico adj.
distriquia s.f.
distriquíase s.f.
distríquico adj.
distrital adj.2g.
distrito s.m.
distríxico (*cs*) adj.
dístrofa s.f.
distrofia s.f.
distrofiado adj. s.m.
distroficação s.f.
distroficado adj.
distroficador (ô) adj.
distroficante adj.2g.
distroficar v.
distroficável adj.2g.
distrófico adj.
distrofina s.f.
distrofoneurose s.f.
distrofoneurótico adj.
distrombasia s.f.
distrombasíaco adj.
distrombásico adj.
distropia s.f.
distrópico adj.
disturbação s.f.
disturbado adj.
disturbador (ô) adj. s.m.
disturbante adj.2g.
disturbar v.
disturbável adj.2g.
distúrbio s.m.
disué s.m.
disuria s.f.
disúria s.f.
disúrico adj. s.m.
disvitaminose s.f.
disvitaminótico adj.
disvolução s.f.
disvulnerabilidade s.f.
disvulnerável adj.2g.
diszoospermia s.f.
diszoospérmico adj.
dita s.f.
ditabilidade s.f.
ditado adj. s.m.
ditador (ô) adj. s.m.
ditadura s.f.
ditafone s.m.
ditafonia s.f.
ditafônico adj.
ditafono s.m.
ditaína s.f.
ditaínico adj.
ditálico adj.
ditame s.m.
ditamina s.f.
ditamínico adj.
ditamno s.m.
ditanda s.f.
ditanga s.f.
ditante adj.2g.
ditar v.
ditartarato s.m.
ditartárico adj.
ditassoa (ô) s.f.
ditatorial adj.2g.
ditatorialismo s.m.
ditatorialista adj. s.2g.
ditatorialístico adj.
ditatório adj.
ditável adj.2g.
ditaxe (*cs*) s.f.
ditaxia (*cs*) s.f.
ditaxismo (*cs*) s.m.
ditaxístico (*cs*) adj.
diteca s.f.
ditecário adj.
diteco adj.
diteiro adj. s.m.
diteísmo s.m.
diteísta adj. s.2g.
diteístico adj.
ditema s.m.
ditemático adj.
ditematismo s.m.
ditematístico adj.
ditenda s.f.
diteque s.m.
diteríade s.f.
ditério s.m.
ditérmano adj.
ditérmico adj.
diterpênico adj.
diterpeno s.m.
diterpenoide (ó) adj.2g. s.m.
ditetraédrico adj.
ditetraedro s.m.
ditetragonal adj.2g.
ditetragonalidade s.f.
dítico adj. s.m.
ditiênico adj.
ditieno s.m.
ditinho s.m.
ditiobenzoático adj.
ditiobenzoato s.m.
ditiobenzoico (ó) adj.
ditiocarbamático adj.
ditiocarbamato s.m.
ditiocarbâmico adj.
ditiocarbonático adj.
ditiocarbonato s.m.
ditiocarbônico adj.
ditionático adj.
ditionato s.m.
ditiônico adj.
ditionito s.m.
ditionoso (ô) adj.; f. (ó); pl. (ó)
ditirâmbico adj.
ditirambo s.m.
ditirídio s.m.
dítiro adj.
ditiscídeo adj. s.m.
ditisco s.m.
ditizona s.f.
ditizônico adj.
dito adj. s.m.
ditocéfalo s.m.
dito-cujo s.m.; pl. *ditos-cujos*
ditoculucumba s.m.
ditografia s.f.
ditográfico adj.
ditologia s.f.
ditológico adj.
dítoma s.m.
dítome adj.2g.
ditomiia s.m.
dítomo adj.
ditongação s.f.
ditongado adj.
ditongal adj.2g.
ditongante adj.2g.
ditongar v.
ditongável adj.2g.
ditongia s.f.
ditôngico adj.
ditongo s.m.
dítono s.m.
ditoso (ô) adj.; f. (ó); pl. (ó)
ditote s.m.
ditoxo (*cs*) s.m.
ditrema s.m.
ditremado adj. s.m.
ditremo adj.
ditricácea s.f.
ditricáceo adj.
dítrico s.m.
ditriglífico adj.
ditríglifo s.m.
ditrigonal adj.2g.
ditrigonalidade s.f.
ditrígono s.m.
ditrocaico adj.
ditroítico adj.
ditroíto s.m.
dítropo adj.
ditroqueu s.m.
ditua s.f.
dituta s.f.
diu s.m.
diuense adj. s.2g.
diúla adj. s.2g.
diuli s.m.
diunda s.f.
diunga s.f.
diurese s.f. "secreção urinária"; cf. *diorese*
diurético adj. s.m.
diuretina adj. s.f.
diuretínico adj.
diuria s.f.
diúria s.f.
diúrico adj.
diurina s.f.
diurnação s.f.
diurnal adj.2g. s.m.
diurnalidade s.f.
diurno adj.
diúso s.m.
diúta s.f.
diuti s.m.
diuturnidade s.f.
diuturnização s.f.
diuturnizado adj.
diuturnizador (ô) adj.
diuturnizante adj.2g.
diuturnizar v.
diuturnizável adj.2g.
diuturno adj.
diva s.f.
divã s.m.
divagação s.f.
divagado adj.
divagador (ô) adj. s.m.
divagante adj.2g.
divagar v. "vaguear"; cf. *devagar*
divagativo adj.
divagatório adj.
divagável adj.2g.
divalência s.f.
divalente adj.2g.
divali s.m.
divani s.m.
divão s.m.
divaricação s.f.
divaricado adj.
divaricador (ô) adj.
divaricante adj.2g.
divaricar v.
divaricável adj.2g.
divedo (ê) s.m.
divelente adj.2g.
divérbio s.m.
divergência s.f.
divergente adj.2g.
divergentifloro adj.
divergido adj.
diverginérveo adj.
divergir v.
divergível adj.2g.
divergivenoso (ô) adj.; f. (ó); pl. (ó)
diversão s.f.
diversicolor (ô) adj.2g.
diversicolorido adj.
diversicórneo adj. s.m.
diversidade s.f.
diversidão s.f.
diversificação s.f.
diversificado adj.
diversificador (ô) adj. s.m.
diversificante adj.2g.
diversificar v.
diversificativo adj.
diversificatório adj.
diversificável adj.2g.
diversifloro adj.
diversifoliado adj.
diversiforme adj.2g.
diversionário adj.
diversionismo s.m.
diversionista adj. s.2g.
diversionístico adj.
diversivo adj. s.m.
diverso adj.
diversório adj. s.m.
diversos pron. pl.
divertenga s.f.
diverticular adj.2g.
diverticulectomia s.f.
diverticulectômico adj.
diverticulite s.f.
diverticulítico adj.
divertículo s.m.
diverticulopéctico adj.
diverticulopexia (*cs*) s.f.
diverticulopéxico (*cs*) adj.
diverticulose s.f.
diverticulótico adj.
divertido adj.
divertidor (ô) adj. s.m.
divertimento s.m.
divertir v.
diveta (ê) s.f.
divícia s.f.
divicioso (ô) adj.; f. (ó); pl. (ó)
dívida s.f.; cf. *divida*, fl. do v. *dividir*
dividendo adj. s.m.
dividibilidade s.f.
dividida s.f.
dividido adj.
divididor (ô) adj. s.m.
dividimento s.m.
dividir v.
dividível adj.2g.
dividivi s.m.
divídua s.f.
dividual adj.2g.
dividuidade s.f.
divíduo adj.
divina s.f.
divinação s.f.
divinado adj.
divinal adj.2g.
divina-pastorense adj. s.2g.; pl. *divina-pastorenses*
divinatoriedade s.f.
divinatório adj.
divinatriz s.f.
divindade s.f.
divinense adj. s.2g.
divinesiense adj. s.2g.
divinílico adj.
divinilo s.m.
divinização s.f.
divinizado adj.
divinizador (ô) adj. s.m.
divinizante adj.2g.
divinizar v.
divinizável adj.2g.
divino adj. s.m.
divino-espírito-santense adj. s.2g.; pl. *divino-espírito-santenses*
divinolandense adj. s.2g.
divinolandês adj. s.m.
divino-laranjeirense adj. s.2g.; pl. *divino-laranjeirenses*
divinopolitano adj. s.m.
divino-ubaense adj. s.2g.; pl. *divino-ubaenses*
divino-virginopolitano adj. s.m.; pl. *divino-virginopolitanos*
divino-virgolandense adj. s.2g.; pl. *divino-virgolandenses*
divionense adj. s.2g.
divisa s.f.
divisado adj.
divisador (ô) adj. s.m.
divisa-novense adj. s.2g.; pl. *divisa-novenses*
divisante adj.2g.
divisão s.f.
divisar v.
divisas s.f.pl.
divisável adj.2g.
diviseiro s.m.
divisense adj. s.2g.
divisibilidade s.f.
divisional adj.2g.
divisionário adj.
divisionismo s.m.
divisionista adj. s.2g.
divisionístico adj.
divisível adj.2g.
divisivo adj.
divismo s.m.
diviso adj.
divisopolense adj. s.2g.
divisopolitano adj. s.m.
divisor (ô) adj. s.m.
divisória s.f.
divisório adj. s.m.
divista adj. s.2g.
divitelino adj.
divitense adj. s.2g.
divitismo s.m.
divitista adj. s.2g.
divo adj. s.m.
divodigno s.m.
divorciação s.f.
divorciado adj. s.m.
divorciador (ô) adj.
divorcial adj.2g.
divorcialidade s.f.
divorciante adj. s.2g.
divorciar v.
divorciável adj.2g.
divórcio s.m.; cf. *divorcio*, fl. do v. *divorciar*
divorcismo s.m.
divorcista adj. s.2g.
divorcístico adj.
divulgabilidade s.f.
divulgação s.f.
divulgado adj.
divulgador (ô) adj. s.m.
divulgante adj. s.f.
divulgar v.
divulgável adj.2g.
divulsão s.f.
divulsor (ô) s.m.
divuna s.f.
divunga s.f.
dixe s.m.
dixe me dixe me s.m.2n.

dixenita s.f.
dixiça s.f.
dixico s.m.
díxico (*cs*) adj.
dixídeo adj. s.m.
díxis (*cs*) s.f.2n.
dizedela s.f.
dizedor (*ô*) adj. s.m.
dizembola s.f.
dizembula s.f.
dizente adj.2g.
dizenze s.m.
dizer v. s.m.
dize tu direi eu s.m.2n.
dizigomático adj.
dizigostemo s.m.
dizigótico adj.
dízima s.f.; cf. *dizima*, fl. do v. *dizimar*
dizimação s.f.
dizimado adj.
dizimador (*ô*) adj. s.m.
dizimante adj.2g.
dizimar v.
dizimaria s.f.
dizimável adj.2g.
dizimeiro s.m.
dizimento s.m.
dizimismo s.m.
dizimista adj. s.2g.
dízimo adj. s.m.; cf. *dizimo*, fl. do v. *dizimar*
dizível adj.2g.
dizoico (*ó*) adj.
dizombole s.m.
dizonho adj. s.m.
diz-que s.m.2n.
diz que diz s.m.2n.
diz que diz que s.m.2n.
dizumbe s.f.
djabarita adj. s.2g.
djacutá s.m.
djalindita s.f.
djalma-coutinhense adj. s.2g.; pl. *djalma-coutinhenses*
djalmaíta s.f.
djalmaítico adj.
djelaba s.f.
djerfisherita s.f.
djezkazganita s.f.
djibutiano adj. s.m.
djibutiense adj. s.m.
djiguita s.m.
djim s.m.
do contr. de *de* e *o*
dó s.m.
doabilidade s.f.
doação s.f.
doado adj. s.m.
doador (*ô*) adj. s.m.
doaire s.m.
doairo s.m.
doar v.
doário s.m.
doável adj.2g.
doba s.f. "ato de dobar"; cf. *dobá*
dobá s.m. "saudação"; cf. *doba*
dobadeira s.f.
dobado adj.
dobadoira s.f.
dobador (*ô*) s.m.
dobadoura s.f.
dobagem s.f.
dobale s.m.
dobalé s.m.
dobar v.
dobínea s.f.
dobineia (*é*) s.f.
dobla s.f.
doble adj.2g. s.m.
doblete (*ê*) s.m.
doblez (*ê*) s.f.
doboru s.m.
dobra s.f.
dobrabilidade s.f.
dobração s.f.
dobrada s.f.
dobradeira s.f.
dobradense adj. s.2g.
dobradiça s.f.
dobradiço adj.
dobradinha s.f.
dobradinhense adj. s.2g.
dobrado adj. s.m.
dobrador (*ô*) adj. s.m.
dobradora (*ô*) s.f.
dobradura s.f.
dobragem s.f.
dobral s.m.
dobramento s.m.
dobrante adj.2g.
dobrão s.m.
dobrar v.
dobrável adj.2g.
dobre adj.2g. s.m.
dobre-cruz s.m.; pl. *dobres-cruzes*
dobrel s.m.
dobrete (*ê*) s.m.
dobrez (*ê*) s.f.
dobreza (*ê*) s.f.
dobro (*ô*) num. s.m.; cf. *dobro*, fl. do v. *dobrar*
dobrum s.m.
doburu s.m.
dobutamina s.f.
doca adj.2g. s.f.
doçada s.f.
doçado adj.
doçador (*ô*) adj. s.m.
docagem s.f.
doçagem s.f.
doçaina s.f.
doçainha s.f.
doçal adj.2g. s.m.
doçante adj.2g.
doçar v. adj.2g.
doçaria s.f.
doçável adj.2g.
doce (*ô*) adj.2g. s.m.
doce-alisso s.m.; pl. *doces-alissos*
doce-amarga s.f.; pl. *doces-amargas*
doce-crasto s.m.; pl. *doces-crastos*
doce de pimenta s.m.
doce-grandense adj. s.2g.; pl. *doce-grandenses*
doceira s.f.
doceiro s.m.
doce-lima s.f.; pl. *doces-limas*
docém s.m.
docência s.f.
docência-livre s.f.; pl. *docências-livres*
docente adj. s.2g.
docente-livre adj. s.2g.; pl. *docentes-livres*
doceria s.f.
doceta (*ê*) s.2g.
docético adj.
docetismo s.m.
docetista adj. s.2g.
docetístico adj.
docidão s.f.
dócil adj.2g.
docilidade s.f.
docílimo adj. sup. de *dócil*
docilíssimo adj. sup. de *dócil*
docilização s.f.
docilizado adj.
docilizador (*ô*) adj.
docilizante adj.2g.
docilizar v.
docilizável adj.2g.
docimasia s.f.
docimásico adj.
docimasista adj. s.2g.
docimasologia s.f.
docimasológico adj.
docimasólogo adj. s.2g.
docimástico adj.
docimeia (*é*) adj. s.f. de *docimeu*
docimeno adj. s.m.
docimeu adj. s.m.; f. *docimeia* (*é*)
docimologia s.f.
docimológico adj.
docimólogo adj. s.m.
docinho s.m.
dociostauro s.m.
docista adj. s.2g.
docleata adj. s.2g.
docleate adj. s.2g.
docleia (*é*) s.f.
docmíaco adj. s.m.
docmíase s.f.
docmiásico adj.
docmíasis s.f.2n.
dócmio s.m.
docmiose s.f.
docmiótico adj.
doco adj. s.m.
docoglosso adj. s.m.
docosaedro s.m.
docoságono s.m.
doçote adj.2g.
docroti s.m.
doctiloquente (*ü*) adj.2g.
doctiloquia s.f.
doctilóquio s.m.
doctíloquo (*co* ou *quo*) adj.
docto adj.
doctor (*ô*) s.m.
doctrina s.f.
doçu s.m.
docuim s.m.
documentabilidade s.f.
documentação s.f.
documentado adj.
documentador (*ô*) adj. s.m.
documental adj.2g.
documentalidade s.f.
documentalismo s.m.
documentalista adj. s.2g.
documentalística s.f.
documentalístico adj.
documentante adj. s.f.
documentar v.
documentário adj. s.m.
documentarismo s.m.
documentarista adj. s.2g.
documentarística s.f.
documentarístico adj.
documentatividade s.f.
documentativo adj.
documentável adj.2g.
documento s.m.
documentografia s.f.
documentográfico adj.
documentografista adj. s.2g.
documentógrafo s.m.
documentologia s.f.
documentológico adj.
documentologista adj. s.2g.
documentólogo s.m.
doçura s.f.
dodecadactilite s.f.
dodecadactilítico adj.
dodecadáctilo s.m.
dodecádia s.f.
dodecaédrico adj.
dodecaedro s.m.
dodecafonia s.f.
dodecafônico adj.
dodecafonismo s.m.
dodecafonista adj. s.2g.
dodecafonístico adj.
dodecaginia s.f.
dodecágino adj.
dodecagonal adj.2g.
dodecagonalidade s.f.
dodecágono s.m.
dodeca-hidrato s.m.
dodecaidrato s.m.
dodecâmero adj.
dodecamória s.f.
dodecamórico adj.
dodecamório s.m.
dodecandria s.f.
dodecandro adj.
dodecanésio adj. s.m.
dodecânico adj.
dodecano s.m.
dodecanto s.m.
dodecapetalia s.f.
dodecapétalo adj.
dodecápole s.f.
dodecapolitano adj.
dodecarca s.m.
dodecarquia s.f.
dodecárquico adj.
dodecassilábico adj.
dodecassílabo adj. s.m.
dodecastigma s.f.
dodecastilo adj. s.m.
dodecateão s.m.
dodecáteon s.m.
dodecateonina s.f.
dodecátilo s.m.
dodecatônico adj.
dodecatonismo s.m.
dodecatonista adj. s.2g.
dodecatonístico adj.
dodecilênico adj.
dodecileno s.m.
dodecilhão num. s.m.
dodecílico adj.
dodecilo s.m.
dodecúplice num.
dodécuplo num.
dó de peito s.m.
dodo s.m.
dodó s.m.
dodói adj.2g. s.m.
dodol s.m.
dodoneácea s.f.
dodoneáceo adj.
dodoneia (*é*) adj. s.f. de *dodoneu*
dodoneu adj. s.m.; f. *dodoneia* (*é*)
dodônico adj.
dodônide s.f.
dodônio adj. s.m.
dodorom s.m.
dódrans s.m.2g.
dodrantal adj.2g.
dodrante s.m.
doeira s.f.
doença s.f.
doença do mundo s.f.
doença-negra s.f.; pl. *doenças-negras*
doençaria s.f.
doença-ruim s.f.; pl. *doenças-ruins*
doente adj. s.2g.
doentio adj.
doer v.
doestado adj.
doestador (*ô*) adj. s.m.
doestar v.
doestável adj.2g.
doesto s.m.
dofona s.f.
dofono s.m.
dogado s.m.
dogal adj.2g.
dogalina s.f.
dogaresa (*ê*) s.f. de *doge*
dogaressa (*ê*) s.f. de *doge*
doge s.m.; f. *dogesa* (*ê*), *dogaressa* (*ê*), *dogaresa* (*ê*)
dogesa (*ê*) s.f. de *doge*
dógico adj.
dogma s.m.
dogmática s.f.
dogmático adj. s.m.
dogmatismo s.m.
dogmatista adj. s.2g.
dogmatístico adj.
dogmatização s.f.
dogmatizado adj.
dogmatizador (*ô*) adj. s.m.
dogmatizante adj. s.2g.
dogmatizar v.
dogmatizável adj.2g.
dogmatologia s.f.
dogmatológico adj.
dogmatólogo s.m.
dogô adj. s.2g. s.m.
dogon adj. s.2g. s.m.
dogre s.m.
dogue s.m.
dói s.m.
doida s.f.
doidão adj. s.m.; f. *doidona*
doidaria s.f.
doidarrão adj. s.m.; f. *doidarrona*
doidarraz adj. s.m.
doidarrona adj. s.f. de *doidarrão*
doideira s.f.
doidejado adj.
doidejador (*ô*) adj. s.m.
doidejante adj.2g.
doidejar v.
doidejável adj.2g.
doidejo (*ê*) s.m.
doidelas s.2g.2n.
doidelo s.m.
doidete (*ê*) adj.2g. s.m.
doideto (*ê*) adj. s.m.
doidice s.f.
doidinha s.f.
doidinho adj.
doidivana s.2g.
doidivanar v.
doidivanas s.2g.2n.
doido adj. s.m.
doído adj.
dói-dói s.m.; pl. *dói-dóis*
doidona adj. s.f. de *doidão*
doidura s.f.
doilo s.m.
doirabilidade s.f.
doiração s.f.
doirada s.f.
doiradão s.m.
doiradense adj. s.2g.
doiradilho adj.
doiradinha s.f.
doiradinha-do-campo s.f.; pl. *doiradinhas-do-campo*
doiradinha-do-pará s.f.; pl. *doiradinhas-do-pará*
doiradinha-falsa s.f.; pl. *doiradinhas-falsas*
doiradinha-grande s.f.; pl. *doiradinhas-grandes*
doiradinha-verdadeira s.f.; pl. *doiradinhas-verdadeiras*
doirado adj. s.m.
doirado-do-mar s.m.; pl. *doirados-do-mar*
doirado-europeu s.m.; pl. *doirados-europeus*
doirador (*ô*) adj. s.m.
doiradura s.f.
doiramento s.m.
doirante adj.2g.
doirar v.
doirável adj.2g.
doirejado adj.
doirejante adj.2g.
doirejar v.
doirejável adj.2g.
dois num.
dois-abrilense adj. s.2g.; pl. *dois-abrilenses*
dois-amigos s.m.2n.
dois-amores s.m.2n.
dois-correguense adj. s.2g.; pl. *dois-correguenses*
dois de paus s.m.2n.
dois-dois s.m.2n.
doiseiro adj.
dois-irmanense adj. s.2g.; pl. *dois-irmanenses*
dois-irmãos s.m.2n.
dois-irmãosense adj. s.2g.; pl. *dois-irmãosenses*
dois-lajeadense adj. s.2g.; pl. *dois-lajeadenses*
dois-machadinhos s.m.pl.
dois-martelos s.m.pl.
dois-pontos s.m.pl.
dois-por-dois s.m.2n.
dois-riachense adj. s.2g.; pl. *dois-riachenses*
dois-riense adj. s.2g.; pl. *dois-rienses*
dois-vizinhense adj. s.2g.; pl. *dois-vizinhenses*
dojico s.m.
dojubale s.m.
dol s.m.
dolabela s.f.

dolabrado adj.
dolabriforme adj.2g.
dólar s.m.
dolarado adj.
dolarismo s.m.
dolarização s.f.
dolarizado adj.
dolarizar v.
dolçaina s.f.
dolcinopolense adj. s.2g.
doldrames s.m.pl.
dolé s.m.
dolearinense adj. s.2g.
doleiro adj. s.m.
dolência s.f.
dolente adj.2g.
dolerina s.f.
dolerínico adj.
dolerita s.f.
dolerite s.f.
dolerítico adj.
dolerito s.m.
dolero adj.
dolerofanita s.f.
dolerofanito s.m.
doli s.m.
doliária s.f.
doliarina s.f.
doliarínico adj.
dólica s.f.
dolicandra s.f.
dolicandrone s.m.
dólico adj. s.m.
dolicocefalia s.f.
dolicocefálico adj.
dolicocéfalo adj. s.m.
dolicocercia s.f.
dolicocércico adj.
dolicócero adj.
dolicocnemia s.f.
dolicocnêmico adj.
dolicocolia s.f.
dolicocolo s.m.
dolicocólon s.m.
dólico-de-cuba s.m.; pl. *dólicos-de-cuba*
dolicodeira s.f.
dolicódero adj.
dólico-doce s.m.; pl. *dólicos-doces*
dolicoenteria s.f.
dolicoentérico adj.
dolicoesterlia s.f.
dolicofacial adj.2g.
dolicogastria s.f.
dolicogástrico adj.
dolicognatia s.f.
dolicognático adj.
dolicógnato adj. s.m.
dolicoide (*ó*) adj.2g. s.m.
dolicoieria s.f.
dolicoiérico adj.
dolícolo s.m.
dólico-loiro s.m.; pl. *dólicos-loiros*
dólico-louro s.m.; pl. *dólicos-louros*
dólico-moreno s.m.; pl. *dólicos-morenos*
dolicomórfico adj.
dolicomorfismo s.m.
dolicomorfo adj. s.m.
dolicônico s.m.
dolíconix (*cs*) s.m.
dolicopelia s.f.
dolicopélico adj.
dolicopélvico adj.
dolicopielia s.f.
dolicopiélico adj.
dolicópode adj.2g. s.m.
dolicopódida adj.2g. s.m.
dolicopodídeo adj. s.m.
dolicópodo adj.
dolicoprosopia s.f.
dolicoprosópico adj.
dolicoprosopo adj. s.m.
dolicopse s.f.
dolicopsilídeo adj. s.m.
dolicorrinco adj.
dolicorrinia s.f.
dolicorrínico adj.
dolicossauro s.m.
dolicossigmoide (*ó*) adj.2g. s.m.
dolicostenomelia s.f.
dolicostenomélico adj.
dolicostilia s.f.
dolicostílico adj.
dolicostilo adj.
dolicotmema s.m.
dolicura s.f.
dolicurânico adj.
dólida adj.2g. s.m.
dolídeo adj. s.m.
doliforme adj.2g.
dolíida adj.2g. s.m.
doliídeo adj. s.m.
dolim s.m.
dóliman s.m.
dolina s.f.
dolinha s.f.
dolínico adj.
dólio s.m.
doliocarpo s.m.
doliofídio s.m.
dolíofis s.m.2n.
dolioIária s.f.
doliólida adj.2g. s.m.
doliolídeo adj. s.m.
doliolido adj. s.m.
dolíolo s.m.
dolíone adj. s.2g.
doliônio adj. s.m.
dolipórico adj.
dolíporo s.m.
dólmã s.m.
dólman s.m.
dolmar v.
dólmen s.m.
dolmênico adj.
dolmético adj.
dólmin s.m.
dolmita s.f.
dolmite s.f.
dolo s.m.
dolomedes s.m.2n.
dolomia s.f.
dolômico adj.
dolomita s.f.
dolomite s.f.
dolomítico adj.
dolomitização s.f.
dolomitizado adj.
dolomitizar v.
dolomito s.m.
dolomização s.f.
dolomizado adj.
dolomizar v.
dolonca adj. s.2g.
dolonco adj. s.m.
dólope adj. s.2g.
dolopeia (*é*) adj. s.f. de *dolopeu*
dolopeu adj. s.m.; f. *dolopeia* (*é*)
dolópio s.m.
doloqué s.m.
dolor (*ô*) s.f.
dolorido adj.
dolorífero adj.
dolorífico adj.
dolorífugo adj. s.m.
dolorimento s.m.
dolorimetria s.f.
dolorimétrico adj.
dolorimetrista adj. s.2g.
dolorímetro s.m.
dolório s.m.
dolorita s.f.
dolorite s.f.
dolorítico adj.
dolorito s.m.
dolorização s.f.
dolorizado adj.
dolorizador (*ô*) adj.
dolorizante adj.2g.
dolorizar v.
dolorizável adj.2g.
dolorosa s.f.
dolorosidade s.f.
doloroso (*ô*) adj.; f. (*ó*); pl. (*ó*)
dolosidade s.f.
doloso (*ô*) adj.; f. (*ó*); pl. (*ó*)
dolqui s.m.
dom s.m.
doma s.f.
domabilidade s.f.
domação s.f.
domácia s.f.
domado adj.
domador (*ô*) adj. s.m.
domanita s.f.
domanite s.f.
domanítico adj.
domante adj.2g.
dom-aquinense adj. s.2g.; pl. *dom-aquinenses*
domar v.
domário s.m.
domático adj.
domatofilia s.f.
domatofílico adj. s.m.
domatófilo adj. s.m.
domatofobia s.f.
domatofóbico adj.
domatófobo adj. s.m.
domável adj.2g.
domazano adj. s.m.
dom-barqueiro s.m.; pl. *dom-barqueiros*
dom-basiliano adj. s.m.; pl. *dom-basilianos*
dombdi s.m.
dombe adj.2g. s.m.
dombeia (*é*) s.f.
dombeízia s.f.
dom-bernardo s.m.; pl. *dom-bernardos*
dombeya (*é*) s.f.
dombica s.f.
dombo s.m.
dombolo s.m.
dombondola adj. s.2g.
dom-bosquense adj. s.2g.; pl. *dom-bosquenses*
dom-brasiliense adj. s.2g.; pl. *dom-brasilienses*
dombuela s.f.
dom-carlense adj. s.2g.; pl. *dom-carlenses*
dom-cavatiense adj. s.2g.; pl. *dom-cavatienses*
dom-dom s.m.; pl. *dom-dons*
domeikita s.f.
domeiquita s.f.
domeiquite s.f.
domeiquítico adj.
domeliense adj. s.2g.
dom-eliseusense adj. s.2g.; pl. *dom-eliseusenses*
domena s.f.
domeniquim adj.
domeriano s.m.
doméstica s.f.; cf. *domestica*, fl. do v. *domesticar*
domesticação s.f.
domesticado adj.
domesticador (*ô*) adj. s.2g.
domesticante adj.2g.
domesticar v.
domesticável adj.2g.
domesticidade s.f.
doméstico adj. s.m.; cf. *domestico*, fl. do v. *domesticar*
domestiqueza (*ê*) s.f.
dom-expedito-lopense adj. s.2g.; pl. *dom-expedito-lopenses*
dom-fafe s.m.; pl. *dom-fafes*
dom-felicianense adj. s.2g.; pl. *dom-felicianenses*
dom-filipe s.m.; pl. *dom-filipes*
domícia s.f.
domiciano-ribeirense adj. s.2g.; pl. *domiciano-ribeirenses*
domiciliação s.f.
domiciliado adj.
domiciliar v. adj.2g.
domiciliário adj.
domiciliável adj.2g.
domicílio s.m.; cf. *domicilio*, fl. do v. *domiciliar*
dômico adj.
domificação s.f.
domificado adj.
domificador (*ô*) adj.
domificante adj.2g.
domificar v.
domificável adj.2g.
domiismo s.m.
dômina s.f.
dominação s.f.
dominações s.f.pl.
dominado adj.
dominador (*ô*) adj. s.m.
dominância s.f.
dominante adj.2g. s.f.
dominar v.
dominativo adj.
dominável adj.2g.
dominela s.f.
dominga s.f.
domingação s.f.
domingada s.f.
domingadense adj. s.2g.
domingal adj.2g.
domingar v.
domingas s.f.2n.
domingo s.m.
domingos-costense adj. s.2g.; pl. *domingos-costenses*
domingos-martinense adj. s.2g.; pl. *domingos-martinenses*
domingos-mourense adj. s.2g.; pl. *domingos-mourenses*
domingos-paisense adj. s.2g.; pl. *domingos-paisenses*
domingos-pratense adj. s.2g.; pl. *domingos-pratenses*
domingueira s.f.
domingueiro adj.
dominguense adj. s.2g.
dominguinha s.f.
dominial adj.2g.
dominialidade s.f.
dominical adj.2g. s.f.
dominicana s.f.
dominicano adj. s.m.
domínico adj. s.m.
dominim s.m.
domínio s.m.
dominioso (*ô*) adj.; f. (*ó*); pl. (*ó*)
dominiquense adj. s.2g.
dominiquês adj.
dominó s.m.
dom-inocenciense adj. s.2g.; pl. *dom-inocencienses*
domista adj. s.2g.
domístico adj.
domítico adj.
domitila s.f.
domito s.m.
dom-joão s.m.; pl. *dom-joões*
dom-joaquinense adj. s.2g.; pl. *dom-joaquinenses*
dom-jorge s.m.; pl. *dom-jorges*
dom-juanesco (*ê*) adj.; pl. *dom-juanescos*
dom-juanismo s.m.; pl. *dom-juanismos*
dom-juanista adj. s.2g.; pl. *dom-juanistas*
dom-juanístico adj.; pl. *dom-juanísticos*
dom-larense adj. s.2g.; pl. *dom-larenses*
dom-mauriciense adj. s.2g.; pl. *dom-maurícienses*
domo s.m.
domoide (*ó*) s.m.
dom-pedrense adj. s.2g.; pl. *dom-pedrenses*
dom-pedritense adj. s.2g.; pl. *dom-pedritenses*
dom-pedro s.m.; pl. *dom-pedros*
dom-pero s.m.; pl. *dom-peros*
dom-quintinense adj. s.2g.; pl. *dom-quintinenses*
dom-quixote s.m.; pl. *dom-quixotes*
dom-quixotesco (*ê*) adj.; pl. *dom-quixotescos*
dom-quixotismo s.m.; pl. *dom-quixotismos*
dom-quixotista adj. s.2g.; pl. *dom-quixotistas*
dom-quixotístico adj.; pl. *dom-quixotísticos*
dom-rodrigo s.m.; pl. *dom-rodrigos*
dom-silveriense adj. s.2g.; pl. *dom-silverienses*
dom-viçosense adj. s.2g.; pl. *dom-viçosenses*
dona s.f.
donabela s.f.
dona-branca s.f.; pl. *donas-brancas*
dona-brites s.f.; pl. *donas-brites*
donação s.f.
dônace s.m.
donácia s.f.
donaciano adj.
donácida adj.2g. s.m.
donacídeo adj. s.m.
donacióidea s.f.
donacióideo adj.
donadio s.m.
dona-emense adj. s.2g.; pl. *dona-emenses*
dona-eusebiense adj. s.2g.; pl. *dona-eusebienses*
dona-felícia s.f.; pl. *donas-felícias*
dona-francisquense adj. s.2g.; pl. *dona-francisquenses*
dona-inácia s.f.; pl. *donas-inácias*
dona-inês s.f.; pl. *donas-inês*
dona-inesense adj. s.2g.; pl. *dona-inesenses*
donaire s.m.
donairear v.
donairo s.m.
donairoso (*ô*) adj.; f. (*ó*); pl. (*ó*)
dona-joana s.f.; pl. *donas-joanas*
dona-joaquina s.f.; pl. *donas-joaquinas*
dona-justa s.f.; pl. *donas-justas*
donaldsônia s.f.
dona-maria s.f.; pl. *donas-marias*
donário s.m.
donata s.f.
donatal adj.2g.
donataria s.f.
donatário s.m.
donathita s.f.
donatiano adj.
donatismo s.m.
donatista adj. s.2g.
donatístico adj.
donativo s.m.
donato adj. s.m.
dônax (*cs*) s.m.
donbassita s.f.
donde contr. de *de* e *onde*
dondico s.m.
dondo adj. s.2g.
dondoca s.f.
donear v.
doneta (*ê*) s.f.
donez (*ê*) s.m.
donezinha s.f.
donga adj. s.2g. s.m.f.
dongaluta s.f.
dongo s.m.
dongolodrom s.m.
dongolondo s.f.
dongri s.m.
donguena (*ü*) adj. s.2g.
dônia s.f.
donidondio s.m.
doninha s.f.
doninha-amazônica s.f.; pl. *doninhas-amazônicas*
doninha-fétida s.f.; pl. *doninhas-fétidas*
dono s.m. "proprietário"; cf. *donó*

donó s.m. "espécie de saco"; cf. *dono*
dono da cabeça s.m.
dono da lei s.m.
dono de serra s.m.
dono do jongo s.m.
donolodi s.m.
donosidade s.f.
donoso (*ô*) adj.; f. (*ó*); pl. (*ó*)
donovânia s.m.
donovanose s.f.
donovanósico adj.
donovanótico adj.
donte s.f.
dontre s.m.
donzel adj. s.m.
donzela adj. s.f.
donzela-azul s.f.; pl. *donzelas-azuis*
donzela-bicolor s.f.; pl. *donzelas-bicolores*
donzela de candeeiro s.f.
donzela-fogo s.f.; pl. *donzelas-fogo* e *donzelas-fogos*
donzelão s.m.
donzela-rabo-amarelo s.f.; pl. *donzelas-rabo-amarelo* e *donzelas-rabos-amarelos*
donzelaria s.f.
donzela-verde s.f.; pl. *donzelas-verdes*
donzelesco (*ê*) adj.
donzeleta (*ê*) s.f.
donzelete (*ê*) s.f.
donzelha (*ê*) s.f.
donzelice s.f.
donzelinha s.f.
donzelinha-do-castelo s.f.; pl. *donzelinhas-do-castelo*
donzelinho s.m.
donzelinho-branco s.m.; pl. *donzelinhos-brancos*
donzelinho-do-castelo s.m.; pl. *donzelinhos-do-castelo*
donzelinho-galego s.m.; pl. *donzelinhos-galegos*
donzelinho-malhado s.m.; pl. *donzelinhos-malhados*
donzelo (*ê*) s.m.
donzelona s.f.
doódia s.f.
dopa s.f.
dopado adj.
dopador (*ô*) adj. s.m.
dopagem s.f.
dopamina s.f.
dopante adj.2g.
dopar v.
dopável adj.2g.
dope (*ó* ou *ô*) s.m.
doplerita s.f.
doplerite s.f.
doplerítico adj.
dopo (*ô*) s.m.
dopplerita s.f.
dopplerite s.f.
dopraz s.m.
dopsona s.f.
dopsônico adj.
doque s.m.
doqueiro s.m.
dor (*ô*) s.m.f.
dora s.f.
dorádida adj.2g. s.m.
doradídeo adj. s.m.
dorado adj. "dolorido"; cf. *dourado*
dorafobia s.f.
dorafóbico adj. s.m.
doráfobo adj. s.m.
dorandiense adj. s.2g.
doras s.m.2n.
dorasca adj. s.2g.
doratoxílea (*cs*) s.f.
doratoxíleo (*cs*) adj.
doravante adv.
dórcada s.f.
dorcadião s.m.
dorcádion s.m.
dorcadioníneo adj. s.m.
dorcas s.f.2n.
dorcátipo s.m.
dorcatoma s.f.
dorcátoma s.f.
dorco (*ô*) s.m.
dórcus s.m.2n.
dor de cabresto s.f.
dor de canela s.f.
dor de corno s.f.
dor de cotovelo (*ê*) s.f.
dor de facão s.f.
dor de tortos s.f.
dor de veado s.f.
dor de viúva s.f.
dor-d'olhos s.f.; pl. *dores-d'olhos*
dordoniano s.m.
dore s.m.
doreítico adj.
doreíto s.m.
dorema s.f.
dó-ré-mi s.m.; pl. *dó-ré-mis*
dorense adj. s.2g.
dores-campense adj. s.2g.; pl. *dores-campenses*
dores-guanhãesense adj. s.2g.; pl. *dores-guanhãesenses*
dores-indaiaense adj. s.2g.; pl. *dores-indaiaenses*
dores-macabuense adj. s.2g.; pl. *dores-macabuenses*
dores-marmeladense adj. s.2g.; pl. *dores-marmeladenses*
dores-paraibunense adj. s.2g.; pl. *dores-paraibunenses*
dores-rio-pretense adj. s.2g.; pl. *dores-rio-pretenses*
dores-turvense adj. s.2g.; pl. *dores-turvenses*
dores-vitoriense adj. s.2g.; pl. *dores-vitorienses*
dorgalítico adj.
dorgalito s.m.
dóri s.m.
doriá s.2g. "indivíduo de casta inferior na Índia"; cf. *dória*
dória s.f. "planta", etc.; cf. *doriá*
dorial adj.2g.
doriantácea s.f.
doriantáceo adj.
dorianto s.m.
doríbolo s.m.
doricismo s.m.
doricístico adj.
dorícnio s.m.
dórico adj. s.m.
dórida adj.2g. s.m.
dóride s.f.
dorídeo adj. s.m.
dorídida adj.2g. s.m.
dorididéo adj. s.m.
doridina s.f.
dorido adj. s.m.
dorífora s.f.
doríforo adj. s.m.
dorilaimídio adj. s.m.
dorilaimino adj. s.m.
dorileia (*é*) adj. s.f. de *dorileu*
dorilense adj. s.2g.
dorileu adj. s.m.; f. *dorileia* (*é*)
dorilídeo adj. s.m.
dorilíneo adj. s.m.
dório adj. s.m.
dorióspida adj.2g. s.m.
doriopsídeo adj. s.m.
dorióspsis s.m.2n.
doriópteré s.f.
doriópteris s.m.2n.
doripe s.m.
doripídeo adj. s.m.
dorir v.
dóris s.m.2n.
dorisco adj. s.m.
dorismo s.m.
dorisopolitano adj. s.m.
dorista adj. s.2g.
dorístico adj.
dorítomo s.m.
dorizonense adj. s.2g.
dor-mansa s.f.; pl. *dores-mansas*
dormecer v.
dorme-dorme s.m.; pl. *dorme-dormes* e *dormes-dormes*
dorme-maria s.f.; pl. *dorme-marias*
dormência s.f.
dorme-nenê s.m.; pl. *dorme-nenês*
dormentar v.
dormente adj. s.2g. s.m.
dorme-sujo s.m.2n.
dormião s.m.
dormição s.f.
dormida s.f.
dormideira s.f.
dormideira-brava s.f.; pl. *dormideiras-bravas*
dormideira-das-boticas s.f.; pl. *dormideiras-das-boticas*
dormideira-dos-jardins s.f.; pl. *dormideiras-dos-jardins*
dormideira-grande s.f.; pl. *dormideiras-grandes*
dormideira-miúda s.f.; pl. *dormideiras-miúdas*
dormideira-silvestre s.f.; pl. *dormideiras-silvestres*
dormidense adj. s.2g.
dormido adj.
dormidoiro s.m.
dormidor (*ô*) adj. s.m.
dormidouro s.m.
dorminhação s.f.
dorminhado adj.
dorminhão adj. s.m.
dorminhar v.
dorminhoca s.f.
dorminhocação s.f.
dorminhocar v.
dorminhoco (*ô*) adj. s.m.; f. (*ó*); pl. (*ó*)
dorminte adj.2g.
dormir v. s.m.
dormitação s.f.
dormitado adj.
dormitar v.
dormitável adj.2g.
dormitivo adj.
dormitólogo s.m.
dormitoreiro s.m.
dormitório s.m.
dormo (*ô*) s.m.
dorna s.f.
dornacho s.m.
dornada s.f.
dornalha s.f.
dornão s.m.
dorneira s.f.
dornilha s.f.
dorobo (*ô*) s.m.
dorônico s.m.
doroso (*ô*) adj.; f. (*ó*); pl. (*ó*)
doroteia (*é*) s.f.
dorrum s.m.
dorsado adj.
dorsal adj.2g.
dorsalgia s.f.
dorsálgico adj.
dorsalização s.f.
dorsalizado adj.
dorsalizador (*ô*) adj.
dorsalizante adj.2g.
dorsalizar v.
dorsalizável adj.2g.
dorsibranquia s.f.
dorsibranquiado adj.
dorsibrânquio adj. s.m.
dorsicervical adj.2g.
dorsicostal adj.2g.
dorsiepitrocliano adj. s.m.
dorsífero adj.
dorsifixo (*cs*) adj.
dorsiflexão (*cs*) s.f.
dorsígrado adj.
dorsilateral adj.2g.
dorsilingual adj.2g.
dorsilombar adj.2g.
dorsilombicostal adj.2g.
dorsilombiumetral adj.2g.
dorsimediano adj.
dorsioccipitiscapular adj.2g.
dorsipalatal adj.2g.
dorsipectíneo adj.
dorsiscapular adj.2g.
dorsispinal adj.2g.
dorsissacrumeral adj.2g.
dorsiuvular adj.2g. s.f.
dorsivelar adj.2g. s.f.
dorsiventral adj.2g.
dorso (*ô*) s.m.
dorsoccipitoscapular adj.2g.
dorsocervical adj.2g.
dorsocostal adj.2g.
dorsodental adj.2g.
dorsodinia s.f.
dorsodínico adj.
dorsoepitrocliano adj. s.m.
dorsoescapular adj.2g. s.m.
dorsolateral adj.2g.
dorsolingual adj.2g.
dorsolombar adj.2g.
dorsolombocostal adj.2g. s.m.
dorsolombumeral adj.2g.
dorsomediano adj.
dorsopalatal adj.2g.
dorsopectíneo adj.
dorsoscapular adj.2g.
dorsossacrumeral adj. s.2g.
dorsouvular adj.2g. s.f.
dorsovelar adj.2g. s.f.
dorsoventral adj.2g.
dorstênia s.f.
dorstenieia (*é*) s.f.
dórsulo s.m.
dosa s.f.
dosado adj.
dosador (*ô*) adj. s.m.
dosagem s.f.
dosante adj.2g.
dosar v.
dosável adj.2g.
dose s.f. "porção"; cf. *doze* (*ô*) num.
doseado adj.
doseador (*ô*) adj.
doseamento s.m.
dosear v.
dosificado adj.
dosificar v.
dosimetria s.f.
dosimétrico adj.
dosímetro s.m.
dosologia s.f.
dosológico adj.
dossel s.m.
dosselado adj.
dosselar v.
dossiê s.m.
dossoró s.m.
dostoievskiano adj.
dotação s.f.
dotado adj.
dotador (*ô*) adj. s.m.
dotal adj.2g.
dotalício adj.
dotalização s.f.
dotalizado adj.
dotalizar v.
dotamento s.m.
dotante adj.2g.
dotar v.
dotável adj.2g.
dote s.m.
doticeáceo adj.
dotídea s.f.
dotideácea s.f.
dotideaceal adj.2g.
dotideaceale s.f.
dotídeo adj.
dotienenteria s.f.
dotienentérico adj.
dotienenterite s.f.
dotienenterítico adj.
dotim s.m.
doto (*ô*) s.m.
dotônida adj.2g. s.m.
dotonídeo adj. s.m.
dotriacontaedro s.m.
dotriacontágono s.m.
doú s.m.
douda s.f.
doudão adj. s.m.; f. *doudona*
doudaria s.f.
doudarrão adj. s.m.; f. *doudarrona*
doudarraz adj.
doudarro adj. s.m.
doudarrona adj. s.f. de *doudarrão*
doudeira s.f.
doudejado adj.
doudejador (*ô*) adj. s.m.
doudejante adj.
doudejar v.
doudejável adj.2g.
doudejo (*ê*) s.m.
doudelas s.2g.2n.
doudelo s.m.
doudete (*ê*) adj.2g. s.m.
doudeto (*ê*) adj. s.m.
doudice s.f.
doudinha s.f.
doudinho adj.
doudivana s.m.
doudivanar v.
doudivanas s.2g.2n.
doudo s.m.
doudona adj. s.f. de *doudão*
doudura s.f.
doughtyita s.f.
douglásia s.f.
douglasita s.f.
douglasite s.f.
douglasítico adj.
douló s.m.
doum s.m.
doundo s.m.
dourabilidade s.f.
douração s.f.
dourada s.f.
dourada-do-amazonas s.f.; pl. *douradas-do-amazonas*
douradão s.m.
douradeiro s.m.
douradente adj. s.2g.
douradilho adj.
douradinha s.f.
douradinha-do-campo s.f.; pl. *douradinhas-do-campo*
douradinha-do-pará s.f.; pl. *douradinhas-do-pará*
douradinha-falsa s.f.; pl. *douradinhas-falsas*
douradinha-grande s.f.; pl. *douradinhas-grandes*
douradinha-verdadeira s.f.; pl. *douradinhas-verdadeiras*
douradinhense adj. s.2g.
dourado adj. s.m. "cor de ouro"; cf. *dorado*
dourado-carapau s.m.; pl. *dourados-carapau* e *dourados-carapaus*
dourado-do-mar s.m.; pl. *dourados-do-mar*
dourado-europeu s.m.; pl. *dourados-europeus*
douradoquarense adj. s.2g.
douradoquarino adj. s.m.
dourador (*ô*) adj. s.m.
douradura s.f.
douramento s.m.
dourante adj.2g.
dourar v.
dourável adj.2g.
dourejação s.f.
dourejado adj.
dourejador (*ô*) adj. s.m.
dourejante adj.2g.
dourejar v.
dourejável adj.2g.
dourina s.f.
dourínico adj.
douro s.m.
dous num.
douseiro adj.
doutiar v.
doutilóquio s.m.
doutíloquo (*co* ou *quo*) adj.
douto adj.
doutor (*ô*) s.m.
doutoraço s.m.
doutorado adj. s.m.

doutoral adj.2g.
doutoramento s.m.
doutorando adj. s.m.
doutorante adj.2g.
doutorão s.m.
doutorar v.
doutorato s.m.
doutorável adj.2g.
doutor-bozanense adj. s.2g.; pl. *doutor-bonzanenses*
doutor-camarguense adj. s.2g.; pl. *doutor-camarguenses*
doutor-campolinense adj. s.2g.; pl. *doutor-campolinenses*
doutor de raiz s.m.
doutoreco s.m.
doutor-eliasense adj. s.2g.; pl. *doutor-eliasenses*
doutoria s.f.
doutorice s.f.
doutorismo s.m.
doutorista adj. s.2g.
doutorístico adj.
doutor-loretiense adj. s.2g.; pl. *doutor-loretienses*
doutor-lundense adj. s.2g.; pl. *doutor-lundenses*
doutor-maurício--cardosense adj. s.2g.; pl. *doutor-maurício-cardosenses*
doutor-oliveira-castrense adj. s.2g.; pl. *doutor-oliveira--castrenses*
doutor-pedrinhense adj. s.2g.; pl. *doutor-pedrinhenses*
doutor-pestanense adj. s.2g.; pl. *doutor-pestanenses*
doutor-severianense adj. s.2g.; pl. *doutor-severianenses*
doutrem contr. de *de* e *outrem*
doutrina s.f.
doutrinação s.f.
doutrinado adj.
doutrinador (*ô*) adj. s.m.
doutrinal adj.
doutrinamento s.m.
doutrinando adj. s.m.
doutrinante adj. s.2g.
doutrinar v.
doutrinário adj. s.m.
doutrinarismo s.m.
doutrinarista adj. s.2g.
doutrinarístico adj.
doutrinável adj.2g.
doutrineiro adj. s.m.
doutro contr. de *de* e *outro*
doutrora contr. de *de* e *outrora*
doverita s.f.
doviale s.f.
doviális s.f.2n.
dovorne s.m.
dovórni s.m.
downeyita (*dauneiita*) s.f.
downtoniano (*daun*) adj. s.m.
doxa (*cs*) adj. s.m.
doxiciclina (*cs*) s.f.
doxiclina (*cs*) s.f.
doxiclínico (*cs*) adj.
doxografia (*cs*) s.f.
doxográfico (*cs*) adj.
doxógrafo (*cs*) adj. s.m.
doxologia (*cs*) s.f.
doxológico (*cs*) adj.
doxomania (*cs*) s.f.
doxomaníaco (*cs*) adj. s.m.
doxômano (*cs*) adj. s.m.
doxometria (*cs*) s.f.
doxorrubicina (*cs*) s.f.
dóxu s.m.
dozão s.m.
doze (*ô*) num.; cf. *dose* s.f. e fl. do v. *dosar*
doze-horas s.f.2n.
dozem s.f.
dozena s.f.
dozeno s.m.
draba s.f.
dracar s.m.
drácar s.m.
dracena s.f.
dracenácea s.f.
dracenáceo adj.
dracênea s.f.
dracenense adj. s.2g.
dracêneo adj.
dracenina s.f.
draceninico adj.
dracenóidea s.f.
dracenóideo adj.
dracenossáurio s.m.
dracílico adj.
dracina s.f.
dracínico adj.
dracma s.f.
draco s.m.
dracocefálico adj.
dracocéfalo s.m.
dracofilo s.m.
dracogrífico adj.
dracogrifo s.m.
draconário s.m.
dracôncio s.m.
draconcioide (*ó*) s.m.
draconiano adj.
dracônico adj.
draconígena adj. s.2g.
draconigenia s.f.
draconigênico adj.
draconina s.f.
draconínico adj.
draconismo s.m.
draconita s.f.
draconite s.f.
draconítico adj.
draconteia (*é*) s.f.
draconteira s.f.
dracontíase s.f.
dracôntico adj.
dracôntio s.m.
dracontite s.f.
dracontítico adj.
dracontocefalia s.f.
dracontocefálico adj.
dracontocéfalo adj.
dracontossomo s.m.
dracticidade s.f.
drácula s.f.
dracunculíase s.f.
dracunculídeo adj.
dracúnculo s.m.
dracunculose s.f.
dracunculósico adj.
dracunculótico adj.
draga s.f.
dragado adj.
dragador (*ô*) adj.
dragagem s.f.
draga-minas s.m.2n.
dragante adj.2g.
dragão s.m.; f. *dragoa*
dragão-amansado s.m.; pl. *dragões-amansados*
dragão-de-komodo s.m.; pl. *dragões-de-komodo*
dragão-do-banhado s.m.; pl. *dragões-do-banhado*
dragão-do-brejo s.m.; pl. *dragões-do-brejo*
dragão-do-mar s.m.; pl. *dragões-do-mar*
dragão-fedorento s.m.; pl. *dragões-fedorentos*
dragão-marinho s.m.; pl. *dragões-marinhos*
dragão-marinho-comum s.m.; pl. *dragões-marinhos--comuns*
dragão-voador s.m.; pl. *dragões-voadores*
dragãozinho s.m.
dragar v.
drágea s.f.
drageia (*é*) s.f.
dragista s.2g.
drago s.m.
dragoa (*ô*) s.f. de *dragão*
dragociana s.f.
dragoeira s.f.
dragoeiro s.m.
dragomano s.m.
dragona s.f.
dragonado adj.
dragonário s.m.
dragoneiro s.m.
dragonense adj.2g.
dragonete (*ê*) s.m.
dragonita s.f.
dragonite s.f.
dragonteia (*é*) s.f.
dragontino adj.
drainado adj.
drainador (*ô*) adj. s.m.
drainagem s.f.
drainar v.
draino s.m.
draisiana s.f.
draiva s.f.
drama s.m.
dramadeira s.f.
dramalhão s.m.
dramalhoco (*ô*) s.m.
dramática s.f.
dramaticidade s.f.
dramaticismo s.m.
dramaticista adj. s.2g.
dramaticístico adj.
dramático adj.
dramatismo s.m.
dramatista s.2g.
dramatístico adj.
dramatização s.f.
dramatizado adj.
dramatizador (*ô*) adj. s.m.
dramatizante adj.2g.
dramatizar v.
dramatizável adj.2g.
dramatologia s.f.
dramatológico adj.
dramatólogo adj. s.m.
dramatônimo adj. s.m.
dramaturgia s.f.
dramatúrgico adj.
dramaturgista adj. s.2g.
dramaturgo s.m.
dramicida adj. s.2g.
dramicídio s.m.
dramita s.f.
dramite s.f.
dramo s.m.
drangiano adj. s.m.
dranja s.f.
draparnáldia s.f.
drapê adj.2g. s.m.
drapeação s.f.
drapeado adj. s.m.
drapeador (*ô*) adj.
drapeamento s.m.
drapear v.
drapeável adj.2g.
drapejado adj.
drapejador (*ô*) adj.
drapejamento s.m.
drapejar v.
drapejável adj.2g.
drapéria s.f.
drápete s.m.
drápetis s.m.2n.
drapetisca s.m.
drapetóidea s.f.
drapetóideo adj.
drapetomania s.f.
drapetomaníaco adj.
drapetômano adj. s.m.
drássida adj.2g. s.m.
drassídeo adj. s.m.
drassíneo adj. s.m.
drasso s.m.
drastério s.m.
drástico adj. s.m.
drávida adj. s.2g.
dravidiano adj. s.m.
dravídico adj. s.m.
dravidismo s.m.
dravidista adj. s.2g.
dravidístico adj.
dravita s.f.
drégea s.f.
drégeo adj.
dreifusianismo s.m.
dreifusianista adj. s.2g.
dreifusianístico adj.
dreifusismo s.m.
dreifusista adj. s.2g.
dreifusístico adj.
dreissência s.f.
drejera s.f.
drenado adj.
drenador (*ô*) adj. s.m.
drenagem s.f.
drenante adj.2g.
drenar v.
drenável adj.2g.
dreno s.m.
drépana s.m.
drepananemia s.f.
drepananêmico adj.
drepanéforo adj. s.m.
drepanidídeo adj. s.m.
drepanídio s.m.
drepaniforme adj.2g.
drepânio s.m.
drepanitano adj. s.m.
drepanocárpio s.m.
drepanocílico adj.
drepanocitemia s.f.
drepanocitêmico adj.
drepanocítico adj.
drepanócito s.m.
drepanocitose s.f.
drepanocitósico adj.
drepanocitótico adj.
drepanoclado s.m.
drepanofilácea s.f.
drepanofiláceo adj.
drepanofilo s.m.
drepanoptérige s.f.
drepanópterix (*cs*) s.f.2n.
drepanúlida adj.2g. s.m.
drepanulídeo adj. s.m.
dresdense adj. s.2g.
dresina s.f.
dresserita s.f.
dresslerela s.f.
dreyfusianismo s.m.
dreyfusianista adj. s.2g.
dreyfusianístico adj.
dreyfusismo s.m.
dreyfusista adj. s.2g.
dreyfusístico adj.
dria s.f.
dríada s.f.
dríade s.f.
driádea s.f.
driadela s.f.
driádeo adj.
driadina s.f.
driadíneo adj. s.m.
driandra s.f.
drias s.f.2n.
driblada s.f.
driblado adj.
driblador (*ô*) adj. s.m.
driblagem s.f.
driblante adj.2g.
driblar v.
driblável adj.2g.
drible s.m.
dribo s.m.
driça s.f.
drierita s.f.
drife s.m.
driinídeo adj. s.m.
driita s.f.
driite s.f.
dril s.m.
drilídeo adj. s.m.
drilo s.m.
drimária s.f.
drimato adj. s.m.
drime s.f.
drimeia (*é*) adj. s.f. de *drimeu*
drimeu adj. s.m.; f. *drimeia* (*é*)
drímia s.f.
drimifagia s.f.
drimifágico adj.
drímio adj.
drimiopse s.f.
drimiópsis s.f.2n.
drímis s.f.
drimo adj.
drimofleu s.m.
drimoglosso (*ô*) s.m.
drimônia s.f.
drinária s.f.
drinça s.f.
drincologia s.f.
drincológico adj.
drincologista adj. s.2g.
drincólogo s.m.
dringo s.m.
drinque s.m.
driobalanope s.f.
driobálanops s.f.2n.
drióbata s.m.
drióbates s.m.2n.
driocete s.m.
driofanto s.m.
driófia s.f.
driófida adj.2g. s.m.
driofídeo adj. s.m.
driófilo adj. s.m.
driofíneo adj. s.m.
driofiorínio adj. s.m.
driófis s.m.2n.
drioftoro s.m.
dríope adj.2g. s.m.
driopídeo adj. s.m.
driopiteco s.m.
driopteridácea s.f.
driopteridáceo adj.
dryóptero s.m.
dripe s.f.
drípete s.f.
drípis s.f.2n.
dripsinate adj. s.2g.
dripta s.f.
dríscopo s.m.
droca s.f.
drofa s.f.
droga s.f.
drogação s.f.
drogado adj.
drogador (*ô*) adj. s.m.
drogante adj.2g.
drogar v.
drogaria s.f.
drogativo adj.
drogatório adj.
drogável adj.2g.
drogomano s.m.
drogue s.m.
drogueação s.f.
drogueado adj.
drogueador (*ô*) adj. s.m.
drogueamento s.m.
droguear v.
drogueável adj.2g.
drogueiro s.m.
drogueta (*ê*) s.f.
droguete (*ê*) s.m.
droguista adj. s.2g.
drolático adj.
dromadídeo adj. s.m.
dromadióidea s.f.
dromadióideo adj. s.m.
dromaídeo adj.
dromaléctoro s.m.
dromatério s.m.
dromedário s.m.
dromeognatia s.f.
dromeógnato adj.
drômia s.f.
dromiáceo adj. s.m.
dromiceídeo adj.2g. s.m.
dromíida adj.2g. s.m.
dromiídeo adj. s.m.
dromíneo adj. s.m.
dromo s.m.
drómofis s.m.2n.
dromofobia s.f.
dromofóbico adj.
dromófobo adj. s.m.
dromografia s.f.
dromográfico adj.
dromografista adj. s.2g.
dromógrafo s.m.
dromomania s.f.
dromomaníaco adj. s.m.
dromômano adj. s.m.
dromometria s.f.
dromométrico adj.
dromometrista adj. s.2g.
dromômetro s.m.
dromopatia s.f.

dromopático adj.
dromornite s.2g.
dromornítico adj.
dromornito s.m.
dromórnito s.m.
dromoscopia s.f.
dromoscópico adj.
dromoscópio s.m.
dromoterapia s.f.
dromoterápico adj.
dromotropia s.f.
dromotrópico adj.
dromótropo adj.
dromunda s.f.
drongário s.m.
drongo s.m.
dronha s.f.
dronte s.m.
droogmânsia s.f.
dropa s.f.
dropacismo s.m.
dropagem s.f.
dropar v.
dropaz s.m.
drope s.m.
droperidol s.m.
dropes s.m.2n.
dropsonda s.f.
dropsondado adj.
dropsondador (*ô*) adj.
dropsondagem s.f.
dropsondante adj.2g.
dropsondar v.
dropsondável adj.2g.
dropsondista adj. s.2g.
drósera s.f.
droserácea s.f.
droseráceo adj.
drosófila s.f.
drosofilácea s.f.
drosofiláceo adj.
drosofilida adj.2g. s.m.
drosofilídeo adj. s.m.
drosofilo s.m.
drosófilo adj. s.m.
drosometria s.f.
drosométrico adj.
drosometrista adj. s.2g.
drosômetro s.m.
drososcopia s.f.
drososcópico adj.
drudaria s.f.
drugu adj. s.2g.
druida s.m.; f. *druidesa e druidisa*
druidal adj.2g.
druidesa (*ê*) s.f. de *druida*
druídico adj.
druidisa s.f. de *druida*
druidismo s.m.
druidista adj.2g.
druidístico adj.
drújina s.f.
drupa s.f.
drupácea s.f.
drupáceo adj.
drupéola s.f.
drupeolado adj.
drupéolo s.m.
drupífero adj.
drupiforme adj.
drupo s.m.
drupocarpo s.m.
drúpula s.f.
drusa s.f.
drúsico adj. s.m.
drusiforme adj.2g.
drusilar adj.2g.
druso adj. s.m.
druvá s.m.
dryandra s.f.
drysdallita s.f.
dua s.f.
duabanga s.f.
duabangácea s.f.
duabangáceo adj.
duaire s.m.
duairo s.m.
dual adj.2g. s.m.
duala adj. s.2g. s.m.
dualidade s.f.
dualina s.f.
dualínico adj.
dualismo s.m.
dualista adj. s.2g.
dualístico adj.
dualização s.f.
dualizado adj.
dualizador (*ô*) adj.
dualizante adj.2g.
dualizar v.
dualizável adj.2g.
dualó s.m.
duana s.f.
duândua s.m.
duandué adj. s.2g.
duarca s.m.
duarquia s.f.
duárquico adj.
duartense adj. s.2g.
duartinense adj. s.2g.
duas num.
duas-amigas s.f.2n.
duas-peças s.m.2n.
dubá s.m.
dubador (*ô*) s.m.
dubiedade s.f.
dubiez (*ê*) s.m.
dubieza (*ê*) s.f.
dúbio adj.
dubitabilidade s.f.
dubitação s.f.
dubitado adj.
dubitador (*ô*) adj. s.m.
dubitante adj.2g.
dubitativo adj.
dubitável adj.2g.
dublá adj. s.2g.
dublado adj.
dublador (*ô*) adj. s.m.
dublagem s.f.
dublar v.
dublável adj.2g.
dublê s.2g. s.m.
dublete (*ê*) s.m.
dubleto (*ê*) s.m.
dublinense adj. s.2g.
dublo adj. s.m.
dubne s.m.
dúbnico adj.
dúbnio s.m.
dúbnis s.m.2n.
dubo s.m.
duboásia s.f.
duboasina s.f.
duboísia s.f.
duboisina s.f.
dubóscia s.f.
dubu s.m.
dubuissonita s.f.
dubulé s.m.
duburu s.m.
ducado s.m.
ducado de águia s.m.
ducado-imperial s.m.; pl. *ducados-imperiais*
ducal adj.2g.
ducandar s.m.
ducará s.m.
ducatão s.m.
ducatela s.f.
ducentésimo num.
ducentismo s.m.
ducentista adj. s.2g.
ducentístico adj.
ducentúplice num.
ducêntuplo num.
ducha s.f.
duchado adj.
duchal adj.2g.
duchamento s.m.
duchar v.
duchas s.f.pl.
duchável adj.2g.
duche s.m.
duchinha s.f.
duchista adj. s.2g.
ducina s.f.
duckeanto s.m.
duckeélia s.f.
duckeodendrácea s.f.
duckeodendráceo adj.
duckeodendro s.m.
duckésia s.f.
ducktownita s.f. (*ductaunita*)
duco s.m.
ducoborze adj. s.2g.
ducrá s.m.
ductibilidade s.f.
dúctil adj.2g.
ductilidade s.f.
ductilimetria s.f.
ductilimétrico adj.
ductilimetrista adj. s.2g.
ductilímetro s.m.
ductílimo adj. sup. de *dúctil*
ductilíssimo adj. sup. de *dúctil*
ductilização s.f.
ductilizado adj.
ductilizador (*ô*) adj. s.m.
ductilizante adj.2g.
ductilizar v.
ductilizável adj.2g.
ductirrostro adj.
ductível adj.2g.
ducto s.m.
ductopenia s.f.
ductor (*ô*) adj. s.m.
ductular adj.
dúctulo s.m.
ductulografia s.f.
ductulográfico adj.
ductulografista adj. s.2g.
ductulógrafo adj. s.m.
ductulograma s.m.
ducucu s.m.
ducume s.m.
ducunom s.m.
duda s.f.
dudongo s.m.
dudresnaia s.f.
dudu s.m.
duduquém s.m.
dueça s.f.
duedenário num. adj.
dueira s.f.
dueiro s.m.
duela s.f.
duelado adj.
duelador (*ô*) adj. s.m.
duelante adj. s.2g.
duelar v. adj.2g.
duelável adj.2g.
duelista adj. s.2g.
duelístico adj.
duelizar v.
duelo s.m.
duende s.m.
duenha s.f.
duereense adj. s.2g.
duerno s.m.
duetar v.
duetino s.m.
duetista adj. s.2g.
duetístico adj.
dueto (*ê*) s.m.
dufoureia (*é*) s.f.
dufôuria s.f.
dufreniberaunita s.f.
dufrenita s.f.
dufrenite s.f.
dufrenítico adj.
dufrenoisita s.f.
dufrenoisite s.f.
dufrenoisítico adj.
dufrenoysita s.f.
duftita s.f.
duga s.f.
dugani s.m.
dugão s.m.
dugaza s.f.
dugni s.m.
dugongídeo adj. s.m.
dugongo s.m.
duguécia s.f.
duguétia s.f.
duidade s.f.
duim s.m.
duinze s.f.
duipa s.m.
duíparo adj. s.m.
duíta adj. s.2g.
dulácia s.f.
dulcadá s.m.
dulçaína s.f.
dulcamara s.f.
dulçamara s.f.
dulcamarético adj.
dulcamárico adj.
dulcamarina s.f.
dulcamarínico adj.
dulcaquícola (*ü*) adj.2g.
dulcefeito adj.
dulcerosidade s.f.
dulceroso (*ô*) adj.; f. (*ó*); pl. (*ó*)
dulciana s.f.
dulciaquícola (*ü*) s.m.
dulcícola adj. s.m.
dulcidão s.f.
dúlcido adj.
dulcífero adj.
dulcificação s.f.
dulcificado adj.
dulcificador (*ô*) adj.
dulcificante adj.2g. s.m.
dulcificar v.
dulcificativo adj.
dulcificável adj.2g.
dulcífico adj.; cf. *dulcifico*, fl. do v. *dulcificar*
dulcifluidade s.f.
dulcifluidez (*ê*) s.f.
dulcífluo adj.
dulcíloquo (*co* ou *quo*) adj.
dulcilucente adj.2g.
dulcina s.f.
dulcineia (*é*) s.f.
dulcinismo s.m.
dulcinista adj. s.m.
dulcinopolitano adj. s.2g.
dulcinoso (*ô*) adj.; f. (*ó*); pl. (*ó*)
dulciolente adj.2g.
dulcíssimo adj. sup. de *doce*
dulcissonante adj.2g.
dulcíssono adj.
dulcita s.f.
dulcitana s.f.
dulcitânico adj.
dulcite s.f.
dulcítico adj.
dulcitol s.m.
dulcitólico adj.
dulcitura s.f.
dulçor (*ô*) s.m.
dulçorar v.
dulçoroso (*ô*) adj.; f. (*ó*); pl. (*ó*)
dulcose s.f.
dulcótico adj.
dulçura s.f.
dule s.m.
duleque s.f.
dulgubnio adj. s.m.
dulia s.f.
duliano s.m.
dulídeo adj. s.m.
dulijá s.m.
dulimã s.m.
dúlio adj.
dulíquia s.f.
dulíquida adj.2g. s.m.
duliquídeo adj. s.m.
dulocracia s.f.
dulocrata adj. s.2g.
dulocrático adj.
dulose s.f.
duludi adj. s.2g.
dum contr. de *de* e *um*
duma s.f.
dumalítico adj.
dumalito s.m.
dumásia s.f.
dumba s.f.
dumbária s.f.
dumbo s.m.
dumbuíje s.m.
dumícola adj.2g.
dumiense adj. s.2g.
dumnônio adj. s.m.
dumnótono adj.
dumo s.m.
dumôncia s.f.
dumonciácea s.f.
dumonciáceo adj.
dumontense adj. s.2g.
dumôntia s.f.
dumontiácea s.f.
dumontiáceo adj.
dumontinense adj. s.2g.
dumontita s.f.
dumória s.f.
dumortiera s.f.
dumortierita s.f.
dumortierite s.f.
dumortierítico adj.
duna s.f.
dunália s.f.
dunaliela s.f.
dunalma s.m.
dunam s.m.
dunar adj.2g.
dunário adj.
dundasita s.f.
dundum s.m.
duneta (*ê*) s.f.
dunfa s.m.
dunga adj.2g. s.m.
dungamonítico adj.
dungamonito s.m.
dungô s.m.
dunguinha s.2g.
dunha s.f.
dunhamita s.f.
dúnia s.f.
dúnico adj.
dunítico adj.
dunito s.m.
dunquerque s.m.
dunzongo s.m.
duo s.m.
duobarrense adj. s.2g.
duóbolo s.m.
duoconsonântico adj.
duocorreguense adj. s.2g.
duodecaédrico adj.
duodecaedro s.m.
duodecânico adj.
duodecano s.m.
duodecenal adj.2g.
duodecenalidade s.f.
duodecênio s.m.
duodecilhão num.
duodecilião num.
duodecilionésimo num. s.m.
duodécima s.f.
duodecimal adj.2g.
duodécimo num. s.m.
duodecúplice num.
duodécuplo num.
duodenal adj.2g.
duodenário adj.
duodenepático adj.
duodenite s.f.
duodenítico adj.
duodeno s.m.
duodenocístico adj.
duodenocistotomia s.f.
duodenocistotômico adj.
duodenocolangite s.f.
duodenocolangítico adj.
duodenocoledocotomia s.f.
duodenocoledocotômico adj.
duodenocólico adj.
duodenoenterostomia s.f.
duodenoenterostômico adj.
duodenoepático adj.
duodenograma s.m.
duodeno-hepático adj.; pl. *duodeno-hepáticos*
duodenoileostomia s.f.
duodenoileostômico adj.
duodenojejunal adj.2g.
duodenojejunostomia s.f.
duodenojejunostômico adj.
duodenopancreatectomia s.f.
duodenopancreatectômico adj.
duodenorrafia s.f.
duodenorráfico adj.
duodenorrenal adj.2g.
duodenoscopia s.f.
duodenoscópico adj.

duodenostomia s.f.
duodenostômico adj.
duodenotomia s.f.
duodenotômico adj.
duodia s.m.
duodinamismo s.m.
duodinamista adj. s.2g.
duodinamístico adj.
duodrama s.m.
duodramático adj.
duopólio s.m.
duopolista adj. s.2g.
duopsólio s.m.
duosperma s.f.
duostato s.m.
duotal s.m.
duparcita s.f.
dupião s.m.
dupla s.f.
duplação s.f.
dupla-distância s.f.; pl. *duplas-distâncias*
duplado adj.
duplador (*ô*) adj. s.m.
dupla-flecha s.f.; pl. *duplas--flechas*
dupla-hélice s.f.; pl. *duplas--hélices*
dupla-ligação s.f.; pl. *duplas--ligações*
dupla-nata s.f.; pl. *duplas--natas*
duplante adj.2g.
duplar v.
dupla-troca s.f.; pl. *duplas--trocas*
duplável adj.2g.
duplavilense adj. s.2g.
duplete (*ê*) s.m.
dupleto (*ê*) s.m.
duplex (*cs*) num. adj. s.2g.2n.
dúplex (*cs*) num. adj. s.2g.2n.
duplexita (*cs*) s.f.
duplexor (*csô*) s.m.
duplicabilidade s.f.
duplicação s.f.
duplicado adj. s.m.
duplicador (*ô*) adj. s.m.
duplicante adj. s.2g.
duplicar v.
duplicário s.m.
duplicata s.f.
duplicátil adj.2g.
duplicativo adj.
duplicatório adj.
duplicatura s.f.
duplicável adj.2g.
dúplice num. adj.2g.
dupliciário s.m.
duplicidade s.f.
duplicidentado adj. s.m.
duplicipene adj.2g. s.m.
duplipene s.m.
duplo num. adj. s.m.
duplo-cego s.m.; pl. *duplos-cegos*
duplo-decímetro s.m.; pl. *duplos-decímetros*
duplo-fundo s.m.; pl. *duplos--fundos*
duplógrafo s.m.
dupôndio s.m.
dupreno s.m.
duque s.m.; f. *duquesa* (*ê*)
duque-bacelarense adj. s.2g.; pl. *duque-bacelarenses*
duque-caxiense adj. s.2g.; pl. *duque-caxienses*
duqueodendrácea s.f.
duqueodendráceo adj.
duques s.m.pl.
duquesa (*ê*) s.f. de *duque*
duquésnea s.f.
dura s.f.
durabilidade s.f.
duração s.f.
durácino s.m.
duraço adj.
duradeiro adj.
duradoiro adj.
durador (*ô*) adj.
duradouro adj.
durafogo (*ô*) s.m.
dural adj.2g. s.m.
duralidade s.f.
duralinox (*cs*) s.m.
duralói s.m.
duralumínico adj.
duralumínio s.m.
dura-máter s.f.; pl. *dura--máteres*
durame s.m.
durâmen s.m.
durameninge s.f.
duramento s.m.
duraminização s.f.
durança s.f.
durandeense adj. s.2g.
durangita s.f.
durangite s.f.
durangítico adj.
duranguita s.f.
duranguite s.f.
durani adj. s.2g.
duranta s.f.
durante adj.2g. s.m. prep.
durantino adj. s.m.
durantista adj. s.2g.
durantístico adj.
duranusita s.f.
durão s.m.
duraplastia s.f.
duraplástico adj.
duraque s.m.
durar v.
duraracnite s.f.
duraracnítico adj.
duras s.m.pl.; na loc. *às duras*
dura-sempre s.m.2n.
durasnal s.m.
durasno s.m.
durativo adj.
durável adj.2g.
duraz adj.2g.
durázia s.f.
durázio adj. s.m.
durbaquito s.m.
durbar v.
durdaria s.f.
durdenita s.f.
durei s.m.
dureiagra s.f.
dureiro adj.
durematoma s.m.
durematômico adj.
durênico adj.
durênio s.m.
dureno s.m.
durez (*ê*) s.f.
dureza (*ê*) s.f.
durfeldtita s.f.
durgá s.f.
durguete (*ê*) s.m.
duríade s.f.
durial s.m.
duriango s.m.
durião s.m.
duricrosta (*ô*) s.f.
duricrostal adj.2g.
duricrustal adj.2g.
duriense adj. s.2g.
durila s.f.
durilático adj.
durilato s.m.
durílico adj.
durilo s.m.
durilobenzoílico adj.
durilobenzoílo s.m.
durim-durim s.m.; pl. *durim--durins*
durimínio adj.
durina s.f.
durindana s.f.
durineia (*é*) s.f.
durinho s.m.
durínico adj.
dúrio s.m.
durisso s.m.
durita s.f.
durite s.f.
durítico adj.
durito s.m.
dúrium s.m.
duriúsculo adj.
duriventre adj.
durne s.f.
duro adj. adv. s.m.
duro a fogo s.m.
duroaracnite s.f.
duroaracnítico adj.
duroia (*ó*) s.f.
durol s.m.
durola s.f.
durólico adj.
durometria s.f.
durométrico adj.
durômetro s.m.
duronze s.m.
durra s.f.
duru s.m.
duruculi s.m.
durura s.f.
durvílea s.f.
durvileácea s.f.
durvileáceo adj.
durvíleo adj.
durvíllea s.f.
durvilleácea s.f.
durvilleáceo adj.
durvílleo adj.
dussertita s.f.
dússia s.f.
dutiérsia s.f.
duto s.m.
dutrense adj. s.2g.
dutró s.m.
duttonita s.f.
duturó s.m.
duunvirado s.m.
duunviral adj.2g.
duunviralício adj.
duunvirato s.m.
duúnviro s.m.
duvália s.f.
duveia (*é*) s.f.
duvela s.f.
duvernoia (*ó*) s.f.
dúvia s.f.
dúvida s.f.; cf. *duvida*, fl. do v. *duvidar*
duvidado adj.
duvidador (*ô*) adj. s.m.
duvidança s.f.
duvidante adj. s.2g.
duvidar v.
duvidável adj.2g.
duvidosidade s.f.
duvidoso (*ô*) adj.; f. (*ó*); pl. (*ó*)
duvol s.m.
duzentena s.f.
duzenteno s.m.
duzentos num.
dúzia s.f.
duzil s.m.
duzina s.m.
duzir v.
duzu s.m.
dyckia s.f.
dypingita s.f.
dzeta s.m.
dzô s.m.
dzonga s.m.

Ee

e s.m. conj.
eacleíta s.f.
ealmar v.
eamboge s.m.
eandense adj. s.2g.
eangombe s.m.
eanto adj.
eão s.m.
eaquerita s.f.
earcado adj.
earcar v.
eária s.f.
earina s.f.
earlandita s.f.
eastônia s.f.
eastonita s.f.
eatônia s.f.
eautognosia s.f.
eautologia s.f.
ebá s.m.
ebália s.f.
ebálida adj. s.2g.
ebálide adj. s.2g.
ebálido adj. s.m.
ebálio adj. s.m.
ebambe s.2g.
ebame s.2g.
ebami s.f.
ebamim s.2g.
ebanácea s.f.
ebanáceo adj.
ebande s.m.
ebâneo adj.
ebanesteria s.f.
ebani s.f.
ebânico adj.
ebanino adj.
ebanista s.2g.
ebanita s.f.
ebanite s.f.
ebanização s.f.
ebanizado adj.
ebanizar v.
ébano s.m.
ébano-americano s.m.; pl. *ébanos-americanos*
ébano-da-austrália s.m.; pl. *ébanos-da-austrália*
ébano-da-índia s.m.; pl. *ébanos-da-índia*
ébano-da-montanha s.m.; pl. *ébanos-da-montanha*
ébano-das-antilhas s.m.; pl. *ébanos-das-antilhas*
ébano-de-zanzibar s.m.; pl. *ébanos-de-zanzibar*
ébano-do-gabão s.m.; pl. *ébanos-do-gabão*
ébano-do-rio-orange s.m.; pl. *ébanos-do-rio-orange*
ébano-oriental s.m.; pl. *ébanos-orientais*
ébano-preto s.m.; pl. *ébanos--pretos*
ébano-preto-de-lagos s.m.; pl. *ébanos-pretos-de-lagos*
ébano-venado s.m.; pl. *ébanos-venados*
ébano-verdadeiro s.m.; pl. *ébanos-verdadeiros*
ébano-verde s.m.; pl. *ébanos--verdes*
ébano-vermelho s.m.; pl. *ébanos-vermelhos*
ebaubense adj. s.2g.
ebé s.m.
ebedínio s.m.
ebelmanita s.f.
ebenácea s.f.
ebenáceo adj.
ebenal adj.2g.
ebenale s.f.
ebenesteria s.f.
ebenista s.2g.
ébeno s.m.
ebertela s.f.
eberthemia s.f.
eberthêmico adj. s.m.
eberthiano adj.
eberthite s.f.
ébia s.f.
ebiara s.m.
ebiobolo s.m.
ebionismo s.m.
ebionita adj. s.2g.
ebiratanha s.f.
ebiri s.m.
éblis s.m.
ebnerita s.f.
ebó s.m. "oferenda"; cf. *ebô*
ebô s.m. "comida"; cf. *ebó*
ebola s.f.
ebolavírus s.m.
ebombe s.2g.
ebome s.2g.
ebomi s.f.
ebomim s.f.
ebonite s.f.
ebonítico adj.
eboracense adj. s.2g.
eborária s.f.
eborário s.m.
eborato adj.
eborense adj. s.2g.
ebóreo adj.
ebozeira s.f.
ebozeiro s.m.
ebracteado adj.
ebriático adj.
ebriativo adj.
ebriedade s.f.
ebriez (*ê*) s.f.
ebrifestante adj.2g.
ebrifestivo adj.
ébrio adj. s.m.
ebrioso (*ô*) adj.; f. (*ó*); pl. (*ó*)
ebrirridente adj.2g.
ebrissaltante adj.2g.
ebulição s.f.
ebulidor (*ô*) s.m.
ebuliente adj.2g.
ebuliometria s.f.
ebuliométrico adj.
ebuliômetro s.m.
ebulioscopia s.f.
ebulioscópico adj.
ebulioscópio s.m.
ebulir v.
ebulitivo adj.
ébulo s.m.
eburão adj. s.m.
ebúrico adj.
eburina s.f.
eburino adj. s.m.
eburnação s.f.
eburnado adj.
eburnar v.
ebúrneo adj.
ebúrneo-daomeano adj. s.m.; pl. *ebúrneo-daomeanos*
ebúrneo-liberiano adj. s.m.; pl. *ebúrneo-liberianos*
eburnificação s.f.
eburnificado adj.
eburnificar v.
eburnite s.f.
eburodunense adj. s.2g.
eburovice adj. s.2g.
eburovico adj. s.m.
ebusitano adj. s.m.
eca s.f. interj.
ecabórico adj.
ecaboro s.m.
ecacésico adj.
ecacésio s.m.
ecagra s.m.
ecaiódico adj.
ecaiodo (*ô*) s.m.
ecalcarado adj.
ecalice adj. s.2g.
ecaliptrocarpo adj.
ecalumínico adj.
ecalumínio s.m.
ecanda s.f.
eçaniano adj.
écano s.m.
ecantídeo adj. s.m.
ecantíneo adj. s.m.
ecanto s.m.
ecar v.
ecardinal adj.2g.
ecardine adj. s.2g.
ecardino s.m.
ecarenado adj.
ecassilícico adj.
ecassilício s.m.
ecastafilo s.m.
ecatantálico adj.
ecatântalo s.m.
ecatártico adj.
ecatontarquia s.f.
ecaudado adj.
ecaviano s.m.
ecbálio s.m.
écbase s.f.
ecbirsoma s.m.
ecblastese s.f.
écbola s.f.
ecbólade s.f.
ecbólico adj.
ecbolina s.f.
ecbólio s.m.
ecbrissoma s.f.
ecceidade s.f.
ecciese s.f.
ecdemia s.f.
ecdêmico adj.
ecdemita s.f.
ecdero s.m.
écdico s.m.
ecdinemídeo adj. s.m.
ecdise s.f.
ecdísias s.f.pl.
ecdisona s.f.
ecdora s.f.
ecdótica s.f.
ecdótico adj.
ecdúsia s.f.
ecese s.f.
eceticíneo adj. s.m.
ecético s.m.
eceticoide (*ó*) adj.2g. s.f.
eceticoidíneo adj. s.m.
ecétis s.f.2n.
ecetrano adj. s.m.
ecfiadectomia s.f.
ecfiadite s.f.
ecfilático adj.
ecfilaxia (*cs*) s.f.
ecfimote s.m.
ecfísia s.f.
ecfonema s.m.
ecfonemático adj.
ecfonêmico adj.
ecfonese s.f.
ecfonético adj.
écfora s.f.
ecforia s.f.
ecfráctico adj.
écfrase s.f.
ecfrástico adj.
ecfrático adj.
ecgonidina s.f.
ecgonina s.f.
ecgonínico adj.
echacorvar v.
echacorvo (*ô*) s.m.
echadiço adj. s.m.
echalota s.f.
echaporense adj. s.2g.
echarpe s.f.
echelita s.f.
echellita s.f.
echevéria s.f.
echião s.m.
eciano adj.
eciclema s.m.
écico adj.
ecídio s.m.
ecidiocarpo s.m.
ecidíolo s.m.
ecidiomicete s.m.
ecidiósporo s.m.
eciese s.f.
ecília s.f.
écio s.m.
eciospórico adj.
eciósporo s.m.
ecismo s.m.
ecista adj. s.2g.
ecitanínico adj.
ecitanino s.m.
éciton s.m.
ecíton s.m.
eckermannita s.f.
eckrita s.f.
eclábio s.m.
eclactismo s.m.
eclampse s.f.
eclampsia s.f.
eclâmpsia s.f.
eclampsismo s.m.
eclâmptico adj.
eclectossomo s.m.
eclegma s.m.
ecler s.m.
eclésia s.f.
eclesial adj.2g.
eclesiano adj. s.m.
eclesiarca s.m.
eclesiarquismo s.m.
eclesiarquista adj. s.2g.
eclesiasticismo s.m.
eclesiasticista adj. s.2g.
eclesiasticístico adj.
eclesiástico adj. s.m.
eclesiofobia s.f.
eclesiofóbico adj.
eclesiófobo adj. s.m.
eclesiogênese s.f.
eclesiogenético adj.
eclesiologia s.f.
eclesiológico adj.
eclesiólogo s.m.
ecleticismo s.m.
eclético adj. s.m.
ecletismo s.m.
ecletista adj. s.2g.
ecletístico adj.
eclímetro s.m.
eclimia s.f.
eclinura s.f.
eclinusa s.f.
eclinúsia s.f.
eclipsado adj.
eclipsal adj.2g.
eclipsamento s.m.
eclipsante adj.2g.
eclipsar v.
eclipsável adj.2g.
eclipse s.m.
eclipta s.f.
eclíptica s.f.
eclíptico adj.
eclisse s.f.
eclodir v.
écloga s.f.
eclogal adj.2g.
eclogítico s.m.
eclogito s.m.
eclosão s.f.
eclusa s.f.
ecma s.f.
ecmartiria s.f.
ecmarturia s.f.
ecmeia (*é*) s.f.
ecmenesia s.f.
ecmnésia s.f.
ecmnético adj.
ecmofobia s.f.
ecmófobo adj. s.m.
ecmolepe s.f.
ecnefia s.f.
ecnéfia s.f.
eco s.m. "repetição de um som"; cf. *ecó* e *ecô*
ecó s.m. "bolo de milho"; cf. *eco* e *ecô*
ecô interj.; cf. *eco* e *ecó*
ecoacústica s.f.
ecoante adj.2g.
ecoar v.
ecoável adj.2g.
ecobatímetro s.m.
ecocardiografação s.f.
ecocardiografar v.
ecocardiografável adj.2g.
ecocardiografia s.f.
ecocardiográfico adj.
ecocardiógrafo s.m.

ecocardiograma s.m.
ecocardiologia s.m.
ecocardiológico adj.
ecocardiologista s.2g.
ecocatástrofe s.f.
ecocatastrófico adj.
ecocentrismo s.m.
ecocentrista s.2g.
ecocentrístico adj.
ecocida adj. s.2g.
ecocídio s.m.
ecocinésia s.f.
ecocinético adj.
ecodemo s.m.
ecodesenvolvimento s.m.
ecodicogamia s.f.
ecodidé s.m.
ecoempresariado s.m.
ecoempresarial adj.2g.
ecoempresário s.m.
ecoencefalografação s.f.
ecoencefalografar v.
ecoencefalografável adj.2g.
ecoencefalografia s.f.
ecoencefalográfico adj.
ecoencefalógrafo s.m.
ecoencefalograma s.m.
ecoendoscopia s.f.
ecoequilíbrio s.m.
ecoestratigrafia s.f.
ecoestratigráfico adj.
ecoexistencialidade (*z*) s.f.
ecofato s.m.
ecofênio s.m.
ecofenótipo s.m.
ecofila s.f.
ecofobia s.f.
ecofonia s.f.
ecofônico adj.
ecoforídeo adj. s.m.
ecofotonia s.f.
ecofrasia s.f.
ecogênese s.f.
ecogeografia s.f.
ecogeográfico adj.
ecogônia s.f.
ecografar v.
ecografia s.f.
ecográfico adj.
ecoico (*ó*) adj.
ecoide (*ó*) s.m.
ecolalia s.f.
ecolálico adj.
ecolia s.f.
ecólico adj.
ecolocação s.f.
ecolocado adj.
ecolocador (*ô*) adj. s.m.
ecolocalização s.f.
ecolocalizado adj.
ecolocalizador (*ô*) adj. s.m.
ecolocalizar v.
ecolocalizável adj.2g.
ecolocamento s.m.
ecolocar v.
ecolocatório adj.
ecolocável adj.2g.
ecologia s.f.
ecológico adj.
ecologismo s.m.
ecologista adj. s.2g.
ecologístico adj.
ecólogo s.m.
ecomania s.f.
ecomatismo s.m.
ecometria s.f.
ecométrico adj.
ecômetro s.m.
ecomimia s.f.
ecomímico adj.
ecomônada s.f.
ecomonadácea s.f.
ecomonadáceo adj.
ecomônade s.2g.
ecomonadídeo adj. s.m.
ecômonas s.2g.2n.
ecomotismo s.m.
econdroma s.m.
econdrose s.f.
econdrótomo s.m.
economando s.m.
economato s.m.
economês s.m.
econômetra s.2g.
econometria s.f.
econométrica s.f.
econométrico adj.
econometrista adj. s.2g.
econometrístico adj.
economia s.f.
economiário adj. s.m.
econômica s.f.
economicidade s.f.
econômico adj.
econômico-financeiro adj.; pl. *econômico-financeiros*
econômico-social adj.2g.; pl. *econômico-sociais*
economismo s.m.
economista adj. s.2g.
economizado adj.
economizador (*ô*) adj. s.m.
economizar v.
ecônomo adj. s.m.
ecopado adj.
ecoparasito s.m.
ecopatia s.f.
ecopático adj.
écope s.f.
ecopleura s.f.
ecopolítica s.f.
ecopolítico adj. s.m.
ecoporanguense adj. s.2g.
ecopraxia (*cs*) s.f.
ecoproterandria s.f.
ecoproteroginia s.f.
ecoprótico adj. s.m.
ecortático adj.
ecosfera s.f.
ecosférico adj.
ecosito s.m.
ecospécie s.f.
ecossistema s.m.
ecossistemático adj.
ecossistematização s.f.
ecossistematizador (*ô*) adj. s.m.
ecossistematizar v.
ecossistematizável adj.2g.
ecossistêmico adj.
ecossondador (*ô*) s.m.
ecossondagem s.f.
ecostratigrafia s.f.
ecostratigráfico adj.
ecotagem s.f.
ecoterrorista adj. s.2g.
ecótipo s.m.
ecotomografia s.f.
ecotonal adj.2g.
ecótono s.m.
ecotoxicologia (*cs*) s.f.
ecotoxicológico (*cs*) adj.
ecoturismo s.m.
ecoturista adj. s.2g.
ecoturístico adj.
ecovírus s.m.
ecoxupé interj.
ecozoico (*ó*) adj.
ecpiema s.m.
ecpiesma (*ê*) s.m.
ecplexia (*cs*) s.f.
ecrasita s.f.
ecremocacto s.m.
ecremocárpea s.f.
ecremocarpo s.m.
ecréxis (*cs*) s.m.
ecrinologia s.f.
ecrinológico adj.
ecrise s.f.
ecrisia s.f.
ecronômetro s.m.
ecrucu s.m.
ecruru s.m.
ecsarcoma s.m.
ecsomática s.f.
ecstrofia s.f.
ectacolia s.f.
ectadenia s.f.
ectadiopse s.m.
ectal adj.2g.
ectâmnio s.m.
éctase s.f.
ectasia s.f.
ectásico adj.
ectasina s.f.
ectático adj.
ectauxese (*cs*) s.f.
ectebina s.f.
ectenia s.f.
ectenial adj.2g.
éctese s.f.
ectetmoide (*ó*) s.m.
ectilótico adj. s.m.
ectima s.m.
ectimatiforme adj.2g.
ectimatoso (*ô*) adj.; f. (*ó*); pl. (*ó*)
ectimiforme adj.2g.
ectimogênio adj. s.m.
ectimose s.f.
ectinito s.m.
ectino adj. s.m.
ectiólico adj.
ectionínеo adj. s.m.
ectípico adj.
éctipo s.m.
ectipografia s.f.
ectipográfico adj.
ectitólico adj.
ectlima s.f.
ectlipse s.f.
ectoantígeno s.m.
ectóbio s.m.
ectoblasta s.m.
ectoblástico adj.
ectoblástio s.m.
ectoblasto s.m.
ectobranquiado s.m.
ectobrônquio s.m.
ectocardia s.f.
ectocardíaco adj. s.m.
ectocárdico adj.
ectocárdio s.m.
ectocarpácea s.f.
ectocarpáceo adj.
ectocarpal adj.2g.
ectocarpale s.f.
ectocárpea s.f.
ectocarpo adj. s.m.
ectocefalia s.f.
ectocefálico adj.
ectocéfalo s.m.
ectocele s.m.
ectocélico adj.
ectocelostomia s.f.
ectocérvice s.f.
ectocíclico adj.
ectocíndio s.m.
ectocinético adj.
ectocisto s.m.
ectocolo s.m.
ectocomensal adj.2g. s.m.
ectoconco adj.
ectocôndilo s.m.
ectocórnea s.f.
ectocoroide (*ó*) s.f.
ectocraniano adj.
ectocrânico adj.
ectocrânio s.m.
ectocuneiforme s.m.
ectoderma s.m.
ectoderme s.f.
ectodérmico adj.
ectodermose s.f.
ectodermótico adj.
ectodinâmico adj.
ectófito adj. s.m.
ectofleode adj.2g. s.m.
ectofleódico adj.
ectofloico (*ó*) adj.
ectofórmio s.m.
ectógeno adj. s.m.
ectóglia s.f.
ectógnato adj. s.m.
ectoima s.m.
ectol s.m.
ectolábio s.m.
ectolecítico adj.
ectoléquia s.f.
ectolequiácea s.f.
ectolequiáceo adj.
ectólofo s.m.
ectômera s.f.
ectômero s.m.
ectomorfia s.f.
ectomórfico adj.
ectomorfismo s.m.
ectomorfização s.f.
ectomorfizar v.
ectomorfizável adj.2g.
ectomorfo adj. s.m.
ectoneural adj.2g.
ectopagia s.f.
ectópago adj. s.m.
ectoparasita adj. s.2g.
ectoparasitário adj.
ectoparasiticida adj.2g. s.m.
ectoparasítico adj.
ectoparasitismo s.m.
ectoparasito adj. s.m.
ectopericárdio s.m.
ectoperitonite s.f.
ectopesôfago s.m.
ectopia s.f.
ectópico adj.
ectopisto s.m.
ectoplacenta s.f.
ectoplasma s.m.
ectoplasmático adj.
ectoplásmico adj.
ectoplasto s.m.
ectopleura s.m.
ectopleurária s.f.
ectopociste s.f.
ectopógone adj.
ectopogôneo adj.
ectopógono adj.
ectoporale s.f.
ectoprocto adj. s.m.
ectopterigoide (*ó*) s.m.
ectoquelostomia s.f.
ectoréu s.m.
ectorraquidiano adj.
ectosfera s.f.
ectosperma s.m.
ectosporale s.f.
ectospórea s.f.
ectospórico adj.
ectospório adj. s.m.
ectósporo adj. s.m.
ectossarco s.m.
ectossoma s.m.
ectossomático adj.
ectossugestão s.f.
ectossugestivo adj.
ectosterígico adj.
ectosterígio s.m.
ectosterigoide (*ó*) adj. s.2g.
ectosterigóideo adj. s.m.
ectostose s.f.
ectoteca s.f.
ectotérmico adj.
ectotermo adj. s.m.
ectotoxemia (*cs*) s.f.
ectotoxêmico (*cs*) adj. s.m.
ectotraqueia (*é*) s.f.
ectótrix (*cs*) s.m.
ectótrofe s.m.
ectotrófico adj.
ectótrofo adj. s.m.
ectotrópico adj.
ectotropismo s.m.
ectozoário s.m.
ectrima s.m.
ectrodactilia s.f.
ectrodactílico adj. s.m.
ectrogáleo s.m.
ectrogela s.f.
ectrogenia s.f.
ectrômele s.m.
ectromelia s.f.
ectromélico adj.
ectrômelo s.m.
ectrópio s.m.
ectrópion s.m.
ectropodia s.f.
ectropotécio s.m.
ectrose s.f.
ectrossindactilia s.f.
ectrótico adj.
ecu s.m.f.
ecubo s.m.
écula s.f.
eculano adj. s.m.
ecúleo s.m.
ecúlex (*cs*) s.m.
ecúlice s.m.
éculo s.m.
ecúmena s.f.
ecumênica s.f.
ecumenicidade s.f.
ecumênico adj.
ecumenismo s.m.
ecumenista adj. s.2g.
ecumenístico adj.
ecumenização s.f.
ecumenizado adj.
ecumenizador (*ô*) adj.
ecumenizante adj.2g.
ecumenizar v.
ecumenizável adj.2g.
ecúmeno adj. s.m.
ecuru s.m.
eczema s.m.
eczemático adj.
eczemátide s.f.
eczematiforme adj.2g.
eczematização s.f.
eczematógeno adj.
eczematoide (*ó*) adj.2g.
eczematoso (*ô*) adj. s.m.; f. (*ó*); pl. (*ó*)
eczementoso (*ô*) adj. s.m.; f. (*ó*); pl. (*ó*)
eczemogênio adj.
edace adj.2g.
edacidade s.f.
edacíssimo adj. sup. de *edaz*
edáfico adj.
edáfio s.m.
edafobiologia s.f.
edafobiológico adj.
edafófita s.f.
edafologia s.f.
edafológico adj.
edafólogo adj.
édafon s.m.
edafonécton s.m.
edafônico adj.
edafossauro s.m.
edafostratigrafação s.f.
edafostratigrafar v.
edafostratigrafável adj.2g.
edafostratigrafia s.f.
edafostratigráfico adj.
edafostratígrafo adj. s.m.
edafostratigrama s.m.
edafostratografabilidade s.f.
edafostratografação s.f.
edafostratografar v.
edafostratografável adj.2g.
edafostratografia s.f.
edafostratográfico adj.
edafostratógrafo adj. s.m.
edafostratograma s.m.
edafotropismo s.m.
édalo s.m.
edaz adj.2g.
edeago s.m.
edealinense adj. s.2g.
edeense adj. s.2g.
edeia (*é*) s.f.
edeiense adj. s.2g.
edeíte s.f.
edelvais s.m.
edelvaisse s.m.
edema s.m.
edemacia s.f.
edemaciação s.f.
edemaciado adj.
edemaciar v.
edemático adj.
edematina s.f.
edematização s.f.
edematizado adj.
edematizante adj.2g.
edematizar v.
edematizável adj.2g.
edematógeno adj.
edemátopo s.m.
edematose s.f.
edematoso (*ô*) adj.; f. (*ó*); pl. (*ó*)
edematótico adj.

edemérida s.f.
edemerídeo adj. s.m.
edêmero s.m.
edemia s.f.
edêmone s.m.
edemonia s.f.
edemossarca s.f.
edemossarcocele s.m.
éden s.m.
edenate adj. s.2g.
edendro s.m.
edenense adj. s.2g.
edêneo adj.
edênico adj.
edenismo s.m.
edenita s.f.
edenizar v.
edentação s.f.
edentado adj. s.m.
edentar v.
edenteloso (*ô*) adj.; f. (*ó*); pl. (*ó*)
edêntulo adj.
edeoblenorragia s.f.
edeoblenorrágico adj.
edeoblenorreia (*é*) s.f.
edeocefalia s.f.
edeocefálico adj.
edeocéfalo s.m.
edeodinia s.f.
edeodínico adj.
edeografia s.f. "descrição dos genitais"; cf. *ideografia*
edeográfico adj.
edeógrafo s.m.
edeologia s.f. "estudo dos órgãos genitais"; cf. *ideologia*
edeológico adj. "relativo a edeologia"; cf. *ideológico*
edeólogo s.m. "especialista em edeologia"; cf. *ideólogo*
edeomania s.f.
edeomaníaco adj. s.m.
edeomicodermite s.f.
edeopsofia s.f.
edeoscopia s.f.
edeoscópico adj.
edeotomia s.f.
edeotômico adj.
edeozoário s.m.
ederé s.m.
edes s.f.2n.
edésia s.f.
edesseia (*é*) adj. s.f. de *edesseu*
edesseno adj. s.m.
edesseu adj. s.m.; f. *edesseia* (*é*)
edéssio adj. s.m.
edestina s.f.
edetânico adj.
edetano adj. s.m.
edgevórtia s.f.
edgewórthia s.f.
édia s.f.
edição s.f.
edicionar v.
edicnemo s.m.
édico adj.
edícula s.f.
edicular v.
edículo s.m.
edificação s.f.
edificado adj.
edificador (*ô*) adj. s.m.
edificamento s.m.
edificante adj.2g.
edificar v.
edificativo adj.
edificável adj.2g.
edifício s.m.
edifício-garagem s.m.; pl. *edifícios-garagem* e *edifícios-garagens*
edil s.m.
edilício adj.
edílico adj. "municipal"; cf. *idílico*
edilidade s.f.
edíneo adj. s.m.
edingtonita s.f.
ediógrafo s.m.
ediôniquis s.m.2n.
edipiano adj.
edípico adj.
edipismo s.m.
edipista adj. s.2g.
edipístico adj.
édipo s.m.
edípoda s.f.
edípode s.m.
edipodiácea s.f.
edipodiáceo adj.
edipodíneo adj. s.m.
edipódio s.m.
edipogamia s.f.
edipogâmico adj.
edisonita s.f.
edisonítico adj.
editação s.f.
editado adj.
edital adj.2g. s.m.
editar v.
editável adj.2g.
edítimo s.m.
edito s.m. "parte de lei"; cf. *édito*
édito "ordem judicial publicada"; cf. *edito* s.m. e fl.do v. *editar*
editor (*ô*) adj. s.m.
editora (*ô*) s.f.
editorabilidade s.f.
editoração s.f.
editorado adj.
editorador (*ô*) adj.
editoral adj.2g.
editorar v.
editorável adj.2g.
editoria s.f.
editorial adj.2g. s.m.
editorialista s.2g.
edítuo s.m.
edível adj.2g.
edóbolo adj.
edocefalia s.f.
edocefálico adj.
edocéfalo s.m.
edogônea s.f.
edogôneo adj.
edogoniácea s.f.
edogoniáceo adj.
edogônio s.m.
edólito s.m.
edoma s.f.
edometria s.f.
edômetro s.m.
edominante adj.2g.
edomita adj. s.2g.
edomítico adj.
edônio adj. s.m. "povo"; cf. *idôneo*
edono adj. s.m.
edopeza s.f.
edra s.f.
edredão s.m.
edredom s.m.
edrícida adj. s.2g.
edrioasteróideo s.m.
edrioftalmo adj. s.m.
edrisita adj. s.2g.
edríssida adj. s.2g.
edrissita adj. s.2g.
edrofonia s.f.
edrofônico adj.
edrofônio s.m.
edta s.m.
edu s.m.
eduarda s.f.
eduardo-gomense adj. s.2g.; pl. *eduardo-gomenses*
educabilidade s.f.
educação s.f.
educacional adj.2g.
educacionismo s.m.
educacionista adj. s.2g.
educacionístico adj.
educado adj.
educador (*ô*) adj. s.m.
educandário s.m.
educando adj. s.m.
educandoria s.f.
edução s.f.
educar v.
educativo adj.
educável adj.2g.
educto adj.
edulçar v.
edulcoração s.f.
edulcorado adj.
edulcorante adj.2g.
edulcorar v.
edulçorar v.
edulcorativo adj.
edule adj.2g.
edulo adj.
éduo adj. s.m.
eduto s.m.
edutor (*ô*) adj.
eduzir v.
edwardsita s.f.
edwarsiela s.f.
edwarsiella s.f.
eêmia s.f.
efã s.f.
efabulação s.f.
efabulado adj.
efabulador (*ô*) adj. s.m.
efabular v.
efabulável adj.2g.
éfanes s.m.2n.
efarado adj.
efarmonia s.f.
efarmônico adj.
efarmose s.f.
efátide s.f.
efe s.m.
efebato s.m.
efebia s.f.
efebião s.m.
efébico adj.
efebismo s.m.
efebo (*ê* ou *é*) s.m.
efebogênese s.f.
eféctico adj. s.m.
efector (*ô*) adj. s.m.
éfedra s.f.
efedrácea s.f.
efedráceo adj.
efedrina s.f.
efedróidea s.f.
efeitarrão s.m.
efeito s.m.
efeituação s.f.
efeituado adj.
efeituador (*ô*) adj. s.m.
efeituar v.
efeituável adj.2g.
efelcístico adj.
efélia s.m.
efélide s.f.
efemérida s.f.
efemeridade s.f.
efeméride s.f.
efemerídeo adj. s.m.
efemérides s.f.pl.
efemerina s.f.
efemerina-da-virgínia s.f.; pl. *efemerinas-da-virgínia*
efemerizar v.
efêmero adj. s.m.
efemerofíceo adj.
efemeróideo adj. s.m.
efemeropiria s.f.
efemeróptero s.m.
efeminação s.f.
efeminado adj. s.m.
efeminador (*ô*) adj.
efeminante adj.2g.
efeminar v.
efeminável adj.2g.
efeminização s.f.
efeminizado adj.
efeminizador (*ô*) adj.
efeminizante adj.2g.
efeminizar v.
efeminizável adj.2g.
efêndi s.m.
eferado adj.
eferência s.f.
eferencial adj.2g.
eferente adj.2g.
eferventação s.f.
eferventado adj.
eferventamento s.m.
eferventante adj.2g.
eferventar v.
eferventável adj.2g.
efervescência s.f.
efervescente adj.2g.
efervescer v.
efervescido adj.
efes e erres s.m.pl.
efesíacas s.f.pl.
efesíaco adj.
efesino adj.
efésio adj. s.m.
efesita s.f.
eféstia s.m.
éfeta s.m.
efético adj. s.m.
efetivação s.f.
efetivar v.
efetível adj.2g.
efetividade s.f.
efetivo adj. s.m.
efetonina s.f.
efetor (*ô*) adj. s.m.
efetuação s.f.
efetuador (*ô*) adj. s.m.
efetuar v.
efetuoso (*ô*) adj.; f. (*ó*); pl. (*ó*)
efialta s.f.
efialtes s.m.2n.
eficácia s.f.
eficaciar v.
eficacidade s.f.
eficacíssimo adj. sup. de *eficaz*
eficaz adj.2g.
eficiência s.f.
eficiente adj.2g.
efidácia s.f.
efidra s.f.
efidro s.m.
efidrogamia s.f.
efidrose s.f.
efifá s.m.
efigiado adj.
efigiar v.
efígie s.f.; cf. *efigie*, fl. do v. *efigiar*
efigrama s.m.
efílio s.m.
efilófilo adj.
efiparca s.m.
efiparquia s.f.
efípia s.f.
efipiartrose s.f.
efipiartrótico adj.
efipida adj.2g. s.m.
efipídeo adj. s.m.
efipígera s.f.
efípio s.m.
efipiomeniscartrose s.f.
efipiomeniscartrótico adj.
efipo s.m.
éfira s.f.
efireia (*é*) adj. s.f. de *efireu*
efireu adj. s.m.; f. *efireia* (*é*)
efiríneo adj. s.m.
éfiro adj. s.m.
efirônea s.f.
efistemo s.m.
efitia s.f.
efloração s.f.
eflorescência s.f.
eflorescente adj.2g.
eflorescer v.
efluência s.f.
efluente adj.2g.
efluir v.
efluviação s.f.
efluviador (*ô*) adj. s.m.
eflúvio s.m.
efluviografia s.f.
efluviográfico adj.
efluvioso (*ô*) adj.; f. (*ó*); pl. (*ó*)
efluvioterapia s.f.
efluvioterápico adj.
efluxão (*cs*) s.f.
efluxo (*cs*) s.m.
efó s.m.
éfode s.m.
efodiofobia s.f.
efodiofóbico adj.
éfodo s.m.
eforado s.m.
eforato s.m.
eforia s.f.
efórico adj.
éforo s.m.
efóssil adj.2g.
efração s.f.
efracção s.f.
efracto adj.
efractura s.f.
efraimista adj. s.2g.
efráteo adj. s.m.
efrato adj.
efratura s.f.
efredina s.f.
efronte adj.2g.
efrontez (*ê*) s.f.
efuanga s.f.
efuco s.m.
efúgio s.m.
efulcrado adj.
efum s.m.
efumeado adj.
efumear v.
efum-oguedê s.m.; pl. *efuns-oguedês*
efúndia s.f.
efundiço adj.
efundir v.
efundula s.f.
efusal s.m.
efusão s.f.
efusiometria s.f.
efusiométrico adj.
efusiômetro s.m.
efusividade s.f.
efusivo adj.
efuso adj.
efuzel s.m.
ega s.m.
egagra s.f.
égagro s.m.
egagropila s.f.
egagropilo s.m.
egaltruísmo s.m.
egaltruísta adj. s.2g.
egaltruístico adj.
eganto s.m.
egárrea s.f.
egbá adj. s.2g.
egbano adj. s.m.
egbé s.m.
egbele s.m.
egeão s.m.
egeato adj. s.m.
egeia (*é*) adj. s.f. de *egeu*
egelestano adj. s.m.
egerana s.f.
egéria s.f.
egerina s.f.
egerino adj.
egerita s.f.
egérnia s.f.
egerse s.f.
egesa s.f.
egesta s.f.
egestade s.f.
egestano adj.
egesteniense adj. s.2g.
egestivo adj.
egestoso (*ô*) adj.; f. (*ó*); pl. (*ó*)
egetino adj. s.m.
egeu adj.; s.m.; f. *egeia* (*é*)
eggonita s.f.
egiália s.f.
egiálio s.m.
egialítis s.m.2n.
egialófilo adj.
egícera s.f.
egícola adj.2g.
egicrânio s.m.
égide s.f.
egídeo adj. s.m.
egidiense adj. s.2g.
egídio s.m.
egiense adj. s.2g.
egífila s.f.
egifilia s.f.
egilope s.2g.
eginécia s.f.

eginense adj. s.2g.
egíneo adj. s.m.
egineta (*ê*) adj. s.2g.
eginético adj. s.m.
eginiense adj. s.2g.
egipã s.m.
egipano s.m.
egipcíaco adj. s.m.
egipcianismo s.m.
egipcianista adj. s.2g.
egipcianização s.f.
egipcianizado adj.
egipcianizante adj.2g.
egipcianizar v.
egipcianizável adj.2g.
egipciano adj. s.m.
egipcião adj. s.m.
egípcio adj. s.m.
egípcio-copta adj. s.m.; pl. adj. *egípcio-coptas* e pl. s. *egípcios-coptas*
egipiíneo adj. s.m.
egiptanense adj. s.2g.
egiptense adj. s.2g.
egíptico adj.
egiptino adj. s.m.
egiptização s.f.
egiptógnata s.f.
egiptologia s.f.
egiptológico adj.
egiptólogo s.m.
egirina s.f.
egirinaugita s.f.
egirita s.f.
egirítico adj.
egirito s.m.
egitanense adj. s.2g.
egitaniense adj. s.2g.
eglanduloso (*ô*) adj.; f. (*ó*); pl. (*ó*)
egle s.f.
eglefim s.m.
eglestonita s.f.
eglete s.f.
eglísia s.f.
égloga s.f.
egloguista s.2g.
egnaciano adj. s.m.
ego s.m.
egóbolo s.m.
egobroncofonia s.f.
egobroncofônico adj.
egocentrado adj.
egocentralizado adj.
egocentralizante adj.2g.
egocentralizar v.
egocentralizável adj.2g.
egocentrante adj.2g.
egocentrar v.
egocentrável adj.2g.
egocentricidade s.f.
egocêntrico adj.
egocentrismo s.m.
egocentrista adj. s.2g.
egocentrístico adj.
egocrânio s.m.
egofagia s.f.
egofágico adj.
egófago s.m.
egofilia s.f.
egófilo adj. s.m.
egofonia s.f.
egofônico adj.
egoíce s.f.
egoideal adj.2g.
egoidealizado adj.
egoidealizante adj. s.2g.
egoidealizar v.
egoidealizável adj.2g.
egoismar v.
egoísmo s.m.
egoísta adj. s.2g.
egoístico adj.
ególatra adj. s.2g.
egolatria s.f.
egolátrico adj.
ególio s.m.
egologia s.f.
egológico adj.
egomania s.f.
egomaníaco adj.
egometa s.m.
egomismo s.m.
egomista adj. s.2g.
egopodão s.m.
egópode s.m.
egopódio s.m.
egopógão s.m.
egópsida adj.2g. s.m.
egopsídeo adj. s.m.
egosséride s.f.
egósseris s.f.2n.
egossomo s.m.
egotelídeo adj. s.m.
egótico adj.
egotismo s.m.
egotista adj. s.2g.
egotístico adj.
egovarro adj. s.m.
egozeron s.m.
egrégio adj.
egressão s.f.
egressivo adj.
egresso adj. s.m.
egreta s.f.
egrete s.f.
égrio s.m.
egro adj.
egrotante adj.2g.
égua s.f.
eguada s.f.
eguar v.
eguará s.f.
eguariço adj. s.m.
eguci s.m.
egueiita s.f.
eguituro adj. s.m.
egum s.m.
egungum s.m.
eh interj.
êh (*ê*) interj.
êh-êh (*ê-ê*) interj.
ehrenwertita s.f.
ehrétia s.f.
ehretiáceas s.f.pl.
ehretiáceo adj.
ehrlichiose s.f.
ei interj.
eia interj.; cf. *eiã*
eiã s.f. "macaco"; cf. *eia*
eiabairo s.m.
eiba s.f.
eibado adj.
eiça interj.
eiçar v.
eiceta adj. s.2g.
eicha s.f.
eichão s.m.
eichberguita s.f.
eiche s.m.
eichhórnia s.f.
eichó s.m.
eichórnia s.f.
eichwaldiáceo adj. s.m.
eichwaldiídeo adj. s.m.
eichwaldita s.f.
eicléria s.f.
eiclerodendro s.m.
eico s.m.
eiconal s.f.
eicórnia s.f.
eicosanato s.m.
eicosânico adj.
eicosano s.m.
eicosanoico (*ó*) s.m.
eicosanoide (*ó*) adj. s.f.
eicosileno s.m.
eicosinato s.m.
eicosínico adj.
eicostólogo s.m.
êider s.m.
eidética s.f.
eidético adj.
eidguenote adj. s.2g.
eiditismo s.m.
eido s.m.
eidógrafo s.m.
eidoptometria s.f.
eiefântida adj.2g. s.m.
eifeliano adj. s.m.
eifélico adj. s.m.
eigenfunção s.f.
eigenvalor (*ô*) s.m.
eigenvetor (*ô*) s.m.
eimar v.
eiméria s.f.
eimeríase s.f.
eimérida s.m.
eimerídea s.f.
eimerídeo adj. s.m.
eimeriose s.f.
einstaniano (*ains*) adj.
einstein (*ainstain*) s.m.
einsteínico (*ains*) adj.
einsteínio (*ains*) adj. s.m.
einsteniano (*ains*) adj.
einstênico (*ains*) adj.
einstênio (*ains*) adj. s.m.
eira s.f. "terra batida"; cf. *eirá*
eirá s.m. "animal"; cf. *eira*
eirabairo s.m.
eirada s.f.
eirádego s.m.
eirádiga s.f.
eirado adj. s.m.
eiramirim adj. s.2g.
eirante s.m.
eireiro s.m.
eirenho s.m.
eirense adj. s.2g.
eiriço s.m.
eiró s.m.
eiroga s.f.
eirogo s.m.
eiru s.m.
eirunepeense adj. s.2g.
eis adv.; cf. *heis*, fl. do v. *haver*
eisegese s.f.
eisegético adj.
eisenbrucita s.f.
eisensteiniano (*aisenstain*) adj.
eisenwolframita (*aisen*) s.f.
eisitéria s.f.
eita interj.
eitada s.f.
eita-ferro interj.
eita-pau interj.
eitelita s.f.
eitlândia s.f.
eito s.m.
eiva s.f.
eivado adj.
eivador (*ô*) adj. s.m.
eivar v.
eiveca s.f.
eixa s.f.
eixar v.
eixe interj.
eixial adj.2g.
eixismo s.m.
eixista adj. s.2g.
eixo s.m.
eixo-badeixo s.m.; pl. *eixos-badeixos*
eixu s.m.
ejá s.m.
ejaculação s.f.
ejaculador (*ô*) adj. s.m.
ejacular v.
ejaculatório adj.
ejé s.m.
ejeção s.f.
ejecção s.f.
ejectado adj.
ejectamento s.m.
ejectar v.
ejectável adj.2g.
ejectivo adj.
ejecto s.m.
ejectocompressor (*ô*) adj. s.m.
ejectólito s.m.
ejector (*ô*) adj. s.m.
ejetado adj.
ejetamento s.m.
ejetar v.
ejetável adj.2g.
ejetivo adj.
ejeto s.m.
ejetocompressor (*ô*) adj. s.m.
ejetólito s.m.
ejetor (*ô*) adj. s.m.
ejoo (*ô*) s.m.
ekamannita s.f.
ekanito s.m.
el art.
ela pron.; cf. *elã*
elã s.m. "impulso"; cf. *ela*
elaboração s.f.
elaborado adj.
elaborador (*ô*) adj. s.m.
elaborar v.
elaborativo adj.
elaborável adj.2g.
elação s.f.
elacatamna s.f.
elacate s.m.
elache s.m.
elacidina s.f.
elacina s.f.
eladó adj.
elafá s.m.
elafebolião s.m.
elafebólias s.f.pl.
elafebólio s.m.
elafiano adj.
élafo s.m.
elafocar s.m.
elafocáris s.m.2n.
elafoglosso s.m.
elafografia s.f.
elafográfico adj.
elafógrafo s.m.
elafomice s.m.
elafomicetácea s.m.
elafomicetáceo adj.
elafórnito s.m.
elafríneo adj. s.m.
eláfrio s.m.
élafro s.m.
elagato s.m.
elageno s.m.
elágico adj.
elagotanato s.m.
elagotânico adj.
elaiagno s.m.
elaico adj.
elaidato s.m.
elaídico adj.
elaidina s.f.
elaína s.f.
elaiococo s.m.
elaioconiose s.f.
elaiodato s.m.
elaiódico adj.
elaiódoco s.m.
elaiometria s.f.
elaiométrico adj.
elaiômetro s.m.
elaioplasto s.m.
elaiuria (*ú*) s.f.
elaiurico (*ú*) adj.
elaivria s.f.
elaldeído s.m.
elami s.m.
elamita adj. s.2g.
elamítico adj.
elampo s.m.
elançar v.
elance s.f.
elande s.m.
elando s.m.
elangueiro s.m.
elanguescedor (*ô*) adj.
elanguescência s.f.
elanguescente adj.2g.
elanguescer v.
elanítico adj.
elano adj. s.m.
elanoide (*ó*) s.m.
elapídeo adj. s.m.
elapidismo s.m.
elapíneo adj. s.m.
elaquista s.f.
elaquistácea s.f.
elaquistídeo adj. s.m.
elaquistíneo adj. s.m.
elaquisto s.m.
elaquistóideo adj. s.m.
elar v.
elasfocéfalo s.m.
elasípoda s.m.
elasípode adj.2g. s.m.
elasipódeo s.m.
elasma s.f.
elásmia s.f.
elasmobranquiado s.m.
elasmobrânquio s.m.
elasmodonte adj.2g.
elasmógnato adj. s.m.
elásmopo s.m.
elasmosauro s.m.
elasmose s.f.
elasmósio s.m.
elasmossauro s.m.
elasmotério s.m.
elassopiese s.f.
elastância s.f.
elastase s.f.
elastecer v.
elastério s.m.
elasticidade s.f.
elasticimetria s.f.
elasticimétrico adj.
elasticímetro s.m.
elasticina s.f.
elástico adj. s.m.
elastificar v.
elastina s.f.
elastinase s.f.
elastínase s.f.
elastividade s.f.
elastizar v.
elastogênese s.f.
elastogenético adj.
elastogênico adj.
elastógeno adj. s.m.
elastólise s.f.
elastoma s.m.
elastomérico adj.
elastômero s.m.
elastômetro s.m.
elastorresistência s.f.
elastorrexia (*cs*) s.f.
elate "tecido"; cf. *élate*
élate "palmeira"; cf. *elate*
elatense adj. s.2g.
elateria s.f.
elatérida adj.2g. s.f.
elaterídeo adj. s.m.
elateriforme adj.2g.
elaterina s.f.
elateríneo adj. s.m.
elatério s.m.
elateriopse s.m.
elaterita s.f.
elaterite s.f.
elaterítico adj.
elátero s.m.
elateróforo s.m.
elaterometria s.f.
elaterométrico adj.
elaterômetro s.m.
elates s.m.2n.
elatina s.f.
elatinácea s.f.
elatináceo adj.
elatine s.f.
elatínea s.f.
elatíneo adj.
elatinoide (*ó*) adj.2g. s.f.
elativo adj.
elatobrânquio s.m.
elatolita s.f.
elator (*ô*) adj. s.m.
elatostema s.m.
elatro s.m.
elau s.m.
elaúlico adj.
elaunínico adj.
elbaíta s.f.
elbense adj. s.2g.
elborcópio adj. s.m.
elboslavo adj. s.m.
elbrussita s.f.
elcasie s.m.
elcesaíta adj. s.2g.
elche s.m.
elcomarriza s.f.
elcomarrizina s.f.
elconite s.f.
eldamário adj. s.m.
eldoradense adj. s.2g.
eldorado s.m.

ele s.m. "nome da letra l"; cf. *ele* (*ê*)
ele (*ê*) pron.; cf. *ele*
eleagnácea s.f.
eleagnáceo adj.
eleágnea s.f.
eleágneo adj.
eleagno s.m.
eleano s.m.
eleanorita s.f.
eleanto s.m.
elear v.
eleata adj. s.2g.
eleate adj. s.2g.
eleático adj. s.m.
eleatismo s.m.
eleatista adj. s.2g.
eleatístico adj.
elebó s.f.
elebórea s.f.
eleborinha s.f.
eleborismo s.m.
eleborizar v.
eléboro s.m.
elecampana s.f.
electracústica s.f.
electracústico adj.
electranálise s.f.
electrão s.m.
electrargol s.m.
electraurol s.m.
electrencefalografia s.f.
electrencefalográfico adj.
electrencefalógrafo s.m.
electrencefalograma s.m.
electreto (*ê*) s.m.
eléctrico adj.
electrificação s.f.
electrificado adj.
electrificar v.
electrificável adj.2g.
electrimã s.m.
electrino adj.
eléctrio s.m.
electriz s.f.
electrização s.f.
electrizado adj.
electrizador (*ô*) adj. s.m.
electrizante adj.2g.
electrizar v.
electrizável adj.2g.
electro s.m.
electroacústica s.f.
electroacústico adj.
electroafinidade s.f.
electroanálise s.f.
electroanalítico adj.
electrobalança s.f.
electrobalística s.f.
electrobalístico adj.
electrobiologia s.f.
electrobiológico adj.
electrobiologista adj. s.2g.
electrobiólogo s.m.
electrobomba s.f.
electrocapilar adj.2g.
electrocapilaridade s.f.
electrocardiografia s.f.
electrocardiográfico adj.
electrocardiógrafo s.m.
electrocardiograma s.m.
electrocáustica s.f.
electrocáustico adj.
electrocautério s.m.
electrochoque s.m.
electrocinética s.f.
electrocinético adj.
electrocintilografia s.m.
electrocirurgia s.f.
electrocirúrgico adj.
electroclínica s.f.
electroclínico adj. s.m.
electrocoagulação s.f.
electroconvulsoterapia s.f.
electrocópia s.f.
electrocopista adj. s.2g.
electrocortigrafar v.
electrocortigrafia s.f.
electrocortigráfico adj.
electrocortigrama s.m.
electrocultura s.f.
electrocuprol s.m.
electrocussão s.f.
electrocutado adj. s.m.
electrocutar v.
electrocutável adj.2g.
electrocutir v.
electrocutor (*ô*) s.m.
eléctroda s.f.
electrodeposição s.f.
electrodepositar v.
electrodepósito s.m.
electrodiagnosticado adj.
electrodiagnosticar v.
electrodiagnosticável adj.2g.
electrodiagnóstico s.m.
electrodiálise s.f.
electrodialítico adj.
electrodiapasão s.m.
electródico adj.
electrodiérese s.f.
electrodinamia s.f.
electrodinâmica s.f.
electrodinâmico adj.
electrodinamismo s.m.
electrodinamometria s.f.
electrodinamométrico adj.
electrodinamômetro s.m.
electródio s.m.
electrodissecação s.f.
electrodo (*ô*) s.m.
eléctrodo s.m.
electrodoméstico adj. s.m.
electrodótico adj. s.m.
electroduto s.m.
electroelectrônico adj. s.m.
electroemissão s.f.
electroencefalografia s.f.
electroencefalográfico adj.
electroencefalógrafo s.m.
electroencefalograma s.m.
electroendosmose s.f.
electroendosmótico adj.
electroerosão s.f.
electroexcisão s.f.
electrófago s.m.
electrofanite s.f.
electrofilia s.f.
electrofílico adj.
electrófilo adj. s.m.
electrofisiologia s.f.
electrofisiológico adj.
electrofluorescência s.f.
electrofluorescente adj.2g.
electrofone s.m.
electrofônico adj.
electrofônio s.m.
electrofono adj. s.m.
electrófono adj. s.m.
electroforese s.f.
electroforético adj.
electroforídeo s.m.
electroformação s.f.
electróforo s.m.
electrofotófuro s.m.
electrofotografia s.f.
electrofototermoterapeuta s.2g.
electrofototermoterapêutica s.f.
electrofototermoterapêutico adj.
electrofototermoterapia s.f.
electrogalvânico adj.
electrogalvanismo s.m.
electrogalvanização s.f.
electrogastrenterostomia s.f.
electrogastroenterostomia s.f.
electrogastrografia s.f.
electrogastrográfico adj.
electrogastrógrafo s.m.
electrogastrograma s.m.
electrogêneo s.m.
electrogênese s.f.
electrogenético adj.
electrógeno adj.
electrogerador (*ô*) adj.
electrogiotografia s.f.
electrogiotográfico adj.
electroglotograma s.m.
electrografia s.f.
electrográfico adj.
electrógrafo s.m.
electrogravura s.f.
electro-hidrargírio s.m.
electro-hidráulico adj.
electro-higométrico adj.
electro-higômetro s.m.
electroidrargírio s.m.
electroidráulico adj.
electroigrométrico adj.
electroigrômetro s.m.
electroímã s.m.
electrojacto s.m.
electrojato s.m.
electrola s.f.
electrolepsia s.f.
electrolisação s.f.
electrolisado adj.
electrolisar v.
electrolisável adj.2g.
electrólise s.f.
electrolítico adj.
electrolito s.m.
electrólito s.m.
electrologia s.f.
electrológico adj.
electroluminescência s.f.
electroluminescente adj.2g.
electromagnete s.m.
electromagnético adj.
electromagnetismo s.m.
electromagneto s.m.
electromecânico adj.
electromedicar v.
electromedicina s.f.
electromedicinal adj.2g.
electromeopata adj. s.2g.
electromeopatia s.f.
electromeopático adj.
electrometalurgia s.f.
electrometalúrgico adj.
electrometria s.f.
electrométrico adj.
electrômetro s.m.
electromiografia s.f.
electromiográfico adj.
electromiograma s.m.
electromotância s.f.
electromotor (*ô*) s.m.
electromotriz adj.
electromóvel adj.2g.
electromuscular adj.2g.
eléctron s.m.
electronação s.f.
electronar v.
electronegatividade s.f.
electronegativo adj.
electrônica s.f.
electrônico adj.
electrônio s.m.
eléctron-volt s.m.; pl. *eléctrons-volt* e *eléctrons-volts*
electro-oculografia s.f.
electro-oculograma s.m.
electro-óptica s.f.
electro-óptico adj.
electropaládio s.m.
electropatologia s.f.
electropatológico adj.
electroplatina s.f.
electroplessão s.f.
electropositividade s.f.
electropositivo adj.
electropressão s.f.
electróptica s.f.
electróptico adj.
electropunctura s.f.
electroquímica s.f.
electroquímico adj. s.m.
electrorresistividade s.f.
electrorresistivo adj.
electrorretinografia s.f.
electrorretinográfico adj.
electrorretinógrafo s.m.
electrorretinograma s.m.
electrorrotatividade s.f.
electrorrotativo adj.
electrorrotatório adj.
electroscopia s.f.
electroscópico adj.
electroscópio s.m.
electrosmose s.f.
electrosmótico adj.
electrossecção s.f.
electrosselênio s.f.
electrossemáforo s.m.
electrossiderurgia s.f.
electrossiderúrgico adj.
electrossíntese s.f.
electrossol s.m.
electrossoldadura s.f.
electrossono s.m.
electrossonografia s.f.
electrossonográfico adj.
electrostática s.f.
electrostático adj.
electrostegia s.f.
electrostenólise s.f.
electrostrição s.f.
electrotáctico adj.
electrotanasia s.f.
electrotanásia s.f.
electrotático adj.
electrotaxia (*cs*) s.f.
electrotecnia s.f.
electrotécnica s.f.
electrotécnico adj. s.m.
electrotelegrafia s.f.
electrotelegráfico adj.
electrotelégrafo s.m.
electroterapeuta s.m.
electroterapêutica s.f.
electroterapêutico adj.
electroterapia s.f.
electroterápico adj.
electrotermia s.f.
electrotérmico adj.
electrotipar v.
electrotipia s.f.
electrotípico adj.
electrótipo s.m.
electrotomia s.f.
electrotômico adj.
electrotônico adj.
electrótono s.m.
electrotônus s.m.2n.
electrotropia s.f.
electrotrópico adj.
electrotropismo s.m.
electrovalência s.f.
electrovalente adj.2g.
electrovegetômetro s.m.
electrovital adj.2g.
electrovitalismo s.m.
electrozônio s.m.
electuário s.m.
eledá s.m.
eledato s.m.
eledê s.m.
elédico adj.
eledina s.f.
eledoisina s.f.
eledoisínico adj.
eledona s.f.
eledonida s.m.
eledonídeo adj. s.m.
eleense adj. s.2g.
eleerina s.f.
elefanta s.f.
elefantarca s.m.
elefantário s.m.
elefante s.m.
elefante-do-mar s.m.; pl. *elefantes-do-mar*
elefante-marinho s.m.; pl. *elefantes-marinhos*
elefantia s.f.
elefantíaco adj.
elefantíase s.f.
elefantíase dos árabes s.f.
elefantíase dos gregos s.f.
elefantiásico adj. s.m.
elefântico adj.
elefantídeo adj. s.m.
elefantina s.f.
elefantinho s.m.
elefantino adj.
elefantófago adj. s.m.
elefantografia s.f.
elefantográfico adj.
elefantoide (*ó*) adj.2g.
elefantopo s.m.
elefantópode adj.2g.
elefantopodia s.f.
elefantorriza s.f.
elefas s.m.2n.
elefoa s.f.
eléforo s.m.
elegância s.f.
elegante adj. s.2g.
elegantismo s.m.
elegantizar v.
elegbá s.m.
elegbará s.m.
élege adj.
elegendo adj. s.m.
eleger v.
elegia s.f.
elegíaco adj.
elegíada s.f.
elegiâmbico adj.
elegiambo s.m.
elegiântico adj.
elegibilidade s.f.
elegido adj.
elegimento s.m.
elegiógrafo s.m.
elegista s.2g.
elegível adj.2g.
eleguá s.m.
eleguara s.m.
eleguava s.m.
eleia (*é*) adj. s.f. de *eleu*
eleição s.f.
eleiçoeiro adj.
eleidina s.f.
eleidoma s.m.
eleídrico adj.
eléis s.m.2n.
eleíta s.f.
eleíte s.f.
eleito adj. s.m.
eleitor (*ô*) adj. s.m.
eleitorado s.m.
eleitoral adj.2g.
eleitoralismo s.m.
eleitoralista adj. s.2g.
eleitoralístico adj.
eleitorando adj. s.m.
eleitoreiro adj.
eleitriz s.f.
elelísfaco s.m.
elementado adj.
elemental adj.2g.
elementar adj.2g.
elementaridade s.f.
elementário adj.
elementarismo s.m.
elementarista adj.2g.
elementarístico adj.
elementismo s.m.
elementista adj. s.2g.
elementístico adj.
elemento s.m.
elementologia s.f.
elementológico adj.
elemi s.m.
elemicina s.f.
elêmico adj.
elemi-do-brasil s.m.; pl. *elemis-do-brasil*
elemieira s.f.
elemífero adj.
elemina s.f.
elemínea s.f.
elemosinário adj.
elena s.f.
elencado adj.
elencar v.
elenco s.m.
elênctica s.f.
elênctico adj.
elende s.m.
elengue s.m.
elênia s.m.
elenoforíneo s.m.
elenóforo s.m.
elenterantero adj.
elêntica s.f.
elêntico adj.
eleoblasto s.m.
eleocare s.f.

eleocáris s.f.2n.
eleocarpácea s.f.
eleocarpáceo adj.
eleocárpea s.f.
eleocárpeo adj.
eleocarpínea s.f.
eleocarpo s.m.
eleoceróleo s.m.
eleococo s.m.
eleoconiose s.f.
eleodato s.m.
eleodendro s.m.
eleódico adj.
eleódoco s.m.
eleófago adj.
eleofórbia s.f.
eleofórbio s.m.
eleolato s.m.
eleóleo s.m.
eleólico s.m.
eleolita s.f.
eleólita s.f.
eleolítico adj.
eleólito s.m.
eleoluma s.f.
eleoma s.m.
eleometria s.f.
eleométrico adj.
eleômetro s.m.
eleonorita s.f.
eleopatia s.f.
eleopático adj.
eleopíneo adj.
eleoplâncton s.m.
eleoplanctônico adj.
eleoplastídeo s.m.
eleoplasto s.m.
eleoptênio s.m.
eleopteno s.m.
eleorretinóleo s.m.
eleossácaro s.m.
eleosselínea s.f.
eleosselino s.m.
eleossomo s.m.
eleoterapia s.f.
eleoterápico adj.
eleotésio s.m.
eleótrago s.m.
eleótrida adj.2g. s.m.
eleotrídeo adj. s.m.
elepê s.m.
elequete s.m.
eléqui adj. s.2g.
elerão s.m.
elesbanense adj. s.2g.
elesbão-velosense adj. s.2g.; pl. *elesbão-velosenses*
elesbonense adj.
elesco s.m.
eletária s.f.
eletividade s.f.
eletivo adj.
eleto adj. s.m.
eletracúmetro s.m.
eletracústica s.f.
eletracústico adj.
eletrafinidade s.f.
eletraloi s.m.
eletranálise s.f.
eletrão s.m.
eletrargol s.m.
eletraurol s.m.
eletreletrônico adj. s.m.
eletrencefalografia s.f.
eletrencefalográfico adj.
eletrencefalógrafo s.m.
eletrencefalograma s.m.
eletrendosmose s.f.
eletrense adj. s.2g.
eletrestenólise s.f.
eletreto (*ê*) s.m.
eletrextração s.f.
eletrição s.f.
eletricidade s.f.
eletricismo s.m.
eletricista adj. s.2g.
eletricitário adj. s.m.
elétrico adj. s.m.
eletrificação s.f.
eletrificado adj.
eletrificar v.
eletrificável adj.2g.
eletrímã s.m.
eletrindução s.f.
eletrino adj.
elétrio s.m.
eletrionização s.f.
eletrirradiação s.f.
eletriz s.f.
eletrização s.f.
eletrizado adj.
eletrizador (*ô*) adj. s.m.
eletrizante adj.2g.
eletrizar v.
eletrizável adj.2g.
eletro s.m.
eletroacústica s.f.
eletroacústico adj.
eletroafinidade s.f.
eletroanalgesia s.f.
eletroanálise s.f.
eletroanalítico adj.
eletrobalança s.f.
eletrobalística s.f.
eletrobiogênese s.f.
eletrobiologia s.f.
eletrobiológico adj.
eletrobioscopia s.f.
eletroblasto s.m.
eletrobomba s.f.
eletrocalorimetria s.f.
eletrocapilar adj.
eletrocapilaridade s.f.
eletrocapiloquímica s.f.
eletrocardiografia s.f.
eletrocardiográfico adj.
eletrocardiógrafo s.m.
eletrocardiograma s.m.
eletrocardioscopia s.f.
eletrocardioscópio s.m.
eletrocatálise s.f.
eletrocatapulta s.f.
eletrocáustica s.f.
eletrocautério s.m.
eletrochoque s.m.
eletrocinética s.f.
eletrocinético adj.
eletrocirurgia s.f.
eletrocisão s.f.
eletrocitólise s.f.
eletroclínica s.f.
eletroclínico adj. s.m.
eletrocoagulação s.f.
eletroconvulsoterapia s.f.
eletrocópia s.f.
eletrocorticografia s.f.
eletrocorticograma s.m.
eletrocortigrafar v.
eletrocortigráfico adj.
eletrocrático adj.
eletrocriptectomia s.f.
eletrocristalização s.f.
eletrocronógrafo s.m.
eletrocultura s.f.
eletrocupro s.m.
eletrocuprol s.m.
eletrocussão s.f.
eletrocutado adj.
eletrocutador (*ô*) adj. s.m.
eletrocutar v.
eletrocutir v.
eletrocutor (*ô*) adj. s.m.
elétroda s.f.
eletrodeposição s.f.
eletrodepositar v.
eletrodepósito s.m.
eletrodiafania s.f.
eletrodiagnóstico s.m.
eletrodiálise s.f.
eletrodialítico adj.
eletrodiapasão s.m.
eletródico adj.
eletrodiérese s.f.
eletrodinamia s.f.
eletrodinâmica s.f.
eletrodinâmico adj.
eletrodinamismo s.m.
eletrodinamometria s.f.
eletrodinamômetro s.m.
eletródio s.m.
eletrodispersão s.f.
eletrodissecação s.f.
eletrodissolução s.f.
eletrodo (*ô*) s.m.
elétrodo s.m.
eletrodoméstico adj. s.m.
eletrodótico adj. s.m.
eletroduto s.m.
eletroeletrônico adj. s.m.
eletroemissão s.f.
eletroemóstase s.f.
eletroencefalografia s.f.
eletroencefalográfico adj.
eletroencefalógrafo s.m.
eletroencefalograma s.m.
eletroendosmose s.f.
eletroendosmótico adj.
eletroerosão s.f.
eletroexcisão s.f.
eletrófago s.m.
eletrofanite s.f.
eletrofilia s.f.
eletrofílico adj.
eletrófilo adj. s.m.
eletrofisiologia s.f.
eletrofisiológico adj.
eletrofluorescência s.f.
eletrofobia s.f.
eletrofone s.m.
eletrofônico adj.
eletrofônio s.m.
eletrófono adj. s.m.
elétrófono adj. s.m.
eletrofonoide (*ó*) s.m.
eletroforese s.f.
eletroforético adj.
eletroforídeo adj. s.m.
eletroformação s.f.
eletróforo s.m.
eletrofotoforese s.f.
eletrofotóforo s.m.
eletrofotografia s.f.
eletrofotômetro s.m.
eletrofotomicrografia s.f.
eletrofototerapia s.f.
eletrofototermoterapeuta s.2g.
eletrofototermoterapêutica s.f.
eletrofototermoterapêutico adj.
eletrofototermoterapia s.f.
eletrogalvânico adj.
eletrogalvanismo s.m.
eletrogalvanização s.f.
eletrogastrenterostomia s.f.
eletrogastroenterostomia s.f.
eletrogastrografia s.f.
eletrogastrográfico adj.
eletrogastrógrafo s.m.
eletrogastrograma s.m.
eletrogêneo adj.
eletrogênese s.f.
eletrogenético adj.
eletrógeno adj.
eletrogerador (*ô*) adj. s.m.
eletroglotografia s.f.
eletroglotográfico adj.
eletroglotograma s.m.
eletrografia s.f.
eletrográfico adj.
eletrografita s.f.
eletrografítico adj.
eletrógrafo s.m.
eletrograma s.m.
eletrogravura s.f.
eletrogustometria s.f.
eletro-hemóstase s.f.
eletro-hidrargírio s.m.
eletro-hidráulico adj.
eletro-higométrico adj.
eletro-higômetro s.m.
eletroidrargírio s.m.
eletroidráulico adj.
eletroigrométrico adj.
eletroigrômetro s.m.
eletroímã s.m.
eletroionização s.f.
eletroiontização s.f.
eletrojacto s.m.
eletrojato s.m.
eletrola s.f.
eletrolepsia s.f.
eletrolisação s.f.
eletrolisador (*ô*) adj. s.m.
eletrolisar v.
eletrolisável adj.2g.
eletrólise s.f.
eletrolítico adj.
eletrolito s.m.
eletrólito s.m.
eletrolitotripsia s.f.
eletrologia s.f.
eletrológico adj.
eletroluminescência s.f.
eletroluminescente adj.2g.
eletromagnete s.m.
eletromagnético adj.
eletromagnetismo s.m.
eletromagneto s.m.
eletromalux (*cs*) s.m.
eletromassagem s.f.
eletromecânica s.f.
eletromecanoterapia s.f.
eletromedicar v.
eletromedicina s.f.
eletromedicinal adj.2g.
eletromédico adj. s.m.
eletromeopata adj. s.2g.
eletromeopatia s.f.
eletromeopático adj.
eletromeria s.f.
eletrômero s.m.
eletrometalização s.f.
eletrometalurgia s.f.
eletrometalúrgico adj.
eletrometria s.f.
eletrométrico adj.
eletrômetro s.m.
eletrometrógrafo s.m.
eletromicrometria s.f.
eletromicrométrico adj.
eletromicrômetro s.m.
eletromiografia s.f.
eletromiográfico adj.
eletromiograma s.m.
eletromotância s.f.
eletromotor (*ô*) adj. s.m.; f. *eletromotriz*
eletromotriz adj. s.f. de *eletromotor*
eletromóvel adj.2g. s.m.
eletromuscular adj.2g.
elétron s.m.
eletronação s.f.
eletronar v.
eletronarcose s.f.
eletronegatividade s.f.
eletronegativo adj.
eletroneurose s.f.
eletrônica s.f.
eletrônico adj.
eletrônio s.m.
eletronistagmografia s.f.
elétron-volt s.m.; pl. *elétrons-volt* e *elétrons-volts*
eletro-oculografia s.f.
eletro-oculograma s.m.
eletro-óptica s.f.
eletro-óptico adj.
eletropaládio s.m.
eletropatologia s.f.
eletropatológico adj.
eletropirexia (*cs*) s.f.
eletropirômetro s.m.
eletroplastia s.f.
eletroplata s.f.
eletroplate s.m.
eletroplatina s.f.
eletroplaxe (*cs*) s.f.
eletroplessão s.f.
eletroplexia (*cs*) s.f.
eletropneumático adj.
eletropolar adj.2g.
eletroporação s.f.
eletropositividade s.f.
eletropositivo adj.
eletroprateação s.f.
eletropressão s.f.
eletroprognóstico s.m.
eletróptica s.f.
eletróptico adj.
eletropuntura s.f.
eletroquímica s.f.
eletroquímico adj. s.m.
eletroquimografia s.f.
eletroquimógrafo s.m.
eletrorradiologia s.f.
eletrorradiômetro s.m.
eletrorrefinação s.f.
eletrorresistividade s.f.
eletrorresistivo adj.
eletrorretinografia s.f.
eletrorretinográfico adj.
eletrorretinógrafo s.m.
eletrorretinograma s.m.
eletrorrotatividade s.f.
eletrorrotativo adj.
eletrorrotatório adj.
eletroscopia s.f.
eletroscópico adj.
eletroscópio s.m.
eletrose s.f.
eletrosfera s.f.
eletrosmose s.f.
eletrosmótico adj.
eletrosseção s.f.
eletrosselênio s.m.
eletrossemáforo s.m.
eletrossiderurgia s.f.
eletrossiderúrgico adj.
eletrossíntese s.f.
eletrossol s.m.
eletrossoldadura s.f.
eletrossoma s.m.
eletrostática s.f.
eletrostático adj.
eletrostegia s.f.
eletrostenólise s.f.
eletrostrição s.f.
eletrotático adj.
eletrotaxia (*cs*) s.f.
eletrotecnia s.f.
eletrotécnica s.f.
eletrotécnico adj. s.m.
eletrotecnologia s.f.
eletrotelegrafia s.f.
eletrotelegráfico adj.
eletrotelégrafo s.m.
eletroteluróqrafo s.m.
eletroterapeuta s.m.
eletroterapêutica s.f.
eletroterapêutico adj.
eletroterapia s.f.
eletroterápico adj.
eletrotermia s.f.
eletrotérmico adj.
eletrotermo s.m.
eletrotermoquímica s.f.
eletrotermoterapia s.f.
eletroteste s.m.
eletrotipar v.
eletrotipia s.f.
eletrotípico adj.
eletrótipo s.m.
eletrotomia s.f.
eletrótomo s.m.
eletrotônico adj.
eletrótono s.m.
eletrotônus s.m.2n.
eletrotrépano s.m.
eletrotropia s.f.
eletrotrópico adj.
eletrotropismo s.m.
eletrovalência s.f.
eletrovalente adj.2g.
eletroválvula s.f.
eletrovegetômetro s.m.
eletrovital adj.2g.
eletrovitalismo s.m.
eletrozone s.m.
eletrozônico s.m.
eletrozônio s.m.
eletuário s.m.
eleu adj. s.m.; f. *eleia* (*é*)
eleubá s.m.
eleúria s.f.
eleúrico adj. s.m.
eleusina s.f.
eleusine s.f.
eleusínias s.f.pl.
eleusínio adj. s.m.
eleusino adj. s.m.
eleuterado adj. s.m.

eleuterantéreo adj.
eleutéria s.f.
eleutérias s.f.pl.
eleuteriense adj. s.2g.
eleuterina s.f.
eleutério adj.
eleuteroblástea s.f.
eleuteroblásteo adj. s.m.
eleuteroblástica s.f.
eleuteroblástico adj.
eleuterobrânquio s.m.
eleuterocarpelar adj.2g.
eleuterocárpida adj.2g. s.m.
eleuterocarpídeo adj. s.m.
eleuterocílice adj. s.2g.
eleuterococo s.m.
eleuterodáctilo adj.
eleuterodátilo adj.
eleuterofilia s.f.
eleuterofilo s.m.
eleuterófilo adj. s.m.
eleuterofobia s.f.
eleuterófobo adj. s.m.
eleuteroginia s.f.
eleuterogínia s.f.
eleuterógino adj.
eleuteromania s.f.
eleuterômano s.f.
eleuteropétalo adj.
eleuterópode adj.
eleuterópodo adj.
eleuteropolitano adj. s.m.
eleuteropomo adj.
eleuterossépalo adj.
eleuterostêmone adj.2g.
eleuterozoário adj. s.m.
eleutrópio s.m.
elevação s.f.
elevadiço adj.
elevado adj. s.m.
elevador (*ô*) adj. s.m.
elevamento s.m.
elevar v.
elevatória s.f.
elevatório adj.
elevável adj.2g.
elfa s.f.
elfestorpita s.f.
elfo s.m.
elginismo s.m.
elginista adj. s.2g.
elginístico adj.
élia s.f.
elianita s.f.
eliano adj.
elias-faustense adj. s.2g.; pl. *elias-faustenses*
eliasita s.f.
eliciação s.f.
eliciar v.
elícito adj. "atraído"; cf. *ilícito*
elicnia s.f.
élico adj.
elicriso s.m.
elidense adj. s.2g.
elidente adj.2g.
elidido adj.; cf. *ilidido*
elidir v. "suprimir"; cf. *ilidir*
elidível adj.2g.; cf. *ilidível*
eliense adj. s.2g.
eligimento s.m.
eligir v.
elignite s.f.
elimandra s.f.
elime s.f.
elimeia (*é*) adj. s.f. de *elimeu*
elimeu adj. s.m.; f. *elimeia* (*é*)
elimim s.m.
eliminação s.f.
eliminado adj.
eliminador (*ô*) adj. s.m.
eliminamento s.m.
eliminante adj.2g.
eliminar v.
eliminativo adj.
eliminatória s.f.
eliminatório adj.
eliminável adj.2g.
élimo s.m.
elina s.f.
elinga s.m.
elingue (*ü*) adj.2g.
elinvar s.m.
elinvárico adj.
eliomeli s.m.
eliômis s.m.2n.
elionuro s.m.
eliota adj. s.2g.
eliotiano adj.
elipanto s.m.
elipcitose s.f.
elipóptero adj. s.m.
elipsar v.
elipse s.f.
elipsígrafo s.m.
elipsiógrafo s.m.
elipsiologia s.f.
elipsódico adj.
elipsográfico adj.
elipsógrafo s.m.
elipsoidal adj.2g.
elipsoide (*ó*) adj.2g. s.m.
elipsóideo adj.
elipsoidial adj.2g.
elipsologia s.f.
elipsológico adj.
elipsospermo adj.
elipsóstomo adj.
elipticidade s.f.
elíptico adj.
eliri s.m.
elisabetano adj.
elisabetiano adj.
elisão s.f.
eliseia (*é*) adj. s.f. de *eliseu*
eliseu adj. s.m.; f. *eliseia* (*é*)
eliseu-martinino adj. s.m.; pl. *eliseu-martininos*
eliseu-martisino adj. s.m.; pl. *eliseu-martisinos*
elísia s.f.
elisiano adj.
elisiariense adj. s.2g.
elisíida adj.2g. s.m.
elisiídeo adj. s.m.
elísio adj. s.m.
elisma s.f.
elissarrena s.f.
elisseia (*é*) adj. s.f. de *elisseu*
elisseu adj. s.m.; f. *elisseia* (*é*)
elita s.f.
elite s.f.
elítico adj.
elitismo s.m.
elitista adj. s.2g.
elitístico adj.
elitização s.f.
elitizado adj.
elitizador (*ô*) adj.
elitizante adj.2g.
elitizar v.
elitizável adj.2g.
elitrantácea s.f.
elitrantáceo adj.
elitrária s.f.
elitriforme adj.2g.
elitrite s.f.
élitro s.m.
elitroblenorragia s.f.
elitroblenorrágico adj.
elitroblenorreia (*é*) s.f.
elitroblenorreico (*é*) adj.
elitrocáustico adj. s.m.
elitrocele s.f.
elitroclasia s.f.
elitroclise s.f.
elitrófora s.m.
elitróforo s.m.
elitroide (*ó*) adj.2g.
elitroíte s.f.
elitroperineorrafia s.f.
elitroperineorráfico adj.
elitroplastia s.f.
elitróptero adj. s.m.
elitroptose s.f.
elitroptótico adj.
elitrorrafia s.f.
elitrorráfico adj.
elitrorragia s.f.
elitrorrágico adj.
elitrorreia (*é*) s.f.
elitrorreico (*é*) adj.
elitrostenose s.f.
elitrostenótico adj.
elitrotomia s.f.
elitrotômico adj.
elitrótomo s.m.
elixação (*cs*) s.f.
elixado (*cs*) adj.
elixar (*cs*) v.
elixativo (*cs*) adj.
elixir s.m.
elixo s.m.
elizabethano adj.
ellestadita s.f.
ellsworthita s.f.
elmanismo s.m.
elmanista adj. s.2g.
elmanístico adj.
elmete (*ê*) s.m.
elmiíneo adj. s.m.
elmínia s.m.
elmo s.m.
elo s.m.
elobiídeo adj. s.m.
elobiopsídeo adj. s.m.
elocução s.f.
elocucional adj.2g.
elocutivo adj.
elocutória s.f.
elocutório adj.
elódea s.f.
elodeia (*é*) s.f.
eloendro s.m.
elófilo adj.
eloforíneo adj. s.m.
elóforo s.m.
elogíaco adj.
elogiado adj.
elogiador (*ô*) adj. s.m.
elogial adj.2g.
elogiante adj.2g.
elogiar v.
elogiasta adj. s.2g.
elogiável adj.2g.
elogio s.m.
elogioso (*ô*) adj.; f. (*ó*); pl. (*ó*)
elogista adj. s.2g.
eloiense adj. s.2g.
elói-mendense adj. s.2g.; pl. *elói-mendenses*
eloísmo s.m.
eloísta adj. s.2g.
eloístico adj.
elombre s.m.
elomué s.m.
elona s.f.
elongação s.f.
elongacional adj.2g.
elongacionalidade s.f.
elongante adj.2g.
elongar v.
elongável adj.2g.
elope s.m.
elopídeo adj. s.m.
elopiforme adj.2g. s.m.
elopíneo adj. s.m.
eloquência (*ü*) s.f.
eloquente (*ü*) adj.2g.
elóquio s.m.
elorino adj. s.m.
elório adj. s.m.
elósia s.m.
elosiídeo adj. s.m.
elossomina s.f.
elotério s.m.
elpasolita s.f.
elpidita s.f.
elpiniano adj. s.m.
el-rei s.m.
elshóltzia s.f.
elu s.m.
elua s.m.
elução s.f.
elucidação s.f.
elucidado adj.
elucidador (*ô*) adj. s.m.
elucidante adj.2g.
elucidar v.
elucidário s.m.
elucidativo adj.
elucidável adj.2g.
elucubração s.f.
elucubrado adj.
elucubrador (*ô*) adj. s.m.
elucubrar v.
eludir v. "evitar"; cf. *iludir*
eludível adj.2g. "evitável"; cf. *iludível*
eludórico adj.
elueu s.m.
eluia s.f.
eluição s.f.
eluidor (*ô*) adj.
eluir v.
eluível adj.2g.
elumba s.f.
eluô s.m.
eluro s.m.
elurofilia s.f.
elurofílico adj. s.m.
elurófilo adj. s.m.
elurofobia s.f.
elurofóbico adj. s.m.
elurófobo adj. s.m.
eluronicose s.f.
elúropo s.m.
eluropode s.m.
elusano adj. s.m.
elusate adj. s.2g.
elusense adj. s.2g.
elusivo adj. "impreciso"; cf. *ilusivo*
eluteria s.f.
elutriação s.f.
elutriador (*ô*) s.m.
elutriar v.
eluviação s.f.
eluvial adj.2g.
eluvião s.f.
elúvio s.f.
eluvional adj.2g.
eluvionar adj.2g.
elvásia s.f.
elvense adj. s.2g.
elvira s.f.
elxaíta s.m.
elyita s.f.
elzevir adj.2g. s.m.
elzeviriano adj.
em prep.; cf. *hem*
ema s.f.
emaçado adj.; cf. *emassado*
emaçador (*ô*) adj. s.m.; cf. *emassador*
emaçamento s.m.; cf. *emassamento*
emaçar v. "feitura de maço"; cf. *emassar*
emaçarocado adj.
emaçarocar v.
emaciação s.f.
emaciado adj. s.m.
emaciamento s.m.
emaciar v.
emaculação s.f.
emacular v.
emadeirado adj.
emadeiramento s.m.
emadeirar v.
emadeixado adj.
emadeixar v.
emadurecer v.
emagotar v.
emagrafia s.f.
emagráfico adj.
emagrama s.m.
emagrar v.
emagrecedor (*ô*) adj. s.m.
emagrecer v.
emagrecido adj.
emagrecimento s.m.
emagrentar v.
emalação s.f.
emalado adj. s.m.
emalador (*ô*) adj. s.m.
emalamento s.m.
emalar v.
emalhadora (*ô*) s.f.
emalhar v.
emalhear v.
emalhetado adj.
emalhetamento s.m.
emalhetar v.
emalia s.f.
emamo s.m.
emanação s.f.
emanacionismo s.m.
emanacionista adj. s.2g.
emanacionístico adj.
emanado adj.
emanador (*ô*) adj.
emanante adj.2g.
emanantismo s.m.
emanantista adj. s.2g.
emanantístico adj.
emanar v. "exalar"; cf. *imanar*
emanatismo s.m.
emanatista adj. s.2g.
emanatístico adj.
emanatório s.m.
emanchar v.
emancipação s.f.
emancipacionismo s.m.
emancipacionista adj. s.2g.
emancipacionístico adj.
emancipado adj. s.m.
emancipador (*ô*) adj.
emancipar v.
emancipatório adj.
emancipável adj.2g.
emandibulado adj.
emandingar v.
emanente adj.2g.
emangueirado adj.
emangueirar v.
emanhuçar v.
emanilhar v.
emânio s.m.
emanista s.2g.
emanjericado adj.
emanjericar v.
emano s.m.
emanocar v.
emanoterapia s.f.
emanquecer v.
emantado adj.; cf. *imantado*
emantar v. "cobrir de manta"; cf. *imantar*
emanteigado adj.
emantilhar v.
emantioblásteo adj.
emanuado adj.
emanuelino adj.
emapu s.m.
emaramento s.m.
emaranhado adj. s.m.
emaranhamento s.m.
emaranhar v.
emarar-se v.
emareado adj.
emarear v.
emarelecer v.
emargeado adj.
emargear v.
emarginado adj.
emarginatura s.f.
emargínula s.f.
emarilhado adj.
emarjar v.
emarlotar v.
emarouvado adj.
emarouviado adj.
emartilhar v.
emascarado adj. s.m.
emascarar v.
emasculação s.f.
emasculado adj.
emasculador (*ô*) s.m.
emasculamento s.m.
emascular v.
emassado adj.; cf. *emaçado*
emassador (*ô*) adj. s.m.; cf. *emaçador*
emassamento s.m.; cf. *emaçamento*
emassar v. "pôr massa"; cf. *emaçar*
emassilhar v.
emastear v.
emastrar v.
emastrear v.
emateína s.f.
ematilhar v.
emátio adj. s.m.

ematubense adj. s.2g.
emazense adj. s.2g.
embaatatá s.m.
embabacado adj.
embabacar v.
embabala s.m.
embaca s.f.
embaçadeiro adj. s.m.
embaçadela s.f.
embaçado adj.
embaçador (*ô*) adj. s.m.
embaçamento s.m.
embaçante adj.2g.
embaçar v.
embacelado adj.
embacelar v.
embaciado adj.
embaciador (*ô*) adj.
embaciamento s.m.
embaciar v.
embaciável adj.2g.
embagaçar v.
embagado adj.
embagadura s.f.
embagar v.
embaiá adj. s.2g. s.m.
embaíba s.f.
embaído adj.
embaidor (*ô*) adj. s.m.
embaimento s.m.
embainhado adj.
embainhar v.
embair v.
embaixada s.f.
embaixador (*ô*) s.m.; f. *embaixadora* e *embaixatriz*
embaixadora (*ô*) s.f. de *embaixador*
embaixatriz s.f. de *embaixador*
embaixatura s.f.
embaixo adv.
embala s.f.
embaladeira s.f.
embalado adj. s.m.
embalador (*ô*) adj. s.m.
embalagem s.f.
embalançado adj.
embalançar v.
embalanço s.m.
embalançoso (*ô*) adj.; f. (*ó*); pl. (*ó*)
embalante adj.2g.
embalar v.
embalçamento s.m.
embalçar v. "embrenhar"; cf. *embalsar*
embalde adv.
embale s.m.
embalete (*ê*) s.m.
embalhestado adj.
embalo s.m.
embaloiçar v.
embalonúrida adj.2g. s.m.
embalonurídeo adj. s.m.
embalonuríneo adj. s.m.
embalouçar v.
embalsamação s.f.
embalsamado adj.
embalsamador (*ô*) s.m.
embalsamamento s.m.
embalsamante adj.2g.
embalsamar v.
embalsamento s.m.
embalsar v. "pôr em balsa"; cf. *embalçar*
embalse s.m.
embama s.f.
embamata s.f.
embamba s.f.
embambe s.f.
embambecer v.
embambo s.m.
embananado adj.
embananamento s.m.
embananar v.
embanar v.
embanda s.m.
embandar v.
embandeirado adj.
embandeirador (*ô*) adj. s.m.
embandeiramento s.m.
embandeirar v.
embangueado adj.
embanguear v.
embarabô s.m.
embaraçada s.f.
embaraçado adj.
embaraçador (*ô*) adj. s.m.
embaracajá s.m.
embaraçamento s.m.
embaraçante adj.2g.
embaraçar v.
embaracilho s.m.
embaraço s.m.
embaraçoso (*ô*) adj.; f. (*ó*); pl. (*ó*)
embarafustar v.
embaraiense (*a-i-en*) adj. s.2g.
embaralhação s.f.
embaralhado adj.
embaralhador (*ô*) adj. s.m.
embaralhamento s.m.
embaralhar v.
embaratecer v.
embaratecido adj.
embaratecimento s.m.
embarbar v.
embarbascamento s.m.
embarbascar v.
embarbecer v.
embarbeirado adj.
embarbelado adj.
embarbelar v.
embarbilhado adj.
embarbilhar v.
embarcação s.f.
embarcadiço adj. s.m.
embarcado adj.
embarcadoiro s.m.
embarcador (*ô*) s.m.
embarcadouro s.m.
embarcamento s.m.
embarcar v.
embardado adj.
embardar v.
embaré s.f.
embargado adj. s.m.
embargador (*ô*) adj. s.m.
embargamento s.m.
embargante adj.2g. s.2g.
embargar v.
embargatório adj.
embargável adj.2g.
embargo s.m.
embargoso (*ô*) adj.; f. (*ó*); pl. (*ó*)
embarque s.m.
embarracação s.f.
embarracamento s.m.
embarração s.f.
embarracar v.
embarrada s.f.
embarrado adj. s.m.
embarrador (*ô*) s.m.
embarramento s.m.
embarrancado adj. s.m.
embarrancar v.
embarrar v.
embarreado adj.
embarrear v.
embarreirado adj.
embarreirar v.
embarrelado adj.
embarrelar v.
embarretado adj.
embarretar-se v.
embarretinado adj.
embarricado adj.
embarricamento s.m.
embarricar v.
embarrigado adj.
embarrigar v.
embarrilação s.f.
embarrilado adj.
embarrilador (*ô*) adj. s.m.
embarriladora (*ô*) s.f.
embarrilagem s.f.
embarrilar v.
embarrilho s.m.
embarrista s.2g.
embarroada s.f.
embarulhar v.
embasamento s.m.
embasar v.
embasbacação s.f.
embasbacado adj.
embasbacador (*ô*) adj.
embasbacamento s.m.
embasbacante adj.2g.
embasbacar v.
embasbacável adj.2g.
embastado adj.
embastar v.
embastecer v.
embastiar v.
embastido adj. s.m.
embastilhar v.
embastinhado adj.
embastir v.
embate s.m.
embater v.
embateria s.f.
embatério s.m.
embatinar v.
embatocado adj.
embatocamento s.m.
embatocar v. "pôr batoque"; cf. *embatucar*
embatucado adj.
embatucar v. "confundir"; cf. *embatocar*
embatumado adj.
embatumar v.
embatume s.m.
embaúba s.f.
embaúba-branca s.f.; pl. *embaúbas-brancas*
embaúba-brava s.f.; pl. *embaúbas-bravas*
embaúba-da-mata s.f.; pl. *embaúbas-da-mata*
embaúba-da-pedra s.f.; pl. *embaúbas-da-pedra*
embaúba-de-vinho s.f.; pl. *embaúbas-de-vinho*
embaúba-do-brejo s.f.; pl. *embaúbas-do-brejo*
embaúba-do-mato s.f.; pl. *embaúbas-do-mato*
embaúba-fruteira s.f.; pl. *embaúbas-fruteiras*
embaubal s.m.
embaúba-manga s.f.; pl. *embaúbas-manga* e *embaúbas-mangas*
embaúba-mansa s.f.; pl. *embaúbas-mansas*
embaúba-mirim s.f.; pl. *embaúbas-mirins*
embaúba-puruma s.f.; pl. *embaúbas-purumas*
embaubarana s.f.
embaubatinga s.f.
embaúba-verde s.f.; pl. *embaúbas-verdes*
embaúba-vermelha s.f.; pl. *embaúbas-vermelhas*
embaubeira s.f.
embaucador (*ô*) adj. s.m.
embaucar v.
embaulado adj.
embaulamento s.m.
embaular v.
embaúva s.f.
embazo s.m.
embé s.m.
embeaxió s.m.
embebecar v.
embebecer v.
embebecido adj.
embebecimento s.m.
embebedado adj.
embebedamento s.m.
embebedar v.
embeber v.
embeberar v.
embebição s.f.
embebido adj.
embebimento s.m.
embeborar v.
embeca s.f.
embecado adj.
embeguacá s.f.
embeiçado adj.
embeiçamento s.m.
embeiçar v.
embeiço s.m.
embeirada s.f.
embelecado adj.
embelecador (*ô*) adj.
embelecar v.
embelecável adj.2g.
embelecer v.
embelecido adj.
embeleco (*ê*) s.m.; cf. *embeleco*, fl. do v. *embelecar*
embelenar v.
embelenjenje s.m.
embelezado adj.
embelezador (*ô*) adj.
embelezamento s.m.
embelezante adj.2g.
embelezar v.
embelezável adj.2g.
embelezo (*ê*) s.m.; cf. *embelezo*, fl. do v. *embelezar*
embelga s.f.
embelgação s.f.
embelgador (*ô*) adj. s.m.
embelgar v.
embélia s.f.
embelinhar v.
embeloirar v.
embelourar v.
embeloutado adj.
embeloutar v.
embeque s.m.
emberi s.m.
emberiza s.f.
emberizídeo adj. s.m.
emberizínea s.f.
embernado adj.
embernar v.
emberrinchar v.
embesilhador (*ô*) adj.
embesilhar v.
embesoirado adj.
embesoirar v.
embesourado adj.
embesourar v.
embespinhar v.
embestação s.f.
embestado adj.
embestamento s.m.
embestar v.
embetara s.f.
embetesgado adj.
embetesgar v.
embetumar v.
embeu s.m.
embevecente adj.2g.
embevecer v.
embevecido adj.
embevecimento s.m.
embezerrado adj.
embezerramento s.m.
embezerrar v.
embiá adj. s.2g.
embiaiendo s.m.
embiara s.f.
embiário adj. s.m.
embibocado adj.
embibocar v.
embicação s.f.
embicada s.f.
embicadeiro adj.
embicado adj.
embicador (*ô*) adj. s.m.
embicadura s.f.
embicar v. "apresentar forma de bico"; cf. *imbicar*
embicheirar v.
embichocado adj.
embida s.f.
embiga s.f.
embigada s.f.
embigo s.m.
embigo de freira s.m.
embigotar v.
embiguda s.f.
embigueira s.f.
embiídeo adj. s.m.
embiidina s.f.
embiídino adj. s.m.
embile s.m.
embilhar v.
embilocar v.
embingar v.
embiocado adj. s.m.
embiocar v.
embiódeo adj. s.m.
embióideo adj. s.m.
embiôntico adj.
embióptero adj. s.m.
embiotar v.
embiotocídeo adj. s.m.
embique s.m.
embira s.f.
embira-barriguda-do-sertão s.f.; pl. *embiras-barrigudas-do-sertão*
embira-branca s.f.; pl. *embiras-brancas*
embira-brava s.f.; pl. *embiras-bravas*
embiraçu s.m.
embira-da-mata s.f.; pl. *embiras-da-mata*
embira-da-mata-branca s.f.; pl. *embiras-da-mata-branca*
embira-de-caçador s.f.; pl. *embiras-de-caçador*
embira-de-carrapato s.f.; pl. *embiras-de-carrapato*
embira-de-folha-larga s.f.; pl. *embiras-de-folha-larga*
embira-de-folhas-lisas s.f.; pl. *embiras-de-folhas-lisas*
embira-de-porco s.f.; pl. *embiras-de-porco*
embira-de-sapo s.f.; pl. *embiras-de-sapo*
embira-do-mangue s.f.; pl. *embiras-do-mangue*
embira-do-mato s.f.; pl. *embiras-do-mato*
embiraém s.m.
embiralense adj. s.2g.
embira-pindaíba s.f.; pl. *embiras-pindaíbas*
embira-preta s.f.; pl. *embiras-pretas*
embirar v.
embira-sebo s.f.; pl. *embiras-sebo* e *embiras-sebos*
embirataí s.f.
embirataia s.f.
embiratanha s.f.
embira-toicinheira s.f.; pl. *embiras-toicinheiras*
embira-toucinheira s.f.; pl. *embiras-toucinheiras*
embira-vermelha s.f.; pl. *embiras-vermelhas*
embireira s.f.
embiri s.m.
embiriba s.f.
embirichar v.
embiricica s.f.
embiriçu s.m.
embirocar v.
embiroçu s.m.
embirra s.f.
embirração s.f.
embirrador (*ô*) adj. s.m.
embirrança s.f.
embirrância s.f.
embirrante adj.2g.
embirrar v.
embirrativo adj.
embirrento adj.
embirrinchar v.
embirruçu s.m.
embiru s.m.
embiruçu s.m.
embiruçuense adj. s.2g.
embirutar v.
embiscar v.
embitesgar v.
embituba s.f.
embiú s.m.
embiú-amarelo s.m.; pl. *embiús-amarelos*
embiú-branco s.m.; pl. *embiús-brancos*

embizugar v.
embleco s.m.
emblema s.m.
emblemado adj.
emblemar v.
emblemaria s.f.
emblemático adj.
emblematizar v.
emblematógrafo s.m.
emblematologia s.f.
emblematológico adj.
embletônia s.f.
emblica s.f.
emblico s.m.
emblíngia s.f.
emblingóidea s.f.
embloitado adj.
emboá s.m.
emboaba adj. s.2g.
emboabense adj. s.2g.
emboança s.f.
emboava adj. s.2g.
embobado adj.
embobar v.
embobinado adj.
embobinador (*ô*) adj. s.m.
embobinar v.
emboborar v.
emboca s.m.f.
embocaba s.f.
embocada s.f.
embocado adj.
emboçado adj.
emboçador (*ô*) adj. s.m.
embocadura s.f.
emboçadura s.f.
emboçalador (*ô*) s.m.
emboçalar v.
embocamento s.m.
emboçamento s.m.
embocar v.
emboçar v.
embocetado adj.
embocetamento s.m.
embocetar v.
embocha s.f.
embochechar v.
emboço (*ô*) s.m. cf. *emboço*, fl. do v. *emboçar*
embodalhar v.
embodegar v.
embodocado adj.
embodocar-se v.
embófia s.f.
embófio adj.
emboici s.m.
emboinado adj.
emboitado adj.
emboitar v.
emboizado adj.
emboizar v.
embojar v.
embola s.f.
embolação s.f.
embolada s.f.
embolado adj.
emboladoira s.f.
embolador (*ô*) s.m.
emboladoura s.f.
emboladura s.f.
embolar v.
embolatado adj.
embolatar v.
emboldreado adj.
emboldrear v.
emboldregado adj.
emboldregar v.
embolear v.
embolectomia s.f.
embolectômico adj.
embolemia s.f.
embolêmico adj.
emboletação s.f.
emboletado adj.
emboletamento s.m.
emboletar v.
emboléu s.m.
embolha (*ô*) s.f.
embolia s.f.
emboliclave s.m.
embólico adj.
emboligar v.
embolinhar v.
embólio s.m.
embolismal adj.2g.
embolísmico adj.
embolismo s.m.
embolístico adj.
embolita s.f.
embolização s.f.
embolizar v.
embolizatório adj.
embolizável adj.2g.
êmbolo s.m.; cf. *embolo*, fl. do v. *embolar*
embolofasia s.f.
embolofrasia s.f.
embolofrástico adj.
emboloide (*ó*) adj.2g.
emboloirar v.
embololalia s.f.
embololálico adj.
embolômero adj.
embolomicose s.f.
embolomicótico adj.
êmbolon s.m.
embolorado adj.
embolorar v.
embolorecer v.
embolorecimento s.m.
embolotado adj.
embolotar v.
embolourar v.
embolsado adj.
embolsar v.
embolso (*ô*) s.m.; cf. *embolso*, fl. do v. *embolsar*
emboma s.f.
embonada s.f.
embonado adj.
embonar v.
embondeiro s.m.
embondo s.m.
embonecado adj.
embonecamento s.m.
embonecar v.
embonecrado adj.
embonecramento s.m.
embonecrar v.
embonicar v.
embono s.m.
emboque s.m.
emboquilhar v.
embora adv. conj. interj.
emboras s.m.pl.
emborbetar v.
emborcação s.f.
emborcadela s.f.
emborcado adj.
emborcar v.
emborco (*ô*) s.m.; cf. *emborco*, fl. do v. *emborcar*
emboré adj.
embornadeiro s.m.
embornal s.m.
embornalar v.
embornecer v.
emborque s.m.
emborquilhar v.
emborrachado adj.
emborrachar v.
emborrada s.f.
emborrado adj.
emborrador (*ô*) adj. s.m.
emborradura s.f.
emborralhado adj.
emborralhar v.
emborrar v.
emborrascado adj.
emborrascar v.
emboscada s.f.
emboscado adj. s.m.
emboscador (*ô*) adj. s.m.
emboscadura s.f.
emboscamento s.m.
emboscar v.
embosnado adj.
embosnar v.
embosqueirado adj.
embostado adj.
embostar v.
embostear v.
embostelado adj.
embostelar v.
embotadeira s.f.
embotado adj.
embotador (*ô*) adj.
embotadura s.f.
embotamento s.m.
embotar v.
embote s.m.
embotelhar v.
embotijado adj. s.m.
embotijamento s.m.
embotijar v.
embotijo s.m.
embotilhar v.
embotrieia (*é*) s.f.
embótrio s.m.
embougar v.
emboutado adj.
emboutar v.
embrabar v.
embrabecer v.
embrabecido adj.
embraçadeira s.f.
embraçado adj.
embraçadura s.f.
embraçamento s.m.
embraçar v.
embrace s.m.
embraceirar v.
embragar v.
embrague s.m.
embragueira s.f.
embraiagem s.f.
embraiar v.
embramada s.f.
embramado adj.
embramar v.
embrancar v.
embrandecer v.
embrandecimento s.m.
embranquecer v.
embranquecido adj.
embranquecimento s.m.
embravear v.
embravecer v.
embravecido adj.
embravecimento s.m.
embreação s.f.
embreado adj.
embreadura s.f.
embreagem s.f.
embreante adj. s.2g.
embrear v.
embrechada s.f.
embrechado adj. s.m.
embrechar v.
embreento adj.
embrefilhado adj.
embrejado adj.
embrenhado adj.
embrenhar v.
embretada s.f.
embretado adj.
embretador (*ô*) s.m.
embretamento s.m.
embretar v.
embriado adj.
embriagado adj. s.m.
embriagador (*ô*) adj.
embriagamento s.m.
embriagante adj.2g.
embriagar v.
embriago s.m.
embriaguez (*ê*) s.f.
embrião s.m.
embricado adj.
embricar v.
embricatomia s.f.
embridado adj.
embridar v.
embrigadar v.
embrincado adj.
embrincar v.
embrioblástomo s.m.
embriocardia s.f.
embriocardíaco adj.
embriocárdico adj.
embriocárdio adj.
embrioctonia s.f.
embrióctono adj. s.m.
embrióﬁta s.f.
embrióﬁto s.m.
embrióforo s.m.
embrioftoria s.f.
embrioftórico adj.
embriogênese s.f.
embriogenético adj.
embriogenia s.f.
embriogênico adj.
embriogenismo s.m.
embriogenista s.2g.
embriogenístico adj.
embriograﬁa s.f.
embriográﬁco adj.
embrioide (*ó*) adj.2g.
embriolema s.m.
embriologia s.f.
embriológico adj.
embriologista adj. s.2g.
embriólogo s.m.
embrioma s.m.
embriomático adj.
embriomorfo adj.
embriomorfose s.f.
embrionação s.f.
embrionado adj.
embrional adj.2g.
embrionar v.
embrionário adj.
embrionia s.f.
embriônico adj.
embrionífero adj.
embrioniforme adj.2g.
embrionóforo adj.
embrionologia s.f.
embrionológico adj.
embrióparo adj.
embriopatia s.f.
embriopático adj.
embriopatologia s.f.
embriopatológico adj.
embriopatólogo s.m.
embrioperitonia s.f.
embrioperitônico adj.
embrioplástico adj.
embrióptero s.m.
embrioscópico adj.
embrioscópio s.m.
embriossaco s.m.
embriotégio s.m.
embriotlasia s.f.
embriotlasto s.m.
embriotocia s.f.
embriotomia s.f.
embriotômico adj.
embriótomo s.m.
embriotópodo adj. s.m.
embriotoxo (*cs*) s.m.
embriotroﬁa s.f.
embriótrofo s.m.
embritópode adj. s.m.
embriulcia s.f.
embriulco s.m.
embrocação s.f.
embrocamento s.m.
embrocar v.
embrocha s.f.
embrochar v.
embrodia s.f.
embroesa (*ê*) adj. s.f.
embrolamento s.m.
embrolho (*ô*) s.m.
embroma s.f.
embromação s.f.
embromado adj.
embromador (*ô*) adj. s.m.
embromalina s.m.
embromar v.
embromeiro adj. s.m.
embromina s.m.
embronçado adj.
embruacado adj.
embruacar v.
embruava adj. s.2g.
embrulhação s.f.
embrulhada s.f.
embrulhado adj.
embrulhador (*ô*) adj. s.m.
embrulhamento s.m.
embrulhante adj.2g.
embrulhar v.
embrulhável adj.2g.
embrulho s.m.
embrumação s.f.
embrumado adj.
embrumar v.
embrunecer v.
embruscação s.f.
embruscado adj.
embruscamento s.m.
embruscar v.
embrutar v.
embrutecedor (*ô*) adj. s.m.
embrutecer v.
embrutecido adj.
embrutecimento s.m.
embruxação s.f.
embruxado adj.
embruxador (*ô*) adj. s.m.
embruxamento s.m.
embruxar v.
embruxo s.m.
embu s.m.
embuá s.m.
embuaba adj. s.2g.
embuaçu s.m.
embuava adj. s.2g.
embuba s.f.
embuçadela s.f.
embuçadete (*ê*) adj. s.m.
embuçado adj. s.m.
embuçaladela s.f.
embuçalador (*ô*) adj. s.m.
embuçalar v.
embuçar v.
embuchado adj.
embuchamento s.m.
embuchar v.
embuço s.m.
embudado adj.
embudamento s.m.
embudar v.
embude s.m.
embudo s.m.
embuense adj. s.2g.
embuguaçuense adj. s.2g.
embuí s.m.
embuia s.f.
embuí-branco s.m.; pl. *embuís-brancos*
embuizar (*u-i*) v.
emburacar v.
emburana s.f.
emburé s.m.
emburelar v.
emburerembo s.m.
embureremo s.m.
emburguesado adj.
emburguesar v.
emburi s.m.
emburilhada s.f.
emburilhado adj.
emburilhar v.
emburizal s.m.
emburla s.f.
emburração s.f.
emburradela s.f.
emburradense adj. s.2g.
emburrado adj. s.m.
emburramento s.m.
emburrar v.
emburrecer v.
emburrecimento s.m.
emburricado adj.
emburricar v.
emburriscar v.
emburulhar v.
embustaria s.f.
embuste s.m.
embusteado adj.
embustear v.
embusteirice s.f.
embusteiro adj. s.m.
embustice s.f.
embutideira adj. s.f.
embutido adj. s.m.
embutidor (*ô*) adj. s.m.
embutidura s.f.
embutimento s.m.
embutir v.
embuu s.m.
embuxi s.m.

embuzada s.f.
embuzeiro s.m.
embuziado adj.
embuziar v.
embuzinado adj.
embuzinamento s.m.
embuzinar v.
eme s.m. "nome da letra m"; cf. *heme*
emebé s.m.
emechar v.
emedado adj.
emedar v.
emedebismo s.m.
emedebista adj. s.2g.
emedebístico adj.
emedoiçar v.
emedoichar v.
emedouçar v.
emedouchar v.
emeio s.m.
emelado adj.
emelar v.
emele s.f.
emelear v.
emelia s.f.
emenagogo (*ô*) adj. s.m.
emenagografia s.f.
emenagográfico adj.
emenagógrafo s.m.
emenagologia s.f.
emenagológico adj.
emenagologista adj. s.2g.
emenagólogo s.m.
emenalogia s.f.
emenda s.f.
emendação s.f.
emendado adj.
emendador (*ô*) adj. s.m.
emendamento s.m.
emendar v.
emendativo adj.
emendável adj.2g.
emendicar v.
emenia s.f.
emênico adj.
emenina s.f.
emeninar v.
emeninecer v.
emeninecido adj.
emeninecimento s.m.
emenogênico adj.
emenografia s.f.
emenologia s.f.
emenológico adj.
emenopatia s.f.
emense adj. s.2g.
emensite s.f.
ementa s.f.
ementado adj.
ementar v.
ementário s.m.
ementes adv.
emeorriza s.f.
emergência s.f.; cf. *imergência*
emergencial adj.2g.
emergencista adj. s.2g.
emergente adj.2g.; cf. *imergente*
emergentismo s.m.
emergentista adj. s.2g.
emergentístico adj.
emergir v. "vir à tona"; cf. *imergir*
emericela s.f.
emerícia s.f.
emerinhom adj. s.2g. s.m.
emeriom adj. s.2g. s.m.
emerita s.f.
emeritano adj. s.m.
emeritense adj. s.2g.
emerítico adj.
emérito adj. "eminente"; cf. *imérito*
êmero s.m.
emeroiçar v.
emerouçar v.
emersão s.f.; cf. *imersão*
emersivo adj.; cf. *imersivo*
emerso adj.; cf. *imerso*
emerujar v.
êmese s.f.
emesodema s.m.
emesodemíneo adj. s.m.
emesseno adj. s.m.
emetamina s.f.
emetamínico adj.
emetatrofia s.m.
emetatrófico adj.
emeticidade s.f.
emético adj. s.m.
emeticologia s.f.
emeticologista adj. s.2g.
emeticólogo s.m.
emetina s.f.
emetínico adj.
emetizado adj.
emetizante adj.2g.
emetizar v.
emetocatártico adj. s.m.
emetofobia s.f.
emetofóbico adj.
emetografia s.f.
emetográfico adj.
emetógrafo s.m.
emetoidina s.f.
emetologia s.f.
emetológico adj.
emetologista adj. s.2g.
emetólogo s.m.
emetomorfina s.f.
emetomorfínico adj.
emetrope s.2g.
emetropia s.f.
emetrópico adj.
emeu s.m.
êmex (*cs*) s.f.
emexo (*cs*) s.m.
emeziar v.
emi s.m.
êmica s.f.
êmico adj.
emicocarpo s.m.
emicon s.m.
emictório adj. s.m.
emictósico adj.
êmida s.f.
êmide s.f.
emídia s.m.
emidídeo adj. s.m.
emidiense adj. s.2g.
emidina s.f.
emidíneo s.m.
emidossáurio adj. s.m.
emidossauro adj. s.m.
emigração s.f.; cf. *imigração*
emigrado adj. s.m.; cf. *imigrado*
emigrador (*ô*) adj. s.m.; cf. *imigrador* (*ô*)
emigrante adj. s.2g.; cf. *imigrante*
emigrantista adj. s.2g.; cf. *imigrantista*
emigrar v. "sair"; cf. *imigrar*
emigratório adj.; cf. *imigratório*
emilagrado adj.
emildina s.f.
emília s.f.
emiliano adj. s.m.
emilianopolitano adj. s.m.
emiliela s.f.
emiliense adj. s.2g.
emiliomarcélia s.f.
eminência s.f. "alteza"; cf. *iminência*
eminencial adj.2g.
eminenciar v.
eminente adj.2g. "alto"; cf. *iminente*
eminentíssimo adj. sup. de *eminente*
eminhocar v.
emínia s.f.
emiocitose s.f.
emiono s.m.
emir s.m.
emirado s.m.
emiraém s.m.
emiraúna s.f.
emirônio s.m.
êmis s.m.
emiseno adj. s.m.
emissão s.f. "envio"; cf. *imissão* e *imissão*
emissário adj. s.m.
emissionismo s.m.
emissionista adj. s.2g.
emissionístico adj.
emissível adj.2g.
emissividade s.f.
emissivo adj.
emissor (*ô*) adj. s.m.
emissora (*ô*) s.f.
emissório adj.
emitância s.f.
emitente adj. s.2g.
emiticológico adj.
emitido adj.; cf. *imitido*
emitidor (*ô*) adj. s.m.
emitir v. "expedir"; cf. *imitir*
emitórico adj. s.m.
êmitron s.m.
emmonita s.f.
emoção s.f.
emociante adj.2g.
emocional adj.2g.
emocionalidade s.f.
emocionalismo s.m.
emocionalista adj. s.2g.
emocionalístico adj.
emocionante adj.2g.
emocionar v.
emocionativo adj.
emocionável adj.2g.
emocionismo s.m.
emocionista adj. s.2g.
emoco s.m.
emodina s.f.
emófita s.f.
emoirar v.
emoitar v.
emoldar v.
emoldurado adj.
emoldurar v.
emoleirar v.
emolhar v.
emoliente adj.2g. s.m.
emolir v.
emolumento s.m.
emonado adj.
emonar v.
emônida adj. s.2g.
emonsita s.f.
emordaçar v.
emorear v.
emormado adj.
emornecer v.
emornecido adj.
emoroiçar v.
emorouçar v.
emorrinhado adj.
emorrinhar v.
emortecer v.
emoscar v.
emosqueirar v.
emostado adj.
emostar v.
emota s.f.
emotismo s.m.
emotividade s.f.
emotivismo s.m.
emotivista adj. s.2g.
emotivístico adj.
emotivo adj. "emocionado"; cf. *imotivo*
emoto s.m.
emouquecer v.
emouquecido adj.
emouquecimento s.m.
emourar v.
empa s.f.
empacaça s.f.
empacaceiro s.m.
empacado adj.
empacador (*ô*) adj.
empacadura s.f.
empacamento s.m.
empacar v.
empacavirar v.
empachação s.f.
empachado adj.
empachamento s.m.
empachar v.
empache s.m.
empacho s.m.
empachoso (*ô*) adj.; f. (*ó*); pl. (*ó*)
empaçocado adj.
empaçocar v.
empacotadeira s.f.
empacotado adj.
empacotador (*ô*) adj. s.m.
empacotadora (*ô*) s.f.
empacotamento s.m.
empacotar v.
empada s.f. "espécie de pastel assado ao forno"; cf. *impada*
empadão s.m.
empadesar v.
empadilhar v.
empadinha s.f.
empador (*ô*) s.m.
empadroar v.
empáfia s.f. s.2g.
empafiado adj.
empáfio adj.
empaiolar v.
empala s.f.
empalação s.f.
empalado adj.
empalador (*ô*) adj. s.m.
empalagosice s.f.
empalagoso (*ô*) adj.; f. (*ó*); pl. (*ó*)
empalamado adj.
empalamar-se v.
empalamento s.m.
empalanca s.f.
empalapala s.m.
empalar v.
empaleador (*ô*) adj. s.m.
empalear v.
empalecer v.
empalega (*ê*) s.f.
empalego (*ê*) s.m.
empalemado adj.
empaletar v.
empaletozado adj.
empalhação s.f.
empalhada s.f.
empalhadeira s.f.
empalhado adj. s.m.
empalhador (*ô*) s.m.
empalhamento s.m.
empalhar v.
empalhascar v.
empalheirado adj.
empalheirar v.
empália s.f.
empaliar v.
empalidecer v.
empalidecimento s.m.
empalma s.f.
empalmação s.f.
empalmadela s.f.
empalmado adj.
empalmador (*ô*) adj. s.m.
empalmar v.
empalme s.m.
empaludado adj.
empaludar v.
empambado adj.
empampanado adj.
empampanar v.
empana s.m.
empanação s.f.; cf. *impanação*
empanada s.f.
empanadar v.
empanadilha s.f.
empanado adj.
empanador (*ô*) adj. s.m.
empanamento s.m.
empanar v. "embaçar"; cf. *impanar*
empancado adj.
empancamento s.m.
empancar v.
empanda s.f.
empandeirado adj.
empandeiramento s.m.
empandeirar v.
empandilhado adj.
empandilhar v.
empandinado adj.
empandinar v.
empandoar v.
empaneirar v.
empanemado adj.
empanemar v.
empangar v.
empanginar v.
empanque s.m.
empantanar v.
empantufado adj.
empantufar-se v.
empanturrado adj.
empanturramento s.m.
empanturrar v.
empanzinadela s.f.
empanzinado adj.
empanzinador (*ô*) adj. s.m.
empanzinamento s.m.
empanzinar v.
empapado adj.
empapagem s.f.
empapar v.
empapelado adj.
empapelador (*ô*) s.m.
empapelamento s.m.
empapelar v.
empapelo (*ê*) s.m.; cf. *empapelo*, fl. do v. *empapelar*
empapoilado adj.
empapoilar v.
empapoulado adj.
empapoular v.
empapuçado adj.
empapuçamento s.m.
empapuçar v.
empaquetado adj.
empaquetamento s.m.
empaquetar-se v.
empaquifado adj.
empar v. "envidilhar"; cf. *impar* e *ímpar*
emparador (*ô*) adj.
emparaisar v.
emparamentado adj.
emparamentar v.
emparamento s.m.
emparcado adj.
emparcar v.
emparceirado adj.
emparceiramento s.m.
emparceirar v.
emparcelamento s.m.
emparcelar v.
empardalado adj.
empardar v.
empardeada s.f.
empardecer v.
empardecido adj.
empareado adj.
emparear v.
emparedadense adj. s.2g.
emparedado adj.
emparedamento s.m.
emparedar v.
emparelhado adj.
emparelhamento s.m.
emparelhar v.
emparentar v.
empariado adj.
emparrado adj.
emparrar v.
emparreirar v.
emparvado adj.
emparvamento s.m.
emparvar v.
emparvatado adj.
emparvatar v.
emparvecer v.
emparvecido adj.
emparvoar v.
emparvoecer v.
empasma s.m.
empasmar v.
empasmata s.m.
empassaricado adj.
empastação s.f.
empastado adj.
empastador (*ô*) adj. s.m.
empastagem s.f.

empastamento s.m.
empastar v.
empastatriz s.f.
empaste s.m.
empastelado adj.
empastelador (*ô*) adj. s.m.
empastelamento s.m.
empastelar v.
empata s.2g.
empata-amigos s.2g.2n.
empata-caminhos s.m.2n.
empatado adj.
empatador (*ô*) adj.
empata-foda s.2g.; pl. *empata-fodas*
empata-fodas s.2g.2n.
empatanado adj.
empatar v.
empata-vazas s.2g.2n.
empate s.m.
empatema s.m.
empatia s.f.
empático adj.
empaturrado adj.
empaturramento s.m.
empaturrar v.
empauapicado adj.
empauapicar v.
empavear v.
empavesado adj.
empavesamento s.m.
empavesar v.
empavoado adj.
empavoar v.
empavonado adj.
empavonamento s.m.
empavonar v.
empavorir v.
empear v.
empecadado adj.
empecadar v.
empeçado adj.
empeçar v.
empecer v.
empecha s.f.
empecilhado adj.
empecilhador (*ô*) adj.
empecilhar v.
empecilheiro adj. s.m.
empecilho adj. s.m.
empecimento s.m.
empecinado adj.
empecível adj.2g.
empecivo adj.
empeço (*ê*) s.m.; cf. *empeço*, fl. do v. *empeçar*
empeçonhado adj.
empeçonhador (*ô*) adj. s.m.
empeçonhamento s.m.
empeçonhar v.
empeçonhentado adj.
empeçonhentar v.
empedêmia s.f.
empedernar v.
empedernecer v.
empedernido adj.
empedernimento s.m.
empedernir v.
empedóclea s.f.
empedocliano adj.
empedoclismo s.m.
empedoclista adj. s.2g.
empedoclístico adj.
empedrado adj. s.m.
empedrador (*ô*) adj. s.m.
empedradura s.f.
empedramento s.m.
empedrar v.
empedrenido adj.
empedrenimento s.m.
empedrenir v.
empedrouçado adj.
empegado adj.
empegar v.
empeirar v.
empeiraria s.f.
empeireirar v.
empeiticação s.f.
empeiticar v.
empejar v.
empela s.f.
empelada s.f.
empeladoiro s.m.
empeladouro s.m.
empelamado adj.
empelamar v.
empelar v.
empelicado adj.
empelicar v.
empelicular v.
empelo (*ê*) s.m.; cf. *empelo*, fl. do v. *empelar*
empelota s.f.
empelotado adj.
empelotador (*ô*) s.m.
empelotar v.
empena s.f.
empenachado adj.
empenachar v.
empenadilha s.f.
empenado adj. s.m.
empenagem s.f.
empenamento s.m.
empenar v.
empencado adj.
empencar v.
empendículo s.m.
empendoar v.
empenetrar v.
empenha s.f.
empenhado adj.
empenhador (*ô*) adj. s.m.
empenhamento s.m.
empenhar v.
empenhável adj.2g.
empenho s.m.
empenhoca s.f.
empenhoramento s.m.
empenhorar v.
empenhoso (*ô*) adj.; f. (*ó*); pl. (*ó*)
empeno s.m.
empenujar v.
empeolar v.
empepinado adj.
empepinar v.
empequenecer v.
empequenitar v.
empereirado adj.
emperiquitado adj.
emperiquitar v.
emperlar v.
empermear v.
empernado adj.
empernamento s.m.
empernanço s.m.
empernar v.
empernear v.
empernicar v.
emperolar v.
emperrado adj.
emperramento s.m.
emperrar v.
emperro (*ê*) s.m.; cf. *emperro*, fl. do v. *emperrar*
empertigado adj.
empertigamento s.m.
empertigar v.
empesa (*ê*) s.f.
empesar v.
empescoçado adj.
empesgado adj.
empesgadura s.f.
empesgar v.
empeso (*ê*) s.m.
empessoamento s.m.
empessoar v.
empestação s.f.
empestado adj.
empestador (*ô*) adj.
empestamento s.m.
empestante adj.2g.
empestar v.
empestear v.
empetecado adj.
empetecar v.
empetilicado adj.
empetrácea s.f.
empetráceo adj.
empetrínea s.f.
empetríneo adj.
empetro s.m.
empeugar v.
empezar v.
empezinhado adj.
empezinhar v.
empicar v.
empicotado adj.
empicotamento s.m.
empicotar v.
êmpida s.m.
empidagra s.m.
empídeo adj. s.m.
empidídeo adj. s.m.
empidocane s.m.
empidónax (*cs*) s.m.
empidonomo s.m.
empiema s.m.
empiemático adj.
empiese s.f.
empilchado adj.
empilchar v.
empilecado adj.
empilecar v.
empilhadeira s.f.
empilhado adj.
empilhador (*ô*) adj. s.m.
empilhamento s.m.
empilhar v.
empina s.f.
empinadela s.f.
empinado adj.
empinamento s.m.
empinanço s.m.
empinar v.
empínchia s.f.
empindaibado adj.
empíneo adj. s.m.
empinheirado adj.
empinhocado adj.
empinhocar v.
empino s.m.
empinocado adj.
empinocar v.
empiocele s.m.
empiolar v.
empiolhação s.f.
empiolhamento s.m.
empiolhar v.
empiônfalo s.m.
empioramento s.m.
empiorar v.
empiose s.f.
empiougado adj.
empipa s.f.
empipar v.
empipocado adj.
empipocar v.
empipotado adj.
empiremático adj.
empíreo adj. s.m.
empireocriticismo s.m.
empireocriticista adj. s.2g.
empireocriticístico adj.
empireuma s.m.
empireumático adj.
empiria s.f.
empiricismo s.m.
empiricista adj. s.2g.
empiricístico adj.
empírico adj.
empiriocriticismo s.m.
empirismo s.m.
empirista adj. s.2g.
empirístico adj.
empirocriticismo s.m.
empirocriticista adj. s.2g.
empirocriticístico adj.
empirrear v.
empirreio s.m.
empis s.m.
empiscar v.
êmpise s.f.
empistolado adj.
empistolar v.
empiteirar v.
emplacador (*ô*) s.m.
emplacamento s.m.
emplacar v.
emplanchar v.
emplasmado adj.
emplasmar v.
emplastação s.f.
emplastácio s.m.
emplastada s.f.
emplastado adj.
emplastagem s.f.
emplastamento s.m.
emplastão s.m.
emplastar v.
emplasteiro adj. s.m.
emplástico adj.
emplasto s.m.
emplastração s.f.
emplastrácio s.m.
emplastrada s.f.
emplastrado adj.
emplastragem s.f.
emplastramento s.m.
emplastrar v.
emplástrico adj.
emplastro s.m.
emplectita s.f.
emplemado adj.
emplumação s.f.
emplumachado adj.
emplumado adj.
emplumar v.
emplumável adj.2g.
emplumescer v.
empneumatose s.f.
empoadela s.f.
empoado adj.
empoador (*ô*) s.m.
empoamento s.m.
empoar v.
empoasla s.f.
empobrar v.
empobrecedor (*ô*) adj.
empobrecer v.
empobrecido adj.
empobrecimento s.m.
empoçadense adj. s.2g.
empoçado adj.; cf. *empossado*
empoçamento s.m.
empoçar v. "encharcar"; cf. *empossar*
empocilgar v.
empoderar v.
empoderecer v.
empoderecido adj.
empoeirado adj.
empoeiramento s.m.
empoeirar v.
empofe s.m.
empófia s.f. s.2g.
empófio adj.
empofo s.m.
empoita s.f.
empoitada s.f.
empoitar v.
empola (*ô*) s.f. "vesícula"; cf. *empola*, fl. do v. *empolar*
empoláceo adj.
empolada s.f.
empolado adj.
empoladoira s.f.
empoladoura s.f.
empolamar v.
empolamento s.m.
empolar v. adj.2g.
empolasmar v.
empoleação s.f.
empoleado adj.
empoleamento s.m.
empolear v.
empoleirado adj.
empoleiramento s.m.
empoleirar v.
empolgação s.f.
empolgadeira s.f.
empolgado adj.
empolgador (*ô*) adj.
empolgadura s.f.
empolgaduras s.f.pl.
empolgamento s.m.
empolgante adj.2g.
empolgar v.
empolgável adj.2g.
empolgueira s.f.
empolha (*ô*) s.f. "incubação"; cf. *empolha*, fl. do v. *empolhar*
empolhado adj.
empolhar v. "incubar"; cf. *empulhar*
empolmar v.
empolto (*ô*) s.m.
empoltronado adj.
empolvar v.
empolvilhar v.
empomadar v.
empombação s.f.
empombado adj.
empombador (*ô*) adj. s.m.
empombar v.
emponchar v.
emponda s.f.
emponderar v.
empontão s.m.
empontar v.
empopado adj.
empopar v.
emporcalhado adj.
emporcalhamento s.m.
emporcalhão s.f.
emporcalhar v.
emporcar v.
emporético adj. s.m.
empório s.m.
emporitano adj. s.m.
empós prep. adv.
empossado adj.; cf. *empoçado*
empossamento s.m.
empossar v. "dar posse"; cf. *empoçar*
emposse s.f.
emposta s.f. "caminhada"; cf. *imposta*, fl. do v. *impostar*
empostação s.f.
empostar v. "pôr em postas"; cf. *impostar*
empostemar v.
empostigar v.
emprateleiramento s.m.
emprateleirar v.
emprazado adj.
emprazador (*ô*) adj. s.m.
emprazamento s.m.
emprazar v.
empreendedor (*ô*) adj. s.m.
empreender v.
empreendido adj.
empreendimento s.m.
empregabilidade s.f.
empregada s.f.
empregado adj. s.m.
empregador (*ô*) adj. s.m.
empregando adj. s.m.
empregar v.
empregatício adj.
empregável adj.2g.
emprego (*ê*) s.m.; cf. *emprego*, fl. do v. *empregar*
empregomania s.f.
empregomaníaco adj. s.m.
empregue adj.
empreguiçar v.
empreguismo s.m.
empreguista adj. s.2g.
empreita s.f.
empreitada s.f.
empreita de pau s.f.
empreitado adj.
empreitar v.
empreiteiro s.m.
empreito s.m.
emprenhado adj.
emprenhador (*ô*) adj. s.m.
emprenhar v.
emprenhidão s.f.
emprenhido s.m.
empresa (*ê*) s.f. "empreendimento"; cf. *empresa*, fl. do v. *empresar*
empresado adj.
empresador (*ô*) s.m.
empresa-fantasma s.f.; pl. *empresas-fantasma* e *empresas-fantasmas*
empresar v.
empresariado s.m.
empresarial adj.2g.
empresário adj. s.m.
empressada s.f.
empressita s.f.
emprestadar v.

emprestadio adj.
emprestado adj.
emprestador (*ô*) adj. s.m.
emprestar v.
empréstido s.m.
empréstimo s.m.
emprestor (*ô*) adj. s.m.
empretecer v.
empretecido adj.
emprisionar v.
emproado adj.
emproamento s.m.
emproar v.
emprosmeiro adj.
emprostocentra s.f.
emprostocêntrico adj.
emprostocentro adj.
emprostótono s.m.
emprumado adj.
emprumar v.
empsicose s.f.
empubescer v.
empubescido adj.
empuca s.f.
empuco s.m.
empulgar v.
empulhação s.f.
empulhado adj.
empulhador (*ô*) adj. s.m.
empulhar v. "troçar"; cf. *empolhar*
empulmonização s.f.
empunhado adj.
empunhadura s.f.
empunhar v.
empunidoiro s.m.
empunidouro s.m.
empunidura s.f.
empunir v.
empupar v.
empupo s.m.
empurecer v.
empurpurar v.
empurpurecer v.
empurra s.f.
empurração s.f.
empurrado adj.
empurrador (*ô*) adj. s.m.
empurradora (*ô*) s.f.
empurra-empurra s.m.; pl. *empurra-empurras* e *empurras-empurras*
empurrão s.m.
empurrar v.
empurro s.m.
empusa s.f.
emputecer v.
emputecido adj.
empuxador (*ô*) adj. s.m.
empuxamento s.m.
empuxão s.m.
empuxar v.
empuxe s.m.
empuxete (*ê*) s.m.
empuxo s.m.
emscheriano adj. s.m.
emsiano adj.
emu s.m.
emudecer v.
emudecido adj.
emudecimento s.m.
emugrecer v.
emulação s.f.
emulado adj. s.m.
emulador (*ô*) adj. s.m.
emulambado adj.
emulante adj.2g.
emular v.
emulativo adj.
emulatório adj.
emulgente adj.2g. s.m.
êmulo adj. s.m. "competidor"; cf. *emulo*, fl. do v. *emular*
emulsão s.f.
emulsibilidade s.f.
emulsificabilidade s.f.
emulsificação s.f.
emulsificador (*ô*) adj. s.m.
emulsificante adj.2g. s.m.
emulsificar v.
emulsificável adj.2g.
emulsina s.f.
emulsionação s.f.
emulsionado adj.
emulsionador (*ô*) s.m.
emulsionamento s.m.
emulsionante adj.2g.
emulsionar v.
emulsionável adj.2g.
emulsível adj.2g.
emulsivo adj.
emulsoidal adj.2g.
emulsoide (*ó*) adj.2g. s.m.
emulsor (*ô*) adj. s.m.
emunctório adj. s.m.
emundação s.f.
emundar v.
emurado adj.
emuralhar v.
emurchar v.
emurchecer v.
emurchecido adj.
emurchecimento s.m.
enação s.f. "excrescência superficial em vegetais"; cf. *inação*
enacosaédrico adj.
enacosaedro s.m.
enacosagonal adj.2g.
enacoságono s.m.
enadelfia s.f.
enagenado adj.
enagenar v.
enágua s.f.
enaifar v.
enaipar v.
enálage s.f.
enalapril s.m.
enaliossauro s.m.
enalita s.f.
enalo s.m.
enalogênico adj.
enalógeno adj.
enaltação s.f.
enaltado adj.
enaltante adj.2g.
enaltar v.
enaltecedor (*ô*) adj.
enaltecer v.
enaltecimento s.m.
enamina s.f.
enamorado adj. s.m.
enamorador (*ô*) adj. s.m.
enamoramento s.m.
enamorar v.
enamorável adj.2g.
enância s.f.
enancioblasta s.f.
enano s.m.
enantado adj.
enantal s.f.
enantaldeído s.m.
enantamida s.f.
enantato s.m.
enante s.f.
enantema s.m.
enanterácea s.f.
enanteráceo adj.
enantérea s.f.
enantéreo adj.
enantese s.f.
enântico adj. s.m.
enantilato s.m.
enantílico adj.
enantilideno s.m.
enantilo s.m.
enantina s.f.
enantiobiose s.f.
enantioblásteo adj.
enantioblástia s.f.
enantioblástico adj.
enantiomérico adj.
enantiômero s.m.
enantiomórfico adj.
enantiomorfismo s.m.
enantiomorfo adj. s.m.
enantiopatia s.f.
enantiopático adj.
enantiose s.f.
enantiossemia s.f.
enantiossêmico adj.
enantiotropia s.f.
enantiotrópico adj.
enantiótropo adj. s.m.
enanto s.m.
enantol s.m.
enantona s.f.
enantrópico adj.
enapupê s.m.
enaquita adj. s.2g.
enardecer v.
enardecido adj.
enargia s.f.
enargita s.f.
enargítico adj.
enarmonia s.f. "harmonias concordantes"; cf. *inarmonia*
enarmônico adj.; "relativo a enarmonia"; cf. *inarmônico*
enarmose s.f.
enarquiocromo s.m.
enarração s.f.
enarrar v.
enartrite s.f.
enartrodial adj.2g.
enartródico adj.
enartrose s.f.
enase s.f.
enastrado adj.
enastrar v.
enatado adj.
enatar v.
enateiramento s.m.
enateirar v.
enáuenê-nauê adj. s.2g. s.m.; pl. *enáuenês-nauês*
enáulio s.m.
enaulófilo adj.
enausear v.
enázimo s.m.
encabadela s.f.
encabado adj.
encabadoiro s.m.
encabadouro s.m.
encabamento s.m.
encabar v.
encabeçadela s.f.
encabeçado adj.
encabeçador (*ô*) adj. s.m.
encabeçadura s.f.
encabeçamento s.m.
encabeçar v.
encabeço (*ê*) s.m.; cf. *encabeço*, fl. do v. *encabeçar*
encabeira s.f.
encabeirado adj.
encabeirar v.
encabelado adj.
encabelador (*ô*) adj. s.m.
encabeladura s.f.
encabelar v.
encabelizar v.
encabreima s.f.
encabreimar v.
encabreimo s.m.
encabrestado adj.
encabrestadura s.f.
encabrestamento s.m.
encabrestar v.
encabritado adj.
encabritamento s.m.
encabritar v.
encabruado adj.
encabrunar v.
encabulação s.f.
encabulado adj. s.m.
encabulador (*ô*) s.m.
encabulamento s.m.
encabulante adj.2g.
encabular v.
encabulável adj.2g.
encabulhar v.
encaçapação s.f.
encaçapado adj.
encaçapador (*ô*) adj. s.m.
encaçapamento s.m.
encaçapante adj.2g.
encaçapar v.
encaçapável adj.2g.
encachaçado adj.
encachaçamento s.m.
encachaçar v.
encachado adj.; cf. *encaixado*
encachapução s.m.
encachapuçar v.
encachar v. "pôr tanga"; cf. *encaixar*
encache s.m.; cf. *encaixe*, fl. do v. *encaixar*
encachiado adj.
encachiar-se v.
encacho s.m.; cf. *encaixo*
encachoeirado adj.
encachoeiramento s.m.
encachoeirar v.
encacholar v.
encacia s.f.
encadarroamento s.m.
encadarroar v.
encadeação s.f.
encadeado adj.
encadeador (*ô*) adj. s.m.
encadeamento s.m.
encadeante adj.2g.
encadear v.
encadeirada s.f.
encadeirado adj. s.m.
encadeirar v.
encadernação s.f.
encadernado adj.
encadernador (*ô*) adj. s.m.
encadernar v.
encado s.m.
encafifado adj.
encafifar v.
encafuado adj.
encafuar v.
encafurnação s.f.
encafurnado adj.
encafurnador (*ô*) adj.
encafurnamento s.m.
encafurnar v.
encagaçado adj.
encagaçamento s.m.
encagaçante adj.2g.
encagação s.f.
encagaçar v.
encagaçável adj.2g.
encaibramento s.m.
encaibrar v.
encaieirar v.
encaipirar-se v.
encaiporar v.
encairelar v.
encaixado adj.; cf. *encachado*
encaixamento s.m.
encaixante adj.2g.
encaixar v. "pôr em caixa"; cf. *encachar*
encaixaria s.f.
encaixável adj.2g.
encaixe s.m.
encaixilhado adj.
encaixilhar v.
encaixo s.m.; cf. *encacho*
encaixotado adj.
encaixotador (*ô*) adj. s.m.
encaixotamento s.m.
encaixotar v.
encala s.f.
encalacração s.f.
encalacradela s.f.
encalacrado adj.
encalacrador (*ô*) adj.
encalacramento s.m.
encalacrante adj.2g.
encalacrar v.
encaladela s.f.
encalamechar v.
encalamento s.m.
encalamistrado adj.
encalamistrar v.
encalamoucar v.
encalar v.
encalburdar v.
encalcadeira s.f.
encalçadura s.f.
encalcar v.
encalçar v.
encalce s.m.
encalço s.m.
encaldar v.
encaldeiração s.f.
encaldeirado adj.
encaldeiramento s.m.
encaldeirar v.
encalecer v.
encalecido adj.
encaleirar v.
encalgar v.
encalhação s.f.
encalhado adj.
encalhadoiro s.m.
encalhador (*ô*) adj.
encalhadouro s.m.
encalhamento s.m.
encalhar v.
encalhe s.m.
encalho s.m.
encalhos s.m.pl.
encaliçado adj.
encalicamento s.m.
encalicar v.
encaliçar v.
encalidela s.f.
encalipto s.m.
encalir v.
encalistação s.f.
encalistado adj.
encalistamento s.m.
encalistar v.
encalistração s.f.
encalistrado adj.
encalistramento s.m.
encalistrar v.
encalmadiço adj.
encalmado adj.
encalmamento s.m.
encalmar v.
encalmurrado adj.
encalmurrar v.
encalombado adj. s.m.
encalombamento s.m.
encalombar v.
encalorado adj.
encalorar v.
encalque s.m.
encalungar v.
encalvecer v.
encalvecido adj.
encama s.f.
encamaçar v.
encamado adj.
encamar v.
encamaradado adj.
encamaradar v.
encamarinhar v.
encamarotar v.
encambado adj.
encambar v.
encambeirar v.
encambichar v.
encambitação s.f.
encambitar v.
encamboar v.
encambonado adj.
encambonar v.
encambucar v.
encambulhada s.f.
encambulhado adj.
encambulhar v.
encame s.m.
encamelar v.
encameração s.f.
encamerar v.
encaminhado adj.
encaminhador (*ô*) adj. s.m.
encaminhamento s.m.
encaminhar v.
encamisada s.f.
encamisado adj. s.m.
encamisamento s.m.
encamisar v.
encamoroiçar v.
encamorouçar v.
encampação s.f.
encampador (*ô*) adj. s.m.
encampanado adj.
encampanar v.
encampar v.
ençampar v.
encampesinação s.f.
encampesinado adj.
encampesinamento s.m.

encampesinar v.
encamurçado adj.
encamurçamento s.m.
encamurçar v.
encanação s.f.
encanado adj.
encanador (*ô*) s.m.
encanalhar v.
encanamento s.m.
encanar v.
encanas s.f.pl.
encanastrado adj. s.m.
encanastrar v.
encancelar v.
encancerado adj.
encancerar v.
encandeado adj.
encandeamento s.m.
encandear v.
encandeeirado adj.
encandilado adj.
encandilar v.
encandolado adj.
encandolar v.
encanecedor (*ô*) adj.
encanecer v.
encanecido adj.
encanelado adj.
encanelar v.
encanfifar v.
encangado adj.
encangalhado adj.
encangalhar v.
encangar v.
encangotar v.
encanha s.f.
encanhadeira s.f.
encanhado adj.
encanhar v.
encanho s.m.
encanhotado adj.
encanicado adj.
encaniçado adj.
encanicar v.
encaniçar v.
encanifrado adj.
encanitar v.
encanoamento s.m.
encanoar v.
encantação s.f.
encantada s.f.
encantadense adj. s.2g.
encantadiço adj.
encantado adj. s.m.
encantador (*ô*) adj. s.m.
encantamento s.m.
encantar v.
encantaria s.f.
encantatório adj.
encantável adj.2g.; cf. *incantável*
encante s.f.
encanteirado adj.
encanteirar v.
encantense adj. s.2g.
encanteria s.f.
encântide s.f.
encantinar v.
encantinhar v.
encanto s.m.
encantoado adj.
encantoar v.
encantoma s.f.
encantonar v.
encanudado adj.
encanudamento s.m.
encanudar v.
encanutado adj.
encanutar v.
encanzinação s.f.
encanzinado adj.
encanzinamento s.m.
encanzinar v.
encanzoar v.
encapachado adj.
encapachar v.
encapado adj.
encapagem s.f.
encapamento s.m.
encapar v.
encaparar v.
encapelação s.f.
encapelado adj. s.m.
encapeladura s.f.
encapelamento s.m.
encapelante adj.2g.
encapelar v.
encapetado adj.
encapetar-se v.
encapoeirado adj.
encapoeirar v.
encapotado adj. s.m.
encapotamento s.m.
encapotar v.
encaprichar-se v.
encapsulação s.f.
encapsulado adj.
encapsulante adj.2g.
encapsular v. "incluir em cápsula"; cf. *incapsular*
encapuchado adj. s.m.
encapuchar v.
encapuzado adj.
encapuzar v.
encara s.m.
encaraçado adj.
encaração s.f.
encaracolação s.f.
encaracoladeira s.f.
encaracolado adj.
encaracolamento s.m.
encaracolar v.
encarado adj.
encaramanchar v.
encaramelado adj.
encaramelar v.
encaramonado adj.
encaramonar v.
encaramujado adj.
encaramujar v.
encarangação s.f.
encarangado adj.
encarangar v.
encaranguejado adj.
encaranguejar v.
encarantar v.
encarantonhado adj.
encarantonhar v.
encarapelar v.
encarapinhado adj.
encarapinhar v.
encarapitado adj.
encarapitar v.
encarapuçado adj.
encarapuçar v.
encarar v.
encaravelhar v.
encarbonização s.f.
encarbonizador (*ô*) adj.
encarbonizamento s.m.
encarbonizante adj.2g.
encarbonizar v.
encarbonizável adj.2g.
encarcadar v.
encarceração s.f.
encarcerado adj. s.m.
encarcerador (*ô*) adj. s.m.
encarceramento s.m.
encarcerante adj.2g.
encarcerar v.
encarcerável adj.2g.
encarchar v.
encarcouchado adj.
encardia s.f.
encardido adj. s.m.
encardimento s.m.
encardir v.
encardumado adj.
encardumar v.
encarecedor (*ô*) adj. s.m.
encarecente adj.2g.; cf. *incarecente*
encarecer v.
encarecido adj.
encarecimento s.m.
encarentar v.
encaretado adj.
encaretar v.
encargar v.
encargo s.m.
encarijar v.
encariocar v.
encarna s.f.
encarnação s.f.
encarnacionense adj. s.2g.
encarnado adj. s.m.
encarnador (*ô*) adj. s.m.
encarnar v.
encarnativo adj. s.m.
encarnável adj.2g.
encarne s.m.
encarnefuchão s.f.
encarneirado adj.
encarneiramento s.m.
encarneirar v.
encarniçado adj. s.m.
encarniçamento s.m.
encarniçar v.
encaro s.m.
encaroçada s.f.
encaroçado adj.
encaroçador (*ô*) adj.
encaroçar v.
encarochado adj.
encarochar v.
encaroladeira s.f.
encarolado adj.
encarolar v.
encarpa s.f.
encarpo s.m.
encarquejado adj.
encarquilhado adj.
encarquilhamento s.m.
encarquilhar v.
encarradoiro s.m.
encarradouro s.m.
encarrafuçado adj.
encarramento s.m.
encarramonado adj.
encarramonar v.
encarrancado adj.
encarrancar v.
encarrapiçar v.
encarrapichar-se v.
encarrapitado adj.
encarrapitar v.
encarrar v.
encarrascar-se v.
encarraspanado adj.
encarraspanar-se v.
encarregado adj. s.m.
encarregadura s.f.
encarregar v.
encarregatura s.f.
encarrego (*ê*) s.m. cf. *encarrego*, fl. do v. *encarregar*
encarregue adj.2g.
encarreirado adj.
encarreiramento s.m.
encarreirar v.
encarretadeira s.f.
encarretado adj.
encarretar v.
encarreteirado adj.
encarriçado adj.
encarrilado adj.
encarrilar v.
encarrilhado adj.
encarrilhador (*ô*) adj. s.m.
encarrilhamento s.m.
encarrilhar v.
encarriscar v.
encartação s.f.
encartadeira s.f.
encartado adj. s.m.
encartalhar v.
encartamento s.m.
encartante adj. s.2g.
encartar v.
encartável adj.2g.
encartazado adj.
encartazar v.
encarte s.m.
encartolado adj.
encartolar v.
encartuchado adj.
encartuchamento s.m.
encartuchar v.
encarva s.f.
encarvoação s.f.
encarvoado adj.
encarvoador (*ô*) adj.
encarvoamento s.m.
encarvoar v.
encarvoejado adj.
encarvoejar v.
encarvoiçar v.
encasacado adj.
encasacar v.
encasado adj. s.m.
encasalado adj.
encasalamento s.m.
encasalar v.
encasamento s.m.
encasar v.
encascação s.f.
encascado adj.
encascalhamento s.m.
encascalhar v.
encascamento s.m.
encascar v.
encascorado adj.
encascorar v.
encasmurrado adj.
encasmurrar v.
encasque s.m.
encasquear v.
encasquetado adj.
encasquetar v.
encasquilhado adj.
encasquilhar v.
encastalhado adj.
encastalhar v.
encastalho s.m.
encastelado adj.
encasteladura s.f.
encastelamento s.m.
encastelar v.
encastoação s.f.
encastoado adj.
encastoamento s.m.
encastoar v.
encastoo (*ô*) s.m.
encastramento s.m.
encastrar v.
encastrável adj.2g. s.m.
encasulado adj.
encasulamento s.m.
encasular v.
encatacumbado adj.
encataplasmar v.
encatarração s.f.
encatarrado adj.
encatarrar v.
encatarroado adj.
encatarroamento s.m.
encatarroar v.
encatrafiado adj.
encatrafiar v.
encatramonar v.
encatrapeado adj.
encatravilhar v.
encatrinado adj.
encatrinar v.
encauchado adj. s.m.
encauchar v.
encaudado adj.
encaudar v.
encauma s.m.
encausta s.2g.
encaustes s.2g.2n.
encáustica s.f.; cf. *encaustica*, fl. do v. *encausticar*
encausticar v.
encáustico adj.; cf. *encaustico*, fl. do v. *encausticar*
encausto adj.
encava s.f.
encavacação s.f.
encavacadela s.f.
encavacado adj.
encavacamento s.m.
encavação s.f.
encavacar v.
encavadela s.f.
encavado adj.
encavadoiro s.m.
encavadouro s.m.
encavalado adj.
encavalamento s.m.
encavalar v.
encavaleirar v.
encavalgado adj.
encavalgadura s.f.
encavalgamento s.m.
encavalgar v.
encavalitado adj.
encavalitar v.
encavar v.
encavernado adj.
encavernar v.
encavilhamento s.m.
encavilhar v.
encavo s.m.
encaxumbado adj.
encazucar v.
encebolado adj.
encebolar v.
encedoiro s.m.
encedouro s.m.
encedrar v.
encefalalgia s.f.
encefalálgico adj.
encefalarteriografia s.f.
encefalarto s.m.
encefalastenia s.f.
encefalatrofia s.f.
encefalauxa (*cs*) s.f.
encefalauxe (*cs*) s.f.
encefalelcose s.f.
encefalemia s.f.
encefalêmico adj.
encefalia s.f.
encefálico adj.
encefalina s.f.
encefalite s.f.
encefalítico adj.
encefálito s.m.
encefalitozose s.f.
encefalização s.f.
encéfalo s.m.
encefalocele s.f.
encefalocélico adj.
encefalocélio s.m.
encefalocistocele s.f.
encefaloclástico adj.
encefalodiálise s.f.
encefalodisplasia s.f.
encefalofima s.f.
encefaloftarsia s.f.
encefalografia s.f.
encefalográfico adj.
encefalógrafo s.m.
encefalograma s.m.
encefaloide (*ó*) adj.2g.
encefalolitíase s.f.
encefalolítico adj.
encefalólito s.m.
encefalologia s.f.
encefalológico adj.
encefalologista adj. s.2g.
encefalólogo s.m.
encefaloma s.m.
encefalomalacia s.f.
encefalomedular adj.2g.
encefalomeningite s.f.
encefalomeningocele s.f.
encefalomeningopatia s.f.
encefalomérico s.m.
encefalômero s.m.
encefalometria s.f.
encefalométrico adj.
encefalômetro s.m.
encefalomia s.f.
encefalomielite s.f.
encefalomielítico adj.
encefalomieloneuropatia s.f.
encefalomielopatia s.f.
encefalomielorradiculite s.f.
encefalomiocardite s.f.
encefalonarcose s.f.
encefalonarcótico adj.
encefalopatia s.f.
encefalopático adj.
encefalopiose s.f.
encefalopsia s.f.
encefalopsicose s.f.
encefalopunctura s.f.
encefalopuntura s.f.
encefalorragia s.f.
encefalorrágico adj.
encefalorraquiano adj.
encefalorraquidiano adj.
encefalosclerose s.f.

encefaloscopia s.f.
encefaloscópico adj.
encefaloscópio s.m.
encefalose s.f.
encefalossepse s.f.
encefalossismo s.m.
encefalotlipse s.f.
encefalotomia s.f.
encefalotômico adj.
encefalozoário adj. s.m.
enceguecer v.
enceguecido adj.
enceguecimento s.m.
encegueirado adj.
encegueirar v.
enceiramento s.m.
enceirar v.
encelado adj. "posto em cela"; cf. *encélado*
encélado s.m. "gênero de inseto"; cf. *encelado*
encelar v.
enceleirado adj.
enceleirador (*ô*) adj. s.m.
enceleiramento s.m.
enceleirar v.
encélia s.f.
encelialgia s.f.
enceliálgico adj.
encelite s.f.
encelomado adj. s.m.
encenação s.f.
encenado adj.
encenador (*ô*) adj. s.m.
encenar v.
encenável adj.2g.
encender v.
encendido adj.
encendimento s.m.
encendrado adj.
encendrar v.
encênia s.f.
encenrada s.f.
encenso s.m. "censo"; cf. *incenso*
encensoriar v.
encentrar v.
encepado adj.
encepar v.
encera s.f.
enceração s.f.
enceradeira s.f.
encerado adj. s.m.
encerador (*ô*) s.m.; cf. *enseirador*
enceradora (*ô*) s.f.
enceradura s.f.
enceramento s.m.; cf. *enseiramento*
encerar v. "engraxar"; cf. *enseirar*
encerebração s.f.
encerebrar v.
enceroilar v.
enceroular v.
encerra s.f.
encerrado adj.
encerrador (*ô*) adj. s.m.
encerramento s.m.
encerrar v.
encerro (*ê*) s.m.; cf. *encerro*, fl. do v. *encerrar*
encertar v.
encervejado adj.
encervejar v.
encestação s.f.
encestado adj.
encestador (*ô*) adj. s.m.
encestamento s.m.
encestar v.
encetado adj.
encetadura s.f.
encetamento s.m.; cf. *incitamento*
encetar v. "começar"; cf. *incitar*
encetativo adj.; cf. *incitativo*
encetável adj.2g.; cf. *incitável*
encevedar v.
enchaboucado adj.
enchacota s.f.
enchacotar v.
enchafurdado adj.
enchafurdamento s.m.
enchafurdar v.
enchagado adj.
enchamarrar v.
enchamate s.m.
enchamboado adj.
enchamboar v.
enchambrado adj.
enchambrar v.
enchamejar v.
enchamerdeado adj.
enchamoicido adj.
enchamorrado adj.
enchamoucido adj.
enchampanhado adj.
enchampanhar v.
enchança s.f.
enchanqueta (*ê*) s.f.
enchapadura s.f.
enchapelado adj.
enchapelar v.
enchapinado adj.
enchapota s.f.
enchapotar v.
enchapourar v.
enchapuçar v.
enchaqueta (*ê*) s.f.
encharado adj.
encharcação s.f.
encharcada s.f.
encharcadiço adj.
encharcado adj.
encharcamento s.m.
encharcar v.
encharéu s.m.
encharnicado adj.
encharolado adj.
encharolar v.
encharque s.m.
encharqueiro s.m.
enchavetamento s.m.
enchavetar v.
enche-cabresto s.m.; pl. *enche-cabrestos*
encheção s.f.
enchedeira s.f.
enchedeiro s.m.
enchedela s.f.
enchedoiro s.m.
enchedor (*ô*) adj. s.m.
enchedouro s.m.
enchedura s.f.
encheio s.m.
enche-mão s.m.; pl. *enche-mãos*
enchente adj.2g. s.f.
enchentense adj. s.2g.
enchequetado adj.
encher v.
encherca s.f.
enchevelar s.m.
enchia s.f. "onda"; cf. *enxia*, fl. do v. *enxiar*
enchiçarado adj.
enchiçarar v.
enchicharrado adj.
enchicharrar v.
enchido adj. s.m.
enchimarrar v.
enchimentar v.
enchimento s.m.
enchiqueiração s.f.
enchiqueirador (*ô*) adj. s.m.
enchiqueiradura s.f.
enchiqueirar v.
enchocalhação s.f.
enchocalhador (*ô*) adj. s.m.
enchocalhar v.
enchoçar v.
enchofrar v.
enchoiriçado adj.
enchoiriçar v.
enchombrado adj.
enchombrar v.
enchopre s.m.
enchorrar v.
enchoupado adj.
enchouriçado adj.
enchouriçar v.
enchousado adj.
enchousar v.
enchova (*ô*) s.f. "peixe"; cf. *enxova*
enchova-baeta s.f.; pl. *enchovas-baetas*
enchova-preta s.f.; pl. *enchovas-pretas*
enchoveta s.f.
enchovinha s.f.
enchu s.m.
enchuí s.m.
enchumaçado adj.
enchumaçamento s.m.
enchumaçar v.
enchumarrar v.
enchumbado adj.
enchumbamento s.m.
enchumbar v.
enchumbeiramento s.m.
enchumbeirar v.
enchusmar v.
enciclema s.m.
enciclia s.f.
encíclica s.f.
encíclico adj.
enciclopédia s.f.
enciclopédico adj. s.m.
enciclopedismo s.m.
enciclopedista adj. s.2g.
enciclopedístico adj.
encieirado adj.
encieirar v.
enciese s.f.
encilhada s.f.
encilhadela s.f.
encilhado adj.
encilhador (*ô*) s.m.
encilhamento s.m.
encilhar v.
encimado adj. s.m.
encimalhar v.
encimar v.
encinchamento s.m.
encinchar v.
encinhar v.
encinho s.m.
encintar v.
encinzado adj.
encinzar v.
encinzeirado adj.
encinzeirar v.
encioso (*ô*) adj.; f. (*ó*); pl. (*ó*)
encipoado adj.
enciprótipo adj.
encirrar v.
encirtídeo adj. s.m.
enciscar v.
encistado adj.
encistamento s.m.
encistar v.
enciumado adj.
enciumar v.
enclarear v.
enclaustrado adj.
enclaustragem s.f.
enclaustramento s.m.
enclaustrar v.
enclausura s.f.
enclausuração s.f.
enclausurado adj. s.m.
enclausuramento s.m.
enclausurante adj.2g.
enclausurar v.
enclausurável adj.2g.
enclavado adj.
enclave s.m.
enclavinhado adj.
enclavinhar v.
enclenque adj.2g.
enclinômena s.f.
enclinômeno adj.
ênclise s.m.
enclítica s.f.
enclítico adj.
enclitismo s.m.
encloacar v.
encoadura s.f.
encobardado adj.
encobardar v.
encoberta s.f.
encobertação s.f.
encobertado adj. s.m.
encobertamento s.m.
encobertar v.
encobertismo s.m.
encoberto adj. s.m.
encobilhar v.
encobrado adj.
encobrar v.
encobrideira s.f.
encobridiço adj.
encobridoiro s.m.
encobridor (*ô*) adj. s.m.
encobridora s.f.
encobridouro s.m.
encobrimento s.m.
encobrir v.
encochado adj.
encochar v.
encocurutar v.
encodado adj.
encodar v.
encodeado adj.
encodeamento s.m.
encodear v.
encodoar v.
encofar v.
encofrar v.
encoifado adj.
encoifar v.
encoimação s.f.
encoimar v.
encoira s.f.
encoiraçado adj. s.m.
encoiraçar v.
encoirado adj.
encoirar v.
encoitar v.
encoiteiro s.m.
encoito s.m.
encoivaração s.f.
encoivarado adj.
encoivaramento s.m.
encoivarar v.
encolado adj.
encolamento s.m.
encolar v.
encolarinhado adj.
encoleiramento s.m.
encoleirar v.
encolerização s.f.
encolerizado adj.
encolerizador (*ô*) adj.
encolerizante adj.2g.
encolerizar v.
encolerizável adj.2g.
encoletado adj.
encolha (*ô*) s.f.
encolhedela s.f.
encolher v.
encolhido adj. s.m.
encolhimento s.m.
encolírio s.m.
encólpio s.m.
encolpismo s.m.
encolpite s.f.
encomenda s.f.
encomendação s.f.
encomendado adj. s.m.
encomendador (*ô*) adj. s.m.
encomendamento s.m.
encomendar v.
encomendeiro s.m.
encomiado adj.
encomiador (*ô*) adj. s.m.
encomiante adj.2g.
encomiar v.
encomiasta adj. s.2g.
encomiástico adj.
encomiável adj.2g.
encômio s.m.; cf. *encomio*, fl. do v. *encomiar*
encomiografia s.f.
encomiográfico adj.
encomiógrafo s.f.
encomiologia adj.
encomiológico s.m.
encomiólogo s.m.
encomiridado adj.
encomissado adj.
encomissar v.
encomoroçar v.
encomoroiçar v.
encomorouçar v.
encompridar v.
encomunhar v.
encomunhas s.f.pl.
enconapado adj.
enconapar v.
enconar v.
enconcar v.
enconchado adj.
enconchar v.
enconchousado adj.
encondar v.
encondensado adj.
encondização s.f.
encondizar v.
encondral adj.2g.
encondroma s.m.
encondromatose s.f.
encondrose s.f.
encondrossarcoma s.m.
enconformização s.f.
enconformizar v.
encongojado adj.
enconhacado adj.
enconhacar v.
enconicado adj.
enconicar v.
enconteirar v.
encontoar v.
encontrada s.f.
encontradiço adj.
encontrado adj.
encontradoiro s.m.
encontradouro s.m.
encontramento s.m.
encontrão s.m.
encontrar v.
encontrável adj.2g.
encontro s.m.
encontroada s.f.
encontroar v.
encontro-d'água s.m.; pl. *encontros-d'água*
encontro-de-ouro s.m.; pl. *encontros-de-ouro*
encontros-verdes s.m.2n.
encopar v.
encope s.f.
encoprese s.f.
encopresia s.f.
encoquinado adj.
encoquinar v.
encoquinhado adj.
encoquinhar v.
encora s.f.
encorajado adj.
encorajador (*ô*) adj. s.m.
encorajamento s.m.
encorajante adj.2g.
encorajar v.
encoramento s.m.
encorar v.
encorcar v.
encorcundar v.
encordagem s.f.
encordelado adj.
encordelar v.
encórdio s.m.
encordoação s.f.
encordoado adj.
encordoadura s.f.
encordoamento s.m.
encordoar v.
encornação s.f.
encornado adj.
encornamento s.m.
encornar v.
encornetado adj.
encornetar v.
encornicada s.f.
encornicado adj.
encornichado adj.
encornichar v.
encoro (*ô*) s.m.
encoroçado adj.
encoronhado adj.
encoronhamento s.m.
encoronhar v.
encorpado adj.

encorpadura s.f.
encorpamento s.m.
encorpante adj. s.2g.
encorpar v.
encorporação s.f.
encorporado adj.
encorporante adj.2g.
encorporar v.
encorporativo adj.
encorquilhar v.
encorreado adj.
encorreadura s.f.
encorreamento s.m.
encorrear v.
encorrelhar v.
encorrentado adj.
encorrentar v.
encorriar v.
encorrica s.f.
encorricado adj.
encorricar v.
encorrilha s.f.
encorrilhar v.
encorrovilhado adj.
encorrovilhar v.
encorrugido adj.
encorrugir v.
encortelhar v.
encortiçado adj.
encortiçamento s.m.
encortiçar v.
encortinado adj.
encortinamento s.m.
encortinar v.
encorujado adj.
encorujar-se v.
encoscorado adj.
encoscoramento s.m.
encoscorar v.
encospas s.f.pl.
encospiar v.
encóspias s.f.pl.
encosta s.f.
encostadela s.f.
encostado adj. s.m.
encostador (*ô*) adj. s.m.
encostalar v.
encostamento s.m.
encostão s.m.
encostar v.
encosta-valo s.m.; pl. *encosta-valos*
encoste s.m.
encostelado adj.
encostelar v.
encostes s.m.pl.
encosto (*ô*) s.m.; cf. *encosto*, fl. do v. *encostar*
encosto de gado s.m.
encostrar v.
encotinhado adj.
encotinhar v.
encouchado adj.
encouchar v.
encoura s.f.
encouraçado s.m.
encouraçar v.
encourado adj. s.m.
encourar v.
encourato adj.
encoutar v.
encouteiro s.m.
encouto s.m.
encovado adj.
encovamento s.m.
encovar v.
encovardar v.
encovilado adj.
encovilar v.
encovilhar v.
encovitar v.
encoxilhado adj.
encozer v.
encramoiçar v.
encramouçar v.
encrassar v.
encratismo s.m.
encratista adj. s.2g.
encratístico adj.
encratita adj. s.2g.
encrava s.f.
encravação s.f.
encravado adj.
encravadoiro s.m.
encravadouro s.m.
encravadura s.f.
encravamento s.m.
encravar v.
encrave s.m.
encraveirar v.
encravelhação s.f.
encravelhamento s.m.
encravelhar v.
encravilhação s.f.
encravilhamento s.m.
encravilhar v.
encravo s.m.
encrenca s.f.
encrencação s.f.
encrencada s.f.
encrencadela s.f.
encrencado adj.
encrencador (*ô*) s.m.
encrencante adj.2g.
encrencar v.
encrenque s.m.
encrenqueiro adj. s.m.
encrenquice s.f.
encrespação s.f.
encrespado adj.
encrespador (*ô*) adj. s.m.
encrespadura s.f.
encrespagem s.m.
encrespamento s.m.
encrespar v.
encrina s.f.
encrino s.m.
encrinuro s.m.
encriptar v.
encrisar v.
encrista s.f.
encristado adj.
encristar-se v.
encristinar v.
encromático adj.
encrostação s.f.
encrostado adj.
encrostar v.
encruado adj.
encruamento s.m.
encruar v.
encrudelecer v.
encrudescer v.
encruecer v.
encruelecer v.
encruentar v.
encrupir v.
encrustação s.f.
encrustar v.
encruza s.f.
encruzada s.f.
encruzado adj. s.m.
encruzamento s.m.
encruzar v.
encruzilhada s.f.
encruzilhadense adj. s.2g.
encruzilhado adj.
encruzilhar v.
encruzo s.m.
encuba s.f.
encubação s.f.
encubado adj.
encubagem s.f.
encubar v.
encucação s.f.
encucado adj.
encucamento s.m.
encucar v.
encucharrar v.
encueirar v.
enculpar v.
enculturação s.f.
encultural adj.2g.
enculturamento s.m.
enculturante adj.2g.
enculturar v.
enculturável adj.2g.
encúmano s.m.
encume s.m.
encumeada s.f.
encumeado adj.
encumear v.
encunhado adj.
encunhador (*ô*) s.m.
encunhamento s.m.
encunhar v.
encurralação s.f.
encurralado adj.
encurralamento s.m.
encurralar v.
encurrelhado adj.
encurrelhar v.
encurricado adj.
encurricar v.
encurrichar v.
encurrilha s.m.
encurrilhado adj.
encurrilhar v.
encurta s.m.
encurtado adj.
encurtadoiro s.m.
encurtador (*ô*) adj. s.m.
encurtadouro s.m.
encurtamento s.m.
encurtar v.
encurvação s.f.
encurvado adj.
encurvadura s.f.
encurvamento s.m.
encurvar v.
encutinhado adj.
encutinhar v.
endabdominal adj.2g.
endaca s.m.
endadelfia s.f.
endadelfo adj. s.m.
endameba s.f.
endamebiase s.f.
endamebíase s.f.
endamebídeo adj. s.m.
endaneurismorrafia s.f.
endangeíte s.f.
endangiite s.f.
endângio s.m.
endaortite s.f.
endapendicite s.f.
endarco adj.
endarterectomia s.f.
endartéria s.f.
endarterial adj.2g.
endartério s.m.
endarterite s.f.
endartrite s.f.
endaspidiano s.m.
endaspídio adj.
endavais s.m.pl.
endaval s.m.
endecha (*ê*) s.f.
endechador (*ô*) adj. s.m.
endechar v.
endechoso (*ô*) adj.; f. (*ó*); pl. (*ó*)
endectomia s.f.
endectômico adj.
endefluxado (*cs*) adj.
endefluxar-se (*cs*) v.
endeiética s.f.
endeiolita s.f.
endeixina (*cs*) s.f.
endejar v.
endelita s.f.
endelítico adj.
endellionita s.m.
endellita s.f.
endellítico adj.
endemepidemia s.f.
endemepidêmico adj.
endemia s.f.
endemicidade s.f.
endêmico adj.
endemiologia s.f.
endemiológico adj.
endemiologista s.2g.
endemiólogo s.m.
endemismo s.m.
endemista adj. s.2g.
endemístico adj.
endemizar v.
endemoepidemia s.f.
endemoepidêmico adj.
endemonia s.f.
endemoniação s.f.
endemoniado adj. s.m.
endemoniar s.f.
endemônico adj.
endemoninhado adj. s.m.
endemoninhamento s.m.
endemoninhar v.
endemonismo s.m.
endemonista adj. s.2g.
endemonística s.f.
endemonístico adj.
endenergética s.f.
endenergético adj.
endengue s.m.
endenguice s.f.
endentação s.f.
endentado adj. s.m.
endentador (*ô*) adj.
endentadura s.f.
endentamento s.m.
endentar v.
endentecer v.
endenterite s.f.
endenzima s.f.
endenzimático adj.
endenzímico adj.
endenzimoide (*ó*) adj.2g.
endenzimótico adj.
endereçado adj.
endereçador (*ô*) adj.
endereçamento s.m.
endereçar v.
enderecista adj. s.2g.
endereço (*ê*) s.m.; cf. *endereço*, fl. do v. *endereçar*
enderença s.f.
enderence s.m.
enderenço s.m.
endergonia s.f.
endergônico adj.
endérmico adj.
endermose s.f.
endermótico adj.
êndero s.m.
enderodano adj. s.m.
enderoduno adj. s.m.
enderônico adj.
endes s.m.2n.
endesofagite s.f.
endestesia s.f.
endestésico adj.
endestético adj.
endeusação s.f.
endeusado adj.
endeusador (*ô*) adj.
endeusamento s.m.
endeusante adj.2g.
endeusar v.
endeusável adj.2g.
endexina (*cs*) s.f.
endez (*ê*) s.m.
endiabrado adj.
endiabrar v.
endiche s.m.
endilgadeira s.f.
endilgar v.
endimenina s.f.
endímio s.m.
endinhar v.
endinheirado adj.
endinheiramento s.m.
endinheirar v.
endireita s.m.
endireitado adj.
endireitamento s.m.
endireitar v.
endireitável adj.2g.
endireito s.m.
endireitura s.f.
endítico adj.
êndito s.m.
endiva s.f.
endívia s.f.
endividado adj.
endividamento s.m.
endividar v.
endlichita s.f.
endliquéria s.f.
endoado adj.
endoartéria s.f.
endoarterite s.f.
endobacilar adj.2g.
endobiose s.f.
endobiótico adj.
endoblado adj.
endoblástico adj.
endoblasto s.m.
endobrânquio s.m.
endocanibalismo s.m.
endocárdia s.f.
endocardíaco adj.
endocárdio s.m.
endocardiografar v.
endocardiografia s.f.
endocardiográfico adj.
endocardiograma s.m.
endocardite s.f.
endocardítico adj.
endocariogamia s.f.
endocarpado adj.
endocárpico adj.
endocárpio s.m.
endocarpo s.m.
endocavitário adj.
endocéfalo adj.
endocelário s.m.
endoceliaco adj.
endocelular adj.2g.
endocêntrico adj.
endocentrismo s.m.
endocentrista adj. s.2g.
endocentrístico adj.
endocervical adj.2g.
endocervicite s.f.
endocérvix s.f.
endocerviz s.f.
endócia s.m.
endocíclico adj. s.m.
endocímio adj.
endocimo s.m.
endocistite s.f.
endocisto s.m.
endócito s.m.
endocitose s.f.
endocitular adj.2g.
endocolite s.f.
endocolítico adj.
endocolo s.m.
endocolpite s.f.
endocolpítico adj.
endocomensal adj.2g. s.m.
endocondral adj.2g.
endoconídio s.m.
endocório s.m.
endocorpuscular adj.2g.
endocostocostal adj.2g.
endocraniano adj.
endocrânio s.m.
endocria s.f.
endócrina s.f.
endocrinastenia s.f.
endocrínico adj.
endocrínide s.f.
endocrinismo s.m.
endócrino adj.
endocrinologia s.f.
endocrinológico adj.
endocrinologista adj. s.2g.
endocrinólogo s.m.
endocrinopata s.2g.
endocrinópata s.2g.
endocrinopatia s.f.
endocrinopático adj.
endocrinose s.f.
endocrinoterapia s.f.
endocrinoterápico adj.
endocrinótico adj.
endocromo s.m.
endocruzado adj.
endocruzamento s.m.
endocruzante adj.2g.
endocruzar v.
endocruzável adj.2g.
endocutícula s.f.
endodeco adj.
endoderma s.m.
endoderme s.f.
endodérmico adj.
endodésmia s.f.
endodesmieia (*é*) s.f.
endodiascopia s.f.
endodiascópico adj.
endodigestivo adj.
endodontia s.f.

endodôntico adj.
endodontista s.2g.
endodontite s.f.
endoenças s.f.pl.
endoenergético adj.
endoenterite s.f.
endoérgico adj.
endoesofagite s.f.
endoesternítico adj.
endoesternito s.m.
endoestesia s.f.
endofaringe s.f.
endofaríngeo adj.
endofasia s.f.
endofásico adj.
endofauna s.f.
endofilácea s.f.
endofiláceo adj.
endofilaxia (*cs*) s.f.
endofilo s.m.
endófita s.f.
endofítico adj.
endófito adj. s.m.
endoflebia s.f.
endoflebite s.f.
endofleódico adj.
endoflora s.f.
endofloral adj.2g.
endoflorístico adj.
endóforo s.m.
endofragma s.m.
endofragmal adj.2g.
endofragmático adj.
endofrágmico adj.
endoftalmite s.f.
endogamia s.f.
endogâmico adj.
endógamo adj. s.m.
endogás s.m.
endogastrectomia s.f.
endogastrectômico adj.
endogástrico adj.
endogastrite s.f.
endogastrítico adj.
endógena s.f.
endógene adj.2g.
endogênese s.f.
endogenético adj.
endogenia s.f.
endogênico adj.
endógeno adj.
endogenoto s.m.
endoglobular adj.2g.
endognácea s.f.
endognáceo adj.
endognatia s.f.
endógone s.f.
endogonídio s.m.
endogonínea s.f.
endogoníneo adj. s.m.
endogônio s.m.
endoidante adj.2g.
endoidar v.
endoidecedor (*ô*) adj.
endoidecer v.
endoidecido adj.
endoidecimento s.m.
endoído adj.
endolabirintite s.f.
endolabirintítico adj.
endolacunar adj.2g.
endolemal adj.2g.
endolemático adj.
endolimace s.m.
endolímax (*cs*) s.m.
endolinfa s.f.
endolinfático adj.
endolisina s.f.
endolítico adj.
endolorecer v.
endolorecimento s.m.
endolorido adj.
endometamórfico adj.
endometamorfismo s.m.
endometrectomia s.f.
endometrectômico adj.
endometria s.f.
endométrico adj.
endométrio s.m.
endometrioma s.m.
endometriomático adj.
endometriose s.f.
endometriótico adj.
endometrite s.f.
endometrítico adj.
endômice s.m.
endomicetácea s.f.
endomicetáceo adj.
endomicetal adj.2g.
endomicetale s.f.
endomiceto s.m.
endomicídeo adj. s.m.
endômico s.m.
endomicose s.f.
endomicótico adj.
endomingado adj.
endomingar v.
endomingueirado adj.
endomiocardite s.f.
endomiquídeo adj. s.m.
endomísio s.m.
endomitose s.f.
endomitótico adj.
endomorfia s.f.
endomórfico adj.
endomorfina s.f.
endomorfismo s.m.
endomorfo adj. s.m.
endondecer v.
endonefrite s.f.
endonefrítico adj.
endoneural adj.2g.
endonêurio s.m.
endoneurite s.f.
endoneurítico adj.
endoneuro s.m.
endonorma s.f.
endonuclear adj.2g.
endonuclease s.f.
endoparasita adj.2g. s.m.
endoparasitário adj.
endoparasítico adj.
endoparasitismo s.m.
endoparasito adj. s.m.
endopatia s.f.
endopático adj.
endopelicoscopia s.f.
endopelicoscópico adj.
endopélvico adj.
endopeptidase s.f.
endopeptídase s.f.
endopeptidásico adj.
endopeptidático adj.
endoperiarterite s.f.
endoperiarterítico adj.
endopericárdico adj.
endopericárdio s.m.
endopericardite s.f.
endopericardítico adj.
endoperídio s.m.
endoperimiocardite s.f.
endoperimiocardítica adj.
endoperitoneal adj.2g.
endoplasma s.m.
endoplasmático adj.
endoplásmico adj.
endopleura s.f.
endopleural adj.2g.
endópode s.m.
endopódio s.m.
endopodite s.f.
endopódito s.m.
endópodo s.m.
endopoliploide (*ó*) adj.2g.
endopoliploidia s.f.
endoprocto s.m.
endoprótese s.f.
endóptera s.f.
endopterigoto adj. s.m.
endóptilo adj.
endoptria s.f.
endóptrico adj.
endorfina s.f.
endorradiografia s.f.
endorradiográfico adj.
endorradioterapia s.f.
endorradioterápico adj.
endorraque s.f.
endorraquiano adj.
endorraquidiano adj.
endorreia (*é*) s.f.
endorreico (*é*) adj.
endorreísmo s.m.
endorrinite s.f.
endorrinítico adj.
endorrizo adj.
endorsamento s.m.
endorsar v.
endoscopia s.f.
endoscópico adj.
endoscópio s.m.
endosfera s.f.
endosférico adj.
endosmometria s.f.
endosmométrico adj.
endosmômetro s.m.
endosmose s.f.
endosmótico adj.
endosperma s.m.
endospermático adj.
endospermatoso (*ô*) adj.; f. (*ó*); pl. (*ó*)
endospérmico adj.
endospermo s.m.
endospórea s.f.
endospóreo adj.
endospórico adj.
endospório adj. s.m.
endósporo adj. s.m.
endosquelético adj.
endosqueleto (*ê*) s.m.
endossabilidade s.f.
endossado adj.
endossador (*ô*) adj. s.m.
endossalpinge s.f.
endossamento s.m.
endossante adj. s.2g.
endossar v.
endossarco s.m.
endossatário s.m.
endossável adj.2g.
endosse (*ô*) s.m.
endossecretório adj.
endossepsia s.f.
endossimbionte s.m.
endossimbiose s.f.
endossimbiótico adj.
endosso (*ô*) s.m.; cf. *endosso*, fl. do v. *endossar*
endosso-caução s.m.; pl. *endossos-caução* e *endossos-cauções*
endossoma s.m.
endosso-mandato s.m.; pl. *endossos-mandato* e *endossos-mandatos*
endosteal adj.2g.
endosteíte s.f.
endostélico adj.
endostemo s.m.
endósteo s.m.
endosteoma s.m.
endosternítico adj.
endosternito s.m.
endostesia s.f.
endostetoscopia s.f.
endostetoscópico adj.
endostetoscópio s.m.
endostilo s.m.
endóstoma s.m.
endostômio s.m.
endostose s.f.
endóstraco s.m.
endoteca s.f.
endotecal adj.2g.
endotecário adj.
endotécia s.f.
endotécio s.m.
endotelial adj.2g.
endotelina s.f.
endotélio s.m.
endoteliócito s.m.
endoteliocitose s.f.
endotelioide (*ó*) adj.2g.
endoteliolítico adj.
endotelioma s.m.
endoteliomioma s.m.
endoteliomixoma (*cs*) s.m.
endotelite s.f.
endotermia s.f.
endotérmica s.f.
endotérmico adj.
endotermo adj. s.m.
endótia s.m.
endotimia s.f.
endotímico adj.
endotina s.f.
endotira s.m.
endotirídeo adj. s.m.
endotiríneo adj. s.m.
endotorácico adj.
endotóxico (*cs*) adj.
endotoxina (*cs*) s.f.
endotraqueal adj.2g.
endotraqueíte s.f.
endotraquelite s.f.
endótrica s.m.
endótrix s.m.
endotrófico adj.
endótrofo adj.
endoudar v.
endoudecedor (*ô*) adj.
endoudecer v.
endoudecimento s.m.
endouto adj.
endoutrinamento s.m.
endoutrinar v.
endovasculite s.f.
endovasculítico adj.
endovenoso (*ô*) adj.; f. (*ó*); pl. (*ó*)
endóxilo (*cs*) adj.
endozoário s.m.
endozoico (*ó*) adj.
endozoocoria s.f.
endozoocórico adj.
endragar v.
endrão s.m.
endréssia s.f.
endríaco s.m.
endríago s.m.
endrina s.f.
endro s.m.
endro-maior s.m.; pl. *endros-maiores*
endrômide s.f.
endrômina s.f.
endrominar v.
endrômio s.m.
êndromis s.m.2n.
endua s.f.
enduape s.m.
endudo s.m.
enduiá s.m.
endulcinado adj.
endumba s.f.
enduração s.f.
endurado adj.
enduramento s.m.
endurar v.
endurecedor (*ô*) adj. s.m.
endurecer v.
endurecido adj. s.m.
endurecimento s.m.
endurecível adj.2g.
endurentar v.
endurido adj.
enduro s.m.
enduxiquirape s.m.
ene s.m.
eneaborânico adj.
eneaborano s.m.
eneacanto adj.
eneacórdio s.m.
enéada adj.2g.
eneadáctilo adj.
eneadátilo adj.
enéade s.f.
eneadecaetéride s.f.
eneaédrico adj.
eneaedro s.m.
eneafilo adj.
eneaginia s.f. "qualidade de eneágino"; cf. *eneagínia*
eneagínia s.f. "planta"; cf. *eneaginia*
eneágino adj.
eneagonal adj.2g.
eneágono adj. s.m.
eneandria s.f.
eneândria s.f.
eneândrico adj.
eneandro adj.
eneantera s.f.
eneapétalo adj.
eneápogão s.m.
eneapógon s.m.
eneartrão s.m.
eneártron s.m.
eneaspermo adj.
eneassépalo adj.
eneassilábico adj.
eneassílabo adj. s.m.
eneate adj. s.2g.
eneatéride s.f.
enebriamento s.m.
enebriante adj.2g.
enebriar v.
enecádia adj. s.2g.
enecaula adj. s.f.
enedrente s.m.
eneemímere adj.2g.
enegésimo num.
enegrecedor (*ô*) adj. s.m.
enegrecer v.
enegrecido adj.
enegrecimento s.m.
eneide adj.2g.
eneidense adj. s.2g.
eneilema s.m.
enel s.m.
eneletrólise s.f.
enema s.m.
enemático adj.
enêmico adj.
enemutuense adj. s.2g.
enenecontaédrico adj.
enenecontaedro s.m.
enenecontagonal adj.2g.
enenecontágono s.m.
enense adj. s.2g.
êneo adj.
eneolítico adj. s.m.
eneóptero s.m.
eneorema s.m.
enequim s.m.
energeteno s.m.
energética s.f.
energeticismo s.m.
energeticista adj. s.2g.
energeticístico adj.
energético adj.
energetismo s.m.
energetista adj. s.2g.
energetístico adj.
energia s.f.
enérgico adj.
enérgide s.f.
energismo s.m.
energista adj. s.2g.
energístico adj.
energização s.f.
energizado adj.
energizar v.
energumênico adj.
energúmeno s.m.
enervação s.f.; cf. *inervação*
enervado adj.; cf. *inervado*
enervador (*ô*) adj.
enervamento s.m.
enervância s.f.
enervante adj.2g.
enervar v. "tirar o domínio dos nervos"; cf. *inervar*
enerve adj.2g.
enérveo adj.
enervose s.f.
enesgado adj.
enesgar v.
enésimo num.
enesol s.m.
enético adj.
enéus s.m.
enevar v.
enevoado adj.
enevoamento s.m.
enevoante adj.2g.
enevoar v.
enfaceirado adj.
enfaceirar v.
enfachocado adj.
enfachocar v.
enfadadiço adj. s.m.
enfadado adj.
enfadador (*ô*) adj.

enfadamento s.m.
enfadante adj.2g.
enfadar v.
enfado s.m.
enfadonhação s.f.
enfadonhamento s.m.
enfadonho adj.
enfadoso (*ô*) adj.; f. (*ó*); pl. (*ó*)
enfaiscar v.
enfaixado adj.
enfaixamento s.m.
enfaixar v.
enfaixe s.m.
enfandangado adj.
enfandegado adj.
enfangar v.
enfanicar v.
enfarado adj.
enfaramento s.m.
enfarar v.
enfardadeira s.f.
enfardado adj.
enfardador (*ô*) adj. s.m.
enfardadora (*ô*) s.f.
enfardagem s.f.
enfardamento s.m.
enfardar v.
enfardelado adj.
enfardelamento s.m.
enfardelar v.
enfardoado adj.
enfardoar v.
enfardonado adj.
enfardonar v.
enfareado adj.
enfarear v.
enfarelado adj.
enfarelar v.
enfarfalhado adj.
enfarfalhar v.
enfarinhadela s.f.
enfarinhado adj. s.m.
enfarinhamento s.m.
enfarinhar v.
enfarna s.f.
enfarnar v.
enfaro s.m.
enfaroar v.
enfaroso (*ô*) adj.; f. (*ó*); pl. (*ó*)
enfarpado adj.
enfarpar v.
enfarpelado adj.
enfarpelar v.
enfarrapado adj.
enfarrapar v.
enfarripado adj.
enfarruscado adj.
enfarruscamento s.m.
enfarruscar v.
enfartação s.f.
enfartado adj.
enfartamento s.m.
enfartante adj.2g.
enfartar v.
enfartável adj.2g.
enfarte s.m.
enfarto s.m.
enfascalar v.
ênfase s.f.
enfastiação s.f.
enfastiadiço adj.
enfastiado adj.
enfastiador (*ô*) adj.
enfastiamento s.m.
enfastiante adj.2g.
enfastiar v.
enfastioso (*ô*) adj.; f. (*ó*); pl. (*ó*)
enfastização s.f.
enfático adj.
enfatiotado adj.
enfatiotar v.
enfatismo s.m.
enfatizabilidade s.f.
enfatizado adj.
enfatizador (*ô*) adj.
enfatizante adj.2g.
enfatizar v.
enfatizável adj.2g.
enfatuação s.f.
enfatuado adj.
enfatuamento s.m.
enfatuar v.
enfeada adj.; cf. *enfiada*
enfeado adj.; cf. *enfiado*
enfear v. "tornar feio"; cf. *enfiar*
enfebrado adj.
enfebrar v.
enfebrecer v.
enfebrecido adj.
enfechelado adj.
enfechelar v.
enfedilhação s.f.
enfedilhado adj.
enfedilhar v.
enfedorentado adj.
enfeirar v.
enfeitadeira s.f.
enfeitado adj.
enfeitador (*ô*) adj. s.m.
enfeitamento s.m.
enfeitar v.
enfeite s.m.
enfeitiçado adj.
enfeitiçador (*ô*) adj. s.m.
enfeitiçamento s.m.
enfeitiçante adj.2g.
enfeitiçar v.
enfeitiçável adj.2g.
enfeixado adj.
enfeixador (*ô*) adj. s.m.
enfeixamento s.m.
enfeixar v.
enfelpado adj.
enfelpar v.
enfeltrar v.
enfelujar v.
enfenado adj.
enfenar v.
enfenecer v.
enfenecido adj.
enféria s.f.
enfermado adj.
enfermagem s.f.
enfermar v.
enfermaria s.f.
enfermeiro s.m.
enfermiço adj.
enfermidade s.f. "doença"; cf. *infirmidade*
enfermo (*ê*) adj. s.m.; cf. *enfermo*, fl. do v. *enfermar*
enferrada s.f.
enferradela s.m.
enferrado adj.
enferrar v.
enferretar v.
enferrolhar v.
enferrujadinho s.m.
enferrujado adj.
enferrujamento s.m.
enferrujar v.
enfervecer v.
enfesta s.f. "cume"; cf. *infesta* s.f. e fl. do v. *infestar*
enfestação s.f.; cf. *infestação*
enfestado adj.; cf. *infestado*
enfestador (*ô*) s.m.; cf. *infestador*
enfestar v. "fazer aumentar"; cf. *infestar*
enfesto (*ê*) adj. s.m. "inclinado", etc.; cf. *enfesto*, fl. do v. *enfestar*, *infesto* adj. e fl. do v. *infestar*
enfestoado adj.
enfestoar v.
enfestonação s.f.
enfestonado adj.
enfestonar v.
enfeudação s.f.
enfeudado adj.
enfeudamento s.m.
enfeudar v.
enfeza s.f.
enfezado adj.
enfezador (*ô*) adj.
enfezamento s.m.
enfezante adj.2g.
enfezar v.
enfezinar v.
enfia s.f.
enfiação s.f.
enfiada s.f.; cf. *enfeada*
enfiadeira s.f.
enfiado adj.; cf. *enfeado*
enfiadoiro s.m.
enfiador (*ô*) s.m.
enfiadouro s.m.
enfiadura s.f.
enfiamento s.m.
enfiar v. "meter fio"; cf. *enfear*
enfibratura s.f.
enfieira s.f.
enfieirar v.
enfileiração s.f.
enfileirado adj.
enfileirador (*ô*) adj.
enfileiramento s.m.
enfileirar v.
enfilo s.m.
enfim adv.
enfincação s.f.
enfincado adj.
enfincar v.
enfirmar v. "afirmar"; cf. *infirmar*
enfisaterapia s.f.
enfisema s.m.
enfisemático adj.
enfisematoso (*ô*) adj.; f. (*ó*); pl. (*ó*)
enfistulado adj.
enfistular v.
enfitadora (*ô*) s.f.
enfitar v.
enfiteuse s.f.
enfiteuta s.2g.
enfiteuticação s.f.
enfiteuticado adj.
enfiteuticar v.
enfiteuticário adj.
enfitêutico adj.
enfitia s.f.
enfitismo s.m.
enfito s.m.
enfiuzado adj.
enfiuzar v.
enfivelamento s.m.
enfivelar v.
enfixar (*cs*) v.
enflaitar v.
enflanelar v.
enflanque s.m.
enfleimado adj.
enfleimar v.
enflocado adj.
enfloração s.f.
enflorado adj.
enfloragem s.f.
enflorar v.
enfloreado adj.
enflorear v.
enflorescer v.
enflorescido adj.
enflorestado adj.
enfobiar v.
ênfobo s.m.
enfocação s.f.
enfocado adj.
enfocador (*ô*) adj.
enfocamento s.m.
enfocar v.
enfocável adj.2g.
enfocinhado adj.
enfogar v.
enfoiçado adj.
enfoiçar v.
enfolado adj.
enfolar v.
enfolechar v.
enfolhação s.f.
enfolhado adj.
enfolhamento s.m.
enfolhar v.
enfolhescência s.f.
enfolipado adj.
enfolipar v.
enfonder v.
enfondiçado adj.
enfoque s.m.
enforcadinho s.m.
enforcado adj. s.m.
enforcadouro s.m.
enforcamento s.m.
enforcar v.
enforjar v.
enforma s.f.; cf. *informa*, fl. do v. *informar*
enformação s.f.; cf. *informação*
enformadeira s.f.
enformado adj.; cf. *informado*
enformador (*ô*) adj. s.m.; cf. *informador*
enformagem s.f.
enformar v. "pôr em forma"; cf. *informar*
enformosar v.
enformosear v.
enforna s.f.
enfornação s.f.
enfornadeira s.f.
enfornado adj.
enfornamento s.m.
enfornar v.
enforquilhado adj.
enforquilhamento s.m.
enforquilhar v.
enforrar v.
enforro (*ô*) s.m.; cf. *enforro*, fl. do v. *enforrar*
enfortar v.
enfortecer v.
enfortir v.
enfouçado adj.
enfouçar v.
enfracamento s.m.
enfracar v.
enfráctico adj. s.m.
enfragado adj.
enfragar v.
enfragma s.m.
enfragmático adj.
enfraldicar v.
enfranjado adj.
enfranjar v.
enfranque s.m.
enfranquear v.
enfraquecedor (*ô*) adj.
enfraquecer v.
enfraquecido adj.
enfraquecimento s.m.
enfraquentado adj.
enfraquentar v.
enfrascado adj.
enfrascamento s.m.
enfrascar v.
enfrático adj. s.m.
enfraxia (*cs*) s.f.
enfreado adj.
enfreador (*ô*) adj. s.m.
enfreadura s.f.
enfreamento s.m.
enfrear v.
enfrechado adj.
enfrechadura s.f.
enfrechar v.
enfrechate s.m.
enfrenado adj.
enfrenar v.
enfrenesiação s.f.
enfrenesiado adj.
enfrenesiador (*ô*) adj.
enfrenesiamento s.m.
enfrenesiante adj.2g.
enfrenesiar v.
enfrenisado adj.
enfrenisar v.
enfrentação s.f.
enfrentado adj.
enfrentador (*ô*) adj.
enfrentamento s.m.
enfrentante adj.2g.
enfrentar v.
enfrestado adj.
enfrestar v.
enfriação s.f.
enfriado adj.
enfriador (*ô*) adj.
enfriamento s.m.
enfriar v.
enfroixecer v.
enfrondar v.
enfrondecido adj.
enfronhação s.f.
enfronhado adj.
enfronhamento s.m.
enfronhar v.
enfronho s.m.
enfrontado adj.
enfrontador (*ô*) adj.
enfrontamento s.m.
enfrontar v.
enfrontes s.m.pl.
enfrouxecer v.
enfrouxecido adj.
enfrutado adj.
enfrutar v.
enfrutecer v.
enfrutecido adj.
enfrutecimento s.m.
enfuar v.
enfueirada s.f.
enfueirado adj.
enfueirar v.
enfuleimado adj.
enfuleimar v.
enfulijar v.
enfumaçado adj.
enfumação s.f.
enfumaçar v.
enfumado adj.
enfumagem s.f.
enfumar v.
enfumarado adj.
enfumarar v.
enfumável adj.2g. "escurecível com fumo"; cf. *infumável*
enfunação s.f.
enfunado adj.
enfunador (*ô*) adj.
enfunante adj.2g.
enfunar v.
enfunável adj.2g.
enfunerar v.
enfunilado adj.
enfunilamento s.m.
enfunilar v.
enfuniscar v.
enfurdar v.
enfurecer v.
enfurecido adj.
enfurecimento s.m.
enfuriação s.f.
enfuriado adj.
enfuriador (*ô*) adj.
enfuriamento s.m.
enfuriar v.
enfurnação s.f.
enfurnado adj.
enfurnador (*ô*) adj.
enfurnamento s.m.
enfurnante adj.2g.
enfurnar v.
enfurnável adj.2g.
enfusar v.
enfusca s.f.
enfuscado adj.
enfuscar v.
enfusta s.f.
enfustado adj.
enfustamento s.m.
enfustar v.
enfuste s.m.
enfústico adj.
enfuzilação s.f.
enfuzilamento s.m.
enfuzilar v.
enga s.f.
engabelação s.f.
engabelado adj.
engabelador (*ô*) adj. s.m.
engabelamento s.m.
engabelante adj.2g.
engabelar v.
engabelo (*ê*) s.m.; cf. *engabelo*, fl. do v. *engabelar*
engabrichar v.
engaçar v.
engacieira s.f.
engaço s.m.
engadanhado adj.
engadanhar-se v.

engadelha (*ê*) s.f.
engadelhado adj.
engadelhar v.
engadino adj. s.m.
engado adj.
engafecer v.
engaiado adj.
engaiamento s.m.
engaiar v.
engaifonar v.
engaio s.m.
engaiolação s.f.
engaiolado adj.
engaiolamento s.m.
engaiolar v.
engaitado adj.
engajado adj. s.m.
engajador (*ô*) adj. s.m.
engajamento s.m.
engajante adj.2g.
engajar v.
engajatado adj.
engajatar v.
engajavatado adj.
engajável adj. s.2g.
engala s.f.
engalado adj.
engalanação s.f.
engalanado adj.
engalanador (*ô*) adj.
engalanamento s.m.
engalanar v.
engalanear v.
engalapar v.
engalar v.
engaldrapado adj.
engaldrapar v.
engaldrapo s.m.
engaldripado adj.
engaldripar v.
engalear v.
engaleirado adj.
engalfinhado adj.
engalfinhador (*ô*) adj.
engalfinhamento s.m.
engalfinhar v.
engalgado adj.
engalgar v.
engalhado adj.
engalhar v.
engalhardear v.
engalhardecer v.
engalhardetado adj.
engalhardetar v.
engalheira s.f.
engalho s.m.
engalhopado adj.
engalhopar v.
engalhoso (*ô*) adj.; f. (*ó*); pl. (*ó*)
engalhotar v.
engaliar v.
engalicação s.f.
engalicado adj.
engalicador (*ô*) adj.
engalicamento s.m.
engalicante adj.2g.
engalicar v.
engalicismar v.
engalinhado adj.
engalinhar v.
engalispar-se v.
engalopar v.
engalricado adj.
engalriçado adj.
engalriçar v.
engambelação s.m.
engambelador (*ô*) adj.
engambelar v.
engambelo (*ê*) s.m.
engambitar v.
engambo s.m.
engamelado adj.
engamelar v.
engamiado adj.
engana-bobo s.m.; pl. *engana-bobos*
enganação s.f.
enganadeiro adj. s.m.
enganadiço adj.
enganado adj.
enganador (*ô*) adj. s.m.
enganar v.
engana-rapazes s.f.2n.
engana-tico s.m.; pl. *engana-ticos*
engana-tico-tico s.m.; pl. *engana-tico-ticos*
engana-tolo s.m.; pl. *engana-tolos*
engana-vista s.m.; pl. *engana-vistas*
enganchado adj.
enganchamento s.m.
enganchar v.
enganche s.m.
enganço s.m.
enganense adj. s.2g.
enganga s.m.
engangorrado adj.
engangorrar v.
engangrenado adj.
engangrenamento s.m.
engangrenar v.
enganice s.f.
enganido adj.
enganifa s.f.
enganir v.
enganjento adj.
engano s.m.
enganoso (*ô*) adj.; f. (*ó*); pl. (*ó*)
engar v.
engarampar v.
engaranhado adj.
engaranhar v.
engaranhido adj.
engaranho adj. s.m.
engarantar v.
engarapar v.
engaravitado adj.
engaravitar-se v.
engarbonar v.
engarela s.f.
engarelha (*ê*) s.f.
engarfada s.f.
engarfado adj.
engarfar v.
engargado adj.
engargantado adj.
engargantar v.
engarguelar v.
engarilho s.m.
engarradeira s.f.
engarrafadeira s.f.
engarrafado adj.
engarrafador (*ô*) adj. s.m.
engarrafagem s.f.
engarrafamento s.m.
engarrafar v.
engarrar v.
engarupado adj.
engarupar-se v.
engascado adj.
engasgação s.f.
engasgado adj.
engasga-gato s.m.; pl. *engasga-gatos*
engasgalhado adj.
engasgalhar v.
engasgamento s.m.
engasgar v.
engasgatar v.
engasga-vaca s.f.; pl. *engasga-vacas*
engasgo s.m.
engasgue s.m.
engasguetado adj.
engasguetamento s.m.
engastado adj.
engastador (*ô*) adj. s.m.
engastalhar v.
engastamento s.m.
engastar v.
engaste s.m.
engastoar v.
engastrimitismo s.m.
engastrimitista s.2g.
engástrio s.m.
engatadeira s.f.
engatado adj.
engatador (*ô*) adj. s.m.
engatalhar v.
engatamento s.m.
engatanhar v.
engatar v.
engate s.m.
engatiçar v.
engatilhado adj.
engatilhar v.
engatinhadeira s.f.
engatinhado adj.
engatinhante adj.2g.
engatinhar v.
engavelado adj.
engavelador (*ô*) adj. s.m.
engaveladora (*ô*) s.f.
engavelar v.
engavetado adj.
engavetamento s.m.
engavetar v.
engavinhar v.
engaxo s.m.
engazofilar v.
engazopação s.f.
engazopado adj.
engazopador (*ô*) adj. s.m.
engazopamento s.m.
engazopar v.
engazupador (*ô*) adj. s.m.
engazupamento s.m.
engazupar v.
engear v.
engeco s.m.
engegado adj.
engelha (*ê*) s.f.
engelhado adj.
engelhamento s.m.
engelhar v.
engelhardtita s.f.
engelhido adj.
engelim s.m.
engelino adj. s.m.
engeminação s.f.
engeminar v.
engendração s.f.
engendrado adj.
engendrador (*ô*) adj.
engendramento s.m.
engendrar v.
engendro s.m.
engenhado adj.
engenhador (*ô*) adj. s.m.
engenhar v.
engenharia s.f.
engenheiral adj.2g.
engenheirando adj. s.m.
engenheiro s.m.
engenheiro-agrônomo s.m.; pl. *engenheiros-agrônomos*
engenheiro-beltranense adj. s.2g.; pl. *engenheiro-beltranenses*
engenheiro-paulense adj. s.2g.; pl. *engenheiro-paulenses*
engenheiro-residente s.m.; pl. *engenheiros-residentes*
engenhense adj. s.2g.
engenhim s.m.
engenho s.m.
engenhoca s.f.
engenho de fitas s.m.
engenhoqueiro adj. s.m.
engenhosidade s.f.
engenhoso (*ô*) adj.; f. (*ó*); pl. (*ó*)
engenioso (*i-ô*) adj.; f. (*ó*); pl. (*ó*)
engerido adj.; cf. *ingerido*
engerir-se v. "encolher-se"; cf. *ingerir*
engerocado adj.
engerocar v.
engessado adj.
engessador (*ô*) adj. s.m.
engessadura s.f.
engessamento s.m.
engessar v.
engíbata s.f.
engica s.f.
engicar v.
engidíneo adj. s.m.
engigar v.
engisoma s.m.
engiva s.f.
englelê s.m.
englerastro s.m.
engléria s.f.
englerofênix (*s* ou *cs*) s.f.
englishita s.f.
englobação s.f.
englobamento s.m.
englobar v.
englobular v.
engo s.m.
engobo (*ô*) s.m.
engodado adj.
engodador (*ô*) s.m.
engodamento s.m.
engodar v.
engodativo adj.
engodilhado adj.
engodilhar v.
engodo (*ô*) s.m.; cf. *engodo*, fl. do v. *engodar*
engofar v.
engogar-se v.
engoiado adj.
engoiar-se v.
engoio s.m.
engoivar v.
engoldrão s.m.
engole-espadas s.2g.2n.
engolega s.m.
engole-malagueta s.m.; pl. *engole-malaguetas*
engole-vento s.m.; pl. *engole-ventos*
engolfado adj.
engolfamento s.m.
engolfar v.
engolição s.f.
engolideiras s.f.pl.
engolido adj.
engolidor (*ô*) adj. s.m.
engolipar v.
engolir v.
engolível adj.2g.
engolpar v.
engoma s.f.
engomação s.f.
engomadaria s.f.
engomadeira s.f.
engomadela s.f.
engomado adj. s.m.
engomador (*ô*) adj. s.m.
engomadoria s.f.
engomadura s.f.
engomagem s.f.
engomar v.
engombe s.m.
engonar v.
engonatão s.m.
engonçado adj. s.m.
engonçar v.
engonço s.m.
engoneação s.f.
engonear v.
engonfado adj. s.m.
engonfar v.
engongeiro adj. s.m.
engongido adj.
engonha s.2g.
engonhar v.
engonhido adj.
engonido adj.
engono s.m.
engorda s.f.
engordado adj.
engorda-magro s.m.; pl. *engorda-magros*
engordamento s.m.
engordar v.
engordativo adj.
engorde s.m.
engordo (*ô*) s.m.; cf. *engordo*, fl. do v. *engordar*
engorduração s.f.
engordurado adj.
engorduramento s.m.
engordurar v.
engorgido adj.
engorgitar v.
engorjado adj.
engorlar adj.
engorolado adj.
engorolador (*ô*) adj. s.m.
engorolar v.
engorovinhado adj.
engorovinhar v.
engorra (*ô*) s.f.; cf. *engorra*, fl. do v. *engorrar-se*
engorrar-se v.
engorrear-se v.
engorvilhamento s.m.
engorvinhado adj.
engorvinhar v.
engos s.m.pl.
engoteirado adj.
engóvio adj.
engoxa (*ô*) s.f.
engra s.f.
engraçadinho adj. s.m.
engraçado adj. s.m.
engraçador (*ô*) adj.
engraçamento s.m.
engraçar v.
engradação s.f.
engradado adj. s.m.
engradador (*ô*) adj. s.m.
engradagem s.f.
engradamento s.m.
engradar v.
engradeado adj.
engradeador (*ô*) adj. s.m.
engradeamento s.m.
engradear v.
engradecer v.
engraduação s.f.
engraecer v.
engralhar v.
engrama s.m.
engramático adj.
engrambelação s.f.
engrambelador (*ô*) adj. s.m.
engrambelar v.
engrambelo (*ê*) s.m.; cf. *engrambelo*, fl. do v. *engrambelar*
engrampado adj.
engrampador (*ô*) adj. s.m.
engrampamento s.m.
engrampar v.
engramponar v.
engrandecedor (*ô*) adj. s.m.
engrandecer v.
engrandecido adj.
engrandecimento s.m.
engrandoso (*ô*) adj.; f. (*ó*); pl. (*ó*)
engranzado adj.
engranzador (*ô*) adj. s.m.
engranzagem s.f.
engranzamento s.m.
engranzar v.
engrassar v.
engraulídeo adj. s.m.
engravatado adj.
engravatar v.
engravatizar v.
engravescente adj.2g.
engravescer v.
engravescido adj.
engravidação s.f.
engravidado adj.
engravidador (*ô*) adj.
engravidar v.
engravidecer v.
engravitado adj.
engravitar-se v.
engraxa s.m.
engraxação s.f.
engraxadeira s.f.
engraxadela s.f.
engraxado adj.
engraxador (*ô*) adj. s.m.
engraxadoria s.f.
engraxamento s.m.
engraxar v.
engraxataria s.f.
engraxate s.m.
engraxe s.m.
engrazado adj.
engrazar v.
engrazular v.
engrecer v.

engrelar v.
engrelhamento s.m.
engrelhar v.
engrenação s.f.
engrenado adj.
engrenador (*ô*) adj.
engrenagem s.f.
engrenamento s.m.
engrenar v.
engrenhado adj.
engrenhamento s.m.
engrenhar v.
engrideira s.f.
engrifado adj.
engrifamento s.m.
engrifar v.
engriguilhado adj.
engriguilho s.m.
engrilado adj.
engrilar v.
engrimança s.f.
engrimância s.f.
engrimanço s.m.
engrimar v.
engrimpado adj.
engrimpar-se v.
engrimpinado adj.
engrimpinar-se v.
engrimponado adj.
engrimponar-se v.
engrinaldado adj.
engrinaldar v.
engripação s.f.
engripado adj.
engripar v.
engrojar v.
engrolação s.f.
engrolado adj.
engrolador (*ô*) adj. s.m.
engrolamento s.m.
engrolar v.
engrolo (*ô*) s.m.; cf. *engrolo*, fl. do v. *engrolar*
engronhar v.
engrossa s.2g.
engrossação s.f.
engrossado adj.
engrossador (*ô*) adj. s.m.
engrossamento s.m.
engrossante adj. s.2g. s.m.
engrossar v.
engrossativo adj.
engrossentar v.
engrotar v.
engrouvinhado adj.
engrouvinhar v.
engrujado adj.
engrujar v.
engrumado adj.
engrumar v.
engrumecer v.
engrunação s.f.
engrunado s.m.
engrunar v.
engrunhado adj.
engrunhador (*ô*) adj.
engrunhar v.
engrunhido adj.
engrunhir v.
engrupir v.
engrutado adj.
engrutar v.
engruvinhado adj.
engruvinhamento s.m.
enguaxumado adj.
enguedelha (*ê*) s.f.
enguedelhar v.
enguenitado adj.
enguia s.f.
enguia-d'água-doce s.f.; pl. *enguias-d'água-doce*
enguiado adj.
enguia-do-mar s.f.; pl. *enguias-do-mar*
enguia-do-vinagre s.f.; pl. *enguias-do-vinagre*
enguia-elétrica s.f.; pl. *enguias-elétricas*
enguia-macha s.f.; pl. *enguias-machas*
enguião s.m.
enguia-solta s.f.; pl. *enguias-soltas*
enguiçado adj.
enguiçador (*ô*) adj. s.m.
enguiçamento s.m.
enguiçar v.
enguiço s.m.
enguinação s.f.
enguinane s.m.
enguirimanço s.m.
enguirlandado adj.
enguirlandar v.
enguizalhado adj.
enguizalhar v.
engularipar v.
engulhação s.f.
engulhado adj.
engulhamento s.m.
engulhar v.
engulhento adj.
engulho s.m.
engulhoso (*ô*) adj.; f. (*ó*); pl. (*ó*)
engulipar v.
enguloseimar v.
engulosinado adj.
engulosinar v.
engundado adj.
engundar v.
engunhar v.
engunho s.m.
engurujado adj.
engurujar v.
engurunhido adj.
engurunhir v.
enhapupe s.m.
enho s.m.
eníada adj. s.2g.
eniálio s.m.
eniane adj. s.2g.
enibu s.m.
ênica s.f.
ênico s.m.
enicócero s.m.
enicocicla s.f.
enicógnato s.m.
enícola adj. s.2g.
eniconeta s.f.
enicórnis s.m.2n.
enicostema s.m.
enicotarso s.m.
enicuro s.m.
enidra s.f.
enídride s.f.
enidrita s.f.
enidro adj.
ênidro adj.
eniense adj. s.2g.
enigma s.m.
enigmar v.
enigmática s.f.
enigmático adj.
enigmatismo s.m.
enigmatista adj. s.2g.
enigmatístico adj.
enigmatita s.f.
enigmatite s.f.
enigmatizado adj.
enigmatizador (*ô*) adj.
enigmatizante adj.2g.
enigmatizar v.
enigmatizável adj.2g.
enigmista adj. s.2g.
enigmograma s.m.
enilema s.m.
enilismo s.m.
enimagá adj. s.2g.
enino s.m.
enióideo s.m.
enito s.m.
enjaca s.f.
enjaezar v.
enjalgado adj.
enjalgamento s.m.
enjalgar v.
enjambrado adj.
enjambrar v.
enjangado adj.
enjangar v.
enjangrar v.
enjarelo s.m.
enjaulado adj.
enjaulamento s.m.
enjaular v.
enjeira s.f.
enjeirar v.
enjeitação s.f.
enjeitado adj. s.m.
enjeitador (*ô*) adj. s.m.
enjeitamento s.m.
enjeitar v.
enjeitável adj.2g.
enjeite s.m.
enjerido adj.; cf. *ingerido*
enjerir-se v. "encolher-se"; cf. *ingerir*
enjerizar v.
enjica s.f.
enjicado adj.
enjicar v.
enjoadiço adj.
enjoado adj. s.m.
enjoamento s.m.
enjoar v.
enjoativo adj.
enjogó s.m.
enjoiado adj.
enjoiar v.
enjoinar v.
enjojo (*ô*) s.m.
enjoló s.m.
enjonar v.
enjoo (*ô*) s.m.
enjooso (*ô*) adj.; f. (*ó*); pl. (*ó*)
enjorcado adj.
enjorcar v.
enjórdio s.m.
enjorgar v.
enjoujar v.
enjuanar v.
enjudado adj.
enjugamento s.m.
enjugar v.
enjunçar v.
enjunta s.f.
enlabaredar v.
enlabiar v.
enlabirintar v.
enlabruscar v.
enlaçado adj.
enlaçador (*ô*) adj. s.m.
enlaçadura s.f.
enlaçamento s.m.
enlaçante adj.2g.
enlaçar v.
enlaçarotado adj.
enlaçarotar v.
enlaçável adj.2g.
enlace s.m.
enlacrar v.
enladeirado adj.
enladeirar v.
enlaga s.f.
enlagar v.
enlagariçado adj.
enlagostado adj.
enlaivado adj.
enlaivar v.
enlambujar v.
enlambuzadela s.f.
enlambuzado adj.
enlambuzamento s.m.
enlambuzar v.
enlameação s.f.
enlameado adj.
enlameadura s.f.
enlamear v.
enlaminado adj.
enlaminar v.
enlanguescedor (*ô*) adj.
enlanguescência s.f.
enlanguescente adj.2g.
enlanguescer v.
enlanguescido adj.
enlanguescimento s.m.
enlanguescível adj.2g.
enlanzar v.
enlapado adj.
enlapar v.
enlaruçar v.
enlatado adj. s.m.
enlatagem s.f.
enlatamento s.m.
enlatar v.
enleaça s.f.
enleação s.f.
enleada s.f.
enleadeira s.f.
enleado adj.
enleador (*ô*) adj.
enleamento s.m.
enleante adj.2g.
enlear v.
enleável adj.2g.
enleia s.f.
enleio s.m.
enleitado adj.
enleivado adj.
enleivamento s.m.
enleivar v.
enlerdar v.
enlevação s.f.
enlevado adj.
enlevador (*ô*) adj.
enlevamento s.m.
enlevar v.
enlevo (*ê*) s.m.; cf. *enlevo*, fl. do v. *enlevar*
enlheação s.f.
enlheado adj.
enlhear v.
enliçado adj.
enliçador (*ô*) adj. s.m.
enliçagem s.f.
enliçamento s.m.
enliçar v.
enliço s.m.
enlividecer v.
enlocação s.f.
enlocado adj.
enlocador (*ô*) adj.
enlocar v.
enlodaçado adj.
enlodaçamento s.m.
enlodaçar v.
enlodado adj.
enlodamento s.m.
enlodar v.
enloiçado adj.
enloiçar v.
enloirado adj.
enloirar v.
enloirecer v.
enloisado adj.
enloisamento s.m.
enloisar v.
enlojamento s.m.
enlojar v.
enlombar v.
enlorpecer v.
enlorpecimento s.m.
enloucado adj.
enlouçado adj.
enloucar v.
enlouçar v.
enlouquecedor (*ô*) adj.
enlouquecer v.
enlouquecido adj.
enlouquecimento s.m.
enlourado adj.
enlourar v.
enlourecer v.
enlourecido adj.
enlourecimento s.m.
enlousado adj.
enlousamento s.m.
enlousar v.
enluarado adj.
enluarar v.
enludrar v.
enlurado adj.
enlurar v.
enlutado adj.
enlutar v.
enlutecer v.
enluvado adj.
enluvar v.
enobarométrico adj.
enobarômetro s.m.
enobrecedor (*ô*) adj. s.m.
enobrecer v.
enobrecido adj.
enobrecimento s.m.
enocarpo s.m.
enocianina s.f.
enócito s.m.
enócoa s.f.
enococto adj.
enocrisina s.f.
enocromíneo adj. s.m.
enocromometria s.f.
enocromométrico adj.
enocromômetro s.m.
enocto adj.
enodação s.f.
enodado adj.
enodamento s.m.
enodar v.
enodável adj.2g.
enode adj.2g.
enódio adj.
enodo adj.
enodoado adj.
enodoamento s.m.
enodoar v.
enoelectrotecnia s.f.
enoeletrotecnia s.f.
enoema s.m.
enoemático adj.
enofilia s.f.
enofílida adj.2g. s.m.
enofilídeo adj. s.m.
enófilo adj.
enofobia s.f.
enófobo adj. s.m.
enófora s.f.
enóforo s.m.
enoftalmia s.f.
enoftálmico adj. s.m.
enoftalmo s.m.
enoftira s.f.
enogado adj.
enógala s.f.
enogaláctico adj.
enogar v.
enogarato adj. s.m.
enógaro s.m.
enografia s.f.
enográfico adj.
enógrafo s.m.
enoiriçar v.
enoitado adj.
enoitar v.
enoitecer v.
enoitecido adj.
enoitecimento s.m.
enojadiço adj.
enojado adj.
enojador (*ô*) adj. s.m.
enojamento s.m.
enojar v.
enojo (*ô*) s.m.; cf. *enojo*, fl. do v. *enojar*
enojoso (*ô*) adj.; f. (*ó*); pl. (*ó*)
enol s.m.
enolado s.m.
enolato s.m.
enolatura s.f.
enóleo s.m.
enólico adj.
enolina s.f.
enolismo s.m.
enolístico adj.
enolização s.f.
enolizar v.
enologia s.f. "ciência do vinho"; cf. *henologia*
enológico adj.
enologista adj. s.2g.
enólogo s.m.
enolotivo adj. s.m.
enomancia s.f.
enomania s.f.
enomaníaco adj. s.m.
enomanométrico adj.
enomanômetro s.m.
enomante adj. s.2g.
enomântico adj.
enomel s.m.
enometria s.f.
enométrico adj.
enômetro s.m.
enomídeo adj. s.m.
enominação s.f.

enomo s.m.
enomotia s.f.
enone s.m.
enópio adj. s.m.
enoplídeo adj. s.m.
enoplínio s.m.
enóplio s.m.
enoplo s.m.
enoplocteno s.m.
enoplognato s.m.
enoplolaimo s.m.
enoplolemo s.m.
enopólio s.m.
enoptromancia s.f.
enoptromante adj. s.2g.
enoptromântico adj.
enoque s.m.
enora s.f.
enorgulhecer v.
enorme adj.2g.
enormidade s.f.
enorquismo s.m.
enoscopia s.f.
enoscópico adj.
enoscópio s.m.
enoseomania s.f.
enoseômano s.m.
enosimania s.f.
enososo (*ô*) adj.; f. (*ó*); pl. (*ó*)
enosteose s.f.
enostose s.f.
enotecnia s.f.
enotécnica s.f.
enotécnico adj. s.m.
enotera s.f.
enoterácea s.f.
enoteráceo adj.
enotéride s.f.
enotermo s.m.
enótrio adj. s.m.
enouriçar v.
enoutado adj.
enoutar v.
enoutecer v.
enovar v.
enoveladeira s.f.
enovelado adj.
enovelamento s.m.
enovelante adj.2g.
enovelar v.
enoxídase (*cs*) s.f.
enoxparina (*cs*) s.f.
enquadração s.f.
enquadrado adj. s.m.
enquadrador (*ô*) adj. s.m.
enquadramento s.m.
enquadrar v.
enquadrável adj.2g.
enquadreamento s.m.
enquadrear v.
enquadrilhado adj.
enquadrilhamento s.m.
enquadrilhar v.
enquadro s.m.
enquanto conj.
enquartado adj.
enquartar v.
enque s.m.
enqueijado adj.
enqueijar v.
enqueixar v.
enquelídeo adj. s.m.
enqueliídeo s.m.
enqueliodão s.m.
enquélis s.m.2n.
enquerição s.f. "aperto" etc.; cf. *inquirição*
enquerida s.f.
enquerideira s.f.
enquerido adj.; cf. *inquirido*
enquerir v. "carregar"; cf. *inquirir*
enquete s.f.
enquezilar v.
enquilema s.m.
enquilemático adj.
enquilhar v.
enquiloma s.m.
enquimose s.f.
enquirese s.f.
enquirético adj.
enquirideira s.f.
enquirídio s.m.
enquirido s.m.
enquisa s.f.
enquistado adj.
enquistamento s.m.
enquistar v.
enquitar v.
enquitreia (*é*) s.f.
enquitreida adj.2g. s.m.
enquitreídeo adj. s.m.
enquitreimorfo s.m.
enquítreo adj. s.m.
enquizilado adj.
enquizilador (*ô*) adj. s.m.
enquizilamento s.m.
enquizilar v.
enrabação s.f.
enrabado adj.
enrabadoiro s.m.
enrabador (*ô*) adj. s.m.
enrabadouro s.m.
enrabamento s.m.
enrabar v.
enrabável adj.2g.
enrabeirado adj.
enrabeirar v.
enrabichação s.f.
enrabichado adj.
enrabichamento s.m.
enrabichar v.
enrabitar v.
enraçado adj.
enraçar v.
enradicado adj.
enraiado adj.
enraiar v.
enraivado adj.
enraivar v.
enraivecedor (*ô*) adj.
enraivecer v.
enraivecido adj.
enraivecimento s.m.
enraização s.f.
enraizado adj.
enraizador (*ô*) adj.
enraizamento s.m.
enraizar v.
enraizável adj.2g.
enralador (*ô*) s.m.
enramação s.f.
enramada s.f.
enramado adj.
enramalhado adj.
enramalhar v.
enramalhetado adj.
enramalhetar v.
enramamento s.m.
enramar v.
enramear v.
enramelado adj.
enramelar v.
enramilhetar v.
enrançado adj.
enrançar v.
enranchado adj.
enranchar v.
enraposado adj.
enraposar v.
enrarecer v.
enrarecido adj.
enrarecimento s.m.
enrascação s.f.
enrascada s.f.
enrascadela s.f.
enrascado adj.
enrascadura s.f.
enrascamento s.m.
enrascante adj.2g.
enrascar v.
enrastilhar v.
enreda adj. s.2g.
enredada s.f.
enredadeira s.f.
enredadeira-de-borla s.f.; pl. *enredadeiras-de-borla*
enredadeiro adj. s.m.
enredadela s.f.
enredadiço adj.
enredado adj.
enredador (*ô*) adj. s.m.
enredamento s.m.
enredar v.
enredear v.
enredeiro adj. s.m.
enrediça s.f.
enrediço adj.
enredo (*ê*) s.m.; cf. *enredo*, fl. do v. *enredar*
enredoiçar v.
enredomar v.
enredoso (*ô*) adj.; f. (*ó*); pl. (*ó*)
enredouçar v.
enrega s.f.
enregado adj. s.m.
enregar v.
enregelado adj.
enregelamento s.m.
enregelante adj.2g.
enregelar v.
enregistar v.
enregistrar v.
enregueirar v.
enreixado adj.
enreixar v.
enrelado adj.
enrelevar-se v.
enrelhado adj.
enrelhar v.
enrelheirado adj. s.m.
enrelheirar v.
enrelvado adj.
enrelvar-se v.
enremelado adj.
enremelar v.
enreminar v.
enremissado adj.
enremissar v.
enrendar v.
enrenquear v.
enrepolhado adj.
enrepolhar v.
enresinado adj.
enresinagem s.f.
enresinar v.
enresmado adj.
enresmamento s.m.
enresmar v.
enrestado adj.
enrestar-se v.
enrestiado adj.
enrestiar v.
enrevesado adj.
enrevesador (*ô*) adj.
enrevesamento s.m.
enrevesar v.
enriada s.f.
enriadoiro s.m.
enriadouro s.m.
enriar v.
enricado adj.
enriçado adj.
enriçamento s.m.
enricar v.
enriçar v.
enriço s.m.
enriconar v.
enrifar v.
enrijado adj.
enrijamento s.m.
enrijar v.
enrijecedor (*ô*) adj.
enrijecer v.
enrijecido adj.
enrijecimento s.m.
enrilhado adj.
enrilhar v.
enrilheirar v.
enrimar v.
enrinconar v.
enriosca s.f.
enripamento s.m.
enripar v.
enrique s.m.
enriquecedor (*ô*) adj.
enriquecer v.
enriquecido adj.
enriquecimento s.m.
enriquentar v.
enristado adj.
enristar v.
enriste s.m.
enristrar v.
enrítmico adj.
enrixado adj.
enrixar v.
enrizamento s.m.
enrizar v.
enrobustecedor (*ô*) adj.
enrobustecer v.
enrobustecido adj.
enrobustecimento s.m.
enrocação s.f.
enrocado adj.
enrocamento s.m.
enrocar v.
enrochado adj.
enrochar v.
enrodado adj.
enrodar v.
enrodelado adj.
enrodelar v.
enrodilha s.f.
enrodilhadeira s.f.
enrodilhadeiro adj.
enrodilhado adj.
enrodilhador (*ô*) adj. s.m.
enrodilhamento s.m.
enrodilhar v.
enrodrado adj.
enrodrigar v.
enrola s.f.
enrola-cabelo s.f.; pl. *enrola-cabelos*
enrolação s.f.
enrolada s.f.
enroladeira s.f.
enroladinho s.m.
enrolado adj. s.m.
enroladoiro s.m.
enrolador (*ô*) adj. s.m.
enroladouro s.m.
enrolamento s.m.
enrolão adj. s.m.
enrolar v.
enrolhar v.
enrolheirar v.
enrolice s.f.
enrolo (*ô*) s.m.; cf. *enrolo*, fl. do v. *enrolar*
enroquear v.
enroquetado adj.
enroquetar v.
enrosca s.f.
enroscada adj.
enroscadela s.f.
enroscado adj.
enroscadura s.f.
enroscamento s.m.
enroscar v.
enrosco (*ô*) s.m.; cf. *enrosco*, fl. do v. *enroscar*
enrostar v.
enrotado adj.
enrotador (*ô*) adj. s.m.
enrotar v.
enroupado adj.
enroupamento s.m.
enroupar v.
enrouquecedor (*ô*) adj.
enrouquecer v.
enrouquecido adj.
enrouquecimento s.m.
enroxar v.
enroxecer v.
enrubescer v.
enrubescido adj.
enrubescimento s.m.
enruçado adj.
enruçar v.
enrudecer v.
enrudecido adj.
enrudecimento s.m.
enrufar v.
enrugação s.f.
enrugado adj.
enrugador (*ô*) adj.
enrugamento s.m.
enrugante adj.2g.
enrugar v.
enrugável adj.2g.
enruminar-se v.
enruste s.m.
enrustição s.f.
enrustido adj.
enrustidor (*ô*) adj.
enrustimento s.m.
enrustir v.
ensabanado adj.
ensabido adj.
ensaboação s.f.
ensaboada s.f.
ensaboadela s.f.
ensaboado adj. s.m.
ensaboadura s.f.
ensaboamento s.m.
ensaboar v.
ensaburrado adj.
ensaburrar v.
ensaca s.f.
ensacadeira s.f.
ensacadinha s.f.
ensacado adj.
ensacador (*ô*) adj. s.m.
ensacadura s.f.
ensacagem s.f.
ensacamento s.m.
ensacar v.
ensaiação s.f.
ensaiada s.f.
ensaiado adj. s.m.
ensaiador (*ô*) adj. s.m.
ensaiamento s.m.
ensaião s.m.
ensaiar v.
ensaiável adj.2g.
ensaibrado adj.
ensaibramento s.m.
ensaibrar v.
ensainhar v.
ensaio s.m.
ensais s.m.2n.
ensaísmo s.m.
ensaísta adj. s.2g.
ensaística s.f.
ensaístico adj.
ensalçado adj.
ensalçar v.
ensalivar v.
ensalmado adj.
ensalmador (*ô*) adj. s.m.
ensalmar v.
ensalmeiro adj. s.m.
ensalmo s.m.
ensalmoirar v.
ensalmourar v.
ensalsada s.f.
ensalsichar v.
ensamambaiado adj.
ensamarrado adj.
ensamarrar v.
ensambenitado adj.
ensambenitar v.
ensamblação s.f.
ensamblado adj.
ensamblador (*ô*) adj. s.m.
ensambladura s.f.
ensamblagem s.f.
ensamblamento s.m.
ensamblar v.
ensampação s.f.
ensampado adj.
ensampar v.
ensancha s.f.
ensanchado adj.
ensanchar v.
ensanche s.m.
ensandalado adj.
ensandalar v.
ensandecedor (*ô*) adj.
ensandecer v.
ensandecido adj.
ensandecimento s.m.
ensandolado adj.
ensandolar v.
ensanduichar v.
ensanefado adj.
ensanefar v.
ensangado adj.
ensanguar v.
ensanguentado (*ü*) adj.
ensanguentar (*ü*) v.
ensanguinhamento s.m.
ensanguinhar v.

ensanhado adj.
ensanhar v.
ensanzorar v.
ensapezado adj.
ensapezar v.
ensaque s.m.
ensarapulhar v.
ensardinhado adj.
ensardinhar v.
ensarilhado adj.
ensarilhamento s.m.
ensarilhar v.
ensarjetamento s.m.
ensarjetar v.
ensarnecer v.
ensarrafar v.
ensarranhar v.
ensartado adj.
ensartar v.
ensartilhadura s.f.
ensartilhamento s.m.
ensartilhar v.
ensaucado adj.
ensaudado adj.
ensaudar v.
ensaudecer v.
ensaudecido adj.
enseada s.f.
enseadense adj. s.2g.
ensear v.
ensebado adj.
ensebamento s.m.
ensebar v.
ensecação s.f.
ensecadeira s.f.
ensecadura s.f.
ensecamento s.m.
ensecar v.
ensedadura s.f.
ensedar v.
enseio s.m.
enseirado adj.
enseirador (*ô*) s.m.; cf. *encerador*
enseiramento s.m.; cf. *enceramento*
enseirar v. "pôr frutos em cesto"; cf. *encerar*
enseivado adj.
enseivar v.
enseja (*ê*) s.f.
ensejar v.
ensejo (*ê*) s.m.
enselada s.f.
enselado adj.
enselvar v.
ensemealho s.m.
ensementar v.
ensenhorear v.
enserralhar v.
ensevado adj.
ensevar v.
ensicaude adj.2g.
ensífero adj. s.m.
ensifoliado adj.
ensifólio adj.
ensiforme adj.2g.
ensilado adj.
ensilador (*ô*) s.m.
ensiladora (*ô*) s.f.
ensilagem s.f.
ensilamento s.m.
ensilar v.
ensilvado adj.
ensilvar v.
ensilveirado adj.
ensilveirar v.
ensimesmação s.f.
ensimesmado adj.
ensimesmamento s.m.
ensimesmar-se v.
ensina s.f.
ensinação s.f.
ensinadela s.f.
ensinadiço adj.
ensinado adj.
ensinador (*ô*) adj. s.m.
ensinamento s.m.
ensinança s.f.
ensinante adj. s.2g.
ensinar v.
ensinativo adj.
ensinável adj.2g.
ensino s.m.
ensirrostro adj.
ênsis s.m.2n.
ensisternal adj.2g.
ensisterno s.m.
enslênia s.f.
ensoada s.f.
ensoado adj.
ensoalhado adj. s.m.
ensoalhar v.
ensoalheira s.f.
ensoalheirado adj.
ensoalheirar v.
ensoamento s.m.
ensoar v.
ensoberbar v.
ensoberbecedor (*ô*) adj.
ensoberbecer v.
ensoberbecido adj.
ensoberbecimento s.m.
ensobradado adj.
ensobradar v.
ensobrecasacado adj.
ensocado adj.
ensocar v.
ensofregado adj.
ensofregar v.
ensogadoiro s.m.
ensogadouro s.m.
ensogadura s.f.
ensogar v.
ensoissar v.
ensolado adj.
ensolarado adj.
ensoleiramento s.m.
ensoleirar v.
ensolhado adj.
ensolteirar-se v.
ensolvado adj.
ensolvamento s.m.
ensolvar v.
ensombração s.f.
ensombrado adj.
ensombramento s.m.
ensombrar v.
ensombreado adj.
ensombreador (*ô*) adj.
ensombrear v.
ensombrecer v.
ensombrecido adj.
ensombrecimento s.m.
ensombro s.m.
ensonado adj.
ensonorentado adj.
ensopadeira s.f.
ensopadela s.f.
ensopadinho s.m.
ensopado adj. s.m.
ensopamento s.m.
ensopar v.
ensope s.m.
ensopear v.
ensoreamento s.m.
ensorear v.
ensornar v.
ensossar v.
ensosso (*ô*) adj.; cf. *ensosso*, fl. do v. *ensossar*
ensovacado adj.
ensovacar v.
ensovalhado adj.
enstatita s.f.
enstatite s.f.
enstatítico adj.
enstatito s.m.
enstenita s.f.
enstenite s.f.
ensucado adj.
ensujar v.
ensujentado adj.
ensujentar v.
ensumagrar v.
ensurdecedor (*ô*) adj.
ensurdecência s.f.
ensurdecer v.
ensurdecido adj.
ensurdecimento s.m.
ensurraipar v.
ensurrar v.
ensurroamento s.m.
ensurroar v.
enta s.f.
entabacado adj.
entabicado adj.
entabicar v.
entablamento s.m.
entabocar v.
entabuado adj.
entabuamento s.m.
entabuar v.
entabulação s.f.
entabulado adj.
entabulador (*ô*) adj.
entabulamento s.m.
entabular v.
entabulável adj.2g.
entaburrar v.
entaca s.f.
entachar v.
entactina s.f.
entada s.f.
entafulhar v.
entaipaba s.f.
entaipado adj. s.m.
entaipamento s.m.
entaipar-se v.
entaipava s.f.
entala s.f.
entalação s.f.
entalaço s.m.
entalada s.f.
entaladela s.f.
entalado adj.
entaladoiro s.m.
entalador (*ô*) adj.
entaladouro s.m.
entaladura s.f.
entalamento s.m.
entalanço s.m.
entalão s.m.
entalar v.
entalecer v.
entaleigar v.
entaleirado adj.
entaleirar v.
entalha s.f.
entalhação s.f.
entalhado adj.
entalhador (*ô*) adj. s.m.
entalhadura s.f.
entalhamento s.m.
entalhante adj.2g.
entalhar v.
entalhável adj.2g.
entalhe s.m.
entalho s.m.
entalicado s.m.
entalicar v.
entalido adj.
entalingar v.
entalir v.
entaliscado adj.
entaliscar v.
entalo s.m.
entaloada s.f.
entaloado adj.
entaloar v.
entalpia s.f.
entálpico adj.
entamado adj.
entamar v.
entambe s.m.
entameba s.f.
entamebíase s.f.
entamibíase s.f.
entancar v.
entandrofragma s.m.
entangamento s.m.
entangar v.
entanguecer v.
entanguecido adj.
entanguente adj.2g.
entanguido adj.
entanguimento s.m.
entanguir v.
entanguitado adj.
entanha s.f.
entaniçado adj.
entaniçar v.
entaniço s.m.
entanto adv. s.m. conj.; na loc. *no entanto*
então adv. s.m. interj.
entapar v.
entapetado adj.
entapetamento s.m.
entapetar v.
entapiçar v.
entapigar v.
entapizado adj.
entapizar v.
entarambecado adj.
entaramelado adj.
entaramelar v.
entardecente adj.2g.
entardecer v. s.m.
entardecido adj.
entardecimento s.m.
entarraxar v.
entarroado adj.
entartalhar v.
êntase s.f.
entavolar v.
ente s.m.
enteado adj. s.m.
enteamento s.m.
entear v.
enteato adj.
entebense adj.2g.
entecado adj.
entecar v.
entecer v.
entediado adj.
entediamento s.m.
entediante adj.2g.
entediar v.
entedioso (*ô*) adj.; f. (*ó*); pl. (*ó*)
enteguido adj.
enteia (*é*) adj. f. de *enteu*
enteísmo s.m.
enteísta adj. s.2g.
enteixar v.
entejado adj.
entejar v.
entejo (*ê*) s.m.
entejolado adj.
entejolar v.
entejucar v.
entelação s.f.
entelado adj.
entelador (*ô*) adj. s.m.
entelamento s.m.
entelar v.
entélea s.f.
entéleca adj.2g.
entelécara s.f.
enteléquia s.f.
entelhado adj.
entelhador (*ô*) adj. s.m.
entelhamento s.m.
entelhar v.
entelheiramento s.m.
entelheirar v.
enteluro s.m.
entenal s.m.
entendedor (*ô*) adj. s.m.
entender v. "compreender"; cf. *intender*
entendido adj. s.m.
entendimento s.m.
entendível adj.2g.
entenebrado adj.
entenebrar v.
entenebrecedor (*ô*) adj.
entenebrecer v.
entenebrecido adj.
entenebrecimento s.m.
entenrecer v.
entenxar v.
enteomania s.f.
enteomaníaco adj. s.m.
enteômano s.m.
entepidecer v.
entepidecido adj.
entepidecimento s.m.
enteque s.m.
enteradena s.f.
enteradênico adj.
enteradênio s.m.
enteradenografia s.f.
enteradenográfico adj.
enteradenologia s.f.
enteradenológico adj.
enteralgia s.f.
enterálgico adj.
enteramina s.f.
enteranastomose s.f.
enteranastomótico adj.
enterangienfraxia (*cs*) s.f.
enterapócrise s.f.
enterauxia (*cs*) s.f.
enterectasia s.f.
enterectomia s.f.
enterectômico adj. s.m.
enterelcose s.f.
enteremia s.f.
enterêmico adj.
enteremorragia s.f.
enteremorrágico adj.
enterenfraxia (*cs*) s.f.
enterepático adj.
enterepatite s.f.
enterepatítico adj.
enterepatocele s.f.
enterepiplocele s.f.
enterepiploceta (*ê*) s.f.
enterepiplônfale s.f.
enterepiplonfalocele s.f.
entereupéptico adj.
entérico adj.
enteridrocele s.f.
enteridrônfalo s.m.
enteridronfalocele s.f.
enterilesia s.f.
enterimento s.m.
enterisquiocele s.f.
enterite s.f.
enterítico adj.
enternecedor (*ô*) adj.
enternecente adj.2g.
enternecer v.
enternecido adj.
enternecimento s.m.
enternecível adj.2g.
enterobactéria s.f.
enterobacterial adj.2g.
enterobacteriano adj.
enterobactérico adj.
enterobactina s.f.
enterobíase s.f.
enteróbio s.m.
enterobiose s.f.
enterobranquial adj.2g.
enterobrânquio adj. s.m.
enterobrosia s.f.
enterocela s.f.
enterocele s.f.
enterocélico adj.
enteroceloma s.m.
enterocelomático adj.
enterocelomiano s.m.
enterocinase s.f.
enterocínase s.f.
enterocinese s.f.
enterocinético adj.
enterocisto s.m.
enterocistocele s.f.
enterocistoma s.m.
enterocistosqueocele s.f.
enterócito s.m.
enteróclise s.f.
enteroclisma s.m.
enteroclístico adj.
enteroclorofilo s.m.
enterococia s.f.
enterococo s.m.
enterocola s.m.
enterocolite s.f.
enterocolítico adj.
enterocolostomia s.f.
enterocolostômico adj.
enteroconiose s.f.
enterocrinina s.f.
enterocromafínica s.f.
enterodelo adj. s.m.
enterodiálise s.f.
enterodialítico adj.
enterodinia s.f.
enterodínico adj.
enteroelcose s.f.
enterofimia s.f.
enteroflogia s.f.

enteroflogose s.f.
enterogastrite s.f.
enterogastrítico adj.
enterogastrocele s.f.
enterogastrona s.f.
enterogastrônico adj.
enterógeno adj.
enterógono s.m.
enterografia s.f.
enterográfico adj.
enterógrafo s.m.
enterograma s.m.
êntero-hemorragia s.f.
êntero-hidrocele s.f.
êntero-hidrofalocele s.f.
enterólise s.f.
enterolitíase s.f.
enterolítico adj.
enterólito s.m.
enterolóbio s.m.
enterologia s.f.
enterológico adj.
enterologista s.2g.
enterólogo s.m.
enteromalacia s.f.
enteromegalia s.f.
enteromenorrágico adj.
enteromerocele s.f.
enteromesentérico adj.
enteromesentério s.m.
enteromesenterite s.f.
enterométrico adj.
enterômetro s.m.
enteromicodermite s.f.
enteromicose s.f.
enteromicótico adj.
enteromiíase s.f.
enteromixorreia (*cs...é*) s.f.
enterômona s.2g.
enteromônade s.2g.
enteromorfa s.f.
enteromucosa s.f.
ênteron s.m.
enteroneurose s.f.
enterônfalo s.m.
enteroparisagogia s.f.
enteropatia s.f.
enteroperístole s.f.
enteropexia (*cs*) s.f.
enteroplastia s.f.
enteroplexia (*cs*) s.f.
enteropléxio (*cs*) s.m.
enteropneumatose s.f.
enteropneusto adj. s.m.
enteropógão s.m.
enteropógon s.m.
enteroproctia s.f.
enterópsis s.2g.2n.
enteróptico adj.
enteroptose s.f.
enteroquínase s.f.
enterorrafia s.f.
enterorráfico adj.
enterorragia s.f.
enterorrágico adj.
enterorreia (*é*) s.f.
enterorreico (*é*) adj.
enterorrenal adj.2g.
enteroscopia s.f.
enteroscópico adj.
enteroscópio s.m.
enterose s.f.
enterosfigma s.m.
enterosfigmático adj.
enterospasmo s.m.
enterospermo s.m.
enterosqueocele s.f.
enterossarcocele s.f.
enterostaxe (*cs*) s.f.
enterostenose s.f.
enterostenótico adj.
enterostomia s.f.
enterostômico adj.
enteróstraco s.m.
enterotomia s.f.
enterotômico adj.
enterótomo s.m.
enterotoxemia (*cs*) s.f.
enterotoxêmico (*cs*) adj.
enterotoxia (*cs*) s.f.
enterotóxico (*cs*) adj.
enterotoxina (*cs*) s.f.
enterotoxismo (*cs*) s.m.
enterovacina s.f.
enterovirótico adj.
enterovírus s.m.
enterozoário s.m.
enterração s.f.
enterradela s.f.
enterrado adj. s.m.
enterradoiro s.m.
enterrador (*ô*) adj. s.m.
enterradouro s.m.
enterramento s.m.
enterrar v.
enterrável adj.2g.
enterreirar v.
enterrido s.m.
enterrio s.m.
enterro (*ô*) s.m.; cf. *enterro*, fl. do v. *enterrar*
enterrar v.
enterro dos ossos s.m.
enterturbado adj.
enterturbar v.
entesado adj.
entesador (*ô*) adj.
entesadura s.f.
entesamento s.m.
entesar v.
entesite s.f.
entesoado adj.
entesoamento s.m.
entesoar v.
entesoirado adj.
entesoirador (*ô*) adj. s.m.
entesoiramento s.m.
entesoirar v.
entesoirisar v.
entesourado adj.
entesourador (*ô*) adj. s.m.
entesouramento s.m.
entesourar v.
entesourizar v.
entestação s.f.
entestada s.f.
entestado adj.; cf. *intestado*
entestadura s.f.
entestamento s.m.
entestante adj.2g.
entestar v.
entestável adj.2g.; cf. *intestável*
entesteferrar v.
enteu adj.; f. *enteia* (*é*)
ential s.m.
entiarado adj.
entibecer v.
entibiado adj.
entibiamento s.m.
entibiar v.
entica s.f.
enticador (*ô*) adj.
enticância s.f.
enticante adj.2g.
enticar v.
entidade s.f.
entiengia s.f.
entigelamento s.m.
entijolado adj.
entijolamento s.m.
entijolar v.
entijucado adj.
entijucar v.
entiloma s.f.
entimema s.m.
entimemático adj.
entimemismo s.m.
entimíneo s.m.
entimo s.m.
entintado adj.
entintador (*ô*) adj.
entintagem s.f.
entintagem s.f.
entintamento s.m.
entintar v.
entipose s.m.
entiritado adj.
entiritamento s.m.
entiritante adj.2g.
entiritar v.
entirrado adj.
entisicar v.
entisnar v.
entitativo adj.
entivação s.m.
entivar v.
entlasia s.m.
entoabilidade s.f.
entoação s.f.
entoado adj.
entoador (*ô*) adj. s.m.
entoalhado adj.
entoalhar v.
entoamento s.m.
entoante adj.2g.
entoar v.
entobrônquio s.m.
entocado adj.
entocaiado adj.
entocaiar v.
entocamento s.m.
entocar v.
entocéfalo s.m.
entocele s.f.
entócito s.m.
entocmêneo adj.
entocólace s.m.
entoconca s.f.
entoconcha s.f.
entoconchídeo adj. s.m.
entocondrostose s.f.
entoconquídeo adj. s.m.
entocuneiforme adj.2g. s.m.
entodão s.m.
entoderma s.m.
entoderme s.f.
entodérmico adj.
entodínio s.m.
entodiscal adj.2g.
entodontácea s.f.
entodonte s.m.
entodontíneo adj. s.m.
entoema s.m.
entofilocarpo adj.
entófito adj. s.m.
entofitogênese s.f.
entoftalmia s.f.
entoftálmico adj.
entogado adj.
entogar v.
entogástrio s.m.
entoglosso adj. s.m.
entógnato adj. s.m.
entoial s.m.
entoiçar v.
entoiceirado adj.
entoiceirar v.
entoicinhado adj.
entoirado adj.
entoirar v.
entoiriçado adj.
entoirido adj.
entoirir v.
entojado adj.
entojar v.
entojo (*ô*) s.m.; cf. *entojo*, fl. do v. *entojar*
entolar v.
entoldado adj.
entoldamento s.m.
entoldar v.
entolecer v.
entolhar v.
entolher v.
entolhido adj.
entolho (*ô*) s.m.; cf. *entolho*, fl. do v. *entolhar*
entoloma s.m.
entomério s.m.
entomíase s.m.
entômico adj.
entomobriomorfo adj. s.m.
entomocecídia s.f.
entomocecídio s.m.
entomofagia s.f.
entomofágico adj.
entomófago adj. s.m.
entomofauna s.f.
entomofaunístico adj.
entomofilia s.f.
entomófilo adj. s.m.
entomófito adj. s.m.
entomóforo adj. s.m.
entomóftora s.f.
entomoftorácea s.f.
entomoftoráceo adj.
entomoftórea s.f.
entomoftóreo adj.
entomoftorínea s.f.
entomoftoríneo adj.
entomógamo adj.
entomogênio adj.
entomógeno adj.
entomografia s.f.
entomográfico adj.
entomógrafo s.m.
entomoide (*ó*) adj.2g.
entomólito s.m.
entomologia s.f.
entomológico adj.
entomologista adj. s.2g.
entomólogo s.m.
entomomicete s.m.
entomopse s.m.
entomópsis s.2g.2n.
entomóscele s.f.
entomóscelis s.f.2n.
entomospório s.m.
entomosporiose s.f.
entomóstomo adj.
entomostráceo adj. s.m.
entomóstraco s.m.
entomozoário s.m.
entonabilidade s.f.
entonação s.f.
entonado adj.
entonador (*ô*) adj.
entonante adj.2g.
entonar v.
entonema s.m.
entonêmico adj.
entoniscíneo adj. s.m.
entonisco s.m.
entono s.m.
entontado adj.
entontar v.
entontecedor (*ô*) adj.
entontecer v.
entontecido adj.
entontecimento s.m.
entoparasita adj.2g. s.m.
entoparasitário adj.
entoparasito adj. s.m.
entope-estradas s.2g.2n.
entopeia (*é*) s.f.
entoplocâmia s.f.
entoplócamo s.m.
entopogão s.m.
entopógon s.m.
entopogonácea s.f.
entopogonáceo adj.
entopógono s.m.
entoprocto adj. s.m.
entóptica s.f.
entóptico adj.
entoptoscopia s.f.
entoptoscópico adj.
entoptoscópio s.m.
entorna s.f.
entornação s.f.
entornado adj.
entornador (*ô*) adj.
entornadura s.f.
entornamento s.m.
entornar v.
entorneiro s.m.
entorno (*ô*) s.m.; cf. *entorno*, fl. do v. *entornar*
entorpar v.
entorpecedor (*ô*) adj.
entorpecente adj.2g. s.m.
entorpecer v.
entorpecido adj.
entorpecimento s.m.
entorretina s.f.
entorretínico adj.
entorroado adj.
entorroar v.
entorse s.f.
entorselado adj.
entorta s.f.
entortada s.f.
entortadela s.f.
entortado adj.
entortadura s.f.
entortamento s.m.
entortar v.
entortilhado adj.
entossifão s.m.
entosta s.f.
entótico adj.
entotimpânico adj.
entotoscopia s.f.
entotoscópico adj.
entotoscópio s.m.
entótrofo adj. s.m.
entoucado adj.
entoucar v.
entouçar v.
entouceirado adj.
entouceirar v.
entoucinhado adj.
entoupeirar v.
entourada s.f.
entourado adj.
entourar v.
entouriçado adj.
entourido adj.
entourinhar v.
entourir v.
entoxicação (*cs*) s.f.
entoxicado (*cs*) adj.
entoxicante (*cs*) adj.2g.
entoxicar (*cs*) v.
entozoário adj. s.m.
entozoogênese s.f.
entozoogenético adj.
entozoologia s.f.
entozoológico adj.
entozoologista s.2g.
entozoólogo s.m.
entrabelado adj.
entrada s.f.
entrada-de-baile s.f.; pl. *entradas-de-baile*
entrada de barra s.f.
entradense adj. s.2g.
entradiço adj.
entradista adj.2g.
entrado adj.
entradote adj.2g.
entra e sai s.m.2n.
entrajado adj.
entrajamento s.m.
entrajar v.
entraje s.m.
entrale s.m.
entralhação s.f.
entralhada s.f.
entralhado adj.
entralhamento s.m.
entralhar v.
entralhe s.m.
entralho s.m.
entralhoada s.f.
entramado adj.
entramar v.
entrambelicar v.
entrambicar v.
entramento s.m.
entrames s.m.2n.
entrança s.f.
entrançado adj. s.m.
entrançador (*ô*) adj. s.m.
entrançadura s.f.
entrançamento s.m.
entrançar v.
entrançável adj.2g.
entrância s.f.
entranha s.f.
entranhação s.f.
entranhado adj.
entranhamento s.m.
entranhar v.
entranhável adj.2g.
entranqueirado adj.
entranqueirar v.
entrante adj.2g.
entrapado adj.
entrapar v.
entrar v.
entrasgado adj.
entrastamento s.m.
entrastar v.

entravado adj.
entravador (*ô*) adj.
entraval s.m.
entravamento s.m.
entravante adj.2g.
entravar v.
entrave s.m.
entravessa s.f.
entravessar v.
entraviscar v.
entraz s.m.
entreaberta s.f.
entreaberto adj.
entreabrimento s.m.
entreabrir v.
entreadivinhar v.
entreamado adj.
entreamar v.
entreameaçado adj.
entrearremessar v.
entreato s.m.
entreaxial (*cs*) adj.2g.
entrebanho s.m.
entrebater v.
entrebatido adj.
entrebeijar-se v.
entrebeliscar-se v.
entrebranco adj.
entrecabo s.m.
entrecama s.f.
entrecambado adj.
entrecambamento s.m.
entrecana s.f.
entrecarga s.f.
entrecasa s.f.
entrecasca s.f.
entrecasco s.m.
entrecena s.f.
entrecerrado adj.
entrecerrar v.
entrechado adj.
entrechar v.
entrecho (*ê*) s.m.
entrechocar v.
entrechoque s.m.
entrecilhado s.m.
entrecilhas s.f.pl.
entrecoberta s.f.
entrecolher v.
entrecolúnio s.m.
entreconhecer v.
entreconhecimento s.m.
entrecoro (*ô*) s.m.
entrecoroa (*ô*) s.f.
entrecorrer v.
entrecorrido adj.
entrecortado adj.
entrecortar v.
entrecorte s.m.
entrecóspias s.f.pl.
entrecostado s.m.
entrecosto (*ô*) s.m.
entrecozer v.
entrecozido adj.
entrecruzado adj.
entrecruzamento s.m.
entrecruzar-se v.
entrecutâneo adj.
entrededo (*ê*) s.m.
entredente s.m.
entredevoração s.f.
entredevorado adj.
entredevorador (*ô*) adj.
entredevoramento s.m.
entredevorante adj.2g.
entredevorar-se v.
entredevorável adj.2g.
entredia adv.
entredilacerar-se v.
entredisputar v.
entredito adj. s.m.
entredizer v.
entredizimar-se v.
entredois s.m.2n.
entredormido adj.
entredormir v.
entredúvida s.f.
entre-eixo s.m.
entre-escolher v.
entre-escutar v.
entre-estadual adj.2g.
entrefala s.f.
entrefalar v.
entrefazer v.
entrefechado adj.
entrefechar v.
entreferro s.m.
entrefestejar v.
entrefiado adj.
entrefiar v.
entrefigurar-se v.
entrefilete (*ê*) s.m.
entrefilo s.m.
entrefino adj.
entrefolha (*ô*) s.f.; cf. *entrefolha*, fl. do v. *entrefolhar*
entrefolhado adj.
entrefolhar v.
entrefolhense adj. s.2g.
entrefolho (*ô*) s.m.; cf. *entrefolho*, fl. do v. *entrefolhar*
entrefoliado adj.
entreforro (*ô*) s.m.
entrefulminar-se v.
entrega s.f.
entregadeira s.f.
entregado adj.
entregadoiro s.m.
entregador (*ô*) adj. s.m.
entregadouro s.m.
entreganachas s.f.2n.
entregar v.
entregosto (*ô*) s.m.
entregue adj.2g.
entreguismo s.m.
entreguista adj. s.2g.
entreguístico adj.
entre-hostil adj.2g.
entreilha s.f.
entreinamento s.m.
entreitória s.f.
entrejunta s.f.
entrelaçado adj. s.m.
entrelaçamento s.m.
entrelaçar v.
entrelace s.m.
entrelaço s.m.
entrelembrar-se v.
entrelhar v.
entreligar v.
entrelimite s.m.
entrelinha s.f.
entrelinhada s.f.
entrelinhado adj.
entrelinhadura s.f.
entrelinhamento s.m.
entrelinhar v.
entrelinhista adj. s.2g.
entrelocução s.f.
entreloiçada s.f.
entreloiçar v.
entrelopo (*ô*) adj. s.m.
entrelouçada s.f.
entrelouçar v.
entrelúnio s.m.
entreluo s.m.
entreluzir v.
entremaduro adj.
entremanhã s.f.
entremarés s.f.2n.
entremarrar-se v.
entremastro s.m.
entrematar-se v.
entremeado adj.
entremear v.
entremecha s.f.
entremeio s.m.
entremente s.m. adv.
entrementes s.m. adv.
entremês s.m. "trigo"; cf. *entremez*
entremesa (*ê*) s.f.
entremesclado adj.
entremesclar v.
entremeter v.
entremetido adj.
entremetimento s.m.
entremez (*ê*) s.m. "farsa"; cf. *entremês*
entremezada s.f.
entremezado adj.
entremezão s.m.
entremezista adj. s.2g.
entremicha s.f.
entremisturar v.
entremodilhão s.m.
entremontano adj.
entremontes s.m.2n.
entremorder v.
entremostra s.f.
entremostrado adj.
entremostrar v.
entremurmurar v.
entrenervo (*ê*) s.m.
entrenó s.m.
entrenoite adv.
entrenoute adv.
entrenublado adj.
entrenublar-se v.
entreocultar v.
entreoculto adj.
entreolhar-se v.
entreolhos s.m.pl.
entreouvir v.
entrepano s.m.
entreparar v.
entrepassar v.
entrepasso s.m.
entrepausa s.f.
entrepeladense adj. s.2g.
entrepelado adj. s.m.
entrepelejar v.
entrepensado adj.
entrepensar v.
entreperceber v.
entreperna s.f.
entrepernar v.
entrepernas s.f.pl. adv.
entrepernear v.
entrepicar v.
entrepigaitado adj.
entrepigaitar v.
entrepilar v. s.m.
entrepilastra s.f.
entrepiso s.m.
entreplicar v.
entrepoimento s.m.
entreponte s.f.
entrepor (*ô*) v.
entrepósito s.m.
entreposto (*ô*) adj. s.m.; f. (*ó*); pl. (*ó*)
entreprendente adj.2g.
entreprender v.
entrepresa (*ê*) s.f.
entrequerer-se v.
entrerrealizado adj.
entrerreclamar v.
entrerregar v.
entrerriano adj. s.m.
entrerriense adj. s.2g.
entrescolher v.
entrescutar v.
entresilhado adj.
entresilhar v.
entressacar v.
entressachado adj.
entressachamento s.m.
entressachar v.
entressafra s.f.
entresseio s.m.
entressemear v.
entressentir v.
entressola s.f.
entressolhar v.
entressolho (*ô*) s.m.
entressolo s.m.
entressonhado adj.
entressonhar v.
entressonho s.m.
entressorrir v.
entressorriso s.m.
entressufocar v.
entretação s.f.
entretalhado adj.
entretalhador (*ô*) s.m.
entretalhadura s.f.
entretalhar v.
entretalho s.m.
entretanto s.m. adv. conj.
entretecedor (*ô*) adj. s.m.
entretecedura s.f.
entretecer v.
entretecido adj.
entretecimento s.m.
entretela s.f.
entretelado adj.
entretelar v.
entretém s.m.
entretempo s.m.
entretenga s.f.
entretenida s.f.
entretenimento s.m.
entreter v.
entretesta s.f.
entretetos (*ê*) s.m.pl.
entretido adj.
entretimento s.m.
entretinho s.m.
entretítulo s.m.
entretocar v.
entretom s.m.
entretorcer v.
entretropical adj.2g.
entretrópico adj.
entretrucidar v.
entreturbado adj.
entreturbar v.
entreunir v.
entrevação s.f.
entrevado adj. s.m.
entrevamento s.m.
entrevar v.
entrevazar v.
entreveado adj.
entrevecer v.
entrevecimento s.m.
entreveiro s.m.
entrevelar v.
entrever v.
entreverado adj.
entreverar v.
entreverde adj. s.m.
entrevero (*ê*) s.m.; cf. *entrevero*, fl. do v. *entreverar*
entrevia s.f.
entreviado adj.
entreviga s.f.
entrevinda s.f.
entrevinha s.f.
entrevir v.
entrevisão s.f.
entrevista s.f.
entrevistado adj.
entrevistador (*ô*) adj. s.m.
entrevistante adj. s.2g.
entrevistar v.
entrevistável adj.2g.
entrevisto adj.
entrezado adj.
entrezar v.
entrezilhado adj.
entrezilhar v.
entriangulado adj.
entrida s.f.
entrilhamento s.m.
entrilhar v.
entrinçar v.
entrincheirado adj.
entrincheiramento s.m.
entrincheirar v.
entriosgado adj.
entripado adj.
entristecedor (*ô*) adj.
entristecente adj.2g.
entristecer v.
entristecido adj.
entristecimento s.m.
entrita s.f.
entriteira s.f.
entroca s.f.
entrocar v.
entroçar v.
entroco s.m.
entroço (*ô*) s.m.
entroixado adj.
entroixar v.
entroixo s.m.
entrolhos s.m.pl.
entrombar v.
entronado adj.
entronar v.
entroncado adj.
entroncamentense adj. s.2g.
entroncamento s.m.
entroncar v.
entronchado adj.
entronchar v.
entroncho s.m.
entronear v.
entronização s.f.
entronizado adj.
entronizador (*ô*) adj.
entronizamento s.m.
entronizante adj.2g.
entronizar v.
entronizável adj.2g.
entronquecer v.
entronquecido adj.
entropeçar v.
entropeço (*ê*) s.m.
entropia s.f.
entropicar v.
entrópico adj.
entropigaitado adj.
entropigaitar v.
entropilhar v.
entrópio s.m.
entrópion s.m.
entróquio s.m.
entrós s.f.
entrosa s.f.
entrosação s.f.
entrosado adj.
entrosagem s.f.
entrosamento s.m.
entrosar v.
entrosga s.f.
entrouxado adj.
entrouxamento s.m.
entrouxar v.
entrouxo s.m.
entroviscada s.f.
entroviscado adj.
entroviscador (*ô*) s.m.
entroviscamento s.m.
entroviscar v.
entrudada s.f.
entrudal adj.2g.
entrudar v.
entrudeiro s.m.
entrudesco (*ê*) adj.
entrudo s.m.
entrugimento s.m.
entrugir v.
entruja s.2g.
entrujão adj. s.m.
entrujar v.
entrujice s.f.
entrujimento s.m.
entrujir v.
entrunfar v.
entrunfinhado adj.
entrunfinhar v.
entrupicar v.
entrupigaitar v.
entubação s.f.
entubado adj.
entubagem s.f.
entubante adj.2g.
entubar v.
entubável adj.2g.
entuberácea s.f.
entuberáceo adj.
entuchamento s.m.
entuchar v.
entufado adj.
entufamento s.m.
entufar v.
entujucado adj.
entujucar v.
entulhado adj.
entulhagem s.f.
entulhamento s.m.
entulhar v.
entulheira s.f.
entulheiro s.m.
entulho s.m.
entumecência s.f.
entumecente adj.2g.
entumecer v.
entumecido adj.
entumecimento s.m.
entumescência s.f.
entumescente adj.

entumescer v.
entumescido adj.
entumescimento s.m.
entuna s.f.
entunicado adj.
entupecer v.
entupido adj.
entupidor (*ô*) adj. s.m.
entupigaitação s.f.
entupigaitado adj.
entupigaitar v.
entupimento s.m.
entupir v.
entupitivo adj.
enturbar v.
enturgecência s.f.
enturgecente adj.
enturgecer v.
enturida s.f.
enturmação s.f.
enturmado adj.
enturmar v.
enturmável adj.2g.
enturvação s.f.
enturvado adj.
enturvar v.
enturvecer v.
enturviscar v.
entusiasmado adj.
entusiasmador (*ô*) adj.
entusiasmante adj.2g.
entusiasmar v.
entusiasmável adj.2g.
entusiasmo s.m.
entusiasta adj. s.2g.
entusiástico adj.
entuviada s.f.
enublação s.f.
enublado adj.
enublante adj.2g.
enublar v.
enucleação s.f.
enucleado adj.
enuclear v.
ênula s.f.
ênula-campana s.f.; pl. *ênulas-campana* e *ênulas-campanas*
enumerabilidade s.f.
enumeração s.f.
enumerado adj.
enumerador (*ô*) adj. s.m.
enumeramento s.m.
enumerando adj. s.m.
enumerante adj.2g.
enumerar v.
enumerativo adj.
enumerável adj.2g.
enunciação s.f.
enunciado adj. s.m.
enunciador (*ô*) adj. s.m.
enunciar v.
enunciativa s.f.
enunciativo adj.
enunciável adj.2g.
ênupla s.f.
enúplice num.
ênuplo num.
enurese s.f.
enuresia s.f.
enurético adj.
enuviar v.
envaginação s.f.
envaginado adj.
envaginante adj.2g.
envaginar v.
envaidar v.
envaidecedor (*ô*) adj.
envaidecer v.
envaidecido adj.
envaidecimento s.m.
envalado adj.
envalar v.
envalecer v.
envalentonar-se v.
envanecedor (*ô*) adj.
envanecer v.
envanecido adj.
envanecimento s.m.
envarado adj.
envarar v.
envaretado adj.
envaretar v.
envarotar v.
envasa s.f.
envasado adj.
envasadura s.f.
envasamento s.m.
envasar v.
envasilha s.f.
envasilhação s.f.
envasilhado adj.
envasilhagem s.f.
envasilhamento s.m.
envasilhar v.
envaziado adj. s.m.
envelhacar v.
envelhecedor (*ô*) adj.
envelhecer v.
envelhecido adj.
envelhecimento s.m.
envelhentado adj.
envelhentamento s.m.
envelhentar v.
envelhido adj.
envelhir v.
envelopado adj.
envelopamento s.m.
envelopar v.
envelope s.m.
envencelhar v.
envencilhado adj.
envencilhar v.
envenenação s.f.
envenenado adj.
envenenadoiro s.m.
envenenador (*ô*) adj. s.m.
envenenadouro s.m.
envenenamento s.m.
envenenante adj.2g.
envenenar v.
envenenável adj.2g.
enventanar v.
enverar v.
enverdecer v.
enverdecido adj.
enverdecimento s.m.
enverdejar v.
enveredamento s.m.
enveredar v.
envergadela s.f.
envergado adj.
envergadura s.f.
envergamento s.m.
envergar v.
envergável adj.2g.
envergonhação s.f.
envergonhaço s.m.
envergonhadela s.f.
envergonhado adj.
envergonhador (*ô*) adj.
envergonhante adj.2g.
envergonhar v.
envergonhável adj.2g.
envergonhoso (*ô*) adj.; f. (*ó*); pl. (*ó*)
envergues s.m.pl.
envermelhar v.
envermelhecer v.
envermelhecido adj.
envermelhecimento s.m.
envernizadela s.f.
envernizado adj.
envernizador (*ô*) s.m.
envernizadura s.f.
envernizamento s.m.
envernizar v.
enverrugado adj.
enverrugar v.
envés s.m.
envesado adj.
envesamento s.m.
envesar v.
envesgado adj.
envesgar v.
envessado adj.
envessar v.
envesso (*ê*) s.m.; cf. *envesso*, fl. do v. *envessar*
enviada s.f.
enviadeira s.f.
enviadeiro s.m.
enviado adj. s.m.
enviadoiro s.m.
enviadouro s.m.
enviamento s.m.
enviante adj. s.2g.
enviar v.
enviatura s.f.
enviável adj.2g.
enviçado adj.
enviçar v.
enviciado adj.
envidado adj.
envidadoiro s.m.
envidador (*ô*) s.m.
envidadouro s.m.
envidamento s.m.
envidar v.
envide s.m.
envidilha s.f.
envidilhar v.
envido s.m.
envidraçado adj.
envidraçamento s.m.
envidraçar v.
envieirado adj.
envieirar v.
enviés s.m.; na loc. *de enviés*
enviesado adj.
enviesamento s.m.
enviesar v.
envigamento s.m.
envigar v.
envigorante adj.2g.
envigorar v.
envigotamento s.m.
envigotar v.
envilecedor (*ô*) adj.
envilecer v.
envilecido adj.
envilecimento s.m.
envinagrado adj.
envinagrador (*ô*) adj.
envinagramento s.m.
envinagrante adj.2g.
envinagrar v.
envincilhado adj.
envincilhar v.
envinhadalhado adj.
envinhadalhar v.
envinhadalho s.m.
envinhado adj.
envinhar v.
envio s.m.
enviperado adj.
enviperar v.
envira s.f.
envira-branca s.f.; pl. *enviras-brancas*
envira-preta s.f.; pl. *enviras-pretas*
enviratai s.f.
envireira s.f.
envireira-do-campo s.f.; pl. *envireiras-do-campo*
envirense adj. s.2g.
enviscação s.f.
enviscado adj.
enviscador (*ô*) adj.
enviscamento s.m.
enviscante adj.2g.
enviscar v.
enviscerado adj.
envisco s.m.
envisgação s.f.
envisgado adj.
envisgador (*ô*) adj.
envisgamento s.m.
envisgante adj.2g.
envisgar v.
envisgo s.m.
envite s.m.
enviusado adj.
enviusar v.
enviuvado adj.
enviuvamento s.m.
enviuvar v.
enviveirado adj.
enviveirar v.
envolar v.
envolta s.f. "faixa", "ligadura"; cf. *envolta* (*ô*)
envolta (*ô*) s.f. "companhia"; cf. *envolta*
envolto (*ô*) adj.
envoltória s.f.
envoltório s.m.
envoltura s.f.
envolucrar v.
envólucro s.m.
envolutar v.
envolvedoiro s.m.
envolvedor (*ô*) adj. s.m.
envolvedouro s.m.
envolvedura s.f.
envolvência s.f.
envolvente adj. s.2g.
envolver v.
envolvição s.f.
envolvido adj.
envolvimento adj.
envultamento s.m.
envultar v.
enxabelador (*ô*) s.m.
enxabelha (*ê*) s.f.
enxabelhar v.
enxabelho (*ê*) s.m.
enxabeque s.m.
enxabiado adj.
enxabidez (*ê*) s.f.
enxabido adj.
enxabimento s.m.
enxaboucado adj.
enxabregano adj. s.m.
enxaca s.f.
enxacoco (*ô*) adj. s.m.
enxada s.f.
enxadada s.f.
enxada de cavalo s.f.
enxadão s.m.
enxadar v.
enxada-verde s.f.; pl. *enxadas-verdes*
enxadear v.
enxadeiro adj. s.m.
enxadete (*ê*) s.m.
enxadreia (*é*) s.f.
enxadrez (*ê*) s.m.
enxadrezado adj. s.m.
enxadrezar v.
enxadrismo s.m.
enxadrista adj. s.2g.
enxadrístico adj.
enxaguada s.f.
enxaguadela s.f.
enxaguado adj.
enxaguadoiro s.m.
enxaguadouro s.m.
enxaguadura s.f.
enxaguão s.m.
enxaguar v.
enxaguata s.f.
enxaimear v.
enxaimel s.m.
enxaire adj.2g. s.m.
enxairediço adj.
enxairelado adj.
enxalamar s.f.
enxalavar s.m.
enxalavara s.f.
enxalaviação s.f.
enxalaviador (*ô*) adj. s.m.
enxalaviadura s.f.
enxalaviar v.
enxalçamento s.m.
enxalçar v.
enxalço s.m.
enxalmado adj.
enxalmador (*ô*) adj. s.m.
enxalmadura s.f.
enxalmar v.
enxalmeiro s.m.
enxalmo s.m.
enxama s.f.
enxamagem s.f.
enxamata s.f.
enxambelho (*ê*) s.m.
enxambeque s.m.
enxamblador (*ô*) s.m.
enxamblamento s.m.
enxamblar v.
enxambrado adj.
enxambramento s.m.
enxambrar v.
enxame s.m.
enxameação s.f.
enxameado adj.
enxameador (*ô*) s.m.
enxameamento s.m.
enxameante adj.2g.
enxamear v.
enxameio s.m.
enxamel s.m.
enxamelha (*ê*) s.f.
enxamelhar v.
enxampoado adj.
enxampoar v.
enxampuado adj.
enxampuar v.
enxaqueca (*ê*) s.f.
enxaquecado adj.
enxaquecar v.
enxaquetado adj.
enxaquetão s.m.
enxara s.f.
enxarafa s.f.
enxaral s.m.
enxaraval s.m.
enxaravia s.f.
enxarca s.f.
enxárcia s.f.; cf. *enxarcia*, fl. do v. *enxarciar*
enxarciado adj.
enxarciar v.
enxaréu s.m.
enxário adj. s.m.
enxarnicado adj.
enxaropado adj.
enxaropar v.
enxarope s.m.
enxarrafado adj.
enxaugado adj.
enxaugar v.
enxaugo s.m.
enxávega s.f.
enxávego s.m.
enxavo s.m.
enxebre adj. s.m.
enxecar v.
enxeco (*ê*) s.m.
enxelhar v.
enxelharia s.f.
enxequetado adj.
enxequetar v.
enxequeteado adj.
enxerca (*ê*) s.f.
enxercar v.
enxerco (*ê*) s.m.
enxerga (*ê*) s.f.; cf. *enxerga*, fl. do v. *enxergar*
enxergado adj.
enxergão s.m.
enxergar v.
enxergueiro s.m.
enxerido adj. s.m.
enxerimento s.m.
enxerir v.
enxerqueira s.f.
enxerqueiro s.m.
enxerta s.f.
enxertadeira s.f.
enxertado adj.
enxertador (*ô*) adj. s.m.
enxertadura s.f.
enxertar v.
enxertário s.m.
enxertia s.f.
enxertímetro s.m.
enxerto (*ê*) s.m.; cf. *enxerto*, fl. do v. *enxertar*
enxerto-de-passarinho s.m.; pl. *enxertos-de-passarinho*
enxertômetro s.m.
enxiar v.
enxidro s.m.
enxilhar v. s.m.
enxilharia s.f.
enxó s.m.
enxoada s.f.
enxofra s.f.
enxofração s.f.
enxofradeira s.f.
enxofrado adj.
enxofrador (*ô*) adj. s.m.

enxoframento s.m.
enxofrante adj.2g.
enxofrar v.
enxofre (*ô*) s.m.; cf. *enxofre*, fl. do v. *enxofrar*
enxofreira s.f.
enxofrento adj.
enxofria s.f.
enxogalhar v.
enxogar v.
enxombrado adj.
enxombrar v.
enxorado adj.
enxorar v.
enxota-cães s.2g.2n.
enxota-diabos s.2g.2n.
enxotado adj.
enxotador (*ô*) adj. s.m.
enxotadura s.f.
enxotamento s.m.
enxota-moscas s.2g.2n.
enxotar v.
enxotaria s.f.
enxova s.f. "prisão"; cf. *enchova* (*ô*)
enxovado adj.
enxoval s.m.
enxovalhada s.f.
enxovalhado adj.
enxovalhamento s.m.
enxovalhar v.
enxovalho s.m.
enxovar v.
enxovedo (*ê*) s.m.
enxovia s.f.
enxovio adj. s.m.
enxu s.m.
enxu-da-beira-do-telhado s.m.; pl. *enxus-da-beira-do-telhado*
enxudrar v.
enxudreiro s.m.
enxuense adj. s.2g.
enxuga s.f.
enxugadeira s.f.
enxugadoiro s.m.
enxugador (*ô*) adj. s.m.
enxugadouro s.m.
enxuga-gelo s.m.; pl. *enxuga-gelos*
enxugamento s.m.
enxugar v.
enxugo s.m.
enxuí s.m.
enxulha s.f.
enxulho s.m.
enxumbradela s.f.
enxumbrado adj.
enxumbrar v.
enxúndia s.f.; cf. *enxundia*, fl. do v. *enxundiar*
enxundiáceo adj.
enxundiar v.
enxundice s.f.
enxundioso (*ô*) adj.; f. (*ó*); pl. (*ó*)
enxurdado adj.
enxurdar v.
enxurdeiro s.m.
enxurdo s.m.
enxurrada s.f.
enxurrar v.
enxurreira s.f.
enxurreiro adj. s.m.
enxurria s.f.
enxurriar v.
enxurro s.m.
enxuto adj. s.m.
enzamboado adj.
enzampa s.2g.
enzampamento s.m.
enzampar v.
enzamparinado adj.
enzamparinar v.
enzampe s.m.
enzamponar v.
enzarel s.m.
enzarol s.m.
enzêmola s.f.
enzena s.f.
enzenza s.f.
enzima s.f.
enzimático adj.
enzímico adj.
enzimoide (*ó*) adj.2g.
enzimólise s.f.
enzimolítico adj.
enzimologia s.f.
enzimológico adj.
enzimologista adj. s.2g.
enzimólogo s.m.
enzimometria s.f.
enzimométrico adj.
enzimômetro s.m.
enzimose s.f.
enzimótico adj.
enzina adj.2g.
enzinado adj.
enzinar v.
enzinento adj.
enzinha s.f.
enzinheira s.f.
enzoico (*ó*) adj.
enzolo s.m.
enzona s.f.
enzonar v.
enzoneiro adj. s.m.
enzonice s.f.
enzonzado adj.
enzonzamento s.m.
enzonzar v.
enzoose s.f.
enzootia s.f.
enzoótico adj.
eô s.m.
eoa (*ô*) s.f.
eoantropo s.m.
eoântropo s.m.
eocambriano adj. s.m.
eocantocéfalo adj. s.m.
eocarbonífero adj. s.m.
eocene adj.2g. s.m.
eocênico adj.
eoceno adj. s.m.
eocretáceo adj. s.m.
eocretácico adj. s.m.
eocrinoide (*ó*) adj.2g. s.m.
eodevoniano adj. s.m.
eodevônico adj. s.m.
eões s.m.pl.
eofilo adj. s.m.
eofítico adj. s.m.
eófito s.m.
eogênico adj.
eógeno adj. s.m.
eoipídeo adj. s.m.
eoípo s.m.
eojurássico adj. s.m.
eolação s.f.
eolanto s.m.
eolianítico adj.
eolianito s.m.
eoliano adj.
eólico adj.
eólida adj. s.2g.
eolídia s.f.
eolidícola adj.2g. s.m.
eolidídeo adj. s.m.
eolina s.f.
eólio adj. s.m.
eolípila s.f.
eólis s.m.2n.
eolismo s.m.
eolítico adj. s.m.
eólito s.m.
eolitofilia s.f.
eolitofílico adj.
eolitófilo adj.
eolitofobia s.f.
eolitofóbico adj.
eolitófobo adj.
eolização s.f.
eolizado adj.
eolizar v.
éolo s.m.
eolonto s.m.
eolossoma s.m.
eolossomídeo adj. s.m.
eoloteca s.f.
eolotripse s.f.
eolotropia s.f.
eolotrópico adj.
eombolo s.m.
eometálico adj.
eomorfo s.m.
éon s.m.
eones s.m.pl.
eônio s.m.
eonismo s.m.
eonita adj. s.2g.
eonumulítico adj.
eoo (*ô*) adj. s.m.
eopaleozoico (*ó*) adj. s.m.
eopré-cambriano adj. s.m.
eoproterozoico (*ó*) adj. s.m.
eordeia (*é*) adj. s.f. de *eordeu*
eordense adj. s.2g.
eordeu adj. s.m.; f. *eordeia* (*é*)
eosforita s.f.
eosina s.f.
eosinócito s.m.
eosinofilemia s.f.
eosinofilia s.f.
eosinofílico adj.
eosinófilo adj. s.m.
eosinopenia s.f.
eosinopênico adj.
eosita s.f.
eosite s.f.
eosoto s.m.
eospermo s.m.
eóspora s.f.
eósporo s.m.
eossérie s.f.
eotério s.m.
eozoico (*ó*) adj.
eozone s.f.
epa (*ê*) interj.
epacmástico adj.
epacmo s.m.
épacre s.f.
epácrida adj.2g. s.f.
epacridácea s.f.
epacridáceo adj.
epacrídea s.f.
epacrídeo adj.
epacridínea s.f.
epacridíneo adj.
epacrômia s.f.
epacta s.f.
epactal adj.2g.
epaférese s.f.
epaferético adj.
epagoge s.f.
epagógico adj.
epagogo (*ô*) s.m.
epagômeno adj.
epalta s.f.
epalto s.m.
epanadiplose s.f.
epanadiplótico adj.
epanáfora s.f.
epanafórico adj.
epanalepse s.f.
epanaléptico adj.
epanástrofe s.f.
epanastrófico adj.
epânodo s.m.
epanortídeo adj. s.m.
epanortose s.f.
epanortótico adj.
epantério adj. s.m.
eparapétala s.f.
eparca s.m.
eparma s.m.
eparmático adj.
eparquia s.f.
epárquico adj.
eparterial adj.2g.
epata s.f.
epecino adj. s.m.
epéctase s.f.
epeia (*é*) adj. s.f. de *epeu*
epeira s.f.
epeirídeo adj. s.m.
epêirido s.m.
epelênsia s.f.
epena s.f.
epencefálico adj.
epêndima s.m.
ependimário adj.
ependimático adj.
ependimite s.f.
epêndimo s.m.
ependimoblasto s.m.
ependimoma s.m.
epêntese s.f.
epentético adj.
epéolo s.m.
epeoloide (*ó*) adj.2g. s.m.
eperlano s.m.
eperva s.f.
epetrimo adj. s.m.
epeu adj. s.m.; f. *epeia* (*é*)
epexegese (*cs*) s.f.
epexegético (*cs*) adj.
epíalo adj.
epiástico adj.
epiatmosférico adj.
epibata s.m.
epibdela s.m.
epibionto s.m.
epibiose s.f.
epibiótico adj.
epiblástico adj.
epiblasto s.m.
epibléfaro s.m.
epiblema s.m.
epíbole s.f.
epibolia s.f.
epibólico adj.
epíbolo s.m.
epibóscon s.m.
epibranquial adj.
epibromidrina s.f.
épica s.f.
epicado s.m.
epicália s.f.
epicálice s.f.
epicalícia s.f.
epicântico adj.
epicântide s.m.
epicântis s.m.2n.
epicantite s.f.
epicanto s.m.
epicardia s.m. "posição do coração"; cf. *epicárdia*
epicárdia s.m. "parte do esôfago"; cf. *epicardia*
epicárdico adj.
epicárdio s.m.
epicardiotopia s.f.
epicáride s.f.
epicáris s.f.2n.
epicarpia s.f.
epicárpico adj.
epicárpio s.m.
epicarpo s.m.
epicatequina s.f.
epicaule adj.2g.
epicauma s.f.
epicáumata s.m.
epícea s.f.
epicédio s.m.
epicefalia s.f.
epicefálico adj.
epicéfalo s.m.
epicênia s.f.
epicênio s.m.
epiceno adj.
epicentral adj.2g.
epicêntrico adj.
epicentro s.m.
epicerástico adj.
epícero s.m.
epiciclo s.m.
epicicloidal adj.2g.
epicicloide (*ó*) adj.2g. s.f.
epicipta s.m.
epicismo s.m.
epicista adj. s.2g.
epicístico adj.
epicistite s.f.
epicistítico adj.
epicistotomia s.f.
epicistotômico adj.
epícito s.m.
epicitoma s.m.
epiclese s.f.
epiclino adj.
epiclinta s.m.
epíclise s.f.
epícloe s.f.
epiclorídrico adj.
epicloridrina s.f.
epiclorita s.f.
epiclorite s.f.
epiclorobromidrina s.f.
épico adj. s.m.
epicólico adj.
epicômbio s.m.
epicombo s.m.
epicométide s.f.
epicométis s.f.2n.
epicometo s.m.
epicomia s.f.
epícomo adj. s.m.
epicondilalgia s.f.
epicondilar adj.2g.
epicondilial adj.2g.
epicondiliano adj.
epicondiliar adj.2g.
epicondiliário adj.
epicondilite s.f.
epicondilítico adj.
epicôndilo s.m.
epicontinental adj.2g.
epicontinente s.m.
epicopo s.m.
epicorial adj.2g.
epicório adj. s.m.
epicorólia s.f.
epicotiledonar adj.2g.
epicotiledonário adj.
epicotilédone s.f.
epicotiledôneo adj.
epicótilo s.m.
epicraniano adj.
epicrânico adj.
epicrânio s.m.
epícrase s.f.
epícrate s.m.
epicrático adj.
epícrise s.f.
epicrítico adj.
epicroptério s.m.
epicrose s.f.
epictoniano adj.
epictônio adj.
epicureia (*é*) adj. s.f. de *epicureu*
epicureísmo s.m.
epicureísta adj. s.2g.
epicureístico adj.
epicúreo adj. s.m.
epicureu adj. s.m.; f. *epicureia* (*é*)
epicúrio adj. s.m.
epicurismo s.m.
epicurista adj. s.2g.
epicurístico adj.
epicurizar v.
epidactiloscópio s.m.
epidafneia (*é*) adj. s.f. de *epidafneu*
epidafneu adj. s.m.; f. *epidafneia* (*é*)
epidamniense adj. s.2g.
epidâmnio adj. s.m.
epídapo s.m.
epidatiloscópio s.m.
epidaureia (*é*) adj. s.f. de *epidaureu*
epidaureu adj. s.m.; f. *epidaureia* (*é*)
epidáurico adj. s.m.
epidáurio adj. s.m.
epidauritano adj. s.m.
epídema s.m.
epidemático adj.
epidemia s.f.
epidemiado adj. s.m.
epidemial adj.2g.
epidemiar v.
epidemicidade s.f.
epidêmico adj.
epidêmio s.m.
epidemiologia s.f.
epidemiológico adj.
epidemiologista adj. s.2g.
epidemiólogo s.m.
epidemismo s.m.
epidemista adj. s.2g.
epidemístico adj.
epidêndrea s.f.

epidêndreo adj.
epidendro adj. s.m.
epiderme s.f.
epidérmico adj.
epidermícula s.f.
epidermículo s.m.
epidérmide s.f.
epidermina s.f.
epidermiólise s.f.
epidermofitose s.f.
epidermofitótico adj.
epidermoide (*ó*) adj.2g.
epidermólise s.f.
epidermolítico adj.
epidermoma s.m.
epidermomicose s.f.
epidermomicótico adj.
epidermoplastia s.f.
epidermoplástico adj.
epidermorreação s.f.
epidermorreatividade s.f.
epidermorreativo adj. s.m.
epidermose s.f.
epidermótico adj.
epídese s.f.
epidesiologia s.f.
epidesiológico adj.
epidiabásico adj.
epidiabásio s.m.
epidiafragmatopia s.f.
epidiascópio s.m.
epidibromidrina s.f.
epidicloridrina s.f.
epidíctico adj.
epididimário adj.
epididimectomia s.f.
epididimectômico adj.
epididimita s.f.
epididimite s.f.
epididimítico adj.
epidídimo s.m.
epididimodeferencial adj.2g.
epididimodeferentectomia s.f.
epididimorquite s.f.
epididimotomia s.f.
epididimovasostomia s.f.
epidípnide s.f.
epidiscal adj.2g.
epidítico adj.
epídose s.f.
epídota s.f.
epidótico adj.
epidotita s.f.
epidotito s.m.
epídoto s.m.
epídroma s.f.
epídromo s.m.
epidural adj.2g.
epidurite s.f.
epiecia s.f.
epienomia s.f.
epífane adj.2g.
epifanense adj. s.2g.
epifania s.f.
epifanita s.f.
epífano adj.
epifaringe s.f.
epifaríngeo adj.
epífase s.f.
epifático adj.
epifauna s.f.
epifenomenal adj.2g.
epifenomenalismo s.m.
epifenomenalista s.2g.
epifenomenalístico adj.
epifenomênico adj.
epifenomenismo s.m.
epifenomenista s.2g.
epifenomenístico adj.
epifenômeno s.m.
epiferia s.f.
epiféria s.f.
epifílico adj.
epifilismo s.m.
epifilo s.m.
epifilopse s.f.
epifilospérmea s.f.
epifilospermo adj.
epifisário adj.
epífise s.f.
epifisiólise s.f.
epifisiolistese s.f.
epifisiolítico adj.
epifisite s.f.
epifisítico adj.
epífita s.f.
epifitia s.f.
epifítico adj.
epifitismo s.m.
epífito adj. s.m.
epifitologia s.f.
epifitológico adj.
epifitologista s.2g.
epifitólogo s.m.
epifitotia s.f.
epifitótico adj.
epifleódico adj.
epifleose s.f.
epiflogose s.f.
epiflora s.f.
epifoliculite s.f.
epifoliculítico adj.
epifonema s.m.
epifonemático adj.
epifonêmico adj.
epifono s.m.
epífono s.m.
epífora s.f.
epifosclerose s.f.
epifragma s.m.
epifragmático adj.
epífrase s.f.
epifrástico adj.
epifronite s.f.
epigamia s.f.
epigâmico adj.
epigastralgia s.f.
epigastrálgico adj.
epigástrico adj.
epigástrio s.m.
epigastro s.m.
epigastrocele s.f.
epigastrorrafia s.f.
epigastrorráfico adj.
epigeia (*é*) adj. f. de *epigeu*
epigeico (*é*) adj.
epigênese s.f.
epigenesia s.f.
epigenésico adj.
epigenesista adj. s.2g.
epigenética s.f.
epigenético adj.
epigenia s.f.
epigênico adj.
epigenita s.f.
epigenização s.f.
epigenizado adj.
epigenizar v.
epígeno adj.
epigeu adj.; f. *epigeia* (*é*)
epiginia s.f.
epigínico adj.
epígino adj.
epiginofórico adj.
epiginômeno s.m.
epigleácea s.f.
epiglossa s.f.
epiglósside s.f.
epiglóssis s.f.2n.
epiglote s.f.
epiglótico adj.
epiglotidectomia s.f.
epiglotidectômico adj. s.m.
epiglotite s.f.
epiglotítico adj.
epígnata adj.2g.
epignatia s.f.
epignático adj.
epígnato adj. s.m.
epignose s.f.
epignóstico adj.
epígone s.f.
epigonia s.f.
epigoniântea s.f.
epigônico adj.
epigonídeo adj. s.m.
epigônio adj. s.m.
epigonismo s.m.
epigonista adj. s.2g.
epigonístico adj.
epígono adj. s.m.
epigrafado adj.
epigrafar v.
epígrafe s.f.; cf. *epigrafe*, fl. do v. *epigrafar*
epigrafia s.f.
epigráfico adj.
epigrafista adj. s.2g.
epígrafo s.m. cf. *epigrafo*, fl. do v. *epigrafar*
epigrafoteca s.f.
epigrafotecário adj. s.m.
epigrama s.m.
epigramar v.
epigramaticar v.
epigramático adj.
epigramatismo s.m.
epigramatista adj. s.2g.
epigramatístico adj.
epigramatizar v.
epigramista adj. s.2g.
epigramístico adj.
epiguanina s.f.
epi-hidrinocarbonato s.m.
epi-hidrinocarbônico adj.
epi-iantinita s.f.
epilábil adj.2g.
epilação s.f.
epilador (*ô*) adj.
epilampo s.m.
epilante adj.2g.
epilar v.
epilarca s.m.
epilaríngeo adj.
epilarquia s.f.
epilatório adj. s.m.
epilável adj.2g.
epilemal adj.2g.
epilemático adj.
epilepsia s.f.
epilepsiar v.
epiléptico adj. s.m.
epileptiforme adj.2g.
epileptizar v.
epileptogênese s.f.
epileptogenético adj.
epileptogenia s.f.
epileptogênico adj.
epileptógeno s.m.
epileptoide (*ó*) adj.2g.
epileptomorfo adj.
epilético adj. s.m.
epilímnio s.m.
epilinguístico (*ü*) adj.
epílio s.m.
epilítico adj.
epilobácea s.f.
epilobáceo adj.
epilóbea s.f.
epilóbeo adj.
epilobiácea s.f.
epilóbio s.m.
epílobo s.m.
epilogação s.f.
epilogado adj.
epilogador (*ô*) adj. s.m.
epilogal adj.2g.
epilogar v.
epilogismo s.m.
epílogo s.m.; cf. *epilogo*, fl. do v. *epilogar*
epimácio s.m.
epímaco s.m.
epimedieia (*é*) s.f.
epimédio s.m.
epimenase s.f.
epimênide s.m.
epimênio s.m.
epímeno adj.
epimérase s.f.
epimerático adj.
epimerismo s.m.
epimerização s.f.
epímero s.m.
epimetral adj.2g.
epímetro adj. s.m.
epimísio s.m.
epimítio s.m.
epimona s.f.
epímone s.f.
epimorfo adj. s.m.
epimorfose s.f.
epimorfótico adj.
epinastia s.f.
epinástico adj.
epinástio adj.
epinécton s.m.
epinefelíneo adj. s.m.
epinefélio s.m.
epinefelo s.m.
epinefrídio s.m.
epinéfrido s.m.
epinefrina s.f.
epinefrite s.f.
epinefrítico adj.
epinema s.m.
epinemático adj.
epinetro s.m.
epineural adj.2g.
epineurial adj.2g.
epinêurio s.m.
epineuro s.m.
epinganho s.m.
epinício s.m.
epinicto s.m.
epinifelo s.m.
epinomia s.f.
epinóquio s.m.
epiódia s.f.
epiodonte s.m.
epiômida s.f.
epionita s.f.
epioolítico adj.
epiorganismo s.m.
epiórnis s.m.2n.
epiornítico adj.
epiornitídeo adj. s.m.
epiornitiforme adj.2g. s.f.
epiornito s.m.
epiornitomorfa s.f.
epiornitomorfo adj.
epiótico adj. s.m.
epipacte s.f.
epipacte-vermelha s.f.; pl. *epipactes-vermelhas*
epipaleolítico adj.
epiparoxismo (*cs*) s.m.
epiparoxístico (*cs*) adj.
epipástico adj.
epípedo s.m.
epipelágico adj.
epipetalia s.f.
epipetália s.f.
epipétalo adj.
epípetro s.m.
epipial adj.2g.
epipião s.m.
epipigma s.m.
epipituitário (*u-i*) adj.
epipíxide (*cs*) s.f.
epipíxis (*cs*) s.f.2n.
epiplancto s.m.
epiplâncton s.m.
epiplanctônico adj.
epiplasma s.m.
epiplasmático adj.
epiplastrão s.m.
epiplerose s.f.
epiplerótico adj.
epiplocele s.f.
epiploenterocele s.f.
epiploico (*ó*) adj.
epiploisquiocele s.f.
epiploíte s.f.
epiplomerocele s.f.
epiplônfalo s.m.
epíploo s.m.
epiploônfalo s.m.
epiplopexia (*cs*) s.f.
epiploplastia s.f.
epiplosqueocele s.f.
epiplossarcônfalo s.m.
epípode s.m.
epipódio s.m.
epipodítico adj.
epipodito s.m.
epipódito s.m.
epipodometria s.f.
epipodométrico adj.
epipodômetro s.m.
epipogão s.m.
epipógon s.m.
epípola s.f.
epipólase s.f.
epipolasmo s.m.
epipolástico adj.
epipólico adj.
epiporoma s.m.
epipremno s.m.
epiprimno s.m.
epipterado adj.
epipúbis s.m.2n.
epiqueia (*é*) s.f.
epiquilo s.m.
epiquirema s.m.
epiquiremático adj.
epirense adj. s.2g.
epírico adj.
epirogênese s.f.
epirogenético adj.
epirogenia s.f.
epirogênico adj.
epirografia s.f.
epirográfico adj.
epirógrafo s.m.
epirologia s.f.
epirológico adj.
epirólogo s.m.
epirota adj. s.2g.
epirote adj. s.2g.
epirótico adj.
epirreia (*é*) s.f.
epirrema s.m.
epirremático adj.
epirrizante adj.
epirrizo adj.
episcênia s.f.
episcênio s.m.
epíscia s.f.
epíscio s.m.
episcleral adj.2g.
episclerite s.f.
episclerítico adj.
episcomenia s.f.
episcopado s.m.
episcopal adj. s.2g.
episcopaliano adj.
episcopalismo s.m.
episcópico adj.
episcópio s.m.
episcopisa s.f.
epíscopo s.m.
episcopocracia s.f.
episcopocrata s.2g.
episcopócrata s.2g.
episcopocrático adj.
episcopologia s.f.
episcopológico adj.
episcopológio s.m.
episcopólogo s.m.
episema s.f.
episemo s.m.
episferia s.f.
episinangina s.f.
episio s.m.
episiocele s.f.
episioclesia s.f.
episioctomia s.f.
episioelitrorrafia s.f.
episioplastia s.f.
episiorrafia s.f.
episiorráfico adj.
episiorragia s.f.
episiostenose s.f.
episiotomia s.f.
episiotômico adj.
episita s.f.
episitisma s.m.
episitismático adj.
episitismo s.m.
episito s.m.
episodiado adj.
episodiador (*ô*) adj. s.m.
episodiar v.
episodicidade s.f.
episódico adj.
episódio s.m. cf. *episodio*, fl. do v. *episodiar*
episontologia s.f.
epispadia s.f. "deformação"; cf. *epispádia*
epispádia s.f. "planta"; cf. *epispadia*

epispádico adj.
epíspase s.f.
epispasmo s.m.
epispástico adj. s.m.
episperma s.m.
epispermático adj.
epispérmico adj.
epispermo adj. s.m.
epispório s.m.
epísporo s.m.
epísquese s.f.
episquético adj.
epissemo s.m.
epissenagia s.f.
epissépalo adj.
epissilogismo s.m.
epissilogístico adj.
epissinangina s.f.
epissintético adj.
epissintetismo s.m.
epissoma s.m.
epissômico adj.
epissomo s.m.
epistação s.f.
epistáctico adj.
epistadia s.f.
epistafilino adj. s.m.
epistaminado adj.
epistaminal adj.2g.
epistaminia s.f.
epistar v.
epístase s.f.
epistasia s.f.
epístata s.m.
epistatia s.f.
epistático adj.
epistaxe (*cs*) s.f.
epistéfio s.m.
epistema s.f.
epistemático adj.
episteme s.f.
epistêmico adj.
epistemologia s.f.
epistemológico adj.
epistemólogo s.m.
epistemonimia s.f.
epistemonímia s.f.
epistemonímico adj.
epistemônimo s.m.
epistereoma s.m.
episternal adj.2g.
episterno s.m.
epistético adj.
epistilbita s.f.
epistilbite s.f.
epistílio s.m.
epistilo s.m.
epístola s.f. cf. *epistola*, fl. do v. *epistolar*
epistolar v. adj.2g.
epistolário adj. s.m.
epistoleiro s.m.
epistólico adj.
epistólio s.m.
epistolita s.f.
epistolizar v.
epistolografia s.f.
epistolográfico adj.
epistológrafo s.m.
epístoma s.m.
epistomal adj.2g.
epistômio s.m.
epístomo s.m.
epistótono adj.
epistratégia s.f.
epistratégico adj.
epistratego s.m.
epístrofe s.m.
epistrofeu adj. s.m.
epistrófico adj.
epitaciano adj.
epitaciense adj. s.2g.
epitáctico adj.
epitáfio s.m.
epitafista adj. s.2g.
epitagma s.m.
epitagmarca s.m.
epitagmático adj.
epitalâmico adj.
epitalâmio s.m.
epitálamo s.m.
epitalo s.m.
epitaraxia (*cs*) s.f.
epitarquia s.f.
epitárseo s.m.
epitársico adj.
epítase s.f.
epitático adj.
epitauritano adj. s.m.
epitaxe (*cs*) s.f.
epitaxia (*cs*) s.f.
epitaxial (*cs*) adj.2g.
epitáxico (*cs*) adj.
epiteca s.f.
epitécio s.m.
epiteco s.m.
epitelial adj.2g.
epitélio s.m.
epitelioide (*ó*) adj.2g.
epiteliolisina s.f.
epitelioma s.m.
epiteliomático adj.
epiteliomatose s.f.
epiteliomatoso (*ô*) adj.; f. (*ó*); pl. (*ó*)
epiteliomuscular adj.2g.
epiteliose s.f.
epiteloide (*ó*) adj.2g.
epiteloma s.m.
epitelomático adj.
epitelomatose s.f.
epitelomatoso (*ô*) adj.; f. (*ó*); pl. (*ó*)
epitelomuscular adj.2g.
epitelose s.f.
epitema s.f. "planta"; cf. *epítema*
epítema s.m. "emplasto"; cf. *epitema*
epitêmia s.f.
epitermal adj.2g.
epitérmico adj.
epítese s.f.
epitetar v.
epitético adj.
epitetismo s.m.
epíteto s.m.; cf. *epiteto*, fl. do v. *epitetar*
epitetomania s.f.
epitetomaníaco adj. s.m.
epitetômano adj. s.m.
epitiflite s.f.
epitimia s.f.
epitímico adj. s.m.
epítimo s.m.
epitimpânico adj.
epitiquismo s.m.
epitocia s.f.
epítoga s.f.
epitógio s.m.
epitomado adj.
epitomador (*ô*) adj. s.m.
epitomar v.
epítome s.m.; cf. *epitome*, fl. do v. *epitomar*
epítopo s.m.
epitoquia s.f.
epitoxe (*cs*) s.f.
epitoxoide (*cs...ó*) s.m.
epitremado s.m.
epitríquio s.m.
epítrito adj. s.m.
epitróclea s.f.
epitrocleal adj.2g.
epitrocleano adj.
epitroclear adj.2g.
epitrocleocoronídio adj.
epitrocleocubital adj.2g.
epitrocleoindimetacárpico adj.
epitrocleolecraniano adj.
epitrocleopalmar adj.2g.
epitrocleopisiforme adj.2g.
epitrocleorradial adj.2g.
epitrocoide (*ó*) adj.2g. s.f.
epítrofe s.f.
epítropa s.f.
epítrope s.f.
epítropo s.m.
epitróquio s.m.
epituberculose s.f.
epituitário (*u-i*) adj.
epivalva s.f.
epixenagia s.f.
epíxilo (*cs*) adj.
epizeuxe (*cs*) s.f.
epizêuxis (*cs*) s.f.2n.
epizoanto s.m.
epizoário adj. s.m.
epizoico (*ó*) adj.
epizona s.f.
epizoonosologia s.f.
epizoonosológico adj.
epizoonosologista s.2g.
epizoonosólogo s.m.
epizoose s.f.
epizootia s.f.
epizoótico adj.
epô s.m.
época s.f.
epocal adj.2g.
epódico adj.
epodo s.m.
epomóforo s.m.
eponimia s.f.
eponímia s.f.
eponímico adj.
epônimo adj. s.m.
eponíquia s.f.
eponíquio s.m.
eponismo s.m.
epooforectomia s.f.
epoóforo s.m.
epopaico adj.
epopeia (*é*) s.f.
epopeico (*é*) adj.
epopeizar v.
epopsia s.f.
epopta s.m.
epóptico adj.
epoptismo s.m.
epoquê s.f.
eporense adj. s.2g.
epos s.m.2n.
epostracismo s.m.
epóxi (*cs*) s.m.
epóxico (*cs*) s.m.
epóxido (*cs*) s.m.
epoxietano (*cs*) s.m.
epoxipropiônico (*cs*) adj.
epoxistilênico (*cs*) adj.
epoxistileno (*cs*) s.m.
epsilão s.m.
épsilo s.m.
épsilon s.m.
epsomita s.f.
eptésico s.m.
épula s.f.
epulão s.m.
epular adj.2g.
epulário adj. s.m.
épulas s.f.pl.
epúlida s.f.
epúlide s.f.
epulofibroma s.m.
epuloide (*ó*) adj. s.2g.
epulose s.f.
epulótico adj.
epumuno s.m.
epupulo s.m.
épura s.f.
epureia (*é*) s.f.
epuxa interj.
equabilidade s.f.
equação s.f.
equacionado adj.
equacionador (*ô*) adj.
equacional adj.2g.
equacionamento s.m.
equacionante adj.2g.
equacionar v.
equacionável adj.2g.
equador (*ô*) s.m.
equadorense adj. s.2g.
equala s.f.
equalifloro adj.
equalifólio adj.
equalização s.f.
equalizado adj.
equalizador (*ô*) adj.
equalizante adj.2g.
equalizar v.
equalizável adj.2g.
equânime adj.2g.
equanimidade s.f.
equânimo s.m.
equante s.m.
equativo adj.
equatorial adj. s.2g.
equatoriano adj. s.m.
equável adj.2g.
equê s.m.
equede s.f.
equelengue s.f.
équene s.m.
equenedo s.m.
equeneídeo adj. s.m.
equengue s.m.
equenha s.f.
equestre (*ü*) adj.2g.
equetliense adj.2g.
equeu s.m.
equevéria s.f.
equevo adj.
equialto (*ü*) adj.
equiangular (*ü*) adj.2g.
equiângulo (*ü*) adj.
equião s.m.
equiaxial (*ü...cs*) adj.
equicalórico (*ü*) adj.
equicautchina s.f.
equice s.m.
equicérico adj.
equicerina s.f.
equícola (*u* ou *ü*) adj. s.2g.
equicôncavo (*ü*) adj.
equiconcial (*ü*) adj.2g.
equiconvexo (*ü...cs*) adj.
equicorrente (*ü*) adj.
equicrural adj.2g.
equiculano adj.
equículo adj. s.m.
equida (*ü*) adj.2g. s.m.
équida adj.2g. s.m.
equidade (*u* ou *ü*) s.f.
equídeo (*u* ou *ü*) adj. s.m.
equidiferença (*ü*) s.f.
equidiferente (*ü*) adj.2g.
equidilatado (*ü*) adj.
equidimensão (*ü*) s.f.
equidimensional (*ü*) adj.2g.
equidimensionalidade (*ü*) s.f.
equidimensionar (*ü*) v.
equidistância (*ü*) s.f.
equidistante (*ü*) adj.2g.
equidistar (*u* ou *ü*) v.
equidna s.f.
equidnase s.f.
equídnico adj.
equidnida adj.2g. s.m.
equidnídeo adj. s.m.
equidnina s.f.
equidnismo s.m.
equidno s.m.
equidnófaga s.f.
equidnotoxina (*cs*) s.f.
equidnovacina s.f.
equidonófago adj. s.m.
equidonoide (*ü...ó*) adj.2g. s.m.
equidoso (*u* ou *ü...ô*) adj.; f. (*ó*); pl. (*ó*)
equieia (*é*) s.f.
equífero (*u* ou *ü*) s.m.
equifinal (*ü*) adj.2g.
equifinalidade (*ü*) s.f.
equifinalização (*ü*) s.f.
equifinalizado (*ü*) adj.
equifinalizador (*ü...ô*) adj.
equifinalizante (*ü*) adj.2g.
equifinalizar (*ü*) v.
equifinalizável (*ü*) adj.2g.
equiforme (*ü*) adj.2g.
equiglacial (*ü*) adj.2g.
equigranular (*ü*) adj.2g.
equigranularidade (*ü*) s.f.
equilateral (*ü*) adj.2g.
equilátero (*u* ou *ü*) adj.
equilenina s.f.
equilibração s.f.
equilibrado adj.
equilibrador (*ô*) adj. s.m.
equilibradora (*ô*) s.f.
equilibrante adj.2g.
equilibrar v.
equilibrável adj.2g.
equilíbrio s.m.
equilibrismo s.m.
equilibrista adj. s.2g.
equilibrístico adj.
equilíngue (*ü...ü*) adj.2g.
equilinguismo (*ü...ü*) s.m.
equilinguista (*ü...ü*) adj. s.2g.
equilinguístico (*ü...ü*) adj.
equimiídeo adj. s.m.
equímis s.m.2n.
equimolal (*ü*) adj.2g.
equimolar (*ü*) adj.2g.
equimolecular (*ü*) adj.2g.
equimolecularidade (*ü*) s.f.
equimosado adj.
equimosar v.
equimose s.f.
equimótico adj.
equimultíplice (*ü*) adj.2g.
equimúltiplo (*ü*) adj.
equinado adj.
equinantídeo adj. s.m.
equinantino adj. s.m.
equinanto s.m.
equináster s.m.
equinasterídeo adj. s.m.
equineano adj.
equinela s.m.
equiniano adj.
equínida adj.2g. s.m.
equínide adj.2g. s.m.
equinídeo adj. s.m.
equinídio s.m.
equinípede adj.2g.
equinisco s.m.
equinismo s.m.
equinita s.f.
equinite s.f.
equino (*ü*) s.m.
equinobotriídeo adj. s.m.
equinobótrio s.m.
equinobrisso s.m.
equinocactácea s.f.
equinocactáceo adj.
equinocacto s.m.
equinocárdio s.m.
equinocarpo adj.
equinocasmo s.m.
equinocéfalo s.m.
equinocéreo adj. s.m.
equinocial adj.2g.
equinociano s.m.
equinócio s.m.
equinociste s.f.
equinócloa s.f.
equinococcífer s.m.
equinococo s.m.
equinococose s.f.
equinocono s.m.
equinocóris s.m.2n.
equinocotilíneo adj. s.m.
equinocótilo s.m.
equinocultor (*ü...ô*) s.m.
equinocultura (*ü*) s.f.
equinodérida adj.2g. s.m.
equinoderídeo adj. s.m.
equinodérido adj. s.m.
equinodéris s.f.2n.
equinoderma s.m.
equinodermário s.m.
equinoderme s.f.
equinodérmico adj.
equinodermo s.m.
equinodero adj. s.m.
equinodérrida adj.2g. s.m.
equinoderrídeo adj. s.m.
equinodérris s.f.2n.
equinodiácea s.f.
equinodoro s.m.
equinófora s.f.
equinofórea s.f.
equinofóreo adj.
equinóforo adj. s.m.
equinoftalmia s.f.
equinoftálmico adj.
equinoglosso adj.
equinoide (*ó*) adj. s.2g.
equinóideo adj. s.m.

equinolita s.f.
equinólito s.m.
equinômetra s.m.
equinometrídeo adj. s.m.
equinômetro s.m.
equinôneo s.m.
equinoníneo adj. s.m.
equinopânace s.m.
equinopânax (*cs*) s.m.
equinope s.m.
equinoplúteo adj.
equinópode s.m.
equinopse s.f.
equinópsia s.f.
equinopsidínia s.f.
equinopsina s.f.
equinopsínea s.f.
equinorrinco s.m.
equinorrincose s.f.
equinorrinídeo adj. s.m.
equinorrino s.m.
equinorrinquídeo adj. s.m.
equinose s.f.
equinoso (*ô*) adj.; f. (*ó*); pl. (*ó*)
equinospérmico adj.
equinospermo adj. s.m.
equinóstoma s.m.
equinóstomo adj. s.m.
equinostomose s.f.
equinotação s.f.
equinotamno s.m.
equinotúrida adj.2g. s.m.
equinoturídeo adj. s.m.
equinulado adj.
equinuro adj.
équio s.m.
equioglossa s.f.
equioglosso s.m.
equioide (*ó*) adj.2g.
equiônio adj. s.m.
equióstoma s.m.
equipa s.f.
equipação s.f.
equipado adj.
equipador (*ô*) adj.
equipagem s.f.
equipalpo (*ü*) adj. s.m.
equipamento s.m.
equipar v.
equiparação s.f.
equiparado adj.
equiparar v.
equiparável adj.2g.
equiparência s.f.
equiparente adj.2g.
equipartição (*ü*) s.f.
equipartido (*ü*) adj.
equipartimento (*ü*) s.m.
equipartir (*ü*) v.
equipe s.f.
equípede (*ü*) adj.2g.
equipendência (*ü*) s.f.
equipendente (*ü*) adj.2g.
equipétalo (*ü*) adj.
equiplanação (*ü*) s.f.
equipluvial (*ü*) adj.2g.
equipluviométrico (*ü*) adj.
equipo s.m.
equipolado (*ü*) adj. s.m.
equipolência (*ü*) s.f.
equipolente (*ü*) adj.2g.
equipoler (*ü*) v.
equiponderação (*ü*) s.f.
equiponderância (*ü*) s.f.
equiponderante (*ü*) adj.2g.
equiponderar (*ü*) v.
equipotência (*ü*) s.f.
equipotencial (*ü*) adj.2g. s.m.
equipotente (*ü*) adj.2g.
equiprobabilidade (*ü*) s.f.
equiprobabilismo (*ü*) s.m.
equiprobabilista (*ü*) adj. s.2g.
equiprobabilístico (*ü*) adj.
equiprovável (*ü*) adj.2g.
equírias (*ü*) s.f.pl.
equírio (*ü*) adj.
equírios (*ü*) s.m.pl.
équis s.m.2n.
equisão s.m.
equissetácea (*ü*) s.f.
equissetáceo (*ü*) adj.
equissetal (*ü*) adj.2g.
equissetale (*ü*) s.f.
equissetínea (*ü*) s.f.
equissetíneo (*ü*) adj.
equisseto s.m.
equissetópsida (*ü*) s.f.
equissignificante (*ü*) adj.2g.
equissilábico (*ü*) adj.
equissilabismo (*ü*) s.m.
equíssimo (*ü*) adj. sup. de *équo*
equissonância (*ü*) s.f.
equissonante (*ü*) adj.2g.
equíssono (*ü*) adj. s.m.
equística (*ü*) s.f.
equístico (*ü*) adj.
equita s.f.
equitabilidade (*u* ou *ü*) s.f.
equitação s.f.
equitador (*ô*) s.m.
equitamanho (*ü*) adj.
equitamina s.f.
equitante adj.2g.
equitativa adj.
equitativo (*u* ou *ü*) adj.
equite s.m.
equiteína s.f.
equitídea s.f.
equitídeo adj.
equitidóidea s.f.
equitina s.f.
equitóidea s.f.
equitóideo adj.
equiurídio s.m.
equiúrido adj. s.m.
equiurimorfo s.m.
equiúro s.m.
equiuróideo adj. s.m.
equiuromorfo s.m.
equivalência s.f.
equivalente adj.2g.
equivalente-grama s.m.; pl. *equivalentes-grama* e *equivalentes-gramas*
equivaler v.
equivalve (*ü*) adj.2g.
equivocação s.f.
equivocado adj.
equivocante adj. s.2g.
equivocar v.
equivocidade s.f.
equívoco adj. s.m.; cf. *equivoco*, do v. *equivocar*
equivoquismo s.m.
equivoquista adj. s.2g.
équo adj.
equórea s.f.
equoreídeo adj. s.m.
equóreo adj.
era s.f. "época"; cf. *hera*
eráceo adj.
erado adj.
eragroste s.f.
eragróstis s.m.2n.
erampatere s.m.
erande s.m.
erândi s.m.
eraniano adj.
erânico adj.
eranista s.m.
érano s.m.
erante s.m.
erântemo s.m.
erantina s.f.
erântio s.m.
erar v.
eraria s.f.
erário s.m.
erarta s.f.
erasmianismo s.m.
erasmianista adj. s.2g.
erasmianístico adj.
erasmiano adj.
erásmico adj.
erasmismo s.m.
erasmista adj. s.2g.
erasmístico adj.
erastênico adj.
erastianismo s.m.
erastianista adj. s.2g.
erastianístico adj.
erastiano adj. s.m.
erastinismo s.m.
erastinista adj. s.2g.
erastinístico adj.
erastino adj. s.m.
erástria s.f.
eratataca s.f.
erátema s.m.
erati adj. s.2g.
erativo s.m.
erato s.m.
eravisco adj. s.m.
erbabo s.m.
erbessense adj. s.2g.
erbia s.f.
érbico adj.
erbina s.f.
érbio adj. s.m.
ercavicense adj. s.2g.
ercila s.f.
érdimo s.m.
erê s.m. interj.
erebanguense adj. s.2g.
erébia s.f.
érebo s.m.
ereção s.f.
erécia s.f.
erecióidea s.f.
erecteia (*é*) adj. s.f. de *erecteu*
erecteu adj. s.m.; f. *erecteia* (*é*)
erectida adj. s.2g.
eréctil adj.2g.
erectilidade s.f.
erecto adj.
erector (*ô*) adj. s.m.
erectriz adj. s.f.
erefuê s.m.
eremacause s.f.
eremacausia s.f.
eremanto s.m.
eremascácea s.f.
eremasco s.m.
erembergina s.f.
erembo adj. s.m.
eremeyevita s.f.
erêmia s.f.
eremícola adj. s.2g.
eremita s.2g.
eremita-bernardo s.m.; pl. *eremitas-bernardos*
eremitagem s.f.
eremitágio s.m.
eremitania s.f.
eremitão s.m.
eremitense adj. s.2g.
eremitério s.m.
eremítico adj.
eremitismo s.m.
eremitista adj. s.2g.
eremitístico adj.
eremitório s.m.
eremo s.m.
eremóbia s.f.
eremocóris s.m.2n.
eremofila s.f.
eremofilo s.m.
eremófilo adj.
eremófita s.m.
eremofobia s.f.
eremófobo s.m.
eremólepe s.f.
eremolepidácea s.f.
eremolepidáceo adj.
eremolépide s.f.
eremolepídea s.f.
eremolepídeo adj.
eremonimia s.f.
eremonímia s.f.
eremonímico adj.
eremônimo s.m.
eremopogão s.m.
eremopógon s.m.
eremosfera s.f.
eremóstaque s.f.
eremotérico adj.
eremotério s.m.
eremuro s.m.
éreo adj. s.m.
erepadá s.m.
erepsina s.f.
ereptase s.f.
ereptício adj.
erequê s.m.
ererê s.m.
erereense adj. s.2g.
eresídeo adj. s.m.
ereso s.m.
erétia s.f.
erétil adj.2g.
eretilidade s.f.
eretino adj. s.m.
eretismal adj.2g.
eretismo s.m.
eretite s.f.
eretizonte s.m.
eretizontídeo adj. s.m.
eretmocarítide s.f.
ereto adj.
eretomania s.f.
eretor (*ô*) adj. s.m.
erétria s.f.
eretríaco adj.
eretriate adj. s.2g.
eretriense adj. s.2g.
erétrio adj. s.m.
ereuneta s.m.
ereunete s.m.
ereutofobia s.f.
ereutofóbico adj.
erexinense adj. s.2g.
ergadilho s.m.
ergasilídeo adj. s.m.
ergasilíneo adj. s.m.
ergasílio s.m.
ergásilo s.m.
ergasiofobia s.f.
ergasiófobo adj. s.m.
ergasiomania s.f.
ergasiômano s.m.
ergasiotiquerologia s.f.
ergasiotiquerológico adj.
ergasmo s.m.
ergastenia s.f.
ergastênico adj.
ergastídeo s.m.
ergastoplasma s.m.
ergastoplasmático adj.
ergastoplasmia s.f.
ergastoplásmico adj.
ergastoplástico adj.
ergastular v.
ergastulário s.m.
ergástulo s.m.
érgata s.m.
ergátide s.f.
ergatividade s.f.
ergativo adj.
érgato s.m.
ergatocracia s.f.
ergatocrata adj. s.2g.
ergatocrático adj.
ergatoide (*ó*) adj.2g.
ergavicense adj. s.2g.
ergetino adj. s.m.
érgio s.m.
ergiometria s.f.
ergiométrico adj.
ergiômetro s.m.
ergobasina s.f.
ergoclavina s.f.
ergocornina s.f.
ergocorníníco adj.
ergocriptina s.f.
ergocriptínico adj.
ergocrisina s.f.
ergocristina s.f.
ergocristínico adj.
ergocristinina s.f.
ergocristinínico adj.
ergódico adj.
ergodismo s.m.
ergofobia s.f.
ergofóbico adj.
ergófobo s.m.
ergogênese s.f.
ergogenético adj.
ergografia s.f.
ergográfico adj.
ergógrafo s.m.
ergograma s.m.
ergol s.m.
ergolina s.f.
érgolis s.m.2n.
ergologia s.f.
ergológico adj.
ergólogo s.m.
ergomania s.f.
ergomaníaco adj. s.m.
ergômano s.m.
ergometria s.f.
ergométrico adj.
ergometrina s.f.
ergômetro s.m.
ergonimia s.f.
ergonímia s.f.
ergonímico adj.
ergônimo s.m.
ergônio s.m.
ergonomia s.f.
ergonômico adj.
ergonomismo s.m.
ergonomista adj. s.2g.
ergonomístico adj.
ergônomo s.m.
ergonovina s.f.
ergonovínico adj.
ergosina s.f.
ergosínico adj.
ergosinina s.f.
ergóstato s.m.
ergosterina s.f.
ergosterol s.m.
ergostetrina s.f.
ergotamina s.f.
ergotamínico adj.
ergotaminina s.f.
ergotaminínico adj.
ergoterapeuta s.2g.
ergoterapia s.f.
ergoterápico adj.
ergoticina s.f.
ergótico adj.
ergotina s.f.
ergotinina s.f.
ergotino s.m.
ergotioneína s.f.
ergotismo s.m.
ergotista adj. s.2g.
ergotístico adj.
ergotização s.f.
ergotizado adj.
ergotizar v.
ergotocina s.f.
ergotoxina (*cs*) s.f.
ergotoxínico (*cs*) adj.
ergue s.m.
erguedeira s.f.
erguedela s.f.
erguer v.
erguiço s.m.
erguida s.f.
erguido adj.
erguidor (*ô*) adj. s.m.
erguimento s.m.
éria s.f.
eriadênia s.f.
erianto s.m.
erica s.f.
ericácea s.f.
ericáceo adj.
eriçado adj.
ericaíta s.f.
erical adj.2g. s.m.
ericale s.f.
eriçamento s.m.
eriçar v.
ericbactissa adj. s.2g.2n. s.m.
erice s.f.
érice s.m.
erícea s.f.
ericeirense adj. s.2g.
eríceo adj.
erícibe s.m.
ericibeia (*é*) s.f.
ericica s.f.
ericícola adj.2g.
ericina s.f.
ericínea s.f.
ericíneo adj. s.m.
ericinídeo adj. s.m.
ericínio adj. s.m.
ericino adj. s.m.

ericinol s.m.
erício s.m.
ericissa s.f.
érico-cardosense adj. s.2g.; pl. *érico-cardosenses*
ericoide (*ó*) adj.2g.
ericóidea s.f.
erícola adj.2g.
ericolina s.f.
ericssonita s.f.
ericto s.m.
erictônio adj.
erídano s.m.
erífero adj.
erífia s.f.
erifiídeo adj. s.m.
eriforme adj.2g.
erígena adj. s.2g.
erígeno adj. s.m.
erigerão s.m.
erigerão-da-califórnia s.m.; pl. *erigerões-da-califórnia*
erigeronte s.m.
erigeronte-da-califórnia s.m.; pl. *erigerontes-da--califórnia*
erigido adj.
erigir v.
erigível adj.2g.
erígona s.f.
erigoníneo adj. s.m.
erígono s.m.
erikbaktisa adj. s.2g.2n.
erikita s.f.
eril adj.2g. "brônzeo"; cf. *heril*
erimanteia (*é*) adj. f. de *erimanteu*
erimanteu adj.; f. *erimanteia* (*é*)
erimântico adj.
erimantino adj.
erimântio adj.
erimiáfila s.f.
érina s.f.
erinaceídeo adj. s.m.
erináceo adj.
erinácida adj.2g. s.m.
erinacídeo adj. s.m.
erinaciforme adj.2g.
erindilogum s.m.
erineu s.m.
eríngio s.m.
erinita s.f.
erino adj.
erinocarpo s.m.
erinoide (*ó*) s.m.
erinose s.f.
eriobótria s.f.
eriocalcita s.f.
eriocalcito s.m.
eriocampa s.f.
eriocarpado adj.
eriocárpico adj.
eriocaulácea s.f.
eriocauláceo adj.
eriocaulale s.f.
eriocaulão s.m.
eriocaule adj. s.m.
eriocaulóidea s.f.
eriocáulon s.m.
eriocéfalo adj. s.m.
eriocelo s.m.
eriocéreo s.m.
erioclado adj.
eriócloa s.m.
eriocnema s.m.
eriócomo adj.
eriócrise s.f.
eriodendro s.m.
eriofilia s.f.
eriofilo adj. s.m.
erióforo adj. s.m.
eriogônea s.f.
eriogôneo adj.
eriógono s.m.
eriogonóidea s.f.
eriolena s.f.
eriolênea s.f.
eriometria s.f.
eriômetro s.m.
érion s.m.
erionídeo adj. s.m.
erionita s.f.
erionite s.f.
eriope s.m.
eriopétalo adj.
eríopo s.m.
eriópode adj. s.m.
eriópodo adj. s.m.
eriopse s.f.
erióptera s.m.
erioptereiforme adj.2g. s.m.
erióptero adj.
eriosema s.m.
eriosomatídeo adj. s.m.
eriospérmina s.f.
eriospermo adj. s.m.
eriospora s.f.
eriostêmone adj.2g. s.m.
eriostêmono adj. s.m.
erióstomo adj.
erípede adj.2g.
eripsina s.f.
eripsínico adj.
eriribá s.m.
eririno s.m.
erirrino s.m.
erisibácea s.f.
erisibáceo adj.
erísibe s.f.
erisifácea s.f.
erisifáceo adj.
erisifaco s.m.
erisifal s.f.
erisife s.f.
erisífea s.f.
erisimina s.f.
erísimo s.m.
erisipe s.f.
erisipela s.f.
erisípela s.f.
erisipelão s.m.
erisipelar v.
erisipelatoide (*ó*) adj.2g.
erisipelatoso (*ô*) adj.; f. (*ó*); pl. (*ó*)
erisipeloide (*ó*) adj.2g. s.m.
erisipeloso (*ô*) adj.; f. (*ó*); pl. (*ó*)
erisipelótrix (*cs*) s.m.
erisma s.f.
erismatura s.f.
erismaturínea s.f.
erismaturo s.m.
erística s.f.
erístico adj. s.m.
erítaco s.m.
eritema s.m.
eritemático adj.
eritematode s.m.
eritematogênio s.m.
eritematoide (*ó*) adj.2g. s.m.
eritematosa s.f.
eritematoso (*ô*) adj.; f. (*ó*); pl. (*ó*)
eritemogênio adj. s.m.
eritemoide (*ó*) adj.2g.
eritino s.m.
eritio adj. s.m.
eritireia (*é*) s.f.
eritrana s.f.
eritrão s.m.
eritrarsina s.f.
eritrasma s.m.
eritredema s.m.
eritreia (*é*) adj. s.f. de *eritreu*
eritreína s.f.
eritreíneo s.m.
eritrema s.m.
eritremático adj.
eritrematoso (*ô*) adj.; f. (*ó*); pl. (*ó*)
eritremia s.f.
eritrêmico adj.
eritreno s.m.
erítreo adj. s.m.
eritreu adj. s.m.; f. *eritreia* (*é*)
erítrico adj.
eritrina s.f.
eritriníideo adj. s.m.
eritriníneo s.m.
eritrino s.m.
eritríquea s.f.
eritríquio s.m.
eritrismo s.m.
eritrístico adj.
eritrita s.f.
eritrite s.f.
eritrítico adj.
eritrito s.m.
eritritol s.m.
eritritólico adj.
eritroaférese s.f.
eritrobenzeno s.m.
eritroblástico adj.
eritroblasto s.m.
eritroblastose s.f.
eritrobuco s.m.
eritrocalcita s.f.
eritrocarpo adj. s.m.
eritrocatálise s.f.
eritrocéfalo adj.
eritrocentaureína s.f.
eritrocentaurina s.f.
eritrocerco s.m.
eritrócero adj.
eritrocitário adj.
eritrócite s.m.
eritrocítico adj.
eritrócito s.m.
eritrocitólise s.f.
eritrocitômetro s.m.
eritrocitopsonina s.f.
eritrocitose s.f.
eritroclasia s.f.
eritrocloropsia s.f.
eritrococa s.f.
eritrodáctilo adj.
eritrodátilo adj.
eritrodermatite s.f.
eritrodermia s.f.
eritrodermo adj.
eritrodextrina s.f.
eritrófago adj.
eritrofila s.f.
eritrofilo adj. "que tem folhas vermelhas"; cf. *eritrófilo*
eritrófilo adj. s.m. "predileção pela cor vermelha"; cf. *eritrofilo*
eritrofleia (*é*) s.f. de *eritrofleu*
eritrofleína s.f.
eritrofleínico adj.
eritrófleo s.m.
eritrofleu s.m.; f. *eritrofleia* (*é*)
eritrofobia s.f.
eritrófobo adj. s.m.
eritrofosia s.f.
eritrogástreo adj.
eritrogastro adj.
eritrogênio s.m.
eritrógeno adj. s.m.
eritroglicínio s.m.
eritroglúcico adj.
eritroglucina s.f.
eritrogranulose s.f.
eritroide (*ó*) adj.2g.
eritroidina s.f.
eritroidínico adj.
eritrol s.m.
eritrolacina s.f.
eritrolampro s.m.
eritroleína s.f.
eritroleucemia s.f.
eritrólise s.f.
eritrolítico adj.
eritrolitmina s.f.
eritrólofo adj.
eritromelalgia s.f.
eritromelálgico adj.
eritromelia s.f.
eritromicina s.f.
eritromicínico adj.
eritrônico adj.
eritrônio s.m.
eritropelte s.f.
eritropeltidácea s.f.
eritropeltidáceo adj.
eritropenia s.f.
eritropígia s.m.
eritroplaquia s.f.
eritroplasia s.f.
eritroplasma s.m.
eritroplasmático adj.
eritroplástico adj.
eritroplasto s.m.
eritrópode adj.2g.
eritropoese s.f.
eritropoético adj.
eritropoetina s.f.
eritropoiese s.f.
eritropoiético adj.
eritropsia s.f.
eritropsina s.f.
eritróptero adj.
eritróptico adj.
eritróquito s.m.
eritroquitone s.m.
eritrorretina s.f.
eritroscópio s.m.
eritrose s.f.
eritrosina s.f.
eritrospermo adj. s.m.
eritrossedimentação s.f.
eritrossiderita s.f.
eritróstomo adj.
eritrotórace adj.2g.
eritrotoráceo adj.
eritrotorácico adj.
eritrotórax (*cs*) adj.2g.
eritrotrombomonoblastose s.f.
eritroxilácea (*cs*) s.f.
eritroxiláceo (*cs*) adj.
eritroxílea (*cs*) s.f.
eritroxíleo (*cs*) adj.
eritroxilina (*cs*) s.f.
eritróxilo (*cs*) adj. s.m.
eritrozincita s.f.
eritrúria s.f.
érix (*cs*) s.m.
erizeno adj. s.m.
erlangeia (*é*) s.f.
erlenmeyer s.m.
erlichmanita s.f.
ermado adj.
ermador (*ô*) adj.
ermakita s.f.
ermal adj.2g.
ermamento s.m.
ermar v.
ermelo (*ê*) s.m.
ermense adj. s.2g.
ermensidense adj. s.2g.
ermida s.f.
ermidense adj. s.2g.
ermita s.m.
ermitã s.f. de *ermitão*
ermitagem s.f.
ermitágio s.m.
ermitania s.f.
ermitanice s.f.
ermitão s.m.; pl. *ermitães*, *ermitãos* e *ermitões*; f. *ermitã* e *ermitoa*
ermitério s.m.
ermitoa s.f. de *ermitão*
ermo (*ê*) adj. s.m.; cf. *ermo*, fl. do v. *ermar*
ermofassina s.f.
ernaginense adj. s.2g.
ernéstia s.f.
ernestinense adj. s.2g.
ernita s.f.
ernstita s.f.
ero s.m. "herdade"; cf. *eró*
eró s.m. "enguiar"; cf. *ero*
eroca s.f.
erodente adj.2g.
eroder v.
erodibilidade s.f.
erodido adj.
erodiente adj.2g.
eródio s.m.
erodir v.
erodível adj.2g.
erófila s.f.
erófilo adj. s.m.
erogêneo adj.
erogenidade s.f.
erógeno adj.
eropata adj. s.m.
erópata adj. s.m.
erope s.m.
eros s.m.2n.
erosante adj.2g.
erosão s.f.
erosar v.
erosável adj.2g.
erosional adj.2g.
erosível adj.2g.
erosividade s.f.
erosivo adj.
eroso (*ô*) adj.; f. (*ó*); pl. (*ó*)
erostratismo s.m.
erostratomania s.f.
erostratomaníaco adj. s.m.
erotemática s.f.
erotematicismo s.m.
erotemático adj.
erótica s.f.
eroticidade s.f.
eroticismo s.m.
eroticista adj. s.2g.
eroticístico adj.
erótico adj. s.m.
erotídias s.f.pl.
erotilídeo adj. s.m.
erótilo adj. s.m.
erotismo s.m.
erotista adj. s.2g.
erotístico adj.
erotização s.f.
erotizado adj.
erotizar v.
erotofobia s.f.
erotófobo s.m.
erotóforo adj.
erotogênio adj.
erotógeno s.m.
erotografia s.f.
erotográfico adj.
erotógrafo adj. s.m.
erotograma s.m.
erotolalia s.f.
erotolálico adj.
erotologia s.f.
erotológico adj.
erotólogo s.m.
erotomania s.f.
erotomaníaco adj. s.m.
erotômano s.m.
erotopata s.2g.
erotópata s.2g.
erotopatia s.f.
erotopático adj.
erotopégnio s.m.
erotopsíquico adj.
erpe adj.2g.
erpocótilo s.m.
erpodiácea s.f.
erpódio s.m.
errabundo adj.
errada s.f.
erradicação s.f.
erradicante adj.2g.
erradicar v.
erradicativo adj.
erradicável adj.2g.
erradio adj. s.m.
errado adj.
erradoido s.m.
erradouro s.m.
errância s.f.
errante adj. s.2g.
errar v.
errata s.f.
erraticidade s.f.
errático adj.
errátil adj.2g.
erre s.m.
erreiro adj.
erriçado adj.
erriçamento s.m.
erriçar v.
errino adj.
errita s.f.
erro s.m. (*ê*); cf. *erro*, fl. do v. *errar*
errônea s.f.
erroneidade s.f.
errôneo adj.
erronia s.f.
error (*ô*) s.m.
ersa s.m.

erse adj. s.2g.
erstédia s.m.
eru s.m.
erubescência s.f.
erubescente adj.2g.
erubescer v.
erubescita s.f.
eruca s.f.
eruca-marítima s.f.; pl. *erucas-marítimas*
erucária s.f.
erucastro s.m.
erucato s.m.
erúcico adj.
erucifólio adj.
eruciforme adj.2g.
erucina s.f.
erucívora s.f.
erucoide (*ó*) adj.2g.
eructação s.f.
eructar v.
eructo s.m.
erudição s.f.
erudir v.
erudítão s.m.
eruditar v.
eruditismo s.m.
erudito adj. s.m.
eruexim s.m.
eruga s.f.
eruginoso (*ô*) adj.; f. (*ó*); pl. (*ó*)
erugita s.f.
eruído adj.
eruir v.
erumnoso (*ô*) adj.; f. (*ó*); pl. (*ó*)
erupção s.f.
eruptivo adj.
eruquerê s.m.
eruru s.m.
erva s.f.
erva-abelha s.f.; pl. *ervas-abelha* e *ervas-abelhas*
erva-agreste s.f.; pl. *ervas-agrestes*
erva-agrimônia s.f.; pl. *ervas-agrimônia* e *ervas-agrimônias*
erva-agulheira s.f.; pl. *ervas-agulheiras*
erva-albiloira s.f.; pl. *ervas-albiloiras*
erva-albiloura s.f.; pl. *ervas-albilouras*
erva-aleluia s.f.; pl. *ervas-aleluia* e *ervas-aleluias*
erva-alheira s.f.; pl. *ervas-alheira* e *ervas-alheiras*
erva-almíscar s.f.; pl. *ervas-almíscar* e *ervas-almíscares*
erva-almiscareira s.f.; pl. *ervas-almiscareira* e *ervas-almiscareiras*
erva-ambrósia s.f.; pl. *ervas-ambrósia* e *ervas-ambrósias*
erva-andorinha s.f.; pl. *ervas-andorinha* e *ervas-andorinhas*
erva-anil s.f.; pl. *ervas-anis*
erva-aranha s.f.; pl. *ervas-aranha* e *ervas-aranhas*
erva-armoles s.f.; pl. *ervas-armoles*
erva-arroz s.f.; pl. *ervas-arroz*
erva-azebre s.f.; pl. *ervas-azebre* e *ervas-azebres*
erva-azeda s.f.; pl. *ervas-azedas*
erva-babosa s.f.; pl. *ervas-babosas*
erva-baleeira s.f.; pl. *ervas-baleeira* e *ervas-baleeiras*
erva-belida s.f.; pl. *ervas-belida* e *ervas-belidas*
erva-benta s.f.; pl. *ervas-bentas*
erva-besteira s.f.; pl. *ervas-besteira* e *ervas-besteiras*
erva-bezerra s.f.; pl. *ervas-bezerra* e *ervas-bezerras*
erva-bicha s.f.; pl. *ervas-bicha* e *ervas-bichas*
erva-bicha-dos-ervanários s.f.; pl. *ervas-bichas-dos-ervanários*
erva-bom-henrique s.f.; pl. *ervas-bom-henrique*
erva-borboleta s.f.; pl. *ervas-borboleta* e *ervas-borboletas*
erva-botão s.f.; pl. *ervas-botão* e *ervas-botões*
erva-branca s.f.; pl. *ervas-brancas*
erva-brico s.f.; pl. *ervas-brico* e *ervas-bricos*
erva-bruxa s.f.; pl. *ervas-bruxa* e *ervas-bruxas*
erva-bugre s.f.; pl. *ervas-bugre* e *ervas-bugres*
ervaca s.f.
ervaçal s.m.
erva-canária s.f.; pl. *ervas-canária* e *ervas-canárias*
erva-cancerosa s.f.; pl. *ervas-cancerosas*
erva-cancrosa s.f.; pl. *ervas-cancrosas*
erva-candeia s.f.; pl. *ervas-candeia* e *ervas-candeias*
erva-canuda s.f.; pl. *ervas-canudas*
erva-caparrosa s.f.; pl. *ervas-caparrosas*
erva-capitão s.f.; pl. *ervas-capitão* e *ervas-capitães*
erva-capitão-miúda s.f.; pl. *ervas-capitão-miúdas* e *ervas-capitães-miúdas*
erva-carneira s.f.; pl. *ervas-carneiras*
erva-carocha s.f.; pl. *ervas-carocha* e *ervas-carochas*
erva-carpinteiro s.f.; pl. *ervas-carpinteiro* e *ervas-carpinteiros*
erva-carvalhinha s.f.; pl. *ervas-carvalhinha* e *ervas-carvalhinhas*
erva-castelhana s.f.; pl. *ervas-castelhanas*
erva-caúna s.f.; pl. *ervas-caúna* e *ervas-caúnas*
erva-cavaleira s.f.; pl. *ervas-cavaleiras*
erva-cavalinha s.f.; pl. *ervas-cavalinha* e *ervas-cavalinhas*
erva-chimarrona s.f.; pl. *ervas-chimarronas*
erva-chumbo s.f.; pl. *ervas-chumbo* e *ervas-chumbos*
erva-cicutária s.f.; pl. *ervas-cicutárias*
erva-cidreira s.f.; pl. *ervas-cidreiras*
erva-cidreira-do-campo s.f.; pl. *ervas-cidreiras-do-campo*
erva-cidreira-do-mato s.f.; pl. *ervas-cidreiras-do-mato*
erva-cidreira-dos-campos s.f.; pl. *ervas-cidreiras-dos-campos*
erva-coalheira s.f.; pl. *ervas-coalheiras*
erva-coelheira s.f.; pl. *ervas-coelheiras*
erva-coentrinha s.f.; pl. *ervas-coentrinha* e *ervas-coentrinhas*
erva-coivinha s.f.; pl. *ervas-coivinha* e *ervas-coivinhas*
erva-colégio s.f.; pl. *ervas-colégio* e *ervas-colégios*
erva-confeiteira s.f.; pl. *ervas-confeiteiras*
erva-conteira s.f.; pl. *ervas-conteiras*
erva-contraveneno s.f.; pl. *ervas-contraveneno*
erva-couvinha s.f.; pl. *ervas-couvinha* e *ervas-couvinhas*
erva-crina s.f.; pl. *ervas-crina* e *ervas-crinas*
erva-cruz s.f.; pl. *ervas-cruz* e *ervas-cruzes*
ervaçum s.m.
erva-curraleira s.f.; pl. *ervas-curraleiras*
erva-da-américa s.f.; pl. *ervas-da-américa*
erva-da-costa s.f.; pl. *ervas-da-costa*
erva-da-cruz s.f.; pl. *ervas-da-cruz*
erva-da-fortuna s.f.; pl. *ervas-da-fortuna*
erva-da-guiné s.f.; pl. *ervas-da-guiné*
erva-da-inveja s.f.; pl. *ervas-da-inveja*
erva-da-muda s.f.; pl. *ervas-da-muda*
erva-da-novidade s.f.; pl. *ervas-da-novidade*
erva-da-pontada s.f.; pl. *ervas-da-pontada*
erva-das-abelhas s.f.; pl. *ervas-das-abelhas*
erva-das-azeitonas s.f.; pl. *ervas-das-azeitonas*
erva-das-bermudas s.f.; pl. *ervas-das-bermudas*
erva-das-cobras s.f.; pl. *ervas-das-cobras*
erva-das-cortadelas s.f.; pl. *ervas-das-cortadelas*
erva-das-disenterias s.f.; pl. *ervas-das-disenterias*
erva-das-escaldadelas s.f.; pl. *ervas-das-escaldadelas*
erva-das-feridas s.f.; pl. *ervas-das-feridas*
erva-das-folhas-miúdas s.f.; pl. *ervas-das-folhas-miúdas*
erva-das-lombrigas s.f.; pl. *ervas-das-lombrigas*
erva-das-maleitas s.f.; pl. *ervas-das-maleitas*
erva-das-pulgas s.f.; pl. *ervas-das-pulgas*
erva-das-sete-sangrias s.f.; pl. *ervas-das-sete-sangrias*
erva-das-sezões s.f.; pl. *ervas-das-sezões*
erva-das-verrugas s.f.; pl. *ervas-das-verrugas*
erva-da-trindade s.f.; pl. *ervas-da-trindade*
erva-da-vida s.f.; pl. *ervas-da-vida*
erva-de-alfinete s.f.; pl. *ervas-de-alfinete*
erva-de-amor s.f.; pl. *ervas-de-amor*
erva-de-andorinha s.f.; pl. *ervas-de-andorinha*
erva-de-anil s.f.; pl. *ervas-de-anil*
erva-de-anjinho s.f.; pl. *ervas-de-anjinho*
erva-de-anta s.f.; pl. *ervas-de-anta*
erva-de-anta-com-espinhos s.f.; pl. *ervas-de-anta-com-espinhos*
erva-de-bálsamos s.f.; pl. *ervas-de-bálsamos*
erva-de-basculho s.f.; pl. *ervas-de-basculho*
erva-de-besteiros s.f.; pl. *ervas-de-besteiros*
erva-de-bicho s.f.; pl. *ervas-de-bicho*
erva-de-botão s.f.; pl. *ervas-de-botão*
erva-de-bugre s.f.; pl. *ervas-de-bugre*
erva-de-cabrita s.f.; pl. *ervas-de-cabrita*
erva-de-cardo-amarelo s.f.; pl. *ervas-de-cardo-amarelo*
erva-de-chumbo s.f.; pl. *ervas-de-chumbo*
erva-de-cobra s.f.; pl. *ervas-de-cobra*
erva-dedal s.f.; pl. *ervas-dedal* e *ervas-dedais*
erva-dedaleira s.f.; pl. *ervas-dedaleiras*
erva-dedeira s.f.; pl. *ervas-dedeiras*
erva-de-esteira s.f.; pl. *ervas-de-esteira*
erva-de-febra s.f.; pl. *ervas-de-febra*
erva-de-ferro s.f.; pl. *ervas-de-ferro*
erva-de-fio s.f.; pl. *ervas-de-fio*
erva-de-fogo s.f.; pl. *ervas-de-fogo*
erva-de-fumo s.f.; pl. *ervas-de-fumo*
erva-de-gelo s.f.; pl. *ervas-de-gelo*
erva-de-goiabeira s.f.; pl. *ervas-de-goiabeira*
erva-de-goma s.f.; pl. *ervas-de-goma*
erva-de-gota s.f.; pl. *ervas-de-gota*
erva-de-guiné s.f.; pl. *ervas-de-guiné*
erva-de-impingem s.f.; pl. *ervas-de-impingem*
erva-de-jabuti s.f.; pl. *ervas-de-jabuti*
erva-de-jararaca s.f.; pl. *ervas-de-jararaca*
erva-de-joão-pires s.f.; pl. *ervas-de-joão-pires*
erva-de-laca s.f.; pl. *ervas-de-laca*
erva-de-lagarto s.f.; pl. *ervas-de-lagarto*
erva-de-lavadeira s.f.; pl. *ervas-de-lavadeira*
erva-de-louco s.f.; pl. *ervas-de-louco*
erva-de-macaé s.f.; pl. *ervas-de-macaé*
erva-de-mendigo s.f.; pl. *ervas-de-mendigo*
erva-de-moira s.f.; pl. *ervas-de-moira*
erva-de-moura s.f.; pl. *ervas-de-moura*
erva-de-mulher s.f.; pl. *ervas-de-mulher*
erva-de-muro s.f.; pl. *ervas-de-muro*
erva-de-nossa-senhora s.f.; pl. *ervas-de-nossa-senhora*
erva-de-ouro s.f.; pl. *ervas-de-ouro*
erva-de-pai-caetano s.f.; pl. *ervas-de-pai-caetano*
erva-de-paina s.f.; pl. *ervas-de-paina*
erva-de-pântano s.f.; pl. *ervas-de-pântano*
erva-de-parida s.f.; pl. *ervas-de-parida*
erva-de-passarinho s.f.; pl. *ervas-de-passarinho*
erva-de-piolho s.f.; pl. *ervas-de-piolho*
erva-de-pontada s.f.; pl. *ervas-de-pontada*
erva-de-rato s.f.; pl. *ervas-de-rato*
erva-de-rato-de-são-paulo s.f.; pl. *ervas-de-rato-de-são-paulo*
erva-de-rato-verdadeira s.f.; pl. *ervas-de-rato-verdadeiras*
erva-de-roberto s.f.; pl. *ervas-de-roberto*
erva-de-salepo s.f.; pl. *ervas-de-salepo*
erva-de-sangue s.f.; pl. *ervas-de-sangue*
erva-de-santa-bárbara s.f.; pl. *ervas-de-santa-bárbara*
erva-de-santa-catarina s.f.; pl. *ervas-de-santa-catarina*
erva-de-santa-helena s.f.; pl. *ervas-de-santa-helena*
erva-de-santa-luzia s.f.; pl. *ervas-de-santa-luzia*
erva-de-santa-maria s.f.; pl. *ervas-de-santa-maria*
erva-de-santana s.f.; pl. *ervas-de-santana*
erva-de-santa-rosa s.f.; pl. *ervas-de-santa-rosa*
erva-de-santiago s.f.; pl. *ervas-de-santiago*
erva-de-santo-antônio s.f.; pl. *ervas-de-santo-antônio*
erva-de-santo-estêvão s.f.; pl. *ervas-de-santo-estêvão*
erva-de-são-caetano s.f.; pl. *ervas-de-são-caetano*
erva-de-são-cristóvão s.f.; pl. *ervas-de-são-cristóvão*
erva-de-são-domingos s.f.; pl. *ervas-de-são-domingos*
erva-de-são-joão s.f.; pl. *ervas-de-são-joão*
erva-de-são-julião s.f.; pl. *ervas-de-são-julião*
erva-de-são-lourenço s.f.; pl. *ervas-de-são-lourenço*
erva-de-são-martinho s.f.; pl. *ervas-de-são-martinho*
erva-de-são-roberto s.f.; pl. *ervas-de-são-roberto*
erva-de-são-vicente s.f.; pl. *ervas-de-são-vicente*
erva-de-sapo s.f.; pl. *ervas-de-sapo*
erva-de-sapo-vermelha s.f.; pl. *ervas-de-sapo-vermelhas*
erva-de-saracura s.f.; pl. *ervas-de-saracura*
erva-de-sardinha s.f.; pl. *ervas-de-sardinha*
erva-de-soldado s.f.; pl. *ervas-de-soldado*
erva-de-teiú s.f.; pl. *ervas-de-teiú*
erva-de-touro s.f.; pl. *ervas-de-touro*
erva-de-veado s.f.; pl. *ervas-de-veado*
erva-de-vidro s.f.; pl. *ervas-de-vidro*
erva-de-vintém s.f.; pl. *ervas-de-vintém*
erva-diurética s.f.; pl. *ervas-diuréticas*
erva-divina s.f.; pl. *ervas-divinas*
ervado adj. s.m.
erva-do-amor s.f.; pl. *ervas-do-amor*
erva-do-bicho s.f.; pl. *ervas-do-bicho*
erva-do-brejo s.f.; pl. *ervas-do-brejo*
erva-do-campo s.f.; pl. *ervas-do-campo*
erva-do-canadá s.f.; pl. *ervas-do-canadá*
erva-do-capitão s.f.; pl. *ervas-do-capitão*
erva-do-cardeal s.f.; pl. *ervas-do-cardeal*
erva-do-carpinteiro s.f.; pl. *ervas-do-carpinteiro*
erva-doce s.f.; pl. *ervas-doces*
erva-doce-bastarda s.f.; pl. *ervas-doces-bastardas*
erva-do-chá s.f.; pl. *ervas-do-chá*
erva-do-charrua s.f.; pl. *ervas-do-charrua*
erva-do-colégio s.f.; pl. *ervas-do-colégio*
erva-do-diabo s.f.; pl. *ervas-do-diabo*
erva-do-diabo-louco s.f.; pl. *ervas-do-diabo-louco*
erva-do-espírito-santo s.f.; pl. *ervas-do-espírito-santo*
erva-do-fígado s.f.; pl. *ervas-do-fígado*
erva-do-fogo s.f.; pl. *ervas-do-fogo*
erva-do-gentio s.f.; pl. *ervas-do-gentio*

erva-do-grão-prior s.f.; pl. *ervas-do-grão-prior*
erva-do-homem-enforcado s.f.; pl. *ervas-do-homem-enforcado*
erva-do-leite s.f.; pl. *ervas-do-leite*
erva-do-malabar s.f.; pl. *ervas-do-malabar*
erva-do-mar s.f.; pl. *ervas-do-mar*
erva-do-orvalho s.f.; pl. *ervas-do-orvalho*
erva-do-pai-caetano s.f.; pl. *ervas-do-pai-caetano*
erva-do-pântano s.f.; pl. *ervas-do-pântano*
erva-do-pará s.f.; pl. *ervas-do-pará*
erva-do-paraíso s.f.; pl. *ervas-do-paraíso*
erva-do-sabão s.f.; pl. *ervas-do-sabão*
erva-do-salepo s.f.; pl. *ervas-do-salepo*
erva-do-santo-filho s.f.; pl. *ervas-do-santo-filho*
erva-do-sapo s.f.; pl. *ervas-do-sapo*
erva-dos-barbonos s.f.; pl. *ervas-dos-barbonos*
erva-dos-besteiros s.f.; pl. *ervas-dos-besteiros*
erva-dos-burros s.f.; pl. *ervas-dos-burros*
erva-dos-cachos s.f.; pl. *ervas-dos-cachos*
erva-dos-cachos-da-índia s.f.; pl. *ervas-dos-cachos-da-índia*
erva-dos-calos s.f.; pl. *ervas-dos-calos*
erva-dos-cancros s.f.; pl. *ervas-dos-cancros*
erva-dos-carpinteiros s.f.; pl. *ervas-dos-carpinteiros*
erva-dos-cirurgiões s.f.; pl. *ervas-dos-cirurgiões*
erva-dos-feridos s.f.; pl. *ervas-dos-feridos*
erva-dos-gatos s.f.; pl. *ervas-dos-gatos*
erva-dos-golpes s.f.; pl. *ervas-dos-golpes*
erva-dos-leprosos s.f.; pl. *ervas-dos-leprosos*
erva-dos-mágicos s.f.; pl. *ervas-dos-mágicos*
erva-dos-militares s.f.; pl. *ervas-dos-militares*
erva-dos-muros s.f.; pl. *ervas-dos-muros*
erva-dos-namorados s.f.; pl. *ervas-dos-namorados*
erva-dos-pampas s.f.; pl. *ervas-dos-pampas*
erva-dos-passarinhos s.f.; pl. *ervas-dos-passarinhos*
erva-dos-pegamassos s.f.; pl. *ervas-dos-pegamassos*
erva-dos-piolhos s.f.; pl. *ervas-dos-piolhos*
erva-dos-rabos s.f.; pl. *ervas-dos-rabos*
erva-dos-soldados s.f.; pl. *ervas-dos-soldados*
erva-dos-sorrisos s.f.; pl. *ervas-dos-sorrisos*
erva-dos-tinhosos s.f.; pl. *ervas-dos-tinhosos*
erva-do-sumidouro s.f.; pl. *ervas-do-sumidouro*
erva-dos-unheiros s.f.; pl. *ervas-dos-unheiros*
erva-dos-vasculhos s.f.; pl. *ervas-dos-vasculhos*
erva-dos-velhos s.f.; pl. *ervas-dos-velhos*
erva-dos-vermes s.f.; pl. *ervas-dos-vermes*
erva-do-tabaco s.f.; pl. *ervas-do-tabaco*
ervadura s.f.
erva-dutra s.f.; pl. *ervas-dutra*
erva-elefante s.f.; pl. *ervas-elefante* e *ervas-elefantes*
erva-espirradeira s.f.; pl. *ervas-espirradeiras*
erva-estrelinha s.f.; pl. *ervas-estrelinha* e *ervas-estrelinhas*
erva-eupatória s.f.; pl. *ervas-eupatória* e *ervas-eupatórias*
erva-fedegosa s.f.; pl. *ervas-fedegosas*
erva-fedorenta s.f.; pl. *ervas-fedorentas*
erva-feiticeira s.f.; pl. *ervas-feiticeira* e *ervas-feiticeiras*
erva-ferradura s.f.; pl. *ervas-ferradura* e *ervas-ferraduras*
erva-férrea s.f.; pl. *ervas-férreas*
erva-ferro s.f.; pl. *ervas-ferro* e *ervas-ferros*
erva-foicinha s.f.; pl. *ervas-foicinha* e *ervas-foicinhas*
erva-fome s.f.; pl. *ervas-fome* e *ervas-fomes*
erva-formigueira s.f.; pl. *ervas-formigueiras*
erva-formigueira-branca s.f.; pl. *ervas-formigueiras-brancas*
erva-formosa s.f.; pl. *ervas-formosas*
erva-forte s.f.; pl. *ervas-fortes*
erva-foucinha s.f.; pl. *ervas-foucinha* e *ervas-foucinhas*
erva-gateira s.f.; pl. *ervas-gateira* e *ervas-gateiras*
erva-gato s.f.; pl. *ervas-gato* e *ervas-gatos*
erva-gato-do-malabar s.f.; pl. *ervas-gato-do-malabar* e *ervas-gatos-do-malabar*
erva-gelada s.f.; pl. *ervas-geladas*
ervagem s.f.
erva-gervão s.f.; pl. *ervas-gervão* e *ervas-gervões*
erva-gigante s.f.; pl. *ervas-gigantes*
erva-gorda s.f.; pl. *ervas-gordas*
erva-gritadeira s.f.; pl. *ervas-gritadeiras*
erva-grossa s.f.; pl. *ervas-grossas*
erva-heloísa s.f.; pl. *ervas-heloísa* e *ervas-heloísas*
erva-hepática s.f.; pl. *ervas-hepáticas*
erva-hera s.f.; pl. *ervas-hera* e *ervas-heras*
erva-herniária s.f.; pl. *ervas-herniárias*
erva-impaciente s.f.; pl. *ervas-impacientes*
erva-impigem s.f.; pl. *ervas-impigem* e *ervas-impigens*
erva-isqueira s.f.; pl. *ervas-isqueiras*
erva-japona s.f.; pl. *ervas-japona* e *ervas-japonas*
erva-jararaca s.f.; pl. *ervas-jararaca* e *ervas-jararacas*
erva-joeira s.f.; pl. *ervas-joeira* e *ervas-joeiras*
erva-judaica s.f.; pl. *ervas-judaicas*
erval s.m.
erva-lanar s.f.; pl. *ervas-lanares*
erva-lanceta s.f.; pl. *ervas-lanceta* e *ervas-lancetas*
ervaldita s.f.
ervaldito s.m.
erva-leiteira s.f.; pl. *ervas-leiteiras*
ervalense adj. s.2g.
ervalenta s.f.
ervaliense adj. s.2g.
erva-língua s.f.; pl. *ervas-língua* e *ervas-línguas*
erva-loira s.f.; pl. *ervas-loiras*
erva-lombrigueira s.f.; pl. *ervas-lombrigueiras*
erva-loura s.f.; pl. *ervas-louras*
erva-luísa s.f.; pl. *ervas-luísa* e *ervas-luísas*
erva-má s.f.; pl. *ervas-más*
erva-macaé s.f.; pl. *ervas-macaé* e *ervas-macaés*
erva-mãe-boa s.f.; pl. *ervas-mães-boas*
erva-malabar s.f.; pl. *ervas-malabares*
erva-maleiteira s.f.; pl. *ervas-maleiteiras*
erva-margosa s.f.; pl. *ervas-margosas*
erva-mata-pulgas s.f.; pl. *ervas-mata-pulgas*
erva-mate s.f.; pl. *ervas-mate* e *ervas-mates*
erva-mate-amarga-de-mato-grosso s.f.; pl. *ervas-mate-amargas-de-mato-grosso* e *ervas-mates-amargas-de-mato-grosso*
erva-menina s.f.; pl. *ervas-menina* e *ervas-meninas*
erva-midriática s.f.; pl. *ervas-midriáticas*
erva-mijona s.f.; pl. *ervas-mijonas*
erva-mimosa s.f.; pl. *ervas-mimosas*
erva-minuana s.f.; pl. *ervas-minuanas*
erva-missioneira s.f.; pl. *ervas-missioneiras*
erva-moedeira s.f.; pl. *ervas-moedeiras*
erva-moideira s.f.; pl. *ervas-moideiras*
erva-moira s.f.; pl. *ervas-moiras*
erva-moira-do-sertão s.f.; pl. *ervas-moiras-do-sertão*
erva-moira-sonífera s.f.; pl. *ervas-moiras-soníferas*
erva-molar s.f.; pl. *ervas-molares*
erva-molarinha s.f.; pl. *ervas-molarinha* e *ervas-molarinhas*
erva-mole s.f.; pl. *ervas-moles*
erva-moleirinha s.f.; pl. *ervas-moleirinha* e *ervas-moleirinhas*
erva-mole-verdadeira s.f.; pl. *ervas-moles-verdadeiras*
erva-montã s.f.; pl. *ervas-montãs*
erva-mosca s.f.; pl. *ervas-mosca* e *ervas-moscas*
erva-moura s.f.; pl. *ervas-mouras*
erva-moura-do-sertão s.f.; pl. *ervas-mouras-do-sertão*
erva-moura-sonífera s.f.; pl. *ervas-mouras-soníferas*
erva-mular s.f.; pl. *ervas-mulares*
erva-mularinha s.f.; pl. *ervas-mularinha* e *ervas-mularinhas*
ervana s.f.
erva-não-me-toques s.f.; pl. *ervas-não-me-toques*
ervanaria s.f.
ervanário adj. s.m.
ervançal s.m.
ervanço s.m.
ervanço-miúdo s.m.; pl. *ervanços-miúdos*
erva-negra s.f.; pl. *ervas-negras*
erva-neve s.f.; pl. *ervas-neve* e *ervas-neves*
ervano s.m.
erva-noiva s.f.; pl. *ervas-noiva* e *ervas-noivas*
erva-noiva-do-peru s.f.; pl. *ervas-noivas-do-peru*
ervão s.m.
erva-ovelha s.f.; pl. *ervas-ovelha* e *ervas-ovelhas*
erva-paina s.f.; pl. *ervas-paina* e *ervas-painas*
erva-passarinha s.f.; pl. *ervas-passarinha* e *ervas-passarinhas*
erva-passarinheira s.f.; pl. *ervas-passarinheiras*
erva-pata s.f.; pl. *ervas-pata* e *ervas-patas*
erva-perceveja s.f.; pl. *ervas-perceveja* e *ervas-percevejas*
erva-pérola s.f.; pl. *ervas-pérola* e *ervas-pérolas*
erva-pessegueira s.f.; pl. *ervas-pessegueira* e *ervas-pessegueiras*
erva-picão s.f.; pl. *ervas-picão* e *ervas-picões*
erva-pimenteira s.f.; pl. *ervas-pimenteira* e *ervas-pimenteiras*
erva-pinheira s.f.; pl. *ervas-pinheira* e *ervas-pinheiras*
erva-pinheira-de-rosa s.f.; pl. *ervas-pinheiras-de-rosa*
erva-pinheira-orvalhada s.f.; pl. *ervas-pinheiras-orvalhadas*
erva-piolheira s.f.; pl. *ervas-piolheira* e *ervas-piolheiras*
erva-pipi s.f.; pl. *ervas-pipi* e *ervas-pipis*
erva-piteira s.f.; pl. *ervas-piteira* e *ervas-piteiras*
erva-pombinha s.f.; pl. *ervas-pombinha* e *ervas-pombinhas*
erva-prata s.f.; pl. *ervas-prata* e *ervas-pratas*
erva-prateada s.f.; pl. *ervas-prateadas*
erva-preá s.f.; pl. *ervas-preá* e *ervas-preás*
erva-prego s.f.; pl. *ervas-prego* e *ervas-pregos*
erva-pulgueira s.f.; pl. *ervas-pulgueira* e *ervas-pulgueiras*
erva-purgante s.f.; pl. *ervas-purgantes*
erva-quina s.f.; pl. *ervas-quina* e *ervas-quinas*
ervar v.
erva-real s.f.; pl. *ervas-reais*
erva-redonda s.f.; pl. *ervas-redondas*
ervário s.m.
erva-roberta s.f.; pl. *ervas-roberta* e *ervas-robertas*
erva-ruiva s.f.; pl. *ervas-ruivas*
erva-sabe s.f.; pl. *ervas-sabe*
erva-saboeira s.f.; pl. *ervas-saboeiras*
erva-sagrada s.f.; pl. *ervas-sagradas*
erva-sangue s.f.; pl. *ervas-sangue* e *ervas-sangues*
erva-santa s.f.; pl. *ervas-santas*
erva-santo-filho s.f.; pl. *ervas-santo-filho*
erva-saracura s.f.; pl. *ervas-saracura* e *ervas-saracuras*
erva-saracura-de-folha-estreita s.f.; pl. *ervas-saracuras-de-folha-estreita*
erva-sargacinha s.f.; pl. *ervas-sargacinha* e *ervas-sargacinhas*
ervascal s.m.
ervascum s.m.
erva-semprônia s.f.; pl. *ervas-semprônia* e *ervas-semprônias*
erva-seráfica s.f.; pl. *ervas-seráficas*
erva-sereno s.f.; pl. *ervas-sereno* e *ervas-serenos*
erva-serra s.f.; pl. *ervas-serra* e *ervas-serras*
erva-silvina s.f.; pl. *ervas-silvina* e *ervas-silvinas*
erva-sofia s.f.; pl. *ervas-sofia* e *ervas-sofias*
erva-soldado s.f.; pl. *ervas-soldado* e *ervas-soldados*
ervatão s.m.
ervatão-porcino s.m.; pl. *ervatões-porcinos*
erva-tapete s.f.; pl. *ervas-tapete* e *ervas-tapetes*
ervatário s.m.
ervateiro adj. s.m.
erva-teresa s.f.; pl. *ervas-teresa* e *ervas-teresas*
erva-terrestre s.f.; pl. *ervas-terrestres*
erva-tintureira s.f.; pl. *ervas-tintureiras*
erva-toira s.f.; pl. *ervas-toira* e *ervas-toiras*
erva-toira-barbuda s.f.; pl. *ervas-toiras-barbudas*
erva-toira-das-areias s.f.; pl. *ervas-toiras-das-areias*
erva-toira-denegrida s.f.; pl. *ervas-toiras-denegridas*
erva-toira-ensanguentada s.f.; pl. *ervas-toiras-ensanguentadas*
erva-toira-indiana s.f.; pl. *ervas-toiras-indianas*
erva-toira-maior s.f.; pl. *ervas-toiras-maiores*
erva-toira-menor s.f.; pl. *ervas-toiras-menores*
erva-toira-ramosa s.f.; pl. *ervas-toiras-ramosas*
erva-tostão s.f.; pl. *ervas-tostão* e *ervas-tostões*
erva-tostão-de-minas s.f.; pl. *ervas-tostões-de-minas*
erva-tostoneira s.f.; pl. *ervas-tostoneiras*
erva-toura s.f.; pl. *ervas-toura* e *ervas-touras*
erva-toura-barbuda s.f.; pl. *ervas-touras-barbudas*
erva-toura-das-areias s.f.; pl. *ervas-touras-das-areias*
erva-toura-denegrida s.f.; pl. *ervas-touras-denegridas*
erva-toura-ensanguentada s.f.; pl. *ervas-touras-ensanguentadas*
erva-toura-indiana s.f.; pl. *ervas-touras-indianas*
erva-toura-maior s.f.; pl. *ervas-touras-maiores*
erva-toura-menor s.f.; pl. *ervas-touras-menores*
erva-toura-ramosa s.f.; pl. *ervas-touras-ramosas*
erva-traqueira s.f.; pl. *ervas-traqueiras*
erva-triste s.f.; pl. *ervas-tristes*
erva-trombeta s.f.; pl. *ervas-trombeta* e *ervas-trombetas*
erva-túnis s.f.; pl. *ervas-túnis*
erva-turca s.f.; pl. *ervas-turcas*
erva-ulmeira s.f.; pl. *ervas-ulmeira* e *ervas-ulmeiras*
erva-ursa s.f.; pl. *ervas-ursa* e *ervas-ursas*
erva-ussa s.f.; pl. *ervas-ussa* e *ervas-ussas*
erva-vaqueira s.f.; pl. *ervas-vaqueiras*
erva-venenosa s.f.; pl. *ervas-venenosas*
erva-vermicular s.f.; pl. *ervas-vermiculares*
erva-vespa s.f.; pl. *ervas-vespa* e *ervas-vespas*
erva-viperina s.f.; pl. *ervas-viperina* e *ervas-viperinas*
erva-virgem s.f.; pl. *ervas-virgens*
erva-viva s.f.; pl. *ervas-vivas*
ervecer v.
ervecido adj.
ervedal s.m.
ervedeiro s.m.
ervedel s.m.
ervedo (*ê*) s.m. "conjunto de ervas"; cf. *érvedo* e *êrvedo*
érvedo s.m. "planta"; cf. *ervedo* (*ê*) e *êrvedo*

êrvedo s.m. "planta"; cf. *ervedo* (ê) e *érvedo*
erveira s.f.
erveiral s.m.
erveirense adj. s.2g.
erveiro adj.
erviça s.f.
ervicida adj.2g. s.m.
erviço adj. s.m.
ervilha s.f.
ervilha-anã s.f.; pl. *ervilhas-anãs*
ervilha-brava s.f.; pl. *ervilhas-bravas*
ervilhaca s.f.
ervilhaca-da-argélia s.f.; pl. *ervilhacas-da-argélia*
ervilhaca-da-primavera s.f.; pl. *ervilhacas-da-primavera*
ervilhaca-das-areias s.f.; pl. *ervilhacas-das-areias*
ervilhaca-de-narbona s.f.; pl. *ervilhacas-de-narbona*
ervilha-campestre s.f.; pl. *ervilhas-campestres*
ervilhaca-parda s.f.; pl. *ervilhacas-pardas*
ervilhaca-peluda s.f.; pl. *ervilhacas-peludas*
ervilhaca-vermelha s.f.; pl. *ervilhacas-vermelhas*
ervilhaca-vilosa s.f.; pl. *ervilhacas-vilosas*
ervilha-comum s.f.; pl. *ervilhas-comuns*
ervilha-de-angola s.f.; pl. *ervilhas-de-angola*
ervilha-de-árvore s.f.; pl. *ervilhas-de-árvore*
ervilha-de-cheiro s.f.; pl. *ervilhas-de-cheiro*
ervilha-de-lebre s.f.; pl. *ervilhas-de-lebre*
ervilha-de-pombo s.f.; pl. *ervilhas-de-pombo*
ervilha-de-sete-anos s.f.; pl. *ervilhas-de-sete-anos*
ervilha-de-vaca s.f.; pl. *ervilhas-de-vaca*
ervilhado adj.
ervilha-do-campo s.f.; pl. *ervilhas-do-campo*
ervilha-do-congo s.f.; pl. *ervilhas-do-congo*
ervilha-dos-campos s.f.; pl. *ervilhas-dos-campos*
ervilha-forrageira s.f.; pl. *ervilhas-forrageiras*
ervilha-galega s.f.; pl. *ervilhas-galegas*
ervilha-grande-de-quebrar s.f.; pl. *ervilhas-grandes-de-quebrar*
ervilhal s.m.
ervilhame s.m.
ervilha-miúda s.f.; pl. *ervilhas-miúdas*
ervilhana s.f.
ervilha-preta s.f.; pl. *ervilhas-pretas*
ervilhar v.
ervilha-torta s.f.; pl. *ervilhas-tortas*
ervilha-verde-dos-campos s.f.; pl. *ervilhas-verdes-dos-campos*
ervilheira s.f.
ervilheiro adj.
ervília s.f.
ervinha s.f.
ervinha-de-parida s.f.; pl. *ervinhas-de-parida*
ervinha-seca s.f.; pl. *ervinhas-secas*
ervo s.m.
ervoado adj.
ervoar v.
érvodo s.m.
êrvodo s.m.
ervoeira s.f.
ervoso (ô) adj.; f. (ó); pl. (ó)
erzipela s.f.
erzipelão s.m.
esampado adj.
esampador (ô) adj. s.m.
esampar v.
esangala s.f.
esbabacado adj.
esbabacar v.
esbadanado adj.
esbafo s.m.
esbaforiado adj.
esbaforiar-se v.
esbaforido adj.
esbaforir-se v.
esbagaçado adj.
esbagaçar v.
esbagachado adj.
esbagachar v.
esbaganhado adj.
esbaganhar v.
esbagoado adj.
esbagoar v.
esbagulhar v.
esbalançar v.
esbaldar-se v.
esbaldir v.
esbalgideira s.f.
esbalgidor (ô) adj. s.m.
esbalgir v.
esbalhar v.
esbalho s.m.
esbalizar v.
esbaloucar v.
esbalurtado adj.
esbambalhado adj.
esbambar v.
esbambeado adj.
esbambear v.
esbamboado adj.
esbamboar v.
esbandalha s.f.
esbandalhado adj.
esbandalhamento s.m.
esbandalhar v.
esbandeiramento s.m.
esbandeirar v.
esbandulha s.f.
esbandulhar v.
esbangado adj.
esbangar v.
esbanjação s.f.
esbanjado adj.
esbanjador (ô) adj. s.m.
esbanjamento s.m.
esbanjar v.
esbanjatório adj.
esbanzalhado adj.
esbanzalhar v.
esbarafustar v.
esbaralhar v.
esbarar v.
esbarbador (ô) adj. s.m.
esbarbar v.
esbarbe s.m.
esbarbotar v.
esbardalhar v.
esbardar v.
esbarração s.f.
esbarrada s.f.
esbarradela s.f.
esbarrado adj.
esbarradoiro s.m.
esbarrador (ô) adj.
esbarradouro s.m.
esbarramento s.m.
esbarrancada s.f.
esbarrancado adj.
esbarrancar v.
esbarranco s.m.
esbarranço s.m.
esbarrão s.m.
esbarrar v.
esbarregante adj.2g.
esbarregar v.
esbarrelar v.
esbarriada s.f.
esbarrigado adj.
esbarrigar v.
esbarro s.m.
esbarroada s.f.
esbarroar v.
esbarrocado adj.
esbarrocamento s.m.
esbarrocar v.
esbarronda s.f.
esbarrondadeiro s.m.
esbarrondado adj.
esbarrondamento s.m.
esbarrondar v.
esbarrondo s.m.
esbarrotar v.
esbarruada s.f.
esbarruar v.
esbarruntar v.
esbarrunto s.m.
esbasbacado adj.
esbate s.m.
esbatégado adj.
esbater v.
esbatido adj.
esbatimento s.m.
esbeatado adj.
esbeatar v.
esbeiçado adj.
esbeiçamento s.m.
esbeiçar v.
esbeijadeira s.f.
esbeijar v.
esbeirado adj.
esbeirar v.
esbelião s.f.
esbeltar v.
esbeltez (ê) s.f.
esbelteza (ê) s.f.
esbeltificado adj.
esbeltificador (ô) adj.
esbeltificar v.
esbeltizado adj.
esbeltizador (ô) adj.
esbeltizante adj.2g.
esbeltizar v.
esbelto adj.
esbenairar v.
esbenicar v.
esberraçar v.
esberriar v.
esbicar v.
esbichar v.
esbija s.f.
esbijar v.
esbilhotar v.
esbilitado adj.
esbilitar v.
esbilotado adj.
esbilro s.m.
esbirrar v.
esbirro s.m.
esbitolado adj.
esboçado adj.
esboçar v. "delinear"; cf. *esbouçar*
esbocete (ê) s.m.
esboceto (ê) s.m.
esboço (ô) s.m.; cf. *esboço*, fl. do v. *esboçar*
esbodegação s.f.
esbodegado adj.
esbodegador (ô) adj.
esbodegamento s.m.
esbodegante adj.2g.
esbodegar v.
esbodelar v.
esbofado adj.
esbofamento s.m.
esbofante adj.2g.
esbofar v.
esbofetado adj.
esbofetar v.
esbofeteação s.f.
esbofeteado adj.
esbofeteador (ô) adj. s.m.
esbofeteamento s.m.
esbofetear v.
esboforir v.
esboiça s.f.
esboiçamento s.m.
esboiçar v.
esboicelado adj.
esboicelar v.
esbolar v.
esbombardar v.
esbombardear v.
esbonita adj. s.2g.
esborcelado adj.
esborcelar v.
esborcinado adj.
esborcinar v.
esbordamento s.m.
esbordar v.
esbordoado adj.
esbordoar v.
esbórnia s.f.
esborniador (ô) s.m.
esborniar v.
esboroadiço adj.
esboroado adj.
esboroamento s.m.
esboroar v.
esboroento adj.
esborolar v.
esboroo (ô) s.m.
esborraçado adj.
esborraçar v.
esborrachadela s.f.
esborrachado adj.
esborrachamento s.m.
esborrachar v.
esborradela s.f.
esborralha s.f.
esborralhada s.f.
esborralhadoiro s.m.
esborralhador (ô) s.m.
esborralhadouro s.m.
esborralhar v.
esborrar v.
esborratadela s.f.
esborratado adj.
esborratar v.
esborrega s.f.
esborregar v.
esborretar v.
esborretear v.
esborrifar v.
esborrifo s.m.
esborro (ô) s.m.; cf. *esborro*, fl. do v. *esborrar*
esborrotar v.
esborrotear v.
esbotenado adj.
esbotenar v.
esbouça s.f.
esbouçamento s.m.
esbouçar v. "saibrar"; cf. *esboçar*
esboucelado adj.
esboucelar v.
esbrabejado adj.
esbrabejar v.
esbraçar v.
esbracejamento s.m.
esbracejar v.
esbracejo (ê) s.m.
esbracteolado adj.
esbraguilhado adj.
esbramado adj.
esbramar v.
esbranger v.
esbranquecer v.
esbranquecido adj.
esbranquecimento s.m.
esbranquiçado adj.
esbranquiçamento s.m.
esbranquiçar v.
esbraseado adj.
esbraseamento s.m.
esbraseante adj.2g.
esbrasear v.
esbrasir v.
esbraveado adj.
esbravear v.
esbravecedor (ô) adj.
esbravecer v.
esbravecido adj.
esbravecimento s.m.
esbravejamento s.m.
esbravejante adj.2g.
esbravejar v.
esbravir v.
esbrechado adj.
esbrechar v.
esbregue s.m.
esbrinçar v.
esbritar v.
esbrizar v.
esbroado adj.
esbroar v.
esbromado adj.
esbronca s.m.
esbroncado adj.
esbroncar v.
esbrucinar v.
esbrugado adj.
esbrugador (ô) adj. s.m.
esbrugar v.
esbrugo s.m.
esbrumar v.
esbugalhado adj.
esbugalhar v.
esbulhado adj. s.m.
esbulhador (ô) adj. s.m.
esbulhar v.
esbulho s.m.
esburacação s.f.
esburacado adj.
esburacador (ô) adj.
esburacamento s.m.
esburacante adj.2g.
esburacar v.
esburaquento adj.
esburgado adj.
esburgar v.
esburnir v.
esbutucado adj.
esbuxar v.
escabeçar v.
escabeceador (ô) adj. s.m.
escabecear v.
escabechado adj.
escabechar v.
escabeche s.m.
escabel s.m.
escabela s.f.
escabelado adj. s.m.
escabelar v.
escabeleirar v.
escabelizar v.
escabelo (ê) s.m.; cf. *escabelo*, fl. do v. *escabelar*
escabichador (ô) adj. s.m.
escabichar v.
escabicheira s.f.
escabicida adj.2g. s.m.
escabinato s.m.
escabino s.m.
escabiosa s.f.
escabiosa-dos-jardins s.f.; pl. *escabiosas-dos-jardins*
escabiose s.f.
escabioso (ô) adj.; f. (ó); pl. (ó)
escabrar v.
escabreação s.f.
escabreado adj.
escabreador (ô) adj.
escabreamento s.m.
escabrear v.
escabriçado adj.
escabrícia s.f.
escabrido adj.
escabrio s.m.
escabríolo adj.
escabrir v.
escabro adj.
escabrosidade s.f.
escabroso (ô) adj.; f. (ó); pl. (ó)
escabrura s.f.
escabufar v.
escabujamento s.m.
escabujante adj.2g.
escabujar v.
escabulho s.m.
escacado adj.
escaçado adj.
escacar v.
escacha s.f.
escachado adj.
escachão s.m.
escachapeirado adj.
escachar v.
escache s.m.
escachelado adj.
escachoado adj.
escachoante adj.2g.
escachoar v.
escacholar v.

escachoo (*ô*) s.m.
escachouçar v.
escacilhar v.
escacilho s.m.
escaço s.m. "adubo"; cf. *escasso*
escaçoar v.
escada s.f.
escadabulhar v.
escada-de-jabuti s.f.; pl. *escadas-de-jabuti*
escada de jacó s.f "meio de obter algo vantajoso"
escada-de-jacó s.f. "planta"; pl. *escadas-de-jacó*
escada-de-macaco s.f.; pl. *escadas-de-macaco*
escada-do-céu s.f.; pl. *escadas--do-céu*
escadal s.m.
escadão s.m.
escadaria s.f.
escádea s.f.
escadeado adj.
escadear v.
escadeirado adj.
escadeirão s.m.
escadeirar v.
escadeiro s.m.
escadelecer v.
escadense adj. s.2g.
escadete (*ê*) s.m.
escadim s.m.
escádina s.f.
escadinha s.f.
escadinha-do-céu s.f.; pl. *escadinhas-do-céu*
escadinhola s.f.
escadório s.m.
escadós s.m.
escadote s.m.
escadraçar v.
escadracento adj.
escadraçoso (*ô*) adj.; f. (*ó*); pl. (*ó*)
escadrilhar v.
escafa s.f.
escafânder s.m.
escafandrar v.
escafandrídeo adj. s.m.
escafandrista adj. s.2g.
escafandro s.m.
escafedear v.
escafeder-se v.
escafelar v.
escafelo (*ê*) s.m.; cf. *escafelo*, fl. do v. *escafelar*
escáfide s.f.
escafidema s.m.
escafídio adj.
escafiglote s.f.
escáfio s.m.
escafiopodídeo adj. s.m.
escafisoma s.m.
escafite s.m.
escáfite s.m.
escafocefalia s.f.
escafocefálico adj.
escafocefalismo s.m.
escafocéfalo s.m.
escafocerita s.f.
escafocerite s.f.
escafococlear adj.2g.
escafocuneocuboideu adj. s.m.
escafognatítico adj.
escafognatito s.m.
escafo-hidrocefalia s.f.
escafoide (*ó*) adj.2g. s.m.
escafóideo adj. s.m.
escafoidite s.f.
escafoidopolifalângico adj.
escafoidrocefalia s.f.
escafoiducuneano adj.
escafoldoastragaliano adj.
escafolunar adj.2g.
escafonado adj.
escafonar v.
escafópode adj.2g. s.m.
escafópodo adj.2g. s.m.
escafulada s.f.
escafular v.
escafunado adj.
escafunar v.
escagaçado adj.
escagaçar v.
escaganitar v.
escagarrinha s.f.
escagarrinhar v.
escaído adj.
escaimento s.m.
escaimoso (*ô*) adj.; f. (*ó*); pl. (*ó*)
escaiola s.f.
escaiolado adj.
escaiolador (*ô*) s.m.
escaiolar v.
escair v.
escala s.f.
escalabitano adj. s.m.
escalabro s.m.
escalação s.f.
escalada s.f.
escaladar v.
escaladiço adj.
escalado adj.
escalador (*ô*) adj. s.m.
escala-favais s.2g.2n.
escalafobético adj.
escalafrão s.m.
escalafrio s.m.
escalamancar v.
escalamão s.m.
escalamboado adj.
escalambrar v.
escalambre s.m.
escalambro s.m.
escalamento s.m.
escalamoucar v.
escalão s.m.
escalar v. adj.2g.
escalare s.m.
escalária s.m.; cf. *escalaria*, fl. do v. *escalar*
escalarídeo adj. s.m.
escalariforme adj.2g.
escalável adj.2g.
escalavrado adj.
escalavradura s.f.
escalavramento s.m.
escalavrão s.m.
escalavrar v.
escalavro s.m.
escalda s.f.
escaldação s.f.
escaldadela s.f.
escaldadiço adj.
escaldado adj. s.m.
escaldadoiro s.m.
escaldador (*ô*) adj. s.m.
escaldadouro s.m.
escaldadura s.f.
escalda-favais s.2g.2n.
escalda-mão s.m.; pl. *escalda--mãos*
escalda-mar s.m.; pl. *escalda--mares*
escaldância s.f.
escaldante adj.2g.
escaldão s.m.
escalda-pés s.m.2n.
escaldar v.
escalda-rabo s.m.; pl. *escalda--rabos*
escaldarapa s.f.
escaldeado adj.
escaldear v.
escaldeirar v.
escaldo s.m.
escaleira s.f.
escaleirão s.m.
escalênico adj.
escaleno adj.
escalenoédrico adj.
escalenoedro adj. s.m.
escaler s.m.
escalera s.f.
escaletado adj.
escalete (*ê*) s.m.
escaleto (*ê*) s.m.
escalfado adj.
escalfador (*ô*) adj. s.m.
escalfamento s.m.
escalfar v.
escalfeta (*ê*) s.f.
escalfúrnio adj.
escalhavardo s.m.
escalheiro s.m.
escalheiro-preto s.m.; pl. *escalheiros-pretos*
escalho s.m.
escalibregma s.m.
escalibregmídeo adj. s.m.
escalibregmíneo adj. s.m.
escaliçar v.
escalido s.m.
escalimetria s.f.
escalimétrico adj.
escalímetro s.m.
escalinata s.f.
escalino s.m.
escallônia s.f.
escalmão s.m.
escalmo s.m.
escalmorrado adj.
escalmorrar v.
escalo s.m.
escalograma s.m.
escalóidea s.f.
escalometria s.f.
escalométrico adj.
escalômetro s.m.
escalonação s.f.
escalonado adj.
escalonador (*ô*) adj.
escalonamento s.m.
escalonante adj.2g.
escalonar v.
escalônia s.f.
escalope s.m.
escalota s.f.
escalpação s.f.
escalpamento s.m.
escalpar v.
escalpelamento s.m.
escalpelante adj.2g.
escalpelar v.
escalpelização s.f.
escalpelizador (*ô*) adj. s.m.
escalpelizar v.
escalpelo (*ê*) s.m.; cf. *escalpelo*, fl. do v. *escalpelar*
escalpirrar v.
escalpo s.m.
escalpro s.m.
escalrachar v.
escalracho s.m.
escalrichado adj.
escalte adj. s.2g.
escalva s.f.
escalvação s.f.
escalvadense adj. s.2g.
escalvado adj. s.m.
escalvar v.
escalvejado adj.
escalvejar v.
escalviçado s.m.
escama s.f.
escamação s.f.
escama-chinesa s.f.; pl. *escamas-chinesas*
escama-da-laranjeira s.f.; pl. *escamas-da-laranjeira*
escamadeira s.f.
escamadela s.f.
escama-de-são-josé s.f.; pl. *escamas-de-são-josé*
escamadiço adj.
escamado adj. s.m.
escamador (*ô*) adj. s.m.
escamadura s.f.
escama-farinha s.f.; pl. *escamas-farinha* e *escamas--farinhas*
escamagem s.f.
escamalhar v.
escamalhoar v.
escama-marisco s.f.; pl. *escamas-mariscos*
escama-marrom s.f.; pl. *escamas-marrons*
escamanço s.m.
escamanta s.f.
escamante adj.2g.
escamão s.m.
escama-peixe s.m.; pl. *escamas-peixe* e *escamas-peixes*
escama-prego s.f.; pl. *escamas--prego* e *escamas-pregos*
escama-preta s.f.; pl. *escamas--pretas*
escamar v.
escamaria s.f.
escama-vegetal s.f.; pl. *escamas-vegetais*
escama-verde s.f.; pl. *escamas--verdes*
escama-vermelha s.f.; pl. *escamas-vermelhas*
escama-vírgula s.f.; pl. *escamas-vírgulas*
escambado adj.
escambador (*ô*) adj. s.m.
escambar v.
escambau s.m.
escambiar v.
escambichado adj.
escambichar v.
escambinhado adj.
escâmbio s.m.
escambo s.m.
escambra s.f.
escambrão s.m.
escambrar v.
escambre s.m.
escambro s.m.
escambroeiro s.m.
escambrulheiro s.m.
escambulhado adj.
escameado adj.
escamechar v.
escamédio s.m.
escamel s.m.
escamento adj.
escâmeo adj.
escameta (*ê*) s.f.
escamexe s.f.
escamícula s.f.
escamífero adj.
escamiforme adj.2g.
escamígero adj.
escamiloso (*ô*) adj.; f. (*ó*); pl. (*ó*)
escamisada s.f.
escamisadela s.f.
escamisar v.
escamita s.f.
escamo s.m.
escamões s.f.pl.
escamomastoideia (*é*) adj. s.f. de *escamomastoideu*
escamomastoideu adj. s.m.; f. *escamomastoideia* (*é*)
escamonda s.f.
escamondar v.
escamônea s.f.
escamônea-de-alepo s.f.; pl. *escamôneas-de-alepo*
escamônea-de-mompilher s.f.; pl. *escamôneas-de--mompilher*
escamoneado adj.
escamônea-francesa s.f.; pl. *escamôneas-francesas*
escamonear v.
escamôneo adj.
escamoneol s.m.
escamoneólico adj.
escamônia s.f.
escamônico adj.
escamonina s.f.
escamonólico adj.
escamosal s.m.
escamosante adj.2g.
escamosar v.
escamosidade s.f.
escamoso (*ô*) adj.; f. (*ó*); pl. (*ó*)
escamotação s.f.
escamotador (*ô*) s.m.
escamotagem s.f.
escamotar v.
escamoteação s.f.
escamoteadela s.f.
escamoteado adj.
escamoteador (*ô*) s.m.
escamotear v.
escamoteável adj.2g.
escamoteio s.m.
escamozigomático adj.
escampado adj. s.m.
escampar v.
escampavia s.f.
escampe adj.
escampo adj.
escamudo adj.
escamugida s.f.
escamugir v.
escamujar v.
escâmula s.f.
escamulina s.f.
escamuloso (*ô*) adj.; f. (*ó*); pl. (*ó*)
escamurçar v.
escamurrado adj.
escamurrengar v.
escanado adj.
escanar v.
escanastrado adj.
escança s.f.
escançado adj.
escanção s.m. "aquele que distribuía o vinho"; cf. *escansão*
escançar v.
escâncara s.f.; na loc. *à escâncara*, *às escâncaras*; cf. *escancara*, fl. do v. *escancarar*
escancaração s.f.
escancarado adj.
escancaramento s.m.
escancarar v.
escançaria s.f.
escancaro s.m.
escâncaro adj.
escancear v.
escancelado adj.
escancelamento s.m.
escancelar v.
escancerejo (*ê*) s.m.
escancha s.f.
escanchada s.f.
escanchado adj.
escanchamento s.m.
escanchar v.
escanche s.m.
escandalecer v.
escandaleira s.f.
escandaleiro s.m.
escandalização s.f.
escandalizado adj.
escandalizador (*ô*) adj. s.m.
escandalizamento s.m.
escandalizante adj.2g.
escandalizar v.
escandalizável adj.2g.
escândalo s.m.
escandaloso (*ô*) adj.; f. (*ó*); pl. (*ó*)
escandar v.
escândea s.f.
escandear v.
escandente adj.2g.
escandência adj.2g. s.m.
escandescência s.f.
escandescente adj.2g.
escandescer v.
escandescido adj. s.m.
escandescimento s.m.
escandice s.f.
escandícea s.f.
escandíceo adj.
escandicina s.f.
escandido adj.
escandiente adj.2g.
escandina s.f.
escandinavismo s.m.
escandinavista adj. s.2g.
escandinavístico adj.
escandinavo adj. s.m.
escândio s.m.
escandir v.
escândix (*cs*) s.f.2n.
escaneador adj. s.m.
escaneadora s.f.
escaneamento s.m.

escanear v.
escanecar v.
escanelado adj.
escanência s.f.
escâner s.m.
escanerização s.f.
escanerizar v.
escanevada s.f.
escanga s.f.
escangadeira s.f.
escangalhação s.f.
escangalhadeira adj. s.f.
escangalhado adj.
escangalhador (*ô*) adj.
escangalhamento s.m.
escangalhar v.
escangalho s.m.
escanganhadeira s.f.
escanganhar v.
escanganho s.m.
escangar v.
escangotar v.
escanho s.m.
escanhoação s.f.
escanhoadela s.f.
escanhoado adj.
escanhoador (*ô*) adj. s.m.
escanhoamento s.m.
escanhoar v.
escanhoável adj.2g.
escanhotador (*ô*) adj. s.m.
escanhotar v.
escanifra s.2g.
escanifrado adj.
escanifrar v.
escanifre s.2g.
escaninhação s.f.
escaninhado adj.
escaninhador (*ô*) adj.
escaninhar v.
escaninho s.m.
escanjornado adj.
escano s.m.
escanografia s.f.
escansão s.f. "marcação de verso"; cf. *escanção*
escantado adj.
escanteado adj.
escantear v.
escanteio s.m.
escantilhada s.f.
escantilhado adj.
escantilhão s.m.
escantilhar v.
escantoado adj.
escantoar v.
escantude adj.
escantudo adj.
escanzelado adj.
escanzelo (*ê*) s.m.
escanziar v.
escanzinado adj.
escanzorrado adj.
escanzurrado adj.
escanzurrar v.
escapa s.f.
escapada s.f.
escapadela s.f.
escapadiço adj.
escapado adj.
escapa-espaços s.m.2n.
escapamento s.m.
escapanço s.m.
escapânia s.f.
escapanióidea s.f.
escapante adj.2g.
escapar v.
escaparate s.m.
escapateira s.f.
escapatória s.f.
escapatório adj. s.m.
escapável adj.2g.
escapciense adj. s.2g.
escápcio adj. s.m.
escape adj.2g. s.m.
escapelada s.f.
escapelar v.
escapifloro adj.
escapiforme adj.2g.
escapígero adj.
escapino s.m.
escapismo s.m.
escapista adj. s.2g.
escapístico adj.
escapo adj. s.m.
escápole adj.2g.; cf. *escapole*, fl. do v. *escapulir*
escapolita s.f.
escapolite s.f.
escapolitização s.f.
escapolitizado adj.
escapolitizar v.
escapolito s.m.
escaposo (*ô*) adj.; f. (*ó*); pl. (*ó*)
escapula s.f. "fuga"; cf. *escápula*
escápula s.f. "osso"; cf. *escapula s.f. e* fl. do v. *escapulir*
escapuládio s.m.
escapulado adj.
escapulal adj.2g.
escapulalgia s.f.
escapulálgico adj.
escapular adj.2g.
escapulário adj. s.m.
escapulectomia s.f.
escapulida s.f.
escapulido adj.
escapulir v.
escápulo s.f.; cf. *escapulo*, fl. do v. *escapulir*
escapuloclavicular adj.2g.
escapulocostal adj.2g.
escapulodinia s.f.
escapuloióideo adj.
escapulorradial adj.2g.
escapulotroquiteriano adj.
escapuloumeral adj.2g.
escapulumeral adj.2g.
escaque s.m.
escaqueado adj.
escaquear v.
escaqueirado adj.
escaqueirar v.
escara s.f.
escarabanar v.
escarabeídeo adj. s.m.
escarabeiforme adj.
escarabeóideo adj. s.m.
escarabeu s.m.
escarábidas s.m.pl.
escarabídeo adj. s.m.
escarabiogenose s.f.
escaraboado adj.
escarabocho (*ô*) s.m.
escarabunhado adj.
escaraçada s.f.
escaração s.f.
escaradeira s.f.
escaradela s.f.
escarado adj.
escarafolar v.
escarafunchado adj.
escarafunchador (*ô*) adj. s.m.
escarafunchar v.
escarafunchas s.f.pl.
escarafuncho s.m.
escarafunchos s.m.pl.
escarafunha s.f.
escarambada s.f.
escarambar-se v.
escarambo s.m.
escaramelado adj.
escaramelar v.
escaramenta s.f.
escaramuça s.f.
escaramuçada s.f.
escaramuçado adj.
escaramuçador (*ô*) adj. s.m.
escaramuçar v.
escaramuceada s.f.
escaramucear v.
escaramuceio s.m.
escaramuceiro s.m.
escarapanice s.f.
escarapantear v.
escarapão s.m.
escarapela s.f.
escarapelar v.
escarapeteiro s.m.
escarapeto (*ê*) s.m.
escarapim s.m.
escarapinzeiro s.m.
escarapuçar v.
escarar-se v.
escaravalhado adj.
escaravalho s.m.
escaravelha s.f.
escaravelhar v.
escaravelho (*é* ou *ê*) s.m.
escaravelho-bosteiro s.m.; pl. *escaravelhos-bosteiro* e *escaravelhos-bosteiros*
escaravelho-da-batata s.m.; pl. *escaravelhos-da-batata*
escaravelho-das-árvores s.m.; pl. *escaravelhos-das--árvores*
escaravelho-das-flores s.m.; pl. *escaravelhos-das-flores*
escaravelho-da-terra s.m.; pl. *escaravelhos-da-terra*
escaravelho-sagrado s.m.; pl. *escaravelhos-sagrados*
escaravelho-verde s.m.; pl. *escaravelhos-verdes*
escarbroíta s.f.
escarça s.f.
escarçado adj.
escarcalhada s.f.
escarcalhado adj.
escarcalhar v.
escarção s.m.
escarçar v.
escarcavelar v.
escarceada s.f.
escarceado adj.
escarceador (*ô*) adj. s.m.
escarcear v.
escarceio s.m.
escarcejo (*ê*) s.m.
escarcela s.f.
escarcéu s.m.
escarcha s.f.
escarchado adj.
escarchar v.
escarcholar v.
escarço s.m.
escardaçar v.
escardaço s.m.
escardado adj.
escardar v.
escardeado adj.
escardeamento s.m.
escardear v.
escardecer v.
escardecido adj.
escárdia s.m.
escardiçar v.
escardichar v.
escardilhamento s.m.
escardilhar v.
escardilho s.m.
escardoça s.f.
escardonitano adj. s.m.
escarduça s.f.
escarduçada s.f.
escarduçado adj.
escarduçador (*ô*) adj. s.m.
escarduçar v.
escareadela s.f.
escareado adj.
escareador (*ô*) adj. s.m.
escareamento s.m.
escarear v.
escarepe s.m.
escarépio s.m.
escarfunchar v.
escargar v.
escariador (*ô*) adj. s.m.
escariar v.
escaríctis s.m.2n.
escárida adj.2g. s.m.
escarídeo adj. s.m.
escarídio s.m.
escarificação s.f.
escarificado adj.
escarificador (*ô*) adj. s.m.
escarificar v.
escariforme adj.2g.
escarina s.f.
escaríneo s.m.
escário s.m.
escariola s.f.
escarioso (*ô*) adj.; f. (*ó*); pl. (*ó*)
escariote s.m.
escarite s.m.
escaritíneo s.m.
escarlata s.f.
escarlatar v.
escarlate adj.2g. s.m.
escarlatim s.m.
escarlatina s.f.
escarlatínico adj.
escarlatiniforme adj.2g.
escarlatino adj.
escarlatinoide (*ó*) adj.2g.
escarlatinoso (*ô*) adj.; f. (*ó*); pl. (*ó*)
escarmenta s.f.
escarmentação s.f.
escarmentado adj.
escarmentador (*ô*) adj.
escarmentar v.
escarmento s.m.
escarmouçar v.
escarna s.f.
escarnação s.f.
escarnado adj.
escarnador (*ô*) adj. s.m.
escarnar v.
escarnear v.
escarnecedor (*ô*) adj. s.m.
escarnecer v.
escarnecido adj.
escarnecimento s.m.
escarnecível adj.2g.
escarnefuchão s.m.
escarnefuchar v.
escarnel s.m.
escarnento adj.
escarniadeiro adj. s.m.
escarniador (*ô*) adj. s.m.
escarniar v.
escarnica adj. s.2g.
escarnicação s.f.
escarnicadeiro adj.
escarnicador (*ô*) adj. s.m.
escarnicar v.
escarnicoto (*ô*) s.m.
escarnido adj.
escarnificação s.f.
escarnificar v.
escarninhar v.
escarninho adj. s.m.
escárnio s.m.
escarnir v.
escarnítico adj.
escarnitização s.f.
escarnitizar v.
escarnito s.m.
escarnoso (*ô*) adj.; f. (*ó*); pl. (*ó*)
escaro adj. s.m.
escaroçador (*ô*) adj. s.m.
escaroçar v.
escaroide (*ó*) adj.2g. s.m.
escaróideo adj. s.m.
escarola s.f.
escarolado adj.
escarolador (*ô*) s.m.
escarolar v.
escaronodular adj.2g.
escarótico adj. s.m.
escarouçar v.
escarpa s.f.
escarpada s.f.
escarpado adj. s.m.
escarpadura s.f.
escarpamento s.m.
escarpar v.
escarpatear v.
escarpeada s.f.
escarpeado s.m.
escarpedo (*ê*) s.m.
escarpelada s.f.
escarpelado adj. s.m.
escarpelão s.m.
escarpelar v.
escarpentear v.
escarpes s.m.pl.
escarpeteador (*ô*) adj.
escarpetear v.
escarpiada s.f.
escarpiar v.
escarpilhar v.
escarpim s.m.
escarpina s.f.
escarquejar v.
escarrachar v.
escarradeira s.f.
escarradela s.f.
escarrado adj.
escarrador (*ô*) adj. s.m.
escarradura s.f.
escarrafoiçado adj.
escarrafouçado adj.
escarramanado adj.
escarramanar v.
escarramanhos s.m.pl.
escarramões s.m.pl.
escarrancha s.f.
escarranchado adj.
escarranchar v.
escarrapachado adj.
escarrapachão s.m.
escarrapachar v.
escarrapachel s.m.
escarrapanchar v.
escarrapatar v.
escarrapiçar v.
escarrapichar v.
escarrapicho s.m.
escarrar v.
escarraria s.f.
escarrilhado adj.
escarrilho s.m.
escarrinhar v.
escarrinho s.m.
escarro s.m.
escarroso (*ô*) adj.; f. (*ó*); pl. (*ó*)
escarumar v.
escarumba s.2g.
escarva s.f.
escarvado adj.
escarvador (*ô*) adj. s.m.
escarvalhado adj.
escarvalho s.m.
escarvançar v.
escarvar v.
escarvas s.f.pl.
escarvoar v.
escarvunçar v.
escasalar v.
escascar v.
escasqueado adj.
escasquear v.
escasseado adj.
escasseamento s.m.
escassear v.
escassez (*ê*) s.f.
escasseza (*ê*) s.f.
escassilhador (*ô*) s.m.
escassilhar v.
escassilho s.m.
escasso adj. s.m. "pouco"; cf. *escaço*
escasular v.
escatacrasia s.f.
escatel s.m.
escatelado adj.
escatelador (*ô*) s.m.
escatelamento s.m.
escatelar v.
escatema s.f.
escatima s.f.
escatimar v.
escatimoso (*ô*) adj.; f. (*ó*); pl. (*ó*)
escato adj.
escatoacrasia s.f.
escatocolar adj.2g.
escatocolo s.m.
escatofagia s.f.
escatofágico adj.
escatofagídeo adj. s.m.
escatófago adj. s.m.
escatófilo adj.
escatofonia s.f.
escatofônico adj.
escatol s.m.
escatolacético adj.
escatolcarbônico adj.
escatolcromogênio s.m.
escatólico adj.
escatolizado adj.

escatolizar v.
escatologia s.f.
escatológico adj.
escatólogo s.m.
escatoma s.m.
escatope s.m.
escatopse s.m.
escatopsíneo adj. s.m.
escatoscopia s.f.
escatoscópico adj.
escatóxilo (*cs*) s.m.
escatoxilsulfúrico (*cs*) adj.
escaturigem s.f.
escaturiginoso (*ô*) adj.; f. (*ó*); pl. (*ó*)
escauéria s.f.
escaum s.m.
escauríneo s.m.
escauro s.m.
escautita s.f.
escava s.f.
escavacação s.f.
escavacadela s.f.
escavacado adj.
escavacadura s.f.
escavação s.f.
escavacar v.
escavaçar v.
escavachar v.
escavadeira s.f.
escavado adj.
escavador (*ô*) adj. s.m.
escavadora (*ô*) s.f.
escavadura s.f.
escavalinho s.m.
escavaloar v.
escavamento s.m.
escavão s.m.
escavar v.
escava-terra s.f.; pl. *escava-terras*
escaveirado adj.
escaveirar v.
escavinar v.
escavinhar v.
escaxelado adj.
escaxelar v.
escazonte adj. s.m.
escelalgia s.f.
escelálgico adj.
escelim s.m.
esceptofilaxia (*cs*) s.f.
eschamejar v.
eschicharrado adj.
eschschóltzia s.f.
eschschólzia s.f.
eschwegeíta s.f.
eschwegeítico adj.
eschwegita s.f.
eschweilera s.f.
esciafílico adj.
esciáfilo adj. s.m.
esciafítico adj.
esciáfito s.m.
esciascopia s.f.
esciascópico adj.
escíbalo s.m.
escilaridina s.f.
escilaridínico adj.
escinco s.m.
escindafo s.m.
escindir v.
esciofilia s.f.
esciofílico adj.
esciófilo adj.
esciófito s.m.
escioscopia s.f.
escioscópico adj.
escirpo s.m.
escitamínea s.f.
escitamíneo adj.
escitopetalácea s.f.
escitopetaláceo adj.
esclamoucado adj.
esclamoucar v.
esclarecedor (*ô*) adj. s.m.
esclarecer v.
esclarecido adj.
esclarecimento s.m.
esclareia (*é*) s.f.
esclavagem s.f.
esclavagismo s.m.
esclavagista adj. s.2g.
esclavagístico adj.
esclavão adj. s.m.; f. *esclavona*
esclavina s.f.
esclavino adj. s.m.
esclavismo s.m.
esclavista s.2g.
esclavístico adj.
esclavo adj. s.m.
esclavona adj. s.f. de *esclavão*
esclavonesco (*ê*) adj.
esclavônia s.f.
esclavônico adj.
esclavônio adj. s.m.
esclectendália s.f.
esclectrina s.f.
esclegélia s.f.
escleiquera s.f.
escleiquérea s.f.
escleracanto s.m.
escleractíneo adj. s.m.
escleradenite s.f.
escleral adj.2g.
esclerântea s.f.
esclerantélia s.m.
esclerânteo adj.
escleranto s.m.
escleratite s.f.
escleraxônia (*cs*) s.f.
esclereântea s.f.
esclerectasia s.f.
esclerectoiredectomia s.f.
esclerectomia s.f.
esclerectômico adj.
escleredema s.m.
esclereide s.f.
esclereídeo s.m.
esclerema s.m.
escleremia s.f.
esclerencefalia s.f.
esclerenemia s.f.
esclerênquima s.m.
esclerenquimático adj.
esclerenquimatoso (*ô*) adj.; f. (*ó*); pl. (*ó*)
esclereritrina s.f.
escleresqueleto (*ê*) s.m.
escléria s.f.
escleríea s.f.
esclerificação s.f.
esclerificar v.
esclerina s.f.
esclerismo s.m.
esclerita s.f.
esclerite s.f.
escleritina s.f.
escleritinite s.f.
esclerito s.m.
escleróbase s.f.
esclerobásico adj.
esclerobermatoso (*ô*) adj.; f. (*ó*); pl. (*ó*)
escleroblasta s.m.
escleroblastemo s.m.
escleroblástico adj.
escleroblasto s.m.
esclerocária s.f.
esclerocarpo s.m.
esclerocaule adj.
esclerocéfalo s.m.
escleroceratite s.f.
escleroceratoidite s.f.
esclerócio s.m.
esclerócito s.m.
escleroclásio s.m.
escleróchloa s.f.
escleroconjuntivite s.f.
esclerocorneano adj.
esclerocórneo adj.
esclerocoroidite s.f.
esclerocristalina s.f.
esclerodactilia s.f.
escleroderma s.m.
esclerodermado adj. s.m.
esclerodermasia s.f.
esclerodermatácea s.f.
esclerodermatáceo adj.
esclerodermatal adj.2g.
esclerodermatale s.f.
esclerodermatínea s.f.
esclerodermatite s.f.
esclerodermatoso (*ô*) adj.; f. (*ó*); pl. (*ó*)
esclerodermia s.f.
esclerodérmico adj.
esclerodermita s.f.
esclerodermite s.f.
esclerodermo s.m.
esclerodermoso (*ô*) adj.; f. (*ó*); pl. (*ó*)
escleródio s.m.
esclerodonte s.m.
escleroesqueleto (*ê*) s.m.
esclerofilia s.f.
esclerofílico adj.
esclerofilo s.m.
esclerófilo adj.
escleroftalmia s.f.
escleroftálmico adj.
esclerogenia s.f.
esclerogênico adj.
esclerogênio s.m.
esclerógeno adj. s.m.
esclerogenoso (*ô*) adj.; f. (*ó*); pl. (*ó*)
esclerogomoso (*ô*) adj.; f. (*ó*); pl. (*ó*)
escleroiodina s.f.
escleroiridite s.f.
escleroiridotomia s.f.
escleroirite s.f.
escleroiritomia s.f.
esclerolipomatose s.f.
esclerólise s.f.
esclerolítico adj.
esclerolobíea s.f.
esclerolóbio s.m.
escleroma s.m.
escleromático adj.
escleromeninge s.f.
escleromeningite s.f.
escleromeningítico adj.
escleromério s.m.
esclerômero s.m.
esclerometria s.f.
esclerométrico adj.
esclerômetro s.m.
escleromucina s.f.
escleronema s.f.
escleroniquia s.f.
escleronomia s.m.
esclerônomo adj.
escleroooforite s.f.
escleropáreo s.m.
escleropatia s.f.
escleropiro s.m.
esclerópoa s.f.
esclerópode adj.
escleropódio s.m.
escleroproteína s.f.
escleroptéria s.f.
escleroqueilo s.m.
escleroqueratite s.f.
escleroquilo s.m.
esclerosado adj.
esclerosamento s.m.
esclerosante adj.2g.
esclerosar v.
esclerosável adj.2g.
escleroscopia s.f.
escleroscópico adj.
escleroscópio s.m.
esclerose s.f.
escleroso (*ô*) adj.; f. (*ó*); pl. (*ó*)
esclerospatita s.f.
esclerosperma s.f.
esclerospermo adj.
esclerósporo s.m.
esclerossarcoma s.m.
esclerosséptico adj.
esclerossepto s.m.
esclerossoma s.m.
esclerossomatíneo adj. s.m.
esclerostenose s.f.
esclerostenótico adj.
esclerostoma s.m.
escleróstoma s.m.
escleróstomo adj. s.m.
esclerote s.f.
esclerótica s.f.
esclerotical adj.2g.
esclerótico adj. s.m.
escleroticonixe (*cs*) s.f.
escleroticotomia s.f.
esclerotinia s.f.
esclerotinial adj.2g.
esclerotínico adj.
esclerotiniose s.f.
esclerotite s.f.
esclerotomia s.f.
esclerotômico adj.
esclerótrice s.f.
esclerotriquia s.f.
escleroxantina s.f.
esclerurineo adj. s.m.
escleruro s.m.
esclusa s.f.
escoa (*ô*) s.f.
escoação s.f.
escoada s.f.
escoadeira s.f.
escoadela s.f.
escoado adj.
escoadoiro s.m.
escoadouro s.m.
escoadura s.f.
escoalha s.f.
escoalho s.m.
escoamento s.m.
escoante adj.2g. s.m.
escoar v.
escobar s.m.
escobédia s.f.
escobiculado adj.
escobiforme adj.2g.
escobilhar v.
escocar v.
escocês adj. s.m.; f. *escocesa*
escocesa (*ê*) adj. s.f. de *escocês*
escocesismo s.m.
escocesista adj. s.2g.
escocha (*ô*) s.f.
escochado adj.
escochar v.
escochinar v.
escocho (*ô*) adj.
escócia s.f.
escócio adj.
escocir-se v.
escoçumelar-se v.
escoda s.f.
escodado adj.
escodar v.
escodeado adj.
escodear v.
escódico adj.
escodiona s.f.
escodismo s.m.
escodístico adj.
escodrense adj. s.2g.
escodro adj. s.m.
escófia s.f.
escoftalmídeo adj. s.m.
escoftalmo s.m.
escogiar v.
escogotado adj.
escoiça s.f.
escoiçar v.
escoiceado adj.
escoiceador (*ô*) adj. s.m.
escoiceamento s.m.
escoicear v.
escoicinhador (*ô*) s.m.
escoicinhar v.
escoicinhativo adj.
escoico (*ó*) adj. s.m.
escoiço adj. s.m.
escoimado adj.
escoimar v.
escol s.m.
escola s.f.
escolaça s.f.
escola-cantina s.f.; pl. *escolas-cantina* e *escolas-cantinas*
escolado adj. s.m.
escolágio s.m.
escola-modelo (*ê*) s.f.; pl. *escolas-modelo* e *escolas-modelos*
escolante s.m.
escolápio adj. s.m. "estudante"; cf. *esculápio*
escolar adj. s.2g.
escolarca s.m.
escolarcado s.m.
escolaresco (*ê*) adj.
escolaridade s.f.
escolarização s.f.
escolarizado adj.
escolarizar v.
escolarizável adj.2g.
escolasta s.2g.
escolástica s.f.
escolasticado s.m.
escolasticismo s.m.
escolasticista adj. s.2g.
escolasticístico adj.
escolástico adj. s.m.
escolaticato s.m.
escolatíceo adj.
escoldrinhador (*ô*) adj.
escoldrinhadura s.f.
escoldrinhamento s.m.
escoldrinhante adj.2g.
escoldrinhar v.
escoldrinhável adj.2g.
escolece s.m.
escólece s.m.
escoleciase s.f.
escolecíase s.f.
escolecita s.f.
escolecite s.f.
escolecítico adj.
escolecito s.m.
escoleco s.m.
escolecodonte s.m.
escolecofagia s.f.
escolecófago adj.
escolecofídeo adj. s.m.
escolecoide (*ó*) adj.2g.
escolecolépide s.f.
escolecólepis s.f.2n.
escolecologia s.f.
escolecológico adj.
escolecologista adj. s.2g.
escolecólogo s.m.
escolecospório s.m.
escolecósporo s.m.
escolecossauro s.m.
escolequíase s.f.
escólex (*cs*) s.m.2n.
escolha (*ô*) s.f.
escolhedeira s.f.
escolhedor (*ô*) adj. s.m.
escolheita s.f.
escolheito adj.
escolher v.
escolhida s.f.
escolhido adj. s.m.
escolhimento s.m.
escolho (*ô*) s.m.; pl. (*ó*)
escólia s.f.; cf. *escolia*, fl. do v. *escoliar*
escoliador (*ô*) s.m.
escoliar v.
escoliasta s.2g.
escoliaste s.2g.
escolídeo adj. s.m.
escolimina s.f.
escolimínea s.f.
escolimíneo adj.
escólimo s.m.
escólimo-malhado s.m.; pl. *escólimos-malhados*
escolinha s.f.
escólio s.m.; cf. *escolio*, fl. do v. *escoliar*
escoliocifose s.f.
escoliometria s.f.
escoliômetro s.m.
escoliopterige s.f.
escoliópterix (*cs*) s.f.
escoliorraquítico adj. s.m.
escoliose s.f.
escoliótico adj.
escolítida adj.2g. s.m.
escolitídeo adj. s.m.
escolitíneo adj. s.m.
escólito s.m.
escólito-do-café s.m.; pl. *escólitos-do-café*
escolmado adj.
escolmar v.

escolopácida adj.2g. s.m.
escolopacídeo adj. s.m.
escolopendra s.f.
escolopendrela s.f.
escolopendrélida adj.2g. s.m.
escolopendrelídeo adj. s.m.
escolopendrídeo adj. s.m.
escolopêndrio s.m.
escolopendromorfia s.f.
escolopendromórfico adj.
escolopendromorfo adj. s.m.
escolopendrópsis s.2g.2n.
escolópia s.f.
escolopíea s.f.
escolopóforo s.m.
escolopomaquério s.m.
escolta s.f.
escoltado adj.
escoltador (*ô*) adj. s.m.
escoltar v.
escômber s.m.
escombrado adj.
escombramento s.m.
escombrar v.
escombreiro s.m.
escombrésoce s.m.
escombresócida adj.2g. s.m.
escombresocídeo adj. s.m.
escômbresox (*cs*) s.m.
escômbrida s.m.
escombrídeo adj. s.m.
escombriforme adj.2g. s.m.
escombrísoce s.m.
escômbrisox (*cs*) s.m.
escombro s.m.
escombroide (*ó*) adj.2g. s.m.
escombróideo adj. s.m.
escombros s.m.pl.
escomilha s.f. "planta"; cf. *escumilha*
escomunal adj.2g.
escondalha s.f.
escondarelo (*ê*) s.m.
escondedalha s.f.
escondedoiro s.m.
escondedor (*ô*) adj. s.m.
escondedouro s.m.
escondedura s.f.
esconde-esconde s.m.; pl. *esconde-escondes e escondes-escondes*
esconder v.
esconderelo (*ê*) s.m.
esconderete (*ê*) s.m.
esconderijeira s.f.
esconderijo s.m.
esconderilho s.m.
escondidas s.f.pl.; na loc. *às escondidas*
escondidense adj. s.2g.
escondido adj. s.m.
escondimento s.m.
escondoirelo (*ê*) s.m.
escondourelo (*ê*) s.m.
escondrigueira s.f.
escondrijo s.m.
escongeminar v.
esconjuntar v.
esconjuração s.f.
esconjurado adj. s.m.
esconjurador (*ô*) adj. s.m.
esconjurar v.
esconjurativo adj.
esconjuratório adj.
esconjurável adj.2g.
esconjuro s.m.
esconsa s.f.
esconsar v.
esconsidade s.f.
esconso adj. s.m.
escoo (*ô*) s.m.
escopa (*ô*) s.f.
escopária s.f.
escoparina s.f.
escopário s.m.
escope s.m.
escopear v.
escopeira s.f.
escopeiro s.m.
escopelídeo adj. s.m.
escopelismo s.m.
escopelogado s.m.
escopelosoma s.m.
escopeta (*ê*) s.f.
escopetada s.f.
escopetar v.
escopetaria s.f.
escopetear v.
escopeteira s.f.
escopeteiro adj. s.m.
escopia s.f.
escópico adj.
escopídeo adj. s.m.
escopina s.f.
escopíneo s.m.
escopo (*ô*) s.m.
escopofilia s.f.
escopofílico adj.
escopofobia s.f.
escopofóbico adj.
escopolamina s.f.
escopolamínico adj.
escopoleína s.f.
escopoletina s.f.
escopólia s.f.
escopolina s.f.
escoprear v.
escopro (*ô*) s.m.
éscops s.m.2n.
escoptelo s.m.
escópula s.f.
escopularídeo adj. s.m.
escora s.f.
escoraçonado adj.
escorado adj.
escorador (*ô*) s.m.
escoramento s.m.
escorão s.m.
escorar v.
escorbútico adj. s.m.
escorbutigênico adj.
escorbuto s.m.
escorçado adj.
escorçar v.
escorcemelar v.
escorcha s.f.
escorchado adj.
escorchador (*ô*) adj. s.m.
escorchadura s.f.
escorchamento s.m.
escorchante adj.2g.
escorchar v.
escorchice s.f.
escorcioneira s.f.
escorço (*ô*) s.m.; cf. *escorço*, fl. do v. *escorçar*
escorçomelar v.
escorçoneira s.f.
escordar v.
escordeína s.f.
escordinina s.f.
escórdio s.m.
escordioide (*ó*) adj.2g. s.m.
escordisco adj. s.m.
escore s.m.
escória s.f.; cf. *escoria*, fl. do v. *escoriar*
escoriação s.f.
escoriáceo adj.
escoriacrasia s.f.
escoriado adj.
escorial s.m.
escoriar v.
escorificação s.f.
escorificado adj.
escorificador (*ô*) adj. s.m.
escorificar v.
escorificatório adj. s.m.
escoriforme adj.2g.
escorinhote s.m.
escorino s.m.
escório s.m.
escorjado adj.
escorjamento s.m.
escorjar v.
escorlo (*ô*) s.m.
escornada s.f.
escornado adj.
escornador (*ô*) adj. s.m.
escornante adj.2g. s.m.
escornar v.
escorneado adj.
escorneador (*ô*) adj. s.m.
escornear v.
escornichar v.
escoroar v.
escorodita s.f.
escorodite s.f.
escorodófleo s.m.
escorodônia s.f.
escorpena s.f.
escorpena-avermelhada s.f.; pl. *escorpenas-avermelhadas*
escorpena-parda s.f.; pl. *escorpenas-pardas*
escorpenídeo adj. s.m.
escorpeniforme adj.2g. s.m.
escorpenóideo adj. s.m.
escorpiano adj. s.m.
escorpião s.m.
escorpião-d'água s.m.; pl. *escorpiões-d'água*
escorpião-do-mar s.m.; pl. *escorpiões-do-mar*
escorpião-do-vento s.m.; pl. *escorpiões-do-vento*
escorpião-grande s.m.; pl. *escorpiões-grandes*
escorpião-preto s.m.; pl. *escorpiões-pretos*
escorpião-vinagre s.m.; pl. *escorpiões-vinagre*
escorpicinina s.f.
escorpicinínico adj.
escorpidídeo adj. s.m.
escórpio s.m.
escorpioa (*ô*) s.f.
escorpioidal adj.2g.
escorpioide (*ó*) adj.2g.
escorpioidídeo adj. s.m.
escorpione adj. s.m.
escorpiônico adj.
escorpionídeo adj. s.m.
escorpionismo s.m.
escorpiúra s.f.
escorpiúro s.m.
escorraçado adj.
escorraçador (*ô*) adj. s.m.
escorraçamento s.m.
escorraçante adj.2g.
escorraçar v.
escorrachar v.
escorralhas s.f.pl.
escorralho s.m.
escorredoiro s.m.
escorredor (*ô*) s.m.
escorredouro s.m.
escorredura s.f.
escorrega adj. s.m.
escorregada s.f.
escorregadela s.f.
escorregadiço adj.
escorregadio adj.
escorregado adj.
escorregadoiro s.m.
escorregador (*ô*) adj. s.m.
escorregadouro s.m.
escorregadura s.f.
escorregagem s.f.
escorrega-macaco s.m.; pl. *escorrega-macacos*
escorregamento s.m.
escorregão s.m.
escorregar v.
escorregável adj.2g.
escorrego (*ê*) s.m.; cf. *escorrego*, fl. do v. *escorregar*
escorreguento adj.
escorreito adj.
escorrência s.f.
escorrer v.
escorreria s.f.
escorribamba s.f.
escorribanda s.f.
escorriça s.f.
escorrichar v.
escorricho s.m.
escorrida s.f.
escorrido adj.
escorrilho s.m.
escorrimaça s.f.
escorrimaçar v.
escorrimento s.m.
escorripião s.m.
escorropichadela s.f.
escorropicha-galhetas s.m.2n.
escorropichamento s.m.
escorropichar v.
escorropicho s.m.
escorticação s.f.
escorticado adj.
escorticar v.
escortinado adj.
escortinar v.
escortinhar v.
escorujar v.
escorva s.f.
escorvado adj.
escorvador (*ô*) adj. s.m.
escorvamento s.m.
escorvar v.
escorzalita s.f.
escorzonera s.f.
escorzonerina s.f.
escosipar v.
escota (*ô*) s.f.
escote s.m.
escoteira s.f.
escoteirismo s.m.
escoteiro adj. s.m.
escotel s.m.
escotélia s.f.
escoteria s.f.
escotiar v.
escótico adj.
escotilha s.f.
escotilhão s.m.
escotismo s.m.
escotista adj. s.2g.
escotístico adj.
escoto (*ô*) adj. s.m.
escotoanassa s.m.
escotocromógeno s.m.
escotocrosta (*ô*) s.m.
escotodinia s.f.
escotofobia s.f.
escotóforo s.m.
escotografia s.f.
escotográfico adj.
escotógrafo s.m.
escotoma s.m.
escotomia s.f.
escotomização s.f.
escotopélia s.f.
escotopia s.f.
escotópico adj.
escotopsia s.f.
escotórnis s.2g.2n.
escotornite s.2g.
escototerapia s.f.
escototerápico adj.
escotro (*ô*) adj. s.m.
escouça s.f.
escouçar v.
escouceado adj.
escouceador (*ô*) adj. s.m.
escouceamento s.m.
escoucear v.
escoucemelar v.
escoucepinhar v.
escoucinhado adj.
escoucinhador (*ô*) adj. s.m.
escoucinhar v.
escoucinhativo adj.
escouço adj. s.m.
escouralense adj. s.2g.
escouramento s.m.
escova s.f. "escovadela"; cf. *escova* (*ô*)
escova (*ô*) s.f. "vassourinha"; cf. *escova* s.f. e fl.do v. *escovar*
escova-botas s.2g.2n.
escovação s.f.
escovadeira s.f.
escovadela s.f.
escova-de-macaco s.f.; pl. *escovas-de-macaco*
escova de paisano s.f.
escovadinho s.m.
escovado adj.
escovador (*ô*) adj. s.m.
escovagem s.f.
escovalhar v.
escovalho s.m.
escovão s.m.
escovar v.
escoveira s.f.
escoveiro s.m.
escovém s.m.
escoveno s.m.
escovilha s.f.
escovilhagem s.f.
escovilhão s.m.
escovilhar v.
escovilheiro s.m.
escovinha s.f.
escovinha-imperial s.f.; pl. *escovinhas-imperiais*
escovinha-margarida s.f.; pl. *escovinhas-margarida* e *escovinhas-margaridas*
escovinhar v.
escozer v.
escozimento s.m.
escracha s.f.
escrachada s.f.
escrachado adj.
escrachante adj. s.2g.
escrachar v.
escrachetar v.
escrachinar v.
escrachista s.m.
escracho s.m.
escradera s.f.
escrafunchar v.
escramalhado adj.
escramalhar v.
escrambulheiro s.m.
escramear v.
escramelar v.
escramentar v.
escramoucado adj.
escramoucar v.
escramuçar v.
escrancha s.f.
escranchante adj. s.2g.
escrânquia s.f.
escrapanento adj.
escrapanoso (*ô*) adj.; f. (*ó*); pl. (*ó*)
escrapeteador (*ô*) adj. s.m.
escrapetear v.
escrapiada s.f.
escráptia s.f.
escraptiídeo adj. s.m.
escraptiíneo adj. s.m.
escrava s.f.
escravagem s.f.
escravagismo s.m.
escravagista adj. s.2g.
escravagístico adj.
escravanada s.f.
escravaria s.f.
escravatura s.f.
escravelha s.f.
escravelhar v.
escravelho s.m.
escravidão s.f.
escravilheira s.f.
escravina s.f.
escravismo s.m.
escravista adj. s.2g.
escravístico adj.
escravização s.f.
escravizado adj.
escravizador (*ô*) adj. s.m.
escravizante adj.2g.
escravizar v.
escravizável adj.2g.
escravo adj. s.m.
escravocracia s.f.
escravocrata adj. s.2g.
escravocrático adj.
escravona s.f.
escravoneta (*ê*) s.f.
escrebera s.f.
escrépio s.m.
escrespar v.
escrete s.m.
escrevedeira s.f.
escrevedor (*ô*) adj. s.m.
escrevedura s.f.
escrevente adj. s.2g.
escrever v.

escrevinhação s.f.
escrevinhadeiro adj. s.m.
escrevinhador (*ô*) adj. s.m.
escrevinhadura s.f.
escrevinhante adj. s.2g.
escrevinhar v.
escrevinhice s.f.
escrevível adj.2g.
escriba s.2g.
escribomania s.f.
escribômano s.m.
escrínalo s.m.
escrinário s.m.
escrinha s.f.
escrinho s.m.
escrínio s.m.
escrino s.m.
escrínulo s.m.
escripofilia s.f.
escripofílico adj.
escripófilo adj. s.m.
escriptologia s.f.
escriptológico adj.
escriptologista adj. s.2g.
escriptologístico adj.
escriptólogo adj. s.m.
escrita s.f.
escritinho adj.
escrito adj. s.m.
escrito-falado adj. s.m.; pl. *escritos-falados*
escritor (*ô*) adj. s.m.
escritoreco s.m.
escritorinho s.m.
escritório s.m.
escritura s.f.
escrituração s.f.
escriturado adj.
escritural adj.2g.
escrituralismo s.m.
escrituralista adj. s.2g.
escrituralístico adj.
escrituramento s.m.
escriturar v.
escriturário adj. s.m.
escriturismo s.m.
escriturista s.2g.
escriturístico adj.
escrivã s.f. de *escrivão*
escrivania s.f.
escrivaninha s.f.
escrivão s.m.; f. *escrivã*
escrivão-mor s.m.; pl. *escrivães-mores*
escrivar v.
escrobiculado adj.
escrobiculária s.f.
escrobiculariídeo adj. s.m.
escrobiculário s.m.
escrobículo s.m.
escrobiculoso (*ô*) adj.; f. (*ó*); pl. (*ó*)
escrofina s.f.
escrófula s.f.
escrofulacrina s.f.
escrofulária s.f.
escrofulariácea s.f.
escrofulariáceo adj.
escrofularina s.f.
escrofularínea s.f.
escrofularíneo adj.
escrofularizar v.
escrofúlida adj.2g. s.f.
escrofúlide adj.2g. s.f.
escrofulina s.f.
escrofulismo s.m.
escrofulizar v.
escrofuloderme s.f.
escrofulodermia s.f.
escrofulofina s.f.
escrofuloma s.m.
escrofulose s.f.
escrofuloso (*ô*) adj.; f. (*ó*); pl. (*ó*)
escrofulótico adj.
escrofulotuberculose s.f.
escrofulotuberculoso (*ô*) adj. s.m.; f. (*ó*); pl. (*ó*)
escrópulo s.m.
escroque s.m.
escroqueria s.f.
escrotal adj.2g.
escrotário adj.
escrotear v.
escrotectomia s.f.
escrotectômico adj. s.m.
escrotice s.f.
escrotidão s.f.
escrotite s.f.
escrotítico adj.
escroto (*ô*) adj. s.m.
escrotocele s.f.
escruchado adj.
escruchador (*ô*) adj. s.m.
escruchante s.2g.
escruchar v.
escrucho s.m.
escruciador (*ô*) adj.
escruciante adj.2g.
escruciar v.
escruncha s.m.
escrunchado adj.
escrunchador (*ô*) adj. s.m.
escrunchante adj. s.2g.
escrunchar v.
escruncho s.m.
escrupularia s.f.
escrupulear v.
escrupulidade s.f.
escrupulidão s.f.
escrupulização s.f.
escrupulizador (*ô*) adj. s.m.
escrupulizar v.
escrúpulo s.m.
escrupulosidade s.f.
escrupuloso (*ô*) adj.; f. (*ó*); pl. (*ó*)
escrutação s.f.
escrutado adj.
escrutador (*ô*) adj. s.m.
escrutar v.
escrutável adj.2g.
escrutinação s.f.
escrutinado adj.
escrutinador (*ô*) adj. s.m.
escrutinante adj. s.2g.
escrutinar v.
escrutinável adj.2g.
escrutínio s.m.
escubércia s.f.
escubértia s.f.
escubléria s.f.
escucir-se v.
escudado adj.
escudagem s.f.
escudar v.
escudável adj.2g.
escudeira s.f.; na loc. *à escudeira*
escudeirado adj.
escudeirar v.
escudeirático adj.
escudeirice s.f.
escudeiril adj.2g.
escudeiro s.m.
escudeirote s.m.
escudela s.f.
escudelada s.f.
escudela-da-água s.f.; pl. *escudelas-da-água*
escudelar v.
escuderia s.f.
escudete (*ê*) s.m.
escudilho s.m.
escudilhoso (*ô*) adj.; f. (*ó*); pl. (*ó*)
escudinha s.f.
escudo s.m.
escudrinhado adj.
escudrinhador (*ô*) adj. s.m.
escudrinhar v.
esculácea s.f.
esculáceo adj.
esculachado adj.
esculachador (*ô*) adj. s.m.
esculachante adj. s.2g.
esculachar v.
esculacho s.m.
esculápias s.f.pl.
esculapino adj.
esculápio s.m. "médico"; cf. *escolápio*
esculato s.m.
esculca s.m.
esculcar v.
esculência s.f.
esculento adj.
esculetina s.f.
esculhambação s.f.
esculhambado adj.
esculhambador (*ô*) adj. s.m.
esculhambar v.
esculhambo s.m.
escúlico adj.
esculina s.f.
ésculo s.m.
esculopimento s.m.
esculóside s.f.
esculotanato s.m.
esculotânico adj.
esculpido adj.
esculpidor (*ô*) adj. s.m.
esculpir v.
escultado adj.
escultar v.
escultor (*ô*) s.m.
escultórico adj.
escultório adj.
escultura s.f.
esculturação s.f.
esculturado adj.
escultural adj.2g.
esculturar v.
escuma s.f.
escumação s.f.
escuma de dragões s.f.
escumadeira s.f.
escuma-de-sangue s.f.; pl. *escumas-de-sangue*
escumado adj. s.m.
escuma do mar s.f.
escumador (*ô*) adj.
escumagem s.f.
escumalha s.f.
escumalho s.m.
escumana s.f.
escumante adj.2g.
escumar v.
escumarada s.f.
escumeada s.f.
escumeado adj.
escumeiro s.m.
escumilha s.f. "tecido", etc.; cf. *escomilha*
escumilhar v.
escumoso (*ô*) adj.; f. (*ó*); pl. (*ó*)
escuna s.f.
escupila s.f.
escupir v.
escupita s.f.
escurantismo s.m.
escurão s.m.
escurar v.
escuras s.f.pl.; na loc. *às escuras*
escurecedor (*ô*) adj. s.m.
escurecer v.
escurecido adj.
escurecimento s.m.
escurecível adj.2g.
escurejar v.
escurentado adj.
escurentar v.
escurento adj.
escureza (*ê*) s.f.
escurial s.f.
escurialense adj. s.2g.
escuriço adj.
escuridade s.f.
escuridão s.f.
escuridez (*ê*) s.f.
escurido adj.
escurinho s.m.
escurir v.
escuro adj. s.m.
escurra s.2g.
escurribanda s.f.
escurril adj.2g.
escurrilidade s.f.
escusa s.f.
escusação s.f.
escusado adj.
escusador (*ô*) adj. s.m.
escusa-merenda s.f.; pl. *escusa-merendas*
escusar v.
escusatória s.f.
escusatório adj.
escusável adj.2g.
escuso adj.
escuta s.2g.; na loc. *à escuta*
escutadeira s.f.
escutado adj.
escutador (*ô*) adj. s.m.
escuta-fuxico s.m.; pl. *escuta-fuxicos*
escutante adj.2g.
escutar v.
escutável adj.2g.
escuteiro s.m.
escutela s.f.
escutelar adj.2g.
escutelareína s.f.
escutelária s.f.
escutelarídeo adj. s.m.
escutelarina s.f.
escutelarióidea s.f.
escutelídeo adj. s.m.
escutelídio s.m.
escuteliforme adj.2g.
escutelo s.m.
escuterudita s.f.
escutesternal adj.2g.
escútia s.f.
escutibrânquio s.m.
escuticária s.f.
escutifólio adj.
escutiforme adj.2g.
escutígera s.f.
escutigerídeo adj. s.m.
escutígero adj. s.m.
escutigeromorfo adj. s.m.
escutiplantar adj.2g. s.m.
escutismo s.m.
escutista adj. s.2g.
escutoesternal adj.2g.
escútulo s.m.
escvânia s.f.
escveigéria s.f.
escveilera s.f.
esdruxular v.
esdruxularia s.f.
esdruxulez (*ê*) s.f.
esdruxulice s.f.
esdruxulidade s.f.
esdruxulista adj. s.2g.
esdruxulização s.f.
esdruxulizante adj. s.2g.
esdruxulizar v.
esdrúxulo adj. s.m.; cf. *esdruxulo*, fl. do v. *esdruxular*
esembéquia s.f.
esenbéckia s.f.
eseramina s.f.
eserê s.f.
eseridina s.f.
eserina s.f.
eserínico adj.
esernino adj. s.m.
eserolina s.f.
esfacelação s.f.
esfacelado adj.
esfacelador (*ô*) adj.
esfacelamento s.m.
esfacelar v.
esfacelária s.f.; cf. *esfacelaria*, fl. do v. *esfacelar*
esfacelariácea s.f.
esfacelariáceo adj.
esfacelarial adj.2g.
esfacelariale s.f.
esfacelarínea s.f.
esfacelaríneo adj.
esfacélia s.f.
esfacelínico adj.
esfacelo (*ê*) s.m. "ato ou efeito de esfacelar"; cf. *esfácelo* s.m. e *esfacelo*, fl. do v. *esfacelar*
esfácelo s.m. "gangrena"; cf. *esfacelo* (*ê*) s.m. e *esfacelo*, fl. do v. *esfacelar*
esfaceloderme s.f.
esfaceloma s.f.
esfaceloteca s.f.
esfacelotoxina (*cs*) s.f.
esfachear v.
esfacofilo s.m.
esfadigado adj.
esfageossauro adj. s.m.
esfagiasmo s.m.
esfagite s.f.
esfagnácea s.f.
esfagnáceo adj.
esfagnal adj.2g.
esfagnale s.f.
esfagno s.m.
esfagnópsida s.f.
esfaguntado adj.
esfaguntar v.
esfaimado adj.
esfaimador (*ô*) adj. s.m.
esfaimante adj.2g.
esfaimar v.
esfaiscar v.
esfalcaçado adj.
esfalcaçar v.
esfalcado adj.
esfalcar v.
esfalecente adj.2g.
esfalecer v.
esfalecimento s.m.
esfalerita s.f.
esfalerite s.f.
esfalerítico adj.
esfaleromorfo adj.
esfalerotocia s.f.
esfalfação s.f.
esfalfado adj. s.m.
esfalfador (*ô*) adj.
esfalfamento s.m.
esfalfante adj.2g.
esfalfar v.
esfalfe s.m.
esfalripado adj.
esfalripar v.
esfandangado adj.
esfandegado adj. s.m.
esfandegar v.
esfangoar v.
esfanguntado adj.
esfanicado adj.
esfanicar v.
esfaqueação s.f.
esfaqueado adj.
esfaqueador (*ô*) adj. s.m.
esfaqueamento s.m.
esfaqueante adj. s.2g.
esfaquear v.
esfaqueável adj.2g.
esfardar v.
esfarelação s.f.
esfarelado adj.
esfarelador (*ô*) adj. s.m.
esfarelamento s.m.
esfarelante adj.2g.
esfarelar v.
esfarelável adj.2g.
esfarelento adj.
esfarelita s.f.
esfarelite s.f.
esfarfalhado adj.
esfarfalhante adj.2g.
esfarfalhar-se v.
esfarinhado adj.
esfarinhador (*ô*) adj. s.m.
esfarinhamento s.m.
esfarinhante adj.2g.
esfarinhar v.
esfarinhável adj.2g.
esfarpadela s.f.
esfarpado adj.
esfarpar v.
esfarpelado adj.
esfarpelar v.
esfarrapada s.f.
esfarrapadeira s.f.
esfarrapadela s.f.
esfarrapado adj. s.m.
esfarrapador (*ô*) s.m.
esfarrapamento s.m.
esfarrapar v.
esfarripado adj.
esfarripar v.
esfasamento s.m.

esfatachar v.
esfatanar v.
esfatechar v.
esfateixar v.
esfatiar v.
esfavelamento s.m.
esfavelar v.
esfazer v.
esfece s.m.
esfecídeo adj. s.m.
esfeco s.m.
esfecode s.m.
esfecóideo adj. s.m.
esfedamnocarpo s.m.
esfelgar v.
esfemença s.f.
esfemencéfalo s.m.
esfena s.f.
esfenacantocefálico adj.
esfenacantocéfalo s.m.
esfenacodonte s.m.
esfenacodôntico adj.
esfenencefalia s.f.
esfenencéfalo adj. s.m.
esfenestafilino adj.
esfenetmoidal adj.2g.
esfenetmoide (*ó*) adj.2g. s.m.
esfênico adj.
esfenídeo adj. s.m.
esfênio s.m.
esfeniscídeo adj. s.m.
esfenisciforme adj.2g. s.m.
esfenisco s.m.
esfeno s.m.
esfenobasilar adj.2g.
esfenobulbar adj.2g.
esfenoccipital adj.2g.
esfenocefalia s.f.
esfenocefálico adj.
esfenocéfalo adj. s.m.
esfenoclásio s.m.
esfenóclea s.f.
esfenocleácea s.f.
esfenocleáceo adj.
esfenodonte s.m.
esfenodontídeo adj. s.m.
esfenoédrico adj.
esfenoedro adj. s.m.
esfenoestafilino s.m.
esfenoetmoidal adj.2g.
esfenofilal adj.2g.
esfenofilale s.f.
esfenofílea s.f.
esfenofílico adj.
esfenofilo s.m.
esfenofilostáquide s.m.
esfenofilóstaquis s.m.2n.
esfenofinal adj.2g.
esfenofinale s.f.
esfenofita s.f.
esfenofítico adj.
esfenófito s.m.
esfenofórico adj.
esfenóforo s.m.
esfenofrontobulbar adj.2g.
esfenoidal adj.2g.
esfenoide (*ó*) adj.2g. s.m.
esfenoidite s.f.
esfenoidítico adj.
esfenólito s.m.
esfenomandibulofaríngeo adj.
esfenomanganita s.f.
esfenomaxilar (*cs*) adj.2g.
esfenômetro s.m.
esfeno-occipital adj.2g. s.m.
esfeno-orbitário adj.
esfenopalatino adj.
esfenopalpebral adj.2g.
esfenoparietal adj.2g.
esfenópida adj.2g. s.f.
esfênopo s.m.
esfenopsídeo adj. s.m.
esfenopterídea s.f.
esfenopterídeo adj.
esfenóptero s.m.
esfenorrinco s.m.
esfenose s.f.
esfenostafilino adj. s.m.
esfenostile s.f.
esfenotemporal adj.2g.
esfenótico s.m.
esfenotresia s.f.
esfenótribo s.m.
esfenotripsia s.f.
esfenovomeriano adj.
esfenozigomático adj.
esfera s.f.
esferal adj.2g.
esferalácea s.f.
esferaláceo adj.
esferanto s.m.
esferastro s.m.
esferela s.f.
esferequino s.m.
esferestesia s.f.
esfergulhar v.
esféria s.f.
esferiácea s.f.
esferiáceo adj.
esferiacial adj.2g.
esferiaciale s.f.
esferiale s.f.
esfericarpo adj.
esfericidade s.f.
esférico adj.
esferídeo adj. s.m.
esferídia s.f.
esferidiíneo s.m.
esferídio s.m.
esferimétrico adj.
esferímetro s.m.
esferínea s.f.
esferíneo adj.
esfério s.m.
esferioidácea s.f.
esferioidáceo adj.
esferioideácea s.f.
esferista s.2g.
esferistério s.m.
esferística s.f.
esferístico adj.
esferita s.f.
esferite s.f.
esferobertrandita s.f.
esferoblasto adj.
esferobolácea s.f.
esferoboláceo adj.
esferóbolo s.m.
esferocarpácea s.f.
esferocarpáceo adj.
esferocarpal adj.2g.
esferocarpale s.f.
esferocarpo s.m.
esferocarpóidea s.f.
esferocéfalo adj.
esferócito s.m.
esferocitose s.f.
esferocobaltita s.f.
esferocobaltite s.f.
esferococácea s.f.
esferococáceo adj.
esferococo s.m.
esferocódão s.m.
esferocódon s.m.
esferoderma s.m.
esferoédrico adj.
esferoforácea s.f.
esferoforáceo adj.
esferóforo s.m.
esferográfica s.f.
esferográfico adj.
esferógrafo s.m.
esferoicidade s.f.
esferoidal adj.2g.
esferoide (*ó*) s.m.
esferóideo adj.
esferolita s.f.
esferolítico adj.
esferólito s.m.
esferoma s.m.
esferomagnesita s.f.
esferomaquia s.f.
esferomáquico adj.
esferometria s.f.
esferométrico adj.
esferômetro s.m.
esferômida adj.2g. s.m.
esferomídeo adj. s.m.
esferomíneo adj. s.m.
esferonema s.f.
esferoplasto s.m.
esferopleácea s.f.
esferopleáceo adj.
esferopleia (*é*) s.f.
esferopleínea s.f.
esferopse s.f.
esferopsidácea s.f.
esferopsidáceo adj.
esferopsidal adj.2g.
esferopsidale s.f.
esferorradiano s.m.
esferoscópio s.m.
esferosperma s.m.
esferossepalácea s.f.
esferossepaláceo adj.
esferossiderita s.f.
esferossiderite s.f.
esferossiderítico adj.
esferossiderito s.m.
esferostilbita s.f.
esferostilbite s.f.
esferoteca s.f.
esferoterídeo adj. s.m.
esferotério s.m.
esferra-cavalo s.f.; pl. *esferra-cavalos*
esférula s.f.
esferular adj.2g.
esferulária s.f.
esferulita s.f.
esferulite s.f.
esferulítico adj.
esfervecer v.
esfervelho s.m.
esferver v.
esfervilhação s.f.
esfervilhador (*ô*) adj.
esfervilhamento s.m.
esfervilhante adj.2g.
esfervilhar v.
esfex (*cs*) s.m.
esfiada s.f.
esfiado adj.
esfiampado adj.
esfiampar v.
esfiapado adj.
esfiapar v.
esfiapo s.m.
esfiar v.
esfibrar v.
esfígmico adj.
esfigmismo s.m.
esfigmobolograma s.m.
esfigmobolometria s.f.
esfigmobolométrico adj.
esfigmobolômetro s.m.
esfigmocardiografia s.f.
esfigmocardiográfico adj.
esfigmocardiógrafo s.m.
esfigmocardiograma s.m.
esfigmocardioscópico adj.
esfigmocardioscópio s.m.
esfigmocefalia s.f.
esfigmocefálico adj.
esfigmocronógrafo s.m.
esfigmodinamômetro s.m.
esfigmofone s.m.
esfigmofonia s.f.
esfigmofônico adj.
esfigmofônio s.m.
esfigmofono s.m.
esfigmografia s.f.
esfigmográfico adj.
esfigmógrafo s.m.
esfigmograma s.m.
esfigmologia s.f.
esfigmológico adj.
esfigmólogo s.m.
esfigmomancia s.f.
esfigmomania s.f.
esfigmomanometria s.f.
esfigmomanométrico adj.
esfigmomanômetro s.m.
esfigmomante s.2g.
esfigmomântico adj.
esfigmometria s.f.
esfigmométrico adj.
esfigmômetro s.m.
esfigmometroscópio s.m.
esfigmopalpação s.f.
esfigmopletismógrafo s.m.
esfigmoscopia s.f.
esfigmoscópico adj.
esfigmoscópio s.m.
esfigmossístole s.f.
esfigmotonógrafo s.m.
esfíncter s.m.
esfincter s.m.
esfincterado adj.
esfincteral adj.2g.
esfincteralgia s.f.
esfincterálgico adj.
esfincterectomia s.f.
esfincterectômico adj.
esfincteriano adj.
esfinctérico adj.
esfincterismo s.m.
esfincteroplastia s.f.
esfincteroplástico adj.
esfincteroscopia s.f.
esfincteroscópico adj.
esfincterotomia s.f.
esfincterotômico adj.
esfincterótomo s.m.
esfinctrela s.f.
esfinctrina s.f.
esfinge s.f.
esfingético adj.
esfíngico adj.
esfíngida adj.2g. s.m.
esfingídeo adj. s.m.
esfingíneo adj. s.m.
esfingoína s.f.
esfingolipídeo adj. s.m.
esfingolipidose s.f.
esfingometria s.f.
esfingométrico adj.
esfingômetro s.m.
esfingomielina s.f.
esfingomielínico adj.
esfingomiosina s.f.
esfingonoto s.m.
esfingosina s.f.
esfinzado adj.
esfiraenídeo adj. s.m.
esfirectomia s.f.
esfirectômico adj. s.m.
esfirema s.f.
esfirênida adj.2g. s.m.
esfirenídeo adj. s.m.
esfirnídeo s.m.
esfirotomia s.f.
esfirotômico adj.
esfirra s.f.
esfiuzar v.
esflocado adj.
esflocar v.
esflorado adj.
esfloramento s.m.
esflorar v.
esfocinhado adj.
esfocinhar v.
esfodro s.m.
esfoeirar v.
esfogueação s.f.
esfogueado adj.
esfogueamento s.m.
esfoguear v.
esfogueirar v.
esfogueteação s.f.
esfogueteado adj.
esfogueteador (*ô*) adj.
esfogueteamento s.m.
esfoguetear v.
esfoiçar v.
esfoira s.f.
esfoirar v.
esfoiro s.m.
esfola s.f.
esfola-bainha s.f.; pl. *esfola-bainhas*
esfolação s.f.
esfola-caras s.2g.2n.
esfoladela s.f.
esfoladiço adj.
esfoladio s.m.
esfolado adj. s.m.
esfoladoiro s.m.
esfolador (*ô*) adj. s.m.
esfoladouro s.m.
esfoladura s.f.
esfola-gato s.m.; pl. *esfola-gatos*
esfolamento s.m.
esfolar v.
esfola-vaca s.m.; pl. *esfola-vacas*
esfolegar v.
esfolha s.f.
esfolhação s.f.
esfolhaçar v.
esfolhada s.f.
esfolhadela s.f.
esfolhado adj.
esfolhador (*ô*) adj. s.m.
esfolhamento s.m.
esfolhante adj.2g.
esfolhar v.
esfolha-vacas s.m.2n.
esfolhear v.
esfolhoso (*ô*) adj.; f. (*ó*); pl. (*ó*)
esfoliação s.f.
esfoliado adj.
esfoliante adj.2g. s.m.
esfoliar v.
esfoliativo adj.
esfomeação s.f.
esfomeado adj. s.m.
esfomeador (*ô*) adj. s.m.
esfomeante adj.2g.
esfomear v.
esfondila s.f.
esfondílio s.m.
esforçado adj.
esforçador (*ô*) adj. s.m.
esforçar v.
esforço (*ô*) s.m.; pl. (*ó*); cf. *esforço*, fl. do v. *esforçar*
esforçoso (*ô*) adj.; f. (*ó*); pl. (*ó*)
esforfalhar v.
esforgulhar v.
esformigar v.
esforneirar v.
esfornicar v.
esfornigar v.
esforquilhar v.
esforricado adj.
esforricar v.
esfossa s.m.
esfossador (*ô*) adj. s.m.
esfossar v.
esfossilizador (*ô*) adj. s.m.
esfossilizar v.
esfotita s.f.
esfouçar v.
esfragista adj. s.2g.
esfragística s.f.
esfragístico adj.
esfraldar v.
esfraldicado adj.
esfrançar v.
esfrandelhar v.
esfrangalhação s.f.
esfrangalhado adj.
esfrangalhamento s.m.
esfrangalhar v.
esfrangalho s.m.
esfrega s.f.
esfregação s.f.
esfregaço s.m.
esfregadeira s.f.
esfregadela s.f.
esfregado adj.
esfregador (*ô*) adj. s.m.
esfregadura s.f.
esfregalho s.m.
esfregamento s.m.
esfregante adj.2g. s.m.
esfregão s.m.
esfregar v.
esfregável adj.2g.
esfregona s.f.
esfregonçar v.
esfregulhar v.
esfregulho s.m.
esfria s.m. s.2g.
esfriado adj.
esfriadoiro s.m.
esfriador (*ô*) adj. s.m.
esfriadouro s.m.
esfriamento s.m.
esfriante adj.2g.
esfriar v.
esfriável adj.2g.

esfria-verruma s.m.; pl. *esfria-verrumas*
esfrolado adj.
esfrolamento s.m.
esfrolante adj.2g.
esfrolar v.
esfrunhão s.m.
esfrunhar v.
esfueirada s.f.
esfueirar v.
esfugantar v.
esfugentar v.
esfugir v.
esfulinhado adj.
esfulinhador (*ô*) adj. s.m.
esfulinhar v.
esfumaçado adj.
esfumaçamento s.m.
esfumação s.f.
esfumaçar v.
esfumado adj. s.m.
esfumador (*ô*) adj. s.m.
esfumar v.
esfumarado adj.
esfumarar v.
esfumatura s.f.
esfumear v.
esfumilhado adj.
esfumilhar v.
esfumilho s.m.
esfuminhamento s.m.
esfuminhar v.
esfuminho s.m.
esfumo s.m.
esfundilhar v.
esfuracado adj.
esfuracar v.
esfurancar v.
esfurgalhar v.
esfuriado adj.
esfuriar v.
esfurinhar v.
esfuroar v.
esfutricar v.
esfuzeio s.m.
esfuziada s.f.
esfuziado adj.
esfuziante adj.2g.
esfuziar v.
esfuzilar v.
esfuzio s.m.
esfuziote s.m.
esgaçadeira s.m.
esgaçamento s.m.
esgaçar v.
esgache s.m.
esgadanhado adj.
esgadanhador (*ô*) adj. s.m.
esgadanhar v.
esgadelhado adj.
esgadelhamento s.m.
esgadelhar v.
esgadunhar v.
esgaire s.m.
esgaitado adj.
esgaiva s.f.
esgaivar v.
esgaivotado adj.
esgalamido adj.
esgaldripado adj.
esgaldripar v.
esgaldrir v.
esgalgado adj.
esgalgamento s.m.
esgalgar v.
esgalgo adj.
esgalgueirado adj.
esgalha s.f.
esgalhada s.f.
esgalhadela s.f.
esgalhado adj.
esgalhanço s.m.
esgalhar v.
esgalheiro adj.
esgalho s.m.
esgalhudo s.m.
esgalinhar v.
esgalmido adj.
esgalopado adj.
esgalracho s.m.
esgalrear v.
esgalrichar v.
esgalvetado adj.
esgamoar v.
esgampar v.
esgana s.f.
esgana-cão s.m.; pl. *esgana-cães*
esganação s.f.
esgana-cão-preto s.m.; pl. *esgana-cães-pretos*
esganada s.f.
esganado adj. s.m.
esganador (*ô*) adj. s.m.
esganadura s.f.
esgana-gata s.m.; pl. *esgana-gatas*
esganamento s.m.
esganão s.m.
esganar v.
esganarelo s.m.
esganchado adj.
esganchamento s.m.
esganchar v.
esganiçado adj.
esganiçamento s.m.
esganiçante adj.2g.
esganiçar v.
esganiço s.m.
esganifar v.
esganifrado adj.
esganifrar v.
esganinho s.m.
esganipado adj.
esganir v.
esganitar v.
esganosa s.f.
esganoso (*ô*) adj. s.m.; f. (*ó*); pl. (*ó*)
esganota s.f.
esganzarado adj.
esgar s.m.
esgarabanhar v.
esgarabatana s.f.
esgarabulha s.2g.
esgarabulhão s.m.
esgarabulhar v.
esgarado adj.
esgarafunchado adj.
esgarafunchador (*ô*) adj. s.m.
esgarafunchamento s.m.
esgarafunchar v.
esgarafunhar v.
esgarapatana s.f.
esgarar v.
esgaratujado adj.
esgaratujar v.
esgaravanada s.f.
esgaravanadeiro adj.
esgaravanar v.
esgaravatação s.f.
esgaravatadeiro adj. s.m.
esgaravatado adj.
esgaravatador (*ô*) adj. s.m.
esgaravatamento s.m.
esgaravatana s.f.
esgaravatar v.
esgaravatear v.
esgaravatil s.m.
esgaravunchar v.
esgaravunhado adj.
esgaravunhar v.
esgarçação s.f.
esgarçado adj.
esgarçadura s.f.
esgarçamento s.m.
esgarçante adj.2g.
esgarçar v.
esgarçável adj.2g.
esgardunhar v.
esgareiro adj. s.m.
esgargalado adj.
esgargalar v.
esgargalhado adj.
esgargalhar-se v.
esgargar v.
esgarnacha s.f.
esgarnachado adj.
esgarnachar v.
esgarnar v.
esgarrabunhar v.
esgarrado adj.
esgarrafunchão s.m.
esgarrafunchar v.
esgarranchado adj.
esgarranchar v.
esgarranhar v.
esgarrão s.m.
esgarrar v.
esgarro s.m.
esgasgalhado adj.
esgasgalhar v.
esgastrite s.f.
esgatanhado adj.
esgatanhar v.
esgatear v.
esgatiçar v.
esgazeado adj.
esgazeamento s.m.
esgazear v.
esgoda s.f.
esgodar v.
esgoelado adj.
esgoelador (*ô*) adj.
esgoelamento s.m.
esgoelante adj.2g.
esgoelar v.
esgolado adj.
esgoldrejão s.m.
esgoldrejar v.
esgorjado adj.
esgorjar v.
esgotado adj.
esgotadoiro s.m.
esgotador (*ô*) adj. s.m.
esgotadouro s.m.
esgotadura s.f.
esgotamento s.m.
esgotante adj.2g.
esgotar v.
esgotável adj.2g.
esgote s.m.
esgoteira s.f.
esgoteiro s.m.
esgoto (*ô*) s.m. cf. *esgoto*, fl. do v. *esgotar*
esgrabatana s.f.
esgrabulhar v.
esgrafiar v.
esgrafitar v.
esgrafito s.m.
esgramear v.
esgraminha s.f.
esgraminhador (*ô*) s.m.
esgraminhar v.
esgravanada s.f.
esgravanadeiro adj.
esgravatadeiro adj.
esgravatado adj.
esgravatador (*ô*) adj. s.m.
esgravatamento s.m.
esgravatana s.f.
esgravatar v.
esgravatear v.
esgravelhar v.
esgravelho s.m.
esgravilho s.m.
esgravulha adj.
esgravulhar v.
esgrela s.f.
esgrelha (*ê*) s.f.
esgrelhado adj.
esgrelhar v.
esgrilar v.
esgrima s.f.
esgrimaça s.f.
esgrimança s.f.
esgrimar v.
esgrime adj.2g.
esgrimideiro adj. s.m.
esgrimidor (*ô*) adj. s.m.
esgrimidura s.f.
esgrimir v.
esgrimismo s.m.
esgrimista adj. s.2g.
esgrimístico adj.
esgrouviado adj.
esgrouviar v.
esgrouvinhado adj.
esgrouvinhar v.
esgrovinhado adj.
esgrovinhar v.
esgrumir v.
esguardado adj.
esguardamento s.m.
esguardar v.
esguardo s.m.
esguaritado adj.
esguaritar v.
esguedelhação s.f.
esguedelhado adj.
esguedelhamento s.m.
esguedelhar v.
esgueira s.f.
esgueirado adj.
esgueirador (*ô*) adj.
esgueirante adj.2g.
esgueirão adj. s.m.; f. *esgueiroa* (*ô*)
esgueirar v.
esgueiriço adj.
esgueiroa (*ô*) adj. s.f. de *esgueirão*
esguelepado adj.
esguelha (*ê*) s.f.
esguelhado adj.
esguelhão s.m.
esguelhar v.
esguião s.m.
esguiar v.
esguichada s.f.
esguichadela s.f.
esguichado adj.
esguichador (*ô*) adj.
esguichamento s.m.
esguichar v.
esguiche s.m.
esguicheiro adj.
esguicho s.m.
esguiez s.f.
esguilhar v.
esguio adj.
esguitado adj.
esguitar v.
esguncho s.m.
esgurejar v.
esgurido adj.
esgúvio adj.
ésipo s.m.
esipra s.f.
eskebornita s.f.
eskolaíta s.f.
eslabão s.m.
esladroa (*ô*) s.f.
esladroador (*ô*) adj. s.m.
esladroamento s.m.
esladroar v.
eslagação s.f.
eslagado adj.
eslagamento s.m.
eslagar v.
eslagartador (*ô*) adj. s.m.
eslagartagem s.f.
eslagartar v.
eslaide s.m.
eslanhado adj.
eslarado adj.
eslavaçado adj.
eslavão s.m.
eslavatear v.
eslávico adj.
eslaviguite s.f.
eslavismo s.m.
eslavista adj. s.2g.
eslavística s.f.
eslavístico adj.
eslavização s.f.
eslavizado adj.
eslavizador (*ô*) adj.
eslavizante adj.2g.
eslavizar v.
eslavizável adj.2g.
eslavo adj. s.m.
eslavofilia s.f.
eslavofilismo s.m.
eslavofilista adj. s.2g.
eslavofilístico adj.
eslavófilo adj. s.m.
eslavofobia s.f.
eslavofóbico adj.
eslavófobo adj. s.m.
eslavofonia s.f.
eslavofônico adj.
eslavofono s.m.
eslavófono s.m.
eslavoirar v.
eslavônico adj.
eslavônio adj. s.m.
eslavourar v.
eslazeirado adj.
eslinga s.f.
eslingagem s.f.
eslingar v.
esloana s.f.
esloânea s.f.
eslomedramento s.m.
eslovaco adj. s.m.
eslovacofalante adj. s.2g.
eslovacofonia s.f.
eslovacófono adj. s.m.
eslováquio adj. s.m.
eslovênico adj.
esloveno adj. s.m.
eslovenofalante adj. s.2g.
eslovenofonia s.f.
eslovenófono adj. s.m.
eslúvio adj.
esmado adj.
esmadrigado adj.
esmadrigar v.
esmaecedor (*ô*) adj. s.m.
esmaecente adj.2g.
esmaecer v.
esmaecido adj.
esmaecimento s.m.
esmaecível adj.2g.
esmagação s.f.
esmagachar v.
esmagadeira s.f.
esmagadela s.f.
esmagado adj.
esmagador (*ô*) adj. s.m.
esmagadura s.f.
esmagagem s.f.
esmagalhar v.
esmagamento s.m.
esmaga-milho s.m.; pl. *esmaga-milhos*
esmagão s.m.
esmagar v.
esmaga-vides s.m.2n.
esmagrecer v.
esmagriçado adj.
esmagriçar-se v.
esmagunchar v.
esmaiado adj.
esmaiamento s.m.
esmaiar v.
esmaio s.m.
esmala s.f.
esmaleitado adj.
esmaleitar v.
esmalhado adj.
esmalhar v.
esmalhetado adj.
esmalmação s.f.
esmalmado adj.
esmalmar v.
esmaltação s.f.
esmaltado adj.
esmaltador (*ô*) adj. s.m.
esmaltagem s.f.
esmaltamento s.m.
esmaltante adj.2g.
esmaltar v.
esmaltável adj.2g.
esmalte s.m.
esmaltina s.f.
esmaltínico adj.
esmaltinita s.f.
esmaltita s.f.
esmamaçado adj.
esmamalhado adj.
esmamelado adj.
esmamonar v.
esmaniado adj.
esmaniar v.
esmanjar v.
esmante adj.2g.
esmantear v.
esmantelado adj.
esmantelar v.
esmar v.
esmarágdia s.f.
esmaragdinela s.f.

esmaragdino adj.
esmaragdita s.f.
esmaragdite s.f.
esmaragdítico adj.
esmaragdocalcita s.f.
esmaragdocalcítico adj.
esmaragdocrise s.f.
esmaranhar v.
esmaravalhar v.
esmarcar v.
esmarelido adj.
esmargal s.m.
esmáris s.m.2n.
esmarmoirar v.
esmarmourar v.
esmarnecar v.
esmarnocado adj.
esmarnocar v.
esmarrido adj.
esmarrir v.
esmarroar v.
esmarrotar v.
esmartismo s.m.
esmartuçar v.
esmastreado adj.
esmatruçado adj.
esmatruçar v.
esmear v.
esmechada s.f.
esmechadura s.f.
esmechar v.
esméctico adj.
esmectita s.f.
esmectite s.f.
esmegma s.m.
esmegmatite s.f.
esmegmólito s.m.
esmelmar v.
esmelodrar v.
esmenar v.
esmensurado adj.
esmensurança s.f.
esmerado adj.
esmeralda s.f.
esmeralda-brasileira s.f.; pl. *esmeraldas-brasileiras*
esmeralda da tarde s.f.
esmeralda-de-bico--vermelho s.f.; pl. *esmeraldas-de-bico-vermelho*
esmeralda de calcopirita s.f.
esmeralda de cobre s.f.
esmeralda de lítio s.f.
esmeralda do brasil s.f.
esmeralda do cabo s.f.
esmeralda do congo s.f.
esmeraldaíta s.f.
esmeralda-oriental s.f.; pl. *esmeraldas-orientais*
esmeralda-uraliana s.f.; pl. *esmeraldas-uralianas*
esmeraldear v.
esmeraldense adj. s.2g.
esmeráldico adj.
esmeraldina s.f.
esmeraldinha s.f.
esmeraldino adj.
esmeraldite s.f.
esmerar v.
esmeril s.m.
esmerilação s.f.
esmeriladeira s.f.
esmerilado adj.
esmerilador (*ô*) adj. s.m.
esmerilagem s.f.
esmerilamento s.m.
esmerilar v.
esmerilense adj. s.2g.
esmerilhação s.f.
esmerilhado adj.
esmerilhador (*ô*) adj. s.m.
esmerilhagem s.f.
esmerilhamento s.m.
esmerilhão s.m.
esmerilhar v.
esmerilhento adj.
esmerim s.m.
esmerinto s.m.
esmermar v.
esmero (*ê*) s.m.; cf. *esmero*, fl. do v. *esmerar*
esmetiar v.
esmético adj.
esmicha s.f.
esmichar v.
esmicho s.m.
esmicrórnis s.2g.2n.
esmicrornite s.2g.
esmidela s.f.
esmidélia s.f.
esmifra s.2g.
esmifradela s.f.
esmifrar v.
esmifrice s.f.
esmigalhação s.f.
esmigalhado adj.
esmigalhador (*ô*) adj. s.m.
esmigalhadura s.f.
esmigalhamento s.m.
esmigalhar v.
esmijaçar v.
esmilacácea s.f.
esmilacáceo adj.
esmílace s.f.
esmilácea s.f.
esmiláceo adj.
esmilacina s.f.
esmilacita s.f.
esmilacódea s.f.
esmilagenina s.f.
esmilhar v.
esmilhento adj.
esmilodonte s.m.
esmilodonto s.m.
esmilogáster s.m.
esmíloris s.m.2n.
esminense adj. s.2g.
esminteia (*é*) adj.; f. de *esminteu*
esminteu adj.; f. *esminteia* (*é*)
esmintíneo adj. s.m.
esmíntio adj.
esminto s.m.
esmintópsis s.f.2n.
esminturídeo adj. s.m.
esminturo s.m.
esmiolado adj.
esmiolar v.
esmirna s.f.
esmirneia (*é*) adj. s.f. de *esmirneu*
esmirneu adj. s.m.; f. *esmirneia* (*é*)
esmírnia s.f.
esmírnio s.m.
esmirniota adj. s.2g.
esmirrado adj.
esmirrar-se v.
esmítia s.f.
esmitianismo s.m.
esmitianista adj. s.2g.
esmitianístico adj.
esmitiano adj.
esmitianta s.f.
esmitsonita s.f.
esmitsonomita s.f.
esmiuçação s.f.
esmiuçado adj.
esmiuçador (*ô*) adj. s.m.
esmiuçamento s.m.
esmiuçante adj. s.2g.
esmiuçar v.
esmiuçável adj.2g.
esmiudado adj.
esmiudamento s.m.
esmiudar v.
esmiulhar v.
esmo (*ê*) s.m.; cf. *esmo*, fl. do v. *esmar*
esmocada s.f.
esmocadela s.f.
esmocar v. "bater com moca"; cf. *esmoucar*
esmochado adj.
esmochar v.
esmodita s.f.
esmodite s.f.
esmoedor (*ô*) adj. s.m.
esmoer v.
esmoicar v.
esmoído adj.
esmoinheira s.f.
esmoitada s.f.
esmoitar v.
esmola s.f.
esmolado adj.
esmolador (*ô*) adj. s.m.
esmolambação s.f.
esmolambado adj. s.m.
esmolambador (*ô*) adj. s.m.
esmolambamento s.m.
esmolambante adj.2g.
esmolambar v.
esmolante adj. s.2g.
esmolar v.
esmolaria s.f.
esmoleira s.f.
esmoleiro adj. s.m.
esmolengo adj.
esmolento adj.
esmoler (*lé*) adj. s.2g.
esmoliatório s.m.
esmolna s.f.
esmolneira s.f.
esmolol s.m.
esmonado adj.
esmonar v.
esmoncadela s.f.
esmoncar v.
esmonda s.f.
esmondar v.
esmorçar v.
esmorço (*ô*) s.m.; cf. *esmorço*, fl. do v. *esmorçar*
esmordaçar v.
esmordelar v.
esmordiçado adj.
esmordicar v.
esmordiçar v.
esmordicável adj.2g.
esmorecente adj.2g.
esmorecento adj.
esmorecer (*ê*) v.
esmorecido adj.
esmorecimento s.m.
esmormar v.
esmoronar v.
esmorraçar v. "espevitar"; cf. *esmurraçar*
esmorrado adj.; cf. *esmurrado*
esmorrar v. "espevitar"; cf. *esmurrar*
esmorratar v.
esmorzar v.
esmossadela s.f.
esmossar v.
esmoucada s.f.
esmoucadela s.f.
esmoucado adj.
esmoucar v. "danificar"; cf. *esmocar*
esmouquelar v.
esmoutada s.f.
esmoutado adj.
esmoutar v.
esmurar v.
esmurraçador (*ô*) adj. s.m.
esmurraçamento s.m.
esmurraçar v. "dar murros"; cf. *esmorraçar*
esmurrado adj.; cf. *esmorrado*
esmurrador (*ô*) s.m.
esmurramento s.m.
esmurrar v. "dar murros"; cf. *esmorrar*
esmurregar v.
esmurrengar v.
esmurro s.m.
esnacar v.
és não és s.m.2n.; na loc. *por um és não és*
esnobação s.f.
esnobar v.
esnobe adj. s.2g.
esnoberia s.f.
esnóbico adj.
esnobismo s.m.
esnobista adj. s.2g.
esnobístico adj.
esnocado adj.
esnocar v.
esnoga s.f.
és-nordeste s.m.
és-noroeste s.m.
esnorquear v.
esnórquel s.m.
esnuamento s.m.
esnuar v.
esocataforia s.f.
ésoce s.m.
esocicultura s.f.
esócida adj.2g. s.m.
esocídeo adj. s.m.
esociforme adj.2g. s.m.
esoderma s.m.
esoderme s.f.
esodesivo s.m.
esofagalgia s.f.
esofagálgico adj.
esofagectomia s.f.
esofagectômico adj.
esofagenterostomia s.f.
esofagiano adj.
esofágico adj.
esofagismo s.m.
esofagite s.f.
esofagítico adj.
esôfago s.m.
esofagocele s.f.
esofagodinia s.f.
esofagodínico adj.
esofagodonte s.m.
esofagodonto s.m.
esofagoenterostomia s.f.
esofagogastroduodenoscopia s.f.
esofagogastroduodenoscópico adj.
esofagogastrotomia s.f.
esofagogastrotômico adj.
esofagojejunogastranastomose s.f.
esofagomalacia s.f.
esofagomanometria s.f.
esofagometria s.f.
esofagométrico adj.
esofagômetro s.m.
esofagomiotomia s.f.
esofagoplastia s.f.
esofagoplástico adj.
esofagoplicação s.f.
esofagopticação s.f.
esofagoptose s.f.
esofagorragia s.f.
esofagorrágico adj.
esofagoscopia s.f.
esofagoscópico adj.
esofagoscópio s.m.
esofagospasmo s.m.
esofagospasmódico adj.
esofagossalivar adj.2g.
esofagostenose s.f.
esofagostenótico adj.
esofagóstoma s.m.
esofagostomia s.f.
esofagostomíase s.f.
esofagostômico adj.
esofagostomíneo adj. s.m.
esofagóstomo s.m.
esofagostomose s.f.
esofagostomótico adj.
esofagotomia s.f.
esofagotômico adj.
esofagótomo s.m.
esofalgia s.f.
esoforia s.f.
esofórico adj.
esogastrite s.f.
esogastrítico adj.
esopete (*ê*) s.m.
esopeto (*ê*) s.m.
esopiano adj.
esópico adj.
esotérico adj. "iniciático"; cf. *exotérico* e *isotérico*
esoterismo s.m. "conhecimento para iniciados"; cf. *exoterismo*
esoterista adj. s.2g.
esoterístico adj.
esotropia s.f.
esotrópico adj.
ésox (*cs*) s.m.2n.
espaçado adj.
espaçador (*ô*) adj. s.m.
espaçamento s.m.
espaçar v.
espaçaria s.f.
espacato s.m.
espaçável adj.2g.
espaceado adj.
espaceador (*ô*) adj.
espaceamento s.m.
espacear v.
espaceável adj.2g.
espacejado adj.
espacejador (*ô*) adj. s.m.
espacejamento s.m.
espacejar v.
espacejável adj.2g.
espacial adj.2g.
espacialidade s.f.
espacialização s.f.
espacializado adj.
espacializador (*ô*) adj.
espacializante adj.2g.
espacializar v.
espacializável adj.2g.
espaciar v.
espácio adj. s.m.
espacionauta s.2g.
espacionave s.f.
espacioporto (*ô*) s.m.
espaciosidade s.f.
espacioso (*ô*) adj.; f. (*ó*); pl. (*ó*)
espaço adj. s.m.
espaço-imagem s.m.; pl. *espaços-imagem* e *espaços--imagens*
espaçomodelismo s.m.
espaçomodelista adj. s.2g.
espaçonauta s.2g.
espaçonave s.f.
espaço-objeto s.m.; pl. *espaços-objeto* e *espaços-objetos*
espaçoporto (*ô*) s.m.
espaçoso (*ô*) adj.; f. (*ó*); pl. (*ó*)
espaço-tempo s.m.; pl. *espaços-tempo* e *espaços-tempos*
espaçotemporal adj.2g.
espada s.m.f.
espadachim adj. s.m.
espadachinar v.
espadada s.f.
espada-de-iansã s.f.; pl. *espadas-de-iansã*
espadadeira s.f.
espadadeiro s.m.
espadadela s.f.
espada-de-ogum s.f.; pl. *espadas-de-ogum*
espada-de-santa-bárbara s.f.; pl. *espadas-de-santa-bárbara*
espada-de-são-jorge s.f.; pl. *espadas-de-são-jorge*
espadado adj.
espada-do-mar s.f.; pl. *espadas-do-mar*
espadador (*ô*) s.m.
espadagada s.f.
espadagão s.m.
espadagar v.
espadaíta s.f.
espadaíte s.f.
espadal s.m.
espadana s.f.
espadana-d'água s.f.; pl. *espadanas-d'água*
espadanada s.f.
espadana-das-searas s.f.; pl. *espadanas-das-searas*
espadanado adj.
espadana-dos-montes s.f.; pl. *espadanas-dos-montes*
espadanal s.m.
espadanante adj.2g.
espadanar v.
espadanelo adj. s.m.
espadâneo adj.
espadanha s.f.
espadão s.m.
espada-preta s.f.; pl. *espadas--pretas*
espadar v. s.m.
espadarrão s.m.

espadarta-maca s.m.; pl. *espadartas-maca* e *espadartas--macas*
espadarte s.m.
espadarte-meca s.m.; pl. *espadartes-meca* e *espadartes--mecas*
espada-sabre s.f.; pl. *espadas--sabre* e *espadas-sabres*
espadaúdo adj.
espadear v.
espadeira s.f.
espadeirada s.f.
espadeiramento s.m.
espadeirão s.m.
espadeirar v.
espadeiro s.m.
espadeiro-branco s.m.; pl. *espadeiros-brancos*
espadeiro-da-terra s.m.; pl. *espadeiros-da-terra*
espadeiro-de-visela s.m.; pl. *espadeiros-de-visela*
espadeiro-mole s.m.; pl. *espadeiros-moles*
espadela s.f.
espadelada s.f.
espadeladeira s.f.
espadeladeiro s.m.
espadeladoiro s.m.
espadelador (*ô*) s.m.
espadeladouro s.m.
espadelagem s.f.
espadelar v.
espadeleira s.f.
espadeleiro s.m.
espadeta (*ê*) s.f.
espadiar v.
espadice s.2g.
espádice s.2g.
espadíceo adj.
espadiciflora s.f.
espadicifloro adj.
espadiciforme adj.2g.
espadilha s.m.f.
espadilhar v.
espadilheiro s.m.
espadim s.m.
espadim-azul s.m.; pl. *espadins-azuis*
espadinha s.f.
espadista adj. s.2g.
espadongado adj. s.m.
espádua s.f.; cf. *espadua*, fl. do v. *espaduar*
espaduado adj.
espaduamento s.m.
espaduar v.
espagiria s.f.
espagíria s.f.
espagírica s.f.
espagírico adj.
espagirismo s.m.
espagirista adj. s.2g.
espaguetada s.f.
espaguete s.m.
espaireceiro adj.
espairecer v.
espairecido adj.
espairecimento s.m.
espaireçoso (*ô*) adj.; f. (*ó*); pl. (*ó*)
espalação s.f.
espálace s.m.
espalachado adj.
espalacídeo adj. s.m.
espalafrão s.m.
espalamânia s.f.
espalanzânia s.f.
espálax (*cs*) s.m.
espalda s.f.
espaldadeira s.f.
espaldador (*ô*) adj. s.m.
espaldamento s.m.
espaldão s.m.
espaldar s.m.
espaldareira s.f.
espaldeamento s.m.
espaldear v.
espaldeira s.f.
espaldeirada s.f.
espaldeiramento s.m.
espaldeirar v.
espaldercete (*ê*) s.m.
espaldeta (*ê*) s.f.
espaldete (*ê*) s.m.
espaleia (*é*) adj. s.f. de *espaleu*
espaleira s.f.
espaleiro s.m.
espaleu adj. s.m.; f. *espaleia* (*é*)
espalha s.m.
espalha-brasas adj. s.2g.2n.
espalhada s.f.
espalhadeira s.f.
espalhado adj. s.m.
espalhadoira s.f.
espalhador (*ô*) adj. s.m.
espalhadoura s.f.
espalhafatão adj. s.m.; f. *espalhafatona*
espalhafatar v.
espalhafato s.m.
espalhafatona adj. s.f. de *espalhafatão*
espalhafatoso (*ô*) adj.; f. (*ó*); pl. (*ó*)
espalhagação s.f.
espalhagar v.
espalhamento s.m.
espalhanço s.m.
espalhante adj.2g. s.m.
espalhar v.
espalharice s.f.
espalhável adj.2g.
espalho s.m.
espalitar v.
espalmação s.f.
espalmadeiro s.m.
espalmado adj.
espalmador (*ô*) adj. s.m.
espalmamento s.m.
espalmandita s.f.
espalmante adj.2g.
espalmar v.
espalmável adj.2g.
espalomba s.f.
espalombar v.
espalto s.m.
espalvorido adj.
espampanado adj.
espampanante adj.2g.
espampanar v.
espamparar v.
espana s.f.
espanação s.f.
espanada s.f.
espanadeiro s.m.
espanadela s.f.
espanadinho adj.
espanado adj.
espanador (*ô*) adj. s.m.
espanador-do-céu s.m.; pl. *espanadores-do-céu*
espanamento s.m.
espanandria s.f.
espanante adj.2g. s.f.
espanar v.
espanascar v.
espanável adj.2g.
espanca-diabos s.2g.2n.
espancado adj.
espancador (*ô*) adj. s.m.
espancamento s.m.
espancante adj.2g.
espanca-numes s.2g.2n.
espancar v.
espancável adj.2g.
espanco s.m.
espandita s.f.
espandongado adj.
espandongamento s.m.
espandongar v.
espanéfico adj.
espanejado adj.
espanejador (*ô*) adj. s.m.
espanejamento s.m.
espanejar v.
espanemia s.f.
espangolite s.f.
espanhol adj. s.m.
espanhola adj. s.f.
espanholação s.f.
espanholada s.f.
espanholado adj.
espanholar v.
espanholeta (*ê*) s.f.
espanholice s.f.
espanholismo s.m.
espanholista adj. s.2g.
espanholizar v.
espanholizável adj.2g.
espaniolitmina s.f.
espaniomenorreia (*é*) s.f.
espaniomenorreico (*é*) adj.
espaniopelágico adj.
espaniopneia (*é*) s.f.
espanipelágico adj.
espanoginia s.f.
espanomenorreia (*é*) s.f.
espanopneia (*é*) s.f.
espanquear v.
espanta-boiada s.m.; pl. *espanta-boiadas*
espanta-coió s.m.; pl. *espanta--coiós*
espantadão adj. s.m.; f. *espantadona*
espantadiço adj.
espantado adj.
espantadona adj. s.f. de *espantadão*
espantador (*ô*) adj. s.m.
espanta-filantes s.m.2n.
espantalhante adj.2g.
espantalho s.m.
espanta-lobo s.m.; pl. *espanta-lobos*
espanta-lobos s.2g.2n.
espantamento s.m.
espanta-moleque s.m.; pl. *espanta-moleques*
espanta-moscas s.m.2n.
espanta-pardais s.m.2n.
espanta-patrulhas s.2g.2n.
espanta-porco s.m.; pl. *espanta-porcos*
espantar v.
espanta-ratos s.2g.2n.
espantarolar v.
espanta-tesão s.2g.; pl. *espanta-tesões*
espanta-vaqueiro s.m.; pl. *espanta-vaqueiros*
espantável adj.2g.
espantilho s.m.
espanto s.m.
espantoso (*ô*) adj.; f. (*ó*); pl. (*ó*)
espapaçado adj.
espapaçar v.
espapado adj.
espapar v.
espaparrado adj.
espaparrar v.
esparadrapeiro s.m.
esparadrápico adj.
esparadrapo s.m.
esparasse s.f.
esparassídeo adj. s.m.
esparasso s.m.
esparatantélio s.m.
esparatosperma s.m.
esparavão s.m.
esparavel s.m.
esparavela s.f.
esparaveleiro s.m.
esparavelheiro s.m.
esparavonado adj.
esparaxe (*cs*) s.f.
esparçal s.m.
esparcel s.m.
esparcelada s.f.
esparcelado adj.
esparcelar v.
esparceta (*ê*) s.f.
esparceto (*ê*) s.m.
esparciata adj. s.2g.
esparciático adj. s.m.
espárcio s.m.
esparciomita s.f.
espardalhar v.
espardeque s.m.
esparecer v.
esparela s.f.
espargal s.m.
esparganiácea s.f.
esparganiáceo adj.
espargânio s.m.
espárgano s.m.
esparganóforo s.m.
esparganose s.f.
espargelar v.
espargido adj.
espargidor (*ô*) adj. s.m.
espargimento s.m.
espargir v.
espargo s.m.
espargose s.f.
espargueira s.f.
esparguete s.m.
esparguta s.f.
espárida adj.2g. s.m.
esparídeo adj. s.m.
esparido adj.
esparmânia s.f.
esparnaciano adj. s.m.
esparnácico adj. s.m.
esparnético adj.
esparoide (*ó*) adj.2g. s.m.
esparolação s.f.
esparolado adj.
esparra s.f.
esparrachar v.
esparragão s.m.
esparragueira s.f.
esparragueiro s.m.
esparralhado adj. s.m.
esparralhar v.
esparralhento adj.
esparramação s.f.
esparramado adj.
esparramador (*ô*) adj.
esparramamento s.m.
esparramante adj.2g.
esparramar v.
esparramável adj.2g.
esparrame s.m.
esparramo s.m.
esparranhar v.
esparrar v.
esparregado adj. s.m.
esparregar v.
esparrela s.f.
esparrelada s.f.
esparrelado adj.
esparrelador (*ô*) adj.
esparrelar v.
esparrima s.f.
esparrimado adj.
esparrimar v.
esparrimo s.m.
esparrinhado adj.
esparrinhar v.
esparro s.m.
esparrodar v.
esparsa s.f.
esparsar v.
esparsifloro adj.
esparsifoliado adj.
esparsifólio adj.
esparso adj.
espartacismo s.m.
espartacista adj. s.2g.
espartacístico adj.
espartaíta s.f.
espartal s.m.
espartalita s.f.
espartanidade s.f.
espartanismo s.m.
espartanista adj. s.2g.
espartano adj. s.m.
espartão s.m.
espartaquismo s.m.
espartaquista adj. s.2g.
espartaquístico adj.
espartaria s.f.
esparteína s.f.
esparteira s.f.
esparteiro adj. s.m.
espartejar v.
espartenhas s.f.pl.
espartéolo s.m.
espartíaco adj. s.m.
espartilhado adj.
espartilhar v.
espartilheira s.f.
espartilheiro adj. s.m.
espartilho s.m.
espartina s.f.
espartir v.
esparto s.m.
esparto-bastardo s.m.; pl. *espartos-bastardos*
esparto-da-terra s.m.; pl. *espartos-da-terra*
esparto-de-folha-miúda s.m.; pl. *espartos-de-folha--miúda*
esparto-pequeno s.m.; pl. *espartos-pequenos*
esparvadela s.f.
esparvadiço adj.
esparvado adj.
esparvalhado adj.
esparvão s.m.
esparvar v.
esparvoado adj.
esparvoar v.
esparvonado adj.
esparzeta (*ê*) s.f.
esparzido adj.
esparzidor (*ô*) adj. s.m.
esparzimento s.m.
esparzir v.
espasmar v.
espásmico adj.
espasmo s.m.
espasmodermia s.f.
espasmodicidade s.f.
espasmódico adj.
espasmodina s.f.
espasmofilia s.f.
espasmofílico adj.
espasmogênico adj.
espasmógeno adj.
espasmografia s.f.
espasmográfico adj.
espasmólise s.f.
espasmolítico adj.
espasmologia s.f.
espasmológico adj.
espasmonema s.m.
espasmotina s.f.
espasmotoxina (*cs*) s.f.
espassaricado adj.
espassaricar v.
espassarinhado adj.
espassarotar v.
espasticidade s.f.
espástico adj.
espata s.f.
espatáceo adj.
espatala s.f.
espatálio s.m.
espatângida adj.2g. s.m.
espatangídeo adj. s.m.
espatangíneo adj. s.m.
espatango adj. s.m.
espatangoide (*ó*) adj. s.m.
espatário s.m.
espatarrado adj.
espatarrar v.
espatela s.f.
espatélia s.f.
espatelióidea s.f.
espaticarpa s.f.
espaticárpea s.f.
espático adj.
espatifação s.f.
espatifado adj.
espatifador (*ô*) adj.
espatifamento s.m.
espatifante adj.2g.
espatifar v.
espatifável adj.2g.
espatifílea s.f.
espatifilo s.m.
espatiflora s.f.
espatifloro adj.
espatiforme adj.2g.
espatilha s.f.
espatilhar v.
espátio s.m.
espatiopirita s.f.
espato s.m.

espato-adamantino s.m.; pl. *espatos-adamantinos*
espato-azul s.m.; pl. *espatos-azuis*
espato-calcário s.m.; pl. *espatos-calcários*
espato da islândia s.m.
espatódea s.f.
espato de cádmio s.m.
espato de cálcio s.m.
espato de chumbo s.m.
espato de estrôncio s.m.
espato de magnésio s.m.
espato de manganês s.m.
espato de zinco s.m.
espato do labrador s.m.
espatoflúor s.m.
espatóforo s.m.
espatoglote s.f.
espato-pardo s.m.; pl. *espatos-pardos*
espato-pesado s.m.; pl. *espatos-pesados*
espatóptero s.m.
espátula s.m.f.; cf. *espatula*, fl. do v. *espatular*
espatulado adj.
espatulamento s.m.
espatular v.
espatulária s.f.
espatulável adj.2g.
espatuleta (*ê*) s.f.
espatulífero adj.
espatuliforme adj.2g.
espatura s.f.
espauto s.m.
espaventado adj.
espaventar v.
espavento s.m.
espaventoso (*ô*) adj.; f. (*ó*); pl. (*ó*)
espavilado adj.
espavilar v.
espavitar v.
espavorecer v.
espavorecido adj.
espavorido adj.
espavorir v.
espavorizar v.
especado adj.
especamento s.m.
espeçandeira s.f.
especar v.
espeçar v. "encompridar"; cf. *espessar*
espécia s.f.
especiação s.f.
especiador (*ô*) adj.
especial adj.2g. s.m.
especialidade s.f.
especialismo s.m.
especialista adj. s.2g.
especialístico adj.
especialização s.f.
especializado adj. s.m.
especializador (*ô*) adj.
especializamento s.m.
especializante adj.2g.
especializar v.
especializável adj.2g.
especiamento s.m.
especiar v.
especiaria s.f.
especiário adj. s.m.
especiável adj.2g.
espécie s.f.
especieiro s.m.
espécies s.f.pl.
espécie-tipo s.f.; pl. *espécies-tipo*
especificação s.f.
especificado adj.
especificador (*ô*) adj. s.m.
especificante adj.2g.
especificar v.
especificativo adj.
especificável adj.2g.
especificidade s.f.
especificismo s.m.
especificista adj. s.2g.
especificístico adj.
específico adj. s.m.
especilho s.m.
especilo s.m.
espécime s.m.
espécimen s.m.
especione s.m.
especiosidade s.f.
especioso (*ô*) adj.; f. (*ó*); pl. (*ó*)
especlínia s.f.
espectador (*ô*) adj. s.m.; cf. *expectador* (*ô*)
espectar v. "ver", etc.; cf. *expectar*
espectativa s.f.; cf. *expectativa*
espectável adj.2g.; cf. *expectável*
espectinomicina s.f.
espectral adj.2g.
espectralidade s.f.
espectralizar v.
espectrificar v.
espectrina s.f.
espectrismo s.m.
espectro s.m.
espectrobolômetro s.m.
espectrocolorimetria s.f.
espectrocolorimétrico adj.
espectrocolorímetro s.m.
espectroeliografia s.f.
espectroeliográfico adj.
espectroeliógrafo s.m.
espectroeliograma s.m.
espectroelioscópio s.m.
espectrofluorômetro s.m.
espectrofotografia s.f.
espectrofotográfico adj.
espectrofotograma s.m.
espectrofotometria s.f.
espectrofotométrico adj.
espectrofotômetro s.m.
espectrografia s.f.
espectrográfico adj.
espectrógrafo s.m.
espectrograma s.m.
espectro-heliografia s.f.
espectro-heliográfico adj.
espectro-heliógrafo s.m.
espectro-heliograma s.m.
espectro-helioscópio s.m.
espectrologia s.f.
espectrológico adj.
espectrometria s.f.
espectrométrico adj.
espectrômetro s.m.
espectronatrometria s.f.
espectronatrométrico adj.
espectronatrômetro s.m.
espectropolarímetro s.m.
espectropolarizador (*ô*) s.m.
espectroquímica s.f.
espectroquímico adj.
espectroscopia s.f.
espectroscópico adj.
espectroscópio s.m.
espectroscopista adj. s.2g.
espectrotelegrafia s.f.
espectrotelegráfico adj.
espectrotuberancial adj.2g.
especula s.2g.
especulação s.f.
especulador (*ô*) adj. s.m.
especular v. adj.2g. "investigar", etc.; cf. *espicular*
especulária s.f.; cf. *especularia*, fl. do v. *especular*
especularita s.f.
especulativa s.f.
especulativo adj.
especulatória s.f.
especulatório adj.
especulífero adj.
especulita s.f.
especulite s.f.
espéculo s.m.; cf. *especulo*, fl. do v. *especular*
espedaçado adj.
espedaçador (*ô*) adj.
espedaçamento s.m.
espedaçar v.
espedida s.f.; cf. *expedida*
espedir v. "despedir"; cf. *expedir*
espedregado adj.
espedregar v.
espeitamento s.m.
espeitar v.
espeitorado adj.
espeitorar v.
espelde s.m.
espelécia s.f.
espeleia (*é*) adj. s.f. de *espeleu*
espeleíte s.f.
espeleologia s.f.
espeleológico adj.
espeleologista adj. s.2g.
espeleólogo s.m.
espeleonimia s.f.
espeleonímia s.f.
espeleonímico adj.
espeleônimo s.m.
espeleotema s.m.
espeleotomia s.f.
espeleotômico adj.
espeleu adj. s.m.; f. *espeleia* (*é*)
espelhação s.f.
espelhadiço adj.
espelhadio adj.
espelhado adj.
espelhador (*ô*) adj.
espelhamento s.m.
espelhante adj.2g.
espelhar v.
espelharia s.f.
espelhável adj.2g.
espelheiria s.f.
espelheiro s.m.
espelhento adj.
espelhim s.m.
espelho (*ê*) s.m.; cf. *espelho*, fl. do v. *espelhar*
espelho da pá s.m.
espelho-de-vênus s.m.; pl. *espelhos-de-vênus*
espelho do corte s.m.
espelina s.f.
espelina-falsa s.f.; pl. *espelinas-falsas*
espelina-verdadeira s.f.; pl. *espelinas-verdadeiras*
espelogrifáceo adj. s.m.
espeloteado adj.
espeloteamento s.m.
espelotear v.
espeloteio s.m.
espelta s.f.
espelter (*tê*) s.m.
espelunca s.f.
espeluncologia s.f.
espeluncológico adj.
espencerianismo s.m.
espenceriano adj.
espencerita s.f.
espenda s.f.
espendurar v.
espenejado adj.
espenejador (*ô*) s.m.
espenejar v.
espenglerianismo s.m.
espenglerianista adj. s.2g.
espengleriano adj.
espenglério s.m.
espenicadela s.f.
espenicado adj.
espenicão s.m.
espenicar v.
espenifrar v.
espenifre s.m.
espenujar v.
espeque s.m.
espera s.f.
éspera s.f.
esperado adj.
esperadoiro s.m.
esperador (*ô*) adj. s.m.
esperadouro s.m.
espera-felicense adj. s.2g.; pl. *espera-felicenses*
espera-galego s.m.; pl. *espera-galegos*
esperagana s.f.
espera-marido s.m. adj.2g.; pl. *espera-maridos*
espera-maridos s.m.2n.
esperança s.f.
esperança-da-cana s.f.; pl. *esperanças-da-cana*
esperançado adj.
esperança-dos-pastos s.f.; pl. *esperanças-dos-pastos*
esperança-folha s.f.; pl. *esperanças-folhas*
esperançar v.
esperancense adj. s.2g.
esperanciar v.
esperancismo s.m.
esperançoso (*ô*) adj.; f. (*ó*); pl. (*ó*)
esperante adj. s.2g.
esperantinense adj. s.2g.
esperantinopolitano adj. s.m.
esperantismo s.m.
esperantista adj. s.2g.
esperanto s.m.
esperar v.
esperável adj.2g.
esperdiçado adj. s.m.
esperdiçador (*ô*) adj. s.m.
esperdiçamento s.m.
esperdiçar v.
esperdício s.m.
esperdigotado adj.
esperdigotar v.
esperecer v.
esperela s.m.
esperelínea s.f.
esperense adj. s.2g.
esperguilha s.f.
espérgula s.f.
espergulária s.f.
espergúlia s.f.
espergulina s.f.
espérico adj. s.m.
esperiega s.f.
esperiópsis s.m.2n.
esperista s.2g.
esperita s.f.
esperjurar v.
esperlina s.f.
esperluxar v.
esperma s.m.
espermacárion s.m.
espermacentro s.m.
espermacete s.m.
espermaceto s.m.
espermácia s.f.
espermácio s.m.
espermacoce s.f.
espermacócea s.f.
espermacóceo adj.
espermacrasia s.f.
espermáfita s.f.
espermáfito s.m.
espermáforo s.m.
espermagênese s.f.
espermagenético adj.
espermagônico adj.
espermagônio s.m.
espermângio s.m.
espermapódio s.m.
espermário s.m.
espérmata s.m.
espermatacrasia s.f.
espermatângio s.m.
espermateca s.f.
espermateleose s.f.
espermatia s.f.
espermaticida adj. s.2g.
espermaticídio s.m.
espermático adj.
espermátide s.f.
espermatídio s.m.
espermatífero adj.
espermatina s.f.
espermátio s.m.
espermatióforo s.m.
espermatismo s.m.
espermatista adj. s.2g.
espermatite s.f.
espermatítico adj.
espermatizar v.
espermatoblasta s.f.
espermatoblasto s.m.
espermatocele s.f.
espermatocentro s.m.
espermatocistectomia s.f.
espermatocistectômico adj. s.m.
espermatocistite s.f.
espermatocisto s.m.
espermatocitário adj.
espermatócito s.m.
espermatocnácea s.f.
espermatocnáceo adj.
espermatocno s.m.
espermatoderme s.f.
espermatodérmico adj.
espermatofagia s.f.
espermatófago adj. s.m.
espermatófita s.f.
espermatofítico adj.
espermatófito s.m.
espermatofobia s.f.
espermatóforo adj. s.m.
espermatogênese s.f.
espermatogenético adj.
espermatogênico adj.
espermatogônia s.f.
espermatogônico adj.
espermatogonídio s.m.
espermatogônio s.m.
espermatografia s.f.
espermatográfico adj.
espermatógrafo s.m.
espermatograma s.m.
espermatóideo adj.
espermatólise s.f.
espermatolisina s.f.
espermatolítico adj.
espermatologia s.f.
espermatológico adj.
espermatologista adj. s.2g.
espermatólogo s.m.
espermatopeia (*é*) adj. f. de *espermatopeu*
espermatopeu adj.; f. *espermatopeia* (*é*)
espermatoplasma s.m.
espermatoplasmático adj.
espermatopódio s.m.
espermatopoese s.f.
espermatopoético adj.
espermatorreia (*é*) s.f.
espermatorreico (*é*) adj.
espermatose s.f.
espermatosoma s.m.
espermatósporo s.m.
espermatossoma s.m.
espermatossomo s.m.
espermatoteca s.f.
espermatoteleose s.f.
espermatoxina (*cs*) s.f.
espermatozoário s.m.
espermatozoide (*ó*) adj.2g. s.m.
espermaturia s.f.
espermatúria s.f.
espermegado s.m.
espermegar v.
espermeste s.m.
espérmia s.f.
espermicida adj.2g. s.m.
espermicídio s.m.
espérmico adj.
espermidina s.f.
espermiducto s.m.
espermina s.f.
espérmio s.m.
espermiogênese s.f.
espermiogenético adj.
espermioteliose s.f.
espermismo s.m.
espermista adj. s.2g.
espermístico adj.
espermocentro s.m.
espermocultura s.f.
espermoderme s.m.
espermodérmico adj.
espermófago s.m.
espermofilo s.m.
espermófora s.f.
espermogônico adj.
espermogônio s.m.
espermograma s.m.
espermolítico adj.

espermólito s.m.
espermoloropexia (*cs*) s.f.
espermoneuralgia s.f.
espermotamnídea s.f.
espermotamnídeo adj.
espermotâmnio s.m.
espermotoxina (*cs*) s.f.
esperneação s.f.
esperneado adj.
esperneador (*ô*) adj.
esperneamento s.m.
esperneante adj.2g.
espernear v.
espernegado adj.
espernegante adj.2g.
espernegar v.
esperneio s.m.
espernético adj.
esperqueônida adj. s.2g.
esperquíneo adj. s.m.
esperregado s.m.
esperrilita s.f.
esperrinchar v.
esperta s.f.
espertadela s.f.
espertado adj.
espertador (*ô*) adj. s.m.
espertadura s.f.
esperta-grande s.f.; pl. *esperta-grandes*
espertalhaço adj. s.m.
espertalhão adj. s.m.; f. *espertalhona*
espertalhona adj. s.f. de *espertalhão*
espertalhote s.m.
espertamento s.m.
espertar v.
esperteza (*ê*) s.f.
espertina s.f.
espertinado adj. s.m.
espertinar v.
espertinho adj. s.m.
esperto adj. s.m. "perspicaz"; cf. *experto*
espescoçar v.
espessado s.m.
espessamento s.m.
espessante adj.2g. s.m.
espessar v. "tornar espesso"; cf. *espeçar*
espessartina s.f.
espessartínico adj.
espessartita s.f.
espessartite s.f.
espessartito s.m.
espessartítico adj.
espesseira s.f.
espessidão s.f.
espesso (*ê*) adj.; cf. *espesso*, fl. do v. *espessar*
espessor (*ô*) s.m.
espessura s.f.
espeta s.f.
espeta-caju s.2g.; pl. *espeta-cajus*
espetacular adj.2g.
espetacularidade s.f.
espetaculização s.f.
espetaculizar v.
espetáculo s.m.
espetaculosidade s.f.
espetaculoso (*ô*) adj.; f. (*ó*); pl. (*ó*)
espetada s.f.
espetadela s.f.
espetado adj.
espetador (*ô*) adj.
espetalar v.
espetanço s.m.
espetão s.m.
espetar v. "fincar"; cf. *expetar*
espetável adj.; cf. *expetável*
espeteira s.f.
espeterrado adj.
espetinho s.m.
espeto (*ê*) s.m.; cf. *espeto*, fl. do v. *espetar*
espetral adj.
espetralidade s.f.
espetralizar v.
espetrificar v.
espetrismo s.m.
espetro s.m.
espetrocolorimetria s.f.
espetrocolorimétrico s.m.
espetrocolorímetro s.m.
espetroeliografia s.f.
espetroeliográfico adj.
espetroeliógrafo s.m.
espetroeliograma s.m.
espetrofotografia s.f.
espetrofotográfico adj.
espetrofotograma s.m.
espetrofotometria s.f.
espetrofotométrico adj.
espetrofotômetro s.m.
espetrografia s.f.
espetrográfico adj.
espetrógrafo s.m.
espetrograma s.m.
espetrologia s.f.
espetrológico adj.
espetrometria s.f.
espetrométrico adj.
espetrômetro s.m.
espetronatrometria s.f.
espetronatrométrico adj.
espetronatrômetro s.m.
espetropolarímetro s.m.
espetropolarizador (*ô*) s.m.
espetroquímica s.f.
espetroscopia s.f.
espetroscópico adj.
espetroscópio s.m.
espetroscopista adj. s.2g.
espetrotelegrafia s.f.
espetrotelegráfico adj.
espetrotuberancial adj.2g.
espevitadeira s.f.
espevitado adj. s.m.
espevitador (*ô*) adj. s.m.
espevitamento s.m.
espevitar v.
espevitoso (*ô*) adj.; f. (*ó*); pl. (*ó*)
espezinhado adj.
espezinhador (*ô*) adj. s.m.
espezinhamento s.m.
espezinhante adj.2g.
espezinhar v.
espia s.2g. s.m.f.; cf. *expia*, fl. do v. *expiar*
espiã adj. s.f. de *espião*
espia-caminho s.f.; pl. *espia-caminhos*
espiação s.f.; cf. *expiação*
espiada s.f.
espiadela s.f.
espiado adj.; cf. *expiado*
espiadoira s.f.
espiador (*ô*) adj. s.m.; cf. *expiador* (*ô*)
espiadoura s.f.
espiagem s.f.
espia-maré s.m.; pl. *espia-marés*
espiantador (*ô*) s.m.
espiantar v.
espiante adj.2g. s.m.
espião adj. s.m.; f. *espiã*
espiar v. "observar", etc.; cf. *expiar*
espiável adj.2g.; cf. *expiável*
espica s.f.
espicaçadela s.f.
espicaçado adj.
espicaçador (*ô*) adj.
espicaçamento s.m.
espicaçante adj.2g.
espicaçar v.
espicaçável adj.2g.
espicaçoar v.
espicanardo s.m.
espicé s.m.
espicha s.f.
espicha-canivetes s.2g.2n.
espichadeira s.f.
espichadela s.f.
espichado adj.
espichamento s.m.
espichão s.m.
espichar v.
espicharete (*ê*) s.m.
espicharético adj.
espicharétur s.m.
espiche s.m.
espicheiro adj. s.m.
espichel s.m.
espichelita s.f.
espichelite s.f.
espicho s.m.
espicífero adj. s.m.
espicifloro adj.
espiciforme adj.2g.
espicilégio s.m.
espicinardo s.m.
espiclondrífico adj.
espicoiçar v.
espicouçar v.
espícula s.f.; cf. *espicula*, fl. do v. *espicular*
espiculado adj.
espicular v. adj.2g. "prover de espícula"; cf. *especular*
espicúlea s.f.
espiculífero adj.
espículo s.m.; cf. *espiculo*, fl. do v. *espicular*
espielmânia s.f.
espifar v.
espiga s.f.
espiga-céltica s.f.; pl. *espigas-célticas*
espiga-da-terra s.f.; pl. *espigas-da-terra*
espiga-de-água s.f.; pl. *espigas-de-água*
espiga-de-ferrugem s.f.; pl. *espigas-de-ferrugem*
espiga-de-leite s.f.; pl. *espigas-de-leite*
espiga-de-ouro s.f.; pl. *espigas-de-ouro*
espiga-de-sangue s.f.; pl. *espigas-de-sangue*
espiga de uvas s.f.
espigadiço adj.
espigado adj.
espigador (*ô*) adj.
espigadote adj.
espiga-florida s.f.; pl. *espigas-floridas*
espigaitado adj.
espigaitar v.
espigame s.m.
espigamento s.m.
espigão s.m.
espigãozense-d'oeste adj. s.2g.; pl. *espigãozenses-d'oeste*
espigãozense-do-oeste adj. s.2g.; pl. *espigãozenses-do-oeste*
espigar v.
espigatório adj.
espigélia s.f.
espigeliácea s.f.
espigeliáceo adj.
espigélia-de-maryland s.f.; pl. *espigélias-de-maryland*
espigelíea s.f.
espigelina s.f.
espigo s.m.
espigoada s.f.
espigoado adj.
espigoso (*ô*) adj.; f. (*ó*); pl. (*ó*)
espigue s.f.
espigueiro s.m.
espiguenho adj.
espigueta (*ê*) s.f.
espiguete (*ê*) s.m.
espigueto (*ê*) s.m.
espiguilha s.f.
espiguilhado adj.
espiguilhar v.
espilanta s.f.
espilanto s.m.
espildrar v.
espilítico adj.
espilito s.m.
espilo s.m.
espilode s.m.
espilófora s.f.
espilomiia s.m.
espiloplania s.f.
espiloplaxia (*cs*) s.f.
espilosite s.f.
espilosoma s.m.
espilossoma s.m.
espilótiro s.m.
espilrar v.
espim adj.2g.
espina s.f.
espinafração s.f.
espinafrado adj.
espinafrador (*ô*) adj. s.m.
espinaframento s.m.
espinafrante adj.2g.
espinafrar v.
espinafre s.m.
espinafre-da-china s.m.; pl. *espinafres-da-china*
espinafre-da-guiana s.m.; pl. *espinafres-da-guiana*
espinafre-da-inglaterra s.m.; pl. *espinafres-da-inglaterra*
espinafre-da-nova-zelândia s.m.; pl. *espinafres-da-nova-zelândia*
espinafre-de-cuba s.m.; pl. *espinafres-de-cuba*
espinafre-do-malabar s.m.; pl. *espinafres-do-malabar*
espinafre-do-peru s.m.; pl. *espinafres-do-peru*
espinal adj.2g.
espinalgia s.f.
espinálgico adj.
espinça s.f.
espinçadeira s.f.
espinçagem s.f.
espinçamento s.m.
espinçar v.
espincela s.f.
espinchar v.
espincho s.m.
espinel s.m.
espinela s.f.
espinela-rubi s.f.; pl. *espinelas-rubi* e *espinelas-rubis*
espinela-vermelha s.f.; pl. *espinelas-vermelhas*
espineleiro s.m.
espinélico adj.
espinelídeo adj. s.m.
espinélio s.m.
espinélio-almandina s.m.; pl. *espinélios-almandina* e *espinélios-almandinas*
espinélio de zinco s.m.
espinelito s.m.
espíneo adj.
espinervado adj.
espinescência s.f.
espinescente adj.2g.
espinescido adj.
espineta (*ê*) s.f.
espinete (*ê*) s.m.
espingalhado adj.
espingalhar v.
espingarda s.f.
espingardada s.f.
espingardamento s.m.
espingardão s.m.
espingardar v.
espingardaria s.f.
espingardeado adj.
espingardeamento s.m.
espingardear v.
espingardeira s.f.
espingardeiro s.m.
espingola s.f.
espingolá adj. s.m.
espingolado adj.
espingulado adj.
espinha s.f.
espinha-bífida s.f.; pl. *espinhas-bífidas*
espinha-branca s.f.; pl. *espinhas-brancas*
espinha-cervina s.f.; pl. *espinhas-cervinas*
espinhaço s.m.
espinha-de-carneiro s.f.; pl. *espinhas-de-carneiro*
espinha-de-veado s.f.; pl. *espinhas-de-veado*
espinhado adj.
espinhal adj.2g. s.m.
espinhar v.
espinha-sempre-verde s.f.; pl. *espinhas-sempre-verdes*
espinhecente adj.2g.
espinheira s.f.
espinheira-branca s.f.; pl. *espinheiras-brancas*
espinheiral s.m.
espinheira-santa s.f.; pl. *espinheiras-santas*
espinheiro s.m.
espinheiro-alvar s.m.; pl. *espinheiros-alvares*
espinheiro-alvar-de-casca-verde s.m.; pl. *espinheiros-alvares-de-casca-verde*
espinheiro-amarelo s.m.; pl. *espinheiros-amarelos*
espinheiro-ardente s.m.; pl. *espinheiros-ardentes*
espinheiro-branco s.m.; pl. *espinheiros-brancos*
espinheiro-bravo s.m.; pl. *espinheiros-bravos*
espinheiro-cachorro s.m.; pl. *espinheiros-cachorro* e *espinheiros-cachorros*
espinheiro-cambra s.m.; pl. *espinheiros-cambra*
espinheiro-carneiro s.m.; pl. *espinheiros-carneiro* e *espinheiros-carneiros*
espinheiro-cerval s.m.; pl. *espinheiros-cervais*
espinheiro-da-virgínia s.m.; pl. *espinheiros-da-virgínia*
espinheiro-de-agulha s.m.; pl. *espinheiros-de-agulha*
espinheiro-de-ameixa s.m.; pl. *espinheiros-de-ameixa*
espinheiro-de-caiena s.m.; pl. *espinheiros-de-caiena*
espinheiro-de-carneiro s.m.; pl. *espinheiros-de-carneiro*
espinheiro-de-casca-branca s.m.; pl. *espinheiros-de-casca-branca*
espinheiro-de-cerca s.m.; pl. *espinheiros-de-cerca*
espinheiro-de-cristo s.m.; pl. *espinheiros-de-cristo*
espinheiro-de-jerusalém s.m.; pl. *espinheiros-de-jerusalém*
espinheiro-de-judeu s.m.; pl. *espinheiros-de-judeu*
espinheiro-de-vintém s.m.; pl. *espinheiros-de-vintém*
espinheiro-dos-caminhos s.m.; pl. *espinheiros-dos-caminhos*
espinheiro-italiano s.m.; pl. *espinheiros-italianos*
espinheiro-preto s.m.; pl. *espinheiros-pretos*
espinheiro-roxo s.m.; pl. *espinheiros-roxos*
espinhel s.m.
espinhela s.f.
espinhense adj. s.2g.
espinhento adj.
espinhescente adj.2g.
espinheta (*ê*) s.f.
espinho s.m.
espinho-amarelo s.m.; pl. *espinhos-amarelos*
espinho-branco s.m.; pl. *espinhos-brancos*
espinho-de-agulha s.m.; pl. *espinhos-de-agulha*
espinho-de-bananeira s.m.; pl. *espinhos-de-bananeira*
espinho-de-caçada s.m.; pl. *espinhos-de-caçada*
espinho-de-cachorro s.m.; pl. *espinhos-de-cachorro*
espinho-de-carneiro s.m.; pl. *espinhos-de-carneiro*

espinho-de-cerca s.m.; pl. *espinhos-de-cerca*
espinho-de-cristo s.m.; pl. *espinhos-de-cristo*
espinho-de-cruz s.m.; pl. *espinhos-de-cruz*
espinho-de-deus s.m; pl. *espinhos-de-deus*
espinho-de-jerusalém s.m.; pl. *espinhos-de-jerusalém*
espinho-de-judeu s.m.; pl. *espinhos-de-judeu*
espinho-de-juvu s.m.; pl. *espinhos-de-juvu*
espinho-de-ladrão s.m.; pl. *espinhos-de-ladrão*
espinho-de-maricá s.m.; pl. *espinhos-de-maricá*
espinho-de-roseta s.m.; pl. *espinhos-de-roseta*
espinho de santo antônio s.m. "lambedeira"
espinho-de-santo-antônio s.m. "arbusto"; pl. *espinhos-de-santo-antônio*
espinho-de-são-joão s.m.; pl. *espinhos-de-são-joão*
espinho-de-touro s.m.; pl. *espinhos-de-touro*
espinho-de-urso s.m.; pl. *espinhos-de-urso*
espinho-de-vintém s.m.; pl. *espinhos-de-vintém*
espinho-dos-bugios s.m.; pl. *espinhos-dos-bugios*
espinho-dos-mouros s.m.; pl. *espinhos-dos-mouros*
espinho-guabiru s.m.; pl. *espinhos-guabiru* e *espinhos-guabirus*
espinho-italiano s.m.; pl. *espinhos-italianos*
espinho-lastrador s.m.; pl. *espinhos-lastradores*
espinho-mariana s.m.; pl. *espinhos-marianas*
espinho-rosa s.m.; pl. *espinhos-rosa* e *espinhos-rosas*
espinho-roxo s.m.; pl. *espinhos-roxos*
espinho-salsado s.m.; pl. *espinhos-salsados*
espinho-santo s.m.; pl. *espinhos-santos*
espinhoso (*ô*) adj.; f. (*ó*); pl. (*ó*)
espinicadela s.f.
espinicado adj.
espinicão s.m.
espinicar v.
espinicelular adj.2g.
espinicolo adj.
espinicórneo adj.
espinifece s.f.
espinífero adj.
espinífora s.f.
espiniforme adj.2g.
espinífugo adj.
espinígero adj.
espinilhense adj. s.2g.
espinilho s.m.
espinilho-branco s.m.; pl. *espinilhos-brancos*
espininervado adj.
espinípeto adj.
espinite s.f.
espinivômer s.m.
espinivomeríneo s.m.
espino s.m.
espinocarpo adj.
espinocelular adj.2g.
espinol s.m.
espinor (*ô*) s.m.
espinosense adj. s.2g.
espinosismo s.m.
espinosista adj. s.2g.
espinosístico adj.
espinotado adj.
espinotalâmico adj.
espinotar v.
espinote s.m.
espinoteado adj.
espinoteamento s.m.
espinotear v.
espinoteio s.m.
espinozense adj. s.2g.
espinozismo s.m.
espinozista adj. s.2g.
espinozístico adj.
espintariscópico adj.
espintariscópio s.m.
espintarometria s.f.
espintarométrico adj.
espintarômetro s.m.
espintaroscopia s.f.
espintaroscópico adj.
espintaroscópio s.m.
espinter s.m.
espintera s.f.
espinterismo s.m.
espinterometria s.f.
espinterométrico adj.
espinterômetro s.m.
espinteropia s.f.
espinteroscopia s.f.
espinteroscópico adj.
espinteroscópio s.m.
espíntria s.2g.
espintriano adj.
espínula s.f.
espinuliforme adj.2g.
espinuloso (*ô*) adj. s.m.; f. (*ó*); pl. (*ó*)
espio s.m.
espiolha-cabeças s.m.2n.
espiolhação s.f.
espiolhado adj.
espiolhador (*ô*) adj.
espiolhar v.
espionagem s.f.
espionar v.
espionário adj.
espionídeo adj. s.m.
espioquetóptero s.m.
espipado adj.
espipante adj.2g.
espipar v.
espipocar v.
espique s.m.
espiqueado adj.
espiquenardo s.m.
espira s.f.; cf. *expira*, fl. do v. *expirar*
espiração s.f.; cf. *expiração*
espiráculo s.m.
espiradenite s.f.
espiradenoma s.m.
espirado adj.; cf. *expirado*
espiral adj.2g. s.f.
espiralação s.f.
espiralado adj.
espiralagem s.f.
espiralar v.
espiráleo adj.
espirálico adj.
espiraliforme adj.2g.
espiralização s.f.
espiralizado adj.
espiralizador (*ô*) adj.
espiralizante adj.2g.
espiralizar v.
espiramento s.m.
espiramicina s.f.
espirano s.m.
espirante adj.2g. s.f.; cf. *expirante*
espirantera s.f.
espirantina s.f.
espirantização s.f.
espirantizar v.
espirar v. "respirar"; cf. *expirar*
espirastrela s.m.
espirastrelídeo adj. s.m.
espírea s.f.
espireia (*é*) s.f.
espireína s.f.
espireínea s.f.
espirela s.m.
espirema s.m.
espireóidea s.f.
espiriális s.m.2n.
espírica s.f.
espírico adj.
espirícula s.f.
espiridanto s.m.
espirídia s.f.
espiridínea s.f.
espírifer s.m.
espiriferáceo adj. s.m.
espiriferídeo adj. s.m.
espirífero adj. s.m.
espiriforme adj.2g.
espirignato s.m.
espirilácea s.f.
espiriláceo adj.
espirilar adj.2g.
espirílico adj.
espirilina s.m.
espirilíneo adj. s.m.
espirilo s.m.
espirilose s.f.
espirístico adj.
espirita adj. s.2g.
espírita adj. s.2g.; cf. *espirita*, fl. do v. *espiritar*
espiritado adj.
espirital s.m.
espiritar v.
espiriteira s.f.
espirítico adj.
espiritismo s.m.
espiritista adj. s.2g.
espiritístico adj.
espiritizar v.
espírito s.m.; cf. *espirito*, fl. do v. *espiritar*
espírito-santense adj. s.2g.; pl. *espírito-santenses*
espírito santo de orelha s.m.
espiritoso (*ô*) adj.; f. (*ó*); pl. (*ó*)
espiritromba s.f.
espiritrompa s.f.
espirituado adj.
espiritual adj.2g. s.m.
espiritualidade s.f.
espiritualismo s.m.
espiritualista adj. s.2g.
espiritualístico adj.
espiritualização s.f.
espiritualizado adj.
espiritualizador (*ô*) adj.
espiritualizante adj.2g.
espiritualizar v.
espiritualizável adj.2g.
espirituosidade s.f.
espirituoso (*ô*) adj.; f. (*ó*); pl. (*ó*)
espiro s.m.
espirobactéria s.f.
espirobactério s.m.
espirobólida s.m.
espiróbolo s.m.
espirocerca s.m.
espirocercose s.f.
espirocíclico adj.
espirociclo s.m.
espirodela s.f.
espirodínio adj. s.m.
espirófero s.m.
espirofisa s.f.
espiroforela s.f.
espiroforelíneo s.m.
espiróforo adj. s.m.
espirogira s.f.
espirogiro adj.
espirografia s.f.
espirográfico adj.
espirógrafo s.m.
espiroide (*ó*) adj.2g.
espirolactona s.f.
espirolóbea s.f.
espiroloculina s.f.
espirolose s.f.
espirometria s.f.
espirométrico adj.
espirômetro s.m.
espironema s.m.
espironolactona s.f.
espiropentano s.m.
espiropétalo s.m.
espiróptera s.m.
espiropterina s.m.
espiróptero s.m.
espiroqueta (*ê*) s.m.
espiroquetácea s.f.
espiroquetáceo adj.
espiroquetal adj.2g.
espiroquetale s.f.
espiroquetenia s.f.
espiroqueticídeo adj. s.m.
espiroquético adj.
espiroquétida adj.2g. s.m.
espiroquetídeo adj. s.m.
espiroqueto (*ê*) s.m.
espiroquetose s.f.
espirosal s.m.
espiroscaudinia s.m.
espiroscopia s.f.
espiroscópico adj.
espiroscópio s.m.
espirosperma s.m.
espirossoma s.m.
espirossomo s.m.
espiróstaque s.f.
espirostigma s.m.
espirostômida adj.2g. s.m.
espirostomídeo adj. s.m.
espiróstomo s.m.
espirostréptida adj.2g. s.m.
espiroteca s.f.
espirotecário adj.
espirotênia s.f.
espirotreptídeo adj. s.m.
espirótrico s.m.
espirotríqueo adj. s.m.
espirotromba s.f.
espirotrompa s.f.
espiróxis (*cs*) s.m.2n.
espirra-bode s.f.; pl. *espirra-bodes*
espirra-canivetes s.2g.2n.
espirradeira s.f.
espirradeira-do-campo s.f.; pl. *espirradeiras-do-campo*
espirrador (*ô*) adj. s.m.
espirrante adj.2g.
espirrar v.
espirrichar v.
espirro s.m.
espirrote s.m.
espírula s.f.
espirúlea s.f.
espirúlida adj.2g. s.m.
espirulídeo adj. s.m.
espirulina s.f.
espirúrida adj.2g. s.m.
espirurídeo adj. s.m.
espiruríneo adj. s.m.
espiruro s.m.
espissamento s.m.
espital s.m.
espitzélia s.f.
espiuncado adj.
espizaeto s.m.
espiziaptérige s.f.
espiziaptérix (*cs*) s.f.2n.
espiziastur s.m.
esplacnácea s.f.
esplacnáceo adj.
esplácnea s.f.
esplacno s.m.
esplacnótribo s.m.
esplainada s.f.
esplainar v.
esplanada s.f. "terreiro"; cf. *explanada*
esplanadense adj. s.2g.
esplancnectopia s.f.
esplancnectópico adj.
esplancnicectomia s.f.
esplancnicectômico adj.
esplâncnico adj.
esplancnicotomia s.f.
esplancnicotômico adj.
esplancnocele s.f.
esplancnodídimo s.m.
esplancnodinia s.f.
esplancnodínico adj.
esplancnografia s.f.
esplancnográfico adj.
esplancnolítico adj.
esplancnólito s.m.
esplancnologia s.f.
esplancnológico adj.
esplancnologista adj. s.2g.
esplancnólogo s.m.
esplancnomancia s.f.
esplancnomante s.2g.
esplancnomântico adj.
esplancnomegalia s.f.
esplancnomérico adj.
esplancnômero s.m.
esplancnomesênquima s.m.
esplancnomesenquimático adj.
esplancnopleura s.f.
esplancnoptose s.f.
esplancnoscopia s.f.
esplancnoscópico adj.
esplancnotomia s.f.
esplancnotômico adj.
esplancnotropismo s.m.
esplandecente adj.2g.
esplandecer v.
esplandecido adj.
esplandecimento s.m.
esplander v.
esplectomia s.f.
esplenalgia s.f.
esplenálgico adj.
esplenatrofia s.f.
esplenatrófico adj.
esplendecência s.f.
esplendecente adj.2g.
esplendecer v.
esplendecido adj.
esplendecimento s.m.
esplendência s.f.
esplendente adj.2g.
esplender v.
esplendescência s.f.
esplendescer v.
esplendidez (*ê*) s.f.
esplendideza (*ê*) s.f.
esplêndido adj.
esplendor (*ô*) s.m.
esplendorar v.
esplendoroso (*ô*) adj.; f. (*ó*); pl. (*ó*)
esplenectomia s.f.
esplenectômico adj.
esplenectomização s.f.
esplenectomizador (*ô*) adj.
esplenectomizante adj.2g.
esplenectomizar v.
esplenectopia s.f.
esplenectópico adj.
esplenelcose s.f.
esplenemia s.f.
esplenêmico adj.
esplenenfraxia (*cs*) s.f.
esplenepatomegalia s.f.
esplenético adj. s.m.
esplenial adj.2g.
esplênico adj.
espleniferrina s.f.
esplenificação s.f.
esplênio s.m.
esplenite s.f.
esplenítico adj.
esplenização s.f.
esplenocele s.f.
esplenoceratose s.f.
esplenócito s.m.
esplenocitoma s.m.
esplenocitomia s.f.
esplenoclise s.f.
esplenodiagnose s.f.
esplenodiagnóstico adj.
esplenodinia s.f.
esplenodínico adj.
esplenoflebite s.f.
esplenoflebítico adj.
esplenofrênico adj.
esplenogástrico adj.
esplenografia s.f.
esplenográfico adj.
esplenógrafo s.m.
esplenograma s.m.
esplenoide (*ó*) adj.2g.
esplenolinfático adj.
esplenólise s.f.
esplenolítico adj.

esplenologia s.f.
esplenológico adj.
esplenologista adj. s.2g.
esplenólogo s.m.
esplenoma s.m.
esplenomalacia s.f.
esplenomalácia s.f.
esplenomático adj.
esplenomedular adj.2g.
esplenomegalia s.f.
esplenomegálico adj.
esplenomielomalacia s.f.
esplenomielomalácia s.f.
esplenoncia s.f.
esplenoparectasia s.f.
esplenopatia s.f.
esplenopático adj.
esplenopatomegalia s.f.
esplenopéctico adj.
esplenopexia (*cs*) s.f.
esplenopéxico (*cs*) adj.
esplenopneumonia s.f.
esplenopneumônico adj.
esplenoportografia s.f.
esplenoportográfico adj.
esplenoportograma s.m.
esplenoptose s.f.
esplenoptósico adj.
esplenoptótico adj.
esplenorrafia s.f.
esplenorráfico adj.
esplenorragia s.f.
esplenorrágico adj.
esplenotifo s.m.
esplenotifoide (*ó*) adj.2g. s.f.
esplenotomia s.f.
esplenotômico adj.
esplenotoxina (*cs*) s.f.
esplenúnculo s.m.
esplim s.m.
esplinético adj.
esplonista adj. s.2g.
espoado adj. s.m.
espoador (*ô*) s.m.
espoar v.
espocação s.f.
espocado adj.
espocamento s.m.
espocar v.
espoco (*ô*) s.m.; cf. *espoco*, fl. do v. *espocar*
espódio s.m.
espodiofilita s.f.
espodiomielite s.f.
espodiopogão s.m.
espodiopógon s.m.
espodiosita s.f.
espodiosite s.f.
espodita s.f.
espodite s.f.
espodito s.m.
espodofagia s.f.
espodófago adj.
espodógeno adj.
espodomancia s.f.
espodomante s.2g.
espodomântico adj.
espodóptero adj. s.m.
espodumena s.f.
espodumênio s.m.
espodumênio-esmeralda s.m.; pl. *espodumênios-esmeralda*
espojadoiro s.m.
espojadouro s.m.
espojadura s.f.
espojar v.
espojeiro s.m.
espojinhar v.
espojo (*ô*) s.m.; cf. *espojo*, fl. do v. *espojar*
espola s.f.
espoldra (*ô*) s.f.
espoldrador (*ô*) adj. s.m.
espoldrão s.m.
espoldrar v.
espoldrinhar v.
espoleta (*ê*) s.f.; cf. *espoleta*, fl. do v. *espoletar*
espoletado adj.
espoletano adj. s.m.
espoletar v.
espolete (*ê*) s.m.; cf. *espolete*, fl. do v. *espoletar*
espoleteado adj.
espoletear v.
espoletino adj. s.m.
espoliação s.f.
espoliado adj. s.m.
espoliador (*ô*) adj. s.m.
espoliante adj. s.2g.
espoliar v.
espoliário s.m.
espoliativo adj. s.m.
espoliatório adj.
espoliável adj.2g.
espolim s.m.
espolinar-se v.
espolinhadoiro s.m.
espolinhadouro s.m.
espolinhar v.
espólio s.m.; cf. *espolio*, fl. do v. *espoliar*
espolpar v.
esponda s.f.
espondaico adj.
espondálio s.m.
espondaula s.m.
espondáulio s.m.
espondeasmo s.m.
espondeu s.m.
espôndia s.f.
espondíaco adj.
espondianto s.m.
espondiasmo s.m.
espondíea s.f.
espondilalgia s.f.
espondilálgico adj.
espondilartrite s.f.
espondilartrítico adj.
espondilartrócace s.m.
espondilartrócaco s.m.
espondilartrose s.f.
espôndile s.f.
espondilectomia s.f.
espondilectômico adj. s.m.
espondílico adj.
espondílida adj.2g. s.m.
espondilídeo adj. s.m.
espôndilis s.f.2n.
espondilite s.f.
espondilizema s.m.
espondilizemático adj.
espôndilo s.m.
espondiloclise s.f.
espondilocondral adj.2g.
espondilodidimia s.f.
espondilodídimo s.m.
espondilodinia s.f.
espondilodínico adj.
espondilodiscite s.f.
espondilólise s.f.
espondilolistese s.f.
espondilolistético adj.
espondilolítico adj.
espondilomielite s.f.
espondilomielítico adj.
espondilopatia s.f.
espondilopático adj.
espondilopiose s.f.
espondilopiótico adj.
espondiloptose s.f.
espondilose s.f.
espondilósquise s.f.
espondiloterapia s.f.
espondiloterápico adj.
espondilótico adj.
espondilozoário s.m.
espondóforo s.m.
espondólico adj. s.m.
espongasterisco s.m.
espongélia s.f.
espongélida adj.2g. s.m.
espongelídeo adj. s.m.
espongelíneo adj. s.m.
espongelipse s.f.
espongelípsis s.f.2n.
espongíada adj.2g. s.m.
espongiário adj. s.m.
espongicultor (*ô*) adj. s.m.
espongicultura s.f.
espôngida adj.2g. s.m.
espongídeo adj. s.m.
espongiforme adj.2g.
espongila s.f.
espongilídeo adj. s.m.
espongilíneo adj. s.m.
espongilítico adj.
espongilito s.m.
espongina s.f.
espongínico adj.
espongioblástico adj.
espongioblasto s.m.
espongiobótrio s.m.
espongiobrânquia s.f.
espongiocela s.f.
espongiocelo s.m.
espongiófito s.m.
espongioide (*ó*) adj.2g.
espongíola s.f.
espongíolo s.m.
espongiomórfido adj. s.m.
espongiomorfo adj.
espongioplasma s.m.
espongioplasmático adj.
espongioplásmico adj.
espongioso (*ô*) adj.; f. (*ó*); pl. (*ó*)
espongita s.f.
espongite s.f.
espongitiense adj.2g. s.m.
espongito s.m.
espongocela s.f.
espongociclia s.m.
espongociclíneo adj. s.m.
espongodictião s.m.
espongodiscíneo adj. s.m.
espongodisco s.m.
espongodrupa s.m.
espongoforme adj.2g.
espongoide (*ó*) adj.2g.
espongolítico adj.
espongólito s.m.
espongômona s.f.
espongomonádida adj.2g. s.m.
espongomonadídeo adj. s.m.
espongomorfo adj.
espongopirena s.f.
espongosfera s.m.
espongóspora s.f.
espongósporo s.m.
espongótroco s.m.
esponguríneo adj. s.m.
esponguro s.m.
espônia s.f.
esponja s.f.
esponja-d'água-doce s.f.; pl. *esponjas-d'água-doce*
esponja-de-banho s.f.; pl. *esponjas-de-banho*
esponja-de-raiz s.f.; pl. *esponjas-de-raiz*
esponja-de-vidro s.f.; pl. *esponjas-de-vidro*
esponjado adj.
esponja-do-mato s.f.; pl. *esponjas-do-mato*
esponjador (*ô*) adj.
esponjar v.
esponjeira s.f.
esponjeira-do-japão s.f.; pl. *esponjeiras-do-japão*
esponjélia s.m.
esponjento adj.
esponjinha s.f.
esponjir v.
esponjita s.f.
esponjite s.f.
esponjitiense adj.2g.
esponjoide (*ó*) adj.2g.
esponjosa s.f.
esponjosidade s.f.
esponjoso (*ô*) adj.; f. (*ó*); pl. (*ó*)
esponsais s.m.pl.
esponsal adj.2g. s.m.
esponsálias s.f.pl.
esponsalício adj. s.m.
esponsório adj. s.m.
esponta s.f.
espontaneidade s.f.
espontaneísmo s.m.
espontaneísta adj. s.2g.
espontaneístico adj.
espontâneo adj.
espontaneparidade s.f.
espontaneparismo s.m.
espontaneparista adj. s.2g.
espontão s.m.
espontar v.
espontear v.
esponteirar v.
esponto s.m.
espontoar v.
espora adj.2g. s.f.
espora-brava s.f.; pl. *esporas-bravas*
esporada s.f.
espora-de-cavaleiro s.f.; pl. *esporas-de-cavaleiro*
espora-de-galo s.f.; pl. *esporas-de-galo*
esporadicidade s.f.
esporádico adj.
esporadipo s.m.
esporadoporíneo adj. s.m.
espora-dos-jardins s.f.; pl. *esporas-dos-jardins*
esporadossidero adj.
esporando adj.
esporangiado adj.
esporângio s.m.
esporangiocisto s.m.
esporangióforo adj. s.m.
esporangíolo s.m.
esporangiospórico adj.
esporangiósporo adj. s.m.
esporango s.m.
esporão s.m.
esporão-de-galo s.m.; pl. *esporões-de-galo*
esporar v.
esporas s.f.pl.
esporas-bravas s.f.pl.
esporaúdo adj.
esporeado adj.
esporeamento s.m.
esporeante adj.2g.
esporear v.
esporeio s.m.
esporeira s.f.
esporeiro s.m.
esporeta (*ê*) s.f.
esporeto (*ê*) s.m.
esporicida adj.2g. s.m.
esporicídio s.m.
esporídeo s.m.
esporidésmio s.m.
esporidesmo s.m.
esporídia s.f.
esporídio s.m.
esporidíolo s.m.
esporífero adj.
esporígeno adj.
esporim s.m.
esporinha s.f.
espório s.m.
esporo s.m.
esporoada s.f.
esporoado adj.
esporoar v.
esporoblástico adj.
esporoblasto s.m.
esporóbola s.f.
esporóbolo s.m.
esporocárpio s.m.
esporocarpo s.m.
esporociste adj.2g. s.m.
esporocístico adj.
esporocístide adj.2g. s.f.
esporocistidiado adj.
esporocisto s.m.
esporocnácea s.f.
esporocnáceo adj.
esporocno s.m.
esporodesmina s.f.
esporodesmínico adj.
esporodesmo s.m.
esporodínia s.f.
esporodíquio s.m.
esporodóquio s.m.
esporofilo s.m.
esporófilo adj.
esporofima s.m.
esporofimático adj.
esporófita s.f.
esporofítico adj.
esporófito s.m.
esporóforo adj. s.m.
esporogelita s.f.
esporogênese s.f.
esporogênio adj. s.m.
esporógeno adj. s.m.
esporogonia s.f.
esporogônio s.m.
espórolo s.m.
esporomórfico adj.
esporopipa s.f.
esporopipe s.f.
esporoplasma s.m.
esporoplasmático adj.
esporopódio s.m.
esporopolenina s.f.
esporórmia s.f.
esporose s.f.
esporossaco s.m.
esporóssaco s.m.
esporotricácea s.m.
esporótrico s.m.
esporotricose s.f.
esporotricósico adj.
esporotricótico adj.
esporozoário s.m.
esporozoide (*ó*) adj.2g. s.m.
esporozoíta s.m.
esporozoíto s.m.
esporozoose s.f.
esporra (*ô*) s.f.; cf. *esporra*, fl. do v. *esporrar*
esporrada s.f.
esporradela s.f.
esporrado adj.
esporrar v.
esporrento adj. s.m.
esporrinhote s.m.
esporriote adj.2g.
esporro (*ô*) s.m.; cf. *esporro*, fl. do v. *esporrar*
esporte s.m.
esporteirar v.
esportela s.f.
espórtico adj.
esportismo s.m.
esportista adj. s.2g.
esportístico adj.
esportiva s.f.
esportividade s.f.
esportivismo s.m.
esportivista adj. s.2g.
esportivo adj.
espórtula s.f.; cf. *esportula*, fl. do v. *esportular*
esportular v.
esporulação s.f.
esporulado adj.
esporulante adj.2g.
esporular v. adj.2g.
esporulável adj.2g.
espórulo s.m.
esposa (*ô*) s.f.; cf. *esposa*, fl. do v. *esposar*
esposada s.f.
esposado adj. s.m.
esposando adj. s.m.
esposar v.
esposável adj.2g.
esposendense adj. s.2g.
esposo (*ô*) s.m.; cf. *esposo*, fl. do v. *esposar*
esposório s.m.
espostejado adj.
espostejador (*ô*) adj.
espostejamento s.m.
espostejar v.
espostoa s.f.
espotação s.f.
espotado adj.
espotagem s.f.
espotamento s.m.
espotar v.
espote s.m.
espóter s.m.
espotreador (*ô*) adj. s.m.

espotrear v.
espotrejador (*ô*) adj. s.m.
espotrejar v.
espotricar v.
espoucar v.
espouco s.m.
espragatado adj.
espragatar v.
espragato s.m.
espraiação s.f.
espraiado adj. s.m.
espraiamento s.m.
espraiar v.
espratela s.f.
espravão s.m.
espravela s.f.
espravonado adj.
espravonamento s.m.
espreguiçadeira s.f.
espreguiçadeiro s.m.
espreguiçadela s.f.
espreguiçadoiro s.m.
espreguiçador (*ô*) s.m.
espreguiçadouro s.m.
espreguiçamento s.m.
espreguiçar v.
espreguiceiro s.m.
espreita s.f.
espreitada s.f.
espreitadeira s.f.
espreitadela s.f.
espreitador (*ô*) adj. s.m.
espreita-marés s.m.2n.
espreitança s.f.
espreitante adj. s.2g.
espreitão s.m.
espreitar v.
espreiteiro adj. s.m.
esprém s.m.
espremeção s.f.
espremedalho s.m.
espremedeira s.f.
espremedela s.f.
espremediço adj.
espremedor (*ô*) adj. s.m.
espremedura s.f.
espremegado s.m.
espremegar v.
espreme-gato s.m.; pl. *espreme-gatos*
espremer v.
espremido adj.
espremidura s.f.
espremível adj.2g.
espriega s.f.
espriega-gigante s.f.; pl. *espriegas-gigantes*
espringala s.f.
espringue s.m.
espritado adj.
esprital s.m.
espritar-se v.
esprito s.m.
esprovamento s.m.
espru s.m.
espruce s.f.
esprúcea s.f.
esprucela s.f.
espuição (*u-i*) s.f.
espuir v.
espulgação s.f.
espulgamento s.m.
espulgar v.
espulgatório s.m.
espulha s.f.
espuma s.f.
espumaçar v.
espumadeira s.f.
espumado adj. s.m.
espuma do mar s.f.
espumante adj.2g. s.m.
espumar v.
espumarada s.f.
espumarejar v.
espumarento adj.
espumária s.f.
espumariácea s.f.
espumariáceo adj.
espumas s.f.pl.
espumear v.
espumeiro s.m.
espumejante adj.2g.
espumejar v.
espumejo (*ê*) s.m.
espumelário s.m.
espumento adj.
espúmeo adj.
espumífero adj.
espumígero adj.
espumosense adj. s.2g.
espumosidade s.f.
espumoso (*ô*) adj.; f. (*ó*); pl. (*ó*)
espúndia s.f.
espupinar v.
espurcícia s.f.
espurcilóquio s.m.
espurco adj.
espuriedade s.f.
espúrio adj. s.m.
esputação s.f.
esputar v.
esputinique s.m.
esputo s.m.
esquadra s.f.
esquadraçar v.
esquadraçoso (*ô*) adj.; f. (*ó*); pl. (*ó*)
esquadrado adj.
esquadrão s.m.
esquadrar v.
esquadraria s.f.
esquadreiro s.m.
esquadrejado adj.
esquadrejamento s.m.
esquadrejar v.
esquadria s.f.
esquadriado adj.
esquadriamento s.m.
esquadriar v.
esquadrias s.f.pl.
esquadrilha s.f.
esquadrilhado adj.
esquadrilhar v.
esquadrinhação s.f.
esquadrinhado adj.
esquadrinhador (*ô*) adj. s.m.
esquadrinhadura s.f.
esquadrinhamento s.m.
esquadrinhante adj.2g.
esquadrinhar v.
esquadrinhável adj.2g.
esquadro s.m.
esquadronar v.
esquálida adj.2g. s.m.
esqualídeo adj. s.m.
esqualidez (*ê*) s.f.
esquálido adj.
esqualiforme adj.2g. s.m.
esquálio s.m.
esqualo s.m.
esqualóideo adj. s.m.
esqualor (*ô*) s.m.
esquamariácea s.f.
esquamato s.m.
esquamiforme adj.2g.
esquamoderme s.f.
esquamodermo s.m.
esquânia s.f.
esquarroso (*ô*) adj.; f. (*ó*); pl. (*ó*)
esquartejado adj.
esquartejadoiro s.m.
esquartejador (*ô*) adj. s.m.
esquartejadouro s.m.
esquartejadura s.f.
esquartejamento s.m.
esquartejar v.
esquartejo (*ê*) s.m.; cf. *esquartejo*; fl. do v. *esquartejar*
esquartelado adj.
esquarteladura s.f.
esquartelamento s.m.
esquartelar v.
esquartilhar v.
esquartiniforme adj.2g. s.m.
esquatarola s.f.
esquatina s.f.
esquatínida adj.2g. s.m.
esquatinídeo adj. s.m.
esquecediço adj.
esquecedor (*ô*) adj. s.m.
esquecer v.
esquecidão adj. s.m.
esquecidiço adj.
esquecido adj. s.m.
esquecimento s.m.
esquecível adj.2g.
esqueflera s.f.
esqueflerodendro s.m.
esqueiro s.m. "escada"; cf. *isqueiro*
esqueite s.m.
esqueitismo s.m.
esqueitista s.2g.
esqueitódromo s.m.
esquelalgia s.f.
esqueleta (*ê*) s.f.
esqueletal adj.2g.
esquelético adj.
esqueletiforme adj.2g.
esqueleto (*ê*) s.m.
esqueletografia s.f.
esqueletográfico adj.
esqueletógrafo s.m.
esqueletologia s.f.
esqueletológico adj.
esqueletologista adj. s.2g.
esqueletólogo s.m.
esqueletopeia (*é*) s.f.
esqueletopoese s.f.
esquélico adj.
esquelotirbe s.f.
esquema s.m.
esquemático adj. s.m.
esquematismo s.m.
esquematista adj. s.2g.
esquematístico adj.
esquematização s.f.
esquematizado adj.
esquematizador (*ô*) adj. s.m.
esquematizante adj.2g.
esquematizar v.
esquematizável adj.2g.
esquemógrafo s.m.
esquenanto s.m.
esquença s.f.
esquençado adj.
esquendílida adj.2g. s.m.
esquendilídeo adj. s.m.
esquenite s.f.
esqueno s.m.
esquenobiblo s.m.
esquenóbio s.m.
esquenocefálio s.m.
esquenodendro s.m.
esquenóideo s.m.
esquênquia s.f.
esquenta s.f.
esquentação s.f.
esquenta-corpo s.m.; pl. *esquenta-corpos*
esquentada s.f.
esquentadela s.f.
esquentadete (*ê*) adj.
esquentadiço adj.
esquentado adj.
esquentador (*ô*) adj. s.m.
esquentamento s.m.
esquenta-mulher s.m.; pl. *esquenta-mulheres*
esquenta por dentro s.m.2n.
esquentar v.
esquenta-sol s.m.2n.
esquentável adj.2g.
esquento s.m.
esqueptofilaxia (*cs*) s.f.
esquerda (*ê*) s.f.
esquerdear v.
esquerdecer v.
esquerdice s.f.
esquerdino adj.
esquerdismo s.m.
esquerdista adj. s.2g.
esquerdístico adj.
esquerdização s.f.
esquerdizado adj.
esquerdizante adj. s.2g.
esquerdizar v.
esquerdo (*ê*) adj.
esquerdote adj.
esquérico adj.
esquerino adj. s.m.
esquerita s.f.
esquete s.m.
esqueuczéria s.f.
esqueuczeriácea s.f.
esquévola s.f.
esqui s.m.
esquiação s.f.
esquiada s.f.
esquiador (*ô*) adj. s.m.
esquiagem s.f.
esquiâmetro s.m.
esquiar v.
esquiascopia s.f.
esquiascópico adj.
esquibir v.
esquiça s.f.
esquiçar v.
esquiço s.m.
esquieiro adj. s.m.
esquiéquia s.f.
esquifado adj.
esquifamento s.m.
esquifar v.
esquife s.m.
esquila s.f.
esquilão s.m.
esquilar v.
esquilha s.f.
esquilia s.f.
esquiliano adj. s.m.
esquilídeo s.m.
esquilino adj.
esquilo s.m.
esquiloso (*ô*) adj.; f. (*ó*); pl. (*ó*)
esquimau adj. s.2g.
esquimó adj. s.2g. s.m.
esquimó-aleúte adj. s.2g.; pl. *esquimós-aleútes*
esquimoide (*ó*) adj.2g.
esquina s.f.
esquinaço s.m.
esquinado adj. s.m.
esquinal adj.2g.
esquinante adj.2g. s.m.
esquinântea s.f.
esquinanto s.m.
esquinar v.
esquindilese s.f.
esquindilético adj.
esquinência s.f.
esquineta (*ê*) s.f.
esquineza (*ê*) s.f.
esquinheiro s.m.
esquinista adj. s.2g.
esquinita s.f.
esquinite s.f.
esquino s.m.
esquinomene s.f.
esquinôngia s.f.
esquinópsis s.f.
esquinosífon s.m.
esquinote s.m.
esquinudo adj.
esquiofilia s.m.
esquiófilo adj.
esquiofobia s.f.
esquiófobo adj.
esquipã s.m.
esquipação s.f.
esquipada s.f.
esquipadeira adj. s.f.
esquipado adj. s.m.
esquipador (*ô*) adj. s.m.
esquipamento s.m.
esquipão s.m.
esquipar v.
esquipáter adj. s.2g.
esquipatice s.f.
esquipático adj.
esquipau s.m.
esquipe s.m.
esquipetar adj. s.2g.
esquiraço s.m.
esquírola s.f.
esquirolado adj.
esquirolar v.
esquiroloso (*ô*) adj.; f. (*ó*); pl. (*ó*)
esquisandrácea s.f.
esquisandráceo adj.
esquisitão adj. s.m.; f. *esquisitona*
esquisitice s.f.
esquisito adj. s.m.
esquisitona adj. s.f. de *esquisitão*
esquisitório adj.
esquisma s.m.
esquismático adj.
esquismatobrânquio adj.
esquismatoglote s.f.
esquismo s.m.
esquissa s.f.
esquissar v.
esquisso s.m.
esquistídeo adj. s.m.
esquistificação s.f.
esquistificador (*ô*) adj.
esquistificante adj.2g.
esquistificar v.
esquistificável adj.2g.
esquisto s.m.
esquistocarpo adj.
esquistocéfalo s.m.
esquistocélia s.f.
esquistocerca s.m.
esquistociclose s.f.
esquistócito s.m.
esquistoclâmide s.f.
esquistoclâmis s.f.2n.
esquistocormo s.m.
esquistógina s.f.
esquistoglossia s.f.
esquistoide (*ó*) adj.2g.
esquistomelia s.f.
esquistomelo s.m.
esquistômetro s.m.
esquistomítrio s.m.
esquistoprosopia s.f.
esquistoquilácea s.f.
esquistoquiláceo adj.
esquistórraque s.f.
esquistosidade s.f.
esquistoso (*ô*) adj.; f. (*ó*); pl. (*ó*)
esquistosomiase s.f.
esquistosomíase s.f.
esquistosomídeo adj. s.m.
esquistosomo s.m.
esquistosomóideo adj. s.m.
esquistosomose s.f.
esquistossoma s.m.
esquistossomático adj.
esquistossomatídeo adj. s.m.
esquistossomíase s.f.
esquistossomídeo adj. s.m.
esquistossomina s.f.
esquistossomínico adj.
esquistossomo s.m.
esquistossomóideo adj. s.m.
esquistossomose s.f.
esquistossomótico adj.
esquistossômulo s.m.
esquistóstega s.f.
esquistostegácea s.f.
esquistotegáceo adj.
esquistotegal adj.2g.
esquistotegale s.f.
esquistotórax (*cs*) s.m.2n.
esquistotraquelo s.m.
esquita s.f.
esquitar v.
esquiva s.f.
esquivadote adj.2g.
esquivamento s.m.
esquivança s.f.
esquivar v.
esquivez (*ê*) s.f.
esquiveza (*ê*) s.f.
esquivo adj.
esquivoso (*ô*) adj.; f. (*ó*); pl. (*ó*)
esquixa s.f.
esquizandra s.f.
esquizandrácea s.f.
esquizandráceo adj.
esquizândrea s.f.
esquizândreo adj.
esquizanto s.m.
esquizaquírio s.m.
esquizáster s.m.
esquizeácea s.f.
esquizeáceo adj.
esquizeia (*é*) s.f.
esquizimênia s.f.

esquizoblástica s.f.
esquizocárdio s.m.
esquizocárpico adj.
esquizocarpo s.m.
esquizocefalia s.f.
esquizocéfalo s.m.
esquizocela s.f.
esquizocele s.f.
esquizocélico adj.
esquizoceloma s.m.
esquizocelomático adj.
esquizocelomiano s.m.
esquizociato s.m.
esquizocodão s.m.
esquizocódon s.m.
esquizodonte adj.2g.
esquizofasia s.f.
esquizofícea s.f.
esquizofíceo adj.
esquizofílea s.f.
esquizofilo s.m.
esquizófita s.f.
esquizófito s.m.
esquizóforo s.m.
esquizofrenia s.f.
esquizofrênico adj. s.m.
esquizófris s.m.2n.
esquizofrisíneo s.m.
esquizogamia s.f.
esquizogêneo adj.
esquizogênese s.f.
esquizogenético adj.
esquizogênio s.m.
esquizógeno adj.
esquizoglosso s.m.
esquizognático adj.
esquizógnato adj. s.m.
esquizogonia s.f.
esquizogônico adj.
esquizogônio s.m.
esquizografia s.f.
esquizogregarina s.f.
esquizogregarinídea s.f.
esquizoide (*ó*) adj. s.2g.
esquizoidia s.f.
esquizolita s.f.
esquizolítico adj.
esquizólito s.m.
esquizolóbio s.m.
esquizomania s.f.
esquizomere s.f.
esquizometametria s.f.
esquizométopo s.m.
esquizomiceta (*ê*) s.f.
esquizomicete s.m.
esquizomiceto s.m.
esquizômido adj. s.m.
esquizonema s.f.
esquizonemertino s.m.
esquizoneura s.f.
esquizoneuríneo adj. s.m.
esquizoneuro s.m.
esquizonte s.m.
esquizopeltido adj. s.m.
esquizopetálea s.f.
esquizópode adj.2g.
esquizópodo s.m.
esquizopremna s.f.
esquizoprosopia s.f.
esquizoprosopo adj. s.m.
esquizóptero adj.
esquizorrino adj. s.m.
esquizosporácea s.f.
esquizossacarômice s.m.
esquizossacaromicete s.m.
esquizossifão s.m.
esquizostáquio s.m.
esquizostelia s.f.
esquizostélico adj.
esquizóstoma s.m.
esquizotimia s.f.
esquizotímico adj.
esquizotórax (*cs*) s.m.2n.
esquizotripano s.m.
esquizotriquia s.f.
esquizozóideo adj. s.m.
esquizozoito (*ó*) s.m.
essa pron. s.f.
essaísta s.2g.
esse s.m. "nome da letra s"; cf. *esse* (*ê*)
esse (*ê*) pron.; cf. *esse*
ésseda s.f.
essedão adj. s.m.
essedário s.m.
éssedo s.m.
essédone adj. s.2g.
essedônio adj. s.m.
essência s.f.
essencial adj.2g. s.m.
essencialidade s.f.
essencialismo s.m.
essencialista adj. s.2g.
essencialístico adj.
essencismo s.m.
essênio adj. s.m.
essenismo s.m.
essenista adj. s.2g.
esseno adj. s.m.
essexita (*cs*) s.f.
essexite (*cs*) s.f.
essexítico (*cs*) adj.
essexito (*cs*) s.m.
essivo adj. s.m.
essoutro contr. de *esse* e *outro*
és-sudeste s.m.
és-sudoeste s.m.
és-sueste s.m.
éssuo adj. s.m.
estabacar-se v.
estabalhoado adj.
estabanação s.f.
estabanada s.f.
estabanado adj.
estabanamento s.m.
estabanar v.
estabareda (*ê*) s.2g.
estabelecedoiro adj.
estabelecedor (*ô*) adj. s.m.
estabelecedouro adj.
estabelecer v.
estabelecido adj.
estabelecimento s.m.
estabelecível adj.2g.
estabiano adj. s.m.
estabilidade s.f.
estabilismo s.m.
estabilista adj. s.2g.
estabilístico adj.
estabilitar v.
estabilização s.f.
estabilizado adj.
estabilizador (*ô*) adj. s.m.
estabilizante adj.2g. s.m.
estabilizar v.
estabilizável adj.2g.
estabougar v.
estabulação s.f.
estabulado adj.
estabulador (*ô*) adj. s.m.
estabular v. adj.2g.
estábulo s.m.; cf. *estabulo*, fl. do v. *estabular*
estaca s.f.
estacada s.f.
estacadense adj. s.2g.
estacado adj. s.m.
estacador (*ô*) adj. s.m.
estacagem s.f.
estacal s.m.
estacanovismo s.m.
estacanovista adj. s.2g.
estacão s.m.
estação s.f.
estaca-prancha s.f.; pl. *estacas-prancha* e *estacas-pranchas*
estacar v.
estaçar v.
estacaria s.f.
estaca-testemunha s.f.; pl. *estacas-testemunha* e *estacas-testemunhas*
estacatira s.m.
estacielate adj. s.2g.
estacielense adj. s.2g.
estácio s.m.
estacionado adj.
estacionador (*ô*) adj.
estacional adj.2g.
estacionalidade s.f.
estacionalismo s.m.
estacionalista adj. s.2g.
estacionamento s.m.
estacionante adj. s.2g.
estacionar v.
estacionário adj.
estacionável adj.2g.
estackousiácea s.f.
estacoadela s.f.
estacoar v.
estacoeiro s.m.
estactolema s.m.
estacusiácea s.f.
estacusiáceo adj.
estada s.f.
estadão s.m.
estadeação s.f.
estadeado adj.
estadeador (*ô*) adj. s.m.
estadear v.
estadeiro s.m.
estadela s.f.
estadia s.f. "demora", "permanência de navio"; cf. *estádia*
estádia s.f. "instrumento de medida"; cf. *estadia*
estadial adj.2g.
estadiar v.
estadimétrico adj.
estádio s.m.
estadiódromo s.m.
estadiômetro s.m.
estadismo s.m.
estadista adj. s.2g.
estadística s.f.
estadístico adj.
estadização s.f.
estadizar v.
estado s.m.
estadolatria s.f.
estado-maior s.m.; pl. *estados-maiores*
estado-menor s.m.; pl. *estados-menores*
estado-novismo s.m.; pl. *estados-novismos*
estado-novista adj. s.2g.; pl. *estados-novistas*
estado-novístico adj.; pl. *estados-novísticos*
estado-providência s.m.; pl. *estados-providência*
estados-gerais s.m.pl.
estado-tampão s.m.; pl. *estados-tampão* e *estados-tampões*
estado-unidense adj. s.2g.; pl. *estado-unidenses*
estadual adj.2g.
estadualização s.f.
estadualizar v.
estadulhada s.f.
estadulheira s.f.
estadulheiro s.m.
estadulheta (*ê*) s.f.
estadulho s.m.
estadunidense adj. s.2g.
estafa s.f.
estafadeira s.f.
estafado adj.
estafador (*ô*) adj. s.m.
estafamento s.m.
estafanário adj. s.m.
estafante adj.2g.
estafar v.
estafe s.m.
estafegar v.
estafeiro s.m.
estafelita s.f.
estafelite s.m.
estafermar v.
estafermo (*ê*) adj. s.m.
estafeta (*ê*) s.2g.
estafetado adj. s.m.
estafetamento s.m.
estafetar v.
estafete (*ê*) s.2g.
estafeteiro s.m.
estáfila s.f.
estafilagra s.f.
estafilangina s.f.
estafilária s.f.
estafileácea s.f.
estafileáceo adj.
estafilectomia s.f.
estafilectômico adj.
estafiledema s.m.
estafileia (*é*) s.f.
estafilematoma s.m.
estafilematose s.f.
estafiliácea s.f.
estafiliáceo adj.
estafilínida adj.2g. s.m.
estafilinídeo adj. s.m.
estafilíneo adj. s.m.
estafilino adj. s.m.
estafilinoide (*ó*) adj.2g. s.m.
estafílio s.m.
estafilite s.f.
estafilítico adj.
estáfilo s.m.
estafilobacterina s.f.
estafilocausto s.m.
estafilococcemia s.f.
estafilococcia s.f.
estafilocóccico adj.
estafilococemia s.f.
estafilococia s.f.
estafilocócico adj.
estafilococo s.m.
estafilococomia s.f.
estafilococomicose s.f.
estafilococomicótico adj.
estafilodiálise s.f.
estafilofaríngeo adj. s.m.
estafilofaringorrafia s.f.
estafilofaringorráfico adj.
estafiloglóssico adj.
estafiloglosso s.m.
estafilolisina s.f.
estafiloma s.m.
estafilomancia s.f.
estafilomante s.2g.
estafilomântico adj.
estafilomatoso (*ô*) adj.; f. (*ó*); pl. (*ó*)
estafilomicose s.f.
estafilomicótico adj.
estafiloncose s.f.
estafiloncótico adj.
estafiloplastia s.f.
estafiloplástico adj.
estafiloptose s.f.
estafiloptótico adj.
estafilorrafia s.f.
estafilorráfico adj.
estafilósquise s.f.
estafilostreptococcia s.f.
estafilostreptococia s.f.
estafilotomia s.f.
estafilotômico adj.
estafilótomo s.m.
estafilotoxina (*cs*) s.f.
estafim s.m.
estafiságria s.f.
estafisagrina s.f.
estafisagroidina s.f.
estafisagroína s.f.
estafisina s.f.
estafonar v.
estagflação s.f.
estagflacionado adj.
estagflacional adj.2g.
estagflacionar v.
estagflacionário adj.
estagiado adj.
estagiador (*ô*) adj.
estagiar v.
estagiário adj. s.m.
estágio s.m.; cf. *estagio*, fl. do v. *estagiar*
estagirita adj. s.2g.
estagmatita s.f.
estagmatite s.f.
estagmatófora s.f.
estagnação s.f.
estagnado adj.
estagnador (*ô*) adj.
estagnamento s.m.
estagnante adj.2g.
estagnar v.
estagnável adj.2g.
estagnícola adj.2g.
estagno s.m.
estai s.m.
estaiação s.f.
estaiado adj.
estaiamento s.m.
estaiar v.
estala s.f.
estalactífero adj.
estalactiforme adj.2g.
estalactite s.f.
estalactítico adj.
estalada s.f.
estaladeira s.f.
estaladiço adj.
estaladinho s.m.
estalado adj.
estalador (*ô*) adj. s.m.
estaladura s.f.
estalageiro s.m.
estalagem s.f.
estalagmífero adj.
estalagmite s.f.
estalagmítico adj.
estalagmometria s.f.
estalagmométrico adj.
estalagmômetro s.m.
estalajadeiro s.m.
estalameira s.f.
estalamossomo s.m.
estalante adj.2g. s.f.
estalão s.m.
estalar v.
estalaria s.f.
estaleca s.f.
estalecido adj. s.m.
estaleirar v.
estaleiro s.m.
estalejadura s.f.
estalejar v.
estalia s.f.
estalianismo s.m.
estalianista adj. s.2g.
estalianístico adj.
estaliano adj. s.m.
estalicado adj.
estalicar v.
estalicídio s.m.
estalidante adj.2g.
estalidar v.
estalido s.m.
estalinho s.m.
estaliniano adj. s.m.
estalinismo s.m.
estalinista adj. s.2g.
estalinístico adj.
estalir v.
estalo s.m.
estalo da china s.m.
estalonar v.
estamagado adj.
estamarrado adj.
estambrado adj.
estambrar v.
estambre s.m.
estambreiro adj.
estambrino s.m.
estame s.m.
estamenha s.f.
estamenhado adj.
estamenheiro s.m.
estamental adj.2g.
estamenteiro s.m.
estamento s.m.
estamete (*ê*) s.m.
estamim s.m.
estâmina s.f.
estamináceo adj.
estaminada s.f.
estaminado adj.
estaminal adj.2g.
estaminar v.
estaminário adj.
estaminífero adj.
estaminiforme adj.2g.
estaminódio s.m.
estaminoide (*ó*) adj.2g. s.m.
estaminopistilado adj.
estaminoso (*ô*) adj.; f. (*ó*); pl. (*ó*)
estaminosoma s.m.

estaminossoma s.m.
estamínula s.f.
estampa s.f.
estampação s.f.
estampadeira s.f.
estampado adj. s.m.
estampador (*ô*) adj. s.m.
estampagem s.f.
estampamento s.m.
estampante adj.2g.
estampar v.
estamparia s.f.
estampatório s.m.
estampável adj.2g.
estampeiro s.m.
estampiano adj. s.m.
estâmpico adj. s.m.
estampida s.f.
estampido s.m.
estampilha s.f.
estampilhado adj.
estampilhagem s.f.
estampilhamento s.m.
estampilhar v.
estanato s.m.
estanca s.f.
estança s.f.
estancação s.f.
estanca-cavalos s.f.2n.
estancada s.f.
estancadeira s.f.
estancado adj.
estancagem s.f.
estancamento s.m.
estancar v.
estancariano adj. s.m.
estanca-rios s.m.2n.
estancarista adj. s.2g.
estanca-sangue s.m.; pl. *estanca-sangues*
estanca-sangues s.m.2n.
estancável adj.2g.
estanceiro adj. s.m.
estância s.f.; cf. *estancia*, fl. do v. *estanciar*
estanciano adj.
estanciar v.
estancieiro adj. s.m.
estanciense adj. s.2g.
estanciola s.f.
estanco adj. s.m.
estândar adj.2g. s.m.
estandardização s.f.
estandardizado adj.
estandardizador (*ô*) adj.
estandardizante adj.2g.
estandardizar v.
estandardizável adj.2g.
estandarte s.m.
estandartense adj. s.2g.
estande s.m.
estanforte s.m.
estanga s.f.
estangeia (*é*) s.f.
estangéria s.f.
estangeríea s.f.
estangido adj.
estanguido adj.
estanhação s.f.
estanhado adj.
estanhador (*ô*) s.m.
estanhadura s.f.
estanhagem s.f.
estanhamento s.m.
estanhante adj.2g.
estanhar v.
estanharia s.f.
estanhável adj.2g.
estanheira s.f.
estanhetilo s.m.
estanho s.m.
estanhodietilo s.m.
estanhometilo s.m.
estanhopeia (*é*) s.f.
estanhoso (*ô*) adj.; f. (*ó*); pl. (*ó*)
estanhotantalita s.f.
estanhotetraetilo s.m.
estanhotrietilo s.m.
estânico adj.
estanífero adj.
estanina s.f.
estanita s.f.
estanito s.m.
estanleína s.f.
estanodietilo s.m.
estanoetilo s.m.
estanoidita s.f.
estanolita s.f.
estanometilo s.m.
estanopaladinita s.f.
estanopeia (*é*) s.f.
estanoso (*ô*) adj.; f. (*ó*); pl. (*ó*)
estanotetraetilo s.m.
estanotrietilo s.m.
estanque adj.2g. s.m.
estanqueidade s.f.
estanqueira s.f.
estanqueiro s.m.
estanquidade s.f.
estante adj.2g. s.f.
estanteado adj.
estanteirola s.f.
estantiga s.f.
estantígua s.f.
estanzaíte s.f.
estaolita adj. s.2g.
estapafurdice s.f.
estapafúrdico adj.
estapafúrdio adj.
estapafurdismo s.m.
estape s.m.
estapeamento s.m.
estapear v.
estapedectomia s.f.
estapedectômico adj.
estapedial adj.2g.
estapediano adj.
estapédico adj.
estapédio s.m.
estapediopetroso (*ô*) adj.; f. (*ó*); pl. (*ó*)
estapediotemporal adj.2g.
estapediotenotomia s.f.
estapediovestibular adj.2g.
estapedipetroso (*ô*) adj.; f. (*ó*); pl. (*ó*)
estapeditemporal adj.2g.
estapedivestibular adj.2g.
estapedotomia s.f.
estapélia s.f.
estapor (*ô*) s.m.
estaque s.f.
estaqueação s.f.
estaqueado adj.
estaqueadoiro s.m.
estaqueador (*ô*) adj. s.m.
estaqueadouro s.m.
estaqueamento s.m.
estaquear v.
estaqueio s.m.
estaqueira s.f.
estaqueiro s.m.
estaquia s.f.
estaquiacanto s.m.
estaquianto s.m.
estaquiarrena s.f.
estáquida-do-japão s.f.; pl. *estáquidas-do-japão*
estaquídea s.f.
estaquídeo adj.
estaquidrina s.f.
estaquifríneo adj. s.m.
estaquilha s.f.
estaquinha s.f.
estaquióidea s.f.
estaquióideo adj.
estaquiose s.f.
estaquiotirso s.m.
estaquitarfeta s.f.
estaquiurácea s.f.
estaquiuráceo adj.
estaquiúro s.m.
estar v.
estarcão s.m.
estardalhaçante adj.2g.
estardalhaçar v.
estardalhaço s.m.
estardalhada s.f.
estardalhante adj.2g.
estardalhar v.
estardalho s.m.
estardar v.
estardato s.m.
estardiota s.f.
estarelar v.
estariliana s.f.
estarim s.m.
estarmo s.m.
estarna s.f.
estarola s.2g.
estarosta s.m.
estaroste s.m.
estarostia s.f.
estaroucado adj.
estarrecente adj.2g.
estarrecer v.
estarrecido adj.
estarrecimento s.m.
estarrejense adj. s.2g.
estarrificar v.
estarrincar v.
estarrinco s.m.
estarroar v.
estartado adj.
estartalado adj.
estartalar v.
estarxavássana s.m.
estase s.f. "estagnação"; cf. *êxtase*
estasia s.f.
estasiado adj.; cf. *extasiado*
estasiar v. "estagnar"; cf. *extasiar*
estasigênese s.f.
estasigenético adj.
estasigenia s.f.
estásimo s.m.
estásimon s.m.
estasiobasiofobia s.f.
estasiofobia s.f.
estasiofóbico adj.
estassalhar v.
estatal adj.2g. s.f.
estatalismo s.m.
estatano s.m.
estatelação s.f.
estatelado adj.
estatelamento s.m.
estatelar v.
estáter s.m.
estatestesia s.f.
estática s.f.
estatice s.f.
estatícea s.f.
estatíceo adj.
estaticista adj. s.2g.
estático adj. "relativo ao equilíbrio"; cf. *extático*
estatiga s.f.
estatina s.f.
estatinga s.f.
estatismo s.m.
estatistia adj. s.2g.
estatística s.f.
estatístico adj. s.m.
estatisticografia s.f.
estatisticográfico adj.
estatisticógrafo s.m.
estatistificado adj.
estatistificar v.
estativa s.f.
estativo adj.
estatização s.f.
estatizado adj.
estatizador (*ô*) adj.
estatizante adj. s.2g.
estatizar v.
estatizável adj.2g.
estatmética s.f.
estatmografia s.f.
estatmógrafo s.m.
estatoblástico adj.
estatoblasto s.m.
estatocístico adj.
estatocisto s.m.
estatólatra s.2g.
estatolatria s.f.
estatolátrico adj.
estatolítico adj.
estatolito s.m.
estatólito s.m.
estatômetro s.m.
estator (*ô*) s.m.
estatorreator (*ô*) s.m.
estatoscópico adj.
estatoscópio s.m.
estátua s.f.; cf. *estatua*, fl. do v. *estatuar* e do v. *estatuir*
estatuado s.m.
estatual adj.2g.
estatuar v.
estatuaria s.f. "coleção de estátuas"; cf. *estatuária*
estatuária s.f. "ramo da escultura"; cf. *estatuaria*
estatuário adj. s. m.
estatucional adj.2g.
estatuder (*dér*) s.m.
estatuderato s.m.
estatuderiano adj. s.m.
estatueta (*ê*) s.f.
estatuído adj. s.m.
estatuidor (*ô*) adj.
estatuificação s.f.
estatuificado adj.
estatuificar v.
estatuir v.
estátula s.f.
estatura s.f.
estatural adj.2g.
estaturoponderal adj.2g.
estatutário adj.
estatuto s.m.
estau s.m.
estáudtia s.f.
estaulada s.f.
estauntônia s.f.
estauracanto s.m.
estauráctis s.m.2n.
estaurantera s.f.
estaurastro s.m.
estaurídeo adj. s.m.
estaurídia s.f.
estauridiídeo adj. s.m.
estaúrio s.m.
estaurobarita s.f.
estaurobarite s.f.
estaurobráquio s.m.
estaurocefalíneo adj. s.m.
estaurocéfalo s.m.
estaurofilace s.m.
estaurofilo adj.
estauróforo s.m.
estaurógine s.f.
estaurólatra s.2g.
estaurolatria s.f.
estaurolátrico adj.
estaurolita s.f.
estaurólito s.m.
estauromedusa s.f.
estauromedúseo adj.
estauronoto s.m.
estaurope s.m.
estauroplegia s.f.
estauroplégico adj.
estauropo s.m.
estauroscopia s.f.
estauroscópico adj.
estauroscópio s.m.
estaurospermo s.m.
estaurósporo s.m.
estauroteca s.f.
estaurótida s.f.
estavanado adj.
estavanamento s.m.
estável adj.2g.
estazado adj.
estazador (*ô*) adj. s.m.
estazamento s.m.
estazar v.
este s.m. "ponto cardeal"; cf. *este* (*ê*)
este (*ê*) pron.; cf. *este*
estealita s.f.
esteanazar v.
esteapsina s.f.
estear v. "escorar"; cf. *estiar*
estearatado adj.
estearático adj.
estearato s.m.
estearatolado adj.
estearatólico adj.
estearerina s.f.
esteargilita s.f.
esteargilito s.m.
estearia s.f.
esteárico adj.
estearina s.f.
estearinaria s.f.
estearodermia s.f.
estearofânico adj.
estearofanina s.f.
estearol s.m.
estearolato s.m.
estearoleico (*é*) adj.
estearólico adj.
estearona s.f.
estearonitrilo s.m.
estearoptênio s.m.
estearoxilato (*cs*) s.m.
estearoxílico (*cs*) adj.
estearreia (*é*) s.f.
esteatadenoma s.m.
esteatadenomático adj.
esteatadenômico adj.
esteatita s.f.
esteatite s.f.
esteatítico adj.
esteatito s.m.
esteatização s.f.
esteatizado adj.
esteatizar v.
esteatocele s.f.
esteatocriptose s.f.
esteatócrito s.m.
esteatoda s.m.
esteatóforo s.m.
esteatólise s.f.
esteatolítico adj.
esteatoma s.m.
esteatomático adj.
esteatomatoso (*ô*) adj.; f. (*ó*); pl. (*ó*)
esteatômio s.m.
esteátomis s.m.2n.
esteatonecrose s.f.
esteatonecrótico adj.
esteatopigia s.f.
esteatopígico adj.
esteatopígio adj. s.m.
esteatórnis s.2g.2n.
esteatornite s.2g.
esteatornitídea s.f.
esteatornitídeo adj. s.m.
esteatorreia (*é*) s.f.
esteatorricínico adj.
esteatose s.f.
esteba (*ê*) s.f.
estebal s.m.
estebega s.f.
estecogenia s.f.
estecogênico adj.
estecologia s.f.
estecológico adj.
estecomancia s.f.
estecomante s.2g.
estecomântico adj.
estecometria s.f.
estecométrico adj.
estecoquímica s.f.
estecoquímico adj. s.m.
esteeira s.f.
esteelina s.f.
esteelita s.f.
esteense adj. s.2g.
estefália s.f.
estefana s.f.
estefanáctis s.m.2n.
estefanandra s.f.
estefanária s.f.
estefanáster s.m.
estefanastro s.m.
estefânia s.f.
estefaniano adj.
estefaníbis s.f.2n.
estefânico adj.
estefaniense adj. s.2g.
estefanina s.f.
estefaninóidea s.f.
estefânio s.m.
estefanita s.f.
estefanobericida adj.2g. s.m.
estefanobericídeo s.m.
estefanobérix (*cs*) s.m.2n.

estefanocênia s.f.
estefanoceratídeo adj. s.m.
estefanócero s.m.
estefanodisco s.m.
estefanofilíneo adj. s.m.
estefanofilo s.m.
estefanóforo adj.
estefanômetro s.m.
estefanômia s.f.
estefanopódio s.m.
estefanopogão s.m.
estefanoscopia s.f.
estefanoscópico adj.
estefanoscópio s.m.
estefanosério s.m.
estefanosfera s.f.
estefanospira s.f.
estefanote s.m.
estefanotela s.f.
estefanótroco s.m.
estefanuro s.m.
estefego (*ê*) s.m.
estefo (*ê*) adj.
estefonália s.f.
estegânia s.m.
estégano adj.
esteganoftalmo s.m.
esteganografia s.f.
esteganográfico adj.
esteganógrafo s.m.
esteganópode adj.2g. s.m.
esteganoporela s.f.
esteganóptica s.f.
esteganotênia s.f.
esteganuro s.m.
estegnáster s.m.
estegnose s.f.
estegnosperma s.f.
estegnospermatóidea s.f.
estegnóstico adj.
estegnótico adj.
estegocarpo adj.
estegocéfalo s.m.
estegodonte s.m.
estegofilíneo s.m.
estegofilo s.m.
estegomia s.m.
estegomicida adj.2g. s.m.
estegomicídio s.m.
estegoplese s.f.
estegosoma s.m.
estegossauro adj. s.m.
estegossoma s.m.
estegóstoma s.m.
esteiense adj. s.2g.
esteimbacnéria s.f.
esteio s.m.
esteira s.f.
esteirada s.f.
esteira de ifá s.f.
esteirado adj.
esteiralho s.m.
esteirame s.m.
esteirão s.m.
esteirar v.
esteiraria s.f.
esteireiro s.m.
esteirense adj. s.2g.
esteiro s.m.
estela s.f.
estelante adj.2g.
estelar adj.2g.
estelare s.f.
estelária s.f.
estelarídeo adj. s.m.
estelarita s.f.
estelarite s.f.
esteláster s.m.
estele s.f.
estelecopídeo s.m.
estelécopo s.m.
estelecópode adj. s.m.
estelectomia s.f.
estelegrafia s.f.
estelegráfico adj.
estelerídeo adj. s.m.
estelerita s.f.
estelerite s.f.
esteleroide (*ó*) adj.2g. s.m.
estelestílis s.f.2n.
esteleta s.f.
esteletíneo adj. s.m.
estelgidópterix (*cs*) s.f.
estelião s.m.
estelicar v.
estélico adj.
estelídeo adj. s.m.
estélido s.m.
estelífero adj.
esteliforme adj.2g.
estelígero adj.
estelinervado adj.
estelino s.m.
estélio s.m.
estelionatário s.m.
estelionato s.m.
estélis s.f.2n.
estelita s.f.
estelmatópode adj. s.m.
estélmio s.m.
estelo s.m.
estelografia s.f.
estelográfico adj.
estelospôngia s.f.
estelospôngida adj.2g. s.m.
estelospongíneo adj. s.m.
estélula s.f.
estema s.m.
estemado adj.
estêmata s.m.
estemático adj.
estemátio s.m.
estêmato s.m.
estematófora s.f.
este-meridional adj.2g.; pl. *este-meridionais*
estemódia s.f.
estêmona adj.2g. s.f.
estemonácea s.f.
estemonáceo adj.
estêmone adj.2g. s.f.
estemonitácea s.f.
estemonite s.f.
estenália s.f.
estenalino adj.
estenama s.f.
estenândrio s.m.
estenaquênio s.m.
estenáxis (*cs*) s.m.2n.
estenazar v.
estêncil s.m.
estenda s.f.
estendagem s.f.
estendal s.m.
estendalho s.m.
estendaliano adj.
estendaria s.f.
estendarte s.m.
estendedoiro s.m.
estendedor (*ô*) adj. s.m.
estendedouro s.m.
estendedura s.f.
estender v.
estenderete (*ê*) s.m.
estendido adj. s.m.
estendível adj.2g.
estenela s.f.
estenélitro s.m.
estenélmis s.m.2n.
estenia s.f. "excesso de força"; cf. *estênia*
estênia s.m. "gênero de insetos"; cf. *estenia*
estenial adj.2g.
estênico adj.
estenídeo adj. s.m.
esteníneo adj. s.m.
estênio s.m.
esteno s.m.
estenobionte adj. s.m.
estenobótrio s.m.
estenobrânquio s.m.
estenocardia s.f.
estenocardíaco adj.
estenocarpo s.m.
estenocefalia s.f.
estenocefálico adj.
estenocéfalo adj. s.m.
estenocionope s.2g.
estenocionopíneo adj. s.m.
estenoclena s.f.
estenocline s.f.
estenocorda s.f.
estenocoreografia s.f.
estenocoreográfico adj.
estenocoria s.f.
estenocoríase s.f.
estenocorine s.f.
estenocoríneo adj. s.m.
estenócoro s.m.
estenocromia s.f.
estenocrotafia s.f.
estenocrotáfico adj.
estenodáctilo s.m.
estenodactilografado adj.
estenodactilografar v.
estenodactilografia s.f.
estenodactilográfico adj.
estenodactilógrafo s.m.
estenodalfino s.m.
estenodátilo s.m.
estenodatilografado adj.
estenodatilografar v.
estenodatilografia s.f.
estenodatilográfico adj.
estenodatilógrafo s.m.
estenode s.m.
estenodélfis s.m.2n.
estenódon s.m.
estenofilo adj.
estenofotolitografar v.
estenofotolitografia s.f.
estenofotolitógrafo s.m.; cf. *estenofotolitografo*, fl. do v. *estenofotolitografar*
estenofragma s.m.
estenogira s.f.
estenogirídeo adj. s.m.
estenoglosso s.m.
estenografado adj.
estenografador (*ô*) adj.
estenografante adj.2g.
estenografar v.
estenografável adj.2g.
estenografia s.f.
estenográfico adj.
estenógrafo s.m.; cf. *estenografo*, fl. do v. *estenografar*
estenograma s.m.
estenolemado adj. s.m.
estenolóbea s.f.
estenolóbio s.m.
estenólofo s.m.
estenomerídea s.f.
estenomerídeo adj.
estenometria s.f.
estenométrico adj.
estenômetro s.m.
estenomídeo adj. s.m.
estenômona s.2g.
estenonímia s.f.
estenonímico adj.
estenônimo s.m.
estenopefotografia s.f.
estenopeia (*é*) s.f.
estenopeico (*é*) adj.
estenopídeo adj. s.m.
estênopo s.m.
estenópode s.m.
estenopódio s.m.
estenopogão s.m.
estenopógon s.m.
estenópsis s.2g.2n.
estenóptera s.f.
estenoptérige s.f.
estenopteríneo adj. s.m.
estenópterix (*cs*) s.f.
estenóptero adj. s.m.
estenoquilo adj. s.m.
estenoquiro adj. s.m.
estenorrinco s.m.
estenorrizo adj.
estenosado adj.
estenosante adj.2g.
estenosar v.
estenosável adj.2g.
estenose s.f.
estenosíneo adj. s.m.
estenósis s.m.2n.
estenossáurio s.m.
estenostéfano s.m.
estenostira s.f.
estenóstola s.f.
estenóstoma s.m.
estenostomia s.f.
estenóstomo adj. s.m.
estenotafro s.2g.
estenotelégrafo s.m.
estenoterme adj.2g. s.m.
estenotermia s.f.
estenotérmico adj.
estenotermo adj. s.m.
estenótico adj.
estenotipar v.
estenotipia s.f.
estenotípico adj.
estenotipista adj. s.2g.
estenótipo s.m.; cf. *estenotipo*, fl. do v. *estenotipar*
estenotoe s.m.
estenotórax (*cs*) s.m.2n.
estenóxeno (*cs*) adj. s.m.
estênsula s.f.
estentino s.m.
estentoloso (*ô*) adj.; f. (*ó*); pl. (*ó*)
estentor (*ô*) s.m.
estentoreidade s.f.
estentóreo adj.
estentórico adj.
estentorídeo adj. s.m.
estentoroso (*ô*) adj.; f. (*ó*); pl. (*ó*)
estenuro s.m.
estepado adj.
estepagem s.f.
estepante adj.2g.
estepário adj.
estepe s.m.f.
estépico adj.
estéptico adj.
estequiogenia s.f.
estequiogênico adj.
estequiologia s.f.
estequiológico adj.
estequiomancia s.f.
estequiomante adj. s.2g.
estequiomântico adj.
estequiometria s.f.
estequiométrico adj.
estequioquímica s.f.
estequioquímico adj. s.m.
éster s.m. "composto orgânico"; cf. *hester*
esterador (*ô*) adj. s.m.
esteragem s.f.
esteranastesia s.f.
esterar v.
esterase s.f.
estérase s.f.
estercação s.f.
estercada s.f.
estercado adj.
estercador (*ô*) adj. s.m.
estercadura s.f.
estercália s.f.
estercar v.
esterçar v.
esterco (*ê*) s.m.
estercobilina s.f.
estercocório adj.
esterco-de-jurema s.m.; pl. *estercos-de-jurema*
esterco de trovão s.m.
estercologia s.f.
estercológico adj.
estercoraiídeo adj. s.m.
estercoral adj.2g.
estercoranismo s.m.
estercoranista adj. s.2g.
estercorarídeo adj. s.m.
estercorariídea s.f.
estercorário adj. s.m.
estercoreiro adj. s.m.
estercoremia s.f.
estercorêmico adj.
estercorina s.f.
estercorita s.f.
estercorite s.f.
estercorólito s.m.
estercoroma s.m.
estercoroso (*ô*) adj.; f. (*ó*); pl. (*ó*)
estercoterapia s.f.
estercoterápico adj.
estercúlia s.f.
esterculiácea s.f.
esterculiáceo adj.
esterculíea s.f.
estere s.m.
estereagnosia s.f.
estereagnóstico adj.
estereautógrafo s.m.
esterelita s.f.
esterelite s.f.
estéreo s.m.
estereoautógrafo s.m.
estereobata s.m.
estereóbata s.m.
estereocartografia s.f.
estereocartográfico adj.
estereocartógrafo s.m.
estereocaulão s.m.
estereociclope s.m.
estereocídaris s.m.2n.
estereocinefluorografia s.f.
estereocinefluorográfico adj.
estereocomparador (*ô*) s.m.
estereocromia s.f.
estereocrômico adj.
estereoderma s.m.
estereoderme s.f.
estereodinâmica s.f.
estereodinâmico adj.
estereodonte s.m.
estereoencefalotomia s.f.
estereoespecífico adj.
estereofonia s.f.
estereofônico adj.
estereofotografado adj.
estereofotografar v.
estereofotografável adj.2g.
estereofotografia s.f.
estereofotográfico adj.
estereofotograma s.m.
estereofotogrâmetra adj. s.2g.
estereofotogrametria s.f.
estereofotogramétrico adj.
estereofotômetro s.m.
estereogástrula s.f.
estereognose s.f.
estereognosia s.f.
estereognóstico adj.
estereogoniografia s.f.
estereogoniográfico adj.
estereogoniógrafo s.m.
estereogoniometria s.f.
estereogoniométrico adj.
estereogoniômetro s.m.
estereografar v.
estereografia s.f.
estereográfico adj.
estereógrafo s.m.
estereograma s.m.
estereogramático adj.
estereogrametria s.f.
estereogramétrico adj.
estereogrâmetro s.m.
estereoisômera s.f.
estereoisômere adj.2g. s.m.
estereoisomeria s.f.
estereoisomérico adj.
estereoisomerismo s.m.
estereoisômero adj. s.m.
estereologia s.f.
estereológico adj.
estereoma s.m.
estereomático adj.
estereômetra adj. s.2g.
estereometria s.f.
estereométrico adj.
estereômetro s.m.
estereomicrometria s.f.
estereomicrométrico adj.
estereomicrômetro s.m.
estereominuta s.f.
estereomodelo (*ê*) s.m.
estereônfalo s.m.
estereonomia s.f.
estereonômico adj.
estereoplanigrafia s.f.
estereoplanigráfico adj.
estereoplanígrafo s.m.

estereoplasma s.m.
estereoplasmático adj.
estereoplásmico adj.
estereoplasta s.m.
estereoplastia s.f.
estereoplástico adj.
estereópode adj.2g. s.m.
estereóproco s.m.
estereoquímica s.f.
estereoquímico adj. s.m.
estereorama s.m.
estereorradiano s.m.
estereorregular adj.2g.
estereorregularidade s.f.
estereorrestituição s.f.
estereorrestituidor (*ô*) adj. s.m.
estereorrestituir v.
estereorrestituitório adj.
estereorrestituível adj.2g.
estereoscopia s.f.
estereoscópico adj.
estereoscópio s.m.
estereosfera s.f.
estereosférico adj.
estereospecificidade s.f.
estereospecífico adj.
estereospermo s.m.
estereospôndilo adj.
estereossomia s.f.
estereostática s.f.
estereostático adj.
estereotáctico adj.
estereotaquigrafia s.f.
estereotaquigráfico adj.
estereotaquígrafo s.m.
estereotaquimetria s.f.
estereotaquimétrico adj.
estereotaquímetro s.m.
estereotático adj.
estereotaxia (*cs*) s.f.
estereotáxico (*cs*) adj.
estereotelemetria s.f.
estereotelemétrico adj.
estereotelêmetro s.m.
estereotelescopia s.f.
estereotelescópico adj.
estereotelescópio s.m.
estereotestal s.f.
estereotipado adj.
estereotipagem s.f.
estereotipar v.
estereotipia s.f.
estereotípico adj.
estereotipista adj. s.2g.
estereótipo s.m.; cf. *estereotipo*, fl. do v. *estereotipar*
estereotomia s.f.
estereotômico adj.
estereotomizar v.
estereotopografia s.f.
estereotopográfico adj.
estereotopógrafo s.m.
estereotopometria s.f.
estereotopométrico adj.
estereotopômetro s.m.
estereotrópico adj.
estereotrópio s.m.
estereotropismo s.m.
estereotropístico adj.
estereozoário s.m.
esterespecífico adj.
esterfogueiro s.m.
estéria s.f.
estérico adj.
esterídeo adj. s.m.
esterificação s.f.
esterificado adj.
esterificador (*ô*) adj.
esterificante adj.2g.
esterificar v.
esterificável adj.2g.
esterigma s.m.
esterigmapétalo s.m.
esterigmatociste s.f.
esterigmatocistina s.f.
esterigmatopétalo s.m.
estéril adj. s.2g.
esterilecer v.
esterilidade s.f.
esterilização s.f.
esterilizado adj.
esterilizador (*ô*) adj. s.m.
esterilizante adj.2g. s.m.
esterilizar v.
esterilizável adj.2g.
esterinoplastídeo adj. s.m.
esterlicado adj.
esterlicar v.
esterlim s.m.
esterlina s.f.
esterlingite s.f.
esterlingo adj. s.m.
esterlino adj. s.m.
esterloixo s.m.
esterlouxo s.m.
esterna s.f.
esternal adj.2g.
esternalgia s.f.
esternálgico adj.
esternaponeurótico adj. s.m.
esternaponevrótico adj. s.m.
esternarco s.m.
esternáspide s.f.
esternaspídeo adj. s.m.
esternáspis s.f.2n.
esternebérgia s.f.
esternebergita s.f.
estérnebra s.f.
esternebrado adj.
esternebral adj.2g.
esternecido adj.
esternegue s.m.
esternicado adj.
esternicar v.
esternicórneo adj.
esternínea s.m.
esterníneo adj. s.m.
esternióideo adj. s.m.
esternítico adj.
esternito s.m.
estérnito s.m.
esterno s.m. "osso"; cf. *externo* adj. s.m., fl. do v. *externar* e *hesterno* adj.
esternobimastoideia (*é*) adj. s.f. de *esternobimastoideu*
esternobimastóideo adj.
esternobimastoideu adj. s.m.; f. *esternobimastoideia* (*é*)
esternoccipital adj.2g.
esternocefálico adj.
esternócero s.m.
esternoclavicular adj.2g.
esternoclidioide (*ó*) adj.2g. s.m.
esternoclidióideo adj. s.m.
esternoclidomastóideo adj. s.m.
esternoclidumeral adj.2g.
esternoclita s.f.
esternocondroclavicular adj.2g.
esternocostal adj.2g. s.m.
esternocostoclavicular adj.2g.
esternocostoclaviumeral adj.2g.
esternocostolombar adj.2g.
esternodidimia s.f.
esternodídimo s.m.
esternodinia s.f.
esternodínico adj.
esternogoniometria s.f.
esternogoniométrico adj.
esternogoniômetro s.m.
esternomasseteriano adj.
esternomastoideia (*é*) adj. s.f. de *esternomastoideu*
esternomastóideo adj. s.m.
esternomastoideu adj. s.m.; f. *esternomastoideia* (*é*)
esternomaxilar (*cs*) adj.2g.
esternopagia s.f.
esternópago s.m.
esternopericárdico adj.
esternópico s.m.
esternoprescapular adj.2g.
esternoptérige s.f.
esternópterix (*cs*) s.f.
esternoptiquídeo adj. s.m.
esternoptiquíneo adj. s.m.
esternopúbico adj.
esternorrinca s.f.
esternorrinco s.m.
esternósquise s.f.
esternossuboccipital adj.2g.
esternotireóideo adj. s.m.
esternotiroideia (*é*) s.f. de *esternotiroideu*
esternotiróideo adj.
esternotiroideu adj. s.m.; f. *esternotiroideia* (*é*)
esternotomia s.f.
esternotômico adj.
esternotroquiniano adj.
esternoxo (*cs*) s.m.
esternudar v.
esternumeral adj.2g.
esternutação s.f.
esternutado adj.
esternutador (*ô*) adj. s.m.
esternutante adj.2g.
esternutar v.
esternutatório adj. s.m.
esternutável adj.2g.
estero (*ê*) s.m.
esteroencefalotomia s.f.
esterognosia s.f.
esterognóstico adj.
esteroide (*ó*) adj. s.2g.
esterol s.m.
esterólico adj.
esterópode adj. s.m.
esteróproco s.m.
esterospôndilo adj.
esterotomia s.f.
esterotômico adj.
esterotomizar v.
esterqueira s.f.
esterqueiro adj. s.m.
esterquice s.f.
esterquilinário s.m.
esterquilínico adj.
esterquilínio s.m.
esterquilino adj.
esterra s.m.
esterradoira s.f.
esterradoura s.f.
esterrar v.
esterrear v.
esterrecer v.
esterroada s.f.
esterroado adj.
esterroador (*ô*) adj. s.m.
esterroamento s.m.
esterroar v.
estertogado adj.
estertor (*ô*) s.m.
estertorado adj.
estertorante adj.2g.
estertorar v.
estertorizado adj.
estertorizar v.
estertoroso (*ô*) adj.; f. (*ó*); pl. (*ó*)
estervilite s.f.
estese s.f.
estesia s.f.
estesiado adj.
estesiador (*ô*) adj.
estesiamento s.m.
estesiante adj.2g.
estesiar v.
estésico adj.
estesicoriano adj.
estesilhar v.
estesiódico adj.
estesiofisiologia s.f.
estesiofisiológico adj.
estesiogenia s.f.
estesiogênico adj. s.m.
estesiógeno adj.
estesiografia s.f.
estesiográfico adj.
estesiógrafo s.m.
estesiologia s.f.
estesiológico adj.
estesiólogo s.m.
estesiomania s.f.
estesiomaníaco adj. s.m.
estesiômano s.m.
estesiometria s.f.
estesiométrico adj.
estesiômetro s.m.
estesioneuroepitelioma s.m.
estesioneurose s.f.
estesioneurótico adj.
estesionose s.f.
estesioscopia s.f.
estesioscópico adj.
estesiotomia s.f.
estesiotômico adj.
esteso (*ê*) adj.
estesódico adj.
estesoirado adj.
estesoirar v.
estesourado adj.
estesourar v.
esteta s.2g.
estetacústico adj.
estética s.f.
esteticismo s.m.
esteticista adj. s.2g.
esteticístico adj.
estético adj.
estetismo s.m.
estetista adj. s.2g.
estetístico adj.
estetização s.f.
estetizado adj.
estetizante adj.2g.
estetizar v.
estetocirtógrafo s.m.
estetofima s.f.
estetofone s.m.
estetofonendoscópio s.m.
estetofono s.m.
estetofonometria s.f.
estetofonométrico adj.
estetofonômetro s.m.
estetogeografia s.f.
estetogeográfico adj.
estetogoniômetro s.m.
estetografia s.f.
estetográfico adj.
estetógrafo s.m.
estetometria s.f.
estetométrico adj.
estetômetro s.m.
estetomielite s.f.
estetomielítico adj.
estetomiite s.f.
estetomiítico adj.
estetomiosite s.f.
estetomiosítico adj.
estetopsicologia s.f.
estetopsicológico adj.
estetoscopia s.f.
estetoscópico adj.
estetoscópio s.m.
estetospásmico adj.
estetospasmo s.m.
esteva (*ê*) s.f.; cf. *esteva*, fl. do v. *estevar*
estevado adj.
esteval s.m.
estevaleiro adj. s.m.
estevão s.m.
estevar v.
esteveira s.f.
estevênia s.f.
estevênsia s.f.
estevensita s.f.
estévia s.f.
estevinha s.f.
estévis s.m.2n.
estevudo adj.
estia s.f.
estiada s.f.; cf. *esteada*, fl. do v. *estear*
estiado adj.; cf. *esteado*, fl. do v. *estear*
estiagem s.f.
estiante s.f.
estiar v. "serenar"; cf. *estear*
estiba s.f.
estibal adj.2g.
estibamina s.f.
estibeferrita s.f.
estibeira s.f.
estiberita s.f.
estiberite s.f.
estibiado adj.
estibial adj. s.2g.
estibialismo s.m.
estibianita s.f.
estibianite s.f.
estibiato s.m.
estibiconina s.f.
estibiconita s.f.
estibiconite s.f.
estibina s.f.
estibinita s.f.
estibinítico adj.
estíbio s.m.
estibiobismutinita s.f.
estibiobismutotantalita s.f.
estibiocolumbita s.f.
estibiodomeiquita s.f.
estibiodomeiquite s.f.
estibioexargentita (*cs*) s.f.
estibioexargentite (*cs*) s.f.
estibioferrita s.f.
estibioferrite s.f.
estibiogalenita s.f.
estibiogalenite s.f.
estibiolusonita s.f.
estibiopaladinita s.f.
estibiotantalita s.f.
estibiotantalite s.f.
estibiotriargentita s.f.
estibiotriargentite s.f.
estibita s.f.
estibite s.f.
estibiureto (*ê*) s.m.
estiblita s.f.
estibnita s.f.
estibônio s.m.
estibordo s.m.
estica s.f.
esticada s.f.
esticadela s.f.
esticado adj.
esticador (*ô*) adj. s.m.
esticamento s.m.
esticão s.m.
esticar v.
esticário s.m.
esticocarpo adj.
esticococo s.m.
esticoglossa s.m.
esticoglosso s.m.
esticologia s.f.
esticológico adj.
esticólogo s.m.
esticomancia s.f.
esticomante s.2g.
esticomântico adj.
esticometria s.f.
esticométrico adj.
esticomitia s.f.
esticomítia s.f.
esticoneurone s.m.
esticópate s.m.
esticopo s.m.
esticópode s.m.
esticoqueta (*ê*) s.m.
esticótrica s.m.
esticta s.f.
estictácea s.f.
estictáceo adj.
esticte s.f.
estictidácea s.f.
estictidáceo adj.
estictina s.f.
estictocárdia s.f.
estidade s.f.
estieira s.f.
estiela s.m.
estielídeo adj. s.m.
estielíneo adj. s.m.
estielópsis s.f.2n.
estifa s.f.
estifélia s.f.
estifelíea s.f.
estifelínea s.f.
estifelíneo adj.
estiflo s.m.
estifnático adj.
estifnato s.m.
estífnico adj.
estifolóbio s.m.
estíftia s.f.
estigeoclônio s.m.

estígia s.m.
estigial adj.2g.
estígio adj.
estigma s.m.
estigmado adj.
estigmafilo s.m.
estigmante adj.2g.
estigmar v.
estigmária s.f.
estigmário s.m.
estigmarrota s.f.
estigmásia s.f.
estigmasterina s.f.
estigmasterol s.m.
estigmasterólico adj.
estigmatário adj.
estígmate s.m.
estigmátea s.f.
estigmático adj.
estigmatífero adj.
estigmatiforme adj.2g.
estigmatino adj. s.m.
estigmatismo s.m.
estigmatização s.f.
estigmatizado adj. s.m.
estigmatizador (*ô*) adj. s.m.
estigmatizante adj.2g.
estigmatizar v.
estigmatizável adj.2g.
estigmatococo s.m.
estigmatodermia s.f.
estigmatofilo s.m.
estigmatóforo adj.
estigmatografia s.f.
estigmatográfico adj.
estigmatógrafo s.m.
estigmatômice s.m.
estigmatomiceto s.m.
estigmatomicose s.f.
estigmatomorfo adj.
estigmatonímico adj.
estigmatônimo adj. s.m.
estigmatose s.f.
estigmatoteco s.m.
estigmatura s.m.
estigmita s.f.
estigmografia s.f.
estigmográfico adj.
estigmograma s.m.
estigmologia s.f.
estigmológico adj.
estigmonímico adj.
estigmônimo adj. s.m.
estigmosterol s.m.
estígmulo s.m.
estigno s.m.
estigonema s.m.
estigonematácea s.f.
estigonematáceo adj.
estila s.f.
estilação s.f.
estiláctis s.m.2n.
estilada s.f.
estiladeira s.f.
estilado adj. s.m.
estilador (*ô*) adj. s.m.
estilamento s.m.
estilar v.
estilária s.m.
estiláster s.m.
estilastérida adj.2g. s.m.
estilasterídeo adj. s.m.
estilasteríneo adj. s.m.
estilatracto s.m.
estilátula s.m.
estilatulídeo adj. s.m.
estilauricular adj. s.m.
estilbácea s.f.
estilbáceo adj.
estilbe s.m.
estilbeia (*é*) s.f.
estilbela s.f.
estilbênico adj.
estilbeno s.m.
estílbia s.m.
estilbílico adj.
estilbita s.f.
estilbo s.m.
estilbose s.f.
estilema s.m.
estiletado adj.
estiletar v.
estilete (*ê*) s.m.; cf. *estilete*, fl. do v. *estiletar*
estiletear v.
estiletizar v.
estilha s.f.
estilhaçado adj.
estilhaçamento s.m.
estilhaçante adj.2g.
estilhaçar v.
estilhaçável adj.2g.
estilhaço s.m.
estilhar v.
estilheira s.f.
estilial s.m.
estilicidar v.
estilicídio s.m.
estilicidioso (*ô*) adj. s.m.; f. (*ó*); pl. (*ó*)
estílico adj. s.m.
estilidiácea s.f.
estilidiáceo adj.
estilídio s.m.
estilidióidea s.f.
estiliforme adj.2g.
estiligota (*ô*) s.f.
estilíngia s.f.
estilingue s.m.
estilino s.m.
estilioideia (*é*) adj. f. de *estilioideu*
estilióideo adj.
estilioideu adj.; f. *estilioideia* (*é*)
estilíola s.f.
estilismo s.m.
estilista adj. s.2g.
estilística s.f.
estilístico adj.
estilita adj. s.2g.
estilitismo s.m.
estilização s.f.
estilizado adj.
estilizador (*ô*) s.m.
estilizar v.
estilizável adj.2g.
estilo s.m.
estilobata s.m.
estilóbata s.m.
estilobático adj.
estilóbato s.m.
estilobelêmnon s.m.
estilócala s.m.
estilocelo s.m.
estilocídade s.f.
estilocídare s.f.
estilocídaris s.f.2n.
estiloco s.m.
estilocometa (*ê*) s.m.
estilocometes s.m.2n.
estilocoplano s.m.
estilocórdia s.f.
estilodíctia s.m.
estilodisco s.m.
estilodrilo s.m.
estilofaríngeo adj.
estilófora s.f.
estiloforíneo adj. s.m.
estiloftálmio s.m.
estilógina s.f.
estilógine s.f.
estiloglóssico adj.
estiloglosso (*ô*) adj. s.m.
estilografia s.f.
estilográfico adj.
estilógrafo s.m.
estiloidal adj.2g.
estiloide (*ó*) adj.2g.
estiloideia (*é*) adj. f. de *estiloideu*
estilóideo adj.
estiloideu adj.; f. *estiloideia* (*é*)
estilolita s.f.
estilolítico adj.
estilolito s.m.
estilólito s.m.
estilomandibular adj.2g.
estilomastoideia (*é*) adj. f. de *estilomastoideu*
estilomastóideo adj.
estilomastoideu adj.; f. *estilomastoideia* (*é*)
estilomatóforo adj. s.m.
estilomaxilar (*cs*) adj.2g.
estilometria s.f.
estilométrico adj.
estilômetro s.m.
estilonete (*ê*) s.m.
estiloníquia s.m.
estilonovismo s.m.
estilonovista adj. s.2g.
estilonovístico adj.
estilope s.m.
estilopídeo adj. s.m.
estilóplato s.m.
estilópode s.m.
estilopódio s.m.
estílops s.2g.2n.
estiloquíton s.m.
estiloquitônia s.f.
estilorrinco s.m.
estiloso (*ô*) adj.; f. (*ó*); pl. (*ó*)
estilospôngia s.f.
estilospório s.m.
estilossomo s.m.
estilostafilino adj.
estilostêmono adj.
estilóstomo s.m.
estilotela s.m.
estilotelíneo adj. s.m.
estilotipita s.f.
estilpnoclorano s.m.
estilpnomelana s.f.
estilpnomelânico adj.
estilpnomelânio s.m.
estilpnomelano s.m.
estilpnossiderita s.f.
estima s.f.
estimação s.f.
estimado adj.
estimador (*ô*) adj. s.m.
estimadura s.f.
estimar v.
estimativa s.f.
estimativo adj.
estimatório adj.
estimável adj.2g.
estimela s.f.
estimo s.m.
estimógrafo s.m.
estimpsônia s.m.
estimulação s.f.
estimulado adj.
estimulador (*ô*) adj. s.m.
estimulante adj.2g. s.m.
estimular v.
estimulativo adj.
estimulável adj.2g.
estimulina s.f.
estimulismo s.m.
estimulista adj. s.2g.
estímulo s.m.; cf. *estimulo*, fl. do v. *estimular*
estimuloso (*ô*) adj.; f. (*ó*); pl. (*ó*)
estinfália s.f.
estinfálico adj.
estinfálide adj.2g.
estinfálio adj. s.m.
estingado adj.
estingar v.
estingue s.m.
estinha s.f.
estinhadeira s.f.
estinhar v.
estio adj. s.m.
estiolação s.f.
estiolado adj.
estiolador (*ô*) adj.
estiolamento s.m.
estiolante adj.2g.
estiolar v.
estiolável adj.2g.
estiolez (*ê*) s.f.
estiomenado adj.
estiomenar v.
estiômeno adj. s.m.
estipa s.f.
estipagem s.f.
estipe s.m.
estipela s.f.
estipendiação s.f.
estipendiado adj.
estipendiador (*ô*) adj.
estipendiar v.
estipendiário adj. s.m.
estipendiável adj.2g.
estipêndio s.m.; cf. *estipendio*, fl. do v. *estipendiar*
estípida s.f.
estipiforme adj.2g.
estipita s.f.
estípita s.f.
estipitado adj.
estípite s.2g.
estipitiforme adj.2g.
estipocaulão s.m.
estipocáulea s.f.
estipterite s.f.
estipticidade s.f.
estipticina s.f.
estipticita s.f.
estíptico adj. s.m.
estiptol s.m.
estípula s.f.; cf. *estipula*, fl. do v. *estipular*
estipulação s.f.
estipulado adj.; cf. *exstipulado*
estipulador (*ô*) adj. s.m.
estipulante adj. s.2g.
estipular v. adj.2g.
estipulária s.f.; cf. *estipularia*, fl. do v. *estipular*
estipulável adj.2g.
estipulífero adj.
estipuliforme adj.2g.
estipuloide (*ó*) adj.2g. s.m.
estipuloso (*ô*) adj.; f. (*ó*); pl. (*ó*)
estipúlula s.f.
estique s.m.
estique-pôquer s.m.; pl. *estique-pôqueres*
estira s.f.
estiracácea s.f.
estiracáceo adj.
estiraçado adj.
estiraçador (*ô*) adj.
estiraçamento s.m.
estiração s.f.
estiraçar v.
estiracáster s.m.
estírace s.m.
estirácea s.f.
estiráceo adj.
estiracina s.f.
estiraço s.m.
estirada s.f.
estiradeira s.f.
estirado adj.
estirador (*ô*) adj. s.m.
estiragem s.f.
estiralói s.m.
estiramento s.m.
estirâncio s.m.
estirânço s.m.
estirão s.m.
estirar v.
estírax (*cs*) s.m.2n.
estirênico adj.
estireno s.m.
estirilamina s.f.
estírio adj. s.m.
estirodonte s.m.
estirogalhol s.m.
estirogenina s.f.
estirol s.m.
estirolena s.f.
estirolênico adj.
estirólico adj.
estirona s.f.
estirose s.f.
estirote s.m.
estirpe s.f.
estirpicultor (*ô*) s.m.
estirpicultura s.f.
estirpicultural adj.2g.
estisacácea s.f.
estisacáceo adj.
estiticidade s.f.
estítico adj.
estiva s.f.
estivação s.f.
estivada s.f.
estivadeira s.f.
estivado adj.
estivador (*ô*) adj. s.m.
estivagem s.f.
estival adj.2g. s.m.
estivamento s.m.
estivante adj.2g.
estivar v.
estivense adj. s.2g.
estivo adj.
estixologia (*cs*) s.f.
estizolóbio s.m.
esto s.m.
estobense adj. s.2g.
estocada s.f.
estocadear v.
estocado adj.
estocador (*ô*) adj. s.m.
estocagem s.f.
estocamento s.m.
estocar v. "armazenar", etc.; cf. *estucar*
estocasma s.m.
estocasmático adj.
estocasmo s.m.
estocástica s.f.
estocasticidade s.f.
estocástico adj.
estocável adj.2g.
estofa (*ô*) s.f.; cf. *estufa* s.f. e *estofa*, fl. do v. *estofar*
estofado adj. s.m.; cf. *estufado*
estofador (*ô*) adj. s.m.
estofagem s.f.; cf. *estufagem*
estofamento s.m.
estofar v. "guarnecer com estofa"; cf. *estufar*
estofertita s.f.
estofertite s.f.
estofo (*ô*) adj. s.m.; cf. *estofo*, fl. do v. *estofar*
estoica (*ó*) s.f.
estoicidade s.f.
estoicismo s.m.
estoicista adj. s.2g.
estoicístico adj.
estoico (*ó*) adj. s.m.
estoicomancia s.f.
estoicomante s.2g.
estoicomântico adj.
estoiquiomancia s.f.
estoiquiomante s.2g.
estoiquiomântico adj.
estoiraço s.m.
estoirada s.f.
estoiradela s.f.
estoirado adj.
estoira-fole s.m.; pl. *estoira-foles*
estoiral adj.2g.
estoirar v.
estoiraria s.f.
estoira-vergas s.m.2n.
estoira-verguice s.m.; pl. *estoira-verguices*
estoiraz adj.2g.
estoirear v.
estoirinhado adj.
estoirinhar v.
estoiro s.m.
estoirote s.m.
estojado adj.
estojar v.
estojaria s.f.
estojeira s.f.
estojeiro s.m.
estojo (*ô*) s.m.; cf. *estojo*, fl. do v. *estojar*
estol s.m.
estola s.f.
estolagem s.f.
estolão s.m.
estolar v.
estolastéria s.m.
estolcita s.f.
estolho (*ô*) s.m.
estolhosa s.f.
estolhoso (*ô*) adj.; f. (*ó*); pl. (*ó*)
estolidez (*ê*) s.f.
estólido adj.
estólon s.m.

estolonífero adj.
estoloniforme adj.2g.
estoloteca s.f.
estolotecário adj.
estolpenita s.f.
estolpenite s.f.
estolzita s.f.
estolzite s.f.
estoma s.m.
estomácace s.f.
estomacacia s.f.
estomacal adj.2g.
estomagação s.f.
estomagado adj.
estomagante adj.2g.
estomagar v.
estômago s.m.; cf. *estomago*, fl. do v. *estomagar*
estomalgia s.f.
estomálgico adj.
estomanectarífero s.m.
estomápode adj. s.m.
estomáquico adj. s.m.
estomaquina s.f.
estomatalgia s.f.
estomatálgico adj.
estomatencéfalo s.m.
estomático adj.
estomatite s.f.
estomatítico adj.
estômato s.m.
estomatócace s.f.
estomatocefalia s.f.
estomatocefálico adj.
estomatocéfalo s.m.
estomatocordado adj. s.m.
estomatogastria s.f.
estomatogástrico adj.
estomatografia s.f.
estomatográfico adj.
estomatolalia s.f.
estomatolálico adj.
estomatologia s.f.
estomatológico adj.
estomatologista adj. s.2g.
estomatomalacia s.f.
estomatomenia s.f.
estomatomênico adj.
estomatomia s.f.
estomatômico adj.
estomatomicose s.f.
estomatomicótico adj.
estomatonecrose s.f.
estomatonecrótico adj.
estomatonema s.m.
estomatonoma s.f.
estomatopatia s.f.
estomatopático adj.
estomatoplastia s.f.
estomatoplástica s.f.
estomatoplástico adj.
estomatopodal adj.2g.
estomatópode adj.2g. s.m.
estomatópodo s.m.
estomatópora s.f.
estomatorragia s.f.
estomatorrágico adj.
estomatoscópico adj.
estomatoscópio s.m.
estomatostema s.m.
estomegar v.
estomencefalia s.f.
estomencéfalo adj. s.m.
estomentado adj.
estomentar v.
estômia s.m.
estomiatídeo adj. s.m.
estômis s.m.2n.
estomocefalia s.f.
estomocefálico adj.
estomocéfalo adj. s.m.
estomocordado s.m.
estomodeu s.m.
estomódio s.m.
estomogástrico adj.
estomografia s.f.
estomoxídeo (*cs*) adj. s.m.
estomoxínea (*cs*) s.f.
estomoxíneo (*cs*) adj. s.m.
estomóxis (*cs*) s.m.2n.
estomoxo (*cs*) s.m.
estona s.f.
estonado adj.
estonador (*ô*) adj. s.m.
estonadura s.f.
estonamento s.m.
estonar v.
estoneiro s.m.
estonha s.f.
estonhar v.
estoniano adj. s.m.
estônico adj. s.m.
estônio adj. s.m.
estono s.m.
estonócoro s.m.
estonofalante adj. s.2g.
estonófogo adj. s.m.
estonofonia s.f.
estontar v.
estonteação s.f.
estonteado adj. s.m.
estonteador (*ô*) adj. s.m.
estonteamento s.m.
estonteante adj.2g.
estontear v.
estonteável adj.2g.
estontecer v.
estonteio s.m.
estopa (*ô*) s.f.; cf. *estopa*, fl. do v. *estopar*
estopada s.f.
estopador (*ô*) adj. s.m.
estopadora (*ô*) s.f.
estopagado s.m.
estopante adj.2g.
estopar v. adj.2g.
estopeira s.f.
estopeiro s.m.
estopentado adj.
estopento adj.
estopentudo adj.
estopeta (*ê*) s.f.; cf. *estopeta*, fl. do v. *estopetar*
estopetado adj.
estopetar v.
estopilha s.f.
estopim s.m.
estopinha s.f.
estoposo (*ô*) adj.; f. (*ó*); pl. (*ó*)
estopsicologia s.f.
estopsicológico adj.
estoque s.m.
estoqueado adj.
estoqueador (*ô*) adj.
estoqueadura s.f.
estoqueamento s.m.
estoquear v.
estoqueio s.m.
estoqueirar v.
estoquésia s.f.
estoquista adj. s.2g.
estoraque s.m.
estoraque-da-américa s.m.; pl. *estoraques-da-américa*
estoraque-do-brasil s.m.; pl. *estoraques-do-brasil*
estoraque-do-campo s.m.; pl. *estoraques-do-campo*
estoraqueiro s.m.
estoraquenique s.m.
estorascópio s.m.
estorcegadela s.f.
estorcegão s.m.
estorcegar v.
estorcer v.
estorcicar v.
estorcido adj.
estorcimento s.m.
estorço (*ô*) s.m. "posição má"; cf. *extorso* (*ô*) s.m. e *estorço*, fl. do v. *estorcer*
estordegar v.
estore s.m.
estorga s.f.
estorgada s.f.
estória s.f.
estorilense adj. s.2g.
estorilista adj. s.2g.
estórmia s.f.
estormo (*ô*) s.m.
estornado adj.
estornador (*ô*) adj.
estornante adj.2g.
estornar v.
estornável adj.2g.
estornegar v.
estornicada s.f.
estornicado adj.
estornicar v.
estornídeo adj. s.m.
estorninho s.m.
estorninho-da-américa s.m.; pl. *estorninhos-da-américa*
estorno (*ô*) s.m.; cf. *estorno*, fl. do v. *estornar*
estorrador (*ô*) s.m.
estorreira s.f.
estorrejar v.
estorresina s.f.
estorrezinol s.m.
estorricação s.f.
estorricado adj.
estorricador (*ô*) adj.
estorricamento s.m.
estorricante adj.2g.
estorricar v.
estorroador (*ô*) s.m.
estorroamento s.m.
estorroar v.
estortegada s.f.
estortegadela s.f.
estortegado adj.
estortegadura s.f.
estortegão s.m.
estortegar v.
estortego (*ê*) s.m.
estorturar v.
estorva s.f.
estorvação s.f.
estorvado adj.
estorvador (*ô*) adj. s.m.
estorvamento s.m.
estorvante adj.2g.
estorvar v.
estorvedar v.
estorveira s.f.
estorveiro s.m.
estorvilho s.m.
estorvo (*ô*) s.m.; pl. (*ô* ou *ó*); cf. *estorvo*, fl. do v. *estorvar*
estorvor (*ô*) s.m.
estou-fraca s.f.2n.
estoupeirado adj.
estoupelado adj.
estouraço s.m.
estourada s.f.
estouradela s.f.
estourado adj.
estoura-fole s.m.; pl. *estoura-foles*
estoural adj.2g.
estourar v.
estouraria s.f.
estoura-vergas s.m.2n.
estoura-verguice s.f.; pl. *estoura-verguices*
estouraz adj.2g.
estourear v.
estourinhado adj.
estourinhar v.
estouro s.m.
estourote s.m.
estoutinar v.
estoutro contr. de *este* e *outro*
estouvadão adj. s.m.; f. *estouvadona*
estouvadito adj.
estouvado adj.
estouvadona adj. s.f. de *estouvadão*
estouvamento s.m.
estouvanado adj.
estouvanice s.f.
estouvice s.f.
estovaína s.f.
estrabação s.f.
estrábace s.m.
estrabada s.f.
estrabão adj. s.m.; f. *estrabona*
estrabar v.
estrábax (*cs*) s.m.2n.
estrabelino adj. s.m.
estrábico adj. s.m.
estrabismo s.m.
estrabismologia s.f.
estrabismológico adj.
estrabismometria s.f.
estrabismométrico adj.
estrabismômetro s.m.
estrabo s.m.
estrabometria s.f.
estrabométrico adj.
estrabômetro s.m.
estrabona adj. s.f. de *estrabão*
estrabônia s.f.
estraboniano adj.
estrabônico adj.
estrabotomia s.f.
estrabotômico adj.
estrabotomismo s.m.
estrabotomista adj. s.2g.
estrabótomo s.m.
estraboucar v.
estraboucha s.m.
estrabouchada s.f.
estrabouchar v.
estrabulega adj. s.2g.
estrabulegas s.2g.2n.
estrabuleguice s.f.
estraçalhada s.f.
estraçalhadela s.f.
estraçalhado adj.
estraçalhador (*ô*) adj. s.m.
estraçalhamento s.m.
estraçalhante adj.2g.
estraçalhar v.
estraçalhável adj.2g.
estracinhar v.
estrácio adj. s.m.
estraciota s.m.
estraciote s.m.
estraciótea s.f.
estraciotóidea s.f.
estraçoado adj.
estraçoador (*ô*) adj. s.m.
estraçoamento s.m.
estraçoar v.
estrada s.f.
estradado adj.
estrada-grande s.f.; pl. *estradas-grandes*
estradal adj.2g.
estrada-novino adj. s.m.; pl. *estrada-novinos*
estradão s.m.
estradar v.
estradário adj.
estradear v.
estradeirice s.f.
estradeirismo s.m.
estradeiro adj. s.m.
estradense adj. s.2g.
estradiol s.m.
estradiólico adj.
estradiota s.m.f.
estradioto adj. s.m.
estradista adj. s.2g.
estradivário adj. s.m.
estrado s.m.
estradona s.f.
estradular v.
estrafalário adj.
estrafega s.f.
estrafegado adj.
estrafegante adj.2g.
estrafegar v.
estrafego (*ê*) s.m.; cf. *estrafego*, fl. do v. *estrafegar*
estraficação s.f.
estrafuna s.f.
estraga-albargas s.m.2n.
estragação s.f.
estragadão s.m.
estragadela s.f.
estragado adj.
estragador (*ô*) adj. s.m.
estragamento s.m.
estragante adj.2g.
estragão s.m.
estragar v.
estrago s.m.
estragofe s.m.
estragol s.m.
estragólico adj.
estragoso (*ô*) adj.; f. (*ó*); pl. (*ó*)
estrágulo s.m.
estral adj.2g.
estralaçada s.f.
estralada s.f.
estraladeira s.f.
estralado adj. s.m.
estralador (*ô*) s.m.
estralameira s.f.
estralante adj.2g.
estralar v.
estralejado adj.
estralejamento s.m.
estralejante adj.2g.
estralejar v.
estralejo (*ê*) s.m.; cf. *estralejo*, fl. do v. *estralejar*
estralheira s.f.
estralho s.m.
estralido s.m.
estralo s.m.
estraloiço s.m.
estralouço s.m.
estramadurita s.f.
estramalhar v.
estramangueira s.f.
estramazão s.m.
estrambalhar v.
estrambelhar v.
estrambelho (*ê*) s.m.
estrambólico adj.
estrambote s.m.
estrambotice s.f.
estrambótico adj.
estrambotismo s.m.
estramboto (*ô*) s.m.
estrame s.m.
estramelga s.f.
estramenhado adj.
estramento s.m.
estramíneo adj.
estramonhado adj.
estramônia s.f.
estramonina s.f.
estramônio s.m.
estramontado adj.
estramontano adj.
estramontar v.
estrampalhar v.
estrampalho s.m.
estrampar v.
estramunhar v.
estrançar v.
estrancilhado adj.
estrancilhar v.
estrancinhar v.
estraneidade s.f.
estranfeniar v.
estranfoliar v.
estranfolinhar v.
estranfoniar v.
estrangalhar v.
estrangedura s.f.
estrangeirada s.f.
estrangeirado adj. s.m.
estrangeiramento s.m.
estrangeirante adj.2g.
estrangeirar v.
estrangeirice s.f.
estrangeirinha s.f.
estrangeirismo s.m.
estrangeirista adj. s.2g.
estrangeirístico adj.
estrangeirite s.f.
estrangeiro adj. s.m.
estranger v.
estrangulação s.f.
estrangulado adj.
estrangulador (*ô*) adj. s.m.
estrangulamento s.m.
estrangulante adj.2g.
estrangular v.
estrangulatório adj.
estrangulável adj.2g.
estrangulho s.m.
estranguria s.f.
estrangúria s.f.
estranhado adj.
estranhador (*ô*) adj.
estranhamento s.m.
estranhante adj.2g.

estranhão adj. s.m.; f. *estranhona*
estranhar v.
estranhável adj.2g.
estranheiro adj. s.m.
estranhez (*ê*) s.f.
estranheza (*ê*) s.f.
estranho adj. s.m.
estranhona adj. s.f. de *estranhão*
estranhudo adj.
estranja s.2g. s.m.
estransilhado (*zi*) adj.
estransilhar (*zi*) v.
estransir (*zi*) v.
estranvésia s.f.
estrão s.m.
estrapaçado s.m.
estrapaçar v.
estrapada s.f.
estrapagado s.m.
estrapelino adj. s.m.
estrapilhar v.
estrapilho adj. s.m.
estrapoída s.f.
estrapor (*ô*) v.
estraquejada s.f.
estraquejar v.
estráquia s.f.
estrar v.
estrasburgéria s.f.
estrasburgeriácea s.f.
estrasburgeriáceo adj.
estrasburgueriácea s.f.
estrasburgueriáceo adj.
estrasburguês adj. s.m.
estratagema s.m.
estratagemático adj.
estratal adj.2g.
estratâmetro s.m.
estratarca s.m.
estratarquia s.f.
estratégia s.f.; cf. *estrategia*, fl. do v. *estrategiar*
estrategiar v.
estratégica s.f.
estratégico adj. s.m.
estrategismo s.m.
estrategista adj. s.2g.
estratego s.m.
estrático adj.
estratificação s.f.
estratificacional adj.2g.
estratificacionalismo s.m.
estratificacionalista adj. s.2g.
estratificado adj.
estratificador (*ô*) adj.
estratificamento s.m.
estratificante adj.2g.
estratificar v.
estratificável adj.2g.
estratiforme adj.2g.
estratigrafia s.f.
estratigráfico adj.
estratígrafo s.m.
estratigrama s.m.
estrátio s.m.
estratioma s.m.
estratiomia s.f.
estratiomídeo adj. s.m.
estratiomíneo adj. s.m.
estratíomis s.m.2n.
estratiótea s.f.
estratióteo adj.
estratiótico adj.
estrato s.m. "camada"; cf. *extrato*
estrato-cirro s.m.; pl. *estratos-cirro* e *estratos-cirros*
estratocracia s.f.
estratocrata s.2g.
estratócrata s.2g.
estratocrático adj.
estrato-cúmulo s.m.; pl. *estratos-cúmulo* e *estratos-cúmulos*
estratografia s.f.
estratográfico adj.
estratógrafo s.m.
estratograma s.m.
estratoide (*ó*) adj.2g.
estratólatra s.2g.
estratolatria s.f.
estratolátrico adj.
estratologia s.f.
estratológico adj.
estratologista s.2g.
estratólogo s.m.
estratometria s.f.
estratométrico adj.
estratômetro s.m.
estratonauta s.2g.
estratoniceia (*é*) adj. s.f. de *estratoniceu*
estratonicense adj. s.2g.
estratoniceu adj. s.m.; f. *estratoniceia* (*é*)
estrato-nimbo s.m.; pl. *estratos-nimbo* e *estratos-nimbos*
estratonomia s.f.
estratonômico adj.
estratopausa s.f.
estratosfera s.f.
estratosférico adj.
estratóstato s.m.
estratovisão s.f.
estratovulcão s.m.
estráusia s.f.
estráussia s.f.
estravação s.f.
estravada s.f.
estravanado adj.
estravante s.m.
estravar v.
estravessa (*ê*) s.f.
estravirar v.
estravo s.m.
estreado adj.
estreante adj. s.2g.
estrear v. "inaugurar"; cf. *estriar*
estrebangar v.
estrebaria s.f. "curral"; cf. *estribaria*, fl. do v. *estribar*
estréblea s.f.
estreblo s.m.
estrebordar v.
estrebuchado adj.
estrebuchador (*ô*) adj.
estrebuchamento s.m.
estrebuchante adj.2g.
estrebuchão s.m.
estrebuchar v.
estrebuchável adj.2g.
estrebucho s.m.
estrecer v.
estrecicado adj.
estrecido adj.
estrefega s.f.
estrefegar v.
estrefendópode adj. s.2g.
estrefendopodia s.f.
estrefexópode (*cs*) adj. s.2g.
estrefexopodia (*cs*) s.f.
estrefogueiro s.m.
estrefópode adj. s.2g.
estrefopodia s.f.
estrefossimbolia s.f.
estrefotomia s.f.
estrefótomo s.m.
estrefura s.2g.
estregar v.
estreia (*é*) s.f.
estreita s.f.
estreitação s.f.
estreitado adj.
estreitador (*ô*) adj. s.m.
estreitamento s.m.
estreitante adj.2g.
estreitar v.
estreitável adj.2g.
estreitecer v.
estreitense adj. s.2g.
estreiteza (*ê*) s.f.
estreito adj. s.m.
estreitoeira s.f.
estreitura s.f.
estrela (*ê*) s.f.; cf. *estrela*, fl. do v. *estrelar*
estrela-azul s.f.; pl. *estrelas-azuis*
estrela-d'alva s.f.; pl. *estrelas-d'alva*
estrela-d'alvense adj. s.2g.; pl. *estrela-d'alvenses*
estrelada s.f.
estrela-da-noite s.f.; pl. *estrelas-da-noite*
estrela-da-república s.f.; pl. *estrelas-da-república*
estrela de davi s.f.
estrela de demônio s.f.
estreladeira s.f.
estrela-de-jerusalém s.f.; pl. *estrelas-de-jerusalém*
estrela-de-ouro s.f.; pl. *estrelas-de-ouro*
estrela de rabo s.f.
estrelado adj.
estrela-do-cerrado s.f.; pl. *estrelas-do-cerrado*
estrela-do-diabo s.f.; pl. *estrelas-do-diabo*
estrela-do-mar s.f.; pl. *estrelas-do-mar*
estrela-do-norte s.f.; pl. *estrelas-do-norte*
estrela-guia s.f.; pl. *estrelas-guia* e *estrelas-guias*
estrela-indaiaense adj. s.2g.; pl. *estrela-indaiaenses*
estrelamim s.m.
estrelante adj.2g.
estrelão adj. s.m.
estrelar v.
estrelário adj.
estrelas-do-egito s.f.pl.
estrelato s.m.
estrela-verde s.f.; pl. *estrelas-verdes*
estrela-vermelha s.f.; pl. *estrelas-vermelhas*
estrela-vermelha-da-mata s.f.; pl. *estrelas-vermelhas-da-mata*
estrelecer v.
estreleiro adj.
estrelejado adj.
estrelejante adj.2g.
estrelejar v.
estrelense adj. s.2g.
estreler v.
estrelica s.2g.
estrelicado adj.
estrelicar v.
estrelícia s.f.
estrelicióidea s.f.
estrelico s.m.
estrelinha s.f.
estrelinha-ametista s.f.; pl. *estrelinhas-ametista* e *estrelinhas-ametistas*
estrelinha-do-pará s.f.; pl. *estrelinhas-do-pará*
estrelismo s.m.
estrelista adj. s.2g.
estrelístico adj.
estrelítzia s.f.
estrelitziácea s.f.
estrelitzióidea s.f.
estrelo (*ê*) adj.; cf. *estrelo*, fl. do v. *estrelar*
estreloiçada s.f.
estreloiço s.m.
estrelouçada s.f.
estrelouço s.m.
estrelucente adj.2g.
estreluzir v.
estrém s.m.
estrema s.f. "limite"; cf. *extrema*, fl. do v. *extremar*
estremaça s.f.
estremadela s.f.
estremado adj.; cf. *extremado*
estremadura s.f.
estremadurar v.
estremalhar v.
estremalho s.m.
estremança s.f.
estremar v. "limitar"; cf. *extremar*
estremável adj.2g.
estreme adj.2g. "puro"; cf. *extreme*, fl. do v. *extremar*
estremear v.
estremeção s.m.
estremecedor (*ô*) adj. s.m.
estremecer v.
estremecido adj.
estremecimento s.m.
estremença s.f.
estremenho adj. s.m.
estremense adj. s.2g.
estremer v.
estremo s.m. "limite"; cf. *extremo* adj. s.m. e *estremo*, fl. do v. *estremar*
estremocense adj. s.2g.
estremozense adj. s.2g.
estremudar v.
estremulhar v.
estremunhado adj.
estremunhamento s.m.
estremunhar v.
estremunhento adj.
estrenido adj.
estrenque s.m.
estrenqueiro s.m.
estrênuo adj.
estrepada s.f.
estrepadela s.f.
estrepado adj.
estrepadura s.f.
estrepamento s.m.
estrepar v.
estrepassar v.
estrepe s.m.
estrepeiro s.m.
estrepidante adj.2g.
estrépido s.m.
estrepitado adj.
estrepitante adj.2g.
estrepitar v.
estrépito s.m.; cf. *estrepito*, fl. do v. *estrepitar*
estrepitoso (*ô*) adj.; f. (*ó*); pl. (*ó*)
estrepolento adj.
estrepolia s.f.
estrepolieiro s.m.
estrepolir v.
estrepontim adj.2g.
estrepontino s.m.
estrepsícero s.2g.
estrepsinema s.f.
estrepsíptero adj. s.m.
estrepsirrino adj. s.m.
estreptobacilo s.m.
estreptocálice s.m.
estreptocárpea s.f.
estreptocarpo s.m.
estreptocaule s.m.
estreptocinase s.f.
estreptocínase s.f.
estreptococcemia s.f.
estreptococcêmico adj.
estreptococcia s.f.
estreptocóccico adj.
estreptococemia s.f.
estreptococêmico adj.
estreptococia s.f.
estreptocócico adj.
estreptocócio adj.
estreptococo s.m.
estreptocolisina s.f.
estreptodifteria s.f.
estreptodiftérico adj.
estreptodornase s.f.
estreptodórnase s.f.
estreptofiúro adj. s.m.
estreptógine s.f.
estreptolisina s.f.
estreptólofo s.m.
estreptomiceto s.m.
estreptomicina s.f.
estreptomicínico adj.
estreptomicose s.f.
estreptomicótico adj.
estreptoneuro adj.
estreptopélia s.m.
estréptopo s.m.
estreptoqueta (*ê*) s.f.
estreptoquinase s.f.
estreptórige s.m.
estreptosólen s.m.
estreptostela s.f.
estreptotrícea s.f.
estreptotríceo adj.
estreptotricose s.f.
estréptotrix (*cs*) s.f.
estreptozocina s.f.
estresido s.m.
estresilhado adj.
estresir v.
estressado adj. s.m.
estressalhar v.
estressamento s.m.
estressante adj.2g.
estressar v.
estresse s.m.
estréssico adj.
estressor (*ô*) adj. s.m.
estretalar v.
estreto (*ê*) s.m.
estria s.f.
estriação s.f.
estriado adj.
estriamento s.m.
estriar v. "listrar"; cf. *estrear*
estriase s.f.
estríase s.f.
estribação s.f.
estribado adj.
estribamento s.m.
estribar v.
estribeira s.f.
estribeiro s.m.
estribelho (*ê*) s.m.
estribilha s.f.
estribilhado adj.
estribilhar v.
estribilho s.m.
estribilocércico adj.
estribilocerco s.m.
estribo s.m.
estrição s.f.
estriçar v.
estricção s.f.
estricnácea s.f.
estricnáceo adj.
estricnato s.m.
estrícnea s.f.
estrícneo adj.
estrícnico adj.
estricnidina s.f.
estricnina s.f.
estricninato s.m.
estricnínico adj.
estricninização s.f.
estricninizado adj.
estricninizar v.
estricninodissulfonato s.m.
estricninodissulfônico adj.
estricninolato s.m.
estricninólico adj.
estricninolona s.f.
estricninomonossulfonato s.m.
estricninomonossulfônico adj.
estricninossulfonato s.m.
estricninossulfônico adj.
estricnismo s.m.
estricnização s.f.
estricnizado adj.
estricnizar v.
estricno s.m.
estricnocromia s.f.
estricnol s.m.
estricnomania s.f.
estricnômano s.m.
estricote s.m.
estricto adj.
estrictura s.f.
estricturotomia s.f.
estricturotômico adj.
estricturótomo s.m.
estridência s.f.
estridente adj.2g.
estrídeo adj. s.m.
estridir v.
estridolência s.f.
estridor (*ô*) s.m.

estridoroso (*ô*) adj.; f. (*ó*); pl. (*ó*)
estridulação s.f.
estridulante adj.2g.
estridular v.
estridulatório adj.
estridulência s.f.
estridulez (*ê*) s.f.
estrídulo adj. s.m.; cf. *estridulo*, fl. do v. *estridular*
estriduloso (*ô*) adj.; f. (*ó*); pl. (*ó*)
estrifno s.m.
estrifnodendro s.m.
estriga s.f.
estrigada s.f.
estrigadeira s.f.
estrigadela s.f.
estrigado adj.
estrigar v.
estrige s.f.
estrígida adj.2g. s.m.
estrigídea s.f.
estrigídeo adj. s.m.
estrigiforme adj. s.2g.
estrígil s.f.
estrigilação s.f.
estrigilário s.m.
estrigiliforme adj.2g.
estrigir v.
estrigisana s.f.
estrigopíneo adj. s.m.
estrigoso (*ô*) adj.; f. (*ó*); pl. (*ó*)
estrígula s.f.
estrigulácea s.f.
estrilador (*ô*) adj. s.m.
estrilante adj. s.2g.
estrilar v.
estrildídeo adj. s.m.
estrilo s.m.
estrimar v.
estrímnico adj.
estrímnida adj. s.2g.
estrímnio adj. s.m.
estrimo s.m.
estrimônio adj. s.m.
estrina s.f.
estrinca s.f.
estrincar v.
estrinçar v.
estrinchar v.
estríneo s.m.
estringe s.f.
estringente adj.2g.
estringir v.
estrinque s.m.
estrinqueiro s.m.
estriocelular adj.2g.
estriol s.m.
estriólico adj.
estrioscopia s.f.
estrioscópio s.m.
estriose s.f.
estripação s.f.
estripado adj.
estripador (*ô*) adj. s.m.
estripagem s.f.
estripar v.
estripa-torrões s.2g.2n.
estripe s.m.
estripulento adj.
estripulia s.f.
estriqueira s.f.
estritez (*ê*) s.f.
estrito adj.
estritório s.m.
estritura s.f.
estriturotomia s.f.
estriturotômico adj.
estritúrotomo s.m.
estro s.m.
estroárea s.f.
estrobilação s.f.
estrobiláceo adj.
estrobilante s.f.
estrobilântea s.f.
estrobilantopse s.f.
estrobilífero adj.
estrobiliforme adj.2g.
estrobilização s.f.
estrobilizante adj.2g.
estrobilizar v.
estrobilizável adj.2g.
estróbilo s.m.
estrobilocércico adj.
estrobilocerco s.m.
estrobiluro s.m.
estroboscopia s.f.
estroboscópico adj.
estroboscópio s.m.
estrobósico adj.
estroçado adj.
estroçar v.
estrocicar v.
estroço (*ô*) s.m.; cf. *estroço*, fl. do v. *estroçar*
estrofação s.f.
estrofantidina s.f.
estrofantidínico adj.
estrofantina s.f.
estrofanto s.m.
estrofária s.f.
estrofe s.f.
estrofião s.m.
estrófico adj. "relativo a estrofe"; cf. *extrófico*
estrofíolo s.m.
estrofismo s.m.
estrofocacto s.m.
estrofocefalia s.f.
estrofocefálico adj.
estrofocéfalo s.m.
estrofogórgia s.f.
estrofoide (*ó*) adj. s.2g.
estrofomenáceo adj. s.m.
estrofomenoide (*ó*) adj.2g. s.m.
estrofomenóidea s.f.
estrofomenóideo adj. s.m.
estrofoquelídeo s.m.
estrofossomo s.m.
estrófulo s.m.
estrogênico adj.
estrogênio s.m.
estrógeno s.m.
estrogenoterapeuta s.2g.
estrogenoterapêutico adj.
estrogenoterapia s.f.
estrogenoterápico adj.
estrogonofe s.m.
estrogonóvia s.f.
estrogonovita s.f.
estroide (*ó*) s.m.
estroina (*ó*) adj. s.2g.
estroinar v.
estroinear v.
estroineta (*ê*) adj. s.2g.
estroinice s.f.
estrói-tudo s.2g.2n.
estroixar v.
estroixo s.m.
estroma s.m.
estromania s.f.
estromaníaco adj. s.m.
estrômano s.m.
estromante s.m.
estromateida adj.2g. s.m.
estromateídeo adj. s.m.
estromáteo s.m.
estromático adj.
estromátio s.m.
estrômato s.m.
estromatolítico adj.
estromatolito s.m.
estromatólito s.m.
estromatoporídeo adj. s.m.
estromatoporoide (*ó*) adj.2g. s.m.
estromatoporóideo s.m.
estromaturgia s.f.
estrombar v.
estrombídeo adj. s.m.
estrombidinópsis s.f.2n.
estrombiense s.m.
estrombo s.m.
estromboliano adj.
estrombólico adj.
estrombósia s.f.
estrombosiopse s.f.
estromeierita s.f.
estromnite s.f.
estrompa adj.2g.
estrompada s.f.
estrompadela s.f.
estrompado adj.
estrompador (*ô*) adj. s.m.
estrompante adj.2g.
estrompar v.
estrompício s.m.
estrompida s.f.
estrompido s.m.
estrona s.f.
estronca s.f.
estroncada s.f.
estroncado adj.
estroncamento s.m.
estroncar v.
estronçar v.
estronciana s.f.
estroncianapatita s.f.
estronciânico adj.
estroncianita s.f.
estroncianite s.f.
estroncianítico adj.
estroncianocalcita s.f.
estroncianocalcite s.f.
estrôncico adj.
estrôncio s.m.
estroncioapatita s.f.
estroncioaragonita s.f.
estroncioarsenoapatita s.f.
estroncioborita s.f.
estroncioflorencita s.f.
estroncioginorita s.f.
estroncioilgardita s.f.
estrondado adj.
estrondar v.
estrondeante adj.2g.
estrondear v.
estrondejar v.
estrondo s.m.
estrondoso (*ô*) adj.; f. (*ó*); pl. (*ó*)
estronfar v.
estrongalhar v.
estrongilíase s.f.
estrongilíase s.f.
estrongilídeo adj. s.m.
estrongilídio s.m.
estrongilíneo s.m.
estrôngilo s.m.
estrongilocentrotídeo adj. s.m.
estrongilocentroto s.m.
estrongilogáster s.m.
estrongilógnato s.m.
estrongiloide (*ó*) adj.2g. s.m.
estrongiloidiase s.f.
estrongiloidíase s.f.
estrongiloidose s.f.
estrongilose s.f.
estrongilossoma s.m.
estropalho s.m.
estropeação s.f.; cf. *estropiação*
estropeada s.f.; cf. *estropiada*
estropear v. "fazer tropel"; cf. *estropiar*
estropecer v.
estropelia s.f.
estropeliar v.
estropiação s.f.; cf. *estropeação*
estropiada adj. s.m.; cf. *estropeada*
estropiadela s.f.
estropiado adj. s.m.
estropiador (*ô*) adj. s.m.
estropiamento s.m.
estropiar v. "deformar"; cf. *estropear*
estropício s.m.; cf. *estrupício*
estropo (*ô*) s.m.
estrosca s.f.
estroso (*ô*) adj.; f. (*ó*); pl. (*ó*)
estrotejar v.
estrouvinhado adj.
estrouvinhar v.
estrouxar v.
estrouxo (*ô*) s.m.
estrovada s.f.
estrovadura s.f.
estrovenga s.f.
estrovinhado adj.
estrovinhar v.
estrovo (*ô*) s.m.
estruciônida adj.2g. s.m.
estrucionídeo adj. s.m.
estrucioniforme adj. s.2g.
estrufegar v.
estrufilhado adj.
estrugido s.m.
estrugidor (*ô*) adj.
estrugimento s.m.
estrugir v.
estruição s.f.
estruído s.m.
estruir v.
estruma s.f.
estrumação s.f.
estrumada s.f.
estrumadal s.m.
estrumadela s.f.
estrumado adj.
estrumador (*ô*) adj. s.m.
estrumal s.m.
estrumar v.
estrumbicar v.
estrume s.m.
estrumectomia s.f.
estrumeira s.f.
estrumeiro s.m.
estrumela s.f.
estrumelo (*ê*) s.m.
estrumipriva s.f.
estrumiprivo adj.
estrumite s.f.
estrumose s.f.
estrumosidade s.f.
estrumoso (*ô*) adj.; f. (*ó*); pl. (*ó*)
estrunfa s.f.
estrupada s.f.
estrupicento adj.
estrupício s.m. "alvoroço"; cf. *estropício*
estrupida s.f.
estrupidante adj.2g.
estrupidar v.
estrupido s.m.
estrupir v.
estrupitiofagia s.f.
estrupitiofágico adj.
estrupitiófago adj. s.m.
estrupo s.m.
estrutanto s.m.
estrútio s.m.
estrutiônida adj.
estrutionídea s.f.
estrutionídeo adj. s.m.
estrutioniforme adj. s.m.
estrutivo adj.
estrutura s.f.
estruturação s.f.
estruturado adj.
estruturador (*ô*) adj.
estrutural adj.2g.
estruturalismo s.m.
estruturalista adj. s.2g.
estruturalístico adj.
estruturalizar v.
estruturamento s.m.
estruturante adj.2g.
estruturar v.
estruturável adj.2g.
estruverita s.f.
estruverite s.f.
estruvita s.f.
estruvite s.f.
estuação s.f.
estuada s.f.
estuado adj.
estuância s.f.
estuante adj.2g.
estuar v.
estuarial adj.2g.
estuarino adj.
estuário s.m.
estuártia s.f.
estube s.m.
estubereia (*é*) adj. s.f. de *estubereu*
estubereu adj. s.m.; f. *estubereia* (*é*)
estucado adj.
estucador (*ô*) adj. s.m.
estucagem s.f.
estucamento s.m.
estucar v. "cobrir com estuque"; cf. *estocar*
estucha s.f.
estuchada s.f.
estuchado adj.
estuchar v.
estuche s.m.
estucho s.m.
estudado adj.
estudador (*ô*) adj. s.m.
estudantaço s.m.
estudantada s.f.
estudantado s.m.
estudantal adj.2g.
estudantão s.m.; f. *estudantona*
estudante adj. s.2g.
estudanteco s.m.
estudantesco (*ê*) adj.
estudantil adj.2g.
estudantina s.f.
estudantona s.f. de *estudantão*
estudantório s.m.
estudantote s.m.
estudar v.
estudaria s.f.
estudável adj.2g.
estuderita s.f.
estuderite s.f.
estúdio s.m.
estudiosidade s.f.
estudioso (*ô*) adj. s.m.; f. (*ó*); pl. (*ó*)
estudo s.m.
estufa s.f.; cf. *estofa* (*ô*) s.f. e *estofa*, fl. do v. *estofar*
estufadeira s.f.
estufado adj. s.m.; cf. *estofado*
estufagem s.f.; cf. *estofagem*
estufar v. "colocar em estufa"; cf. *estofar*
estufeiro s.m.
estufilha s.f.
estufim s.m.
estuga s.f.
estugado adj.
estugar v.
estulizar v.
estulpino adj. s.m.
estultice s.f.
estultícia s.f.
estultície s.f.
estultificação s.f.
estultificado adj.
estultificador (*ô*) adj.
estultificante adj.2g.
estultificar v.
estultificável adj.2g.
estultilóquio s.m.
estultíloquo adj. s.m.
estulto adj.
estumação s.f.
estumar v.
estundista adj. s.2g.
estuo s.m.
estuoso (*ô*) adj.; f. (*ó*); pl. (*ó*)
estupa s.2g.
estupefação s.f.
estupefacção s.f.
estupefaciente adj.2g. s.m.
estupefactivo adj.
estupefacto adj.
estupefactor (*ô*) adj. s.m.
estupefativo adj.
estupefato adj.
estupefator (*ô*) adj. s.m.
estupefazer v.
estupefeito adj.
estupeficador (*ô*) adj.
estupeficante adj.2g.
estupeficar v.
estupendo adj.
estupidar v.
estupidarrão s.m.; f. *estupidarrona*
estupidarrona s.f. de *estupidarrão*
estupidecer v.
estupidez (*ê*) s.f.
estupideza (*ê*) s.f.

estupidificado adj.
estupidificador (*ô*) adj.
estupidificante adj.2g.
estupidificar v.
estúpido adj. s.m.; cf. *estupido*, fl. do v. *estupidar*
estupigaitar v.
estupor (*ô*) s.m.
estuporação s.f.
estuporado adj.
estuporante adj.2g.
estuporão s.m.
estuporar v.
estuporoso (*ô*) adj.; f. (*ó*); pl. (*ó*)
estupração s.f.
estuprado adj.
estuprador (*ô*) adj. s.m.
estupral adj.2g.
estupramento s.m.
estuprante adj.2g.
estuprar v.
estuprável adj.2g.
estupro s.m.
estuque s.m.
estuqueado adj.
estuqueador (*ô*) adj. s.m.
estuquear v.
estuqueiro s.m.
esturão adj. s.m.; f. *esturona*
esturdaria s.f.
estúrdia s.f.; cf. *esturdia*, fl. do v. *esturdiar*
esturdiana s.f.
esturdiar v.
esturdiaria s.f.
esturdície s.f.
estúrdico adj.
estúrdio adj. s.m.; cf. *esturdio*, fl. do v. *esturdiar*
esturgição s.m.
esturião s.m.
estúrio adj. s.m.
esturiônida adj.2g. s.m.
esturiônio adj. s.m.
esturjão s.m.
estúrnia s.f.
esturnídea s.f.
esturnídeo adj. s.m.
esturnínea s.f.
esturníneo adj. s.m.
esturnino adj. s.m.
esturnira s.m.
esturno s.m.
esturona adj. s.f. de *esturão*
esturônida adj.2g. s.m.
esturônio adj. s.m.
esturrado adj. s.m.
esturrar v.
esturricação s.f.
esturricado adj.
esturricador (*ô*) adj.
esturricamento s.m.
esturricante adj.
esturricar v.
esturrice s.f.
esturrinhar v.
esturrinho s.m.
esturro s.m.
esturvenita s.f.
esturvinhado adj.
esubiano adj. s.m.
ésula s.f.
ésula-angulosa s.f.; pl. *ésulas-angulosas*
ésula-menor s.f.; pl. *ésulas-menores*
ésula-pequena s.f.; pl. *ésulas-pequenas*
ésula-redonda s.f.; pl. *ésulas-redondas*
esurino adj.
esvabita s.f.
esvadicismo s.m.
esvadicista adj. s.2g.
esvaecedor (*ô*) adj.
esvaecente adj.2g.
esvaecer v.
esvaecido adj.
esvaecimento s.m.
esvaente adj.2g.
esvaído adj.
esvaimento s.m.
esvair v.
esvairado adj.
esvaível adj.2g.
esvaliar v.
esvalijar v.
esvalteiro s.m.
esvambergita s.f.
esvanecedor (*ô*) adj.
esvanecente adj.2g.
esvanecer v.
esvanecido adj.
esvanecimento s.m.
esvão s.m.
esvarar v.
esvárcia s.f.
esvarrer v.
esvártzia s.f.
esvartzieia (*é*) s.f.
esvarzembergita s.f.
esvástica s.f.
esvazado adj.
esvazamento s.m.
esvazar v.
esvaziado adj.
esvaziamento s.m.
esvaziar v.
esvelto adj.
esventar v.
esventolado adj.
esverdado s.m.
esverdadura s.f.
esverdeado adj.
esverdeamento s.m.
esverdear v.
esverdecer (*ê*) v.
esverdecido adj.
esverdecimento s.m.
esverdeio s.m.
esverdelhado adj.
esverdido adj.
esverdinhado adj.
esverdinhar v.
esvergaço adj.
esvidar v.
esvidigado adj.
esvidigador (*ô*) adj. s.m.
esvidigar v.
esvietênia s.f.
esvietenieia (*é*) s.f.
esvietenióidea s.f.
esvinhar v.
esviscerado adj.
esviscerar v.
esvoaçado adj.
esvoaçamento s.m.
esvoaçante adj.2g.
esvoaçar v.
esvoejar v.
esvurmadela s.m.
esvurmado adj.
esvurmador (*ô*) adj. s.m.
esvurmar v.
eta adj. s.2g. s.m. "povo", etc.; cf. *eta* (*ê*) e *etá*
eta (*ê*) interj.; cf. *eta* e *etá*
etá s.m. "árvore"; cf. *eta* e *eta* (*ê*)
etacismo s.m.
etacista adj. s.2g.
etacrínico adj.
eta-ferro interj.
etagere s.2g.
etal s.m.
etálico adj. "relativo a etal"; cf. *itálico*
etalionídeo adj. s.m.
etambo s.m.
etambutol s.m.
etamina s.f.
etanal s.m.
etanda s.f.
etanetiol s.m.
etânico adj.
etânio s.m.
etano s.m.
etanoático adj.
etanoato s.m.
etanodial s.m.
etanodiamina s.f.
etanodioico (*ó*) adj.
etanodiol s.m.
etanoico (*ó*) adj.
etanol s.m.
etanolal s.m.
etanolamina s.f.
etanolamínico adj.
etanolato s.m.
etanolfrutose s.f.
etanólise s.f.
etanolítico adj.
etanonitrilo s.m.
etanossulfonato s.m.
etanossulfônico adj.
etanotetracarbonato s.m.
etanotetracarbônico adj.
etanotiol s.m.
etanoxima (*cs*) s.f.
etão s.m.
etapa s.f.
eta-pau interj.
etário adj.
etarismo s.m.
etarista adj. s.2g.
etarístico adj.
etático adj.
eté s.f.
etê s.f.
étego adj.
eteguecer v.
eteia (*é*) adj. s.f. de *eteu*
eteídeo adj. s.m.
ételis s.m.2n.
etenil s.m.
etenilamidina s.f.
etenilamidóxima (*cs*) s.f.
etenilfena s.f.
etenilo s.m.
eteniloglicolato s.m.
eteniloglicólico adj.
eteno s.m.
etenol s.m.
etenólico adj.
eteóstomo s.m.
éter s.m.
etera s.f. "pedra"; cf. *hetera*
eteral adj.2g.
etérato s.m.
etereal adj.2g.
etéreo adj.
etérico adj.
eterificação s.f.
eterificado adj.
eterificador (*ô*) adj. s.m.
eterificante adj.2g.
eterificar v.
eteriídeo s.m.
eterilo s.m.
eterina s.f.
eterioscópio s.m.
eterismo s.m.
eterista adj. s.2g.
eterístico adj.
eterização s.f.
eterizado adj.
eterizador (*ô*) adj. s.m.
eterizar v.
eterizável adj.2g.
eternal adj.2g.
eternar v.
eternidade s.f.
eternífluo adj.
eternização s.f.
eternizado adj.
eternizador (*ô*) adj.
eternizante adj.2g.
eternizar v.
eternizável adj.2g.
eterno adj.
eterodinâmico adj.
eterograma s.m.
eterol s.m.
eterolado adj.
eterolato s.m.
eterolatura s.f.
eteróleo s.m.
eterólico adj.
eteromancia s.f.
eteromania s.f.
eteromaníaco adj.
eterômano s.m.
eteromante s.2g.
eteromântico adj.
eterona s.f.
etésia s.f.
etésio adj.
eteu adj. s.m.; f. *eteia* (*é*)
eteuete adj. s.2g.
ética s.f. "ciência dos costumes"; cf. *héctica* e *hética*
eticidade s.f. "qualidade do que é ético"; cf. *hecticidade* e *heticidade*
eticismo s.m.
eticista adj. s.2g.
eticístico adj.
eticizante adj.2g.
eticizar v.
eticizável adj.2g.
ético adj. s.m. "moral"; cf. *héctico* e *hético*
eticoteologia s.f.
eticoteológico adj.
eticoteólogo s.m.
etiessa s.f.
étigo adj. s.m.
etiguidade s.f.
etila s.f.
etilação s.f.
etilacetemia s.f.
etilacetêmico adj.
etilacético adj.
etilal s.m.
etilalilo s.m.
etilamina s.f.
etilamônio s.m.
etilanilina s.f.
etilante adj.2g.
etilar v.
etilático adj.
etilato s.m.
etilável adj.2g.
etilbenzênico adj.
etilbenzeno s.m.
etilbenzoato s.m.
etilbenzoico (*ó*) adj.
etilcarbilamina s.f.
etilcarbinol s.m.
etilcarbônico adj.
etilcítrico adj.
etilcloramina s.f.
etilclorocarbônico s.m.
etilcomiceína s.f.
etildiacético adj.
etildimetilcarbinol s.m.
etildivalerato s.m.
etildivalérico adj.
etilena s.f.
etilênico adj.
etilênio s.m.
etileno s.m.
etilenocloridrina s.f.
etilenocloridrínico adj.
etilenodiamina s.f.
etilenodiamino adj.
etilenodiaminotetracético adj.
etilenodicarboxílico (*cs*) adj.
etilenodifenol s.m.
etilenoglicol s.m.
etilenoglicólico adj.
etilenoláctico adj.
etilenotetraiodo s.m.
etilfenilcarbinol s.m.
etílico adj.
etilideno s.m.
etilidenocupreína s.f.
etilina s.f.
etílio s.m.
etilismo s.m.
etilisobutilocarbinol s.m.
etilista adj. s.2g.
etilizado adj.
etilizante adj.2g.
etilizar v.
etilmercaptã s.m.
etilmetilbenzol s.m.
etilmorfina s.f.
etilo s.m.
etilobenzeno s.m.
etilobenzoato s.m.
etilobenzoico (*ó*) adj.
etilocarbilamina s.f.
etilocarbinol s.m.
etilocarbônico adj.
etilocítrico adj.
etilocloramina s.f.
etiloclorocarbônico s.m.
etiloconiceína s.f.
etilodimetilocarbinol s.m.
etilodivalerato s.m.
etilodivalérico adj.
etilofenilocarbinol s.m.
etilomercaptã s.m.
etilometilobenzol s.m.
etilômetro s.m.
etilomorfina s.f.
etilossulfato s.m.
etilossulfonato s.m.
etilossulfônico adj.
etilossulfúrico adj.
etilotolueno s.m.
etilsulfato s.m.
etilsulfonato s.m.
etilsulfônico adj.
etilsulfúrico adj.
etiltolueno s.m.
etilureia (*é*) s.f.
etiluretano s.m.
étimo s.m.
etimologia s.f.
etimológico adj.
etimologismo s.m.
etimologista adj. s.2g.
etimologizante adj. s.2g.
etimologizar v.
etimólogo s.m.
etimologofobia s.f.
etimologomania s.f.
etinil s.m.
etinilestradiol s.m.
etino s.m.
etiogênico adj.
etiologia s.f.
etiológico adj.
etiomorfose s.f.
etionamida s.f.
etionema s.m.
etiônico adj.
etíopa adj. s.f. de *etíope*
etiopatogenia s.f.
etiopatogênico adj.
etiopatógeno adj. s.m.
etíope adj. s.2g.; f. *etíopa* e *etiopisa*
etiopês adj. s.m.
etiopianismo s.m.
etiopiano adj. s.m.
etiópico adj. s.m.
etiopificação s.f.
etiópio s.m.
etiopisa s.f. de *etíope*
etiopismo s.m.
etiopista adj. s.2g.
etiotropismo s.m.
etiqueta (*ê*) s.f.; cf. *etiqueta*, fl. do v. *etiquetar*
etiquetado adj.
etiquetador (*ô*) adj.
etiquetadora s.f.
etiquetagem s.f.
etiquetar v.
etiqueteiro adj. s.m.
etita s.f.
etite s.f.
etito s.m.
etmocardite s.f.
etmocefalia s.f.
etmocefálico adj.
etmocéfalo s.m.
etmoidal adj.2g.
etmoide (*ó*) adj.2g. s.m.
etmoidectomia s.f.
etmoidectômico adj.
etmóideo adj.
etmoidite s.f.
etmoidofrontal adj.2g.
etmoidomaxilar (*cs*) adj.2g.
etmoidopalatino adj.
etmoidosfenoidal adj.2g.
etmolaimo s.m.
etmolemo s.m.
etmólito s.m.

etmóptero s.m.
etnarca s.m.
etnarquia s.f.
etnárquico adj.
etneia (*é*) adj. s.f. de *etneu*
etnense adj. s.2g.
etneu adj. s.m.; f. *etneia* (*é*)
etnia s.f.
etnicida adj.2g.
etnicidade s.f.
etnicídio s.m.
etnicismo s.m.
étnico adj.
etnidiofonia s.f.
etnobotânica s.f.
etnobotânico adj.
etnocêntrico adj.
etnocentrismo s.m.
etnocracia s.f.
etnocrático adj.
etnodiceia (*é*) s.f.
etnofarmacologia s.f.
etnofarmacológico adj.
etnofarmacologista adj. s.2g.
etnofarmacólogo s.m.
etnofonia s.f.
etnofônico adj.
etnogenealogia s.f.
etnogenealógico adj.
etnogenia s.f.
etnogênico adj.
etnogeografia s.f.
etnogeográfico adj.
etnogeógrafo s.m.
etnognosia s.f.
etnognóstico adj.
etnografia s.f.
etnográfico adj.
etnógrafo s.m.
etno-história s.f.
etno-histórico adj.
etnoidiofonia s.f.
etnoidiofônico adj.
etnolídio s.m.
etnolinguista (*ü*) s.2g.
etnolinguística (*ü*) s.f.
etnolinguístico (*ü*) adj.
etnologia s.f.
etnológico adj.
etnologista adj. s.2g.
etnólogo s.m.
etnoludologia s.f.
etnoludológico adj.
etnoludologista adj. s.2g.
etnoludologístico adj.
etnoludólogo s.m.
etnometria s.f.
etnométrico adj.
etnomusical adj.2g.
etnomusicologia s.f.
etnomusicológico adj.
etnomusicologista adj. s.2g.
etnomusicologístico adj.
etnomusicólogo s.m.
etnonimia s.f.
etnonímia s.f.
etnonímico adj.
etnônimo s.m.
etnopsicanálise s.f.
etnopsicanalista s.2g.
etnopsicanalístico adj.
etnopsicanalítico adj.
etnopsicologia s.f.
etnopsicológico adj.
etnopsicólogo s.m.
etnorreligioso (*ô*) adj.; f. (*ó*); pl. (*ó*)
etobalismo s.m.
etocracia s.f.
etocrata s.2g.
etócrata s.2g.
etocrático adj.
etogenia s.f.
etogênico adj.
etogênio adj. s.m.
etognosia s.f.
etognóstico adj.
etografia s.f.
etográfico adj.
etógrafo s.m.
etograma s.m.
etogramático adj.
etoliano adj. s.m.
etólico adj. s.m.
etólio adj. s.m.
etologia s.f.
etológico adj.
etologista adj. s.2g.
etologístico adj.
etólogo s.m.
etometoxalato (*cs*) s.m.
etometoxálico (*cs*) adj.
etomia s.f.
etomidato s.m.
etomorfina s.f.
etopeia (*é*) s.f.
etopeu s.m.
etópiga s.f.
etopoliídeo adj. s.m.
etoposide s.m.
etoprora s.m.
etopsicologia s.f.
etopsicológico adj.
etopsicólogo s.m.
etopsíquico adj.
etos s.m.2n.
etoxiacetato (*cs*) s.m.
etoxiacético (*cs*) adj.
etoxicafeína (*cs*) s.f.
etoxicrotonato (*cs*) s.m.
etoxicrotônico (*cs*) adj.
etóxido (*cs*) s.m.
etoxilo (*cs*) s.m.
etoxina (*cs*) s.f.
etoxínico (*cs*) adj.
etoxiquina (*cs*) s.f.
etoxiquínico (*cs*) adj.
etra s.f.
etringita s.f.
etringite s.f.
etrioscopia s.f.
etrioscópico adj.
etrioscópio s.m.
étroplo s.m.
etrúrio adj. s.m.
etrusco adj. s.m.
etruscologia s.f.
etruscológico adj.
etruscólogo s.m.
etúlia s.f.
etúngula s.f.
etusa s.f.
etutu s.m.
eu pron. s.m.; cf. *heu*
euá s.f.
euadênia s.f.
euanemo s.m.
euarco s.m.
euarcto s.m.
euartocárpea s.f.
euartrópode s.m.
euascal adj.2g.
euascale s.f.
euascomicetídeo adj. s.m.
euastro s.m.
euauaçu s.m.
eubá s.m.
eubactéria s.f.
eubacterial adj.2g. s.f.
eubage s.m.
eubaséléa s.f.
eubasídeo adj. s.m.
eubazo s.m.
eubeia (*é*) adj. s.f. de *eubeu*
eubena s.m.
eubeu adj. s.m.; f. *eubeia* (*é*)
eubiótica s.f.
eubiótico adj.
eubiótida adj.2g. s.f.
eublefáride s.f.
eublefarídeo adj. s.m.
eubléfaris s.f.2n.
eublema s.f.
euboico (*ó*) adj. s.m.
eubolia s.f.
eubráquio s.m.
eubria s.f.
eubriíneo adj. s.m.
euburiate adj. s.m.
euburmaníea s.f.
eucaína s.f.
eucairita s.f.
eucairite s.f.
eucalamite s.f.
eucalina s.f.
eucaliptal s.m.
eucaliptênio s.m.
eucalipteno s.m.
eucalipteol s.m.
eucaliptíneo s.m.
eucalipto s.m.
eucalipto-gigante s.m.; pl. *eucaliptos-gigantes*
eucaliptol s.m.
eucalipto-limão s.m.; pl. *eucaliptos-limão* e *eucaliptos-limões*
eucalipto-pimenta s.m.; pl. *eucaliptos-pimenta* e *eucaliptos-pimentas*
eucalipto-vermelho s.m.; pl. *eucaliptos-vermelhos*
eucalódio s.m.
eucalossoma s.m.
eucalossomo s.m.
eucamptita s.f.
eucamptite s.f.
eucantarômice s.m.
eucantaromiceto s.m.
eucanto s.m.
êucare adj. s.2g.
eucárfia s.f.
eucárida adj.2g. s.m.
eucáride adj.2g. s.m.
eucarídeo adj. s.m.
eucaridina s.f.
eucárido adj. s.m.
eucarionte s.m.
eucariota adj. s.2g.
eucariótico adj.
eucarioto adj. s.m.
eucaristia s.f.
eucarístico adj.
eucárite s.f.
eucaritídeo adj. s.m.
eucarpeno adj. s.m.
eucarvona s.f.
eucata adj. s.2g.
eucecrífalo s.m.
eucéfala s.f.
eucelomado s.m.
eucélula s.f.
eucelular adj.2g.
euceolita s.f.
êucera s.f.
eucereia (*é*) s.f.
êucero s.m.
eucesalpínea s.f.
eucestódio s.m.
eucestoide (*ó*) adj.2g. s.m.
eucestóideo s.m.
euciesia s.f.
euciliado adj. s.m.
eucinesia s.f.
eucinetíneo adj. s.m.
eucineto s.m.
eucinétope s.m.
eucinostômida adj.2g. s.m.
eucinostomídeo adj. s.m.
eucirrípede adj. s.m.
eucirtídia s.m.
eucládio s.m.
euclanídeo adj. s.m.
êuclase s.f.
euclásio s.m.
euclasita s.f.
euclasta s.f.
eucleia (*é*) s.f.
eucleídeo adj. s.m.
euclena s.f.
euclídea s.f.
euclidense adj. s.2g.
euclídeo adj.
euclides-cunhense adj. s.2g.; pl. *euclides-cunhenses*
euclídia s.f.
euclidiano adj.
euclorina s.f.
euclorita s.f.
eucnema s.m.
eucnemide s.f.
eucnemídeo adj. s.m.
eucnemíneo adj. s.m.
eucnêmis s.f.2n.
eucodal s.m.
eucodalismo s.m.
eucodalomania s.f.
eucodina s.f.
eucoíla s.f.
eucolita s.f.
eucolite s.f.
eucolítico adj.
eucológico adj.
eucológio s.m.
eucólogo s.m.
eucoloide (*ó*) s.m.
êucome s.f.
eucômia s.f.
eucomiácea s.f.
eucomiáceo adj.
eucomiale s.f.
eucopépode s.m.
eucópia s.f.
eucopídeo adj. s.m.
eucorente s.m.
eucosmia s.f.
eucranta s.f.
eucrasia s.f.
eucrásico adj.
eucrasite s.f.
eucrateia (*é*) s.f.
eucrateídeo adj. s.m.
eucrático adj.
eucrífia s.f.
eucrifiácea s.f.
eucrifiáceo adj.
eucriptita s.f.
eucriptite s.f.
eucrita s.f.
eucrite s.f.
eucrítico adj.
eucrito s.m.
eucroíta s.f.
eucroíte s.f.
eucroma s.f.
eucromadora s.m.
eucromático adj.
eucromatina s.f.
eucromatínico adj.
eucromato s.m.
eucrômico adj.
eucromo adj.
eucronia s.f.
eucrônico adj.
euctenogóbio s.m.
eudema s.f.
eudêmone adj. s.2g.
eudemonia s.f.
eudemônico adj.
eudemonismo s.m.
eudemonista adj. s.2g.
eudemonística s.f.
eudemonístico adj.
eudemonologia s.f.
eudemonológico adj.
eudemonólogo s.m.
eudendriídeo s.m.
eudêndrio s.m.
euderma s.m.
eudiaforese s.f.
eudialita s.f.
eudiante s.f.
eudiapneustia s.f.
eudiapnêustico adj.
eudidimita s.f.
eudidimite s.f.
eudinâmis s.m.2n.
eudiocrino s.m.
eudiometria s.f.
eudiométrico adj.
eudiômetro s.m.
eudipsa s.f.
eudista adj. s.2g.
eudnofita s.f.
eudnofite s.f.
eudorela s.f.
eudorelópsis s.m.2n.
eudorinídeo adj. s.m.
eudose adj. s.2g.
eudósia s.m.
eudoxiano (*cs*) s.m.
eudrilídeo adj. s.m.
eudrilíneo adj. s.m.
eudrilo s.m.
eudriloide (*ó*) adj.2g. s.m.
eudrômia s.f.
euedral adj.2g.
euédrico adj.
euedro s.m.
euefêmera s.f.
euemia s.f.
euequisetal adj.2g.
euequisetale s.f.
euexia (*cs*) s.f.
eufânia s.f.
eufáusia s.f.
eufausiácea s.f.
eufausiáceo adj.
eufáusida adj.2g. s.m.
eufausídeo adj. s.m.
eufausiláceo adj. s.m.
eufemia s.f.
eufêmico adj.
eufemismo s.m.
eufemista adj. s.2g.
eufemístico adj.
eufemização s.f.
eufemizado adj.
eufemizante adj. s.2g.
eufemizar v.
eufemizável adj.2g.
euferusa s.f.
eufilia s.f.
eufilical adj.2g.
eufilicale s.f.
eufilicínea s.f.
eufilicíneo adj.
eufilíneo adj. s.m.
eufilita s.f.
eufilite s.f.
euflagelado adj. s.m.
euflogia s.f.
euflógico adj.
eufonia s.f.
eufônico adj.
eufoniínea s.f.
eufônio s.m.
eufonismo s.m.
eufonização s.f.
eufonizar v.
eufono adj. s.m.
êufono adj. s.m.
eufórbia s.f.
euforbiácea s.f.
euforbiáceo adj.
euforbial adj.2g.
euforbiale s.f.
euforbiálea s.f.
eufórbico adj.
euforbíea s.f.
euforbina s.f.
eufórbio s.m.
euforbona s.f.
euforia s.f.
eufórico adj.
euforimetria s.f.
euforimétrico adj.
euforização s.f.
euforizante adj.2g.
euforizar v.
eufortiácea s.f.
eufortiáceo adj.
eufosterol s.m.
eufosterólico adj.
eufótico adj.
eufótida s.f.
eufótide s.f.
eufotite s.f.
eufotito s.m.
eufotométrico adj.
eufracto s.m.
eufrásia s.f.
eufrático adj.
eufrônia s.f.
eufrônide s.m.
eufrosiníneo adj. s.m.
eufrósino s.m.
euftalmina s.f.
eufuísmo s.m.
eufuísta adj. s.2g.
eufuístico adj.
eugâneo adj. s.m.
euganoide (*ó*) adj.2g. s.m.
eugenato s.m.

eugenesia s.f.
eugenésico adj.
eugenética s.f.
eugenético adj.
eugenia s.f. "melhora da raça"; cf. *eugênia*
eugênia s.f. "planta"; cf. *eugenia*
eugeniano adj.
eugênica s.f.
eugênico adj.
eugenilo s.m.
eugenina s.f.
eugenismo s.m.
eugenista adj. s.2g.
eugenístico adj.
eugenizar v.
eugenol s.m.
eugenólico adj.
eugenopolitano adj. s.m.
eugeógeno adj.
eugeossinclíneo s.m.
eugéreon s.m.
eugeria s.f.
eugeríaco adj.
eugérico adj.
eugira s.m.
eugiríneo adj. s.m.
eugiriopse s.f.
euglena s.f.
euglenácea s.f.
euglenal adj.2g.
euglenale s.f.
eugleníideo adj. s.m.
euglênido adj. s.m.
eugleno s.m.
euglenófito adj. s.m.
euglenoide (*ó*) adj.2g. s.m.
euglenoidino s.m.
euglenopse s.f.
êuglifa s.f.
euglipto s.m.
euglobulina s.f.
euglosso (*ô*) s.m.
eugobino adj. s.m.
êugrafo s.m.
eugubino adj. s.m.
euictidina s.f.
euíctio adj. s.m.
euipnia s.f.
euípnico adj.
euisópode adj.2g. s.m.
euisópodo adj. s.m.
eulalia s.f. "boa fala"; cf. *eulália*
eulália s.f. "planta"; cf. *eulalia*
eulálico adj.
eulamelibrânquio adj. s.m.
eulatita s.f.
eulejeuneia (*é*) s.f.
eulema s.f.
eulemo s.m.
eulépia s.f.
eulepto s.m.
euleriano (*òile-*) adj.
eulima s.f.
eulimela s.f.
eulimídeo adj. s.m.
eulimo s.m.
eulínea s.f.
eulisina s.f.
eulisita s.f.
eulisite s.f.
eulisito s.m.
eulita s.f.
eulitina s.f.
eulitita s.f.
eulitócero s.m.
eulóbio s.m.
eulófia s.f.
eulofídio s.m.
eulofiela s.f.
eulófio s.m.
êulofo s.m.
eulógia s.f.
eulógio s.m.
eulóxia (*cs*) s.f.
eumalacostráceo adj.
eumanita s.f.
eumargarita s.m.
eumatia s.f.
eumático adj.
eumbo s.m.
eumécopo s.m.
eumecóptero adj. s.m.
eumedoníneo adj. s.m.
eumedono s.m.
êumene s.m.
eumenético adj. s.m.
eumênide s.f.
eumenídeo adj. s.m.
eumenídias s.f.pl.
eumeníneo adj. s.m.
eumenítico adj. s.m.
êumeno s.m.
eumeque s.m.
eumero s.m.
eumerodo s.m.
eumetazoário adj. s.m.
eumetópia s.m.
eumetria s.f.
eumétrico adj.
eumiceta s.f.
eumicete s.m.
eumicético adj.
eumiceto s.m.
eumicro s.m.
eumida s.m.
êumida s.m.
eumidrina s.f.
eumimósea s.f.
eumimóseo adj.
eumólpico adj.
eumólpida adj.2g. s.m.
eumolpídeo adj. s.m.
eumolpíneo adj. s.m.
eumolpo s.m.
eumomota s.f.
eumorfo adj.
eunapolitano adj. s.m.
eunausíbio s.m.
eunecte s.m.
eunecto s.m.
euneia (*é*) s.f.
eunice s.f.
eunícida adj.2g. s.m.
eunicídeo adj. s.m.
euniciíneo adj. s.m.
eunócia s.f.
eunômia s.f.
eunomiano adj. s.m.
eunótia s.f.
eunotossáurio adj. s.m.
eunotossauro adj. s.m.
eunuco adj. s.m.
eunucoide (*ó*) adj.2g.
eunucoidismo s.m.
eunuquismo s.m.
euófris s.m.2n.
euônimo s.m.
euortesia s.f.
euortosia s.f.
euosmita s.f.
euosmite s.f.
eupagúrio s.m.
eupaguro s.m.
euparifa s.f.
eupatia s.f.
eupático adj.
eupatoríea s.f.
eupatorina s.f.
eupatorínea s.f.
eupatório s.m.
eupatório-comum s.m.; pl. *eupatórios-comuns*
eupatório-de-avicena s.m.; pl. *eupatórios-de-avicena*
eupatório-de-merué s.m.; pl. *eupatórios-de-merué*
eupatório-dos-antigos s.m.; pl. *eupatórios-dos-antigos*
eupatório-dos-gregos s.m.; pl. *eupatórios-dos-gregos*
eupatoriopse s.f.
eupátrida adj. s.2g.
êupelix (*cs*) s.f.2n.
eupelmídeo adj. s.m.
eupelte s.m.
eupépida adj. s.2g.
eupepsia s.f.
eupéptico adj. s.m.
eupétala s.f.
eupetômena s.f.
eupiona s.f.
eupiréctico adj.
eupirexia (*cs*) s.f.
eupista s.f.
eupistéria s.f.
eupitécia s.f.
eupitona s.f.
eupitonato s.m.
eupitônico adj.
euplasia s.f.
euplásico adj.
euplassa s.f.
euplástico adj.
euplecóptero adj. s.m.
euplectela s.f.
euplectelídeo adj. s.m.
euplectelíneo adj. s.m.
euplecto s.m.
euplectope s.m.
euplero s.m.
eupleura s.f.
euplexia (*cs*) s.f.
euplexóptero (*cs*) adj. s.m.
euplocâmide s.f.
euplócamo adj. s.m.
euploide (*ó*) adj.2g.
euploidia s.f.
euplote s.m.
euplotídeo adj. s.m.
eupneia (*é*) s.f.
eupneico (*é*) adj.
êupode adj. s.m.
eupódio s.m.
eupodote s.m.
eupogônia s.f.
eupogono s.m.
eupolia s.f.
eupolídeo adj. s.m.
eupomácia s.f.
eupomaciácea s.f.
eupomaciáceo adj.
eupompo s.m.
eupráctico adj.
eupraxia (*cs*) s.f.
eupráxico (*cs*) adj.
euprépia s.f.
euprimode s.m.
euprocto s.m.
euprógnato s.m.
euprônoe s.m.
euprosópio s.m.
euprotococal adj.2g.
euprotococale s.f.
euprotomicro s.m.
eupsamídeo adj. s.m.
eupsicórtix (*cs*) s.m.
eupsiquia s.f.
eupsíquico adj.
euptélea s.f.
eupteleácea s.f.
eupteleáceo adj.
eupteleia (*é*) s.f.
eupterotídeo s.m.
euptilote s.m.
euquélia s.f.
euquelo s.m.
euquetomera s.f.
euqueuma s.m.
euquêumato s.m.
euquilia s.f.
euquílico adj.
euquimo s.m.
euquinina s.f.
euquira s.f.
euquirograpso s.m.
euquissiderita s.f.
euquita adj. s.2g.
euquitônia s.f.
eurafricano adj. s.m.
euralita s.f.
euralite s.f.
euramericano adj. s.m.
euranfeia (*é*) s.f.
euranfeídeo adj. s.m.
euraquilão s.m.
eurárabe adj. s.2g.
eurasianismo s.m.
eurasianista adj. s.2g.
eurasiano adj.
eurasiático adj. s.m.
eurásico adj.
eurásio adj.
euraustro s.m.
eureca interj.
eureiandra s.f.
eurema s.m.
euremática s.f.
eurемático adj.
euresol s.m.
eurete s.m.
euretíneo adj. s.m.
êuria s.f.
eurial adj.2g.
euriale s.f.
euriálea s.f.
euriáleo adj.
eurialina s.f.
eurialinidade s.f.
eurialino adj.
euríalo s.m.
euriandra s.f.
euriângio s.m.
euriapolitano adj. s.m.
euriapsida adj. s.m.
euribático adj.
euríbato adj.
euricanta s.f.
euricefalia s.f.
euricéfalo adj. s.m.
euricerco s.m.
eurícero adj.
euricerotínea s.f.
euricnema s.m.
eurícoma s.f.
eurícope s.m.
eurícoro adj. s.m.
eurídice s.f.
eurifaringe s.f.
eurifaringídeo adj. s.m.
eurífero s.m.
eurigáster s.m.
eurignatia s.f.
eurignatismo s.m.
eurígnato adj. s.m.
eurilaimídeo adj. s.m.
eurilema s.f.
eurilemídea s.f.
eurilemídeo adj. s.m.
eurilepta s.m.
euriléptida adj.2g. s.m.
eurileptídeo adj. s.m.
eurímeno s.m.
eurino adj. s.m.
eurínome s.f.
eurínquio s.m.
eurio s.m.
euriônico adj.
euriope s.m.
euriopse adj.2g.
euripelma s.m.
euripideia (*é*) adj. s.f. de *euripideu*
euripideu adj. s.m.; f. *euripideia* (*é*)
euripidiano adj.
euripidura s.f.
euripiga s.m.
euripigídea s.f.
euripigídeo adj. s.m.
euripo s.m.
euripódio s.m.
euríporo s.m.
euriprosopia s.f.
euriprosopo adj.
euripterídeo adj. s.m.
euriptérido adj. s.m.
euríptero s.m.
euriptila s.f.
eurística s.f.
eurístico adj.
euristomado adj. s.m.
eurístomo adj.
euritano s.m.
eurite s.f.
euriterme adj.2g. s.m.
euritermia s.f.
euritérmico adj.
euritermo adj. s.m.
euritina s.f.
euritmia s.f.
eurítmico adj.
euritomídeo adj. s.m.
euritreia (*é*) s.f.
euritrema s.f.
euriúsa s.m.
eurixeno (*cs*) adj. s.m.
euro s.m.
euro-africano adj. s.m.; pl. *euro-africanos*
euro-americano adj. s.m.; pl. *euro-americanos*
euroaquilão s.m.
euro-árabe adj. s.m.; pl. *euro-árabes*
euro-asiático adj. s.m.; pl. *euro-asiáticos*
euróboro s.m.
eurocéfalo s.m.
eurocêntrico adj.
eurocentrismo s.m.
eurocial adj.2g.
euroclale s.f.
eurocomunismo s.m.
eurocomunista adj. s.2g.
eurocomunístico adj.
eurodeputado s.m.
eurodina s.f.
eurodivisa s.f.
eurodol s.m.
eurodólar s.m.
euromense adj. s.2g.
euromercado s.m.
euromonse adj. s.2g.
eurônoto s.m.
europeanismo s.m.
europeanista adj. s.2g.
europeia (*é*) adj. s.f. de *europeu*
europeísmo s.m.
europeísta adj. s.2g.
europeização s.f.
europeizado adj.
europeizador (*ô*) adj.
europeizante adj.2g.
europeizar v.
europeizável adj.2g.
europeu adj. s.m.; f. *europeia* (*é*)
európico adj.
európio s.m.
europoide (*ó*) adj. s.2g.
euro-siberiano adj.; pl. *euro-siberianos*
eurotemático adj.
eurotial adj.2g.
eurotiale s.f.
eurranfeia (*é*) s.f.
eurranfeídeo adj. s.m.
eurreta (*ê*) s.f.
eurrínquio s.m.
eurritmia s.f.
eurrítmico adj.
eusárcoris s.m.2n.
euscaldum adj. s.m.
euscaldune adj. s.2g.
euscalduno adj. s.m.
euscara s.m.
euscariano adj.
euscaro adj. s.m.
euscartmo s.m.
êuscelo s.m.
euscórpio s.m.
eusebiense adj. s.2g.
euséquia s.f.
eusilíneo adj. s.m.
eusiro s.m.
eusomo s.m.
eusonfalia s.f.
eusonfálico adj.
eusonfálio s.m.
eusplancnia s.f.
eusplâncnico adj.
euspôngia s.f.
êuspora s.f.
eusporangiada s.f.
eusporangiado adj.
eusporângio s.m.
eusquera s.m.
eussapindácea s.f.
eussárcoris s.m.2n.
eusseláceo adj. s.m.
eusseláquio adj. s.m.

eussemia s.f.
eussêmico adj.
eussemita adj. s.2g.
eussemítico adj.
eussinquita s.f.
eussomo s.m.
eustaquiano adj.
eustasia s.f.
eustático adj.
eustatismo s.m.
eustéfano s.m.
eustéfia s.f.
eustefiína s.f.
eustelia s.f.
eustélico adj.
eustelo s.m.
eustilo s.m.
eustômico adj.
eutacta s.f.
eutáctico adj.
eutalita s.f.
eutanásia s.f.
eutanásico adj.
eutático adj.
eutaxia (*cs*) s.f.
eutáxico (*cs*) adj.
eutaxito (*cs*) s.m.
eutecnia s.f.
eutécnico adj.
eutéctico adj.
eutectoide (*ó*) adj.2g. s.m.
eutectopertita s.f.
euteia (*é*) s.f.
eutélia s.f.
eutelino s.m.
eutélope s.m.
euteme s.f.
eutemídea s.f.
eutemídeo adj.
eutenia s.f.
eutênico adj.
eutéria s.f.
eutério adj. s.m.
euterme s.m.
eutermia s.f.
eutérmico adj.
euterpe s.f.
eutérpia s.m.
eutesia s.f.
eutésico adj.
eutético adj.
eutexia (*cs*) s.f.
eutéxico (*cs*) adj.
eutícomo adj. s.m.
eutimetria s.f.
eutimétrico adj.
eutímetro s.m.
eutimia s.f.
eutímico adj.
eutineura s.f.
eutineuro adj.
eutino s.m.
eutiquianismo s.m.
eutiquianista adj. s.2g.
eutiquiano adj. s.m.
eutiquista adj. s.2g.
eutireóideo adj.
eutireóidico adj.
eutiróidico adj.
êutoca s.f.
eutocia s.f.
eutócico adj.
eutócio adj.
êutoco adj.
eutomita s.f.
eutopia s.f.
eutópico adj.
eutoxera (*cs*) s.f.
eutoxo (*cs*) s.m.
eutrapelia s.f.
eutrapélico adj.
eutrapelista adj. s.2g.
eutrápelo adj.
eutraquelino adj. s.m.
eutraquélio s.m.
eutraquelo s.m.
eutrepistia s.f.
eutriana s.f.
êutrico adj.
eutricossorno s.m.
eutriena s.f.
eutrofia s.f.
eutrofícação s.f.
eutrófico adj.
eutrofização s.f.
eutropia s.f.
eutrópico adj.
eutuberácea s.f.
eutuberáceo adj.
euxantato (*cs*) s.m.
euxântico (*cs*) adj.
euxantina (*cs*) s.f.
euxantinato (*cs*) s.m.
euxantínico (*cs*) adj.
euxantona (*cs*) s.f.
euxantonato (*cs*) s.m.
euxantônico (*cs*) adj.
euxária s.f.
euxário s.m.
euxênita (*cs*) s.f.
euxenita (*cs*) s.f.
euxenite (*cs*) s.f.
euxenitense (*cs*) adj. s.2g.
euxilófora s.f.
euxônia (*cs*) s.f.
euzima s.f.
euzimo s.m.
euzoamilia s.f.
euzofera s.m.
euzoodinamia s.f.
euzoonose s.f.
eva s.f.
evacanto s.m.
eváctis s.m.2n.
evacuação s.f.
evacuado adj.
evacuador (*ô*) adj. s.m.
evacuamento s.m.
evacuante adj.2g. s.m.
evacuar v.
evacuativo adj.
evacuatório adj.
evacuável adj.2g.
evadido adj.
evadir v.
evadismo s.m.
evadno s.m.
evagação s.f.
evaginação s.f.
evaginador (*ô*) adj. s.m.
evaginamento s.m.
evaginante adj.2g.
evaginar v.
evaginável adj.2g.
eval adj. s.2g. s.m.
evale adj. s.2g. s.m.
evalve adj.2g.
evalvo adj.
evanescência s.f.
evanescente adj.2g.
evanescer v.
evanescido adj.
evanescimento s.m.
evangelho s.m.
evangeliário s.m.
evangélias s.f.pl.
evangelical adj.2g.
evangélico adj.
evangelismo s.m.
evangelista adj. s.2g.
evangelistano adj.2g.
evangelistense adj. s.2g.
evangelístico adj.
evangelização s.f.
evangelizado adj.
evangelizador (*ô*) adj. s.m.
evangelizante adj.2g.
evangelizar v.
evangelizável adj.2g.
evânia s.f.
evanidade s.f.
evaniida adj.2g. s.m.
evaniídeo adj. s.m.
evaniócera s.m.
evaniocerineo adj. s.m.
évano s.m.
evansita s.f.
evansite s.f.
evaporação s.f.
evaporada s.f.
evaporadeira s.f.
evaporado adj.
evaporador (*ô*) s.m.
evaporante adj.2g.
evaporar v.
evaporativo adj.
evaporatório adj. s.m.
evaporável adj.2g.
evaporígrafo s.m.
evaporimétrico adj.
evaporímetro s.m.
evaporítico adj.
evaporito s.m.
evaporização s.f.
evaporizado adj.
evaporizador (*ô*) adj.
evaporizante adj.2g.
evaporizar v.
evaporizável adj.2g.
evaporometria s.f.
evaporométrico adj.
evaporômetro s.m.
evapotranspiração s.f.
evapotranspirador (*ô*) adj.
evapotranspirante adj.2g.
evapotranspirar v.
evapotranspirável adj.2g.
evar v.
evasão s.f.
evasê adj.
evasina s.f.
evasionismo s.m.
evasionista adj. s.2g.
evasionístico adj.
evasiva s.f.
evasivo adj.
évax (*cs*) s.f.2n.
evaza adj. s.2g.
evazar v.
eve s.m.
evecção s.f.
evecente s.2g.
eveente adj.2g.
eveia (*é*) adj. s.f. de *eveu*
eveíta s.f.
evelina s.f.
evemérico adj.
evemerismo s.m.
evemerista adj. s.2g.
evemerístico adj.
evemia s.f.
evêmico adj.
evencer v.
evencimento s.m.
evenino s.m.
evenkita s.f.
evenque adj. s.m.
eventivo adj.
evento s.m.
eventração s.f.
eventrar v.
eventual adj.2g. s.m.
eventualidade s.f.
evérgeta adj. s.2g.
everminação s.f.
everminar v.
evernato s.m.
evérnia s.f.
evérnico adj.
evernina s.f.
everninato s.m.
evernínico adj.
eversão s.f.
eversibilidade s.f.
eversite s.f.
eversível adj.2g.
eversivo adj.
everso adj.
eversor (*ô*) adj. s.m.
everter v.
evesteto s.m.
eveu adj. s.m.; f. *eveia* (*é*)
evexia (*cs*) s.f.
evicção s.f.
evíctio adj. s.m.
evicto adj. s.m.
evictor (*ô*) adj. s.m.
evidência s.f.; cf. *evidencia*, fl. do v. *evidenciar*
evidenciação s.f.
evidenciado adj.
evidenciador (*ô*) adj. s.m.
evidencial adj.2g.
evidenciar v.
evidenciável adj.2g.
evidente adj.2g.
evigo s.m.
evilhaea s.f.
evímbi s.m.
evipa s.f.
evipino adj. s.m.
eviração s.f.
evirado adj.
evirar v.
evisceração s.f.
eviscerado adj.
eviscerador (*ô*) adj.
evisceramento s.m.
eviscerante adj.2g.
eviscerar v.
evisópode adj.2g. s.m.
evitabilidade s.f.
evitação s.f.
evitado adj.
evitador (*ô*) adj.
evitamento s.m.
evitando adj.
evitante adj.2g.
evitar v.
evitável adj.2g.
eviternidade s.f.
eviterno adj.
evo s.m.
evocação s.f.
evocado adj.
evocador (*ô*) adj. s.m.
evocante adj.2g.
evocar v.
evocativo adj.
evocatório adj.
evocável adj.2g.
evódia s.f.
evodianto s.m.
evodina s.f.
evoé interj.
evolado adj.
evolar-se v.
evolução s.f.
evolucional adj.2g.
evolucionar v.
evolucionário adj.
evolucionável adj.2g.
evolucionismo s.m.
evolucionista adj. s.2g.
evolucionístico adj.
evoluir v.
evoluível adj.2g.
evoluta s.f.
evolutivo adj.
evoluto adj.
evolutoide (*ó*) s.f.
evolvente adj.2g. s.f.
evolver v.
evólvulo s.m.
evônico adj.
evônima s.f.
evonímea s.f.
evonímeo adj.
evonimina s.f.
evonimita s.f.
evonimite s.f.
evônimo s.m.
evônimo-da-américa s.m.; pl. *evônimos-da-américa*
evônimo-da-europa s.m.; pl. *evônimos-da-europa*
evônimo-do-japão s.m.; pl. *evônimos-do-japão*
evortodo s.m.
evótomis s.m.2n.
evulsão s.f.
evulsivo adj.
evzona s.m.
evzone s.m.
evzono s.m.
ewaldita s.f.
exabela (*z*) s.f.
exabundância (*z*) adj.2g.
exabundante (*z*) adj.2g.
exabundar (*z*) v.
exação (*z*) s.f.
exacerbação (*z*) s.f.
exacerbado (*z*) adj.
exacerbador (*z...ô*) adj.
exacerbante adj.2g.
exacerbar (*z*) v.
exacina (*z* ou *cs*) s.f.
êxaco (*z* ou *cs*) s.m.
exactor (*z...ô*) adj. s.m.
exageração (*z*) s.f.
exagerado (*z*) adj.
exagerador (*z...ô*) adj. s.m.
exageramento (*z*) s.m.
exagerante (*z*) adj.2g.
exagerar (*z*) v.
exagerativo (*z*) adj.
exagerável (*z*) adj.2g.
exagero (*z...ê*) s.m.; cf. *exagero*, fl. do v. *exagerar*
exagitação (*z*) s.f.
exagitado (*z*) adj.
exagitante (*z*) adj.2g.
exagitar (*z*) v.
exalação (*z*) s.f.
exalado (*z*) adj.
exalante (*z*) adj.2g.
exalar (*z*) v.
exalbuminado (*z*) adj.
exalbuminoso (*z...ô*) adj.; f. (*ó*); pl. (*ó*)
exalçação (*z*) s.f.
exalçado (*z*) adj.
exalçador (*z...ô*) adj. s.m.
exalçamento (*z*) s.m.
exalçar (*z*) v.
exalçável (*z*) adj.2g.
exalgina (*z*) s.f.
exaltação (*z*) s.f.
exaltado (*z*) adj. s.m.
exaltador (*z...ô*) adj. s.m.
exaltamento (*z*) s.m.
exaltante (*z*) adj.2g.
exaltar (*z*) v.
exalviçado (*z*) adj.
exame (*z*) s.m.
exametamorfismo (*z* ou *cs*) s.m.
exâmina (*z*) s.f.; cf. *examina*, fl. do v. *examinar*
examinação (*z*) s.f.
examinado (*z*) adj.
examinador (*z...ô*) adj. s.m.
examinando (*z*) s.m.
examinante (*z*) adj.2g.
examinar (*z*) v.
examinável (*z*) adj.2g.
exâmito (*z*) s.m.
exanastrofia (*z* ou *cs*) s.f.
exangue (*z*) adj.2g.
exania (*z* ou *cs*) s.f.
exanimação (*z*) s.f.
exanimado (*z*) adj.
exânime (*z*) adj.2g.
exantalita (*z* ou *cs*) s.f.
exantalósio (*z* ou *cs*) s.m.
exantema (*z* ou *cs*) s.m.
exantemático (*z* ou *cs*) adj.
exantematologia (*z* ou *cs*) s.f.
exantematológico (*z* ou *cs*) adj.
exantematologista (*z* ou *cs*) s.2g.
exantematólogo (*z* ou *cs*) s.m.
exantematoso (*z* ou *cs...ô*) adj.; f. (*ó*); pl. (*ó*)
exantemogênio (*z* ou *cs*) adj.
exantropia (*z* ou *cs*) s.f.
exantrópico (*z* ou *cs*) adj.
exápate (*z* ou *cs*) s.m.
exaporanense adj. s.2g.
exaração (*z*) s.f.
exarado (*z*) adj.
exarador (*z...ô*) adj. s.m.
exarar (*z*) v.
exarável (*z*) adj.2g.
exarca (*z*) s.m.
exarcado (*z* ou *cs*) s.m.
exarco (*z* ou *cs*) s.m.
exarma (*z* ou *cs*) s.m.
exarquiatro (*z* ou *cs*) s.m.
exárquico (*z* ou *cs*) adj.
exarterite (*z* ou *cs*) s.f.
exarticulação (*z*) s.f.
exarticulado (*z*) adj.

exarticular (*z*) v.
exartrema (*z* ou *cs*) s.m.
exartrose (*z* ou *cs*) s.f.
exartrósico (*z* ou *cs*) adj.
exáscea (*z* ou *cs*) s.f.
exásceo (*z* ou *cs*) adj.
exasperação (*z*) s.f.
exasperado (*z*) adj.
exasperador (*z...ô*) adj. s.m.
exasperamento (*z*) s.m.
exasperante (*z*) adj.2g.
exasperar (*z*) v.
exaspero (*z...ê*) s.m.; cf. *exaspero*, fl. do v. *exasperar*
exaspidiano (*z* ou *cs*) adj.
exaspídio (*z* ou *cs*) s.m.
exatidão (*z*) s.f.
exatificar (*z*) v.
exato (*z*) adj.
exator (*z...ô*) s.m.
exatoria (*z*) s.f.
exaurição (*z*) s.f.
exaurido (*z*) adj.
exaurimento (*z*) s.m.
exaurir (*z*) v.
exaurível (*z*) adj.2g.
exaustação (*z*) s.f.
exaustante (*z*) adj.2g.
exaustão (*z*) s.f.
exaustar (*z*) v.
exaustidão (*z*) s.f.
exaustinado (*z*) adj.
exaustivo (*z*) adj.
exausto (*z*) adj.
exaustor (*z...ô*) adj. s.m.
exautoração (*z*) s.f.
exautorado (*z*) adj.
exautorador (*z...ô*) adj. s.m.
exautorar (*z*) v.
exbucklândia s.f.
excarceração s.f.
excarcerador (*ô*) adj. s.m.
excarcerar v.
excardinação s.f.
excardinado adj.
excardinar v.
excarnificação s.f.
excarnificar v.
exceção s.f.
excecária s.f.
excecional adj.2g.
excecionalidade s.f.
excecionar v.
excecionável adj.2g.
excedência s.f.
excedentar adj.2g.
excedentaridade s.f.
excedentariedade s.f.
excedentário adj.
excedente adj. s.2g.
exceder v.
excedido adj.
excedível adj.2g.
excelença s.f.
excelência s.f.
excelente adj.2g.
excelentíssimo adj. sup. de *excelente*
exceler v.
excelir v.
excelsar v.
excelseza (*ê*) s.f.
excelsitude s.f.
excelso adj.
excentração s.f.
excentricidade s.f.
excêntrico adj.
excentropíese s.f.
excepcional adj.2g.
excepcionalidade s.f.
excepcionalismo s.m.
excepcionalista adj. s.2g.
excepcionalístico adj.
excepcionar v.
excepcionável adj.2g.
exceptiva s.f.
exceptivo adj.
excepto adj. s.m. prep.
exceptor (*ô*) s.m.
exceptuado adj.
exceptuador (*ô*) adj. s.m.
exceptuar v.
exceptuável adj.2g.
excerto s.m.
excessividade s.f.
excessivismo s.m.
excessivo adj.
excesso s.m.
excetiva s.f.
excetivo adj.
exceto adj. s.m. prep.
excetor (*ô*) s.m.
êxcetra s.f.
excetuado adj.
excetuador (*ô*) adj. s.m.
excetuar v.
excetuável adj.2g.
excicloforia s.f.
exciclofórico adj. s.m.
exciclotropia s.f.
exciclotrópico adj. s.m.
excídio s.m.
excipiente s.m.
excipulácea s.f.
excípulo s.m.
excisão s.f.
excisar v.
exciso adj. s.m.
excisório adj.
excitabilidade s.f.
excitação s.f.
excitado adj.
excitador (*ô*) adj. s.m.
excitamento s.m.
excitante adj.2g. s.m.
excitar v.
excitativo adj.
excitatório adj.
excitatriz s.f.
excitável adj.2g.
excitomotor (*ô*) adj.
excitomotriz adj. s.f.
éxciton s.m.
éxcitron s.m.
excitrônio s.m.
exclamação s.f.
exclamado adj.
exclamador (*ô*) adj. s.m.
exclamamento s.m.
exclamante adj. s.2g.
exclamar v.
exclamativo adj.
exclamatório adj.
exclamável adj.2g.
exclaustração s.f.
exclaustrar v.
exclausurar v.
excludente adj.2g.
excluído adj.
excluir v.
excluível adj.2g.
exclusão s.f.
exclusiva s.f.
exclusivação s.f.
exclusive adv.
exclusividade s.f.
exclusivismo s.m.
exclusivista adj. s.2g.
exclusivístico adj.
exclusivo adj. s.m.
excluso adj.
excogita s.f.
excogitação s.f.
excogitado adj.
excogitador (*ô*) adj. s.m.
excogitar v.
excogitável adj.2g.
excolatício adj.
excomungação s.f.
excomungado adj. s.m.
excomungadoiro adj.
excomungador (*ô*) adj. s.m.
excomungadouro adj.
excomungante adj.2g.
excomungar v.
excomungável adj.2g.
excomunhal adj.2g.
excomunhão s.f.
excomunhável adj.2g.
excomunicatório adj.
excorco (*ô*) s.m.
excorporação s.f.
excorporar v.
excreação s.f.
excreção s.f.
excrecência s.f.
excrementação s.f.
excrementar v.
excrementicial adj.2g.
excrementício adj.
excremento s.m.
excrementoso (*ô*) adj.; f. (*ó*); pl. (*ó*)
excrescência s.f.
excrescencial adj.2g.
excrescente adj.2g.
excrescer v.
excreta s.f.
excretado adj.
excretar v.
excretício adj.
excretina s.f.
excreto adj. s.m.
excretor (*ô*) adj.
excretório adj.
excretoterapeuta s.2g.
excretoterapêutico adj.
excretoterapia s.f.
excretoterápico adj.
excruciação s.f.
excruciado adj.
excruciador (*ô*) adj.
excruciante adj.2g.
excruciar v.
exculpa s.f.
exculpação s.f.
exculpado adj.
exculpador (*ô*) adj. s.m.
exculpante adj.2g.
exculpar v.
exculpável adj.2g.
excurrente adj.2g.
excursão s.f.
excursar v.
excursionar v.
excursionismo s.m.
excursionista adj. s.2g.
excursionístico adj.
excursivo adj.
excurso adj. s.m.
excursor (*ô*) adj. s.m.
excurvação s.f.
excurvado adj.
excurvar v.
excussão s.f.
excutir v.
exdermoptose s.f.
exe (*ê*) interj.
execrabilidade (*z*) s.f.
execração (*z*) s.f.
execrado (*z*) adj.
execrador (*z...ô*) adj. s.m.
execrando (*z*) adj.
execrar (*z*) v.
execrativo (*z*) adj.
execratório (*z*) adj.
execrável (*z*) adj.2g.
execução (*z*) s.f.
executado (*z*) adj. s.m.
executador (*z...ô*) s.m.
executante (*z*) adj. s.2g.
executar (*z*) v.
executável (*z*) adj.2g.
executivo (*z*) adj. s.m.
executor (*z...ô*) adj. s.m.
executória (*z*) s.f.
executoriedade (*z*) s.f.
executório (*z*) adj.
êxedra (*z*) s.f.
exegese (*z*) s.f.
exegeta (*z*) s.2g.
exegética (*z*) s.f.
exegético (*z*) adj.
exempção (*z*) s.f.
exemplado (*z*) adj.
exemplador (*z...ô*) adj. s.m.
exemplar (*z*) v. adj.2g. s.m.
exemplaridade (*z*) s.f.
exemplário (*z*) s.m.
exemplarização (*z*) s.f.
exemplarizado (*z*) adj.
exemplarizador (*z...ô*) adj.
exemplarizante (*z*) adj.2g.
exemplarizar (*z*) v.
exemplarizável (*z*) adj.2g.
exemplificação (*z*) s.f.
exemplificado (*z*) adj.
exemplificador (*z...ô*) adj.
exemplificante (*z*) adj.2g.
exemplificar (*z*) v.
exemplificativo (*z*) adj.
exemplificável (*z*) adj.2g.
exemplo (*z*) s.m.
exemplozito (*z*) s.m.
exemptar (*z*) v.
exempto (*z*) adj. s.m.
exencefalia (*z*) s.f.
exencéfalo (*z*) s.m.
exendospérmico (*z*) adj.
exenergético (*z*) adj.
exenteração (*z*) s.f.
exenterite (*z*) s.f.
exequátur (*z*) s.m.
exequência (*z...ü*) s.f.
exequendo (*z...ü*) adj.
exequente (*z...ü*) adj. s.2g.
exequial (*z*) adj.2g.
exéquias (*z*) s.f.pl.
exequibilidade (*z...ü*) s.f.
exequido (*z...ü*) adj.
exequível (*z...ü*) adj.2g.
exerase (*z*) s.f.
exérase (*z*) s.f.
exerção (*z*) s.f.
exercedor (*z...ô*) adj. s.m.
exercer (*z*) v.
exercibilidade (*z*) s.f.
exercício (*z*) s.m.
exercido (*z*) adj.
exercitação (*z*) s.f.
exercitado (*z*) adj.
exercitador (*z...ô*) adj. s.m.
exercitamento (*z*) s.m.
exercitante (*z*) adj.2g.
exercitar (*z*) v.
exercitativo (*z*) adj.
exercitável (*z*) adj.2g.
exército (*z*) s.m.; cf. *exercito*, fl. do v. *exercitar*
exercitor (*z...ô*) adj. s.m.
exercitório (*z*) adj.
exercível (*z*) adj.2g.
exerdação (*z*) s.f.
exerdado (*z*) adj.
exerdamento (*z*) s.m.
exerdar (*z*) v.
exerese (*z*) s.f.
exérese (*z*) s.f.
exergásia (*z*) s.f.
exergia (*z*) s.f.
exérgico (*z*) adj.
exergo (*z*) s.m.
exergonia (*z*) s.f.
exergônico (*z*) adj.
exerrose (*z*) s.f.
exesofagite (*z*) s.f.
exetaste (*z*) s.m.
exetmoide (*z...ó*) s.m.
exfetação s.f.
exfoliação s.f.
exfoliado adj.
exfoliante adj.2g.
exfoliar v.
exfoliativo adj.
exgregar v.
exibição (*z*) s.f.
exibicionismo (*z*) s.m.
exibicionista (*z*) adj. s.2g.
exibicionístico (*z*) adj.
exibido (*z*) adj. s.m.
exibidor (*z...ô*) adj. s.m.
exibir (*z*) v.
exibismo (*z*) s.m.
exibitivo (*z*) adj.
exibitório (*z*) adj.
exibível (*z*) adj.2g.
exicial (*z*) adj.2g.
exiciar (*z*) adj.2g.
exício (*z*) s.m.
exídia (*z*) s.f.
exido (*ch*) s.m.
exigência (*z*) s.f.
exigente (*z*) adj.2g.
exigibilidade (*z*) s.f.
exigido (*z*) adj.
exigidor (*z...ô*) adj. s.m.
exigir (*z*) v.
exigível (*z*) adj.2g. s.m.
exiguidade (*z...ü*) s.f.
exiguificar (*z...ü*) v.
exíguo (*z*) adj.
exil (*z*) adj.2g.
exilado (*z*) adj. s.m.
exilar (*z*) v.
exilarca (*z*) s.m.
exilarcado (*z*) s.f.
exilária (*z*) s.f.; cf. *exilaria*, fl. do v. *exilar*
exile (*z*) adj.2g.
exília (*z*) s.m.
exiliar (*z*) v.
exiliarca (*z*) s.m.
exiliarcado (*z*) s.m.
exílico (*z*) adj.
exílio (*z*) s.m.
exime (*z*) adj.2g.
eximenina (*z*) s.f.
eximição (*z*) s.f.
eximido (*z*) adj.
eximidor (*z...ô*) adj.
exímio (*z*) adj.
eximir (*z*) v.
exina (*z*) s.f.
exinanição (*z*) s.f.
exinanido (*z*) adj.
exinanir (*z*) v.
exipótica (*z*) s.f.
exir (*z*) v.
existência (*z*) s.f.
existencial (*z*) adj.2g.
existencialidade (*z*) s.f.
existencialismo (*z*) s.m.
existencialista (*z*) adj. s.2g.
existencialístico (*z*) adj.
existente (*z*) adj. s.2g.
existentivo (*z*) adj.
existir (*z*) v.
existível (*z*) adj.2g.
exitância (*z*) s.f.
exitar (*z*) v. "ter sucesso"; cf. *hesitar*
exitélio (*z*) s.m.
exítico (*z*) adj.
êxito (*z*) s.m.
exitoso (*z...ô*) adj.; f. (*ó*); pl. (*ó*)
ex-libris (*cs*) s.m.2n.
ex-librismo (*cs*) s.m.
ex-librista (*cs*) adj. s.2g.
exoaladi adj. s.2g.
exoáscea (*z*) s.f.
exoásceo (*z*) adj.
exoasco (*z*) s.m.
exobasidiácea (*z*) s.f.
exobasidiáceo (*z*) adj.
exobasidiínea (*z*) s.f.
exobasídio (*z*) s.m.
exobiologia (*z*) s.f.
exobiológico (*z*) adj.
exobiologista (*z*) adj. s.2g.
exobiologístico (*z*) adj.
exobiólogo (*z*) s.m.
exobionte (*z*) s.m.
exocade (*z*) s.f.
exocanibalismo (*z*) s.m.
exocardia (*z*) s.f.
exocardíaco (*z*) adj.
exocárdico (*z*) adj.
exocárdio (*z*) s.m.
exocardite (*z*) s.f.
exocárpio (*z*) s.m.
exocarpo (*z*) s.m.
exocataforia (*z*) s.f.
exocéfalo (*z*) s.m.
exocêntrico (*z*) adj.
exocentríneo (*z*) adj. s.m.
exocentrismo (*z*) s.m.
exocentrista (*z*) adj. s.2g.
exocentrístico (*z*) adj.
exocentro (*z*) s.m.
exocetídeo (*z*) adj. s.m.
exoceto (*z*) s.m.
exocíclico (*z*) adj.
exociclóideo (*z*) adj. s.m.
exociforme (*z*) s.m.
exocista (*z*) s.f.

exocistia (*z*) s.f.
exocisto (*z*) s.m.
exocitose (*z*) s.f.
exocolecistopexia (*z...cs*) s.f.
exócomo (*z*) s.m.
exocorda (*z*) s.f.
exocório (*z*) s.m.
exocorte (*z*) s.f.
exocóstoma (*z*) s.m.
exocraniano (*z*) adj.
exocrânico (*z*) adj.
exocrânio (*z*) s.m.
exócrina (*z*) s.f.
exócrino (*z*) adj.
exocrinologia (*z*) s.f.
exocrinológico (*z*) adj.
exocrinologista (*z*) adj. s.2g.
exocruzamento (*z*) s.m.
exodecono (*z*) s.m.
exoderma (*z*) s.m.
exoderme (*z*) s.f.
exodérmico (*z*) adj.
exodesvio (*z*) s.m.
exodiário (*z*) s.m.
exódico (*z*) adj.
exódio (*z*) s.m.
êxodo (*z*) s.m. "saída"; cf. *hexodo*
exodontia (*z*) s.f.
exoeléctron (*z*) s.m.
exoelétron (*z*) s.m.
exoeletrônico (*z*) adj.
exoenergético (*z*) adj.
exoergético (*z*) adj.
exoergia (*z*) s.f.
exoérgico (*z*) adj.
exoeritrocítico (*z*) adj.
exoeritrócito (*z*) s.m.
exoesqueletal (*z*) adj.2g.
exoesquelético (*z*) adj.
exoesqueleto (*z...ê*) s.m.
exofagia (*z*) s.f.
exofágico (*z*) adj.
exófago (*z*) s.m.
exofaringe (*z*) s.f.
exofaríngeo (*z*) adj.
exofítico (*z*) adj.
exoflebite (*z*) s.f.
exoforia (*z*) s.f.
exofórico (*z*) adj. s.m.
exoformismo (*z*) s.m.
exoftalmia (*z*) s.f.
exoftálmico (*z*) adj.
exoftalmo (*z* ou *cs*) s.m.
exogamia (*z*) s.f.
exogâmico (*z*) adj.
exógamo (*z*) adj. s.m.
exogástrico (*z*) adj.
exogêneo (*z*) adj.
exogenético (*z*) adj.
exogênico (*z*) adj.
exógeno (*z*) adj.
exogeossinclinal (*z*) adj.2g.
exogeossinclíneo (*z*) adj. s.m.
exogeossinclínico (*z*) adj.
exogínio (*z*) adj.
exógino (*z*) adj.
exogira (*z*) s.f.
exogiro (*z*) adj. s.m.
exógnata (*z*) adj.2g. s.f.
exognatia (*z*) s.f.
exógnato (*z*) adj. s.m.
exogoníneo (*z*) adj. s.m.
exogônio (*z*) s.m.
exógono (*z*) s.m.
exografia (*z*) s.f.
exográfico (*z*) adj.
exólobo (*z*) s.m.
exômata (*z*) adj. s.2g.
exomeninge (*z*) s.f.
exômeno (*z*) adj.
exometamorfismo (*z*) s.m.
exômetra (*z*) s.f.
exometria (*z*) s.f.
exométrico (*z*) adj.
exometrite (*z*) s.f.
exômide (*z*) s.f.
exomologese (*z*) s.f.
exomorfismo (*z*) s.m.
exomorfo (*z*) adj.
éxon (*cs*) s.m.
exonerabilidade (*z*) s.f.
exoneração (*z*) s.f.
exonerado (*z*) adj.
exonerador (*z...ô*) adj. s.m.
exonerante (*z*) adj.2g.
exonerar (*z*) v.
exoneratório (*z*) adj.
exonerável (*z*) adj.2g.
exonfalia (*z*) s.f.
exônfalo (*z*) s.m.
exonfalocele (*z*) s.f.
exonímico (*z*) adj.
exônimo (*z*) s.m.
exonirose (*z*) s.f.
exonuclease (*z*) s.f.
exonucléase (*z*) s.f.
exopatia (*z*) s.f.
exopático (*z*) adj.
exopeptidase (*z*) s.f.
exopeptídase (*z*) s.f.
exopeptidásico (*z*) adj.
exopeptidático (*z*) adj.
exopilativo (*z*) adj.
exoplasma (*z*) s.m.
exoplasmático (*z*) adj.
exoplásmico (*z*) adj.
exópode (*z*) s.m.
exopodito (*z*) s.m.
exopódito (*z*) s.m.
exoprosopa (*z*) s.m.
exoprotease (*z*) s.f.
exoprotéase (*z*) s.f.
exoproteásico (*z*) adj.
exoproteático (*z*) adj.
exopterigoto (*z...ô*) adj. s.m.
exóptilo (*z*) adj.
exoração (*z*) s.f.
exorador (*z...ô*) adj.
exorante (*z*) adj.2g.
exorar (*z*) v.
exorativo (*z*) adj.
exorável (*z*) adj.2g.
exorbitação (*z*) s.f.
exorbitado (*z*) adj.
exorbitador (*z...ô*) adj.
exorbitância (*z*) s.f.
exorbitante (*z*) adj.2g.
exorbitar (*z*) v.
exorbitável (*z*) adj.2g.
exorbite (*z*) s.f.
exorbitismo (*z*) s.m.
exorca (*z*) s.f.
exorcismação (*z*) s.f.
exorcismado (*z*) adj.
exorcismador (*z...ô*) adj.
exorcismante (*z*) adj.2g.
exorcismar (*z*) v.
exorcismável (*z*) adj.2g.
exorcismo (*z*) s.m.
exorcisório (*z*) adj.
exorcista (*z*) adj. s.2g.
exorcistado (*z*) s.m.
exorcístico (*z*) adj.
exorcização (*z*) s.f.
exorcizado (*z*) adj.
exorcizador (*z...ô*) adj. s.m.
exorcizante (*z*) adj.2g.
exorcizar (*z*) v.
exorcizável (*z*) adj.2g.
exordiado (*z*) adj.
exordial (*z*) adj.2g.
exordiar (*z*) v.
exórdio (*z*) s.m.; cf. *exordio*, fl. do v. *exordiar*
exormia (*z*) s.f.
exórmico (*cs*) adj.
exornação (*z*) s.f.
exornado (*z*) adj.
exornador (*z...ô*) adj.
exornante (*z*) adj.2g.
exornar (*z*) v.
exornativo (*z*) adj.
exornável (*z*) adj.2g.
exorreia (*z...é*) s.f.
exorreico (*z...é*) adj.
exorrizo (*z*) adj.
exortação (*z*) s.f.
exortador (*z...ô*) s.m.
exortante (*z*) adj.2g.
exortar (*z*) v.
exortativo (*z*) adj.
exortatória (*z*) s.f.
exortatório (*z*) adj.
exortável (*z*) adj.2g.
exosfera (*z*) s.f.
exosférico (*z*) adj.
exosmômetro (*z*) s.m.
exosmose (*z*) s.f.
exosmósico (*z*) adj.
exosmótico (*z*) adj.
exosplenopexia (*z...cs*) s.f.
exosporado (*z*) adj. s.m.
exospórea (*z*) s.f.
exospórico (*z*) adj.
exosporídio (*z*) s.m.
exospório (*z*) s.m.
exósporo (*z*) s.m.
exosqueletal (*z*) adj.2g.
exosquelético (*z*) adj.
exosqueleto (*z...ê*) s.m.
exostema (*z*) s.m.
exostile (*z*) s.m.
exostilo (*z*) s.m.
exóstoma (*z*) s.m.
exostômio (*z*) s.m.
exóstomo (*z*) s.m.
exostosar (*z*) v.
exostose (*z*) s.f.
exostra (*z*) s.f.
exostro (*z*) s.m.
exoteca (*z*) s.f.
exotecial (*z*) adj.2g.
exotécio (*z*) s.m.
exotérico (*z*) adj. "aberto a todos"; cf. *esotérico* e *isotérico*
exoterismo (*z*) s.m. "doutrina aberta a todos"; cf. *esoterismo*
exoterista (*z*) adj.
exotermia (*z*) s.f.
exotérmico (*z*) adj.
exotermismo (*z*) s.m.
exotermista (*z*) adj. s.2g.
exotermístico (*z*) adj.
exoticidade (*z*) s.f.
exoticismo (*z*) s.m.
exótico (*z*) adj.
exotimopexia (*z...cs*) s.f.
exotipo (*z*) s.m.
exótipo (*z*) s.m.
exotireopexia (*z...cs*) s.f.
exotismo (*z*) s.m.
exotorácico (*z*) adj.
exotósporo (*z*) s.m.
exotóxico (*z...cs*) adj.
exotoxina (*z...cs*) s.f.
exotropia (*z*) s.f.
exotrópico (*z*) adj.
exotropismo (*z*) s.m.
exouvido (*z*) adj.
exouvir (*z*) v.
expandido adj.
expandidura s.f.
expandimento s.m.
expandir v.
expansão s.f.
expansibilidade s.f.
expansionismo s.m.
expansionista adj. s.2g.
expansionístico adj.
expansível adj.2g.
expansividade s.f.
expansivo adj.
expanso adj.
expansor (*ô*) adj. s.m.
expatriação s.f.
expatriado adj. s.m.
expatriamento s.m.
expatriante adj.2g.
expatriar v.
expatriável adj.2g.
expectação s.f.
expectador (*ô*) s.m.; cf. *espectador*
expectante adj.2g.
expectantismo s.m.
expectar v. "esperar"; cf. *espectar*
expectativa s.f.; cf. *espectativa*
expectatório adj.2g.
expectável adj.2g.; cf. *espectável*
expectoração s.f.
expectorante adj.2g. s.m.
expectorar v.
expedição s.f.
expedicionário adj. s.m.
expedicioneiro s.m.
expedida s.f.; cf. *espedida*
expedido adj.
expedidor (*ô*) adj. s.m.
expediência s.f.
expediente adj.2g. s.m.
expedimento s.m.
expedir v. "remeter"; cf. *espedir*
expeditense adj. s.2g.
expeditismo s.m.
expeditivo adj.
expedito adj.
expeditório adj.
expedrar v.
expeitante adj.2g.
expeitorar v.
expelente adj.2g.
expelição s.f.
expelido adj.
expelidor (*ô*) adj.
expelir v.
expelível adj.2g.
expendedor (*ô*) adj. s.m.
expender v.
expensa s.f. na loc. *às expensas de, a expensas de*
expensão s.f.
experiência s.f.
experiencial adj.2g.
experiencialismo s.m.
experiente adj. s.2g.
experimenta s.f.
experimentação s.f.
experimentado adj. s.m.
experimentador (*ô*) adj. s.m.
experimenta-genros s.f.2n.
experimental adj.2g.
experimentalismo s.m.
experimentalista adj. s.2g.
experimentalístico adj.
experimentar v.
experimentável adj.2g.
experimento s.m.
experto adj. s.m. "versado", "perito"; cf. *esperto*
expetação s.f.
expetador (*ô*) s.m.; cf. *espectador*
expetante adj.2g.
expetantismo s.m.
expetar v. "esperar"; cf. *espetar*
expetativa s.f.
expetatório adj.
expetável adj.; cf. *espetável*
expetoração s.f.
expetorante adj.2g. s.m.
expetorar v.
expiação s.f.; cf. *espiação*
expiáculo s.m.
expiado adj.; cf. *espiado*
expiador (*ô*) adj. s.m.; cf. *espiador* (*ô*)
expiar v. "redimir"; cf. *espiar*
expiatório adj.
expiável adj.2g.; cf. *espiável*
expilação s.f.
expilado adj.
expilador (*ô*) adj.
expilar v.
expira s.f.; cf. *espira*
expiração s.f.; cf. *espiração*
expirado adj.; cf. *espirado*
expirador (*ô*) adj.
expirante adj.2g. "moribundo"; cf. *espirante*
expirar v. "expelir o ar", "morrer"; cf. *espirar*
expiratório adj.
expiro s.m.; cf. *espiro*, fl. do v. *espirar*
explanação s.f.
explanada s.f. "explicação"; cf. *esplanada*
explanador (*ô*) adj. s.m.
explanar v.
explanativo adj.
explanatório adj.
explanável adj.2g.
explantação s.f.
explantado adj. s.m.
explantador (*ô*) adj.
explantante adj.2g.
explantar v.
explantável adj.2g.
explante s.m.
explementar adj.2g.
explemento s.m.
expletiva s.f.
expletivo adj. s.m.
explicabilidade s.f.
explicação s.f.
explicado adj.
explicador (*ô*) adj. s.m.
explicar v.
explicativo adj.
explicável adj.2g.
explicitação s.f.
explicitado adj.
explicitador (*ô*) adj.
explicitante adj.2g.
explicitar v.
explicitável adj.2g.
explícito adj.
explicudo adj.
explodido adj.
explodidor (*ô*) adj. s.m.
explodir v.
explodível adj.2g.
exploração s.f.
explorado adj.
explorador (*ô*) adj. s.m.
explorante adj. s.2g.
explorar v.
exploratício adj.
explorativo adj.
exploratório adj.
explorável adj.2g.
explosão s.f.
explosiva s.f.
explosível adj.2g.
explosividade s.f.
explosivo adj. s.m.
explosor (*ô*) adj. s.m.
explotação s.f.
explotar v.
expluir v.
expoência s.f.
expoente s.m.
expolição s.f.
expolir v.
exponenciação s.f.
exponencial adj.2g. s.f.
exponente s.m.
exponível adj.2g.
expontuação s.f.
expor (*ô*) v.
exportação s.f.
exportado adj.
exportador (*ô*) adj. s.m.
exportadora s.f.
exportar v.
exportável adj.2g.
exposição s.f.
exposímetro s.m.
expositivo adj.
expósito s.m.
expositor (*ô*) adj. s.m.
expositório s.m.
exposto (*ô*) adj. s.m.; f. (*ó*); pl. (*ó*)
expostulação s.f.
expostulante adj. s.2g.
expostular v.
expressador (*ô*) adj.
expressante adj.2g.
expressão s.f.
expressar v.
expressável adj.2g.
expressional adj.2g.
expressionismo s.m.
expressionista adj. s.2g.
expressionístico adj.
expressiva s.f.
expressividade s.f.
expressivo adj.
expresso adj. s.m.

expressor (*ô*) adj. s.m.
exprimido adj.
exprimir v.
exprimível adj.2g.
exprobação s.f.
exprobador (*ô*) adj. s.m.
exprobante adj.2g.
exprobar v.
exprobatório adj.
exprobração s.f.
exprobrador (*ô*) adj. s.m.
exprobrante adj.2g.
exprobrar v.
exprobratório adj.
exprobrável adj.2g.
expromissão s.f.
expromissor (*ô*) s.m.
expropriação s.f.
expropriado adj.
expropriador (*ô*) adj. s.m.
expropriante adj.2g.
expropriar v.
expropriativo adj.
expropriatório adj.
expropriável adj.2g.
exprovado adj.
expugnação s.f.
expugnado adj.
expugnador (*ô*) adj. s.m.
expugnar v.
expugnável adj.2g.
expulsado adj.
expulsador (*ô*) adj.
expulsamento s.m.
expulsando adj. s.m.
expulsão s.f.
expulsar v.
expulsável adj.2g.
expulsivo adj.
expulso adj.
expulsor (*ô*) adj. s.m.
expulsório adj.
expultriz adj. s.f.
expunção s.f.
expungido adj.
expungir v.
expungível adj.2g.
expurgação s.f.
expurgado adj.
expurgador (*ô*) adj. s.m.
expurgamento s.m.
expurgar v.
expurgatório adj. s.m.
expurgável adj.2g.
expurgo s.m.
exsanguinitransfusão (*essan*) s.f.
exsanguinitransfusório (*essan*) adj.
exsanguinotransfusão (*essan*) s.f.
exsanguinotransfusório (*essan*) adj.
exscrito (*escr*) adj.
exsicação (*essi*) s.f.
exsicado (*essi*) adj.
exsicador (*essi...ô*) adj. s.m.
exsicante (*essi*) adj.2g.
exsicar (*essi*) v.
exsicata (*essi*) s.f.
exsicativo (*essi*) adj.
exsicável (*essi*) adj.2g.
exsolução (*esso*) s.f.
exsolver (*esso*) v.
exspuição s.f.
exstante adj.2g.
exstar v.
exstipuláceo adj.
exstipulado adj. "privado de estípulas"; cf. *estipulado*
exsuar (*essu*) v.
exsucação (*essu*) s.f.
exsução (*essu*) s.f.
exsucção (*essu*) s.f.
exsudação (*essu*) s.f.
exsudado (*essu*) adj.
exsudante (*essu*) adj.2g. s.m.
exsudar (*essu*) v.
exsudativo (*essu*) adj.
exsudato (*essu*) s.m.
exsudável (*essu*) adj.2g.
exsuflação (*essu*) s.f.
exsuflar (*essu*) v.
exsurgir (*essu*) v.
êxtase s.m. "arrebatamento"; cf. *estase*
extasiado adj.; cf. *estasiado*
extasiante adj.2g.
extasiar v. "arrebatar"; cf. *estasiar*
extático adj. "posto em êxtase"; cf. *estático*
extemporaneidade s.f.
extemporâneo adj.
extensão s.f.
extensibilidade s.f.
extensidade s.f.
extensina s.f.
extensível adj.2g.
extensividade s.f.
extensivo adj.
extenso adj.
extensometria s.f.
extensométrico adj.
extensômetro s.m.
extensor (*ô*) adj. s.m.
extenuação s.f.
extenuado adj.
extenuador (*ô*) adj. s.m.
extenuante adj.2g.
extenuar v.
extenuativo adj.
extenuável adj.2g.
extergente adj.2g.
exterior (*ô*) adj. s.m.
exterioridade s.f.
exteriorista s.2g.
exteriorização s.f.
exteriorizado adj.
exteriorizante adj.2g.
exteriorizar v.
exteriorizável adj.2g.
exterminação s.f.
exterminador (*ô*) adj. s.m.
exterminante adj.2g.
exterminar v.
exterminável adj.2g.
extermínio s.m.
externa s.f.
externação s.f.
externado adj.
externar v.
externato s.m.
externizar v.
externo adj. s.m. "de fora"; cf. *esterno* e *hesterno*
exteroanterior adj.2g.
exteroceptivo adj.
exteroceptor (*ô*) s.m.
exteroinferior adj.2g.
exteroposterior adj.2g.
exterossuperior adj.2g.
exterrenal adj.2g.
exterritorialidade s.f.
extinção s.f.
extinguido adj.
extinguidor (*ô*) adj. s.m.
extinguir v.
extinguível adj.2g.
extintivo adj.
extinto adj. s.m.
extintor (*ô*) adj. s.m.
extirpação s.f.
extirpado adj.
extirpador (*ô*) adj. s.m.
extirpamento s.m.
extirpar v.
extirpável adj.2g.
extíspice s.m.
extispicina s.f.
extispício s.m.
extocicácea (*cs*) s.f.
extocicáceo (*cs*) adj.
extorquido adj.
extorquidor (*ô*) adj. s.m.
extorquir v.
extorsão s.f.
extorsionário adj. s.m.
extorsivo adj.
extorso (*ô*) s.m. "extorsão"; cf. *estorço* (*ô*) s.m. e *estorço*, fl. do v. *estorcer*
extorsor (*ô*) adj. s.m.
extortor (*ô*) adj. s.m.
extoxicácea (*cs*) s.f.
extoxicáceo (*cs*) adj.
extóxico (*cs*) s.m.
extra adj. s.2g.
extra-abdominal adj.2g.
extra-alcance adv.
extra-amazônico adj.
extra-articular adj.2g.
extra-atmosférico adj.
extra-axial (*cs*) adj.2g.
extra-axilar (*cs*) adj.2g.
extrabíblico adj.
extrabordar v.
extrabranquial adj.2g.
extrabronquial adj.2g.
extrabucal adj.2g.
extrabulbar adj.2g.
extracanônico adj.
extração s.f.
extracapsular adj.2g.
extracartular adj.2g.
extracartularidade s.f.
extracelular adj.2g.
extracerebral adj.2g.
extracientífico adj.
extracionense adj. s.2g.
extracístico adj.
extracívico adj.
extraclaustral adj.2g.
extracolonial adj.2g.
extracomercial adj.2g.
extracomercialidade s.f.
extraconjugal adj.2g.
extracontinental adj.2g.
extracontratual adj.2g.
extracorpóreo adj.
extracorpuscular adj.2g.
extracorrente s.f.
extracósmico adj.
extracostal adj.2g.
extracraniano adj.
extracrescente adj.2g.
extracromossomial adj.2g.
extracromossômico adj.
extractar v.
extractiforme adj.2g.
extractivo adj. s.m.
extracto s.m.
extractor (*ô*) adj. s.m.
extracultural adj.2g.
extracurricular adj.2g.
extracurrículo s.m.
extracurto adj.
extracutâneo adj.
extradição s.f.
extradicionar v.
extraditado adj. s.m.
extraditando s.m.
extraditar v.
extraditável adj.2g.
extradoce adj.2g.
extradorsado adj.
extradorso (*ô*) s.m.
extradós s.m.2n.
extradotal adj.2g.
extradural adj.2g.
extraduro adj.
extraembrionário adj.
extraentérico adj.
extraepifisário adj.
extraescolar adj.2g.
extraestatal adj.2g.
extraestatutário adj.
extraestrutural adj.2g.
extraeuropeu adj.2g.
extrafino adj.
extrafiscal adj.2g.
extrafiscalidade s.f.
extrafísico adj.
extrafloral adj.2g.
extrafocal adj.2g.
extrafolheáceo adj.
extrafoliáceo adj.
extrafólio adj.
extragaláctico adj.
extragalático adj.
extragenital adj.2g.
extragovernativo adj.
extragramatical adj.2g.
extra-hepático adj.
extra-hispânico adj.
extra-hospitalar adj.2g.
extra-humano adj.
extraído adj.
extraidor (*ô*) adj. s.m.
extrair v.
extraível adj.2g.
extrajudicial adj.2g.
extrajudiciário adj.
extrajurídico adj.
extralegal adj.2g.
extraleve adj.2g.
extralinguístico (*ü*) adj.
extraliterário adj.
extramarginal adj.2g.
extramarital adj.2g.
extramatrimonial adj.2g.
extramedular adj.2g.
extramérico adj.
extrâmero s.m.
extramolecular adj.2g.
extramundano adj.
extramundo adj.
extramural adj.2g.
extramuros adv.
extramusical adj.2g.
extranacional adj.2g.
extranatural adj.2g.
extranet s.f.
extraneural adj.2g.
extranocional adj.2g.
extranormal adj.2g.
extranuclear adj.2g.
extranumeral adj.2g.
extranumerário adj. s.m.
extraocular adj.2g.
extraoficial adj.2g.
extraoral adj.2g.
extraorbital adj.2g.
extraordinário adj. s.m.
extraorgânico adj.
extraovular adj.2g.
extraparietal adj.2g.
extraparlamentar adj.2g.
extraparoquial adj.2g.
extrapartidário adj.
extrapassado adj.
extrapassar v.
extrapélvico adj.
extraperineal adj.2g.
extraperitoneal adj.2g.
extrapiramidal adj.2g.
extrapituitário (*u-i*) adj.
extraplacental adj.2g.
extraplacentar adj.2g.
extraplacentário adj.
extraplanetário adj.
extrapleural adj.2g.
extrapolação s.f.
extrapolar v.
extrapolativo adj.
extrapolatório adj.
extrapolável adj.2g.
extrapor v.
extraposição s.f.
extraposto (*ô*) adj.
extraprofissional adj.2g.
extraprograma adj.2g.2n. s.m.
extraprostático adj.
extraprovincial adj.2g.
extrapulmonar adj.2g.
extrário adj.
extrarrefratário adj.
extrarregimental adj.2g.
extrarregulamentar adj.2g.
extrarregular adj.2g.
extrarrenal adj.2g.
extrarretínico adj.
extrassagital adj.2g.
extrasseco adj.
extrassecular adj.2g.
extrassemântico adj.
extrassensível adj.2g.
extrassensorial adj.2g.
extrassensorialidade s.f.
extrassensório adj.
extrasserial adj.2g.
extrassístole s.f.
extrassistólico adj.
extrassistolismo s.m.
extrassolar adj.2g.
extratar v.
extratário s.m.
extratársico adj.
extratelúrico adj.
extratêmpora s.f.
extratemporal adj.2g.
extraterreno adj. s.m.
extraterrestre adj.2g.
extraterritorial adj.2g.
extraterritorialidade s.f.
extrateto s.m.
extratexto (*ê*) adj.2g.2n.
extratextual adj.2g.
extratimpânico adj.
extrativismo s.m.
extrativista adj. s.2g.
extrativístico adj.
extrativo adj.
extrato s.m. "retirado de algo"; cf. *estrato*
extrator (*ô*) adj. s.m.
extratorácico adj.
extratraqueal adj.2g.
extratribal adj.2g.
extratropical adj.2g.
extratubal adj.2g.
extraurbano adj.
extrauterino adj.
extravagância s.f.; cf. *extravagancia*, fl. do v. *extravaganciar*
extravaganciar v.
extravagante adj. s.2g.
extravagar v.
extravaginal adj.2g.
extravante s.m.
extravasação s.f.
extravasado adj.
extravasamento s.m.
extravasante adj.2g.
extravasão s.f.
extravasar v.
extravascular adj.2g.
extravaso s.m.
extravasor (*ô*) s.m.
extraveicular adj.2g.
extravenado adj.
extraventricular adj.2g.
extravertedura s.f.
extraverter v.
extraviado adj.
extraviador (*ô*) adj. s.m.
extraviar v.
extravio s.m.
extravisceral adj.2g.
extrazodiacal adj.2g.
extrema s.f.
extrema-direita s.2g.; pl. *extremas-direitas*
extremado adj. "excessivo"; cf. *estremado*
extremadura s.f.
extrema-esquerda s.2g.; pl. *extremas-esquerdas*
extremal s.f.
extremante s.m.
extremar v. "exceder"; cf. *estremar*
extrema-unção s.f.; pl. *extremas-unções*
extremável adj.2g.
extremense adj. s.2g.
extremidade s.f.
extremismo s.m.
extremista adj. s.2g.
extremístico adj.
extremo adj. s.m. "excessivo"; cf. *estremo* s.m. e *estremo*, fl. do v. *estremar*
extremosa s.f.
extremoso (*ô*) adj.; f. (*ó*); pl. (*ó*)
extricar v.
extricável adj.2g.
extrínseco adj.
extrofia s.f.
extrofiante adj.2g.
extrofiar v.

extrofiável adj.2g.
extrófico adj. "deslocado"; cf. *estrófico*
extropiado adj.
extrorso adj.
extrospeção s.f.
extrospecção s.f.
extrospectivo adj.
extrospetivo adj.
extroversão s.f.
extroverso adj.
extroverter-se v.
extrovertido adj.
extrudado adj.
extrusão s.f.
extrusivo adj.
extrusor (*ô*) s.m.
extrusora (*ô*) s.f.
exubaté s.m.
exuberância (*z*) s.f.
exuberante (*z*) adj.2g.
exuberar (*z*) v.
exúbere (*z*) adj.2g.; cf. *exubere*, fl. do v. *exuberar*
exuense adj. s.2g.
êxul (*z*) adj.2g.
exular (*z*) v.
exulceração (*z*) s.f.
exulcerado (*z*) adj.
exulcerante (*z*) adj.2g.
exulcerar (*z*) v.
exulcerativo (*z*) adj.
êxule (*z*) adj.2g.; cf. *exule*, fl. do v. *exular*
exultação (*z*) s.f.
exultante (*z*) adj.2g.
exultar (*z*) v.
exultável (*z*) adj.2g.
exultório (*z*) adj.
exumação (*z*) s.f.
exumado (*z*) adj.
exumador (*z...ô*) adj.
exumante (*z*) adj.2g.
exumar (*z*) v.
exumbilicação (*z*) s.f.
exundação (*z*) s.f.
exundar (*z*) v.
exurbanização (*z*) s.f.
exurbanizador (*z...ô*) adj. s.m.
exurbanizante (*z*) adj.2g.
exurbanizar (*z*) v.
exurbanizatório (*z*) adj.
exurbanizável (*z*) adj.2g.
exurbano (*z*) adj. s.m.
exúrbia (*z*) s.f.
exúrbio (*z*) s.m.
exutório (*z*) s.m.
exúvia (*z*) s.f.
exuviabilidade (*z*) s.f.
exuviável (*z*) adj.2g.
exuviela (*z*) s.f.
exúvio (*z*) s.m.
exventrar v.
ex-voto s.m.
eyckiano (*aiqui*) adj.
eylettersita s.f.
eytlandita s.f.
ezangala s.f.
ezcurrita s.f.
ezequielense adj. s.2g.
ezoognosia s.f.
ezoognóstico adj.
ezrina s.f.
ezteri s.m.

F f

f (*efe* ou *fê*) s.m.
fá s.m. "nota musical", "divindade"; cf. *fã*
fã s.2g. "admirador"; cf. *fá*
faba s.f.
fabácea s.f.
fabáceo adj.
fabagela s.f.
fabale s.f.
fabela s.f.
fabiana s.f.
fabianina s.f.
fabianismo s.m.
fabianista s.2g.
fabianístico adj.
fabianita s.f.
fabiano adj. s.m.
fabiense adj. s.2g.
fabiforme adj.2g.
fabismo s.m.
fabordão s.m.
fabraterno adj.
fábrica s.m.f.; cf. *fabrica*, fl. do v. *fabricar*
fabricabilidade s.f.
fabricação s.f.
fabricado adj.
fabricador (*ô*) adj. s.m.
fabricando adj.
fabricante s.2g.
fabricar v.
fabricário adj. s.m.
fabricável adj.2g.
fabricense adj. s.2g.
fabrícia s.f.
fabricianense adj. s.2g.
fabriciano adj.
fabrico s.m.; "fabricação"; cf. *fábrico*
fábrico s.m. "época sem chuvas da colheita do látex"; cf. *fabrico* s.m. e fl. do v. *fabricar*
fabril adj.2g.
fabriqueiro adj. s.m.
fabriqueta (*ê*) s.f.
fabro s.m.
fabrônia s.f.
fabroniácea s.f.
fabroniáceo adj.
fábula s.f.; cf. *fabula*, fl. do v. *fabular*
fabulação s.f.
fabulado adj.
fabulador (*ô*) adj. s.m.
fabular v. adj.2g.
fabulário s.m.
fabuleira s.f.
fabulismo s.m.
fabulista adj. s.2g.
fabulística s.f.
fabulístico adj.
fabulita s.f.
fabulizar v.
fabuloso (*ô*) adj.; f. (*ó*); pl. (*ó*)
faca s.f.
facada s.f.
facadista adj. s.2g.
facaia s.f.
facaio s.m.
facalhão s.m.
facalhaz s.m.
façalvo adj.
faca-maruja s.f.; pl. *facas-marujas*
facanaço s.m.
facané s.m.
facaneia (*é*) s.f.
façanha s.f.
façanheiro adj. s.m.
façanhice s.f.
façanhoso (*ô*) adj.; f. (*ó*); pl. (*ó*)
façanhudo adj.
facanito s.m.
facão s.m.
fação s.f.
façaranda s.f.
faca-sola s.f.; na loc. adv. *à faca-sola*
facataz s.m.
facção s.f.
faccional adj.2g.
faccionalidade s.f.
faccionalismo s.m.
faccionalista adj. s.2g.
faccionalístico adj.
faccionar v.
faccionário adj. s.m.
facciosidade s.f.
facciosismo s.m.
facciosista s.2g.
facciosístico adj.
faccioso (*ô*) adj.; f. (*ó*); pl. (*ó*)
face s.f.
faceado adj.
faceamento s.m.
facear v.
facécia s.f.; cf. *facecia*, fl. do v. *faceciar*
faceciar v.
faceciosidade s.f.
facecioso (*ô*) adj.; f. (*ó*); pl. (*ó*)
facectomia s.f.
faceira s.2g. s.f.
faceiraço adj.
faceirão s.m.
faceirar v.
faceirice s.f.
faceiro adj. s.m.
faceiroa (*ô*) s.f.
facejamento s.m.
facejar v.
facélia s.f.
facelieia (*é*) s.f.
facelina s.f.
facelita s.f.
facelódromo s.m.
facelófora s.m.
faceta (*ê*) s.f.; cf. *faceta*, fl. do v. *facetar*
facetação s.f.
facetado adj.
facetador (*ô*) adj. s.m.
facetagem s.f.
facetamento s.m.
facetar v.
facetear v.
faceto (*ê*) adj.; cf. *faceto*, fl. do v. *facetar*
facha s.f.
fachaca s.f.
fachada s.f. "frontada"; cf. *faxada*
fachar v.
facharão s.m.
facheada s.f.
facheado s.m.
facheador (*ô*) s.m.
fachear v. "partir"; cf. *faixear*
facheira s.f.
facheiro s.m. "planta", etc.; cf. *faixeiro*
facheiro-cardeiro s.m.; pl. *facheiros-cardeiro* e *facheiros-cardeiros*
facheiro-jamacaru s.m.; pl. *facheiros-jamacaru* e *facheiros-jamacarus*
facheiro-preto s.m.; pl. *facheiros-pretos*
fachi s.m.
fachiada s.f.
facho s.m.; cf. *faixo*, fl. do v. *faixar*
fachoca s.f.
fachola s.f.
fachoqueira s.f.
fachoqueiro s.m.
fachudaço adj.
fachudo adj.
facial adj.2g.
facidiácea s.f.
facidiáceo adj.
facidínea s.f.
facidíneo adj.
facídio s.m.
facidropisia s.f.
facienda s.f.
fácies s.f.2n.
fácil adj.2g. adv.
facilidade s.f.
facílimo adj. sup. de *fácil*
facilitação s.f.
facilitado adj.
facilitador (*ô*) adj. s.m.
facilitamento s.m.
facilitar v.
facilitário s.m.
facilitável adj.2g.
facimenite s.f.
facinha s.f.
facínora adj. s.2g.
facinoroso (*ô*) adj.; f. (*ó*); pl. (*ó*)
faciolingual adj.2g.
facionar v.
facionário adj. s.m.
faciosidade s.f.
faciosismo s.m.
facioso (*ô*) adj. s.m.; f. (*ó*); pl. (*ó*)
facistol s.m.
facite s.f.
fã-clube s.m.; pl. *fã-clubes*
faco s.m.
facocele s.f.
facochero (*ê*) s.m.
facocistectomia s.f.
facocisto s.m.
facoesclerose s.f.
facoglaucoma s.m.
faco-hidropsia s.f.
faco-himenite s.f.
facoidal adj.2g.
facoide (*ó*) adj.2g.
facoidropisia s.f.
façoila s.f.
facoimenite s.f.
facólise s.f.
facolita s.f.
facolítico adj.
facólito s.m.
facoma s.m.
facomalacia s.f.
facomatose s.f.
facométrico adj.
facômetro s.m.
faconina s.f.
facopiose s.f.
facoquero (*ê*) s.m.
facosclerose s.f.
facoscopia s.f.
facoscópico adj.
facoscópio s.m.
facoscotasmo s.m.
facote s.m.
façoula s.f.
fac-similação s.f.
fac-similado adj.
fac-similador (*ô*) adj. s.m.
fac-similar v. adj.2g.
fac-símile s.m.
facticidade s.f.
factício adj.
factitivo adj.
factível adj.2g.
factivo adj.
facto s.m.
factor (*ô*) s.m.
factorial adj.2g. s.m.
factoto s.m.
factótum s.m.
factual adj.2g.
factura s.f.
façudo adj.
façula s.f.
fácula s.f.
faculdade s.f.
facultado adj.
facultar v.
facultatividade s.f.
facultativo adj. s.m.
facultável adj.2g.
facultoso (*ô*) adj.; f. (*ó*); pl. (*ó*)
facúndia s.f.; cf. *facundia*, fl. do v. *facundiar*
facundiar v.
facundidade s.f.
facundo adj.
fada s.m.f.
fadado adj.
fadar v. s.m.
fadaria s.f.
fadárico adj.
fadário s.m.
fadejar v.
fadiá s.m.
fadiço s.m.
fádico adj.
fadiênia s.f.
fadiga s.f.
fadigação s.f.
fadiga-corrosão s.f.; pl. *fadigas-corrosão* e *fadigas-corrosões*
fadigado adj.
fadigador (*ô*) adj. s.m.
fadigamento s.m.
fadigar v.
fadigoso (*ô*) adj.; f. (*ó*); pl. (*ó*)
fadiguento adj.
fadim s.m.
fádingue s.m.
fadinho s.m.
fadista adj. s.2g.
fadistagem s.f.
fadistal adj.2g.
fadistão s.m.; f. *fadistona*
fadistar v.
fadistário s.m.
fadistense adj. s.2g.
fadistice s.f.
fadistinha adj. s.2g.
fadistismo s.m.
fadistista adj. s.2g.
fadistite s.f.
fadistocracia s.f.
fadistocrático adj.
fadistocratizar v.
fadistofilia s.f.
fadistófilo s.m.
fadistofobia s.f.
fadistófobo s.m.
fadistografia s.f.
fadistográfico adj.
fadistógrafo s.m.
fadistola adj. s.m.
fadistólatra s.2g.
fadistolatria s.f.
fadistona s.f. de *fadistão*
fadistório s.m.
fado s.m.
fado-canção s.m.; pl. *fados-canções*
fadocracia s.f.
fadocrata s.2g.
fadocrático adj.
fadógia s.f.
fadômetro s.m.
faduncho s.m.
faece s.f.
faeico (*é*) adj.
faeísmo s.m.
faenga s.f.
faenógamo adj.
faentino adj. s.m.
faeton s.m.
fáeton s.m.
faetonte s.m.
faetonteia (*é*) adj. f. de *faetonteu*
faetônteo adj.
faetonteu adj.; f. *faetonteia* (*é*)
faetontídeo adj. s.m.
fafense adj. s.2g.
fagácea s.f.
fagáceo adj.
fagal adj.2g.
fagale s.f.
fagar v.
fágara s.f.
fágea s.f.
fagedena s.m.
fagedenia s.f.
fagedênico adj.
fagedenismo s.m.
fagedeno s.m.
fagedenoma s.m.
fagícola adj.2g.

fagifulano adj. s.m.
fagina s.f.
fago s.m.
fagocanose s.f.
fagocitário adj.
fagocitina s.f.
fagocitismo s.m.
fagócito s.m.
fagocitólise s.f.
fagocitolítico adj.
fagocitose s.f.
fagofobia s.f.
fagólise s.f.
fagolisossoma s.f.
fagolítico adj.
fagomania s.f.
fagônia s.f.
fagoniina s.f.
fagopirismo s.m.
fagópiro s.m.
fagossomo s.m.
fagote s.m.
fagoterapia s.f.
fagoterápico adj.
fagotino s.m.
fagotipagem s.f.
fagotista adj. s.2g.
fagótrofo adj.
fagueiro adj.
faguetão s.m.
faguice s.f.
fagulha s.f. s.2g.
fagulhação s.f.
fagulhante adj.2g.
fagulhar v.
fagulharia s.f.
fagulheira s.f.
fagulheiro s.m.
fagulhento adj.
fagulho s.m.
fagundense adj. s.2g.
fagundes s.m.2n.
faheyita s.f.
fahrenheit adj.2g. s.m.
faia s.m.f.
faia-branca s.f.; pl. *faias-brancas*
faia-das-ilhas s.f.; pl. *faias-das-ilhas*
faial s.m.
faialense adj. s.2g.
faialita s.f.
faialítico adj.
faianca adj. s.2g. s.f.
faiança s.f.
faianqueiro s.m.
faiante s.m.
faião s.m.
faia-ordinária s.f.; pl. *faias-ordinárias*
faia-preta s.f.; pl. *faias-pretas*
faiar v.
faida s.f.
faido s.m.
faiença s.f.
failina s.f.
failopse s.f.
faim s.m.
faina s.f.
fainar v.
fainarina s.2g.
fainense adj. s.2g.
fainoira s.f.
fainoura s.f.
faio s.m.
fairar v.
fairchildita s.f.
fairfieldita s.f.
faisã s.f. de *faisão*
faisanesco (*ê*) adj.
faisanote s.m.
faisanoto (*ô*) s.m.
faisão s.m.; f. *faisã* e *faisoa*
faisão-da-montanha s.m.; pl. *faisões-da-montanha*
faisão-dos-bosques s.m.; pl. *faisões-dos-bosques*
faisão-prateado s.m.; pl. *faisões-prateados*
faísca s.f.
faiscação s.f.
faiscadela s.f.
faiscado s.m.
faiscador (*ô*) adj. s.m.
faiscalha s.f.
faiscamento s.m.
faiscância s.f.
faiscante adj.2g.
faiscar v.
faísco s.m.
faisoa (*ô*) s.f. de *faisão*
faisonaria s.f.
faisqueira s.f.
faisqueiro s.m.
faisquento adj.
faite s.m.
faitião s.m.
faixa s.m.f. s.2g. "tira"; cf. *facha* s.f. e fl. do v. *fachar*
faixação s.f.
faixado adj.
faixadura s.f.
faixar v.
faixeação s.f.
faixear v. "cingir com faixa"; cf. *fachear*
faixeiro s.m. "cueiro"; cf. *facheiro*
faixeta (*ê*) s.f.
fajã s.f.
fajana s.f.
fajarda s.f.
fajardice s.f.
fajardismo s.m.
fajardo s.m.
fajau s.m.
fájea s.f.
fajeca s.f.
fajequeiro adj.
fajo s.m.
fajoco s.m.
fajutada s.f.
fajutagem s.f.
fajutão s.m.
fajutar v.
fajutice s.m.
fajuto adj.
fala s.f.
falaca s.f.
falaça s.f.
falaçada s.f.
falação s.f.
falaçar v.
falace adj.2g.
falácea s.f.
faláceo adj.
falacha adj. s.2g. s.f.
falácia s.f.
falaciar v.
falacíloco adj. s.m.
falaciloquência (*ü*) s.f.
falaciloquente (*ü*) adj.2g.
falacíloquo adj. s.m.
falacioso (*ô*) adj.; f. (*ó*); pl. (*ó*)
falacíssimo adj. sup. de *falaz*
falaço s.m.
falacrídeo s.m.
falacro s. m.
falacrocarpo s.m.
falacrócera s.m.
falacrocórace s.m.
falacrocorácida s.m.
falacrocoracídeo adj. s.m.
falacrocoracínea s.f.
falacróforo s.m.
falacrose s.f.
falada s.f.
faladar v.
faladeira s.f.
falado adj. s.m.
falador (*ô*) adj. s.m.
faladrar v.
falagogia s.f.
falagra s.m.
falagueiro adj.
falalgia s.f.
falamento s.m.
falança s.f.
falaneia (*é*) adj. s.f. de *falaneu*
falaneu adj. s.m.; f. *falaneia* (*é*)
falaneurisma s.m.
falangarca s.m.
falangarquia s.f.
falange s.f.
falangeal adj.2g.
falangeano adj.
falangeiro s.m.
falângeo adj.
falanger (*ê*) s.m.
falangérida s.m.
falangerídeo adj. s.m.
falangéstida s.m.
falangestídeo adj. s.m.
falangeta (*ê*) s.f.
falangético adj.
falangiano adj.
falângico adj.
falângida adj.2g. s.m.
falangídeo adj. s.m.
falângido adj. s.m.
falangiforme adj.2g.
falangígrado adj.
falanginação s.f.
falangíneo adj. s.m.
falanginha s.f.
falanginiano adj.
falangínico adj.
falangino adj.
falângio s.m.
falangiode adj. s.m.
falangista adj. s.2g.
falangita s.f.
falangite s.f.
falangode s.m.
falangódida adj.2g. s.m.
falangodídeo adj. s.m.
falangose s.f.
falanoglosso adj. s.m.
falansteriácea s.f.
falansterianismo s.m.
falansterianista adj. s.2g.
falansteriano adj. s.m.
falanstério s.m.
falansterismo s.m.
falansterista adj. s.2g.
falante adj. s.2g.
falanteia (*é*) adj. s.f. de *falanteu*
falanteu adj. s.m.; f. *falanteia* (*é*)
falantino adj. s.m.
falar v. s.m.
falaraz s.m.
falárica s.f.
falarídea s.f.
falarídeo adj.
falario s.m.
faláris s.f.2n.
falaropo s.m.
falaropodídeo adj. s.m.
falasarneia (*é*) adj. s.f. de *falasarneu*
falasarneu adj. s.m.; f. *falasarneia* (*é*)
falastrão adj. s.m.; f. *falastrona*
falastrona adj. s.f. de *falastrão*
falatório s.m.
fala-verdade s.m.; pl. *fala-verdades*
falaz adj.2g.
falazar v.
falazeira s.f.
falbalá s.m.
falca s.f.
falcaça s.f.
falcaçado adj.
falcaçadura s.f.
falcaçar v.
falcada s.f.
falcado adj.
falcão s.m.
falcão-caburé s.m.; pl. *falcões-caburé* e *falcões-caburés*
falcão-de-coleira s.m.; pl. *falcões-de-coleira*
falcão-de-peito-vermelho s.m.; pl. *falcões-de-peito-vermelho*
falcão-gerifalte s.m.; pl. *falcões-gerifalte*
falcão-peregrino s.m.; pl. *falcões-peregrinos*
falcão-relógio s.m.; pl. *falcões-relógio* e *falcões-relógios*
falcão-tagarote s.m.; pl. *falcões-tagarote* e *falcões-tagarotes*
falcar v.
falcaria s.f.
falcata s.f.
falcato adj.
falcatrua s.f.
falcatruar v.
falcatrueiro adj. s.m.
falcatruíce s.f.
falcicular adj.2g.
falcídia s.f.
falcidiana s.f.
falcífero adj.
falcifoliado adj.
falciforme adj.2g.
falcinelo s.m.
falcíparum s.m.
falcípede adj.2g.
falcipédio adj.
falcirrostro adj. s.m.
falco s.m.
falcoada s.f.
falcoado adj.
falcoar v.
falcoaria s.f.
falcoeira s.f.
falcoeiro s.m.
falconete (*ê*) s.m.
falcônida adj.2g. s.m.
falconídeo adj. s.m.
falconiforme adj.2g. s.m.
falconíneo adj. s.m.
fálcula s.f.
falculado adj.
falcular adj.2g.
falcúlia s.f.
falda s.f.
faldelhim s.m.
faldilha s.f.
faldistório s.m.
faldra s.f.
faldrilha s.f.
falecer v.
falecido adj. s.m.
falecimento s.m.
falécio adj. s.m.
falectônio s.m.
falefórias s.f.pl.
faleja (*ê*) s.f.
falejar v.
falejida s.f.
falena s.f.
falena-do-pinheiro s.f.; pl. *falenas-do-pinheiro*
falência s.f.
falencial adj.2g.
falencista adj. s.2g.
falênia s.f.
faleno s.m.
falenopse s.f.
falépia s.f.
fálera s.f.
faléria s.f.
falérico adj. s.m.
faleriense adj. s.2g.
falerínea s.f.
falerineo adj. s.m.
falerióidea s.f.
falerionense adj. s.2g.
fáleris s.m.2n.
falerno adj. s.m.
falésia s.f.
falêucio adj. s.m.
falgar s.m.
fálgaro s.m.
falgoseiro adj.
falguer v.
falha s.f.
falhadão s.m.
falhado adj. s.m.
falhadura s.f.
falhamento s.m.
falhanço s.m.
falhão s.m.
falhar v.
falhe s.f.
falheaço s.m.
falheira s.f.
falheiro s.m.
falhento adj.
falhepa s.f.
falhipo s.m.
falho adj.
falhocar v.
falhopa s.f.
falhosa s.f.
falhoso (*ô*) adj.; f. (*ó*); pl. (*ó*)
falhudo adj.
falibilidade s.f.
falibilismo s.m.
fálicas s.f.pl.
falicismo s.m.
fálico adj.
falida s.f.
falido adj. s.m.
falienate adj. s.2g.
faliforme adj.2g.
falija s.f.
falimentar adj.2g.
falimento s.m.
falina s.f.
falínea s.f.
falinha s.f.
falínico adj.
falir v.
falisco adj. s.m.
falismo s.m.
falista adj. s.2g.
falite s.f.
falível adj.2g.
falkmanita s.f.
falmega s.f.
falo s.m.; cf. *falo*, fl. do v. *falar*
faloa (*ô*) s.f.
falocampse s.f.
falocar v.
falocêntrico adj.
falocentrismo s.m.
falocracia s.f.
falocrata adj. s.2g.
falocrático adj.
falocripsia s.f.
falodinia s.f.
falodínico adj.
falofórias s.f.pl.
falóforo adj. s.m.
faloide (*ó*) adj. s.m.
falóidea s.f.
falóideo adj.
faloidiano adj.
faloidina s.f.
falomorfo adj.
faloncose s.f.
falope s.m.
falopiano adj.
falópico adj.
falopiotomia s.f.
faloplastia s.f.
falorragia s.f.
falorrágico adj.
falorreia (*é*) s.f.
falperra (*ê*) s.f.
falperrista s.2g.
falpórria s.2g.
falporriar v.
falporrice s.f.
falqueado adj.
falqueador (*ô*) s.m.
falqueadura s.f.
falquear v.
falquejado adj.
falquejador (*ô*) s.m.
falquejadura s.f.
falquejamento s.m.
falquejar v.
falquejo (*ê*) s.m.
falquenaíta s.f.
falqueta (*ê*) s.f.
falquia s.f.
falquito s.m.
falra s.f.
falripas s.f.pl.
falsa s.f.
falsa-acácia s.f.; pl. *falsas-acácias*
falsa-ave-do-paraíso s.f.; pl. *falsas-aves-do-paraíso*

falsa-barata-do-coqueiro s.f.; pl. *falsas-baratas-do-coqueiro*
falsa-braga s.f.; pl. *falsas-bragas*
falsa-cainca s.f.; pl. *falsas-caincas*
falsa-camomila s.f.; pl. *falsas-camomilas*
falsa-caribeia (*é*) s.f.; pl. *falsas-caribeias* (*é*)
falsa-coral s.f.; pl. *falsas-corais*
falsador (*ô*) adj. s.m.
falsa-erva-de-rato s.f.; pl. *falsas-ervas-de-rato*
falsa-erva-mate s.f.; pl. *falsas-ervas-mate* e *falsas-ervas-mates*
falsa-ervilha s.f.; pl. *falsas-ervilhas*
falsa-espelina s.f.; pl. *falsas-espelinas*
falsa-glicínia s.f.; pl. *falsas-glicínias*
falsa-guarda s.f.; pl. *falsas-guardas*
falsa-ipeca s.f.; pl. *falsas-ipecas*
falsa-laranja s.f.; pl. *falsas-laranjas*
falsa-membrana s.f.; pl. *falsas-membranas*
falsamento s.m.
falsa-moscadeira s.f.; pl. *falsas-moscadeiras*
falsa-narina s.f.; pl. *falsas-narinas*
falsa-oronja s.f.; pl. *falsas-oronjas*
falsa-posição s.f.; pl. *falsas-posições*
falsa-quilha s.f.; pl. *falsas-quilhas*
falsa-quina s.f.; pl. *falsas-quinas*
falsar v.
falsa-rédea s.f.; pl. *falsas-rédeas*
falsário s.m.
falsa-tiririca s.f.; pl. *falsas-tiriricas*
falsa-túbera s.f.; pl. *falsas-túberas*
falsa-verônica s.f.; pl. *falsas-verônicas*
falseabilidade s.f.
falseado adj.
falseador (*ô*) adj.
falseamento s.m.
falsear v.
falsento adj.
falseta (*ê*) s.f.
falsete (*ê*) s.m.
falsetear v.
falsia s.f.
falsidade s.f.
falsídia s.f.
falsídico adj.
falsificabilidade s.f.
falsificação s.f.
falsificado adj.
falsificador (*ô*) adj. s.m.
falsificar v.
falsificável adj.2g.
falsífico adj.; cf. *falsifico*, fl. do v. *falsificar*
falsilho adj.
falsinérveo adj.
falso adj. s.m.
falso-açafrão s.m.; pl. *falsos-açafrões*
falso-alcaparreiro s.m.; pl. *falsos-alcaparreiros*
falso-anil s.m.; pl. *falsos-anis*
falso-arroz s.m.; pl. *falsos-arrozes*
falso-benjoim s.m.; pl. *falsos-benjoins*
falso-bordão s.m.; pl. *falsos-bordões*
falso-brasileto s.m.; pl. *falsos-brasiletos*
falso-crupe s.m.; pl. *falsos-crupes*
falso-dorso s.m.; pl. *falsos-dorsos*
falso-ébano s.m.; pl. *falsos-ébanos*
falso-escorpião s.m.; pl. *falsos-escorpiões*
falso-iroco s.m.; pl. *falsos-irocos*
falso-mate s.m.; pl. *falsos-mates*
falso-oró s.m.; pl. *falsos-orós*
falso-parasita s.m.; pl. *falsos-parasitas*
falso-paratudo s.m.; pl. *falsos-paratudo*
falso-pau-brasil s.m.; pl. *falsos-paus-brasil* e *falsos-paus-brasis*
falso-pinho s.m.; pl. *falsos-pinhos*
falso-plátano s.m.; pl. *falsos-plátanos*
falso-quarto s.m.; pl. *falsos-quartos*
falso-rosto s.m.; pl. *falsos-rostos*
falso-sene s.m.; pl. *falsos-senes*
falso-sicômoro s.m.; pl. *falsos-sicômoros*
falso-testemunho s.m.; pl. *falsos-testemunhos*
falso-título s.m.; pl. *falsos-títulos*
falso-topázio s.m.; pl. *falsos-topázios*
falsura s.f.
falta s.f.
faltante adj.2g.
faltar v.
falto adj.
faltoso (*ô*) adj.; f. (*ó*); pl. (*ó*)
faltriqueira s.f.
falua s.f.
faluca s.f.
falucar v.
falucho s.m.
faludo adj.
falueiro adj. s.m.
fálum s.m.
faluneira s.f.
falunita s.f.
falunito s.m.
falupa s.f.
fálus s.m.2n.
falúsia s.f.
falustria s.f.
faluz s.m.
falvalá s.m.
fama s.f. s.2g.
famacósico adj.
famacósio s.m.
famaliá s.m.
famalicense adj. s.2g.
famanã adj.2g. s.m.
famanado adj.
famanaz adj.2g.
famarada s.f.
famatinita s.f.
famego (*ê*) s.m.
famelga s.2g. s.f.
famelgo s.m.
famelguita s.2g.
famélico adj.
fameniano adj. s.m.
famense adj. s.2g.
famerosa s.f.
famigeração s.f.
famigerado adj.
famigerador (*ô*) adj.
famigerável adj.2g.
famígero adj.
familagem s.f.
família s.f.
familial adj.2g.
familiar adj. s.2g.
familiaridade s.f.
familiário s.m.
familiarização s.f.
familiarizado adj.
familiarizador (*ô*) adj. s.m.
familiarizar v.
familiarizável adj.2g.
familiatura s.f.
familismo s.m.
familista adj. s.2g.
familisteriano adj. s.m.
familistério s.m.
familístico adj.
familota s.f.
familotar v.
famíneo adj.
faminto adj. s.m.
famnissassa s.m.
famoso (*ô*) adj.; f. (*ó*); pl. (*ó*)
fampandelha (*ê*) s.f.
famulado s.m.
famulagem s.f.
famular v.
famulatício adj.
famulato s.m.
famulatório adj. s.m.
famulento adj.
famulício s.m.
fâmulo s.m.; cf. *famulo*, fl. do v. *famular*
fan s.2g.
fanação s.f.
fanaco s.m.
fanadeiro adj. s.m.
fanado adj. s.m.
fanadoiro s.m.
fanadouro s.m.
fanadura s.f.
fanaite s.m.
fanal s.m.
fanão s.m.
fanar v.
fanariota adj. s.2g.
fanate s.m.
fanático adj.
fanatismo s.m.
fanatista adj. s.2g.
fanatístico adj.
fanatização s.f.
fanatizado adj.
fanatizador (*ô*) adj. s.m.
fanatizar v.
fanatizável adj.2g.
fânatron s.m.
fanatrônio s.m.
fanca s.f.
fancaia s.f.
fancalho s.m.
fancaria s.f.
fancarista adj. s.2g.
fanchão s.m.
fancho s.m.
fanchona s.f.
fanchonaça s.f.
fanchonada s.f.
fanchonagem s.f.
fanchone s.m.
fanchonice s.f.
fanchonismo s.m.
fanchono s.m.
fandangagem s.f.
fandangar v.
fandango s.m.
fandanguear v.
fandangueiro adj. s.m.
fandanguento adj.
fandanguismo s.m.
fandanguista adj. s.2g.
fandelga s.2g.
fandelírio s.m.
fandequeque s.m.
fandinga s.m.
fandingar v.
fando adj.
fandonga s.f.
faneca adj.2g. s.f.
faneco adj. s.m.
fanega s.f.
faneia (*é*) adj. s.f. de *faneu*
fânera s.f.
faneranto s.m.
faneráster s.m.
fanerítico adj.
fânero adj. s.m.
fanerobiótico adj.
fanerocarpo adj.
fanerocéfalo adj.
fanerocodônico adj.
fanerocordo s.m.
fanerocotiledônea s.f.
fanerocotiledôneo adj.
fanerocristalino adj.
fanerofício adj.
fanerófita s.f.
fanerófito s.m.
faneróforo adj.
fanerógama s.f.
fanerogamia s.f. "estado de planta"; cf. *fanerogâmia*
fanerogâmia s.f. "planta"; cf. *fanerogamia*
fanerogâmica s.f.
fanerogâmico adj.
fanerógamo adj. s.m.
fanerogênico adj.
faneroglosso adj.
faneroide (*ó*) adj.2g. s.m.
faneromania s.f.
faneropterídeo adj. s.m.
faneróptero adj. s.m.
faneroscopia s.f.
faneroscópico adj.
faneroscópio s.m.
fanerozoico (*ó*) adj. s.m.
fanerozônia s.f.
fanerozônico adj. s.m.
fanestre adj. s.2g.
faneu adj. s.m.; f. *faneia* (*é*)
fanfa adj.2g. s.m. "fanfarrão"; cf. *fanfã*
fanfã s.m. "planta"; cf. *fanfa*
fanfar v.
fanfarra s.f.
fanfarrada s.f.
fanfarrão adj. s.m.; f. *fanfarrona*
fanfarrar v.
fanfarraria s.f.
fanfarras s.m.pl.
fanfarrear v.
fanfarria s.f.
fanfarrice s.f.
fanfarrona adj. s.f. de *fanfarrão*
fanfarronada s.f.
fanfarronal adj.2g.
fanfarronar v.
fanfarronear v.
fanfarronesco (*ê*) adj.
fanfarronia s.f.
fanfarronice s.f.
fanfarronismo s.m.
fanfula s.f.
fanfúrria s.f.; cf. *fanfurria*, fl. do v. *fanfurriar*
fanfurrião adj. s.m.; f. *fanfurriona*
fanfurriar v.
fanfurrice s.f.
fanfurriona adj. s.f. de *fanfurrião*
fanga s.f.
fangana adj.2g.
fanganão adj.
fanganar v.
fangarelar v.
fangina s.f.
fanglomerado s.m.
fangoterapia s.f.
fangueirada (*ü*) s.f.
fangueiro (*ü*) s.m.
fanguista s.2g.
fangulha s.f.
fanha s.2g.
fanheiro adj. s.m.
fanho adj.
fanhosear v.
fanhosez (*ê*) s.f.
fanhosidade s.f.
fanhoso (*ô*) adj.; f. (*ó*); pl. (*ó*)
fânia s.f.
fanica s.f.
fanicado adj.
fanicar v.
fanichar v.
fanicho s.m.
fanico s.m.
faníneo s.m.
fânio adj. s.m.
fanique s.m.
faniqueira s.f.
faniqueiro adj.
faniquento adj.
faniquiteiro adj. s.m.
faniquito s.m.
fanisco s.m.
fano s.m.
fanoa (*ô*) s.f.
fanoderma s.m.
fanodérmida s.m.
fanodermídeo adj. s.m.
fanotrão s.m.
fânotron s.m.
fanqueiro s.m.
fanqueria s.f.
fanqui s.m.
fantã s.m.
fantarelo s.m.
fantasca s.f.
fantascópio s.m.
fantasia s.f.
fantasiação s.f.
fantasiado adj. s.m.
fantasiador (*ô*) adj. s.m.
fantasiante adj. s.2g.
fantasiar v.
fantasioso (*ô*) adj.; f. (*ó*); pl. (*ó*)
fantasista adj. s.2g.
fantasístico adj.
fantasma s.m.
fantasmagoria s.f.
fantasmagórico adj.
fantasmagorizar v.
fantasmal adj.2g.
fantasmar v.
fantasmática s.f.
fantasmático adj.
fantasmatografia s.f.
fantasmatográfico adj.
fantasmatomania s.f.
fantasmatomaníaco adj. s.m.
fantasmatoscópico adj.
fantasmatoscópio s.m.
fantasmizar v.
fantástico adj. s.m.
fantastiquice s.f.
fante adj. s.2g. s.m.
fânti adj. s.2g. s.m.
fantil adj.2g.
fantim s.m.
fantochada s.f.
fantochar v.
fantoche s.m.
fantochinar v.
fantóchio s.m.
fantom s.m.
fantômico adj.
fanucar v.
fanucho adj.
fanuco s.m.
fanzine s.m.
fanzoca s.2g.
fão s.m.
fãozense adj. s.2g.
faquear v.
faqueco (*ê*) s.m.
faqueiro s.m.
faquetão s.m.
faquete (*ê*) s.m.
faqui s.m.
faquim s.m.
faquineta (*ê*) s.2g.
faquinéu s.m.
faquinha s.m.
faquino s.m.
faquir s.m.
faquiriano adj.
faquírico adj.
faquirismo s.m.
faquirista adj. s.2g.
faquirístico adj.
faquirizar v.
faquista adj. s.2g.
fará s.m.
faraçola s.f.

faradaia s.f.
farádico adj.
faradimetria s.f.
faradimétrico adj.
faradímetro s.m.
farádio s.m.
faradipunctura s.f.
faradipuntura s.f.
faradismo s.m.
faradização s.f.
faradizar v.
faradometria s.f.
faradométrico adj.
faradômetro s.m.
farafalha s.f.
faramalha s.f.
faramalheiro adj. s.m.
faramalhice s.f.
farâmea s.f.
farameiro s.m.
faranacaré adj. s.2g.
faranacaru adj. s.2g.
farândola s.f.; cf. *farandola*, fl. do v. *farandolar*
farandolagem s.f.
farandolar v.
farandoleiro adj. s.m.
farandolesco (*ê*) adj.
faranítide adj. s.2g.
faranta s.f.
farante s.2g.
faraó s.m.
farão s.m.
faraônico adj.
farar v.
faratonita adj. s.2g.
faratonite adj. s.2g.
faratsihita s.f.
faraute s.m.
faraz s.m.; f. *farazoa*
farazoa (*ô*) s.f. de *faraz*
fárbio s.m.
farbite s.f.
farçanga s.f.
farcídia s.f.
farciminária s.m.
farciminárida adj.2g. s.m.
farciminarídeo adj. s.m.
farcino s.m.
farcinose s.f.
farcinoso (*ô*) adj.; f. (*ó*); pl. (*ó*)
farda s.f.
fardado adj.
fardagem s.f.
fardalhão s.m.
fardamenta s.f.
fardamento s.m.
fardão s.m.
fardar v.
fardeira s.f.
fardel s.m.
fardelagem s.f.
fardeta (*ê*) s.f.
fardete (*ê*) s.m.
fardilha s.f.
fardo s.m.
fardola s.m.
fardunçare s.f.
farduncço s.m.
faré s.m.
fareia (*é*) adj. s.f. de *fareu*
fareinismo s.m.
fareinista adj. s.2g.
farejador (*ô*) adj. s.m.
farejante adj.2g.
farejar v.
farejo (*ê*) s.m.
farel adj.2g. s.m.
farela s.m.
fareláceo adj.
farelada s.f.
farelagem s.f.
farelão s.m.
farelar v.
fareleiro s.m.
farelento adj.
farelhão s.m.
farelice s.f.
farelo s.m.
farelório s.m.
farense adj. s.2g.
fáretra s.f.; cf. *faretra*, fl. do v. *faretrar*
faretrado adj.
faretrar v.
fareu adj. s.m.; f. *fareia* (*é*)
farfã s.m.
farfalha s.f.
farfalhada s.f.
farfalhador (*ô*) s.m.
farfalhante adj.2g.
farfalhão s.m.; f. *farfalhona*
farfalhar v.
farfalharia s.f.
farfalheira s.f.
farfalheiro adj.
farfalhejar v.
farfalhejo (*ê*) s.m.
farfalhento adj.
farfalhice s.f.
farfalho s.m.
farfalhona s.f. de *farfalhão*
farfalhoso (*ô*) adj.; f. (*ó*); pl. (*ó*)
farfalhuda s.f.
farfalhudice s.f.
farfalhudo adj.
farfana s.f.
farfância s.f.
farfantão adj. s.m.; f. *farfantona*
farfante adj. s.2g.
farfantear v.
farfantola adj. s.2g.
farfantona adj. s.f. de *farfantão*
fárfara s.f.
farfária s.f.
farfúgio s.m.
farfúncia s.f.
fari s.m.
faríaco adj. s.m.
faria-lemense adj. s.2g.; pl. *faria-lemenses*
farias-britense adj. s.2g.; pl. *farias-britenses*
faribolice s.m.
faricoro (*ô*) s.m.
fariense adj. s.2g.
farilhão s.m.
farinação s.f.
farináceo adj. s.m.
farinado adj.
farinar v.
faringal s.f.
faringalgia s.f.
faringalização s.f.
faringalizado adj.
faringalizar v.
faringe s.f.
faringectomia s.f.
faringectômico adj. s.m.
faríngeo adj.
faringeógnato s.m.
faringeurisma s.m.
faringeurismal adj.2g.
faringeurismático adj.
faringiano adj.
faríngico adj.
faringioma s.m.
faringismo s.m.
faringite s.f.
faringítico adj.
faringobranquial adj.2g.
faringocele s.f.
faringoconjuntival adj.2g.
faringodíctio s.m.
faringodinia s.f.
faringodínico adj.
faringoepiglótico adj.
faringoesofágico adj.
faringoglosso s.m.
faringógnato s.m.
faringografia s.f.
faringográfico adj.
faringógrafo s.m.
faringolaríngeo adj.
faringolaringite s.f.
faringolaringítico adj.
faringólito s.m.
faringologia s.f.
faringológico adj.
faringologista adj. s.2g.
faringólogo s.m.
faringomaxilar (*cs*) adj.2g.
faringomicose s.f.
faringomiia s.f.
faringonasal adj.2g.
faringopalatino adj. s.m.
faringoparalisia s.f.
faringopatia s.f.
faringopático adj.
faringoplastia s.f.
faringoplegia s.f.
faringoplégico adj.
faringoqueratose s.f.
faringorragia s.f.
faringorrágico adj.
faringorrinite s.f.
faringorrinoscopia s.f.
faringorrinoscópico adj.
faringoscopia s.f.
faringoscópico adj.
faringoscópio s.m.
faringospasmo s.m.
faringospasmódico adj.
faringossalpingite s.f.
faringostafilino adj. s.m.
faringostenose s.f.
faringostenótico adj.
faringóstomo adj.
faringotomia s.f.
faringotômico adj. s.m.
faringótomo s.m.
faringotonsilite s.f.
faringoxerose (*cs*) s.f.
farinha s.f.
farinháceo adj.
farinha-d'água s.f.; pl. *farinhas-d'água*
farinhada s.f.
farinha-da-terra s.f.; pl. *farinhas-da-terra*
farinha de guerra s.f.
farinha de pau s.f.
farinha-do-campo s.f.; pl. *farinhas-do-campo*
farinha do reino s.f.
farinha-farelo s.f.; pl. *farinhas-farelo* e *farinhas-farelos*
farinha-fóssil s.f.; pl. *farinhas-fósseis*
farinha-queimada s.f.; pl. *farinhas-queimadas*
farinhar v.
farinha-seca s.f.; pl. *farinhas-secas*
farinhata s.f.
farinhato s.m.
farinheira s.f.
farinheiro adj. s.m.
farinhense adj. s.2g.
farinhento adj.
farinhoca s.f.
farinhoso (*ô*) adj.; f. (*ó*); pl. (*ó*)
farinhota s.f.
farinhoto (*ô*) s.m.
farinhudo adj.
farinita s.f.
farinito s.m.
farinosa s.f.
farinose s.f.
fário adj. s.m.
farisaico adj.
farisaísmo s.m.
farisaísta adj. s.2g.
farisaístico adj.
fariscadeira s.f.
fariscador (*ô*) adj. s.m.
fariscante adj.2g.
fariscar v.
farisco s.m.
fariseia (*é*) s.f. de *fariseu*
fariseu s.m.; f. *fariseia* (*é*)
farisqueiro adj.
farita adj. s.2g.
farjuto adj.
fármaca s.f.
farmaceuta s.2g.
farmacêutica s.f.
farmacêutico adj. s.m.
farmácia s.f.
fármaco s.m.
farmacocalcita s.f.
farmacocinética s.f.
farmacoco s.m.
farmacodependência s.f.
farmacodinamia s.f.
farmacodinâmica s.f.
farmacodinâmico adj.
farmacofilia s.f.
farmacófilo s.m.
farmacofobia s.f.
farmacogenética s.f.
farmacogenético adj.
farmacognose s.f.
farmacognosia s.f.
farmacognósico adj.
farmacognóstico adj.
farmacografia s.f.
farmacográfico adj.
farmacógrafo s.m.
farmacolando adj. s.m.
farmacólise s.f.
farmacolita s.f.
farmacolítico adj.
farmacólito s.m.
farmacologia s.f.
farmacológico adj.
farmacologista adj. s.2g.
farmacólogo s.m.
farmacomania s.f.
farmacomaníaco adj. s.m.
farmacômano s.m.
farmaconímia s.f.
farmaconímico adj.
farmacônimo s.m.
farmacopaico adj.
farmacopeia (*é*) s.f.
farmacopéxico (*cs*) adj.
farmacopoese s.f.
farmacopola s.m.
farmacopolia s.f.
farmacopólico adj.
farmacopólio adj.
farmacoposia s.f.
farmacoprofilaxia (*cs*) s.f.
farmacoquímica s.f.
farmacoquímico adj.
farmacorrictologia s.f.
farmacossiderita s.f.
farmacotecnia s.f.
farmacotécnica s.f.
farmacotécnico adj. s.m.
farmacoterapia s.f.
farmacoterápico adj.
farmalha s.f.
farmalhice s.f.
farmento s.m.
farneiro s.m.
farnel s.m.
farnento s.m.
farnésio adj.
farnesol s.m.
farnicoque s.m.
farno s.m.
faro s.m.
faroelita s.f.
faroense adj. s.2g.
faroeste s.m.
farofa s.f.
farofada s.f.
farofeiro s.m.
farofento adj.
farófia s.f.
farofiar v.
farol s.m.
farola s.f.
farolação s.f.
farolado adj.
farolagem s.f.
farolamento s.m.
farolar v.
faroleiro adj. s.m.
farolense adj. s.2g.
farolete (*ê*) s.m.
farolice s.f.
farolim s.m.
farolização s.f.
farolizar v.
farologia s.f.
farológico adj.
farolucho s.m.
farosagem s.f.
farota s.f.
farotáctico adj.
farotaxia (*cs*) s.f.
farotáxico (*cs*) adj.
farpa s.f.
farpada s.f.
farpado adj.
farpante adj.2g.
farpão s.m.
farpar v.
farpeado adj.
farpear v.
farpela s.f.
farpeleiro s.m.
farpelo (*ê*) s.m.
farpoar v.
farra s.f.
farracho s.m.
farrafaiado s.m.
farrageal s.m.
farragem s.f.
farragoilo s.m.
farragoulo s.m.
farragulha s.f.
farrajo s.m.
farramagem s.f.
farrambamba s.f.
farrampa s.f.
farrampeiro adj. s.m.
farrancha s.f.
farrancho s.m.
farrão s.m.
farrapa s.f.
farrapada s.f.
farrapagem s.f.
farrapão s.m.; f. *farrapona*
farrapar v.
farraparia s.f.
farrapeira s.f.
farrapeiro s.m.
farrapela s.f.
farrapense adj. s.2g.
farrapento adj. s.m.
farrapiada s.f.
farrapilha s.2g.
farrapo s.m.
farrapona s.f. de *farrapão*
farrascar v.
farrear v.
farreguelo s.m.
farrejal s.m.
farrejo (*ê*) s.m.
farrela s.m.
fárreo adj. s.m.
farrepa (*ê*) s.f.
farrepas s.f.pl.
farricoco (*ô*) s.m.
farricunco s.m.
farrimônia s.f.
farringtonita s.f.
farripa s.f.
farripas s.f.pl.
farripinho s.m.
farripo s.m.
farriposo (*ô*) adj.; f. (*ó*); pl. (*ó*)
farrista adj. s.2g.
farro s.m.
farroba (*ô*) s.f.
farrobe s.m.
farrobeira s.f.
farrobento adj.
farroma s.m.f.
farromba s.m.f.
farrombeiro adj. s.m.
farromear v.
farromeiro adj. s.m.
farrona s.f.
farronca s.2g. s.f.
farroncar v.
farroncaria s.f.
farrônea s.m.f.
farronfa s.f.
farronfear v.
farronquear v.
farronqueiro adj. s.m.
farroufear v.
farroupa s.2g.
farroupada s.f.
farroupeiro s.m.
farroupeto (*ê*) s.m.

farroupilha adj. s.2g.
farroupilhense adj. s.2g.
farroupilho s.m.
farroupo s.m.
farruco s.m.
farruma s.f.
farrumpeu s.m.
farrupa s.m.
farrusca s.f.
farrusco adj. s.m.
farrusquento adj.
farsa s.f.
farsada s.f.
farsalhão s.m.
farsálico adj.
farsálio adj. s.m.
farsanga s.f.
farsanta s.f.
farsantaria s.f.
farsante adj. s.2g.
farsantear v.
farsesco (*ê*) adj.
farsilhão s.m.
farsista adj. s.2g.
farsola s.2g.
farsolar v.
farsolear v.
farsolice s.f.
farsudo adj.
farta s.f.; na loc. *à farta*
fartação s.f.
fartacaz s.m.
fartadela s.f.
fartalejo (*ê*) s.m.
fartança s.f.
fartão s.m.
fartaque adj.2g.
fartaquim adj. s.2g.
fartar v.
farta-rapazes s.m.2n.
fartável adj.2g.
farta-velhaco s.m.; pl. *farta-velhacos*
farte s.m.
fartecer v.
fártel s.m.
fártem s.m.
farteza (*ê*) s.f.
fartível adj.2g.
farto adj. s.m.
fartote s.m.
fartum s.m.
fartura s.f.
farturense adj. s.2g.
farturento adj.
faruaru adj. s.2g.
farula s.f.
farum s.m.
farungar v.
farúsio adj.
fás s.m.; na loc. *ou por fás ou por nefas*; cf. *faz*, fl. do v. *fazer*
fascácea s.f.
fascáceo adj.
fascaço s.m.
fascal s.m.
fasces s.m.pl.
fáscia s.f.
fasciação s.f.
fasciado adj.
fascial adj.2g.
fasciculação s.f.
fasciculado adj.
fascicular adj.2g.
fasciculária s.f.
fasciculita s.m.f.
fascículo s.m.
fascilado adj.
fascilina s.f.
fascinação s.f.
fascinado adj.
fascinador (*ô*) adj. s.m.
fascinante adj.2g.
fascinar v.
fascinativo adj.
fascínio s.m.
fáscio s.m.
fascíola s.f.; cf. *fasciola*, fl. do v. *fasciolar*
fasciolar adj.2g.
fasciolária s.f.
fasciolárida adj.2g. s.m.
fasciolarídeo adj. s.m.
fascioleta (*ê*) s.f.
fasciolíase s.f.
fasciólida adj.2g. s.m.
fasciolídeo adj. s.m.
fascioloide (*ó*) adj.2g. s.m.
fasciolopsíase s.f.
fasciolópsis s.2g.
fasciotomia s.f.
fascipene adj.2g.
fascismo s.m.
fascista adj. s.2g.
fascístico adj.
fascistização s.f.
fascistizado adj.
fascistizador (*ô*) adj.
fascistizante adj. s.2g.
fascistizar v.
fascistoide (*ó*) adj. s.2g.
fascite s.f.
fasco s.m.
fascolárctida adj.2g. s.m.
fascolarctídeo adj. s.m.
fascolarcto s.m.
fascolião s.m.
fascológalo s.m.
fascolômida adj.2g. s.m.
fascolomídeo adj. s.m.
fascolomiída s.m.
fascolomiídeo adj. s.m.
fascômolis s.m.2n.
fascólomo s.m.
fascolossoma s.m.
fascomanite s.f.
fascoto (*ô*) s.m.
fascunho s.m.
fase s.f.
faseado adj.
faselina s.f.
faselino adj. s.m.
faselita adj. s.2g.
faseolácea s.f.
faseoláceo adj.
faseolar adj.2g.
faseólia s.f.
faseólico adj.
faseoliforme adj.2g.
faseolina s.f.
faséolo s.m.
faseolunático adj.
faseolunatina s.f.
fasgonuroide (*ó*) adj.2g. s.m.
fásia s.f.
fasíaco adj. s.m.
fasiane s.m.
fasianela s.f.
fasiânida adj.2g. s.m.
fasianídeo adj. s.m.
fasianínea s.f.
fasiano adj. s.m.
fasianoide (*ó*) adj.2g. s.m.
fasianóideo adj. s.m.
fásido s.m.
fasimétrico adj.
fasímetro s.m.
fasíneo s.m.
fasiolocele s.f.
fásitron s.m.
fasitrônio s.m.
fasma s.m.
fasmajector (*ô*) s.m.
fasmatídeo adj. s.m.
fasmatódeo adj. s.m.
fasmatópsis s.2g.
fásmida s.m.
fasmídeo adj. s.m.
fasmídio s.m.
fásmido adj. s.m.
fasmódeo adj. s.m.
fasmoide (*ó*) adj.2g. s.m.
fasmóptero adj. s.m.
fasômetro s.m.
fasor (*ô*) s.m.
fasqueiro s.m.
fasquia s.f.
fasquiado adj. s.m.
fasquiador (*ô*) adj. s.m.
fasquiar v.
fasquio s.m.
fassaíta s.f.
fastidiento adj.
fastidioso (*ô*) adj.; f. (*ó*); pl. (*ó*)
fastieiro s.f.
fastiento adj.
fastigiado adj.
fastigial adj.2g.
fastigiar v.
fastigiária s.f.
fastigiela s.f.
fastígio s.m.
fastigioso (*ô*) adj.; f. (*ó*); pl. (*ó*)
fastio s.m.
fastioso (*ô*) adj.; f. (*ó*); pl. (*ó*)
fasto adj. s.m.
fastoso (*ô*) adj.; f. (*ó*); pl. (*ó*)
fastuoso (*ô*) adj.; f. (*ó*); pl. (*ó*)
fata s.f.
fataca s.f.
fataça s.f.
fatacaz s.m.
fatacraz s.m.
fatagear v.
fatagem s.f.
fatal adj.2g.
fatalidade s.f.
fatalismo s.m.
fatalista adj. s.2g.
fatalístico adj.
fatalizado adj.
fatalizar v.
fatana s.f.
fatanar v.
fatanisca s.f.
fatanisco s.m.
fatão s.m.
fatãozeiro s.m.
fataria s.f.
fatário s.m.
fate s.m.
fateco s.m.
fateia (*é*) s.f.
fateira s.f.
fateiro adj. s.m.
fateixa s.f.
fateixar s.f.
fatejar v.
fateusim adj. s.2g.
fatia s.f.
fatiaça s.f.
fatia de parida s.f.
fatia de paris s.f.
fatiado adj.
fatia-doirada s.f.
fatia-dourada s.f.
fatiar v.
fatias da china s.f.pl.
fatias dos anjos s.f.pl.
fatícano adj.
faticeira s.f.
faticidade s.f.
fatício adj.
fático adj.
fatídico adj.
fatifate adj. s.2g.
fatífero adj.
fatiga s.f.
fatigabilidade s.f.
fatigado adj.
fatigador (*ô*) adj.
fatigamento s.m.
fatigante adj.2g.
fatigar v.
fatigável adj.2g.
fatigoso (*ô*) adj.; f. (*ó*); pl. (*ó*)
fatiloquente (*ü*) adj.2g.
fatíloquo adj.
fatimense adj. s.2g.
fatímida adj. s.2g.
fatimita adj. s.2g.
fatinário s.m.
fatiota s.f.
fatitivo adj.
fatível adj.
fatniorragia s.f.
fatniorrágico adj.
fato s.m.
fatoeiro s.m.
fatolá s.m.
fato-macaco s.m.; pl. *fatos-macaco* e *fatos-macacos*
fator (*ô*) s.m.
fatoração s.f.
fatorar v.
fatorial adj.2g. s.m.
fatótipo s.m.
fatracaz s.m.
fátsia s.f.
fátua s.f.
fatual adj.2g.
fatuejar v.
fatuidade s.f.
fátuo adj.
fatura s.f.
faturação s.f.
faturador (*ô*) adj. s.m.
faturadora (*ô*) s.f.
faturamento s.m.
faturar v.
faturável adj.2g.
faturista adj. s.2g.
faturização s.f.
faucal adj.2g.
faucária s.f.
fauce s.f.
faujasita s.f.
faúla s.f.
faulante adj.2g.
faular v.
fauleira s.f.
faulento adj.
faúlha s.f.
faulhante adj.2g.
faulhar v.
faulhento adj.
fauna s.f.
faunesco (*ê*) adj.
fauniano adj.
faunígena adj.2g.
faunística s.f.
faunístico adj.
fauno s.m.
faunologia s.f.
faunológico adj.
fáunula s.f.
fáurea s.f.
fausel s.m.
fauserita s.f.
faustianense adj. s.2g.
faustiano adj.
fáustico adj.
faustiniano adj.
faustiniense adj. s.2g.
faustino adj.
faustita s.f.
fausto adj. s.m.
faustosidade s.f.
faustoso (*ô*) adj.; f. (*ó*); pl. (*ó*)
faustuoso (*ô*) adj.; f. (*ó*); pl. (*ó*)
fauteza (*ê*) s.f.
fautível adj.2g.
fautor (*ô*) adj. s.m.; f. *fautriz*
fautoria s.f.
fautorizar v.
fautriz adj. s.f. de *fautor*
fauvismo (*fo*) s.m.
fauvista (*fo*) adj. s.2g.
fauvístico (*fo*) adj.
fava s.f.
fava-assária s.f.; pl. *favas-assária* e *favas-assárias*
fava-barbatimão s.f.; pl. *favas-barbatimão* e *favas-barbatimões*
fava-belém s.f.; pl. *favas-belém* e *favas-beléns*
fava-branca s.f.; pl. *favas-brancas*
fava-brava s.f.; pl. *favas-bravas*
fava-café s.f.; pl. *favas-café* e *favas-cafés*
fava-caranguejo s.f.; pl. *favas-caranguejo* e *favas-caranguejos*
fava-cavaleira s.f.; pl. *favas-cavaleiras*
fava-cavalina s.f.; pl. *favas-cavalinas*
favaceira s.f.
fava-chicote s.f.; pl. *favas-chicote* e *favas-chicotes*
favaco s.m.
fava-coceira s.f.; pl. *favas-coceira* e *favas-coceiras*
fava-contra s.f.; pl. *favas-contra*
fava-contra-o-mau-olhado s.f.; pl. *favas-contra-o-mau-olhado*
fava-cumandália s.f.; pl. *favas-cumandália* e *favas-cumandálias*
fava-da-holanda s.f.; pl. *favas-da-holanda*
fava-da-índia s.f.; pl. *favas-da-índia*
fava-de-angola s.f.; pl. *favas-de-angola*
fava-de-arara s.f.; pl. *favas-de-arara*
fava-de-besouro s.f.; pl. *favas-de-besouro*
fava-de-bolacha s.f.; pl. *favas-de-bolacha*
fava-de-bolota s.f.; pl. *favas-de-bolota*
fava-de-calabar s.f.; pl. *favas-de-calabar*
fava-de-cavalo s.f.; pl. *favas-de-cavalo*
fava-de-chapa s.f.; pl. *favas-de-chapa*
fava-de-cheiro s.f.; pl. *favas-de-cheiro*
fava-de-cobra s.f.; pl. *favas-de-cobra*
fava-de-impigem s.f.; pl. *favas-de-impigem*
fava-de-lima s.f.; pl. *favas-de-lima*
fava-de-lobo s.f.; pl. *favas-de-lobo*
fava-de-malaca s.f.; pl. *favas-de-malaca*
fava-de-paca s.f.; pl. *favas-de-paca*
fava-de-porco s.f.; pl. *favas-de-porco*
fava-de-quebranto s.f.; pl. *favas-de-quebranto*
fava-de-rama s.f.; pl. *favas-de-rama*
fava-de-rosca s.f.; pl. *favas-de-rosca*
fava-de-santo-inácio s.f.; pl. *favas-de-santo-inácio*
fava-de-santo-inácio-falsa s.f.; pl. *favas-de-santo-inácio-falsas*
fava-de-sucupira s.f.; pl. *favas-de-sucupira*
fava-de-tambaqui s.f.; pl. *favas-de-tambaqui*
fava-de-tonca s.f.; pl. *favas-de-tonca*
fava-de-vaca s.f.; pl. *favas-de-vaca*
fava-divina s.f.; pl. *favas-divinas*
favado adj.
fava-do-brejo s.f.; pl. *favas-do-brejo*
fava-do-egito s.f.; pl. *favas-do-egito*
fava-dos-pântanos s.f.; pl. *favas-dos-pântanos*
fava-dos-pares s.f.; pl. *favas-dos-pares*
faval s.m.
favaleiro s.m.
favalense adj. s.2g.
favalinha s.f.
favaniense adj. s.2g.
favão s.m.
fava-oliá s.f.; pl. *favas-oliá* e *favas-oliás*
fava-ordinária s.f.; pl. *favas-ordinárias*
fava-oró s.f.; pl. *favas-oró* e *favas-orós*
fava-pixurim s.f.; pl. *favas-pixurim* e *favas-pixurins*
favar v.

favarana s.f.
favaria s.f. "porção de favas"; cf. *favária*
favária s.f. "planta"; cf. *favaria*
favária-maior s.f.; pl. *favárias-maiores*
favária-vulgar s.f.; pl. *favárias-vulgares*
fava-rica s.f.; pl. *favas-ricas*
favarola s.f.
fava-seca s.f.; pl. *favas-secas*
fava-terra s.f.; pl. *favas-terra* e *favas-terras*
fava-tonca s.f.; pl. *favas-tonca* e *favas-toncas*
fava-vermelha s.f.; pl. *favas-vermelhas*
faveca s.f.
faveca-vermelha s.f.; pl. *favecas-vermelhas*
faveco s.m.
faveira s.f.
faveira-amarela s.f.; pl. *faveiras-amarelas*
faveira-branca s.f.; pl. *faveiras-brancas*
faveira-de-berloque s.f.; pl. *faveiras-de-berloque*
faveira-de-impigem s.f.; pl. *faveiras-de-impigem*
faveira-do-campo s.f.; pl. *faveiras-do-campo*
faveira-do-igapó s.f.; pl. *faveiras-do-igapó*
faveira-do-mato s.f.; pl. *faveiras-do-mato*
faveira-grande s.f.; pl. *faveiras-grandes*
faveira-grande-do-igapó s.f.; pl. *faveiras-grandes-do-igapó*
faveirana s.f.
faveirão s.m.
faveira-pequena s.f.; pl. *faveiras-pequenas*
faveirense adj. s.2g.
faveiro s.m.
faveiro-do-cerrado s.m.; pl. *faveiros-do-cerrado*
faveiro-do-mato s.m.; pl. *faveiros-do-mato*
favela s.f.
favela-branca s.f.; pl. *favelas-brancas*
favelado adj. s.m.
faveleira s.f.
faveleiro s.m.
favelesco (*ê*) adj.
faventino adj. s.m.
favento adj.
faveolado adj.
faveolamento s.m.
favéolo s.m.
faverinha s.f.
faveta (*ê*) s.f.
favica s.f.
fávico adj.
faviforme adj.2g.
favila s.f.
favinha s.f.
favinha-branca s.f.; pl. *favinhas-brancas*
favinha-brava s.f.; pl. *favinhas-bravas*
favinha-de-capoeira s.f.; pl. *favinhas-de-capoeira*
favinha-do-campo s.f.; pl. *favinhas-do-campo*
fávio s.m.
faviona s.f.
favismo s.m.
favissas s.f.pl.
favo s.m.
favola s.f.
favona s.f.
favoneador (*ô*) s.m.
favonear v.
favoniar v.
favoniense adj. s.2g.
favônio adj. s.m.
favor (*ô*) s.m.
favorabilidade s.f.
favorança s.f.
favorável adj.2g.
favorecedor (*ô*) adj. s.m.
favorecer v.
favorecido adj.
favorecimento s.m.
favorita s.f.
favoritismo s.m.
favoritista adj. s.2g.
favoritístico adj.
favorito adj. s.m.
favorizar v.
favosa s.f.
favoso (*ô*) adj.; f. (*ó*); pl. (*ó*)
favulha s.f.
fax (*cs*) s.m.2n.; tb. pl. *faxes*
faxada s.f. "arrombamento"; cf. *fachada*
faxear v.
faxeque s.m.
faxeta (*ê*) s.f.
faxina s.m.f.
faxinagem s.f.
faxinal s.m.
faxinalense adj. s.2g.
faxinamento s.m.
faxinar v.
faxinaria s.f.
faxina-vermelha s.f.; pl. *faxinas-vermelhas*
faxineira s.f.
faxineiro s.m.
faxino-vermelho s.m.; pl. *faxinos-vermelhos*
fax-modem s.m.; pl. *fax-modens* e *faxes-modens*
fayalita s.f.
fayalítico adj.
fayolismo s.m.
fazânio adj. s.m.
faz de conta adj. s.2g. s.m.2n.
fazeção s.f.
fazedoiro adj.
fazedor (*ô*) s.m.
fazedouro adj.
fazedura s.f.
fazenda s.f.
fazenda-fina s.f.; pl. *fazendas-finas*
fazendal adj.2g.
fazenda-modelo s.f.; pl. *fazendas-modelo*
fazenda-novense adj. s.2g.; pl. *fazenda-novenses*
fazendão s.m.
fazendário adj.
fazendeira s.f.
fazendeirada s.f.
fazendeiro adj. s.m.
fazendense adj. s.2g.
fazendista adj. s.2g.
fazendola s.f.
fazendória s.f.
fazer v.
fazimento s.m.
fazível adj.2g.
faz-tudo s.2g.2n.
faz-xodó s.m.2n.
fé s.f. "confiança"; cf. *fê*
fê s.m. "nome de letra"; cf. *fé*
feace adj. s.2g.
feaciano adj. s.m.
feácio adj. s.m.
feaco adj. s.m.
fealdade s.f.
feanchão adj. s.m.; f. *feanchona*
feanchona adj. s.f. de *feanchão*
feão adj. s.m.; f. *feona*
fearrão adj. s.m.; f. *fearrona*
fearrona adj. s.m. de *fearrão*
febe s.f.
febeia (*é*) adj. f. de *febeu*
febeu adj.; f. *febeia* (*é*)
febilheta (*ê*) s.f.
febo s.m.
febra (*ê*) s.f.
febra-branca s.f.; pl. *febras-brancas*
febrão s.m.
febra-roxa s.f.; pl. *febras-roxas*
febre adj.2g. s.m.f.
febre de caroço s.f.
febrento adj.
febricitação s.f.
febricitado adj.
febricitante adj.2g.
febricitar v.
febrícula s.f.
febriculoso (*ô*) adj.; f. (*ó*); pl. (*ó*)
febrífugo adj. s.m.
febrígeno adj.
febril adj.2g.
febrilidade s.f.
febrilina s.f.
febrilizar v.
febrina s.f.
febriologia s.f.
febriológico adj.
febriólogo s.m.
febronianismo s.m.
febroniano adj. s.m.
febroso (*ô*) adj.; f. (*ó*); pl. (*ó*)
fébrua s.f.
februais s.f.pl.
fecal adj.2g.
fecalina s.f.
fecálito s.m.
fecaloide (*ó*) adj.2g.
fecaloma s.m.
fecalomático adj.
fecalômico adj.
fecaluria s.f.
fecalúria s.f.
fecâmpia s.f.
fecha (*ê*) s.m.
fecha-bodegas s.m.2n.
fechação s.f.
fechada s.f.
fechado adj. s.m.
fechadora (*ô*) s.f.
fechadura s.f.
fecha-fecha s.m.; pl. *fecha-fechas* e *fechas-fechas*
fechal s.m.
fechamento s.m.
fechar v.
fecharia s.f.
fecheleira s.f.
fecho (*ê*) s.m.
fecho-relâmpago s.m.; pl. *fechos-relâmpago* e *fechos-relâmpagos*
fecial adj.2g. s.m.
fecilcetonuria s.f.
fécio s.m.
fécula s.f.
fecularia s.f.
feculência s.f.
feculento adj.
feculista adj. s.2g.
feculoide (*ó*) adj.2g.
feculóideo adj. s.m.
feculometria s.f.
feculométrico adj.
feculômetro s.m.
feculoso (*ô*) adj.; f. (*ó*); pl. (*ó*)
fecundação s.f.
fecundado adj.
fecundador (*ô*) adj. s.m.
fecundante adj.2g.
fecundar v.
fecundativo adj.
fecundável adj.2g.
fecundez (*ê*) s.f.
fecúndia s.f.
fecundidade s.f.
fecundizado adj.
fecundizante adj.2g.
fecundizar v.
fecundo adj.
fedagosa s.f.
fedaim s.m.
fedanhar v.
fedavelha s.f.
fede a breu s.m.2n.
fedegosa s.f.
fedegosal s.m.
fedegoso (*ô*) adj.; f. (*ó*); pl. (*ó*)
fedegoso-bravo s.m.; pl. *fedegosos-bravos*
fedegoso-de-folha-torta s.m.; pl. *fedegosos-de-folha-torta*
fedegoso-do-jardim s.m.; pl. *fedegosos-do-jardim*
fedegoso-do-mato s.m.; pl. *fedegosos-do-mato*
fedegoso-do-pará s.m.; pl. *fedegosos-do-pará*
fedegoso-do-rio-de-janeiro s.m.; pl. *fedegosos-do-rio-de-janeiro*
fedegoso-dos-jardins s.m.; pl. *fedegosos-dos-jardins*
fedegoso-falso s.m.; pl. *fedegosos-falsos*
fedegoso-grande s.m.; pl. *fedegosos-grandes*
fedegoso-legítimo s.m.; pl. *fedegosos-legítimos*
fedegoso-miúdo s.m.; pl. *fedegosos-miúdos*
fedegoso-verdadeiro s.m.; pl. *fedegosos-verdadeiros*
fedelhar v.
fedelhice s.f.
fedelho (*ê*) s.m.
fedelhota s.f.
fedença s.f. s.2g.
fedente adj.2g.
fedentina s.f.
fedentinha s.f.
fedentinhoso (*ô*) adj.; f. (*ó*); pl. (*ó*)
feder v.
federação s.f.
federacionismo s.m.
federacionista adj. s.2g.
federacionístico adj.
federado adj. s.m.
federal adj.2g. s.m.
federalismo s.m.
federalista adj. s.2g.
federalístico adj.
federalização s.f.
federalizado adj.
federalizar v.
federar v.
federativo adj.
federovita s.f.
fedevelha s.f.
fédia s.f.; cf. *fedia*, fl. do v. *feder*
fedido adj.
fedífrago adj.
fedigueira s.f.
fedinchar v.
fedo (*ê*) adj.
fedoca s.f.
fedonhar v.
fedonho adj. s.m.
fedor (*ô*) s.m.
fedorenta s.f.
fedorentice s.f.
fedorentina s.f.
fedorento adj. s.m.
fedorina s.f.
fedorita s.f.
fedorovskita s.f.
fedra s.m.
fedriano adj.
feduçada s.f.
fedúcia s.2g.
feduço adj.
fedúncia s.f. s.2g.
feeria s.f.
feérico adj.
fegarite s.f.
fegatela s.f.
feianchão adj. s.m.; f. *feianchona*
feianchona adj. s.f. de *feianchão*
feião adj. s.m.; f. *feiona*
feiarrão s.m.; f. *feiarrona*
feiarrona adj. s.f. de *feiarrão*
feição s.f.
feições s.f.pl.
feieza (*ê*) s.f.
feiíssimo adj. sup. de *feio*
feijão s.m.
feijão-adzuki s.m.; pl. *feijões-adzuki*
feijão-alfanje s.m.; pl. *feijões-alfanje* e *feijões-alfanjes*
feijão-amendoim s.m.; pl. *feijões-amendoim* e *feijões-amendoins*
feijão-anão s.m.; pl. *feijões-anões*
feijão-aspargo s.m.; pl. *feijões-aspargo* e *feijões-aspargos*
feijão-azeite s.m.; pl. *feijões-azeite* e *feijões-azeites*
feijão-azuqui s.m.; pl. *feijões-azuqui*
feijão-bacamarte s.m.; pl. *feijões-bacamarte* e *feijões-bacamartes*
feijão-baetão s.m.; pl. *feijões-baetão* e *feijões-baetões*
feijão-baru s.m., pl. *feijões-baru* e *feijões-barus*
feijão-batata s.m.; pl. *feijões-batata* e *feijões-batatas*
feijão-besugo s.m.; pl. *feijões-besugo* e *feijões-besugos*
feijão-boi-de-capoeira s.m.; pl. *feijões-boi-de-capoeira* e *feijões-bois-de-capoeira*
feijão-branco s.m.; pl. *feijões-brancos*
feijão-branco-alemão s.m.; pl. *feijões-brancos-alemães*
feijão-branco-das-canárias s.m.; pl. *feijões-brancos-das-canárias*
feijão-branco-gigante s.m.; pl. *feijões-brancos-gigantes*
feijão-bravo s.m.; pl. *feijões-bravos*
feijão-bravo-amarelo s.m.; pl. *feijões-bravos-amarelos*
feijão-bravo-mata-cabrito s.m.; pl. *feijões-bravos-mata-cabritos*
feijão-cabacinha s.m.; pl. *feijões-cabacinha* e *feijões-cabacinhas*
feijão-cabeludo-da-índia s.m.; pl. *feijões-cabeludos-da-índia*
feijão-caboclo s.m.; pl. *feijões-caboclos*
feijão-café s.m.; pl. *feijões-café* e *feijões-cafés*
feijão-canadá s.m.; pl. *feijões-canadá* e *feijões-canadás*
feijão-capão s.m.; pl. *feijões-capão* e *feijões-capões*
feijão-careta s.m.; pl. *feijões-careta* e *feijões-caretas*
feijão-carioca s.m.; pl. *feijões-cariocas*
feijão-carita s.m.; pl. *feijões-carita* e *feijões-caritas*
feijão-carito s.m.; pl. *feijões-carito* e *feijões-caritos*
feijão-carrapatinho s.m.; pl. *feijões-carrapatinho* e *feijões-carrapatinhos*
feijão-carrapato s.m.; pl. *feijões-carrapato* e *feijões-carrapatos*
feijão-carumbé s.m.; pl. *feijões-carumbé* e *feijões-carumbés*
feijão-casado s.m.; pl. *feijões-casados*
feijão-castanho s.m.; pl. *feijões-castanhos*
feijão-catinga-de-macaco s.m.; pl. *feijões-catinga-de-macaco* e *feijões-catingas-de-macaco*
feijão-cavalinho s.m.; pl. *feijões-cavalinho* e *feijões-cavalinhos*
feijão-cem-por-um s.m.; pl. *feijões-cem-por-um*
feijão-chicote s.m.; pl. *feijões-chicote* e *feijões-chicotes*

feijão-china s.m.; pl. *feijões-china* e *feijões-chinas*
feijão-chinês s.m.; pl. *feijões-chineses*
feijão-chita-fina s.m.; pl. *feijões-chita-fina* e *feijões-chitas-finas*
feijão-chita-rajada s.m.; pl. *feijões-chita-rajada* e *feijões-chitas-rajadas*
feijão-chocolate s.m.; pl. *feijões-chocolate* e *feijões-chocolates*
feijão-chumbinho s.m.; pl. *feijões-chumbinho* e *feijões-chumbinhos*
feijão-coco s.m.; pl. *feijões-coco* e *feijões-cocos*
feijão-coco-bicolor s.m.; pl. *feijões-coco-bicolores* e *feijões-cocos-bicolores*
feijão-colubrino s.m.; pl. *feijões-colubrinos*
feijão com arroz s.m.
feijão-come-se-tudo s.m.; pl. *feijões-come-se-tudo*
feijão com molho s.m.
feijão-comum s.m.; pl. *feijões-comuns*
feijão-congo s.m.; pl. *feijões-congo* e *feijões-congos*
feijão-corda s.m.; pl. *feijões-corda* e *feijões-cordas*
feijão-covado s.m.; pl. *feijões-covados*
feijão-cru s.m.; pl. *feijões-crus*
feijão-cutelinho s.m.; pl. *feijões-cutelinho* e *feijões-cutelinhos*
feijão-cutelinho-branco s.m.; pl. *feijões-cutelinho-brancos* e *feijões-cutelinhos-brancos*
feijão-cutelinho-negro s.m.; pl. *feijões-cutelinho-negros* e *feijões-cutelinhos-negros*
feijão-cutelinho-roxo s.m.; pl. *feijões-cutelinho-roxos* e *feijões-cutelinhos-roxos*
feijão-da-china s.m.; pl. *feijões-da-china*
feijão-da-espanha s.m.; pl. *feijões-da-espanha*
feijão-da-flórida s.m.; pl. *feijões-da-flórida*
feijão-da-índia s.m.; pl. *feijões-da-índia*
feijão-da-mongólia s.m.; pl. *feijões-da-mongólia*
feijão-da-neblina s.m.; pl. *feijões-da-neblina*
feijão-da-pérsia s.m.; pl. *feijões-da-pérsia*
feijão-da-praia s.m.; pl. *feijões-da-praia*
feijão-de-árvore s.m.; pl. *feijões-de-árvore*
feijão-de-azeite s.m.; pl. *feijões-de-azeite*
feijão-de-boi s.m.; pl. *feijões-de-boi*
feijão-de-cavalo s.m.; pl. *feijões-de-cavalo*
feijão-de-cera s.m.; pl. *feijões-de-cera*
feijão-de-cobra s.m.; pl. *feijões-de-cobra*
feijão-de-coimbra s.m.; pl. *feijões-de-coimbra*
feijão-de-corda s.m.; pl. *feijões-de-corda*
feijão-de-cuba s.m.; pl. *feijões-de-cuba*
feijão-de-espanha s.m.; pl. *feijões-de-espanha*
feijão-de-frade s.m.; pl. *feijões-de-frade*
feijão-de-frade-comprido s.m.; pl. *feijões-de-frade-compridos*
feijão-de-gado s.m.; pl. *feijões-de-gado*
feijão-de-guando s.m.; pl. *feijões-de-guando*
feijão-de-guizos s.m.; pl. *feijões-de-guizos*
feijão-de-java s.m.; pl. *feijões-de-java*
feijão-de-leite s.m.; pl. *feijões-de-leite*
feijão-de-lima s.m.; pl. *feijões-de-lima*
feijão-de-lisboa s.m.; pl. *feijões-de-lisboa*
feijão-de-macáçar s.m.; pl. *feijões-de-macáçar*
feijão-de-metro s.m.; pl. *feijões-de-metro*
feijão-de-olho-preto s.m.; pl. *feijões-de-olho-preto*
feijão-de-pombinha s.m.; pl. *feijões-de-pombinha*
feijão-de-porco s.m.; pl. *feijões-de-porco*
feijão-de-rola s.m.; pl. *feijões-de-rola*
feijão-de-santo-ambrósio s.m.; pl. *feijões-de-santo-ambrósio*
feijão-de-sete-anos s.m.; pl. *feijões-de-sete-anos*
feijão-de-sete-semanas s.m.; pl. *feijões-de-sete-semanas*
feijão-de-soja s.m.; pl. *feijões-de-soja*
feijão de tropeiro s.m.
feijão-de-vaca s.m.; pl. *feijões-de-vaca*
feijão-de-vagem s.m.; pl. *feijões-de-vagem*
feijão-de-vara s.m.; pl. *feijões-de-vara*
feijão-do-campo s.m.; pl. *feijões-do-campo*
feijão-do-congo s.m.; pl. *feijões-do-congo*
feijão-do-gado s.m.; pl. *feijões-do-gado*
feijão-do-mato s.m.; pl. *feijões-do-mato*
feijão-dom-carlos s.m.; pl. *feijões-dom-carlos*
feijão-dos-caboclos s.m.; pl. *feijões-dos-caboclos*
feijão-enxofre s.m.; pl. *feijões-enxofre* e *feijões-enxofres*
feijão-ervilheiro-amarelo s.m.; pl. *feijões-ervilheiros-amarelos*
feijão-ervilheiro-pintado s.m.; pl. *feijões-ervilheiros-pintados*
feijão-escarlate s.m.; pl. *feijões-escarlates*
feijão-espada s.m.; pl. *feijões-espada* e *feijões-espadas*
feijão-espada-de-guerra s.m.; pl. *feijões-espada-de-guerra* e *feijões-espadas-de-guerra*
feijão-espadinho s.m.; pl. *feijões-espadinho* e *feijões-espadinhos*
feijão-farinha s.m.; pl. *feijões-farinha* e *feijões-farinhas*
feijão-fava-bravo s.m.; pl. *feijões-fava-bravos* e *feijões-favas-bravos*
feijão-favona s.m.; pl. *feijões-favona* e *feijões-favonas*
feijão-fidalgo s.m.; pl. *feijões-fidalgo* e *feijões-fidalgos*
feijão-fígado-de-galinha s.m.; pl. *feijões-fígado-de-galinha* e *feijões-fígados-de-galinhas*
feijão-figueira s.m.; pl. *feijões-figueira* e *feijões-figueiras*
feijão-flor s.m.; pl. *feijões-flor* e *feijões-flores*
feijão-forrageiro s.m.; pl. *feijões-forrageiros*
feijão-frade s.m.; pl. *feijões-frade* e *feijões-frades*
feijão-frade-comprido s.m.; pl. *feijões-frade-compridos* e *feijões-frades-compridos*
feijão-fradinho s.m.; pl. *feijões-fradinho* e *feijões-fradinhos*
feijão-gigante s.m.; pl. *feijões-gigantes*
feijão-glória s.m.; pl. *feijões-glória* e *feijões-glórias*
feijão-grande s.m.; pl. *feijões-grandes*
feijão-guando s.m.; pl. *feijões-guando* e *feijões-guandos*
feijão-gurutuba s.m.; pl. *feijões-gurutuba* e *feijões-gurutubas*
feijão-gurutuba-comprido s.m.; pl. *feijões-gurutuba-compridos* e *feijões-gurutubas-compridos*
feijão-holandês s.m.; pl. *feijões-holandeses*
feijão-imperador s.m.; pl. *feijões-imperador* e *feijões-imperadores*
feijão-inglês s.m.; pl. *feijões-ingleses*
feijão-japonês s.m.; pl. *feijões-japoneses*
feijão-jiritana s.m.; pl. *feijões-jiritana* e *feijões-jiritanas*
feijão-lablabe s.m.; pl. *feijões-lablabe* e *feijões-lablabes*
feijão-lagartixa s.m.; pl. *feijões-lagartixa* e *feijões-lagartixas*
feijão-laranjeiro s.m.; pl. *feijões-laranjeiro* e *feijões-laranjeiros*
feijão-macáçar s.m.; pl. *feijões-macáçar* e *feijões-macáçares*
feijão-macúndi s.m.; pl. *feijões-macúndi* e *feijões-macúndis*
feijão-mãezinha s.m.; pl. *feijões-mãezinha* e *feijões-mãezinhas*
feijão-mancanha s.m.; pl. *feijões-mancanha* e *feijões-mancanhas*
feijão-manteiga s.m.; pl. *feijões-manteiga* e *feijões-manteigas*
feijão-manteiga-branco-da-argélia s.m.; pl. *feijões-manteiga-brancos-da-argélia* e *feijões-manteigas-brancos-da-argélia*
feijão-manteiga-maravilha s.m.; pl. *feijões-manteiga-maravilha* e *feijões-manteigas-maravilhas*
feijão-manteiga-maravilha-do-mercado s.m.; pl. *feijões-manteiga-maravilha-do-mercado* e *feijões-manteigas-maravilhas-do-mercado*
feijão-manteiga-nacional s.m.; pl. *feijões-manteiga-nacionais* e *feijões-manteigas-nacionais*
feijão-manteiga-preto-da-argélia s.m.; pl. *feijões-manteiga-pretos-da-argélia* e *feijões-manteigas-pretos-da-argélia*
feijão-mata-fome s.m.; pl. *feijões-mata-fome*
feijão-meia-cara s.m.; pl. *feijões-meia-cara*
feijão-mexido s.m.; pl. *feijões-mexidos*
feijão-mineiro s.m.; pl. *feijões-mineiros*
feijão-miraculoso s.m.; pl. *feijões-miraculosos*
feijão-miudinho s.m.; pl. *feijões-miudinhos*
feijão-miúdo s.m.; pl. *feijões-miúdos*
feijão-miúdo-da-china s.m.; pl. *feijões-miúdos-da-china*
feijão-mole s.m.; pl. *feijões-moles*
feijão-mucuna s.m.; pl. *feijões-mucuna* e *feijões-mucunas*
feijão-mula s.m.; pl. *feijões-mula* e *feijões-mulas*
feijão-mulata-gorda s.m.; pl. *feijões-mulata-gorda* e *feijões-mulatas-gordas*
feijão-mulatinho s.m.; pl. *feijões-mulatinhos*
feijão-mulatinho-de-sementes-graúdas s.m.; pl. *feijões-mulatinhos-de-sementes-graúdas*
feijão-mulato-grosso s.m.; pl. *feijões-mulato-grosso* e *feijões-mulatos-grossos*
feijão-mungo s.m.; pl. *feijões-mungo* e *feijões-mungos*
feijão-oró s.m.; pl. *feijões-oró* e *feijões-orós*
feijão-papa s.m.; pl. *feijões-papa* e *feijões-papas*
feijão-peludo s.m.; pl. *feijões-peludos*
feijão-pical s.m.; pl. *feijões-pical* e *feijões-picais*
feijão-pinheirinho s.m.; pl. *feijões-pinheirinho* e *feijões-pinheirinhos*
feijão-pombinha s.m.; pl. *feijões-pombinha* e *feijões-pombinhas*
feijão-presidente-roosevelt s.m.; pl. *feijões-presidente-roosevelt*
feijão-preto s.m.; pl. *feijões-pretos*
feijão-preto-português s.m.; pl. *feijões-pretos-portugueses*
feijão-príncipe-de-bismarck s.m.; pl. *feijões-príncipe-de-bismarck*
feijão-quarto-de-lua s.m.; pl. *feijões-quarto-de-lua* e *feijões-quartos-de-lua*
feijão-rajado s.m.; pl. *feijões-rajados*
feijão-rasteiro s.m.; pl. *feijões-rasteiros*
feijão-rei-dos-come-se-tudo s.m.; pl. *feijões-rei-dos-come-se-tudo* e *feijões-reis-dos-come-se-tudo*
feijão-rei-dos-manteigas s.m.; pl. *feijões-rei-dos-manteigas* e *feijões-reis-dos-manteigas*
feijão-sapota s.m.; pl. *feijões-sapota* e *feijões-sapotas*
feijão-selim s.m.; pl. *feijões-selim* e *feijões-selins*
feijão-sem-rival s.m.; pl. *feijões-sem-rival*
feijão-soja s.m.; pl. *feijões-soja* e *feijões-sojas*
feijão-telefone s.m.; pl. *feijões-telefone* e *feijões-telefones*
feijão-tepari s.m.; pl. *feijões-tepari* e *feijões-teparis*
feijão-tonca s.m.; pl. *feijões-tonca* e *feijões-toncas*
feijão-translúcido s.m.; pl. *feijões-translúcidos*
feijão-trepador s.m.; pl. *feijões-trepadores*
feijão-tropeiro s.m.; pl. *feijões-tropeiro* e *feijões-tropeiros*
feijão-vassoura s.m.; pl. *feijões-vassoura* e *feijões-vassouras*
feijão-veludo s.m.; pl. *feijões-veludo* e *feijões-veludos*
feijão-verde s.m.; pl. *feijões-verdes*
feijão-vermelho s.m.; pl. *feijões-vermelhos*
feijão-vinha s.m.; pl. *feijões-vinha* e *feijões-vinhas*
feijão-virado s.m.; pl. *feijões-virados*
feijão-zebrado s.m.; pl. *feijões-zebrados*
feijãozinho s.m.
feijãozinho-bravo s.m.; pl. *feijõezinhos-bravos*
feijãozinho-da-índia s.m.; pl. *feijõezinhos-da-índia*
feijãozinho-da-mata s.m.; pl. *feijõezinhos-da-mata*
feijãozinho-de-capoeira s.m.; pl. *feijõezinhos-de-capoeira*
feijãozinho-do-campo s.m.; pl. *feijõezinhos-do-campo*
feijãozinho-do-mato s.m.; pl. *feijõezinhos-do-mato*
feijãozinho-rasteiro s.m.; pl. *feijõezinhos-rasteiros*
feijoa (*ô*) s.f.
feijoada s.f.
feijoada de ogum s.f.
feijoal s.m.
feijoa-vermelha s.f.; pl. *feijoas-vermelhas*
feijoca s.f.
feijoco (*ô*) s.m.
feijoeiro s.m.
feijoeiro-escarlate s.m.; pl. *feijoeiros-escarlates*
feijoeiro-lagartixa s.m.; pl. *feijoeiros-lagartixa* e *feijoeiros-lagartixas*
feijoense adj. s.2g.
feijões-celos s.m.pl.
feijões-de-sapata s.m.pl.
feila s.f.
feilínia s.f.
feio adj. s.m.
feiona adj. s.f. de *feião*
feioso (*ô*) adj.; f. (*ó*); pl. (*ó*)
feira s.f.
feira-grandense adj. s.2g.; pl. *feira-grandenses*
feiral adj.2g.
feira-novense adj. s.2g.; pl. *feira-novenses*
feirante adj. s.2g.
feirão s.m.
feirar v.
feireira s.f.
feireiro adj. s.m.
feirense adj. s.2g.
feirinha s.f.
feirio s.m.
feiroto (*ô*) s.m.
feísmo s.m.
feita s.f.
feital s.m.
feitão s.m.
feitar v.
feiteira s.f.
feiteirinha s.f.
feitelha (*ê*) s.f.
feitém s.m.
feitiar v.
feitiçaria s.f.
feiticeira s.f.
feiticeiral adj. s.2g.
feiticeiresco (*ê*) adj.
feiticeiro adj. s.m.
feiticismo s.m.
feiticista adj. s.2g.
feiticístico adj.
feitiço adj. s.m.
feitio s.m.
feitknechita s.f.
feito adj. s.m.
feitor (*ô*) adj. s.m.
feitorado adj. s.m.
feitorar v.
feitoria s.f.
feitoriar v.
feitoriense adj. s.2g.
feitorização s.f.
feitorizar v.
feitosense adj. s.2g.
feitura s.f.

feitureira s.f.
feituria s.f.
feiudo (*ú*) adj.
feiula (*ú*) s.f.
feiume (*ú*) s.m.
feiura (*ú*) s.f.
feixas-fradinho s.m.2n.
feixe s.m. "molho"; cf. *feche* (*ê*), fl. do v. *fechar*
feixeiro adj.
feixinha s.f.
feixota s.f.
fel s.m.
felá s.m. "camponês do Egito"; cf. *felã*; f. *felaína*
felã s.f. "concha"; cf. *felá*
felação s.f.
felagogo (*ô*) adj.
felaína s.f. de *felá*
felame s.m.
felandral s.m.
felandrênico adj.
felandreno s.m.
felandrina s.f.
felandrínico adj.
felândrio s.m.
felanim s.m.
felata adj. s.2g.
fel-da-terra s.m.; pl. *féis-da-terra* e *feles-da-terra*
fel-de-gentio s.m.; pl. *féis-de-gentio* e *feles-de-gentio*
feldmarechal s.m.
feldmarechalato s.m.
feldspático adj.
feldspatização s.f.
feldspatizado adj.
feldspatizar v.
feldspato s.m.
feldspato do labrador s.m.
feldspatoide (*ó*) adj.2g. s.m.
felema s.m.
felembergita s.f.
feleme s.m.
féleo adj.
feléu s.m.
feleuma s.m.
felga s.f.
felgarato adj. s.m.
felgarense adj. s.2g.
felgudo adj.
felgueira s.f.
felgueirense adj. s.2g.
félia s.f.
felibre s.m.
felibrício s.m.
felice adj.2g.
felicense adj. s.2g.
felícia s.f.
feliciana s.f.
felicidade s.f.
felicinato adj.
felicínea s.f.
felicíneo adj.
felicitação s.f.
felicitado adj.
felicitador (*ô*) adj. s.m.
felicitante adj.2g.
felicitar v.
felicitável adj.2g.
felicite s.m.
félico adj.
félida adj.2g. s.m.
felídeo adj. s.m.
felimagro s.m.
felinicultor (*ô*) s.m.
felino adj. s.m.
felinocultura s.f.
felipana s.f.
felipeia s.f. (*é*)
felipense adj. s.2g.
félis s.m.2n.
felisbeque s.m.
felisburguense adj. s.2g.
felispote s.m.
felíster s.m.
felistreco s.m.
felistria s.f.
felixlandense adj. s.2g.
feliz adj.2g.
feliz-amor s.m.; pl. *felizes-amores*
felizão adj. s.m.
felizardo s.m.
felizense adj. s.2g.
feliz meu bem s.m.2n.
felô s.m.
felocarpo s.m.
felodendão s.m.
felodendro s.m.
felodêndron s.m.
feloderma s.m.
felodermático adj.
feloderme s.f.
felodérmico adj. "relativo a feloderme"; cf. *filodérmico*
felogene s.f.
felogênico adj. "que tem casca"; cf. *filogênico*
felogênio s.m.
feloideia (*é*) adj. s.f. de *feloideu*
felóideo adj. s.m.
feloideu adj. s.m.; f. *feloideia* (*é*)
felonia s.f.
feloniar v.
felônio s.m.
feloplástica s.f.
feloplástico adj.
felosa s.f.
felose s.f.
feloso (*ô*) adj.; f. (*ó*); pl. (*ó*)
felpa (*ê*) s.f.; cf. *felpa*, fl. do v. *felpar*
felpado adj.
felpar v.
felpo (*ê*) s.m.; cf. *felpo*, fl. do v. *felpar*
felposo (*ô*) adj.; f. (*ó*); pl. (*ó*)
felpudo adj. s.m.
félsico adj.
felsítico adj.
felsitização s.f.
felsito s.m.
felsobanita s.f.
felsodacita s.f.
felsosferita s.f.
feltradeira s.f.
feltrado adj.
feltragem s.f.
feltrar v. "guarnecer de feltro"; cf. *filtrar*
feltreiro s.m.
feltriense adj. s.2g.
feltrino adj. s.m.
feltro (*ê*) s.m.; cf. *feltro*, fl. do v. *feltrar*
feltrógrafo s.m.
feltroso (*ô*) adj.; f. (*ó*); pl. (*ó*)
feltrudo adj.
felucho s.m.
felugem s.f.
felugento adj.
felupe adj. s.2g.
felupo s.m.
fêmea s.f.
femeaça s.f.
femeaço s.m.
femeado adj.
femeal adj.2g.
femear v.
femeeiro adj. s.m.
femeel adj.2g.
femeiro adj. s.m.
femença s.f.
femençar v.
femenê s.m.
fementido adj.
fementir v.
fêmeo adj.
fêmico adj.
feminação s.f.
feminal adj.2g.
feminela s.f.
femíneo adj.
feminidade s.f.
feminifloro adj.
feminiforme adj.2g.
feminil adj.2g.
feminilidade s.f.
feminilização s.f.
feminilizado adj.
feminilizador (*ô*) adj.
feminilizante adj.2g.
feminilizar v.
feminilizável adj.2g.
femininismo s.f.
femininista s.2g.
femininístico adj.
feminino adj. s.m.
feminismo s.m.
feminista adj. s.2g.
feminístico adj.
feminização s.f.
feminizado adj.
feminizador (*ô*) adj.
feminizante adj.2g.
feminizar v.
feminizável adj.2g.
femolita s.f.
femoral adj.2g.
femorocele s.f.
femorocutâneo adj.
femorogenital adj.2g.
femoronutritivo adj.
femoropopliteu adj.
femoropretibial adj.2g.
femororrotuliano adj.
femorossinovial adj.2g.
femorotibial adj.2g.
femorovascular adj.2g.
femte s.m.
femtoampere s.m.
femtoampère s.m.
femtometria s.f.
femtométrico adj.
femtômetro s.m.
fêmur s.m.
fena s.f.
fenacaína s.f.
fenação s.f.
fenace s.f.
fenacetina s.f.
fenaceturato s.m.
fenacetúrico adj.
fenacho s.m.
fenacistiscópio s.m.
fenacistoscópico adj.
fenacistoscópio s.m.
fenacita s.f.
fenacodôntida adj.2g. s.m.
fenacodontídeo adj. s.m.
fenácomis s.m.2n.
fenador (*ô*) s.m.
fenaense adj. s.2g.
fenagem s.f.
fenaíte s.f.
fenaksita s.f.
fenal s.m.
fenamina s.f.
fenanquita s.f.
fenantraquinona s.f.
fenantrênico adj.
fenantrênio s.m.
fenantreno s.m.
fenantrol s.m.
fenantrolato s.m.
fenantrólico adj.
fenantrolina s.f.
fenaquita s.f.
fenar v.
fenasco s.m.
fenato s.m.
fenazina s.f.
fenda s.f.
fendedor (*ô*) adj. s.m.
fendedura s.f.
fendeleira s.f.
fendente adj.2g. s.m.
fender s.m.
fendida s.f.
fendido adj.
fendilhado adj.
fendilhamento s.m.
fendilhar v.
fendimento s.m.
fendrelhar v.
fendrelheira s.f.
fendrelho (*ê*) s.m.
fendrilhar v.
fendrilheira s.f.
fene s.m.
feneata adj. s.2g.
fenecente adj.2g.
fenecer v.
fenecido adj.
fenecimento s.m.
feneco s.m.
fenectano adj. s.m.
fenedina s.f.
feneiro s.m.
fenela s.m.
fenelheiro s.m.
fenelho (*ê*) s.m.
fenelonismo s.m.
fenelonista adj. s.2g.
fenelonístico adj.
feneratício adj.
fenestela s.f.
fenestelídeo adj. s.m.
fenestra s.f.
fenestração s.f.
fenestrado adj.
fenestragem s.m.
fenestral adj.2g. s.m.
fenestrar v.
fenéstrula s.f.
fenética s.f.
fenético adj.
fenetidina s.f.
fenetidinuria s.f.
fenetidinúria s.f.
fenetol s.m.
fenetólico adj.
fenfém s.m.
fenformina s.m.
fengir v. "apertar massa"; cf. *fingir*
fengita s.f.
fengite s.f.
fenianismo s.m.
feniano adj. s.m.
fenicado adj.
fenice adj. s.2g.
fênice s.m.
fenicense adj. s.2g.
feníceo adj.
fenicina s.f.
fenicino adj.
fenício adj. s.m.
fenicita s.f.
fenicite s.f.
fenicito s.m.
fênico adj.
fenicocerco s.m.
fenicocroíta s.f.
fenicofal adj.2g.
fenicofale s.f.
fenicofeínea s.f.
fenicofelínea s.f.
fenicofilo s.m.
fenicol s.m.
feniconaia s.f.
fenicoparro s.m.
fenicoplerídeo adj. s.m.
fenicoptérida adj.2g. s.m.
fenicopterídeo adj. s.m.
fenicopteriforme adj.2g. s.m.
fenicóptero adj. s.m.
fenicotráupide s.f.
fenicotráupis s.f.2n.
feniculídeo adj. s.m.
fenículo s.m.
fenicuro s.m.
fenígeno adj.
fenigmo s.m.
fênigue s.m.
fenila s.f.
fenilacetaldeído s.m.
fenilacetamida s.f.
fenilacetato s.m.
fenilacético adj.
fenilacetilacetona s.f.
fenilacetileno s.m.
fenilacetilopirrazol s.m.
fenilacetocarbonato s.m.
fenilacetocarbônico adj.
fenilacetona s.f.
fenilacetonitrilo s.m.
fenilacrílico adj.
fenilado adj.
fenilalanina s.f.
fenilalanínico adj.
fenilaleno s.m.
fenilamida s.f.
fenilamidacetato s.m.
fenilamidacético adj.
fenilamina s.f.
fenilangelato s.m.
fenilangélico adj.
fenilanilina s.f.
fenilantraceno s.m.
fenilarsina s.f.
fenilarsinato s.m.
fenilarsínico adj.
fenilato s.m.
fenilbenzênico adj.
fenilbenzeno s.m.
fenilbenzoato s.m.
fenilbenzoico (*ó*) adj.
fenilbutazona s.f.
fenilbutileno s.m.
fenilbutírico adj.
fenilcarbamático adj.
fenilcarbamato s.m.
fenilcarbilamina s.f.
fenilcetonúria s.f.
fenilcetonúrico adj.
fenilcloroacetato s.m.
fenilcloroacético adj.
fenilclorofórmio s.m.
fenilcromânico adj.
fenilcromano s.m.
fenilcumarina s.f.
fenilcumarínico adj.
fenilefrina s.f.
fenilênico adj.
fenileno s.m.
fenilenodiamina s.f.
feniletil s.m.
feniletilamina s.f.
feniletileno s.m.
feniletílico adj.
feniletilmalonilureia (*é*) s.f.
fenilfosfina s.f.
fenilglicina s.f.
fenilglicol s.m.
fenil-hidrazina s.f.
fenil-hidrazínico adj.
fenil-hidrazona s.f.
fenil-hidrina s.f.
fenil-hidrínico adj.
fenil-hidroxilamina (*cs*) s.f.
fenílico adj.
fenilidrazina s.f.
fenilidrazínico adj.
fenilidrazona s.f.
fenilidrina s.f.
fenilidrínico adj.
fenilidroxilamina (*cs*) s.f.
fenilmetânico adj.
fenilmetânio s.m.
fenilmetano s.m.
fenilmetilcetona s.f.
fenilmetilcetônico adj.
fenilo s.m.
fenilobenzoato s.m.
fenilobenzoico (*ó*) adj.
fenilobutileno s.m.
fenilocloroacetato s.m.
fenilocloroacético adj.
fenilоláctico adj.
fenilopropileno s.m.
fenilopropílico adj.
fenilopropiólico adj.
fenilopropionato s.m.
fenilopropiônico adj.
fenilossulfato s.m.
fenilossulfúrico adj.
fenilpirúvico adj.
fenilpropeno s.m.
fenilpropílico adj.
fenilpropinol s.m.
fenilpropiólico adj.
fenilpropionato s.m.
fenilpropiônico adj.
fenilsenevol s.m.
fenilsulfato s.m.
fenilsulfúrico adj.
fenilureia (*é*) s.f.
feniluretana s.f.
feniluretano s.m.
fenim s.m.
fenindiona s.f.

feniodol s.m.
fenitoína s.f.
fênix (*cs* ou *s*) s.f.2n.
feno s.m.
fenobarbital s.m.
fenocarpo s.m.
fenocianina s.f.
fenocola s.f.
fenocópia s.f.
fenocristal s.m.
fenocristalino adj.
feno-de-cheiro s.m.; pl. *fenos-de-cheiro*
feno-de-cheiro-amargoso s.m.; pl. *fenos-de-cheiro-amargosos*
fenodina s.f.
feno-do-mar s.m.; pl. *fenos-do-mar*
fenoflavina s.f.
fenogamia s.f.
fenogâmico adj.
fenógamo adj.
fenogenética s.f.
fenogenético adj.
feno-grego s.m.; pl. *fenos-gregos*
fenol s.m.
fenolácido s.m.
fenoladeído s.m.
fenolato s.m.
fenolftaleína s.f.
fenolftaleínico adj.
fenolftálico adj.
fenólico adj.
fenolito s.m.
fenolizar v.
fenologia s.f.
fenológico adj.
fenologista adj. s.2g.
fenolsulfonaftaleína s.f.
fenolsulfonato s.m.
fenolsulfônico adj.
fenomenal adj.2g.
fenomenalidade s.f.
fenomenalismo s.m.
fenomenalista adj. s.2g.
fenomenalístico adj.
fenomenalização s.f.
fenomenalizado adj.
fenomenalizar v.
fenomenalizável adj.2g.
fenomênico adj.
fenomenismo s.m.
fenomenista adj. s.2g.
fenomenístico adj.
fenomenização s.f.
fenomenizado adj.
fenomenizante adj.2g.
fenomenizar-se v.
fenomenizável adj.2g.
fenômeno s.m.
fenomenografia s.f.
fenomenográfico adj.
fenomenógrafo s.m.
fenomenologia s.f.
fenomenológico adj.
fenomenologista s.2g.
fenomenólogo s.m.
fenomenoso (*ô*) adj.; f. (*ó*); pl. (*ó*)
fenona s.f.
fenopiridina s.f.
fenopropinol s.m.
fenorina s.f.
fenossalil s.m.
fenossão s.m.
fenotexto s.m.
fenotiazina s.f.
fenotiazínico adj.
fenotípico adj.
fenótipo s.m.
fenóxido (*cs*) s.m.
fenozigia s.f.
fenozígico adj.
fenózigo adj. s.m.
fentagem s.f.
fental s.m.
fentanila s.f.
fêntão s.m.
fenteira s.f.
fentelha (*ê*) s.f.
fentiazina s.f.
fento s.m.
fentolamina s.f.
fentometria s.f.
fentométrico adj.
fentômetro s.m.
fenusa s.f.
feócroa s.m.
feocromo adj.
feocromocitoma s.m.
feocroso (*ô*) adj.; f. (*ó*); pl. (*ó*)
feodário adj. s.m.
feodérmico adj.
feodermo adj.
feodíctia s.f.
feodídima s.f.
feódio s.m.
feodonte s.m.
feofícea s.f.
feofíceo adj.
feofícia s.f.
feofício adj.
feofitina s.f.
feófito adj. s.m.
feofó s.m.
feofrágmea s.f.
feofragmo s.m.
feoifomicose s.f.
feomealina s.f.
feona adj. s.f. de *feão*
feoplancto s.m.
feoplâncton s.m.
feoplastídio s.m.
feoplasto s.m.
feoptila s.f.
feórnis s.2g.2n.
feornite s.2g.
feosfórea s.f.
feosfóreo adj.
feoso (*ô*) adj.; f. (*ó*); pl. (*ó*)
feospórea s.f.
feospóreo adj.
feósporo s.m.
feosporoso (*ô*) adj.; f. (*ó*); pl. (*ó*)
feperjuro adj.
fera s.f.
ferace adj.
feracidade s.f.
feracíssimo adj. sup. de *feraz*
ferais s.f.pl.
feral adj.2g.
ferália s.f.
feramina s.f.
feraz adj.2g.
ferberita s.f.
ferberite s.f.
ferberítico adj.
férculo s.m.
ferdina s.f.
ferdinanda s.f.
ferdinândia s.f.
ferdinandino adj. s.m.
ferdinandusa s.f.
ferdissilicita s.f.
férea s.f.
ferécia s.f.
fereciada adj. s.2g.
fereciade adj. s.2g.
ferecrácio adj. s.m.
ferecrático adj.
fere-folha (*ô*) s.2g.; pl. *fere-folhas*
fere-folho (*ô*) s.m.; pl. *fere-folhos*
fereia (*é*) adj. s.f. de *fereu*
fere-lume s.m.; pl. *fere-lumes*
ferentário s.m.
ferentinate adj. s.2g.
ferentinense adj. s.2g.
ferentino adj. s.m.
feresa s.f. "gênero de mamíferos"; cf. *fereza*
feretriano adj.
féretro s.m.
fereu adj. s.m.; f. *fereia* (*é*)
fereza (*ê*) s.f. "ferocidade"; cf. *feresa*
ferezeia (*é*) adj. s.f. de *ferezeu*
ferezeu adj. s.m.; f. *ferezeia* (*é*)
ferga s.f.
ferganita s.f.
fergusonita s.f.
fergusonite s.f.
fergusonítico adj.
féria s.f.
feriado adj. s.m.
ferial adj.2g.
feriar v.
férias s.f.pl.
feriável adj.2g.
feribá s.f.
ferida s.f.
feridade s.f.
feridagem s.f.
feridento adj.
ferido adj. s.m.
feridor (*ô*) adj. s.m.
ferifoga s.f.
ferimento s.m.
ferino adj.
ferio s.m.
ferir v.
ferison s.m.
ferível adj.2g.
fermedense adj. s.2g.
fermentação s.f.
fermentáceo adj.
fermentado adj.
fermentador (*ô*) adj.
fermental adj.2g.
fermentamento s.m.
fermentante adj.2g.
fermentar v.
fermentário s.m.
fermentatividade s.f.
fermentativo adj.
fermentável adj.2g.
fermentelense adj.2g.
fermentescedor (*ô*) adj.
fermentescência s.f.
fermentescente adj.2g.
fermentescibilidade s.f.
fermentescido adj.
fermentescível adj.2g.
fermento s.m.
fermentoso (*ô*) adj.; f. (*ó*); pl. (*ó*)
fermentoterapia s.f.
fermentoterápico adj.
férmico adj.
férmio s.m.
férmion s.m.
fermiônico adj.
fermorita s.f.
fernandézia s.f.
fernândia s.f.
fernandina s.f.
fernandinita s.f.
fernandino adj. s.m.
fernandoa (*ô*) s.f.
fernando-noronhense adj. s.2g.; pl. *fernando-noronhenses*
fernandopolense adj. s.2g.
fernandopolitano adj. s.m.
fernando-prestense adj. s.2g.; pl. *fernando-prestenses*
fernão-pires s.m.2n.
fernel s.m.
fernélia s.f.
fero adj.
ferocacto s.m.
feroce adj.2g.
ferócia s.f.
ferocidade s.f.
ferocíssimo adj. sup. de *feroz*
ferocose s.f.
feroês adj. s.m.
feroico (*ó*) adj. s.m.
ferólia s.f.
feromônico adj.
feromônio s.m.
feronema s.m.
ferônia s.f.
feroniíneo s.m.
ferormônio s.m.
ferosfera s.f.
ferosferóidea s.f.
feroz adj.2g.
ferpa s.f.
ferra s.f. "fenação"; cf. *ferrã*
ferrã s.f. "centeio"; cf. *ferra*
ferrabaio s.m.
ferrabrás adj. s.2g.
ferraça s.f.
ferração s.f.
ferracho s.m.
ferrada s.f.
ferradela s.f.
ferrado adj. s.m.
ferrador (*ô*) s.m.
ferradoria s.f.
ferradura s.f.
ferradurina s.f.
ferradurinha s.f.
ferra-fogo s.m.; pl. *ferra-fogos*
ferrageiro s.m.
ferragem s.f.
ferragem-azul s.f.; pl. *ferragens-azuis*
ferragem de cobre s.f.
ferragial s.m.
ferragista adj. s.2g.
ferragoílo s.m.
ferragosa s.f.
ferragoulo s.m.
ferraguso s.m.
ferrajão s.m.
ferrajaria s.f.
ferral adj.2g. s.m.
ferral-branco s.m.; pl. *ferrais-brancos*
ferral-de-borba s.m.; pl. *ferrais-de-borba*
ferral-de-olivença s.m.; pl. *ferrais-de-olivença*
ferralejo (*ê*) adj. s.m.
ferralha s.f.
ferralhagem s.f.
ferralítico adj.
ferralitização s.f.
ferrálito s.m.
ferral-maçã s.m.; pl. *ferrais-maçã* e *ferrais-maçãs*
ferral-tâmara s.m.; pl. *ferrais-tâmara* e *ferrais-tâmaras*
ferralumínico adj.
ferralumínio s.m.
ferramenta s.f.
ferramentada s.f.
ferramenta de ogum s.f.
ferramental adj.2g. s.m.
ferramentar v.
ferramentaria s.f.
ferramenteiro s.m.
ferranchão s.m.
ferrancho s.m.
ferrandina s.f.
ferranha s.f.
ferranho s.m.
ferrão s.m.
ferrar v.
ferraria s.f. "ferrajaria"; cf. *ferrária*
ferrária s.f. "planta"; cf. *ferraria*
ferratina s.f.
ferrato s.m.
ferratoada s.f.
ferraz adj.2g. s.f.
ferrazense adj. s.2g.
ferrazita s.f.
férrea s.f.
ferredoxina (*cs*) s.f.
ferredoxínico (*cs*) adj.
ferregial s.m.
ferreira s.f.
ferreireia (*ê*) s.f.
ferreirenho adj. s.m.
ferreirense adj. s.2g.
ferreirinha s.f.
ferreirinho s.m.
ferreiro adj. s.m.
ferrejar v.
ferrejo (*ê*) s.m.; cf. *ferrejo*, fl. do v. *ferrejar*
ferreletricidade s.f.
ferrelétrico adj.
ferrelha (*ê*) s.f.
ferrencheiro s.m.
ferrenho adj.
ferrense adj. s.2g.
férreo adj.
ferréolo s.m.
ferreta (*ê*) s.f.; cf. *ferreta*, fl. do v. *ferretar*
ferretado adj.
ferretar v.
ferreteamento s.m.
ferreteante adj.2g.
ferretear v.
ferretoada s.f.
ferretoado adj.
ferretoar v.
ferrialloysita s.f.
ferrialofano s.m.
ferrialofanoide (*ó*) s.m.
ferricalcita s.m.
ferricianeto (*ê*) s.m.
ferriciânico adj.
ferricianídrico adj.
ferricianogênio s.m.
férrico adj.
ferricopiapita s.f.
ferricoque s.m.
ferrídeo adj. s.m.
ferridrita s.f.
ferrierita s.f.
ferrífero adj.
ferrificação s.f.
ferrimagnético adj.
ferrimagnetismo s.m.
ferrimolibdita s.f.
ferrina s.f.
ferrinatrita s.f.
ferrinho s.m.
ferrinhos s.m.pl.
ferriparaluminita s.f.
ferripirina s.f.
ferriprehnita s.f.
ferripurpurita s.f.
ferrissicklerita s.f.
ferrissimplesita s.f.
ferrita s.f.
ferrítico adj.
ferritina s.f.
ferritínico adj.
ferritorita s.f.
ferritungstita s.f.
ferriturquesa (*ê*) s.f.
ferrium s.m.
ferro s.m.
ferroactinolita s.f.
ferroada s.f.
ferroadela s.f.
ferroakermanita s.f.
ferroalumínico adj.
ferroalumínio s.m.
ferroantofilita s.f.
ferroar v.
ferroastingsita s.f.
ferroaxinita s.f.
ferroba s.f.
ferrobar v.
ferroboracita s.f.
ferrobórico adj.
ferroboro s.m.
ferrobronze s.m.
ferrobrucita s.f.
ferrocalcita s.f.
ferrocarfolita s.f.
ferro-carril adj.; pl. *ferro-carris*
ferrocério s.m.
ferrocianeto (*ê*) s.m.
ferrociânico adj.
ferrocianídrico adj.
ferrocianogênio s.m.
ferrocobáltico adj.
ferrocobaltita s.f.
ferrocobalto s.m.
ferrocolômbico adj.
ferrocolômbio s.m.
ferrocolumbita s.f.
ferroconcreto s.m.
ferrocopiapita s.f.
ferrocordierita s.f.
ferrocrômico adj.
ferrocromo s.m.
ferrocuprocalcantita s.f.
ferrodinâmico adj.
ferrodolomita s.f.
ferrodoxina (*cs*) s.f.
ferroeletricidade s.f.

ferroelétrico adj.
ferroeskebornita s.f.
ferroespinélio s.f.
ferroestilpnomelano s.m.
ferro-ferrita s.f.; pl. *ferros-ferrita* e *ferros-ferritas*
ferrofosfórico adj.
ferrofósforo s.m.
ferrofulmínico adj.
ferrogábrico adj.
ferrogabro s.m.
ferrogermanita s.f.
ferro-gusa s.m.; pl. *ferros-gusa* e *ferros-gusas*
ferro-ilmenita s.f.; pl. *ferros-ilmenita* e *ferros-ilmenitas*
ferroiperstênio s.m.
ferrolhado adj.
ferrolhante adj.2g.
ferrolhar v.
ferrolho (ô) s.m.; cf. *ferrolho*, fl. do v. *ferrolhar*
ferrolho-queimado s.m.; pl. *ferrolhos-queimados*
ferroliga s.f.
ferrolítico adj.
ferrólito s.m.
ferroludwiguita s.f.
ferromagnesiano adj.
ferromagnético adj.
ferromagnetismo s.m.
ferromanganês s.m.
ferromanganésico adj.
ferromelada s.f.
ferromelo s.m.
ferromoça (ô) s.f.
ferromodelismo s.m.
ferromodelista adj. s.2g.
ferromodelo s.m.
ferromolibdênico adj.
ferromolibdênio s.m.
ferromolibdeno s.m.
ferromonticellita s.f.
ferronatria s.f.
ferronho adj.
ferronióbio s.m.
ferroníquel s.m.
ferropalidita s.f.
ferro-pau s.m.; pl. *ferros-pau* e *ferros-paus*
ferropear v.
ferropeia (é ou ê) s.f.
ferropicotita s.f.
ferropirina s.f.
ferropirínico adj.
ferroplumbita s.m.
ferroprehnita s.f.
ferropriva adj.2g.
ferroprivo adj.
ferroprussiato s.m.
ferror (ô) s.m.
ferrorreddinguita s.f.
ferrorressonância s.f.
ferrorrodonita s.f.
ferroschallerita s.f.
ferroso (ô) adj.; f. (ó); pl. (ó)
ferrossahlita s.f.
ferrosselênio s.m.
ferrosselita s.f.
ferrossilícico adj.
ferrossilício s.m.
ferrossilicita s.f.
ferrossilita s.f.
ferrostiabianita s.f.
ferrotantalita s.f.
ferrotelurita s.f.
ferrotennantita s.f.
ferrotetraedrita s.f.
ferrotipia s.f.
ferrótipo s.m.
ferrotitânico adj.
ferrotitânio s.m.
ferrotoada s.f.
ferrotorita s.f.
ferrotremolita s.f.
ferrotungstênico adj.
ferrotungstênio s.m.
ferrovanádico adj.
ferrovanádio s.m.
ferro-velho s.m.; pl. *ferros-velhos*
ferrovia s.f.
ferrovial adj.2g.
ferroviário adj. s.m.
ferrovolfrâmio s.m.
ferrozincita s.f.
ferrozircônico adj.
ferrozircônio s.m.
ferruccita s.f.
ferrucho s.m.
ferrugem s.f.
ferrugem dos vegetais s.f.
ferrugento adj. s.m.
ferrugíneo adj.
ferruginhense adj. s.2g.
ferruginosidade s.f.
ferruginoso (ô) adj.; f. (ó); pl. (ó)
ferrujão s.m.
ferrunchada s.f.
ferrunchão s.m.
ferruncho s.m.
ferrusco s.m.
fersilicita s.f.
fersmanita s.f.
fersmita s.f.
fértil adj.2g.
fertilidade s.f.
fertilização s.f.
fertilizado adj.
fertilizador (ô) adj. s.m.
fertilizante adj.2g. s.m.
fertilizar v.
fertilizável adj.2g.
fertilizina s.f.
fertilizínico adj.
fertinate adj. s.2g.
ferto s.m.
fertor (ô) s.m.
fertuadela s.f.
ferúcua s.m.
feruer (ér) s.m.
féruher s.m.
férula s.f.
feruláceo adj.
ferulagem s.f.
ferulago s.f.
ferulato s.m.
ferúlico adj.
ferulina s.f.
ferulismo s.m.
ferusa s.m.
ferussácia s.m.
ferutita s.f.
fervanita s.f.
fervedoiro s.m.
fervedourense adj. s.2g.
fervedouro s.m.
fervedura s.f.
fervelhar v.
fervelho (ê) s.m.
fervença s.f.
fervência s.f.
fervendo adj.
ferventar v.
fervente adj.2g.
ferver v.
ferverão s.m.
fervescente adj.2g.
fervida s.f.
fervido adj. s.m. "cozido"; cf. *férvido*
férvido adj. "abrasante"; cf. *fervido* adj. s.m. e fl. do v. *ferver*
fervilha adj. s.2g.
fervilhação s.f.
fervilhamento s.m.
fervilhante adj.2g.
fervilhar v.
fervo (ê) s.m.
fervor (ô) s.m.
fervorar v.
fervor do sangue s.m.
fervoroso (ô) adj.; f. (ó); pl. (ó)
fervura s.f.
fesapo s.m.
fescenina s.f.
fescenino adj. s.m.
fescolização s.f.
fescolizar v.
festa s.f.
festada adj.
festança s.f.
festanga s.f.
festão s.m.
festar v.
festarola s.f.
festas s.f.pl.
festeiro adj. s.m.
festejado adj.
festejador (ô) adj. s.m.
festejante adj. s.2g.
festejar v.
festejável adj.2g.
festejeiro adj. s.m.
festejo (ê) s.m.
festim s.m.
festinação s.f.
festinado adj.
festinança s.f.
festinante adj.2g.
festinar v.
festinha s.f.
festinho s.m. adv.
festino s.m.
festinoso (ô) adj.; f. (ó); pl. (ó)
féstio adj. s.m.
festiva s.f.
festival adj.2g. s.m.
festividade s.f.
festivo adj.
festo adj. s.m. "festivo"; cf. *festo* (ê)
festo (ê) s.m. "largura"; cf. *festo* adj. s.m. e fl. do v. *festar*
festoado adj.
festoar v.
festonada s.f.
festonado adj.
festonar v.
festonê s.m.
festor (ô) s.m.
festoso (ô) adj.; f. (ó); pl. (ó)
festuca s.f.
festucácea s.f.
festucáceo adj.
festucário s.m.
festuca-vermelha s.f.; pl. *festucas-vermelhas*
festúcea s.f.
festúceo adj.
fetação s.f.
fetácea s.f.
fetáceo adj.
fetal adj.2g. s.m.
fetalismo s.m.
fetalização s.f.
fétalo s.m.
fetálogo s.m.
fetamol s.m.
fetão s.m.
feteira s.f.
fetiche s.m.
fetíchico adj.
fetichismo s.m.
fetichista adj. s.2g.
fetichístico adj.
feticida s.2g.
feticídio s.m.
feticultura s.f.
fetidez (ê) s.f.
fetídia s.f.
fetidioida (ó) s.f.
fétido adj. s.m.
fetim s.m.
feto s.m.
feto-amarelo s.m.; pl. *fetos-amarelos*
feto-aquilino s.m.; pl. *fetos-aquilinos*
feto-branco s.m.; pl. *fetos-brancos*
feto-cipó s.m.; pl. *fetos-cipó* e *fetos-cipós*
feto-crespo s.m.; pl. *fetos-crespos*
feto-de-botão s.m.; pl. *fetos-de-botão*
feto-estrelado s.m.; pl. *fetos-estrelados*
feto-fêmeo s.m.; pl. *fetos-fêmeos*
feto-fêmeo-das-boticas s.m.; pl. *fetos-fêmeos-das-boticas*
feto-fêmeo-dos-italianos s.m.; pl. *fetos-fêmeos-dos-italianos*
fetoglobulina s.f.
fetoglobulínico adj.
fetografia s.f.
fetográfico adj.
feto-grande s.m.; pl. *fetos-grandes*
fetologia s.f.
feto-macho s.m.; pl. *fetos-machos*
feto-macho-de-goiás s.m.; pl. *fetos-machos-de-goiás*
feto-macho-de-minas s.m.; pl. *fetos-machos-de-minas*
feto-macho-do-brasil s.m.; pl. *fetos-machos-do-brasil*
feto-macho-do-pará s.m.; pl. *fetos-machos-do-pará*
feto-macho-do-rio-de-janeiro s.m.; pl. *fetos-machos-do-rio-de-janeiro*
feto-macho-do-rio-grande s.m.; pl. *fetos-machos-do-rio-grande*
feto-macho-verdadeiro s.m.; pl. *fetos-machos-verdadeiros*
fetometria s.f.
fetométrico adj.
fetopatia s.f.
fetoplacentário s.m.
feto-real s.m.; pl. *fetos-reais*
fetornínea s.f.
fetoscopia s.f.
fetoscópico adj.
fetoscópio s.m.
fetuca s.f.
fetusa s.m.
fetusca s.f.
feudal adj.2g.
feudalidade s.f.
feudalismo s.m.
feudalista adj. s.2g.
feudalístico adj.
feudalização s.f.
feudalizado adj.
feudalizador (ô) adj.
feudalizante adj. s.2g.
feudalizar v.
feudatário adj. s.m.
feudista adj. s.2g.
feudo s.m.
fevelho (ê) s.m.
fêvera s.f.
feverão s.m.
fevereiro s.m.
feveroso (ô) adj.; f. (ó); pl. (ó)
fevílea s.f.
fevra (ê) s.f.
fevroso (ô) adj.; f. (ó); pl. (ó)
fez s.f. "excremento"; cf. *fez* (ê) s.m. e fl. do v. *fazer*
fez (ê) s.m. "barrete"; cf. *fez* s.f. e fl. do v. *fazer*
fezada s.f.
fezes s.f.pl.
fezinha s.f.
fi s.m.
fiã s.f.
fiabesco (ê) adj.
fiação s.f.
fiaço s.m.
fiacre s.m.
fiacuxo s.m.
fiada s.f.
fiadeira s.f.
fiadeira-das-barbas-dos-cachos s.f.; pl. *fiadeiras-das-barbas-dos-cachos*
fiadeiro s.m.
fiadilho s.m.
fiado adj. s.m.
fiadoiro s.m.
fiador (ô) s.m.
fiadoria s.f.
fiadouro s.m.
fiadura s.f.
fiala s.f.
fialhesco (ê) adj.
fialho s.m.
fiambra s.f.
fiambre s.m.
fiambreira s.f.
fiambreiro s.m.
fiampagem s.f.
fiampalho s.m.
fiampar v.
fiampua s.f.
fiança s.f.
fiançado adj.
fianço s.m.
fiandão s.m.
fiandapira s.f.
fiandeira s.f.
fiandeira-de-algodão s.f.; pl. *fiandeiras-de-algodão*
fiandeiro s.m.
fiandeiro-falso s.m.; pl. *fiandeiros-falsos*
fiango s.m.
fianho s.m.
fiapagem s.f.
fiaparia s.f.
fiapico s.m.
fiapo s.m.
fiar v.
fiasco s.m.
fiasquento adj. s.m.
fiatola s.f.
fiau s.m. interj.
fiau-fiau interj.
fiável adj.2g.
fiber s.m.
fibo s.m.
fibra s.f.
fibração s.f.
fibradenoma s.m.
fibradiposo (ô) adj.; f. (ó); pl. (ó)
fibrado adj. s.m.
fibrana s.f.
fibrangioma s.m.
fibráurea s.f.
fibrela s.f.
fibrelástico adj.
fibrelastose s.f.
fibrelastótico adj.
fibremorrágico adj.
fibricelular adj.2g.
fibricultor (ô) s.m.
fibricultura s.f.
fibrila s.f.
fibrilação s.f.
fibrilar v. adj.2g.
fibrilha s.f.
fibrilhação s.f.
fibrília s.f.
fibrilífero adj.
fibriloso (ô) adj.; f. (ó); pl. (ó)
fibrina s.f.
fibrinação s.f.
fibrinemia s.f.
fibrinicelular adj.2g.
fibrinifermento s.m.
fibrino adj.
fibrinobronquite s.f.
fibrinocelular adj.2g.
fibrinodiagnóstico s.m.
fibrinofermento s.m.
fibrinogenemia s.f.
fibrinogênese s.f.
fibrinogênico s.f.
fibrinogênio adj. s.m.
fibrinógeno adj. s.m.
fibrinoglobulina s.f.
fibrinoide (ó) adj.2g.
fibrinólise s.f.
fibrinolisina s.f.
fibrinolítico adj.
fibrinomiosina s.f.
fibrinopenia s.f.
fibrinopeptídio s.f.
fibrinoplástico adj.
fibrinose s.f.
fibrinoso (ô) adj.; f. (ó); pl. (ó)
fibrinuria s.f.
fibrinúria s.f.
fibro s.m.
fibroblástico adj.

fibroblasto s.m.
fibroblastoma s.m.
fibrocarcinoma s.m.
fibrocartilagem s.f.
fibrocartilagíneo adj.
fibrocartilaginoso (*ô*) adj.; f. (*ó*); pl. (*ó*)
fibrocélula s.f.
fibrocelular adj.2g.
fibrocimento s.m.
fibrocina s.m.
fibrocístico adj.
fibrocisto s.m.
fibrocistoma s.m.
fibrócito s.m.
fibrocondrite s.f.
fibrocondroma s.m.
fibroelastose s.f.
fibroemorrágico adj.
fibroferrita s.f.
fibroglican s.m.
fibroglioma s.m.
fibrogranular adj.2g.
fibro-hemorrágico adj.
fibroide (*ó*) adj.2g.
fibroína s.f.
fibrolamelar adj.2g.
fibrolaminar adj.2g.
fibrolipoma s.m.
fibrolita s.f.
fibrolite s.f.
fibrolítico adj.
fibrólito s.m.
fibroma s.m.
fibromatoide (*ó*) adj.2g.
fibromatose s.f.
fibromatótico adj.
fibromembranoso (*ô*) adj.; f. (*ó*); pl. (*ó*)
fibromiite s.f.
fibromiítico adj.
fibromioma s.m.
fibromiomático adj.
fibromiosite s.f.
fibromixoma (*cs*) s.m.
fibromixossarcoma (*cs*) s.m.
fibromucosa s.f.
fibromucoso (*ô*) adj.; f. (*ó*); pl. (*ó*)
fibromuscular adj.2g.
fibronectina s.f.
fibroneuroma s.m.
fibronquite s.f.
fibropapiloma s.m.
fibropericardite s.f.
fibroplasia s.f.
fibroplástico adj.
fibroplasto s.m.
fibropoma s.m.
fibropurulento adj.
fibroquístico adj.
fibroquisto s.m.
fibrorradiado adj.
fibrosado adj.
fibrosante adj.2g.
fibroscópico adj.
fibroscópio s.m.
fibrose s.f.
fibrosite s.f.
fibroso (*ô*) adj.; f. (*ó*); pl. (*ó*)
fibrospôngia s.f.
fibrosponja s.f.
fibrosquisto s.m.
fibrosquistoso (*ô*) adj.; f. (*ó*); pl. (*ó*)
fibrossarcoma s.m.
fibrossedoso (*ô*) adj.; f. (*ó*); pl. (*ó*)
fibrosseroso (*ô*) adj.; f. (*ó*); pl. (*ó*)
fibrótico adj.
fibrotórax (*cs*) s.m.2n.
fibrotraqueíde s.f.
fibrotraqueídeo s.m.
fibrotuberculoma s.m.
fibrotuberculose s.f.
fibrovascular adj.2g.
fibroxantoma s.m.
fibroxisto s.m.
fibroxistoso (*ô*) adj.; f. (*ó*); pl. (*ó*)
fíbula s.f.
fibulação s.f.
fibulária s.f.
fibularíneo adj. s.m.
fibulissural s.m.
ficácea s.f.
ficáceo adj.
ficada s.f.
ficado adj. s.m.
ficálhoa s.f.
ficanço s.m.
ficão adj. s.m.
ficar v.
ficária s.f. "planta"; cf. *ficaria*, fl. do v. *ficar*
ficárico adj.
ficarina s.f.
ficário adj.
ficato s.m.
ficção s.f.
ficcional adj.2g.
ficcionalidade s.f.
ficcionalismo s.m.
ficcionalista adj. s.2g.
ficcionalístico adj.
ficcionismo s.m.
ficcionista adj. s.2g.
ficcionístico adj.
fícea s.f.
ficédula s.f.
ficela s.f.
ficeloso (*ô*) adj.; f. (*ó*); pl. (*ó*)
fíceo adj.
ficeritrina s.f.
ficeritrínico adj.
ficha s.f. "papeleta"; cf. *fixa* s.f. e fl. do v. *fixar*
fichado adj.
fichador (*ô*) adj.
fichamento s.m.
fichar v. "anotar em fichas"; cf. *fixar*
fichário s.m.
fichável adj.2g.
ficheiro s.m.
fichinha s.2g.
fichoa (*ô*) s.f.
fichtiano adj.
fichu s.m.
ficídeo adj. s.m.
ficiforme adj.2g. "como figo"; cf. *fissiforme*
ficínea s.f.
ficíneo adj.
ficínia s.f.
ficinita s.f.
fícis s.m.2n.
ficite s.f.
ficitídeo adj. s.m.
ficitíneo adj. s.m.
fico s.m.
ficobacteriácea s.f.
ficobacteriáceo adj.
ficobilina s.f.
ficobionte s.m.
ficocianina s.f.
ficociano adj. s.m.
ficocromo s.m.
ficoeritrina s.f.
ficoeritrínico adj.
ficofagia s.f.
ficofágico adj.
ficófago s.m.
ficofeína s.f.
ficogórgia s.m.
ficoide (*ó*) adj.2g. s.f.
ficóidea s.f.
ficóideo adj. s.m.
ficoíta s.f.
ficoíte s.f.
ficolíquen s.m.
ficologia s.f.
ficológico adj.
ficologista adj. s.2g.
ficólogo s.m.
ficomicete adj. s.m.
ficomicético adj.
ficomiceto s.m.
ficomicose s.f.
ficomicótico adj.
ficore adj. s.2g.
ficóstase s.f.
ficostático adj.
ficoterapia s.f.
ficoterápico adj.
ficótico s.m.
ficoxantina s.f.
fictício adj.
ficticioso (*ô*) adj.; f. (*ó*); pl. (*ó*)
fictil adj.2g.
ficto adj.
fictor (*ô*) adj. s.m.
fícula s.f.
ficuleate adj. s.2g.
ficulense adj. s.2g.
ficus s.m.2n.
fícus-benjamim s.m.; pl. *fícus-benjamins*
fidagal adj.2g.
fidalga s.f.
fidalgaço s.m.
fidalgal adj.2g.
fidalgaria s.f.
fidalgarrão s.m.; f. *fidalgarrona*
fidalgarrona s.f. de *fidalgarrão*
fidalgo adj. s.m.
fidalgoso (*ô*) adj.; f. (*ó*); pl. (*ó*)
fidalgote s.m.
fidalgueiro adj. s.m.
fidalguelho (*ê*) s.m.
fidalguesco (*ê*) adj.
fidalguete (*ê*) s.m.
fidalguia s.f.
fidalguice s.f.
fidalguinho s.m.
fidalguinho-dos-jardins s.m.; pl. *fidalguinhos-dos-jardins*
fidalguito s.m.
fidedignidade s.f.
fidedigno adj.
fideicometido adj.
fideicomissário adj. s.m.
fideicomisso s.m.
fideicomissório adj.
fideicomitente s.2g.
fideísmo s.m.
fideísta adj. s.2g.
fideístico adj.
fidejussão s.f.
fidejussor (*ô*) adj. s.m.
fidejussória s.f.
fidejussório adj.
fidelandense adj. s.2g.
fidelense adj. s.2g.
fidelidade s.f.
fidelinho s.m.
fidelismo s.m.
fidelíssimo adj. sup. de *fiel*
fidelista adj. s.2g.
fidelização s.f.
fidelizar v.
fidenate adj. s.2g.
fidente adj. s.2g.
fidentino adj. s.m.
fidéu s.m.
fidia s.f.
fidiano adj.
fidiculano adj. s.m.
fidiesco (*ê*) adj.
fidjiano adj. s.m.
fido adj.
fidônia s.f.
fidúcia s.f.
fiducial adj.2g.
fiduciário adj. s.m.
fidúncia s.f.
fiedlerita s.f.
fieira s.f.
fieiro s.m.
fieital s.m.
fieiteira s.f.
fieito s.m.
fiel adj.2g. s.m.
fieldade s.f.
fieldíngia (*fil*) s.f.
fieldingiano (*fil*) adj.
fieldita s.f.
fierásfer s.f.
fierasferídeo adj. s.m.
fieza (*ê*) s.f.
fife s.m.
fifi s.f.
fifia s.f.
fifó s.m.
figa s.f.
figada s.f.
figadal adj.2g. s.m.
figadeira s.f.
fígado s.m.
fígado-de-peru s.m.; pl. *fígados-de-peru*
figália s.m.
figança s.f.
figar v.
figarismo s.m.
fígaro s.m.
figas s.f.pl. interj.
figite s.m.
figle s.m.
figo s.m.
figo-baforeiro s.m.; pl. *figos-baforeiros*
figo-bravo s.m.; pl. *figos-bravos*
figo-cáqui s.m.; pl. *figos-cáquis*
figo-cheio s.m.; pl. *figos-cheios*
figo-da-barbária s.m.; pl. *figos-da-barbária*
figo-da-índia s.m.; pl. *figos-da-índia*
figo-de-banana s.m.; pl. *figos-de-banana*
figo-de-figueira s.m.; pl. *figos-de-figueira*
figo-de-rocha s.m.; pl. *figos-de-rocha*
figo-de-tordo s.m.; pl. *figos-de-tordo*
figo-de-verão s.m.; pl. *figos-de-verão*
figo-do-inferno s.m.; pl. *figos-do-inferno*
figo-flor s.m.; pl. *figos-flor* e *figos-flores*
figo-lampo s.m.; pl. *figos-lampos*
figo-loiro s.m.; pl. *figos-loiros*
figo-louro s.m.; pl. *figos-louros*
figo-porco s.m.; pl. *figos-porco* e *figos-porcos*
figote s.m.
figo-toque s.m.; pl. *figos-toques*
figueira s.f.
figueira-babosa s.f.; pl. *figueiras-babosa* e *figueiras-babosas*
figueira-baforeira s.f.; pl. *figueiras-baforeiras*
figueira-benjamin s.f.; pl. *figueiras-benjamim* e *figueiras-benjamins*
figueira-bico-de-veludo s.f.; pl. *figueiras-bico-de-veludo* e *figueiras-bicos-de-veludo*
figueira-bispo s.f.; pl. *figueiras-bispo*
figueira-branca s.f.; pl. *figueiras-brancas*
figueira-brava s.f.; pl. *figueiras-bravas*
figueira-chinesa s.f.; pl. *figueiras-chinesas*
figueira-chorona s.f.; pl. *figueiras-choronas*
figueira-comum s.f.; pl. *figueiras-comuns*
figueira-da-barbária s.f.; pl. *figueiras-da-barbária*
figueira-da-borracha s.f.; pl. *figueiras-da-borracha*
figueira-da-espanha s.f.; pl. *figueiras-da-espanha*
figueira-da-europa s.f.; pl. *figueiras-da-europa*
figueira-da-índia s.f.; pl. *figueiras-da-índia*
figueira-da-polinésia s.f.; pl. *figueiras-da-polinésia*
figueira-da-ponte s.f.; pl. *figueiras-da-ponte*
figueira-de-adão s.f.; pl. *figueiras-de-adão*
figueira-de-baco s.f.; pl. *figueiras-de-baco*
figueira-de-bengala s.f.; pl. *figueiras-de-bengala*
figueira-de-folha-branca s.f.; pl. *figueiras-de-folha-branca*
figueira-de-folha-grande s.f.; pl. *figueiras-de-folha-grande*
figueira-de-goa s.f.; pl. *figueiras-de-goa*
figueira-de-jardim s.f.; pl. *figueiras-de-jardim*
figueira-de-lombrigueira s.f.; pl. *figueiras-de-lombrigueira*
figueira-de-pita s.f.; pl. *figueiras-de-pita*
figueira-de-pitágoras s.f.; pl. *figueiras-de-pitágoras*
figueira-de-portugal s.f.; pl. *figueiras-de-portugal*
figueira-de-surinã s.f.; pl. *figueiras-de-surinã*
figueira-de-tocar s.f.; pl. *figueiras-de-tocar*
figueira-de-toque s.f.; pl. *figueiras-de-toque*
figueira-do-demo s.f.; pl. *figueiras-do-demo*
figueira-do-diabo s.f.; pl. *figueiras-do-diabo*
figueira-do-egito s.f.; pl. *figueiras-do-egito*
figueira-doida s.f.; pl. *figueiras-doidas*
figueira-do-inferno s.f.; pl. *figueiras-do-inferno*
figueira-do-mato s.f.; pl. *figueiras-do-mato*
figueira-do-paraíso s.f.; pl. *figueiras-do-paraíso*
figueira-do-reino s.f.; pl. *figueiras-do-reino*
figueira-dos-banianos s.f.; pl. *figueiras-dos-banianos*
figueira-dos-pagodes s.f.; pl. *figueiras-dos-pagodes*
figueira-grande s.f.; pl. *figueiras-grandes*
figueiral s.m.
figueira-maldita s.f.; pl. *figueiras-malditas*
figueira-mansa s.f.; pl. *figueiras-mansas*
figueira-mata-pau s.f.; pl. *figueiras-mata-pau*
figueira-moura s.f.; pl. *figueiras-mouras*
figueira-terrestre s.f.; pl. *figueiras-terrestres*
figueira-trepadeira s.f.; pl. *figueiras-trepadeiras*
figueira-venenosa s.f.; pl. *figueiras-venenosas*
figueira-vermelha s.f.; pl. *figueiras-vermelhas*
figueiredo (*ê*) s.m.
figueirense adj. s.2g.
figueirilha s.f.
figueirinha s.f.
figueirinha-brava s.f.; pl. *figueirinhas-bravas*
figueirinha-do-inferno s.f.; pl. *figueirinhas-do-inferno*
figueirinha-hera s.f.; pl. *figueirinhas-hera* e *figueirinhas-heras*
figueirinho s.m.
figueiró s.m.
figueiroa (*ô*) s.f.
figueiroense adj. s.2g.
figueital s.m.
figueiteira s.f.
figueito s.m.
figuerilha s.f.
figuilho s.m.
figuinho s.m.
figulina s.f.

figulino adj.
figulo s.m.
figura s.f.
figuração s.f.
figuracho s.m.
figuraço s.m.
figurado adj.
figural adj.2g.
figuralidade s.f.
figurante adj. s.2g.
figurão s.m.; f. *figurona*
figurar v.
figurarias s.f.pl.
figurativa s.f.
figurativismo s.m.
figurativista adj. s.2g.
figurativístico adj.
figurativo adj.
figurável adj.2g.
figurelha (*ê*) s.f.
figurépio s.m.
figureta (*ê*) s.f.
figurilha s.f.
figurina s.f.
figurinha s.f.
figurinismo s.m.
figurinista adj. s.2g.
figurinístico adj.
figurino s.m.
figurismo s.m.
figurista adj. s.2g.
figurístico adj.
figurita s.f.
figuro s.m.
figurona s.f. de *figurão*
fijá s.m.
fijiano adj. s.m.
fijola s.f.
fila s.f. "linha"; cf. *filá*
filá s.m. "gorro"; cf. *fila*
filaça s.f.
filacanto s.m.
filaceia (*é*) adj. s.f. de *filaceu*
filaceio adj. s.m.
filaceu adj. s.m.; f. *filaceia* (*é*)
filacora s.f.
filactela s.f.
filactera s.f.
filactério s.m.
filáctico adj.
filactíneo adj. s.m.
filactínia s.f.
filactocarpo s.m.
filactolemado s.m.
filadelfácea s.f.
filadelfáceo adj.
filadélfea s.f.
filadelfeno adj. s.m.
filadelfense adj. s.2g.
filadélfeo adj.
filadelfiense adj. s.2g.
filadelfo adj. s.m.
filádico adj.
filadiforme adj.2g.
filádio s.m.
filado adj.
fila-fila s.f.; pl. *fila-filas*
filáfis s.m.2n.
filagem s.f.
filaginina s.f.
filago s.m.
filagônia s.f.
filagrana s.f.
filagranado adj.
filagranar v.
filali s.m.
filáli s.m.
filálico adj.
filame s.m.
filamentação s.f.
filamentar v. adj.2g.
filamento s.m.
filamentoso (*ô*) adj.; f. (*ó*); pl. (*ó*)
filamina s.f.
filança s.f.
filandeira s.f.
filânder s.m.
filandra s.f.
filandra-do-oriente s.f.; pl. *filandras-do-oriente*
filandra-gigante s.f.; pl. *filandras-gigantes*
filandras s.f.pl.
filandra-volante s.f.; pl. *filandras-volantes*
filandroso (*ô*) adj.; f. (*ó*); pl. (*ó*)
filanete (*ê*) s.m.
filanina s.f.
filante adj. s.2g.
filântea s.f.
filânteo adj.
filantina s.f.
filantínico adj.
filanto s.m.
filantóidea s.f.
filantóideo adj. s.m.
filantro s.m.
filantropia s.f.
filantrópico adj. s.m.
filantropismo s.m.
filantropo (*ô*) adj. s.m.
filantropomania s.f.
filantropômano s.m.
filão s.m.
filaplisia s.f.
filar v. adj.2g.
filarco s.m.
filargiria s.f.
filargíria s.f.
filargírico adj.
filárgiro adj. s.m.
filária s.f.; cf. *filaria*, fl. do v. *filar*
filária-de-guiné s.f.; pl. *filárias-de-guiné*
filária-de-medina s.f.; pl. *filárias-de-medina*
filaríase s.f.
filariásico adj.
filaricida adj. s.2g.
filaricídio s.m.
filarídeo adj. s.m.
filariída adj.2g. s.f.
filariídeo adj. s.m.
filariíneo adj. s.m.
filarioide (*ó*) adj. s.m.
filarióideo adj. s.m.
filariose s.f.
filariósico adj.
filariótico adj.
filarmonia s.f.
filarmônica s.f.
filarmônico adj. s.m.
filaróideo adj. s.m.
filarquia s.f.
filástica s.f.
filástrea s.f.
filástrefo s.m.
filatelia s.f.
filatélico adj.
filatelismo s.m.
filatelista adj. s.2g.
filatelístico adj.
filateria s.f.
filatório adj. s.m.
filáucia s.f.
filaucioso (*ô*) adj.; f. (*ó*); pl. (*ó*)
filé s.m.
fileco s.m.
filédono s.m.
fileira s.f.
fileiro s.m.
filele s.m.
filelene adj. s.2g.
filelênico adj.
filelenismo s.m.
filelenista adj.2g.
filelenístico adj.
fileleno adj. s.m.
filé-mignon s.m.
fileno s.m.
filentoma s.m.
fileo s.m.
fileopse s.f.
filepita s.m.
filepitídea s.f.
filepitídeo adj. s.m.
filer s.m.
filerete (*ê*) s.m.
filérgate s.m.
filésia s.f.
filesiácea s.f.
filesiáceo adj.
filetado adj.
filetagem s.f.
filetar v.
filete s.m. "filé"; cf. *filete* (*ê*)
filete (*ê*) s.m. "fio delgado"; cf. *filete* s.m. e fl. do v. *filetar*
filetear v.
filetero s.m.
filético adj.
filha s.f.
filhação s.f.
filhada s.f.
filha de santo s.f.
filha de senhor de engenho s.f.
filhado adj. s.m.
filhadoiro adj.
filhador (*ô*) s.m.
filha do senhor do engenho s.f.
filhadouro adj.
filhamento s.m.
filhar v.
filharada s.f.
filharar v.
filharasco s.m.
filhastrar v.
filhastro s.m.
filheiro adj.
filhento adj.
filhicida s.2g.
filhicídio s.m.
filhinho s.m.
filho adj. s.m. "descendente"; cf. *filhó*
filhó s.2g. "biscoito"; cf. *filho*
filho da mãe s.m.
filho da puta s.m.
filho das ervas s.m.
filho da terra s.m.
filho-de-bem-te-vi s.m.; pl. *filhos-de-bem-te-vi*
filho-de-onça s.m.; pl. *filhos-de-onça*
filho-de-saí s.m.; pl. *filhos-de-saí*
filho de santo s.m.
filho-família s.m.; pl. *filhos-família* e *filhos-famílias*
filho-famílias s.m.; pl. *filhos-famílias*
filho-feito s.m.; pl. *filhos-feitos*
filhós s.2g.
filhota s.f.
filhotão s.m.
filhote s.f.
filhotinho s.m.
filhotismo s.m.
filhotista adj. s.2g.
filhotístico adj.
filiação s.f.
filiado adj. s.m.
filial adj.2g. s.f.
filiar v.
filiatra s.2g.
filiatria s.f.
filiátrico adj.
filiável adj.2g.
filibegue s.m.
filibércia s.f.
filibrânquio s.m.
fílica s.f.
filical adj.2g.
filicale s.f.
filicato s.m.
filícea s.f.
filícico adj.
filicida s.2g.
filicídio s.m.
filicífero adj.
filicifólio s.m.
filicínea s.f.
filicíneo adj.
filicita s.f.; cf. *felicita*, fl. do v. *felicitar*
filicite s.f.; cf. *felicite*, fl. do v. *felicitar*
filicópsida s.f.
filicorne adj.2g.
filicórneo adj.
filíctis s.m.2n.
filícula s.f.
filiculoestimulante adj.2g.
filídia s.f.
filidiela s.f.
filidiída s.m.
filidiídeo adj. s.m.
filídio s.m.
filidiópsis s.f.2n.
filidor (*ô*) s.m.
filidoríneo adj. s.m.
filidrácea s.f.
filidráceo adj.
filidrínea s.f.
filidro s.m.
filífero adj.
filifolha (*ô*) s.f.
filifoliado adj.
filiforme adj.2g.
filigenina s.f.
filigrana s.f.
filigranado adj.
filigranador (*ô*) adj. s.m.
filigranagem s.f.
filigranar v.
filigraneiro adj. s.m.
filigranista adj. s.2g.
filigranoscópio s.m.
filina s.f.
filine s.m.
filínida s.m.
filinídeo adj. s.m.
filintiano adj.
filintino adj.
filintismo s.m.
filintista adj. s.2g.
filipana s.f.
filipe s.m.
filipêndula s.f.
filipendulado adj.
filipendúlea s.f.
filipendúleo adj.
filipense adj. s.2g.
filipeta (*ê*) s.f.
filípia s.f.
filípica s.f.
filípico adj.
filipina s.f.
filipinês s.m.
filipinho s.m.
filipino adj. s.m.
filípio s.m.
filipismo s.m.
filipista adj. s.2g.
filipita s.f.
filipização s.f.
filipizado adj.
filipizante adj.2g.
filipizar v.
filipluma s.f.
filipódio s.m.
filipopolitano adj. s.m.
filipsita s.f.
filipstadita s.f.
filipunctura s.f.
filírea s.f.
filirena s.f.
filirina s.f.
filiróideo adj. s.m.
filirrostro adj.
filístata s.f.
filistátida adj.2g. s.m.
filistatídeo adj. s.m.
filisteia (*é*) adj. s.f. de *filisteu*
filisteu adj. s.m.; f. *filisteia* (*é*)
filistino adj. s.m.
filistria s.f.
filistriar v.
filita s.f.
filitânico adj.
filite s.m.f.
filítico adj.
filito s.m.
fillowita s.f.
filmação s.f.
filmado adj.
filmador (*ô*) adj. s.m.
filmadora (*ô*) s.f.
filmagem s.f.
filmar v.
filmável adj.2g.
filme s.m.
filmeco s.m.
filmete (*ê*) s.m.
fílmico adj.
filmogênio s.m.
filmografar v.
filmografia s.f.
filmográfico adj.
filmografista adj. s.2g.
filmografístico adj.
filmógrafo s.m.
filmograma s.m.
filmologia s.f.
filmológico adj.
filmologista s.2g.
filmologístico adj.
filmólogo s.m.
filmoteca s.f.
filmotecário s.m.
filo s.m. "categoria taxonômica"; cf. *filó*
filó s.m. "tule"; cf. *filo*
filobasileia (*é*) adj. s.f. de *filobasileu*
filobasileu adj. s.m.; f. *filobasileia* (*é*)
filóbate s.m.
filóbea s.f.
filóbio s.m.
filobiótica s.f.
filobotríea s.f.
filobotriídio adj. s.m.
filobotriíneo adj. s.m.
filobótrio s.m.
filobranco s.m.
filobrânquia s.f.
filobrânquio adj. s.m.
filobrasileiro adj. s.m.
filobrasilismo s.m.
filobrasilístico adj.
filocacto s.m.
filocálice s.m.
filocapto adj. s.m.
filocárida adj.2g. s.m.
filocárpico adj.
filociânico adj.
filocianina s.f.
filocídeo adj. s.m.
filocínico adj.
filocitase s.f.
filocítase s.f.
filocladácea s.f.
filocladáceo adj.
filocládio s.m.
filóclado s.m.
filocladódio s.m.
filocladóidea s.f.
filoclínio s.m.
filocnístis s.m.2n.
filócomo adj. s.m.
filocosmo s.m.
filocótilo s.m.
filocracia s.f.
filocrata s.2g.
filócrata s.2g.
filocrático adj.
filocreína s.f.
filocrínido adj. s.m.
filodáctilo s.m.
filode s.2g.
filodecta s.f.
filodêndrea s.f.
filodendro s.m.
filodendróidea s.f.
filodendro-imbé s.m.; pl. *filodendros-imbé* e *filodendros-imbés*
filodêndron s.m.
filodérmico adj. "utilizado na conservação da pele"; cf. *felodérmico*
filodermo s.m.
filódia s.f.
filódice s.f.
filódico adj.
filodina s.f.
filodinasta adj. s.2g.
filodínea s.f.
filodínida adj.2g. s.m.

filodinídeo adj. s.m.
filódio s.m.
filodoce s.m.
filodócida adj.2g. s.m.
filodocíneo adj. s.m.
filodoxia (*cs*) s.f.
filodoxo (*cs*) s.m.
filodramático adj. s.m.
filódria s.f.
filodrômia s.m.
filodromíneo adj. s.m.
filódromo s.m.
filoduro s.m.
filoela s.m.
filofagia s.f.
filofágico adj.
filófago adj. s.m.
filófora s.m.
filoforácea s.f.
filoforáceo adj.
filóforo s.m.
filogênese s.f.
filogenesia s.f.
filogenésico adj.
filogenético adj.
filogenia s.f. "história da evolução das espécies"; cf. *filoginia*
filogênico adj. "relativo a filogenia"; cf. *felogênico*
filogenitura s.f.
filógeno adj. "que produz folhas"; cf. *filógino*
filoginia s.f. "apreço pelas mulheres"; cf. *filogenia*
filogínio adj.
filógino adj. s.m. "que ou aquele que tem apreço por mulheres"; cf. *filógeno*
filoglosso s.m.
filógnato s.m.
filograma s.m.
filogrânula s.m.
filogrego (*ê*) s.m.
filoide (*ó*) adj.2g.
filoidinação s.f.
filoidinar v.
filolacedemônio adj. s.m.
filolóbea s.f.
filolóbeo adj.
filologia s.f.
filológico adj.
filologismo s.m.
filologista adj. s.2g.
filólogo s.m.
filolusitanismo s.m.
filolusitanístico adj.
filolusitano adj. s.m.
filoma s.m.
filomacedônico adj.
filomacedônio adj. s.m.
filomacedonismo s.m.
filomacedonista adj. s.2g.
filomacedonístico adj.
filômaco s.m.
filomania s.f.
filômano s.m.
filomatia s.f.
filomático adj.
filomedes s.m.2n.
filomedusa s.f.
filomela s.f.
filomeliense adj. s.2g.
filomena s.f.
filomenense adj. s.2g.
filomerídeo adj. s.m.
filomia s.f.
filômico s.m.
filomimesia s.f.
filomito s.m.
filonácio s.m.
filonar adj.2g.
filonegrismo s.m.
filonegrista s.2g.
filonegro (*ê*) adj. s.m.
filoneísmo s.m.
filoneísta adj. s.2g.
filonela s.m.
filonete (*ê*) s.m.
filonéxida (*cs*) adj.2g. s.m.
filonexídeo (*cs*) adj. s.m.
filoniano adj.
filonictério s.m.
filonigrismo s.m.
filonigrista s.2g.
filônio s.m.
filonítico adj.
filonito s.m.
filonote s.f.
filonovismo s.m.
filonto s.m.
filopédico s.m.
filoperta s.f.
filopezo s.m.
filopichim s.m.
filopireniácea s.f.
filopireniáceo adj.
filopluma s.f.
filopneuste s.m.
filópode adj.2g. s.m.
filopódio s.m.
filoporfirina s.f.
filopótamo s.m.
filoprogenitivo adj.
filoprogenitura s.f.
filopsorácea s.f.
filopsoráceo adj.
filóptero s.m.
filoptosia s.f.
filoquetóptero s.m.
filoquinona s.f.
filorina s.m.
filoríneo adj. s.m.
filórraque s.f.
filorráquide s.f.
filorretina s.f.
filorrino adj. s.m.
filórtix (*cs*) s.m.2n.
filoscarte s.m.
filóscia s.m.
filóscopo s.m.
filosela s.f.
filosia s.f.
filosidade s.f.
filoso (*ô*) adj.; f. (*ó*); pl. (*ó*)
filosofal adj.2g.
filosofalista s.2g.
filosofança s.f.
filosofante adj. s.2g.
filosofar v.
filosofário adj.
filosofastro s.m.
filosofear v.
filosofema s.m.
filosofemático adj.
filosofete (*ê*) s.m.
filosofia s.f.
filosofice s.f.
filosófico adj.
filosofismo s.m.
filosofista adj.2g.
filosofístico adj.
filósofo adj. s.m.; cf. *filosofo*, fl. do v. *filosofar*
filospôngia s.m.
filóspora s.f.
filossifo s.m.
filossifonácea s.f.
filossifônia s.f.
filossilicato s.m.
filossoma s.m.
filossomo s.m.
filossoviético adj. s.m.
filóstaque s.m.
filosticta s.f.
filostilão s.m.
filóstoma s.m.
filostômida adj.2g. s.m.
filostomídeo adj. s.m.
filostomíneo adj. s.m.
filóstomo s.m.
filóstrefo s.m.
filotáctico adj.
filotático adj.
filotaxia (*cs*) s.f.
filotáxico (*cs*) adj.
filotecnia s.f.
filotécnica s.f.
filotécnico adj.
filotimia s.f.
filotímico adj.
filotraqueia (*é*) s.f.
filotremela s.f.
filovaricose s.f.
filoxantina s.f.
filoxera (*cs*) s.f.
filoxera-da-videira s.f.; pl. *filoxeras-da-videira*
filoxerado (*cs*) adj.
filoxerar (*cs*) v.
filoxericida (*cs*) adj.2g.
filoxericídio (*cs*) s.m.
filoxérico (*cs*) adj.
filoxerídeo (*cs*) s.m.
filoxeríneo (*cs*) adj. s.m.
filoxero (*cs*) s.m.
filozona s.f.
filozonal adj.2g.
filtração s.f.
filtrado adj.
filtrador (*ô*) adj. s.m.
filtragem s.f.
filtramento s.m.
filtrante adj.2g.
filtrar v. "coar"; cf. *feltrar*
filtrato s.m.
filtrável adj.2g.
filtreiro s.m.
filtro s.m.
filtro-prensa s.m.; pl. *filtros-prensa* e *filtros-prensas*
fílula s.f.
filuro s.m.
filustria s.f.
fim s.m.
fima s.f.
fimacte s.m.
fimáctis s.m.2n.
fimantíneo adj. s.m.
fimanto s.m.
fímata s.f.
fimatíase s.f.
fimátida adj.2g. s.m.
fimatídeo adj. s.m.
fimatina s.f.
fimatode s.m.
fimatoide (*ó*) adj.2g.
fimatose s.f.
fimatoso (*ô*) adj.; f. (*ó*); pl. (*ó*)
fimbo s.m.
fimbra s.f.
fimbrado adj.
fímbria s.f.; cf. *fimbria*, fl. do v. *fimbriar*
fimbriado adj.
fimbriar v.
fimbriário adj. s.m.
fimbrila s.f.
fimbristile s.m.
fim-d'águas s.m.; pl. *fins-d'águas*
fim de rama s.m.
fim de safra s.m.
fim de século adj.2g.2n.
fimento s.m.
fim-fim s.m.; pl. *fim-fins*
fimia s.f.
fímico adj.
fimícola adj.2g.
fimose s.f.
fimósico adj.
fimosoma s.m.
fimpi s.m.
fina s.f.
finado adj. s.m.
finadoiro s.m.
finados s.m.pl.
finadouro s.m.
final adj. s.2g.
finalidade s.f.
finalismo s.m.
finalíssima s.f.
finalista adj. s.2g.
finalístico adj.
finalização s.f.
finalizado adj.
finalizador (*ô*) adj.
finalizadora s.f.
finalizante adj.2g.
finalizar v.
finalizável adj.2g.
finamento s.m.
finança s.f.
financeira s.f.
financeirista adj. s.2g.
financeiro adj. s.m.
financiação s.f.
financiado adj.
financiador (*ô*) adj. s.m.
financial adj.2g.
financiamento s.m.
financiar v.
financiável adj.2g.
financismo s.m.
financista adj. s.2g.
financístico adj.
finanga s.f.
finar v.
finasco s.m.
finasterida s.f.
finável adj.2g.
finca s.f.
fincação s.f.
fincada s.f.
fincado adj.
fincador (*ô*) adj.
fincagem s.f.
fincamento s.m.
fincão s.m.
finca-pé s.m.; pl. *finca-pés*
fincar v.
finciense adj. s.2g.
finco s.m.
fincudo s.m.
finda s.f.
findado adj.
findador (*ô*) s.m.
findalizar v.
findar v.
findável adj.2g.
findinga s.f.
findo adj.
finense adj. s.2g.
finês adj. s.m.
fineza (*ê*) s.f.
finfa s.m.
finfar v.
finfim s.m.
fingição s.f.
fingidiço adj.
fingido adj. s.m.
fingidor (*ô*) s.m.
fingimento s.m.
fingir v. "dissimular"; cf. *fengir*
fingível adj.2g.
fingo s.m.
fingueiro s.m.
fini s.m.
fínico adj. s.m.
finidade s.f.
finímetro s.m.
fininga s.f.
fininguetado adj.
fininha s.f.
fininho adj. s.m.
finissecular adj.2g.
finisterra s.f.
finítimo adj.
finitismo s.m.
finitista adj. s.2g.
finitístico adj.
finitividade s.f.
finitivo adj.
finito adj. s.m.
finitude s.f.
finlandês adj. s.m.
finnemanita s.f.
fino adj. s.m.
finodentado adj.
finofalante adj. s.2g.
finofonia s.f.
finófono adj. s.m.
fino-permiano adj. s.m.; pl. *fino-permianos*
finório adj. s.m.
finorismo s.m.
fino-russo adj. s.m.; pl. *fino-russos*
fino-soviético adj. s.m.; pl. *fino-soviéticos*
finoto (*ô*) adj.
fino-ugriano adj. s.m.; pl. *fino-ugrianos*
fino-úgrico adj. s.m.; pl. *fino-úgricos*
fino-volgaico adj. s.m.; pl. *fino-volgaicos*
fins-d'água s.m.pl.
finta s.f.
fintador (*ô*) adj. s.m.
fintão s.m.
fintar v.
fintelmânia s.f.
finto adj. s.m.
finura s.f.
fio s.m.
fio de pedra s.m.
fio-de-peixe s.m.; pl. *fios-de-peixe*
fiodorovita s.f.
fiofó s.m.
fiolhal s.m.
fiolho (*ô*) s.m.
fiomel adj. s.m.
fiona s.m.
fiônida adj.2g. s.m.
fionídeo adj. s.m.
fiorde s.m.
fiórdico adj.
fiorina s.f.
fiorita s.f.
fioritura s.f.
fioropolitano adj. s.2g.
fio-sardinha s.m.; pl. *fios-sardinha* e *fios-sardinhas*
fios de ovos s.m.pl. "doce em forma de fios"
fios-de-ovos s.m.pl. "espécie de cipó"
fios-d'ovos s.m.pl.
fiose s.m.
fiota adj. s.2g.
fiote adj.2g. s.m.
fioteiro adj. s.m.
fioteza (*ê*) s.f.
fiotice s.f.
fioto (*ô*) s.m.
fípsia s.f.
fique s.f.
fiquismo s.m.
firaco s.m.
firafolha (*ô*) s.f.
firma s.f.
firmação s.f.
firmado adj.
firmador (*ô*) s.m.
firmal s.m.
firmamental adj.2g.
firmamento s.m.
firmano adj. s.m.
firmante adj.2g.
firmão s.m.
firmar v.
firmável adj.2g.
firme adj.2g. s.m.
firmense adj. s.2g.
firmeza (*ê*) s.f.
firmiana s.f.
firmidão s.f.
firmideu s.m.
firminense adj. s.2g.
firmino adj. s.m.
firminopolino adj. s.m.
firminopolitano adj. s.2g.
firmistérnia s.f.
firmisterno adj. s.m.
firmitude s.f.
firmo adj.
firo s.m.
firocórace s.m.
firocóraco s.m.
firocórax (*cs*) s.m.
firola s.f.
firrar v.
firro s.m.
firula s.f.
firuli s.m.
fis s.m. "nota musical"; cf. *fiz*, fl. do v. *fazer*
fisa s.f.
fisácio s.m.
fisal adj.2g.
fisale s.f.
fisalemina s.f.
fisalemínico adj.

fisália s.f.
fisálida s.f.
fisálide s.f.
fisalídeo adj. s.m.
fisaliforme adj.2g.
fisalina s.f.
fisalita s.f.
fisalite s.f.
fisalo s.m.
fisalóptera s.f.
fisalósporo s.m.
fisantile s.f.
fisápode adj.2g. s.m.
fisarácea s.f.
fisarmônica s.f.
fisaro s.m.
fisberta s.f.
fiscal adj. s.2g.
fiscalidade s.f.
fiscalismo s.m.
fiscalista adj. s.2g.
fiscalístico adj.
fiscalização s.f.
fiscalizado adj.
fiscalizador (*ô*) adj. s.m.
fiscalizar v.
fiscalizável adj.2g.
fiscário s.m.
fiscela s.f.
fiscelado adj.
fiscelar v.
fischéria s.f.
fischerita s.f.
físcia s.f.
fisciácea s.f.
fisciáceo adj.
fisco s.m.
fiscomitrela s.f.
fiscomítrio s.m.
fisconia s.f.
fisedra s.f.
fisema s.m.
fisemático adj.
fisenácea s.f.
fisenáceo adj.
fisese s.f.
fisetérida adj.2g. s.m.
fiseterídeo adj. s.m.
fiseteríneo adj. s.m.
fisetério s.m.
fisético adj.
fisetina s.f.
fisga s.f.
fisgação s.f.
fisgada s.f.
fisgadela s.f.
fisgado adj.
fisgador (*ô*) adj. s.m.
fisgamento s.m.
fisgar v.
fisgo s.m.
fisgueira s.f.
fisianto s.m.
fisiatra s.2g.
fisiatria s.f.
fisiátrico adj.
física s.f.
fisicalidade s.f.
fisicalismo s.m.
fisicalista adj. s.2g.
fisicalístico adj.
fisicidade s.f.
fisicismo s.m.
fisicista adj. s.2g.
fisicístico adj.
físico adj. s.m.
físico-econômico adj.; pl. *físico-econômicos*
fisicogênese s.f.
fisicogenésico adj.
fisicogenético adj.
fisicogenia s.f.
fisicogênico adj.
físico-geográfico adj.; pl. *físico-geográficos*
físico-geógrafo s.m.; pl. *físico-geógrafos*
físico-matemático adj. s.m.; pl. *físico-matemáticos*
físico-mecânico adj.; pl. *físico-mecânicos*
físico-mor s.m.; pl. *físicos-mores*
físico-psíquico adj.; pl. *físico-psíquicos*
físico-química s.f.; pl. *físico-químicas*
físico-químico adj.; pl. *físico-químicos*
fisicoterapia s.f.
fisicoterápico adj.
fisicultor (*ô*) adj. s.m.
fisicultura s.f.
fisicultural adj.2g.
fisiculturismo s.m.
fisídeo adj. s.m.
fisídia s.f.
fisieconômico adj.
fisinose s.f.
fisiocela s.f.
fisiociência s.f.
fisiocientífico adj.
fisiocientista adj. s.2g.
fisiocracia s.f.
fisiocrata s.2g.
fisiócrata s.2g.
fisiocrático adj.
fisiocratismo s.m.
fisioculturismo s.m.
fisioculturista adj. s.2g.
fisiodiagnóstico s.m.
fisiodinamia s.f.
fisioeconômico adj.
fisiogênese s.f.
fisiogenésico adj.
fisiogenético adj.
fisiogenia s.f.
fisiogênico adj.
fisiógeno adj.
fisiogeografia s.f.
fisiogeográfico adj.
fisiogeógrafo s.m.
fisiognomia s.f.
fisiognômico adj.
fisiognomonia s.f.
fisiognomônico adj.
fisiognomonista adj. s.2g.
fisiognose s.f.
fisiognosia s.f.
fisiognóstico adj.
fisiografia s.f.
fisiográfico adj.
fisiógrafo s.m.
fisiologia s.f.
fisiológico adj.
fisiologismo s.m.
fisiologista adj. s.2g.
fisiologístico adj.
fisiologizante adj. s.2g.
fisiologizar v.
fisiólogo s.m.
fisiolostria s.f.
fisiomatemático adj. s.m.
fisiomecânico adj.
fisionômetro s.m.
fisionomia s.f.
fisionômico adj.
fisionomismo s.m.
fisionomista adj. s.2g.
fisionomístico adj.
fisiopata s.2g.
fisiopatia s.f.
fisiopático adj.
fisiopatologia s.f.
fisiopatológico adj.
fisiopatologista s.2g.
fisiopatólogo s.m.
fisiopolítica s.f.
fisiopolítico adj. s.m.
fisiopsicologia s.f.
fisiopsicológico adj.
fisiopsicologismo s.m.
fisiopsicologista adj. s.2g.
fisiopsíquico adj.
fisioquímica s.f.
fisioquímico adj.
fisiose s.f.
fisiostigmina s.f.
fisioterapeuta s.2g.
fisioterapêutico adj.
fisioterapia s.f.
fisioterápico adj.
fisma s.f.
fisocálice s.m.
fisocálima s.f.
fisocarpo adj. s.m.
fisocaule s.m.
fisocefalia s.f.
fisocéfalo s.m.
fisocele s.f.
fisoclisto adj. s.m.
fisoderma s.m.
fisoderme s.f.
fisóforo s.m.
fisogastria s.f.
fisogástrico adj.
fisogastro s.m.
fisoide (*ó*) adj.2g.
fisoidiômetro s.m.
fisolostria s.f.
fisometria s.f.
fisométrico adj.
fisonecto s.m.
fisopiossalpinge s.f.
fisópode adj. s.m.
fisose s.f.
fisospermo s.m.
fisossifão s.m.
fisostigma s.m.
fisostigmina s.f.
fisostigmínico adj.
fisostigmo s.m.
fisóstomo s.m.
fisotórax (*cs*) s.m.
fisotriquia s.f.
fisqueiro s.m.
fisquéria s.f.
fissão s.f.
fissidáctilo adj.
fissidentácea s.f.
fissidentáceo adj.
fissidentado adj.
fissidental adj.2g.
fissidentale s.f.
fissifloro adj.
fissifólio adj.
fissiforme adj.2g. "que tem forma de fenda"; cf. *ficiforme*
fissil adj.2g.
fissilidade s.f.
fissilingual adj.2g.
fissilíngue (*ü*) adj.2g.
fissilínguia s.f.
fissilizar v.
fissinérveo adj.
fissional adj.2g.
fissionar v.
fissionável adj.2g.
fissiparidade s.f.
fissíparo adj.
fissípede adj.2g. s.m.
fissipene adj.2g.
fissirrostro adj. s.m.
fissura s.f.
fissuração s.f.
fissurado adj.
fissuramento s.m.
fissurar v.
fissurectomia s.f.
fissurectômico adj. s.m.
fissurela s.f.
fissurélida adj.2g. s.m.
fissurelídeo adj. s.m.
fístico s.m.
fistor (*ô*) s.m.
fistorice s.f.
fistra s.f.
fístula s.f.; cf. *fistula*, fl. do v. *fistular*
fistulação s.f.
fístula-dentária s.f.; pl. *fístulas-dentárias*
fistulado adj.
fistular v. adj.2g.
fistulária s.f.
fistulárida adj.2g. s.m.
fistularídeo adj. s.m.
fistulectomia s.f.
fistulectômico adj. s.m.
fistulina s.f.
fistulínea s.f.
fistulíneo adj.
fistulivalve adj.2g.
fistulização s.f.
fistulizado adj.
fistulizador (*ô*) adj.
fistulizante adj.2g.
fistulizar v.
fistulizável adj.2g.
fistulografia s.f.
fistuloso (*ô*) adj.; f. (*ó*); pl. (*ó*)
fisurina s.f.
fita s.f.
fitaça s.f.
fitáceo adj.
fita-crepe s.f.; pl. *fitas-crepe* e *fitas-crepes*
fita-demo s.f.; pl. *fitas-demo*
fita-de-moça s.f.; pl. *fitas-de-moça*
fitado adj.
fita-do-mar s.f.; pl. *fitas-do-mar*
fitaléria s.f.
fitança s.f.
fitão s.m.
fitar v.
fitaria s.f.
fitarola s.f.
fitécia s.m.
fitecíneo s.m.
fitecologia s.f.
fitecológico adj.
fitecologista s.2g.
fitecologístico adj.
fitecólogo adj. s.m.
fiteira s.f.
fiteiro adj. s.m.
fitélefa s.f.
fitelefantácea s.f.
fitelefantáceo adj.
fitelefantóidea s.f.
fitelho (*ê*) s.m.
fitenato s.m.
fitênico adj.
fitilha s.f.
fitilho s.m.
fitina s.f.
fitinha s.f.
fitínico adj.
fito adj. s.m.
fitoalopecia s.f.
fitobactéria s.f.
fitobacterial adj.2g.
fitobacteriologia s.f.
fitobacteriológico adj.
fitobacteriologista s.2g.
fitobacteriólogo s.m.
fitobezoar s.m.
fitóbio s.m.
fitobiologia s.f.
fitobiológico adj.
fitobiologista s.2g.
fitobiólogo s.m.
fitoblástico adj.
fitoblasto s.m.
fitocecídia s.f.
fitocecídio s.m.
fitocenologia s.f.
fitocenológico adj.
fitocenologista s.2g.
fitocenólogo s.m.
fitocenose s.f.
fitoclimático adj.
fitoclimatologia s.f.
fitoclimatológico adj.
fitoclimatologista s.2g.
fitoclimatólogo s.m.
fitoclimograma s.m.
fitoclínico adj.
fitoclorina s.f.
fitocloro s.m.
fitocolite s.f.
fitocologia s.f.
fitocológico adj.
fitocologista s.2g.
fitocologístico adj.
fitoconcreção s.f.
fitocrenácea s.f.
fitocrenáceo adj.
fitocrene s.f.
fitocrômico adj.
fitocromo adj. s.m.
fitoecologia s.f.
fitoecológico adj.
fitoecologista s.2g.
fitoecologístico adj.
fitoecólogo adj. s.m.
fitoemaglutinina s.f.
fitoemaglutinínico adj.
fitoemoaglutinina s.f.
fitoemoaglutinínico adj.
fitofagia s.f.
fitofágico adj.
fitófago adj. s.m.
fitofarmácia s.f.
fitofilia s.f.
fitófilo adj. s.m.
fitofisiologia s.f.
fitofisiológico adj.
fitofisiologista s.2g.
fitofisiólogo s.m.
fitofisionomia s.f.
fitofisionômico adj.
fitoflagelado s.m.
fitoftíreo adj. s.m.
fitoftiro s.m.
fitóftora s.f.
fitoftorose s.f.
fitogamia s.f.
fitogêneo adj.
fitogênese s.f.
fitogenesia s.f.
fitogenia s.f.
fitogênico adj.
fitógeno adj.
fitogeografia s.f.
fitogeográfico adj.
fitogeógrafo s.m.
fitognomia s.f.
fitognomônica s.f.
fitognomônico adj.
fitognosia s.f.
fitografia s.f.
fitográfico adj.
fitógrafo s.m.
fito-hemaglutinina s.f.
fito-hemaglutinínico adj.
fito-hemoaglutinina s.f.
fito-hemoaglutinínico adj.
fito-hormona s.f.
fito-hormonal adj.2g.
fito-hormonial adj.2g.
fito-hormônico adj.
fito-hormônio s.m.
fitoide (*ó*) adj.2g.
fitol s.m.
fitolaca s.f.
fitolacácea s.f.
fitolacáceo adj.
fitolácea s.f.
fitolaceácea s.f.
fitoláceo adj.
fitolacínea s.f.
fitolacóidea s.f.
fitolatra s.2g.
fitólatra s.2g.
fitolatria s.f.
fitolátrico adj.
fitólito s.m.
fitolitologia s.f.
fitolitológico adj.
fitologia s.f.
fitológico adj.
fitologista s.2g.
fitólogo s.m.
fitomastigino adj. s.m.
fitomenadiona s.f.
fitômetra s.f.
fitometria s.f.
fitômetro s.m.
fitomonadino adj. s.m.
fitomórfico adj.
fitomorfismo s.m.
fitomorfo adj.
fitomorfologia s.f.
fitomorfológico adj.
fitona s.f.
fitônia s.f.
fitonícia s.f.
fitonimia s.f.
fitonímia s.f.
fitonímico adj.
fitônimo adj. s.m.

fitonomatecnia s.f.
fitonomatécnico adj.
fitonomia s.f.
fitonômico adj.
fitônomo s.m.
fitonomotecnia s.f.
fitonomotécnico adj.
fitonose s.f.
fitopaleontologia s.f.
fitopaleontológico adj.
fitopaleontologista s.2g.
fitopaleontólogo s.m.
fitoparasita s.m.
fitoparasito s.m.
fitoparasitologia s.f.
fitoparasitológico adj.
fitoparasitologista s.2g.
fitoparasitólogo s.m.
fitopatia s.f.
fitopático adj.
fitopatógeno s.m.
fitopatologia s.f.
fitopatológico adj.
fitopatologista adj. s.2g.
fitopatologístico adj.
fitopatólogo adj. s.m.
fitoplancto s.m.
fitoplâncton s.m.
fitoplanctonte s.m.
fitóptida adj.2g. s.m.
fitoptídeo adj. s.m.
fitopto s.m.
fitoptose s.f.
fitoquímica s.f.
fitoquímico adj.
fitormona s.f.
fitormonal adj.2g.
fitormonial adj.2g.
fitormônico adj.
fitormônio s.m.
fitorrodina s.f.
fitose s.f.
fitosperma s.m.
fitossanidade s.f.
fitossanitário adj.
fitossanitarismo s.m.
fitossanitarista adj. s.2g.
fitossanitarístico adj.
fitossarcônida adj.2g. s.m.
fitossociologia s.f.
fitossociológico adj.
fitossociólogo s.m.
fitosterina s.f.
fitosterol s.m.
fitosterólico adj.
fitotáctico adj.
fitotático adj.
fitotaxia (*cs*) s.f.
fitotáxico (*cs*) adj.
fitotaxonomia (*cs*) s.f.
fitotaxonômico (*cs*) adj.
fitotaxonomista (*cs*) adj. s.2g.
fitoteca s.f.
fitotecário adj. s.m.
fitotecnia s.f.
fitotécnico adj.
fitoterapeuta s.2g.
fitoterapêutico adj.
fitoterapia s.f.
fitoterápico adj.
fitoterosia s.f.
fitotipólito s.m.
fitótoma s.m.
fitotomia s.f.
fitotômico adj.
fitotômida adj.2g. s.m.
fitotomídeo adj. s.m.
fitotóxico (*cs*) adj. s.m.
fitotoxidade (*cs*) s.f.
fitotoxina (*cs*) s.f.
fitotron s.m.
fitotropia s.f.
fitozoário adj. s.m.
fiunça s.f.
fiunco s.m.
fiúsa adj.2g. "desusado"; cf. *fiúza*
fiúza s.f. "fé"; cf. *fiúsa*
fiúzo s.m.
fivela s.f.
fivelado adj.
fivelador (*ô*) adj.
fivelame s.m.
fivelão s.m.
fivelar v.
fiveleta (*ê*) s.f.
fixa (*cs*) s.f. "estaca"; cf. *ficha*
fixação (*cs*) s.f.
fixado (*cs*) adj.
fixador (*cs...ô*) adj. s.m.
fixagem (*cs*) s.f.
fixante (*cs*) adj.2g.
fixar (*cs*) v. "tornar fixo"; cf. *fichar*
fixativo (*cs*) adj.
fixável (*cs*) adj.2g.
fixe (*cs*) adj.2g. s.m. interj. "angustiado", etc.; cf. *fiche*, fl. do v. *fichar*
fixez (*cs...ê*) s.f.
fixidade (*cs*) s.f.
fixidez (*cs...ê*) s.f.
fixismo (*cs*) s.m.
fixista (*cs*) adj. s.2g.
fixístico (*cs*) adj.
fixo (*cs*) adj. s.m.; cf. *ficho*, fl. do v. *fichar*
fixura (*cs*) s.f.
fizelyta s.f.
flã s.m.
flabelação s.f.
flabelado adj.
flabelar v. adj.2g.
flabelária s.f.; cf. *flabelaria*, fl. do v. *flabelar*
flabelífero adj.
flabelifoliado adj.
flabeliforme adj.2g.
flabelígera s.f.
flabeligérida adj.2g. s.m.
flabeligerídeo adj. s.m.
flabelígero adj. s.m.
flabelina s.f.
flabelípede adj.2g.
flabelo s.f.
flabílio adj.
flacianismo s.m.
flacianista s.2g.
flaciano adj. s.m.
flacidez (*ê*) s.f.
flácido adj.
flaco adj.
flacoúrtia (*cúr*) s.f.
flacourtiácea (*cur*) s.f.
flacourtiáceo (*cur*) adj.
flacourtiano (*cur*) adj.
flacoúrtio (*cúr*) adj.
flacúrtia s.f.
flacurtiácea s.f.
flacurtiáceo adj.
flacurtiana s.f.
flacurtiano adj.
flacurtiina s.f.
flacúrtio adj.
flaflar v.
flagelação s.f.
flagelado adj. s.m.
flagelador (*ô*) adj. s.m.
flagelante adj. s.2g.
flagelar v. adj.2g.
flagelária s.f.
flagelariácea s.f.
flagelariáceo adj.
flagelariínea s.f.
flagelariíneo adj.
flagelário adj. s.m.
flagelativo adj.
flagelável adj.2g.
flagelíase s.f.
flagelífero adj. s.m.
flageliforme adj.2g.
flagelina s.f.
flagelo s.m.
flagelomania s.f.
flagelômano s.m.
flagiciado adj.
flagiciar v.
flagício s.m.; cf. *flagicio*, fl. do v. *flagiciar*
flagicioso (*ô*) adj.; f. (*ó*); pl. (*ó*)
flagra s.m.
flagrância s.f. "condição do que é flagrante"; cf. *fragrância*
flagrante adj.2g. s.m. "evidente"; cf. *fragrante*
flagrar v.
flainador (*ô*) adj.
flainar v.
flainear v.
flaino s.m.
flajolé s.m.
flajolotita s.f.
flama s.f.
flamância s.f.
flamante adj.2g.
flamão s.m.
flamar v.
flambação s.f.
flambado adj.
flambagem s.f.
flambante adj.2g. s.m.
flambar v.
flambê adj.2g.
flamboaiã s.m.
flambuaiã s.m.
flambuaiãzinho s.m.
flame s.m.
flameante adj.2g.
flamear v.
flamejado adj.
flamejador (*ô*) adj.
flamejamento s.m.
flamejante adj.2g.
flamejar v.
flamejável adj.2g.
flamejo (*ê*) s.m.
flamenco adj. s.m.
flamenga s.f.
flamengaria s.f.
flamengo adj. s.m.
flamenguinha s.f.
flamenguismo s.m.
flamenguista adj. s.2g.
flâmeo adj. s.m.
flamífero adj.
flamifervente adj.2g.
flamígero adj.
flaminato s.m.
flâmine s.m.; f. *flamínica*
flamíneo adj.
flamingo s.m.
flamingo-chileno s.m.; pl. *flamingos-chilenos*
flamingo-grande s.m.; pl. *flamingos-grandes*
flaminguismo s.m.
flaminguista adj. s.2g.
flamínia s.f.
flamínica s.f. de *flâmine*
flamínico adj.
flamínio s.m.
flamipotente adj.2g.
flamispirante adj.2g.
flamispirar v.
flamitubular adj.2g.
flamívolo adj.
flamívomo adj.
flamonense adj. s.2g.
flamoniense adj. s.2g.
flâmula s.f. cf. *flamula*, fl. do v. *flamular*
flamular v.
flanador (*ô*) s.m.
flanância s.f.
flanar v.
flanate adj. s.2g.
flanático adj. s.m.
flanco s.m.
flanconada s.f.
flande s.m.
flandeiro s.m.
flandre s.m.
flandrense adj. s.2g.
flandres s.m.2n.
flandriano adj. s.m.
flandrino adj. s.m.
flandrisco adj. s.m.
flanela s.f.
flanelagem s.f.
flanelão s.m.
flaneleiro s.m.
flanelinha s.m.
flanelógrafo s.m.
flange s.m.
flanqueado adj.
flanqueador (*ô*) adj. s.m.
flanqueamento s.m.
flanqueante adj.2g.
flanquear v.
flanqueável adj.2g.
flape s.m.
flaqueirão adj.
flaquito adj.
flare s.m.
flartação s.f.
flata s.f.
flatídeo adj. s.m.
flato s.m.
flatoso (*ô*) adj.; f. (*ó*); pl. (*ó*)
flatulante adj.2g.
flatulência s.f.
flatulento adj.
flatuloso (*ô*) adj.; f. (*ó*); pl. (*ó*)
flatuosidade s.f.
flatuoso (*ô*) adj.; f. (*ó*); pl. (*ó*)
flaubertianismo (*flô*) s.m.
flaubertianista (*flô*) adj. s.2g.
flaubertianístico (*flô*) adj.
flaubertiano (*flô*) adj. s.m.
flaubertismo (*flô*) s.m.
flaubertista (*flô*) adj. s.2g.
flaubertístico (*flô*) adj.
flauta s.f.
flautado adj.
flautar v.
flauteação s.f.
flauteado adj.
flauteador (*ô*) adj. s.m.
flautear v.
flauteio s.m.
flauteira s.f.
flauteiro s.m.
flautim s.m.
flautineiro s.m.
flautinista adj. s.2g.
flautista adj. s.2g.
flauto s.m.
flava s.f.
flavanilina s.f.
flavanol s.m.
flavantreno s.m.
flavantrina s.f.
flavantrinol s.m.
flavaspidato s.m.
flavaspídico adj.
flavaurina s.f.
flavecianeto (*ê*) s.m.
flavecianídrico adj.
flaveíta s.f.
flavelagato s.m.
flavelágico adj.
flavenol s.m.
flavéria s.f.
flavescência s.f.
flavescente adj.2g.
flavescer v.
flavescido adj.
flavescimento s.m.
flavescina s.f.
flaviano adj.
flavibico adj.
flaviense adj. s.2g.
flavífluo adj.
flavina s.f.
flavínio adj. s.m.
flávio adj.
flaviopolitano adj. s.m.
flavípede adj.2g.
flavissa s.f.
flavo adj.
flavocobáltico adj.
flavofenina s.f.
flavona s.f.
flavônico adj.
flavonoide (*ó*) s.m.
flavonol s.m.
flavoproteína s.f.
flavoproteínico adj.
flavopurpurina s.f.
flavor (*ô*) s.m.
flavorista adj. s.2g.
flavorizante adj.2g. s.m.
flavortização s.f.
flavortizador (*ô*) adj.
flavortizante adj. s.2g.
flavortizar v.
flavortizável adj.2g.
flavovírus s.m.
flebalgia s.f.
flebálgico adj.
flebanestesia s.f.
flebanestésico adj.
flebanestético adj.
flebartéria s.f.
flebarterial adj.2g.
flebarteriectasia s.f.
flebarterite s.f.
flebarterítico adj.
flebectasia s.f.
flebectático adj.
flebectomia s.f.
flebectômico adj.
flebectopia s.f.
flebectópico adj.
flebeísmo s.m.
flebenfráctico adj.
flebenfraxia (*cs*) s.f.
flebenterismo s.m.
flebeurisma s.m.
flebeurismático adj.
flébico adj.
flébil adj.2g.
flebina s.f.
flebite s.f.
flebítico adj.
flebobranco s.m.
flebobrânquio s.m.
flebocimênico adj.
flebóclise s.f.
flebofibrose s.f.
flebofibrótico adj.
fleboftalmotomia s.f.
fleboftalmotômico adj.
flebogêneo adj.
flebógeno adj.
flebografia s.f.
flebográfico adj.
flebógrafo s.m.
flebograma s.m.
flebolitíase s.f.
flebolítico adj.
flebólito s.m.
flebologia s.f.
flebológico adj.
flebologista adj. s.2g.
flebólogo s.m.
flebomalacia s.f.
flebomalácia s.f.
fleboméríco adj.
flebômero s.m.
flebometrite s.f.
flebomiomatose s.f.
flebonarcose s.f.
flebonarcótico adj.
flebopalia s.f.
flebopatia s.f.
flebopático adj.
flebopexia (*cs*) s.f.
fleboplastia s.f.
flebóptero adj.
fleborrafia s.f.
fleborráfico adj.
fleborragia s.f.
fleborrágico adj.
fleborreografia s.f.
fleborrexe (*cs*) s.f.
fleborrexia (*cs*) s.f.
flebosclerose s.f.
flebosclerótico adj.
flebostasia s.f.
flebostático adj.
flebostenose s.f.
flebostenótico adj.
flebostrepse s.f.
flebotomia s.f.
flebotômico adj.
flebotomíneo adj. s.m.
flebotomista adj. s.2g.
flebotomizar v.
flebótomo s.m.
flebotrombose s.f.
flecha s.f.
flechaço s.m.

flechada s.f.
flechadaço s.m.
flechadela s.f.
flecha de parto s.f.
flechado adj.
flechador (*ô*) adj.
flechal s.m.
flechalense adj. s.2g.
flecha-peixe s.m.; pl. *flecha-peixes*
flechar v.
flecharia s.f.
fleche s.m.
flechebeque s.m.
flecheira s.f.
flecheirense adj. s.2g.
flecheiro s.m.
flechilha s.f.
flechinha s.f.
flectibilidade s.f.
flectido adj.
flectir v.
flectível adj.2g.
flectômetro s.m.
flector (*ô*) adj.
flegetonte s.m.
flegimenite s.f.
flegma (*ê*) s.f.
flegmão s.m.
flegmasia s.f.
flegmasiar v.
flegmásico adj.
flegmatia s.f.
flegmático adj.
flegmatorragia s.f.
flegmatorrágico adj.
flegmonoso (*ô*) adj.; f. (*ó*); pl. (*ó*)
flegmorragia s.f.
fleima s.f.
fleimão s.m.
fleimático adj. s.m.
fleimonoso (*ô*) adj.; f. (*ó*); pl. (*ó*)
fleimoso (*ô*) adj.; f. (*ó*); pl. (*ó*)
fleína s.f.
fleischerita s.f.
flema s.f.
fleme s.m.
flemes s.m.pl.
flemíngua s.f.
fleminguiano adj. s.m.
flente adj.2g.
flenusiano adj.
fleóbio s.m.
fleocaríneo adj. s.m.
fleocáris s.m.2n.
fleocripte s.m.
fleodictíneo adj. s.m.
fleofagia s.f.
fleófago s.m.
fleóftoro s.m.
fleoglifia s.f.
fleoglífico adj.
fléolo s.m.
fleologia s.f.
fleológico adj.
fleômeo s.m.
fléomis s.m.2n.
fleônico adj.
fleonólico adj.
fleópora s.m.
fleóstico s.m.
fleoterma s.f.
fleótribo s.m.
fleotripídeo adj. s.m.
fleotripse s.m.
flertação s.f.
flertar v.
flerte (*ê*) s.m.; cf. *flerte*, fl. do v. *flertar*
fletaço s.m.
fletcherismo s.m.
fletcherista adj. s.2g.
fletcherita s.f.
flete adj.2g. s.m.
fletibilidade s.f.
fletido adj.
fletir v.
fletível adj.2g.
fletômetro s.m.
fletor (*ô*) adj. s.m.
fleugma s.f.
fleugmático adj.
fleuma s.2g. s.f.
fleumagogo (*ô*) adj. s.m.
fleumão s.m.
fleumático adj.
flexão (*cs*) s.f.
flexar (*cs*) v.
flexeirense (*cs*) adj. s.2g.
flexibiliado (*cs*) adj. s.m.
flexibilidade (*cs*) s.f.
flexibilização (*cs*) s.f.
flexibilizar (*cs*) v.
flexicaule (*cs*) adj.2g.
fléxil (*cs*) adj.2g.
flexilidade (*cs*) s.f.
flexíloquo (*cs*) adj. s.m.
flexiologia (*cs*) s.f.
flexiológico (*cs*) adj.
flexionado (*cs*) adj.
flexional (*cs*) adj.2g.
flexionamento (*cs*) s.m.
flexionar (*cs*) v.
flexionável (*cs*) adj.2g.
flexionismo (*cs*) s.m.
flexípede (*cs*) adj.2g.
flexível (*cs*) adj.2g.
flexividade (*cs*) s.f.
flexivo (*cs*) adj.
flexo (*cs*) adj.
flexografia (*cs*) s.f.
flexográfico (*cs*) adj.
flexor (*cs...ô*) adj. s.m.
flexório (*cs*) adj.
flexuar (*cs*) v.
flexuosa (*cs*) s.f.
flexuosidade (*cs*) s.f.
flexuoso (*cs...ô*) adj.; f. (*ó*); pl. (*ó*)
flexura (*cs*) s.f.
flexuração (*cs*) s.f.
flexural (*cs*) adj.2g.
flexuramento (*cs*) s.m.
flexurante (*cs*) adj.2g.
flexurar (*cs*) v.
flexurável (*cs*) adj.2g.
fliásio adj. s.m.
flibusta s.f.
flibustagem s.f.
flibustaria s.f.
flibustear v.
flibusteiro adj. s.m.
flictena s.f.
flictenogêneo adj.
flictenoide (*ó*) adj.2g.
flictênula s.f.
flictenular adj.2g.
flieia (*é*) adj. s.f. de *flieu*
flieu adj. s.m.; f. *flieia* (*é*)
flindérsia s.f.
flindersióidea s.f.
flinquita s.f.
flinquite s.f.
flíper s.m.
fliperama s.m.
flitação s.f.
flitado adj.
flitar v.
flite s.m.
fliúncio adj. s.m.
flizaciado adj.
flizácio s.m.
flobafeno s.m.
flocado adj.
flocagem s.f.
flocar v.
flocha s.f.
floco s.m.
floco-de-neve s.m.; pl. *flocos-de-neve*
floconar v.
floconoso (*ô*) adj.; f. (*ó*); pl. (*ó*)
flocosidade s.f.
flocoso (*ô*) adj.; f. (*ó*); pl. (*ó*)
flocoso-tomentoso adj.; pl. *flocoso-tomentosos*
floculação s.f.
floculado adj.
floculador (*ô*) adj.
floculamento s.m.
floculante adj.2g.
flocular v.
flóculo s.m.
floema s.m.
floemático adj.
floêmico adj.
floetripídeo adj. s.m.
flogenas s.m.2n.
flogisticação s.f.
flogisticado adj.
flogisticar v.
flogístico adj. s.m.
flogisto s.m.
flogistologia s.f.
flogistológico adj.
flogócito s.m.
flogófilo s.m.
flogogênico adj.
flogogênio s.m.
flogógeno adj.
flogópira s.f.
flogopirita s.f.
flogopita s.f.
flogopse s.m.
flogosar v.
flogose s.f.
flogósico adj.
floiosina s.f.
floiofagia s.f.
floiófago adj.
floioglifia s.f.
floioglífico adj.
floiologia s.f.
floiológico adj.
floiônico adj.
floionólico adj.
flokita s.f.
flome s.m.
flômide s.f.
flomoide (*ó*) adj.2g.
floobafênio s.m.
flooplastia s.f.
floorrizina s.f.
flor (*ô*) s.f.
flora s.f.
floração s.f.
florada s.f.
florado adj.
floraiense adj. s.2g.
florais s.m.pl.
floral adj.2g. s.m.
florália s.f.
floraliense adj. s.2g.
flor-amarela s.f.; pl. *flores-amarelas*
floramina s.f.
floranense adj. s.2g.
floraniense adj. s.2g.
florão s.m.
florar v.
flora-ricense adj. s.2g.; pl. *flora-ricenses*
florário s.m.
flora-riquense adj. s.2g.; pl. *flora-riquenses*
flor-boreal s.f.; pl. *flores-boreais*
flor-camarão s.f.; pl. *flores-camarão e flores-camarões*
flor-cheirosa s.f.; pl. *flores-cheirosas*
flor-da-abissínia s.f.; pl. *flores-da-abissínia*
flor-da-aurora s.f.; pl. *flores-da-aurora*
flor-da-cachoeira s.f.; pl. *flores-da-cachoeira*
flor-da-esperança s.f.; pl. *flores-da-esperança*
flor-d'água s.f.; pl. *flores-d'água*
flor-da-imperatriz s.f.; pl. *flores-da-imperatriz*
flor-da-lua s.f.; pl. *flores-da-lua*
flor-da-noite s.f.; pl. *flores-da-noite*
flor-da-paixão s.f.; pl. *flores-da-paixão*
flor-da-páscoa s.f.; pl. *flores-da-páscoa*
flor-da-quaresma s.f.; pl. *flores-da-quaresma*
flor-da-redenção s.f.; pl. *flores-da-redenção*
flor-da-ressurreição s.f.; pl. *flores-da-ressurreição*
flor-das-almas s.f.; pl. *flores-das-almas*
flor-das-lavadeiras s.f.; pl. *flores-das-lavadeiras*
flor-das-pedras s.f.; pl. *flores-das-pedras*
flor-da-verdade s.f.; pl. *flores-da-verdade*
flor-de-abril s.f.; pl. *flores-de-abril*
flor-de-algodão s.f.; pl. *flores-de-algodão*
flor-de-amor s.f.; pl. *flores-de-amor*
flor-de-amores s.f.; pl. *flores-de-amores*
flor-de-anjinho s.f.; pl. *flores-de-anjinho*
flor-de-aranha s.f.; pl. *flores-de-aranha*
flor-de-azar s.f.; pl. *flores-de-azar*
flor-de-babado s.f.; pl. *flores-de-babado*
flor-de-babado-de-nossa-senhora s.f.; pl. *flores-de-babado-de-nossa-senhora*
flor-de-babeiro s.f.; pl. *flores-de-babeiro*
flor-de-baile s.f.; pl. *flores-de-baile*
flor-de-barbeiro s.f.; pl. *flores-de-barbeiro*
flor-de-baunilha s.f.; pl. *flores-de-baunilha*
flor-de-besoiro s.f.; pl. *flores-de-besoiro*
flor-de-besouro s.f.; pl. *flores-de-besouro*
flor-de-caboclo s.f.; pl. *flores-de-caboclo*
flor-de-cachimbo s.f.; pl. *flores-de-cachimbo*
flor de cal s.f.
flor-de-camal s.f.; pl. *flores-de-camal*
flor-de-cardeal s.f.; pl. *flores-de-cardeal*
flor-de-carnaval s.f.; pl. *flores-de-carnaval*
flor-de-casamento s.f.; pl. *flores-de-casamento*
flor-de-cera s.f.; pl. *flores-de-cera*
flor-de-cetim s.f.; pl. *flores-de-cetim*
flor-de-chagas s.f.; pl. *flores-de-chagas*
flor-de-cobra s.f.; pl. *flores-de-cobra*
flor-de-coco s.f.; pl. *flores-de-coco*
flor-de-coelho s.f.; pl. *flores-de-coelho*
flor-de-coiro s.f.; pl. *flores-de-coiro*
flor-de-contas s.f.; pl. *flores-de-contas*
flor-de-coral s.f.; pl. *flores-de-coral*
flor-de-couro s.f.; pl. *flores-de-couro*
flor-de-cuco s.f.; pl. *flores-de-cuco*
flor-de-cuco-dobrada s.f.; pl. *flores-de-cuco-dobrada*
flor-de-diana s.f.; pl. *flores-de-diana*
flor-de-duas-esporas s.f.; pl. *flores-de-duas-esporas*
flor de enxofre s.f.
flor-de-espírito s.f.; pl. *flores-de-espírito*
flor-de-fogo s.f.; pl. *flores-de-fogo*
flor-de-gelo s.f.; pl. *flores-de-gelo*
flor-de-grama s.f.; pl. *flores-de-grama*
flor-de-hércules s.f.; pl. *flores-de-hércules*
flor-de-índio s.f.; pl. *flores-de-índio*
flor-de-inverno s.f.; pl. *flores-de-inverno*
flor-de-jesus s.f.; pl. *flores-de-jesus*
flor-de-júpiter s.f.; pl. *flores-de-júpiter*
flor-de-lã s.f.; pl. *flores-de-lã*
flor-de-lagartixa s.f.; pl. *flores-de-lagartixa*
flor de lis s.f. "emblema da realeza francesa"
flor-de-lis s.f. "lírio-roxo"; pl. *flores-de-lis*
flor-de-lisado adj.
flor-de-madeira s.f.; pl. *flores-de-madeira*
flor-de-maio s.f.; pl. *flores-de-maio*
flor-de-maracujá s.f.; pl. *flores-de-maracujá*
flor-de-mariposa s.f.; pl. *flores-de-mariposa*
flor-de-mel s.f.; pl. *flores-de-mel*
flor-de-merenda s.f.; pl. *flores-de-merenda*
flor-de-mico s.f.; pl. *flores-de-mico*
flor-de-musa s.f.; pl. *flores-de-musa*
flor-de-natal s.f.; pl. *flores-de-natal*
flor de nespereira s.f.
flor-de-noiva s.f.; pl. *flores-de-noiva*
flor-de-onze-horas s.f.; pl. *flores-de-onze-horas*
flor-de-palha s.f.; pl. *flores-de-palha*
flor-de-papagaio s.f.; pl. *flores-de-papagaio*
flor-de-paraíso s.f.; pl. *flores-de-paraíso*
flor-de-passarinho s.f.; pl. *flores-de-passarinho*
flor-de-pau s.f.; pl. *flores-de-pau*
flor-de-pavão s.f.; pl. *flores-de-pavão*
flor de pedra s.f.
flor-de-pelicano s.f.; pl. *flores-de-pelicano*
flor-de-pérolas s.f.; pl. *flores-de-pérolas*
flor-de-quaresma s.f.; pl. *flores-de-quaresma*
flor-de-sangue s.f.; pl. *flores-de-sangue*
flor-de-santa-cruz s.f.; pl. *flores-de-santa-cruz*
flor-de-santo-antônio s.f.; pl. *flores-de-santo-antônio*
flor-de-são-benedito s.f.; pl. *flores-de-são-benedito*
flor-de-são-joão s.f.; pl. *flores-de-são-joão*
flor-de-são-miguel s.f.; pl. *flores-de-são-miguel*
flor-de-sapato s.f.; pl. *flores-de-sapato*
flor-de-sapo s.f.; pl. *flores-de-sapo*
flor-de-seda s.f.; pl. *flores-de-seda*
flor-de-sola s.f.; pl. *flores-de-sola*
flor-de-trombeta s.f.; pl. *flores-de-trombeta*
flor-de-um-dia s.f.; pl. *flores-de-um-dia*
flor-de-vaca s.f.; pl. *flores-de-vaca*
flor-de-veado s.f.; pl. *flores-de-veado*
flor-de-veludo s.f.; pl. *flores-de-veludo*
flor-de-viúva s.f.; pl. *flores-de-viúva*

flor-do-ar s.f.; pl. *flores-do-ar*
flor-do-campo s.f.; pl. *flores--do-campo*
flor-do-cardeal s.f.; pl. *flores--do-cardeal*
flor-do-céu s.f.; pl. *flores-do-céu*
flor-do-diabo s.f.; pl. *flores-do--diabo*
flor-do-espírito-santo s.f.; pl. *flores-do-espírito-santo*
flor-do-imperador s.f.; pl. *flores-do-imperador*
flor-do-japão s.f.; pl. *flores--do-japão*
flor-do-meio-dia s.f.; pl. *flores-do-meio-dia*
flor-do-monturo s.f.; pl. *flores-do-monturo*
flor-do-natal s.f.; pl. *flores--do-natal*
flor-do-norte s.f.; pl. *flores--do-norte*
flor-do-paraíso s.f.; pl. *flores--do-paraíso*
flor-dos-amores (*ô*) s.f.; pl. *flores-dos-amores*
flor-dos-formigueiros s.f.; pl. *flores-dos-formigueiros*
flor-dos-macaquinhos s.f.; pl. *flores-dos-macaquinhos*
flor-dos-macaquinhos--dependurados s.f.; pl. *flores-dos-macaquinhos--dependurados*
flor-dos-passarinhos s.f.; pl. *flores-dos-passarinhos*
flor-dos-rapazinhos s.f.; pl. *flores-dos-rapazinhos*
flor-dos-tintureiros s.f.; pl. *flores-dos-tintureiros*
flor-do-vento s.f.; pl. *flores--do-vento*
floreado adj. s.m.
floreador (*ô*) adj. s.m.
floreal s.m.
florealense adj. s.2g.
floreante adj.2g.
florear v.
floreável adj.2g.
floreína s.f.
floreio s.m.
floreira s.f.
floreiro s.m.
florejado adj.
florejante adj.2g.
florejar v.
florena s.f.
florença s.f.
florencense adj. s.2g.
florência s.f.
florenciado adj.
florêncio s.m.
florencita s.f.
florencite s.f.
florense adj. s.2g.
florente adj.2g. s.m.
florentim adj. s.m.
florentinense adj. s.2g.
florentino adj. s.m.
florentino-do-piauí adj. s.m.; pl. *florentinos-do-piauí*
flóreo adj.
flores-brancas s.f.pl.
florescência s.f.
florescente adj.2g.
florescer v.
florescido adj.
florescimento s.m.
flores-cunhense adj. s.2g.; pl. *flores-cunhenses*
floresta s.f.
florestação s.f.
florestado adj.
florestador (*ô*) adj. s.m.
florestal adj.2g.
florestalense adj. s.2g.
florestamento s.m.
florestano adj. s.m.
florestar v.
floresteiro adj. s.m.
florestense adj. s.2g.
florestinense adj. s.2g.
florestopolitano adj. s.m.
florestoso (*ô*) adj.; f. (*ó*); pl. (*ó*)
floreta (*ê*) s.f.
floretado adj.
floretamato s.m.
floretâmico adj.
floretato s.m.
florete (*ê*) s.m.
floreteado adj.
floreteador (*ô*) adj. s.m.
floretear v.
florético adj.
floretina s.f.
floretista adj. s.2g.
florianense adj. s.2g.
florianesco (*ê*) adj.
florianismo s.m.
florianista adj. s.2g.
florianístico adj.
floriano s.m.
florianopolitano adj. s.m.
floricípite s.m.
florícola adj.2g. s.m.
floricolínea s.f.
floricolo s.m.
floricoroado adj.
floriculo adj. s.m.
floricultivo adj. s.m.
floricultor (*ô*) adj. s.m.
floricultura s.f.
floricultural adj.2g.
florídea s.f.
floridense adj. s.2g.
florídeo adj.
florideoficida s.f.
floridina s.f.
floridizina s.f.
florido adj. "cheio de flores"; cf. *flórido*
flórido adj. "brilhante"; cf. *florido*
floridor (*ô*) adj. s.m.
floridzina s.f.
floridzínico adj.
florifagia s.f.
florífago adj.
florífero adj.
floriferto s.m.
floriforme adj.2g.
florigério s.m.
florígero adj.
florilégio s.m.
florim s.m.
florina s.f.
florineense adj.2g. s.2g.
florinense adj. s.2g.
floríneo adj. s.m.
florinha s.f.
floriniense adj. s.2g.
floríparo adj.
floripôndio s.m.
florir v.
florissuga s.m.
florista adj. s.2g.
florística s.f.
florístico adj.
floritura s.f.
floriverde adj.2g.
florizina s.f.
flor-mimosa s.f.; pl. *flores--mimosas*
floro adj.
floroglicina s.f.
floroglucina s.f.
floroglucinocarbonato s.m.
floroglucinocarbônico adj.
floroglucinol s.m.
floroglucinólico adj.
floroglucinotricarbônico adj.
floroglucita s.f.
floromania s.f.
floromaníaco adj. s.m.
florona s.f.
floronado adj.
florosa s.f.
florose s.f.
flor-santa s.f.; pl. *flores-santas*
flor-seráfica s.f.; pl. *flores--seráficas*
flor-tigre s.f.; pl. *flores-tigre* e *flores-tigres*
flor-trombeta s.f.; pl. *flores--trombeta* e *flores-trombetas*
flórula s.f.
flosa s.f.
flóscopa s.f.
flosculária s.f.
floscularíáceo adj. s.m.
flosculárida adj.2g. s.m.
floscularídeo adj. s.m.
flosculário s.m.
flósculo s.m.
flosculoso (*ô*) adj.; f. (*ó*); pl. (*ó*)
flos-santório s.m.; pl. *flos--santórios*
flostria s.f.
flostriar v.
flotação s.f.
flotado adj.
flotador (*ô*) adj.
flotar v.
flotel s.m.
flotilha s.f.
flox (*cs*) s.m.
floxacina (*cs*) s.f.
floxina (*cs*) s.f.
floxo (*cs...ô*) s.m.
flozô s.m.
fluagem s.f.
fluantimoniato s.m.
fluarseniato s.m.
fluatação s.f.
fluato s.m.
flucitosina s.f.
fluconazol s.m.
fluctícola adj.2g.
flucticolor (*ô*) adj.2g.
fluctígeno adj.
fluctígero adj.
fluctissonante adj.2g.
fluctíssono adj.
fluctívago adj.
fludrocortisona s.f.
fluelita s.f.
fluelite s.f.
fluência s.f.
fluente adj.2g. s.f.
fluentino adj. s.m.
flufenazina s.f.
flúgea s.f.
fluidal adj.2g.
fluidar v.
fluidescer v.
fluidez (*ê*) s.f.
fluídico adj.
fluididade s.f.
fluidificação s.f.
fluidificador (*ô*) adj. s.m.
fluidificante adj.2g.
fluidificar v.
fluidificável adj.2g.
fluidiláteo adj.
fluidismo s.m.
fluidista adj. s.2g.
fluidizar v.
fluidizável adj.2g.
fluido adj. s.m.; cf. *fluído*, fl. do v. *fluir*
fluir v.
flumazenil s.m.
flume s.m.
flúmen s.m.
fluminar adj.2g. s.m.
fluminense adj. s.2g.
flumíneo adj.
flunarizina s.f.
fluoaluminato s.m.
fluoalumínico adj.
fluobarita s.f.
fluobasicilina s.f.
fluobenzoato s.m.
fluobenzoico (*ó*) adj.
fluobenzol s.m.
fluoborato s.m.
fluoboreto (*ê*) s.m.
fluobórico adj.
fluocerina s.f.
fluocerita s.f.
fluoclorita s.f.
fluogermanato s.m.
fluogermânico adj.
fluolita s.f.
fluor (*ô*) s.m. "fluidez"; cf. *flúor*
flúor s.m. "elemento químico"; cf. *fluor* (*ô*)
fluoração s.f.
fluoracetático adj.
fluoracetato s.m.
fluoracético adj.
fluoradelita s.f.
fluoradelite s.f.
fluorado adj.
fluoralbumina s.f.
fluoralquilo s.m.
fluoraluminato s.m.
fluoralumínico s.m.
fluorano s.m.
fluoranteno s.m.
fluorapatita s.f.
fluorapatite s.f.
fluorapatítico adj.
fluorar v.
fluorato s.m.
fluorbarita s.f.
fluorbasicilina s.f.
fluorbenzênico adj.
fluorbenzeno s.m.
fluorbenzoato s.m.
fluorbenzoico (*ó*) adj.
fluorbenzol s.m.
fluorborático adj.
fluorborato s.m.
fluorboreto (*ê*) s.m.
fluorbórico adj.
fluorborita s.f.
fluorcarboneto (*ê*) s.m.
fluorceína s.f.
fluorceínico adj.
fluorcerina s.f.
fluorcerita s.f.
fluorclorita s.f.
fluorclorobromofórmio s.m.
fluorclorofórmio s.m.
fluorecência s.f.
fluorecente adj.2g.
fluorecer v.
fluorecina s.f.
fluorecínico adj.
fluoremina s.f.
fluorenato s.m.
fluorênico adj.
fluoreno s.m.
fluorenol s.m.
fluorenona s.f.
fluorerderita s.f.
fluoresceína s.f.
fluoresceínico adj.
fluorescência s.f.
fluorescente adj.2g.
fluorescer v.
fluorescina s.f.
fluorescínico adj.
fluoretado adj.
fluoretila s.f.
fluoretilo s.m.
fluoreto (*ê*) s.m.
fluorgermanato s.m.
fluorgermânico adj.
flúor-hidrato s.m.
flúor-hidreto (*ê*) s.m.
flúor-hídrico adj.
fluórico adj.
fluórido s.m.
fluoridrato s.m.
fluoridreto (*ê*) s.m.
fluorídrico adj.
fluorímetro s.m.
fluorina s.f.
fluorindeno s.m.
fluorindina s.f.
fluorino adj. s.m.
fluorita s.f.
fluorite s.f.
fluorítico adj.
fluorito s.m.
fluorlita s.f.
fluormetano s.m.
fluormetilo s.m.
fluornatrofosfato s.m.
fluorniobato s.m.
fluorocarbono s.m.
fluorofórmio s.m.
fluoróforo adj. s.m.
fluorografia s.f.
fluorográfico adj.
fluorol s.m.
fluorometria s.f.
fluorométrico adj.
fluorômetro s.m.
fluoroquinona s.f.
fluoroscopia s.f.
fluoroscópico adj.
fluoroscópio s.m.
fluorose s.f.
fluoruracil s.f.
fluorureto (*ê*) s.m.
fluoscopia s.f.
fluossilicato s.m.
fluossilícico adj.
fluossulfonato s.m.
fluossulfônico adj.
fluotantalato s.m.
fluotantálico adj.
fluotitanato s.m.
fluotitânico adj.
fluotungstato s.m.
fluotungstênico adj.
fluotúngstico adj.
fluoxetina (*cs*) s.f.
fluoxitungstato (*cs*) s.m.
flurazepan s.m.
flustra s.f.
flustrélida adj.2g. s.m.
flustrelídeo adj. s.m.
flústrida adj.2g. s.m.
flustrídeo adj. s.m.
fluta s.f.
flutamida s.f.
flutícola adj.2g.
fluticolor (*ô*) adj.2g.
flutígeno adj.
flutígero adj.
flutissonante adj.2g.
flutíssono adj.
flutívago adj.
flutuabilidade s.f.
flutuação s.f.
flutuador (*ô*) adj. s.m.
flutuante adj.2g.
flutuar v.
flutuável adj.2g.
flútuo adj.; cf. *flutuo*, fl. do v. *flutuar*
flutuosidade s.f.
flutuoso (*ô*) adj.; f. (*ó*); pl. (*ó*)
fluvial adj.2g.
fluvialidade s.f.
fluvialismo s.m.
fluvialista adj. s.2g.
fluvialístico adj.
fluviano adj.
fluviátil adj.2g.
fluvícola adj.2g. s.m.
fluviextrusão s.f.
fluviglacial adj.2g.
fluviglaciar adj.2g.
fluviglaciário adj.
fluvilacunar adj.2g.
fluvilacustre adj.2g.
fluvilagunar adj.2g.
fluvimaré s.m.
fluvimarinho adj.
fluviogênese s.f.
fluviogenético adj.
fluviogenia s.f.
fluviogênico adj.
fluvioglacial adj.2g.
fluvioglaciar adj.2g.
fluvioglaciário adj.
fluviografia s.f.
fluviográfico adj.
fluviógrafo s.m.
fluviolacunar adj.2g.
fluviolacustre adj.2g.
fluviolagunar adj.2g.
fluviólatra s.2g.
fluviolatria s.f.
fluviolátrico adj.
fluviologia s.f.
fluviomaré s.f.

fluviomarinho adj.
fluviometria s.f.
fluviométrico adj.
fluviômetro s.m.
fluviorama s.m.
fluviotorrencial adj.2g.
fluviovulcânico adj.
fluvitorrencial adj.2g.
fluvivia s.f.
fluvivial adj.2g.
fluvivialidade s.f.
fluviviário adj. s.m.
fluvivulcânico adj.
fluvovia s.f.
fluvovial adj.2g.
fluvovialidade s.f.
fluvoviário adj. s.m.
flux (*cs*) s.m.2n.
fluxão (*cs*) s.f.
fluxibilidade (*cs*) s.f.
fluxímetro (*cs*) s.m.
fluxionar (*cs*) v.
fluxionário (*cs*) adj.
fluxível (*cs*) adj.2g.
fluxo (*cs*) adj. s.m.
fluxograma (*cs*) s.m.
fluxometria (*cs*) s.f.
fluxométrico (*cs*) adj.
fluxômetro (*cs*) s.m.
foba adj. s.2g. s.m.
fobado adj.
fobar v.
fobia s.f.
fóbico adj.
fobismo s.m.
fobitar v.
fobó adj.2g. s.m.
foboca s.f.
fobofobia s.f.
fobofóbico adj.
fobófobo s.m.
foboneurose s.f.
foboneurótico adj. s.m.
fobonevrose s.f.
foca adj. s.2g. s.f.
focação s.f.
focáceo adj. s.m.
foca-comum s.f.; pl. *focas-comuns*
foca-de-capuz s.f.; pl. *focas-de-capuz*
focado adj.
focagem s.f.
foca-harpa s.f.; pl. *focas-harpa* e *focas-harpas*
focal adj.2g. s.m.
focale s.m.
foca-leonina s.f.; pl. *focas-leoninas*
focalização s.f.
focalizado adj.
focalizador (*ô*) adj.
focalizar v.
focalizável adj.2g.
foca-monge s.f.; pl. *focas-monge* e *focas-monges*
focar v.
foceense adj. s.2g.
foceia (*é*) adj. s.f. de *foceu*
focena s.f.
focenato s.m.
focênico adj.
focenídeo adj. s.m.
focenina s.f.
focense adj. s.2g.
foceu adj. s.m.; f. *foceia* (*é*)
focho (*ô*) s.m.
fócida adj.2g. s.m.
focídeo adj. s.m.
focinegro (*ê*) adj.
focíneo adj. s.m.
focinhada s.f.
focinhante adj.2g.
focinhão s.m.
focinhar v.
focinheira s.f.
focinho s.m.
focinho-de-burro s.m.; pl. *focinhos-de-burro*
focinho-de-porco s.m.; pl. *focinhos-de-porco*
focinhudo adj. s.m.
fócio adj. s.m.
foco s.m.
fococauterização s.f.
focômele s.m.
focomelia s.f.
focômelo adj. s.m.
focometria s.f.
focométrico adj.
focômetro s.m.
focunate adj. s.2g.
foda s.f.
fodedor (*ô*) adj. s.m.
foder v.
fodiá s.m.
fodidincul adj. s.m.
fodido adj. s.m.
fodincul adj. s.m.
fodrina s.f.
foeira s.f.
foeta (*ê*) s.m.
fofa (*ô*) s.f.; cf. *fofa*, fl. do v. *fofar*
fofana s.f.
fofão s.m.
fofar v.
fofice s.f.
fofidade s.f.
fofo (*ô*) adj. s.m.; cf. *fofo*, fl. do v. *fofar*
fofoca s.f.
fofocada s.m.
fofocagem s.m.
fofocar v.
fofoli s.m.
fofoqueiro s.m.
fofura s.m.
fogaça s.f.
fogácea s.f.
fogaceira s.f.
fogachar v.
fogacho s.m.
fogafoga s.f.
fogagem s.f.
fogal s.m.
fogaleira s.f.
fogalha s.f.
fogão s.m.
fogar s.m.
fogaracho s.m.
fogareiro s.m.
fogaréu s.m.
foge-foge s.m.; pl. *foge-foges* e *foges-foges*
fogguita s.f.
fogo (*ô*) s.m.; pl. (*ó*)
fogo-apagou s.f.2n.
fogo-ardente s.m.; pl. *fogos-ardentes*
fogo de bengala s.m.
fogo de santelmo s.m.
fogo de santo antão s.m.
fogo do ar s.m.
fogo-fátuo s.m.; pl. *fogos-fátuos*
fogoió adj.
fogone s.m.
fogo no ar s.m.
fogo-pagou s.f.2n.
fogo-pegou s.f.2n.
fogo-selvagem s.m.; pl. *fogos-selvagens*
fogosidade s.f.
fogoso (*ô*) adj.; f. (*ó*); pl. (*ó*)
foguear v.
fogueira s.f.
fogueiro s.m.
foguento adj.
foguetada s.f.
foguetão s.m.
foguetaria s.f.
foguetário s.m.
foguete (*ê*) s.m.
fogueteada s.f.
foguete-alvo s.m.; pl. *foguetes-alvo* e *foguetes-alvos*
foguetear v.
foguete de assobio s.m.
foguete de estrelas s.m.
foguete de fateixa s.m.
foguete de lágrimas s.m.
foguete do ar s.m.
fogueteiro adj. s.m.
foguete-sonda s.m.; pl. *foguetes-sonda* e *foguetes-sondas*
foguetice s.f.
foguetinho s.m.
foguetividade s.f.
fogueto (*ê*) adj.
foguetório s.m.
foguéu s.m.
foguinho s.m.
foguista s.2g.
foia (*ó*) s.f.
foiaítico adj.
foiaíto s.m.
foiçada s.f.
foiçado adj.
foiçador (*ô*) adj. s.m.
foição adj.
foiçar v.
foice s.f.
foicear v.
foiceiro s.m.
foiciforme adj.2g.
foicinha s.f.
foicinhão s.m.
foicinhar v.
foicinho s.m.
foicisca s.m.
foila s.f.
foina s.f.
foio (*ó*) s.m.
foísmo s.m.
foísta adj. s.2g.
foístico adj.
foiteza (*ê*) s.f.
foito adj.
fojo (*ô*) s.m.; pl. (*ó*)
fola (*ô*) s.f.
folacho s.m.
fólada s.f.
foladáceo s.m.
fólade s.f.
foládida adj.2g. s.m.
foladídeo adj. s.m.
foladite s.f.
foladito s.m.
foladômia s.f.
foladomíida adj.2g. s.m.
foladomiídeo adj. s.m.
folão adj.
folar s.m.
folastria s.f.
folcdança s.f.
fólcida adj.2g. s.m.
folcídeo adj. s.m.
folcisteína s.f.
folcisteínico adj.
folclore s.m.
folclórico adj.
folclorismo s.m.
folclorista adj. s.2g.
folclorístico adj.
folclorização s.f.
folclorizado adj.
folclorizante adj. s.2g.
folclorizar v.
folclorizável adj.2g.
folclorologia s.f.
folclorológico adj.
folclorologista adj. s.2g.
folclorologístico adj.
folclorólogo adj. s.m.
folcmúsica s.f.
folcmusical adj.2g.
folcmúsico adj. s.m.
folcodina s.f.
folcoma s.m.
fôlder s.m.
fole adj. s.m.
folear v.
foleca s.f.
folecar v.
folecha s.f.
folecho s.m.
foleco s.m.
folecra s.f.
folecro s.m.
folega s.f.
folegar v.
fôlego s.m.; cf. *folego*, fl. do v. *folegar*
foleiro s.m.
foleosântea s.f.
folepo s.m.
folerca s.m.
folerita s.f.
folerite s.f.
folerito s.m.
folerpa s.f.
folerpar v.
folestria s.f.
folestriar v.
folga s.f.
folgadeira s.f.
folgado adj. s.m.
folgadoiro s.m.
folgador (*ô*) adj.
folgadouro s.m.
folgança s.f.
folgante adj. s.2g.
folgar v. s.m.
folgativo adj.
folgaz adj.2g.
folgazã s.f. de *folgazão*
folgazão s.m.; f. *folgazã* e *folgazona*
folgazar v.
folgazona s.f. de *folgazão*
folgerita s.f.
folgo (*ô*) s.m.; cf. *folgo*, fl. do v. *folgar*
folgosão s.m.
folgosinho s.m.
folguedo (*ê*) s.m.
folguedo do boi s.m.
folgueiro adj. s.m.
folgura s.f.
folha (*ô*) s.f.; cf. *folha*, fl. do v. *folhar*
folha-arredilha s.f.; pl. *folhas-arredilhas*
folha-belga s.f.; pl. *folhas-belgas*
folhação s.f.
folha-cheirosa s.f.; pl. *folhas-cheirosas*
folhaco s.m.
folhada s.f.
folha-da-costa s.f.; pl. *folhas-da-costa*
folha-da-fonte s.f.; pl. *folhas-da-fonte*
folha-da-fortuna s.f.; pl. *folhas-da-fortuna*
folha-da-independência s.f.; pl. *folhas-da-independência*
folha-de-boldo s.f.; pl. *folhas-de-boldo*
folha-de-bolo s.f.; pl. *folhas-de-bolo*
folha-de-comichão s.f.; pl. *folhas-de-comichão*
folha-de-fígado s.f.; pl. *folhas-de-fígado*
folha-de-figueira s.f.; pl. *folhas-de-figueira*
folha de flandres s.f.
folha-de-fogo s.f.; pl. *folhas-de-fogo*
folha-de-fronte s.f.; pl. *folhas-de-fronte*
folha-de-gelo s.f.; pl. *folhas-de-gelo*
folha-de-hera s.f.; pl. *folhas-de-hera*
folha-de-lança s.f.; pl. *folhas-de-lança*
folha-de-leite s.f.; pl. *folhas-de-leite*
folha-de-lixa s.f.; pl. *folhas-de-lixa*
folha-de-mangue s.f.; pl. *folhas-de-mangue*
folha-de-oiro s.f.; pl. *folhas-de-oiro*
folha-de-ouro s.f.; pl. *folhas-de-ouro*
folha-de-padre s.f.; pl. *folhas-de-padre*
folha-de-pajé s.f.; pl. *folhas-de-pajé*
folha-de-papagaio s.f.; pl. *folhas-de-papagaio*
folha-de-pirarucu s.f.; pl. *folhas-de-pirarucu*
folha-de-prata s.f.; pl. *folhas-de-prata*
folha-de-sabão s.f.; pl. *folhas-de-sabão*
folha-de-sangue s.f.; pl. *folhas-de-sangue*
folha-de-santana s.f.; pl. *folhas-de-santana*
folha-de-seda s.f.; pl. *folhas-de-seda*
folha-de-serra s.f.; pl. *folhas-de-serra*
folha-de-tara s.f.; pl. *folhas-de-tara*
folha-de-urubu s.f.; pl. *folhas-de-urubu*
folha-de-zebra s.f.; pl. *folhas-de-zebra*
folhado adj. s.m.
folha-do-imperador s.f.; pl. *folhas-do-imperador*
folha-doirada s.f.; pl. *folhas-doiradas*
folha-doirada-da-praia s.f.; pl. *folhas-doiradas-da-praia*
folha-do-mar s.f.; pl. *folhas-do-mar*
folha-dourada s.f.; pl. *folhas-douradas*
folha-dourada-da-praia s.f.; pl. *folhas-douradas-da-praia*
folhadura s.f.
folha-flor s.f.; pl. *folhas-flor* e *folhas-flores*
folha-formiga s.f.; pl. *folhas-formiga* e *folhas-formigas*
folha-furada s.f.; pl. *folhas-furadas*
folha-galo s.f.; pl. *folhas-galo* e *folhas-galos*
folhagem s.f.
folha-gorda s.f.; pl. *folhas-gordas*
folha-grande s.f.; pl. *folhas-grandes*
folha-grossa s.f.; pl. *folhas-grossas*
folha-grossa-do-sertão s.f.; pl. *folhas-grossas-do-sertão*
folhal s.m.
folha-larga s.f.; pl. *folhas-largas*
folha-livre s.f.; pl. *folhas-livres*
folha-lixa s.f.; pl. *folhas-lixa* e *folhas-lixas*
folhame s.m.
folha-miúda s.f.; pl. *folhas-miúdas*
folha-morta s.f.; pl. *folhas-mortas*
folhão adj. s.m.
folha-pequena s.f.; pl. *folhas-pequenas*
folha-prateada s.f.; pl. *folhas-prateadas*
folhar v.
folha-rachada s.f.; pl. *folhas-rachadas*
folharada s.f.
folharal s.m.
folhareco s.m.
folha-redonda s.f.; pl. *folhas-redondas*
folharia s.f.
folha-rota s.f.; pl. *folhas-rotas*
folha-santa s.f.; pl. *folhas-santas*
folhas-da-china s.f.pl.
folhas-da-minta s.f.pl.
folhas-da-trindade s.f.pl.
folha-seca s.f.; pl. *folhas-secas*
folhateiro s.m.
folhato s.m.
folhatura s.f.
folheação s.f.
folheáceo adj.
folheada s.f.

folheado adj. s.m.
folheador (*ô*) adj.
folhear v.
folheatura s.f.
folheca s.f.
folhedo (*ê*) s.m.
folheio s.m.
folheira s.f.
folheiro adj. s.m.
folhelho (*ê*) s.m.
folhento adj.
folheoso (*ô*) adj.; f. (*ó*); pl. (*ó*)
folhepo (*ê*) s.m.
folheta (*ê*) s.f.
folhetado adj.
folhetão s.m.
folhetaria s.f.
folhetázio s.m.
folheteado adj.
folhetear v.
folheteira s.f.
folheteiro adj. s.m.
folhetim s.m.
folhetinagem s.f.
folhetinesco (*ê*) adj.
folhetinismo s.m.
folhetinista adj. s.2g.
folhetinístico adj.
folhetinização s.f.
folhetinizar v.
folhetista adj. s.2g.
folheto (*ê*) s.m.
folhetote s.m.
folhiço s.m.
folhido s.m.
folhinha s.f.
folho (*ô*) s.m.; pl. (*ó*); cf. *folho*, fl. do v. *folhar*
folhosa s.f.
folhos de sinhá s.m.pl.
folhoso (*ô*) adj.; f. (*ó*); pl. (*ó*)
folhudo adj.
folia s.f.
foliação s.f.
foliáceo adj.
foliada s.f.
folia de reis s.f.
foliado adj.
folia do divino s.f.
foliador (*ô*) adj. s.m.
foliagudo adj.
folião s.m.; f. *foliona*
foliar v. adj.2g.
fólico adj.
folicular adj.2g.
foliculário s.m.
foliculestimulante adj.2g.
foliculina s.f.
foliculinoterapia s.f.
foliculinoterápico adj.
foliculite s.f.
foliculítico adj.
folículo s.m.
foliculoestimulina s.f.
foliculoide (*ó*) adj.2g.
foliculoma s.m.
foliculose s.f.
foliculoso (*ô*) adj.; f. (*ó*); pl. (*ó*)
folídia s.f.
folidita s.f.
folidite s.f.
folidito s.m.
folidóbolo s.m.
folidol s.m.
folidólico adj.
folidolita s.f.
folidólito s.m.
folidota s.m.f.
folidotíneo adj. s.m.
folidoto adj. s.m.
foliento adj.
folífago adj.
folífero adj.
foliforme adj.2g.
foliífero adj.
folilho s.m.
fólio s.m.; cf. *folio*, fl. do v. *foliar*
foliolado adj.
folíolo s.m.
foliólulo s.m.
foliona s.f. de *folião*
folioso (*ô*) adj.; f. (*ó*); pl. (*ó*)
foliota s.f.
folipa s.f.
folipada s.f.
folíparo adj.
folipo s.m.
fólis s.m.2n.
fóloe s.m.
foloético adj. s.m.
folorita s.f.
folosa s.f.
folosinho s.m.
folote adj.2g.
folquense adj. s.2g.
foma s.m.
fome s.f.
fomenica s.2g.
fomentação s.f.
fomentado adj.
fomentador (*ô*) adj. s.m.
fomentar v.
fomentativo adj.
fomentista adj. s.2g.
fomento s.m.
fomes s.m.2n.
fom-fom s.m.; pl. *fom-fons*
fominha adj. s.2g.
fomitura s.f.
fomo s.m.
fomopse s.f.
fomutim s.2g.
fon adj. s.2g. s.m.
fona s.m.f. s.2g.
fonação s.f.
fonacoscopia s.f.
fonado adj.
fonador (*ô*) adj.
fonalidade s.f.
fonantografia s.f.
fonantográfico adj.
fonantógrafo s.m.
fonantograma s.m.
fonascia s.f.
fonasco s.m.
fonastenia s.f.
fonastênico adj.
fonástica s.f.
fonástico adj.
fonativo adj.
fonautografia s.f.
fonautográfico adj.
fonautógrafo s.m.
fonautograma s.m.
fonção s.f.
fonçonata s.f.
fondiça s.f.
fone s.m.
foneca s.f.
fone-entalaxia (*cs*) s.f.
fonema s.m.
fonemática s.f.
fonemático adj.
fonêmica s.f.
fonêmico adj.
fonendosciacópio s.m.
fonendoscopia s.f.
fonendoscópico adj.
fonendoscópio s.m.
fonendosquiascópio s.m.
fonestatística s.f.
fonestatístico adj.
fonética s.f.
foneticismo s.m.
foneticista adj. s.2g.
foneticístico adj.
fonético adj.
fonetismo s.m.
fonetista adj. s.2g.
fonetístico adj.
fonetização s.f.
fonetizado adj.
fonetizante adj.2g.
fonetizar v.
fonfonada s.f.
fonfonar v.
fonia s.f.
foniatra s.2g.
foniatria s.f.
foniátrico adj.
fônica s.f.
fonice s.f.
fônico adj.
fonidoscópio s.m.
fonígamo s.m.
fonisca s.f.
fonjo adj.
fono s.m.
fonoaudiologia s.f.
fonoaudiológico adj.
fonoaudiólogo s.m.
fonocâmptica s.f.
fonocâmptico adj.
fonocardiografação s.f.
fonocardiografar v.
fonocardiografável adj.2g.
fonocardiografia s.f.
fonocardiográfico adj.
fonocardiógrafo s.m.
fonocardiograma s.f.
fonocentrismo s.m.
fonocinematografar v.
fonocinematografia s.f.
fonocinematográfico adj.
fonocinematógrafo s.m.
fonocinética s.f.
fonocinético adj.
fonoclama s.m.
fonodiaquisia s.f.
fonodiaquítico adj.
fonoestatística s.f.
fonoestatístico adj.
fonofilmagem s.f.
fonofilmar v.
fonofilme s.m.
fonofobia s.f.
fonofóbico adj.
fonófobo adj. s.m.
fonóforo s.m.
fonofoto s.f.
fonofotografia s.f.
fonofotográfico adj.
fonogenia s.f.
fonogênico adj.
fonografar v.
fonografia s.f.
fonográfico adj.
fonógrafo s.m.
fonograma s.m.
fonola s.f.
fonolita s.f.
fonolite s.f.
fonolítico adj.
fonólito s.m.
fonologia s.f.
fonológico adj.
fonologista s.2g.
fonologização s.f.
fonologizar v.
fonólogo s.m.
fonomania s.f.
fonomaníaco adj. s.m.
fonômano s.m.
fonometria s.f.
fonométrico adj.
fonômetro s.m.
fonomímica s.f.
fonomímico adj.
fônon s.m.
fononímico adj.
fonônimo s.m.
fonopacimetria s.f.
fonopasmo s.m.
fonopatia s.f.
fonopático adj.
fonoplex (*cs*) s.m.
fonopostal s.m.
fonopsia s.f.
fonoquímica s.f.
fonoquímico adj.
fonoscópio s.m.
fonospasmia s.f.
fonospásmico adj.
fonospasmo s.m.
fonoteca s.f.
fonotecário adj. s.m.
fonovisão s.f.
fontainha s.f.
fontal adj.2g.
fontana s.f.
fontanal adj.2g.
fontanália s.f.
fontanário adj. s.m.
fontaneca s.f.
fontaneira s.f.
fontanela s.f.
fontanésia s.f.
fontano adj.
fonte s.f.
fonte-boense adj. s.2g.; pl. *fonte-boenses*
fonteca s.f.
fonteira s.f.
fontela s.f.
fontenário adj. s.m.
fontícola adj.2g. "que vive nas fontes"; cf. *fontícula*
fontícula s.f. "pequena fonte"; cf. *fontícola*
fontículo s.m.
fontígena s.f.
fontinais s.f.pl.
fontinal adj.2g.
fontinalácea s.f.
fontinaláceo adj.
fontinale s.f.
fontino adj.
fontismo s.m.
fontista adj. s.2g.
fontourense adj. s.2g.
fonzadar s.m.
fopa (*ô*) s.f.
foqueado adj.
foquear v.
foquiênia s.f.
fora s.m. adv. prep. interj.; cf. *fora* (*ô*), fl. do v. *ser* e do v. *ir*
fora da lei adj. s.2g.2n.
fora de estrada adj.2g.2n. s.m.2n.
fora de jogo s.m.2n.
foradendro s.m.
foradiço adj.
foragem s.f.
foragido adj. s.m.
foragir-se v.
foral adj.2g. s.m.
foraleiro adj.
foralengo adj.
foralense adj.2g.
forame s.m.
forâmen s.m.
forâmina s.f.
foraminífero adj. s.m.
foraminoso (*ô*) adj.; f. (*ó*); pl. (*ó*)
foramínula s.f.
foramontão adj. s.m.
forâneo adj.
forania s.f.
forântio s.m.
foranto s.m.
foraria s.f.
forasteirismo s.m.
forasteiro adj. s.m.
forata s.f.
forbeia (*é*) s.f.
forbesita s.f.
forbesite s.f.
forca (*ô*) s.f.; cf. *forca*, fl. do v. *forcar*
força (*ô*) s.f.; cf. *força*, fl. do v. *forçar*
forçação s.f.
forcacha s.f.
forcada s.f.
forcadela s.f.
forcadilha s.f.
forcado adj. s.m.
forçado adj. s.m.
forçador (*ô*) s.m.
forcadura s.f.
forçagem s.f.
forcalhada s.f.
forçamento s.m.
forçanha s.f.
forçante adj.2g.
forcão s.m.
forção s.m.
forcar v.
forçar v.
força-tarefa s.f.; pl. *forças-tarefa* e *forças-tarefas*
forcaz s.m.
forcejado adj.
forcejador (*ô*) adj.2g.
forcejar v.
forcejo (*ê*) s.m.
fórceps s.m.2n.
forcherita s.f.
fórcipe s.m.
forcipomília s.f.
forcipressão s.f.
forcípula s.f.
forcipulado adj. s.m.
forcípulo s.m.
forclusão s.f.
forçoso (*ô*) adj.; f. (*ó*); pl. (*ó*)
forçudo adj.
forçura s.f.
forde s.m.
fordeca s.f.
fordeco s.m.
forde de bigode s.m.
fordicida s.2g.
fordicídio s.m.
fordismo s.m.
fordista adj. s.2g.
fordístico adj.
fordo (*ô*) adj.
foreca s.f.
forécio adj. s.m.
foreira s.f.
foreiro adj. s.m.
forense adj.2g.
forentano adj. s.m.
forésia s.f.
foresita s.f.
foresite s.f.
foretano adj. s.m.
forfalha s.f.
forfete (*é*) s.m.
fórfex (*cs*) s.m.
fórfice s.m.
forfícula s.f.
forficulário adj. s.m.
forficúlida adj.2g. s.m.
forficulídeo adj. s.m.
forficulíneo adj. s.m.
forficulino adj. s.m.
forfículo s.m.
forfolha (*ô*) s.f.
forgalha s.f.
forgão s.m.
forgul s.m.
foria s.f.
fórico adj. s.m.
fórida adj.2g. s.m.
forídeo adj. s.m.
forínseco adj.
forinte s.m.
foriospôngia s.f.
foriospongíneo adj. s.m.
forja s.f.
forjação s.f.
forjado adj.
forjador (*ô*) adj. s.m.
forjadura s.f.
forjamento s.m.
forjar v.
forjável adj.2g.
forje s.m.f.
forjicação s.f.
forjicado adj.
forjicador (*ô*) adj. s.m.
forjicante adj.2g.
forjicar v.
forjicatório adj.
forjicável adj.2g.
forlana s.f.
forleca s.f.
forma s.f. "disposição exterior de algo"; cf. *forma* (*ô*)
forma (*ô*) s.f. "molde"; cf. *forma* s.f. e fl. do v. *formar*
formação s.f.
formacílico adj.
formacilo s.m.
formacional adj.2g.
formado adj. s.m.
formador (*ô*) adj. s.m.
formadura s.f.

formal adj.2g. s.m.
formaldeído s.m.
formaldeidocaseína s.f.
formalidade s.f.
formalina s.f.
formalínico adj.
formalismo s.m.
formalista adj. s.2g.
formalística s.f.
formalístico adj.
formalização s.f.
formalizado adj.
formalizador (*ô*) adj. s.m.
formalizante adj.2g.
formalizar v.
formalizável adj.2g.
formalote s.f.
formamida s.f.
formamidina s.f.
formando adj. s.m.
forma-nervos s.m.2n.
formanilida s.f.
formanita s.f.
formante adj.2g. s.m.
formão s.m.
formar v.
formaria s.f.
formatação s.f.
formatado adj.
formatador (*ô*) adj.
formatar v.
formativo adj. s.m.
formato s.m.
formatura s.f.
formável adj.2g.
formeiro s.m.
formena s.f.
formênico adj.
formeno s.m.
formenofone s.m.
formenofono s.m.
formerete (*ê*) s.m.
formi s.m.
formiáceas s.f.pl.
formiáceo adj.
formiamida s.f.
formiano adj. s.m.
formiato s.m.
formica s.f. "doença"; cf. *fórmica*
fórmica s.f. "revestimento de mesas" etc.; cf. *formica*
formicação s.f.
formicador (*ô*) adj.
formicante adj.2g.
formicar v.
formicarídeo adj. s.m.
formicariída adj.2g. s.f.
formicariídea s.f.
formicariídeo adj. s.m.
formicariínea s.f.
formicariíneo adj. s.m.
formicarínea s.f.
formicaríneo adj. s.m.
formicário adj. s.m.
formicida adj.2g. s.m.
formicidar v.
formicídeo adj. s.m.
formicídio s.m.
formicina s.m.
formicíneo adj. s.m.
formicivorínea s.f.
formicívoro adj.
fórmico adj.
formícomo s.m.
formicóxeno (*cs*) s.m.
formiculante adj.2g.
formicular adj.2g.
formidando adj.
formidante adj.2g.
formidável adj.2g.
formídio s.m.
formidoloso (*ô*) adj.; f. (*ó*); pl. (*ó*)
formiga s.f.
formiga-açucareira s.f.; pl. *formigas-açucareiras*
formiga-aguilhoada s.f.; pl. *formigas-aguilhoadas*
formiga-argentina s.f.; pl. *formigas-argentinas*
formiga-asteca s.f.; pl. *formigas-astecas*
formiga-branca s.f.; pl. *formigas-brancas*
formiga-brasa s.f.; pl. *formigas-brasa* e *formigas-brasas*
formiga-cabaça s.f.; pl. *formigas-cabaça* e *formigas-cabaças*
formiga-cabeça-de-vidro s.f.; pl. *formigas-cabeça-de-vidro* e *formigas-cabeças-de-vidro*
formiga-cabeçuda s.f.; pl. *formigas-cabeçudas*
formiga-cabo-verde s.f.; pl. *formigas-cabo-verde* e *formigas-cabos-verdes*
formiga-caçadora s.f.; pl. *formigas-caçadoras*
formiga-caiapó s.f.; pl. *formigas-caiapó* e *formigas-caiapós*
formiga-carregadeira s.f.; pl. *formigas-carregadeiras*
formiga-carreira s.f.; pl. *formigas-carreiras*
formiga-cascavel s.f.; pl. *formigas-cascavel* e *formigas-cascavéis*
formiga-cearense s.f.; pl. *formigas-cearenses*
formiga-cega s.f.; pl. *formigas-cegas*
formiga-chiadeira s.f.; pl. *formigas-chiadeiras*
formiga-cigana s.f.; pl. *formigas-ciganas*
formiga-cobra s.f.; pl. *formigas-cobra* e *formigas-cobras*
formiga-conga s.f.; pl. *formigas-conga* e *formigas-congas*
formiga-correição s.f.; pl. *formigas-correição*
formiga-cortadeira s.f.; pl. *formigas-cortadeiras*
formiga-cuiabana s.f.; pl. *formigas-cuiabanas*
formiga-da-chuva s.f.; pl. *formigas-da-chuva*
formiga-da-roça s.f.; pl. *formigas-da-roça*
formiga-de-bentinho s.f.; pl. *formigas-de-bentinho*
formiga-de-bode s.f.; pl. *formigas-de-bode*
formiga-de-cemitério s.f.; pl. *formigas-de-cemitério*
formiga-de-cupim s.f.; pl. *formigas-de-cupim*
formiga-de-defunto s.f.; pl. *formigas-de-defunto*
formiga-de-embaúba s.f.; pl. *formigas-de-embaúba*
formiga-de-febre s.f.; pl. *formigas-de-febre*
formiga-de-ferrão s.f.; pl. *formigas-de-ferrão*
formiga-de-fogo s.f.; pl. *formigas-de-fogo*
formiga-de-imbaúva s.f.; pl. *formigas-de-imbaúva*
formiga-de-mandioca s.f.; pl. *formigas-de-mandioca*
formiga-de-monte s.f.; pl. *formigas-de-monte*
formiga-de-nós s.f.; pl. *formigas-de-nós*
formiga-de-novato s.f.; pl. *formigas-de-novato*
formiga-de-onça s.f.; pl. *formigas-de-onça*
formiga-de-quatro-picadas s.f.; pl. *formigas-de-quatro-picadas*
formiga-de-rabo s.f.; pl. *formigas-de-rabo*
formiga-de-roça s.f.; pl. *formigas-de-roça*
formigado adj.
formiga-doceira s.f.; pl. *formigas-doceiras*
formiga-doida s.f.; pl. *formigas-doidas*
formiga-do-natal s.f.; pl. *formigas-do-natal*
formiga-feiticeira s.f.; pl. *formigas-feiticeiras*
formiga-ferro s.f.; pl. *formigas-ferro* e *formigas-ferros*
formiga-lava-pés s.f.; pl. *formigas-lava-pés*
formiga-leão s.f.; pl. *formigas-leão* e *formigas-leões*
formiga-legionária s.f.; pl. *formigas-legionárias*
formiga-magra s.f.; pl. *formigas-magras*
formiga-malagueta s.f.; pl. *formigas-malaguetas*
formiga-mandioca s.f.; pl. *formigas-mandioca* e *formigas-mandiocas*
formiga-maravilha s.f.; pl. *formigas-maravilha*
formigame s.m.
formigamento s.m.
formiga-mineira s.f.; pl. *formigas-mineiras*
formiga-mineira-de-duas-cores s.f.; pl. *formigas-mineiras-de-duas-cores*
formiga-mineira-de-petrópolis s.f.; pl. *formigas-mineiras-de-petrópolis*
formiga-mole s.f.; pl. *formigas-moles*
formigante adj.2g.
formigão adj. s.m.
formiga-oncinha s.f.; pl. *formigas-oncinha* e *formigas-oncinhas*
formigão-preto s.m.; pl. *formigões-pretos*
formiga-papa-mel s.f.; pl. *formigas-papa-mel*
formiga-paraguaia s.f.; pl. *formigas-paraguaias*
formiga-picadeira s.f.; pl. *formigas-picadeiras*
formiga-pixixica s.f.; pl. *formigas-pixixica*
formiga-quem-quem s.f.; pl. *formigas-quem-quem* e *formigas-quem-quens*
formigar v.
formiga-rainha s.f.; pl. *formigas-rainha* e *formigas-rainhas*
formiga-raspa s.f.; pl. *formigas-raspa* e *formigas-raspas*
formigaria s.f.
formiga-rica s.f.; pl. *formigas-ricas*
formiga-ruiva s.f.; pl. *formigas-ruivas*
formiga-saúva s.f.; pl. *formigas-saúva* e *formigas-saúvas*
formiga-seca s.f.; pl. *formigas-secas*
formiga-sozinha s.f.; pl. *formigas-sozinhas*
formiga-tecelã s.f.; pl. *formigas-tecelãs*
formiga-vespa s.f.; pl. *formigas-vespa* e *formigas-vespas*
formigo s.m.
formigona s.f.
formiguear v.
formiguedo (*ê*) s.m.
formigueira s.f.
formigueirense adj. s.2g.
formigueirinho adj. s.m.
formigueiro adj. s.m.
formiguejar v.
formiguense adj. s.2g.
formiguilho s.m.
formil s.m.
formila s.f.
formilacético adj.
formilacetona s.f.
formilantranílico adj.
formilase s.f.
formílase s.f.
formilênio s.m.
formileno s.m.
formilfenol s.m.
formilfórmico adj.
formilformina s.f.
formilha s.f.
formilhão s.m.
formilhar v.
formilho s.m.
formílico adj.
formílio s.m.
formilo s.m.
formiloclorídoxima (*cs*) s.f.
formilofenol s.m.
formilofórmico adj.
formiloformina s.f.
formina s.f.
forminge s.f.
forminha s.f.
fórmio s.m.
formista adj. s.2g.
formobenzoilato s.m.
formobenzoílico adj.
formógeno adj.
formol s.m.
formolação s.f.
formolado adj.
formolante adj.2g.
formolar v.
formolável adj.2g.
formolização s.f.
formolizado adj.
formolizador (*ô*) s.m.
formolizar v.
formonetina s.f.
formonitrilo s.m.
formosa s.f.
formosa-de-besteiros s.f.; pl. *formosas-de-besteiros*
formosa-de-darei s.f.; pl. *formosas-de-darei*
formosa-de-um-dia s.f.; pl. *formosas-de-um-dia*
formosano adj. s.m.
formosa-sem-dote s.f.; pl. *formosas-sem-dote*
formose s.f.
formosear v.
formosense adj. s.2g.
formosense-do-araguaia adj. s.2g.; pl. *formosenses-do-araguaia*
formosentar v.
formosidade s.f.
formosino adj. s.m.
formoso (*ô*) adj.; f. (*ó*); pl. (*ó*)
formosoma s.m.
formosuro s.f.
fórmula s.f.; cf. *formula*, fl. do v. *formular*
formulação s.f.
formulado adj.
formulador (*ô*) s.m.
fórmula-grama s.f.; pl. *fórmulas-grama* e *fórmulas-gramas*
formular v. adj.2g.
formulário s.m.
formularização s.f.
formularizar v.
formulável adj.2g.
formuleta (*ê*) s.f.
formulismo s.m.
formulista adj. s.2g.
formulístico adj.
formulização s.f.
forna s.f.
fornaça s.f.
fornacal s.m.
fornaceiro s.m.
fornacita s.f.
fornaço s.m.
fornada s.f.
fornalha s.f.
fornalheira s.f.
fornalheiro s.m.
fornazinho adj.
fornear v.
fornecedor (*ô*) adj. s.m.
fornecedora (*ô*) s.f.
fornecer v.
fornecido adj.
fornecimento s.m.
forneco s.m.
forneira s.f.
forneirinha s.f.
forneiro adj. s.m.
fornejar v.
fornense adj. s.2g.
fornezinho adj.
fornicação s.f.
fornicado adj.
fornicador (*ô*) adj. s.m.
fornicar v.
fornicária s.f.
fornicário adj. s.m.
fórnice s.m.
fornício s.m.
fornicoque s.m.
fornido adj.
fornigar v.
fornilha s.f.
fornilho s.m.
fornimento s.m.
forninho s.m.
fornir v.
fornitura s.f.
fórnix (*cs*) s.m.
forniziada s.f.
forniziar v.
fornizinho adj.
fornízio s.m.
fornizo s.m.
forno (*ô*) s.m.; pl. (*ó*)
forno-d'água s.m.; pl. *fornos-d'água*
forno-de-jaçanã s.m.; pl. *fornos-de-jaçanã*
forno-de-jacaré s.m.; pl. *fornos-de-jacaré*
foro s.m. "praça"; pl. (*ó*); cf. *foro* (*ô*)
foro (*ô*) s.m. "pensão"; pl. (*ó*); cf. *foro*
foroápio adj. s.m.
forócito s.m.
forocitose s.f.
forodão s.m.
forodesma s.m.
foródon s.m.
forófito s.m.
foroia (*ó*) s.f.
forona s.f.
forônico adj.
forônida adj.2g. s.m.
forонídio adj. s.m.
forônis s.m.2n.
foronomia s.f.
foronômico adj.
foroplasto s.m.
fororácico adj.
fororácida adj. s.2g.
foróraco s.m.
forqueado adj.
forqueadura s.f.
forquear v.
forquerita s.f.
forquerite s.f.
forqueta (*ê*) s.f.
forquilha s.f.
forquilhado adj.
forquilhão s.m.
forquilhar v.
forquilheiro s.m.
forquilhense adj. s.2g.
forquilho s.m.
forquilhoso (*ô*) adj.; f. (*ó*); pl. (*ó*)
forquilinhense adj. s.2g.
forquita s.f.
forra s.f. "desforra"; cf. *forra* (*ô*) e *forra*, fl. do v. *forrar*
forra (*ô*) adj. s.f. "revestimento", etc.; cf. *forra* s.f. e fl. do v. *forrar*
forração s.f.
forrado adj. s.m.

forrador (*ô*) adj. s.m.
forra-gaitas s.2g.2n.
forrageado adj.
forrageador (*ô*) adj. s.m.
forrageal s.m.
forrageamento s.m.
forragear v.
forrageio s.m.
forrageira s.f.
forrageiro adj. s.m.
forragem s.f.
forraginoso (*ô*) adj.; f. (*ó*); pl. (*ó*)
forrajar v.
forrajoso (*ô*) adj.; f. (*ó*); pl. (*ó*)
forramento s.m.
forra-peito s.2g.; pl. *forra-peitos*
forrar v.
forraria s.f.
forreca s.f.
forrejar v.
forrejo (*ê*) s.m.
forreta (*ê*) s.2g.
forrica s.f.
forricar v.
forriques s.m.pl.
forro (*ô*) adj. s.m. "alforriado"; f. (*ô*); pl. (*ó* ou *ô*); cf. *forró* e *forro*, fl. do v. *forrar*
forró s.m. "baile popular"; cf. *forro* (*ô*) e *forro*, fl. do v. *forrar*
forrobodança s.f.
forrobodó s.m.
forroia (*ó*) s.f.
forro-negro s.m.; pl. *forros-negros*
forrozeiro s.m.
forscólea s.f.
forsina s.f.
forsítia s.f.
forsterite s.f.
forsterítico adj.
forsythia s.f.
fortaçar v.
fortaço s.m.
fortalecedor (*ô*) adj. s.m.
fortalecente adj.2g.
fortalecer v.
fortalecido adj.
fortalecimento s.m.
fortalecível adj.2g.
fortalegar v.
fortalexiense adj. s.2g.
fortaleza (*ê*) s.f.
fortalezamento s.m.
fortalezar v.
fortalezense adj. s.2g.
fortalhaças s.2g.2n.
fortalheirão adj.
forte adj.2g. s.2g. adv.
fortense adj. s.2g.
forte-piano s.m.; pl. *fortes-pianos*
forteza (*ê*) s.f.
forticina s.f.
fortidão s.f.
fortificação s.f.
fortificado adj.
fortificador (*ô*) adj. s.m.
fortificante adj.2g. s.m.
fortificar v.
fortificável adj.2g.
fortim s.m.
fortíssimo adj. s.m. adv.
fortitude s.f.
fortuidade s.f.
fortuitidade s.f.
fortuito adj.
fortum s.m.
fortuna s.f.
fortunado adj.
fortunar v.
fortunear v.
fortunela s.f.
fortunense adj. s.2g.
fortúnio s.m.
fortunoso (*ô*) adj.; f. (*ó*); pl. (*ó*)
forulano adj. s.m.
fórum s.m.
fós s.m.2n. "molusco"; cf. *foz*
fosca (*ô*) s.f.
foscação s.f.
foscador (*ô*) s.m.
foscagem s.f.
foscar v.
fosco (*ô*) adj. s.m.; cf. *fosco*, fl. do v. *foscar*
foscoense adj. s.2g.
fosfadenosil s.m.
fosfadenosílico adj.
fosfagênio s.m.
fosfal s.m.
fosfálico adj.
fosfamato s.m.
fosfâmico adj.
fosfamida s.f.
fosfamidato s.m.
fosfamídico adj.
fosfamina s.f.
fosfamínico adj.
fosfaminolipídio s.m.
fosfaminolipido s.m.
fosfamita s.f.
fosfamite s.f.
fosfarsônio s.m.
fosfatação s.f.
fosfatado adj.
fosfatagem s.f.
fosfatar v.
fosfatase s.f.
fosfátase s.f.
fosfatasia s.f.
fosfático adj.
fosfátide adj. s.2g.
fosfatídeo adj. s.m.
fosfatídico adj.
fosfatidilcolina s.f.
fosfatidilcolínico adj.
fosfatídio s.m.
fosfátido s.m.
fosfatina s.f.
fosfato s.m.
fosfatose s.f.
fosfaturia s.f.
fosfatúria s.f.
fosfatúrico adj.
fosfazoto s.m.
fosfena s.f.
fosfenilato s.m.
fosfenílico adj.
fosfenilito s.m.
fosfenilo s.m.
fosfeniloso (*ô*) adj.; f. (*ó*); pl. (*ó*)
fosfeno s.m.
fosfeto (*ê*) s.m.
fosfina s.f.
fosfínico adj.
fosfinimina s.f.
fosfiodoglicina s.f.
fosfito s.m.
fosfoadenosil s.m.
fosfoadenosílico adj.
fosfoaminolipídio s.m.
fosfocálcio adj.
fosfocalcita s.f.
fosfocerita s.f.
fosfocerite s.f.
fosfocerito s.m.
fosfocreatina s.f.
fosfocromita s.f.
fosfocromite s.f.
fosfodiesterase s.f.
fosfodiestérase s.f.
fosfoferrita s.f.
fosfofilita s.f.
fosfoglicerato s.m.
fosfoglicérico adj.
fosfolipase s.f.
fosfolípase s.f.
fosfolípide adj. s.2g.
fosfolipídeo adj. s.m.
fosfolipídico adj.
fosfolipídio s.m.
fosfomolibdático adj.
fosfomolibdato s.m.
fosfomolíbdico adj.
fosfônico adj.
fosfônio s.m.
fosfoproteida adj. s.2g.
fosforação s.f.
fosforado adj.
fosforânico adj.
fosforanilita s.f.
fosforanilite s.f.
fosforano s.m.
fosforar v.
fosforeante adj.2g.
fosforear v.
fosforecer v.
fosforeira s.f.
fosforeiro adj. s.m.
fosforejante adj.2g.
fosforejar v.
fosfóreo adj.
fosforescência s.f.
fosforescência-do-mar s.f.; pl. *fosforescências-do-mar*
fosforescente adj.2g.
fosforescer v.
fosforescido adj.
fosforescimento s.m.
fosforese s.f.
fosforeto (*ê*) s.m.
fosfórico adj.
fosfórida adj.2g.
fosfóride adj.2g.
fosforidrose s.f.
fosforífero adj.
fosforíforo adj.
fosforila s.m.
fosforilação s.f.
fosforilante adj.2g.
fosforilar v.
fosforino s.m.
fosforismo s.m.
fosforista s.2g.
fosforístico adj.
fosforita s.f.
fosforitação s.f.
fosforitado adj.
fosforitar v.
fosforite s.f.
fosforítico adj.
fosforização s.f.
fosforizar v.
fósforo s.m.; cf. *fosforo*, fl. do v. *fosforar*
fosforocalcita s.f.
fosforocalcite s.f.
fósforo-do-mato s.m.; pl. *fósforos-do-mato*
fosforóforo adj.
fosforogêneo adj.
fosforogênico adj.
fosforoglicerato s.m.
fosforoglicérico adj.
fosforografia s.f.
fosforográfico adj.
fosforógrafo s.m.
fosfororrotita s.f.
fosforoscópico adj.
fosforoscópio s.m.
fosforoso (*ô*) adj.; f. (*ó*); pl. (*ó*)
fosforossiderita s.f.
fosforossiderite s.f.
fosfossiderita s.f.
fosfossiderite s.f.
fosfossiderítico adj.
fosfossiderito s.m.
fosfotungstato s.m.
fosfotúngstico adj.
fosfovanílico adj.
fosfovinato s.m.
fosfovínico adj.
fosfuranilita s.f.
fosfureto (*ê*) s.m.
fosfuria s.f.
fosfúria s.f.
fosga s.f.
fosgênio s.m.
fosgenita s.f.
fosgenite s.f.
fósgeno adj. s.m.
foshaguita s.f.
foshallasita s.f.
fosia s.f.
fósmea s.f.
fósmeo adj.
fosqueado adj.
fosqueador (*ô*) adj.
fosqueamento s.m.
fosquear v.
fosqueira s.f.
fosqueta (*ê*) s.f.
fosquinha s.f.
fosquista adj. s.2g.
fosresínico adj.
fossa s.f.
fossada s.f.
fossadeira s.f.
fossado adj. s.m.
fossador (*ô*) adj. s.m.
fossadura s.f.
fossagem s.f.
fossa-moira s.f.; pl. *fossas-moiras*
fossa-moura s.f.; pl. *fossas-mouras*
fossangar v.
fossanguice s.f.
fossão adj. s.m.; f. *fossona*
fossar v.
fossário s.m.
fosseta (*ê*) s.f.
fossetado adj.
fossete (*ê*) s.m.
fossiforme adj.2g.
fóssil adj.2g. s.m.
fossilação s.f.
fóssil-guia s.m.; pl. *fósseis-guia* e *fósseis-guias*
fossilidade s.f.
fossilífero adj.
fossilificação s.f.
fossilificado adj.
fossilificar v.
fóssil-índice s.m.; pl. *fósseis-índice* e *fósseis-índices*
fossilismo s.m.
fossilista adj. s.2g.
fossilização s.f.
fossilizado adj.
fossilizador (*ô*) adj. s.m.
fossilizar v.
fossilologia s.f.
fossilológico adj.
fossinaíta s.f.
fossípede adj.2g. s.m.
fosso (*ô*) s.m.; pl. (*ó*); cf. *fosso*, fl. do v. *fossar*
fosso-diamante s.m.; pl. *fossos-diamante* e *fossos-diamantes*
fossombrônia s.f.
fossombronióidea s.f.
fossona adj. s.f. de *fossão*
fossorial adj.2g.
fossório adj.
fóssula s.f.
fossulado adj.
fossuloso (*ô*) adj.; f. (*ó*); pl. (*ó*)
foste (*ô*) s.m.
fot s.m.
fota s.f.
fotado adj.
fotaguatinta s.f.
fotalgia s.f.
fotálgico adj.
fotalgrafia s.f.
fotalgráfico adj.
fotanisotropia s.f.
fotão s.m.
fotatividade s.f.
fotativo adj.
fotautipia s.f.
fotautípico adj.
fotautotrófico adj.
fotautótrofo adj. s.m.
fotauxismo (*cs*) s.m.
foteado adj.
fotear v.
foteíta s.f.
foteíte s.f.
fotelasticidade s.f.
fotelasticimetria s.f.
fotelasticímetro s.m.
fotelástico adj.
fotelectrão s.m.
fotelectricidade s.f.
fotelétrico adj.
fotelectrógrafo s.m.
foteléctron s.m.
fotelectrônica s.f.
fotelectrônio s.m.
foteletricidade s.f.
fotelétrico adj.
foteletrógrafo s.m.
fotelétron s.m.
foteletrônica s.f.
foteletrônio s.m.
foteliografia s.f.
foteliográfico adj.
foteliógrafo s.m.
foteliograma s.m.
fotemissão s.f.
fotemissividade s.f.
fotemissivo adj.
fotemissor (*ô*) adj.
foteno s.m.
fotequia s.f.
fotergila s.f.
fotianismo s.m.
fotianista adj. s.2g.
fotianístico adj.
foticita s.f.
fótico adj.
fóticon s.m.
fotíneo s.m.
fotínia s.f.
fotiniano s.m.
fotionização s.f.
fotirradiação s.f.
fotismo s.m.
fotisomerização s.f.
foto s.m.f.
fotoactínico adj.
fotoactinômetro s.m.
fotoalergia s.f.
fotoalérgico adj.
fotoalgrafia s.f.
fotoalgráfico adj.
fotoanamorfose s.f.
fotoanisotropia s.f.
fotoativação s.f.
fotoativar v.
fotoatividade s.f.
fotoativo adj.
fotoautotrófico adj.
fotoautótrofo adj. s.m.
fotobactéria s.f.
fotobático adj.
fotobilirrubina s.f.
fotobiologia s.f.
fotobiológico adj.
fotobiologista s.2g.
fotobiótico adj.
fotocalco s.m.
fotocalcografia s.f.
fotocalcográfico adj.
fotocarta s.f.
fotocartografia s.f.
fotocartográfico adj.
fotocartógrafo s.m.
fotocataléptico adj.
fotocatalisador (*ô*) s.m.
fotocatálise s.f.
fotocatalítico adj.
fotocatódico adj.
fotocatódio s.m.
fotocatodo (*ô*) s.m.
fotocátodo s.m.
fotocela s.f.
fotocélula s.f.
fotocelular adj.2g.
fotocentricidade s.f.
fotocêntrico adj.
fotocentro s.m.
fotocerâmica s.f.
fotocerâmico adj.
fotocinese s.f.
fotocinesia s.f.
fotocinético adj.
fotocoagulação s.f.
fotocolografia s.f.
fotocolográfico adj.
fotocolorimetria s.f.
fotocolorimétrico adj.
fotocolorímetro s.m.
fotocolotipia s.f.
fotocolotípico adj.
fotocompor v.
fotocomposição s.f.

fotocompositor (*ô*) adj. s.m.
fotocompositora (*ô*) s.f.
fotocomposto (*ô*) adj.; f. (*ó*); pl. (*ó*)
fotocondução s.f.
fotocondutância s.f.
fotocondutível adj.2g.
fotocondutividade s.f.
fotocondutivo adj.
fotocondutor (*ô*) adj.
fotocópia s.f.
fotocopiação s.f.
fotocopiado adj.
fotocopiador (*ô*) adj. s.m.
fotocopiagem s.f.
fotocopiante adj.2g.
fotocopiar v.
fotocopiável adj.2g.
fotocopista adj. s.2g.
fotocorrente s.f.
fotocrisia s.f.
fotocromático adj.
fotocromia s.f.
fotocrômico adj.
fotocromismo s.m.
fotocromo s.m.
fotocromogênio adj. s.m.
fotocromografia s.f.
fotocromográfico adj.
fotocromogravura s.f.
fotocromolitografia s.f.
fotocromolitográfico adj.
fotocromometalografia s.f.
fotocromometalográfico adj.
fotocromômetra s.2g.
fotocromométrico adj.
fotocromometrista s.2g.
fotocromômetro adj. s.m.
fotocromoscópico adj.
fotocromoscópio s.m.
fotocromotipia s.f.
fotocromotipografia s.f.
fotocromotipográfico adj.
fotocromotipogravura s.f.
fotocromozincografia s.f.
fotocromozincográfico adj.
fotocronografia s.f.
fotocronográfico adj.
fotocronógrafo s.m.
fotocronômetro s.m.
fotocronoscopia s.f.
fotocronoscópico adj.
fotodecomposição s.f.
fotodegradação s.f.
fotodensitômetro s.m.
fotodermatose s.f.
fotodermite s.f.
fotodesintegração s.f.
fotodetetor (*ô*) adj. s.m.
fotodiagrama s.m.
fotodinâmica s.f.
fotodinâmico adj.
fotodinia s.f.
fotodínico adj.
fotodiódio s.m.
fotodiodo (*ô*) s.m.
fotodíodo s.m.
fotodiômetro s.m.
fotodisforia s.f.
fotodisfosia s.f.
fotodisfósico adj.
fotodispositivo s.m.
fotodissociação s.f.
fotodissociado adj.
fotodissociante adj.2g.
fotodissociar v.
fotodissociável adj.2g.
fotodoscópio s.m.
fotodrilo s.m.
fotoelasticidade s.f.
fotoelasticimetria s.f.
fotoelasticímetro s.m.
fotoelástico adj.
fotoelectrão s.m.
fotoelectricidade s.f.
fotoelectrografia s.f.
fotoelectrográfico adj.
fotoelectrógrafo s.m.
fotoeléctron s.m.
fotoelectrônica s.f.
fotoelectrônio s.m.
fotoeletrão s.m.
fotoeletricidade s.f.
fotoelétrico adj.
fotoeletrografia s.f.
fotoeletrográfico adj.
fotoeletrógrafo s.m.
fotoelétron s.m.
fotoeletrônica s.f.
fotoeletrônio s.m.
fotoeliografia s.f.
fotoeliográfico adj.
fotoeliógrafo s.m.
fotoeliograma s.m.
fotoemissão s.f.
fotoemissividade s.f.
fotoemissivo adj.
fotoemissor (*ô*) adj.
fotoenvelhecimento s.m.
fotoepinastia s.f.
fotoepinástico adj.
fotofarmacologia s.f.
fotofarmacológico adj.
fotófase s.f.
fotofilia s.f.
fotofílico adj.
fotofiligranotipia s.f.
fotofiligranotípico adj.
fotófilo adj.
fotofísico adj.
fotofissão s.f.
fotofíssil adj.2g.
fotofobia s.f.
fotofóbico adj.
fotófobo adj. s.m.
fotofoboftalmia s.m.
fotofone s.m.
fotofonia s.f.
fotofônico adj.
fotofônio s.m.
fotofono s.m.
fotofonometria s.f.
fotofonométrico adj.
fotoforese s.f.
fotoforético adj.
fotóforo adj. s.m.
fotofosforilação s.f.
fotofosforilização s.f.
fotofosforilizante adj.2g.
fotofosforilizar v.
fotoftalmia s.f.
fotoftálmico adj.
fotofulgural adj.2g.
fotogalvanografia s.f.
fotogalvanográfico adj.
fotogalvanoplastia s.f.
fotogalvanoplástico adj.
fotogalvanotipia s.f.
fotogalvanotípico adj.
fotogastroscopia s.f.
fotogastroscópico adj.
fotogastroscópio s.m.
fotogênese s.f.
fotogenia s.f.
fotogênico adj.
fotogênio s.m.
fotógeno adj.
fotogeologia s.f.
fotogeológico adj.
fotogeologista adj. s.2g.
fotogeólogo adj. s.m.
fotogliptia s.f.
fotoglíptico adj.
fotogliptografia s.f.
fotogliptográfico adj.
fotogliptogravura s.f.
fotogoniométrico adj.
fotogoniômetro s.m.
fotografação s.f.
fotografado adj.
fotografar v.
fotografia s.f.
fotográfico adj.
fotógrafo s.m.; cf. *fotografo*, fl. do v. *fotografar*
fotografofone s.m.
fotografômetro s.m.
fotograma s.m.
fotogrametria s.f.
fotogramétrico adj.
fotogranulotipia s.f.
fotogranulotípico adj.
fotogravação s.f.
fotogravador (*ô*) adj. s.m.
fotogravar v.
fotogravável adj.2g.
fotogravura s.f.
foto-heliografia s.f.; pl. *foto-heliografias*
foto-heliógrafo s.m.; pl. *foto-heliógrafos*
fotointerpretação s.f.
fotointerpretador (*ô*) adj. s.m.
fotointerpretante adj. s.2g.
fotointerpretar v.
fotoionização s.f.
fotoiponastia s.f.
fotoiponástico adj.
fotoirradiação s.f.
fotoisomerização s.f.
fotojornal s.m.
fotojornalismo s.m.
fotojornalista s.2g.
fotojornalístico adj.
fotolegenda s.f.
fotolesão s.f.
fotoletra s.f.
fotolinotipo s.f.
fotólise s.f.
fotolita s.f.
fotolitação s.f.
fotolitagem s.f.
fotolitar v.
fotolítico adj.
fotolito s.m. "impressor"; cf. *fotólito*
fotólito s.m. "silicato"; cf. *fotolito*
fotolitocromografia s.f.
fotolitocromográfico adj.
fotolitofania s.f.
fotolitografar v.
fotolitografia s.f.
fotolitográfico adj.
fotolitógrafo s.m.
fotologia s.f.
fotológico adj.
fotologista s.2g.
fotólogo s.m.
fotoluminescência s.f.
fotoluminescente adj.2g.
fotomacrografia s.f.
fotomacrográfico adj.
fotomagnético adj.
fotomagnetismo s.m.
fotomanchete s.f.
fotomania s.f.
fotomaníaco s.m.
fotomapa s.m.
fotomecânico adj. s.m.
fotoméson s.m.
fotometalografia s.f.
fotometalográfico adj.
fotometalografista s.2g.
fotometalógrafo adj. s.m.
fotometalograma s.m.
fotometragem s.f.
fotometralhadora (*ô*) s.f.
fotometrar v.
fotometria s.f.
fotométrico adj.
fotometrista adj. s.2g.
fotômetro s.m.; cf. *fotometro*, fl. do v. *fotometrar*
fotometrografia s.f.
fotometrográfico adj.
fotomicrografia s.f.
fotomicrográfico adj.
fotomicrógrafo s.m.
fotomicrograma s.m.
fotomicroscopia s.f.
fotomicroscópico adj.
fotomicroscópio s.m.
fotominiatura s.f.
fotominiaturista adj. s.2g.
fotominiaturização s.f.
fotominiaturizado adj.
fotominiaturizar v.
fotomontado adj.
fotomontador (*ô*) adj. s.m.
fotomontagem s.f.
fotomontar v.
fotomorfismo s.m.
fotomorfose s.f.
fotomosaico s.m.
fotomultiplicação s.f.
fotomultiplicado adj.
fotomultiplicador (*ô*) adj. s.m.
fotomultiplicadora (*ô*) s.f.
fotomultiplicar v.
fotomultiplicável adj.2g.
fóton s.m.
fotonastia s.f.
fotonástico adj.
fotonegativo adj.
fotonêutron s.m.
fotoneutrônio s.m.
fotônico adj.
fotônio s.m.
fotonose s.f.
fotonosia s.f.
fotonovela s.f.
fotonuclear adj.2g.
fotopatia s.f.
fotopático adj.
fotopercepção s.f.
fotoperceptividade s.f.
fotoperceptivo adj.
fotoperiódico adj.
fotoperiodismo s.m.
fotoperíodo s.m.
fotoperspectografia s.f.
fotoperspectográfico adj.
fotoperspectógrafo s.m.
fotópico adj.
fotopigmento s.m.
fotopilha s.f.
fotopintura s.f.
fotoplanar adj.2g.
fotoplano s.m.
fotoplastografia s.f.
fotoplastográfico adj.
fotoplaxo (*cs*) s.m.
fotopletismografia s.f.
fotopolarígrafo s.m.
fotopolimerização s.f.
fotopólvora s.f.
fotopositivo adj.
fotopsia s.f.
fotopsina s.f.
fotóptica s.f.
fotóptico adj.
fotoptometria s.f.
fotoptométrico adj.
fotoptômetro s.m.
fotoptria s.f.
fotoquímica s.f.
fotoquímico adj. s.m.
fotorama s.m.
fotorradiograma s.m.
fotorrecepção s.f.
fotorreceptor (*ô*) s.m.
fotorredução s.f.
fotorreportagem s.f.
fotorrepórter s.2g.
fotorresistência s.f.
fotorresistente adj.2g.
fotorresistividade s.f.
fotorresistivo adj.
fotorrespiração s.f.
fotorrestituidor (*ô*) s.m.
fotorromance s.m.
fotoscopia s.f.
fotoscópico adj.
fotoscópio s.m.
fotoscultura s.f.
fotoscultural adj.2g.
fotosfera s.f.
fotosférico adj.
fotosforilar v.
fotosforilizante adj.2g.
fotospectroscopia s.f.
fotospectroscópico adj.
fotospectroscópio s.m.
fotossantonato s.m.
fotossantônico adj.
fotossantonina s.f.
fotossecessão s.f.
fotossensibilidade s.f.
fotossensibilização s.f.
fotossensibilizante adj.2g.
fotossensibilizar v.
fotossensibilizável adj.2g.
fotossensível adj.2g.
fotossensor (*ô*) adj. s.m.
fotossíntese s.f.
fotossintético adj.
fotossintetizar v.
fotossintetômetro s.m.
fotossintômetro s.m.
fotossistema s.m.
fotostática s.f.
fotostático adj.
fotóstato s.m.
fotostereossíntese s.f.
fotostômia s.f.
fotóstomo s.m.
fototáctico adj.
fototactismo s.m.
fototaquiscopia s.f.
fototaquiscópico adj.
fototaquiscópio s.m.
fototático adj. s.m.
fototatismo s.m.
fototaxia (*cs*) s.f.
fototeca s.f.
fototecário adj. s.m.
fototelefone s.m.
fototelefonia s.f.
fototelefônico adj.
fototelegrafia s.f.
fototelegráfico adj.
fototelegrama s.m.
fototelescópico adj.
fototelescópio s.m.
fototeodolito s.m.
fototerapêutico adj.
fototerapia s.f.
fototerápico adj.
fototermia s.f.
fototérmico adj.
fototermometria s.f.
fototermométrico adj.
fototermômetro s.m.
fototeste s.m.
fototintura s.f.
fototipar v.
fototipia s.f.
fototipiar v.
fototípico adj.
fotótipo s.m.; cf. *fototipo*, fl. do v. *fototipar*
fototipocromia s.f.
fototipocrômico adj.
fototipografia s.f.
fototipográfico adj.
fototipogravura s.f.
fototonia s.f.
fototônico adj.
fototopografia s.f.
fototopográfico adj.
fototraço s.m.
fototransistor (*ô*) s.m.
fototransístron s.m.
fototraumatismo s.m.
fototricromia s.f.
fotótrofo adj. s.m.
fototropia s.f.
fototrópico adj.
fototropismo s.m.
fototubo s.m.
fototubular adj.2g.
fotounidade s.f.
fotovisão s.f.
fotovisual adj.2g.
fotovisualidade s.f.
fotovoltaico adj.
fotóxido (*cs*) s.m.
fotoxilografia (*cs* ou *ch*) s.f.
fotoxilográfico (*cs* ou *ch*) adj.
fotozincografia s.f.
fotozincográfico adj.
fotozincogravura s.f.
fotozincotipia s.f.
fotozincotípico adj.
foturia s.f.
fotúria s.f.
fouçada s.f.
fouçado adj.
fouçador (*ô*) adj. s.m.
foução s.m.
fouçar v.

foucártia (*fu*) s.f.
fouce s.f.
foucear v.
fouceiro s.m.
foucherita s.f.
fouciforme adj.2g.
foucinha s.f.
foucinhão s.m.
foucinhar v.
foucinho s.m.
foucisca s.f.
foula s.f.
fouleiro s.m.
foupa s.f.
foupeira s.f.
fouquierácea (*fu*) s.f.
fouquieráceo (*fu*) adj.
fouquiéria (*fu*) s.f.
fouquieriácea (*fu*) s.f.
fouquieriáceo (*fu*) adj.
fourcroya (*furcró*) s.f.
fourierismo (*fu*) s.m.
fourierista (*fu*) adj. s.2g.
fourmarierita (*fur*) s.f.
fouveiro adj. s.m.
fóvea s.f.
fovelho s.m.
fovente adj.2g.
fovéola s.f.
foveolado adj.
foveolar adj.2g.
fovila s.f.
fovismo s.m.
fovista adj. s.2g.
fovístico adj.
fovoco s.m.
fowlerita s.f.
fox (*cs*) s.m.
foxanto (*cs*) s.m.
foxáster (*cs*) s.m.
fóxida (*cs*) adj.2g. s.m.
foxídeo (*cs*) adj. s.m.
foxino (*cs*) s.m.
foxiquílida (*cs*) adj.2g. s.m.
foxiquilídeo (*cs*) adj. s.m.
foxiquilídio (*cs*) s.m.
foxiquilo (*cs*) s.m.
foxo (*cs*) s.m.
foxoptérige (*cs*) s.f.
foxópterix (*cs*) s.f.
foxtrote (*cs*) s.m.
foz s.f. "embocadura"; cf. *fós*
foz-coense adj. s.2g.; pl. *foz-coenses*
foz-iguaçuense adj. s.2g.; pl. *foz-iguaçuenses*
fraca s.f.
fraca-figura s.2g.; pl. *fracas-figuras*
fracalhão adj. s.m.; f. *fracalhona*
fracalhona adj. s.f. de *fracalhão*
fração s.f.
fracar v.
fraca-roupa s.2g.; pl. *fracas-roupas*
fracassar v.
fracasso s.m.
fracatear v.
fracativo adj.
fracção s.f.
fraccionado adj.
fraccionamento s.m.
fraccionar v.
fraccionário adj.
fraccionável adj.2g.
fraccionismo s.m.
fraccionista adj. s.2g.
fraccionístico adj.
fracciúncula s.f.
fracionado adj.
fracionamento s.m.
fracionar v.
fracionário adj.
fracionável adj.2g.
fracionismo s.m.
fracionista adj. s.2g.
fracionístico adj.
fraciúncula s.f.
fraco adj. s.m.
fracola adj. s.2g.
fracolas adj. s.2g.2n.
fracote adj. s.m.
fractal s.m.
fracticípito adj. s.m.
fractocéfalo s.m.
fractoestrato s.m.
fractonimbo s.m.
fractostrato s.m.
fractura s.f.
fracturamento s.m.
fracturar v.
fracura s.f.
fradaço s.m.
fradalhada s.f.
fradalhão s.m.
fradalho s.m.
fradalhoco (*ô*) s.m.
fradaria s.f.
fradar-se v.
frade s.m.
frade de pedra s.m.
frade-fedorento s.m.; pl. *frades-fedorentos*
fradegão s.m.
fradeiro adj. s.m.
fradejar v.
fradense adj. s.2g.
fradépio s.m.
fradesco (*ê*) adj.
fradete (*ê*) s.m.
fradice s.f.
fradicida s.2g.
fradicídio s.m.
fradil s.m.
fradinho s.m.
fradinho da mão furada s.m.
fradiquice s.f.
fradisco s.m.
fraga s.f.
fragada s.f.
fragadô s.m.
fragador (*ô*) adj. s.m.
fragaia s.f.
fragal adj.2g. s.m.
fragalheiro s.m.
fragalho s.m.
fragalhona s.f.
fragalhota s.f.
fragalhote s.m.
fragalhotear v.
fragalhoteiro adj. s.m.
fragalhotice s.f.
fragão s.m.
fragaredo (*ê*) s.m.
fragaria s.f. "porção de fragas"; cf. *fragária*
fragária s.f. "planta"; cf. *fragaria*
fragariáceo adj.
fragarianina s.f.
fragaricultor (*ô*) s.m.
fragaricultura s.f.
fragarina s.f.
fragata s.m.f.
fragatão s.m.
fragatear v.
fragateiro adj. s.m.
fragatim s.m.
fragífero adj.
fragiforme adj.2g.
frágil adj.2g.
fragilária s.f.
fragilariácea s.f.
fragilariáceo adj.
fragilarióidea s.f.
fragilidade s.f.
fragílimo adj. sup. de *frágil*
fragilização s.f.
fragilizado adj.
fragilizar v.
fragma s.m.
fragmatécia s.f.
fragmático adj.
fragmatóforo adj.
fragmentação s.f.
fragmentado adj.
fragmentador (*ô*) adj.
fragmentadora (*ô*) s.f.
fragmentante adj.2g.
fragmentar v.
fragmentário adj.
fragmentarismo s.m.
fragmentarista adj. s.2g.
fragmentarístico adj.
fragmentável adj.2g.
fragmentista adj. s.2g.
fragmento s.m.
fragmidíea s.f.
fragmídio s.m.
fragmidiótrix (*cs*) s.f.
fragmina s.f.
fragmite s.f.
fragmocone s.m.
fragmocônico adj.
fragmóforo s.m.
fragmopédilo s.m.
fragmoplástico adj.
fragmoplasto s.m.
fragmose s.f.
fragmospórea s.f.
fragmósporo s.m.
frago s.m.
fragoído s.m.
fragonardesco (*ê*) adj.
fragor (*ô*) s.m.
fragorar v.
fragoroso (*ô*) adj.; f. (*ó*); pl. (*ó*)
fragosão s.m.
fragosense adj. s.2g.
fragosidade s.f.
fragoso (*ô*) adj.; f. (*ó*); pl. (*ó*)
fragrância s.f. "aroma"; cf. *flagrância*
fragrante adj.2g. "perfumado"; cf. *flagrante*
frágua s.f.
fraguado adj.
fraguar v.
fraguear v.
fraguedo (*ê*) s.m.
fragueirada s.f.
fragueirice s.f.
fragueiril adj.2g.
fragueiro adj. s.m.
fraguento adj.
fraguice s.f.
fraguita s.f.
frágula s.f.
fragulho s.m.
fragura s.f.
fraiburguense adj. s.2g.
frainel s.m.
fraipontita s.f.
fraire s.m.
fraita s.f.
frajola adj. s.2g.
fralda s.f.
fraldado adj.
fraldamento s.m.
fraldão s.m.
fraldar v.
fralda-rota s.f.; pl. *fraldas-rotas*
fraldear v.
fraldeiro adj. s.m.
fraldejar v.
fraldelhim s.m.
fraldelim s.m.
fraldeta (*ê*) s.f.
fraldica s.f.
fraldicar v.
fraldicurto adj.
fraldido adj.
fraldilha s.f.
fraldiqueira s.f.
fraldiqueiro adj. s.m.
fraldisqueira s.f.
fraldisqueiro adj. s.m.
fraldito adj.
fraldoso (*ô*) adj.; f. (*ó*); pl. (*ó*)
frama s.f.
framação s.f.
framaçom s.m.
framaçonaria s.f.
framaçônico adj.
framaçonização s.f.
framaçonizado adj.
framaçonizante adj.2g.
framaçonizar v.
framalha s.f.
framantenha s.f.
framboesa (*ê*) s.f.
framboeseira s.f.
framboeseiro s.m.
framboesia s.f.
framboesiforme adj.2g.
frâmea s.f.
framesita s.f.
framicetina s.f.
framiguento s.m.
framingueta (*ê*) s.f.
frança adj. s.2g. s.f.
francalete (*ê*) s.m.
francano adj. s.m.
franças s.f.pl.; na loc. *franças e araganças*
francatripa s.f.
francear v.
franceína s.f.
francela s.f.
francelha (*ê*) s.f.
francelhice s.f.
francelho (*ê*) s.m.
francelinho s.m.
francense adj. s.2g.
francês adj. s.m.
francesa (*ê*) s.f.
francesada s.f.
francesar v.
francesia s.f.
francesiar v.
francesice s.f.
francesinha s.f.
francesismo s.m.
francesista adj. s.2g.
francevilita s.f.
francevillita s.f.
franchado adj.
franchão adj.; f. *franchona*
franchinote s.m.
franchinótico adj.
franchona adj. f. de *franchão*
frância s.f.
franciano s.m.
frâncica s.f.
frâncico adj. s.m.
francinopolitano adj. s.m.
frâncio s.m.
francisca s.f.
franciscana s.f.
franciscanada s.f.
franciscanado s.m.
franciscanato s.m.
franciscano adj. s.m.
francisco adj.
francisco-airense adj. s.2g.; pl. *francisco-airenses*
francisco-alvense adj. s.2g.; pl. *francisco-alvenses*
francisco-beltranense adj. s.2g.; pl. *francisco-beltranenses*
franciscopolitano adj. s.m.
francisco-saense adj. s.2g.; pl. *francisco-saenses*
francisco-santense adj. s.2g.; pl. *francisco-santenses*
francismo s.m.
francisquense adj. s.2g.
francisquinho s.m.
francista adj. s.2g.
franciú s.m.
franciuzar v.
francizante adj.2g.
franckeíta s.f.
franckeítico adj.
franckênia s.f.
franckeniácea s.f.
franckeniáceo adj.
franckiano adj.
franckismo s.m.
franckista adj. s.2g.
franckístico adj.
franclandíea s.f.
franclinita s.f.
franco adj. s.m.
frâncoa s.f.
francoácea s.f.
francoáceo adj.
franco-alemão adj. s.m.; pl. *franco-alemães*
franco-árabe adj. s.2g.; pl. *franco-árabes*
franco-argentino adj. s.m.; pl. *franco-argentinos*
franco-atirador adj. s.m.; pl. *franco-atiradores*
franco-belga adj. s.2g.; pl. *franco-belgas*
franco-bordo s.m.; pl. *franco-bordos*
franco-brasileiro adj. s.m.; pl. *franco-brasileiros*
franco-canadense adj. s.2g.; pl. *franco-canadenses*
franco-condês adj. s.m.; pl. *franco-condeses*
francofalante adj. s.2g.
francofilia s.f.
francófilo adj. s.m.
francofobia s.f.
francófobo adj. s.m.
francofone adj. s.2g.
francófone adj. s.2g.
francofonia s.f.
francofônico adj.
francofonização s.f.
francofonizado adj. s.m.
francofonizador (*ô*) adj.
francofonizante adj. s.2g.
francofonizar v.
francofono adj. s.m.
francófono adj. s.m.
francóidea s.f.
francólatra adj. s.2g.
francolatria s.f.
francolátrico adj.
francolim s.m.
francolino s.m.
francolita s.f.
francolite s.f.
francologia s.f.
francólogo s.m.
franco-mação adj. s.m.; pl. *franco-mações*
franco-maçom adj. s.m.; pl. *franco-maçons*
franco-maçonaria s.f.
francomania s.f.
francomaníaco adj. s.m.
francômano s.m.
franconiano adj. s.m.
francônio adj. s.m.
francoparlante adj. s.2g.
franco-português adj. s.m.; pl. *franco-portugueses*
franco-provençal adj. s.2g.; pl. *franco-provençais*
franco-rochense adj. s.2g.; pl. *franco-rochenses*
franco-suíço adj. s.m.; pl. *franco-suíços*
frandalho s.m.
frande s.m.
frandeleiro adj. s.m.
frandesca (*ê*) s.f.
frandicksonita s.f.
frandil s.m.
frandulagem s.f.
franduleiro adj.
franduna s.f.
franga s.f.
frangaço s.m.
franga-enfeitada s.f.; pl. *frangas-enfeitadas*
frangainha s.f.
frangainho s.m.
frangaiola s.f.
frangalete (*ê*) s.m.
frangalhada s.f.
frangalhar v.
frangalheiro adj. s.m.
frangalhice s.f.
frangalho s.m.
frangalhona s.f.
frangalhota s.f.
frangalhote s.m.
frangalhotear v.
frangalhoteiro adj.
frangalhotice s.f.

franganada s.f.
franganito adj. s.m.
franganota s.f.
franganote s.m.
frangão s.m.; f. *frangona*
frângão s.m.
frange s.m.
frangelha (*ê*) s.f.
franger v.
frangibilidade s.f.
frangícia s.f.
frangipana s.f.
frangipano adj.
frangir v.
frangível adj.2g.
frango s.m.
frango-d'água s.m.; pl. *frangos-d'água*
frango-d'água-comum s.m.; pl. *frangos-d'água-comuns*
frango de botica s.m.
frango-do-mar s.m.; pl. *frangos-do-mar*
frango-do-rio s.m.; pl. *frangos-do-rio*
frangolho (*ô*) s.m.
frangona s.f. de *frangão*
frangote s.m.
frangue s.m.
franguear v.
frangueiro s.m.
franguinho s.m.
franguinho-d'água s.m.; pl. *franguinhos-d'água*
frângula s.f.
frangulácea s.f.
franguláceo adj.
frangulato s.m.
frangulemodina s.f.
frangulheiro s.m.
frangulho s.m.
frangúlico adj.
frangulina s.f.
franja s.f.
franjado adj.
franjal adj.2g.
franjamento s.m.
franjão s.m.
franjar v.
franjas s.f.pl.
franjeado s.m.
franjeira s.f.
franjeta (*ê*) s.f.
franjido adj.
franjosca s.f.
frankênia s.f.
frankeniácea s.f.
frankeniáceo adj.
franklin s.m.
frankliniano adj.
franklinita s.f.
franklinite s.f.
frankliníico adj.
franklinito s.m.
franklinização s.f.
franque s.m.
franqueado adj.
franqueador (*ô*) adj. s.m.
franqueamento s.m.
franquear v.
franqueável adj.2g.
franqueico adj. s.m.
franqueira s.f.
franqueiro adj. s.m.
franqueíta s.f.
franquelete (*ê*) s.m.
franquelim adj.
franquênia s.f.
franqueniácea s.f.
franqueniáceo adj.
franquense adj. s.2g.
franqueza (*ê*) s.f.
franquia s.f.
franquiar v.
franquismo s.m.
franquisque s.m.
franquista adj. s.2g.
franquístico adj.
franzeleiro adj.
franzelinho adj.
franzéria s.f.
franzido adj. s.m.
franzimento s.m.
franzinela s.2g.
franzinez (*ê*) s.f.
franzino adj.
franzinote adj.2g.
franzir v.
frapê s.m.
fraque s.m.
fraquear v.
fraqueira s.f.
fraqueirão adj. s.m.; f. *fraqueirona*
fraqueiro adj.
fraqueirona adj. s.f. de *fraqueirão*
fraquejado adj.
fraquejador (*ô*) adj.
fraquejamento s.m.
fraquejante adj.2g.
fraquejar v.
fraquejo (*ê*) s.m.
fraquentar v.
fraqueta (*ê*) s.f.
fraquete (*ê*) adj.2g.
fraqueza (*ê*) s.f.
frasal adj.2g.
frasca s.f.
frascagem s.f.
frascal s.m.
frascaria s.f.
frascarice s.f.
frascário adj.
frascarismo s.m.
frasco s.m.
frase s.f.
fraseado adj. s.m.
fraseador (*ô*) adj. s.m.
fraseamento s.m.
frasear v.
fraseio s.m.
frase-núcleo s.f.; pl. *frases-núcleos*
fraseografia s.f.
fraseográfico adj.
fraseograma s.m.
fraseólatra adj. s.2g.
fraseolatria s.f.
fraseolátrico adj.
fraseologia s.f.
fraseológico adj.
fraseólogo s.m.
fraseomania s.f.
fraseomaníaco adj. s.m.
fraseômano s.m.
fraséria s.m.
frásico adj.
frasismo s.m.
frasista adj. s.2g.
frasniano adj. s.m.
frásnico adj.
frasqueira s.f.
frasqueiro adj. s.m.
frasquejadeira adj.
frasquejar v.
frasqueta (*ê*) s.f.
frasquinhar v.
fratacho s.m.
fráter s.m.
fratércula s.f.
fraterna s.f.
fraternal adj.2g.
fraternidade s.f.
fraternização s.f.
fraternizado adj.
fraternizador (*ô*) adj.
fraternizante adj.2g.
fraternizar v.
fraternizável adj.2g.
fraterno adj.
fraticela s.2g.
fraticelismo s.m.
fraticelo s.m.
fratria s.f.
fratriarca s.m.
fratricelo s.m.
fratricida adj. s.2g.
fratricídio s.m.
frátrico adj.
fratrissa s.f.
fratuentino adj. s.m.
fratura s.f.
faturação s.f.
faturado adj.
faturamento s.m.
faturante adj.2g.
faturar v.
faturável adj.2g.
fraudação s.f.
fraudado adj.
fraudador (*ô*) adj. s.m.
fraudar v.
fraudatório adj.
fraudável adj.2g.
fraude s.f.
fraudento adj.
fraudulência s.f.
fraudulento adj.
fraudulоso (*ô*) adj.; f. (*ó*); pl. (*ó*)
frauta s.f.
frautado adj.
frautar v.
frauteado adj.
frautear v.
frauteira s.f.
frauteiro s.m.
frautista s.2g.
fravasonense adj. s.2g.
fraxetina (*cs*) s.f.
fraxina (*cs*) s.f.
fraxínea (*cs*) s.f.
fraxineácea (*cs*) s.f.
fraxineáceo (*cs*) adj.
fraxinela (*cs*) s.f.
fraxíneo (*cs*) adj.
fraxinícola (*cs*) adj.2g.
fraxinina (*cs*) s.f.
fraxino (*cs*) s.m.
frazangue s.m.
frazão adj. s.m.
frazinela s.f.
freada s.f.
freagem s.f.
freamento s.m.
frear v.
freático adj.
freatótrix (*cs*) s.f.
frebeliano adj.
freboldita s.f.
frecha s.f.
frechação s.f.
frechada s.f.
frecha de parto s.f.
frechado adj.
frechador (*ô*) adj. s.m.
frechal s.m.
frechar v.
frecharia s.f.
frechas s.f.pl.
frecheira s.f.
frecheirense adj. s.2g.
frecheirinhense adj. s.2g.
frecheiro adj. s.m.
freda (*ê*) s.f.
frederica s.f.
frederico s.m.
freeiro s.m.
frefolho (*ô*) s.m.
frega s.f.
fregação s.f.
fregado adj.
fregão s.m.
fregar v.
fregata s.m.
fregatídeo adj. s.m.
fregatola s.f.
frege s.m.
fregelano adj. s.m.
fregementa s.f.
frege-moscas s.m.2n.
fregilíneo adj. s.m.
fregilupo s.m.
freginate adj. s.2g.
fregista s.2g.
fregolismo s.m.
fregona s.f.
fregosão s.m.
freguês s.m.
freguesia s.f.
frei s.m.
freialita s.f.
freiana s.m.
freibergita s.f.
freibergite s.f.
freiberguês adj. s.m.
frei-bode s.m.; pl. *freis-bode* e *freis-bodes*
freicha s.f.
freicinécia s.f.
freiela s.f.
freieslebenita s.f.
freieslebenite s.f.
freijó s.m.
frei-jorge s.m.; pl. *freis-jorge* e *freis-jorges*
freilínia s.f.
freima s.f.
freimão s.m.
freimático adj.
freime s.m.
freio s.m.
frei-paulense adj. s.2g.; pl. *frei-paulenses*
frei-paulistano adj. s.m.; pl. *frei-paulistanos*
freira s.f.
freiral adj.2g.
freirar v.
freiraria s.f.
freirático adj. s.m.
freire s.m.
freiria s.f.
freiriano adj.
freirice s.f.
freirinha s.f.
freirinhas s.f.pl.
freirinita s.f.
freitense adj. s.2g.
frei-vicente adj. s.2g.; pl. *frei-vicentes*
freixal s.m.
freixenista adj. s.2g.
freixeno adj. s.m.
freixial s.m.
freixieiro s.m.
freixiense adj. s.2g.
freixo s.m.
freixo-da-calábria s.m.; pl. *freixos-da-calábria*
freixo-do-maná s.m.; pl. *freixos-do-maná*
freixonita adj. s.2g.
frejereba s.f.
frejucada s.f.
frejucar v.
freme s.m.
fremebundo adj.
fremência s.f.
fremente adj.2g.
fremer v.
fremilúcido adj.
fremir v.
frêmito s.m.
fremontita s.f.
frenação s.f.
frenador (*ô*) adj. s.m.
frenagem s.f.
frenalgia s.f.
frenálgico adj.
frenamento s.m.
frenar v.
frenastenia s.f.
frenastênico adj.
frendente adj.2g.
frender v.
frendor (*ô*) s.m.
frenela s.f.
frenepático adj.
frenesi s.m.
frenesia s.f.
frenesiar v.
frenesim s.m.
frenesofágico adj.
frenético adj.
frenicectomia s.f.
frenicectômico adj.
frênico adj.
frenicoque s.m.
frenicotomia s.f.
frenicotômico adj.
frenicotripsia s.f.
frenite s.f.
frenítico adj.
frenoblabia s.f.
frenocardia s.f.
frenocardíaco adj.
frenocárdico adj.
frenocólico adj.
frenocolopexia (*cs*) s.f.
frenocômio s.m.
frenodinia s.f.
frenodínico adj.
frenoepático adj.
frenogástrico adj.
frenoglótico adj.
frenoglotismo s.m.
frenografia s.f.
frenográfico adj.
frenógrafo s.m.
frenologia s.f.
frenológico adj.
frenologismo s.m.
frenologista adj. s.2g.
frenólogo s.m.
frenopata s.2g.
frenópata s.2g.
frenopatia s.f.
frenopático adj.
frenopericárdico adj.
frenopericardite s.f.
frenoplegia s.f.
frenoplégico adj. s.m.
frenoptose s.f.
frenoptótico adj.
frenoscopia s.f.
frenoscópico adj.
frenosplênico adj.
frenotomia s.f.
frenotômico adj.
frentaberta s.f.
frentano adj. s.m.
frente s.f.
frenteado adj.
frentear v.
frente de atração s.f.
frenteiro adj. s.m.
frentista s.m.
frenulado adj. s.m.
frênulo s.m.
frenzelita s.f.
frenzelite s.f.
frenzelito s.m.
freodilo s.m.
freon s.m.
fréon s.m.
freônico adj.
freoricte s.m.
freoríctida adj.2g. s.m.
freorictídeo adj. s.m.
frequência (*ü*) s.f.
frequencial (*ü*) adj.2g.
frequencímetro (*ü*) s.m.
frequenciômetro (*ü*) s.m.
frequentação (*ü*) s.f.
frequentado (*ü*) adj.
frequentador (*ü...ô*) adj. s.m.
frequentar (*ü*) v.
frequentativo (*ü*) adj.
frequentável (*ü*) adj.2g.
frequente (*ü*) adj.2g.
fresa s.f.
fresador (*ô*) adj. s.m.
fresadora (*ô*) s.f.
fresagem s.f.
fresar v.
fresca (*ê*) s.f.
frescaço adj.
frescal adj.2g. s.m.
frescalhão adj. s.m.; f. *frescalhona*
frescalhona adj. s.f. de *frescalhão*
frescalhota adj. f. de *frescalhote*
frescalhote adj.; f. *frescalhota*
frescão adj. s.m.
frescata s.f.
fresco (*ê*) adj. s.m.
frescobol s.m.
frescobolista adj. s.2g.
frescor (*ô*) s.m.
frescum s.m.
frescura s.f.

frese adj.2g.2n. s.m.f.
frésia s.f.
fresison s.m.
fresnel s.m.
fresnoíta s.f.
fresquejado adj.
fresquejar v.
fresquidão s.f.
fresquilandeira s.f.
fresquista adj. s.2g.
fresquita s.f.
fressura s.f.
fressureira s.f.
fressureiro s.m.
fressurento adj.
fresta s.f.
frestado adj.
frestador (*ô*) s.m.
frestão s.m.
fretado adj.
fretador (*ô*) s.m.
fretagem s.f.
fretamento s.m.
fretar v.
frete s.m.
freteiro s.m.
fretejador (*ô*) s.m.
fretejar v.
fretenir v.
freto s.m.
freudenberguita s.f.
freudianismo (*frói*) s.m.
freudianista (*frói*) adj. s.2g.
freudianístico (*frói*) adj.
freudiano (*frói*) adj.
freudismo (*frói*) s.m.
freudista (*frói*) adj. s.2g.
freudístico (*frói*) adj.
frevança s.f.
frevar v.
frevioca s.f.
frevista adj. s.2g.
frevo (*ê*) s.m.; cf. *frevo*, fl. do v. *frevar*
frevo-abafo s.m.; pl. *frevos-abafo* e *frevos-abafos*
frevo-canção s.m.; pl. *frevos-canção* e *frevos-canções*
frevo-coqueiro s.m.; pl. *frevos-coqueiro* e *frevos-coqueiros*
frevo de encontro s.m.
frevo de rua s.m.
frevo-ventania s.m.; pl. *frevos-ventania* e *frevos-ventanias*
freycinétia s.f.
freziéria s.f.
fria s.f.
friabilidade s.f.
friacho adj. s.m.
friagem s.f.
frial adj.2g. s.m.
frialdade s.f.
friama s.f.
friame s.m.
friâmule s.m.
friasco adj.
friável adj.2g.
friburguense adj. s.2g.
friburguês adj. s.m.
fricandó s.m.
fricassé s.m.
fricassê s.m.
fricativa s.f.
fricatividade s.f.
fricativismo s.m.
fricativo adj.
fricção s.f.
friccionado adj.
friccionador (*ô*) adj.
friccional adj.2g.
friccionamento s.m.
friccionante adj.2g.
friccionar v.
friccionável adj.2g.
fricote s.m.
fricoteação s.f.
fricoteador (*ô*) adj. s.m.
fricotear v.
fricoteiro adj. s.m.
frictômetro s.m.
frictor (*ô*) s.m.
fridelita s.f.
friedelita s.f.
friederícia s.f.
frieira s.f.
frieirão adj. s.m.; f. *frieirona*
frieirento adj.
frieiro adj.
frieirona adj. s.f. de *frieirão*
friento adj.
friéria s.f.
frieseíta s.f.
frieseíte s.f.
friesta s.f.
friez (*ê*) s.f.
frieza (*ê*) s.f.
fri-frió s.m.
frígana s.f.
friganário adj. s.m.
frigânea s.f.
friganeida adj.2g. s.m.
friganeídeo adj. s.m.
frigânido adj. s.m.
friganíneo adj. s.m.
frigânio s.m.
friganóforo adj.
friganoide (*ó*) adj.2g. s.m.
friganoptosia s.f.
frige adj. s.2g.
frigidário adj. s.m.
frigideira s.f. s.2g.
frigideiro s.m.
frigidez (*ê*) s.f.
frigidite s.f.
frigidito s.m.
frigido adj. "frito"; cf. *frígido*
frígido adj. "muito frio"; cf. *frigido*
frigífugo adj.
frigilanto s.m.
frigimenta s.f.
friginada s.f.
friginato s.m.
frígio adj. s.m.
frigir v.
frigisco adj. s.m.
frigo s.m.
frigobar s.m.
frigofobia s.f.
frigoluminescência s.f.
frigômetro s.m.
frigomóvel s.m.
frigoria s.f.
frigórico adj. s.m.
frigoridesértico adj.
frigorideserto s.m.
frigorífero adj. s.m.
frigorificação s.f.
frigorificado adj.
frigorificador (*ô*) adj.
frigorificante adj.2g.
frigorificar v.
frigorificável adj.2g.
frigorífico adj. s.m.; cf. *frigorifico*, fl. do v. *frigorificar*
frigorígeno adj.
frigorimetria s.f.
frigorimétrico adj.
frigorímetro s.m.
frigoterapia s.f.
frigoterápico adj.
friinha s.f.
frija s.m.
frila s.2g.
frima s.f.
frimácea s.f.
frimáceo adj.
frimão s.m.; pl. *frimães*
frimário s.m.
frimínea s.f.
frimofiúrido adj. s.m.
frinaglosso s.m.
frincha s.f.
frinchadeira s.f.
frinchado adj.
frinchamento s.m.
frinchar v.
frinchas s.f.pl.
frinchoso (*ô*) adj.; f. (*ó*); pl. (*ó*)
frine s.f.
frinela s.f.
fringila s.f.
fringilário adj. s.m.
fringilicultor (*ô*) s.m.
fringilicultura s.f.
fringílida adj.2g. s.m.
fringilídeo adj. s.m.
fringilo s.m.
frinhento adj.
friniate adj. s.2g.
frínida adj.2g. s.m.
frinídeo adj. s.m.
friníea s.f.
frinina s.f.
friníneo adj. s.m.
frínio s.m.
frinisco s.m.
frino s.m.
frinócara s.m.
frinocéfalo s.m.
frinoderma s.m.
frinoglosso s.m.
frinolisina s.f.
frinomântis s.2g.2n.
frinomorfo s.m.
frinópsis s.f.2n.
frinorrombo s.m.
frinossoma s.m.
frio adj. s.m.
frioleira s.f.
friolento adj.
friorento adj.
friosidade s.f.
frioso (*ô*) adj. s.m.; f. (*ó*); pl. (*ó*)
friquiti s.m.
frisa s.f.
frisã adj. s.f. de *frisão*
frisada s.f.
frisado adj. s.m.
frisador (*ô*) adj. s.m.
frisadura s.f.
frisagem s.f.
frisamento s.m.
frisante adj.2g. "claro", "exato"; cf. *frizante*
frisão adj. s.m.; f. *frisã*
frisar v.
friseia (*é*) adj. s.f. de *friseu*
friseu adj. s.m.; f. *friseia* (*é*)
frisiano adj. s.m.
frísico s.m.
frísio adj. s.m.
friso s.m.
frisura s.f.
frita s.f.
fritação s.f.
fritada s.f.
fritadeira s.f.
fritagem s.f.
fritalhada s.f.
fritangada s.f.
fritar v.
fritas s.f.pl.
fritido s.m.
fritilária s.f.
fritilariíneo adj. s.m.
fritilo s.m.
frito adj. s.m.
frítschia s.f.
frítsquia s.f.
fritura s.f.
friul s.m.
friulano adj. s.m.
friúlico adj.
friúme s.m.
friúra s.f.
frivoleza (*ê*) s.f.
frivolidade s.f.
frívolo adj. s.m.
frixeia (*csé*) adj. s.f. de *frixeu*
frixeu (*cs*) adj. s.m.; f. *frixeia* (*cs...é*)
frixíneo (*cs*) s.m.
frixo (*cs*) s.m.
frizante adj.2g. s.m. "moeda"; cf. *frisante*
froca s.f.
frocado adj. s.m.
frocadura s.f.
frocar v.
froco s.m.
froco-rasteiro s.m.; pl. *frocos-rasteiros*
froebeliano adj.
froelíquia s.f.
frogodô s.m.
frohberguita s.f.
froina s.f.
froixar v.
froixel s.m.
froixelado adj.
froixeleiro adj.
froixeza (*ê*) s.f.
froixidade s.f.
froixidão s.f.
froixo adj. s.m.
froixura s.f.
frolar v.
frolho (*ô*) s.m.
frolido s.m.
frolir v.
frolo s.m.
frolovita s.f.
froncil adj.2g. s.m.
fronda s.f.
frondação s.f.
frondar v.
fronde s.f.
frondeado adj.
frondear v.
frondecer v.
frondejante adj.2g.
frondejar v.
frondelita s.f.
frondência s.f.
frondente adj.2g.
frôndeo adj.
frondescência s.f.
frondescente adj.2g.
frondescer v.
frondícola adj.2g.
frondífero adj.
frondifloro adj.
frondiforme adj.2g.
frondíparo adj.
frondípora s.f.
frondipórida adj.2g. s.m.
frondiporídeo adj. s.m.
frondista adj. s.2g.
frondosidade s.f.
frondoso (*ô*) adj.; f. (*ó*); pl. (*ó*)
frôndula s.f.
fronema s.m.
fronemático adj.
fronetas s.m.pl.
fronha s.f.
fronho adj.
frônia s.m.
frônima s.m.
fronimela s.m.
fronímida adj.2g. s.m.
fronimídeo adj. s.m.
fronimíneo adj. s.m.
frônimo s.m.
fronimópsis s.f.2n.
fronta s.f.
frontaberto adj.
frontada s.f.
frontal adj.2g. s.m.
frontaleira s.f.
frontalidade s.f.
frontão s.m.
frontar v.
frontaria s.f.
fronte s.f.
frontear v.
fronteira s.f.
fronteira-faixa s.f.; pl. *fronteiras-faixa* e *fronteiras-faixas*
fronteira-linha s.f.; pl. *fronteiras-linha* e *fronteiras-linhas*
fronteirar v.
fronteira-zona s.f.; pl. *fronteiras-zona* e *fronteiras-zonas*
fronteirense adj. s.2g.
fronteiriço adj. s.m.
fronteiro adj. s.m.
fronticervical adj.2g. s.f.
fronticurvo adj.
frontilacrimal adj.2g.
frontimalar adj.2g.
frontimaxilar (*cs*) adj.2g.
frontina s.f.
frontinasal adj.2g.
frontinho adj.
frontino adj.
frontiparietal adj.2g.
frontirrostro s.m.
frontispicial adj.2g.
frontispício s.m.
frontissupraciliar adj.2g.
frontitemporal adj.2g.
frontivértice s.m.
frontoccipital adj.2g.
frontocervical adj.2g. s.f.
frontogênese s.f.
fronto-horizontal adj.2g.
frontolacrimal adj.2g.
frontólise s.f.
frontolítico adj.
frontologia s.f.
frontomalar adj.2g.
frontomaxilar (*cs*) adj.2g.
frontonasal adj.2g.
frontônia s.f.
frontoparietal adj.2g.
frontopterigóideo adj.
frontorizontal adj.2g.
frontossupraciliar adj.2g.
frontotemporal adj.2g.
frontovértice s.m.
frota s.f.
froterismo s.f.
frotilha s.f.
frótola s.f.
frouma s.f.
froumeira s.f.
frouxar v.
frouxel s.m.
frouxelado adj.
frouxeleiro adj.
frouxeza (*ê*) s.f.
frouxidade s.f.
frouxidão s.f.
frouxo adj. s.m.
frouxura s.f.
frozô s.m.
fructidor (*ô*) s.f.
fructopiranosídeo adj. s.m.
fructose s.f.
fructosídeo adj. s.m.
fructosuria s.f.
fructosúria s.f.
frúctulo s.m.
frueira s.f.
fru-fru s.m.; pl. *fru-frus*
frufruante adj.2g.
frufrulhante adj.2g.
frufrulhar v.
frufrulho s.m.
frufrutar v.
frugal adj.2g.
frugalidade s.f.
frugardita s.f.
frugífero adj.
frugivorismo s.m.
frugívoro adj. s.m.
fruição s.f.
fruir v.
fruita s.f.
fruiteira s.f.
fruitivo adj.
fruito s.m.
fruituoso (*ô*) adj.; f. (*ó*); pl. (*ó*)
frulânia s.f.
frulaniácea s.f.
frulaniáceo adj.
frulhante adj.2g.
frulhar v.
frulho s.m.
frumenta s.f.
frumentação s.f.
frumentáceo adj.
frumental adj.2g. s.m.
frumentalita s.f.
frumentalite s.f.
frumentário adj.
frumentício adj.
frumento s.m.
frumentoso (*ô*) adj.; f. (*ó*); pl. (*ó*)

fruncho s.m.
frunco s.m.
frúnculo s.m.
frunhido adj.
frunhir v.
fruo adj. s.m.
frusinate adj. s.2g.
frusseria s.f.
fruste adj.2g.
frustear v.
frusto adj. s.m.
frustração s.f.
frustrado adj. s.m.
frustrador (ô) adj. s.m.
frustrânea s.f.
frustrâneo adj.
frustrante adj.2g.
frustrar v.
frustratório adj.
frustrável adj.2g.
frustro adj.
frústula s.f.
frustulado adj.
frústulo s.m.
fruta s.f.
fruta-barrete s.f.; pl. *frutas-barrete* e *frutas-barretes*
fruta-bolsa s.f.; pl. *frutas-bolsa* e *frutas-bolsas*
fruta-caurim s.f.; pl. *frutas-caurim* e *frutas-caurins*
fruta-cocta s.f.; pl. *frutas-coctas*
fruta-da-condessa s.f.; pl. *frutas-da-condessa*
fruta-da-trindade s.f.; pl. *frutas-da-trindade*
fruta-de-adão s.f.; pl. *frutas-de-adão*
fruta-de-anambé s.f.; pl. *frutas-de-anambé*
fruta-de-anel s.f.; pl. *frutas-de-anel*
fruta-de-arara s.f.; pl. *frutas-de-arara*
fruta-de-árvore s.f.; pl. *frutas-de-árvore*
fruta-de-babado s.f.; pl. *frutas-de-babado*
fruta-de-burro s.f.; pl. *frutas-de-burro*
fruta-de-cachorro s.f.; pl. *frutas-de-cachorro*
fruta-de-caiapó s.f.; pl. *frutas-de-caiapó*
fruta-de-cascavel s.f.; pl. *frutas-de-cascavel*
fruta-de-codorna s.f.; pl. *frutas-de-codorna*
fruta-de-conde s.f.; pl. *frutas-de-conde*
fruta-de-conde-pequena s.f.; pl. *frutas-de-conde-pequenas*
fruta-de-condessa s.f.; pl. *frutas-de-condessa*
fruta-de-conta s.f.; pl. *frutas-de-conta*
fruta-de-coruja s.f.; pl. *frutas-de-coruja*
fruta-de-cutia s.f.; pl. *frutas-de-cutia*
fruta-de-ema s.f.; pl. *frutas-de-ema*
fruta-de-faraó s.f.: *frutas-de-faraó*
fruta-de-galo s.f.; pl. *frutas-de-galo*
fruta-de-gentio s.f.; pl. *frutas-de-gentio*
fruta-de-grude s.f.; pl. *frutas-de-grude*
fruta-de-guará s.f.; pl. *frutas-de-guará*
fruta-de-guariba s.f.; pl. *frutas-de-guariba*
fruta-de-jacaré s.f.; pl. *frutas-de-jacaré*
fruta-de-jacu s.f.; pl. *frutas-de-jacu*
fruta-de-jacu-fêmea s.f.; pl. *frutas-de-jacu-fêmea*
fruta-de-jacu-macho s.f.; pl. *frutas-de-jacu-macho*
fruta-de-lepra s.f.; pl. *frutas-de-lepra*
fruta-de-lobo s.f.; pl. *frutas-de-lobo*
fruta-de-macaco s.f.; pl. *frutas-de-macaco*
fruta-de-manila s.f.; pl. *frutas-de-manila*
fruta-de-manteiga s.f.; pl. *frutas-de-manteiga*
fruta-de-morcego s.f.; pl. *frutas-de-morcego*
fruta-de-pão s.f.; pl. *frutas-de-pão*
fruta-de-papagaio s.f.; pl. *frutas-de-papagaio*
fruta-de-paraó s.f.; pl. *frutas-de-paraó*
fruta-de-pavão s.f.; pl. *frutas-de-pavão*
fruta-de-perdiz s.f.; pl. *frutas-de-perdiz*
fruta-de-pomba s.f.; pl. *frutas-de-pomba*
fruta-de-pombo s.f.; pl. *frutas-de-pombo*
fruta-de-sabão s.f.; pl. *frutas-de-sabão*
fruta-de-sabiá s.f.; pl. *frutas-de-sabiá*
fruta-de-saíra s.f.; pl. *frutas-de-saíra*
fruta-de-sapucainha s.f.; pl. *frutas-de-sapucainha*
fruta-de-tatu s.f.; pl. *frutas-de-tatu*
fruta-de-tucano s.f.; pl. *frutas-de-tucano*
fruta-de-veado s.f.; pl. *frutas-de-veado*
fruta-de-víbora s.f.; pl. *frutas-de-víbora*
frutado adj.
fruta-doce s.f.; pl. *frutas-doces*
fruta-do-conde s.f.; pl. *frutas-do-conde*
fruta-do-paraíso s.f.; pl. *frutas-do-paraíso*
fruta-dos-paulistas s.f.; pl. *frutas-dos-paulistas*
fruta-estrelada s.f.; pl. *frutas-estreladas*
fruta-gargantilha s.f.; pl. *frutas-gargantilha* e *frutas-gargantilhas*
fruta-gundra s.f.; pl. *frutas-gundra* e *frutas-gundras*
frutal s.m.
frutalense adj. s.2g.
fruta-manga s.f.; pl. *frutas-manga* e *frutas-mangas*
fruta-manila s.f.; pl. *frutas-manila* e *frutas-manilas*
fruta-mata-peixe s.f.; pl. *frutas-mata-peixe*
frutão s.m.
fruta-pão s.f.; pl. *frutas-pão* e *frutas-pães*
fruta-pão-de-macaco s.f.; pl. *frutas-pão-de-macaco* e *frutas-pães-de-macaco*
frutar v.
frutaria s.f.
fruta-santa s.f.; pl. *frutas-santas*
fruta-tirilha s.f.; pl. *frutas-tirilha* e *frutas-tirilhas*
fruta-trilha s.f.; pl. *frutas-trilha* e *frutas-trilhas*
fruteado adj. s.m.
fruteador (ô) adj.
frutear v.
frutedo (ê) s.m.
frutegar v.
fruteira s.f.
fruteira-de-arara s.f.; pl. *fruteiras-de-arara*
fruteira-de-burro s.f.; pl. *fruteiras-de-burro*
fruteira-de-cachorro s.f.; pl. *fruteiras-de-cachorro*
fruteira-de-conde s.f.; pl. *fruteiras-de-conde*
fruteira-de-condessa s.f.; pl. *fruteiras-de-condessa*
fruteira-de-cutia s.f.; pl. *fruteiras-de-cutia*
fruteira-de-faraó s.f.; pl. *fruteiras-de-faraó*
fruteira-de-jacaré s.f.; pl. *fruteiras-de-jacaré*
fruteira-de-jacu s.f.; pl. *fruteiras-de-jacu*
fruteira-de-lobo s.f.; pl. *fruteiras-de-lobo*
fruteira-de-macaco s.f.; pl. *fruteiras-de-macaco*
fruteira-de-paraó s.f.; pl. *fruteiras-de-paraó*
fruteira-de-pavão s.f.; pl. *fruteiras-de-pavão*
fruteira-de-perdiz s.f.; pl. *fruteiras-de-perdiz*
fruteira-de-pomba s.f.; pl. *fruteiras-de-pomba*
fruteira-de-pombo s.f.; pl. *fruteiras-de-pombo*
fruteira-de-tucano s.f.; pl. *fruteiras-de-tucano*
fruteira-do-conde s.f.; pl. *fruteiras-do-conde*
fruteira-pão s.f.; pl. *fruteiras-pão* e *fruteiras-pães*
fruteiro adj. s.m.
frutescência s.f.
frutescente adj.2g.
frutescer v.
frutescido adj.
frutescível adj.2g.
frútice s.m.
frutíceto s.m.
fruticícola adj.2g. s.m.
frutícola adj.2g.
fruticoso (ô) adj.; f. (ó); pl. (ó)
frutículo s.m.
fruticuloso (ô) adj.; f. (ó); pl. (ó)
fruticultivo adj. s.m.
fruticultor (ô) s.m.
fruticultura s.f.
fruticultural adj.2g.
frutidor (ô) s.m.
frutífero adj.
frutificação s.f.
frutificado adj.
frutificador (ô) adj. s.m.
frutificamento s.m.
frutificar v.
frutificativo adj.
frutificável adj.2g.
frutiflora s.f.
frutifloro adj.
frutiforme adj.2g.
frutígero adj.
frutilha s.f.
frutina s.f.
frutíolo s.m.
frutista s.2g.
frutivorismo s.m.
frutívoro adj.
fruto s.m.
fruto-amargoso s.m.; pl. *frutos-amargosos*
fruto-de-burro s.m.; pl. *frutos-de-burro*
fruto-de-cachorro s.m.; pl. *frutos-de-cachorro*
fruto-de-caxinguelê s.m.; pl. *frutos-de-caxinguelê*
fruto-de-clara-de-ovo s.m.; pl. *frutos-de-clara-de-ovo*
fruto-de-cobra s.m.; pl. *frutos-de-cobra*
fruto-de-conta s.m.; pl. *frutos-de-conta*
fruto-de-imbé s.m.; pl. *frutos-de-imbé*
fruto-de-jacu-do-mato s.m.; pl. *frutos-de-jacu-do-mato*
fruto-de-jacu-macho s.m.; pl. *frutos-de-jacu-macho*
fruto-de-macaco s.m.; pl. *frutos-de-macaco*
fruto-de-manteiga s.m.; pl. *frutos-de-manteiga*
fruto-de-morcego s.m.; pl. *frutos-de-morcego*
fruto-de-negro s.m.; pl. *frutos-de-negro*
fruto-de-papagaio s.m.; pl. *frutos-de-papagaio*
fruto-de-perdiz s.m.; pl. *frutos-de-perdiz*
fruto-de-sabiá s.m.; pl. *frutos-de-sabiá*
frutopiranosídeo adj. s.m.
frutosamina s.f.
frutos-de-claras-de-ovo s.m.pl.
frutose s.f.
frutosídeo adj. s.m.
frutosuria s.f.
frutosúria s.f.
frutual adj.2g.
frutuária s.f.
frutuário adj.
frútulo s.m.
frutuosidade s.f.
frutuoso (ô) adj.; f. (ó); pl. (ó)
frutuoso-gomense adj. s.2g.; pl. *frutuoso-gomenses*
fruxu s.m.
fruzuê s.m.
ftaladeidato s.m.
ftalaldeídico adj.
ftalaldeído s.m.
ftalamato s.m.
ftalâmico adj.
ftalamida s.f.
ftalato s.m.
ftalazina s.f.
ftalazona s.f.
ftaleína s.f.
ftálico adj.
ftalicossulfônico adj.
ftalida s.f.
ftalidacetato s.m.
ftalidacético adj.
ftalidamina s.f.
ftalilo s.m.
ftalimida s.f.
ftalimídico adj.
ftalina s.f.
ftalociamínico adj.
ftalocianina s.f.
ftalofenona s.f.
ftaloíla s.f.
ftaloílico adj.
ftalol s.m.
ftalurato s.m.
ftalúrico adj.
ftanita s.f.
ftanite s.f.
ftártico adj.
ftínia s.f.
ftiota adj. s.2g.
ftiótico adj.
ftiráptero adj. s.m.
ftíria s.f.
ftiriase s.f.
ftiríase s.f.
ftiriásico adj.
ftiriático adj.
ftiriídeo adj. s.m.
ftírio s.m.
ftiriófago adj. s.m.
ftiro s.m.
ftirofagia s.f.
ftirófago adj. s.m.
ftirusa s.f.
ftísica s.f.
ftisiuria s.f.
ftisiúria s.f.
ftisiúrico adj.
ftórico adj.
ftório s.m.
ftoroblástis s.m.2n.
fu interj.
fuá adj. s.m.
fuambamba s.f.
fuampa s.f.
fuazado adj.
fuba s.f.
fubá adj.2g. s.m.
fubaca s.f.
fubamba s.m.
fubana s.f.
fubazento adj.
fubeca s.f.
fubecada s.f.
fubecar v.
fubeiragem s.f.
fubento adj.
fubica s.m.f.
fuboca s.f.
fubuia adj.
fuca s.f.
fuça s.f.
fucácea s.f.
fucáceo adj.
fuçado adj.
fuçador (ô) adj. s.m.
fucal adj.2g.
fucale s.f.
fucamena s.f.
fucani adj. s.2g.
fucansengo s.m.
fuçar v.
fúcaro s.m.
fúcea s.f.
fuceira s.f.
fucense adj.2g.
fuchsia s.f.
fuchsiano adj.
fuchsina s.f.
fuchsinado adj.
fuchsínico adj.
fuchsinita s.f.
fuchsinítico adj.
fuchsinófilo adj.
fuchsita s.f.
fuchsite s.f.
fúcia s.f.
fucícola adj.2g.
fuciforme adj.2g.
fucim s.m.
fucina s.f.
fucívoro adj. s.m.
fuco s.m.
fucoide (ó) adj.2g.
fucóidea s.f.
fucóideo adj. s.m.
fucoidina s.f.
fucose s.f.
fucosidose s.f.
fucoxantina s.f.
fúcsia adj.2g.2n. s.f.
fucsiano adj.
fucsina s.f.
fucsinado adj.
fucsínico adj.
fucsinita s.f.
fucsinítico adj.
fucsinófilo adj.
fucsita s.f.
fucsite s.f.
fucussa s.f.
fueguino adj. s.m.
fueirada s.f.
fueireta (ê) s.f.
fueiro s.m.
fuersita s.f.
fueta (ê) s.f.
fúfia s.f. s.2g.
fúfio adj. s.m.
fufu s.m.
fuga s.f.
fugace adj.2g.
fugacidade s.f.
fugacíssimo adj. sup. de *fugaz*
fugado adj.
fugafina s.f.
fugalaça s.f.
fugança s.f.
fuganga s.f.
fugão adj.
fugar v.
fugaz adj.2g.
fugeca s.f.
fugel s.m.

fugemia s.f.
fugente adj.2g. s.m.
fugerite s.f.
fuggerita s.f.
fuggerite s.f.
fugição s.f.
fugida s.f.
fugidela s.f.
fugidiço adj. s.m.
fugidio adj.
fugido adj.
fugidor (*ô*) adj.
fugiente adj.2g.
fugimento s.m.
fuginte adj.2g.
fugir v.
fugitiva s.f.
fugitivário s.m.
fugitivo adj. s.m.
fugueiro s.m.
fúgueo s.m.
fugueta (*ê*) s.f.
fuinha s.f. s.2g.
fuinha-dos-juncos s.f.; pl. *fuinhas-dos-juncos*
fuinhas s.2g.2n.
fuinho s.m.
fujão adj. s.m.; f. *fujona*
fuje s.m.
fujicar v.
fujona adj. s.f. de *fujão*
fukuchilita s.f.
fula adj. s.2g. s.m.f.
fulá adj. s.2g.
fulã s.f. de *fulão*
fulabomba s.f.
fulacunda s.m.
fula-de-gabu s.2g.; pl. *fulas-de-gabu*
fula-forro s.m.; pl. *fula-forros*
fula-fula s.f.; pl. *fula-fulas*
fulagassa s.f.
fulalupa s.2g.
fulame s.m.
fulanejo (*ê*) s.m.
fulaninho s.m.
fulano s.m.
fulano dos anzóis s.m.
fulano dos anzóis carapuça s.m.
fulano dos grudes s.m.
fulão s.m.; f. *fulã*
fula-preto s.m.; pl. *fulas-pretos*
fular adj. s.2g. s.m.
fulastre s.m.
fulbe adj. s.2g. s.m.
fulcito adj.
fulcráceo adj.
fulcrado adj.
fulcral adj.2g.
fulcro s.m.
fulda s.f.
fuldense adj. s.2g.
fuleca s.f.
fulecar v.
fulecha s.f.
fulecra s.f.
fuleiragem s.f.
fuleiro adj. s.m.
fulejo (*ê*) s.m.
fúler s.m.
fulestrias s.f.pl.
fulgência s.f.
fulgentar v.
fulgente adj.2g.
fulgenteador (*ô*) adj.
fulgentear v.
fúlgido adj.; cf. *fulgido*, fl. do v. *fulgir*
fulginate adj. s.2g.
fulginiate adj. s.2g.
fulgir v.
fulgor (*ô*) s.m.
fúlgora s.f.
fulgórida adj.2g. s.m.
fulgorídeo adj. s.m.
fulgoróideo adj. s.m.
fúlgura s.f.
fulguração s.f.
fulgural adj.2g.
fulgurância s.f.
fulgurante adj.2g. s.m.
fulgurar v.
fulguratura s.f.
fulguricrinante adj.2g.
fulgurita s.f.
fulgurite s.f.
fulgurítico adj.
fulgurito s.m.
fúlguro adj. s.m.; cf. *fulguro*, fl. do v. *fulgurar*
fulgurômetro s.m.
fulguroso (*ô*) adj.; f. (*ó*); pl. (*ó*)
fulha s.f.
fulharia s.f.
fulheira s.f.
fulheiro adj. s.m.
fuliano s.m.
fúlica s.f.
fulicária s.f.
fulicário adj.
fuligem s.f.
fuliginosidade s.f.
fuliginoso (*ô*) adj.; f. (*ó*); pl. (*ó*)
fuligo s.f.
fulígula s.m.
fuligulina s.f.
fuligulínea s.f.
fulinha s.f.
fulista s.2g.
fúlix (*cs*) s.f.
fulmar s.m.
fulmariíneo adj. s.m.
fulmega s.f.
fúlmen s.m.
fulmialgodão s.m.
fúlmico adj.
fulmifarelo s.m.
fulmilenho s.m.
fulminação s.f.
fulminado adj.
fulminador (*ô*) adj. s.m.
fulminante adj.2g. s.m.
fulminar v.
fulminativo adj.
fulminato s.m.
fulminatório adj.
fulminável adj.2g.
fulmíneo adj.
fulmínico adj.
fulminífero adj.
fulminívomo adj.
fulminoso (*ô*) adj.; f. (*ó*); pl. (*ó*)
fulmipalha s.f.
fulniô adj. s.2g. s.m.
fulo adj. s.m.
fuloado s.m.
fuloar v.
fulopita s.f.
fulosa s.f.
fuloso (*ô*) adj.; f. (*ó*); pl. (*ó*)
fultógrafo s.m.
fulupo adj. s.m.
fulustreca s.2g.
fulustreco s.m.
fulveno s.m.
fulverino s.m.
fulvescência s.f.
fulvescente adj.2g.
fulviana s.f.
fulvicórneo adj.
fúlvido adj.
fulvípede adj.2g.
fulvipene adj.2g.
fulvirrostro adj.
fulvo adj.
fuma s.f.
fumaça adj.2g. s.f.
fumaçada s.f.
fumaçado adj.
fumaçar v.
fumacê s.m.
fumacear v.
fumaceira s.f.
fumaceiro s.m.
fumacento adj.
fumacista adj. s.2g.
fumada s.f.
fumadeira s.f.
fumado adj. s.m.
fumadoiro s.m.
fumador (*ô*) adj. s.m.
fumadouro s.m.
fumageiro adj.
fumagem s.f.
fumagilina s.f.
fumagina s.f.
fumagínico adj.
fumago s.m.
fumaguento adj.
fumal s.m.
fumante adj. s.2g.
fumão s.m.; f. *fumona*
fumar v.
fumaraça s.f.
fumarada s.f.
fumaralimato s.m.
fumaramida s.f.
fumaranílico adj.
fumarar v.
fumarato s.m.
fumareda (*ê*) s.f.
fumarela s.f.
fumarento adj.
fumaria s.f.
fumária s.f.; cf. *fumaria*, fl. do v. *fumar*
fumariácea s.f.
fumariáceo adj.
fumária-das-paredes s.f.; pl. *fumárias-das-paredes*
fumária-das-sebes s.f.; pl. *fumárias-das-sebes*
fumária-de-flores-pequenas s.f.; pl. *fumárias-de-flores-pequenas*
fumária-dos-campos s.f.; pl. *fumárias-dos-campos*
fumária-maior s.f.; pl. *fumárias-maiores*
fumárico adj.
fumarimida s.f.
fumarina s.f.
fumarióidea s.f.
fumarola s.f.
fumatório adj. s.m.
fumável adj.2g.
fumbalelê s.m.
fumbamba s.m.
fumbantsana s.f.
fumbeca s.f.
fumbeiro s.m.
fumbo s.m.
fumê adj.2g.
fúmea s.f.
fumeante adj.2g.
fumear v.
fumega s.2g.
fumegado adj.
fumegante adj.2g.
fumegar v.
fumego (*ê*) s.m.; cf. *fumego*, fl. do v. *fumegar*
fumeira s.f.
fumeiro s.m.
fumélio s.m.
fúmeo adj.
fumestível s.m.
fumicultor (*ô*) s.m.
fumicultura s.f.
fúmido adj.
fumífero adj. s.m.
fumífico adj. s.m.
fumiflamante adj.2g.
fumífugo adj. s.m.
fumigação s.f.
fumigado adj.
fumigador (*ô*) adj. s.m.
fumigamento s.m.
fumigante adj.2g. s.m.
fumigar v.
fumigatório adj. s.m.
fumígeno adj.
fumigerita s.f.
fumigerite s.f.
fuminho s.m.
fumista adj. s.2g.
fumívomo adj.
fumívoro adj. s.m.
fumo s.m.
fumo-agreste s.m.; pl. *fumos-agrestes*
fumo-brasileiro s.m.; pl. *fumos-brasileiros*
fumo-bravo s.m.; pl. *fumos-bravos*
fumo-bravo-de-minas s.m.; pl. *fumos-bravos-de-minas*
fumo-bravo-de-pernambuco s.m.; pl. *fumos-bravos-de-pernambuco*
fumo-bravo-do-amazonas s.m.; pl. *fumos-bravos-do-amazonas*
fumo-bravo-do-ceará s.m.; pl. *fumos-bravos-do-ceará*
fumo-da-mata s.m.; pl. *fumos-da-mata*
fumo-da-terra s.m.; pl. *fumos-da-terra*
fumo de angola s.m.
fumo-de-corda s.m.; pl. *fumos-de-corda*
fumo-de-folha s.m.; pl. *fumos-de-folha*
fumo-de-jardim s.m.; pl. *fumos-de-jardim*
fumo-de-paisano s.m.; pl. *fumos-de-paisano*
fumo-de-paraíso s.m.; pl. *fumos-de-paraíso*
fumo-de-raposa s.m.; pl. *fumos-de-raposa*
fumo de rolo s.m. "indivíduo de pele negra"
fumo-de-rolo s.m. "molusco"; pl. *fumos-de-rolo*
fumo-do-mato s.m.; pl. *fumos-do-mato*
fumografia s.f.
fumona s.f. de *fumão*
fumo-roxo s.m.; pl. *fumos-roxos*
fumos s.m.pl.
fumosa s.f.
fumo-selvagem s.m.; pl. *fumos-selvagens*
fumosidade s.f.
fumo-silvestre s.m.; pl. *fumos-silvestres*
fumoso (*ô*) adj.; f. (*ó*); pl. (*ó*)
funambular v.
funambulesco (*ê*) adj.
funambulismo s.m.
funambulista adj. s.2g.
funambulístico adj.
funâmbulo s.m.
funante s.m.
funar v.
funária s.f.
funariácea s.f.
funariáceo adj.
funaríea s.f.
funarioide (*ó*) adj.2g. s.f.
funarióideo adj.
funca adj. s.2g.
funçanada s.f.
funçanata s.f.
funçanista adj. s.2g.
função s.f.
funce s.m.
funchaco s.m.
funchal s.m.
funchalense adj. s.2g.
funchão s.m.
funcheno s.m.
funcho s.m.
funcho-anual s.m.; pl. *funchos-anuais*
funcho-bastardo s.m.; pl. *funchos-bastardos*
funcho-d'água s.m.; pl. *funchos-d'água*
funcho-da-china s.m.; pl. *funchos-da-china*
funcho-da-itália s.m.; pl. *funchos-da-itália*
funcho-de-água s.m.; pl. *funchos-de-água*
funcho-de-bolonha s.m.; pl. *funchos-de-bolonha*
funcho-de-florença s.m.; pl. *funchos-de-florença*
funcho-de-porco s.m.; pl. *funchos-de-porco*
funcho-doce s.m.; pl. *funchos-doces*
funcho-do-mar s.m.; pl. *funchos-do-mar*
funcho-dos-alpes s.m.; pl. *funchos-dos-alpes*
funcho-gigante s.m.; pl. *funchos-gigantes*
funcho-hortense s.m.; pl. *funchos-hortenses*
funcho-marinho s.m.; pl. *funchos-marinhos*
funcho-marítimo s.m.; pl. *funchos-marítimos*
funchona s.f.
funcho-selvagem s.m.; pl. *funchos-selvagens*
funcho-silvestre s.m.; pl. *funchos-silvestres*
funcho-torcido s.m.; pl. *funchos-torcidos*
funciologia s.f.
funciológico adj.
funcional adj.2g. s.f.
funcionalidade s.f.
funcionalismo s.m.
funcionalista adj. s.2g.
funcionalístico adj.
funcionalização s.f.
funcionalizado adj.
funcionalizador (*ô*) adj.
funcionalizante adj.2g.
funcionalizar v.
funcionalizável adj.2g.
funcionamento s.m.
funcionar v.
funcionário s.m.
funcionarismo s.m.
funcionarista adj. s.2g.
funcionista s.2g.
funco s.m.
funçonata s.f.
functividade s.f.
functivo adj. s.m.
functor (*ô*) s.m.
funda s.f.
fundação s.f.
fundado adj.
fundador (*ô*) adj. s.m.
fundagem s.f.
fundal adj.2g. s.m.
fundalha s.f.
fundalhar v.
fundalho s.m.
fundamentabilidade s.f.
fundamentação s.f.
fundamentado adj.
fundamentador (*ô*) adj.
fundamental adj.2g.
fundamentalidade s.f.
fundamentalismo s.m.
fundamentalista adj. s.2g.
fundamentalístico adj.
fundamentante adj.2g.
fundamentar v.
fundamentável adj.2g.
fundamento s.m.
fundanense adj. s.2g.
fundanga s.f.
fundano adj. s.m.
fundão s.m.
fundãozense adj. s.2g.
fundar v.
fundável adj.2g.
fundeado adj.
fundeadoiro s.m.
fundeadouro s.m.
fundear v.
fundego (*ê*) s.m.
fundeiro adj. s.m.
fundense adj. s.2g.
fundente adj. s.m.
fundiário adj.
fundíbalo s.m.
fundibilidade s.f.
fundibulário adj. s.m.
fundíbulo s.m.
fundição s.f.
fúndico adj.

fundido adj.
fundidor (*ô*) s.m.
fundidora (*ô*) s.f.
fundilhar v.
fundilho s.m.
fundilhos s.m.pl.
fundimento s.m.
fundinho s.m.
fundir v.
fundismo s.m.
fundista adj. s.2g.
fundístico adj.
fundível adj.2g.
fundo adj. s.m.
fundocompositora (*ô*) s.f.
fundo de lâmpada s.m.
fundo de lima s.m.
fundo de saco s.m.
fundonense adj. s.2g.
fundoplicatura s.f.
fundos s.m.pl.
fundoscopia s.f.
fundoscópico adj.
fundoscópio s.m.
fundujo s.m.
fundula s.f.
fundulíctis s.m.2n.
fúndulo s.m.
fundura s.f.
funé s.f.
fúnebre adj.2g.
funeca adj. s.2g.
funel s.m.
funelho s.m.
fúnera s.f.
funeral adj.2g. s.m.
funerária s.f.
funerário adj.
funéreo adj.
funestação s.f.
funestador (*ô*) adj. s.m.
funestar v.
funesto adj.
funéu s.m.
funfane s.f.
funfar v.
funfiar v.
funfo s.m.
funfungagá s.m.
funga s.f.
fungação s.f.
fungada s.f.
fungadeira s.f.
fungadela s.f.
fungadinho s.m.
fungado adj.
fungadoiro s.m.
fungador (*ô*) s.m.
fungador-onça s.m.; pl. *fungadores-onça*
fungadouro s.m.
fungagá s.m.f.
fungalha s.f.
fungalhada s.f.
fungalheira s.f.
fungalho s.m.
fungamento s.m.
fungangá s.m.
fungante adj.2g. s.f.
fungão adj. s.m.; f. *fungona*
fungar v.
fungatumbo s.m.
funge s.m.
fúngia s.m.
fungibilidade s.f.
fungicida adj.2g.
fungicídio s.m.
fúngico adj.
fungícola adj.2g.
fúngida adj.2g. s.m.
fungídeo adj. s.m.
fungiforme adj.2g.
fungina s.f.
fungíneo adj. s.m.
fungistático adj.
fungita s.f.
fungite s.f.
fungitóxico (*cs*) adj. s.m.
fungitoxidade (*cs*) s.f.
fungível adj.2g.
fungívoro adj.
fungo s.m.
fungoide (*ó*) adj.2g.
fungologista s.2g.
fungona adj. s.f. de *fungão*
fungosidade s.f.
fungoso (*ô*) adj.; f. (*ó*); pl. (*ó*)
fungu s.m.
fúngulo s.m.
funho s.m.
funiculado adj.
funicular adj.2g. s.m.
funiculária s.f.
funiculário s.m.
funicúlida adj.2g. s.m.
funiculídeo adj. s.m.
funiculina s.f.
funiculite s.f.
funículo s.m.
funiculônio s.m.
funiculopatia s.f.
funífera s.f.
funífero adj.
funiforme adj.2g.
funil s.m.
funilandense adj. s.2g.
funilaria s.f.
funileiro s.m.
funilense adj. s.2g.
funje s.m.
fûnji s.m.
fúnkia s.f.
funkita s.f.
funkite s.f.
fúnquia s.f.
funquita s.f.
funquite s.f.
funtividade s.f.
funtivo adj. s.m.
funtor (*ô*) s.m.
funtúmia s.f.
fuque s.f.
fuquieriácea s.f.
fuquieriáceo adj.
fura s.f. "furo"; cf. *furá*
furá s.m. "bebida"; cf. *fura*
fura-banana s.m.; pl. *fura-bananas*
furabardo s.m.
fura-barreira s.m.; pl. *fura-barreiras*
fura-barriga s.m.; pl. *fura-barrigas*
fura-bolo s.2g.; pl. *fura-bolos*
fura-bolos s.m.2n.
fura-bolsas s.m.2n.
fura-bugalhos s.m.2n.
fura-buxo s.m.; pl. *fura-buxos*
fura-camisa s.m.; pl. *fura-camisas*
fura-camisas s.m.2n.
furacão s.m.
furação s.f.
fura-capa s.f.; pl. *fura-capas*
furacar v.
furacidade s.f.
furada s.f.
furadeira s.f.
furado adj. s.m.
furadoiro s.m.
furador (*ô*) adj. s.m.
furadouro s.m.
fura-figos s.m.2n.
fura-flor s.m.; pl. *fura-flores*
fura-fogueiras s.2g.2n.
fura-gelo s.m.; pl. *fura-gelos*
furagem s.f.
fura-greve s.2g.; pl. *fura-greves*
fura-joelhos s.m.2n.
fural s.m.
fura-laranja s.m.; pl. *fura-laranjas*
fura-mato s.m.; pl. *fura-matos*
fura-mato-grande s.m.; pl. *fura-matos-grandes*
fura-mato-pequeno s.m.; pl. *fura-matos-pequenos*
fura-moitas s.2g.2n.
fura-moiteiras s.2g.2n.
fura-mouteiras s.2g.2n.
fura-muro s.m.; pl. *fura-muros*
fura-neve s.f.; pl. *fura-neves*
furânico adj.
furano s.m.
furanose s.f.
furanótico adj.
furão adj. s.m.; f. *furoa*
furão-bravo s.m.; pl. *furões-bravos*
fura-olho s.m.; pl. *fura-olhos*
fura-parede s.m.; pl. *fura-paredes*
fura-paredes s.2g.2n.
fura-pastos s.m.2n.
fura-paus s.m.2n.
furaqueiro s.m.
furar v.
fura-terra s.2g.; pl. *fura-terras*
furável adj.2g.
fura-vidas s.2g.2n.
furazina s.f.
furazol s.m.
furazolidona s.f.
furbesco (*ê*) adj. s.m.
furca s.f.
furcado adj.
furcate s.m.
furcelária s.f.
fúrcico s.m.
furcífero adj.
furco s.m.
furcocercária s.f.
furcreia (*é*) s.f.
furcroia (*ó*) s.f.
fúrcula s.f.
furculária s.f.
furda s.f.
furdâncio s.m.
furdanço s.m.
furdão s.m.
furdunçar v.
furdunceiro adj. s.m.
furdúncio s.m.
furdunço s.m.
furegas s.2g.2n.
furente adj.2g.
furfonense adj. s.2g.
furfunhar v.
furfunhento adj.
furfuração s.f.
furfuráceo adj.
furfuracrilato s.m.
furfuracrílico adj.
furfural adj.2g. s.m.
furfuralmalomato s.m.
furfuralmalônico adj.
furfuramida s.f.
furfuramido s.m.
furfurano s.m.
furfurário adj.
furfúreo adj.
furfurila s.f.
furfurilato s.m.
furfurílico adj.
furfurina s.f.
furfurita s.f.
furfurítico adj.
furfurol s.m.
furfurólico adj.
furfuropropionato s.m.
furfuropropiônico adj.
furgalha s.f.
furgalho s.m.
furgão s.m.
fúria s.f.
furial adj.2g.
furiana s.f.
furiano adj. s.m.
fúrias s.f.pl.
furibundo adj.
furico s.m.
furierismo s.m.
furierista adj. s.2g.
furifolha (*ô*) s.f.
furifunar v.
furil s.m.
furilato s.m.
furílico adj.
furilo s.m.
furinais s.f.pl.
furinal adj.2g.
furiosa s.f.
furiosidade s.f.
furioso (*ô*) adj.; f. (*ó*); pl. (*ó*)
furipterídeo adj. s.m.
furjoco (*ô*) s.m.
furlana s.f.
furna s.f.
furnária s.f.
furnarídeo adj. s.m.
furnariídea s.f.
furnariídeo adj. s.m.
furnariínea s.f.
furnário s.m.
furnatrônio s.m.
furnense adj. s.2g.
furo s.m.
furoa (*ô*) s.f. de *furão*
furoar v.
furobactéria s.f.
furodiazina s.f.
furodiazol s.m.
furoeira s.f.
furoeiro s.m.
furoína s.f.
furonato s.m.
furônico adj.
furono adj.
furor (*ô*) s.m.
furos s.m.pl.
furossemida s.f.
furrasco s.m.
furreca adj.2g.
furrete (*ê*) s.m.
furriar v.
furrica s.f.
furricada s.f.
furriel s.m.
furriel-mor s.m.; pl. *furriéis-mores*
furriel-rosa s.m.; pl. *furriéis-rosa*
furriel-vermelho s.m.; pl. *furriéis-vermelhos*
furrinal adj.2g.
furrundu s.m.
furrundum s.m.
furta s.f.
furta-camisas s.m.2n.
furta-capa s.m.; pl. *furta-capas*
furta-cor adj. s.m.; pl. *furta-cores*
furta-cores adj.2g. s.2g.2n.
furtada s.f.
furtadela s.f.
furtadista adj. s.2g.
furtado adj.
furtador (*ô*) s.m.
furta-fogo s.m.; pl. *furta-fogos*
furta-moça adj.2g.; pl. *furta-moças*
furta-montinho s.m.; pl. *furta-montinhos*
furtança s.f.
furta-passo s.m.; pl. *furta-passos*
furta-pau s.m.; pl. *furta-paus*
furtar v.
furticar v.
furtivo adj.
furto s.m.
furu-furu s.m.; pl. *furu-furus*
furuncho s.m.
furuncular adj.2g.
furúnculo s.m.
furunculose s.f.
furunculoso (*ô*) adj.; f. (*ó*); pl. (*ó*)
furunculótomo s.m.
furunfar v.
furungar v.
fusa s.f.
fusada s.f.
fusaiola s.f.
fusano s.m.
fusão s.f.
fusar v.
fusarela s.f.
fusária s.f.
fusário s.m.
fusariose s.f.
fúsaro s.m.
fusca s.m.f.
fuscalvo adj.
fuscão s.m.
fuscar v.
fuscícolo adj.2g.
fuscicórneo adj.
fuscímano adj.
fuscina s.f.
fuscipene adj.2g.
fuscipêneo adj.
fuscirrostro adj.
fuscita s.f.
fuscite s.f.
fuscito s.m.
fusco adj. s.m.
fusco-fusco s.m.; pl. *fusco-fuscos*
fuscoito adj.
fuseira s.f.
fuseiro s.m.
fúsel adj.2g. s.m.
fusela s.f.
fuselado adj.
fuselagem s.f.
fuselar adj.2g.
fuselo s.m.
fusênico s.m.
fuseonáutica s.f.
fuseonáutico adj.
fúsetron s.m.
fusetrônio s.m.
fusgar v.
fusiado adj.
fusibilidade s.f.
fusicelular adj.2g.
fusicládio s.m.
fusicórneo adj. s.m.
fusiforme adj.2g.
fúsil adj.2g. "fundível"; cf. *fuzil*
fusileira s.f.
fusileiro adj. "relativo a fundição"; cf. *fuzileiro*
fusilo s.m.
fusiloa (*ô*) s.f.
fusíola s.f.
fusiômetro s.m.
fusionado adj.
fusionador (*ô*) adj.
fusionamento s.m.
fusionante adj.2g.
fusionar v.
fusionário adj.
fusionarismo s.m.
fusionarista adj. s.2g.
fusionarístico adj.
fusionismo s.m.
fusionista adj. s.2g.
fusípede adj.2g.
fusispiralar adj.2g.
fusita s.f.
fusítico adj.
fusito s.m.
fusível adj.2g. s.m.
fusmila s.f.
fuso s.m. "instrumento"; cf. *fuzo*
fusocelular adj.2g.
fusoespiralar adj.2g.
fusoide (*ó*) adj.2g.
fusologia s.f.
fusológico adj.
fusologista adj. s.2g.
fusólogo adj. s.m.
fusório adj.
fusquete (*ê*) s.m.
fusquidão s.m.
fusquinha s.m.
fusta s.f.
fustadio s.m.
fustalha s.f.
fustanela s.f.
fustão s.m.
fustarrão s.m.
fuste s.m. s.2g.
fusteína s.f.
fusteiro s.m.
fustel s.f.
fustelete (*ê*) s.m.
fustete (*ê*) s.m.
fustiária s.f.
fustiga s.f.
fustigação s.f.

fustigaço s.m.
fustigada s.f.
fustigadela s.f.
fustigado adj.
fustigador (*ô*) adj. s.m.
fustigamento s.m.
fustigante adj.2g.
fustigar v.
fustigável adj.2g.
fustigo s.m.
fustina s.f.
fusto s.m.
fusulina s.f.
fusulináceo adj. s.m.
fusulínico adj.
fusulínida adj.2g. s.m.
fusulinídeo adj. s.m.
futa-fula adj. s.2g.; pl. *futa-fulas*
futamono s.m.
fute s.m.
futebol s.m.
futebolismo s.m.
futebolista adj. s.2g.
futebolístico adj.
futeco s.m.
futevôlei s.m.
futevolista adj. s.2g.
futicar v.
fútil adj.2g.
futila s.f.
futileza (*ê*) s.f.
futilidade s.f.
futilitário adj. s.m.
futilitarismo s.m.
futilização s.f.
futilizado adj.
futilizador (*ô*) adj.
futilizante adj.2g.
futilizar v.
futre adj. s.m.
futretar v.
futrica s.f. s.2g.
futricada s.f.
futricado adj.
futricador (*ô*) adj. s.m.
futricagem s.f.
futricante adj. s.2g.
futricar v.
futricaria s.f.
futricável adj.2g.
futrico s.m.
futriqueiro s.m.
futriquice s.f.
futriquinha s.f.
futriquismo s.m.
futsal s.m.
futucação s.f.
futucado adj.
futucador (*ô*) adj. s.m.
futucamento s.m.
futucante adj. s.2g.
futucar v.
futum s.m.
futura s.f.
futurabilidade s.f.
futuração s.f.
futurado adj.
futurador (*ô*) adj.
futurante adj.2g.
futurar v.
futurável adj.2g.
futuribilidade s.f.
futurição s.f.
futuridade s.f.
futurismo s.m.
futurista adj. s.2g.
futurístico adj.
futurível adj.2g. s.m.
futurização s.f.
futurizado adj.
futurizador (*ô*) adj.
futurizante adj.2g.
futurizar v.
futurizável adj.2g.
futuro adj. s.m.
futurologia s.f.
futurológico adj.
futurologista adj. s.2g.
futurologístico adj.
futurólogo adj. s.m.
futuroso (*ô*) adj.; f. (*ó*); pl. (*ó*)
fuxicação s.f.
fuxicada s.f.
fuxicado adj.
fuxicador (*ô*) adj. s.m.
fuxicar v.
fuxicaria s.f.
fuxico s.m.
fuxiqueiro adj. s.m.
fuxiquento adj. s.m.
fuzarca s.f.
fuzarquear v.
fuzarqueiro adj. s.m.
fuzil s.m. "arma"; cf. *fúsil*
fuzilação s.f.
fuzilada s.f.
fuzilado adj.
fuziladoiro s.m.
fuzilador (*ô*) adj. s.m.
fuziladouro s.m.
fuzilamento s.m.
fuzilante adj.2g.
fuzilão s.m.
fuzilar v.
fuzilaria s.f.
fuzilável adj.2g.
fuzileiro s.m. "soldado com fuzil"; cf. *fusileiro*
fuzilense adj. s.2g.
fuzilhão s.m.
fuzil-metralhadora s.m.; pl. *fuzis-metralhadoras*
fuzil-mosquetão s.m.; pl. *fuzis-mosquetões*
fuzis s.m.pl.
fuzo s.m. "baile"; cf. *fuso*
fuzuê s.m.
fynchenita s.f.

Gg

g (*gê* ou *guê*) s.m.
gá s.m. "letra do sânscrito"; cf. *gã*
gã s.m. "agogô"; cf. *gá*
gaaíra s.f.
gabação s.f.
gabachão s.m.
gabachista adj. s.2g.
gabacho adj. s.m.
gabaço s.m.
gabada s.f.
gabadela s.f.
gabadinha s.f.
gabadinho adj.
gabado adj.
gabador (*ô*) adj. s.m.
gabagola s.f.
gabaia s.f.
gábale adj. s.2g.
gabálico adj.
gabalitano adj. s.m.
gábalo adj. s.m.
gabamento s.m.
gabanaíta adj. s.2g.
gabança s.f.
gabanço s.m.
gabanela adj. s.2g.
gabanista adj. s.2g.
gabão s.m.; f. *gabona*
gabaonita adj. s.2g.
gabaonítico adj.
gabar v.
gabara s.f.
gabardina s.f.
gabardine s.f.
gabardo s.m.
gabari s.m.
gabaritado adj.
gabaritagem s.f.
gabaritar v.
gabarito s.m.
gabarola adj. s.2g.
gabarolão s.m.; f. *gabarolona*
gabarolar v.
gabarolas adj. s.2g.2n.
gabarolice s.f.
gabarolona s.f. de *gabarolão*
gabarote s.m.
gabarra s.f.
gabarreiro s.m.
gabarrice s.f.
gabarrista adj. s.2g.
gabarro s.m.
gabaru s.m.
gábata s.f.
gabatório s.m.
gabazola adj. s.2g.
gabe s.m.
gabedo (*ê*) s.m.
gabela s.f.
gabelo (*ê*) s.m.
gabeno adj. s.m.
gaberi s.m.
gabesina s.f.
gabete s.m.
gabéu s.m.
gábia s.f.
gabiagem s.f.
gabiano s.m.
gabião s.m.
gabiar v.
gabiarrense adj. s.2g.
gabiense adj. s.2g.
gabilami s.m.
gabinarda s.f.
gabinardo s.m.
gabinete (*ê*) s.m.
gabino adj. s.m.
gábio s.m.
gabionada s.f.
gabionado adj.
gabionador (*ô*) adj. s.m.
gabionar v.
gabionita adj. s.2g.
gabiraba s.f.
gabiroba s.f.
gabirobeira s.f.
gabirobense adj. s.2g.
gabirova s.f.
gabiroveira s.f.
gabiru adj. s.m.
gabiruvu s.m.
gábito s.m.
gablete s.m.
gabo s.m.
gaboeira s.f.
gabola adj. s.2g.
gabolas adj. s.2g.2n.
gaboleia s.f.
gabolice s.f.
gabona s.f. de *gabão*
gabonense adj. s.2g.
gabonês s.m.
gabonito s.m.
gabordo (*ô*) s.m.
gabote s.m.
gabriela s.f.
gabrielense adj. s.2g.
gabrielita adj. s.2g.
gabrielsonita s.f.
gabrito s.m.
gabro adj. s.m.
gabroico (*ó*) adj.
gabroide (*ó*) adj. s.2g.
gabronita s.f.
gabronite s.f.
gábula s.f.
gábulo s.m.
gabuta s.f.
gaçaba s.f.
gaçapo s.m.
gacha s.f.
gacheira s.f.
gacheiro adj.
gacho adj. s.m.
gachumbo s.m.
gaci s.m.
gadacha s.f.
gadachim s.m.
gadacho s.m.
gadaeiro adj.
gadagem s.f.
gadame s.m.
gadamexil s.m.
gadamo s.m.
gadanha s.f.
gadanhada s.f.
gadanhar v.
gadanheira s.f.
gadanheiro s.m.
gadanho s.m.
gadão s.m.
gadar adj.2g.
gadara s.f.
gadareno adj. s.m.
gadaria s.f.
gadaru s.m.
gadavanho s.m.
gade s.f. "ritual cigano"; cf. *gadé*
gadé s.m. "dinheiro"; cf. *gade*
gadeira s.f.
gadeiro adj. s.m.
gadelha (*ê*) s.f.
gadelhado adj.
gadelheira s.f.
gadelho (*ê*) s.m.
gadelhudo adj.
gadelupa s.f.
gademar s.m.
gadense adj. s.2g.
gadeza (*ê*) s.f.
gadi s.m.
gadibe s.m.
gadiçar v.
gadiço adj. s.m.
gadículo s.m.
gádida adj.2g. s.m.
gadídeo adj. s.m.
gádido adj. s.m.
gadiforme adj.2g. s.m.
gadila s.f.
gadina s.f.
gadinato s.m.
gadíneo adj. s.m.
gadínia s.f.
gadínico adj.
gadinina s.f.
gadita adj. s.2g.
gaditano adj. s.m.
gado s.m.
gadoide (*ó*) s.m.
gadoleato s.m.
gadoleico (*é*) adj.
gadolinato s.m.
gadolínico adj.
gadolínio s.m.
gadolinita s.f.
gadolinite s.f.
gadolinítico adj.
gaduína s.f.
gadulagem s.f.
gadunha s.f.
gadunhar v.
gadunho s.m.
gael s.m.
gaélico adj. s.m.
gaeta (*ê*) s.f.
gafa s.f.
gafado adj.
gafador (*ô*) s.m.
gafana s.f.
gafanhão adj. s.m.
gafanheiro adj. s.m.
gafanhotada s.f.
gafanhotão s.m.
gafanhoto (*ô*) s.m.
gafanhoto-argentino s.m.; pl. *gafanhotos-argentinos*
gafanhoto-bandeira s.m.; pl. *gafanhotos-bandeira* e *gafanhotos-bandeiras*
gafanhoto-barrigudo s.m.; pl. *gafanhotos-barrigudos*
gafanhoto-cobra s.m.; pl. *gafanhotos-cobra* e *gafanhotos--cobras*
gafanhoto-crioulo s.m.; pl. *gafanhotos-crioulos*
gafanhoto-d'água s.m.; pl. *gafanhotos-d'água*
gafanhoto-de-arribação s.m.; pl. *gafanhotos-de--arribação*
gafanhoto-de-coqueiro s.m.; pl. *gafanhotos-de-coqueiro*
gafanhoto-de-jurema s.m.; pl. *gafanhotos-de-jurema*
gafanhoto-de-marmeleiro s.m.; pl. *gafanhotos-de--marmeleiro*
gafanhoto-de-praga s.m.; pl. *gafanhotos-de-praga*
gafanhoto-do-campo s.m.; pl. *gafanhotos-do-campo*
gafanhoto-gigante s.m.; pl. *gafanhotos-gigantes*
gafanhoto-invasor s.m.; pl. *gafanhotos-invasores*
gafanhoto-menor s.m.; pl. *gafanhotos-menores*
gafanhoto-migratório s.m.; pl. *gafanhotos-migratórios*
gafanhoto-peregrino s.m.; pl. *gafanhotos-peregrinos*
gafanhoto-pontudo s.m.; pl. *gafanhotos-pontudos*
gafanhoto-soldado s.m.; pl. *gafanhotos-soldado* e *gafanhotos-soldados*
gafanhoto-sul-americano s.m.; pl. *gafanhotos-sul--americanos*
gafanhoto-verde s.m.; pl. *gafanhotos-verdes*
gafar v. s.m.
gafaria s.f.
gafe s.f.
gafeira s.f.
gafeiração s.f.
gafeirar v.
gafeirento adj.
gafeirosa s.f.
gafeiroso (*ô*) adj.; f. (*ó*); pl. (*ó*)
gafejar v.
gafém s.f.
gafenho adj.
gafento adj.
gafetope s.m.
gafice s.f.
gafidade s.f.
gafieira s.f.
gáfio s.m.
gafo adj. s.m.
gafonha s.m.
gaforina s.f.
gaforinha s.f.
gagá adj. s.2g.
gagaísta s.m.
gagaíto s.m.
gagalhosa s.f.
gaganho adj. s.m.
gagão s.m.
gagarinita s.f.
gagata s.f.
gagau s.m.
gagaúba s.f.
gage s.m.f.
gageia (*é*) s.f.
gageíta s.f.
gagino s.m.
gago adj. s.m.
gagosa s.f.
gague s.f.
gaguear v.
gagueio s.m.
gagueira s.f.
gaguejado adj.
gaguejador (*ô*) adj. s.m.
gaguejamento s.m.
gaguejante adj.2g.
gaguejar v.
gaguejo (*ê*) s.m.
gaguez (*ê*) s.f.
gaguice s.f.
gaguismo s.m.
gahnita s.f.
gahnite s.f.
gahnítico adj.
gahnoespinélio s.f.
gaia s.f.
gaiabalense adj. s.2g.
gaiabeia (*é*) s.f. de *gaiabéu*
gaiabéu s.m.; f. *gaiabeia* (*é*)
gaiacena s.f.
gaiaceno s.m.
gaiacetina s.f.
gaiácico adj.
gaiacina s.f.
gaiacínico adj.
gáiaco s.m.
gaiacol s.m.
gaiado adj. s.m.
gaial s.m.
gaianita adj. s.2g.
gaiano adj.
gaiar v.
gaias s.f.pl.
gaiatada s.f.
gaiatar v.
gaiatete (*ê*) s.m.
gaiatice s.f.
gaiato adj. s.m.
gaiatri s.m.
gaibeia (*é*) s.f. de *gaibéu*
gaibéu s.m.; f. *gaibeia* (*é*)
gaibim s.m.
gaibipocaiva s.f.
gaichete (*ê*) s.m.
gaidato s.m.
gaídico adj.
gaiense adj. s.2g.
gaifana s.f.
gaifona s.f.
gaifonar v.
gaifoneiro adj. s.m.
gaifonice s.f.
gaigamandão s.m.
gailada s.f.
gailárdia s.f.
gaillárdia s.f.
gailussácia s.f.
gailussita s.f.
gaimanço s.m.
gaimão s.m.
gaimárdia s.f.
gaimenho adj. s.m.
gaimilo s.m.
gaimira s.f.
gaimoar v.
gainambé s.m.

gainambi s.m.
gainato s.m.
gaínico adj.
gaio adj. s.m.
gaiola s.m.f.
gaioleiro s.m.
gaiolim s.m.
gaiolo (*ô*) adj. s.m.
gaiorro (*ô*) s.m.
gaiosa s.f.
gaioto (*ô*) s.m.
gaipa s.f.
gaipaba s.f.
gaipapa s.f.
gaipapo s.m.
gaipara s.f.
gaipava s.f.
gaipeiro adj. s.m.
gaipelo (*ê*) s.m.
gaipilha s.m.
gaipo s.m.
gairo s.m.
gaita s.f.
gaitada s.f.
gaita de beiços s.f.
gaita de boca s.f.
gaita de capador s.f.
gaita de fole s.f.
gaita de foles s.f.
gaitado adj.
gaitar v.
gaitear v.
gaiteira s.f.
gaiteirada s.f.
gaiteirice s.m.
gaiteiro adj. s.m.
gaitejo (*ê*) s.m.
gaitinho s.m.
gaitona s.f.
gaiubim s.m.
gaiulo (*ú*) s.m.
gaiuta (*ú*) s.f.
gaiva s.f.
gaivação s.f.
gaivagem s.f.
gaivão s.m.
gaivar v.
gáivea s.f.
gaivel s.m.
gaivéu s.m.
gaivina s.f.
gaivinha s.f.
gaivota s.f.
gaivota-de-bico-de-cana s.f.; pl. *gaivotas-de-bico-de-cana*
gaivota-maria-velha s.f.; pl. *gaivotas-marias-velhas*
gaivotão s.m.
gaivota-preta s.f.; pl. *gaivotas-pretas*
gaivota-rapineira s.f.; pl. *gaivotas-rapineiras*
gaivota-tridáctila s.f.; pl. *gaivotas-tridáctilas*
gaivoteação s.f.
gaivotear v.
gaivotense adj. s.2g.
gaivotinha s.f.
gaivoto (*ô*) s.m.
gaiza s.f.
gaja s.f.
gajada s.f.
gajaderopa s.f.
gajandumbo s.m.
gajão s.m.
gajar v.
gájaras s.f.pl.
gajas s.f.pl.
gajata s.f.
gajato s.m.
gajavato s.m.
gajé s.m.
gajeira s.f.
gajeiro adj. s.m.
gajeru s.m.
gajeta (*ê*) s.f.
gáji s.m.
gajice s.f.
gajiru s.m.
gajo s.m.
gajola s.2g.
gajuru s.m.
gala adj. s.2g. s.f. "pompa"; cf. *galã*
galã s.m. "homem belo"; cf. *gala*
galaadita adj. s.2g.
galacanta s.f.
galação s.f.
galacé s.f.
galácea s.f.
galacetofenona s.f.
gálaco s.m.
galacrista s.f.
galactagogo (*ô*) adj. s.m.
galactana s.f.
galactanase s.f.
galactânase s.f.
galactárico adj. s.m.
galactase s.f.
galáctase s.f.
galactato s.m.
galáctea s.f.
galactemia s.f.
galactêmico adj.
galáctia s.f.
galáctico adj.
galacticocentricidade s.f.
galacticocêntrico adj.
galacticocentrismo s.m.
galacticocentrista adj. s.2g.
galacticocentrístico adj.
galactidrose s.f.
galactífero adj.
galactina s.f.
galactisquia s.f.
galactita s.f.
galactite s.f.
galactitol s.m.
galactitólico adj.
galactoblástico adj.
galactoblasto s.m.
galactocele s.f.
galactocentricidade s.f.
galactocêntrico adj.
galactocentrismo s.m.
galactocentrista adj. s.2g.
galactocentrístico adj.
galactocerebrosídio s.m.
galactócito s.m.
galactocloral s.m.
galactocrasia s.f.
galactocritia s.f.
galactodendro s.m.
galactodensimétrico adj.
galactodensímetro s.m.
galactofagia s.f.
galactofágico adj.
galactófago adj. s.m.
galactofenona s.f.
galactoforite s.f.
galactóforo adj. s.m.
galactoforomastite s.f.
galactófugo adj.
galactogênio adj. s.m.
galactógeno adj. s.m.
galactografia s.f.
galactográfico adj.
galactoide (*ó*) adj.2g.
galactolipídeo adj. s.m.
galactolipídico adj.
galactolipídio s.m.
galactolípido s.m.
galactolipina s.f.
galactologia s.f.
galactológico adj.
galactologista s.2g.
galactólogo s.m.
galactometria s.f.
galactométrico adj.
galactômetro s.m.
galactonato s.m.
galactônico adj.
galactopexia (*cs*) s.f.
galactopira s.f.
galactopiria s.f.
galactoplania s.f.
galactopoese s.f.
galactopoético adj.
galactoposia s.f.
galactópota adj. s.2g.
galactópoto adj. s.m.
galactoproteinoterapia s.f.
galactoquinase s.f.
galactorreia (*é*) s.f.
galactorreico (*é*) adj.
galactosamina s.f.
galactosaminase s.f.
galactosamínase s.f.
galactoscopia s.f.
galactoscópico adj.
galactoscópio s.m.
galactose s.f.
galactosemia s.f.
galactosidase s.f.
galactosídase s.f.
galactósido s.m.
galactosuria s.f.
galactosúria s.f.
galactoterapia s.f.
galactoterápico adj.
galactotise s.f.
galactótise s.f.
galactotísica s.f.
galactotóxico (*cs*) adj.
galactotripe s.m.
galactozímase s.f.
galactozimo s.m.
galacturia s.f.
galactúria s.f.
galacturonato s.m.
galacturônico adj.
galadela s.f.
galado adj.
galadura s.f.
galafura adj.2g.
galagala s.f.
gálago s.m.
galaico adj.
galaico-castelhano adj. s.m.; pl. *galaico-castelhanos*
galaico-duriense adj. s.2g.; pl. *galaico-durienses*
galaico-lusitano adj. s.m.; pl. *galaico-lusitanos*
galaico-português adj. s.m.; pl. *galaico-portugueses*
galaio s.m.
galalão s.m.
galalau s.m.
galalite s.f.
galalítico adj.
galalito s.m.
gaálito s.m.
galamatias s.m.2n.
galâmico adj.
galamina s.f.
galamínico adj.
galampear v.
galana s.f.
galanar v.
galancim s.m.
galandi s.m.
galanducha s.f.
galane adj.2g.
galanear v.
galanga s.f.
galanga-da-china s.f.; pl. *galangas-da-china*
galanga-grande s.f.; pl. *galangas-grandes*
galanga-pequena s.f.; pl. *galangas-pequenas*
galanga-verdadeira s.f.; pl. *galangas-verdadeiras*
galangina s.f.
galangó s.m.
galangômbia s.f.
galangue adj.2g. s.m.
galangundo s.m.
galania s.f.
galanice s.f.
galanilido s.m.
galanol s.m.
galantaria s.f.
galante adj. s.2g.
galanteado adj.
galanteador (*ô*) adj. s.m.
galantear v.
galanteio s.m.
galantense adj. s.2g.
galanteria s.f.
galanteza (*ê*) s.f.
galantim adj. s.m.
galantina s.f.
galantine s.f.
galantino adj. s.m.
galantizar v.
galanto s.m.
galão s.m.
galápago s.m.
galápio s.m.
galapito s.m.
galapo s.m.
galar v.
galardão s.m.
galardiar v.
galardoado adj.
galardoador (*ô*) adj. s.m.
galardoamento s.m.
galardoar v.
galaria s.f.
galarim s.m.
galaripo s.m.
galarispo s.m.
galarito adj. s.m.
galaropo (*ô*) s.m.
galarote s.m.
galarouço s.m.
galaroz s.m.
galarucho s.m.
gálata adj. s.2g. s.m.
galateia (*é*) s.f.
galateida adj.2g. s.m.
galateídeo adj. s.m.
galateíneo adj. s.m.
galateoide (*ó*) adj.2g. s.m.
galático adj.
galato s.m.
galatode s.m.
galaula adj. s.2g.
gálax (*cs*) s.f.2n.
galaxaura (*cs*) s.f.
galáxea (*cs*) s.f.
galaxia (*cs*) s.f. "peixe"; cf. *galáxia*
galáxia (*cs*) s.f. "via láctea"; cf. *galaxia*
galaxíida (*cs*) adj.2g. s.m.
galaxiídeo (*cs*) adj. s.m.
galaxiíneo (*cs*) adj. s.m.
galaxita (*cs*) s.f.
galaxítico (*cs*) adj.
galazia s.f.
galazima s.f.
galazime s.f.
galazina s.f.
galba s.f.
galbado adj.
galbaneiro s.m.
galbâneo adj.
galbanífero adj.
gálbano s.m.
gálbino s.m.
galbo adj. s.m.
gálbula s.f.
galbúlida adj.2g. s.m.
galbulídea s.f.
galbulídeo adj. s.m.
galbulimima s.f.
gálbulo s.m.
galcônia s.f.
galderagem s.f.
galdéria s.f.
galderiar v.
galderice s.f.
galdério adj. s.m.; cf. *galderio*, fl. do v. *galderiar*
galdido adj.
galdinas s.f.pl.
galdinense adj. s.2g.
galdir v.
galdos s.m.pl.
galdrana s.f.
galdrapa s.f.
galdrapinha s.2g.
galdrapo s.m.
galdras s.f.pl.
galdrinas s.f.pl.
galdripanas s.2g.2n.
galdripeiro adj. s.m.
galdripo s.m.
galdrocha s.f.
galdropar v.
galdrope s.m.
galé s.m.f.
gálea s.f.
galeaça s.f.
galeado adj.
galeanconismo s.m.
galeandra s.f.
galeanense adj. s.2g.
galeantropia s.f.
galeantrópico adj.
galeão s.m. "navio"; cf. *galião*
galear v.
galeário s.m.
galeato adj.
galeca adj. s.2g.
galeciano adj. s.m.
galécio-castelhano adj. s.m.; pl. *galécio-castelhanos*
galécio-duriense adj. s.2g.; pl. *galécio-durienses*
galécio-português adj. s.m.; pl. *galécio-portugueses*
galega (*ê*) s.f.
galegada s.f.
galegagem s.f.
galegaria s.f.
galégea s.f.
galego (*ê*) adj. s.m.
galego-castelhano adj. s.m.; pl. *galego-castelhanos*
galego-de-montemor adj. s.m.; pl. *galegos-de-montemor*
galego-dourado adj. s.m.; pl. *galego-dourados* e *galegos-dourados*
galego-duriense adj. s.2g.; pl. *galego-durienses*
galego-forcado adj. s.m.; pl. *galego-forcados*
galego-negrão adj. s.m.; pl. *galego-negrões*
galego-português adj. s.m.; pl. *galego-portugueses*
galeguice s.f.
galeguinho s.m.
galeguismo s.m.
galeguista adj. s.2g.
galeguístico adj.
galeguização s.f.
galeguizante adj. s.2g.
galeguizar v.
galeia (*é*) s.f.
galeíctis s.m.2n.
galeida adj.2g. s.m.
galeídeo adj. s.m.
galeiformado adj.
galeiforme adj.2g.
galeína s.f.
galeio s.m.
galeira s.f.
galeirão s.m.
galeiro s.m.
galeíta s.f.
galela s.f.
galelo s.m.
galena s.m.f.
galenense adj. s.2g.
galengo adj. s.m.
galengue adj. s.2g.
galênia s.f.
galênico adj.
galênida adj.2g. s.m.
galenídeo adj. s.m.
galenismo s.m.
galenista adj. s.2g.
galenístico adj.
galenita s.f.
galenite s.f.
galeno s.m.
galenobismutita s.f.
galenobismutite s.f.
galenobismutito s.m.
galenoceratite s.f.
galense adj. s.2g.
gáleo s.m.
galeocerdo s.m.
galeode s.m.
galeodídeo adj. s.m.
galeofobia s.f.
galeoide (*ó*) adj.2g. s.m.
galéola s.f.

galeolária s.f.
galeoma s.m.
galeômida adj.2g. s.m.
galeomídeo adj. s.m.
galeonete (*ê*) s.m.
galeopitécida adj.2g. s.m.
galeopitecídeo adj. s.m.
galeopiteco adj. s.m.
galeopse s.f.
galeorrínida adj.2g. s.m.
galeorrinídeo adj. s.m.
galeota s.f.
galeote s.m.
galeótia s.f.
galeoto (*ô*) s.m.
galera s.m.f.
galerão s.m.
galeria s.f. "corredor"; cf. *galéria*
galéria s.f. "inseto"; cf. *galeria*
galeriano adj. s.m.
galerícola adj.2g.
galerícula s.f.
galerículo s.m.
galérida adj.2g. s.m.
galeriida adj.2g. s.m.
galeriídeo adj. s.m.
galeriíneo adj. s.m.
galerisco s.m.
galerista adj. s.2g.
galerita s.f.
galerno adj. s.m.
galero s.m.
galerope s.2g.
galeropsia s.f.
galerossoma s.m.
galeruca s.f.
galerucela s.f.
galerúcida adj.2g. s.m.
galerucídeo adj. s.m.
galerucíneo adj. s.m.
galerucino s.m.
galês adj. s.m.
galésia s.f.
galeta (*ê*) s.f.
galeto (*ê*) s.m.
galezia s.f.
galfarro s.m.
galfeira s.f.
galfímia s.f.
galfoeira s.f.
galga s.f.
galgação s.f.
galgadeira s.f.
galgado adj.
galgal s.m.
galgão s.m.
galgar v.
galgaz adj.2g.
galgo adj. s.m.
galgueira s.f.
galgueiro adj.
galguenho adj. s.m.
galguinas s.f.pl.
galguincho adj.
galha s.f.
galha-branca s.f.; pl. *galhas-brancas*
galhaça s.f.
galhada s.f.
galhador (*ô*) adj. s.m.
galhadura s.f.
galhana adj.2g.
galhança s.f.
galhano adj.
galha-preta s.f.; pl. *galhas-pretas*
galharada s.f.
galharda s.f.
galhardaria s.f.
galhardear v.
galhardete (*ê*) s.m.
galhardia s.f.
galhardo adj. s.m.
galharia s.f.
galharopo (*ô*) s.m.
galharufa s.f.
galhas s.f.pl.
galhastro s.m.
galhato s.m.
galheira s.f.
galheirense adj. s.2g.
galheiro adj. s.m.
galhena s.f.
galheta (*ê*) s.f.
galhete (*ê*) s.m.
galheteiro s.m.
galheto (*ê*) s.m.
galhicina s.f.
gálhico adj.
galhipo s.m.
galhispo s.m.
galhistro s.m.
galho s.m.
galhobano adj.
galhofa s.f.
galhofada s.f.
galhofar v.
galhofaria s.f.
galhofear v.
galhofeiro adj. s.m.
galhofento adj.
galhofice s.f.
galhosa s.f.
galhoso (*ô*) adj.; f. (*ó*); pl. (*ó*)
galhostra s.f.
galhoto (*ô*) adj.
galhoupito adj. s.m.
galhuça s.f.
galhudo adj. s.m.
galhusco s.m.
gali s.m.
gália s.f.
galiâmbico adj.
galiambo s.m.
galianconismo s.m.
galião s.m. "erva"; cf. *galeão*
galibi adj. s.2g. s.m.
galibi do oiapoque adj. s.2g.
galibi do uaçá adj. s.2g.
galibi-maruorno adj. s.2g.; pl. *galibis-maruornos*
gálica s.f.
galicado adj. s.m.
galicanismo s.m.
galicanista adj. s.2g.
galicanístico adj.
galicano adj. s.m.
galicanto s.m.
galicar v.
galicentro s.m.
galiciano adj. s.m.
galicígrafo s.m.
galicina s.f.
galicínio s.m.
galiciparla adj. s.2g.
galiciparlar v.
galiciparlice s.f.
galicismado adj.
galicismar v.
galicismo s.m.
galicista adj. s.2g.
galicístico adj.
galicizante adj. s.2g.
galicizar v.
gálico adj. s.m.
galicófilo adj. s.m.
galicófobo adj. s.m.
galícola adj.2g.
galicrista s.f.
galíctis s.m.2n.
galídia s.f.
galidiino adj. s.m.
galíea s.f.
galiense adj. s.2g.
galifate s.m.
galifato s.m.
galífero adj.
galiforme adj. s.2g.
galilé s.f.
galileano adj.
galileense adj. s.2g.
galileia (*é*) s.f. de *galileu*
galileísmo s.m.
galileísta adj. s.2g.
galileu adj. s.m.; f. *galileia* (*é*)
galimar v.
galimatias s.m.2n.
galimatizar v.
galimo s.m.
galinácea s.f.
galináceo adj. s.m.
galinaga s.m.
galinário s.m.
galindrau s.m.
galindréu s.m.
galinense adj. s.2g.
galingal s.m.
galinha s.f.
galinha-amarela s.f.; pl. *galinhas-amarelas*
galinha-anã s.f.; pl. *galinhas-anãs*
galinha-arrepiada s.f.; pl. *galinhas-arrepiadas*
galinha-brava s.f.; pl. *galinhas-bravas*
galinhaça s.f.
galinha-cega s.f.; pl. *galinhas-cegas*
galinha-choca s.f.; pl. *galinhas-chocas*
galinhaço s.m.
galinhada s.f.
galinha-d'água s.f.; pl. *galinhas-d'água*
galinha-d'angola s.f.; pl. *galinhas-d'angola*
galinha-da-guiné s.f.; pl. *galinhas-da-guiné*
galinha-da-índia s.f.; pl. *galinhas-da-índia*
galinha-da-numídia s.f.; pl. *galinhas-da-numídia*
galinha-de-bugre s.f.; pl. *galinhas-de-bugre*
galinha-do-mar s.f.; pl. *galinhas-do-mar*
galinha-do-mato s.f.; pl. *galinhas-do-mato*
galinha-doméstica s.f.; pl. *galinhas-domésticas*
galinhagem s.f.
galinha-gorda s.f.; pl. *galinhas-gordas*
galinhame s.m.
galinha-molho s.f.; pl. *galinhas-molhos*
galinha-morta s.f. s.2g.; pl. *galinhas-mortas*
galinha-pintada s.f.; pl. *galinhas-pintadas*
galinhar v.
galinha-sultana s.f.; pl. *galinhas-sultanas*
galinha-verde s.2g.; pl. *galinhas-verdes*
galinheira s.f.
galinheiro s.m.
galinhense adj. s.2g.
galinho s.m. "pequeno galo"; cf. *galinhó*
galinhó s.m. "gomo de laranja"; cf. *galinho* s.m. e fl. do v. *galinhar*
galinho-da-serra s.m.; pl. *galinhos-da-serra*
galinhola s.f.
galinhola-denegrida s.f.; pl. *galinholas-denegridas*
galinhola-ordinária s.f.; pl. *galinholas-ordinárias*
galinhola-real s.f.; pl. *galinholas-reais*
galinhota s.f.
galinhota-d'água s.f.; pl. *galinhotas-d'água*
galinhum adj.
galinicultor (*ô*) adj. s.m.
galinicultura s.f.
galinocultor (*ô*) adj. s.m.
galinocultura s.m.
galinografia s.f.
galinográfico adj.
galinseto s.m.
galinsoga s.f.
galinsogina s.f.
galínula s.f.
galinulídeo adj. s.m.
galinulínea s.f.
gálio adj. s.m.
galioso (*ô*) adj.; f. (*ó*); pl. (*ó*)
galipanso s.m.
galipão s.m.
galiparla s.2g.
galiparlista s.2g.
galipeia (*é*) s.f.
galipeno s.m.
galipídina s.f.
galipina s.f.
galipó s.m.
galipódio s.m.
galipoidina s.f.
galipolina s.f.
galipote s.m.
galipso s.m.
galiqueira s.f.
galiré adj. s.2g.
galismo s.m.
galispo adj. s.m.
galista adj. s.2g.
galístico adj.
galita adj. s.2g.
galito s.m.
galivação s.f.
galivar v.
galizabra s.f.
galizão s.m.
galizia s.f.
galiziano adj. s.m.
galizo s.m.
galkhaíta s.f.
gallésia s.f.
gallismo s.m.
gallista adj. s.2g.
gallístico adj.
galmodreso adj. s.m.
galo adj. s.m.
galoado adj.
galoar v.
galo-bandeira s.m.; pl. *galos-bandeira* e *galos-bandeiras*
galo-branco s.m.; pl. *galos-brancos*
galo-brejo s.m.; pl. *galos-brejo* e *galos-brejos*
galo-cata-vento s.m.; pl. *galos-cata-vento* e *galos-cata-ventos*
galocatequina s.f.
galocatequínico adj.
galo-celta adj. s.2g. s.m.; pl. *galo-celtas*
galocha s.f.
galocianina s.f.
galocrista s.f.
galo-da-campina s.m.; pl. *galos-da-campina*
galo-da-costa s.m.; pl. *galos-da-costa*
galo-da-floresta s.m.; pl. *galos-da-floresta*
galo-da-índia s.m.; pl. *galos-da-índia*
galo-da-rocha s.m.; pl. *galos-da-rocha*
galo-da-serra s.m.; pl. *galos-da-serra*
galo das trevas s.m.
galo-de-bando s.m.; pl. *galos-de-bando*
galo-de-briga s.m.; pl. *galos-de-briga*
galo de campina adj. s.m. "torcedor do Clube de Regatas Brasil"
galo-de-campina s.m. "espécie de ave"; pl. *galos-de-campina*
galo-de-campina-da-amazônia s.m.; pl. *galos-de-campina-da-amazônia*
galo-de-campina-do-oeste s.m.; pl. *galos-de-campina-do-oeste*
galo-de-campo s.m.; pl. *galos-de-campo*
galo-de-fita s.m.; pl. *galos-de-fita*
galo-de-penacho s.m.; pl. *galos-de-penacho*
galo-de-pluma s.m.; pl. *galos-de-pluma*
galo-de-rebanho s.m.; pl. *galos-de-rebanho*
galo de rinha s.m.
galo-do-alto s.m.; pl. *galos-do-alto*
galo-do-campo s.m.; pl. *galos-do-campo*
galo-do-fundo s.m.; pl. *galos-do-fundo*
galo-doido s.m.; pl. *galos-doidos*
galo-do-mar s.m.; pl. *galos-do-mar*
galo-do-mato s.m.; pl. *galos-do-mato*
galo-do-morro s.m.; pl. *galos-do-morro*
galo-do-pará s.m.; pl. *galos-do-pará*
galo do relógio s.m.
galo-dos-rochedos s.m.; pl. *galos-dos-rochedos*
galo-encantado s.m.; pl. *galos-encantados*
galo-enfeitado s.m.; pl. *galos-enfeitados*
galofilia s.f.
galófilo adj. s.m.
galoflavina s.f.
galofobia s.f.
galófobo adj. s.m.
galogreco (*ê*) adj. s.m.
galo-hispano adj. s.m.; pl. *galo-hispanos*
galoide (*ó*) adj.2g. s.m.
galoilglicose s.f.
galoílo s.m.
galo-italiano adj. s.m.; pl. *galo-italianos*
galo-itálico adj. s.m.; pl. *galo-itálicos*
galólatra adj. s.2g.
galolatria s.f.
galolátrico adj.
galole s.m.
galo-legítimo s.m.; pl. *galos-legítimos*
galóli s.m.
galo-língua-preta s.m.; pl. *galos-língua-preta* e *galos-línguas-pretas*
galolo s.m.
galologia s.f.
galológico adj.
galólogo s.m.
galo-luso adj.; pl. *galo-lusos*
galomania s.f.
galomaníaco adj. s.m.
galomanizar v.
galômano adj. s.m.
galonado adj.
galonar v.
galopada s.f.
galopado adj.
galopador (*ô*) adj. s.m.
galopante adj.2g. s.m.
galopão s.m.
galopar v.
galope s.m.
galopeação s.f.
galopeada s.f.
galopeado adj. s.m.
galopeador (*ô*) adj. s.m.
galopeadura s.f.
galopear v.
galopim s.m.
galopinagem s.f.
galopinar v.
galopinho s.m.
galopito s.m.
galópode adj.2g.
galopolitano adj. s.m.
galo-português adj. s.m.; pl. *galo-portugueses*
galo-românico adj. s.m.; pl. *galo-românicos*
galo-romano adj. s.m.; pl. *galo-romanos*
galotanato s.m.
galotânico adj.
galotanino s.m.
galotionina s.f.

galo-verdadeiro s.m.; pl. *galos-verdadeiros*
galpão s.m.
galponear v.
galponeiro adj.
galra s.f.
galracho s.m.
galradeira s.f.
galrante adj.2g.
galrão adj. s.m.
galrar v.
galreador (*ô*) adj. s.m.
galrear v.
galreda (*ê*) s.f.
galreio s.m.
galreiro adj. s.m.
galrejador (*ô*) adj. s.m.
galrejar v.
galrejo (*ê*) s.m.
galrichar v.
galricho s.m.
galripas s.f.pl.
galripo s.m.
galrito s.m.
galrochar v.
galrusca s.f.
galtônia s.f.
galubé s.m.
galucha s.f.
galuchada s.f.
galucho s.m.
galula s.f.
galúmpio s.m.
galupa s.f.
galurês adj. s.m.
galvanelétrico adj.
galvanense adj. s.2g.
galvânico adj.
galvanismo s.m.
galvanização s.f.
galvanizado adj.
galvanizador (*ô*) adj. s.m.
galvanizagem s.f.
galvanizante adj.2g.
galvanizar v.
galvanizável adj.2g.
galvano s.m.
galvanocáustica s.f.
galvanocáustico adj.
galvanocautério s.m.
galvanocéramo s.m.
galvanofarádico adj.
galvanofaradização s.f.
galvanoglifia s.f.
galvanoglífico adj.
galvanografia s.f.
galvanográfico adj.
galvanógrafo s.m.
galvanogravura s.f.
galvanólise s.f.
galvanolítico adj.
galvanoluminescência s.f.
galvanoluminescente adj.2g.
galvanomagnético adj.
galvanomagnetismo s.m.
galvanometria s.f.
galvanométrico adj.
galvanômetro s.m.
galvanoníquel s.m.
galvanoplasta s.2g.
galvanoplastia s.f.
galvanoplástica s.f.
galvanoplástico adj.
galvanoplasticotipia s.f.
galvanopunctura s.f.
galvanopuntura s.f.
galvanoquímica s.f.
galvanoscopia s.f.
galvanoscópico adj.
galvanoscópio s.m.
galvanostegia s.f.
galvanotáctico adj.
galvanotactismo s.m.
galvanotático adj.
galvanotaxe (*cs*) s.f.
galvanotaxia (*cs*) s.f.
galvanoterapia s.f.
galvanoterápico adj.
galvanotipagem s.f.
galvanotipar v.
galvanotipia s.f.
galvanotípico adj.
galvanotipista adj. s.2g.
galvanotipo s.m.
galvanótipo s.m.
galvanotropia s.f.
galvanotrópico adj.
galvanotropismo s.m.
galvão s.m.
galvardina s.f.
galveta (*ê*) s.f.
gama s.m.f.
gamação s.f.
gamacelulose s.f.
gamacha s.f.
gamacismo s.m.
gamado adj.
gamaespectrometria s.f.
gamaespectrométrico adj.
gamafone s.m.
gamagarita s.f.
gamaglobulina s.f.
gamaglobulínico adj.
gamagrafia s.f.
gamagráfico adj.
gamagrafista adj. s.2g.
gamágrafo adj. s.m.
gamagrama s.m.
gamaio adj.
gamaleirense adj. s.2g.
gamão s.m.
gamão-fistuloso s.m.; pl. *gamões-fistulosos*
gamapatia s.f.
gamar v.
gamarela s.m.
gamárida adj.2g. s.m.
gamarídeo adj. s.m.
gâmaro s.m.
gamarografia s.f.
gamarográfico adj.
gamarógrafo s.m.
gamarólito s.m.
gamarologia s.f.
gamarológico adj.
gamarólogo s.m.
gamarópsis s.f.2n.
gamarra s.f.
gamarrilha s.f.
gamásida adj.2g. s.m.
gamasídeo adj. s.m.
gamasíneo adj. s.m.
gamasso s.m.
gamáster s.m.
gamatão s.m.
gamaterapia s.f.
gamaterápico adj.
gamba s.f. "instrumento musical"; cf. *gambá*
gambá s.2g. "animal"; cf. *gamba*
gambadonas s.f.pl.
gambadonos s.m.pl.
gambarra s.f.
gambaz s.m.
gambazinho s.m.
gambeiro s.m.
gambela s.f.
gambelar v.
gambelo (*ê*) s.m.; cf. *gambelo*, fl. do v. *gambelar*
gambérria s.f.
gambeta (*ê*) adj. s.2g.
gambeteação s.f.
gambeteador (*ô*) adj. s.m.
gambetear v.
gambeteiro adj. s.m.
gambetista adj. s.2g.
gâmbia s.f.; cf. *gambia*, fl. do v. *gambiar*
gambiano adj. s.m.
gambiar v.
gambiarra s.f.
gambiense adj. s.2g.
gambina s.f.
gambinu adj. s.m.
gambir s.m.
gambireiro s.m.
gambista adj. s.2g.
gambita adj. s.2g.
gambito s.m.
gambo adj. s.m.
gamboa (*ô*) s.f.
gambocha s.f.
gambódico adj.
gamboeira s.f.
gamboeiro s.m.
gamboense adj. s.2g.
gamboína s.f.
gambonito s.m.
gambota s.f.
gambu s.m.
gâmbue adj.2g. s.m.
gambuisino s.m.
gambúsia s.f.
gambusiníneo adj. s.m.
gamedim s.m.
gameiro adj.
gamela adj. s.2g. s.f.
gamelada s.f.
gamelão s.m.
gameleira s.f.
gameleira-branca s.f.; pl. *gameleiras-brancas*
gameleira-brava s.f.; pl. *gameleiras-bravas*
gameleira-de-cansaço s.f.; pl. *gameleiras-de-cansaço*
gameleira-de-lombrigueira s.f.; pl. *gameleiras-de--lombrigueira*
gameleira-de-pinga s.f.; pl. *gameleiras-de-pinga*
gameleira-de-purga s.f.; pl. *gameleiras-de-purga*
gameleira-de-veneno s.f.; pl. *gameleiras-de-veneno*
gameleira-mansa s.f.; pl. *gameleiras-mansas*
gameleira-preta s.f.; pl. *gameleiras-pretas*
gameleira-roxa s.f.; pl. *gameleiras-roxas*
gameleira-trepadeira s.f.; pl. *gameleiras-trepadeiras*
gameleirense adj. s.2g.
gameleiro adj. s.m.
gamelense adj. s.2g.
gamelião s.m.
gamélias s.f.pl.
gamélio s.m.
gamélion s.m.
gamelo (*ê*) s.m.
gamelório s.m.
gamelote s.m.
gamenhar v.
gamenhice s.f.
gamenho adj. s.m.
gamense adj. s.2g.
gamera s.f.
gamergu s.m.
gameta (*é* ou *ê*) s.m.
gâmeta s.m.
gametal adj.2g.
gametangia s.f.
gametângico adj.
gametângio s.m.
gamético adj.
gameto s.m.
gametoblasto s.m.
gametocisto s.m.
gametocítico adj.
gametócito s.m.
gametofila s.f.
gametofítico adj.
gametófito adj. s.m.
gametóforo s.m.
gametogênese s.f.
gametogenético adj.
gametogênico adj.
gametógeno adj. s.m.
gametogonia s.f.
gametogônio s.m.
gametoide (*ó*) adj.2g. s.m.
gâmia s.f.
gâmico adj.
gamo s.m.
gamóbio s.m.
gamocarpelar adj.2g.
gamocarpelo adj.
gamocístis s.f.2n.
gamocritia s.f.
gamodesmo adj.
gamoeira s.f.
gamófase s.f.
gamofilia s.f.
gamofilo adj.
gamofobia s.f.
gamofóbico adj. s.m.
gamófobo adj. s.m.
gamogáster adj.2g.
gamogástreo adj.
gamogastro adj.
gamogemia s.f.
gamogênese s.f.
gamogenético adj.
gamogênico adj.
gamogonia s.f.
gamografia s.f.
gamográfico adj.
gamografista adj. s.2g.
gamógrafo s.m.
gamologia s.f.
gamológico adj.
gamomania s.f.
gamomaníaco adj. s.m.
gamomorfose s.f.
gamonista s.2g.
gamonte s.m.
gamôntea s.f.
gamopétala s.f.
gamopetalia s.f.
gamopétalo adj.
gamósporo adj.
gamossepalia s.f.
gamossépalo adj.
gamostêmone adj.2g.
gamostilo adj.
gamote s.m.
gamotépalo adj.
gamoterapia s.f.
gamoterápico adj.
gamotrópico adj.
gamotropismo s.m.
gamótropo adj.
gamozoário s.m.
gamozoide (*ó*) adj.2g. s.m.
gampsodactilia s.f.
gampsônix (*cs*) s.f.2n.
gampsosteônix (*cs*) s.f.2n.
gamuta s.f.
gamute s.m.
gamuteira s.f.
gamúti s.m.
gamutinha s.f.
gamutinho s.m.
gamuto s.m.
gana s.f.
ganacha s.f.
ganachado adj.
ganachudo adj.
ganadaria s.f.
ganadeiro s.m.
ganalo s.m.
ganância s.f.; cf. *ganancia*, fl. do v. *ganânciar*
gananciar v.
ganânciosidade s.f.
ganancioso (*ô*) adj. s.m.; f. (*ó*); pl. (*ó*)
ganapa s.f.
ganapão s.m.
ganapé s.m.
ganapo s.m.
ganara s.m.
ganau s.m.
gança s.f. "ganho"; cf. *gansa*
gancar s.m.
gançar v.
gancaria s.f.
gancarial adj.2g.
gancarismo s.m.
gancha s.f.
ganchado adj.
ganchar v.
gancharra s.f.
gancheado adj.
ganchear v.
gancheia s.f.
gancheiro s.m.
ganchense adj. s.2g.
gancheta (*ê*) s.f.
ganchinho s.m.
gancho s.m.
ganchorra (*ô*) s.f.
ganchorrento adj.
ganchoso (*ô*) adj.; f. (*ó*); pl. (*ó*)
ganchudo adj.
ganço s.m. "ganho"; cf. *ganso*
ganda adj. s.2g. s.m.f.
gandaeiro s.m.
gandaia s.f.
gandaiar v.
gandaíce s.f.
gandaieiro s.m.
gandaiice s.f.
gandaina s.f.
gandaio s.m.
gandar s.m.
gândara s.f.
gandarês adj. s.m.
gandariense adj. s.2g.
gandarinha s.f.
gandaru s.m.
gandavo s.m.
gandear v.
gandeona s.f.
gandhiano adj.
gandhiense adj. s.2g.
gandhismo s.m.
gandhista adj. s.2g.
gandilho s.m.
gandir v.
gando s.m.
gandola s.f.
gandra s.f.
gandrês adj. s.m.
gandu s.m.
ganduense adj. s.2g.
gandula s.2g.
gandulagem s.f.
gandular v.
gandulo adj. s.m.
gandum s.m.
gandura s.f.
ganeira s.f.
ganeiro s.m.
ganense adj. s.2g.
ganéria s.f.
ganeriida adj.2g. s.m.
ganerídeo adj. s.m.
ganês adj. s.m.
ganete (*ê*) s.m.
ganfana s.f.
ganfanudo adj.
ganfar v.
ganforinha s.f.
ganfrasante adj. s.2g.
ganga s.m.f.
gangana s.f.
ganganzambi s.m.
gangão s.m.
gângara s.f.; na loc. *de gângaras*
gangárida adj. s.2g.
gangáride adj. s.2g.
gangarilha s.f.
gangarina s.f.
gangarra s.f.
gangarreão s.m.
gangela s.m.
gangento adj.
gangético adj.
ganglectomia s.f.
ganglião s.m.
gangliectomia s.f.
gangliectômico adj.
gangliforme adj.2g.
gangliite s.f.
gânglio s.m.
gangliócito s.m.
gangliocitoma s.m.
ganglioma s.m.
ganglionado adj.
ganglionar v. adj.2g.
ganglionite s.f.
ganglioplegia s.f.
ganglioplégico adj. s.m.
gangliosídio s.m.
gangliosidose s.f.
gango s.m.
gangolina s.f.
gangolino adj. s.m.
gangoncu s.m.
gangorra (*ô*) s.f.

gangorrar v.
gangorrear v.
gangorreio s.m.
gangorrense adj. s.2g.
gangorrinha s.f.
gangosa s.f.
gangoso (*ô*) adj. s.m.; f. (*ó*); pl. (*ó*)
gangrena s.f.
gangrenado adj.
gangrenamento s.m.
gangrenar v.
gangrenoso (*ô*) adj.; f. (*ó*); pl. (*ó*)
gangri s.m.
gângster s.m.
gangsterismo s.m.
gangsterístico adj.
gangue s.f. "bando"; cf. *ganguê*
ganguê s.m. "achaque"; cf. *gangue*
gangueão s.m.
ganguear v.
ganguela adj. s.2g.
ganguense (*ü*) adj. s.2g.
ganguento adj.
ganguji s.m.
gângula s.f.
ganha s.f.
ganhação s.f.
ganhaço s.m.
ganhadeiro adj. s.m.
ganhadia s.f.
ganha-dia s.m.; pl. *ganha-dias*
ganhadiço adj.
ganha-dinheiro s.m.; pl. *ganha-dinheiros*
ganhado adj.
ganhador (*ô*) adj. s.m.
ganhame s.m.
ganhamento s.m.
ganhança s.f.
ganhão s.m.
ganha-pão s.m.; pl. *ganha-pães*
ganha-perde s.m.2n.
ganhar v.
ganharia s.f.
ganha-saia s.f.; pl. *ganha-saias*
ganha-tudo s.m.2n.
ganhável adj.2g.
ganha-vida s.m.; pl. *ganha-vidas*
ganho adj. s.m. "lucro"; cf. *ganhó*
ganhó s.m.f. "gomo de laranja"; cf. *ganho*
ganhoa (*ô*) s.f.
ganhoal adj.2g.
ganhoso (*ô*) adj.; f. (*ó*); pl. (*ó*)
ganhotes s.m.pl.
ganhoto (*ô*) s.m.
ganhuça s.f.
ganhuceiro adj.
ganhuço s.m.
ganhunça s.f.
gani s.m.
gânia s.f.
ganiçar v.
ganicara s.m.
ganiço s.m.
ganideira s.f.
ganido s.m.
ganíea s.f.
ganim s.m.
ganimedes s.m.2n.
ganimédico adj.
ganincho s.m.
ganir v.
ganirra s.f.
ganíster s.m.
ganita s.f.
ganite s.f.
ganiz s.m.
ganizar v.
ganja adj.2g. s.f. "insolente", etc.; cf. *ganjá*
ganjá s.m. "resina"; cf. *ganja*
ganjão s.m.
ganjento adj.
ganjera adj. s.2g.
ganletó s.m.
gano s.m.
ganofilita s.f.
ganoga s.f.
ganoide (*ó*) adj.2g. s.m.
ganóideo adj. s.m.
ganoína s.f.
ganomalita s.f.
ganomalite s.f.
ganomalito s.m.
ganomatita s.f.
ganomatite s.f.
ganrutó s.m.
gansa s.f. "concubina", etc.; cf. *gança*
gansada s.m.
gansão s.m.
ganso s.m. "ave"; cf. *ganço*
ganso-bravo s.m.; pl. *gansos-bravos*
ganso-cisne s.m.; pl. *gansos-cisne* e *gansos-cisnes*
ganso-cor-de-rosa s.m.; pl. *gansos-cor-de-rosa*
ganso-de-pescoço-preto s.m.; pl. *gansos-de-pescoço-preto*
ganso-do-mato s.m.; pl. *gansos-do-mato*
ganso-do-norte s.m.; pl. *gansos-do-norte*
ganso-patola s.m.; pl. *gansos-patola* e *gansos-patolas*
ganta s.f.
gantense adj. s.2g.
gantó s.m.
ganza s.m.
ganzá s.m.
ganzé s.m.
ganzepe s.m.
ganzi s.m.
ganzola s.f.
ganzuá s.m.
ganzulu s.m.
gão s.m.
gaparuvo s.m.
gaparuvu s.m.
gape s.f.
gapeira s.f.
gapinar v.
gapira s.f.
gapó s.m.
gaponga s.f.
gapororoca s.f.
gapuia s.f.
gapuiação s.f.
gapuiador (*ô*) adj. s.m.
gapuiar v.
gapuicipó s.m.
gapuruvu s.m.
gará s.m.
garabanho s.m.
garabano s.m.
garabato s.m.
garabebel s.m.
garabebéu s.m.
garabi s.m.
garabito s.m.
garabu s.m.
garabulha adj. s.2g. s.f.
garabulhar v.
garabulhento adj.
garabulho s.m.
garacacunta s.f.
garaçapé s.m.
garacheta (*ê*) s.f.
garacuí s.m.
garaçuma s.f.
garafunha s.f.
garafunho s.m.
garagem s.f.
garagista s.2g.
garajão s.m.
garajau s.m.
garajuba s.f.
garajubense adj. s.2g.
garaldino adj. s.m.
garalhada s.f.
garalhar v.
garamanha s.f.
garamante adj. s.2g.
garamântico adj.
garamantite s.f.
garambino s.m.
garambuio s.m.
garampara s.m.
garamufo s.m.
garança adj.2g. s.f.
garançar v.
garance s.m.
garanceira s.f.
garancena s.f.
garancina s.f.
garanço s.m.
garanganja s.m.f.
garanhão s.m.
garanho adj.
garanhoto (*ô*) s.m.
garanhotos s.m.pl.
garanhuense adj. s.2g.
garanhum adj. s.2g.
garanhunense adj. s.2g.
garanjão adj. s.m.
garante s.2g.
garantia s.f.
garantido adj.
garantidor (*ô*) adj. s.m.
garantir v.
garantismo s.m.
garantista adj.2g.
garanvaz s.m.
garão s.m.
garapa s.f.
garapa-amarela s.f.; pl. *garapas-amarelas*
garapa-branca s.f.; pl. *garapas-brancas*
garapacapunta s.f.
garapada s.f.
garapa-doida s.f.; pl. *garapas-doidas*
garapajuba s.f.
garapalha s.f.
garapaná s.m.
garapão s.m.
garaparia s.f.
garapau s.m.
garapé s.m.
garapeira s.f.
garapeiro s.m.
garapiapunha s.f.
garapriapunha s.f.
garapu s.m.
garapuavense adj. s.2g.
garapuense adj. s.2g.
garapuva s.f.
garapuvu s.m.
gararoba s.f.
gararuense adj. s.2g.
garateia (*é*) s.f.
garateio s.m.
garatuja s.f.
garatujado adj.
garatujador (*ô*) adj. s.m.
garatujar v.
garatusa s.f.
garau s.m.
garauçá s.m.
garaúna s.f.
garaúva s.f.
garavalha s.f.
garavalho s.m.
garavanço s.m.
garavano s.m.
garavataí s.m.
garavato s.m.
garavelho (*ê*) s.m.
garavetar v.
garaveto (*ê*) s.m.; cf. *garaveto*, fl. do v. *garavetar*
garaviana s.f.
garavim s.m.
garavotear v.
garavunha s.f.
garaximbola s.f.
garbadana s.f.
garbanceira s.f.
garbo s.m.
garbosidade s.f.
garboso (*ô*) adj.; f. (*ó*); pl. (*ó*)
garbulha s.f.
garbulir v.
garça s.f.
garça-azul s.f.; pl. *garças-azuis*
garça-bastarda s.f.; pl. *garças-bastardas*
garça-boieira s.f.; pl. *garças-boieiras*
garça-branca s.f.; pl. *garças-brancas*
garça-branca-grande s.f.; pl. *garças-brancas-grandes*
garça-branca-pequena s.f.; pl. *garças-brancas-pequenas*
garça-cinza s.f.; pl. *garças-cinzas*
garça-cinzenta s.f.; pl. *garças-cinzentas*
garça-da-guiana s.f.; pl. *garças-da-guiana*
garça-de-cabeça-preta s.f.; pl. *garças-de-cabeça-preta*
garça-do-mar s.f.; pl. *garças-do-mar*
garça-dorminhoca s.f.; pl. *garças-dorminhocas*
garça-grande s.f.; pl. *garças-grandes*
garça-morena s.f.; pl. *garças-morenas*
garça-moura s.f.; pl. *garças-mouras*
garção s.m.
garça-parda s.f.; pl. *garças-pardas*
garça-pequena s.f.; pl. *garças-pequenas*
garça-real s.f.; pl. *garças-reais*
garça-real-europeia s.f.; pl. *garças-reais-europeias*
garça-ribeirinha s.f.; pl. *garças-ribeirinhas*
garça-socoí s.f.; pl. *garças-socoí* e *garças-socoís*
garça-vaqueira s.f.; pl. *garças-vaqueiras*
garça-vermelha s.f.; pl. *garças-vermelhas*
garceiro adj.
garceja (*ê*) s.f.
garcela s.f.
garcelha (*ê*) s.f.
garcenha s.f.
garcenho s.m.
garcense adj. s.2g.
garcera s.f.
garcês s.m.
garceta (*ê*) s.f.
garcezense adj. s.2g.
garchinho s.m.
garciense adj. s.2g.
garcilha s.f.
garcina s.f.
garcinha s.f.
garcinho s.m.
garcínia s.f.
garciníea s.f.
garciote s.m.
garço adj.
garçola s.f.
garçolo (*ô*) s.m.
garçom s.m.
garçonete s.f.
garçota s.f.
garçoto (*ô*) s.m.
gardalete (*ê*) s.m.
gardelete (*ê*) s.m.
gardênia s.f.
gardeniáceo adj.
gardeníea s.f.
gardeniense adj. s.2g.
gardenina s.f.
gardinfante s.m.
gardingato s.m.
gardingo s.m.
gardinhola s.f.
gardnerela s.f.
gardoniano adj. s.m.
gardoniense adj. s.m.
gardunha s.f.
gardunho s.m.
gare s.f.
garejeira adj. s.f.
garela s.f.
garenganza s.m.f.
garepe s.m.
garera (*ê*) s.f.
garete (*ê*) s.m.
garfada s.f.
garfado adj. s.m.
garfagem s.f.
garfar v.
garfear v.
garfeira s.f.
garfeiro s.m.
garfejar v.
garfete (*ê*) s.m.
garfiar v.
garfila s.f.
garfilha s.f.
garfim s.m.
garfo s.m.
garfuana s.f.
gargaçalada s.f.
gargadaçar v.
gargáfia s.f.
gargajola s.m.
gargal s.m.
gargalaçada s.f.
gargalaçar v.
gargaleira s.f.
gargaleiro adj. s.m.
gargalejar v.
gargalejo (*ê*) s.m.
gargalhada s.f.
gargalhadear v.
gargalhador (*ô*) adj. s.m.
gargalhar v.
gargalhedo (*ê*) s.m.
gargalheira s.f.
gargalho s.m.
gargalicho s.m.
gargalmante adj.2g.
gargalo s.m.
gargaludo adj. s.m.
garganato s.m.
garganeiro adj. s.m.
garganhol s.m.
garganta adj. s.2g. s.f.
gargantaço s.m.
garganta-de-ferro s.m.; pl. *gargantas-de-ferro*
garganta de freira s.f.
gargantão adj. s.m.
gargantaria s.f.
garganta-rubi s.f.; pl. *gargantas-rubi* e *gargantas-rubis*
garganteação s.f.
garganteado adj. s.m.
garganteador (*ô*) adj. s.m.
gargantear v.
garganteio s.m.
garganteira s.f.
gargantense adj. s.2g.
gargantil s.m.
gargantilha s.f.
gargantilho adj. s.m.
gargantoíce s.f.
gargantosa s.f.
gargântua s.m.
gargantuano adj.
gargantuar v.
gargantudo adj. s.m.
gargantuesco (*ê*) adj.
gargar v.
gárgare adj. s.2g.
gargarejado adj. s.m.
gargarejamento s.m.
gargarejar v.
gargarejo (*ê*) s.m.
gargárico adj.
gargarisma s.m.
gargarismático adj.
gargarismo s.m.
gargarizo s.m.
gárgaro adj. s.m.
gargaru s.m.
gargasiano adj. s.m.
gargasiense adj. s.m.
gargaú s.m.
gargaúba s.f.
gargauense adj. s.2g.
gargó s.m.
gargoilismo s.m.

gargolada s.f.
gargolejar v.
gargoleta (*ê*) s.f.
gargolito s.m.
gargomilho s.m.
gargomilo s.m.
gargorito s.m.
gargueiro s.m.
garguiteador (*ô*) s.m.
garguitear v.
garguiteiro s.m.
gárgula s.f.
gargulismo s.m.
gari s.m.
garianhinga s.f.
garibalda s.f.
garibaldense adj. s.2g.
garibáldi s.2g.
garibaldinense adj. s.2g.
garibaldino adj. s.m.
garidela s.f.
garimba s.f.
garimbar v.
garimpa s.f.
garimpado adj.
garimpagem s.f.
garimpar v.
garimpeira s.f.
garimpeiro adj. s.m.
garimpense adj. s.2g.
garimpo s.m.
garingal s.m.
gariofilata s.f.
garipíida adj.2g. s.m.
garipiídeo adj. s.m.
garípio s.m.
garipivu s.m.
garipuvu s.m.
gariroba s.f.
garita s.f.
garite adj. s.2g.
gariteiro s.m.
garito s.m.
garjau s.m.
garlindéu s.m.
garlindréu s.m.
garlopa s.f.
garna s.f.
garnacha s.f.
garnachice s.f.
garnacho s.m.
garnar v.
garnear v.
garnela s.f.; na loc. *à garnela*
garnento s.m.
garnierita s.f.
garnierite s.f.
garnierítico adj.
garnierito s.m.
garnimento s.m.
garnir v.
garnisé adj.2g. s.m.
garo s.m.
garoa (*ô*) s.m.f.
garoar v.
garoento adj.
garoma s.m.
garonês adj. s.m.
garopabense adj. s.2g.
garopeiro s.m.
garopeta (*ê*) s.f.
garopo (*ô*) s.m.
garota (*ô*) s.f.; cf. *garota*, fl. do v. *garotar*
garotada s.f.
garotagem s.f.
garotal adj.2g.
garota-propaganda s.f.; pl. *garotas-propaganda* e *garotas-propagandas*
garotar v.
garotear v.
garotice s.f.
garotil s.m.
garotio s.m.
garotir adj. s.2g.
garotismo s.m.
garoto (*ô*) adj. s.m.
garoto-propaganda s.m.; pl. *garotos-propaganda* e *garotos-propagandas*
garotote adj. s.m.
garoupa s.f.
garoupa-bexiga s.f.; pl. *garoupas-bexiga* e *garoupas-bexigas*
garoupa-chita s.f.; pl. *garoupas-chita* e *garoupas-chitas*
garoupa-crioula s.f.; pl. *garoupas-crioulas*
garoupa-de-são-tomé s.f.; pl. *garoupas-de-são-tomé*
garoupa-de-segunda s.f.; pl. *garoupas-de-segunda*
garoupa-gato s.f.; pl. *garoupas-gato* e *garoupas-gatos*
garoupa-pequena s.f.; pl. *garoupas-pequenas*
garoupa-pintada s.f.; pl. *garoupas-pintadas*
garoupa-preta s.f.; pl. *garoupas-pretas*
garoupa-rajada s.f.; pl. *garoupas-rajadas*
garoupa-são-tomé s.f.; pl. *garoupas-são-tomé*
garoupa-senhor-de-engenho s.f.; pl. *garoupas-senhor-de-engenho*
garoupa-verdadeira s.f.; pl. *garoupas-verdadeiras*
garoupa-vermelha s.f.; pl. *garoupas-vermelhas*
garoupeira s.f.
garoupinha s.f.
garpoti s.m.
garra s.f.
garrabulho s.m.
garrador (*ô*) adj. s.m.
garrafa s.f.
garrafada s.f.
garrafaense adj. s.2g.
garrafal adj.2g. s.m.
garrafão s.m.
garrafaria s.f.
garrafeira s.f.
garrafeiro s.m.
garrafinha s.f.
garrafória s.f.
garragina s.f.
garraiada s.f.
garraio adj. s.m.
garralho adj. s.m.
garrama s.f.
garramado adj.
garramar v.
garrana s.f.
garrancha s.f.
garranchada s.f.
garranchar v.
garrancheira s.f.
garranchento adj.
garrancho s.m.
garranchoso (*ô*) adj.; f. (*ó*); pl. (*ó*)
garranchudo adj.
garranito s.m.
garrano s.m.
garranto s.m.
garrão s.m.
garrar v.
garras-de-tigre s.f.pl.
garrau s.m.
garraz s.m.
garreado adj.
garreão s.m.
garrear v.
garreia s.f.
garreio s.m.
garrelsita s.f.
garrenta s.f.
garrento adj. s.m.
garrettiana s.f.
garrettiano adj. s.m.
garrettismo s.m.
garrettista adj. s.2g.
gárria s.f.
garriácea s.f.
garriáceo adj.
garrial adj.2g.
garriale s.f.
garriame s.m.
garrião s.m.
garriça s.f.
garricha s.f.
garricho s.m.
garriço s.m.
garrida s.f.
garridar v.
garridice s.f.
garridismo s.m.
garrido adj. s.m.
garridos s.m.pl.
garriga s.f.
garril s.m.
garrilhos s.m.pl.
garrincha s.f.
garrincha-chorona s.f.; pl. *garrinchas-choronas*
garrincha-do-mato-virgem s.f.; pl. *garrinchas-do-mato-virgem*
garrinchão s.m.
garrinchão-de-barriga-vermelha s.m.; pl. *garrinchões-de-barriga-vermelha*
garrinchão-de-bico-grande s.m.; pl. *garrinchões-de-bico-grande*
garrincha-trovão s.f.; pl. *garrinchas-trovão* e *garrinchas-trovões*
garrincho s.m.
gárrio adj.
garrioso (*ô*) adj.; f. (*ó*); pl. (*ó*)
garrir v.
garro adj. s.m.
garroa (*ô*) s.f.
garroba (*ô*) s.f.
garrocha s.f.
garrochada s.f.
garrochador (*ô*) adj. s.m.
garrochão s.m.
garrochar v.
garrocheador (*ô*) s.m.
garrochear v.
garrocheiro s.m.
garrochista s.2g.
garrocho (*ô*) s.m.
garroeira s.f.
garronita s.f.
garrota s.f.
garrotada s.f.
garrotado adj.
garrotar v.
garrote adj. s.m.
garroteado adj.
garroteador (*ô*) adj. s.m.
garroteagem s.f.
garroteamento s.m.
garrotear v.
garroteia s.f.
garrotense adj. s.2g.
garrotilho s.m.
garrucha adj.2g. s.m.f.
garruchar v.
garruchas s.f.pl.
garrucheiro s.m.
garruchense adj. s.2g.
garruchismo s.m.
garrucho s.m.
garruço s.m.
garrudo adj.
garrulante adj.2g.
garrular v.
garrulear v.
garrulejar v.
garrulejo (*ê*) s.m.
garrulice s.f.
garrulidade s.f.
garrulíneo adj. s.m.
gárrulo adj. s.m.; cf. *garrulo*, fl. do v. *garrular*
garruncha s.f.
garruncho s.m.
garrupião s.m.
gárrya s.f.
garryácea s.f.
garryáceo adj.
garryale s.f.
garu s.m.
garua s.f.
garuar v.
garuba adj. s.2g.
garuda s.f.
garuga s.f.
garuja s.f.
garula s.f.
garulha s.f.
garumá s.m.
garumniano adj. s.m.
garumno adj. s.m.
garuna s.f.
garundo s.m.
garunha s.f.
garupa s.f.
garupada s.f.
garupeira s.f.
garupeiro s.m.
garupião s.m.
garuva s.f.
garuvense adj. s.2g.
garvaia s.f.
garveia (*ê*) s.f.
garvo s.m.
garvonês adj.
garzear v.
garzeta (*ê*) s.f.
gás s.m. "fluido"; cf. *gaz*
gasalhado adj. s.m.
gasalhador (*ô*) adj.
gasalhamento s.m.
gasalhar v.
gasalho s.m.
gasalhoso (*ô*) adj.; f. (*ó*); pl. (*ó*)
gasanol s.m.
gascã adj. s.f. de *gascão*
gascão adj. s.m.; f. *gascã*, *gascona*
gascárdia s.f.
gascona adj. s.f. de *gascão*
gasconada s.f.
gasconismo s.m.
gasconista adj. s.2g.
gasconização s.f.
gasconizado adj.
gasconizante adj. s.2g.
gasconizar v.
gaseadeira s.f.
gaseado adj. s.m.
gaseador (*ô*) s.m.
gasear v.
gaseificação s.f.
gaseificado adj.
gaseificador *ô*) adj. s.m.
gaseificar v.
gaseificável adj.2g.
gaseiforme adj.2g.
gaseiro s.m.
gáseo adj.
gaseoducto s.m.
gaseoduto s.m.
gasganete (*ê*) s.m.
gasganhol s.m.
gasguento adj.
gasguete (*ê*) s.m.
gasguita adj. s.2g.
gasguitar v.
gasguitear v.
gasguito adj.
gasífero adj. s.m.
gasificação s.f.
gasificado adj.
gasificador (*ô*) adj. s.m.
gasificar v.
gasificável adj.2g.
gasiforme adj.2g.
gasista s.2g.
gasmar v.
gasnate s.m.
gasnete (*ê*) s.m.
gasninha s.f.
gasocarbônico adj.
gasoduto s.m.
gasofactor (*ô*) s.m.
gasogênio s.m.
gasogenista adj. s.2g.
gasógeno adj. s.m.
gasolene s.m.
gasoleno s.m.
gasóleo s.m.
gasolina s.m.f.
gasolineiro s.m.
gasolítico adj.
gasólito adj. s.m.
gasometria s.f.
gasométrico adj.
gasometrista adj. s.2g.
gasômetro s.m.
gasomista s.2g.
gasoquímica s.f.
gasoquímico adj.
gasosa s.f.
gasoscópico adj.
gasoscópio s.m.
gasoso (*ô*) adj.; f. (*ó*); pl. (*ó*)
gaspa s.f.
gaspacho s.m.
gaspar s.m.
gasparão s.m.
gasparense adj. s.2g.
gaspariense adj. s.2g.
gasparinho s.m.
gasparino s.m.
gáspea s.f.
gaspeadeira s.f.
gaspeado adj.
gaspeador (*ô*) adj. s.m.
gaspear v.
gaspeíta s.f.
gaspelítico adj.
gaspélito s.m.
gaspeolítico adj.
gaspeólito s.m.
gaspoia (*ó*) s.f.
gasquito adj.
gassendismo s.m.
gassendista adj. s.2g.
gassentismo s.m.
gassentista adj. s.2g.
gasserectomia s.m.
gasserite s.f.
gastadeira adj. s.f. de *gastador* (*ô*)
gastado adj.
gastador (*ô*) adj. s.m.; f. *gastadeira* e *gastadora*
gastadora adj. s.f. de *gastador* (*ô*)
gastaldo s.m.
gastalha s.f.
gastalhão s.m.
gastalho s.m.
gastamento s.m.
gastão adj. s.m.
gastar v.
gasta-sola s.m.; pl. *gasta-solas*
gastável adj.2g.
gáster s.m.
gasteracanta s.f.
gasteracantíneo adj. s.m.
gasteralgia s.f.
gasterangienfráctico adj.
gasterangienfraxe (*cs*) s.f.
gasterase s.f.
gastérase s.f.
gasterectomia s.f.
gasterectômico adj. s.m.
gastéria s.f.
gasterina s.f.
gasterocerco s.m.
gasterocercode s.m.
gasterofilídeo adj. s.m.
gasterofilo adj. s.m.
gasteromicete s.m.
gasteromicético adj.
gasteromiceto s.m.
gasteropegmado adj. s.m.
gasteropelecídio adj.
gasterópode adj.2g. s.m.
gasteropterígio adj.
gasterospório s.m.
gasterósporo s.m.
gasterosteida adj.2g. s.m.
gasterosteídeo adj. s.m.
gasterosteiforme adj.2g. s.m.
gasterósteo adj. s.m.
gasterostômida adj.2g. s.m.
gasterostomídeo adj. s.m.
gasteróstomo s.m.
gasterotálamo s.m.
gasterótrico s.m.
gasterozoário s.m.

gasto adj. s.m.
gastradenite s.f.
gastradenítico adj.
gastradinâmico adj.
gastralgia s.f.
gastrálgico adj.
gastralgocenose s.f.
gastrália s.f.
gastrálio adj.
gastralo s.m.
gastrana s.m.
gastrangienfráctico adj.
gastrangienfraxe (*cs*) s.f.
gastrastenia s.f.
gastrastênico adj.
gastráster s.m.
gastratrofia s.f.
gastratrófico adj.
gastrectasia s.f.
gastrectásico adj.
gastrectomia s.f.
gastrectômico adj. s.m.
gastreia (*é*) s.f.
gastrelcósico adj.
gastrelcótico adj.
gastrelitrotomia s.f.
gastrelitrotômico adj.
gastrencefalite s.f.
gastrencefalítico adj.
gastrenteralgia s.f.
gastrenterálgico adj.
gastrenteranastomose s.f.
gastrenterite s.f.
gastrenterocolite s.f.
gastrenterologia s.f.
gastrenterológico adj.
gastrenterologista adj. s.2g.
gastrenteroptose s.f.
gastrenterostomia s.f.
gastrepático adj.
gastrepatite s.f.
gastrepiploico (*ó*) adj.
gastrepiploíte s.f.
gastresofagiano adj.
gastresofágico adj.
gastresofagite s.f.
gastrespasmo s.m.
gastresplênico adj.
gástrica s.f.
gastricidade s.f.
gastricismo s.m.
gástrico adj.
gastrícola adj.2g.
gastrídio s.m.
gastrílego adj.
gastríloquo (*co* ou *quo*) adj. s.m.
gastrina s.f.
gastrinoma s.m.
gastrintestinal adj.2g.
gastriperneuria s.f.
gastripertonia s.f.
gastriponeuria s.f.
gastrismo s.m.
gastristeropéctico adj.
gastristeropexia (*cs*) s.f.
gastristerotomia s.f.
gastristerotômico adj.
gastrite s.f.
gastrítico adj.
gastro s.m.
gastroacidograma s.m.
gastroadinâmico adj.
gastroatáctico adj.
gastroatáxico (*cs*) adj.
gastroatonia s.f.
gastroatônico adj.
gastroblenorreia (*é*) s.f.
gastroblenorreico (*é*) adj.
gastrobronquite s.f.
gastrobronquítico adj.
gastrobrosia s.f.
gastrocâmara s.f.
gastrocárpeo adj.
gastrocatexia (*cs*) s.f.
gastrocele s.f.
gastrocerco s.m.
gastrocinesógrafo s.m.
gastroclínica s.f.
gastroclínico adj.
gastrocnêmico adj.
gastrocnêmio adj. s.m.
gastrocólico adj.
gastrocolite s.f.
gastrocolítico adj.
gastrocolostomia s.f.
gastrocolostômico adj.
gastrocolotomia s.f.
gastrocolotômico adj.
gastrocolpotomia s.f.
gastrocolpotômico adj.
gastroconjuntivite s.f.
gastrocótilo s.m.
gastroda s.f.
gastrode s.m.
gastroderma s.m.
gastrodermático adj.
gastroderme s.f.
gastrodérmico adj.
gastrodiafania s.f.
gastrodiáfano s.m.
gastrodiafanoscopia s.f.
gastrodiálise s.f.
gastrodídimo s.m.
gastrodinia s.f.
gastrodínico adj.
gastrodisco s.m.
gastrodiscose s.f.
gastroduodenal adj.2g.
gastroduodenite s.f.
gastroduodenítico adj.
gastroduodenostomia s.f.
gastroduodenostômico adj.
gastroectasia s.f.
gastroelcose s.f.
gastroelitrotomia s.f.
gastroelitrotômico adj.
gastroencefalite s.f.
gastroenteralgia s.f.
gastroenterálgico adj.
gastroentérico adj.
gastroenterite s.f.
gastroenteroanastomose s.f.
gastroenterocólico adj.
gastroenterocolite s.f.
gastroenterologia s.f.
gastroenterológico adj.
gastroenterologista adj. s.2g.
gastroenteroptose s.f.
gastroenteroptósico adj.
gastroenterostomia s.f.
gastroepático adj.
gastroepatite s.f.
gastroepiploico (*ó*) adj.
gastroepiploíte s.f.
gastroesofágico adj.
gastroesofagite s.f.
gastroesofagostomia s.f.
gastroespasmo s.m.
gastroesplênico adj.
gastroestenose s.f.
gastrofaringite s.f.
gastrofaringítico adj.
gastrofilia s.f.
gastrófilo adj. s.m.
gastrofilose s.f.
gastroforia s.f.
gastrofórico adj.
gastróforo adj.
gastrofotografado adj.
gastrofotografar v.
gastrofotografia s.f.
gastrofotograma s.m.
gastrofrênico adj.
gastrogênico adj.
gastrografia s.f.
gastrográfico adj.
gastrógrafo s.m.
gastro-hepático adj.
gastro-hepatite s.f.
gastro-histerectomia s.f.
gastro-histeropexia (*cs*) s.f.
gastro-histerotomia s.f.
gastro-histerotômico adj.
gastróidea s.f.
gastrointestinal adj.2g.
gastroipertonia s.f.
gastroiponeuria s.f.
gastroisterectomia s.f.
gastroisteropexia (*cs*) s.f.
gastroisterotomia s.f.
gastroisterotômico adj.
gastrojejunostomia s.f.
gastrojejunostômico adj.
gastrolaríngico adj.
gastrolaringite s.f.
gastrolaringítico adj.
gastrólatra s.2g.
gastrolatria s.f.
gastrolátrico adj.
gastrolienal adj.2g.
gastrólise s.f.
gastrolitíase s.f.
gastrólito s.m.
gastrologia s.f.
gastrológico adj.
gastrólogo s.m.
gastroma s.m.
gastromalacia s.f.
gastromalácico adj.
gastromancia s.f.
gastromania s.f.
gastromaníaco adj. s.m.
gastromante s.2g.
gastromântico adj.
gastromegalia s.f.
gastromelia s.f.
gastrômelo s.m.
gastromenia s.f.
gastromênico adj.
gastromeningite s.f.
gastromerídeo adj. s.m.
gastrometrite s.f.
gastromicetal adj.2g.
gastromicetale s.f.
gastromicete s.m.
gastromício adj. s.m.
gastromicose s.f.
gastromicótico adj.
gastromixorreia (*cs...é*) s.f.
gastromucosa s.f.
gastromucoso (*ô*) adj.; f. (*ó*); pl. (*ó*)
gastronecto adj. s.m.
gastronefrite s.f.
gastronefrítico adj.
gastronomia s.f.
gastronômico adj.
gastrônomo s.m.
gastropaca s.f.
gastropancreatite s.f.
gastropancreatítico adj.
gastroparalisia s.f.
gastroparesia s.f.
gastroparésico adj.
gastroparético adj.
gastropata s.2g.
gastrópata s.2g.
gastropatia s.f.
gastropático adj.
gastroperiodinia s.f.
gastroperitonite s.f.
gastroperitonítico adj.
gastropexia (*cs*) s.f.
gastropilórico adj.
gastroplastia s.f.
gastroplástico adj.
gastroplegia s.f.
gastroplégico adj.
gastroplicação s.f.
gastroplicatura s.f.
gastrópode adj.2g. s.m.
gastrópodo adj. s.m.
gastróporo s.m.
gastropterígio adj.
gastróptero s.m.
gastrópteron s.m.
gastróptico adj.
gastroptixe (*cs*) s.f.
gastroptose s.f.
gastroquena s.m.
gastroquênida adj.2g. s.m.
gastroquenídeo adj. s.m.
gastrorrafia s.f.
gastrorráfico adj.
gastrorragia s.f.
gastrorrágico adj.
gastrorreia (*é*) s.f.
gastrorreico (*é*) adj.
gastrorrexe (*cs*) s.f.
gastroscopia s.f.
gastroscópico adj.
gastroscópio s.m.
gastrose s.f.
gastrosofia s.f.
gastrosófico adj.
gastrospasmo s.m.
gastrosplênico adj.
gastrósquise s.f.
gastrossucorreia (*é*) s.f.
gastrostaxe (*cs*) s.f.
gastrosteia (*é*) s.f.
gastrosteida adj.2g. s.m.
gastrosteídeo adj. s.m.
gastrostenose s.f.
gastrósteo s.m.
gastrostila s.m.
gastrostomia s.f.
gastrostômico adj.
gastróstomo s.m.
gastrotálamo s.m.
gastroteca s.f.
gastrotecnia s.f.
gastrotécnica s.f.
gastrotécnico adj.
gastrótico s.m.
gastrotomia s.f.
gastrotômico adj.
gastrótomo s.m.
gastrotóqueo s.m.
gastrotorácico adj.
gastrotoracópago s.m.
gastrotraquelotomia s.f.
gastrótrico s.m.
gastrotubomia s.f.
gastrovascular adj.2g.
gastroxia (*cs*) s.f.
gastrozoário adj. s.m.
gastrozooide (*ó*) adj.2g. s.m.
gástrula s.f.
gastrulação s.f.
gastrulante adj.2g.
gastrular v.
gastunita s.f.
gastura s.f.
gasturado adj.
gata s.f.
gatado adj.
gatafunhar v.
gatafunho s.m.
gataguá adj. s.2g.
gatal adj.2g.
gatalhão s.m.
gatanabo s.m.
gatanhada s.f.
gatanhar v.
gatanho s.m.
gatão adj. s.m.; f. *gatona*
gata-parida s.f.; pl. *gatas-paridas*
gatar v.
gataria s.f. "ajuntamento de gatos"; cf. *gatária*
gatária s.f. "planta"; cf. *gataria*
gatarrada s.f.
gatarrão s.m.
gatázio s.m.
gate s.m.
gateado adj.
gateador (*ô*) adj. s.m.
gatear v.
gateia (*é*) adj. s.f. de *gateu*
gateio s.m.
gateira s.f.
gateiro adj. s.m.
gatenho adj.
gatense adj. s.2g.
gatesgo (*ê*) adj.
gateu adj. s.m.; f. *gateia* (*é*)
gateza (*ê*) s.f.
gatice s.f.
gaticida s.2g.
gaticídio s.m.
gático s.m.
gatil s.m.
gatilho s.m.
gatimanha s.f.
gatimanho s.m.
gatimenho s.m.
gatimonha s.f.
gatimonho s.m.
gatimônia s.f.
gatina s.f.
gatinês adj.
gatinha s.f.
gatinhação s.f.
gatinhador (*ô*) adj. s.m.
gatinhante adj.2g.
gatinhar v.
gatinho s.m.
gatismo s.m.
gato s.m.
gato-açu s.m.; pl. *gatos-açus*
gato-almiscarado s.m.; pl. *gatos-almiscarados*
gato-bichaneiro s.m.; pl. *gatos-bichaneiros*
gato-bravo s.m.; pl. *gatos-bravos*
gato com botas s.m.
gato-craveiro s.m.; pl. *gatos-craveiros*
gato-de-algália s.m.; pl. *gatos-de-algália*
gato de botas s.m.
gato do mar s.m.
gato-do-mato s.m.; pl. *gatos-do-mato*
gato-do-mato-grande s.m.; pl. *gatos-do-mato-grandes*
gato-do-mato-pequeno s.m.; pl. *gatos-do-mato-pequenos*
gato-do-mato-pintado s.m.; pl. *gatos-do-mato-pintados*
gato-dos-pampas s.m.; pl. *gatos-dos-pampas*
gatoeiro s.m.
gatofobia s.f.
gato-lagária s.m.; pl. *gatos-lagária* e *gatos-lagárias*
gato-mansinho s.m.; pl. *gatos-mansinhos*
gato-maracajá s.m.; pl. *gatos-maracajá* e *gatos-maracajás*
gato-marinho s.m.; pl. *gatos-marinhos*
gato-marsupial s.m.; pl. *gatos-marsupiais*
gato-montês s.m.; pl. *gatos-monteses*
gato-mourisco s.m.; pl. *gatos-mouriscos*
gatona adj. s.f. de *gatão*
gato-palheiro s.m.; pl. *gatos-palheiros*
gato-paul s.m.; pl. *gatos-paul* e *gatos-pauis*
gato-pingado s.m.; pl. *gatos-pingados*
gato-preto s.m.; pl. *gatos-pretos*
gatorro (*ô*) s.m.
gatosa s.f.
gato-sapato s.m.; pl. *gatos-sapato* e *gatos-sapatos*
gatoso (*ô*) adj. s.m.; f. (*ó*); pl. (*ó*)
gato-tigre s.m.; pl. *gatos-tigre* e *gatos-tigres*
gatum adj.2g.
gatunagem s.f.
gatunar v.
gatunha s.f.
gatunhar v.
gatunice s.f.
gatunismo s.m.
gatuno adj. s.m.
gaturama s.f.
gaturamo s.m.
gaturamo-miudinho s.m.; pl. *gaturamos-miudinhos*
gaturamo-rei s.m.; pl. *gaturamos-reis*
gaturamo-serrador s.m.; pl. *gaturamos-serradores*
gaturamo-verdadeiro s.m.; pl. *gaturamos-verdadeiros*
gaturamo-verde s.m.; pl. *gaturamos-verdes*
gaturar v.
gaturda s.f.
gaturrar v.
gau s.m.

gaucha s.f. "mão"; cf. *gaúcha*
gaúcha adj. s.f. de *gaúcho*; cf. *gaucha*
gauchaço s.m.
gauchada s.f.
gauchagem s.f.
gauchão s.m.
gauchar v.
gaucharia s.f.
gauchense adj. s.2g.
gaucherear v.
gaucheria s.f.
gauchesco (*ê*) adj.
gauchice s.f.
gauchismo s.m.
gauchito s.m.
gaúcho adj. s.m.; f. *gaúcha*
gauchocracia s.f.
gauchu s.m.
gauda adj. s.2g. s.f.
gaudar v.
gaudefroyita s.f.
gauderar v.
gauderiação s.f.
gauderiar v.
gaudério adj. s.m.; cf. *gauderio*, fl. do v. *gauderiar*
gaudero s.m.
gaudiante adj.2g.
gaudiar v.
gaudina s.f.
gaudinar v.
gaudínia s.f.
gáudio s.m.
gaudioso (*ô*) adj.; f. (*ó*); pl. (*ó*)
gaudipério s.m.
gaudir v.
gaudó s.m.
gaudrina s.f.
gauerense adj. s.2g.
gaugau s.m.
gaulês adj. s.m.
gaullismo (*gô*) s.m.
gaullista (*gô*) adj. s.2g.
gaullístico (*gô*) adj.
gaulo s.m.
gaulope adj. s.2g.
gaulterase s.f.
gaultérase s.f.
gaultéria s.f.
gaulteríea s.f.
gaulterina s.f.
gaultherase s.f.
gaulthérase s.f.
gaulthéria s.f.
gaumine s.f.
gauncar s.m.
gauncarial adj.2g.
gaupoense adj. s.2g.
gaur s.m.
gaura s.f.
gauramense adj. s.2g.
gaurata adj. s.2g.
gauriano adj. s.m.
gauricho s.m.
gáurico adj.
gáurio adj.
gauro s.m.
gauropicoide (*ó*) adj.2g. s.m.
gauróptero s.m.
gauslinita s.f.
gauss s.m.2n.
gaussiano adj.
gaussimétrico adj.
gaussímetro s.m.
gauteíta s.f.
gauteíte s.f.
gauteíto s.m.
gauza s.f.
gavacho s.m.
gavana s.m.
gavanela s.m.
gavanina s.f.
gavão s.m.
gavar v.
gavarrécia s.f.
gavarro s.m.
gávata s.f.
gave s.m.
gávea s.f.
gaveador (*ô*) s.m.
gavear v.
gávedo s.m.
gaveiro s.m.
gavejo (*ê*) s.m.
gavela s.f.
gavelano s.m.
gavelo (*ê*) s.m.
gaveta (*ê*) s.f.
gavetão s.m.
gaveteiro adj. s.m.
gavetim s.m.
gaveto (*ê*) s.m.
gavetope s.m.
gaviádeo adj. s.m.
gavial s.m.
gaviáliceps s.m.
gavialicipitíneo adj. s.m.
gaviálida adj.2g. s.m.
gavialídeo adj. s.m.
gaviális s.m.2n.
gaviama s.m.
gaviana s.m.
gavianense adj. s.2g.
gavião adj. s.2g. s.m.
gavião-azul s.m.; pl. *gaviões-azuis*
gavião-belo s.m.; pl. *gaviões-belos*
gavião-caboclo s.m.; pl. *gaviões-caboclo* e *gaviões-caboclos*
gavião-caburé s.m.; pl. *gaviões-caburé* e *gaviões-caburés*
gavião-caipira s.m.; pl. *gaviões-caipiras*
gavião-caramujeiro s.m.; pl. *gaviões-caramujeiros*
gavião-carijó s.m.; pl. *gaviões-carijós*
gavião-caripira s.m.; pl. *gaviões-caripira* e *gaviões-caripiras*
gavião-carrapateiro s.m.; pl. *gaviões-carrapateiros*
gavião-cavã s.m.; pl. *gaviões-cavã* e *gaviões-cavãs*
gavião-covã s.m.; pl. *gaviões-covã* e *gaviões-covãs*
gavião-das-taperas s.m.; pl. *gaviões-das-taperas*
gavião-de-anta s.m.; pl. *gaviões-de-anta*
gavião-de-aruá s.m.; pl. *gaviões-de-aruá*
gavião-de-bico-de-gancho s.m.; pl. *gaviões-de-bico-de-gancho*
gavião-de-coleira s.m.; pl. *gaviões-de-coleira*
gavião-de-penacho s.m.; pl. *gaviões-de-penacho*
gavião-de-queimada s.m.; pl. *gaviões-de-queimada*
gavião-de-serra s.m.; pl. *gaviões-de-serra*
gavião-de-uruá s.m.; pl. *gaviões-de-uruá*
gavião-do-cavalo s.m.; pl. *gaviões-do-cavalo*
gavião-do-mangue s.m.; pl. *gaviões-do-mangue*
gavião-do-mar s.m.; pl. *gaviões-do-mar*
gavião-formiga s.m.; pl. *gaviões-formiga* e *gaviões-formigas*
gavião-fumaça s.m.; pl. *gaviões-fumaça* e *gaviões-fumaças*
gavião-inajé s.m.; pl. *gaviões-inajé* e *gaviões-inajés*
gavião-indaié s.m.; pl. *gaviões-indaié* e *gaviões-indaiés*
gavião-lavadeira s.m.; pl. *gaviões-lavadeira* e *gaviões-lavadeiras*
gavião-mateiro s.m.; pl. *gaviões-mateiro* e *gaviões-mateiros*
gavião-padre s.m.; pl. *gaviões-padre* e *gaviões-padres*
gavião-papa-formigas s.m.; pl. *gaviões-papa-formigas*
gavião-papa-peixe s.m.; pl. *gaviões-papa-peixes*
gavião-pato s.m.; pl. *gaviões-pato* e *gaviões-patos*
gavião-pedrês s.m.; pl. *gaviões-pedreses*
gavião-pega-macaco s.m.; pl. *gaviões-pega-macacos*
gavião-pega-pinto s.m.; pl. *gaviões-pega-pintos*
gavião-peneira s.m.; pl. *gaviões-peneira* e *gaviões-peneiras*
gavião-pescador s.m.; pl. *gaviões-pescadores*
gavião-pinhé s.m.; pl. *gaviões-pinhé* e *gaviões-pinhés*
gavião-pomba s.m.; pl. *gaviões-pomba* e *gaviões-pombas*
gavião-pombo s.m.; pl. *gaviões-pombo* e *gaviões-pombos*
gavião-pombo-grande s.m.; pl. *gaviões-pombo-grandes* e *gaviões-pombos-grandes*
gavião-pombo-pequeno s.m.; pl. *gaviões-pombo-pequenos* e *gaviões-pombos-pequenos*
gavião-preto s.m.; pl. *gaviões-pretos*
gavião-puva s.m.; pl. *gaviões-puva* e *gaviões-puvas*
gavião-quiri-quiri s.m.; pl. *gaviões-quiri-quiri* e *gaviões-quiri-quiris*
gavião-rapina s.m.; pl. *gaviões-rapina* e *gaviões-rapinas*
gavião-real s.m.; pl. *gaviões-reais*
gavião-relógio s.m.; pl. *gaviões-relógio* e *gaviões-relógios*
gavião-sauveiro s.m.; pl. *gaviões-sauveiro* e *gaviões-sauveiros*
gavião-tanató s.m.; pl. *gaviões-tanató* e *gaviões-tanatós*
gavião-tesoira s.m.; pl. *gaviões-tesoira* e *gaviões-tesoiras*
gavião-tesoura s.m.; pl. *gaviões-tesoura* e *gaviões-tesouras*
gavião-tinga s.m.; pl. *gaviões-tinga* e *gaviões-tingas*
gavião-vaqueiro s.m.; pl. *gaviões-vaqueiro* e *gaviões-vaqueiros*
gavião-velho s.m.; pl. *gaviões-velhos*
gaviãozinho s.m.
gavieiro s.m.
gaviete (*ê*) s.m.
gaviforme adj.2g.
gaviiforme adj. s.2g.
gavilha s.f.
gavina s.f.
gavinha s.f.
gavinhento adj.
gavinhoso (*ô*) adj.; f. (*ó*); pl. (*ó*)
gaviniforme adj.2g.
gaviola s.f.
gavionar v.
gavionense adj. s.2g.
gavionice s.f.
gaviroba s.f.
gavirova s.f.
gavita s.f.
gavito s.m.
gavota s.f.
gavotístico adj.
gavroche s.m.
gaxarama s.f.
gaxeta (*ê*) s.f.
gaxirama s.f.
gaylussácia s.f.
gaylussita s.f.
gaz s.m. "medida de extensão"; cf. *gás*
gaza s.f.
gazal s.m.
gazânia s.f.
gazano adj. s.m.
gazão s.m.
gazar s.m.
gazata adj. s.2g.
gaze s.f.
gazeado adj. s.m.
gazeador (*ô*) adj. s.m.
gazeamento s.m.
gazeante adj.2g.
gazear v.
gazebo s.m.
gazeense adj. s.2g.
gazeia (*é*) adj. s.f. de *gazeu*
gazeio s.m.
gazel s.m.
gazela s.f.
gazela-dorcas s.f.; pl. *gazelas-dorcas*
gazela-girafa s.f.; pl. *gazelas-girafas*
gazela-pintada s.f.; pl. *gazelas-pintadas*
gazena s.f.
gazense adj. s.2g.
gázeo adj. s.m.
gazeta (*ê*) s.m.f.
gazetal adj.2g.
gazetário adj.
gazetear v.
gazeteiro adj. s.m.
gazetice s.f.
gazético adj.
gazetífero adj.
gazetilha s.f.
gazetilheiro s.m.
gazetilhista adj. s.2g.
gazetilho s.m.
gazetismo s.m.
gazetista adj. s.2g.
gazeu adj. s.m.; f. *gazeia* (*é*)
gazia s.f.
gazil adj.2g.
gazilar v.
gazilhar v.
gazinar v.
gázio s.m.
gazipo s.m.
gazita adj. s.2g.
gazito s.m.
gaziva s.m.f.
gazo adj. s.m.
gazofilácio s.m.
gazofilar v.
gazola s.f.
gazolar v.
gazongo s.m.
gazopa s.f.
gazopo (*ô*) s.m.
gazua s.f.
gázua s.f.
gazuar v.
gazula s.f.
gazular v.
gazupar v.
gê adj. s.2g. s.m.
geada s.f.
geadeiro adj.
geado adj. s.m.
geagrário adj.
geagrícola adj.2g.
geancografia s.f.
geancográfico adj.
geantemo s.m.
geântemo s.m.
geanticlinal adj.2g. s.m.
gear v.
gearksutita s.f.
gearo s.m.
gease s.f.
géase s.f.
geassa s.f.
geasteira s.f.
geáster s.m.
geasterídeo adj. s.m.
geauxismo (*cs*) s.m.
geba (*ê*) s.f.
gebada s.f.
gebadeia (*é*) adj. s.f. de *gebadeu*
gebadeu adj. s.m.; f. *gebadeia* (*é*)
gebadoira s.f.
gebadoura s.f.
gebanita adj. s.2g.
gebar v.
gebarredeira s.f.
gebebura s.f.
gébia s.m.
gebice s.f.
gebo (*ê*) adj. s.m.
geboso (*ô*) adj.; f. (*ó*); pl. (*ó*)
gebrar v.
gebre s.m.
gebreira s.f.
gebu s.m.
gecarcínida adj.2g. s.m.
gecarcinídeo adj. s.m.
gecárcino s.m.
gecazum s.m.
gechira s.m.
gécino s.m.
gecinuro s.m.
geco s.m.
gecóbia s.m.
gecobiíneo adj. s.m.
geconídeo adj. s.m.
gecônido s.m.
gecótida adj.2g. s.m.
gecotídeo adj. s.m.
gedebo s.m.
gediniano adj. s.m.
gedínico adj. s.m.
gedrita s.f.
gedrite s.f.
gedroitzita s.f.
gedrosiano adj. s.m.
gedrósio adj. s.m.
gedruso adj. s.m.
geeiro adj. s.m.
geena s.f.
geente adj.2g.
geento adj.
geês s.m.
gefira s.f.
gefirense adj. s.2g.
gefireo adj. s.m.
gefiriano adj. s.m.
gefirino s.m.
gefiróbio s.m.
gefirofobia s.f.
gefirófobo adj. s.m.
gegadelhar v.
gegalfetado adj.
gegânia s.m.
gegelado adj.
gehlenita s.f.
gehlenite s.f.
geidrófila s.f.
geidrografia s.f.
geidrográfico adj.
geidrógrafo s.m.
geidrologia s.f.
geidrológico adj.
geigéria s.f.
geikielita s.f.
geilolo adj. s.m.
geína s.f.
geio s.m.
gêiser s.m.
geiseriano adj.
geiserita s.f.
geiserite s.f.
geisoterma s.f.
geisotermia s.f.
geisotérmico adj.
geissaspe s.f.
geissóis s.m.2n.
geissoloma s.m.
geissolomatácea s.f.
geissolomatáceo adj.
geissoméria s.f.
geissopapo s.m.
geissorriza s.f.
geissospermo s.m.

geistória s.f.
geistórico adj.
gel s.m.
gela adj. s.2g.
gelação s.f.
gelada s.f.
geladeira s.f.
geladiça s.f.
geladiço adj.
geladinha s.f.
gelado adj. s.m.
gelador (*ô*) adj.
geladura s.f.
gelante adj.2g.
gelanto s.m.
gelar v.
gelásimo s.m.
gelasina s.f.
gelasino s.m.
gelastes s.m.2n.
gelatina s.f.
gelatinado adj.
gelatinar v.
gelatinase s.f.
gelatínase s.f.
gelatinificar v.
gelatiniforme adj.2g.
gelatinização s.f.
gelatinizado adj.
gelatinizador (*ô*) adj.
gelatinizante adj.2g.
gelatinizar v.
gelatinizável adj.2g.
gelatinobrometo (*ê*) s.m.
gelatinocloreto (*ê*) s.m.
gelatinografia s.f.
gelatinográfico adj.
gelatinoide (*ó*) adj.2g.
gelatinoso (*ô*) adj.; f. (*ó*); pl. (*ó*)
gelatinotipia s.f.
gelba s.f.
gelbenda s.f.
gelbertrandita s.f.
gelda s.f.
geleada s.f.
geleia (*é*) s.f.
geleificação s.f.
geleificado adj.
geleificante adj.2g.
geleificar v.
geleificável adj.2g.
geleína s.f.
geleira s.f.
geleiro s.m.
geleniabim s.m.
gelenita s.f.
gelense adj. s.2g.
geléquia s.f.
gelequídeo adj. s.m.
gelequiída adj.2g. s.m.
gelequiídeo adj. s.m.
gelequiíneo adj. s.m.
gelequióideo adj. s.m.
gelfa s.f.
gelfo s.m.
gelha (*ê*) s.f.
gelicídio s.m.
gelícola adj.2g.
gelidez (*ê*) s.f.
gelidiácea s.f.
gelidiáceo adj.
gelidial adj.2g.
gelidiale s.f.
gelídio s.m.
gélido adj.
gelifazer v.
gelificação s.f.
gelificado adj.
gelificador (*ô*) adj. s.m.
gelificante adj.2g.
gelificar v.
gelificável adj.2g.
gelifluxão (*cs*) s.f.
gelignita s.f.
gelignite s.f.
gelina s.f.
gelíneo adj. s.m.
gelinhita s.f.
gelinhite s.f.
gelino adj. s.f.
gelinota s.f.
gélio s.m.
gélis s.m.2n.
gelissolo s.m.
geliturbação s.f.
geliva s.f.
gelivação s.f.
gelível adj.2g.
gelividade s.f.
gelma (*ê*) s.f.
gelmendes s.m.
gelmo s.m.
gelo adj. s.m.
gelo (*ê*) adj.2g.2n. s.m.
gelo-baiano s.m.; pl. *gelos-baianos*
gelogastrina s.f.
geloide (*ó*) adj.2g.
gelômetro s.m.
geloníea s.f.
gelônio s.m.
gelono adj. s.m.
geloquelidônia s.f.
gelosa s.f.
geloscopia s.f.
geloscópico adj.
gelose s.f.
gelo-seco s.m.; pl. *gelos-secos*
gelosia s.f.
gelosiado adj.
gelósico adj.
geloterapia s.f.
geloterápico adj.
gelsemiácea s.f.
gelsemiáceo adj.
gelsêmico adj.
gelsemíea s.f.
gelsemina s.f.
gelseminato s.m.
gelsemínico adj.
gelsêmio s.m.
gelsonina s.f.
gélula s.f.
gelva s.f.
gelzircão s.m.
gema s.f.
gemação s.f.
gemada s.f.
gema de ovo adj.2g.2n. "de cor similar à gema de ovo"
gema-de-ovo s.f. "espécie de árvore"; pl. *gemas-de-ovo*
gemado adj.
gema do vesúvio s.f.
gemagem s.f.
gemante adj.2g.
gemar v.
gemara s.f.
gemárico adj.
gemário adj.
gematria s.f.
gemátria s.f.
gemátrico adj.
gêmea s.f.
gemear v.
gemebundo adj.
gemedeira s.f.
gemedoiro s.m.
gemedor (*ô*) adj. s.m.
gemedouro s.m.
gemeidade s.f.
gemelar adj.2g.
gemelense adj. s.2g.
gemelgar v.
gemelgo adj. s.m.
gemelhicar v.
gemelidade s.f.
gemelifloro adj.
gemeligesta s.f.
gemelípara s.f.
gemelíparo adj. s.m.
gemelo adj. s.m.
gemência s.f.
gemente adj.2g.
gêmeo adj. s.m.
gemer v.
gemiar v.
gemicar v.
gemicelária s.f.
gemido adj. s.m.
gemidor (*ô*) adj. s.m.
gemífero adj.
gemifloro adj.
gemiforme adj.2g.
gêmina s.f.
geminação s.f.
geminado adj.
geminante adj.2g.
geminar v.
geminável adj.2g.
geminiano adj. s.m.
geminídea s.f.
geminifloro adj.
geminípara adj.2g.
gêmino adj.
gemiparidade s.f.
gemíparo adj.
gemistocítico adj.
gêmito s.m.
gemítoa s.f.
gemolita s.f.
gemologia s.f.
gemológico adj.
gemologista adj. s.2g.
gemologístico adj.
gemólogo adj. s.m.
gemônias s.f.pl.
gempílida adj.2g. s.m.
gempilídeo adj. s.m.
gempilíneo adj. s.m.
gêmpilo s.m.
gêmula s.f.
gemulação s.f.
gemular v.
gemursa s.f.
gena s.f.
genabense adj. s.2g.
genal adj.2g.
genalcaloide (*ó*) adj.2g. s.m.
genarca s.m.
genária s.f.
genaune adj. s.2g.
genauno adj. s.m.
genciamarina s.f.
genciana s.f.
genciana-amarela s.f.; pl. *gencianas-amarelas*
genciana-brasileira s.f.; pl. *gencianas-brasileiras*
gencianácea s.f.
gencianáceo adj.
genciana-da-europa s.f.; pl. *gencianas-da-europa*
genciana-da-praia s.f.; pl. *gencianas-da-praia*
genciana-das-boticas s.f.; pl. *gencianas-das-boticas*
genciana-das-farmácias s.f.; pl. *gencianas-das-farmácias*
genciana-da-terra s.f.; pl. *gencianas-da-terra*
genciana-do-brasil s.f.; pl. *gencianas-do-brasil*
genciana-dos-jardins s.f.; pl. *gencianas-dos-jardins*
gencianal adj.2g.
gencianale s.f.
genciana-roxa s.f.; pl. *gencianas-roxas*
genciana-sem-folhas s.f.; pl. *gencianas-sem-folhas*
genciânea s.f.
gencianela s.f.
genciâneo adj.
gencianina s.f.
gencianínea adj. s.f.
gencianoide (*ó*) adj.2g.
gencianóidea s.f.
gencianóideo adj.
gencianose s.f.
genciina s.f.
gencinal adj.2g.
gencinale s.f.
genciobiose s.f.
genciogenina s.f.
gencionela s.f.
genciopicrina s.f.
gendarmaria s.f.
gendarme s.m.
gendarmeria s.f.
gendiroba s.f.
gene s.m.
geneagênese s.f.
geneagenésico adj.
geneagenético adj.
genealogia s.f.
genealógico adj. s.m.
genealogismo s.m.
genealogista adj. s.2g.
genealogístico adj.
geneálogo adj. s.m.
geneantropia s.f.
geneantrópico adj.
genearca s.m.
genebra s.f.
genebrada s.f.
genebreiro s.m.
genebrense adj. s.2g.
genebrês adj. s.m.
genebrino adj. s.m.
genebro adj.
genecologia s.f. "ecologia genética"; cf. *ginecologia*
genecológico adj. "relativo a genecologia"; cf. *ginecológico*
genecologista s.2g. "especialista em genecologia"; cf. *ginecologista*
genecólogo s.m. "especialista em genecologia"; cf. *ginecólogo*
geneiorrinco s.m.
geneomancia s.f.
geneomântico adj. s.m.
geneoteca s.f.
genepi s.m.
genepístase s.f.
genequim s.m.
generacionismo s.m.
generacionista adj. s.2g.
generacionístico adj.
general adj.2g. s.m.
generala s.f.
generaládego s.m.
generalado s.m.
generalato s.m.
general de brigada s.m.
general de divisão s.m.
general de exército s.m.
generalício adj.
generalidade s.f.
generalíssimo adj. s.m.
generalista s.2g.
generalização s.f.
generalizado adj.
generalizador (*ô*) adj. s.m.
generalizante adj.2g.
generalizar v.
generalizatório adj.
generalizável adj.2g.
general-salgadense adj. s.2g.; pl. *general-salgadenses*
general-varguense adj. s.2g.; pl. *general-varguenses*
generante adj.2g.
generativismo s.m.
generativista adj. s.2g.
generativístico adj.
generativo adj.
generatriz adj. s.f.
generear v.
genéria s.f.
genérico adj.
gênero s.m.
gêneros s.m.pl.
generosense adj. s.2g.
generosidade s.f.
generoso (*ô*) adj. s.m.; f. (*ó*); pl. (*ó*)
gênero-tipo s.m.; pl. *gêneros-tipo*
genesareno adj. s.m.
gênese s.f.
genesíaco adj.
genesiário s.m.
genésico adj.
genesim s.m.
genesiologia s.f.
genesiológico adj.
genesiologista adj. s.2g.
genesiologístico adj.
genesiólogo adj. s.m.
gênesis s.m.f.
geneta (*ê*) adj. s.2g. s.f.
genetia s.f.
genética s.f.
geneticista adj. s.2g.
genético adj.
genetismo s.m.
genetista adj. s.2g.
genetlia s.f.
genetlíaco adj. s.m.
genetliano adj.
genétlias s.f.pl.
genetliografia s.f.
genetliográfico adj.
genetliógrafo s.m.
genetliologia s.f.
genetliológico adj.
genetliólogo s.m.
genetriz s.f.
genevita s.f.
genfílida adj.2g. s.m.
genfilídeo adj. s.m.
genfilíneo adj. s.m.
gênfilo s.m.
genge adj. s.2g.
gengele s.m.
gengiberácea s.f.
gengiberáceo adj.
gengibirra s.f.
gengibrada s.f.
gengibre s.m.
gengibre-amargo s.m.; pl. *gengibres-amargos*
gengibre-concha s.m.; pl. *gengibres-conchas*
gengibre-da-terra s.m.; pl. *gengibres-da-terra*
gengibre-de-dourar s.m.; pl. *gengibres-de-dourar*
gengibre-dourado s.m.; pl. *gengibres-dourados*
gengibre-vermelho s.m.; pl. *gengibres-vermelhos*
gengista adj. s.2g.
gengiva s.f.
gengival adj.2g.
gengivite s.f.
gengivorragia s.f.
genial adj.2g.
genialidade s.f.
genialoide (*ó*) adj.2g.
geniano adj.
geniantro s.m.
gênica s.f.
gênico adj.
geniculação s.f.
geniculado adj.
genicular v. adj.2g.
geniculifloro adj.
genículo s.m.
geniculocalcarino adj.
geniióideo adj. s.m.
genina s.f.
genínico adj.
gênio s.m.
geniofaríngeo adj. s.m.
geniofriníneo adj. s.m.
geniofrino s.m.
genioglosso adj. s.m.
genioplastia s.f.
genioplástico adj.
geniorrinco s.m.
genioso (*ô*) adj.; f. (*ó*); pl. (*ó*)
geniostoma s.f.
geniostomácea s.f.
geniostomáceo adj.
genipa s.f.
genista adj.2g. s.f.
genístea s.f.
genisteína s.f.
genistela s.f.
genísteo adj.
genistina s.f.
genital adj.2g. s.m.
genitália s.f.
genitalidade s.f.
genitividade s.f.
genitivo s.m.
gênito adj. s.m.
genitocrural adj.2g.
genitoespinal adj.2g.
genitofemoral adj.2g.

genitor (*ô*) s.m.
genitospinal adj.2g.
genitura s.f.
geniturinário adj.
genlísea s.f.
genlíseo adj.
genoa (*ô*) s.f.
genoblasto s.m.
genócia s.f.
genocida adj. s.2g.
genocídio s.m.
genócito s.m.
genocópia s.f.
genocracia s.f.
genocrático adj.
genodermatose s.f.
genodistrofia s.f.
genodistrófico adj.
genoês adj. s.m.
genol s.m.
genoma s.m.
genomático adj.
genômero s.m.
genômica s.f.
genômico adj.
genomo s.m.
genonomia s.f.
genoplastia s.f.
genoplástico adj.
genoquiloplastia s.f.
genotexto (*ê*) s.m.
genótia s.f.
genotípico adj.
genótipo s.m.
genovense adj. s.2g.
genovês adj. s.m.
genovevano s.m.
genovisco adj. s.m.
genreador (*ô*) adj. s.m.
genrear v.
genro s.m.
gentaça s.f.
gentalha s.f.
gentama s.f.
gentamicina s.f.
gentana s.f.
gentarada s.f.
gente s.f.
gente-de-fora-já-chegou s.m.2n.
gente-de-fora-vem s.m.2n.
gente-de-fora-vem-aí s.m.2n.
genthelvita s.f.
genthita s.f.
gentiada s.f.
gentiaga s.f.
gentiense adj. s.2g.
gentil adj.2g. s.m.
gentil-dona s.f.; pl. *gentis-donas*
gentilense adj. s.2g.
gentileza (*ê*) s.f.
gentilezas (*ê*) s.f.pl.
gentilezense adj.2g.
gentil-homem s.m.; pl. *gentis-homens*
gentil-homeria s.f.; pl. *gentis-homerias*
gentilício adj. s.m.
gentílico adj. s.m.
gentilidade s.f.
gentílimo adj. sup. de *gentil*
gentilismo s.m.
gentilizar v.
gentinha s.f.
gentio adj. s.m.
gentiobiose s.f.
gentiobiótico adj.
gentisato s.m.
gentísico adj.
gentisina s.f.
gentita s.f.
gentnerita s.f.
gentuça s.f.
genuate adj. s.2g.
genuclasto s.m.
genucubital adj.2g.
genuense adj. s.2g.
genuês adj. s.m.
genuflectir v.
genuflector (*ô*) adj. s.m.
genufletir v.
genufletor (*ô*) adj. s.m.
genuflexão (*cs*) s.f.
genuflexo (*cs*) adj.
genuflexório (*cs*) s.m.
genuinense adj. s.2g.
genuinidade (*u-i*) s.f.
genuíno adj.
genuísco adj. s.m.
genupectoral adj.2g.
genupeitoral adj.2g.
genusino adj. s.m.
genuvalgo adj.
genuvaro adj.
geo s.m.
geoanticlinal adj.2g.
geoanticlíneo adj. s.m.
geoanticlínico adj.
geoanticlino adj. s.m.
geoanticlinório adj.
geóbata s.m.
geóbate s.m.
geobatrácio s.m.
geobatráquio s.m.
geobélica s.f.
geobélico adj.
geóbio s.m.
geobiologia s.f.
geobiológico adj.
geobiologista adj. s.2g.
geobiólogo s.m.
geoblasto adj.
geobotânica s.f.
geobotânico adj. s.m.
geocálice s.m.
geocálix (*cs*) s.m.
geocarpia s.f.
geocárpico adj.
geocauda s.f.
geocentrado adj.
geocentrar v.
geocentricidade s.f.
geocêntrico adj.
geocentrismo s.m.
geocentrista adj. s.2g.
geocentrístico adj.
geocérico adj.
geocerina s.f.
geocicla s.f.
geocíclico adj. s.m.
geociência s.f.
geocientífico adj.
geocientista adj. s.2g.
geocientístico adj.
geocinética s.f.
geocinético adj.
geóclase s.f.
geoclasto adj.
geoclimatérico adj.
geoclimático adj.
geoclimatologia s.f.
geoclimatológico adj.
geoclímico adj.
geoclino adj.
geóclino adj.
geocóccix (*cs*) s.m.
geococo s.m.
geocolapta s.2g.
geocomercial adj.2g.
geocóreo adj. s.m.
geocórida adj.2g. s.m.
geocorídeo adj. s.m.
geocoríneo adj. s.m.
geocorisa s.f.
geocoríseo adj. s.m.
geocorísido adj. s.m.
geocorônio s.m.
geocosmogenia s.f.
geocosmogênico adj.
geocrático adj.
geocronita s.f.
geocronologia s.f.
geocronológico adj.
geocronometria s.f.
geocronométrico adj.
geode s.m.
geodemografia s.f.
geodemográfico adj.
geodemógrafo s.m.
geodemologia s.f.
geodemológico adj.
geodemólogo s.m.
geodesia s.f.
geodésia s.f.
geodésica s.f.
geodésico adj.
geodesígrafo s.m.
geodesimetria s.f.
geodesimétrico adj.
geodesmo s.m.
geodeta s.2g.
geodético adj.
geodimétrico adj.
geodímetro s.m.
geodina s.f.
geódina s.f.
geodinâmica s.f.
geodinâmico adj.
geodiníneo adj. s.m.
geodite s.f.
geodo s.m.
geoecologia s.f.
geoecológico adj.
geoecologismo s.m.
geoecologista adj. s.2g.
geoecologístico adj.
geoeconomia s.f.
geoeconômico adj.
geoeconomismo s.m.
geoeconomista adj. s.2g.
geoeconomístico adj.
geoecônomo adj. s.m.
geoedafologia s.f.
geoedafológico adj.
geoedafologismo s.m.
geoedafologista adj. s.2g.
geoedafologístico adj.
geoeletricidade s.f.
geoelmintíase s.f.
geoestacionário adj.
geoestratégia s.f.
geoetnografia s.f.
geoetnográfico adj.
geoetnógrafo s.m.
geoetnologia s.f.
geoetnológico adj.
geoetnólogo s.m.
geofagia s.f.
geofágico adj.
geofagismo s.m.
geófago adj. s.m.
geofila s.f.
geófila s.f.
geofílico adj.
geofílida adj.2g. s.m.
geofilídeo adj. s.m.
geofilo s.m.
geófilo adj. s.m.
geofilomórfico adj.
geofilomorfo adj. s.m.
geofísica s.f.
geofísico adj. s.m.
geofisicoquímica s.f.
geofisicoquímico adj.
geófita s.f.
geofitecologia s.f.
geofitecológico adj.
geófito adj. s.m.
geofitografia s.f.
geofitográfico adj.
geofone s.m.
geofono s.m.
geofroína s.f.
geogalo s.m.
geogenanto s.m.
geogenia s.f.
geogênico adj.
geoglossácea s.f.
geoglossáceo adj.
geoglosso s.m.
geognosia s.f.
geognóstico adj.
geogonia s.f.
geogônico adj.
geografar v.
geografia s.f.
geográfico adj.
geográfico-linguístico adj.; pl. *geográfico-linguísticos*
geografismo s.m.
geógrafo s.m.; cf. *geografo*, fl. do v. *geografar*
geo-helmintíase s.f.
geo-hidrografia s.f.
geo-hidrográfico adj.
geo-história s.f.
geoica (*ó*) s.f.
geoide (*ó*) adj.2g. s.m.
geoidrografia s.f.
geoidrográfico adj.
geoistória s.f.
geolandense adj. s.2g.
geolho (*ô*) s.m.
geolinguística (*ü*) s.f.
geolitologia s.f.
geolitológico adj.
geolitologista s.2g.
geolitólogo s.m.
geologia s.f.
geológico adj.
geologista s.2g.
geólogo s.m.
geomagnético adj.
geomagnetífero s.m.
geomagnetismo s.m.
geomagnetista s.2g.
geomálaco s.m.
geomancia s.f.
geomante s.2g.
geomântico adj.
geomântis s.m.2n.
geomarítimo adj.
geomatemático adj.
geomedicina s.f.
geomelânia s.f.
geômetra s.2g.
geometral adj.2g. s.m.
geometria s.f.
geometricismo s.m.
geométrico adj.
geométrida adj.2g. s.m.
geometrídeo adj. s.m.
geometrismo s.m.
geometrista adj. s.2g.
geometrístico adj.
geometrização s.f.
geometrizante adj.2g.
geometrizar v.
geometrografia s.f.
geometrográfico adj.
geometrógrafo s.m.
geometróideo s.m.
geomíida adj.2g. s.m.
geomiídeo adj. s.m.
géomis s.m.2n.
geomorfia s.f.
geomórfico adj.
geomorfogênese s.f.
geomorfogenia s.f.
geomorfogênico adj.
geomorfografia s.f.
geomorfográfico adj.
geomorfologia s.f.
geomorfológico adj.
geomorfólogo s.m.
geômoro s.m.
geonavegação s.f.
geonavegador (*ô*) adj. s.m.
geonavegatório adj.
geonemerte s.m.
geonimia s.f.
geonímia s.f.
geonímico adj.
geônimo s.m.
geonoma s.f.
geonomástica s.f.
geonomástico adj.
geonomia s.f.
geonômico adj.
geonomina s.f.
geônomo s.m.
geoparque s.m.
geopélia s.f.
geopiteco adj. s.m.
geoplana s.f.
geoplanetologia s.f.
geoplanetológico adj.
geoplânida adj.2g. s.m.
geoplanídeo adj. s.m.
geopoética s.f.
geopolar adj.2g.
geopolítica s.f.
geopolítico adj.
geoponia s.f.
geopônica s.f.
geopônico adj.
geopotencial adj.2g.
geopsicologia s.f.
geopsicológico adj.
geopsíquica s.f.
geopsíquico adj.
geopsítaco s.m.
geoquímica s.f.
geoquímico adj. s.m.
georama s.m.
georgeofone s.m.
geórgia s.f.
georgiácea s.f.
georgiáceo adj.
georgiadesita s.f.
georgiaíto s.m.
georgiano adj. s.m.
geórgica s.f.
geórgico adj. s.m.
georgina s.f.
georginácea s.f.
georgináceo adj.
georgínea s.f.
georginense adj. s.2g.
georgíneo adj.
georgiofone s.f.
georgiofono s.m.
georgismo s.m.
georgista adj. s.2g.
georíssida adj.2g. s.m.
georissídeo adj. s.m.
georisso s.m.
georografia s.f.
georográfico adj.
georrinco s.m.
geoscopia s.f.
geoscópico adj.
geoscópio s.m.
geóscopo s.m.
geosfera s.f.
geosférico adj.
geosita s.f.
geoso (*ô*) adj.; f. (*ó*); pl. (*ó*)
geospigíneo adj. s.m.
geossáurio adj. s.m.
geossauro adj. s.m.
geossérie s.f.
geossifonácea s.f.
geossifonáceo adj.
geossinclinal adj.2g. s.m.
geossinclíneo adj. s.m.
geossinclínico adj.
geossinclinório adj.
geossíncrono adj.
geossinecológico adj.
geossísmico adj.
geossismo s.m.
geossocial adj.2g.
geostática s.f.
geostático adj.
geostética s.f.
geostético adj.
geostratégia s.f.
geostratégico adj.
geotáctico adj.
geotactismo s.m.
geotaxia (*cs*) s.f.
geotecnia s.f.
geotécnica s.f.
geotécnico adj. s.m.
geotectônica s.f.
geotectônico adj.
geotermal adj.2g.
geotermia s.f.
geotérmica s.f.
geotérmico adj.
geotermográfico adj.
geotermógrafo s.m.
geotermograma s.m.
geotermometria s.f.
geotermométrico adj.
geotermometrista adj. s.2g.
geotermômetro s.m.
geotêxtil s.m.
geotlípis s.m.
geótomo s.m.
geotrípida s.m.
geotripídeo adj. s.m.
geotripíneo adj. s.m.

geotripino adj. s.m.
geotripo s.m.
geotropia s.f.
geotrópico adj.
geotropismo s.m.
geotropístico adj.
geótropo s.m.
geoxênio (*cs*) s.m.
geozoologia s.f.
geozoológico adj.
gépida adj. s.2g.
gera s.f.
geração s.f.
gerado adj.
geradoiro s.m.
gerador (*ô*) adj. s.m.
geradouro s.m.
gerais s.f.pl.
geraisita s.f.
geral adj.2g. s.m.f.
geralado s.m.
geraldésia s.f.
geraldino s.m.
geralista adj. s.2g.
geralocroísmo s.m.
geranato s.m.
geraniácea s.f.
geraniáceo adj.
geranial adj.2g.
geraniale s.f.
gerânico adj.
geraníea s.f.
geranila s.f.
geranílico adj.
geranilo s.m.
geranina s.f.
gerânio s.m.
gerânio-brasileiro s.m.; pl. *gerânios-brasileiros*
gerânio-cheiroso s.m.; pl. *gerânios-cheirosos*
gerânio-crespo s.m.; pl. *gerânios-crespos*
gerânio-hera s.m.; pl. *gerânios-hera* e *gerânios-heras*
geraniol s.m.
geranioleno s.m.
gerânio-moscado s.m.; pl. *gerânios-moscados*
gerânio-rosa s.m.; pl. *gerânios-rosa*
gerânio-sanguíneo s.m.; pl. *gerânios-sanguíneos*
gerano s.m.
gerar v.
gerárdia s.f.
gerardiada s.f.
gerardiado adj.
gerardíea s.f.
gerartíida adj.2g. s.m.
gerartiídeo adj. s.m.
geraseno adj. s.m.
gerasimovskita s.f.
geratividade s.f.
gerativismo s.m.
gerativista adj. s.2g.
gerativístico adj.
gerativo adj.
gerativo-transformacional adj.2g.; pl. *gerativo-transformacionais*
geratologia s.f.
geratológico adj.
geratologista s.2g.
geratólogo adj. s.m.
geratório adj.
geratricial adj.2g.
geratricialidade s.f.
geratriz adj. s.f.
gerbão s.m.
gerbera s.f.
gérbera s.f.
gerbéria s.f.
gerbilo s.m.
gerbo s.m.
gerbo-de-cinco-dedos s.m.; pl. *gerbos-de-cinco-dedos*
gercinopolitano adj. s.m.
gerda s.m.
gerecedor (*ô*) adj. s.m.
gerecer v.
gerecido adj.
gereiro s.m.
gerém adj. s.2g. s.m.
gerência s.f.; cf. *gerencia*, fl. do v. *gerenciar*
gerenciação s.f.
gerenciador (*ô*) adj. s.m.
gerencial adj.2g.
gerencialismo s.m.
gerencialista adj. s.2g.
gerenciamento s.m.
gerenciar v.
gerenciável adj.2g.
gerente adj. s.2g.
gergelim s.m.
gergelim-bastardo s.m.; pl. *gergelins-bastardos*
gergelim-bravo s.m.; pl. *gergelins-bravos*
gergelim-de-laguna s.m.; pl. *gergelins-de-laguna*
gergelim-do-brasil s.m.; pl. *gergelins-do-brasil*
gergeseia (*é*) adj. s.f. de *gergeseu*
gergeseu adj. s.m.; f. *gergeseia* (*é*)
gergilada s.f.
gerhardanto s.m.
gerhardtita s.f.
gerianta s.f.
geriatra s.2g.
geriatria s.f.
geriátrico adj.
geriatro s.m.
geribanda s.f.
gerico s.m. "jardinzinho"; cf. *jerico* e *jericó*
gerido adj.
gerifalte s.m.
gerifalto s.m.
gerigonça s.f.
gerigote adj.
gerigoto (*ô*) adj. s.m.
gerimato s.m.
gerimendro s.m.
geringonça s.f.
geringonçada s.f.
geringote adj.
geringoto (*ô*) adj.
geriônia s.m.
geriônida adj.2g. s.m.
gerionídeo adj. s.m.
gerir v.
gerlanda s.f.
germanada s.f.
germanado adj.
germanal adj.2g.
germanar v.
germândrea s.f.
germandreia (*é*) s.f.
germania s.f.
germânia s.f.
germanice s.f.
germânico adj. s.m.
germanidade s.f.
germaniense adj. s.2g.
germanina s.f.
germânio s.m.
germanismo s.m.
germanista adj. s.2g.
germanística s.f.
germanístico adj.
germanita s.f.
germanítico adj.
germanização s.f.
germanizado adj.
germanizador (*ô*) adj.
germanizante adj.2g.
germanizar v.
germanizável adj.2g.
germano adj. s.m.
germano-catolicismo s.m.; pl. *germano-catolicismos*
germano-católico adj. s.m.; pl. *germano-católicos*
germano-celta adj. s.2g.; pl. *germano-celtas*
germano-cristão adj. s.m.; pl. *germano-cristãos*
germano-cristianismo s.m.; pl. *germano-cristianismos*
germanofalante adj. s.2g.
germanofilia s.f.
germanófilo adj. s.m.
germanofobia s.f.
germanófobo adj. s.m.
germanofonia s.f.
germanofônico adj.
germanófono adj. s.m.
germano-húngaro adj. s.m.; pl. *germano-húngaros*
germano-latino adj. s.m.; pl. *germano-latinos*
germanologia s.f.
germanológico adj.
germanólogo s.m.
germano-otomano adj. s.m.; pl. *germano-otomanos*
germano-polaco adj. s.m.; pl. *germano-polacos*
germano-português adj. s.m.; pl. *germano-portugueses*
germano-soviético adj. s.m.; pl. *germano-soviéticos*
germano-turco adj. s.m.; pl. *germano-turcos*
germão adj. s.m.
germe s.m.
germelo (*ê*) adj.
gérmen s.m.
germicida adj. s.2g.
germicídio s.m.
germiducto s.m.
germigêneo s.m.
germinabilidade s.f.
germinação s.f.
germinado adj.
germinadoiro s.m.
germinador (*ô*) adj. s.m.
germinadouro s.m.
germinal adj.2g. s.m.
germinante adj.2g.
germinar v.
germinativo adj.
germinável adj.2g.
germindade s.f.
germinidade s.f.
germinípara adj.
germinismo s.m.
germinista adj. s.2g.
germinogonia s.f.
germinogônico adj.
germo s.m.
germostasia s.f.
germostático adj.
gerno s.m.
gero s.m.
gerocomia s.f.
gerocômica s.f.
gerocômico adj.
gerocômio s.m.
gerodermia s.f.
gerodérmico adj.
geromarasmo s.m.
geromórfico adj.
geromorfismo s.m.
géron s.m.
gerona s.f.
geronato s.m.
gerônico adj.
geronomiia s.f.
gerontagogia s.f.
gerontagógico adj.
gerontagogo (*ô*) s.m.
geronte s.m.
gerôntico adj.
gerontismo s.m.
gerontista s.2g.
gerontocomia s.f.
gerontocômio s.m.
gerontocracia s.f.
gerontocrata s.2g.
gerontócrata s.2g.
gerontocrático adj.
gerontodemografia s.f.
gerontodemográfico adj.
gerontofilia s.f.
gerontófilo adj. s.m.
gerontologia s.f.
gerontológico adj.
gerontologista adj. s.2g.
gerontólogo s.m.
gerontotoxo (*cs*) s.m.
gerontotrófio s.m.
gerontoxo (*cs*) s.m.
gerontrófio s.m.
geroterapia s.f.
geroterápico adj.
gerotoxo (*cs*) s.m.
gerotrófio s.m.
gerra adj. s.2g.
gerrardanto s.m.
gerre s.m.
gérrida adj.2g. s.m.
gerrídeo adj. s.m.
gerriforme s.m.
gérris s.m.2n.
gerróforo s.m.
gerróideo adj. s.m.
gerronoto s.m.
gerrossáurida adj.2g. s.m.
gerrossaurídeo adj. s.m.
gerrossauro s.m.
gersal s.m.
gersdorffita (*guers*) s.f.
gersdorffítico (*guers*) adj.
gersdorfita (*guers*) s.f.
gersdorfítico (*guers*) adj.
gersonita adj. s.2g.
gerstlevita s.f.
gerstmannita s.f.
gertrudense adj. s.2g.
gertrudes s.f.2n.
gerumelo s.m.
gerundial adj.2g.
gerundífico adj.
gerúndio s.m.
gerundivo s.m.
gerúsia s.f.
gerváisia s.f.
gervão s.m.
gervão-bastardo s.m.; pl. *gervões-bastardos*
gervão-cheiroso s.m.; pl. *gervões-cheirosos*
gervão-das-caatingas s.m.; pl. *gervões-das-caatingas*
gervão-das-catingas s.m.; pl. *gervões-das-catingas*
gervão-das-taperas s.m.; pl. *gervões-das-taperas*
gervão-de-folha-grande s.m.; pl. *gervões-de-folha-grande*
gervão-de-folha-larga s.m.; pl. *gervões-de-folha-larga*
gervão-do-alagadiço s.m.; pl. *gervões-do-alagadiço*
gervão-falso s.m.; pl. *gervões-falsos*
gervão-roxo s.m.; pl. *gervões-roxos*
gervão-verdadeiro s.m.; pl. *gervões-verdadeiros*
gervília s.f.
gerzeli s.m.
gerzelim s.m.
gesate s.m.
gesato s.m.
geschenita s.f.
gesnerácea s.f.
gesneráceo adj.
gesnérea s.f.
gesnéria s.f.
gesneriácea s.f.
gesneriáceo adj.
gesneríea s.f.
gesnerina s.f.
gesnério adj.
gesnerióidea s.f.
geso s.m.
gesônia s.f.
gessada s.f.
gessado adj.
gessagem s.f.
gessal s.m.
gessamento s.m.
gessar v.
gesseira s.f.
gesseiro s.m.
gessete (*ê*) s.m.
gessneriano adj.
gessnerismo s.m.
gesso (*ê*) s.m.; cf. *gesso*, fl. do v. *gessar*
gesso-cré s.m.; pl. *gessos-cré* e *gessos-crés*
gesso-estuque s.m.; pl. *gessos-estuque* e *gessos-estuques*
gessoso (*ô*) adj.; f. (*ó*); pl. (*ó*)
gesta s.f.
gestação s.f.
gestacional adj.2g.
gestado adj.
gestador (*ô*) adj. s.m.
gestagênio s.m.
gestal s.m.
gestáltico (*gues*) adj.
gestaltismo (*gues*) s.m.
gestaltista (*gues*) adj. s.2g.
gestaltístico (*gues*) adj.
gestaltterapia (*gues*) s.f.
gestante adj. s.2g. s.f.
gestão s.f.
gestar v.
gestativo adj.
gestatorial adj.2g.
gestatório adj.
gestema s.m.
gestemático adj.
gestêmico adj.
géstico adj.
gesticulação s.f.
gesticulado adj. s.m.
gesticulador (*ô*) adj. s.m.
gesticulante adj.2g.
gesticular v.
gesticulativo adj.
gesticulatório adj.
gesticuloso (*ô*) adj.; f. (*ó*); pl. (*ó*)
gestionado adj.
gestionador (*ô*) adj.
gestionante adj.2g.
gestionar v.
gestionário adj.
gestionável adj.2g.
gesto s.m.
gesto-chave s.m.; pl. *gestos-chave* e *gestos-chaves*
gestor (*ô*) s.m.
gestose s.f.
gestrela s.f.
gestual adj.2g.
gestualidade s.f.
gestualismo s.m.
gestualista adj. s.2g.
gestualístico adj.
gestualização s.f.
gestualizado adj.
gestualizador (*ô*) adj.
gestualizante adj.2g.
gestualizar v.
geta adj. s.2g. s.f.
getchellita s.f.
geté s.m.
geteia (*é*) adj. s.f. de *geteu*
geteu adj. s.m.; f. *geteia* (*é*)
gético adj.
getulandense adj. s.2g.
getúlia s.m.
getuliano adj. s.m.
getúlico adj.
getuliense adj. s.2g.
getulinense adj. s.2g.
getulinho s.m.
getulino adj. s.m.
getúlio-varguense adj. s.2g.; pl. *getúlio-varguenses*
getulismo s.m.
getulista adj. s.2g.
getulístico adj.
getulo adj. s.m.
geuseometria s.f.
geuseométrico adj.
geusimetria s.m.
geversita s.f.
gezehense adj. s.2g.
gialecta s.f.
gialectácea s.f.
gialectáceo adj.
gianellaíta s.f.
gianetita s.f.
gianetítico adj.

giannettita s.f.
giannettítico adj.
giardela s.f.
giárdia s.f.
giardiase s.f.
giardíase s.f.
giático s.m.
giaur s.m.
giba s.f. "corcunda" *e* "vela de proa"; cf. *jiba*
gibaldeira s.f.
gibanete (*ê*) s.m.
gibão s.m.
gibão-de-coiro s.m.; pl. *gibões-de-coiro*
gibão-de-couro s.m.; pl. *gibões-de-couro*
gibardeira s.f.
gibarra adj.2g.
gibatão s.m.
gibbsita s.f.
gibbsítico adj.
gibelinismo s.m.
gibelino adj. s.m.
gibeonita adj. s.2g.
giberela s.f.
giberelato s.m.
giberélico adj.
giberelina s.f.
giberelínico adj.
giberna s.f.
gibeteiro s.m.
gibi s.m.
gibífero adj.
gibifloro adj.
gibiíneo adj. s.m.
gíbio s.m.
gibipene adj.2g.
gibiteiro s.m.
gibizada s.f.
gibli s.m.
gibo s.m.
gibocélida adj.2g. s.m.
gibocelídeo adj. s.m.
gibocelo s.m.
gibosidade s.f.
gibosifoliado adj.
giboso (*ô*) adj. s.m.; f. (*ó*); pl. (*ó*)
gibraltarino adj. s.m.
gibreiro s.m.
gibsita s.f.
gibsítico adj.
gibsonita s.f.
gíbula s.m.
gicebi s.m.
giclê s.m.
gicló s.m.
gideão s.m.
gidiano adj.
gídio adj.
gido adj.
giessenita s.f.
giesta s.f.
giesta-das-sebes s.f.; pl. *giestas-das-sebes*
giesta-das-serras s.f.; pl. *giestas-das-serras*
giesta-das-vassouras s.f.; pl. *giestas-das-vassouras*
giesta-dos-jardins s.f.; pl. *giestas-dos-jardins*
giestal s.m.
giesta-ordinária s.f.; pl. *giestas-ordinárias*
giesteira s.f.
giesteira-branca s.f.; pl. *giesteiras-brancas*
giesteira-das-sebes s.f.; pl. *giesteiras-das-sebes*
giesteira-das-serras s.f.; pl. *giesteiras-das-serras*
giesteira-das-vassouras s.f.; pl. *giesteiras-das-vassouras*
giesteira-dos-jardins s.f.; pl. *giesteiras-dos-jardins*
giesteiro s.m.
giesto s.m.
giestoso (*ô*) adj.; f. (*ó*); pl. (*ó*)
gifordiácea s.f.
gifordiáceo adj.
giga s.f. "canastra"; cf. *jiga*
gigabaite s.m.
gigabite s.m.
gigaciclo s.m.
gigaelétron-volt s.m.; pl. *gigaelétron-volts*
giga-hertz s.m.2n.
gigâmetro s.m.
giganho adj. s.m.
giganta adj. s.f. de *gigante*
gigantão adj. s.m.; f. *gigantona*
gigantaria s.f.
gigante adj.2g. s.m.; f. do s.m. *giganta*
gigântea s.f.
gigantear v.
giganteia (*é*) adj. s.f. de *giganteu*
gigantense adj. s.2g.
gigânteo adj.
gigantesco (*ê*) adj.
giganteu adj. s.m.; f. *giganteia* (*é*)
gigantez (*ê*) s.f.
giganteza (*ê*) s.f.
gigântico adj.
gigantífero adj.
gigantil adj.2g.
gigantismo s.m.
gigantístico adj.
gigantoblasto s.m.
gigantocelular adj.2g.
gigantócito s.m.
gigantócloa s.f.
gigantofone adj. s.m.
gigantofono adj. s.m.
gigantófono adj. s.m.
gigantografia s.f.
gigantográfico adj.
gigantógrafo s.m.
gigantolita s.f.
gigantolite s.f.
gigantólito s.m.
gigantologia s.f.
gigantológico adj.
gigantólogo s.m.
gigantomaquia s.f.
gigantomáquico adj.
gigantona adj. s.f. de *gigantão*
gigantorrinco s.m.
gigantorrínquida adj.2g. s.m.
gigantorrinquídeo adj. s.m.
gigantossáurio s.m.
gigantostráceo adj. s.m.
gigantóstraco s.m.
giganturóideo s.m.
gigartina s.f.
gigartinácea s.f.
gigartináceo adj.
gigartinal adj.2g.
gigartinale s.f.
gigawatt s.m.
gígia s.f.
gígis s.m.2n.
giglê s.m.
gigliólia s.f.
gigo s.m. "cesto de vime"; cf. *gigô*
gigô s.m. "guisado"; cf. *gigo*
gigoga s.f.
gigoia (*ó*) s.f.
gigolô s.m.
gigolotagem s.f.
gigolotear v.
gigote s.m.
gigurro adj. s.m.
gila s.f.
gila-caiota s.f.; pl. *gilas-caiota* e *gilas-caiotas*
gilavento s.m.
gilbarbeira s.f.
gilbardeira s.f.
gilbert (*guil*) s.m.
gilbertino adj. s.m.
gilbertito s.m.
gilbnesense adj. s.2g.
gilbreiro s.m.
gilbueense adj. s.2g.
gileadita adj. s.2g.
gilênia s.f.
gilense adj. s.2g.
gileta (*ê*) s.f.
gilete s.f.
gilía s.f.
gília s.f.
gilibércia s.f.
gilibértia s.f.
giliésia s.f.
giliesíea s.f.
gilipo s.m.
gillespita s.f.
gillingita s.f.
gillingite s.f.
gil-mendes s.m.2n.
gilonário s.m.
gilpinita s.f.
gilvaz s.m.
gilvicentesco (*ê*) adj.
gilvicentino adj.
gilvicentismo s.m.
gilvicentista adj. s.2g.
gim s.m.
gima s.f.
gimão s.m.
gimbernático adj.
gimbipotente adj.2g.
gimbo s.m. "dinheiro"; cf. *jimbo* e *jimbó*
gimboto (*ô*) s.m.
gimbré s.m.
gimbrinha s.f.
gimel s.f.
gimnadeiina s.f.
gimnadeína s.f.
gimnadênia s.f.
gimnameba s.f.
gimnandrismo s.m.
gimnandro adj.
gimnandroblastoma s.m.
gimnandróforo s.m.
gimnandrossoma s.m.
gimnanto adj.
gimnapisto s.m.
gimnaquiro s.m.
gimnarco s.m.
gimnárquida adj.2g. s.m.
gimnarquídeo adj. s.m.
gimnáscea s.f.
gimnásceo adj.
gimnasiarco s.m.
gimnasiarquia s.f.
gimnásico s.m.
gimnáspio s.m.
gimnastéria s.m.
gimnasteriída adj.2g. s.m.
gimnasteriídeo adj. s.m.
gimnelíneo s.m.
gimnélis s.m.2n.
gimnema s.m.
gimnêmico adj.
gimnésio adj. s.m.
gimneta s.m.
gimnete adj. s.2g.
gimnétis s.m.2n.
gimneto s.m.
gimnetro s.m.
gimnétron s.m.
gímnica s.f.
gímnico adj.
gimnita s.f.
gimnite s.f.
gimnoascácea s.f.
gimnoascáceo adj.
gimnoasco s.m.
gimnobelideu s.m.
gimnoblástica s.f.
gimnoblástico adj. s.m.
gimnoblasto adj.
gimnobrânquio adj.
gimnobuco s.m.
gimnocalício s.m.
gimnocárpea s.f.
gimnocarpia s.f.
gimnocarpo adj. s.m.
gimnocaule adj.2g.
gimnocéfalo adj.
gimnocerado adj. s.m.
gimnocerata s.f.
gimnócero s.m.
gimnocicla s.f.
gimnocitode s.m.
gimnóclado s.m.
gimnocóraco s.m.
gimnocórax (*cs*) s.m.
gimnocrótafo s.m.
gimnodáctilo s.m.
gimnodátilo s.m.
gimnoderme adj.2g.
gimnodermo adj.
gimnódero s.m.
gimnodictiota s.2g.
gimnodiniácea s.f.
gimnodonte adj.2g.
gimnófabe s.f.
gimnofaps s.f.
gimnofídio adj.
gimnofiônico adj. s.m.
gimnofiono adj. s.m.
gimnofobia s.f.
gimnófobo adj. s.m.
gimnoftalmo s.m.
gimnógeno adj.
gimnógino adj.
gimnogonfo s.m.
gimnograma s.m.
gimnolemado adj. s.m.
gimnomístaco s.m.
gimnomístax (*cs*) s.m.
gimnomítrio s.m.
gimnomurena s.f.
gimnonecto adj. s.m.
gimnonoto s.m.
gimnopédia s.f.
gimnopedo adj. s.m.
gimnopélia s.f.
gimnópitis s.f.2n.
gimnopleuro s.m.
gimnópode adj.2g. s.m.
gimnopogão s.m.
gimnopógon s.m.
gimnopomo adj.
gimnópteris s.f.2n.
gimnóptero adj. s.m.
gimnoquita s.f.
gimnorcéfalo adj. s.m.
gimnorrinco adj. s.m.
gimnorrino adj. s.m.
gimnosarca s.m.
gimnóscelis s.f.2n.
gimnosofia s.f.
gimnosofismo s.m.
gimnosofista adj. s.2g.
gimnosospérmica s.f.
gimnosperma s.f.
gimnospermia s.f.
gimnospérmico adj. s.m.
gimnospermo adj. s.m.
gimnospódia s.f.
gimnosporado adj.
gimnosporangíea s.f.
gimnosporângio s.m.
gimnospória s.f.
gimnósporo adj.
gimnosquizóris s.m.2n.
gimnossarca s.m.
gimnossifão s.m.
gimnossomo adj.
gimnostila s.f.
gimnostilo adj.
gimnóstomo adj. s.m.
gimnotetraspermo adj.
gimnótida adj.2g. s.m.
gimnotídeo adj. s.m.
gimnotiforme adj.2g. s.m.
gimnoto s.m.
gimnura s.m.
gimnurídeo adj. s.m.
gimnuro adj. s.m.
gimo s.m.
gim-tônica s.2g.; pl. *gins-tônicas*
ginandria s.f. "hermafroditismo", etc.; cf. *ginândria*
ginândria s.f. "classe de plantas"; cf. *ginandria*
ginândrico adj.
ginandrismo s.m.
ginandro adj. s.m.
ginandróforo s.m.
ginandroftalmo s.m.
ginandroide (*ó*) adj.2g.
ginandromorfia s.f.
ginandromórfico adj.
ginandromorfismo s.m.
ginandromorfístico adj.
ginandromorfo adj. s.m.
ginandropse s.2g.
ginantropia s.f.
ginantropo (*ô*) s.m.
ginari s.m.
ginase s.f.
gínase s.f.
ginasial adj.2g. s.m.
ginasiano adj. s.m.
ginasiarco s.m.
ginasiarquia s.f.
ginásio s.m.
ginasta adj. s.2g.
ginaste adj. s.2g.
ginástica s.f.
ginasticado adj.
ginasticar v.
ginástico adj.
ginatresia s.f.
gincana s.2g.
gincgo s.m.
gincgoácea s.f.
gincgoáceo adj.
ginco s.m.
gindareno adj. s.m.
gindo s.m.
gineceu s.m.
ginécia s.f.
ginecocracia s.f.
ginecocrata s.2g.
ginecócrata s.m.
ginecocrático adj.
ginecocratúmeno adj. s.m.
ginecofisiologia s.f.
ginecofisiológico adj.
ginecofobia s.f.
ginecofóbico adj.
ginecófobo s.m.
ginecóforo adj.
ginecografia s.f.
ginecográfico adj.
ginecógrafo s.m.
ginecologia s.f. "tratado acerca da mulher"; cf. *genecologia*
ginecológico adj. "relativo a ginecologia"; cf. *genecológico*
ginecologista adj. s.2g. "especialista em ginecologia"; cf. *genecologista*
ginecólogo s.m. "especialista em ginecologia"; cf. *genecólogo*
ginecomania s.f.
ginecomaníaco adj. s.m.
ginecômano s.m.
ginecomastia s.f.
ginecomasto adj. s.m.
ginecônimia s.f.
gineconímia s.f.
ginecônimico adj.
ginecônimo s.f.
ginecônomo s.m.
ginecopata s.2g.
ginecópata s.2g.
ginecopatia s.f.
ginecopático adj.
ginecopatologia s.f.
ginecopatológico adj.
ginecopatologista s.2g.
ginecopatólogo s.m.
ginecoplastia s.f.
ginecoplástico adj.
ginecosofia s.f.
ginecossofia s.f.
ginecotripo s.m.
ginério s.m.
gineta (*ê*) s.f.
ginetaço s.m.
ginetado adj.
ginetário s.m.
ginete (*ê*) adj. s.m.
gineteação s.f.
gineteador (*ô*) adj. s.m.
ginetear v.
gineto (*ê*) s.m.
ginga s.f. "movimento corporal"; cf. *jinga*

gingação s.f.
gingada s.f.
gingado adj. s.m.
gingador (*ô*) s.m.
gingante adj.2g.
gingão adj. s.m.; f. *gingona*
gingar v.
ginge s.m.
gingelim s.m.
gingelina s.f.
gingerlim s.m.
gingerlina s.f.
gingerol s.m.
gingídia s.f.
gingídio s.m.
gingivectomia s.f.
gingivoglossite s.f.
gingko s.m.
gínglimo s.m.
ginglimoda adj.2g. s.m.
ginglimoidal adj.2g.
ginglimoide (*ó*) adj.2g. s.m.
ginglimostomátida adj.2g. s.m.
ginglimostomatídeo adj. s.m.
ginglimóstomo s.m.
gingo s.m. "gingação"; cf. *jingo*
gingoácea s.f.
gingoáceo adj.
gingoal adj.2g.
gingoale s.f.
gingolina s.f.
gingona adj. s.f. de *gingão*
gingorra (*ô*) s.f.
gingrar v.
gingrina s.f.
gingro s.m.
gingueio adj.
gingueiro s.m.
ginguista adj. s.2g. "gingueiro"; cf. *jinguista*
ginhal s.m.
giniatra s.2g.
giniatria s.f.
giniátrico adj.
ginitria s.f.
ginja s.f. s.2g.
ginja-galega s.f.; pl. *ginjas-galegas*
ginja-garrafal s.f.; pl. *ginjas-garrafais*
ginjal s.m.
ginjeira s.f.
ginjeira-brava s.f.; pl. *ginjeiras-bravas*
ginjeira-da-jamaica s.f.; pl. *ginjeiras-da-jamaica*
ginjeira-das-ginjas-galegas s.f.; pl. *ginjeiras-das-ginjas-galegas*
ginjeira-das-ginjas-garrafais s.f.; pl. *ginjeiras-das-ginjas-garrafais*
ginjeira-da-terra s.f.; pl. *ginjeiras-da-terra*
ginjeira-do-brasil s.f.; pl. *ginjeiras-do-brasil*
ginjeiro s.m.
ginjinha s.f.
ginkgo s.m.
ginkgoácea s.f.
ginkgoáceo adj.
ginkgoal adj.2g.
ginkgoale s.f.
ginkgoate s.f.
ginkgoópsida s.f.
ginóbase s.f.
ginobásico adj.
ginobático adj.
ginocardase s.f.
ginocárdase s.f.
ginocardato s.m.
ginocárdia s.f.
ginocárdico adj.
ginocardina s.f.
ginocardo s.m.
ginocracia s.f.
ginocrata s.2g.
ginócrata s.2g.
ginocrático adj.
ginodínama s.f.
ginodioico (*ó*) adj.
ginofobia s.f.
ginófobo s.m.
ginoforado adj.
ginóforo s.m.
ginoforoide (*ó*) adj.2g.
ginoftalmo s.m.
ginogamona s.f.
ginogênese s.f.
ginomonoico (*ó*) adj.
ginópode s.m.
ginopogão s.m.
ginopógon s.m.
ginóptero s.m.
ginorita s.f.
ginostégio s.m.
ginostema s.m.
ginostêmio s.m.
ginostemo s.m.
ginotídeo adj. s.m.
ginotróquea s.f.
ginsão s.m.
ginsem s.m.
ginseng s.m.
ginura s.f.
ginzburguita s.f.
gio s.m.
giobertita s.f.
giobertite s.f.
giobertito s.m.
giolho (*ô*) s.m.
giorgionesco (*ê*) adj.
giota s.f.
giottesco (*ê*) adj.
gipaeto s.m.
gipelamorfo s.m.
gipeto s.m.
gipogerânida adj.2g. s.m.
gipogeranídeo adj. s.m.
gipoictínia s.f.
gipoieraco s.m.
gipoíerax (*cs*) s.m.
gípseo adj.
gipsífero adj.
gipsina s.f.
gipsita s.f.
gipsite s.f.
gipsítico adj.
gipsito s.m.
gipso s.m.
gipsofila s.f.
gipsófila s.f.
gipsófilo adj.
gipsografia s.f.
gipsográfico adj.
gipsógrafo s.m.
gipsometria s.f.
gipsométrico adj.
gipsômetro s.m.
gipsonoma s.f.
gipsostereotipia s.f.
gipsostereotípico adj.
gir adj. s.2g.
gira adj. s.2g. s.f. "giro", etc.; cf. *jira*
girabrequim s.m.
giração s.f.
girado adj.
girador (*ô*) adj. s.m.
girafa s.f.
girafalte s.m.
girafalto s.m.
giráfida adj.2g. s.m.
girafídeo adj. s.m.
girafóidea s.f.
giraita s.f.
giraldina s.f.
giraldinar v.
giraldinha s.f.
girâmbula s.f.
girame s.m.
gira-mundo s.m.; pl. *gira-mundos*
girândola s.f.; cf. *girandola*, fl. do v. *girandolar*
girandolar v.
girante adj.2g.
girântida adj.2g. s.m.
girantídeo adj. s.m.
girão s.m.
gira-pataca s.2g.; pl. *gira-patacas*
girar v.
girardínia s.f.
girardino s.m.
girassol s.m.
girassolação s.f.
girassolar v.
girassol-batateiro s.m.; pl. *girassóis-batateiros*
girassol-da-rússia s.m.; pl. *girassóis-da-rússia*
girassol-de-batatas s.m.; pl. *girassóis-de-batatas*
girassol-de-folhas-de-pepino s.m.; pl. *girassóis-de-folhas-de-pepino*
girassol-do-campo s.m.; pl. *girassóis-do-campo*
girassol-do-mato s.m.; pl. *girassóis-do-mato*
girassolina s.f.
girassol-miúdo s.m.; pl. *girassóis-miúdos*
girassol-pequeno s.m.; pl. *girassóis-pequenos*
girata s.f.
giratória s.f.
giratório adj.
giravolta s.f.
girbadeira s.f.
girbafo s.m.
girbão s.m.
gireia (*é*) adj. s.f. de *gireu*
girela s.m.f.
girencefálico adj.
girencéfalo adj. s.m.
girento adj. s.m.
gireu adj. s.m.; f. *gireia* (*é*)
girgolina s.f.
gíria s.f. s.2g.
giriafasia s.f.
girianta s.f.
giriático adj.
girice s.f.
giriesco (*ê*) adj.
girifalte s.m.
girigote adj. s.2g.
girigotismo s.m.
girigoto (*ô*) adj. s.m.
girínida adj.2g. s.m.
girinídeo adj. s.m.
girinineo adj. s.m.
girino s.m.
girínops s.m.
gírio adj.
girioafasia s.f.
girissomo s.m.
girnarita s.f.
giro adj. s.m.f.
girobus s.m.
girocárpea s.f.
girocárpeo adj.
girocarpo s.m.
girocécide s.f.
girocécis s.f.2n.
girocéfalo s.m.
girocompasso s.m.
girocóride s.f.
girócoris s.2g.2n.
girocótilo s.m.
girodactílida adj.2g. s.m.
girodactilídeo adj. s.m.
girodactilíneo adj. s.m.
girodáctilo s.m.
girodatílida adj.2g. s.m.
girodatilídeo adj. s.m.
girodatilíneo adj. s.m.
girodinâmica s.f.
giroédrico adj.
giroedro s.m.
giroestabilizador (*ô*) s.m.
giroeta (*ê*) s.f.
girofalco s.m.
girofalte s.m.
girofle adj. s.m.
giroflê s.m.
girofleiro s.m.
girófora s.f.
giroforácea s.f.
giroforáceo adj.
gíróforo s.m.
girogirar v.
girógrafo s.m.
giro-hipno s.m.
giroípno s.m.
girolas s.2g.2n.
girolita s.f.
girolite s.f.
girolito s.m.
giroma s.m.
giromagnético adj.
giromancia s.f.
giromante s.2g.
giromântico adj.
girometria s.f.
girométrico adj.
girômetro s.m.
giromitra s.f.
gironado adj.
gironda s.f.
girondino adj. s.m.
girôneo s.m.
giropéltis s.f.2n.
girópida adj.2g. s.m.
giropídeo adj. s.m.
giropiloto (*ô*) s.m.
giropíneo adj. s.m.
giroplano s.m.
giropo s.m.
giróptero adj. s.m.
girorizonte s.m.
giroscópico adj.
giroscópio s.m.
girose s.f.
girosela s.f.
girospasmo s.m.
girossomo s.m.
girostabilizador (*ô*) s.m.
girostática s.f.
girostático adj.
giróstato s.m.
girostemo s.m.
girostêmon s.m.
girostemonácea s.f.
girostemonáceo adj.
girostemônea s.f.
girostemôneo adj.
girote adj.2g. s.m.
giroto (*ô*) adj.
girotrém s.m.
girótropo s.m.
girovagar v.
giróvago s.m.; cf. *girovago*, fl. do v. *girovagar*
girreia (*é*) s.f. de *girreu*
girreu adj. s.m.; f. *girreia* (*é*)
girumba s.f.
girvasense adj. s.2g.
giscardiano adj. s.m.
gisékia s.f.
giséquia s.f.
gismondina s.f.
gismondita s.f.
gismondite s.f.
gisnado adj.
gitagina s.f.
gitagismo s.m.
gitago s.m.
gitaligenina s.f.
gitaligenínico adj.
gitalina s.f.
gitalínico adj.
gitanaria s.f.
gitanesco (*ê*) adj.
gitânia s.f.
gitano adj. s.m.
gitina s.f.
gitogenato s.m.
gitogênico adj.
gitogenina s.f.
gitonina s.f.
gitonínico adj.
gitonogamia s.f.
gitonogâmico adj.
gitoxigenina (*cs*) s.f.
gitoxigenínico (*cs*) adj.
gitoxina (*cs*) s.f.
gitoxínico (*cs*) adj.
givetiano adj. s.m.
givético adj. s.m.
givfitano adj. s.m.
giz s.m.
gizado adj.
gizamento s.m.
gizar v.
gizirão s.m.
glabela s.f.
glabelar adj.2g.
glabeliníaco adj.
glabeloccipital adj.2g.
glabeloiníaco adj.
glabérrimo adj. sup. de *glabro*
glabrásida adj.2g. s.m.
glabrasídeo adj. s.m.
glabrescência s.f.
glabrescente adj.2g.
glabrifoliado adj.
glabrifólio adj.
glabrismo s.m.
glabriúsculo adj.
glabro adj.
glaçado adj.
glaçar v.
glace s.f.
glacê adj.2g. s.m.
glacerita s.f.
glacerite s.f.
glaciação s.f.
glacial adj.2g.
glacialidade s.f.
glacialógico adj.
glaciar s.m.
glaciário adj.
glaciarista adj. s.2g.
glaciarologia s.f.
glácido adj.
glaciestático adj.
glacieustatismo s.m.
glacifluvial adj.2g.
glacigenia s.f.
glacigênico adj.
glacígeno adj. s.m.
glacilacustre adj.2g.
glacimarinho adj.
glacimarino adj.
glacinda s.f.
glacioeustatismo s.m.
glaciofluvial adj.2g.
glaciografia s.f.
glaciográfico adj.
glaciografista adj. s.2g.
glaciógrafo s.m.
glaciograma s.m.
glaciolacustre adj.2g.
glaciologia s.f.
glaciológico adj.
glaciologista adj. s.2g.
glaciólogo adj. s.m.
glaciomarinho adj.
glaciomarino adj.
glacioestático adj.
glacistático adj.
gladiado adj.
gladiador (*ô*) adj. s.m.
gladiar v.
gladiatino adj.
gladiatório adj.
gladiatura s.f.
gladífero adj.
gladiforme adj.2g.
gládio s.m.; cf. *gladio*, fl. do v. *gladiar*
gladíola s.f.
gladiólea s.f.
gladiólico adj.
gladíolo s.m.
gladita s.f.
gladstoniano adj.
gláfico s.m.
glagólico adj.
glagolítico adj.
glaiadina s.f.
glamonta s.f.
glamorizado adj.
glamorizar v.
glamoroso (*ô*) adj.; f. (*ó*); pl. (*ó*)
glamouroso (*u-ô*) adj.; f. (*ó*); pl. (*ó*)
glandado adj.
glandagem s.f.

glande s.f.
glande-do-mar s.f.; pl. *glandes-do-mar*
glândiceps s.m.
glandicípite s.m.
glandífero adj.
glandiforme adj.2g.
glandina s.f.
glandíola s.f.
glandita s.f.
glandívoro adj.
glandologia s.f.
glandônia s.f.
glandoso (*ô*) adj.; f. (*ó*); pl.(*ó*)
glândula s.f.
glandulação s.f.
glandular adj.2g.
glandulífero adj.
glanduliforme adj.2g.
glandulina s.f.
glandulizar v.
glandulomamário adj.
glanduloso (*ô*) adj.; f. (*ó*); pl. (*ó*)
glão s.m.
glaréola s.f.
glareólida adj.2g. s.m.
glareolídeo adj. s.m.
glareolóideo adj. s.m.
glarímetro s.m.
glaro adj. s.m.
glasbachita s.f.
glaserita s.f.
glaserite s.f.
glassista adj. s.2g.
glassita adj. s.2g.
glasto s.m.
glasura s.f.
glauberita s.f.
glauberite s.f.
glauca s.f.
glauce s.f.
glaucescência s.f.
glaucescente adj.2g.
gláucia s.f.
gláucico adj.
gláucida adj.2g. s.m.
glaucídeo adj. s.m.
glaucídio s.m.
glaucilandense adj. s.2g.
glaucilandiense adj. s.2g.
glaucina s.f.
gláucio s.m.
glauco adj. s.m.
glaucocerinita s.f.
glaucocroíta s.f.
glaucodoto (*ô*) s.m.
glaucófana s.f.
glaucofânico s.m.
glaucofânio s.m.
glaucofilo adj.
glaucolita s.f.
glaucoma s.m.
glaucomatoso (*ô*) adj.; f. (*ó*); pl. (*ó*)
glaucomia s.f.
glaucomiída adj.2g. s.m.
glaucomiídeo adj. s.m.
gláucomis s.m.2n.
glaucônia s.f.
glaucônico adj.
glauconiída adj.2g. s.m.
glauconiídeo adj. s.m.
glauconioso (*ô*) adj.; f. (*ó*); pl. (*ó*)
glauconita s.f.
glauconite s.f.
glauconítico adj.
glaucope s.m.
glaucopicrina s.f.
glaucópide s.f.
glaucopirita s.f.
glaucopirite s.f.
glaucópis s.f.2n.
glaucoquerinita s.f.
glaucossiderita s.f.
gláuculo adj.
glaucúria s.f.
glaurense adj.2g.
glavcuria s.f.
glaziócare s.f.
glaziófito s.m.
glaziova s.f.
glaziustelma s.f.
gleba s.f.
glebário s.m.
glecoma s.f.
glecônea s.f.
gledítschia s.f.
gledítsia s.f.
gledítsquia s.f.
gleia (*é*) s.f.
gleichênia s.f.
gleicheniácea s.f.
gleicheniáceo adj.
gleiquênia s.f.
gleiqueniácea s.f.
gleiqueniáceo adj.
glena s.f.
glendonita s.f.
glênio adj.
glenocoracorradial adj.2g. s.m.
glenodina s.f.
glenoidal adj.2g.
glenoide (*ó*) adj.2g.
glenoideia (*é*) adj. s.f. de *glenoideu*
glenóideo adj.
glenoideu adj.; f. *glenoideia* (*é*)
glenoumeral adj.2g.
glenumeral adj.2g.
gleocapsa s.f.
gleopelte s.f.
gleospermo s.m.
gleospório s.m.
gleosporiose s.f.
gleossifoniácea s.f.
gleossifoniáceo adj.
gleoteca s.f.
gleotece s.f.
glerina s.f.
glete adj. s.2g.
gleucometria s.f.
gleucométrico adj.
gleucômetro s.m.
glia s.f.
gliadímetro s.m.
gliadina s.f.
glial adj.2g.
glibencamida s.f.
gliburil s.m.
glibutamida s.f.
glicagon s.m.
glicagônico adj.
glicagônio s.m.
glicase s.f.
glícase s.f.
glicato s.m.
glicemia s.f.
glicêmico adj.
glícera s.f.
glicerado s.m.
gliceral s.m.
gliceraldeídico adj.
gliceraldeído s.m.
gliceramina s.f.
glicerano adj. s.m.
glicerato s.m.
glicerense adj. s.2g.
glicéreo adj. s.m.
glicéria s.f.
glicérico adj.
glicérida adj.2g. s.m.
glicéride s.m.
glicerídeo s.m.
glicerídico adj.
glicérido adj. s.m.
gliceriense adj. s.2g.
glicerila s.f.
glicerílico adj.
glicerilo s.m.
glicerina s.f.
glicerinado adj.
glicerinar v.
glicério adj.
glicerocola s.f.
glicerofosfatado adj.
glicerofosfato s.m.
glicerofosfórico adj.
gliceroftálico adj.
glicerol s.m.
glicerolado adj. s.m.
gliceróleo s.m.
glicerólise s.f.
glicerolítico adj.
glicerose s.f.
glicerossulfato s.m.
glicerossulfúrico adj.
glicerotanino s.m.
glicerotartarato s.m.
glicerotartárico adj.
glicicarpo adj.
glícico adj.
glicidase s.f.
glicídase s.f.
glicidato s.m.
glícide s.m.
glicídeo adj.
glicídico adj.
glicídio s.m.
glicido s.m.
glicidograma s.m.
glicidol s.m.
glicífago s.m.
glicifila s.f.
glicila s.f.
glicilalanina s.f.
glicileucina s.f.
glicilglicina s.f.
glicilglicocola s.f.
glicílico adj.
glicilprolina s.f.
gliciltirosina s.f.
gliciltriptofano s.m.
glicimérida adj.2g. s.m.
glicimerídeo adj. s.m.
glicímeris s.m.2n.
glicímetro s.m.
glicina s.f.
glicine s.f.
glicínia s.f.
glicínia-do-japão s.f.; pl. *glicínias-do-japão*
glicínico adj.
glicínio s.m.
glicirretina s.f.
glicirriza s.f.
glicirrizina s.f.
glicitol s.m.
glicitólico adj.
glicobactéria s.f.
glicobaunilhina s.m.
glicocarbóleo s.m.
glicocela s.f.
glicocerebrosídio s.m.
glicociamidina s.f.
glicociamina s.f.
glicocinina s.f.
glicocol s.m.
glicocola s.f.
glicocolato s.m.
glicocólico adj.
glicocorticoide (*ó*) adj.2g. s.m.
glicoesfingolipídio s.m.
glicoforina s.f.
glicoformador (*ô*) adj.
glicofosfatado adj.
glicofosfato s.m.
glicofuranose s.f.
glicofuranosídeo adj. s.m.
glicogalhina s.f.
glicogenase s.f.
glicogênase s.f.
glicogênese s.f.
glicogenia s.f.
glicogênico adj.
glicogênio s.m.
glicógeno adj.
glicogenogênese s.f.
glicogenólise s.f.
glicogenolítico adj.
glicogenose s.f.
glicol s.m.
glicolálix (*cs*) s.f.
glicolamina s.f.
glicolase s.f.
glicólase s.f.
glicolato s.m.
glicolbetaína s.f.
glicólico adj.
glicolido s.m.
glicolina s.f.
glicolipídeo adj. s.m.
glicolipídico adj.
glicolipídio s.m.
glicólise s.f.
glicolítico adj.
glicometria s.f.
glicométrico adj.
glicômetro s.m.
gliconata s.f.
gliconato s.m.
gliconeogênese s.f.
gliconeogenético adj.
gliconeogênico adj.
gliconeógeno s.m.
glicônico adj. s.m.
glicônio adj.
gliconita s.f.
gliconite s.f.
gliconito s.m.
glicopexia (*cs*) s.f.
glicopiranose s.f.
glicopiranótico adj.
glicopoliuria s.f.
glicopoliúria s.f.
glicoproteído adj. s.m.
glicoproteína s.f.
glicoproteínico adj.
glicoprotídio s.m.
glicoptialismo s.m.
glicoquinase s.f.
glicoquinina s.f.
glicoronato s.m.
glicorônico adj.
glicorraquia s.f.
glicorráquico adj.
glicorregulação s.f.
glicorregulador (*ô*) adj. s.m.
glicorreia (*é*) s.f.
glicorreico (*é*) adj.
glicosado adj.
glicosamina s.f.
glicosamínico adj.
glicosaminoglicana s.f.
glicosaminoglicano s.m.
glicosana s.f.
glicosazona s.f.
glicose s.f.
glicosemia s.f.
glicosêmico adj. s.m.
glicosidase s.f.
glicosídase s.f.
glicóside s.f.
glicosídeo adj. s.m.
glicosídico adj.
glicosídio s.m.
glicosido s.m.
glicósido s.m.
glicosiltransferase s.f.
glicosimetria s.f.
glicosimétrico adj.
glicosímetro s.m.
glicosina s.f.
glicosismo s.m.
glicosocarboxílico (*cs*) adj.
glicosona s.f.
glicosóxima (*cs*) s.f.
glicossoma s.m.
glicosuria s.f.
glicosúria s.f.
glicosúrico adj. s.m.
glicuroconjunção s.f.
glicurônico adj.
glifeia (*é*) s.f.
glífico adj.
glifidodon s.m.
glifidodonte s.m.
glifiptérige s.f.
glifipterígida adj.2g. s.m.
glifipterigídeo adj. s.m.
glifipterix (*cs*) s.f.
glifo s.m.
glifocrângon s.f.
glifode s.m.
glífodon s.m.
glifodonte s.m.
glifoglosso s.m.
glifografia s.m.
glifográfico adj.
glifonictéride s.f.2n.
glifonícteris s.f.2n.
gliforrinco s.m.
gliglô s.m.
glino s.m.
glioblastoma s.m.
glioma s.m.
gliomático adj.
gliomatose s.f.
gliomioma s.m.
gliomiomático adj.
gliomixoma (*cs*) s.m.
gliomixomático (*cs*) adj.
glioneuroma s.m.
glioneuromático adj.
gliose s.f.
gliossarcoma s.m.
gliossarcomático adj.
gliotoxina (*cs*) s.f.
glioxal (*cs*) s.m.
glioxalase (*cs*) s.f.
glioxálase (*cs*) s.f.
glioxalato (*cs*) s.m.
glioxálico (*cs*) adj.
glioxalina (*cs*) s.f.
glioxilase (*cs*) s.f.
glioxílase (*cs*) s.f.
glioxilato (*cs*) s.m.
glioxílico (*cs*) adj.
glioxima (*cs*) s.f.
glióxima (*cs*) s.f.
glioxissoma (*cs*) s.m.
glioxissomo (*cs*) s.m.
glipizina s.f.
glipografia s.f.
gliptal adj.2g.
gliptálico adj.
gliptanita s.f.
glíptica s.f.
glíptico adj. s.m.
gliptodonte s.m.
gliptodôntida adj.2g. s.m.
gliptodontídeo adj. s.m.
gliptogênese s.f.
gliptogênico adj.
gliptognosia s.f.
gliptognósico adj.
gliptognóstico adj.
gliptografia s.f.
gliptográfico adj.
gliptógrafo s.m.
gliptólito s.m.
gliptologia s.f.
gliptológico adj.
gliptólogo s.m.
gliptonoto s.m.
gliptosperma s.f.
gliptospérmeo adj.
gliptosterno s.m.
gliptóstrobo s.m.
gliptoteca s.f.
gliptotecal adj.2g.
gliptotecário adj. s.m.
gliptotecologia s.f.
gliptotecológico adj.
gliptotecologista s.2g.
gliptotecólogo s.m.
gliptoteconomia s.f.
gliptoteconômico adj.
gliquemia s.f.
glirícola s.m.
gliricolíneo adj. s.m.
glirídeo adj. s.m.
glissada s.f.
glissagem s.f.
glissando s.m.
glissar v.
glissê s.m.
glisseta (*ê*) s.f.
glizina s.f.
globa s.f.
global adj.2g.
globalismo s.m.
globalista s.2g.
globalístico adj.
globalização s.f.
globalizado adj.
globalizador (*ô*) adj. s.m.
globalizante adj.2g.
globalizar v.
globalizável adj.2g.
globária s.f.
globásida s.f.

glóbea s.f.
globia s.f.
globicéfala s.f.
globicéfalo s.m.
globicelular adj.2g.
globíceps s.m.
globicípite s.m.
globiconca s.f.
globicórneo adj. s.m.
globídio s.m.
globidiose s.f.
globífero adj.
globifloro adj.
globiforme adj.2g.
globigerina s.f.
globigerínico adj.
globigerínida adj.2g. s.m.
globigerinídeo adj. s.m.
globigerínido adj. s.m.
globina s.f.
globinômetro s.m.
globo (*ô*) s.m.
globocéfalo s.m.
globocelular adj.2g.
globo-do-sol s.m.; pl. *globos-do-sol*
globoide (*ó*) adj.2g.
globosferita s.f.
globosferite s.f.
globosferito s.m.
globosidade s.f.
globosita s.f.
globosite s.f.
globoso (*ô*) adj.; f. (*ó*); pl. (*ó*)
globular adj.2g.
globularetina s.f.
globulária s.f.
globulariácea s.f.
globulariáceo adj.
globulária-turbito s.f.; pl. *globulárias-turbito* e *globulárias-turbitos*
globulária-vulgar s.f.; pl. *globulárias-vulgares*
globularina s.f.
globulário adj.
globulicida adj.2g. s.m.
globulicídio s.m.
globulífero adj.
globuliforme adj.2g.
globulímetro s.m.
globulina s.f.
globulinuria s.f.
globulinúria s.f.
globulita s.f.
globulite s.f.
globulito s.m.
globulizar v.
glóbulo s.m.
globulólise s.f.
globulose s.f.
globuloso (*ô*) adj.; f.(*ó*); pl.(*ó*)
glockerita s.f.
gloiopelte s.f.
gloiossifoniácea s.f.
glom s.m.
glomectomia s.f.
glomerar v.
glômere s.m.; cf. *glomere*, fl. do v. *glomerar*
glomerela s.f.
glomérida adj.2g. s.m.
glomerídeo adj. s.m.
glomeridésmido adj. s.m.
glomérido adj. s.m.
glômeris s.m.2n.
glomerocarpo adj.
glomeroporfirítico adj.
glomérula s.f.
glomerulado adj.
glomerular adj.2g.
glomerulifloro adj.
glomeruliforme adj.2g.
glomerulite s.f.
glomérulo s.m.
glomeruloide (*ó*) adj.
glomerulonefrite s.f.
glomerulonefrítico adj.
glomerulonefrose s.f.
glomerulopatia s.f.
glomerulosclerose s.f.
glomerulose s.f.
glomerulótico adj.
glomo s.m.
glonoína s.f.
glonoinismo s.m.
gloquerita s.f.
gloquídio s.m.
glória s.f.; cf. *gloria*, fl. do v. *gloriar*
gloriabundo adj.
gloriado adj. s.m.
gloriador (*ô*) adj. s.m.
glorial adj.2g.
gloriar v.
glórico adj.
gloriense adj. s.2g.
glorificação s.f.
glorificado adj.
glorificador (*ô*) adj. s.m.
glorificante adj.2g.
glorificar v.
glorificativo adj.
glorificável adj.2g.
glorinhense adj. s.2g.
gloríola s.f.
gloriosa s.f.
gloriosa-dos-jardins s.f.; pl. *gloriosas-dos-jardins*
glorioso (*ô*) adj.; f. (*ó*); pl. (*ó*)
glosa s.f.
glosação s.f.
glosado adj.
glosador (*ô*) adj. s.m.
glosamento s.m.
glosar v.
glosável adj.2g.
glosinha s.f.
glossa s.f.
glossado adj. s.m.
glossador (*ô*) adj. s.m.
glossagra s.f.
glossalgia s.f.
glossálgico adj.
glossalgite s.f.
glossantraz s.m.
glossar v.
glossário s.m.
glossarista adj. s.2g.
glossata s.f.
glossectomia s.f.
glossectômico adj. s.m.
glossema s.m.
glossemática s.f.
glossemático adj.
glossêmico adj.
glossepiglótico adj.
glossial s.m.
glossiano adj.
glóssico adj.
glossifônia s.f.
glossifonídeo adj. s.m.
glossímetro s.m.
glossina s.f.
glossiníneo adj. s.m.
glossióideo adj.
glossite s.f.
glossítico adj.
glossocátoco s.m.
glossocele s.f.
glossocinestesia s.f.
glossocodão s.m.
glossocódon s.m.
glossócomo s.m.
glossódia s.f.
glossodinia s.f.
glossodonte adj.2g. s.m.
glossoescolecídeo adj. s.m.
glossoespasmo s.m.
glossofagíneo adj. s.m.
glossófago s.m.
glossofaríngeo adj. s.m.
glossofitia s.f.
glossofitiose s.f.
glossofitose s.f.
glossógine s.f.
glossografia s.f.
glossográfico adj.
glossógrafo s.m.
glossoial s.m.
glossoide (*ó*) adj.2g.
glossolabiado adj.
glossolabiofaríngeo adj.
glossolabiolaríngeo adj.
glossolalia s.f.
glossolálico adj.
glossólepe s.f.
glossologia s.f.
glossológico adj. s.m.
glossologista adj. s.2g.
glossólogo s.m.
glossomancia s.f.
glossomania s.f.
glossomaníaco adj. s.m.
glossomante s.2g.
glossomântico adj. s.m.
glossomeloteca s.f.
glossomelotecário adj. s.m.
glossometria s.f.
glossométrico adj.
glossômetro s.m.
glossonema s.f.
glossonimia s.f.
glossonímia s.f.
glossonímico adj.
glossônimo s.m.
glossopalatino adj. s.m.
glossopatia s.f.
glossopático adj.
glossopétalo adj. s.m.
glossópetra s.f.
glossoplastia s.f.
glossoplástico adj.
glossoplegia s.f.
glossoplégico adj.
glossoptérida adj.2g. s.m.
glossoptéride s.f.
glossopterídea s.f.
glossopterídeo adj. s.m.
glossópteris s.f.
glossoptose s.f.
glossoptótico adj.
glossorrafia s.f.
glossorráfico adj.
glossospasmo s.m.
glossossifônia s.f.
glossossifônida adj.2g. s.m.
glossossifonídeo adj. s.m.
glossossoma s.m.
glossostafilino adj. s.m.
glossostelma s.f.
glossostério s.m.
glossoteca s.f.
glossotecário adj. s.m.
glossotério s.m.
glossotomia s.f.
glossotômico adj.
glossótomo s.m.
glossotriquia s.f.
glossotríquico adj.
glossularítico adj.
glota s.f.
glotal adj.2g.
glotálico adj.
glotalita s.f.
glotalizado adj.
glote s.f.
gloterar v.
glótica s.f.
glótico adj.
glótide s.f.
glótis s.2g.2n.
glotite s.f.
glotização s.f.
glotizar v.
glotocronologia s.f.
glotocronológico adj.
glotogonia s.f.
glotografia s.f.
glotográfico adj.
glotograma s.m.
glotologia s.f.
glotológico adj.
glotologista adj. s.2g.
glotólogo s.m.
glotonimia s.f.
glotonímia s.f.
glotonímico adj.
glotônimo s.m.
glotorar v.
glótula s.f.
gloxínia (*cs*) s.f.
glozeliano adj.
gluão s.m.
glucagon s.m.
glucagônico adj.
glucagônio s.m.
glucagonoma s.m.
glucase s.f.
glúcase s.f.
glúcide s.m.
glucídio s.m.
glucidol s.m.
glucina s.f.
gluciniense adj. s.2g.
glucínio s.m.
glucinita s.f.
glucitol s.m.
glucitólico adj.
gluckuísmo s.m.
gluckuísta adj. s.2g.
glucocinina s.f.
gluconato s.m.
gluconeogênese s.f.
gluconeogenético adj.
gluconeogênico adj.
gluconeógeno s.m.
glucônico adj.
glucopiranose s.f.
glucoquinina s.f.
glucose s.f.
glucosídeo adj. s.m.
glucosídio s.m.
glucósido s.m.
glucurônico adj.
glu-glu s.m.; pl. *glu-glus*
gluglurejar v.
glugutar v.
gluma s.f.
glumácea s.f.
glumáceo adj.
glumado adj.
glumela s.f.
glumélula s.f.
glumífero adj.
glumiflora s.f.
glumifloral adj.2g.
glumiflorale s.f.
glumifloro adj. s.m.
glúon s.m.
glutaconato s.m.
glutacônico adj.
glutalião s.m.
glutamato s.m.
glutâmico adj.
glutamina s.f.
glutaminase s.f.
glutamínase s.f.
glutamínico adj.
glutão adj. s.m.; f. *glutona*
glutarato s.m.
glutárico adj.
glutatião s.m.
glutationa s.f.
glute s.m.
glutease s.f.
glutéase s.f.
gluteína s.f.
glutelina s.f.
glúten s.m.
glutenina s.f.
glúteo adj. s.m.
gluteofemoral adj.2g.
gluteoinguinal adj.2g.
glutetimida s.f.
glutina s.f.
glutinador (*ô*) adj. s.m.
glutinante adj.2g.
glutinar v.
glutinativo adj.
glutinina s.f.
glutinosidade s.f.
glutinoso (*ô*) adj.; f. (*ó*); pl. (*ó*)
glutite s.f.
glutona adj. s.f. de *glutão*
glutonaria s.f.
glutoneria s.f.
glutonia s.f.
glutônico adj.
gmelina s.f.
gmelínia s.f.
gmelinita s.f.
gmelinite s.f.
gmelino s.m.
gnácio s.m.
gnafálio s.m.
gnafaniina s.f.
gnafosa s.f.
gnais s.m.
gnaisse s.m.
gnáissico adj.
gnaissificação s.f.
gnaissificado adj.
gnaissificador (*ô*) adj.
gnaissificante adj.2g.
gnaissificar v.
gnaissificável adj.2g.
gnaissogranítico adj.
gnaissoide (*ó*) adj.2g.
gnaissoso (*ô*) adj.; f. (*ó*); pl. (*ó*)
gnatáfano s.m.
gnatal adj.2g.
gnatalgia s.f.
gnatálgico adj.
gnatáptero adj. s.m.
gnatáster s.m.
gnatasteríneo adj. s.m.
gnatastomado adj. s.m.
gnaticida s.2g.
gnaticídio s.m.
gnático adj.
gnátide s.f.
gnátio s.m.
gnatite s.f.
gnatito s.m.
gnatóbase s.f.
gnatobásico adj.
gnatobático adj.
gnatobdélida adj.2g. s.m.
gnatobdelídeo adj. s.m.
gnatobdélido adj. s.m.
gnatócea s.f.
gnatocefalia s.f.
gnatocéfalo s.m.
gnatócera s.f.
gnatócero s.m.
gnatocono s.m.
gnatodinamômetro s.m.
gnatodonte adj.2g.
gnatofáusia s.f.
gnatofilíneo adj. s.m.
gnatofilo s.m.
gnatofiúrido s.m.
gnatóforo adj. s.m.
gnatologia s.f.
gnatongo s.m.
gnatoplastia s.f.
gnatoplástico adj.
gnatoplegia s.f.
gnatoplégico adj.
gnatópode s.m.
gnatopódico adj.
gnatopófise s.f.
gnatoquilário s.m.
gnatorrafia s.f.
gnatorráfico adj.
gnatorragia s.f.
gnatorrágico adj.
gnatósquise s.f.
gnatóstoma s.m.
gnatostomado adj.
gnatostômeo adj. s.m.
gnatostômida adj.2g. s.m.
gnatostomídeo adj. s.m.
gnatoteca s.f.
gneisse (*gnai*) s.m.
gnéissico (*gnai*) adj.
gneissogranítico (*gnai*) adj.
gneissoide (*gnai...ó*) adj.2g.
gnescodiplose s.f.
gnetácea s.f.
gnetáceo adj.
gnetal adj.2g.
gnetale s.f.
gneto s.m.
gnetóidea s.f.
gnetóideo adj.
gnetópsida s.f.
gnídia s.f.
gnídio adj. s.m.
gnofos s.m.
gnoma s.f.
gnome s.f.
gnômica s.f.
gnômico adj.

gnomismo s.m.
gnomo s.m.
gnomologia s.f.
gnomológico adj.
gnomólogo s.m.
gnômon s.m.
gnómone s.m.
gnomônia s.f.
gnomoniácea s.f.
gnomoniáceo adj.
gnomônica s.f.
gnomônico adj.
gnomonista adj. s.2g.
gnórimo s.m.
gnorimosquema s.f.
gnoscopina s.f.
gnose s.f.
gnoseologia s.f.
gnoseológico adj.
gnoseologista adj. s.2g.
gnoseólogo s.m.
gnosia s.f.
gnosímaco adj. s.m.
gnosiologia s.f.
gnosiológico adj.
gnosiologista adj. s.2g.
gnosiólogo adj. s.m.
gnosologia s.f.
gnosológico adj.
gnosólogo s.m.
gnóssio adj. s.m.
gnosticismo s.m.
gnosticista adj. s.2g.
gnosticístico adj.
gnóstico adj. s.m.
gnóstio adj.
gnu s.m.
gó s.m.
goa (*ô*) s.f.
goajuru s.m.
goane s.f.
goanês adj. s.m.
goano adj. s.m.
gobelim s.m.
gobelino adj. s.m.
góbia s.f.
gobiana s.m.
gobião s.m.
gobídeo adj. s.m.
gobiésoces s.m.2n.
gobiesócida adj.2g. s.m.
gobiesocídeo adj. s.m.
gobiída adj. s.m.
gobiídeo adj. s.m.
gobiiforme s.m.
gobiniano adj.
gobinismo s.m.
gobinista s.2g.
góbio s.m.
gobiodão s.m.
gobioide (*ó*) s.m.
gobióidico adj.
gobiossoma s.m.
gobo (*ô*) s.m.
gocete (*ê*) s.m.
gocha (*ô*) s.f.
gochenita s.f.
gochenítico adj.
gocho (*ô*) adj. s.m.
godalha s.f.
godão s.m.
gode s.m. "seixo"; cf. *godé* e *godê*
godé s.m. "tigela"; cf. *gode* e *godê*
godê adj.2g. s.m. "enviesado", etc.; cf. *gode* e *godé*
godécia s.f.
godelo (*ê*) s.m.
godeme s.m.
godemizar v.
godemo s.m.
godenho s.m.
goderar v.
goderim s.m.
godério s.m.
godero s.m.
godétia s.f.
gódia s.f.
godião s.m.
godiar v.
godilhão s.m.
godilho s.m.
godinense adj. s.2g.
godlevsquita s.f.
godo s.m. "alça"; cf. *godo* (*ô*)
godo (*ô*) adj. s.m. "povo"; cf. *godo*
godoense adj. s.2g.
godoia (*ó*) s.f.
godoiense adj. s.2g.
godorim s.m.
godoya s.f.
godrim s.m.
goedkenita s.f.
goeirana s.f.
goela s.m.f.
goela-d'água s.f.; pl. *goelas-d'água*
goela-de-lobo s.f.; pl. *goelas-de-lobo*
goela de pato s.f.
goelano s.m.
goelar v.
goeldínia s.f.
goense adj. s.2g.
goeruana s.f.
goês adj. s.m.
goetão s.m.
goete (*ê*) s.m.
goétea s.f.
goéthia s.f.
goethiano (*gue*) adj. s.m.
goethita s.f.
goethítico adj.
goétia s.f.
goetita s.f.
goetítico adj.
goetzenita s.f.
gofaino s.m.
gofé s.m.
gofração s.f.
gofrado adj.
gofrador (*ô*) adj. s.m.
gofradora (*ô*) s.f.
gofradura s.f.
gofragem s.f.
gofrante s.2g.
gofrar v.
goga s.f.
gogada s.f.
gogiareia (*é*) adj. s.f. de *gogiareu*
gogiareu adj. s.m.; f. *gogiareia* (*é*)
gognácia s.f.
gogo s.m. "pedra"; cf. *gogo* (*ô*), *gogó* e *gogô*
gogo (*ô*) s.m. "gosma"; cf. *gogo, gogó* e *gogô*
gogó s.m. "pomo de adão"; cf. *gogô, gogo* e *gogo* (*ô*)
gogô s.m. "nádegas"; cf. *gogó, gogo* e *gogo* (*ô*)
gogó-de-guariba s.m.; pl. *gogós-de-guariba*
gogoia (*ó*) s.f.
gogoroba s.m.
gogoso (*ô*) adj.; f. (*ó*); pl. (*ó*)
goguento adj.
gói s.2g.
goiá adj. s.2g.
goiaba s.f.
goiabada s.f.
goiaba-de-anta s.f.; pl. *goiabas-de-anta*
goiaba-de-espinho s.f.; pl. *goiabas-de-espinho*
goiaba-do-mato s.f.; pl. *goiabas-do-mato*
goiabal s.m.
goiabalense adj. s.2g.
goiaba-preta s.f.; pl. *goiabas-pretas*
goiabarana s.f.
goiabeira s.f.
goiabeira-amarela s.f.; pl. *goiabeiras-amarelas*
goiabeira-azeda s.f.; pl. *goiabeiras-azedas*
goiabeira-branca s.f.; pl. *goiabeiras-brancas*
goiabeira-brava s.f.; pl. *goiabeiras-bravas*
goiabeira-da-índia s.f.; pl. *goiabeiras-da-índia*
goiabeira-de-são-paulo s.f.; pl. *goiabeiras-de-são-paulo*
goiabeira-do-mato s.f.; pl. *goiabeiras-do-mato*
goiabeirana s.f.
goiabeira-preta s.f.; pl. *goiabeiras-pretas*
goiabeira-serrana s.f.; pl. *goiabeiras-serranas*
goiabeira-vermelha s.f.; pl. *goiabeiras-vermelhas*
goiabeirense adj. s.2g.
goiabinha s.f.
goiaca s.f.
goiacuíca s.f.
goiaíte s.f.
goiaíto s.m.
goiamu s.m.
goiamum s.m.
goianaense adj. s.2g.
goianapolitano adj. s.2g.
goianasense adj. s.2g.
goiandirense adj. s.2g.
goianense adj. s.2g.
goianesiense adj. s.2g.
goianésio adj. s.m.
goianiano adj. s.m.
goianidade s.f.
goianiense adj. s.2g.
goianinhense adj. s.2g.
goianirense adj. s.2g.
goianista adj. s.2g.
goiano adj. s.m.
goiano-cachoeirense adj. s.2g.; pl. *goiano-cachoeirenses*
goiano-campo-alegrense adj. s.2g.; pl. *goiano-campo-alegrenses*
goiano-corumbaense adj. s.2g.; pl. *goiano-corumbaenses*
goiano-francisquense adj. s.2g.; pl. *goiano-francisquenses*
goiano-jardinense adj. s.2g.; pl. *goiano-jardinenses*
goiano-montalegrense adj. s.2g.; pl. *goiano-montalegrenses*
goiano-paranaibense adj. s.2g.; pl. *goiano-paranaibenses*
goiano-petrolinense adj.; pl. *goiano-petrolinenses*
goiano-pilarense adj. s.2g.; pl. *goiano-pilarenses*
goianortense adj. s.2g.
goianzeiro s.m.
goiar v.
goiasense adj. s.2g.
goiatinense adj. s.2g.
goiatubense adj. s.2g.
goiaúna s.m.
goiazita s.f.
goidélico adj. s.m.
goiesco (*ê*) adj.
goilão s.m.
goio s.m.
goipabense adj. s.2g.
goipava s.f.
goipeba s.f.
goirana s.f.
góis s.m.2n.
goisiana s.f.
goisiano adj. s.m.
goita s.f.
goitacá adj. s.2g.
goitacá-guaçu adj. s.2g.; pl. *goitacás-guaçus*
goitacá-jacurito adj. s.2g.; pl. *goitacás-jacurito* e *goitacás-jacuritos*
goitacá-mopi adj. s.2g.; pl. *goitacás-mopi* e *goitacás-mopis*
goitacás adj. s.2g.
goitacasense adj. s.2g.
goitaense adj. s.2g.
goiti s.m.
goiva s.f.
goivado adj. s.m.
goivadura s.f.
goivar v.
goivaria s.f.
goiveiro s.m.
goiveiro-amarelo s.m.; pl. *goiveiros-amarelos*
goiveiro-branco s.m.; pl. *goiveiros-brancos*
goiveiro-dos-jardins s.m.; pl. *goiveiros-dos-jardins*
goiveiro-encarnado s.m.; pl. *goiveiros-encarnados*
goiveiro-marítimo s.m.; pl. *goiveiros-marítimos*
goiveiro-raiado s.m.; pl. *goiveiros-raiados*
goivete (*ê*) s.m.
goivinho-da-praia s.m.; pl. *goivinhos-da-praia*
goivira s.f.
goivo s.m.
goivo-amarelo s.m.; pl. *goivos-amarelos*
goivo-branco s.m.; pl. *goivos-brancos*
goivo-da-praia s.m.; pl. *goivos-da-praia*
goivo-encarnado s.m.; pl. *goivos-encarnados*
goivo-raiado s.m.; pl. *goivos-raiados*
goja s.f.
gojo (*ô*) s.m.
gojoba s.f.
gol (*ô*) s.m.; pl. *gols*
gola adj.2g. s.m.f.
golaço s.m.
golada s.f.
gola de couro s.m.
golango s.m.
golangômbia s.f.
golar v.
golazeira s.f.
golconda s.f.
golcori s.m.
golda s.f.
goldbáchia s.f.
goldbáquia s.f.
goldfieldita s.f.
goldfússia s.f.
goldi s.m.
goldichita s.f.
goldmanita s.f.
goldoniano adj.
goldre adj.2g.
goldschmidtina s.f.
goldschmidtita s.f.
gole s.m.
goleada s.f.
goleador (*ô*) adj. s.m.
golear v.
goleganense adj. s.2g.
goleira s.f.
goleiro s.m.
golejar v.
golejo s.m.
golelha (*ê*) s.f.
golelhar v.
golelheiro adj. s.m.
goles s.m.pl.
goleta (*ê*) s.f.
golfada s.f.
golfado adj.
golfão s.m.
gólfão-amarelo s.m.; pl. *gólfãos-amarelos*
gólfão-azul s.m.; pl. *gólfãos-azuis*
gólfão-branco s.m.; pl. *gólfãos-brancos*
gólfão-pequeno s.m.; pl. *gólfãos-pequenos*
golfar v.
golfe (*ô*) s.m.; cf. *golfe*, fl. do v. *golfar*
golfejar v.
golfim s.m.
golfinário s.m.
golfinho s.m.
golfinho-branco s.m.; pl. *golfinhos-brancos*
golfinho-cabeça-de-melão s.m.; pl. *golfinhos-cabeça-de-melão* e *golfinhos-cabeças-de-melão*
golfinho-comum s.m.; pl. *golfinhos-comuns*
golfinho-de-óculos s.m.; pl. *golfinhos-de-óculos*
golfinho-do-rio-da-prata s.m.; pl. *golfinhos-do-rio-da-prata*
golfinho-estriado s.m.; pl. *golfinhos-estriados*
golfinho-piloto s.m.; pl. *golfinhos-piloto* e *golfinhos-pilotos*
golfinho-pintado s.m.; pl. *golfinhos-pintados*
golfinho-rotador s.m.; pl. *golfinhos-rotadores*
golfista s.2g.
golfístico adj.
golfo (*ô*) s.m.; cf. *golfo*, fl. do v. *golfar*
golfo-amarelo s.m.; pl. *golfos-amarelos*
golfo-branco s.m.; pl. *golfos-brancos*
golfo-maior s.m.; pl. *golfos-maiores*
golfo-pequeno s.m.; pl. *golfos-pequenos*
golga s.f.
golgiossômico adj.
golgiossomo s.m.
gólgota s.m.
golgueira s.f.
goli s.m.
goliardesco (*ê*) adj.
goliárdico adj.
goliardo adj. s.m.
golias s.m.
goliato s.m.
golilha s.f.
golim s.m.
golinha s.f.
golinho s.m.
golipão s.m.
golipar v.
golmor (*ô*) s.m.
golmota s.f.
golo adj. "gorado"; cf. *golo* (*ô*)
golo (*ô*) s.m. "gol"; cf. *golo*
golococo s.m.
golondrina s.f.
golpada s.f.
golpado adj.
golpar v.
golpázio s.m.
golpe s.m.
golpeado adj. s.m.
golpeador (*ô*) adj. s.m.
golpeadura s.f.
golpeamento s.m.
golpeante adj.2g.
golpeão s.m.
golpear v.
golpelha (*ê*) s.f.
golpelheira s.f.
golpismo s.m.
golpista adj. s.2g.
golpístico adj.
golquíper s.m.
golunda s.m.
golungo s.m.
goma s.m.f.
goma-arábica s.f.; pl. *gomas-arábicas*
goma-arábica-da-lagoa-santa s.f.; pl. *gomas-arábicas-da-lagoa-santa*
gomação s.f.
gomacaxaca s.f.
goma-copal s.f.; pl. *gomas-copais*
gomada s.f.
goma de batata s.f.
gomadeira s.f.
gomado adj. s.m.
gomador (*ô*) adj. s.m.
goma-elástica s.f.; pl. *gomas-elásticas*

gomagem s.f.
gomal s.m.
goma-laca s.f.; pl. *gomas-laca* e *gomas-lacas*
gomalina s.f.
gomar v. s.m.
goma-resina s.f.; pl. *gomas-resina* e *gomas-resinas*
gomarianismo s.m.
gomarianista adj. s.2g.
gomarianístico adj.
gomariano adj.
gomarismo s.m.
gomarista adj. s.2g.
gomarístico adj.
gomarra s.f.
gomarreiro s.m.
gomável adj.2g. s.m.
gomba s.m.f.
gombe s.m.
gombô s.m.
gombô-grande s.m.; pl. *gombôs-grandes*
gomedar s.m.
gomeira s.f.
gomeiro adj. s.m.
gomeiro-azul s.m.; pl. *gomeiros-azuis*
gomeiro-de-minas s.m.; pl. *gomeiros-de-minas*
gomeleira s.f.
gomenol s.m.
gomenolado adj.
gomera adj. s.2g.
gomesa (*ê*) s.f.
gomesiano adj.
gomeza (*ê*) s.f.
gomia s.f.
gomiada s.f.
gomidésia s.f.
gomífero adj.
gomificar v.
gomil s.m.
gomilho s.m.
gomiloso (*ô*) adj.; f. (*ó*); pl. (*ó*)
gomina s.f.
gomo s.m.
gomoar v.
gomobile s.m.
gomôncia s.f.
gomor (*ô*) s.m.
gomorreia (*é*) adj. s.f. de *gomorreu*
gomorresina s.f.
gomorreu adj. s.m.; f. *gomorreia* (*é*)
gomortega s.f.
gomortegácea s.f.
gomortegáceo adj.
gomose s.f.
gomosidade s.f.
gomoso (*ô*) adj.; f. (*ó*); pl. (*ó*)
gomótico adj.
gomuto s.m.
gonácio s.m.
gônada s.f.
gonadal adj.2g.
gonadectomia s.f.
gonadectômico adj. s.m.
gonadia s.f.
gonádico adj.
gonadina s.f.
gonadismo s.m.
gonadostimulina s.f.
gonadotrófico adj.
gonadotrofina s.f.
gonadotrofínico adj.
gonadotrópico adj.
gonadotropina s.f.
gonadotropismo s.m.
gonadótropo adj.
gonaducto s.m.
gonagra s.f.
gonalgia s.f.
gonálgico adj.
gonâncio s.m.
gonantozigácea s.f.
gonantozigáceo adj.
gonáqua s.m.
gonarca s.f.
gonartrite s.f.
gonartrítico adj.
gonartrócace s.f.
gonartrossinovite s.f.
gonartrotomia s.f.
gonartrotômico adj.
gônato s.m.
gonatocele s.f.
gonátopo s.m.
gonatozigácea s.f.
gonatozigáceo adj.
gonatozígon s.m.
gonçala s.f.
gonçaleiro s.m.
gonçalense adj. s.2g.
gonçales-do-campo s.m.2n.
gonçalim s.m.
gonçalinho s.m.
gonçalo s.m.
gonçalo-alves s.m.; pl. *gonçalo-alves* e *gonçalos-alves*
gonçalo-do-campo s.m.; pl. *gonçalos-do-campo*
gonçalo-do-mato s.m.; pl. *gonçalos-do-mato*
gonçalo-pires s.m.; pl. *gonçalos-pires*
gonçalouro s.m.
gonçalvense adj. s.2g.
gonçalves-pires s.m.2n.
gonçalvino adj.
gonda s.f.
gondão s.m.
gonde adj. s.2g. s.m.
gondi adj. s.2g. s.m.
gondidense adj. s.2g.
gondirense adj. s.2g.
gondito s.m.
gondo s.m.
gôndola s.f.; cf. *gondola*, fl. do v. *gondolar*
gondolar v.
gondoleiro s.m.
gondomarense adj. s.2g.
gondonga s.f.
gonduana s.f.
gonduânico adj.
gondwana s.f.
gondwânico adj.
gonecístico adj.
gonecistite s.f.
gonecistítico adj.
gonecisto s.m.
gonecistólito s.m.
gonecistopiose s.f.
gonecistopiótico adj.
gonel s.m.
gonela s.f.
gonepoese s.f.
gonepoético adj.
goneptérige s.f.
gonépterix s.f.
gonete (*ê*) s.m.
gonfalão s.m.
gonfaloneiro s.m.
gonfartrose s.f.
gonfense adj. s.2g.
gônfia s.f.
gonfíase s.f.
gonfídio s.m.
gônfilo s.m.
gonfíneo adj. s.m.
gonfiotripo s.m.
gonfiotrips s.m.
gonfocarpo s.m.
gonfócere s.m.
gonfólito s.m.
gonfolóbio s.m.
gonfonema s.f.
gonfose s.f.
gonfosíaco adj.
gonfoterídeo adj. s.m.
gonfoteriídeo adj. s.m.
gonfotério s.m.
gonfrena s.f.
gonfrênea s.f.
gonga s.f. "roupa"; cf. *gongá*
gongá s.m. "altar", etc.; cf. *gonga*
gongampemba s.m.
gongano s.m.
gongar s.m.
gongeiro adj. s.m.
gongilângio s.m.
gongilango s.m.
gongilar adj.2g.
gongilídio s.m.
gongilita s.f.
gôngilo s.m.
gongiloide (*ó*) adj.2g. s.m.
gongilonema s.m.
gongo s.m. "instrumento de percussão"; cf. *gongó*
gongó s.m. "planta"; cf. *gongo*
gongó-do-campo s.m.; pl. *gongós-do-campo*
gongojiense adj. s.2g.
gongolo (*ô*) s.m.
gongolô s.m.
gongom s.m.
gongoma adj.2g.
gôngora s.f.; cf. *gongora*, fl. do v. *gongorar*
gongorado adj.
gongorar v.
gongórea s.f.
gongoresco (*ê*) adj.
gongorice s.f.
gongórico adj.
gongorismo s.m.
gongorista adj. s.2g.
gongorístico adj.
gongorização s.f.
gongorizado adj.
gongorizante adj.2g.
gongorizar v.
gongrona s.f.
gongrotamno s.m.
gongue s.m.
gonguê s.m.
gonguinha s.f.
gonguito s.m.
gonguro s.m.
goni s.m.
gônia s.f.
goníaco adj.
goniactinário adj. s.m.
goniactínia s.f.
goniactínida adj.2g. s.m.
goniactinídeo adj. s.m.
goníada s.2g.
goniadera s.f.
goniaderíneo adj. s.m.
goniágnato s.m.
gonialgia s.f.
goniálgico adj.
gonianotária s.f.
gonianoto s.m.
goniantela s.f.
goniáster s.m.
goniastérida adj.2g. s.m.
goniasterídeo adj. s.m.
goniastreia (*é*) s.f.
goniastreíneo adj. s.m.
goniatite s.f.
gonibregmatídeo adj. s.m.
gonicampse s.f.
gonicele s.f.
gonicistólito s.m.
gonídia s.f.
gonidial adj.2g.
gonídico adj.
gonídio s.m.
gonléolis s.m.2n.
gonileptida adj.2g. s.m.
gonileptídeo adj. s.m.
gonilepto s.m.
gonilha s.f.
gonímico adj.
gonímio s.m.
gônimo adj. s.m.
gonimoblástico adj.
gonimoblasto s.m.
gonimofilo s.m.
gônio s.m.
goniocarpo s.m.
goniocéfalo s.m.
goniocídare s.f.
goniocídaris s.f.2n.
goniocote s.m.
goniode s.m.
goniodélfis s.m.2n.
goniodíneo adj. s.m.
goniodiscíneo adj. s.m.
goniodisco s.m.
goniodórida adj.2g. s.m.
goniodorídeo adj. s.m.
goniódoris s.m.2n.
goniógeno adj.
goniográfico adj.
goniógrafo s.m.
goniologia s.f.
goniológico adj.
goniometria s.f.
goniométrico adj.
goniômetro s.m.
gonionco s.m.
goniopécten s.m.
goniopectíneo adj. s.m.
gonioplectro s.m.
goniópora s.f.
gonióporo s.m.
gonioscopia s.f.
gonioscópico adj.
gonioscópio s.m.
goniospermo adj.
gonióstomo s.m.
goniotálamo s.m.
gonioteca s.m.
goniótrico s.m.
gonipodária s.f.
gônis s.m.2n.
gonistilácea s.f.
gonistiláceo adj.
gonistilo s.m.
gonite s.f.
goniteca s.f.
goniúro s.m.
gonjeiro adj. s.m.
gonnardita s.f.
gonoartromeningite s.f.
gonoartrotomia s.f.
gonoartrotômico adj.
gonocéfalo s.m.
gonocele s.f.
gonocerária s.f.
gonócero s.m.
gonocitário adj.
gonócito s.m.
gonóclado s.m.
gonococcemia s.f.
gonococcêmico adj.
gonococcia s.f.
gonocóccico adj.
gonococcida adj. s.2g.
gonococcídio s.m.
gonococemia s.f.
gonococêmico adj.
gonococia s.f.
gonocócico adj.
gonococida adj.2g. s.m.
gonococídio s.m.
gonococo s.m.
gonocoria s.f.
gonocórico adj.
gonocorismo s.m.
gonocorístico adj.
gonocoxito (*cs*) s.m.
gonodáctilo s.m.
gonodera s.f.
gonodonta s.f.
gonoducto s.m.
gonoduto s.m.
gonóforo s.m.
gonolóbea s.f.
gonólobo s.m.
gonomeria s.f.
gonomerídio s.m.
gonono s.m.
gononúcleo s.m.
gonóplace s.f.
gonoplasma s.m.
gônoplax (*cs*) s.f.
gônopo s.m.
gonópode adj.2g. s.m.
gonopódio s.m.
gonópodo s.m.
gonopórico adj.
gonóporo s.m.
gonóptera s.f.
gonoquemo adj.
gonorol s.m.
gonorreação s.f.
gonorreativo adj. s.m.
gonorreia (*é*) s.f.
gonorreico (*é*) adj.
gonorrinco s.m.
gonorrínquida adj.2g. s.m.
gonorrinquídeo adj. s.m.
gonorroísmo s.m.
gonosfera s.f.
gonospa s.f.
gonospileia (*é*) s.f.
gonóspora s.m.
gonossoma s.m.
gonossomo s.m.
gonóstoma s.m.
gonostômida adj.2g. s.m.
gonostomídeo adj. s.m.
gonóstomo s.m.
gonotáctico adj.
gonotaxia (*cs*) s.f.
gonoteca s.f.
gonotoconto s.m.
gonotomia s.f.
gonotômico adj.
gonótomo adj. s.m.
gonozoário adj. s.m.
gonozoide (*ó*) adj.2g. s.m.
gonozooide (*ó*) adj.2g. s.m.
gonsogolita s.f.
gonu s.m.
gonyerita s.f.
gonzado adj.
gonzaguense adj. s.2g.
gonzaguiano adj. s.m.
gonzálea s.f.
gonzelo adj. s.m.
gonzemo s.m.
gonzo s.m.
goodênia (*gu*) s.f.
goodeniácea (*gu*) s.f.
goodeniáceo (*gu*) adj.
goodenoughiácea (*gu...gui*) s.f.
goodenoughiáceo (*gu... gui*) adj.
goodiera (*gu*) s.f.
goodsíria (*gu*) s.f.
goongarrita s.f.
gopiara s.f.
gopichandana s.f.
gopurá s.m.
gorá s.m.
gorado adj.
goral s.m.
gorana s.f.
goraná-timbó s.m.; pl. *goranás-timbó* e *goranás-timbós*
gorão adj.; f. *gorona*
gorar v.
gorarema s.f.
goraz s.m.
gorazeira s.f.
gorazeiro adj.
gorbaga s.f.
gorca s.f.
gorcêixia (*cs*) s.f.
gorceixita (*cs*) s.f.
gorceixito (*cs*) s.m.
gorcho (*ô*) s.m.
gorda s.f. "planta"; cf. *gorda* (*ô*)
gorda (*ô*) s.f. "prêmio maior lotérico"; cf. *gorda*
gordã s.f.
gordaça s.f.
gordachão adj. s.m.; f. *gordachona*
gordacho adj. s.m.
gordachona adj. s.f. de *gordachão*
gordachudo adj.
gordaço adj.
gordalhaço adj.
gordalhão adj. s.m.; f. *gordalhona*
gordalhona adj. s.f. de *gordalhão*
gordalhucho adj.
gordalhudo adj.
gordalhufo adj.
gordanchice s.f.
gordanchudo adj.
gordão adj. s.m.; f. *gordona*

gordeáceo adj. s.m.
gordiáceo adj. s.m.
gordiano adj.
gordieia (*é*) s.f. de *gordieu*
gordieno adj. s.m.
gordieu adj. s.m.; f. *gordieia* (*é*)
gordifalho s.m.
gordífida adj.2g. s.m.
gordiídeo adj. s.m.
gordinho adj. s.m.
górdio adj. s.m.
gordiodrilo s.m.
gordióideo adj. s.m.
gordo (*ô*) adj. s.m.
gordona adj. s.f. de *gordão*
gordônia s.f.
gordonita s.f.
gordote adj. s.m.
gorducho adj. s.m.
gordufo adj.
gordume s.m.
gordura s.f.
gordura-de-porco s.f.; pl. *gorduras-de-porco*
gordura-de-virola s.f.; pl. *gorduras-de-virola*
gorduragem s.f.
gordural s.m.
gordurar v.
gordureiro adj.
gordurento adj.
gorduroso (*ô*) adj.; f. (*ó*); pl. (*ó*)
gore s.m.
goreiro adj.
gorente s.m.
gorete (*ê*) s.m.
gorete-de-pedra s.m.; pl. *goretes-de-pedra*
goreto (*ê*) s.m.
gorga s.f.
gorga-dos-montes s.f.; pl. *gorgas-dos-montes*
gorgão s.m.
gorgaz s.m.
gorgeyita s.f.
gorgiânico adj.
gorgiano adj. s.m.
górgico adj. s.m.
gorgolão s.m.
gorgolar v.
gorgolejante adj.2g.
gorgolejar v.
gorgolejo (*ê*) s.m.
gorgoleta (*ê*) s.f.
gorgolhão s.m.
gorgolhar v.
gorgolhido s.m.
gorgoli s.m.
gorgolo s.m.
gorgomil s.m.
gorgomila s.f.
gorgomileira s.f.
gorgomilo s.m.
górgona s.f.
gorgonáceo adj. s.m.
górgone s.f.
gorgonela s.f.
gorgonélida adj.2g. s.m.
gorgonelídeo adj. s.m.
gorgóneo adj.
gorgônia s.f.
gorgônida adj.2g. s.m.
gorgonídeo adj. s.m.
gorgonina s.f.
gorgonocefálida adj.2g. s.m.
gorgonocefalídeo adj. s.m.
gorgonocéfalo s.m.
gorgonzola s.m.
gorgorão s.m.
gorgorejar v.
gorgorejo (*ê*) s.m.
gorgota s.f.
gorgotilho s.m.
gorgueira s.f.
gorgulha s.f.
gorgulhado adj.
gorgulhão s.m.
gorgulhão-dos-cereais s.m.; pl. *gorgulhões-dos-cereais*
gorgulhento adj.
gorgulho s.m.
gorgulho-da-ervilha s.m.; pl. *gorgulhos-da-ervilha*
gorgulho-da-fava s.m.; pl. *gorgulhos-da-fava*
gorgulho-da-soja s.m.; pl. *gorgulhos-da-soja*
gorgulho-do-arroz s.m.; pl. *gorgulhos-do-arroz*
gorgulho-do-cacau s.m.; pl. *gorgulhos-do-cacau*
gorgulho-do-café s.m.; pl. *gorgulhos-do-café*
gorgulho-do-feijão s.m.; pl. *gorgulhos-do-feijão*
gorgulho-do-milho s.m.; pl. *gorgulhos-do-milho*
gorgulho-dos-cereais s.m.; pl. *gorgulhos-dos-cereais*
gorgulho-do-trigo s.m.; pl. *gorgulhos-do-trigo*
gorguz s.m.
goriana s.m.
gorila s.m.
gorila-das-montanhas s.m.; pl. *gorilas-das-montanhas*
gorilão s.m.
gorilha s.m.
gorilhoide (*ó*) adj.2g.
gorilismo s.m.
gorilista adj. s.2g.
gorilístico adj.
gorinhata s.f.
gorino adj. s.m.
gorite s.m.
gorja s.f.
gorjal s.m.
gorjala s.m.
gorjão s.m.
gorjeado adj. s.m.
gorjeador (*ô*) adj. s.m.
gorjeante adj.2g.
gorjear v.
gorjeio s.m.
gorjeira s.f.
gorjel s.m.
gorjelim s.m.
gorjereto (*ê*) s.m.
gorjeta (*ê*) s.f.
gorjete (*ê*) s.m.
gorjetear v.
gorjilo s.m.
gorne s.m.
gornir v.
gornope s.m.
goro (*ô*) adj. "gorado"; cf. *goró* s.m. e *goro*, fl. do v. *gorar*
goró s.m. "aguardente"; cf. *goro* (*ô*) adj. e *goro*, fl. do v. *gorar*
goroboense adj. s.2g.
gorona adj.; f. de *gorão*
gorondozi s.m.
gorongo s.m.
goropelha (*ê*) s.f.
gororoba s.f. s.2g.
gororobinha s.f.
gorotil s.m.
gorotiré adj. s.2g.
gorototo (*ô*) s.m.
gorovinhas s.f.pl.
gorovinhos s.m.pl.
gorpelha (*ê*) s.f.
gorra (*ô*) s.f.
gorrar v.
gorreiro s.m.
gorrião s.m.
gorrilho s.m.
gorrixo s.m.
gorro (*ô*) s.m.
gorrucho s.m.
gortínio adj. s.m.
gorujuba s.m.
gorutubano adj. s.m.
gorutubense adj. s.2g.
gorvião s.m.
gorvinha s.f.
gosba s.f.
goselerina s.f.
goshenita s.f.
goshenítico adj.
gosibiídeo adj. s.m.
gosipalho s.m.
goslarita s.f.
goslarítico adj.
gosma s.f.
gosmado adj. s.m.
gosmão adj. s.m.
gosmar v.
gosmento adj.
gosmilhar v.
gosmoso (*ô*) adj.; f. (*ó*); pl. (*ó*)
gospe-gospe s.m.; pl. *gospe-gospes* e *gospes-gospes*
gosseia (*é*) s.f.
gosseletita s.f.
gosseveilerodendro s.m.
gossipetina s.f.
gossipianto s.m.
gossípio s.m.
gossipitrina s.f.
gossipol s.m.
gostadeira adj.
gostadela s.f.
gostado adj.
gostador (*ô*) adj. s.m.
gostamento s.m.
gostar v.
gostável adj.2g.
gostilho s.m.
gostinho s.m.
gosto (*ô*) s.m.; cf. *gosto*, fl. do v. *gostar*
gosto-da-vida s.m.; pl. *gostos-da-vida*
gostosão adj. s.m.; f. *gostona*
gostoso (*ô*) adj.; f. (*ó*); pl. (*ó*)
gostosona adj. s.f. de *gostosão*
gostosura s.f.
gota s.m. "avião"; cf. *gota* (*ô*)
gota (*ô*) s.f. "pingo" e "doença"; cf. *gota*
gota-coral s.f.; pl. *gotas-corais*
gota-d'água s.f.; pl. *gotas-d'água*
gota-de-sangue s.f.; pl. *gotas-de-sangue*
gotado adj.
gotão adj. s.m.
gotardense adj. s.2g.
gota-serena s.f.; pl. *gotas-serena*
gote s.m.
gotear v.
goteira s.f. "calha"; cf. *guteira*
goteirado adj.
goteirão s.m.
goteiro s.m.
gotejador (*ô*) adj. s.m.
gotejamento s.m.
gotejante adj.2g.
gotejar v.
gotejo (*ê*) s.m.
goticidade s.f.
goticismo s.m.
goticista adj. s.2g.
goticístico adj.
gótico adj. s.m.
gotícula s.f.
gotija s.f.
gotímetro s.m.
gotingo s.m.
gotino adj. s.m.
gotismo s.m.
gotlandiano adj. s.m.
gotlândico adj. s.m.
goto (*ô*) s.m.
gotoso (*ô*) adj. s.m.; f. (*ó*); pl. (*ó*)
gotra (*ô*) s.f.
gotri s.m.
gotrim s.m.
gotulho s.m.
gotúlio s.m.
gotúrio s.m.
gotúrnio s.m.
gouânia s.f.
gouaníea s.f.
gougar v.
gougre adj.2g.
goulão adj. s.m.; f. *goulona*
goulartense (*gu*) adj. s.2g.
gouli s.m.; f. *goulina*
goulina s.f. de *gouli*
goulo s.m.
goulona adj. s.f. de *goulão*
goundou s.m.
goupia s.f.
goupiácea s.f.
goupiáceo adj.
goura s.f.
gouríneo adj. s.m.
gouro s.m.
gouve s.m.
gouveano adj. s.m.
gouveense adj. s.2g.
gouveio adj. s.m.
gouveio-branco s.m.; pl. *gouveios-brancos*
gouveio-melano s.m.; pl. *gouveios-melanos*
gouveio-pardo s.m.; pl. *gouveios-pardos*
gouvinte adj.2g.
gouvir v.
gova s.m.
govar s.m.
govênia s.f.
govento adj.
govera s.f.
governabilidade s.f.
governação s.f.
governadeira s.f.
governado adj. s.m.
governador (*ô*) adj. s.m.
governadora (*ô*) s.f.
governador-geral s.m.; pl. *governadores-gerais*
governadoria s.f.
governadura s.f.
governal adj.2g.
governalho s.m.
governamental adj. s.2g.
governamentalismo s.m.
governamentalista s.2g.
governamentalístico adj.
governamento s.m.
governança s.f.
governanta s.f.
governante adj. s.2g.
governar v.
governativo adj.
governatorato s.m.
governatório adj.
governatriz adj. s.f.
governável adj.2g.
governeiro adj. s.m.
governia s.f.
governichar v.
governichismo s.m.
governichista adj. s.2g.
governicho s.m.
governículo s.m.
governismo s.m.
governista adj. s.2g.
governístico adj.
governita s.f.
governo (*ê*) s.m.; cf. *governo*, fl. do v. *governar*
governo-geral s.m.; pl. *governos-gerais*
goveta (*ê*) s.f.
govete (*ê*) s.m.
govitinga s.f.
gowerita s.f.
goxo (*ô*) s.m.
goyesco (*ê*) adj.
gozação s.f.
gozada s.f.
gozadela s.f.
gozado adj.
gozador (*ô*) adj. s.m.
gozar v.
gozaria s.f.
gozável adj.2g.
gozeira s.f.
gozim s.m.
gozo (*ô*) adj. s.m.; cf. *gozo*, fl. do v. *gozar*
gozoso (*ô*) adj.; f. (*ó*); pl. (*ó*)
grã adj.2g. s.f.
graal s.m.
graalesco (*ê*) adj.
graalista s.2g.
grabado adj.
grabaface adj.2g.
grabano s.m.
grabatário s.m.
grabateiro s.m.
grabatério s.m.
grabatibe adj.2g.
grabato s.m.
grabe s.m.
grabeia (*é*) adj. s.f. de *grabeu*
grabelho s.m.
grã-besta (*ê*) s.f.; pl. *grã-bestas*
grabeu adj. s.m.; f. *grabeia* (*é*)
grabiço s.m.
grabosa s.f.
grabóvsquia s.f.
graça s.f.; cf. *grassa*, fl. do v. *grassar*
graça-de-deus s.f.; pl. *graças-de-deus*
graçaí s.m.
graçaim s.m.
graçainha s.f.
graçapé s.m.
graças s.f.pl.
gracejador (*ô*) adj. s.m.
gracejante adj.2g.
gracejar v.
gracejo (*ê*) s.m.
gracense adj. s.2g.
gracento adj.
graceta (*ê*) s.f. "gracejo"; cf. *grasseta*
graciana s.f.
graciano adj. s.m.
gracianopolitano adj. s.m.
graciense adj. s.2g.
grácil adj.2g.
gracilária s.f.
gracilaríida adj.2g. s.m.
gracilariídeo adj. s.m.
gracília s.f.
gracilidade s.f.
gracilifloro adj.
gracilifoliado adj.
gracílimo adj. sup. de *grácil*
gracilípede adj.2g.
gracilirrostro adj.
gracinda s.f.
gracinha s.f.
gracíola s.f.
graciolada s.f.
graciolado adj.
graciólea s.f.
gracioletina s.f.
graciolina s.f.
gracioliretina s.f.
graciosa s.f.
graciosense adj. s.2g.
graciosidade s.f.
gracioso (*ô*) adj.; f. (*ó*); pl. (*ó*)
graciosoletina s.f.
graciosolina s.f.
graciosoliretina s.m.
gracitar v.
graco s.m.
graçola s.f. s.2g.
graçolar v.
graçoleiro adj. s.m.
graçona s.f.
graçoso (*ô*) adj.; f. (*ó*); pl. (*ó*)
graçota s.f.
grã-cruz s.f. s.2g.; pl. *grã-cruzes*
gracuí s.m.
graçuiense adj. s.2g.
gráculo s.m.
grada s.f.
gradação s.f.
gradacional adj.2g.
gradado adj.
gradador (*ô*) adj. s.m.
gradadura s.f.
gradagem s.f.
gradaó adj. s.2g.
gradão s.m.
gradar v.
gradaria s.f.
gradário adj.

gradativo adj.
gradaú adj. s.2g.
gradauense adj. s.2g.
grade s.f.
gradeado adj. s.m.
gradeamento s.m.
gradear v.
gradecer v.
gradecimento s.m.
gradeira s.f.
gradejar v.
gradelha (*ê*) s.f.
grades s.f.pl.
gradeza (*ê*) s.f.
gradiente adj.2g. s.m.
gradil s.m.
gradim s.m.
gradímetro s.m.
gradinada s.f.
gradinar v.
gradinata s.f.
gradinha s.f.
gradiômetro s.m.
gradivo adj.
grado adj. s.m.
gradômetro s.m.
graduação s.f.
graduado adj. s.m.
graduador (*ô*) adj. s.m.
gradual adj.2g. s.m.
gradualidade s.f.
gradualismo s.m.
gradualista adj. s.2g.
gradualístico adj.
graduamento s.m.
graduando s.m.
graduar v.
graduável adj.2g.
grã-ducado s.m.; pl. *grã-ducados*
grã-ducal adj.2g.; pl. *grã-ducais*
grã-duque s.m.; pl. *grã-duques*
grã-duquesa s.f.; pl. *grã-duquesas*
gradura s.f.
graeiro s.m.
graelada s.f.
graelo s.m.
graemita s.f.
grafado adj.
grafanálise s.f.
grafanalista adj. s.2g.
grafanalítico adj.
grafar v.
grafe s.m.f.
grafema s.m.
grafemático adj.
grafêmica s.f.
grafêmico adj.
grafia s.f.
grafiário adj. s.m.
gráfica s.f.
graficidade s.f.
gráfico adj. s.m.
gráfico-visual adj.2g.; pl. *gráfico-visuais*
grafidácea s.f.
grafidáceo adj.
grafidínea s.f.
grafila s.f.
grafilar v. s.f.
grafilha s.f.
grafilíneo adj. s.m.
grã-finagem s.f.; pl. *grã-finagens*
grã-finice s.f.; pl. *grã-finices*
grã-finismo s.m.; pl. *grã-finismos*
grã-fino adj. s.m.; pl. *grã-finos*
gráfio s.m.
grafioide (*ó*) adj.2g.
grafiola s.f.
grafiolácea s.f.
grafioláceo adj.
grafiose s.f.
grafismo s.m.
grafista adj. s.2g.
grafístico adj.
grafita s.f.
grafitação s.f.
grafitado adj.
grafitar v.
grafite s.f.
grafiteiro s.m.
grafítico adj.
grafitita s.f.
grafitização s.f.
grafitizar v.
grafito s.m.
grafiúro s.m.
grafo s.m.
grafoanálise s.f.
grafoanalista adj. s.2g.
grafoanalítico adj.
grafocatarse s.f.
grafocatártico adj.
grafocinético adj.
grafocracia s.f.
grafocrata adj. s.2g.
grafócrata adj. s.2g.
grafocrático adj.
grafocrítica s.f.
grafoestática s.f.
grafofobia s.f.
grafofóbico adj.
grafófobo s.m.
grafofone s.m.
grafofônio s.m.
grafofono s.m.
grafognosia s.f.
grafognósico adj.
grafognóstico adj.
grafolita s.f.
grafolítico adj.
grafolitídeo adj. s.m.
grafólito s.m.
grafologia s.f.
grafológico adj.
grafologista adj. s.2g.
grafólogo s.m.
grafomania s.f.
grafomaníaco adj. s.m.
grafômano s.m.
grafomecânico adj.
grafometria s.f.
grafométrico adj.
grafômetro s.m.
grafoneta (*ê*) s.f.
grafonola s.f.
grafonomia s.f.
grafonômico adj.
grafônomo s.m.
grafonoscopia s.f.
grafonoscópico adj.
grafonoscópio s.m.
grafopatologia s.f.
grafopatológico adj.
grafopsicologia s.f.
grafopsicológico adj.
grafopsicólogo s.m.
graforreia (*é*) s.f.
graforreico (*é*) s.m.
grafoscópio s.m.
grafosfera s.f.
grafosférico adj.
grafospasmo s.m.
grafossoma s.m.
grafossomário adj. s.m.
grafossomíneo adj. s.m.
grafostática s.f.
grafostático adj.
grafoteca s.f.
grafotecário adj. s.m.
grafotecnia s.f.
grafotécnica s.f.
grafotécnico adj.
grafoterapia s.f.
grafoterápico adj.
grafotipia s.f.
graftonita s.f.
gragido s.m.
gragoatá s.m. "gravatá"; cf. *gragoatã*
gragoatã s.f. "espécie de árvore"; cf. *gragoatá*
grahamita s.f.
grahamito s.m.
graia s.f.
graiar v.
graíço s.m.
grainça s.f.
grainçar v.
grainço s.m.
grainha s.f.
graio adj. s.m.
graiocelo adj. s.m.
graiócelo adj. s.m.
graioide (*ó*) adj.2g. s.m.
graipa s.f.
graipu s.m.
grajau s.m.
grajauense (*a-u*) adj. s.2g.
grajeia (*é*) s.f.
grajo adj. s.m.
grajugena adj. s.2g.
gral s.m.
grã-lama s.f.; pl. *grã-lamas*
gralariínea s.f.
gralha s.f.
gralha-azul s.f.; pl. *gralhas-azuis*
gralha-branca s.f.; pl. *gralhas-brancas*
gralha-cã-cã s.f.; pl. *gralhas-cã-cãs*
gralha-calva s.f.; pl. *gralhas-calvas*
gralha-cinzenta s.f.; pl. *gralhas-cinzentas*
gralhada s.f.
gralha-de-crista s.f.; pl. *gralhas-de-crista*
gralha-do-campo s.f.; pl. *gralhas-do-campo*
gralha-do-cerrado s.f.; pl. *gralhas-do-cerrado*
gralha-do-mato s.f.; pl. *gralhas-do-mato*
gralha-do-peito-branco s.f.; pl. *gralhas-do-peito-branco*
gralhador (*ô*) adj. s.m.
gralha-do-sul s.f.; pl. *gralhas-do-sul*
gralhante adj.2g.
gralhão s.m.
gralha-picaça s.f.; pl. *gralhas-picaças*
gralha-preta s.f.; pl. *gralhas-pretas*
gralhar v.
gralhas s.f.pl.
gralheada s.f.
gralheador (*ô*) adj. s.m.
gralhear v.
gralheira s.f.
gralhento adj.
gralhice s.f.
gralho s.m.
gralídea s.f.
gralídeo adj.
gralina s.f.
gralinídeo adj. s.m.
gralmandita s.f.
gram s.m.
grama s.m.f.
gramaaçu s.f.
grama-baixa s.f.; pl. *gramas-baixas*
grama-batatais s.f.; pl. *gramas-batatais*
grama-boiadeira s.f.; pl. *gramas-boiadeiras*
grama-branca s.f.; pl. *gramas-brancas*
gramação s.f.
grama-cheirosa s.f.; pl. *gramas-cheirosas*
gramachense adj. s.2g.
grama-comprida s.f.; pl. *gramas-compridas*
grama-comum s.f.; pl. *gramas-comuns*
gramacorcho (*ô*) s.m.
grama-coreana s.f.; pl. *gramas-coreanas*
grama-cravo s.f.; pl. *gramas-cravo* e *gramas-cravos*
gramaçu s.f.
gramada s.f.
grama-da-guiné s.f.; pl. *gramas-da-guiné*
grama-da-praia s.f.; pl. *gramas-da-praia*
grama-da-roça s.f.; pl. *gramas-da-roça*
grama-das-boticas s.f.; pl. *gramas-das-boticas*
grama-das-farmácias s.f.; pl. *gramas-das-farmácias*
grama-das-índias s.f.; pl. *gramas-das-índias*
grama-das-roças s.f.; pl. *gramas-das-roças*
grama-da-terra s.f.; pl. *gramas-da-terra*
grama-de-adorno s.f.; pl. *gramas-de-adorno*
grama-de-cidade s.f.; pl. *gramas-de-cidade*
grama-de-coradouro s.f.; pl. *gramas-de-coradouro*
grama-de-folha-larga s.f.; pl. *gramas-de-folha-larga*
grama-de-forquilha s.f.; pl. *gramas-de-forquilha*
gramadeira s.f.
grama-de-jacobina s.f.; pl. *gramas-de-jacobina*
grama-de-jardim s.f.; pl. *gramas-de-jardim*
grama-de-macaé s.f.; pl. *gramas-de-macaé*
grama-de-marajó s.f.; pl. *gramas-de-marajó*
gramadense adj. s.2g.
grama-de-pasto s.f.; pl. *gramas-de-pasto*
grama-de-pernambuco s.f.; pl. *gramas-de-pernambuco*
grama-de-ponta s.f.; pl. *gramas-de-ponta*
grama-de-sananduva s.f.; pl. *gramas-de-sananduva*
grama-de-são-carlos s.f.; pl. *gramas-de-são-carlos*
grama-de-são-paulo s.f.; pl. *gramas-de-são-paulo*
gramadinhense adj. s.2g.
gramado adj. s.m.
grama-do-banhado s.f.; pl. *gramas-do-banhado*
grama-do-campo s.f.; pl. *gramas-do-campo*
grama-doce s.f.; pl. *gramas-doces*
grama-do-maranhão s.f.; pl. *gramas-do-maranhão*
grama-do-pará s.f.; pl. *gramas-do-pará*
grama-dos-jardins s.f.; pl. *gramas-dos-jardins*
grama-fina s.f.; pl. *gramas-finas*
grama-força s.m.; pl. *gramas-forças*
grama-forquilha s.f.; pl. *gramas-forquilha* e *gramas-forquilhas*
grama-francesa s.f.; pl. *gramas-francesas*
gramagem s.f.
gramaia s.f.
grama-inglesa s.f.; pl. *gramas-inglesas*
grama-italiana s.f.; pl. *gramas-italianas*
grama-japonesa s.f.; pl. *gramas-japonesas*
gramal s.m.
grama-lanceta s.f.; pl. *gramas-lanceta* e *gramas-lancetas*
grama-larga s.f.; pl. *gramas-largas*
gramalense adj. s.2g.
gramalheira s.f.
grama-major-inácio s.f.; pl. *gramas-major-inácio*
gramamense adj. s.2g.
grama-mineira s.f.; pl. *gramas-mineiras*
grama-nativa s.f.; pl. *gramas-nativas*
gramante adj.2g.
gramanto s.m.
gramão s.m.
grama-ordinária s.f.; pl. *gramas-ordinárias*
grama-orvalho s.f.; pl. *gramas-orvalho* e *gramas-orvalhos*
grama-paulista s.f.; pl. *gramas-paulistas*
grama-pelo-de-urso s.f.; pl. *gramas-pelo-de-urso*
grama-peluda s.f.; pl. *gramas-peludas*
grama-preta s.f.; pl. *gramas-pretas*
gramar v.
grama-rasteira s.f.; pl. *gramas-rasteiras*
grama-roxa s.f.; pl. *gramas-roxas*
grama-sapo s.f.; pl. *gramas-sapo* e *gramas-sapos*
grama-seda s.f.; pl. *gramas-seda* e *gramas-sedas*
gramata s.f.
gramática s.f.; cf. *gramatica*, fl. do v. *gramaticar*
gramatical adj.2g.
gramaticalidade s.f.
gramaticalismo s.m.
gramaticalização s.f.
gramaticalizado adj.
gramaticalizante adj.2g.
gramaticalizar v.
gramaticalizável adj.2g.
gramaticão s.m.
gramaticar v.
gramaticável adj.2g.
gramaticida s.2g.
gramaticidade s.f.
gramaticídio s.m.
gramaticismo s.m.
gramaticista adj. s.2g.
gramaticístico adj.
gramaticização s.f.
gramaticizar v.
gramático adj. s.m.; cf. *gramatico*, fl. do v. *gramaticar*
gramaticografia s.f.
gramaticógrafo s.m.
gramaticoide (*ó*) s.2g.
gramaticologia s.f.
gramaticológico adj.
gramaticólogo s.m.
gramatiqueiro adj. s.m.
gramatiquice s.f.
gramatiquismo s.m.
gramatista s.2g.
gramatita s.f.
gramatite s.f.
gramatófora s.f.
gramatologia s.f.
gramatológico adj.
gramatologista adj. s.2g.
gramatólogo s.m.
gramatomancia s.f.
gramatomante s.2g.
gramatomântico adj.
gramatura s.f.
grama-veludo s.f.; pl. *gramas-veludos*
grambe s.m.
grameal s.m.
grameira s.f.
gramelho (*ê*) s.m.
gramema s.m.
gramemático adj.
gramêmico adj.
gramenita s.f.
gramenite s.f.
gramense adj. s.2g.
grã-mestra s.f. de *grã-mestre*; pl. *grã-mestras*
grã-mestrado s.m.; pl. *grã-mestrados*
grã-mestre s.m.; f. *grã-mestra*; pl. *grã-mestres*
grâmia s.f.
gramicida adj. s.2g.
gramicídina s.f.
gramicídio s.m.
gramiço s.m.

gramicolépida adj.2g. s.m.
gramicolépide s.f.
gramicolepídeo adj. s.m.
gramicólepis s.f.
gramilho s.m.
gramilo s.m.
gramimanha s.f.
gramimunha s.f.
gramina s.f.
graminácea s.f.
gramináceo adj.
graminal adj.2g.
graminale s.f.
gramínea s.f.
graminense adj. s.2g.
gramíneo adj.
gramineoso (*ô*) adj.; f. (*ó*); pl. (*ó*)
graminha s.f.
graminha-comum s.f.; pl. *graminhas-comuns*
graminha-da-cidade s.f.; pl. *graminhas-da-cidade*
graminha-de-araraquara s.f.; pl. *graminhas-de--araraquara*
graminha-de-campinas s.f.; pl. *graminhas-de-campinas*
graminha-de-jacobina s.f.; pl. *graminhas-de-jacobina*
graminha-de-raiz s.f.; pl. *graminhas-de-raiz*
graminha-doce s.f.; pl. *graminhas-doces*
graminha-do-mato s.f.; pl. *graminhas-do-mato*
graminha-fina s.f.; pl. *graminhas-finas*
graminhamento s.m.
graminha-nativa s.f.; pl. *graminhas-nativas*
graminhão s.m.
graminhar v.
graminha-seda s.f.; pl. *graminhas-seda* e *graminhas--sedas*
graminheira s.f.
graminhense adj. s.2g.
graminho s.m.
graminícola adj.2g.
graminifólio adj.
graminiforme adj.2g.
graminipolpo (*ô*) s.m.
graminita s.f.
graminite s.f.
graminoide (*ó*) adj.2g.
graminologia s.f.
graminoso (*ô*) adj.; f. (*ó*); pl. (*ó*)
gramiola s.f.
gramipolpo (*ô*) s.m.
gramiste s.m.
gramistíneo adj. s.m.
gramita s.f.
gramite s.f.
gramites s.f.2n.
gramixa s.f.
gramixanga s.f.
gramixinga s.f.
gram-negativo adj.; pl. *gram--negativos*
gramoeira s.f.
gramofonar v.
gramofone s.m.
gramofônico adj.
gramofono s.m.
gramométrico adj.
gramômetro s.m.
gramondé s.m.
gramondé-grande s.m.; pl. *gramondés-grandes*
gramondé-pequeno s.m.; pl. *gramondés-pequenos*
gramonemo s.m.
gramonilho s.m.
gramono s.m.
gramonta s.f.
gramontino adj. s.m.
gramóptera s.f.
gramoso (*ô*) adj.; f. (*ó*); pl. (*ó*)
gramozilho s.m.
grampa s.f.
grampação s.f.
grampador (*ô*) s.m.
grampadora s.f.
grampagem s.f.
grampanho s.m.
grampar v.
grampeação s.f.
grampeadeira s.f.
grampeado adj.
grampeador (*ô*) s.m.
grampeadora (*ô*) s.f.
grampeagem s.f.
grampeamento s.m.
grampear v.
grampo s.m.
gramponado adj.
gram-positivo adj.; pl. *gram--positivos*
gram-variável adj.; pl. *gram--variáveis*
grana s.f.
granação s.f.
granacha s.f.
granacho s.m.
granada s.f.
granada-branca s.f.; pl. *granadas-brancas*
granada-foguete s.f.; pl. *granadas-foguete* e *granadas--foguetes*
granada-indiana s.f.; pl. *granadas-indianas*
granada-nobre s.f.; pl. *granadas-nobres*
granada-oriental s.f.; pl. *granadas-orientais*
granada-piramidal s.f.; pl. *granadas-piramidais*
granada-siberiana s.f.; pl. *granadas-siberianas*
granadeira s.f.
granadeiro s.m.
granadense adj. s.2g.
granadífero adj.
granadil adj. s.2g.
granadilha s.f.
granadilho s.m.
granadina s.f.
granadino adj. s.m.
granado adj.
granador (*ô*) s.m.
granal adj.2g. s.m.
granalha s.f.
granar v.
granário adj.
granáster s.m.
granatamina s.f.
granatária s.f.
granate s.m.
granátea s.f.
granatense adj. s.2g.
granáteo adj.
granatífero adj.
granatina s.f.
granatito s.m.
grança s.f.
grandaço adj. s.m.
grandalhão adj. s.m.; f. *grandalhona*
grandalhona adj. s.f. de *grandalhão*
grandalhudo adj. s.m.
grandão adj.
grande adj.2g. s.m.
grande-alexandre s.f.; pl. *grandes-alexandres*
grande-angular adj.2g. s.f.; pl. do adj. *grande-angulares*; pl. do s.m. *grandes-angulares*
grandear v.
grande-caloria s.f.; pl. *grandes-calorias*
grande-hipoglosso adj. s.m.; pl. do adj. *grande-hipoglossos*; pl. do s.m. *grandes-hipoglossos*
grandeira s.f.
grandense adj. s.2g.
grande-oblíquo adj. s.m.; pl. do adj. *grande-oblíquos*; pl. do s. *grandes-oblíquos*
grandessíssimo adj. sup. irreg. de *grande*
grandevo adj.
grandeza (*ê*) s.f.
grand-guignolesco (*ê*) adj.; pl. *grand-guignolescos*
grandidierita s.f.
grandifloro adj.
grandifólio adj.
grandíloco adj.
grandiloquência (*ü*) s.f.
grandiloquente (*ü*) adj. s.2g.
grandíloquo adj.
grandiosidade s.f.
grandioso (*ô*) adj.; f. (*ó*); pl. (*ó*)
grandirrostro adj.
grandíssimo adj. sup. de *grande*
grandita s.f.
grandiúva s.f.
grandolense adj. s.2g.
grandona adj.; f. de *grandão*
grandor (*ô*) s.m.
grandota adj. s.f.
grandote adj.2g.
grandulim s.m.
grandumba adj. s.2g.
grandura s.f.
graneado s.m.
granear v.
granel s.m.
graneleiro adj. s.m.
granete (*ê*) s.m.
granfa adj. s.2g.
granfanja s.f.
granfo adj. s.m.
grangaça adj. s.2g.
granganzá adj. s.2g.
grangará adj. s.2g.
grangazá adj. s.2g.
grângea s.f.
granição s.f.
granicultor (*ô*) s.m.
granicultura s.f.
granidar v.
granido s.m.
granidor (*ô*) s.m.
granífero adj.
granificado adj.
graniforme adj.2g.
granilita s.f.
granilito s.m.
granir v.
granita s.f.
granitado adj.
granitagem s.f.
granitar v.
granitense adj. s.2g.
granítico adj.
granitificado adj.
granitificar v.
granitita s.f.
granitite s.f.
granitito s.m.
granitização s.f.
granito s.m.
granitóforo s.m.
granitoide (*ó*) adj.2g.
granitoso (*ô*) adj.; f. (*ó*); pl. (*ó*)
granívoro adj. s.m.
granização s.f.
granizada s.f.
granizado adj.
granizador (*ô*) s.m.
granizar v.
granizífugo adj.
granizo s.m.
granja s.f.
granjaria s.f.
granjeado adj.
granjeador (*ô*) adj. s.m.
granjear v.
granjearia s.f.
granjeeiro s.m.
granjeia (*é*) s.f.; cf. *granjeia*, fl. do v. *granjear*
granjeio s.m.
granjeirense adj. s.2g.
granjeiro s.m.
granjense adj. s.2g.
granjeste adj. s.2g.
granjola adj. s.2g.
granjoláceo adj. s.m.
granjolada s.f.
granjolão adj. s.m.
granjolice s.f.
grano s.m.
granoblástico adj.
granoblasto s.m.
granoclástico adj.
granodiorítico adj.
granodiorito s.m.
granol s.m.
granola s.f.
granoso (*ô*) adj.; f. (*ó*); pl. (*ó*)
grantsita s.f.
granucho s.m.
granucomata adj. s.2g.
granucômata adj. s.2g.
granudiorito s.m.
grânula s.f.
granulação s.f.
granulado adj. s.m.
granulador (*ô*) adj. s.m.
granulagem s.f.
granular v. adj.2g.
granularidade s.f.
granulase s.f.
granúlase s.f.
granulia s.f.
granuliforme adj.2g.
granulite s.f.
granulítico adj.
granulito s.m.
grânulo s.m.
granulocítico adj.
granulócito s.m.
granulocitopenia s.f.
granuloide (*ó*) adj.2g.
granuloma s.m.
granulomatose s.f.
granulomatoso (*ô*) adj.; f. (*ó*); pl. (*ó*)
granulometria s.f.
granulométrico adj.
granulômetro s.m.
granulopenia s.f.
granulopéxico (*cs*) adj.
granulopoiese s.f.
granulosa s.f.
granulose s.f.
granulosidade s.f.
granuloso (*ô*) adj.; f. (*ó*); pl. (*ó*)
granulozima s.f.
granza s.f.
granza-brava s.f.; pl. *granzas--bravas*
granza-da-praia s.f.; pl. *granzas-da-praia*
granza-dos-tintureiros s.f.; pl. *granzas-dos-tintureiros*
granzal s.m.
granzatense adj. s.2g.
granzerita s.f.
granzina s.f.
granzinada s.f.
granzinar v.
granzoal s.m.
granzosa s.f.
grão adj. s.m.
grão-cruz s.2g. s.f.; pl. *grão--cruzes*
grão de arroz s.m.
grão de bico s.m. "pasta preparada com semente de grão-de-bico"
grão-de-bico s.m. "espécie de planta"; pl. *grãos-de-bico*
grão-de-cavalo s.m.; pl. *grãos--de-cavalo*
grão-de-galo s.m.; pl. *grãos--de-galo*
grão-de-maluco s.m.; pl. *grãos-de-maluco*
grão-de-porco s.m.; pl. *grãos--de-porco*
grão-de-pulha s.f.; pl. *grãos--de-pulha*
graodo s.m.
grão-do-paraíso s.m.; pl. *grãos-do-paraíso*
grão-ducado s.m.; pl. *grão--ducados*
grão-ducal adj.2g.; pl. *grão--ducais*
grão-duque s.m.; f. *grão--duquesa*; pl. *grão-duques*
grão-duquesa s.f. de *grão--duque*; pl. *grão-duquesas*
grão-lama s.m.; pl. *grão-lamas*
grão-mestrado s.m.; pl. *grão--mestrados*
grão-mestre s.m.; f. *grão--mestra*; pl. *grão-mestres*
grão-mogol s.m.; pl. *grão--mogóis*
grão-mogolense adj. s.2g.; pl. *grão-mogolenses*
grão-rabino s.m.; pl. *grão--rabinos*
grão-sacerdote s.m.; pl. *grão--sacerdotes*
grãos de café s.m.pl.
grãos-de-chumbo s.m.pl.
grão-tinhoso s.m.; pl. *grão--tinhosos*
grão-turco s.m.; pl. *grão-turcos*
grão-vizir s.m.; pl. *grão-vizires*
grãozeiro s.m.
grãozinho s.m.
grãozinho-de-galo s.m.; pl. *grãozinhos-de-galo*
grapa s.f.
grapecique s.m.
grapelim s.m.
grápia s.f.
grapiapunha s.f.
grapiapunha-branca s.f.; pl. *grapiapunhas-brancas*
grapibu s.m.
grapirá s.m.
grapiúna s.2g.
grápsida adj.2g. s.m.
grapsídeo adj. s.m.
grapso s.m.
grapsoide (*ó*) adj.2g. s.m.
grapsóidea s.f.
graptodite s.m.
graptofílea s.f.
graptofilo s.m.
graptolite s.f.
graptolítico adj.
graptólito s.m.
graptoloide (*ó*) adj.2g. s.m.
graptopelto s.m.
graptozoário adj. s.m.
grã-rabino s.m.; pl. *grã--rabinos*
grã-sacerdote s.m.; pl. *grã--sacerdotes*
grasnada s.f.
grasnadela s.f.
grasnador (*ô*) adj. s.m.
grasnante adj.2g.
grasnar v. s.m.
grasneiro adj.
grasnento adj.
grasnido s.m.
grasnir v.
grasno s.m.
graspa s.f.
grassar v.
grassento adj.
grasseta (*ê*) s.f. "planta"; cf. *graceta* (*ê*)
grássia s.f.
grassíada adj.2g. s.m.
grassitar v.
grasso adj.
grataúba s.f.
gratear v.
grateia (*é*) s.f.; cf. *grateia*, fl. do v. *gratear*
grateira s.f.
grateleiro s.m.
gratícula s.f.
graticular adj.2g.
gratidão s.f.
gratificação s.f.
gratificado adj.
gratificador (*ô*) adj. s.m.
gratificante adj.2g.

gratificar v.
gratificável adj.2g.
gratifício s.m.
gratífico adj.; cf. *gratifico*, fl. do v. *gratificar*
gratinado adj. s.m.
grã-tinhoso s.m.; pl. *grã-tinhosos*
grátis adj.2g.2n. adv.
gratitudinal adj.2g.
grato adj.
gratonita s.f.
gratuidade s.f.
gratuitidade s.f.
gratuito adj.
gratulação s.f.
gratular v.
gratulatório adj.
grátulo adj.
grã-turco s.m.; pl. *grã-turcos*
grau s.m.
grauatá s.m.
grauçá s.m.
graucalo s.m.
grau-dez adj.2g.2n.
graúdo adj. s.m.
graúlho s.m.
graúna s.f.
graunço s.m.
graunha s.f.
grauvaca s.f.
grauvaque s.m.
gravação s.f.
gravado adj.
gravador (*ô*) adj. s.m.
gravadora (*ô*) s.f.
gravadura s.f.
gravalha s.f.
gravalho s.m.
gravalhoiço s.m.
gravalhouço s.m.
gravame s.m.
gravamento s.m.
gravana s.f.
gravanada s.f.
gravancear v.
gravanceira s.f.
gravanceiro adj.
gravancelo s.m.
gravanço s.m.
gravanha s.f.
gravanito s.m.
gravanji s.m.
gravano s.m.
gravanzudo adj.
gravar v.
gravata s.f.
gravatá s.m.
gravatá-açu s.m.; pl. *gravatás-açus*
gravata-borboleta s.f.; pl. *gravatas-borboleta* e *gravatas-borboletas*
gravatá-branco s.m.; pl. *gravatás-brancos*
gravatá-bravo s.m.; pl. *gravatás-bravos*
gravatá-canga s.m.; pl. *gravatás-canga* e *gravatás-cangas*
gravatá-da-árvore s.m.; pl. *gravatás-da-árvore*
gravatá-da-índia s.m.; pl. *gravatás-da-índia*
gravatá-da-lagoa-santa s.m.; pl. *gravatás-da-lagoa-santa*
gravatá-da-pedra s.m.; pl. *gravatás-da-pedra*
gravatá-da-praia s.m.; pl. *gravatás-da-praia*
gravatá-das-rãs s.m.; pl. *gravatás-das-rãs*
gravatá-de-agulha s.m.; pl. *gravatás-de-agulha*
gravatá-de-árvore s.m.; pl. *gravatás-de-árvore*
gravatá-de-cerca s.m.; pl. *gravatás-de-cerca*
gravata de coiro s.m.
gravata de couro s.m.
gravatá-de-flor-verde s.m.; pl. *gravatás-de-flor-verde*
gravatá-de-gancho s.m.; pl. *gravatás-de-gancho*
gravatá-de-lajedo s.m.; pl. *gravatás-de-lajedo*
gravatá-de-moqueca s.m.; pl. *gravatás-de-moqueca*
gravatá-de-raposa s.m.; pl. *gravatás-de-raposa*
gravatá-de-rede s.m.; pl. *gravatás-de-rede*
gravatá-de-tingir s.m.; pl. *gravatás-de-tingir*
gravatá-do-ar s.m.; pl. *gravatás-do-ar*
gravatá-do-campo s.m.; pl. *gravatás-do-campo*
gravatá-do-mato s.m.; pl. *gravatás-do-mato*
gravataense adj. s.2g.
gravatá-falso s.m.; pl. *gravatás-falsos*
gravataí s.m.
gravataiense adj. s.2g.
gravatalense adj. s.2g.
gravatão s.m.
gravataria s.f.
gravatá-roxo s.m.; pl. *gravatás-roxos*
gravatá-vermelho s.m.; pl. *gravatás-vermelhos*
gravatazal s.m.
gravatá-zebra s.m.; pl. *gravatás-zebra* e *gravatás-zebras*
gravatazinho s.m.
gravateador (*ô*) s.m.
gravatear v.
gravateira s.f.
gravateiro s.m.
gravatil s.m.
gravatilho s.m.
gravatinha s.m.f.
gravativo adj.
gravato s.m.
grave adj.2g. s.m.
gravebundo adj.
gravejo s.m.
gravela s.f.
gravelado adj.
gravelho (*ê*) s.m.
graveloso (*ô*) s.m.; f. (*ó*); pl. (*ó*)
gravenho adj.
gravéola s.f.
graveolado adj.
graveolência s.f.
graveolente adj.2g.
graveolento adj.
gravésia s.f.
graveta (*ê*) s.f.; cf. *graveta*, fl. do v. *gravetar*
gravetar v.
graveteiro s.m.
gravetiano adj.
graveto (*ê*) s.m.; cf. *graveto*, fl. do v. *gravetar*
gravetos (*ê*) s.m.pl.
graveza (*ê*) s.f.
graviana s.f.
gravibundo adj.
graviço s.m.
grávida s.f.; cf. *gravida*, fl. do v. *gravidar*
gravidação s.f.
gravidade s.f.
gravidar v.
gravidez (*ê*) s.f.
gravideza (*ê*) s.f.
gravídico adj.
gravidismo s.m.
grávido adj.; cf. *gravido*, fl. do v. *gravidar*
gravidocardíaco adj.
gravidotóxico (*cs*) adj.
gravieiro s.m.
gravífico adj.
gravígrado adj. s.m.
gravim s.m.
gravimetria s.f.
gravimétrico adj.
gravimetrista adj. s.2g.
gravímetro s.m.
grávio adj. s.m.
graviola s.f.
graviola-do-norte s.f.; pl. *graviolas-do-norte*
gravisca s.f.
graviscano adj. s.m.
gravisco adj.
gravísia s.f.
gravitação s.f.
gravitacional adj.2g.
gravital adj.2g.
gravitante adj.2g.
gravitar v.
gravitatividade s.f.
gravitativo adj.
gravitável adj.2g.
gravítico adj.
gravito adj. s.m.
graviton s.m.
gráviton s.m.
gravitônico adj.
gravivolumétrico adj.
gravivolúmetro s.m.
grã-vizir s.m.; pl. *grã-vizires*
gravosidade s.f.
gravoso (*ô*) adj.; f. (*ó*); pl. (*ó*)
gravotear v.
gravulha s.f.
gravulheira s.f.
gravulto s.m.
gravunha s.f.
gravunhar v.
gravura s.f.
gravuração s.f.
gravurado adj.
gravurador (*ô*) adj. s.m.
gravurante adj.2g.
gravurar v.
gravurista s.2g.
graxa s.f.
graxa-de-estudante s.f.; pl. *graxas-de-estudante*
graxaim s.m.
graxaim-do-campo s.m.; pl. *graxains-do-campo*
graxaim-do-mato s.m.; pl. *graxains-do-mato*
graxear v.
graxeira s.f.
graxeiro s.m.
graxento adj.
graxo adj. s.m.
graxudo adj.
grayita s.f.
grazina adj. s.2g. s.f.
grazinada s.f.
grazinador (*ô*) adj. s.m.
grazinar v.
grazineira s.f.
grazinento adj.
graziolo (*ô*) s.m.
gré s.m.
grebe s.m.
grebo s.m.
grecânico adj.
greciano adj. s.m.
grecidade s.f.
grecígena adj. s.2g.
grecisco adj.
grecismo s.m.
grecista adj. s.2g.
grecístico adj.
grecização s.f.
grecizado adj.
grecizador (*ô*) adj.
grecizante adj. s.2g.
grecizar v.
grecofalante adj. s.2g.
grecofone adj. s.2g.
grecofonia s.f.
grecofônico adj.
grecofono adj. s.m.
grecófono adj. s.m.
grecoide (*ó*) adj.2g.
grecolalia s.f.
grecolálico adj.
greco-latino adj.; pl. *greco-latinos*
grecólatra s.2g.
grecolatria s.f.
grecolátrico adj.
grecomania s.f.
grecômano s.m.
greco-ortodoxo adj.; pl. *greco-ortodoxos*
greco-romano adj.; pl. *greco-romanos*
grecostádio s.m.
grecóstase s.f.
greda (*ê*) s.f.
grede (*ê*) s.f.
gredelém adj.2g. s.m.2n.
gredelim s.m.
gredoso (*ô*) adj.; f. (*ó*); pl. (*ó*)
greenalita (*gri*) s.f.
greenalítico (*gri*) adj.
greenockita (*gri*) s.f.
greenockítico (*gri*) adj.
greenovita s.f.
grefótomo s.m.
grega (*ê*) s.f.
gregal adj.2g.
gregalada s.f.
gregaria s.f.
gregarígeno adj.
gregarina s.f.
gregaríneo adj. s.m.
gregariníase s.f.
gregarínido adj. s.m.
gregarinose s.f.
gregário adj. s.m.
gregarismo s.m.
gregarista adj. s.2g.
gregarístico adj.
grege s.f.
grego (*ê*) adj. s.m.
grego-latino adj.; pl. *grego-latinos*
gregoriano adj. s.m.
gregoriense adj. s.2g.
gregorificado adj.
gregorina s.f.
gregorinose s.f.
gregório adj. s.m.
gregotim s.m.
gregue s.m.
greguejar v.
greguês adj.
gregueu s.m.
greguice s.f.
greguismo s.m.
greguista adj. s.2g.
grei s.f.
greia (*é*) s.f.
greide s.m.
greiguita s.f.
greinerita s.f.
greiro s.m.
grejeiro adj.
grela s.f.
grelação s.f.
grelada s.f.
greladela s.f.
grelado adj.
grelador (*ô*) adj. s.m.
grelão s.m.
grelar v.
grelha s.f.
grelhado adj. s.m.
grelhador (*ô*) adj. s.m.
grelhagem s.f.
grelhamento s.m.
grelhante adj.2g.
grelhar v.
grelhável adj.2g.
grelheiro s.m.
grelo (*ê*) s.m.; cf. *grelo*, fl. do v. *grelar*
gremial adj.2g. s.m.
gremiense adj. s.2g.
gremilha s.f.
grêmio s.m.
gremista adj. s.2g.
gremo s.2g.
grempa s.f.
gremutinha s.f.
grená adj.2g. s.m.
grenache s.m.
grenado adj.
grenatita s.f.
grencho adj.
grenetina s.f.
grenetis s.m.
grenha adj. s.2g. s.f.
grenho adj. s.m.
grenhoso (*ô*) adj.; f. (*ó*); pl. (*ó*)
grenhudo adj.
grenoquita s.f.
grenoquítico adj.
grepo s.m.
grequismo s.m.
grequista adj. s.2g.
grés s.m.
gresca (*ê*) s.f.
gresífero adj.
gresiforme adj.2g.
gresoso (*ô*) adj.; f. (*ó*); pl. (*ó*)
gressório adj. s.m.
greta (*ê*) s.f.; cf. *greta*, fl. do v. *gretar*
gretado adj. s.m.
gretadura s.f.
gretamento s.m.
gretar v.
gréu s.m.
grevado adj.
grevas (*ê*) s.f.pl.
greve s.f.
grévia s.f.
grevicultor (*ô*) adj. s.m.
grevicultura s.f.
grevíea s.f.
grevílea s.f.
grevileóidea s.f.
grevília s.f.
grevíllea s.f.
grevista adj. s.2g.
gréwia s.f.
gréyia s.f.
greyiácea s.f.
grezisco adj. s.m.
grias s.m.2n.
gricena s.f.
gricha s.f.
gricho s.m.
grícua adj. s.2g.
gridefé adj.2g. s.m.
gridelém adj.2g. s.m.
gridelim adj.2g. s.m.
grielo s.m.
grifa s.f.
grifado adj.
grifanho adj.
grifar v.
grifardo s.m.
grife s.f.
grífea s.f.
grifenho adj.
griffinia s.f.
griffithita s.f.
griffithsia s.f.
grífico adj.
grifínia s.f.
grifita s.f.
grifitsia s.f.
grifo adj. s.m.
grifograma s.m.
grifom s.m.
grigri s.m.
grijoense adj. s.2g.
grijom s.m.
grila s.f.
grilação s.f.
grilácrida adj.2g. s.m.
grilácride s.m.
grilacrídeo adj. s.m.
grilacríneo adj. s.m.
grilácris s.m.2n.
grilada s.f.
grilado adj.
grilador (*ô*) adj. s.m.
grilagem s.f.
grilamento s.m.
grilamesa (*ê*) s.f.
grilanda s.f.
grilar v.
grilaria s.f.
griledo (*ê*) s.m.
grileira s.f.
grileiro s.m.
grilense adj. s.2g.
grilento adj.

grilha s.f.
grilhada s.f.
grilhagem s.f.
grilhão s.m.
grilharia s.f.
grilheta (*ê*) s.m.f.
grilhetado adj.
grilhetar v.
grilho s.m.
grílida adj.2g. s.m.
grilídeo adj. s.m.
grilido adj.
grilíneo adj. s.m.
grilo s.m.
griloblátida adj.2g. s.m.
griloblatídeo adj. s.m.
griloblatódea s.f.
griloblatódeo adj. s.m.
griloblatóideo adj. s.m.
grilo-cantor s.m.; pl. *grilos-cantor* e *grilos-cantores*
grilo-caseiro s.m.; pl. *grilos-caseiros*
grilo-comum s.m.; pl. *grilos-comuns*
grilo-das-casas s.m.; pl. *grilos-das-casas*
grilode s.m.
grilódea s.f.
grilódeo adj. s.m.
grilo-do-campo s.m.; pl. *grilos-do-campo*
grilo-doméstico s.m.; pl. *grilos-domésticos*
grilo-dos-canteiros s.m.; pl. *grilos-dos-canteiros*
grilóideo adj. s.m.
grilomorfa s.f.
grilo-preto s.m.; pl. *grilos-pretos*
grilópsis s.2g.2n.
grilotalpa s.f.
grilotálpida adj.2g. s.m.
grilotalpídeo adj. s.m.
grilotalpíneo adj. s.m.
grilotalpóidea s.f.
grilotalpóideo adj. s.m.
grilo-toupeira s.m.; pl. *grilos-toupeira* e *grilos-toupeiras*
grima s.m.
grimaça s.f.
grimáldia s.f.
grimaldiita s.f.
grímea s.f. "verme"; cf. *grímia*
grímia s.f. "musgo"; cf. *grímea*
grimiácea s.f.
grimiáceo adj.
grimíea s.f.
grímmia s.f.
grimmiácea s.f.
grimmiáceo adj.
grimório s.m.
grimótea s.f.
grimpa s.f.
grimpação s.f.
grimpado adj.
grimpador (*ô*) adj. s.m.
grimpagem s.f.
grimpamento s.m.
grimpante adj.2g.
grimpar v.
grimpeiro s.m.
grimpo adj.
grinalda s.f.
grinalda-de-noiva s.f.; pl. *grinaldas-de-noiva*
grinalda-de-viúva s.f.; pl. *grinaldas-de-viúva*
grinaldado adj.
grinaldar v.
grinalita s.f.
grinalítico adj.
grinchuda s.f.
grindélia s.f.
grindelina s.f.
grinfa s.f.
grinfar v.
grinfeirinho s.m.
grinfo adj. s.m.
gringada s.f.
gringal s.m.
gringalhada s.f.
gringo s.m.
gringolim s.m.
gringueta (*ê*) s.f.
grinincense adj. s.2g.
grinoquita s.f.
grinoquítico adj.
grinovita s.f.
griô s.m.
gripado adj. s.m.
gripagem s.f.
gripal adj.2g.
gripamento s.m.
gripar v.
gripe s.f.
gripina s.f.
gripo s.m.
gripócaro s.m.
gripose s.f.
gripote s.m.
gris adj.2g. s.m.f.
grisa s.f.
grisado adj. s.m.
grisalha s.f.
grisalhado adj.
grisalhão adj. s.m.
grisalhar v.
grisalho adj.
grisandra s.f.
grisão adj. s.m.
grisar v.
grise s.m. "tecido"; cf. *grisê*
grisê adj. s.m. "grisado"; cf. *grise*
griseia (*é*) adj. f. de *griseu*
griseína s.f.
grisélico adj.
griselíneo adj.
griselínia s.f.
gríseo adj.
griseofulvina s.f.
griseta (*ê*) s.f.
griséu adj.; f. *griseia* (*é*)
grisicolo adj.
grisisco adj.
griso s.m.
grisota s.f.
grisu s.m.
grisumetria s.f.
grisumétrico adj.
grisúmetro s.m.
grisunaftalita s.f.
grisuscopia s.f.
grisuscópico adj.
grisuscópio s.m.
grita s.f.
gritação s.f.
gritada s.f.
gritadeira s.f.
gritadeira-de-são-paulo s.f.; pl. *gritadeiras-de-são-paulo*
gritadeira-do-campo s.f.; pl. *gritadeiras-do-campo*
gritadeira-do-mato s.f.; pl. *gritadeiras-do-mato*
gritadeira-dos-tabuleiros s.f.; pl. *gritadeiras-dos-tabuleiros*
gritadela s.f.
gritador (*ô*) adj. s.m.
gritalhão adj. s.m.; f. *gritalhona*
gritalhona adj. s.f. de *gritalhão*
gritante adj.2g.
gritão adj. s.m.; f. *gritona*
gritar v.
gritaria s.f.
griteira s.f.
griteiro s.m.
grito s.m.
gritona adj. s.f. de *gritão*
griujuba s.f.
grivar v. s.m.
gró s.m.
groairense adj. s.2g.
gróbia s.f.
groçaí s.m.
groçaí-azeite s.m.; pl. *groçaís-azeite* e *groçaís-azeites*
groçaí-pardo s.m.; pl. *groçaís-pardos*
grochauita (*i*) s.f.
grocho (*ô*) s.m.
grociano adj.
grode s.m.
grodnolita s.f.
grodote s.m.
groendael s.m.
groenlandês adj. s.m.
groenlandita s.f.
groenlandite s.f.
grogoió s.m.
grogojó s.m.
grogolejar v.
grogolejo (*ê*) s.m.
grogotó interj.
grogotori s.2g.
grogotuba s.f.
grogue adj.2g. s.m.
groir v. "gritar como grou"; cf. *gruir*
grolado s.m.
grolar v.
groló s.m.
groma s.f.
gromar v.
gromática s.f.
gromático adj.
grômia s.f.
grômida adj.2g. s.m.
gromídeo adj. s.m.
gromo s.m.
gronelandês adj. s.m.
gronfena s.f.
gronga s.f.
grongar v.
grongaria s.f.
gronhatá s.m.
gronho s.m.
groningue adj. s.2g.
gronja s.f.
gronofilo s.m.
gronope s.m.
grônops s.m.
gronóvia s.f.
grosa s.f.
grosador (*ô*) adj. s.m.
grosar v.
groseira s.f.
groselha adj.2g. s.f.
groselheira s.f.
groselheira-branca s.f.; pl. *groselheiras-brancas*
groselheira-da-índia s.f.; pl. *groselheiras-da-índia*
groselheira-espinhosa s.f.; pl. *groselheiras-espinhosas*
groselheira-grossa s.f.; pl. *groselheiras-grossas*
groselheira-negra s.f.; pl. *groselheiras-negras*
groselheira-preta s.f.; pl. *groselheiras-pretas*
groselheira-vermelha s.f.; pl. *groselheiras-vermelhas*
groselheiro s.m.
grosmar v.
grossagrã s.f.
grossagrana s.f.
grossalheirão adj.
grossalheiro adj.
grossamento s.m.
grossaria s.f.
grosseira s.f.
grosseirão adj. s.m.; f. *grosseirona*
grosseirismo s.m.
grosseiro adj. s.m.
grosseirona adj. s.f. de *grosseirão*
grossense adj. s.2g.
grosseria s.f.
grosseza (*ê*) s.f.
grossidade s.f.
grossidão s.f.
grossina s.f.
grossista adj. s.2g.
grosso (*ô*) adj. s.m.; f. (*ó*); pl. (*ó*)
grossor (*ô*) s.m.
grossouvreíta s.f.
grossudo adj.
grossulária s.f.
grossulariácea s.f.
grossulariáceo adj.
grossularina s.f.
grossulário adj.
grossularita s.f.
grossularito s.m.
grossulina s.f.
grossura s.f.
grota s.m.f.
grotanense adj. s.2g.
grotão s.m.
groteiro s.m.
grotense adj. s.2g.
grotesco (*ê*) adj. s.m. "ridículo", etc.; cf. *grutesco*
grothina s.f.
grothita s.f.
grotião s.m.
grotilhão s.m.
grotita s.f.
grotocronológico adj.
grou s.m.
grou-coroado s.m.; pl. *grous-coroados*
grou-real s.m.; pl. *grous-reais*
groutita s.f.
grovesita s.f.
grovinha s.f.
gróvio adj. s.m.
groxo (*ô*) s.m.
grozinho s.m.
grua s.f.
grual s.m.
grualeta (*ê*) s.f.
gruaria s.f.
gruau s.m.
grúbbia s.f.
grubbiácea s.f.
grubbiáceo adj.
grúbea s.f. "verme"; cf. *grúbia*
grúbia s.f. "planta"; cf. *grúbea*
grubiácea s.f.
grubiáceo adj.
grudação s.f.
grudado adj.
grudadoiro s.m.
grudador (*ô*) adj.
grudadouro (*ô*) s.m.
grudadura s.f.
grudamento s.m.
grudante adj.2g.
grudar v.
grudável adj.2g.
grude s.m.
grude de goma s.m.
grudento adj.
grúdio adj. s.m.
grudo adj.
grueiro adj.
gru-gru s.m.; pl. *gru-grus*
grugrujar v.
grugrulejante adj.2g.
grugrulejar v.
grugrulejo (*ê*) s.m.
grugrulhante adj.2g.
grugrulhar v.
grugrurejante adj.2g.
grugrurejar v.
grugulejante adj.2g.
grugulejar v.
grugulejo (*ê*) s.m.
grugulhante adj.2g.
grugulhar v.
grugulho s.m.
grugunzar v.
grugurejante adj.2g.
grugurejar v.
grugutuba s.m.
gruídeo adj. s.m.
gruieiro adj.
gruiere adj.2g. s.m.
gruiforme adj.2g. s.m.
gruijuba s.f.
gruim s.m.
gruinal adj.2g.
gruinale s.f.
gruir v. "espaventar"; cf. *groir*
gruja s.f.
grulha adj. s.2g.
grulhaço adj. s.m.
grulhada s.f.
grulhadoiro s.m.
grulhadouro s.m.
grulhar v.
grulhento adj.
grulho s.m.
grumado adj.
grumané s.m.
grumar v.
grumará s.m.
grumaré s.m.
grumari s.m.
grumarim s.m.
grumatá s.m.
grumatã s.m.
grumati s.m.
grumbestino adj. s.m.
grumecência s.f.
grumecente adj.2g.
grumecer v.
grumecido adj.
grumecimento s.m.
grumentinense adj. s.2g.
grumentino adj. s.m.
grumetada s.f.
grumetagem s.f.
grumete (*ê* ou *é*) s.m.
grumílea s.f.
grumixá s.m.
grumixaba s.f.
grumixama s.f.
grumixama-branca s.f.; pl. *grumixamas-brancas*
grumixameira s.f.
grumixava s.f.
grumo s.m.
grumose s.f.
grumoso (*ô*) adj.; f. (*ó*); pl. (*ó*)
grúmulo s.m.
gruna s.f.
grunado s.m.
grunauite (*i*) s.f.
grunce s.2g.
grunde s.f.
gruneiro s.m.
grunerita s.f.
grunha s.f.
grunhatá s.m.
grunhideira s.f.
grunhideiro adj.
grunhidela s.f.
grunhido s.m.
grunhidor (*ô*) adj. s.m.
grunhidura s.f.
grunhir v.
grunho s.m.
grünlinguita s.f.
grupa s.f.
grupado adj.
grupador (*ô*) adj.
grupal adj.2g.
grupalidade s.f.
grupalismo s.m.
grupalista adj. s.2g.
grupalístico adj.
grupamento s.m.
grupão s.m.
grupar v.
grupatividade s.f.
grupativo adj.
grupável adj.2g.
grupelho (*ê*) s.m.
grupema s.m.
grupete (*ê*) s.m.
grupeto (*ê*) s.m.
grupiara s.f.
grupiariense adj. s.2g.
grupista adj. s.2g.
grupo s.m.
grupoide (*ó*) s.m.
gruta s.f.
grutesco (*ê*) adj. s.m. "relativo a gruta"; cf. *grotesco*
grutião s.m.
grutilhão s.m.
grúzico adj.
gruzínico adj.
gruzínio adj. s.m.
grúzio adj. s.m.
gu s.m.
guá s.m.

guaaibeambé s.m.
guaaribo adj. s.m.
guabajara s.f.
guabiju s.m.
guabijueiro s.m.
guabijuense adj. s.2g.
guabijuzal s.m.
guabijuzeiro s.m.
guabira s.f.
guabiraba s.f.
guabirabeira s.f.
guabirabense adj. s.2g.
guabiraguaçu s.f.
guabirana s.f.
guabiroba s.f.
guabiroba-branca s.f.; pl. *guabirobas-brancas*
guabiroba-brava s.f.; pl. *guabirobas-bravas*
guabirobaçu s.f.
guabiroba-d'água s.f.; pl. *guabirobas-d'água*
guabiroba-da-areia s.f.; pl. *guabirobas-da-areia*
guabiroba-de-cachorro s.f.; pl. *guabirobas-de-cachorro*
guabiroba-de-folha-crespa s.f.; pl. *guabirobas-de-folha-crespa*
guabiroba-de-minas s.f.; pl. *guabirobas-de-minas*
guabiroba-de-são-paulo s.f.; pl. *guabirobas-de-são-paulo*
guabiroba-do-campo s.f.; pl. *guabirobas-do-campo*
guabiroba-do-mato s.f.; pl. *guabirobas-do-mato*
guabiroba-do-pará s.f.; pl. *guabirobas-do-pará*
guabiroba-do-rio-grande s.f.; pl. *guabirobas-do-rio-grande*
guabiroba-do-sertão s.f.; pl. *guabirobas-do-sertão*
guabiroba-felpuda s.f.; pl. *guabirobas-felpudas*
guabiroba-lisa s.f.; pl. *guabirobas-lisas*
guabirobamirim s.f.
guabirobeira s.f.
guabirobeira-branca s.f.; pl. *guabirobeiras-brancas*
guabirobeira-brava s.f.; pl. *guabirobeiras-bravas*
guabirobeiraçu s.f.
guabirobeira-d'água s.f.; pl. *guabirobeiras-d'água*
guabirobeira-da-areia s.f.; pl. *guabirobeiras-da-areia*
guabirobeira-de-cachorro s.f.; pl. *guabirobeiras-de-cachorro*
guabirobeira-de-folha-crespa s.f.; pl. *guabirobeiras-de-folha-crespa*
guabirobeira-de-minas s.f.; pl. *guabirobeiras-de-minas*
guabirobeira-de-são-paulo s.f.; pl. *guabirobeiras-de-são-paulo*
guabirobeira-do-campo s.f.; pl. *guabirobeiras-do-campo*
guabirobeira-do-mato s.f.; pl. *guabirobeiras-do-mato*
guabirobeira-do-pará s.f.; pl. *guabirobeiras-do-pará*
guabirobeira-do-rio-grande s.f.; pl. *guabirobeiras-do-rio-grande*
guabirobeira-do-sertão s.f.; pl. *guabirobeiras-do-sertão*
guabirobeira-felpuda s.f.; pl. *guabirobeiras-felpudas*
guabirobeira-lisa s.f.; pl. *guabirobeiras-lisas*
guabirobeiramirim s.f.
guabirobinha s.f.
guabirota s.f.
guabirova s.f.
guabiru s.m.
guabirubense adj. s.2g.
guabiruiú s.m.
guaburu s.m.
guaburuvu s.m.
guacá s.m.
guaçaí s.m.
guacamaio s.m.
guacamole s.m.
guacanágua adj. s.2g.
guacapi s.m.
guacaré adj. s.2g.
guacari s.m.
guacariaçu s.m.
guacariguaçu s.m.
guaçatinga s.f.
guaçatonga s.f.
guaçatumba s.f.
guaçatunga s.f.
guaçatunga-falsa s.f.; pl. *guaçatungas-falsas*
guachamaca s.f.
guachamacina s.f.
guácharo s.m.
guache s.m. "pintura"; cf. *guaxe*
guachense adj. s.2g.
guacho s.m.
guaciá adj. s.2g.
guaciense adj. s.2g.
guacina s.f.
guacindiba s.f.
guacini s.m.
guacinim s.m.
guaco s.m.
guaco-bravo s.m.; pl. *guacos-bravos*
guacoceense adj. s.2g.
guaco-da-serra s.m.; pl. *guacos-da-serra*
guaco-de-cheiro s.m.; pl. *guacos-de-cheiro*
guaco-do-jardim s.m.; pl. *guacos-do-jardim*
guaco-do-quintal s.m.; pl. *guacos-do-quintal*
guaco-falso s.m.; pl. *guacos-falsos*
guaco-verdadeiro s.m.; pl. *guacos-verdadeiros*
guaçu adj. s.m.
guaçuano adj. s.m.
guaçubirá s.m.
guaçuboi s.m.
guaçuboia (*ó*) s.f.
guaçuboiense adj. s.2g.
guaçucatinga s.m.
guacucuia s.m.
guacucuja s.m.
guaçuense adj. s.2g.
guaçuetê s.m.
guaçuiense adj. s.2g.
guacumã s.m.
guaçupitá s.m.
guaçupitã s.m.
guaçupucu s.m.
guacuri s.m.
guaçuroba s.f.
guaçuroba-pequena s.f.; pl. *guaçurobas-pequenas*
guacuru s.m.
guaçuti s.m.
guaçutinga s.f.
guaçutonga s.f.
guaçutunga s.m.
guadal s.m.
guadalcazarita s.f.
guadalmecim s.m.
guadalupense adj. s.2g.
guadamão s.f.
guadameci s.m.
guadamecil s.m.
guadamecileiro s.m.
guadamecim s.m.
guadarramita s.f.
guademã s.f.
guademão s.m.
guadimá s.m.
guado s.m.
guadramilês adj. s.m.
guadua s.f.
guaguaçu s.m.
guaguaxar v.
guai s.m. interj.
guaia s.f. "lamento"; cf. *guaiá*
guaiá s.m. "crustáceo", etc.; cf. *guaia*
guaiá-açu s.m.; pl. *guaiás-açus*
guaiá-apará s.m.; pl. *guaiás-aparás*
guaiaba s.f.
guaiabeira s.f.
guaiabira s.f.
guaiaca s.f. "cinto com bolsos"; cf. *guaiacá* e *guaiacã*
guaiacá s.f. "canela"; cf. *guaiaca* e *guaiacã*
guaiacã s.m. "árvore"; cf. *guaiaca* e *guaiacá*
guaiacanã adj. s.2g.
guaiacão s.m.
guaiacatu adj. s.2g.
guaiaceno s.m.
guaiacense adj. s.2g.
guaiácico adj.
guaiacina s.f.
guaiacínico adj.
guáiaco s.m.
guaiacol s.m.
guaiacolado adj.
guaiacolpiperidina s.f.
guaiacônico adj.
guaiacossulfonato s.m.
guaiacossulfônico adj.
guaiá-das-pedras s.m.; pl. *guaiás-das-pedras*
guaiado adj.
guaiama s.m.
guaiambé s.m.
guaiamu s.m.
guaiamum s.m.
guaianá adj. s.2g.
guaianaense adj. s.2g.
guaianão s.m.
guaianasense adj. s.2g.
guaianinho s.m.
guaiapá s.m.
guaiapó s.m.
guaiaqui adj. s.2g.
guaiaquilenho adj. s.m.
guaiaquilite s.f.
guaiar v.
guaiara s.f.
guaiarana s.f.
guaiaraúva s.f.
guaiaruba s.f.
guaiaruva s.f.
guaiataia s.f.
guaiatri s.2g.
guaiaúna s.m.
guaiava s.f.
guaiavira s.f.
guaíba adj.2g. s.f.
guaibense adj. s.2g.
guaibiaia s.f.
guaibica s.f.
guaibim s.m.
guaibinense adj. s.2g.
guaibipocaíba s.f.
guaibira s.f.
guaicá s.f.
guaicana s.f.
guaicanã adj. s.2g.
guaiçara s.f.
guaiçarense adj. s.2g.
guaicol s.m.
guaicuiense adj. s.2g.
guaicuru adj. s.2g. s.m.
guaicuru-do-campo s.m.; pl. *guaicurus-do-campo*
guaieno s.m.
guaiense adj. s.2g.
guaimbé s.m.
guaimbeense adj. s.2g.
guaimuré adj. s.2g.
guainambé s.m.
guainumbi s.m.
guainumbiapirati s.m.
guainumbiguaçu s.m.
guainxima s.f.
guainxuma s.f.
guaió adj. s.2g.
guaiol s.m.
guaipá s.m.
guaipavense adj. s.2g.
guaipé s.m.
guaipeca s.m.
guaipecada s.f.
guaipeva s.m.
guaipevada s.f.
guaipira s.m.
guaiqui s.m.
guaiquica s.f.
guaiquicense adj. s.2g.
guaiquiquira s.f.
guairá adj. s.2g. s.m.
guaíra s.m.
guairacaense adj. s.2g.
guairaçaense adj. s.2g.
guairana s.f.
guairense adj. s.2g.
guairó s.m.
guaitá adj. s.2g.
guaitacá adj. s.2g.
guaitica s.f.
guaiú s.m.
guaiuba (*ú*) s.f.
guaiubano adj. s.m.
guaiubense adj. s.2g.
guaiubim s.m.
guaiule (*ú*) s.m.
guaiuva (*ú*) s.f.
guaíva s.f.
guaivira s.f.
guajá adj. s.2g. s.m.
guajaaense adj. s.2g.
guajabara s.f.
guajacatu adj. s.2g.
guajaco s.m.
guajajara adj. s.2g.
guajaná-timbó s.m.; pl. *guajanás-timbó* e *guajanás-timbós*
guajará s.m.
guajará-abio s.m.; pl. *guajarás-abio* e *guajarás-abios*
guajará-açuense s.m.; pl. *guajarás-açuenses*
guajará-amarelo s.m.; pl. *guajarás-amarelos*
guajaraba s.f.
guajará-branco s.m.; pl. *guajarás-brancos*
guajará-cinza s.m.; pl. *guajarás-cinza*
guajará-curumim s.m.; pl. *guajarás-curumim* e *guajarás-curumins*
guajaraense adj. s.2g.
guajaraí s.m.
guajaraí-da-várzea s.m.; pl. *guajaraís-da-várzea*
guajará-miriense adj. s.2g.; pl. *guajará-mirienses*
guajará-mirinense adj. s.2g.; pl. *guajará-mirinenses*
guajará-poca s.m.; pl. *guajarás-poca* e *guajarás-pocas*
guajará-preto s.m.; pl. *guajarás-preto*
guajarara adj. s.2g.
guajaratuba s.f.
guajaratubense adj. s.2g.
guajaratubinhense adj. s.2g.
guajaru s.m.
guajaruta adj. s.2g.
guaje adj. s.2g.
guajere adj. s.2g.
guajeru s.m.
guajeruense adj. s.2g.
guajibira s.f.
guajicá s.m.
guajiçara s.f.
guajiro adj. s.m.
guajiru s.m.
guaju s.f.
guajuba s.m.
guajubira s.f.
guajuçara s.f.
guaju-guaju s.f.; pl. *guaju-guajus*
guajujara adj. s.2g.
guajuru s.m.
guajuvira s.f.
guajuvira-branca s.f.; pl. *guajuviras-brancas*
guajuvira-da-bahia s.f.; pl. *guajuviras-da-bahia*
guajuvirense adj. s.2g.
gualde adj.2g. s.m.
gualdido adj.
gualdipério s.m.
gualdir v.
gualdo s.f.
gualdra s.f.
gualdrapa s.f.
gualdrapado adj.
gualdripar v.
gualdrope s.m.
gualtaria s.f.
gualteira s.f.
gualtéria s.f.
gualteriano adj.
gualterina s.f.
guamaense adj. s.2g.
guamaiacu s.m.
guamaiacuapé s.m.
guamaiacuatinga s.2g.
guamaiacucuru s.m.
guamaiacuguará s.m.
guamaiacumirim s.m.
guamaiaju s.m.
guamajacu s.m.
guamaranguense adj. s.2g.
guamareense adj. s.2g.
guamba adj. s.2g. s.m.
guambixim s.m.
guambixira s.f.
guambu s.m.
guambuco s.m.
guamês adj. s.m.
guamirim s.m.
guamirim-felpudo s.m.; pl. *guamirins-felpudos*
guamixá s.f.
guamixinga s.2g.
guamixira s.f.
guampa s.f.
guampaço s.m.
guampada s.f.
guampadela s.f.
guampadense adj. s.2g.
guampa-torta s.f.; pl. *guampas-tortas*
guampear v.
guampinha s.f.
guampo s.m.
guampudo adj.
guamuxinga s.f.
guaná adj. s.2g.
guanabano s.m.
guanabara s.f.
guanabarense adj. s.2g.
guanabarino adj. s.m.
guanabira s.m.
guanacá adj. s.2g.
guanacaste s.m.
guanaceense adj. s.2g.
guanaco s.m.
guanajuatita s.f.
guanambi s.m.
guanambiense adj. s.2g.
guanamina s.f.
guananá adj. s.2g. s.m.
guananasense adj. s.2g.
guanandi s.m.
guanandiense adj. s.2g.
guanandirana s.f.
guanaré adj. s.2g.
guanás s.m.pl.
guânase s.f.
guanazamba s.m.
guanche adj. s.2g.
guancho adj. s.m.
guandeiro s.m.
guandira s.f.
guandiraçu s.m.
guandiroba s.f.
guando s.m.
guandu s.m.
guanduense adj. s.2g.
guaneira s.f.
guanetidina s.f.
guanevana adj. s.2g.
guangau s.m.

guango s.m.
guanhã adj. s.2g.
guanhaci s.f.
guanhambique s.m.
guanhanense adj. s.2g.
guanhanhã adj. s.2g.
guanhumi s.m.
guânico adj.
guanidina s.f.
guanidinacético adj.
guanidínio s.m.
guanidônio s.m.
guanina s.f. "substância"; cf. *guaniná*
guaniná adj. s.2g. "povo"; cf. *guanina*
guanita s.f.
guano s.m.
guanosina s.f.
guante s.m.
guanumbi s.m.
guanumbiense adj. s.2g.
guanumbiguaçu s.m.
guanxuma s.f.
guaparaíba s.f.
guaparambo s.m.
guaparanga s.f.
guapari s.m.
guaparonga s.f.
guaparuva s.f.
guapé s.2g.
guapear v.
guapeba s.f.
guapebaçu s.f.
guapeba-vermelha s.f.; pl. *guapebas-vermelhas*
guapebeira s.f.
guapeca s.m.
guapecum s.m.
guapeense adj. s.2g.
guaperevu s.m.
guaperubu s.m.
guaperuva s.f.
guaperuvu s.m.
guapetaço adj.
guapetagem s.f.
guapetão adj.
guapetonagem s.f.
guapetonear v.
guapeva adj.2g. s.m.f.
guapeveira s.f.
guapeza (*ê*) s.f.
guapiaçuense adj. s.2g.
guapiara s.f.
guapiarense adj. s.2g.
guapiçara s.f.
guapice s.f.
guapicobaíba s.f.
guapimiriense adj. s.2g.
guapindaia adj. s.2g.
guapira s.f. "cabeceira de vale", etc.; cf. *guapirá*
guapirá s.m. "planta"; cf. *guapira*
guapiramense adj. s.2g.
guapiranguense adj. s.2g.
guapirense adj. s.2g.
guapironga s.f.
guapiruva s.f.
guapiruvi s.m.
guapiruvu s.m.
guapivuçu s.m.
guapo adj.
guapoense adj. s.2g.
guaporanga s.f.
guaporanguense adj. s.2g.
guaporé s.m.
guaporeense (*rè*) adj. s.2g.
guaporemense adj. s.2g.
guaporense adj. s.2g.
guaporonga s.f.
guaporuba s.f.
guaporuva s.f.
guapuanense adj. s.2g.
guapuí s.m.
guapuici s.m.
guapuí-cipó s.m.; pl. *guapuís-cipó* e *guapuís-cipós*
guapuri s.m.
guapuruba s.f.
guapurubu s.m.
guapurunga s.f.
guapurungueira s.f.
guapuruva s.f.
guapuruvu s.m.
guaputini s.m.
guaqui s.m.
guaquica s.f.
guar s.m.
guará s.m.
guarabá s.m.
guarabatinga s.f.
guarabirense adj. s.2g.
guarabiroba s.f.
guarabirola s.f.
guarabu s.m.
guarabu-amarelo s.m.; pl. *guarabus-amarelo*
guarabu-batata s.m.; pl. *guarabus-batata* e *guarabus-batatas*
guarabu-branco s.m.; pl. *guarabus-brancos*
guarabu-cebola s.m.; pl. *guarabus-cebola* e *guarabus-cebolas*
guarabu-da-serra s.m.; pl. *guarabus-da-serra*
guarabu-do-campo s.m.; pl. *guarabus-do-campo*
guarabu-marcineiro s.m.; pl. *guarabus-marcineiros*
guarabumirim s.m.
guarabu-preto s.m.; pl. *guarabus-pretos*
guarabu-rajado s.m.; pl. *guarabus-rajados*
guarabu-roxo s.m.; pl. *guarabus-roxos*
guarabu-vermelho s.m.; pl. *guarabus-vermelhos*
guaracabuçu s.m.
guaraçaí s.f.
guaraçaí-branco s.m.; pl. *guaraçaís-brancos*
guaraçaiense adj. s.2g.
guaraçaim s.m.
guaraçaíma s.m.
guaracaio adj. s.m.
guaraçaí-pardo s.m.; pl. *guaraçaís-pardos*
guaração s.m.; pl. *guarações*
guaraçapé s.m.
guaraçapema s.m.
guaracatinga s.f.
guaracava s.f.
guaracavaçu s.m.
guaracavuçu s.m.
guaracema s.f.
guaraci s.m.
guaraciaba adj. s.2g.
guaraciabense adj. s.2g.
guaraciabense-do-norte adj. s.2g.; pl. *guaraciabenses-do-norte*
guaraciamense adj. s.2g.
guaracica s.f.
guaraciense adj. s.2g.
guaracimbora s.m.
guaracoa s.m.
guaracu s.m.
guaraçu s.m.
guaracuí s.m.
guaraçuma s.m.
guaracuva s.f.
guaraense adj. s.2g.
guaraguá s.m.
guaraguaçu s.m.
guarã-guarã s.m.; pl. *guarã-guarãs*
guaraíba s.f.
guaraiense adj. s.2g.
guaraio adj. s.m.
guaraipense adj. s.2g.
guaraipo s.m.
guaraitá s.m.
guaraíto s.m.
guaraitubense adj. s.2g.
guaraiuba (*ú*) s.f.
guaraiuva (*ú*) s.f.
guarajau s.m.
guaraji adj. s.2g.
guarajiense adj. s.2g.
guaraju adj. s.2g.
guarajuba s.f.
guarajubeira s.f.
guarajurupiranga s.2g.
guarajuva s.f.
guarajuvira s.f.
guaral s.m.
guarambá s.m.
guarameni adj. s.2g.
guaramiranguense adj. s.2g.
guaramiriense adj. s.2g.
guaramirinense adj. s.2g.
guarana s.f. "peixe"; cf. *guaraná*
guaraná s.m. "espécie de arbusto"; cf. *guarana*
guaranaguaçu adj. s.m.
guaraná-timbó s.m.; pl. *guaranás-timbó* e *guaranás-timbós*
guaranazal s.m.
guaranazeiro s.m.
guarandi s.m.
guarandi-preto s.m.; pl. *guarandis-pretos*
guarane s.m.
guaranesiense adj. s.2g.
guaranhém s.m.
guaranhém-do-campo s.m.; pl. *guaranhéns-do-campo*
guarani adj. s.2g.
guarânia s.f.
guaraniaçuense adj. s.2g.
guaraniana s.f.
guaranicinga s.f.
guaraniense adj. s.2g.
guaranina s.f.
guaraniologia s.f.
guaraniológico adj.
guaraniólogo s.m.
guaranítico adj.
guarantã s.m.f.
guarantãense adj. s.2g.
guarantanense adj. s.2g.
guarapa s.f. "garapa"; cf. *guarapá*
guarapá s.m. "dança de roda"; cf. *guarapa*
guarapaíba s.f.
guaraparé adj. s.2g.
guarapari s.m.
guarapariba s.f.
guarapariense adj. s.2g.
guaraparim s.m.
guarapé s.m.
guarapeira s.f.
guaraperé s.m.
guaraperê s.m.
guarapiapunha s.f.
guarapiapunha-do-banhado s.f.; pl. *guarapiapunhas-do-banhado*
guarapicica s.f.
guarapicu s.m.
guarapirá s.m.
guarapiraca s.f.
guarapiranga s.f.
guarapiranguense adj. s.2g.
guarapoca s.f.
guaraporanga s.f.
guaraporé s.m.
guarapu s.m.
guarapuanense adj. s.2g.
guarapuava s.m.
guarapuavano adj. s.m.
guarapuavense adj. s.2g.
guarapuavinhense adj. s.2g.
guarapucu s.m.
guarapu-miúdo s.m.; pl. *guarapus-miúdos*
guarapuvira s.f.
guarapuvu s.m.
guaraqueçabano adj. s.m.
guaraqueçabense adj. s.2g.
guaraquijinha s.f.
guaraquim s.m.
guarará s.m.
guararaense adj. s.2g.
guararapense adj. s.2g.
guararema s.f.
guararemense adj. s.2g.
guararense adj. s.2g.
guarariba s.f.
guarariguaçu s.m.
guararoba s.f.
guararuense adj. s.2g.
guaratã s.m.f.
guarataia s.f.
guarataia-branca s.f.; pl. *guarataias-brancas*
guarataiapoca s.f.
guaratalense adj. s.2g.
guarategaja adj. s.2g.
guará-tereba s.m.; pl. *guarás-tereba* e *guarás-terebas*
guaratiba s.f.
guaratimbo s.m.
guaratinga s.f.
guaratinguense adj. s.2g.
guaratinguetaense adj. s.2g.
guaratubano adj. s.m.
guaratubense adj. s.2g.
guarauense adj. s.2g.
guaraúna s.f.
guaraundi s.m.
guaraunense (*a-u*) adj. s.2g.
guaraverense adj. s.2g.
guará-vermelho s.m.; pl. *guarás-vermelhos*
guaravira s.f.
guaraxaim s.m.
guaraxainense adj. s.2g.
guaraxim s.m.
guaraximbrora s.m.
guarayo adj. s.m.
guaraz s.m.
guarda s.m.f.
guarda-arnês s.m.; pl. *guarda-arneses*
guarda-balizas s.m.2n.
guarda-bando s.m.; pl. *guarda-bandos*
guarda-barreira s.m.; pl. *guarda-barreiras*
guarda-barreiras s.m.2n.
guarda-barro s.m.; pl. *guarda-barros*
guarda-braço s.m.; pl. *guarda-braços*
guarda-cabeça s.m.; pl. *guarda-cabeças*
guarda-cabras s.2g.2n.
guarda-caça s.m.; pl. *guarda-caças*
guarda-cadeira s.m.; pl. *guarda-cadeiras*
guarda-calhas s.m.2n.
guarda-cama s.m.; pl. *guarda-camas*
guarda-cancela s.m.; pl. *guarda-cancelas*
guarda-cápsula s.m.; pl. *guarda-cápsulas*
guarda-cara s.m.; pl. *guarda-caras*
guarda-cartucho s.m.; pl. *guarda-cartuchos*
guarda-casacas s.m.2n.
guarda-cascos s.m.2n.
guarda-catarro s.m.; pl. *guarda-catarros*
guarda-chapim s.m.; pl. *guarda-chapins*
guarda-chave s.m.; pl. *guarda-chaves*
guarda-chaves s.2g.2n.
guarda-choque s.m.; pl. *guarda-choques*
guarda-chuva s.m.; pl. *guarda-chuvas*
guarda-chuvada s.f.; pl. *guarda-chuvadas*
guarda-civil s.m.; pl. *guardas-civis*
guarda-comida s.m.; pl. *guarda-comidas*
guarda-comidas s.m.2n.
guarda-corpo s.m.; pl. *guarda-corpos*
guarda-cós s.m.2n.
guarda-costas s.m.2n.
guarda de corpo s.m.
guardadeira s.f.
guardadeiro s.m.
guardado adj.
guarda-do-cinturão s.m.; pl. *guardas-do-cinturão*
guarda do cinturão s.m.
guardador (*ô*) s.m.
guardados s.m.pl.
guarda-espelho s.m.; pl. *guardas-espelho* e *guardas-espelhos*
guarda-faceira s.m.; pl. *guardas-faceiras*
guarda-fato s.m.; pl. *guarda-fatos*
guarda-fechos s.m.2n.
guarda-fio s.m.; pl. *guarda-fios*
guarda-fios s.m.2n.
guarda-florestal s.m.; pl. *guardas-florestais*
guarda-fogo s.m.; pl. *guarda-fogos*
guarda-freio s.m.; pl. *guarda-freios*
guarda-freios s.m.2n.
guarda-infantes s.m.2n.
guarda-joias (*ó*) s.m.2n.
guarda-lama s.m.; pl. *guarda-lamas*
guarda-lâmina s.m.; pl. *guarda-lâminas*
guardalate s.m.
guarda-leme s.m.; pl. *guarda-lemes*
guarda-linha s.m.; pl. *guarda-linhas*
guarda-livros s.2g.2n.
guarda-loiça s.m.; pl. *guarda-loiças*
guarda-loros s.m.2n.
guarda-louça s.m.; pl. *guarda-louças*
guarda-lume s.m.; pl. *guarda-lumes*
guarda-maior s.m.; pl. *guardas-maiores*
guarda-maiorense adj. s.2g.; pl. *guarda-maiorenses*
guarda-mancebo s.m.; pl. *guarda-mancebos*
guarda-mancebos s.m.2n.
guarda-mão s.m.; pl. *guarda-mãos*
guarda-marinha s.m.; pl. *guardas-marinha*, *guardas-marinhas* e *guarda-marinhas*
guarda-matas s.m.2n.
guarda-mato s.m.; pl. *guarda-matos*
guarda-menor s.m.; pl. *guardas-menores*
guardamento s.m.
guarda-meta s.m.; pl. *guarda-metas*
guarda-mor s.m.; pl. *guardas-mores*
guarda-morense adj. s.2g.; pl. *guarda-morenses*
guardamoria s.f.
guarda-morrão s.m.; pl. *guarda-morrões*
guarda-móveis s.m.2n.
guardanapo s.m.
guarda-noturna s.f.; pl. *guardas-noturnas*
guarda-noturno s.m.; pl. *guardas-noturnos*
guarda-nuca s.m.; pl. *guarda-nucas*
guardão s.m.
guarda-olhos s.m.2n.
guarda-patrão s.m.; pl. *guarda-patrões*
guarda-pé s.m.; pl. *guarda-pés*
guarda-peito s.m.; pl. *guarda-peitos*
guarda-pisa s.m.; pl. *guarda-pisas*
guarda-pó s.m.; pl. *guarda-pós*

guarda-porta s.m.; pl. *guarda--portas*
guarda-portão s.m.; pl. *guarda-portões*
guarda-prata s.m.; pl. *guarda--pratas*
guarda-pratas s.m.2n.
guarda-quedas s.m.2n.
guarda-queixo s.m.; pl. *guarda-queixos*
guardar v.
guarda-raios s.m.2n.
guarda-rede s.m.; pl. *guarda--redes*
guarda-redes s.m.2n.
guarda-rios s.m.2n.
guarda-rios-comum s.m.; pl. *guarda-rios-comuns*
guarda-rodas s.m.pl.
guarda-roupa s.m.; pl. *guarda-roupas*
guarda-roupeiro s.m.; pl. *guarda-roupeiros*
guarda-saias s.m.2n.
guarda-selos s.m.2n.
guarda-sexo s.m.; pl. *guarda--sexos*
guarda-sol s.m.; pl. *guarda-sóis*
guarda-solaria s.m.; pl. *guarda-solarias*
guarda-soleiro s.m.; pl. *guarda-soleiros*
guarda-tufo s.m.; pl. *guarda--tufos*
guarda-vala s.m.; pl. *guarda--valas*
guarda-valas s.m.2n.
guarda-vassoiras s.m.2n.
guarda-vassouras s.m.2n.
guardável adj.2g.
guarda-vento s.m.; pl. *guarda--ventos*
guarda-ventre s.m.; pl. *guarda-ventres*
guarda-vestidos s.m.2n.
guarda-vida s.m.; pl. *guarda--vidas*
guarda-vidas s.m.2n.
guarda-vinho s.m.; pl. *guarda-vinhos*
guarda-vista s.m.; pl. *guarda--vistas*
guarda-volante s.m.f.; pl. *guarda-volantes*
guarda-volumes s.m.2n.
guarda-voz s.m.; pl. *guarda--vozes*
guardeamento s.m.
guardear v.
guardense adj. s.2g.
guardiã s.f. de *guardião*
guardiania s.f.
guardião s.m.; f. *guardiã*; pl. *guardiães* e *guardiões*
guardim s.m.
guardinfante s.m.
guardinhense adj. s.2g.
guardinvão s.m.
guardista s.2g.
guardo s.m.
guardonho adj.
guardoso (*ô*) adj.; f. (*ó*); pl. (*ó*)
guaré s.m.
guárea s.f.
guarecedor (*ô*) adj. s.m.
guarecer v.
guarecido adj.
guarefila s.f.
guareiense adj. s.2g.
guarema s.f.
guarense adj. s.2g.
guarente s.m.
guareruá s.m.
guaretã s.m.
guarguaru s.m.
guari s.m.
guariare s.m.
guariba s.m. "bugio"; cf. *guaribá*
guaribá s.m. "tubérculo"; cf. *guariba*
guaribada s.f.
guariba-preto s.m.; pl. *guaribas-pretos*
guariba-vermelho s.m.; pl. *guaribas-vermelhos*
guaribeira s.f.
guaribense adj. s.2g.
guaribu s.m.
guaricanga s.f.
guaricanga-da-terra-firme s.f.; pl. *guaricangas-da-terra--firme*
guaricanga-da-vargem s.f.; pl. *guaricangas-da-vargem*
guaricanga-de-bengala s.f.; pl. *guaricangas-de-bengala*
guaricanga-de-folha-larga s.f.; pl. *guaricangas-de-folha--larga*
guaricanga-de-folha-miúda s.f.; pl. *guaricangas-de-folha--miúda*
guaricanga-do-brejo s.f.; pl. *guaricangas-do-brejo*
guaricanguense adj. s.2g.
guaricema s.2g.
guaricica s.f.
guarida s.f.
guariguariense adj. s.2g.
guarijuba s.f.
guarimpe s.m.
guarinense adj. s.2g.
guarinhatã s.2g.
guarinita s.f.
guarino adj. s.m.
guaripé s.f.
guaripivu s.m.
guaripoapém s.m.
guaripu s.m.
guarir v.
guariramanense adj. s.2g.
guariroba s.f.
guariroba-do-campo s.f.; pl. *guarirobas-do-campo*
guarirobal s.m.
guarirobense adj. s.2g.
guarirobinha-do-campo s.f.; pl. *guarirobinhas-do-campo*
guarirova s.f.
guarita s.f. "guarida"; cf. *guaritá*
guaritá s.m. "planta"; cf. *guarita*
guaritense adj. s.2g.
guariteré adj. s.2g.
guariterê adj. s.2g.
guariúba s.f.
guariúba-amarela s.f.; pl. *guariúbas-amarelas*
guarixamaca s.f.
guarixó s.m.
guarizinhense adj. s.2g.
guarnecedor (*ô*) adj. s.m.
guarnecer v.
guarnecido adj.
guarnecimento s.m.
guarnia s.f.
guarnição s.f.
guarnicioneiro s.m.
guarnido adj.
guarnimento s.m.
guarnir v.
guaroupás s.m.
guarra s.f.
guarrama s.f.
guarro s.m.
guar-te interj.; na loc. *sem tir-te nem guar-te*
guartelense adj. s.2g.
guaru s.m.
guaruaçu s.m.
guaruba s.f.
guarubatinga s.f.
guarubu s.m.
guaruça s.m.
guarucaia s.f.
guaruense adj. s.2g.
guaru-guaru s.m.; pl. *guaru--guarus* e *guarus-guarus*
guarujaense adj. s.2g.
guarujuba s.f.
guarula s.f.
guarulhense adj. s.2g.
guarulho adj. s.m.
guarumá s.m.
guarumã s.m.
guarumão s.m.
guarumbé s.m.
guarumina s.f.
guarundi s.m.
guarundi-azul s.m.; pl. *guarundis-azuis*
guarupá s.m.
guarupé s.f.
guarupiriti s.m.
guarupu s.m.
guarupuvu s.m.
guasca adj. s.2g. s.f.
guascaço s.m.
guascada s.f.
guasca-largado s.m.; pl. *guascas-largados*
guascar v.
guascaria s.f.
guasqueação s.f.
guasqueada s.f.
guasqueador (*ô*) adj. s.m.
guasquear v.
guasqueiro adj. s.m.
guasquinha s.2g.
guataense adj. s.2g.
guataia s.f.
guataiapoca s.f.
guatambu s.m.
guatambu-amarelo s.m.; pl. *guatambus-amarelos*
guatambu-branco s.m.; pl. *guatambus-brancos*
guatambuense adj. s.2g.
guatambuí s.m.
guatambu-legítimo s.m.; pl. *guatambus-legítimos*
guatambu-marfim s.m.; pl. *guatambus-marfim* e *guatambus-marfins*
guatambu-peroba s.m.; pl. *guatambus-peroba* e *guatambus-perobas*
guatamburi s.m.
guatambu-rosa s.m.; pl. *guatambus-rosa*
guatambu-vermelho s.m.; pl. *guatambus-vermelhos*
guataparà s.m.
guataparaense adj. s.2g.
guatapi s.m.
guatapuma s.f.
guatemalense adj. s.2g.
guatemalteco adj. s.m.
guatéria s.f.
guatiedéu adj. s.m.
guatimbó s.m.
guatingueiro s.m.
guatinhuma s.2g.
guató adj. s.2g.
guattéria s.f.
guatucupá s.m.
guatucupajuba s.m.
guatupuca s.m.
guaturama s.f.
guau s.m.
guaucá s.m.
guavatã s.m.
guavina s.f.
guaviraguaçu s.m.
guavirense adj. s.2g.
guaviroba s.f.
guavirova s.f.
guavirovo s.m.
guaxarapo adj. s.2g.
guaxatonga s.f.
guaxe s.m. "ave"; cf. *guache*
guaxense adj. s.2g.
guaxi adj. s.2g.
guaxica s.f.
guaxiense adj. s.2g.
guaxima s.f.
guaxima-branca s.f.; pl. *guaximas-brancas*
guaxima-do-mangue s.f.; pl. *guaximas-do-mangue*
guaxima-macho s.f.; pl. *guaximas-machos*
guaxima-roxa s.f.; pl. *guaximas-roxas*
guaximba s.f.
guaximba-preta s.f.; pl. *guaximbas-pretas*
guaximbé s.m.
guaximense adj. s.2g.
guaximinga s.f.
guaxindiba s.f.
guaxindibense adj. s.2g.
guaxinduba s.f.
guaxinduba-brava s.f.; pl. *guaxindubas-bravas*
guaxinga s.f.
guaxinguba s.f.
guaxinhuma s.m.
guaxinim s.m.
guaxiúma s.f.
guaxixim s.m.
guaxo adj. s.m.
guaxuma s.f.
guaxumbé s.m.
guaxumbo s.m.
guaxupé s.m.
guaxupeano adj. s.m.
guaxupeense (*pè*) adj. s.2g.
guaxupita s.f.
guazil s.m.
guazilado s.m.
guazuí s.f.
guazuma s.f.
guazupuco s.m.
gubernáculo s.m.
gubernete s.m.
guberno adj. s.m.
guça s.f.
guçoso (*ô*) adj.; f. (*ó*); pl. (*ó*)
guçuso s.m.
gude s.m.
gudermaniana s.f.
gudermanniana s.f.
gudião s.m.
gudinha s.f.
gudmundita s.f.
gudu s.m.
gudunho s.m.
gué (*ü*) s.m.
guê s.m.
gueba s.f.
guebli s.m.
guebo s.m.
guebro s.m.
guebuçu s.m.
gueche s.m.
guede s.m. "jumento pequeno"; cf. *guedé*
guedé s.m.f. "barco", "ave"; cf. *guede*
guedelha (*ê*) s.m.f.
guedelhado adj.
guedelhar v.
guedelheira s.f.
guedelho (*ê*) s.m.
guedelhudo adj.
guedense adj. s.2g.
guedes adj. s.2g.2n.
guedice s.f.
gue-gue s.m. "planta"; cf. *guegué*; pl. *gue-gues*
guegué adj. s.2g. s.m. "indígena"; cf. *guegue*
guegue-falso s.m.; pl. *guegues-falsos*
guei adj. s.2g.
gueijo s.m.
gueira s.f.
gueirana s.f.
gueiro s.m.
gueixa s.f. "dançarina japonesa"; cf. *guexa*
gueja s.f.
guejarita s.f.
gueledé s.m.
guelenga s.m.
guelengue s.m.
guelfismo (*güel* ou *guel*) s.m.
guelfo (*güél* ou *guél*) adj. s.m.
gueli s.m.
guelra s.f.
guelricho s.m.
guelrita s.f.
guelrito s.m.
guelro s.m.
guemal s.m.
guemba s.m.
guembé s.m.
guembê s.m.
guembê-guaçu s.m.; pl. *guembês-guaçus*
guembelita s.f.
guembu s.m.
guende s.m.
guenga s.f.
guenguela adj. s.2g.
guenha s.f.
guenilha s.f.
guenroim s.m.
guenza s.f.
guenza-branca s.f.; pl. *guenzas-brancas*
guenza-verde s.f.; pl. *guenzas--verdes*
guenzo adj. s.m.
guepardo s.m.
guepínia s.f.
guera s.m.
guerche s.m.
guere s.m.
gueredão s.m.
guerê-guerê s.m.; pl. *guerê--guerês*
guerém adj. s.2g. s.m.
guererê s.m.
guereroba s.f.
gueri s.m.
gueribova s.f.
guericke s.m.
gueridom s.m.
guéri-guéri s.m.; pl. *guéri--guéris*
guerinita s.f.
gueriri s.f.
guerirova s.f.
guerlândia s.f.
guerra s.f.
guerramar v.
guerra-relâmpago s.f.; pl. *guerras-relâmpago*
guerreado adj.
guerreador (*ô*) adj. s.m.
guerreamento s.m.
guerreante adj.2g.
guerreão adj. s.m.; f. *guerreona*
guerrear v.
guerreia s.f.
guerreira s.f.
guerreirismo s.m.
guerreirista adj. s.2g.
guerreiro adj. s.m.
guerreiros s.m.pl.
guerrejão s.m.
guerrento adj.
guerreona adj. s.f. de *guerreão*
guerrídeo adj. s.m.
guerrilha s.m.f.
guerrilhagem s.f.
guerrilhar v.
guerrilheiro adj. s.m.
guês s.m.
guesdismo s.m.
guesdista adj. s.2g.
guesso (*ê*) adj.
gueste (*ü*) s.m.
guestiéria s.f.
guesto s.m.
guesturoso (*ô*) adj.; f. (*ó*); pl. (*ó*)
gueta (*ê*) s.f.
guetarda s.f.
guetárdea s.f.
guetárdeo adj.
guete (*ê*) s.m.
guetita s.f.
guetítico adj.
gueto (*ê*) s.m.
guetarda s.f.
guettardita s.f.

gueve s.m.
guexa (*ê*) "mula"; cf. *gueixa*
guez adj.2g. s.m.
gufongo s.m.
gufonguinho s.m.
gufradeira s.f.
gugerno adj. s.m.
gugiyaíta s.f.
guia s.2g. s.m.f.
guiaba s.f.
guiabelha (*ê*) s.f.
guiaca s.f.
guiacana s.f.
guia-corrente s.m.; pl. *guias-correntes*
guiada s.f.
guiado adj.
guiador (*ô*) adj. s.m.
guia-fios s.m.2n.
guiagem s.f.
guia-lopense adj.s.2g.; pl. *guia-lopenses*
guia-matrizes s.m.2n.
guiamento s.m.
guiamu s.m.
guiana (*ùi*) adj. s.2g.
guianaíta (*ùi*) s.f.
guianense (*ùi*) adj. s.2g.
guianês (*ùi*) adj. s.m.
guiante adj.2g.
guião s.m.; pl. *guiães, guiões*
guiaquilite s.f.
guiar v.
guiará s.m.
guibá s.m.
guibelino adj. s.m.
guibo s.m.
guibosa s.f.
guibuguibura s.f.
guibuguirá s.f.
guibúrcia s.f.
guiceiro s.m.
guiché s.m.
guichê s.m.
guicho adj.
guico s.m. "planta"; cf. *guicó*
guicó s.m. "animal"; cf. *guico*
guiço s.m.
guicuru adj. s.2g.
guidão s.m.
guidar v.
guidense adj. s.2g.
guidibô s.m.
guidom s.m.
guidovalense adj. s.2g.
guieira s.f.
guieiro adj. s.m.
guiense adj. s.2g.
guife s.m.
guiga s.f.
guignárdia (*nhár*) s.f.
guigo s.m. "planta"; cf. *guigó*
guigó s.m. "animal"; cf. *guigo*
guigranheenjetá s.m.
guigrateuteu s.m.
guigratinga s.m.
guigraupiagoara s.m.
guilda s.f.
guildita s.f.
guilemínea s.f.
guilha s.f.
guilhada s.f.
guilherme s.m.
guilhermita s.m.
guilho s.m.
guilhochador (*ô*) s.m.
guilhochar v.
guilhochê s.m.
guilhochura s.f.
guilhote s.m.
guilhotina s.f.
guilhotinação s.f.
guilhotinado adj. s.m.
guilhotinador (*ô*) adj. s.m.
guilhotinamento s.m.
guilhotinar v.
guillemínea s.f.
guilleminita s.f.
guilochador (*ô*) s.m.
guilochar v.
guilochê s.m.
guimara adj. s.2g. s.m.
guimaraesita s.f.
guimaranense adj. s.2g.
guimaraniense adj. s.2g.
guimarantino adj. s.m.
guimba s.f.
guimbarda s.f.
guimbé s.m.
guimberana s.f.
guimbi s.m.
guimbombo s.m.
guímel s.m.
guimirim s.f.
guimpaguará s.f.
guimpe s.m.
guina s.f.
guinação s.f.
guinada s.f.
guinadela s.f.
guinai s.m.
guinal adj.2g. s.m.
guinalda s.f.
guinaldeiro adj. s.m.
guinaldice s.f.
guinaldo s.m.
guinambé s.m.
guinapa s.f.
guinar v.
guinário s.m.
guinaú adj. s.2g.
guincha s.f.
guinchada s.f.
guinchadeira s.f.
guinchadeiro adj. s.m.
guinchado adj. s.m.
guinchador (*ô*) adj. s.m.
guinchante adj.2g.
guinchar v.
guincharia s.f.
guincheiro s.m.
guinchento adj.
guincho s.m.
guinda s.f.
guindação s.f.
guindado adj.
guindagem s.f.
guindaleta (*ê*) s.f.
guindalete (*ê*) s.m.
guindamento s.m.
guindar v.
guindareza (*ê*) s.f.
guindaste s.m.
guindasteiro s.m.
guinde s.m.
guindola s.f.
guiné s.2g.
guineano adj. s.m.
guineense (*nè*) adj. s.2g.
guineensismo (*nè*) s.m.
guineia (*é*) s.f. de *guinéu*
guinela s.f.
guiné-legítimo s.m.; pl. *guinés-legítimos*
guines s.m.pl.
guineta (*ê*) s.f.
guinéu adj. s.m.; f. *guineia* (*é*)
guinéu-equatoriano adj. s.m.; pl. *guinéu-equatorianos*
guingão s.m.
guingau s.m.
guingombô s.m.
guingue s.m.
guinguelenguele s.m.
guinguenga s.f.
guingueta (*ê*) s.f.
guingueto (*ê*) s.m.
guinhol s.m.
guinholesco (*ê*) adj.
guinilha s.m.
guino s.m.
guinola s.f.
guinumbi s.m.
guio s.m.
guiomaense adj. s.2g.
guipá s.m.
guipara s.f.
guiparu s.m.
guipura s.f.
guipuscoano adj. s.m.
guiquém s.f.
guira s.f. "inseto", "ave" e "planta"; cf. *guirá*
guirá s.m. "roedor"; cf. *guira*
guirá-acangatara s.f.; pl. *guirás-acangatara* e *guirás-acangataras*
guiraca s.f.
guiracarueba s.m.
guirá-do-rio s.m.; pl. *guirás-do-rio*
guiraguaçuberaba s.m.
guiramembé s.m.
guiramombucu s.m.
guiranheengatu s.m.
guirantanga s.f.
guirapaense adj. s.2g.
guiraparibа s.f.
guiraperеá s.m.
guiraponga s.f.
guirapuru s.m.
guiraquereá s.m.
guirarepoti s.f.
guiraró s.m.
guiraru s.2g.
guiratã s.m.
guiratã-de-coqueiro s.m.; pl. *guiratãs-de-coqueiro*
guiratangueima s.f.
guiratinga s.f.
guiratingano adj. s.m.
guiratinguense adj. s.2g.
guiratirica s.f.
guiraúna s.f.
guiraundi s.m.
guiraxué s.m.
guiri s.m.
guiricemense adj. s.2g.
guirlanda s.f.
guirlandamento s.m.
guirlandar v.
guirmarique s.m.
guirri s.m.
guiruçu s.m.
guisa s.f.
guisadeira s.f.
guisado adj. s.m.
guisador (*ô*) adj.
guisamento s.m.
guisante adj.2g. s.f.
guisar v.
guisinho s.m. "abibe"; cf. *guizinho*
guita s.m.f.
guitano adj. s.m.
guitarra s.f.
guitarrada s.f.
guitarrão s.m.
guitarrear v.
guitarredo (*ê*) s.m.
guitarreiro s.m.
guitarréu s.m.
guitarrilha s.f.
guitarrista adj. s.2g.
guitermanita s.f.
guiterne s.f.
guiti s.m.
guitiroba s.f.
guititiroba s.f.
guito s.m.
guitonga s.m.
guiunga s.f.
guivra s.f.
guivrado adj.
guizada s.f.
guizalhada s.f.
guizalhante adj.2g.
guizalhar v.
guizalheiro adj.
guizalho s.m.
guizar v.
guizeira s.f.
guizo s.m.; cf. *guizo*, fl. do v. *guizar*, *e guiso*, fl. do v. *guisar*
guizo-de-cascavel s.m.; pl. *guizos-de-cascavel*
gujará adj. s.2g.
gujarate s.m.
gujire adj. s.2g.
gula s.m.f.
gulache s.m.
gulaeróstria s.f.
gulaima s.m.
gulaimar v.
gulaimas s.m.2n.
gulala s.f.
gulamento s.m.
gulandim s.f.
gulapa s.f.
gulapão adj.
gulapar v.
gular adj.2g.
gularrostro adj. s.m.
gulazar v.
guleima s.2g.
guleimar v.
guleira s.f.
gulgul s.m.
gulherite s.m.
gulheriteiro adj. s.m.
gulheritice s.f.
gulodice s.f.
gulônico adj.
gulosa s.f.
gulosar v.
gulosaria s.f.
gulose s.f.
guloseima s.f.
guloseimar v.
guloseira s.f.
gulosense adj. s.2g.
gulosice s.f.
gulosidade s.f.
gulosídeo adj. s.m.
gulosina s.f.
gulosinar v.
gulosinha s.f.
guloso (*ô*) adj. s.m.; f. (*ó*); pl. (*ó*); cf. *guloso*, fl. do v. *gulosar*
gulpina s.f.
gúlua s.m.
gúlue s.m.
gulungo s.m.
guluve s.m.
gumata s.f.
gumate s.m.
gumba s.m.
gumbiçoava s.f.
gumbijava s.f.
gumbo s.m.
gume s.m.
gúmena s.f.
gúmico adj.
gumífero adj.
gumina s.f.
gumita s.f.
gumite s.f.
gumoso (*ô*) adj.; f. (*ó*); pl. (*ó*)
gumucionita s.f.
guna s.m.f.
gunchelim s.m.
guncho s.m.
gunda s.f.
gúndara s.f.
gunde s.f.
gundeira s.f.
gundeiro s.m.
gundense adj. s.2g.
gundi s.m.
gúndia s.f.
gundianense adj. s.2g.
gundláchia s.f.
gundláquia s.f.
gundra s.f.
gundu s.m.
gunduru s.m.
gune s.m.
gunelíctis s.m.2n.
gunelo (*ê*) s.m.
gunentóforo s.m.
gúnera s.f.
gunerácea s.f.
guneráceo adj.
guneróidea s.f.
gunga s.m.
gunga-muxique s.m.; pl. *gunga-muxiques*
gungas s.f.pl.
gungieiro s.m.
gungo s.m.
gungojila s.m.
gungunar v.
gungunhana adj. s.2g.
gunho s.m.
gunigobó s.m.
gunite s.f.
gunji s.m.
gunjieiro s.m.
gunnardita s.f.
gunnbjarnita s.f.
gúnnera s.f.
gunnerácea s.f.
gunninguita s.f.
guntó s.m.
gunziano adj.
gupiagem s.f.
gupiara s.f.
guptássana s.m.
gur adj.2g. s.m.
gurabo s.m.
gurabu s.m.
guraçaim s.m.
guracava s.f.
guraém s.m.
guraíra s.f.
guraitubense adj. s.2g.
gural s.m.
gurami s.m.
gurandi-azul s.m.; pl. *gurandis-azuis*
gurandirana s.f.
guranhém s.m.
gurânia s.f.
guraputepoca s.f.
gurarema s.f.
guratã s.m.
gurataiapoca s.f.
guratau s.m.
guratia s.f.
guraundi s.m.
guraúra s.f.
gurbi s.m.
gurca adj. s.2g.
gurcar s.m.
gurda s.m.f.
gurde s.f.
gurejuba s.f.
gurente s.m.
gureri s.m.
guresi s.m.
gurgau s.m.
gurgueíno adj. s.m.
gurguês s.m.
gurguri s.m.
gurhofita s.f.
guri s.m.
guria s.f.
guriabá s.m.
guriaçu s.m.
guriantã s.m.
guriatã s.m.
guriba adj. s.2g.
guribu s.m.
guriçá s.m.
guricema s.f.
gurigica s.f.
guriguaçu s.m.
gurijuba s.f.
gurimbarda s.f.
gurindiba s.f.
gurinhatá s.2g.
gurinhatã s.2g.
gurinhatãense adj. s.2g.
gurinhatanense adj. s.2g.
gurinheense adj. s.2g.
gurinhém s.m.
gurinhenense adj. s.2g.
guriri s.m.
guriri-do-campo s.m.; pl. *guriris-do-campo*
gurita s.f.
guritão s.m.
guriteiro s.m.
guriuense adj. s.2g.
gurixima s.f.
gurizada s.f.
gurizeiro s.m.
gurizote s.m.
gurjanense adj. s.2g.
gurjão s.m.
gurjãoense adj. s.2g.
gurjuneno s.m.
gurma s.f.
gurnir v.

guro s.m.
guropé s.m.
gurra s.m.f.
gurrião s.m.
gurrupiá s.m.
gurrupiazeiro s.m.
guru s.m.
gurubu s.m.
guruçá s.m.
gurucaia s.f.
gurudássana s.m.
guruenjaze s.m.
gurufim s.m.
gurugumba s.f. "porrete"; cf. *gurungumba*
gurujuba s.m.
gurujuva s.m.
gurumarim s.m.
gurumim s.m.
gurumixaba s.f.
gurumixama s.f.
gurumixameira s.f.
gurunce s.2g.
gurundi s.m.
gurundi-azul s.m.; pl. *gurundis-azuis*
gurunga s.m.
gurungo s.m.
gurunguji s.m.
gurungumba s.f. "terreno acidentado"; cf. *gurugumba*
gurunxe s.2g.
gurupaense adj. s.2g.
gurupema s.f.
gurupés s.m.2n.
gurupi s.m.
gurupiá s.m.
gurupiense adj. s.2g.
gurupu s.m.
gururi s.m.
gurutil s.m.
gurutuba s.f.
gurutubano s.m.
gusa s.2g.
gusano s.m.
gusano-das-naus s.m.; pl. *gusanos-das-naus*
gusano-do-mar s.m.; pl. *gusanos-do-mar*
gusla s.f.
gustação s.f.
gustadadoiro s.m.
gustador (*ô*) adj. s.m.
gustadouro s.m.
gustar v.
gustativo adj.
gustatório adj. s.m.
gustavense adj. s.2g.
gustávia s.f.
gustavita s.f.
gustometria s.f.
gustrenterologia s.f.
guta s.f.
gutação s.f.
gutaferal adj.2g.
gutaferale s.f.
gutambu s.m.
guta-percha s.f.; pl. *guta-perchas* e *gutas-perchas*
gutar v.
gutatório adj.
guté s.m.
guteira s.f. "árvore"; cf. *goteira*
gutembérgia s.f.
gutembergiano adj.
gutemberguiano adj.
gutenbérgia s.f.
gutenbergiano adj.
guticraque adj. s.2g. s.m.
gutícula s.f.
gutífera s.f.
gutiferácea s.f.
gutiferáceo adj.
gutiferale s.f.
gutífero adj.
gutina s.f.
gutipene adj.2g.
guto s.m.
gutsevichita s.f.
gútula s.f.
gutulinácea s.f.
gutulináceo adj.
gútulo s.m.
gutural adj.2g. s.f.
guturalidade s.f.
guturalização s.f.
guturalizado adj.
guturalizante adj.2g.
guturalizar v.
guturamo s.m.
guturopalatal adj.2g.
guturoso (*ô*) adj. s.m.; f. (*ó*); pl. (*ó*)
guturotetania s.f.
guturotetânico adj.
guvacina s.f.
guvacolina s.f.
guvitinga s.f.
guvo s.m.
guzarate adj. s.2g. s.m.
guzerá adj. s.2g.
guzerate adj. s.2g. s.m.
guzmânia s.f.
guzo s.m.
guzolandense adj. s.2g.
guzumba s.f.
guzunga s.m.
gwamba s.m.

Hh

h (*agá*) s.m.
haástia s.f.
habarraz s.m.
habe s.m. "traje árabe"; cf. *habé*
habé adj. s.2g. "povo"; cf. *habe*
hábeas s.m.2n.
habena s.f.
habenária s.f.
habenariina s.f.
habênula s.f.
habenular adj.2g.
habérlea s.f.
hábil adj.2g.
habilhamento s.m.
habilidade s.f.
habilidento adj.
habilidosidade s.f.
habilidoso (*ô*) adj. s.m.; f. (*ó*); pl. (*ó*)
habilitação s.f.
habilitado adj. s.m.
habilitador (*ô*) adj. s.m.
habilitanço s.m.
habilitando adj. s.m.
habilitante adj. s.2g.
habilitar v.
habilitável adj.2g.
habitabilidade s.f.
habitação s.f.
habitacional adj.2g.
habitacionismo s.m.
habitacionista s.2g.
habitacionístico adj.
habitácula s.f.
habitáculo s.m.
habitado adj.
habitador (*ô*) adj. s.m.
habitante adj. s.2g.
habitar v. "residir"; cf. *abitar*
habitatividade s.f.
habitativo adj.
habitável adj.2g.
habite-se s.m.2n.
hábito s.m.; cf. *habito* e *abito*, dos verbos *habitar* e *abitar*
habituação s.f.
habituado adj. s.m.
habituador (*ô*) adj.
habitual adj.2g.
habitualidade s.f.
habitualismo s.m.
habituante adj.2g.
habituar v.
habitude s.f.
habitudinário adj. s.m.
hablítzia s.f.
habortita s.f.
habroceríneo adj. s.m.
habrócero s.m.
habrocesto s.m.
habrócoma s.f.
habrócomo adj. s.m.
habrodíctio adj.
habrodicto s.m.
habrodil s.m.
habrodílico adj.
habroflébia s.f.
habroloma s.m.
habromania s.f.
habronema s.f.
habronemíase s.f.
habronemose s.f.
habronemótico adj.
habrônia s.f.
habroptila s.f.
habrosine s.f.
habróstolo s.m.
habrotalo s.m.
habrura s.f.
haca s.f.
hacaneia (*é*) s.f.
hacélia s.f.
hacer s.m.
hachura s.f.
hachurado adj.
hachurador (*ô*) adj. s.m.
hachurar v.
háckia s.f.
hackmanita s.f.
hacmanita s.f. "mineral"; cf. *acmanita*
haco adj. s.m.
hacpólique s.m.
hacquécia s.f.
hacu s.m.
hacube s.m.
haddamita s.f.
háden s.f.
hadena s.f.
hadenídeo adj. s.m.
hadeníneo adj. s.m.
hadimu s.m.
hadji s.m.
hadoque s.m.
hadranitano adj. s.m.
hadrão s.m.
hadriânia s.m.
hádrion s.m.
hadrobregmo s.m.
hadrocárabo s.m.
hadrocêntrico adj.
hadroma s.m.
hadromal adj.2g. s.m.
hadromicose s.f.
hádron s.m.
hadrônico adj.
hadronização s.f.
hadronoto s.m.
hadropelágico adj.
hadrossaurídeo adj. s.m.
hadróstomo s.m.
hadrumicose s.f.
hadruso s.m.
haeckeliano adj. s.m.
hafalgesia s.f.
hafalgésico adj.
hafécida adj. s.2g.
hafefobia s.f.
hafefóbico adj. s.m.
haféfobo adj. s.m.
hafemetria s.f.
hafemétrico adj.
hafeofobia s.f.
hafeofóbico adj. s.m.
hafeófobo adj. s.m.
hafepléssico adj.
hafestesiométrico adj.
hafestesiômetro s.m.
hafiz s.m.
háfnia s.f.
háfnico adj.
háfnio s.m.
hafométrico adj.
hagatalita s.f.
hagemanite s.f.
hagembáquia s.f.
hagenbáchia s.f.
hagendorfita s.f.
hagênia s.f.
haggita s.f.
hagiastério s.m.
hagiógrafa s.f.
hagiografia s.f.
hagiográfico adj.
hagiografista adj. s.2g.
hagiógrafo adj. s.m.
hagiólatra s.2g.
hagiolatria s.f.
hagiolátrico adj.
hagiologia s.f.
hagiológico adj.
hagiológio s.m.
hagiologista adj. s.2g.
hagiólogo s.m.
hagiômaco s.m.
hagiomaquia s.f.
hagiomáquico adj.
hagionimia s.f.
hagionímia s.f.
hagionímico adj.
hagiônimo s.m.
hagiorita adj. s.2g.
hagiossemandro s.m.
hagiossemantro s.m.
hagiossidero s.m.
hagioterapia s.f.
hagioterápico adj.
hagiotoponímia s.f.
hagiotoponímico adj.
hagiotopônimo s.m.
haglura s.f.
hã-hã interj.
hahnemanniano adj. s.m.
hahnemânnico adj.
hahnemannismo s.m.
hahnemannista s.2g.
hahnemannístico adj.
hâhnium s.m.
haicai s.m.
haidenita s.f.
haidenite s.f.
haidingerita s.f.
haidingerite s.f.
haimeia (*ê*) s.m.
haimeida s.m.
haimeídeo adj. s.m.
haimoré s.m.
hainita s.f.
haique s.m.
haitiano adj. s.m.
haiweeíta s.f.
haja s.f.
haje s.m.
haji s.m.
háji s.m.
hájibe s.m.
hajul s.m.
hakita s.f.
hala s.f. "pó vegetal"; cf. *ala* s.f. interj., fl. do v. *alar* e *alá*
halaca s.f.
halacárida adj.2g. s.m.
halacarídeo adj. s.m.
halácaro s.m.
halafiano adj.
halalávia s.f.
halali s.m.
halarácnio s.m.
halargíreo s.m.
halatracto s.m.
halbanita s.f.
halcampa s.f.
halcampela s.f.
hálcion s.f.
halcíone s.f.
halcioníneo adj. s.m.
halde s.m.
haleciida adj.2g. s.m.
haleciídeo adj. s.m.
halécio s.m.
haleflinta s.f.
halênia s.f.
haler s.m.
haléria s.f.
halésia s.f.
halesino adj. s.m.
haleso s.m.
haleto (*ê*) s.m.
hálex (*cs*) s.m.
halfangue s.m.
halfe s.m.
hália s.f.
halial adj.2g.
haliárcio adj. s.m.
haliária s.f. "inseto"; cf. *aliária* s.f. e *aliaria*, fl. do v. *aliar*
haliártio adj. s.m.
haliástur s.m.
halibute s.m.
halicaliptra s.m.
halicarnassense adj. s.2g.
halicarnássio adj. s.m.
hálice s.m.
haliciato s.m.
haliciense adj. s.2g.
haliciste s.f.
halicisto s.m.
halicmeto s.m.
halicoanolaimo s.m.
halicoanolemo s.m.
halícola s.f.
halicolimbo adj. s.m.
halicôndria s.f.
halicôndrio s.m.
halicórace s.m.
halicoráceo adj. s.m.
halicórida adj.2g. s.m.
halicorídeo adj. s.m.
halicornária s.f.
halicripto s.m.
halictíneo adj. s.m.
halicto s.m.
halidiense adj. s.2g.
halidre s.f.
haliêntea s.f.
halientela s.f.
haliêutica s.f.
haliêutico adj.
halieuticte s.m.
halifagia s.f.
halifisema s.m.
halígona s.f.
haliída adj.2g. s.m.
haliídeo adj. s.m.
halílico adj.
halimeda s.f.
halimênia s.f.
halimetria s.f.
halimétrico adj.
halímetro s.m.
halímio s.m.
hálimo s.m.
halimodendro s.m.
halíofis s.m.2n.
halioma s.m.
haliomatídeo adj. s.m.
haliomatíneo adj. s.m.
haliote s.m.f.
haliótida adj.2g. s.m.
haliotídeo adj. s.m.
haliótis s.m.2n.
haliperca s.f.
haliplancto s.m.
haliplâncton s.m.
halíplida adj.2g. s.m.
haliplídeo adj. s.m.
haliplo s.m.
halíporo s.m.
halipteno adj. s.m.
halípteris s.m.2n.
halíptero adj. s.m.
haliquelidônio adj. s.m.
halirage s.m.
hális s.m.2n.

halisceptro s.m.
halisidota s.f.
halisioide (*ó*) adj.2g. s.f.
halispôngia s.f.
halissarca s.m.
halissárcida adj.2g. s.m.
halissarcídeo adj. s.m.
halissáurio s.m.
halissauro s.m.
halístase s.f.
halistema s.m.
halisterese s.f.
halisterético adj.
halita s.f. "sal"; cf. *alita* s.f., *álita* s.m. e *halita*, fl. do v. *halitar*
halitar v.
halitério s.m.
halito s.m. "sal-gema"; cf. *hálito*
hálito s.m. "cheiro da boca"; cf. *halito* s.m. e fl. do v. *halitar*
halitose s.f.
halizão adj. s.m.
halízia s.f.
hallerita s.f.
hallimondita s.f.
halloysita s.f.
halloysítico adj.
hallstattiano adj.
hallstáttico adj.
halma s.m. "espongiário"; cf. *alma*
halmatogênese s.f.
halmatogenético adj.
halmatúrida adj.2g. s.m.
halmaturídeo adj. s.m.
halmaturo s.m.
halmíneo s.m.
halminita s.f.
halminite s.f.
halminito s.m.
halmirólise s.f.
halo s.m.; cf. *alo*, fl. do v. *alar*
halóbato s.m.
halobento s.m.
halóbio s.m.
halobionte s.m.
halobiôntico adj.
halobiose s.f. "ambiente vital salgado"; cf. *alobiose*
halobiótico adj. "relativo a ambiente vital salgado"; cf. *alobiótico*
halocalcita s.f.
halocarbônico adj.
halocarbono s.m.
halocáris s.f.2n.
halocípria s.f.
halocípris s.m.2n.
halociptena s.f.
halocordilo s.m.
halocórdilo s.m.
halocromia s.f.
halocrômico adj.
halocromismo s.m.
halocromo adj.
haloferritina s.f.
halófila s.f.
halofilia s.f. "tendência a crescer em ambientes salgados"; cf. *alofilia*
halofílico adj. "relativo ao que cresce em terreno salgado"; cf. *alofílico*
halófilo adj. "que habita meios ricos em sal"; cf. *alofilo*
halofilóidea s.f.
halofita s.f. "planta de ambiente salgado"; cf. *alofita*
halofitácea s.f.
halofitáceo adj.
halofítico adj. "relativo a planta de ambiente salgado"; cf. *alofítico*
halofitismo s.m.
halófito s.m.
halofórmico adj.
halofórmio s.m.
halóforo s.m.
halogenabilidade s.f.
halogenação s.f.
halogenado adj.
halogenante adj.2g.
halogenar v.
halogenável adj.2g.
halogêneo adj. s.m. "família de elementos químicos"; cf. *alogênio* e *halogênio*
halogeneto (*ê*) s.m.
halogênico adj. "halogêneo"; cf. *alogênico*
halogênio s.m. "elemento químico"; cf. *alogênio* e *halogêneo*
halógeno s.m. "halogêneo"; cf. *alógeno*
halogenoderivação s.f.
halogenoderivado adj.
halogenoderivante adj.2g.
halogenoderivar v.
halogenoderivável adj.2g.
halogéton s.m.
halógico adj.
halografia s.f.
halográfico adj.
halógrafo s.m.
halo-hídrico adj.
halo-hidrina s.f.
halo-hidrofitia s.f.
haloidação s.f.
haloide (*ó*) adj.2g.
haloídrico adj.
haloidrina s.f.
haloidrofitia s.f.
haloisita s.f.
haloisítico adj.
halolimnético adj.
halolímnico adj.
halologia s.f.
halomancia s.f.
halomanciano adj.
halomante s.2g.
halomântico adj.
halomegalia s.f.
halomegálico adj.
halometria s.f.
halométrico adj.
halômetro s.m.
halomitra s.f.
halomórfico adj. "da forma do sal-gema"; cf. *alomórfico*
halomorfo adj.
halonado adj.
halopeple s.m.
haloperidol s.m.
haloplancto s.m.
haloplâncton s.m.
haloplanta s.m.
haloplanto s.m.
haloprena s.f.
halóptera s.f.
haloquímica s.f.
haloquímico adj.
haloraga s.f.
haloragácea s.f.
haloragáceo adj.
haloragale s.f.
halorage s.m.
halorágea s.f.
halorágeo adj.
haloragidácea s.f.
haloragidáceo adj.
haloragidale s.f.
haloragidóidea s.f.
halorágis s.f.2n.
halorragácea s.f.
halorragáceo adj.
halorrage s.f.
halorrágea s.f.
halorrágeo adj.
halorragidácea s.f.
halorragidáceo adj.
halorragidóidea s.f.
haloscópio s.m.
halosfera s.f.
halossauríctis s.m.2n.
halossáurida adj.2g. s.m.
halossaurídeo adj. s.m.
halossauro s.m.
halosséride s.f.
halósseris s.f.2n.
halossidna s.m.
halotano s.m.
halotecnia s.f.
halotécnico adj.
halótrice s.f.
halotriquita s.f.
halóxilon (*cs*) s.m.
halstatiano adj.
halstático adj.
halter s.m. "instrumento de ginástica"; cf. *alter*
haltera s.f.; cf. *altera*, fl. do v. *alterar*
halterado adj. s.m. "inseto"; cf. *alterado*
halterata s.f.
haltere s.m.; cf. *altere*, fl. do v. *alterar*
haltéria s.f.
halteridiose s.f.
halteríida adj. s.m.
halteriídeo adj. s.m.
halteríptera s.f.
halteríptero adj. s.m.
halterofilia s.f.
halterofílico adj.
halterofilismo s.m.
halterofilista adj. s.2g.
halterofilístico adj.
halterófilo s.m.
háltica s.f.
halticíneo adj. s.m.
halticino s.m.
háluce s.m.
halurgia s.f.
halúrgico adj.
halurgita s.f.
halurgite s.f.
hálux (*cs*) s.m.
halvá s.f.
hamacantíneo adj. s.m.
hamada s.m.
hamadelfo adj.
hamádida adj. s.2g.
hamádria s.f.
hamadríada s.2g.
hamadríade s.f.
hamádrias s.m.2n.
hamaide s.f.
hamamele s.f.
hamamelidácea s.f.
hamamelidáceo adj.
hamamelidale s.f.
hamamélide s.f.
hamamelídea s.f.
hamamelídeo adj.
hamamelidínia s.f.
hamamelidóidea s.f.
hamamelina s.f.
hamamélis s.f.2n.
hamaniense adj. s.2g.
hamáptera s.f.
hamartia s.f.
hamartofobia s.f.
hamartofóbico adj.
hamartófobo s.m.
hamartologia s.f.
hamartológico adj.
hamartoma s.m.
hamatita adj. s.2g.
hamato s.m.
hamaxóbio (*cs*) adj. s.m.
hamba s.m.
hambalita adj. s.2g.
hambergita s.f.
hambergite s.f.
hâmbria s.f.
hamburgo s.m.
hamburguense adj. s.2g.
hambúrguer s.m.
hamburguês adj. s.m.
hamburguesa (*ê*) s.f.
hamdânida adj. s.2g.
hamélia s.f. "planta"; cf. *amelia* e *amélia*
hameque s.m.
hamidia s.m.
hamídia s.m.
hamidiano adj. s.m.
hamígera s.f.
hamígero adj.
hamiglosso adj. s.m.
hamiltônia s.f.
hamiltoniana s.f.
hamiltoniano adj.
hamínea s.f.
hamíneo adj.
hamíngia s.m.
hamingiída adj.2g. s.m.
hamingiídeo adj. s.m.
hamireia (*é*) adj. s.f. de *hamireu*
hamireu adj. s.m.; f. *hamireia* (*é*)
hamita adj. s.2g.
hamítico adj.
hamito-semita adj. s.2g.; pl. *hamito-semitas*
hamito-semítico adj. s.m.; pl. *hamito-semíticos*
hamletiano adj.
hamlético adj.
hamletismo s.m.
hamlinita s.f.
hammarita s.f.
hamondense adj. s.2g.
hamoso (*ô*) adj.; f. (*ó*); pl. (*ó*)
hampsirita s.f.
hamsa s.m. "ganso sagrado na Índia"; cf. *hansa* e *ansa*
hâmula s.f.
hamular adj.2g.
hâmulo s.m.
hamuloso (*ô*) adj.; f. (*ó*); pl. (*ó*)
han s.2g.2n.
hanafita adj. s.2g.
hanaiita s.f.
hanaiite s.f.
hanbalita s.m.
hancockita s.f.
hancockítico adj.
hancoquita s.f.
hancoquítico adj.
hancórnia s.f.
handa adj. s.2g. s.m.
handebol s.m.
handebolista adj. s.2g.
handeliano adj. s.m.
hanerite s.f.
hangar s.m.
hango s.m.
hanha adj. s.2g.
hânia s.f.
hanifismo s.m.
hanifita adj. s.2g.
hânio s.m.
hanksita s.f.
hanleíta s.f.
hanlinita s.f.
hanoa (*ô*) s.f.
hanoveriana s.f.
hanoveriano adj. s.m.
hanovriano adj. s.m.
hansa s.f. "liga comercial"; cf. *hamsa* e *ansa*
hansardo s.m.
hanseano adj. s.m.
hanseático adj.
hanseniano adj. s.m.
hanseníase s.f.
hansmanito s.m.
hantavirose s.f.
hantavírus s.m.
hanusita s.f.
haoma s.m.
hapalélitro adj. s.m.
hapalêmure s.m.
hapálida s.m.
hapalídeo adj. s.m.
hápalo adj.
hapalocerco s.m.
hapaloclâmide s.f.
hapaloderma s.m.
hapalógenis s.m.2n.
hapalogluta s.f.
hapálomis s.m.
hapaloniquia s.f.
hapalópode s.m.
hapalóptilo s.m.
hapalórquis s.m.2n.
hapalossifão s.m.
hapalótis s.m.2n.
hápax (*cs*) s.m.2n.
hapaxântico (*cs*) adj.
hapaxanto (*cs*) adj.
haplantérea s.f.
haplanto s.m.
haplítico adj.
haplito s.m.
haplobionte s.m.
haplobiôntico adj.
haplobiose s.f.
haplocarfa s.f.
haplocaula adj.2g.
haplocaule adj.2g.
haplócero s.m.
haploclamídeo adj.
haplocnêmia s.f.
haplocnemo s.m.
haplocorino s.m.
haplodactilíneo adj. s.m.
haplodáctilo s.m.
haplodátilo s.m.
haplodermatite s.f.
haplódero s.m.
haplodiplobionte s.m.
haplodiplobiôntico adj.
haplódoco adj. s.m.
haplodonte adj.2g. s.m.
haplófase s.f.
haplofásico adj.
haplofilia s.f.
haplofilíneo adj. s.m.
haplofilo s.m.
haplófito s.m.

haplofrágmio s.m.
haploftalmo s.m.
haplogastro s.m.
haploglênio s.m.
haplografia s.f.
haplográfico adj.
haploide (*ó*) adj.2g.
haploidia s.f.
haploidização s.f.
haplolalia s.f.
haplolálico adj.
haplologia s.f.
haplológico adj. s.m.
haploma s.m.
haplomastodonte s.m.
haplomático adj.
haplômero s.m.
haplomia s.f.
haplômice s.f.
haplomiceto s.m.
háplomis s.m.2n.
haplomitose s.f.
haplomitótico adj.
haplomítrio s.m.
haplomitrióidea s.f.
haplomo adj. s.m.
haplônomo adj.
haplonte s.m.
háploops s.m.2n.
haplopélia s.f.
haplopelturo s.m.
haploperistomado adj.
haploperistômea s.f.
haploperistômeo adj.
haplopétalo adj.
haplopia s.f.
haplopleuríneo adj. s.m.
haplóporo s.m.
haploprocta s.f.
haploquilíctis s.m.2n.
haploquilíneo adj. s.m.
haploquilo s.m.
haplóquiton s.m.
haploquitônida adj.2g. s.m.
haploquitonídeo adj. s.m.
haplorrino adj. s.m.
haploscópico adj.
haploscópio s.m.
haplóspora s.f.
haplosporídio adj. s.m.
haplostéfio s.m.
haplostela s.f.
haplostêmone adj.2g.
haplostemonia s.f.
haplostêmono adj.
haplóstico adj. s.m.
haplóstomo adj.
haplótipo s.m.
haplotomia s.f.
haplotômico adj.
haplotripo s.m.
háplotrips s.m.
haptena s.f.
haptênico adj.
hapteno s.m.
háptero s.m.
hapterono s.m.
háptico adj.
haptina s.f.
haptocarpo s.m.
haptófase s.f.
haptofásico adj.
haptofícea s.f.
haptofíceo adj.
haptofórico adj.
haptóforo adj.
haptogêneo adj.
haptógeno adj.
haptoglobina s.f.
haptoglobínico adj.
haptotatismo s.m.
haptotrópico adj.
haptotropismo s.m.
háquia s.f.
haquimo s.m.
haradaíta s.f.
haraganar v.
haraganear v.
haragano adj.
harão s.m.
haraquiri s.m.
harari adj. s.2g.
haras s.m.2n.; cf. *aras*, fl. do v. *arar*
harda s.f.
hardela s.f.
hardembérgia s.f.
hardvíquia s.f.
hardystonita s.f.
harelda s.m.
harém s.m.
harêngula s.m.
harfango s.m.
hargio s.m.
hari s.m.
haricocele s.f.
haridi s.m.
haridim s.m.
haríola s.f.; cf. *hariola*, fl. do v. *hariolar*
hariolação s.f.
hariolar v.
haríolo s.m.; cf. *hariolo*, fl. do v. *hariolar*
hariolomancia s.f.
hariolomante s.2g.
hariolomântico adj.
harkerita s.f.
harlina s.f.
harlo s.m.
harmala s.f.
harmalina s.f.
harmalol s.m.
harmana s.f.
harmândia s.m.
harmatã s.m.
harmatão s.m.
hármato s.m.
harmátoe s.m.
harmátrofo adj. s.m.
hármico adj.
harmina s.f.
harminato s.m.
harmínico adj.
harmínio s.m.
harmódia s.f.
harmofânio adj.
harmófano adj.
harmonete (*ê*) s.m.
harmonia s.f. "consonância"; cf. *harmônia*
harmônia s.f. "inseto"; cf. *harmonia*
harmoníaco adj.
harmônica s.f.
harmonicelo s.m.
harmônico adj. s.m.
harmonicorde s.m.
harmonicórdio s.m.
harmonicordo s.m.
harmoniense adj. s.2g.
harmoniflauta s.m.
harmoniflute s.m.
harmonino s.m.
harmônio s.m.
harmonioso (*ô*) adj.; f. (*ó*); pl. (*ó*)
harmonista adj. s.2g.
harmonística s.f.
harmônium s.m.
harmonização s.f.
harmonizado adj.
harmonizador (*ô*) adj. s.m.
harmonizante adj.2g.
harmonizável adj.2g.
harmonografia s.f.
harmonográfico adj.
harmonógrafo s.m.
harmonograma s.m.
harmonometria s.f.
harmonométrico adj.
harmonômetro s.m.
harmosta s.m.
harmotômio s.m.
harmótomo s.m.
harmozona s.f.
haronga s.f.
harpa s.f.
harpáctico s.m.
harpacticoide (*ó*) adj.2g. s.m.
harpáctida adj.2g. s.m.
harpactídeo adj. s.m.
harpáctor s.m.
harpactoríneo adj. s.m.
harpado adj.; cf. *arpado*
hárpaga s.f.
harpagão s.m.
hárpago s.m.
harpagófito s.m.
harpalejêunea s.f.
harpálice s.f.
harpálida adj.2g. s.m.
harpalídeo adj. s.m.
harpalíneo adj. s.m.
harpalino s.m.
harpálio adj. s.m.
hárpalo s.m.
harpalomorfo s.m.
harpanela s.f.
harpaneta (*ê*) s.f.
harpar v. "tocar harpa"; cf. *arpar*
harparcte s.m.
harpático s.m.
harpátida s.m.
harpatídeo adj. s.m.
harpe s.f.
harpear v. "tocar harpa"; cf. *arpear*
harpedonapta s.m.
harpeiro s.m.
harpejado adj.
harpejar v. "tocar harpa"; cf. *arpejar*
harpejiar v.
harpejo (*ê*) s.m.; cf. *arpejo* (*ê*) s.m. e fl. do v. *arpejar*
harpia s.f.
harpialieto (*ê*) s.m.
harpicórdio s.m.
hárpida adj.2g. s.m.
harpídeo adj. s.m.
harpiia s.f.
harpiionicteríneo adj. s.m.
harpiionícteris s.f.2n.
harpílio s.m.
harpiocéfalo s.m.
harpirrinco s.m.
harpista adj. s.2g. "tocador de harpa"; cf. *arpista*
harpócera s.f.
harpofilo s.m.
harpoquilo s.m.
harporrinco s.m.
harpúlia s.f.
harpulíea s.f.
harratino s.m.
harringtonita s.f.
harriota s.f.
harrisita s.f.
harrisite adj.
harrisito s.m.
harrisônia s.f.
harróvia s.f.
harstiguita s.f.
hártea s.f.
hartear v.
hartilábio s.m.
hartina s.f.
hartita s.f.
hartite adj.
hartito s.m.
hartmaniano adj.
harto adj. adv.
hartree s.f.
hartzburgite s.f.
hartzburgito s.m.
harude adj. s.2g.
harungana s.f.
haruspicação s.f.
harúspice s.m.
haruspicina s.f.
haruspicino adj.
haruspício s.m.
haruspicismo s.m.
harveia (*é*) s.f.
harveização s.f.
harvela s.m.
harveyização s.f.
hasário s.m.
hashimita adj. s.2g.
hassani adj. s.2g.
hassanita adj. s.2g.
hasscárlia s.f.
hasside adj. s.2g.
hassidiano adj. s.m.
hassídico adj.
hassidim s.2g.2n.
hassidismo s.m.
hassidista adj. s.2g.
hassidístico adj.
hássio s.m.
hasta s.f. "lança"; cf. *asta*
hastado adj.
hastapura s.f.
hastaria s.f.
hastário adj.
haste s.f.
hástea s.f.
hasteado adj.
hasteal s.m.
hasteamento s.m.
hastear v.
hastensiano adj. s.m.
hástia s.f.
hastial s.m.
hastibranco adj.
hastifino adj.
hastifoliado adj.
hastiforme adj.2g.
hastigerina s.f.
hastil s.m.
hastilha s.f. "pequena haste"; cf. *astilha*
hastilhaço s.m.
hastilhar v.
hastilheira s.f.
hastim s.m.
hastingsita s.f.
hastita s.f.
hastiverde (*ê*) adj.2g.
hataioga s.f.
hataiogue s.2g.
hatama s.m.
hatchettina s.f.
hatchettita s.f.
hatchettolita s.f.
hatchettolítico adj.
hatchita s.f.
hatemista adj. s.2g.
hatemita adj. s.2g.
hatoriano adj.
hatórico adj.
hauaruna adj. s.2g.
hauçá adj. s.2g. s.m. "povo"; cf. *auçá*
hauchecornite s.f.
hauerina s.m.
haueriníneo adj. s.m.
hauerita s.f.
hauerite s.f.
haugtonita s.f.
haugtonite s.f.
hauina (*í*) s.f.
hauinita s.f.
hauinítico adj.
haurido adj.
haurir v. "esgotar"; cf. *aurir*
haurível adj.2g.
hausmanita s.f.
hausmanização s.f.
hausmanizar v.
haussemanita s.f.
haussemanização s.f.
haussemanizar v.
haussmannita s.f.
haussmannização s.f.
haussmannizar v.
haustelado adj. s.m.
haustelar adj.2g.
haustelo s.m.
hausto s.m.
haustórico adj.
haustório s.m.
haustração s.f.
hautefeuillita s.f.
hauteriviano adj. s.m.
haüyna s.f.
haüynita s.f.
haüynítico adj.
havaiano adj. s.m.
havaiense adj. s.2g.
havalita s.f.
havana adj. s.m.
havaneira s.f.
havaneiro s.m.
havanera (*ê*) s.f.
havanês adj. s.m.
havano adj. s.m.
havedoiro s.m.
havedouro s.m.
haver v. s.m.
haveres s.m.pl.
havetiopse s.f.
havórtia s.f.
hawleyta s.f.
hawórthia s.f.
haxixe s.m.
haxixina s.f.
haxixismo s.m.
haxixomania s.f.
haxixômano s.m.
haxonita s.f.
haycockita s.f.
hazazel s.m.
hazena s.f.
headdenita s.f.
heango s.m.
heautognose s.f.
heautognosia s.f.
heautognosta s.2g.
heautognóstico adj.
heautologia s.f.
heautológico adj.
heautólogo adj. s.m.
heautoscopia s.f.
heautoscópico adj.
heazlewoodita s.f.
hebaute s.m.
hebdômada s.f.

hebdomadário adj. s.m.
hebdomático adj.
hebdomecontacometa (*ê*) adj. s.2g.
hebdomecontaédrico adj.
hebdomecontaedro s.m.
hebdomecontagonal adj.2g.
hebdomecontágono s.m.
hebe s.f.
hebecarpo adj.
hebeclado adj.
hebeclínio s.m.
hebecnema s.f.
hebefrenia s.f.
hebefrênico adj.
hebeloma s.f.
hebenstreícia s.f.
hebepétalo s.m.
hebertismo s.m.
hebertista adj. s.2g.
hebertístico adj.
hebetação s.f.
hebetado adj.
hebetamento s.m.
hebetante adj.2g.
hebetar v.
hebético adj.
hebetismo s.m.
hebetizado adj.
hebetizar v.
hebetomia s.f.
hebetômico adj.
hebetude s.f.
hebosteotomia s.f.
hebotomia s.f.
hebraico adj. s.m.
hebraísmo s.m.
hebraísta adj. s.2g.
hebraístico adj.
hebraização s.f.
hebraizado adj.
hebraizante adj.2g.
hebraizar v.
hebraizável adj.2g.
hebreia (*é*) adj. s.f. de *hebreu*
hebreu adj. s.m.; f. *hebreia* (*é*)
hébrida adj.2g. s.m.
hebridense adj. s.2g.
hebrídeo adj. s.m.
hebro s.m.
hebronita adj. s.2g. s.f.
hebronite s.f.
hecateia (*é*) adj. s.f. de *hecateu*
hecaterumérico adj.
hecatésia s.f.
hecateu adj. s.m.; f. *hecateia* (*é*)
hecatoedria s.f.
hecatoédrico adj.
hecatoedro s.m.
hecatogonal adj.2g.
hecatógono s.m.
hecatólita s.f.
hecatomba s.f.
hecatombe s.f.
hecatombeias (*é*) s.f.pl.
hecatômbeon s.m.
hecatombeu adj.
hecatômpedo adj. s.m.
hecatômpode adj.2g.
hecatonquiro adj.
hecatonstilo s.m.
hecatônstilo s.m.
hecatontarca s.m.
hecatontarquia s.f.
hecatostilo s.m.
hecatóstomo adj.
hecceidade s.f.
hechor (*ô*) adj. s.m.
hecistoterma adj.2g. s.m.
hecistotermia s.f.
hecistotérmico adj.
hecistotermo s.m.
heckelfone s.m.
hecogenina s.f.
hecquéria s.f.
hectaédrico adj.
hectaedro s.m.
hectagonal adj.2g.
hectágono s.m.
hectare s.m.
hectartropíneo adj. s.m.
hectártropo s.m.
héctia s.f.
héctica s.f. "tísica"; cf. *ética* e *hética*
hecticidade s.f. "estado de héctico"; cf. *eticidade* e *heticidade*
héctico adj. s.m. "relativo a héctica"; cf. *ético* e *hético*
hectiguidade s.f.
hectocótilo s.m.
hectoedria s.f.
hectoédrico adj.
hectoedro s.m.
hectogonal adj.2g.
hectógono s.m.
hectografia s.f.
hectográfico adj.
hectógrafo s.m.
hectograma s.m.
hectolitro s.m.
hectometrado adj.
hectometrar v.
hectométrico adj.
hectômetro s.m.
hectopiezo s.m.
hectoplanigráfico adj.
hectoplanígrafo s.m.
hectoplanigrama s.m.
hectopsila s.f.
hectopsílida adj.2g. s.m.
hectopsilídeo adj. s.m.
hectoquilômetro s.m.
hectórea s.f.
hectorela s.f.
hectorelácea s.f.
hectoreláceo adj.
hectóreo adj.
hectorita s.f.
hectostere s.m.
hectostéreo s.m.
hectovátio s.m.
hectowatt s.m.
hecuste s.m.
hedembergita s.f.
hedembergítico adj.
hedembergito s.m.
hedenbergita s.f.
hedenbergítico adj.
hedenbergito s.m.
hedeoma s.m.
hédera s.f.
hederácea s.f.
hederáceo adj.
hederidina s.f.
hederiforme adj.2g.
hederígero adj.
hederina s.f.
hederose s.f.
hederoso (*ô*) adj.; f. (*ó*); pl. (*ó*)
hedíbio s.m.
hedíboa s.f.
hedicríneo adj. s.m.
hedicro s.m.
hedifânio s.m.
hediondez (*ê*) s.f.
hediondeza (*ê*) s.f.
hediondo adj.
hediosmo s.m.
hediote s.f.
hediótida s.f.
hedípate s.m.
hedípnoe s.f.
hediquíea s.f.
hedíquio s.m.
hedisárea s.f.
hedisáreo adj.
hedísaro s.f.
hedleyita s.f.
hedobiíneo adj. s.m.
hedonal s.m.
hedônico adj.
hedonismo s.m.
hedonista adj. s.2g.
hedonístico adj.
hedra s.f.
hedratesia s.f.
hedreanto s.m.
hedreocisto s.m.
hedreocrático adj.
hedreocrato s.m.
hedreócrato s.m.
hedreoftalmo s.m.
hedreotônico adj.
hedrocele s.f. "tipo de hérnia"; cf. *hidrocele*
hedroftálmico adj.
hedropleura s.m.
hedrumita s.f.
hedrumite s.f.
hedrumito s.m.
hedruro s.m.
hedu s.m.
heduígia s.f.
heduigiácea s.f.
heduigiáceo adj.
héduo adj. s.m.
hedwígia (*vi*) s.f.
hedwigiácea (*vi*) s.f.
hedwigiáceo (*vi*) adj.
heéria s.f.
heféstico adj.
hefestiorrafia s.f.
hefestiorreia (*é*) s.f.
hefner s.m.
heftalita adj. s.2g.
heftemímere adj.2g. s.f.
hegelianismo s.m.
hegelianista adj. s.2g.
hegelianístico adj.
hegeliano adj. s.m.
hegelismo s.m.
hegemonia s.f.
hegemônico adj.
hegemonização s.f.
hegemonizar v.
hégira s.f.
hegtveitita s.f.
hegúmero s.m.
heideggerianismo s.m.
heideggerianista adj. s.2g.
heideggerianístico adj.
heideggeriano adj. s.m.
heideíta s.f.
heidenite s.f.
heidornita s.f.
heiduque s.m.
heimatense adj. s.2g.
hêimia s.f.
hein interj.
heinrichita s.f.
heínsia s.f.
heintxita s.f.
heistéria s.f.
heisteríea s.f.
heitoraiense adj. s.2g.
heladena s.f.
heládico adj.
heladotério s.m.
helandita s.f.
helanódico s.m.
helarcto s.m.
helcesimastige s.m.
helciário s.m.
helcídrio s.m.
hélcion s.m.
helcoide (*ó*) adj.2g.
helcóideo adj.
helcologia s.f.
helcológico adj.
helcologista s.2g.
helcólogo s.m.
helcoplastia s.f.
helcoplástico adj.
helcópode s.2g.
helcose s.f.
helcossoma s.m.
helebórea s.f.
heleboreína s.f.
helebóreo adj.
heleboretina s.f.
heleborina s.f.
heleborine s.f.
heleborinha s.f.
heleborismo s.m.
heleborizar v.
heléboro s.m.
heléboro-americano s.m.; pl. *heléboros-americanos*
heléboro-branco s.m.; pl. *heléboros-brancos*
heléboro-fétido s.m.; pl. *heléboros-fétidos*
heléboro-negro s.m.; pl. *heléboros-negros*
heléboro-preto s.m.; pl. *heléboros-pretos*
heléboro-verde s.m.; pl. *heléboros-verdes*
helectita s.f.
heleídeo adj. s.m.
helenalina s.f.
helene adj. s.2g.
helenense adj. s.2g.
helênia s.f.
helênico adj. s.m.
heleniina s.f.
helenina s.f.
helênio adj. s.m.
helenismo s.m.
helenista adj. s.2g.
helenístico adj.
helenização s.f.
helenizado adj.
helenizante adj. s.2g.
helenizar v.
heleno adj. s.m.
heleno-clássico adj.; pl. *heleno-clássicos*
heleno-cristão adj.; pl. *heleno-cristãos*
helenofalante adj. s.2g.
helenofilia s.f.
helenófilo adj. s.m.
helenofobia s.f.
helenófobo adj. s.m.
helenofonia s.f.
helenófono adj. s.m.
heleno-latino adj.; pl. *heleno-latinos*
helenólatra s.2g.
helenolatria s.f.
helenolátrico adj.
helenótamo s.m.
heleocare s.f.
heleocáris s.f.2n.
heleócloa s.f.
heleofrino s.m.
heleoplancto s.m.
heleoplâncton s.m.
helépole s.f.
helépolo s.m.
heléria s.f.
helespôncio adj. s.m.
helespontiáceo adj.
helespontíaco adj.
helespôntico adj.
helespontino adj. s.m.
hélia s.f.
helíaca s.f.
helíaco adj.
heliactino s.m.
heliânfora s.f.
heliangelínea s.f.
heliângelo s.m.
heliântea s.f.
helianteínea s.f.
heliântemo s.m.
heliânteo adj.
heliântico adj.
heliantina s.f.
helianto s.m.
heliantoide (*ó*) adj.2g. s.m.
heliantostila s.f.
heliasta s.m.
heliaste s.m.
heliáster s.m.
heliastérida adj.2g. s.m.
heliasterídeo adj. s.m.
heliástrea s.f.
helicárion s.m.
hélice s.f. s.2g.
heliceiro s.m.
helicela s.f.
helícia s.f.
helicicultor (*ô*) s.m.
helicicultura s.f.
helícida adj.2g. s.m.
helicidade s.f.
helicídeo adj. s.m.
heliciforme adj.2g.
helicina s.f.
helicíneo adj. s.m.
helicinida adj.2g. s.m.
helicinídeo adj. s.m.
helicismo s.m.
helicita adj. s.2g.
helicite s.f.
hélico adj. s.m.
helicobacter s.m.
helicobasídio s.m.
helicoclear adj.2g.
helicodícero s.m.
helicófago s.m.
helicofanta s.f.
helicofilácea s.f.
helicofiláceo adj.
helicogiro adj. s.m.
helicográfico adj.
helicógrafo s.m.
helicoidal adj.2g.
helicoide (*ó*) adj. s.2g.
helicoídeo adj. s.m.
helicoleno s.m.
helicometria s.f.
helicométrico adj.
helicômetro s.m.
hélicon s.m.
helicônia s.f.
heliconiano adj.
heliconíea s.f.
heliconíida adj.2g. s.m.
heliconiídeo adj. s.m.
heliconiíneo adj. s.m.
helicônio adj.
heliconisa s.f.
helicopegmado adj. s.m.
helicópode adj.2g.
hélicops s.2g.2n.

helicóptera s.f.
helicóptero s.m.
helicorrubina s.f.
helicosporídeo adj. s.m.
helicósporo s.m.
helicóstego adj. s.m.
helicóstomo s.m.
helicotrema s.m.
helícotrix (*cs*) s.f.
helicrisina s.f.
helicriso s.m.
helícter s.f.
helíctere s.f.
helictérea s.f.
helictérida adj.2g. s.m.
helicterídeo adj. s.m.
helíctis s.m.2n.
helictita s.f.
helícula s.f.
helicutâneo adj.
helídromo s.m.
helíea s.f.
helieia (*é*) s.f.
heliencefalite s.f.
heliescafoide (*ó*) adj.2g.
helífluo adj.
heligmo s.m.
helindona s.f.
helino s.m.
hélio s.m.
heliobleto s.m.
heliobuco s.m.
heliocarpo s.m.
heliocentricidade s.f.
heliocêntrico adj.
heliocentrismo s.m.
heliocentrista adj. s.2g.
heliocentrístico adj.
heliócera s.f.
heliocéreo s.m.
heliocometa (*ê*) s.m.
heliócrate s.m.
heliocriso s.m.
heliocromia s.f.
heliocrômico adj.
heliocromoscópico adj.
heliocromoscópio s.m.
helioctâmeno s.m.
heliodinâmica s.f.
heliodinâmico adj. s.m.
heliodisco s.m.
heliodônio s.m.
heliodorense adj. s.2g.
heliodoro s.m.
heliodoxa (*cs*) s.2g.
heliodoxínea (*cs*) s.f.
heliodrilo s.m.
heliofânio s.m.
heliófano s.m.
heliófila s.f.
heliofílea s.f.
heliofíleo adj.
heliofilia s.f.
heliofilina s.f.
heliofilita s.f.
heliófilo adj. s.m.
heliofísica s.f.
heliofísico adj.
heliofítico adj.
heliófito s.m.
heliofobia s.f.
heliofóbico adj.
heliófobo adj. s.m.
heliofotometria s.f.
heliofotométrico adj.
heliofotômetro s.m.
heliófugo adj.
heliogabálico adj.
heliogênico adj.
heliógeno adj.
heliografia s.f.
heliográfico adj.
heliógrafo s.m.
heliogravador (*ô*) adj. s.m.
heliogravura s.f.
helioide (*ó*) adj.2g.
heliólatra s.2g.
heliolatria s.f.
heliolátrico adj.
heliolita s.f.
heliolite s.f.
heliolítico adj.
heliólito s.m.
heliomagnetometria s.f.
heliomagnetométrico adj.
heliomagnetômetro s.m.
heliômano adj. s.m.
heliomáster s.m.
heliometria s.f.
heliométrico adj.
heliômetro s.m.
heliomotor (*ô*) s.m.
hélion s.m.
helionose s.f.
heliopata s.m.
heliópata s.m.
heliopatia s.f.
heliopático adj.
heliopausa s.f.
heliópete s.2g.
helioplastia s.f.
helioplástico adj.
heliopolar adj.2g.
heliopoliense adj. s.2g.
heliopolita adj. s.2g.
heliopolitano adj. s.m.
heliópora s.f.
helioporáceo adj. s.m.
heliopórida adj.2g. s.m.
helioporídeo adj. s.m.
helioprofiláctico adj.
helioprofilático adj.
helioprofilaxia (*cs*) s.f.
heliopse s.f.
heliopsidrácio s.m.
helióquera s.m.
helioquira s.f.
heliormitádeo adj. s.m.
heliórnis s.2g.2n.
heliornite s.2g.
heliornítida adj.2g. s.m.
heliornitídea s.f.
heliornitídeo adj. s.m.
helioscente adj.2g.
helioscopia s.f.
helioscópico adj.
helioscópio s.m.
heliose s.f.
heliosfera s.f.
heliostática s.f.
heliostático adj.
helióstato s.m.
heliotáctico adj.
heliotactismo s.m.
heliotático adj.
heliotatismo s.m.
heliotaxe s.f.
heliotaxia s.f.
heliote s.m.
heliotecnia s.f.
heliotécnica s.f.
heliotécnico adj.
helioterapia s.f.
helioterápico adj.
heliotermometria s.f.
heliotermométrico adj.
heliotermômetro s.m.
heliotidíneo adj. s.m.
heliotíneo adj. s.m.
heliotipia s.f.
heliótipo s.m.
heliotipografia s.f.
heliotipográfico adj.
heliótis s.m.2n.
heliotripíneo adj. s.m.
heliotripo s.m.
helíotrips s.m.2n.
helíotrix (*cs*) s.f.
heliotropia s.f. "impulso para o sol"; cf. *heliotrópia*
heliotrópia s.f. "planta"; cf. *heliotropia*
heliotrópico adj.
heliotropina s.f.
heliotrópio s.m.
heliotrópio-da-europa s.m.; pl. *heliotrópios-da-europa*
heliotropióidea s.f.
heliotropióideo adj.
heliotropismo s.m.
heliotropístico adj.
heliótropo s.m.
heliozela s.f.
heliozélida adj.2g. s.m.
heliozelídeo adj. s.m.
heliozincografia s.f.
heliozincográfico adj.
heliozoário adj. s.m.
heliportação s.f.
heliportagem s.f.
heliportar v.
heliporto (*ô*) s.m.; pl. (*ó*)
heliportuário adj.
helíptero s.m.
helitrágico adj.
helitransportado adj.
helitransportador (*ô*) adj. s.m.
helitransportar v.
helitransporte s.m.
hélix (*cs*) s.m.
helixina (*cs*) s.f.
helixômetro (*z*) s.m.
hellandita s.f.
helléria s.f.
hellyerita s.f.
helminta s.f.
helmintagogo (*ô*) adj. s.m.
helminte s.m.
helmíntia s.f.
helmintíase s.f.
helminticida adj.2g. s.m.
helminticídio s.m.
helmíntico adj.
helmintíneo adj. s.m.
helmintismo s.m.
helminto s.m.
helmintocládia s.f.
helmintocladiácea s.f.
helmintocladiáceo adj.
helmintocladínea s.f.
helmintocladíneo adj.
helmintófago adj. s.m.
helmíntofis s.m.2n.
helmintoide (*ó*) adj.2g. s.m.
helmintólito s.m.
helmintologia s.f.
helmintológico adj.
helmintologista adj. s.2g.
helmintólogo s.m.
helmintomórfico adj.
helmintomorfo adj. s.m.
helmintospório s.m.
helmintosporiose s.f.
helmintóstaque s.m.
hélmis s.f.2n.
helmitol s.m.
helmodense adj. s.2g.
helmodese adj. s.2g.
helmódone adj. s.2g.
helmôntia s.f.
helobdela s.m.
helóbia s.f.
helobiáceo adj.
helobial adj.2g.
helobiale s.f.
helobíea s.f.
helocare s.f.
helócero adj. s.m.
helociácea s.f.
helociáceo adj.
helócio s.m.
héloda s.f.
hélode s.m.
heloderma s.m.
helodermátida adj.2g. s.m.
helodermatídeo adj. s.m.
helódida adj.2g. s.m.
helodídeo adj. s.m.
hélodo adj.
helodrilo s.m.
helodroma s.m.
helófilo adj. s.m.
helófita s.f.
helófito adj. s.m.
heloforíneo adj. s.m.
helóforo s.m.
helógalo s.m.
helógene s.m.
helógeno adj. s.m.
heloide (*ó*) adj.2g. s.m.
helomiza s.f.
helônia s.f.
heloníea s.f.
helope s.m. "inseto"; cf. *hélope*
hélope adj. s.2g. "povo"; cf. *helope*
helopéltis s.m.2n.
helopiano adj. s.m.
helopíneo adj. s.m.
helopino s.m.
helópira s.f.
helopiteco s.m.
heloplancto s.m.
heloplâncton s.m.
hélops s.m.2n.
helorino adj. s.m.
helosciádio s.m.
helose s.f.
helostoma s.m.
helostomatídeo adj. s.m.
helotarso s.m.
helotiácea s.f.
helotiáceo adj.
helotismo s.m.
helquesimástix (*cs*) s.f.2n.
hélula s.f.
helúsio adj. s.m.
helveciano adj. s.m.
helveciense adj. s.2g.
helvécio adj. s.m.
helvecona adj. s.2g.
helvela s.f.
helvelácea s.f.
helveláceo adj.
helvélico adj.
helvelínea s.f.
helvenácio adj.
helvenaco adj.
helvético adj.
helvetismo s.m.
helveto adj. s.m.
helvidiano adj. s.m.
helvina s.f.
helvíngia s.f.
hélvio adj. s.m.
helvita s.f.
helvite s.f.
helxina (*cs*) s.f.
helxípode (*cs*) adj.2g.
hem interj.; cf. *em*
hemácia s.f.
hemacroína s.f.
hemacromatose s.f.
hemacrose s.f.
hemadinâmica s.f.
hemadipsa s.f.
hemadipso s.m.
hemadromômetro s.m.
hemafeico (*é*) adj.
hemafeína s.f.
hemafeísmo s.m.
hemafibrita s.f.
hemafibrite s.f.
hemafisálide s.f.
hemafísalis s.f.2n.
hemaglutinação s.f.
hemaglutinado adj.
hemaglutinar v.
hemaglutinável adj.2g.
hemaglutinina s.f.
hemaglutinínico adj.
hemagogo (*ô*) adj. s.m.
hemal adj.2g.
hemalástor s.m.
hemalopia s.f.
hemalume s.m.
hemalúmen s.m.
hemameba s.f.
hemangiectasia s.f.
hemangioblástico adj.
hemangioblasto s.m.
hemangioendotelioma s.m.
hemangioma s.m.
hemangiomatose s.f.
hemangiopericitoma s.m.
hemantina s.f.
hemanto s.m.
hemapófise s.f.
hêmaris s.m.2n.
hemartro s.m.
hemartrose s.f.
hemartrósico adj.
hemartrótico adj.
hêmase s.f.
hemasiano adj. s.m.
hemasino adj. s.m.
hemastática s.f.
hemastiose s.f.
hematangioma s.m.
hematangiomático adj.
hematangiossarcoma s.m.
hematangiossarcomático adj.
hemataporia s.f.
hematapostema s.m.
hematapostemático adj.
hemateína s.f.
hematêmese s.f.
hematemético adj.
hematencefálico adj.
hematencéfalo s.m.
hematia s.f.
hemático adj.
hematidrose s.f.
hematimetria s.f.
hematimétrico adj.
hematímetro s.m.
hematina s.f.
hematínico adj.
hematinometria s.f.
hematinométrico adj.
hematinona s.f.
hematinuria s.f.
hematinúria s.f.
hematita s.f.
hematita-parda s.f.; pl. *hematitas-pardas*
hematite s.f.
hematitense adj. s.2g.

hematítico adj.
hematito s.m.
hematizar v.
hematoaspiração s.f.
hematóbia s.f.
hematobilia s.f.
hematóbio s.f.
hematoblasta s.m.
hematoblástico adj.
hematoblasto s.m.
hematocarpo adj. s.m.
hematocatarse s.f.
hematocatártico adj. s.m.
hematocatérese s.f.
hematocausia s.f.
hematocefalia s.f.
hematocéfalo s.m.
hematocele s.f.
hematocelia s.f.
hematócero s.m.
hematocisto s.m.
hematócito s.m.
hematocitólise s.f.
hematocituria s.f.
hematocitúria s.f.
hematoclepta s.m.
hematoclepte s.m.
hematococo s.m.
hematocolpia s.f.
hematocolpo s.m.
hematoconita s.f.
hematoconite s.f.
hematoconito s.m.
hematócrito s.m.
hematocroina (*ó*) s.f.
hematocromatose s.f.
hematocromina s.f.
hematocromo s.m.
hematocromometria s.f.
hematocromométrico adj.
hematocrose s.f.
hematode adj.2g.
hematodermite s.f.
hematódero s.m.
hematodinâmica s.f.
hematodinâmico adj.
hematodinamométrico adj.
hematodinamômetro s.m.
hematodo adj.
hematodromômetro s.m.
hematoencefálico adj.
hematoencéfalo s.m.
hematofagia s.f.
hematófago adj. s.m.
hematofanita s.f.
hematofilia s.f.
hematofílico adj.
hematofilo adj. "planta"; cf. *hematófilo*
hematófilo adj. s.m. "sanguinário"; cf. *hematofilo*
hematófito s.m.
hematofobia s.f.
hematofóbico adj.
hematófobo adj. s.m.
hematoformador (*ô*) adj.
hematogênese s.f.
hematogenético adj.
hematogenia s.f.
hematogênico adj.
hematogênio s.m.
hematógeno s.m.
hematoglobinuria s.f.
hematoglobinúria s.f.
hematogônia s.f.
hematografia s.f.
hematográfico adj.
hematógrafo s.m.
hematoide (*ó*) adj.2g.
hematoidina s.f.
hematoína s.f.
hematolinfangioma s.m.
hematolipia s.f.
hematolípico adj.
hematólise s.f.
hematolita s.f.
hematolite s.f.
hematolítico adj.
hematólito s.m.
hematologia s.f.
hematológico adj.
hematologista adj. s.2g.
hematólogo s.m.
hematoma s.m.f.
hematomancia s.f.
hematomante s.2g.
hematomântico adj.
hematomediastino s.m.
hematômetra s.2g.
hematometria s.f.
hematométrico adj.
hematometrista s.2g.
hematômetro s.m.
hematomielia s.f.
hematomiélico adj.
hematomielite s.f.
hematomielítico adj.
hematomieloporose s.f.
hematomieloporótico adj.
hematomiídio s.m.
hematomízida adj.2g. s.m.
hematomizídeo adj. s.m.
hematomizo s.m.
hematoncose s.f.
hematonefrose s.f.
hematônfalo s.m.
hematonfalocele s.f.
hematopatologia s.f.
hematopatológico adj.
hematopatologista s.2g.
hematopatólogo s.m.
hematopínida adj.2g. s.m.
hematopinídeo adj. s.m.
hematopiníneo adj. s.m.
hematopino s.m.
hematopinose s.f.
hematoplania s.f.
hematoplástico adj.
hemátopo s.m.
hematópode s.m.
hematopodídeo adj. s.m.
hematopodíneo adj. s.m.
hematopoese s.f.
hematopoético adj.
hematopoiese s.f.
hematopoiético adj.
hematoporfiria s.f.
hematoporfirina s.f.
hematoporfirínico adj.
hematoporfirinuria s.f.
hematoporfirinúria s.f.
hematoporia s.f.
hematópota s.m.
hematoquezia s.f.
hematoquilúria s.f.
hematorráquico adj.
hematorráquio s.m.
hematorreia (*é*) s.f.
hematorreico (*é*) adj.
hematosado adj.
hematosar-se v.
hematoscopia s.f.
hematoscópico adj.
hematoscópio s.m.
hematose s.f.
hematosina s.f.
hematospectroscopia s.f.
hematospectroscópico adj.
hematospermia s.f.
hematospérmico adj.
hematospermo adj.
hematossalpinge s.f.
hematossalpíngio s.m.
hematossepsia s.f.
hematossiderina s.f.
hematostática s.f.
hematostático adj.
hematostiose s.f.
hematostiótico adj.
hematotímpano s.m.
hematotraquelo s.m.
hematotropismo s.m.
hematoxilina (*cs*) s.f.
hematoxilínico (*cs*) adj.
hematóxilo (*cs*) s.m.
hematoxilon (*cs*) s.m.
hematozoário adj. s.m.
hematropina s.f.
hematuria s.f.
hematúria s.f.
hematúrico adj. s.m.
hemautógrafo s.m.
heme s.f. "pigmento vermelho"; cf. *eme*
hemelato s.m.
hemélico adj.
hemeliteno s.m.
hemélitro s.m.
hemelitrometria s.f.
hemenimia s.f.
hementéria s.m.
hemeralope adj. s.2g.
hemeralopia s.f.
hemeralópico adj. s.m.
hemeritrina s.f.
hemeritrínico adj.
hemerobatista adj. s.2g.
hemerobibliografia s.f.
hemerobibliográfico adj.
hemerobibliógrafo s.m.
hemerobiforme adj.2g. s.m.
hemerobiída adj.2g. s.m.
hemerobiídeo adj. s.m.
hemerobiiforme adj.2g. s.m.
hemeróbio s.m.
hemerocale s.m.
hemerocalidácea s.f.
hemerocalidáceo adj.
hemerocalídea s.f.
hemerocalídeo adj.
hemerodiáforo adj.
hemeródromo s.m.
hemerófila s.f.
hemerófilo adj.
hemerófito s.m.
hemerófobo adj.
hemerofotômetro s.m.
hemerografia s.f.
hemerográfico adj.
hemerógrafo s.m.
hemerologia s.f.
hemerológico adj.
hemerológio s.m.
hemerólogo s.m.
hemeronímia s.f.
hemeronímico adj.
hemerônimo adj. s.m.
hemeropata s.2g.
hemerópata s.2g.
hemeropatia s.f.
hemeropático adj.
hemerosfera s.f.
hemeroteca s.f.
hemerotecário adj. s.m.
hemiablepsia s.f.
hemiacárdio s.m.
hemiacefalia s.f.
hemiacéfalo adj. s.m.
hemiacetal s.m.
hemiacrografia s.f.
hemiacromatopsia s.f.
hemiageusia s.f.
hemialbumose s.f.
hemialbumosuria s.f.
hemialbumosúria s.f.
hemialgia s.f.
hemiálgico adj.
hemiambliope s.2g.
hemiambliopia s.f.
hemiambliópico adj.
hemianacto s.m.
hemianacúsia s.f.
hemianalgesia s.f.
hemianalgésico adj.
hemíanax (*cs*) s.m.
hemianestesia s.f.
hemianestésico adj.
hemiangiocárpico adj.
hemiangiocarpo s.m.
hemianopia s.f.
hemianópico adj.
hemianopsia s.f.
hemianóptico adj.
hemianosmia s.f.
hemianósmico adj.
hemiargo s.m.
hemiasco s.m.
hemiascomicetídeo adj. s.m.
hemiassinergia s.f.
hemiassinérgico adj.
hemiáster s.m.
hemiasterela s.f.
hemiasterelíneo adj. s.m.
hemiastérida adj.2g. s.m.
hemiasterídeo adj. s.m.
hemiatáctico adj.
hemiataxia (*cs*) s.f.
hemiatetose s.f.
hemiatetótico adj.
hemiatrofia s.f.
hemiatrófico adj. s.m.
hemiaulo s.m.
hemiázigo s.m.
hemibalismo s.m.
hemibasídio s.m.
hemibdela s.m.
hemiberlésea s.f.
hemiberlésia s.f.
hemibrânquio adj. s.m.
hemicalcita s.f.
hemicárion s.m.
hemicariônico adj.
hemicariótico adj.
hemicarpo s.m.
hemicelulose s.f.
hemicelulósico adj.
hemicentete s.m.
hemicenteto s.m.
hemicerco s.m.
hemicícleo s.m.
hemicíclico adj.
hemiciclo s.m.
hemiciclonia s.f.
hemicilíndrico adj.
hemicilindro s.m.
hemicipta s.f.
hemiclépsis s.m.2n.
hemiclonia s.f.
hemiclônico adj.
hemicoccíneo adj. s.m.
hemicolectomia s.f.
hemicolectômico adj.
hemicordado adj. s.m.
hemicoreia (*é*) s.f.
hemicrania s.f.
hemicrânia s.f.
hemicrânico adj.
hemicraniectomia s.f.
hemicraniectômico adj. s.m.
hemicrânio adj.
hemicraniose s.f.
hemicraniostose s.f.
hemicriptófita s.f.
hemicriptófito s.m.
hemicriso adj.
hemidáctilo s.m.
hemidésmico adj.
hemidesmo s.m.
hemidiaforese s.f.
hemidiaforético adj.
hemidiscondroplasia s.f.
hemidisestesia s.f.
hemidisestésico adj.
hemidisestético adj.
hemidistrofia s.f.
hemidistrófico adj.
hemidrose s.f.
hemiedria s.f.
hemiédrico adj.
hemiedrita s.f.
hemiedro s.m.
hemiélitro s.m.
hemiembrião s.m.
hemiencefalia s.f.
hemiencéfalo adj. s.m.
hemiepífita s.f.
hemiepifítico adj.
hemiepífito adj. s.m.
hemiepilepsia s.f.
hemiepiléptico adj.
hemiescotomatose s.f.
hemiesferoédrico adj.
hemiesferoidal adj.2g.
hemiesferoide (*ó*) adj.2g. s.m.
hemiespasmo s.m.
hemiestafiloplegia s.f.
hemiestrofe s.f.
hemieurial s.m.
hemiface s.f.
hemifacial adj.2g.
hemífaga s.m.
hemifalangectomia s.f.
hemifalangectômico adj. s.m.
hemiflósculo s.m.
hemifólide s.f.
hemífolis s.f.2n.
hemifonia s.f.
hemifônico adj. s.m.
hemifractíneo adj. s.m.
hemifracto s.m.
hemigáleo adj. s.m.
hemigalídia s.f.
hemigalino adj. s.m.
hemígalo s.m.
hemigamia s.f.
hemigâmico adj.
hemigamótropo adj.
hemigastrectomia s.f.
hemigastrectômico adj. s.m.
hemigimno s.m.
hemigiro s.m.
hemigirosa s.f.
hemiglossectomia s.f.
hemiglossectômico adj. s.m.
hemiglossite s.f.
hemignatia s.f.
hemígnato s.m.
hemigoniário adj.
hemígono s.m.
hemígrafe s.f.
hemi-hidratado adj.
hemi-hidrato s.m.
hemi-hiperestesia s.f.
hemi-hiperestésico adj.
hemi-hiperestísico adj.
hemi-hipertonia s.f.
hemi-hipertrofia s.f.
hemi-hipertrófico adj.

hemilabial adj.2g.
hemilaminectomia s.f.
hemilamprope s.m.
hemilaringectomia s.f.
hemilaringectômico adj. s.m.
hemileia (*é*) s.f.
hemilesão s.f.
hemilêucida adj.2g. s.m.
hemileucídeo adj. s.m.
hemilissa s.f.
hemílofo s.m.
hemimacroglossia s.f.
hemimelia s.f.
hemimélico adj. s.m.
hemimeliteno s.m.
hemímelo adj. s.m.
hemimercaptal s.m.
hemimerídea s.f.
hemimerino adj. s.m.
hemimeróptero adj. s.m.
hemimetábola s.f.
hemimetabólico adj. s.m.
hemimetabolismo s.m.
hemimetábolo s.m.
hemímisis s.m.2n.
hemimôncio adj. s.m.
hemimontano adj. s.m.
hemimorfia s.f.
hemimórfico adj.
hemimorfismo s.m.
hemimorfita s.f.
hemimorfite s.f.
hemimorfítico adj.
hemimorfito s.m.
hemina s.f.
heminada s.f.
heminário adj.
heminefrectomia s.f.
heminefrectômico adj. s.m.
heminefroureterectomia s.f.
heminefroureterectômico s.m.
hemiobólico adj.
hemióbolo s.m.
hemioctaédrico adj.
hemioctaedro s.m.
hemiodontídeo adj. s.m.
hemiófria s.f.
hemiofrííida adj.2g. s.m.
hemiofriídeo adj. s.m.
hemiólia s.f.
hemioliasmo s.m.
hemiólio adj. s.m.
hemíona s.f.
hemionite s.f.
hemionitidácea s.f.
hemionitidáceo adj.
hemíono s.m.
hemiopala s.f.
hemiope s.2g.
hemiopia s.f.
hemiopsia s.f.
hemiorganizado adj.
hemiortoprisma s.m.
hemiortoprismático adj.
hemípago adj. s.m.
hemipalmípede adj.2g.
hemiparasita adj. s.m.
hemiparasítico adj.
hemiparasitismo s.m.
hemiparasito adj.
hemiparesia s.f.
hemiparético adj. s.m.
hemipatia s.f.
hemipeloria s.f.
hemipelórico adj.
hemipêneo s.m.
hemipênis s.m.2n.
hemipermeável adj.2g.
hemipimelodo (*ô*) s.m.
hemipinato s.m.
hemipínico adj.
hemipiramidal adj.2g.
hemipirâmide s.f.
hemipirélia s.f.
hemiplancto s.m.
hemiplâncton s.m.
hemiplegia s.f.
hemiplégico adj. s.m.
hemiplexia (*cs*) s.f.
hemipnêustico adj.
hemipo s.m.
hemipogão s.m.
hemipógon s.m.
hemiprisma s.m.
hemiprismático adj.
hemiprocnídeo adj. s.m.
hemiprostatectomia s.f.
hemiprostatectômico adj. s.m.
hemíptero adj. s.m.
hemiquelídon s.f.
hemiquionáspis s.f.2n.
hemiquipta s.f.
hemirrânfida adj.2g. s.m.
hemirranfídeo adj. s.m.
hemirranfo s.m.
hemirrombo s.m.
hemirromboédrico adj.
hemirromboedro s.m.
hemiscotomatose s.f.
hemisépion s.m.
hemisferectomia s.f.
hemisferectômico adj.
hemisférico adj.
hemisfério s.m.
hemisferoédrico adj.
hemisferoedro s.m.
hemisferoidal adj.2g.
hemisferoide (*ó*) adj.2g. s.m.
hemisferota s.f.
hêmiso s.m.
hemisorrúbio s.m.
hemispasmo s.m.
hemispasmódico adj.
hemíspora s.f.
hemisporado adj. s.m.
hemísporo s.m.
hemisporose s.f.
hemissalamandra s.f.
hemissaprofítico adj.
hemissaprófito adj.
hemisséptico adj.
hemissepto s.m.
hemissiluro s.m.
hemissimetria s.f.
hemissimétrico adj.
hemissingínico adj.
hemissistolia s.f.
hemissistólico adj.
hemissomo s.m.
hemistafiloplegia s.f.
hemistafiloplégico adj.
hemistefânia s.m.
hemistefaniínea s.f.
hemísteno s.m.
hemistíquio s.m.
hemístola s.f.
hemístomo s.m.
hemístrofe s.f.
hemistrófico adj.
hemite s.f.
hemítea s.f.
hemiteíneo adj. s.m.
hemitélia s.f.
hemitelíneo adj. s.m.
hemiteratia s.f.
hemiterático adj.
hemiteria s.f.
hemitermia s.f.
hemiterpeno s.m.
hemitífis s.m.2n.
hemítomo adj.
hemítono s.m.
hemitórimo s.m.
hemítrago s.m.
hemitrena s.f.
hemítrico s.m.
hemitríglifo s.m.
hemitríptero s.m.
hemítrique s.f.
hemitritaico adj.
hemitritia s.f.
hemitrítica s.f.
hemitropia s.f.
hemitrópico adj.
hemítropo adj.
hemitúbifex (*cs*) s.m.
hemivértebra s.f.
hemixanta (*cs*) s.f.
hemixo (*cs*) s.m.
hemizígia s.f.
hemizigótico adj.
hemizigoto s.m.
hemizonídeo adj. s.m.
hemoadsorção s.m.
hemoaglutinação s.f.
hemoaglutinar v.
hemoaglutinina s.f.
hemoaglutinínico adj.
hemoangiectasia s.f.
hemoangioblasto s.m.
hemóbafe s.m.
hemobilia s.f.
hemocare s.f.
hemocáris s.f.2n.
hemocatarse s.m.
hemocatérese s.f.
hemocele s.f.
hemocélico adj.
hemocelidose s.f.
hemocianina s.f.
hemocianínico adj.
hemocistozóon s.m.
hemócito s.m.
hemocitoblasto s.m.
hemocitólise s.f.
hemocitometria s.f.
hemocitômetro s.m.
hemóclase s.f.
hemoclasia s.f.
hemoclásico adj.
hemoclástico adj.
hemococcídeo adj. s.m.
hemoconcentração s.f.
hemoconcentrado adj.
hemoconcentrante adj.2g.
hemoconcentrar v.
hemocônia s.f.
hemoconiose s.f.
hemocorial adj.2g.
hemocroína s.f.
hemocromatose s.f.
hemocromatósico adj.
hemocromatótico adj.
hemocrômio s.m.
hemocromo s.m.
hemocromogênico adj.
hemocromogênio s.m.
hemocromometria s.f.
hemocromômetro s.m.
hemocruorina s.f.
hemocultura s.f.
hemocultural adj.2g.
hemodia s.f.
hemodiafiltração s.f.
hemodiagnóstico s.m.
hemodialisação s.f.
hemodialisado adj.
hemodialisador (*ô*) adj. s.m.
hemodialisar v.
hemodiálise s.f.
hemodialítico adj.
hemodiartrose s.f.
hemodiastase s.f.
hemodiástase s.f.
hemodiluição s.f.
hemodinâmica s.f.
hemodinâmico adj.
hemodinamometria s.f.
hemodinamométrico adj.
hemodinamômetro s.m.
hemodistrofia s.f.
hemodistrófico adj.
hemodorácea s.f.
hemodoráceo adj.
hemodorale s.f.
hemodoro s.m.
hemodrômetro s.m.
hemodrômico adj.
hemodromografia s.f.
hemodromográfico adj.
hemodromógrafo s.m.
hemodromometria s.f.
hemodromométrico adj.
hemodromômetro s.m.
hemofagócito s.m.
hemofeico adj.
hemofeína s.f.
hemofilia s.f.
hemofilíaco adj.
hemofílico adj. s.m.
hemófilo s.m.
hemofiltração s.f.
hemoflagelado adj. s.m.
hemofobia s.f.
hemofóbico adj.
hemófobo s.m.
hemoftalmia s.f.
hemoftálmico adj.
hemoftalmo s.m.
hemofuscina s.f.
hemogenia s.f.
hemogênico adj.
hemoglobina s.f.
hemoglobinato s.m.
hemoglobinemia s.f.
hemoglobinêmico adj. s.m.
hemoglobínico adj.
hemoglobinífero adj.
hemoglobinobilia s.f.
hemoglobinobílico adj.
hemoglobinocolia s.f.
hemoglobinocólico adj.
hemoglobinometria s.f.
hemoglobinométrico adj.
hemoglobinômetro s.m.
hemoglobinuria s.f.
hemoglobinúria s.f.
hemoglobinúrico adj.
hemograma s.m.
hemogregarina s.f.
hemogregarinídea s.f.
hemo-histioblasto s.m.
hemoide (*ó*) adj.2g.
hemoistioblasto s.m.
hemoleucocitário adj.
hemoleucócito s.m.
hemolinfa s.f.
hemolinfático adj.
hemolinfocitotoxina (*cs*) s.f.
hemolisação s.f.
hemolisado adj.
hemolisante adj.2g.
hemolisar v.
hemólise s.f.
hemolisina s.f.
hemolítico adj.
hemólito s.m.
hemômetro s.m.
hemonco s.m.
hemoncose s.f.
hemonefrose s.f.
hemonense adj. s.2g.
hemopatia s.f.
hemopatologia s.f.
hemopatológico adj.
hemopatologista s.2g.
hemopatólogo s.m.
hemoperfusão s.f.
hemopericárdico adj.
hemopericárdio s.m.
hemoperitônio s.m.
hemopexia (*cs*) s.f.
hemopielectasia s.f.
hemopíese s.f.
hemopiésico adj.
hemopirrol s.m.
hemópis s.m.2n.
hemoplania s.f.
hemoplastia s.f.
hemoplástico adj.
hemopneumopericárdio s.m.
hemopneumotórax (*cs*) s.m.2n.
hemopoese s.f.
hemopoético adj.
hemopoetina s.f.
hemopoiese s.f.
hemopoiético adj.
hemopoietina s.f.
hemoproctia s.f.
hemoprognóstico s.m.
hemoproteida adj.2g. s.m.
hemoproteídeo adj. s.m.
hemopróteo s.m.
hemoproteose s.f.
hemopsonina s.f.
hemóptico adj.
hemoptíico adj.
hemoptise s.f.
hemoptísico adj.
hemoptoico (*ó*) adj. s.m.
hemorragia s.f.
hemorragíaco adj.
hemorrágico adj.
hemorragíparo adj.
hemorráquio s.m.
hemorrelcose s.f.
hemorrinia s.f.
hemorroida (*ó*) s.f.
hemorroidal adj.2g.
hemorroidaria s.f.
hemorroidário adj. s.m.
hemorroidas (*ó*) s.f.pl.
hemorroide (*ó*) s.f.
hemorroidectomia s.f.
hemorroidectômico adj. s.m.
hemorroides (*ó*) s.f.pl.
hemorroidoso (*ô*) adj. s.m.; f. (*ó*); pl. (*ó*)
hemorroíssa s.f.
hemoscopia s.f.
hemoscópico adj.
hemósito adj. s.m.
hemospasia s.f.
hemospásico adj.
hemospástico adj.
hemospasto s.m.
hemospático adj.
hemospermia s.f.
hemosporídeo adj. s.m.
hemosporideose s.f.
hemosporídio s.m.
hemosporidiose s.f.
hemossedimentação s.f.
hemossedimentado adj.

hemossedimentador (*ô*) adj.
hemossedimental adj.2g.
hemossedimentante adj.2g.
hemossedimentar v.
hemossialêmese s.f.
hemossiderina s.f.
hemossiderínico adj.
hemossiderinuria s.f.
hemossiderinúria s.f.
hemossiderose s.f.
hemossiderósico adj.
hemossiderótico adj.
hemóstase s.f.
hemostasia s.f.
hemostática s.f.
hemostático adj. s.m.
hemostixe (*cs*) s.f.
hemotacômetro s.m.
hemotelangiose s.f.
hemoterapeuta s.2g.
hemoterapia s.f.
hemoterápico adj.
hemoterme s.m.
hemotérmico adj.
hemotermo adj. s.m.
hemotexia (*cs*) s.f.
hemotimia s.f.
hemotórax (*cs*) s.m.2n.
hemotoxia (*cs*) s.f.
hemotóxico (*cs*) adj.
hemotoxina (*cs*) s.f.
hemozoína s.f.
hemuato adj. s.m.
hemúlida adj.2g. s.m.
hemulídeo adj. s.m.
hemúlon s.m.
hemurese s.f.
hemuresia s.f.
hena s.f.
hendecaédrico adj.
hendecaedro s.m.
hendecafilo adj.
hendecágino adj.
hendecagonal adj.2g.
hendecágono adj. s.m.
hendecaicosaédrico adj.
hendecaicosaedro s.m.
hendecaicoságono s.m.
hendecandria s.f.
hendecândria s.f.
hendecandro adj.
hendecano s.m.
hendecassilábico adj.
hendecassílabo adj. s.m.
hendecosaedro s.m.
hendecoságono s.m.
hendersonita s.f.
hendíade s.f.
hendíadis s.f.2n.
hendricksita s.f.
henê s.m.
heneicosânico adj.
heneicosânio s.m.
heneicosanoico (*ó*) adj.
henequém s.f.
henestaríneo adj. s.m.
henestáris s.m.2n.
hêneto adj. s.m.
henfília s.f.
hengleinita s.f.
henicócero s.m.
henicófabe s.f.
henícofaps s.f.2n.
heniconeta s.f.
henicopérnis s.m.2n.
henicopídeo adj. s.m.
henícopo s.m.
henicorina s.f.
henicosânico adj.
henicosânio s.m.
henicosanoico (*ó*) adj.
henicotarso s.m.
henicuro s.m.
henide s.f.
henídico adj.
henioco adj. s.m.
henismo s.m.
henofídeo adj. s.m.
henologia s.f. "plotinismo"; cf. *enologia*
henológico adj.
henólogo s.m.
henotanato s.m.
henotânico adj.
henoteísmo s.m.
henoteísta adj. s.2g.
henoteístico adj.
henotésia s.f.
henótico adj.
henri s.m.
henricano adj. s.m.
henrícia s.f.
henriétea s.f.
henrietela s.f.
henriéttea s.f.
hênrio s.m.
henrique s.m.
henrique-diense adj. s.2g.; pl. *henrique-dienses*
henriquenho adj.
henriquézia s.f.
henriqueziácea s.f.
henriqueziáceo adj.
henriquezíea s.f.
henriquino adj.
henritermierita s.f.
henry s.m.
hentriacontaédrico adj.
hentriacontaedro s.m.
hentriacontágono s.m.
hentriacontana s.f.
hentriacontânico adj.
hentriacontano s.m.
hentriacontanol s.m.
henwoodita s.f.
heortologia s.f.
heortológico adj.
heortologista adj. s.2g.
heortólogo s.m.
heortonimia s.f.
heortonímia s.f.
heortonímico adj.
heortônimo s.m.
hep interj.
hepa (*ê*) interj.
hepadenovírus s.m.
hepargirita s.f.
heparina s.f.
heparínico adj.
hepatal adj.2g.
hepatalgia s.f.
hepatálgico adj.
hepatapostema s.f.
hepatargia s.f.
hepatauxia (*cs*) s.f.
hepatectomia s.f.
hepatectômico adj.
hepatectomizado adj.
hepatectomizar v.
hepatenfraxe (*cs*) s.f.
hepática s.f.
hepatical adj.2g.
hepaticale s.f.
hepaticenterostomia s.f.
hepaticenterostômico adj.
hepático adj.
hepaticoduodenostomia s.f.
hepaticogastrostomia s.f.
hepatícola s.m.
hepaticolitotripsia s.f.
hepaticópsida s.f.
hepaticorrafia s.f.
hepaticorráfico adj.
hepaticostomia s.f.
hepaticostômico adj.
hepaticotomia s.f.
hepatina s.f.
hepatintestinal adj.2g.
hepatismo s.m.
hepatita s.f.
hepatite s.f.
hepatização s.f.
hepatizado adj.
hepatizar-se v.
hepatobiliar adj.2g.
hepatoblastoma adj. s.m.
hepatocarcinoma adj. s.m.
hepatocele s.f.
hepatocelular adj.2g.
hepatocirrose s.f.
hepatocirrótico adj.
hepatocístico adj.
hepatocólico adj.
hepatodinia s.f.
hepatodínico adj.
hepatoduodenostomia s.f.
hepatoesplênico adj.
hepatoesplenomegalia s.f.
hepatoesplenomegálico adj.
hepatófago s.m.
hepatofima s.m.
hepatófita s.f.
hepatoflavina s.f.
hepatoflebite s.f.
hepatoflebítico adj.
hepatogástrico adj.
hepatogastrite s.f.
hepatogastrítico adj.
hepatogênico adj.
hepatografia s.f.
hepatográfico adj.
hepatograma s.m.
hepatointestinal adj.2g.
hepatojejunostomia s.f.
hepatolenticular adj.2g.
hepatolienal adj.2g.
hepatólise s.f.
hepatolitíase s.f.
hepatolítico adj.
hepatólito s.m.
hepatologia s.f.
hepatológico adj.
hepatoma s.m.
hepatomalacia s.f.
hepatomegalia s.f.
hepatomegálico adj.
hepatomelanose s.f.
hepatonefrite s.f.
hepatonefrítico adj.
hepatonefroptose s.f.
hepatonefroptótico adj.
hepatônfalo s.m.
hepatonfaloncose s.f.
hepatopâncreas s.m.2n.
hepatopancreático adj.
hepatopatia s.f.
hepatopático adj.
hepatoperitonite s.f.
hepatoperitonítico adj.
hepatopexia (*cs*) s.f.
hepatopirita s.f.
hepatoportoenterostomia s.f.
hepatopse s.f.
hepatópsida s.f.
hepatoptose s.f.
hepatorrafia s.f.
hepatorráfico adj.
hepatorragia s.f.
hepatorrágico adj.
hepatorreia (*é*) s.f.
hepatorreico (*é*) adj.
hepatorrenal adj.2g.
hepatorrexe (*cs*) s.f.
hepatorrexia (*cs*) s.f.
hepatoscopia s.f.
hepatoscópico adj.
hepatoscopista adj. s.2g.
hepatosplênico adj.
hepatosplenite s.f.
hepatosplenítico adj.
hepatosplenografia s.f.
hepatosplenomegalia s.f.
hepatosplenomegálico adj.
hepatostomia s.f.
hepatostômico adj.
hepatoterapia s.f.
hepatoterápico adj.
hepatotomia s.f.
hepatotômico adj.
hepatotoxemia (*cs*) s.f.
hepatotoxicidade (*cs*) s.f.
hepatotóxico (*cs*) adj.
hepatotoxina (*cs*) s.f.
hepatotrombina s.f.
hepatovenografia s.f.
hepatoxínico (*cs*) adj.
hépia s.f.
hepiácea s.f.
hepiáceo adj.
hepiálida adj.2g. s.m.
hepialídeo adj. s.m.
hepiálido adj. s.m.
hepíalo s.m.
hepialóideo adj. s.m.
heptabranco s.m.
heptacloro s.m.
heptacontaedro s.m.
heptacontágono s.m.
heptacórdio adj. s.m.
heptacordo adj. s.m.
heptacosaedro s.m.
heptacoságono s.m.
heptacosano s.m.
heptadáctilo adj.
heptadátilo adj.
heptadecaédrico adj.
heptadecaedro s.m.
heptadecagonal adj.2g.
heptadecágono s.m.
heptadecano s.m.
heptadecanoico (*ó*) adj. s.m.
heptaédrico adj.
heptaedro s.m.
heptafilo adj.
heptafone adj. s.m.
heptafônico adj.
heptafono adj. s.m.
heptáfono adj.
heptageneóideo adj. s.m.
heptageniída adj.2g. s.m.
heptageniídeo adj. s.m.
heptagenióideo adj. s.m.
heptaginia s.f.
heptagínia s.f.
heptágino adj.
heptagonal adj.2g.
heptágono adj. s.m.
hepta-hidratação s.f.
hepta-hidratado adj.
hepta-hidratar v.
hepta-hidrático adj.
hepta-hidrato s.m.
hepta-hídrico adj.
heptaicosano s.m.
heptaidratação s.f.
heptaidratado adj.
heptaidratar v.
heptaidrático adj.
heptaidrato s.m.
heptaídrico adj.
heptaldeídico adj.
heptaldeído s.m.
heptâmero s.m.
heptâmeron s.m.
heptâmetro adj. s.m.
heptamina s.f.
heptana s.f.
heptanal s.m.
heptanco s.m.
heptandria s.f.
heptândria s.f.
heptândrico adj.
heptandro adj.
heptanemo adj.
heptangular adj.2g.
heptângulo s.m.
heptânio s.m.
heptano s.m.
heptanodioico (*ó*) adj.
heptanoico (*ó*) adj.
heptanol s.m.
heptanona s.f.
heptanterado adj.
heptantero adj.
heptapétalo adj.
heptápilo adj.
heptapleuro s.m.
heptáptero s.m.
heptarca s.m.
heptarquia s.f.
heptárquico adj.
heptassépalo adj.
heptassilábico adj.
heptassílabo adj. s.m.
heptastêmone adj.2g.
heptástico s.m.
heptastilo s.m.
heptateuco s.m.
heptatlo s.m.
heptátomo adj.
heptatônico adj.
heptavalente adj.2g.
heptemímere adj.2g. s.f.
hepteno s.m.
hepteto (*ê*) s.m.
heptil s.m.
heptila s.f.
heptilato s.m.
heptílico adj.
heptilideno s.m.
heptilo s.m.
heptina s.f.
heptódio s.m.
heptodo s.m.
heptona s.f.
heptose s.f.
heptosemia s.f.
heptosêmico adj.
heptósido s.m.
heptosuria s.f.
heptosúria s.f.
heptoxidifosfato (*cs*) s.m.
heptóxido (*cs*) s.m.
hequeliano adj. s.m.
hequeso (*u* ou *ü*) adj. s.m.
hequistoterma adj.2g. s.m.
hequistotermia s.f.
hequistotérmico adj.
hera s.f. "planta"; cf. *era* s.f., fl. do v. *ser* e do v. *erar*
heracanta s.f.
heracleense adj. s.2g.
heracleia (*é*) adj. s.f. de *heracleu*
heracleias (*é*) s.f.pl.
herácleo adj. s.m.
heracleonita adj. s.2g.
heracleopolita adj. s.2g.

heracleu adj. s.m.; f. *heracleia* (*é*)
heráclias s.f.pl.
heraclida adj. s.2g.
heraclide adj. s.2g.
heracliense adj. s.2g.
heraclina s.f.
heracliteia (*é*) adj. s.f. de *heracliteu*
heraclíteo adj.
heracliteu adj. s.m.; f. *heracliteia* (*é*)
heraclitiano adj.
heraclítico adj.
heraclitismo s.m.
heraclitista adj. s.2g.
heraclitístico adj.
hera-da-china s.f.; pl. *heras-da-china*
hera-de-folha-larga s.f.; pl. *heras-de-folha-larga*
heradeira s.f.
hera-do-verão s.f.; pl. *heras-do-verão*
hera-europeia s.f.; pl. *heras-europeias*
herá-herahum s.f.; pl. *herás-herahum*
heráldica s.f.
heráldico adj. s.m.
heraldista adj. s.2g.
heraldo s.m.
heraldoteca s.f.
hera-malhada s.f.; pl. *heras-malhadas*
hera-miúda s.f.; pl. *heras-miúdas*
herança s.f.
herapatita s.f.
hera-terrestre s.f.; pl. *heras-terrestres*
hera-verdadeira s.f.; pl. *heras-verdadeiras*
herbácea s.f.
herbáceo adj.
herbanário s.m.
herbano adj. s.m.
herbário s.m.
herbartiano adj. s.m.
herbático adj.
herbertismo s.m.
herbertista adj. s.2g.
herbicida adj.2g. s.m.
herbicídio s.m.
herbícola adj.2g.
herbífero adj.
herbiforme adj.2g.
herbitense adj. s.2g.
herbivoraz adj. s.2g.
herbivoria s.f.
herbívoro adj. s.m.
herbolária s.f.
herbolário adj. s.m.
herbóreo adj.
herboreto (*ê*) s.m.
herborista s.2g.
herborização s.f.
herborizado adj.
herborizador (*ô*) adj. s.m.
herborizante adj.2g.
herborizar v.
herbosa s.f.
herboso (*ô*) adj.; f. (*ó*); pl. (*ó*)
hérbstia s.f.
hérbula s.f.
herbulense adj. s.2g.
hercílio-luzense adj. s.2g.; pl. *hercílio-luzenses*
herciliopolitano adj. s.m.
herciniano adj.
hercínico adj.
herciniense adj. s.2g.
hercinina s.f.
hercínio adj.
hercinita s.f.
hercinite s.f.
hercinítico adj.
hercogamia s.f.
hercógamo adj.
hercotectônica s.f.
hercotectônico adj.
hercotetônica s.f.
hercotetônico adj.
herculandense adj. s.2g.
herculandês adj. s.m.
herculandiense adj. s.2g.
herculanense adj. s.2g.
herculanesco (*ê*) adj.
herculaniana s.f.
herculaniano adj.
herculano adj.
hercúleo adj.
hércules s.m.2n.
hercúlia s.f.
hercuniate adj. s.2g.
herda s.f.
herdabilidade s.f.
herdade s.f.
herdado adj.
herdadola s.f.
herdador (*ô*) s.m.
herdamento s.m.
herdança s.f.
herdanço s.m.
herdar v.
herdável adj.2g.
herdeiro s.m.
herdéria s.f.
herderiano adj.
herderita s.f.
herderite s.f.
herdo s.m.
herdoniense adj. s.2g.
here s.m.
herediano adj.
hereditariedade s.f.
hereditário adj.
hereditarismo s.m.
hereditarista adj. s.2g.
heredoatáctico adj.
heredoataxia (*cs*) s.f.
heredobiologia s.f.
heredobiológico adj.
heredocontágio s.m.
heredodegenerativo adj.
heredodiabeta s.f.
heredodiabete s.2g.
heredodiabetes s.2g.2n.
heredodiabético adj.
heredoeredossífilis s.f.2n.
heredoeredossifilítico adj. s.m.
heredofamilial adj.2g.
heredofamiliar adj.2g.
heredografia s.f.
heredográfico adj.
heredograma s.m.
heredologia s.f.
heredológico adj.
heredologista adj. s.2g.
heredólogo s.m.
heredolues s.f.2n.
heredoluético adj.
heredossífilis s.f.2n.
heredossifilítico adj. s.m.
heredotuberculose s.f.
heredotuberculoso (*ô*) adj. s.m.; f. (*ó*); pl. (*ó*)
herege adj. s.2g.
heregia s.f.
hereia (*é*) s.f. de *heréu*
hereira s.f.
hereja s.f.
herela s.f.
hereró adj. s.2g. s.m.
heresia s.f.
heresiar v.
heresiarca adj. s.2g.
heresiografia s.f.
heresiográfico adj.
heresiógrafo s.m.
heresiologia s.f.
heresiológico adj.
heresiólogo s.m.
heretical adj.2g.
hereticidade s.f.
herético adj. s.m.
heréu s.m.; f. *hereia* (*é*)
heribano s.m.
herieu s.m.
herífuga adj. s.2g.
heril adj.2g. "senhoril"; cf. *eril*
heritiera s.f.
herma s.f. "estátua"; cf. *erma*, fl. do v. *ermar*
hermafrodisia s.f.
hermafrodisíaco adj.
hermafrodismo s.m.
hermafrodita adj. s.2g.
hermafroditismo s.m.
hermafroditizado adj.
hermafrodito adj. s.m.
hermanela s.f.
hermânia s.f.
hermaníea s.f.
hermânnia s.f.
hermanníea s.f.
hermanolita s.f.
hermatípico adj.
hermbstédtia s.f.
hérmea s.f. "molusco"; cf. *hérmia*
hermeia (*é*) adj. s.f. de *hermeu*
hermeida adj.2g. s.m.
hermeídeo adj. s.m.
hermela s.f.
hermeneuta s.2g.
hermenêutica s.f.
hermenêutico adj.
hérmeo adj.
hermeófaga s.f.
hermes s.m.2n.; cf. *ermes*, fl. do v. *ermar*
hermesianismo s.m.
hermesiano adj. s.m.
hermeta s.f.
hermete s.m.
hermético adj. s.m.
hermetificação s.f.
hermetificar v.
hermetismo s.m.
hermetista adj. s.2g.
hermetístico adj.
hermeu adj. s.m.; f. *hermeia* (*é*)
hérmia s.f. "fruto"; cf. *hérmea*
hermiano adj. s.m.
hermílio s.m.
hermínia s.f.
herminíade adj.2g. s.f.
herminiera s.f.
hermínio adj. s.m.
herminismo s.m.
herminista s.2g.
hermione adj. s.2g.
hermioneia (*é*) adj. s.f. de *hermioneu*
hermioneu adj. s.m.; f. *hermioneia* (*é*)
hermiônico adj.
hermioníneo adj. s.m.
hermiônio adj.
hermismo s.m.
hermista adj. s.2g.
hermitiano adj.
hermítico adj.
hermocapelita adj. s.2g.
hermocêntrico adj.
hermodáctilo s.m.
hermodátilo s.m.
hermofenil s.m.
hermogeniano adj. s.m.
hermografia s.f.
hermográfico adj.
hermógrafo s.m.
hermúnduro adj. s.m.
hernândia s.f.
hernandiácea s.f.
hernandiáceo adj.
hernhutismo s.m.
hernhuto adj. s.m.
hérnia s.f.
herniação s.f.
herniado adj. s.m.
hernial adj.2g.
herniamento s.m.
herniária s.f.
herniarina s.f.
herniário adj.
hérnico adj. s.m.
herníola s.f.
hernioplastia s.f.
hernioplástico adj.
herniorrafia s.f.
herniorráfico adj.
hernioso (*ô*) adj. s.m.; f. (*ó*); pl. (*ó*)
herniotomia s.f.
herniotômico adj.
hernutismo s.m.
hernuto adj. s.m.
herodes s.m.2n.
heródia s.f.
herodianismo s.m.
herodiano adj. s.m.
heródico adj.
herodione adj.2g. s.f.
herodotiano adj.
herofila s.f.
herofone s.m.
herofônio s.m.
herofono s.m.
herói s.m.; f. *heroína*
heroica (*ó*) s.f.
heroicidade s.f.
herói-civilizador adj. s.m.; pl. *heróis-civilizadores*
heroicização s.f.
heroicizado adj.
heroicizador (*ô*) adj.
heroicizante adj.2g.
heroicizar v.
heroico (*ó*) adj.
heroico-burlesco adj.; pl. *heroico-burlescos*
heroico-cômico adj.; pl. *heroico-cômicos*
herói-cômico adj.; pl. *herói-cômicos*
herói-cultural s.m.; pl. *heróis-culturais*
heroide (*ó*) s.f.
heroídia s.f.
heróidia s.f.
heroificação s.f.
heroificado adj.
heroificar v.
heroína s.f.
heroinomania s.f.
heroinômano s.m.
heroísmo s.m.
heroísta adj. s.2g.
heroístico adj.
heroização s.f.
heroizar v.
heromorfa s.m.
heroo (*ô*) s.m.
heróon s.m.
herôon s.m.
heros s.m.
herpacanta s.f.
herpáctida adj.2g. s.m.
herpactídeo adj. s.m.
herpangina s.f.
herpangínico adj.
herpes s.m.2n.
herpestes s.m.2n.
herpéstico adj.
herpestíneo adj. s.m.
herpestino adj. s.m.
herpes-virótico s.m.; pl. *herpes-viróticos*
herpes-vírus s.m.2n.
herpes-zóster s.m.; pl. *herpes-zósteres*
herpetacanto s.m.
herpetão s.m.
hérpete s.m.
herpético adj. s.m.
herpetiforme adj.2g.
herpetismo s.m.
herpetódria s.f.
herpetofobia s.f.
herpetófobo s.m.
herpetografia s.f.
herpetográfico adj.
herpetógrafo s.m.
herpetologia s.f.
herpetológico adj.
herpetologista adj. s.2g.
herpetólogo s.m.
herpetômona s.f.
herpetomonadal adj.2g. s.m.
hérpeton s.m.
herpetóter s.m.
herpismo s.m.
herpobdela s.f.
herpobdélida adj.2g. s.m.
herpobdelídeo adj. s.m.
herpobdélido adj. s.m.
herpobdelíneo adj. s.m.
herpolde s.m.
herpolita s.m.
herpolitíneo adj. s.m.
herpolódia s.f.
hérpon s.m.
herpotríquia s.f.
herpsilocmo s.m.
herrengrundita s.f.
herrerassauro s.m.
herréria s.f.
herrerióidea s.f.
herrerita s.f.
herschelita s.f.
herse s.f.
hersília s.f.
hersílida adj.2g. s.m.
hersilídeo adj. s.m.
hersiloide (*ó*) adj.2g. s.m.
hertíceo adj. s.m.
hertz s.m.2n.
hertziano adj.
hertzógrafo s.m.
hertzotrópico adj.
hertzotropismo s.m.
hérulo adj. s.m.
herviense adj. s.2g.
herzegovino adj. s.m.
herzenbergita s.f.
hesbaiano adj.
hesicasmo s.m.

hesicasta s.2g.
hesicástico adj.
hesiodeia (*ê*) adj. s.f. de *hesiodeu*
hesiodeu adj. s.m.; f. *hesiodeia* (*ê*)
hesiódico adj.
hesíone s.m.
hesiônida adj.2g. s.m.
hesionídeo adj. s.m.
hesitação s.f.
hesitante adj.2g.
hesitar v. "vacilar"; cf. *exitar*
héspera s.f.
hesperanope s.2g.
hesperanopia s.f.
hesperanta s.f.
héspere s.f.
hesperetina s.f.
hespéria s.f.
hespérico adj.
hespérida adj.2g. s.f.
hespéride adj.2g. s.f.
hesperídea s.f.
hesperídeo adj.
hesperidina s.f.
hesperídio s.m.
hesperiida adj.2g. s.m.
hesperiídeo adj. s.m.
hesperiido adj. s.m.
hesperiíneo adj. s.m.
hespério adj. s.m.
hesperióideo adj. s.m.
hésperis s.f.2n.
hesperitina s.f.
héspero s.m.
hesperócaris s.f.2n.
hesperodrilo s.m.
hesperófano s.m.
hesperofilo s.m.
hesperórnis s.2g.2n.
hesperornite s.2g.
hessiano adj. s.m.
hessita s.f.
hessite s.f.
hessocênico adj.
hessoceno adj.
hessonita s.f.
hessonítico adj.
hester s.m. "madeira"; cf. *éster*
hesterno adj. "relativo a véspera"; cf. *esterno* s.m., *externo* adj. s.m. e fl. do v. *externar*
hestíase s.f.
hetaira s.f.
hetairismo s.m.
hetângico adj.
hetávio s.m.
hete s.m.
hétego adj. s.m.
heteguecer v.
heteia (*ê*) adj. s.f. de *heteu*
hetera s.f. "cortesã"; cf. *etera*
heteracanto adj. s.m.
heteracefalia s.f.
heteracéfalo s.m.
heterácido adj. s.m.
heterácis s.m.2n.
heteráctida s.m.
heteractídeo adj. s.m.
heteráctis s.m.2n.
heteractítis s.m.2n.
heteradelfia s.f.
heteradelfo adj. s.m.
heteradenia s.f.
heteradênico adj.
heteradenoma s.m.
heteralbumose s.f.
heteralia s.f.
heteraliano adj.
heterandria s.f. "estames diferentes"; cf. *heterândria*
heterândria s.f. "peixe"; cf. *heterandria*
heterandro adj.
heterantera s.f.
heteranto adj. s.m.
heteraquiose s.f.
hetéraquis s.m.2n.
heteraromático adj.
heteratômico adj.
heterátomo s.m.
heterauxese (*cs*) s.f.
heterauxina (*cs*) s.f.
heterecia s.f.
heterécio adj.
hetereducação s.f.
hetereducacional adj.2g.
hetereducativo adj.
heterelementar adj.2g.
heterenxerto (*ê*) s.m.
heterergia s.f.
heterérgico adj.
heterererotismo s.m.
heteria s.f. "sociedade política"; cf. *hetéria*
hetéria s.f. "planta"; cf. *heteria*
heteriarca s.m.
hetérice s.f.
heterifante s.m.
heterina s.f.
heterinfecção s.f.
heterismo s.m.
heterista adj.2g.
heterita s.f.
heterite s.f.
hétero s.m.
heteroácido adj. s.m.
heteroaglutinação s.f.
heteroaglutinado adj.
heteroaglutinante adj.2g. s.m.
heteroaglutinar v.
heteroaglutinativo adj.
heteroaglutinável adj.2g.
heteroaglutinina s.f.
heteroagressão s.f.
heteroalbumose s.f.
heteroaromático adj.
heteroatômico adj.
heteroátomo s.m.
heteroauxina (*cs*) s.f.
heteroauxínico adj.
heteroaxial (*cs*) adj.2g.
heterobafia s.f.
heterobasídio s.m.
heterobasidiomicetídeo adj. s.m.
heteroblastia s.f.
heteroblástico adj.
heterobóstrico s.m.
heterobrânquia s.f.
heterobrânquio adj. s.m.
heterócara s.m.
heterocardia s.f.
heterocárdio s.m.
heterocardo s.m.
heterocarga s.f.
heterocário s.m.
heterocariose s.f.
heterocariótico adj.
heterocarpo adj. s.m.
heterocarregado adj.
heterocarregar v.
heterocarregável adj.2g.
heterocategórico adj.
heterocedasticidade s.f.
heterocedástico adj.
heterocéfalo adj. s.m.
heterocélico adj.
heterocelo adj. s.m.
heterocelular adj.2g.
heterocentroto s.m.
heterocerca adj.2g.
heterocercal adj.2g.
heterocercia s.f.
heterocerco adj.
heterocérida adj.2g. s.m.
heterocerídeo adj. s.m.
heterócero adj. s.m.
heterocerquia s.f.
heterocíclico adj.
heterociclo s.m.
heterocicloidal adj.2g.
heterocicloide (*ó*) adj. s.2g.
heterocinese s.f.
heterocinesia s.f.
heterocinético adj.
heterocirro s.m.
heterocístico adj.
heterocisto s.m.
heterocládico adj.
heteroclamídeo adj.
heteroclinia s.f.
heteroclínio s.m.
heteroclino adj.
heteróclise s.f.
heteroclisia s.f.
heteroclítico adj.
heteróclito adj.
heterocnêmis s.f.2n.
heterocólito adj. s.m.
heterócoma s.f.
heterocompromisso s.m.
heterocônger s.m.
heteroconta s.f.
heterocontácea s.f.
heterocontáceo adj.
heterócopa s.f.
heterócopo s.m.
heterocóraco s.m.
heterócorax (*cs*) s.m.
heterocórdilo s.m.
heterocotilia s.f.
heterocótilo s.m.
heterocrania s.f.
heterocrasia s.f.
heterocrásico adj.
heterocrático adj.
heterocrinia s.f.
heterócrino adj.
heterocripta s.f.
heterocromático adj.
heterocromatina s.f.
heterocromatínico adj.
heterocromatização s.f.
heterocromatizado adj.
heterocromatizar v.
heterocromia s.f.
heterocrômico adj.
heterocromo adj. s.m.
heterocromossômico adj.
heterocromossomo s.m.
heterocronia s.f.
heterocronismo s.m.
heterócrono adj.
heteroctônico adj.
heteróctono adj. s.m.
heterocúrtico adj.
heterocurtose s.f.
heterodactilia s.f.
heterodáctilo adj. s.m.
heterodátilo adj. s.m.
heteródera s.f.
heteroderme adj.2g. s.f.
heterodermia s.f.
heterodermo adj. s.m.
heterodero s.m.
heterodésmico adj.
heterodesmo s.m.
heterodidimia s.f.
heterodídimo adj. s.m.
heterodimia s.f.
heteródimo adj. s.m.
heterodinação s.f.
heterodinamia s.f.
heterodinâmico adj.
heteródino adj. s.m.
heterodiodia s.f.
hetérodon s.m.
heterodonte adj.2g. s.m.
heterodontia s.f.
heterodôntico adj.
heterodontossaurídeo adj. s.m.
heterodontossauro s.m.
heterodórida adj.2g. s.m.
heterodorídeo adj. s.m.
heteródoris s.m.2n.
heterodoxia (*cs*) s.f.
heterodoxo (*cs*) adj. s.m.
heterodromia s.f.
heterodrômico adj.
heteródromo adj. s.m.
heterodúplex (*cs*) s.m.
heteroeducação s.f.
heteroeducacional adj.2g.
heteroeducativo adj.
heteroelementar adj.2g.
heteroemorragia s.f.
heteroemorrágico adj.
heteroenxerto (*ê*) s.m.
heteroerotismo s.m.
heteroespecífico adj.
heterofagia s.f.
heterofágico adj.
heterófago adj. s.m.
heterofagossoma s.m.
heterofasia s.f.
heterofemia s.f.
heterófia s.f.
heterofiida adj.2g. s.m.
heterofiídeo adj. s.m.
heterofilia s.f.
heterofílico adj.
heterofilita s.f.
heterofilo adj.
heterófilo adj.
heterofiloforácea s.f.
heterofiloforáceo adj.
heterofímia s.f.
heterofio s.m.
heterófito adj.
heterofonia s.f.
heterofônico adj.
heterofono adj. s.m.
heterófono adj. s.m.
heteroforalgia s.f.
heteroforálgico adj.
heteroforia s.f.
heterofórico adj.
heterófris s.f.2n.
heteroftalmia s.f.
heteroftálmico adj.
heteroftalmo adj. s.m.
heteroftongia s.f.
heterogaláctico adj.
heterogameta (*ê*) s.m.
heterogâmeta s.m.
heterogametia s.f.
heterogamético adj.
heterogamia s.f.
heterogâmico adj.
heterógamo adj.
heterogáster s.m.
heterogastríneo adj. s.m.
heterogástrio s.m.
heterogastro s.m.
heterogeneidade s.f.
heterogeneização s.f.
heterogeneizado adj.
heterogeneizador (*ô*) adj.
heterogeneizante adj.2g.
heterogeneizar v.
heterogêneo adj.
heterogênese s.f.
heterogenesia s.f.
heterogenésico adj.
heterogenético adj.
heterogenia s.f.
heterogênico adj.
heterogenismo s.m.
heterogenista adj. s.2g.
heterogenita s.f.
heterogenite s.f.
heterógine s.f.
heteroginídeo adj. s.m.
heterógino adj. s.m.
heteroglauce s.f.
heteroglaucia s.f.
heteroglauco s.m.
heteroglaux (*cs*) s.f.
heteroglobulose s.f.
heterógnato s.m.
heterogonia s.f.
heterogônico adj.
heterógono adj.
heterogradia s.f.
heterógrado adj.
heterografia s.f.
heterógrafo adj. s.m.
hétero-hemorragia s.f.
hétero-hemorrágico adj.
hétero-hepático adj.
heteroico (*ó*) adj.
heteroide (*ó*) adj.2g.
heteroilia s.f.
heteroimune adj.2g.
heteroimunidade s.f.
heteroimunização s.f.
heteroimunizado adj.
heteroimunizante adj.2g.
heteroimunizar v.
heteroimunizável adj.2g.
heteroinfeção s.f.
heteroinfecção s.f.
heteroinoculação s.f.
heteroinoculado adj.
heteroinocular v.
heteroinoculável adj.2g.
heterojunção s.f.
heterolalia s.f.
heterolálico adj.
heterolateral adj.2g.
heterolecítico adj.
heterolécito adj.
heterólise s.f.
heterolisina s.f.
heterolita s.f.
heteroliteral adj.2g.
heterolítico adj.
heterólito s.m.
heterolobo adj.
heterologia s.f.
heterológico adj.
heterólogo adj. s.m.
heteromaquia s.f.
heteromáquico adj.
heteromastige s.f.
heteromástix (*cs*) s.f.
heteromasto s.m.
heteromasturbação s.f.
heteromeiênia s.m.
heterômera adj.2g.
heteromeria s.f.
heteromerita s.f.
heterômero adj. s.m.

heteromesogamia s.f.
heteromesogâmico adj.
heterometabólico adj.
heterometabolismo s.m.
heterometábolo adj. s.m.
heterometria s.f.
heterométrico adj.
heterômetro s.m.
heterometrope s.2g.
heterometropia s.f.
heterometrópico adj.
heteromiário adj. s.m.
heteromiía s.f.
heteromiídeo adj. s.m.
heterômio s.m.
hetéromis s.m.2n.
heterômisis s.m.2n.
heteromizóstoma s.m.
heteromo s.m.
heteromonádida adj.2g. s.m.
heteromonadídeo s.m.
heteromorfa s.f.
heteromorfia s.f.
heteromórfico adj.
heteromorfismo s.m.
heteromorfite s.f.
heteromorfo adj. s.m.
heteromorfose s.f.
heterona s.f.
heteronefridiado adj. s.m.
heteronema s.f.
heteronemérteo adj. s.m.
heteronemertino adj. s.m.
heteronereide s.f.
heteronereídeo adj. s.m.
heteroneta s.f.
heteroneuro adj. s.m.
heteronexo (*cs*) adj. s.m.
heteronexual (*cs*) adj.2g.
heteronimia s.f.
heteronímia s.f.
heteronímico adj.
heterônimo adj. s.m.
heteronomia s.f.
heteronômico adj.
heterônomo adj.
heteronoto s.m.
heteroousianismo s.m.
heteroousianista adj. s.2g.
heteroousiano adj. s.m.
heteropagia s.f.
heterópago adj. s.m.
heteropartenogênese s.f.
heteropartenogenético adj.
heteropatia s.f.
heteropático adj.
heteropegma s.m.
heteropelma s.m.
heteropétalo adj. s.m.
heteropicnose s.f.
heteropicnótico adj.
heteropíese s.f.
heteropiésico adj.
heteropígia s.f.
heterópilo s.m.
heteropixidácea (*cs*) s.f.
heteropixidáceo (*cs*) adj.
heteropíxis s.f.2n.
heteroplano adj.
heteroplasia s.f.
heteroplásico adj.
heteroplasma s.m.
heteroplasmático adj.
heteroplastia s.f.
heteroplástico adj. s.m.
heteroploide (*ó*) adj.2g. s.m.
heteroploidia s.f.
heterópode adj.2g. s.m.
heteropodia s.f.
heteropodídeo adj. s.m.
heteropogão s.m.
heteropógon s.m.
heteropolar adj.2g.
heteropolaridade s.f.
heteropoliácido adj. s.m.
heteropolimérico adj.
heteropolimerização s.f.
heteropolimerizado adj.
heteropolimerizar v.
heteropolimerizável adj.2g.
heteropolímero s.m.
heteropolissacarídeo adj. s.m.
heteropolissacarídio s.m.
heteropolissacárido s.m.
heteróporo adj.
heteropraxia (*cs*) s.f.
heteroprotalia s.f.
heteroproteide adj. s.2g.
heteroproteídeo adj. s.m.
heteroproteína s.f.
heteroproteínico adj.
heteroproteose s.f.
heteropsâmia s.f.
heteropse s.f.
heteropsia s.f.
heteropsídea s.f.
heteróptere s.f.
heteróptero adj. s.m.
heteróptica s.f.
heteróptico adj.
heteroqueta (*ê*) s.m.
heteroquilia s.f.
heteroquilo s.m.
heteroquiro adj.
heterorexia (*cs*) s.f.
heterorgânico adj.
heterorráfida adj.2g. s.m.
heterorrafídeo adj. s.m.
heterorrexia (*cs*) s.f.
heteroscedastícia s.f.
heteroscedasticidade s.f.
heteroscedástico adj.
heteróscio adj. s.m.
heteroscopia s.f.
heteroscópico adj.
heterose s.f.
heterosfera s.f.
heterosidase s.f.
heteróside adj.2g. s.m.
heterosídeo adj. s.m.
heterósido s.m.
heterosita s.f.
heterosite s.f.
heterosito s.m.
heterosmílace s.f.
heterospecífico adj.
heteróspilo s.m.
heterospízia s.m.
heterosporado adj.
heterospóreo adj.
heterosporia s.f.
heterospórico adj.
heteróspoto adj. s.m.
heterosseroterapia s.f.
heterosseroterápico adj.
heterossexual (*cs*) adj. s.2g.
heterossexualidade (*cs*) s.f.
heterossexualismo s.m.
heterossilábico adj.
heterossilabismo s.m.
heterossinapse s.f.
heterossintáctico adj.
heterossintagma s.m.
heterossintagmático adj.
heterossintático adj.
heterossintaxe (*ss*) s.f.
heterossomia s.f.
heterossomo adj. s.m.
heterossoro (*ô*) s.m.
heterossoroterapia s.f.
heterossoroterápico adj.
heterossugestão s.f.
heterossugestional adj.2g.
heterossugestionar v.
heterossugestionável adj. s.2g.
heterossugestivo adj.
heterostático adj.
heterostéfano s.m.
heterostegina s.f.
heterosteleado adj. s.m.
heterostemo s.m.
heterostêmone adj.2g.
heteróstico s.m.
heterostilia s.f.
heterostílico adj.
heterostilo adj. s.m.
heterostomado s.m.
heteróstomo s.m.
heterostrofia s.f.
heterostrófico adj.
heterotáctico adj.
heterotálamo s.m.
heterotalia s.f.
heterotálico adj.
heterotalismo s.m.
heterotaxia (*cs*) s.f.
heteroteca s.f.
heterotecnia s.f.
heterotécnico adj.
heterotelia s.f.
heterotélico adj.
heteroterme s.m.
heterotermia s.f.
heterotérmico adj.
heterotermo adj. s.m.
heterotético adj.
heterotétrace s.m.
heterotétrage s.m.
heterotétrax (*cs*) s.m.
heterótico adj.
heterotipia s.f.
heterotípico adj.
heterótipo s.m.
heterótis s.m.2n.
heterotocia s.f.
heterótoma s.m.
heterotomia s.f.
heterótomo adj.
heterotopia s.f.
heterotópico adj.
heterotopo s.m.
hetérotops s.m.2n.
heterotransplantação s.f.
heterotransplantar v.
heterotransplantável adj.2g.
heterotransplante s.m.
heterótrico adj. s.m.
heterotrípida adj.2g. s.m.
heterotripídeo adj. s.m.
heterotripo s.m.
heterotripóideo adj. s.m.
hetérotrips s.m.
heterotríquido adj. s.m.
heterotríquio s.m.
heterotrofia s.f.
heterotrófico adj.
heterotrofismo s.m.
heterotrófito s.m.
heterótrofo adj.
heterotropia s.f.
heterotrópico adj.
heterótropo adj.
heterousianismo s.m.
heterousianista s.2g.
heterousiano adj. s.m.
heterovalvular adj.2g.
heteroxantina (*cs*) s.f.
heteroxenia (*cs*) s.f.
heteróxeno (*cs*) adj.
heterozigose s.f.
heterozigote s.m.
heterozigoticidade s.f.
heterozigótico adj.
heterozigoto (*ô*) s.m.
heterozoário adj. s.m.
heterozoécio s.m.
heterozoético adj.
heterozoico (*ó*) adj.
heterozooide (*ó*) s.m.
heteu adj. s.m.; f. *heteia* (*é*)
hética s.f. "tísica"; cf. *ética* e *héctica*
heticidade s.f. "estado de hético"; cf. *eticidade* e *hecticidade*
hético adj. s.m. "relativo a hética"; cf. *ético* e *héctico*
hétigo adj. s.m.
hetiguidade s.f.
hetmã s.m.
hetmanato s.m.
hétmane s.m.
hetocirtose s.f.
hetol s.m.
hetotarso s.m.
heu s.m. interj. "lamento"; cf. *eu*
heulandita s.f.
heulandite s.f.
heumito s.m.
heuquera s.f.
heureca interj.
heurema s.m.
heuremática s.f.
heuremático adj.
heurético adj.
heurícia s.f.
heurismo s.m.
heurística s.f.
heurístico adj.
heúrnia s.f.
heurotemático adj.
hévea s.f.
heveena s.f.
heveeno s.m.
heveicultura s.f.
hevetita s.f.
hevítia s.f.
hewettita s.f.
hexa-álcool (*cs* ou *z*) s.m.
hexabdela (*cs* ou *z*) s.f.
hexaborânico (*cs* ou *z*) adj.
hexaborano (*cs* ou *z*) s.m.
hexabranco (*cs* ou *z*) s.m.
hexacampeão (*cs* ou *z*) adj. s.m.
hexacampeonato (*cs* ou *z*) s.m.
hexacanto (*cs* ou *z*) adj.
hexaceno (*cs* ou *z*) s.m.
hexacêntrico (*cs* ou *z*) adj.
hexaceratina (*cs* ou *z*) s.f.
hexaciclo (*cs* ou *z*) adj.
hexacilina (*cs* ou *z*) s.f.
hexacládia (*cs* ou *z*) s.f.
hexacloretano (*cs* ou *z*) s.m.
hexacloreto (*cs* ou *z...ê*) s.m.
hexaclorobenzênico (*cs* ou *z*) adj.
hexaclorobenzeno (*cs* ou *z*) s.m.
hexaclorocicloexana (*cs* ou *z...cs* ou *z*) s.f.
hexaclorocicloexano (*cs* ou *z...cs* ou *z*) s.m.
hexacloroetano (*cs* ou *z*) s.m.
hexaclorofeno (*cs* ou *z*) s.m.
hexacoco (*cs* ou *z*) adj.
hexacólito (*cs* ou *z*) s.m.
hexacontaédrico (*cs* ou *z*) adj.
hexacontaedro (*cs* ou *z*) s.m.
hexacontagonal (*cs* ou *z*) adj.2g.
hexacontágono (*cs* ou *z*) s.m.
hexacoral (*cs* ou *z*) adj.2g. s.m.
hexacorália (*cs* ou *z*) s.f.
hexacoraliário (*cs* ou *z*) adj. s.m.
hexacorálio (*cs* ou *z*) adj. s.m.
hexacorde (*cs* ou *z*) adj.2g. s.m.
hexacórdio (*cs* ou *z*) s.m.
hexacordo (*cs* ou *z*) adj. s.m.
hexacosaédrico (*cs* ou *z*) adj.
hexacosaedro (*cs* ou *z*) s.m.
hexacosagonal (*cs* ou *z*) adj.2g.
hexacoságono (*cs* ou *z*) s.m.
hexacosanoico (*cs* ou *z...ó*) adj. s.m.
hexacosila (*cs* ou *z*) s.f.
hexactinélida (*cs* ou *z*) adj.2g. s.m.
hexactinelídeo (*cs* ou *z*) adj. s.m.
hexactínio (*cs* ou *z*) adj. s.m.
hexadactilia (*cs* ou *z*) s.f.
hexadactilismo (*cs* ou *z*) s.m.
hexadáctilo (*cs* ou *z*) adj.
hexadátilo (*cs* ou *z*) adj.
hexadecadrol (*cs* ou *z*) s.m.
hexadecaédrico (*cs* ou *z*) adj.
hexadecaedro (*cs* ou *z*) s.m.
hexadecagonal (*cs* ou *z*) adj.2g.
hexadecágono (*cs* ou *z*) s.m.
hexadecano (*cs* ou *z*) s.m.
hexadecanodioico (*cs* ou *z...ó*) adj.
hexadecanoico (*cs* ou *z...ó*) adj.
hexadecanol (*cs* ou *z*) s.m.
hexadecil (*cs* ou *z*) s.m.
hexadecila (*cs* ou *z*) s.f.
hexadecimal (*cs* ou *z*) adj.2g.
hexadésmia (*cs* ou *z*) s.f.
hexadienodioico (*cs* ou *z...ó*) adj.
hexadienoico (*cs* ou *z...ó*) adj.
hexadimensional (*cs* ou *z*) adj.2g.
hexaédrico (*cs* ou *z*) adj.
hexaedrito (*cs* ou *z*) s.m.
hexaedro (*cs* ou *z*) adj. s.m.
hexaestanita (*cs* ou *z*) s.f.
hexafásico (*cs* ou *z*) adj.
hexafilo (*cs* ou *z*) adj.
hexafônico (*cs* ou *z*) adj.
hexáfono (*cs* ou *z*) adj.
hexáforo (*cs* ou *z*) s.m.
hexagênia (*cs* ou *z*) s.f.
hexaginia (*cs* ou *z*) s.f. "qualidade de hexágino"; cf. *hexagínia*
hexagínia (*cs* ou *z*) s.f. "ordem de vegetais"; cf. *hexaginia*
hexágino (*cs* ou *z*) adj.
hexagonal (*cs* ou *z*) adj.2g.
hexagônia (*cs* ou *z*) s.f.
hexagonite (*cs* ou *z*) s.f.
hexágono (*cs* ou *z*) adj. s.m.
hexagrama (*cs* ou *z*) s.m.
hexa-hidratação (*cs* ou *z*) s.f.
hexa-hidratado (*cs* ou *z*) adj.
hexa-hidratar (*cs* ou *z*) v.

hexa-hidrato (*cs* ou *z*) s.m.
hexa-hidrita (*cs* ou *z*) s.f.
hexa-hidro-oftálico (*cs* ou *z*) adj.
hexa-hidroparadiazina (*cs* ou *z*) s.f.
hexa-hidroxilsulfúrico (*cs* ou *z*) adj.
hexaidratação (*cs* ou *z*) s.f.
hexaidratado (*cs* ou *z*) adj.
hexaidratar (*cs* ou *z*) v.
hexaidrato (*cs* ou *z*) s.m.
hexaidrita (*cs* ou *z*) s.f.
hexal (*cs* ou *z*) s.m.
hexálcool (*cs* ou *z*) s.m.
hexaldeídico (*cs* ou *z*) adj.
hexaldeído (*cs* ou *z*) s.m.
hexalépide (*cs* ou *z*) adj.2g. s.m.
hexalépido (*cs* ou *z*) adj. s.m.
hexaleuródico (*cs* ou *z*) s.m.
hexalfa (*cs* ou *z*) s.f.
hexalóbea (*cs* ou *z*) s.f.
hexálobo (*cs* ou *z*) s.m.
hexamérico (*cs* ou *z*) adj.
hexamerismo (*cs* ou *z*) s.m.
hexâmero (*cs* ou *z*) adj.
hexametafosfato (*cs* ou *z*) s.m.
hexametileno (*cs* ou *z*) s.m.
hexametilenodiamina (*cs* ou *z*) s.f.
hexametilenodiamínico (*cs* ou *z*) adj.
hexametilenotetramina (*cs* ou *z*) s.f.
hexametilfenotetramina (*cs* ou *z*) s.f.
hexametilfenotetramínico (*cs* ou *z*) adj.
hexametilodifenol (*cs* ou *z*) s.m.
hexametônio (*cs ou z*) s.m.
hexametoxiaurina (*cs* ou *z*... *cs*) s.f.
hexâmetro (*cs* ou *z*) adj. s.m.
hexamitíase (*cs* ou *z*) s.f.
hexamito (*cs* ou *z*) s.m.
hexamotor (*cs* ou *z*...*ô*) adj. s.m.; f. *hexamotriz*
hexamotriz (*cs* ou *z*) adj. s.f. de *hexamotor*
hexanco (*cs* ou *z*) s.m.
hexandria (*cs* ou *z*) s.f. "qualidade de hexandro"; cf. *hexândria*
hexândria (*cs* ou *z*) s.f. "ordem de vegetais"; cf. *hexandria*
hexândrico (*cs* ou *z*) adj.
hexandro (*cs* ou *z*) adj.
hexangular (*cs* ou *z*) adj.2g.
hexanitrodifenilamina (*cs* ou *z*) s.f.
hexano (*cs* ou *z*) s.m.
hexanodioico (*cs* ou *z*...*ó*) adj.
hexanoico (*cs* ou *z*...*ó*) adj.
hexanol (*cs* ou *z*) s.m.
hexanquídeo (*cs* ou *z*) adj. s.m.
hexanquiforme (*cs* ou *z*) adj.2g. s.m.
hexantéreo (*cs* ou *z*) adj.
hexaoctaédrico (*cs* ou *z*) adj.
hexaoctaedro (*cs* ou *z*) s.m.
hexapentosana (*cs* ou *z*) s.f.
hexapentosânico (*cs* ou *z*) adj.
hexapétalo (*cs* ou *z*) adj.
hexapla (*cs* ou *z*) s.f.
hexaploide (*cs* ou *z*...*ó*) adj.2g.
hexápode (*cs* ou *z*) adj.2g. s.m.
hexapodia (*cs* ou *z*) s.f.
hexapolar (*cs* ou *z*) adj.2g.
hexápole (*cs* ou *z*) s.f.
hexapterela (*cs* ou *z*) s.f.
hexaptérige (*cs* ou *z*) s.f.
hexáptero (*cs* ou *z*) adj.
hexaptoto (*cs* ou *z*) adj. s.m.
hexarquia (*cs* ou *z*) s.f.
hexarreator (*cs* ou *z*...*ô*) adj. s.m.
hexarreno (*cs* ou *z*) adj.
hexaspermo (*cs* ou *z*) adj.
hexassépalo (*cs* ou *z*) adj.
hexassílabo (*cs* ou *z*) adj. s.m.
hexassômico (*cs* ou *z*) adj.
hexassomo (*cs* ou *z*) s.m.
hexassubstituição (*cs* ou *z*) s.f.
hexassubstituído (*cs* ou *z*) adj.
hexassubstituir (*cs* ou *z*) v.
hexassubstituto (*cs* ou *z*) adj.
hexastêmone (*cs* ou *z*) adj.2g. s.m.
hexasteróforo (*cs* ou *z*) s.m.
hexástico (*cs* ou *z*) adj. s.m.
hexastilo (*cs* ou *z*) adj. s.m.
hexástomo (*cs* ou *z*) adj.
hexatetraédrico (*cs* ou *z*) adj.
hexatetraedro (*cs* ou *z*) s.m.
hexateuco (*cs* ou *z*) s.m.
hexatiônico (*cs* ou *z*) adj.
hexatlo (*cs* ou *z*) s.m.
hexátlon (*cs* ou *z*) s.m.
hexatômico (*cs* ou *z*) adj.
hexátomo (*cs* ou *z*) s.m.
hexatônico (*cs* ou *z*) adj.
hexavalência (*cs* ou *z*) s.f.
hexavalente (*cs* ou *z*) adj.2g.
hexecontaédrico (*cs* ou *z*) adj.
hexecontaedro (*cs* ou *z*) s.m.
hexecontagonal (*cs* ou *z*) adj.2g.
hexecontágono (*cs* ou *z*) s.m.
hexecontálito (*cs* ou *z*) s.m.
hexeicosanol (*cs* ou *z*) s.m.
hexere (*cs* ou *z*) s.f.
hexidroftálico (*cs* ou *z*) adj.
hexidroparadiazina (*cs* ou *z*) s.f.
hexidroxilsulfúrico (*cs* ou *z*...*cs*) adj.
hexil (*cs* ou *z*) s.m.
hexila (*cs* ou *z*) s.f.
hexilamina (*cs* ou *z*) s.f.
hexilênico (*cs* ou *z*) adj.
hexileno (*cs* ou *z*) s.m.
hexílico (*cs* ou *z*) adj.
hexilo (*cs* ou *z*) s.m.
hexilresorcinol (*cs* ou *z*) s.m.
hexilresorcinólico (*cs* ou *z*) adj.
hexina (*cs* ou *z*) s.f.
hexísea (*cs* ou *z*) s.f.
hexita (*cs* ou *z*) s.f.
hexitol (*cs* ou *z*) s.m.
hexobarbital (*cs* ou *z*) s.m.
hexobarbitol (*cs* ou *z*) s.m.
hexobarbitona (*cs* ou *z*) s.f.
hexobiose (*cs* ou *z*) s.f.
hexocinase (*cs* ou *z*) s.f.
hexocínase (*cs* ou *z*) s.f.
hexódio (*cs* ou *z*) s.m.
hexodo (*cs* ou *z*...*ô*) s.m. "tubo com seis elétrodos"; cf. *êxodo*
hexodonte (*cs* ou *z*) s.m.
hexofuranose (*cs* ou *z*) s.f.
hexogênio (*cs* ou *z*) s.m.
hexógeno (*cs* ou *z*) s.m.
hexol (*cs* ou *z*) s.m.
hexoleno (*cs* ou *z*) s.m.
hexolita (*cs* ou *z*) s.f.
hexona (*cs* ou *z*) s.f.
hexônico (*cs* ou *z*) adj.
hexoprianose (*cs* ou *z*) s.f.
hexoquinase (*cs* ou *z*) s.f.
hexoquínase (*cs* ou *z*) s.f.
hexosamina (*cs* ou *z*) s.f.
hexosamínico (*cs* ou *z*) adj.
hexosana (*cs* ou *z*) s.f.
hexose (*cs* ou *z*) s.f.
hexosidase (*cs* ou *z*) s.f.
hexosídase (*cs* ou *z*) s.f.
hexósido (*cs* ou *z*) s.m.
hexóxido (*cs* ou *z*...*cs* ou *z*) adj. s.m.
hexurônico (*cs* ou *z*) adj.
heyroskita s.f.
heyta s.f.
heza s.f.
hezô-hezô s.2g.; pl. *hezô--hezôs*
hia s.f.
hiacintácea s.f.
hiacintina s.f.
hiacintino adj.
hiacinto s.m.
híadas s.f.pl.
híades s.f.pl.
hial adj.2g.
híala s.f.
hialandesita s.f.
hialandesite s.f.
hialantropia s.f.
hialaste s.m.
hiálea s.f.
hialemos s.m.pl.
hiálico adj.
hialina s.f.
hialinécia s.f.
hialinela s.f.
hialínia s.f.
hialinização s.f.
hialinizado adj.
hialinizar v.
hialino adj.
hialinose s.f.
hialinuria s.f.
hialinúria s.f.
hialiódis s.m.2n.
hialita s.f.
hialite s.f.
hialitídeo adj. s.m.
hiálito s.m.
hialoantropia s.f.
hialobasalto s.m.
hialocílice s.f.
hialócilix (*cs*) s.f.
hialociste s.f.
hialocristalino adj.
hialodicto s.m.
hialodídimo s.m.
hialodisco s.m.
hialofagia s.f.
hialofânio s.m.
hialofobia s.f.
hialófobo s.m.
hialofrágmea s.f.
hialofragmo s.m.
hialografia s.f.
hialográfico adj.
hialógrafo s.m.
hialoide (*ó*) adj.2g. s.f.
hialoideia (*é*) adj. s.f. de *hialoideu*
hialóideo adj.
hialoideu adj. s.m.; f. *hialoideia* (*é*)
hialoidite s.f.
hialoidomalacia s.f.
hialoidoproptose s.f.
hialoma s.m.
hialomalacia s.f.
hialomelânio s.m.
hialômero s.m.
hialomicta s.f.
hialomiia s.f.
hialonema s.m.
hialonemátida adj.2g. s.m.
hialonematídeo adj. s.m.
hiálonix (*cs*) s.f.
hialonixe (*cs*) s.f.
hialopilita s.f.
hialopilítico adj.
hialoplasma s.m.
hialoplasmático adj.
hialoplásmico adj.
hialopômato s.m.
hialopomatópsis s.f.2n.
hialopsita s.f.
hialóptero adj. s.m.
hialoquilo s.m.
hialória s.f.
hialoriácea s.f.
hialoriáceo adj.
hialosfênia s.f.
hialospôngia s.f.
hialospôngico adj.
hialospôngio adj. s.m.
hialóspora s.f.
hialósporo s.m.
hialosserosite s.f.
hialossiderita s.f.
hialossiderite s.f.
hialossomo adj.
hialoteca s.f.
hialoteckita s.f.
hialotecnia s.f.
hialotécnico adj.
hialotêutis s.f.2n.
hialotipia s.f.
hialotráquite s.f.
hialoturmalita s.f.
hialoturmalite s.f.
hialurgia s.f.
hialúrgico adj.
hialuronato s.m.
hialurônico s.m.
hialuronidase s.f.
hialuronídase s.f.
hianocoto adj. s.2g.
hiante adj.2g.
hiapuá s.m.
hiatal adj.2g.
hiatização s.f.
hiatizado adj.
hiatizante adj.2g.
hiatizar v.
hiato s.m.
hiava s.f.
hibante s.m.
hibanto s.m.
hibaqui s.m.
hibbenita s.f.
hibbértia s.f.
hibernação s.f.
hibernáculo s.m.
hibernado adj.
hibernagem s.f.
hibernal adj.2g.
hibernante adj. s.2g.
hibernar v.
hibérnia s.f.
hibernianismo s.m.
hibernianista adj. s.2g.
hibérnico adj. s.m.
hibérnio adj. s.m.
hiberno adj.
hibernoma s.m.
hibernoso (*ô*) adj.; f. (*ó*); pl. (*ó*)
hibértia s.f.
hibíscea s.f.
hibísceo adj.
hibisco s.m.
hibleia (*é*) adj. s.f. de *hibleu*
hiblense adj. s.2g.
hibleu adj. s.m.; f. *hibleia* (*é*)
hibocístis s.m.2n.
híbode s.m.
hibodonte s.m.
hibofrínio s.m.
hiboma s.m.
hibômetro s.m.
hibonita s.f.
hibossoríneo adj. s.m.
hibóssoro s.m.
hibridação s.f.
hibridade s.f.
hibridado adj.
hibridador (*ô*) adj.
hibridante adj.2g.
hibridar v.
hibridável adj.2g.
hibridez (*ê*) s.f.
hibrideza (*ê*) s.f.
hibridismo s.m.
hibridista adj. s.2g.
hibridístico adj.
hibridização s.f.
hibridizado adj.
hibridizante adj.2g.
hibridizar v.
hibridizável adj.2g.
híbrido adj. s.m.
hibridologia s.f.
hibridológico adj.
hibridoma s.m.
hibridozoário s.m.
hibrístico adj.
hibschita s.f.
hícleo s.m.
hico s.m.
hicória s.f.
hicso adj. s.m.
híctia s.f.
hidalgoíta s.f.
hidantoico (*ó*) adj.
hidantoína s.f.
hidartrose s.f.
hidatela s.f.
hidatelácea s.f.
hidateláceo adj.
hidatelale s.f.
hidático adj.
hidátide s.f.
hidatídico adj.
hidatidiforme adj.2g.
hidatidina s.f.
hidatidocele s.f.
hidatidoma s.m.
hidatidonixe (*cs*) s.f.
hidatidose s.f.
hidatiforme adj.2g.
hidatígero adj. s.m.
hidatina s.f.
hidatínida adj.2g. s.m.
hidatinídeo adj. s.m.
hidatismo s.m.
hidatódio s.m.
hidátodo s.m.
hidatoide (*ó*) adj.2g.
hidatologia s.f.
hidatológico adj.
hidatomorfismo s.m.
hidatomorfo adj.
hidatopirogênico adj.
hidatopneumatolítico adj.

hidatoscopia s.f.
hidatoscópico adj.
hidátulo adj. s.m.
hiddenita s.f.
hiddenítico adj.
hidenita s.f.
hidenítico adj.
hidissense adj. s.2g.
hidnácea s.f.
hidnáceo adj.
hídnea s.f.
hídneo adj.
hidno s.m.
hidnocárpia s.f.
hidnocárpio adj. s.m.
hidnocarpo adj. s.m.
hidnófito s.m.
hidnoimbricado s.m.
hidnora s.f.
hidnorácea s.f.
hidnoráceo adj.
hidnossinuoso (*ô*) s.m.; f. (*ó*); pl. (*ó*)
hidra s.f.
hidra-aéreo adj.
hidra-aeroplano s.m.
hidra-alcoilação s.f.
hidra-álcool s.m.
hidra-alcoólico adj.
hidrabietato s.m.
hidrabiético adj.
hidráceo adj. s.m.
hidracetina s.f.
hidrácido s.m.
hidracna s.f.
hidrácnida adj.2g. s.m.
hidracnídeo adj. s.m.
hidrácnido adj. s.m.
hidracrilato s.m.
hidracrílico adj.
hidractínia s.f.
hidractínida adj.2g. s.m.
hidractiniída adj.2g. s.m.
hidractiniídeo adj. s.m.
hidra-de-água s.f.; pl. *hidras-de-água*
hidradenite s.f.
hidradenoma s.m.
hidraéreo adj.
hidraeroplano s.m.
hidragogo (*ô*) adj. s.m.
hidralazina s.f.
hidralcoilação s.f.
hidrálcool s.m.
hidralcoólico adj.
hidralector (*ô*) s.m.
hidralita s.f.
hidralmânia s.f.
hidramático adj.
hidramida s.f.
hidramílio s.m.
hidramilo s.m.
hidramina s.f.
hidrâmnio s.m.
hidrângea s.f.
hidrangeácea s.f.
hidrangeóidea s.f.
hidrangina s.f.
hidrangínea s.f.
hidrangíneo adj.
hidranite s.f.
hidranja s.f.
hidranose s.f.
hidrantanol s.m.
hidrante s.m.
hidrântea s.f.
hidrantélio s.m.
hidranto s.m.
hidrarco adj. s.m.
hidrargilita s.f.
hidrargilite s.f.
hidrargilítico adj.
hidrargiria s.f.
hidrargiríase s.f.
hidrargírico adj.
hidrargírida adj.2g. s.m.
hidrargírio s.m.
hidrargirismo s.m.
hidrargirita s.f.
hidrargirite s.f.
hidrargiro s.m.
hidrargiropneumático adj.
hidrargirose s.f.
hidrargirossialorreia (*é*) s.f.
hidrário adj. s.m.
hidrartro s.m.
hidrartrose s.f.
hidrase s.f.
hídrase s.f.
hidráspis s.f.2n.
hidrastal s.m.
hidrastato s.m.
hidraste s.f.
hidraste-do-canadá s.f.; pl. *hidrastes-do-canadá*
hidrastéria s.f.
hidrástico adj.
hidrastídea s.f.
hidrastina s.f.
hidrastinina s.f.
hidratação s.f.
hidratado adj.
hidratador (*ô*) adj. s.m.
hidratante adj.2g. s.m.
hidratar v.
hidratase s.f.
hidrátase s.f.
hidratático adj.
hidratável adj.2g.
hidrático adj.
hidratiforme adj.2g.
hidrato s.m.
hidratomorfo adj.
hidratrópico adj.
hidratuba s.f.
hidráulica s.f.
hidraulicidade s.f.
hidráulico adj. s.m.
hidraulo s.m.
hidrautomático adj. s.m.
hidraviação s.f.
hidravião s.m.
hidrazida s.f.
hidrazídico adj.
hidrazidina s.f.
hidrazido s.m.
hidrazina s.f.
hidrazínico adj.
hidrazínio s.m.
hidrazoato s.m.
hidrazobenzeno s.m.
hidrazobenzol s.m.
hidrazoico (*ó*) adj. s.m.
hidrazona s.f.
hidrazonal adj.2g.
hidrazônico adj.
hidrazônio adj.
hidrectasia s.f.
hidrelétrica s.f.
hidreletricidade s.f.
hidrelétrico adj.
hidreletrólise s.f.
hidreletrolítico adj.
hidrélia s.f.
hidrelita adj. s.2g.
hidrelitano adj. s.m.
hidrematite s.f.
hidrematocele s.f.
hidrêmese s.f.
hidremia s.f.
hidrêmico adj.
hidrena s.f.
hidrencefalia s.f.
hidrencefálico adj.
hidrencéfalo s.m.
hidrencefalocele s.f.
hidrenergético adj.
hidrenergia s.f.
hidrênida adj.2g. s.m.
hidrenídeo adj. s.m.
hidrenínео adj. s.m.
hidrênquima s.m.
hidrenquimático adj.
hidrenquimatoso (*ô*) adj.; f. (*ó*); pl. (*ó*)
hidrenterepiplocele s.f.
hidrenterocele s.f.
hidrenterônfalo s.m.
hidrenterorreia (*é*) s.f.
hidrepigástrico s.m.
hidrepiplocele s.f.
hidrepiplônfalo s.m.
hidrétiops s.m.2n.
hidreto (*ê*) s.m.
hidrextrator (*ô*) s.m.
hídria s.f.
hidríade s.f.
hidrião s.m.
hidriatria s.f.
hidriátrico adj.
hídrico adj.
hidríctida adj.2g. s.m.
hidrictídeo adj. s.m.
hidríctis s.m.2n.
hidrídico adj.
hidrila s.f.
hidrilácea s.f.
hidriláceo adj.
hidrílea s.f.
hidrindeno s.m.
hídrion s.m.
hidriota adj. s.2g.
hidroa (*ô*) s.f.
hidroadenite s.f.
hidroaéreo adj.
hidroaeroplano s.m.
hidroagrícola adj.2g.
hidroalcoilação s.f.
hidroálcool s.m.
hidroalcoólico adj.
hidroalita s.f.
hidroapatita s.f.
hidroário s.m.
hidroaromático s.m.
hidroatômico adj.
hidroátomo s.m.
hidroaviação s.f.
hidroavião s.m.
hidrobasaluminita s.f.
hidrobase s.f.
hidróbase s.f.
hidrobatídea s.f.
hidrobatídeo adj.
hidrobatráquio s.m.
hidrobenzamida s.f.
hidrobenzênico adj.
hidrobenzeno s.m.
hidrobenzoico (*ó*) adj.
hidrobenzoína s.f.
hidróbia s.f.
hidrobiída adj.2g. s.m.
hidrobiídeo adj. s.m.
hidrobilirrubina s.f.
hidróbio adj. s.m.
hidrobiologia s.f.
hidrobiológico adj.
hidrobiologista s.2g.
hidrobiólogo s.m.
hidrobiótica s.f.
hidrobiotita s.f.
hidrobiplano s.m.
hidrobismutita s.f.
hidroboração s.f.
hidroboracita s.f.
hidroborado adj.
hidroborano s.m.
hidroborar v.
hidroborato s.m.
hidrobrânquio adj.
hidrobritolita s.f.
hidrobromato s.m.
hidrobrometo (*ê*) s.m.
hidrobrômico adj.
hidrobromocalcita s.f.
hidrobromocalcite s.f.
hidrocafeato s.m.
hidrocafeico (*é*) adj.
hidrocalcita s.f.
hidrocalcite s.f.
hidrocaliose s.f.
hidrocalumita s.f.
hidrocanforato s.m.
hidrocanfórico adj.
hidrocântaro adj. s.m.
hidrocarbonação s.f.
hidrocarbonado adj.
hidrocarbonador (*ô*) adj.
hidrocarbonante adj.2g.
hidrocarbonar v.
hidrocarbonato s.m.
hidrocarbonável adj.2g.
hidrocarboneto (*ê*) s.m.
hidrocarbônico adj.
hidrocarbureto (*ê*) s.m.
hidrócare s.f.
hidrocariácea s.f.
hidrocariáceo adj.
hidrocaridácea s.f.
hidrocaridáceo adj.
hidrocarídea s.f.
hidrocarídeo adj.
hidrócaris s.f.2n.
hidrocaritácea s.f.
hidrocaritáceo adj.
hidrocaritale s.f.
hidrocarítea s.f.
hidrocarotina s.f.
hidrocassiterita s.f.
hidrocaule s.m.
hidrocaulinita s.f.
hidrocefalia s.f.
hidrocefálico adj.
hidrocéfalo adj. s.m.
hidrocefaloide (*ó*) adj.2g.
hidrocela s.f.
hidrocele s.f. "derrame nos testículos"; cf. *hedrocele*
hidrocelectomia s.f.
hidrocelectômico adj. s.m.
hidrocelia s.f.
hidrocélico adj.
hidrocelulose s.f.
hidrocena s.f.
hidrocênida adj.2g. s.m.
hidrocenídeo adj. s.m.
hidrocenose s.f.
hidrocerâmico adj.
hidrocéramo s.m.
hidrocerita s.f.
hidrocerusita s.f.
hidrocerusite s.f.
hidrocerussita s.f.
hidrocianato s.m.
hidrociânico adj.
hidrocianita s.f.
hidrocianoferrato s.m.
hidrociclone s.m.
hidrociclônico adj.
hidrocinâmico adj.
hidrocinchonina s.f.
hidrocinemática s.f.
hidrocinemático adj.
hidrocinesioterapia s.f.
hidrocinesioterápico adj.
hidrocinética s.f.
hidrocinético adj.
hidrócion s.m.
hidrocioníneo adj. s.m.
hidrocirsocele s.f.
hidrocisto s.m.
hidrocistoma s.m.
hidroclassificador (*ô*) s.m.
hidroclatrácea s.f.
hidroclatráceo adj.
hidroclatro s.m.
hidroclimatologia s.f.
hidroclimatológico adj.
hidroclimatologista s.2g.
hidroclimatólogo s.m.
hidrócloa s.f.
hidroclorato s.m.
hidroclórico adj.
hidrocloro s.m.
hidrocodeinona s.f.
hidrocolecistite s.f.
hidrocolecisto s.m.
hidrocolérese s.f.
hidrocoloide (*ó*) adj.2g. s.m.
hidrocolpo s.m.
hidrocolpocele s.f.
hidrocolpos s.m.2n.
hidrocolpose s.f.
hidroconita s.f.
hidroconite s.f.
hidrocookeíta s.f.
hidrocoral adj.2g. s.m.
hidrocoraliário adj. s.m.
hidrocoralino adj. s.m.
hidrocoria s.f.
hidrocórico adj.
hidrocorisa s.f.
hidrocorísido adj. s.m.
hidrocoro adj.
hidrocortisona s.f.
hidrocortisônico adj.
hidrocotarnina s.f.
hidrocótila s.f.
hidrocótile s.f.
hidrocotílea s.f.
hidrocotíleo adj.
hidrocotilóidea s.f.
hidrocraqueamento s.m.
hidrocroconata s.m.
hidrocrocônico adj.
hidrocultura s.f.
hidrocumarato s.m.
hidrocumárico adj.
hidrocumarilato s.m.
hidrocumarílico adj.
hidrocumarina s.f.
hidrocupreína s.f.
hidrocussão s.f.
hidrocusso adj. s.m.
hidrocutado adj.
hidrocutar v.
hidrodema s.m.
hidroderme s.f.
hidrodermia s.f.
hidrodeslizador (*ô*) s.m.
hidrodessulfuração s.f.
hidrodessulfurização s.f.
hidrodessulfurizado adj.
hidrodessulfurizar v.
hidrodictiácea s.f.
hidrodictiáceo adj.
hidrodíctio s.m.
hidrodictiônea s.f.
hidrodictiôneo adj.
hidrodinamia s.f.
hidrodinâmica s.f.

hidrodinamicista s.2g.
hidrodinâmico adj.
hidrodínamo s.m.
hidrodinasta s.m.
hidrodipsomania s.f.
hidrodipsômano s.m.
hidrodiurese s.f.
hidrodiurético adj.
hidrodroma s.m.
hidroelétrica s.f.
hidroeletricidade s.f.
hidroelétrico adj.
hidroematita s.f.
hidroematonefrose s.f.
hidroematonefrótico adj.
hidroemopericárdio s.m.
hidroencefalia s.f.
hidroencefálico adj.
hidroencéfalo s.m.
hidroenergético adj.
hidroenergia s.f.
hidroenterocele s.f.
hidroenterônfalo s.m.
hidroepigástrico s.m.
hidroepiplocele s.f.
hidroergotina s.f.
hidroeterolita s.f.
hidroeterólito s.m.
hidroeuxenita s.f.
hidroextração s.f.
hidroextractor (*s...ô*) s.m.
hidroextratar v.
hidrofagocitose s.f.
hidrófana s.f.
hidrófane s.f.
hidrofânio s.m.
hidrófano adj.
hidrófasis s.f.2n.
hidrófero s.m.
hidroferrite s.f.
hidroferrocianato s.m.
hidroferulato s.m.
hidroferúlico adj.
hidrófido s.m.
hidrofila s.f.
hidrofilácea s.f.
hidrofiláceo adj.
hidrofílea s.f.
hidrofíleo adj.
hidrofilia s.f.
hidrofilical adj.2g.
hidrofilicale s.f.
hidrofílico adj.
hidrofílida adj.2g. s.m.
hidrofilídeo adj. s.m.
hidrofilina s.f.
hidrofilíneo adj. s.m.
hidrofilino adj. s.m.
hidrofilita s.f.
hidrofilo s.m. "gênero de algas e de insetos"; cf. *hidrófilo*
hidrófilo adj. "que gosta de água"; cf. *hidrofilo*
hidrofilóideo adj. s.m.
hidrofimose s.f.
hidrofíneo adj. s.m.
hidrófis s.m.2n.
hidrofisocele s.f.
hidrofisometria s.f.
hidrofisometriose s.f.
hidrófita s.f.
hidrofite s.f.
hidrofitia s.f.
hidrófito adj. s.m.
hidrofitografia s.f.
hidrofitográfico adj.
hidrofitógrafo s.m.
hidrofitologia s.f.
hidrofitológico adj.
hidrofitologista s.2g.
hidrofitólogo s.m.
hidroflogopita s.f.
hidroflogose s.f.
hidroflumetiazida s.f.
hidrofluocerite s.f.
hidrofluorato s.m.
hidrofluórico adj.
hidrofobia s.f.
hidrofóbico adj.
hidrofobina s.f.
hidrofobizar v.
hidrófobo adj. s.m.
hidrofólico adj.
hidrofólio s.m.
hidrofone s.m.
hidrofórias s.f.pl.
hidroformação s.f.
hidroformilação s.f.
hidróforo adj.
hidrofosfato s.m.
hidrofráctico adj.
hidrofrático adj.
hidroftalato s.m.
hidroftálico adj.
hidroftalmia s.f.
hidroftalmo s.m.
hidrófugo adj. s.m.
hidrofuramida s.f.
hidrofuronato s.m.
hidrofurônico adj.
hidrogaseificação s.f.
hidrogaseificado adj.
hidrogaseificar v.
hidrogastrácea s.f.
hidrogastráceo adj.
hidrogastria s.f.
hidrogel s.m.
hidrogenação s.f.
hidrogenada s.f.
hidrogenado adj.
hidrogenador (*ô*) adj. s.m.
hidrogenante adj.2g. s.m.
hidrogenar v.
hidrogenase s.f.
hidrogênase s.f.
hidrogenia s.f.
hidrogênico adj.
hidrogênio s.m.
hidrogeniônico adj.
hidrogenionte s.m.
hidrogenita s.f.
hidrogenite s.f.
hidrógeno adj.
hidrogenólise s.f.
hidrogenolítico adj.
hidrogenotransportase s.f.
hidrogenotranspórtase s.f.
hidrogenóxido (*cs*) adj. s.m.
hidrogeologia s.f.
hidrogeológico adj.
hidrogeologista adj. s.2g.
hidrogeólogo s.m.
hidrogilita s.f.
hidroginástica s.f.
hidroglauberita s.f.
hidroglobertita s.f.
hidroglockerita s.f.
hidroglossa s.f.
hidrognomonia s.f.
hidrognosia s.f.
hidrogoethita s.f.
hidrógono adj.
hidrograciosoleretina s.f.
hidrografia s.f.
hidrográfico adj.
hidrógrafo s.m.
hidrogrossulária s.f.
hidrogrossularita s.f.
hidro-halloysita s.f.
hidro-haloisita s.f.
hidro-hematonefrose s.f.
hidro-hemopericárdio s.m.
hidro-herderita s.f.
hidroide (*ó*) adj.2g. s.m.
hidróideo adj. s.m.
hidroigrômetro s.m.
hidrol s.m. "designação genérica das águas minerais"; cf. *idrol*
hidrolabirinto s.m.
hidrolacolítico adj.
hidrolacólito s.m.
hidrolactômetro s.m.
hidrolandense adj. s.2g.
hidrolandês adj. s.m.
hidrolase s.f.
hidrólase s.f.
hidrolásico adj.
hidrolático adj.
hidrolato s.m.
hidrólatra s.2g.
hidrolatria s.f.
hidrólea s.f.
hidroleácea s.f.
hidroleáceo adj.
hidróleo adj.
hidrolepidocrocita s.f.
hidroleucite s.m.
hidroligocitemia s.f.
hidrolinense adj. s.2g.
hidrólio s.m.
hidrolisação s.f.
hidrolisado adj.
hidrolisante adj.2g.
hidrolisar v.
hidrolisável adj.2g.
hidrólise s.f.; cf. *hidrolise*, fl. do v. *hidrolisar*
hidrolita s.f.
hidrolítico adj.
hidrólito s.m.
hidrologia s.f.
hidrológico adj.
hidrologista adj. s.2g.
hidrólogo s.m.
hidroma s.m.
hidromagnesita s.f.
hidromagnesite s.f.
hidromagnética s.f.
hidromagnético adj.
hidromagniolita s.f.
hidromagnocalcita s.f.
hidromancia s.f.
hidromania s.f.
hidromaníaco adj. s.m.
hidrômano s.m.
hidromante s.2g.
hidromântico adj.
hidromassageação s.f.
hidromassageado adj.
hidromassageador (*ô*) adj. s.m.
hidromassagear v.
hidromassagem s.f.
hidromassagista adj. s.2g.
hidromático adj.
hidromecânica s.f.
hidromecânico adj.
hidromeconato s.m.
hidromecônico adj.
hidromedicina s.f.
hidromedicinal adj.2g.
hidromedusa s.f.
hidromedúseo adj.
hidromegatérmico adj.
hidromel s.m.
hidromelado adj.
hidromelanotalita s.f.
hidromélico adj.
hidromelite s.f.
hidromeningite s.f.
hidromeningocele s.f.
hidromerídeo adj. s.m.
hidrometalurgia s.f.
hidrometalúrgico adj.
hidrometeoro s.m.
hidrometeorologia s.f.
hidrometeorológico adj.
hidrometeorologista adj. s.2g.
hidrometria s.f.
hidrométrico adj.
hidrométrida adj.2g. s.m.
hidrometrídeo adj. s.m.
hidrometriforme adj.2g. s.m.
hidrometríneo adj. s.m.
hidrômetro s.m.
hidrometrocolpo s.m.
hidrometrógrafo s.m.
hidrometróideo adj. s.m.
hidrômia s.f.
hidromielia s.f.
hidromiélico adj.
hidromielocele s.f.
hidromielomeningocele s.f.
hidromiíneo adj. s.m.
hidromineral adj.2g.
hidrômio s.m.
hidromioma s.m.
hídromis s.m.2n.
hidromístria s.f.
hidromodelismo s.m.
hidromodelista s.2g.
hidromolisita s.f.
hidromonoplano s.m.
hidromórfico adj.
hidromorfo adj. s.m.
hidromoscovita s.f.
hidromotor (*ô*) adj. s.m.
hidromuscovita s.f.
hidrona s.f.
hidronastia s.f.
hidronástico adj.
hidronastismo s.m.
hidrone s.m.
hidronecte s.m.
hidronefelita s.f.
hidronefrose s.f.
hidronefrótico adj.
hidrônfalo s.m.
hidronfalocele s.f.
hidrônico adj.
hidronímia s.f.
hidronímico adj.
hidrônimo s.m.
hidrônio s.m.
hidroniojarosita s.f.
hidro-oforia s.f.
hidro-oligocitemia s.f.
hidroparacumárico adj.
hidroparagonita s.f.
hidropata s.2g.
hidrópata s.2g.
hidropatia s.f.
hidropático adj.
hidrópede s.m.
hidropedese s.f.
hidropericárdio s.m.
hidropericardite s.f.
hidroperinefrose s.f.
hidroperitônio s.m.
hidroperitonite s.f.
hidroperóxido (*cs*) s.m.
hidropesia s.f.
hidropexia (*cs*) s.f.
hidrópico adj. s.m.
hidropiesmometria s.f.
hidropiesmométrico adj.
hidropiesmômetro s.m.
hidropigêneo adj.
hidropigênico adj.
hidropiocéfalo s.m.
hidropionefrose s.f.
hidropionefrótico adj.
hidropiopneumotórax (*cs*) s.m.2n.
hidropirético adj.
hidropírico adj.
hidropirídico adj.
hidropirocloro s.m.
hidropisia s.f.
hidropisina s.f.
hidroplancto s.m.
hidroplâncton s.m.
hidroplano s.m.
hidroplanta s.f.
hidroplasma s.m.
hidroplasmia s.f.
hidroplastia s.f.
hidroplástico adj.
hidropleuria s.f.
hidropneumático adj.
hidropneumatocele s.f.
hidropneumogonia s.f.
hidropneumonia s.f.
hidropneumopericárdio s.m.
hidropneumoperitônio s.m.
hidropneumotórax (*cs*) s.m.2n.
hidropolilitionita s.f.
hidroponia s.f.
hidropônica s.f.
hidropônico adj.
hidroporíneo adj. s.m.
hidróporo s.m.
hidroportação s.f.
hidroportado adj.
hidroportagem s.f.
hidroportar v.
hidroportável adj.2g.
hidroporto (*ô*) s.m.; pl. (*ó*)
hidroportuário adj. s.m.
hidrópota s.2g.
hidrópote s.m.
hidropoterapia s.f.
hidroprogno s.m.
hidropsálide s.f.
hidrópsalis s.f.2n.
hidropsia s.f.
hidropsicode s.m.
hidropsicose s.f.
hidropsique s.f.
hidropsíquida adj.2g. s.m.
hidropsiquídeo adj. s.m.
hidropteridal adj.2g.
hidropteridale s.f.
hidropteridínea s.f.
hidróptila s.f.
hidroptílida adj.2g. s.m.
hidroptilídeo adj. s.m.
hidropúlvis s.m.2n.
hidroquelídon s.f.
hidroquerídeo adj. s.m.
hidroquero s.m.
hidroquíneo adj. s.m.
hidroquinidina s.f.
hidroquinol s.m.
hidroquinona s.f.
hidroquinone s.m.
hidroquinônico adj.
hidroquisto s.m.
hidroquistoma s.m.
hidrórnis s.2g.2n.
hidrornite s.2g.
hidrorragia s.f.
hidrorrágico adj.
hidrórraque s.f.

hidrorráquico adj.
hidrorráquio adj. s.m.
hidrórraquis s.f.2n.
hidrorreia (*é*) s.f.
hidrorreico (*é*) adj.
hidrorrepelente adj. s.m.
hidrorrinkolita s.f.
hidrorriza s.f.
hidrorrízico adj.
hidrorromeíta s.f.
hidrortita s.f.
hidrosadenite s.f.
hidroscarbroíta s.f.
hidroscopia s.f.
hidroscópico adj.
hidroscópio s.m.
hidróscopo s.m.
hidrose s.f.
hidrosfera s.f.
hidrosférico adj.
hidrosma s.f.
hidrosme s.f.
hidrosmecta s.f.
hidrospaço s.m.
hidrospira s.f.
hidrospiro s.m.
hidrospórico adj.
hidrósporo adj. s.m.
hidrosqueocele s.f.
hidrossácaro s.m.
hidrossalino adj.
hidrossalpinge s.f.
hidrossalpíngio s.m.
hidrossalpingite s.f.
hidrossarcocele s.f.
hidrossáurio adj. s.m.
hidrossauro adj. s.m.
hidrossemeadura s.f.
hidrosseparador (*ô*) s.m.
hidrossere s.f.
hidrossilicato s.m.
hidrossilicoso (*ô*) adj.; f. (*ó*); pl. (*ó*)
hidrossinctasia s.f.
hidrossol s.m.
hidrossólico adj.
hidrossolúvel adj.2g.
hidrossulfato s.m.
hidrossulfito s.m.
hidrossulfúrico adj.
hidrossulfuroso (*ô*) adj.; f. (*ó*); pl. (*ó*)
hidróstaque s.f.
hidrostaquiácea s.f.
hidrostaquiáceo adj.
hidrostaquial adj.2g.
hidrostaquiale s.f.
hidrostática s.f.
hidrostático adj.
hidrostatimétrico adj.
hidrostatímetro s.m.
hidróstato s.m.
hidrotacometria s.f.
hidrotacométrico adj.
hidrotacômetro s.m.
hidrotáctico adj.
hidrotactismo s.m.
hidrotalcita s.f.
hidrotaquilita s.f.
hidrotaquilito s.m.
hidrotaquímetro s.m.
hidrotassa s.f.
hidrotatismo s.m.
hidrotaxia (*cs*) s.f.
hidrote s.f.
hidroteca s.f.
hidrotecário adj.
hidrotecnia s.f.
hidrotécnica s.f.
hidrotécnico adj.
hidroteia (*é*) s.f.
hidroterapeuta s.2g.
hidroterapêutica s.f.
hidroterapêutico adj.
hidroterapia s.f.
hidroterápico adj.
hidroterapista adj. s.2g.
hidrotermal adj.2g.
hidrotermalismo s.m.
hidrotérmico adj.
hidrotermoterapia s.f.
hidrotermoterápico adj.
hidroterpênico adj.
hidrothomsonita s.f.
hidrótica s.f.
hidrótico adj.
hidrotimetria s.f.
hidrotimétrico adj.
hidrotímetro s.m.
hidrotímpano s.m.
hidrotionato s.m.
hidrotionemia s.f.
hidrotionêmico adj.
hidrotiônico adj.
hidrotionuria s.f.
hidrotionúria s.f.
hidrotípia s.f.
hidrotípico adj.
hidrotitanita s.f.
hidrotomia s.f.
hidrotomizar v.
hidrotórax (*cs*) s.m.2n.
hidrotorita s.f.
hidrótrice s.f.
hidrotroilita s.f.
hidrotropia s.f.
hidrotropical adj.2g.
hidrotrópico adj.
hidrotropismo s.m.
hidrotungstita s.f.
hidrougrandita s.f.
hidrovacúolo s.m.
hidrovascular adj.2g.
hidrovascularidade s.f.
hidrovascularização s.f.
hidrovia s.f.
hidroviário adj.
hidroxâmico (*cs*) adj.
hidroxiacético (*cs*) adj.
hidroxiacetona (*cs*) s.f.
hidroxiácido (*cs*) adj. s.m.
hidroxialdeídico (*cs*) adj.
hidroxialdeído (*cs*) s.m.
hidroxianfetamina (*cs*) s.f.
hidroxiantraquinona (*cs*) s.f.
hidroxiapatita (*cs*) s.f.
hidroxiazoico (*cs...ó*) s.m.
hidroxibenzaldeídico (*cs*) adj.
hidroxibenzaldeído (*cs*) s.m.
hidroxibenzeno (*cs*) s.m.
hidroxibenzoico (*cs...ó*) adj.
hidroxibutírico (*cs*) adj.
hidroxicafeína (*cs*) s.f.
hidroxicanforonato (*cs*) s.m.
hidroxicanforônico (*cs*) adj.
hidroxicetona (*cs*) s.f.
hidroxicetônico (*cs*) adj.
hidroxicinâmico (*cs*) adj.
hidroxicitronelal (*cs*) s.m.
hidroxicloroquina (*cs*) s.f.
hidroxicomponente (*cs*) adj.2g. s.m.
hidroxicomposição (*cs*) s.f.
hidroxicomposto (*cs...ô*) adj. s.m.
hidroxicorticoidal (*cs*) adj.2g.
hidroxicorticoide (*cs...ó*) adj.2g. s.m.
hidroxicorticosteroide (*cs...ó*) adj.2g. s.m.
hidroxicorticosterona (*cs*) s.f.
hidroxicumarina (*cs*) s.f.
hidroxiderivação (*cs*) s.f.
hidroxiderivado (*cs*) adj.
hidroxiderivador (*cs...ô*) adj.
hidroxiderivante (*cs*) adj.2g. s.m.
hidroxiderivar (*cs*) v.
hidroxiderivável (*cs*) adj.2g.
hidroxidiona (*cs*) s.f.
hidróxido (*cs*) s.m.
hidroxidoácido s.m.
hidroxidrila s.m.
hidroxierderita s.f.
hidroxiéter s.m.
hidroxifenil (*cs*) s.m.
hidroxifenílico (*cs*) adj.
hidroxifenol (*cs*) s.m.
hidroxifenólico (*cs*) adj.
hidroxi-hidroxilamina (*cs*) s.f.
hidroxi-hidroxilamínico (*cs*) adj.
hidroxiidroxilamina (*cs*) s.f.
hidroxiidroxilamínico (*cs... cs*) adj.
hidroxila (*cs*) s.f.
hidroxilação (*cs*) s.f.
hidroxilado (*cs*) adj.
hidroxilamina (*cs*) s.f.
hidroxilamínico (*cs*) adj.
hidroxilamônio (*cs*) s.m.
hidroxilante (*cs*) adj.2g. s.m.
hidroxilapatita (*cs*) s.f.
hidroxilar (*cs*) v.
hidroxilase (*cs*) s.f.
hidroxílase (*cs*) s.f.
hidroxilbastnasita s.f.
hidroxílico (*cs*) adj.
hidroxilisina (*cs*) s.f.
hidroxilnatrofosfato s.m.
hidroxilo (*cs*) s.m.
hidróxilo (*cs*) s.m.
hidroximetil (*cs*) s.m.
hidroximetilação (*cs*) s.f.
hidroximetilado (*cs*) adj.
hidroximetilar (*cs*) v.
hidroxinitrila (*cs*) s.f.
hidroxinitrílico (*cs*) adj.
hidroxipirrolidina (*cs*) s.f.
hidroxipirrolidínico (*cs*) adj.
hidroxipirrolidino (*cs*) adj.
hidroxiprogesterona (*cs*) s.f.
hidroxiprolina (*cs*) s.f.
hidroxiprolínico (*cs*) adj.
hidroxipropiônico (*cs*) adj.
hidroxipurina (*cs*) s.f.
hidroxiquinolina (*cs*) s.f.
hidroxitoluênico (*cs*) adj.
hidroxitolueno (*cs*) s.m.
hidroxitriptamina (*cs*) s.f.
hidroxitriptamínico (*cs*) adj.
hidroxiureia (*cs...é*) s.f.
hidroxizina (*cs*) s.f.
hidroxocobalamina (*cs*) s.f.
hidroxônio (*cs*) s.m.
hidrozincita s.f.
hidrozoa (*ô*) s.f.
hidrozoário adj. s.m.
hidrozóideo adj. s.m.
hidruntino adj. s.m.
hidrureteروse s.f.
hidruria s.f.
hidrúria s.f.
hidrúrico adj. s.m.
hidrurilato s.m.
hidrurílico adj.
hidruro s.m.
hidruvato s.m.
hidrúvico adj.
hielmita s.f.
hiemação s.f.
hiemal adj.2g.
hiemalizar v.
hiemífugo adj.
hiena s.f.
hiena-escura s.f.; pl. *hienas-escuras*
hiena-listrada s.f.; pl. *hienas-listradas*
hiena-malhada s.f.; pl. *hienas-malhadas*
hiena-raiada s.f.; pl. *hienas-raiadas*
hiena-rajada s.f.; pl. *hienas-rajadas*
hienial adj.2g.
hieniale s.f.
hiênida adj.2g. s.m.
hienídeo adj. s.m.
hienipense adj. s.2g.
hienodontídeo adj. s.m.
hienoide (*ó*) adj.2g. s.m.
hieracídea s.f.
hieraciina s.f.
hierácio s.m.
hieracita adj. s.2g. s.f.
hieracite s.f.
hieracocéfalo adj.
hieracoesfinge s.f.
hieracometa (*ê*) adj. s.2g.
hieracto s.m.
hieralgia s.f.
hierálgico adj.
hieranose s.f.
hierapicra s.f.
hierapolense adj. s.2g.
hierapolita adj. s.2g.
hierapolitano adj. s.m.
hierarca s.2g.
hierarquia s.f.
hierárquico adj.
hierarquismo s.m.
hierarquista adj. s.2g.
hierarquístico adj.
hierarquização s.f.
hierarquizado adj.
hierarquizar v.
hierarquizável adj.2g.
hierática s.f.
hieraticismo s.m.
hierático adj.
hieratismo s.m.
hieratita s.f.
hieratite s.f.
hieratização s.f.
hieratizado adj.
hieratizar v.
hiericuntino adj. s.m.
hiérnia s.f.
hierócloe s.f.
hierocóccix (*cs*) s.m.2n.
hierocracia s.f.
hierocrata s.2g.
hierócrata s.2g.
hierocrático adj.
hierocromia s.f.
hierodrama s.m.
hierodula s.f.
hierodulia s.f.
hierodulo s.m.
hierofalco s.m.
hierofania s.f.
hierofanta s.m.
hierofante s.m.
hierofântico adj.
hierofântide s.f.
hierofântria s.f.
hieróforo s.m.
hierogamia s.f.
hierogâmico adj.
hierogeografia s.f.
hierogeográfico adj.
hieroglífica s.f.
hieroglífico adj.
hieroglifo s.m.
hieróglifo s.m.
hierografia s.f.
hierográfico adj.
hierógrafo s.m.
hierograma s.m.
hierogramático adj.
hierogramatista s.2g.
hierolofiense adj. s.2g.
hierologia s.f.
hierológico adj.
hierólogo s.m.
hieromancia s.f.
hieromania s.f.
hieromaníaco adj. s.m.
hieromante adj. s.2g.
hieromântico adj.
hieromnêmone s.m.
hierônico s.m.
hieronimia s.f.
hieronímia s.f.
hieronímico adj.
hieronimita adj. s.2g.
hierônimo s.m.
hieropeu s.m.
hieroscopia s.f.
hieroscópico adj.
hierosolimita adj. s.2g.
hierosolimitano adj. s.m.
hierosólimo adj. s.m.
hieroterapia s.f.
hieroterápico adj.
hietografia s.f.
hietográfico adj.
hietografista s.2g.
hietógrafo s.m.
hietologia s.f.
hietológico adj.
hietologista s.2g.
hietólogo s.m.
hietometria s.f.
hietométrico adj.
hietometrista s.2g.
hietômetro s.m.
hietometrografia s.f.
hietometrográfico adj.
hietometrógrafo s.m.
hietometrograma s.m.
hietórnis s.2g.2n.
hietornite s.2g.
hietoscopia s.f.
hietoscópico adj.
hietoscópio s.m.
hifa s.f.
hifal adj.2g.
hifaláster s.m.
hifale s.f.
hifalmiroplancto s.m.
hifalmiroplâncton s.m.
hifantórnis s.2g.2n.
hifantornite s.2g.
hifema s.m.
hifemia s.f.
hifêmico adj.
hífen s.m.; pl. *hifens* e *hífenes*
hifenação s.f.
hifenização s.f.
hifenizado adj.
hifenizante adj.2g.
hifenizar v.
hifênquima s.m.
hifenquimático adj.

hifenquimatoso (*ô*) adj.; f. (*ó*); pl. (*ó*)
hifepatia s.f.
hiférese s.f.
hiferésico adj.
hiferético adj.
hífico adj.
hifidro s.m.
hifidrose s.f.
hifódromo adj.
hifo-hidro s.m.
hifo-hidrose s.f.
hifoloma s.m.
hifomicete s.m.
hifomiceto s.m.
hifomicose s.f.
hifopódio s.m.
hifósporo adj. s.m.
higginsita s.f.
higiama s.f.
higidez (*ê*) s.f.
hígido adj.
higiene s.f.
higiênico adj.
higienismo s.m.
higienista adj. s.2g.
higienização s.f.
higienizado adj.
higienizar v.
higienodietético adj.
higiocômio s.m.
higiologia s.f.
higiológico adj.
higiologista s.2g.
higiólogo s.m.
higiostático adj.
higiotecnia s.f.
higiotécnica s.f.
higiotécnico adj.
higioterapia s.f.
higioterápico adj.
higra s.f.
hígrico adj.
higrima s.f.
higrobaroscópio s.m.
higróbate s.m.
higróbia s.f.
higrobiída adj.2g. s.m.
higrobiídeo adj. s.m.
higróbio adj. s.m.
higroblefárico adj.
higrocárabo s.m.
higrocasia s.f.
higrocéramo s.m.
higrócibe s.f.
higrocolírio s.f.
higrócroa s.m.
higrodermia s.f.
higrodérmico adj.
higroelectômetro s.m.
higroexpansibilidade s.f.
higroexpansível adj.2g.
higrófano adj.
higrofila s.f.
higrofilea s.f.
higrofileo adj.
higrofilia s.f.
higrofilita s.f.
higrofilite s.f.
higrófilo adj.
higrofitismo s.m.
higrófito adj. s.m.
higrofobia s.f.
higrofóbico adj.
higrófobo adj.
higrofórea s.f.
higrofóreo adj.
higróforo s.m.
higroftálmico adj.
higrógono s.m.
higrográfico adj.
higrógrafo s.m.
higrologia s.f.
higrológico adj.
higrologista s.2g.
higrólogo s.m.
higroma s.m.
higromancia s.f.
higrômetra s.2g.
higrometria s.f.
higrometricidade s.f.
higrométrico adj.
higrometrista s.2g.
higrômetro s.m.
higromorfismo s.m.
higropétrico adj.
higropetrobionte s.m.
higroplasma s.m.
higroscopia s.f.
higroscopicidade s.f.
higroscópico adj.
higroscópio s.m.
higrossoma s.m.
higróstato s.m.
higrotáctico adj.
higrotactismo s.m.
higrotaxia (*cs*) s.f.
higrotermográfico adj.
higrotermógrafo s.m.
higrotropismo s.m.
hila s.f.
hilacta adj. s.2g.
hilacte adj. s.2g. s.m.
hilaíra s.f.
hilâmbata s.m.
hilâmbate s.m.
hilar adj.2g.
hílara s.f.
hílare adj.2g.
hilária s.f.
hilariância s.f.
hilariante adj.2g.
hilariar v.
hilárias s.f.pl.
hilaridade s.f.
hilário adj. s.m.
hilarizar v.
hilaródia s.f.
hilarodo (*ô*) s.m.
hilarotragédia s.f.
hilarotrágico adj.
hilárquico adj.
hilasta s.m.
hilaste s.m.
hilastíneo adj. s.m.
hilastino adj. s.m.
hilata adj. s.2g.
hilbertiano adj.
hildebrândia s.f.
hildebrandismo s.m.
hildebrândtia s.f.
hildócera s.f.
hileano adj.
hilefila s.f.
hileia (*é*) adj. s.f. de *hileu*
hileiano adj.
hilela s.f.
hilemíia s.f.
hilemórfico adj.
hilemorfismo s.m.
hilemorfista s.2g.
hileneia (*é*) s.f.
hiléria s.f.
hilésia s.f.
hilesina s.f.
hilesínia s.f.
hilesiníneo adj. s.m.
hilesino s.m.
hilética s.f.
hilético adj.
hileto s.m.
hileu adj. s.m.; f. *hileia* (*é*)
hilexetaste (*cs*) s.m.
hilgardita s.f.
hilgenstockita s.f.
hília s.f.
hílico adj.
hílida adj.2g. s.m.
hilídeo adj. s.m.
hilífero adj.
hilina s.f.
hiline s.f.
hilíneo adj. s.m.
hilino s.m.
hiliota s.m.
hilipo s.m.
hilipsórnis s.2g.2n.
hilipsornite s.2g.
hillebrandita s.f.
hilo s.m.
hilóbata s.m.
hilóbate s.m.
hilobátida adj.2g. s.m.
hilobatídeo adj. s.m.
hilobdela s.f.
hilobiínea s.f.
hilóbio s.m.
hilócaris s.f.2n.
hiloceréu s.m.
hilocomíea s.f.
hilocômio s.m.
hilode s.m.
hilófago adj.
hilófero s.m.
hilofila s.f.
hilofílida adj.2g. s.m.
hilofilídeo adj. s.m.
hilofilina s.f.
hilófilo s.m.
hilófito s.m.
hiloformismo s.m.
hilogênese s.f.
hilogenético adj.
hilogenia s.f.
hilogênico adj.
hilognosia s.f.
hilognósico adj.
hilognóstico adj.
hilogogia s.f.
hilogógico adj.
hiloico (*ó*) s.m.
hilômana s.f.
hilômane s.f.
hilomórfico adj.
hilomorfismo s.m.
hilomorfista adj. s.2g.
hilomorfístico adj.
hiloninfa s.f.
hilônomo s.m.
hilopiteco s.m.
hilorrina s.f.
hilospermo adj.
hilota s.2g.
hilotismo s.m.
hilótoma s.m.
hilótomo s.m.
hilotropia s.f.
hilotrópico adj.
hilotrupe s.m.
hilozoico (*ó*) adj.
hilozoísmo s.m.
hilozoísta adj. s.2g.
hilozoístico adj.
himácio s.m.
himalaia s.m.
himalaico adj. s.m.
himalaíte s.f.
himantália s.f.
himantandra s.f.
himantandrácea s.f.
himantandráceo adj.
himantariídeo adj. s.m.
himantário s.m.
himantócera s.f.
himantócero adj. s.m.
himantode s.m.
himantofilo s.m.
himantoglosso s.m.
himantólofo s.m.
himântopo s.m.
himantópode adj.2g. s.m.
himantopodíneo adj. s.m.
himantoquilo s.m.
himantórnis s.2g.2n.
himantornite s.2g.
himantose s.f.
himba adj. s.2g. s.m.
himbar s.m.
himbári s.m.
hímen s.m.
himenactura s.f.
himenacturo s.m.
himenal adj.2g.
himenáster s.m.
himenasteríneo adj. s.m.
himenectomia s.f.
himenectômico adj.
himeneia (*é*) s.f.
himenélitro adj.
himeneu s.m.
himenial adj.2g.
himênio s.m.
himenite s.f.
himenocal adj.2g.
himenocale s.f.
himenocális s.f.
himenocárdia s.f.
himenocarpo adj.
himenocéfalo s.m.
himenocondroide (*ó*) adj.2g.
himenode s.m.
himenodíctio s.m.
himenodisco s.m.
himenodora s.f.
himenodoro s.m.
himenofilácea s.f.
himenofiláceo adj.
himenofílea s.f.
himenofíleo adj.
himenofilo s.m.
himenofilopsdácea s.f.
himenofilópsis s.m.2n.
himenóforo s.m.
himenogáster s.m.
himenogastrácea s.f.
himenogastráceo adj.
himenogastrínea s.f.
himenogastro s.m.
himenogórgia s.f.
himenografia s.f.
himenográfico adj.
himenógrafo s.m.
himenoide (*ó*) adj.2g.
himenolemo s.m.
himenólepe s.f.
himenolepíase s.f.
himenolépida s.m.
himenolépide s.f.
himenolepídeo adj. s.m.
himenolepíneo adj. s.m.
himenólepis s.f.2n.
himenolíquen s.m.
himenólitro s.m.
himenolóbio s.m.
himenologia s.f.
himenológico adj.
himenólogo s.m.
himenomalacia s.f.
himenomicetal adj.2g. s.m.
himenomicete s.m.
himenomicetínea s.f.
himenomicetíneo adj.
himenomiceto s.m.
himenomonadácea s.f.
himenomonadáceo adj.
himenóplia s.f.
himenópode adj.2g.
himenopterismo s.m.
himenóptero adj. s.m.
himenopterologia s.f.
himenopterológico adj.
himenopterologista s.2g.
himenopterólogo s.m.
himenoquelo s.m.
himenoquiro s.m.
himenorrizo adj.
himenossoma s.m.
himenostégia s.f.
himenosteoide (*ó*) adj.2g.
himenostílio s.m.
himenóstomo s.m.
himenotomia s.f.
himenotômico adj.
himenótomo s.m.
hímera s.f.
himeranto s.m.
himétio adj.
himiárico adj. s.m.
himiário adj. s.m.
himiarita adj. s.2g.
himiarítico adj. s.m.
hinaiana adj.2g. s.m.
hinaianismo s.m.
hinaianista adj. s.2g.
hinaianístico adj.
hinário s.m.
hindi s.m.
híndsia s.f.
hindsiela s.f.
hindu adj. s.2g.
hinduísmo s.m.
hinduísta adj. s.2g.
hinduístico adj.
hinduização s.f.
hinduizado adj.
hinduizante adj. s.2g.
hinduizar v.
hindustâni adj. s.2g.
hindustânico adj.
hindustanista adj. s.2g.
hindustano adj. s.m.
hinga adj. s.2g.
hingo s.m.
hínico adj.
hinidor (*ô*) adj.
hinir v.
hinismo s.m.
hinista adj. s.2g.
hino s.m.
hinóbio s.m.
hinódia s.f.
hinodo s.m.
hinografia s.f.
hinográfico adj.
hinógrafo s.m.
hinologia s.f.
hinológico adj.
hinologista adj. s.2g.
hinólogo adj. s.m.
hinschismo s.m.
hinsdalita s.f.
hinterlandês adj. s.m.
hinterlândia s.f.
hinterlandiense adj. s.2g.
hintzeíta s.f.
hió s.m.
hiô s.m.
hiobanque s.f.
hiociamina s.f.
hiocólico adj.

hiocrínida adj.2g. s.m.
hiocrinídeo adj. s.m.
hiocrino s.m.
híodon s.m.
hiodonte s.m.
hiodôntida adj.2g. s.m.
hiodontídeo adj. s.m.
hioepiglótico adj.
hiofaríngeo adj. s.m.
hioforbe s.f.
hioftalmia s.f.
hioftalmo s.m.
hioglicolato s.m.
hioglicólico adj.
hioglóssico adj.
hioglosso adj. s.m.
hioide (*ó*) adj.2g. s.m.
hióideo adj. s.m.
hioideu adj. s.m.
hiolófana s.f.
hiolofânico adj.
hiomandibular adj.2g. s.m.
hiomosco s.m.
hiortdalita s.f.
hiosciama s.m.
hiosciamina s.f.
hiosciamo s.m.
hioscina s.f.
hioscínico adj.
hiósere s.f.
hioseridina s.f.
hióspate s.f.
hiospondilotomia s.f.
hiosternal adj.2g. s.m.
hiotaurocólico adj.
hiotério s.m.
hiotireóideo adj. s.m.
hiotiroideu adj.
hipabissal adj.2g.
hipacaça s.f.
hipacusia s.f.
hipacúsico adj.
hipacústico adj.
hipadrenocortical adj.2g.
hipadrenocorticismo s.m.
hipálage s.f.
hipalbuminemia s.f.
hipalbuminêmico adj.
hipalgesia s.f.
hipalgésico adj.
hipalgia s.f.
hipálgico adj.
hipalogenoso (*ô*) adj.; f. (*ó*); pl. (*ó*)
hipaluminoso (*ô*) adj.; f. (*ó*); pl. (*ó*)
hipâmnio s.m.
hipamniótico adj.
hipanto s.m.
hipantódio s.m.
hipantropia s.f.
hipantrópico adj.
hipantropo s.m.
hipapofisário adj.
hipapófise s.f.
hiparca s.m.
hiparco s.m.
hipareno adj. s.m.
hipargirita s.f.
hipariâo s.m.
hipário s.m.
hipárion s.m.
hiparnácia s.f.
hiparquia s.f.
hiparrênia s.f.
hiparterial adj.2g.
hipaspista s.m.
hipaspiste s.m.
hipastéria s.f.
hípata s.f.
hipateia (*é*) adj. s.f. de *hipateu*
hipateu adj. s.m.; f. *hipateia* (*é*)
hipautomórfico adj.
hipaxial (*cs*) adj.2g.
hipazótico adj.
hipazotito s.m.
hipazotoso (*ô*) adj.; f. (*ó*); pl. (*ó*)
hipazoturia s.f.
hipazotúria s.f.
hipazotúrico adj.
hipeastro s.m.
hipécoo s.m.
hipecoóidea s.f.
hipefésia s.f.
hipélafo s.m.
hipélate s.f.
hipemia s.f.
hipêmico adj.
hipena s.f.
hipenode s.f.
hipepatia s.f.
hipepático adj.
hipepeno adj. s.m.
hipera s.f.
hiperabdução s.f.
hiperabducente adj.2g.
hiperabdutor (*ô*) adj. s.m.
hiperabduzir v.
hiperacantose s.f.
hiperacidaminuria s.f.
hiperacidaminúria s.f.
hiperacidez (*ê*) s.f.
hiperácido adj.
hiperacuidade s.f.
hiperacusia s.f.
hiperacúsico adj.
hiperacústico adj.
hiperafrodisia s.f.
hiperafrodisíaco adj.
hiperagressividade s.f.
hiperagudeza (*ê*) s.f.
hiperagudo adj.
hiperalbuminemia s.f.
hiperalbuminêmico adj.
hiperalbuminose s.f.
hiperaldesterônico adj.
hiperaldesteronismo s.m.
hiperalgesia s.f.
hiperalgésico adj.
hiperalgia s.f.
hiperálgico adj.
hiperalimentação s.f.
hiperalimentado adj. s.m.
hiperalimentar v. adj.2g.
hiperaluminoso (*ô*) adj.; f. (*ó*); pl. (*ó*)
hiperamilasemia s.f.
hiperamina s.f.
hiperamisúria s.f.
hiperamnésico adj.
hiperamnéstico adj.
hiperamoniemia s.f.
hiperanalítico adj.
hiperandria s.f.
hiperão s.m.
hiperaridez (*ê*) s.f.
hiperárido adj.
hiperáspide s.f.
hiperaspíneo adj. s.m.
hiperáspis s.m.2n.
hiperatividade s.f.
hiperativo adj.
hiperauxese (*cs*) s.f.
hiperazotemia s.f.
hiperazotêmico adj.
hiperazoturia s.f.
hiperazotúria s.f.
hiperazotúrico adj.
hiperbárico adj.
hiperbase s.f.
hipérbase s.f.
hiperbásico adj.
hipérbato s.m.
hipérbaton s.m.
hiperbena s.f.
hiperbênea s.f.
hiperbibasmo s.m.
hiperbilirrubinemia s.f.
hiperbilirrubinêmico adj. s.m.
hipérbole s.f.
hiperbólico adj.
hiperboliforme adj.2g.
hiperbolismo s.m.
hiperbolista adj. s.2g.
hiperbolístico adj.
hiperbolização s.f.
hiperbolizante adj.2g. s.m.
hiperbolizar v.
hiperbolizável adj.2g.
hiperbológrafo s.m.
hiperboloide (*ó*) adj.2g. s.m.
hiperbolomorfo adj.
hiperbóreo adj. s.m.
hiperbórico adj.
hiperbraquicefalia s.f.
hiperbraquicefálico adj.
hiperbraquicéfalo adj. s.m.
hiperbraquiscelia s.f.
hiperbraquisquelia s.f.
hiperbulia s.f.
hiperbúlico adj.
hipercalcemia s.f.
hipercalcêmico adj.
hipercalcificação s.f.
hipercalciuria s.f.
hipercalciúria s.f.
hipercaliemia s.f.
hipercaliêmico adj.
hipercalórico adj.
hipercanhão s.m.
hipercapnia s.f.
hipercápnico adj.
hipercaracterização s.f.
hipercarbia s.f.
hipercardia s.f.
hipercardíaco adj.
hipercardiotrofia s.f.
hipercardiotrófico adj.
hipercarga s.f.
hipercataléctico adj.
hipercatalecto adj. s.m.
hipercatalético adj.
hipercataleto adj. s.m.
hipercatarse s.f.
hipercatártico adj.
hipercatólico adj.
hipercelular adj.2g.
hipercelularidade s.f.
hipercementite s.f.
hipercementose s.f.
hipercêmico adj.
hiperceratose s.f.
hipercerebração s.f.
hiperciclo s.m.
hipercientífico adj.
hipercilíndrico adj.
hipercilindro s.m.
hipercinese s.f.
hipercinesia s.f.
hipercinésico adj.
hipercinético adj.
hipercitogênese s.f.
hipercitrofia s.f.
hipercivilizado adj.
hiperclorato s.m.
hipercloremia s.f.
hiperclorêmico adj.
hipercloreturia s.f.
hipercloretúria s.f.
hiperclórico adj.
hipercloridria s.f.
hiperclorídrico adj.
hiperclorito s.m.
hipercloroso (*ô*) adj.; f. (*ó*); pl. (*ó*)
hipercloruria s.f.
hipercoagulabilidade s.f.
hipercoagulável adj.2g.
hipercolesteremia s.f.
hipercolesterêmico adj.
hipercolesterolemia s.f.
hipercolesterolêmico adj. s.m.
hipercolia s.f.
hipercomplexidade (*cs*) s.f.
hipercomplexivo (*cs*) adj.
hipercomplexo (*cs*) adj.
hipercomposto (*ô*) adj.
hipercompressão s.f.
hipercompsa s.f.
hipercondroplasia s.f.
hiperconjugação s.f.
hiperconjugar v.
hipercoria s.f.
hipercorreção s.f.
hipercorreto adj.
hipercorticismo s.m.
hipercósmico adj.
hipercrialgesia s.f.
hipercriestesia s.f.
hipercrinia s.f.
hipercrínico adj.
hipercrise s.f.
hipércrise s.f.
hipercrítica s.f.
hipercriticismo s.m.
hipercriticista adj. s.2g.
hipercriticístico adj.
hipercrítico adj. s.m.
hipercroma s.m.
hipercromasia s.f.
hipercromático adj.
hipercromatose s.f.
hipercromia s.f.
hipercrômico adj.
hipercúbico adj.
hipercubo s.m.
hipercultura s.f.
hipercupremia s.f.
hipercuprêmico adj.
hiperdactilia s.f.
hiperdactílico adj.
hiperdáctilo adj.
hiperdatilia s.f.
hiperdatílico adj.
hiperdátilo adj.
hiperdermatose s.f.
hiperdesenvolvido adj.
hiperdesenvolvimento s.m.
hiperdiácrise s.f.
hiperdifusionismo s.m.
hiperdifusionista adj. s.2g.
hiperdifusionístico adj.
hiperdinamia s.f.
hiperdinâmico adj.
hiperdiurese s.f.
hiperdiurético adj.
hiperdocumento s.m.
hiperdolicocefalia s.f.
hiperdolicocéfalo adj. s.m.
hiperdórico adj.
hiperdosagem s.f.
hiperdosar v.
hiperdose s.f.
hipérdose s.f.
hiperdramático adj.
hiperdulia s.f.
hiperdúlico adj.
hiperecoico (*ó*) adj.
hiperedônico adj.
hiperedonismo s.m.
hiperedonista adj. s.2g.
hiperefidrose s.f.
hiperelíptico adj.
hiperêmese s.f.
hiperemético adj.
hiperemia s.f.
hiperemiar v.
hiperêmico adj.
hiperemocional adj.2g.
hiperemocionalidade s.f.
hiperemotividade s.f.
hiperemotivo adj. s.m.
hiperencefalia s.f.
hiperencefálico adj.
hiperencéfalo s.m.
hiperendemia s.f.
hiperendêmico adj.
hiperendemiologia s.f.
hiperendemiológico adj.
hiperendemiologista adj. s.2g.
hiperendemiólogo adj. s.m.
hiperenterose s.f.
hipereólio adj.
hiperepatia s.f.
hiperepático adj. s.m.
hiperepidermotrofia s.f.
hiperepidose s.f.
hiperepinefria s.f.
hipereretisia s.f.
hipereretismo s.m.
hiperergasia s.f.
hiperergásia s.f.
hiperergia s.f.
hiperesfera s.f.
hiperesférico adj.
hiperesoforia s.f.
hiperespacial adj.2g.
hiperespaço s.m.
hiperesplenia s.f.
hiperesplênico adj.
hiperesplenismo s.m.
hiperesplenomegalia s.f.
hiperestática s.f.
hiperestático adj.
hiperesteatose s.f.
hiperestender v.
hiperestereografia s.f.
hiperestereográfico adj.
hiperestereógrafo s.m.
hiperestereoscopia s.f.
hiperestereoscópico adj.
hiperestesia s.f.
hiperestesiado adj.
hiperestesiar v.
hiperestésico adj.
hiperestético adj.
hiperestrogenismo s.m.
hiperestrogenose s.f.
hiperetologia s.f.
hiperetológico adj.
hipereufêmico adj. s.m.
hipereufemismo s.m.
hipereufemista s.2g.
hipereufemístico adj.
hipereutéctico adj.
hipereutectoide (*ó*) adj.2g.
hipereutético adj.
hiperexcitabilidade s.f.
hiperexcitável adj.2g.
hiperexoforia (*cs*) s.f.
hiperextensão s.f.
hiperextensibilidade s.f.
hiperextensível adj.2g.
hiperfagia s.f.
hiperfágico adj.
hiperfalangia s.f.

hiperfalângico adj.
hiperfalangismo s.m.
hiperfasia s.f.
hiperfibrinogenemia s.f.
hiperfiltração s.f.
hiperfino adj.
hiperfísica s.f.
hiperfísico adj.
hiperflebose s.f.
hiperflexão (*cs*) s.f.
hiperfluxo (*cs*) s.m.
hiperfocal adj.2g.
hiperfoliculinia s.f.
hiperfoliculinismo s.m.
hiperfonese s.f.
hiperfonético adj.
hiperforia s.f.
hiperfórico adj.
hiperforma s.f.
hiperfosfatemia s.f.
hiperfosfatêmico adj.
hiperfosfaturia s.f.
hiperfosfatúria s.f.
hiperfragmento s.m.
hiperfrasia s.f.
hiperfrásico adj.
hiperfrástico adj.
hiperfrenia s.f.
hiperfrequência (*ü*) s.f.
hiperfrígio adj.
hiperfunção s.f.
hiperfuncional adj.2g.
hiperfuncionamento s.m.
hipergalactia s.f.
hipergalactose s.f.
hipergaláxia (*cs*) s.f.
hipergamaglobulinemia s.f.
hipergamaglobulinêmico adj.
hipergamia s.f.
hipergâmico adj.
hiperganglionose s.f.
hipergastrinemia s.f.
hipergelasto adj. s.m.
hipergenerado adj.
hipergênese s.f.
hipergenesia s.f.
hipergenéstica adj.
hipergenético adj.
hipergênico adj.
hipergenital adj.2g.
hipergenitalismo s.m.
hipergeométrico adj.
hipergermanismo s.m.
hipergeusestesia s.f.
hipergeusia s.f.
hipergia s.f.
hiperglicemia s.f.
hiperglicemiação s.f.
hiperglicemiador (*ô*) adj.
hiperglicemiante adj.2g. s.m.
hiperglicemiar v.
hiperglicêmico adj.
hiperglicistia s.f.
hiperglicocistia s.f.
hiperglicorraquia s.f.
hiperglicosuria s.f.
hiperglicosúria s.f.
hiperglobulia s.f.
hiperglobulinemia s.f.
hiperglobulinêmico adj.
hiperglote s.f.
hipergnosia s.f.
hipergol s.m.
hipergólico adj.
hipergonadia s.f.
hipergonádico adj.
hipergonadismo s.m.
hiper-hedônico adj.
hiper-hedonismo s.m.
hiper-hedonista adj. s.2g.
hiper-hedonístico adj.
hiper-hepático adj. s.m.
hiper-hidratação s.f.
hiper-hidropexia (*cs*) s.f.
hiper-hidrose s.f.
hiper-hidrotrofia s.f.
hiper-humano adj.
hipéria s.f.
hipericácea s.f.
hipericáceo adj.
hipericão s.m.
hiperícea s.f.
hiperíceo adj.
hipericínea s.f.
hipericíneo adj.
hipérico s.m.
hipericofilo s.m.
hipericóidea s.f.
hipérida adj.2g. s.m.
hiperídeo adj. s.m.
hiperidratação s.f.
hiperidropexia (*cs*) s.f.
hiperidrose s.f.
hiperidrotrofia s.f.
hiperimune adj.2g.
hiperimunidade s.f.
hiperimunização s.f.
hiperimunizado adj.
hiperimunizador (*ô*) adj. s.m.
hiperimunizante adj.2g. s.m.
hiperimunizar v.
hiperimunizável adj.2g.
hiperíneo adj. s.m.
hiperinfecção s.f.
hiperinfeccionado adj.
hiperinfeccionar v.
hiperinflação s.f.
hiperinflacionado adj.
hiperinflacionar v.
hiperinflacionário adj.
hiperino s.m.
hiperinose s.f.
hiperinosemia s.f.
hiperinsulinemia s.f.
hiperinsulínico adj.
hiperinsulinismo s.m.
hiperintelectualidade s.f.
hiperiodato s.m.
hiperiódico adj.
hiperiodrilo s.m.
hiperiônico adj.
hiperirritabilidade s.f.
hiperirritação s.f.
hiperirritado adj.
hiperirritante adj.2g.
hiperirritar v.
hiperirritável adj.2g.
hiperita s.f.
hiperite s.f.
hiperlactiacidemia s.f.
hiperleptoprosopo adj.
hiperleptorríneo adj.
hiperleucocitose s.f.
hiperlinfia s.f.
hiperlipemia s.f.
hiperlipêmico adj. s.m.
hiperlipidemia s.f.
hiperlipidêmico adj.
hiperliterarização s.f.
hiperliterarizar v.
hiperlogia s.f.
hiperlógico adj.
hiperlúcido adj.
hipermacroscelia s.f.
hipermagnesemia s.f.
hipermania s.f.
hipermaníaco adj.
hipermastia s.f.
hipermastigino adj. s.m.
hipermaturidade s.f.
hipermaturo adj.
hipermecânico adj.
hipermédia s.f.
hipermegalia s.f.
hipermegálico adj.
hipermelania s.f.
hipermelânico adj.
hipermenorreia (*é*) s.f.
hipermenorreico (*é*) adj.
hipermercado s.m.
hipermeria s.f.
hipermetabólico adj.
hipermetabolismo s.m.
hipermetafísica s.f.
hipermetafísico adj.
hipermetamorfose s.f.
hipermetria s.f.
hipermétrico adj.
hipérmetro s.m.
hipermetrope adj. s.2g.
hipermetropia s.f.
hipermetrópico adj. s.m.
hipermetropse adj.2g.
hipermídia s.f.
hipermimia s.f.
hipermímico adj.
hipermíope adj. s.2g.
hipermiopia s.f.
hipermiópico adj.
hipermiotrofia s.f.
hipermisticismo s.m.
hipermístico adj.
hipermixolídio (*cs*) adj.
hipermnesia s.f.
hipermnésia s.f.
hipermnésico adj.
hipermnéstico adj.
hipermobilidade s.f.
hipermodernidade s.f.
hipermodernismo s.m.
hipermodernista adj. s.2g.
hipermoderno adj.
hipermonometaparapróton s.m.
hipermonometaparelléctron s.m.
hipermórfico adj.
hipermorfismo s.m.
hipermorfo adj. s.m.
hipermotilidade s.f.
hipermóvel adj.2g.
hipernacionalismo s.m.
hipernacionalista adj. s.2g.
hipernacionalístico adj.
hipernatalidade s.f.
hipernatremia s.f.
hipernatrêmico adj.
hipernefroma s.m.
hipernefromatoso (*ô*) adj.; f. (*ó*); pl. (*ó*)
hipernervoso (*ô*) adj. s.m.; f. (*ó*); pl. (*ó*)
hiperneuria s.f.
hipernormalização s.f.
hipernuclear adj.2g.
hipernúcleo s.m.
hipernucleogênese s.f.
hipernucleotrofia s.f.
hipérodon s.m.
hiperodonte s.m.
hiperodontogenia s.f.
hiperóglifo s.m.
hiperólia s.f.
híperon s.m.
hiperonímia s.f.
hiperonímico adj.
hiperônimo s.m.
hiperônio s.m.
hiperope adj. s.2g.
hiperopia s.f.
hiperópico adj.
hiperorexia (*cs*) s.f.
hiperorgânico adj.
hiperorganismo s.m.
hiperosmia s.f.
hiperósmico adj.
hiperosmolalidade s.f.
hiperosmolar adj.2g.
hiperosmolaridade s.f.
hiperosmótico adj.
hiperosteose s.f.
hiperostose s.f.
hiperostótico adj.
hiperótico adj.
hiperovaria s.f.
hiperovariano adj.
hiperovarismo s.m.
hiperoxaluria (*cs*) s.f.
hiperoxalúria (*cs*) s.f.
hiperóxido (*cs*) s.m.
hiperpancreático adj.
hiperparasita adj.2g. s.m.
hiperparasitismo s.m.
hiperparatireoide (*ó*) adj.2g.
hiperparatireóidico adj.
hiperparatireoidismo s.m.
hiperparotidia s.f.
hiperparotidismo s.m.
hiperpatia s.f.
hiperpepsia s.f.
hiperpéptico adj.
hiperpiese s.f.
hiperpíese s.f.
hiperpiésico adj.
hiperpigmentação s.f.
hiperpigmentado adj.
hiperpigmental adj.2g.
hiperpigmentante adj.2g.
hiperpigmentar v.
hiperpigmento s.m.
hiperpimelia s.f.
hiperpirético adj.
hiperpirexia (*cs*) s.f.
hiperpituitário adj.
hiperpituitarismo s.m.
hiperplano s.m.
hiperplasia s.f.
hiperplásico adj.
hiperplastia s.f.
hiperplástico adj.
hiperplastogênese s.f.
hiperplerose s.f.
hiperploide (*ó*) adj.2g.
hiperploidia s.f.
hiperpneia (*é*) s.f.
hiperpneico (*é*) adj.
hiperpnêustico adj.
hiperpnoico (*ó*) adj.
hiperpolarização s.f.
hiperpolarizado adj.
hiperpolarizante adj.2g.
hiperpolarizar v.
hiperpositivismo s.m.
hiperpotassemia s.f.
hiperpotassêmico adj.
hiperpraxia (*cs*) s.f.
hiperpredador (*ô*) adj. s.m.
hiperprodução s.f.
hiperprolactinemia s.f.
hiperprosexia (*cs*) s.f.
hiperproteinemia s.f.
hiperproteinêmico adj.
hiperptialismo s.m.
hipérptido s.m.
hiperptílico adj.
hiperquádrica s.f.
hiperquádrico adj.
hiperqueratose s.f.
hiper-rancoroso (*ô*) adj.; f. (*ó*); pl. (*ó*)
hiper-realismo s.m.
hiper-realista adj. s.2g.
hiper-realístico adj.
hiper-realização s.f.
hiper-realizado adj.
hiper-realizar v.
hiper-realizável adj.2g.
hiper-reativação s.f.
hiper-reativado adj.
hiper-reativante adj.2g.
hiper-reativar v.
hiper-reativável adj.2g.
hiper-reatividade s.f.
hiper-reativo adj.
hiper-reflexia (*cs*) s.f.
hiper-reflexividade (*cs*) s.f.
hiper-reflexivo (*cs*) adj.
hiper-reflexo (*cs*) adj.
hiper-resposta s.f.
hiper-rítmico adj.
hiper-rugoso (*ô*) adj.; f. (*ó*); pl. (*ó*)
hipersalinidade s.f.
hipersalino adj.
hipersalivação s.f.
hipersarcia s.f.
hipersarcoma s.m.
hipersarcose s.f.
hipersecreção s.f.
hipersecretor (*ô*) adj.
hipersegmentação s.f.
hipersemantização s.f.
hipersemantizado adj.
hipersemantizar v.
hipersemia s.f.
hipersêmico adj.
hipersensibilidade s.f.
hipersensibilização s.f.
hipersensibilizante adj.2g.
hipersensibilizar v.
hipersensibilizável adj.2g.
hipersensitividade s.f.
hipersensitivo adj.
hipersensível adj.2g.
hipersexual (*cs*) adj.2g.
hipersexualidade (*cs*) s.f.
hipersexualismo (*cs*) s.m.
hipersialia s.f.
hipersialose s.f.
hipersinerônico adj.
hipersístole s.f.
hipersistolia s.f.
hipersistólico adj.
hipersomastatinemia s.f.
hipersônico adj.
hipersonoridade s.f.
hipersonoro adj.
hiperesplenia s.f.
hipersplênico adj.
hipérstena s.f.
hiperstenia s.f.
hiperstênico adj.
hiperstênio s.m.
hiperstenita s.f.
hiperstenite s.f.
hiperstenito s.m.
hiperstílico adj.
hiperstômico adj.
hipérstrofe s.f.
hipersuprarrenal adj.2g.
hipersuprarrenalismo s.m.
hipersusceptibilidade s.f.
hipersusceptível adj.2g.
hipersuscetibilidade s.f.
hipersuscetível adj.
hipersustentação s.f.
hipersustentador (*ô*) adj. s.m.

hipertaraxia (*cs*) s.f.
hipertecose s.f.
hipertelia s.f.
hipertélia s.f.
hipertélico adj.
hipertelorismo s.m.
hipertenalidade s.f.
hipertenaz adj. s.2g.
hipertensão s.f.
hipertensina s.f.
hipertensínico adj.
hipertensinogênio s.m.
hipertensividade s.f.
hipertensivo adj.
hipertenso adj. s.m.
hipertensor (*ô*) adj. s.m.
hipertermia s.f.
hipertérmico adj.
hipertermizante adj.2g.
hiperterreno adj.
hipértese s.f.
hipertexto s.m.
hipertimia s.f.
hipertímico adj. s.m.
hipertimpanismo s.m.
hipertireóidico adj.
hipertireoidismo s.m.
hipertírio s.m.
hipertiroidismo s.m.
hipertonal adj.2g.
hipertonalidade s.f.
hipertonia s.f.
hipertonicidade s.f.
hipertônico adj.
hipértono adj.
hipertricose s.f.
hipertrigliceridemia s.f.
hipertrigliceridêmico adj. s.m.
hipertriquia s.f.
hipertrofia s.f.
hipertrofiado adj.
hipertrofial adj.2g.
hipertrofiar v.
hipertrófico adj.
hipertrofitia s.f.
hipertropia s.f.
hipertrópico adj.
hiperurbanismo s.m.
hiperurbanista adj. s.2g.
hiperurbanização s.f.
hiperurbanizar v.
hiperurbanizável adj.2g.
hiperurbano adj. s.m.
hiperurese s.f.
hiperuricemia s.f.
hiperuricêmico adj.
hiperuricosúria s.f.
hipervaidade s.f.
hipervaidoso (*ô*) adj.; f. (*ó*); pl. (*ó*)
hipervalorizar v.
hipervariável adj.2g.
hipervascular adj.2g.
hipervascularização s.f.
hipervascularizado adj.
hipervascularizante adj.2g.
hipervascularizar v.
hipervascularizável adj.2g.
hipervelocidade s.f.
hiperventilação s.f.
hiperventilado adj.
hiperventilar v.
hipervígil adj. s.2g.
hipervigilância s.f.
hipervitaminose s.f.
hipervolemia s.f.
hipervolêmico adj.
hiperxerofitia (*cs*) s.f.
hipesoforia s.f.
hipestesia s.f.
hipestésico adj.
hipestético adj.
hipetro adj. s.m.
hipiatria s.f.
hipiátrica s.f.
hipiátrico adj.
hipiatro s.m.
hípico adj.
hípida adj.2g. s.m.
hipídeo adj. s.m.
hipidiomórfico adj.
hipidiomorfo adj. s.m.
hipíneo adj. s.m.
hipinose s.f. "coagulação sanguínea insuficiente"; cf. *hipnose*
hipinótico adj. "de coagulação sanguínea insuficiente"; cf. *hipnótico*
hipíscafo s.m.
hipismo s.m.
hipista adj. s.2g.
hipiste s.m.
hipístico adj.
hipliota s.f.
hipnácea s.f.
hipnáceo adj.
hipnagógico adj.
hipnal adj.2g. s.m.
hípnala s.f.
hipnalgesia s.f.
hipnalgésico adj.
hipnalgia s.f.
hipnálgico adj.
hipnanálise s.f.
hipnanestesia s.f.
hipnanestésico adj.
hipnanestesista adj. s.2g.
hipnanestesístico adj.
hipnanestético adj.
hípnea s.f.
hipnelo s.m.
hipnestesia s.f.
hipnestésico adj.
hipnestético adj.
hipniatria s.f.
hipniátrico adj.
hipniatro s.m.
hipno s.m.
hipnoagógico adj.
hipnoanálise s.f.
hipnoanestesia s.f.
hipnoanestésico adj.
hipnoanestesista adj. s.2g.
hipnoanestesístico adj.
hipnoanestético adj.
hipnóbase s.f.
hipnobata s.2g.
hipnóbata s.2g.
hipnoblepsia s.f.
hipnocisto s.m.
hipnococo s.m.
hipnodendrácea s.f.
hipnodendráceo adj.
hipnodendro s.m.
hipnodontia s.f.
hipnoestesia s.f.
hipnoestésico adj.
hipnoestético adj.
hipnofobia s.f.
hipnófobo s.m.
hipnofone s.2g.
hipnofônico adj.
hipnofono s.m.
hipnofrenose s.f.
hipnógeno adj.
hipnogógico adj.
hipnogórgia s.f.
hipnografia s.f.
hipnográfico adj.
hipnógrafo s.m.
hipnoide (*ó*) adj.2g.
hipnolepsia s.f.
hipnoléptico adj.
hipnologia s.f.
hipnológico adj.
hipnólogo s.m.
hipnona s.f.
hipnonarcoanálise s.f.
hipnonarcose s.f.
hipnonarcótico adj.
hipnopatia s.f.
hipnopedia s.f.
hipnopédico adj.
hipnopômpico adj.
hipnoscópio s.m.
hipnose s.f. "sono provocado"; cf. *hipinose*
hipnosia s.f.
hipnósporo s.m.
hipnoterapeuta s.2g.
hipnoterapêutica s.f.
hipnoterapêutico adj.
hipnoterapia s.f.
hipnoterápico adj.
hipnoterapismo s.m.
hipnoterapista adj. s.2g.
hipnótico adj. s.m. "de sono provocado"; cf. *hipinótico*
hipnotismo s.m.
hipnotista adj. s.2g.
hipnotístico adj.
hipnotização s.f.
hipnotizado adj.
hipnotizador (*ô*) s.m.
hipnotizante adj.2g.
hipnotizar v.
hipnotizável adj.2g.
hipnotoxina (*cs*) s.f.
hipnozigoto (*ô*) s.m.
hipoabissal adj.2g.
hipoacididade s.f.
hipoacusia s.f.
hipoacúsico adj.
hipoacústico adj.
hipoadrenalismo s.m.
hipoadrenocortical adj.2g.
hipoadrenocorticismo s.m.
hipoalbuminemia s.f.
hipoalbuminêmico adj.
hipoalbuminose s.f.
hipoalergênico adj.
hipoalérgico adj. s.m.
hipoalgesia s.f.
hipoalgésico adj.
hipoalgia s.f.
hipoálgico adj.
hipoalogenoso (*ô*) adj.; f. (*ó*); pl. (*ó*)
hipoaluminoso (*ô*) adj.; f. (*ó*); pl. (*ó*)
hipoapofisário adj.
hipoapófise s.f.
hipoarterial adj.2g.
hipoatividade s.f.
hipoativo adj.
hipoazótico adj.
hipoazotoso (*ô*) adj.; f. (*ó*); pl. (*ó*)
hipoazoturia s.f.
hipoazotúria s.f.
hipobárico adj.
hipobetalipoproteinemia s.f.
hipobiose s.f.
hipobítio s.m.
hipoblástico adj.
hipoblasto s.m.
hipóbole s.f.
hipobórico adj.
hipóboro s.m.
hipobosca s.f.
hipoboscida adj.2g. s.m.
hipoboscídeo adj. s.m.
hipobosco s.m.
hipobranquia s.f.
hipobranquial adj.2g.
hipobranquíea s.f.
hipobranquieida adj.2g. s.m.
hipobranquieídeo adj. s.m.
hipobrânquio adj.
hipobromato s.m.
hipobromito s.m.
hipobromo s.m.
hipobromoso (*ô*) adj.; f. (*ó*); pl. (*ó*)
hipobulia s.f.
hipobúlico adj.
hipocafeína s.f.
hipócala s.f.
hipocalcemia s.f.
hipocalcêmico adj.
hipocalciuria s.f.
hipocalciúria s.f.
hipocalemia s.f.
hipocalêmico adj.
hipocalícia s.f.
hipocalipto s.m.
hipocalórico adj.
hipocamelo (*ê*) s.m.
hipocampal adj.2g.
hipocâmpico adj.
hipocampídeo adj. s.m.
hipocampíneo adj. s.m.
hipocampo s.m.
hipocapnia s.f.
hipocápnico adj.
hipocarbônico adj.
hipocardia s.f.
hipocardo s.m.
hipocarístico adj. s.m.
hipocarmosina s.f.
hipocárpio s.m.
hipocarpo s.m.
hipocássida adj.2g. s.m.
hipocastanácea s.f.
hipocastanáceo adj.
hipocastânea s.f.
hipocastâneo adj.
hipocatarsia s.f.
hipocausto s.m.
hipoceco s.m.
hipocéfalo s.m.
hipocênio s.m.
hipocentauro s.m.
hipocentricidade s.f.
hipocêntrico adj.
hipocentro s.m.
hipociclo s.m.
hipocicloidal adj.2g.
hipocicloide (*ó*) adj.2g. s.f.
hipocinesia s.f.
hipocinético adj.
hipociptíneo adj. s.m.
hipocipto s.m.
hipocirta s.f.
hipocirto s.m.
hipociste s.f.
hipocístide s.f.
hipocisto s.m.
hipocistotomia s.f.
hipocitogênese s.f.
hipocitraturia s.f.
hipoclêidio s.m.
hipoclídio s.m.
hipoclidônia s.f.
hipocloremia s.f.
hipoclorêmico adj. s.m.
hipoclórico adj.
hipocloridria s.f.
hipoclorina s.f.
hipoclorito s.m.
hipocloroso (*ô*) adj.; f. (*ó*); pl. (*ó*)
hipocloruria s.f.
hipoclorúria s.f.
hipocnêmis s.f.2n.
hipocofose s.f.
hipócola s.f.
hipocolesterolemia s.f.
hipocolesterolemiante adj.2g.
hipocolesterolêmico adj. s.m.
hipocolia s.f.
hipocólio s.m.
hipócoma s.f.
hipocomplementemia s.f.
hipocomposto (*ô*) adj.; f. (*ó*); pl. (*ó*)
hipocondiliano adj.
hipocondria s.f.
hipocondríaco adj. s.m.
hipocondrialgia s.f.
hipocondriálgico adj.
hipocôndrio s.m.
hipocone s.m.
hipocônido adj. s.m.
hipocono s.m.
hipoconúlido adj. s.m.
hipocoprínео adj. s.m.
hipócopro adj. s.m.
hipocordal adj.2g.
hipocorístico adj. s.m.
hipocorolado adj.
hipocorolia s.f.
hipocotilar adj.2g.
hipocotiledonal adj.2g.
hipocotiledonar adj.2g.
hipocotiledonário adj.
hipocotíleo adj.
hipocótilo s.m.
hipocraniano adj.
hipocrátea s.f.
hipocrateácea s.f.
hipocrateáceo adj.
hipocráteo adj.
hipocrateriforme adj.2g.
hipocraterimorfo adj.
hipocrateromorfo adj.
hipocrático adj.
hipocrátide s.m.
hipocratismo s.m.
hipocratista adj. s.2g.
hipocratizar v.
hipocraz s.m.
hipócrea s.f.
hipocreácea s.f.
hipocreáceo adj.
hipocreal adj.2g.
hipocreale s.f.
hipocrene s.f.
hipocrênico adj.
hipocreníneo adj. s.m.
hipocrepe s.f.
hipocrepiforme adj.2g.
hipocrepina s.f.
hipocrifalo s.m.
hipocrinia s.f.
hipocrínico adj.
hipocrisia s.f.
hipocrisiado adj.
hipocristalino adj. s.m.
hipócrita adj. s.2g.
hipocromasia s.f.
hipocromático adj.
hipocromatopsia s.f.
hipocromatose s.f.
hipocromia s.f.

hipocrômico adj.
hipoctônio s.m.
hipodáctilo s.m.
hipodátilo s.m.
hipoderma s.m.
hipodermatácea s.f.
hipodermatáceo adj.
hipodermatomia s.f.
hipoderme s.f.
hipodermíase s.f.
hipodérmico adj.
hipodermíneo adj. s.m.
hipodermóclise s.f.
hipodermose s.f.
hipodermoterapia s.f.
hipodermoterápico adj.
hipodesenvolver v.
hipodesenvolvido adj.
hipodesenvolvimento s.m.
hipodigma s.m.
hipodócmio adj. s.m.
hipodontolaimo s.m.
hipodontolemo s.m.
hipodórico adj. s.m.
hipodório adj. s.m.
hipodromia s.f.
hipodrômico adj.
hipódromo s.m.
hipoecoico (*ó*) adj.
hipoema s.m.
hipoemia s.f.
hipoepatia s.f.
hipoepinefria s.f.
hipoesoforia s.f.
hipoesta s.f.
hipoeste s.f.
hipoestesia s.f.
hipoestésico adj.
hipoestético adj.
hipoestrogenemia s.f.
hipoeutéctico adj.
hipoeutectoide (*ó*) adj.2g.
hipoeutético adj.
hipoeutetoide (*ó*) adj.2g.
hipofagia s.f.
hipofágico adj.
hipófago adj. s.m.
hipofalangia s.f.
hipofalangismo s.m.
hipofaringe s.f.
hipofaríngeo adj.
hipofaringite s.f.
hipófase s.f.
hipofeia (*é*) s.f.
hipoférrico adj.
hipofibrinogenia s.f.
hipofilo adj. s.m. "parte inferior da folha"; cf. *hipófilo*
hipófilo adj. s.m. "que ou o que gosta de cavalos"; cf. *hipofilo*
hipofilocarpo adj.
hipofiltração s.f.
hipofisário adj.
hipófise s.f.
hipofisectomia s.f.
hipofisectômico adj.
hipofisectomizado adj.
hipofisectomizar v.
hipofísica s.f.
hipofisiotrófico adj.
hipofisite s.f.
hipofleia (*é*) adj. s.f. de *hipofleu*
hipofleódico adj.
hipofleu adj. s.m.; f. *hipofleia* (*é*)
hipofluxividade (*cs*) s.f.
hipofluxivo (*cs*) adj.
hipofluxo (*cs*) adj. s.m.
hipofonema s.m.
hipofonêmico adj.
hipofonese s.f.
hipófora s.f.
hipoforela s.f.
hipoforélida adj.2g. s.m.
hipoforelídeo adj. s.m.
hipoforia s.f.
hipofórico adj.
hipofosfatasia s.f.
hipofosfatemia s.f.
hipofosfatêmico adj.
hipofosfato s.m.
hipofosfaturia s.f.
hipofosfatúria s.f.
hipofosfito s.m.
hipofosfórico adj.
hipofosforoso (*ô*) adj.; f. (*ó*); pl. (*ó*)
hipofrasia s.f.
hipofrástico adj.
hipofrenia s.f.
hipofrênico adj.
hipofrígio adj. s.m.
hipoftalmia s.f.
hipoftalmictiíneo adj. s.m.
hipoftalmíctis s.m.2n.
hipoftálmida adj.2g. s.m.
hipoftalmídeo adj. s.m.
hipoftálmido adj. s.m.
hipoftalmo s.m.
hipofunção s.f.
hipofuncional adj.2g.
hipogalactia s.f.
hipogaláctico adj.
hipogalacto s.m.
hipogalactopoese s.f.
hipogamia s.f.
hipogâmico adj.
hipogamoglobulinemia s.f.
hipoganglionose s.f.
hipogástrico adj.
hipogástrio s.m.
hipogastro s.m.
hipogastrocele s.f.
hipogastrodídimo s.m.
hipogastrópago s.m.
hipogeato s.m.
hipogeico (*é*) adj.
hipogênese s.f.
hipogenesia s.f.
hipogênico adj.
hipogenital adj.2g.
hipogenitalismo s.m.
hipógeno s.m.
hipógeo adj.
hipogéofis s.m.2n.
hipogeu adj. s.m.
hipogeusia s.f.
hipoginia s.f.
hipogínico adj.
hipogínio adj.
hipógino adj.
hipoglicemia s.f.
hipoglicemiação s.f.
hipoglicemiante adj.2g.
hipoglicemiar v.
hipoglicêmico adj. s.m.
hipogliceridemia s.f.
hipogliceridêmico adj. s.m.
hipoglobulia s.f.
hipoglossa s.f.
hipoglossíneo adj. s.m.
hipoglossite s.f.
hipoglosso adj. s.m.
hipoglossoide (*ó*) adj.2g. s.m.
hipógnata adj.2g.
hipognatia s.f.
hipógnato adj. s.m.
hipogonadal adj.2g.
hipogonádico adj.
hipogonadismo s.m.
hipógono s.m.
hipogrifo s.m.
hipoialino adj.
hipoide (*ó*) adj.2g.
hipóidea s.f.
hipoidiomórfico adj.
hipoidiomorfo adj. s.m.
hipoinose s.f.
hipoinosemia s.f.
hipoiodito s.m.
hipoiodoso (*ô*) adj.; f. (*ó*); pl. (*ó*)
hipoísquio s.m.
hipolactiacidemia s.f.
hipolepe s.f.
hipólepe s.f.
hipoleucocitose s.f.
hipolicena s.f.
hipolídio adj. s.m.
hipolima s.f.
hipolimnético adj.
hipolimníco adj.
hipolímnio s.m.
hipolinfia s.f.
hipolipemia s.f.
hipolipêmico adj. s.m.
hipolitano adj. s.m.
hipolitídeo adj. s.m.
hipolitíneo adj. s.m.
hipólito s.m.
hipolítrea s.f.
hipolitro s.m.
hipolófido adj. s.m.
hipologia s.f.
hipológico adj.
hipologista s.2g.
hipólogo s.m.
hipoluteinia s.f.
hipomagnesemia s.f.
hipomagnesêmico adj.
hipomancia s.f.
hipômane s.m.
hipomânea s.f.
hipomania s.f.
hipomaníaco adj. s.m.
hipomânico adj. s.m.
hipômano adj. s.m.
hipomante s.2g.
hipomântico adj.
hipomaratro s.m.
hipomastia s.f.
hipomástico adj.
hipomedão s.m.
hipómedon s.m.
hipomedonte s.m.
hipomelanose s.f.
hipomenorreia (*é*) s.f.
hipomenorreico (*é*) adj.
hipomeria s.f.
hipômero s.m.
hipômeso s.m.
hipometabólico adj. s.m.
hipometabolismo s.m.
hipometria s.f.
hipômetro s.m.
hipômice s.m.
hipomicete s.m.
hipomimia s.f.
hipomímico adj. s.m.
hipomixolídio (*cs*) adj. s.m.
hipomnésia s.f.
hipomnésico adj.
hipomnéstico adj.
hipomobilidade s.f.
hipomobilista adj. s.2g.
hipomóclio s.m.
hipomódio s.m.
hipomórfico adj.
hipomorfo adj. s.m.
hipomotilidade s.f.
hipomóvel adj.2g. s.m.
hipomucoso (*ô*) adj.; f. (*ó*); pl. (*ó*)
hiponacto adj. s.m.
hiponartecia s.f.
hiponastia s.f.
hiponástico adj.
hiponasto adj. s.m.
hiponatremia s.f.
hiponemertino s.m.
hiponense adj. s.2g.
hiponeural adj.2g.
hiponícida adj.2g. s.m.
hiponicídeo adj. s.m.
hipônico s.m.
hiponímia s.f.
hiponímico adj.
hipônimo s.m.
hiponióbico adj.
hipônique s.m.
hiponiquial adj.2g.
hiponíquio s.m.
hiponítrico adj.
hiponitrito s.m.
hiponitroso (*ô*) adj.; f. (*ó*); pl. (*ó*)
hipônix (*cs*) s.m.
híponix (*cs*) s.m.
hiponoico (*ó*) adj.
hiponoíneo adj. s.m.
hiponoma s.m.
hiponomenta s.f.
hiponomeutídeo adj. s.m.
hipo-osmótico adj.
hipo-ovariano adj.
hipo-ovarismo s.m.
hipópaco s.m.
hipoparanoico (*ó*) adj.
hipoparatireóidico adj.
hipoparatireoidismo s.m.
hipoparatiróidico adj.
hipoparatiroidismo s.m.
hipopatologia s.f.
hipopatológico adj.
hipopédia s.f.
hipopepsia s.f.
hipoperfusão s.f.
hipoperfusividade s.f.
hipoperfusivo adj.
hipoperfuso adj.
hipopetalia s.f.
hipopétalo adj.
hipopexia (*cs*) s.f.
hipópico s.m.
hipopiese s.f.
hipopiésico adj.
hipopígio s.m.
hipópio s.m.
hipópion s.m.
hipopituitário adj.
hipopituitarismo s.m.
hipoplancto s.m.
hipoplâncton s.m.
hipoplasia s.f.
hipoplástico adj.
hipoplastogênese s.f.
hipopleura s.f.
hipopleural adj.2g.
hipoploide (*ó*) adj.2g.
hipoploidia s.f.
hipopnêustico adj.
hipópode adj. s.2g.
hipopodiídeo adj. s.m.
hipopódio adj. s.m.
hipopotâmico adj.
hipopotâmida adj.2g. s.m.
hipopotamídeo adj. s.m.
hipopótamo s.m.
hipopótamo-pigmeu s.m.; pl. *hipopótamos-pigmeus*
hipopotassemia s.f.
hipopotassêmico adj. s.m.
hipopráctico adj. s.m.
hipoprático adj. s.m.
hipopraxia (*cs*) s.f.
hipoprosexia (*cs*) s.f.
hipoproteinemia s.f.
hipoproteinêmico adj. s.m.
hipoprotrombinemia s.f.
hipoprotrombinêmico adj. s.m.
hipópsis s.m.2n.
hipopterigiácea s.f.
hipopterigiáceo adj.
hipopterígio s.m.
hipoptílico adj.
hipóptilo s.m.
hipoptopoma s.f.
hipoquere s.m.
hipoquéride s.f.
hipoqueridina s.f.
hipoquitriácea s.f.
hipoquitriáceo adj.
hiporexia (*cs*) s.f.
hiporquema s.m.
hiporquemático adj.
hipórraque s.f.
hipórraquis s.f.2n.
hiporreflexia (*cs*) s.f.
hiporreflexividade (*cs*) s.f.
hiporrinco s.m.
hiporrino s.m.
hiporritmo s.m.
hiposcênio s.m.
hiposclerita s.f.
hiposclerite s.f.
hiposcópio s.m.
hiposfagma s.m.
hiposfixia (*cs*) s.f.
hiposita s.f.
hiposmia s.f.
hiposmótico adj.
hipospadia s.f.
hipospadice s.f.
hipospádico adj.
hipospado adj. s.m.
hipospatismo s.m.
hipospôngia s.f.
hiposporângio s.m.
hipossalino adj.
hipossandália s.f.
hipossarcia s.f.
hipossarcose s.f.
hipossecreção s.f.
hipossensibilidade s.f.
hipossensibilização s.f.
hipossensibilizado adj.
hipossensibilizante adj.2g.
hipossensibilizar v.
hipossensibilizável adj.2g.
hipossexualidade (*cs*) s.f.
hipossialia s.f.
hipossistolia s.f.
hipossistólico adj.
hipossomático adj.
hipossuficiente adj. s.2g.
hipossulfamídico adj.
hipossulfato s.m.
hipossulfito s.m.
hipossulfonaftólico adj.
hipossulfúrico adj.
hipossulfuroso (*ô*) adj.; f. (*ó*); pl. (*ó*)
hipossuprarrenal adj.2g.
hipossuprarrenalismo s.m.
hipostafilia s.f.
hipostaminado adj.
hipostaminia s.f.
hipóstase s.f.
hipostasiado adj.

hipostasiar v.
hipostático adj.
hipostenia s.f.
hipostênico adj.
hipostenização s.f.
hipostenizante adj.2g.
hipostenizar v.
hipósteno s.m.
hipostenuria s.f.
hipostenúria s.f.
hiposteologia s.f.
hiposternal adj.2g. s.m.
hipostesia s.f.
hipostésico adj.
hipostético adj.
hipostilo adj. s.m.
hipóstoma s.m.
hipostomado adj.
hipostomatíneo adj. s.m.
hipostomia s.f.
hipostomídeo adj. s.m.
hipostômio s.m.
hipóstomo s.m.
hipóstraco s.m.
hipostroma s.m.
hipotáctico adj.
hipotalâmico adj.
hipotálamo s.m.
hipotalássica s.f.
hipotalássico adj.
hipotalástico adj.
hipotalo s.m.
hipotático adj.
hipotaurina s.f.
hipotaxe (*cs*) s.f.
hipote s.f.
hipoteca s.f.
hipotecação s.f.
hipotecado adj.
hipotecador (*ô*) adj. s.m.
hipotecar v.
hipotecário adj.
hipotecável adj.2g.
hipotécio s.m.
hipotecnia s.f.
hipotenacidade s.f.
hipotenar s.m.
hipotênar s.m.
hipótenar s.m.
hipotênaro s.m.
hipotenaz adj. s.2g.
hipotenemo s.m.
hipotenídia s.f.
hipotensão s.f.
hipotensivo adj.
hipotenso adj. s.m.
hipotensor (*ô*) adj. s.m.
hipotenusa s.f.
hipotério s.m.
hipotermal adj.2g.
hipotermia s.f.
hipotérmico adj.
hipotermizante adj.2g.
hipótese s.f.
hipotético adj.
hipotético-dedutivo adj.; pl. *hipotético-dedutivos*
hipotético-indutivo adj.; pl. *hipotético-indutivos*
hipotigre s.m.
hipotígris s.m.2n.
hipotimia s.f.
hipotímis s.m.2n.
hipotiônico adj.
hipotipia s.f.
hipótipo s.m.
hipotipose s.f.
hipotipótico adj.
hipotireóidico adj.
hipotireoidismo s.m.
hipotiróidico adj.
hipotiroidismo s.m.
hipotomia s.f.
hipotômico adj.
hipotonia s.f.
hipotonicidade s.f.
hipotônico adj.
hipotragíneo adj. s.m.
hipótrago s.m.
hipotraquélio s.m.
hipotrema s.m.
hipotremado adj. s.m.
hipotrepsia s.f.
hipótrico adj. s.m.
hipotricofidia s.f.
hipotricoide (*ó*) adj.2g. s.m.
hipotricose s.f.
hipotríqueo adj. s.m.
hipotríquido adj. s.m.
hipotrocoide (*ó*) adj.2g. s.f.
hipotrofia s.f.
hipotrofiado adj.
hipotrofiar v.
hipotrófico adj.
hipotrombinemia s.f.
hipotrombinêmico adj. s.m.
hipotropia s.f.
hipotrópico adj.
hipovalva s.f.
hipovanadático adj.
hipovanadato s.m.
hipovariano adj.
hipovarismo s.m.
hipoventilação s.f.
hipovígil adj. s.2g.
hipovitaminose s.f.
hipovolemia s.f.
hipovolêmico adj. s.m.
hipovorismo s.m.
hipoxantina (*cs*) s.f.
hipoxantínico (*cs*) adj.
hipoxantita (*cs*) s.f.
hipoxantite (*cs*) s.f.
hipoxanto (*cs*) s.m.
hipoxe (*cs*) s.f.
hipoxemia (*cs*) s.f.
hipoxêmico (*cs*) adj.
hipoxia (*cs*) s.f.
hipóxia (*cs*) s.f.
hipóxico (*cs*) adj.
hipoxidácea (*cs*) s.f.
hipoxídea (*cs*) s.f.
hipoxídeo (*cs*) adj.
hipóxido (*cs*) s.m.
hipoxidóidea (*cs*) s.f.
hipoxifilina (*cs*) s.f.
hipoxílea (*cs*) s.f.
hipoxíleo (*cs*) adj.
hipóxilo (*cs*) s.m.
hipozeugma s.m.
hipozoico (*ó*) adj.
hipsalta adj. s.2g.
hipselodonte adj.2g.
hipselonoto s.m.
hipselóstoma s.m.
hipsiatria s.f.
hipsiátrico adj.
hipsicefalia s.f.
hipsicefálico adj.
hipsicéfalo s.m.
hipsígnato s.m.
hipsilão s.m.
hipsilo s.m.
hipsiloide (*ó*) adj.2g. s.m.
hípsilon s.m.
hipsiloturia s.f.
hipsilotúria s.f.
hipsinoto s.m.
hipsioma s.f.
hipsípeta s.m.
hipsípete s.m.
hipsípila s.f.
hipsiprimnodão s.m.
hipsiprímnodon s.m.
hipsiprimnodonte s.m.
hipsirrinco s.m.
hipsirrino s.m.
hipsistariano s.m.
hipsistenocefalia s.f.
hipsistenocefálico adj.
hipsistenocéfalo s.m.
hipsítilo s.m.
hipsobatigrafia s.f.
hipsobatigráfico adj.
hipsobatimetria s.f.
hipsobatimétrico adj.
hipsocefalia s.f.
hipsocefálico adj.
hipsocéfalo adj. s.m.
hipsocromia s.f.
hipsocrômico adj.
hipsocromo s.m.
hipsodonte adj.2g.
hipsofilo s.m.
hipsofobia s.f.
hipsofóbico adj.
hipsófobo s.m.
hipsogoniômetro s.m.
hipsografia s.f.
hipsográfico adj.
hipsógrafo s.m.
hipsograma s.m.
hipsometria s.f.
hipsométrico adj.
hipsômetro s.m.
hipsonato s.m.
hipsopígia s.f.
hipta s.f.
hiptage s.f.
hipte s.f.
hiptidina s.f.
hiptíota s.f.
híptis s.m.2n.
hipulina s.f.
hipurária s.f.
hipurato s.m.
hipure s.f.
hipurgia s.f.
hipúrgico adj.
hipuria s.f.
hipúria s.f.
hipúrico adj.
hipuridácea s.f.
hipuridáceo adj.
hipuridiácea s.f.
hipuridiáceo adj.
hipuridínea s.f.
hipuridíneo adj.
hipurilamidacetato s.m.
hipurilamidacético adj.
hipurina s.f.
hipurita s.f.
hipurite s.f.
hipuro s.m.
hipuropatia s.f.
hipuróptila s.f.
hírace s.m.
hiráceo adj. s.m.
hiracoide (*ó*) adj.2g. s.m.
hiracóidea s.f.
hiracóideo adj. s.m.
hiracotério s.m.
hiranete s.m.
hirara s.f. "macaco"; cf. *irara*
hirarana s.f.
hírax (*cs*) s.m.
hircânio adj. s.m.
hircano adj. s.m.
hírcico adj.
hircina s.f.
hircino adj.
hircismo s.m.
hirco s.m.
hircosidade s.f.
hircoso (*ô*) adj.; f. (*ó*); pl. (*ó*)
hirculação s.f.
hírculo s.m.
hireia (*é*) s.f.
hirgol s.m.
híria s.f.
hirilco s.m.
hirino adj. s.m.
hirirá s.m.
hirmídio s.m.
hirmológio s.m.
hírpex (*cs*) s.m.2n.
hírpice s.m.
hirpino adj. s.m.
hirpo adj. s.m.
hirschféldia s.f.
hirsutez (*ê*) s.f.
hirsuteza (*ê*) s.f.
hirsutidina s.f.
hirsutina s.f.
hirsutismo s.m.
hirsuto adj. s.m.
hirtar v.
hírtego adj.
hirtela s.f.
hirtelina s.f.
hirteza (*ê*) s.f.
hirtímano adj.
hirto adj.
hirudina s.f.
hirúdine s.f.
hirudíneo adj. s.m.
hirudinicultor (*ô*) s.m.
hirudinicultura s.f.
hirudínida adj.2g. s.m.
hirudinídeo adj. s.m.
hirudiniforme adj.2g.
hirudo s.f.
hirundinária s.f.
hirúndine s.f.
hirundínea s.f.
hirundínida adj.2g. s.m.
hirundinídeo adj. s.m.
hirundinínea s.f.
hirundino adj.
hirundo s.f.
hisingerita s.f.
hislópia s.f.
hislópida adj.2g. s.m.
hislopita s.f.
hispa s.f.
hispalense adj. s.2g.
hispálico adj.
hispaliense adj. s.2g.
hispânico adj.
hispanidade s.f.
hispaniense adj. s.2g.
hispanificação s.f.
hispanificar v.
hispanismo s.m.
hispanista adj. s.2g.
hispanístico adj.
hispanização s.f.
hispanizado adj.
hispanizante adj. s.2g.
hispanizar v.
hispano adj. s.m.
hispano-americanismo s.m.; pl. *hispano-americanismos*
hispano-americanista adj. s.2g.; pl. *hispano--americanistas*
hispano-americano adj. s.m.; pl. *hispano-americanos*
hispano-árabe adj. s.2g.; pl. *hispano-árabes*
hispanofalante adj. s.2g.
hispano-fenício adj. s.m.; pl. *hispano-fenícios*
hispanofilia s.f.
hispanófilo adj. s.m.
hispanofobia s.f.
hispanófobo adj. s.m.
hispanofone adj. s.2g.
hispanófone adj. s.2g.
hispanofonia s.f.
hispanofônico adj. s.m.
hispanofono adj. s.m.
hispanófono adj. s.m.
hispano-godo adj. s.m.; pl. *hispano-godos*
hispanologia s.f.
hispanológico adj.
hispanólogo s.m.
hispano-marroquino adj. s.m.; pl. *hispano-marroquinos*
hispanoparlante adj.2g.
hispano-português adj. s.m.; pl. *hispano-portugueses*
hispar-se v.
hispela s.f.
híspida adj.2g. s.m.
hispidar-se v.
hispidela s.f.
hispídeo adj. s.m.
hispidez (*ê*) s.f.
híspido adj.
hispíneo adj. s.m.
hissom s.m.
hissopada s.f.
hissopado adj.
hissopar v.
hissope s.m.
hissopesco (*ê*) adj.
hissopina s.f.
hissopo (*ô*) s.m.; cf. *hissopo*, fl. do v. *hissopar*
hissopo-bravo s.m.; pl. *hissopos-bravos*
histamina s.f.
histaminase s.f.
histaminérgico adj.
histamínico adj.
histarazarona s.f.
histatita s.f.
histeralgia s.f.
histerálgico adj.
histerandra s.f.
histerandria s.f.
histerândrico adj.
histerângio s.m.
histeranto adj. s.m.
histeratresia s.f.
histerectomia s.f.
histerectômico adj.
histerelho (*ê*) s.m.
histerepilepsia s.f.
histerepiléptico adj.
histerese s.f.
histereseografia s.f.
histereseográfico adj.
histereseógrafo s.m.
histereseometria s.f.
histereseométrico adj.
histereseômetro s.m.
histeresígrafo s.m.
histeresimetria s.f.
histeresimétrico adj.
histeresímetro s.m.
histerético adj.
histeria s.f.
histeriácea s.f.
histeriáceo adj.
histericismo s.m.
histérico adj. s.m.
histérida adj.2g. s.m.

histerídeo adj. s.m.
histeriforme adj.2g.
histeriínea s.f.
histeríneo adj. s.m.
histério s.m.
histeriônica s.f.
histerismo s.m.
histerite s.f.
histerizar v.
histeroblásio s.m.
histerocarcinoma s.m.
histerocarpo s.m.
histerocatalepsia s.f.
histerocele s.f.
histerocístico adj.
histerocistocele s.f.
histeroclise s.f. "sutura uterina"; cf. *histeróclise*
histeróclise s.f. "lavagem uterina"; cf. *histeroclise*
histeroepilepsia s.f.
histeroepiléptico adj.
histerofisa s.f.
histeróforo s.m.
histerofrenador (*ô*) adj.
histerogêneo adj.
histerogênico adj.
histerógeno adj.
histerografia s.f.
histerográfico adj.
histeroide (*ó*) adj.2g.
histerolábio s.m.
histerólabo s.m.
histerolaparotomia s.f.
histerolaparotômico adj.
histerolinfangite s.f.
histerolinfangítico adj.
histerolitíase s.f.
histerólito s.m.
histerologia s.f.
histerológico adj.
histerólogo s.m.
histeroloxia (*cs*) s.f.
histeroma s.m.
histeromalacia s.f.
histerômana s.f.
histeromania s.f.
histerômano adj.
histerometria s.f.
histerométrico adj.
histerômetro s.m.
histeromioma s.m.
hísteron-próteron s.m.; pl. *hísterons-próterons*
histeropatia s.f.
histeropático adj.
histeropexia (*cs*) s.f.
histeroplegia s.f.
histeróptero s.m.
histeroptose s.f.
histerorragia s.f.
histerorrágico adj.
histerorreia (*é*) s.f.
histerorreico (*é*) adj.
histeroscopia s.f.
histeroscópio s.m.
histerossalpingografia s.f.
histerossalpingográfico adj.
histerossalpingograma s.m.
histerostenia s.f.
histerostênico adj.
histerostomatomia s.f.
histerostomátomo s.m.
histerostomótomo s.m.
histerotocotomia s.f.
histerotocotômico adj.
histerotomia s.f.
histerotômico adj.
histerótomo s.m.
histerotomotocia s.f.
hístico adj.
histidase s.f.
histídase s.f.
histidina s.f.
histidínase s.f.
histidínico adj.
histinase s.f.
histioblástico adj.
histioblasto s.m.
histiobranco s.m.
histiocéfalo s.m.
histiocítico adj.
histiócito s.m.
histiocitoma s.m.
histiocitose s.f.
histiodromia s.f.
histiodrômico adj.
histióforo s.m.
histioide (*ó*) adj.2g.
histióptere s.f.
histióptero s.m.
histiotêutis s.f.2n.
histocompatibilidade s.f.
histocompatibilização s.f.
histocompatibilizado adj.
histocompatibilizante adj.2g.
histocompatibilizar v.
histocompatibilizável adj.2g.
histocompatível adj.2g.
histodiagnóstico s.m.
histodiferença s.f.
histodiferenciação s.f.
histodiferenciado adj.
histodiferencial adj.2g.
histodiferencialidade s.f.
histodiferenciar v.
histodiferente adj.2g.
histofisiologia s.f.
histofisiológico adj.
histofisiologista s.2g.
histofisiólogo s.m.
histogêneo adj.
histogênese s.f.
histogenésico adj.
histogenético adj.
histogenia s.f.
histogênico adj.
histogênio s.m.
histógeno adj.
histogenol s.m.
histografia s.f.
histográfico adj.
histógrafo s.m.
histograma s.m.
histólise s.f.
histolítico adj.
histologia s.f.
histológico adj.
histologista s.2g.
histólogo s.m.
histoma s.m.
histometábase s.f.
histomonose s.f.
histona s.f.
histoneurologia s.f.
histoneurológico adj.
histoneurologista s.2g.
histoneurólogo s.m.
histônico adj.
histoniense adj. s.2g.
histonina s.f.
histonomia s.f.
histonômico adj.
histopatologia s.f.
histopatológico adj.
histopatologista adj. s.2g.
histópede adj. s.2g.
histoplasmina s.f.
histoplasmose s.f.
histoplasmótico adj.
histopoese s.f.
histopoiese s.f.
históptero s.m.
histoquímica s.f.
histoquímico adj. s.m.
história s.f.; cf. *historia*, fl. do v. *historiar*
historiada s.f.
historiado adj.
historiador (*ô*) adj. s.m.
historiagem s.f.
historial adj.2g. s.m.
historialização s.f.
historializado adj.
historializador (*ô*) adj. s.m.
historializar v.
historiar v.
historicidade s.f.
historicismo s.m.
historicista adj. s.2g.
historicístico adj.
historicizar v.
histórico adj. s.m.
histórico-comparativo adj.; pl. *histórico-comparativos*
histórico-cultural adj.2g.; pl. *histórico-culturais*
histórico-etimológico adj.; pl. *histórico-etimológicos*
histórico-filosófico adj.; pl. *histórico-filosóficos*
histórico-genealógico adj.; pl. *histórico-genealógicos*
histórico-geográfico adj.; pl. *histórico-geográficos*
histórico-linguístico adj.; pl. *histórico-linguísticos*
histórico-natural adj.2g.; pl. *histórico-naturais*
histórico-social adj.2g.; pl. *histórico-sociais*
historieiro adj.
historiento adj.
historieta (*ê*) s.f.
historinha s.f.
historiografia s.f.
historiográfico adj.
historiógrafo s.m.
historiograma s.m.
historíola s.f.
historiologia s.f.
historiológico adj.
historiólogo s.m.
historiônimo s.m.
historiosofia s.f.
historismo s.m.
historista adj. s.2g.
historiúncula s.f.
historização s.f.
historizar v.
historradiografia s.f.
historradiográfico adj.
histotáctico adj.
histotaxia (*cs*) s.f.
histotáxico (*cs*) adj.
histoterapia s.f.
histoterápico adj.
histotipia s.f.
histotomia s.f.
histotômico adj.
histotomista s.2g.
histótomo s.m.
histótopo s.m.
histotoxicidade (*cs*) s.f.
histotóxico (*cs*) adj.
histotoxidade (*cs*) s.f.
histótribo s.m.
histotripsia s.f.
histotriptor (*ô*) s.m.
histotromia s.f.
histotrômico adj.
histotropismo s.m.
histozima s.f.
histozoário adj. s.m.
histrião s.m.
histrícida adj.2g. s.m.
histricídeo adj. s.m.
histrícido adj. s.m.
histricíneo adj. s.m.
histrício adj. s.m.
histricismo s.m.
histrícodon s.m.
histricodonte s.m.
histricomorfo adj. s.m.
histricosfera s.f.
histrígnato s.m.
histrio s.m.
histriobdela s.f.
histriobdélida adj.2g. s.m.
histriobdelídeo adj. s.m.
histriófabe s.f.
histriófaps s.f.2n.
histrionar v.
histrionia s.f.
histrionice s.f.
histriônico adj.
histrionismo s.m.
hístrique s.f.
hístrix (*cs*) s.m.f.
histrixita s.f.
hitchcockiano adj. s.m.
hitchcockita s.f.
hitchênia s.f.
hitérgrafo s.m.
hitita adj. s.2g.
hititologia s.f.
hititológico adj.
hititologista s.2g.
hititólogo s.m.
hitleriano adj. s.m.
hitlerismo s.m.
hitlerista adj. s.2g.
hitlerístico adj.
hitquênia s.f.
hiulco adj.
hixcariana (*cs*) adj. s.2g.
hjelmita s.f.
hjelmsleviano adj.
hjortdahlita s.f.
hó s.m.
hoatchi s.m.
hoazim s.m.
hobbesianismo s.m.
hobbesiano adj.
hobo s.m.
hochschildita s.f.
hocquínia s.f.
hodamo s.m.
hodgkinsonita s.f.
hodiernidade s.f.
hodierno adj.
hodofílaco s.m.
hodogênese s.f.
hodogenético adj.
hodografia s.f.
hodográfico adj.
hodógrafo s.m.
hodoliometria s.f.
hodologia s.f.
hodológico adj.
hodometria s.f.
hodométrico adj.
hodômetro s.m.
hodonímia s.f.
hodonímico adj.
hodônimo adj.
hodoscópico adj.
hodoscópio s.m.
hodotacômetro s.m.
hodotaquímetro s.m.
hodoterme s.m.
hodrushita s.f.
hoeferita s.f.
hoegboemita s.f.
hoegtveitita s.f.
hoembérgia s.f.
hoenzolérnico adj.
hoernesita s.f.
hoffmânnia s.f.
hoffmanniano adj.
hoffmânnico adj.
hoffmannita s.f.
hoffmannite s.f.
hohenbérgia s.f.
hohenzollérnico adj.
hohmannita s.f.
hoia (*ó*) s.f.
hoje (*ô*) adv. s.m.
hol s.m.
holagogo adj. s.m.
holaláfia s.f.
holanda s.m.f.
holandense adj. s.2g.
holandês adj. s.m.
holandesa (*ê*) s.f.
holandilha s.f.
holandilheiro s.m.
holandita s.f.
holandizado adj.
holandizar v.
holando-belga adj.2g.; pl. *holando-belgas*
holândrico adj.
holantárctico adj.
holantártico adj.
holão s.m.
holárdia s.f.
holarrena s.f.
holártica s.f.
holártico adj.
holascíneo adj. s.m.
holasco s.m.
holáspide s.f.
holaspidiano adj.
holbachiano adj.
holbaquiano adj.
holco s.m.
holcogáster s.m.
holcopogão s.m.
holcopógon s.m.
holcosteto s.m.
holdenita s.f.
holectipoide (*ó*) adj.2g. s.m.
holerca s.f.
holerite s.m.
holetro adj. s.m.
holicismo s.m.
holimênia s.f.
holismo s.m.
holista adj. s.2g.
holisteríea s.f.
holístico adj.
hollandita s.f.
hollywoodense adj. s.2g.
hollywoodiano adj.
hólmia s.f.
hólmico adj.
holmiense adj. s.2g.
holmina s.f.
hólmio s.m.
holmsquióldia s.f.
holmsquistita s.f.
holo adj. s.m.
holoaxial (*cs*) adj.2g.
holobasídio s.m.
holobasidiomicete s.m.
holoblástico adj.
hólobo s.m.

holobrânquio adj. s.m.
holocaína s.f.
holocálice s.m.
holocálix (*cs*) s.m.
holocanto s.m.
holocárpico adj.
holocarpo adj.
holocaustar v.
holocausto s.m.
holocéfalo adj. s.m.
holocelulose s.f.
holocelulósico adj.
holocênico adj.
holocênio s.m.
holoceno adj. s.m.
holocenose s.f.
holocêntrida adj.2g. s.m.
holocentrídeo adj. s.m.
holocentro s.m.
holocnemo s.m.
holocoanito s.m.
holocoanoidal adj.2g.
holocremno s.m.
holócrino adj.
holocristalino adj.
holodinâmico adj.
holodíscea s.f.
holodisco s.m.
holoedria s.f.
holoédrico adj.
holoedro s.m.
holoenzima s.f.
holoenzímico adj.
holoestereoscopia s.f.
holoestereoscópico adj.
holófago s.m.
holófane s.m.
holofélsico adj.
holofelsítico adj.
holofelsito s.m.
holofiloforácea s.f.
holofiloforáceo adj.
holofítico adj.
holofonia s.f.
holofote s.m.
holofotense adj. s.2g.
holofótico adj.
holofotizar v.
holofoto s.m.
holófrase s.f.
holofrástico adj.
holófria s.f.
holofriíneo adj. s.m.
holofrioide (*ó*) adj. s.m.
holoftalmo adj.
hologameta s.m.
hologâmeta s.m.
hologamia s.f.
hologâmico adj.
hologástrio adj. s.m.
hologastro adj. s.m.
hologênese s.f.
hologenético adj.
hologínico adj.
holografar v.
holografia s.f.
holográfico adj.
hológrafo adj. s.m.
holograma s.m.
hololampra s.f.
hololepta s.2g.
hololeptíneo adj. s.m.
holomastigácea s.f.
holomastigáceo adj.
holometabolia s.f.
holometabólico adj.
holometábolo adj. s.m.
holométopa s.f.
holométopo s.m.
holométrico adj.
holômetro s.m.
holomiário adj.
holomórfico adj.
holomorfismo s.m.
holomorfo adj.
holomorfose s.f.
holonecrótico adj.
holonécton s.m.
holonefridiado adj. s.m.
holongo s.m.
holonomia s.f.
holonômico adj.
holônomo adj.
holoparamecíneo s.m.
holoparasita adj. s.2g.
holoparasitário adj.
holoparasítico adj.
holoparasitismo s.m.
holoparasito adj. s.m.
holopatia s.f.
holopático adj.
holopediíneo adj. s.m.
holopédio s.m.
holopetalar adj.2g.
holopetalário adj.
holópida adj.2g. s.m.
holopídeo adj. s.m.
holopigo s.m.
holoplancto s.m.
holoplâncton s.m.
holopneusta s.m.
holopneuste s.m.
holopnêustico adj.
hólopo s.m.
holópode adj.2g. s.m.
holópotrips s.m.2n.
holoprosencefalia s.f.
holoproteíde s.f.
holoproteína s.f.
holoptélea s.f.
holóptico adj.
holoptiquíida adj.2g. s.m.
holoptiquiídeo adj. s.m.
holoptíquio s.m.
holorríneo adj.
holorrino adj.
holosceno s.m.
holosidase s.f.
holosídase s.f.
holóside s.f.
holosídeo s.m.
holosqueno s.m.
holossaprófita s.f.
holossaprófito s.m.
holossiderita s.f.
holossiderito s.m.
holossimetria s.f.
holossimétrico adj.
holostema s.m.
holósteo adj. s.m.
holostereoscopia s.f.
holostereoscópico adj.
holostérico adj.
holostério s.m.
holóstica s.f.
holostile s.f.
holostilo s.m.
holostômida adj.2g. s.m.
holostomídeo adj. s.m.
holostômido adj. s.m.
holóstomo adj. s.m.
holotípico adj.
holotipo s.m.
holótipo s.m.
holótiro s.m.
holotomia s.f.
holotômico adj.
holotônico adj.
holótrico adj. s.m.
holotríquio adj. s.m.
holotúria s.f.
holotúrida adj.2g. s.m.
holotúride adj.
holoturídeo adj. s.m.
holotúrido adj. s.m.
holoturioide (*ó*) adj.2g.
holoturióideo adj. s.m.
holoturoide (*ó*) adj.2g. s.m.
holozoico (*ó*) adj.
holtercardiografia s.f.
holtita s.f.
homaça s.f.
homagem s.f.
homaláxis (*cs*) s.m.2n.
homalínea s.f.
homalíneo adj.
homalinoto s.m.
homáliso s.m.
homaloblemo s.m.
homalocefalia s.f.
homalocéfalo adj. s.m.
homalocencro s.m.
homalocrânio s.m.
homalogáster s.m.
homalogástrio adj. s.m.
homalogira s.f.
homalogírida adj.2g. s.m.
homalogirídeo adj. s.m.
homalografia s.f.
homalográfico adj.
homalógrafo s.m.
homaloidal adj.2g.
homaloide (*ó*) adj.2g.
homalomena s.f.
homalônico s.m.
homálonix (*cs*) s.m.
homalópode adj.2g. s.m.
homalopse s.f.
homalopsíneo adj. s.m.
homalópsis s.f.2n.
homalóptera s.f.
homalopteríneo adj. s.m.
homalóptero adj. s.m.
homalótilo s.m.
homalótropo adj.
homanita s.f.
homão s.m.
homárida adj.2g. s.m.
homarídeo adj. s.m.
homarina s.f.
homaríneo adj. s.m.
homaro s.m.
homatômico adj.
homatropina s.f.
homaxial (*cs*) adj.2g.
hombo s.m.
hombridade s.f. "honradez"; cf. *ombridade*
hombrigolulo s.m.
hombula s.f.
homela s.m.
homem s.m.
homem-bom s.m.; pl. *homens-bons*
homem-chave s.m.; pl. *homens-chave*
homem da rua s.m.
homem das encruzilhadas s.m.
homem de palha s.m.
homem-deus s.m.; pl. *homens-deuses*
homem-enforcado s.m.; pl. *homens-enforcados*
homem-feito s.m.; pl. *homens-feitos*
homem-gol s.m.; pl. *homens-gol*
homem-grande s.m.; pl. *homens-grandes*
homem-hora s.m.; pl. *homens-horas*
homem-morto s.m.; pl. *homens-mortos*
homem-mosca s.m.; pl. *homens-mosca* e *homens-moscas*
homem-orquestra s.m.; pl. *homens-orquestra* e *homens-orquestras*
homem-padrão s.m.; pl. *homens-padrão*
homem-pássaro s.m.; pl. *homens-pássaro* e *homens-pássaros*
homem-peixe s.m.; pl. *homens-peixe* e *homens-peixes*
homem-rã s.m.; pl. *homens-rã* e *homens-rãs*
homem-robô s.m.; pl. *homens-robôs*
homem-sanduíche s.m.; pl. *homens-sanduíche* e *homens-sanduíches*
homem-tipo s.m.; pl. *homens-tipo*
homenageado adj. s.m.
homenageador (*ô*) adj. s.m.
homenageante adj. s.2g.
homenagear v.
homenageável adj.2g.
homenagem s.f.
homenzarrão s.m.
homenzinho s.m.
homeoarco adj. s.m.
homeoarquia s.f.
homeoblástico adj.
homeócara s.f.
homeocinese s.f.
homeocinético adj.
homeoclamídeo adj. s.m.
homeodeltídio s.m.
homeodípnis s.m.2n.
homeoetnia s.f.
homeografia s.f.
homeográfico adj.
homeógrafo s.m.
homeogrilo s.m.
homeolitro s.m.
homeologia s.f.
homeólogo adj.
homeomeria s.f.
homeômero adj.
homeomerologia s.f.
homeomorfia s.f.
homeomórfico adj.
homeomorfismo s.m.
homeomorfo adj. s.m.
homeomorfose s.f.
homeomorfótico adj.
homeo-osmose s.f.
homeo-osmótico adj.
homeopata adj. s.2g.
homeopatia s.f.
homeopático adj.
homeoplasia s.f.
homeoplástico adj.
homeopolar adj.2g.
homeopróforo s.m.
homeopróforon s.m.
homeoptótico adj.
homeoptoto adj. s.m.
homeoptóton adj. s.m.
homeose s.f.
homeosmose s.f.
homeosmótico adj.
homeossiniatria s.f.
homeossoma s.m.
homeostase s.f.
homeóstase s.f.
homeostasia s.f.
homeostática s.f.
homeostático adj.
homeostato s.m.
homeóstrofe adj.2g.
homeotelêutico adj.
homeoteleuto s.m.
homeotelêuton s.m.
homeotermia s.f.
homeotérmico adj.
homeotermismo s.m.
homeotermo adj. s.m.
homeótico s.m.
homeotípico adj.
homeótipo s.m.
homeotomia s.f.
homeotransplantação s.f.
homeotransplantado adj.
homeotransplantar v.
homeotransplantável adj.2g.
homeotropia s.f.
homeotrópico adj.
homeótropo adj. s.m.
homeousianismo s.m.
homeousiano adj. s.m.
homeozigia s.f.
homeozoico (*ó*) adj.
homéreo adj.
homérico adj.
homérida adj. s.2g.
homeridade s.f.
homerismo s.m.
homeromastige s.f.
homessa interj.
homessoma s.m.
homezio s.m.
homicida adj. s.2g.
homicidar v.
homicidário adj.
homicidiar v.
homicídio s.m.; cf. *homicidio*, fl. do v. *homicidiar*
homiclina s.f.
homilética s.f.
homilético adj.
homilia s.f.
homília s.f.; cf. *homilia*, fl. do v. *homiliar*
homiliar v.
homiliário s.m.
homiliasta s.2g.
homilita s.f.
homilite s.f.
hominação s.f.
hominal adj.2g.
hominalidade s.f.
homínculo s.m.
hominho s.m.
hominiano adj.
hominícola s.2g.
hominínida adj. s.2g.
hominídeo adj. s.m.
homínido adj. s.m.
hominismo s.m.
hominista adj. s.2g.
hominívoro adj. "antropófago"; cf. *omnívoro*
hominização s.f.
hominizado adj.
hominizar v.
hominoide (*ó*) adj. s.2g.
hominóideo adj. s.m.
homiziação s.f.
homiziado adj. s.m.
homiziadoiro s.m.
homiziadouro s.m.
homizião s.m.
homiziar v.
homizieiro s.m.

homizio s.m.
homoaxial (*cs*) adj.2g.
homobasídio s.m.
homobasidiomicete s.m.
homobasidiomicético adj.
homobasidiomicetídeo adj. s.m.
homobasidiomicetídio s.m.
homobasidiomiceto s.m.
homoblásteo adj.
homocanforato s.m.
homocanfórico adj.
homocarga s.f.
homocário s.m.
homocariose s.f.
homocariótico adj.
homocarpo adj.
homocatalecto s.m.
homocatalexia (*cs*) s.f.
homocedastício adj.
homocedástico adj.
homocéfalo s.m.
homocela s.m.
homocelo adj. s.m.
homocentricidade s.f.
homocêntrico adj.
homocentrismo s.m.
homocentro s.m.
homocercia s.f.
homocerco adj.
homocerquia s.f.
homocíclico adj.
homociclo s.m.
homocido s.m.
homocinese s.f.
homocinético adj.
homocistácea s.f.
homocisteína s.f.
homocistina s.f.
homocistinúria s.f.
homoclamídeo adj. s.m.
homoclima s.m.
homoclimático adj.
homoclinal adj.2g.
homoclíneo adj. s.m.
homoclínico adj.
homoclínio s.m.
homoclino adj.
homóclise s.f.
homoclítico adj.
homocromático adj.
homocromatismo s.m.
homocromia s.f.
homocrômico adj.
homócromo adj.
homocrônico adj.
homócrono adj.
homocúrtico adj.
homodemo s.m.
homoderme adj.2g. s.f.
homodermo adj. s.m.
homodésmico adj.
homodinamia s.f.
homodinâmica s.f.
homodinâmico adj.
homodonte adj.2g.
homodontia s.f.
homodôntico adj.
homodromia s.f.
homodrômico adj.
homódromo adj. s.m.
homodúplex (*cs*) s.m.
homoédrico adj.
homoedro s.m.
homoelementar adj.2g.
homoenxerto (*ê*) s.m.
homoerótico adj.
homoerotismo s.m.
homoetnia s.f.
homoétnico adj.
homofagia s.f.
homofágico adj.
homófago adj. s.m.
homofânia s.f.
homofila s.f.
homofilia s.f.
homofílico adj.
homofilo adj.
homófilo adj.
homofluoresceína s.f.
homofobia s.f.
homofóbico adj.
homófobo adj. s.m.
homofocal adj.2g.
homofocalidade s.f.
homofonia s.f.
homofônico adj.
homofonismo s.m.
homofono adj. s.m.
homófono adj. s.m.
homofonógrafo adj. s.m.
homofonologia s.f.
homofonológico adj.
homoftalato s.m.
homoftálico adj.
homoftalmia s.f.
homoftalmo adj.
homofundamental adj.2g.
homogametia s.f.
homogamético adj.
homogamia s.f.
homogâmico adj.
homógamo adj.
homogeneidade s.f.
homogeneização s.f.
homogeneizadeira s.f.
homogeneizado adj.
homogeneizador (*ô*) adj. s.m.
homogeneizar v.
homogêneo adj.
homogênese s.f.
homogenesia s.f.
homogenético adj.
homogenia s.f.
homogênico adj.
homogenização s.f.
homogenizadeira s.f.
homogenizado adj.
homogenizador (*ô*) adj. s.m.
homogenizar v.
homógeno adj.
homogentísico adj.
homogentisínico adj.
homógina s.f.
homógine s.f.
homogonia s.f.
homogônico adj.
homogradia s.f.
homógrado adj.
homografia s.f.
homográfico adj.
homógrafo adj. s.m.
homoguaiacol s.m.
homoica (*ó*) s.f.
homoico (*ó*) adj.
homoide (*ó*) adj.2g.
homoioclamídeo adj. s.m.
homojunção s.f.
hômola s.f.
homolâmpade s.f.
homolampas s.f.2n.
homolateral adj.2g.
homolecítico adj.
homolécito adj.
homolíneo s.m.
homólise s.f.
homolítico adj.
hômolo s.m.
homolocefalia s.f.
homologabilidade s.f.
homologação s.f.
homologado adj.
homologar v.
homologativo adj.
homologatoriedade s.f.
homologatório adj.
homologável adj.2g.
homologia s.f.
homológico adj.
homólogo adj.; cf. *homologo*, fl. do v. *homologar*
homologômeno adj.
homoloidal adj.2g.
homolopsíneo adj. s.m.
homomeria s.f.
homômero adj.
homomerologia s.f.
homomerológico adj.
homometria s.f.
homométrico adj.
homomiário adj. s.m.
homomorfia s.f.
homomórfico adj.
homomorfismo s.m.
homomorfo adj. s.m.
homomorfose s.f.
homomorfótico adj.
homonadense adj. s.2g.
homonapelina s.f.
homonefriadiado adj. s.m.
homoneura s.f.
homoneuro s.m.
homonexo (*cs*) adj. s.m.
homonexual (*cs*) adj.2g.
homonexualidade (*cs*) s.f.
homonimia s.f.
homonímia s.f.
homonímico adj.
homônimo adj. s.m.
homonomia s.f.
homonômico adj.
homônomo adj.
homonuclear adj.2g.
homo-ousianismo s.m.
homo-ousianista adj. s.2g.
homo-ousiano adj. s.m.
homopatia s.f.
homopétalo adj.
homoplanasia s.f.
homoplanático adj.
homoplano adj.
homoplasia s.f.
homoplástico adj.
homópode adj.2g. s.m.
homopolar adj.2g. s.f.
homopolaridade s.f.
homopolimérico adj.
homopolimerização s.f.
homopolimerizado adj.
homopolimerizar v.
homopolimerizável adj.2g.
homopolímero s.m.
homopolissacarídeo adj. s.m.
homopolissacarídio s.m.
homopolissacárido s.m.
homóptero adj. s.m.
homopterocarpina s.f.
homoptoto adj. s.m.
homoptóton s.m.
homoquinina s.f.
homorgânica s.f.
homorganicidade s.f.
homorgânico adj.
homoro s.m.
homorocórifo s.m.
homorráfida adj.2g. s.m.
homorrafídeo adj. s.m.
homoscedasticidade s.f.
homoscedástico adj.
homose s.f.
homosfera s.f.
homosporado adj.
homosporia s.f.
homospórico adj.
homósporo adj. s.m.
homossensor (*ô*) s.m.
homossensorial adj.2g.
homossexual (*cs*) adj. s.2g.
homossexualidade (*cs*) s.f.
homossexualismo (*cs*) s.m.
homossexualista (*cs*) adj. s.2g.
homossexualístico (*cs*) adj.
homossímio s.m.
homossinapse s.f.
homossintagma s.m.
homossintagmático adj.
homossista s.f.
homostático adj.
homostilia s.f.
homostílico adj.
homostilo adj.
homostimulação s.f.
homostimulante adj. s.2g.
homostimular v.
homotáctico adj.
homotalia s.f.
homotálico adj.
homotalismo s.m.
homotecia s.f.
homoteleuto adj. s.m.
homotelêuton s.m.
homotermal adj.2g.
homotermia s.f.
homotérmico adj.
homotermismo s.m.
homotermo adj. s.m.
homotesia s.f.
homotetia s.f.
homotético adj.
homotipia s.f.
homotípico adj.
homótipo adj.
homotipose s.f.
homotomia s.f.
homotômico adj.
homotonal adj.2g.
homotonia s.f.
homótono adj.
homotopia s.f.
homotópico adj.
homotransplantação s.f.
homotransplantado adj.
homotransplantar v.
homotransplantável adj.2g.
homotransplante s.m.
homótrico s.m.
homotropia s.f.
homotrópico adj.
homotropismo s.m.
homótropo adj. s.m.
homounitivo adj.
homousianismo s.m.
homousiano adj. s.m.
homovalve adj.2g.
homovalvo adj.
homovital adj.2g.
homoxial (*cs*) adj.2g.
homozigose s.f.
homozigote s.m.
homozigotia s.f.
homozigótico adj.
homozigoto (*ô*) s.m.
homum s.m.
homuncionita adj. s.2g.
homunculídeo adj. s.m.
homúnculo s.m.
homunculoide (*ó*) adj. s.m.
homunitivo adj.
hona s.f.
honckênia s.f.
honcquênia s.f.
hondurasita s.f.
hondurenhismo s.m.
hondurenho adj. s.m.
hondurense adj. s.2g.
honessita s.f.
honestação s.f.
honestado adj.
honestador (*ô*) adj. s.m.
honestar v.
honestidade s.f.
honestização s.f.
honestizar v.
honesto adj.
hongo s.m.
honor (*ô*) s.m.
honorabilidade s.f.
honorar v.
honorário adj.
honorários s.m.pl.
honorável adj.2g.
honorificado adj.
honorificar v.
honorificência s.f.
honorífico adj.; cf. *honorifico*, fl. do v. *honorificar*
honoveleno s.m.
honquênia s.f.
honra s.f.
honradez (*ê*) s.f.
honradeza (*ê*) s.f.
honrado adj. s.m.
honradoiro s.m.
honrador (*ô*) adj. s.m.
honradouro adj.
honramento s.m.
honrar v.
honraria s.f.
honras s.f.pl.
honrável adj.2g.
honrificar v.
honroso (*ô*) adj.; f. (*ó*); pl. (*ó*)
hoóbia s.f.
hoódene adj. s.2g.
hoódia s.f.
hoodotripo s.m.
hoódotrips s.m.2n.
hookéria s.f.
hookeriácea s.f.
hookeriáceo adj.
hoombe s.m.
hooquéria s.f.
hooqueriácea s.f.
hooqueriáceo adj.
hopak s.m.
hópea s.f.
hopeína s.f.
hopeíta s.f.
hopeíte s.f.
hopi adj. s.2g. s.m.
hópia s.f.
hopkinismo s.m.
hopkinista adj. s.2g.
hopladelo s.m.
hoplarióbio s.m.
hoplestigma s.m.
hoplestigmácea s.f.
hoplestigmatácea s.f.
hoplestigmatáceo adj.
hóplia s.m.
hoplíctis s.m.2n.
hoplííneo adj. s.m.
hoplita s.m.
hoplítis s.m.2n.
hoplitófria s.f.
hoplo s.m.
hoplocampa s.m.
hoplocárido adj. s.m.

hoplocnemo s.m.
hoplócrito s.m.
hoplodáctilo s.m.
hoplodátilo s.m.
hoploestigmatácea s.f.
hoploestigmatáceo adj.
hoplófito s.m.
hoplófora s.m.
hoplofórida adj.2g. s.m.
hoploforídeo adj. s.m.
hoploforíneo adj. s.m.
hoplóforo s.m.
hoplognátida adj.2g. s.m.
hoplognatídeo adj. s.m.
hoplógnato s.m.
hoplômaco s.m.
hoplomaquia s.f.
hóplon s.m.
hoplonemérteo adj. s.m.
hoplonemertino adj. s.m.
hoplópode adj.2g.
hoplóptero s.m.
hoplorrinco s.m.
hoplosteto s.m.
hoplostigmatácea s.f.
hoplostigmatáceo adj.
hoploteca s.f.
hoplotério s.m.
hoploxíptero (*cs*) s.m.
hoplúnis s.m.2n.
hopo s.m.
hoporina s.f.
hopquinismo s.m.
hoptocáride adj. s.2g.
hóquei s.m.
hoqueto (*ê*) s.m.
hora s.f. "segmento de tempo"; cf. *orá* s.f.; *ora* adv. s.f. conj. interj. e fl. do v. *orar*
horacianismo s.m.
horacianista adj. s.2g.
horacianístico adj.
horaciano adj. s.m.
horaciense adj. s.2g.
horal adj.2g. "horário"; cf. *oral*
horão s.m.
horar v. "fazer horas"; cf. *orar*
horário adj. s.m. "relativo a hora"; cf. *orário*
horas s.f.pl.
horático adj.
horatósfaga s.f.
horbaquite s.f.
hórcia s.f.
horda s.f.
hordeácea s.f.
hordeáceo adj.
hordéea s.f.
hordeiforme adj.2g.
hordeína s.f.
hordenina s.f.
hórdeo s.m.
hordéolo s.m.
horejar v.
horense adj. s.2g.
horidêictico adj.
horinha s.f.; na loc. *na horinha*
horíola s.f.
horispício s.m.
horista adj. s.2g.
horístico adj.
horizocárdia s.f.
horizontado adj.
horizontal adj.2g. s.f.
horizontalidade s.f.
horizontalismo s.m.
horizontalista adj. s.2g.
horizontalístico adj.
horizontalizar v.
horizontar v.
horizonte s.m.
horizonteante adj.2g.
horizontense adj. s.2g.
horizontinense adj. s.2g.
horizontino adj. s.m.
hormafidíneo s.m.
hormense adj. s.2g.
hormética s.f.
hórmico adj.
hormídio s.m.
hormífora s.f.
hormínea s.f.
hormino s.m.
hormocisto s.m.
hormodendro s.m.
hormogáster s.m.
hormogástrida adj.2g. s.m.
hormogastrídeo adj. s.m.
hormogastro s.m.
hormogênese s.f.
hormogônea s.f.
hormogôneo adj.
hormogônio s.m.
hormona s.f.
hormonal adj.2g.
hormônico adj.
hormônio s.m.
hormonizar v.
hormonogênese s.f.
hormonogenético adj.
hormonogenia s.f.
hormonogênico adj.
hormonologia s.f.
hormonológico adj.
hormonossexual (*cs*) adj.2g.
hormonoterapia s.f.
hormonoterápico adj.
hormonoterapista adj. s.2g.
hormorriza s.f.
hormósaco s.m.
hormosira s.f.
hornaveque s.m.
hornblenda s.f.
hornblenda-comum s.f.; pl. *hornblendas-comuns*
hornblenda-verde s.f.; pl. *hornblendas-verdes*
hornblêndico adj.
hornblendita s.f.
hornblendítico adj.
hornblendito s.m.
hornebergite s.f.
horneblenda s.f.
horneblêndico adj.
horneblendita s.f.
hornera s.f.
hornérida adj.2g. s.m.
hornerídeo adj. s.m.
hornesite s.f.
hornfel s.m.
hornfelse s.m.
hornfélsico adj.
horodíctico adj.
horografia s.f. "fabricação de quadrantes"; cf. *orografia*
horográfico adj. "relativo a horografia"; cf. *orográfico*
horógrafo s.m. "especialista em horografia"; cf. *orógrafo*
horologia s.f. "ciência da medição do tempo"; cf. *orologia* e *urologia*
horologial adj.2g.
horológico adj. "relativo a horologia"; cf. *orológico* e *urológico*
horológio s.m.
horometria s.f. "técnica de medir o tempo"; cf. *orometria*
horométrico adj. "concernente a horometria"; cf. *orométrico*
horômetro s.m. "aparelho para medir as horas"; cf. *orômetro*
horoptérico adj.
horoptério s.m.
horoptero s.m.
horoscopado adj.
horoscopar v.
horoscopia s.f. "arte de tirar o horóscopo"; cf. *uroscopia*
horoscópico adj. "relativo a horóscopo"; cf. *uroscópico*
horoscópio s.m.
horoscopista adj. s.2g.
horoscopizado adj.
horoscopizar v.
horóscopo s.m.; cf. *uróscopo* adj. e *horoscopo*, fl. do v. *horoscopar*
horotélico adj.
horrá s.m.
horrendo adj.
horrente adj.2g.
horribilidade s.f.
horridez (*ê*) s.f.
hórrido adj.
horrífero adj.
horrificar v.
horrífico adj.; cf. *horrifico*, fl. do v. *horrificar*
horripilação s.f.
horripilado adj.
horripilador (*ô*) adj.
horripilante adj.2g.
horripilar v.
horripilável adj.2g.
horrípilo adj.; cf. *horripilo*, fl. do v. *horripilar*
horrissonante adj.2g.
horríssono adj.
horristridente adj.2g.
horritroante adj.2g.
horrível adj.2g.
horror (*ô*) s.m.
horrorense adj. s.2g.
horrorífico adj.
horrorizado adj.
horrorizador (*ô*) adj.
horrorizante adj.2g.
horrorizar v.
horrorizável adj.2g.
horrorosidade s.f.
horroroso (*ô*) adj.; f. (*ó*); pl. (*ó*)
horsa s.f. "cavalo inglês"; cf. *orça* s.f. e fl. do v. *orçar*
horsfordita s.f.
horta s.f.
hortado s.m.
hortaliça s.f.
hortaliceiro adj. s.m.
hortar v.
hortativo adj.
hortejar v.
hortejo (*ê*) s.m.
hortelã s.f.
hortelã-boi s.f.; pl. *hortelãs-boi* e *hortelãs-bois*
hortelã-brava s.f.; pl. *hortelãs-bravas*
hortelã-brava-indiana s.f.; pl. *hortelãs-bravas-indianas*
hortelã-comum s.f.; pl. *hortelãs-comuns*
hortelã-crespa s.f.; pl. *hortelãs-crespas*
hortelã-d'água s.f.; pl. *hortelãs-d'água*
hortelã-das-cozinhas s.f.; pl. *hortelãs-das-cozinhas*
hortelã-das-hortas s.f.; pl. *hortelãs-das-hortas*
hortelã-de-burro s.f.; pl. *hortelãs-de-burro*
hortelã-de-campina s.f.; pl. *hortelãs-de-campina*
hortelã-de-cavalo s.f.; pl. *hortelãs-de-cavalo*
hortelã-de-cheiro s.f.; pl. *hortelãs-de-cheiro*
hortelã-de-folha-larga s.f.; pl. *hortelãs-de-folha-larga*
hortelã-de-folha-redonda s.f.; pl. *hortelãs-de-folha-redonda*
hortelã-de-folhas-grossas s.f.; pl. *hortelãs-de-folhas-grossas*
hortelã-de-leite s.f.; pl. *hortelãs-de-leite*
hortelã-do-brasil s.f.; pl. *hortelãs-do-brasil*
hortelã-do-brejo s.f.; pl. *hortelãs-do-brejo*
hortelã-do-campo s.f.; pl. *hortelãs-do-campo*
hortelã-doce s.f.; pl. *hortelãs-doces*
hortelã-do-maranhão s.f.; pl. *hortelãs-do-maranhão*
hortelã-do-mato s.f.; pl. *hortelãs-do-mato*
hortelã-francesa s.f.; pl. *hortelãs-francesas*
hortelã-japonesa s.f.; pl. *hortelãs-japonesas*
hortelã-meladinha s.f.; pl. *hortelãs-meladinhas*
hortelão s.m.; f. *horteloa*; pl. *hortelãos* e *hortelões*
hortelã-pimenta s.f.; pl. *hortelãs-pimenta* e *hortelãs-pimentas*
hortelã-pimenta-bastarda s.f.; pl. *hortelãs-pimenta-bastardas* e *hortelãs-pimentas-bastardas*
hortelã-pimenta-japonesa s.f.; pl. *hortelãs-pimenta-japonesas* e *hortelãs-pimentas-japonesas*
hortelã-romana s.f.; pl. *hortelãs-romanas*
hortelã-silvestre s.f.; pl. *hortelãs-silvestres*
hortelã-verde s.f.; pl. *hortelãs-verdes*
horteleiro s.m.
horteloa (*ô*) s.f. de *hortelão*
hortense adj. s.2g. s.f.
hortênsia s.f.
hórtia s.f.
hortícola adj.2g.
horticultar v.
horticultivo adj. s.m.
horticultor (*ô*) s.m.
horticultura s.f.
hortifrúti s.m.
hortifrutícola adj. s.2g.
hortifrutigranjeiro adj. s.m.
hortigranjeiro adj. s.m.
horto (*ô*) s.m. "pequena horta"; cf. *orto* adj.2g.2n. s.m.2n. e *horto*, fl. do v. *hortar*
horto-da-beira s.m.; pl. *hortos-da-beira*
hortolandense adj. s.2g.
hortolandiense adj. s.2g.
hortomercado s.m.
hortonolita s.f.
hortonsfera s.f.
hortulana s.f.
hortulânia s.f.
hosana s.m. interj. "hino de ação de graças"; cf. *osana*
hosco (*ô*) adj. "de cor escura"; cf. *osco*
hóspeda s.f.; cf. *hospeda*, fl. do v. *hospedar*
hospedabilidade s.f.
hospedádigo s.m.
hospedado adj.
hospedador (*ô*) adj. s.m.
hospedagem s.f.
hospedal adj.2g.
hospedamento s.m.
hospedança s.f.
hospedar v.
hospedaria s.f.
hospedável adj.2g.
hóspede adj. s.2g.; cf. *hospede*, fl. do v. *hospedar*
hospedeira s.f.
hospedeiro adj. s.m.
hospedoso (*ô*) adj.; f. (*ó*); pl. (*ó*)
hospiciense adj. s.2g.
hospício s.m.
hospital adj.2g. s.m.
hospitalar v. adj.2g.
hospitalário adj. s.m.
hospitaleira s.f.
hospitaleiro adj. s.m.
hospitália s.f.
hospitalidade s.f.
hospitalismo s.m.
hospitalização s.f.
hospitalizado adj.
hospitalizar v.
hospodar s.m.
hospodarato s.m.
hosta s.f.
hostal s.m.
hostalagem s.f.
hostaria s.f.
hostau s.m.
hoste s.m.f.
hosteia (*é*) s.f.
hóstia s.f.
hostiaria s.f.
hostiário s.m. "caixa de hóstias"; cf. *ostiário*
hostiense adj. s.2g.
hostil adj.2g.
hostilidade s.f.
hostiliense adj. s.2g.
hostilização s.f.
hostilizado adj.
hostilizador (*ô*) adj.
hostilizante adj.2g.
hostilizar v.
hostilizável adj.2g.
hoteia (*é*) s.f.
hotel s.m.
hotelaria s.f.
hoteleiro adj. s.m.
hoteleria s.f.
hotentote adj. s.2g.
hotentotismo s.m.
hotônia s.f.
hotoniina s.f.
hotunangandué s.f.
hou interj.; cf. *ou*
houardodiplose s.f.
houari s.m.
houbara s.f.
houbarópsis s.f.2n.
houcha s.m.

houghita s.f.
houlécia s.f.
houlétia s.f.
houlita s.f.
houllétia s.f.
houtuínia s.f.
hova adj. s.2g. s.m. "povo"; cf. *ova*
hovárdia s.f.
hovardita s.m.
hovardite s.f.
hovardito s.m.
hóvea s.f.
hovênia s.f.
howieíta s.f.
howlita s.f.
hoya (*ó*) s.f.
hsihutsunita s.f.
hua s.f.
huácea s.f.
huáceo adj.
huaino s.m.
huala s.f.
huamã s.m.
huamal adj.2g.
huambiza adj. s.2g.
huambo adj. s.m.
huane s.m.
huanghoíta s.f.
huanhame adj. s.2g.
huanói adj. s.2g.
huanoquina s.f.
huari adj. s.2g.
huasteca adj. s.2g.
huasteco adj. s.m.
huaxteca adj. s.2g.
huaxteco adj. s.m.
hubéria s.f.
hubi s.f.
hübnéria s.f.
hübneriano adj.
hübnerita s.f.
hübnerite s.f.
hübnerítico adj.
húbris s.m.2n.
hude s.m.
hudibrástico adj.
hudsônia s.f.
hudsoniano adj.
hudsonita s.f.
hudsonite s.f.
hudsonito s.m.
huebnéria s.f.
huebnerita s.f.
huebnerítico adj.
huela s.m.
huemulita s.f.
huênia s.f.
huérnia s.f.
hugelita s.f.
hugoanismo s.m.
hugoanista adj. s.2g.
hugoanístico adj.
hugoano adj. s.m.
hugoesco (*ê*) adj.
hugófilo adj. s.m.
hugólatra adj. s.2g.
hugolatria s.f.
hugonapolense adj. s.2g.
hugônia s.f.
hugoníea s.f.
huguenote adj. s.2g.
huguenotismo s.m.
huguenotista adj. s.2g.
huguenotístico adj.
huguesco (*ê*) adj.
hühnerkobelita s.f.
hui interj.
huicumbamba s.f.
huido s.m.
huíla adj. s.2g. s.m.
huilânia s.f.
huini s.m.
huío s.m.
huitanaanense adj. s.2g.
hula s.f.
hula-hula s.f.; pl. *hula-hulas*
hulha s.f.
hulha-azul s.f.; pl. *hulhas-azuis*
hulha-branca s.f.; pl. *hulhas-brancas*
hulha-negra s.f.; pl. *hulhas-negras*
hulha-negrense adj. s.2g.; pl. *hulha-negrenses*
hulha-verde s.f.; pl. *hulhas-verdes*
hulheira s.f.
hulheiro adj.
hulheização s.f.
hulheizador (*ô*) adj.
hulheizante adj.2g.
hulheizar v.
hulheizável adj.2g.
hulhífero adj.
hulhificação s.f.
hulhificante adj.2g.
hulhificar v.
hulhificável adj.2g.
hulhita s.f.
hulhite s.f.
hulliano adj.
hullita s.f.
hulsita s.f.
hum interj.; cf. *um*
humada s.f.
humaitá s.m.
humaitaense adj. s.2g.
humanado adj.
humanal adj.2g.
humanar v.
humanidade s.f.
humanidades s.f.pl.
humaniformiano adj. s.m.
humanismo s.m.
humanista adj. s.2g.
humanística s.f.
humanístico adj. s.m.
humanitariano s.m.
humanitário adj. s.m.
humanitarismo s.m.
humanitarista adj. s.2g.
humanitarístico adj.
humanitismo s.m.
humanização s.f.
humanizado adj.
humanizador (*ô*) adj. s.m.
humanizante adj.2g.
humanizar v.
humanizável adj.2g.
humano adj. s.m.
humanoide (*ó*) adj. s.2g.
humba s.m.
humbe adj. s.2g.
humberstonita s.f.
humberto-campense adj. s.2g.; pl. *humberto-campenses*
humbertuense adj. s.2g.
humbi s.f.
humbo s.m.
humboldtianismo s.m.
humboldtianista adj. s.2g.
humboldtianístico adj.
humboldtiano adj.
humboldtina s.f.
humboldtita s.f.
humboldtite s.f.
húmea s.f.
humiano adj. s.m.
húmico adj.
humícola adj.2g.
humífero adj.
humiferrita s.f.
humiferrite s.f.
humificação s.f.
humificado adj.
humificar v.
humifuso adj.
húmil adj.2g.
humildação s.f.
humildade s.f.
humildado adj.
humildar v.
humilde adj. s.2g. sup. *humildíssimo* e *humílimo*
humildense adj. s.2g.
humildeza (*ê*) s.f.
humildoso (*ô*) adj.; f. (*ó*); pl. (*ó*)
húmile adj.2g. sup. *humílimo* e *humilíssimo*
humilhação s.f.
humilhadeiro s.m.
humilhado adj. s.m.
humilhador (*ô*) adj.
humilhante adj.2g.
humilhar v.
humilhável adj.2g.
humilhoso (*ô*) adj.; f. (*ó*); pl. (*ó*)
humina s.f.
huminita s.f.
humiri s.m.
humíria s.f.
humiriácea s.f.
humiriáceo adj.
humita s.f.
humite s.f.
hummerita s.f.
humo s.m.
humoargiloso (*ô*) adj.; f. (*ó*); pl. (*ó*)
humor (*ô*) s.m.
humorado adj.
humoral adj.2g.
humoralismo s.m.
humoralista adj. s.2g.
humorismo s.m.
humorista adj. s.2g.
humorístico adj.
humorizar v.
humoroso (*ô*) adj.; f. (*ó*); pl. (*ó*)
humosidade s.f.
humoso (*ô*) adj.; f. (*ó*); pl. (*ó*)
humulácea s.f.
humuláceo adj.
humuleno s.m.
humulina s.f.
húmulo s.m.
humulona s.f.
humulotânico adj.
húmus s.m.2n.
hungarês adj. s.m.
hungárico adj.
húngaro adj. s.m.
hungchaoíta s.f.
hungo s.m.
hungumbei s.m.
huno adj. s.m. "povo"; cf. *uno* adj. e fl do v. *unir*
hunteriano adj.
huntita s.f.
huntleia (*é*) s.f.
huquer s.m.
huqueriácea s.f.
huqueriáceo adj.
hura s.f. "planta"; cf. *ura*
hurchatóvico adj.
hurchatóvio s.m.
hurdício s.m.
hureaolita s.f.
huri s.f.
hurídea s.f.
hurídeo adj.
hurlbutita s.f.
hurolita s.f.
hurolite s.f.
huroniano adj. s.m.
hurra s.m. interj.; cf. *urra*, fl. do v. *urrar*
hurrita adj. s.2g.
husa s.f. "planta"; cf. *usa*, fl. do v. *usar*
hussakita s.f.
hússar s.m.
hussardo s.m.
husserliano adj.
hussismo s.m.
hussista adj. s.2g.
hussístico adj.
hussita adj. s.2g.
hussitismo s.m.
hussitista adj. s.2g.
hussitístico adj.
hutchinsoniano adj. s.m.
hutchinsonita s.f.
hutchisonita s.f.
hutchisonítico adj.
huteriano adj. s.m.
huttoniano adj.
huttonita s.f.
hutu adj. s.2g.
huúteni adj. s.2g.
huxleia s.f.
huxleya (*é*) s.f.
hyblita (*é*) s.f.

Ii

i s.m. num.
iã interj.
iá s.f. interj.
iabá s.m.f.
iabacê s.f.
iabaim s.f.
iabaniã s.m.
iaca adj. s.2g. s.f.
iaçá s.m.
iacaiacá s.f.
iacaiaense adj. s.2g.
iaçanã s.f.
iacanguense adj. s.2g.
iacaninã s.f.
iaciarense adj. s.2g.
iácio adj. s.m.
iacitara s.f.
iacitarapuí s.m.
iacriano adj. s.m.
iacriense adj. s.2g.
iacu s.m.
iaçuense adj. s.2g.
iacuma adj. s.2g.
iacuto adj. s.m.
iadagã s.f.
iademim s.m.
iadertino adj. s.m.
iaefum s.f.
iaera s.f.
iaga s.f.
iagê s.m.
iageína s.f.
iago s.m.
iaguá s.f.
iaguacati s.m.
iaguacini s.m.
iaguara s.f.
iaguarataí s.m.
iaguaretê s.m.
iaguaruçu s.m.
iaguatiguaçu s.m.
iaiá s.f. "forma de tratamento"; cf. *iaía*
iaía s.f. "espécie de papagaio"; cf. *iaiá*
iaiá-de-cintura s.f.; pl. *iaiás-de-cintura*
iaiá me sacode s.f.2n.
ialaxé s.f.
ialé s.f.
ialê s.f.
ialhoí s.m.
ialhor (*ô*) s.m.
ialilá s.f.
ialodê s.m.
ialofo adj. s.m.
ialorixá s.f.
iáltris s.m.
iama s.m.
iamacê s.f.
iamamadi adj. s.2g.
iamasquita s.f.
iamasquítico adj.
iamasquito s.m.
iambe adj. s.2g.
iambelégico adj.
iambélego adj.
iambice s.f.
iâmbico adj. s.m.
iambo adj. s.m.
iambógrafo s.m.
iameia (*é*) adj. s.f. de *iaméu*
iamém s.m.
iaméu adj. s.m.; f. *iameia* (*é*)
iami s.f.
iaminaná adj. s.2g.
iaminaua adj. s.2g.
iamiquira s.f.
iamnotano adj. s.m.
iamologia s.f.
iamológico adj.
iamólogo s.m.
iamorô s.f.
iamotecnia s.f.
iamotécnica s.f.
iamotécnico adj.
iamuricuma adj. s.2g.
ianã adj. s.2g.
ianatamense adj. s.2g.
iandareense adj. s.2g.
iande s.m.
iandibacaba s.m.
iândom s.m.
iandu s.f.
ianga s.f.
ianguiângui s.f.
ianô s.f.
ianomã adj. s.2g.
ianomâmi adj. s.2g.
ianque adj. s.2g.
ianquismo s.m.
ianquista adj. s.2g.
ianquizado adj.
ianquizar v.
iantinita s.f.
iantino adj.
iantita s.f.
iantra s.m.
ianvo s.m.
iao adj.2g. s.m. "grupo linguístico"; cf. *iaô, ião* e *ia-ô*
iaô s.2g. "noviço no candomblé"; cf. *iao, ia-ô* e *ião*
ião s.m. "íon"; cf. *iao, iaô* e *ia-ô*
ia-ô s.m. "saudação ao Ibêji"; cf. *iao, iaô* e *ião*
iapa s.f.
iapana s.f.
iápice s.m.
iápide adj. s.2g.
iapiense adj. s.2g.
iapígio adj. s.m.
iapiruara s.m.
iapoque s.m.
iapuçá s.m.
iapuense adj. s.2g.
iapunacuapé s.m.
iapunaquenaupê s.m.
iapurara adj. s.2g.
iaque s.m.
iá-quequerê s.f.; pl. *iás-quequerês*
iaquiranense adj. s.2g.
iara s.f. "entidade mitológica"; cf. *iará*
iará s.f. "tipo de palmeira"; cf. *iara*
iaraíba s.f.
iaraiuba (*ú*) s.f.
iaramontense adj. s.2g.
iararana s.f.
iarauira (*í*) s.f.
iarense adj. s.2g.
iaripense adj. s.2g.
iarivá s.f.
iarovisação s.f.
iarovisar v.
iaruara adj. s.2g.
iarumá adj. s.2g.
iaruurá s.m.
iásis s.m.
iaso adj. s.m.
iassense adj. s.2g.
iássio adj. s.m.
iatá s.f.
iatagã s.m.
iataí s.m.
iataiguaçu s.m.
iataimi s.m.
iataimirim s.m.
iataipindó s.m.
iataiponi s.m.
iatal s.m.
iate s.m. "embarcação"; cf. *iatê* e *iati*
iatê adj. s.2g. "grupo indígena"; cf. *iate* e *iati*
iatebexê s.f.
iatebuxê s.f.
iatecaense adj. s.2g.
iati s.m. "jataí"; cf. *iate* e *iatê*
iatiense adj. s.2g.
iátio adj. s.m.
iatismo s.m.
iatista adj. s.2g.
iatístico adj.
iatitara s.m.
iatralipta s.2g.
iatralíptica s.f.
iatralíptico adj.
iatreu s.m.
iatria s.f.
iátrica s.f.
iátrico adj.
iatrina s.f.
iátrio s.m.
iatrocientífico adj.
iátrofa s.f.
iatrofísica s.f.
iatrofísico adj. s.m.
iatrogenia s.f.
iatrogênico adj.
iatrogenose s.f.
iatrogenótico adj.
iatrografia s.f.
iatrográfico adj.
iatrógrafo s.m.
iatroléptico adj.
iatroléxico (*cs*) s.m.
iatrologia s.f.
iatrológico adj.
iatrólogo s.m.
iatromancia s.f.
iatromante s.2g.
iatromântico adj.
iatromatemática s.f.
iatromatemático adj. s.m.
iatromecânica s.f.
iatromecânico adj. s.m.
iatromecanismo s.m.
iatronimia s.f.
iatronímia s.f.
iatrônimo adj. s.m.
iatroquímica s.f.
iatroquímico adj. s.m.
iatrorriza s.f.
iatrótrofa s.f.
iau s.m.
iauacanaense adj. s.2g.
iauácano s.m.
iaualapiti adj. s.2g.
iauanauá adj. s.2g.
iauapará s.m.
iauaperi adj. s.2g.
iauarabixi adj. s.2g.
iauaraúna s.f.
iauareteense (*tê*) adj. s.2g.
iauira (*í*) s.m.
iauma adj. s.2g.
iaunariense adj. s.2g.
iauô s.f.
iaupê-jaçanã s.m.; pl. *iaupês-jaçanãs*
iauvo (*ú*) adj. s.m.
iavaritense adj. s.2g.
iavé s.m.
iaveísmo s.m.
iaveísta adj. s.2g.
iaxâmata adj. s.2g.
iaxitava s.f.
iázige adj. s.2g.
iázigo adj. s.m.
iba s.f. "fruta africana"; cf. *ibá*
ibá s.m. "receita de feitiçaria"; cf. *iba*
ibabiraba s.f.
ibabiú s.m.
ibacaba s.f.
ibacau s.m.
ibácia s.f.
ibacupari s.m.
ibacuri s.f.
ibacurupari s.m.
ibadita adj. s.2g.
ibaiariba s.f.
ibaibai s.f.
ibairiba s.f.
ibaitiense adj. s.2g.
ibalé s.f.
ibamerato s.m.
ibametara s.f.
ibapocaba s.f.
ibapoi s.m.
ibapoó s.m.
ibaporoti s.m.
ibapuringa s.f.
ibaramense adj. s.2g.
ibarano adj. s.m.
ibareense adj. s.2g.
ibaretamense adj. s.2g.
ibaretano adj. s.m.
ibaró s.m.
ibateense adj. s.2g.
ibateguarense adj. s.2g.
ibatibense adj. s.2g.
ibatimô s.m.
ibatuiense adj. s.2g.
ibaxama s.f.
ibegeano adj. s.m.
ibeinhe s.m.
ibeji s.m.
ibêji s.m.
ibemense adj. s.2g.
ibere s.f.
ibéria s.f.
iberíaco adj.
ibericismo s.m.
ibericista adj. s.2g.
ibericístico adj.
ibérico adj. s.m.
ibérida adj. s.2g.
ibéride s.f.
iberino adj. s.m.
ibério adj. s.m.
ibéris s.f.2n.
iberismo s.m.
iberista adj. s.2g.
iberístico adj.
iberite s.f.
iberização s.f.
iberizado adj.
iberizador (*ô*) adj.
iberizante adj.2g.
iberizar v.
iberizável adj.2g.
ibero (*bé*) adj. s.m.
ibero-americanismo s.m.; pl. *ibero-americanismos*
ibero-americanista adj. s.2g.; pl. *ibero-americanistas*
ibero-americanístico adj.; pl. *ibero-americanísticos*
ibero-americano adj.; pl. *ibero-americanos*
ibero-celta adj. s.2g.; pl. *ibero-celtas*
ibero-céltico adj.; pl. *ibero-célticos*
ibero-fenício adj.; pl. *ibero-fenícios*
iberofilismo s.m.
iberófilo adj.
iberologia s.f.
iberológico adj.
iberólogo s.m.
ibero-românico adj.; pl. *ibero-românicos*
ibero-romano adj.; pl. *ibero-romanos*
iberorromance adj.
ibertioguense adj. s.2g.
íbex (*cs*) s.m.2n.
ibgeano adj. s.m.
ibi s.m. adv.
ibiaçaense adj. s.2g.
ibiaciense adj. s.2g.
ibiaçuceense (*cê*) adj. s.2g.
ibiaçuense adj. s.2g.
ibiaense adj. s.2g.
ibiaguiense adj. s.2g.
ibiaiense adj. s.2g.
ibiajarense adj. s.2g.
ibianense adj. s.2g.
ibiapabense adj. s.2g.
ibiapinense adj. s.2g.
ibiaporanense adj. s.2g.
ibiarense adj. s.2g.
ibibio s.m.
ibiboboca s.f.
ibiboca s.f.
ibibora s.f.
ibicabense adj. s.2g.
ibicara s.m.
ibicaraiense adj. s.2g.
ibicareense adj. s.2g.
ibicatuense adj. s.2g.
íbice s.m.
ibícter s.m.
ibicuanense adj. s.2g.
ibicuara s.f.

ibicuíba s.f.
ibicuiense adj. s.2g.
ibicuitabense adj. s.2g.
ibicuitinguense adj. s.2g.
ibídeo adj. s.m.
ibídida adj.2g. s.m.
ibidídeo adj. s.m.
ibidorríneo s.m.
ibidorringuíneo s.m.
ibiense adj. s.2g.
ibijara s.f.
ibijaú s.m.
ibijaú-guaçu s.m.; pl. *ibijaús-guaçus*
ibim s.m.
ibimirinense adj. s.2g.
ibioca s.f.
ibiocéfalo adj.
ibipebense adj. s.2g.
ibipetubense adj. s.2g.
ibipetunense adj. s.2g.
ibipirense adj. s.2g.
ibipitanga s.f.
ibipitanguense adj. s.2g.
ibiporanense adj. s.2g.
ibiporanguense adj. s.2g.
ibiquara s.f.
ibiquarense adj. s.2g.
ibiquejiobá s.m.
ibiquerense adj. s.2g.
ibira s.f.
ibirabense adj. s.2g.
ibiraçanga s.f.
ibiracatuense adj. s.2g.
ibiracém s.m.
ibiracêni s.m.
ibiraciense adj. s.2g.
ibiracuá s.f.
ibiraçuense adj. s.2g.
ibiraém s.m.
ibiraense adj. s.2g.
ibiraiarense adj. s.2g.
ibiraiú s.m.
ibirajaense adj. s.2g.
ibirajubense adj. s.2g.
ibiramense adj. s.2g.
ibiranguense adj. s.2g.
ibiranhenense (*nhê*) adj. s.2g.
ibiranhirá s.f.
ibirantã s.f.
ibiraobi s.f.
ibirapaense adj. s.2g.
ibirapiranga s.f.
ibirapiré s.m.
ibirapiroca s.f.
ibirapitá s.m.
ibirapitanga s.f.
ibirapitanguense adj. s.2g.
ibirapuãense adj. s.2g.
ibirapuitá s.f.
ibirapuitanense adj. s.2g.
ibiraquinha s.f.
ibiraré s.m.
ibirarema s.f.
ibiraremense adj. s.2g.
ibiraró s.m.
ibirataí s.m.
ibirataíba s.f.
ibiratajense adj. s.2g.
ibiratinga s.f.
ibiratinguense adj. s.2g.
ibiraúna s.f.
ibirazateia (*é*) s.f.
ibiri s.m.
ibirirapitá s.m.
ibiriteense adj. s.2g.
ibirizateia (*é*) s.f.
ibiró s.m.
ibirocaiense adj. s.2g.
ibirubá s.2g.
ibirubaense adj. s.2g.
ibirube s.2g.
ibirubense adj. s.2g.
ibis s.2g.2n.
íbis-branca s.f.; pl. *íbis-brancas*
íbis-branco s.m.; pl. *íbis-brancos*
íbis-sagrada s.f.; pl. *íbis-sagradas*
íbis-sagrado s.m.; pl. *íbis-sagrados*
ibitiarense adj. s.2g.
ibitiguaçuano adj. s.m.
ibitiguaçuense adj. s.2g.
ibitiguaiense adj. s.2g.
ibitiguirense adj. s.2g.
ibitinguense adj. s.2g.
ibitiocense adj. s.2g.
ibitioquense adj. s.2g.
ibitipocense adj. s.2g.
ibitipoquense adj. s.2g.
ibitiramense adj. s.2g.
ibitiranguense adj. s.2g.
ibitirense adj. s.2g.
ibitirunense adj. s.2g.
ibititaense adj. s.2g.
ibitiurense adj. s.2g.
ibitiuvense adj. s.2g.
ibitubense adj. s.2g.
ibituense adj. s.2g.
ibitunanense adj. s.2g.
ibitupanense adj. s.2g.
ibituporanguense adj. s.2g.
ibiturunense adj. s.2g.
ibiunense adj. s.2g.
ibixuma s.f.
ibixuna s.f.
ibla s.m.
ibo adj. s.2g.
ibô adj. s.2g. s.m.
iboboca s.f.
iboense adj. s.2g.
iboga s.f.
ibogaína s.f.
ibondeiro s.m.
ibope s.m.
iborepiense adj. s.2g.
ibotiramense adj. s.2g.
iboxalá s.m.
iboza s.f.
ibsenianismo s.m.
ibsenianista adj. s.2g.
ibsenianístico adj.
ibseniano adj. s.m.
ibsenismo s.m.
ibsenista adj. s.2g.
ibsenístico adj.
ibuaçuense adj. s.2g.
ibualama s.m.
ibuguaçuense adj. s.2g.
ibum s.m.
ibuprofeno s.m.
ica s.f. "instrumento musical"; cf. *icá*
icá s.m. "termo do candomblé"; cf. *ica*
iça s.f. "concubina"; cf. *içá*
içá adj. s.2g. "tanajura"; cf. *iça*
içaaçu s.f.
içabitu s.m.
icacina s.f.
icacinácea s.f.
icacináceo adj.
icacinínea s.f.
icaciníneo adj.
icaco s.m.
icacoré-catinga s.f.; pl. *icacorés-catinga* e *icacorés-catingas*
icacória s.f.
icaçu s.m.
içado adj.
içador (*ô*) adj. s.m.
icaiçarense adj. s.2g.
icaiçarinhense adj. s.2g.
icala s.m.
içamento s.m.
icamiaba s.f.
içanense adj. s.2g.
icanga s.f.
ição adj.
icapirira s.f.
icapoaense adj. s.2g.
icapuiense adj. s.2g.
içar v.
içara s.f.
icaraiense adj. s.2g.
icaraimense adj. s.2g.
içaranduba s.f.
içarense adj. s.2g.
icariba s.f.
icariense adj. s.2g.
icário adj.
ícaro s.m.
icástico adj.
icatuense adj. s.2g.
icaú adj. s.2g.
içaúba s.f.
icbal s.f.
icelino s.m.
icelo s.m.
icemense adj. s.2g.
icenense (*cê*) adj. s.2g.
iceno adj. s.m.
icense adj. s.2g.
icenzense adj. s.2g.
icéria s.f.
ichacorvar v.
ichacorvos s.m.2n.
ichão s.m.
ichibi s.m.
ichibu s.m.
ichimai s.m.
ichneumonídeo adj. s.m.
ichó s.m.f.
ichoba s.f.
ici s.m.
icica s.f.
icicaçu s.f.
icicana s.f.
icicariba s.f.
icílida adj.2g. s.m.
icilídeo adj. s.m.
iciligórgia s.f.
ício s.m.
icipó s.m.
icle s.m.
icmádio s.m.
icmadófila s.f.
icmadofilia s.f.
icmadófilo adj.
icnanto s.m.
icneumo s.m.
icnêumon s.m.
icnêumone s.m.
icneumônida adj.2g. s.m.
icneumoníneo adj. s.m.
icneumonóideo s.m.
icnografia s.f.
icnográfico adj.
icnógrafo s.m.
icnograma s.m.
icnólito s.m.
icnolitologia s.f.
icnolitológico adj.
icnolitólogo s.m.
icnologia s.f.
icnológico adj.
icnólogo s.m.
icnomancia s.f.
icnomante s.2g.
icnomântico adj.
icnopo (*ô*) s.m.
icnotrópis s.m.2n.
ico s.m. "palha da costa"; cf. *icó*
icó adj. s.2g. s.m. "árvore brasileira", etc.; cf. *ico*
icodema s.f.
icodidé s.m.
icoense adj. s.2g.
icoglã s.m.
icomo s.m.
ícone s.m.
iconhense adj. s.2g.
iconicidade s.f.
icônico adj.
iconiense adj. s.2g.
iconismo s.m.
iconista adj. s.2g.
iconístico adj.
iconizar v.
icono s.m.
iconoclasia s.f.
iconoclasmo s.m.
iconoclasta adj. s.2g.
iconoclastia s.f.
iconoclástico adj.
iconodulia s.f.
iconodúlico adj.
iconodúlio s.m.
iconofilia s.f.
iconofílico adj.
iconófilo s.m.
iconofobia s.f.
iconofóbico adj.
iconófobo s.m.
iconografia s.f.
iconográfico adj.
iconógrafo s.m.
iconólatra s.2g.
iconolatria s.f.
iconolátrico adj.
iconolitografia s.f.
iconolitográfico adj.
iconologia s.f.
iconológico adj.
iconologista adj. s.2g.
iconólogo s.m.
iconômaco adj. s.m.
iconomania s.f.
iconomaníaco adj.
iconômano adj. s.m.
iconomaquia s.f.
iconomáquico adj.
iconometria s.f.
iconométrico adj.
iconômetro s.m.
iconoscopia s.f.
iconoscópico adj.
iconoscópio s.m.
iconóstase s.f.
iconostásico adj.
iconostásio s.m.
iconostático adj.
iconostrófico adj.
iconóstrofo s.m.
iconoteca s.f.
iconotecário adj. s.m.
iconotropia s.f.
iconotrópico adj.
icó-preto s.m.; pl. *icós-pretos*
icóqui s.m.
icor (*ô*) s.m.
icoraciense adj. s.2g.
ícore s.m.
icoremia s.f.
icorêmico adj. s.m.
icoroide (*ó*) adj.2g.
icoroso (*ô*) adj.; f. (*ó*); pl. (*ó*)
icosaédrico adj.
icosaedro s.m.
icosagonal adj.2g.
icosagonalidade s.f.
icoságono s.m.
icosanato s.m.
icosandra s.f.
icosandria s.f.
icosândrico adj.
icosandro adj.
icosânico adj. s.m.
icosano s.m.
icosanoico (*ó*) adj. s.m.
icosênico adj.
icosenoico (*ó*) adj.
icosidodecaedro s.m.
icosígono adj. s.m.
icosileno s.m.
icosinato s.m.
icosínico adj.
icositano adj. s.m.
icositetraédrico adj.
icositetraedro s.m.
icosoico (*ó*) adj.
icozeiral s.m.
icozeirense adj. s.2g.
icozeiro s.m.
icozinhense adj. s.2g.
icozinho adj. s.m.
icpengue adj. s.2g.
icrídio s.m.
ictalurídeo adj. s.m.
ictamol s.m.
icteremoglobinúria s.f.
icteremorragia s.f.
icteremorrágico adj.
icterepatite s.f.
icterepatítico adj.
ictéria s.f.
icterícia s.f.
ictericiado adj.
ictericiar v.
ictérico adj. s.m.
ictérida adj.2g. s.m.
icterídeo adj. s.m.
icteríneo adj. s.m.
íctero s.m.
icterocefalia s.f.
icterocéfalo adj.
icterode adj.2g.
icteroepatite s.f.
icteroepatítico adj.
icterogenético adj.
icterogênico adj.
íctero-hepatite s.f.
íctero-hepatítico adj.
icteroide (*ó*) adj.2g. s.m.
icterópode adj.2g.
icterópsis s.2g.2n.
icteroverminoso (*ô*) adj.; f. (*ó*); pl. (*ó*)
ictíaco adj.
ictiboro s.m.
ictício s.m.
ictidiída s.m.
ictidiídeo adj. s.m.
ictidina s.f.
ictídio s.m.
ictifálico adj.
ictíico adj.
ictilina s.f.
ictina s.f.
ictínia s.f.
ictioacantotoxismo (*cs*) s.m.
ictiobatráquio adj. s.m.
ictiobélida s.m.
ictiobelídeo s.m.
ictioboríneo s.m.
ictiocampo s.m.
ictiocauda s.f.
ictiocola s.f.
ictiodonte s.m.
ictiodorilite s.m.
ictiodorilito s.m.
ictiodorolito s.m.
ictiofagia s.f.
ictiofágico adj.
ictiófago adj. s.m.
ictiofauna s.f.
ictiofilia s.f.
ictiófilo adj. s.m.
ictiófis s.m.
ictiofobia s.f.
ictiofóbico adj.
ictiófobo s.m.
ictioftalmo s.m.
ictioglicina s.f.
ictiografia s.f.
ictiográfico adj.
ictiógrafo s.m.
ictioide (*ó*) adj.2g.
ictióideo adj.
ictiol s.m.
ictiolamônio s.m.
ictiolato s.m.
ictiolite s.m.
ictiolítico adj.
ictiolito s.m.
ictiólito s.m.
ictiologia s.f.
ictiológico adj.
ictiologista s.2g.
ictiólogo s.m.
ictiomancia s.f.
ictiomante s.2g.
ictiomântico adj.
ictiometria s.f.
ictiométrico adj.
ictiômio s.m.
ictíomis s.m.
ictiomízon s.m.
ictiomorfo adj.
ictionema s.m.
ictionimia s.f.
ictionímico adj.
ictiônimo adj. s.m.
ictiópsida adj.2g. s.m.
ictiopsídeo adj. s.m.
ictiopsofose s.f.
ictiopterígio s.m.
ictiórnis s.m.2n.
ictiose s.f.
ictiosiforme adj.2g.
ictiosismo s.m.
ictiospôndilo s.m.

ictiossarcotoxismo (*cs*) s.m.
ictiossáurio s.m.
ictiossauro s.m.
ictiostegídeo adj. s.m.
ictiotomia s.f.
ictiotoxismo (*cs*) s.m.
íctis s.m.2n.
ictiulina s.f.
ictiúltimo adj.
icto s.m.
ictologia s.f.
ictológico adj.
ictômetro s.m.
íctus s.m.2n.
icu s.m.
icumbe s.m.
icum-mucungo s.m.; pl. *icuns-mucungos*
icungo s.m.
icurê s.m.
icussuca adj. s.2g.
icuzulapata s.m.
ida s.f. "ação de ir"; cf. *idá* e *idã*
idá s.m. "termo de ioga"; cf. *ida* e *idã*
idã s.m. "símbolo de okumaré"; cf. *ida* e *idá*
idacanta s.f.
idade s.f.
idaíta s.f.
idalcão s.m.
idália s.f.
idálico adj.
idálio adj.
idalxá s.m.
idanhense adj. s.2g.
idante s.m.
idate s.m.
iddingsita s.f.
iddingsítico adj.
ide s.m. "elemento do plasma"; cf. *idé* e *idê*
idé s.m. "bracelete de ogum"; cf. *ide* e *idê*
idê s.m. "camarão"; cf. *ide* e *idé*
ideabilidade s.f.
ideação s.f.
ideacional adj.2g.
ideado adj.
ideador (*ô*) adj. s.m.
ideal adj.2g. s.m.
idealense adj. s.2g.
idealidade s.f.
idealismo s.m.
idealista adj. s.2g.
idealístico adj.
idealizabilidade s.f.
idealização s.f.
idealizado adj.
idealizador (*ô*) adj. s.m.
idealizante adj.2g.
idealizar v.
idealizável adj.2g.
idear v.
ideário s.m.
ideativo adj.
ideatório adj.
ideável adj.2g.
ideento adj.
ideético adj.
ideia (*é*) s.f.
ideia-força s.f.; pl. *ideias-forças*
ideia-mãe s.f.; pl. *ideias-mãe* e *ideias-mães*
ideia-número s.f.; pl. *ideias-número* e *ideias-números*
idejogô s.m.
idempotência s.f.
idempotencial adj.2g.
idempotencialidade s.f.
idempotente adj.2g.
idêntico adj.
identidade s.f.
identificabilidade s.f.
identificação s.f.
identificado adj.
identificador (*ô*) adj. s.m.
identificante adj.2g.
identificar v.
identificável adj.2g.
identitário adj.
identitarismo s.m.
ideobsessivo adj.
ideocinético adj.
ideofônico adj.
ideofonografia s.f.
ideofonográfico adj.
ideofonograma s.m.
ideofrenia s.f.
ideofrênico adj.
ideogenético adj.
ideogenia s.f.
ideogênico adj.
ideografar v.
ideografia s.f. "representação gráfica de ideias"; cf. *edeografia*
ideográfico adj.
ideografismo s.m.
ideógrafo s.m.
ideograma s.m.
ideogramático adj.
ideologema s.f.
ideologemático adj.
ideologia s.f. "sistema de ideias"; cf. *edeologia*
ideológico adj. "relativo a ideologia"; cf. *edeológico*
ideologismo s.m.
ideologista adj. s.2g.
ideologístico adj.
ideologizabilidade s.f.
ideologização s.f.
ideologizado adj.
ideologizar v.
ideologizável adj.
ideólogo s.m. "estudioso das ideias"; cf. *edeólogo*
ideomoção s.f.
ideomotor (*ô*) adj.
ideomuscular adj.2g.
ideoplasma s.m.
ideoplasmia s.f.
ideoplásmico adj.
ideoplastia s.f.
ideoplástico adj.
ideosfera s.f.
ideótipo s.m.
idésia s.f.
idética s.f.
idético adj.
idi s.m.
idia s.f. "gênero de crustáceo"; cf. *ídia*
ídia s.f. "gênero de mosca"; cf. *idia*
idiacântida s.m.
idiacantídeo s.m.
idiacanto s.m.
idiadaptação s.f.
idiando s.m.
ídiche adj. s.m.
idichista adj. s.2g.
idichofalante adj. s.2g.
idichofonia s.f.
idichófono adj. s.m.
idichoparlante adj. s.2g.
idielectricidade s.f.
idieléctrico adj.
idieletricidade s.f.
idielétrico adj.
idílico adj. "relativo a idílio"; cf. *edílico*
idílio s.m.
idilismo s.m.
idilista adj. s.2g.
idilizar v.
idingsita s.f.
idingsítico adj.
idiobiologia s.f.
idiobiológico adj.
idiobiologista s.2g.
idiobiólogo s.m.
idioblástico adj.
idioblasto s.m.
idiobotânica s.f.
idiócero s.m.
idiociclófano adj.
idiocinese s.f.
idiocorologia s.f.
idiocrasia s.f.
idiocromático adj.
idiocromatina s.f.
idiocrômico adj.
idiocromídia s.f.
idiocromo adj.
idiocromossoma s.m.
idiocromossomo s.m.
idiocronia s.f.
idiodiacronia s.f.
idioecologia s.f.
idioeletricidade s.f.
idioelétrico adj.
idiofone s.m.
idiofonema s.m.
idiofonêmico adj.
idiofônico adj.
idiofônio adj. s.m.
idiofono adj. s.m.
idiófono adj. s.m.
idióforo s.m.
idioftartossomo s.m.
idiogastra s.f.
idiogastro adj. s.m.
idiógenes s.m.
idiogênico adj.
idioginia s.f.
idiógino adj.
idioglossia s.f.
idiografema s.m.
idiográfico adj.
idiograma s.m.
idiolalia s.f.
idiolandense adj. s.2g.
idiólatra s.2g.
idiolatria s.f.
idiolátrico adj.
idiolectal adj.2g.
idiolecto s.m.
idioletal adj.2g.
idioleto s.m.
idioma s.m.
idiomaticidade s.f.
idiomático adj.
idiomatismo s.m.
idiômero s.m.
idiometálico adj.
idiometrite s.f.
idiomografia s.f.
idiomográfico adj.
idiomógrafo s.m.
idiomórfico adj.
idiomorfismo s.m.
idiomorfo adj. s.m.
idiomorfose s.f.
idiomuscular adj.2g.
idionímia s.f.
idionímico adj.
idiônimo s.m.
idionomia s.f.
idionômico adj.
idio-obsessivo adj.
idiopatia s.f.
idiopático adj.
idioplasma s.m.
idioplasmático adj.
idiopsicológico adj.
idioptero s.m.
idiorreflexo (*cs*) s.m.
idiorretínico adj.
idiorrítmico adj.
idioscopia s.f.
idioscópico adj.
idioscópio adj.
idiossépida adj.2g. s.m.
idiossepídeo adj. s.m.
idiossépion s.m.
idiossincrasia s.f.
idiossincrásico adj.
idiossincrático adj.
idiossíncrise s.f.
idiossincronia s.f.
idiossinerásico adj.
idiossinferia s.f.
idiossomo s.m.
idiostático adj.
idiota adj. s.2g.
idiotalâmico adj.
idiotálamo s.m.
idiotar v.
idiotérmico adj.
idiotez (*ê*) s.f.
idiotia s.f.
idiotice s.f.
idiótico adj.
idiotificação s.f.
idiotificar v.
idiótipo s.m.
idiotismo s.m.
idiotístico adj.
idiotizar v.
idiotrófico adj.
idiótrofo adj.
idiotrofospérmico adj.
idiotrofospermo adj.
idiovariação s.f.
idioventricular adj.2g.
idiozoma s.m.
idítico adj.
iditismo s.m.
iditol s.m.
idmônea s.f.
ido adj. s.m.
idocrásio s.m.
idográfico adj.
idógrafo adj. s.m.
ido-ido s.m.; pl. *ido-idos*
idoiro adj. s.m.
ídola s.f.
idólatra adj. s.2g.; cf. *idolatra*, fl. do v. *idolatrar*
idolatrado adj.
idolatrar v.
idolatrável adj.2g.
idólatre adj. s.2g.
idolatria s.f.
idolátrico adj.
idolatrização s.f.
idolatrizado adj.
idolatrizador (*ô*) adj.
idolatrizante adj.2g.
idolatrizar v.
idolatrizável adj.2g.
ídolo s.m.
idolólatra adj. s.2g.
idolopeia (*é*) s.f.
idomenense adj. s.2g.
idomênio adj. s.m.
idonato s.m.
idoneidade s.f.
idoneísmo s.m.
idôneo adj. "capaz"; cf. *edônio*
idônico adj.
idórgão s.m.
idos s.m.pl.
idoscópico adj.
idoscópio s.m.
idose s.f.
idoso (*ô*) adj.; f. (*ó*); pl. (*ó*)
idossacarato s.m.
idossacárico adj.
idótea s.f.
idoteída s.m.
idoteídeo adj. s.m.
idoteíneo adj. s.m.
idouro adj. s.m.
idria s.m.
ídria s.m.
idrialina s.f.
idrialita s.f.
idrialite s.f.
idriatina s.f.
idrísida adj. s.2g.
idríssida s.2g.
idrol s.m. "citrato de prata"; cf. *hidrol*
idumeia (*é*) adj. s.f. de *idumeu*
idumeu adj. s.m.; f. *idumeia* (*é*)
iduna s.f.
ié s.m. "hospedaria chinesa"; cf. *iê*
iê s.m. "planta"; cf. *ié*
iebá adj. s.2g.
iebaro s.m.
ieboxi s.m.
iecuana adj. s.2g.
ieí s.m.
ieiê s.f.
iê-iê-iê s.m.; pl. *iê-iê-iês*
ieixa s.f.
ielmo-marinhense adj. s.2g.; pl. *ielmo-marinhenses*
iemenense adj. s.2g.
iemênico adj. s.m.
iemenita adj. s.2g.
iene s.m.
ienisseano adj. s.m.
ienisseense adj. s.2g.
ienisseiano adj. s.m.
ienisseiense adj. s.2g.
ienita s.f.
iento s.m.
iepeense (*pê*) adj. s.2g.
iepense adj. s.2g.
iequigtiguaçu s.m.
iera s.m.
ieré s.m.
ierê s.m.
iererê s.m.
iérico s.m.
ieridina s.f.
ieta adj. s.2g.
ietense adj. s.2g.
ietim s.m.
ietino adj. s.m.
ieto s.m.
ieúbde adj. s.2g.
ifá s.m.
ifata s.f.
ife s.m. "espada de Oxum"; cf. *ifé*
ifé adj. s.2g. "povo iorubá"; cf. *ife*
ifi s.f.
ifigênia s.f.
ifimédia s.f.
ifínoe s.m.
ifiópsis s.2g.2n.
ífis s.m.2n.
ifol s.m.
ifrite s.m.
ifuche s.m.
ifumbe s.m.
ifusse s.f.
igabo s.m.
igaçaba s.f.
igaçabense adj. s.2g.
igaci s.m.
igaciano adj. s.m.
igaciense adj. s.2g.
igala s.m.
iganga s.2g.
igapará s.m.
igapé s.m.
igapeba s.f.
igapó s.m.
igapoense adj. s.2g.
igaporanense adj. s.2g.
igapozal s.m.
igara s.f.
igaraçu s.m.
igaraçuano adj. s.m.
igaraçuense adj. s.2g.
igaraiense adj. s.2g.
igarapavense adj. s.2g.
igarapé s.m.
igarapé-açuense adj. s.2g.; pl. *igarapé-açuenses*
igarapeba s.f.
igarapebense adj. s.2g.
igarapeense adj. s.2g.
igarapé-miriense adj. s.2g.; pl. *igarapé-mirienses*
igarataense adj. s.2g.
igaraté s.f.
igarateia (*é*) s.f.
igaratel s.f.
igaratense adj. s.2g.
igaratim s.m.
igaratinguense adj. s.2g.
igarauense adj. s.2g.
igarçu s.m.
igarense adj. s.2g.
igaripitá s.m.
igarité s.f.
igariteense adj. s.2g.
igariteiro s.m.
igaroiense adj. s.2g.
igaruana s.m.
igaruçu s.f.
igarvana s.m.
igasol s.m.
igasurato s.m.

igasúrico adj.
igasurina s.f.
igatiense adj. s.2g.
igatiquirense adj. s.2g.
igatuense adj. s.2g.
igba-axé s.m.; pl. *igbas-axés*
igbacamuci s.f.
igbi s.m.
igbigboboca s.f.
igbiggracuá s.f.
igbigranupá adj. s.2g.
igbim s.m.
igbira adj. s.2g.
igbo s.m.
igbonã s.m.
igde s.f.
igdloíta s.f.
igeditano adj. s.m.
igelite s.f.
iglita s.f.
iglite s.f.
iglito s.m.
iglu s.m.
ignaro adj. s.m.
ignávia s.f.
ignavo adj.
ígneo adj.
ignescência s.f.
ignescente adj.2g.
ignição s.f.
ignícola adj. s.2g.
ignícolo adj.
ignicolor (*ô*) adj.2g.
ignífero adj.
ignificação s.f.
ignificado adj.
ignificante adj.2g.
ignificar v.
ignificável adj.2g.
igniflamante adj.2g.
ignífluo adj.
ignifrenente adj.2g.
ignifugação s.f.
ignifugagem s.f.
ignifugar v.
ignífugo adj.
ignígeno adj. s.m.
ignígero adj.
ignimbrítico adj.
ignimbrito s.m.
ignípede adj.2g.
ignipotente adj.2g.
ignipunctura s.f.
ignipuntura s.f.
igniração s.f.
ignispício s.m.
ignito adj.
ignitor (*ô*) s.m.
ignitrão s.m.
ignitron s.m.
ignítron s.m.
ignitrônico adj.
ignitrônio s.m.
ignitubular adj.2g.
ignívago adj.
ignívomo adj.
ignívoro adj.
ignizado adj.
ignizante adj.2g.
ignizar v.
ignóbil adj.2g.
ignóbile adj.2g.
ignobilidade s.f.
ignobilizado adj.
ignobilizador (*ô*) adj.
ignobilizar v.
ignomínia s.f.; cf. *ignominia*, fl. do v. *ignominiar*
ignominiante adj.2g.
ignominiar v.
ignominioso (*ô*) adj.; f. (*ó*); pl. (*ó*)
ignorabilidade s.f.
ignoração s.f.
ignorado adj.
ignorância s.f.
ignorante adj. s.2g.
ignorantinho adj. s.m.
ignorantismo s.m.
ignorantista adj. s.2g.
ignorantístico adj.
ignorar v.
ignorável adj.2g.
ignoscência s.f.
ignoscente adj.2g.
ignoscível adj.2g.
ignotícia s.f.
ignoto (*ó* ou *ô*) adj. s.m.
igô s.m.
igoga s.f.
igongo s.m.
igonha s.m.
igorrote adj. s.2g.
igupupiara s.m.
igranamixama s.f.
igrapiunense adj. s.2g.
igreja (*ê*) s.f.
igreja-novense adj. s.2g.; pl. *igreja-novenses*
igrejário s.m.
igrejeiro adj. s.m.
igrejense adj. s.2g.
igrejica s.f.
igrejinha s.f.
igrejinhense adj. s.2g.
igrejó s.m.
igrejola s.f.
igrejório s.m.
iguaba-grandense adj. s.2g.; pl. *iguaba-grandenses*
iguabense adj. s.2g.
iguaçuano adj. s.m.
iguaçuense adj. s.2g.
iguaense adj. s.2g.
iguaibense adj. s.2g.
iguaiense adj. s.2g.
igual adj. s.2g.
iguala s.f.
igualabilidade s.m.
igualação s.f.
igualado adj.
igualador (*ô*) adj. s.m.
igualamento s.m.
igualança s.f.
igualante adj.2g.
igualar v.
igualável adj.2g.
igualdação s.f.
igualdade s.f.
igualdadense adj. s.2g.
igualdança s.f.
igualdar v.
igualeza (*ê*) s.f.
igualha s.f.
igualhar v.
igualismo s.m.
igualista s.2g.
igualístico adj.
igualitário adj. s.m.
igualitarismo s.m.
igualitarista adj. s.2g.
igualitarístico adj.
igualização s.f.
igualizado adj.
igualizador (*ô*) adj. s.m.
igualizante adj.2g.
igualizar v.
igualizável adj.2g.
iguana s.m.
iguana-marinho s.m.; pl. *iguanas-marinhos*
iguanara s.f.
iguaniano s.m.
iguânida adj.2g. s.m.
iguanídeo adj. s.m.
iguano s.m.
iguanodonte s.m.
iguanodontídeo adj. s.m.
iguapense adj. s.2g.
iguar v.
iguaraciense adj. s.2g.
iguaraçuense adj. s.2g.
iguarço adj.
iguari s.m.
iguaria s.f.
iguatamense adj. s.2g.
iguatemiense adj. s.2g.
iguatiense adj. s.2g.
iguatuense adj. s.2g.
iguenha (*ü*) s.m.
iguexá s.m.
igui s.m.
iguiari s.m.
iguirense adj. s.2g.
iguituense adj. s.2g.
igupá s.m.
iguvinate adj. s.2g.
iguvino adj. s.m.
ih interj.
iiá s.f.
iianhá s.f.
iianlá s.f.
iicaí s.f.
iídiche adj. s.m.
iijexá adj. s.2g.
iilombola s.m.
iimbangala adj. s.2g.
iini-baré adj. s.2g.; pl. *iinis-barés*
iinxé s.m.
ijá s.f.
ijaciense adj. s.2g.
ijé s.f.
ijebu adj. s.2g.
ijexá adj. s.2g.
ijinde s.m.
ijó s.m.
ijoco (*ô*) s.m.
ijolita s.f.
ijolito s.m.
ijucapiramense adj. s.2g.
ijuiense adj. s.2g.
ikaíta s.f.
ikebana s.m.
ikó adj. s.2g.2n.
ikpeng adj. s.2g.2n.
ikunolita s.f.
ikunololita s.f.
ilá s.m.
ilação s.f.
ilacerabilidade s.f.
ilaceração s.f.
ilacerado adj.
ilacerável adj.2g.
ilacrimabilidade s.f.
ilacrimável adj.2g.
ilado adj.
ilaís s.f.2n.
ilama s.f.
ilamba s.m.
ilambo s.m.
ilangue-ilangue s.m.; pl. *ilangue-ilangues*
ilapidado adj.
ilapso s.m.
ilaqueação s.f.
ilaqueado adj.
ilaquear v.
ilar v.
ilarca s.m.
ilarguia s.f.
ilário s.m.
ilaro s.m.
ilatividade s.f.
ilativo adj. s.m.
ilavável adj.2g.
ildefonsense adj. s.2g.
ildefônsia s.f.
ildefonsita s.f.
ildefonsite s.f.
ilê s.m.
ileácea s.f.
ileáceo adj.
ileadelfia s.f.
ileadelfo s.m.
ileal adj.2g.
ilealismo s.m.
ilê-axé s.m.; pl. *ilês-axés*
ilebaraile s.m.
ilécebra s.f.
ilécebro s.m.
ilectomia s.f.
ilecum s.m.
ilê-exu s.m.; pl. *ilês-exus*
ilegal adj.2g.
ilegalidade s.f.
ilegalização s.f.
ilegalizado adj.
ilegalizar v.
ilegibilidade s.f.
ilegitimabilidade s.f.
ilegitimável adj.2g.
ilegitimidade s.f.
ilegítimo adj. s.m.
ilegível adj.2g.
ilê-iboicu s.m.; pl. *ilês-iboicus*
ileileostomia s.f.
ileileostômico adj.
ileíte s.f.
ilele s.f.
ilembrável adj.2g.
ilenível adj.2g.
íleo s.m. "oclusão intestinal"; cf. *ílio*
ileocecal adj.2g.
ileocólico adj.
ileocolite s.f.
ileocolítico adj.
ileocolose s.f.
ileocolostomia s.f.
ileocolostômico adj.
ileodiclidite s.f.
ilê-odjá s.f.; pl. *ilês-odjás*
ileografia s.f.
ileográfico adj.
ileógrafo s.m.
ileoileostomia s.f.
ileoileostômico adj.
ileojejunal adj.
ileojejunite s.f.
ileologia s.f.
ileológico adj.
ileologista adj. s.2g.
ileólogo s.m.
ileolombar adj.2g.
ileomesentérico adj.
ileomesenterite s.f.
ileomo s.m.
íleon s.m.
ileoproctostomia s.f.
ileoproctostômico adj.
ilê-orixá s.f.; pl. *ilês-orixás*
ileorrectostomia s.f.
ileorrectostômico adj.
ileose s.f.
ileoso (*ô*) adj.
ileossigmóideo adj.
ileossigmoidostomia s.f.
ileossigmoidostômico adj.
ileostomia s.f.
ileostômico adj.
ileotifo s.m.
ilequé s.2g.
ilê-quequerê s.f.; pl. *ilês-quequerês*
ilercáone adj. s.2g.
ilercaonense adj. s.2g.
ilerdense adj. s.2g.
ilergaão adj. s.m.
ilergáone adj. s.2g.
ilergavonense adj. s.2g.
ilergeta adj. s.2g.
ilergete adj. s.2g.
ilerigui s.m.
ilesita s.f.
ilesite s.f.
ileso (*ê* ou *é*) adj.
ilessaim s.f.
iletrado adj. s.m.
iletrismo s.m.
ilex (*cs*) s.m.
ilexantina (*cs*) s.f.
ilha s.f.
ilha-baixense adj. s.2g.; pl. *ilha-baixenses*
ilhabelense adj. s.2g.
ilha-cimense adj. s.2g.; pl. *ilha-cimenses*
ilha-dentrense adj. s.2g.; pl. *ilha-dentrenses*
ilhado adj.
ilha-florense adj. s.2g.; pl. *ilha-florenses*
ilha-grandense adj. s.2g.; pl. *ilha-grandenses*
ilhal s.m.
ilha-luzense adj. s.2g.; pl. *ilha-luzenses*
ilhalvo s.m.
ilhama s.f.
ilhapa s.f.
ilhar v.
ilharga s.f.
ilhargada s.f.
ilhargado adj.
ilhargas s.f.pl.
ilhargueiro adj.
ilharica s.f.
ilhava s.f.
ilhavense adj. s.2g.
ilha-verdense adj.; pl. *ilha-verdenses*
ílhavo adj. s.m.
ilheense adj. s.2g.
ilhenense adj. s.2g.
ilheta (*ê*) s.f.
ilhéu adj. s.m.; f. *ilhoa* (*ô*)
ilheuense adj. s.2g.
ilho s.m. "ílhavo"; cf. *ilhó*
ilhó s.2g. "orifício"; cf. *ilho*
ilhoa (*ô*) s.f. de *ilhéu*
ilhoco (*ô*) s.m.
ilhós s.2g.2n.; pl. *ilhoses*
ilhota s.f.
ilhote s.m.
ilhotense adj. s.2g.
ilhoto (*ô*) s.m.
ilia s.m.
iliabdominal adj.2g.
ilíaco adj. s.m.
iliáctis s.m.
ilíada s.f.
ilíade s.f.
iliântida adj.2g. s.m.
iliantídeo adj. s.m.
ilianto s.m.
iliaracna s.m.
ilibação s.f.
ilibado adj.
ilibar v.
iliberal adj.2g.
iliberalidade s.f.
iliberalismo s.m.
iliberalístico adj.
iliberitano adj. s.m.
iliberitense adj. s.2g.
ilibidez (*ê*) s.f.
ilíbio s.m.
ilicácea s.f.
ilicáceo adj.
iliçador (*ô*) s.m.
ilição s.f.
iliçar v.
ilice s.m.
ilícea s.f.
ilicense adj. s.2g.
ilíceo adj.
iliciácea s.f.
iliciáceo adj.
iliciale s.f.
ilícico adj.
ilicíea s.f.
ilicifólio adj.
ilicina s.f.
ilicínea s.f.
ilicíneo adj. s.m.
iliciniense adj. s.2g.
ilício s.m.
ilícito adj. s.m. "ilegítimo"; cf. *elícito*
ilicitude s.f.
ilicrino s.m.
ilidibilidade s.f.
ilidido adj.; cf. *elidido*
ilídimo adj.
ilidir v. "contestar"; cf. *elidir*
ilidível adj.2g.; cf. *elidível*
iliense adj. s.2g.
iligar v.
ilígera s.f.
ilimaussita s.f.
ilimitabilidade s.f.
ilimitação s.f.
ilimitado adj.
ilimitar v.
ilimitável adj.2g.
ilínio s.m.
ílio adj. s.m. "troiano"; cf. *íleo*
ilioabdominal adj.2g.
iliocaudal adj.2g.
iliocecal adj.2g.
iliococcígeo adj.
iliocostal adj.2g. s.m.
iliodrilo s.m.
ilioespinhal adj.2g.

iliófago adj.
iliofemoral adj.2g.
iliofemorotibial adj.2g.
iliófida s.m.
iliofídeo adj. s.m.
iliófis s.m.2n.
iliogênia s.f.
ilio-hipogástrico adj.
ilioinguinal adj.2g.
ilioisquiático adj.
iliolombar adj.2g.
ílion s.m.
iliopectíneo adj.
iliopélvico adj.
iliopretibial adj.2g.
iliopretrocanteriano adj.
iliopretrocantiniano adj.
iliopsoíte s.f.
iliopúbico adj.
iliorrotuliano adj.
ilioscrotal adj.2g.
iliospinal adj.2g.
iliospinhal adj.2g.
iliosquiático adj.
iliossacro adj.
iliossacrofemoral adj.2g.
iliossagrado adj.
iliotibial adj.2g.
iliotoracópago s.m.
iliotransversário adj.
iliotrocanteriano adj.
iliotrocantiniano adj.
ilipé s.m.
ilipense adj. s.2g.
ilipina s.f.
ilipulense adj. s.2g.
iliquidez (*u* ou *ü*...*ê*) s.f.
ilíquido (*u* ou *ü*) adj.
ilírico adj. s.m.
ilíride adj.2g.
ilírio adj. s.m.
ilirismo s.m.
ilirista adj. s.2g.
ilirístico adj.
ilísia s.f.
ilísida s.m.
ilisídeo adj. s.m.
ilisonjeiro adj.
ilita s.f.
iliterado adj. s.m.
iliterário adj.
iliteratado adj.
iliterato adj. s.m.
iliturgense adj. s.2g.
iliturgitano adj. s.m.
ílium s.m.
ilixantina (*cs*) s.f.
iliza s.f.
illinoisiano adj. s.m.
illita s.f.
ilmajokita s.f.
ilmênio s.m.
ilmenita s.f.
ilmenite s.f.
ilmenito s.m.
ilmenomagnetita s.f.
ilmenorrutilo s.m.
ilocabilidade s.f.
ilocano adj. s.m.
ilocável adj.2g.
ilocução s.f.
ilocucional adj.
ilocucionário adj.
ilocutório adj.
ilogia s.f.
ilogicidade s.f.
ilógico adj.
ilogismo s.m.
ilogístico adj.
ilopíneo adj. s.m.
ilopolitano adj. s.m.
ilorcitano adj. s.m.
iloricado adj.
ilota s.2g.
ilotismo s.m.
ilsemannita s.f.
iltra s.f.
ilu s.m.
iluaiê s.m.
iluca s.f.
ilucamarô s.m.
iludente adj.2g.
iluderita s.f.
iluderite s.f.
iluderito s.m.
iludibilidade s.f.
iludibriável adj.2g.
iludido adj.
iludimento s.m.
iludir v. "enganar"; cf. *eludir*
iludível adj.2g.; cf. *eludível*
ilumba s.f.
iluminabilidade s.f.
iluminação s.f.
iluminado adj. s.m.
iluminador (*ô*) adj. s.m.
iluminadura s.f.
iluminamento s.m.
iluminância s.f.
iluminante adj.2g.
iluminar v.
iluminativo adj.
iluminável adj.2g.
iluminismo s.m.
iluminista adj. s.2g.
iluminístico adj.
iluminura s.f.
ilurconense adj. s.2g.
ilurgavonense adj. s.2g.
ilúrio adj. s.m.
iluronense adj. s.2g.
ilusão s.f.
ilusinógeno s.m.
ilusionado adj.
ilusionante adj.2g.
ilusionar v.
ilusionismo s.m.
ilusionista adj. s.2g.
ilusionístico adj.
ilusir v.
ilusivo adj. "ilusório"; cf. *elusivo*
iluso adj.
ilusor (*ô*) adj. s.m.
ilusório adj.
ilustração s.f.
ilustrado adj.
ilustrador (*ô*) adj. s.m.
ilustrante adj.2g.
ilustrar v.
ilustratividade s.f.
ilustrativo adj.
ilustrável adj.2g.
ilustre adj.2g.
ilustríssimo adj.
ilutação s.f.
ilutar v.
iluviação s.f.
iluvial adj.2g.
iluviar v.
ilúvio s.m.
ilvaíta s.f.
ilvaíte s.f.
ilvate adj. s.2g.
imã s.m. "chefe islâmico"; cf. *ímã*
ímã s.m. "atraidor"; cf. *imã*
imacarense adj. s.2g.
imaculabilidade s.f.
imaculada s.f.
imaculadense adj. s.2g.
imaculadidade s.f.
imaculado adj.
imacularidade s.f.
imaculatismo s.m.
imaculatista adj. s.2g.
imaculável adj.2g.
imaculidade s.f.
imaculismo s.m.
imáculo adj.
imaduco adj. s.m.
imagem s.f.
imagético adj.
imagicida adj. s.2g.
imagicídio s.m.
imaginação s.f.
imaginado adj.
imaginador (*ô*) adj. s.m.
imaginal adj.2g.
imaginante adj.2g.
imaginar v.
imaginária s.f.
imaginário adj. s.m.
imaginativa s.f.
imaginatividade s.f.
imaginativo adj. s.m.
imaginável adj.2g.
imagineiro s.m.
imaginismo s.m.
imaginista adj. s.2g.
imaginística s.f.
imaginístico adj.
imaginoso (*ô*) adj.; f. (*ó*); pl. (*ó*)
imagismo s.m.
imagista adj. s.2g.
imagístico adj.
imago s.f.
imagocida adj. s.2g.
imagocídio s.m.
imainanã adj. s.2g.
imala s.f.
imaleabilidade s.f.
imaleável adj.2g.
imamado s.m.
imamato s.m.
imame s.m.
imanação s.f.
imanado adj. s.m.
imanar v. "magnetizar"; cf. *emanar*
imanato s.m.
imane adj.2g.; cf. *emane*, fl. do v. *emanar*
imanência s.f.
imanente adj.2g.
imanentismo s.m.
imanentista adj. s.2g.
imanentístico adj.
imanentização s.f.
imanentizar v.
imanentizável adj.2g.
imanidade s.f.
imanização s.f.
imanizado adj.
imanizar v.
imano adj.
imanoplasma s.m.
imantação s.f.
imantado adj.; cf. *emantado*
imantador (*ô*) adj. s.m.
imantamento s.m.
imantante adj.2g.
imantar v. "magnetizar"; cf. *emantar*
imantável adj.2g.
imantócera s.f.
imantófilo adj. s.m.
imarcescibilidade s.f.
imarcescível adj.2g.
imareado adj.
imareável adj.2g.
imarginado adj.
imaruiense adj. s.2g.
imatéria s.f.
imaterial adj.2g. s.m.
imaterialidade s.f.
imaterialismo s.m.
imaterialista adj. s.2g.
imaterialístico adj.
imaterialização s.f.
imaterializado adj.
imaterializar v.
imaterializável adj.2g.
imatureza (*ê*) s.f.
imaturidade s.f.
imaturo adj. s.m.
imãzar v.
imba adj. s.m.
imbacaçade s.m.
imbaíba s.f.
imbaibeira s.f.
imbalanganza s.m.
imbamba s.f.
imbambi s.m.
imbanda s.f.
imbangala adj. s.2g.
imbanganje s.m.
imbanteque s.m.
imbarieense adj. s.2g.
imbatibilidade s.f.
imbatível adj.2g.
imbaúba s.f.
imbaúba-branca s.f.; pl. *imbaúbas-brancas*
imbaúba-da-mata s.f.; pl. *imbaúbas-da-mata*
imbaúba-de-cheiro s.f.; pl. *imbaúbas-de-cheiro*
imbaúba-de-vinho s.f.; pl. *imbaúbas-de-vinho*
imbaúba-do-brejo s.f.; pl. *imbaúbas-do-brejo*
imbaubal s.m.
imbaúba-mansa s.f.; pl. *imbaúbas-mansas*
imbaubão s.m.
imbaubapuruma s.f.
imbaubarana s.f.
imbaúba-verde s.f.; pl. *imbaúbas-verdes*
imbaubeira s.f.
imbaubense adj. s.2g.
imbauense adj. s.2g.
imbaúva s.f.
imbauval s.m.
imbauvalense adj. s.2g.
imbauzinhense adj. s.2g.
imbé s.m.
imbebível adj.2g.
imbecil adj. s.2g.
imbecilidade s.f.
imbecilismo s.m.
imbecilitado adj.
imbecilitar v.
imbecilização s.f.
imbecilizado adj.
imbecilizador (*ô*) adj.
imbecilizante adj.2g.
imbecilizar v.
imbé-da-praia s.m.; pl. *imbés-da-praia*
imbé-de-amarrar s.m.; pl. *imbés-de-amarrar*
imbé-de-comer s.m.; pl. *imbés-de-comer*
imbeense adj. s.2g.
imbé-furado s.m.; pl. *imbés-furados*
imbele adj.2g.
imbelicar v.
imbelinhar v.
imbembo s.m.
imberana s.f.
imberbe adj. s.2g.
imberi s.m.
imbetiba s.f.
imbibição s.f.
imbicar v. "dar rumo certo a"; cf. *embicar*
imbila s.f.
imbira s.f.
imbirapatanga s.f.
imbiratanha s.f.
imbiri s.m.
imbiriba s.f.
imbiriçu s.m.
imbiru s.m.
imbiruçu s.m.
imbiruçuense adj. s.2g.
imbituba s.f.
imbitubense adj. s.2g.
imbituvense adj. s.2g.
imbiuá s.m.
imbocaiá s.f.
imboiarense adj. s.2g.
imbondar v.
imbondeiro s.m.
imbondo s.m.
imborã s.m.
imbotê interj.
imbramada s.f.
imbramar v.
imbraúba s.f.
imbrauira (*t*) s.f.
imbricação s.f.
imbricado adj.
imbricante adj.2g.
imbricar v.
imbricária s.m.
imbricativo adj.
imbrífero adj.
imbrífugo adj.
imbrincado adj.
imbróglio (*lh*) s.m.
imbu s.m.
imbuá s.m.
imbuança s.f.
imbuava adj.2g.
imbucuru s.m.
imbu-d'anta s.m.; pl. *imbus-d'anta*
imbuense adj. s.2g.
imbuguaçuense adj. s.2g.
imbuia s.f. "árvore"; cf. *imbuiá* s.f. e *imbuía*, fl. do v. *imbuir*
imbuiá s.f. "ave"; cf. *imbuia* s.f. e *imbuía*, fl. do v. *imbuir*
imbuia-amarela s.f.; pl. *imbuias-amarelas*
imbuia-brazina s.f.; pl. *imbuias-brazinas*
imbuia-clara s.f.; pl. *imbuias-claras*
imbuia-parda s.f.; pl. *imbuias-pardas*
imbuia-rajada s.f.; pl. *imbuias-rajadas*
imbuição s.f.
imbuído adj.
imbuiense adj. s.2g.
imbuim s.m.
imbuir v.
imbuirense adj. s.2g.
imbunde s.m.
imburana s.f.
imburana-brava s.f.; pl. *imburanas-bravas*
imburana-de-cambão s.f.; pl. *imburanas-de-cambão*
imburana-de-cheiro s.f.; pl. *imburanas-de-cheiro*
imburana-vaqueira s.f.; pl. *imburanas-vaqueiras*
imburanense adj. s.2g.
imburi s.m.
imburi-de-cachorro s.m.; pl. *imburis-de-cachorro*
imburiense adj. s.2g.
imburim s.m.
imburizal s.m.
imburlável adj.2g.
imbuzada s.f.
imbuzal s.m.
imbuzalense adj. s.2g.
imbuzeiro s.m.
imediação s.f.
imediações s.f.pl.
imediar v.
imediatar v.
imediatice s.f.
imediatismo s.m.
imediatista adj. s.2g.
imediatístico adj.
imediato adj. s.m.
imedicável adj.2g.
imelangu s.m.
imeldina adj.
imelhorável adj.2g.
imemé s.m.
imemorabilidade s.f.
imemorado adj.
imemorável adj.2g.
imêmore adj.2g.
imemoriabilidade s.f.
imemorial adj.2g.
imemoriável adj.2g.
imene s.m.
imensidade s.f.
imensidão s.f.
imenso adj. adv.
imensurabilidade s.f.
imensurável adj.2g.
imerecer v.
imerecido adj.
imergência s.f.; cf. *emergência*
imergente adj.2g.; cf. *emergente*
imergir v. "mergulhar"; cf. *emergir*
imerinita s.f.
imérito adj. "imerecido"; cf. *emérito*
imersão s.f.; cf. *emersão*

imersar v.
imersibilidade s.f.
imersionismo s.m.
imersível adj.2g.
imersividade s.f.
imersivo adj.; cf. *emersivo*
imerso adj.; cf. *emerso*
imersor (*ô*) adj. s.m.
imetódico adj.
imexível adj.
imhofita s.f.
imida s.f.
imidazol s.m.
imidazólico adj.
imidazolpropiônico adj.
imideto (*ê*) s.m.
imídico adj.
imido s.m.
imidoácido s.m.
imidobarbitúrico adj.
imidocarbônico adj.
imidoéster s.m.
imidoéter s.m.
imidogênio s.m.
imigração s.f.; cf. *emigração*
imigracionismo s.m.
imigracionista adj. s.2g.
imigrado adj. s.m.; cf. *emigrado*
imigrador (*ô*) adj. s.m.; cf. *emigrador*
imigrante adj. s.2g.; cf. *emigrante*
imigrantismo s.m.
imigrantista adj. s.2g.; cf. *emigrantista*
imigrar v. "entrar"; cf. *emigrar*
imigratório adj.; cf. *emigratório*
imina s.f.
iminência s.f. "urgência"; cf. *eminência*
iminente adj.2g. "urgente"; cf. *eminente*
iminoácido s.m.
iminoéster s.m.
iminoéter s.m.
iminogênio s.m.
imipramina s.f.
imiraobi s.m.
imiraquiinha s.f.
imiraquinha s.f.
imiraúna s.f.
imisção s.f. "mistura"; cf. *imissão* e *emissão*
imiscibilidade s.f.
imiscível adj.2g.
imiscuição s.f.
imiscuir-se v.
imisericórdia s.f.
imisericordioso (*ô*) adj.
imissão s.f. "decisão judiciária"; cf. *imisção* e *emissão*
imisso adj.
imistão s.f.
imistificável adj.2g.
imisturabilidade s.f.
imisturável adj.2g.
imitabilidade s.f.
imitação s.f.
imitado adj.
imitador (*ô*) adj. s.m.
imitância s.f.
imitante adj.2g.
imitar v.
imitativo adj.
imitatório adj.
imitável adj.2g.
imite adj.2g.
imitido adj.; cf. *emitido*
imitir v. "fazer entrar"; cf. *emitir*
imo adj. s.m.
imóbil adj.2g.
imobiliária s.f.
imobiliário adj. s.m.
imobilidade s.f.
imobilismo s.m.
imobilista adj. s.2g.
imobilístico adj.
imobilização s.f.
imobilizado adj.
imobilizador (*ô*) adj.
imobilizante adj.2g.
imobilizar v.
imobilizável adj.2g.
imoderação s.f.
imoderado adj.
imodéstia s.f.
imodesto adj.
imodicidade s.f.
imódico adj.
imodificabilidade s.f.
imodificável adj.2g.
imogênio s.m.
imoirar v.
imolação s.f.
imolado adj.
imolador (*ô*) adj. s.m.
imolando adj.
imolante adj.2g.
imolar v.
imolável adj.2g.
imoral adj. s.2g.
imoralão adj. s.m.
imoralidade s.f.
imoralismo s.m.
imoralista adj. s.2g.
imoralístico adj.
imorigerado adj.
imorredoiro adj.
imorredouro adj.
imortal adj. s.2g.
imortal-amarela s.f.; pl. *imortais-amarelas*
imortalice s.f.
imortalidade s.f.
imortalismo s.m.
imortalista adj. s.2g.
imortalístico adj.
imortalização s.f.
imortalizado adj.
imortalizador (*ô*) adj. s.m.
imortalizante adj.2g.
imortalizar v.
imortalizável adj.2g.
imortificação s.f.
imortificado adj.
imoscapo s.m.
imotação s.f.
imotar v.
imotivado adj.
imotivo adj. "germinado sem deslocação do episperma"; cf. *emotivo*
imoto adj.
imourar v.
imóvel adj.2g. s.m.
imovibilidade s.f.
imovível adj.2g.
impaca s.m.
impacaceiro s.m.
impação s.f. "ato de impar"; cf. *impacção*
impacção s.f. "choque", "impacto"; cf. *impação*
impáciem s.f.
impaciência s.f.
impacientado adj.
impacientador (*ô*) adj.
impacientante adj.2g.
impacientar v.
impaciente adj.2g.
impacina s.f.
impactante adj.2g.
impactar v.
impacte s.m.
impacto adj. s.m.
impada s.f. "ação de impar"; cf. *empada*
impado adj. "abarrotado"; cf. *ímpado*
ímpado s.m. "ímpeto"; cf. *impado*
impagabilidade s.f.
impagável adj.2g.
impala s.2g.
impalanca s.f.
impalatabilidade s.f.
impalatável adj.2g.
impaliável adj.2g.
impalpabilidade s.f.
impalpável adj.2g.
impaludação s.f.
impaludado adj. s.m.
impaludar v.
impaludismo s.m.
impambo s.m.
impanação s.f.; cf. *empanação*
impanado adj.
impanador adj. s.m.
impanar v. "consagrar o pão entre os luteranos"; cf. *empanar*
impante adj.2g.
impar v. "respirar mal"; cf. *empar* e *ímpar*
ímpar adj.2g. s.m. "indivisível por dois"; cf. *empar* e *impar*
imparagonável adj.2g.
imparcial adj.2g.
imparcialidade s.f.
imparcialismo s.m.
imparcializar v.
imparidade s.f.
imparidigitado adj.
imparinervado adj.
imparipenado adj.
imparipenatissecto adj.
imparipinulado adj.
imparissilábico adj.
imparissilabismo s.m.
imparissílabo adj. s.m.
imparizável adj.2g.
impartibilidade s.f.
impartilhabilidade s.f.
impartilhável adj.2g.
impartível adj.2g.
impassável adj.2g.
impasse s.m.
impassibilidade s.f.
impassibilismo adj.
impassibilizado adj.
impassibilizar v.
impassível adj.2g.
impatriota adj. s.2g.
impatriótico adj.
impatriotismo s.m.
impavidez (*ê*) s.f.
impávido adj.
impecabilidade s.f.
impecável adj. s.2g.
impeciolado adj.
impecunioso (*ô*) adj.; f. (*ó*); pl. (*ó*)
impedância s.f.
impedição s.f.
impedido adj. s.m.
impedidor (*ô*) adj. s.m.
impediência s.f.
impediente adj.2g.
impedimento s.m.
impedir v.
impeditividade s.f.
impeditivo adj.
impedor (*ô*) s.m.
impelente adj.2g.
impelgar v.
impelido adj.
impelidor (*ô*) adj.
impelir v.
impendente adj.2g.
impender v.
impendioso (*ô*) adj.; f. (*ó*); pl. (*ó*)
impene adj.2g.
impenetrabilidade s.f.
impenetrado adj.
impenetral adj.2g.
impenetrável adj.2g.
impenhorabilidade s.f.
impenhorável adj.2g.
impenitência s.f.
impenitente adj.2g.
impensabilidade s.f.
impensado adj.
impensante adj.2g.
impensável adj.2g.
impequilho s.m.
imperado adj.
imperador (*ô*) s.m.; f. *imperadora* e *imperatriz*
imperadora (*ô*) s.f. de *imperador*
imperante adj. s.2g.
imperar v.
imperata s.f.
imperativa s.f.
imperatividade s.f.
imperativo adj. s.m.
imperatória s.f.
imperatorina s.f.
imperatório adj.
imperatricense adj. s.2g.
imperatriz s.f. de *imperador*
imperatriz-do-brasil s.f.; pl. *imperatrizes-do-brasil*
imperatrizense adj. s.2g.
imperatriz-eugênia s.f.; pl. *imperatrizes-eugênias*
impercebido adj.
impercebível adj.2g.
imperceptibilidade s.f.
imperceptível adj.2g.
imperdibilidade s.f.
imperdível adj.2g.
imperdoabilidade s.f.
imperdoável adj.2g.
imperdurável adj.2g.
imperecedoiro adj.
imperecedor (*ô*) adj.
imperecedouro adj.
imperecibilidade s.f.
imperecível adj.2g.
imperfectibilidade s.f.
imperfectível adj.2g.
imperfectividade s.f.
imperfectivo adj. s.m.
imperfeição s.f.
imperfeiçoado adj.
imperfeiçoar v.
imperfeito adj. s.m.
imperfurabilidade s.f.
imperfuração s.f.
imperfurado adj.
imperfurável adj.2g.
imperiado adj.
imperial adj.2g. s.f.
imperialato s.m.
imperialidade s.f.
imperialina s.f.
imperialismo s.m.
imperialista adj. s.2g.
imperialístico adj.
imperialização s.f.
imperializado adj.
imperializar v.
imperiante adj.2g.
imperícia s.f.
imperiense adj. s.2g.
império adj. s.m.
imperiosidade s.f.
imperioso (*ô*) adj.; f. (*ó*); pl. (*ó*)
imperito adj.
imperituro adj.
imperlar v.
impermanência s.f.
impermanente adj.2g.
impermeabilidade s.f.
impermeabilímetro s.m.
impermeabilização s.f.
impermeabilizado adj.
impermeabilizador (*ô*) adj. s.m.
impermeabilizante adj.2g. s.m.
impermeabilizar v.
impermeabilizável adj.2g.
impermear v.
impermeável adj.2g. s.m.
impermisso adj.
impermisto adj.
impermutabilidade s.f.
impermutável adj.2g.
imperpétuo adj.
imperscrutabilidade s.f.
imperscrutável adj.2g.
impersistência s.f.
impersistente adj.2g.
impersistir v.
impersonalidade s.f.
impersonalismo s.m.
impersonalização s.f.
impersonalizado adj.
impersonalizador (*ô*) adj.
impersonalizar v.
impersonificar v.
imperspicácia s.f.
imperspicaz adj.2g.
impersuadível adj.2g.
impertérrito adj.
impertinência s.f.
impertinenciar v.
impertinente adj. s.2g.
imperturbabilidade s.f.
imperturbado adj.
imperturbável adj.2g.
imperviedade s.f.
impérvio adj. s.m.
impessoal adj.2g.
impessoalidade s.f.
impessoalismo s.m.
impessoalizar v.
impetar v.
impeticar v.
impetigem s.f.
impetiginação s.f.
impetiginização s.f.
impetiginoide (*ó*) adj.2g. s.m.
impetiginoso (*ô*) adj.; f. (*ó*); pl. (*ó*)
impetigo s.m.
ímpeto s.m.; cf. *impeto*, fl. do v. *impetar*
impetra s.f.
impetrabilidade s.f.
impetração s.f.
impetrado adj. s.m.
impetrante adj. s.2g.
impetrar v.
impetrativo adj.
impetratório adj.
impetrável adj.2g.
impetuosidade s.f.
impetuoso (*ô*) adj.; f. (*ó*); pl. (*ó*)
impiedade s.f.
impiedado adj.
impiedoso (*ô*) adj.; f. (*ó*); pl. (*ó*)
impige-araras s.m.2n.
impigem s.f.
impilhável adj.2g.
impingem s.f.
impingidela s.f.
impingir v.
impinimado adj.
impinimar v.
impio adj. s.m. "desumano"; cf. *ímpio*
ímpio adj. s.m. "incrédulo"; cf. *impio*
impiote adj.2g.
implacábil adj.2g.
implacabilidade s.f.
implacável adj.2g.
implacentário s.m.
implacidez (*ê*) s.f.
implantabilidade s.f.
implantação s.f.
implantado adj.
implantador (*ô*) adj. s.m.
implantamento s.m.
implantante adj.2g.
implantar v.
implantável adj.2g.
implante s.m.
implantodontia s.f.
implantodôntico adj.
implantodontista adj. s.2g.
implantologia s.f.
implatológico adj.
implausibilidade s.f.
implausível adj.2g.
implementação s.f.
implementado adj.
implementante adj.2g.
implementar v.
implemento s.m.
implexo (*cs*) adj.
implicação s.f.
implicado adj. s.m.
implicador (*ô*) adj. s.m.
implicância s.f.
implicante adj. s.2g.
implicar v.

implicatividade s.f.
implicativo adj.
implicatoriedade s.f.
implicatório adj.
implicável adj.2g.
implícito adj.
implodir v.
implorabilidade s.f.
imploração s.f.
implorado adj.
implorador (*ô*) adj. s.m.
implorante adj. s.2g.
implorar v.
imploratividade s.f.
implorativo adj.
implorável adj.2g.
implosão s.f.
implosiva s.f.
implosividade s.f.
implosivo adj.
implume adj.2g.
implúvia s.f.
implúvio s.m.
impo s.m.
impoético adj.
impol s.m.
impolarizabilidade s.f.
impolarizável adj.2g.
impolidez (*ê*) s.f.
impolido adj.
impolítica s.f.
impolítico adj.
impolto (*ô*) s.m.
impoluível adj.2g.
impoluto adj.
imponderabilidade s.f.
imponderação s.f.
imponderado adj.
imponderável adj.2g. s.m.
imponência s.f.
imponente adj.2g.
imponível adj.2g.
impontão s.m.
impontar v.
imponteiro s.m.
impontual adj.2g.
impontualidade s.f.
impopular adj.2g.
impopularidade s.f.
impopularização s.f.
impopularizado adj.
impopularizar v.
impor (*ô*) v.
imporém s.2g. s.m.
imporosidade s.f.
imporoso (*ô*) adj.; f. (*ó*); pl. (*ó*)
importação s.f.
importado adj.
importador (*ô*) adj. s.m.
importadora (*ô*) s.f.
importância s.f.
importante adj.2g. s.m.
importar v.
importável adj.2g.
importe s.m.
importunação s.f.
importunado adj.
importunador (*ô*) adj. s.m.
importunamento s.m.
importunância s.f.
importunante adj.2g.
importunar v.
importunável adj.2g.
importunice s.f.
importunidade s.f.
importuno adj. s.m.
imposição s.f.
impositividade s.f.
impositivo adj.
impositor (*ô*) adj. s.m.
impossança s.f.
impossibilidade s.f.
impossibilitado adj.
impossibilitante adj.2g.
impossibilitar v.
impossível adj.2g. s.m.
impossuível adj.2g.
imposta s.f.
impostação s.f.
impostar v. "emitir bem a voz"; cf. *empostar*
impostergabilidade s.f.
impostergável adj.2g.
imposto (*ô*) adj. s.m.; f. (*ó*); pl. (*ó*); cf. *imposto*, fl. do v. *impostar*
impostor (*ô*) adj. s.m.
impostoraço s.m.
impostoria s.f.
impostura s.f.
imposturar v.
imposturia s.f.
imposturice s.f.
impota s.f.
impotabilidade s.f.
impotável adj.2g.
impotência s.f.
impotente adj. s.2g.
impraticabilidade s.f.
impraticado adj.
impraticável adj.2g.
imprecação s.f.
imprecado adj.
imprecador (*ô*) adj. s.m.
imprecante adj.2g.
imprecar v.
imprecatado adj.
imprecatar v.
imprecatividade s.f.
imprecativo adj.
imprecatoriedade s.f.
imprecatório adj.
imprecaução s.f.
imprecável adj.2g.
imprecisão s.f.
imprecisável adj.2g.
impreciso adj.
impreenchibilidade s.f.
impreenchível adj.2g.
impregnabilidade s.f.
impregnação s.f.
impregnado adj.
impregnante adj. s.m.
impregnar v.
impregnável adj.2g.
impremeditação s.f.
impremeditado adj.
impremeditar v.
impremeditável adj.2g.
impremiável adj.2g.
imprensa s.f.
imprensado adj.
imprensador (*ô*) adj. s.m.
imprensadura s.f.
imprensagem s.f.
imprensamento s.m.
imprensante adj.2g.
imprensar v.
imprensável adj.2g.
imprensor (*ô*) adj. s.m.
imprenta s.f.
impreparação s.f.
impreparado adj.
imprESCIência s.f.
impresciente adj.2g.
imprescindibilidade s.f.
imprescindível adj.2g.
imprescritibilidade s.f.
imprescritível adj.2g.
impressa s.f.
impressão s.f.
impressentido adj.
impressibilidade s.f.
impressionabilidade s.f.
impressionado adj.
impressionador (*ô*) adj. s.m.
impressionalismo s.m.
impressionalista adj. s.2g.
impressionalístico adj.
impressionante adj.2g.
impressionar v.
impressionativo adj.
impressionável adj.2g.
impressionismo s.m.
impressionista adj. s.2g.
impressionístico adj.
impressível adj.2g.
impressividade s.f.
impressivo adj.
impresso adj. s.m.
impressor (*ô*) adj. s.m.
impressora (*ô*) s.f.
impressório adj. s.m.
imprestabilidade s.f.
imprestabilizar v.
imprestável adj. s.2g.
impresumibilidade s.f.
impresumido adj.
impresumível adj.2g.
impretendente adj.2g.
impretensão s.f.
impreteribilidade s.f.
impreterição s.f.
impreterível adj.2g.
imprevidência s.f.
imprevidente adj.2g.
imprevisão s.f.
imprevisibilidade s.f.
imprevisível adj.2g.
imprevisto adj.2g.
imprimação s.f.
imprimadeira s.f.
imprimador (*ô*) adj. s.m.
imprimadura s.f.
imprimar v.
imprimátur s.m.
imprimibilidade s.f.
imprimido adj.
imprimidor (*ô*) s.m.
imprimir v.
imprimível adj.2g.
improbabilidade s.f.
improbação s.f.
improbar v.
improbidade s.f.
improbidoso (*ô*) adj.; f. (*ó*); pl. (*ó*)
ímprobo adj.; cf. *improbo*, fl. do v. *improbar*
improcedência s.f.
improcedente adj.2g.
improceder v.
improcrastinável adj.2g.
improcurado adj.
improdução s.f.
improducência s.f.
improducente adj.2g.
improdutibilidade s.f.
improdutível adj.2g.
improdutividade s.f.
improdutivo adj.
improência s.f.
improfanado adj.
improfanável adj.2g.
improferível adj.2g.
improficiência s.f.
improficiente adj.2g.
improficuidade s.f.
improfícuo adj.
improfundável adj.2g.
improfundidade s.f.
improfundo adj.
improgressividade s.f.
improgressivo adj.
improlífero adj.
improlífico adj.
improntar v.
impronto adv.
impronúncia s.f.
impronunciabilidade s.f.
impronunciado adj.
impronunciar v.
impronunciável adj.2g.
improperar v.
impropério s.m.
impropiciência s.f.
impropício adj.
improporção s.f.
improporcionado adj.
improporcional adj.2g.
improporcionalidade s.f.
improporcionar v.
improporcionável adj.2g.
impropriação s.f.
impropriar v.
impropriedade s.f.
impróprio adj.; cf. *improprio*, fl. do v. *impropriar*
improrrogabilidade s.f.
improrrogável adj.2g.
impróspero adj.
improtelável adj.2g.
improtraível adj.2g.
improvação s.f.
improvador (*ô*) adj. s.m.
improvar v.
improvativo adj.
improvável adj.2g.
improvidência s.f.
improvidente adj.2g.
improvido adj. "sem provimento"; cf. *impróvido*
impróvido adj. "improvidente"; cf. *improvido*
improvisação s.f.
improvisado adj.
improvisador (*ô*) adj. s.m.
improvisante adj.2g.
improvisar v.
improvisata s.f.
improvisatório adj.
improvisável adj.2g.
improviso adj. s.m.
imprudência s.f.
imprudente adj. s.2g.
impuberdade s.f.
impúbere adj. s.2g.
impubescência s.f.
impubescente adj. s.2g.
impublicabilidade s.f.
impublicável adj.2g.
impuco s.m.
impudência s.f.
impudente adj. s.2g.
impudicícia s.f.
impudicidade s.f.
impudico adj.
impudor (*ô*) s.m.
impueira s.f.
impugnabilidade s.f.
impugnação s.f.
impugnado adj.
impugnador (*ô*) adj. s.m.
impugnância s.f.
impugnante adj. s.2g.
impugnar v.
impugnatividade s.f.
impugnativo adj.
impugnatoriedade s.f.
impugnatório adj.
impugnável adj.2g.
impuje s.m.
impulcro adj.
impulsado adj.
impulsão s.f.
impulsar v.
impulsionado adj.
impulsionador (*ô*) adj. s.m.
impulsional adj.2g.
impulsionamento s.m.
impulsionante adj.2g.
impulsionar v.
impulsividade s.f.
impulsivismo s.m.
impulsivo adj. s.m.
impulso s.m.
impulsor (*ô*) adj. s.m.
impune adj.2g.
impunibilidade s.f.
impunidade s.f.
impunido adj.
impunidoiro s.m.
impunidouro s.m.
impunir v.
impunível adj.2g.
impureira s.f.
impureza (*ê*) s.f.
impuridade s.f.
impurificado adj.
impurificante adj.2g.
impurificar v.
impuro adj. s.m.
imputa s.f.
imputabilidade s.f.
imputação s.f.
imputado adj.
imputador (*ô*) adj. s.m.
imputar v.
imputável adj.2g.
impute s.m.
imputeiro s.m.
imputrefação s.f.
imputrefacção s.f.
imputrescibilidade s.f.
imputrescível adj.2g.
imudabilidade s.f.
imudável adj.2g.
imunalergia s.f.
imunalérgico adj.
imundar v.
imundice s.f.
imundícia s.f.
imundície s.f.
imundo adj.
imune adj.2g.
imunelectroforese s.f.
imunelectroforético adj.
imuneletroforese s.f.
imunematologia s.f.
imunematológico adj.
imunematologista adj.
imunematólogo s.m.
imunidade s.f.
imunigênico adj.
imuniglobulina s.f.
imuniglobulínico adj.
imunitário adj. s.m.
imunitório adj.
imunizabilidade s.f.
imunização s.f.
imunizado adj.
imunizador (*ô*) adj. s.m.
imunizante adj. s.2g.
imunizar v.
imunizável adj.2g.
imunizina s.f.
imunoalergia s.f.
imunoalérgico adj.
imunobiologia s.f.
imunobiológico adj.
imunobiologista adj. s.2g.
imunobiólogo adj. s.m.
imunoblasto s.m.
imunocintilografia s.f.
imunócito s.m.
imunocitoquímica s.f.
imunocomplexo s.m.
imunoconjugado s.m.
imunodeficiência s.f.
imunodeficiente adj.2g.
imunodifusão s.f.
imunoeletroforese s.f.
imunoeletroforético adj.
imunoematologia s.f.
imunoematológico adj.
imunoematologista adj.2g. s.2g.
imunoematólogo s.m.
imunoestimulante s.m.
imunofenotipagem s.f.
imunofluorescência s.f.
imunofluorescente adj.2g. s.m.
imunofluorescer v.
imunofluorescível adj.2g.
imunogenética s.f.
imunogenético adj.
imunogenia s.f.
imunogenicidade s.f.
imunogênico adj.
imunógeno adj. s.m.
imunoglobulina s.f.
imunoglobulínico adj.
imuno-hematologia s.f.
imuno-hematológico adj.
imuno-hematologista adj. s.2g.
imuno-hematólogo s.m.
imunologia s.f.
imunológico adj.
imunologista adj. s.2g.
imunólogo s.m.
imunomodulação s.f.
imunomodulador (*ô*) s.m.
imunopatologia s.f.
imunopatológico adj.
imunoprofilático adj.
imunoprofilaxia (*cs*) s.f.
imunoproteína s.f.
imunoquímica s.f.
imunoquímico adj.
imunorreação s.f.
imunorreatividade s.f.
imunorreativo adj.
imunossimpatectomia s.f.

imunossimpatectômico adj.
imunossupressor (*ô*) adj. s.m.
imunoterapia s.f.
imunoterápico adj.
imunotoxina (*cs*) s.f.
imunotransfusão s.f.
imunovigilância s.f.
imusical adj.2g.
imutabilidade s.f.
imutabilização s.f.
imutabilizado adj.
imutabilizar v.
imutação s.f.
imutar v.
imutável adj.2g.
inã s.f.
inabalabilidade s.f.
inabalado adj.
inabalável adj.2g.
inabarcável adj.2g.
inabdicável adj.2g.
inabidcabilidade s.f.
inábil adj.2g.
inabilidade s.f.
inabilidoso (*ô*) adj.; f. (*ó*); pl. (*ó*)
inabilitação s.f.
inabilitado adj.
inabilitante adj.2g.
inabilitar v.
inabitabilidade s.f.
inabitado adj.
inabitável adj.2g.
inabitual adj.2g.
inabitualidade s.f.
inabordabilidade s.f.
inabordável adj.2g.
inab-rogável adj.2g.
inabsoluto adj.
inabsolvição s.f.
inabsolvido adj.
inacabado adj.
inacabável adj.2g.
inação s.f. "inércia"; cf. *enação*
inaccessibilidade s.f.
inaccessível adj.
inaccesso adj.
inaceitabilidade s.f.
inaceitável adj.2g.
inacentuado adj.
inacentuável adj.2g.
inacessibilidade s.f.
inacessível adj.2g.
inacesso adj.
inachável adj.2g.
inácia s.f.
inaciana s.f.
inaciano adj. s.m.
inaciense adj. s.2g.
inacional adj.2g.
inacionalidade s.f.
inaclimabilidade s.f.
inaclimável adj.2g.
ínaco s.m.
inacoide (*ó*) s.m.
inacomodável adj.2g.
inacostumado adj.
inacreditabilidade s.f.
inacreditável adj.2g.
inactínico adj.
inacumulabilidade s.f.
inacumulação s.f.
inacumulável adj.2g.
inacusabilidade s.f.
inacusável adj.2g.
inacústico adj.
inadaptabilidade s.f.
inadaptação s.f.
inadaptado adj. s.m.
inadaptar v.
inadaptável adj.2g.
inadequabilidade s.f.
inadequação s.f.
inadequado adj.
inadequável adj.2g.
inaderente adj.2g.
inadesão s.f.
inadestrado adj.
inadestrar v.
inadiabilidade s.f.
inadiável adj.2g.
inadimplemento s.m.
inadimplência s.f.
inadimplente adj. s.2g.
inadimplir v.
inadmissão s.f.
inadmissibilidade s.f.
inadmissível adj.2g.
inadmitido adj.
inadmitir v.
inadotabilidade s.f.
inadotável adj.2g.
inadquirível adj.2g.
inadunação s.f.
inadunado adj.
inadunamento s.m.
inadunar v.
inadvertência s.f.
inadvertente adj.2g.
inadvertido adj.
inaê s.f.
inafabilidade s.f.
inafastável adj.2g.
inafável adj.2g.
inafeito adj.
inaferível adj.2g.
inafetivo adj.
inafiançabilidade s.f.
inafiançável adj.2g.
inafirmativo adj.
inafrontável adj.2g.
inafugentável adj.2g.
inafundável adj.2g.
inagitável adj.2g.
inaglutinação s.f.
inaglutinado adj.
inaglutinável adj.2g.
inágua s.f.
inaiá s.m.
inaiá-guaçu s.2g.; pl. *inaiá-guaçus*
inaiaguaçuibá s.2g.
inaiaí s.m.
inaíba s.f.
inajá s.2g.
inajaense adj. s.2g.
inajá-guaçu s.m.; pl. *inajás-guaçus*
inajaguaçuibá s.2g.
inajaí s.m.
inajarana s.f.
inajarana-envira s.f.; pl. *inajaranas-envira* e *inajaranas-enviras*
inajé s.m.
inajustado adj.
inajustável adj.2g.
inalação s.f.
inalado adj.
inalador (*ô*) adj. s.m.
inalante adj.2g. s.m.
inalar v.
inalatório adj.
inalável adj.2g.
inalbuminado adj.
inalcançabilidade s.f.
inalcançado adj.
inalcançável adj.2g.
inalgemável adj.2g.
inalheabilidade s.f.
inalheável adj.2g.
inaliabilidade s.f.
inaliável adj.2g.
inalienabilidade s.f.
inalienação s.f.
inalienado adj.
inalienador (*ô*) adj. s.m.
inalienar v.
inalienável adj.2g.
inalisável adj.2g.
inaloterapeuta s.2g.
inaloterapêutica s.f.
inaloterapêutico adj.
inaloterapia s.f.
inaloterápico adj.
inalpino adj.
inalterabilidade s.f.
inalterado adj.
inalterável adj.2g.
inama s.f.
inamável adj.2g.
inambu s.2g.
inambuaçu s.m.
inambuanhanga s.m.
inambuapé s.m.
inambucarapé s.m.
inambucuá s.m.
inambuense adj. s.2g.
inambu-galinha s.m.; pl. *inambus-galinha* e *inambus-galinhas*
inambu-grande s.m.; pl. *inambus-grandes*
inambuguaçu s.m.
inambuí s.m.
inambulação s.f.
inambumirim s.m.
inambupeauí s.m.
inambupeua s.m.
inambupixuna s.m.
inambu-preto s.m.; pl. *inambus-pretos*
inambuquiá s.m.
inambuquiçaua s.2g.
inambu-relógio s.m.; pl. *inambus-relógio* e *inambus-relógios*
inambu-saracuíra s.m.; pl. *inambus-saracuíra* e *inambus-saracuíras*
inambu-sujo s.m.; pl. *inambus-sujos*
inambutona s.m.
inambutoró s.m.
inambuu s.m.
inambuxintã s.m.
inambuxororó s.m.
inambuzinho s.m.
iname s.m.
inamenidade s.f.
inameno adj.
inamerceável adj.2g.
inamical adj.2g.
inamissibilidade s.f.
inamissível adj.2g.
inamistosidade s.f.
inamistoso (*ô*) adj.; f. (*ó*); pl. (*ó*)
inamoldabilidade s.f.
inamoldável adj.2g.
inamolgabilidade s.f.
inamolgável adj.2g.
inamovibilidade s.f.
inamovível adj.2g.
inamu s.m.
inamuaçu s.m.
inamuanhanga s.m.
inamuapé s.m.
inamucarapé s.m.
inamucuá s.m.
inamu-galinha s.m.; pl. *inamus-galinha* e *inamus-galinhas*
inamu-grande s.m.; pl. *inamus-grandes*
inamuguaçu s.m.
inamuí s.m.
inamuine s.m.
inamumirim s.m.
inamupeauí s.m.
inamupeua s.m.
inamupixuna s.m.
inamu-preto s.m.; pl. *inamus-pretos*
inamuquiá s.m.
inamuquiçaua s.m.
inamu-relógio s.m.; pl. *inamus-relógio* e *inamus-relógios*
inamu-saracuíra s.m.; pl. *inamus-saracuíra* e *inamus-saracuíras*
inamu-sujo s.m.; pl. *inamus-sujos*
inamuu s.m.
inamuxintã s.m.
inamuxororó s.m.
inana s.f.
inanalisável adj.2g.
inanalítico adj.
inane adj.2g.
inânia s.f.
inanição s.f.
inanicionista adj. s.2g.
inanidade s.f.
inanido adj.
inanidor (*ô*) adj.
inanimado adj.
inanimante adj.2g.
inânime adj.2g.
inanir v.
inanistiabilidade s.f.
inanistiável adj.2g.
inanterado adj.
inantéreo adj.
inanterífero adj.
inanuência s.f.
inanuente adj.2g.
inapacanim s.m.
inapacapim s.m.
inapagado adj.
inapagável adj.2g.
inaparência s.f.
inaparente adj.2g.
inapelabilidade s.f.
inapelável adj.2g.
inapendiculado adj.
inapercebido adj.
inaperto adj.
inaperturado adj.
inapetência s.f.
inapetente adj.2g.
inaplacabilidade s.f.
inaplacável adj.2g.
inaplicabilidade s.f.
inaplicado adj.
inaplicável adj.2g.
inapreçável adj.2g.
inapreciado adj.
inapreciável adj.2g.
inapreensibilidade s.f.
inapreensível adj.2g.
inapresentabilidade s.f.
inapresentável adj.2g.
inapropriado adj.
inaproveitabilidade s.f.
inaproveitado adj.
inaproveitamento s.m.
inaproveitável adj.2g.
inaproximável adj.2g.
inapteza (*ê*) s.f.
inaptidão s.f.
inapto adj.
inaquendi s.m.
ináquida adj.2g. s.m.
inaquídeo adj. s.m.
inaquíneo adj. s.m.
inarabizado adj.
inarbitrabilidade s.f.
inarbitrável adj.2g.
inárculo s.m.
inaré s.m.
inarmerceável adj.2g.
inarmonia s.f. "desarmonia"; cf. *enarmonia*
inarmônico adj. "desarmônico"; cf. *enarmônico*
inarmoniosidade s.f.
inarmonioso (*ô*) adj.; f. (*ó*); pl. (*ó*)
inarmonizável adj.2g.
inarquitetural adj.2g.
inarquivável adj.2g.
inarrancável adj.2g.
inarrável adj.2g.
inarrecadável adj.2g.
inarredabilidade s.f.
inarredável adj.2g.
inarticulado adj. s.m.
inarticulável adj.2g.
inartificial adj.2g.
inartificioso (*ô*) adj.; f. (*ó*); pl. (*ó*)
inartístico adj.
inascibilidade s.f.
inascível adj.2g.
inaspirado adj.
inassiduidade s.f.
inassíduo adj.
inassimilabilidade s.f.
inassimilado adj.
inassimilável adj.2g.
inassinável adj.2g.
inatacabilidade s.f.
inatacável adj.2g.
inatenção s.f.
inatendível adj.2g.
inatento adj.
inatidade s.f.
inatinável adj.2g.
inatingibilidade s.f.
inatingido adj.
inatingível adj.2g.
inatismo s.m.
inatista adj. s.2g.
inatístico adj.
inativação s.f.
inativador (*ô*) adj. s.m.
inativar v.
inatividade s.f.
inativo adj. s.m.
inato adj.
inatravessável adj.2g.
inatreito adj.
inatribuível adj.2g.
inatual adj.2g.
inatualidade s.f.
inatural adj.2g.
inaturalidade s.f.
inaturável adj.2g.
inaudibilidade s.f.
inaudismo s.m.
inauditismo s.m.
inaudito adj.
inaudível adj.2g.
inauferibilidade s.f.
inauferido adj.
inauferível adj.2g.
inaufragável adj.2g.
inauguração s.f.
inaugurado adj.
inaugurador (*ô*) adj. s.m.
inaugural adj.2g.
inaugurante adj.2g.
inaugurar v.
inaugurativo adj.
inauguratório adj.
inaugurável adj.2g.
inaumentável adj.
inauriculado adj.
inautenticidade s.f.
inautêntico adj.
inavegabilidade s.f.
inavegado adj.
inavegável adj.2g.
inaveriguabilidade s.f.
inaveriguável adj.2g.
inavistável adj.2g.
inaxônio (*cs*) s.m.
inca adj. s.2g.
incabal adj.2g.
incabi s.m.
incabível adj.2g.
inçado adj.
inçadoiro s.m.
inçadouro s.m.
incaico adj.
incaíta s.f.
incalá s.f.
incalamidade s.f.
incalamitoso (*ô*) adj.; f. (*ó*); pl. (*ó*)
incalcinável adj.2g.
incalculado adj.
incalculável adj.2g.
incalogia s.f.
incalógico adj.
incálogo s.m.
incaluniável adj.2g.
incameração s.f.
incamerado adj.
incamerador (*ô*) adj. s.m.
incamerar v.
incancelável adj.2g.
incandescência s.f.
incandescente adj.2g.
incandescer v.
incandescido adj.
incandescível adj.2g.
incano adj.; cf. *encano*, fl. do v. *encanar*
incansabilidade s.f.
incansado adj.
incansável adj.2g.

incantável adj.2g.; cf. *encantável*
incapacidade s.f.
incapacíssimo adj. sup. de *incapaz*
incapacitação s.f.
incapacitado adj. s.m.
incapacitante adj.
incapacitar v.
incapacitável adj.2g.
incapaz adj. s.2g.
incapilato adj.
incapsulação s.f.
incapsulante adj.2g.
incapsular adj.2g. "que não possui cápsula"; cf. *encapsular*
incapsulável adj.2g.
incaptável adj.2g.
incapturável adj.2g.
inçar v.
incaracterístico adj.
incaracterizado adj.
incaracterizável adj.2g.
incaraterístico adj.
incaraterizado adj.
incaraterizável adj.2g.
incardinação s.f.
incardinado adj.
incardinar v.
incarecente adj.2g.; cf. *encarecente*
incaridoso (*ô*) adj.; f. (*ó*); pl. (*ó*)
incarnar v.
incarvíllea s.f.
incarvíllea-da-china s.f.; pl. *incarvílleas-da-china*
incásico adj.
incastidade s.f.
incasto adj.
incauteza (*ê*) s.f.
incauto adj. s.m.
incedouro s.m.
incelença s.f.
incelência s.f.
incendeira s.f.
incender v.
incendiação s.f.
incendiado adj. s.m.
incendiador (*ô*) adj. s.m.
incendiar v.
incendiário adj. s.m.
incendiável adj.2g.
incendido adj.
incendimento s.m.
incêndio s.m.
incendioscópio s.m.
incendioso (*ô*) adj.; f. (*ó*); pl. (*ó*)
incensação s.f.
incensadela s.f.
incensado adj.
incensador (*ô*) adj. s.m.
incensamento s.m.
incensar v.
incensário s.m.
incenseiro s.m.
incenso s.m. "resina aromática"; cf. *encenso*
incenso-bravo s.m.; pl. *incensos-bravos*
incenso da américa s.m.
incenso de caiena s.m. "resina"; cf. *incenso-de-caiena*
incenso-de-caiena s.m. "espécie de árvore"; pl. *incensos-de-caiena*; cf. *incenso de caiena*
incenso-de-igreja s.m.; pl. *incensos-de-igreja*
incenso-fêmea s.m.; pl. *incensos-fêmeas*
incenso-macho s.m.; pl. *incensos-machos*
incenso-preto s.m.; pl. *incensos-pretos*
incensório s.m.
incensurável adj.2g.
incentiva s.f.
incentivação s.f.
incentivador (*ô*) adj. s.m.
incentivamento s.m.
incentivante adj.2g.
incentivar v.
incentivável adj.2g.
incentivo adj. s.m.
incentor (*ô*) s.m.
incentro s.m.
inceptivo adj.
inceptor (*ô*) s.m.
incerimonioso (*ô*) adj.; f. (*ó*); pl. (*ó*)
incerne adj.2g.
incerta s.f.
incertar v.
incerteza (*ê*) s.f.
incerto adj. s.m. "duvidoso"; cf. *inserto*
incessabilidade s.f.
incessância s.f.
incessante adj.2g.
incessável adj.2g.
incessibilidade s.f.
incessível adj.2g.
incesso s.m.
incestar v. "praticar incesto"; cf. *encestar*
incesto adj. s.m.
incestuar v.
incestuoso (*ô*) adj. s.m.; f. (*ó*); pl. (*ó*)
incetivo adj.
incetor (*ô*) s.m.
incha s.f.
incha-boi s.2g.; pl. *incha-bois*
inchação s.f.
inchaço s.m.
inchado adj.
inchadura s.f.
inchamento s.m.
inchar v.
inchário adj. s.m.
inchicanável adj.2g.
inchimã s.m.
inchinda s.f.
inchó s.m.
inchós s.m.
inchume s.m.
incicatrizável adj.2g.
inciclоforia s.f.
inciclotopia s.f.
incidência s.f.
incidentado adj.
incidental adj.2g.
incidentalidade s.f.
incidentar v.
incidente adj.2g. s.m.
incidido adj.
incidir v.
incindir v.
incindível adj.2g.
incinerabilidade s.f.
incineração s.f.
incinerado adj.
incinerador (*ô*) adj. s.m.
incinerante adj.2g.
incinerar v.
incineratório adj.
incinerável adj.2g.
incingir v.
incipiência s.f. "começo"; cf. *insipiência*
incipiente adj.2g. "principiante"; cf. *insipiente*
incircuncidado adj. s.m.
incircuncisão s.f.
incircunciso adj. s.m.
incircunscritível adj.2g.
incircunscrito adj.
incircunstancial adj.2g.
incisa s.f.
incisador (*ô*) adj. s.m.
incisão s.f.
incisar v.
incisional adj.2g.
incisividade s.f.
incisivo adj. s.m.
inciso adj. s.m.
incisocrenado adj.
incisodentado adj.
incisopenatifendido adj.
incisor (*ô*) adj. s.m.
incisório adj.
incisura s.f.
incitabilidade s.f.
incitação s.f.
incitado adj.
incitador (*ô*) adj. s.m.
incitamento s.m.; cf. *encetamento*
incitante adj.2g.
incitar v. "estimular"; cf. *encetar*
incitativo adj.; cf. *encetativo*
incitável adj.2g.; cf. *encetável*
incitega s.f.
incitomotor (*ô*) adj.; f. *incitomotriz*
incitomotricidade s.f.
incitomotriz adj. f. de *incitomotor*
incivil adj.2g.
incivilidade s.f.
incivilizabilidade s.f.
incivilizado adj.
incivilizável adj.2g.
incivismo s.m.
inclassificado adj.
inclassificável adj.2g.
inclemência s.f.
inclemente adj.2g.
inclinabilidade s.f.
inclinação s.f.
inclinado adj.
inclinador (*ô*) adj. s.m.
inclinante adj.2g.
inclinar v.
inclinável adj.2g.
inclinometria s.f.
inclinométrico adj.
inclinômetro s.m.
ínclito adj.
includir v.
incluído adj.
incluir v.
incluível adj.2g.
inclusa s.f.
inclusão s.f.
inclusiva s.f.
inclusive adv.
inclusivo adj.
incluso adj. s.m.
inço s.m.
incoação s.f.
incoado adj.
incoadunabilidade s.f.
incoadunável adj.2g.
incoagulabilidade s.f.
incoagulável adj.2g.
incoar v.
incoatividade s.f.
incoativo adj. s.m.
incobrável adj.2g.
incocção s.f.
incoce (*ô*) s.m.
incoctível adj.2g.
incõe adj.2g.
incoerção s.f.
incoercibilidade s.f.
incoercível adj.2g.
incoerência s.f.
incoerente adj. s.2g.
incoesão s.f.
incoesível adj.2g.
incoeso adj.
incoexistência (*z*) s.f.
incoexistente (*z*) adj.2g.
incogitado adj.
incogitável adj.2g.
incógnita s.f.
incógnito adj. s.m. adv.
incognoscibilidade s.f.
incognoscível adj.2g. s.m.
incoincidência s.f.
incoincidente adj.2g.
incoirapato adj.
íncola s.2g.
incolmatável adj.2g.
incologia s.f.
incológico adj.
incologista s.2g.
incólogo s.m.
incolor (*ô*) adj.2g.
incoloração s.f.
incolorar v.
incoloro (*ô*) adj.
incólume adj.2g.
incolumidade s.f.
incombalido adj.
incombatente adj.2g.
incombatido adj.
incombatível adj.2g.
incombente adj.2g.
incombinável adj.2g.
incomburente adj.2g.
incombustibilidade s.f.
incombustível adj.2g.
incombusto adj.
incomensurabilidade s.f.
incomensurável adj.2g.
incomerciabilidade s.f.
incomercialidade s.f.
incomerciável adj.2g.
incomestível adj.2g.
incomível adj.2g.
incomodação s.f.
incomodado adj.
incomodador (*ô*) adj. s.m.
incomodante adj.2g.
incomodar v.
incomodativo adj.
incomodável adj.2g.
incomodidade s.f.
incômodo adj. s.m.; cf. *incomodo*, fl. do v. *incomodar*
incomovido adj.
incomovível adj.2g.
incompacidade s.f.
incomparabilidade s.f.
incomparável adj.2g. s.m.
incompartível adj.2g.
incompassível adj.2g.
incompassividade s.f.
incompassivo adj.
incompatibilidade s.f.
incompatibilização s.f.
incompatibilizado adj.
incompatibilizador (*ô*) adj.
incompatibilizante adj.2g.
incompatibilizar v.
incompatibilizável adj.2g.
incompatível adj.2g.
incompensação s.f.
incompensado adj.
incompensável adj.2g.
incompetência s.f.
incompetente adj. s.2g.
incompetível adj.2g.
incomplacência s.f.
incomplacente adj.2g.
incompletabilidade s.f.
incompletação s.f.
incompleto adj.
incompletude s.f.
incomplexidade (*cs*) s.f.
incomplexivo (*cs*) adj.
incomplexo (*cs*) adj.
incomponível adj.2g.
incomportável adj.2g.
incompossibilidade s.f.
incompossível adj.2g.
incomposto (*ô*) adj.; f. (*ó*); pl. (*ó*)
incompreendente adj.2g.
incompreendido adj. s.m.
incompreensão s.f.
incompreensibilidade s.f.
incompreensível adj.2g. s.m.
incompreensividade s.f.
incompreensivo adj.
incompressibilidade s.f.
incompressível adj.2g.
incomprimido adj.
incomprimível adj.2g.
incompromissível adj.2g. s.m.
incomprovabilidade s.f.
incomprovado adj.
incomprovável adj.2g.
incompto adj.
incomputabilidade s.f.
incomputável adj.2g.
incomum adj.2g.
incomunicabilidade s.f.
incomunicação s.f.
incomunicante adj.2g.
incomunicar v.
incomunicável adj.2g.
incomutabilidade s.f.
incomutável adj.2g.
inconcebibilidade s.f.
inconcebível adj.2g.
inconceptibilidade s.f.
inconceptível adj.2g.
inconcepto adj.
inconcertabilidade s.f.
inconcertável adj.2g.
inconcessibilidade s.f.
inconcessível adj.2g.
inconcesso adj.
inconciliabilidade s.f.
inconciliação s.f.
inconciliado adj.
inconciliante adj.2g.
inconciliável adj.2g.
inconcludência s.f.
inconcludente adj.2g.
inconclusividade s.f.
inconclusivo adj.
inconcluso adj.
inconcordável adj.2g.
inconcrescível adj.2g.
inconcussibilidade s.f.
inconcusso adj.
inconcutível adj.2g.
incondensabilidade s.f.
incondensável adj.2g.
incondescendente adj.2g.
incondicionabilidade s.f.
incondicionado adj. s.m.
incondicional adj.2g.
incondicionalidade s.f.
incondicionalismo s.m.
incondicionável adj.2g.
incôndito adj.
inconel s.m.
inconexão (*cs*) s.f.
inconexo (*cs*) adj.
inconfessabilidade s.f.
inconfessado adj.
inconfessável adj.2g.
inconfessional adj.2g.
inconfesso adj. s.m.
inconfiabilidade s.f.
inconfiável adj.2g.
inconfidência s.f.
inconfidencial adj.2g.
inconfidenciense adj. s.2g.
inconfidencista adj. s.2g.
inconfidente adj.2g. s.m.
inconfidentense adj. s.2g.
inconfinado adj.
inconformabilidade s.f.
inconformação s.f.
inconformado adj. s.m.
inconformável adj.2g.
inconforme adj.2g.
inconformidade s.f.
inconformismo s.m.
inconformista adj. s.2g.
inconformístico adj.
inconfortar v.
inconfortável adj.2g.
inconforto (*ô*) s.m.
inconfrontabilidade s.f.
inconfrontável adj.2g.
inconfundibilidade s.f.
inconfundível adj.2g.
incongelabilidade s.f.
incongelado adj.
incongelável adj.2g.
incongeminativo adj.
incongênere adj.2g.
incongruência s.f.
incongruente adj.2g.
incongruidade s.f.
incôngruo adj.
inconhecível adj.2g.
inconho adj.
inconivência s.f.
inconivente adj.2g.
inconjugabilidade s.f.
inconjugável adj.2g.
inconjurável adj.2g.
inconquistabilidade s.f.

inconquistado adj.
inconquistável adj.2g.
inconsciência s.f.
inconsciencioso (*ô*) adj.; f. (*ó*); pl. (*ó*)
inconsciente adj. s.2g. s.m.
incônscio adj.
inconseguível adj.2g.
inconsequência (*ü*) s.f.
inconsequente (*ü*) adj. s.2g.
inconsertável adj.2g.
inconsideração s.f.
inconsiderado adj.
inconsiderância s.f.
inconsistência s.f.
inconsistente adj.2g.
inconsolabilidade s.f.
inconsolado adj.
inconsolativo adj.
inconsolável adj.2g.
inconsolidabilidade s.f.
inconsolidação s.f.
inconsolidador (*ô*) adj.
inconsolidar v.
inconsolidável adj.2g.
inconsonância s.f.
inconsonante adj.2g.
inconspicuidade s.f.
inconspícuo adj.
inconspurcado adj.
inconstância s.f.
inconstante adj. s.2g.
inconstante-amante s.f.; pl. *inconstantes-amantes*
inconstelado adj.
inconstitucional adj.2g.
inconstitucionalidade s.f.
inconstitucionalizar v.
inconstituível adj.2g.
inconstructo adj.
inconstruto adj.
inconsultabilidade s.f.
inconsultável s.2g.
inconsulto adj.
inconsumibilidade s.f.
inconsumível adj.2g.
inconsumptível adj.2g.
inconsumpto adj.
inconsuntível adj.2g.
inconsunto adj.
inconsútil adj.2g.
incontaminação s.f.
incontaminado adj.
incontaminável adj.2g.
incontável adj.2g.
incontemplação s.f.
incontemplativo adj.
incontendível adj.2g.
incontentabilidade s.f.
incontentado adj.
incontentamento s.m.
incontentável adj.2g.
incontestabilidade s.f.
incontestado adj.
incontestável adj.2g.
inconteste adj.2g.
incontido adj.
incontinência s.f.
incontinente adj. s.2g. adv.
incontingência s.f.
incontingente adj.2g.
incontinuidade s.f.
incontínuo adj.
incontornabilidade s.f.
incontornado adj.
incontornável adj.2g.
incontradição s.f.
incontraditável adj.2g.
incontradito adj.
incontrariabilidade s.f.
incontrariável adj.2g.
incontrastabilidade s.f.
incontrastado adj.
incontrastável adj.2g.
incontrito adj.
incontrolabilidade s.f.
incontrolado adj.
incontrolável adj.2g.
incontroversível adj.2g.
incontroverso adj.
incontrovertibilidade s.f.
incontrovertido adj.
incontrovertível adj.2g.
inconvencibilidade s.f.
inconvencional adj.2g.
inconvencionalidade s.f.
inconvencionalismo s.m.
inconvencível adj.2g.
inconveniência s.f.
inconveniente adj. s.2g. s.m.
inconversabilidade s.f.
inconversável adj.2g.
inconversibilidade s.f.
inconversibilismo s.m.
inconversibilista adj. s.2g.
inconversibilístico adj.
inconversível adj.2g.
inconverso adj.
inconvertibilidade s.f.
inconvertibilismo s.m.
inconvertibilista adj. s.2g.
inconvertibilístico adj.
inconvertido adj. s.m.
inconvertível adj.2g.
inconvicção s.f.
inconvicto adj.
inconvincente adj.2g.
inconvulso adj.
incoordenação s.f.
incoordenado adj.
incorporação s.f.
incorporado adj.
incorporador (*ô*) adj. s.m.
incorporadora (*ô*) s.f.
incorporal adj.2g.
incorporalidade s.f.
incorporante adj.2g. s.f.
incorporar v.
incorporativo adj.
incorporável adj.2g.
incorporeidade s.f.
incorpóreo adj.
incorreção s.f.
incorrer v.
incorrespondência s.f.
incorrespondente adj.2g.
incorrespondido adj.
incorreto adj.
incorrido adj.
incorrigibilidade s.f.
incorrigível adj. s.2g.
incorrimento s.m.
incorrosibilidade s.f.
incorrosível adj.2g.
incorrução s.f.
incorrupção s.f.
incorruptibilidade s.f.
incorruptícola adj.2g.
incorruptível adj.2g.
incorruptivo adj.
incorrupto adj.
incorrutibilidade s.f.
incorrutível adj.2g.
incorrutivo adj.
incorruto adj.
incotejável adj.2g.
incourapato adj.
incrassado adj.
incrassante adj.2g.
incrassar v.
incredibilidade s.f.
incredível adj.2g.
incredo adj.
incredulidade s.f.
incrédulo adj. s.m.
increia (*é*) s.f. de *incréu*
increível adj.2g.
incrementação s.f.
incrementado adj.
incremental adj.2g.
incrementalidade s.f.
incrementar v.
incrementável adj.2g.
incrementício adj.
incremento s.m.
increnque adj.2g.
increpação s.f.
increpador (*ô*) adj. s.m.
increpamento s.m.
increpante adj.2g.
increpar v.
increpável adj.2g.
increscente adj.2g.
incréu s.m.; f. *increia* (*é*)
incriado adj. s.m.
incriável adj.2g.
incriminação s.f.
incriminada s.f.
incriminado adj. s.m.
incriminador (*ô*) adj. s.m.
incriminante adj.2g.
incriminar v.
incriminativo adj.
incriminatório adj.
incriminável adj.2g.
incrisar v.
incristalizável adj.2g.
incriterioso (*ô*) adj.; f. (*ó*); pl. (*ó*)
incriticável adj.2g.
incrítico adj.
incrível adj.2g. s.m.
incruentar v.
incruento adj.
incrustação s.f.
incrustado adj.
incrustador (*ô*) adj. s.m.
incrustante adj.2g.
incrustar v.
incrustável adj.2g.
incuácua s.f.
incuaia s.f.
incubabilidade s.f.
incubação s.f.
incubada s.f.
incubadeira s.f.
incubado adj.
incubador (*ô*) adj. s.m.
incubadora (*ô*) s.f.
incubar v.
incubato s.m.
incubável adj.2g.
íncubo adj. s.m.; cf. *incubo*, fl. do v. *incubar*
incuça s.f.
incude s.f.
incudectomia s.f.
incudectômico adj.
incúdico adj.
incudiforme adj.2g.
incudomáleo adj.
incudomaleolar adj.2g.
incudopetroso (*ô*) adj.
incudostapédico adj.
incuidoso (*ô*) adj.; f. (*ó*); pl. (*ó*)
inculca adj. s.2g.
inculcabilidade s.f.
inculcadeira s.f.
inculcado adj.
inculcador (*ô*) adj. s.m.
inculcante adj.2g.
inculcar v.
inculcável adj.2g.
inculinculo s.m.
ínculo s.m.
inculpabilidade s.f.
inculpação s.f.
inculpado adj. s.m.
inculpador (*ô*) adj.
inculpante adj.2g.
inculpar v.
inculpável adj.2g.
inculpe adj.2g.
inculposo (*ô*) adj.; f. (*ó*); pl. (*ó*)
incultismo s.m.
incultivabilidade s.f.
incultivável adj.2g.
incultivo s.m.
inculto adj. s.m.
incultura s.f.
incultural adj.2g.
incumbe s.m.
incumbência s.f.
incumbente adj.2g.
incúmbi s.m.
incumbido adj.
incumbidor (*ô*) adj.
incumbir v.
incumbível adj.2g.
incumplicidade s.f.
incumprido adj.
incumprimento s.m.
incunabular adj.2g.
incunabulista adj. s.2g.
incunábulo adj. s.m.
incurabilidade s.f.
incurável adj.2g.
incúria s.f.
incurial adj.2g.
incurialidade s.f.
incuriosidade s.f.
incurioso (*ô*) adj.; f. (*ó*); pl. (*ó*)
incurrente adj.2g.
incurrica s.f.
incurricar v.
incursa s.f.
incursão s.f.
incursionar v.
incursionista adj. s.2g.
incurso adj. s.m.
incursor (*ô*) adj. s.m.
incurvifoliado adj.
incurvifólio adj.
incusa s.f.
incuso adj.
incutido adj.
incutidor (*ô*) adj.
incutir v.
inda adv.
indaca s.f.
indaconina s.f.
indaconitina s.f.
indagação s.f.
indagado adj.
indagador (*ô*) adj. s.m.
indagante adj.2g.
indagar v.
indagativo adj.
indagatório adj.
indagável adj.2g.
indaguaçu s.m.
indaiá s.m.
indaiá-açu s.m.; pl. *indaiás-açus*
indaiabirense adj. s.2g.
indaiá-do-campo s.m.; pl. *indaiás-do-campo*
indaiaense adj. s.2g.
indaialense adj. s.2g.
indaiá-mirim s.m.; pl. *indaiás-mirins*
indaiapuã s.m.
indaiá-rasteiro s.m.; pl. *indaiás-rasteiros*
indaiatubano adj. s.m.
indaiatubense adj. s.2g.
indaié s.m.
indaiense adj. s.2g.
indajá s.m.
indalmo s.m.
indamina s.f.
indana s.f.
indanilina s.f.
indano s.m.
indantrênico adj.
indantreno s.m.
indantrona s.f.
indantrônico adj.
indaqueca (*ê*) s.f.
indazina s.f.
indazol s.m.
indebelável adj.2g.
indébito adj. s.m.
indecência s.f.
indecente adj. s.2g.
indecidibilidade s.f.
indecidido adj.
indecidível adj.2g.
indecíduo adj.
indecifrabilidade s.f.
indecifração s.f.
indecifrado adj.
indecifrável adj.2g.
indecisão s.f.
indecisibilidade s.f.
indecisível adj.2g.
indecisivo adj.
indeciso adj. s.m.
indeclarabilidade s.f.
indeclarável adj.2g.
indeclinabilidade s.f.
indeclinável adj.2g.
indecomponibilidade s.f.
indecomponível adj.2g.
indecomposto (*ô*) adj.; f. (*ó*); pl. (*ó*)
indecorado adj.
indecorável adj.2g.
indecoro (*ô*) s.m.
indecorosidade s.f.
indecoroso (*ô*) adj.; f. (*ó*); pl. (*ó*)
indefectibilidade s.f.
indefectível adj.2g.
indefendível adj.2g.
indefensabilidade s.f.
indefensável adj.2g.
indefensibilidade s.f.
indefensível adj.2g.
indefenso adj.
indeferibilidade s.f.
indeferido adj.
indeferimento s.m.
indeferir v.
indeferível adj.2g.
indefeso (*ê*) adj.
indefesso adj.
indeficiente adj.2g.
indefinibilidade s.f.
indefinição s.f.
indefinidade s.f.
indefinido adj. s.m.
indefinito adj.
indefinível adj.
indeformado adj.
indeformável adj.2g.
indefraudável adj.2g.
indeglutível adj.2g.
indegrar v.
indeiscência s.f.
indeiscente adj.2g.
indeísmo s.m.
indeísta adj. s.2g.
indeístico adj.
indelebilidade s.f.
indelegável adj.2g.
indeleme s.m.
indelével adj.2g.
indeliberação s.f.
indeliberado adj.
indelicadeza (*ê*) s.f.
indelicado adj.
indelimitação s.f.
indelimitado adj.
indelimitante adj.2g.
indelimitar v.
indelimitável adj.2g.
indelineável adj.2g.
indemarcado adj.
indemarcável adj.2g.
indemissibilidade s.f.
indemissível adj.2g.
indemonstrabilidade s.f.
indemonstrado adj.
indemonstrável adj.2g.
indena s.f.
indene adj.2g.
indenegável adj.2g.
indenidade s.f.
indenilo s.m.
indenização s.f.
indenizado adj.
indenizador (*ô*) adj. s.m.
indenizar v.
indenizável adj.2g.
indenizista adj. s.2g.
indeno s.m.
indenona s.f.
independência s.f.
independenciense adj. s.2g.
independente adj. s.2g.
independentismo s.m.
independentista adj. s.2g.
independentístico adj.
independentização s.f.
independentizado adj.
independentizar v.
independer v.
independização s.f.
independizado adj.
independizar v.
inderborita s.f.
inderita s.f.

inderribável adj.2g.
inderrocável adj.2g.
inderrogabilidade s.f.
inderrogável adj. 2g.
inderrotável adj. 2g.
inderrubável adj.2g.
indesarticulável adj.2g.
indesatável adj.2g.
indesbastável adj.2g.
indesbotável adj.2g.
indescerrável adj.2g.
indescobrível adj.2g.
indesconfiável adj.2g.
indesconhecível adj.2g.
indescortinável adj.2g.
indescortino s.m.
indescrevível adj.2g.
indescriptibilidade s.f.
indescriptível adj.2g.
indescritibilidade s.f.
indescritível adj.2g.
indesculpável adj.2g.
indesejabilidade s.f.
indesejável adj. s.2g.
indesejoso (*ô*) adj.
indesembaraçável adj.2g.
indesenvolvido adj.
indesfalcável adj.2g.
indesfiável adj.2g.
indesfrutável adj.2g.
indeslembrável adj.2g.
indesligável adj.2g.
indeslindável adj.2g.
indesmentido adj.
indesmentível adj.2g.
indesmontável adj.2g.
indesperto adj.
indesprezável adj.2g.
indesprezível adj.2g.
indessedentável adj.2g.
indesteridade s.f.
indestramável adj.2g.
indestreza (*ê*) s.f.
indestrinça s.f.
indestrinçado adj.
indestrinçável adj.2g.
indestronável adj.2g.
indestronizável adj.2g.
indestructibilidade s.f.
indestructível adj.2g.
indestructo adj.
indestrutibilidade s.f.
indestrutível adj.2g.
indestruto adj.
indesunível adj.2g.
indesvendado adj.
indesvendável adj.2g.
indesviável adj.2g.
indetectar v.
indetectável adj.2g.
indeterminabilidade s.f.
indeterminação s.f.
indeterminado adj. s.m.
indeterminar v.
indeterminativo adj.
indeterminável adj.2g.
indeterminismo s.m.
indeterminista adj. s.2g.
indeterminístico adj.
indeturpável adj.2g.
indevação s.f.
indevassado adj.
indevassável adj.2g.
indevido adj.
indevoção s.f.
indevoto adj.
índex (*cs*) adj.2g. s.m.; pl. *índices*
indexação (*cs*) s.f.
indexado (*cs*) adj.
indexador (*cs...ô*) adj. s.m.
indexamento (*cs*) s.m.
indexante (*cs*) adj.2g.
indexar (*cs*) v.
indexável (*cs*) adj.2g.
indexificação (*cs*) s.f.
indexificado (*cs*) adj.
indexificador (*cs...ô*) adj.
indexificante (*cs*) adj.2g.
indexificar (*cs*) v.
indexteridade (*cs*) s.f.
indez (*ê*) adj.2g. s.m.
in-dezesseis adj. s.m.2n.
indi s.m.
indiada s.f.
indialita s.f.
indiamã s.m.
indiana s.f.
indianaíta s.f.
indianense adj. s.2g.
indianismo s.m.
indianista adj. s.2g.
indianístico adj.
indianita s.f.
indianítico adj.
indianização s.f.
indianizado adj.
indianizante adj. s.2g.
indianizar v.
indiano adj. s.m.
indianoide (*ó*) adj.2g.
indianologia s.f.
indianológico adj.
indianólogo s.m.
indianopolense adj. s.2g.
indianopolitano adj. s.m.
indiaporanense adj. s.2g.
indiarobense adj. s.2g.
indiaru s.m.
indiático adj. s.m.
indicã s.m.
indicação s.f.
indicado adj. s.m.
indicador (*ô*) adj. s.m.
indicana s.f.
indicanidrose s.f.
indicanina s.f.
indicânio s.m.
indicante adj.2g.
indicanúria s.f.
indicão s.m.
indicar v.
indicarpal adj.2g. s.m.
indicatário s.m.
indicatividade s.f.
indicativo adj. s.m.
indicator (*ô*) s.m.
indicátor s.m.
indicatorídeo adj. s.m.
indicatorínea s.f.
indicatório adj. s.m.
indicatriz adj. s.f.
indicção s.f.
índice s.m.
indiciação s.f.
indiciado adj. s.m.
indiciador (*ô*) adj. s.m.
indicial adj.2g.
indiciamento s.m.
indiciante adj. s.2g.
indiciar v.
indiciário adj.
indícias s.f.pl.; cf. *indicias*, fl. do v. *indiciar*
indiciativo adj.
indicificação s.f.
indicificar v.
indício s.m.; cf. *indicio*, fl. do v. *indiciar*
indicionarizado adj.
indicionarizável adj.2g.
indicioso (*ô*) adj.; f. (*ó*); pl. (*ó*)
indicível adj.2g.
índico adj.; cf. *indico*, fl. do v. *indicar*
indicolita s.f.
indictado adj.
indictivo adj.
indículo s.m.
indiense adj. s.2g.
indiequê s.m.
indiferença s.f.
indiferençado adj.
indiferençável adj.2g.
indiferenciado adj.
indiferenciável adj.2g.
indiferente adj. s.2g.
indiferentismo s.m.
indiferentista adj. s.2g.
indifulvina s.f.
indifusível adj.2g.
indígena adj. s.2g.
indigenato s.m.
indigência s.f.
indigenismo s.m.
indigenista adj. s.2g.
indigenística s.f.
indigenístico adj.
indigenização s.f.
indigenizar v.
indígeno adj. s.m.
indigente adj. s.2g.
indigeribilidade s.f.
indigerido adj.
indigerível adj.2g.
indigestão s.f.
indigestar v.
indigestibilidade s.f.
indigestível adj.2g.
indigesto adj.
indígete s.2g.
indigirita s.f.
indigitação s.f.
indigitado adj. s.m.
indigitamento s.m.
indigitar v.
indiglicina s.f.
indignação s.f.
indignado adj.
indignante adj.2g.
indignar v.
indignativo adj.
indignatório s.m.
indignável adj.2g.
indignidade s.f.
indignificação s.f.
indignificado adj.
indignificante adj.2g.
indignificar v.
indigno adj. s.m.
indignoso (*ô*) adj.; f. (*ó*); pl. (*ó*)
índigo s.m.
indigocarmina s.f.
índigo-do-brasil s.m.; pl. *índigos-do-brasil*
indigófera s.f.
indigófero adj.
indigógeno s.m.
indigoide (*ó*) adj.2g.
indigolita s.f.
indigômetro s.m.
indigopurpurina s.f.
indigossol s.m.
indigossólico adj.
indigotado s.m.
indigotato s.m.
indigoteiro s.m.
indigótico adj.
indigotina s.f.
indigotino s.m.
indigueiro s.m.
indigueiro-tintorial s.m.; pl. *indigueiros-tintoriais*
indilacerável adj.2g.
indilgadeira s.f.
indilgar v.
indiligência s.f.
indiligente adj.2g.
indilo s.m.
indiminuto adj.
indinavir s.m.
indinhar v.
índio adj. s.m.
índio-cavaleiro s.m.; pl. *índios-cavaleiros*
índio-gigante s.m.; pl. *índios-gigantes*
indiqueta (*ê*) s.f.
indireta s.f.
indiretivo adj.
indireto adj.
indirigibilidade s.f.
indirigível adj.2g.
indirimível adj.2g.
indirrubina s.f.
indisceptável adj.2g.
indiscernibilidade s.f.
indiscernimento s.m.
indiscernível adj.2g. s.m.
indisciplina s.f.
indisciplinabilidade s.f.
indisciplinação s.f.
indisciplinado adj. s.m.
indisciplinar v. adj.2g.
indisciplinável adj.2g.
indisciplinoso (*ô*) adj.; f. (*ó*); pl. (*ó*)
indiscreto adj. s.m.
indiscrição s.f.
indiscricional adj.2g.
indiscriminação s.f.
indiscriminado adj.
indiscriminador (*ô*) adj.
indiscriminante adj.2g.
indiscriminar v.
indiscriminativo adj.
indiscriminatório adj.
indiscriminável adj.2g.
indiscutibilidade s.f.
indiscutido adj.
indiscutível adj.2g.
indiserto adj.
indisfarçado adj.
indisfarçável adj.2g.
indisina s.f.
indispensabilidade s.f.
indispensável adj.2g. s.m.
indisperdício s.m.
indisponibilidade s.f.
indisponível adj.2g.
indispor (*ô*) v.
indisposição s.f.
indisposto (*ô*) adj.; f. (*ó*); pl. (*ó*)
indisputabilidade s.f.
indisputado adj.
indisputável adj.2g.
indissimulabilidade s.f.
indissimulado adj.
indissimulável adj.2g.
indissipado adj.
indissipável adj.2g.
indissociabilidade s.f.
indissociável adj.2g.
indissolubilidade s.f.
indissolução s.f.
indissolúvel adj.2g.
indissolvível adj.2g.
indistinção s.f.
indistinguibilidade s.f.
indistinguível adj.2g.
indistinto adj.
indita s.f.
inditado adj.
inditoso (*ô*) adj. s.m.; f. (*ó*); pl. (*ó*)
índium s.m.
indivídua s.f.; cf. *individua*, fl. do v. *individuar*
individuação s.f.
individuado adj.
individuador (*ô*) adj. s.m.
individual adj.2g. s.m.
individualidade s.f.
individualismo s.m.
individualista adj. s.2g.
individualístico adj.
individualização s.f.
individualizado adj.
individualizador (*ô*) adj. s.m.
individualizante adj.2g.
individualizar v.
individuante adj.2g.
individuar v.
individuativo adj.
indivíduo adj. s.m.; cf. *individuo*, fl. do v. *individuar*
indivindade s.f.
indivisão s.f.
indivisário s.m.
indivisibilidade s.f.
indivisível adj.2g. s.m.
indivisivo adj.
indiviso adj.
indivorciável adj.2g.
indivulgável adj.2g.
indizibilidade s.f.
indizível adj.2g. s.m.
indo s.m.
indo-abissínio adj. s.m.; pl. *indo-abissínios*
indo-afegã adj.2g.; pl. *indo-afegãs*
indo-afegão adj. s.m.; pl. *indo-afegãos*
indo-africano adj. s.m.; pl. *indo-africanos*
indoanilina s.f.
indo-árabe adj. s.2g.; pl. *indo-árabes*
indo-ariano adj.; pl. *indo-arianos*
indo-árico adj.; pl. *indo-áricos*
indobanália s.f.
indobrável adj.2g.
indo-britânico adj. s.m.; pl. *indo-britânicos*
indo-céltico adj.; pl. *indo-célticos*
indochim adj. s.2g.
indochina adj. s.2g.
indochinês adj. s.m. "relativo à Indochina"; cf. *indo-chinês*
indo-chinês adj. s.m. "relativo à Índia e à China"; pl. *indo-chineses*; cf. *indochinês*
indocianina s.f.
indocibilidade s.f.
indócil adj.2g.
indocilidade s.f.
indocilizar v.
indo-cita adj. s.2g.; pl. *indo-citas*
indo-cítico adj. s.m.; pl. *indo-cíticos*
indocível adj.2g.
indocromina s.f.
indocumentado adj.
indo-europeísta adj. s.2g.; pl. *indo-europeístas*
indo-europeística s.f.; pl. *indo-europeísticas*
indo-europeização s.f.; pl. *indo-europeizações*
indo-europeizado adj.; pl. *indo-europeizados*
indo-europeu adj. s.m.; pl. *indo-europeus*
indófano s.m.
indofênico adj.
indofenina s.f.
indofeno s.m.
indofenol s.m.
indo-gangético adj.; pl. *indo-gangéticos*
indo-germânico adj. s.m.; pl. *indo-germânicos*
indo-grego adj.; pl. *indo-gregos*
indo-helênico adj.; pl. *indo-helênicos*
indo-hitita adj. s.2g.; pl. *indo-hititas*
indoína s.f.
indo-inglês adj.; pl. *indo-ingleses*
indo-iraniano adj. s.m.; pl. *indo-iranianos*
indo-irânico adj.; pl. *indo-irânicos*
indol s.m.
índole s.f.
indolência s.f.
indolentado adj.
indolentar v.
indolente adj.2g.
indólico adj.
indolilacético adj.
indolilo s.m.
indolina s.f.
indologia s.f.
indológico adj.
indólogo s.m.
indoloide (*ó*) s.m.
indolor (*ô*) adj.2g.
indolpropiônico adj.
indomabilidade s.f.
indomado adj.
indo-malaio adj. s.m.; pl. *indo-malaios*
indo-malásio adj. s.m.; pl. *indo-malásios*
indo-malásio adj. s.m.; pl. *indo-malásios*
indomável adj.2g.

indombe s.m.
indo-melânico adj. s.m.; pl. *indo-melânicos*
indomesticabilidade s.f.
indomesticado adj.
indomesticável adj.2g.
indoméstico adj.
indometacina s.f.
indometacino s.m.
indominado adj.
indominável adj.2g.
indominicado adj.
indômito adj.
indo-muçulmano adj.; pl. *indo-muçulmanos*
indona s.f.
indonésio adj. s.m.
indo-oceânico adj.; pl. *indo-oceânicos*
indo-pacífico adj.; pl. *indo-pacíficos*
indo-paquistanês adj. s.m.; pl. *indo-paquistaneses*
indo-persa adj. s.2g.; pl. *indo-persas*
indopiteco s.m.
indo-português adj. s.m.; pl. *indo-portugueses*
indormecível adj.2g.
indormido adj.
indo-russo adj. s.m.; pl. *indo-russos*
indosado adj.
indostânico adj.
indostano adj. s.m.
indo-teutônico adj.; pl. *indo-teutônicos*
indotuve s.m.
indouto adj. s.m.
indoutrinação s.f.
indoutrinador (*ô*) adj. s.m.
indoutrinar v.
indoxântico (*cs*) adj.
indoxilato (*cs*) s.m.
indoxilglicoronato (*cs*) s.m.
indoxilglicorônico (*cs*) adj.
indoxílico (*cs*) adj.
indoxilo (*cs*) s.m.
indoxissulfato (*cs*) s.m.
indoxissulfúrico (*cs*) adj.
in-doze adj. s.m.2n.
índri s.m.
indria s.f.
indricotério s.m.
indriídeo adj. s.m.
índris s.m.2n.
indrômina s.f.
indua s.f.
induberaba adj. s.2g.
indubitabilidade s.f.
indubitado adj.
indubitável adj.2g.
indubrasil adj. s.2g.
indução s.f.
indúcia s.f.
indúcias s.f.pl.
inductância s.f.
indúctil adj.2g.
inductilidade s.f.
inductor (*ô*) adj. s.m.
inductotermia s.f.
inductotérmico adj.
induísmo s.m.
induísta adj. s.2g.
indulgência s.f.; cf. *indulgencia*, fl. do v. *indulgenciar*
indulgenciar v.
indulgente adj.2g.
indulina s.f.
indulona s.f.
indultabilidade s.f.
indultado adj. s.m.
indultante adj.2g.
indultar v.
indultário adj.
indultável adj.2g.
indulto s.m.
indumba s.f.
indumentado adj.
indumentar v.
indumentária s.f.
indumentário adj.
indumento s.m.
induna s.m.
induplicado adj.
induplicativa s.f.
induplicativo adj.
induplicável adj.2g.
induração s.f.
indurado adj.
indurido adj.
induro s.m.
indúsia s.f.
indúsio s.m.
industano adj. s.m.
industre adj.2g.
indústria s.f.; cf. *industria*, fl. do v. *industriar*
industriado adj.
industriador (*ô*) adj. s.m.
industrial adj. s.2g.
industrialense adj. s.2g.
industrialidade s.f.
industrialismo s.m.
industrialista adj. s.2g.
industrialístico adj.
industrialização s.f.
industrializado adj.
industrializador (*ô*) adj. s.m.
industrializante adj.2g.
industrializar v.
industrializável adj.2g.
industriamento s.m.
industriante adj.2g.
industriar v.
industriário adj. s.m.
industriável adj.2g.
indústrio adj.
industriosidade s.f.
industrioso (*ô*) adj.; f. (*ó*); pl. (*ó*)
indutância s.f.
indutar v.
indutividade s.f.
indutivo adj.
induto s.m.
indutomérico adj.
indutômetro s.m.
indutor (*ô*) adj. s.m.
indutotermia s.f.
indutotérmico adj.
indúvia s.f.
induviado adj.
induvial adj.2g.
induvidoso (*ô*) adj.
induzido adj. s.m.
induzidor (*ô*) adj. s.m.
induzimento s.m.
induzir v.
induzível adj.2g.
iné s.f.
inebriação s.f.
inebriado adj.
inebriador (*ô*) adj. s.m.
inebriamento s.m.
inebriante adj.2g.
inebriar v.
inebriativo adj.
inebriável adj.2g.
inecessário adj.
ineclipsável adj.2g.
inédia s.f.
ineditismo s.m.
ineditista adj. s.2g.
ineditístico adj.
inédito adj. s.m.
ineditorial adj.2g. s.m.
ineditorialismo s.m.
ineducação s.f.
ineducado adj.
ineducável adj.2g.
inefabilidade s.f.
inefável adj.2g.
inefectividade s.f.
inefectivo adj.
inefetividade s.f.
inefetivo adj.
ineficácia s.f.
ineficaz adj.2g.
ineficiência s.f.
ineficiente adj.2g.
inegabilidade s.f.
inegável adj.2g.
inegociabilidade s.f.
inegociável adj.2g.
ineína s.f.
ineixa s.f.
inelasticidade s.f.
inelástico adj.
inelegância s.f.
inelegante adj.2g.
inelegibilidade s.f.
inelegível adj.2g.
inelidível adj.2g. "ineliminável"; cf. *inilidível*
ineliminável adj.2g.
inelito s.m.
ineloquência (*ü*) s.f.
ineloquente (*ü*) adj.2g.
ineludível adj.
inelutável adj.2g.
inembrionado adj.
inembu s.m.
inemendável adj.2g.
inemense adj. s.2g.
inenarrável adj.2g.
inencefalia s.f.
inencetável adj.2g.
inencomiável adj.2g.
inencontrável adj.2g.
inenjeitável adj.2g.
inenodável adj.2g.
inênquimo adj.
inenrugável adj.2g.
inensinável adj.2g.
inenubilidade s.f.
inenvergável adj.2g.
inépcia s.f.
inépico adj.
ineptidão s.f.
ineptizar v.
inepto adj. s.m.
inequação s.f.
inequacionabilidade s.f.
inequacionador (*ô*) adj.
inequacionante adj.2g.
inequacionar v.
inequacionável adj.2g.
inequalidade s.f.
inequalifólio adj.
inequiangular (*ü*) adj.2g.
inequiângulo (*ü*) adj.
inequigranular (*ü*) adj.2g.
inequilateral (*ü*) adj.2g.
inequilátero (*ü*) adj.
inequipalpo (*ü*) adj. s.m.
inequípede (*ü*) adj.2g.
inequipotente (*ü*) adj.2g.
inequitativo (*ü*) adj.
inequivalve (*ü*) adj.2g.
inequivocado (*u* ou *ü*) adj.
inequivocável (*u* ou *ü*) adj.2g.
inequivocidade (*u* ou *ü*) s.f.
inequívoco (*u* ou *ü*) adj.
inércia s.f.; cf. *inercia*, fl. do v. *inerciar*
inerciação s.f.
inercial adj.2g.
inerciar v.
inerência s.f.
inerente adj.2g.
inerigibilidade s.f.
inerigível adj.2g.
inerir v.
inerme adj.2g.
inerradicável adj.2g.
inerrância s.f.
inerrante adj.2g.
inerrável adj.2g.
inertância s.f.
inerte adj.2g.
inertizar v.
inerudito adj. s.m.
inervação s.f.; cf. *enervação*
inervado adj.
inervar v. "prover de nervos"; cf. *enervar*
inerve adj.2g.
inérveo adj.
inescado adj.
inescapável adj.
inescrito adj.
inescrupulosidade s.f.
inescrupuloso (*ô*) adj.; f. (*ó*); pl. (*ó*)
inescrutabilidade s.f.
inescrutável adj.2g.
inescurecível adj.2g.
inescusabilidade s.f.
inescusável adj.2g.
inês da horta s.2g.
inesense (*nê*) adj. s.2g.
inesgotabilidade s.f.
inesgotável adj.2g.
inesiano adj.
inesita s.f.
inesitante adj.2g.
inesite s.f.
inespacial adj.
inespecificidade s.f.
inespecífico adj.
inesperado adj. s.m.
inesperável adj.2g.
inespoliado adj.
inespoliar v.
inespoliável adj.2g.
inesquecível adj.2g.
inesquivável adj.2g.
inessivo s.m.
inestancável adj.2g.
inestendível adj.2g.
inesteticismo s.m.
inestético adj.
inestilhaçável adj.2g.
inestilizável adj.2g.
inestimabilidade s.f.
inestimado adj.
inestimável adj.2g.
inestudioso (*ô*) adj.; f. (*ó*); pl. (*ó*)
inética s.f.
ineufônico adj.
inevidência s.f.
inevidente adj.2g.
inevitabilidade s.f.
inevitável adj.2g. s.m.
inexação (*z*) s.f.
inexaminado (*z*) adj.
inexaminável (*z*) adj.2g.
inexatidão (*z*) s.f.
inexato (*z*) adj.
inexauribilidade (*z*) s.f.
inexaurível (*z*) adj.2g.
inexausto (*z*) adj.
inexcedibilidade s.f.
inexcedível adj.2g.
inexcitabilidade s.f.
inexcitável adj.2g.
inexcutido adj.
inexcutível adj.2g.
inexecução (*z*) s.f.
inexecutável (*z*) adj.2g.
inexecutório (*z*) adj.
inexequibilidade (*z*...*ü*) s.f.
inexequível (*z*...*ü*) adj.2g.
inexercitado (*z*) adj.
inexigibilidade (*z*) s.f.
inexigido (*z*) adj.
inexigível (*z*) adj.2g.
inexistência (*z*) s.f.
inexistente (*z*) adj.2g.
inexistir (*z*) v.
inexo (*cs*) adj.
inexorabilidade (*z*) s.f.
inexorado (*z*) adj.
inexorável (*z*) adj.2g.
inexpansão s.f.
inexpansibilidade s.f.
inexpansível adj.2g.
inexpansividade s.f.
inexpansivo adj.
inexpedito adj.
inexperiência s.f.
inexperiente adj. s.2g.
inexperimentado adj.
inexperto adj.
inexpiabilidade s.f.
inexpiado adj.
inexpiável adj.2g.
inexplanável adj.2g.
inexplicabilidade s.f.
inexplicado adj.
inexplicável adj.2g. s.m.
inexplícito adj.
inexploração s.f.
inexplorado adj.
inexplorável adj.2g.
inexplosível adj.2g.
inexposto (*ô*) adj.; f. (*ó*); pl. (*ó*)
inexpressão s.f.
inexpressável adj.2g.
inexpressível adj.2g.
inexpressividade s.f.
inexpressivo adj.
inexpresso adj.
inexprimível adj.2g.
inexpugnábil adj.2g.
inexpugnabilidade s.f.
inexpugnado adj.
inexpugnável adj.2g.
inexpunhável adj.2g.
inextensão s.f.
inextensibilidade s.f.
inextensilíngue (*ü*) adj.2g.
inextensível adj.2g.
inextensivo adj. s.m.
inextenso adj.
inexterminável adj.2g.
inextinguibilidade s.f.
inextinguível adj.2g.
inextinto adj.
inextirpabilidade s.f.
inextirpável adj.2g.
inextricabilidade s.f.
inextricável adj.2g.
inextrincável adj.2g.
infaceto (*ê*) adj.
infactível adj.2g.
infacundo adj.
infalência s.f.
infalibilidade s.f.
infalibilismo s.m.
infalibilista adj. s.2g.
infalibilístico adj.
infalível adj.2g. s.m.f.
infalsificável adj.
infamação s.f.
infamado adj. s.m.
infamador (*ô*) adj. s.m.
infamante adj.2g.
infamar v.
infamatório adj.
infamável adj.2g.
infame adj. s.2g.
infâmia s.f.
infamiliaridade s.f.
infâmio adj. s.m.
infanção s.m.
infância s.f.
infançonado adj.
infançonia s.f.
infando adj.
infanta s.f.
infantádigo s.m.
infantado s.m.
infantal adj.2g.
infantaria s.f.
infantário s.m.
infantático s.m.
infante adj. s.2g. s.m.
infanteria s.f.
infantibilidade s.f.
infanticida adj. s.2g.
infanticídio s.m.
infantil adj.2g. s.m.
infantilidade s.f.
infantilismo s.m.
infantilização s.f.
infantilizar v.
infantinho adj. s.m.
infantino adj.
infantista adj. s.2g.
infantojuvenil adj.2g.
infartação s.f.
infartado adj.
infartar v.
infartável adj.2g.
infarte s.m.
infarto s.m.
infatigabilidade s.f.
infatigável adj.2g.
infatível adj.2g.
infausto adj.
infavorável adj.2g.

infeção s.f.
infecção s.f.
infeccionado adj.
infeccionar v.
infeccionista adj. s.2g.
infecciosidade s.f.
infeccioso (*ô*) adj.; f. (*ó*); pl. (*ó*)
infecionado adj.
infecionar v.
infeciosidade s.f.
infecioso (*ô*) adj.; f. (*ó*); pl. (*ó*)
infectado adj.
infectante adj.2g.
infectar v.
infecto adj.
infectocontagioso (*ô*) adj.; f. (*ó*); pl. (*ó*)
infectologia s.f.
infectuologia s.f.
infectuosidade s.f.
infectuoso (*ô*) adj.; f. (*ó*); pl. (*ó*)
infecundado adj.
infecundar v.
infecundidade s.f.
infecundo adj.
infelice adj.2g.
infelicidade s.f.
infelicitação s.f.
infelicitado adj.
infelicitador (*ô*) adj. s.m.
infelicitante adj.2g.
infelicitar v.
infeliz adj. s.2g.
infenso adj.
inferaxilar (*cs*) adj.2g.
inferência s.f.
inferencial adj.2g.
inferencialidade s.f.
inféria s.f.
infericorne adj.2g.
inferido adj.
inferior (*ô*) adj. s.2g.
inferioridade s.f.
inferiorização s.f.
inferiorizado adj.
inferiorizador (*ô*) adj.
inferiorizante adj.2g.
inferiorizar v.
inferiorizável adj.2g.
inferir v.
inferlativo adj. s.m.
infermentescibilidade s.f.
infermentescível adj.2g.
infernação s.f.
infernado adj.
infernal adj.2g.
infernalidade s.f.
infernamento s.m.
infernante adj.2g.
infernar v.
inferneira s.f.
inferninho s.m.
infernizado adj.
infernizar v.
inferno s.m.
ínfero adj. s.m.
inferoanterior adj.2g.
inferoaxilar adj.2g.
inferobrânquio adj. s.m.
inferoexterior adj.2g.
inferofluxo s.m.
inferointerior adj.2g.
inferolateral adj.2g.
inferolocular adj.2g.
inferomediano adj.
ínfero-ovariado adj.
inferoposterior adj.2g.
inferossúpero adj.
inferovariado adj.
infértil adj.2g.
infertilidade s.f.
infertilização s.f.
infertilizado adj.
infertilizante adj.2g.
infertilizar v.
infertilizável adj.2g.
infesso adj.
infesta s.f.; cf. *enfesta* s.f. e fl. do v. *enfestar*
infestação s.f.; cf. *enfestação*
infestado adj.; cf. *enfestado*
infestador (*ô*) adj. s.m.; cf. *enfestador*
infestamento s.m.; cf. *enfestamento*
infestante adj.2g.; cf. *enfestante*
infestar v. "invadir"; cf. *enfestar*
infesto adj.; cf. *enfesto* (*ê*) adj. s.m. e *enfesto*, fl. do v. *enfestar*
infetado adj.
infetante adj.2g.
infetar v.
infeto adj.
infetocontagioso (*ô*) adj.; f. (*ó*); pl. (*ó*)
infetologia s.f.
infetuologia s.f.
infetuosidade s.f.
infetuoso (*ô*) adj.; f. (*ó*); pl. (*ó*)
infião s.m.
infibulação s.f.
infibulado adj.
infibulador (*ô*) adj. s.m.
infibular v.
inficeto (*ê*) adj.
inficionação s.f.
inficionado adj.
inficionador (*ô*) adj. s.m.
inficionamento s.m.
inficionante adj.2g.
inficionar v.
inficioso (*ô*) adj.; f. (*ó*); pl. (*ó*)
infidelidade s.f.
infido adj.
infiel adj. s.2g.
infieldade s.f.
infiliado adj.
infilosófico adj.
infiltração s.f.
infiltrado adj. s.m.
infiltrador (*ô*) adj.
infiltramento s.m.
infiltrante adj.2g.
infiltrar v.
infiltratividade s.f.
infiltrativo adj.
infiltrável adj.2g.
infiltrômetro s.m.
infimidade s.f.
ínfimo adj. s.m.
infincar v.
infindável adj.2g.
infindo adj.
infingido adj.
infingimento s.m.
infingir v.
infinição s.f.
infinidade s.f.
infinitésima s.f.
infinitesimal adj.2g.
infinitésimo adj.
infinitiforme adj.2g.
infinitismo s.m.
infinitista adj. s.2g.
infinitístico adj.
infinitividade s.f.
infinitivo adj. s.m.
infinitívoco adj.
infinito adj. s.m.
infinitófilo adj. s.m.
infinitovismo s.m.
infinitovista adj. s.2g.
infinitude s.f.
infinível adj.2g.
infinta s.f.
infinto adj.
infirmação s.f.
infirmado adj.
infirmador (*ô*) adj.
infirmamento s.m.
infirmante adj.2g.
infirmar v. "negar"; cf. *enfirmar*
infirmativo adj.
infirmável adj.2g.
infirme adj.2g.
infirmidade s.f. "falta de firmeza"; cf. *enfermidade*
infisioso (*ô*) adj.; f. (*ó*); pl. (*ó*)
infixação (*cs*) s.f.
infixável (*cs*) adj.2g.
infixidez (*cs...ê*) s.f.
infixo (*cs*) adj. s.m.
infize s.f.
inflação s.f.
inflacionado adj.
inflacional adj.2g.
inflacionamento s.m.
inflacionante adj.2g.
inflacionar v.
inflacionário adj.
inflacionável adj.2g.
inflacionismo s.m.
inflacionista adj. s.2g.
inflacionístico adj.
inflacioso (*ô*) adj.; f. (*ó*); pl. (*ó*)
inflado adj.
inflador (*ô*) s.m.
inflamabilidade s.f.
inflamação s.f.
inflamado adj.
inflamador (*ô*) adj. s.m.
inflamante adj.2g.
inflamar v.
inflamativo adj.
inflamatório adj.
inflamável adj.2g. s.m.
inflamento s.m.
inflante adj.
inflar v.
inflatina s.f.
inflatínico adj.
inflativo adj.
inflatório adj.
inflável adj.2g.
inflectido adj.
inflectir v.
inflecto adj.
infletido adj.
infletir v.
infleto adj.
inflexão (*cs*) s.f.
inflexibilidade (*cs*) s.f.
inflexionado (*cs*) adj.
inflexional (*cs*) adj.2g.
inflexionante (*cs*) adj.2g.
inflexionar (*cs*) v.
inflexionável (*cs*) adj.2g.
inflexioscópio (*cs*) s.m.
inflexível (*cs*) adj.2g.
inflexividade (*cs*) s.f.
inflexivo (*cs*) adj.
inflexo (*cs*) adj.
inflição s.f.
inflicção s.f.
infligido adj.
infligidor (*ô*) adj. s.m.
infligir v.
inflorescência s.f.
inflorescente adj.2g.
influença s.f.
influência s.f.; cf. *influencia*, fl. do v. *influenciar*
influenciação s.f.
influenciado adj.
influenciador (*ô*) adj. s.m.
influencial adj.2g.
influenciante adj.2g.
influenciar v.
influenciário adj.
influenciável adj.2g.
influente adj. s.2g.
influenzavírus s.m.
influição s.f.
influído adj.
influidor (*ô*) adj. s.m.
influir v.
influxado (*cs*) adj.
influxo (*cs*) s.m.
infografia s.f.
infográfico adj. s.m.
infografista s.2g.
infolhescência s.f.
infoliescência s.f.
infólio s.m.2n.
in-fólio s.m.2n.
infonar v.
informação s.f.; cf. *enformação*
informacional adj.2g.
informado adj.; cf. *enformado*
informador (*ô*) adj. s.m.; cf. *enformador*
informal adj.2g.
informalidade s.f.
informalismo s.m.
informalista adj. s.2g.
informalístico adj.
informante adj. s.2g.
informar v. "comunicar"; cf. *enformar*
informática s.f.
informaticismo s.m.
informaticista adj. s.2g.
informaticístico adj.
informático adj.
informativo adj. s.m.
informatização s.f.
informatizado adj.
informatizar v.
informatizável adj.2g.
informatologia s.f.
informatológico adj.
informatologista adj. s.2g.
informatologística s.f.
informatologístico adj.
informatólogo adj. s.m.
informe adj.2g. s.m.
informidade s.f.
informossomo s.m.
informulável adj.2g.
infortificável adj.2g.
infortuna s.f.
infortunado adj. s.m.
infortunar v.
infortunidade s.f.
infortúnio s.m.
infortunística s.f.
infortunístico adj.
infortunoso (*ô*) adj.; f. (*ó*); pl. (*ó*)
infovia s.f.
infra-acústico adj.
infra-assinado adj. s.m.
infra-atômico adj.
infra-axilar adj.2g.
infrabaixo adj. s.m.
infrabasal adj.2g.
infrabasilar adj.2g.
infrabranquial adj.2g.
infrabucal adj.2g.
infração s.f.
infracção s.f.
infracitado adj. s.m.
infraclassal adj.2g.
infraclasse s.f.
infraclavicular adj.2g.
infracolocado adj.
infracomum adj.2g.
infraconsumismo s.m.
infraconsumista adj. s.2g.
infraconsumístico adj.
infraconsumo s.m.
infracortical adj.2g.
infracostal adj.2g.
infracretáceo adj.
infracretácico adj.
infracto adj.
infractor (*ô*) adj. s.m.
infradino adj. s.m.
infradotado adj. s.m.
infradução s.f.
infraepímero s.m.
infraepisterno s.m.
infraescapular adj.2g. s.m.
infraescápulo-troquiniano adj.
infraescápulo-troquiteriano adj.
infraescavação s.f.
infraescrito adj.
infraesofagiano adj.
infraespecífico adj.
infraespinhoso adj. s.m.
infraestapédico adj.
infraesternal adj.2g.
infraestrutura s.f.
infraestruturado adj.
infraestrutural adj.2g.
infrafamiliar adj.2g.
infragado adj.
infragenital adj.2g.
infraglacial adj.2g.
infraglenoide (*ó*) adj.2g.
infraglotal adj.2g.
infraglótico adj.
infragmentado adj.
infragmentável adj.2g.
infragrelha s.f.
infra-hepático adj.
infra-hioide (*ó*) adj.2g.
infra-hióideo adj.
infra-homem s.m.
infra-humano adj.
infrajurássico adj.
infralabial adj.2g.
infralapsário s.m.
infralapsarismo s.m.
infralativo adj. s.m.
infraliásico adj. s.m.
infralitoral adj.2g.
inframamário adj.
inframandibular adj.2g.
inframastite s.f.
inframaxilar (*cs*) adj.2g.
inframediano adj.
inframédio adj.
inframedíocre adj.2g.
inframencionado adj.
inframicróbio s.m.
inframolecular adj.2g.
infranasal adj.2g.
inframerítico adj.
infrangibilidade s.f.
infrangível adj.2g.
infranodal adj.2g.
infranqueável adj.2g.
infraocular adj.2g.
infraoitava s.f.
infraorbitário adj.
infraordem s.f.
infraordinal adj.2g.
infrapsíquico adj.
infrarracional adj.2g.
infrarradial adj.2g.
infrarrenal adj.2g.
infrasseção s.f.
infrassom s.m.
infrassônico adj.
infratemporal adj.2g.
infrato adj.
infrator (*ô*) s.m.
infratranscrito adj.
infraumbilical adj.2g.
infravalanginiano adj. s.m.
infraventricular adj.2g.
infravermelho adj. s.m.
infravioleta adj.2g. s.m.
infrene adj.2g.
infrequência (*ü*) s.f.
infrequentado (*ü*) adj.
infrequente (*ü*) adj.2g.
infringência s.f.
infringente adj.2g.
infringido adj.
infringir v.
infringível adj.2g.
infrondar v.
infrutescência s.f.
infrutescente adj.2g.
infrutescer v.
infrutescido adj.
infrutescimento s.m.
infrutífero adj.
infrutuosidade s.f.
infrutuoso (*ô*) adj.; f. (*ó*); pl. (*ó*)
infuca s.f.
ínfula s.f.
infuleimado adj.
infuleimar v.
infulminabilidade s.f.
infulminável adj.2g.
infumável adj.2g. "não fumável"; cf. *enfumável*
infumígeno adj.
infumo s.m.
infunda s.f.
infundado adj.
infundamentação s.f.
infundamentado adj.

infundamentar v.
infundamentável adj.2g.
infunde s.m.
infundibilidade s.f.
infundibular adj.2g.
infundibuliforme adj.2g.
infundibulina s.f.
infundíbulo s.m.
infundiça s.f.
infundiçado adj.
infundice s.f.
infundido adj.
infundir v.
infundível adj.2g.
infunge s.m.
infungibilidade s.f.
infungível adj.2g.
infunicar v.
infúnji s.m.
infurção s.f.
infusa s.f.
infusação s.f.
infusado adj. s.m.
infusão s.f.
infusar v.
infusibilidade s.f.
infusível adj.2g.
infuso adj. s.m.
infusoriforme adj.2g.
infusorígeno adj. s.m.
infusório adj. s.m.
infustamento s.m.
infusura s.f.
inga s.m. "fruto do dendezeiro"; cf. *ingá*
ingá s.m. "fruto do ingazeiro"; cf. *inga*
ingá-açu s.m.; pl. *ingás-açus*
ingá-bravo s.m.; pl. *ingás-bravos*
ingá-cabeludo s.m.; pl. *ingás-cabeludos*
ingá-caititu s.m.; pl. *ingás-caititus*
ingá-caixão s.m.; pl. *ingás-caixão* e *ingás-caixões*
ingá-cipó s.m.; pl. *ingás-cipó* e *ingás-cipós*
ingaçu s.m.
ingá-cururu s.m.; pl. *ingás-cururu* e *ingás-cururus*
ingá-da-beirada s.m.; pl. *ingás-da-beirada*
ingá-da-praia s.m.; pl. *ingás-da-praia*
ingá-de-flor-amarela s.m.; pl. *ingás-de-flor-amarela*
ingá-de-flor-vermelha s.m.; pl. *ingás-de-flor-vermelha*
ingá-de-fogo s.m.; pl. *ingás-de-fogo*
ingá-de-quatro-folhas s.m.; pl. *ingás-de-quatro-folhas*
ingá-do-campo s.m.; pl. *ingás-do-campo*
ingá-doce s.m.; pl. *ingás-doces*
ingá-doce-da-serra s.m.; pl. *ingás-doces-da-serra*
ingá-do-mato s.m.; pl. *ingás-do-mato*
ingaense adj. s.2g.
ingá-falso s.m.; pl. *ingás-falsos*
ingá-feijão s.m.; pl. *ingás-feijão* e *ingás-feijões*
ingá-ferradura s.m.; pl. *ingás-ferradura* e *ingás-ferraduras*
ingá-grande s.m.; pl. *ingás-grandes*
ingá-guaçu s.m.; pl. *ingás-guaçus*
ingaguaçu s.m.
ingaí s.m.
ingaíbo adj. s.m.
ingaiense adj. s.2g.
ingaíva adj.2g.
ingala s.m.
ingalgável adj.2g.
ingá-macaco s.m.; pl. *ingás-macaco* e *ingás-macacos*
ingá-mimoso s.m.; pl. *ingás-mimosos*
ingá-mirim s.m.; pl. *ingás-mirins*
ingamita adj. s.2g.
ingá-miúdo s.m.; pl. *ingás-miúdos*
ingando s.m.
inganhável adj.2g.
ingapeba s.m.
ingá-peludo s.m.; pl. *ingás-peludos*
ingapéua s.f.
ingapiranga s.f.
ingarana s.f.
ingarana-da-beira s.f.; pl. *ingaranas-da-beira*
ingarana-da-terra-firme s.f.; pl. *ingaranas-da-terra-firme*
ingareia (*é*) s.f.
ingarelho s.m.
ingaricó adj. s.2g.
ingarilho s.m.
ingaruna s.f.
ingarune adj. s.2g.
ingauçu s.m.
ingauno adj. s.m.
ingá-veludo s.m.; pl. *ingás-veludo* e *ingás-veludos*
ingá-verde s.m.; pl. *ingás-verdes*
ingaxixi s.m.
ingaxixica s.m.
ingazeira s.f.
ingazeirense adj. s.2g.
ingazeiro s.m.
ingazense adj. s.2g.
ingazinho s.m.
inge s.m.
íngea s.f.
ingenerado adj.
ingeneroso (*ô*) adj.; f. (*ó*); pl. (*ó*)
ingênio s.m.
ingenioso (*ô*) adj.; f. (*ó*); pl. (*ó*)
ingênito adj.
ingente adj.2g.
ingênua s.f.
ingenuação s.f.
ingenuar v.
ingenuidade s.f.
ingênuo adj. s.m.
ingeométrico adj.
ingerência s.f.
ingerente adj.2g.
ingerido adj.; cf. *enjerido*
ingerimento s.m.
ingerir v. "engolir"; cf. *engerir-se*
ingerminável adj.2g.
ingesta s.f.
ingestão s.f.
ingestivo adj.
ingesto adj.
ingevão adj. s.m.; f. *ingevona*
ingevona adj. s.f. de *ingevão*
ingevone adj. s.2g.
inghamita adj. s.2g.
inglelê s.m.
inglês adj. s.m.
inglesa (*ê*) s.f.; cf. *inglesa*, fl. do v. *inglesar*
inglesada s.f.
inglesado adj.
inglesamento s.m.
inglesante adj.2g.
inglesar v.
inglesia s.f.
inglesice s.f.
inglesismo s.m.
inglório adj.
inglorioso (*ô*) adj.; f. (*ó*); pl. (*ó*)
inglosável adj.2g.
inglúvia s.f.
ingluvial adj.2g.
inglúvias s.f.pl.
inglúvio s.m.
ingluvioso (*ô*) adj.; f. (*ó*); pl. (*ó*)
ingluvite s.f.
ingo s.m.
ingoiado s.m.
ingoijado adj.
ingoma s.m.
ingomba s.m.
ingombe s.m.
ingombota s.f.
ingome s.m.
ingondo s.m.
ingonha s.f.
ingonhama s.m.
ingono s.m.
ingorôci s.m.
ingoté s.f.
ingovernabilidade s.f.
ingovernável adj.2g.
ingracioso (*ô*) adj.; f. (*ó*); pl. (*ó*)
ingraduável adj.2g.
ingramaticabilidade s.f.
ingramatical adj.2g.
ingramaticalidade s.f.
ingramaticável adj.2g.
ingramático adj.
ingranzéu s.m.
ingrão s.m.
ingratão s.m.; f. *ingratona*
ingratatão s.m.; f. *ingratatona*
ingratatona s.f. de *ingratatão*
ingratense adj. s.2g.
ingratidão s.f.
ingratitude s.f.
ingrato adj. s.m.
ingratona s.f. de *ingratão*
ingre adj. s.m.
ingrediente s.m.
ingredir v.
íngredo adj.
ingremância s.f.
íngreme adj.2g. "escarpado"; cf. *ingrime*
ingremidade s.f.
ingremidez (*ê*) s.f.
ingrenço s.m.
ingresia s.f.
ingressão s.f.
ingressar v.
ingressivo adj.
ingresso s.m.
ingriano adj. s.m.
ingriba s.f.
ingrimanço s.m.
ingrime adj.2g. "inteiriço"; cf. *íngreme*
íngrio adj. s.m.
ingrisia s.f.
ingrismo s.m.
ingrista adj. s.2g.
ingu s.m.
íngua s.f.
inguaçu s.m.
inguaiá s.f.
inguangue adj. s.2g.
inguarina s.f.
inguche s.m.
ingué s.m.
inguefo (*ê*) s.m.
inguelo s.m.
inguento (*ü*) adj.
inguiba s.f.
inguidiá s.m.
inguina s.f.
inguinabdominal adj.2g.
inguinação s.f.
inguinal adj.2g.
inguinária s.f.
inguinário adj.
inguinescrotal adj.2g.
inguinoabdominal adj.2g.
inguinocrural adj.2g.
inguinocutâneo adj.
inguinodinia s.f.
inguinolabial adj.2g.
inguinoscrotal adj.2g.
ingulube s.m.
ingundar v.
ingunga s.f.
ingurgitação s.f.
ingurgitado adj.
ingurgitamento s.m.
ingurgitante adj.2g.
ingurgitar v.
ingurgitável adj.2g.
ingurunga s.f.
inhá s.f.
inhabaca s.m.
inhabasa s.m.
inhabento s.m.
inhabuzinho s.m.
inhaca s.m.f.
inhaçanã s.f.
inhaçanhã s.f.
inhacoco s.m.
inhacoço (*ô*) s.m.
inhacoraense adj. s.2g.
inhacuana s.m.
inhacuaua s.m.
inhacuava s.m.
inhacurutu s.m.
inhafoncori s.f.
inhafute s.m.
inhaíba s.f.
inhaíba-de-rego s.f.; pl. *inhaíbas-de-rego*
inhaiense adj. s.2g.
inhala s.m.
inhamal s.m.
inhamassango s.m.
inhamasuro s.m.
inhambi s.m.
inhambu s.m.
inhambuaçu s.m.
inhambuanhanga s.m.
inhambuapé s.2g.
inhambucá s.m.
inhambucuá s.m.
inhambu-galinha s.m.; pl. *inhambus-galinha* e *inhambus-galinhas*
inhambu-grande s.m.; pl. *inhambus-grandes*
inhambuguaçu s.m.
inhambuí s.m.
inhambumirim s.m.
inhambu-peba s.m.; pl. *inhambus-peba* e *inhambus-pebas*
inhambupense adj. s.2g.
inhambupixuna s.m.
inhambu-preto s.m.; pl. *inhambus-pretos*
inhambupuranga s.m.
inhambuquiá s.m.
inhambuquiçaua s.m.
inhambu-relógio s.m.; pl. *inhambus-relógio* e *inhambus-relógios*
inhambu-saracuíra s.m.; pl. *inhambus-saracuíra* e *inhambus-saracuíras*
inhambu-suaçu s.m.; pl. *inhambus-suaçus*
inhambu-sujo s.m.; pl. *inhambus-sujos*
inhambu-tona s.m.; pl. *inhambus-tona* e *inhambus-tonas*
inhambuu s.m.
inhambuxintã s.m.
inhambuxororó s.m.
inhame s.m.
inhameaçu s.m.
inhame-branco s.m.; pl. *inhames-brancos*
inhame-bravo s.m.; pl. *inhames-bravos*
inhame-cará s.m.; pl. *inhames-cará* e *inhames-carás*
inhame-cigarra s.m.; pl. *inhames-cigarra* e *inhames-cigarras*
inhame-comum s.m.; pl. *inhames-comuns*
inhame-da-áfrica s.m.; pl. *inhames-da-áfrica*
inhame-da-china s.m.; pl. *inhames-da-china*
inhame-da-costa s.m.; pl. *inhames-da-costa*
inhame-da-guiné-branco s.m.; pl. *inhames-da-guiné-brancos*
inhame-da-índia s.m.; pl. *inhames-da-índia*
inhame-de-benim s.m.; pl. *inhames-de-benim*
inhame-de-cão s.m.; pl. *inhames-de-cão*
inhame-de-coriolá s.m.; pl. *inhames-de-coriolá*
inhame-de-enxerto s.m.; pl. *inhames-de-enxerto*
inhame-de-folha-roxa-pintada s.m.; pl. *inhames-de-folha-roxa-pintada*
inhame-de-lagartixa s.m.; pl. *inhames-de-lagartixa*
inhame-de-são-tomé s.m.; pl. *inhames-de-são-tomé*
inhame-do-egito s.m.; pl. *inhames-do-egito*
inhame-do-japão s.m.; pl. *inhames-do-japão*
inhame-farinha s.m.; pl. *inhames-farinha* e *inhames-farinhas*
inhame-gigante s.m.; pl. *inhames-gigantes*
inhame-gudu s.m.; pl. *inhames-gudu* e *inhames-gudus*
inhameiro adj. s.m.
inhame-monstro s.m.; pl. *inhames-monstro* e *inhames-monstros*
inhame-nambu s.m.; pl. *inhames-nambu* e *inhames-nambus*
inhame-novo s.m.; pl. *inhames-novos*
inhame-roxo s.m.; pl. *inhames-roxos*
inhamesouro s.m.
inhame-taioba s.m.; pl. *inhames-taioba* e *inhames-taiobas*
inhame-taro s.m.; pl. *inhames-taro* e *inhames-taros*
inhame-tívoli s.m.; pl. *inhames-tívoli*
inhame-vermelho s.m.; pl. *inhames-vermelhos*
inhame-zambuco s.m.; pl. *inhames-zambuco* e *inhames-zambucos*
inhamilala s.m.
inhamuí s.m.
inhamunense adj. s.2g.
inhanduiense adj. s.2g.
inhanduvá s.m.
inhanduvaí s.m.
inhangapiense adj. s.2g.
inhanha s.m.
inhanho s.m.
inhapa s.f.
inhapecanga s.f.
inhapi s.m.
inhapiense adj. s.2g.
inhapim s.m.
inhapinense adj. s.2g.
inhapinhense adj. s.2g.
inhapupê s.m.
inhara s.f.
inharé s.m.
inharugué s.m.
inhataense adj. s.2g.
inhati s.m.
inhatium s.m.
inhatiunense adj. s.2g.
inhato adj.
inhaúba s.f.
inhaúma s.f.
inhaumense adj. s.2g.
inhé s.m.
inhé-bobé s.m.; pl. *inhés-bobés*
inhé-branco s.m.; pl. *inhés-brancos*
inheiguara adj. s.2g.
inheiguaro adj. s.m.
inhé-muela s.m.; pl. *inhés-muelas*
inhengo adj. s.m.
inhenha adj. s.m.
inhenho adj.
inhé-preto s.m.; pl. *inhés-pretos*
inhobinense adj. s.2g.
inhomirinense adj. s.2g.
inhuçuense adj. s.2g.
inhuma s.f.

inhumapoca s.f.
inhumense adj. s.2g.
inhunguê s.m.
inhuporanguense adj. s.2g.
iniá s.m.; "castanheira-do--pará"; cf. *ínia*
ínia s.f.; "gênero de mamíferos cetáceos"; cf. *iniá*
iníaco adj.
iniala s.m.
inibição s.f.
inibido adj. s.m.
inibidor (*ô*) adj. s.m.
inibina s.f.
inibir v.
inibitivo adj.
inibitória s.f.
inibitório adj.
inibível adj.2g.
iniciação s.f.
iniciado adj. s.m.
iniciador (*ô*) adj. s.m.
inicial adj.2g. s.f.
inicialização s.f.
inicializador (*ô*) adj. s.m.
inicializar v.
iniciamento s.m.
iniciando s.m.
iniciante adj. s.2g.
iniciar v.
iniciático adj.
iniciativa s.f.
iniciativo adj.
iniciatório adj.
iniciável adj.2g.
início s.m.; cf. *inicio*, fl. do v. *iniciar*
inidentidade s.f.
inidentificabilidade s.f.
inidentificável adj.2g.
inidoneidade s.f.
inidôneo adj.
iniencefalia s.f.
iniencefálico adj.
iniencéfalo s.m.
inigualação s.f.
inigualado adj.
inigualante adj.2g.
inigualar v.
inigualável adj.2g.
inigualdade s.f.
inigualitário adj.
iniídeo adj. s.m.
iniíneo s.m.
inilidível adj.2g. "irrefutável"; cf. *inelidível*
iniludibilidade s.f.
iniludível adj.2g.
inilustrado adj.
inimaginável adj.2g.
inimatubense adj. s.2g.
inimbó s.m.
inimboí s.m.
inimbói s.m.
inimboja s.f.
inimicícia s.f.
inimigo adj. s.m.
inimistade s.f.
inimistar v.
inimistoso (*ô*) adj.; f. (*ó*); pl. (*ó*)
inimitabilidade s.f.
inimitado adj.
inimitar v.
inimitável adj.2g.
inimizade s.f.
inimizado adj.
inimizante adj.2g.
inimizar v.
inimizável adj.2g.
inimizio s.m.
inimplorável adj.2g.
inimprimível adj.2g.
inimputabilidade s.f.
inimputável adj.2g.
inimutabense adj. s.2g.
ininflamabilidade s.f.
ininflamação s.f.
ininflamável adj.2g.
ininflexo (*cs*) adj.
ininfluenciável adj.2g.
inintegrabilidade s.f.
inintegrável adj.2g.
inintelectual adj.2g.
ininteligência s.f.
ininteligente adj.2g.
ininteligibilidade s.f.
ininteligível adj.2g.
inintencional adj.2g.
inintencionalidade s.f.
ininterceptável adj.2g.
ininterpretação s.f.
ininterpretável adj.2g.
ininterrompido adj.
ininterrupção s.f.
ininterruptível adj.2g.
ininterrupto adj.
inintervenção s.f.
ininvalidável adj.2g.
ininvestigável adj.2g.
ínio s.m.
iniodimia s.f.
iniodimiano adj.
iniodímico adj. s.m.
iniódimo s.m.
iniofacial adj.2g.
iniofrontal adj.2g.
inioíta s.f.
iniomo adj. s.m.
ínion s.m.
iniopágico adj.
iniópago s.m.
iniope adj. s.m.
iniopia s.f.
iniópico adj.
iniopsia s.f.
iniotêutis s.f.2n.
iniquar-se v.
iniquícia (*ü*) s.f.
iniquidade (*ü*) s.f.
iniquilateral (*ü*) adj.2g.
iníquo adj.
inite s.f.
injá s.f.
injarroa (*ô*) s.f.
injarroba (*ô*) s.f.
injeção s.f.
injectividade s.f.
injectivo adj.
injecto s.m.
injector (*ô*) adj. s.m.
injerizar v.
injesto adj.
injetabilidade s.f.
injetado adj.
injetador (*ô*) adj.
injetamento s.m.
injetante adj.2g.
injetar v.
injetável adj.2g.
injetiva s.f.
injetividade s.f.
injetivo adj.
injeto s.m.
injetor (*ô*) adj. s.m.
injinguaçu s.m.
injou s.m.
injucundidade s.f.
injucundo adj.
injudicioso (*ô*) adj.; f. (*ó*); pl. (*ó*)
injulgado adj.
injunção s.f.
injunçar v.
injungir v.
injuntivo adj.
injúria s.f.; cf. *injuria*, fl. do v. *injuriar*
injuriado adj.
injuriador (*ô*) adj. s.m.
injuriante adj.2g.
injuriar v.
injuridicidade s.f.
injurídico adj.
injúrio adj.; cf. *injurio*, fl. do v. *injuriar*
injurioso (*ô*) adj.; f. (*ó*); pl. (*ó*)
injurivoso (*ô*) adj.; f. (*ó*); pl. (*ó*)
injustiça s.f.
injustiçado adj. s.m.
injustiçoso (*ô*) adj.; f. (*ó*); pl. (*ó*)
injustificabilidade s.f.
injustificação s.f.
injustificado adj.
injustificável adj.2g.
injusto adj. s.m.
inla s.m.
inlândsis s.m.2n.
inlapidado adj.
inlavável adj.2g.
inlé s.m.
inlegível adj.2g.
inlembrável adj.2g.
inlhofo s.m.
inliçar v.
innelita s.f.
ino s.m.
inoanense adj. s.2g.
inobediência s.f.
inobediente adj.2g.
inobjetável adj.2g.
inobliterável adj.2g.
inobre adj.2g.
inobscurecível adj.2g.
inobservabilidade s.f.
inobservação s.f.
inobservado adj.
inobservador (*ô*) adj.
inobservância s.f.
inobservante adj.2g.
inobservar v.
inobservável adj.2g.
inobstável adj.2g.
inobstructividade s.f.
inobstructivo adj.
inobstrusividade s.f.
inobstrusivo adj.
inobstrutividade s.f.
inobstrutivo adj.
inocarpina s.f.
inocarpo s.m.
inoccipícia s.f.
inocélia s.f.
inocência s.f.
inocenciense adj. s.2g.
inocentação s.f.
inocentador (*ô*) adj. s.m.
inocentar v.
inocentável adj.2g.
inocente adj. s.2g.
inocéramo s.m.
inocibe s.f.
inociosidade s.f.
inocioso (*ô*) adj.; f. (*ó*); pl. (*ó*)
inocistoma s.m.
inócito s.m.
inoclusão s.f.
inocondrite s.f.
inocondroma s.m.
inocuidade s.f.
inocuini adj. s.2g.
inoculabilidade s.f.
inoculação s.f.
inoculado adj.
inoculador (*ô*) adj. s.m.
inoculamento s.m.
inoculante adj. s.2g.
inocular v.
inoculável adj.2g.
inocúlia s.f.
inoculista adj. s.2g.
inóculo s.m.
inocultável adj.2g.
inócuo adj.
inocupação s.f.
inocupado adj.
inocupável adj.2g.
inodoro adj.
inódula s.f.
inodular adj.2g.
inoense adj. s.2g.
inofensibilidade s.f.
inofensível adj.2g.
inofensividade s.f.
inofensivo adj.
inoficiosidade s.f.
inoficioso (*ô*) adj.; f. (*ó*); pl. (*ó*)
inofilo adj. s.m.
inofuscável adj.2g.
inogênese s.f.
inogenose s.f.
inogenótico adj.
inoglioma s.m.
inoimenite s.f.
in-oitavo s.m.2n.
inolente adj.2g.
inólito s.m.
inoloma s.m.
inolvidado adj.
inolvidando adj.
inolvidável adj.2g.
inoma s.m.
inominado adj.
inominável adj.2g.
inomioma s.m.
inomiosite s.f.
inomixoma (*cs*) s.m.
inomogeneidade s.f.
inomogêneo adj.
inonestidade s.f.
inonesto adj.
ínope adj.2g.
inoperabilidade s.f.
inoperação s.f.
inoperância s.f.
inoperante adj.2g.
inoperatividade s.f.
inoperativo adj.
inoperável adj.2g.
inoperculado adj. s.m.
inoperosidade s.f.
inopexia (*cs*) s.f.
inópia s.f.
inopinabilidade s.f.
inopinado adj. s.m.
inopinável adj.2g.
inopino adj.
inopinoso (*ô*) adj.; f. (*ó*); pl. (*ó*)
inopioso (*ô*) adj.; f. (*ó*); pl. (*ó*)
inoplástico adj.
inoponibilidade s.f.
inoponível adj.2g.
inoportunidade s.f.
inoportunista adj. s.2g.
inoportuno adj.
inoprimido adj.
inopsídio s.m.
inordenado adj.
inorgânico adj.
inorganismo s.m.
inorganização s.f.
inorganizado adj.
inorganizável adj.2g.
inortado adj.
inortodoxo (*cs*) adj.
inosato s.m.
inosclerose s.f.
inosclerótico adj.
inosculação s.f.
inosculado adj.
inoscular v.
inose s.f.
inosemia s.f.
inosêmico adj.
inósico adj.
inosina s.f.
inosínico adj.
inosita s.f.
inosite s.f.
inositol s.m.
inositólico adj.
inositúria s.f.
inositúrico adj.
inospedeiro adj.
inospitaleiro adj.
inospitalidade s.f.
inóspito adj.
inostensivo adj.
inosúria s.f.
inosúrico adj. s.m.
inotagma s.m.
inotrópico adj.
inotropísmico adj.
inotropismo s.m.
inotropístico adj.
inótropo adj.
inovabilidade s.f.
inovação s.f.
inovado adj.
inovador (*ô*) adj. s.m.
inovamento s.m.
inovante adj.2g.
inovar v.
inovatório adj.
inovável adj.2g.
inovulado adj.
inoxidável (*cs*) adj.2g.
inóxio (*cs*) adj.
inquaia s.f.
inqualificável adj.2g.
inquartação s.f.
inquartar v.
in-quarto s.m.2n.
inquebrantabilidade s.f.
inquebrantado adj.
inquebrantável adj.2g.
inquebranto s.m.
inquebrável adj.2g.
inquengue s.f.
inquenta s.2g.
inquenta-naborodô s.f.; pl. *inquentas-naborodôs*
inquerição s.f.; cf. *inquirição*
inquerideira s.f.
inquerido adj.; cf. *inquirido*
inqueridor (*ô*) adj. s.m.; cf. *inquiridor*
inquerir v. "apertar com inquerideira"; cf. *inquirir*
inquérito s.m.
inquestionável adj.2g.
inquezilar v.
inquice s.m.
inquietabilidade s.f.
inquietação s.f.
inquietador (*ô*) adj. s.m.
inquietamento s.m.
inquietante adj.2g.
inquietar v.
inquietável adj.2g.
inquieto adj. s.m.
inquietude s.f.
inquilinagem s.f.
inquilinar v.
inquilinato s.m.
inquilinismo s.m.
inquilino s.m.
inquimba s.m.
inquimbismo s.m.
inquinação s.f.
inquinado adj.
inquinador (*ô*) adj. s.m.
inquinamento s.m.
inquinante adj.2g.
inquinar v.
inquinável adj.2g.
inquini s.2g.
inquinza s.m.
inquirente adj.2g.
inquirição s.f. "averiguação"; cf. *enquerição*
inquirido adj.; cf. *enquerido*
inquiridor (*ô*) adj. s.m.; cf. *enqueridor*
inquiridoria s.f.
inquirimento s.m.
inquirir v. "averiguar"; cf. *enquerir*
inquiritorial adj.2g.
inquisa s.f.
inquisição s.f.
inquisidor (*ô*) s.m.
inquisidor-geral s.m.; pl. *inquisidores-gerais*
inquisidor-mor s.m.; pl. *inquisidores-mores*
inquisitivo adj.
inquisitorial adj.2g.
inquisitório adj.
inquita s.m.
inquizilar v.
inremediável adj.2g.
inrestaurável adj.2g.
inrilhado adj.
insabidade s.f.
insabido adj.
insacável adj.2g.
insaciabilidade s.f.
insaciado adj.
insaciável adj.2g.
insaciedade s.f.
insaculação s.f.

insacular v.
insalificável adj.2g.
insalivação s.f.
insalivar v.
insalubérrimo adj. sup. de *insalubre*
insalubre adj.2g.
insalubridade s.f.
insalutífero adj.
insanabilidade s.f.
insanável adj.2g.
insandeira s.f.
insaneável adj.2g.
insânia s.f.
insanidade s.f.
insano adj.
insaponificável adj.2g.
insarabilidade s.f.
insarado adj.
insarável adj.2g.
insatisfação s.f.
insatisfatório adj.
insatisfeito adj. s.m.
insaturabilidade s.f.
insaturação s.f.
insaturado adj.
insaturante adj.2g.
insaturar v.
insaturável adj.2g.
inscícia s.f.
insciência s.f.
insciente adj.2g.
inscientífico adj.
ínscio adj.
inscrever v.
inscrição s.f.
inscriptibilidade s.f.
inscriptível adj.2g.
inscritibilidade s.f.
inscritível adj.2g.
inscrito adj.
insculpido adj.
insculpir v.
insculptor (*ô*) s.m.
insculptura s.f.
insculturado adj.
inscultural adj.2g.
insecabilidade s.f.
insecável adj.2g.
insectário adj. s.m.
insecticida adj.2g. s.m.
insecticídio s.m.
insectífero adj.
insectiforme adj.2g.
insectífugo adj. s.m.
inséctil adj.
insectirrodo adj. s.m.
insectivoria s.f.
insectívoro adj. s.m.
insecto s.m.
insectófilo adj. s.m.
insectologia s.f.
insectológico adj.
insectologista adj.
insectólogo s.m.
inseduzível adj.2g.
insegurança s.f.
inseguridade s.f.
inseguro adj.
insemelhável adj.2g.
inseminação s.f.
inseminado adj.
inseminador (*ô*) adj. s.m.
inseminamento s.m.
inseminante adj.2g.
inseminar v.
inseminativo adj.
inseminatório adj.
inseminável adj.2g.
insenescência s.f.
insensatez (*ê*) s.f.
insensato adj. s.m.
insensibilidade s.f.
insensibilização s.f.
insensibilizado adj.
insensibilizador (*ô*) adj. s.m.
insensibilizamento s.m.
insensibilizante adj.2g.
insensibilizar v.
insensibilizatório adj.
insensibilizável adj.2g.
insensitivo adj.
insensível adj. s.2g.
insensivo adj.
insentido adj.
inseparabilidade s.f.
inseparado adj.
inseparável adj.2g.
insepulto adj.
insequência (*ü*) s.f.
insequencial (*ü*) adj.2g.
insequente (*ü*) adj.2g.
inserção s.f.
inseribilidade s.f.
inserido adj.
inserimento s.m.
inserir v.
inserível adj.2g.
insertação s.f.
insertar v.
inserto adj. "inserido"; cf. *incerto*
inserve adj.2g.
inservível adj.2g.
insetário adj. s.m.
insetarrão s.m.
inseticida adj.2g. s.m.
inseticídio s.m.
insetífero adj.
insetiforme adj.2g.
insetífugo adj. s.m.
insétil adj.2g.
insetirrodo adj. s.m.
insetivoria s.f.
insetívoro adj. s.m.
inseto s.m.
insetófilo adj. s.m.
insetologia s.f.
insetológico adj.
insetologista adj. s.2g.
insetólogo adj. s.m.
insexuado (*cs*) adj.
insexual (*cs*) adj.2g.
insexualidade (*cs*) s.f.
insídia s.f.; cf. *insidia*, fl. do v. *insidiar*
insidiação s.f.
insidiador (*ô*) adj. s.m.
insidiar v.
insidioso (*ô*) adj.; f. (*ó*); pl. (*ó*)
insigne adj.2g.
insígnia s.f.
insigniar v.
insignido adj.
insignificância s.f.
insignificante adj. s.2g.
insignificativo adj.
insígnios s.m.pl.
insimulação s.f.
insimular v.
insinceridade s.f.
insincero adj.
insindicalizável adj.2g.
insindicável adj.2g.
insinuação s.f.
insinuador (*ô*) adj. s.m.
insinuância s.f.
insinuante adj.2g.
insinuar v.
insinuativa s.f.
insinuativo adj.
insinuável adj.2g.
insinuoso (*ô*) adj.; f. (*ó*); pl. (*ó*)
insipidar v.
insipidez (*ê*) s.f.
insípido adj.; cf. *insipido*, fl. do v. *insipidar*
insipiência s.f. "ignorância"; cf. *incipiência*
insipiente adj.2g. "ignorante"; cf. *incipiente*
insistemático adj.
insistematizável adj.2g.
insistência s.f.
insistente adj.2g.
insistir v.
ínsito adj.; cf. *incito*, fl. do v. *incitar*
insituável adj.2g.
insobrepujável adj.2g.
insobriedade s.f.
insóbrio adj.
insociabilidade s.f.
insocial adj.2g.
insociável adj.2g.
insofismabilidade s.f.
insofismado adj.
insofismável adj.2g.
insofreável adj.2g.
insofregado adj.
insôfrego adj.
insofríbil adj.2g.
insofrido adj.
insofrimento s.m.
insofrível adj.2g.
insolação s.f.; cf. *insulação*
insolado adj. "exposto ao sol"; cf. *insulado*
insolar v.
insoldável adj.2g.
insolência s.f.
insolente adj. s.2g.
insolidariedade s.f.
insolidário adj.
insólito adj.
insolubilidade s.f.
insolubilizar v.
insolúvel adj.2g.
insolvabilidade s.f.
insolvável adj.2g.
insolvência s.f.
insolvente adj. s.2g.
insolvível adj.2g.
insombrio adj.
insondabilidade s.f.
insondado adj.
insondável adj.2g.
insone adj.2g.
insonhado adj.
insonhável adj.2g.
insônia s.f.
insoniar v.
insônico adj.
insônio s.m.
insonioso (*ô*) adj.; f. (*ó*); pl. (*ó*)
ínsono adj.
insonolência s.f.
insonoridade s.f.
insonorização s.f.
insonorizar v.
insonoro adj.
insonte adj.2g.
insopesável adj.2g.
insopitável adj.2g.
insossar v.
insossego (*ê*) s.m.
insosso (*ô*) adj.; cf. *insosso*, fl. do v. *insossar*
inspeção s.f.
inspeção-geral s.f.; pl. *inspeções-gerais*
inspecionado adj.
inspecionador (*ô*) adj. s.m.
inspecionamento s.m.
inspecionar v.
inspecionável adj.2g.
inspetar v.
inspetor (*ô*) adj. s.m.
inspetorado adj.
inspetor-geral s.m.; pl. *inspetores-gerais*
inspetoria s.f.
inspetoria-geral s.f.; pl. *inspetorias-gerais*
inspetório adj.
inspiração s.f.
inspiracionismo s.m.
inspiracionista adj. s.2g.
inspiracionístico adj.
inspirado adj. s.m.
inspirador (*ô*) adj. s.m.
inspirante adj.2g.
inspirar v.
inspirativo adj.
inspiratório adj.
inspirável adj.2g.
inspissação s.f.
inspissamento s.m.
inspissar v.
instabilidade s.f.
instabilizado adj.
instabilizador (*ô*) adj.
instabilizante adj.2g.
instabilizar v.
instabilizável adj.2g.
instado adj.
instalação s.f.
instalado adj.
instalador (*ô*) adj. s.m.
instaladora (*ô*) s.f.
instalamento s.m.
instalar v.
instalável adj.2g.
instaminado adj.
instância s.f.
instantaneidade s.f.
instantâneo adj. s.m.
instantanizar v.
instante adj.2g. s.m.
instar v. s.m.
instaurado adj.
instaurador (*ô*) adj. s.m.
instaurar v.
instaurativo adj.
instável adj.2g. s.m.
instição s.f.
instício s.f.
instigação s.f.
instigado adj.
instigador (*ô*) adj. s.m.
instigamento s.m.
instigante adj.2g.
instigar v.
instigatório adj.
instigável adj.2g.
instilação s.f.
instilado adj.
instilador (*ô*) adj. s.m.
instilamento s.m.
instilante adj.2g.
instilar v.
instilável adj.2g.
instintividade s.f.
instintivismo s.m.
instintivista adj. s.2g.
instintivístico adj.
instintivo adj.
instinto s.m.
instintual adj.2g.
ínstita s.f.
institor (*ô*) s.m.
institório adj.
institucional adj.2g. s.f.
institucionalismo s.m.
institucionalista adj. s.2g.
institucionalístico adj.
institucionalização s.f.
institucionalizado adj.
institucionalizador (*ô*) adj.
institucionalizante adj.2g.
institucionalizar v.
institucionalizável adj.2g.
instituição s.f.
instituído adj. s.m.
instituidor (*ô*) adj. s.m.
instituinte adj.2g.
instituir v.
instituível adj.2g.
instituta s.f.
institutário s.m.
instituto s.m.
instrução s.f.
instrucional adj.2g.
instruendo s.m.
instruído adj.
instruidor (*ô*) adj. s.m.
instruir v.
instruível adj.2g.
instrumentação s.f.
instrumentado adj.
instrumentador (*ô*) adj. s.m.
instrumental adj.2g. s.m.
instrumentalismo s.m.
instrumentalista adj. s.2g.
instrumentalístico adj.
instrumentante adj.2g.
instrumentar v.
instrumentária s.f.; cf. *instrumentaria*, fl. do v. *instrumentar*
instrumentário adj.
instrumentativo adj. s.m.
instrumentável adj.2g.
instrumentismo s.m.
instrumentista adj. s.2g.
instrumentístico adj.
instrumento s.m.
instrutivo adj.
instruto adj.
instrutor (*ô*) adj. s.m.
instrutor-geral s.m.; pl. *instrutores-gerais*
instrutório adj.
instrutura s.f.
ínsua s.f.
insuave adj.2g.
insuavidade s.f.
insubjugado adj.
insubmergibilidade s.f.
insubmergível adj.2g.
insubmersibilidade s.f.
insubmersível adj.2g.
insubmissão s.f.
insubmissível adj.2g.
insubmisso adj. s.m.
insubordinação s.f.
insubordinado adj. s.m.
insubordinador (*ô*) adj. s.m.
insubordinar v.
insubordinável adj.2g.
insubornável adj.2g.
ínsubre adj. s.2g.
insúbrio adj. s.m.
insubsistência s.f.
insubsistente adj.2g.
insubstância s.f.
insubstancial adj.2g.
insubstancialidade s.f.
insubstituibilidade s.f.
insubstituível adj.2g.
insubversivo adj.
insucedido adj.
insucessível adj.2g.
insucesso s.m.
insuco s.m.
insueto adj.
insuficiência s.f.
insuficiente adj.2g.
insuflação s.f.
insuflado adj.
insuflador (*ô*) adj. s.m.
insuflamento s.m.
insuflante adj.2g.
insuflar v.
insuflável adj.2g.
insuflo s.m.
insufocável adj.2g.
ínsula s.f.; cf. *insula*, fl. do v. *insular*
insulação s.f. "isolamento"; cf. *insolação*
insulado adj. s.m. "isolado"; cf. *insolado*
insulador (*ô*) adj. s.m.
insulamento s.m.
insulano adj. s.m.
insulante adj.2g.
insular v. adj. s.2g.
insularidade s.f.
insularismo s.m.
insularista adj. s.2g.
insularístico adj.
insulativo adj.
insulável adj.2g.
insulcado adj.
insulcável adj.2g.
insulina s.f.
insulínase s.f.
insulindiano adj. s.m.
insulíndico adj.
insulíndio adj. s.m.
insulínico adj.
insulinoma s.m.
insulinorresistência s.f.
insulinorresistente adj. s.2g.
insulinoterapia s.f.
insulinoterápico adj.
insulite s.f.
ínsulo adj.; cf. *insulo*, fl. do v. *insular*
insulsaria s.f.
insulsez (*ê*) s.f.
insulsice s.f.
insulsidade s.f.

insulso adj.
insultado adj. s.m.
insultador (*ô*) adj. s.m.
insultante adj. s.2g.
insultar v.
insultável adj.2g.
insulto s.m.
insultuoso (*ô*) adj.; f. (*ó*); pl. (*ó*)
insumação s.f.
insumar v.
insumidor (*ô*) adj. s.m.
insumir v.
insumível adj.2g.
insumo s.m.
insuperabilidade s.f.
insuperável adj.2g.
insuportável adj.2g.
insuprimível adj.2g.
insuprível adj.2g.
insurdescência s.f.
insurdescente adj.2g.
insurgência s.f.
insurgente adj. s.2g.
insurgido adj.
insurgir v.
insurreccionado adj.
insurreccional adj.2g.
insurreccionar v.
insurreccionário adj. s.m.
insurreccionismo s.m.
insurreccionista adj. s.2g.
insurreccionístico adj.
insurrecionado adj. s.m.
insurrecional adj.2g.
insurrecionar v.
insurrecionário adj. s.m.
insurrecionismo s.m.
insurrecionista adj. s.2g.
insurrecionístico adj.
insurrecto adj. s.m.
insurreição s.f.
insurreicionismo s.m.
insurreicionista adj. s.2g.
insurreicionístico adj.
insurreto adj. s.m.
insusceptibilidade s.f.
insusceptivo adj.
insuscetivo adj.
insuspeição s.f.
insuspeitado adj.
insuspeitável adj.2g.
insuspeito adj.
insuspeitoso (*ô*) adj.; f. (*ó*); pl. (*ó*)
insuspensibilidade s.f.
insuspensível adj.2g.
insustentabilidade s.f.
insustentável adj.2g.
intã s.f.
intáctil adj.2g.
intactilidade s.f.
intacto adj.
intaipaba s.f.
intaipava s.f.
intalho s.m.
intamado adj.
intambe s.m.
intanense adj. s.2g.
intangendo adj.
intangibilidade s.f.
intangido adj.
intangível adj.2g.
intanha s.f.
intarvina s.f.
intátil adj.2g.
intatilidade s.f.
intato adj.
intaúba s.f.
intecível adj.2g.
integérrimo adj. sup. de *íntegro*
íntegra s.f.
integrabilidade s.f.
integração s.f.
integracionismo s.m.
integracionista adj. s.2g.
integracionístico adj.
integrado adj.
integrador (*ô*) s.m.
intégrafo s.m.
integral adj.2g. s.f.
integralidade s.f.
integralismo s.m.
integralista adj. s.2g.
integralístico adj.
integralização s.f.
integralizado adj.
integralizador (*ô*) adj.
integralizante adj.2g.
integralizar v.
integralizável adj.2g.
integrando s.m.
integrante adj. s.2g. s.f.
integrar v.
integratividade s.f.
integrativo adj.
integrável adj.2g.
integricípita s.f.
integricípito adj. s.m.
integridade s.f.
integrifólio adj.
integriforme adj.2g.
integrina s.f.
integripaliado s.m.
integripalpia s.f.
integrismo s.m.
integrista adj. s.2g.
integrístico adj.
íntegro adj.; cf. *integro*, fl. do v. *integrar*
integrométrico adj.
integrômetro s.m.
integropaleal adj.2g. s.m.
integumental adj.2g.
integumento s.m.
inteigar v.
inteira s.m.f.
inteiração s.f. "completação"; cf. *interação*
inteirado adj.
inteirador (*ô*) adj.
inteiramento s.m.
inteirante adj.2g.
inteirar v.
inteirável adj.2g.
inteireza (*ê*) s.f.
inteiriça s.f.
inteiriçado adj.
inteiriçante adj.2g.
inteiriçar v.
inteiriço adj.
inteirido adj.
inteiro adj. s.m.
inteleção s.f.
intelecção s.f.
inteleccionar v.
intelecionar v.
inteléctica s.f.
intelectismo s.m.
intelectível adj.2g.
intelectivo adj.
intelecto s.m.
intelectófilo adj. s.m.
intelectófobo adj. s.m.
intelectual adj. s.2g.
intelectualidade s.f.
intelectualismo s.m.
intelectualista adj. s.2g.
intelectualístico adj.
intelectualização s.f.
intelectualizado adj.
intelectualizar v.
intelectualizável adj.2g.
intelética s.f.
inteletismo s.m.
inteletível adj.2g.
inteletivo adj.
inteleto s.m.
inteletófilo adj. s.m.
inteletófobo adj. s.m.
inteletual adj. s.2g.
inteletualidade s.f.
inteletualismo s.m.
inteletualista adj. s.2g.
inteletualístico adj.
inteletualização s.f.
inteletualizado adj.
inteletualizar v.
inteletualizável adj.2g.
inteligência s.f.
inteligenciado adj.
inteligenciamento s.m.
inteligenciar v.
inteligenciável adj.2g.
inteligente adj. s.2g.
inteligibilidade s.f.
inteligir v.
inteligível adj.2g. s.m.
intelijumência s.f.
intelijumento adj. s.m.
intemélio adj. s.m.
intemente adj.2g.
intemeratez (*ê*) s.f.
intemerato adj.
intemperado adj.
intemperança s.f.
intemperante adj.2g.
intemperar v.
intemperável adj.2g.
intempérico adj.
intempérie s.f.
intemperismo s.m.
intemperístico adj.
intemperização s.f.
intemperizado adj.
intemperizador (*ô*) adj.
intemperizante adj.2g.
intemperizar v.
intemperizável adj.2g.
intempestividade s.f.
intempestivo adj.
intemporabilidade s.f.
intemporal adj.2g.
intemporalidade s.f.
intenção s.f. "disposição"; cf. *intensão*
intencionado adj.
intencional adj.2g.
intencionalidade s.f.
intencionalismo s.m.
intencionar v.
intencionável adj.2g.
intencionismo s.m.
intendência s.f.
intendência-geral s.f.; pl. *intendências-gerais*
intendenciense adj. s.2g.
intendente adj. s.2g.
intendente-geral s.m.; pl. *intendentes-gerais*
intender v. "intensar"; cf. *entender*
intensado adj.
intensão s.f. "intensidade"; cf. *intenção*
intensar v.
intensidade s.f.
intensificação s.f.
intensificador (*ô*) adj. s.m.
intensificante adj.2g.
intensificar v.
intensificável adj.2g.
intensivação s.f.
intensivar v.
intensividade s.f.
intensivo adj.
intenso adj.
intentado adj.
intentar v.
intentável adj.2g.
intento adj. s.m.
intentona s.f.
intentor (*ô*) s.m.
interacadêmico adj.
interação s.f. "ação recíproca"; cf. *inteiração*
interacionismo s.m.
interacionista adj. s.2g.
interacionístico adj.
interaçoriano adj.
interafricano adj.
interagente adj.2g.
interagir v.
interaliado adj.
interalveolar adj.2g.
interambulacral adj.2g.
interambulacrário adj.
interambulacro s.m.
interamericanismo s.m.
interamericano adj.
interamnate adj. s.2g.
interamne adj.2g.
interamnense adj. s.2g.
interamoniano adj.
interantenal adj.2g.
interantenário adj.
interanular adj.2g.
interapofisário adj.
interárea s.f.
interaritenoide (*ó*) adj.2g.
interaritenoideia (*é*) adj.; f. de *interaritenoideu*
interaritenóideo adj. s.m.
interaritenoideu adj.; f. *interaritenoideia* (*é*)
interarticular adj.2g.
interasiático adj.
interastral adj.2g.
interatividade s.f.
interativo adj.
interatômico adj.
interatrial adj.2g.
interatuação s.f.
interatuante adj.2g.
interatuar v.
interatuável adj.2g.
interauricular adj.2g.
interaxilar (*cs*) adj.2g.
interbasal adj.2g.
interbranquial adj.2g.
interbrânquio adj.
interbraquial adj.2g.
intercaciense adj. s.2g.
intercadência s.f.
intercadente adj.2g.
intercalação s.f.
intercalado adj.
intercalador (*ô*) adj. s.m.
intercalar v. adj.2g.
intercambiabilidade s.f.
intercambial adj.2g.
intercambialidade s.f.
intercambiar v.
intercambiável adj.2g.
intercâmbio s.m.
intercapedem s.f.
intercapilar adj.2g.
intercarotidiano adj.
intercarpelar adj.2g.
intercartilagíneo adj.
intercedência s.f.
intercedente adj.2g.
interceder v.
intercedoiro adj.
intercedouro adj.
intercelular adj.2g.
intercensitário adj.
intercentro s.m.
intercepção s.f.
intercepcionismo s.m.
interceptação s.f.
interceptado adj.
interceptador (*ô*) adj. s.m.
interceptante adj.2g.
interceptar v.
interceptável adj.2g.
interceptivo adj.
intercepto adj.
interceptor (*ô*) adj. s.m.
interceptório adj.
intercerebeloso (*ô*) adj.; f. (*ó*); pl. (*ó*)
intercervical adj.2g.
intercessão s.f. "intervenção"; cf. *intersecção*
intercessor (*ô*) adj. s.m.
intercidência s.f.
intercidente adj.2g.
intercientífico adj.
intercílio s.m.
intercinese s.f.
intercipiente adj. s.2g.
intercisão s.f.
interciso adj.
interclasse adj.2g.
interclassificação s.f.
interclavícula s.f.
interclavicular adj.2g.
interclinoide (*ó*) s.m.
interclube adj.2g.
interclubista adj.2g.
intercoccígio adj.
intercolegial adj.2g.
intercolonial adj.2g.
intercolunar adj.2g.
intercolunata s.f.
intercolúnio s.m.
intercombinação s.f.
intercompreensão s.f.
intercomunal adj.2g.
intercomunhão s.f.
intercomunicação s.f.
intercomunicador (*ô*) s.m.
intercomunicante adj.2g.
intercomunicar v.
intercomunicável adj.2g.
intercondiliano adj.
intercondiloide (*ó*) adj.2g.
intercondral adj.2g.
interconectivo adj. s.m.
interconecto adj.
interconector (*ô*) adj. s.m.
interconexão (*cs*) s.f.
interconexo (*cs*) adj.
interconfessional adj.2g.
interconfessionalismo s.m.
interconfissional adj.2g.
interconfissionalismo s.m.
interconsonântico adj.
intercontinental adj.2g.
intercontinentalidade s.f.
intercontinentalismo s.m.
interconversão s.f.
interconversibilidade s.f.
interconversível adj.2g.
intercorrelação s.f.
intercorrelatividade s.f.
intercorrelativo adj.
intercorrelato adj.
intercorrência s.f.
intercorrente adj.2g.
intercorrer v.
intercorrespondência s.f.
intercorrespondente adj. s.2g.
intercorresponder v.
intercorrido adj.
intercortado adj.
intercortical adj.2g.
intercósmico adj.
intercostal adj.2g.
intercosto (*ô*) s.m.
intercóstula s.f.
intercotidal adj.2g.
intercratônico adj.
intercrescente adj.2g.
intercrescimento s.m.
intercristalino adj.
intercrítico adj.
intercruzado adj.
intercruzante adj.2g.
intercruzar v.
intercruzável adj.2g.
intercultura s.f.
intercultural adj.2g.
intercuneano adj.
intercurso s.m.
intercuspidiano adj.
intercutâneo adj.
interdeferencial adj.2g.
interdendrítico adj.
interdental adj.2g. s.f.
interdentário adj.
interdepartamental adj.2g.
interdependência s.f.
interdependente adj.2g.
interdepender v.
interdição s.f.
interdicente adj.2g.
interdigitação s.f.
interdigital adj.2g.
interdigitar v.
interdigitável adj.2g.
interdígito s.m.
interdisciplina s.f.
interdisciplinar adj.2g.
interdisciplinaridade s.f.
interdistrital adj.2g.
interditado adj. s.m.
interditando s.m.
interditante adj.2g.
interditar v.
interditável adj.2g.
interditivo adj.
interdito adj. s.m.

interdizer v.
interdominial adj.2g.
interdormido adj.
interduna s.f.
intérduo s.m.
intereclesiástico adj.
intereletródico adj.
interescapular adj.2g.
interescolar adj.2g.
interespacejação s.f.
interespacejamento s.m.
interespacejar v.
interespecificidade s.f.
interespecífico adj.
interespinhoso (*ô*) adj.; f. (*ó*); pl. (*ó*)
interessado adj. s.m.
interessal adj.2g.
interessante adj.2g.
interessar v.
interesse (*é* ou *ê*) s.m.
interesseiro adj. s.m.
interessência s.f.
interessente adj.2g.
interessículo s.m.
interessismo s.m.
interessista adj. s.2g.
interessor (*ô*) s.m.
interestação s.f.
interestadial adj.2g.
interestadual adj.2g.
interestadualidade s.f.
interestatal adj.2g.
interestelar adj.2g.
interesterificação s.f.
interesterificador (*ô*) adj.
interesterificante adj.2g.
interesterificar v.
interesterificável adj.2g.
interestéril adj.2g.
interesterilidade s.f.
interesternal adj.2g.
interestratal adj.2g.
interestrático adj.
interestratificação s.f.
interestratificado adj.
interestratificante adj.2g.
interestratificar v.
interestratificável adj.2g.
interestrato s.m.
intereuropeia (*é*) adj.; f. de *intereuropeu*
intereuropeu adj.; f. *intereuropeia* (*é*)
interface s.f.
interfacial adj.2g.
interfaixa s.f.
interfalangial adj.2g.
interfalangiano adj.
interfascicular adj.2g.
interfase s.f.
interfásico adj.
interfebrilar adj.2g.
interfecundidade s.f.
interfecundo adj.
interfemíneo adj.
interfemínio s.m.
interfemoral adj.2g.
interfenômeno s.m.
interferência s.f.
interferencial adj.2g.
interferente adj.2g.
interferir v.
interferografia s.f.
interferográfico adj.
interferograma s.m.
interferometria s.f.
interferométrico adj.
interferômetro s.m.
interferon s.m.
interfértil adj.2g.
interfertilidade s.f.
interfibrilar adj.2g.
interfilamentar adj.2g.
interfixo (*cs*) adj. s.m.
interfloral adj.2g.
interfluminense adj. s.2g.
interfluvial adj.2g.
interflúvio s.m.
interfolha (*ô*) adj.2g.
interfolheáceo adj.
interfoliação s.f.
interfoliáceo adj.
interfoliado adj.
interfoliar v. adj.2g.
interfoliense adj. s.2g.
interfólio adj. s.m.; cf. *interfolio*, fl. do v. *interfoliar*
interfonar v.
interfone s.m.
interfranja s.f.
interfrontal adj.2g. s.m.
interfusão s.f.
intergaláctico adj.
interganglionar adj.2g.
intergenérico adj.
interginasial adj.2g.
intergiversal adj.2g.
intergiversável adj.2g.
interglacial adj.2g.
interglaciar adj.2g.
interglaciário adj. s.m.
interglenóideo adj. s.m.
interglobular adj.2g.
interglossa s.f.
interglúteo adj.
intergovernamental adj.2g.
intergranular adj.2g.
intergranularidade s.f.
intergrupal adj.2g.
intergrupalidade s.f.
intergrupo s.m.
inter-helênico adj.
inter-hemisférico adj.
inter-humano adj.
interiçado adj.
interiçar v.
ínterim s.m.
interinado adj. s.m.
interinar v.
interinato s.m.
interindependência s.f.
interindependente adj.2g.
interindividual adj.2g.
interindustrial adj.2g.
interinfluência s.f.
interinfluenciante adj.2g.
interinfluenciar v.
interinfluenciável adj.2g.
interinfluente adj.2g.
interinfluição s.f.
interinfluir v.
interinfluível adj.2g.
interinidade s.f.
interino adj. s.m.
interinsular adj.2g.
interiônico adj.
interior (*ô*) adj.2g. s.m.
interioranidade s.f.
interioranismo s.m.
interioranista adj. s.2g.
interioranístico adj.
interiorano adj. s.m.
interioridade s.f.
interiorismo s.m.
interiorista adj. s.2g.
interiorístico adj.
interiorização s.f.
interiorizado adj.
interiorizar v.
interiorizável adj.2g.
interislâmico adj.
interjacente adj.2g.
interjeccional adj.2g.
interjeccionar v.
interjecional adj.2g.
interjecionar v.
interjectivar v.
interjectivo adj.
interjeição s.f.
interjeicionar v.
interjetivar v.
interjetivo adj.
interlabial adj.2g.
interlaçar v.
interlace s.m.
interlacustre adj.2g.
interlamelar adj.2g.
interlandense adj. s.2g.
interlandiense adj. s.2g.
interlatericostal adj.2g.
interlenhoso (*ô*) adj.; f. (*ó*); pl. (*ó*)
interleucina s.f.
interliceal adj.2g.
interligação s.f.
interligamentoso (*ô*) adj.; f. (*ó*); pl. (*ó*)
interligar v.
interlínea s.f.
interlineal adj.2g.
interlinear adj.2g.
interlíngua s.f.
interlingual adj.2g.
interlinguista (*ü*) adj. s.2g.
interlinguística (*ü*) s.f.
interlinguístico (*ü*) adj.
interlinha s.f.
interlinhado adj.
interlobado adj.
interlobar adj.2g.
interlobular adj.2g.
interlocução s.f.
interlocutor (*ô*) s.m.
interlocutória s.f.
interlocutório adj. s.m.
interlope s.m.
interlóquio s.m.
interlúcido adj. s.m.
interlúdio s.m.
interlunar adj.2g.
interlúnio s.m.
intermação s.f.
intermado adj.
intermandibular adj.2g.
intermar v.
intermaxilar (*cs*) adj.2g. s.m.
intermeado adj.
intermear v.
intermediação s.f.
intermedial adj.2g.
intermediar v.
intermediário adj. s.m.
intermedina s.f.
intermédio adj. s.m.
intermedular adj.2g.
intermembral adj.2g.
intermenstruação s.f.
intermenstrual adj.2g.
intermênstruo s.m.
intermetálico adj.
intermeter v.
intermicelar adj.2g.
intermigração s.f.
intermigrante adj. s.2g.
intermigrar v.
intermigrável adj.2g.
interminável adj.2g.
interministerial adj.2g.
intérmino adj.
intermiotônico adj.
intermissão s.f.
intermisturar v.
intermitência s.f.
intermitente adj.2g.
intermitir v.
intermitótico adj.
intermobilidade s.f.
intermodal adj.2g.
intermodulação s.f.
intermolecular adj.2g.
intermonçônico adj.
intermontano adj.
intermostrar v.
intermóvel adj.2g.
intermundial adj.2g.
intermúndio s.m.
intermunicipal adj.2g. s.m.
intermural adj.2g.
intermuscular adj.2g.
intermutante adj.2g.
intermutável adj.2g.
internação s.f.
internacional adj. s.2g. s.f.
internacionalidade s.f.
internacionalismo s.m.
internacionalista adj. s.2g.
internacionalístico adj.
internacionalização s.f.
internacionalizado adj.
internacionalizante adj.2g.
internacionalizar v.
internacionalizável adj.2g.
internado adj. s.m.
internal adj.2g.
internalizado adj.
internalizar v.
internamento s.m.
internar v.
internasal adj.2g.
internato s.m.
internauta s.2g.
internet s.f.
interneurônio s.m.
interno adj. s.m.
internodial adj.2g.
internódio s.m.
internopalmar adj.2g.
internuclear adj.2g.
internuncial adj.2g.
internunciatura s.f.
internúncio s.m.
interoanterior adj.2g.
interobjetal adj.2g.
interoceânico adj.
interoceaniense adj.2g.
interoceptivo adj.
interoceptor (*ô*) adj. s.m.
interocular adj.2g.
interoinferior adj.2g.
interoperar v.
interoperável adj.2g.
interopercular s.m.
interopérculo s.m.
interoperiódico adj.
interoposição s.f.
interoposterior adj.2g.
interóptico adj.
interorbitário adj.
interorgânico adj.
interósseo adj.
interossuperior (*ô*) adj.2g.
interpapilar adj.2g.
interparietal adj.2g.
interparlamentar adj.2g.
interpartidário adj.
interpeciolar adj.2g.
interpeduncular adj.2g.
interpelação s.f.
interpelado adj. s.m.
interpelador (*ô*) adj. s.m.
interpelante adj. s.2g.
interpelar v.
interpelável adj.2g.
interpenetração s.f.
interpenetrado adj.
interpenetrador (*ô*) adj.
interpenetrante adj.2g.
interpenetrar v.
interpenetrável adj.2g.
interpeninsular adj.2g.
interpessoal adj.2g.
interplanetário adj.
interplano s.m.
interplantação s.f.
interpleural adj.2g.
interpluvial adj.2g.
interplúvio s.m.
interpoimento s.m.
interpolação s.f.
interpolada s.f.
interpolado adj.
interpolador (*ô*) adj. s.m.
interpolamento s.m.
interpolante adj.2g.
interpolar v. adj.2g.
interpolatriz s.f.
interpolimerização s.f.
interpolimerizar v.
interpolímero s.m.
interpontuação s.f.
interpor (*ô*) v.
interpórico adj.
interporto (*ô*) s.m.
interposição s.f.
interpositiva s.f.
interpositivo adj.
interpósito s.m.
interposto (*ô*) adj. s.m.; f. (*ó*); pl. (*ó*)
interpotente adj.2g.
interprender v.
interpresa (*ê*) s.f.
interpresado adj.
interpresar v.
interpreso (*ê*) adj.
interpretação s.f.
interpretado adj.
interpretador (*ô*) adj. s.m.
interpretante adj. s.2g.
interpretar v.
interpretativo adj.
interpretável adj.2g.
intérprete s.2g.; cf. *interprete*, fl. do v. *interpretar*
interprisma s.m.
interprismático adj.
interprofissional adj.2g.
interprofissionalidade s.f.
interprofissionalismo s.m.
interprofissionalítico adj.
interprovincial adj.2g.
interproximal (*ss*) adj.2g.
interpsicologia s.f.
interpsicológico adj.
interpulmonar adj.2g.
interpulso s.m.
interquartil s.m.
inter-racial adj.2g.
inter-racionalismo s.m.
inter-radial adj.2g.
inter-rádio s.m.
inter-regional adj.2g.
inter-regionalismo s.m.
inter-regionalístico adj.
interregno s.m.
inter-rei s.m.
inter-relação s.f.
inter-relacionado adj.
inter-relacionamento s.m.
inter-relacionante adj.2g.
inter-relacionar v.
inter-relacionável adj.2g.
inter-relatividade s.f.
inter-relativo adj.
inter-renal adj.2g.
inter-resistente adj.2g.
intérrito adj.
interrogação s.f.
interrogado adj. s.m.
interrogador (*ô*) adj. s.m.
interrogamento s.m.
interrogando adj. s.m.
interrogante adj. s.2g.
interrogar v.
interrogativo adj.
interrogatório adj. s.m.
interrogável adj.2g.
interrompedor (*ô*) adj. s.m.
interromper v.
interrompido adj.
interrompimento s.m.
interrupção s.f.
interruptipenado adj.
interruptipenatisseto adj.
interruptivo adj.
interrupto adj.
interruptopenado adj.
interruptopenatisseto adj.
interruptor (*ô*) adj. s.m.
intersachar v.
interscálmio s.m.
interscleritos s.m.pl.
intersecância s.f.
intersecante adj.2g.
interseção s.f.
intersecar v.
intersecção s.f. "cruzamento"; cf. *intercessão*
interseccional adj.2g.
intersecional adj.2g.
intersectação s.f.
intersectado adj.
intersectante adj.2g.
intersectar v.
intersectável adj.2g.
intersecular adj.2g.
intersegmental adj.2g.
intersegmento s.m.
interseminal adj.2g.
intersensorial adj.2g.
intersensório s.m.
interseptal adj.2g.
intersepto s.m.

interserir v.
intersertal adj.2g.
intersexo (*cs*) s.m.
intersexuado (*cs*) s.m.
intersexual (*cs*) adj.2g.
intersexualidade (*cs*) s.f.
intersexualismo (*cs*) s.m.
intersideral adj.2g.
intersigmoide (*ó*) adj.2g.
intersigno s.m.
intersilhado adj.
intersindical adj.2g.
intersistemático adj.
intersístole s.f.
intersocial adj.2g.
interspinhoso (*ô*) adj.; f. (*ó*); pl. (*ó*)
interspinoso (*ô*) adj.; f. (*ó*); pl. (*ó*)
interstadial adj.2g.
interstelar adj.2g.
interstéril adj.2g.
intersterilidade s.f.
intersternal adj.2g.
intersticial adj.2g.
interstício s.m.
intersticioma s.m.
interstratificado adj.
intersubjetividade s.f.
intersubjetivismo s.m.
intersubjetivista adj. s.2g.
intersubjetivístico adj.
intersubjetivo adj.
intersulco s.m.
intersuperciliar adj.2g.
intertecer v.
intertecido adj.
intertemporal adj.2g.
intertemporalidade s.f.
intertenido adj.
intertexto adj.
intertextual adj.2g.
intertextualismo s.m.
intertextualístico adj.
intertidal adj.2g.
intertipo s.f.
intertônico adj.
intertranscendente adj.2g.
intertransformabilidade s.f.
intertransformante adj.2g.
intertransformar v.
intertransformatividade s.f.
intertransformativo adj.
intertransformável adj.2g.
intertransversário adj.
intertraqueliano adj.
intertraquiobrônquico adj.
intertribal adj.2g.
intertrigem s.f.
intertriginoso (*ô*) adj.; f. (*ó*); pl. (*ó*)
intertrigo s.m.
intertrocanteriano adj.
intertropical adj.2g.
interturbação s.f.
interturbado adj.
interturbador (*ô*) adj.
interturbamento s.m.
interturbar v.
interturbável adj.2g.
interuniversitário adj.
interurbano adj. s.m.
interuretérico adj.
interusúrio s.m.
interuteroplacentário adj.
interutricular adj.2g.
intervalado adj.
intervalar v. adj.2g.
intervaleiro s.m.
intervalo s.m.
intervalometria s.f.
intervalométrico adj.
intervalômetro s.m.
intervenção s.f.
intervencionismo s.m.
intervencionista adj. s.2g.
intervencionístico adj.
intervenideira s.f.
interveniência s.f.
interveniente adj. s.2g.
intervenoso (*ô*) adj.; f. (*ó*); pl. (*ó*)
interventivo adj.
interventor (*ô*) adj. s.m.
interventoria s.f.
interventral adj.2g. s.f.
interventricular adj.2g.
interventrículo s.m.
interver v.
interversão s.f.
interversibilidade s.f.
interversível adj.
intervertebral adj.2g.
intervertebrocostal adj.2g.
interverter v.
intervicinal adj.2g.
intervindo adj.
intervir v.
intervisibilidade s.f.
intervisível adj.2g.
intervizinhança s.f.
intervizinho adj.
intervocal adj.2g.
intervocálico adj.
interzona s.f.
interzonal adj.2g.
intestado adj.; cf. *entestado*
intestável adj.2g.; cf. *entestável*
intestelar v.
intestinal adj.2g.
intestinar v.
intestinina s.f.
intestino adj. s.m.
intexto (*ê*) adj.
intibélia s.f.
intica s.f.
inticante adj.2g.
inticar v.
intigo adj. s.m.
íntima s.f.
intimação s.f.
intimado adj. s.m.
intimador (*ô*) adj. s.m.
intimamento s.m.
intimante adj.2g.
intimar v.
intimativa s.f.
intimativo adj.
intimatório adj.
intimável adj.2g.
intimidação s.f.
intimidade s.f.
intimidado adj.
intimidador (*ô*) adj. s.m.
intimidante adj.2g.
intimidar v.
intimidativo adj.
intimidável adj.2g.
intimidecer v.
intimismo s.m.
intimista adj. s.2g.
intimístico adj.
intimite s.f.
íntimo adj. s.m.; cf. *intimo*, fl. do v. *intimar*
intimorato adj.
intimua s.m.
intina s.f.
intinção s.f.
intino s.m.
intisi s.m.
intitulação s.f.
intitulado adj.
intitulador (*ô*) adj.
intitulamento s.m.
intitulante adj.2g.
intitular v.
intitulativo adj.
intitulável adj.2g.
intocável adj. s.2g.
intoirir v.
intoldável adj.2g.
intolerabilidade s.f.
intolerância s.f.
intolerante adj. s.2g.
intolerantismo s.m.
intolerantista adj. s.2g.
intolerável adj.2g.
intolina s.f.
intonação s.f.
intonar v.
intonso adj.
intorção s.f.
intorcível adj.
intoto s.m.
intourido adj.
intourir v.
intoxicação (*cs*) s.f.
intoxicado (*cs*) adj.
intoxicador (*cs...ô*) adj. s.m.
intoxicamento (*cs*) s.m.
intoxicante (*cs*) adj.2g.
intoxicar (*cs*) v.
intoxicável (*cs*) adj.2g.
intra-abdominal adj.2g.
intra-amniótico adj.
intra-aracnóideo adj.
intra-arterial adj.2g.
intra-articular adj.2g.
intra-atômico adj.
intra-auricular adj.2g.
intrabalhado adj.
intrabiôntico adj.
intracapilar adj.2g.
intracapsular adj.2g.
intracardíaco adj.
intracarotidiano adj.
intracartilaginoso (*ô*) adj.; f. (*ó*); pl. (*ó*)
intracavitário adj.
intracelular adj.2g.
intracerebral adj.2g.
intracervical adj.2g.
intracitoplasmático adj.
intraclasse adj.2g.
intraclástico adj.
intraclasto s.m.
intracoronal adj.2g.
intracortical adj.2g.
intracostal adj.2g.
intracraniano adj.
intracristalino adj.
intracrustal adj.2g.
intracultural adj.2g.
intracutâneo adj.
intracuticular adj.2g.
intradepartamental adj.2g.
intradérmico adj.
intradermorreação s.f.
intradermorreatividade s.f.
intradermorreativo adj.
intradilatado adj.
intradorso (*ô*) s.m.
intradutibilidade s.f.
intraduzibilidade s.f.
intraduzível adj.2g.
intraepidérmico adj.
intraescapular adj.2g.
intraespinal adj.2g.
intraestelar adj.2g.
intraestratal adj.2g.
intrafacial adj.2g.
intrafaradização s.f.
intrafascicular adj.2g.
intrafegável adj.2g.
intrafetação s.f.
intrafolho (*ô*) s.m.
intrafólio adj.
intraformacional adj.2g.
intragalvanização s.f.
intraganglionar adj.2g.
intragástrico adj.
intragável adj.2g.
intragenérico adj.
intragênico adj.
intraglacial adj.2g.
intraglandular adj.2g.
intraglúteo adj.
intragovernamental adj.2g.
intragranular adj.2g.
intragranularidade s.f.
intragrupal adj.2g.
intragrupo s.m.
intra-hepático adj.
intra-histórico adj.
intralenticular adj.2g.
intralingual adj.2g.
intralinguístico (*ü*) adj.
intralobular adj.2g.
intraluminal adj.2g.
intramamário adj.
intramarginal adj.2g.
intrameabilidade s.f.
intrameante adj.2g.
intramedular adj.2g.
intramental adj.2g.
intramento s.m.
intramercurial adj.2g.
intramina s.f.
intramolecular adj.2g.
intramontanhês adj.
intramorfênico adj.
intramural adj.2g.
intramuros adv. adj.2g.2n.
intramuscular adj.2g.
intranacional adj.2g.
intranasal adj.2g.
intrancedente adj.2g.
intrância s.f.
intranet s.f.
intraneural adj.2g.
intranquilidade (*ü*) s.f.
intranquilizador (*ü...ô*) adj.
intranquilizante (*ü*) adj.2g.
intranquilizar (*ü*) v.
intranquilizável (*ü*) adj.2g.
intranquilo (*ü*) adj.
intranscedente adj.2g.
intransferência s.f.
intransferibilidade s.f.
intransferível adj.2g.
intransgredível adj.2g.
intransgressível adj.2g.
intransigência s.f.
intransigente adj. s.2g.
intransigibilidade s.f.
intransigível adj.2g.
intransitabilidade s.f.
intransitado adj.
intransitável adj.2g.
intransitivar v.
intransitividade s.f.
intransitivo adj. s.m.
intransmissibilidade s.f.
intransmissível adj.2g.
intransmutável adj.2g.
intransnadável adj.2g.
intransparência s.f.
intransparente adj.2g.
intransplantável adj.2g.
intransponível adj.2g.
intransportável adj.2g.
intranstornável adj.2g.
intranuclear adj.2g.
intraocular adj.2g.
intraorgânico adj.
intraósseo adj.
intraparietal adj.2g.
intrapeciolar adj.2g.
intrapélvico adj.
intrapelvino adj.
intraperiódico adj.
intraperitonial adj.2g.
intrapessoal adj.2g.
intrapetroso (*ô*) adj.; f. (*ó*); pl. (*ó*)
intrapleural adj.2g.
intrapluvial adj.2g.
intraprotálico adj.
intrapsíquico adj.
intrapulmonar adj.2g.
intrário adj. s.m.
intrarracial adj.2g.
intrarradial adj.2g.
intrarraquidiano adj.
intrassegmentar adj.2g.
intrasseminal adj.2g.
intrassomático adj.
intrassubjetivo adj.
intratabilidade s.f.
intratado adj.
intratarsal adj.2g.
intratável adj. s.2g.
intratecal adj.2g.
intratelúrico adj.
intratendinoso (*ô*) adj.; f. (*ó*); pl. (*ó*)
intratesticular adj.2g.
intratextual adj.2g.
intratimpânico adj.
intratireoide (*ó*) adj.2g.
intrato s.m.
intratorácico adj.
intratraqueal adj.2g.
intratribal adj.2g.
intratubárico adj.
intrauterino adj.
intrautricular adj.2g.
intravagante adj.2g.
intravaginal adj.2g.
intravascular adj.2g.
intraveicular adj.2g.
intravenoso (*ô*) adj.; f. (*ó*); pl. (*ó*)
intraventricular adj.2g.
intraverbal adj.2g.
intravertebrado adj.
intravertebral adj.2g.
intravesical adj.2g.
intravital adj.2g.
intravitelino adj.
intrazonal adj.2g.
intrechar v.
intrêmulo adj.
intrenca s.f.
intrepidez (*ê*) s.f.
intrepideza (*ê*) s.f.
intrépido adj.
intrespassável adj.2g.
intributável adj.2g.
intricado adj.
intricamento s.m.
intricar v.
intrico s.m.
intriga s.f.
intrigado adj. s.m.
intrigalha s.f.
intrigalhada s.f.
intrigalhar v.
intrigante adj. s.2g.
intrigar v.
intriguelha (*ê*) s.f.
intriguento adj. s.m.
intriguista adj. s.2g.
intrincado adj.
intrincamento s.m.
intrincar v.
intrinsecado adj.
intrínseco adj.
intrita s.f.
intriunfável adj.2g.
introdução s.f.
introdutível adj.2g.
introdutivo adj.
introdutor (*ô*) adj. s.m.
introdutório adj.
introduzido adj.
introduzir v.
introduzível adj.2g.
introflexão (*cs*) s.f.
introgressão s.f.
introgressivo adj.
introito (*ó*) s.m.
introjeção s.f.
introjecção s.f.
introjectante adj.2g.
introjectar v.
introjectável adj.2g.
introjectível adj.2g.
introjectividade s.f.
introjectivo adj.
introjetante adj.2g.
introjetar v.
introjetável adj.2g.
introjetível adj.2g.
introjetividade s.f.
introjetivo adj.
intrometer v.
intrometida s.f.
intrometidiço adj. s.m.
intrometido adj. s.m.
intrometimento s.m.
intromissão s.f.
intromitente adj.2g.
intropatia s.f.
intropático adj.
intropelvímetro s.m.
intropunitivo adj.
introrsão s.f.
introrsar v.
introrso adj.
introsca s.2g.
introscópio s.m.

introspeção s.f.
introspecção s.f.
introspeccionismo s.m.
introspeccionista adj. s.2g.
introspeccionístico adj.
introspectivismo s.m.
introspectivista adj. s.2g.
introspectivístico adj.
introspectivo adj.
introspetivístico adj.
introspetivo adj.
introversão s.f.
introversibilidade s.f.
introversível adj.2g.
introversivo adj.
introverso adj.
introverter v.
introvertido adj. s.m.
introvisão s.f.
introvisionário adj.
intruidar v.
intruido s.m.
intruja s.2g.
intrujador (*ô*) adj. s.m.
intrujanete (*ê*) adj.
intrujão adj. s.m.; f. *intrujona*
intrujar v.
intrujento adj. s.m.
intrujice s.f.
intrujimento s.m.
intrujir v.
intrujona adj. s.f. de *intrujão*
intrulhão s.m.; f. *intrulhona*
intrulhona s.f. de *intrulhão*
intrusa s.f.
intrusão s.f.
intrusividade s.f.
intrusivo adj.
intruso adj. s.m.
intuição s.f.
intuicionante adj.2g.
intuicionismo s.m.
intuicionista adj. s.2g.
intuicionístico adj.
intuir v.
intuitividade s.f.
intuitivismo s.m.
intuitivista adj. s.2g.
intuitivístico adj.
intuitivo adj.
intuito s.m.
intulá s.m.
intule s.f.
intumescência s.f.
intumescente adj.2g.
intumescer v.
intumescido adj.
intumescimento s.m.
inturbável adj.2g.
inturgescência s.f.
inturgescente adj.2g.
inturgescer v.
intuscepção s.f.
intuspeção s.f.
intuspecção s.f.
intuspectivo adj.
intuspecto adj. s.m.
intuspetivo adj.
intuspeto adj. s.m.
intussuscepção s.f.
inube adj.2g.
inúbia s.f.
inubiense adj. s.2g.
inúbil adj.2g.
inubilidade s.f.
inúbilo adj.
inubo adj. "claro, sem nuvem"; cf. *ínubo*
ínubo adj. "que não é casado"; cf. *inubo*
inucelado adj.
ínula s.f.
inúlase s.f.
inúlea s.f.
inulenina s.f.
inúleo adj.
inulificável adj.2g.
inulina s.f.
inulopse s.f.
inulto adj.
inultrapassável adj.2g.
inumação s.f.
inumado adj.
inumador (*ô*) adj.
inumanidade s.f.
inumano adj.
inumante adj.2g.
inumar v.
inumatório adj.
inumável adj.2g.
inumerabilidade s.f.
inumerado adj.
inumerável adj.2g.
inúmero adj.
inumeroso (*ô*) adj.; f. (*ó*); pl. (*ó*)
inumilhável adj.2g.
inundação s.f.
inundado adj. s.m.
inundante adj.2g.
inundar v.
inundável adj.2g.
inupto adj.
inurbanidade s.f.
inurbano adj.
inusitado adj.
inútil adj. s.2g.
inutilidade s.f.
inutilização s.f.
inutilizado adj.
inutilizador (*ô*) adj.
inutilizante adj.2g.
inutilizar v.
inutilizável adj.2g.
inutrível adj.2g.
invacilante adj.2g.
invadeável adj.2g.
invadido adj.
invadir v.
invaginação s.f.
invaginado adj.
invaginante adj.2g.
invaginar v.
invaginável adj.2g.
invalescer v.
invalescido adj.
invalescimento s.m.
invalidação s.f.
invalidade s.f.
invalidado adj.
invalidante adj.2g.
invalidar v.
invalidável adj.2g.
invalidez (*ê*) s.f.
inválido adj. s.m.; cf. *invalido*, fl. do v. *invalidar*
invar s.m.
invariabilidade s.f.
invariação s.f.
invariado adj.
invariância s.f.
invariante adj.2g.
invariantividade s.f.
invariantivo adj.
invariantologia s.f.
invariar v.
invariável adj.2g.
invasão s.f.
invasar v.
invasivo adj.
invasor (*ô*) adj. s.m.
inveca s.f.
invectar v.
invectiva s.f.
invectivado adj.
invectivador (*ô*) adj. s.m.
invectivar v.
invectivista adj. s.2g.
invectivo adj.
invedabilidade s.f.
invedável adj.2g.
inveja s.f.
invejado adj.
invejando adj.
invejar v.
invejável adj.2g.
invejidade s.f.
invejosa s.f.
invejoso (*ô*) adj.; f. (*ó*); pl. (*ó*)
invelense adj. s.2g.
invenal adj.2g.
invenção s.f.
invencibilidade s.f.
invencionar v.
invencioneiro adj. s.m.
invencionice s.f.
invencível adj.2g.
invendabilidade s.f.
invendável adj.2g.
invendibilidade s.f.
invendível adj.2g.
inventa s.f.
inventado adj.
inventador (*ô*) adj. s.m.
inventante adj.2g.
inventar v.
inventariação s.f.
inventariado adj. s.m.
inventariador (*ô*) adj. s.m.
inventarial adj.2g.
inventariança s.f.
inventariante adj. s.2g.
inventariar v.
inventariável adj.2g.
inventário s.m.; cf. *inventario*, fl. do v. *inventariar*
inventativo adj.
inventável adj.2g.
inventiva s.f.
inventível adj.2g.
inventividade s.f.
inventivismo s.m.
inventivista adj. s.2g.
inventivístico adj.
inventivo adj.
invento s.m.
inventor (*ô*) adj. s.m.; f. *inventriz*
inventriz adj. s.f. de *inventor*
inveracidade s.f.
inveraz adj.2g.
inverdade s.f.
inverecúndia s.f.
inverecundo adj.
inveridicidade s.f.
inverídico adj.
inverificabilidade s.f.
inverificação s.f.
inverificado adj.
inverificável adj.2g.
inverissímil adj.2g.
inverissimilhança s.f.
inverissimilidade s.f.
inverna s.f.
invernação s.f.
invernaculidade s.f.
invernáculo adj. s.m.
invernada s.f.
invernadense adj. s.2g.
invernado adj.
invernadoiro s.m.
invernador (*ô*) s.m.
invernadouro s.m.
invernagem s.f.
invernal adj.2g.
invernante adj. s.2g.
invernar v.
invernável adj.2g.
inverneira s.f.
inverneiro adj.
invernengo adj.
invernia s.f.
inverniço adj.
invernífugo adj.
invernio adj.
invernista s.2g.
inverno s.m.
invernoso (*ô*) adj.; f. (*ó*); pl. (*ó*)
inverosímil adj.2g. s.m.
inverosimilhança s.f.
inverossímil adj.2g. s.m.
inverossimilhança s.f.
inverossimilhante adj.2g.
inverossimílimo adj. sup. de *inverossímil*
inversa s.f.
inversão s.f.
inversibilidade s.f.
inversionista adj. s.2g.
inversível adj.2g.
inversivo adj.
inverso adj. s.m.
inversor (*ô*) adj. s.m.
invértase s.f.
invertebrado adj. s.m.
invertebral adj. 2g.
invertedor (*ô*) adj. s.m.
inverter v.
invertibilidade s.f.
invertido adj. s.m.
invertina s.f.
invertível adj.2g.
invés s.m.; na loc. *ao invés* e *ao invés de*
invesado adj.
invesamento s.m.
invesprar v.
investida s.f.
investido adj.
investidor (*ô*) adj. s.m.
investidura s.f.
investigação s.f.
investigado adj. s.m.
investigador (*ô*) adj. s.m.
investigante adj. s.2g.
investigar v.
investigativo adj.
investigável adj.2g.
investimento s.m.
investir v.
investível adj.2g.
invetar v.
inveteração s.f.
inveterado adj.
inveterar v.
invetiva s.f.
invetivado adj.
invetivador (*ô*) adj. s.m.
invetivar v.
invetivista adj. s.2g.
invetivo adj.
inviabilidade s.f.
inviabilização s.f.
inviabilizado adj.
inviabilizador (*ô*) adj.
inviabilizante adj.2g.
inviabilizar v.
inviabilizável adj.2g.
inviável adj.2g.
invibrátil adj.2g.
invicção s.f.
inviccionar v.
invice s.m.
invicto adj. "não vencido"; cf. *invito* adj. e fl. do v. *invitar*
invidado adj.
invidadoiro s.m.
invidadouro s.m.
invidamento s.m.
invidar v.
invide s.m.
invidente adj. s.2g.
invídia s.f.; cf. *invidia*, fl. do v. *invidiar*
invidiar v.
invido s.m. "que é contra a própria vontade"; cf. *ínvido*
ínvido adj. "invejoso"; cf. *invido* s.m. e fl. do v. *invidar*
invigilância s.f.
invigilante adj.2g.
invingado adj.
invingável adj. s.2g.
ínvio adj.
inviolabilidade s.f.
inviolabilizar v.
inviolado adj.
inviolável adj.2g.
inviolentado adj.
inviolento adj.
inviperar v.
inviril adj.2g.
invirilidade s.f.
invirtuoso (*ô*) adj.; f. (*ó*); pl. (*ó*)
invisceração s.f.
inviscerado adj.
inviscerar v.
invisíbil adj.2g.
invisibilidade s.f.
invisibilizar v.
invisível adj.2g. s.m.
inviso adj.
invitação s.f.
invitado adj.
invitador (*ô*) s.m.
invital adj.2g.
invitamento s.m.
invitar v.
invitatoriano s.m.
invitatório adj. s.m.
invite s.m.
invito adj. "involuntário"; cf. *invicto*
invitrescível adj.2g.
invocação s.f.
invocado adj.
invocador (*ô*) adj. s.m.
invocante adj.2g.
invocar v.
invocativo adj.
invocatória s.f.
invocatório adj.
invocável adj.2g.
invoco (*ô*) s.m.; cf. *invoco*, fl. do v. *invocar*
invogal adj.2g. s.f.
involátil adj.2g.
involução s.f.
involucelado adj.
involucelo s.m.
involucional adj.2g.
involucrado adj.
involucral adj.2g.
involucrar v.
involucriforme adj.2g.
invólucro s.m. "aquilo que envolve"; cf. *involucro*, fl. do v. *involucrar*
involuntário adj.
involuta s.f.
involutado adj.
involutifólio adj.
involutivo adj.
involuto adj.
involutório s.m.
involutoso (*ô*) adj.; f. (*ó*); pl. (*ó*)
invólvula s.f.
invólvulo s.m.
invulgar adj.2g.
invulnerabilidade s.f.
invulnerado adj.
invulnerável adj.2g.
inxidro s.m.
inximpre adj. s.m.
inxu s.m.f.
inyoíta s.f.
inzala s.f.
inzenza s.f.
inziba s.f.
inzica s.f.
inzoável adj. s.2g.
inzona s.f.
inzonar v.
inzoneiro adj. s.m.
inzonice s.f.
ió s.m.
iobado adj.
iobar v.
iobé s.2g.
iobó s.m.
ioça s.m.
iócrino adj.
iocroma s.2g.
iodabilidade s.f.
iodação s.f.
iodacetato s.m.
iodacético adj.
iodado adj. s.m.
iodalbina s.f.
iodalbumina s.f.
iodalil s.m.
iodalose s.f.
iodameba s.f.
iodamento s.m.
iodamil s.m.
iodamilo s.m.
iodanilina s.f.
iodante adj.2g.
iodar v.
iodargírio s.m.
iodargirita s.f.
iodargiro s.m.

iodargol s.m.
iodato s.m.
iodável adj.2g.
iode s.m.
iodeína s.f.
iodembolita s.f.
iodemia s.f.
iodêmico adj.
iodetado adj.
iodetar v.
iodetilo s.m.
iodeto (*ê*) s.m.
iódico adj.
iódide s.f.
iodidrato s.m.
iodidrético adj.
iodidreto (*ê*) s.m.
iodídrico adj.
iodidrina s.f.
iodífero adj.
iodilado adj.
iodilina s.f.
iodilobenzeno s.m.
iodilofórmio s.m.
iodimetria s.f.
iodina s.f.
iodinação s.f.
iodinado adj.
iodinante adj.2g.
iodinar v.
iodinável adj.2g.
iodipina s.f.
iodirita s.f.
iodirite s.f.
iódis s.m.2n.
iodismo s.m.
iodite s.f.
iodização s.f.
iodo (*ô*) s.m. "elemento químico"; cf. *iodo*, fl. do v. *iodar*
iodobenzênico adj.
iodobenzeno s.m.
iodobórico adj.
iodobromita s.f.
iodobromite s.f.
iodocalcário adj.
iodocloreto (*ê*) s.m.
iodofilia s.f.
iodofílico adj.
iodófilo adj.
iodofobia s.f.
iodofóbico adj.
iodófobo s.m.
iodoformado adj.
iodoformesol s.m.
iodofórmio s.m.
iodoformismo s.m.
iodoformogênio s.m.
iodoftise s.f.
iodogorgonato s.m.
iodogorgônico adj.
iodoiodetado adj.
iodol s.m.
iodomaizina s.f.
iodomercurato s.m.
iodometano s.m.
iodometia s.f.
iodometria s.f.
iodométrico adj.
iodômetro s.m.
iodomorfina s.f.
iodomorfínico adj.
iodona s.f.
iodônio s.m.
iodonítrico adj.
iodo-oxiquinoleinossulfônico adj.
iodopeptona s.f.
iodopiraceto s.m.
iodopirina s.f.
iodoproteína s.f.
iodopsina s.f.
iodoso (*ô*) adj.; f. (*ó*); pl. (*ó*)
iodosobenzeno s.m.
iodospongina s.f.
iodossulfúrico adj.
iodotânico adj.
iodoterapia s.f.
iodoterápico adj.
iodotirina s.f.
iodoxibenzeno (*cs*) s.m.
iodureto (*ê*) s.m.
iofobia s.f.
iofóbico adj.
ioga s.m.f.
iogacara s.f.
iogamudrá s.m.
ioga-real s.m.; pl. *iogas-reais*
iogassutra s.m.
ioglisol s.m.
iogue adj. s.2g.
ioguendra s.2g.
ioguim s.2g.
iogurte s.m.
iogurtina s.f.
ioimbina s.f.
ioiô s.m.
ioioca s.f.
iola s.f.
iolanthita s.f.
iolau s.m.
iolco adj. s.m.
iôldia s.f.
iole s.m.
iolema s.f.
ioli s.f.
iolita s.f.
iólito s.m.
iolo s.m.
iologia s.f.
iológico adj.
iólogo s.m.
iolopolitano adj. s.m.
iomereense (*rê*) adj. s.2g.
íon s.m.
ionamina s.f.
ione s.m.
ioneno s.m.
ioneterapia s.f.
ioneterápico adj.
íon-grama s.m.; pl. *íons-grama*
iôni s.m.
ionicidade s.f.
ionicismo s.m.
iônico adj. s.m.
iônico-ático adj.; pl. *iônico-áticos*
ionídio s.m.
ioníneo adj. s.m.
iônio s.m.
ionismo s.m.
ionita s.f.
ionizabilidade s.f.
ionização s.f.
ionizado adj.
ionizante adj.2g.
ionizar v.
ionizável adj.2g.
ionoforese s.f.
ionoforético adj.
ionofórico adj.
ionóforo s.m.
ionogênico adj.
ionogênio s.m.
ionografia s.f.
ionográfico adj.
ionograma s.m.
ionomérico adj.
ionômero s.m.
ionômetro s.m.
ionona s.f.
ionone s.f.
ionoplastia s.f.
ionoplástico adj.
ionópsida s.f.
ionopsídio s.m.
ionosfera s.f.
ionosférico adj.
ionossonda s.f.
ionoterapia s.f.
ionoterápico adj.
ionotropia s.f.
ionotrópico adj.
ionte s.m.
iôntico adj.
iontização s.f.
iontizar v.
iontoforese s.f.
iontoforético adj.
iontoterapia s.f.
iope s.m.
iopsilo s.m.
iorimã adj. s.2g.
ioruba adj. s.2g.
iorubá adj. s.2g.
iorubano adj. s.m.
iorubofalante adj. s.2g.
iorubofonia s.f.
iorubófono adj. s.m.
ioruboparlante adj.2g.
iossiderita s.f.
iota s.m.
iotacismo s.m.
iotacista adj. s.2g.
iotacístico adj.
iotalâmico adj. s.m.
iotalomato s.m.
iotério s.m.
iótio s.m.
iotização s.f.
iotizado adj.
iotizar v.
iotócroto s.m.
iovackita s.f.
iowaíta s.f.
iozita s.f.
ipabense adj.2g.
ipaca s.m.
ipadu s.m.
ipadumirim s.m.
ipaguaçuense adj. s.2g.
ipameriense adj. s.2g.
ipamerino adj. s.m.
ipamorotiense adj. s.2g.
ipandreense adj. s.2g.
ipaneense adj. s.2g.
ipanemense adj. s.2g.
ipanguaçuense adj. s.2g.
ipaporanguense adj. s.2g.
ipargense adj. s.2g.
ipatinguense adj. s.2g.
ipatrópio s.m.
ipauçuense adj. s.2g.
ipaumirinense adj. s.2g.
ipaunense adj. s.2g.
ipé s.m.
ipê s.m.
ipê-açu s.m.; pl. *ipês-açus*
ipê-amarelo s.m.; pl. *ipês-amarelos*
ipê-amarelo-do-brejo s.m.; pl. *ipês-amarelos-do-brejo*
ipê-batata s.m.; pl. *ipês-batata* e *ipês-batatas*
ipê-boia s.m.; pl. *ipês-boia* e *ipês-boias*
ipê-branco s.m.; pl. *ipês-brancos*
ipê-branco-do-sul s.m.; pl. *ipês-brancos-do-sul*
ipeca adj. s.2g. s.f.
ipecaá s.m.
ipê-cabeludo s.m.; pl. *ipês-cabeludos*
ipê-caboclo s.m.; pl. *ipês-caboclos*
ipeca-branca s.f.; pl. *ipecas-brancas*
ipeca-cinzenta s.f.; pl. *ipecas-cinzentas*
ipecaconha s.f.
ipecaconha-de-flor-branca s.f.; pl. *ipecaconhas-de-flor-branca*
ipecaconha-de-flor-roxa s.f.; pl. *ipecaconhas-de-flor-roxa*
ipecacuanato s.m.
ipecacuanha s.f.
ipecacuanha-anelada s.f.; pl. *ipecacuanhas-aneladas*
ipecacuanha-branca s.f.; pl. *ipecacuanhas-brancas*
ipecacuanha-branca-da-bahia s.f.; pl. *ipecacuanhas-brancas-da-bahia*
ipecacuanha-branca-da-praia s.f.; pl. *ipecacuanhas-brancas-da-praia*
ipecacuanha-branca-de-caiena s.f.; pl. *ipecacuanhas-brancas-de-caiena*
ipecacuanha-branca-do-campo s.f.; pl. *ipecacuanhas-brancas-do-campo*
ipecacuanha-brava s.f.; pl. *ipecacuanhas-bravas*
ipecacuanha-do-campo s.f.; pl. *ipecacuanhas-do-campo*
ipecacuanha-dos-alemães s.f.; pl. *ipecacuanhas-dos-alemães*
ipecacuanha-estriada s.f.; pl. *ipecacuanhas-estriadas*
ipecacuanha-falsa s.f.; pl. *ipecacuanhas-falsas*
ipecacuanha-legítima s.f.; pl. *ipecacuanhas-legítimas*
ipecacuanha-ondulada s.f.; pl. *ipecacuanhas-onduladas*
ipecacuanha-poaia s.f.; pl. *ipecacuanhas-poaia* e *ipecacuanhas-poaias*
ipecacuanha-preta s.f.; pl. *ipecacuanhas-pretas*
ipecacuanha-rubra s.f.; pl. *ipecacuanhas-rubras*
ipecacuanha-verdadeira s.f.; pl. *ipecacuanhas-verdadeiras*
ipecacuânhico adj.
ipecacuânico adj.
ipeca-de-cuiabá s.f.; pl. *ipecas-de-cuiabá*
ipeca-do-marajó s.f.; pl. *ipecas-do-marajó*
ipeca-do-rio s.f.; pl. *ipecas-do-rio*
ipecaetaense adj. s.2g.
ipeca-falsa s.f.; pl. *ipecas-falsas*
ipeca-indígena s.f.; pl. *ipecas-indígenas*
ipeca-mineira s.f.; pl. *ipecas-mineiras*
ipeca-preta s.f.; pl. *ipecas-pretas*
ipecina s.f.
ipê-claro s.m.; pl. *ipês-claros*
ipê-contra-sarna s.m.; pl. *ipês-contra-sarna*
ipecu s.m.
ipecuacamirá s.m.
ipecuati s.m.
ipeçuense adj. s.2g.
ipecumirim s.m.
ipecupará s.m.
ipecupinima s.m.
ipecutauá s.m.
ipê-da-folha-miúda s.m.; pl. *ipês-da-folha-miúda*
ipê-da-vargem s.m.; pl. *ipês-da-vargem*
ipê-de-flor-amarela s.m.; pl. *ipês-de-flor-amarela*
ipê-de-flor-verde s.m.; pl. *ipês-de-flor-verde*
ipê-de-impingem s.m.; pl. *ipês-de-impingem*
ipê-do-campo s.m.; pl. *ipês-do-campo*
ipê-do-cerrado s.m.; pl. *ipês-do-cerrado*
ipê-do-córrego s.m.; pl. *ipês-do-córrego*
ipeense (*pê*) adj. s.2g.
ipê-escuro s.m.; pl. *ipês-escuros*
ipê-falso s.m.; pl. *ipês-falsos*
ipê-felpudo s.m.; pl. *ipês-felpudos*
ipeguense adj. s.2g.
ipê-mamono s.m.; pl. *ipês-mamonos*
ipê-mandioca s.m.; pl. *ipês-mandioca* e *ipês-mandiocas*
ipê-mirim s.m.; pl. *ipês-mirins*
ipê-pardo s.m.; pl. *ipês-pardos*
ipê-pardo-vacariano s.m.; pl. *ipês-pardos-vacarianos*
ipê-peroba s.m.; pl. *ipês-perobas*
ipê-piranga s.m.; pl. *ipês-pirangas*
ipê-preto s.m.; pl. *ipês-pretos*
ipequi s.m.
iperabense adj. s.2g.
iperana s.f.
iperita s.f.
iperitado adj.
iperite s.f.
iperítico adj.
iperoense adj. s.2g.
ipê-rosa s.m.; pl. *ipês-rosas*
ipê-roxo s.m.; pl. *ipês-roxos*
ipê-tabaco s.m.; pl. *ipês-tabaco* e *ipês-tabacos*
ipetê s.m.
ipeuatense adj. s.2g.
ipeúba s.f.
ipeuí adj. s.2g.
ipeúna s.f.
ipeunense adj. s.2g.
ipeúva s.f.
ipê-verdadeiro s.m.; pl. *ipês-verdadeiros*
ipiabense adj. s.2g.
ipiauense adj. s.2g.
ipiauiense adj. s.2g.
ípida adj.2g. s.m.
ipídeo adj. s.m.
ipiguaense adj. s.2g.
ipiibense adj. s.2g.
ipíneo adj. s.m.
ipiracense adj. s.2g.
ipiraense adj.
ipiranguense adj. s.2g.
ipiraquense adj. s.2g.
ipitanguense adj. s.2g.
ipiti s.m.
ipiunense adj. s.2g.
ipixunense adj. s.2g.
ípnops s.m.2n.
ipnópsida adj.2g. s.m.
ipnopsídeo adj. s.m.
ipnopsíneo adj. s.m.
ipo s.m.
ipobrácon s.m.
ipoemense adj. s.2g.
ipoiense adj. s.2g.
ipojucano adj. s.m.
ipojucense adj. s.2g.
ipojuquense adj. s.2g.
ipombo s.m.
ipomeense adj. s.2g.
ipomeia (*é*) s.f.
ipomeiense adj. s.2g.
ipomeína s.f.
iporaense adj. s.2g.
iporanense adj. s.2g.
iporangueiro adj. s.m.
iporanguense adj. s.2g.
iporcense adj. s.2g.
ipoteuate adj. s.2g.
ipre s.m.
iprense adj. s.2g.
ipresiano adj. s.m.
iproniazida s.f.
ips s.m.2n.
ipseidade s.f.
ipsido adj. s.m.
ipsiladora (*ô*) s.f.
ipsilão s.m.
ipsilene s.m.
ipsilênio s.m.
ipsileno s.m.
ipsilo s.m. "cloreto de etilo puro"; cf. *ípsilo*
ípsilo s.m. "variante de épsilon, nome da letra"; cf. *ipsilo*
ipsiloide (*ó*) adj.2g.
ípsilon s.m.
ipsilone s.m.
ipsofília s.f.
ipsofone s.m.
ipsolateral adj.2g.
ipsólofo s.m.
iptima s.f.
ipu s.m.
ipuã s.f.
ipuaba s.f.
ipuaçu s.m.
ipuaçuense adj. s.2g.
ipuada s.f.
ipuanense adj. s.2g.

ipuano adj. s.m.
ipubiense adj. s.2g.
ipuca s.f.
ipuçabense adj. s.2g.
ipucense adj. s.2g.
ipueira s.f.
ipueirense adj. s.2g.
ipuense adj. s.2g.
ipuera (*ê*) s.f.
ipuiunense adj. s.2g.
ipumirinense adj. s.2g.
ipupiara s.f.
ipupiarense adj. s.2g.
ipuquense adj. s.2g.
ipuriná adj. s.2g.
ipurucotó adj. s.m.
ipuruna s.f.
iquê s.f.
iquebana s.f.
iquetária s.f.
iquito adj. s.m.
ir v.
ira s.f. "cólera"; cf. *irá* e *irã*
irá s.m. "espécie de abelha"; cf. *ira* e *irã*
irã s.m. "divindade na Guiné"; cf. *ira* e *irá*
iracarura s.f.
iracaruru s.m.
iracemapolense adj. s.2g.
iracemapolitano adj. s.m.
iracemense adj. s.2g.
iraceminhense adj. s.2g.
iraciense adj. s.2g.
iraçu s.m.
iracuí s.m.
iracúndia s.f.
iracundo adj.
irade s.m.
irado adj.
irafugante adj.2g.
iraguaçuense adj. s.2g.
iraí s.m.
iraiara s.f.
iraíba s.f.
iraiense adj. s.2g.
iraitiense adj. s.2g.
irajaense adj. s.2g.
irajaiense adj. s.2g.
irajubense adj. s.2g.
iramaiense adj. s.2g.
iramba adj. s.2g.
iramirim s.m.
iranche adj. s.2g.
irani adj. s.2g.
iranianismo s.m.
iranianista adj. s.2g.
iraniano adj. s.m.
irânico adj. s.m.
iraniense adj. s.2g.
irânio adj. s.m.
iranismo s.m.
iranista adj. s.2g.
iranita s.f.
iranização s.f.
iranizante adj. s.2g.
iranofalante adj. s.m.
iranofonia s.f.
iranófono adj. s.m.
iranoparlante adj. s.2g.
iranxe adj. s.2g.
iranxim s.m.
irapeense adj. s.2g.
irapoca s.f.
iraponga s.f.
iraporanguense adj. s.2g.
irapuá s.f.
irapuaense adj. s.2g.
irapuanense adj. s.2g.
irapuense adj. s.2g.
irapuia s.m.
irapuiense adj. s.2g.
irapurá s.m.
irapuru s.m.
irapuruense adj. s.2g.
iraputãzense adj. s.2g.
iraquarense adj. s.2g.
iraquiano adj. s.m.
iraquitanense adj. s.2g.
irar v.
irara s.m. "papa-mel"; cf. *hirara*
iraraense adj. s.2g.
irarana s.m.
irarense adj. s.2g.
irari s.m.
irarsita s.f.
irascibilidade s.f.
irascível adj.2g.
irataciva s.f.
iratamense adj. s.2g.
irá-tapuia adj. s.2g.; pl. *irás-tapuias*
iratauá s.m.
iratauá-do-sul s.m.; pl. *iratauás-do-sul*
iratiense adj. s.2g.
iratim s.m.
iratinguense adj. s.2g.
iratuã s.m.
irauçu s.m.
irauçubense adj. s.2g.
iraúna s.f.
iraúna-do-bico-branco s.f.; pl. *iraúnas-do-bico-branco*
iraúna-grande s.f.; pl. *iraúnas-grandes*
irávia s.f.
iraxim s.f.
iré s.m.
ireceense (*cê*) adj. s.2g.
irena s.f.
irenarca s.m.
irenarquia s.f.
irene s.f. "deusa da paz"; cf. *írene*
írene s.m. "jovem espartano"; cf. *irene*
irenicismo s.m.
irenicista adj. s.2g.
irenicístico adj.
irênico adj.
irenídeo adj. s.m.
irenineo adj. s.m.
irênio s.m.
irenismo s.m.
irenista adj. s.2g.
irenístico adj.
ireno s.m. "hidrocarboneto"; cf. *íreno*
íreno s.m. "jovem espartano"; cf. *ireno*
irerê s.2g.
irereense (*rê*) adj. s.2g.
irerês s.m.
ires s.f.
iresina s.f.
iresine s.f.
iretamense adj. s.2g.
iretol s.m.
ir e vir s.m.
irgadilho s.m.
irguiço s.m.
irhtemita s.f.
iri s.m.
iriado adj.
irial adj.2g.
iriano adj.
iriante adj.2g.
iriantera s.f.
iriar v.
iriarana s.f.
iriártea s.f.
iriárteo adj.
iriartina s.f.
iriate adj. s.2g.
iriburubixá s.m.
iriceca s.f.
iricromatina s.f.
iricuri s.m.
iricuruna s.f.
iricuzeiro s.m.
iridação s.f.
iridácea s.f.
iridáceo adj.
iridalgia s.f.
iridálgico adj.
iridapso s.m.
iridareose s.f.
iridarsenita s.f.
iridato s.m.
iridauxese (*cs*) s.f.
irídea s.f.
irideca s.f.
iridectomesodiálise s.f.
iridectomia s.f.
iridectômico adj.
iridéctomo s.m.
iridectomodiálise s.f.
iridectopia s.f.
iridectópico adj.
iridelcose s.f.
iridemia s.f.
iridêmico adj.
iridênclise s.f.
iridentrópio s.m.
irídeo adj.
irideremia s.f.
iridescência s.f.
iridescente adj.2g.
irídese s.f.
iridiado adj.
iridiano adj.
iridiante adj.2g.
iridiar v.
irídico adj.
iridífero adj.
iridina s.f.
iridínea s.f.
iridíneo adj.
iridinosídeo s.m.
irídio s.m.
iridipene adj.2g.
iridite s.f.
iridização s.f.
iridocele s.f.
iridoceratite s.f.
iridociclite s.f.
iridociclocoroidite s.f.
iridocinesia s.f.
iridocinético adj.
iridocita s.f.
iridócito s.m.
iridocoloboma s.m.
iridoconstritor (*ô*) adj. s.m.
iridocorneano adj.
iridocoroideia (*é*) adj. f. de *iridocoroideu*
iridocoróideo adj.
iridocoroideu adj.; f. *iridocoroideia* (*é*)
iridocoroidite s.f.
iridódese s.f.
iridodiagnóstico s.m.
iridodiálise s.f.
iridodonese s.f.
iridoênclase s.f.
iridogórgia s.m.
iridóidea s.f.
iridol s.m.
iridologia s.f.
iridomalacia s.f.
iridomirmeco s.m.
iridomírmex (*cs*) s.m.2n.
iridoncose s.f.
iridonese s.f.
iridoperifacite s.f.
iridoplegia s.f.
iridoplégico adj.
iridopsia s.f.
iridoptose s.f.
iridórnis s.2g.2n.
iridornite s.2g.
iridorrexia (*cs*) s.f.
iridosclerotomia s.f.
iridosclerotômico adj.
iridoscopia s.f.
iridoscópico adj.
iridoscópio s.m.
iridosmina s.f.
iridósmio s.m.
iridosquisma s.m.
iridosquismático adj.
iridosterese s.f.
iridosterético adj.
iridotase s.f.
iridotomia s.f.
iridotômico adj.
iridótomo s.m.
iridotomodiálise s.f.
iridovalose s.f.
iriense adj. s.2g.
irigenina s.f.
iriginita s.f.
iriju adj. s.2g.
irimirim s.m.
irina s.f.
irineopolitano adj. s.m.
irinita s.f.
irino adj.
írio s.m.
irirá s.m.
iriranense adj. s.2g.
iriranha s.f.
iriribá s.m.
iriribá-amarelo s.m.; pl. *iriribás-amarelos*
iriribá-rosa s.m.; pl. *iriribás-rosas*
iriribá-vermelho s.m.; pl. *iriribás-vermelhos*
iririense adj. s.2g.
iririteuense adj. s.2g.
iriritibense adj. s.2g.
íris s.m.f.2n. "membrana do olho"; cf. *iriz*
irisação s.f.
irisado adj.
irisante adj.2g.
irisar v. "matizar"; cf. *irizar*
iriscópio s.m.
irisina s.f.
irisopsia s.f.
iristomia s.f.
iritataca s.f.
irite s.f.
iritinga s.f.
iritreense adj. s.2g.
iritreiense adj. s.2g.
irituiano adj. s.m.
irituiense adj. s.2g.
iriva s.f.
iriz s.f. "doença do cafezeiro"; cf. *íris*
irizar v. "dar iriz em cafezeiro"; cf. *irisar*
irlanda s.f.
irlandês adj. s.m.
irlandofalante adj. s.2g.
irlandofonia s.f.
irlandófono adj. s.m.
irma s.m. "animal"; cf. *irmã*
irmã s.f. de *irmão*; cf. *irma*
irmanação s.f.
irmanado adj.
irmanador (*ô*) adj.
irmanar v.
irmanável adj.2g.
irmandade s.f.
irmão adj. s.m.; f. *irmã*
irmão da opa s.m.
irmão-morávio s.m.; pl. *irmãos-morávios*
iró s.f.
iroco s.m. "árvore"; cf. *irocó*
irocó s.m. "feitiçaria"; cf. *iroco*
irói s.m.
iroiense adj. s.2g.
irol s.m.
irona s.f.
irone s.f.
ironia s.f.
irônico adj.
ironismo s.m.
ironista adj. s.2g.
ironizar v.
irono (*ô*) s.m.
iroquês adj. s.m.; f. *iroquesa*
iroquesa (*ê*) adj. s.f. de *iroquês*
irós s.f.
irosina s.f.
iroso (*ô*) adj.; f. (*ó*); pl. (*ó*)
irpa s.m.
írpex (*cs*) s.m.
irra interj.
irraciocinado adj.
irraciocinante adj.2g.
irracional adj.2g. s.m.
irracionalidade s.f.
irracionalismo s.m.
irracionalista adj. s.2g.
irracionalístico adj.
irracionalização s.f.
irracionalizado adj.
irracionalizar v.
irracionalizável adj.2g.
irracionável adj.2g.
irradiação s.f.
irradiador (*ô*) adj. s.m.
irradial adj.2g.
irradiância s.f.
irradiante adj.2g.
irradiar v.
irradiator (*ô*) s.m.
irradioso (*ô*) adj.; (*ó*); pl. (*ó*)
irré s.m.
irreajustável adj.2g.
irreal adj.2g. s.m.
irrealidade s.f.
irrealismo s.m.
irrealista adj. s.2g.
irrealístico adj.
irrealizabilidade s.m.
irrealizado adj.
irrealizável adj.2g.
irreatividade s.f.
irreativo adj.
irrebatível adj.2g.
irreciprocidade s.f.
irrecíproco adj.
irreclamável adj.2g.
irreclinável adj.2g.
irrecobrável adj.2g.
irreconciliabilidade s.f.
irreconciliação s.f.
irreconciliado adj.
irreconciliar v.
irreconciliável adj.2g.
irreconhecido adj.
irreconhecível adj.2g.
irrecorribilidade s.m.
irrecorrido adj.
irrecorrível adj.2g.
irrecuperabilidade s.f.
irrecuperado adj.
irrecuperável adj.2g.
irrecusabilidade s.f.
irrecusado adj.
irrecusável adj.2g.
irredarguível (*ü*) adj.2g.
irredentismo s.m.
irredentista adj. s.2g.
irredentístico adj.
irredento adj.
irredimibilidade s.f.
irredimido adj.
irredimível adj.2g.
irredundância s.f.
irredundante adj.2g.
irredutibilidade s.f.
irredutível adj.2g.
irreduzível adj.2g.
irreelegibilidade s.f.
irreelegível adj.2g.
irrefletido adj.
irreflexão (*cs*) s.f.
irreflexivo (*cs*) adj.
irreflexo (*cs*) adj.
irreformabilidade s.f.
irreformado adj.
irreformável adj.2g.
irrefragabilidade s.f.
irrefragável adj.2g.
irrefrangibilidade s.f.
irrefrangível adj.2g.
irrefreabilidade s.f.
irrefreado adj.
irrefreável adj.2g.
irrefugível adj.2g.
irrefutabilidade s.f.
irrefutado adj.
irrefutável adj.2g.
irregenerabilidade s.f.
irregenerado adj.
irregenerável adj.2g.
irregibilidade s.f.
irregistável adj.2g.
irregível adj.2g.
irregressível adj.2g.
irregressivo adj.
irregulado adj.
irregular adj. s.2g.
irregularidade s.f.
irreiterável adj.2g.
irrelevância s.f.
irrelevante adj.2g.

irrelevável adj.2g.
irreligião s.f.
irreligiosidade s.f.
irreligiosismo s.m.
irreligioso (*ô*) adj.; f. (*ó*); pl. (*ó*)
irremeável adj.2g.
irremediabilidade s.f.
irremediado adj.
irremediável adj.2g.
irremissibilidade s.f.
irremissível adj.2g.
irremissivo adj.
irremitente adj.2g.
irremível adj.2g.
irremotospectivo adj.
irremovibilidade s.f.
irremovível adj.2g.
irremunerabilidade s.f.
irremunerado adj.
irremunerável adj.2g.
irrenunciabilidade s.f.
irrenunciado adj.
irrenunciável adj.2g.
irreorganizável adj.2g.
irreparabilidade s.f.
irreparado adj.
irreparável adj.2g.
irrepartido adj.
irrepartível adj.2g.
irreplegível adj.2g.
irrepleto adj.
irreplicado adj.
irreplicável adj.2g.
irrepreensibilidade s.f.
irrepreensível adj.2g.
irrepresentabilidade s.f.
irrepresentatividade s.f.
irrepresentativo adj.
irrepresentável adj.2g.
irrepressibilidade s.f.
irrepressível adj.2g.
irrepressivo adj.
irreprimibilidade s.f.
irreprimido adj.
irreprimível adj.2g.
irreprochabilidade s.f.
irreprochável adj.2g.
irreprodutividade s.f.
irreprodutivo adj.
irreproduzido adj.
irreproduzível adj.2g.
irrequietabilidade s.f.
irrequietação s.f.
irrequietável adj.2g.
irrequietismo s.m.
irrequieto adj.
irrequietude s.f.
irrescindibilidade s.f.
irrescindível adj.2g.
irresgatabilidade s.f.
irresgatável adj.2g.
irresignabilidade s.f.
irresignação s.f.
irresignado adj.
irresignável adj.2g.
irresilibilidade s.f.
irresilível adj.2g.
irresistência s.f.
irresistente adj.2g.
irresistibilidade s.f.
irresistível adj.2g.
irresolução s.f.
irresoluto adj. s.m.
irresolúvel adj.2g.
irresolvido adj.
irresolvível adj.2g.
irrespeitabilidade s.f.
irrespeitável adj.2g.
irrespeito s.m.
irrespeitoso (*ô*) adj.; f. (*ó*); pl. (*ó*)
irrespirabilidade s.f.
irrespirável adj.2g.
irrespondibilidade s.f.
irrespondível adj.2g.
irresponsabilidade s.f.
irresponsabilizado adj.
irresponsabilizante adj.2g.
irresponsabilizar v.
irresponsabilizável adj.2g.
irresponsável adj. s.2g.
irrestaurabilidade s.f.
irrestaurado adj.
irrestaurável adj.2g.
irrestringibilidade s.f.
irrestringível adj.2g.
irrestrito adj.
irretardado adj.
irretardável adj.2g.
irrete s.f.
irretenção s.f.
irretido adj.
irretirável adj.2g.
irretorquível adj.2g.
irretratabilidade s.f.
irretratado adj.
irretratável adj.2g.
irretribuível adj.2g.
irretroatividade s.f.
irretroativo adj.
irrevelado adj.
irrevelável adj.2g.
irreverência s.f.; cf. *irreverencia*, fl. do v. *irreverenciar*
irreverenciar v.
irreverencioso (*ô*) adj.; f. (*ó*); pl. (*ó*)
irreverente adj. s.2g.
irreversibilidade s.f.
irreversível adj.2g.
irrevisibilidade s.f.
irrevisível adj.2g.
irrevivescível adj.2g.
irrevocabilidade s.f.
irrevocável adj.2g.
irrevogabilidade s.f.
irrevogável adj.2g.
irriariadã s.m.
irrigação s.f.
irrigado adj.
irrigador (*ô*) adj. s.m.
irrigamento s.m.
irrigante adj.2g.
irrigar v.
irrigatório adj.
irrigável adj.2g.
irríguo adj.
irrisão s.f.
irrisível adj.2g.
irrisor (*ô*) adj. s.m.
irrisorínea s.f.
irrisório adj.
irritabilidade s.f.
irritabilismo s.m.
irritabilista adj. s.2g.
irritação s.f.
irritadiço adj.
irritado adj.
irritador (*ô*) adj. s.m.
irritamento s.m.
irritante adj.2g. s.m.
irritar v.
irritativo adj.
irritável adj.2g.
írrito adj. "nulo"; cf. *irrito*, fl. do v. *irritar*
irrival adj.2g.
irrivalizado adj.
irrivalizável adj.2g.
irrogação s.f.
irrogado adj.
irrogador (*ô*) adj.
irrogante adj.2g.
irrogar v.
irrogável adj.2g.
irrompedor (*ô*) adj.
irromper v.
irrompido adj.
irrompimento s.m.
irrompível adj.2g.
irroração s.f.
irrorado adj.
irrorar v.
irrotacional adj.2g.
irruminação s.f.
irrupção s.f.
irruptivo adj.
irrupto adj.
iru s.m.
irubaia s.f.
iruçu s.m.
iruçu-do-chão s.m.; pl. *iruçus-do-chão*
iruçu-mineiro s.m.; pl. *iruçus-mineiros*
irucurana s.f.
iruexim s.m.
irum s.m.
irundiarense adj. s.2g.
irundiense adj. s.2g.
irupiense adj. s.2g.
iruquerê s.m.
iruri adj. s.2g.
irvíngia s.f.
irvingiácea s.f.
irvingianismo s.m.
irvingianista adj. s.2g.
irvingianístico adj.
irvingiano adj. s.m.
irvingismo s.m.
irvingita s.f.
isa s.f.
isabel adj.2g. s.m.f.
isabela s.f.
isabelense adj. s.2g.
isabel-entre-sonhos s.f.2n.
isabélia s.f.
isabelino adj.
isabelismo s.m.
isabelista adj. s.2g.
isacne s.f.
isadelfia s.f.
isadelfo adj. s.m.
isaglutinação s.f.
isaglutinina s.f.
isaglutinógeno s.m.
isagoge s.f.
isagógico adj.
isaiense adj. s.2g.
isala s.m.
isalizarina s.f.
isalóbara s.f.
isalobárico adj.
isalóbaro adj. s.m.
isaloterma s.f.
isalotermia s.f.
isalotérmico adj.
isamato s.m.
isâmico adj.
isamida s.f.
isamila s.f.
isamilamina s.f.
isamilamínico adj.
isamílico adj.
isandro adj.
isanêmona s.f.
isaníris s.f.
isanomalia s.f.
isanômalo adj.
isantimérico adj.
isantina s.f.
isanto s.m.
isantrene s.f.
isanúzi s.m.
isapostólico adj.
isaquente s.f.
isar s.m. "cabrito montês"; cf. *izar*
isarco adj. s.m.
isária s.f.
isaritma s.f.
isarítmico adj.
isaritmo adj. s.m.
isaro adj. s.m.
isatana s.f.
isatato s.m.
ísate s.f.
isático adj.
isatidácea s.f.
isatidáceo adj.
isatídea s.f.
isatídeo s.m.
isatido s.m.
isatina s.f.
isatínico adj.
ísatis s.f.2n.
isatocianina s.f.
isatogênico adj.
isatógeno adj. s.m.
isatoico (*ó*) s.m.
isatrópico adj.
isatropilcocaína s.f.
isaura s.f.
isáurico adj.
isauro adj. s.m.
isáxico (*cs*) adj.
isba s.f. "habitação de madeira típica da Rússia" cf. *isbá*
isbá s.f. "medida de comprimento"; cf. *isba*
isbelique s.m.
isca s.f. interj.
iscaço s.m.
iscadal s.m.
isca-de-sola s.f.; pl. *iscas-de-sola*
iscado adj.
iscar v.
iscariotes s.m.2n.
iscariotismo s.m.
iscariotista adj. s.2g.
iscariotístico adj.
iscnáspide s.f.
iscnáspis s.f.2n.
iscnocampo s.m.
iscnócero adj. s.m.
iscnócia s.f.
iscnócoris s.m.2n.
iscnodermo s.m.
iscnofonia s.f.
iscnofônico adj.
iscnoglosso (*ô*) s.m.
iscnógnato s.m.
iscnógrades s.m.2n.
iscnômera s.f.
iscnopsílida adj.2g. s.m.
iscnopsilídeo adj. s.m.
iscnorrincária s.f.
iscnorrinco s.m.
iscnosia s.f.
iscnossifão s.m.
iscnossifo s.m.
iscnossoma s.m.
iscnura s.f.
iscnuríneo adj. s.m.
iscnuro s.m.
isco s.m.
iscoblenia s.f.
iscoblênico adj.
iscocenose s.f.
iscocolia s.f.
iscocólico adj.
iscogalactia s.f.
iscogaláctico adj.
iscolóquia s.f.
iscoloquial adj.2g.
iscomenia s.f.
iscomênico adj.
iscopiose s.f.
iscopiósico adj.
iscopiótico adj.
iscoquimia s.f.
iscospermia s.f.
iscurético adj.
iscuria s.f.
iscúria s.f.
iscúrico adj.
isei adj. s.2g.
iseio s.m.
isele s.m.
isemodina s.f.
isenção s.f.
isenergética s.f.
isenergético adj.
isenérgica s.f.
isenérgico adj.
isenite s.f.
isentalpia s.f.
isentálpica s.f.
isentálpico adj.
isentar v.
isentidão s.f.
isentivo adj.
isento adj.
isentropia s.f.
isentrópica adj.
isentrópico adj.
isepiptese s.f.
isepiptesial adj.2g.
iserina s.f.
iserita s.f.
isértia s.f.
isesperidina s.f.
isetionato s.m.
isetiônico adj.
isgo adj. s.m.
ishikawaíta s.f.
ishkulita s.f.
ishkyidita s.f.
isíaco adj. s.m.
isidela s.m.
isídeo adj. s.m.
isidíneo adj. s.m.
isídio s.m.
isidiófero adj.
isidioide (*ó*) adj.2g.
isidora s.f.
isidorense adj. s.2g.
isidoriano adj.
isidoro s.m.
isindense adj. s.2g.
isio s.m.
isiodense adj. s.2g.
isiondense adj. s.m.
isistíida adj.2g. s.m.
isistiídeo adj. s.m.
isístio s.m.
isitéria s.f.
islã s.m.
islado adj.
islame s.m.
islâmico adj.
islamismo s.m.
islamista adj. s.2g.
islamístico adj.
islamita adj. s.2g.
islamítico adj.
islamização s.f.
islamizado adj.
islamizador (*ô*) adj.
islamizante adj. s.2g.
islamizar v.
islamizativo adj.
islamizatório adj.
islamizável adj.2g.
islandense adj. s.2g.
islandês adj. s.m.
islandofalante adj. s.2g.
islandofonia s.f.
islandófono adj. s.m.
islão s.m.
islenho adj. s.m.
isleno adj. s.m.
ismaelianista adj. s.2g.
ismaelianístico adj.
ismaeliano adj. s.m.
ismaelismo s.m.
ismaelista adj. s.2g.
ismaelístico adj.
ismaelita adj. s.2g.
ismaelítico adj.
ismailianismo s.m.
ismailianista s.m.
ismailianístico s.m.
ismailiano adj. s.m.
ismailismo s.m.
ismailita adj. s.2g.
ismárico adj.
ismário adj.
ismene s.f.
ismênia s.f.
ismo s.m.
isnáquia s.f.
isnárdia s.f.
isoacentuado adj.
isoacentuar v.
isoacústico adj.
isoaglutinação s.f.
isoaglutinar v.
isoaglutinativo adj.
isoaglutinina s.f.
isoaglutinogênico adj.
isoaglutinogênio s.m.
isoalelo s.m.
isoalina s.f.
isoaloxazine (*cs*) s.f.
isoaloxizínico (*cs*) adj.
isoamil s.m.
isoamila s.f.
isoamilamina s.f.
isoamilamínico adj.
isoamílico adj.
isoamilo s.m.
isoânteo adj.

isoanticorpo s.m.
isoantigênico adj.
isoantígeno s.m.
isoantimérico adj.
isoantímero s.m.
isoaxe (*cs*) adj.2g.
isoaxial (*cs*) adj.2g.
isoáxico (*cs*) adj.
isobafia s.f.
isobáfico adj.
isóbara s.f.
isobarbaloína s.f.
isóbare adj.2g. s.f.
isobárico adj.
isobarismo s.m.
isóbaro adj. s.m.
isobarométrico adj.
isóbasa s.f.
isobásico adj.
isóbata s.f.
isobático adj.
isobatitérmico adj.
isobiogenético adj.
isoborneol s.m.
isobornilo s.m.
isobrial adj.2g.
isobriale s.f.
isóbrio adj.
isobritânico adj.
isobritano s.m.
isobronte adj.2g.
isobutano s.m.
isobutanol s.m.
isobutanólico adj.
isobuteno s.m.
isobutila s.f.
isobutilênico adj.
isobutileno s.m.
isobutílico adj.
isobutilo s.m.
isobutirato s.m.
isobutírico adj.
isoca s.f.
isocaeto s.m.
isocaína s.f.
isocalórico adj.
isocaproato s.m.
isocaproico (*ó*) adj.
isócara s.f.
isocarboxazida (*cs*) s.f.
isocarda s.f.
isocardia s.f.
isocárdio s.m.
isocárpeo adj.
isocárpico adj.
isocarpo adj.
isocefalia s.f.
isocefálico adj.
isocefalismo s.m.
isocenose s.f.
isocentro s.m.
isoceráunico adj.
isocercal adj.2g.
isocerco adj.
isócero s.m.
isocianático adj.
isocianato s.m.
isocianético adj.
isocianeto (*ê*) s.m.
isociânico adj.
isocianida s.f.
isocianofenilo s.m.
isocíclico adj.
isocicutina s.f.
isocilíndrico adj.
isocinético adj.
isocítico adj.
isocitolisina s.f.
isocitose s.f.
isocitotoxina (*cs*) s.f.
isocitrato s.m.
isocítrico adj.
isoclásio s.m.
isoclasita s.f.
isoclasite s.f.
isoclina adj. s.m.
isoclinal adj.2g.
isoclínico adj.
isoclino adj. s.m.
isóclino adj. s.m.
isoclítico adj.
isoclora s.f.
isoclórico adj.
isocloroprênico adj.
isocloropreno s.m.
isocodeína s.f.
isocolesterol s.m.
isócolo adj.
isocoloide (*ó*) s.m.
isócolon adj.
isócomo adj.
isoconta s.f.
isoconto adj.
isócora s.f.
isocoria s.f.
isocórica adj.
isocórico adj.
isócoro adj. s.m.
isocorrelação s.f.
isocorrelato adj.
isocórtex (*cs*) s.m.
isocotilia s.f.
isocótilo adj.
isocrimal adj.2g.
isocrista adj. s.2g.
isocromático adj.
isocromia s.f.
isocrômico adj.
isocromo adj.
isocromossomo s.m.
isocronia s.f.
isocrônica s.f.
isocrônico adj.
isocronismo s.m.
isocronização s.f.
isocronizar v.
isócrono adj.
isoctana s.f.
isoctano s.m.
isoctil s.m.
isoctila s.f.
isocúrtico adj.
isodactilia s.f.
isodáctilo adj.
isodatilia s.f.
isodátilo adj.
isodeidroacético adj.
isodiabático adj.
isodiáfero adj. s.m.
isodiametral adj.2g.
isodiamétrico adj.
isodiazotato s.m.
isódico adj.
isodifenato s.m.
isodifênico adj.
isodimórfico adj.
isodimorfismo s.m.
isodimorfo adj.
isodínama s.f.
isodinamia s.f.
isodinâmico adj.
isodiodia s.f.
isódomo adj.
isodonte adj.2g. s.m.
isodontia s.f.
isodôntico adj.
isodrina s.f.
isodulcita s.f.
isodulcite s.f.
isodureno s.m.
isoédrico adj.
isoeléctrico adj.
isoelectrônico adj.
isoelemicina s.f.
isoelétrico adj.
isoeletrônico adj.
isoélia s.f.
isoélico adj.
isoeliósico adj.
isoemaglutinação s.f.
isoemaglutinina s.f.
isoemolisina s.f.
isoenergético adj.
isoenérgico adj.
isoentalpia s.f.
isoentálpico adj.
isoenxerto s.m.
isoenzima s.f.
isoenzimático adj.
isoesporose s.f.
isoesporótico adj.
isoestrutural adj.2g.
isoetácea s.f.
isoetáceo adj.
isoetal adj.2g.
isoetale s.f.
isóete s.f.
isoétea s.f.
isoéteo adj.
isoetina s.f.
isóeto s.m.
isoeugenol s.m.
isófago adj. s.m.
isofalia s.f.
isófana s.f.
isofâneo adj.
isofânio adj. s.m.
isófano adj.
isofeno adj.
isofenomenal adj.2g.
isoferroplatina s.f.
isofígmico adj.
isofíleo adj.
isofilia s.f.
isofilo adj. s.m.
isófito s.m.
isofitoide (*ó*) s.m.
isofitônico adj.
isoflavona s.f.
isoflora s.f.
isofluorano s.m.
isofonética s.f.
isofonético adj.
isofonia s.f.
isofônico adj.
isófono adj.
isoforia s.f.
isoforona s.f.
isofote adj.2g.
isofótico adj.
isofoto s.m.
isoftalato s.m.
isoftálico adj.
isogal s.m.
isogálico adj.
isógama s.f.
isogameta s.m.
isogametângico adj.
isogametângio s.m.
isogametia s.f.
isogamético adj.
isogamia s.f.
isogâmico adj.
isógamo adj. s.m.
isogel s.m.
isogênese s.f.
isogenético adj.
isogênico adj.
isógeno adj. "que tem a mesma origem"; cf. *isógino*
isogenomático adj.
isogenótipo adj.
isogeotermia s.f.
isogeotérmico adj.
isogeotermo adj.
isógino adj. "com o mesmo número de sépalas e carpelas"; cf. *isógeno*
isogiro adj.
isoglicídico adj.
isoglossa s.f.
isoglóssea s.f.
isoglóssico adj.
isoglosso adj.
isoglótico adj.
isognatismo s.m.
isógnato adj. s.m.
isognomóstoma s.m.
isógona s.f.
isogonal adj.2g.
isogonia s.f.
isogônica s.f.
isogônico adj.
isogonismo s.m.
isógono adj.
isogoria s.f.
isógrada s.f.
isografia s.f.
isográfico adj.
isógrafo s.m.
isograma s.m.
isogrupal adj.2g.
isogrupo adj.
isoguvacina s.f.
iso-hélia s.f.
iso-hélico adj.
iso-heliósico adj.
iso-hemaglutinação s.f.
iso-hemaglutinina s.f.
iso-hemolisina s.f.
iso-hídrico adj.
iso-hieta (*ê*) s.f.
iso-hietal adj.2g.
iso-hiético adj.
iso-hipercitose s.f.
iso-hipsa s.f.
iso-hípsico adj.
iso-hipso adj.
isoídrico adj.
isoieta (*ê*) s.f.
isoietal adj.2g.
isoiético adj.
isoimune adj.2g.
isoimunização s.f.
isoiônico adj.
isoiontia s.f.
isoipercitose s.f.
isoípsa s.f.
isoípsico adj.
isoípso adj.
isokita s.f.
isolação s.f.
isolacionismo s.m.
isolacionista adj. s.2g.
isolacionístico adj.
isolactose s.f.
isolado adj.
isolador (*ô*) adj. s.m.
isolamento s.m.
isolante adj.2g. s.m.
isolantite s.f.
isolar v.
isolateral adj.2g.
isolato s.m.
isolatório adj.
isolável adj.2g.
isoldulcita s.f.
isolécito adj.
isólepe s.f.
isolépide s.f.
isólepis s.f.2n.
isoleucina s.f.
isoleucínico adj.
isoléxica (*cs*) s.f.
isoléxico (*cs*) adj.
isolina s.f.
isolinear adj.2g.
isolinearidade s.f.
isolinha s.f.
isoliquenina s.f.
isólise s.f.
isolisina s.f.
isolítero adj.
isolítico adj.
isologia s.f.
isológico adj.
isólogo adj. s.m.
isoloma s.f.
isolona s.f.
isolotérmico adj.
isomagnético adj.
isomalato s.m.
isomálico adj.
isômalo adj.
isomaltose s.f.
isomastígoda adj.2g. s.m.
isomastigódeo adj. s.m.
isômbrio adj.
isombro adj.
isomentol s.m.
isomerase s.f.
isomérase s.f.
isomerásico adj.
isomerático adj.
isomeria s.f.
isomérico adj.
isômeris adj. s.2g.2n.
isomeriscopia s.f.
isomeriscópico adj.
isomeriscópio s.m.
isomerismo s.m.
isomerização s.f.
isomerizado adj.
isomerizar v.
isômero adj. s.m.
isomerogamia s.f.
isomertieíta s.f.
isometamérico adj.
isometral adj.2g.
isometria s.f.
isométrico adj.
isômetro s.m.
isometrógrafo s.m.
isometropia s.f.
isometrópico adj.
isomiário adj. s.m.
isomira s.f.
isomorfia s.f.
isomórfico adj.
isomorfismo s.m.
isomorfístico adj.
isomorfo adj.
isomorfogenia s.f.
isomorfogênico adj.
isomorfógeno adj. s.m.
isonandra s.f.
isonandro s.m.
isônefa s.f.
isonefélico adj.
isônefo adj.
isonema s.f.
isonêmona s.f.
isonêmono adj.
isoneuria s.f.
isoniazida s.f.
isoniazídico adj.
isônico s.m.
isonicotato s.m.
isonicótico adj.
isonicotina s.f.
isonicotínico adj.
isonimia s.f.
isonímia s.f.
isonímico adj.
isônimo adj. s.m.
isonitrila s.f.
isonitrilo s.m.
isonitrosado adj.
isonitroso (*ô*) adj.; f. (*ó*); pl. (*ó*)
isonomalia s.f.
isonômalo adj.
isonomia s.f.
isonômico adj.
isônomo adj.
isonuclear adj.2g.
iso-ômbrio adj.
iso-ombro adj.
iso-osmótico adj.
isópaca s.f.
isópaco adj.
isópago adj.
isopalpo adj.
isopáquico adj.
isopaquita s.f.
isoparafina s.f.
isoparafínico adj.
isoparamétrico adj.
isopartenogênese s.f.
isopata s.2g.
isopatia s.f.
isopático adj.
isopéctico adj.
isopeletierina s.f.
isopentano s.m.
isopentil s.m.
isoperimétrico adj.
isoperímetro adj. s.m.
isopério s.m.
isoperla s.f.
isopertita s.f.
isopétalo adj.
isopete (*ê*) s.m.
isopia s.f.
isopícna s.f.
isopícnico adj.
isopicnose s.f.
isópico adj.
isopieze s.f.
isopiézico adj.
isopiezo adj.
isopilocarpina s.f.
isopilópico adj.
isopirina s.f.
isopírio s.m.

isópiro s.m.
isopiroína s.f.
isoplanático adj.
isoplastia s.f.
isoplástico adj.
isoplérico adj.
isopleta s.f.
isoplete adj.2g. s.m.f.
isoplexe (*cs*) s.f.
isoploide (*ó*) adj.2g.
isópode adj.2g. s.m.
isopódeo adj.
isopor (*ô*) s.m.
isópora s.f.
isoporia s.f.
isopórica s.f.
isopórico adj.
isopracta s.f.
isoprenalina s.f.
isoprênico adj.
isopreno s.m.
isopropanol s.m.
isopropenila s.f.
isopropila s.f.
isopropilalibarbitúrico adj.
isopropilarterenol s.m.
isopropilbenzeno s.m.
isopropílico adj.
isopropilideno s.m.
isopropilnoradrenalina s.f.
isopropilnoradrenalínico adj.
isopropilo s.m.
isoprotalia s.f.
isoproterenol s.m.
ísops s.m.2n.
isopterígio s.m.
isóptero adj. s.m.
isóptica s.f.
isóptico adj.
isopulegol s.m.
isopulegona s.f.
isopurpurato s.m.
isopurpúrico adj.
isopurpurina s.f.
isopurpurona s.f.
isoquela s.f.
isoquétotrips s.m.
isoquilo s.m.
isoquimal adj.2g.
isoquímena s.f.
isoquimênico adj.
isoquímeno adj.
isoquímico adj.
isoquimo s.m.
isoquinolina s.f.
isoquinolínico adj.
isoquiro adj.
isoquita s.f.
isoramuno s.m.
isorientado adj.
isorresistência s.f.
isorresistente adj.2g.
isorresistividade s.f.
isorresistivo adj.
isorrinquíneo s.m.
isorrítmico adj.
isorritmo s.m.
isorrotlerina s.f.
isosbéstico adj.
isóscele adj.2g.
isósceles adj.2g.2n.
isoscelia s.f.
isoscopia s.f.
isoscópico adj.
isoscópio s.m.
isosférico adj.
isosmia s.f.
isósmico adj.
isosmose s.f.
isosmótica s.f.
isosmótico adj.
isospôndilo adj. s.m.
isóspora adj. s.m.
isosporado adj.
isosporia s.f.
isosporíase s.f.
isospórico adj.
isospório s.m.
isósporo adj.
isosporose s.f.
isosporótico adj.
isosquisto adj.
isossilábico adj.
isossílabo adj.
isossintáctico adj.
isossintagma s.m.
isossintagmático adj.
isossísmico adj.
isossista s.f.
isossisto adj.
isossoma s.m.
isossomíneo adj. s.m.
isossorbitol s.m.
isossulfocianato s.m.
isossulfocianético adj.
isossulfocianeto (*ê*) s.m.
isossulfociânico adj.
isóstase s.f.
isostasia s.f.
isostática s.f.
isostático adj.
isostearato s.m.
isosteárico adj.
isostêmone adj.2g.
isostenúria s.f.
isosteria s.f.
isostérico adj.
isosterismo s.m.
isóstero adj.
isóstico adj.
isostigma s.m.
isótaca s.f.
isótaco adj.
isotáctico adj.
isotalante adj.2g.
isotalantosa s.f.
isotana s.f.
isotático adj.
isotécio s.m.
isótele s.m.
isotelia s.f.
isoteniscópio s.m.
isoterapia s.f.
isotérico adj. "de igual densidade"; cf. *esotérico* e *exotérico*
isoterma s.f.
isotermia s.f.
isotérmica s.f.
isotérmico adj.
isotermo adj.
isótero adj.
isoterra s.f.
isotiazol s.m.
isotimia s.f.
isotimo adj.
isotiocianato s.m.
isotiociânico adj.
isotioureia (*é*) s.f.
isotipia s.f.
isotípico adj.
isotipo s.m.
isótipo s.m.
isotiureia (*é*) s.f.
isótoma s.f.
isotomia s.f.
isotonia s.f.
isotonicidade s.f.
isotônico adj.
isótono adj.
isotopia s.f.
isotópico adj.
isotopo s.m.
isótopo s.m.
isotransplantação s.f.
isotransplante s.m.
isótrica s.f.
isótrico s.m.
isotríquida adj.2g. s.m.
isotriquídeo adj. s.m.
isotrofia s.f.
isotrófico adj.
isotrófita s.f.
isotron s.m.
ísotron s.m.
isotropia s.f.
isotrópico adj.
isotropilcocaína s.f.
isotropilcocaínico adj.
isotropismo s.m.
isótropo adj.
isoureia (*é*) s.f.
isouvítico adj.
isóvala s.f.
isovaleraldeído s.m.
isovalerático adj.
isovalerato s.m.
isovaleriânico adj.
isovalérico adj.
isovalina s.f.
isóvalo adj.
isovolumar adj.2g. s.f.
isovolumetria s.f.
isovolumétrica s.f.
isovolumétrico adj.
isoxazol (*cs*) s.m.
isoxazólico (*cs*) adj.
isozima s.f.
isqueiro s.m. "acendedor"; cf. *esqueiro*
isquelê s.m.
isquemia s.f.
isquemiado adj.
isquêmico adj.
isquemo s.m.
isquíaco adj.
isquiadelfia s.f.
isquiadelfo adj. s.m.
isquiádico adj.
isquiagra s.f.
isquial adj.2g.
isquialgia s.f.
isquiálgico adj.
isquianal adj.2g.
isquião s.m.
isquiático adj.
isquiatite s.f.
isquiatítico adj.
isquidrose s.f.
isquidrótico adj. s.m.
ísquio s.m.
isquiocavernoso (*ô*) adj.; f. (*ó*); pl. (*ó*)
isquiocele s.f.
isquioclitorídeo adj. s.m.
isquiococcígeo adj.
isquiodidimia s.f.
isquiodídimo s.m.
isquiofemoral adj.2g.
isquiofemoroperonial adj.2g.
isquiointertrocanteriano adj.
ísquion s.m.
isquionevralgia s.f.
isquionevrálgico adj.
isquiópage s.m.
isquiopagia s.f.
isquiopágico adj.
isquiópago adj. s.m.
isquiópaque s.m.
isquiopaquíneo s.m.
isquiópaquis s.m.2n.
isquiopeniano adj.
isquioperineal adj.2g.
isquiopódito s.m.
isquiopubial adj.2g.
isquiopubiano adj.
isquiopúbico adj.
isquiopubifemoral adj.2g.
isquiopubitomia s.f.
isquiopubitômico adj.
isquiopubitrocanteriano adj.
isquiorrectal adj.2g.
isquiorretal adj.2g.
isquiorrógico adj.
isquiotibial adj.2g.
isquiotrocanteriano adj.
isquiro s.m.
isquiropsálida adj.2g. s.m.
isquiropsalide s.f.
isquiropsalídeo adj. s.m.
isquirópsalis s.f.
isquirosônico s.m.
isquirósonix (*cs*) s.m.
israel s.m.
israelandense adj. s.2g.
israelense adj. s.2g.
israeli adj. s.2g.
israeliano adj.
israelita adj. s.2g.
israelítico adj.
israelização s.f.
israelizado adj.
israelizante adj. s.2g.
israelizar v.
israelo-africano adj.; pl. *israelo-africanos*
israelo-americano adj.; pl. *israelo-americanos*
israelo-árabe adj.2g.; pl. *israelo-árabes*
israelo-asiático adj.; pl. *israelo-asiáticos*
israelo-brasileiro adj.; pl. *israelo-brasileiros*
israelo-egípcio adj.; pl. *israelo-egípcios*
israelo-francês adj.; pl. *israelo-franceses*
israelo-inglês adj.; pl. *israelo--ingleses*
israelo-jordaniano adj.; pl. *israelo-jordanianos*
israelo-jordânio adj.; pl. *israelo-jordânios*
israelo-libanês adj.; pl. *israelo-libaneses*
israelo-sinaítico adj.; pl. *israelo-sinaíticos*
israelo-sírio adj.; pl. *israelo--sírios*
israelo-soviético adj.; pl. *israelo-soviéticos*
issaico adj.
issária s.f.
issei adj. s.2g.
isseia (*é*) adj. s.f. de *isseu*
issena s.m.
issende s.m.
issense adj. s.2g.
isseu adj. s.m.; f. *isseia* (*é*)
issicariba s.f.
issico adj. s.m.
íssida adj.2g. s.m.
issídeo adj. s.m.
issíneo adj. s.m.
isso pron.; cf. *iço*, fl. do v. *içar*
issobo s.m.
issubo s.m.
issúbu s.m.
issuco adj. s.m.
issunhe s.m.
ista s.2g.
istevão adj. s.m.; f. *istevona*
istevona adj. s.f. de *istevão*
istévone adj. s.2g.
istmencefálico adj.
ístmia s.m.
ístmica s.f.
ístmico adj.
ístmio adj.
istmite s.f.
istmo s.m.
istmocarpo adj. s.m.
istmoencefálico adj.
istmoplegia s.f.
istmoplégico adj.
isto pron.
istriano adj. s.m.
ístrico adj. s.m.
istro adj. s.m.
isuretina s.f.
isuria s.f.
isúria s.f.
isúrico adj.
isurídeo adj. s.m.
isuro s.m.
isuso s.m.
ita s.m. "embarcação"; cf. *itá* e *itã*
itá s.f. "rocha com minério de ferro"; cf. *ita* e *itã*
itã s.f. "urna funerária"; cf. *ita* e *itá*
itaarense adj. s.2g.
itabaianense adj. s.2g.
itabaianinhense adj. s.2g.
itabapoanense adj. s.2g.
itaberaba s.f.
itaberabense adj. s.2g.
itaberaense adj. s.2g.
itaberaiense adj. s.2g.
itaberense adj.2g.
itaberino adj. s.m.
itabiense adj. s.2g.
itabirano adj. s.m.
itabirense adj. s.2g.
itabirinhense adj. s.2g.
itabirite s.f.
itabiritense adj. s.2g.
itabirítico adj.
itabirito s.m.
itabocense adj. s.2g.
itaboquense adj. s.2g.
itaboraiense adj. s.2g.
itabunense adj. s.2g.
itaca s.m.f.
itacajaense adj. s.2g.
itacambirense adj. s.2g.
itacametá s.m.
itacarambiense adj. s.2g.
itacareense adj. s.2g.
itacatuense adj. s.2g.
itacava s.f.
itacavense adj. s.2g.
itacense adj. s.2g.
itacésio adj. s.m.
itaciba s.f.
itaciense adj. s.2g.
itaciramense adj. s.2g.
itacismo s.m.
itacista adj. s.2g.
itacístico adj.
ítaco adj. s.m.
itacoatiara s.f.
itacoatiarense adj. s.2g.
itacolomiense adj. s.2g.
itacolomito s.m.
itacolumite s.f.
itacolumito s.m.
itaconato s.m.
itacônico adj.
itacuã s.m.
itacuara s.f.
itaçuceense (*cê*) adj. s.2g.
itaçuense adj. s.2g.
itacurimbi s.m.
itacuru s.m.
itacurua s.f.
itacuruba s.f. "lugar com muitos seixos"; cf. *itacurubá*
itacurubá s.m. "cupinzeiro"; cf. *itacuruba*
itacurubense adj. s.2g.
itacuruçaense adj. s.2g.
itacurumbi s.m.
itaense adj. s.2g.
itaeteense (*tê*) adj. s.2g.
itaguaçuense adj. s.2g.
itaguaense adj. s.2g.
itaguaiense adj. s.2g.
itaguajeense adj. s.2g.
itaguandibense adj. s.2g.
itaguarense adj. s.2g.
itaguarino adj. s.m.
itaguaruense adj. s.2g.
itaguatinense adj. s.2g.
itaguirense (*ü*) adj. s.2g.
itaí s.m.
itaiacoquense adj. s.2g.
itaiaense adj. s.2g.
itaianopolense adj. s.2g.
itaíba s.f.
itaibense adj. s.2g.
itaiboense adj. s.2g.
itaiçabense adj. s.2g.
itaiciense adj. s.2g.
itaiense adj. s.2g.
itaimbé s.m.
itaimbeense adj. s.2g.
itaimbezinhense adj. s.2g.
itainense adj. s.2g.
itainopolense adj. s.2g.
itainopolitano adj. s.m.
itaiocense adj. s.2g.
itaioense adj. s.2g.
itaiopolense adj. s.2g.
itaiopolitano adj. s.m.
itaipaba s.f.
itaipabense adj. s.2g.
itaipava s.f.
itaipavense adj. s.2g.
itaipeense adj. s.2g.
itaipuense adj. s.2g.

itaitubense adj. s.2g.
itaituense adj. s.2g.
itaiubense adj. s.2g.
itaiuense adj. s.2g.
itajaçuense adj. s.2g.
itajaense adj. s.2g.
itajaiense adj. s.2g.
itajarense adj. s.2g.
itajibense adj. s.2g.
itajiense adj. s.2g.
itajimirinense adj. s.2g.
itajobiense adj. s.2g.
itajuba s.f.
itajubaense adj. s.2g.
itajubaquarense adj. s.2g.
itajubatibense adj. s.2g.
itajubense adj. s.2g.
itajuense adj. s.2g.
itajuipense adj. s.2g.
itajuruense adj. s.2g.
itajutibense adj. s.2g.
italatria s.f.
italátrico adj.
italegrense adj. s.2g.
italiana s.f.
italianada s.f.
italianidade s.f.
italianismo s.m.
italianista adj. s.2g.
italianístico adj.
italianização s.f.
italianizado adj.
italianizador (*ô*) adj.
italianizante adj.2g.
italianizar v.
italianizável adj.2g.
italiano adj. s.m.
italianofilia s.f.
italianofílico adj.
italianófilo adj. s.m.
italianofobia s.f.
italianófobo adj. s.m.
italianofonia s.f.
italianofônico adj.
italianófono adj. s.m.
italianomania s.f.
italianomaníaco adj. s.m.
italianômano adj. s.m.
italicense adj. s.2g.
italiciano adj. s.m.
italicizar v.
itálico adj. s.m. "italiano"; cf. *etálico*
italiota adj. s.2g.
italiótico adj.
ítalo adj. s.m.
ítalo-abexim adj.2g.; pl. *ítalo-abexins*
ítalo-abissínio adj.; pl. *ítalo-abissínios*
ítalo-africano adj.; pl. *ítalo-africanos*
ítalo-albanês adj.; pl. *ítalo-albaneses*
ítalo-alemão adj.; pl. *ítalo-alemães*
ítalo-americano adj.; pl. *ítalo-americanos*
ítalo-árabe adj.2g.; pl. *ítalo-árabes*
ítalo-argelino adj.; pl. *ítalo-argelinos*
ítalo-argentino adj.; pl. *ítalo-argentinos*
ítalo-asiático adj.; pl. *ítalo-asiáticos*
ítalo-australiano adj.; pl. *ítalo-australianos*
ítalo-austríaco adj.; pl. *ítalo-austríacos*
ítalo-brasileiro adj.; pl. *ítalo-brasileiros*
ítalo-britânico adj.; pl. *ítalo-britânicos*
ítalo-canadense adj.2g.; pl. *ítalo-canadenses*
ítalo-celta adj.; pl. *ítalo-celtas*
ítalo-céltico adj.; pl. *ítalo-célticos*
ítalo-espanhol adj.; pl. *ítalo-espanhóis*
ítalo-etíope adj.2g.; pl. *ítalo-etíopes*
ítalo-etiópico adj.; pl. *ítalo-etiópicos*
italofalante adj. s.2g.
italofalante adj. s.2g.
italofilia s.f.
italófilo adj. s.m.
italofobia adj. s.m.
italófobo adj. s.m.
italofonia s.f.
italofonia s.f.
italófono adj. s.m.
italófono adj. s.m.
ítalo-francês adj.; pl. *ítalo-franceses*
ítalo-gaulês adj.; pl. *ítalo-gauleses*
ítalo-germânico adj.; pl. *ítalo-germânicos*
ítalo-gótico adj.; pl. *ítalo-góticos*
ítalo-grego adj.; pl. *ítalo-gregos*
ítalo-inglês adj.; pl. *ítalo-ingleses*
ítalo-iugoslavo adj.; pl. *ítalo-iugoslavos*
ítalo-japonês adj.; pl. *ítalo-japoneses*
ítalo-luso adj.; pl. *ítalo-lusos*
italomania s.f.
italomaníaco adj. s.m.
italômano adj. s.m.
ítalo-mexicano adj.; pl. *ítalo-mexicanos*
ítalo-paulista adj.2g.; pl. *ítalo-paulistas*
ítalo-português adj.; pl. *ítalo-portugueses*
ítalo-russo adj.; pl. *ítalo-russos*
ítalo-soviético adj.; pl. *ítalo-soviéticos*
ítalo-suíço adj.; pl. *ítalo-suíços*
ítalo-turco adj.; pl. *ítalo-turcos*
italvense adj. s.2g.
itamaca s.f.
itamalato s.m.
itamálico adj.
itamanariense adj. s.2g.
itamaracá s.f.
itamaracaense adj. s.2g.
itamarajuense adj. s.2g.
itamarandibano adj. s.m.
itamarandibense adj. s.2g.
itamarateense adj. s.2g.
itamaratiense adj. s.2g.
itamariense adj. s.2g.
itamataiense adj. s.2g.
itambá s.m.
itambacuriense adj. s.2g.
itambaracaense adj. s.2g.
itambé s.m.
itambeca s.f.
itambeense adj. s.2g.
itambi s.m.
itambiense adj. s.2g.
itame s.f.
itamembeca s.f.
itamirense adj. s.2g.
itamirinense adj. s.2g.
itamo s.m.
itamojiense adj. s.2g.
itamontano adj. s.m.
itamontense adj. s.2g.
itamotiaguense adj. s.2g.
itamotinga s.f.
itamuriense adj. s.2g.
itanagrense adj. s.2g.
itanajeense adj. s.2g.
itanense adj. s.2g.
itangá adj. s.2g.
itanguaense adj. s.2g.
itanha s.f. "espécie de sapo"; cf. *itanhá*
itanhá adj. s.2g. "povo"; cf. *itanha*
itanhaenense adj. s.2g.
itanhaense adj. s.2g.
itanhanduense adj. s.2g.
itanheense (*nhê*) adj. s.2g.
itanhenense adj. s.2g.
itanhiense adj. s.2g.
itanhomiense adj. s.2g.
itano adj. s.m.
itaobinense adj. s.2g.
itaoca s.f.
itaocano adj. s.m.
itaocarense adj. s.2g.
itaocense adj. s.2g.
itaoquense adj.2g.
itapaba s.f.
itapaçarocense adj. s.2g.
itapaçaroquense adj. s.2g.
itapaciense adj. s.2g.
itapacino adj. s.m.
itapacuraense adj. s.2g.
itapajeense adj. s.2g.
itapajipense adj. s.2g.
itapanhoacanga s.f.
itapanhoacanguense adj. s.2g.
itaparaense adj. s.2g.
itaparica s.f.
itaparicano adj. s.m.
itaparicense adj. s.2g.
itapariquense adj. s.2g.
itapeba s.f.
itapebiense adj. s.2g.
itapebuçuense adj. s.2g.
itapecerica s.f.
itapecericano adj. s.m.
itapecericense adj. s.2g.
itapeceriquense adj. s.2g.
itapecuim s.m.
itapecuruense adj. s.2g.
itapecurumirinense adj. s.2g.
itapeense adj. s.2g.
itapeinense adj. s.2g.
itapeipuense adj. s.2g.
itapejarense adj. s.2g.
itapema s.f.
itapemense adj. s.2g.
itapemirinense adj. s.2g.
itapequaense adj. s.2g.
itaperense adj. s.2g.
itaperiuense adj. s.2g.
itaperunense adj. s.2g.
itapeteiuense adj. s.2g.
itapetinense adj. s.2g.
itapetingano adj. s.m.
itapetinguense adj. s.2g.
itapetinguiense adj. s.2g.
itapetininguense adj. s.2g.
itapeuá s.m.
itapeuaense adj. s.2g.
itapeunense adj. s.2g.
itapeva s.f.
itapevense adj. s.2g.
itapeviense adj. s.2g.
itapexingui s.m.
itapicuim s.m.
itapiçumense adj. s.2g.
itapicura s.f.
itapicuro s.m.
itapicuru s.m.
itapicuru-amarelo s.m.; pl. *itapicurus-amarelos*
itapicuruense adj. s.2g.
itapicurumirinense adj. s.2g.
itapinense adj. s.2g.
itapinhoã s.m.
itapinima s.f.
itapinimense adj. s.2g.
itapipocense adj. s.2g.
itapipoquense adj. s.2g.
itapiranga s.m.
itapiranguense adj. s.2g.
itapirapuanense adj. s.2g.
itapiraremense adj. s.2g.
itapirense adj. s.2g.
itapiri s.m.
itapiruçuense adj. s.2g.
itapiruense adj. s.2g.
itapirunense adj. s.2g.
itapitanga s.f.
itapitocaiense adj. s.2g.
itapiúna s.f.
itapiunense adj. s.2g.
itapixeense adj. s.2g.
itapixunense adj. s.2g.
itapoaense adj. s.2g.
itapoense adj. s.2g.
itapolense adj. s.2g.
itapolino adj. s.m.
itapolitano adj. s.m.
itaporanense adj. s.2g.
itaporanguense adj. s.2g.
itaporeense adj. s.2g.
itapororocense adj. s.2g.
itapororoquense adj. s.2g.
itapriá adj. s.2g.
itapu s.m.
itapuá s.m.
itapuã s.m.
itapuanense adj. s.2g.
itapucense adj. s.2g.
itapucuense adj. s.2g.
itapulense (*pu-i*) adj. s.2g.
itapuquense adj. s.2g.
itapuranguense adj. s.2g.
itapurense adj. s.2g.
itaquaense adj. s.2g.
itaquaquecetubano adj. s.m.
itaquaquecetubense adj. s.2g.
itaquara s.f.
itaquaraiense adj. s.2g.
itaquarense adj. s.2g.
itaquariense adj. s.2g.
itaquatiara s.f.
itaquatiarense adj. s.2g.
itaquerense adj. s.2g.
itaquiense adj. s.2g.
itaquirense adj. s.2g.
itaquitã s.m.
itaquitinguense adj. s.2g.
itaranense adj. s.2g.
itarantinense adj. s.2g.
itararé s.m.
itarareense adj. s.2g.
itaremense adj. s.2g.
itaririense adj. s.2g.
itaroqueense adj. s.2g.
itaroquenense adj. s.2g.
itarumanense adj. s.2g.
itarumense adj. s.2g.
itassuceense adj. s.2g.
itataense adj. s.2g.
itatartárico adj.
itati adj. s.2g.
itatiaiense adj. s.2g.
itatiaiuçuense adj. s.2g.
itatiba s.f.
itatibano adj. s.m.
itatibense adj. s.2g.
itatiense adj. s.2g.
itatinense adj. s.2g.
itatinguense adj. s.2g.
itatinguiense adj. s.2g.
itatirense adj. s.2g.
itatubense adj. s.2g.
itatupanense adj. s.2g.
itau s.m.
itauá s.m.
itaúba s.f.
itaúba-branca s.f.; pl. *itaúbas-brancas*
itaubarana s.f.
itaúba-verdadeira s.f.; pl *itaúbas-verdadeiras*
itaúba-vermelha s.f.; pl. *itaúbas-vermelhas*
itaubelense adj. s.2g.
itaubense adj. s.2g.
itauçuense adj. s.2g.
itaueirense adj. s.2g.
itauense adj. s.2g.
itaúna s.f.
itaunense adj. s.2g.
itauninhense adj. s.2g.
itauzense adj. s.2g.
itaveraense adj. s.2g.
itaveravense adj. s.2g.
itaxamense adj. s.2g.
ité adj.2g.
ítea s.f.
item s.m.
itengo s.m.
iteque s.m.
iteração s.f.
iterar v.
iterativo adj.
iterável adj.2g.
itérbico adj.
iterbina s.f.
itérbio s.m.
iterbita s.f.
iterbítico adj.
iterereense adj. s.2g.
iterícia s.f.
itérico adj.
itético s.m.
itiassa s.f.
itibirano adj. s.m.
itibirense adj. s.2g.
iticifose s.f.
itifálico adj.
itifalo s.m.
itifilo adj.
itilordose s.f.
itinerante adj. s.2g.
itinerário adj. s.m.
itinguense adj. s.2g.
itiporíneo adj. s.m.
itiqui s.m.
itiquirano adj. s.m.
itiquirense adj. s.2g.
itirapinense adj. s.2g.
itirapuanense adj. s.2g.
itirense adj. s.2g.
itiruçuense adj. s.2g.
itiubense adj. s.2g.
itiucense adj. s.2g.
itiuquense adj. s.2g.
itó s.m.
itobi s.m.
itobiense adj. s.2g.
itogapuque adj. s.2g.
itoíta s.f.
itomídeo adj. s.m.
itomiida adj.2g. s.m.
itomiídeo adj. s.m.
itomisa s.f.
itoneia (*é*) adj. s.f. de *itoneu*
itoneu adj. s.m.; f. *itoneia* (*é*)
itororó s.m.
itororoense adj. s.2g.
itos s.m.2n.
itoupava s.f.
itoupavense adj. s.2g.
itraconazol s.m.
itral s.m.
ítria s.f.
itrialita s.f.
ítrico adj.
itrífero adj.
ítrio s.m.
itrioesquinita s.f.
itriortita s.f.
itriotantalita s.f.
itrite s.f.
itroatchettolita s.f.
itrobastnasita s.f.
itrobritolita s.f.
itrocalcita s.f.
itrocalcite s.f.
itrocerita s.f.
itrocerítico adj.
itrocolumbita s.f.
itrocolumbítico adj.
itrocrasita s.f.
itrocrasítico adj.
itrofluorita s.f.
itrofluorítico adj.
itroilmenita s.f.
itrol s.m.
itroniobita s.f.
itroparisita s.f.
itrossinquisita s.f.
itrotantalita s.f.
itrotantalítico adj.
itrotitanita s.f.
itrotungstita s.f.
itsalense adj.2g.
itu s.m.
ituá s.m.
ituá-açu s.m.; pl. *ituás-açus*
ituá-branco s.m.; pl. *ituás-brancos*
ituaçuense adj. s.2g.
ituano adj. s.m.
ituberaense adj. s.2g.
itucale adj. s.2g.

ituense adj. s.2g.
ituetense adj. s.2g.
ituguaçuense adj. s.2g.
ituí s.m.
ituiana adj. s.2g.
ituí-cavalo s.m.; pl. *ituís-cavalo* e *ituís-cavalos*
ituiense adj. s.2g.
ituinense adj. s.2g.
ituí-pinima s.m.; pl. *ituís-pinima* e *ituís-pinimas*
ituí-pintado s.m.; pl. *ituís-pintados*
ituí-terçado s.m.; pl. *ituís-terçados*
ituituí (*tu-i*) s.m.
ituiutabano adj. s.m.
ituiutabense adj. s.m.
itumbiarense adj. s.2g.
itumbo s.m.
itumirinense adj. s.2g.
ituna s.f.
itupararanguense adj. s.2g.
itupava s.f.
itupavense adj. s.2g.
itupeba s.f.
itupeva s.f.
itupevense adj. s.2g.
itupiranguense adj. s.2g.
ituporanguense adj. s.2g.
ituquiense adj. s.2g.
ituramense adj. s.2g.
itureia (*é*) adj. s.f. de *itureu*
itureu adj. s.m.; f. *itureia* (*é*)
itutinguense adj. s.2g.
ituveravense adj. s.2g.
iú s.m.
iuá s.f.
iuaense adj. s.2g.
iualapiti adj. s.2g.
iubatinguense adj. s.2g.
iuberi adj. s.2g.
iuçá s.m.
iúca s.f.
iucaiense adj. s.2g.
iucajir s.m.
iuçara s.f.
iucatanense adj. s.2g.
iucatano adj. s.m.
iucateco adj. s.m.
iucatego adj. s.m.
iucateque adj. s.2g.
iúcea s.f.
iucusso s.m.
iugoslavo adj. s.m.
iuí s.m.
iuiraense adj. s.2g.
iuiteporanense adj. s.2g.
iú-iú s.m.; pl. *iú-iús*
iuiuense adj. s.2g.
iulã s.m.
iúlida adj.2g. s.m.
iulídeo adj. s.m.
iúlo s.m.
iumá adj. s.2g.
iumirim s.m.
iunense adj. s.2g.
iuniense adj. s.2g.
iunzense adj. s.2g.
iupati s.m.
iupebense adj. s.2g.
iupuá adj. s.2g.
iúque s.m.
iuquicé s.m.
iuquiri s.m.
iurá adj.2g.
iuracare adj. s.2g.
iuraco s.m.
iurará s.f.
iuraracangaçu s.f.
iurari s.m.
iuri adj. s.2g.
iurimagua adj. s.2g.
iurimana adj. s.2g.
iúro s.m.
iurta s.f.
iurte s.f.
iuruense adj. s.2g.
iurumi s.m.
iurupariiúa s.m.
iurupiranga s.m.
iuticense adj. s.2g.
iutiquense adj. s.2g.
iva s.f.
ivaarita s.f.
ivaí s.f.
ivaiense adj. s.2g.
ivaína s.f.
ivaiporanense adj. s.2g.
ivaitinguense adj. s.2g.
iva-moscada s.f.; pl. *ivas-moscadas*
ivantiji s.m.
ivaol s.m.
ivaparé adj. s.2g.
ivarapema s.f.
ivatense adj. s.2g.
ivatinji s.m.
ivatubense adj. s.2g.
iveca s.f.
ivesa s.f.
ivinheimense adj. s.2g.
ivirá s.m.
ivirapema s.m.
ivirapeme s.m.
iviraro s.m.
iviró s.m.
ivitiense adj. s.2g.
ivitinga s.m.
ivitingui s.m.
ivolandense adj. s.2g.
ivolandês adj. s.m.
ivoraense adj. s.2g.
ivorito s.m.
ivotiense adj. s.2g.
ivuranhê s.m.
ivurarema s.f.
ixa interj. "denota desdém"; cf. *ixã*
ixã s.m. "poste"; cf. *ixa*
íxalo (*cs*) s.m.
ixâmata (*cs*) adj. s.2g.
ixaneque s.f.
ixanto (*cs*) s.m.
ixe interj. "denota ironia"; cf. *ixé* e *ixê*
ixé s.2g. "ave", "trabalho de candomblé"; cf. *ixe* e *ixê*
ixê s.m. "poste fincado no terreiro"; cf. *ixé* e *ixê*
íxia (*cs*) s.f.
ixião (*cs*) s.m.
ixíea (*cs*) s.f.
ixínea (*cs*) s.f.
ixíneo (*cs*) adj.
ixinque s.m.
ixiódea (*cs*) s.f.
ixiódeo (*cs*) adj.
ixióidea (*cs*) s.f.
ixiolena (*cs*) s.f.
ixioliriina (*cs*) s.f.
ixiolírio (*cs*) s.m.
ixiolita (*cs*) s.f.
ixiolite (*cs*) s.f.
ixionolite (*cs*) s.f.
ixobranco (*cs*) s.m.
ixocifose (*cs*) s.f.
ixode (*cs*) s.m.
ixodíase (*cs*) s.f.
ixódida (*cs*) adj.2g. s.m.
ixodídeo (*cs*) adj. s.m.
ixodina (*cs*) s.f.
ixodíneo (*cs*) s.m.
ixódio (*cs*) s.m.
ixodo (*cs*) s.m.
ixofagia (*cs*) s.f.
ixófago (*cs*) adj.
ixógrafo (*cs*) s.m.
ixolita (*cs*) s.f.
ixolite (*cs*) s.f.
ixometria (*cs*) s.f.
ixométrico (*cs*) adj.
ixômetro (*cs*) s.m.
ixomielite (*cs*) s.f.
ixonantácea (*cs*) s.f.
ixonantes (*cs*) s.m.2n.
ixonoto (*cs*) s.m.
ixora (*cs*) s.f.
ixora-brasileira s.f.; pl. *ixoras-brasileiras*
ixora-cheirosa s.f.; pl. *ixoras-cheirosas*
ixórea (*cs*) s.f.
ixoscopia (*cs*) s.f.
ixu adj. s.2g.
ixuabo s.m.
ixuense adj. s.2g.
ixuzinhense adj. s.2g.
iza s.f.
izal s.m.
izalco adj. s.m.
izaquente s.f.
izar s.m. "pano, arma, etc."; cf. *isar*
izarense adj. s.2g.
izarra s.f.
izé s.m.
izgo adj. s.m.
izipra s.f.
izo adj. s.m.
izombe s.m.
izuqueiro adj.
izuzo s.m.

Jj

j (*jota* ou *ji*) s.m.
já adv. conj.
jã s.f.
jaaraboá s.m.
jaba s.f. "ave"; cf. *jabá*
jabá s.2g. "carne-seca"; cf. *jaba*
jabaana adj. s.2g.
jabacatim s.m.
jabaculê s.m.
jabaeteense adj. s.2g.
jabão s.m.
jabaquarense adj. s.2g.
jabara s.f.
jabarandaia s.2g.
jabardeira s.f.
jabari s.m.
jabe s.m.
jabear v.
jabebira s.f.
jabebiretê s.f.
jabeca s.f.
jabecana s.f.
jabiraca s.f.
jabiru s.m.
jabiru-moleque s.m.; pl. *jabiru-moleques* e *jabirus-moleques*
jabitacaense adj. s.2g.
jabitada s.f.
jabite s.m.
jabô s.m.
jaboatanense adj. s.2g.
jaboatãozense adj. s.2g.
jabona s.f.
jabonina s.f.
jaboraense adj. s.2g.
jaborandi s.m.
jaborandi-das-alagoas s.m.; pl. *jaborandis-das-alagoas*
jaborandi-de-três-folhas s.m.; pl. *jaborandis-de-três-folhas*
jaborandi-do-ceará s.m.; pl. *jaborandis-do-ceará*
jaborandi-do-mato s.m.; pl. *jaborandis-do-mato*
jaborandi-do-pará s.m.; pl. *jaborandis-do-pará*
jaborandi-do-rio s.m.; pl. *jaborandis-do-rio*
jaborandi-do-sul s.m.; pl. *jaborandis-do-sul*
jaborandiense adj. s.2g.
jaborandi-falso s.m.; pl. *jaborandis-falsos*
jaborandi-manso s.m.; pl. *jaborandis-mansos*
jaborandina s.f.
jabórico adj.
jaboridina s.f.
jaborina s.f.
jaborosa s.f.
jabota s.f.
jaboticabalense adj. s.2g.
jabotiense adj. s.2g.
jabre s.m.
jabu s.m.
jabupirá s.2g.
jaburá s.m.
jaburizinhense adj. s.2g.
jaburu s.m.
jaburuense adj. s.2g.
jaburu-moleque s.m.; pl. *jaburus-moleque* e *jaburus-moleques*
jaburunense adj. s.2g.
jabutá s.m.
jabutapitá s.2g.
jabutá-verdadeiro s.m.; pl. *jabutás-verdadeiros*
jabuti adj. s.2g. s.m.
jabutia s.f.
jabutiano adj.
jabuti-aperema s.m.; pl. *jabutis-aperema* e *jabutis-aperemas*
jabuti-araconha s.m.; pl. *jabutis-araconha* e *jabutis-araconhas*
jabutiba s.f.
jabutiboia (*ó*) s.f.
jabuticaba s.f.
jabuticaba-de-cipó s.f.; pl. *jabuticabas-de-cipó*
jabuticabal s.m.
jabuticabalense adj. s.2g.
jabuticabeira s.f.
jabuticabeira-branca s.f.; pl. *jabuticabeiras-brancas*
jabuticabeira-cabeluda s.f.; pl. *jabuticabeiras-cabeludas*
jabuticabeira-do-mato s.f.; pl. *jabuticabeiras-do-mato*
jabuticabeira-peluda s.f.; pl. *jabuticabeiras-peludas*
jabuticabeirense adj. s.2g.
jabuticabense adj. s.2g.
jabuti-carumbé s.m.; pl. *jabutis-carumbé* e *jabutis-carumbés*
jabuticatuba s.f.
jabuticatubense adj. s.2g.
jabuti-da-terra-firme s.m.; pl. *jabutis-da-terra-firme*
jabutiense adj. s.2g.
jabutifede adj. s.2g.
jabuti-jurema s.m.; pl. *jabutis-jurema* e *jabutis-juremas*
jabutim s.m.
jabuti-machado s.m.; pl. *jabutis-machado* e *jabutis-machados*
jabutimata s.f.
jabutipé s.m.
jabutipiranga s.m.
jabutipitá s.2g.
jabutirica s.f.
jabutitinga s.m.
jabuti-tucumã s.m.; pl. *jabutis-tucumã* e *jabutis-tucumãs*
jabutuíva s.f.
jaca adj. s.2g. s.m.f. "fruta"; cf. *jacá*
jacá s.m. "cesta de taquara ou cipó"; cf. *jaca*
jaça s.f.
jacacal s.m.
jacaçu s.m.
jaca-de-pobre s.f.; pl. *jacas-de-pobre*
jaca-do-pará s.f.; pl. *jacas-do-pará*
jaçaí s.m.
jacaiacá s.m.
jacaió s.m.
jacaiol s.m.
jacama s.f.
jacamacira s.2g.
jacamaeira s.f.
jacamaense adj. s.2g.
jacamaici s.m.
jacamar s.m.
jacamarálcion s.f.
jacamaralcíone s.f.
jacamarici s.m.
jacami s.m.
jacamim s.m.
jacamim-copejuba s.m.; pl. *jacamins-copejuba* e *jacamins-copejubas*
jacamim-copetinga s.m.; pl. *jacamins-copetinga* e *jacamins-copetingas*
jacamim-cunhã s.m.; pl. *jacamins-cunhã* e *jacamins-cunhãs*
jacamim-cupejuba s.m.; pl. *jacamins-cupejuba* e *jacamins-cupejubas*
jacamim-cupijuba s.m.; pl. *jacamins-cupijuba* e *jacamins-cupijubas*
jacamim-cupitinga s.m.; pl. *jacamins-cupitinga* e *jacamins-cupitingas*
jacamim-de-costas-brancas s.m.; pl. *jacamins-de-costas-brancas*
jacamim-de-costas-escuras s.m.; pl. *jacamins-de-costas-escuras*
jacamim-de-costas-pretas s.m.; pl. *jacamins-de-costas-pretas*
jacamim-preto s.m.; pl. *jacamins-pretos*
jacamim-una s.m.; pl. *jacamins-una*
jacamincá s.f.
jacamiúna s.m.
jacampariense adj. s.2g.
jacana s.f.
jaçana s.m. "gênero de aves americanas"; cf. *jaçanã*
jaçanã s.f. "ave"; cf. *jaçana*
jacanarana s.f.
jaçanense adj. s.2g.
jaçanha s.f.
jacanídeo adj. s.m.
jacaninã s.f.
jacanóidea s.f.
jacanóideo adj. s.m.
jacapa s.f. "pássaro brasileiro"; cf. *jacapá*
jacapá s.m. "ave"; cf. *jacapa*
jacapani s.m.
jacaparu s.m.
jacapau s.m.
jacapé s.m.
jacapu s.m.
jacapucaia s.f.
jacapucaio s.m.
jacaquaense adj. s.2g.
jacará s.m. "quadrúpede de Madagascar"; cf. *jácara*
jácara s.f. "o mesmo que xácara"; cf. *jacará*
jacaraca s.f.
jacarácia s.f.
jacaraciense adj. s.2g.
jacaraipense adj. s.2g.
jacaranda s.f. "um tipo de jacarandá"; cf. *jacarandá*
jacarandá s.m. "designação de plantas de diferentes gêneros"; cf. *jacaranda*
jacarandá-antã s.m.; pl. *jacarandás-antãs*
jacarandá-banana s.m.; pl. *jacarandás-banana* e *jacarandás-bananas*
jacarandá-bico-de-pato s.m.; pl. *jacarandás-bico-de-pato*
jacarandá-branco s.m.; pl. *jacarandás-brancos*
jacarandá-cabiúna s.m.; pl. *jacarandás-cabiúna* e *jacarandás-cabiúnas*
jacarandá-caroba s.m.; pl. *jacarandás-caroba* e *jacarandás-carobas*
jacarandá-caviúna s.m.; pl. *jacarandás-caviúna* e *jacarandás-caviúnas*
jacarandá-da-serra s.m.; pl. *jacarandás-da-serra*
jacarandá-de-campinas s.m.; pl. *jacarandás-de-campinas*
jacarandá-de-espinho s.m.; pl. *jacarandás-de-espinho*
jacarandá-de-flor-amarela s.m.; pl. *jacarandás-de-flor-amarela*
jacarandá-de-sangue s.m.; pl. *jacarandás-de-sangue*
jacarandá-do-campo s.m.; pl. *jacarandás-do-campo*
jacarandá-do-campo-coberto s.m.; pl. *jacarandás-do-campo-coberto*
jacarandá-do-pará s.m.; pl. *jacarandás-do-pará*
jacarandaense adj. s.2g.
jacarandá-ferro s.m.; pl. *jacarandás-ferro* e *jacarandás-ferros*
jacarandá-mimoso s.m.; pl. *jacarandás-mimosos*
jacarandana s.f.
jacarandapara s.m.
jacarandá-pardo s.m.; pl. *jacarandás-pardos*
jacarandá-paulista s.m.; pl. *jacarandás-paulistas*
jacarandá-paulistano s.m.; pl. *jacarandás-paulistanos*
jacarandá-pitanga s.m.; pl. *jacarandás-pitanga* e *jacarandás-pitangas*
jacarandá-preto s.m.; pl. *jacarandás-pretos*
jacarandá-rosa s.m.; pl. *jacarandás-rosa* e *jacarandás-rosas*
jacarandá-roxo s.m.; pl. *jacarandás-roxos*
jacarandatã s.m.
jacarandaúna s.m.
jacarandazinho s.m.
jacarandina s.f.
jacarandirense adj. s.2g.
jacaranhi s.m.
jacaratiá s.f. "mamoeiro-bravo"; cf. *jacarátia*
jacarátia s.f. "designação comum às plantas do gênero Jacaratia"; cf. *jacaratiá*
jacaratinga s.f.
jacarauense adj. s.2g.
jacaré s.m.
jacareacanguense adj. s.2g.
jacaré-açu s.m.; pl. *jacarés-açus*
jacaré-aru s.m.; pl. *jacarés-arus*
jacaré-bicudo s.m.; pl. *jacarés-bicudos*
jacaré-cacau s.m.; pl. *jacarés-cacau* e *jacarés-cacaus*
jacarecaguá s.m.
jacaré-catinga s.m.; pl. *jacarés-catinga* e *jacarés-catingas*
jacaré-catinguense adj. s.2g.; pl. *jacaré-catinguenses*
jacarecicense adj. s.2g.
jacareciense adj. s.2g.
jacareciquense adj. s.2g.
jacaré-copaíba s.m.; pl. *jacarés-copaíba* e *jacarés-copaíbas*
jacaré-coroa s.m.; pl. *jacarés-coroa* e *jacarés-coroas*
jacaré-curuá s.m.; pl. *jacarés-curuá* e *jacarés-curuás*
jacaré-curulana s.m.; pl. *jacarés-curulana* e *jacarés-curulanas*
jacaré-de-óculos s.m.; pl. *jacarés-de-óculos*
jacaré-de-papo-amarelo s.m.; pl. *jacarés-de-papo-amarelo*
jacaré-do-campo s.m.; pl. *jacarés-do-campo*
jacaré-do-mato s.m.; pl. *jacarés-do-mato*
jacareense adj. s.2g.
jacaré-grandense adj. s.2g.; pl. *jacaré-grandenses*
jacareí s.m.
jacareíba s.f.
jacareiense adj. s.2g.
jacarepinima s.m.
jacarequarense adj. s.2g.
jacarerana s.m.
jacaretafá adj. s.2g.
jacaretapiá adj. s.2g.
jacaretinga s.m.
jacaretinguense adj. s.2g.
jacaréu s.m.
jacareuara adj. s.2g.

jacareúba s.f.
jacareúna s.m.
jacareúva s.m.
jacarezada s.f.
jacarezeiro adj. s.m.
jacarezinhense adj. s.2g.
jacariá adj. s.2g.
jacarina s.f.
jacarini s.m.
jacaruaru s.m.
jacaruba s.f.
jacatá adj. s.2g.
jacatacá s.m.
jacatanense adj. s.2g.
jacatirão s.m.
jacatirão-branco s.m.; pl. *jacatirões-brancos*
jacatirão-de-capote s.m.; pl. *jacatirões-de-capote*
jacatirão-grande s.m.; pl. *jacatirões-grandes*
jacatirão-preto s.m.; pl. *jacatirões-pretos*
jacatirica s.f.
jacatupé s.m.
jacaúna adj. s.2g.
jacaunense adj. s.2g.
jacazinho s.m.
jacé s.m.
jácea s.f.
jaceabense adj. s.2g.
jaceguai s.m.
jacência s.f.
jacente adj.2g. s.m.
jacerendiense adj. s.2g.
jacerino adj.
jacerubense adj. s.2g.
jachymovita s.f.
jaci s.m.
jaciaba s.f.
jaciabense adj. s.2g.
jaciarense adj. s.2g.
jacicá s.m.
jacicô s.m.
jaciense adj. s.2g.
jaciguaense adj. s.2g.
jacina s.f.
jacintara s.f.
jacintense adj. s.2g.
jacíntias s.f.pl.
jacíntico adj.
jacintino adj.
jacinto s.m.
jacinto-d'água s.m.; pl. *jacintos-d'água*
jacinto-das-searas s.m.; pl. *jacintos-das-searas*
jacinto-da-tarde s.m.; pl. *jacintos-da-tarde*
jacinto-do-oriente s.m.; pl. *jacintos-do-oriente*
jacinto dos vulcões s.m.
jacinto-machadense adj. s.2g.; pl. *jacinto-machadenses*
jacinto-selvagem s.m.; pl. *jacintos-selvagens*
jacinto-serôdio s.m.; pl. *jacintos-serôdios*
jacinto-vulcânico s.m.; pl. *jacintos-vulcânicos*
jácio adj. s.m.
jaciobense adj. s.2g.
jaciparanaense adj. s.2g.
jaciporanense adj. s.2g.
jaciremense adj. s.2g.
jacitara s.f.
jacitara-de-espinho-grande s.f.; pl. *jacitaras-de-espinho-grande*
jacitarapuí s.f.
jacitaratipiti s.f.
jacitarense adj. s.2g.
jacitata s.f.
jacksônia s.f.
jacksoniano adj.
jacksoniense adj. s.2g.
jacksonita s.f.
jacksonite s.f.
jaco s.m.
jacoba s.f.
jacóbea s.f.
jacobeia (*é*) adj. s.f. de *jacobeu*
jacobeu adj. s.m.; f. *jacobeia* (*é*)
jacobiano adj. s.m.
jacobice s.f.
jacobina s.f.
jacobinada s.f.
jacobinagem s.f.
jacobinalha s.f.
jacobinense adj. s.2g.
jacobínia s.f.
jacobinice s.f.
jacobínico adj.
jacobinificado adj.
jacobinismo s.m.
jacobinista adj. s.2g.
jacobinístico adj.
jacobinização s.f.
jacobinizado adj.
jacobinizar v.
jacobino adj. s.m.
jacobita adj. s.2g.
jacobitismo s.m.
jacobo s.m.
jacobsita s.f.
jacobsite s.f.
jácoma s.f.
já-começa s.2g.2n.
jaconeense adj. s.2g.
jacorito adj.
jacquemôntia s.f.
jacquínia s.f.
jacra s.f.
jacre s.m.
jacreiro s.m.
jacruaru s.m.
jacruaruense adj. s.2g.
jacsônia s.f.
jacsoniano adj.
jacsoniense adj. s.2g.
jacsonite s.f.
jactação s.f.
jactância s.f.
jactanciar-se v.
jactanciosidade s.f.
jactancioso (*ô*) adj.; f. (*ó*); pl. (*ó*)
jactante adj.2g.
jactar-se v.
jactitante adj.2g.
jactitar v.
jacto s.m.
jactura s.f.
jacu s.m.
jacuá s.m.
jacuabina s.f.
jacuacanga s.f.
jacuacininga s.f.
jacuaçu s.m.
jacuana s.f.
jacuanga s.f.
jacuapeti s.m.
jacuaru s.m.
jacuaruca s.f.
jacuba s.f.
jacubaúba s.m.
jacubense adj. s.2g.
jacucaca s.m.
jacucanga s.m.
jacu-cigano s.m.; pl. *jacus-ciganos*
jacuecanguense adj. s.2g.
jacueconga s.f.
jacuense adj. s.2g.
jacu-estalo s.m.; pl. *jacus-estalo* e *jacus-estalos*
jacuguaçu s.m.
jacuí s.m.
jacuiense adj. s.2g.
jacuipê s.m.
jacuipense adj. s.2g.
jacuizinhense adj. s.2g.
jaculação s.f.
jaculador (*ô*) adj. s.m.
jacular v.
jaculatória s.f.
jaculatório adj.
jaculela s.f.
jaculífero adj.
jaculo s.m. "mamífero"; cf. *jáculo*
jáculo s.m. "arremesso"; cf. *jaculo*
jacuma s.f.
jacumã s.m.
jacumaíba s.m.
jacumanense adj. s.2g.
jacumaúba s.m.
jacu-molambo s.m.; pl. *jacus-molambo* e *jacus-molambos*
jacuna adj. s.2g.
jacundá s.m.
jacundá-açu s.m.; pl. *jacundás-açus*
jacundá-branco s.m.; pl. *jacundás-brancos*
jacundá-cabeçudo s.m.; pl. *jacundás-cabeçudos*
jacundá-coroa s.m.; pl. *jacundás-coroa* e *jacundás-coroas*
jacundaçu s.m.
jacundaense adj. s.2g.
jacundá-olhudo s.m.; pl. *jacundás-olhudos*
jacundá-pinima s.m.; pl. *jacundás-pinima* e *jacundás-pinimas*
jacundá-piranga s.m.; pl. *jacundás-piranga* e *jacundás-pirangas*
jacundatinga s.m.
jacundatotó s.m.
jacundá-verde s.m.; pl. *jacundás-verdes*
jacundazinhense adj. s.2g.
jacundê s.m.
jacuné s.m.
jacupará s.m.
jacupeba s.m.
jacupema s.2g.
jacupemba s.2g.
jacupembense adj. s.2g.
jacupéua s.f.
jacupirangito s.m.
jacupiranguense adj. s.2g.
jacupiranguita s.m.
jacupiranguite s.f.
jacupiranguito s.m.
jacupói s.m.
jacu-porco s.m.; pl. *jacus-porco* e *jacus-porcos*
jacu-queixada s.m.; pl. *jacus-queixada* e *jacus-queixadas*
jacuraru s.m.
jacuriciense adj. s.2g.
jacuriense adj. s.2g.
jacurito adj. s.2g.
jacuru s.m.
jacuruaçu s.m.
jacuruaru s.m.
jacurunense adj. s.2g.
jacururuense adj. s.2g.
jacurutu s.m.
jacurutuense adj. s.2g.
jacuruxi s.m.
jacu-taquara s.m.; pl. *jacus-taquara* e *jacus-taquaras*
jacutinga s.f.
jacutinguense adj. s.2g.
jacuto adj. s.m.
jacutupé s.m.
jacuva s.f.
jacu-velho s.m.; pl. *jacus-velhos*
jada s.f.
jã da cruz s.m.
jadão adj. s.m.; f. *jadona*
jade s.m.
jade-califórnia s.m.; pl. *jades-califórnia*
jade do transvaal s.m.
jade-hornblenda s.m.; pl. *jades-hornblendas*
jade-imperial s.m.; pl. *jades-imperiais*
jadeira s.f.
jadeíta s.f.
jadeíte s.f.
jadeítico adj.
jadeíto s.m.
jã de la foice s.m.
jade-mexicano s.m.; pl. *jades-mexicanos*
jade-neozelandês s.m.; pl. *jades-neozelandeses*
jadera s.f.
jadertino adj. s.m.
jade-siberiano s.m.; pl. *jades-siberianos*
jade-verdadeiro s.m.; pl. *jades-verdadeiros*
jadibaruense adj. s.2g.
jadona adj. s.f. de *jadão*
jadono adj. s.m.
jaeteuense adj. s.2g.
jaez (*ê*) s.m.
jaezado adj.
jaezar v.
jafense adj. s.2g.
jafético adj. s.m.
jafetita adj. s.2g.
jaga adj. s.2g. s.m.f.
jagado s.m.
jaga-jaga s.m.; pl. *jaga-jagas*
jagança s.f.
jaganço s.m.
jagaque s.m.
jágara s.f.
jagataico adj. s.m.
jagato s.m.
jagaz s.m.
jagode adj. s.2g.
jagodes adj. s.2g.2n.
jagoirana s.f.
jagoíta s.f.
jagoma s.m.
jagomeiro s.m.
jagonça s.f.
jagowerita s.f.
jagra s.f.
jagrada s.f.
jagreiro adj. s.m.
jaguá-arroz s.m.; pl. *jaguás-arroz* e *jaguás-arrozes*
jaguacacaca s.m.
jaguacampeba s.m.
jaguacapemba s.m.
jaguacati s.m.
jaguacatiguaçu s.m.
jaguacinim s.m.
jaguacininga s.f.
jaguaí adj. s.2g.
jaguamimbaba s.2g.
jaguamitinga s.f.
jaguané adj.2g. s.m.
jaguané-preto s.m.; pl. *jaguanés-pretos*
jaguané-vermelho s.m.; pl. *jaguanés-vermelhos*
jaguapé s.m.
jaguapeba s.m.
jaguaperi s.m.
jaguapeva adj. s.m.
jaguapitanense adj. s.2g.
jaguapitanga s.f.
jaguapoca s.m.
jaguaquarense adj. s.2g.
jaguar s.m.
jaguara s.m.
jaguaraçá s.m.
jaguaracaca s.f.
jaguaracambé s.m.
jaguaraciense adj. s.2g.
jaguaraçuense adj. s.2g.
jaguaraense adj. s.2g.
jaguaraguaçu s.m.
jaguaraíva s.m.
jaguarambé s.m.
jaguaramuru s.m.
jaguarana adj. s.2g. s.f.
jaguaraná-pixuna s.f.; pl. *jaguaranás-pixunas*
jaguarande s.m.
jaguarandi s.m.
jaguaranense adj. s.2g.
jaguarão s.m.
jaguarapinima s.m.
jaguaraquara adj. s.2g.
jaguaraquinhá s.m.
jaguarariense adj. s.2g.
jaguaratê s.m.
jaguaratirica s.f.
jaguaré s.m.
jaguareçá s.m.
jaguareense adj. s.2g.
jaguarembeense adj. s.2g.
jaguarense adj. s.2g.
jaguaretamense adj. s.2g.
jaguareté s.2g.
jaguaretê s.2g.
jaguareté-pixuna s.m.; pl. *jaguaretés-pixuna* e *jaguaretés-pixunas*
jaguaretê-pixuna s.m.; pl. *jaguaretês-pixuna* e *jaguaretês-pixunas*
jaguariaíva s.m.
jaguariaivense adj. s.2g.
jaguaribano adj. s.m.
jaguaribarense adj. s.2g.
jaguaribense adj. s.2g.
jaguariça s.m.
jaguaricatuense adj. s.2g.
jaguariense adj. s.2g.
jaguarinhense adj. s.2g.
jaguaripe s.m.
jaguaripense adj. s.2g.
jaguaritaca s.2g.
jaguaritense adj. s.2g.
jaguaritirense adj. s.2g.
jaguariunense adj. s.2g.
jaguaronense adj. s.2g.
jaguaruana adj. s.2g.
jaguaruanense adj. s.2g.
jaguaruano adj. s.m.
jaguaruçá s.m.
jaguaruçu s.m.
jaguaruna s.f.
jaguarundi s.m.
jaguarunense adj. s.2g.
jaguatirão s.m.
jaguatirica s.f.
jaguatiricense adj. s.2g.
jaguatiriquense adj. s.2g.
jagube s.m.
jagudi s.m.
jague-jague s.m.; pl. *jague-jagues*
jaguir s.m.
jagunã s.f.
jagunçada s.f.
jagunçaria s.f.
jagunceiro adj.
jaguncismo s.m.
jagunço s.m.
jagunda s.f.
jagurecaca s.f.
jaguriçá s.m.
jahnsita s.f.
jaibara s.f.
jaibarense adj. s.2g.
jaibense adj. s.2g.
jaibradeira s.f.
jaibragem s.f.
jaibro s.m.
jaicó adj. s.2g.
jaicoense adj. s.2g.
jaimismo s.m.
jaimista adj. s.2g.
jaina adj. s.2g.
jainismo s.m.
jainista adj. s.2g.
jainístico adj.
jaio s.m.
jairzinho s.m.
jaja s.f. "roupa de criança", etc.; cf. *jajá*
jajá s.m. "coceira"; cf. *jaja*
jajim s.m.
jakobsoniano adj.
jala s.f.
jalandrabanda s.m.
jalão s.m.
jalapa s.f.
jalapa-bastarda s.f.; pl. *jalapas-bastardas*
jalapa-branca s.f.; pl. *jalapas-brancas*
jalapa-comprida s.f.; pl. *jalapas-compridas*
jalapa-da-índia s.f.; pl. *jalapas-da-índia*
jalapa-de-lisboa s.f.; pl. *jalapas-de-lisboa*

jalapa-de-mato-grosso s.f.; pl. *jalapas-de-mato-grosso*
jalapa-de-são-paulo s.f.; pl. *jalapas-de-são-paulo*
jalapa-do-brasil s.f.; pl. *jalapas-do-brasil*
jalapa-do-campo s.f.; pl. *jalapas-do-campo*
jalapa-do-mato s.f.; pl. *jalapas-do-mato*
jalapa-falsa s.f.; pl. *jalapas-falsas*
jalapa-fusiforme s.f.; pl. *jalapas-fusiformes*
jalapa-leve s.f.; pl. *jalapas-leves*
jalapa-macha s.f.; pl. *jalapas-machas*
jalapa-macho s.f.; pl. *jalapas-machos*
jalapão s.m.
jalapa-ponderosa s.f.; pl. *jalapas-ponderosas*
jalapato s.m.
jalapa-verdadeira s.f.; pl. *jalapas-verdadeiras*
jalapa-vermelha s.f.; pl. *jalapas-vermelhas*
jalapeiro s.m.
jalápico adj.
jalapina s.f.
jalapinha s.f.
jalapinol s.m.
jalapinolato s.m.
jalapinólico adj.
jalde adj.2g. s.m.
jaldeta (*ê*) s.f.
jaldete (*ê*) s.m.
jaldinino adj.
jaleca s.f.
jaleco s.m.
jaleia (*é*) s.f.
jalense adj. s.2g.
jáleo s.m.
jaleque s.m.
jales s.m.2n.
jalesense adj. s.2g.
jalesiano adj. s.m.
jaléu s.m.
jalia s.f.
jaliso s.m.
jalne adj.2g. s.m.
jalofo (*ô*) adj. s.m.
jalpaíta s.f.
jalpaíte s.f.
jalusia s.f.
jaluto s.m.
jamacaí s.m.
jamacaru s.m.
jamacaruense adj. s.2g.
jamadar s.m.
jamaia s.f.
jamaica s.f.
jamaicano adj. s.m.
jamaicense adj. s.2g.
jamaícico adj.
jamáicico adj.
jamaicina s.f.
jamaiquinho s.m.
jamaiquino adj. s.m.
jamais adv.
jamalaque s.m.
jamamandi adj. s.2g.
jamanta s.f. s.2g.
jamaparaense adj. s.2g.
jamaparense adj. s.2g.
jamaracaú s.m.
jamari s.m.
jamariense adj. s.2g.
jamaru s.m.
jamaxi s.m.
jamaxim s.m.
jamaxinzinhense adj. s.2g.
jamba s.m.f.
jambacós s.m.2n.
jambagem s.f.
jambalaia s.f.
jambale s.f.
jambalueiro s.m.
jambão s.m.
jambatuto s.m.
jambé s.m.
jambeado adj. s.m.
jambeirense adj. s.2g.
jambeiro s.m.
jambeiro-aguado s.m.; pl. *jambeiros-aguados*
jambeiro-branco s.m.; pl. *jambeiros-brancos*
jambeiro-bravo s.m.; pl. *jambeiros-bravos*
jambeiro-cor-de-rosa s.m.; pl. *jambeiros-cor-de-rosa*
jambeiro-da-índia s.m.; pl. *jambeiros-da-índia*
jambeiro-de-malaca s.m.; pl. *jambeiros-de-malaca*
jambeiro-do-mato s.m.; pl. *jambeiros-do-mato*
jambeiro-falso s.m.; pl. *jambeiros-falsos*
jambeiro-rosa s.m.; pl. *jambeiros-rosa* e *jambeiros-rosas*
jambeiro-vermelho s.m.; pl. *jambeiros-vermelhos*
jambelégico adj.
jambélego adj.
jambelo s.m.
jambete s.f.
jâmbico adj. s.m.
jambire s.m.
jambo s.m. "fruto do jambeiro"; cf. *jambó*
jambó s.m. "árvore da Índia"; cf. *jambo*
jamboa (*ô*) s.f.
jambo-amarelo s.m.; pl. *jambos-amarelos*
jambo-branco s.m.; pl. *jambos-brancos*
jambo-chá s.m.; pl. *jambos-chá* e *jambos-chás*
jambo-cheiroso s.m.; pl. *jambos-cheirosos*
jambo-comum s.m.; pl. *jambos-comuns*
jambo-d'água s.m.; pl. *jambos-d'água*
jambo-da-índia s.m.; pl. *jambos-da-índia*
jambo-de-flor-espessa s.m.; pl. *jambos-de-flor-espessa*
jambo-do-mato s.m.; pl. *jambos-do-mato*
jamboeiro s.m.
jamboeiro-do-mato s.m.; pl. *jamboeiros-do-mato*
jambo-encarnado s.m.; pl. *jambos-encarnados*
jambógrafo s.m.
jambol s.m.
jambolano s.m.
jambolão s.m.
jamboleiro s.m.
jambo-moreno s.m.; pl. *jambos-morenos*
jambona s.f.
jamboré s.m.
jambo-rosa s.m.; pl. *jambos-rosa* e *jambos-rosas*
jambosa s.f.
jamboseiro s.m.
jambosina s.f.
jambotão s.m.
jambo-verdadeiro s.m.; pl. *jambos-verdadeiros*
jambo-vermelho s.m.; pl. *jambos-vermelhos*
jambozeiro s.m.
jambruquense adj. s.2g.
jambu s.m.
jambuaçu s.m.
jambuaçuense adj. s.2g.
jambul s.m.
jambuleiro s.m.
jamburana s.f.
jamburi s.m.
jamé s.m.
jamedar s.m.
jamegão s.m.
jamelão s.m.
jamésia s.f.
jamesônia s.f.
jamesonita s.f.
jamesonite s.f.
jami s.m.
jamijão s.m.
já-mijão s.m.; pl. *já-mijões*
jaminauá adj. s.2g. s.m.
jampal s.m.
jampalinho s.m.
jampaulo s.m.
jamprucense adj. s.2g.
jampruquense adj. s.2g.
jana s.f.
janaca s.m.
janaguba s.f.
janaína s.f.
janal adj.2g.
janambá s.f.
jananaíra s.m.
janapucá s.m.
janar v.
janari s.m.
janatuba s.f.
janaú s.m.
janaúba s.f.
janaubense adj. s.2g.
janauí s.m.
janauira (*í*) s.m.
janavadim s.m.
jancro s.m.
janda s.f.
jandaia s.f.
jandaiano adj. s.m.
jandaiense adj. s.2g.
jandaiense-do-sul adj. s.2g.; pl. *jandaienses-do-sul*
jandainha s.f.
jandaíra s.f.
jandaíra-preta s.f.; pl. *jandaíras-pretas*
jandairense adj. s.2g.
jandiá s.m.
jandiparaíba s.m.
jandiparana s.2g.
jandirense adj. s.2g.
jandiritiuense adj. s.2g.
jandiroba s.f.
jandirova s.f.
jandona s.f.
jandu s.m.
janduí adj. s.2g.
janduiense adj. s.2g.
janduim adj. s.2g.
janduissense adj. s.2g.
janeanes s.m.2n.
janeca s.m.
janeira s.f.
janeiradas s.f.pl.
janeiras s.f.pl.
janeireiro adj. s.m.
janeirento adj.
janeirinha s.f.
janeirinhas s.f.pl.
janeirinho adj.
janeirino adj.
janeiro s.m.
janeiros s.m.pl.
janeiru s.m.
janela s.f.
janela de peito s.f.
janelar v.
janeleira s.f.
janeleiro adj. s.m.
janelícula s.f.
janelo (*ê*) s.m.
janelória s.f.
janetiela s.f.
jangá s.f.
jangada s.f. s.2g.
jangada-brava s.f.; pl. *jangadas-bravas*
jangada-do-campo s.f.; pl. *jangadas-do-campo*
jangadeira s.f.
jangadeira-brava s.f.; pl. *jangadeiras-bravas*
jangadeiro s.m.
jangadense adj. s.2g.
jangadinha s.f.
jângal s.m.
jângala s.m.
jangalamarte s.m.
jangalamaste s.m.
jangana s.2g.
jangano s.m.
jangão s.m.
jangar v.
jangaz s.m.
jango s.m.
jangoma s.f.
jangoto (*ô*) s.m.
jangué s.m.
janguê s.m.
jangueirão adj. s.m.
janguense adj. s.2g.
janguismo s.m.
janguista adj. s.2g. s.f.
janguístico adj.
janhar s.m.
janianês s.2g.2n.
janíçaro s.m.
janicefalia s.f.
janicefálico adj.
janicéfalo s.m.
janícipe s.m.
janicípite s.m.
janimbu s.f.
jã-ninguém adj. s.m.; pl. *jãs-ninguém*
janipaba s.m.
janipabeiro s.m.
janipapeiro s.m.
janipapo s.m.
janiparandiba s.f.
janiparanduba s.f.
janiparindiba s.f.
janismo s.m.
janista adj. s.2g.
janístico adj.
janistroques s.m.2n.
janita s.m. "silicato hidratado de ferro"; cf. *janitá*
janitá s.f. "planta"; cf. *janita*
janitor (*ô*) s.m.
janizarismo s.m.
janízaro s.m.
janja s.f.
janjangufai s.m.
jano s.m.
janosita s.f.
janosítico adj.
janota adj. s.2g.
janotada s.f.
janotar v.
janotaria s.f.
janotear v.
janotice s.f.
janotismo s.m.
jansenense adj. s.2g.
jansenismo s.m.
jansenista adj. s.2g.
jansenístico adj.
jansônia s.f.
janta s.f. "ato de jantar"; cf. *jantá*
jantá s.m. "árvore"; cf. *janta* s.f. e fl. do v. *jantar*
jantado adj.
jantador (*ô*) adj. s.m.
jantar v. s.m.
jantarada s.f.
jantarado s.m.
jantarão s.m.
jantarela s.f.
jantareta (*ê*) s.f.
jantarete (*ê*) s.m.
jantaricar v.
jantarinhar v.
jantarista adj. s.2g.
jantaroca s.f.
jantarola s.f.
jante s.f.
jantela s.f.
jantina s.f.
jantínida adj.2g. s.m.
jantinídeo adj. s.m.
jânua s.m.
januadim s.m.
januadini s.m.
januaíra s.2g.
janual adj.2g. s.m.
januarense adj. s.2g.
januária s.f.
januariense adj. s.2g.
januário adj. s.m.
janúbia s.f.
janufo s.m.
janumá adj. s.2g.
janundá adj. s.2g.
janúsia s.f.
jaó s.2g.
jaó-do-sul s.2g.; pl. *jaós-do-sul*
japa s.f. "gorjeta"; cf. *japá*
japá s.m. "esteira"; cf. *japa*
japacanga s.f.
japacani s.m.
japacanim-do-brejo s.m.; pl. *japacanins-do-brejo*
japaconina s.f.
japaconitina s.f.
japana s.f.
japani s.m.
japânico adj.
japanim s.m.
japanita s.f.
japão adj. s.m.
japara s.f.
japaraibense adj. s.2g.
japarandiba s.f.
japaranduba s.f.
japaratinguense adj. s.2g.
japaratubense adj. s.2g.
japarindiba s.f.
japatiima s.f.
japé s.m.
japecanga s.f.
japecanga-branca s.f.; pl. *japecangas-brancas*
japecanga-miúda s.f.; pl. *japecangas-miúdas*
japecanga-vermelha s.f.; pl. *japecangas-vermelhas*
japecanguense adj. s.2g.
japeganga s.f.
japeinense adj. s.2g.
japeraçaba s.f.
japericense adj. s.2g.
japeriense adj. s.2g.
japeriquense adj. s.2g.
japi s.m.
japiaçó s.m.
japiaçoca s.f.
japiaçoia (*ó*) s.f.
japiaçu s.m.
japicaí s.m.
japicangar s.m.
japicuru s.m.
jápide adj. s.2g.
japiense adj. s.2g.
jápige s.m.
japígio adj. s.m.
japiim s.m.
japiim-xexéu s.m.; pl. *japiins-xexéu* e *japiins-xexéus*
japiinense adj. s.2g.
japiinzense adj. s.2g.
japim s.m.
japim-da-mata-encarnado s.m.; pl. *japins-da-mata-encarnados*
japim-de-costa-vermelha s.m.; pl. *japins-de-costa-vermelha*
japim-do-mato s.m.; pl. *japins-do-mato*
japim-soldado s.m.; pl. *japins-soldado* e *japins-soldados*
japinabeiro s.m.
japira s.f.
japirense adj. s.2g.
japiú s.m.
japiuaçu s.m.
japiubense adj. s.2g.
jápix (*cs*) s.m.
japoarandiba s.f.
japoatanense adj. s.2g.
japona s.2g. s.f.
japonada s.f.
japonaria s.f.
japoneira s.f.
japonense adj. s.2g.
japoneria s.f.

japonês adj. s.m.
japonesação s.f.
japonesada s.f.
japonesado adj.
japonesador (*ô*) adj.
japonesamento s.m.
japonesante adj. s.2g.
japonesar v.
japonesice s.f.
japonesismo s.m.
japonesista adj. s.2g.
japonesístico adj.
japônia s.f.
japonice s.f.
japônico adj.
japonim s.f.
japonismo s.m.
japonista adj. s.2g.
japonístico adj.
japonização s.f.
japonizado adj.
japonizador (*ô*) adj.
japonizamento s.m.
japonizante adj. s.2g.
japonizar v.
japonizável adj.2g.
japonologia s.f.
japonológico adj.
japonólogo s.m.
japu s.m.
japuaçu s.m.
japuanga s.f.
japuarana s.f.
japuarandiba s.f.
japuaranduba s.f.
japuatanense adj. s.2g.
japubá s.m.
japuçá s.m.
japuçá-de-coleira s.m.; pl. *japuças-de-coleira*
japucanimpium s.m.
japu-do-bico-encarnado s.m.; pl. *japus-do-bico--encarnado*
japué s.m.
japuê s.m.
japueense adj. s.2g.
japuense adj. s.2g.
japu-gamela s.m.; pl. *japus--gamela* e *japus-gamelas*
japu-grande s.m.; pl. *japus--grandes*
japuguaçu s.m.
japuí s.m.
japuibense adj. s.2g.
japuíra s.f.
japujuba s.f.
japu-mirim s.m.; pl. *japus--mirins*
japumirinense adj. s.2g.
japu-preto s.m.; pl. *japus--pretos*
japurá adj. s.2g. s.m.
japuraense adj. s.2g.
japuruca s.f.
japuruxita s.m.
japu-verde s.m.; pl. *japus--verdes*
japu-vermelho s.m.; pl. *japus--vermelhos*
jaquá s.m.
jaque s.m. "pequena bandeira"; cf. *jaqué*
jaqué s.m. "casaco curto"; cf. *jaque*
jaqueira s.f.
jaqueiral s.m.
jaqueira-mole s.f.; pl. *jaqueiras-moles*
jaqueirense adj. s.2g.
jaquejaque s.m.
jaquelado adj.
jaquemôncia s.f.
jaquera-iunioca s.m.; pl. *jaquera-iuniocas*
jaqueria s.f.
jaqueta (*ê*) s.m.f.
jaquetão s.m.
jaquete (*ê*) s.m.
jaquínia s.f.
jaquira s.2g.
jaquiranaboia (*ó*) s.f.
jaquiranense adj. s.2g.
jaquitiranaboia (*ó*) s.f.
jar s.m.
jara s.f. "alimpadura"; cf. *jará*
jará s.m.f. s.2g. "boi", "palmeira", "quarto"; cf. *jara*
jará-açu s.2g.; pl. *jarás-açus*
jaracambeba s.m.
jaracambeva s.f.
jaracatiá s.m.
jaracatiaense adj. s.2g.
jaraçu s.2g.
jaracuçu s.f.
jaraguá s.m.
jaraguaense adj. s.2g.
jaraguaense-do-sul adj. s.2g.; pl. *jaraguaenses-do-sul*
jaraguamuru s.m.
jaraguara s.f.
jaraguariense adj. s.2g.
jaraguense (*ü*) adj. s.2g.
jaraíba s.f.
jaraiuba (*ú*) s.f.
jaraiuva (*ú*) s.f.
jaramacaru s.m.
jaramataia s.f.
jaramataiense adj. s.2g.
jarana s.f.
jarandeua s.f.
jarandéua s.f.
jaranganha s.f.
jará-oluá s.m.; pl. *jarás-oluás*
jará-orixá s.m.; pl. *jarás-orixás*
jarapé s.m.
jaraqui s.m.
jaraquiense adj. s.2g.
jararaca s.f.
jararaca-cruzeira s.f.; pl. *jararacas-cruzeira* e *jararacas--cruzeiras*
jararaca-da-mata s.f.; pl. *jararacas-da-mata*
jararaca-da-praia s.f.; pl. *jararacas-da-praia*
jararaca-da-seca s.f.; pl. *jararacas-da-seca*
jararaca-de-agosto s.f.; pl. *jararacas-de-agosto*
jararaca-de-barriga-preta s.f.; pl. *jararacas-de-barriga--preta*
jararaca-de-barriga-vermelha s.f.; pl. *jararacas--de-barriga-vermelha*
jararaca-de-cauda-branca s.f.; pl. *jararacas-de-cauda--branca*
jararaca-de-rabo-branco s.f.; pl. *jararacas-de-rabo-branco*
jararaca-do-banhado s.f.; pl. *jararacas-do-banhado*
jararaca-do-campo s.f.; pl. *jararacas-do-campo*
jararaca-do-cerrado s.f.; pl. *jararacas-do-cerrado*
jararaca-do-rabo-branco s.f.; pl. *jararacas-do-rabo--branco*
jararaca-do-rio s.f.; pl. *jararacas-do-rio*
jararaca-dormideira s.f.; pl. *jararacas-dormideiras*
jararaca-do-tabuleiro s.f.; pl. *jararacas-do-tabuleiro*
jararaca-ilhoa s.f.; pl. *jararacas-ilhoas*
jararaca-listada s.f.; pl. *jararacas-listadas*
jararacambeva s.f.
jararaca-mirim s.f.; pl. *jararacas-mirins*
jararaca-pintada s.f.; pl. *jararacas-pintadas*
jararaca-preguiçosa s.f.; pl. *jararacas-preguiçosas*
jararaca-preta s.f.; pl. *jararacas-pretas*
jararaca-taiá s.f.; pl. *jararacas--taiá* e *jararacas-taiás*
jararacauaçu s.f.
jararaca-verdadeira s.f.; pl. *jararacas-verdadeiras*
jararaca-verde s.f.; pl. *jararacas-verdes*
jararacense adj. s.2g.
jararacopeba s.f.
jararacuçu s.2g.
jararacuçu-do-brejo s.2g.; pl. *jararacuçus-do-brejo*
jararacuçu-malha-de-sapo s.2g.; pl. *jararacuçus-malha--de-sapo*
jararacuçu-tapete s.2g.; pl. *jararacuçus-tapete* e *jararacuçus-tapetes*
jararacuçu-tipiti s.2g.; pl. *jararacuçus-tipiti* e *jararacuçus-tipitis*
jararacuçu-topete s.2g.; pl. *jararacuçus-topete* e *jararacuçus-topetes*
jararacuçu-verdadeiro s.2g.; pl. *jararacuçus-verdadeiros*
jararagoaipitanga s.f.
jararana s.f.
jararaquense adj. s.2g.
jararaquinha s.f.
jararaquinha-do-campo s.f.; pl. *jararaquinhas-do--campo*
jararaquinha-verde s.f.; pl. *jararaquinhas-verdes*
jaratacaca s.f.
jaratataca s.f.
jaraticaca s.f.
jarauá s.m.
jaraurara s.2g. s.m.
jarava s.f.
jarawara adj. s.2g.2n.
jarazal s.m.
jarda s.f.
jardar v.
járdia s.f.
jardim s.m.
jardim-alegrense adj. s.2g.; pl. *jardim-alegrenses*
jardim-angicanense adj. s.2g.; pl. *jardim-angicanenses*
jardim-angicense adj. s.2g.; pl. *jardim-angicenses*
jardim de infância s.m.
jardim de inverno s.m.
jardim-escola s.m.; pl. *jardins-escola*
jardim-infantil adj. s.2g.; pl. *jardins-infantis*
jardimirinense adj. s.2g.
jardim-luzense adj. s.2g.; pl. *jardim-luzenses*
jardim-mirinense adj. s.2g.; pl. *jardim-mirinenses*
jardim-olindense adj. s.2g.; pl. *jardim-olindenses*
jardim-piranhense adj. s.2g.; pl. *jardim-piranhenses*
jardim-seridoense (*dô*) adj. s.2g.; pl. *jardim-seridoenses*
jardinação s.f.
jardinado adj. s.m.
jardinagem s.f.
jardinar v.
jardinaria s.f.
jardínea s.f.
jardineira s.f.
jardineirense adj. s.2g.
jardineiro s.m.
jardineiro-dos-matos s.m.; pl. *jardineiros-dos-matos*
jardinense adj. s.2g.
jardíneo adj.
jardinesiense adj. s.2g.
jardinete (*ê*) s.m.
jardineto (*ê*) s.m.
jardinismo s.m.
jardinista adj. s.2g.
jardinístico adj.
jardinopolense adj. s.2g.
jardinopolitano adj. s.m.
jardo adj. s.m.
jaré s.m.
jarê s.m.
jareré s.m.
jareuá s.f.
jargão s.m.
jargonesco (*ê*) adj.
jargônico adj.
jargonofasia s.f.
jargonofásico adj. s.m.
jargonografia s.f.
jaribara s.f.
jaricuna adj. s.2g.
jariense adj. s.2g.
jarimba s.f.
jarina s.f.
jarinarana s.f.
jarinuense adj. s.2g.
jaritacaca s.f.
jaritataca s.f.
jarivá s.f.
jarivazeiro s.m.
jarlita s.f.
jarmeleiro adj.
jarmelense adj. s.2g.
jarmelista adj. s.2g.
jaro s.m.
jaroba s.f.
jarobandi s.m.
jaronda s.f.
jarosita s.f.
jarosite s.f.
jarovização s.f.
jarovizado adj.
jarovizar v.
jarra s.m.f. "vaso para ornato"; cf. *jarrá*
jarrá s.m. "madeira"; cf. *jarra*
jarrafa s.f.
jarrão s.m.
jarrear v.
jarreiro s.m.
jarreta (*ê*) adj. s.2g. s.f.
jarretado adj.
jarretar v.
jarrete (*ê*) s.m.
jarretear v.
jarreteira s.f.
jarretice s.f.
jarretilho s.m.
jarrilho s.m.
jarrinha s.f.
jarrinha-arraia s.f.; pl. *jarrinhas-arraia* e *jarrinhas--arraias*
jarrinha-batatinha s.f.; pl. *jarrinhas-batatinhas*
jarrinha-bico-de-passarinho s.f.; pl. *jarrinhas-bico-de-passarinho*
jarrinha-cheirosa s.f.; pl. *jarrinhas-cheirosas*
jarrinha-da-beira-do-rio s.f.; pl. *jarrinhas-da-beira-do-rio*
jarrinha-da-europa s.f.; pl. *jarrinhas-da-europa*
jarrinha-de-franja s.f.; pl. *jarrinhas-de-franja*
jarrinha-do-campo s.f.; pl. *jarrinhas-do-campo*
jarrinha-do-campo-seco s.f.; pl. *jarrinhas-do-campo-seco*
jarrinha-do-nordeste s.f.; pl. *jarrinhas-do-nordeste*
jarrinha-dos-campos s.f.; pl. *jarrinhas-dos-campos*
jarrinha-miúda s.f.; pl. *jarrinhas-miúdas*
jarrinha-monstro s.f.; pl. *jarrinhas-monstro* e *jarrinhas--monstros*
jarrinha-pintada s.f.; pl. *jarrinhas-pintadas*
jarrinha-preta s.f.; pl. *jarrinhas-pretas*
jarrinha-rasteira s.f.; pl. *jarrinhas-rasteiras*
jarro s.m.
jarro-de-itália s.m.; pl. *jarros--de-itália*
jarro-do-diabo s.m.; pl. *jarros-do-diabo*
jarro-dos-jardins s.m.; pl. *jarros-dos-jardins*
jarro-manchado s.m.; pl. *jarros--manchados*
jarro-vulgar s.m.; pl. *jarros--vulgares*
jarruva s.f.
jaru adj. s.2g.
jarudorense adj. s.2g.
jaruense adj. s.2g.
jaruitacoara s.m.
jaruitaquara s.m.
jaruma s.f.
jarundadela s.f.
jarundar v.
jarundo s.m.
jaruru adj.2g.
jaruva s.f.
jaruvá s.f.
jarvão s.m.
jasione s.f.
jasmiflorina s.f.
jasmim s.m.
jasmim-amarelo s.m.; pl. *jasmins-amarelos*
jasmim-anão s.m.; pl. *jasmins-anões*
jasmim-azul s.m.; pl. *jasmins--azuis*
jasmim-bogari s.m.; pl. *jasmins-bogari* e *jasmins-bogaris*
jasmim-brilhante s.m.; pl. *jasmins-brilhantes*
jasmim-cambraia s.m.; pl. *jasmins-cambraia* e *jasmins--cambraias*
jasmim-cata-vento s.m.; pl. *jasmins-cata-vento*
jasmim-da-áfrica s.m.; pl. *jasmins-da-áfrica*
jasmim-da-baía; pl. *jasmins--da-baía*
jasmim-da-beirada s.m.; pl. *jasmins-da-beirada*
jasmim-da-carolina s.m.; pl. *jasmins-da-carolina*
jasmim-da-espanha s.m.; pl. *jasmins-da-espanha*
jasmim-da-itália s.m.; pl. *jasmins-da-itália*
jasmim-da-madeira s.m.; pl. *jasmins-da-madeira*
jasmim-da-noite s.m.; pl. *jasmins-da-noite*
jasmim-das-arábias s.m.; pl. *jasmins-das-arábias*
jasmim-das-nuvens s.m.; pl. *jasmins-das-nuvens*
jasmim-da-terra s.m.; pl. *jasmins-da-terra*
jasmim-da-virgínia s.m.; pl. *jasmins-da-virgínia*
jasmim-de-cachorro s.m. "espécie de planta"; pl. *jasmins-de-cachorro*
jasmim-de-caiena s.m.; pl. *jasmins-de-caiena*
jasmim-de-cerca s.m.; pl. *jasmins-de-cerca*
jasmim-de-itália s.m.; pl. *jasmins-de-itália*
jasmim-de-leite s.m.; pl. *jasmins-de-leite*
jasmim-de-são-josé s.m.; pl. *jasmins-de-são-josé*
jasmim-de-soldado s.m.; pl. *jasmins-de-soldado*
jasmim-de-veneza s.m.; pl. *jasmins-de-veneza*
jasmim-do-cabo s.m.; pl. *jasmins-do-cabo*
jasmim do campo s.m. "excremento de cachorro"
jasmim-do-campo s.m. "espécie de planta"; pl. *jasmins-do-campo*
jasmim-do-imperador s.m.; pl. *jasmins-do-imperador*
jasmim-do-mato s.m.; pl. *jasmins-do-mato*
jasmim-do-mato-do-pará s.m.; pl. *jasmins-do-mato--do-pará*

jasmim-do-paraguai s.m.; pl. *jasmins-do-paraguai*
jasmim-do-rio s.m.; pl. *jasmins-do-rio*
jasmim-dos-açores s.m.; pl. *jasmins-dos-açores*
jasmim-dos-montes s.m.; pl. *jasmins-dos-montes*
jasmim-dos-poetas s.m.; pl. *jasmins-dos-poetas*
jasmim-estrela s.m.; pl. *jasmins-estrela* e *jasmins-estrelas*
jasmim-junquilho s.m.; pl. *jasmins-junquilho* e *jasmins-junquilhos*
jasmim-lacre s.m.; pl. *jasmins-lacre* e *jasmins-lacres*
jasmim-laranja s.m.; pl. *jasmins-laranja* e *jasmins-laranjas*
jasmim-manacá s.m.; pl. *jasmins-manacá* e *jasmins-manacás*
jasmim-manga s.m.; pl. *jasmins-manga* e *jasmins-mangas*
jasmim-manga-da-índia s.m.; pl. *jasmins-manga-da-índia*
jasmim-manga-falso s.m.; pl. *jasmins-manga-falsos* e *jasmins-mangas-falsos*
jasmim-mangueira s.m.; pl. *jasmins-mangueira* e *jasmins-mangueiras*
jasmim-manteiga s.m.; pl. *jasmins-manteiga* e *jasmins-manteigas*
jasmim-murta s.m.; pl. *jasmins-murta* e *jasmins-murtas*
jasmim-pipoca s.m.; pl. *jasmins-pipoca* e *jasmins-pipocas*
jasmim-porcelana s.m.; pl. *jasmins-porcelana* e *jasmins-porcelanas*
jasmim-soldado s.m.; pl. *jasmins-soldados*
jasmim-sombra s.m.; pl. *jasmins-sombra* e *jasmins-sombras*
jasmim-trombeta s.m.; pl. *jasmins-trombeta* e *jasmins-trombetas*
jasmim-vapor s.m.; pl. *jasmins-vapor*
jasmim-verdadeiro s.m.; pl. *jasmins-verdadeiros*
jasmim-verde s.m.; pl. *jasmins-verdes*
jasmim-vermelho s.m.; pl. *jasmins-vermelhos*
jasminácea s.f.
jasmináceo adj.
jasminal adj.2g.
jasmínea s.f.
jasmineira s.f.
jasmineiro s.m.
jasmineiro-amarelo s.m.; pl. *jasmineiros-amarelos*
jasmineiro-branco s.m.; pl. *jasmineiros-brancos*
jasmineiro-de-flores--grandes s.m.; pl. *jasmineiros-de-flores-grandes*
jasmineiro-do-monte s.m.; pl. *jasmineiros-do-monte*
jasmineiro-galego s.m.; pl. *jasmineiros-galegos*
jasmíneo adj.
jasmino s.m.
jasminóidea s.f.
jasminóideo adj.
jasmona s.f.
jasônia s.f.
jaspágata s.f.
jaspe s.m.
jaspeado adj.
jaspeador (*ô*) adj. s.m.
jaspeadura s.f.
jaspear v.
jaspe de sangue s.m.
jaspelítico adj.
jaspelito s.m.
jaspe-negro s.m.; pl. *jaspes-negros*
jáspeo adj. s.m.
jaspe-oriental s.m.; pl. *jaspes-orientais*
jasperina s.f.
jasperita s.f.
jaspe-sanguíneo s.m.; pl. *jaspes-sanguíneos*
jáspico adj.
jaspídeo adj.
jaspilítico adj.
jaspilito s.m.
jaspílito s.m.
jaspoide (*ó*) adj.2g.
jaspolítico adj.
jaspolito s.m.
jaspólito s.m.
jasponique s.f.
jásponix (*cs*) s.f.
jassária s.f.
jassemani s.m.
jassense adj. s.2g.
jássida adj.2g. s.m.
jassídeo adj. s.m.
jassidiano adj. s.m.
jassina s.f.
jassíneo adj. s.m.
jássio adj. s.m.
jassitara s.f.
jasso s.m.
jassóideo s.m.
jatá s.m.f.
játaca s.f.
jatação s.f.
jataí s.m.f.
jataí-açu s.f.; pl. *jataís-açus*
jataí-amarela s.f.; pl. *jataís-amarelas*
jataí-amarelo s.m.; pl. *jataís-amarelos*
jataíba s.f.
jataicica s.f.
jataí-da-terra s.f.; pl. *jataís-da-terra*
jataiense adj. s.2g.
jataí-grande s.f.; pl. *jataís-grandes*
jataiguaçu s.f.
jataí-guaçu s.f.; pl. *jataís-guaçus*
jataí-mirim s.m.; pl. *jataís-mirins*
jataí-mondé s.m.; pl. *jataís-mondé* e *jataís-mondés*
jataí-mosquito s.f.; pl. *jataís-mosquito* e *jataís-mosquitos*
jataí-mundé s.m.; pl. *jataís-mundés*
jataipeba s.f.
jataipeva s.m.
jataipindó s.m.
jataí-pororó s.m.; pl. *jataís-pororó* e *jataís-pororós*
jataí-pororoca s.m.; pl. *jataís-pororoca* e *jataís-pororocas*
jataí-preta s.f.; pl. *jataís-pretas*
jatairana s.f.
jataizinhense adj. s.2g.
jatância s.f.
jatanciar-se v.
jatanciosidade s.f.
jatancioso (*ô*) adj.; f. (*ó*); pl. (*ó*)
jatante adj.2g.
jatar-se v.
jataúba s.f.
jataúba-branca s.f.; pl. *jataúbas-brancas*
jataúba-brava s.f.; pl. *jataúbas-bravas*
jataúba-preta s.f.; pl. *jataúbas-pretas*
jataúba-vermelha s.f.; pl. *jataúbas-vermelhas*
jataubense adj. s.2g.
jataúva s.f.
jate adj. s.2g.
jatear v.
jateca s.f.
jatecuba s.m.
jatemar s.m.
jaterena s.f.
jateréua s.f.
jateum s.m.
jati s.m.
jatia s.f.
jatibá s.m.
jatica s.f. "batata-doce"; cf. *jaticá*
jaticá s.m. "arpão"; cf. *jatica*
jaticom s.m.
jatiense adj. s.2g.
jatimanense adj. s.2g.
jati-preta s.f.; pl. *jatis-pretas*
jatirana s.f.
jatitante adj.2g.
jatitar v.
jatiucense adj. s.2g.
jatium s.m.
jatiuquense adj. s.2g.
jato s.m.
jatobá s.m.
jatobá-capão s.m.; pl. *jatobás-capão* e *jatobás-capões*
jatobá-da-catinga s.m.; pl. *jatobás-da-catinga*
jatobá-de-anta s.m.; pl. *jatobás-de-anta*
jatobá-de-casca-fina s.m.; pl. *jatobás-de-casca-fina*
jatobá-de-porco s.m.; pl. *jatobás-de-porco*
jatobá-do-campo s.m.; pl. *jatobás-do-campo*
jatobá-do-cerrado s.m.; pl. *jatobás-do-cerrado*
jatobaense adj. s.2g.
jatobaí s.m.
jatobalense adj. s.2g.
jatobá-mirim s.m.; pl. *jatobás-mirins*
jatobá-pequeno s.m.; pl. *jatobás-pequenos*
jatobarana s.f.
jatobá-roxo s.m.; pl. *jatobás-roxos*
jatobá-verdadeiro s.m.; pl. *jatobás-verdadeiros*
jatobá-vermelho s.m.; pl. *jatobás-vermelhos*
jatobazinhense adj. s.2g.
jatobazinho s.m.
jator (*ô*) s.m.
jatrofa s.f.
játrofa s.f.
jatrorriza s.f.
jatu s.m.
jatuamba s.f.
jatuarana s.f.
jatuaranense adj. s.2g.
jatuaúba s.f.
jatubá s.m.
jatura s.f.
jaturana s.f.
jau adj. s.m. "javanês"; cf. *jaú*
jaú s.m. "peixe"; cf. *jau*
jauá s.m.
jauácano s.m.
jauaperi adj. s.2g.
jauaraicica s.f.
jauarana s.m.
jauarataceua s.f.
jauaratacéua s.f.
jauarauense adj. s.2g.
jauaretê-tapuia adj. s.2g.; pl. *jauaretês-tapuias*
jauari s.m.
jauaricica s.f.
jauariense adj. s.2g.
jauarizal s.m.
jauatoense adj. s.2g.
jaudilandense adj. s.2g.
jaudilandiense adj. s.2g.
jauense adj. s.2g.
jaula s.f.
jaulapati s.m.
jaulapiti adj. s.2g.
jaumea s.f.
jauna s.f. "planta"; cf. *jaúna*
jaúna adj. s.2g. "povo"; cf. *jauna*
jaunavo adj. s.m.
jaúndea s.f.
jaunita s.f.
jaupaciense adj. s.2g.
jaupati s.m.
jaupoca s.m.
jauquarense adj. s.2g.
jauruense adj. s.2g.
jaú-torino s.m.; pl. *jaús-torinos*
jauzinhense adj. s.2g.
java adj. s.m.f.
javaé adj. s.2g.
javaíto s.m.
javali s.m.
javalina s.f.
javalino adj.
javalu s.m.
javanês adj. s.m.
javanicina s.f.
javanina s.f.
javanito s.m.
javardeiro s.m.
javardice s.f.
javardo adj. s.m.
javardo-glauco s.m.; pl. *javardos-glaucos*
javardolas s.2g.2n.
javari s.m.
javariense adj. s.2g.
javarro s.m.
jã-vaz adj. s.m.; pl. *jãs-vaz*
javé s.m.
javeísmo s.m.
javeísta adj. s.2g.
javeístico adj.
javelização s.f.
javelizar v.
javense adj. s.2g.
javevó adj.2g.
já vi ontem s.m.2n.
javira s.f.
javismo s.m.
javista adj. s.2g.
javístico adj.
javite s.m.
javradeira s.f.
javradoira s.f.
javradoura s.f.
javragem s.f.
javrar v.
javre s.m.
jaxâmata (*cs*) adj. s.2g.
jaza s.f.
jazeda (*ê*) s.f.
jazedor (*ô*) adj. s.m.
jazente adj.2g. s.m.f.
jazentio adj. s.m.
jazer v. s.m.
jazerão s.m.
jazerina s.f.
jazerino adj. s.m.
jazida s.f.
jazido adj. s.m.
jázige adj. s.2g.
jazigo s.m. "sepultura"; cf. *jázigo*
jázigo adj. s.m. "povo"; cf. *jazigo*
jazitura s.f.
jazzificar v.
jazzismo s.m.
jazzista adj. s.2g.
jazzístico adj.
jazzófilo adj. s.m.
jé adj. s.2g. s.f. "povo", "açúcar"; cf. *jê*
jê adj. s.2g. "povo"; cf. *jé*
jeba s.f.
jebara s.f.
jebaru s.m.
jebebraju s.m.
jebe-jebe s.m.; pl. *jebe-jebes*
jebimba s.f.
jebu s.m.
jebuseia (*é*) adj. s.f. de *jebuseu*
jebuseu adj. s.m.; f. *jebuseia* (*é*)
jebusíaco adj.
jeca adj. s.2g.
jeca-tatu adj. s.2g.; pl. *jecas-tatus*
jeceabano adj. s.m.
jeceabense adj. s.2g.
jeco s.m.
jecoleico (*é* ou *ê*) adj.
jecoleína s.f.
jecoral adj.2g.
jecorário adj.
jecoreico (*é* ou *ê*) adj.
jecorina s.f.
jecuíba s.f.
jecuiriti s.m.
jefferisita s.f.
jefferisite s.f.
jeffersônia s.f.
jeffersoniano adj.
jeffersonita s.f.
jeffrêysia s.m.
jeffreysíida s.m.
jeffreysiídeo adj. s.m.
jefréisia s.m.
jefreisíida s.m.
jefreisiídeo adj. s.m.
jegacida s.m.
jegada s.f.
jegama s.f.
jegodes adj. s.2g.2n.
jegra s.f. de *jegre*
jegrada s.f.
jegrama s.f.
jegre s.m.; f. *jegra*
jegue adj.2g. s.m.
jeguedé s.m.
jeguedê s.m.
jeguéria s.f.
jeguiri s.m.
jeicó adj. s.2g.
jeira s.f.
jeirão s.m.
jeita s.f.
jeitão s.m.
jeitar v.
jeiteira s.f.
jeitinho s.m.
jeito s.m.
jeitosense adj. s.2g.
jeitoso (*ô*) adj.; f. (*ó*); pl. (*ó*)
jejá s.f.
jeje (*ê*) adj. s.2g. "povo"; cf. *jejé* e *jejê*
jejé s.m. "prisão"; cf. *jeje* (*ê*) e *jejê*
jejê adj.2g. "bovino"; cf. *jeje* (*ê*) e *jejé*
jeje-mandubi adj. s.2g.; pl. *jejes-mandubis*
jeje-marrim adj. s.2g.; pl. *jejes-marrins*
jeje-nagô adj. s.2g.; pl. *jejes-nagôs*
jejerecu s.m.
jeju s.m.
jejuadeiro adj. s.m.
jejuado adj.
jejuador (*ô*) adj. s.m.
jejuante adj. s.2g.
jejuar v.
jejuiense adj. s.2g.
jejuíra s.f.
jejum s.m.
jejunal adj.2g.
jejunectomia s.f.
jejunectômico adj.
jejunileal adj.2g.
jejunileíte s.f.
jejuníleo s.m.
jejunileostomia s.f.
jejunileostômico adj.
jejunite s.f.
jejunítico adj.
jejuno adj. s.m.
jejunocecostomia s.f.
jejunocecostômico adj.
jejunocolostomia s.f.
jejunocolostômico adj.
jejunoduodenal adj.2g.
jejunoíleo s.m.
jejunoileostomia s.f.

jejunoileostômico adj.
jejunojejunostomia s.f.
jejunojejunostômico adj.
jejunostomia s.f.
jejunostômico adj.
jejunotomia s.f.
jejunotômico adj.
jelaba s.f.
jelabia s.f.
jelala s.f.
jelapa s.f.
jeletita s.f.
jembé s.m.
jembê s.m.
jembezeiro (*bé* ou *bê*) s.m.
jemchujnikovita s.f.
jemedar s.m.
jemiá adj. s.2g.
jendaia s.m.
jendiroba s.f.
jenequéu s.m.
jeneriano adj.
jenerização s.f.
jeneúna s.f.
jeni s.f.
jênia s.m.
jenínsia s.m.
jeninsiíneo adj. s.m.
jenipá s.m.
jenipá-bravo s.m.; pl. *jenipás-bravos*
jenipabuense adj. s.2g.
jenipapada s.f.
jenipaparana s.f.
jenipaparana-da-mata s.f.; pl. *jenipaparanas-da-mata*
jenipapeirense adj. s.2g.
jenipapeiro s.m.
jenipapeiro-bravo s.m.; pl. *jenipapeiros-bravos*
jenipapeiro-das-guianas s.m.; pl. *jenipapeiros-das-guianas*
jenipapeiro-do-suriname s.m.; pl. *jenipapeiros-do-suriname*
jenipapense adj. s.2g.
jenipapim s.m.
jenipapina s.f.
jenipapinho s.m.
jenipapo s.m.
jenipapo-bravo s.m.; pl. *jenipapos-bravos*
jenipapo-canindé adj. s.2g.; pl. *jenipapos-canindés*
jenipapo-do-campo s.m.; pl. *jenipapos-do-campo*
jenipapo-manso s.m.; pl. *jenipapos-mansos*
jenipapo-rosa s.m.; pl. *jenipapos-rosa* e *jenipapos-rosas*
jeniparana s.f.
jenipaubense adj. s.2g.
jenissei s.m.
jenisseu s.m.
jenkinsita s.f.
jenneriano adj.
jennerização s.f.
jennita s.f.
jenolim s.m.
jenquinsita s.f.
jensênia s.m.
jeová s.m.
jeóvico adj.
jeovismo s.m.
jeovista adj. s.2g.
jeovístico adj.
jepiá adj. s.2g.
jepió s.m.
jeque s.m.
jequedê s.m.
jequeri s.m.
jequeriense adj. s.2g.
jequi adj.2g. s.m.
jequiá s.m.
jequiá-cabutense adj. s.2g.; pl. *jequiá-cabutenses*
jequice s.f.
jequicuio s.m.
jequieense adj. s.2g.
jequiense adj. s.2g.
jequiezinhense adj. s.2g.
jequirana s.f.
jequiri s.m.
jequiriçaense adj. s.2g.
jequiricense adj. s.2g.
jequirioba s.f.
jequiriti s.m.
jequiritina s.f.
jequismo s.m.
jequitá s.m.
jequitaí s.m.
jequitaia s.f.
jequitaiense adj. s.2g.
jequitibá s.m.
jequitibá-branco s.m.; pl. *jequitibás-brancos*
jequitibá-cedro s.m.; pl. *jequitibás-cedro* e *jequitibás-cedros*
jequitibá-de-agulheiro s.m.; pl. *jequitibás-de-agulheiro*
jequitibaense adj. s.2g.
jequitibá-rosa s.m.; pl. *jequitibás-rosa* e *jequitibás-rosas*
jequitibá-vermelho s.m.; pl. *jequitibás-vermelhos*
jequitiguaçu s.m.
jequitinhonhense adj. s.2g.
jequitiramboia (*ó*) s.f.
jequitirana s.f.
jequitiranaboia (*ó*) s.f.
jequitivá s.m.
jequito adj.
jeramataia s.f.
jeramu s.m.
jerapoca s.f.
jeraqui s.m.
jerarca s.m.
jerarquia s.f.
jerárquico adj.
jerarquismo s.m.
jerarquista adj. s.2g.
jerarquização s.f.
jerarquizado adj.
jerarquizável adj.
jerarquizar v.
jeratacá s.m.
jeratacaca s.f.
jeratataca s.f.
jerdônia s.f.
jerê s.m.
jereba s.m.f.
jerebita s.f.
jerema s.f.
jeremaí s.f.
jeremataia s.f.
jeremejevita s.f.
jeremíaco adj.
jeremiada s.f.
jeremial adj.2g.
jeremiar v.
jeremias adj. s.2g.2n.
jeremiense adj. s.2g.
jereminar v.
jeremítico adj.
jeremoabense adj. s.2g.
jeremunense adj. s.2g.
jeremunzense adj. s.2g.
jerepemonga s.f.
jereraueense adj. s.2g.
jereré s.m. "chuvisco", etc.; cf. *jererê*
jererê s.m. "maconha", etc.; cf. *jereré*
jereruca s.f.
jereva s.f.
jerezano adj. s.m.
jerezão adj. s.m.
jereziano adj. s.m.
jerezino adj. s.m.
jeriaçuense adj. s.2g.
jeriba s.f. "aguardente", etc.; cf. *jeribá*
jeribá s.m. "planta", etc.; cf. *jeriba*
jeribaense adj. s.2g.
jeribatuba s.m.
jeribatubense adj. s.2g.
jeribazeiro s.m.
jeribita s.f.
jericada s.f.
jerical adj.2g.
jericinó s.m.
jerico s.m. "jumento"; cf. *jericó* e *gerico*
jericó s.m. "erva"; cf. *jerico* e *gerico*
jericoaquarense adj. s.2g.
jericocim s.m.
jericoense adj. s.2g.
jericuá s.f.
jericuntino adj. s.m.
jeridina s.f.
jerigoto (*ô*) s.m.
jerimatalhense adj. s.2g.
jerimbamba s.f.
jerimu s.m.
jerimum s.m.
jerimunzeiro s.m.
jerimuzeiro s.m.
jeripancó adj. s.2g.
jerípiti s.m.
jeripoca s.f.
jeriquaquarense adj. s.2g.
jeriquarense adj. s.2g.
jeriquiti s.m.
jeritacaca s.f.
jeritacoense adj. s.2g.
jeritataca s.f.
jeritiba s.f.
jeriticaca s.f.
jerivá s.m.
jerivaense adj. s.2g.
jerivá sem folha s.m.
jerivazal s.m.
jerivazeiro s.m.
jeriza s.f.
jerneano adj.
jero s.m. "planta"; cf. *jeró* e *gero*, fl. do v. *gerar*
jeró s.m. "rosto"; cf. *jero* e *gero*, fl. do v. *gerar*
jeroaquarense adj. s.2g.
jeroglífica s.f.
jeroglífico adj.
jeróglifo s.m.
jeroma s.f.
jeromenhense adj. s.2g.
jeromita s.f.
jeromó s.m.
jerônima s.f.
jeronimense adj. s.2g.
jeronimiano adj.
jeronimita adj. s.2g.
jerônimo s.m.
jeropari s.m.
jeropia s.f.
jeropiga s.f.
jerosolimita adj. s.2g.
jerosolimitano adj. s.m.
jerotacá s.f.
jerovana s.f.
jerozemo s.m.
jerra s.f.
jerrecu s.m.
jérsei adj.2g. s.m.
jersonense adj. s.2g.
jeru s.m.
jeruense adj. s.2g.
jerumaí s.f.
jerumba s.f.
jerumenhense adj. s.2g.
jerumezeiro s.m.
jerumirinense adj. s.2g.
jerumu s.m.
jerumuzeiro s.m.
jerupari s.m.
jerupoca s.f.
jeruti s.2g.
jeruva s.f.
jeruzano adj. s.m.
jervina s.f.
jesenopolitano adj. s.m.
jeskazganita s.f.
jessé s.m.
jesseano adj. s.m.
jessênia s.f.
jesu s.m. interj.
jesuanense adj. s.2g.
jesuaniense adj. s.2g.
jesuato adj. s.m.
jesuense adj. s.2g.
jesuíta adj.2g. s.m.
jesuitação s.f.
jesuitada s.f.
jesuitense adj. s.2g.
jesuitice s.f.
jesuítico adj.
jesuitisa s.f.
jesuitismo s.m.
jesuitista adj. s.2g.
jesuitístico adj.
jesuitização s.f.
jesuitizado adj.
jesuitizar v.
jesuitofobia s.f.
jesuitofobice s.f.
jesuitófobo adj. s.m.
jesus interj.
jesus-amparense adj. s.2g.; pl. *jesus-amparenses*
jesus-galhense adj. s.2g.; pl. *jesus-galhenses*
jesus-itabapoanense adj. s.2g.; pl. *jesus-itabapoanenses*
jesus-lapense adj. s.2g.; pl. *jesus-lapenses*
jesus-meu-deus s.m.2n.
jeta adj. s.2g.
jetaí s.m.
jetaíba s.f.
jetaicica s.f.
jetaí-de-pernambuco s.m.; pl. *jetaís-de-pernambuco*
jetaí-do-amazonas s.m.; pl. *jetaís-do-amazonas*
jetaí-do-piauí s.m.; pl. *jetaís-do-piauí*
jetaimirim s.m.
jetaipeba s.m.
jetaipebaçu s.m.
jetaiuva (*ú*) s.f.
jetape s.m.
jetatura s.f.
jetense adj. s.2g.
jetibaense adj. s.2g.
jetica s.f.
jeticarana s.f.
jetico s.m.
jeticuçu s.m.
jetino adj. s.m.
jetirana s.f.
jetiranaboia (*ó*) s.f.
jetiranumboia (*ó*) s.f.
jetivi s.m.
jetom s.m.
jetuca s.f.
jetucu s.m.
jevivi s.m.
jevura adj.2g. s.m.
jexá s.m.
jezekita s.f.
ji s.m.
jia s.f.
jiacotim s.m.
jiba s.f. "planta"; cf. *giba*
jibangue s.m.
jibarra adj.2g.
jibelim s.m.
jibi s.m.
jibilado adj. s.m.
jibizada s.f.
jiboia (*ó*) s.f.
jiboiaçu s.f.
jiboiar v.
jiboia-verde s.f.; pl. *jiboias-verdes*
jiboia-vermelha s.f.; pl. *jiboias-vermelhas*
jiboiense adj. s.2g.
jiboinha s.f.
jibonã adj.2g. s.f.
jibongo s.m.
jibungo s.m.
jicá s.m.
jicão s.m.
jiçara s.f.
jicolujo s.m.
jiçonge s.m.
jiçui adj.2g.
jicungo s.m.
jiefo s.m.
jievo s.m.
jifingo s.m.
jifume s.m.
jiga s.f. "dança"; cf. *giga*
jiga-joga s.f.
jigoga s.f.
jigote s.m.
jiguefo (*ê*) s.m.
jijoca s.f.
jiju s.m.
jijuense adj. s.2g.
jilaba s.f.
jile s.m.
jile-jile s.m.; pl. *jiles-jiles*
jiló s.m.
jiloal s.m.
jiloeiro s.m.
jiloense adj. s.2g.
jilozal s.m.
jimba s.m.
jimba-muxi s.m.; pl. *jimbas-muxi* e *jimbas-muxis*
jimbe s.m.
jimbelê s.m.
jimbipotente adj.2g.
jimbo s.m. "ave"; cf. *jimbó* e *gimbo*
jimbó s.m. "dinheiro"; cf. *jimbo* e *gimbo*
jimboa (*ô*) s.f.
jimboia (*ó*) s.f.
jimboíta s.f.
jimbolamento s.m.
jimbolinha s.f.
jimbolo s.m.
jimbololo s.m.
jimbombo s.m.
jimbongo s.m.
jimbopotente adj.2g.
jimbra s.m.
jimbrar v.
jimbreta (*ê*) adj. s.2g.
jimbudo adj. s.m.
jimbuia s.f.
jimbulo s.m.
jimbumba s.f.
jimbungo s.m.
jimbunze s.f.
jimburila s.f.
jimpinda s.f.
jina s.m.
jinari s.m.
jinçonge s.m.
jindondolo s.m.
jindungo s.m.
jinga adj. s.2g. "povo"; cf. *ginga* s.f. e fl. do v. *gingar*
jingalubango s.m.
jingalumbango s.m.
jingamba s.m.
jinge s.f.
jingim s.m.
jingimo s.m.
jingo adj. s.m. "animal", etc.; cf. *gingo* s.f. e fl. do v. *gingar*
jingoa (*ô*) s.f.
jingoísmo s.m.
jingoísta adj. s.2g.
jingol s.m.
jingola s.m.
jingongono s.m.
jingote adj. s.m.
jingoto (*ô*) s.m.
jinguba s.f.
jinguegamene s.m.
jinguenga s.f.
jinguindo s.m.
jinguinga s.f.
jinguista adj. s.2g. "ajanotado"; cf. *ginguista*
jinimbuense adj. s.2g.
jinje s.m.
jinjilo s.m.
jinjim s.f.
jinjiquita s.f.
jinjurucum s.m.
jinó adj. s.m.
jinongonongo s.m.
jinriquixá s.m.
jinsão s.m.
jinsém s.m.

jinsonje s.m.
jinvungi s.m.
jinx (*cs*) s.m.2n.
jinzeu s.m.
jinzumbi s.m.
jipão s.m.
jiparanaense adj. s.2g.
jipe s.m.
jipepe s.m.
jipi s.m.
jipi-do-igapó s.m.; pl. *jipis-do-igapó*
jipijabá s.m.
jipijapá s.m.
jipio s.m.
jipioca s.f.
jipi-vermelho s.m.; pl. *jipis-vermelhos*
jipooca s.f.
jiporoque adj. s.2g.
jipoúba s.f.
jipuba s.f.
jipubense adj. s.2g.
jique s.m.
jiquerana s.f.
jiquerana-de-goiás s.f.; pl. *jiqueranas-de-goiás*
jiqui s.m.
jiquiá s.m.
jiquipanga s.f.
jiquiri s.m.
jiquiriçaense adj. s.2g.
jiquirioba s.f.
jiquiriti s.m.
jiquiró s.m.
jiquitaia s.f.
jiquitaiense adj. s.2g.
jiquitara s.f.
jiquitiranaboia (*ó*) s.f.
jira s.f. "oração", "reza"; cf. *gira* adj. s.2g s.f. e fl. do v. *girar*
jiraba s.f.
jirabana s.f.
jiraçal adj. s.m.
jirambo s.m.
jirau s.m.
jiraué adj. s.2g.
jirauense adj. s.2g.
jirau-poncianense adj. s.2g.; pl. *jirau-poncianenses*
jirbaço s.m.
jire s.m.
jirgolina s.f.
jiribá s.2g.
jiribana s.f.
jiribanda s.f.
jiribata s.f.
jiribato s.m.
jiribatubense adj. s.2g.
jiribita s.f.
jirigote adj. s.m.
jirimate s.m.
jirimato s.m.
jirimim s.m.
jiripiti s.m.
jiripoca s.f.
jiriquiti s.m.
jirita s.f.
jiritana s.f.
jiriti s.m.
jirivá s.f.
jirixá s.m.
jiroé s.m.
jirope s.m.
jirote adj.2g. s.m.
jiruaense adj. s.2g.
jirubá s.m.
jiruense adj. s.2g.
jiruvá s.m.
jisabu s.m.
jiso s.m.
jitá s.f.
jitaí s.m.
jitaí-amarelo s.m.; pl. *jitaís-amarelos*
jitambe s.m.
jitaunense adj. s.2g.
jiti s.f.
jitica s.f.
jitinga s.f.
jitirana s.f.
jitiranaboia (*ó*) s.f.
jitirana-de-leite s.f.; pl. *jitiranas-de-leite*
jitiranense adj. s.2g.
jito adj. s.m. "carro", etc.; cf. *jitó*
jitó s.m. "árvore", etc.; cf. *jito*
jitonga s.m.
jiu-jítsu s.m.
jiúva s.f.
jivaro adj. s.m.
jixingo s.m.
jó s.m.
joa (*ô*) s.f.
joaçabense adj. s.2g.
joaçubense adj. s.2g.
joaimense adj. s.2g.
joalharia s.f.
joalheiro s.m.
joalheria s.f.
joana s.f.
joana-guenza s.f.; pl. *joanas-guenza* e *joanas-guenzas*
joane adj. s.2g.
joanense adj. s.2g.
joaneseína s.f.
joanesense adj. s.2g.
joanésia s.f.
joanesiano adj. s.m.
joanesiense adj. s.2g.
joanésio adj. s.m.
joanete (*ê*) s.m.
joanetense adj. s.2g.
joanicense adj. s.2g.
joanico s.m.
joanilho s.m.
joaninense adj. s.2g.
joaninha s.f.
joaninha-australiana s.f.; pl. *joaninhas-australianas*
joaninha-de-sete-pontos s.f.; pl. *joaninhas-de-sete-pontos*
joaninha-guenza s.f.; pl. *joaninhas-guenza* e *joaninhas-guenzas*
joaninha-vermelha s.f.; pl. *joaninhas-vermelhas*
joanino adj. s.m.
joanita adj. s.2g.
joanopolense adj. s.2g.
joanopolitano adj. s.m.
joão s.m.
joão-alfredense adj. s.2g.; pl. *joão-alfredenses*
joão-arredio s.m.; pl. *joões-arredios*
joão-balão s.m.; pl. *joões-balão* e *joões-balões*
joão-barbudo s.m.; pl. *joões-barbudos*
joão-barreiro s.m.; pl. *joões-barreiros*
joão-barrense adj. s.2g.; pl. *joão-barrenses*
joão-bobo s.m.; pl. *joões-bobos*
joão-bobo-pequeno s.m.; pl. *joões-bobos-pequenos*
joão-botina s.m.; pl. *joões-botinas*
joão-branco s.m.; pl. *joões-brancos*
joão-caçador s.m.; pl. *joões-caçadores*
joão-cachaça s.m.; pl. *joões-cachaças*
joão-camarense adj. s.2g.; pl. *joão-camarenses*
joão-castanho s.m.; pl. *joões-castanhos*
joão-congo s.m.; pl. *joões-congos*
joão-conguinho s.m.; pl. *joões-conguinhos*
joão-conquinho s.m.; pl. *joões-conquinhos*
joão-correia s.m.; pl. *joões-correias*
joão-corta-pau s.m.; pl. *joões-corta-pau*
joão-cotoco s.m.; pl. *joões-cotocos*
joão-curutu s.m.; pl. *joões-curutus*
joão da cadeneta s.m.
joão-da-costa s.m.; pl. *joões-da-costa*
joão da cruz s.m.
joão-de-barro s.m.; pl. *joões-de-barro*
joão-de-barro-da-mata s.m.; pl. *joões-de-barro-da-mata*
joão-de-barros s.m.; pl. *joões-de-barros*
joão-de-barro-vermelho s.m.; pl. *joões-de-barro-vermelho*
joão de cordas s.m.
joão-de-cristo s.m.; pl. *joões-de-cristo*
joão-deitado s.m.; pl. *joões-deitados*
joão-de-leite s.m.; pl. *joões-de-leite*
joão-de-matos s.m.; pl. *joões-de-matos*
joão-de-papo-manchado s.m.; pl. *joões-de-papo-manchado*
joão de pau s.m. "remo de mão"
joão-de-pau s.m. "espécie de ave"; pl. *joões-de-pau*
joão-de-puçá s.m.; pl. *joões-de-puçá*
joão-de-santarém s.m.; pl. *joões-de-santarém*
joão-dia s.m.; pl. *joões-dias*
joão-dias s.m.; pl. *joões-dias*
joão-doido s.m.; pl. *joões-doidos*
joão-do-mato s.m.; pl. *joões-do-mato*
joão-domingos s.m.; pl. *joões-domingos*
joão-do-rio s.m.; pl. *joões-do-rio*
joão-doudo s.m.; pl. *joões-doudos*
joão-douradense adj. s.2g.; pl. *joão-douradenses*
joão-du s.m.; pl. *joões-dus*
joão-fernandes s.m.; pl. *joões-fernandes*
joão-ferreira s.m.; pl. *joões-ferreiras*
joão-galafoice s.m.; pl. *joões-galafoices*
joão-galamarte s.m.; pl. *joões-galamartes*
joão-galamaste s.m.; pl. *joões-galamastes*
joão-garrancho s.m.; pl. *joões-garranchos*
joão-gomes s.m.; pl. *joões-gomes*
joão-grande s.m.; pl. *joões-grandes*
joão-graveto s.m.; pl. *joões-gravetos*
joão-guruçu s.m.; pl. *joões-guruçus*
joão-lisboeta s.m.; pl. *joões-lisboetas*
joão-magro s.m.; pl. *joões-magros*
joão-mede-léguas s.m.; pl. *joões-mede-léguas*
joão-mendes s.m.; pl. *joões-mendes*
joão-minhoca s.m.; pl. *joões-minhoca* e *joões-minhocas*
joão-mole s.m.; pl. *joões-moles*
joão-monlevadino adj. s.2g.; pl. *joão-monlevadinos*
joão-neivense adj. s.2g.; pl. *joão-neivenses*
joão-ninguém s.m.; pl. *joões-ninguém*
joão-noivo s.m.; pl. *joões-noivos*
joão-nordestino s.m.; pl. *joões-nordestinos*
joão-olivácio s.m.; pl. *joões-olivácios*
joão-pálido s.m.; pl. *joões-pálidos*
joão-paraná s.m.; pl. *joões-paranás*
joão-patense adj. s.2g.; pl. *joão-patenses*
joão-paulino s.m.; pl. *joões-paulinos*
joão-paulo s.m.; pl. *joões-paulos*
joão-penenê s.m.; pl. *joões-penenês*
joão-pessoense adj. s.2g.; pl. *joão-pessoenses*
joão-pestana s.m.; pl. *joões-pestanas*
joão-pinheirense adj. s.2g.; pl. *joão-pinheirenses*
joão-pinto s.m.; pl. *joões-pintos*
joão-pinto-do-brejo s.m.; pl. *joões-pintos-do-brejo*
joão-pires s.m.; pl. *joões-pires*
joão-pobre s.m.; pl. *joões-pobres*
joão-pontense adj. s.2g.; pl. *joão-pontenses*
joão-porca s.m.; pl. *joões-porca* e *joões-porcas*
joão-preto-mendes s.m.; pl. *joões-preto-mendes*
joão-quininim s.m.; pl. *joões-quininins*
joão-ratão s.m.; pl. *joões-ratões*
joão-redondo s.m.; pl. *joões-redondos*
joão-saense adj. s.2g.; pl. *joão-saenses*
joão-santarém s.m.; pl. *joões-santaréns*
joão-santareno s.m.; pl. *joões-santarenos*
joão-suiriri s.m.; pl. *joões-suiriris*
joão-teimoso s.m.; pl. *joões-teimosos*
joão-tenenê s.m.; pl. *joões-tenenês*
joão-tenеném s.m.; pl. *joões-tenenéns*
joão-teneném-do-brejo s.m.; pl. *joões-tenenéns-do-brejo*
joão-tenerém s.m.; pl. *joões-teneréns*
joão-tiriri s.m.; pl. *joões-tiriris*
joão-tolo s.m.; pl. *joões-tolos*
joão-torrão s.m.; pl. *joões-torrões*
joão-torresmo s.m.; pl. *joões-torresmos*
joão-velho s.m.; pl. *joões-velhos*
joaquim-barrense adj. s.2g.; pl. *joaquim-barrenses*
joaquimense adj. s.2g.
joaquim-henrique s.m.; pl. *joaquins-henriques*
joaquimismo s.m.
joaquimista adj. s.2g.
joaquimístico adj.
joaquimita adj. s.2g.
joaquim-montense adj. s.2g.; pl. *joaquim-montenses*
joaquim-pirense adj. s.2g.; pl. *joaquim-pirenses*
joaquina s.f.
joaquinense adj. s.2g.
joaquinismo s.m.
joaquinita adj. s.2g.
joaquismo s.m.
joaquista adj. s.2g.
joaquístico adj.
joaquita adj. s.2g.
joar s.m.
joarizinhense adj. s.2g.
joatubense adj. s.2g.
jobínia s.f.
jobiniano adj.
joça s.f. "coisa reles"; cf. *joçá*
joçá s.m. "lanugem de cana"; cf. *joça*
joçal s.m.
joco s.m. "personificação do folguedo"; cf. *jocó*
jocó s.m. "chimpanzé"; cf. *joco*
jocos s.m.pl.
joco-sério adj.; pl. *joco-sérios*
jocosidade s.f.
jocoso (*ô*) adj.; f. (*ó*); pl. (*ó*)
jocotó s.m.
jocotupé s.m.
jocromo s.m.
jocuístle s.m.
joculatores s.m.pl.
jocundidade s.f.
jocundo adj.
jodamilo s.m.
jodina s.f.
joeira s.f.
joeiradeira s.f.
joeirado adj.
joeirador (*ô*) s.m.
joeiradora (*ô*) s.f.
joeiramento s.m.
joeiranense adj. s.2g.
joeirar v.
joeireiro s.m.
joeiro s.m.
joelhaço s.m.
joelhada s.f.
joelhadela s.f.
joelhar v.
joelheira s.f.
joelheiro adj.
joelho (*ê*) s.m.
joelho-de-vaca s.m.; pl. *joelhos-de-vaca*
joelho-queimado s.m.; pl. *joelhos-queimados*
joelhudo adj.
joeniídeo adj. s.m.
joesmithita s.f.
joeta (*ê*) s.f.
joga s.f.
jogada s.f. "ato de jogar"; cf. *jugada*
jogadeira s.f.
jogado adj.
jogadoiro s.m.
jogador (*ô*) adj. s.m.
jogadouro s.m.
jogalhar v.
jogão s.m.
joga-pau s.m.; pl. *joga-paus*
jogar v. "praticar um jogo"; cf. *jugar*
jogata s.f.
jogatana s.f.
jogatar v.
jogatilha s.f.
jogatilhar v.
jogatina s.f.
jogla s.f.
jogo (*ô*) s.m.; pl. (*ó*) "atividade lúdica", etc.; cf. *jogó*
jogó s.m. "guisado de São Tomé"; cf. *jogo* (*ô*)
jogo da bola s.m.
jogo da glória s.m.
jogo da velha s.m.
jogo-d'ifá s.m.; pl. *jogos-d'ifá*
jogo do homem s.m.
jogral s.m.; f. *jogralesa*
jogralar v.
jogralesa s.f. de *jogral*
jogralesca (*ê*) s.f.
jogralesco (*ê*) adj.
jogralia s.f.
jogralice s.f.
jogralidade s.f.
jogralizar v.
jogrão s.m.
jogratia s.f.
jogrete (*ê*) s.m.
jogue adj. s.2g.
joguetar v.
joguete (*ê*) s.m.; cf. *joguete*, fl. do v. *joguetar*
joguetear v.

jogueteiro adj. s.m.
jógui adj. s.2g.
johachidolita s.f.
johannita s.f.
johannsenita s.f.
johnita s.f.
johnstônia s.m.
johnstonita s.f.
johnstonotita s.f.
johnstrupita s.f.
joia (*ó*) adj.2g. s.f.
joiado adj.
joíba s.f.
joiça s.f.
joiense adj. s.2g.
joieta s.f.
joina s.f.
joina-das-areias s.f.; pl. *joinas-das-areias*
joina-das-searas s.f.; pl. *joinas-das-searas*
joina-dos-matos s.f.; pl. *joinas-dos-matos*
joinvilense adj. s.2g.
joinvillia s.f.
joinvilliácea s.f.
joinvilliáceo adj.
joio (*ô*) s.m.
joio-castelhano s.m.; pl. *joios-castelhanos*
jojoba s.f.
jojocense adj. s.2g.
jojoga s.f.
jojoquense adj. s.2g.
jola s.f.
jolcíaco adj.
jolco adj. s.m.
jolda (*ô*) s.f.
joldaria s.f.
joldeiro adj.
joldra (*ô*) s.f.
joldraria s.f.
joldreiro adj.
jolga s.f.
joli s.m.
joliz adj.2g.
jombele s.f.
jomirim s.m.
jomo s.m.
jona s.f.
jonadático adj.
jonas s.m.2n.
joncaro s.m.
joncongo s.m.
jonçu s.m.
jondapuça s.f.
jone adj. s.2g.
jones s.m.2n.
jongar v.
jongo s.m.
jongo de praia s.m.
jongueiro s.m.
joníaco adj.
jonicismo s.m.
jonicista adj. s.2g.
jonicístico adj.
jônico adj. s.m.
jônico-ático adj. s.m.; pl. *jônico-áticos*
joniense adj. s.2g.
jônio adj. s.m.
jonismo s.m.
jonista adj. s.2g.
jonístico adj.
jono s.m.
jonoeiro s.m.
jonolaima s.m.
joó s.m.
joor s.m.
jósia s.f.
jopa s.m.
jópico adj.
jóquei s.m.
jóquei-clube s.m.; pl. *jóqueis-clube* e *jóqueis-clubes*
joqueta (*ê*) s.f.
jordanense adj. s.2g.
jordaniano adj. s.m.
jordânico adj.
jordaniense adj. s.2g.
jordânio adj. s.m.
jordânion s.m.
jordanita s.f.
jordânon s.m.
jordãozinhense adj. s.2g.
jordisita s.f.
jorgado s.m.
jorge s.m.
jorge-grande s.m.; pl. *jorges-grandes*
jorgense adj. s.2g.
jorge-pequeno s.m.; pl. *jorges-pequenos*
jorim s.m.
jorna s.f.
jornada s.f.
jornada nas estrelas s.f.
jornadão s.m.
jornadeador s.m.
jornadeante adj. s.2g.
jornadear v.
jornal s.m.
jornalaço s.m.
jornalada s.f.
jornaleco s.m.
jornaleiro adj. s.m.
jornalengo adj.
jornalês s.m.
jornalice s.f.
jornalismo s.m.
jornalista adj. s.2g.
jornalisticar v.
jornalístico adj.
jornalizar v.
jorne s.f.
jórnea s.f.
joropa s.f.
jorra (*ô*) s.f.; cf. *jorra*, fl. do v. *jorrar*
jorramento s.m.
jorrante adj.2g.
jorrão s.m.
jorrar v.
jorreiro s.m.
jorro (*ô*) s.m.
jorro-jorro (*ô*) s.m.; pl. *jorro-jorros*
joruna s.m.
josamicina s.f.
josé-boateense adj. s.2g.; pl. *josé-boateenses*
josé-boatense adj. s.2g.; pl. *josé-boatenses*
joseense adj. s.2g.
josefense adj. s.2g.
josefinita s.f.
josefinite s.f.
josefino adj. s.m.
josefismo s.m.
josefista adj. s.2g.
josefita adj. s.2g.
josé-freitense adj. s.2g.; pl. *josé-freitenses*
joseíta s.f.
joseíto s.m.
joselandense adj. s.2g.
joselandiense adj. s.2g.
josé-mole s.m.; pl. *josés-moles*
josephinita s.f.
josezinho s.m.
jósia s.f.
jota s.m.
jote adj. s.m.
jótico s.m.
jouanécia s.f.
jouanétia s.f.
jouça s.f.
jouja s.f.
joule (*ju*) s.m.
joulímetro (*ju*) s.m.
jour s.m.
jouravskita s.f.
jovem adj. s.2g.
joveva s.f.
jovial adj.2g.
jovialidade s.f.
jovializante adj.2g.
jovializar v.
jovianiense adj. s.2g.
joviano adj.
jovicêntrico adj.
jovícola adj. s.2g.
joviliábio s.m.
jovinianista adj. s.2g.
joviniano s.m.
joyciano adj. s.m.
joycismo s.m.
joycista adj. s.2g.
juá s.m.
juá-açu s.m.; pl. *juás-açus*
juá-amarelo s.m.; pl. *juás-amarelos*
juá-arrebenta-cavalo s.m.; pl. *juás-arrebenta-cavalos*
juabense adj. s.2g.
juá-branco s.m.; pl. *juás-brancos*
juá-bravo s.m.; pl. *juás-bravos*
juaçabense adj. s.2g.
juacemense adj. s.2g.
juaciense adj. s.2g.
juá-de-capote s.m.; pl. *juás-de-capote*
juá-de-comer s.m.; pl. *juás-de-comer*
juaense adj. s.2g.
juá-grande s.m.; pl. *juás-grandes*
juá-listrado s.m.; pl. *juás-listrados*
juami adj. s.2g.
juá-mirim s.m.; pl. *juás-mirins*
juá-miúdo s.m.; pl. *juás-miúdos*
juá-mole s.m.; pl. *juás-moles*
juana s.f.
juanécia s.f.
juangue adj. s.2g.
juanita s.f.
juanuloa (*ô*) s.f.
juapecanga s.f.
juapicanga s.f.
juapitanga s.f.
juapoca s.2g.
juar s.m.
juarana s.f.
juarauá s.m.
juarez-tavorense adj. s.2g.; pl. *juarez-tavorenses*
juari adj. s.2g.
juatamense adj. s.2g.
juati s.m.
juatubense adj. s.2g.
juá-uva s.m.; pl. *juás-uva* e *juás-uvas*
juazeirense adj. s.2g.
juazeirense-do-norte adj. s.2g.; pl. *juazeirenses-do-norte*
juazeirinhense adj. s.2g.
juazeiro s.m.
juazense adj. s.2g.
juazinho-amarelo s.m.; pl. *juazinhos-amarelos*
juba s.f.
jubacanga s.f.
jubado adj.
jubaí s.m.
jubaiense adj. s.2g.
jubarte s.f.
jubata s.f. "jubarte"; cf. *jubatã*
jubatã s.m. "planta anacardiácea"; cf. *jubata*
jubatão s.m.
jubati s.m.
jubeba s.f.
jubeia (*é*) s.f.
juberi adj. s.2g.
jubetaria s.f.
jubeteiro s.m.
jubeu s.m.
jubilação s.f.
jubilado adj.
jubilador (*ô*) adj.
jubilante adj.2g.
jubilar v. adj.2g.
jubileu s.m.
júbilo s.m.
jubiloso (*ô*) adj.; f. (*ó*); pl. (*ó*)
jubirense adj. s.2g.
juboso (*ô*) adj.; f. (*ó*); pl. (*ó*)
juburu s.m.
jucá adj. s.2g. s.m.
juça s.m.
jucaense adj. s.2g.
juçana s.f.
juçana-bipiiara s.f.; pl. *juçanas-bipiiaras*
juçana-juripiiara s.f.; pl. *juçanas-juripiiaras*
juçana-pitereba s.f.; pl. *juçanas-piterebas*
juçapé s.m.
juçara s.f.
juçaral s.m.
juçaralense adj. s.2g.
jucaranim s.f.
juçareira s.f.
juçarense adj. s.2g.
juçariense adj. s.2g.
jucatiense adj. s.2g.
juciapense adj. s.2g.
juciri s.m.
juciri-de-comer s.m.; pl. *juciris-de-comer*
jucu s.m.
jucubaúba s.m.
jucuense adj. s.2g.
jucumanense adj. s.2g.
jucumpemense adj. s.2g.
jucuna adj. s.2g.
jucunda s.f.
jucundidade s.f.
jucundo adj.
jucundu s.f.
jucuri s.m.
jucuru s.m.
jucuruçuense adj. s.2g.
jucuruju s.m.
jucururiense adj. s.2g.
jucururuense adj. s.2g.
jucurutu s.m.
jucurutuense adj. s.2g.
judaica s.f.
judaicidade s.f.
judaico adj.
judaísmo s.m.
judaísta adj. s.2g.
judaístico adj.
judaização s.f.
judaizante adj. s.2g.
judaizar v.
judaria s.f.
judas s.m.2n.
juddita s.f.
judeano adj. s.m.
judeidade s.f.
judenga s.f.
judengo adj.
judeo-alemão adj. s.m.; pl. *judeo-alemães*
judeo-árabe adj. s.2g.; pl. *judeo-árabes*
judeo aramaico adj. s.m.
judeo-brasileiro adj. s.m.; pl. *judeo-brasileiros*
judeo-cristão adj. s.m.; pl. *judeo-cristãos*
judeo cristianismo s.m.
judeo-espanhol adj. s.m.; pl. *judeo-espanhóis*
judeo-flamengo adj. s.m.; pl. *judeo-flamengos*
judeo-francês adj. s.m.; pl. *judeo-franceses*
judeo-holandês adj. s.m.; pl. *judeo-holandeses*
judeo-italiano adj. s.m.; pl. *judeo-italianos*
judeo-português adj. s.m.; pl. *judeo-portugueses*
juderega s.f.
judeu adj. s.m.; f. *judia*
judeu-alemão adj. s.m.; pl. *judeu-alemães*
judeu aramaico adj. s.m.
judeu-cristão adj. s.m.; pl. *judeu-cristãos*
judeu cristianismo s.m.
judeu-espanhol adj. s.m.; pl. *judeu-espanhóis*
judeu-francês adj. s.m.; pl. *judeu-franceses*
judeu-português adj. s.m.; pl. *judeu-portugueses*
judia adj. s.f. de *judeu*
judiação s.f.
judiaga s.f.
judiaica s.f.
judiar v.
judiaria s.f.
júdica s.m.
judicação s.f.
judicante adj. s.2g.
judicar v.
judicativo adj.
judicatório adj.
judicatura s.f.
judicial adj.2g.
judiciante adj.2g.
judiciar v.
judiciária s.f.; cf. *judiciaria*, fl. do v. *judiciar*
judiciaridade s.f.
judiciariedade s.f.
judiciário adj. s.m.
judicioso (*ô*) adj.; f. (*ó*); pl. (*ó*)
judio adj. s.m.; cf. *judio*, fl. do v. *judiar*
judite s.f.
judô s.m.
judoca s.2g.
judoísta s.2g.
judum s.m.
juerana s.f.
jueranense adj. s.2g.
juga s.f.
jugada s.f. "jeira"; cf. *jogada*
jugadar v.
jugadeiro adj. s.m.
jugado adj. s.m.
jugadoiro s.m.
jugador (*ô*) s.m.
jugadouro s.m.
jugal adj.2g. s.m.
jugar v. "abater reses"; cf. *jogar*
jugaria s.f.; cf. *jogaria*, fl. do v. *jogar*
jugário s.m.
jugata s.f.
juglandácea s.f.
juglandáceo adj.
juglandal adj.2g.
juglandale s.f.
juglândea s.f.
juglândeo adj.
juglândico adj.
juglandícola adj.
juglandina s.f.
juglandínea s.f.
juglandíneo adj.
juglona s.f.
jugo s.m.
jugomaxilar (*cs*) adj.2g.
jugoslavo adj. s.m.
jugoso (*ô*) adj.; f. (*ó*); pl. (*ó*)
juguaretê adj. s.2g.
jugueira s.f.
jugueiro adj. s.m.
júgula s.f.
jugulação s.f.
jugulado adj.
jugulador (*ô*) adj. s.m.
jugulante adj.2g.
jugular v. adj.2g. s.f.
jugulável adj.2g.
juguleira s.f.
júgulo s.m.
jugulodigástrico adj.
jugum s.m.
juguricá s.m.
jugúrtia s.f.
juina s.f.
juiponga s.f.
juiraçuense adj. s.2g.
juiz s.m.; f. *juíza*
juíza s.f. de *juiz*
juizado s.m.
juizar v.
juiz-de-forano adj. s.m.; pl. *juiz-de-foranos*
juiz-do-mato s.m.; pl. *juízes-do-mato*
juiz-do-rio s.m.; pl. *juízes-do-rio*

juiz-forano adj. s.m.; pl. *juiz-foranos*
juiz-forense adj. s.2g.; pl. *juiz-forenses*
juízo s.m.
jujá s.m.
jujitsu s.m.
juju s.m.
jujuba s.f.
jujubeira s.f.
jujuísmo s.m.
jujuísta adj. s.2g.
jula s.f.
juláceo adj.
julamite s.f.
julata s.f.
julavento s.m.
jule s.m.
julepe s.m.
julepo s.m.
julgado adj. s.m.
julgadoiro s.m.
julgador (*ô*) adj. s.m.
julgadouro s.m.
julgamento s.m.
julgar v.
julgatura s.f.
julgável adj.2g.
julgoldita s.f.
julho s.m.
júlia s.f.
juliana s.f.
julianácea s.f.
julianáceo adj.
juliana-dos-jardins s.f.; pl. *julianas-dos-jardins*
julianal adj.2g.
julianale s.f.
julianense adj. s.2g.
juliânia s.f.
julianiácea s.f.
julianiáceo adj.
julianial adj.2g.
julianiale s.f.
julianiense adj. s.2g.
julianismo s.m.
julianista adj. s.2g.
juliano adj.
julião s.m.
júlida s.m.
julídeo adj. s.m.
julidíneo adj. s.m.
júlido adj. s.m.
juliênia s.f.
julienita s.f.
juliense adj. s.2g.
juliforme adj. s.2g.
júlio adj. s.m.
juliobrigense adj. s.2g.
júlio-castilhense adj. s.2g.; pl. *júlio-castilhenses*
júlio-mesquitense adj. s.2g.; pl. *júlio-mesquitenses*
juliopolita adj. s.2g.
juliopolitano adj. s.m.
júlio-vernesco (*ê*) adj.; pl. *júlio-vernescos*
júlio-verniano adj.; pl. *júlio-vernianos*
júlis s.f.2n.
julo s.m.
julócroton s.m.
julodíneo adj. s.m.
julódis s.f.2n.
julpai s.m.
juma adj. s.2g.
jumada s.m.
jumana adj. s.2g.
jumará s.m.
jumardo s.m.
jumbeba s.f.
jumélico s.m.
jumelo s.m.
jumense adj. s.2g.
jumenta s.f.
jumentada s.f.
jumental adj.2g.
jumentice s.f.
jumentil adj.2g.
jumento s.m.
jumentoso (*ô*) adj.; f. (*ó*); pl. (*ó*)
jumirinense adj. s.2g.
jumpango s.m.
jumprim s.m.
jumusjungil s.m.
juna s.m.
junça s.f.
junça-aromática s.f.; pl. *junças-aromáticas*
junça-brava s.f.; pl. *junças-bravas*
juncabo s.m.
juncácea s.f.
juncáceo adj.
junça-cheirosa s.f.; pl. *junças-cheirosas*
juncada s.f.
junça-de-cheiro s.f.; pl. *junças-de-cheiro*
junça-de-conta s.f.; pl. *junças-de-conta*
juncado adj.
junça-do-brejo s.f.; pl. *junças-do-brejo*
juncagem s.f.
juncaginácea s.f.
juncagináceo adj.
juncagínea s.f.
juncagíneo adj.
juncago s.f.
juncal s.m.
junçal s.m.
juncale s.f.
juncaleiro adj. s.m.
junça-miúda s.f.; pl. *junças-miúdas*
juncaneiro s.m.
junção s.f.
junça-ordinária s.f.; pl. *junças-ordinárias*
junça-pequena s.f.; pl. *junças-pequenas*
juncar v.
juncária s.f.
juncário adj.
júncea s.f.
junceira s.f.
juncela s.f.
juncelo s.m.
juncense adj. s.2g.
júnceo adj.
juncícola adj.2g.
junciforme adj.2g.
juncínea s.f.
juncíneo adj.
juncinha s.f.
juncionense adj. s.2g.
junckerita s.f.
junckerite s.f.
junco s.m.
junço s.m.
junco-agreste s.m.; pl. *juncos-agrestes*
junco-agudo s.m.; pl. *juncos-agudos*
junco-ananico s.m.; pl. *juncos-ananicos*
junco-branco s.m.; pl. *juncos-brancos*
junco-bravo s.m.; pl. *juncos-bravos*
junco-da-índia s.m.; pl. *juncos-da-índia*
junco-da-praia s.m.; pl. *juncos-da-praia*
junco-das-esteiras s.m.; pl. *juncos-das-esteiras*
junco-de-banhado s.m.; pl. *juncos-de-banhado*
junco-de-cabra s.m.; pl. *juncos-de-cabra*
junco-de-cangalha s.m.; pl. *juncos-de-cangalha*
junco-de-cobra s.m.; pl. *juncos-de-cobra*
junco-de-espanha s.m.; pl. *juncos-de-espanha*
junco-de-três-quinas s.m.; pl. *juncos-de-três-quinas*
junco-do-banhado s.m.; pl. *juncos-do-banhado*
junco-do-brejo s.m.; pl. *juncos-do-brejo*
junco-dos-sapos s.m.; pl. *juncos-dos-sapos*
junco-florido s.m.; pl. *juncos-floridos*
junco-manso s.m.; pl. *juncos-mansos*
junco-miúdo s.m.; pl. *juncos-miúdos*
junco-miúdo-do-campo s.m.; pl. *juncos-miúdos-do-campo*
junco-popoca s.m.; pl. *juncos-popocas*
juncoso (*ô*) adj.; f. (*ó*); pl. (*ó*)
junçoso (*ô*) adj.; f. (*ó*); pl. (*ó*)
jundaí s.m.
jundiá s.m.
jundiá-da-lagoa s.m.; pl. *jundiás-da-lagoa*
jundiaense adj. s.2g.
jundiaí s.m.
jundiaiano adj. s.m.
jundiaíba s.f.
jundiaiense adj. s.2g.
jundiapebense adj. s.2g.
jundiatinga s.m.
jundiiba s.f.
jundo s.m.
jundu s.m.
junedim s.m.
junélia s.f.
junense adj. s.2g.
junetia s.f.
jungermânnia s.f.
jungermanniácea s.f.
jungermanniáceo adj.
jungermannial adj.2g.
jungermanniale s.f.
júngia s.f.
jungido adj.
jungidor (*ô*) adj.
jungimento s.m.
jungir v.
jungível adj.2g.
jungo s.m.
jungue s.m.
junguetas (*ê*) s.f.pl.
junguiano adj. s.m.
junhal s.f.
junho s.m.
junino adj.
juninviro s.m.
juninvírus s.m.
júnior adj. s.m.
junipena s.f.
juniperácea s.f.
juniperáceo adj.
juniperato s.m.
junipérico adj.
juniperina s.f.
juniperínea s.f.
juniperíneo adj.
junípero s.m.
juniperóidea s.f.
juniperoídea s.f.
junitoíta s.f.
junoíta s.f.
junonal adj.2g.
junonial adj.2g.
junonícola adj. s.2g.
junônio adj.
junqueira s.f.
junqueirense adj. s.2g.
junqueirismo s.m.
junqueirista adj. s.2g.
junqueiro adj. s.m.
junqueiro-de-bico-reto s.m.; pl. *junqueiros-de-bico-reto*
junqueiropolense adj. s.2g.
junqueiropolitano adj. s.m.
junquense adj. s.2g.
junqueriano adj.
junquerite s.f.
junquilho s.m.
junquilho-do-campo s.m.; pl. *junquilhos-do-campo*
junquinha s.f.
junquinha-mansa s.f.; pl. *junquinhas-mansas*
junquinho s.m.
junta s.f.
juntada s.f.
junta-de-calangro s.f.; pl. *juntas-de-calangro*
junta-de-cobra s.f.; pl. *juntas-de-cobra*
juntadeira s.f.
juntador (*ô*) adj. s.m.
juntamento s.m.
junta-mole s.f.; pl. *juntas-moles*
juntar v.
juntável adj.2g.
junteia (*é* ou *ê*) s.f.
junteira s.f.
junteiro adj. s.m.
juntivo adj. s.m.
junto adj. adv. s.m.
juntoira s.f.
juntoiro s.m.
juntoura s.f.
juntouro s.m.
juntura s.f.
juó s.m.
jupaguaense adj. s.2g.
jupão s.m.
jupará s.m.
juparaba s.f.
juparense adj. s.2g.
juparitenense adj. s.2g.
jupati s.m.
jupeba s.f.
jupiá s.m.
jupiaense adj. s.2g.
jupicaí s.m.
jupicaí-mirim s.m.; pl. *jupicaís-mirins*
jupicanga s.f.
jupiede s.m.
jupiense adj. s.2g.
jupindá s.m.
jupiranguense adj. s.2g.
jupiteriano adj.
jupitério adj.
jupuá adj. s.2g.
jupuíra s.f.
jupurá s.m.
jupuriná adj. s.2g.
jupurutu s.m.
jupuuba s.f.
juqueiraçu s.m.
juqueri s.m.
juquerinano s.m.
juquerionano s.m.
juqueriti s.m.
juqui adj. s.2g.
juquiá s.m.
juquiaense adj. s.2g.
juqui-de-cerca s.m.; pl. *juquis-de-cerca*
juquiquerense adj. s.2g.
juquiraí s.m.
juquiratibense adj. s.2g.
juquiri s.m.
juquiriaçu s.m.
juquiri-arbustivo s.m.; pl. *juquiris-arbustivos*
juquiri-bravo s.m.; pl. *juquiris-bravos*
juquiri-carrasco s.m.; pl. *juquiris-carrascos*
juquiri-grande s.m.; pl. *juquiris-grandes*
juquiri-manso s.m.; pl. *juquiris-mansos*
juquirioba s.f.
juquirionano s.m.
juquirirana s.f.
juquiri-rasteiro s.m.; pl. *juquiris-rasteiros*
juquirizinho s.m.
juquitaia s.f.
juquitibense adj. s.2g.
jura s.f.
juraciense adj. s.2g.
juradeira s.f.
juradeiro adj. s.m.
juradia s.f.
jurado adj. s.m.
jurador (*ô*) adj. s.m.
juraico adj.
juramentação s.f.
juramentado adj.
juramentador (*ô*) adj. s.m.
juramentar v.
juramentável adj.2g.
juramenteiro adj.
juramentense adj. s.2g.
juramento s.m.
jurana s.f.
juranda s.f.
jurandense adj. s.2g.
jurão s.m.
jurapaitense adj. s.2g.
jurapari s.m.
juraparipindá s.m.
jurar v.
jurara s.f.
jurará s.m.
jurará-açu s.m.; pl. *jurarás-açus*
juraracuçu s.f.
juraraense adj. s.2g.
jurassiano adj.
jurássico adj. s.m.
juratório adj.
jurbanita s.f.
jureba s.f.
jureense adj. s.2g.
jurema s.f. "árvore fascolácea"; cf. *juremá*
juremá s.m. "entidade do candomblé"; cf. *jurema*
jurema-branca s.f.; pl. *juremas-brancas*
juremação s.f.
jurema-da-pedra s.f.; pl. *juremas-da-pedra*
juremado s.m.
juremal s.m.
juremalense adj. s.2g.
jurema-marginada s.f.; pl. *juremas-marginadas*
jurema-mirim s.f.; pl. *juremas-mirins*
jurema-preta s.f.; pl. *juremas-pretas*
juremar v.
juremeiro s.m.
juremense adj. s.2g.
jureminha s.f.
jurepeba s.f.
jurgadoiro s.m.
jurgar v.
juri adj. s.2g. "povo indígena"; cf. *júri*
júri s.m. "reunião de jurados"; cf. *juri*
juribali s.m.
juribeba s.f.
juricana s.f.
juricidade s.f.
juriciense adj. s.2g.
juridição s.f.
juridicidade s.f.
juridicismo s.m.
juridicista adj. s.2g.
juridicístico adj.
jurídico adj.
juridismo s.m.
juridista adj. s.2g.
juridístico adj.
jurígeno adj.
jurimágua adj. s.2g.
jurimaná adj. s.2g.
jurínea s.f.
juríneo s.f.
jurinita s.f.
jurinite s.f.
juripeba s.f.
juripiranguense adj. s.2g.
jurisconsulente s.2g.
jurisconsulto s.m.
jurisconsultoria s.f.
jurisdição s.f.
jurisdicionado adj. s.m.
jurisdicional adj.2g.
jurisdicionalizar v.
jurisdicionante adj. s.2g.
jurisdicionar v.
jurisfação s.f.
jurisfilosofia s.f.
jurisfilosófico adj.

jurisfilósofo s.m.
jurismo s.m.
jurisnaturalismo s.m.
jurisnaturalista adj. s.2g.
jurisnaturalístico adj.
jurisperícia s.f.
jurisperito adj. s.m.
jurispositivismo s.m.
jurispositivista adj. s.2g.
jurispositivístico adj.
jurisprudência s.f.
jurisprudencial adj.2g.
jurisprudente s.2g.
jurista adj. s.2g.
jurístico adj.
juriti s.f.
juritianhense adj. s.2g.
juriti-azul s.f.; pl. *juritis-azuis*
juriti-carregadeira s.f.; pl. *juritis-carregadeiras*
juriti-da-mata s.f.; pl. *juritis-da-mata*
juriti-da-mata-virgem s.f.; pl. *juritis-da-mata-virgem*
juritiense adj. s.2g.
juriti-gemedeira s.f.; pl. *juritis-gemedeiras*
juriti-grande s.f.; pl. *juritis-grandes*
juritipiranga s.f.
juriti-pupu s.f.; pl. *juritis-pupu* e *juritis-pupus*
juriti-roxa s.f.; pl. *juritis-roxas*
juritiubim s.f.
juriti-velhense adj. s.2g.; pl. *juriti-velhenses*
juriti-verdadeira s.f.; pl. *juritis-verdadeiras*
juriti-vermelha s.f.; pl. *juritis-vermelhas*
juro s.m. "lucro", etc.; cf. *juru*
jurovoca s.f.
juru s.m. "espécie de papagaio"; cf. *juro*
juruaçu s.m.
juruaense adj. s.2g.
juruaiense adj. s.2g.
juruapara s.m.
jurubaça s.m.
jurubano adj. s.m.
jurubati s.m.
jurubeba s.f.
jurubeba-branca s.f.; pl. *jurubebas-brancas*
jurubeba-brava s.f.; pl. *jurubebas-bravas*
jurubeba-de-espinho s.f.; pl. *jurubebas-de-espinho*
jurubeba-do-pará s.f.; pl. *jurubebas-do-pará*
jurubeba-grande s.f.; pl. *jurubebas-grandes*
jurubebal s.m.
jurubeba-menor s.f.; pl. *jurubebas-menores*
jurubeba-verdadeira s.f.; pl. *jurubebas-verdadeiras*
jurubebense adj. s.2g.
jurubebinha s.f.
jurubita s.f.
juruceense (*cê*) adj. s.2g.
jurucuá s.f.
jurucuá-do-brasil s.f.; pl. *jurucuás-do-brasil*
jurucutu s.m.
juruеba s.f.
jurueca s.f.
juruenense adj. s.2g.
juruense adj. s.2g.
juruiuba s.f.
jurujuba s.f.
jurumbeba s.f.
jurumbeva s.f.
jurumi s.m.
jurumim s.m.
jurumiri s.f.
jurumiriense adj. s.2g.
jurumu s.m.
jurumum s.m.
juruna adj. s.2g. s.m.
jurunu s.m.
jurupaíta s.f.
jurupango s.m.
jurupará s.m. "animal"; cf. *juruparã*
juruparã s.f. "seta ervada"; cf. *jurupará*
jurupari s.m.
juruparibambé s.m.
jurupariboia (*ó*) s.f.
jurupariense adj. s.2g.
juruparipindá s.m.
juruparipiruba s.f.
jurupariquibaba s.f.
jurupari-tapuio adj. s.m.; pl. *juruparis-tapuios*
jurupebense adj. s.2g.
jurupema s.f.
jurupemense adj. s.2g.
jurupencém s.m.
jurupencu s.m.
jurupensém s.m.
jurupetinga s.f.
jurupinga s.f.
jurupiranga s.f.
jurupixuna s.m.
jurupoca s.f.
juruquá s.f.
jururá s.f.
jururu adj. s.2g.
jurutaí s.m.
jurutanhi s.m.
jurutau s.m.
jurutauí s.m.
juruté s.m. "planta boraginácea"; cf. *jurutê*
jurutê s.m. "espécie de mandioca", etc.; cf. *juruté*
juruti s.f.
juruti-azul s.f.; pl. *jurutis-azuis*
jurutiense adj. s.2g.
juruti-pepena s.f.; pl. *jurutis-pepenas*
juruti-pequena s.f.; pl. *jurutis-pequenas*
jurutipiranga s.f.
juruti-verdadeira s.f.; pl. *jurutis-verdadeiras*
juruti-vermelha s.f.; pl. *jurutis-vermelhas*
juruuna adj. s.2g.
juruva s.f. "ave"; cf. *juruvá*
juruvá s.m. "planta"; cf. *juruva*
juruvalhense adj. s.2g.
juruviá adj.2g.
juruviara s.f.
juruviara-norte-americana s.f.; pl. *juruviaras-norte-americanas*
juruvoca s.f.
jus s.m.
jusã s.f. de *jusão*
jusagrarismo s.m.
jusagrarista adj. s.2g.
jusano adj.
jusante s.f.
jusão adj.; f. *jusã*
juscelandense adj. s.2g.
juscelandiense adj. s.2g.
juscelinense adj. s.2g.
juscelinismo s.m.
juscelinista adj. s.2g.
juscelinístico adj.
jusfilosofia s.f.
jusfilosófico adj.
jusfilósofo s.m.
jusita s.f.
juslaborista adj. s.2g.
jusmaternal adj.2g.
jusmaternalismo s.m.
jusmaterno adj.
jusnaturalismo s.m.
jusnaturalista adj. s.2g.
jusnaturalístico adj.
juso adv. s.m.
juspaternal adj.2g.
juspaternalismo s.m.
juspaterno adj.
juspositivismo s.m.
juspositivista adj. s.2g.
juspositivístico adj.
jusquiame s.m.
jusquino adj.
jussieua s.f.
jussivo adj.
justa s.f.
justador (*ô*) adj. s.m.
justaepifisário adj.
justafluvial adj.2g.
justaglomerular adj.2g.
justaglomérulo s.m.
justalinear adj.2g.
justalinearidade s.f.
justamarinho adj.
justamarítimo adj.
justamédico adj.
justampular adj.2g.
justapor (*ô*) v.
justaposição s.f.
justapositivo adj.
justaposto (*ô*) adj.; f. (*ó*); pl. (*ó*)
justar v.
justarticular adj.2g.
justaspinal adj.2g.
justatabular adj.2g.
justatropical adj.2g.
justavertebral adj.2g.
justênia s.f.
justepifisário adj.
justeza (*ê*) s.f.
justiça s.f.
justiçado adj. s.m.
justiçadoiro adj.
justiçador (*ô*) adj. s.m.
justiçadouro adj.
justiça-maior s.m.; pl. *justiças-maiores*
justiçamento s.m.
justiçar v.
justiçável adj.2g.
justiceiro adj. s.m.
justícia s.f.
justicialismo s.m.
justicialista adj. s.2g.
justicialístico adj.
justiçoso (*ô*) adj.; f. (*ó*); pl. (*ó*)
justidade s.f.
justificabilidade s.f.
justificação s.f.
justificado adj. s.m.
justificador (*ô*) adj. s.m.
justificante adj. s.2g.
justificar v.
justificativa s.f.
justificativo adj.
justificatório adj.
justificável adj.2g.
justilho s.m.
justiniâneo adj.
justiniano adj.
justinopolitano adj. s.m.
justita s.f.
justo adj. s.m.
justura s.f.
juta s.f.
juta-azul s.f.; pl. *jutas-azuis*
juta-da-mandchúria s.f.; pl. *jutas-da-mandchúria*
juta-de-fruto-comprido s.f.; pl. *jutas-de-fruto-comprido*
juta-de-fruto-redondo s.f.; pl. *jutas-de-fruto-redondo*
jutaí s.m.
jutaí-açu s.m.; pl. *jutaís-açus*
jutaí-café s.m.; pl. *jutaís-café* e *jutaís-cafés*
jutaí-catinga s.m.; pl. *jutaís-catinga* e *jutaís-catingas*
jutaicica s.f.
jutaí-da-várzea s.m.; pl. *jutaís-da-várzea*
jutaí-do-alagado s.m.; pl. *jutaís-do-alagado*
jutaí-do-campo s.m.; pl. *jutaís-do-campo*
jutaí-do-igapó s.m.; pl. *jutaís-do-igapó*
jutaiense adj. s.2g.
jutaí-grande s.m.; pl. *jutaís-grandes*
jutaí-mirim s.m.; pl. *jutaís-mirins*
jutaimuri s.m.
juta-indiana s.f.; pl. *jutas-indianas*
jutaipeba s.m.
jutaí-pequeno s.m.; pl. *jutaís-pequenos*
jutaipoca s.m.
jutaí-pororoca s.m.; pl. *jutaís-pororoca* e *jutaís-pororocas*
jutairana s.f.
jutaí-roxo s.m.; pl. *jutaís-roxos*
jutaizinho s.m.
juta-marrom s.f.; pl. *jutas-marrons*
juta-nacional s.f.; pl. *jutas-nacionais*
juta-paulista s.f.; pl. *jutas-paulistas*
jutaúba s.f.
juticense adj. s.2g.
juticupiúba s.f.
jutiense adj. s.2g.
jutiquense adj. s.2g.
jutlandense adj. s.2g.
jutlandês adj. s.m.
jutlandiense adj. s.2g.
juto adj. s.m. "povo germânico"; cf. *jutu*
jutu s.m. "planta da Guiné"; cf. *juto*
jutuarana s.f.
jutuaúba s.f.
jutubarana s.f.
juturgo adj. s.m.
juturnaibense adj. s.2g.
juturnais s.f.pl.
juturnal adj.2g.
juuna s.f.
juva s.m.
juvá s.m.
juvássico adj.
juvassivo adj.
juvenais s.m.pl.
juvenal adj.2g.
juvenalesco (*ê*) adj.
juvenaliano adj.
juvenato s.m.
juvenca s.f.
juvença s.f.
juvenciense adj. s.2g.
juvêncio adj.
juvenco s.m.
juveti s.m.
juvenê s.m.
juvenescedor (*ô*) adj.
juvenescer v.
juvenescido adj.
juvenescimento s.m.
juvenil adj.2g. s.m.
juvenília s.f.
juvenilidade s.f.
juvenilismo s.m.
juvenilização s.f.
juvenilizado adj.
juvenilizador (*ô*) adj.
juvenilizante adj.2g.
juvenilizar v.
juvenilizável adj.2g.
juveníssimo adj. sup. de *jovem*
juventa s.f.
juventinense adj. s.2g.
juventino adj.
juventude s.f.
juveti s.m.
juveva (*ê*) s.f.
juvevê s.m.
júvia s.f.
juvira s.m.

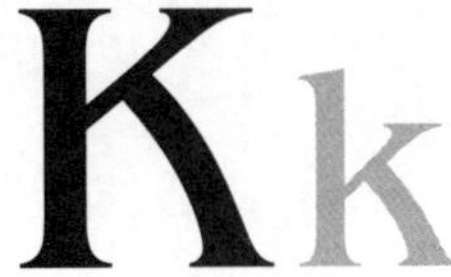

k (cá) s.m.
kaempféria s.f.
kaempferol s.m.
kaersutita s.f.
kafeidrocianita s.f.
kafkaesco (ê) adj.
kafkesco (ê) adj.
kafkiano adj. s.m.
kahlerita s.f.
kainita s.f.
kaiserita s.f.
kaiserítico adj.
kalkowskita s.f.
kalsilita s.f.
kamarezita s.f.
kämmemerita s.f.
kämmemerítico adj.
kanasita s.f.
kandinskiano adj.
kanemita s.f.
kankita s.f.
kantianismo s.m.
kantianista adj. s.2g.
kantianístico adj.
kantiano adj.
kantismo s.m.
kantista adj. s.2g.
kantístico adj.
karachaíta s.f.
kardecianismo s.m.
kardecianista adj. s.2g.
kardecianístico adj.
kardeciano adj. s.m.
kardecismo s.m.
kardecista adj. s.2g.
kardecístico adj.
karelianita s.f.
karnasurtita s.f.
karpinskyita s.f.
karrooíta s.f.
kasoíta s.f.
kasolita s.f.
kassita s.f.
katanguita s.f.
kautskiano adj.
kazakovita s.f.
kazantzakiano adj.
keatita s.f.
keeleyíta s.f.
kehoeíta s.f.
keilhauita (í) s.f.
keldyshita s.f.
kellyita s.f.
kelseniano adj.
kelviniano adj.
kelvinometria s.f.
kelvinométrico adj.
kelvinômetro s.m.
kemaliano adj.
kemalismo s.m.
kemalista adj. s.2g.
kemmererita s.f.
kemmlitzita s.f.
kempita s.f.
kennediano adj.
kennedyita s.f.
kentuckiano adj. s.m.
kenyaíta s.f.
kepler s.m.
kepléria s.f.
kepleriano adj. s.m.
keramita s.f.
kermesita s.f.
kermesítico adj.
kernita s.f.
kernítico adj.
kérria s.f.
kerríea s.f.
kerrita s.f.
kerrito s.m.
kerstenita s.f.
kertschenita s.f.
kesterita s.f.
keteleéria s.f.
kettnerita s.f.
keynesianismo s.m.
keynesianista adj. s.2g.
keynesianístico adj.
keynesiano adj. s.m.
keynesismo s.m.
keynesista adj. s.2g.
keynesístico adj.
khademita s.f.
khibinita s.f.
khibinskita s.f.
khlebnikoviano adj.
khoharita s.f.
kíckxia (cs) s.f.
kielmeyera s.f.
kielmeyeróidea s.f.
kierkegaardiano adj.
kieserita s.f.
kieserítico adj.
kievita s.f.
kilchoanita s.f.
killalaíta s.f.
kimbérgia s.f.
kimberlítico adj.
kimberlito s.m.
kimitotantalita s.f.
kimmeridgiano adj. s.m.
kimzeyíta s.f.
kingita s.f.
kinoíta s.f.
kinoshitalita s.f.
kinradita s.f.
kiplingiano adj.
kipushita s.f.
kirchheimerita s.f.
kiribatiano adj. s.m.
kirovita s.f.
kirschsteinita s.f.
kitkaíta s.f.
klapróthia s.f.
klaprothina s.f.
klaprothita s.f.
klebelsberguita s.f.
klebsiela s.f.
kleiniano adj.
kleinita s.f.
klockmannita s.f.
klopstóckia s.f.
klopstockiano adj.
klúgia s.f.
klugieia (é) s.f.
klúkia s.f.
knáutia s.f.
knebelita s.f.
knêiffia s.f.
kneippismo (ai) s.m.
kneippista (ai) adj. s.2g.
kníghtia s.f.
kniphófia s.f.
kniphofiina s.f.
knopita s.f.
knopítico adj.
knórria s.f.
knoxvillita s.f.
koashvita s.f.
kobeíta s.f.
kobellita s.f.
kóchia s.f.
kochita s.f.
kochubeíta s.f.
koeberlínia s.f.
koechlinita s.f.
koeléria s.f.
koelreutéria s.f.
koelreuteríea s.f.
koenenita s.f.
koettiguita s.f.
koivinita s.f.
koktaíta s.f.
kolbeckita s.f.
kolovratita s.f.
kolskita s.f.
kolveckita s.f.
komarovita s.f.
kondrikita s.f.
kondrikovita s.f.
konel s.m.
kongsberguita s.f.
koninckita s.f.
koppita s.f.
korarfveíta s.f.
kornelita s.f.
kornerupina s.f.
korzhinskita s.f.
kossmatita s.f.
kostelétzkia s.f.
kostovita s.f.
kotoíta s.f.
kotschubeia (é) s.f.
kotschubeíta s.f.
kotschubeítico adj.
kotulskita s.f.
koutekita s.f.
kozulita s.f.
kraepeliniano adj.
kraméria s.f.
kramerita s.f.
krausita s.f.
krauskopfita s.f.
krautita s.f.
kremersita s.f.
kremlinologia s.f.
kremlinológico adj.
kremlinologista adj.2g.
krennerita s.f.
kreuzberguita s.f.
kriberguita s.f.
kridita s.f.
krinovita s.f.
kroehnkita s.f.
kropotkiniano adj.
krugita s.f.
krupkaíta s.f.
krutaíta s.f.
krutovita s.f.
kruzhanovskita s.f.
kryzhanovskita s.f.
ktenasita s.f.
ktypeíta s.f.
kukluxismo (cs) s.m.
kukluxista (cs) adj. s.2g.
kukluxístico (cs) adj.
kulanita s.f.
kullerudita s.f.
kunzita s.f.
kunzítico adj.
kupfferite s.f.
kupletskita s.f.
kuranakhita s.f.
kurchatóvico adj.
kurchatóvio s.m.
kurchatovita s.f.
kurgantaíta s.f.
kurnakovita s.f.
kurskita s.f.
kuru s.m.
kurumsakita s.f.
kustelita s.f.
kusuíta s.f.
kutinaíta s.f.
kutnahorita s.f.
kwashiorkor s.m.

L l

l (*ele* ou *lê*) s.m.
la art. pron.
lã s.f. "pelo espesso"; cf. *lá*
lá s.m. adv. "nota musical", etc.; cf. *lã*
labaça s.f.
labaça-aguada s.f.; pl. *labaças-aguadas*
labaça-aguda s.f.; pl. *labaças-agudas*
labaça-crespa s.f.; pl. *labaças-crespas*
labaçal s.m.
labaça-obtusa s.f.; pl. *labaças-obtusas*
labaça-sinuada s.f.; pl. *labaças-sinuadas*
labacê s.m.
labaceiro adj. s.m.
labácia s.f.
labaçol s.m.
labadismo s.m.
labadista adj. s.2g.
labadístico adj.
laba-laba s.f.; pl. *laba-labas* e *labas-labas*
labanotação s.f.
labanotador (*ô*) adj.2g.
labanotante adj.2g.
labanotar v.
labanotável adj.2g.
labão s.m.
labarda s.f.
labareda (*ê*) s.m.f.
labarito s.m.
lábaro s.m.
labaruça s.2g.
labátia s.f.
labdácida adj. s.2g.
labdacismo s.m.
labdanífero adj.
lábdano s.m.
labeata adj. s.2g.
labefaciação s.f.
labefactação s.f.
labefactado adj.
labefactar v.
labego (*ê*) s.m.
labelado adj.
labelar adj. s.2g.
labelo s.m.
labeloide (*ó*) adj.2g.
lábeo s.m.
labeobardo s.m.
laberca s.f.
laberco s.m.
labetalol s.m.
labéu s.m.
labfermento s.m.
lábia s.f.
labiação s.f.
labiada s.f.
labiado adj. s.m.
labial adj.2g. s.f.
labialidade s.f.
labialismo s.m.
labialização s.f.
labializado adj. s.m.
labializar v.
labiatiflora s.f.
labiatifloro adj.
labiatiforme adj.2g.
labicano adj. s.m.
labico adj. s.m.
labíctis s.m.2n.
labidental adj.
labidiáster s.m.
lábido s.f.
labidódema s.m.
labidóforo adj.
labidógnato adj. s.m.
labidômetro s.m.
labidóplace s.f.
labídoplax (*cs*) s.f.
labidóstomo adj. s.m.
labidura s.f.
labidúrida adj.2g. s.m.
labidurídeo adj. s.m.
labiduríneo adj. s.m.
labiduro adj.
labiduróideo s.m.
labiduroiídeo adj. s.m.
labielo s.m.
labíida adj.2g. s.m.
labiídeo adj. s.m.
labiíneo adj. s.m.
lábil adj.2g.
labilidade s.f.
labímetro s.m.
labinasal adj.2g.
lábio s.m.
labiocoreia (*é*) s.f.
labiodental adj.2g. s.m.
labiodentalidade s.f.
labioglossofaríngeo adj.
labioglossolaríngeo adj.
labiógrafo s.m.
labiogutural adj.2g.
labioguturalidade s.f.
labiolingual adj.2g.
labíolo s.m.
labiologia s.f.
labiológico adj.
labiomancia s.f.
labiomante s.2g.
labiomântico adj.
labionasal adj.2g.
labionasalidade s.f.
labiopalatal adj.2g.
labiopalatalidade s.f.
labiópora s.f.
labióporo s.m.
labiosidade s.f.
labioso (*ô*) adj.; f. (*ó*); pl. (*ó*)
labiotenáculo s.m.
labiovelar adj.2g.
labiovelaridade s.f.
labiovelarização s.f.
labiovelarizado adj.
labiovelarizar v.
labioversão s.f.
labirintado adj.
labirintar v.
labirintibrânquio adj. s.m.
labiríntico adj.
labirintida adj.2g. s.m.
labirintídeo adj. s.m.
labirintiforme adj.2g.
labirintite s.f.
labirintítico adj.
labirinto s.m.
labirintodonte adj.2g. s.m.
labirintodôntico adj.
labirintoso (*ô*) adj.; f. (*ó*); pl. (*ó*)
labisa adj.2g. s.m.
labita s.f.
lábium s.m.
lablab s.m.
lablabe s.m.
labo s.m.
labofrária s.f.
labogênico adj.
labor (*ô*) s.m.
laboração s.f.
laborado adj.
laborador (*ô*) adj. s.m.
laborante adj.2g.
laborão s.m.
laborar v.
laboratorial adj.2g.
laboratório s.m.
laboratorista adj. s.2g.
laborável adj.2g.
laborda s.m.
labordaça s.f.
labordasca s.f.
labórdia s.f.
laboreira s.f.
laboreiro adj.
laborinha s.f.
laborinho s.m.
laboriosidade s.f.
laborioso (*ô*) adj.; f. (*ó*); pl. (*ó*)
laborismo s.m.
laborista adj. s.2g.
laborístico adj.
laborjeiro s.m.
laboro (*ô*) s.m.; cf. *laboro*, fl. do v. *laborar*
labortano adj. s.m.
laborterapeuta adj.
laborterapêutico adj.
laborterapia s.f.
laborterápico adj.
laboulbênia (*bu*) s.f.
laboulbeniácea (*bu*) s.f.
laboulbeniáceo (*bu*) adj.
laboulbenial (*bu*) adj.2g.
laboulbeniale (*bu*) s.f.
laboulbeniomiceto (*bu*) s.m.
lábrace s.m.
labradito s.m.
labrador (*ô*) s.m.
labradorescência s.f.
labradorescente adj.2g.
labradórico adj.
labradorita s.f.
labradorite s.f.
labradorito s.m.
labral adj.2g.
labrária s.f.
labrasca s.m.
labratownita (*tau*) s.f.
labratownítico (*tau*) adj.
labreado adj.
labrear v.
labreense adj. s.2g.
labregada s.f.
labregal adj.2g.
labregão adj. s.m.; f. *labregona* e *labregoa* (*ô*)
labrego (*ê*) adj. s.m.
labregoa (*ô*) s.f. de *labregão*
labregona s.f. de *labregão*
labreguejar v.
labreguice s.f.
labreguismo s.m.
labrense adj. s.2g.
labrestada s.f.
labrestar v.
labresto (*ê*) s.m.; cf. *labresto*, fl. do v. *labrestar*
labrete s.m.
labríctis s.m.2n.
lábrida adj.2g. s.m.
labrídeo adj. s.m.
labríneo adj. s.m.
labro s.m.
labrocheiro adj.
labrócito s.m.
labroepifaringe s.f.
labroide (*ó*) adj.2g. s.m.
labrorrostrato s.m.
labrosca s.m.
labrosco (*ô*) s.m.
labroso (*ô*) adj.; f. (*ó*); pl. (*ó*)
labrosta adj. s.2g.
labroste adj. s.m.
labruge s.m.
lábrum s.m.
labrusca s.f.
labrusco adj. s.m.
labugante s.m.
labula s.m.
labulbênia s.f.
labulbeniácea s.f.
labulbeniáceo adj.
labulbenial adj.2g.
labulbeniale s.f.
labulbeniomiceto s.m.
labuntsovita s.f.
labúrdia s.f.
labúrnico adj.
laburnina s.f.
laburno s.m.
labuta s.f.
labutação s.f.
labutado adj.
labutador (*ô*) adj. s.m.
labutante adj.2g.
labutar v.
labuzar v.
laca s.f.
laça s.f.
lacacã s.m.
lacação s.m.
lacaço s.m.
laçaço s.m.
lacada s.f.
laçada s.f.; cf. *lassada*, fl. do v. *lassar*
laçadeira s.f.
lacado adj.
laçado adj.
laçador (*ô*) adj. s.m.
lacagem s.f.
lacaia s.f.
lacaiada s.f.
lacaiagem s.f.
lacaiar v.
lacaico adj.
lacaiesco (*ê*) adj.
lacaio adj. s.m.
lacaio-pequeno s.m.; pl. *lacaios-pequenos*
lacalaca s.f.
lacalei s.m.
lacambeche s.m.
laçamento s.m.
lacandone adj. s.2g.
lacanhal s.m.
lacaniano adj. s.m.
lacão adj. s.m.
lacar v. "revestir de laca"; cf. *lácar*
laçar v. "prender com laço"; cf. *lassar*
lácar s.m. "lacre"; cf. *lacar*
laçarada s.f.
lacária s.f.
laçaria s.f.; cf. *lassaria*, fl. do v. *lassar*
laçarote s.m.
laçarrão s.m.
lácase s.f.
lacassá s.m.
laçato s.m.
lacazela s.f.
lacázia s.f.
lace s.f.
lacear v. "armar com laços"; cf. *laciar*
lacedemônias s.f.pl.
lacedemônico adj. s.m.
lacedemônio adj. s.m.
lacedemonofilia s.f.
lacedemonofílico adj.
lacedemonófilo adj.2g.
lacedo s.m.
laceira s.f. "latada"; cf. *lasseira*
lacense adj.2g.
laceração s.f.
lacerado adj.
lacerador (*ô*) adj. s.m.
lacerante adj.2g.
laceranterior (*ô*) adj.2g.
lacerar v.
lacerável adj.2g.
lacerdense adj.2g.
lacerdinha s.m.
lacerdismo s.m.
lacerdista adj. s.2g.
lacerdístico adj.
lacerdopolitano adj. s.m.
lacerna s.f.
lacerno adj.
lácero adj.; cf. *lacero*, fl. do v. *lacerar*
laceroanterior adj.2g.
laceroico (*ó*) adj.
laceroposterior (*ô*) adj.2g.
lacerta s.m.
lacértida adj.2g. s.m.
lacertídeo adj. s.m.
lacértido s.m.
lacertiforme adj.2g.
lacertília s.f.
lacertílio adj. s.m.
lacertino s.m.
lacerto s.m.
lacetano adj. s.m.
lacete (*ê*) s.m.
lacha s.f.
laciada adj. s.2g.
lacíada adj. s.2g.
lacial adj.2g.
laciar adj.2g. "relativo ao Lácio"; cf. *lacear*
lácico adj.
lacidostema s.m.

lacidostemácea s.f.
lacidostemáceo adj.
laciense adj. s.2g.
lácifer s.m.
laciférida adj.2g. s.m.
laciferídeo adj. s.m.
lacífero adj.
lacina s.f.
lacinete (*ê*) s.m.
lacínia s.f.
laciniado adj.
laciniense adj. s.2g.
lacinifloro adj.
lacinifoliado adj.
lacinifólio adj.
laciniforme adj.2g.
lacínio s.m.
lacínula s.f.
lacinulado adj.
lacinulária s.m.
lácio adj. s.m.
lacistema s.m.
lacistemácea s.f.
lacistemáceo adj.
lacistemínea s.f.
laclara s.f.
lácmida adj. s.2g.
lacmo s.m.
lacmoide (*ó*) adj.2g. s.m.
lacnanto s.m.
lácnea s.f.
lacni s.m.
lacníneo s.m.
lacno s.m.
lacnocaulão s.m.
lacnocáulon s.m.
lacnocaulônio s.m.
lacnodiela s.f.
lacnolaimo s.m.
lacnolemo s.m.
lacnóstoma s.f.
laço s.m.; "nó corredio", etc.; cf. *lasso* adj. e fl. do v. *lassar*
lacóbio s.m.
lacobricense adj. s.2g.
lacobrigense adj. s.2g.
lacocacho s.m.
laço-de-amor s.m.; pl. *laços-de-amor*
lacoeiro adj.
lacofilíneo adj. s.m.
lacófilo s.m.
lacol s.m.
lacolita s.f.
lacolite s.f.
lacolito s.m.
lacólito s.m.
lacomancia s.f.
lacomante s.2g.
lacomântico adj.
lácon s.m.
lacondé adj. s.2g.
la-condessa s.f.; pl. *la-condessas*
lacônico adj.
lacônio adj. s.m.
laconismo s.m.
laconizar v.
laco-paco s.m.; pl. *laco-pacos*
lacordairo s.m.
laços-espanhóis s.m.pl.
lacoso (*ô*) adj.; f. (*ó*); pl. (*ó*)
lacótomo s.m.
lacra s.f.
lacrado adj.
lacrador (*ô*) adj. s.m.
lacraia s.f.
lacrainha s.f.
lacramar v.
lacrão s.m.
lacrar v.
lacrau s.m.
lacrau-do-mar s.m.; pl. *lacraus-do-mar*
lacre s.m.
lacreada s.f.
lacreado adj.
lacrear v.
lacre-branco s.m.; pl. *lacres-brancos*
lacrecanha s.f.
lacre-vermelho s.m.; pl. *lacres-vermelhos*
lácrima-batávica s.f.; pl. *lácrimas-batávicas*
lacrimação s.f.
lacrimal adj.2g. s.m.
lacrimante adj.2g.
lacrimar v.
lacrimária s.m.
lacrimário adj. s.m.
lácrima-sabeia (*é*) s.f.; pl. *lácrimas-sabeias* (*é*)
lacrimatório adj. s.m.
lacrimável adj.2g.
lacrimejado adj.
lacrimejamento s.m.
lacrimejante adj.2g.
lacrimejar v.
lacrimejo (*ê*) s.m.
lacrimiforme adj.2g.
lacrimogênio adj. s.m.
lacrimonasal adj.2g.
lacrimopalpebral adj.2g.
lacrimoso (*ô*) adj.; f. (*ó*); pl. (*ó*)
lacrimotomia s.f.
lacrimotômico adj.
lacrimótomo s.m.
lacroixita s.f.
lactação s.f.
lactacidade s.f.
lactacidemia s.f.
lactacidêmico adj.
lactado adj.
lactagol s.m.
lactalase s.f.
lactálase s.f.
lactalbumina s.f.
lactalbumínico adj.
lactama s.f.
lactamase s.f.
lactâmase s.f.
lactame s.m.
lactametano s.m.
lactamida s.f.
lactamídico adj.
lactana s.f.
lactância s.f.
lactânico adj.
lactante adj. s.2g.
lactar v.
lactarato s.m.
lactária s.f.
lactárico adj.
lactaríea s.f.
lactário adj. s.m.
lactarona s.m.
lactase s.f.
láctase s.f.
lactasidade s.f.
lactato s.m.
láctea s.f.
lacteia (*é*) s.f.
lacteiforme adj.2g.
lacteína s.f.
lactenina s.f.
lactente adj. s.2g. "que ainda mama"; cf. *latente*
lácteo adj.
lacteolina s.f.
lactescência s.f.; cf. *latescência*
lactescente adj.2g.; cf. *latescente*
lactescer v. "ter aspecto de leite"; cf. *latescer*
láctica s.f.
lacticemia s.f.
lacticêmico adj.
lacticífero adj.
lacticinal adj.
lacticínio s.m.
lacticinoso (*ô*) adj.; f. (*ó*); pl. (*ó*)
láctico adj.
lacticolor (*ô*) adj.2g.
lacticultor (*ô*) s.m.
lacticultura s.f.
lactide s.f.
láctido s.m.
lactidodo adj.
lactífago adj. s.m.
lactifermentação s.f.
lactifermentador (*ô*) s.m.
lactífero adj.
lactífico adj.
lactífloro adj.
lactifobia s.f.
lactífobo adj. s.m.
lactiforme adj.2g.
lactífugo adj.
lactígeno adj.
lactilfenetidina s.f.
lactilo s.m.
lactime s.m.
lactimo s.m.
lactina s.f.
lactíneo adj.
lactipodo adj.
lactirróseo adj.
lactívoro adj.
lactoalbumina s.f.
lactoalbumínico adj.
lactobacilácea s.f.
lactobacilina s.f.
lactobacilo s.m.
lactobacteriácea s.f.
lactobacteriáceo adj.
lactobiônico adj.
lactobiose s.f.
lactobiótico adj.
lactobutirometria s.f.
lactobutirométrico adj.
lactobutirômetro s.m.
lactocaseína s.f.
lactocitrato s.m.
lactocônio s.m.
lactócrito s.m.
lactocromo s.m.
lactodensimetria s.f.
lactodensimétrico adj.
lactodensímetro s.m.
lactofenina s.f.
lactofermentação s.f.
lactofermentador (*ô*) s.m.
lactoferrina s.f.
lactoflavina s.f.
lactofobia s.f.
lactófobo s.m.
lactofosfato s.m.
lactogênico adj.
lactogênio s.m.
lactoglobulina s.f.
lactoico (*ó*) adj.
lactoide (*ó*) adj.2g. s.m.
lactol s.m.
lactolina s.f.
lactômetro s.m.
lactona s.f.
lactonato s.m.
lactônico adj.
lactonização s.f.
lactonizar v.
lactoproteína s.f.
lactoprotídeo s.m.
lactoridácea s.f.
lactoridáceo adj.
lactoscópio s.m.
lactose s.f.
lactosina s.f.
lactoso (*ô*) adj.; f. (*ó*); pl. (*ó*)
lactossoro (*ô*) s.m.
lactosúria s.f.
lactotoxina (*cs*) s.f.
lactovegetariano adj. s.m.
lactoviscosimetria s.f.
lactoviscosimétrico adj.
lactoviscosímetro s.m.
lactuca s.f.
lactucário s.m.
lactúcea s.f.
lactúceo adj.
lactucerina s.f.
lactucerol s.m.
lactúcico adj.
lactucina s.f.
lactucismo s.m.
lactucona s.f.
lactulose s.f.
lactume s.m.
lactúmen s.m.
lactusismo s.m.
lacuna s.f.
lacunar adj.2g.
lacunari s.m.
lacunário s.m.
lacunosidade s.f.
lacunoso (*ô*) adj.; f. (*ó*); pl. (*ó*)
lacustral adj.2g.
lacustre adj.2g.
lacustrense adj. s.2g.
lacustrino adj.
lacuteio s.m.
lada s.f.
ladainha s.f.
ladainhar v.
ladainhense adj. s.2g.
ladairo s.m.
ladane s.m.
ladania s.f.
ladanífero adj.
ladano s.m.
ládano s.m.
ladão s.m.
ladarense adj. s.2g.
ladariense adj. s.2g.
ladário s.m.
ladeado adj.
ladeamento s.m.
ladear v.
lá de baixo s.m.2n.
lã de borrego s.f.
lã de camelo s.f.
ladeira s.f.
ladeirame s.m.
ladeiramento s.m.
ladeirante adj.2g.
ladeirar v.
ladeirense adj. s.2g.
ladeirento adj.
ladeiro adj. s.m.
ladeiroso (*ô*) adj.; f. (*ó*); pl. (*ó*)
ladenbérgia s.f.
lá-dentro s.m.2n.
ladeza (*ê*) s.f.
ladilha s.f.
ladim adj.2g.
ladina s.f.
ladinagem s.f.
ladineza (*ê*) s.f.
ladinho adj.
ladinice s.f.
ladino adj. s.m.
ladislávia s.f.
lado s.m.
ladra adj. s.f. de *ladrão*
ladração s.f.
ladraço s.m.
ladrado s.m.
ladrador (*ô*) adj. s.m.
ladradura s.f.
ladral s.m.
ladranete (*ê*) adj. s.m.
ladrante adj. s.2g.
ladranzana adj. s.2g.
ladrão adj. s.m.; f. *ladra*, *ladroa* e *ladrona*
ladrar v.
ladraria s.f.
ladravão s.m.
ladravaz s.m.
ladreria s.f.
ladriço s.m.
ladrido s.m.
ladrilhado adj.
ladrilhador (*ô*) adj. s.m.
ladrilhagem s.f.
ladrilhamento s.m.
ladrilhar v.
ladrilheiro s.m.
ladrilho s.m.
ladrina s.f.
ladripar v.
ladripo s.m.
ladrisco s.m.
ladro adj. s.m.
ladroa (*ô*) adj. s.f. de *ladrão*
ladroaço s.m.
ladroado adj.
ladroagem s.f.
ladroar v.
ladroeira s.f.
ladroeirar v.
ladroeiro s.m.
ladroíce s.f.
ladroísmo s.m.
ladrona adj. s.f. de *ladrão*
ladronaço s.m.
ladrônico adj.
ladu s.m.
laertes s.m.2n.
laetiense adj. s.2g.
lafaietense adj. s.2g.
lafânia s.m.
lafarão adj. s.m.; f. *lafaroa* e *lafarona*
lafardo adj.
lafargas adj. s.2g.2n.
lafaroa adj. s.f. de *lafarão*
lafarona adj. s.f. de *lafarão*
laffittita s.f.
lafigma s.m.
lafigmo s.m.
lafiro adj.
lafoênsia s.f.
lafola s.m.
lafonense adj. s.2g.
lafrau s.m.
lafrequete s.m.
lafresneia (*é*) s.f.
láfria s.m.
lafuêntea s.f.
lafuenteia (*é*) s.f.
lafuênteo adj.
laga s.f.
lagalhé s.m.
lagamal s.m.
lagamar s.m.
lagamarense adj. s.2g.
lágana s.f.
laganha s.f.
laganhento adj.
laganhoso (*ô*) adj.; f. (*ó*); pl. (*ó*)
laganíneo adj. s.m.
lágano s.m.
lagão s.m.
lagar s.m.
lagarada s.f.
lagaragem s.f.
lagareiro adj. s.m.
lagareta (*ê*) s.f.
lagariça s.f.
lagariçada s.f.
lagariço adj. s.m.
lagarinho s.m.
lagarino adj. s.m.
lagarinto s.m.
lágaro s.m.
lagarossifão s.m.
lagarta s.f.
lagarta-aranha s.f.; pl. *lagartas-aranha* e *lagartas-aranhas*
lagarta-cabeluda s.f.; pl. *lagartas-cabeludas*
lagarta-compasso s.f.; pl. *lagartas-compasso* e *lagartas-compassos*
lagartada s.f.
lagarta-da-couve s.f.; pl. *lagartas-da-couve*
lagarta-da-macieira s.f.; pl. *lagartas-da-macieira*
lagarta-da-mandioca s.f.; pl. *lagartas-da-mandioca*
lagarta-das-palmeiras s.f.; pl. *lagartas-das-palmeiras*
lagarta-de-fogo s.f.; pl. *lagartas-de-fogo*
lagarta-de-vidro s.f.; pl. *lagartas-de-vidro*
lagarta-do-cartucho s.f.; pl. *lagartas-do-cartucho*
lagarta-do-mar s.f.; pl. *lagartas-do-mar*
lagarta-do-milho s.f.; pl. *lagartas-do-milho*
lagarta-dos-arrozais s.f.; pl. *lagartas-dos-arrozais*
lagarta-dos-capinzais s.f.; pl. *lagartas-dos-capinzais*
lagarta-dos-coqueiros s.f.; pl. *lagartas-dos-coqueiros*
lagarta-do-seco s.f.; pl. *lagartas-do-seco*

lagarta-dos-milharais s.f.; pl. *lagartas-dos-milharais*
lagarta-dos-pastos s.f.; pl. *lagartas-dos-pastos*
lagarta-elasmo s.f.; pl. *lagartas-elasmo* e *lagartas-elasmos*
lagarta-gelatinosa s.f.; pl. *lagartas-gelatinosas*
lagarta-lesma s.f.; pl. *lagartas-lesmas*
lagartame s.m.
lagarta-mede-palmos s.f.; pl. *lagartas-mede-palmos*
lagarta-militar s.f.; pl. *lagartas-militares*
lagartão s.m.
lagarta-rosada s.f.; pl. *lagartas-rosadas*
lagarta-rosca s.f.; pl. *lagartas-rosca* e *lagartas-roscas*
lagarta-rósea s.f.; pl. *lagartas-róseas*
lagarta-urticante s.f.; pl. *lagartas-urticantes*
lagarteado adj. s.m.
lagartear v.
lagarteira s.f.
lagarteiro adj.
lagartense adj. s.2g.
lagartinho s.m.
lagartixa s.f. s.2g.
lagartixa-da-areia s.f.; pl. *lagartixas-da-areia*
lagartixa-das-dunas s.f.; pl. *lagartixas-das-dunas*
lagartixa-preta s.f.; pl. *lagartixas-pretas*
lagarto s.m.
lagarto-de-água s.m.; pl. *lagartos-de-água*
lagarto-do-mar s.m.; pl. *lagartos-do-mar*
lagarto-monitor s.m.; pl. *lagartos-monitores*
lagarto-volante s.m.; pl. *lagartos-volantes*
lagartuxa s.f.
lagasca s.f.
lagáscea s.f.
lagena s.f.
lagenandra s.f.
lagenária s.f.
lagênia s.f.
lagênida adj.2g. s.m.
lageníideo adj. s.m.
lagenidiácea s.f.
lagenidiáceo adj.
lagenídio s.m.
lageniforme adj.2g.
lageníneo adj. s.m.
lagenípora s.f.
lagenocarpo s.m.
lagenófria s.f.
lagenófris s.m.2n.
lagenorrinco s.m.
lagênula s.f.
lagera s.f.
lagerstrêmia s.f.
lageta (*ê*) s.f. "planta"; cf. *lajeta*
lagida adj. s.2g.
lagide adj. s.2g.
lagídio s.m.
lágima s.f.
lagimeiro s.m.
lagino s.m.
lagirano adj. s.m.
lágis s.m.2n.
lago s.m.
lagoa (*ô*) s.f.
lagoa-arrozense adj. s.2g.; pl. *lagoa-arrozenses*
lagoa-azulense adj. s.2g.; pl. *lagoa-azulenses*
lagoa-banquense adj. s.2g; pl. *lagoa-banquenses*
lagoa-barrense adj. s.2g.; pl. *lagoa-barrenses*
lagoa-boaventurense adj. s.2g.; pl. *lagoa-boaventurenses*
lagoa-boiense adj. s.2g.; pl. *lagoa-boienses*
lagoa-bonitense adj. s.2g.; pl. *lagoa-bonitenses*
lagoa-branquense adj. s.2g.; pl. *lagoa-branquenses*
lagoa-burrense adj. s.2g.; pl. *lagoa-burrenses*
lagoaça s.f.
lagoa-cana-bravense adj. s.2g.; pl. *lagoa-cana-bravenses*
lagoa-canoense adj. s.2g.; pl. *lagoa-canoenses*
lagoa-cantense adj. s.2g.; pl. *lagoa-catenses*
lagoa-capinense adj. s.2g.; pl. *lagoa-capinenses*
lagoa-carrense adj. s.2g.; pl. *lagoa-carrenses*
lagoaceiro adj. s.m.
lagoa-cercadense adj. s.2g.; pl. *lagoa-cercadenses*
lagoacho s.m.
lagoa-cimense adj. s.2g.; pl. *lagoa-cimenses*
lagoa-clarense adj. s.2g.; pl. *lagoa-clarenses*
lagoa-compridense adj. s.2g.; pl. *lagoa-compridenses*
lagoa-cruzense adj. s.2g.; pl. *lagoa-cruzenses*
lagoa-danielense adj. s.2g.; pl. *lagoa-danielenses*
lagoa-dantense adj. s.2g.; pl. *lagoa-dantenses*
lagoadense adj. s.2g.
lagoa-dentrense adj. s.2g.; pl. *lagoa-dentrenses*
lagoa-douradense adj. s.2g.; pl. *lagoa-douradenses*
lagoa-enganense adj. s.2g.; pl. *lagoa-enganenses*
lagoa-engeniense adj. s.2g.; pl. *lagoa-engenienses*
lagoa-formosense adj. s.2g.; pl. *lagoa-formosenses*
lagoa-fundense adj. s.2g.; pl. *lagoa-fundenses*
lagoa-gatense adj. s.2g.; pl. *lagoa-gatenses*
lagoa-grandense adj. s.2g.; pl. *lagoa-grandenses*
lagoa-lapinhense adj. s.2g.; pl. *lagoa-lapinhenses*
lagoa-laurenciense adj. s.2g.; pl. *lagoa-laurencienses*
lagoa-matense adj. s.2g.; pl. *lagoa-matenses*
lagoanense adj. s.2g.
lagoano adj. s.m.
lagoa-novense adj. s.2g.; pl. *lagoa-novenses*
lagoão s.m.
lagoa-patense adj. s.2g.; pl. *lagoa-patenses*
lagoa-pedrense adj. s.2g.; pl. *lagoa-pedrenses*
lagoa-pratense adj. s.2g.; pl. *lagoa-pratenses*
lagoa-pretense adj. s.2g.; pl. *lagoa-pretenses*
lagoa-realense adj. s.2g.; pl. *lagoa-realenses*
lagoa-salgadense adj. s.2g.; pl. *lagoa-salgadenses*
lagoa-santense adj. s.2g.; pl. *lagoa-santenses*
lagoa-sequense adj. s.2g.; pl. *lagoa-sequenses*
lagoa-sousense adj. s.2g.; pl. *lagoa-sousenses*
lagoa-vaquense adj. s.2g.; pl. *lagoa-vaquenses*
lagoa-velhense adj. s.2g.; pl. *lagoa-velhenses*
lagoa-vermelhense adj. s.2g.; pl. *lagoa-vermelhenses*
lagocéfalo adj.
lagodesoxicolato (*cs*) s.m.
lagodesoxicólico (*cs*) adj.
lagoécia s.f.
lagoecíea s.f.
lagoeiro s.m.
lagoenho adj. s.m.
lagoense adj. s.2g.
lagoftalmia s.f.
lagoftálmico adj.
lagoftalmo s.m.
lagoidascárida s.f.
lagoidáscaris s.f.
lagoinha s.f.
lagoinhense adj. s.2g.
lago-junquense adj. s.2g.; pl. *lago-junquenses*
lago-mar s.m.; pl. *lagos-mar* e *lagos-mares*
lagômio s.m.
lágomis s.m.2n.
lagomorfo adj. s.m.
lagona s.f.
lagonense adj. s.2g.
lagonite s.f.
lagonosticta s.m.
lagópede s.2g.
lago-pedrense adj. s.2g.; pl. *lago-pedrenses*
lagopo s.m.
lagópode adj.2g. s.m.
lagoquilascaríase s.m.
lagoquilia s.f.
lagoquilo s.m.
lagorquesta s.m.
lagorquestes s.m.2n.
lagósere s.f.
lagóssere s.f.
lagossérida s.f.
lagosta (*ô*) s.f. "crustáceo"; cf. *langosta* (*ô*)
lagosta-americana s.f.; pl. *lagostas-americanas*
lagosta-cisco s.f.; pl. *lagostas-ciscos*
lagosta-comum s.f.; pl. *lagostas-comuns*
lagosta-d'água-doce s.f.; pl. *lagostas-d'água-doce*
lagosta-da-pedra s.f.; pl. *lagostas-da-pedra*
lagosta-de-são-fidélis s.f.; pl. *lagostas-de-são-fidélis*
lagosta-espanhola s.f.; pl. *lagostas-espanholas*
lagosta-gafanhoto s.f.; pl. *lagostas-gafanhotos*
lagosta-sapata s.f.; pl. *lagostas-sapatas*
lagosta-sapateira s.f.; pl. *lagostas-sapateiras*
lagosta-verde s.f.; pl. *lagostas-verdes*
lagosteira s.f.
lagosteiro adj. s.m.
lagostim s.m.
lagostinha s.f.
lagosto (*ô*) s.m.
lagostomia s.f.
lagostômida adj.2g. s.m.
lagostomídeo adj. s.m.
lagóstomo adj. s.m.
lagótio s.m.
lágotrix (*cs*) s.f.
lago-verdense adj. s.2g.; pl. *lago-verdenses*
lago-viridense adj. s.2g.; pl. *lago-viridenses*
lagrangiana s.f.
lagrangiano adj.
lagreta (*ê*) s.f.
lágria s.f.
lagriário adj. s.m.
lagriída adj.2g. s.m.
lagriídeo adj. s.m.
lagriíneo adj. s.m.
lágrima s.f.; cf. *lagrima*, fl. do v. *lagrimar*
lágrima-batávica s.f.; pl. *lágrimas-batávicas*
lagrimação s.f.
lágrima-de-moça s.f.; pl. *lágrimas-de-moça*
lágrima-de-nossa-senhora s.f.; pl. *lágrimas-de-nossa-senhora*
lágrima-de-sangue s.f.; pl. *lágrimas-de-sangue*
lágrima-de-santa-maria s.f.; pl. *lágrimas-de-santa-maria*
lagrimal adj.2g. s.m.
lagrimante adj.2g.
lagrimar v.
lágrima-sabeia s.f.; pl. *lágrimas-sabeias*
lágrimas-de-anjo s.f.pl.
lágrimas-de-jó s.f.pl.
lágrimas-de-napoleão s.f.pl.
lágrimas-de-nossa-senhora s.f.pl.
lágrimas-de-vênus s.f.pl.
lagrimatório adj. s.m.
lagrimável adj.2g.
lagrimeiro adj.
lagrimejamento s.m.
lagrimejante adj.2g.
lagrimejar v.
lagrimento adj.
lagrimoso (*ô*) adj.; f. (*ó*); pl. (*ó*)
lagueirão s.m.
lagueiro s.m.
laguel s.m.
laguense adj. s.2g.
laguidibá s.m.
laguinhense adj. s.2g.
lagumeira s.f.
lagumeiro s.m.
laguna s.f.
laguna-carapanense adj. s.2g.; pl. *laguna-carapanenses*
lagunculária s.f.
lagunense adj. s.2g.
lagungulária s.f.
lagunitense adj. s.2g.
lagunoso (*ô*) adj.; f. (*ó*); pl. (*ó*)
laguro s.m.
lai s.m.
laia s.f.
laiaioga s.f.
laiana adj. s.2g.
laiano adj. s.m.
laicado s.m.
laical adj.2g.
laicalidade s.f.
laicalismo s.m.
laicalístico adj.
laicato s.m.
laicidade s.f.
laicificar v.
laicismo s.m.
laicista adj. s.2g.
laicístico adj.
laicizacão s.f.
laicizar v.
laico adj. s.m.
laihunita s.f.
laija s.f.
lailo s.m.
laima s.f.
lais s.m.
laitacarita s.f.
laitu s.m.
laiva s.f.
laivado adj.
laivão s.m.
laivar v.
laivo s.m.
laivoso (*ô*) adj.; f. (*ó*); pl. (*ó*)
laja s.f.
lajão s.m.
laje s.f.
lájea s.f.
lajeadense adj. s.2g.
lajeadinhense adj. s.2g.
lajeado adj. s.m.
lajeado-bonitense adj. s.2g.; pl. *lajeado-bonitenses*
lajeado-bugrense adj. s.2g.; pl. *lajeado-bugrenses*
lajeado-grandense adj. s.2g.; pl. *lajeado-grandenses*
lajeador (*ô*) adj. s.m.
lajeado-saltense adj. s.2g.; pl. *lajeado-saltenses*
lajeal s.m.
lajeamento s.m.
lajeano adj. s.m.
lajear v.
laje-banquense adj. s.2g.; pl. *laje-banquenses*
lajedãoense adj. s.2g.
lajedense adj. s.2g.
lajedinhense adj. s.2g.
lajedo (*ê*) s.m.
lajedo-altense adj. s.2g.; pl. *lajedo-altenses*
lajedo-baixense adj. s.2g.; pl. *lajedo-baixenses*
lajedo-cedrense adj. s.2g.; pl. *lajedo-cedrenses*
lajedonense adj. s.2g.
lajedo-tabocalense adj. s.2g.; pl. *lajedo-tabocalenses*
laje-grandense adj. s.2g.; pl. *laje-grandenses*
lajeira s.f.
lajeirense adj. s.2g.
lajeiro s.m.
lajem s.f.
lajense adj. s.2g.
lajeola s.f.
lajeoso (*ô*) adj.; f. (*ó*); pl. (*ó*)
lajeta (*ê*) s.f. "laje pequena"; cf. *lageta*
lajiano adj. s.m.
lajiense adj. s.2g.
lajinhense adj. s.2g.
lajista adj. s.2g.
lajota s.f.
lákhmida adj. s.2g.
lala s.f. "planície da Guiné"; cf. *lalá*
lalá s.m. "tartaruga"; cf. *lala*
lalação s.f.
lalá-de-cintura s.f.; pl. *lalás-de-cintura*
lalagualita s.f.
lalar v.
lalau s.m.
laletano adj. s.m.
lalimense adj. s.2g.
lalna s.m.
lalofobia s.f.
lalofóbico adj.
lalófobo adj. s.m.
lalomania s.f.
lalomaníaco adj. s.m.
lalômano s.m.
laloneurose s.f.
laloneurósico adj.
laloneurótico adj. s.m.
lalopatia s.f.
lalopático adj.
laloplegia s.f.
laloplégico adj.
lama s.m.f.
lamaçada s.f.
lamaçal s.m.
lamação s.m.
lamacear v.
lamaceira s.f.
lamaceiro s.m.
lamacento adj.
lamaço s.m.
lamageiro s.m.
lamagem s.f.
lamagueira s.f.
lamaico adj.
lamaísmo s.m.
lamaísta adj. s.2g.
lamaístico adj.
lâmane adj. s.2g.
lamangueira s.f.
lamanisco s.m.
lamanônia s.f.
lamantim s.m.
lamantino s.m.
lamaquito adj. s.m.
lamarão s.m.
lamárckia s.f.
lamarckiano adj. s.m.
lamarckismo s.m.
lamarckista adj. s.2g.
lamarckístico adj.
lamarento adj.

lamaronense adj. s.2g.
lamaroso (*ô*) adj.; f. (*ó*); pl. (*ó*)
lamartiniano adj. s.m.
lamartinismo s.m.
lamartinista adj. s.2g.
lamartinístico adj.
lamasaria s.f.
lamaseria s.f.
lamba s.m.f.
lambaças adj. s.2g.2n.
lambaceiro adj. s.m.
lambada s.f.
lambaia s.f.
lambaio s.m.
lambamba adj. s.2g.
lambana s.f.
lambança s.f.
lambanceador (*ô*) adj. s.m.
lambancear v.
lambanceiro adj. s.m.
lambão adj. s.m.; f. *lambona*
lambar v.
lambarão adj. s.m.; f. *lambarona*
lambarar v.
lambaraz adj. s.2g.
lambardana s.f.
lambardança s.f.
lambareada s.f.
lambarear v.
lambareira s.f.
lambarejar v.
lambari s.m.
lambarice s.f.
lambari-do-rabo-vermelho s.m.; pl. *lambaris-do-rabo-vermelho*
lambariense adj. s.2g.
lambariguaçu s.m.
lambari-mirim s.m.; pl. *lambaris-mirins*
lambari-pintado s.m.; pl. *lambaris-pintados*
lambari-piquira s.m.; pl. *lambaris-piquiras*
lambari-prata s.m.; pl. *lambaris-prata* e *lambaris-pratas*
lambariscador (*ô*) s.m.
lambariscar v.
lambarisco s.m.
lambarisqueiro adj. s.m.
lambarizeira s.f.
lambarizinho s.m.
lambarona adj. s.f. de *lambarão*
lambaru s.m.
lambaruça adj. s.m.
lambaruço adj. s.m.
lambasense adj. s.2g.
lambateria s.f.
lambaz adj.2g.
lambazar v.
lambda s.m.
lambdacismo s.m.
lambdacístico adj.
lambdático adj.
lambda-zero s.m.; pl. *lambdas-zero*
lâmbdico adj.
lambdídeo adj.
lambdoide (*ó*) adj.2g.
lambdóidea s.f.
lambdóideo adj.
lambeão s.m.
lambear v.
lambeato s.m.
lambe-botas s.2g.2n.
lambeção s.f.
lambeche s.m.
lambe-cricas s.m.2n.
lambe-cu s.2g.; pl. *lambe-cus*
lambedeira s.f.
lambedela s.f.
lambedice s.f.
lambedina s.f.
lambedor (*ô*) adj. s.m.
lambedorense adj. s.2g.
lambedourense adj. s.2g.
lambedura s.f.
lambe-esporas s.2g.2n.
lambefe s.m.
lambeirão s.m.; f. *lambeirona*
lambeiro adj. s.m.
lambeirona s.f. de *lambeirão*
lambel s.m.
lambe-lambe s.m.; pl. *lambe-lambes*
lambe-lhe-os-dedos s.f.2n.
lambe-molho s.2g.; pl. *lambe-molhos*
lambença s.f.
lambe-olhos s.f.2n.
lambe-papo s.2g.; pl. *lambe-papos*
lambe-pratos s.2g.2n.
lamber v.
lamberina s.f.
lambertita s.f.
lambe-sapo s.2g.; pl. *lambe-sapos*
lambesense adj. s.2g.
lambe-sujo s.m.; pl. *lambe-sujos*
lambeta (*ê*) adj. s.2g. s.f.
lambetear v.
lambeteiro adj. s.m.
lambi adj. s.2g.
lâmbia s.f.
lambião s.m.
lambicada s.f.
lambição s.f.
lambicar v.
lambiçoca s.f.
lambida s.f.
lambidela s.f.
lambido adj.
lambio s.m.
lambisca s.f.
lambiscada s.f.
lambiscador (*ô*) adj. s.m.
lambiscar v.
lambiscaria s.f.
lambisco s.m.
lambisgoia (*ó*) s.2g.
lambisgoíce s.f.
lambisgonhice s.f.
lambisqueiro adj. s.m.
lambissoca s.f.
lambitana s.f.
lambitão adj. s.m.; f. *lambitona*
lambitar v.
lambiteiro adj. s.m.
lambitona adj. s.f. de *lambitão*
lâmblia s.f.
lamblíase s.f.
lambliose s.f.
lambodas s.2g.2n.
lambodes s.2g.2n.
lamboeirada s.f.
lamboirada s.f.
lambona adj. s.f. de *lambão*
lamboque s.m.
lamborada s.f.
lambordas (*ô*) s.2g.2n.
lamborina s.f.
lambote s.m.
lamboteiro s.m.
lambra s.f.
lambrano adj. s.m.
lambreada s.f.
lambreçada s.f.
lambrecado adj.
lambrecar v.
lambregar v.
lambrequim s.m.
lambrequinado adj.
lambrequinejar v.
lambresto (*ê*) s.m.
lambreta (*ê*) s.f.
lambrete (*ê*) s.m.
lambretista adj. s.2g.
lambréu s.m.
lambri s.m.
lambrião s.m.
lambril s.m.
lambrilho s.m.
lambrim s.m.
lambrioso (*ô*) adj.; f. (*ó*); pl. (*ó*)
lambris s.m.pl.
lambrisado adj.
lambrisamento s.m.
lambrisar v.
lambro s.m.
lambrusca s.f.
lambu s.2g.
lambuça s.2g.
lambuçada s.f.
lambuçadela s.f.
lambuçado adj.
lambuçar v.
lambude s.m.
lambudo adj.
lambuja s.f.
lambujar v.
lambujeiro adj. s.m.
lambujem s.f.
lamburda s.f.
lambuza s.f.
lambuzada s.f.
lambuzadela s.f.
lambuzado adj.
lambuzão adj. s.m.; f. *lambuzona*
lambuzar v.
lambuzeira s.f.
lambuzo adj. s.m.
lambuzona adj. s.f. de *lambuzão*
lamê s.m.
lameado adj.
lameana s.f.
lameano adj.
lamecense adj. s.2g.
lamecha adj. s.2g.
lamechar v.
lamecharia s.f.
lamechice s.f.
lamechismo s.m.
lamécula s.f.
lamecular adj.2g.
lâmede s.m.
lamedo (*ê*) s.m.
lamegão s.m.
lamego (*ê*) s.m.
lamegueiro s.m.
lameira s.f.
lameiral s.m.
lameirão s.m.
lameirar v.
lameirense adj. s.2g.
lameirento adj.
lameiro adj. s.m. "lamaçal"; cf. "lameiró"
lameiró s.m. "pássaro"; cf. "lameiro"
lamejinha s.f.
lamel s.m.
lamela s.f.
lamelação s.f.
lamelado adj.
lamelar v. adj.2g.
lamelária s.f.
lamelariída adj.2g. s.m.
lamelariídeo adj. s.m.
lamelibrânquio adj. s.m.
lamelicórneo adj. s.m.
lamelífero adj. s.m.
lameliforme adj.2g.
lamelinha s.f.
lamelípede adj.2g.
lamelirrostro adj. s.m.
lamelopódio s.m.
lamelosidentado adj.
lameloso (*ô*) adj.; f. (*ó*); pl. (*ó*)
lamelosodentado adj.
lamélula s.f.
lamelular adj.
lamentação s.f.
lamentado adj.
lamentador (*ô*) adj. s.m.
lamentante adj.2g.
lamentar v.
lamentável adj.2g.
lamento adj. s.m.
lamentoso (*ô*) adj.; f. (*ó*); pl. (*ó*)
lami s.m.
lâmia s.f.
lamiácea s.f.
lamiáceo adj.
lamíaco adj.
lamiano adj.
lamieiro s.m.
lamigueiro s.m.
lamilina s.f.
lamilíneo adj. s.m.
lâmina s.f.; cf. *lamina*, fl. do v. *laminar*
laminação s.f.
laminado adj. s.m.
laminador (*ô*) adj. s.m.
laminadora (*ô*) s.f.
laminagem s.f.
laminal adj.2g.
laminar v. adj.2g.
laminária s.f.; cf. *laminaria*, fl. do v. *laminar*
laminariácea s.f.
laminariáceo adj.
laminária-digitada s.f.; pl. *laminárias-digitadas*
laminarial adj.2g.
laminariale s.f.
laminarina s.f.
laminarínico adj.
laminário adj.
laminável adj.2g.
laminectomia s.f.
laminectômico adj.
laminense adj. s.2g.
laminícula s.f.
laminicular adj.2g.
laminiforme adj.2g. s.m.
laminina s.f.
laminiplantar adj.2g.
laminitano adj. s.m.
laminite s.f.
laminografia s.f.
laminográfico adj.
laminograma s.m.
laminosiopte s.m.
laminosiopteríneo adj. s.m.
laminoso (*ô*) adj.; f. (*ó*); pl. (*ó*)
lamínula s.f.
lâmio s.m.
lâmio-branco s.m.; pl. *lâmios-brancos*
lamira s.f.
lamiré s.m.
lamisca adj. s.2g.
lamismo s.m.
lamístico adj.
lamitoca s.f.
lamna s.f.
lâmnida adj.2g. s.m.
lamnídeo adj. s.m.
lamnúrgio s.m.
lamoja s.f.
lamoso (*ô*) adj.; f. (*ó*); pl. (*ó*)
lamotrigina s.f.
lamounierense (*mu*) adj. s.2g.
lampa s.m.f.
lampaça s.f.
lâmpada s.f.
lampadário s.m.
lampadedromias s.f.pl.
lampadefórias s.f.pl.
lampadeiro s.m.
lampadejar v.
lampadena s.m.
lampadista s.m.
lampadita s.f.
lampadite s.f.
lâmpado s.m.
lampadodromias s.f.pl.
lampadofórias s.f.pl.
lampadóforo s.m.
lampadomancia s.f.
lampadomante s.2g.
lampadomântico adj.
lampadômetro s.m.
lampadorana s.m.
lampadoscópio s.m.
lampalágua s.f.
lampana s.f.
lampaneiro adj. s.m.
lampanicto s.m.
lampão adj.
lampar v.
lamparão s.m.
lamparina s.f.
lamparinada s.f.
lampascópio s.m.
lampaso s.m.
lampassado adj.
lampécia s.f.
lâmpedo adj. s.m.
lampeiro adj. s.m.
lampejado adj.
lampejante adj.2g.
lampejar v.
lampejo (*ê*) s.m.
lampianista s.2g.
lampião s.m.
lampiar v.
lâmpico adj.
lâmpide s.f.
lampinho adj. s.m.
lâmpio s.m.
lampíria adj.2g. s.m.
lampíride s.f.
lampirídeo adj. s.m.
lampiríneo adj. s.m.
lampírio s.m.
lampíris s.f.2n.
lampiro s.m.
lampista adj. s.2g.
lampistaria s.f.
lampo adj. s.m.
lampo-branco s.m.; pl. *lampos-brancos*
lampocarpo adj.
lampoga s.f.
lampogo s.m.
lampona s.f.
lamponeiro adj. s.m.
lampornínео adj. s.m.
lampórnis s.2g.2n.
lampornite s.f.
lampornito s.m.
lampote s.m.
lampráster s.m.
lampreado adj.
lampreão s.m.
lamprear v.
lampreeira s.f.
lampreeiro s.m.
lampreia s.f.
lampreia-dos-rios s.f.; pl. *lampreias-dos-rios*
lampreinha s.f.
lâmpria s.f.
lâmpride s.f.
lamprideforme adj. s.m.
lampridídeo adj. s.m.
lampridiforme s.m.
lâmpris s.f.2n.
lamprita s.f.
lamproa (*ô*) s.f.
lamprocária s.f.
lamprocaulo s.m.
lamproceríneo adj. s.m.
lamprócero s.m.
lamprocista s.f.
lamprococo s.m.
lamprocólio s.m.
lamprocóraco s.m.
lamprocórax (*cs*) s.m.
lamprodema s.f.
lamproderma s.m.
lamproema s.m.
lamprofânio s.m.
lamprofiláceo adj.
lamprofilita s.f.
lamprofírico adj.
lamprófiro s.m.
lâmprofis s.m.2n.
lamprofonia s.f.
lamprofônico adj.
lampróforo adj. s.m.
lamproglena s.f.
lamprograma s.m.
lamprólia s.m.
lamprômetro s.m.
lamprômia s.f.
lampronete s.m.
lamprônia s.f.
lamprope s.2g.
lamprópida adj.2g. s.m.
lampropídeo adj. s.m.

lampropígia s.m.
lampropogão s.m.
lampropógon s.m.
lâmprops s.2g.2n.
lampróptero adj. s.m.
lamprosema s.m.
lamprossema s.m.
lamprossoma s.f.
lamprossomátida adj.2g. s.m.
lamprostibiana s.m.
lamprostíbio s.m.
lamprote s.m.
lamprotíneo adj. s.m.
lamprotornídeo adj. s.m.
lamprotorníneo adj. s.m.
lamprotórnis s.2g.2n.
lamprotornite s.f.
lamprotornito s.m.
lampsaceno adj. s.m.
lampsácio adj. s.m.
lâmpsana s.f.
lamptérias s.f.pl.
lampuga s.f.
lampurda s.f.
lamuca s.f.
lamuje s.f.
lâmure adj.2g.
lamúria s.f.; cf. *lamuria*, fl. do v. *lamuriar*
lamuriador (*ô*) adj. s.m.
lamuriante adj.2g.
lamuriar v.
lamuriento adj.
lamuriice s.f.
lamurioso (*ô*) adj.; f. (*ó*); pl. (*ó*)
lamurúxia (*cs*) s.f.
lamuta adj. s.2g.
lana s.f.
lana-caprina s.f.; pl. *lanas-caprinas*
lanada s.f.
lanadigina s.f.
lanar adj.2g.
lanarkita s.f.
lanatosídio s.m.
lança s.f.
lança-bombas s.m.2n.
lança-cabos s.m.2n.
lança-chamas s.m.2n.
lançaço s.m.
lançada s.f.
lançadeira s.f.
lançadeiro adj. s.m.
lança-de-ogum s.f.; pl. *lanças-de-ogum*
lança-de-são-jorge s.f.; pl. *lanças-de-são-jorge*
lançadiço adj.
lançado adj. s.m.
lançador (*ô*) adj. s.m.
lançadura s.f.
lança-fogo s.m.; pl. *lança-fogos*
lança-gases s.m.2n.
lançagem s.f.
lança-granadas s.m.2n.
lançamento s.m.
lança-minas s.m.2n.
lançante adj.2g. s.m.
lançanteiro adj. s.m.
lancantina s.f.
lança-perfume s.m.; pl. *lança-perfumes*
lança-pratos s.m.2n.
lançar v.
lança-rojões s.m.2n.
lançarote s.m.
lancasteriano adj.
lancasterita s.f.
lancasterite s.f.
lancastriano adj. s.m.
lancatina s.f.
lança-torpedeiro s.m.; pl. *lança-torpedeiros*
lança-torpedos s.m.2n.
lance s.m.
lanceada s.f.
lanceado adj.
lanceador (*ô*) adj. s.m.
lancear v.
lanceiforme adj.2g.
lanceira s.f.
lanceirinho s.m.
lanceiro s.m. "soldado com lança"; cf. *lanseiro*
lanceolado adj.
lanceolamento s.m.
lanceolar adj.2g.
lanceta (*ê*) s.f.; cf. *lanceta*, fl. do v. *lancetar*
lancetada s.f.
lancetadela s.f.
lancetado adj.
lancetador (*ô*) adj. s.m.
lancetamento s.m.
lancetante adj.2g.
lancetar v.
lancetável adj.2g.
lanceteira s.f.
lancha s.f.
lancha-canhoneira s.f.; pl. *lanchas-canhoneiras*
lanchada s.f.
lanchal s.m.
lanchão s.m.
lanchar v.
lanchara s.f.
lancha-torpedeira s.f.; pl. *lanchas-torpedeiras*
lanche s.m.
lancheira s.f.
lancheiro s.m.
lancheta (*ê*) s.f.
lancho s.m.
lanchonete s.f.
lanchudo adj.
lanchuém s.m.
lanciense adj. s.2g.
lanciforme adj.2g.
lancil s.m.
lancinância s.f.
lancinante adj.2g.
lancinar v.
lancissonda s.f.
lancissondador (*ô*) adj. s.m.
lancissondagem s.f.
lancissondante adj.2g.
lancissondar v.
lancissondável adj.2g.
lancissondista adj. s.2g.
lancissondístico adj.
lanço s.m. "efeito de lançar"; cf. *lançó*
lançó s.m. "lanceta"; cf. *lanço*
lancoa (*ô*) s.f.
landa s.f.
landado adj.
landagogolo s.m.
landal s.m.
landamanado s.m.
landamanao s.m.
landamanato s.m.
landamane s.m.
landau s.m.
landauita (*í*) s.f.
lande s.f.
landegrave s.m.
landegraviado s.m.
landegraviato s.m.
landegravina s.f.
landegravio s.m.
landeira s.f.
landeiro adj.
landelordismo s.m.
landeniano adj. s.m.
landerita s.f.
landerítico adj.
landerito s.m.
landês adj. s.m.
landesita s.f.
landevanita s.f.
landgrava s.f.
landgrave s.m.
landgraviado s.m.
landgraviato s.m.
landgravina s.f.
landgravio s.m.
landi s.m.
landim adj. s.2g. s.m.
landina s.f.
landino adj. s.m.
landirana s.f.
landisca s.f.
landisco s.m.
landlordismo s.m.
landô s.m.
landoá s.m.
lândoa s.f.
landobe s.f.
landoca s.f.
landolé s.m.
landólfia s.f.
landona s.f.
landoque s.m.
landova s.2g.
landra s.f.
landraia s.f.
landre s.f.
landreiro s.m.
landrias s.f.pl.
landrinopolense adj. s.2g.
landrinopolitano adj. s.m.
landri-salense adj. s.2g.; pl. *landri-salenses*
landri-salesiano adj. s.m.; pl. *landri-salesianos*
landrisco s.m.
landro s.m. "loendro"; cf. *landru*
landru s.m. "homem espadaúdo"; cf. *landro*
landtag s.m.
landu s.m.
landuá s.m.
landuar s.m.
landúckia s.f.
landum s.m.
landumã adj. s.2g.
landúquia s.f.
lânea s.f.
lanedo (*ê*) s.m.
laneiro s.m.
lâneo s.m.
lanessânia s.f.
laneta (*ê*) s.f.
lanfranhudo adj. s.m.
langa s.m.
langaa s.f.
langabote s.m.
langanha s.f.
langanhamento adj.
langanhento adj.
langanho s.m.
langanhoso (*ô*) adj.; f. (*ó*); pl. (*ó*)
langará s.m.
lângara adj. s.2g.
langarás s.m.2n.
langaré s.m.
langarear v.
langbeinita s.f.
langbeinítico adj.
langelândia s.f.
langi s.m.
lângia s.f.
langita s.f.
langite s.f.
lango adj. s.m.
langobardo adj. s.m.
langoia (*ó*) s.f.
langonha s.f.
langor (*ô*) s.m.
langorosidade s.f.
langoroso (*ô*) s.m.; f. (*ó*); pl. (*ó*)
langosta (*ô*) s.2g. "lambisgoia"; cf. *lagosta*
langota s.f.
langotim s.m.
langrave s.m.
langres s.m.
langroia (*ó*) s.f.
langronha s.f.
langsdórfia s.f.
langtag s.m.
langua s.f.
languana adj.2g.
languassi s.m.
languçar v.
langue adj.2g.
languebote s.m.
languedociano adj. s.m.
languedor (*ô*) s.m.
langueirão s.m.
langueiras s.2g.2n.
langueiro s.m.
languenhento adj.
languenho s.m.
languente adj.2g.
languento adj.
languescência s.f.
languescente adj.2g.
languescer v.
languidescer (*u* ou *ü*) v.
languidez (*u* ou *ü...ê*) s.f.
languideza (*u* ou *ü...ê*) s.f.
lânguido (*u* ou *ü*) adj.
languídulo (*u* ou *ü*) adj.
languinhento adj.
languinhosa s.f.
languinhoso (*ô*) adj. s.m.; f. (*ó*); pl. (*ó*)
languipnense adj. s.2g.
languir v.
languita s.f.
languizeiro adj. s.m.
langumeiro adj.
langumice s.f.
langur s.m.
langureta (*ê*) s.f.
lanha s.f.
lanhação s.f.
lanhaço s.m.
lanhada s.f.
lanhadeira s.f.
lanhadela s.f.
lanhadense adj. s.2g.
lanhado adj.
lanhamento s.m.
lanhante adj.2g.
lanhar v.
lanhável adj.2g.
lanhelense adj. s.2g.
lanho s.m.
lanhonense adj. s.2g.
laníada adj.2g. s.m.
laniádea s.f.
laniádeo adj. s.m.
laniado adj.
laniar adj.2g.
laniário s.m.
lanice s.m.
lanífero adj.
lanificial adj.2g.
lanifício s.m.
lanígero adj.
laniginoso (*ô*) adj.; f. (*ó*); pl. (*ó*)
laníida adj.2g. s.m.
laniídeo adj. s.m.
laniíneo adj. s.m.
lanilha s.f.
lânio s.m.
lanioperca s.f.
lanioturdo s.m.
lanisco adj.
lanista s.m.
lanistes s.m.2n.
lanistício adj.
lanital s.m.
lanitita s.f.
lanitite s.f.
lanocerato s.m.
lanocérico adj.
lanocerinato s.m.
lanocerínico adj.
lanoja s.f.
lanolina s.f.
lanopalmato s.m.
lanopálmico adj.
lanoro s.m.
lanosidade s.f.
lanoso (*ô*) adj.; f. (*ó*); pl. (*ó*)
lanosterol s.m.
lanosterólico adj.
lanquim s.m.
lanseiro adj. "brando"; cf. *lanceiro*
lansfordita s.f.
lansquenê s.m.
lansquenete (*ê*) s.f.
lansquenete (*ê*) s.m.
lantana s.f.
lantanídeo adj. s.m.
lantanídio s.m.
lantanina s.f.
lantânio s.m.
lantanita s.f.
lantanite s.f.
lantano s.m.
lântano s.m.
lantanoide (*ó*) s.m.
lantanótida adj.2g. s.m.
lantanoto s.m.
lanteia (*é*) s.f.
lanteja (*ê*) s.f.
lantejoila s.f.
lantejoilado adj.
lantejoilamento s.m.
lantejoilante adj.2g.
lantejoilar v.
lantejoula s.f.
lantejoulado adj.
lantejoulamento s.m.
lantejoulante adj.2g.
lantejoular v.
lantém s.m.
lanterna s.f.
lanterna-apagada s.f.; pl. *lanternas-apagadas*
lanternado adj.
lanternagem s.f.
lanternar v.
lanternária s.f.
lanterneiro s.m.
lanterneta (*ê*) s.f.
lanterníforo adj. s.m.
lanternim s.m.
lanternina s.f.
lanterninha s.m.f.
lanternino s.m.
lanti s.m.
lantim s.m.
lantonotídeo adj. s.m.
lantopina s.f.
lantor (*ô*) s.m.
lantrisca s.f.
lantunense adj. s.2g.
lantunita adj. s.2g.
lântzia s.m.
lanuça s.f.
lanudo adj.
lanuense adj. s.2g.
lanugem s.f.
lanugento adj.
lanugiela s.m.
lanuginato s.m.
lanugínico adj.
lanuginoso (*ô*) adj.; f. (*ó*); pl. (*ó*)
lanugo s.m.
lanuvino adj. s.m.
lânvio s.m.
lanxuém s.m.
lanzeira s.f.
lanzoar v.
lanzude s.f.
lanzudo adj. s.m.
lao adj. s.2g.2n.
laociano adj. s.m.
laocoântico adj.
laodiceano adj. s.m.
laodiceno adj. s.m.
laodicense adj. s.2g.
laomedoncíada adj. s.2g.
laomedonclade adj. s.2g.
laomedontíado adj. s.2g.
laônomo s.m.
laos adj.2g.2n.
laosense adj. s.2g.
laosiano adj. s.m.
laossinacta s.m.
laostano adj. s.m.
laotiano adj. s.m.
laozense adj. s.2g.
lapa s.f. "caverna"; cf. *lapá*
lapá s.m. "instrumento musical chinês"; cf. *lapa*
lapacenho adj. s.m.
lapaceo adj.
lapachano s.m.
lapacheiro s.m.
lapáchico adj.
lapacho s.m.

lapachol s.m.
lapachona s.f.
lapaconitina s.f.
lapada s.f.
lapagem s.f.
lapagéria s.f.
lapalissada s.f.
lapa-moura s.f.; pl. *lapas-mouras*
lapantana adj. s.2g.
lapantim s.m.
lapão adj. s.m.; pl. *lapões*; f. *lapona*
lapar v.
laparada s.f.
laparão s.m.
lapardão adj. s.m.; f. *lapardona*
lapardeiro adj.
lapardo s.m.
lapardona adj. s.f. de *lapardão*
laparectomia s.f.
laparectômico adj.
lapareiro adj.
laparelitrotomia s.f.
laparelitrotômico adj.
laparenterotomia s.f.
laparenterotômico adj.
laparisterotomia s.f.
laparisterotômico adj.
láparo s.m.
laparocele s.f.
laparocélico adj.
laparócero s.m.
laparocistectomia s.f.
laparocistectômico adj.
laparocolostomia s.f.
laparocolostômico adj.
laparocolotomia s.f.
laparocolotômico adj.
laparogastrectomia s.f.
laparogastrectômico adj.
láparo-histerectomia s.f.
láparo-histerectômico adj.
láparo-histero-ooforectomia s.f.
láparo-histero-ootorectômico adj.
laparoileotomia s.f.
laparoileotômico adj.
laparoisterectomia s.f.
laparoisterectômico adj.
laparoistereooforectomia s.f.
laparoistereooforectômico adj.
laparoisterotomia s.f.
laparoisterotômico adj.
laparomiítico adj.
laparomiomectomia s.f.
laparomiomectômico adj.
laparomonodidimia s.f.
laparomonodídimo s.m.
laparonefrectomia s.f.
laparonefrectômico adj.
laparoplastia s.f.
laparoplástico adj.
laparorrafia s.f.
laparorráfico adj.
laparoscopia s.f.
laparoscópico adj.
laparoscópio s.m.
laparoscopista adj. s.2g.
laparoso (*ô*) adj.; f. (*ó*); pl. (*ó*)
laparosplenectomia s.f.
laparosplenectômico adj.
laparosplenotomia s.f.
laparosplenotômico adj.
laparossalpingectomia s.f.
laparossalpingectômico adj.
laparóstato s.m.
laparostomia s.f.
laparostômico adj.
laparoto (*ô*) adj. s.m.
laparotomia s.f.
laparotômico adj.
laparotomizado adj.
laparotomizar v.
laparótomo s.m.
lapatifólio s.m.
lapatina s.f.
lapeado adj.
lapear v.
lapedo (*ê*) s.m.
lapeira s.f.
lapeirada s.f.
lapeiro adj.
lapeiroso (*ô*) adj.; f. (*ó*); pl. (*ó*)
lapeirúsia s.f.
lapela s.f.
lapelense adj. s.2g.
lapense adj. s.2g.
lapes s.m.2n.
lapeyrôusia s.f.
lapiá s.m.
lapiana s.f.
lapiano adj. s.m.
lapiar adj.2g.
lapiás s.m.
lapiasação s.f.
lapiasado adj.
lapiasar v.
lapicida adj. s.2g.
lapicino adj. s.m.
lápico adj. s.m.
lápida s.f.
lapidação s.f.
lapidado adj.
lapidador (*ô*) adj. s.m.
lapidagem s.f.
lapidamento s.m.
lapidar v. adj.2g.
lapidaria s.f. "tratado relativo às pedras preciosas"; cf. *lapidária*
lapidária s.f. "arte da lapidação"; cf. *lapidaria*
lapidário adj. s.m.
lapidável adj.2g.
lápide s.f.
lapídeo adj.
lapidescência s.f.
lapidescente adj.2g.
lapidícola adj.2g.
lapidificação s.f.
lapidificado adj.
lapidificador (*ô*) adj.
lapidificante adj.2g.
lapidificar v.
lapidifício s.m.
lapidífico adj.; cf. *lapidifico*, fl. do v. *lapidificar*
lapidiforme adj.2g.
lapidoso (*ô*) adj.; f. (*ó*); pl. (*ó*)
lapiforme adj.2g.
lapiga s.m.
lapijar v.
lapíli s.m.
lapilose s.f.
lapiloso (*ô*) adj.; f. (*ó*); pl. (*ó*)
lapim s.m.
lapina s.2g.
lapinante s.2g.
lapinga s.f.
lapinha s.f.
lapinhense adj. s.2g.
lapinização s.f.
lápis s.m.2n.
lapisada s.f.
lapisado adj.
lapisar v.
lapiseira s.f.
lapiseiro s.m.
lapislazular v.
lápis-lazúli s.m.; pl. *lápis-lazúlis*
lapista adj. s.2g.
lápis-tinta s.m.2n.
lápita adj. s.2g.
lapiteia (*é*) s.f. de *lapiteu*
lapiteio adj.
lapiteu adj. s.m.; f. *lapiteia* (*é*)
lápito adj. s.m.
lapitônio adj.
laplácea s.f.
lapláceo adj.
laplaciana s.f.
laplaciano adj. s.m.
laplandita s.f.
laplatense adj. s.2g.
lapo s.m.
laponenense adj. s.2g.
lapônio adj. s.m.
lapórtea s.f.
lapouço adj. s.m.
lapparentita s.f.
lapre s.m.
laprinja s.f.
lápsana s.f.
lapsapina s.f.
lapso adj. s.m.
lapurdense adj. s.2g.
lapúrdio adj. s.m.
lapuz adj.2g.
lapuzado adj.
lapuzice s.f.
laque s.m. "grande soma de rúpias"; cf. *laquê*
laquê s.m. "cosmético para fixar o penteado"; cf. *laque*
laqueação s.f.
laqueado adj.
laqueador (*ô*) s.m.
laqueadura s.f.
laquear v. s.m.
laqueário s.m.
laqueca s.f.
laquedivo adj. s.m.
laquenália s.f.
láqueo s.m.
laquesila s.m.
láquesis s.f.2n.
laquesismo s.m.
laqueta (*ê*) s.f.
laquético adj.
laquintina s.f.
laquismo s.m.
laquista adj. s.2g.
laquístico adj.
lar s.m.
laracha s.m.f.
laracheador (*ô*) s.m.
larachear v.
larachento adj.
larachista adj. s.2g.
larachoso (*ô*) adj.; f. (*ó*); pl. (*ó*)
larada s.f.
larafi s.m.
laraíta s.f.
laramiano adj.
laramídeo adj. s.m.
laramídico adj.
laranja adj.2g.2n. s.m.f.
laranja-amarga s.f.; pl. *laranjas-amargas*
laranja-aperu s.f.; pl. *laranjas-aperu* e *laranjas-aperus*
laranja-azeda s.f.; pl. *laranjas-azedas*
laranja-baía s.f.; pl. *laranjas-baía* e *laranjas-baías*
laranja-cravo s.f.; pl. *laranjas-cravo* e *laranjas-cravos*
laranjada s.f.
laranja-da-baía s.f.; pl. *laranjas-da-baía*
laranja-da-china s.f.; pl. *laranjas-da-china*
laranja-da-terra s.f.; pl. *laranjas-de-terra*
laranja-de-cafre s.f.; pl. *laranjas-de-cafre*
laranja-de-onça s.f.; pl. *laranjas-de-onça*
laranja-de-sevilha s.f.; pl. *laranjas-de-sevilha*
laranja-de-umbigo s.f.; pl. *laranjas-de-umbigo*
laranjado adj.
laranja-do-céu s.f.; pl. *laranjas-do-céu*
laranja-docinha s.f.; pl. *laranjas-docinhas*
laranja-do-mato s.f.; pl. *laranjas-do-mato*
laranjaiense adj. s.2g.
laranjal s.m.
laranjalense adj. s.2g.
laranja-lima s.f.; pl. *laranjas-lima* e *laranjas-limas*
laranjal-paulistense adj. s.2g.; pl. *laranjal-paulistenses*
laranja-melancia s.f.; pl. *laranjas-melancia* e *laranjas-melancias*
laranja-mimosa s.f.; pl. *laranjas-mimosas*
laranja-mulata s.f.; pl. *laranjas-mulatas*
laranja-natal s.f.; pl. *laranjas-natal*
laranjão s.m.
laranja-pera (*ê*) s.f.; pl. *laranjas-pera* e *laranjas-peras*
laranjarana s.f.
laranja-seleta s.f.; pl. *laranjas-seletas*
laranja-serra-d'água s.f.; pl. *laranjas-serra-d'água*
laranja-tangerina s.f.; pl. *laranjas-tangerinas*
laranja-terrense adj. s.2g.; pl. *laranja-terrenses*
laranja-toranja s.f.; pl. *laranjas-toranja* e *laranjas-toranjas*
laranjeira s.f.
laranjeira-amarga s.f.; pl. *laranjeiras-amargas*
laranjeira-azeda s.f.; pl. *laranjeiras-azedas*
laranjeira-brava s.f.; pl. *laranjeiras-bravas*
laranjeira-da-china s.f.; pl. *laranjeiras-da-china*
laranjeira-da-terra s.f.; pl. *laranjeiras-da-terra*
laranjeira-de-vaqueiro s.f.; pl. *laranjeiras-de-vaqueiro*
laranjeira-doce s.f.; pl. *laranjeiras-doces*
laranjeira-do-cerrado s.f.; pl. *laranjeiras-do-cerrado*
laranjeira-do-mato s.f.; pl. *laranjeiras-do-mato*
laranjeira-melancia s.f.; pl. *laranjeiras-melancia* e *laranjeiras-melancias*
laranjeira-pera (*ê*) s.f.; pl. *laranjeiras-pera* e *laranjeiras-peras*
laranjeira-toranja s.f.; pl. *laranjeiras-toranja* e *laranjeiras-toranjas*
laranjeirense adj. s.2g.
laranjeirense-do-sul adj. s.2g.; pl. *laranjeirenses-do-sul*
laranjeirinha s.f.
laranjeiro adj. s.m.
laranjim s.m.
laranjinha s.f.
laranjinha-do-campo s.f.; pl. *laranjinhas-do-campo*
laranjinha-do-mato s.f.; pl. *laranjinhas-do-mato*
laranjitas-de-quico s.f.; pl. *laranjitas-de-quito*
laranjo adj.
larapa s.f.
larapiar v.
larapice s.f.
larapinar v.
larápio s.m.; cf. *larapio*, fl. do v. *larapiar*
larário s.m.
larau s.m.
lardaceína s.f.
lardáceo adj.
lardão s.m.
lardeadeira s.f.
lardeado adj.
lardeamento s.m.
lardear v.
larderelita s.f.
larderlite s.f.
larderellita s.f.
larderellite s.f.
lardiforme adj.2g.
lardita s.f.
lardívoro adj.
lardizabal s.f.
lardizabala s.f.
lardizabalácea s.f.
lardizabaláceo adj.
lardizabálea s.f.
lardizabáleo adj.
lardo s.m.
lardoeirada s.f.
lardoeiro adj. s.m.
lardose s.f.
laré s.2g.
larear v.
larecer v.
larécia s.f.
laredo (*ê*) s.m.
larega (*ê*) s.f.
larego (*ê*) s.m.
lareira s.f.
lareirada s.f.
lareiras s.2g.2n.
lareiro adj. s.m.
larência s.f.
larencíneo adj. s.m.
larendano adj. s.m.
larense adj. s.2g.
larentais s.f.pl.
larental adj.2g.
larentinais s.f.pl.
larentinal adj.2g.
lares s.m.pl.
lareta (*ê*) adj. s.2g.
larétia s.f.
laréu s.m.
larga s.f.
largação s.f.
largada s.f.
largadinha s.f.
largado adj. s.m.
largador (*ô*) s.m.
largar v.
largição s.f.
largífico adj.
largífluo adj.
largina s.f.
largo adj. adv. s.m.
largor (*ô*) s.m.
largueador (*ô*) adj. s.m.
larguear v.
largueirão adj.
larguense adj. s.2g.
largueto (*ê*) adj. adv. s.m.
largueza (*ê*) s.f.
largura s.f.
lari s.m.
lária s.f.
larião s.m.
lárias s.f.pl.
larica s.f.
lárice s.f.
laricha adj.2g.
laricina s.f.
laricínico adj.
laricinólico adj.
larício s.m.
lariço s.m.
lárico adj.
larida s.f.
lárida adj.2g. s.m.
laridão s.m.
larídea s.f.
larídeo adj. s.m.
larifo adj. s.m.
lariforme adj.2g. s.m.
larífugo adj. s.m.
laríida adj.2g. s.m.
lariídeo adj. s.m.
lariíneo adj. s.m.
larila adj.
larilas s.m.2n.
larim adj.2g. s.m.
larina s.m.
larinate adj. s.2g.
larínea s.f.
laríneo adj. s.m.
laringal adj.2g.
laringalgia s.f.
laringálgico adj.
laringe s.2g.
laringectomia s.f.
laringectômico adj.
laríngeo adj.
laringiano adj.
laringismo s.m.
laringite s.f.

laringítico adj.
laringobroncografia s.f.
laringobroncográfico adj.
laringobroncógrafo adj. s.m.
laringobroncograma s.m.
laringocele s.f.
laringocentese s.f.
laringocentético adj.
laringofaringe s.f.
laringofaríngeo adj.
laringofaringite s.f.
laringofissura s.f.
laringofone s.m.
laringofonia s.f.
laringoftise s.f.
laringografação s.f.
laringografar v.
laringografável adj.2g.
laringografia s.f.
laringográfico adj.
laringógrafo s.m.
laringograma s.m.
laringologia s.f.
laringológico adj.
laringologista adj. s.2g.
laringólogo s.m.
laringometria s.f.
laringométrico adj.
laringonecrose s.f.
laringoparalisia s.f.
laringopatia s.f.
laringopático adj.
laringopiocele s.f.
laringoplastia s.f.
laringoplástico adj.
laringoplegia s.f.
laringoplégico adj.
laringoptose s.f.
laringopunctura s.f.
laringorrafia s.f.
laringorráfico adj.
laringorragia s.f.
laringorrágico adj.
laringorreia (*é*) s.f.
laringorreico (*é*) adj.
laringoscopia s.f.
laringoscópico adj.
laringoscópio s.m.
laringospasmo s.m.
laringospasmódico adj.
laringóstato s.m.
laringostenose s.f.
laringostenósico adj.
laringostenótico adj.
laringóstomo adj.
laringostroboscópio s.m.
laringotífico adj.
laringotifo s.m.
laringotomia s.f.
laringotômico adj.
laringotomizado adj. s.m.
laringótomo s.m.
laringotraqueal adj.2g.
laringotraqueíte s.f.
laringotraqueítico adj.
laringotraqueobroncoscopia s.f.
laringotraqueobroncoscópico adj.
laringotraqueobroncoscópio s.m.
laringotraqueobronquite s.f.
laringotraqueoscopia s.f.
laringotraqueotomia s.f.
laringotraqueotômico adj.
laringoxerose (*cs*) s.f.
laringoxerósico (*cs*) adj.
laringoxerótico (*cs*) adj.
larinhato adj. s.m.
larínia s.m.
larino s.m.
larinoide (*ó*) adj.2g.
larinolato s.m.
larinólico adj.
larísia s.f.
larisseia (*é*) adj. s.f. de *larisseu*
larissense adj. s.2g.
larisseu adj. s.m.; f. *larisseia* (*é*)
lárix (*cs*) s.f.
larixínico (*cs*) adj.
larnense adj. s.2g.
larnita s.f.
laro s.m. "ave"; cf. *laró*
laró s.m. "barrote"; cf. *laro*
laroca adj. s.2g.
laroiê interj.
larona adj.2g. s.f.
larosita s.f.
larota s.f.
larote s.m.
laroteiro adj. s.m.
laroz s.m.
larpão adj. s.m.; f. *larpona*
larpar v.
larpeiro adj. s.m.
larpona adj. s.f. de *larpão*
larra s.m.
larraguismo s.m.
larraguista adj. s.2g.
lárrida adj.2g. s.m.
larrídeo adj. s.m.
larríneo adj. s.m.
larro s.m.
larsenita s.f.
larsenítico adj.
laruça s.f.
larucha s.m.
larucho adj. s.m.
larunda s.f.
larundo adj. s.m.
laruto s.m.
larva s.f.
larva-alfinete s.f.; pl. *larvas-alfinetes* e *larvas-alfinete*
larva-arame s.f.; pl. *larvas-arames* e *larvas-arame*
larváceo adj. s.m.
larvado adj.
larval adj.2g.
larvápode s.m.
larvar adj.2g.
larvária s.f.
larvário adj. s.m.
larvejar v.
larvevórida adj.2g. s.m.
larvevorídeo adj. s.m.
larvicida adj.2g. s.m.
larvicídio s.m.
larvícola adj.2g.
larviforme adj.2g.
larvikita s.f.
larvina s.f.
larvíparo adj.
larviquita s.f.
larvívoro adj. s.m.
larvófago s.m.
lasanha s.f.
lasca s.f.
lascadinho s.m.
lascado adj.
lascagem s.f.
lasca-peito adj. s.m.; pl. *lasca-peitos*
lascar v. s.m.
lascarão s.m.
lascari s.m.
lascárida adj. s.2g.
lascarim s.m.
lascarina s.m.
lascarinheiro adj. s.m.
lascarinhice s.f.
lascarinho adj. s.m.
lascarino adj. s.m.
lascívia s.f.
lascivo adj. s.m.
laséguea s.f.
lasegueia (*é*) s.f.
laseia (*é*) s.m.
laséola s.m.
laserol s.m.
laserpicíea s.f.
laserpício s.m.
laserpitina s.f.
laserterapeuta s.2g.
laserterapêutico adj.
laserterapia s.f.
lasi s.m.
lásia s.f.
lasiadênia s.f.
lasiandra s.f.
lasiântea s.f.
lasiânteo adj.
lasiantera s.f.
lasianto adj. s.m.
lasiáster s.m.
lasíea s.f.
lásio s.m.
lasióbolo s.m.
lasiocampa s.f.
lasiocâmpida adj.2g. s.m.
lasiocampídeo adj. s.m.
lasiocampo s.m.
lasiocampóideo adj. s.m.
lasiocarpo adj.
lasiocéfalo adj.
lasiócloa s.f.
lasiócore s.f.
lasiocóride s.f.
lasiócoris s.f.2n.
lasiodérmia s.f.
lasiodiplódia s.f.
lasiodisco s.m.
lasióidea s.f.
lasiomítida adj.2g. s.m.
lasiomitídeo adj. s.m.
lasiomito s.m.
lasionema s.f.
lasionita s.f.
lasionite s.f.
lasionito s.m.
lasiopa s.f.
lasiopera s.f.
lasiopétala s.f.
lasiopetálea s.f.
lasiopetáleo adj.
lasiopogão s.m.
lasióptera s.f.
lasióptero adj. s.m.
lasiorrinquite s.m.
lasiosféria s.f.
lasiosperma s.f.
lasiospermo s.m.
lasiossifão s.m.
lasiostaquídeo adj. s.m.
lasiotrópio s.m.
lasiúro s.m.
lasmó s.m.
laspear v.
laspeirésia s.f.
laspeyrésia s.f.
lásquia s.f.
lasquialha s.f.
lasquiné s.m.
lassa s.f.
lassacuane s.m.
lassaliano adj. s.m.
lassalismo s.m.
lassalista adj. s.2g.
lassalístico adj.
lassalita s.f.
lassalliano adj. s.m.
lassallismo s.m.
lassallista adj.2g.
lassallístico adj.
lassallita s.f.
lassamane s.m.
lassancense adj. s.2g.
lassar v. "afrouxar"; cf. *laçar*
lasseamento s.m.
lassear v.
lasseira adj. "frouxa"; cf. *laceira*
lasseiro adj.
lassidão s.f.
lassidez (*ê*) s.f.
lassitude s.f.
lasso adj. "cansado"; cf. *laço* s.m. e fl. do v. *laçar*
lassofinado s.m.
lassolatita s.f.
lassolatítico adj.
lastenia s.f.
lastex (*cs*) s.m.2n.
lástima s.f.; cf. *lastima*, fl. do v. *lastimar*
lastimado adj.
lastimador (*ô*) adj. s.m.
lastimadura s.f.
lastimante adj.2g.
lastimar v.
lastimável adj.2g.
lastimeira s.f.
lastimeiro adj.
lastimoso (*ô*) adj.; f. (*ó*); pl. (*ó*)
lastra s.f.
lastração s.f.
lastrado adj.
lastrador (*ô*) adj. s.m.
lastragem s.f.
lastramento s.m.
lastrão s.m.
lastrar v.
lástrea s.f.
lastreado adj.
lastreador (*ô*) adj.
lastreagem s.f.
lastreamento s.m.
lastrear v.
lastrense adj. s.2g.
lástrico s.m.
lastrim s.m.
lastrina s.f.
lastro s.m.
lastroada s.f.
lata s.f.
latacho adj. s.m.
latada s.f.
lata de lixo s.m.
latagaço s.m.
latagão s.m.; f. *latagona*
latagona s.f. de *latagão*
latana s.f.
latane s.f.
latâneo adj.
latanhado adj.
latanhar v.
latânia s.f.
latão s.m.
lataria s.f.
latátipo s.m.
lata-velha s.f.; pl. *latas-velhas*
late s.m.
látea s.f.
lateado adj.
latear v.
látebra s.f.
latebrícola adj.2g. s.m.
latebroso (*ô*) adj.; f. (*ó*); pl. (*ó*)
lategaço s.m.
lategada s.f.
lategar v.
látego s.m.
lateira s.f.
lateiro s.m.
latejador (*ô*) adj.
latejamento s.m.
latejante adj.2g.
latejar v.
latejo (*ê*) s.m.
latélmis s.m.2n.
latência s.f.
latencificação s.f.
latenta s.f.
latente adj.2g. "oculto"; cf. *lactente*
latento adj.
láteo adj.
lateolábrax (*cs*) s.m.
later v.
lateral adj.2g. s.m.f.
lateralidade s.f.
lateralização s.f.
lateralizar v.
lateranense adj.2g.
laterário adj.
laterculiano s.m.
latérculo s.m.
laterício adj.
latericostal adj.2g.
lateridorsal adj.2g.
lateriflexão (*cs*) s.f.
lateriflexo (*cs*) adj.
laterifloro adj.
laterifólio adj.
laterígrado adj.
laterinérveo adj.
lateriposição s.f.
lateripulsão s.f.
laterita s.f.
laterite s.f.
laterítico adj.
laterito s.m.
lateriversão s.f.
laterização s.f.
laternária s.f.
laternariída adj.2g. s.m.
laternariídeo adj. s.m.
laterocele s.f.
laterocidência s.f.
laterocidente adj.2g.
laterodesvio s.m.
laterodorsal adj.2g.
lateredução s.f.
lateroflexão (*cs*) s.f.
lateroflexo (*cs*) adj.
laterolateral adj.2g.
lateroposição s.f.
lateropulsão s.f.
lateroterminal adj.2g.
laterotorção s.f.
lateroversão s.f.
lateroverso adj.
lates s.m.2n.
latescência s.f.; cf. *lactescência*
latescente adj.2g.; cf. *lactescente*
latescer v. "alargar"; cf. *lactescer*
látex (*cs*) s.m.
látia s.m.
latibular adj.2g.
latíbulo s.m.
lática s.f.
laticapitado adj.
laticar v.
látice s.m.
laticífero adj.
laticínio s.m.
laticinoso (*ô*) adj.; f. (*ó*); pl. (*ó*)
laticlávio s.m.
laticlavo s.m.
lático adj.
laticolo adj.
laticônico adj.
laticórneo adj.
latidão s.f.
latido s.m.
latidor (*ô*) adj.
latifloro adj.
latifoliado adj.
latifólio adj.
latifundiado adj.
latifundiário adj. s.m.
latifundiarista adj. s.2g.
latifúndio s.m.
latifundismo s.m.
latifundista adj. s.2g.
latifundístico adj.
latilabro adj.
latílabro adj.
latilâmina s.f.
latilaminar adj.2g.
latilo s.m.
latim s.m.
latímano adj.
latimeandríneo adj. s.m.
latina s.f.
latinada s.f.
latinado adj.
latinar v.
latinaria s.f.
latinas s.f.pl.
latinesco (*ê*) adj.
latingar v.
latinice s.f.
latinidade s.f.
latiniparla s.2g.
latinismo s.m.
latinista adj. s.2g.
latinístico adj.
latinização s.f.
latinizado adj.
latinizador (*ô*) adj. s.m.
latinizante adj. s.2g.
latinizar v.
latinizável adj.2g.
latino adj. s.m.
latino-africano adj.; pl. *latino-africanos*
latino-americanismo s.m.; pl. *latino-americanismos*
latino-americanista adj. s.2g.; pl. *latino-americanistas*

latino-americano adj. s.m.; pl. *latino-americanos*
latino-barbárico adj.; pl. *latino-barbáricos*
latino-bárbaro adj.; pl. *latino-bárbaros*
latino-classicizante adj. s.2g.; pl. *latino-classicizantes*
latino-clássico adj.; pl. *latino-clássicos*
latino-cristão adj.; pl. *latino-cristãos*
latino-cristianismo s.m.; pl. *latino-cristianismos*
latino-eclesiástico adj.; pl. *latino-eclesiásticos*
latino-eslavo adj.; pl. *latino-eslavos*
latino-falisco adj.; pl. *latino-faliscos*
latinofilia s.f.
latinófilo adj. s.m.
latinofobia s.f.
latinófobo adj. s.m.
latino-helênico adj.; pl. *latino-helênicos*
latinólatra adj. s.2g.
latinolatria s.f.
latinolátrico adj.
latino-medieval adj.2g.; pl. *latino-medievais*
latino-medievalismo s.m.; pl. *latino-medievalismos*
latino-medievalista adj. s.2g.; pl. *latino-medievalistas*
latino-medievalístico adj.; pl. *latino-medievalísticos*
latino-medievalizante adj. s.2g.; pl. *latino-medievalizantes*
latinório s.m.
latino-vulgar adj.2g.; pl. *latino-vulgares*
latipá s.m.
latipalpo adj.
latípede adj.2g.
latipene adj.2g.
látipes s.m.2n.
latipinado adj.
latiplantar adj.2g.
latir v.
látire s.f.
latírico adj.
latíride s.f.
latirina s.f.
latirismo s.m.
látiro s.m.
latirrostre s.f.
latirrostro adj. s.m.
latitude s.f.
latitudinal adj.2g.
latitudinar v.
latitudinário adj. s.m.
latitudinarismo s.m.
latitudinarista adj. s.2g.
latitudinarístico adj.
latiumita s.f.
látmico adj.
lato adj. s.m.
latoaria s.f.
latobrigo adj. s.m.
latoeiro s.m.
latolização s.f.
latomia s.f.
latona s.f.
latonagem s.f.
latônico adj.
latônio adj.
latonizar v.
latonura s.f.
latopolita adj. s.2g.
latopolitano adj. s.m.
latossólico adj.
latossolo s.m.
latóvico adj. s.m.
latrante adj.2g.
latrappita s.f.
látrea s.f.
latrêilia s.m.
latreute s.m.
latrêutico adj. s.m.
latria s.f.
latrídida adj.2g. s.m.
latridídeo adj. s.m.
latridiída adj.2g. s.m.
latridiídeo adj. s.m.
latridiíneo adj. s.m.
latrídio s.m.
latrímeo s.m.
latrina s.f.
latrinagem s.f.
latrinário adj.
latrineiro s.m.
latringe adj. s.2g.
latróbio s.m.
latrocinar v.
latrocínio s.m.
latrodectismo s.m.
latrodecto s.m.
latrodetismo s.m.
latrófito s.m.
latruncular adj.2g.
latrúnculo s.m.
latucho s.m.
laturário s.m.
latúsculo s.m.
lauã s.m.
laubanita s.f.
laubmanita s.f.
lauda s.f.
laudabilidade s.f.
laudácia s.f.
laudânico adj.
laudanidina s.f.
laudanina s.f.
laudanização s.f.
laudanizado adj.
laudanizante adj.2g.
laudanizar v.
láudano s.m.
laudanosina s.f.
laudatício adj.
laudativo adj.
laudatório adj.
laudável adj.2g.
laude s.m. "canto de louvor"; cf. *laúde*
laúde s.m. "alaúde"; cf. *laude*
laudel s.m.
laudêmio s.m.
laudes s.f.pl.
laudéu adj. s.m.
laudina s.f.
laudino s.m.
laudo s.m.
laué s.m.
laueíta s.f.
laugbeinita s.f.
laugbeinítico adj.
lauié s.m.
laulau s.m.
laulé s.f.
laumonita s.f.
laumonite s.f.
laumontita s.f.
laumontite s.f.
launayita s.f.
launeia (*ê*) s.f.
launim s.m.
laura s.f.
laurácea s.f.
lauráceo adj.
laurale s.f.
laurano s.m.
laurático adj.
laurato s.m.
laurbanense adj. s.2g.
láurea s.f.
laureado adj. s.m.
laurear v.
laureio s.m.
laurel s.m.
laurelina s.f.
laurembérgia s.f.
laurenbérgia s.f.
laurência s.f.
laurenciana s.f.
laurenciano adj.
laurêncico adj.
laurêncio adj. s.m.
laurencita s.f.
laureno s.m.
laurenol s.m.
laurenona s.f.
laurente adj. s.2g.
laurente-lavinate adj. s.2g.; pl. *laurente-lavinates*
laurentiano adj.
laurentim s.m.
laurentinense adj. s.2g.
laurentino adj. s.m.
láureo adj.
lauréola s.f.
lauréola-fêmea s.f.; pl. *lauréolas-fêmeas*
lauréola-macho s.f.; pl. *lauréolas-machos*
laureta (*ê*) s.f.
lauretano adj. s.m.
laurético adj.
lauretina s.f.
láuria s.f.
láurico adj.
laurícomo adj.
laurífero adj.
laurifólio adj.
lauriforme adj.2g.
laurifruticeta (*ê*) s.f.
laurígero adj.
laurilenhosa s.f.
laurilo s.m.
laurina s.f.
laurinato s.m.
laurínea s.f.
lauríneo adj.
laurínico adj.
laurino adj.
laurinóxilo (*cs*) s.m.
laurionita s.f.
laurionite s.f.
laurissilva s.f.
laurita s.f.
laurite s.f.
laurívoro adj.
lauro adj. s.m.
laurocerasina s.f.
lauroceraso s.m.
laurofenona s.f.
laurofilo s.m.
lauro-freitense adj. s.2g.; pl. *lauro-freitenses*
lauróidea s.f.
laurolenato s.m.
laurolênico adj.
lauroleno s.m.
lauro-milense adj. s.2g.; pl. *lauro-milenses*
lauro-müllerense adj. s.2g.; pl. *lauro-müllerenses*
laurona s.f.
lauronolato s.m.
lauronólico adj.
lauro-penteadense adj. s.2g.; pl. *lauro-penteadenses*
lauro-sodreense adj. s.2g.; pl. *lauro-sodreenses*
laurostearato s.m.
laurosteárico adj.
laurostearina s.f.
laurostearona s.f.
laurosterato s.m.
laurotetanina s.f.
lauroxílico (*cs*) adj.
lausanense adj. s.2g.
lausaniano adj. s.m.
lausanniano (*lô*) adj. s.m.
lausenita s.f.
lausiano adj. s.m.
lausônia s.f.
lausonita s.f.
lausperene s.2g.
lautal s.m.
lautarita s.f.
lautarite s.f.
lautatita s.f.
lautelo s.m.
lautiá s.m.
lautita s.f.
lautite s.f.
lauto adj.
lauxânia (*cs*) s.f.
laúza s.f.
lava s.f.
lavabilidade s.f.
lavabo s.m.
lava-boca s.f.; pl. *lava-bocas*
lava-bunda s.m.; pl. *lava-bundas*
lava-cabelos s.m.2n.
lavação s.f.
lavaceiro adj. s.m.
lava-costas s.m.2n.
lavacra s.f.
lavacro s.m.
lava-cu s.m.; pl. *lava-cus*
lavada s.f.
lavadaria s.f.
lavadeira s.f.
lavadeira-de-cabeça-branca s.f.; pl. *lavadeiras-de-cabeça-branca*
lavadeira-de-nossa-senhora s.f.; pl. *lavadeiras-de-nossa-senhora*
lavadeiro adj. s.m.
lavadela s.f.
lava-dente s.m.; pl. *lava-dentes*
lava-dentes s.m.2n.
lavadiço adj.
lavadilha s.f.
lavadinha s.f.
lavado adj. s.m.
lavadoiro s.m.
lavador (*ô*) adj. s.m.
lavadora (*ô*) s.f.
lavadoura s.f.
lavadouro s.m.
lavadura s.f.
lavagante s.m.
lava-garrafa s.f.; pl. *lava-garrafas*
lavagem s.f.
lavajado adj.
lavajar v.
lavajo s.m.
lavajola s.f.
lavajona s.f.
lava-loiça s.m.; pl. *lava-loiças*
lava-louça s.m.; pl. *lava-louças*
lava-mãos s.m.2n.
lavamento s.m.
lavanachiti s.m.
lavanapotó s.m.
lavanco s.m.
lavanda s.f.
lavandaria s.f.
lavandeira s.f.
lavandeira-de-nossa-senhora s.f.; pl. *lavandeiras-de-nossa-senhora*
lavandeiro s.m.
lavanderia s.f.
lavandisca s.f.
lavandisca-amarela s.f.; pl. *lavandiscas-amarelas*
lavandisca-boieira s.f.; pl. *lavandiscas-boieiras*
lavandisca-da-índia s.f.; pl. *lavandiscas-da-índia*
lavândula s.f.
lavandulóidea s.f.
lavandulóideo adj.
lavandulol s.m.
lavanissi s.m.
lavanopotó s.m.
lava-pé s.m.; pl. *lava-pés*
lava-peixe s.m.; pl. *lava-peixes*
lava-pés s.m.2n.
lava-prato s.m.; pl. *lava-pratos*
lava-pratos s.m.2n.
lava-pratos-do-sul s.m.2n.
lavar v.
lava-raízes s.m.2n.
lavareda (*ê*) s.f.
lavarejar v.
lava-remos s.m.2n.
lavaria s.f.
lavarinto s.m.
lavariscar v.
lavarito s.m.
lava-roupa s.m.; pl. *lava-roupas*
lavascão s.m.
lavascar v.
lavátera s.f.
lavateriano adj. s.m.
lavático adj.
lavativo adj.
lavatório s.m.
lavatrina s.f.
lavável adj.2g.
lavegala s.f.
lavegante s.m.
lavegar v.
lã-vegetal s.f.; pl. *lãs-vegetais*
lavego (*ê*) s.m.; cf. *lavego*, fl. do v. *lavegar*
lavendulana s.f.
lavendulane s.f.
lavendulanita s.f.
lavendulita s.f.
lavendulite s.f.
lavenita s.f.
laverânia s.f.
laverca s.f. s.2g.
laverco s.m.
lavernal adj.2g.
laverníida adj.2g. s.m.
laverniídeo adj. s.m.
lavezada s.f.
lávico adj.
lavinense adj. s.2g.
lavínia adj.2g.
laviniense adj. s.2g.
lavínio adj. s.m.
lavita s.f.
lavoira s.f.
lavoirar v.
lavoisiera (*vua*) s.f.
lavor (*ô*) s.m.
lavoração s.f.
lavorado adj.
lavorador (*ô*) adj.
lavoramento s.m.
lavorante adj.2g.
lavorar v.
lavorativo adj.
lavorável adj.
lavorear v.
lavoso (*ô*) adj.; f. (*ó*); pl. (*ó*)
lavoura s.f.
lavourado adj.
lavourar v.
lavoureiro s.m.
lavourense adj. s.2g.
lavra s.f.
lavração s.f.
lavrada s.f.
lavradeira s.f.
lavradeiro adj.
lavradia s.f.
lavradio adj. s.m.
lavrado adj. s.m.
lavrador (*ô*) adj. s.m.
lavradoragem s.f.
lavradoral adj.2g.
lavradoria s.f.
lavradorita s.f.
lavrados s.m.pl.
lavragem s.f.
lavra-mão s.f.; pl. *lavra-mãos*
lavramento s.m.
lavrança s.f.
lavrandeira s.f.
lavrantaria s.f.
lavrante adj. s.2g.
lavrar v.
lavrasca s.f.
lavratura s.f.
lavrável adj.2g.
lavrense adj. s.2g.
lavrense-do-sul adj. s.2g.; pl. *lavrenses-do-sul*
lavrinhense adj. s.2g.
lavrita s.f.
lavrovita s.f.
lavujar v.
lavujeiro s.m.
lavujo s.m.
lawrêncico adj.
lawrêncio s.m.
lawrencita s.f.
lawsônia s.f.
lawsonita s.f.
laxação s.f.

laxante adj.2g. s.m.
laxar v.
laxativo adj. s.m.
laxidão s.f.
laxifloro (*cs*) adj.
laxifólio (*cs*) adj.
laxiorismo (*cs*) s.m.
laxiorista (*cs*) adj. s.2g.
laxiorístico (*cs*) adj.
laxismo (*cs*) s.m.
laxista (*cs*) s.2g.
laxístico (*cs*) adj.
laxmanita s.f.
laxo (*cs*) adj.
lazão adj. s.m.
lazaraco adj.
lazarado adj.
lazarão adj. s.m.
lazarar v.
lazarento adj. s.m.
lazaretário adj.
lazareto (*ê*) s.m.
lazaria s.f.
lazarilho s.m.
lazarina s.f.
lazarismo s.m.
lazarista adj. s.2g.
lazarístico adj.
lázaro s.m.; cf. *lazaro*, fl. do v. *lazarar*
lazarone s.m.
lazarônico adj.
lazaronismo s.m.
lazeira s.f. "miséria"; cf. *lãzeira*
lãzeira s.f. "alteração na pelagem"; cf. *lazeira*
lazeirar v.
lazeirento adj. s.m.
lazeiro s.m.
lazer (*ê*) s.m.
lazerar v.
lazerento adj.
lãzinha s.f.
lazo adj. s.m.
lazona adj. s.f.
lãzudo adj. s.m.
lazule s.m.
lazúli s.m.
lazulita s.f.
lazulita de cobre s.f.
lazulita de espanha s.f.
lazulita-espanhola s.f.; pl. *lazulitas-espanholas*
lazulite s.f.
lazulítico adj.
lazulito s.m.
lazurita s.f.
lé s.m. "atabaque"
lé s.m. na loc. *lé com lé, cré com cré*
lê s.m. "nome da letra l"; pl. *lês* ou *ll*
leáchia s.f.
leadbeatera s.m.
leadhillita s.f.
leadilita s.f.
leal adj.2g. s.m.
lealdação s.f.
lealdade s.f.
lealdado adj.
lealdador (*ô*) adj. s.m.
lealdamento s.m.
lealdar v.
lealdeza (*ê*) s.f.
lealdoso (*ô*) adj.; f. (*ó*); pl. (*ó*)
lealeza (*ê*) s.f.
lealismo s.m.
lealista adj. s.2g.
lealístico adj.
leandra s.f.
leandrense adj. s.2g.
leandro s.m.
leão s.m.
leão-americano s.m.; pl. *leões-americanos*
leão-baio s.m.; pl. *leões-baios*
leão de barca s.m.
leão de chácara s.m.
leão de pedra s.m.
leão do mar s.m.
leão-marinho s.m.; pl. *leões-marinhos*
leãozete (*ê*) s.m.
leba s.m.
lebachiácea s.f.
lebachiáceo adj.
lebécquia s.f.
lebedoiro s.m.
lebedouro s.m.
lebensraum s.m.
lebetanto s.m.
lebetina s.f. "planta"; cf. *libitina*
lebetona s.f.
lébia s.f.
lebiasinídeo adj. s.m.
lebiíida adj.2g. s.m.
lebiídeo adj. s.m.
lebiíneo adj. s.m.
lebiomórfeo s.m.
leblonense adj. s.2g.
leboreiro adj.
lebracho s.m.
lebrada s.f.
lebrado adj.
lebrão s.m.
lebre s.f. "mamífero roedor"; cf. *lebré*
lebré s.m. "cão usado na caça à lebre"; cf. *lebre*
lebre-brasileira s.f.; pl. *lebres-brasileiras*
lebrechina s.f.
lebrechinha s.f.
lebre-da-patagônia s.f.; pl. *lebres-da-patagônia*
lebre-do-mar s.f.; pl. *lebres-do-mar*
lebreia (*é*) s.f.
lebreiro adj.
lebrel s.m.
lebre-marinha s.f.; pl. *lebres-marinhas*
lebrequinha s.f.
lebre-saltadora s.f.; pl. *lebres-saltadoras*
lebretônia s.f.
lebréu s.m.
lebroto s.m.
lebrunáster s.m.
lebrunheiro s.m.
lebruno adj.
lebu s.m.
lebuno adj. s.m.
leca s.f.
lecal s.m.
lecanactidácea s.f.
lecanactidáceo adj.
lecananto s.m.
lecanicéfalo s.m.
lecanicefalóideo adj. s.m.
lecaniída adj.2g. s.m.
lecaniídeo adj. s.m.
lecaniíneo adj. s.m.
lecânio s.m.
lecaniodiáspide s.f.
lecaniodiáspis s.f.2n.
lecaniodisco s.m.
lecanocárpio s.m.
lecanocarpo s.m.
lecanóideo adj. s.m.
lecanomancia s.f.
lecanomante s.2g.
lecanomântico adj.
lecanóptero s.f.
lecanora s.f.
lecanoracácea s.f.
lecanoracáceo adj.
lecanorácea s.f.
lecanoráceo adj.
lecanorale s.f.
lecanorato s.m.
lecanórea s.f.
lecanóreo adj.
lecanórico adj.
lecanorina s.f.
leccionação s.f.
leccionado adj.
leccionador (*ô*) adj. s.m.
leccional adj.2g.
leccionamento s.m.
leccionando adj. s.m.
leccionante adj. s.2g.
leccionar v.
leccionário s.m.
leccionável adj.2g.
leccionista adj. s.2g.
lechatelierita s.f.
lechatelierítico adj.
lecheguana s.f.
lechetrez (*ê*) s.m.
lechia s.f.
lechieira s.f.
lechiguana s.f.
lechuê s.m.
lécia s.f.
lecídea s.f.
lecideácea s.f.
lecideáceo adj.
lecídeo adj.
lecionação s.f.
lecionado adj. s.m.
lecionador (*ô*) adj. s.m.
lecional adj.2g.
lecionamento s.m.
lecionando adj. s.m.
lecionante adj. s.2g.
lecionar v.
lecionário s.m.
lecionável adj.2g.
lecionista adj. s.2g.
lecite s.f.
lecítico adj.
lecitidácea s.f.
lecitidáceo adj.
lecitídea s.f.
lecitídeo adj.
lecitidóidea s.f.
lecitina s.f.
lecitínase s.f.
lecitinemia s.f.
lecitinêmico adj.
lécitis s.2g.2n.
lécito s.m.
lecitoblasto s.m.
lecitocele s.f.
lecitocélio s.m.
lecitocelo s.m.
lecitócera s.f.
lecitóforo s.m.
lecitol s.m.
lecitoplasma s.m.
lecitoproteído s.m.
lecitoproteína s.f.
lecitotrófico adj.
leco adj. s.m.
lecoídea s.f.
lecoíntea s.f.
lecôntea s.f.
lecontiano adj.
lecontita s.f.
lecontite s.f.
lecóquia s.f.
lecostemo s.m.
lecótropo adj.
lecre s.m.
lecriolépide s.f.
lecriólepis s.f.2n.
lectica s.f.
lecticário s.m.
lectícola adj.2g. "que habita nos leitos"; cf. *lectícula*
lectícula s.f. "pequeno leito"; cf. *lectícola*
lectina s.f.
lectistérnio s.m.
lectivo adj.
lectocéfalo adj. s.m.
lector (*ô*) s.m.
lectorato s.m.
lectótipo s.m.
leda s.f. "molusco"; cf. *leda* (*ê*)
leda (*ê*) adj. "alegre"; cf. *leda*
lédea s.f.
ledeburita s.f.
ledeno s.m.
lediça s.f.
ledice s.f.
ledikita s.f.
ledilita s.f.
ledixantina (*cs*) s.f.
ledo (*ê*) adj. s.m.
ledocarpácea s.f.
ledocarpáceo adj.
ledocarpon s.m.
ledol s.m.
ledor (*ô*) adj. s.m.
ledra s.f.
ledrídeo adj. s.m.
ledúmico adj.
leeácea s.f.
leeáceo adj.
leeia (*é*) s.f.
leelite s.f.
leelito s.m.
leeóidea s.f.
leérsia s.f.
leeuwenhoékia s.f.
lefana s.m.
lefebúria s.f.
lefevrista adj. s.2g.
leflíngia s.f.
lefroiela s.m.
lega s.m.f.
legação s.f.
legação-cabecinho s.f.; pl. *legações-cabecinho*
legação-das-rochas s.f.; pl. *legações-das-rochas*
legacia s.f.
legaço s.m.
legaço-cozinho s.m.; pl. *legaços-cozinho*
legado adj. s.m.
legal adj.2g. adv.
legalé s.2g.
legalhé s.2g.
legalidade s.f.
legalismo s.m.
legalista adj. s.2g.
legalístico adj.
legalitário adj.
legalização s.f.
legalizado adj.
legalizador (*ô*) adj.
legalizante adj.2g.
legalizar v.
legalizável adj.2g.
legame s.m.
leganiácea s.f.
leganiáceo adj.
legante adj.2g. s.m.
legão s.m.
legar v.
legastenia s.f.
legatário s.m.
legatina s.f.
legato s.m.
legatório adj.
legatura s.f.
legba s.m.
légbeo s.m.
legenda s.f.
legendação s.f.
legendado adj.
legendar v.
legendário adj.
legendista adj. s.2g.
legendriano adj.
legente adj.2g.
legeriano adj.
leg-hemoglobina s.f.
leg-hemoglobínico adj.
leghorn adj. s.2g.
legião s.f.
legibilidade s.f.
legiferação s.f.
legiferado adj.
legiferador (*ô*) adj. s.m.
legiferante adj. s.2g.
legiferar v.
legiferável adj.2g.
legífero adj. s.m; cf. *legifero*, fl. do v. *legiferar*
legionário adj. s.m.
legionela s.f.
legionelose s.f.
legislação s.f.
legislado adj.
legislador (*ô*) adj. s.m.
legislante adj.2g.
legislar v.
legislativo adj. s.m.
legislatorial adj.2g.
legislatório adj.
legislatura s.f.
legislável adj.2g.
legislista adj. s.2g.
legislorreia (*é*) s.f.
legismo s.m.
legisperícia s.f.
legispericial adj.2g.
legisperito s.m.
legista adj. s.2g.
legístico adj.
legítima s.f.; cf. *legitima*, fl. do v. *legitimar*
legitimabilidade s.f.
legitimação s.f.
legitimado adj. s.m.
legitimador (*ô*) adj. s.m.
legitimante adj.2g.
legitimar v.
legitimário adj. s.m.
legitimativo adj.
legitimatório adj.
legitimável adj.2g.
legitimidade s.f.
legitimismo s.m.
legitimista adj. s.2g.
legitimístico adj.
legítimo adj.; cf. *legitimo*, fl. do v. *legitimar*
legitimônio s.m.
legível adj.2g.
legnoto s.m.
lego s.m.
legografia s.f.
legográfico adj.
legônzia s.f.
legorne adj. s.2g.
legra s.f.
legração s.f.
legradura s.f.
legrandita s.f.
legrar v.
legre s.m.
légua s.f.
légua da póvoa s.f.
leguelhé s.m.
leguemoglobina s.f.
leguemoglobínico adj.
leguleio s.m.
legulejo (*ê*) s.m.
legulismo s.m.
legulístico adj.
legume s.m.
legumeiro adj. s.m.
legumelina s.f.
legumia s.f.
legumilha s.f.
legumina s.f.
leguminário adj.
leguminiforme adj.2g.
leguminista adj. s.2g.
leguminívoro adj. s.m.
leguminodo s.m.
leguminoide (*ó*) adj.2g. s.m.
leguminosa s.f.
leguminosa-cesalpinácea s.f.; pl. *leguminosas-cesalpináceas*
leguminosa-cesalpínea s.f.; pl. *leguminosas-cesalpíneas*
leguminosa-cesalpiniácea s.f.; pl. *leguminosas-cesalpiniáceas*
leguminosa-mimosácea s.f.; pl. *leguminosas-mimosáceas*
leguminosa-mimósea s.f.; pl. *leguminosas-mimóseas*
leguminosa-papilionácea s.f.; pl. *leguminosas-papilionáceas*
leguminosa-papilionada s.f.; pl. *leguminosas-papilionadas*
leguminoso (*ô*) adj.; f. (*ó*); pl. (*ó*)
legumista adj. s.2g.
leguória s.f.
lehiita s.f.
lehnerita s.f.
lei s.f.

leia s.f.
leiacanto s.m.
leiântero adj.
leiáster s.m.
leiautação s.f.
leiautador (*ô*) adj. s.m.
leiautar v.
leiaute s.m.
leiautista adj. s.2g.
leiblínia s.f.
leibnitzianismo s.m.
leibnitzianista adj. s.2g.
leibnitzianístico adj.
leibnitziano adj. s.m.
leibnizianismo s.m.
leibnizianista adj. s.2g.
leibnizianístico adj.
leibniziano adj. s.m.
leicenço s.m.
leicéster adj.2g. s.m.
leicestéria s.f.
leicéstria s.f.
leicranço s.m.
lêidia s.f.
leidoso (*ô*) adj.; f. (*ó*); pl. (*ó*)
leifáimea s.f.
leifaimo s.m.
leifemia s.f.
leifita s.f.
leigaça s.2g.
leigaço adj. s.m.
leigal adj.2g.
leigalidade s.f.
leigar v.
leigarraço s.m.
leigarrão s.m.; f. *leigarrona*
leigarraz s.2g.
leigarrona s.f. de *leigarrão*
leightonita s.f.
leigo adj. s.m.
leiguice s.f.
leila s.f.
leilão s.m.
leiloado adj.
leiloador (*ô*) adj. s.m.
leiloamento s.m.
leiloante s.2g.
leiloar v.
leiloável adj.2g.
leiloeiro s.m.
leimacópsida adj.2g. s.m.
leimacopsídeo adj. s.m.
leimacópsis s.2g.2n.
leimonite s.m.
leimonito s.m.
leino adj.
leiomioma s.m.
leiomiossarcoma s.m.
leiótrice s.m.
leiótrix (*cs*) s.m.
leira s.f. "rego aberto na terra", etc.; cf. *leirã*
leirã s.f. "variedade de uva"; cf. *leira*
leirão s.m.
leirar v.
leiria s.f.
leiriã s.f. de *leirião*
leirião adj. s.m.; f. *leiriã* e *leirioa*
leiriense adj. s.2g.
leirioa (*ô*) s.f. de *leirião*
leiroada s.f.
leiroto (*ô*) s.m.
lêiser s.m.
leishmânia s.f.
leishmânide s.f.
leishmaniose s.f.
leísto s.m.
leita s.f.
leitado adj.
leital adj.2g. s.m.
leitança s.f.
leitão s.m.; f. *leitoa*
leitar v. adj.2g.
leitara s.f.
leitárega s.f.
leitaria s.f.
leite s.m.
leite-creme s.m.; pl. *leites-cremes*
leite-de-cachorro s.m.; pl. *leites-de-cachorro*
leite de camelo s.m.
leite-de-coajinguva s.m.; pl. *leites-de-coajinguva*
leite-de-galinha s.f.; pl. *leites-de-galinha*
leite-de-gameleira s.m.; pl. *leites-de-gameleira*
leite de onça s.m.
leitegada s.f.
leiteira s.f.
leiteira-brava s.f.; pl. *leiteiras-bravas*
leiteira-de-espinho s.f.; pl. *leiteiras-de-espinho*
leiteiro adj. s.m.
leiteiro-grão-de-galo s.m.; pl. *leiteiros-grão-de-galo*
leitelho (*ê*) s.m.
leitense adj. s.2g.
leitento adj.
leiteria s.f.
leitgébia s.f.
leitiga s.f.
leitigada s.f.
leitmotiv (*lai*) s.m.
leitnéria s.f.
leitneriácea s.f.
leitneriáceo adj.
leitnerial adj.2g.
leitneriale s.f.
leito s.m.
leitoa (*ô*) s.f. de *leitão*
leitoada s.f.
leitoado adj. "gordo"; cf. *leituado*
leitor (*ô*) adj. s.m.
leitora (*ô*) s.f.
leitorado s.m.
leitoral adj.2g.
leitorato s.m.
leitoril s.m.
leitor-impressor adj. s.m.; pl. *leitores-impressores*
leitosa s.f.
leitoso (*ô*) adj.; f. (*ó*); pl. (*ó*)
leitra s.f.
leituado adj. "lactescente"; cf. *leitoado*
leitual adj.2g.
leituário adj. s.m.
leituga s.f.
leituga-de-burro s.f.; pl. *leitugas-de-burro*
leituja s.f.
leitura s.f.
leiú s.m.
leiva s.f.
leivado s.m.
leivanço s.m.
leivão s.m.
leixa s.f.
leixado adj.
leixamento s.m.
leixão s.m.
leixa-pren s.m.
leixar v.
leixarigo s.m.
leixe-frita s.f.; pl. *leixe-fritas*
lejêunea s.f.
lejeuníea s.f.
lejolísia s.f.
lek s.m.
lela adj. s.f.
lélape s.f.
lelapíneo adj. s.m.
lélaps s.f.2n.
lelapsíneo adj. s.m.
lelaptíneo adj. s.m.
lele s.m. "ave africana"; cf. *lelé* e *lelê*
lelé adj. s.2g. "doido"; cf. *lele* e *lelê*
lelê s.m. "confusão"; cf. *lele* e *lelé*
lélege adj. s.2g.
lelégio adj. s.m.
lelelê s.m.
lelequice s.f.
lélia s.f.
lelíea s.f.
lelo adj. s.m.
lema s.m.
lemanácea s.f.
lemanáceo adj.
lemane s.m.
lemânea s.f.
lemaneácea s.f.
lemaneáceo adj.
lemâneo adj.
lemanita s.f.
lemanite s.f.
lemano s.m.
lemático adj.
lematização s.f.
lematizar v.
lemba-lemba s.f.; pl. *lemba-lembas*
lembamento s.m.
lembanzau s.m.
lembar v.
lembarencanga s.m.
lembefe s.m.
lembesco (*ê*) adj.
lembisco s.m.
lembo s.m.
lembofilácea s.f.
lembofiláceo adj.
lembófilo s.m.
lembósia s.f.
lembradiço adj. s.m.
lembrado adj.
lembrador (*ô*) adj. s.m.
lembramento s.m.
lembrança s.f.
lembrançoso (*ô*) adj.; f. (*ó*); pl. (*ó*)
lembrar v.
lembrável adj.2g.
lembreada s.f.
lembrete (*ê*) s.m.
leme s.m.
lêmea s.f.
lemense adj. s.2g.
lêmico adj.
lemingo s.m.
lemingue s.m.
lêmingue s.m.
lemingue-malhado s.m.; pl. *lemingues-malhados*
lemiste s.m.
lemna s.f.
lemnácea s.f.
lemnáceo adj.
lêmneo adj. "relativo às plantas lêmneas"; cf. *lêmnio*
lemníaco adj. s.m.
lemníada s.f.
lemnícola adj. s.2g.
lemniense adj. s.2g.
lêmnio adj. s.m. "povo"; cf. *lêmneo*
lemniscata s.f.
lemniscático adj.
lemniscato s.m.
lemnisco s.m.
lemnóidea s.f.
lemodípode adj.2g. s.m.
lemofobia s.f.
lemofóbico adj. s.m.
lemófobo adj. s.m.
lemografia s.f.
lemográfico adj.
lemoinita s.f.
lemologia s.f.
lemológico adj.
lemologista adj. s.2g.
lemólogo s.m.
lemonal s.m.
lemonema s.m.
lemônia s.f.
lemônico adj.
lemonol s.m.
lemosi adj. s.2g.
lemosim adj. s.2g.
lemostenose s.f.
lemovice adj. s.2g.
lemovicense adj. s.2g.
lemovico s.m.
lemóvio adj. s.m.
lempa s.f.
lempira s.f.
lêmur s.m.
lemural adj.2g.
lêmure s.m.
lêmure-voador s.m.; pl. *lêmures-voadores*
lemúria s.f.
lemuriano adj. s.m.
lemúrias s.f.pl.
lemúrico adj.
lemúrida adj.2g. s.m.
lemurídeo adj. s.m.
lemuriforme adj. s.2g.
lemuríneo adj. s.m.
lemúrio s.m.
lemuroide (*ó*) adj.2g. s.m.
lemuróideo adj. s.m.
lena s.f.
lenano adj.
lenão s.m.
lenca adj. s.2g.
lençalho s.m.
lencantina s.f.
lenção s.m.
lençaria s.f.
lenciense adj. s.2g.
lenço s.m. "tecido usado para assoar o nariz"; cf. *lençó*
lençó s.m. "fruta"; cf. *lenço*
lenço de fivelas s.m.
lençoense adj. s.2g.
lençoiense adj. s.2g.
lençol s.m.
lençol-de-santa-bárbara s.m.; pl. *lençóis-de-santa-bárbara*
lençolense adj. s.2g.
lenço-papel s.m.; pl. *lenços-papel*
lenda s.f.
lendário adj. s.m.
lende s.m.
lêndea s.f.
lendeaço s.m.
lêndea-do-cafeeiro s.f.; pl. *lêndeas-do-cafeeiro*
lendelho (*ê*) s.m.
lendeoso (*ô*) adj.; f. (*ó*); pl. (*ó*)
lendroeira s.f.
lendroeiro s.m.
lendroso (*ô*) adj.; f. (*ó*); pl. (*ó*)
lendu s.m.
lene adj.2g.
leneanas s.f.pl.
leneia (*é*) s.f.
leneias (*é*) s.f.pl.
lêneo adj.
leneu adj.
lenga s.m.f.
lenga-lenga s.f.
lengalengar v.
lengar v.
lengenbachita s.f.
lêngua adj. s.2g.
lengue s.m.
lengue-lengue s.m.; pl. *lengue-lengues*
lenha s.f.
lenha-branca s.f.; pl. *lenhas-brancas*
lenhação s.f.
lenhada s.f.
lenhado adj. s.m.
lenhador (*ô*) adj. s.m.
lenhador-fantasma s.m.; pl. *lenhadores-fantasmas*
lenhal s.m.
lenhar v.
lenharia s.f.
lenhateiro s.m.
lenheira s.f.
lenheiro s.m. "lenhador"; cf. *linheiro*
lenhícola adj.2g.
lenhificação s.f.
lenhificado adj.
lenhificar v.
lenhina s.f.
lenhita s.f.
lenhite s.f.
lenhito s.m.
lenhívoro adj.
lenho s.m.
lenho-aloé s.m.; pl. *lenhos-aloés*
lenho-aloés s.m.; pl. *lenhos-aloés*
lenhordita s.f.
lenhose s.f.
lenhoso (*ô*) adj.; f. (*ó*); pl. (*ó*)
lenição s.f.
lenidade s.f.
leniência s.f.
leniente adj.2g. s.m.
lenificação s.f.
lenificado adj.
lenificador (*ô*) adj.
lenificante adj.2g.
lenificar v.
lenificável adj.2g.
lenigalol s.m.
lenimentar v. "suavizar"; cf. *linimentar*
lenimento s.m. "suavização"; cf. *linimento*
lenimentoso (*ô*) adj.; f. (*ó*); pl. (*ó*)
leninho adj.
leniniano adj.
leninismo s.m.
leninista adj. s.2g.
leninístico adj.
lenir v.
lenira s.m.
lenirrobina s.f.
lenítico adj.
lenitivo adj. s.m.
lenização s.f.
lennilita s.f.
lênnoa s.f.
lennoácea s.f.
lennoáceo adj.
leno adj. s.m.
lênoa s.f.
lenoácea s.f.
lenoáceo adj.
lenoblita s.f.
lenocínio s.m.
lenodera s.f.
lenoínea s.f.
lenquência (*ü*) s.f.
lens s.f.2n.
lensômetro s.m.
lentação s.f.
lentaço s.m.
lentar v.
lente adj. s.2g. s.f.
lentear v.
lentectomia s.f.
lentectômico adj.
lenteira s.f.
lenteiro s.m.
lentejar v.
lentejo (*ê*) s.m.
lentejoila s.f.
lentejoilado adj.
lentejoilante adj.
lentejoilar v.
lentejoula s.f.
lentejoulado adj.
lentejoulante adj.2g.
lentejoular v.
lentescência s.f.
lentescente adj.2g.
lentescer v.
lenteza (*ê*) s.f.
lentibulária s.f.
lentibulariácea s.f.
lentibulariáceo adj.
lenticela s.f.
lêntico adj.
lenticone s.m.
lentícula s.f.
lenticulado adj.
lenticular adj.2g. s.m.
lenticularidade s.f.
lentículo-estapédico adj.; pl. *lentículo-estapédicos*
lentículo-estriado adj.; pl. *lentículo-estriados*
lentículo-óptico adj.; pl. *lentículo-ópticos*

lentículo-talâmico adj.; pl. *lentículo-talâmicos*
lentidão s.f.
lentiense adj. s.2g.
lentiforme adj.2g.
lentigem s.f.
lentígero adj.
lentiginoso (*ô*) adj.; f. (*ó*); pl. (*ó*)
lentigo s.m.
lentígrado adj.
lentilha s.f.
lentilha-brava s.f.; pl. *lentilhas-bravas*
lentilha-d'água s.f.; pl. *lentilhas-d'água*
lentilha-d'água-menor s.f.; pl. *lentilhas-d'água-menores*
lentilha-do-campo s.f.; pl. *lentilhas-do-campo*
lentilhão s.m.
lentilheira s.f.
lentilhoso (*ô*) adj.; f. (*ó*); pl. (*ó*)
lentina s.f.
lentino s.m.
lentípede s.m.
lêntipes s.m.2n.
lentiprisma s.m.
lentiprismático adj.
lentisca s.f.
lentiscal s.m.
lentisco s.m.
lentisco-bastardo s.m.; pl. *lentiscos-bastardos*
lentisqueira s.f.
lentisqueira-miúda s.f.; pl. *lentisqueiras-miúdas*
lentisqueira-miúda--redonda s.f.; pl. *lentisqueiras-miúdas-redondas*
lentisqueiro s.m.
lentite s.f.
lentitude s.f.
lentivírus s.m.
lento adj. adv. s.m.
lentocim s.m.
lentor (*ô*) s.m.
lentrisca s.f.
lentrisqueira s.f.
lentudinal adj.2g.
lentulita s.f.
lentulite s.f.
lentura s.f.
lenzite s.f.
leoa (*ô*) s.f.
leoba s.f.
leocádio s.m. "candeeiro"; cf. *leucádio*
leocarpo s.m.
leocéreo s.m.
leócia s.f.
leocima s.m.
leocromo adj.
leodiense adj. s.2g.
leodomano adj. s.m.
leoflorestano adj. s.m.
leo-metro s.m.; pl. *leos-metro* e *leos-metros*
leonado adj.
leonardesco (*ê*) adj.
leonárdio s.m.
leonardita s.f.
leonardite s.f.
leonberg adj. s.2g.2n.
leônculo s.m.
leone s.m.
leoneira s.f.
leonês adj.2g. s.m. "de Leão" (*León*); cf. *lionês*
leonhardita s.f.
leonhardtita s.f.
leônia s.f.
leoniano adj. s.m.
leonicense adj. s.2g.
leônico adj.
leonino adj. s.m.
leonismo s.m.
leonista adj. s.2g.
leonístico adj.
leonita s.f.
leonite s.f.
leonítide s.f.
leonote s.f.
leontíase s.f.
leôntica s.f.
leônticas s.f.pl.
leôntice s.f.
leontina s.f.
leontínia s.f.
leontino adj. s.m.
leontocebo s.m.
leontocéfalo adj. s.m.
leontodonte s.m.
leontófono s.m.
leontopódio s.m.
leontopolita adj. s.2g.
leonuro s.m.
leopardado adj.
leopardiano adj.
leopardo s.m.
leopardo-das-neves s.m.; pl. *leopardos-das-neves*
leopoldense adj. s.2g.
leopóldia s.f.
leopoldina s.f.
leopoldinense adj. s.2g.
leopoldínia s.f.
leopoldino adj. s.m.
leopoldita s.f.
leopoldite s.f.
leopolense adj. s.2g.
leopolitano adj. s.m.
léops s.2g.2n.
leotrópico adj.
leotropismo s.m.
lépade s.f.
lepádida adj.2g. s.m.
lepadídeo adj. s.m.
lepadiforme adj.2g.
lepadíneo adj. s.m.
lepadogáster s.m.
lepadogástrida adj.2g. s.m.
lepadogastrídeo adj. s.m.
lepadogastríneo adj. s.m.
lepadogástrio s.m.
lepadogastro s.m.
lepadomorfo adj.
lépala s.f.
lepalar adj.2g.
lepalepa s.f.
lepálio s.m.
lépalo s.m.
lepanta s.f.
lepântio s.m.
lepanto s.m.
lepargilato s.m.
lepargílico adj.
lepas s.f.2n.
lepasta s.f.
lepcha adj. s.2g.
lepes s.m.2n.
lepeta (*ê*) s.f.
lepétida adj.2g. s.m.
lepetídeo adj. s.m.
lepicena s.f.
lepidacanto s.m.
lepidadênia s.f.
lepidágata s.f.
lepidágate s.f.
lepidantado adj.
lepidanto s.m.
lepidápion s.m.
lepidastênia s.m.
lepidendroide (*ó*) adj.2g.
lepideno s.m.
lepidez (*ê*) s.f.
lepidiima s.f.
lepidina s.f.
lepidínea s.f.
lepidíneo adj.
lepídio s.m. "planta"; cf. *lipídio*
lepídion s.m.
lépido adj.
lepidoblástico adj.
lepidoblênio s.m.
lepidocarínea s.f.
lepidocaríneo adj.
lepidocário s.m.
lepidocarióidea s.f.
lepidocárpico adj.
lepidocarpo adj. s.m.
lepidocefalíctis s.m.2g.
lepidocéfalo s.m.
lepidocentroide (*ó*) adj.2g. s.m.
lepidócero adj. s.m.
lepidocirtino s.m.
lepidocloro s.m.
lepidocórdia s.f.
lepidocrocita s.f.
lepidocrocite s.f.
lepidocrocítico adj.
lepidocromia s.f.
lepidodáctilo s.m.
lepidodendrácea s.f.
lepidodendráceo adj.
lepidodendral adj.2g.
lepidodendrale s.f.
lepidodêndrea s.f.
lepidodêndreo adj.
lepidodendride (*ó*) adj.2g.
lepidodendro s.m.
lepidofeíta s.f.
lepidofilo s.m.
lepidofima s.m.
lepidófita s.f.
lepidofitíneo s.m.
lepidóforo s.m.
lepidoglosso adj.
lepidoide (*ó*) adj.2g.
lepidóideo adj.
lepidolaringe s.m.
lepidolita s.f.
lepidolite s.f.
lepidólito s.m.
lepidomelânio s.m.
lepidomelano s.m.
lepidomênia s.m.
lepidomorfita s.f.
lepidona s.f.
lepidonoto s.m.
lepidópede s.m.
lepídopes s.m.2n.
lepidópida adj.2g. s.m.
lepidopídeo adj. s.m.
lepidopilo s.m.
lepidopíneo adj. s.m.
lepidópleo adj. s.m.
lepídopo s.m.
lepidópode adj.2g. s.m.
lepidópodo adj. s.m.
lepidoptérico adj.
lepidopterismo s.m.
lepidopterista adj. s.2g.
lepidóptero adj. s.m.
lepidopterologia s.f.
lepidopterológico adj.
lepidopterologista adj. s.2g.
lepidopterólogo s.m.
lepidorrombo s.m.
lepidortose s.f.
lepidósafe s.f.
lepidosafíneo s.m.
lepidosáurio s.m.
lepidose s.f.
lepidosélaga s.f.
lepidosereia s.f.
lepidosia s.f.
lepidosirene s.f.
lepidosirênida adj.2g. s.m.
lepidosirenídeo adj. s.m.
lepidosperma s.f.
lepidóssafe s.f.
lepidossafíneo adj. s.m.
lepidóssafo s.m.
lepidossarcoma s.m.
lepidossáurio s.m.
lepidossélaga s.f.
lepidossereia s.f.
lepidossirene s.f.
lepidossirênida adj.2g. s.m.
lepidossirenídeo adj. s.m.
lepidossomo adj.
lepidosteída adj.2g. s.m.
lepidosteídeo adj. s.m.
lepidósteo s.m.
lepidosterno s.m.
lepidosteu s.m.
lepidóstoma s.f.
lepidóstrobo s.m.
lepidotêutida adj.2g. s.m.
lepidotêutide s.f.
lepidoteutídeo adj. s.m.
lepidotéutis s.f.2n.
lepidoto adj.
lepidotrigla s.f.
lepidotriquia s.f.
lepidotríquio adj. s.m.
lepidoturo s.m.
lepidózigo s.m.
lepiduro s.m.
lepilêmure s.m.
lepilemúrio s.m.
lepinotroso (*ô*) adj; f. (*ó*); pl. (*ó*)
lepiota s.f.
lepíptero s.m.
lepiro s.m.
lepirodontácea s.f.
lepirodontáceo adj.
lepirônia s.f.
lépis s.m.2n.
lepisacanto s.m.
lepisanto s.m.
lepiscoro s.m.
lepisma s.m.
lepismátida adj.2g. s.m.
lepismatídeo adj. s.m.
lepísmio s.m.
lepista s.f.
lepistemo s.m.
lepístoma s.m.f.
lepisuro adj.
lepitoclorita s.f.
lepócito s.m.
lepoide (*ó*) adj.2g. s.m.
lepomatroso (*ô*) adj. s.m.; f. (*ó*); pl. (*ó*)
lépomis s.m.
lepôncio adj. s.m.
lepônico adj.
leponisco s.m.
lepontino adj. s.m.
leporária s.f.
leporário adj.
lepórida adj.2g. s.m.
lepóride s.2g.
leporídeo adj. s.m.
lepórido s.m.
leporíneo adj. s.m.
leporino adj.
lepospondílico adj.
lepospôndilo adj. s.m.
leposterno s.m.
lepotricose s.f.
lépotrix (*cs*) s.f.
lepra s.f.
leprado adj.
lepralgia s.f.
leprália s.f.
leprechau s.m.
leprechaunismo s.m.
lépride s.f.
leprinutosidade s.f.
leprinutoso (*ô*) adj.; f. (*ó*); pl. (*ó*)
leprofobia s.f.
leprofóbico adj.
leprófobo adj. s.m.
leproftalmia s.f.
leproide (*ó*) adj.2g. s.m.
leprologia s.f.
leprológico adj.
leprologista adj. s.2g.
leprólogo s.m.
leproma s.m.
lepromatoso (*ô*) adj. s.m.; f. (*ó*); pl. (*ó*)
lepromina s.f.
lepronutosidade s.f.
lepronutoso (*ô*) adj.; f. (*ó*); pl. (*ó*)
leprosaria s.f.
leprosário s.m.
leprose s.f.
leprosidade s.f.
leproside s.f.
leproso (*ô*) adj. s.m.; f. (*ó*); pl. (*ó*)
leprosório s.m.
leprótico adj.
lepta s.m.
leptacanto adj.
leptacino s.m.
leptactínia s.f.
leptadênia s.f.
leptálea s.f.
leptáleo adj.
leptandra s.f.
leptandrina s.f.
leptanto adj.
leptaspe s.f.
leptastenura s.m.
leptastéria s.m.
leptástrea s.m.
leptáulaca s.f.
leptaulo s.m.
leptauquênia s.f.
leptazol s.m.
leptetro s.m.
léptico adj. s.m.
léptida adj.2g. s.m.
leptídea s.f.
leptídeo adj. s.m.
leptifante s.m.
leptimagnense adj. s.2g.
leptínia s.f.
leptínico adj.
leptinite s.f.
leptinito s.m.
leptino s.m.
leptinóptero adj. s.m.
leptinotarsa s.f.
leptinotarso s.m.
leptinse s.f.
leptínsis s.f.2n.
leptíntico adj.
léptis s.m.2n.
leptismo s.m.
leptisolábide s.f.
leptisólabis s.f.2n.
leptitano adj. s.m.
leptito s.m.
lepto s.m.
leptobarbíneo adj. s.m.
leptobarbo s.m.
leptobirsa s.f.
leptobráquio s.m.
leptóbrio s.m.
leptocarcária s.m.
leptocardiana s.f.
leptocardiano adj. s.m.
leptocárdio s.m.
leptocardo s.m.
leptocárida adj.2g. s.m.
leptocarídeo adj. s.m.
leptocarídio s.m.
leptocefalia s.f.
leptocefálico adj.
leptocéfalo adj. s.m.
leptocélida adj.2g. s.m.
leptocelídeo adj. s.m.
leptocêntrico adj.
leptócera s.f.
leptocercal adj.2g.
leptócero s.m.
leptocímex (*cs*) s.m.
leptocista s.f.
leptócito s.m.
leptocitose s.f.
leptocládio adj.
leptóclase s.f.
leptoclema s.f.
leptoclínio s.m.
leptoclino s.m.
leptocloa s.f.
leptoclorita s.f.
leptoclorite s.f.
leptocólea s.f.
leptócoma s.f.
leptoconce s.m.
leptocorífio s.m.
leptocórise s.f.
leptocúrtico adj.
leptodactilia s.f.
leptodactílico adj.
leptodactilídeo adj. s.m.
leptodáctilo s.m.
leptódera s.m.
leptoderma s.m.
leptoderme s.f.
leptodermia s.f.
leptodérmico adj.

leptodérris s.f.2n.
leptodíctia s.f.
leptodira s.m.
léptodon s.m.
leptodôncio s.m.
leptodonte adj.2g. s.m.
leptodora s.f.
leptodoríneo adj. s.m.
leptodoro s.m.
leptodrasso s.m.
leptofarsa s.f.
leptofídio s.m.
leptofila s.f.
leptofilo adj.
leptofiloso (*ô*) adj.; f. (*ó*); pl. (*ó*)
léptofis s.m.2n.
leptofloema s.m.
leptofonia s.f.
leptofônico adj.
leptogastro s.m.
leptógio s.m.
leptoglosso s.m.
leptógnato s.m.
leptogonáster s.m.
leptogonasteríneo s.m.
leptogórgia s.f.
leptograma s.m.
leptograpso s.m.
leptoíctis s.m.2n.
leptoiulis s.m.2n.
leptolaimo s.m.
leptolejêunea s.f.
leptolemo s.m.
leptóleo s.m.
leptolépido adj. s.m.
leptólepis s.f.2n.
leptolino adj. s.m.
leptolítico adj. s.m.
leptologia s.f.
leptológico adj.
leptoma s.m.
leptomastige s.f.
leptomástix (*cs*) s.f.2n.
leptomedusa s.f.
leptomena s.f.
leptomeninge s.f.
leptomeningioma s.f.
leptomeningite s.f.
leptomeningopatia s.f.
leptômera s.f.
leptômero adj.
leptômetro s.m.
leptômisis s.f.2n.
leptomitácea s.f.
leptomitáceo adj.
leptomital adj.2g.
leptomitale s.f.
leptomito s.m.
leptômona s.2g.
leptomônado adj.
leptômonas s.2g.2n.
leptomórfico adj.
leptomorfo adj.
lépton s.m.
leptonematite s.f.
leptônico adj.
leptonicote s.2g.
leptoníquia s.f.
leptopalpo s.m.
leptopécilo s.m.
leptopelma s.f.
leptopélvico adj.
leptopeno s.m.
leptopétalo adj.
leptopiésmico adj.
leptopíneo adj. s.m.
leptopisa s.f.
leptoplana s.f.
leptoplânida adj.2g. s.m.
leptoplanídeo adj. s.m.
léptopo s.m.
leptópode adj.2g. s.m.
leptopódia s.f.
leptopódida adj.2g. s.m.
leptopodídeo adj. s.m.
leptopodiíneo adj. s.m.
leptópodo adj.
leptopogão s.m.
leptopógon s.m.
leptopoma s.m.
leptoprosopia s.f.
leptoprosopo adj. s.m.
leptopsálide s.f.
leptópsalis s.f.2n.
leptopsâmia s.f.
leptopsamíneo adj. s.m.
leptóptere s.f.
leptóptero s.m.
leptopticáster s.m.
leptóptilo s.m.
leptoquela s.m.
leptoquélia s.f.
leptoquilo s.m.
leptória s.f.
leptórnis s.2g.2n.
leptornite s.2g.
leptorquesta s.2g.
leptórreo s.m.
leptorrima s.f.
leptorrine adj. s.2g.
leptorrinia s.f.
leptorrino adj. s.m.
leptorriza adj.2g. s.f.
leptorrizo adj.
leptóscela s.f.
leptóscifo s.m.
leptosféria s.f.
leptósia s.f.
leptósine s.f.
leptosperma s.f.
leptospérmea s.f.
leptospérmeo adj.
leptospermo adj. s.m.
leptospermóidea s.f.
leptospira s.f.
leptospirose s.f.
leptospirótico adj.
leptospirúria s.m.
leptosporangiada s.f.
leptosporangiado adj.
leptosporângio s.m.
leptosquema s.m.
leptossinapta s.f.
leptossoma s.m.
leptossomatídeo adj. s.m.
leptossomatíneo adj. s.m.
leptossômato s.m.
leptossômico adj. s.m.
leptossomo adj. s.m.
leptostilo adj. s.m.
leptostomácea s.f.
leptostomáceo adj.
leptostráceo adj. s.m.
leptóstraco adj. s.m.
leptostroma s.m.
leptostromatácea s.f.
leptostromatáceo adj.
leptotecóidea s.f.
leptotênico adj.
leptóteno adj. s.m.
leptotério s.m.
leptótero s.m.
leptótico adj.
leptotiflópida adj.2g. s.m.
leptotiflopídeo adj. s.m.
leptotírio s.m.
leptotirsa s.f.
leptotórax (*cs*) s.m.2n.
leptótrice s.f.
leptótrico s.m.
leptotricose s.f.
leptotriquia s.f.
leptótrix (*cs*) s.f.2n.
leptoxilema s.m.
leptúnsia s.f.
leptura s.f.
lepturíneo adj. s.m.
lepturo s.m.
leptusa s.f.
lépus s.m.2n.
leque s.m.
lequeça s.f.
lequécia s.f.
leque-do-mar s.m.; pl. *leques-do-mar*
lequerenxia (*cs*) s.f.
lequessá s.m.
lequéssia s.f.
lequéssima s.f.
lequieno adj. s.m.
léquio adj. s.m.
lequita adj. s.m.
ler v.
lerca s.f.
lerdaço adj.
lerdeador (*ô*) adj. s.m.
lerdear v.
lerdeza (*ê*) s.f.
lerdice s.f.
lerdo adj.
lerécia s.f.
lereia (*é*) s.f.
lerese s.f.
léria s.f. s.2g.; cf. *leria*, fl. do v. *ler*
leriaçu s.m.
leriante adj. s.2g.
leriar v.
lerica s.f.
lerico s.m.
lerista s.m.
leriva s.f.
lermontovita s.f.
lerna s.f.
lernantropo (*ô*) s.m.
lérnea s.f.
lerneia (*é*) adj. s.f. de *lerneu*
lerneida adj.2g. s.m.
lerneídeo adj. s.m.
lerneíneo adj. s.m.
lernênico s.m.
lérneo adj.
lerneócera s.f.
lerneocerineo adj. s.m.
lerneodisco s.m.
lerneólofo s.m.
lerneonema s.m.
lerneópoda s.2g.
lerneopódida adj.2g. s.m.
lerneopodídeo adj. s.m.
lerneu adj. s.m.; f. *lerneia* (*é*)
lero adj. s.m.
lero-lero s.m.; pl. *lero-leros*
lerpe s.m.
lerquinhas s.f.2n.
lés s.m.
lesa-ciência s.f.; pl. *lesas-ciências*
lesado adj.
lesador (*ô*) adj. s.m.
lesa-felicidade s.f.; pl. *lesas-felicidades*
lesa-filologia s.f.; pl. *lesas-filologias*
lesa-formosura s.f.; pl. *lesas-formosuras*
lesa-fradaria s.f.; pl. *lesas-fradarias*
lesagem s.f.
lesa-gramática s.f.; pl. *lesas-gramáticas*
lesa-humanidade s.f.; pl. *lesas-humanidades*
lesa-legalidade s.f.; pl. *lesas-legalidades*
lesa-literatura s.f.; pl. *lesas-literaturas*
lesa-majestade s.f.; pl. *lesas-majestades*
lesa-moralidade s.f.; pl. *lesas-moralidades*
lesa-nação s.f.; pl. *lesas-nações*
lesante adj. s.2g.
lesão s.f.
lesa-ortografia s.f.; pl. *lesas-ortografias*
lesa-pátria s.f.; pl. *lesas-pátrias*
lesa-penitência s.f.; pl. *lesas-penitências*
lesa-poesia s.f.; pl. *lesas-poesias*
lesa-pragmática s.f.; pl. *lesas-pragmáticas*
lesar v.
lesa-razão s.f.; pl. *lesas-razões*
lesa-seriedade s.f.; pl. *lesas-seriedades*
lesa-sociedade s.f.; pl. *lesas-sociedades*
lesável adj.2g.
lésbia s.f.
lesbíaco adj.
lesbiana s.f.
lesbianismo s.m.
lesbianístico adj.
lesbiano adj. s.m.
lesbica s.f.
lésbico adj. s.m.
lesbiíneo adj. s.m.
lésbio adj. s.m.
lesco-lesco s.m.; pl. *lesco-lescos*
lese s.f.
leseira s.f. s.2g.
lésguio adj. s.m.
lesim s.m.
lesingado adj.
lesionado adj.
lesional adj.2g.
lesionante adj.2g.
lesionar v.
lesivo adj.
lesma (*ê*) s.f. s.2g.; cf. *lesma*, fl. do v. *lesmar*
lesma-do-coqueiro s.f.; pl. *lesmas-do-coqueiro*
lesma-do-mar s.f.; pl. *lesmas-do-mar*
lesma-marinha s.f.; pl. *lesmas-marinhas*
lesmar v.
lesme (*ê*) s.2g.; cf. *lesme*, fl. do v. *lesmar*
lesmento adj.
lésmia s.f.
lesmice s.f.
lesmida s.f.
lesnela s.f.
lés-nordeste adj.2g. s.m.; pl. *lés-nordestes*
lés-noroeste adj.2g. s.m.; pl. *lés-noroestes*
leso adj. s.m.
leso-bom-senso s.m.; pl. *lesos-bons-sensos*
leso-brasão s.m.; pl. *lesos-brasões*
leso-dandismo s.m.; pl. *lesos-dandismos*
leso-direito s.m.; pl. *lesos-direitos*
lés-oeste adj.2g. s.m.; pl. *lés-oestes*
leso-gosto s.m.; pl. *lesos-gostos*
leso-patriotismo s.m.; pl. *lesos-patriotismos*
leso-sentimento s.m.; pl. *lesos-sentimentos*
lesotense adj. s.2g.
lesotiano adj. s.m.
lesoto (*ô*) adj. s.m.
lespedeza s.f.
lesque s.f.
lésquea s.f.
lesqueácea s.f.
lesqueáceo adj.
lesquerela s.f.
lesquiíneo adj. s.m.
lésquio s.m.
lesse s.m.
lesssépsia s.f.
lesserita s.f.
lessértia s.f.
lessinguita s.f.
lessole s.m.
lessônia s.f.
lés-sudeste adj.2g. s.m.; pl. *lés-sudestes*
lés-sudoeste adj.2g. s.m.; pl. *lés-sudoestes*
lés-sueste adj.2g. s.m.; pl. *lés-suestes*
lestada s.f.
lestas s.f.2n.
leste adj.2g. s.m.; cf. *leste* (*ê*), fl. do v. *ler*
leste-amazônico adj.; pl. *leste-amazônicos*
leste-meridional adj.2g.; pl. *leste-meridionais*
lestes adj.2g.2n.
lesteva s.f.
lestia s.f.
lestíneo adj. s.m.
lesto adj.
lestobiose s.f.
lestodonte s.m.
lestodôntico adj.
lestotêutide s.f.
lestotêutis s.f.2n.
lestras s.f.2n.
lestreiro adj.
lestrigão adj. s.m.
lestrígone adj. s.2g.
lestrigônio adj. s.m.
lestro adj.
lesuêuria s.m.
lesuêurida adj.2g. s.m.
lesueurídeo adj. s.m.
letã adj. s.f. de *letão*
letal adj.2g.
letalbina s.f.
letalidade s.f.
letalismo s.m.
letalista adj. s.2g.
letalístico adj.
letão adj. s.m.; f. *letã*
letargia s.f.
letargiante adj.2g.
letargiar v.
letárgico adj. s.m.
letargo s.m.
leteia (*é*) adj. f. de *leteu*
leteu adj.; f. *leteia* (*é*)
letícia s.f.
lético adj. s.m.
letícola adj.2g.
letífero adj.
letificante adj.2g.
letificar v.
letífico adj.; cf. *letifico*, fl. do v. *letificar*
letília s.f.
letissimulação s.f.
letivo adj.
letmofobia s.f.
letmofóbico adj.
letmófobo s.m.
letmógono s.m.
leto adj. s.m.
leto-báltico adj.; pl. *leto-bálticos*
letócero s.m.
leto-dinamarquês adj.; pl. *leto-dinamarqueses*
leto-estoniano adj.; pl. *leto-estonianos*
leto-finlandês adj.; pl. *leto-finlandeses*
leto-lituano adj.; pl. *leto-lituanos*
letologia s.f.
letológico adj.
letomania s.f.
letomaníaco adj. s.m.
letômano adj. s.m.
letônico adj.
leto-polaco adj.; pl. *leto-polacos*
leto-polonês adj.; pl. *leto-poloneses*
leto-russo adj.; pl. *leto-russos*
leto-soviético adj.; pl. *leto-soviéticos*
leto-sueco adj.; pl. *leto-suecos*
letovicita s.f.
letra (*ê*) s.f.
letrache s.m.
letradal adj.2g.
letradete (*ê*) adj.2g.
letradice s.f.
letrado adj. s.m.
letradura s.f.
letra-guia s.f.; pl. *letras-guia* e *letras-guias*
letramento s.m.
letrar v.
letras (*ê*) s.f.pl.
letrear v.
letreira s.f.
letreirista adj. s.2g.
letreiro s.m.
letrilha s.f.
letrina s.f.
letrino s.m.
letrismo s.m.

letrista adj. s.2g.
letrístico adj.
letrização s.f.
letrizado adj.
letrizar v.
letro s.m.
letrudo adj. s.m.
letsômia s.f.
letsomita s.f.
lettsomita s.f.
leu s.m. "unidade monetária da Romênia"; cf. *leu*, fl. do v. *ler* e *léu* s.m.
léu s.m. "ensejo"; cf. *leu*, fl. do v. *ler* e *leu* s.m.
leucacanta s.f.
leucacanto s.m.
leucaceno s.m.
leucadendro s.m.
leucádio adj. s.m. "povo"; cf. *leocádio*
leucaférese s.f.
leucáltis s.m.2n.
leucandra s.m.
leucanemia s.f.
leucanêmico adj.
leucânia s.f.
leucanilina s.f.
leucânitis s.f.2n.
leucântemo s.m.
leucanto adj. s.m.
leucargirita s.f.
leucargirite s.f.
leucas s.f.2n.
leucáspio s.m.
leucáster s.m.
leucaugita s.f.
leucaugite s.f.
leucaugito s.m.
leucaurina s.f.
leuceína s.f.
leucemia s.f.
leucêmico adj.
leucêmide s.f.
leucemogênese s.f.
leucemogênico adj.
leucemoide (*ó*) adj.2g.
leucena s.f.
leucergia s.f.
leuceta (*ê*) s.m.
leucetíope adj. s.2g.
leucetiopia s.f.
leuchtenbergite s.f.
leuchtenberguita s.f.
lêucico adj.
leucila s.m.
leucina s.f.
leucínico adj.
leucinode s.2g.
leucinose s.f.
leucinuria s.f.
leucinúria s.f.
leucipo s.m.
leuciscíneo s.m.
leucisco s.m.
leucismo s.m.
leucita s.f.
leucite s.f.
leucítica s.f.
leucítico adj.
leucitito s.m.
leucito s.m.
leucitobasanítico adj.
leucitobasanito s.m.
leucitófiro s.m.
leuco adj. s.m.
leucoaférese s.f.
leucoantocianidina s.f.
leucoantocianina s.f.
leucobase s.f.
leucóbase s.f.
leucoblástico adj.
leucoblasto s.m.
leucoblastose s.f.
leucobriácea s.f.
leucobriáceo adj.
leucóbrio s.m.
leucocalcita s.f.
leucocalcite s.f.
leucocarpo adj. s.m.
leucocéfalo adj.
leucoceratose s.f.
leucociclita s.f.
leucociclite s.f.
leucocidina s.f.
leucocidínico adj.
leucocisto s.m.
leucocitário adj.
leucocitemia s.f.
leucocitêmico adj.
leucocítico adj.
leucócito s.m.
leucocitogênese s.f.
leucocitogenético adj.
leucocitólise s.f.
leucocitolítico adj.
leucocitoma s.m.
leucocitometria s.f.
leucocitométrico adj.
leucocitônio s.m.
leucocitopenia s.f.
leucocitopênico adj.
leucocitoplania s.f.
leucocitopoese s.f.
leucocitopoético adj.
leucocitopoiese s.f.
leucocitopoiético adj.
leucocitose s.f.
leucocitósico adj.
leucocitótico adj.
leucocitozóon s.m.
leucocitozoonose s.f.
leucocituria s.f.
leucocitúria s.f.
leucocitúrico adj.
leucoclena s.f.
leucócloe s.f.
leucoclóride s.f.
leucoclóris s.f.2n.
leucócomo adj. s.m.
leucocracia s.f.
leucocrata adj. s.2g.
leucócrata adj. s.2g.
leucocrático adj.
leucócrato adj.
leucocraurose s.f.
leucocriso s.m.
leucócroa s.m.
leucocroísmo s.m.
leucodáctilo adj. s.m.
leucodendro s.m.
leucoderivado s.m.
leucoderma adj.2g. s.m.
leucoderme s.f.
leucodermia s.f.
leucodérmico adj.
leucodermo adj. s.m.
leucodiagnóstico s.m.
leucodistrofia s.f.
leucodistrófico adj.
lêucodon s.m.
leucodontácea s.f.
leucodontáceo adj.
leucodonte adj.2g. s.m.
leucodrina s.f.
leucoencefalina s.f.
leucoencefalite s.f.
leucoencefalopatia s.f.
leucoeritroblastose s.f.
leuco-etíope adj. s.2g.; pl. *leuco-etíopes*
leuco-etiopia s.f.; pl. *leuco-etiopias*
leucofânio s.m.
leucofanita s.f.
leucofanite s.f.
leucófano s.m.
leucofásia s.f.
leucofenicita s.f.
leucófeo s.m.
leucofila s.f.
leucofilita s.f.
leucofilo s.m.
leucófiro s.m.
leucoflegmasia s.f.
leucoflegmásico adj.
leucoflegmático adj.
leucófole s.f.
leucofonita s.f.
leucoforese s.f.
leucoforético adj.
leucóforo s.m.
leucofosfato s.m.
leucofosfita s.f.
leucofre s.f.
leucogábrico adj.
leucogabro s.m.
leucogáster s.m.
leucogêneo adj.
leucogênese s.f.
leucógeno s.m.
leucoglaucita s.f.
leucografia s.f.
leucográfico adj.
leucografita s.f.
leucografite s.f.
leucógrafo s.m.
leucograma s.m.
leucoide (*ó*) s.m.
leucoimáceo s.m.
leucoíndigo adj. s.m.
leucol s.m.
leucolena s.f.
leucoleucítico adj.
leucoleucito s.m.
leucolina s.f.
leucolinfocitose s.f.
leucolinfopenia s.f.
leucolinfossarcoma s.m.
leucólise s.f.
leucolita s.f.
leucólita s.f.
leucolítico adj.
leucólito adj. s.m.
leucoloma s.m.
leucoma s.m.
leucomaína s.f.
leucomainemia s.f.
leucomalácia s.f.
leucomatose s.f.
leucomelanodermia s.f.
leucomelanodérmico adj.
leucometria s.f.
leucométrico adj.
leucomiácea s.f.
leucomiáceo adj.
leucomielite s.f.
leucomielopatia s.f.
leucomielopático adj.
leucômio s.m.
lêucon s.m.
leucona s.f.
leucônea s.f. "espécie de borboleta"; cf. *leucônia*
leuconecrose s.f.
leucônia s.m. "gênero de fitozoário"; cf. *leucônea*
leucônico adj.
leucônida adj.2g. s.m.
leuconídeo adj. s.m.
leuconina s.f.
leuconíneo adj. s.m.
leuconiquia s.f.
leuconoide (*ó*) adj.2g.
leuconóstoque s.m.
leuconucleína s.f.
leucopárifo s.m.
leucopatia s.f.
leucopático adj.
leucopenia s.f.
leucopênico adj.
leucopétalo adj.
leucopetriano adj. s.m.
leucopetrita s.f.
leucopilo adj.
leucopirita s.f.
leucopirite s.f.
leucopiro adj.
leucoplaquia s.f.
leucoplasia s.f.
leucoplásico adj.
leucoplastídio s.m.
leucoplasto s.m.
leucópode adj.2g.
leucopoese s.f.
leucopoético adj.
leucopogão s.m.
leucopógon s.m.
leucopoiese s.f.
leucopoiético adj.
leucoprofiláctico adj.
leucoprofilaxia (*cs*) s.f.
leucopse s.2g.
leucópsida adj.2g. s.m.
leucopsídeo adj. s.m.
leucópsis s.2g.2n.
leucóptera s.f.
leucopterina s.f.
leucóptero adj.
leucorragia s.f.
leucorrágico adj.
leucorranfa s.f.
leucorreia (*é*) s.f.
leucorreico (*é*) adj.
leucorrínia s.f.
leucorrosólico adj.
leucórtis s.m.2n.
leucosárcia s.f.
leucose s.f.
leucosfenita s.f.
leucósia s.f.
leucósida adj.2g. s.m.
leucosíida adj.2g. s.m.
leucosiídeo adj. s.m.
leucosina s.f.
leucósiro adj. s.m.
leucospermo adj. s.m.
leucospídeo adj. s.m.
leucóspilo adj.
leucospóreo adj. s.m.
leucospórico adj.
leucósporo adj.
leucossafira s.f.
leucossarcoma s.m.
leucossomo s.m.
leucostase s.f.
leucotaxia (*cs*) s.f.
leucotaxina (*cs*) s.f.
leucotefrita s.f.
leucotefrite s.f.
leucoterapia s.f.
leucoterápico adj.
leucoterme s.m.
leucotina s.f.
leucotionina s.f.
leucótoe s.f.
leucotoida (*ó*) adj.2g. s.m.
leucotóideo adj. s.m.
leucotomia s.f.
leucotômico adj.
leucótomo s.m.
leucotóxico (*cs*) adj.
leucotoxina (*cs*) s.f.
leucotrieno s.m.
leucotriquia s.f.
leucotrombina s.f.
leucoviro s.m.
leucovírus s.m.2n.
leucovorina s.f.
leucoxanto (*cs*) adj.
leucoxênio (*cs*) s.m.
leucóxilo (*cs*) adj.
leucozona s.f.
leucrático adj.
leucrocota s.m.
leucúlmis s.m.2n.
leude s.m.
leu-leu s.m.; pl. *leu-leus*
leuprolide s.m.
leuquemia s.f.
leuquêmico adj.
leutrita s.f.
leutrite s.f.
lêuzea s.f.
lev s.m.; pl. *leva*
leva s.f.
leva-arriba interj.
levação s.f.
levaco adj. s.m.
levada s.f.
levadeiro s.m.
leva-dente s.m.; pl. *leva-dentes*
levadia s.f.
levadiça s.f.
levadiço adj.
levadiga s.f.
levadio adj. s.m.
levado adj. s.m.
levadoira s.f.
levador (*ô*) adj. s.m.
levadoura s.f.
levadura s.f.
levadurina s.f.
leva e traz s.2g.2n.
levagante s.m.
levalloisense adj. s.2g.
levaloisense adj. s.2g.
levaloisiano adj. s.m.
levalloistano adj. s.m.
levamento s.m.
levamisol s.m.
levandeira s.f.
levandisca s.f.
levantada s.f.
levantadiço adj.
levantado adj.
levantador (*ô*) adj. s.m.
levantadura s.f.
levanta-fendidos s.m.2n.
levantamento s.m.
levantante adj.2g.
levanta-pé s.m.; pl. *levanta-pés*
levantar v.
levanta-saia s.f.; pl. *levanta-saias*
levanta-velho s.2g.; pl. *levanta-velhos*
levântico adj.
levantina s.f.
levantino adj. s.m.
levantisco adj. s.m.
levanto s.m.
levantuoso (*ô*) adj.; f. (*ó*); pl. (*ó*)
levar v.
levarterenol s.m.
levável adj.2g.
leve adj.2g. adv. s.m.
lêveda s.f.
levedação s.f.
levedado adj.
levedador (*ô*) adj.
levedadura s.f.
levedante adj.2g.
levedar v.
levedo (*ê*) s.m. "fermento"; cf. *levedo*, fl. do v. *levedar*
lêvedo adj. "fermentado"; cf. *levedo* (*ê*)
levedura s.f.
leveduride s.f.
leveduriforme adj.2g.
levedurina s.f.
levedurometria s.f.
levedurométrico adj.
levedurômetro s.m.
leveiro adj.
leveler s.m.
levergerense adj. s.2g.
leverrierita s.f.
leverrierite s.f.
leves s.m.pl.
levez (*ê*) s.f.
leveza (*ê*) s.f.
leviandade s.f.
levianice s.f.
leviano adj. s.m.
levianos s.m.pl.
leviar v.
leviatã s.m.
leviatanesco (*ê*) adj.
leviatânico adj.
levidade s.f.
levidão s.f.
levigação s.f.
levigado adj.
levigador (*ô*) adj. s.m.
levigar v.
levigita s.f.
levinita s.f.
levinopolense adj. s.2g.
levinopolitano adj. s.m.
levípede adj.2g.
levirado s.m.
levirato s.m.
levirrostro adj. s.m.
levísia s.f.
levisita s.f.
levisite s.f.
levisítico adj.
levístico adj.
levistônia s.f.
levistonita s.f.
lévi-straussiano adj. s.m.; pl. *lévi-straussianos*
levita adj. s.2g. s.f.

levitação s.f.
levitado adj.
levitador (*ô*) adj. s.m.
levitante adj.2g.
levitar v.
levítico adj. s.m.
levitonário s.m.
levitron s.m.
lévitron s.m.
levitrônio s.m.
levo adj. s.m.
levocardia s.f.
levodopa s.f.
levodução s.f.
levoducção s.f.
levogiro adj.
levoglicosana s.f.
levograma s.m.
levorrotação s.f.
levorrotatividade s.f.
levorrotativo adj.
levorrotatório adj.
levosina s.f.
levubo s.m.
levulana s.f.
levulato s.m.
levúlico adj.
levulina s.f.
levulinato s.m.
levulínico adj.
levulosana s.f.
levulose s.f.
levulosemia s.f.
levulosêmico adj.
levulosuria s.f.
levulosúria s.f.
levulosúrico adj.
levuride s.f.
levurina s.f.
levurometria s.f.
levurométrico adj.
levurômetro s.m.
levyna s.f.
levynita s.f.
lewiniano adj.
lewis s.m.
lewísia s.f.
lewisita s.f.
lewisítico adj.
lexema (*cs*) s.m.
lexemática (*cs*) s.f.
lexemático (*cs*) adj.
lexêmica (*cs*) s.f.
lexêmico (*cs*) adj.
lexia (*cs*) s.f.
lexial (*cs*) adj.2g.
lexialidade (*cs*) s.f.
lexiana (*cs*) adj. s.2g.
lexiarca (*cs*) s.m.
lexiarcado (*cs*) s.m.
lexical (*cs*) adj.2g.
lexicalidade (*cs*) s.f.
lexicalização (*cs*) s.f.
lexicalizado (*cs*) adj.
lexicalizador (*cs...ô*) adj. s.m.
lexicalizante (*cs*) adj.2g.
lexicalizar (*cs*) v.
lexicalizável (*cs*) adj.2g.
léxico (*cs*) adj. s.m.
lexicoestatística (*cs*) s.f.
lexicoestatístico (*cs*) adj.
lexicogênico (*cs*) adj.
lexicografar (*cs*) v.
lexicografia (*cs*) s.f.
lexicográfico (*cs*) adj.
lexicógrafo (*cs*) s.m.
lexicologia (*cs*) s.f.
lexicológico (*cs*) adj.
lexicologista (*cs*) adj. s.2g.
lexicólogo (*cs*) s.m.
lexicometria (*cs*) s.f.
lexicométrico (*cs*) adj.
léxicon (*cs*) s.m.
lexigrafia (*cs*) s.f.
lexilogia (*cs*) s.f.
lexiogênico (*cs*) adj.
lexiologia (*cs*) s.f.
lexiológico (*cs*) adj.
lexipíreto (*cs*) adj. s.m.
lexipirexia (*cs-cs*) s.f.
léxis (*cs*) s.f.2n.
lexóvio (*cs*) adj. s.m.
lézaro adj.
lezira s.f.
lezirão s.m.
lezíria s.f.
lha pron. contr. de *lhe* e *a*
lhagalhé s.m.
lhama s.2g. s.f.
lhandra s.f.
lhaneza (*ê*) s.f.
lhano adj. s.m.
lhanta s.f.
lhantra s.f.
lhanura s.f.
lharamba s.m.
lharufo s.m.
lhas pron. contr. de *lhe* e *as*
lhe pron.
lheguelhé s.2g.
lheísmo s.m.
lhiçada s.f.
lho pron. contr. de *lhe* e *o*
lhos pron. contr. de *lhe* e *os*
lhufas pron.
li s.m.
lia s.f.
liabo s.m.
liaça s.f.
liação s.f.
liáculo s.m.
liácuti s.m.
liadeira s.f.
liado adj. s.m.
liadoiro s.m.
liador (*ô*) s.m.
liadouro s.m.
liadura s.f.
liagem s.f.
liágora s.f.
liágoro s.m.
liamba s.f.
liame s.m.
liamento s.m.
liana s.f.
liança s.f.
liandras s.f.pl.
lianoide (*ó*) adj.2g.
liantral s.m.
liaquiro s.m.
liar v.
liara s.m.
lias s.m.2n.
liase s.f.
líase s.f.
liásico adj. s.m.
liásis s.m.2n.
liássico adj. s.m.
liastenia s.f.
liba s.f.
libação s.f.
libado adj.
libador (*ô*) adj.
libambo s.m.
libame s.m.
libamento s.m.
libanco s.m.
libanês adj. s.m.
libangu s.f.
libanião s.m.
libânio s.m.
libanomancia s.f.
libanomante s.2g.
libanomântico adj.
libanoto s.m.
libante adj. s.2g.
libar v.
libarnense adj. s.2g.
libarté s.f.
libata s.f.
libatórie s.m.
libau s.m.
libável adj.2g.
libe s.m.
libecho s.m.
libécio s.m.
libela s.f.
libelaço s.m.
libelado adj.
libelar v.
libelário s.m.
libelático adj. s.m.
libelinha s.f.
libelista adj. s.2g.
libelo s.m. "exposição acusatória"; cf. *líbelo* (*ê*)
líbelo (*ê*) s.m. "trave"; cf. *libelo*
libélula s.f.
libélula-móvel s.f.; pl. *libélulas-móveis*
libelúlida adj.2g. s.m.
libelulídeo adj. s.m.
libelulíneo adj. s.m.
libélulo s.m.
libeluloideo adj. s.m.
libente adj.2g.
líber s.m.
liberação s.f.
liberacionismo s.m.
liberacionista adj. s.2g.
liberacionístico adj.
liberado adj. s.m.
liberador (*ô*) adj.
liberal adj. s.2g.
liberalão s.m.; f. *liberalona*
liberalengo adj. s.m.
liberalesco (*ê*) adj. s.m.
liberaleza (*ê*) s.f.
liberalidade s.f.
liberalismo s.m.
liberalista adj. s.2g.
liberalístico adj.
liberalização s.f.
liberalizado adj.
liberalizador (*ô*) adj. s.m.
liberalizante adj.2g.
liberalizar v.
liberalizável adj.2g.
liberalona s.f. de *liberalão*
liberando s.m.
liberanga s.2g.
liberar v.
liberasta s.2g.
liberatense adj. s.2g.
liberativo adj.
liberatório adj.
liberdade s.f.
liberdadeiro adj. s.m.
liberdanense adj. s.2g.
liberdoso (*ô*) adj.; f. (*ó*); pl. (*ó*)
libéria adj. s.m.
liberiano adj. s.m.
libério adj. s.m.
liberismo s.m.
liberista adj. s.2g.
liberístico adj.
liberita s.f.
liberne s.m.
líbero s.m.
liberolenhoso (*ô*) adj.; f. (*ó*); pl. (*ó*)
libérrimo adj. sup. de *livre*
libertação s.f.
libertado adj.
libertador (*ô*) adj. s.m.
libertamento s.m.
libertante adj.2g.
libertar v.
libertário adj. s.m.
libertarismo s.m.
libertarista adj. s.2g.
libertarístico adj.
liberté s.f.
libertense adj. s.2g.
libértia s.f.
liberticida adj. s.2g.
liberticídio s.m.
libertinagem s.f.
libertinice s.f.
libertinidade s.f.
libertinismo s.m.
libertinista adj. s.2g.
libertinístico adj.
libertino adj. s.m.
libertismo s.m.
libertista adj. s.2g.
liberto adj. s.m.
libetenita s.f.
libetenite s.f.
libethenita s.f.
libethenite s.f.
libi s.m.
libício adj. s.m.
líbico adj. s.m.
líbico-africano adj.; pl. *líbico-africanos*
líbico-argeliano adj.; pl. *líbico-argelianos*
líbico-argelino adj.; pl. *líbico-argelinos*
líbico-berbere adj. s.m.; pl. *líbico-berberes*
líbico-egípcio adj.; pl. *líbico-egípcios*
líbico-magrebino adj.; pl. *líbico-magrebinos*
líbico-marroquino adj.; pl. *líbico-marroquinos*
líbico-sírio adj.; pl. *líbico-sírios*
líbico-sudanês adj.; pl. *líbico-sudaneses*
líbico-tunisiano adj.; pl. *líbico-tunisianos*
libidibi s.m.
libidinagem s.f.
libidinosidade s.f.
libidinoso (*ô*) adj. s.m.; f. (*ó*); pl. (*ó*)
libido s.f.
libiegípcio adj. s.m.
libifenice adj. s.2g.
libifenício adj. s.m.
libínia s.f.
líbio adj. s.m.
libiodrilíneo adj. s.m.
libiodrilo s.m.
libiofenício adj. s.m.
libisosano adj. s.m.
libita s.f.
libítea s.f.
libiteíneo adj. s.m.
libitina s.f. "morte"; cf. *lebetina*
libitinário s.m.
líbito s.m.
libo s.m. "bolo de farinha"; cf. *libó*
libó s.m. "árvore"; cf. *libo*
libocedro s.m.
libolita s.f.
libolite s.f.
libolo adj. s.m.
libombo s.m.
libonga s.f.
libongo s.m.
libônia s.f.
libra s.f.
libração s.f.
librado adj.
libra-massa s.f.; pl. *libras-massa* e *libras-massas*
librame s.m.
libra-peso s.f.; pl. *libras-peso* e *libras-pesos*
librar v.
librária s.f.
libraríolo s.m.
libratório adj.
librável adj.2g.
libré s.f.
libreia (*é*) s.f.
libresco (*ê*) s.m.
libretista adj. s.2g.
libreto (*ê*) s.m.
libréu s.m.
libriano adj. s.m.
libriforme adj.2g.
librina s.f.
librinar v.
libripende s.m.
librista adj. s.2g.
libro s.m.
librorreia (*é*) s.f.
librorreico (*é*) adj.
libua s.f.
libuno adj. s.m.
libuo adj. s.m.
liburna s.f.
libúrneo adj.
libúrnia s.f.
liburniano adj. s.m.
libúrnica s.f.
liburno adj. s.m.
libuzia s.f.
lica s.f.
liça s.f. "campo de torneio"; cf. *lissa*
licaão s.m.
licaconitina s.f.
licada s.f.
licaena s.f.
licaênida adj.2g. s.m.
licaenídeo adj. s.m.
licanço s.m.
licanha s.f.
licânia s.f.
licantina s.f.
licantropia s.f.
licantrópico adj.
licantropo (*ô*) s.m.
lição s.f.
licáone adj. s.2g.
licaônico adj. s.m.
licária s.f.
licariol s.m.
liçarol s.m.
licas s.f.2n.
licasta s.f.
licaste s.f.
licástea s.f.
licata s.f.
lice s.f.
lícea s.m.f.
liceácea s.f.
liceáceo adj.
liceal adj. s.2g.
liceano adj. s.m.
liceidade s.f.
liceídeo adj. s.m.
liceira s.f.
licena s.f.
licença s.f.
licença-maternidade s.f.; pl. *licenças-maternidade* e *licenças-maternidades*
licença-paternidade s.f.; pl. *licenças-paternidade e licenças-paternidades*
licença-prêmio s.f.; pl. *licenças-prêmio e licenças-prêmios*
licenciação s.f.
licenciado adj. s.m.
licenciador (*ô*) adj.
licencial adj.2g. s.f.
licenciamento s.m.
licenciando s.m.
licenciante adj.2g.
licenciar v.
licenciatura s.f.
licenciável adj.2g.
licenciosidade s.f.
licencioso (*ô*) adj. s.m.; f. (*ó*); pl. (*ó*)
licênida adj.2g. s.m.
licenídeo adj. s.m.
licênio adj. s.m.
licetol s.m.
liceu s.m.
licházi adj. s.2g.
licheguana s.f.
lichi s.m.
lichia s.f.
lichieira s.f.
lichiguana s.f.
lichino s.m.
lichtênsia s.f.
lícia s.f.
liciatório s.m.
lícida adj.2g. s.m.
licídeo adj. s.m.
liciina s.f.
liciíneo adj. s.m.
licina s.f.
licínia s.f.
licínida adj.2g. s.m.
liciníideo adj. s.m.
licinineo adj. s.m.
licínio adj.
licínio-almeidense adj. s.2g.; pl. *licínio-almeidenses*
licino s.m.
lício adj. s.m.
licitação s.f.
licitado adj.

licitador (*ô*) adj. s.m.
licitamento s.m.
licitante adj. s.2g.
licitar v.
licitatário adj. s.m.
licitatório adj.
licitável adj.2g.
lícito adj. s.m.; cf. *licito*, fl. do v. *licitar*
licitude s.f.
licitudinal adj.2g.
licnagalma s.f.
licne s.f.
lícnico adj. s.m.
lícnide s.f.
licnídea s.f.
licnídeo adj.
licnidiado adj.
licniotirso s.m.
lícnis s.f.2n.
licnita s.f.
licnite s.f.
licnítide s.f.
licnito s.m.
licnóbio adj. s.m.
licnocânio s.m.
licnodisco s.m.
licnófora s.f.
licnoforiopse s.f.
licnóforo s.m.
licnomancia s.f.
licnomante s.2g.
licnomântico adj.
licnoscopia s.f.
licnuco s.m.
liço s.m.
licócara s.f.
licocórace s.m.
licocóraco s.m.
licócorax (*cs*) s.m.
licoctônico adj.
licoctonina s.f.
licoctonínico adj.
licodalépide s.f.
licodálepis s.f.2n.
licode s.m.
licódida adj.2g. s.m.
licodídeo adj. s.m.
licodíneo adj. s.m.
licodite s.f.
licodoce (*ô*) adj.2g.
lícodon s.m.
licódono s.m.
licodonte s.m.
licodontíneo adj. s.m.
licodópsis s.f.2n.
licoese s.m.
licoeze s.m.
licófita s.f.
licofítico adj.
licófito s.m.
licofócia s.f.
licógala s.m.
licomania s.f.
licomarasmina s.f.
licômetro s.m.
licomolgíneo s.m.
licomolgo s.m.
liconde s.m.
licondo s.m.
licongue s.m.
licônida adj.2g. s.m.
liconídeo adj. s.m.
licono s.m.
liconte s.m.
licopênico adj.
licopeno s.m.
licoperdácea s.f.
licoperdáceo adj.
licoperdal adj.2g.
licoperdale s.f.
licoperdina s.f.
licoperdínea s.f.
licoperdíneo adj.
licoperdo s.m.
licoperdônea s.f.
licoperdôneo adj.
licoperdonose s.f.
licopersicina s.f.
licopérsico s.m.
licopina s.f.
licopínico adj.
lícopo s.m.
licópode s.f.
licopódea s.f.
licopódeo adj.
licopodiácea s.f.
licopodiáceo adj.
licopodial adj.2g.
licopodiale s.f.
licopodina s.f.
licopodínea s.f.
licopodíneo adj.
licopódio s.m.
licopódio-brasileiro s.m.; pl. *licopódios-brasileiros*
licopódio-em-maça s.m.; pl. *licopódios-em-maça*
licopódio-europeu s.m.; pl. *licopódios-europeus*
licopódio-indígena s.m.; pl. *licopódios-indígenas*
licopódio-selagíneo s.m.; pl. *licopódios-selagíneos*
licopolitano adj. s.m.
licopse s.f.
licópsida adj. s.2g.
licópside s.f.
licópsido adj.
licor (*ô*) s.m.
licorana s.f.
licor dos holandeses s.m.
licor dos três suspiros s.m.
licoreira s.f.
licoreiro s.m.
licorela s.f.
licoresina s.f.
licorexia (*cs*) s.f.
licorina s.f.
licoriobaçu s.f.
licorista adj. s.2g.
licorne s.m.
licorne-do-mar s.m.; pl. *licornes-do-mar*
licórnio s.m.
licoroso (*ô*) adj.; f. (*ó*); pl. (*ó*)
licorresina s.f.
licorrexia (*cs*) s.f.
licosa s.f.
licose s.f.
licosídeo adj. s.m.
licosiro adj. s.m.
licosismo s.m.
licótropo adj.
licranço s.m.
licreu s.m.
licréu s.m.
licteria s.f.
líctida adj.2g. s.m.
lictídeo adj. s.m.
licto s.m.
lictocorária s.f.
lictocóride s.f.
lictocóris s.f.
lictor (*ô*) s.m.
lictorela s.m.
lictorelíneo adj. s.m.
lictório adj.
licurana s.f.
licuri s.m.
licuriense adj. s.2g.
licurioba s.f.
licuriobaaçu s.f.
licurizal s.m.
licurizeiro s.m.
lida s.f.
lidação s.f.
lidado adj.
lidador (*ô*) adj. s.m.
lidagem s.f.
lidairada s.f.
lidairar v.
lidar v.
lide s.m.f.
lideira s.f.
lideiro adj.
lidente adj.2g.
líder s.2g.
liderado adj. s.m.
liderança s.f.
liderar v.
liderável adj.2g.
liderologia s.f.
liderológico adj.
lidiador (*ô*) adj. s.m.
lidiana s.f.
lidianopolense adj. s.2g.
lidicence adj. s.2g.
lidiense adj. s.2g.
lidimação s.f.
lidimado adj.
lidimador (*ô*) adj.
lidimante adj.2g.
lidimar v.
lidimável adj.2g.
lidimidade s.f.
lídimo adj.; cf. *lidimo*, fl. do v. *lidimar*
lídio adj. s.m.
lidita s.f.
lidite s.f.
lidítico adj.
lidmeia (*é*) s.f.
lido adj. s.m.
lidocaína s.f.
lidocaínico adj.
lidoso (*ô*) adj.; f. (*ó*); pl. (*ó*)
lidroso (*ô*) adj.; f. (*ó*); pl. (*ó*)
liebenerita s.f.
liebiguita s.f.
liechtensteinense adj. s.2g.
liechtensteiniano adj. s.m.
lienal adj.2g.
lienase s.f.
liênase s.f.
liencefalia s.f.
liencefálico adj.
liencéfalo adj. s.m.
liênico adj.
lienite s.f.
lienocele s.f.
lienomalacia s.f.
lienomalácia s.f.
lienomielomalacia s.f.
lienomielomalácia s.f.
lienoso (*ô*) adj.; f. (*ó*); pl. (*ó*)
lienteria s.f.
lientérico adj. s.m.
lierne s.m.
lievrita s.f.
lifemia s.f. "falta de sangue"; cf. *lifêmia*
lifêmia s.f. "planta"; cf. *lifemia*
lifêmico adj.
lifemo s.m.
lifístio s.m.
liforme s.m.
lifuco s.m.
lifuti s.m.
liga s.f. "ação ou efeito de ligar"; cf. *ligá*
ligá s.m. "couro cru para cobertura"; cf. *liga*
ligação s.f.
ligada s.f.
ligadeira s.f.
ligadela s.f.
ligado adj. s.m.
ligadura s.f.
ligaedária s.f.
ligaédida adj.2g. s.m.
ligaedídeo adj. s.m.
ligaeida adj.2g. s.m.
ligaêidio adj. s.m.
ligaeiforme s.m.
ligaeíneo adj. s.m.
ligáeo s.m.
ligaeóideo s.m.
ligaida adj.2g. s.m.
ligaidária s.f.
ligaídeo adj. s.m.
ligaidida adj.2g. s.m.
ligaidídeo adj. s.m.
ligaiforme adj.2g.
ligaíneo adj. s.m.
ligaio s.m.
ligaióideo s.m.
ligal s.m.
liga-liga s.f.; pl. *liga-ligas*
ligame s.m.
ligâmen s.m.
ligamentar adj.2g.
ligamentaridade s.f.
ligamento s.m.
ligamentopexia (*cs*) s.f.
ligamentoso (*ô*) adj.; f. (*ó*); pl. (*ó*)
ligandina s.f.
ligante adj. s.2g.
liga-osso s.m.; pl. *liga-ossos*
ligar v. s.m.
ligarês adj. s.m.
ligário s.m.
ligase s.f.
lígase s.f.
ligásico adj.
ligas-verdes s.f.pl.
ligático adj.
ligativo adj.
ligatório adj.
ligatura s.f.
ligauno adj. s.m.
ligbi s.m.
lígea s.f. "planta"; cf. *lígia*, f. de *lígio*
ligeida adj.2g. s.m.
ligeídeo adj. s.m.
ligeira s.f.
ligeireza (*ê*) s.f.
ligeiria s.f.
ligeirice s.f.
ligeirismo s.m.
ligeiro adj. s.m. adv.
lígeo s.m. "planta"; cf. *lígio*
ligeonêmato s.m.
ligeriano adj. s.m.
ligeu s.m.
lígia adj. s.f. de *lígio*
ligídeo adj. s.m.
ligídio s.m.
ligíida adj.2g. s.m.
ligiídeo adj. s.m.
ligiíneo adj. s.m.
ligina s.f.
liginodêndrea s.f.
liginodendro s.m.
liginóptere s.f.
liginopteridácea s.f.
liginopteridáceo adj.
liginopterídea s.f.
liginopterídeo adj.
lígio adj. s.m. "povo"; f. *lígia*; cf. *lígeo*
ligiro s.m.
ligistóptero s.m.
ligitano adj. s.m.
lígneo adj.
ligenícola adj.2g.
lignífero adj.
lignificação s.f.
lignificado adj.
lignificador (*ô*) adj.
lignificante adj.2g.
lignificar v.
ligniforme adj.2g.
ligníseno adj.
lignina s.f.
lignínico adj.
lignípede adj.2g.
lignita s.f.
lignite s.f.
lignítico adj.
lignito s.m.
lignitoso (*ô*) adj.; f. (*ó*); pl. (*ó*)
lignívoro adj. s.m.
lignocaína s.f.
lignocelulose s.f.
lignocelulótico adj.
lignólise s.f.
lignolítico adj.
lignose s.f.
ligo s.m.
ligocóride s.f.
ligócoris s.f.2n.
ligódio s.m.
ligola s.m.
ligoriano adj. s.m.
ligorino adj. s.m.
ligório adj. s.m.
ligorista adj. s.2g.
ligosina s.f.
ligossoma s.m.
lígris s.m.2n.
ligroína s.f.
ligroínico adj.
ligueida adj.2g. s.m.
ligueídeo adj. s.m.
ligueirão s.m.
ligueiro adj. s.m.
lígula s.f.
liguláceo adj.
ligulado adj.
ligular adj.2g.
ligulária s.f.
ligúlea s.f.
ligúleo adj.
ligulífero adj.
liguliflora s.f.
liguliforo adj.
ligulifoliado adj.
ligulifólio adj.
liguliforme adj.2g.
ligulina s.f.
ligulíneo adj. s.m.
lígulo s.m.
ligulose s.f.
liguloso (*ô*) adj.; f. (*ó*); pl. (*ó*)
liguoriano adj. s.m.
liguorino adj. s.m.
liguorista adj. s.2g.
ligura s.f.
lígure adj. s.2g.
liguriano adj. s.m.
ligúrico adj. s.m.
ligurino adj. s.m.
ligúrio adj. s.m.
ligurita s.f.
ligurite s.f.
liguro s.m.
ligústica s.f.
ligústico adj. s.m.
ligustino adj. s.m.
ligustrina s.f.
ligustro s.m.
liídio s.m.
likasita s.f.
lila s.f. "tecido"; cf. *lilá*
lilá adj.2g. s.m. "lilás"; cf. *lila*
lilacácea s.f.
lilacáceo adj.
lilácea s.f.
liláceo adj.
lilacina s.f.
lilacíneo adj.
lilaia s.f.
lilaila s.f.
lilaileiro s.m.
lilalita s.f.
lilalite s.f.
lilalito s.m.
lilangeni s.m.
lilás adj.2g. s.m.
lilás-da-índia s.m.; pl. *lilases-da-índia*
lilás-das-antilhas s.m.; pl. *lilases-das-antilhas*
lilás-do-cabo s.m.; pl. *lilases-do-cabo*
lilasear v.
lilaseiro s.m.
lileia (*é*) s.f.
lilhamerite s.f.
lili s.m.
liliácea s.f.
liliáceo adj.
lilial adj.2g.
liliale s.f.
lilianita s.f.
liliflora s.f.
lilifloro adj.
liliforme adj.2g.
lilínea s.f.
lilíneo adj.
lilinete (*ê*) s.m.
lilipucino adj. s.m.
liliputiano adj. s.m.
lilliputianização s.f.
lilliputianizar v.
lilliputiano adj. s.m.
lima s.m.f.
limaça s.f.
lima-campense adj. s.2g.; pl. *lima-campenses*

limação s.f.
limace s.2g.
limacela s.f.
limácida adj.2g. s.m.
limacídeo adj. s.m.
limaciforme adj.2g. s.m.
limacina s.f.
limacínia s.f.
limacínida adj.2g. s.m.
limaciníideo adj. s.m.
limacino adj. s.m.
limacoco s.m.
limacódida adj.2g. s.m.
limacodídeo adj. s.m.
limácomis s.m.2n.
limacomorfo adj. s.m.
limacópsida adj.2g. s.m.
limacopsídeo adj. s.m.
limacópsis s.2g.2n.
limada s.f.
lima-da-pérsia s.f.; pl. *limas-da-pérsia*
lima-de-bico s.f.; pl. *limas-de-bico*
lima-de-cheiro s.f.; pl. *limas-de-cheiro*
limadeira s.f.
lima-de-umbigo s.f.; pl. *limas-de-umbigo*
limado adj.
limador (*ô*) adj. s.m.
lima-duartense adj. s.2g.; pl. *lima-duartenses*
lima-duartino adj. s.m.; pl. *lima-duartinos*
limadura s.f.
lima-faca s.f.; pl. *limas-faca* e *limas-facas*
limagem s.f.
limalha s.f.
limano s.m.
limântria s.f.
limantrídeo adj. s.m.
limantriida adj.2g. s.m.
limantriídeo adj. s.m.
limão s.m.
limão-amargo s.m.; pl. *limões-amargos*
limão-azedo s.m.; pl. *limões-azedos*
limão-bravo s.m.; pl. *limões-bravos*
limão-canudo s.m.; pl. *limões-canudo* e *limões-canudos*
limão-cravo s.m.; pl. *limões-cravo* e *limões-cravos*
limão-da-índia s.m.; pl. *limões-da-índia*
limão-de-caiena s.m.; pl. *limões-de-caiena*
limão de cheiro s.m.
limão-de-galinha s.m.; pl. *limões-de-galinha*
limão-doce s.m.; pl. *limões-doces*
limão-do-mato s.m.; pl. *limões-do-mato*
limão-francês s.m.; pl. *limões-franceses*
limão-galego s.m.; pl. *limões-galegos*
limão-pimentoso s.m.; pl. *limões-pimentosos*
limãorana s.m.
limãorana-da-várzea s.m.; pl. *limãoranas-da-várzea*
limãoranazinho s.m.
limão-siciliano s.m.; pl. *limões-sicilianos*
limão-verdadeiro s.m.; pl. *limões-verdadeiros*
limãozinho s.m.
limãozinho-do-campo s.m.; pl. *limõezinhos-do-campo*
limãozinho-do-jardim s.m.; pl. *limõezinhos-do-jardim*
limãozinho-francês s.m.; pl. *limõezinhos-franceses*
limãozinho-vulgar s.m.; pl. *limõezinhos-vulgares*
limapôntia s.m.
limapontiida adj.2g. s.m.
limapontiídeo adj. s.m.
limar v.
limarense adj. s.2g.
lima-serra s.m.; pl. *limas-serra* e *limas-serras*
limatão s.m.
limável adj.2g.
limax (*cs*) s.2g.2n.
limba adj. s.2g.
limbado adj.
limbali s.m.
límbea s.f.
limbel s.m.
límbeo adj.
limbera s.f.
límbia s.f.
límbico adj.
limbífero adj.
limbiflora s.f.
limbifloro adj.
limbiforme adj.2g.
límbio adj.
limbo s.m.
limbumbo s.m.
limburgita s.f.
limburgite s.f.
limburgito s.m.
límea s.f.
limeira s.f.
limeira-da-pérsia s.f.; pl. *limeiras-da-pérsia*
limeira-de-umbigo s.f.; pl. *limeiras-de-umbigo*
limeirense adj. s.2g.
limenarca s.m.
limenarquia s.f.
limenho adj. s.m.
limenite s.f.
limenítis s.f.2n.
limeno s.m.
limento s.m.
límeo s.m.
limético adj.
limetina s.f.
liméxilo (*cs*) s.m.
limexilônida (*cs*) adj.2g. s.m.
limexilonídeo (*cs*) adj. s.m.
limiano adj.
limião adj. s.m.
limiar s.m.
límico adj. s.m.
limícola adj. s.2g.
límida adj.2g. s.m.
limídeo adj. s.m.
límido s.m.
limiense adj. s.2g.
limiforme adj.2g.
limigante adj. s.2g.
limiganto adj. s.m.
liminar adj.2g. s.m.
liminaridade s.f.
limitação s.f.
limitado adj.
limitador (*ô*) adj. s.m.
limitamento s.m.
limitante adj.2g.
limitar v.
limitativo adj.
limitável adj.2g.
limite s.m.
limítrofe adj.2g.
limívoro adj. s.m.
limnadela s.f.
limnádia s.f.
limnadiíneo adj. s.m.
limnantácea s.f.
limnantáceo adj.
limnante s.m.
limnântea s.f.
limnântemo s.m.
limnânteo adj.
limnantínea s.f.
limnanto s.m.
limnantríida adj.2g. s.m.
limnantriídeo adj. s.m.
limnatide s.f.
limnátis s.f.2n.
límnea s.m.
limnébia s.f.
limnebilíneo adj. s.m.
limnébio s.m.
limnécia s.f.
limnéfilo adj. s.m.
limneia (*é*) s.f.
limneida adj.2g. s.m.
limneído adj. s.m.
limneíneo adj. s.m.
limnemia s.f.
limnêmico adj.
limnésia s.m.
limnético adj.
limnétide s.f.
limnetíneo adj. s.m.
limnétis s.f.2n.
límnia s.m.
límnico adj.
limnífago adj.
limnimetria s.f.
limnimétrico adj.
limnímetro s.m.
límnio s.m.
limniquíneo adj. s.m.
limnita s.f.
limnite s.f.
limnito s.m.
limnívoro adj.
limnobdela s.m.
limnobeno (*ê*) s.m.
limnóbia s.f.
limnobiida s.m.
limnobiídeo adj. s.m.
limnobiíneo adj. s.m.
limnóbio s.m.
limnobiologia s.f.
limnobiológico adj.
limnobiologista adj. s.2g.
limnobiologístico adj.
limnobiólogo s.m.
limnobiótico adj.
limnócare s.f.
limnociclo s.m.
limnocnida s.f.
limnocóclido adj.
limnocodíida adj.2g. s.m.
limnocodiídeo adj. s.m.
limnocódio s.m.
limnocórace s.m.
limnocóraco s.m.
limnocórax (*cs*) s.m.
limnocripta s.2g.
limnocripte s.2g.
limnodasta s.2g.
limnodinaste s.2g.
limnodófilo adj.
limnodrilo s.m.
limnófie s.f.
limnofila s.f.
limnofílida adj.2g. s.m.
limnofilídeo adj. s.m.
limnófilo adj. s.m.
limnófito s.m.
limnografia s.f. "descrição dos lagos"; cf. *linografia*
limnográfico adj. "relativo a limnografia"; cf. *linográfico*
limnografista adj. s.2g.
limnógrafo s.m.; cf. *linógrafo*
limnologia s.f.
limnológico adj.
limnologista adj. s.2g.
limnólogo s.m.
limnomedusa adj.2g. s.f.
limnomedúseo adj.2g. s.f.
limnometria s.f.
limnométrico adj.
limnômetro s.m.
limnonímia s.f.
limnonímico adj.
limnônimo s.m.
limnopárdalo s.m.
limnopiteco s.m.
limnoplancto s.m.
limnoplâncton s.m.
limnória s.f.
limnoríneo s.m.
limnórnis s.2g.2n.
limnornite s.2g.
limnósida adj.2g. s.m.
limnosipânea s.f.
limnoterapia s.f. "tratamento por limo"; cf. *limoterapia*
limnoterápico adj.
limnotrópico adj.
limnotropismo s.m.
limnóxeno (*cs*) s.m.
limo s.m.
limoada s.f.
limoado adj.
limoal s.m.
limoária s.f.
limóbio s.m.
limoctonia s.f.
limoctônico adj.
limo-de-manta s.m.; pl. *limos-de-manta*
limo-do-rio s.m.; pl. *limos-do-rio*
limodoro s.m.
limoeira s.f.
limoeirense adj. s.2g.
limoeirense-do-norte adj. s.2g.; pl. *limoeirenses-do-norte*
limoeiro s.m.
limoeiro-ajuruense adj. s.2g.; pl. *limoeiro-ajuruenses*
limoeiro-amargo adj. s.2g.; pl. *limoeiros-amargos*
limoeiro-anadiense adj. s.2g.; pl. *limoeiro-anadienses*
limoeiro-bravo s.m.; pl. *limoeiros-bravos*
limoeiro-da-índia s.m.; pl. *limoeiros-da-índia*
limoeiro-do-campo s.m.; pl. *limoeiros-do-campo*
limoeiro-do-mato s.m.; pl. *limoeiros-do-mato*
limoeiro-galego s.m.; pl. *limoeiros-galegos*
limoento adj.
limo-mestre s.m.; pl. *limos-mestres*
limonada s.f.
limonadeiro s.m.
limonado adj.
limoneno s.m.
limoneritritol s.m.
limonete (*ê*) s.m.
limonetritol s.m.
limônia s.f.
limoníada s.f.
limoníade s.f.
limoniastro s.m.
limonídromo s.m.
limoniina s.f.
limonina s.f.
limônio s.m.
limonita s.f.
limonite s.m.
limonítico adj.
limonito s.m.
limonitoso (*ô*) adj.; f. (*ó*); pl. (*ó*)
limópsis s.2g.2n.
limosa s.f.
limose s.f.
limosela s.f.
limosidade s.f.
limosina s.f.
limosino adj. s.m.
limoso (*ô*) adj.; f. (*ó*); pl. (*ó*)
limote s.m.
limoterapia s.f. "tratamento através de dieta"; cf. *limnoterapia*
limoterápico adj.
limotripe s.m.
limotripo s.m.
limpa s.f.
limpa-banco s.m.; pl. *limpa-bancos*
limpa-boca s.m.; pl. *limpa-bocas*
limpa-botas s.m.2n.
limpaça s.f.
limpa-calhas s.m.2n.
limpa-campo s.f.; pl. *limpa-campos*
limpa-candeeiros s.m.2n.
limpação s.f.
limpa-chaminés s.m.2n.
limpadeira s.f.
limpadela s.f.
limpa-dente s.m.; pl. *limpa-dentes*
limpado adj. s.m.
limpadoiro s.m.
limpador (*ô*) adj. s.m.
limpadouro s.m.
limpadura s.f.
limpa-facas s.m.2n.
limpa-folha s.f.; pl. *limpa-folhas*
limpa-folha-ocráceo s.f.; pl. *limpa-folhas-ocráceos*
limpa-folha-vermelho s.f.; pl. *limpa-folhas-vermelhos*
limpa-gamela s.2g.; pl. *limpa-gamelas*
limpalho s.m.
limpa-mato s.f.; pl. *limpa-matos*
limpamento s.m.
limpa-moldes s.m.2n.
limpante s.m.
limpa-pasto s.f.; pl. *limpa-pastos*
limpa-pé s.m.; pl. *limpa-pés*
limpa-penas s.m.2n.
limpa-pés s.m.2n.
limpa-plantas s.m.2n.
limpa-pratos s.m.2n.
limpa-queixos s.m.2n.
limpar v.
limpa-tachos s.2g.2n.
limpa-tipos s.m.2n.
limpa-trilhos s.m.2n.
limpa-vias s.m.2n.
limpa-vidro s.m.; pl. *limpa-vidros*
limpa-vidros s.m.2n.
limpa-viola s.f.; pl. *limpa-violas*
limpeza (*ê*) s.f.
limpidez (*ê*) s.f.
límpido adj.
límpio adj.
limpo adj.
limposo (*ô*) adj.; f. (*ó*); pl. (*ó*)
limugem s.f.
limúlida adj.2g. s.m.
limulídeo adj. s.m.
límulo s.m.
limurita s.f.
limurite s.f.
limusine s.f.
limusino adj. s.m.
lina s.f.
linácea s.f.
lináceo adj.
linaeídea s.f.
linagem s.f.
linalão s.m.
linale s.f.
linalilo s.m.
linalita s.f.
linalítico adj.
lináloa s.f.
linaloés s.m.2n.
linalol s.m.
linaloneno s.m.
linamarina s.f.
linária s.f.
linária-comum s.f.; pl. *linárias-comuns*
linárico adj.
linarina s.f.
linariopse s.f.
linarita s.f.
linarite s.f.
linarito s.m.
lincagem s.f.
lincar v.
lince s.m.
linceida adj.2g. s.m.
linceídeo adj. s.m.
línceo s.m.
linchado adj.
linchador (*ô*) adj. s.m.
linchagem s.f.
linchamento s.m.
linchar v.
linco s.m.

líncodon s.m.
lincodonte s.m.
lincólnia s.f.
lincolnita s.f.
lincomicina s.f.
lincorno s.m.
lincrusta s.f.
lincumba s.f.
lincundo s.m.
linda s.f.
lindackéria s.f.
lindackerita s.f.
lindaço adj.
lindada s.f.
linda-flor s.f.; pl. *lindas-flores*
lindane s.m.
lindânico adj.
lindano s.m.
lindante adj.2g.
lindão adj. s.m.; f. *lindona*
lindaquéria s.f.
lindaquerita s.f.
lindaquerite s.f.
lindar v.
linda-vistense adj. s.2g.; pl. *linda-vistenses*
linde s.2g.
lindeira s.f.
lindeiro adj.
lindelhos (*ê*) s.m.pl.
lindembérgia s.f.
lindenbérgia s.f.
lindera s.f.
lindérmia s.f.
lindesita s.f.
lindeza (*ê*) s.f.
lindgrenita s.f.
lindice s.f.
lindinha s.f.
lindleieia (*é*) s.f.
lindleyeia (*é*) s.f.
lindo adj.
lindo-azul s.m.; pl. *lindo-azuis* e *lindos-azuis*
lindoestense adj. s.2g.
lindoiense adj. s.2g.
lindona s.f. de *lindão*
lindo-pardo s.m.; pl. *lindos-pardos*
lindota adj.; f. de *lindote*
lindote adj.; f. *lindota*
lindsaia s.f.
lindsaya s.f.
lindsayita s.f.
lindseácea s.f.
lindseáceo s.f.
lindseia (*é*) s.f.
lindseíta s.f.
lindstroemita s.f.
lindura s.f.
línea s.f.
lineado adj.
lineador (*ô*) adj.
lineagem s.f.
lineal adj.2g. s.m.
lineamento s.m.
lineano adj. s.m.
lineante adj.2g.
linear adj.2g. s.m.
linearidade s.f.
linearifólio adj.
linearização s.f.
linearizar v.
lineatura s.f.
lineia (*é*) s.f.
lineico (*é*) adj.
lineida adj.2g. s.m.
linéideo adj. s.m.
lineíta s.f.
lineíte s.f.
lineítico adj.
linense adj. s.2g.
líneo adj. s.m.
lineógrafo s.m.
lineolado adj.
lineolar adj.2g.
lineômetro s.m.
linergíneo s.m.
linete (*ê*) s.m.
linfa s.f.
linfademoleucopoese s.m.
linfadenectasia s.f.
linfadenectásico adj.
linfadenectomia s.f.
linfadenectômico adj.
linfadenia s.f.
linfadênico adj.
linfadenite s.f.
linfadenítico adj.
linfadenocisto s.m.
linfadenograma s.m.
linfadeno-hipertrofia s.f.
linfadenoide (*ó*) adj.2g.
linfadenoipertrofia s.f.
linfadenoleucopoiese s.m.
linfadenoma s.m.
linfadenomático adj.
linfadenomatose s.f.
linfadenomatoso adj.
linfadenomegalia s.f.
linfadenopata s.2g.
linfadenopatia s.f.
linfadenopático adj.
linfadenose s.f.
linfadenótico adj.
linfadenovariz s.f.
linfado adj. s.m.
linfadura s.f.
linfaférise s.f.
linfagético adj. s.m.
linfagogo (*ô*) adj. s.m.
linfangiectasia s.f.
linfangiectásico adj.
linfangiectoda s.f.
linfangiectode s.m.
linfangioadenografia s.f.
linfangiocistoma s.m.
linfangioendotelioblastoma s.m.
linfangioendotelioma s.f.
linfangiofibroma s.m.
linfangioflebite s.f.
linfangioflebítico adj.
linfangiografar v.
linfangiografável adj.2g.
linfangiografia s.f.
linfangiográfico adj.
linfangiógrafo adj. s.m.
linfangiograma s.m.
linfangioma s.m.
linfangioplastia s.f.
linfangioplástico adj.
linfangiotomia s.f.
linfangiotômico adj.
linfangite s.f.
linfangítico adj.
linfar v.
linfático adj. s.m.
linfaticostomia s.f.
linfaticostômico adj.
linfatismo s.m.
linfatite s.f.
linfatizar v.
linfatocele s.f.
linfatólise s.f.
linfatolisina s.f.
linfatolítico adj.
linfatologia s.f.
linfatológico adj.
linfectasia s.f.
linfectásico adj.
linfedema s.m.
linfedemático adj.
linfemia s.f.
linfêmico adj.
linfendotelioma s.m.
linfenterite s.f.
linfenterítico adj.
linfepitelioma s.m.
linferitrócito s.m.
linfescroto (*ô*) s.m.
linfeurisma s.m.
linfite s.f.
linfoadenectasia s.f.
linfoadenectásico adj.
linfoadenectomia s.f.
linfoadenectômico adj.
linfoadenia s.f.
linfoadênico adj.
linfoadenite s.f.
linfoadenítico adj.
linfoadenocisto s.m.
linfoadenograma s.m.
linfoadenoide (*ó*) adj.2g.
linfoadenoipertrofia s.f.
linfoadenoleucopoese s.f.
linfoadenoma s.m.
linfoadenomático adj.
linfoadenomatose s.f.
linfoadenopata s.2g.
linfoadenopatia s.f.
linfoadenopático adj.
linfoadenose s.f.
linfoadenótico adj.
linfoadenovariz s.f.
linfoangiectasia s.f.
linfoangiectásico adj.
linfoangiectoda s.f.
linfoangiectode s.m.
linfoangiocistoma s.m.
linfoangiodenografia s.f.
linfoangioendotelioblastoma s.m.
linfoangioendotelioma s.m.
linfoangiofibroma s.m.
linfoangioflebite s.f.
linfoangioflebítico adj.
linfoangiografar v.
linfoangiografável adj.2g.
linfoangiografia s.f.
linfoangiográfico adj.
linfoangiógrafo adj. s.m.
linfoangiograma s.m.
linfoblastemia s.f.
linfoblástico adj.
linfoblasto s.m.
linfoblastoma s.m.
linfoblastomatose s.f.
linfoblastose s.f.
linfocele s.f.
linfocina s.f.
linfocínico adj.
linfocintigrafia s.m.
linfocisto s.m.
linfocistose s.f.
linfocitário adj.
linfocitemia s.f.
linfocitêmico adj.
linfocítico adj.
linfócito s.m.
linfocitogênese s.f.
linfocitogenético adj.
linfocitólise s.f.
linfocitolítico adj.
linfocitoma s.m.
linfocitopenia s.f.
linfocitose s.f.
linfocitotoxina (*cs*) s.f.
linfodermia s.f.
linfoedema s.m.
linfoedemático adj.
linfoenterite s.f.
linfoeritrócito s.m.
linfogêneo adj.
linfogênese s.f.
linfogênico adj.
linfogônio s.m.
linfografia s.f.
linfogranuloma s.m.
linfogranulomático adj.
linfogranulomatose s.f.
linfogranulomatótico adj.
linfoide (*ó*) adj.2g.
linfoidectomia s.f.
linfoidectômico adj.
linfoidotoxemia (*cs*) s.f.
linfoidotoxêmico (*cs*) adj.
linfolisação s.f.
linfolisado adj.
linfolisante adj.2g.
linfolisar v.
linfolisável adj.2g.
linfólise s.f.
linfolítico adj.
linfoma s.m.
linfomatoide (*ó*) adj.2g.
linfomatose s.f.
linfomatoso (*ô*) adj.; f. (*ó*); pl. (*ó*)
linfomegaloblasto s.m.
linfomieloma s.m.
linfomixoma (*cs*) s.m.
linfonodite s.f.
linfonodo s.m.
linfonodomegalia s.f.
linfopatia s.f.
linfopático adj.
linfopenia s.f.
linfopênico adj.
linfopoese s.f.
linfopoético adj.
linfoquilúria s.f.
linfoquina s.f.
linfoquínico adj.
linforragia s.f.
linforrágico adj.
linforreia (*é*) s.f.
linforreticulose s.f.
linforroida (*ó*) s.f.
linfoscroto s.m.
linfose s.f.
linfossarcoleucemia s.f.
linfossarcoleucêmico adj.
linfossarcoma s.m.
linfossarcomatose s.f.
linfóstase s.f.
linfostático adj.
linfotomia s.f.
linfotômico adj.
linfotórax (*cs*) s.m.
linfotrofia s.f.
linfúria s.f.
linfúrico adj.
linga s.m.f.
lingada s.f.
lingaísmo s.m.
lingaísta adj. s.2g.
lingaístico adj.
lingala s.m.
língame s.m.
lingão adj. s.m.
lingar v.
lingavá s.m.
lingbia s.f.
lingbiácea s.f.
lingbiáceo adj.
língel adj. s.m.
lingismo s.m.
língone adj. s.2g.
lingotagem s.f.
lingotamento s.m.
lingotar v.
lingote s.m.
lingoteira s.f.
lingre s.f.
lingrinhas s.2g.2n.
linguá adj. s.2g.
língua s.2g. s.m.f.
língua-alvo s.f.; pl. *línguas-alvo* e *línguas-alvos*
língua-bagadá s.f.; pl. *línguas-bagadás*
língua-cervina s.f.; pl. *línguas-cervinas*
língua-cipó-de-escada s.f.; pl. *línguas-cipós-de-escada*
língua-cristã s.f.; pl. *línguas-cristãs*
linguada s.f.
língua da costa s.f.
língua-danada s.f.; pl. *línguas-danadas*
língua de badalo s.2g.
língua-de-boi s.f.; pl. *línguas-de-boi*
língua-de-cão s.f.; pl. *línguas-de-cão*
língua de carpa s.f.
língua-de-cobra s.f.; pl. *línguas-de-cobra*
língua-de-coelho s.f.; pl. *línguas-de-coelho*
língua-de-cutia s.f.; pl. *línguas-de-cutia*
língua-de-galinha s.f.; pl. *línguas-de-galinha*
língua de gato s.f.
língua-de-lagarto s.f.; pl. *línguas-de-lagarto*
língua-de-mulata s.f.; pl. *línguas-de-mulata*
língua de mulato s.f.
língua-de-onça s.f.; pl. *línguas-de-onça*
língua-de-ovelha s.f.; pl. *línguas-de-ovelha*
língua de palmo s.f.
língua de prata s.2g.
língua-depravada s.2g.; pl. *línguas-depravadas*
língua-de-sapo s.f.; pl. *línguas-de-sapo*
língua-de-serpentina s.f.; pl. *línguas-de-serpentina*
língua de sogra s.f.
língua de sola s.f.
língua-de-tatu s.f.; pl. *línguas-de-tatu*
língua-de-tatu s.f.; pl. *línguas-de-tatu*
língua-de-tiú s.f.; pl. *línguas-de-tiú*
língua de trapos s.2g.
língua-de-tucano s.f.; pl. *línguas-de-tucano*
língua-de-vaca s.f.; pl. *línguas-de-vaca*
língua de veado s.f.
língua-de-víbora s.f.; pl. *línguas-de-víbora*
linguado adj. s.m.
linguado-da-areia s.m.; pl. *linguados-da-areia*
linguado-de-rio s.m.; pl. *linguados-de-rio*
linguado-lixa s.m.; pl. *linguados-lixa* e *linguados-lixas*
linguado-preto s.m.; pl. *linguados-pretos*
língua do santo s.m.
linguado-verdadeiro s.m.; pl. *linguados-verdadeiros*
linguafone s.m.
linguafono s.m.
língua-fonte s.f.; pl. *línguas-fonte* e *línguas-fontes*
linguageiro adj.
linguagem s.f.
linguagem-fonte s.f.; pl. *linguagens-fonte* e *linguagens-fontes*
linguagem-objeto s.f.; pl. *linguagens-objeto* e *linguagens-objetos*
língua-geral s.f.; pl. *línguas-gerais*
linguagismo s.m.
linguagista adj. s.2g.
linguagístico adj.
língua-impura s.2g.; pl. *línguas-impuras*
linguajar v. s.m.
lingual adj.2g.
língua-mãe s.f.; pl. *línguas-mãe* e *línguas-mães*
língua-malabar s.f.; pl. *línguas-malabares*
língua-moura s.f.; pl. *línguas-mouras*
linguana s.f.
língua-negra s.f.; pl. *línguas-negras*
linguará s.m.
linguarada s.f.
linguarado adj. s.m.
linguaral s.m.
linguarão adj. s.m.; f. *linguarona*
linguarar v.
linguaraz adj. s.2g.
linguareirice s.f.
linguareiro adj. s.m.
linguarejar v.
linguarejo (*ê*) s.m.
linguariça s.f.
linguarice s.f.
linguário s.m.
linguarona adj. s.f. de *linguarão*
língua-roxa s.f.; pl. *línguas-roxas*
linguarudo adj. s.m.
língua-solta s.2g.; pl. *línguas-soltas*
língua-suja s.2g.; pl. *línguas-sujas*

linguátula s.f.
linguatúlida adj.2g. s.m.
linguatulídeo adj. s.m.
linguatúlido adj. s.m.
linguátulo s.m.
linguatulose s.f.
língua-viperina s.2g.; pl. *línguas-viperinas*
linguedociano (*ü*) adj. s.m.
lingueirão (*ü*) s.m.
lingueirão-de-canudo s.m.; pl. *lingueirões-de-canudo*
lingueta (*üê*) s.f.
linguete (*üê*) s.m.
linguiça (*ü*) s.f.
linguicida (*ü*) adj. s.2g.
linguicídio (*ü*) s.m.
linguífero (*ü*) adj.
linguiforme (*ü*) adj.2g.
linguinha (*ü*) adj. s.2g.
linguismo (*ü*) s.m.
linguista (*ü*) adj. s.2g.
linguística (*ü*) s.f.
linguístico (*ü*) adj.
língula s.f.
lingulado adj.
lingular adj.2g.
lingulectomia s.f.
lingulectômico adj.
lingúlida adj.2g. s.m.
lingulídeo adj. s.m.
lingulina s.f.
linguloide (*ó*) adj.2g.
linguna s.f.
linguneta (*ê*) s.f.
linguoalveolar adj.2g. s.f.
linguodental adj.2g. s.f.
linguogutural adj.2g. s.f.
linguopalatal adj.2g. s.f.
linguopapilite s.f.
linguotrito s.m.
linguoversão s.f.
linguoverso adj.
linha s.f.
linha-bloco s.f.; pl. *linhas-bloco* e *linhas-blocos*
linha-branca s.f.; pl. *linhas-brancas*
linhaça s.f.
linhaça-galega s.f.; pl. *linhaças-galegas*
linhaça-vermelha s.f.; pl. *linhaças-vermelhas*
linhada s.f.
linha-d'água s.f.; pl. *linhas-d'água*
linha de fé s.f.
linha de tiro s.f.
linha-dura adj.2g.2n. s.2g.
linhagem s.f.
linhagismo s.m.
linhagista adj. s.2g.
linhagístico adj.
linhajudo adj.
linhal s.m.
linhão s.m.
linhar s.m.
linharada s.f.
linharão s.m.
linharense adj. s.2g.
linharice s.f.
linhavão s.m.
linheira s.f.
linheiro adj. s.m. "que prepara o linho"; cf. *lenheiro*
linhinassulfônico adj.
linhinossulfônico adj.
linhita s.f.
linhite s.f.
linhítico adj.
linhito s.m.
linhitoso (*ô*) adj.; f. (*ó*); pl. (*ó*)
linhívoro adj. s.m.
linho s.m. "planta que serve para fazer tecido"; cf. *linhó*
linhó s.m. "linhol"; cf. *linho*
linho-africano s.m.; pl. *linhos-africanos*
linho-bravo s.m.; pl. *linhos-bravos*
linho-cânhamo s.m.; pl. *linhos-cânhamo* e *linhos-cânhamos*
linhocérico adj.
linho-da-nova-zelândia s.m.; pl. *linhos-da-nova-zelândia*
linho-de-cuco s.m.; pl. *linhos-de-cuco*
linho-de-raposa s.m.; pl. *linhos-de-raposa*
linho-do-rio-grande s.m.; pl. *linhos-do-rio-grande*
linho-galego-bravo s.m.; pl. *linhos-galegos-bravos*
linhol s.m.
linhômetro s.m.
linhonassulfônico adj.
linhoso (*ô*) adj.; f. (*ó*); pl. (*ó*)
linhossulfônico adj.
linhote s.m.
línico adj.
linífia s.f.
linificar v.
linifício s.m.
linígero adj.
linimentar v. "fricionar com linimento"; cf. *lenimentar*
linimento s.m. "medicamento untuoso"; cf. *lenimento*
linina s.f.
linisco s.m.
linite s.f.
linneano adj.
linneia (*é*) s.f.
linneíta s.f.
linneíte s.f.
linneítico adj.
lino s.m.
linociera s.f.
linocompositor (*ô*) s.m.
linófrino s.m.
linografia s.f. "impressão sobre pano"; cf. *limnografia*
linográfico adj. "relativo a linografia"; cf. *limnográfico*
linógrafo s.m.
linogravura s.f.
linolato s.m.
linoleato s.m.
linoleico (*é*) adj.
linoleína s.f.
linolenato s.m.
linolênico adj.
linóleo s.m.
linoleogravura s.f.
linólico adj.
linólito s.m.
linoma s.m.
linômetro s.m.
linoperador (*ô*) s.m.
linoperatriz s.f.
linopina s.f.
linópode s.2g.
linose s.f.
linosita s.f.
linossigno s.m.
linóstomo s.m.
linoterapia s.f.
linoterápico adj.
linotipado adj.
linotipadora s.f.
linotipar v.
linotipia s.f.
linotípico adj.
linotipismo s.m.
linotipista adj. s.2g.
linotipo s.f.
linótipo s.m.
linotipógrafo s.m.
linoxina (*cs*) s.f.
línquia s.f.
linquiída adj.2g. s.m.
linquiídeo adj. s.m.
linquíneo adj. s.m.
líntea s.f. "tecido"; cf. *líntia*
lintel s.m.
linter s.m.
linterização s.f.
linterizado adj.
linterizamento s.m.
linterizante adj.2g.
linterizar v.
linterizável adj.2g.
líntia s.m. "animal"; cf. *líntea*
lintonita s.f.
linura s.m.
linusinato s.m.
linusínico adj.
linx (*cs*) s.2g.
lio s.m.
lióbata s.m.
liobátida adj.2g. s.m.
liobatídeo adj. s.m.
liobuno s.m.
liocarpo adj.
liocéfalo adj. s.m.
lioceto (*ê*) s.m.
liocitose s.f.
liócoma s.f.
liócomo adj.
liocóride s.f.
liócoris s.2g.2n.
liócrano s.m.
liócrate s.m.
liocromo s.m.
liode s.m.
liodermia s.f.
liodérmico adj.
liodermo adj.
liódida adj.2g. s.m.
liodídeo adj. s.m.
liodíneo adj. s.m.
liofílico adj.
liofilização s.f.
liofilizado adj.
liofilizador (*ô*) adj. s.m.
liofilizante adj.2g.
liofilizar v.
liofilizável adj.2g.
liofilo adj. "de folha lisa"; cf. *liófilo*
liófilo adj. s.m. "que transita rápido do sólido ao líquido"; cf. *liofilo*
liofloeu s.m.
liofobia s.f.
liofóbico adj.
liófobo adj. s.m.
liófrino s.m.
liogluta s.f.
liolemo s.m.
liolépide s.f.
liólepis s.f.2n.
lio-lio s.m.; pl. *lio-lios*
liólise s.f.
liolítico adj.
liômera s.m.
liômero adj. s.m.
liomesíneo adj. s.m.
liômeso s.m.
liomioblastoma s.m.
liomiocinético adj.
liomiofibroma s.m.
liomioma s.m.
liomiossarcoma s.m.
lionanco s.m.
lionécia s.f.
lioneciida adj.2g. s.m.
lioneciídeo adj. s.m.
lionês adj. s.m. "de Lião" (*Lyon*); cf. *leonês*
lionetídeo adj. s.m.
liônia s.f.
liônico s.m.
lionoto s.m.
liônsia s.m.
lionsiela s.m.
lionsiida adj.2g. s.m.
lionsiídeo adj. s.m.
lionuro s.m.
liopelma s.f.
liopico s.m.
liópilo adj.
lióplace s.f.
lióplax (*cs*) s.f.
liopo s.m.
liópode adj.2g. s.m.
liopoma s.m.
lióporo s.m.
liopropoma s.m.
lióptilo s.m.
liorinco s.m.
liorna s.f.
liorrinco s.m.
liorrisso s.m.
lióscelo s.m.
lioscórpio s.m.
liospermo adj.
liospório s.m.
lióspora s.m.
lióstomo adj. s.m.
lióteo s.m.
liótia s.m.
liotíride s.f.
liótiris s.f.2n.
lioto s.m.
liótrice s.f.
liótrico adj.
liotripo s.m.
liótrix (*cs*) s.f.
liotropia s.f.
liotrópico adj.
liottita s.f.
liotula s.f.
lioz adj. s.2g.
lipa s.f.
lipacidemia s.f.
lipacidêmico adj.
lipacidúria s.f.
lipacidúrico adj.
lipangíneo adj. s.m.
lipango s.m.
lipanina s.f.
lípare s.f.
lipareia (*é*) s.f. de *lipareu*
liparense adj. s.2g.
lipareu adj. s.m.; f. *lipareia* (*é*)
lipária s.f.
lipárida adj.2g. s.m.
lipáride s.f.
liparídea s.f.
liparídeo adj. s.m.
liparidíneo adj. s.m.
líparis s.f.2n.
liparita s.f.
liparitano adj. s.m.
liparite s.f.
liparítico adj.2n.
liparito s.m.
líparo s.m.
liparocele s.f.
liparódero s.m.
liparolado adj. s.m.
liparóleo adj. s.m.
liparônfalo s.m.
liparope s.m.
liparopsíneo s.m.
lipase s.f.
lípase s.f.
lipaseidina s.f.
lipásico adj.
lipasuria s.f.
lipasúria s.f.
lipate s.m.
lipato s.m.
lipatrofia s.f.
lipatrófico adj.
lipe adj. s.m.
lipectomia s.f.
lipectômico adj.
lipedema s.m.
lipeja s.f.
lipemania s.f.
lipemaníaco adj. s.m.
lipemartrose s.f.
lipemia s.f.
lipêmico adj.
liperofrenia s.f.
lipes adj.2g.2n.
lipeúro s.m.
lípia s.f.
lípico adj.
lípide s.m.
lipidemia s.f.
lipidêmico adj. s.m.
lipídeo adj. s.m.
lipídico adj.
lipídio s.m. "gordura"; cf. *lepídio*
lipidiomia s.f.
lípido s.m.
lipidograma s.m.
lipidose s.f.
lipina s.f.
lipiodol s.m.
lipíria s.f.
lipitude s.f.
lípoa s.f.
lipoamido s.m.
lipoamiloplasia s.f.
lipoartrite s.f.
lipoaspiração s.f.
lipoato s.m.
lipoatrofia s.f.
lipoblasto s.m.
lipoblastoma s.m.
lipocaico s.m.
lipocaína s.f.
lipocardia s.f.
lipocárdico adj.
lipocárdio adj.
lipocarfa s.f.
lipocatabólico adj.
lipocatabolismo s.m.
lipocele s.f.
lipócera s.f.
lipócito s.m.
lipóclase s.f.
lipocloroplasia s.f.
lipocloroplásico adj.
lipocondria s.f.
lipocôndrico adj.
lipocondrodistrofia s.f.
lipocondrodistrófico adj.
lipocondroma s.m.
lipocondromia s.f.
lipocoreocresto s.m.
lipocresto s.m.
lipocroma s.m.
lipocromemia s.f.
lipocromêmico adj.
lipocromo s.m.
lipocutinoplasia s.f.
lipocutinoplásico adj.
lipocutinoplástico adj.
lipodermia s.f.
lipodérmico adj.
lipodermoide (*ó*) s.m.
lipodiérese s.f.
lipodistrofia s.f.
lipodistrófico adj.
lipodonte adj.2g.
lipoemia s.f.
lipoêmico adj.
lipoesculpir v.
lipoescultura s.f.
lipofagia s.f.
lipofágico adj.
lipófago s.m.
lipofibroma s.m.
lipofilia s.f.
lipofílico adj.
lipófilo adj.
lipofobia s.f.
lipofóbico adj.
lipófobo adj.
lipofrenia s.f.
lipofrênico adj.
lipofucsina s.f.
lipofussínico adj.
lipofussinose s.f.
lipogênese s.f.
lipogenético adj.
lipogênico adj.
lipogeniída adj.2g. s.m.
lipogeniídeo s.m.
lipógenis s.m.2n.
lipógeno adj. s.m.
lipógnato adj. s.m.
lipografia s.f.
lipográfico adj.
lipograma s.m.
lipogramático adj.
lipogramatista adj. s.2g.
lipogranuloma s.m.
lipogranulomatose s.f.
lipo-hemartrose s.f.
lipo-hemia s.f.
lipo-hêmico adj.
lipo-hialinose s.f.
lipoialinose s.f.
lipoide (*ó*) adj.2g. s.m.
lipoidemia s.f.

lipoidêmico adj.
lipóidico adj.
lipoidose s.f.
lipoidossiderose s.f.
lipoidossiderótico adj.
lipoidúria s.f.
lipoidúria s.f.
lipolignioplasia s.f.
lipolignioplásico adj.
lipolisador (*ô*) adj. s.m.
lipolisar v.
lipólise s.f.; cf. *lipolise*, fl. do v. *lipolisar*
lipolítico adj.
lipoma s.m.
lipomastia s.f.
lipomástico adj.
lipomatose s.f.
lipomatoso (*ô*) adj.; f. (*ó*); pl. (*ó*)
lipomeria s.f.
lipomérico adj.
lipomerismo s.m.
lipomícron s.m.
lipomioma s.m.
lipomixoma (*cs*) s.m.
lipomucossacaridose s.f.
liponefrose s.f.
lipônfalo s.m.
liponisso s.m.
lipo-oxigenase (*cs*) s.f.
lipopenia s.f.
lipopessina s.f.
lipopexia (*cs*) s.f.
lipoplasto s.m.
lipopolissacarídeo s.m.
lipoproteico (*é* ou *ê*) adj.
lipoproteído s.m.
lipoproteína s.f.
lipoproteínico adj.
lipopsiquia s.f.
lipopsíquico adj.
lipoptena s.f.
lipóptero adj. s.m.
lipose s.f.
liposfixia (*cs*) s.f.
liposfíxico (*cs*) adj.
lipositol s.m.
liposo (*ô*) adj.; f. (*ó*); pl. (*ó*)
lipossacarídeo adj. s.m.
lipossarco s.m.
lipossarcoma s.m.
lipossolúvel adj.2g.
lipossoma s.m.
lipossomo s.m.
lipossuberoplasia s.f.
lipossuberoplásico adj.
lipossuberoplástico adj.
liposteatose s.f.
lipóstoma s.f.
lipostomia s.f.
lipote s.m.
lipotimia s.f.
lipotímico adj.
lipotrofia s.f.
lipotrófico adj.
lipotropia s.f.
lipotrópico adj.
lipotropina s.f.
lipotropismo s.m.
lipótropo adj. s.m.
lipovacina s.f.
lipoxenia (*cs*) s.f.
lipoxidase (*cs*) s.f.
lipoxídase (*cs*) s.f.
lipoxina (*cs*) s.f.
lipoxinia (*cs*) s.f.
lipóxino (*cs*) adj.
líppia s.f.
lipsanologia s.f.
lipsanológico adj.
lipsanólogo adj. s.m.
lipsanoteca s.f.
lipscombita s.f.
lipsotriquia s.f.
liptáuer s.m.
lipu s.m.
lipupo s.m.
lipuria s.f.
lipúria s.f.
lipúrico adj.
liputo s.m.
liquação s.f.
liquefação (*u* ou *ü*) s.f.
liquefacção (*u* ou *ü*) s.f.
liquefacciente (*u* ou *ü*) adj.2g.
liquefaciente (*u* ou *ü*) adj.2g.
liquefactível (*u* ou *ü*) adj.2g.
liquefactivo (*u* ou *ü*) adj.
liquefacto (*u* ou *ü*) adj.
liquefactor (*u* ou *ü*...*ô*) adj. s.m.
liquefatível (*u* ou *ü*) adj.2g.
liquefativo (*u* ou *ü*) adj.
liquefato (*u* ou *ü*) adj.
liquefator (*u* ou *ü*...*ô*) adj. s.m.
liquefazer (*u* ou *ü*) v.
liquefeito (*u* ou *ü*) adj.
liqueficável (*u* ou *ü*) adj.2g.
líquen s.m.
liquenácea s.f.
liquenáceo adj.
líquen-da-islândia s.m.; pl. *liquens-da-islândia* e *líquenes-da-islândia*
líquen-de-maná s.m.; pl. *liquens-de-maná* e *líquenes-de-maná*
liquênea s.f.
liquenesteárico adj.
liquênia s.f.
liqueníase s.f.
liquênico adj.
liquenícola adj.2g.
liquenificação s.f.
liquenificado adj.
liquenificante adj.2g.
liquenificar v.
liquenificável adj.2g.
liqueniforme adj.2g.
liquenina s.f.
líquen-islândico s.m.; pl. *liquens-islândicos* e *líquenes-islândicos*
liquenívoro adj.
liquenização s.f.
liqueno s.m.
liquenofagia s.f.
liquenofágico adj.
liquenófago adj. s.m.
liquenófane s.m.
liquenografia s.f.
liquenográfico adj.
liquenografista adj. s.2g.
liquenógrafo s.m.
liquenoide (*ó*) adj.2g.
liquenologia s.f.
liquenológico adj.
liquenologista adj. s.2g.
liquenólogo s.m.
liquenope s.2g.
liquenópora s.m.
liquenopórida adj.2g. s.m.
liquenoporídeo adj. s.m.
liques s.m.2n.
liquescência (*u* ou *ü*) s.f.
liquescente (*u* ou *ü*) adj.2g.
liquescer (*u* ou *ü*) v.
líquia s.m.
líquida (*u* ou *ü*) s.f.; cf. *liquida*, fl. do v. *liquidar*
liquidabilidade (*u* ou *ü*) s.f.
liquidação (*u* ou *ü*) s.f.
liquidado (*u* ou *ü*) adj.
liquidador (*u* ou *ü*...*ô*) adj. s.m.
liquidadora (*u* ou *ü*...*ô*) s.f.
liquidâmbar (*u* ou *ü*) s.m.
liquidando (*u* ou *ü*) adj. s.m.
liquidante (*u* ou *ü*) adj. s.2g.
liquidar (*u* ou *ü*) v.
liquidatário (*u* ou *ü*) adj. s.m.
liquidatório (*u* ou *ü*) adj.
liquidável (*u* ou *ü*) adj.2g.
liquidez (*u* ou *ü*...*ê*) s.f.
liquidificação (*u* ou *ü*) s.f.
liquidificado (*u* ou *ü*) adj.
liquidificador (*u* ou *ü*...*ô*) adj. s.m.
liquidificante (*u* ou *ü*) adj.2g.
liquidificar (*u* ou *ü*) v.
liquidificável (*u* ou *ü*) adj.2g.
líquido (*u* ou *ü*) adj. s.m.; cf. *liquido*, fl. do v. *liquidar*
liquômetro (*u* ou *ü*) s.m.
liquor (*ô*) s.m.
liquórico adj.
lira s.f.
liraça s.f.
lirado adj.
liral adj.2g.
lirão s.m.
liri s.m.
líria s.f.
liriadas s.f.pl.
lirial adj.2g. s.m.
lirianta s.f.
lírica s.f.
liricar v.
lírico adj. s.m.
liriforme adj.2g.
lirimíris s.2g.2n.
lirinate adj. s.2g.
lirinense adj. s.2g.
lirino adj.
lírio adj. s.m.
lírio-ácoro s.m.; pl. *lírios-ácoros*
lírio-ácoro-bastardo s.m.; pl. *lírios-ácoros-bastardos*
lírio-amarelo s.m.; pl. *lírios-amarelos*
lírio-amarelo-do-brejo s.m.; pl. *lírios-amarelos-do-brejo*
lírio-amarelo-dos-charcos s.m.; pl. *lírios-amarelos-dos-charcos*
lírio-amarelo-dos-montes s.m.; pl. *lírios-amarelos-dos-montes*
lírio-amarelo-dos-pântanos s.m.; pl. *lírios-amarelos-dos-pântanos*
lírio-beladona s.m.; pl. *lírios-beladonas*
lírio-branco s.m.; pl. *lírios-brancos*
lírio-cândido s.m.; pl. *lírios-cândidos*
lírio-cardano s.m.; pl. *lírios-cardanos*
lírio-cárdano s.m.; pl. *lírios-cárdanos*
lírio-cardeno s.m.; pl. *lírios-cardenos*
lírio-cárdeno s.m.; pl. *lírios-cárdenos*
liriocéfalo s.m.
lírio-cólquico s.m.; pl. *lírios-cólquicos*
lírio-convale s.m.; pl. *lírios-convales*
lírio-cravinho s.m.; pl. *lírios-cravinho* e *lírios-cravinhos*
lírio-d'água s.m.; pl. *lírios-d'água*
lírio-da-índia s.m.; pl. *lírios-da-índia*
lírio-da-pérsia s.m.; pl. *lírios-da-pérsia*
lírio-das-areias s.m.; pl. *lírios-das-areias*
lírio-da-serra s.m.; pl. *lírios-da-serra*
lírio-das-pedras s.m.; pl. *lírios-das-pedras*
lírio-de-amor-perfeito s.m.; pl. *lírios-de-amor-perfeito*
liriodendrina s.f.
liriodendro s.m.
lírio-de-petrópolis s.m.; pl. *lírios-de-petrópolis*
lírio-do-amazonas s.m.; pl. *lírios-do-amazonas*
lírio-do-brejo s.m.; pl. *lírios-do-brejo*
lírio-do-mar s.m.; pl. *lírios-do-mar*
lírio-do-mato s.m.; pl. *lírios-do-mato*
lírio-do-mato-do-brasil s.m.; pl. *lírios-do-mato-do-brasil*
lírio-dos-astecas s.m.; pl. *lírios-dos-astecas*
lírio-dos-incas s.m.; pl. *lírios-dos-incas*
lírio-dos-poetas s.m.; pl. *lírios-dos-poetas*
lírio-dos-tintureiros s.m.; pl. *lírios-dos-tintureiros*
lírio-do-vale s.m.; pl. *lírios-do-vale*
lírio-encarnado s.m.; pl. *lírios-encarnados*
lírio-esquálido s.m.; pl. *lírios-esquálidos*
lírio-férreo s.m.; pl. *lírios-férreos*
lírio-ferro s.m.; pl. *lírios-ferro* e *lírios-ferros*
lírio-fétido s.m.; pl. *lírios-fétidos*
lírio-florentino s.m.; pl. *lírios-florentinos*
lírio-folha-de-capim s.m.; pl. *lírios-folha-de-capim* e *lírios-folhas-de-capim*
lírio-folha-de-palmeira s.m.; pl. *lírios-folha-de-palmeira* e *lírios-folhas-de-palmeira*
lírio-franciscano s.m.; pl. *lírios-franciscanos*
lirioide (*ó*) adj.2g.
liriola s.f.
lírio-martagão s.m.; pl. *lírios-martagão* e *lírios-martagões*
liríope s.f.
liriopíneo adj. s.m.
lírio-rajado s.m.; pl. *lírios-rajados*
lírio-roxo s.m.; pl. *lírios-roxos*
lírio-roxo-do-brasil s.m.; pl. *lírios-roxos-do-brasil*
lírio-roxo-do-campo s.m.; pl. *lírios-roxos-do-campo*
lírio-roxo-dos-montes s.m.; pl. *lírios-roxos-dos-montes*
liriosma s.f.
lírio-teutônico s.m.; pl. *lírios-teutônicos*
lírio-tigre s.m.; pl. *lírios-tigre* e *lírios-tigres*
lírio-tigrino s.m.; pl. *lírios-tigrinos*
lírio-triste s.m.; pl. *lírios-tristes*
lírio-tuicara s.m.; pl. *lírios-tuicara* e *lírios-tuicaras*
lírio-turco s.m.; pl. *lírios-turcos*
lírio-verde s.m.; pl. *lírios-verdes*
lírio-vermelho s.m.; pl. *lírios-vermelhos*
lirismo s.m.
lirista adj. s.2g.
liro s.m. "peixe"; cf. *liró*
liró adj. "bem-vestido"; cf. *liro*
liroconita s.f.
liroconite s.f.
lirodo s.m.
liromalaquita s.f.
liromalaquite s.f.
liru adj.2g.
lis s.m.
lisa adj. s.f.
lisação s.f.
lisa-de-água-doce s.f.; pl. *lisas-de-água-doce*
lisado adj. s.m.
lisador (*ô*) adj.
lisarete (*ê*) s.m.
lisaretíneo adj. s.m.
lisável adj.2g.
lisboa s.f.
lisboano adj. s.m.
lisboês adj. s.m.
lisboeta (*ê*) adj. s.2g.
lisboetismo s.m.
lisboetizar v.
lisbonense adj. s.2g.
lisbonês adj. s.m.
lisbonina s.f.
lisbonino adj. s.m.
liscar v.
liscranço s.m.
lise s.f.; cf. *lize*, fl. do v. *lizar*
liseirão adj.; f. *liseirona*
liseirona adj. f. de *liseirão*
lisemia s.f.
lisêmico adj.
liseres s.m.pl.
lisérgico adj.
lisga s.m.
lisíaco adj.
lisianacto s.m.
lisianássida adj.2g. s.m.
lisianassídeo adj. s.m.
lisíanax (*cs*) s.m.
lisianto s.m.
lisibradicinina s.f.
lisibradicinínico adj.
lisídice s.f.
lisidina s.f.
lisiflebo s.m.
lisiflevo s.m.
lisigenético adj.
lisigênio adj.
lisígeno adj.
lisila s.m.
lisiloma s.f.
lisiluminescência s.f.
lisiluminescente adj.2g.
lisim s.m.
lisimáquia s.f.
lisimaquíea s.f.
lisimaquiense adj. s.2g.
lisimaquiina s.f.
lisimetria s.f.
lisimétrico adj.
lisímetro s.m.
lisina s.f.
lisinha s.f.
lisínico adj.
lisinogênico adj.
lisinose s.f.
lísio adj.
lisiômetro s.m.
lisiopétalo s.m.
lisiosquila s.f.
liskeardita s.f.
lisma s.f.
lismar v.
lismo s.m.
liso adj. s.m. adv.
lisofórmio s.m.
lisogênese s.f.
lisogenia s.f.
lisogênico adj.
lisogenização s.f.
lisogenizar v.
lisógeno adj.
lisol s.m.
lisolagem s.f.
lisonja s.f.
lisonjado adj. s.m.
lisonjar v.
lisonjaria s.f.
lisonjeado adj.
lisonjeador (*ô*) adj. s.m.
lisonjear v.
lisonjeiro adj. s.m.
lisonjeria s.f.
lisósporo s.m.
lisossoma s.m.
lisossomático adj.
lisossomial adj.2g.
lisossômico adj.
lisossomo s.m.
lisozima s.f.
lisozímico adj.
lispa s.f.
lispra s.f.
lissa s.f. "raiva"; cf. *liça*
lissadeira s.f.
lissanfíbio adj. s.m.
lisseira s.f.
lissencefalia s.f.
lissencéfalo adj. s.m.
lissiquira s.f.
lissocarpa s.f.
lissocarpácea s.f.

lissocarpáceo adj.
lissocarpo s.m.
lissofobia s.f.
lissofóbico adj.
lissonota s.f.
lissoquilo s.m.
lissoroptro s.m.
lissótide s.f.
lissótis s.f.2n.
lissótrico adj. s.m.
lissotríton s.m.
lista s.f. "relação"; cf. *listã*
listã s.f. "variedade de uva"; cf. *lista*
listado adj.
listador (*ô*) adj. s.m.
listagem s.f.
listão adj. s.m.
listar v.
listário s.m.
listã-vermelha s.f.; pl. *listãs-vermelhas*
listel s.m.
listelão s.m.
listelo s.m.
líster adj.2g. s.m.
listera s.f.
listéria s.f.
listerina s.f.
listeriose s.f.
listeriótico adj.
listerismo s.m.
listo adj.
listra s.f.
listrado adj.
listrana s.f.
listrão s.m.
listrar v.
listreno adj. s.m.
lístrio s.m.
listróforo s.m.
listropódia s.f.
listróstaque s.m.
listrotoríneo adj. s.m.
lisura s.f.
lisuro s.m.
lisztiano adj.
lita s.f.
litação s.f.
litactínia s.f.
litagogia s.f.
litagogo (*ô*) adj. s.m.
litania s.f.
litanódio s.m.
litânodo s.m.
litanto s.m.
litantraz s.m.
litão s.m.
litar v.
litarácnio s.m.
litargíria s.f.
litargírio s.m.
litargita s.f.
litargo s.m.
litáster s.m.
litávico adj. s.m.
lite s.f.
liteira s.f.
liteireiro s.m.
liteiro s.m.
litelíneo s.m.
litélio s.m.
litemia s.f.
litêmico adj.
lítera adj. s.2g.
literal adj.2g.
literalidade s.f.
literalismo s.m.
literalista adj. s.2g.
literalístico adj.
literário adj.
literário-científico adj.2g.; pl. *literário-científicos*
literário-editorial adj.2g.; pl. *literário-editoriais*
literário-musical adj.2g.; pl. *literário-musicais*
literarização s.f.
literarizado adj.
literarizante adj.2g.
literarizar v.
literarizável adj.2g.
literatação s.f.
literataço s.m.
literatado adj.
literatagem s.f.
literatando adj.
literatante adj.2g.
literatar v.
literatável adj.2g.
literateiro s.m.
literatejar v.
literatelhice s.f.
literatelho (*ê*) s.m.
literatice s.f.
literaticho adj. s.m.
literatiço adj. s.m.
literatiqueiro adj. s.m.
literatismo s.m.
literatista adj.2g.
literatístico adj.
literatização s.f.
literatizado adj.
literatizante adj.2g.
literatizar v.
literatizável adj.2g.
literato adj. s.m.
literatoide (*ó*) s.2g.
literator (*ô*) s.m.
literatura s.f.
literaturar v.
litergol s.m.
literocientífico adj.
literofilia s.f.
literófilo adj. s.m.
literofobia s.f.
literófobo adj. s.m.
literomania s.f.
literomaníaco adj. s.m.
literômano s.m.
literomusical adj.2g.
lítia s.f.
litíase s.f.
litiásico adj.
litiático adj.
liticar v.
litícine s.m.
lítico adj.
lítida adj.2g. s.m.
litídeo adj. s.m.
litifante s.m.
litificação s.f.
litificado adj.
litificador (*ô*) adj.
litificante adj.2g.
litificar v.
litificável adj.2g.
litigação s.f.
litigado adj.
litigador (*ô*) adj. s.2g.
litigante adj. s.2g.
litigar v.
litigável adj.2g.
litigiar v.
litígio s.m.; cf. *litigio*, fl. do v. *litigiar*
litigioso (*ô*) adj.; f. (*ó*); pl. (*ó*)
litina s.f.
litinado adj.
litíneo adj. s.m.
litínico adj.
litinífero adj.
lítio s.m.
litiodionita s.f.
litiofilita s.f.
litioforita s.f.
litioforite s.f.
litionita s.f.
litionite s.f.
litíopa s.f.
litisconexão (*cs*) s.f.
litisconsórcio s.m.
litisconsorte s.2g.
litiscontestação s.f.
litiscontestante adj. s.2g.
litiscrescência s.f.
litisdenúncia s.f.
litisdenunciação s.f.
litisdenunciado adj. s.m.
litisdenunciante adj. s.2g.
litispendência s.f.
litispendente adj. s.2g.
litístida adj.2g. s.m.
litistídeo adj. s.m.
litita s.f.
litite s.f.
litito s.m.
litizonte s.m.
litobíida s.m.
litobiídeo adj. s.m.
litobilato s.m.
litobilianato s.m.
litobiliânico adj.
litobílico adj.
litóbio s.m.
litobiomorfia s.f.
litobiomórfico adj.
litobiomorfo adj.2n.
litobolia s.f.
litóboro s.m.
litóbotris s.m.2n.
litobótris s.m.2n.
litocálamo s.m.
litocalcografia s.f.
litocampo s.m.
litocaride s.f.
litocáris s.f.2n.
litocarpo s.m.
litocelifo s.m.
litocelifopédio s.m.
litocenose s.f.
litocéramo s.m.
litócero s.m.
litocíclia s.f.
litocirco s.m.
litocisto s.m.
litóclase s.f.
litoclasia s.f.
litoclasta s.m.
litoclastia s.f.
litoclasto s.m.
litocola s.f.
litócola adj.2g.
litocolato s.m.
litocolete s.f.
litocoletíneo adj. s.m.
litocolétis s.f.2n.
litocólico adj.
litocrânio s.m.
litocrisografia s.f.
litocrisográfico adj.
litocromática s.f.
litocromático adj.
litocromatografia s.f.
litocromatográfico adj.
litocromia s.f.
litocrômico adj.
litocromista adj. s.2g.
litocromografia s.f.
litocromográfico adj.
litode s.m.
litodendro s.m.
litoderma s.m.
litodiálise s.f.
litodialítico adj.
litódida adj.2g. s.m.
litodídeo adj. s.m.
litódomo adj. s.m.
litodonte s.m.
litoedafostratigrafia s.f.
litoedafostratigráfico adj.
litoedafostratígrafo s.m.
litoestratigrafia s.f.
litoestratigráfico adj.
litofacial adj.2g.
litofácies s.f.
litofagia s.f.
litófago adj. s.m.
litofania s.f.
litofânico adj.
litofelato s.m.
litofélico adj.
litofelínico adj.
litofílico adj.
litofilo s.m. "folha de pedra"; cf. *litófilo*
litófilo adj. "que vive em pedras"; cf. *litofilo*
litofítico adj.
litófito s.m.
litofone s.m.
litofotografia s.f.
litofotográfico adj.
litofractor (*ô*) s.m.
litofrator (*ô*) s.m.
litogênese s.f.
litogenesia s.f.
litogenésico adj.
litogenético adj.
litogenia s.f.
litógeno adj.
litogeognosia s.f.
litogeognósico adj.
litoglifia s.f.
litoglífico adj.
litoglifíneo adj. s.m.
litoglifita s.f.
litóglifo s.m.
litografado adj.
litografar v.
litografia s.f.
litográfico adj.
litógrafo s.m.
litogravado adj. s.m.
litogravura s.f.
litoico (*ó*) adj.
litoide (*ó*) adj.2g.
litolábio s.m.
litólabo s.m.
litolapaxia (*cs*) s.f.
litólatra s.2g.
litolatria s.f.
litolátrico adj.
litólise s.f.
litolisia s.f.
litolítico adj.
litolofíneo adj. s.m.
litólofo s.m.
litologia s.f.
litológico adj.
litologista s.2g.
litólogo s.m.
litomalacia s.f.
litomalácia s.f.
litomalácico adj.
litomancia s.f.
litomante s.2g.
litomântico adj.
litomarga s.f.
litomastige s.f.
litomástix (*cs*) s.f.
litomelissa s.m.
litômetro s.m.
litomielia s.f.
litômila s.f.
litonde s.m.
litondo s.m.
litônia s.f.
litonimia s.f.
litonímia s.f.
litonímico adj.
litônimo adj. s.m.
litopalaxia (*cs*) s.f.
litope s.m.
litopédio s.m.
litopera s.f.
litópilo s.m.
litoplatitomia s.f.
litoplatitômico adj.
litopone s.m.
litopônio s.m.
litopterno s.m.
litoquelifopédio s.m.
litor (*ô*) s.m.
litoral adj.2g. s.m.
litoralidade s.f.
litorâneo adj.
litorela s.f.
litóreo adj.
litória s.f.
litorideserto adj.
litorina s.f.
litorínida adj.2g. s.m.
litorinídeo adj. s.m.
litorino s.m.
litório adj.
litornito s.m.
litorrino s.m.
litoscópico adj.
litoscópio s.m.
litose s.f.
litosfera s.f.
litosférico adj.
litósia s.f.
litosiádeo adj. s.m.
litósica s.f.
litosiídeo adj. s.m.
litosiíneo adj. s.m.
litospérmea s.f.
litospérmeo adj.
litospermo adj. s.m.
litospôngia s.f.
litospôngio s.m.
litossederite s.f.
litossere s.f.
litossiderito s.m.
litossolo s.m.
litostatina s.f.
litostereotipia s.f.
litostereotípico adj.
litostratigrafia s.f.
litostratigráfico adj.
litostratígrafo s.m.
litostratigrama s.m.
litostroto s.m.
litotâmnio s.m.
litoteca s.f.
litoterapia s.f.
lítotes s.f.2n.
litotete s.f.
litotipia s.f.
litotipo s.m.
litótipo s.m.
litotipografia s.f.
litotipográfico adj.
litotipurgia s.f.
litótis s.m.2n.
litotlibia s.f.
litotomia s.f.
litotômico adj.
litotomista adj. s.2g.
litótomo s.m.
litotoponimia s.f.
litotoponímia s.f.
litotoponímico adj.
litotopônimo adj. s.m.
litotrese s.f.
litótria s.f.
litotricia s.f.
litotrícico adj.
litotripsia s.f.
litotríptico adj. s.m.
litotritor (*ô*) s.m.
litóxilo (*cs*) s.m.
litra s.2g.
litrácea s.f.
litráceo adj.
litragem s.f.
litrária s.f.
litrariada s.f.
litrariado adj. s.m.
lítrea s.f.
litreano adj.
litreia (*é*) s.f.
litreísta adj. s.2g.
lítria s.f.
litrite s.f.
litro s.m.
litródio s.m.
lítsea s.f.
litséea s.f.
littreano adj.
littreísta adj. s.2g.
littrite s.f.
lituado adj.
lituânico adj. s.m.
lituaniense adj. s.2g.
lituânio adj. s.m.
lituano adj. s.m.
lituária s.m.
lituárida adj.2g. s.m.
lituarídeo adj. s.m.
lítuo s.m.
litúola s.f.
lituólida adj.2g. s.m.
lituolídeo adj. s.m.
lituolíneo adj. s.m.
litura s.f.
liturado adj.
liturese s.f.
litureteria s.f.
liturgia s.f.
litúrgico adj.
liturgiologia s.f.

liturgiológico adj.
liturgismo s.m.
liturgista adj. s.2g.
liturgo s.m.
lituria s.f.
litúria s.f.
liurai s.m.
liural s.m.
liurano s.m.
liva s.m.
live s.m.
livedo (*ê*) s.f.
liveingita s.f.
livel s.m.
livelação s.f.
livelar v.
livelo s.m.
livesita s.f.
liveta s.f.
lívia s.f.
lívico adj. s.m.
lividar v.
lividescência s.f.
lividescente adj.2g.
lividescer v.
lividez (*ê*) s.f.
lívido adj.; cf. *livido*, fl. do v. *lividar*
livingstonita s.f.
livingstonite s.f.
livistona s.f.
livo adj. s.m.
livona s.m.
livoneca s.m.
livoniano adj. s.m.
livônico adj.
livônio adj. s.m.
livor (*ô*) s.m.
livoroso (*ô*) adj.; f. (*ó*); pl. (*ó*)
livra s.f. interj.
livração s.f.
livradeiro adj.
livrado adj.
livrador (*ô*) adj. s.m.
livralhada s.f.
livramentano adj. s.m.
livramentense adj. s.2g.
livramento s.m.
livrança s.f.
livrante adj.2g.
livrar v.
livraria s.f.
livrável adj.2g.
livre adj.2g. adv.
livre-alvedrio s.m.; pl. *livres-alvedrios*
livre-arbítrio s.m.; pl. *livres-arbítrios*
livre-arbitrismo s.m.; pl. *livres-arbitrismos*
livre-arbitrista adj. s.2g.; pl. do adj. *livre-arbitristas*; pl. do s. *livres-arbitristas*
livre-arbitrístico adj.; pl. *livre-arbitrísticos*
livre-câmbio s.m.; pl. *livres-câmbios*
livre-cambismo s.m.; pl. *livres-cambismos*
livre-cambista adj. s.2g.; pl.do adj. *livre-cambistas*; pl. do s. *livres-cambistas*
livre-cambístico adj.; pl. *livre-cambísticos*
livreco s.m.
livre-cultismo s.m.; pl. *livres-cultismos*
livre-cultista adj. s.2g.; pl. do adj. *livre-cultistas*; pl. do s. *livres-cultistas*
livre-culto s.m.; pl. *livres-cultos*
livre-docência s.f.; pl. *livres-docências*
livre-docente adj. s.2g.; pl. do adj. *livre-docentes*; pl. do s. *livres-docentes*
livre-empresa (*ê*) s.f.; pl. *livres-empresas*
livre-escambista adj. s.2g.; pl. do adj. *livre-escambistas*; pl. do s. *livres-escambistas*
livre-exame s.m.; pl. *livres-exames*
livre-iniciativa s.f.; pl. *livres-iniciativas*
livreiro s.m.
livre-nadante adj. s.2g.; pl. do adj. *livre-nadantes*; pl. do s. *livres-nadantes*
livre-natante adj. s.2g.; pl. *livres-natantes*
livre-pensadeirismo s.m.; pl. *livres-pensadeirismos*
livre-pensador (*ô*) s.m.; pl. *livres-pensadores*
livre-pensadorista adj. s.2g.; pl. do adj. *livre-pensadoristas*; pl. do s. *livres-pensadoristas*
livre-pensamento s.m.; pl. *livres-pensamentos*
livre-pensante adj. s.2g.; pl. do adj. *livre-pensantes*; pl. do s. *livres-pensantes*
livre-permuta s.f.; pl. *livres-permutas*
livre-permutismo s.m.; pl. *livres-permutismos*
livre-roda s.f.; pl. *livres-rodas*
livre-rodagem s.f.; pl. *livres-rodagens*
livre-rodar v.
livresco (*ê*) adj.
livreta (*ê*) s.f.
livrete (*ê*) s.m.
livreto (*ê*) s.m.
livre-troca s.f.; pl. *livres-trocas*
livricho s.m.
livrilho s.m.
livro s.m.
livro-branco s.m.; pl. *livros-brancos*
livro-caixa s.m.; pl. *livros-caixa* e *livros-caixas*
livro-cassete s.m.; pl. *livros-cassete* e *livros-cassetes*
livrochada s.f.
livro-razão s.m.; pl. *livros-razão* e *livros-razões*
livrório s.m.
livro-texto s.m.; pl. *livros-texto* e *livros-textos*
livroxada s.f.
livusia s.f.
lixa s.f.
lixação s.f.
lixada s.f.
lixadeira s.f.
lixadela s.f.
lixa-de-lei s.f.; pl. *lixas-de-lei*
lixa-de-pau s.f.; pl. *lixas-de-pau*
lixado adj.
lixador (*ô*) adj. s.m.
lixamento s.m.
lixanço s.m.
lixar v.
lixa-vegetal s.f.; pl. *lixas-vegetais*
lixeira s.f.
lixeiro s.m.
lixento adj.
lixiguana s.f.
lixinguana s.f.
lixinha s.f.
lixinha-de-fundura s.f.; pl. *lixinhas-de-fundura*
lixívia s.f.; cf. *lixivia*, fl. do v. *lixiviar*
lixiviação s.f.
lixiviado adj.
lixiviador (*ô*) s.m.
lixiviagem s.f.
lixiviar v.
lixívio adj.; cf. *lixivio*, fl. do v. *lixiviar*
lixivioso (*ô*) adj.; f. (*ó*); pl. (*ó*)
lixo s.m.
lixocetose (*cs*) s.f.
lixoflavina (*cs*) s.f.
lixonato (*cs*) s.m.
lixônico (*cs*) adj.
lixose (*cs*) s.f.
lixoso (*ô*) adj.; f. (*ó*); pl. (*ó*)
lizar v.
lizardense adj. s.2g.
lizardita s.f.
lizárico adj.
lizela s.f.
lízia s.m.
lizusa s.m.
lizusíneo adj. s.m.
llallagualita s.f.
lo pron.
ló s.m.
loa (*ô*) s.f.
loação s.f.
loaco s.m.
loado adj.
loador (*ô*) adj. s.m.
loaisita s.f.
loalina s.f.
loandense adj. s.2g.
loando s.m.
loango adj. s.m.
loante adj. s.2g.
loão s.m.
loar v.
loasa s.f.
loasácea s.f.
loasáceo adj.
loásea s.f.
loáseo adj.
loasínea s.f.
loasíneo adj.
loável adj.2g.
loba s.f. "tumor"; cf. *loba* (*ô*) f. de *lobo* (*ô*)
loba (*ô*) s.f. "instrumento para fiação da juta", etc.; cf. *loba*
lobacho s.m.
lobado adj. s.m.
lôbado s.m.
lobagante s.m.
lobagueiro s.m.
lobal adj.2g.
lobália s.f.
lobão s.m.
lobar adj.2g.
lobare adj. s.2g.
lobária s.f.
lobarro s.m.
lobatanulária s.f.
lobatchevskiano adj.
lobatense adj. s.2g.
lobatiano adj. s.m.
lobato s.m.
lobaz s.m.
lobearina s.f.
lobearínico adj.
lobecão s.m.
lobectomia s.f.
lobectômico adj.
lobegante s.m.
lobeira s.f.
lobeiro adj. s.m.
lobelanidina s.f.
lobelanina s.f.
lobelense adj. s.2g.
lobélia s.f.
lobeliácea s.f.
lobeliáceo adj.
lobélico adj.
lobelina s.f.
lobélio s.m.
lobelióidea s.f.
lobelismo s.m.
lobeno adj.
lobense adj. s.2g.
lobete (*ê*) s.m.
lobeto (*ê*) s.m.
lobeza (*ê*) s.f.
lobido s.m.
lobífero adj.
lobiforme adj.2g.
lóbiger s.m.
lobina s.f.
lobinha a deus s.f. "moça esbelta"
lobinha-a-deus s.f. "espécie de inseto"; pl. *lobinhas-a-deus*
lobinho s.m.
lobinho-do-campo s.m.; pl. *lobinhos-do-campo*
lobiofase s.m.
lobiofásis s.m.2n.
lobiplúvia s.m.
lobisomem s.m.
lobista s.2g.
lobístico adj.
lobite s.f.
lobito s.m.
lobivanelínea s.f.
lobivanelo s.m.
lobo s.m. "parte arredondada de um órgão"; cf. *lobo* (*ô*) e *lobó*
lobo (*ô*) s.m. "quadrúpede carniceiro"; cf. *lobo* e *lobó*
lobó s.m. "peixe"; cf. *lobo* e *lobo* (*ô*)
lobobracoide (*ó*) adj.2g.
lobo-cerval s.m.; pl. *lobos-cervais*
lobo-da-alsácia s.m.; pl. *lobos-da-alsácia*
lobo-da-austrália s.m.; pl. *lobos-da-austrália*
lobo-da-tasmânia s.m.; pl. *lobos-da-tasmânia*
lobo-do-campo s.m.; pl. *lobos-do-campo*
lobo do mar s.m. "marinheiro"
lobo-do-mar s.m. "espécie de peixe"; pl. *lobos-do-mar*
lóbodon s.m.
lobodonte s.m.
lobogante s.m.
lobo-gato s.m.; pl. *lobos-gatos*
lobo-guará s.m.; pl. *lobos-guará* e *lobos-guarás*
lobolo s.m.
loboloba (*ô*) s.f.
lobolobo (*ô*) s.m.
lobo-marinho s.m.; pl. *lobos-marinhos*
lobomicose s.f.
lobônico s.m.
lobônique s.m.
lóbonix (*cs*) s.m.
lobópode s.m.
lobopódio s.m.
lobóptera s.f.
lobórnis s.2g.2n.
lobornite s.2g.
lobosa s.f.
loboso (*ô*) adj. s.m.; f. (*ó*); pl. (*ó*)
lobotarso s.m.
lobote s.m.
lobótida adj.2g. s.m.
lobotídeo adj. s.m.
lobo-tigre s.m.; pl. *lobos-tigre* e *lobos-tigres*
loboto s.m.
lobotomia s.f.
lobotômico adj. s.m.
lobotomizar v.
lobrácio s.m.
lobregar v.
lôbrego adj.; cf. *lobrego*, fl. do v. *lobregar*
lobreguejar v.
lobreguidão s.f.
lobregura s.f.
lobrigado adj.
lobrigador (*ô*) adj. s.m.
lobrigar v.
lobulação s.f.
lobulado adj.
lobular adj.2g.
lobulária s.f.
lobulário s.m.
lóbulo s.m.
lobuloso (*ô*) adj.; f. (*ó*); pl. (*ó*)
lobuno adj. s.m.
loca s.f.
locação s.f.
locacional adj.2g.
locado adj.
locador (*ô*) adj. s.m.
locadora (*ô*) s.f.
locafa s.f.
locago s.m.
locaia s.f.
locaina s.f.
local adj.2g. s.m.f.
localidade s.f.
localismo s.m.
localista adj. s.2g.
localístico adj.
localização s.f.
localizado adj.
localizador (*ô*) adj.
localizar v.
localizável adj.2g.
locanda s.f.
locandeiro s.m.
locânico adj.
locão s.m.
loção s.m.f.
locar v.
loçárcia s.f.
locário s.m.
locarniano adj.
locatário s.m.
locatício adj.
locatividade s.f.
locativo adj. s.m.
locaute s.m.
locé s.m. na loc. *a locé*
locelo s.m.
locengue s.m.
locionar v.
lockiano adj.
locmeia (*é*) s.f.
lócmia s.f.
lócmio s.m.
locmobilidade s.f.
locmódio s.m.
locmodófilo adj.
locmófilo adj.
locnera s.f.
loco s.m. "unidade da falange macedônia"; cf. *loco* (*ô*)
loco (*ô*) s.m. "orixá nagô"; cf. *loco*
locoísmo s.m.
locólito s.m.
locomobilidade s.f.
locomoção s.f.
locomotiva s.f.
locomotival adj.2g.
locomotividade s.f.
locomotivo adj.
locomotor (*ô*) adj. s.m.; f. *locomotriz*
locomotora (*ô*) s.f.
locomotório adj.
locomotriz adj. s.f. de *locomotor* (*ô*)
locomóvel adj.2g. s.f.
locomover v.
locomovível adj.2g.
loconde s.m.
locondel s.m.
locôndi s.m.
locote s.m.
locotenência s.f.
locotenente s.2g.
locotrator (*ô*) s.m.
locrense adj. s.2g.
lócrio adj. s.m.
loctal adj.2g.
locu s.m.
locução s.f.
locucional adj.2g.
locucionar v.
loculação s.f.
loculado adj.
loculamento s.m.
locular adj.2g.
loculicida adj.2g.
lóculo s.m.
loculoascomicetídio s.m.
loculoso (*ô*) adj.; f. (*ó*); pl. (*ó*)
locundo s.m.
locupletação s.f.
locupletado adj.
locupletamento s.m.
locupletante adj.2g.
locupletar v.
locupletável adj.2g.

locurana s.f.
locuri s.m.
lócus s.m.
locusta s.f.
locustário adj. s.m.
locustela s.f.
locustiano adj.
locusticida adj.2g. s.m.
locusticídio s.m.
locústida adj.2g. s.m.
locustídeo adj. s.m.
locustódeo adj. s.m.
locutivo adj. s.m.
locutor (*ô*) adj. s.m.
locutório s.m.
lodaça s.f.
lodaçal s.m.
lodacento adj.
lódão s.m.
lódão-bastardo s.m.; pl. *lódãos-bastardos*
lódão-da-arábia s.m.; pl. *lódãos-da-arábia*
lodeira s.f.
lodeiro s.m.
lodento adj.
lodícula s.f.
lodigésia s.f.
lodo s.m. "lótus"; cf. *lodo* (*ô*)
lodo (*ô*) s.m. "lama"; cf. *lodo*
lodoícea s.f.
lodoiceia (*é*) s.f.
lodoso (*ô*) adj.; f. (*ó*); pl. (*ó*)
lodranito s.m.
loellinguita s.f.
loena s.m.
loenda s.f.
loendral s.m.
loendreira s.f.
loendro s.m.
loendro-amarelo s.m.; pl. *loendros-amarelos*
loendro-da-índia s.m.; pl. *loendros-da-índia*
loengo s.m.
loesélia s.f.
loés-nordeste s.m.; pl. *loés-nordestes*
loés-noroeste s.m.; pl. *loés-noroestes*
loess s.m.
loesse s.m.
loessítico adj.
loessito s.m.
loés-sudoeste s.m.; pl. *loés-sudoestes*
loés-sueste s.m.; pl. *loés-suestes*
loeste s.m.
loeweíta s.f.
loewigita s.f.
lofantera s.f.
lofáster s.m.
lofiida adj.2g. s.m.
lofiídeo adj. s.m.
lofiiforme s.m.
lofiíneo adj. s.m.
lofina s.f.
lófio s.m.
lofiogóbio s.m.
lofióideo adj. s.m.
lofiomiíneo adj. s.m.
lofiômio s.m.
lofiômis s.m.2n.
lofiossiluro s.m.
lofióstoma s.f.
lofiostomatácea s.f.
lofiostomatáceo adj.
lófira s.f.
lofírea s.f.
lofiro s.m.
lofo adj. s.m. "peixe"; cf. *lofo* (*ô*)
lofo (*ô*) adj. "apatetado"; cf. *lofo*
lofobrânquio adj. s.m.
lofobunodonte adj.
lofocareno s.m.
lofocéfalo s.m.
lofocercária s.f.
lofócero s.m.
lofocólea s.f.
lofócomo adj. s.m.
lofodérmio s.m.
lofodonte adj. s.m.
lofoélia s.f.
lofoelíneo s.m.
lofoeto s.m.
lofófabe s.f.
lofófane s.m.
lófofaps s.f.2n.
lofofena s.m.
lofófilo adj.
lofofitia s.f.
lofófito s.m.
lofofitóidea s.f.
lofoforado adj. s.m.
lofoforina s.f.
lofóforo s.m.
lofogáster s.m.
lofogástrida adj.2g. s.m.
lofogastrídeo adj. s.m.
lofógine s.f.
lofogipo s.m.
lófogips s.m.2n.
lofoictínia s.f.
lofolemo s.m.
lofoma s.m.
lofômona s.m.
lofonoto s.m.
lófopo s.m.
lofópode adj.2g. s.m.
lofopóeo s.m.
lofopósida adj.2g. s.m.
lofoposídeo adj. s.m.
lofoptérige s.f.
lofópterix (*cs*) s.f.
lofoqueta s.m.
loforina s.m.
loforinco s.m.
lofórnis s.2g.2n.
lofornita s.f.
lofornite s.2g.
lofornitínea s.f.
loforrinco s.m.
lofórtix (*cs*) s.m.2n.
lofosérida adj.2g. s.m.
lofoséride s.f.
lofoserídeo adj. s.m.
lofóseris s.m.2n.
lofospérmia s.f.
lofospermo s.m.
lofospóreo adj.
lofospórico adj.
lofosselenodonte adj.2g.
lofóstaque s.m.
lofóstoma s.f.
lofostomado adj. s.m.
lofóstomo s.m.
lofote s.m.
lofótida adj.2g. s.m.
lofotídeo adj. s.m.
lofótis s.m.2n.
lofoto s.m.
lofótrico adj. s.m.
lofotriórquis s.m.2n.
lofotríquio s.m.
loftúsia s.f.
loftusíneo adj. s.m.
lofura s.f.
lofuro s.m.
logadectomia s.f.
logadectômico adj.
logadite s.f.
logaédico adj.
logafasia s.f.
logafásico adj.
logagnosia s.f.
logagnósico adj.
logagnóstico adj.
logagrafia s.f.
logagráfico adj.
logamnésia s.f.
logamnésico adj. s.m.
logânea s.f.
logâneo adj.
loganetina s.f.
logânia s.f.
loganiácea s.f.
loganiáceo adj.
loganíea s.f.
loganina s.f.
loganióidea s.f.
logaritmação s.f.
logaritmancia s.f.
logaritmando adj.
logaritmante s.2g.
logaritmântico adj.
logarítmica s.f.
logarítmico adj.
logaritmo s.m.
logaritmomancia s.f.
logaritmomania s.f.
logaritmômano s.m.
logaritmomante s.2g.
logaritmomântico adj.
logaritmômetro s.m.
logaritmotecnia s.f.
logaritmotécnico adj.
logastenia s.f.
logastênico adj.
logba s.m.
logbuari s.m.
lógea s.f.
logia s.m.
lógia s.f.
lógica s.f.
logicado adj.
logical adj.2g.
logicar v.
logicidade s.f.
logicismo s.m.
logicista adj. s.2g.
logicístico adj.
lógico adj. s.m.
logismográfico adj.
logismológico adj.
logista adj. s.2g. "magistrado"; cf. *lojista*
logística s.f.
logístico adj.
logo s.m. adv. conj.
logoaudiometria s.f.
logocêntrico adj.
logocentrismo s.m.
logocentrista adj. s.2g.
logocentrístico adj.
logoclonia s.f.
logoclônico adj.
logocofose s.f.
logocofósico adj.
logodedália s.f.
logodedálico adj.
logofania s.f.
logofânico adj.
logofobia s.f.
logofóbico adj.
logofóbogo adj. s.m.
logofônico adj.
logografia s.f.
logográfico adj.
logógrafo s.m.
logograma s.m.
logográfico adj.
logogrifo s.m.
logólatra s.2g.
logolatria adj. s.2g.
logolátrico adj.
logomania s.f.
logomaníaco adj. s.m.
logômano s.m.
logomaquia s.f.
logomáquico adj.
logomarca s.f.
logômetro s.m.
logon s.m.
logoneurose s.f.
logoneurótico adj. s.m.
logonevrótico adj. s.m.
logonguena s.f.
logopata s.2g.
logópata s.2g.
logopatia s.f.
logopático adj.
logopedia s.f.
logopédico adj.
logopedista adj. s.2g.
logoplegia s.f.
logoplégico adj.
logorreia (*é*) s.f.
logorreico (*é*) adj. s.m.
logortopedia s.f.
logortopédico adj.
logos s.m.2n.
logosofia s.f.
logosófico adj.
logósofo s.m.
logospasmo s.m.
logossilabário adj. s.m.
logossilábico adj.
logossilabismo s.m.
logossilabista adj. s.2g.
logossilabístico adj.
logossílabo s.m.
logotecnia s.f.
logotécnica s.f.
logotécnico adj. s.m.
logotenência s.f.
logotenente s.2g.
logoterapeuta adj. s.2g.
logoterapêutico adj.
logoterapia s.f.
logoterápico adj.
logoteta s.m.
logotipia s.f.
logotípico adj.
logotipo s.m.
logótipo s.m.
logra s.f.
logração s.f.
logradeira s.f.
logrado adj.
logradoiro s.m.
logrador (*ô*) adj. s.m.
logradouro s.m.
logramento s.m.
logrão s.m.; f. *logrona*
lograr v.
logrativo adj.
logrável adj.2g.
logreiro adj. s.m.
logro (*ô*) s.m.; cf. *logro*, fl. do v. *lograr*
logrona s.f. de *logrão*
logudorês adj. s.m.
lohestita s.f.
lohmanização s.f.
loíase s.f.
loiça s.f.
loiçaria s.f.
loiceira s.f.
loiceiro s.m.
loimia s.m.
loio (*ô*) adj. s.m.
loio-do-jardim s.m.; pl. *loios-do-jardim*
loiola s.m.
loiolista adj. s.2g.
loipônico adj.
loira s.f.
loiraça s.2g. s.f.
loirecente adj.2g.
loirecer v.
loireira s.f.
loireiral s.m.
loireiro s.m.
loireiro-cerejo s.m.; pl. *loireiros-cerejos*
loireiro-de-apolo s.m.; pl. *loireiros-de-apolo*
loireiro-de-portugal s.m.; pl. *loireiros-de-portugal*
loireiro-rosa s.m.; pl. *loireiros-rosa*
loirejante adj.2g.
loirejar v.
loirejo (*ê*) s.m.
loirela s.f.
loiro adj. s.m.
loiro-abacate s.m.; pl. *loiros-abacate* e *loiros-abacates*
loiro-amarelo s.m.; pl. *loiros-amarelos*
loiro-amarelo-do-igapó s.m.; pl. *loiros-amarelos-do-igapó*
loiro-amargoso s.m.; pl. *loiros-amargosos*
loiro-baiano s.m.; pl. *loiros-baianos*
loiro-batata s.m.; pl. *loiros-batata* e *loiros-batatas*
loiro-besuntão s.m.; pl. *loiros-besuntões*
loiro-bosta s.m.; pl. *loiros-bosta* e *loiros-bostas*
loiro-branco s.m.; pl. *loiros-brancos*
loiro-bravo s.m..; pl. *loiros-bravos*
loiro-cânfora s.m.; pl. *loiros-cânfora* e *loiros-cânforas*
loiro-canga-de-porco s.m.; pl. *loiros-canga-de-porco* e *loiros-cangas-de-porco*
loiro-cereja s.m.; pl. *loiros-cereja* e *loiros-cerejas*
loiro-cerejo s.m.; pl. *loiros-cerejo* e *loiros-cerejos*
loiro-cheiroso s.m.; pl. *loiros-cheirosos*
loiro-cravo s.m.; pl. *loiros-cravo* e *loiros-cravos*
loiro-da-beira s.m.; pl. *loiros-da-beira*
loiro-da-mata-virgem s.m.; pl. *loiros-da-mata-virgem*
loiro-da-terra s.m.; pl. *loiros-da-terra*
loiro-da-várzea s.m.; pl. *loiros-da-várzea*
loiro-de-casca-preta s.m.; pl. *loiros-de-casca-preta*
loiro-do-igapó s.m.; pl. *loiros-do-igapó*
loiro-faia s.m.; pl. *loiros-faia* e *loiros-faias*
loiro-inglês s.m.; pl. *loiros-ingleses*
loiro-inhamuí s.m.; pl. *loiros-inhamuí* e *loiros-inhamuís*
loiro-mamorim s.m.; pl. *loiros-mamorim* e *loiros-mamorins*
loiro-nhamuí s.m.; pl. *loiros-nhamuí* e *loiros-nhamuís*
loiro-pardo s.m.; pl. *loiros-pardos*
loiro-pimenta s.m.; pl. *loiros-pimenta* e *loiros-pimentas*
loiro-preto s.m.; pl. *loiros-pretos*
loiro-puxuri s.m.; pl. *loiros-puxuri* e *loiros-puxuris*
loiro-régio s.m.; pl. *loiros-régios*
loiro-rosa s.m.; pl. *loiros-rosa* e *loiros-rosas*
loiro-sassafrás s.m.; pl. *loiros-sassafrás* e *loiros-sassafrases*
loiro-sassafrás-do-amazonas s.m.; pl. *loiros-sassafrás-do-amazonas* e *loiros-sassafrases-do-amazonas*
loiro-silvestre s.m.; pl. *loiros-silvestres*
loiro-tamancão s.m.; pl. *loiros-tamancão* e *loiros-tamancões*
loiro-tamanco s.m.; pl. *loiros-tamanco* e *loiros-tamancos*
loiro-tim s.m.; pl. *loiros-tins*
loiro-vermelho s.m.; pl. *loiros-vermelhos*
loisa s.m. "lousa"; cf. *loisã*
loisã adj. s.f. "terra onde há muitas loisas"; cf. *loisa*
loisador (*ô*) adj. s.m.
loisão s.m.
loisar v.
loiseira s.f.
loiseiro adj. s.m.
loiselêuria s.f.
loisífero adj.
loisinha s.f.
loisinho adj. s.m.
loja s.f.
lojeca s.f.
lojeiro s.m.
lójia s.f.
lojica s.f.
lojista adj. s.2g. "comerciante"; cf. *logista*
lokkaíta s.f.
lolana s.f.
lolardismo s.m.
lolardista adj. s.2g.

lolardo adj. s.m.
lolássana s.m.
loliácea s.f.
loliáceo adj.
loligeiro s.m.
loligídeo adj. s.m.
loligínida adj.2g. s.m.
loliginídeo adj. s.m.
lóligo s.m.
loligopse s.2g.
loligopsíneo adj. s.m.
loligópsis s.2g.2n.
loligúncula s.m.
lolingita s.f.
lolingite s.f.
lólio s.m.
lolioto (*ô*) s.m.
lolismo s.m.
lollardismo s.m.
lollardista adj. s.2g.
lollardo adj. s.m.
lollingita s.f.
lolo s.m. "árvore do congo"; cf. *loló*
loló s.m. "planta malvácea de Cabo Verde"; cf. *lolo*
lomanco s.m.
lomandra s.f.
lomandrácea s.f.
lomandráceo adj.
lomândrea s.f.
lomani s.m.
lomanoto s.m.
lomária s.f.
lomariopse s.2g.
lomariopsidácea s.f.
lomariopsidáceo adj.
lomáspilis s.f.2n.
lomástomo adj.
lomátia s.f.
lomatiol s.m.
lomatocarpo adj.
lomatofilo adj. s.m.
lomatozona s.f.
lomba s.f.
lombabdominal adj.2g.
lombada s.f.
lomba-grandense adj. s.2g.; pl. *lomba-grandenses*
lombal adj.2g.
lombalgia s.f.
lombálgico adj.
lombalização s.f.
lombalizado adj.
lombalizar v.
lombaórtico adj.
lombar v. adj.2g.
lombarda s.f.
lombardeiro adj.
lombardiense adj. s.2g.
lombardino adj.
lombardismo s.m.
lombardita s.f.
lombardito adj.
lombardo adj. s.m.
lombarização s.f.
lombarizado adj.
lombarizar v.
lombartrose s.f.
lomba-verde s.f.; pl. *lombas-verdes*
lombe s.m.
lombear-se v. "torcer o lombo"; cf. *lombiar*
lombeira s.f.
lombeiro adj. s.m.
lombelo (*ê*) s.m.
lombi s.m.
lombiar v. "ferir o lombo"; cf. *lombear*
lombilhar v.
lombilharia s.f.
lombilheiro s.m.
lombilho s.m.
lombilíaco adj.
lombinge s.m.
lombinho s.m.
lombo s.m.
lomboabdominal adj.
lombo-azul s.m.; pl. *lombos-azuis*
lombociatalgia s.f.
lombocolostomia s.f.
lombocolostômico adj.
lombocolotomia s.f.
lombocolotômico adj.
lombocostal adj.2g.
lombocostotraqueliano adj.
lombocrural adj.2g.
lombodorsal adj.2g.
lombodorsocervical adj.2g.
lombodorsotraqueliano adj.
lombo-paulista s.m.; pl. *lombos-paulistas*
lombo-preto s.m.; pl. *lombos-pretos*
lombossacral adj.2g.
lombossagrado adj.
lombóstato s.m.
lombo-sujo s.m.; pl. *lombos-sujos*
lombotomia s.f.
lombotrocantiniano adj.
lomboumeral adj.2g.
lombovárico adj.
lombra s.f.
lombrical adj.2g.
lombricida adj.2g. s.m.
lombrícida adj.2g. s.m.
lombricídeo adj. s.m.
lombricídio s.m.
lombriciforme adj.2g. s.f.
lombricita s.f.
lombricito s.m.
lombricoidal adj.2g.
lombricoide (*ó*) adj.2g. s.m.
lombricose s.f.
lombrículo s.m.
lombriga s.f.
lombriga-branca s.f.; pl. *lombrigas-brancas*
lombrigar v.
lombrigueira s.f.
lombrigueiro s.m.
lombrosiano adj. s.m.
lombrosionismo s.m.
lombrosionista adj. s.2g.
lombrosionístico adj.
lombudo adj.
lombumeral adj.2g.
lomecusa s.f.
lomedro s.m.
lomenhanha s.f.
lomentácea s.f.
lomentáceo adj.
lomentária s.f.
lomento s.m.
lômis s.m.2n.
lomógrafa s.f.
lomonita s.f.
lomonosovita s.f.
lomontita s.f.
lompardo adj.
lomué adj. s.2g. s.m.
lona s.f.
lonado adj.
lonca s.f.
loncaeia (*é*) s.f.
loncaeída adj.2g. s.m.
loncaeídeo adj. s.m.
loncocarpo s.m.
loncofilo adj.
loncóforo s.m.
loncoglossa s.m.
loncóptero s.f.
loncorina s.f.
loncóstefo s.m.
loncótasis s.f.2n.
loncuro s.m.
londão s.m.
londavo s.m.
londerangudo s.m.
londinense adj. s.2g.
londiniano adj. s.m.
londinismo s.m.
londo s.m.
londobo s.m.
londoniense adj. s.2g.
londré s.m.
londrear v.
londrês adj. s.m.
londrina s.f.
londrinense adj. s.2g.
londrino adj. s.m.
londum s.m.
longa s.m.f.
longabdutor (*ô*) adj. s.m.
longada s.f.
longaense adj. s.2g.
longal adj.2g. s.f.
longa-metragem s.f.; pl. *longas-metragens*
longa-metragista adj.2g. s.2g.; pl. *longas-metragistas*
longamira s.f.
longana s.f.
longânime adj.2g.
longanimidade s.f.
longânimo adj.
longar adj.2g. s.m.
longareiro adj. s.m.
longarela s.2g.
longariça s.f.
longarina s.f.
longarino s.m.
longe adj.2g. s.m. adv.
longeirão s.m.
longerão s.m.
longevidade s.f.
longevo adj.
longicaude adj.2g.
longicaule adj.2g.
longicomposto (*ô*) adj.
longicórneo adj. s.m.
longifloro adj.
longifoleno s.m.
longifoliado adj.
longifólio adj.
longifronte adj.2g.
longilíneo adj.
longilobado adj.
longímano adj.
longimetria s.f.
longimétrico adj.
longímetro s.m.
longina s.f.
longinianismo s.m.
longinianista adj. s.2g.
longinianístico adj.
longiniano adj.
longinismo s.m.
longinista adj. s.2g.
longinístico adj.
longinquar v.
longinquidade (*ü*) s.f.
longínquo adj.
longipalpo adj.
longipeciolado adj.
longípede adj.2g.
longipédia s.f.
longipedunculado adj.
longipene adj. s.2g.
longipétalo adj.
longirrostro adj. s.m.
longisseto adj.
longistilia s.f.
longistilo adj.
longistridente adj.2g.
longitarso adj. s.m.
longitipo s.m.
longitroante adj.2g.
longitude s.f.
longitudinal adj.2g.
longividência s.f.
longividente adj.2g.
longo adj.
longoabdutor (*ô*) adj. s.m.
longobardo adj. s.m.
longô-do-mar s.m.; pl. *longôs-do-mar*
longoflexor (*csô*) adj. s.m.
longóporo adj.
longor (*ô*) s.m.
longórvia s.f.
longossupinador (*ô*) s.m.
longrina s.f.
longueirão adj. s.m.
longueiro adj.
longuere s.m.
longueza (*ê*) s.f.
longuidão s.f.
longuim s.m.
longuinho adj.
longulano adj. s.m.
longulito s.m.
longura s.f.
lonícera s.f.
lonicerácea s.f.
loniceráceo adj.
lonicérea s.f.
lonicéreo adj.
lonicéria s.f.
loniceroide (*ó*) s.m.
lonita s.f.
lonja s.f.
lonjura s.f.
lonômia s.f.
lonqueado adj.
lonqueador (*ô*) adj. s.m.
lonquear v.
lonqueia (*é*) s.f.
lonqueida adj.2g. s.m.
lonqueídeo adj. s.m.
lonqueiro s.m.
lonqueres s.m.2n.
lonquerineo adj. s.m.
lonquidita s.f.
lonquite s.f.
lonsdaleíta s.f.
lontar s.m.
lontra s.m.f.
lontra-comum s.f.; pl. *lontras-comuns*
lontra-do-brasil s.f.; pl. *lontras-do-brasil*
lontra-do-mar s.f.; pl. *lontras-do-mar*
lontrense adj. s.2g.
lontro s.m.
looque s.m.
lopa s.f.
lopado adj.
lopadorinquíneo adj. s.m.
lopadorrinquíneo adj. s.m.
lopano s.m.
loparita s.f.
lope s.m. "embarcação"; cf. *lopé*
lopé s.m. "espécie de tanga"; cf. *lope*
loperamida s.f.
lopesco (*ê*) adj.
lopésia s.f. "gênero de insetos"; cf. *lopézia*
lopézia s.f. "gênero de plantas"; cf. *lopésia*
lopezita s.f.
lópi s.m.
lopo s.m.
lopolítico adj.
lopolito s.m.
lopólito s.m.
lopso adj. s.m.
loquacidade s.f.
loquacíssimo adj. sup. de *loquaz*
loquaz adj.2g.
loque s.m.
loqueário s.m.
loquécia s.f.
loquela (*ü*) s.f.
loquenda (*ü*) s.f.
loquente (*ü*) adj.2g.
loquetado adj.
loquete (*ê*) s.m.
loqui s.m.
loquial adj.2g.
lóquio s.m.
loquiócito s.m.
loquiocolpo s.m.
loquiometria s.f.
loquiométrico adj.
loquiorragia s.f.
loquiorrágico adj.
loquiorreia (*é*) s.f.
loquiorreico (*é*) adj.
lóquios s.m.pl.
loquióstase s.f.
loquiotermia s.f.
lora s.f.
loraço adj. s.m.
loral adj.2g.
lorandita s.f.
lorandite s.f.
lorandítico adj.
loranskita s.f.
loransquita s.f.
loransquite s.f.
lorantácea s.f.
lorantáceo adj.
lorântea s.f.
lorânteo adj.
lorantínea s.f.
lorantíneo adj.
loranto s.m.
lorantóidea s.f.
lorário s.m.
lorca s.f.
lorçá s.m.
lorcado adj.
lorcar v.
lorcha s.f.
lordaça s.2g.
lordaço adj. s.m.
lordar v.
lorde adj.2g. s.m.
lorde-maior s.m.; pl. *lordes-maiores*
lorde-mor s.m.; pl. *lordes-mores*
lordeza (*ê*) s.f.
lorditomeu s.m.
lordítone s.m.
lordo s.m.
lordoescoliose s.f.
lordoma s.m.
lórdops s.m.2n.
lordose s.f.
lordósico adj.
lordótico adj.
loré s.f.
loreal adj.2g.
loreia (*é*) s.f.
lorenense adj. s.2g.
lorenês adj. s.m.
lorenita s.f.
lorenite s.f.
loreno adj. s.m.
lorenzenita s.f.
loreta (*ê*) s.f.
loretano adj. s.m.
loretense adj. s.2g.
loretina s.f.
lorettoíta s.f.
lorfa adj. s.m.
lorfo (*ô*) adj.
lorga s.f.
lorgado adj.
lorgar v.
lóri s.m.
lorica s.f.
loricado adj. s.m.
loricária s.f.
loricárida adj.2g. s.m.
loricarídeo adj. s.m.
loricariídeo adj. s.m.
loricário adj. s.m.
lorico s.m.
loriculado adj.
lorículo s.m.
lorídeo adj. s.m.
loridino adj.
lorifoliado adj.
lorifólio adj.
loriforme adj.2g.
loriga s.f.
lorigado adj.
lorigão s.m.
loriídeo adj. s.m.
lório s.m.
loriol s.m.
lorípede adj.2g.
lóris s.m.2n.
lorisídeo adj. s.m.
lorisiforme adj.2g.
lormano adj. s.m.
loro s.m. "correia"; cf. *loró*
loró adj.2g. "denunciador"; cf. *loro*
lorócero s.m.
loroglosso s.m.
loronense adj. s.2g.
lorongo adj.
loropétalo s.m.
loros s.m.pl.; na loc. *andar aos loros*

lorosa s.f.
lorostelma s.f.
lorota s.f.
lorotação s.f.
lorotagem s.f.
lorotar v.
loroteiro adj. s.m.
lorpa (*ô*) adj. s.2g.
lorpice s.f.
lorquiano adj.
lorto s.m.
lórulo s.m.
losaico s.m.
losanga s.f.
losângico adj.
losango s.m.
losânguico adj.
losangular adj.2g.
losanja s.f.
lósbia s.f.
loscanha adj.2g.
loseyita s.f.
lósia s.f.
losma s.f.
losna s.f.
losna-arbustiva s.f.; pl. *losnas-arbustivas*
losna-de-dioscórides s.f.; pl. *losnas-de-dioscórides*
losna-de-portugal s.f.; pl. *losnas-de-portugal*
losna-do-algarve s.f.; pl. *losnas-do-algarve*
losna-do-brasil s.f.; pl. *losnas-do-brasil*
losna-do-maranhão s.f.; pl. *losnas-do-maranhão*
losna-do-mato s.f.; pl. *losnas-do-mato*
losna-maior s.f.; pl. *losnas-maiores*
losna-menor s.f.; pl. *losnas-menores*
loso s.m.
losofânio s.m.
lossapo s.m.
lossenita s.f.
lossenite s.f.
lostra (*ô*) s.f.
lostrada s.f.
lota s.f.
lotação s.m.f.
lotada s.f.
lotado adj.
lotador (*ô*) s.m.
lotalita s.f.
lotar v.
lotaria s.f.
lotárico adj.
lotaringiano adj. s.m.
lotaríngio adj. s.m.
lotase s.f.
lótase s.f.
lotaustralina s.f.
lote s.m.
lótea s.f.
loteado adj.
loteamento s.m.
lotear v.
loteável adj.2g.
loteca s.f.
loteiro s.m.
lotejar v.
lotela s.m.
loteléria s.m.
lóteo adj.
loteria s.f.
lotérico adj.
loti s.m.
lótico adj.
lotífago adj.
lotiforme adj.2g.
lotíneo s.m.
lotinoplastia s.f.
lotinoplástico adj.
loto s.m. "planta"; cf. *loto* (*ô*)
loto (*ô*) s.m. "jogo"; cf. *loto*
loto-amarelo s.m.; pl. *lotos-amarelos*
loto-azul s.m.; pl. *lotos-azuis*
lotofagia s.f.
lotófago adj. s.m.
lotoflavina s.f.
lotoide (*ó*) adj.2g.
lotóidea s.f.
lotóideo adj.
loto-índico s.m.; pl. *lotos-índicos*
lotomano adj. s.m.
lotononе s.f.
lotononis s.f.2n.
loto-sagrado-do-egito s.m.; pl. *lotos-sagrados-do-egito*
lotrita s.f.
lotrite s.f.
lótur s.m.
loturidina s.f.
loturina s.f.
lótus s.m.2n.
lótus-amarelo s.m.; pl. *lótus-amarelos*
lótus-americano s.m.; pl. *lótus-americanos*
lótus-azul s.m.; pl. *lótus-azuis*
lótus-do-egito s.m.2n.
lotusina s.f.
lótus-índico s.m.; pl. *lótus-índicos*
lotusínico adj.
lótus-sagrado-do-egito s.m.; pl. *lótus-sagrados-do-egito*
lótus-vermelho s.m.; pl. *lótus-vermelhos*
louca s.f.
louça s.f.
louçã adj. f. de *loução*
louçainha s.f.
louçainhar v.
louçainho adj.
louçana adj. f. de *loução*
louçanear v.
louçania s.f.
loução adj.; f. *louçã* e *louçana*
louçaria s.f.
louceira s.f.
louceiro s.m.
louco adj. s.m.
loucura s.f.
loudécia s.f.
loudel s.m.
louderbackita s.f.
loughlinita s.f.
louletano adj. s.m.
loupacou s.m.
louquear v.
louquejar v.
louquice s.f.
louquinho s.m.
loura s.f.
louraça s.2g. s.f.
louraço adj. s.m.
lourdense adj. s.2g.
lourecente adj.2g.
lourecer v.
loureira s.f.
loureiral s.m.
loureiro s.m.
loureiro-cerejo s.m.; pl. *loureiros-cerejo e loureiros-cerejos*
loureiro-da-índia s.m.; pl. *loureiros-da-índia*
loureiro-de-apolo s.m.; pl. *loureiros-de-apolo*
loureiro-de-portugal s.m.; pl. *loureiros-de-portugal*
loureiro-real s.m.; pl. *loureiros-reais*
loureiro-rosa s.m.; pl. *loureiros-rosa* e *loureiros-rosas*
lourejante adj.2g.
lourejar v.
lourejo (*ê*) s.m.
lourela s.f.
lourença s.f.
lourencense adj. s.2g.
lourenciano adj. s.m.
lourenço s.m.
lourenço-marquino adj. s.m.; pl. *lourenço-marquinos*
lourenço-matense adj. s.2g.; pl. *lourenço-matenses*
louriçana adj. s.2g.
lourigão s.m.
lourinhanhense adj. s.2g.
louro adj. s.m.
louro-abacate s.m.; pl. *louros-abacate* e *louros-abacates*
louro-amarelo s.m.; pl. *louros-amarelos*
louro-amarelo-do-igapó s.m.; pl. *louros-amarelos-do-igapó*
louro-amargoso s.m.; pl. *louros-amargosos*
louro-aritu s.m.; pl. *louros-aritu* e *louros-aritus*
louro-bacato s.m.; pl. *louros-bacatos*
louro-baiano s.m.; pl. *louros-baianos*
louro-batata s.m.; pl. *louros-batata* e *louros-batatas*
louro-besuntão s.m.; pl. *louros-besuntões*
louro-bosta s.m.; pl. *louros-bosta* e *louros-bostas*
louro-branco s.m.; pl. *louros-brancos*
louro-branco-do-paraná s.m.; pl. *louros-brancos-do-paraná*
louro-bravo s.m.; pl. *louros-bravos*
louro-cânfora s.m.; pl. *louros-cânfora* e *louros-cânforas*
louro-canga-de-porco s.m.; pl. *louros-canga-de-porco* e *louros-cangas-de-porco*
louro-cereja s.m.; pl. *louros-cereja* e *louros-cerejas*
louro-cerejo s.m.; pl. *louros-cerejo* e *louros-cerejos*
louro-cheiroso s.m.; pl. *louros-cheirosos*
louro-cravo s.m.; pl. *louros-cravo* e *louros-cravos*
louro-da-beira s.m.; pl. *louros-da-beira*
louro-da-mata-virgem s.m.; pl. *louros-da-mata-virgem*
louro-da-serra s.m.; pl. *louros-da-serra*
louro-das-guianas s.m.; pl. *louros-das-guianas*
louro-da-terra s.m.; pl. *louros-da-terra*
louro-da-várzea s.m.; pl. *louros-da-várzea*
louro-de-casca-preta s.m.; pl. *louros-de-casca-preta*
louro-de-cheiro s.m.; pl. *louros-de-cheiro*
louro-de-folha-larga s.m.; pl. *louros-de-folha-larga*
louro-de-mato-grosso s.m.; pl. *louros-de-mato-grosso*
louro-de-são-paulo s.m.; pl. *louros-de-são-paulo*
louro-do-amazonas s.m.; pl. *louros-do-amazonas*
louro-do-chaco s.m.; pl. *louros-do-chaco*
louro-do-igapó s.m.; pl. *louros-do-igapó*
louro-do-paraná s.m.; pl. *louros-do-paraná*
louro-faia s.m.; pl. *louros-faia* e *louros-faias*
louro-fedorento s.m.; pl. *louros-fedorentos*
louro-inglês s.m.; pl. *louros-ingleses*
louro-inhamuí s.m.; pl. *louros-inhamuí* e *louros-inhamuís*
louro-mamorim s.m.; pl. *louros-mamorim* e *louros-mamorins*
louro-mamuí s.m.; pl. *louros-mamuí* e *louros-mamuís*
louro-mole s.m.; pl. *louros-moles*
louro-negro s.m.; pl. *louros-negros*
louro-nhamuí s.m.; pl. *louros-nhamuí* e *louros-nhamuís*
louro-pardo s.m.; pl. *louros-pardos*
louro-pimenta s.m.; pl. *louros-pimenta* e *louros-pimentas*
louro-precioso s.m.; pl. *louros-preciosos*
louro-preto s.m.; pl. *louros-pretos*
louro-puxuri s.m.; pl. *louros-puxuri* e *louros-puxuris*
louro-régio s.m.; pl. *louros-régios*
louro-rosa s.m.; pl. *louros-rosa* e *louros-rosas*
louro-salgueiro s.m.; pl. *louros-salgueiro* e *louros-salgueiros*
louro-sassafrás s.m.; pl. *louros-sassafrás* e *louros-sassafrases*
louro-sassafrás-do-amazonas s.m.; pl. *louros-sassafrás-do-amazonas* e *louros-sassafrases-do-amazonas*
louro-silvestre s.m.; pl. *louros-silvestres*
louro-tamancão s.m.; pl. *louros-tamancão* e *louros-tamancões*
louro-tamanco s.m.; pl. *louros-tamancos*
louro-tim s.m.; pl. *louros-tins*
lourotinga s.f.
louro-vermelho s.m.; pl. *louros-vermelhos*
lousa s.f.
lousã adj. s.f. de *lousão*
lousadense adj. s.2g.
lousador (*ô*) s.m.
lousanense adj. s.2g.
lousão adj. s.m.; f. *lousã*
lousar v.
louseira s.f.
louseiro s.m.
lousífero adj.
lousinha s.f.
lousinho adj. s.m.
lousonense adj. s.2g.
louteridíea s.f.
loutiá s.m.
louva-a-deus s.m.2n.
louvabilidade s.f.
louvação s.f.
louvada s.f.
louva-deus s.m.2n.
louvado adj. s.m.
louvador (*ô*) adj. s.m.
louvamento s.m.
louvaminha s.f.
louvaminhar v.
louvaminheiro adj. s.m.
louvaminhice s.f.
louvaminho adj. s.m.
louvar v.
louvável adj.2g.
louveira s.f.
louveirense adj. s.2g.
louvinha-a-deus s.m.2n.
louvor (*ô*) s.m.
louvoura s.f.
lovainista adj. s.2g.
lovaíta s.f.
lovale adj. s.2g.
lovaniense adj. s.2g.
lovastatina s.f.
lovchorrita s.f.
lovdarita s.f.
lovelace s.m.
lovelaciano adj.
lovenela s.m.
lovênia s.m.
lovenite s.f.
lóvia s.f.
lovóidea s.f.
lovozerita s.f.
lovozerítico adj.
lôwia s.f.
lowiácea s.f.
lowiáceo adj.
loxa (*cs*) s.f.
loxartro (*cs*) s.m.
loxartrose (*cs*) s.f.
lóxia (*cs*) s.f.
loxocéfalo (*cs*) s.m.
loxocemíneo (*cs*) adj. s.m.
loxócera (*cs*) s.f.
loxociese (*cs*) s.f.
loxociésico (*cs*) adj.
loxoclásio (*cs*) s.m.
loxocnemide (*cs*) s.f.
loxocnémis (*cs*) s.f.2n.
loxocosmo (*cs*) s.m.
loxode (*cs*) s.m.
lóxodon (*cs*) s.m.
loxodonte (*cs*) adj.2g. s.m.
loxódroma (*cs*) s.f.
loxodromia (*cs*) s.f.
loxodrômico (*cs*) adj.
loxodromismo (*cs*) s.m.
loxofilo (*cs*) s.m.
loxograma (*cs*) s.f.
loxóporo (*cs*) s.m.
loxopterígeo (*cs*) s.m.
loxorrinco (*cs*) s.m.
loxóscele (*cs*) s.m.
loxoscelismo (*cs*) s.m.
loxossoma (*cs*) s.m.
loxossomácea (*cs*) s.f.
loxossomáceo (*cs*) adj.
loxossômida (*cs*) adj.2g. s.m.
loxossomídeo (*cs*) s.m.
loxotímetro (*cs*) s.m.
loxotomia (*cs*) s.f.
loxotômico (*cs*) adj.
loxsoma (*cs*) s.m.
loxsomácea (*cs*) s.f.
loxsomáceo (*cs*) adj.
loyola s.m.
loyolista adj. s.2g.
lozarra s.f.
lu s.m.
lua s.f.
luabongo s.m.
luaceiro s.m.
luaco s.m.
lua-d'água s.f.; pl. *luas-d'água*
luada s.f.
lua de fogo s.f.
lua de mel s.f.
luademelar v.
lualaba adj. s.2g.
luale s.f.
lualuá s.f.
luambango s.m.
luanco s.m.
luanda adj. s.2g.
luandense adj. s.2g.
luandês adj. s.m.
luando s.m.
luane s.m.
luanga s.m.
luango adj. s.m.
luano s.m.
luar s.m.
luarejar v.
luarento adj.
luário s.m.
luarizar v.
luau s.m.
luba adj. s.2g. s.f.
lubambeiro adj. s.m.
lubambo s.m.
lubango adj. s.m.
lubanol s.m.
lubeckita s.f.
lubeno adj. s.m.
lubieno adj. s.m.
lubiense adj. s.2g.
lubina s.f.
lubínia s.f.
lubire s.f.
lubito s.m.
lublinita s.f.
lubobo adj. s.m.
lubomírskia s.f.
lubomírsquia s.f.
lubongo s.m.

lubóquia s.m.
lubricar v.
lubricidade s.f.
lubricidez (*ê*) s.f.
lúbrico adj. s.m.
lubrificação s.f.
lubrificado adj.
lubrificador (*ô*) adj. s.m.
lubrificamento s.m.
lubrificante adj.2g. s.m.
lubrificar v.
lubrificável adj.2g.
lúbrigo s.m.
lubrina s.f.
lubunza s.f.
luca s.f.
lucaço s.m.
lucaiano adj. s.m.
lucaiense adj. s.2g.
lucaio adj.
lucambala s.f.
lucanari s.m.
lucanário s.m.
lucanda s.f.
lucanga s.f.
lucange s.m.
lucango s.m.
lucânia s.m.
lucaniano adj. s.m.
lucânico adj. s.m.
lucânida adj.2g. s.m.
lucanídeo adj. s.m.
lucaníneo adj. s.m.
lucano adj. s.m.
lucão s.m.
lucarana s.f.
lucarna s.f.
lucas s.m.2n.
lucasita s.f.
lucasite s.f.
lucativa s.f.
lucejar v.
lucelburgense adj. s.2g.
luceliense adj. s.2g.
lucena s.f.
lucenense adj. s.2g.
luceno adj. s.m.
lucense adj. s.2g.
lucente adj.2g.
lucentino adj. s.m.
luceque s.f.
lúcere adj. s.2g.
lucerense adj. s.2g.
lucerino adj. s.m.
lucerna s.f.
lucernar v.
lucernária s.f.
lucernárida adj.2g. s.m.
lucernarídeo adj. s.m.
lucernário s.m.
lúcero adj. s.m.
lucescência s.f.
lucescente adj.2g.
luchamento s.m.; cf. *luxamento*
luchan s.m.
luchar v. "sujar"; cf. *luxar*
luchaze adj.2g. s.m.
lúcia s.f.
lúcia-lima s.f.; pl. *lúcias-lima* e *lúcias-limas*
luciana s.f.
lucianesco (*ê*) adj.
luciânida adj.2g. s.m.
lucianídeo adj. s.m.
lucianismo s.m.
lucianista adj. s.m.
lucianístico adj.
lucianita s.f.
lucianopolense adj. s.2g.
lucianopolitano adj. s.m.
lucícola adj.2g.
lucidar v.
lucidez (*ê*) s.f.
lúcido adj.
lucidol s.m.
lucidoscópio s.m.
lúcifer s.m.
luciferário s.m.
luciferase s.f.
luciférase s.f.
luciferianismo s.m.
luciferianista adj. s.2g.
luciferiano adj. s.m.
luciférico adj.
luciferina s.f.
luciferino adj.
luciferismo s.m.
luciferista adj. s.2g.
luciferístico adj.
lucífero adj. s.m.
lucífilo adj.
lucífluo adj.
lucifrianístico adj.
lucífuga s.f.
lucífugo adj. s.m.
lucilação s.f.
lucilamento s.f.
lucilância s.f.
lucilante adj.2g.
lucilar v.
lucília s.f.
luciliano adj.
lucilina s.f.
lúcilo adj.
luciluzir v.
lucímetro s.m.
lucina s.f.
lucíneo adj.
lucinha s.f.
lucínida adj.2g. s.m.
lucinídeo adj. s.m.
lucinocte adj.2g. s.f.
lucinópsis s.2g.2n.
lúcio s.m.
luciocefálida adj.2g. s.m.
luciocefalídeo adj. s.m.
luciocéfalo s.m.
luciogóbio s.m.
lucíola s.f.
luciolante adj.2g.
luciolar v.
luciolíneo adj. s.m.
lucíolo s.m.
lúcio-marinho s.m.; pl. *lúcios-marinhos*
lucioperca s.f.
luciossoma s.m.
luciotruta s.f.
lucípeta adj.2g.
lucipotente adj.2g.
lucite s.f.
lucívago adj.
lucivelo s.m.
lucivéu s.m.
lucmão s.m.
lucmo s.m.
luco s.m.
lucoferonense adj. s.2g.
lucoflex (*cs*) s.m.
lúcoflex (*cs*) s.m.
lucondajobo s.m.
lucongo-luanzambi s.m.; pl. *lucongos-luanzambis*
luconjo s.m.
lucopetriano adj. s.m.
lucrar v.
lucratividade s.f.
lucrativo adj.
lucreciano adj.
lucrécio adj.
lucrinense adj. s.2g.
lucrino adj. s.m.
lucro s.m.
lucroso (*ô*) adj.; f. (*ó*); pl. (*ó*)
luctífero adj.
luctífico adj.
luctíssono adj.
lucubração s.f.
lucubrado adj.
lucubrante adj.2g.
lucubrar v.
lucubrável adj.2g.
lúcula s.f.
luculento adj.
lucúleo adj.
luculiano adj.
lucúlico adj.
lucúlio adj.
luculita s.f.
lúculo s.m.
lucuma s.f.
lucumão s.m.
lucúmbi adj. s.2g.
lucumina s.f.
lúcumo s.m.
lucunari s.m.
lucuparim s.m.
lucurana s.f.
ludacriana s.f.
ludambulismo s.m.
ludâmbulo adj. s.m.
ludar s.m.
luddismo s.m. "ação contra as máquinas"; cf. *ludismo*
luddista adj. s.2g. "o que destrói as máquinas"; cf. *ludista*
luddístico adj. "relativo ao que destrói máquinas"; cf. *ludístico*
luddita s.m.
ludgeriana s.f.
ludiano adj. s.m.
ludião s.m.
ludibriado adj.
ludibriador (*ô*) adj. s.m.
ludibriante adj.2g.
ludibriar v.
ludibriável adj.2g.
ludibrioso (*ô*) adj.; f. (*ó*); pl. (*ó*)
lúdica s.f.
lúdico adj. s.m.
lúdicro adj.
ludimania s.f.
lúdio s.m.
ludismo s.m. "caráter de jogo"; cf. *luddismo*
ludista adj. s.2g. "que tem caráter de jogo"; cf. *luddista*
ludístico adj. "relativo a caráter de jogo"; cf. *luddístico*
ludita s.m.
ludlamita s.f.
ludlockita s.f.
ludo s.m.
ludologia s.f.
ludológico adj.
ludologista adj. s.2g.
ludologístico adj.
ludólogo s.m.
ludomania s.f.
ludomaníaco adj. s.m.
ludopédio s.m.
ludoteca s.f.
ludotecário adj. s.m.
ludoterapeuta s.2g.
ludoterapêutico adj.
ludoterapia s.f.
ludoterápico adj.
ludóvia s.f.
ludovicense adj. s.2g.
ludoviciano adj.
ludra s.f.
ludreiro s.m.
ludrento adj.
lúdrico adj.
ludrilho s.m.
ludro adj.
ludroso (*ô*) adj.; f. (*ó*); pl. (*ó*)
ludvígia s.f.
ludvigita s.f.
ludwígia s.f.
ludwiguita s.f.
lueda s.f.
luedervaldciana s.f.
luéea s.f.
luena adj.2g. s.m.
luenga s.f.
luengo s.m.
lueque s.m.
lues s.f.2n.
lueshita s.f.
lueta (*ê*) s.f.
luetheíta s.f.
luético adj.
luetífico adj.
luetina s.f.
lufa s.f.
lufada s.f.
lufadela s.f.
lufa-lufa s.f.; pl. *lufa-lufas*
lufar v.
lufária s.f.
lufense adj. s.2g.
lúfia s.f.
lufica s.f.
lufo s.m.
lufre s.m.
lufuma s.f.
luganda s.f.
lugar s.m. "local", "porção do espaço"; cf. *lúgar*
lúgar s.m. "veleiro"; cf. *lugar*
lugar-comum s.m.; pl. *lugares-comuns*
lugareiro adj.
lugarejo (*ê*) s.m.
lugarete (*ê*) s.m.
lugar-tenência s.f.; pl. *lugares-tenências*
lugar-tenente s.2g.; pl. *lugares-tenentes*
lugdunense adj. s.2g.
lugente adj.2g.
lugiso s.m.
lugol s.m.
lugólico adj.
lugre s.m.
lugre-barca s.m.; pl. *lugres-barca* e *lugres-barcas*
lugre-escuna s.m.; pl. *lugres-escuna* e *lugres-escunas*
lugre-iate s.m.; pl. *lugres-iate* e *lugres-iates*
lugre-patacho s.m.; pl. *lugres-patacho* e *lugres-patachos*
lúgubre adj.2g.
lugubridade s.f.
luia s.f.
luibaba s.f.
luico s.m.
luídia s.f.
luigita s.f.
luíida adj.2g. s.m.
luiídeo adj. s.m.
luiídia s.f.
luíla s.f.
luimbe s.m.
luíme s.m.
luína adj. s.2g.
luinha s.m.
luir v.
luís s.m.
luís-alvense adj. s.2g.; pl. *luís-alvenses*
luís-antoniense adj. s.2g.; pl. *luís-antonienses*
luisburguense adj. s.2g.
luís-cacheiro s.m.; pl. *luís-cacheiros*
luís-caixeiro s.m.; pl. *luís-caixeiros*
luís-correense adj. s.2g.; pl. *luís-correenses*
luís-correiense adj. s.2g.; pl. *luís-correienses*
luís-dezesseis adj. s.2g.2n.
luís-dominguense adj. s.2g.; pl. *luís-dominguenses*
luisense adj. s.2g.
luís-gomense adj. s.2g.; pl. *luís-gomenses*
luís-gonzaguense adj. s.2g.; pl. *luís-gonzaguenses*
luísia s.f.
luisiana s.f.
luisianense adj. s.2g.
luisianiense adj. s.2g.
luisina s.f.
luisita s.f.
luisite s.f.
luís-quatorze s.2g.2n.
luís-quinze s.2g.2n.
luís-teixeira s.m.; pl. *luís-teixeiras*
luís-treze s.2g.2n.
luís-vianense adj. s.2g.; pl. *luís-vianenses*
luizense adj. s.2g.
lujanja s.f.
lujaurítico adj.
lujaurito s.m.
lula s.f.
lula-gigante s.f.; pl. *lulas-gigantes*
lulão s.m.
lulapoca s.f.
lulatexavássana s.m.
luliano adj.
lulinha s.f.
lulismo s.m.
lulista adj. s.2g.
lulístico adj.
lulo s.m.
lulongo s.m.
lulu s.m.
lulu-da-pomerânia s.m.; pl. *lulus-da-pomerânia*
lulula s.f.
lulundo s.m.
lulutinho s.m.
lumache s.m.
lumaico s.m.
lumandáji s.m.
lumaquela s.f.
lumarão s.m.
lumaréu s.m.
lumarite s.m.
lumbagem s.f.
lumbágico adj.
lumbago s.f.
lumbalgia s.f.
lumbálgico adj.
lumberitano adj. s.m.
lumbo s.m.
lumbombo s.m.
lumbondo s.m.
lumbrada s.f.
lumbrical adj.2g.
lumbricário adj.
lumbricida adj.2g. s.m.
lumbrícida adj.2g. s.m.
lumbricídeo adj. s.m.
lumbricídio s.m.
lumbriciforme adj.2g. s.f.
lumbricita s.f.
lumbricito s.m.
lumbriclímene s.f.
lumbrico s.m.
lumbricoide (*ó*) adj.2g.
lumbriconereíneo s.m.
lumbriconéreis s.m.2n.
lumbricose s.f.
lumbricúlida adj.2g. s.m.
lumbriculídeo adj. s.m.
lumbriculíneo adj. s.m.
lumbrículo s.m.
lumbudo s.m.
lume s.m.
lumeeira s.f.
lumeeiro s.m.
lumeira s.f.
lumeiro s.m.
lumeke s.m.
lúmen s.m.; pl. *lumens* e *lúmenes*
lúmen-bilirrubina s.f.; pl. *lumens-bilirrubina, lúmenes-bilirrubina, lumens-bilirrubinas* e *lúmines-bilirrubinas*
lúmen-hora s.m.; pl. *lumens-hora, lúmines-hora, lumens-horas* e *lúmines-horas*
lumepega s.m.
lume-pronto s.m.; pl. *lumes-prontos*
lumeque s.m.
lumes s.m.pl.
lumeto (*ê*) s.m.
lúmia s.f.
lumiaco s.m.
lumiar v.
lumiarense adj. s.2g.
lumichuém s.m.
lumicromo s.m.
lumidária s.f.
lumieira s.f.
lumieiro s.m.
lumiflavina s.f.
lumilactoflavina s.f.
lumilho s.m.
luminador (*ô*) s.m.
luminal adj.2g. s.m.

luminância s.f.
luminancial adj.2g.
luminancímetro s.m.
luminante adj.2g. s.m.
luminar adj.2g. s.m.
luminária s.f.
luminariense adj. s.2g.
luminarista adj. s.2g.
luminatura s.f.
lumíneo adj.
luminescência s.f.
luminescente adj.2g.
lumínico adj.
luminífero adj.
luminímetro s.m.
luminismo s.m.
luminista adj. s.2g.
luminístico adj.
luminóforo adj. s.m.
luminol s.m.
luminosense adj. s.2g.
luminosidade s.f.
luminoso (*ô*) adj. s.m.; f. (*ó*); pl. (*ó*)
luminotecnia s.f.
luminotécnica s.f.
luminotécnico adj. s.m.
luminoterapia s.f.
luminoterápico adj.
lumioso (*ô*) adj.; f. (*ó*); pl. (*ó*)
lumisterol s.m.
lumitipia s.f.
lumitipo s.m.
lumpectomia s.f.
lumpemproletariado s.m.
lumpemproletário adj. s.m.
lúmpen s.2g.
lumpesinagem s.f.
lumpesinar v.
lumpesinato s.m.
lumpo s.m.
lumuíno s.m.
luna s.f.
lunação s.f.
lunado adj.
lunamoto s.m.
lunanco adj.
lunânia s.f.
lunanquear v.
lunar adj.2g. s.m.
lunarejo (*ê*) adj.
lunária s.f.
lunário s.m.
lunarista adj. s.2g.
lunatice s.f.
lunático adj. s.m.
lunatismo s.m.
lunauta s.2g.
lunáutica s.f.
lunáutico adj.
luncúmbi adj. s.2g.
lunda adj. s.2g.
lunda-quioco (*ô*) adj. s.m.; pl. *lunda-quiocos*
lunda-tchokwe adj. s.2g.; pl. *lunda-tchokwes*
lundês adj. s.m.
lúndia s.f.
lundongo s.m.
lundu s.m.
lundu da marruá s.m.
lundum s.m.
lunduzeiro adj. s.m.
luneburgita s.f.
lunel s.m.
lunemoto s.m.
luneta (*ê*) s.f.
lunetaria s.f.
lunetas (*ê*) s.f.pl.
lunfa s.m.
lunfardesco (*ê*) adj.
lunfardia s.f.
lunfardo adj. s.m.
lungo s.m.
lunguena s.m.
lunguenhe s.m.
lungungua s.f.
lunhaneca adj. s.2g.
luni s.m.
lunianeca adj. s.2g.
lunícola adj. s.2g.
lunida s.m.
lunífero adj.
luniforme adj.2g.
lunil s.m.
lunilita s.f.
lunilite s.f.
lunissolar adj.2g.
lunita s.f.
lunite s.f.
lunnita s.f.
lúnula s.f.
lunulado adj.
lunular adj.2g.
lunulária s.f.
lunulita s.f.
lunvulamema s.f.
lunzete s.f.
lunzunzo s.m.
luo adj.2g. s.m.
lupa s.f.
lupaça s.f.
lupada s.f.
lupaé s.f.
lupamba s.f.
lupanar s.m.
lupanário adj.
lupanga s.f.
lupango s.m.
lupanidina s.f.
lupanina s.f.
lupante s.m.
lupar v.
luparenol s.m.
lúparo s.m.
luparol s.m.
luparona s.f.
lupato s.m.
lupeoal s.m.
lupeol s.m.
lupeona s.f.
lupeose s.f.
luperca s.f.
lupercais s.f.pl.
lupercense adj. s.2g.
luperciense adj. s.2g.
luperco s.m.
luperina s.f.
lupero s.m.
luperode s.m.
lupeta (*ê*) s.f.
lupetidina s.f.
lúpia s.f.
lúpico adj.
lupiense adj. s.2g.
lupinano s.m.
lupinastro s.m.
lupínico adj.
lupinidina s.f.
lupinina s.f.
lupinismo s.m.
lupino adj. s.m.
lupino-amarelo s.m.; pl. *lupinos-amarelos*
lupino-branco s.m.; pl. *lupinos-brancos*
lupino-dos-brejos s.m.; pl. *lupinos-dos-brejos*
lupinopolense adj. s.2g.
lupinopolitano adj. s.m.
lupinose s.f.
lupinotoxina (*cs*) s.f.
lupisomem s.m.
lupo s.m.
lupobracoide (*ó*) adj.2g.
lupoca s.f.
lupoça s.f.
lupoide (*ó*) adj.2g.
lupoma s.m.
luposo (*ô*) adj.; f. (*ó*); pl. (*ó*)
lupulina s.f.
lupulino s.m.
lupulização s.f.
lupulizar v.
lúpulo s.m.
lupulona s.f.
lupumbo s.m.
lúpuro s.m.
lúpus s.m.2n.
luque s.m.
luquelo s.m.
luquembe adj. s.2g.
luquense adj. s.2g.
luquindo s.m.
lur s.m.
lura s.f.
lurado adj.
lurar v.
lurda s.f.
lurdinha s.f.
lurgo s.m.
lúria s.f.
luridez (*ê*) s.f.
lúrido adj.
lurócatis s.m.2n.
lursense adj. s.2g.
lurta s.f.
lúrtia s.f.
lurura s.f.
lusaciano adj.
lusácio adj. s.m.
lusakita s.f.
luscar v.
luscínia s.f.
lusciníola s.f.
lusco adj.
lusco-fuscado adj.; pl. *lusco-fuscados*
lusco-fuscar v.
lusco-fusco s.m.; pl. *lusco-fuscos*
lusíada adj. s.2g.
lusiádico adj.
lusificação s.f.
lusificado adj.
lusificador (*ô*) adj.
lusificar v.
lusiforma s.f.
lusismo s.m.
lusista adj. s.2g.
lusístico adj.
lusitaniano adj. s.m.
lusitânico adj.
lusitanidade s.f.
lusitaniense adj. s.2g.
lusitanismo s.m.
lusitanista adj. s.2g.
lusitanístico adj.
lusitanita s.f.
lusitanite s.f.
lusitanito s.m.
lusitanização s.f.
lusitanizado adj.
lusitanizador (*ô*) adj.
lusitanizante adj. s.2g.
lusitanizar v.
lusitanizável adj.2g.
lusitano adj. s.m.
lusitano-castelhano adj.; pl. *lusitano-castelhanos*
lusitanócera s.f.
lusitano-fenício adj.; pl. *lusitano-fenícios*
lusitanofilia s.f.
lusitanofílico adj.
lusitanófilo adj. s.m.
lusitanofobia s.f.
lusitanófobo adj. s.m.
lusitanologia s.f.
lusitanológico adj.
lusitanólogo s.m.
lusitano-marroquino adj.; pl. *lusitano-marroquinos*
lusitano-romani s.m.; pl. *lusitano-romanis* e *lusitanos-romanis*
lusitano-romano adj.; pl. *lusitano-romanos*
lusito s.m.
lúsmeo s.m.
lusmir v.
luso adj. s.m.
luso-africano adj. s.m.; pl. *luso-africanos*
luso-americano adj. s.m.; pl. *luso-americanos*
luso-andaluz adj. s.m.; pl. *luso-andaluzes*
luso-árabe adj. s.2g.; pl. *luso-árabes*
luso-asiaticismo s.m.; pl. *luso-asiaticismos*
luso-asiático adj. s.m.; pl. *luso-asiáticos*
luso-brasileiro adj. s.m.; pl. *luso-brasileiros*
luso-brasílico adj. s.m.; pl. *luso-brasílicos*
luso-brasilidade s.f.; pl. *luso-brasilidades*
luso-britânico adj. s.m.; pl. *luso-britânicos*
luso-castelhano adj. s.m.; pl. *luso-castelhanos*
luso-chinês adj. s.m.; pl. *luso-chineses*
lusocultura s.f.
luso-espanhol adj. s.m.; pl. *luso-espanhóis*
lusofalante adj. s.2g.
luso-fenício adj. s.m.; pl. *luso-fenícios*
lusofilia s.f.
lusofílico adj.
lusofilismo s.m.
lusófilo adj. s.m.
lusofobia s.f.
lusofóbico adj.
lusófobo adj. s.m.
lusofone adj. s.m.
lusofonia s.f.
lusofônico adj.
lusófono adj. s.m.
luso-francês adj. s.m.; pl. *luso-franceses*
luso-galaico adj. s.m.; pl. *luso-galaicos*
luso-germânico adj. s.m.; pl. *luso-germânicos*
luso-hispânico adj. s.m.; pl. *luso-hispânicos*
luso-indianismo s.m.; pl. *luso-indianismos*
luso-indiano adj. s.m.; pl. *luso-indianos*
luso-inglês adj. s.m.; pl. *luso-ingleses*
luso-italiano adj. s.m.; pl. *luso-italianos*
luso-japonês adj. s.m.; pl. *luso-japoneses*
lusol s.m.
lusologia s.f.
lusológico adj.
lusólogo s.m.
lusônio adj.
lusoparlante adj. s.2g.
lusório adj.
lusotropical adj.2g.
lusotropicalismo s.m.
lusotropicalista adj. s.2g.
lusotropicologia s.f.
lusotropicológico adj.
lusotropicologista adj. s.2g.
lusotropicologístico adj.
lusotropicólogo adj. s.m.
lusque-fusque s.m.; pl. *lusque-fusques*
lusquir v.
lussango s.m.
lussatina s.f.
lussatita s.f.
lussatite s.f.
lussatito s.m.
lussengue s.m.
lussimba s.m.
lustosense adj. s.2g.
lustra s.m.
lustração s.f.
lustrada s.f.
lustradeira s.f.
lustradela s.f.
lustrado adj.
lustrador (*ô*) adj. s.m.
lustral adj.2g.
lustra-móveis s.m.2n.
lustrar v.
lustrável adj.2g.
lustre s.m.
lustrex (*cs*) s.m.
lustrilho adj. s.m.
lustrim s.m.
lustrina s.f.
lustrino adj. s.m.
lustriverde adj.2g.
lustro s.m.
lustron s.m.
lústron s.m.
lustroso (*ô*) adj.; f. (*ó*); pl. (*ó*)
lusufone adj. s.m.
lusunguita s.f.
luta s.f.
lutação s.f.
lutado adj.
lutador (*ô*) adj. s.m.
lutante adj.2g.
lutar v.
lutário adj.
lútaro s.m.
lutável adj.2g.
lute s.f.
luteal adj.2g.
luteciano adj. s.m.
lutécico adj.
luteciense adj. s.2g.
lutecina s.f.
lutécio adj. s.m.
lutecita s.f.
lutectomia s.f.
lutectômico adj.
luteicórneo adj.
luteína s.f.
luteinização s.f.
luteinizado adj.
luteinizante adj.2g. s.m.
luteinizar v.
luteinizável adj.2g.
luteinoterapia s.f.
luteinoterápico adj.
lúteo adj.
luteogálhico adj.
luteogálico adj.
luteogênico adj.
luteol s.m.
luteolado adj.
luteolina s.f.
luteólise s.f.
luteolítico adj.
luteoma s.m.
luteosterona s.f.
luteostimulina s.f.
luteotrófico adj.
luteotrofina s.f.
luteótrofo s.m.
luteranismo s.m.
luteranista adj. s.2g.
luteranístico adj.
luterano adj. s.m.
luteraria s.f.
luteria s.f.
luteriana s.f.
lutério adj. s.m.
lutero-calvinista adj. s.2g.; pl. *lutero-calvinistas*
lutero-papista adj. s.2g.; pl. *lutero-papistas*
lutero-zwingliano adj. s.m.; pl. *lutero-zwinglianos*
lutescente adj.2g.
lutevano adj. s.m.
lutícola adj.2g.
lutidato s.m.
lutídico adj.
lutidina s.f.
lutidínico adj.
lutidona s.f.
lutífero adj.
lutífico adj.
lutina s.f.
lutisse s.m.
lutíssono adj.
lutito s.m.
lutjanídeo adj. s.m.
lutjano s.m.
luto s.m.
lutoca s.f.
lutodeira s.f.
lutombe s.m.
lutombo s.m.
lutosa s.f.
lutos-de-quaresma s.m.pl.
lutoso (*ô*) adj.; f. (*ó*); pl. (*ó*)
lutra s.f.
lutrária s.f.
lutréola s.m.

lutrido adj.
lutríneo adj. s.m.
lutrino adj. s.m.
lutróforo s.m.
lutsé adj. s.2g.
lutulência s.f.
lutulento adj. s.m.
lutumbo s.m.
lutuosa s.f.
lutuoso (*ô*) adj.; f. (*ó*); pl. (*ó*)
luué s.f.
luuiuí s.m.
luva s.f.
luvale adj. s.2g.
luvar adj. s.2g.
luvare adj. s.2g.
luvaria s.f.
luvas s.f.pl.
luvas-de-nossa-senhora s.f.pl.
luvas-de-pastora s.f.pl.
luvas-de-santa-maria s.f.pl.
luveira s.f.
luveiro s.m.
luvete (*ê*) s.m.
luvista adj. s.2g.
luvita adj. s.2g.
lux (*cs*) s.2g.2n.
luxação s.f.
luxado adj.
luxamento s.m.; cf. *luchamento*
luxança s.f.
luxar v. "desconjuntar", "ostentar"; cf. *luchar*
luxaria s.f.
luxaz s.m.
luxaze s.m.
luxázi s.m.
luxemburgia s.f.
luxembúrgia s.f.
luxemburguense adj. s.2g.
luxemburguês adj. s.m.
luxembúrguia s.f.
luxemburguíea s.f.
luxento adj.
luxeta (*ê*) s.f.
luxiba s.f.
luxímetro (*cs*) s.m.
luxo s.m.
luxômetro (*cs*) s.m.
luxoso (*ô*) adj.; f. (*ó*); pl. (*ó*)
luxoviense adj.2g.
luxuário adj.
luxuliana s.f.
luxuosidade s.f.
luxuoso (*ô*) adj.; f. (*ó*); pl. (*ó*)
luxúria s.f.; cf. *luxuria*, fl. do v. *luxuriar*
luxuriância s.f.
luxuriante adj.2g.
luxuriar v.
luxurioso (*ô*) adj.; f. (*ó*); pl. (*ó*)
luz s.f.
luzarda s.f.
luzarra s.f.
luz-cuco s.m.; pl. *luzes-cuco* e *luzes-cucos*
luzecu s.m.
luze-cu s.m.; pl. *luze-cus*
luz e fusco s.m.
luzeira s.f.
luzeiro s.m.
luze-luze s.m.; pl. *luze-luzes* e *luzes-luzes*
luze-luzir v.
luz-em-cu s.m.; pl. *luzes-em-cu*
luzença s.f.
luzendro s.m.
luzense adj. s.2g.
luzente adj.2g. s.m.
luzerna s.f.
luzerna-amarela s.f.; pl. *luzernas-amarelas*
luzerna-arbórea s.f.; pl. *luzernas-arbóreas*
luzerna-arborescente s.f.; pl. *luzernas-arborescentes*
luzerna-brava s.f.; pl. *luzernas-bravas*
luzerna-das-areias s.f.; pl. *luzernas-das-areias*
luzerna-das-praias s.f.; pl. *luzernas-das-praias*
luzerna-de-sequeiro s.f.; pl. *luzernas-de-sequeiro*
luzerna-entretecida s.f.; pl. *luzernas-entretecidas*
luzernal s.m.
luzerna-lupulina s.f.; pl. *luzernas-lupulinas*
luzerneira s.f.
luzernense adj. s.2g.
luzes s.f.pl.
luzetro s.m.
luzia adj. s.2g.
luzianense adj. s.2g.
luzianiense adj. s.2g.
luzica s.2g.
luzidente adj.2g.
luzidia s.f.
luzidio adj.
luzido adj.
luziê s.f.
luziense adj. s.2g.
luzífero adj.
luzilandense adj. s.2g.
luzilandês adj. s.m.
luzilandiense adj. s.2g.
luzilume s.m.
luziluzir v.
luzimento s.m.
lúzio adj. s.m.
luzíola s.f.
luzir v.
luziriagácea s.f.
luziriagáceo adj.
luzonita s.f.
luzuanga s.f.
luzuângua s.f.
luzula s.f.
luzuláspide s.f.
luzuláspis s.f.2n.
luzuriaga s.f.
luzuriagóidea s.f.
lyellita s.f.
lyndochita s.f.
lyonetiídeo adj. s.m.
lyonita s.f.

Mm

m (*eme* ou *mê*) s.m.
ma contr. de *me* e *a*
má adj. f. de *mau*
maabanda s.m.
maaiana s.m.
maakita s.f.
maalebe s.f.
maamba s.m.
maamude s.m. "planta"; cf. *maamúdi*
maamúdi s.m. "moeda"; cf. *maamude*
maamudrá s.m.
maaprana s.m.
maar s.m.
maarâni s.f.
maastral s.m.
maatma s.m.
maavela s.m.
maba s.m.
mabaça adj. s.2g.
mabaço s.2g.
mabaia s.f.
mabala s.f.
mabalanga adj. s.2g.
mabaloi adj. s.2g.
mabalói adj. s.2g.
mabaluca s.f.
mabalueca adj. s.2g.
mabaluéqua adj. s.2g.
mabandido s.m.
mabanga adj. s.2g. s.f.
mabanje s.f.
mabata s.f.
mabate s.f.
mabatela s.f.
mabaza s.f.
mabeco s.m.
mabeia (*é*) s.f.
mabela s.f.
mabelemade s.m.
mabense adj. s.2g.
maber s.m.
mabideriense adj. s.2g.
mabila s.m.
mabile adj. s.2g.
mabírri s.f.
mabita s.f.
mabiú adj. s.2g.
mablemblê s.m.
maboca s.f.
mabode adj. s.2g.
maboia (*ó*) s.f.
mabola s.f.
mabole s.m.
mabolo s.m.
maboque s.m.
maboqueiro s.m.
maboulá s.f.
mabounga (*o-ún*) s.f.
mabré s.m.
mabu s.f.
mabuba s.m.
mabuco s.m.
mabuda s.f.
mabuia s.f.
mabuinguiri (*ü*) s.m.
mabuinjela adj. s.2g.
mabulá s.2g.
mabulampansa-maçansangana s.f.; pl. *mabulampansa-maçansanganas*
mabunda adj. s.2g. s.m.
mabure s.m.
mabuta s.f.
maca adj. s.2g. s.f.
maça s.f. "clava"; cf. *maçã* e *massa*
maçã s.f. "fruta"; cf. *maça* e *massa*
macaá s.m.
maçã-albarrã s.f.; pl. *maçãs-albarrãs*
maçã-alvarrã s.f.; pl. *maçãs-alvarrãs*
macaão s.m.
macaba s.f.
macabaico adj.
macabeia (*é*) adj. s.f. de *macabeu*
macabeu adj. s.m.; f. *macabeia* (*é*)
macabi s.m.
macabíada s.f.
macabire adj. s.2g.
macabrear v.
macabrismo s.m.
macabro adj. s.m.
macabuense adj. s.2g.
macabuzinhense adj. s.2g.
macaca s.f.
macaça adj.
macacacá s.f.
macacacacau s.2g.
macacacau s.2g.
macacada s.f.
macacaiandu s.f.
macacal adj.2g.
macacalhada s.f.
macacalidade s.f.
maçã-camoesa s.f.; pl. *maçãs-camoesas*
macacão s.m.
macacaporanga s.f.
macacapuranga s.f.
macacar v.
macáçar adj. s.2g.
maçacará adj. s.2g.
maçacaraense adj. s.2g.
macacarecuia s.f.
macaçarês adj. s.m.
macacaria s.f.
macacaúba s.f.
macacaúba-da-terra-firme s.f.; pl. *macacaúbas-da-terra-firme*
macacaúba-da-várzea s.f.; pl. *macacaúbas-da-várzea*
macacaúba-do-campo s.f.; pl. *macacaúbas-do-campo*
macacaúba-preta s.f.; pl. *macacaúbas-pretas*
macacaúba-vermelha s.f.; pl. *macacaúbas-vermelhas*
macacequer adj. s.2g.
macaco adj. s.m.
macacoa (*ô*) s.f.
macacoacá s.m.
macaco-adufeiro s.m.; pl. *macacos-adufeiros*
macaco-aranha s.m.; pl. *macacos-aranha* e *macacos-aranhas*
macaco-barrigudo s.m.; pl. *macacos-barrigudos*
macaco-boca-de-água s.m.; pl. *macacos-boca-de-água*
macaco-cabeludo s.m.; pl. *macacos-cabeludos*
macaco-castanha s.m.; pl. *macacos-castanha*
macaco-cipó s.m.; pl. *macacos-cipó*
macaco-da-meia-noite s.m.; pl. *macacos-da-meia-noite*
macaco-da-noite s.m.; pl. *macacos-da-noite*
macaco-de-bando s.m.; pl. *macacos-de-bando*
macaco-de-cheiro s.m.; pl. *macacos-de-cheiro*
macaco-de-noite s.m.; pl. *macacos-de-noite*
macaco-de-sabá s.m.; pl. *macacos-de-sabá*
macaco-do-pantanal s.m.; pl. *macacos-do-pantanal*
macaco-inglês s.m.; pl. *macacos-ingleses*
macaco-itapoá s.m.; pl. *macacos-itapoá* e *macacos-itapoás*
macaco-japonês s.m.; pl. *macacos-japoneses*
macaco-leão s.m.; pl. *macacos-leão* e *macacos-leões*
macaco-narigudo s.m.; pl. *macacos-narigudos*
macacongo adj. s.m.
macaco-patrona s.m.; pl. *macacos-patrona* e *macacos-patronas*
maçacopla s.f.
macaco-prego s.m.; pl. *macacos-prego* e *macacos-pregos*
macaco-prego-do-peito-amarelo s.m.; pl. *macacos-prego-do-peito-amarelo* e *macacos-pregos-do-peito-amarelo*
macacório adj. s.m.
macacos s.m.pl.
maçacota s.f.
maçacote s.m.
maçacoto (*ô*) s.m.
macaco-verde s.m.; pl. *macacos-verdes*
macaco-vermelho s.m.; pl. *macacos-vermelhos*
maçã-craveira s.f.; pl. *maçãs-craveiras*
maçacroco (*ô*) s.m.
macacu s.m.
macacuacã s.m.
macacuano adj. s.m.
maçacuca s.f.
maçã-cuca s.f.; pl. *maçãs-cuca* e *maçãs-cucas*
macacuguaçu s.m.
maçada s.f.
maçã-da-boa-vontade s.f.; pl. *maçãs-da-boa-vontade*
macadame s.m.
macadâmia s.f.
macadamização s.f.
macadamizado adj.
macadamizar v.
maçã-da-pérsia s.f.; pl. *maçãs-da-pérsia*
maçã-da-porta-da-loja s.f.; pl. *maçãs-da-porta-da-loja*
maçã de adão s.f.
maçã-de-arrátel s.f.; pl. *maçãs-de-arrátel*
maçã-de-boa-vontade s.f.; pl. *maçãs-de-boa-vontade*
maçã-de-boi s.f.; pl. *maçãs-de-boi*
maçã-de-caco s.f.; pl. *maçãs-de-caco*
maçã-de-cipreste s.f.; pl. *maçãs-de-cipreste*
maçã-de-cobra s.f.; pl. *maçãs-de-cobra*
maçã-de-cravo s.f.; pl. *maçãs-de-cravo*
maçã-de-cuco s.f.; pl. *maçãs-de-cuco*
maçã-de-espelho s.f.; pl. *maçãs-de-espelho*
maçã-de-guerra s.f.; pl. *maçãs-de-guerra*
maçadeiro s.m.
maçadela s.f.
maçã-de-pé-comprido s.f.; pl. *maçãs-de-pé-comprido*
maçã-de-prato s.f.; pl. *maçãs-de-prato*
maçã-de-rosa s.f.; pl. *maçãs-de-rosa*
maçã-de-três-ao-prato s.f.; pl. *maçãs-de-três-ao-prato*
maçã-de-três-em-conca s.f.; pl. *maçãs-de-três-em-conca*
maçã-de-três-em-onça s.f.; pl. *maçãs-de-três-em-onça*
maçã-de-vime s.f.; pl. *maçãs-de-vime*
maçadiço adj.
maçado adj.
maçã-do-adro s.f.; pl. *maçãs-do-adro*
maçadoiro s.m.
maçador (*ô*) adj. s.m.
maçadoria s.f.
maçadouro s.m.
maçadura s.f.
macaé s.m.
macaeense adj. s.2g.
macaense adj. s.2g.
maçaense adj. s.2g.
maçã-espinhosa s.f.; pl. *maçãs-espinhosas*
maçã-estrelada s.f.; pl. *maçãs-estreladas*
macafula s.m.
maçagada s.m.
maçã-galega s.f.; pl. *maçãs-galegas*
maçagem s.f. "ação de maçar o linho"; cf. *massagem*
maçagista adj. s.2g. "que ou aquele que maça o linho"; cf. *massagista*
macaguã s.f.
macaia s.f.
macaiáia s.2g.
macaiabu s.m.
macaíba s.f.
macaibeira s.f.
macaibense adj. s.2g.
macaíbo s.m.
macaiense adj. s.2g.
macaio adj. s.m.
maçaió s.m.
macaíra s.m.
macaireia (*é*) s.f.
macaísta adj. s.2g.
macaíta s.f.
macaiuveira s.f.
macajá s.m.
macajatubense adj. s.2g.
macajera s.f.
macajuba s.f.
macajubeira s.f.
macajubense adj. s.2g.
macal s.m.
maçal s.m.
macala s.f.
maçala s.f.
macalaca adj. s.2g.
macáli s.m.
macallisterita s.f.
macalo s.m.
macama s.m. "peixe"; cf. *macamã*
macamã s.m. "escravo fugido"; cf. *macama*
macamau s.m.
macamba s.2g. s.f.
macambacamba s.f.
maçambala s.f.
maçambará s.m.
maçambará-do-piauí s.m.; pl. *maçambarás-do-piauí*
maçambaraense adj. s.2g.
maçambe s.f.; "tipo de sardinha"; cf. *maçambé*
maçambé s.m. "planta" e "soldado relaxado"; cf. *maçambe*
maçambé-catinga s.m.; pl. *maçambés-catinga* e *maçambés-catingas*
macambeira s.f.
maçambique s.m.
maçambiques s.m.pl.
macambira s.f.
macambira-de-pedra s.f.; pl. *macambiras-de-pedra*
macambira-do-serrote s.f.; pl. *macambiras-do-serrote*
macambiral s.m.
macambirense adj. s.2g.
macamblalá s.m.
macambo s.m.
macambra s.f.
macambrará s.m.
macambreira s.f.
macambuz s.m.
macambuziar v.
macambuzice s.f.
macambúzio adj. s.m.; cf. *macambuzio*, fl. do v. *macambuziar*
macambuzismo s.m.
macamecra adj. s.2g.
maçamento s.m.
macana s.f. "toucado de mulher"; cf. *macaná* e *macanã*

macaná s.m. "clave indígena"; cf. *macana* e *macanã*
macanã s.m. "protetor dos caçadores"; cf. *macana* e *macaná*
macanaíba s.f.
macanareense adj. s.2g.
maçanaria s.f.
macanda s.f.
macandramia s.m.
maçaneira s.f.
maçaneta (*ê*) s.f.; cf. *maçaneta*, fl. do v. *maçanetar*
maçanetado adj.
maçanetar v.
macanga s.m.
maçanga s.f.
maçangana s.f.
macangando s.m.
maçangano adj. s.m.
maçango s.2g.
macangueiro s.m.
macanha s.f.
macanho s.m.
maçanico s.m. "fandango"; cf. *maçânico*
maçânico adj. s.m. "de mação"; cf. *maçanico*
maçanilha s.f.
macanjice s.f.
macanjo adj. s.m.
maçante adj. s.2g.
macanudo adj.
mação s.m.
macaocense adj. s.2g.
macaônia s.f.
macaoquense adj. s.2g.
macapaense adj. s.2g.
maçapão s.m.
macaparanense adj. s.2g.
maçã-pipo s.f.; pl. *maçãs-pipo* e *maçãs-pipos*
macapuanense adj. s.2g.
maçaquaia s.f.
maçaquara s.f.
macaqueação s.f.
macaqueado adj.
macaqueador (*ô*) adj. s.m.
macaquear v.
macaqueira s.f.
macaqueiro adj. s.m.
macaquense adj. s.2g.
maçaqueta (*ê*) s.f.
macaquice s.f.
macaquinho s.m.
macaquinho-de-bambá s.m.; pl. *macaquinhos-de-bambá*
macaquito s.m.
maçar v. "golpear com a maça"; cf. *massar*
macara s.m.
maçará s.m.
maçã-raineta s.f.; pl. *maçãs-rainetas*
maçarana s.f.
maçarandiba s.f.
maçaranduba s.f.
maçaranduba-branca s.f.; pl. *maçarandubas-brancas*
maçaranduba-da-praia s.f.; pl. *maçarandubas-da-praia*
maçaranduba-de-leite s.f.; pl. *maçarandubas-de-leite*
maçaranduba-de-marinha s.f.; pl. *maçarandubas-de-marinha*
maçaranduba-do-pará s.f.; pl. *maçarandubas-do-pará*
maçarandubarana s.f.
maçaranduba-verdadeira s.f.; pl. *maçarandubas-verdadeiras*
maçaranduba-vermelha s.f.; pl. *maçarandubas-vermelhas*
maçarandubeira s.f.
maçarandubense adj. s.2g.
maçaranduva s.f.
macaranga s.f.
macaranganga s.m.
macaraniense adj. s.2g.
macarássana s.m.
macarauense adj. s.2g.
macaré s.m.
maçã-reguenga s.f.; pl. *maçãs-reguengas*
maçã-reineta s.f.; pl. *maçãs-reinetas*
macarena s.f.
macareno adj. s.m.
macarense adj. s.2g.
macaréu s.m.
maçarica s.f.
maçaricão s.m.
maçaricão-de-pernas-longas s.m.; pl. *maçaricões-de-pernas-longas*
maçarico s.m.
maçarico-bate-bunda s.m.; pl. *maçaricos-bate-bunda*
maçarico-branco s.m.; pl. *maçaricos-brancos*
maçarico-d'água s.m.; pl. *maçaricos-d'água*
maçarico-d'água-doce s.m.; pl. *maçaricos-d'água-doce*
maçarico-da-patagônia s.m.; pl. *maçaricos-da-patagônia*
maçarico-das-rochas s.m.; pl. *maçaricos-das-rochas*
maçarico-de-bico-branco s.m.; pl. *maçaricos-de-bico-branco*
maçarico-de-bico-direito s.m.; pl. *maçaricos-de-bico-direito*
maçarico-de-bico-torto s.m.; pl. *maçaricos-de-bico-torto*
maçarico-de-coleira s.m.; pl. *maçaricos-de-coleira*
maçarico-de-duas-coleiras s.m.; pl. *maçaricos-de-duas-coleiras*
maçarico-de-espinho s.m.; pl. *maçaricos-de-espinho*
maçarico-de-esporão s.m.; pl. *maçaricos-de-esporão*
maçarico-do-campo s.m.; pl. *maçaricos-do-campo*
maçarico-galego s.m.; pl. *maçaricos-galegos*
maçarico-pequeno s.m.; pl. *maçaricos-pequenos*
maçarico-pintado s.m.; pl. *maçaricos-pintados*
maçarico-pintalgado s.m.; pl. *maçaricos-pintalgados*
maçarico-preto s.m.; pl. *maçaricos-pretos*
maçarico-real s.m.; pl. *maçaricos-reais*
maçarico-semipalmado s.m.; pl. *maçaricos-semipalmados*
maçarico-solitário s.m.; pl. *maçaricos-solitários*
maçarico-turco s.m.; pl. *maçaricos-turcos*
macário s.m.
macarita s.f.
maçariqueiro s.m.
maçariquinho s.m.
macarisíea s.f.
macarísmico adj.
macarismo s.m.
macarite s.f.
maçaroca s.f.
maçarocada s.f.
maçarocado adj.
maçarocar v.
maçaroco (*ô*) adj. s.m.
macaronésio adj.
maçaroqueira s.f.
maçaroquense adj. s.2g.
maçaroquinha s.f.
maçaroquinho s.m.
maçarovia s.f.
maçarral adj.2g.
macarrão s.m.
macarroeiro s.m.
macarronada s.f.
macarronar v.
macarrone s.m.
macarrônea s.f.
macarroneiro s.m.
macarrôneo adj.
macarronete (*ê*) s.m.
macarrônico adj.
macarronismo s.m.
macarronista adj. s.2g.
macarthismo s.m.
macarthista adj. s.2g.
macarthístico adj.
maçaruá adj. s.2g.
macaruba s.f.
maçaruco s.m.
maçarumi adj. s.2g.
maçarumim adj. s.2g.
macasada s.f.
macassai s.m.
macassar adj. s.2g.
macássar adj. s.2g.
macasso s.m.
macata s.f.
macataense adj. s.2g.
macataíba s.f.
macatisse adj. s.2g.
macatita s.f.
macatubano adj. s.m.
macatubense adj. s.2g.
macau adj. s.m.
maçau s.m.
macauã s.m.
macauariense adj. s.2g.
macaúba s.f.
macaúba-barriguda s.f.; pl. *macaúbas-barrigudas*
macaubalense adj. s.2g.
macaúba-mirim s.f.; pl. *macaúbas-mirins*
macaubeira s.f.
macaubense adj. s.2g.
macauense adj. s.2g.
macaúva s.f.
macauveira s.f.
macavana s.f.
macavencar v.
macavenco adj. s.m.
macavenquismo s.m.
macavuana s.f.
macaxá adj. s.2g.
macaxeira s.f.
macaxeiral s.m.
macaxera s.f.
macaxeral s.m.
macaxixi s.m.
macaxó adj. s.2g.
macaxoxo (*ô*) s.m.
maçazinha s.f.
macdonáldia s.f.
macdonaldita s.f.
mace s.m.
mácea s.f.
macece s.m.
macé-de-fogo s.m.; pl. *macés-de-fogo*
macedense adj. s.2g.
macedinense adj. s.2g.
macédio s.m.
macedo (*ê*) s.m. "casta de uva"; cf. *mácedo*
mácedo adj. s.m. "macedônio"; cf. *macedo* (ê)
macedo-costense adj. s.2g.; pl. *macedo-costenses*
mácedo-ilírico adj.; pl. *mácedo-ilíricos*
mácedo-ilírio adj. s.m.; pl. *mácedo-ilírios*
macédone adj. s.2g.
macedônia s.f.
macedoniano adj. s.m.
macedônico adj.
macedoniense adj. s.2g.
macedônio adj. s.m.
macedonita s.f.
macedonofilismo s.m.
macedonofilista adj. s.2g.
macedonofilístico adj.
macedonófilo adj. s.m.
macedo-pinto s.f.; pl. *macedos-pintos*
mácedo-romeno adj. s.m.; pl. *mácedo-romenos*
macega s.f.
macega-brava s.f.; pl. *macegas-bravas*
macegal s.m.
macega-mansa s.f.; pl. *macegas-mansas*
macegão s.m.
macegoso (*ô*) adj.; f. (*ó*); pl. (*ó*)
maceguento adj.
maceió s.m.
maceioense adj. s.2g.
maceira s.f.
maceirão s.m.
maceiro s.m.
macela s.f.
macela-brava s.f.; pl. *macelas-bravas*
macela-da-isca s.f.; pl. *macelas-da-isca*
macela-da-terra s.f.; pl. *macelas-da-terra*
macela-de-botão s.f.; pl. *macelas-de-botão*
macela-de-são-joão s.f.; pl. *macelas-de-são-joão*
macela-de-tabuleiro s.f.; pl. *macelas-de-tabuleiro*
macela-do-brasil s.f.; pl. *macelas-do-brasil*
macela-do-campo s.f.; pl. *macelas-do-campo*
macela-do-mato s.f.; pl. *macelas-do-mato*
macela-do-sertão s.f.; pl. *macelas-do-sertão*
macela-espatulada s.f.; pl. *macelas-espatuladas*
macela-fedegosa s.f.; pl. *macelas-fedegosas*
macela-fétida s.f.; pl. *macelas-fétidas*
macela-francesa s.f.; pl. *macelas-francesas*
macela-fusca s.f.; pl. *macelas-fuscas*
macela-galega s.f.; pl. *macelas-galegas*
macela-margaça s.f.; pl. *macelas-margaças*
macela-miúda s.f.; pl. *macelas-miúdas*
macelão s.m.
macelino adj. s.m.
macemba s.f.
macemutina s.f.
macemutino s.m.
macenda-cenda s.f.; pl. *macendas-cendas*
macequece s.m.
macerá s.m.
maceração s.f.
macerado adj. s.m.
macerador (*ô*) s.m.
maceramento s.m.
macerante adj.2g.
macerar v.
macerável adj.2g.
macéria s.f.
macérrimo adj. sup. de *magro*
maceta (*ê*) adj.2g. s.f. "escarradeira"; cf. *máceta* adj. s.2g. e *maceta*, fl. do v. *macetar*
máceta adj. s.2g. "macedônio"; cf. *maceta* (*ê*) adj.2g. e *maceta*, fl. do v. *macetar*
macetação s.f.
macetada s.f.
macetado adj.
macetar v.
macete (*ê*) s.m. "maço pequeno", etc.; cf. *mácete* adj. s.2g. e *macete*, fl. do v. *macetar*
mácete adj. s.2g. "povo da África"; cf. *macete* (*ê*) s.m. e *macete*, fl. do v. *macetar*
maceteado adj.
macetear v.
macetudo adj.
macfadiena s.f.
macfallita s.f.
macgovernita s.f.
mach s.m.
macha s.f.
machacá s.m.
machacali adj. s.2g.
machacaliense adj. s.2g.
machacalizense adj. s.2g.
machacaz adj. s.m.
machaco s.m.
machada s.f.
machadada s.f.
machadar v.
machadaza s.f.
machadeiro s.m.
machadense adj. s.2g.
machadiana s.f.
machadianismo s.m.
machadianista adj. s.2g.
machadianístico adj.
machadiano adj. s.m.
machadiense adj. s.2g.
machadinha s.f.
machadinhense adj. s.2g.
machadinho s.m.
machadismo s.m.
machadista adj. s.2g.
machadístico adj.
machado s.m.
machado de âncora s.m.
machador s.m.
machafêmea s.f. "tipo de charneira"; cf. *macha-fêmea*
macha-fêmea s.f. "dobradiça"; cf. *machafêmea*; pl. *machas-fêmeas*
machairodo s.m.
machamartilho s.m.
machamba s.f.
macha-mona s.f.; pl. *machas-monas*
machão adj. s.m.; f. *machona* e *machoa* (*ô*)
macharrão s.m.
macharuim (*u-im*) s.m.
machatim s.m.
machatschkiita s.f.
machaveco s.m.
machê adj.
macheado adj. s.m.
machear v.
machego (*ê*) s.m.
macheia s.f.
macheira s.f.
macheiral s.m.
macheiro adj. s.m.
machetada s.f.
machete (*ê*) s.m.
macheza s.f. "masculinidade"; cf. *maxesa*
machia s.f.
machial s.m.
machiar v.
machiavellice (*qui*) s.f.
machiavéllico (*qui*) adj.
machiavellismo (*qui*) s.m.
machiavellista (*qui*) adj. s.2g.
machiavellístico (*qui*) adj.
machiavellizar (*qui*) v.
machicar v.
machicotagem s.f.
machidão s.f.
machieiral s.m.
machieiro s.m.
machil s.m.
machila s.f.
machileiro s.m.
machim s.m. "cavaquinho"; cf. *maxim*
machimba s.f.
machimbombo s.m.
machímetro s.m.
machinada s.f.
machinar v.
machineri adj. s.2g.
machinha s.f.
machinho s.m.
machinho-preto s.m.; pl. *machinhos-pretos*
machinhudo adj.
machio s.m. "acasalamento"; cf. *máchio*

máchio adj. "chocho"; cf. *machio*
machiparo adj. s.2g.
machiquense adj. s.2g.
machira s.f.
machismo s.m.
machista adj. s.2g.
machístico adj.
macho adj. s.m.
machoa (*ô*) s.f. de *machão*
machobo (*ô*) s.m.
machoca s.f.
machocal s.m.
machoco (*ô*) s.m.
macho-de-joão-gomes s.m.; pl. *machos-de-joão-gomes*
macho e fêmea s.m.
machoeiro adj.
macho-fêmea s.m.; pl. *machos-fêmeas*
machona s.f. de *machão*
machoqueiral s.m.
machoqueiro s.m.
machorra (*ô*) s.f.
machorrense adj. s.2g.
machorro (*ô*) adj. s.m.
machote s.m.
machuca s.f.
machucação s.f.
machucada s.f.
machucadela s.f.
machucado adj. s.m.
machucador (*ô*) adj. s.m.
machucadura s.f.
machucamento s.m.
machucão s.m.
machucar v.
machuca-rolhas s.m.2n.
machucável adj.2g.
machucheiro s.m.
machucho adj. s.m.
machuchu s.m.
machuco s.m.
machuna s.f.
machuqueiral s.m.
machuqueiro s.m.
machurra s.f.
machurro adj.
maciano adj. s.m.
maciar v.
maciça s.f.
maciçaba s.2g.
macicez (*ê*) s.f.
macico s.m.
maciço adj. s.m.
macidra s.f.
macié s.m.
macieira s.f.
macieira-brava s.f.; pl. *macieiras-bravas*
macieira-com-folhas-de--ameixeira s.f.; pl. *macieiras--com-folhas-de-ameixeira*
macieira-da-china s.f.; pl. *macieiras-da-china*
macieira-da-índia s.f.; pl. *macieiras-da-índia*
macieira-de-anáfega s.f.; pl. *macieiras-de-anáfega*
macieira-de-boi s.f.; pl. *macieiras-de-boi*
macieira-de-coroa s.f.; pl. *macieiras-de-coroa*
macieira-do-cerrado s.f.; pl. *macieiras-do-cerrado*
macieira-mansa s.f.; pl. *macieiras-mansas*
macieira-ordinária s.f.; pl. *macieiras-ordinárias*
macieirense adj. s.2g.
macielense adj. s.2g.
maciez (*ê*) s.f.
macieza (*ê*) s.f.
macilência s.f.
macilento adj.
macimba s.f.
macina s.f.
macinho s.m.
macio adj. s.m.
macioneira s.f.
maciosa s.f.
macioso (*ô*) adj.; f. (*ó*); pl. (*ó*)
maciota s.f.
macis s.m.
macista adj. s.2g.
mackayita s.f.
mackelveyita s.f.
mackensenita s.f.
mackensita s.f.
mackinawita s.f.
mackinlaia s.f.
mackinstryita s.f.
mackintoshita s.f.
macla s.f.
maclado adj.
macleânia s.f.
macleia (*é*) s.f.
macleína s.f.
macletão s.m.
máclie adj. s.2g.
maclífero adj.
maclólofo s.m.
maclóvia s.m.
maclura s.f.
maclurina s.f.
maclusso s.m.
maco adj. s.m. "povo", "árvore" etc.; cf. *macó*
macó s.m. "ave"; cf. *maco*
maço s.m.
macoa (*ô*) s.f.
macoba s.f.
macobio s.m.
macobume s.m.
macoca adj. s.2g.
maçoca s.f.
macocalinga adj. s.2g.
macoco (*ô*) s.m.
macocoa (*ô*) s.f.
macocojo s.m.
macoia (*ó*) s.f.
macoice adj. s.2g.
macola s.f.
maçolar v.
maçoleimão s.m.
macolento adj. s.m.
macolo s.m.
macololo (*ô*) adj. s.m.
maçom adj. s.m.
macoma s.f.
macomba s.f.
macombeira s.f.
macombo s.m.
macomeira s.f.
maçonaria s.f.
maconcuji adj. s.2g.
maconde adj. s.2g.
macone s.m.
maçongo s.m.
macongolo s.m.
maconha s.f.
maconhado adj. s.m.
maconhar v.
maconheiro adj. s.m.
maconi adj. s.2g.
maçônico adj. s.m.
maçonismo s.m.
maconita s.f.
maçonização s.f.
maçonizado adj.
maçonizar v.
maçonje s.m.
maconta s.f.
macópio s.m.
macopo (*ô*) s.m.
macoquim-caca s.m.; pl. *macoquins-cacas*
macoquincaca s.m.
maçorano adj. s.m.
macorão adj. s.m.
macorolo adj. s.m.
macorongo s.m. "amante que explora a mulher"; cf. *mocorongo* e *mucorongo*
maçorral adj.2g.
maçorro (*ô*) adj.
macorrolo adj. s.m.
macota adj.2g. s.m.f.
macote s.m.
maçote s.m.
macotear v.
macoteiro adj. s.m.
macotena adj. s.2g.
macoteno adj. s.m.
macotidade s.f.
macouba s.f.
macoutá s.f.
macóvia s.f.
macovilho s.m.
macovio s.m.
macóxi s.f.
macoza s.m.
macozo s.m.
macozoide (*ó*) s.m.
macracanto adj.
macracantorrincose s.f.
macradênia s.f.
macrádeno adj.
macral adj. s.2g.
macramé s.m.
macramê s.m.
macrandro adj.
macrantissifão s.m.
macranto adj.
macrão adj. s.m.
macrátia s.f.
macrauquênia s.f.
macrêigtia s.f.
macrencefalia s.f.
macrencefálico adj.
macrencéfalo s.m.
má-criação s.f.; pl. *más--criações*
má-criadice s.f.; pl. *má--criadices* e *más-criadices*
macro s.m. "computador de grande porte", etc.; cf. *macrô*
macrô adj. s.2g. s.m. "adepto da macrobiótica", etc.; cf. *macro*
macroacidental adj.2g.
macroacidente s.m.
macroanálise s.f.
macroanalítico adj.
macroasbesto s.m.
macrobdela s.m.
macrobia s.f. "longevidade"; f. de *macróbio*
macróbio adj. s.m.; f. *macróbia*
macrobiocarpia s.f.
macrobiocárpico adj.
macrobiostigmático adj.
macrobiota adj. s.2g. s.m.
macrobiótica s.f.
macrobiótico adj. s.m.
macrobioto adj. s.m.
macrobismo s.m.
macroblasto s.m.
macroblefaria s.f.
macrobotrito adj.
macrobrânquio adj.
macrobraquia s.f.
macrocardia s.f.
macrocárdico adj.
macrocarpa s.f.
macrocárpea s.f.
macrocarpina s.f.
macrocarpo adj.
macrocatalpa s.f.
macrocefalia s.f.
macrocefálico adj.
macrocefálida adj.2g. s.m.
macrocefalídeo adj. s.m.
macrocefalíneo adj. s.m.
macrocéfalo adj. s.m.
macroceloma s.m.
macrocélula s.f.
macrocelular adj. s.2g.
macrocentro s.m.
macrócera s.f.
macrocéramo s.m.
macrocerco adj. s.m.
macrócero adj.
macrocíclico adj.
macrociclo s.m.
macrociste s.m.
macrocisto s.m.
macrocítase s.f.
macrocitemia s.f.
macrocitêmico adj.
macrocítico adj.
macrócito s.m.
macrocitose s.f.
macrocitótico adj.
macroclima s.m.
macroclimático adj.
macroclímico adj.
macrócloa s.f.
macrocnemia s.f.
macrocnemo s.m.
macrocoanita s.f.
macrocoanítico adj.
macrocolia s.f.
macrocolo s.m.
macrócolon s.m.
macrócomo adj. s.m.
macroconídia s.f.
macroconjugante adj.2g. s.m.
macroconstituinte adj.2g.
macrocórace s.m.
macrocóraco s.m.
macrócorax (*cs*) s.m.2n.
macrocórdio s.m.
macrocórnea s.f.
macrocósmico adj.
macrocosmo s.m.
macrocosmologia s.f.
macrocosmológico adj.
macrocriminologia s.f.
macrocriminológico adj.
macrocriminologista adj. s.2g.
macrocriminólogo s.m.
macrocristalino adj.
macrocromossoma s.m.
macrocultura s.f.
macrocultural adj.2g.
macrodactilia s.f.
macrodáctilo adj. s.m.
macrodasióideo adj. s.m.
macrodatilia s.f.
macrodátilo adj. s.m.
macrodecisão s.f.
macródema s.m.
macrodendro s.m.
macrodiagonal adj.2g. s.f.
macrodíodo s.m.
macrodiptérige s.m.
macrodípterix (*cs*) s.m.
macrodistrofia s.f.
macrodistrófico adj.
macrodoma s.m.
mácrodon s.m.
macrodôncia s.f. "gênero de insetos"; cf. *macrodontia*
macrodonte adj.2g. s.m.
macrodontia s.f. "hipertrofia dos dentes"; cf. *macrodôncia*
macrodontismo s.m.
macroeconomia s.f.
macroeconômico adj.
macroeconomista adj. s.2g.
macroeducação s.f.
macroeducacional adj.2g.
macroeducativo adj.
macroencefalia s.f.
macroencefálico adj.
macroencéfalo s.m.
macroergata s.f.
macroesplâncnico adj.
macroestado s.m.
macroestesia s.f.
macroestésico adj.
macroestético adj.
macroestrutura s.f.
macroestrutural adj.2g.
macroevolução s.f.
macrofágico adj.
macrófago s.m.
macrofagócito s.m.
macrofálico adj.
macrofanerófita s.f.
macrofanerófito s.m.
macrofaríngeo s.m.
macrofauna s.f.
macrófia s.m.f.
macrofilia s.f.
macrofílico adj.
macrofilo adj. s.m.
macrofísica s.f.
macrofísico adj.
macrófita s.f.
macrofítico adj.
macrófito s.m.
macrofóssil s.m.
macrofotografia s.f.
macrofotográfico adj.
macroftalmia s.f.
macroftalmo adj. s.m.
macrogameta s.m.
macrogâmeta s.m.
macrogametócito s.m.
macrogametófito s.m.
macrogamia s.f.
macrogastria s.f.
macrogástrico adj.
macrogenitossomia s.f.
macrógina s.f.
macrogiria s.f.
macroglicol s.m.
macroglicólico adj.
macroglobulina s.f.
macroglobulinemia s.f.
macroglobulinêmico adj.
macroglossa s.f.
macroglossia s.f.
macroglóssico adj.
macroglossíneo s.m.
macroglosso adj. s.m.
macrógnata adj.2g.
macrognatia s.f.
macrognatismo s.m.
macrógnato adj.
macrogonídia s.f.
macrogonídio s.m.
macrografar v.
macrografia s.f.
macrográfico adj.
macrógrafo s.m.; cf. *macrografo*, fl. do v. *macrografar*
macro-história s.f.
macro-historiador (*ô*) s.m.
macro-histórico adj.
macroinstrução s.f.
macro-jê adj. s.2g.; pl. *macro-jês*
macrolecítico adj.
macrolécito s.m.
macrolene s.m.
macrolente s.f.
macrolepidóptero adj. s.m.
macrolídio s.m.
macrolinfócito s.m.
macrolóbio s.m.
macrólofo adj. s.m.
macrologia s.f.
macrológico adj.
macromania s.f.
macromaníaco adj. s.m.
macromastia s.f.
macromelia s.f.
macromélico adj.
macrômero s.m.
macrometeorito s.m.
macrometria s.f.
macrométrico adj.
macrômetro s.m.
macromia s.f.
macromicrômetro s.m.
macromielônio s.m.
macrominia s.f.
macromítrio s.m.
macromolécula s.f.
macromolecular adj.2g.
macromorfologia s.f.
macromorfológico adj.
mácron s.m.
macrone s.m.
macronêmea s.f.
macronemuro s.m.
macrônice adj.2g.
macrônico s.m.
macronídia s.f.
macronídio s.m.
macroniquia s.f.
mácronix (*cs*) s.m.
macronoto adj.
macronuclear adj.2g.
macronúcleo s.m.
macronutriente adj.2g. s.m.
macroparasita s.m.
macropedia s.f.

macropédia s.f.
macropédico adj.
macropeplo s.m.
macropétalo adj.
macropia s.f.
macrópico adj.
macropígia s.m.
macropinacoide (*ó*) s.m.
macrópio adj.
macróplace s.f.
macroplancto s.m.
macroplâncton s.m.
macroplasia s.f.
macróplax (*cs*) s.f.
macropneia (*é*) s.f.
macropneico (*é*) adj.
mácropo s.m.
macrópode adj.2g. s.m.
macropodia s.f.
macropódico adj.
macropodídeo adj. s.m.
macropódio adj.
macropófora s.f.
macropolimeria s.f.
macropolimérico adj.
macropolímero s.m.
macropomo adj.
macroporpa s.f.
macropostomia s.f.
macroprosopia s.f.
macroprosópico adj.
macroprosopo s.m.
macroprotalo s.m.
macroprótalo s.m.
macroprótodon s.m.
macroprotodonte s.m.
macropsálide s.f.
macrópsalis s.f.2n.
macropsia s.f.
macrópsico adj.
macrópsis s.f.2n.
macropterige s.f.
macropterigíneo s.m.
macrópterix (*cs*) s.f.
macropterna s.f.
macróptero adj. s.m.
macroqueilia s.f.
macroqueira s.f.
macroquilia s.f.
macroquílico adj.
macroquímica s.f.
macroquímico adj.
macroquira s.f.
macroquiria s.f.
macroquírico adj.
macroquiro adj. s.m.
macroretro s.m.
macrorranfo s.m.
macrorranfosídeo adj. s.m.
macrorranfoso (*ô*) s.m.; f. (*ó*); pl. (*ó*)
macrorrinco adj.
macrorrinia s.f.
macrorrino adj. s.m.
macrorrizo adj.
macroscala s.f.
macróscela s.f.
macroscelia s.f.
macroscélico adj.
macroscelídeo adj. s.m.
macroscélido adj. s.m.
macroscepse s.f.
macróscio adj. s.m.
macrosclera s.f.
macrosclereide s.f.
macrosclereíde s.f.
macrosclereídeo s.m.
macrosclérito s.m.
macroscópico adj.
macroscopista adj. s.2g.
macrose s.f.
macrosfira s.f.
macrosiágone s.m.
macrosífon s.m.
macrositase s.f.
macrosmático adj.
macrospermo adj.
macrosplâncnico adj.
macrosporangiado adj.
macrosporângio s.m.
macrosporangióforo s.m.
macrospório s.m.
macrósporo adj. s.m.
macrosporofilar adj.2g.
macrosporofilo adj. s.m.
macrosporófita s.f.
macrosporóforo s.m.
macrosporozoíto s.m.
macrosquela s.f.
macrosquelia s.f.
macrossegmentar v. adj.2g.
macrossegmento s.m.
macrossépalo adj.
macrossifão s.m.
macrossifônia s.f.
macrossigmoide (*ó*) s.m.
macrossimbionte adj.2g.
macrossismo s.m.
macrossocial adj.2g.
macrossociologia s.f.
macrossociológico adj.
macrossociólogo s.m.
macrossociômetra s.2g.
macrossociometria s.f.
macrossociométrico adj.
macrossociometrista adj. s.2g.
macrossoma s.m.
macrossomatia s.f.
macrossomático adj.
macrossomia s.f.
macrossômico adj.
macrossomo s.m.
macrossoro (*ô*) s.m.
macrostáquia s.f.
macrostársico adj.
macrostemo adj.
macrostêmone adj.2g.
macrostereognosia s.f.
macróstico adj.
macrostilia s.f.
macrostilo adj.
macrostomia s.f.
macrostômico adj.
macróstomo adj. s.m.
macrostrutura s.f.
mácrote s.f.
macrotério s.m.
macrotérmico adj.
macrotermo adj.
macrotermófilo adj.
macrotete s.f.
macrotia s.f.
macrotilácea s.f.
macrotilo s.m.
mácroto s.m.
macrótomo s.m.
macrotórax (*cs*) s.m.2n.
macrótoro s.m.
macrotriquia s.f.
macrotríquia s.f.
mácrotrix (*cs*) s.f.
macrouro s.m.
macrovalocitose s.f.
macrovisão s.f.
macrozâmia s.f.
macrozoneamento s.f.
macrozoospório s.m.
macrozoósporo s.m.
macruaru s.f.
macrurídeo adj. s.m.
macrurineo adj. s.m.
macruro adj. s.m.
macrurono s.m.
macruu s.m.
mactierno s.m.
mactima s.f.
mactra s.f.
mactráceo adj. s.m.
mactracídeo adj. s.m.
máctrida adj.2g. s.m.
mactrídeo adj. s.m.
mactrismo s.m.
macu adj. s.2g.
macua adj. s.2g. "tribo de índio"; cf. *macuá*
macuá s.m. "pescador da Índia Portuguesa"; cf. *macua*
macuácua adj. s.2g.
macuaiela s.m.
macuamuno s.m.
macuana adj. s.2g.
macuanza s.f.
macuara adj. s.2g.
macuarém s.m.
macuba s.f.
macubeia (*é*) s.f.
macúbio s.m.
macuca s.f.
macucágua s.f.
macu-camã adj. s.2g.; pl. *macu-camãs*
macucana s.f.
macucar v.
macucau s.m.
macucaua s.f.
macucauá s.f.
macucauá-da-mata s.m.; pl. *macucauás-da-mata*
macucava s.f.
macucense adj. s.2g.
macuco s.m.
maçuço s.m.
macuco-do-pantanal s.m.; pl. *macucos-do-pantanal*
macucu s.m.
macucu-da-catinga s.m.; pl. *macucus-da-catinga*
macucu-da-terra-firme s.m.; pl. *macucus-da-terra-firme*
macucu-de-paca s.m.; pl. *macucus-de-paca*
macucu-do-rio-negro s.m.; pl. *macucus-do-rio-negro*
macucumirim s.m.
macucurana s.f.
macucu-verdadeiro s.m.; pl. *macucus-verdadeiros*
maçudo adj. "maçador"; cf. *massudo*
macuembe s.m.
macuense adj. s.2g.
macu-hupdá adj. s.2g.; pl. *macu-hupdás*
macuim (*u-im*) s.m.
macuinense adj. s.2g.
macuini s.m.
macu-iuhupde adj. s.2g.; pl. *macu-iuhupdes*
macujá s.m.
macujé s.2g.
macujeense adj. s.2g.
mácula s.f.; cf. *macula*, fl. do v. *macular*
maculabilidade s.f.
maculação s.f.
maculado adj.
maculador (*ô*) adj.
maculânia s.f.
maculante adj.2g.
macular v. adj.2g.
maculatura s.f.
maculável adj.2g.
maculelê s.m.
maculícola adj.2g.
maculífero adj.
maculiforme adj.2g.
maculirrostro adj.
maculo s.m.
maculopapular adj.2g.
maculoso (*ô*) adj.; f. (*ó*); pl. (*ó*)
macuma s.f. "mucama"; cf. *macumá e macumã*
macumá s.f. "planta"; cf. *macuma e macumã*
macumã s.m. "substância extraída de uma palmeira"; cf. *macuma e macumá*
macumanganhe s.m.
macumba s.f.
macumbar v.
macumbe s.m.
macumbé s.m.
macumbeiro adj. s.m.
macúmbi s.m.
macuna adj. s.2g. "povo"; cf. *macuná*
macuná s.2g. "árvore brasileira"; cf. *macuna*
macunabe adj. s.2g.
macu-nabede adj. s.2g.; pl. *macu-nabedes*
macunabodo adj. s.m.
macunaima s.m.
macunaíma s.m.
macunda s.f.
macunde s.m.
macúndi s.m.
macundimajima s.m.
macungo s.m.
macunhapamba s.f.
macuni adj. s.2g.
maçunim s.m.
macupi s.m.
macupinense adj. s.2g.
macuqueiro s.m.
macuquense adj. s.2g.
macuquinho s.m.
macuquinho-da-várzea s.m.; pl. *macuquinhos-da-várzea*
macura s.f. "gambá"; cf. *macurá*
macurá s.m. "dialeto da Guiana"; cf. *macura*
macuracaá s.f.
macurape adj. s.2g.
macurebo adj. s.m.
macuripaí s.m.
macuripariense adj. s.2g.
macuru s.m.
macurureense adj. s.2g.
macuta s.f.
macute s.m.
macuteiro adj. s.m.
macutena s.2g. s.f.
macuteno adj. s.m.
macúti s.m.
macutina adj.2g. s.f.
macuto s.m.
macuve s.f.
macuxafua s.f.
macuxi adj. s.2g.
macuxixiriense adj. s.2g.
mada s.f. "molhos de linho"; cf. *madã*
madã s.m. "nicho nos templos indianos"; cf. *mada*
madagascar s.f.
madagáscar s.f.
madagascarense adj. s.2g.
madailense adj. s.2g.
madala s.2g.
madalém s.m.
madalena s.f.
madalenense adj. s.2g.
madaleneta (*ê*) s.f.
madama s.f.
madame s.f.
madameco s.m.
madamisela s.f.
madamismo s.m.
madamusela s.f.
madanacá adj. s.2g.
madapolame s.m.
madapolão s.m.
madarose s.f.
madarosperma s.f.
made s.m.
madefação s.f.
madefato adj.
madeficar v.
madeira s.m.f.
madeira-branca s.f.; pl. *madeiras-brancas*
madeirada s.f.
madeira-de-rei s.f.; pl. *madeiras-de-rei*
madeiral s.m.
madeirame s.m.
madeiramento s.m.
madeira-nova s.f.; pl. *madeiras-novas*
madeirar v.
madeiras s.f.pl.
madeira-seringa s.f.; pl. *madeiras-seringa e madeiras-seringas*
madeirável adj.2g.
madeireira s.f.
madeireiro adj. s.m.
madeirense adj. s.2g.
madeirização s.f.
madeirizado adj.
madeirizar v.
madeiro s.m.
madeixa s.f.
madeixar-se v.
madente adj.2g.
madepueira s.f.
madersa s.f.
madgiar adj. s.2g.
madi adj. s.2g. "povo"; cf. *mádi*
mádi s.m. "messias muçulmano"; cf. *madi*
mádia adj. s.2g. s.f.
madiaico adj.
madiamanaule s.m.
madianeia (*é*) adj. s.f. de *madianeu*
madianeu adj. s.m.; f. *madianeia* (*é*)
madianita adj. s.2g.
madiar s.m.
madidez (*ê*) s.f.
mádido adj.
madiense adj. s.2g.
madiina s.f.
madijá adj. s.2g.
madim s.m.
madimamuano s.m.
madimbo s.m.
madinatura s.f.
madinho s.m.
madiobo s.m.
madismo s.m.
madista adj. s.2g.
madjada s.f.
madjambêni s.2g.
madje s.m.
madjonedjone s.m.
madocita s.f.
madona s.f.
madonização s.f.
madonizar v.
madóqua s.m.
madorna s.f.
madornar v.
madorneira s.f.
madornento adj.
madornice s.f.
madorra (*ô*) s.f.; cf. madorra, fl. do v. *madorrar*
madorrar v.
madorrento adj.
madraça adj. s.f.
madraçal s.m.
madraçar v.
madraçaria s.f.
madraceador (*ô*) adj. s.m.
madracear v.
madraceirão adj. s.m.; f. *madraceirona*
madraceirar v.
madraceiro adj. s.m.
madraceirona adj. s.f. de *madraceirão*
madracice s.f.
madraço adj. s.m.
madrafã s.f.
madrafaxão s.m.
madraga s.f.
madragoa (*ô*) s.f.
madragoense adj. s.2g.
madrague s.f.
madras s.m.2n.
madrás s.m.2n.
madrasta s.f.
madrasto adj. s.m.
madre s.f.
madre-brejense adj. s.2g.; pl. *madre-brejenses*
madre-caída s.f.; pl. *madres-caídas*
madre-caprina s.f.; pl. *madres-caprinas*
madre-celestina s.f.; pl. *madres-celestinas*
madre-cravo s.f.; pl. *madres-cravo*
madre-da-esmeralda s.f.; pl. *madres-da-esmeralda*
madre-das-boticas s.f.; pl. *madres-das-boticas*

madre de fora s.f.
madre-deusense adj. s.2g.; pl. *madre-deusenses*
madrefaxão s.m.
madrefila s.f.
madrefilo adj. s.m.
madre-forma s.f.; pl. *madres-formas*
madre-mestra s.f.; pl. *madres-mestras*
madrenho s.m.
madrepérola s.f.
madreperolado adj.
madrépora s.f.
madrépora-espinheira s.f.; pl. *madréporas-espinheiras*
madreporário adj. s.m.
madrepórico adj.
madreporídeo adj. s.m.
madreporífero adj.
madreporiforme adj.2g.
madreporíneo adj. s.m.
madreporita s.f.
madreporite s.f.
madreporítico adj.
madreporito s.m.
madre-saída s.f.; pl. *madres-saídas*
madressilva s.f.
madressilva-das-boticas s.f.; pl. *madressilvas-das-boticas*
madressilva-de-cheiro s.f.; pl. *madressilvas-de-cheiro*
madressilva-do-japão s.f.; pl. *madressilvas-do-japão*
madressilva-dos-bosques s.f.; pl. *madressilvas-dos-bosques*
madressilva-dos-jardins s.f.; pl. *madressilvas-dos-jardins*
madressilva-terrestre s.f.; pl. *madressilvas-terrestres*
madressilva-verdadeira s.f.; pl. *madressilvas-verdadeiras*
madria s.f. "ondas revoltas"; cf. *mádria*
mádria s.f. "açude"; cf. *madria*
madride s.f.
madridista adj. s.2g.
madrigal s.m.
madrigalesco (*ê*) adj.
madrigalete (*ê*) s.m.
madrigálico adj.
madrigalismo s.m.
madrigalista adj. s.2g.
madrigalístico adj.
madrigalizar v.
madrigaz s.m.
madrigoa (*ô*) s.f.
madrigueira s.f.
madrija s.f.
madrijo s.m.
madril s.f.
madrilena s.f.
madrilenho adj. s.m.
madrileno adj. s.m.
madrilense adj. s.2g.
madrilês adj. s.m.
madrilheira s.f.
madrilista adj. s.2g.
madrinha s.f.
madrinhado adj. s.m.
madrinhar v.
madrinheiro s.m.
madriz s.f.
madronho s.m.
madrugada s.f.
madrugador (*ô*) adj. s.m.
madrugar v.
madruguista adj. s.2g.
maduateno adj. s.m.
maduca s.f.
madupito s.m.
madura s.f.
maduração s.f.
maduraço adj.
madurador (*ô*) adj.
madural adj. s.f.
madurão adj. s.m.; f. *madurona*
madurar v.
madurável adj.2g.
madurázio adj.
madurecer v.
madureirense adj. s.2g.
madureiro s.m.
madurela s.f.
madurelose s.f.
madurês adj. s.m. "povo"; cf. *madurez* (*ê*)
madurez (*ê*) s.f. "madureza"; cf. *madurês*
madureza (*ê*) s.f.
maduridade s.f.
maduro adj. s.m.
maduromicose s.f.
maduromicótico adj.
madurona adj. s.f. de *madurão*
mãe s.f.
mãe-benta s.f.; pl. *mães-bentas*
mãe-boa s.f.; pl. *mães-boas*
mãe-caridosa s.f.; pl. *mães-caridosas*
mãe-carinhosa s.f.; pl. *mães-carinhosas*
mãe-d'água s.f.; pl. *mães-d'água*
mãe-d'aguense (*ü*) adj. s.2g.; pl. *mãe-d'aguenses* (*ü*)
mãe-da-lua s.f.; pl. *mães-da-lua*
mãe-dalunda s.f.; pl. *mães-dalundas*
mãe da mata s.f.
mãe-da-noite s.f.; pl. *mães-da-noite*
mãe-da-taoca s.f.; pl. *mães-da-taoca*
mãe-da-tora s.f.; pl. *mães-da-tora*
mãe-de-anhã s.f.; pl. *mães-de-anhã*
mãe-de-aratu s.f.; pl. *mães-de-aratu*
mãe-de-balata s.f.; pl. *mães-de-balata*
mãe de balcão s.f.
mãe-de-cobra s.f.; pl. *mães-de-cobra*
mãe de família s.f.
mãe-de-porco s.f.; pl. *mães-de-porco*
mãe-de-sabiá s.f.; pl. *mães-de-sabiá*
mãe de santo s.f.
mãe-de-saúva s.f.; pl. *mães-de-saúva*
mãe-de-tamaru s.f.; pl. *mães-de-tamaru*
mãe-de-tucano s.f.; pl. *mães-de-tucano*
mãe-do-anhã s.f.; pl. *mães-do-anhã*
mãe-do-azeite s.f.; pl. *mães-do-azeite*
mãe-do-cacau s.f.; pl. *mães-do-cacau*
mãe-do-camarão s.f.; pl. *mães-do-camarão*
mãe do corpo s.f.
mãe do fogo s.f.
mãe do ouro s.f.
mãe do rio s.f.
mãe-do-sol s.f.; pl. *mães-do-sol*
má-educação s.f.; pl. *más-educações*
maeio s.m.
mãe-joana s.f.; pl. *mães-joanas*
maenga s.m.
maenje adj. s.2g.
mãe-parida s.f.; pl. *mães-paridas*
mãe-pátria s.f.; pl. *mães-pátrias*
mãe-pequena s.f.; pl. *mães-pequenas*
mãe-riense adj. s.2g.; pl. *mãe-rienses*
maeruna adj. s.2g.
mães do bicho s.f.pl.
maestria s.f.
maestrichtiano adj. s.m.
maestrina s.f.
maestrino s.m.
maestro s.m.
maeta (*ê*) s.f.
maeterlinckiano adj.
mãe-tia s.f.; pl. *mães-tia* e *mães-tias*
maetinguense adj. s.2g.
mãezeiro adj.
mafabé adj.2g.
mafafa s.f.
mafagafo s.m.
mafali s.m.
mafamede s.m.
mafamético adj.
mafamúti s.f.
mafana s.f.
mafarrico s.m.
mafaú s.m.
mafe adj. s.2g. "ruim"; cf. *mafé*
mafé s.2g. "acompanhamento de carne"; cf. *mafe*
má-fé s.f.; pl. *más-fés*
máfia s.f.
mafião adj. s.m.
máfico adj.
mafioso (*ô*) adj. s.m.; f. (*ó*); pl. (*ó*)
mafire s.m.
má-firma s.2g.; pl. *más-firmas*
mafita adj. s.2g.
mafite adj. s.2g.
mafoma s.f.
mafome s.m.
mafometano adj. s.m.
mafomético adj.
mafomista adj. s.2g.
mafor (*ô*) s.m.
má-formação s.f.; pl. *más-formações*
mafra adj. s.2g.
mafraíta s.f.
mafrense adj. s.2g.
mafrensense adj. s.2g.
mafu s.m.
mafua s.f. "árvore"; cf. *mafuá*
mafuá s.m. "parque de diversões"; cf. *mafua*
mafuca s.m.
mafucalimbo s.m.
mafucamacoje s.m.
mafuco s.m.
mafula adj.
mafulo adj. s.m.
mafuma s.f.
mafumba s.f.
mafumeira s.f.
mafumo s.m.
mafundissa s.m.
mafunge s.m.
mafura s.f. "fruto"; cf. *mafurá*
mafurá s.m. "peixe"; cf. *mafura*
mafureira s.f.
mafurra s.f.
mafuta adj.2g.
mafutra s.f.
maga s.f.
magabeira s.f.
magaça s.f.
magacia s.f.
magadi s.m.
magádico adj.
magadiita s.f.
magaí s.m.
magaíssa s.2g.
magal s.m.
magala s.m.
magalânico adj. s.m.
magalanita s.f.
magalhães-almeidense adj. s.2g.; pl. *magalhães-almeidenses*
magalhães-baratense adj. s.2g.; pl. *magalhães-baratenses*
magalhense adj. s.2g.
magália s.m.
magana s.f.
maganagem s.f.
maganão adj. s.m.
maganaz s.m.
maganear v.
maganeira s.f.
maganeiro s.m.
maganento adj.
maganice s.f.
maganja adj. s.2g.
magano adj. s.m.
maganza s.f.
magaranduva s.f.
magarça s.f.
magarebe s.m.
magarefagem s.f.
magarefe s.m.
magareles s.2g.2n.
magari adj. s.2g.
magarim s.m.
magarrufas s.f.pl.
magasela s.m.
magatama s.m.
magatô s.m.
magazine s.m.
magazineiro s.m.
magba s.m.
magbasita s.f.
magda s.f.
magdaleano adj.
magdalenense adj. s.2g.
magdaleniano adj.
magdaliano adj.
magdalião s.m.
magdalidíneo adj. s.m.
magdalíneo s.m.
magdense adj. s.2g.
mageda adj. s.2g.
mageense adj. s.2g.
magelânia s.m.
magelino adj. s.m.
magelo adj. s.m.
magemita s.f.
magemite s.f.
magengro s.m.
magenta adj.2g. s.f.
magérrimo adj. sup. de *magro*
maghemita s.f.
magia s.f.
magiar adj. s.2g.
magiarização s.f.
mágica s.f.; cf. *magica*, fl. do v. *magicar*
magicar v.
magicatura s.f.
mágico adj. s.m.; cf. *magico*, fl. do v. *magicar*
mágico-religioso adj.; pl. *mágico-religiosos*
magidare s.f.
magilo s.m.
magírico adj.
mágis s.m.2n.
magismo s.m.
magíster s.m.
magisterial adj.2g.
magistério s.m.
magistocéfalo adj.
magistrado s.m.
magistral adj.2g. s.m.
magistralidade s.f.
magistrando s.m.
magistrático adj.
magistratura s.f.
maglemosiano adj.
magma s.m.
magmafila adj.
magmático adj.
magmatismo s.m.
magmatista adj. s.2g.
magmatístico adj.
magmoide (*ó*) adj.2g.
magna-carta s.f.; pl. *magnas-cartas*
magnálio s.m.
magnalita s.f.
magnanimidade s.f.
magnânimo adj.
magnanita s.f.
magnata s.2g.
magnate s.2g.
magnaticida s.2g.
magnaticídio s.m.
magnatismo s.m.
magné adj. s.2g.
magnefer s.m.
magneferrita s.f.
magneferrite s.f.
magnelite s.f.
magnésia s.f.
magnesiado adj.
magnesiano adj.
magnésico adj.
magnesido adj. s.m.
magnesífero adj.
magnésio adj. s.m.
magnesioantofilita s.f.
magnesiobentonita s.f.
magnesiocalcantita s.f.
magnesiocataforita s.f.
magnesioclorofenicita s.f.
magnesiocolumbita s.f.
magnesiocopiapita s.f.
magnesiocromita s.f.
magnesiocromite s.f.
magnesioferrita s.f.
magnesioferrite s.f.
magnesioferrítico adj.
magnesiofosfuranita s.f.
magnesioludvigita s.f.
magnesioludwiguita s.f.
magnesiorriebeckita s.f.
magnesiorriebequita s.f.
magnesiortita s.f.
magnesiossussexita s.f.
magnesita s.f.
magnesite s.f.
magnesítico adj.
magnesito s.m.
magnessa s.f.
magnetacústico adj.
magnete adj. s.2g. s.m.
magneteléctrico adj.
magnetelétrico adj.
magnetencefalografia s.f.
magnético adj. s.m.
magnetímetro s.m.
magnetipolar adj.2g.
magnetismo s.m.
magnetista adj. s.2g.
magnetístico adj.
magnetita s.f.
magnetite s.f.
magnetítico adj.
magnetização s.f.
magnetizado adj.
magnetizador (*ô*) adj. s.m.
magnetizante adj.2g.
magnetizar v.
magnetizável adj.2g.
magneto s.m.
magnetoaerodinâmica s.f.
magnetocalórico adj.
magnetocardiografia s.f.
magnetocardiográfico adj.
magnetocardiógrafo s.m.
magnetocardiograma s.m.
magnetoelasticidade s.f.
magnetoelástico adj.
magnetoeletricidade s.f.
magnetoelétrico adj.
magnetoestática s.f.
magnetoestático adj.
magneto-falante s.m.; pl. *magneto-falantes*
magnetofone s.m.
magnetofônio s.m.
magnetogenia s.f.
magnetogênico adj.
magnetógeno adj.
magnetogerador s.m.
magnetogírico adj.
magnetográfico adj.
magnetógrafo s.m.
magnetograma s.m.
magneto-hidrodinâmica s.f.; pl. *magneto-hidrodinâmicas*
magneto-hidrodinâmico adj.; pl. *magneto-hidrodinâmicos*

magnetoide (*ó*) adj.2g.
magnetoidrodinâmica s.f.
magnetoidrodinâmico adj.
magnetoiônico adj.
magnetologia s.f.
magnetológico adj.
magnetologista adj. s.2g.
magnetólogo s.m.
magnetomecânico adj.
magnetometria s.f.
magnetométrico adj.
magnetômetro s.m.
magnetomotor (*ô*) adj.
magnetomotriz adj. s.f.
magneton s.m.
magnéton s.m.
magneto-óptica s.f.; pl. *magneto-ópticas*
magneto-óptico adj.; pl. *magneto-ópticos*
magnetopausa s.f.
magnetopirita s.f.
magnetopirite s.f.
magnetoplumbita s.f.
magnetoplumbite s.f.
magnetopolar adj.2g.
magnetóptica s.f.
magnetóptico adj.
magnetoquímica s.f.
magnetoquímico adj.
magnetorresistência s.f.
magnetorrotação s.f.
magnetoscopia s.f.
magnetoscópico adj.
magnetoscópio s.m.
magnetosfera s.f.
magnetosférico adj.
magnetossônico adj.
magnetostática s.f.
magnetostático adj.
magnetostibiana s.f.
magnetostrição s.f.
magnetostricção s.f.
magnetostrictor (*ô*) adj.
magnetostritor (*ô*) adj.
magnetotecnia s.f.
magnetotécnico adj.
magnetotelúrica s.f.
magnetotelúrico adj.
magnetoterapia s.f.
magnetoterápico adj.
magnetrão s.m.
magnetro s.m.
magnetrômetro s.m.
magnétron s.m.
magnetrônio s.m.
magnicaudado adj.
magnicida adj. s.2g.
magnicídio s.m.
magnífica s.f.; cf. *magnifica*, fl. do v. *magnificar*
magnificação s.f.
magnificado adj.
magnificador (*ô*) adj. s.m.
magnificante adj.2g.
magnificar v.
magnificatório adj.
magnificável adj.2g.
magnificência s.f.
magnificente adj.2g.
magnificentíssimo adj. sup. de *magnífico*
magnífico adj. s.m.; cf. *magnifico*, fl. do v. *magnificar*
magniloquência (*ü*) s.f.
magniloquente (*ü*) adj.2g.
magníloquo adj.
mágnio s.m.
magniotriplita s.f.
magnipotente adj.2g.
magnissonante adj.2g.
magnita adj. s.2g.
magnitude s.f.
magno adj. s.m.
magnocolumbita s.f.
magnocromita s.f.
magnoferrita s.f.
magnoforita s.f.
magnofranklinita s.f.
magnole s.m.
magnoleira s.f.
magnólia s.f.
magnólia-amarela s.f.; pl. *magnólias-amarelas*
magnólia-branca s.f.; pl. *magnólias-brancas*
magnoliácea s.f.
magnoliáceo adj.
magnólia-de-petrópolis s.f.; pl. *magnólias-de-petrópolis*
magnólia-do-brejo s.f.; pl. *magnólias-do-brejo*
magnólia-do-mato s.f.; pl. *magnólias-do-mato*
magnólia-iulã s.f.; pl. *magnólias-iulãs*
magnolial adj.2g.
magnoliale s.f.
magnólia-tulipa s.f.; pl. *magnólias-tulipa* e *magnólias-tulipas*
magnolina s.f.
magnolínea s.f.
magnólio s.m.
magnoliófita s.f.
magnoliópsida s.f.
magnolita s.f.
magnolite s.f.
magnomagnetita s.f.
mágnon s.m.
magnortita s.f.
magnotrifilita s.f.
magnussonita s.f.
mago adj. s.m.
mágoa s.f.; cf. *magoa*, fl. do v. *magoar*
magoado adj.
magoador (*ô*) adj.
magoante adj.2g.
magoar v.
magoativo adj.
magoável adj.2g.
magocha s.f.
magodelita s.f.
magodia s.f.
magodo s.m.
magofonia s.f.
magombala s.m.
magonçalo s.m.
magondi s.m.
magonga s.f.
magonguê s.m.
magônia s.f.
magônida adj. s.2g.
magorim s.m.
magosfera s.f.
magosiano adj. s.m.
magosteira s.f.
magote s.m.
magoteira s.f.
magoua s.m.
magra s.f. "a morte"; cf. *magrã*
magrã s.f. "doença dos bois"; cf. *magra*
magrama s.f.
magrão s.m.
magrebe adj. s.2g.
magrebiano adj. s.m.
magrebino adj. s.m.
magredina s.f.
magreira s.f.
magreirão adj.
magreirote adj.2g.
magrela adj. s.2g.
magrelo adj. s.m.
magrém s.f.
magrento adj.
magrete (*ê*) adj.
magrez (*ê*) s.f.
magreza (*ê*) s.f.
magriça s.f.
magricela adj. s.2g.
magriço adj. s.m.
magridade s.f.
magrinha s.f.
magriz adj. s.m.
magrizel adj. s.m.
magrizela adj. s.2g.
magro adj. s.m.
magrote adj.2g. s.m.
magruço adj.
maguanguara adj. s.2g.
maguari s.m.
maguariense adj. s.2g.
maguarim s.m.
maguari-pistola s.m.; pl. *maguaris-pistola* e *maguaris-pistolas*
maguari-pistolão s.m.; pl. *maguaris-pistolão* e *maguaris-pistolões*
magudo adj.
maguei s.m.
magueija s.m.
magueixo s.m.
maguilho s.m.
magujo s.m.
magulhar v.
magulho s.m.
magustal adj.2g.
magusto s.m.
mahdi s.m.
mahônia s.f.
maí adj. s.2g.
maia adj. s.2g. s.f. "povo", etc.; cf. *maiá*
maiá s.m. "planta"; cf. *maia* adj. s.2g. s.f. e fl. do v. *maiar*
maiaca s.f. "planta maiacácea"; cf. *maiacá*
maiacá s.f. "planta xiridácea"; cf. *maiaca*
maiacácea s.f.
maiacáceo adj.
maiada s.f. "curral"; cf. *maiadã*
maiadã s.m. "praça do mercado"; cf. *maiada*
maiadão s.m.
maiadim s.m.
maiaia s.f.
maiaíta s.f.
maiambu s.m.
maiano adj. s.m.
maiântemo s.m.
maião s.m.
maiar v.
maiata s.f.
maiato adj. s.m.
maiauataense adj. s.2g.
maíca s.f.
maiça s.f.
maidão s.m.
maídea s.f.
maidim s.m.
maidona s.f.
maiela s.f.
maienita s.f.
maiense adj. s.2g.
maieumatometria s.f.
maieumatométrico adj.
maieusófoba s.f.
maieusofobia s.f.
maieusofóbico adj.
maieusófobo s.m.
maieusomania s.f.
maieusomaníaco adj. s.m.
maiêutica s.f.
maiêutico adj.
maigaça s.2g.
maiíneo s.m.
maimbaré adj. s.2g.
maimbu s.m.
maimona s.f.
maimonídeo adj.
maimonidiano adj. s.m.
maimonismo s.m.
maimonista adj. s.2g.
maimonístico adj.
maina s.f. "planta"; cf. *mainá*
mainá s.m. "ave"; cf. *maina*
mainardina s.f.
mainata s.2g.
mainate s.m.
mainato s.m.
mainauá adj. s.2g.
mainça s.f.
maindo s.m.
mainel s.m.
mainibu s.m.
mainira s.f.
maino adj.
mainota adj. s.2g.
mainumbi s.m.
maio adj. s.m. "mês do ano"; cf. *maiô*
maiô s.m. "vestimenta de banho"; cf. *maio* adj. s.m. e fl. do v. *maiar*
maioba s.f.
maiobense adj. s.2g.
maiobo s.m.
maioca adj.2g.
maiólica s.f.
maiolo s.m.
maiombe s.m.
maionese s.f.
maionga s.f.
maiongá s.f.
maiongongue adj. s.2g.
maio-pequeno s.m.; pl. *maios-pequenos*
maior adj. s.2g.
maioral s.2g.
maioral-mor s.2g.; pl. *maiorais-mores*
maiorano s.m.
maioranta s.f.
maiorca s.f.
maior de todos s.m.
maiores s.m.pl.
maioria s.f.
maioridade s.f.
maiorino s.m.
maiorismo s.m.
maiorista adj. s.2g.
maiorístico adj.
maiorquino adj. s.m.
maioruna adj. s.2g.
maios-amarelos s.m.pl.
maiosia s.f.
maios-pequenos s.m.pl.
maioto adj. s.m.
maiozinho adj.
maipoca s.f.
maipure adj. s.2g. "povo"; cf. *maipuré*
maipuré s.m. "ave"; cf. *maipure*
maipuridjana adj. s.2g.
maiquiniquense adj. s.2g.
mair s.m.
mairá s.f.
mairata s.m.
mairelo s.m.
mairiense adj. s.2g.
mairiporanense adj. s.2g.
mairipotabense adj. s.2g.
mairu s.m.
mais pron. adv. prep. conj. s.m.; cf. *maís*
maís s.m. "milho graúdo"; cf. *mais*
maisal s.m.
maiscanga adj. s.2g.
maisena s.f.
mais-que-perfeito adj. s.m.; pl. *mais-que-perfeitos*
maisquerer v.
mais que tudo s.2g.2n.
mais-valia s.f.; pl. *mais-valias*
maita s.f. "jogo"; cf. *maitá*
maitá s.f. "ave"; cf. *maita*
maitaca s.f.
maitaca-azul s.f.; pl. *maitacas-azuis*
maitaca-bronzeada s.f.; pl. *maitacas-bronzeadas*
maitaca-cabeça-de-coco s.f.; pl. *maitacas-cabeça-de-coco*
maitaca-curica s.f.; pl. *maitacas-curica* e *maitacas-curicas*
maitaca-da-cabeça-vermelha s.f.; pl. *maitacas-da-cabeça-vermelha*
maitaca-de-barriga-azulada s.f.; pl. *maitacas-de-barriga-azulada*
maitaca-de-cabeça-azul s.f.; pl. *maitacas-de-cabeça-azul*
maitaca-de-cabeça-roxa s.f.; pl. *maitacas-de-cabeça-roxa*
maitaca-de-cabeça-vermelha s.f.; pl. *maitacas-de-cabeça-vermelha*
maitaca-de-face-verde s.f.; pl. *maitacas-de-face-verde*
maitaca-de-garganta-azul s.f.; pl. *maitacas-de-garganta-azul*
maitaca-de-maximiliano s.f.; pl. *maitacas-de-maximiliano*
maitaca-do-norte s.f.; pl. *maitacas-do-norte*
maitaca-do-sul s.f.; pl. *maitacas-do-sul*
maitaca-parda s.f.; pl. *maitacas-pardas*
maitaca-roxa s.f.; pl. *maitacas-roxas*
maitatá s.m.
maiteno s.m.
maitlandita s.f.
maitreia (*é*) s.m.
maituca s.f.
maiua (*ú*) s.f.
maiuíra (*ai-u-í*) s.f.
maiumbela s.f.
maiurássana s.m.
maiuruna adj. s.2g.
maiúscula s.f.
maiusculização s.f.
maiusculizado adj.
maiusculizar v.
maiúsculo adj.
maja s.m.
majambo s.m.
majandra s.m.
majangra s.m.
majanguara adj. s.2g.
majantemo s.m.
majaqueu s.m.
majarrona s.f.
majeense adj. s.2g.
má-jeira s.f.; pl. *más-jeiras*
majengro s.m.
majentemo s.m.
majerioba s.f.
majeró s.m.
majestade s.f.
majestático adj.
majestoso (*ô*) adj.; f. (*ó*); pl. (*ó*)
majídeo adj. s.m.
majienvo s.m.
majil s.m.
majilongo s.m.
majoeira s.f.
majólica s.f.
majongue s.m.
major s.m.
majoração s.f.
majorado adj.
majorador (*ô*) adj.
majoral s.m.
majoralato s.m.
majoramento s.m.
majorana s.f.
majorante adj.2g.
majorar v.
majorável adj.2g.
major-aviador s.m.; pl. *majores-aviadores*
major-brigadeiro s.m.; pl. *majores-brigadeiros*
majorengo s.m.
majorengo-mor s.m.; pl. *majorengos-mores*
majorense adj. s.2g.
major-general s.m.; pl. *majores-generais*
major-gercinense adj. s.2g.; pl. *major-gercinenses*
majoria s.f.
majorina s.f.
major-isidorense adj. s.2g.; pl. *major-isidorenses*
majorita s.f.
majoritário adj. s.m.
majorlandense adj. s.2g.
majorlandiense adj. s.2g.
major-morenense adj. s.2g.; pl. *major-morenenses*

major-oscarense adj. s.2g.; pl. *major-oscarenses*
major-pradense adj. s.2g.; pl. *major-pradenses*
major-vicentense adj. s.2g.; pl. *major-vicentenses*
major-vieirense adj. s.2g.; pl. *major-vieirenses*
majovo s.m.
maju s.m.
majuba s.f.
majubim adj. s.2g.
majueira s.f.
majuga s.f.
majurianense adj. s.2g.
majuruna adj. s.2g.
makatita s.f.
makinenita s.f.
mal s.m. adv. conj.
mala s.f. s.2g.
malabar adj. s.2g.
malabarense adj. s.2g.
malabaresco (*ê*) adj.
malabárico adj. s.m.
malabarino adj. s.m.
malabarismo s.m.
malabarista adj. s.2g.
malabarístico adj.
malabarita adj. s.2g.
malabarização s.f.
malabarizar v.
malabarizável adj.2g.
malabatro s.m.
malabo s.m.
malabruto s.m.
malaca s.f.
mal-acabado adj.; pl. *mal-acabados*
malacacheta (*ê*) s.f.
malacachetar v.
malacachetense adj. s.2g.
malaçada s.f.
malacafento adj.
malacanta s.f.
malacântida adj.2g. s.m.
malacantídeo adj. s.m.
malacanto adj. s.m.
malacão s.m.
malacara adj. s.2g.
malacaro adj. s.m.
malacas s.f.pl.
malacate s.m.
malacatifa s.f.
malacênico adj. s.m.
malachadilho s.m.
malachino s.m.
malacia s.f. "sossego"; cf. *malácia*
malácia s.f. "gênero de insetos"; cf. *malacia*
malacicte adj.2g. s.m.
malacíctis adj.2g. s.m.2n.
malacina s.f.
malacino s.m.
malácio adj. s.m.
malacitano adj. s.m.
málaco s.m.
malacobdela s.f.
malacobdelídeo adj. s.m.
malacocarpo s.m.
malacocéfalo s.m.
malacocotíleo adj. s.m.
malacocoto s.m.
malacoderme adj.2g. s.f.
malacodermo adj. s.m.
malacofilo adj.
malacófilo adj.
malacófono adj.
malacogamia s.f.
malacogáster s.m.
malacogastro s.m.
malacolita s.f.
malacolite s.f.
malacolitito s.m.
malacólito s.m.
malacologia s.f.
malacológico adj.
malacologista adj.
malacólogo s.m.
mal-acondicionado adj.; pl. *mal-acondicionados*
malacônio s.m.
malaconita s.f.
malaconite s.f.
malaconito s.m.
mal-aconselhado adj.; pl. *mal-aconselhados*
malacoplaquia s.f.
malacoplasia s.f.
malacópode adj.2g. s.m.
malacopsila s.f.
malacopsilídeo adj. s.m.
malacopterigiano adj.
malacopterígio adj. s.m.
malacóptero s.m.
malacóptila s.m.
malacoptilínea s.f.
malacorrinco s.m.
malacose s.f.
malacosperma s.f.
malacossaco s.m.
malacossarco s.m.
malacossarcose s.f.
malacossarcósico adj.
malacossoma s.m.
malacossomo adj. s.m.
malacosteídeo adj. s.m.
malacósteo s.m.
malacosteose s.f.
malacosteósico adj.
malacosteu s.m.
malacostráceo adj. s.m.
malacóstraco adj. s.m.
malacostracologia s.f.
malacostracológico adj.
malacostracologista adj. s.2g.
malacostracólogo s.m.
mal-acostumado adj.; pl. *mal-acostumados*
malacotíleo s.m.
malácotrix (*cs*) s.f.
malacozoário adj. s.m.
malacozoófago s.m.
malacra s.f.
maláctico adj.
malacueco adj. s.m.
malada s.f.
mal-adaptado adj.; pl. *mal-adaptados*
maladia s.f.
maladio adj. s.m.
malado adj. s.m.
maladrito s.m.
malafa s.f.
malafaia s.f.
mal-afamado adj.; pl. *mal-afamados*
mal-afeiçoado adj.; pl. *mal-afeiçoados*
malafo s.m.
mal-afortunado adj.; pl. *mal-afortunados*
malaga s.m. "peixe"; cf. *málaga*
málaga s.m. "vinho de Málaga"; cf. *malaga*
malagesta s.f.
malagma s.m.
mal-agoirado adj.; pl. *mal-agoirados*
malagom s.m.
malagou s.m.
mal-agourado adj.; pl. *mal-agourados*
mal-agradecido adj.; pl. *mal-agradecidos*
malagrifa s.f.
malagrifeiro adj.
malagueiro s.m.
malaguenha s.f.
malaguenho adj. s.m.
malaguês adj. s.m.
malagueta (*ê*) s.f.
malaia s.f.
malaiaíta s.f.
malaiala adj.2g. s.m.
malaialam s.m.
malaiálim s.m.
malaico s.m.
malaio adj. s.m.
malaio de bazar s.m.
malaio-holandês adj.; pl. *malaio-holandeses*
malaio-inglês adj.; pl. *malaio-ingleses*
malaio-polinésio adj.; pl. *malaio-polinésios*
malaio-português adj.; pl. *malaio-portugueses*
mal-ajambrado adj.; pl. *mal-ajambrados*
mal-ajeitado adj.; pl. *mal-ajeitados*
malala s.f.
malalanza s.f.
malaleuca s.f.
malali adj. s.2g.
mal-amada adj. s.f.; pl. *mal-amadas*
mal-amado adj. s.m.; pl. *mal-amados*
malamala s.f.
mal-amanhado adj.; pl. *mal-amanhados*
malamba s.f.
malambeiro adj. s.m.
malambo s.m.
mal-americano s.m.; pl. *males-americanos*
malamida s.f.
malampança s.f.
malamute s.m.
malanca s.f.
malança s.f.
malanda s.f.
mal-andança s.f.; pl. *mal-andanças*
mal-andante adj. s.2g.; pl. *mal-andantes*
malandéu s.m.
malandra s.f.
malandraço s.m.
malandragem s.f.
malandrão s.m.
malandrar v.
malandre s.m.
malandrear v.
malandreco s.m.
malandrete (*ê*) s.m.
malandréu s.m.
malandrice s.f.
malandrim s.m.
malandrinice s.f.
malandrino adj. s.m.
malandro adj. s.m.
malandrote s.f.
malânea s.f.
malanemia s.f.
malanêmico adj.
malanga s.f.
malange s.m.
malanguita adj. s.2g.
malanílico adj.
malanilido s.m.
malanilo s.m.
malanje s.m.
malanque s.m.
malantete s.m.
mal-apanhado adj.; pl. *mal-apanhados*
malapeira s.f.
mal-apessoado adj.; pl. *mal-apessoados*
malápia s.f.
malápio adj. s.m.
mala-posta s.f.; pl. *malas-postas*
mal-apresentação s.f.; pl. *mal-apresentações*
mal-apresentado adj.; pl. *mal-apresentados*
malapropismo s.m.
malapterurídeo adj. s.m.
malapteruro s.m.
malaqueiro adj. s.m.
malaquês adj. s.m.
malaqueta (*ê*) s.f.
malaquiense adj. s.2g.
malaquiídeo adj. s.m.
malaquina s.f.
malaquíneo adj. s.m.
maláquio s.m.
malaquista adj. s.2g.
malaquita s.f.
malaquite s.f.
malar v. adj.2g. s.m.
malardite s.f.
malári s.m.
malaria s.f. "porção de malas"; cf. *malária*
malária s.f. "doença"; cf. *malaria*
malariado adj.
malaricida adj.2g.
malaricidade s.f.
malaricídio s.m.
malárico adj.
malariento adj. s.m.
malarífero adj.
malarígeno adj.
malarina s.f.
malariologia s.f.
malariológico adj.
malariologista adj. s.2g.
malariólogo s.m.
malarioso (*ô*) adj.; f. (*ó*); pl. (*ó*)
malarioterapia s.f.
malarioterápico adj.
malaripense adj. s.2g.
mal-armado adj.; pl. *mal-armados*
mal-arranjado adj.; pl. *mal-arranjados*
mal-arrumado adj. s.m.; pl. *mal-arrumados*
malas-arte adj. s.2g.; pl. *malas-artes*
malas-artes adj. s.2g.2n. s.f.pl.
malas-artimanhas s.f.pl.
mala sem alça s.2g.
malasiano adj. s.m.
malásio adj. s.m.
mal-assada s.f.; pl. *mal-assadas*
mal-assado adj. s.m.; pl. *mal-assados*
malassézia s.f.
malasseziose s.f.
mal-assimilação s.f.; pl. *mal-assimilações*
mal-assimilado adj.; pl. *mal-assimilados*
mal-assombrado adj. s.m.; pl. *mal-assombrados*
mal-assombramento s.m.; pl. *mal-assombramentos*
mal-assombro s.m.; pl. *mal-assombros*
malateca s.f.
malatião s.m.
malático adj.
malation s.m.
malato adj. s.m.
malatosta s.f.
malaui adj. s.2g.
malauiano adj. s.m.
malauiense adj. s.2g.
malauista (*i*) adj. s.2g.
malauita (*i*) adj. s.2g.
malavada s.f.
malavença s.f.
mal-aventura s.f.; pl. *mal-aventuras*
mala-ventura s.f.; pl. *malas-venturas*
mal-aventurado adj.; pl. *mal-aventurados*
mal-aventurar v.
malaviano adj. s.m.
mal-avindo adj.; pl. *mal-avindos*
mal-avinhado adj.; pl. *mal-avinhados*
mal-avisado adj.; pl. *mal-avisados*
malavita adj. s.2g.
malavo s.m.
malavra s.f.
malawiano adj. s.m.
malaxação (*cs*) s.f.
malaxadeira (*cs*) s.f.
malaxado (*cs*) adj.
malaxador (*cs...ô*) adj. s.m.
malaxagem (*cs*) s.f.
malaxamento (*cs*) s.m.
malaxante (*cs*) adj.2g.
malaxar (*cs*) v.
malaxe (*cs*) s.f.
mal-azado adj.; pl. *mal-azados*
malazengo adj.
malbaísco s.m.
malbaratação s.f.
malbaratado adj.
malbaratador (*ô*) adj. s.m.
malbaratamento s.m.
malbaratante adj.2g.
malbaratar v.
malbaratável adj.2g.
malbarateação s.f.
malbarateado adj.
malbarateador (*ô*) adj.
malbarateamento s.m.
malbarateante adj.2g.
malbaratear v.
malbarateável adj.2g.
malbarato s.m.
malbruca s.f.
mal-bruto s.m.; pl. *males-brutos*
mal-burdigalense s.m.; pl. *males-burdigalenses*
malcabido adj.
mal-caduco s.m.; pl. *males-caducos*
mal-canadense s.m.; pl. *males-canadenses*
malcasado adj. s.m.
malcassá s.m.
malcatenho adj.
malcatrefe adj. s.m.
mal-céltico s.m.; pl. *males-célticos*
malcheirante adj.2g.
malcheiroso (*ô*) adj.; f. (*ó*); pl. (*ó*)
mal com cristo adj.2g.2n.
mal com deus adj.2g.2n.
malcôlmia s.f.
malcomido adj.
malcomportado adj.
malconceito s.m.
malconceituado adj.
malcondizente adj.2g.
malcondizer v.
malconduzido adj.
malconfiante adj.2g.
malconfiar v.
malconformação s.f.
malconformado adj.
malconjunto adj.
malconservado adj.
malcontentadiço adj.
malcontente adj.2g.
malcorrente adj.2g.
malcozer v.
malcozido adj.
malcozinhado adj. s.m.
malcriação s.f.
malcriadez (*ê*) s.f.
malcriadeza (*ê*) s.f.
malcriadice s.f.
malcriado adj.
malcuidado adj.
mal-curada s.f.
mal da baía de são paulo s.m.
maldade s.f.
maldadoso (*ô*) adj.; f. (*ó*); pl. (*ó*)
maldanela s.m.
maldanídeo adj. s.m.
maldano s.m.
mal da nuca s.m.
mal da pinta s.m.
mal da praia s.m.
maldar v.
mal das ancas s.m.
mal das cadeiras s.m.
mal das montanhas s.m.
mal das vinhas s.m.
mal da terra s.m.
mal de amores s.m.
mal de ano s.m.

mal de bicho s.m.
mal de cadeiras s.m.
mal de cernelha s.m.
mal de chupança s.m.
mal de coito s.m.
mal de cuia s.m.
mal de engasgo s.m.
mal de engasgue s.m.
mal de enjoo (*ô*) s.m.
mal de escancha s.m.
mal de fígado s.m.
mal de fiúme s.m.
mal de fora s.m.
mal de franga s.m.
mal de frenga s.m.
mal de garapa s.m.
mal de gota s.m.
mal de holanda s.m.
mal de lázaro s.m.
maldelazento adj. s.m.
mal de luanda s.m.
mal de madura s.m.
mal de monte s.m.
mal de nápoles s.m.
mal de sangria s.m.
mal de santa eufêmia s.m.
mal de são jó s.m.
mal de são lázaro s.m.
mal de são lévio s.m.
mal de são semento s.m.
mal de secar s.m.
mal de sete couros s.m.
mal de sete dias s.m.
mal de terra s.m.
mal de umbigo s.m.
mal de vaso s.m.
maldição s.f.
maldicente adj.2g.
maldichano adj.
maldiçoar v.
maldigno adj.
maldisposto (*ô*) adj.; f (*ó*); pl. (*ó*)
maldita s.f.
mal-ditmársico adj.; pl. *mal-ditmársicos*
maldito adj. s.m.
malditoso (*ô*) adj.; f. (*ó*); pl. (*ó*)
maldivano adj. s.m.
maldivense adj. s.2g.
maldiviano adj. s.m.
maldívio adj. s.m.
maldivo adj. s.m.
maldizedor (*ô*) s.m.
maldizente adj. s.2g.
maldizer v. s.m.
mal do diagalves s.m.
mal do diogalves s.m.
mal do dorso s.m.
maldoente adj.2g.
mal do monte s.m.
maldonita s.f.
maldonite s.f.
mal do pinto s.m.
maldormido adj.
mal do sangue s.m.
mal dos aviadores s.m.
mal dos cascos s.m.
mal dos chifres s.m.
mal dos cristãos s.m.
mal dos mergulhadores s.m.
maldoso (*ô*) adj.; f. (*ó*); pl. (*ó*)
mal dos peitos s.m.
mal dos quartos s.m.
mal dos sete dias s.m.
maldotado adj.
mal do veado s.m.
maldrácula s.f.
malê adj. s.2g.
maleabilidade s.f.
maleabilização s.f.
maleabilizado adj.
maleabilizador (*ô*) adj.
maleabilizante adj.2g.
maleabilizar v.
maleabilizável adj.2g.
maleáceo adj. s.m.
maleado adj.
maleador (*ô*) adj. s.m.
maleante adj. s.2g.
malear v. adj.2g.
maleato s.m.
maleável adj.2g.
malebra adj. s.2g.
malebranchismo s.m.
malebranchista adj. s.2g.
malebranchístico adj.
malecho adj.
malécia s.f.
maledicência s.f.
maledicente adj. s.2g.
maledíco adj. s.m.
maledo (*ê*) s.m.
mal-educado adj.; pl. *mal-educados*
maleficência s.f.
maleficente adj.2g.
maleficiado adj.
maleficiar v.
malefício s.m.; cf. *maleficio*, fl. do v. *maleficiar*
maléfico adj.
maleico (*é*) adj.
maleiforme adj.2g.
maleílo s.m.
maleína s.f.
maleinação s.f.
maleinar v.
maleinização s.f.
maleinizar v.
maleiro s.m.
maleita s.f.
maleita-brava s.f.; pl. *maleitas-bravas*
maleiteira s.f.
maleiteira-das-areias s.f.; pl. *maleiteiras-das-areias*
maleiteira-maior s.f.; pl. *maleiteiras-maiores*
maleiteiro s.m.
maleitoso (*ô*) adj. s.m.; f. (*ó*); pl. (*ó*)
malejo s.m.
malekização s.f.
malekizado adj.
mal e mal adv.
malemba s.f.
malembe s.m.
malembecele s.m.
malembo adj. s.m.
malemolência s.f.
malemolente adj.2g.
mal-empregado adj.; pl. *mal-empregados*
mal-empregar v.
mal-encarado adj.; pl. *mal-encarados*
mal-enganado adj.; pl. *mal-enganados*
mal-engraçado adj.; pl. *mal-engraçados*
mal-enjorcado adj.; pl. *mal-enjorcados*
malenoide (*ó*) adj.2g.
mal-ensinado adj.; pl. *mal-ensinados*
mal-entender v.
mal-entendido adj. s.m.; pl. *mal-entendidos*
mal-entrada s.f.; pl. *mal-entradas*
mal-entrajado adj.; pl. *mal-entrajados*
mal-entrouxado adj.; pl. *mal-entrouxados*
maléola s.f.
maleolar adj.2g. s.m.
maléolo s.m.
maleopetroso adj.; f. (*ó*); pl. (*ó*)
maleosfenoidal adj.2g.
maleotimpânico adj.
maleotomia s.f.
maleotômico adj.
maleque s.m.
malequita s.m.
mal-escocês s.m.; pl. *males-escoceses*
malesérbia s.f.
maleserbiácea s.f.
maleserbiáceo adj.
maleshérbia s.f.
malesherbiácea s.f.
malesherbiáceo adj.
malesso (*ê*) adj.
mal-estar s.m.; pl. *mal-estares*
mal-estreado adj.; pl. *mal-estreados*
maleta (*ê*) s.m.f.
maletense adj.2g.
maleva adj. s.2g. s.f.
malevão adj. s.m.
malevo adj. s.m.
malevolência s.f.
malevolente adj.2g.
malévolo adj. s.m.
mal-exemplar v.
maleza (*ê*) s.f.
malezérbia s.f.
malfadado adj. s.m.
malfadar v.
malfairo s.m.
malfalado adj.
malfalante adj. s.2g.
malfamado adj.
malfário s.m.
malfazejo (*ê*) adj. s.m.
malfazente adj.2g.
malfazer v. s.m.
malfeita s.f.
malfeito adj. s.m.
malfeitor (*ô*) adj. s.m.
malfeitoria s.f.
malfeliz adj. s.2g.
malferido adj. s.m.
malferir v.
malfigurado adj.
malformação s.f.
malformado adj.
malformar v.
mal-francês s.m.; pl. *males-franceses*
malfurada s.f.
malga s.f.
malgalante adj.2g.
mal-gálico s.m.; pl. *males-gálicos*
malganho adj.
malgastar v.
malgável adj.2g.
malgaxe adj. s.2g.
malgaxo adj. s.m.
malgaxofalante adj. s.2g.
malgaxofonia s.f.
malgaxófono adj. s.m.
malgaxoparlante adj. s.2g.
mal-germânico s.m.; pl. *males-germânicos*
malgo s.m.
malgostoso (*ô*) adj.; f. (*ó*); pl. (*ó*)
malgovernado adj.
malgovernar v.
malgradado adj.
malgrado s.m. prep.
malgueiro s.m.
malha s.f.
malhaçada s.f.
malhação s.f.
malhada s.f.
malhada-altense adj. s.2g.; pl. *malhada-altenses*
malhada-bovinense adj. s.2g.; pl. *malhada-bovinenses*
malhada-grandense adj. s.2g.; pl. *malhada-grandenses*
malhadal s.m.
malhada-novense adj. s.2g.; pl. *malhada-novenses*
malhadeira s.f.
malhadeiro adj. s.m.
malhadela s.f.
malhadense adj. s.2g.
malhadice s.f.
malhadiço adj.
malhadil s.m.
malhadio s.m.
malhado adj. s.m.
malhadoiro s.m.
malhador (*ô*) adj. s.m.
malhadorense adj. s.2g.
malhadouro s.m.
malha-ferreiro s.m.; pl. *malha-ferreiros*
malhagem s.f.
malhal s.m.
malhamento s.m.
malhana adj. s.2g.
malhante s.m.
malhão s.m.
malha-pão s.2g.; pl. *malha-pães*
malhar v. s.m.
malharia s.f.
malheira s.f.
malheirão s.m.
malheiro s.m.
malheta (*ê*) s.f.
malhetado adj.
malhetar v.
malhete (*ê*) s.m.; cf. *malhete*, fl. do v. *malhetar*
malheteira s.f.
malhinho s.m.
malhio s.m.
malhissor (*ô*) adj. s.m.
malho s.m. "martelo"; cf. *malhó*
malhó s.m. "correia"; cf. *malho*
malhoada s.f.
malhoquino adj.
malhorquino adj. s.m.
mal-humorado adj.; pl. *mal-humorados*
mali adj. s.2g. "referente à República do Máli"; cf. *máli*
máli s.m. "mestre entre os cafres"; cf. *mali*
maliano adj. s.m.
malibundo s.m.
malicento adj.
malícia s.f.; cf. *malicia*, fl. do v. *maliciar*
malícia-d'água s.f.; pl. *malícias-d'água*
malícia-de-homem s.f.; pl. *malícias-de-homem*
malícia-de-mulher s.f.; pl. *malícias-de-mulher*
maliciado adj.
maliciador (*ô*) adj.
maliciante adj.2g.
maliciar v.
maliciável adj.2g.
maliciense adj. s.2g.
maliciosidade s.f.
malicioso (*ô*) adj. s.m.; f. (*ó*); pl. (*ó*)
málico adj.
malicório s.m.
malido s.f.
maliense adj. s.2g.
malífero adj.
maliforme adj.2g.
maligna s.f.
malignado adj.
malignância s.f.
malignante adj.2g.
malignar v.
malignidade s.f.
malignito s.m.
malignização s.f.
malignizado adj.
malignizador (*ô*) adj.
malignizante adj.2g.
malignizar v.
malignizável adj.2g.
maligno adj. s.m.
malila s.f.
malili adj. s.2g.
mal-ilírico s.m.; pl. *males-ilíricos*
malilo s.m.
malim s.m.
malimbico s.m.
malimboque s.m.
malimida s.f.
malimolência s.f.
malimolente adj.2g.
malina s.f.
malinação s.f.
malinado adj.
malinar v.
malinense adj. s.2g.
malinês adj. s.m.
malineza (*ê*) s.f.
má-língua adj. s.2g. s.f.; pl. *más-línguas*
malingué adj. s.2g.
malinguê adj. s.2g.
malinha s.f.
malinidade s.f.
malino adj. s.m.
malinowskita s.f.
malinqué adj. s.2g.
malinquê adj. s.2g.
mal-intencionado adj. s.m.; pl. *mal-intencionados*
malinu s.m.
malíolo s.m.
maliovismo s.m.
maliquita s.m.
malismo s.m.
malíssimo adj. sup. de *mal*
malissor (*ô*) adj. s.m.
malista adj. s.2g.
malístico adj.
malita s.f.
maljeitoso (*ô*) adj.; f. (*ó*) pl. (*ó*)
malladrita s.f.
mallardita s.f.
mallarmaico adj.
mallarmeano adj. s.m.
mallarmesco (*ê*) adj.
mallarmismo s.m.
mallarmista adj. s.2g.
mallarmístico adj.
malletense adj. s.2g.
mal-limpo adj.; pl. *mal-limpos*
malmajuda s.f.
mal-mal adv.
malmandado adj.
malmequer s.m.
malmequer-amarelo s.m.; pl. *malmequeres-amarelos*
malmequer-da-campina s.m.; pl. *malmequeres-da-campina*
malmequer-da-china s.m.; pl. *malmequeres-da-china*
malmequer-da-sécia s.m.; pl. *malmequeres-da-sécia*
malmequer-do-brejo s.m.; pl. *malmequeres-do-brejo*
malmequer-do-campo s.m.; pl. *malmequeres-do-campo*
malmequer-do-rio-grande s.m.; pl. *malmequeres-do-rio-grande*
malmequer-dos-beijos s.m.; pl. *malmequeres-dos-beijos*
malmequer-dos-brejos s.m.; pl. *malmequeres-dos-brejos*
malmequer-grande s.m.; pl. *malmequeres-grandes*
malmequer-pequeno s.m.; pl. *malmequeres-pequenos*
malmequerzinho s.m.
malmontado adj.
mal-morfético s.m.; pl. *males-morféticos*
mal-napolitano s.m.; pl. *males-napolitanos*
malnascido adj.
malnutrição s.f.
malo adj. s.m.
malóbatro s.m.
maloca s.f.
malocado adj. s.m.
malocar v.
malocense adj. s.2g.
maloclusão s.f.
malococo s.m.
malocofono adj. s.m.
malofagia s.f.
malofágico adj.
malófago adj. s.m.
malogrado adj.
malogramento s.m.
malogrante adj.2g.

malograr v.
malogrável adj.2g.
malogro (*ô*) s.m.; cf. *malogro*, fl. do v. *malograr*
maloio s.m.
maloja s.f.
malolabial adj.2g.
mal-olhado adj. "malvisto"; pl. *mal-olhados*; cf. *mau-olhado*
malolo (*ô*) s.m.
malombada s.f.
malombe s.m.
malonâmico adj.
malonamida s.f.
malonato s.m.
malônico adj.
malonilo s.m.
malopa s.f.
malope s.f.
malópea s.f.
maloplastia s.f.
malopteruro s.m.
maloqueiro s.m.
maloquense adj. s.2g.
malora s.f.
mal-ordenado adj.; pl. *mal-ordenados*
malo-russo adj. s.m.; pl. *malo-russos*
malosa s.f.
malossísmico adj.
malossoma s.m.
malotão s.m.
malote s.m.
maloto s.m.
malouécia s.f.
malouria s.f.
mal-ouvido adj. s.m.; pl. *mal-ouvidos*
mal-ouvir v.
malparado adj.
malparar v.
malparecido adj.
malparição s.f.
malparida s.f.
malparir v.
malpassado adj.
malpecado adv.
malpica s.f.
malpíghia s.f.
malpighiácea s.f.
malpighiáceo adj.
malpighiano adj.
malpighiínea s.f.
malpighiíneo adj.
malpinguinho s.m.
malpiqueiro adj. s.m.
mal-polaco s.m.; pl. *males-polacos*
malposição s.f.
malposto (*ô*) adj.; f. (*ó*); pl. (*ó*)
malprocedido adj.
malpronto adj.
malpropício adj.
malproporcionado adj.
malpropriedade s.f.
malpróprio adj.
malpungir v.
malqueiro s.m.
malquerença s.f.
malquerente adj.2g.
malquerer v. s.m.
malqueria s.f.
malquistado adj.
malquistar v.
malquisto adj.
malreger v.
malregido adj.
malroupido adj. s.m.
malsã adj.; f. de *malsão*
malsadio adj.
malsania s.f.
malsão adj.; f. *malsã*
malsatisfazer v.
malsatisfeito adj.
mal-secreto s.m.; pl. *males-secretos*
malsegurar v.
malseguro adj.
malsentido adj.
malservido adj.
malsim adj.2g. s.m.
malsinação s.f.
malsinado adj.
malsinador (*ô*) adj.
malsinante adj.2g.
malsinar v.
malsinaria s.f.
malsinável adj.2g.
malsisudo adj.
malsoante adj.2g.
malsofrer v.
malsofrido adj.
malsonância s.f.
malsonante adj.2g.
malsorteado adj.
malsucedido adj.
malta s.f.
maltacita s.f.
maltacite s.f.
maltacito s.m.
maltado adj.
maltagem s.f.
maltar v.
máltase s.f.
malte s.m.
maltecora adj. s.2g.
malteno s.m.
maltense adj. s.2g.
maltês adj. s.m.
maltesão s.m.
maltesaria s.f.
maltesia s.f.
maltesita s.f.
malthusianismo s.m.
malthusianista adj. s.2g.
malthusianístico adj.
malthusiano adj. s.m.
maltina s.f.
maltiníneo adj. s.m.
maltino s.m.
malto s.m.
maltobionato s.m.
maltobiônico adj.
maltobiose s.f.
maltodextrina s.f.
maltodo s.m.
maltol s.m.
maltoma s.m.
maltômico adj.
maltosar v.
maltose s.f.
maltoso (*ô*) adj.; f. (*ó*); pl. (*ó*)
maltosta s.f.
maltosuria s.f.
maltosúria s.f.
maltrabalhado adj.
maltrabalhar v.
maltrapido adj. s.m.
maltrapilho adj. s.m.
maltratado adj.
maltratar v.
maltreito adj.
maltrido adj.
mal-triste s.m.; pl. *males-tristes*
mal-turco s.m.; pl. *males-turcos*
malu s.m.
malua adj. s.2g.
maluango adj. s.m.
maluata s.f.
malucado adj.
malucagem s.f.
malucância s.f.
malucano adj. s.m.
malucar v.
maluco adj. s.m.
malucua s.f.
maludo adj. s.m.
maluense adj. s.2g.
malufo s.m.
maluia s.m.
malumbo adj. s.m.
malunda adj. s.2g.
malundo s.m.
malunga s.f.
malungo s.m.
maluquear v.
maluqueira s.f.
maluquês adj. s.m. "molucano"; cf. *maluquez*
maluquete adj. s.2g.
maluquez (*ê*) s.f. "maluquice"; cf. *maluquês*
maluqueza (*ê*) s.f.
maluquice s.f.
malúrdia s.f.
maluro s.m.
málus s.m.2n.
mal-usar v.
maluta s.f.
maluvo s.m.
malva s.f.
malva-algodão s.f.; pl. *malvas-algodão*
malva-algodãorana s.f.; pl. *malvas-algodãoranas*
malva-amarela s.f.; pl. *malvas-amarelas*
malva-branca s.f.; pl. *malvas-brancas*
malva-branca-de-campina s.f.; pl. *malvas-brancas-de-campina*
malva-branca-de-santarém s.f.; pl. *malvas-brancas-de-santarém*
malva-branca-do-salgado s.f.; pl. *malvas-brancas-do-salgado*
malva-branca-macia s.f.; pl. *malvas-brancas-macias*
malva-brasileira s.f.; pl. *malvas-brasileiras*
malva-brava s.f.; pl. *malvas-bravas*
malva-cajuçara s.f.; pl. *malvas-cajuçara*
malva-carrapicho s.f.; pl. *malvas-carrapicho*
malva-carrapicho-do-brejo s.f.; pl. *malvas-carrapicho-do-brejo*
malvácea s.f.
malvaceira s.f.
malváceo adj.
malva-cheirosa s.f.; pl. *malvas-cheirosas*
malvada s.f.
malva-da-índia s.f.; pl. *malvas-da-índia*
malva-da-praia s.f.; pl. *malvas-da-praia*
malva-das-boticas s.f.; pl. *malvas-das-boticas*
malva-das-hortas s.f.; pl. *malvas-das-hortas*
malva-de-cheiro s.f.; pl. *malvas-de-cheiro*
malva-de-marajó s.f.; pl. *malvas-de-marajó*
malva-de-pendão s.f.; pl. *malvas-de-pendão*
malvadez (*ê*) s.f.
malvadeza (*ê*) s.f.
malvadinha s.f.
malva-diurética s.f.; pl. *malvas-diuréticas*
malvado adj. s.m.
malva-do-campo s.f.; pl. *malvas-do-campo*
malva-estrela s.f.; pl. *malvas-estrelas*
malva-felpuda s.f.; pl. *malvas-felpudas*
malva-flor s.f.; pl. *malvas-flor*
malva-grande s.f.; pl. *malvas-grandes*
malvaísco s.m.
malvaísco-cor-de-rosa s.m.; pl. *malvaíscos-cor-de-rosa*
malvaísco-de-folhas-de-cânhamo s.m.; pl. *malvaíscos-de-folhas-de-cânhamo*
malvaísco-de-pernambuco s.m.; pl. *malvaíscos-de-pernambuco*
malvaísco-do-rio-grande-do-sul s.m.; pl. *malvaíscos-do-rio-grande-do-sul*
malvaísco-silvestre s.m.; pl. *malvaíscos-silvestres*
malval adj.2g.
malvale s.f.
malva-língua-de-tucano s.f.; pl. *malvas-língua-de-tucano*
malva-lisa s.f.; pl. *malvas-lisas*
malvalistro s.m.
malva-maçã s.f.; pl. *malvas-maçãs*
malva-maior s.f.; pl. *malvas-maiores*
malva-pequena s.f.; pl. *malvas-pequenas*
malva-piranga s.f.; pl. *malvas-piranga*
malva-preta s.f.; pl. *malvas-pretas*
malvar s.m.
malva-rabo-de-foguete s.f.; pl. *malvas-rabo-de-foguete*
malva-rasteira s.f.; pl. *malvas-rasteiras*
malva-reloginho s.f.; pl. *malvas-reloginho*
malva-relógio s.f.; pl. *malvas-relógio*
malva-relógio-grande s.f.; pl. *malvas-relógio-grande*
malvarisco s.m.
malva-rosa s.f.; pl. *malvas-rosa*
malva-roxa-recortada s.f.; pl. *malvas-roxas-recortadas*
malva-sardinha s.f.; pl. *malvas-sardinha*
malva-selvagem s.f.; pl. *malvas-selvagens*
malvasia s.f.
malvasia-branca s.f.; pl. *malvasias-brancas*
malvasia-da-passa s.f.; pl. *malvasias-da-passa*
malvasia-do-bairro s.f.; pl. *malvasias-do-bairro*
malvasia-fina s.f.; pl. *malvasias-finas*
malvasia-grossa s.f.; pl. *malvasias-grossas*
malvasia-miúda s.f.; pl. *malvasias-miúdas*
malvasia-penaguiota s.f.; pl. *malvasias-penaguiotas*
malvasia-penicheira s.f.; pl. *malvasias-penicheiras*
malvasia-tinta s.f.; pl. *malvasias-tintas*
malvasia-vermelha s.f.; pl. *malvasias-vermelhas*
malva-silvestre s.f.; pl. *malvas-silvestres*
malva-simples s.f.; pl. *malvas-simples*
malvastro s.m.
malva-taquari s.f.; pl. *malvas-taquari*
malva-verde s.f.; pl. *malvas-verdes*
malvavisco s.m.
malvazar s.m.
málvea s.f.
malveína s.f.
malveira s.f.
malveiro s.m.
malvela s.f.
malventuroso (*ô*) adj. s.m.; f. (*ó*); pl. (*ó*)
málveo adj.
malverniano adj. s.m.
malversação s.f.
malversado adj.
malversador (*ô*) adj. s.m.
malversamento s.m.
malversante adj.2g.
malversão s.f.
malversar v.
malversável adj.2g.
malversor (*ô*) adj. s.m.
malvestido adj. s.m.
malvezado adj.
malvezar v.
malvidina s.f.
malvina s.f.
malvindona s.f.
malvínea s.f.
malvinense adj. s.2g.
malvinês adj. s.m.
malvinha s.f.
malvino adj. s.m.
málvis s.m.2n.
malvisto adj.
malvo s.m.
malvoiro s.m.
malvosídeo adj. s.m.
malvouro s.m.
mama s.f.
mama-cachorra s.f.; pl. *mamas-cachorra*
mama-cadela s.f.; pl. *mamas-cadela*
mamaçudo adj.
mamada s.f.
mama-de-cachorra s.f.; pl. *mamas-de-cachorra*
mama-de-cadela s.f.; pl. *mamas-de-cadela*
mamadeira s.f.
mama de mulher s.f.
mama-de-porca s.f.;
mamado adj. s.m.
mamadoiro s.m.
mamador adj. s.m.
mamadouro s.m.
mamadura s.f.
mamãe s.f.
mamãe de aluana s.f.
mamãe de aluanda s.f.
mamãe de aruana s.f.
mamãe de aruanda s.f.
mamãe de luana s.f.
mamãe de luanda s.f.
mamãe-dengue s.f.; pl. *mamães-dengue*
mamãe e papai s.m.2n.
mama em onça s.m.2n.
mamãe-sacode s.f.2n.
mamãe vem aí s.m.2n.
mamãezada s.f.
mamagança s.m.
mamagem s.f.
mamã-grande s.f.; pl. *mamãs-grandes*
mamaiacu s.m.
mamaianá adj. s.2g.
mamaindê adj. s.2g.
mamajuda s.f.
mamal adj.2g. s.m.
mamaleite s.m.
mamalgia s.f.
mamálgico adj.
mamalhudo adj.
mamalogia s.f.
mamalógico adj.
mamalogista adj. s.2g.
mamálogo s.m.
mamalongo s.m.
mamaltar s.m.
mamaluco s.m.
mamanacaraiense adj. s.2g.
mama na égua s.m.2n.
mamanê s.f.
mamanga adj. s.2g. "povo"; cf. *mamangá*
mamangá s.m. "planta"; cf. *mamanga*
mamangaba s.f.
mamangava s.f.
mamanguapense adj. s.2g.
mamantão adj.
mamão adj. s.m.
mamão-bravo s.m.; pl. *mamões-bravos*
mamão-de-corda s.m.; pl. *mamões-de-corda*
mamão-de-mamede s.m.; pl. *mamões-de-mamede*
mamão-do-mato s.m.; pl. *mamões-do-mato*
mamão-macho s.m.; pl. *mamões-machos*
mamão-melão s.m.; pl. *mamões-melões*
mamãozeiro s.m.

mamãozinho s.m.
mamaplastia s.f.
mamar v.
mamareia (*e* ou *é*) s.f.
mamário adj.
mamarracho s.m.
mamarreis s.m.2n.
mamarrote adj.2g. s.m.
mamata s.f.
mamatar s.m.
mamato-cúmulo s.m.; pl. *mamatos-cúmulo* e *mamatos-cúmulos*
mamaurana s.f.
mamba s.f.
mambai s.m.
mambaiense adj. s.2g.
mambala s.2g.
mambar s.m.
mambaré adj. s.2g.
mambari s.m.
mambata adj. s.2g.
mambê s.m.
mambembar adj.2g. s.m.
mambembe adj.2g. s.m.
mambembeiro s.m.
mambembo s.m.
mambi adj. s.m.
mambira adj. s.2g.
mambirada s.f.
mambisse s.m.
mambomba s.f.
mamboreense (*rê*) adj. s.2g.
mambrina s.f.
mambrino adj.
mambuca s.f.
mambucabense adj. s.2g.
mambucano adj. s.m.
mambucão s.m.
mambuco s.m.
mambude s.m.
mambumbá s.m.
mambunda adj. s.2g.
mambunde s.m.
mambungo s.m.
mambuquense adj. s.2g.
mambúti adj. s.2g.
mamé s.m.
mâmea s.f.
mamectomia s.f.
mamedense adj. s.2g.
mameira s.f.
mamela s.f.
mamelado adj.
mamelão s.m.
mameliforme adj.2g.
mamelonado adj.
mamelucagem s.f.
mameluco s.m.
mamembear v.
mamengá adj. s.2g.
mamense adj. s.2g.
mamertino adj. s.m.
mamestra s.m.
mameta de inquice s.f.
mameto s.m.
mamiaense adj. s.2g.
mamica s.f.
mamica-de-cachorra s.f.; pl. *mamicas-de-cachorra*
mamica-de-cadela s.f.; pl. *mamicas-de-cadela*
mamica-de-porca s.f.; pl. *mamicas-de-porca*
mamífero adj. s.m.
mamiforme adj.2g.
mamila s.f.
mamilão s.m.
mamilar adj.2g. s.m.
mamilária s.f.
mamilho s.m.
mamiliforme adj.2g.
mamilite s.f.
mamilo s.m.
mamiloplastia s.f.
mamiloplástico adj.
mamiloso (*ô*) adj.; f. (*ó*); pl. (*ó*)
maminha s.f.
maminha-de-cabra s.f.; pl. *maminhas-de-cabra*
maminha-de-cachorra s.f.; pl. *maminhas-de-cachorra*
maminha-de-cadela s.f.; pl. *maminhas-de-cadela*
maminha-de-porca s.f.; pl. *maminhas-de-porca*
maminheiro s.m.
mamirá s.m.
mamite s.f.
mamixi s.m.
mamoa s.f.
mamoca s.f.
mamoco s.m.
mamoeira s.f.
mamoeirana s.f.
mamoeirense adj. s.2g.
mamoeirinho s.m.
mamoeiro s.m.
mamoeiro-bravo s.m.; pl. *mamoeiros-bravos*
mamoeiro-de-corda s.m.; pl. *mamoeiros-de-corda*
mamoeiro-de-espinho s.m.; pl. *mamoeiros-de-espinho*
mamoeiro-do-mato s.m.; pl. *mamoeiros-do-mato*
mamoeiro-macho s.m.; pl. *mamoeiros-machos*
mamoeiro-melão s.m.; pl. *mamoeiros-melão*
mamogênese s.f.
mamogênico adj.
mamografia s.f.
mamográfico adj.
mamógrafo s.m.
mamograma s.m.
mamoinha s.m.
mamola s.f.
mamologia s.f.
mamológico adj.
mamologista adj. s.2g.
mamólogo s.m.
mamona s.f.
mamona-pobre s.f.; pl. *mamonas-pobres*
mamoneira s.f.
mamoneira-do-mato s.f.; pl. *mamoneiras-do-mato*
mamoneira-miúda s.f.; pl. *mamoneiras-miúdas*
mamoneiro s.m.
mamonense adj. s.2g.
mamoninho s.m.
mamoninho-bravo s.m.; pl. *mamoninhos-bravos*
mamoninho-de-carneiro s.m.; pl. *mamoninhos-de-carneiro*
mamonismo s.m.
mamonista adj. s.2g.
mamonístico adj.
mamono s.m.
mamoplastia s.f.
mamoplástico adj.
mamorana s.f.
mamorana-grande s.f.; pl. *mamoranas-grandes*
mamoriaense adj. s.2g.
mamoso (*ô*) adj.; f. (*ó*); pl. (*ó*)
mamota adj.2g. s.f.
mamote adj. s.m.
mamoto (*ô*) s.m.
mamotrofia s.f.
mamotrófico adj.
mampalão s.m.
mampar v.
mamparra s.f.
mamparrar v.
mamparras s.f.pl.
mamparreação s.f.
mamparreado adj.
mamparreador (*ô*) adj. s.m.
mamparrear v.
mamparreio adj. s.m.
mamparreiro adj. s.m.
mamparrense adj. s.2g.
mampárria s.f.
mampastor (*ô*) s.m.
mampofa s.f.
mamposta s.f.
mampostaria s.f.
mamposteiro s.m.
mamposteria s.f.
mampostor (*ô*) s.m.
mampostoria s.f.
mamprusi s.m.
mamua s.f.
mamuarana s.f.
mamucaba s.f.
mamucabo s.m.
mamucha s.f.
mamuda s.f.
mamude s.m.
mamudo adj.
mamuinha s.f.
mamujar v.
mâmula s.f.
mamulengo s.m.
mamulengueiro s.m.
mamulo s.m.
mamum s.m.
mamuna s.f.
mamunha s.f.
mamurana s.f.
mamuri s.m.
mamute s.m.
mamútida adj.2g. s.m.
mamutídeo adj. s.m.
mana s.m. "força sobrenatural entre os melanésios"; cf. *maná*
maná s.m. "suco doce e laxante"; cf. *mana*
manacá s.m.
manacã s.m.
manaça adj. s.2g.
manacá-açu s.m.; pl. *manacás-açus*
manacá-anaconda s.m.; pl. *manacás-anacondas*
manacá-cheiroso s.m.; pl. *manacás-cheirosos*
manacá-da-serra s.m.; pl. *manacás-da-serra*
manacá-dobrado s.m.; pl. *manacás-dobrados*
manacá-do-mato s.m.; pl. *manacás-do-mato*
manacaense adj. s.2g.
manacá-grande s.m.; pl. *manacás-grandes*
manaçaia s.f.
manacanita s.f.
manacapuruense adj. s.2g.
manacarana s.f.
manacaru s.m.
manaccanita s.f.
mana-chica s.f.; pl. *manas-chica* e *manas-chicas*
manacho s.m. "mão"; cf. *manaixo* e *manaxo*
manacorino adj. s.m.
manada s.f.
maná-da-polônia s.m.; pl. *manás-da-polônia*
manadeira s.f.
manadeiro s.m.
manadinha s.f.
manadio adj.
manado s.m.
manafundo s.m.
managé adj. s.2g.
managuenho (*ü*) adj. s.m.
managuense (*ü*) adj. s.2g.
manaí s.m.
manaia s.f.
manaiara s.f.
manaíba s.f.
manaié adj. s.2g.
manaio adj.
manairense adj. s.2g.
manaixo s.m. "roupa"; cf. *manacho* e *manaxo*
manajá s.m.
manajé adj. s.2g.
manajeira s.f.
manajeiro s.m.
manajó adj. s.2g.
mana-joana s.f.; pl. *manas-joanas*
manalha s.f.
manalvo adj.
manamambó s.m.
manamélia s.f.
manamina s.f.
manampança s.f.
manana s.m.f. "polissacárides"; cf. *mananá*
mananá s.f. "madeira"; cf. *manana*
mananau adj. s.m.
manancabo adj. s.m.
manancial adj.2g. s.m.
manandonita s.f.
manandonite s.f.
mananga s.m.
mananguera (*üê*) adj. s.2g.
manante adj.2g.
manantéu s.m.
manantial s.m.
manapuçá s.m.
manápula s.f.
manaquim s.m.
manaquiriense adj. s.2g.
manar v.
manaria s.f.
manariense adj. s.2g.
manas s.m.2n.
manaspúrvaca s.m.
manasseíta s.f.
manata s.m.
manate adj. s.2g. "povo do Lácio"; cf. *manati*
manati s.m. "mamífero"; cf. *manate*
manátida adj.2g. s.m.
manatídeo adj. s.m.
manatim s.m.
manato s.m.
manatoto (*ô*) s.m.
manatuto s.m.
manau adj. s.2g.
manauara adj. s.2g.
manauê s.m.
manauense adj. s.2g.
manaxo s.m. "o mesmo que manaixo"; cf. *manacho* e *manaixo*
mançabal s.f.
mancada s.f.
mancador (*ô*) adj. s.m.
mancal s.m.
mancalatranas s.m.2n.
mancalatrão s.m.
mançaneira s.f.
mancanha adj. s.2g.
mançanica s.f.
mançanilha s.f.
mançanilheira s.f.
mancão adj. s.m.
mancar v.
mancarra s.f.
mancarrão adj. s.m.
mancarrona adj. s.f.
manceba (*ê*) s.f.
mancebia s.f.
mancebil adj.2g.
mancebo (*ê*) adj. s.m.
mancenilha s.f.
mancenilheira s.f.
mancha s.f.
mancha-angular s.f.; pl. *manchas-angulares*
mancha de ferro s.f.
manchado adj.
mancha-gorda s.f.; pl. *manchas-gordas*
mancha-negra s.f.; pl. *manchas-negras*
manchão s.m.
manchar v.
mancha-roxa s.f.; pl. *manchas-roxas*
mancha-verde s.f.; pl. *manchas-verdes*
manchear v.
manchego (*ê*) adj. s.m.
mancheia s.f.
manchesterianismo s.m.
manchesterianista adj. s.2g.
manchesterianístico adj.
manchesteriano adj. s.m.
mancheta (*ê*) s.f.
manchete s.f.
manchil s.m.
manchilha s.f.
manchinha s.f.
mancho adj. "defeituoso", etc.; cf. *manchó*
manchó s.m. "ave implume"; cf. *mancho* adj. e fl. do v. *manchar*
manchoca s.f.
manchoco (*ô*) s.m.
manchoqueira s.f.
manchoquinha s.f.
manchu adj. s.2g.
manchua s.f.
manchúria s.f.
manchuriano adj. s.m.
manchu-tungue adj.2g. s.m.; pl. *manchus-tungues*
manciano adj. s.m.
mancilha s.f.
mancinela s.f.
mancinismo s.m.
mancinista adj. s.2g.
mâncio-limense adj. s.2g.; pl. *mâncio-limenses*
mancipação s.f.
mancipar v.
mancípio s.m.
manco adj. s.m.
mancoia (*ó*) adj. s.2g.
mancolista s.f.
mancolitar v.
mancolitó s.m.
mancômetro s.m.
mancomunação s.f.
mancomunado adj.
mancomunador (*ô*) adj.
mancomunagem s.m.
mancomunamento s.m.
mancomunante adj.2g.
mancomunar v.
mancomunável adj.2g.
mancomunidade s.f.
mancona s.f.
mancone s.m.
manconina s.f.
mancopalênico adj.
mancornar v.
mancuba s.m.
mancubar s.m.
mancueba (*ê*) s.m. s.2g.
manculo s.m.
mancundundo s.m.
mancuniano adj. s.m.
mançupir v.
manda s.m.f.
mandacadeno adj. s.m.
mandaçaia s.f.
mandaçaia-do-chão s.f.; pl. *mandaçaias-do-chão*
mandaçaia-grande s.f.; pl. *mandaçaias-grandes*
mandaçaiense adj. s.2g.
mandaçainha s.f.
mandação s.f.
mandaçarre s.m.
mandaçarro s.m.
mandacaru s.m.
mandacaru-de-boi s.m.; pl. *mandacarus-de-boi*
mandacaruense adj. s.2g.
mandachuva s.2g.
mandacuru s.m.
mandada s.f.
mandadeiro adj. s.m.
mandado adj. s.m.
mandado de deus s.m.
mandador (*ô*) adj. s.m.
mandaguaçuense adj. s.2g.
mandaguari s.f.
mandaguariense adj. s.2g.
mandaguira s.f.
mandala s.f.
mandalete (*ê*) s.m.
mandálico adj.
manda-lua s.f.; pl. *manda-luas*
mandamental adj.2g.
mandamento s.m.
mandância s.f.
mandante adj. s.2g.

mandão adj. s.m.; f. *mandona*
mandapolão s.m.
mandapuá s.f.
mandapuçá s.m.
mandaque s.m.
mandar v.
mandara s.m.
mandaravé s.f.
mandaravê s.f.
mandaré s.m.
mandareco s.m.
mandareia (*é*) adj. s.f. de *mandaréu*
mandáreo adj. s.m.
mandarete (*ê*) s.m.
mandaréu adj. s.m.; f. *mandareia* (*é*)
mandari s.m.
mandarim s.m.
mandarina s.f.
mandarinado s.m.
mandarinário s.m.
mandarinato s.m.
mandarineira s.f.
mandarinesco (*ê*) adj.
mandarinete (*ê*) s.m.
mandarínico adj.
mandarinismo s.m.
mandarino adj. s.m.
mandarinoíta s.f.
mandarová s.m.
mandaruvá s.m.
mandatário s.m.
mandatátio adj. s.m.
mandativo adj.
mandato s.m.
mandatório adj.
mandato-tampão s.m.; pl. *mandatos-tampão* e *mandatos-tampões*
manda-tudo s.m.2n.
mandau adj. s.2g.
mandauaca adj. s.2g.
mandável adj.2g.
mandchu adj. s.2g.
mandchua s.f.
mandchúria s.f.
mandchuriano adj.
mandé adj. s.2g.
mandê adj. s.2g.
mandeano adj.
mandeia (*é*) adj. s.f. de *mandeu*
mandeísmo s.m.
mandeísta adj. s.2g.
mandeístico adj.
mandeíta adj. s.2g.
mandeítico adj.
mandelato s.m.
mandélico adj.
mandembe s.m.
mandembense adj. s.2g.
mandembo s.m.
mandengo s.m.
mândeo adj. s.m.
mandestrismo s.m.
mandestro (*ê*) adj.
mandeu adj. s.m.; f. de *mandeia* (*é*)
mandevila s.f.
mandevilla s.f.
mandi s.m.
mandia adj. s.2g.
mandiaçu s.m.
mandi-amarelo s.m.; pl. *mandis-amarelos*
mandiano s.m.
mandiba s.f.
mandi-bagre s.m.; pl. *mandis-bagre* e *mandis-bagres*
mandi-bandeira s.m.; pl. *mandis-bandeira* e *mandis-bandeiras*
mandibaru s.m.
mandibé s.m.
mandibi s.m.
mandi-bicudo s.m.; pl. *mandis-bicudos*
mandibi-de-juntas s.m.; pl. *mandibis-de-juntas*
mandi-boi s.m.; pl. *mandis-boi* e *mandis-bois*
mandi-branco s.m.; pl. *mandis-brancos*
mandíbula s.f.
mandibulação s.f.
mandibulado adj.
mandibular v. adj.2g.
mandibulectomia s.f.
mandibulectômico adj. s.m.
mandibuliforme adj.2g.
mandibulióideo adj. s.m.
mandibuloauricular adj.2g. s.m.
mandibulolabial adj.2g. s.m.
mandibulomaxilar (*cs*) adj.2g. s.m.
mandibulomental adj.2g. s.m.
mandibulomentoniano adj. s.m.
mandi-cachorro s.m.; pl. *mandis-cachorro* e *mandis-cachorros*
mandi-cambaia s.m.; pl. *mandis-cambaia* e *mandis-cambaias*
mandi-casaca s.m.; pl. *mandis-casaca* e *mandis-casacas*
mandi-chorão s.m.; pl. *mandis-chorões*
mandicuera s.m.
mandicumbá s.m.
mandi-da-pedra s.m.; pl. *mandis-da-pedra*
mandi-do-salgado s.m.; pl. *mandis-do-salgado*
mandi-fidalgo s.m.; pl. *mandis-fidalgo* e *mandis-fidalgos*
mandiga-furta-cor s.m.; pl. *mandigas-furta-cor*
mandiguaçu s.m.
mandiguaru s.m.
mandiguera (*ü*) s.m.
mandígula s.f.
mandii adj. s.m.
mandi-irajá s.m.; pl. *mandis-irajá* e *mandis-irajás*
mandijuba s.m.
mandil adj.2g. s.m.
mandileiro s.m.
mandilete (*ê*) s.m.
mandim s.m.
mandim-armado s.m.; pl. *mandins-armados*
mandimbo s.m.
mandi-moela s.m.; pl. *mandis-moela* e *mandis-moelas*
mandinga adj. s.2g. s.f.
mandingado adj.
mandinga-furta-cor s.f.; pl. *mandingas-furta-cor*
mandingar v.
mandingaria s.f.
mandingo s.m.
mandingueiro s.m.
mandinguento adj.
mandinguera (*ü*) s.f.
mandíngula s.f.
mandinho s.m.
mandinqué adj. s.2g.
mandioca s.m.f.
mandiocaba s.f.
mandioca-baroa s.f.; pl. *mandiocas-baroas*
mandioca-brava s.f.; pl. *mandiocas-bravas*
mandiocaçu s.f.
mandioca-doce s.f.; pl. *mandiocas-doces*
mandiocaí s.f.
mandiocal s.m.
mandioca-mansa s.f.; pl. *mandiocas-mansas*
mandioca-puba s.f.; pl. *mandiocas-pubas*
mandioca-tucumã s.f.; pl. *mandiocas-tucumã* e *mandiocas-tucumãs*
mandiola s.f.
mandioqueira s.f.
mandioqueiro s.m.
mandioquinha s.f.
mandioquinha-brava s.f.; pl. *mandioquinhas-bravas*
mandioquinha-do-campo s.f.; pl. *mandioquinhas-do-campo*
mandioquinha-salsa s.f.; pl. *mandioquinhas-salsa* e *mandioquinhas-salsas*
mandi-palha s.m.; pl. *mandis-palha* e *mandis-palhas*
mandi-peruano s.m.; pl. *mandis-peruanos*
mandipinima s.m.
mandi-pintado s.m.; pl. *mandis-pintados*
mandipuba s.f.
mandiquiense adj. s.2g.
mandiritubense adj. s.2g.
mandirobense adj. s.2g.
manditinga s.m.
mandiú s.m.
mandiúba s.f.
mandiuense (*i-u*) adj. s.2g.
mandi-urutu s.m.; pl. *mandis-urutu* e *mandis-urutus*
mandiúva s.f.
mandiva s.f.
mandizinho s.m.
mandjaque s.m.
mandjoa s.f.
mandjolar v.
mandjolento adj.
mandjua s.f.
mandjuandade s.f.
mando s.m. "domínio"; cf. *mandó* s.m. e *mando*, fl. do v. *mandar*
mandó s.m. "música monótona"; cf. *mando* s.m. e *mando* do fl. v. *mandar*
mandobi s.m.
mandobiaçu s.m.
mandobiguaçu s.m.
mandobo s.m.
mandobre s.m.
mandola s.f.
mandolim s.m.
mandolina s.f.
mandolinata s.f.
mandolinete (*ê*) s.m.
mandolinista adj. s.2g.
mandoluto s.m.
mandombe adj. s.2g.
mandona adj. s.f. de *mandão*
mandonar v.
mandonguice s.f.
mandonismo s.m.
mandonista adj. s.2g.
mandonístico adj.
mandora (*ô*) s.f.
mandorla s.f.
mandoro (*ô*) s.m.
mandorová s.m.
mandovi s.m.
mandovim s.f.
mandra s.f.
mandraca s.f.
mandraco s.m.
mandraço s.m.
mandrágora s.f.
mandrágora-fêmea s.f.; pl. *mandrágoras-fêmeas*
mandragorina s.f.
mandrana adj. s.2g.
mandranice s.f.
mandrão s.m.
mandraqueiro adj. s.m.
mandraquice s.f.
mandrasto s.m.
mândria s.f.; cf. *mandria*, fl. do v. *mandriar*
mandriagem s.f.
mandrianar v.
mandrião adj. s.m.; f. *mandriona*
mandriar v.
mandrieira s.f.
mandriice s.f.
mandrijo s.m.
mandril s.m.
mandrilador (*ô*) s.m.
mandriladora (*ô*) s.f.
mandrilagem s.f.
mandrilar v.
mandrilho s.m.
mandrilice s.f.
mandrilo s.m.
mandriona adj. s.f. de *mandrião*
mandrionar v.
mandrita s.m.
mandro adj. s.m.
mandronga s.f.
mandropolita adj. s.2g.
mandruano adj. s.m.
mandrueno adj. s.m.
mandruvá s.m.
mandu adj. s.2g. s.m.
mandua s.f.
manduba s.f.
mandubé s.m.
mandubi s.m.
mandubiaçu s.m.
mandubiguaçu s.m.
mandúbio adj. s.m.
mandubirana s.f.
manduca s.f.
manduça s.f.
manducação s.f.
manducador (*ô*) adj. s.m.
manducano adj. s.m.
manducar v. s.m.
manducarada s.f.
manducarado s.m.
manducarismo s.m.
manducativo adj.
manducatório adj.
manducável adj.2g.
manducense adj. s.2g.
manducho s.m.
manduco s.m.
manducuru s.m.
manduirana s.f.
mandupitiú s.m.
manduqueira s.f.
manduquense adj. s.2g.
manduquero adj.
manduquinho s.m.
manduraba s.f.
mandureba s.f.
manduri s.f.
manduriana s.f.
manduricão s.m.
manduriense adj. s.2g.
mandurim s.f.
manduri-preto s.m.; pl. *manduris-pretos*
mandúrria s.f.
manduruva s.f.
manduruvá s.m.
manduvá s.m.
manduvira s.f.
manduvira-grande s.f.; pl. *manduviras-grandes*
manduvirana s.f.
manduvira-pequena s.f.; pl. *manduviras-pequenas*
mane s.m. "peso"; cf. *mané*
mané s.m. "inepto"; cf. *mane*
maneabilidade s.f.
maneado adj.
maneador (*ô*) s.m.
manear v.
maneável adj.2g.
maneca s.f.
manecar s.m.
maneco s.m.
mané-coco s.m.; pl. *manés-cocos*
maneco sem jaleco s.m.
mané do jacá s.m.
manega (*ê*) s.f.
manegar v.
manege s.m.
manego s.m.
mané-gostoso s.m.; pl. *manés-gostosos*
maneia s.f.
maneio s.m.
maneios s.m.pl.
maneira s.f.
maneiração s.f.
maneirado adj.
maneirador (*ô*) adj. s.m.
maneiramento s.m.
maneira-negra s.f.; pl. *maneiras-negras*
maneirante adj.2g.
maneirar v.
maneirável adj.2g.
maneirinho adj.
maneirismo s.m.
maneirista adj. s.2g.
maneirístico adj.
maneiro adj.
maneiro-pau s.m.; pl. *maneiros-paus*
maneiroso (*ô*) adj.; f. (*ó*); pl. (*ó*)
manéis s.m.pl.
mané-jacá s.m.; pl. *manés-jacá* e *manés-jacás*
manejação s.f.
manejado adj.
manejador (*ô*) s.m.
manejamento s.m.
manejante adj.2g.
manejar v.
manejável adj.2g.
manejo (*ê*) s.m.; cf. *manejo*, fl. do v. *manejar*
manel s.m.
manela s.f.
manelo (*ê*) s.m.
manema s.m.
mané-magro s.m.; pl. *manés-magros*
manembro s.m.
mané-mole s.m.; pl. *manés-moles*
manemolência s.f.
manemolente adj.2g.
manenguera (*ü*) adj.2g.
manente adj.2g.
maneptose s.f.
maneputo s.m.
manequim s.m.
maneria s.f.
manerio s.m.
manes adj. s.m. "almas dos antepassados"; cf. *manês*
manês s.m. "homem"; cf. *manes*
manesa (*ê*) s.f.
maneta (*ê*) adj. s.2g. s.m.
manete s.m.
manetear v.
maneteneri adj. s.2g.
manétia s.f.
manéttia s.f.
mané-xiquexique s.m.; pl. *manés-xiquexiques*
manfarrico s.m.
manfuí s.m.
manfuí-guaçu s.m.; pl. *manfuís-guaçus*
manga s.f.
mangaba s.f.
mangaba-brava s.f.; pl. *mangabas-bravas*
mangabal s.m.
mangaba-ovo s.f.; pl. *mangabas-ovo* e *mangabas-ovos*
mangabar v.
mangabarana s.f.
mangabei s.m.
mangabeira s.f.
mangabeira-brava s.f.; pl. *mangabeiras-bravas*
mangabeirense adj. s.2g.
mangabeiro s.m.
mangabense adj. s.2g.
mangabinha s.f.
mangabinha-do-norte s.f.; pl. *mangabinhas-do-norte*
mangaca s.m.
mangação s.f.
mangaço s.m.
manga-d'água s.f.; pl. *mangas-d'água*

mangada s.f.
manga-da-praia s.f.; pl. *mangas-da-praia*
manga de alpaca s.m.
manga-de-veludo s.f.; pl. *mangas-de-veludo*
mangado adj.
manga-do-mato s.f.; pl. *mangas-do-mato*
mangador (*ô*) adj. s.m.
mangagá adj.2g.
mangagaba s.m.
mangaíba s.f.
mangal s.m.
mangala s.m.
mangalaça s.f.
mangalaço adj. s.m.
mangalala s.f.
manga-larga adj. s.2g.; pl. *mangas-largas*
manga las manga adj. s.m.
mangalaxa s.f.
mangalense adj. s.2g.
mangalhado adj.
mangalhão s.m.
mangalho s.m.
mangalô s.m.
mangalô-amargo s.m.; pl. *mangalôs-amargos*
mangalô-da-costa s.m.; pl. *mangalôs-da-costa*
mangalô-da-costa-d'áfrica s.m.; pl. *mangalôs-da-costa-d'áfrica*
mangama s.m.
mangamicúsi s.m.
mangana s.f.
manganagrafita s.f.
manganandaluzita s.f.
manganantíbola s.f.
mangananfibólio s.m.
mangananfíbolo s.m.
manganapatita s.f.
manganapatite s.f.
manganato s.m.
manganaxinita s.f.
manganbabingtonita s.f.
manganbelyankinita s.f.
manganberzeliita s.f.
manganela s.f.
manganelo s.m.
manganepidoto s.f.
manganês s.m.
manganesiato s.m.
manganésico adj.
manganesífero adj.
manganésio s.m.
manganesita s.f.
manganesite s.f.
manganesito s.m.
manganês-preto s.m.; pl. *manganeses-pretos*
manganético adj.
manganetunita s.f.
manganfaialita s.f.
manganga adj. s.m. "ricaço"; cf. *mangangá*
mangangá s.m. "inseto"; cf. *manganga*
mangangaba s.f.
mangangaia s.f.
mangangá-liso s.m.; pl. *mangangás-lisos*
mangangava s.f.
mangangá-vermelho s.m.; pl. *mangangás-vermelhos*
manganica s.f.
mangânico adj.
manganídeo adj. s.m.
manganífero adj.
manganilha s.f.
manganílico adj.
manganilo s.m.
manganimetria s.f.
manganina s.f.
mangânio s.m.
manganismo s.m.
manganita s.f.
manganito s.m.
manganja adj. s.2g.
mangano s.m.
manganoalluaudita s.f.
manganoancilita s.f.
manganoblenda s.f.
manganobrucita s.f.
manganocalcantita s.f.
manganocalcita s.f.
manganocalcite s.f.
manganocalcito s.m.
manganocianeto s.m.
manganocolumbita s.f.
manganoedenbergita s.f.
manganoernesita s.f.
manganofilita s.f.
manganoglauconita s.f.
manganohedemberguita s.f.
manganolangbeinita s.f.
manganolita s.f.
manganolite s.f.
manganolito s.m.
manganólito s.m.
manganomagnetita s.f.
manganomagnetite s.f.
manganomelano s.m.
manganomossita s.f.
manganopectolita s.f.
manganopectolite s.f.
manganortita s.f.
manganosferita s.f.
manganosferite s.f.
manganosferito s.m.
manganoshadlunita s.f.
manganosita s.f.
manganosite s.f.
manganosito s.m.
manganoso (*ô*) adj.; f. (*ó*); pl. (*ó*)
manganoso-mangânico adj.; pl. *manganosos-mangânicos*
manganoso-potássico adj.; pl. *manganosos-potássicos*
manganospato s.m.
manganóspato s.m.
manganossicklerita s.f.
manganossiderita s.f.
manganossiderite s.f.
manganossilicioso adj.; f. (*ó*); pl. (*ó*)
manganostibilita s.f.
manganostibita s.f.
manganostibite s.f.
manganotantalita s.f.
manganotantalite s.f.
manganovolframite s.f.
manganpirosmalita s.f.
manganumita s.f.
mangão adj. s.m.; f. *mangona*
mangar v.
mangará s.m.
mangaraí s.m.
mangaraiense adj. s.2g.
mangaraíto s.m.
mangará-mirim s.m.; pl. *mangarás-mirins*
mangará-pena s.m.; pl. *mangarás-pena* e *mangarás-penas*
mangarataia s.f.
mangarataiense adj. s.2g.
mangarataua s.f.
mangaratibano adj. s.m.
mangaratibense adj. s.2g.
mangaratuense adj. s.2g.
mangaraz s.m.
mangarazal s.m.
mangari s.m.
mangarito s.m.
mangarobeira s.f.
mangaroeira s.f.
mangarola s.2g.
manga-rosa s.f.; pl. *mangas-rosa* e *mangas-rosas*
mangativo adj.
mangaua s.2g.
mangavi s.m.
mangaz adj.2g. s.m.
mangbá s.m.
mangbato adj. s.m.
mangbetu adj. s.2g.
mangífera s.f.
mangília s.m.
mangiroba s.f.
mangista s.f.
manglabita s.m.
manglabite s.m.
mangle s.m.
mangliécia s.f.
manglietia s.f.
mango s.m.
mangoaça s.f.
mangoada s.f.
mangoambile s.m.
mangoamboma s.m.
mangoanfumo s.m.
mango-bravo s.m.; pl. *mangos-bravos*
mangoça s.f.
mangofa s.f.
mangoio adj. s.m.
mangola s.f.
mangolão s.m.
mangolar v.
mangona s.f.
mangonália s.f.
mangonar v.
mangone s.m.
mangonear v.
mangonga s.m.
mangongu s.m.
mangonguê s.m.
mangonha s.f.
mangonhar v.
mangonheiro adj.
mangônia s.f.
mangora s.f.
mangoro adj. s.m.
mangorra (*ô*) s.f.
mangorrear v.
mangosta (*ô*) s.f.
mangostã s.f.
mangostão s.m.
mangostina s.f.
mangote s.m.
mangra s.f.
mangrado adj.
mangralhão adj. s.m.; f. *mangralhona*
mangralhona adj. s.f. de *mangralhão*
mangranela s.f.
mangrar v.
mangroso (*ô*) adj.; f. (*ó*); pl. (*ó*)
mangrove s.m.
mangrueiro adj.
mangrulho s.m.
mangu s.m.
manguá s.m. "correia"; cf. *mângua*
mângua s.m. "zebra de Moçambique"; cf. *manguá*
manguaça s.f.
manguada s.f.
mangual s.m.
mangualada s.f.
mangualado adj.
mangualde s.m.
mangualdita s.f.
manguapa adj.2g.
manguara s.m.f.
manguarão s.m.
manguari s.m.
manguariense adj. s.2g.
manguari-pistola s.m.; pl. *manguaris-pistola* e *manguaris-pistolas*
manguari-pistolão s.m.; pl. *manguaris-pistolão* e *manguaris-pistolões*
mangucho s.m.
manguço s.m.
manguçu s.m.
mangue s.m.
mangueação s.f.
mangueado adj.
mangueador (*ô*) adj. s.m.
mangue-amarelo s.m.; pl. *mangues-amarelos*
manguear v.
mangue-branco s.m.; pl. *mangues-brancos*
mangue-bravo s.m.; pl. *mangues-bravos*
mangue-canaponga s.m.; pl. *mangues-canaponga*
mangue-canoé s.m.; pl. *mangues-canoé*
mangue-ciriúba s.m.; pl. *mangues-ciriúba* e *mangues-ciriúbas*
mangue-da-praia s.m.; pl. *mangues-da-praia*
mangue-de-água-doce s.m.; pl. *mangues-de-água-doce*
mangue-de-botão s.m.; pl. *mangues-de-botão*
mangue-de-espeto s.m.; pl. *mangues-de-espeto*
mangue-de-obó s.m.; pl. *mangues-de-obó*
mangue-de-pendão s.m.; pl. *mangues-de-pendão*
mangue-de-sapateiro s.m.; pl. *mangues-de-sapateiro*
mangue-do-brejo s.m.; pl. *mangues-do-brejo*
mangue-do-mato s.m.; pl. *mangues-do-mato*
mangue-do-monte s.m.; pl. *mangues-do-monte*
mangue-do-pará s.m.; pl. *mangues-do-pará*
mangue-gaiteiro s.m.; pl. *mangues-gaiteiros*
mangue-guapirá s.m.; pl. *mangues-guapirá* e *mangues-guapirás*
mangueira s.f.
mangueiral s.m.
mangueirão s.m.
mangueira-venenosa s.f.; pl. *mangueiras-venenosas*
mangueirense adj. s.2g.
mangueirinhense adj. s.2g.
mangueiro adj. s.m.
manguela s.f.
mangue-manso s.m.; pl. *mangues-mansos*
mangue-negro s.m.; pl. *mangues-negros*
manguense adj. s.2g.
mangue-preto s.m.; pl. *mangues-pretos*
manguerana s.f.
mangue-rasteiro s.m.; pl. *mangues-rasteiros*
manguerim s.m.
mangue-sapateiro s.m.; pl. *mangues-sapateiros*
mangue-saraíba s.m.; pl. *mangues-saraíba* e *mangues-saraíbas*
mangue-seriúba s.m.; pl. *mangues-seriúba* e *mangues-seriúbas*
mangue-verdadeiro s.m.; pl. *mangues-verdadeiros*
mangue-vermelho s.m.; pl. *mangues-vermelhos*
manguezal s.m.
manguinha s.f.
manguinhar v.
manguinhense adj. s.2g.
manguínire s.m.
manguita s.f.
manguito s.m.
mangula s.f.
mangulho s.m.
mangulo s.m.
manguna s.f.
manguncense adj. s.2g.
mangune adj.2g. s.m.
manguniça s.f.
manguniçado adj.
manguriú s.m.
manguruiú s.m.
mangus s.m.2n.
mangusta s.f.
mangustã s.f.
mangustão s.m.
mangustão-amarelo s.m.; pl. *mangustões-amarelos*
mangustina s.f.
mangusto s.m.
mangusto-listrado s.m.; pl. *mangustos-listrados*
manguxo s.m.
manguzá s.m.
manha s.f. "água"; cf. *manhã*
manhã s.f. "a primeira parte do dia"; cf. *manha*
manhã-de-páscoa s.f.; pl. *manhãs-de-páscoa*
manhã de rosas s.f.
manhanense adj. s.2g.
manhaninha s.f.
manhãzinha adj. s.f.
manheira s.f.
manheirar v.
manheirento adj.
manheiro adj.
manhema adj. s.2g.
manhento adj.
manho adj.
manhoco (*ô*) s.m.
manhongodo adj.
manhosa s.f.
manhosar v.
manhosento adj.
manhosice s.f.
manhosidade s.f.
manhoso (*ô*) adj.; f. (*ó*); pl. (*ó*)
manhoso-do-feijão s.m.; pl. *manhosos-do-feijão*
manhuaçuense adj. s.2g.
manhuara s.f.
manhuça s.f.
manhuço s.m.
manhumirinense adj. s.2g.
mani s.m.
mania s.f. "obsessão"; cf. *mânia*
mânia s.f. "mumunha"; cf. *mania*
maniaco adj. "demente"; cf. *maníaco*
maníaco adj. "que tem manias"; cf. *maniaco*
maníaco-depressivo adj.; pl. *maníacos-depressivos*
maniaçuense adj. s.2g.
maniáculo adj.
maniado adj.
maniagar s.m.
manianga s.f.
manianga-mulele s.f.; pl. *maniangas-muleles*
maniatado adj.
maniatar v.
maniato adj.
maniba s.f.
manibatatu s.f.
manibu s.m.
manica adj. s.2g. "povo"; cf. *manicá*
manicá s.f. "erva"; cf. *manica*
manicaca s.2g.
manicária s.f.
manicata s.f.
maniçauá adj. s.2g.
manice s.f.
manicense adj. s.2g.
manicina s.m.
manicla s.f.
manico adj. s.m.
maniçoba s.f.
maniçoba-do-ceará s.f.; pl. *maniçobas-do-ceará*
maniçoba-do-piauí s.f.; pl. *maniçobas-do-piauí*
maniçoba-do-remanso s.f.; pl. *maniçobas-do-remanso*
maniçobal s.m.
maniçobeira s.f.
maniçobeiro s.m.
maniçobense adj. s.2g.
manicomial adj.2g.
manicômio s.m.
manicongo s.m.
manicônia s.f.
manicora s.f.
manicórdio s.m.
manicoreense (*ré*) adj. s.2g.
manicota s.f.
manicu s.m.

manicue s.m.
manicuera s.f.
manicujá s.2g.
manícula s.f.
manicura s.f.
manicurado adj.
manicure s.2g.
manicuro s.m.
manicurto adj. s.m.
mânide s.f.
manídeo adj. s.m.
manidestro (*ê*) adj.
manidja s.f.
manido adj.
maniento adj.
manierismo s.m.
manierista adj. s.2g.
manierístico adj.
manietar v.
manifacto s.m.
manífero adj.
manifestação s.f.
manifestado adj.
manifestador (*ô*) adj. s.m.
manifestante adj. s.2g.
manifestar v.
manifestável adj.2g.
manifesto adj. s.m.
maniflautista adj. s.2g.
maniforme adj.2g.
manigância s.f.; cf. *manigancia*, fl. do v. *maniganciar*
maniganciar v.
manigrafia s.f.
manigráfico adj.
manígrafo s.m.
manigrepa s.f.
manigrepe s.m.
manigrepo s.m.
maniguete (*ê*) s.m.
maniiba s.f.
manil s.m.
manila s.f.
manilcara s.f.
manilha s.m.f.
manilhado adj.
manilhão s.m.
manilhar v.
manilheiro s.m.
manilúvio s.m.
manimba s.f.
manimbé s.m.
manimbu s.m.
manimbuense adj. s.2g.
manimolência s.f.
manimolente adj.2g.
manina s.f.
manindi adj. s.2g.
maninelo (*ê*) adj. s.m.
maníneo adj. s.m.
maninga s.f.
maningue s.m.
maninha s.f.
maninhádego s.m.
maninhado adj. s.m.
maninhar v.
maninhez (*ê*) s.f.
maninho adj. s.m.
maninhos s.m.pl.
manino adj.
maniocaba s.f.
maniofitão s.m.
maniografia s.f.
maniográfico adj.
maniógrafo s.m.
manionga s.f.
manioso (*ô*) s.m.
maniota s.f.
maniote s.f.
maniótea s.f.
manipanço s.m.
manipanso s.m.
manipeba s.f.
manipo s.m.
manipresto adj. s.m.
manipuçá s.m.
manipueira s.f.
manipuera (*ê*) s.f.
manípula s.f.; cf. *manipula*, fl. do v. *manipular*
manipulabilidade s.f.
manipulação s.f.
manipulado adj.
manipulador (*ô*) s.m.
manipulamento s.m.
manipulante adj.2g.
manipular v. adj.2g. s.m.
manipulário adj. s.m.
manipulativo adj.
manipulatório adj.
manipulável adj.2g.
manípulo s.m.; cf. *manipulo*, fl. do v. *manipular*
manipura s.m.
maniputo s.m.
maniqueia (*é*) adj. s.f. de *maniqueu*
maniqueísmo s.m.
maniqueísta adj. s.2g.
maniqueístico adj.
maniquera (*ü*) s.f.
maniquete (*ê*) s.m.
maniqueu adj. s.m.; f. *maniqueia* (*é*)
manir v.
manirroto (*ô*) adj.
mânis s.m.2n.
manistérgio s.m.
manisure s.f.
manita adj. s.2g. s.f.
manitado adj.
manitana s.f.
manitano s.m.
manitartárico adj.
manite s.f.
manitenere adj. s.2g.
manítico adj.
manitina s.f.
manito s.m.
manitoísmo s.m.
manitoísta adj. s.2g.
manitoístico adj.
manitol s.m.
manitólico adj.
manitose s.f.
manitsauá adj. s.2g.
manitu s.m.
manitubense adj. s.2g.
manituísmo s.m.
manituísta adj. s.2g.
manituístico adj.
maniú s.m.
maniuara (*i-u*) s.f.
maniuava (*i-u*) s.f.
maniuera (*i-u*) s.f.
maniúva s.f.
maniva s.f.
manival s.m.
maniveira s.f.
manivela s.f.
manivelar v.
manivense adj. s.2g.
manivérsia s.f.
maniverso adj.
manixeiro s.m.
manixi s.m.
manixieiro s.m.
manja s.f.
manjacaz s.m.
manjacaze s.m.
manjaco adj. s.m.
manjado adj.
manjadoira s.f.
manjador (*ô*) adj. s.m.
manjadoura s.f.
manjaleco s.m.
manja-léguas s.2g.2n.
manjaléu s.m.
manjanga s.m.
manjangombe s.m.
manjangome s.m.
manjaque s.m.
manjar v. s.m.
manjar-branco s.m.; pl. *manjares-brancos*
manjar dos anjos s.m.
manjar-grude s.m.; pl. *manjares-grude* e *manjares-grudes*
manjaricão s.m.
manjarico s.m.
manjar-imperial s.m.; pl. *manjares-imperiais*
manjarona adj. s.2g. "povo"; cf. *manjerona*
manjar-principal s.m.; pl. *manjares-principais*
manjarra s.f.
manjar-real s.m.; pl. *manjares-reais*
manjata s.f.
manjável adj.2g.
manjedoira s.f.
manjedoura s.f.
manjedourado s.m.
manjeira s.f.
manjelim s.m.
manjengra s.f.
manjericão s.m.
manjericão-cheiroso s.m.; pl. *manjericões-cheirosos*
manjericão-de-ceilão s.m.; pl. *manjericões-de-ceilão*
manjericão-de-folha-grande s.m.; pl. *manjericões-de-folha-grande*
manjericão-de-folha-miúda s.m.; pl. *manjericões-de-folha-miúda*
manjericão-de-molho s.m.; pl. *manjericões-de-molho*
manjericão-do-campo s.m.; pl. *manjericões-do-campo*
manjericão-do-ceilão s.m.; pl. *manjericões-do-ceilão*
manjericão-dos-cozinheiros s.m.; pl. *manjericões-dos-cozinheiros*
manjericão-dos-jardins s.m.; pl. *manjericões-dos-jardins*
manjericão-grande s.m.; pl. *manjericões-grandes*
manjericão-maior s.m.; pl. *manjericões-maiores*
manjericão-maior-anisado s.m.; pl. *manjericões-maiores-anisados*
manjericão-menor s.m.; pl. *manjericões-menores*
manjericão-miúdo s.m.; pl. *manjericões-miúdos*
manjericão-ordinário s.m.; pl. *manjericões-ordinários*
manjericar v.
manjerico s.m.
manjerim s.m.
manjerioba s.f.
manjerioba-grande s.f.; pl. *manjeriobas-grandes*
manjerona s.f. "planta da família das labiáceas"; cf. *manjarona*
manjerona-do-campo s.f.; pl. *manjeronas-do-campo*
manjerona-inglesa s.f.; pl. *manjeronas-inglesas*
manjerona-selvagem s.f.; pl. *manjeronas-selvagens*
manjica s.m.
manjífera s.f.
manjiférea s.f.
manjil s.m.
manjista s.f.
manjoada s.f.
manjobo s.m.
manjoeira s.f.
manjola s.f.
manjolão s.m.
manjolinho s.m.
manjongome s.m.
manjongue adj. s.2g.
manjorra (*ô*) s.f.
manjovo s.m.
manju adj. s.2g.
manjua s.f.
manjual s.m.
manjuba s.f.
manjuba-lombo-azul s.f.; pl. *manjubas-lombo-azul* e *manjubas-lombos-azuis*
manjubão s.m.
manjuba-perna-de-moça s.f.; pl. *manjubas-perna-de-moça*
manjuca s.f.
manjunda s.f.
manjuva s.m.
mano adj. s.m.f.
manobra s.f.
manobrabilidade s.f.
manobração s.f.
manobrado adj.
manobrador (*ô*) adj. s.m.
manobrante adj. s.2g.
manobrar v.
manobrável adj.2g.
manobreiro s.m.
manobrista adj. s.2g.
manoca s.f.
manocação s.f.
manocada s.f.
manocagem s.f.
manocar v.
manocórdio s.m.
manocriômetro s.m.
manoel-urbanense adj. s.2g.; pl. *manoel-urbanenses*
manográfico adj.
manógrafo s.m.
manoio s.m.
manojeiro s.m.
manojo (*ô*) s.m.
mano-juca s.m.; pl. *manos-jucas*
manola (*ô*) s.f.
manolho (*ô*) s.m.
manolita s.f.
manolo (*ô*) s.m.
manometria s.f.
manométrico adj.
manômetro s.m.
manona s.f.
manonato s.m.
manônico adj.
manopé s.m.
manopé-da-praia s.m.; pl. *manopés-da-praia*
manopiranose s.f.
manopla s.f.
manorrina s.f.
manosacárico adj.
manosamina s.f.
manosana s.f.
manoscópio s.m.
manose s.f.
manoseado adj.
manoseador (*ô*) s.m.
manosear v. "domar"; cf. *manusear*
manoseio s.m.
manosídeo adj. s.m.
manosidose s.f.
manossolfa s.f.
manostato s.m.
manóstato s.m.
manotaço s.m.
manoteador (*ô*) adj.
manotear v.
manoteio s.m.
mano-tolo s.m.; pl. *manos-tolos*
manotrice s.f.
manotriose s.f.
manotudo adj.
manquadra s.f.
manquear v.
manquecer v.
manqueira s.f.
manquejante adj.2g.
manquejar v.
manquejento adj.
manquês s.m.
manqueteante adj.2g.
manquetear v.
manquiçapá s.m.
manquinho s.m.
manquinita s.f.
manquitar v.
manquitó adj. s.2g.
manquitola adj. s.2g.
manquitolar v.
mansa s.f.
mansado adj.
mansão s.f.
mansarda s.f.
mansarrão adj. s.m.; f. *mansarrona*
mansarrona adj. s.f. de *mansarrão*
mansedume s.f.
manselinho adj.
mansense adj. s.2g.
mansfieldiano adj.
mansfieldita s.f.
mansidade s.f.
mansidão s.f.
mansidãoense adj. s.2g.
mansinhense adj. s.2g.
mansinho adj.; na loc. *de mansinho*
mansionário s.m.
manso adj. adv. s.m.
mânsoa s.f.
mansoanca adj. s.2g.
mansonela s.f.
mansonelose s.f.
mansônia s.f.
mansônico adj.
mansoniea s.f.
mansueta s.f.
mansuetário s.m.
mansuetismo s.m.
mansueto (*ê*) adj.
mansuetude s.f.
mansuetudinense adj. s.2g.
mansupir v.
mansura s.f.
manta s.f.
mantada s.f.
manta-de-bretão s.f.
manta de gato s.f.
mantalona s.f.
mantalote s.m.
mantampa s.f.
mantana s.f.
mantanhaque s.m.
mantão s.m.
mantar v.
mantaz s.m.
mante s.m.
manteação s.f.
manteado adj.
manteador (*ô*) adj. s.m.
mantear v.
mantearia s.f.
manteca s.f.
mantedor (*ô*) adj. s.m.
manteeiro s.m.
manteiga s.f.
manteiga-derretida s.2g.; pl. *manteigas-derretidas*
manteigaria s.f.
manteigoso (*ô*) adj.; f. (*ó*); pl. (*ó*)
manteigueira s.f.
manteigueiro adj. s.m.
manteiguense adj. s.2g.
manteiguento adj.
manteiguilha s.f.
manteio s.m.
manteiro s.m.
mantel s.m.
mantela s.m.f.
mantelado adj.
mantelão s.m.
manteler s.m.
manteleta (*ê*) s.f.
mantelete (*ê*) s.m.
mantém s.m.; cf. *mantem*, fl. do v. *mantar*
mantena adj.2g.
mantença s.f.
mantenciado adj.
mantenedor (*ô*) adj. s.m.
mantenense adj. s.2g.
mantenente adj.2g.
mantenhas s.f.2n.
manteniense adj. s.2g.
mantenimento s.m.
mantenopolense adj. s.2g.
mantenopolitano adj. s.m.
manter v.
mantéu s.m.
manteúdo adj. s.m.
mantiaria s.f.
mântica s.f.

mântico adj.
manticora s.f.
manticostumes s.m.pl.
mântida adj.2g. s.m.
mantidáctilo s.m.
mantídeo adj. s.m.
mantido adj.
mantieiro s.m.
mantil s.m.
mantilha s.f.
mantilho s.m.
mantimento s.m.
mantimento-de-araponga s.m.; pl. *mantimentos-de--araponga*
mantimento-de-pobre s.m.; pl. *mantimentos-de--pobre*
mantíneo adj. s.m.
mantinha s.f.
mantipo s.m.
mantiqueira s.f.
mantiquira s.f.
mântis s.2g.2n.
mantispa s.f.
mantispídeo adj. s.m.
mantissa s.f.
manto s.m. "capa de grande cauda"; cf. *mantô*
mantô s.m. "veste feminina usada sobre outra roupa"; cf. *manto* s.m. e fl. do v. *mantar*
manto-branco s.m.; pl. *mantos-brancos*
manto-de-cristo s.m.; pl. *mantos-de-cristo*
mantódeo adj. s.m.
manto-do-diabo s.m.; pl. *mantos-do-diabo*
mantófrine s.f.
mantófrino s.m.
mantóideo adj. s.m.
manto-imperial s.m.; pl. *mantos-imperiais*
mantol s.m.
mantopaque s.m.
manto-real s.m.; pl. *mantos--reais*
mantosa s.f.
mantovano adj. s.m.
manto-xale s.m.; pl. *mantos--xale* e *mantos-xales*
mantra s.m. "palavra sânscrita que significa fórmula sagrada"; cf. *mantrá*
mantrá s.m. "prece entre os brâmanes"; cf. *mantra*
mântrico adj.
mantuana s.f.
mantuano adj. s.m.
mantuca s.f.
mantulho s.m.
mantura s.f.
manu s.m.
manua s.m.
manual adj.2g. s.m.
manuário adj. s.m.
manuba s.f.
manubalista s.f.
manubial adj.2g.
manúbrio s.m.
manucáudia s.f.
manucodiata s.f.
manucódio s.m.
manudução s.f.
manudutor (*ô*) s.m.
manuê s.m.
manuel s.m.
manuel-cardoso s.m.; pl. *manuéis-cardosos*
manuel-comprido s.m.; pl. *manuéis-compridos*
manuel-de-abreu s.m.; pl. *manuéis-de-abreu*
manuel-de-barro s.m.; pl. *manuéis-de-barro*
manuel-de-breu s.m.; pl. *manuéis-de-breu*
manuel-duartense adj. s.2g.; pl. *manuel-duartenses*
manuel-emidiano adj. s.m.; pl. *manuel-emidianos*
manuelino adj.
manuelista adj. s.2g.
manuel-magro s.m.; pl. *manuéis-magros*
manuel-ribense adj. s.2g.; pl. *manuel-ribenses*
manuel-trapo s.m.; pl. *manuéis-trapos*
manuel-urbanense adj. s.2g.; pl. *manuel-urbanenses*
manuel-vaqueiro s.m.; pl. *manuéis-vaqueiros*
manuel-vianense adj. s.2g.; pl. *manuel-vianenses*
manuel-vitorinense adj. s.2g.; pl. *manuel-vitorinenses*
manufactar v.
manufacto s.m.
manufactor (*ô*) adj. s.m.
manufactura s.f.
manufacturação s.f.
manufacturado adj.
manufacturador (*ô*) adj.
manufacturar v.
manufacturável adj.2g.
manufactureiro adj.
manufatar v.
manufato s.m.
manufator (*ô*) adj. s.m.
manufatura s.f.
manufaturação s.f.
manufaturado adj.
manufaturador (*ô*) adj.
manufaturar v.
manufaturável adj.2g.
manufatureiro adj.
manul s.m.
manúlea s.f.
manuléea s.f.
manuleio s.m.
manulúvio s.m.
manuma s.f.
manumissão s.f.
manumisso adj. s.m.
manumissor (*ô*) adj.
manumitente adj.2g.
manumitir v.
manumolente adj.2g.
manumulência s.f.
manungo s.m.
manuronato s.m.
manusca s.f.
manuscrever v.
manuscrito adj. s.m.
manusdei s.m.
manuseação s.f.
manuseado adj.
manuseador (*ô*) adj. s.m.
manuseamento s.m.
manusear v. "pegar com a mão"; cf. *manosear*
manuseável adj.2g.
manuseio s.m.
manustérgio s.m.
manustupração s.f.
manusturbação s.f.
manutença s.f.
manutenção s.f.
manutência s.f.
manutenência s.f.
manutenido adj.
manutenir v.
manutenível adj.2g.
manutérgio s.m.
manutir v.
manutível adj.2g.
manvio s.m.
manx (*cs*) adj.2g. s.m.
manxamba s.f.
manxedo (*ê*) adj.
manxer v.
manxorim s.m.
manzangombe s.m.
manzanilha s.f.
manzanza adj. s.2g.
manzanzar v.
manzape s.m.
manzari s.m.
manzauza s.m.
manzega s.f.
manzeira s.f.
manzelado adj.
manzorra (*ó*) s.f.
manzuá s.m.
manzurco adj.
mão s.f.
mão-aberta s.2g.; pl. *mãos--abertas*
mão-boba s.f.; pl. *mãos-bobas*
mão-cheia s.f.; pl. *mãos-cheias*
mão-chinha s.f.; pl. *mãos--chinhas*
mão-curta s.m.; pl. *mãos--curtas*
mão de barca s.f..
mão-de-branco s.f.; pl. *mãos--de-branco*
mão de cabelo s.m.
mão de cáiser s.f.
mão de defunto s.2g.
mão de faca s.m.
mão de ferro s.m.
mão de finado s.2g.
mão-de-gato s.f.; pl. *mãos--de-gato*
mão de judas s.f.
mão de leitão s.2g.
mão-de-mono s.f.; pl. *mãos--de-mono*
mão-de-mulita s.2g.; pl. *mãos-de-mulita*
mão de obra s.f.
mão de onça s.2g.
mão de onze s.f.
mão de padre s.m.
mão-de-toupeira s.f.; pl. *mãos-de-toupeira*
mão de vaca s.f. "mocotó", "logro"; "sovina"
mão-de-vaca s.f. "espécie de árvore"; pl. *mãos-de-vaca*
mão do canto s.f.
mão-fechada adj.2g. s.2g.; pl. *mãos-fechadas*
mão-francesa s.f.; pl. *mãos--francesas*
mão-furada adj.2g. s.2g.; pl. *mãos-furadas*
maogani s.m.
maogani-da-austrália s.m.; pl. *maoganis-da-austrália*
mão-inglesa s.f.; pl. *mãos--inglesas*
maoismo (*í*) s.m.
maoista (*í*) adj. s.2g.
maoístico adj.
mão-leve s.2g.; pl. *mãos-leves*
maombe s.m.
maometa adj. s.2g.
maometanismo s.m.
maometanista adj. s.2g.
maometanização s.f.
maometanizado adj.
maometanizar v.
maometano adj. s.m.
maomético adj.
maometismo s.m.
maometista adj. s.2g.
mão-mole s.f.; pl. *mãos-moles*
mão-morta s.f.; pl. *mãos-mortas*
maona s.f.
maonhe s.f.
maônia s.f.
mão-pelada s.m.; pl. *mãos--peladas*
mão-pendente s.f.; pl. *mãos--pendentes*
mão perdida da baralha s.f.
maopitiã adj. s.2g.
mão-posta s.f.; pl. *mãos--postas*
mão-quadra s.f.; pl. *mãos--quadras*
maore adj. s.2g.
maori adj. s.2g.
mãos-atadas s.2g.pl.
mãos-cheias s.f.pl.
mãos-dadas s.f.pl.
mãos de anéis s.f.pl.
mãos de prata s.f.pl.
mãos-de-sapo s.f.pl.
mãos-largas s.2g.pl.
mãos-rotas adj. s.2g.pl.
mãos-supinas s.f.pl.
mão-tenente s.f.; pl. *mãos--tenentes*
mão-tente s.f.; pl. *mãos--tentes*
mão-travessa s.f.; pl. *mãos--travessas*
mãozada s.f.
mãozeira adj.2g. s.f.
mãozinha s.f.
mãozinha-preta s.f.; pl. *mãozinhas-pretas*
mãozorra (*ó*) s.f.
mãozota s.f.
mãozudo adj.
mapa s.m.; cf. *mapá* e *mapã*
mapá s.m.; cf. *mapa* e *mapã*
mapã s.m.; cf. *mapa* e *mapá*
mapa do brasil s.m.
mapa-múndi s.m.; pl. *mapas--múndi*
mápanai adj. s.2g.
mapândua s.f.
mapanense adj. s.2g.
mapangala s.m.
mapangapense adj. s.2g.
mapânia s.f.
mapão s.m.
mapará s.m.
mapará-de-cametá s.m.; pl. *maparás-de-cametá*
maparaju s.m.
maparajuba s.f.
maparana s.f.
maparé s.m.
mapareíba s.f.
mapari adj. s.2g.
mapati s.m.
mapé s.m.
mapeabilidade s.f.
mapeação s.f.; cf. *mapiação*
mapeador (*ô*) adj. s.m.; cf. *mapiador*
mapeamento s.m.
mapeante adj.2g.
mapear v. "fazer mapa"; cf. *mapiar*
mapeável adj.2g.
mapeque s.m.
maperoá s.m.
mapia s.f.
mapiação s.f.; cf. *mapeação*
mapiador (*ô*) adj. s.m.; cf. *mapeador*
mapiaense adj. s.2g.
mapiagem s.f.
mapiar v. "tagarelar"; cf. *mapear*
mapidiã adj. s.2g.
mapieninga s.f.
mapila s.f.
mapinguari s.m.
mapingui s.m.
mapinguim s.m.
mapinguinho s.m.
mapira s.f.
mapirenense adj. s.2g.
mapironga s.f.
mapirunga s.f.
mapirunga-brava s.f.; pl. *mapirungas-bravas*
mapixi s.m.
mapixiense adj. s.2g.
mapoão s.m.
mapoió adj. s.2g.
mapole s.m.
maponga s.f.
maporeíba s.f.
mapote s.m.
mapoteca s.f.
mapotecário s.m.
mapoúria s.f.
maprôunea s.f.
mapuá adj. s.2g. s.m.
mapuaense adj. s.2g.
mapuca s.f.
mapuche s.m.
mapula s.m.
mapunda s.f.
mapupa s.f.
mapurá s.m.
mapuranga s.f.
mapuriti s.m.
mapurucuni s.m.
mapurunga s.f.
mapuxiqui s.m.
maquarém s.m.
maquária s.f.
maque s.m.
maquefe adj.2g.
maqueira s.f.
maqueiro s.m.
maqueje s.m.
maquemba s.m.
maquera s.f.
maquerazuro s.m.
maquério s.m.
maquerióbia s.f.
maquérodo s.m.
maquérodon s.m.
maquerodonte adj. s.m.
maqueróforo s.m.
maqueróptero s.m.
maquerosoma s.m.
maqueta (*ê*) s.f.
maquetagem s.f.
maquete s.f.
maquetista adj. s.2g.
maqui s.m. s.2g.
maquia s.f. "medida de cereais"; cf. *máquia*
máquia s.f. "formação vegetal"; cf. *maquia* s.f. e fl. do v. *maquiar*
maquiado adj.
maquiador (*ô*) adj. s.m.
maquiadura s.f.
maquiagem s.f.
maquiar v.
maquiável adj.2g.
maquiavelice s.f.
maquiavélico adj.
maquiavelismo s.m.
maquiavelista adj. s.2g.
maquiavelístico adj.
maquiavelizar v.
maquiçaba s.m.
maquiçapa s.m.
maquidi s.f.
maquidum s.m.
maquidura s.f.
maquié s.m.
maquieiro s.m.
maquieta (*ê*) s.f.
maquila s.m.
maquilado adj.
maquilador (*ô*) adj. s.m.
maquilagem s.f.
maquilão s.m.
maquilar v.
maquilhado adj.
maquilhagem s.f.
maquilhar v.
maquilídeo adj. s.m.
maquilíneo adj. s.m.
máquilis s.m.2n.
máquilo s.m.
máquilo s.m.
maquilóideo adj. s.m.
maquim s.m.
maquimbeira s.f.
maquimono s.m.
máquina s.f.; cf. *maquina*, fl. do v. *maquinar*
máquina-caixão s.f.; pl. *máquinas-caixão* e *máquinas--caixões*
maquinação s.f.
maquinado adj.
maquinador (*ô*) adj. s.m.
máquina-ferramenta s.f.; pl. *máquinas-ferramenta* e *máquinas-ferramentas*
maquinal adj.2g.
maquinalidade s.f.
maquinante adj. s.2g.
maquinar v.
maquinaria s.f.
maquinário s.m.

maquinável adj.2g.
maquinde s.m.
maquiné s.m.
maquiné-do-mato s.m.; pl. *maquinés-do-mato*
maquineense adj. s.2g.
maquineta (*ê*) s.f.
maquinismo s.m.
maquinista adj. s.2g.
maquinização s.f.
maquinizado adj.
maquinizar v.
maquino s.m.
maquinofatura s.f.
maquinofatureiro adj.
maquioco adj. s.m.
maquira s.f.
maquiritare adj. s.2g.
maquixo adj. s.m.
mar s.m.
mará s.m.f.
maraãense adj. s.2g.
maraanense adj. s.2g.
maraãzense adj. s.2g.
marabá adj. s.2g.
marabacho s.m.
marabaense adj. s.2g.
marabaixo s.m.
marabinubo s.m.
marabitana adj. s.2g.
marabitino s.m.
marabito s.m.
marabô s.f.
marabota s.f.
marabu s.m.
marabumbo s.m.
marabundo s.m.
marabutismo s.m.
marabuto s.m.
maraca s.2g.
maracá s.m.
maracaboia (*ó*) s.f.
maraçacaca s.f.
maracachão s.m.
maracaçumeense adj. s.2g.
maracaense adj. s.2g.
maracã-guaçu s.m.; pl. *maracãs-guaçus*
maracaiá s.m.
maracaiense adj. s.2g.
maracaimbe s.m.
maracajá s.m.
maracajá-açu s.m.; pl. *maracajás-açus*
maracajaense adj. s.2g.
maracajá-mirim s.m.; pl. *maracajás-mirins*
maracajá-peludo s.m.; pl. *maracajás-peludos*
maracajá-preto s.m.; pl. *maracajás-pretos*
maracajauense adj. s.2g.
maracajuano adj. s.m.
maracajuense adj. s.2g.
maracaná adj. s.2g. “grupo indígena”; cf. *maracanã*
maracanã s.f. “ave”; cf. *maracaná*
maracanã-açu s.f.; pl. *maracanãs-açus*
maracanã-do-buriti s.f.; pl. *maracanãs-do-buriti*
maracanã-guaçu s.f.; pl. *maracanãs-guaçus*
maracanã-nobre s.f.; pl. *maracanãs-nobres*
maracanã-pequeno s.f.; pl. *maracanãs-pequenos*
maracanauense adj. s.2g.
maracanense adj. s.2g.
maracanhá s.f.
maração s.f.
maraçapeba s.f.
maracasense adj. s.2g.
maracatiara s.f.
maracatim s.m.
maracatu s.m.
maracatubense adj. s.2g.
maracatumba s.m.
maracauim (*au-im*) s.m.
maracaxá s.m.
maracaxão s.m.
marace adj. s.2g.
márace adj. s.2g.
maracha s.f.
marachão s.m.
marachatim s.m.
marachitere adj. s.2g.
marachó adj. s.2g.
marachomba s.m.
marachona s.f.
maraciano adj. s.m.
maracoeirense adj. s.2g.
maracofá s.m.
maracotão s.m.
maracoteiro s.m.
maracotiara s.f.
maracoto (*ô*) s.m.
maracu s.m.
maracuete (*ê*) adj. s.2g.
maracuguara s.m.
maracuiá s.m.
maracujá s.m.
maracujá-açu s.m.; pl. *maracujás-açus*
maracujá-amarelo s.m.; pl. *maracujás-amarelos*
maracujá-azul s.m.; pl. *maracujás-azuis*
maracujá-branco s.m.; pl. *maracujás-brancos*
maracujá-cascudo s.m.; pl. *maracujás-cascudos*
maracujá-de-alho s.m.; pl. *maracujás-de-alho*
maracujá-de-cacho s.m.; pl. *maracujás-de-cacho*
maracujá-de-cheiro s.m.; pl. *maracujás-de-cheiro*
maracujá-de-cobra s.m.; pl. *maracujás-de-cobra*
maracujá-de-cortiça s.m.; pl. *maracujás-de-cortiça*
maracujá-de-estalo s.m.; pl. *maracujás-de-estalo*
maracujá-de-estrada s.m.; pl. *maracujás-de-estrada*
maracujá-de-flor-vermelha s.m.; pl. *maracujás-de-flor-vermelha*
maracujá-de-garapa s.m.; pl. *maracujás-de-garapa*
maracujá de gaveta s.m. “indivíduo com o rosto enrugado”
maracujá-de-mochila s.m.; pl. *maracujás-de-mochila*
maracujá-de-pedra s.m.; pl. *maracujás-de-pedra*
maracujá-de-periquito s.m.; pl. *maracujás-de-periquito*
maracujá-de-três-pernas s.m.; pl. *maracujás-de-três-pernas*
maracujaense adj. s.2g.
maracujá-fedorento s.m.; pl. *maracujás-fedorentos*
maracujá-grande s.m.; pl. *maracujás-grandes*
maracujá-mamão s.m.; pl. *maracujás-mamão* e *maracujás-mamões*
maracujá-melão s.m.; pl. *maracujás-melão* e *maracujás-melões*
maracujá-mirim s.m.; pl. *maracujás-mirins*
maracujá-peludo s.m.; pl. *maracujás-peludos*
maracujá-periquito s.m.; pl. *maracujás-periquito* e *maracujás-periquitos*
maracujá-peroba s.m.; pl. *maracujás-peroba* e *maracujás-perobas*
maracujá-pintado s.m.; pl. *maracujás-pintados*
maracujá-preto s.m.; pl. *maracujás-pretos*
maracujarana s.m.
maracujá-roxo s.m.; pl. *maracujás-roxos*
maracujá-sururuca s.m.; pl. *maracujás-sururuca* e *maracujás-sururucas*
maracujá-suspiro s.m.; pl. *maracujás-suspiro* e *maracujás-suspiros*
maracujá-vermelho s.m.; pl. *maracujás-vermelhos*
maracujazeiro s.m.
maracujazinho s.m.
maracuta s.f.
maracutaca s.f.
maracutaia s.f.
marada s.m.
marado adj.
marafa s.f.
marafação s.f.
marafado adj.
marafaia s.f.
marafalha s.f.
marafalhento adj.
marafantona s.f.
marafar v.
marafo s.m.
marafolho (*ô*) s.m.
marafona s.f.
marafonear v.
marafoneiro s.m.
marafonice s.f.
marafote s.m.
marafuge s.m.
marafulhão adj. s.m.
marafunda s.f.
maraga s.f.
maragatada s.f.
maragatagem s.f.
maragatear v.
maragatice s.f.
maragatismo s.m.
maragato adj. s.m.
maragogiense adj. s.2g.
maragogipano adj. s.m.
maragogipe adj. s.m.
maragojiense adj. s.2g.
maragojipano adj. s.m.
maragojipe adj. s.m.
maragojipense adj. s.2g.
maragojipinhense adj. s.2g.
maragota s.f.
maragotão s.m.
maragote s.m.
maraguá adj. s.2g.
maraguaense adj. s.2g.
maraguto adj.
maraiá s.m.
maraiaíba s.f.
maraialense adj. s.2g.
maraiari s.m.
marajá s.m.
marajá-açu s.m.; pl. *marajás-açus*
marajá-da-terra-firme s.m.; pl. *marajás-da-terra-firme*
marajá-da-vargem s.m.; pl. *marajás-da-vargem*
marajá-do-igapó s.m.; pl. *marajás-do-igapó*
marajaense adj. s.2g.
marajaíba s.m.
marajanato s.m.
marajá-piranga s.m.; pl. *marajás-piranga*
marajatina s.f.
marajativa s.f.
marajaú s.m.
marajiguana s.m.
marajó s.m.
marajoa s.f.
marajoar adj.2g.
marajoara adj. s.2g. s.m.
marajoarense adj. s.2g.
marajoense adj. s.2g.
marajuba s.f.
maralha s.f.
maralhal s.m.
maramará s.m.
marambá s.m.
marambaia s.m.
marambaiar v.
marambainhense adj. s.2g.
marambaísmo s.m.
marambalha s.f.
marambiré s.m.
maranata adj.2g.
marandová s.m.
maranduba s.f.
maranduva s.f. “invenção”, “mentira”, “fábula”; cf. *maranduvá*
maranduvá s.m. “lagarta”; cf. *maranduva*
maranga s.f.
marangaba s.f.
marangatuano adj. s.m.
marangatuense adj. s.2g.
marangoia (*ó*) s.f.
marangolar v.
marangoleiro adj.
marangolice s.f.
marangongo s.m.
maranguapense adj. s.2g.
maranha s.f.
maranhada s.f.
maranhado adj.
maranhão s.m.
maranhar v.
maranheiro s.m.
maranhense adj. s.2g.
maranho s.m.
maranhoa (*ô*) s.f.
maranhona s.f.
maranhoso (*ô*) adj.; f. (*ó*); pl. (*ó*)
maranhoto s.m.
marani s.f.
marano s.f.
maranta s.f.
marantácea s.f.
marantáceo adj.
marantes s.m.2n.
marantéu s.m.
marantócloa s.f.
marão s.m.
marão-vermelho s.m.; pl. *marões-vermelhos*
marapá s.m.
marapajuba s.f.
marapaniense adj. s.2g.
marapaninense adj. s.2g.
marapatá s.m.
marapaúba s.f.
marapé s.m.
marapeense adj. s.2g.
marapião s.m.
marapinima s.f.
marapitana adj. s.2g.
marapuá s.m.
marapuama s.f.
marapuamense adj. s.2g.
marapuana s.f.
marapujuba s.f.
maraquitica s.f.
marar v.
mararaia s.f.
marariense adj. s.2g.
mararupaense adj. s.2g.
marasca s.f.
marasmado adj.
marasmante adj.2g.
marasmar v.
marasmático adj.
marasmiácea s.f.
marasmiáceo adj.
marasmíea s.f.
marásmio s.m.
marasmo s.m.
marasmódico adj.
marasmolito s.m.
marasmólito s.m.
marasquinado adj.
marasquino s.m.
marata adj. s.2g. s.f.
maratacaca s.f.
marataense adj. s.2g.
marataizense adj. s.2g.
maratana s.m.
marataтaca s.f.
maratauá s.m.
marateli s.m.
marati s.m.
marátia s.f.
maratiácea s.f.
maratiáceo adj.
maratial adj.2g.
maratiale s.f.
marático adj.
maratíea s.f.
maratimba s.2g.
maratínea s.f.
maratíneo adj.
maratismo s.m.
maratista adj. s.2g.
maratístico adj.
maratizado adj.
maratizar v.
maratoca s.f.
maratona s.f.
maratônio adj. s.m.
maratro s.m.
maráttia s.m.
marattiácea s.f.
marattiáceo adj.
marattial adj.2g.
marattiale s.f.
marattíea s.f.
marattínea s.f.
marattíneo adj.
maratuitica s.f.
maratuja s.f.
marau s.m.
marauá adj. s.2g.
marauaense adj. s.2g.
marauaná adj. s.2g.
maraúba s.f.
marauense adj. s.2g.
marauítico adj.
marauito (*í*) s.m.
maraunita s.f.
maraunito s.m.
maravalha s.f.
maravalhas s.f.pl.
maravalho s.m.
maravassusso s.m.
marave adj. s.2g.
maravedi s.m.
maravediada s.f.
maravedinada s.f.
maravidi s.m.
maravidil s.m.
maravilha adj.2g. s.f.
maravilha-branca s.f.; pl. *maravilhas-brancas*
maravilha-de-forquilha s.f.; pl. *maravilhas-de-forquilha*
maravilhado adj.
maravilhador (*ô*) adj. s.m.
maravilha do sertão s.f.
maravilha-dos-jardins s.f.; pl. *maravilhas-dos-jardins*
maravilhamento s.m.
maravilhante adj.2g.
maravilhar v.
maravilhável adj.2g.
maravilha-vermelha s.f.; pl. *maravilhas-vermelhas*
maravilhense adj. s.2g.
maravilho s.m.
maravilhosa-de-inverno s.f.; pl. *maravilhosas-de-inverno*
maravilhoso (*ô*) adj.; f. (*ó*); pl. (*ó*)
maraxaimbé s.m.
maraximbé s.m.
marca s.f. “sinal”; cf. *marcá*
marcá s.m. “medida indiana”; cf. *marca*
marcação s.f.
marca-d'água s.f.; pl. *marcas-d'água*
marca de judas s.f.
marcado adj. s.m.
marcadoiro adj. s.m.
marcador (*ô*) adj. s.m.
marcadouro adj. s.m.
marçagão adj. s.m.
marca-grande s.m.; pl. *marcas-grandes*
marcaia adj. s.2g.
marçalense adj. s.2g.

marçalim s.m.
marçalino adj.
marca-livro s.m.; pl. *marca-livros*
marca-mês s.m.; pl. *marca-meses*
marcâmia s.f.
marcanaíba s.f.
marcância s.f.
marcanciácea s.f.
marcancióidea s.f.
marçano s.m.
marcante adj.2g. s.m.
marca-passo s.m.; pl. *marca-passos*
marca-pés s.m.2n.
marca-pito s.m.; pl. *marca-pitos*
marcar v.
marca-símbolo s.f.; pl. *marcas-símbolo* e *marcas-símbolos*
marcassita s.f.
marcassite s.f.
marcassítico adj.
marca-texto s.m.; pl. *marca-textos*
marcaureles s.m.2n.
marcavala s.f.
marcécia s.f.
marcegão adj. s.m.
marceiras s.f.pl.
marcejar v.
marcela s.f.
marcela-brava s.f.; pl. *marcelas-bravas*
marcela-da-terra s.f.; pl. *marcelas-da-terra*
marcela-de-botão s.f.; pl. *marcelas-de-botão*
marcela-de-são-joão s.f.; pl. *marcelas-de-são-joão*
marcela-de-tabuleiro s.f.; pl. *marcelas-de-tabuleiro*
marcela-do-brasil s.f.; pl. *marcelas-do-brasil*
marcela-do-campo s.f.; pl. *marcelas-do-campo*
marcela-do-mato s.f.; pl. *marcelas-do-mato*
marcela-espatulada s.f.; pl. *marcelas-espatuladas*
marcela-fedegosa s.f.; pl. *marcelas-fedegosas*
marcela-fétida s.f.; pl. *marcelas-fétidas*
marcela-francesa s.f.; pl. *marcelas-francesas*
marcela-fusca s.f.; pl. *marcelas-fuscas*
marcela-galega s.f.; pl. *marcelas-galegas*
marcela-margaça s.f.; pl. *marcelas-margaça* e *marcelas-margaças*
marcelandense adj. s.2g.
marcelão s.m.
marcelense adj. s.2g.
marcelianismo s.m.
marcelianista adj. s.2g.
marcelianístico adj.
marceliano adj. s.m.
marcelina s.f.
marcelinense adj. s.2g.
marcelino adj.
marcelino-ramense adj. s.2g.; pl. *marcelino-ramenses*
marcelino-vieirense adj. s.2g.; pl. *marcelino-vieirenses*
marcelo s.m.
marcenaria s.f.
marceneirar v.
marceneiro s.m.
marcense adj. s.2g.
marcescência s.f.
marcescente adj.2g.
marcescível adj.2g.
marcessibilidade s.f.
marcgrávia s.f.
marcgraviácea s.f.
marcgraviáceo adj.
marcha s.f.
marcha-caminheira s.f.; pl. *marchas-caminheiras*
marcha de estrada s.f.
marchadeira s.f.
marchadela s.f.
marchador (*ô*) adj. s.m.
marchano s.m.
marchantaria s.f.
marchante s.m.
marchanteador (*ô*) s.m.
marchantear v.
marchanteria s.f.
marchântia s.f.
marchantiácea s.f.
marchantiáceo adj.
marchantial adj.2g.
marchantiale s.f.
marchar v.
marcha-rancho s.f.; pl. *marchas-rancho*
marcha-regresso s.f.; pl. *marchas-regresso*
marcheado s.m.
marche-marche s.m.; pl. *marche-marches*
marcheta (*ê*) s.f.; cf. *marcheta*, fl. do v. *marchetar*
marchetação s.f.
marchetado adj. s.m.
marchetador (*ô*) adj. s.m.
marchetante adj.2g.
marchetar v.
marchetaria s.f.
marchetável adj.2g.
marchete (*ê*) s.m.; cf. *marchete*, fl. do v. *marchetar*
marcheteiro s.m.
marchinha s.f.
marcial adj.2g.
marciálico adj.2g.
marcialidade s.f.
marcialismo s.m.
marcialista adj. s.2g.
marcialístico adj.
marcialização s.f.
marcializado adj.
marcializar v.
marciano adj. s.m.
marcianopolitano adj. s.m.
marciático adj.
márcido adj.
marcilita s.f.
marcilite s.f.
márcio adj.
marcionismo s.m.
marcionista adj. s.2g.
marcionístico adj.
marcionita adj. s.2g.
marcita adj. s.2g.
marcitina s.f.
marco s.m.
março s.m. "mês"; cf. *marso*
marco-branco s.m.; pl. *marcos-brancos*
marco de colônia s.m.
marcoduro adj. s.m.
marcoense adj.2g. s.2g.
marcofilia s.f.
marcofílico adj.
marcolinense adj. s.2g.
marcolino-mourense adj. s.2g.; pl. *marcolino-mourenses*
marcômago adj. s.m.
marcomânico adj.
marcomano adj. s.m.
marcomedo adj. s.m.
marcondense adj. s.2g.
marcondesiense adj. s.2g.
marconi s.m.
marconigrama s.m.
marconiterapia s.f.
marconiterápico adj.
marco-rondense adj. s.2g.; pl. *marco-rondenses*
marcosiano adj. s.m.
marcosiense adj. s.2g.
marcos-parentense adj. s.2g.; pl. *marcos-parentenses*
marcotão s.m.
marco-velho s.m.; pl. *marcos-velhos*
marcoviano adj.
marcúbio adj. s.m.
marcuense adj. s.2g.
marculiano adj.
mardano adj. s.m.
mar-de-espanhense adj. s.2g.; pl. *mar-de-espanhenses*
mardo adj. s.m.
marduno adj. s.m.
maré s.m.f.
mareação s.f.
mareado adj.
mareador (*ô*) adj. s.m.
mareagem s.f.
mareante adj.2g. s.m.
marear v.
mareato s.m.
mareável adj.2g.
mareca s.m.
marecanita s.f.
marecanite s.f.
marechal s.m.; f. *marechala*
marechala s.f. de *marechal*
marechalado s.m.
marechalato s.m.
marechal de campo s.m.
marechal de exército s.m.
marechal-deodorense adj. s.2g.; pl. *marechal-deodorenses*
marechal do ar s.m.
marechalício adj.
marechálico adj.
marechalização s.f.
marechalizado adj.
marechalizante adj.2g.
marechalizar v.
maré-cheia s.f.; pl. *marés-cheias*
maregrafia s.f.
maregráfico adj.
maregrafista s.m.
marégrafo s.m.
maregrama s.m.
mar e guerra s.m.2n.
mareio s.m.
mareiro adj. s.m.
marejada s.f.
marejado adj.
marejamento s.m.
marejante adj.2g. s.m.
marejar v.
marel adj. s.2g. s.m.
marela s.f.
marelante s.m.
marema s.f.
maremático adj.
maré me leva maré me traz s.2g.2n.
maremense adj. s.2g.
marêmetro s.m.
maremoço (*ô*) s.m.
maremoto s.m.
maremotor (*ô*) adj.
maremotriz adj. s.f.
marenguista adj. s.2g.
marenina s.f.
mareografia s.f.
mareográfico adj.
mareografista adj. s.2g.
mareógrafo s.m.
mareograma s.m.
mareômetro s.m.
mareomotor (*ô*) adj.
mareorama s.m.
mareossifão s.m.
mareota adj. s.2g.
mareótico adj.
maresia s.f.
maresiense adj. s.2g.
mar-espanhense adj. s.2g.; pl. *mar-espanhenses*
mareta (*ê*) s.f.
maretada s.f.
maretina s.f.
maréu s.m.
marezina s.f.
marfado adj.
marfalhento adj.
marfar v.
marfi s.m.
marfil s.m.
marfileno adj.
marfim s.m.
marfim-de-folha-grande s.m.; pl. *marfins-de-folha-grande*
marfim-falso s.m.; pl. *marfins-falsos*
marfim-vegetal s.m.; pl. *marfins-vegetais*
marfinense adj. s.2g.
marfíneo adj.
marfiniano adj. s.m.
marfinizar v.
marfinoso (*ô*) adj.; f. (*ó*); pl. (*ó*)
marfolhar v.
marfolho (*ô*) s.m.
marga s.f. "tipo de solo"; cf. *margã*
margã s.f. "romã"; cf. *marga*
margaça s.f.
margação s.f.
margação-dos-vales s.f.; pl. *margações-dos-vales*
margacinha s.f.
margagem s.f.
margai s.m.
margajato s.m.
margalhau s.m.
margalho s.m.
margalhudo adj.
marganheira s.f.
margar v.
margaranto s.m.
margarataia s.f.
margarato s.m.
margárico adj.
margarida s.f.
margarida-amarela s.f.; pl. *margaridas-amarelas*
margarida-anual s.f.; pl. *margaridas-anuais*
margarida-de-árvore s.f.; pl. *margaridas-de-árvore*
margarida-de-são-miguel s.f.; pl. *margaridas-de-são-miguel*
margarida-do-campo s.f.; pl. *margaridas-do-campo*
margarida-dos-campos s.f.; pl. *margaridas-dos-campos*
margarida-dos-prados s.f.; pl. *margaridas-dos-prados*
margarida-do-transvaal s.f.; pl. *margaridas-do-transvaal*
margaridal s.m.
margarida-menor s.f.; pl. *margaridas-menores*
margaridão s.m.
margarida-rasteira s.f.; pl. *margaridas-rasteiras*
margaridense adj. s.2g.
margaridinha s.f.
margarimétrico adj.
margarímetro s.m.
margarina s.f.
margarinoso (*ô*) adj.; f. (*ó*); pl. (*ó*)
margarinoto s.m.
margarita s.f.
margaritácea s.f.
margaritáceo adj.
margaritana s.f.
margaritato s.m.
margarite s.f.
margarítico adj.
margaritífero adj.
margaritita s.f.
margaritite s.f.
margarito s.m.
margarocríside s.m.
margarocrísis s.m.2n.
margarode s.m.
margarodídeo adj. s.m.
margarodíneo adj. s.m.
margarodita s.f.
margarodite s.f.
margaroide (*ó*) adj.2g. s.m.
margarona s.f.
margaroperdice s.2g.
margaropérdix (*cs*) s.2g.
margaroperdiz s.f.
margarópo s.m.
margarópode s.m.
margarórnis s.2g.2n.
margarornite s.2g.
margarosanita s.f.
margavá s.2g.
margeação s.f.
margeado adj.
margeador (*ô*) s.m.
margeamento s.m.
margeante adj.2g.
margear v.
margeável adj.2g.
margela s.f.
margélide s.f.
margelídeo adj. s.m.
margélis s.f.2n.
margem s.f.
margia s.f.
margiado adj.
margião s.m.
margido s.m.
margidoiro s.m.
margidouro s.m.
marginação s.f.
marginado adj.
marginador (*ô*) s.m.
marginal adj.2g. s.m.
marginália s.f.
marginalidade s.f.
marginalismo s.m.
marginalista adj. s.2g.
marginalístico adj.
marginalização s.f.
marginalizado adj.
marginalizante adj.2g.
marginalizar v.
marginalizável adj.2g.
marginar v.
marginária s.f.
marginário adj.
marginâster s.m.
marginatura s.f.
marginela s.f.
marginelídeo adj. s.m.
marginícida adj.2g.
marginiforme adj.2g.
marginipene adj.2g.
marginirrostral adj.2g.
marginulina s.f.
margio s.m.
margir v.
margiricarpo s.m.
margócia s.f.
mar-golfo s.m.; pl. *mares-golfo* e *mares-golfos*
margonçalo s.m.
margosa s.f.
margosato s.m.
margósico adj.
margosina s.f.
margoso (*ô*) adj.; f. (*ó*); pl. (*ó*)
margota s.f.
margoto (*ô*) s.m.
mar-grandense adj. s.2g.; pl. *mar-grandenses*
margrave s.m.; f. *margravina*
margrávia s.f.
margraviácea s.f.
margraviáceo adj.
margraviado s.m.
margravial adj.2g.
margraviato s.m.
margravina s.f. de *margrave*
margueira s.f.
margueiro s.m.
margui s.m.
mar-hispanense adj. s.2g.; pl. *mar-hispanenses*
mari s.m.
maria s.f.
maria-aneira s.f.; pl. *marias-aneiras*
maria-antônia s.f.; pl. *marias-antônias*
maria-antonieta s.f.; pl. *marias-antonietas*

maria-barulhenta s.f.; pl. *marias-barulhentas*
maria-besta s.f.; pl. *marias-bestas*
maria-boba s.f.; pl. *marias-bobas*
maria-branca s.f.; pl. *marias-brancas*
maria-cachucha s.f.; pl. *marias-cachuchas*
maria-cadeira s.f.; pl. *marias-cadeira* e *marias-cadeiras*
maria-candelária s.f.; pl. *marias-candelária* e *marias-candelárias*
maria-caraíba s.f.; pl. *marias-caraíbas*
maria-cavaleira s.f.; pl. *marias-cavaleiras*
maria-cavalheira s.f.; pl. *marias-cavalheiras*
maria-chiquinha s.f.; pl. *marias-chiquinhas*
maria-com-a-vovó s.f.; pl. *marias-com-a-vovó*
maria-condé s.f.; pl. *marias-condés*
maria-congueira s.f.; pl. *marias-congueiras*
maria-da-costa s.f.; pl. *marias-da-costa*
maria da fonte s.f.
maria da grade s.f.
maria-da-serra s.f.; pl. *marias-da-serra*
maria das pernas compridas s.f.
maria-da-toca s.f.; pl. *marias-da-toca*
maria-de-barro s.f.; pl. *marias-de-barro*
mariado adj.
maria-é-dia s.f.2n.
maria-escambona s.f.; pl. *marias-escambonas*
maria-faceira s.f.; pl. *marias-faceiras*
maria-farinha s.f.; pl. *marias-farinha* e *marias-farinhas*
maria-fecha-a-porta s.f.; pl. *marias-fecha-a-porta*
maria-fede s.f.; pl. *marias-fede*
maria-fedida s.f.; pl. *marias-fedidas*
maria-feense s.f.; pl. *marias-feenses*
maria-ferrugem s.f.; pl. *marias-ferrugem* e *marias-ferrugens*
maria-fia s.f.; pl. *marias-fia*
maria-fidense s.f.; pl. *marias-fidenses*
maria-fumaça s.f.; pl. *marias-fumaça* e *marias-fumaças*
mariagombe s.f.
maria-gomes s.f.; pl. *marias-gomes*
maria-gorda s.f.; pl. *marias-gordas*
maria-guenza s.f.; pl. *marias-guenzas*
maria-helenense adj. s.2g.; pl. *maria-helenenses*
maria-irré s.f.; pl. *marias-irré*
maria-isabel s.f.; pl. *marias-isabel* e *marias-isabéis*
maria-já-é-dia s.f.2n.
maria-judia s.f.; pl. *marias-judias*
marial adj.2g. s.m.
maria-lecre s.f.; pl. *marias-lecre* e *marias-lecres*
maria-leite s.f.; pl. *marias-leite* e *marias-leites*
marialita s.f.
marialite s.f.
marialogia s.f.
marialógico adj.
maria-luísa s.f.; pl. *marias-luísas*
marialva adj.2g. s.m.
marialvense adj. s.2g.
mariama s.f.
maria-macambira s.f.; pl. *marias-macambiras*
maria-macumbé s.f.; pl. *marias-macumbés*
maria-mijona s.f.; pl. *marias-mijonas*
maria-minha s.f.; pl. *marias-minhas*
mariamitano adj. s.m.
maria-mole s.f.; pl. *marias-moles*
maria-mucangê s.f.; pl. *marias-mucangês*
maria-mucanguê s.f.; pl. *marias-mucanguê* e *marias-mucanguês*
maria-mulata s.f.; pl. *marias-mulatas*
mariana s.f.
maria-nagô s.f.; pl. *marias-nagôs*
maria-nagô-de-penacho s.f.; pl. *marias-nagô-de-penacho*
mariana-pimentelense adj. s.2g.; pl. *mariana-pimentelenses*
mariandino adj. s.m.
marianeira s.f.
marianeiro s.m.
marianense adj. s.2g.
marianês adj.
marianesco (*ê*) adj.
marianga s.f.
mariangombe s.m.
mariangu s.m.
mariânico adj.
marianinha s.f.
marianinha-da-cabeça-preta s.f.; pl. *marianinhas-da-cabeça-preta*
marianinha-de-folha-larga s.f.; pl. *marianinhas-de-folha-larga*
marianismo s.m.
marianista adj. s.2g.
marianístico adj.
marianita adj. s.2g. s.f.
marianito s.m.
marianjica s.f.
mariano adj. s.m.
marianopolitano adj. s.m.
mariantense adj. s.2g.
maria-papuda s.f.; pl. *marias-papudas*
maria-peidorreira s.f.; pl. *marias-peidorreiras*
maria-pereira s.f.; pl. *marias-pereiras*
maria-peteca s.f.; pl. *marias-petecas*
maria-pindu s.f.; pl. *marias-pindus*
maria-pires s.f.; pl. *marias-pires*
maria-pobre s.f.; pl. *marias-pobres*
mariapolense adj. s.2g.
mariapolitano adj. s.m.
maria-preta s.f.; pl. *marias-pretas*
maria-preta-da-mata s.f.; pl. *marias-pretas-da-mata*
maria-preta-de-pernambuco s.f.; pl. *marias-pretas-de-pernambuco*
maria-pretinha s.f.; pl. *marias-pretinhas*
maria-quiteriense adj. s.2g.; pl. *maria-quiterienses*
mariarana adj. s.2g.
maria-rapé s.f.; pl. *marias-rapé* e *marias-rapés*
maria-rendeira s.f.; pl. *marias-rendeiras*
maria-rita s.f.; pl. *marias-rita* e *marias-ritas*
maria-rosa s.f.; pl. *marias-rosa* e *marias-rosas*
maria-seca s.f.; pl. *marias-secas*
maria-segunda s.f.; pl. *marias-segundas*
maria-sem-vergonha s.f.; pl. *marias-sem-vergonha*
mariaté adj. s.2g.
maria-teresa s.f.; pl. *marias-teresa* e *marias-teresas*
mariato s.m.
maria vai com as outras s.2g.2n.
maria-velha s.f.; pl. *marias-velhas*
maria-velhinha s.f.; pl. *marias-velhinhas*
mariavita adj. s.2g.
maria-vitória s.f.; pl. *marias-vitórias*
maria-zabé s.f.; pl. *marias-zabés*
maribale s.m.
maribi s.m.
maribondense adj. s.2g.
maribondo s.m.
maribondo-caçador s.m.; pl. *maribondos-caçadores*
maribondo-cavalo s.m.; pl. *maribondos-cavalo* e *maribondos-cavalos*
maribondo-chapéu s.m.; pl. *maribondos-chapéu* e *maribondos-chapéus*
maribondo-mangangá s.m.; pl. *maribondos-mangangás*
maribondo-tatu s.m.; pl. *maribondos-tatu* e *maribondos-tatus*
maribunda s.f.
maribundo s.m.
marica s.f. "tira de carne"; cf. *maricá*
maricá s.m. "planta"; cf. *marica*
maricaense adj. s.2g.
maricafedes s.m.2n.
maricagem s.f.
maricão s.m.
maricas adj. s.m.2n.
maricaua s.m.
maricazal s.m.
maricazura s.f.
marico adj. s.m.
maricoabense adj. s.2g.
maricola s.m.
maricona s.f.
maricopa adj. s.2g.
maricota s.f.
maricotinha s.f.
maricultor (*ô*) adj. s.m.
maricultura s.f.
marida s.f.
maridado adj.
maridagem s.f.
maridal adj.2g.
maridalbissa s.f.
maridalho s.m.
maridança s.f.
maridar v.
maridedia s.f.
marido s.m.
marido-é-dia s.f.2n.
mariela s.f.
mariense adj. s.2g.
marientalense adj. s.2g.
marifusa s.f.
mariganga s.f.
marígero adj. s.m.
marignacita s.f.
mari-gordo s.m.; pl. *mari-gordos*
marigoto s.m.
marigrafista adj. s.2g.
marígrafo s.m.
marigrama s.m.
mariguana s.f.
marigué s.m.
marigui (*ü*) s.m.
marií s.m.
marijona s.f.
marijuana s.f.
marilacense adj. s.2g.
marilandense adj. s.2g.
marilandiense adj. s.2g.
marilenense adj. s.2g.
marilense adj. s.2g.
marilha s.f.
marilho s.m.
mariliense adj. s.2g.
mariluzense adj. s.2g.
marim s.m.
marimã adj. s.2g.
marimacho s.m.
marimari s.m.
marimari-da-terra-firme s.m.; pl. *marimaris-da-terra-firme*
marimari-preto s.m.; pl. *marimaris-pretos*
marimarirana s.m.
marimari-sarro s.m.; pl. *marimaris-sarros*
marimba s.f. "instrumento musical"; cf. *marimbá*
marimbá s.m. "peixe"; cf. *marimba*
marimbador (*ô*) adj. s.m.
marimbar v.
marimbau s.m.
marimbeiro s.m.
marimbense adj. s.2g.
marimbo s.m.
marimbondense adj. s.2g.
marimbondo s.m.
marimbondo-amoroso s.m.; pl. *marimbondos-amorosos*
marimbondo-beju s.m.; pl. *marimbondos-beju* e *marimbondos-bejus*
marimbondo-caboclo s.m.; pl. *marimbondos-caboclos*
marimbondo-caçador s.m.; pl. *marimbondos-caçadores*
marimbondo-cachorro s.m.; pl. *marimbondos-cachorro* e *marimbondos-cachorros*
marimbondo-cavalo s.m.; pl. *marimbondos-cavalo* e *marimbondos-cavalos*
marimbondo-chapéu s.m.; pl. *marimbondos-chapéu* e *marimbondos-chapéus*
marimbondo-de-bunda-amarela s.m.; pl. *marimbondos-de-bunda-amarela*
marimbondo-de-chapéu s.m.; pl. *marimbondos-de-chapéu*
marimbondo-feiticeiro s.m.; pl. *marimbondos-feiticeiros*
marimbondo-mangangá s.m.; pl. *marimbondos-mangangá* e *marimbondos-mangangás*
marimbondo-mata-cavalo s.m.; pl. *marimbondos-mata-cavalo*
marimbondo-tatu s.m.; pl. *marimbondos-tatu* e *marimbondos-tatus*
marimboque s.m.
marimbu s.m.
marímetro s.m.
marimo s.m.
marimonda s.m.
marimotor (*ô*) s.m.
marina s.f.
marinada s.f.
marinado adj.
marinaná adj. s.2g.
marinar v.
marinaresca (*ê*) s.f.
marinaresco (*ê*) adj.
marinaua adj. s.2g.
marinela s.f.
marinelo adj. s.m.
marinense adj. s.2g.
marinera s.f.
marinete s.f.
marinettiano adj.
maringá adj.2g.
maringaense adj. s.2g.
maringuim s.m.
marinha s.f.
marinhã adj. s.f. de *marinhão*
marinhada s.f.
marinhagem s.f.
marinha-nova s.f.; pl. *marinhas-novas*
marinhão adj. s.m.; f. *marinhã* e *marinhoa* (*ô*)
marinha-podre s.f.; pl. *marinhas-podres*
marinhar v.
marinharesco (*ê*) adj.
marinharia s.f.
marinhático adj.
marinha-velha s.f.; pl. *marinhas-velhas*
marinheira s.f.
marinheirada s.f.
marinheiragem s.f.
marinheirar v.
marinheiraria s.f.
marinheiraz s.m.
marinheirense adj. s.2g.
marinheiresco (*ê*) adj.
marinheiro adj. s.m.
marinheiro-de-folha-larga s.m.; pl. *marinheiros-de-folha-larga*
marinheiro-de-folha-miúda s.m.; pl. *marinheiros-de-folha-miúda*
marinhense adj. s.2g.
marinhesco (*ê*) adj.
marinhista adj. s.2g.
marinho adj.2g.2n. s.m.
marinhoa adj. s.f. de *marinhão*
marinhoto (*ô*) adj. s.m.
marinim s.m.
marinismo s.m.
marinista adj. s.2g.
marinístico adj.
marino adj.
marinô s.m.
marinobufagina s.f.
marinopolense adj. s.2g.
marinopolitano adj. s.m.
marínula s.f.
mariô s.m.
marioca s.f.
marioila s.f.
mariola adj.2g. s.m.f.
mariolada s.f.
mariolagem s.f.
mariolão adj. s.m.
mariolar v.
mariólatra s.2g.
mariolatria s.f.
mariolátrico adj.
mariolete (*ê*) s.m.
mariolice s.f.
mariologia s.f.
mariológico adj.
mariólogo s.m.
marioneta s.f.
marionete s.f.
marionetismo s.m.
marionetista adj. s.2g.
marionetístico adj.
mariônia s.f.
mariopolitano adj. s.m.
mariorama s.m.
maripa s.f. "planta convolvulácea"; cf. *maripá*
maripá s.f. "espécie de palmeira"; cf. *maripa*
maripaense adj. s.2g.
maripaíto s.m.
maripaquere adj. s.2g.
mariposa (*ô*) s.f.; cf. *mariposa*, fl. do v. *mariposar*
mariposa-beija-flor s.f.; pl. *mariposas-beija-flor*
mariposa-cigana s.f.; pl. *mariposas-ciganas*
mariposa-da-iúca s.f.; pl. *mariposas-da-iúca*
mariposa-das-maçãs s.f.; pl. *mariposas-das-maçãs*
mariposa-espelito s.f.; pl. *mariposas-espelito* e *mariposas-espelitos*

mariposa-imperador s.f.; pl. *mariposas-imperador*
mariposante adj.2g.
mariposar v.
mariposeador (*ô*) adj.
mariposear v.
mariposita s.f.
mariposite s.f.
mariposo (*ô*) adj. s.m.
maripu s.m.
mariqué s.m.
mariquice s.f.
mariquiná s.m.
mariquinha s.m.f.
mariquita s.f.
mariquitaré adj. s.2g.
mariquita-vovó s.f.; pl. *mariquitas-vovós*
mariquitense adj. s.2g.
marirana s.f.
mariricó s.m.
mariricó-bravo s.m.; pl. *mariricós-bravos*
mariricó-do-mato s.m.; pl. *mariricós-do-mato*
mariricuense adj. s.2g.
mariroba s.f.
marisa s.f.
marisápoles s.f.2n.
marisca s.f.
mariscação s.f.
mariscada s.f.
mariscadeiro adj. s.m.
mariscado adj.
mariscador (*ô*) adj. s.m.
mariscagem s.f.
mariscar v.
marisco adj. s.m.
marisco-cavador s.m.; pl. *mariscos-cavadores*
marisco-das-pedras s.m.; pl. *mariscos-das-pedras*
marisco-do-mangue s.m.; pl. *mariscos-do-mangue*
marisco-faca s.m.; pl. *mariscos-faca* e *mariscos-facas*
marisco-pedra s.m.; pl. *mariscos-pedra* e *mariscos-pedras*
marisco-tatu s.m.; pl. *mariscos-tatu* e *mariscos-tatus*
mariscote adj.
marisma s.f.
marisopolitano adj. s.m.
marisqueira s.f.
marisqueiro adj. s.m.
marisquinha s.f.
marissifão s.m.
marista adj. s.2g.
maristelense adj. s.2g.
marita s.f.
maritabilidade s.f.
maritaca s.f.
maritacaca s.f.
maritafede s.f.
maritágio s.m.
marital adj.2g.
maritataca s.f.
marite s.m.
mariticida s.f.
mariticídio s.m.
maritiga s.f.
maritimidade s.f.
maritimismo s.m.
maritimista adj. s.2g.
maritimístico adj.
marítimo adj. s.m.
maritinga s.f.
maritorne s.f.
maritubense adj. s.2g.
mariuô s.m.
marizal adj.2g. s.m.
marizeira s.f.
marizeiro s.m.
marizense adj. s.2g.
marja s.f.
marjão s.m.
markhâmia s.f.
markoviano adj.
marliano s.m.
marlieriense adj. s.2g.
marlim s.m.
marlim-azul s.m.; pl. *marlins-azuis*
marlim-branco s.m.; pl. *marlins-brancos*
marlota s.f.
marlotar v.
marlowiano adj. s.m.
marma s.f.
marmacento adj.
marmaço adj.
marmajuda s.f.
mar-mancha s.m.; pl. *mares-mancha* e *mares-manchas*
mar-manga s.m.; pl. *mares-manga* e *mares-mangas*
marmanjada s.f.
marmanjão s.m.
marmanjaria s.f.
marmanjo adj. s.m.
marmanjola s.m.
marmar v.
marmárico adj.
marmáride adj. s.2g.
marmaroneta (*ê*) s.f.
marmarro s.m.
marmatita s.f.
marmatite s.f.
marmela s.f.
marmelada s.f.
marmelada-brava s.f.; pl. *marmeladas-bravas*
marmelada-cachorro s.f.; pl. *marmeladas-cachorro*
marmelada-de-cachorro s.f.; pl. *marmeladas-de-cachorro*
marmelada-de-cavalo s.f.; pl. *marmeladas-de-cavalo*
marmelada-de-inverno s.f.; pl. *marmeladas-de-inverno*
marmelada-de-verão s.f.; pl. *marmeladas-de-verão*
marmelada-vermelha s.f.; pl. *marmeladas-vermelhas*
marmeladeira s.f.
marmeladeiro s.m.
marmeladinha s.f.
marmelandense adj. s.2g.
marmelandiense adj. s.2g.
marmelar v.
marmelarense adj. s.2g.
marmeleira-da-índia s.f.; pl. *marmeleiras-da-índia*
marmeleiral s.m.
marmeleirense adj. s.2g.
marmeleiro s.m.
marmeleiro-branco s.m.; pl. *marmeleiros-brancos*
marmeleiro-bravo s.m.; pl. *marmeleiros-bravos*
marmeleiro-da-china s.m.; pl. *marmeleiros-da-china*
marmeleiro-da-europa s.m.; pl. *marmeleiros-da-europa*
marmeleiro-de-bengala s.m.; pl. *marmeleiros-de-bengala*
marmeleiro-do-campo s.m.; pl. *marmeleiros-do-campo*
marmeleiro-do-mato s.m.; pl. *marmeleiros-do-mato*
marmelense adj. s.2g.
marmelinho s.m.
marmelinho-do-campo s.m.; pl. *marmelinhos-do-campo*
marmelinho-do-mato s.m.; pl. *marmelinhos-do-mato*
marmelista adj. s.2g.
marmeliteiro adj. s.m.
marmelo s.m.
marmelo-bravo s.m.; pl. *marmelos-bravos*
marmelo-de-bengala s.m.; pl. *marmelos-de-bengala*
marmelo-do-campo s.m.; pl. *marmelos-do-campo*
marmelo-do-mato s.m.; pl. *marmelos-do-mato*
marmelo-molar s.m.; pl. *marmelos-molares*
marmeluta s.f.
marmerolito s.m.
marmerólito s.m.
marmiguel s.m.
marmionda s.f.
marmita s.f.
marmita de gigante s.f.
marmita-de-macaco s.f.; pl. *marmitas-de-macaco*
marmitão s.m.
marmiteiro s.m.
marmo adj.
marmolita s.f.
marmolite s.f.
marmonteliano adj.
marmorado adj.
marmoraria s.f.
marmorário adj. s.m.
mármore s.m.
marmoreação s.f.
marmoreado adj. s.m.
marmoreador (*ô*) s.m.
marmorear v.
marmoreira s.f.
marmoreiro s.m.
marmóreo adj.
marmórico adj.
marmoriforme adj.2g.
marmorino adj.
marmorista adj. s.2g.
marmorização s.f.
marmorizado adj. s.m.
marmorizador (*ô*) adj. s.m.
marmorizar v.
marmorizável adj.2g.
marmoroso (*ô*) adj.; f. (*ó*); pl. (*ó*)
marmosa s.f.
marmota s.f.
marmotista s.2g.
marmoto (*ô*) adj.
marmoural s.m.
marmulano s.m.
marna s.f.
marneco s.m.
marnel s.m.
marnetado adj.
marnete (*ê*) s.m.
marno s.m.
marnoceiro s.m.
marnoia (*ó*) s.f.
marnoso (*ô*) adj.; f. (*ó*); pl. (*ó*)
marnota s.f.
marnotagem s.f.
marnotal adj.2g.
marnoteiro s.m.
marnoto (*ô*) s.m.
marnuaçu adj. s.2g.
maro s.m.
maroa adj. s.2g.
maroba (*ô*) s.f. "espécie de cereja"; cf. *marobá*
marobá s.m. "peixe"; cf. *maroba* (*ô*)
maroca s.f.
marocha s.f.
marocho (*ô*) s.m.
maroiço s.m.
marojalense adj. s.2g.
marojólico adj.
marola s.f.
marolinho s.m.
marolinho-do-campo s.m.; pl. *marolinhos-do-campo*
marolo (*ô*) s.m.
maroma s.f.
maromaque s.m.
maromba s.f.
marombado adj.
marombador (*ô*) s.m.
marombagem s.f.
marombar v.
marombear v.
marombeiro adj. s.m.
marombense adj. s.2g.
marombismo s.m.
marombista adj. s.2g.
marombístico adj.
marome s.m.
maromimi adj. s.2g.
marona s.f.
maronda s.f.
maroneia (*é*) adj. s.f. de *maroneu*
maronês adj. s.m.
maroneu adj. s.m.; f. *maroneia* (*é*)
maronita adj. s.2g.
maronite adj. s.2g.
maropa adj. s.2g.
marosca s.f.
marota s.f.
marotagem s.f.
marotear v.
maroteira s.f.
maroteiro adj.
marotense adj. s.2g.
marotinho s.m.
marotismo s.m.
maroto (*ô*) adj. s.m.
maroubo adj.
marouça s.f.
marouco s.m.
marouço s.m.
maroufa s.f.
maroufo adj.
marouva s.f.
marouval s.m.
marouvaz s.m.
marova adj. s.2g.
marova (*ô*) s.f.
marovense adj. s.2g.
marpésio adj.
marpissa s.f.
marqueia (*é*) s.f.
marqueiro s.m.
marquense adj. s.2g.
marquês s.m.
marquesa (*ê*) s.f.
marquesa-de-belas s.f.; pl. *marquesas-de-belas*
marquesado s.m.
marquesal adj.2g.
marquesão s.m.
marquesar v.
marquesato s.m.
marquesinha s.f.
marquesinha-branca-de-inverno s.f.; pl. *marquesinhas-brancas-de-inverno*
marquesita s.f.
marques-loureiro s.m.2n.
marquesota s.f.
marquês-valencense adj. s.2g.; pl. *marquês-valencenses*
marqueteiro s.m.
marquinhense adj. s.2g.
marquise s.f.
marquisete s.f.
marra s.f. "tipo de enxada", etc.; cf. *marrã*
marrã s.f. "porca nova que parou de mamar"; cf. *marra*
marrabenta s.f.
marrábio s.m.
marraçateiro s.m.
marracho s.m.
marraco s.m.
marrada s.f.
marrado adj.
marrafa s.f.
marrafão adj. s.m.; f. *marrafona*
marrafona adj. s.f. de *marrafão*
marraio s.m.
marralhão adj. s.m.; f. *marralhona*
marralhar v.
marralharia s.f.
marralheiro adj. s.m.
marralhice s.f.
marralho s.m.
marralhona adj. s.f. de *marralhão*
marrana s.f.
marrancha s.f. s.2g.
marranchar v.
marrancho s.m.
marraneiro s.m.
marranela s.2g.
marranha s.f.
marranica s.f. s.2g.
marranita s.2g.
marrano adj. s.m.
marrão adj. s.m.
marrãozeiro s.m.
marraque s.m.
marrar v.
marrasca s.f.
marrasquinado adj.
marrasquino s.m.
marrata s.f.
marraú s.m.
marraxo adj. s.m.
marreca s.f. s.2g.
marreca-ananaí s.f.; pl. *marrecas-ananaí* e *marrecas-ananaís*
marreca-apaí s.f.; pl. *marrecas-apaí* e *marrecas-apaís*
marreca-arrebio s.f.; pl. *marrecas-arrebio* e *marrecas-arrebios*
marreca-asa-branca s.f.; pl. *marrecas-asas-brancas*
marreca-assobiadeira s.f.; pl. *marrecas-assobiadeiras*
marreca-assoviadeira s.f.; pl. *marrecas-assoviadeiras*
marreca-cabocla s.f.; pl. *marrecas-cabocla* e *marrecas-caboclas*
marreca-caneleira s.f.; pl. *marrecas-caneleiras*
marreca-carijó s.f.; pl. *marrecas-carijó* e *marrecas-carijós*
marreca-cri-cri s.f.; pl. *marrecas-cri-cri* e *marrecas-cri-cris*
marreca-de-bico-roxo s.f.; pl. *marrecas-de-bico-roxo*
marreca-do-pará s.f.; pl. *marrecas-do-pará*
marreca-dos-pés-encarnados s.f.; pl. *marrecas-dos-pés-encarnados*
marreca-espelho s.f.; pl. *marrecas-espelho* e *marrecas-espelhos*
marreca-grande-de-marajó s.f.; pl. *marrecas-grandes-de-marajó*
marrecão s.m.
marrecão-da-patagônia s.m.; pl. *marrecões-da-patagônia*
marrecão-do-banhado s.m.; pl. *marrecões-do-banhado*
marreca-pardinha s.f.; pl. *marrecas-pardinhas*
marrecapeba s.f.
marrecapéua s.f.
marreca-pé-vermelho s.f.; pl. *marrecas-pé-vermelho* e *marrecas-pés-vermelhos*
marreca-piadeira s.f.; pl. *marrecas-piadeiras*
marreca-pintada s.f.; pl. *marrecas-pintadas*
marreca-rã s.f.; pl. *marrecas-rã* e *marrecas-rãs*
marrecarana s.f.
marreca-toicinho s.f.; pl. *marrecas-toicinho* e *marrecas-toicinhos*
marreca-toucinho s.f.; pl. *marrecas-toucinho* e *marrecas-toucinhos*
marreca-tururu s.f.; pl. *marrecas-tururu* e *marrecas-tururus*
marreca-viúva s.f.; pl. *marrecas-viúvas*
marreco adj. s.m.
marreco-de-pequim s.m.; pl. *marrecos-de-pequim*
marreco-do-pará s.m.; pl. *marrecos-do-pará*
marreco-mandarim s.m.; pl. *marrecos-mandarim* e *marrecos-mandarins*

marreira s.f.
marrela s.f.
marreleia (*é*) s.f.
marreleio s.m.
marrequém s.f.
marrequém-do-igapó s.m.; pl. *marrequéns-do-igapó*
marrequense adj. s.2g.
marrequinha s.f.
marrequinha-cã-cã s.f.; pl. *marrequinhas-cã-cãs*
marrequinho s.m.
marrequinho-do-brejo s.m.; pl. *marrequinhos-do-brejo*
marrequinho-do-campo s.m.; pl. *marrequinhos-do--campo*
marrequito s.m.
marrequito-do-brejo s.m.; pl. *marrequitos-do-brejo*
marreta (*ê*) s.f.; cf. *marreta*, fl. do v. *marretar*
marretada s.f.
marretado adj.
marretagem s.f.
marretar v.
marrete (*ê*) s.m.; cf. *marrete*, fl. do v. *marretar*
marreteado adj.
marreteador (*ô*) adj. s.m.
marretear v.
marreteiro s.m.
marricada s.f.
marricar v.
marriliana s.f.
marrim adj. s.2g.
marrismo s.m.
marrista adj. s.2g.
marrístico adj.
marrita s.f.
marroada s.f.
marroar v.
marroaz adj. s.2g. s.m.
marroca s.f.
marroco s.m.
marroeiro adj. s.m.
marroio s.m.
marroio-branco s.m.; pl. *marroios-brancos*
marroio-comum s.m.; pl. *marroios-comuns*
marroio-da-água s.m.; pl. *marroios-da-água*
marroio-do-brasil s.m.; pl. *marroios-do-brasil*
marroio-negro s.m.; pl. *marroios-negros*
marroio-pequeno s.m.; pl. *marroios-pequenos*
marrom adj.2g. s.m.
marromba s.f.
marrom-claro adj. s.m.; pl. *marrom-claros* e *marrons--claros*
marrom-escuro adj. s.m.; pl. *marrom-escuros* e *marrons--escuros*
marrom-glacê s.m.; pl. *marrons-glacês*
marronete s.f.
marroque s.m.
marroqueiro s.m.
marroquense adj. s.2g.
marroqui adj. s.2g.
marroquim s.m.
marroquinar v.
marroquinaria s.f.
marroquineiro s.m.
marroquino adj. s.m.
marroquita s.f.
marrote s.m.
marroteiro s.m.
marroxo (*ô*) s.m.
marruá adj.2g. s.m.
marruaense adj. s.2g.
marruás adj.2g. s.m.; pl. *marruases*
marrubíea s.f.
marrubina s.f.
marrúbio adj. s.m.
marrucada s.f.
marrucar v.
marrucate s.m.
marrucheiro s.m.
marrucho s.m.
marrucino adj. s.m.
marruco s.m.
marrueiro adj. s.m.
marrufo s.m.
marrugem s.f.
marruíço s.m.
marruim s.m.
marrunza s.m.
marrusco s.m.
marsa s.f.
marsácio adj. s.m.
mársaco adj. s.m.
marsala s.m.
marsdênia s.f.
marselhês adj. s.m.
marselhesa (*ê*) s.f.
marsenina s.m.
marshalino adj. s.m.
marshita s.f.
marsigno adj. s.m.
marsílea s.f.
marsileácea s.f.
marsileáceo adj.
marsília s.f.
marsiliácea s.f.
marsiliáceo adj.
marsiliano adj. s.m.
marsipáster s.m.
marsipela s.m.
marsipianto s.m.
marsipobrânquio adj. s.m.
marsipocéfalo s.m.
marsitriol s.m.
marsjatsquita s.f.
marso adj. s.m. "povo"; cf. *março*
marsônia s.f.
marsonina s.f.
marsopa s.f.
marsturita s.f.
marsuíno s.m.
marsupela s.f.
marsúpia s.f.
marsupial adj.2g. s.m.
marsupialidade s.f.
marsupialização s.f.
marsúpio s.m.
marta s.f.
martabano adj. s.m.
martabão adj. s.m.
martagão s.m.
martanho s.m.
martastéria s.m.
marta-zibelina s.f.; pl. *martas-zibelinas*
martel s.m.
martelada s.f.
martelado adj.
martelador (*ô*) s.m.
martelagem s.f.
martelamento s.m.
martelante adj.2g.
martelão s.m.
martelar v.
martelável adj.2g.
marteleiro s.m.
martelejar v.
martelete (*ê*) s.m.
martelinho s.m.
martelo s.m.
martelo-agalopado s.m.; pl. *martelos-agalopados*
martelo-voador s.m.; pl. *martelos-voadores*
martêmpera s.f.
martensita s.f.
martensite s.f.
martensítico adj.
marterênia s.f.
martésia s.m.
martilhar v.
martilho s.m.
martim s.m.
martim-caçador s.m.; pl. *martins-caçadores*
martim-cachá s.m.; pl. *martins-cachás*
martim-cachaça s.m.; pl. *martins-cachaças*
martimenga s.f.
martim-gil s.m.; pl. *martins--gil* e *martins-gis*
martim-grande s.m.; pl. *martins-grandes*
martim-gravata s.m.; pl. *martins-gravata* e *martins--gravatas*
martim-gravato s.m.; pl. *martins-gravatos*
martim-pererê s.m.; pl. *martins-pererês*
martim-pescador s.m.; pl. *martins-pescadores*
martim-pescador-anão s.m.; pl. *martins-pescadores-anões*
martim-pescador-da-mata s.m.; pl. *martins-pescadores--da-mata*
martim-pescador-grande s.m.; pl. *martins-pescadores--grandes*
martim-pescador-pequeno s.m.; pl. *martins-pescadores--pequenos*
martim-pescador-pintado s.m.; pl. *martins-pescadores--pintados*
martim-pescador-verde s.m.; pl. *martins-pescadores--verdes*
martinega s.f.
martinela s.f.
martinense adj. s.2g.
martinesiense adj. s.2g.
martinete (*ê*) s.m.
martinézia s.f.
martingal s.m.
martingale s.m.
martingil s.m.
martingol s.m.
martinhense adj. s.2g.
martinho s.m.
martinho-campense adj. s.2g.; pl. *martinho-campenses*
martinho-pescador s.m.; pl. *martinhos-pescadores*
martíni s.m.
martínia s.f.
martiniácea s.f.
martinica s.f.
martinicano adj. s.m.
martiniega s.f.
martinismo s.m.
martinista adj. s.2g.
martinístico adj.
martinita s.f.
martinite s.f.
martinopolense adj. s.2g.
martinopolitano adj. s.m.
martinsita s.f.
martinsite s.f.
mártir adj. s.2g.
martirão s.m.
martirial adj.2g.
martiriense adj. s.2g.
martírio s.m.
martirização s.f.
martirizado adj.
martirizador (*ô*) adj. s.m.
martirizante adj.2g.
martirizar v.
martirizável adj.2g.
martirologia s.f.
martirológico adj.
martirológio s.m.
martirologista adj. s.2g.
martirólogo s.m.
martita s.f.
martite s.f.
marto s.m.
martolengo adj. s.m.
martuco s.m.
martunho s.m.
martur s.m.
marturita s.f.
marturite s.f.
martynia s.f.
martyniácea s.f.
martyniáceo adj.
maruá adj. s.2g.
maruanunense adj. s.2g.
maruaruna s.f.
maruba adj. s.2g. "tribo"; cf. *marubá*
marubá s.m. "planta"; cf. *maruba*
marubé s.m.
maruca s.f.
maruceu adj. s.m.
marudaense adj. s.2g.
maruflagem s.f.
marufle s.m.
marufo s.m.
maruge s.f.
marugem s.f.
maruí s.m.
maruim s.m.
maruinense adj. s.2g.
maruizinho s.m.
maruja s.f.
marujada s.f.
marujal adj.2g.
marujar v.
marujinha s.f.
marujo adj. s.m.
marulha s.f.
marulhada s.f.
marulhado adj.
marulhante adj.2g.
marulhar v.
marulheiro adj.
marulhento adj.
marulhia s.f.
marulho s.m.
marulhoso (*ô*) adj.; f. (*ó*); pl. (*ó*)
marulo s.m.
marumba s.f.
marumbé s.m.
marumbi s.m.
marumbiense adj. s.2g.
marúmia s.f.
marumimi adj. s.2g.
marumo s.m.
marungo s.m.
maruorana s.f.
marupá s.m.
marupá-da-guiana s.m.; pl. *marupás-da-guiana*
marupá-do-campo s.m.; pl. *marupás-do-campo*
marupaí s.m.
marupaí-do-campo s.m.; pl. *marupaís-do-campo*
marupama adj. s.2g.
marupá-mirim s.m.; pl. *marupás-mirins*
marupapiranga s.f.
marupaúba s.f.
marupá-verdadeiro s.m.; pl. *marupás-verdadeiros*
marupiara adj. s.2g.
marupiarense adj. s.2g.
maruru s.m.
maruta s.f.
maruvané s.m.
marúvio adj. s.m.
marvari s.m.
mar-vermelhense adj. s.2g.; pl. *mar-vermelhenses*
marvil s.m.
marxagoara adj. s.2g.
marxismo (*cs*) s.m.
marxismo-leninismo s.m.; pl. *marxismos-leninismos*
marxista (*cs*) adj. s.2g.
marxista-leninista adj. s.2g.; pl. *marxistas-leninistas*
marxístico (*cs*) adj.
marxistização (*cs*) s.f.
marxistizado (*cs*) adj.
marxistizante (*cs*) adj. s.2g.
marxistizar (*cs*) v.
marxistizável (*cs*) adj. s.2g.
marxologia (*cs*) s.f.
marxológico (*cs*) adj.
marxologista (*cs*) adj. s.2g.
marxologístico (*cs*) adj.
marxólogo (*cs*) s.m.
marzaganense adj. s.2g.
marzagania s.f.
marzaganiense adj. s.2g.
marzagonense adj. s.2g.
marzão s.m.
marzapo s.m.
marzia s.f.
marzipã s.m.
marzoco (*ô*) s.m.
mas s.m. adv. conj. contr. de *me* e *as*; cf. *maz*
masacá adj. s.2g.
masacará adj. s.2g.
masangu s.m.
masápio s.m.
masara s.2g.
masárida adj.2g. s.m.
masarídeo adj. s.m.
másaris s.f.2n.
masarulho s.m.
masato adj. s.m.
masca s.f.
mascabado adj.
mascabar v.
mascabo s.m.
mascação s.f.
mascadeira s.f.
mascado adj.
mascador (*ô*) adj. s.m.
mascâgnia s.f.
mascagnina s.f.
mascagnita s.f.
mascagnite s.f.
mascaladenite s.f.
mascaladenítico adj.
mascalefidrose s.f.
mascaliatria s.f.
mascaliátrico adj.
mascalocéfalo s.m.
mascaloncose s.f.
mascambilha s.f.
mascar v.
máscara s.2g. s.f.; cf. *mascara*, fl. do v. *mascarar*
mascaração s.f.
mascarada s.f.
mascarado adj. s.m.
mascaragem s.f.
mascaramento s.m.
mascarão s.m.
mascarar v.
mascarável adj.2g.
mascarenhas s.m.2n.
mascarenhásia s.f.
mascarilha s.f.
mascarino adj. s.m.
mascarra s.f.
mascarrada s.f.
mascarradela s.f.
mascarrado adj.
mascarrar v.
masca-tabaco s.m.; pl. *masca--tabacos*
mascatagem s.f.
mascataria s.f.
mascate s.m.
mascateação s.f.
mascateado adj.
mascateador (*ô*) adj. s.m.
mascateagem s.f.
mascatear v.
mascateira s.f.
mascateiro s.m.
mascatel adj.2g.
mascato s.m.
mascavado adj.
mascavar v.
mascavinho adj. s.m.
mascavo adj. s.m.
mascotada s.f.
mascotar v.
mascote s.f.
mascotense adj. s.2g.
mascoto (*ô*) s.m.
masculeza (*ê*) s.f.
masculifloro adj.
masculinão adj. s.m.
masculinidade s.f.
masculinismo s.m.
masculinista adj. s.2g.
masculinização s.f.

masculinizado adj.
masculinizador (*ô*) adj.
masculinizante adj.2g.
masculinizar v.
masculinizável adj.2g.
masculino adj. s.m.
másculo adj.
masdeia (*é*) adj. s.f. de *masdeu*
masdeísmo s.m.
masdeísta adj. s.2g.
masdeístico adj.
masdeu adj. s.m.; f. *masdeia* (*é*)
masdevália s.f.
masdevállia s.f.
maseia (*é*) adj. s.f. de *maseu*
máseo adj. s.m.
máser s.m.
masereomórfeo adj. s.m.
maseu adj. s.m.; f. *maseia* (*é*)
masicera s.f.
masigal-encarnado s.m.; pl. *masigais-encarnados*
másio s.m.
maskelynita s.f.
maslovita s.f.
masmarro s.m.
mas-mas s.m.2n.
masmorra (*ô*) s.f.
masmorreiro s.m.
masmorro (*ô*) s.m.
masmuda adj. s.2g.
masochismo s.m.
masochista adj. s.2g.
masochístico adj.
masongo s.m.
masonita s.f.
masopina s.f.
masoquismo s.m.
masoquista adj. s.2g.
masoquístico adj.
masoreídeo adj. s.m.
masoreíneo adj. s.m.
masóreo adj. s.m.
masoreu s.m.
masouqueiro adj. s.m.
masquelinita s.f.
masquivo s.m.
másrio s.m.
masrita s.f.
masrite s.f.
massa s.f. "mistura", etc.; cf. *maça e maçã*
massa-bruta s.2g.; pl. *massas-brutas*
massacá adj. s.2g.
massacote s.m.
massacrado adj.
massacrador (*ô*) adj. s.m.
massacrante adj.2g.
massacrar v.
massacrável adj.2g.
massacre s.m.
massacroco (*ô*) s.m.
massa de frei cosme s.f.
massadeira s.f.
massaembira s.f.
massagada s.f.
massagame s.m.
massageador (*ô*) s.m.
massagear v.
massagem s.f. "fricção"; cf. *maçagem*
masságeta adj. s.2g.
massagista adj. s.2g. "que ou aquele que faz massagem"; cf. *maçagista*
massai adj. s.2g.
massal adj.2g. s.m.
massala s.f.
massaliótico adj.
massalite s.m.
massamba s.f.
massambala s.f.
massame s.m.
massamorda (*ô*) s.f.
massamorra (*ô*) s.f.
massanga s.f.
massango s.m.
massanza s.f.
massapão s.m.
massapé s.m.
massapê s.m.
massapeense (*pê*) adj. s.2g.
massapez (*ê*) s.m.
massar v. "massagear"; cf. *maçar*
massarelense adj. s.2g.
massarete s.m.
massária s.f.
massariácea s.f.
massariáceo adj.
mássaris s.f.2n.
massaroca s.f.
massaroco (*ô*) s.m.
massaruca s.m.f.
massaruete (*ê*) s.m.
massassa s.f.
massau s.m.
masseguda s.f.
masseira s.f.
masseirão s.m.
masseiro s.m.
massemba s.f.
massendassenda s.f.
massesilo adj. s.m.
massessa s.f.
massessilo adj. s.m.
masseter (*tér*) s.m.
massetérico adj.
masseterino adj.
mássia s.f.
mássico adj.
massicote s.m.
massidras s.f.pl.
massieno adj. s.m.
massificação s.f.
massificado adj.
massificador (*ô*) adj. s.m.
massificante adj.2g.
massificar v.
massificável adj.2g.
massileia (*é*) adj. s.f. de *massileu*
massileu adj. s.m.; f. *massileia* (*é*)
massilha s.f.
massiliano adj. s.m.
massílico adj. s.m.
massiliense adj. s.2g.
massílio adj. s.m.
massiliótico adj.
massilitanense adj. s.2g.
massilitano adj. s.m.
massilo adj. s.m.
massimba s.m.
massinga adj. s.2g.
massinha s.f.
massinjir adj. s.2g.
massita s.f.
massividade s.f.
massivo adj.
massoca s.f.
massombó s.m.
massongo s.m.
massônia s.f.
massorá s.f.
massoreta (*ê*) s.m.
massorético adj.
massoterapeuta adj. s.2g.
massoterapêutica s.f.
massoterapia s.f.
massoterápico adj.
massoutiera s.m.
massua s.f.
massuca s.f.
massuco s.m.
massucote s.m.
massudo adj. "espesso"; cf. *maçudo*
massul s.m.
mássula s.f.
massulipatão s.m.
massumba s.f.
massur s.m.
massussa adj. s.2g.
mastaba s.2g.
mastacembélida adj.2g. s.m.
mastacembelídeo adj. s.m.
mastacêmbelo s.m.
mastácomis s.m.2n.
mastadenite s.f.
mastadenítico adj.
mastagada s.f.
mastalgia s.f.
mastálgico adj.
mastaréu s.m.
mastatrofia s.f.
mastatrófico adj.
mastaurense adj. s.2g.
mastauxe (*cs*) s.f.
mastáuxico (*cs*) adj.
mástax (*cs*) s.m.
mastectomia s.f.
mastectômico adj.
mastelcose s.f.
mastelcósico adj.
máster adj.2g. s.m.
mástica s.f.
masticação s.f.
masticado adj.
masticador (*ô*) adj.
masticagem s.f.
masticária s.f.
masticatório adj. s.m.
masticável adj.2g.
mastícico adj.
masticina s.f.
masticólico adj.
masticônico adj.
mastiga s.f.
mastigação s.f.
mastigada s.f.
mastigadela s.f.
mastigado adj.
mastigadoiro s.m.
mastigador (*ô*) adj. s.m.
mastigadouro s.m.
mastigameba s.f.
mastigante adj.2g. s.m.
mastigar v.
mastigatório adj. s.m.
mastigável adj.2g.
mastigíneo adj. s.m.
mastigo s.m.
mastigocerca s.f.
mastigocerco s.m.
mastigócero s.m.
mastigodo s.m.
mastigófora s.f.
mastigóforo s.m.
mastígopo s.m.
mastigópode adj.2g. s.m.
mastil s.m.
mastilina s.f.
mastim s.m.
mástique s.f.
mastite s.f.
mastíxia (*cs*) s.f.
mastixióidea (*cs*) s.f.
mastóbono s.m.
mastobranco s.m.
mastocéfalo adj.
mastocítico adj.
mastócito s.m.
mastocitose s.f.
mastodinia s.f.
mastodínico adj.
mástodon s.m.
mastodonsauro s.m.
mastodonte s.m.
mastodôntico adj.
mastodontídeo adj. s.m.
mastodontização s.f.
mastodontoide (*ó*) adj.2g.
mastodontossauro s.m.
mastografia s.f.
mastográfico adj.
mastógrafo s.m.
mastoidalgia s.f.
mastoidálgico adj.
mastoidauricular adj.2g. s.m.
mastoide (*ó*) adj. s.2g.
mastoidectomia s.f.
mastoidectômico adj. s.m.
mastoideia (*é*) adj. f. de *mastoideu*
mastóideo adj.
mastoideu adj.; f. *mastoideia* (*é*)
mastoideumeral adj.2g.
mastoidiomandibular s.m.
mastoidite s.f.
mastoidítico adj.
mastoidoccipital adj.2g.
mastoidoparietal adj.2g.
mastoidoumeral adj.2g.
mastoidumeral adj.2g.
mastologia s.f.
mastológico adj.
mastologista adj. s.2g.
mastólogo s.m.
mastomenia s.f.
mastomênico adj.
mastoncose s.f.
mastoncósico adj.
mastopata s.2g.
mastópata s.2g.
mastopatia s.f.
mastopático adj.
mastopéctico adj.
mastopexia (*cs*) s.f.
mastopéxico (*cs*) adj.
mastoplastia s.f.
mastoplástico adj.
mastoptose s.f.
mastoptósico adj.
mastoquino s.m.
mastorragia s.f.
mastorrágico adj.
mastoteca s.f.
mastotérmita s.f.
mastotérmite s.f.
mastotomia s.f.
mastotômico adj.
mastozoário adj. s.m.
mastozoologia s.f.
mastozoológico adj.
mastozoologista adj. s.2g.
mastozoólogo s.m.
mastozoótico adj.
mastreação s.f.
mastreadura s.f.
mastreamento s.m.
mastrear v.
mastro s.m.
mastronço s.m.
mastro-real s.m.; pl. *mastros-reais*
mastruço s.m.
mastruço-da-américa s.m.; pl. *mastruços-da-américa*
mastruço-de-buenos-aires s.m.; pl. *mastruços-de-buenos-aires*
mastruço-do-brasil s.m.; pl. *mastruços-do-brasil*
mastruço-do-brejo s.m.; pl. *mastruços-do-brejo*
mastruço-do-peru s.m.; pl. *mastruços-do-peru*
mastruço-dos-rios s.m.; pl. *mastruços-dos-rios*
mastruço-hortense s.m.; pl. *mastruços-hortenses*
mastruço-ordinário s.m.; pl. *mastruços-ordinários*
mastruz s.m.
mastuca s.f.
mastucador (*ô*) s.m.
mastucar v.
mastuga s.f.
masturbação s.f.
masturbada s.f.
masturbadela s.f.
masturbado adj.
masturbador (*ô*) adj. s.m.
masturbamento s.m.
masturbante adj.2g.
masturbar v.
masturbatório adj.
masturbável adj.2g.
masturço s.m.
masturgueiro adj.
masué s.m.
masulipatão s.m.
masúrio s.m.
masutomilita s.f.
masuyíta s.f.
mata s.f. "área coberta de plantas silvestres"; cf. *matã*
matã s.f. "planta"; cf. *mata*
mata-aliancense adj. s.2g.; pl. *mata-aliancenses*
mataba adj. s.2g.
mata-baiano s.m.; pl. *mata-baianos*
matabala s.f.
mata-baleia s.m.; pl. *mata-baleias*
mata-baratas s.m.2n.
matabele adj. s.2g.
mata-bicho s.m.; pl. *mata-bichos*
mata-boi s.m.; pl. *mata-bois*
mata-borrão s.m.; pl. *mata-borrões*
mata-burro s.m.; pl. *mata-burros*
mataca s.f.
mata-cabras s.m.2n.
mata-cacau s.m.; pl. *mata-cacaus*
mata-cachorro s.m.; pl. *mata-cachorros*
mata-cães s.m.2n.
matacalado s.m.
mata-calado s.m.; pl. *mata-calados*
mata-cana s.f.; pl. *mata-canas*
matacanha s.f.
matacão s.m.
mata-cão s.m.; pl. *mata-cães*
matação s.f.
mata-cardo s.m.; pl. *mata-cardos*
mata-cardos s.m.2n.
mata-cavalo s.m.; pl. *mata-cavalos*
mataco adj. s.m.
mata-cobra s.m.; pl. *mata-cobras*
matacuena s.m.
matade s.m.
matadeira s.f.
matadeiro s.m.
matadela s.f.
matado adj.
matadoiro s.m.
matador (*ô*) adj. s.m.
mata-dourado s.m.; pl. *mata-dourados*
matadouro s.m.
matadura s.f.
mata-flores s.m.pl.
mata-fogo s.m.; pl. *mata-fogos*
mata-fome s.m.; pl. *mata-fomes*
mata-fome-branca s.m.; pl. *mata-fomes-brancas*
mata-fome-de-pernambuco s.m.; pl. *mata-fomes-de-pernambuco*
mata-formigas s.m.2n.
mata-gado s.m.; pl. *mata-gados*
matagal s.m.
mata-galego s.m.; pl. *mata-galegos*
matagalpa adj. s.2g.
matagamita s.f.
mata-gato s.m.; pl. *mata-gatos*
matagem s.f.
matagoso (*ô*) adj.; f. (*ó*); pl. (*ó*)
mata-grandense adj. s.2g.; pl. *mata-grandenses*
mataguaia adj. s.2g.
mataguaio s.m.
mataíba s.f.
mataime s.m.
mata-junta s.f.; pl. *mata-juntas*
mata-juntas s.f.2n.
matal s.m.
mata-larva s.m.; pl. *mata-larvas*
mataleca s.f.
mata-leopardos s.m.2n.
mata-lobos s.m.2n.
matalotado adj.
matalotagem s.f.
matalotar v.
matalote s.m.
matalumbô s.m.
matalzinca s.m.

mata-mata s.f.; pl. *mata-matas*
matamatá s.m.
matamatá-branco s.m.; pl. *matamatás-brancos*
matamataci s.m.
matamatá-vermelho s.m.; pl. *matamatás-vermelhos*
matamba s.f.
matambre s.m.
matambu s.m.
matâmbulo adj. s.m.
matame s.m.
mata-me-embora s.m.2n.
mata-me-embora-da-praia s.m.2n.
mata-mineiro s.m.; pl. *mata-mineiros*
matamingo s.m.
mata-moiros s.m.2n.
matamorra (*ô*) s.f.
mata-moscas adj. s.2g.2n.
mata-mosquito s.m.; pl. *mata-mosquitos*
mata-mourice s.f.; pl. *mata-mourices*
mata-mouros s.m.2n.
mataná-ariti s.m.; pl. *matanás-aritis*
matanauí adj. s.2g.
matanavi adj. s.2g.
matança s.f.
matança de oxumaré s.f.
mata-negro s.f.; pl. *mata-negros*
matanense adj. s.2g.
matanga s.f.
matante s.m.
matão adj. s.m.
mata-olho s.m.; pl. *mata-olhos*
matapa adj. s.2g. "povo"; cf. *matapá*
matapá s.m. "papa de mandioca"; cf. *matapa*
mata-paca s.f.; pl. *mata-pacas*
mata-paixão s.m.; pl. *mata-paixões*
matapajipense adj. s.2g.
mata-passo s.m.; pl. *mata-passos*
mata-pastão s.m.; pl. *mata-pastões*
mata-pasto s.m.; pl. *mata-pastos*
mata-pasto-cabeludo s.m.; pl. *mata-pastos-cabeludos*
mata-pasto-vermelho s.m.; pl. *mata-pastos-vermelhos*
mata-pau s.m.; pl. *mata-paus*
mata-pau-de-espinho s.m.; pl. *mata-paus-de-espinho*
mata-paulista s.m.; pl. *mata-paulistas*
mata-peixe s.m.; pl. *mata-peixes*
matapi s.m.
matapiense adj. s.2g.
matapim s.m.
mata-pintas s.m.2n.
mata-pinto s.m.; pl. *mata-pintos*
mata-piolho s.m.; pl. *mata-piolhos*
matapiquarense adj. s.2g.
matapi-tapuio adj. s.m.; pl. *matapi-tapuios*
mata-porco s.m.; pl. *mata-porcos*
mata-pulga s.f.; pl. *mata-pulgas*
mata-pulgas s.m.2n.
mataquim s.m.
matar v.
matara adj. s.2g. "povo"; cf. *matará* s.m. e fl. do v. *matar*
matará s.m. "batará"; cf. *matara* adj. s.2g. e fl. do v. *matar*
mataracense adj. s.2g.
matarana s.f.
matarandibense adj. s.2g.
mataranha s.f.
mataranho s.m.
matarão s.m.
mataraquense adj. s.2g.
mata-ratos adj.2g.2n. s.m.2n.
mata-redondense adj. s.2g.; pl. *mata-redondenses*
mataréu s.m.
matari s.m.
mataria s.f.
mataripense adj. s.2g.
mataripuanense adj. s.2g.
matariz adj.2g.
mata-romano adj. s.m.; pl. *mata-romanos*
mata-rosa s.f.; pl. *mata-rosas*
matarotilho s.m.
mataru s.m.
mata-sano s.m.; pl. *mata-sanos*
mata-são s.m.; pl. *mata-sãos*
mata-são-joanense adj. s.2g.; pl. *mata-são-joanenses*
mata-sapo s.m.; pl. *mata-sapos*
mata-saúva s.m.; pl. *mata-saúvas*
mata-sete s.m.; pl. *mata-setes*
mata-setense adj. s.2g.; pl. *mata-setenses*
matassa s.f.
matatarana s.f.
matataranha s.f.
matataúba s.f.
matateia (*é*) adj. s.f. de *matateu*
matateu adj. s.m.; f. *matateia* (*é*)
matau s.m.
mata-vaca s.m.; pl. *mata-vacas*
mata-vacas s.m.2n.
mata-veadense adj. s.2g.; pl. *mata-veadenses*
mata-verdense adj. s.2g.; pl. *mata-verdenses*
mata-virginense adj. s.2g.; pl. *mata-virginenses*
mata-zombando s.m.2n.
mate adj.2g. s.m.
mateada s.f.
mateado adj.
mateador (*ô*) adj. s.m.
matear v.
mateba s.f.
mate-bastardo s.m.; pl. *mates-bastardos*
matebeira s.f.
matebele adj. s.2g.
mate-chimarrão s.m.; pl. *mates-chimarrões*
mate-de-minas s.m.; pl. *mates-de-minas*
mate-do-paraguai s.m.; pl. *mates-do-paraguai*
mateense adj. s.2g.
mate-espúrio s.m.; pl. *mates-espúrios*
mate-falso s.m.; pl. *mates-falsos*
mateína s.f.
mateira s.f.
mateirense adj. s.2g.
mateiro adj. s.m. "que se dedica ao cultivo da erva-mate", etc.; cf. *mateiró*
mateiró s.m. "parte do arado"; cf. *mateiro*
matejador (*ô*) adj. s.m.
matejar v.
matemática s.f.
matematicidade s.f.
matematicismo s.m.
matematicista adj. s.2g.
matematicístico adj.
matemático adj. s.m.
matematismo s.m.
matematista adj. s.2g.
matematístico adj.
matemba s.f.
mate-me-embora s.m.2n.
matemo s.m.
matemora s.f.
matenda s.f.
matense adj. s.2g.
mateolano adj. s.m.
mateologia s.f.
mateológico adj.
mateologista adj. s.2g.
mateólogo s.m.
mateotecnia s.f.
mateotécnico adj.
mátere s.f.
matéria s.f.
material adj.2g. s.m.
materialão adj. s.m.; f. *materialona*
materialeira s.f.
materialeiro adj. s.m.
materialidade s.f.
materialismo s.m.
materialista adj. s.2g. s.m.
materialistice s.f.
materialístico adj.
materialização s.f.
materializado adj.
materializador (*ô*) adj. s.m.
materializante adj.2g.
materializar v.
materializável adj.2g.
materialona adj. s.f. de *materialão*
matéria-prima s.f.; pl. *matérias-primas*
materindinde s.m.
matério-espiritual adj.2g.; pl. *matério-espirituais*
materlandense adj. s.2g.
maternação s.f.
maternagem s.f.
maternal adj.2g.
maternalidade s.f.
maternalismo s.m.
maternalista adj. s.2g.
maternalístico adj.
maternidade s.f.
materno adj.
maternologia s.f.
matértera s.f.
matese s.f.
matesiologia s.f.
matesiológico adj.
matétamãe adj.2g. s.2g. s.m.
matetânico adj.
matete s.m. "pirão de farinha de milho"; cf. *matetê*
matetê s.m. "papa de farinha de mandioca"; cf. *matete*
matético adj.
matéu s.m.
mateucinol s.f.
mateus s.m.2n.
mateusino adj. s.m.
matêusio s.m.
mateus-lemense adj. s.2g.; pl. *mateus-lemenses*
mateus-sulino adj. s.m.; pl. *mateus-sulinos*
mateva s.f.
mathozita s.f.
mati s.m.
matia s.m.
matíaco adj. s.m.
matiaru s.m.
matias adj. s.2g.2n. s.m.
matias-barbosense adj. s.2g.; pl. *matias-barbosenses*
matias-cardosense adj. s.2g.; pl. *matias-cardosenses*
matias-olimpiense adj. s.2g.; pl. *matias-olimpienses*
maticada s.m.
matical s.m.
maticar v.
maticina s.f.
matiço s.m.
mático s.m.
mático-falso s.m.; pl. *máticos-falsos*
matidez (*ê*) s.f.
matiense adj. s.2g.
matilda s.f.
matildense adj. s.2g.
matildita s.f.
matildite s.f.
matilha s.f.
matilheiro s.m.
matilicate adj. s.2g.
matimbuíre adj. s.2g.
matimpererê s.m.
matina s.f.
matinada s.f.
matinado adj.
matinador (*ô*) adj. s.m.
matinal adj.2g.
matinar v.
matinário adj. s.m.
matinas s.f.pl.
matinca s.m.
matinçada s.f.
matinê s.f.
matineiro adj. s.m.
matinense adj. s.2g.
matinhense adj. s.2g.
matinho-de-agulhas s.m.; pl. *matinhos-de-agulhas*
matinho-de-lisboa s.m.; pl. *matinhos-de-lisboa*
matinho-de-sargo s.m.; pl. *matinhos-de-sargo*
matintapereira s.m.
matintaperera s.m.
matintinense adj. s.2g.
matinzinho s.m.
matíola s.f.
matipoense adj. s.2g.
matipombo s.m.
matipu adj. s.2g.
matipuí adj. s.2g.
matique s.m.
matira s.f.
matirão s.m.
matiri s.m.
matis adj. s.2g. "grupo indígena"; cf. *matiz*
matísia s.f.
matisíea s.f.
matista adj. s.2g.
matita adj. s.2g.
matitaperê s.m.
matiz s.m. "nuança"; cf. *matis*
matização s.f.
matizado adj. s.m.
matizador (*ô*) adj.
matizagem s.f.
matizamento s.m.
matizante adj.2g.
matizar v.
matizável adj.2g.
matlazinca s.m.
matlockita s.f.
matloquita s.f.
matloquite s.f.
mato s.m.
mato-altense adj. s.2g.; pl. *mato-altenses*
mato-branco s.m.; pl. *matos-brancos*
mato-branquense adj. s.2g.; pl. *mato-branquenses*
mato-capim s.m.; pl. *matos-capim* e *matos-capins*
mato-de-engodo s.m.; pl. *matos-de-engodo*
mato-dentrense adj. s.2g.; pl. *mato-dentrenses*
mato-de-salema s.m.; pl. *matos-de-salema*
matodi s.m.
matoense adj. s.2g.
mato-grandense adj. s.2g.; pl. *mato-grandenses*
mato-grossano adj. s.m.; pl. *mato-grossanos*
mato-grossense adj. s.2g.; pl. *mato-grossenses*
mato-grossense-do-sul adj. s.2g.; pl. *mato-grossenses-do-sul*
matoide (*ó*) adj. s.2g.
matojoquim s.m.
matola s.f.
matolão s.m.
matoleína s.f.
mato-mato s.m.; pl. *mato-matos*
mato-mau s.m.; pl. *matos-maus*
matombe s.m.
matombo s.m.
matomo s.m.
matomozumo s.m.
matona s.m.f.
matonato s.m.
matondo s.m.
matonense adj. s.2g.
matonga adj. s.2g.
matonia s.f.
matoniácea s.f.
matoniáceo adj.
matonice s.f.
matoninha s.f.
mato-novense adj. s.2g.; pl. *mato-novenses*
matope s.m.
mato-quatrense adj. s.2g.; pl. *mato-quatrenses*
matoqueimadense adj. s.2g.
matorral s.m.
matorro-negro s.m.; pl. *matorros-negros*
mato-salema s.m.; pl. *matos-salema* e *matos-salemas*
matosinheiro adj. s.m.
matoso (*ô*) adj.; f.(*ó*); pl. (*ó*)
matotuiense adj. s.2g.
mato-verdense adj. s.2g.; pl. *mato-verdenses*
mato-verdiano adj. s.2g.; pl. *mato-verdianos*
matozinheiro adj. s.m.
matozinhense adj. s.2g.
matraca s.f.
matraca da quaresma s.f.
matracão s.m.
matracar v.
matracaria s.f.
matracolejante adj.2g.
matracolejar v.
matrácula s.f.
matrafão s.m.
matrafice s.f.
matrafício s.m.
matrafona s.f.
matrafum s.m.
matrais s.f.pl.
matraíta s.f.
matral adj.2g.
matrália s.f.
matraqueação s.f.
matraqueado adj. s.m.
matraqueador (*ô*) adj. s.m.
matraqueamento s.m.
matraquear v.
matraqueiro s.m.
matraquejar v.
matraqueta s.f.
matraquilhos s.m.pl.
matraxi s.m.
matraz s.m.
matreiraço adj. s.m.
matreirar v.
matreirear v.
matreirice s.f.
matreiro adj.
mátri s.m.
mátria s.f.
matriar v.
matriarca s.f.
matriarcado s.m.
matriarcal adj.2g.
matricária s.f.
matricial adj.2g.
matricialidade s.f.
matricida adj. s.2g.
matricídio s.m.
matricita s.f.
matricite s.f.
matrícula s.f.; cf. *matricula*, fl. do v. *matricular*
matriculada s.f.
matriculado adj. s.m.
matriculando s.m.
matricular v.
matriculável adj.2g.
matrifocal adj.2g.
matrifocalidade s.f.

matrilateral adj.2g.
matrilateralidade s.f.
matrilinear adj.2g.
matrilinearidade s.f.
matrilinhagem s.f.
matrilocal adj.2g.
matrilocalidade s.f.
matrimoniado adj.
matrimonial adj.2g.
matrimonialidade s.f.
matrimoniamento s.m.
matrimoniar v.
matrimoniável adj.2g.
matrimônio s.m.; cf. *matrimonio*, fl. do v. *matrimoniar*
matrindingue s.m.
matrinxã s.2g.
matrinxaense adj. s.2g.
matrinxão s.m.
mátrio adj.
matripatrilocal adj.2g.
matripatrilocalidade s.f.
matritense adj. s.2g.
matriz adj.2g. s.f.
matrização s.f.
matrizado adj.
matrizador (*ô*) s.m.
matrizagem s.f.
matrizar v.
matriz-camarajibense adj. s.2g.; pl. *matriz-camarajibenses*
matrizeiro s.m.
matriz-gaveta s.f.; pl. *matrizes-gaveta* e *matrizes-gavetas*
matroca s.f.
matroclino adj.
matroco (*ô*) adj. s.m.
matroide (*ó*) adj. s.m.
matrona s.f.
matronaça s.f.
matronaço s.m.
matronal adj.2g.
matronaria s.f.
matronício adj.
matronimia s.f.
matronímia s.f.
matronímico adj.
matrônimo adj. s.m.
matruá adj.2g.
matrucada s.f.
matrucadela s.f.
matruca-piolhos s.m.2n.
matrucar v.
matruco s.m.
matruqueiro s.m.
matruquinho s.m.
matruz s.m.
matsé adj. s.2g.
matsiássana s.m.
matswanismo s.m.
matswanista adj. s.2g.
mattagamita s.f.
matteuccita s.f.
matthíola s.f.
mattraíta s.f.
matu s.m.
matuca s.f.
matucana s.f.
matué s.m.
matuiú adj. s.2g.
matula s.f. "corja", etc.; cf. *mátula*
mátula s.f. "rede", etc.; cf. *matula*
matulagem s.f.
matulaíta s.f.
matulão s.m.; f. *matulona*
matulaz s.m.
matulo s.m.
matulona s.f. de *matulão*
matumatá s.f.
matumbo adj. s.m.
matumbola s.2g.
matumbula adj. s.2g.
matumo adj. s.m.
matundo s.m.
matunga adj. s.2g.
matungada s.f.
matungama s.f.
matungão s.m.
matungo adj. s.m.
matupá s.m.
matupaense adj. s.2g.
matupari s.m.
matupiri s.m.
maturabilidade s.f.
maturação s.f.
maturacional adj. s.2g.
maturado adj.
maturador (*ô*) adj. s.m.
maturamento s.m.
maturante adj.2g.
maturaqué s.m.
maturaquê s.m.
maturar v.
maturase s.f.
maturativo adj.
maturauá adj. s.2g.
maturável adj.2g.
maturescência s.f.
maturescente adj.2g.
maturi s.m.
maturidade s.f.
maturim s.m.
maturina s.f.
maturo adj.
maturrangada s.f.
maturrangar v.
maturrangas s.f.pl.
maturrango adj. s.m.
maturranguear v.
maturrão s.m.
maturrengo adj. s.m.
maturrenguear v.
maturu s.m.
maturucense adj. s.2g.
maturuquense adj. s.2g.
matusalém s.m.
matusalênico adj.
matusca adj. s.2g.
matusquela adj. s.2g.
matuta s.f.
matutação s.f.
matutada s.f.
matutagem s.f.
matutalimói s.m.
matutar v.
matuti s.m.
matutice s.f.
matutina s.f.
matutinal adj.2g.
matutinário adj. s.m.
matutinense adj. s.2g.
matutino adj. s.m.
matutismo s.m.
matuto adj. s.m.
matxana s.f.
mau adj. s.m. interj.; f. *má*; cf. *maú*
maú s.m. "ave"; cf. *mau*
mauaçu s.m.
mauaense adj. s.2g.
mauaía adj. s.2g.
mauaiá adj. s.2g.
mauaiana adj. s.2g.
mauari s.m.
mauaua adj. s.2g.
maúba s.f.
maúba-amarela s.f.; pl. *maúbas-amarelas*
maúba-preta s.f.; pl. *maúbas-pretas*
maúca s.f.
maúça s.f.
mau-caráter adj. s.2g.; pl. *maus-caracteres*
mau-caratismo s.m.; pl. *maus-caratismos*
maucherita s.f.
maué adj. s.2g.
maueense adj. s.2g.
mauense adj. s.2g.
mauesense adj. s.2g.
maueza (*ê*) s.f.
maufita s.f.
mauí adj. s.2g.
mauindo s.m.
maújo s.m.
maula adj.2g. "ruim"; cf. *maúla*
maúla s.f. "corja"; cf. *maula*
mauleonita s.f.
maulieni adj. s.2g.
maúlo s.m.
maunça (*a-ún*) s.f.
maundo s.m.
mauné s.f.
maungo (*a-ún*) adj. s.m.
mau-olhado s.m. "crendice"; cf. *mal-olhado*; pl. *maus-olhados*
maupásia s.m.
maupassantiano (*mô*) adj. s.m.
maupataz s.m.
maura s.f. "peixe"; cf. *maurá*
maurá s.m. "árvore"; cf. *maura*
maurândia s.f.
maúrea s.f.
mauregato adj. s.m.
mauresco (*ê*) adj. s.m.
mauriano adj.
maurícia s.f.
mauriciano adj. s.m.
mauricíea s.f.
maurício-cardosense adj. s.2g.; pl. *maurício-cardosenses*
mauriense adj. s.2g.
maurília s.f.
maurino adj. s.m.
maurismo s.m.
maurista adj. s.2g.
mauritânia s.f.
mauritaniano adj. s.m.
mauritânio adj. s.m.
mauritano adj. s.m.
mauritiense adj. s.2g.
mauro adj. s.m.
maurolicídeo adj. s.m.
maurólico s.m.
maurrasiano (*mô*) adj. s.m.
maurrasismo (*mô*) s.m.
maurrasista (*mô*) adj. s.2g.
maurúsio adj. s.m.
máuser s.f.
mausita s.f.
mausoléu s.m.
maustrarense adj. s.2g.
maus-tratos s.m.pl.
mauveína s.f.
mau-vizinho s.m.; pl. *maus-vizinhos*
mauzão adj. s.m.; f. de *mauzona*
mauzeliita s.f.
mauzona adj. s.f. de *mauzão*
mauzote adj.2g.
mavembe s.m.
mavevé s.m.
maviá s.f. "árvore"; cf. *mávia*
mávia adj. s.2g. "tribo"; cf. *maviá*
má-vidense adj. s.2g.; pl. *má-videnses*
maviosidade s.f.
mavioso (*ô*) adj.; f. (*ó*); pl. (*ó*)
maviti adj. s.2g.
mavo s.m.
mavórcio adj.
mavorcismo s.m.
mavorcista adj. s.2g.
mavorcístico adj.
mavorte s.m.
mavórtico adj.
mavortismo s.m.
mavortista adj. s.2g.
mavortístico adj.
mavudzita s.f.
mavumbo adj. s.m.
mavuvi s.m.
mawsonita s.f.
maxacá s.m.
maxacalense adj. s.2g.
maxacali adj. s.2g.
maxacaliense adj. s.2g.
maxacará adj. s.2g.
maxacari adj. s.2g.
maxacaté adj. s.2g.
maxalalagá s.f.
maxamba s.f.
maxambeta (*ê*) s.f.
maxambomba s.f.
maxangana adj. s.2g.
maxangolo s.m.
maxapó adj. s.2g.
maxaranguapense adj. s.2g.
maxarenga s.m.
maxaxali s.m.
maxenga adj. s.2g.
maxêngua adj. s.2g.
maxenim s.f.
maxesa s.f. "pavilhão"; cf. *macheza*
maxi s.m. "língua"; cf. *máxi*
máxi adj. s.2g. "redução de máximo"; cf. *maxi*
maxibua s.f.
maxicote s.m.
maxiganga adj. s.2g.
maxígrafo (*cs*) s.m.
maxila (*cs*) s.f.
maxilar (*cs*) adj.2g. s.m.
maxilária (*cs*) s.f.
maxilaríea (*cs*) s.f.
maxilectômia (*cs*) s.f.
maxilectômico (*cs*) adj. s.m.
maxilífero (*cs*) adj.
maxiliforme (*cs*) adj.2g.
maxilípede (*cs*) s.m.
maxilípode (*cs*) s.m.
maxilite (*cs*) s.f.
maxilobulbar (*cs*) adj.2g.
maxilodental (*cs*) adj.2g.
maxilodentário (*cs*) adj.
maxilofacial (*cs*) adj.2g.
maxilofaríngeo (*cs*) adj.
maxilojugal (*cs*) adj.2g.
maxilolabial (*cs*) adj.2g.
maxilomuscular (*cs*) adj.2g.
maxilonasal (*cs*) adj.2g.
maxilonásico (*cs*) adj.
maxilonasilabial (*cs*) adj.2g.
maxilopalatal (*cs*) adj.2g.
maxilopalatino (*cs*) adj. s.m.
maxilópode (*cs*) adj.2g. s.m.
maxiloso (*cs...ô*) adj.; f (*ó*); pl. (*ó*)
maxílula (*cs*) s.f.
maxilular (*cs*) adj.2g.
maxim s.m. "faca"; cf. *machim*
máxima (*cs* ou *ss*) s.f.
maximação (*cs* ou *ss*) s.f.
maximador (*cs* ou *ss...ô*) adj.
maximal (*cs* ou *ss*) adj.2g.
maximalice (*cs* ou *ss*) s.f.
maximalidade (*cs* ou *ss*) s.f.
maximalismo (*cs* ou *ss*) s.m.
maximalista (*cs* ou *ss*) adj. s.2g.
maximalístico (*cs* ou *ss*) adj.
maximalizar (*cs* ou *ss*) v.
maximante (*cs* ou *ss*) adj.2g.
maximar (*cs* ou *ss*) v.
maximário (*cs* ou *ss*) s.m.
maximável (*cs* ou *ss*) adj.2g.
maximbo s.m.
maximbombo s.m.
máxime (*cs* ou *ss*) adv.
maximense (*cs* ou *ss*) adj. s.2g.
maximianismo (*cs* ou *ss*) s.m.
maximianista (*cs* ou *ss*) adj. s.2g.
maximianístico (*cs* ou *ss*) adj.
maximiliana (*cs* ou *ss*) s.f.
maximiliano (*cs* ou *ss*) adj.
maximiliano-almeidense adj. s.2g.; pl. *maximiliano-almeidenses*
maximita (*cs* ou *ss*) s.f.
maximite (*cs* ou *ss*) s.f.
maximização (*cs* ou *ss*) s.f.
maximizado (*cs* ou *ss*) adj.
maximizador (*cs* ou *ss...ô*) adj.
maximizante (*cs* ou *ss*) adj.2g.
maximizar (*cs* ou *ss*) v.
maximizável (*cs* ou *ss*) adj.2g.
máximo (*cs* ou *ss*) adj. s.m.
maxinga adj. s.2g.
maxinguzo s.m.
maxinje adj. s.2g.
maxira s.f.
maxirona adj. s.2g.
maxissa s.f.
maxissaia (*cs*) s.f.
maxita (*cs*) s.m.
maxite (*cs*) s.f.
maxiundo s.m.
maxivestido (*cs*) s.m.
maxixa s.f.
maxixada s.f.
maxixal s.m.
maxixante adj.2g.
maxixar v.
maxixe s.m.
maxixe-bravo s.m.; pl. *maxixes-bravos*
maxixe-do-mato s.m.; pl. *maxixes-do-mato*
maxixe-francês s.m.; pl. *maxixes-franceses*
maxixeiro adj. s.m.
maxixenho s.m.
maxixere s.m.
maxona adj. s.2g. "povo"; cf. *machona*
maxongo s.m.
maxoto s.m.
maxoxolo (*ô*) s.m.
maxuaí s.m.
maxubi adj. s.2g.
maxuculumbe adj. s.2g.
maxueira s.f.
maxumba adj. s.2g.
maxunguzo s.m.
maxuruna adj. s.2g.
maxuxeiro s.m.
maxuxo s.m.
maxwell-espira s.m.
maxwelliano (*cs...uel*) adj.
mayenita s.f.
maynardense adj. s.2g.
maynardina s.f.
maz s.m. "moeda"; cf. *mas*
maza s.f. "água potável nos rituais de candomblé"; cf. *mazá*
mazá s.m. "espécie de verme"; cf. *maza*
mázaca adj. s.2g.
mázace adj. s.2g.
mazaera s.f.
mazagaim s.m.
mazaganense adj. s.2g.
mazagania s.f.
mazagonense adj. s.2g.
mazagrã s.m.
mazama s.2g.
mazambo s.m.
mazana s.m.
mazanaria s.f.
mazandarani s.m.
mazane s.m.
mazanga adj. s.2g.
mazania s.f.
mazaniga adj. s.2g.
mazantino adj. s.m.
mazanza adj. s.2g.
mazanzar v.
mazapilita s.f.
mazapilite s.f.
mazar s.m.
mazarinada s.f.
mazarinismo s.m.
mazarinista adj. s.2g.
mazarinístico adj.
mazarize s.m.
mazarulho s.m.
mazateca adj. s.2g.
mazateque adj. s.2g.
mazeia (*é*) adj. s.f. de *mazeu*
mazela s.f.
mazelado adj.
mazelar v.
mazeleiro adj.
mazelento adj.
mazembe adj. s.m.
mazenze s.m.
mazera s.f.
mazeu adj. s.m.; f. *mazeia* (*ê*)
mazia s.f.
mazinda s.m.
mazocacótese s.f.

mazocacotético adj.
mazodinia s.f.
mazodínico adj.
mazólise s.f.
mazolítico adj.
mazombice s.f.
mazombo adj. s.m.
mazonga s.f.
mazopatia s.f.
mazopático adj.
mazopéctico adj.
mazopexia (*cs*) s.f.
mazopéxico (*cs*) adj.
mazorca s.f.
mazorqueiro adj. s.m.
mazorral adj. s.2g.
mazorrão s.m.
mazorreirão adj. s.m.
mazorreiro adj.
mazorro (*ô*) adj. s.m.
mazoviano adj. s.m.
mazurca s.f.
mazurcar v.
mazuriano adj.
mazute s.m.
mazzita s.f.
mbacaiá s.m.
mbala s.f.
mbalundu adj. s.2g.
mbambala s.f.
mbambalundu s.m.
mbaracá s.m.
mbatará s.m.
mbayá adj. s.2g.2n.
mbaze-baze s.m.
mbeta s.f.
mbiá adj. s.2g.
mbibangu s.m.
mboi s.f.
mboia (*ó*) s.f.
mbozita s.f.
mbuhi s.m.
mbuí s.m.
mbukulu s.m.
mbula-ndobi s.m.
mbundo adj. s.m.
mbuno adj. s.m.
mby adj.2g. s.m.
mbyá adj. s.2g.2n.
mccarthismo s.m.
mccarthista adj. s.2g.
mccarthístico adj.
mcconnellita s.f.
me pron.
mé s.m. "balido da cabra"; cf. *mê*
mê s.m. "nome da letra m"; cf. *mé*
meã adj. s.f. de *meão*
meaçaba s.f.
meação s.f.
meaco s.m.
mea-culpa s.m.2n.
meada s.f. "quantidade de fios de linha"; cf. *miada*
meadeira s.f.
meadeiro s.m.
meadinha de oiro s.f.
meadinha de ouro s.f.
meado adj. s.m. "meio"; cf. *miado*
meago s.m.
mealha s.f.
mealhar v. "amealhar"; cf. *mialhar*
mealharia s.f.
mealheiro adj. s.m.
mealho s.m.
meambá s.m.
meandrante adj.2g.
meandrar v.
meândrico adj.
meandriforme adj.2g.
meandrina s.f.
meândrio adj.
meandro s.m.
meandroso (*ô*) adj.; f. (*ó*); pl. (*ó*)
meano adj.
meante adj.2g. s.m.
meão adj. s.m.; f. *meã*
meapo s.m.
mear v. "partir ao meio"; cf. *miar*
meari s.m.
mearinense adj. s.2g.
mearista s.m.
meático adj.
meatite s.f.
meato s.m.
meatoscopia s.f.
meatoscópico adj.
meatotomia s.f.
meatotômico adj.
meatótomo s.m.
mebaar s.m.
mebaco s.m.
mebádi s.m.
mebalabixique s.m.
mebamba s.f.
mebambala s.f.
mebanda s.f.
mebanga s.f.
mebasitismo s.m.
mebaua s.f.
mebauene s.m.
mebendazol s.m.
mebengocre-caiapó adj. s.2g.; pl. *mebengocres-caiapós*
meberi s.m.
mebezua s.f.
mébia s.m.
mebila s.f.
mebínji s.m.
mebinze s.m.
mebombo s.m.
mebombolo (*ô*) s.m.
meboromboro s.m.
mebosa s.f.
mebota s.f.
mebou s.m.
meboua s.f.
mebuazabuaza s.f.
mebuca s.f.
mebueia (*é*) s.f.
mebufo s.m.
mebula s.f.
mebulambia s.f.
mebungu s.m.
mebunje s.m.
mebuta s.f.
mebuze s.m.
meca s.f.
mecaia s.f.
mecaju s.m.
mecala s.f.
mecambula s.f.
mecamilamina s.f.
mecamilamínico adj.
mecanal adj.2g. s.m.
mecânica s.f.
mecanicismo s.m.
mecanicista adj. s.2g.
mecanicístico adj.
mecânico adj. s.m.
mecanismo s.m.
mecanista adj. s.2g.
mecanístico adj.
mecanítis s.f.2n.
mecanização s.f.
mecanizado adj.
mecanizador (*ô*) adj. s.m.
mecanizante adj.2g.
mecanizar v.
mecanizável adj.2g.
mecanografado adj.
mecanografar v.
mecanografia s.f.
mecanográfico adj.
mecanografista adj. s.2g.
mecanógrafo s.m.
mecanograma s.m.
mecanologia s.f.
mecanológico adj.
mecanomórfico adj.
mecanomorfose s.f.
mecanoquímica s.f.
mecanoquímico adj. s.m.
mecanorrecepção s.f.
mecanorreceptividade s.f.
mecanorreceptivo adj.
mecanorreceptor (*ô*) adj.
mecanoscrito s.m.
mecanossensibilidade s.f.
mecanoterapêutica s.f.
mecanoterapêutico adj.
mecanoterapia s.f.
mecanoterápico adj.
mecanoterapista adj. s.2g.
mecanotipia s.f.
mecanótipo s.m.
mecáptero adj. s.m.
mecarati s.f.
mecas s.f.pl. "jogo"; cf. *meças*
meças s.f.pl. "medição"; cf. *mecas*
mecáspis s.f.2n.
mecate s.m.
mecatrefe s.m.
mecatrônica s.f.
mecedura s.f.
meceira s.f.
mecejanense adj. s.2g.
mecenado s.m.
mecenas s.m.2n.
mecenático adj.
mecenatismo s.m.
mecenato s.m.
mecênico adj.
meceno s.m.
mecequece s.f.
mecha s.f.; cf. *mexa* (*ê*), fl. do v. *mexer*
mechado adj.
mechagem s.f.
mechar v.
mecheiro s.m.
mechela s.f.
mechernichita s.f.
mechina s.f.
mechinga s.f.
mechoacana s.f.
mechoacão s.m.
mechoacão-do-canadá s.m.; pl. *mechoacões-do-canadá*
mechua s.f.
mécia s.f.
mecimbi s.m.
mecina s.f.
mecinho s.m.
meciníneo adj. s.m.
mecino s.m.
mecinóstomo s.m.
mecinotarso s.m.
mecistocefalia s.f.
mecistocefalídeo adj. s.m.
mecistocéfalo adj. s.m.
mecistocirro s.m.
mecistômela s.f.
mecistorrino s.m.
mecistotermo adj.
mecklenburguês adj. s.m.
meclenburgiano adj. s.m.
meclizina s.f.
mecloretamina s.f.
meclozina s.f.
meco adj. s.m.
mecócero s.m.
mecocianina s.f.
mecocolane s.m.
mecoedondo s.m.
mecografia s.f.
mecola s.f.
mecométopo s.m.
mecometria s.f.
mecométrico adj.
mecômetro s.m.
meconato s.m.
meconema s.f.
meconemíneo adj. s.m.
meconiado adj.
meconial adj.2g.
mecônico adj. s.m.
meconidina s.f.
meconídio s.m.
meconina s.f.
meconinato s.m.
meconínico adj.
mecônio s.m. "matéria viscosa eliminada pela criança"; cf. *micônio*
meconisina s.f.
meconismo s.m.
meconofagia s.f.
meconofágico adj.
meconofagismo s.m.
meconofagista s.2g.
meconófago s.m.
meconoisina s.f.
meconologia s.f.
meconológico adj.
meconólogo s.m.
meconopse s.f.
mecópode adj.2g. s.m.
mecóptero adj. s.m.
mecopteroide (*ó*) adj.2g. s.m.
mecóvia s.f.
mecranoti adj. s.2g.
mecranotire adj. s.2g.
mecru s.m.
mecrusse s.f.
mecuco s.m.
mecuia s.f.
mecumbira s.f.
mecuri s.f.
mecurre s.f.
meda adj. s.2g. "relativo a média"; cf. *meda*
meda (*ê*) s.f. "amontoado de feixes"; cf. *meda*
medalha s.f.
medalhado adj.
medalhador (*ô*) adj. s.m.
medalhão s.m.
medalhar v.
medalhário s.m.
medalheiro s.m.
medalhismo s.m.
medalhista adj. s.2g.
medalhística s.f.
medalhístico adj.
medalhonismo s.m.
medambexe s.f.
medanismo s.m.
medanista adj. s.2g.
medanístico adj.
médano s.m.
medão s.m. "grande medo"; cf. *médão*
médão s.m. "duna"; cf. *medão*
medebismo s.m.
medebista adj. s.2g.
medebístico adj.
medeclina s.f.
medeira s.f.
medeirense adj. s.2g.
medeiro s.m.
medeixes s.m.pl.
medela s.f.
mede-léguas s.m.2n.
medelim s.f.
medêmia s.f.
medense adj. s.2g.
medéola s.f.
mede-palmos s.m.2n.
medersa s.f.
medesicaste s.m.
medétero s.m.
média s.f.
média-canha s.f.; pl. *médias-canhas*
mediação s.f.
mediacional adj.2g.
mediacionalismo s.m.
mediacionalista adj. s.2g.
mediacionalístico adj.
mediado adj.
mediador (*ô*) adj. s.m.
média-índice s.f.; pl. *médias-índices*
medial adj.2g. s.f.
mediana s.f.
medianeira s.f.
medianeirense adj. s.2g.
medianeiro adj. s.m.
mediania s.f.
mediânico adj.
medianidade s.f.
medianido s.m.
medianímico adj.
medianimidade s.f.
medianismo s.m.
medianiz s.f.
medianizado adj.
medianizador (*ô*) adj. s.m.
medianizar v.
mediano adj.
mediante adj.2g. s.m.f. prep.
medião s.m.
mediar v.
mediário s.m.
mediastinal adj.2g.
mediastínico adj.
mediastinite s.f.
mediastino adj. s.m.
mediastinopericardite s.f.
mediastinoscopia s.f.
mediastinoscópico adj.
mediastinotomia s.f.
mediastinotômico adj.
mediatário adj. s.m.
mediate adj.2g.
mediatização s.f.
mediatizado adj.
mediatizador (*ô*) adj.
mediatizante adj.2g.
mediatizar v.
mediatizável adj.2g.
mediato adj.
mediator (*ô*) adj. s.m.; f. *mediatriz*
mediatriz adj. s.f. de *mediator* (*ô*)
mediável adj.2g.
medicação s.f.
medicado adj.
medicador (*ô*) adj.; f. *medicatriz*
medicagem s.f.
medicagem dos pastos s.f.
medicago s.f.
medical adj.2g.
medicamentação s.f.
medicamentado adj.
medicamentar v.
medicamento s.m.
medicamentoso (*ô*) adj.; f. (*ó*); pl. (*ó*)
medicamina s.f.
medicança s.f.
medicando adj. s.m.
medicante adj.2g.
medição s.f.
medicar v.
medicastro s.m.
medicativo adj.
medicatriz adj. f. de *medicador* (*ô*)
medicável adj.2g.
medicilandense adj. s.2g.
medicina s.f.
medicinal adj.2g.
medicinar v.
medicineiro s.m.
mediclina s.f.
mediclínio s.m.
médico adj. s.m.; cf. *medico*, fl. do v. *medicar*
médico-chefe s.m.; pl. *médicos-chefes*
médico-cirurgião s.m.; pl. *médicos-cirurgiões* e *médicos-cirurgiães*
médico-cirúrgico adj.; pl. *médico-cirúrgicos*
médico-comunal adj.2g.; pl. *médico-comunais*
médico-dentário adj.; pl. *médico-dentários*
médico-dentista adj.2g. s.m.; pl. *médico-dentistas* (como adj.) e *médicos-dentistas* (como s.m.)
médico-feiticeiro adj.; pl. *médico-feiticeiros*
médico-histórico adj.; pl. *médico-históricos*
médico-hospitalar adj.2g.; pl. *médico-hospitalares*
médico-indígena adj.2g.; pl. *médico-indígenas*
médico-legal adj.2g.; pl. *médico-legais*
médico-legista adj.2g. s.m.; pl. *médico-legistas* (como adj.) e *médicos-legistas* (como s.m.)

medicomania s.f.
medicomaníaco adj. s.m.
médico-mor s.m.; pl. *médicos-mores*
médico-operador s.m.; pl. *médico-operadores* e *médicos-operadores*
médico-psicológico adj.; pl. *médico-psicológicos*
médico-residente s.m.; pl. *médicos-residentes*
médico-social adj.; pl. *médico-sociais*
médico-veterinário s.m.; pl. *médico-veterinários* e *médicos-veterinários*
medida s.f.
medidagem s.f.
medideira s.f.
medidela s.f.
medido adj.
medidor (*ô*) adj. s.m.
medieval adj.2g.
medievalidade s.f.
medievalismo s.m.
medievalista adj. s.2g.
medievalístico adj.
medievalização s.f.
medievalizado adj.
medievalizador (*ô*) adj.
medievalizante adj. s.2g.
medievalizar v.
medievalizável adj.2g.
mediévico adj.
medievidade s.f.
medievismo s.m.
medievista adj. s.2g.
medievístico adj.
medievo adj. s.m.
medifixo (*cs*) adj.
mediídomo adj.
mediísta adj. s.2g.
medimarígrafo s.m.
medimarímetro s.m.
medimno s.m.
medina s.f.
medinal s.m.
medinense adj. s.2g.
medinila s.f.
médio adj. s.m.
médio-atlântico adj.; pl. *médio-atlânticos*
mediocarpiano adj.
mediocárpico adj.
médio-central s.m.; pl. *médios-centrais*
mediocracia s.f.
mediocrata s.2g.
mediocrático adj.
medíocre adj. s.2g. s.m.
mediocreira s.f.
mediocridade s.f.
mediocrismo s.m.
mediocrização s.f.
mediocrizado adj.
mediocrizador (*ô*) adj. s.m.
mediocrizante adj.2g.
mediocrizar v.
mediodevônico adj.
médio-direito s.m.; pl. *médios-direitos*
mediodorsal adj.2g.
mediodorso (*ô*) s.m.
médio-esquerdo s.m.; pl. *médios-esquerdos*
mediofrontal adj.2g.
medioglúteo adj. s.m.
médio-grego adj.; pl. *médio-gregos*
médio-helênico adj.; pl. *médio-helênicos*
médio-helenista s.2g.; pl. *médio-helenistas*
médio-índico adj.; pl. *médio-índicos*
mediojurássico adj.
mediolanense adj. s.2g.
médio-latinista s.2g.; pl. *médios-latinistas*
médio-latinístico adj.; pl. *médio-latinísticos*
médio-latino adj.; pl. *médio-latinos*
médio-ligeiro s.m.; pl. *médios-ligeiros*
mediolino s.m.
mediomátrico adj. s.m.
médio-mediterrâneo adj.; pl. *médio-mediterrâneos*
médio-mediterrânico adj.; pl. *médio-mediterrânicos*
medionecrose s.f.
mediônio adj. s.m.
médio-oceânico adj.; pl. *médio-oceânicos*
médio-oriental adj.; pl. *médio-orientais*
médio-pacífico adj.; pl. *médio-pacíficos*
mediopalatal adj.2g.
mediopalatino adj.
mediopalato s.m.
mediopassividade s.f.
mediopassivo adj.
médio-relevo s.m.; pl. *médios-relevos*
mediossilícico adj.
mediotarsal adj.2g.
mediotarsiano adj.
mediotársico adj.
medioterreno s.m.
mediotórax (*cs*) s.m.2n.
medioventral adj.2g.
médio-volante s.2g.; pl. *médios-volantes*
mediquense adj. s.2g.
medir v.
medismo s.m.
meditabundo adj.
meditação s.f.
meditacionense adj. s.2g.
meditado adj.
meditador (*ô*) adj. s.m.
meditante adj.2g.
meditar v.
meditativo adj.
meditável adj.2g.
mediterrânea s.f.
mediterrâneo adj. s.m.
mediterraniano adj. s.m.
mediterrânico adj.
mediterrano adj.
meditrinais s.f.pl.
meditrinal adj.2g.
médium s.2g.
mediumato (*i-u*) s.m.
mediumínico (*i-u*) adj.
mediuminidade (*i-u*) s.f.
mediunato s.m.
mediúnico adj.
mediunidade s.f.
medivalvular adj.2g.
medível adj.2g.
medjidita s.f.
medmontita s.f.
medo adj. s.m. "povo"; cf. *medo* (*ê*)
medo (*ê*) s.m. "temor"; cf. *medo*
medo-bactriano adj.; pl. *medo-bactrianos*
medo-báctrico adj.; pl. *medo-báctricos*
medocho (*ô*) s.m.
medogo (*ô*) s.m.
medoicho s.m.
medoiço s.m.
medol s.m.
médon s.m.
medonho adj. s.m.
medonto s.m.
medo-persa adj.; pl. *medo-persas*
medorreia (*é*) s.f.
medorreico (*é*) adj.
medorro (*ô*) s.m.
medoucho s.m.
medouço s.m.
medozina s.f.
medra s.f.
medrado adj.
medrança s.f.
medrançoso (*ô*) adj.; f. (*ó*); pl. (*ó*)
medrante adj.2g.
medrar v.
medrica s.2g.
medricas s.2g.2n.
medrinca s.2g.
medrincas s.2g.2n.
medrio s.m.
medronhal s.m.
medronheira s.f.
medronheiro s.m.
medronheiro-ursino s.m.; pl. *medronheiros-ursinos*
medronho adj. s.m.
medroso (*ô*) adj.; f. (*ó*); pl. (*ó*)
medroxiprogesterona (*cs*) s.f.
medruzã s.f.
medubrigense adj. s.2g.
meduíço s.m.
medula s.f.
medulado adj.
medulante adj.2g.
medular v. adj.2g.
medúlico adj.
medulina s.f.
medulino adj. s.m.
medulite s.f.
medulização s.f.
médulo adj. s.m.
meduloartrite s.f.
meduloblastoma s.m.
medulocela s.f.
medulosácea s.f.
medulosáceo adj.
meduloso (*ô*) adj.; f. (*ó*); pl. (*ó*)
meduloterapia s.f.
meduloterápico adj.
medunha s.f.
medusa s.f.
medusa-de-água-doce s.f.; pl. *medusas-de-água-doce*
medusado adj.
medusaginácea s.f.
medusagináceo adj.
meduságine s.f.
medusandrácea s.f.
medusandráceo adj.
medusandral adj.2g.
medusandrale s.f.
medusário adj.
meduseia (*é*) adj. f. de *meduseu*
medúseo adj.
meduseu adj.; f. *meduseia* (*é*)
medúsico adj.
medusídeo adj. s.m.
medusiforme adj.2g.
medusoide (*ó*) adj.2g.
meeira s.f.
meeiro adj. s.m.
meense adj. s.2g.
meerschaluminita s.f.
meésea s.f.
meeseácea s.f.
meeseáceo adj.
meeseia (*é*) s.f.
meéssia s.f.
meetinqueiro (*mi*) s.m.
mefenesina s.f.
mefinze s.f.
mefistofélico adj.
mefistofelismo s.m.
mefítico adj.
mefitino adj. s.m.
mefitismo s.m.
mefitizar v.
mefloquina s.f.
mega s.f.
megabacinete (*ê*) s.m.
megabar s.m.
megabária s.f.
megábaro adj. s.m.
megabase s.f.
megabasita s.f.
megabasite s.f.
megabexiga s.f.
megábia s.f.
megabizo s.m.
megabromite s.f.
megabuno s.m.
megabyte s.m.
megacaliose s.f.
megacariocítico adj.
megacariócito s.m.
megacefalia s.f.
megacefálico adj.
megacéfalo adj. s.m.
megácero adj. s.m.
megacíclico adj.
megaciclo s.m.
megacístico adj. s.m.
megacolo s.m.
megácrece s.f.
megácrex (*cs*) s.f.
megacurie s.m.
megaderma s.m.
megaderme s.f.
megadérmida adj.2g. s.m.
megadermídeo adj. s.m.
megadina s.m.
megadina-decímetro s.m.; pl. *megadinas-decímetros*
megadínio s.m.
megadolicocólon s.m.
megadoméstico adj. s.m.
megadonte adj.2g.
megadrilo s.m.
megadyne s.m.
megaeléctron-volt s.m.; pl. *megaeléctrons-volts*
megaelétron-volt s.m.; pl. *megaelétrons-volts*
megaerg s.m.
megaérgio s.m.
megaesôfago s.m.
megaeteriarca s.m.
megaevolução s.f.
megafanerófita s.f.
megafarad (*fá*) s.m.
megafenocristal s.m.
megafilia s.f.
megafilo adj.
megafone s.m.
megafônico adj.
megafono s.m.
megafotografia s.f.
megafotográfico adj.
megagameta s.m.
megagâmeto s.m.
megagametócito s.m.
megagametófito s.m.
megagametogênese s.f.
megágrafo s.m.
megagrife s.f.
mega-hertz s.m.2n.
megainvestidor (*ô*) s.m.
megajoule (*ju*) s.m.
megajúlio s.m.
megala adj. s.2g.
megaláctis s.m.2n.
megalandrogenesia s.f.
megalandrogenético adj.
megalanto adj.
megalantropogenesia s.f.
megalecânio s.m.
megalécito adj.
megalegoria s.f.
megalegórico adj.
megalepatia s.f.
megalepático adj.
megaleritema s.m.
megaleritemático adj.
megalésias s.f.pl.
megalésio adj.
megalesplancnia s.f.
megalesplâncnico adj.
megalesteta s.m.
megalesteto s.m.
megaléstris s.m.2n.
megaletoscópico adj.
megaletoscópio s.m.
megálico adj.
megalinha s.f.
megalino s.m.
megálio s.m.
megalismo s.m.
megalítico adj.
megálito s.m.
megalíxalo (*cs*) s.m.
megalobátraco s.m.
megaloblástico adj.
megaloblasto s.m.
megalobrícon s.m.
megalocardia s.f.
megalocardíaco adj. s.m.
megalocarpo adj.
megalocefalia s.f.
megalocefálico adj.
megalocéfalo adj.
megalocele s.f.
megalocélico adj.
megalocerco s.m.
megalócito s.m.
megalocitose s.f.
megalocórnea s.f.
megalodactilia s.f.
megalodactilismo s.m.
megalodáctilo adj. s.m.
megalodero s.m.
megalodonte s.m.
megalofone s.m.
megalofonia s.f.
megalofônico adj.
megalóforo s.m.
megaloftalmia s.f.
megaloftalmo s.m.
megalogastria s.f.
megalógnata s.f.
megalogonídio s.m.
megalógono adj.
megalografia s.f.
megalográfico adj.
megalógrafo s.m.
megalomania s.f.
megalomaníaco adj. s.m.
megalomânico adj. s.m.
megalômano adj. s.m.
megalomástoma s.m.
megalomério s.m.
megalonefria s.f.
megalônfalo s.m.
megalonicoide (*ó*) adj.2g. s.m.
megaloniquia s.f.
megaloniquídeo adj.
megalopa s.f.
megalope s.2g.
megalopia s.f.
megalópico adj.
megalopige s.f.
megalopígida adj.2g. s.m.
megalopigídeo adj. s.m.
megalopigue s.f.
megálopo s.m.
megalópode adj.2g. s.m.
megalopodia s.f.
megalopódida adj.2g. s.m.
megalopodídeo s.m.
megalópole s.f.
megalópolis s.f.2n.
megalopolitano adj. s.m.
megalóporo adj. s.m.
megaloprépia s.m.
megalóprepo s.m.
mégalops s.2g.2n.
megalopsia s.f.
megalópsico adj.
megalopsiquia s.f.
megalopsíquico adj.
megalóptero adj. s.m.
megalórnis s.2g.
megalornite s.2g.
megalosauro s.m.
megaloscopia s.f.
megaloscópico adj.
megaloscópio s.m.
megalosfera s.f.
megalosférico adj.
megalosplancnia s.f.
megalosplâncnico adj.
megalosplenia s.f.
megalosplênico adj.
megalósporo s.m.
megalossauro s.m.
megalossemo adj. s.m.
megalossomo s.m.
megalostatismo s.m.
megalosteta s.m.
megalosteto s.m.
megalostilo s.m.
megalóstomo adj.

megalótroca s.m.
megalureter s.m.
megaluro adj. s.m.
megâmero s.m.
megametro s.m.
megâmetro s.m.
megampère s.m.
meganéfria s.f.
meganeura s.f.
meganha s.m.
megantrópico adj.
megantropo (*ô*) s.m.
megaohm s.m.
megaohmímetro s.m.
megaohmômetro s.m.
megaparsec s.m.
megaparseque s.m.
megaplancto s.m.
megápode adj.2g. s.m.
megapódida adj.2g. s.m.
megapodídeo adj. s.m.
megapodiídeo adj. s.m.
megapodiíneo s.m.
megapódio s.m.
megápodo adj. s.m.
megapolar adj.2g.
megapolita adj. s.2g.
megapolitano adj. s.m.
megápora s.m.
megaprosopo adj.
megaprótalo s.m.
megáptera s.f.
megapterna s.m.
megáptero s.m.
megaqueta (*ê*) s.m.
megaquile s.f.
megaquilídeo adj. s.m.
megaquilíneo adj. s.m.
megaquiróptero s.m.
megarad s.m.
megarense adj. s.2g.
megariano adj. s.m.
megárico adj.
megário adj. s.m.
mégaro adj. s.m.
megarquídio s.m.
megarrinco s.m.
megarríneo adj. s.m.
megarrinia s.f.
megarrizo s.m.
megartro s.m.
megasaissécia s.f.
megasclera s.f.
megascleroforídeo adj. s.m.
megascoleco s.m.
megascólex (*cs*) s.m.2n.
megascólide s.m.
megascópico adj.
megascópio s.m.
megasélia s.f.
megaspira s.f.
megasplenia s.f.
megasporângio s.m.
megaspórico adj.
megaspório s.m.
megásporo adj. s.m.
megasporócito s.m.
megasporofilo s.m.
megasporogênese s.f.
megassemo adj. s.m.
megassigmoide (*ó*) adj.2g. s.m.
megassísmico adj.
megassismo s.m.
megassoma s.m.
megassomia s.m.
megassomo s.m.
megastáquia s.f.
megastaquiado adj.
megaste s.f.
megasterno s.m.
megasteta s.f.
megastilo s.m.
megástoma s.m.
megastômida adj.2g. s.m.
megastomídeo adj. s.m.
megastria s.f.
megastrutura s.f.
megatectônica s.f.
megatectônico adj.
megaterídeo adj. s.m.
megatério s.m.
megatermia s.f.
megatérmico adj.
megatermo adj. s.m.
megatipo s.m.
megatíride s.f.
megatirídeo adj. s.m.
megátiris s.f.2n.
megátoma s.f.
megatomíneo adj. s.m.
megaton s.m.
megátoo s.m.
megatripíneo adj. s.m.
megatrônio s.m.
megaureter s.m.
megavíscera s.f.
megavolt s.m.
megavoltagem s.f.
megavoltampère s.m.
megavóltio s.m.
megawatt s.m.
megawatt-hora s.m.; pl. *megawatts-hora*
megazóon s.m.
megazoósporo s.m.
megera s.f.
megérlea s.f.
megestrol s.m.
megistane adj. s.m.
megistocefalia s.f.
megistocefálico adj.
megistocéfalo adj.
megistotermo adj.
megodonto s.m.
megoftalmíneo s.m.
megoftalmo s.m.
megohm s.m.
megôhmetro s.m.
megonha s.f.
meguaia s.m.
meia s.f.
meia-água s.f.; pl. *meias-águas*
meia-águia s.f.; pl. *meias-águias*
meia-amadora s.f.; pl. *meias-amadoras*
meia-armador adj. s.m.; pl. *meias-armadores*
meia-atacante s.2g.; pl. *meias-atacantes*
meia-bicicleta s.f.; pl. *meias-bicicletas*
meia-boca s.f.; pl. *meias-bocas*
meia-bola s.f.; pl. *meias-bolas*
meia-brica s.f.; pl. *meias-bricas*
meia-calça s.f.; pl. *meias-calças*
meia-cana s.f.; pl. *meias-canas*
meia-cancha s.f.; pl. *meias-canchas*
meia-canha s.f.; pl. *meias-canhas*
meia-cara s.2g.; pl. *meias-caras*
meia-claridade s.f.; pl. *meias-claridades*
meia-coberta s.f.; pl. *meias-cobertas*
meia-colher s.m.; pl. *meias-colheres*
meia-colubrina s.f.; pl. *meias-colubrinas*
meia-coluna s.f.; pl. *meias-colunas*
meia-confecção s.f.; pl. *meias-confecções*
meia-coroa s.f.; pl. *meias-coroas*
meia-coronha s.f.; pl. *meias-coronhas*
meia-cunha s.f.; pl. *meias-cunhas*
meia-desfeita s.f.; pl. *meias-desfeitas*
meia-direita s.f. s.2g.; pl. *meias-direitas*
meia-dose s.f.; pl. *meias-doses*
meia-encadernação s.f.; pl. *meias-encadernações*
meia-entrada s.f.; pl. *meias-entradas*
meia-espessura s.f.; pl. *meias-espessuras*
meia-esquadria s.f.; pl. *meias-esquadrias*
meia-esquerda s.2g.; pl. *meias-esquerdas*
meia-estação s.f.; pl. *meias-estações*
meia-estocada s.f.; pl. *meias-estocadas*
meia-feitoria s.f.; pl. *meias-feitorias*
meia-folha s.f.; pl. *meias-folhas*
meia-forma s.f.; pl. *meias-formas*
meia-galeota s.f.; pl. *meias-galeotas*
meia-gola s.f.; pl. *meias-golas*
meiágua s.f.
meia-holanda s.f.; pl. *meias-holandas*
meia-idade s.f.; pl. *meias-idades*
meia-irmã s.f.; pl. *meias-irmãs*
meia-jota s.f.; pl. *meias-jotas*
meia-lagarta s.f.; pl. *meias-lagartas*
meia-laranja s.f.; pl. *meias-laranjas*
meia-légua s.f.; pl. *meias-léguas*
meia-libra s.f.; pl. *meias-libras*
meia-língua s.f.; pl. *meias-línguas*
meia-lisonja s.f.; pl. *meias-lisonjas*
meia-lona s.m.; pl. *meias-lonas*
meia-lua s.f.; pl. *meias-luas*
meia-lunense adj. s.2g.; pl. *meia-lunenses*
meia-luva s.f.; pl. *meias-luvas*
meia-luz s.f.; pl. *meias-luzes*
meia-madeira s.f.; pl. *meias-madeiras*
meia-manga s.f.; pl. *meias-mangas*
meia-marcha s.f.; pl. *meias-marchas*
meia-maré s.f.; pl. *meias-marés*
meia-máscara s.f.; pl. *meias-máscaras*
meia-missa s.f.; pl. *meias-missas*
meia-moeda s.f.; pl. *meias-moedas*
meia-moirisca s.f.; pl. *meias-moiriscas*
meia-morada s.f.; pl. *meias-moradas*
meia-murça s.f.; pl. *meias-murças*
meia-nau s.f.; pl. *meias-naus*
meia-negrita s.f.; pl. *meias-negritas*
meia-noite s.f.; pl. *meias-noites*
meia-noute s.f.; pl. *meias-noutes*
meião s.m.
meia-onda s.f.; pl. *meias-ondas*
meia-parede s.f.; pl. *meias-paredes*
meia-partida s.f.; pl. *meias-partidas*
meia-pataca s.f.; pl. *meias-patacas*
meia-pausa s.f.; pl. *meias-pausas*
meia-peça s.f.; pl. *meias-peças*
meia-pérola s.f.; pl. *meias-pérolas*
meia-ponta s.f.; pl. *meias-pontas*
meia-pontense adj. s.2g.; pl. *meia-pontenses*
meia-porção s.f.; pl. *meias-porções*
meia-porta s.f.; pl. *meias-portas*
meia-praça s.m.; pl. *meias-praças*
meia-puxeta s.f.; pl. *meias-puxetas*
meia-quarta s.f.; pl. *meias-quartas*
meia-rédea s.f.; pl. *meias-rédeas*
meia-rosa s.f.; pl. *meias-rosas*
meia-rotunda s.f.; pl. *meias-rotundas*
meias s.f.pl.
meia-sola s.f.; pl. *meias-solas*
meias-partidas s.f.pl.
meia-tesoura s.f.; pl. *meias-tesouras*
meia-tigela s.f.; pl. *meias-tigelas*
meia-tinta s.f.; pl. *meias-tintas*
meia-vida s.f.; pl. *meias-vidas*
meia-vira s.f.; pl. *meias-viras*
meia-volta s.f.; pl. *meias-voltas*
meia-voz s.f.; pl. *meias-vozes*
meibômia s.f.
meibomite s.f.
meidado adj.
meideji s.m.
meidique s.m.
meieiro adj. s.m.
meiéria s.m.
meiersita s.f.
meiga s.f.
meigar v.
meiglíptes s.m.2n.
meigo adj.
meigoso (*ô*) adj.; f. (*ó*); pl. (*ó*)
meiguice s.f.
meiguiceiro adj.
meijão s.f.
meijoada s.f.
meijoeira s.f.
meiju s.m.
meilha s.f.
meilharós s.m.
meimacita s.f.
meimão s.m.
meimendrina s.f.
meimendro s.m.
meimendro-branco s.m.; pl. *meimendros-brancos*
meimendro-negro s.m.; pl. *meimendros-negros*
meiminho adj. s.m.
meinaco adj. s.2g.
meinim s.m.
meio num. adj. s.m. adv.
meio-bastião s.m.; pl. *meios-bastiões*
meio-berço s.m.; pl. *meios-berços*
meio-bordo s.m.; pl. *meios-bordos*
meio-braço s.m.; pl. *meios-braços*
meio-busto s.m.; pl. *meios-bustos*
meio-caiado s.m.; pl. *meios-caiados*
meio-campista adj.2g. s.2g.; pl. *meios-campistas*
meio-campo s.m.; pl. *meios-campos*
meio-cangotilho s.m.; pl. *meios-cangotilhos*
meio-cavalo s.m.; pl. *meios-cavalos*
meio-cetim s.m.; pl. *meios-cetins*
meio-chumbo s.m.; pl. *meios-chumbos*
meiocica s.f.
meio-claro adj. s.m.; pl. *meio-claros* e *meios-claros*
meio-copeiro adj.; pl. *meio-copeiros*
meio-corpo s.m.; pl. *meios-corpos*
meio corpo de armas s.m.
meio-cortado adj.; pl. *meio-cortados*
meio-couro s.m.; pl. *meios-couros*
meio-cunho s.m.; pl. *meios-cunhos*
meio-curto s.m.; pl. *meio-curtos*
meio-dia s.m.; pl. *meios-dias*
meio-estaleiro s.m.; pl. *meios-estaleiros*
meio-feriado s.m.; pl. *meios-feriados*
meio-fino adj. s.m.; pl. *meio-finos* e *meios-finos*
meio-fio s.m.; pl. *meios-fios*
meio-frete s.m.; pl. *meios-fretes*
meio-fundo s.m.; pl. *meios-fundos*
meio-galope s.m.; pl. *meios-galopes*
meio-galopim s.m.; pl. *meios-galopins*
meiógono adj.
meio-grosso adj. s.m.; pl. *meio-grossos* e *meios-grossos*
meio-irmão s.m.; pl. *meios-irmãos*
meio-jogo s.m.; pl. *meios-jogos*
meio-largo adj.; pl. *meio-largos*
meio-luto s.m.; pl. *meios-lutos*
meio-médio adj.2g. s.m.; pl. *meio-médios* e *meios-médios*
meiomeria s.f.
meio-morto adj.; pl. *meio-mortos*
meio-mouro s.m.; pl. *meios-mouros*
meio-navio s.m.; pl. *meios-navios*
meionita s.f.
meionítico adj.
meio-norte s.m.; pl. *meios-nortes*
meio-óculo s.m.; pl. *meios-óculos*
meio-pano s.m.; pl. *meios-panos*
meio-partido adj.; pl. *meio-partidos*
meio-peixe s.m.; pl. *meios-peixes*
meio-perfil s.m.; pl. *meios-perfis*
meio-pesado adj.2g. s.m.; pl. *meio-pesados* e *meios-pesados*
meio-ponto s.m.; pl. *meios-pontos*
meio-preto adj. s.m.; pl. *meio-pretos* e *meios-pretos*
meio-quadratim s.m.; pl. *meios-quadratins*
meio-quarto s.m.; pl. *meios-quartos*
meio-quilo s.m.; pl. *meios-quilos*
meio-real s.m.; pl. *meios-reais*
meio-redondo s.m.; pl. *meios-redondos*
meio-relevo s.m.; pl. *meios-relevos*
meio-remonte s.m.; pl. *meios-remontes*
meio-revestimento s.m.; pl. *meios-revestimentos*
meio-rufo s.m.; pl. *meios-rufos*
meios s.m.pl.
meio-sangue adj. s.m.; pl. *meios-sangues*
meios-bastos s.m.pl.
meiose s.f.
meio-serviço s.m.; pl. *meios-serviços*
meios-meinhos (*e-ín*) s.m.pl.
meio-soldo s.m.; pl. *meios-soldos*
meio-sono s.m.; pl. *meios-sonos*
meio-soprano s.m.; pl. *meios-sopranos*
meiósporo s.m.
meiostêmone adj.2g.
meiostêmono adj.
meios-termos s.m.pl.
meiota s.f.
meio-tatu s.m.; pl. *meios-tatus*
meiote s.m.

meio-tempo s.m.; pl. *meios--tempos*
meio-termo s.m.; pl. *meios--termos*
meiótico adj.
meio-tijolo s.m.; pl. *meios--tijolos*
meio-tom s.m.; pl. *meios-tons*
meio-tostão s.m.; pl. *meios--tostões*
meio-vão s.m.; pl. *meios-vãos*
meio-vicente s.m.; pl. *meios--vicentes*
meio-voo s.m.; pl. *meios-voos*
meirgada s.f.
meiri s.m.
meirinhaço s.m.
meirinhado s.m.
meirinhar v.
meirinho adj. s.m.
meirinho-mor s.m.; pl. *meirinhos-mores*
meiru-de-preto s.m.; pl. *meirus-de-preto*
meisnéria s.f.
meitega s.f.
meitnério s.m.
meiuticanga s.f.
meixão s.m.
meixil s.m.
meixilho s.m.
meixnerita s.f.
meixoeira s.f.
meizinha s.f.
mejê s.m.
mejengra s.f.
mejengra-francesa s.f.; pl. *mejengras-francesas*
mejengro adj. s.m.
meji adj.
mejorona s.f.
mekhitharista adj. s.2g.
mel s.m.
mela s.f.
melação s.f.
melaceiro s.m.
melácico adj.
melaço s.m.
melaconiso s.m.
melaconita s.f.
melaconite s.f.
melacotão s.m.
melada s.f.
meladeiro s.m.
melademа s.f.
meladense adj. s.2g.
meladermia s.f.
meladérmico adj.
meladinha s.f.
meladinha-falsa s.f.; pl. *meladinhas-falsas*
meladinha-verdadeira s.f.; pl. *meladinhas-verdadeiras*
meladinhense adj. s.2g.
meladinho adj.
melado adj. s.m.
melado-caxito adj.; pl. *melados-caxitos*
melador (*ô*) s.m.
meladura s.f.
melafa s.m.
melafírico adj.
meláfiro s.m.
melafólio s.m.
melagábrico adj.
melagabro s.m.
melagastro adj.
melageiro adj.
melagem s.f.
melagento adj.
melagra s.f.
melaína s.f.
melaínico adj.
melajeiro adj.
melala s.f.
melaleuca s.f.
melaléuceo adj.
melalgia s.f.
melálgico adj.
melaloma s.m.
melalomo adj.
melambeira s.f.
melambo s.m. "árvore brasileira"; cf. *melambô*
melambô s.m. "planta de São Tomé"; cf. *melambo*
melame s.m.
mela-mela s.m.2n.
melâmico adj.
melamido s.m.
melamina s.f.
melâmio s.m.
melampirácea s.f.
melampiráceo adj.
melampirina s.f.
melampirismo s.m.
melampiro s.m.
melampo s.m.
melâmpode s.m.
melampodiina s.f.
melampódio adj. s.m.
melampreácea s.f.
melampreáceo adj.
melampsalta s.f.
melampsora s.m.
melampsorácea s.f.
melampsoráceo adj.
melampsorela s.f.
melampsorídeo adj. s.m.
melanagogo (*ô*) adj. s.m.
melananto adj.
melanargia s.f.
melanasfalto s.m.
melanáspide s.f.
melanáspis s.f.2n.
melança s.f.
melanchthoniano adj.
melancia s.f.
melancia-da-praia s.f.; pl. *melancias-da-praia*
melancia-de-cobra s.f.; pl. *melancias-de-cobra*
melancia-do-campo s.f.; pl. *melancias-do-campo*
melancial s.m.
melancieira s.f.
melancieiro s.m.
melanciense adj. s.2g.
melanciga s.f.
melâncio s.m.
melancleno adj. s.m.
melancloro s.m.
melanclorose s.f.
melanclorótico adj.
melancolia s.f.
melancólico adj.
melancolismo s.m.
melancolizado adj.
melancolizador (*ô*) adj.
melancolizante adj.2g.
melancolizar v.
melancone s.m.
melanconia s.f.
melanconiácea s.f.
melanconiáceo adj.
melanconial adj.2g.
melanconiale s.f.
melancônico adj.
melanconidácea s.f.
melanconidáceo adj.
melanconídeo adj. s.m.
melancônio s.m.
melancrânide s.f.
melancroia (*ó*) s.f.
melândria s.f.
melandriídeo adj. s.m.
melandriíneo adj. s.m.
melândrio s.m.
melânea s.f.
melanelídeo adj. s.m.
melanelita s.f.
melanelite s.f.
melanema s.m.
melanêmese s.f.
melanemético adj.
melanemia s.f.
melanêmico adj. s.m.
melanemo s.m.
melanésio adj. s.m.
melanfai s.m.
melangástreo adj.
melangeófilo adj.
melangeófita s.f.
melania s.f. "qualidade do que é escuro"; cf. *melânia*
melânia s.f. "tecido"; cf. *melania*
melânico adj.
melanictericia s.f.
melânida adj.2g. s.m.
melanídeo adj. s.m.
melanidrose s.f.
melanina s.f.
melânio adj. s.m.
melanipa s.f.
melanismo s.m.
melanita s.f.
melanite s.f.
melaniterícia s.f.
melanito s.m.
melanização s.f.
melanizado adj.
melanizador (*ô*) adj.
melanizante adj.2g.
melanizar v.
melanobátraco s.m.
melanoblasto s.m.
melanoblastoma s.m.
melanobuco s.m.
melanocalcita s.f.
melanocarcinoma s.m.
melanócaris s.f.2n.
melanocárite s.f.
melanocarpo adj.
melanocaule adj.2g.
melanocefalia s.f.
melanocefálico adj.
melanocéfalo adj.
melanocéraso s.m.
melanocerita s.f.
melanocerite s.f.
melanócero adj.
melanoceta s.m.
melanoceto s.m.
melanócito s.m.
melanócomo adj.
melanoconite s.f.
melanocórifa s.f.
melanocórifo s.m.
melanocracia s.f.
melanocrata s.2g.
melanocrático adj.
melanocroide (*ó*) adj.2g.
melanocroíta s.f.
melanocroíte s.f.
melanocroíto s.m.
melanocromoscópio s.m.
melanoderma s.m.
melanodermatite s.m.
melanoderme s.f.
melanodermia s.f.
melanodérmico adj.
melanodermo adj.
melanodisco s.m.
melanodontia s.f.
melanoêmese s.f.
melanoemético adj.
melanofícea s.f.
melanofíceo adj.
melanofila s.f.
melanofilo adj. "de folha negra"; cf. *melanófilo*
melanófilo adj. "que gosta do escuro"; cf. *melanofilo*
melanoflogita s.f.
melanoflogite s.f.
melanofloguita s.f.
melanoforia s.f.
melanofórico adj.
melanóforo adj. s.m.
melanoftalmia s.f.
melanoftálmico adj.
melanoftalmo adj. s.m.
melanogálico adj.
melanogáster s.f.
melanogênese s.f.
melanogenético adj.
melanogenia s.f.
melanogênico adj.
melanógeno s.m.
melanoglossia s.f.
melanogogo (*ô*) adj. s.m.
melanografita s.f.
melanografite s.f.
melanografito s.m.
melanogramo s.m.
melanoide (*ó*) adj.2g.
melanoleuco adj.
melanolita s.f.
melanólito s.m.
melanoma s.m.
melanoníneo adj. s.m.
melanono s.m.
melanóparo s.m.
melanopatia s.f.
melanopático adj.
melanope adj.2g.
melanoperdice s.2g.
melanopérdix (*cs*) s.2g.2n.
melanopita s.f.
melanoplacia s.f.
melanoplaquia s.f.
melanopsídio s.m.
melanóptero adj.
melanoquélia s.f.
melanoquina s.f.
melanorítico adj.
melanorito s.m.
melanorragia s.f.
melanorrágico adj.
melanorrecté s.m.
melanorreia (*é*) s.f.
melanorreico (*é*) adj.
melanose s.f.
melanoselino s.m.
melanosidade s.f.
melanospermo adj.
melanóspora s.f.
melanospóreo adj.
melanospório s.m.
melanósporo adj. s.m.
melanossarcoma s.m.
melanossiderita s.f.
melanossiderite s.f.
melanossoma s.m.
melanostibiano adj. s.m.
melanostibina s.f.
melanostigma s.m.
melanóstola s.f.
melanostomia s.f.
melanóstomo adj.
melanotalita s.f.
melanotalite s.f.
melanotequita s.f.
melanotequite s.f.
melanótico adj. s.m.
melanotíneo adj. s.m.
melanoto s.m.
melanótrico adj.
melanotróquilo s.m.
melanovanadita s.f.
melanoxanto (*cs*) adj. s.m.
melanóxilo (*cs*) adj. s.m.
melanquima s.f.
melanquimo s.m.
melantácea s.f.
melantáceo adj.
melântemo s.m.
melânteo s.m.
melantera s.f.
melantéria s.f.
melanterina s.f.
melanterita s.f.
melanterite s.f.
melanterito s.m.
melantesa (*ê*) s.f.
melantia s.f.
melantiácea s.f.
melantiáceo adj.
melântio s.m.
melantióidea s.f.
melanto s.m.
melantoide (*ó*) adj.2g. s.m.
melantonina s.f.
melanuresia s.f.
melanurético adj.
melanuria s.f.
melanúria s.f.
melanúrico adj.
melanurina s.f.
melanuro adj.
melanzela s.f.
melão s.m.
melão-americano s.m.; pl. *melões-americanos*
melão-caboclo s.m.; pl. *melões-caboclo* e *melões--caboclos*
melão-cantalupo s.m.; pl. *melões-cantalupo* e *melões--cantalupos*
melão-casca-de-carvalho s.m.; pl. *melões-casca-de--carvalho*
melão-da-índia s.m.; pl. *melões-da-índia*
melão-de-caboclo s.m.; pl. *melões-de-caboclo*
melão-de-morcego s.m.; pl. *melões-de-morcego*
melão-de-são-caetano s.m.; pl. *melões-de-são-caetano*
melão-de-soldado s.m.; pl. *melões-de-soldado*
melapeiro s.m.
mela-pinta s.f.; pl. *mela-pintas*
mela-pinto s.m.; pl. *mela--pintos*
melápio s.m.
meláptero adj.
melar v.
melariense adj. s.2g.
melarsoprol s.m.
melasicterícia s.f.
melasina s.f.
melasíneo adj. s.m.
melasma s.m.
melasmático adj.
melásmico adj.
melasmo s.m.
melasoma s.f.
melassomo s.m.
melássono adj. s.m.
melastoma s.m.
melastomácea s.f.
melastomáceo adj.
melastomastóidea s.f.
melastomatácea s.f.
melastomatáceo adj.
melástomo s.m.
melato s.m.
melatonina s.f.
melatonínico adj.
melátopo s.m.
melatrofia s.f.
melatrófico adj.
melaxanto (*cs*) adj.
melba s.f.
melca s.f.
mel-cabaú s.m.; pl. *méis--cabaús* e *meles-cabaús*
melcatrere adj. s.m.
melchior s.m.
melcochado s.m.
melcomano adj. s.m.
mel-de-anta s.m.; pl. *méis-de--anta* e *meles-de-anta*
mel de barro s.m.
mel-de-cachorro s.m.; pl. *méis-de-cachorro* e *meles-de--cachorro*
mel de engenho s.m.
meldense adj. s.2g.
mel-de-pau s.m. "abelha"; pl. *méis-de-pau* e *meles-de-pau*
mel de pau s.m. "complicação"
mel-de-sapo s.m.; pl. *méis-de--sapo* e *meles-de-sapo*
mel de tanque s.m.
meldo adj. s.m.
meldola s.f.
mel do tanque s.m.
melé s.m. "cachaça"; cf. *melê*
melê s.m. "confusão"; cf. *melé*
meleágride s.f.
meleagrídida adj.2g. s.m.
meleagridídeo adj. s.m.
meleagrina s.f.
meleagrínea s.f.
meleagro s.m.
meleca s.f.
melecar s.m.
meleças s.m.2n.

meleciano adj. s.m.
melecta s.f.
meleia s.f.
meleira s.f.
meleirense adj. s.2g.
meleiro s.m.
melela s.f.
melele s.m.
melena s.f.
melenêmese s.f.
melenemético adj.
melênico adj.
meleno s.m.
melenórnis s.2g.2n.
melenornite s.2g.
melense adj. s.2g.
melenudo adj.
méleo adj.
meles s.m.2n.
melesse adj. s.2g.
melesso adj. s.m.
meleta (*ê*) s.m.f.
melete (*ê*) s.m.
meletina s.f.
meletogenia s.f.
melez (*ê*) s.f.
melezitose s.f.
melfa s.m.
melfalam s.m.
melfo adj.
melfurado s.m.
melga s.f.
melgacense adj. s.2g.
melgaciano adj. s.m.
melgaço adj.
melga-dos-prados s.f.; pl. *melgas-dos-prados*
melgo adj. s.m.
melgotão s.m.
melgotoeiro s.m.
melgueira s.f.
melhã s.f.
melhânia s.f.
melharengo s.m.
melharouco s.m.
melharuco s.m.
melharudo adj.
melhor adj.2g. s.m. adv.
melhora s.f.
melhoração s.f.
melhorado adj.
melhorador (*ô*) adj. s.m.
melhoramento s.m.
melhorança s.f.
melhorar v.
melhorativo adj.
melhorável adj.2g.
melhoria s.f.
melhorio s.m.
melhorismo s.m.
melhorista adj. s.2g.
melhorístico adj.
mélia s.f.
meliácea s.f.
meliáceo adj.
meliana s.f.
meliano adj. s.m.
meliantácea s.f.
meliantáceo adj.
meliante s.2g.
meliântea s.f.
meliânteo adj.
meliantina s.f.
meliantínea s.f.
melianto s.m.
melibeense adj.2g.
melibeia (*é*) adj. s.f. de *melibeu*
melibeu adj. s.m.; f. *melibeia* (*é*)
melibiase s.f.
melibiose s.f.
mélica s.f.
melícea s.f.
melicérico adj.
melicéride s.f.
melicéris s.f.2n.
melicerta s.m.
melicertídeo s.m.
melícia s.f. "morcela"; cf. *milícia*
melicitose s.f.
meliclaptriíneo adj. s.m.
mélico adj.
melicoca s.f.
melicoco s.m.
melido s.m.
melieira s.f.
melieiro adj.
meliérax (*cs*) s.m.2n.
melífaga s.m.
melifágida adj.2g. s.m.
melifagídea s.f.
melifagídeo adj. s.m.
melifagínea s.f.
melífago adj. s.m.
melifânio s.m.
melifanita s.f.
melifanite s.f.
melifanito s.m.
melífero adj.
melificação s.f.
melificado adj.
melificador (*ô*) s.m.
melificante adj.
melificar v.
melificável adj.2g.
melífico adj.; cf. *melifico*, fl. do v. *melificar*
melifluentar v.
melifluidade s.f.
melifluir v.
melifluizar v.
melífluo adj.
melígeno adj.
meligete s.m.
meligeto s.m.
melignômon s.m.
meliiderma s.f.
melilita s.f.
melilítico adj.
melilito s.m.
melílito s.m.
melilotato s.m.
melilótico adj.
melilotina s.f.
meliloto (*ô*) s.m.
meliloto-amarelo s.m.; pl. *melilotos-amarelos*
meliloto-azul s.m.; pl. *melilotos-azuis*
meliloto-branco s.m.; pl. *melilotos-brancos*
melilotol s.m.
melilotosídeo adj. s.m.
melimba s.f.
melimido s.m.
melina s.f.
melindano adj. s.m.
melindrabilidade s.f.
melindrado adj.
melindrante adj.2g.
melindrar v.
melindrável adj.2g.
melindre s.m.
melindres s.m.pl.
melindrice s.f.
melindrismo s.m.
melindro s.m.
melindrosa s.f.
melindroso (*ô*) adj.; f. (*ó*); pl. (*ó*)
meline s.f.
melíneo s.m.
melingrar v.
melínia s.f.
melinita s.f.
melinite s.f.
melino adj. s.m.
melinofana s.f.
melinofânio s.m.
melinofanita s.f.
melinóptero s.m.
melinose s.f.
melinósio s.m.
melióidea s.f.
melioidose s.f.
melíola s.f.
meliorativo adj.
meliorismo s.m.
meliorista adj. s.2g.
meliorístico adj.
meliórnis s.2g.2n.
meliornite s.2g.
meliosma s.f.
melípona s.f.
meliponicultor (*ô*) adj. s.m.
meliponicultura s.f.
meliponídeo adj. s.m.
meliponíneo adj. s.m.
meliponita adj. s.m.
melique s.m.
melirídeo adj. s.m.
melirosoma s.m.
melirossoma s.m.
melirrofete s.m.
melisma s.m.
melismas s.m.pl.
melismático adj.
melissa s.f.
melissa-bastarda s.f.; pl. *melissas-bastardas*
melissato s.m.
melissense adj. s.2g.
melíssico adj.
melissínea s.f.
melissíneo adj.
melissoblapte s.m.
melissofagia s.f.
melissofágico adj.
melissófago adj.
melissofobia s.f.
melissofóbico adj.
melissófobo s.m.
melissografia s.f.
melissográfico adj.
melissógrafo s.m.
melissologia s.f.
melissológico adj.
melissologista adj. s.2g.
melissólogo s.m.
melíssono adj.
melissoterapia s.f.
melissoterápico adj.
melissugo adj.
melita s.f.
melitagra s.f.
melitano adj. s.m.
melitato s.m.
melite s.f.
meliteia (*é*) adj. s.m. de *meliteu*
melitemia s.f.
melitêmico adj.
meliteno s.m.
melitense adj. s.2g.
melitésio adj. s.m.
meliteu adj. s.m.; f. *meliteia* (*é*)
melitia s.f.
melítico adj.
melitídeo adj. s.m.
melitina s.f.
melitínea s.f.
melitíneo adj.
melito s.m.
melitococia s.f.
melitode s.m.
melitodídeo s.m.
melitófago s.m.
melitófilo adj. s.m.
melítograis s.m.2n.
melítogres s.m.2n.
melitoniano adj. s.m.
melitoptialismo s.m.
melitoptismo s.m.
melitoscópio s.m.
melitose s.f.
melitoterapia s.f.
melitoterápico adj.
melitrepto s.m.
melitriose s.f.
meliturga s.f.
meliturgia s.f.
melitúrgico adj.
meliturgo s.m.
melituria s.f.
melitúria s.f.
melitúrico adj.
melívora s.f.
melivorino adj. s.m.
melívoro adj.
melixanto (*cs*) s.m.
melkovita s.f.
melmosa s.f.
melnikovita s.f.
melo s.m.
meloa (*ô*) s.f. "fruta"; cf. *méloa*
méloa s.f. "planta"; cf. *meloa*
meloal s.m.
melobésia s.f.
melocacto s.m.
melocana s.f.
melocotão s.m.
melodia s.f. "sequência de notas"; cf. *melódia*
melódia s.f. "ocorrência indesejável"; cf. *melodia*
melodiar v.
melodia-tenor s.f.; pl. *melodias-tenor* e *melodias-tenores*
melódica s.f.
melódico adj. s.m.
melodino s.m.
melódio s.m.
melodioso (*ô*) adj.; f. (*ó*); pl. (*ó*)
melodismo s.m.
melodista adj. s.2g.
melodístico adj.
melodizabilidade s.f.
melodização s.f.
melodizado adj.
melodizador (*ô*) adj. s.m.
melodizante adj.2g.
melodizar v.
melodizável adj.2g.
melodrama s.m.
melodramão s.m.
melodramar v.
melodramático adj.
melodramatização s.f.
melodramatizado adj.
melodramatizar v.
melodramaturgia s.f.
melodramatúrgico adj.
melodramaturgo s.m.
méloe s.m.
meloeiro s.m.
meloeiro-de-são-caetano s.m.; pl. *meloeiros-de-são-caetano*
meloeiro-de-soldado s.m.; pl. *meloeiros-de-soldado*
meloeiro-maltês s.m.; pl. *meloeiros-malteses*
meloeiro-temporão s.m.; pl. *meloeiros-temporões*
melófago adj. s.m.
melofanato s.m.
melofânico adj.
melófaro s.m.
melofilia s.f.
melofílico adj.
melófilo adj. s.m.
melofisa s.m.
melofobia s.f.
melófobo adj. s.m.
melofone s.m.
melofônico adj.
melofônio s.m.
melóforo s.m.
melografia s.f.
melográfico adj.
melógrafo s.m.
melograma s.m.
melogramácea s.f.
melogramáceo adj.
melogramatácea s.f.
melogramatáceo adj.
melóideo adj. s.m.
meloíneo adj. s.m.
meloje s.m.
melolado s.m.
melólogo s.m.
melolonta s.f.
melolontídeo adj. s.m.
melolontina s.f.
melolontíneo adj. s.m.
melolontoide (*ó*) adj.2g.
melomania s.f.
melomaníaco adj. s.m.
melômano adj. s.m.
melombe s.m.
melombeanganza s.m.
melômele adj. s.m.
melomelia s.f.
melomélico adj.
melômelo s.m.
melonâncora s.f.
melonge s.m.
melongena s.m.
melonictéride s.f.
melonícteris s.f.2n.
melonídeo adj.
meloniforme adj.2g.
melonita s.f.
melonite s.f.
melonito s.m.
melonjosephita s.f.
melonoplastia s.f.
melonoplástico adj.
melopaico adj.
melope s.m.
melopeia (*é*) s.f.
melopeico (*é*) adj.
melopélia s.f.
meloplasta adj. s.2g.
meloplastia s.f.
meloplástica s.f.
meloplástico adj.
meloplasto s.m.
melopo s.m.
melopsita s.f.
melopsítaco s.m.
melopsite s.f.
melóquia s.f.
melorreostose s.f.
melosa s.f.
melosa-do-gado s.m.; pl. *melosas-do-gado*
melosal s.m.
melosalgia s.f.
meloscópico adj.
meloscópio s.m.
melose s.f.
melosense adj. s.2g.
melosidade s.f.
melosinha s.f.
melosira s.f.
meloso (*ô*) adj.; f. (*ó*); pl. (*ó*)
melosqueleto (*ê*) s.m.
melote s.m.
meloteca s.f.
melotecário adj. s.m.
melotecografia s.f.
melotecográfico adj.
meloterapeuta s.2g.
meloterapêutica s.f.
meloterapêutico adj.
meloterapia s.f.
meloterápico adj.
melotipia s.f.
melotipo s.m.
melotipografar v.
melotipografia s.f.
melotipográfico adj.
melotipógrafo s.m.
melotomia s.f.
melotômico adj.
melotragédia s.f.
melotrágico adj.
melótria s.f.
melotríea s.f.
melotriina s.f.
melótropo s.m.
melo-vianense adj. s.2g.; pl. *melo-vianenses*
melpômene s.f.
melquetrefe s.m.
melquiadense adj. s.2g.
melquisedeciano adj. s.m.
melquita adj. s.2g.
melra s.f. de *melro*
melrão s.m.
melrinho s.m.
melrinho-da-giesta s.m.; pl. *melrinhos-da-giesta*
melrinho-da-ribeira s.m.; pl. *melrinhos-da-ribeira*
melrinho-da-serra s.m.; pl. *melrinhos-da-serra*
melrinho-das-urzes s.m.; pl. *melrinhos-das-urzes*
melrinho-de-papo-vermelho s.m.; pl. *melrinhos-de-papo-vermelho*

melrinho-do-mato s.m.; pl. *melrinhos-do-mato*
melrinho-dos-pereiros s.m.; pl. *melrinhos-dos-pereiros*
melro s.m.; f. *melra* ou *mélroa*
mélroa s.f. de *melro*
melroado adj.
melro-amarelo s.m.; pl. *melros-amarelos*
melro-azul s.m.; pl. *melros--azuis*
melro-cachoeiro s.m.; pl. *melros-cachoeiro* e *melros--cachoeiros*
melro-d'angola s.m.; pl. *melros-d'angola*
melro-da-rocha s.m.; pl. *melros-da-rocha*
melro-de-água s.m.; pl. *melros-de-água*
melro-de-bico-amarelo s.m.; pl. *melros-de-bico-amarelo*
melro-de-coleira s.m.; pl. *melros-de-coleira*
melro-de-nossa-senhora s.m.; pl. *melros-de-nossa--senhora*
melro-de-papo-branco s.m.; pl. *melros-de-papo-branco*
melro-de-pescoço-amarelo s.m.; pl. *melros-de-pescoço--amarelo*
melro-do-brejo s.m.; pl. *melros-do-brejo*
melro-do-rancho s.m.; pl. *melros-do-rancho*
melro-fundeiro s.m.; pl. *melros-fundeiros*
melro-mineiro s.m.; pl. *melros-mineiros*
melro-peixeiro s.m.; pl. *melros-peixeiros*
melro-pintado s.m.; pl. *melros-pintados*
melro-pintado-do-brejo s.m.; pl. *melros-pintados-do--brejo*
melro-preto s.m.; pl. *melros--pretos*
melro-ribeirinho s.m.; pl. *melros-ribeirinhos*
mel-rosado s.m.; pl. *méis--rosados* e *meles-rosados*
melro-truqueiro s.m.; pl. *melros-truqueiros*
mélton s.m.
melubrina s.f.
melungo s.m.
melúria s.2g. s.f.
melúrico adj.
melurso s.m.
melusina s.f.
melzina s.f.
memaceno adj. s.m.
memacterião s.m.
memactérias s.f.pl.
memactério s.m.
memactérion s.m.
membé s.m.
membeca adj.2g. s.f.
membi s.m.
membiapara s.f.
membira s.f.
membitarará s.m.
membixuê s.m.
memboiaxió s.m.
membra s.f.
membrace s.f.
membrácida adj.2g. s.m.
membracídeo adj. s.m.
membrácis s.f.2n.
membracóideo adj. s.m.
membrado adj.
membrana s.f.
membranáceo adj.
membranário adj.
membranela s.f.
membrânico adj.
membranífero adj.
membranifólio adj.
membraniforme adj.2g.
membranípora s.m.
membraniporela s.m.
membraniporídeo adj. s.m.
membranocartilaginoso adj.; f. (*ó*); pl. (*ó*)
membranocoriáceo adj.
membranocórneo adj.
membranofone adj. s.m.
membranofônio adj.2g. s.m.
membranófono adj. s.m.
membranogêneo adj.
membranoide (*ó*) adj.2g.
membranologia s.f.
membranológico adj.
membranonervoso adj.; pl. (*ó*); pl. (*ó*)
membranoso (*ô*) adj.; f. (*ó*); pl. (*ó*)
membranudo adj.
membrânula s.f.
membratura s.f.
mêmbrax (*cs*) s.m.2n.
membro s.m.
membrudo adj.
membrura s.f.
membura s.f.
meme s.m. "letra hebraica"; cf. *memé*
memé s.m. "árvore"; cf. *meme*
memecilácea s.f.
memeciláceo adj.
memecílea s.f.
memecíleo adj.
memécilo s.m.
memecilóidea s.f.
memento s.m.
memi s.m.
meminho adj. s.m.
memino adj. s.m.
mêmnone adj. s.2g.
memnônia s.f.
memora s.f.
memorabilidade s.f.
memoração s.f.
memorado adj.
memorando adj. s.m.
memorândum s.m.
memorar v.
memorativo adj.
memoratório adj. s.m.
memorável adj.2g.
mêmore adj.2g.
memória s.f.; cf. *memoria*, fl. do v. *memoriar*
memorial adj.2g. s.m.
memorialismo s.m.
memorialista adj. s.2g.
memorialística s.f.
memorialístico adj.
memorião s.m.
memoriar v.
memórias s.f.pl.
memoriável adj.2g.
memoriense adj. s.2g.
memorioso (*ô*) adj.; f. (*ó*); pl. (*ó*)
memorismo s.m.
memorista adj. s.2g.
memorização s.f.
memorizado adj.
memorizador (*ô*) adj. s.m.
memorizante adj.2g.
memorizar v.
memorizável adj.2g.
memoroso (*ô*) adj.; f. (*ó*); pl. (*ó*)
memulê s.m.
mena s.f.
menabé s.m.
menacana s.f.
menacanita s.f.
menacanto s.m.
menácaro s.m.
menaccanita s.f.
menacma s.f.
menacme s.f.
mênade s.f.
menadênio s.m.
menadiona s.f.
menaftilo s.m.
menagem s.f.
menagogo (*ô*) adj. s.m.
menaica s.f.
menaliano adj.
menálio adj.
menancabo adj. s.m.
menandreia (*é*) adj. s.f. de *menandreu*
menandreu adj. s.m.; f. *menandreia* (*é*)
menandriano adj. s.m.
menândrico adj.
menanino adj. s.m.
menápico adj.
menápio adj. s.m.
menar v.
menarca s.f.
menarquia s.f.
menas s.f.2n.
menazona s.f.
menção s.f.
menchevique adj. s.2g.
mencheviquismo s.m.
mencheviquista adj. s.2g.
mencheviquístico adj.
menchevismo s.m.
menchevista adj. s.2g.
menchevístico adj.
mencionado adj.
mencionar v.
mencionável adj.2g.
mencragnotire adj. s.2g.
mencumbió s.m.
mendace adj.2g.
mendácia s.f.
mendacidade s.f.
mendacioso (*ô*) adj.; f. (*ó*); pl. (*ó*)
mendacíssimo adj. sup. de *mendaz*
mendaco s.m.
mendácula s.f.
mendáculo s.m.
mendanha s.f.
mendanhense adj. s.2g.
mendão s.m.
mendaz adj.2g.
mende s.m.
mendeleevita s.f.
mendeleievita s.f.
mendelévico adj.
mendelévio s.m.
mendelevita s.f.
mendeleyevita s.f.
mendeliana s.f.
mendelianismo s.m.
mendelianista adj. s.2g.
mendelianístico adj.
mendeliano adj.
mendelismo s.m.
mendelista adj. s.2g.
mendelístico adj.
mendelssohniano adj.
mendelssohnismo s.m.
mendelssohnista adj. s.2g.
mendelssohnístico adj.
mendelyeevita s.f.
mendenga s.m.
mendengue s.m.
mendense adj. s.2g.
menderilheiro adj.
mendesense adj. s.2g.
mendésia s.f.
mendésico adj.
mendésio adj. s.m.
mendes-pimentelense adj. s.2g.; pl. *mendes--pimentelenses*
mendete adj. s.2g.
mendi adj. s.2g.
mendicância s.f.
mendicante adj. s.2g.
mendicar v.
mendicável adj.2g.
mendicidade s.f.
mendigação s.f.
mendigado adj.
mendigador (*ô*) adj. s.m.
mendigagem s.f.
mendigante adj.2g.
mendigar v.
mendigaria s.f.
mendigável adj.2g.
mendigo s.m.
mendiguez (*ê*) s.f.
mendinho adj. s.m.
mendipita s.f.
mendipite s.f.
mendo adj. s.m.
mendobim s.m.
mendobirana s.f.
mendoca s.f.
mendocióidea s.f.
mêndola s.f.
mendoncense adj. s.2g.
mendôncia s.f.
mendonciácea s.f.
mendonciáceo adj.
mendorim s.m.
mendosa s.f.
mendoso (*ô*) adj.; f. (*ó*); pl. (*ó*)
mendosoma s.m.
mendozita s.f.
mendozite s.f.
mendraca s.f.
mendrácula s.f.
mendreira s.f.
mendreirinha s.f.
mendrugo s.m.
mendrulho s.m.
mendubi s.m.
mendubi-guaçu s.m.; pl. *mandubis-guaçus*
mendubim-de-veado s.m.; pl. *mendubins-de-veado*
mendubirana s.f.
menduí s.m.
meneação s.f.
meneado adj.
meneador (*ô*) adj. s.m.
meneamento s.m.
meneante adj.2g.
menear v.
meneável adj.2g.
meneba s.f.
menecma s.2g.
menecombió s.m.
meneguinita s.f.
meneguinite s.f.
meneia (*é*) adj. s.f. de *meneu*
meneio s.m.
menela s.f.
menelcose s.f.
menelcósico adj.
menemenebanta s.f.
menemeném s.m. adv.
menêmero s.m.
menênio adj. s.m.
menenotíneo adj. s.m.
menenoto s.m.
menente adj.2g.
menenua s.f.
menepe s.m.
menequi s.m.
menês adj. s.m.
menesa s.f.
menesto s.m.
menestra s.f.
menestrel s.m.
menestrim s.m.
meneteneri adj. s.2g.
menetenéri adj. s.2g.
meneu adj. s.m.; f. *meneia* (*é*)
menévia s.f.
menfídeo adj.
mênfio adj.
menfita adj. s.2g.
menfítede adj.2g.
menfítico adj.
menga s.f.
menga-branca s.f.; pl. *mengas-brancas*
menga-menga s.f.; pl. *menga--mengas*
menganha s.m.
mengar v.
mengita s.f.
mengo s.m.
mengue s.f.
menguenzá adj.
menha s.f.
menhir s.m.
meni s.m.
menia s.m. "língua guineo--sudanesa"; cf. *meniã*
meniã adj. s.2g. "grupo indígena"; cf. *menia*
meniano s.m.
meniantácea s.f.
meniantáceo adj.
meniante s.f.
meniantina s.f.
menianto s.m.
meniantóidea s.f.
meniantol s.m.
menicaca s.2g.
menicacas s.2g.2n.
menicóstomo s.m.
menídeo adj. s.m.
mênido adj. s.m.
menidrose s.f.
menidrótico adj.
meniém adj. s.2g.
meniengue adj.2g.
menierismo s.m.
menigrepo s.m.
menilho s.m.
menilita s.f.
menim s.m.
menina s.f.
menina-casadoira s.f.; pl. *meninas-casadoiras*
meninada s.f.
menina de cinco dedos s.f.
menina de cinco olhos s.f.
menina do olho s.f.
menina dos olhos s.f.
menina-moça s.f.; pl. *meninas-moças*
menina-mulher s.f.; pl. *meninas-mulheres*
menineiro adj.
meninez (*ê*) s.f.
meninge s.f.
meningencefálico adj.
meningencefalite s.f.
meningencefalítico adj.
meningencefalocele s.f.
meningencefalomielite s.f.
meníngeo adj.
meningeoblasto s.m.
meningeoblastoma s.m.
meningina s.f.
meningioma s.m.
meningismo s.m.
meningite s.f.
meningítico adj.
meningoblasto s.m.
meningoblastoma s.m.
meningocefalite s.f.
meningocefalítico adj.
meningocele s.f.
meningococemia s.f.
meningococêmico adj.
meningocócico adj.
meningococo s.m.
meningoencefálico adj.
meningoencefalite s.f.
meningoencefalítico adj.
meningoencefalocele s.f.
meningoencefalomielite s.f.
meningofilaz s.m.
meningogástrico adj.
meningomalacia s.f.
meningomalácico adj.
meningomielite s.f.
meningomielítico adj.
meningomielocele s.f.
meningomielorradiculite s.f.
meningopatia s.f.
meningopático adj.
meningopneumonite s.f.
meningopneumonítico adj.
meningorradicular adj.2g.
meningorradiculite s.f.
meningorradiculítico adj.
meningorragia s.f.
meningorrágico adj.
meningorreia (*é*) s.f.
meningorreico (*é*) adj.
meningose s.f.
meningospinal adj.2g.
meningospinhal adj.2g.

meningostose s.f.
meningotifo s.m.
meningúria s.f.
meninice s.f.
meninico s.m.
meninil adj.2g.
menininho-do-banhado s.m.; pl. *menininhos-do--banhado*
menino adj. s.m. "criança do sexo masculino"; cf. *meninó*
meninó s.m. "indivíduo espertalhão"; cf. *menino*
menino-prodígio s.m.; pl. *meninos-prodígio* e *meninos--prodígios*
meninório s.m.
meninota s.f.
meninote s.m.
menipeia (*é*) adj. s.f. de *menipeu*
menipeu adj. s.m.f. *menipeia* (*é*)
menir s.m.
meniscartrose s.f.
meniscartrótico adj.
meniscectomia s.f.
meniscectômico adj.
meniscite s.f.
meniscítico adj.
menisco s.m.
meniscócito s.m.
meniscoide (*ó*) adj.2g.
meniscóideo adj.
menismino adj. s.m.
menismo s.m.
menispermácea s.f.
menispermáceo adj.
menispérmea s.f.
menispérmeo adj.
menispermina s.f.
menispermínico adj.
menispermo s.m.
menispermoide (*ó*) adj.2g. s.f.
menísquese s.f.
menisquético adj.
menista adj. s.2g.
menistre s.m.
menistril s.m.
menjengra s.f.
menjengra-de-poupa s.f.; pl. *menjengras-de-poupa*
menjengra-francesa s.f.; pl. *menjengras-francesas*
menjengro s.m.
menjengro-de-poupa s.m.; pl. *menjengros-de-poupa*
menjoada s.f.
meno s.m.
menobardo adj. s.m.
menobranco s.m.
menobrânquio s.m.
menocelidose s.f.
menocelidótico adj.
menodora s.f.
menofania s.f.
menofânico adj.
menografia s.f.
menográfico adj.
menologia s.f.
menológico adj.
menológio s.m.
menologista adj. s.2g.
menólogo s.m.
menômeno s.m.
menometrorragia s.f.
menometrorrágico adj.
menomini adj. s.2g.
menonismo s.m.
menonista adj. s.2g.
menonístico adj.
menonita adj. s.2g.
menonítico adj.
menopausa s.f.
menopáusico adj.
menoplania s.f.
menoplânico adj.
menopoma s.f.
menopômida adj.2g. s.m.
menopomídeo adj. s.m.
menopomo s.m.
mênopon s.m.
menópone s.m.
menoponídeo adj. s.m.
menor adj. s.2g.
menorá s.f.
menores s.m.pl.
menoreta (*ê*) s.f.
menoridade s.f.
menorismo s.m.
menorista adj. s.2g.
menorita s.m.
menorítico adj.
menorito adj.
menorizar v.
menorragia s.f.
menorrágico adj.
menorreia (*é*) s.f.
menorreico (*é*) adj.
menos s.m. pron. adv. prep.
menoscabado adj.
menoscabador (*ô*) adj. s.m.
menoscabante adj.2g.
menoscabar v.
menoscabável adj.2g.
menoscabo s.m.
menospreçador (*ô*) adj. s.m.
menospreçamento s.m.
menospreçar v.
menospreciar v.
menospreço (*ê*) s.m.; cf. *menospreço*, fl. do v. *menospreçar*
menosprezado adj.
menosprezador (*ô*) adj. s.m.
menosprezamento s.m.
menosprezar v.
menosprezativo adj.
menosprezável adj.2g.
menosprezível adj.2g.
menosprezivo adj.
menosprezo (*ê*) s.m.; cf. *menosprezo*, fl. do v. *menosprezar*
menostasia s.f.
menostático adj. s.m.
menos-valia s.f.; pl. *menos--valias*
menotáctico adj.
menotaxia (*cs*) s.f.
menotropina s.f.
menoxenia (*cs*) s.f.
menoxênico (*cs*) adj.
mensageiria s.f.
mensageiro adj. s.m.
mensagem s.f.
mensal adj.2g.
mensalidade s.f.
mensalista adj. s.2g.
mensana s.f.
mensário adj. s.m.
menso adj.
mênsola s.f.
mensor (*ô*) adj. s.m.
mensória s.m.
mênstrico s.m.
menstruação s.f.
menstruado adj.
menstrual adj.2g.
menstruar v.
mênstruo s.m.; cf. menstruo, fl. do v. *menstruar*
mensual adj.2g. s.m.
mensualidade s.f.
mênsula s.f.
mensura s.f.
mensurabilidade s.f.
mensuração s.f.
mensurado adj.
mensurador (*ô*) adj. s.m.
mensural adj.2g.
mensuralidade s.f.
mensuralismo s.m.
mensuralista s.2g.
mensurante adj.2g.
mensurar v.
mensurável adj.2g.
menta s.f.
mentação s.f.
mentadieno s.m.
mentadienol s.m.
mentadienona s.f.
mentado adj.
mentador (*ô*) adj. s.m.
mentagra s.f.
mental adj.2g.
mentalã s.f.
mentalidade s.f.
mentalismo s.m.
mentalista adj. s.2g.
mentalístico adj.
mentalização s.f.
mentalizado adj.
mentalizador (*ô*) adj.
mentalizante adj.2g.
mentalizar v.
mentalizável adj.2g.
mentano s.m.
mentanol s.m.
mentanona s.f.
mentante adj. s.2g.
mentar v.
mentário s.m.
mentastre s.m.
mentastro s.m.
mentável adj.2g.
mente s.f.
mentecapto adj. s.m.
mentém s.m.
mentênio s.m.
menteno s.m.
mentenol s.m.
mentenona s.f.
mentes s.m.2n. adv.
mentesano adj. s.m.
mentevismo s.m.
mentição s.f.
menticida s.2g.
menticídio s.m.
mêntico adj.
mentideiro adj. s.m.
mentido adj.
mentidor (*ô*) adj. s.m.
mentigem s.f.
mentígero adj.
mentigo s.m.
mentila s.f.
mentílico adj.
mentilo s.m.
mentina s.f.
mentínea s.f.
mentíneo adj.
mentir v.
mentira s.f.
mentira-carioca s.f.; pl. *mentiras-cariocas*
mentirada s.f.
mentiradela s.f.
mentiralha s.f.
mentiralhada s.f.
mentirar v.
mentiraria s.f.
mentireiro adj. s.m.
mentireza (*ê*) s.f.
mentirinha s.f.
mentirola s.f.
mentirolar v.
mentirologia s.f.
mentirológico adj.
mentirólogo s.m.
mentiroso (*ô*) adj. s.m.; f. (*ó*); pl. (*ó*)
mentismo s.m.
mentista adj. s.2g.
mentístico adj.
mentível adj.2g.
mento s.m.
mento-faríngeo adj.; pl. *mento-faríngeos*
mentol s.m.
mentolabial adj.2g.
mentolado adj.
mentólico adj.
mentona s.f.
mentoneira s.f.
mentoniano adj.
mentoplastia s.f.
mentor (*ô*) s.m. "conselheiro"; cf. *mêntor*
mêntor adj. s.m. "povo"; cf. *mentor*
mêntore adj. s.2g.
mentorear v.
mentoxila (*cs*) s.f.
mentraste s.m.
mentrasteiro adj.
mentrasto s.m.
mentre conj.
mentres conj.
mentrusto s.m.
mentruz s.m.
mentual adj.2g.
mentuctire adj. s.2g.
mêntula s.f.
mentulagra s.f.
mêntulo s.m.
mentzélia s.f.
mentzeliácea s.f.
mentzeliáceo adj.
menucciano adj. s.m.
menura s.m.
menúria s.f.
menurídeo adj. s.m.
menuro s.m.
menuzi s.m.
menzada s.f.
menziésia s.f.
meoá s.m.
meolha s.f.
meolo (*ô*) s.m.
meoma s.f.
méone adj. s.2g.
meoniano adj. s.m.
meônida adj. s.2g.
meônio adj. s.m.
méono adj. s.m.
meota adj. s.2g.
meotes s.m.pl.
meótico adj. s.m.
mepacrina s.f.
mepafu s.m.
mepecrina s.f.
mepeke s.m.
mepenje s.m.
mepeque s.m.
mepera s.f.
meperidina s.f.
mepessene adj. s.2g.
mepete s.f.
mepeza s.f.
mepinda s.f.
mepinge s.f.
mepingo s.m.
mepiramina s.f.
mepive s.m.
mepopoca s.f.
mepori adj. s.2g.
mepossa s.f.
mepoto s.m.
meprobamato s.m.
mepunga s.f.
mepuri adj. s.2g.
mepuru adj. s.2g.
mequém adj. s.2g.
mequetrefe s.m.
mequitarista adj. s.2g.
mera s.f.
meraço adj.
meralgia s.f.
merálgico adj.
merapinima s.f.
merarca s.m.
merarita s.m.
meraró s.m.
merarquia s.f.
merárquico adj.
meráspide s.f.
meratrofia s.f.
meratrófico adj.
merca s.f.
mercaço s.m.
mercadante adj. s.2g.
mercadeiro s.m.
mercadejado adj.
mercadejador (*ô*) adj. s.m.
mercadejamento s.m.
mercadejante adj.2g.
mercadejar v.
mercadejável adj.2g.
mercadejo (*ê*) s.m.
mercadinho s.m.
mercadização s.f.
mercadizado adj.
mercadizador (*ô*) adj. s.m.
mercadizante adj.2g.
mercadizar v.
mercadizável adj.2g.
mercado adj. s.m.
mercadologia s.f.
mercadológico adj.
mercadologista adj. s.2g.
mercadólogo s.m.
mercador (*ô*) s.m.
mercadoria s.f.
merca-honra s.2g.; pl. *merca--honras*
merca-honras s.2g.2n.
mercallita s.f.
mercana s.f.
mercancia s.f.
mercanciador (*ô*) adj. s.m.
mercanciante adj.2g.
mercanciar v.
mercancido adj.
mercantão s.m.
mercante adj. s.2g.
mercantel s.m.
mercantil adj.2g.
mercantilagem s.f.
mercantilice s.f.
mercantilidade s.f.
mercantilismo s.m.
mercantilista adj. s.2g.
mercantilístico adj.
mercantilização s.f.
mercantilizado adj.
mercantilizador (*ô*) adj.
mercantilizante adj.2g.
mercantilizar v.
mercantilizável adj.2g.
mercantismo s.m.
mercantista adj. s.2g.
mercáptã s.m.
mercaptal s.m.
mercaptan s.m.
mercaptana s.f.
mercaptânico adj.
mercaptano s.m.
mercaptético adj.
mercapteto s.m.
mercaptida s.f.
mercaptido s.m.
mercaptietilamina s.f.
mercaptietilamínico adj.
mercaptol s.m.
mercaptomerina s.f.
mercaptona s.f.
mercaptonúria s.f.
mercaptopropiônico adj.
mercaptopurina s.f.
mercaptopurínico adj.
mercaptúrico adj.
mercar v. s.m.
mercaria s.f.
mercatório adj.
merca-tudo adj. s.2g.2n.
mercatura s.f.
mercava s.m.
mercável adj.2g.
merce s.f. "mercadoria"; cf. *mercê*
mercê s.f. "favor"; cf. *merce*
mercear v.
mercearia s.f.
mercedário adj. s.m.
mercedense adj. s.2g.
mercedônio adj.
merceeira s.f.
merceeiral adj.2g.
merceeirismo s.m.
merceeiro s.m.
mercenário adj. s.m.
mercenarismo s.m.
merceologia s.f.
merceológico adj.
merceologista adj. s.2g.
merceólogo s.m.
mercerização s.f.
mercerizado adj.
mercerizar v.
mercesano adj. s.m.
mercesense adj. s.2g.
merchandaria s.f.
merchante s.m.

mércia s.f.
mércio s.m.
mércola s.f.
mercolói s.m.
mercuralquilo s.m.
mercureiro s.m.
mercuresceína s.f.
mercuriação s.f.
mercuriado adj.
mercurial adj.2g. s.m.f.
mercurialina s.f.
mercuriális s.2g.2n.
mercurialismo s.m.
mercurialização s.f.
mercurializar v.
mercurial-vivaz s.f.; pl. *mercurial-vivazes*
mercuriano adj.
mercúrico adj.
mercurífero adj.
mercurificação s.f.
mercurificar v.
mercúrio s.m.
mercurioalquilo s.m.
mercuriocromo s.m.
mercúrio-do-campo s.m.; pl. *mercúrios-do-campo*
mercúrio-doce s.m.; pl. *mercúrios-doces*
mercúrio-dos-pobres s.m.; pl. *mercúrios-dos-pobres*
mercurioso (*ô*) adj.; f. (*ó*); pl. (*ó*)
mercuriotiolato s.m.
mercúrio-vegetal s.m.; pl. *mercúrios-vegetais*
mercurista adj. s.2g.
mercuroalquilo s.m.
mercuroamonita s.f.
mercurobutol s.m.
mercurocromo s.m.
mercurofeno s.m.
mercurofilina s.f.
mercurol s.m.
mercuroso (*ô*) adj.; f. (*ó*); pl. (*ó*)
mercuroterapia s.f.
mercuroterápico adj.
mercuzã s.f.
merda s.m.f. interj.
merdáceo adj.
merdal adj.2g.
merdalha s.f.
merdalhaz adj.
merdança s.f.
merdeiro adj. s.m.
merdelim adj. s.m.
merdice s.f.
merdícola adj.2g.
merdígero adj.
merdilão s.m.
merdilhão s.m.
merdilheiro s.m.
merdimbuca s.f.
merdívoro adj.
merdoso (ô) adj.; f. (*ó*); pl. (*ó*)
merecedor (*ô*) adj.
merecém s.m.
merecendengo adj.
merecendente adj.2g.
merecer v.
merecido adj.
merecimento s.m.
merejamento s.m.
merejar v.
merém s.m.
merencoria s.f.
merencório adj.
merencunda s.f.
merenda s.f.
merendal s.m.
merendar v.
merendeira s.f.
merendeiro adj. s.m.
merendera s.f.
merendérea s.f.
merendéreo adj.
merendiba s.f.
merendiba-bagre s.f.; pl. *merendibas-bagre* e *merendibas-bagres*
merendil s.m.
merendola s.f.
merendona s.f.
merenducar v.
merengada s.f.
merengado adj.
merengue s.m.
merenque s.m.
merênquima s.m.
merenquimático adj.
merenskyita s.f.
merepe s.m.
merepeiro adj.
merequém s.m.
mereré s.m. "jogo"; cf. *mererê*
mererê s.m. "peixe"; cf. *mereré*
meretricário adj.
meretricável adj.2g.
meretrice s.f.
meretriciado s.m.
meretriciar v.
meretriciato s.m.
meretricíneo adj. s.m.
meretrício adj. s.m.
meretrícula s.f.
meretriz s.f.
mereuá adj. s.2g.
merfiano adj. s.m.
merganeta (*ê*) s.f.
merganetínea s.f.
mergânser s.m.
merganso s.m.
mergentino adj. s.m.
mergínea s.f.
mergo s.m.
mérgula s.f.
mergulha s.f.
mergulhada adj.
mergulhado adj.
mergulhador (*ô*) adj. s.m.
mergulhante adj.2g.
mergulhão adj. s.m.
mergulhão-caçador s.m.; pl. *mergulhões-caçadores*
mergulhão-grande s.m.; pl. *mergulhões-grandes*
mergulhão-pequeno s.m.; pl. *mergulhões-pequenos*
mergulhãozinho s.m.
mergulhar v.
mergulhável adj.2g.
mergulheiro adj. s.m.
mergulhia s.f.
mergulho s.m.
mérgulo s.m.
meriandra s.f.
meriândrea s.f.
merianha s.f.
meriânia s.f.
meriano adj. s.m.
mericarpo s.m.
merícico adj.
mericismo s.m.
mericologia s.f.
mericológico adj.
mericologista adj. s.2g.
mericólogo s.m.
meridarca s.m.
meridarquia s.f.
méride s.f.
meridense adj. s.2g.
meridiana s.f.
meridianense adj. s.2g.
meridiano adj. s.m.
meridiano-origem s.m.; pl. *meridianos-origem* e *meridianos-origens*
meridião s.m.
merídio adj. s.m.
meridionácea s.f.
meridionáceo adj.
meridional adj. s.2g.
meridionalidade s.f.
meridionalismo s.m.
meridisco s.m.
meridogastro adj. s.m.
meridotalo s.m.
meriedria s.f.
meriédrico adj.
merifela s.f.
merim s.m.
merina adj. s.2g.
merinaque s.m.
merinate adj. s.2g.
merinde s.m.
merindiba s.f.
meringalha s.f.
meringe s.f.
meringectomia s.f.
meringectômico adj.
meringiano adj.
meringite s.f.
meringocentese s.f.
meringocentésico adj.
meringodermatite s.f.
meringomicose s.f.
meringomicósico adj.
meringotomia s.f.
meringotômico adj.
meringue s.m.
merínida adj. s.2g.
merino adj. s.m.
merinó adj. s.m.
merió s.m.
merioba s.f.
meríones s.m.2n.
meripólito s.m.
meriquinoide (*ó*) adj.2g.
meriquipo s.m.
meririqueira s.f.
merirumanense adj. s.2g.
merisma s.m.
merismático adj.
merismopedia s.f.
merismopedínea s.f.
merista s.f.
meristela s.f.
meristelo s.m.
meristema s.m.
meristemático adj.
meristêmone adj.2g. s.m.
meristêmono adj. s.m.
merístico adj.
meristo s.m.
meristogenético adj.
merital s.m.
meritalo s.m.
meritérico adj.
meritério s.m.
meriterioide (*ó*) adj.2g. s.m.
meriti s.m.
meritiense adj. s.2g.
meritíssimo adj. sup. de *mérito*
mérito adj. s.m.
meritocracia s.f.
meritocrata adj. s.2g.
meritocrático adj.
meritório adj.
meritoso (*ô*) adj.; f. (*ó*); pl. (*ó*)
merizocótilo s.m.
merlango s.m.
merlante s.m.
merlão s.m.
merleta s.f.
merlim s.m.
merlinoíta s.f.
merlo adj. s.m.
merlúcio s.m.
merluza s.f.
merma s.f.
mermar v.
mermessio adj. s.m.
mérmis s.f.2n.
mermite s.f.
mermítida adj.2g. s.m.
mermitídeo adj. s.m.
mérmnada adj. s.2g.
mero adj. s.m.
meroblástico adj.
meroblasto s.m.
merobrigense adj. s.2g.
meroça s.f.
merocele s.f.
merocélico adj.
merocianina s.f.
merócito s.m.
merocoríneo adj. s.m.
merocrina s.f.
merocrinia s.f.
merócrino adj.
merodeiro s.m.
meródio s.m.
mérodon s.m.
merodonte s.m.
méroe s.f.
meroedria s.f.
meroédrico adj.
meroeno adj. s.m.
merofisia s.f.
merogamia s.f.
merogástrula s.f.
merogênese s.f.
merogonia s.f.
merogônico adj.
meroíta adj. s.2g.
meroitano adj. s.m.
meroítico adj. s.m.
merolho (*ô*) adj.
merologia s.f.
merológico adj.
meromelia s.f.
meromiário adj.
meromíctico adj.
meromiosina s.f.
meromixe (*cs*) s.f.
meromórfico adj.
meromorfose s.f.
merona s.f.
meroncídio s.m.
merongo s.m.
meronímia s.f.
meronímia s.f.
merônimo s.m.
merope s.2g.
merópida adj.2g. s.m.
meropídeo adj. s.m.
meroplancto s.m.
meroplâncton s.m.
meroplanctônico adj.
meropodito s.m.
meropódito s.m.
meropógon s.m.
mero-preto s.m.; pl. *meros-pretos*
mérops s.2g.2n.
meroquineno s.m.
meroscelizo s.m.
merospermia s.f.
merossoma s.m.
meróstaque s.f.
merostênico adj.
merostomáceo adj. s.m.
merostomado adj. s.m.
merostômeo adj. s.m.
meróstomo s.m.
merote s.m.
merotomia s.f.
merotômico adj.
merotropia s.f.
merotrópico adj.
merouco s.m. "centeio"; cf. *merouço*
merouço s.m. "excremento"; cf. *merouco*
merovingiano adj.
merovíngio adj. s.m.
meróxena (*cs*) s.f.
meroxênio (*cs*) s.m.
meróxeno (*cs*) s.m.
merozoário adj. s.m.
merozoíta s.f.
merozoíto s.m.
merreca s.f.
merrêmia s.f.
merrequeiro s.m.
merrihueíta s.f.
merrillita s.f.
merrine adj. s.2g.
merro s.m.
merrumi s.f.
merruntó s.m.
mersalil s.m.
mertênsia s.f.
mertensíida adj.2g. s.m.
mertensiídeo adj. s.m.
mertieíta s.f.
mertiolate s.m.
mertiolato s.m.
mertolengo adj. s.m.
mertolense adj. s.2g.
mertolino adj. s.m.
meru s.m.
merua s.f. "rubiácea"; cf. *meruá* e *mérua*
meruá s.f. "variante de merua"; cf. *merua* e *mérua*
mérua s.f. "planta da família das caparidáceas"; cf. *merua* e *meruá*
meruanha s.f.
merucá s.m.
meruçoca s.f.
merufaíno adj. s.m.
merufo s.m.
merugem s.f.
meruí s.m.
meruim s.m.
meruja s.f.
merujar v.
merujinha s.f.
merujo s.m.
mérula s.f.
meruláxis (*cs*) s.m.2n.
merulíea s.f.
merulíneo adj.
merunhana s.f.
merúlio s.m.
merumita s.f.
merungo adj.
merunhanha s.f.
merunhar v.
meruocano adj. s.m.
meruocense adj. s.2g.
meruoquense adj. s.2g.
meruquiá s.f.
merurana s.f.
meruxinga s.f.
merwinita s.f.
mês s.m.
mesa adj.2g. s.f.
mesabita s.f.
mesacmeia (*é*) s.f.
mesaconato s.m.
mesacônico adj.
mesada s.f.
mesa de cabeceira s.f.
mesadênia s.f.
mesádeno s.m.
mesa de rendas s.f.
mesa do aiucá s.f.
mesagebe adj. s.2g.
mesagra s.f.
mesália s.m.
mesamão adj. s.m.
mesameboide (*ó*) adj.2g.
mesâmone adj. s.2g.
mesâncula s.f.
mesânculo s.m.
mesanga s.f.
mesangial adj.2g.
mesângio s.m.
mesango s.m.
mesa-ninho s.f.; pl. *mesas-ninho* e *mesas-ninhos*
mesântemo s.m.
mesão s.m.f.
mesão-friense adj. s.2g.; pl. *mesão-frienses*
mesaortite s.f.
mesaortítico adj.
mesapêndice s.m.
mesápio adj. s.m.
mesaraico adj.
mesarco adj.
mesa-redonda s.f.; pl. *mesas-redondas*
mesário s.m.
mesartéria s.f.
mesartério s.m.
mesarterite s.f.
mesarterítico adj.
mesasanga s.f.
mesa-tenista adj. s.2g.; pl. *mesa-tenistas*
mesa-tenístico adj.; pl. *mesa-tenísticos*
mesaticefalia s.f.
mesaticefálico adj.
mesaticéfalo adj. s.m.
mesaticercia s.f.
mesaticércico adj.
mesatipelia s.m.
mesatipélico adj.

mesatíscela s.f.
mesatiscelia s.f.
mesatiscélico adj.
mesatísquela s.f.
mesatisquelia s.f.
mesatisquélico adj.
mesatocefalia s.f.
mesatocefálico adj.
mesatocéfalo adj. s.m.
mesatocercia s.f.
mesatocércico adj.
mesatopelia s.f.
mesatopélico adj.
mesatóscela s.f.
mesatoscelia s.f.
mesatoscélico adj.
mesaula s.f.
mesaulo s.m.
mesaxônico (*cs*) adj.
mesaxônio (*cs*) s.m.
mescabado adj.
mescabar v.
mescal s.m.
mescalina s.f.
mescalismo s.m.
mescambilha s.f.
mescambilheiro adj. s.m.
mescão s.m.
mescar v.
méscia s.f.
mescla s.f.
mesclado adj.
mesclador (*ô*) s.m.
mesclar v.
mês de maio s.m.
mês de Maria s.m.
mesectodermo s.m.
meselo adj.
mesembríaco adj. s.m.
mesembriantemácea s.f.
mesembriantemáceo adj.
mesembriantêmea s.f.
mesembriantêmeo adj.
mesembriântemo s.m.
mesembriantérea s.f.
mesembriantério adj.
mesencefalia s.f.
mesencefálico adj.
mesencefalite s.f.
mesencéfalo s.m.
mesendoderma s.m.
mesenha s.f.
mesênquima s.m.
mesenquimal adj.2g.
mesenquimático adj.
mesenquimatoso (*ô*) adj.; f. (*ó*); pl. (*ó*)
mesenquimoma s.m.
mesenquitreu s.m.
mesenterectomia s.f.
mesenterectômico adj. s.m.
mesentérico adj.
mesentério s.m.
mesenteriopexia (*cs*) s.f.
mesenteriorrafia s.f.
mesenteriorráfico adj.
mesenterite s.f.
mesenterítico adj.
mesenteroplicação s.f.
mesentoderme s.f.
mesentodérmico adj.
mesepidídimo s.m.
meseta (*ê*) s.f.
mesetila s.f.
mesetílico adj.
mesetilo s.m.
mési s.f.
mesial adj.2g.
mesiate adj. s.2g.
mesicerol s.m.
mésico adj.
mesidina s.f.
mesídio s.m.
mesileocecal s.m.
mesinga s.f.
mesinha s.f. "mesa pequena"; cf. *mezinha*
mesinha de cabeceira s.f.
mésio adj. s.m.
mesistologia s.f.
mesistológico adj.
mesites s.m.2n.
mesítico adj.
mesitídea s.f.
mesitilênico adj.
mesitileno s.m.
mesitilo s.m.
mesitina s.f.
mesitita s.f.
mesitol s.m.
mesitornitídeo adj. s.m.
mesmeidade s.f.
mesmeriano adj. s.m.
mesmérico adj.
mesmerismo s.m.
mesmerista adj. s.2g.
mesmerístico adj.
mesmerização s.f.
mesmerizado adj.
mesmerizador (*ô*) adj. s.m.
mesmerizante adj.2g.
mesmerizar v.
mesmerizável adj.2g.
mesmeromania s.f.
mesmeromaníaco adj. s.m.
mesmerômano s.m.
mesmice s.f.
mesmidade s.f.
mesmíssimo adj. sup. de *mesmo*
mesmo (*ê*) adj. s.m. pron. adv.
mesnada s.f.
mesnadaria s.f.
mesnadeiro s.m.
mesnado s.m.
meso adj. s.m.
mesoamericanismo s.m.
mesoamericanista adj. s.2g.
mesoamericanístico adj.
mesoamericano adj. s.m.
mesoaortite s.f.
mesoapêndice s.m.
mesoário s.m.
mesobdela s.m.
mesobêntico adj.
mesobento s.m.
mesobentos s.m.2n.
mesoblastese s.f.
mesoblástico adj.
mesoblasto s.m.
mesobótria s.f.
mesobrânquio adj.
mesocardia s.f.
mesocárdico s.m.
mesocárdio s.m.
mesocarpácea s.f.
mesocarpáceo adj.
mesocarpal adj.2g.
mesocárpea s.f.
mesocarpial adj.2g.
mesocarpiano adj.
mesocárpico adj.
mesocárpio s.m.
mesocarpo s.m.
mesocáulia s.m.
mesoceânico adj.
mesoceco s.m.
mesocécum s.m.
mesocefalia s.f.
mesocefálico adj.
mesocefalite s.f.
mesocefalítico adj.
mesocéfalo adj. s.m.
mesocela s.f.
mesocélico adj.
mesocélopo s.m.
mesocelópode s.m.
mesocêntrico adj.
mesocestóideo adj. s.m.
mesocitose s.f.
mesocládio adj.
mesoclasto adj.
mesoclima s.m.
mesóclino adj.
mesóclise s.f.
mesoclítico adj.
mesocólico adj.
mesocolo s.m.
mesocólon s.m.
mesocolopexia (*cs*) s.f.
mesocondríaco adj.
mesoconquia s.f.
mesocônquio adj.
mesocoracoide (*ó*) adj.2g. s.m.
mesocordilheira s.f.
mesocordilheirano adj. s.m.
mesocótilo adj. s.m.
mesocoxa (*ô*) s.f.
mesocra s.m.
mesocracia s.f.
mesocrânio s.m.
mesocrata s.2g.
mesocrático adj.
mesócrino adj.
mesocuneiforme adj.2g.
mesocúrtico adj.
mesocurtose s.f.
mesodasite s.m.
mesoderma s.m.
mesoderme s.f.
mesodérmico adj.
mesodesmídeo adj. s.m.
mesodesmo s.m.
mesodevoniano adj.
mesodialita s.f.
mesodiastólico adj.
mesodínio s.m.
mesodiscal adj.2g.
mesodo s.m.
mesodonte adj.2g.
mesodontia s.f.
mesodôntico adj.
mesoepidídimo s.m.
mesofalange s.f.
mesofalangeal adj.2g.
mesofalângico adj.
mesofanerófita s.f.
mesofanerófito s.m.
mesófase s.f.
mesofásico adj.
mesofauna s.f.
mesofílaco s.m.
mesófilax (*cs*) s.m.
mesofilia s.f.
mesofílico adj.
mesofilo adj. s.m. "de folhas médias"; cf. *mesófilo*
mesófilo adj. "que prefere meio ambiente médio"; cf. *mesofilo*
mesófita s.f.
mesofítico adj.
mesofitmo adj.
mesófito s.m.
mesoflebite s.f.
mesofleu s.m.
mesofragma s.m.
mesofragmático adj.
mesófrio s.m.
mesogamia s.f.
mesogâmico adj.
mesogástrico adj.
mesogástrio s.m.
mesogastro s.m.
mesogastrópode adj.2g. s.m.
mesogeia (*é*) s.f.
mesogênico adj.
mesógine s.f.
mesogleácea s.f.
mesogleáceo adj.
mesogleia (*é*) s.f.
mesoglosso adj.
mesógnata adj.2g.
mesognátio s.m.
mesognatismo s.m.
mesógnato adj.
mesogodo (*ô*) adj. s.m.
mesogonídio s.m.
mesogonímico adj.
mesogótico adj.
meso-habitat s.m.
mesoide (*ó*) s.f.
mesóidea s.f.
mesóideo adj.
mesoileocecal s.m.
mesoinositol s.m.
mesoípo s.m.
mesoistologia s.f.
mesoistológico adj.
mesojurássico adj.
mesolábio s.m.
mesolecânio s.m.
mesolecítico adj.
mesolécito adj. s.m.
mesolema s.m.
mesolina s.f.
mesolita s.f.
mesolite s.f.
mesolítico adj. s.m.
mesólito s.m.
mesolobar adj.2g.
mesolobo s.m.
mesólobo s.m.
mesolóbulo s.m.
mesologarítmico adj.
mesologaritmo s.m.
mesologia s.f.
mesológico adj.
mesologista adj. s.2g.
mesólogo s.m.
mesômacro adj.
mesomeria s.f.
mesoméria s.f.
mesomérico adj.
mesomerismo s.m.
mesômero s.m.
mesometasternal adj.2g.
mesometatarsiano adj.
mesometatársico adj.
mesometatarso s.m.
mesometeorítico adj.
mesometeorito s.m.
mesométrio s.m.
mesometrite s.f.
mesometrítico adj.
mesômetro s.m.
mesomicroclínio s.f.
mesômio s.m.
mésomis s.m.2n.
mesomístide s.f.
mesomorfia s.f.
mesomórfico adj.
mesomorfismo s.m.
mesomorfístico adj.
mesomorfo adj. s.m.
mesomorfose s.f.
méson s.m.
mesonauta s.m.
mesonéfrico adj.
mesonefro s.m.
mesônefro s.m.
mesonefroma s.m.
mesoneiro s.m.
mesonemertino adj. s.m.
mesoneurectomia s.f.
mesoneurectômico adj.
mesoneurite s.f.
mesoneurítico adj.
mesonevrite s.f.
mesonevrítico adj.
mesônfalo s.m.
mesônico adj.
mesonicoide (*ó*) adj.2g. s.m.
mesônio s.m.
mesoniquídeo adj. s.m.
mesonômico adj.
mesonoto s.m.
mesopálio s.m.
mesopausa s.f.
mesope s.m.
mesopelágico adj.
mesopenia s.f.
mesopênico adj.
mesopentecostes s.m.2n.
mesopertita s.f.
mesopétala s.f.
mesopico s.m.
mesopiésmico adj.
mesopiteco s.m.
mesoplâncto s.m.
mesoplâncton s.m.
mesoplasto s.m.
mesóplodon s.m.
mesoplodonte s.m.
mesópode s.m.
mesopodial adj.2g.
mesopódio adj. s.m.
mesópodo s.m.
mesopôntico adj.
mesóporo s.m.
mesopotâmia s.f.
mesopotâmico adj. s.m.
mesopotâmio adj. s.m.
mesopríon s.m.
mesoprionídeo adj. s.m.
mesoprosopia s.f.
mesoprosópico adj.
mesoprosópio s.m.
mesoprosopo adj. s.m.
mesops s.m.2n.
mesopse s.f.
mesópsida adj.
mesoquílio s.m.
mesoreia (*é*) s.f.
mesori s.m.
mesoroptro s.m.
mesórquio s.m.
mesorrecto s.m.
mesorregião s.f.
mesorregional adj.2g.
mesorreométrico adj.
mesorreômetro s.m.
mesorreto s.m.
mesorrine adj.2g. s.m.
mesorrinia s.f.
mesorrínico adj.
mesorrínio adj. s.m.
mesorrino adj. s.m.
mesosa s.f.
mesóscafo s.m.
mesoscápula s.f.
mesóscele s.f.
mesoscelia s.f.
mesoscélico adj.
mesoscolópaco s.m.
mesoscolópax (*cs*) s.m.2n.
mesoscópico adj.
mesosfera s.f.
mesosférico adj.
mesosperma s.m.
mesospinídio s.m.
mesossalpinge s.f.
mesossalpíngeo adj.
mesossálpinx (*cs*) s.f.
mesossapróbico adj.
mesossapróbio adj.
mesossapróﬁta s.f.
mesossauro s.m.
mesossemo adj.
mesossiderito s.m.f.
mesossístole s.f.
mesossistólico adj.
mesossoma s.m.
mesossomático adj.
mesossômico adj.
mesossomo s.m.
mesóstase s.f.
mesostasia s.f.
mesostático adj.
mesostélico adj. s.m.
mesosteno s.m.
mesosternal adj.2g. s.m.
mesosterno s.m.
mesóstico adj.
mesostigmado adj. s.m.
mesostilia s.f.
mesostílico adj.
mesostilo adj.
mesostômida adj.2g. s.m.
mesostomídeo adj. s.m.
mesóstomo s.m.
mesotâmnio s.m.
mesotarsiano adj.
mesotársico adj.
mesotarso s.m.
mesotártrico adj.
mesotélio s.m.
mesotelioma s.m.
mesotenar s.m.
mesotendão s.m.
mesoteniácea s.f.
mesoteniáceo adj.
mesotério s.m.
mesotermal adj.2g.
mesotermia s.f.
mesotérmico adj.
mesotermitídeo adj. s.m.
mesotermo adj.
mesotermófilo adj.
mesotimolita adj. s.2g.
mesotipia s.f.
mesotípio s.m.
mesotipo adj. s.m.
mesótipo adj. s.m.

mesotomia s.f.
mesotômico adj.
mésoton s.m.
mesotorácico adj.
mesotórax (*cs*) s.m.2n.
mesotórico adj.
mesotório s.m.
mesotriásico adj.
mesotriássico adj.
mesotriático adj.
mesótroco adj.
mésotron s.m.
mesovariano adj.
mesovárico adj.
mesovário s.m.
mesovélia s.f.
mesovelíida adj.2g. s.m.
mesovelíideo adj. s.m.
mesoxalato (*cs*) s.m.
mesoxálico (*cs*) adj.
mesoxalilureia (*cs...é*) s.f.
mesozeugma s.m.
mesozoário adj. s.m.
mesozoico (*ó*) adj. s.m.
mesozona s.f.
mesozonal adj.2g.
mespília s.m.
mespiliforme adj.2g.
méspilo s.m.
mesquindade s.f.
mesquinhado adj.
mesquinhador (*ô*) adj. s.m.
mesquinhar v.
mesquinharia s.f.
mesquinhez (*ê*) s.f.
mesquinheza (*ê*) s.f.
mesquinhice s.f.
mesquinho adj. s.m.
mesquino s.m.
mesquita s.f.
mesquitelita s.f.
mesquitense adj. s.2g.
messábata adj. s.2g.
messaliano adj. s.m.
messalina s.f.
messalínico adj.
messanda s.f.
messanense adj. s.2g.
messápio adj. s.m.
messar v.
messassa s.f.
messe s.f.
messecosse s.f.
messefo s.m.
messegeiro s.m.
messelita s.f.
messelite s.f.
messênio adj. s.m.
messiádego s.m.
messiado s.m.
messiânico adj.
messianidade s.f.
messianismo s.m.
messianista adj. s.2g.
messianístico adj.
messianizar v.
messianopolitano adj. s.m.
messias s.m.2n.
messícola adj.2g.
messidor (*ô*) s.m.
messiense adj. s.2g.
messinense adj. s.2g.
messingita s.f.
messingite s.f.
messor (*ô*) s.f.
messório adj.
méssu s.f.
mesta s.f.
mesteiral s.m.
mesteireiro s.m.
mesteiroso (*ô*) adj.; f. (*ó*); pl. (*ó*)
mestenho adj.
mester s.m.
mestiçado adj.
mestiçador (*ô*) adj. s.m.
mestiçagem s.f.
mestiçamento s.m.
mestiçante adj.2g.
mestiçar v.
mestiçável adj.2g.
mesticização s.f.
mesticizar v.
mestiço adj. s.m.
mestização s.f.
mesto adj.
mestoma s.m.
mestra adj. s.f. de *mestre*
mestraça s.f.
mestraço s.m.
mestrado s.m.
mestral adj.2g.
mestrança s.f.
mestrando s.m.
mestranol s.m.
mestrão s.m.; f. *mestrona*
mestre adj. s.m.; f. *mestra*
mestreado adj.
mestreando adj. s.m.
mestrear v.
mestre-caetanense adj. s.2g.; pl. *mestre-caetanenses*
mestre-cantor s.m.; pl. *mestres-cantores*
mestre-china s.m.; pl. *mestres-chinas*
mestre-cirurgião s.m.; pl. *mestres-cirurgiões*
mestre-cuca s.m.; pl. *mestres-cucas*
mestre-cuco s.m.; pl. *mestres-cucos*
mestre-curandeiro s.m.; pl. *mestres-curandeiros*
mestre-d'armas s.m.; pl. *mestres-d'armas*
mestre de açúcar s.m.
mestre de armas s.m.
mestre de campo s.m.
mestre de capela s.m.
mestre de cerimônias s.m.
mestre de dança s.m.
mestre de ensino s.m.
mestre de obras s.m.
mestre de toadas s.m.
mestre do cu sujo s.m.
mestre-domingos s.m.; pl. *mestres-domingos*
mestre-empada s.m.; pl. *mestres-empada* e *mestres-empadas*
mestre-escama s.m.; pl. *mestres-escama* e *mestres-escamas*
mestre-escola s.m.; pl. *mestres-escola* e *mestres-escolas*
mestre-escolado s.m.; pl. *mestres-escolados*
mestre-impressor s.m.; pl. *mestres-impressores*
mestre-sala s.m.; pl. *mestres-salas*
mestres-cantores s.m.pl.
mestre-terreiro s.m.; pl. *mestres-terreiro* e *mestres-terreiros*
mestre-vinagre s.m.; pl. *mestres-vinagre* e *mestres-vinagres*
mestria s.f.
mestrinço s.m.
mestrioso (*ô*) adj.; f. (*ó*); pl. (*ó*)
mestrona s.f. de *mestrão*
mestronço s.m.
mestrunço s.m.
mésua s.f.
mesura s.f.
mesuração s.f.
mesurado adj.
mesurar v.
mesurático adj.
mesureiro adj.
mesurento adj.
mesurice s.f.
mesusu s.f.
mesviniano adj. s.m.
meta s.f.; cf. *meta* (*ê*), fl. do v. *meter*
metaankoleíta s.f.
meta-arteríola s.f.
metabarbital s.m.
metabase s.f.
metábase s.f.
metabásico adj.
metabentonita s.f.
metabiase s.f.
metabiologia s.f.
metabiológico adj.
metabiologista adj. s.2g.
metabiólogo s.m.
metabiose s.f.
metabiótico adj.
metabissulfítico adj.
metabissulfito s.m.
metablástula s.f.
metableto s.m.
metábole s.f.
metabolelogia s.f.
metabolelógico adj.
metabolelogista adj. s.2g.
metabolélogo s.m.
metabolia s.f.
metabólico adj.
metabolímetro s.m.
metabolina s.f.
metabolismo s.m.
metabolístico adj.
metabolítico adj.
metabólito s.m.
metabolização s.f.
metabolizado adj.
metabolizador (*ô*) adj.
metabolizante adj.2g.
metabolizar v.
metabolizável adj.2g.
metábolo adj. s.m.
metabologia s.f.
metabológico adj.
metabologista adj. s.2g.
metabolologia s.f.
metabolológico adj.
metabolologista adj. s.2g.
metabolólogo s.m.
metabolometria s.f.
metabolométrico adj.
metabolômetro s.m.
metabórico adj.
metaborita s.f.
metaboro s.m.
metacalciouranoíta s.f.
metacantária s.f.
metacantíneo adj. s.m.
metacanto s.m.
metacarpal adj.2g. s.m.
metacarpial adj.2g. s.m.
metacarpiano adj.
metacárpico adj.
metacarpo s.m.
metacarpodigital adj.2g.
metacarpofalangiano adj.
metacarpofalângico adj.
metacartografia s.f.
metacartográfico adj.
metacartógrafo adj. s.m.
metacartograma s.m.
metacaulinita s.f.
metacaulinítico adj.
metacela s.f.
metacélico adj.
metacelo s.m.
metacelulose s.f.
metacêntrico adj.
metacentro s.m.
metacercária s.f.
metacestodo s.m.
metacético adj.
metacetilo s.m.
metacetona s.f.
metacetônico adj.
metacinabarita s.f.
metacinabarite s.f.
metacinabre s.m.
metacinábrio s.f.
metacinabrita s.f.
metacinese s.f.
metacinesia s.f.
metacinésico adj.
metacineta s.m.
metacinético adj.
metacismo s.m.
metacístide s.f.
metacístis s.f.2n.
metaclamídea s.f.
metaclamídeo adj.
metaclonose s.f.
metaclorita s.f.
metaclorite s.f.
metacloroplasia s.f.
metacloroplásico adj.
metacomunicabilidade s.f.
metacomunicação s.f.
metacomunicado adj.
metacomunicador (*ô*) adj. s.m.
metacomunicante adj. s.2g.
metacomunicar v.
metacomunicatividade s.f.
metacomunicativo adj.
metacomunicável adj.2g.
metacôndilo s.m.
metacone s.m.
metaconglomeração s.f.
metaconglomerado adj. s.m.
metaconglomerador (*ô*) adj.
metaconglomerante adj.2g.
metaconglomerar v.
metaconglomerável adj.2g.
metacono adj.
metaconoide (*ó*) adj.2g. s.f.
metacontraste s.m.
metacônulo s.m.
metacoracoide (*ó*) s.f.
metacorese s.f.
metacormo s.m.
metacrase s.f.
metacresol s.m.
metacrilato s.m.
metacrílico adj. s.m.
metacrino s.m.
metacristal s.m.
metacrítica s.f.
metacrítico adj. s.m.
metacromasia s.f.
metacromático adj.
metacromatismo s.m.
metacromia s.f.
metacrômico adj.
metacrômio s.m.
metacromo s.m.
metacronia s.f.
metacrônico adj.
metacronismo s.m.
metacrose s.f.
metacróstis s.f.2n.
metadásites s.f.2n.
metadasitete s.f.
metade s.f.
metadiabásico adj.
metadiabásio s.m.
metadina s.m.
metadona s.f.
metadono s.m.
metadrilo s.m.
metadrômio s.m.
metaemoglobina s.f.
metaemoglobinemia s.f.
metaemoglobinêmico adj.
metaemoglobínico adj.
metaemoglobinúria s.f.
metaescoleco s.m.
metaestabilidade s.f.
metaestável adj.2g.
metaesterno s.m.
metaestro s.m.
metaética s.f.
metaético adj.
metafalange s.f.
metafalangeal adj.2g.
metafalângico adj.
metáfase s.f.
metafásico adj.
metafenilamina s.f.
metafenilamínico adj.
metafenilenodiamina s.m.
metafeno s.m.
metaferia s.f.
metafila s.f.
metafilosofia s.f.
metafilosófico adj.
metafilósofo s.m.
metáfise s.f.
metafísica s.f.; cf. *metafisica*, fl. do v. *metafisicar*
metafisicar v.
metafisicismo s.m.
metafisicista adj. s.2g.
metafisicístico adj.
metafísico adj. s.m.
metafisicomania s.f.
metafisicômano adj. s.m.
metafisismo s.m.
metáfita s.f.
metafítico adj.
metáfito s.m.
metafloema s.m.
metafloemático adj.
metafonia s.f.
metafônico adj.
metáfora s.f.
metaforear v.
metaforético adj.
metafórico adj.
metaforismo s.m.
metaforista adj. s.2g.
metaforístico adj.
metaforização s.f.
metaforizado adj.
metaforizador (*ô*) adj. s.m.
metaforizante adj.2g.
metaforizar v.
metaforizável adj.2g.
metafosfato s.m.
metafosfórico adj.
metafósforo s.m.
metafragma s.m.
metafragmático adj.
metáfrase s.f.
metafrasta s.2g.
metafrástico adj.
metagaisi s.m.
metagaláctico adj.
metagalato s.m.
metagaláxia (*cs*) s.f.
metagálico adj.
metagástrica s.f.
metagástrico adj.
metagástrula s.f.
metagênese s.f.
metagenésico adj.
metagenético adj.
metageometria s.f.
metageométrico adj.
metagítnias s.f.pl.
metagítnio s.m.
metaglobinúria s.f.
metaglossia s.f.
metagmico adj.
metagnomia s.f.
metagnômico adj.
metagnomo adj. s.m.
metagnosia s.f.
metagoge s.f.
metagônimo s.m.
metagonistilo s.m.
metagonita adj. s.2g.
metagrafar v.
metagrafia s.f.
metagráfico adj.
metagrama s.m.
metagrauvaca s.f.
meta-haiweeíta s.f.; pl. *meta-haiweeítas*
meta-halloysita s.f.; pl. *meta-halloysitas*
meta-heinrichita s.f.; pl. *meta-heinrichitas*
meta-hemoglobina s.f.; pl. *meta-hemoglobinas*
meta-hemoglobinemia s.f.; pl. *meta-hemoglobinemias*
meta-hemoglobinêmico adj.; pl. *meta-hemoglobinêmicos*
meta-hemoglobínico adj.; pl. *meta-hemoglobínicos*
meta-hemoglobinúria s.f.; pl. *meta-hemoglobinúrias*
meta-hewettita s.f.; pl. *meta-hewettitas*
meta-histórico adj.; pl. *meta-históricos*
meta-hohmannita s.f.; pl. *meta-hohmannitas*
metais s.f.pl.
metaistórico adj.

metajarlita s.f.
metajennita s.f.
metajurídico adj.
metakahlerita s.f.
metakirchheimerita s.f.
metal s.m.
metalagem s.f.
metal-branco s.m.; pl. *metais-brancos*
metalbumina s.f.
metalcarbonila s.m.
metalcetila s.m.
metaldeíde s.f.
metaldeído s.m.
metalécito adj.
metalegal adj.2g.
metalei s.f.
metaleiro s.m.
metalepse s.f.
metalepsia s.f.
metaléptico adj.
metalescência s.f.
metalescente adj.2g.
metalético adj.
metália s.m.
metalicidade s.f.
metálico adj. s.m.
metalífero adj.
metalificação s.f.
metalificado adj.
metalificar v.
metalificável adj.
metaliforme adj.2g.
metalímneo adj.
metalimnético adj.
metalímnio s.m.
metalina s.f.
metalinense adj. s.2g.
metalíngua s.f.
metalinguagem s.f.
metalinguismo (*ü*) s.m.
metalinguista (*ü*) adj. s.2g.
metalinguística (*ü*) s.f.
metalinguístico (*ü*) adj.
metalino adj.
metalismo s.m.
metalista adj. s.2g.
metalístico adj.
metalita s.f.
metalites s.m.2n.
metalização s.f.
metalizado adj.
metalizador (*ô*) adj.
metalizante adj.2g.
metalizar v.
metalizável adj.2g.
metalobranqueadura s.f.
metalocerâmica s.f.
metalocromia s.f.
metalocrômico adj.
metalocromista adj. s.2g.
metalodevita s.f.
metaloenzima s.f.
metaloenzímico adj.
metalófido s.m.
metalófo s.m.
metalofobia s.f.
metalofóbico adj.
metalófobo adj. s.m.
metalofone s.m.
metalogênese s.f.
metalogenético adj.
metalogenia s.f.
metalogênico adj.
metalogia s.f.
metalógica s.f.
metalógico adj. s.m.
metalogista adj. s.2g.
metálogo s.m.
metalografia s.f.
metalográfico adj.
metalografítico adj.
metalógrafo s.m.
metalogravura s.f.
metaloide (*ó*) adj.2g. s.m.
metalóidico adj.
metalologia s.f.
metalológico adj.
metalologista adj. s.2g.
metalólogo s.m.
metalomecânico adj.
metalomonossovita s.f.
metalonimia s.f.
metalonímia s.f.
metalonímico adj.
metalônimo s.m.
metalonquidite s.f.
metaloparita s.f.
metaloplastia s.f.
metaloplástico adj.
metaloprotease s.f.
metaloproteína s.f.
metaloproteínico adj.
metaloquímica s.f.
metaloquímico adj.
metalorgânico adj.
metalorradiografia s.f.
metalorradiográfico adj.
metaloscopia s.f.
metaloscópico adj.
metalosfera s.f.
metalóstica s.f.
metalostíquia s.f.
metaloterapia s.f.
metaloterápico adj.
metalotermia s.f.
metalotérmico adj.
metaltenaz s.m.
metal-tipo s.m.; pl. *metais-tipo*
metaluminita s.f.
metalunogênio s.m.
metalura s.m.
metalurgia s.f.
metalúrgica s.f.
metalúrgico adj. s.m.
metalurgista adj. s.2g.
metalurínea s.f.
metamagnético adj.
metamagnetismo s.m.
metamandana s.f.
metamásio s.m.
metamatemática s.f.
metamatemático adj. s.m.
metamba s.f.
metambara s.f.
metambote s.m.
metameria s.f.
metamérico adj.
metamerídio s.m.
metamerismo s.m.
metamerização s.f.
metamerizado adj.
metamerizar v.
metâmero adj. s.m.
metamesolita s.f.
metamicto s.m.
metamielócito s.m.
metamilênio s.m.
metamiloplasia s.f.
metamiloplásico adj.
metamono s.m.
metamoral adj.2g. s.f.
metamórfico adj.
metamorfismo s.m.
metamorfístico adj.
metamorfização s.f.
metamorfizado adj.
metamorfizador (*ô*) adj.
metamorfizante adj.2g.
metamorfizar v.
metamorfizável adj.2g.
metamorfoma s.m.
metamorfopse s.f.
metamorfopsia s.f.
metamorfóptico adj.
metamorfose s.f.
metamorfoseada s.f.
metamorfoseado adj.
metamorfoseador (*ô*) adj. s.m.
metamorfoseante adj.2g.
metamorfosear v.
metamorfósico adj.
metamurmanita s.f.
metana s.f.
metanação s.f.
metanal s.m.
metanálico adj.
metanálise s.f.
metanalítico adj.
metandria s.f.
metane s.m.
metanéfrico adj.
metanefrina s.f.
metanefro s.m.
metânefro s.m.
metaneia (*é*) s.f.
metanemertino adj. s.m.
metanético adj.
metaneto (*ê*) s.m.
metanfetamina s.f.
metanfetamínico adj.
metânico adj.
metanicotina s.f.
metanilato s.m.
metanílico adj.
metanímico adj.
metânio s.m.
metaniobático adj.
metaniobato s.m.
metano s.m.
metanoético adj.
metanoia (*ó*) s.f.
metanoico (*ó*) s.m.
metanoide (*ó*) adj.2g. s.m.
metanol s.m.
metanólico adj.
metanólise s.f.
metanolítico adj.
metanometria s.f.
metanométrico adj.
metanômetro s.m.
metanovacekita s.f.
metantese s.f.
metantético adj.
metantocianoplasia s.f.
metantocianoplásico adj.
metanúcleo s.m.
metapectato s.m.
metapéctico adj.
metapectina s.f.
metapeptona s.f.
metápio s.m.
metápion s.m.
metáplase s.f.
metaplasia s.f.
metaplásico adj.
metaplasma s.m.
metaplasmático adj.
metaplasmo s.m.
metaplástico adj.
metapleura s.f.
metapleural adj.2g.
metapnêustico s.m.
metapódio s.m.
metapófise s.f.
metapolítica s.f.
metapolítico adj.
metapoliticologia s.f.
metapoliticológico adj.
metapontino adj. s.m.
metapsicologia s.f.
metapsicológico adj.
metapsicólogo s.m.
metapsicose s.f.
metapsicótico adj.
metapsíquica s.f.
metapsíquico adj.
metapsiquismo s.m.
metapsiquista adj. s.2g.
metapterígio s.m.
metaptose s.f.
metaquímica s.f.
metaquímico adj.
metaquiro s.m.
metara s.f.
metarenítico adj.
metarenito s.m.
metargo s.m.
metárgon s.m.
metargônio s.m.
metarrodopsina s.f.
metarrossita s.f.
metarteríola s.f.
metaschoderita s.f.
metaschoepita s.f.
metascoleco s.m.
metascólex (*cs*) s.m.
metasericita s.f.
metasfondília s.f.
metásia s.f.
metasitismo s.m.
metaspérmica s.f.
metassedimentação s.f.
metassedimentado adj.
metassedimentador (*ô*) adj.
metassedimentante adj.2g.
metassedimentar v. adj.2g.
metassedimentário adj.
metassedimentável adj.2g.
metassedimento s.m.
metassemia s.f.
metassêmico adj.
metassemiologia s.f.
metassemiológico adj.
metassemiólogo s.m.
metassepto s.m.
metassequoia (*ó*) s.f.
metassericita s.f.
metassideronatrita s.f.
metassilicático adj.
metassilicato s.m.
metassimpsonita s.f.
metassíncrise s.f.
metassincrítico adj. s.m.
metassíndese s.f.
metassindético adj.
metassociologia s.f.
metassociológico adj.
metassoma s.m.
metassomático adj.
metassomatismo s.m.
metassomatístico adj.
metassomatose s.f.
metassômico adj.
metassomo s.m.
metassutura s.f.
metastabilidade s.f.
metastação s.f.
metastânico adj.
metastante adj.2g.
metastar v.
metástase s.f.
metastasiano adj.
metastático adj.
metastável adj.2g.
metastelma s.f.
metastênico adj.
metasternal adj.2g.
metasterno s.m.
metastétio s.m.
metastetismo s.m.
metastetista adj. s.2g.
metastetístico adj.
metastibinite s.f.
metastídio s.m.
metástole s.f.
metastômio s.m.
metastrenguita s.f.
metastrongilídeo adj. s.m.
metastrôngilo s.m.
metatálamo s.m.
metatarsal adj.2g. s.m.
metatarsalgia s.f.
metatarsálgico adj.
metatárseo adj.
metatarsiano adj. s.m.
metatársico adj. s.m.
metatarso s.m.
metatarsofalange s.f.
metatarsofalangiano adj.
metatarsofalângico adj.
metatarsoprinifalângico adj.
metatenardita s.f.
metateologia s.f.
metateológico adj.
metateólogo s.m.
metateoria s.f.
metateórico adj. s.m.
metatéria s.f.
metatério adj. s.m.
metátese s.f.
metatexto s.m.
metatético adj.
metatetizar v.
metathomsonita s.f.
metatiônico adj.
metatipia s.f.
metatípico adj.
metátipo s.m.
metatiuiamanita s.f.
metatizar v.
metátomo s.m.
metatonia s.f.
metatônico adj.
metatopia s.f.
metatópico adj.
metator (*ô*) s.m.
metatorácico adj.
metatoracoteca s.f.
metatórax (*cs*) s.m.2n.
metatorbernita s.f.
metatriplita s.f.
metatrofia s.f.
metatrófico adj.
metatrofismo s.m.
metatrópico adj.
metaumbilical adj.2g.
metauranocircita s.f.
metauranopilita s.f.
metauranospinita s.f.
metaurense adj. s.2g.
metautunita s.f.
metavanadato s.m.
metavanádico adj.
metavandendriesscheíta s.f.
metavanuralita s.f.
metavariscita s.f.
metavauxita s.f.
metavivianita s.f.
metavolnite s.f.
metavoltina s.f.
metavulcânico adj.
metaxênico (*cs*) adj.
metáxia (*cs*) s.f.
metaxiácea (*cs*) s.f.
metaxiáceo (*cs*) adj.
metaxilema (*cs*) s.m.
metaxilemático (*cs*) adj.
metaxina (*cs*) s.f.
metaxiônica (*cs*) s.f.
metaxita (*cs*) s.f.
metaxite (*cs*) s.f.
metazellerita s.f.
metazeunerita s.f.
metazoário adj. s.m.
metazoico (*ó*) adj.
metazônico adj.
metcalfiela s.f.
mete s.m.
meteca s.m.
meteção s.f.
metécio s.m.
meteco s.m.
metediço adj.
metedor (*ô*) s.m.
metedura s.f.
metelandense adj. s.2g.
meteloidina s.f.
metemerino adj.
metemoglobina s.f.
metemoglobinemia s.f.
metemoglobinêmico adj.
metemoglobínico adj.
metempírico adj.
metempsicose s.f.
metempsicosista adj. s.2g.
metempsicótico adj.
metemptose s.f.
metena s.f.
metenamina s.f.
metencefálico adj.
metencéfalo s.m.
meteno s.m.
metense adj. s.2g.
metensomatose s.f.
meteográfico adj.
meteógrafo s.m.
meteórico adj.
meteório s.m.
meteorismo s.m.
meteorite s.f.
meteorítico adj.
meteorito s.m.
meteorização s.f.
meteorizado adj.
meteorizar v.
meteoro s.m.
meteoro-agrário adj.; pl. *meteoros-agrários*
meteorobiologia s.f.
meteorobiológico adj.
meteorobiologista adj. s.2g.
meteorobiólogo s.m.

meteorodinâmica s.f.
meteorognosia s.f.
meteorografia s.f.
meteorográfico adj.
meteorógrafo s.m.
meteorograma s.m.
meteoroide (*ó*) adj.
meteorolítico adj.
meteorólito s.m.
meteorologia s.f.
meteorológico adj.
meteorologista adj. s.2g.
meteorólogo s.m.
meteoromancia s.f.
meteoromante s.2g.
meteoromântico adj.
meteoronimia s.f.
meteoronímia s.f.
meteoronímico adj.
meteoronomia s.f.
meteoronômico adj.
meteoronomista s.2g.
meteorônomo s.m.
meteoropatia s.f.
meteoropático adj.
meteoropatologia s.f.
meteoroscopia s.f.
meteoroscópico adj.
meteoroscópio s.m.
meter v.
metergia s.f.
metestro s.m.
metete (*ê*) s.m.
metexina (*cs*) s.f.
metexis (*cs*) s.f.
metexuana s.f.
metiana s.f.
metiba s.f.
metical s.m.
metição s.f.
meticilina s.f.
meticulosidade s.f.
meticuloso (*ô*) adj.; f. (*ó*); pl. (*ó*)
metida s.f.
metidela s.f.
metido adj.
metidro s.m.
metiê s.m.
metil s.f.
metila s.f.
metilação s.f.
metilacetanilida s.f.
metilacético adj.
metilacetileno s.m.
metilacetilsalicílico adj.
metilacetina s.f.
metilacetona s.f.
metilacetopirenona s.f.
metilado adj.
metilador (*ô*) adj.
metilal s.m.
metilamina s.f.
metilamônio s.m.
metilanilina s.f.
metilante adj.2g.
metilantraceno s.m.
metilantraquinona s.f.
metilar v.
metilarbutina s.f.
metilarsenato s.m.
metilarsênico adj.
metilarsina s.f.
metilarsinato s.m.
metilarsínico adj.
metilasparagina s.f.
metilaspártico adj.
metilaspirina s.f.
metilato s.m.
metilável adj.2g.
metilbenzênico adj.
metilbenzeno s.m.
metilcafeína s.f.
metilcafeínico adj.
metilcarbonato s.m.
metilcarbônico adj.
metilcavicol s.m.
metilcavicólico adj.
metilcelossolve s.m.
metilcelulose s.f.
metilcetona s.f.
metilcetônico adj.
metilclorídrico adj.
metildopa s.f.
metilênico adj.
metilênio s.m.
metileno s.m.
metileptenona s.f.
metiletil s.m.
metiletilacético adj.
metiletilcetona s.f.
metiletilcetônico adj.
metiletílico adj.
metiletilo s.m.
metiletilpiridina s.f.
metileto s.m.
metilfenilamina s.f.
metilfosfina s.f.
metilfumarato s.m.
metilfumárico adj.
metilglicerinato s.m.
metilglicerínico adj.
metilglicina s.f.
metilglicosido s.m.
metilglioxal (*cs*) s.m.
metilguanidina s.f.
metil-heptenona s.f.
metílico adj.
metílio s.m.
metiliodi-hídrico adj.; pl. *metiliodi-hídricos*
metilisobutilcetona s.f.
metilisobutilcetônico adj.
metilisopropilcetona s.f.
metilisopropilcetônico adj.
metilmagnésico adj.
metilmagnésio s.m.
metilmetacrilato s.m.
metilnaftaleno s.m.
metilo s.m.
metiloico (*ó*) adj.
metilol s.m.
metilorange s.2g.
metilose s.m.f.
metilpentanal s.m.
metilpentanálico adj.
metilpentanona s.f.
metilpentanônico adj.
metilpiperidina s.f.
metilpiridina s.f.
metilprednisolona s.f.
metilprednisona s.f.
metilpropenoico (*ó*) adj.
metilrosanilina s.f.
metilsalicilato s.m.
metilsalicílico adj.
metilsulfonal s.m.
metilteobromina s.f.
metiltestosterona s.f.
metiluracilo s.m.
metiluretano s.m.
metilúrico adj.
metilxantina (*cs*) s.f.
metilxantínico (*cs*) adj.
metim s.m.
metimneia (*é*) adj. s.f. de *metimneu*
metimneu adj. s.m.; f. *metimneia* (*é*)
metiná adj. s.2g.
metino s.m.
metiomania s.f.
metiomaníaco adj. s.m.
metionato s.m.
metiônico adj.
metionina s.f.
metionínico adj.
metirapona s.f.
metiri s.f.
metisazona s.f.
metisergida s.f.
metoca s.f.
metocho (*ô*) s.m.
metoclopramida s.f.
metódica s.f.
metódico adj.
metodificação s.f.
metodificado adj.
metodificar v.
metodismo s.m.
metodista adj. s.2g.
metodístico adj.
metodização s.f.
metodizado adj.
metodizador (*ô*) adj. s.m.
metodizar v.
metodizável adj.2g.
método s.m.
metodólatra s.2g.
metodolatria s.f.
metodolátrico adj.
metodologia s.f.
metodológico adj.
metodologista adj. s.2g.
metodólogo s.m.
metoexital (*cs*) s.m.
metofono s.m.
metoftalmo s.m.
metoíta s.f.
metol s.m.
metólia s.f.
metomania s.f. "desejo irreprimível de beber"; cf. *mitomania*
metomaníaco adj. s.m.
metombe s.m.
metoniano adj.
metônica s.f.
metônico adj.
metonímia s.f.
metonímico adj.
metonina s.f.
metônio s.m.
metônium s.m.
metonomásia s.f.
metonomástico adj.
metopagia s.f.
metopágico adj.
metópago adj. s.m.
metopantralgia s.f.
metopantrálgico adj.
metopantrite s.f.
métope s.f.
metopia s.f.
metopiana s.f.
metópico adj.
metópide s.m.
metopídia s.f.
metopídio s.m.
metópio s.m.
metopismo s.m.
métopo s.m.
metopocelo s.m.
metopócera s.f.
metopócero s.m.
metopocoilo s.m.
metópode s.m.
metopodinia s.f.
metopodínico adj.
metopomancia s.f.
metopônia s.f.
metoponorto s.m.
metopopagia s.f.
metopopágico adj.
metopópago adj.
metopóplace s.f.
metopoplastia s.f.
metopoplástico adj.
metópoplax (*cs*) s.f.
metoporráfide s.f.
metopórrafis s.f.2n.
metoposcopia s.f.
metoposcópico adj.
metopóscopo s.m.
metopospelenalgia s.f.
metopospelenálgico adj.
metopospelenite s.f.
metopospelenítico adj.
metopospeleonalgia s.f.
metopospeleonálgico adj.
metopospeleonite s.f.
metopospeleonítico adj.
metopossoma s.m.
metópotrix (*cs*) s.f.
metopsia s.f.
metoptria s.f.
metóquia s.f.
metoquinona s.f.
metória s.f.
metórico adj. s.m.
metose s.f. "contração da pupila"; cf. *mitose*
metósteo s.m.
metótico adj.
metotrexato (*cs*) s.m.
metoxibenzeno (*cs*) s.m.
metoxicloro (*cs*) s.m.
metóxido (*cs*) s.m.
metoxietânico (*cs*) adj.
metoxietano (*cs*) s.m.
metoxifluorano (*cs*) s.m.
metóxila (*cs*) s.f.
metoxílico (*cs*) adj.
metóxilo (*cs*) s.m.
metozina s.f.
metragem s.f.
metragirta s.m.
metragirtes s.m.2n.
metralgia s.f.
metrálgico adj.
metralha s.f.
metralhada s.f.
metralhado adj.
metralhador (*ô*) adj. s.m.
metralhadora (*ô*) s.f.
metralhagem s.f.
metralhante adj.2g.
metralhar v.
metralhável adj.2g.
metranemia s.f.
metranêmico adj.
metrar v.
metrátomo s.m.
metratonia s.f.
metratônico adj.
metrauxesia (*cs*) s.f.
metrauxésico (*cs*) adj.
metreco s.m.
metrectasia s.f.
metrectásico adj.
metrectopia s.f.
metrectópico adj.
metrelcose s.f.
metrelcótico adj.
metrelitrorrafia s.f.
metrelitrorráfico adj.
metremia s.f.
metrêmico adj.
metremorroides (*ó*) s.f.pl.
metreta s.f.
metreurise s.f.
metreurísico adj.
métrica s.f.
metricismo s.m.
metricista adj. s.2g.
métrico adj.
metrículo s.m.
metrificação s.f.
metrificado adj.
metrificador (*ô*) adj. s.m.
metrificância s.f.
metrificante adj. s.2g.
metrificar v.
metrificável adj.2g.
metrífluo adj.
metriona s.f.
metriopata adj. s.2g.
metriopatia s.f.
metriopático adj.
metriopélia s.f.
metripercinese s.f.
metriperemia s.f.
metriperêmico adj.
metriperestesia s.f.
metrite s.f.
metrítico adj.
metrização s.f.
metrizável adj.2g.
metro s.m. "medida"; cf. *metrô*
metrô s.m. "redução de metropolitano"; cf. *metro*
metróaco adj. s.m.
metrobaro s.m.
metróbata s.f.
metrócace s.m.
metrocampa s.f.
metrocampsia s.f.
metrocâmptico adj.
metrocele s.f.
metrocélico adj.
metrocistografação s.f.
metrocistografar v.
metrocistografável adj.2g.
metrocistografia s.f.
metrocistográfico adj.
metrocistógrafo adj. s.m.
metrocistograma s.m.
metrócito s.m.
metrocolpocele s.f.
metroconimia s.f.
metrodinia s.f.
metrodínico adj.
metrodira s.f.
metrodiríneo adj. s.m.
metrodórea s.f.
metroelitrorrafia s.f.
metroelitrorráfico adj.
metroemia s.f.
metroêmico adj.
metro-esteno s.m.; pl. *metros-esteno* e *metros-estenos*
metroflebite s.f.
metroflebítico adj.
metrofotografia s.f.
metrofotográfico adj.
metrogonídio s.m.
metrografia s.f.
metrográfico adj.
metrógrafo s.m.
metro-hipercinese s.f.; pl. *metro-hipercineses*
metro-hipercinético adj.; pl. *metro-hipercinéticos*
metro-hiperestesia s.f.; pl. *metro-hiperestesias*
metro-hiperestésico adj.; pl. *metro-hiperestésicos*
metroipercinese s.f.
metroipercinético adj.
metroiperestesia s.f.
metroiperestésico adj.
metrolinfagite s.f.
metrolinfagítico adj.
metrologia s.f.
metrológico adj.
metrologista adj. s.2g.
metrólogo s.m.
metroloxia (*cs*) s.f.
metrolóxico (*cs*) adj.
metromalacia s.f.
metromalácico adj.
metromania s.f.
metromaníaco adj. s.m.
metrômano adj. s.m.
metrômetro s.m.
metro-newton s.m.; pl. *metros-newton* e *metros-newtons*
metronômico adj.
metronomização s.f.
metronomizar v.
metrônomo s.m.
metropata s.2g.
metropatia s.f.
metropático adj.
metroperitonite s.f.
metroperitonítico adj.
metrópole s.f.
metropólipo s.m.
metropolita adj. s.2g. s.m.
metropolitano adj. s.m.
metropolítico adj.
metropolização s.f.
metropolizador (*ô*) adj.
metropolizante adj.2g.
metropolizar v.
metropolizável adj.2g.
metroptose s.f.
metro-quilograma-força s.m.; pl. *metros-quilogramas-forças*
metrorragia s.f.
metrorrágico adj.
metrorreia (*é*) s.f.
metrorreico (*é*) adj.
metrorrexia (*cs*) s.f.
metrorréxico (*cs*) adj.
metrortosia s.f.
metrosclerose s.f.
metrosclerótico adj.
metroscopia s.f.
metroscópico adj.
metroscópio s.m.
metrossalpingite s.f.

metrossalpingítico adj.
metrossidero s.m.
metrossomo adj.
metrostenia s.f.
metrotomia s.f.
metrotômico adj.
metrótomo s.m.
metrotoxina (*cs*) s.f.
metrotoxínico (*cs*) adj.
metrovia s.f.
metroviação s.f.
metroviário adj. s.m.
metroxia (*cs*) s.f.
metroxílea (*cs*) s.f.
metroxíleo (*cs*) adj.
metróxilo (*cs*) s.m.
metuapirense adj. s.2g.
metúbi s.m.
metuctire adj. s.2g.
metuendo adj.
métula s.f.
metumbilical adj.2g.
metzgéria s.f.
metzgerióidea s.f.
metznéria s.f.
meu pron.
meuá s.m. "ave"; cf. *meuã*
meuã s.m. "careta"; cf. *meuá*
meúco s.m.
meu-consolo s.m.; pl. *meus-consolos*
meuê-meuê adv.
meul s.m.
meúle s.m.
meum-preto s.m.; pl. *meuns-pretos*
meunieriela s.f.
meuó s.m.
meurunto s.m.
meutanga s.f.
mev s.m.
mevalônico adj.
mevanate adj. s.2g.
mevanionense adj. s.2g.
mévia s.m.
mexão s.m.
mexate s.f.
mexeção s.f.
mexedela s.f.
mexediço adj.
mexedio adj. s.m.
mexedor (*ô*) adj. s.m.
mexedura s.f.
mexefo s.m.
mexelhão adj. s.m. "mexedor"; f. *mexelhona*; cf. *mexilhão*
mexelhar v.
mexelhona s.f. de *mexelhão*
mexelim s.m.
mexe-mexe s.m.; pl. *mexe-mexes* e *mexes-mexes*
mexe-mexer v.
mexe-migas s.m.2n.
mexe que mexe s.m.2n.
mexer v.
mexerica s.f.
mexericação s.f.
mexericada s.f.
mexericado adj.
mexericão s.m.
mexericar v.
mexerico s.m.
mexeriqueira s.f.
mexeriqueiro adj. s.m.
mexeriquice s.f.
mexeroto (*ô*) adj.
mexerucar v.
mexerufada s.f.
mexicana s.f.
mexicano adj. s.m.
mexição s.f.
méxico s.m.
mexida s.f.
mexidela s.f.
mexidiço adj.
mexidio adj. s.m.
mexido adj. s.m.
mexilanga s.f.
mexilhão adj. s.m. "marisco"; f. *mexilhona*; cf. *mexelhão*
mexilhão-das-pedras s.m.; pl. *mexilhões-das-pedras*
mexilhão-de-água-doce s.m.; pl. *mexilhões-de-água-doce*
mexilhão-do-mangue s.m.; pl. *mexilhões-do-mangue*
mexilhão-marinho s.m.; pl. *mexilhões-marinhos*
mexilhar v.
mexilho s.m.
mexilhoeira s.f.
mexilhona s.f. de *mexilhão*
mexinflório s.m.
mexinga s.f.
mexingueiro adj. s.m.
mexir s.m.
mexira s.f.
mexire s.f.
mexiriboca s.f.
mexoalho s.m.
mexoeira s.f.
mexonada s.f.
mexorefada s.f.
mexuar s.m.
mexuda s.f.
mexueira s.f.
mexurufada s.f.
meyerhofferita s.f.
meyéria s.f.
mezacalunga s.f.
mezande s.f.
mezanelo s.m.
mezanino s.m.
mezé s.m.
mezeia (*é*) adj. s.f. de *mezeu*
mezena s.f.
mezengro s.m.
mezereão s.m.
mezereína s.f.
mezeréu s.m.
mezeréu-menor s.m.; pl. *mezeréus-menores*
mezeu adj. s.m.; f. *mezeia* (*é*)
mezíia s.f.
mezilauro s.m.
mezimbiti s.f.
mezinha s.f. "remédio"; cf. *mesinha*
mezinhadoiro s.m.
mezinhador (*ô*) s.m.
mezinhadouro s.m.
mezinhar v.
mezinheiro s.m.
mezinhice s.f.
mezinho adj.
mézio s.m.
mezlocilina s.f.
mezuzá s.m.
mhari s.m.
mho (*mô*) s.m.
mhômetro s.m.
mi s.m.
mia s.m.f. "molusco", etc.; cf. *miã*
miã s.m. "fogo"; cf. *mia*
miaçaba s.f.
miáceo s.m.
miacídeo adj. s.m.
miada s.f. "miado"; cf. *meada*
miadela s.f.
miado s.m. "mio"; cf. *meado*
miador (*ô*) adj. s.m.
miadura s.f.
miagro s.m.
mialate adj. s.2g.
mialgia s.f.
miálgico adj.
mialhar s.m. "vassoura", etc.; cf. *mealhar*
miama s.f.
miamba s.m.
miami adj. s.2g.
miá-miá s.m.; pl. *miás-miás*
miamina s.f.
miana s.f.
mianada s.f.
miangolo (*ô*) s.m.
mianmarense adj. s.2g.
miao adj.2g. s.m. "língua do grupo miao-iao"; cf. *miau*
miao-iao adj.2g. s.m.; pl. *miaos-iao*
miapia s.f.
miapiata s.f.
miapiúlo s.m.
miar v. "dar miados"; cf. *mear*
miaraíta s.f.
miargirita s.f.
miargirite s.f.
miário adj.
miaro s.m.
miarolítico s.m.
miascito s.m.
miasma s.m.
miasmar v.
miasmático adj.
miastenia s.f.
miastênico adj.
miastor (*ô*) s.m.
miástor (*ô*) s.m.
miatonia s.f.
miatônico adj.
miatrofia s.f.
miatrófico adj.
miau s.m. "voz do gato", etc.; cf. *miao*
miazal s.m.
miazina s.f.
miba s.f.
mibora s.f.
mibu s.m.
mica s.f.
mica-branca s.f.; pl. *micas-brancas*
micáceo adj.
micado s.m.
mica dos pintores s.f.
micaelense adj. s.2g.
micaelita s.f.
micaelite s.f.
micageiro adj.
micagem s.f.
micaia s.f.
micalésis s.f.2n.
micalex (*cs*) s.m.2n.
miçalo s.m.
miçanga s.f.
micânia s.f.
micanite s.f.
micante adj.2g.
mica-pânis s.f.; pl. *micas-pânis*
micar v.
micarelle s.f.
micareme s.f.
micareta (*ê*) s.f.
micária s.f.
micariosoma s.m.
micarta s.f.
micasquístico adj.
micasquisto s.m.
micasquistoso (*ô*) adj.; f. (*ó*); pl. (*ó*)
micatinga s.f.
micaultita s.f.
micaxístico adj.
micaxisto s.m.
micaxistoso (*ô*) adj.; f. (*ó*); pl. (*ó*)
micção s.f.
miccional adj.2g.
micédio s.m.
micela s.f.
miceliado adj.
micélico adj.
miceliforme adj.2g.
micélio s.m.
micelioide (*ó*) adj.2g.
miceloide (*ó*) adj.2g.
micena s.f.
micênea s.f.
miceneia (*é*) adj. s.f. de *miceneu*
micenense adj. s.2g.
miceneu adj. s.m.; f. *miceneia* (*é*)
miceniano adj. s.m.
micênico adj. s.m.
micênio adj. s.m.
miceno s.m.
miceno-cretense adj.; pl. *miceno-cretenses*
miceno-tiríntio adj.; pl. *miceno-tiríntios*
micertotripe s.m.
micertotripíneo adj. s.m.
miceta s.m.
micetáspis s.f.2n.
miceteia (*é*) s.f.
micetemia s.f.
micetêmico adj.
micetina s.f.
micetíneo adj. s.m.
micetismo s.m.
micetócaro s.m.
micetócito s.m.
micetodrepa s.f.
micetofagídeo adj. s.m.
micetofagíneo adj. s.m.
micetófago adj. s.m.
micetofilia s.f.
micetofilida adj.2g. s.m.
micetofilídeo adj. s.m.
micetófilo adj. s.m.
micetogênese s.f.
micetogênico adj.
micetografia s.f.
micetográfico adj.
micetógrafo s.m.
micetoide (*ó*) adj.2g.
micetologia s.f.
micetológico adj.
micetologista adj. s.2g.
micetólogo s.m.
micetoma s.m.
micetometoquia s.f.
micetóporo s.m.
micetose s.f.
micetozoa (*ô*) s.f.
micetozoário s.m.
micha s.f.
michano s.m.
michar v.
micharra s.f.
micháuxia (*cs*) s.f.
michê s.m.
michela s.f.
michélia s.f.
michelim s.m.
michelo s.m.
michenerita s.f.
michinho s.m.
micho s.m.
michola s.f.
michole s.m.
michole-da-areia s.m.; pl. *micholes-da-areia*
michole-quati s.m.; pl. *micholes-quati* e *micholes-quatis*
michosa s.f.
michurinismo s.m.
michurinista adj. s.2g.
micinulina s.f.
mício adj. s.m.
micipa s.m.
micipíneo adj. s.m.
micipoide (*ó*) adj.2g. s.m.
miciriri s.2g.
miclas s.2g.2n.
micmac adj. s.2g.
mico s.m.
micobactéria s.f.
micobacteriácea s.f.
micobacteriáceo adj.
micobactério s.m.
micobionte s.m.
micocalício s.m.
micocecídeo s.m.
micocecídia s.f.
micocelulose s.f.
micocelulótico adj.
micocó s.m.
miçoço (*ô*) s.m.
micocrinia s.f.
micoctonina s.f.
mico-de-goeldi s.m.; pl. *micos-de-goeldi*
micoderma s.m.
micoderme s.f.
micodérmico adj.
micodermina s.f.
micodermoterapia s.f.
micodermoterápico adj.
micodermoterapista s.2g.
mico-de-topete s.m.; pl. *micos-de-topete*
mico-estrela s.m.; pl. *micos-estrela* e *micos-estrelas*
micofagia s.f.
micófago adj. s.m.
micofilaxina (*cs*) s.f.
micofilia s.f.
micófilo s.m.
micofobia s.f.
micófobo adj. s.m.
micoftórico adj.
micogenia s.f.
micogênico adj.
micografia s.f.
micográfico adj.
micógrafo s.m.
micoideácea s.f.
micoideáceo adj.
micoidínea s.f.
micoidíneo adj.
micoína s.f.
mico-leão s.m.; pl. *micos-leão* e *micos-leões*
mico-leão-de-cara-dourada s.m.; pl. *micos-leão-de-cara-dourada* e *micos-leões-de-cara-dourada*
mico-leão-de-cara-preta s.m.; pl. *micos-leão-de-cara-preta* e *micos-leões-de-cara-preta*
mico-leão-dourado s.m.; pl. *micos-leão-dourados* e *micos-leões-dourados*
mico-leão-preto s.m.; pl. *micos-leão-pretos* e *micos-leões-pretos*
mico-leão-vermelho s.m.; pl. *micos-leão-vermelhos* e *micos-leões-vermelhos*
micolítico adj.
micolo s.m.
micologia s.f.
micológico adj.
micologista adj. s.2g.
micólogo s.m.
micomeringite s.f.
micomicete s.m.
micomiceto s.m.
micondó s.m.
miçongo s.m.
micônia s.f.
micônio adj. s.m. "povo"; cf. *mecônio*
mico-pardo s.m.; pl. *micos-pardos*
mico-peludo s.m.; pl. *micos-peludos*
micoplancto s.m.
micoplâncton s.m.
micoplasma s.m.
micoplasmático adj.
micoplásmico adj.
micoporácea s.f.
micoporáceo adj.
mico-preto s.m.; pl. *micos-pretos*
micoquiano adj. s.m.
micorongo s.m.
micorriza s.f.
micorrizal adj.2g.
micorrízico adj.
micorrizo s.m.
mico-ruivo s.m.; pl. *micos-ruivos*
micose s.f.
micosferela s.f.
micosferelácea s.f.
micosfereláceo adj.
micostático adj.
micostatina s.f.
micosterol s.m.
micotactismo s.m.
micotatismo s.m.
micoteca s.f.
micoterapia s.f.
micoterápico adj.
micótico adj.

micotoxicose (*cs*) s.f.
micotoxina (*cs*) s.f.
micotoxínico (*cs*) adj.
micotrofia s.f.
micotrófico adj.
micótrofo adj.
micra s.m.
micracidental adj.2g.
micracidente s.m.
micracústico adj.
micraerofilia s.f.
micraerófilo adj.
micrambe s.m.
micrampere s.m.
micrampère s.m.
micramperímetro s.m.
micrampério s.m.
micramperômetro s.m.
micranalisador (*ô*) adj. s.m.
micranálise s.f.
micranalítico adj.
micranatomia s.f.
micranatômico adj.
micrandra s.f.
micraner s.m.
micrangstrom s.m.
micrano s.m.
micrantemo s.m.
micranto adj.
micrápata s.m.
micrápate s.m.
micrarquitetura s.f.
micrarquitetural adj.2g.
micráster s.m.
micrastéria s.f.
micrástur s.m.
micrátaco s.m.
micrateno s.m.
micreca s.m.
micreconomia s.f.
micreconômico adj.
micreconomista adj. s.2g.
micreconomístico adj.
micreducação s.f.
micreducacional adj.2g.
micreducativo adj.
micreiro s.m.
micrelectródio s.m.
micreléctrodo s.m.
micrelectrômetro s.m.
micrelementar adj.2g.
micrelemento s.m.
micreletródio s.m.
micrelétrodo s.m.
micreletroforese s.f.
micreletrômetro s.m.
micreletrônica s.f.
micreletrônico adj.
micrélitra s.f.
micrelitrário s.m.
micrélitro s.m.
micrelo s.m.
micrematócrito adj.
micrenergética s.f.
micrérgato s.m.
micrestação s.f.
micrestesia s.f.
micrestésico adj.
micrestético adj.
micresteto s.m.
micrestilolítico adj.
micrestrutura s.f.
micrestrutural adj.2g.
micreterogenia s.f.
micreterogênico adj.
micrimenóptero adj. s.m.
micrina s.f.
micrito s.m.
micro s.m.
microabscesso s.m.
microacidental adj.2g.
microacidente s.m.
microacústico adj.
microaerofilia s.f.
microaerófilo adj. s.m.
microalbuminúria s.f.
microampere s.m.
microampère s.m.
microamperímetro s.m.
microampério s.m.
microamperômetro s.m.
microanalisador (*ô*) adj. s.m.
microanálise s.f.
microanalítico adj.
microanatomia s.f.
microanatômico adj.
microaneurisma s.m.
microangiopatia s.f.
microangiopático adj.
microangioscopia s.f.
microangioscópico adj.
microangstrom s.m.
microântemo s.m.
microarquitetura s.f.
microarquitetural adj.2g.
microatmosfera s.f.
microbactéria s.f.
microbactério s.m.
microbalança s.f.
microbar s.m.
microbária s.m.
microbarn s.m.
microbaro s.m.
microbarógrafo s.m.
microbarograma s.m.
microbase s.f.
micróbate s.m.
microbia s.f.
microbial adj.2g.
microbiano adj.
microbiar v.
microbicida adj.2g. s.m.
microbicídio s.m.
micróbico adj.
micróbio s.m.
microbiologia s.f.
microbiológico adj.
microbiologista adj. s.2g.
microbiólogo s.m.
microbiose s.f.
microbiota s.f.
microbiótico adj.
microbismo s.m.
microbista adj. s.2g.
microbjetiva s.f.
microblasto s.m.
microblefaria s.f.
microbótrio s.m.
micróbracon s.m.
microbrácone s.m.
microbregma s.m.
microbromite s.f.
microburina s.f.
microcacre s.f.
microcala s.f.
microcálculo s.m.
microcaloria s.f.
microcalorimetria s.f.
microcalorimétrico adj.
microcalorímetro s.m.
microcâmara s.f.
microcanal s.m.
microcápsula s.f.
microcapsular adj.2g.
micrócara s.f.
microcárpico adj.
microcarpo adj.
microcassete s.f.
microcaulia s.f.
microcáulico adj.
microcavidade s.f.
microcebo s.m.
microcefalia s.f.
microcefálico adj.
microcéfalo adj. s.m.
microcelular adj.2g.
microcentral s.f.
microcentro s.m.
microcércia s.f.
microcérculo s.m.
microceríneo adj. s.m.
micróceris s.m.2n.
micrócero adj.
microceroterme s.f.
microcica s.f.
microcidina s.f.
microciema s.m.
microcifo s.m.
microcinema s.m.
microcinemateca s.f.
microcinematografar v.
microcinematografia s.f.
microcinematográfico adj.
microcinematógrafo s.m.
microciprino s.m.
microcircuito s.m.
microcirculação s.f.
microcirculado adj.
microcirculador (*ô*) adj.
microcirculante adj.2g.
microcircular v. adj.2g.
microcirculatório adj.
microcirculável adj.2g.
microcirurgia s.f.
microcirúrgico adj.
microcisto s.m.
microcita s.f.
microcitário adj.
microcítase s.f.
microcitemia s.f.
microcitêmico adj.
microcítico adj.
micrócito s.m.
microcitose s.f.
microcitótico adj.
microclima s.m.
microclimático adj.
microclimatologia s.f.
microclimatológico adj.
microclimatologista adj. s.2g.
microclimatólogo s.m.
microclímico adj.
microclina s.f.
microclínico adj.
microclínio adj. s.m.
microclino adj.
micrócloa s.f.
microcoagulação s.f.
microcoagulado adj.
microcoagulante adj.2g.
microcoagular v. adj.2g.
microcoagulável adj.2g.
microcoágulo s.m.
micrococa s.f.
micrococácea s.f.
micrococáceo adj.
micrococia s.f.
micrococico adj.
micrococo s.m.
micrococose s.f.
microcódon s.m.
microcodonídeo adj. s.m.
microcóleo s.m.
microcolômbio s.m.
microcólon s.m.
microcolônia s.f.
microconídio s.m.
microconjugante s.m.
microconstituinte adj.2g.
microcópia s.f.
microcopiação s.f.
microcopiado adj.
microcopiador (*ô*) adj. s.m.
microcopiante adj.2g.
microcopiar v.
microcopiável adj.2g.
microcoque s.m.
microcóraco s.m.
micrócorax (*cs*) s.m.
microcosmétor s.m.
microcósmico adj.
microcosmo s.m.
microcosmologia s.f.
microcosmológico adj.
microcosmopolita s.2g.
microcoulomb (*culom*) s.m.
microcriminologia s.f.
microcriminológico adj.
microcristal s.m.
microcristalino adj.
microcromático adj.
microcromatismo s.m.
microcromossoma s.m.
microcronógrafo s.m.
microcronometria adj.
microcronométrico s.m.
microcronômetro s.m.
microcultivo adj. s.m.
microcultura s.f.
microcultural adj.2g.
microcurie s.m.
microdactilia s.f.
microdáctilo adj.
microdatilia s.f.
microdátilo adj.
microdecisão s.f.
microdeleção s.f.
microdensitometria s.f.
microdensitométrico adj.
microdensitômetro s.m.
microdesmo s.m.
microdeuteropídeo adj. s.m.
microdeuterópo s.m.
microdeuterópode s.2g.
microdia s.m.
microdicionário s.m.
microdina s.m.
microdínamis s.f.2n.
microdiorito s.m.
microdissecação s.f.
microdissecção s.f.
microdonte adj. s.2g.
microdontia s.f.
microdontismo s.m.
micródota s.f.
microdrilo adj. s.m.
microdrosófila s.f.
microdula s.f.
microdúlico adj.
microeconomia s.f.
microeconômico adj.
microeconomista adj. s.2g.
microeconomístico adj.
microeducação s.f.
microeducacional adj.2g.
microeducativo adj.
microelectródio s.m.
microeléctrodo s.m.
microelectrômetro s.m.
microelectrônica s.f.
microelementar adj.2g.
microelemento s.m.
microeletródio s.m.
microelétrodo s.m.
microeletrômetro s.m.
microeletrônica s.f.
microematócrito adj.
microequilibrador (*ô*) s.m.
microespectroscópio s.m.
microestação s.f.
microestado s.m.
microestilolítico adj.
microestrutura s.f.
microestrutural adj.2g.
microeterogenia s.f.
microeterogênico adj.
microevolução s.f.
microevolucional adj.2g.
microevolutivo adj.
microfacial adj.2g.
microfácies s.f.2n.
micrófago adj. s.m.
microfanerófita s.f.
microfanuro s.m.
microfaquia s.f.
microfarad (*fárad*) s.m.
microfaradímetro s.m.
microfarádio s.m.
microfauna s.f.
microfenocristal s.m.
microfenocristalino adj. s.m.
microfibrila s.f.
microfibrilar adj.2g.
microficha s.f.
microfichário adj. s.m.
microfilamento s.m.
microfilária s.f.
microfilárico adj.
microfilia s.f.
microfílico adj.
microfilino adj.
microfilite s.f.
microfilmagem s.f.
microfilmar v.
microfilmateca s.f.
microfilme s.m.
microfilo adj. "que tem folhas muito pequenas"; cf. *micrófilo*
micrófilo adj. s.m. "que gosta de minúcias"; cf. *microfilo*
microfisa s.f.
microfísica s.f.
microfísico adj.
microfisídeo adj. s.m.
micrófita s.f.
microfítico adj.
micrófito s.m.
microfitologia s.f.
microfitológico adj.
microfitologista s.2g.
microfitólogo s.m.
microflora s.f.
microfobia s.f.
microfóbico adj.
micrófobo s.m.
microfólide s.f.
micrófolis s.f.2n.
microfone s.m.
microfonia s.f.
microfônico adj.
microfônio s.m.
microfonismo s.m.
microfonista adj. s.2g.
microfonístico adj.
microfono s.m. "microfone"; cf. *micrófono*
micrófono adj. "que tem voz fraca"; cf. *microfono*
microfonógrafo s.m.
microforja s.f.
microforma s.f.
micróforo s.m.
microfóssil adj.2g. s.m.
microfossilífero adj.
microfossilização s.f.
microfossilizado adj.
microfossilizador (*ô*) adj.
microfossilizante adj.2g.
microfossilizar v.
microfossilizável adj.2g.
microfoto s.f.
microfotografia s.f.
microfotográfico adj.
microfotometria s.f.
microfotométrico adj.
microfotometrista adj. s.2g.
microfotometrístico adj.
microfotômetro s.m.
microfototeca s.f.
microfototecário adj. s.m.
microftalmia s.f.
microftálmico adj.
microftalmo adj. s.m.
microfundiário adj. s.m.
microfúndio s.m.
microgábrico adj.
microgabro s.m.
microgalo s.m.
microgameta (*ê*) s.m.
microgâmeta s.m.
microgametângeo s.m.
microgametócito s.m.
microgametófito s.m.
microgametogênese s.f.
microgamia s.f.
microgâmico adj.
microgáster s.m.
microgastria s.f.
microgástrio s.m.
microgastro s.m.
microgilbert s.m.
micrógine s.f.
microgíria s.f.
microgírico adj.
micróglia s.f.
microglial adj.2g.
microglossa s.f.
microglossia s.f.
microglóssico adj.
microglosso adj. s.m.
micrognatia s.f.
micrognatismo s.m.
micrógnato adj.
microgonídio s.m.
micrografar v.
micrografia s.f.
micrográfico adj.
micrógrafo s.m.; cf. *micrografo*, fl. do v. *micrografar*
micrograma s.m.
micrograma-força s.m.; pl. *microgramas-força*

micrográntico adj.
micrógranito s.m.
microgranulado adj.
microgranular adj.2g.
microgranulita s.f.
microgranulito s.m.
micro-habitat (*há*) s.m.
micro-hematrócito adj.
micro-hênrio s.m.
micro-henry (*enri*) s.m.
micro-heterogenias s.f.
micro-heterogênico adj.
micro-história s.f.
micro-historiador s.m.
micro-historiar v.
micro-histórico adj.
microhm (*crô*) s.m.
microhmetro s.m.
microíctis s.m.2n.
microíla s.m.
microimenóptero adj. s.m.
microimpressão s.f.
microinch s.m.
microincineração s.f.
microincisão s.f.
microinstrumento s.m.
microlaimo s.m.
microlaxia (*cs*) s.f.
microlecítico adj.
microlécito adj. s.m.
microleitor (*ô*) adj. s.m.
microlemo s.m.
microlena s.f.
micrólepe s.f.
microlépia s.f.
microlépide s.f.
microlepidóptero s.m.
microlepidoto s.m.
micrólepis s.f.2n.
microleste s.m.
microlestria s.f.
microlícia s.f.
microlina s.f.
microlinguística (*ü*) s.f.
microlinguístico (*ü*) adj.
microlinômetro s.m.
microlita s.f.
microlitíase s.f.
microlítico adj.
micrólito s.m.
microlitro s.m.
micrologia s.f.
micrológico adj.
micrólogo s.m.
microlonco s.m.
microlux (*cs*) s.m.
microma s.m.
micromalto s.m.
micromania s.f.
micromaníaco adj. s.m.
micromanipulabilidade s.f.
micromanipulação s.f.
micromanipulado adj.
micromanipulador (*ô*) adj. s.m.
micromanipulante adj.2g.
micromanipular v.
micromanipulável adj.2g.
micromanômetro s.m.
micromastia s.f.
micrômata s.m.
micrômato adj.
micrombo s.m.
micromecânica s.f.
micromecânico adj.
micrômega s.m.
micromegalopsia s.f.
micrômegas s.2g.2n.
micrômego s.m.
micromelia s.f.
micromeliano adj. s.m.
micromélico adj.
micromelitófilo adj.
micrômelo s.m.
microméria s.f.
micromerismo s.m.
micrômero adj. s.m.
micromerologia s.f.
micromerológico adj.
micromesístio s.m.
micrometeorítico adj.
micrometeorito s.m.
micrometeoroide (*ó*) s.m.
micrometeorologia s.f.
micrometeorológico adj.
micrometeorologista s.2g.
micrometeorólogo s.m.
micrômetra s.2g.
micrometração s.f.
micrometrado adj.
micrometrador (*ô*) adj.
micrometragem s.f.
micrometrante adj.2g.
micrometrar v.
micrometrável adj.2g.
micrometria s.f.
micrométrico adj.
micrômetro s.m.
micromicete s.m.
micromicético adj.
micromicro s.m.
micromicrofarad (*fá*) s.m.
micromícron s.m.
micromilimétrico adj.
micromilímetro s.m.
micromineral s.m.
microminiatura s.f.
microminiaturação s.f.
microminiatural adj.2g.
micrômio s.m.
micromiófilo adj.
micromolécula s.f.
micromolecular adj.2g.
micromônaca s.f.
micromorfita s.f.
micromorfite s.f.
micromorfítico adj.
micromorfologia s.f.
micromorfológico adj.
micromotor (*ô*) s.m.
micromotoscópico adj.
micromotoscópio s.m.
mícron s.m.
micronêmea s.f.
micronemo adj.
micronésio adj. s.m.
microneta (*ê*) s.f.
micrônio s.m.
microníquia s.f.
microniscíneo adj. s.m.
micronisco s.m.
micronte s.m.
micronucleado adj.
micronuclear adj.2g.
micronúcleo s.m.
micronucléolo s.m.
micronutriente adj.2g. s.m.
micro-ohm s.m.
micro-ômetro s.m.
micro-onda s.f.
micro-ondulação s.f.
micro-ondulatório adj.
micro-ônibus s.m.2n.
micro-onte s.m.
micro-organismo s.m.
micropálama s.f.
micropalpo s.m.
micropapuloide (*ó*) adj.2g.
microparasita s.m.
microparasito s.m.
microparra s.m.
micropatologia s.f.
micropatológico adj.
micropedia s.f.
micropédia s.f.
micropédico adj.
micropegmatita s.f.
micropegmatite s.f.
micropegmatito s.m.
micropeplídeo adj. s.m.
micropeplo s.m.
micropera s.f.
microperdice s.2g.
micropérdix (*cs*) s.2g.2n.
microperthita s.f.
microperthítico adj.
micropertita s.f.
micropertítico adj.
micropétalo adj.
micropeza s.f.
micropia s.f.
micrópila s.f.
micropilar adj.2g.
micrópilo s.m.
micropipeta (*ê*) s.f.
micropirômetro s.m.
micropirotécnica s.f.
micropirotécnico adj.
micróplace s.f.
microplana s.f.
microplancto s.m.
microplâncton s.m.
microplanta s.f.
microplasma s.m.
microplasmático adj.
microplásmico adj.
microplax (*cs*) s.f.
micropneumoperitônio s.m.
mícropo s.m.
micrópode adj.2g. s.m.
micropodídeo adj. s.m.
micropodiforme adj.2g. s.m.
micropogão s.m.
micropógon s.m.
micropolegada s.f.
micropoliadenia s.f.
micropoliadênico adj.
micropoliadenopatia s.f.
micropoliadenopático adj.
microponderal adj.2g.
micrópora s.m.
microporela s.m.
microporelídeo adj. s.m.
microporfirítico adj.
microporídeo adj. s.m.
micróporo adj.
micropotencial adj.2g. s.m.
micropotencialização s.f.
micropotencializado adj.
micropotencializador (*ô*) adj.
micropotencializante adj.2g.
micropotencializar v.
micropotencializável adj.2g.
microprotalo s.m.
microprótopo s.m.
microprotópode s.m.
micropse s.f.
micropsia s.f.
micropsiquia s.f.
micropsíquico adj.
micropsita s.f.
micropterigídeo adj. s.m.
micropterígio adj. s.m.
micropterismo s.m.
micrópterix (*cs*) s.f.
micropterno s.m.
micróptero adj. s.m.
micróptico adj.
microptino s.m.
microqueta (*ê*) s.m.
microquímica s.f.
microquímico adj. s.m.
microquiro s.m.
microquiróptero adj. s.m.
microquisto s.m.
microrganismo s.m.
microrquia s.f.
micrórquico adj.
microrquídea s.f.
microrquira s.f.
microrquiria s.f.
microrquiro s.m.
microrradiografia s.f.
microrradiográfico adj.
microrradiógrafo s.m.
microrradiômetro s.m.
microrradiótipo s.m.
microrregião s.f.
microrregional adj.2g.
microrregionalidade s.f.
microrregionalismo s.m.
microrregionalista adj. s.2g.
microrregionalístico adj.
microrreprodução s.f.
microrreprodutividade s.f.
microrreprodutivo adj.
microrrinco s.m.
microrrinia s.f.
microrrinquíneo adj. s.m.
microrrizo adj.
microsclera s.f.
microsclérico adj.
microsclerito s.m.
microsclero s.m.
microscleroporídeo adj. s.m.
microscólex (*cs*) s.m.
microscopar v.
microscopia s.f.
microscópico adj.
microscópio s.m.
microscopismo s.m.
microscopista adj. s.2g.
microscopístico adj.
microsfécia s.f.
microsfera s.f.
microsférico adj.
microsferócito s.m.
microsficto adj.
microsfigmia s.f.
microsfígmico adj.
microsítaca s.m.
microsito s.m.
microsmático adj.
microsolenineo adj. s.m.
microspectrografia s.f.
microspectrográfico adj.
microspectrograma s.m.
microspectroscopia s.f.
microspectroscópico adj.
microspectroscópio s.m.
microsperma s.f.
microspérmica s.f.
microspermo adj.
microspira s.f.
microspironema s.m.
microsplâncnico adj.
microsplenia s.f.
microsporangiado adj.
microsporângio s.m.
microsporia s.f.
microsporídio adj. s.m.
microspório s.m.
micrósporo adj. s.m.
microsporócito s.m.
microsporofófilo s.m.
microsporóforo s.m.
microsporose s.f.
microssaco s.m.
microssaia s.f.
microssarcope s.2g.
microssárcops s.2g.2n.
microssauro s.m.
microssegundo s.m.
microssemo adj. s.m.
microssimbionte s.m.
microssísmico adj.
microssismo s.m.
microssismográfico adj.
microssismógrafo s.m.
microssocial adj.2g.
microssociologia s.f.
microssociológico adj.
microssociólogo s.m.
microssoleníneo adj.
microssomatia s.f.
microssomático adj.
microssomia s.f.
microssômico adj.
microssomita s.f.
microssomítico adj.
microssomo adj. s.m.
microssoro (*ô*) s.m.
microssubmarino s.m.
microssulco s.m.
microstágeto s.m.
microstema s.f.
microstêmone adj.2g.
microstesia s.f.
microstile s.f.
microstilia s.f.
microstilo s.m.
microstilolítico adj.
microstito s.m.
micróstoma s.m.
microstomia s.f.
microstomídeo adj. s.m.
microstomíneo adj. s.m.
micróstomo adj.
micróstrate s.m.
microstrutura s.f.
microstrutural adj.2g.
microtanque s.m.
microtarso s.m.
microtasímetro s.m.
microteia (*é*) s.f.
microtelefone s.m.
microtelefono s.f.
microterme s.m.
microtermia s.f.
microtérmico adj.
microtermo adj.
microtermófilo adj.
microtexto (*ê*) s.m.
microtia s.f.
micrótide s.f.
microtina s.f.
microtíneo adj. s.m.
micrótipo s.m.
microtipômetro s.m.
microtiriácea s.f.
microtiriáceo adj.
microtírio s.m.
micrótis s.f.2n.
micróto s.m.
microtom s.m.
micrótoma s.f.
microtomia s.f.
microtômico adj.
microtomídeo adj. s.m.
microtomíneo adj. s.m.
micrótomo s.m.
mícroton s.m.
microtonômetro s.m.
microtópide s.f.
microtopografia s.f.
microtopográfico adj.
microtoracídeo adj. s.m.
microtórax (*cs*) s.m.
microtrauma s.m.
microtraumatismo s.m.
microtriquia s.f.
microtriquio adj.
microtrombídeo s.m.
microtubular adj.2g.
microtúbulo s.m.
microvariabilidade s.f.
microvariável adj.2g.
microvariedade s.f.
microvascular adj.2g.
microvélia s.f.
microvilo s.m.
microvilosidade s.f.
microviloso (*ô*) adj.; f. (*ó*); pl. (*ó*)
microvisão s.f.
microvolt s.m.
microvóltio s.m.
microvoluta s.m.
microwatt (*uót*) s.m.
microzima s.f.
microzímico adj.
microzoário adj. s.m.
microzoófilo adj.
microzoófobo adj.
microzoologia s.f.
microzoológico adj.
microzoologista adj. s.2g.
microzoólogo s.m.
microzoonito s.m.
microzoospório s.m.
microzoósporo s.m.
micrura s.f.
micrurismo s.m.
micruro adj. s.m.
mictante adj. s.2g.
mictar v.
mictéria s.f.
mictérico adj.
micteríneo adj. s.m.
micterismo s.m.
mictero s.m.
micteroxerose (*cs*) s.f.
mictíneo adj. s.m.
mictio s.m.
mictíride s.f.
mictíris s.f.2n.
micto s.m.
mictódero adj. s.m.
mictofídeo adj. s.m.
mictofiforme adj.2g. s.m.
mictofíneo adj. s.m.
mictopsiquia s.f.
mictório adj. s.m.

mictual adj.2g.
micturição s.f.
micuiense adj. s.2g.
miçuiense adj. s.2g.
micuim (*u-im*) s.m.
micuim-amarelo s.m.; pl. *micuins-amarelos*
micuim-castanho s.m.; pl. *micuins-castanhos*
micuim-escuro s.m.; pl. *micuins-escuros*
micula s.f.
micunco s.m.
micurê s.m.
mida s.f. "gênero de plantas"; cf. *midã*
midã s.m. "arena no Oriente"; cf. *mida*
midaleína s.f.
midane s.m.
midas s.m.2n.
midatoxina (*cs*) s.f.
midau s.m.
midazolam s.m.
middetonita s.f.
middletonite s.f.
mideia (*é*) adj. s.f. de *mideu*
mideiro s.m.
mideópsis s.f.2n.
midese s.f.
mideu adj. s.m.; f. *mideia* (*é*)
mídia s.f.
midiateca s.f.
midiatecário s.m.
midiático adj.
midiatização s.f.
midiatizar v.
mididesvalorização s.f.
mididitano adj. s.m.
midina s.f.
midino adj.
midique s.m.
midissaia s.f.
midletonita s.f.
midletonite s.f.
midríase s.f.
midriático adj. s.m.
midrol s.m.
miectomia s.f.
miectômico adj.
miectopia s.f.
miectópico adj.
miedema s.m.
miedziankita s.f.
miegueleca s.f.
mielalgia s.f.
mielálgico adj.
mielanalose s.f.
mielanalótico adj.
mielapopléctico adj.
mielapoplexia (*cs*) s.f.
mielastenia s.f.
mielastênico adj.
mielástico adj.
mielatelia s.f.
mielatélico adj.
mielatrofia s.f.
mielatrófico adj.
mielauxesia (*cs*) s.f.
mielauxésico (*cs*) adj.
mielauxético (*cs*) adj.
mielauxia (*cs*) s.f.
mielemia s.f.
mielêmico adj.
mielencefálico adj.
mielencefalite s.f.
mielencefalítico adj.
mielencéfalo s.m.
mielencefalopatia s.f.
mielencefalopático adj.
miélico adj.
mielicoféria s.f.
mielicoferíea s.f.
mielina s.f.
mielínico adj.
mielinização s.f.
mielinizado adj.
mielinizador (*ô*) adj.
mielinizante adj.2g.
mielinizar v.
mielinizável adj.2g.
mielinoclasia s.f.
mielinolisina s.f.
mielinose s.f.
mielite s.f.
mielítico adj.
mieloblastemia s.f.
mieloblastêmico adj.
mieloblasto s.m.
mieloblastoma s.m.
mieloblastose s.f.
mielocarpo adj.
mielocele s.f.
mielocelialgia s.f.
mieloceliálgico adj.
mielocelo s.m.
mielocístico adj.
mielocistocele s.f.
mielocistomeningocele s.f.
mielocite s.m.
mielocitematose s.f.
mielocitemia s.f.
mielocitêmico adj.
mielócito s.m.
mielocitose s.f.
mielodisplasia s.f.
mielodisplásico adj.
mieloencefalopatia s.f.
mieloespasmo s.m.
mielofibrose s.f.
mielofibrótico adj.
mielófito s.m.
mieloftise s.f.
mieloganglite s.f.
mieloganglítico adj.
mielogênico adj.
mielógeno adj.
mielografia s.f.
mielográfico adj.
mielograma s.m.
mieloide (*ó*) adj.2g.
miélois s.f.
mieloma s.m.
mielomalacia s.f.
mielomalácico adj.
mielomatose s.f.
mielomatótico adj.
mielomenia s.f.
mielomênico adj.
mielomeningite s.f.
mielomeningítico adj.
mielomeningocele s.f.
mielomeningocélico adj.
mielomério s.m.
mielômero s.m.
mielomonocítico adj.
mieloneurite s.f.
mieloneurítico adj.
mielônico adj.
mielônio s.m.
mieloparalisia s.f.
mieloparalítico adj.
mielopatia s.f.
mielopático adj.
mielópeto adj.
mieloplace s.f.
mieloplácio s.m.
mieloplacoma s.m.
mieloplasto s.m.
mieloplaxe (*cs*) s.f.
mieloplaxoma (*cs*) s.m.
mieloplegia s.f.
mieloplégico adj.
mieloproliferação s.f.
mieloproliferativo adj.
mieloptise s.f.
mielorrafia s.f.
mielorráfico adj.
mielorragia s.f.
mielorrágico adj.
mielosclerose s.f.
mielosclerótico adj.
mielose s.f.
mielospasmo s.m.
mielosquise s.f.
mielossarcoma s.m.
mielossupressão s.f.
mielotomia s.f.
mielotômico adj.
mielotóxico (*cs*) s.m.
mielotoxina (*cs*) s.f.
miembe s.m.
miemita s.f.
miemite s.f.
miengo s.m.
miengueleca s.f.
mientérico adj.
mientério s.m.
miepitelial adj.2g.
miérsia s.f.
miersiela s.f.
miersiófito s.m.
miersita s.f.
miersite s.f.
miesita s.f.
miesite s.f.
miesofágico adj.
mifongo s.m.
miga s.f.
migado adj. s.m.
mígala s.f.
migalha s.m.f.
migalhado adj.
migalhar v.
migalharia s.f.
migalheiro adj. s.m.
migalhice s.f.
migalho s.m.
migálida adj.2g. s.m.
migalídeo adj. s.m.
migalismo s.m.
migalomorfa s.f.
migalomorfo adj. s.m.
migar v.
migas s.f.pl.
migdão adj. s.m.; f. *migdoa*
migdoa adj. s.f. de *migdão*
migdone adj. s.2g.
migdônico adj.
migdônio adj. s.m.
migeciano adj. s.m.
migiléxico (*cs*) adj. s.m.
miginda s.f.
migma s.m.
migmatita s.f.
migmatítico adj.
migmatito s.m.
migmatização s.f.
migmatizado adj.
migmatizador (*ô*) adj.
migmatizante adj.2g.
migmatizar v.
migmatizável adj.2g.
migoso (*ô*) adj.; f. (*ó*); pl. (*ó*)
migrabilidade s.f.
migração s.f.
migracionismo s.m.
migracionista adj. s.2g.
migracionístico adj.
migrado adj.
migrador (*ô*) adj. s.m.
migrainina s.f.
migrante adj. s.2g.
migrar v.
migrasco s.m.
migrativo adj.
migratório adj.
migrável adj.2g.
migrofeno s.m.
migrosina s.f.
migueiro s.m.
miguéis s.m.pl.
miguel adj. s.2g.
miguel-alvense adj. s.2g.; pl. *miguel-alvenses*
miguelangelesco (*ê*) adj.
miguelangelismo s.m.
miguelangelista adj. s.2g.
miguelangelístico adj.
miguelangesco (*ê*) adj.
miguel-bentense adj. s.2g.; pl. *miguel-bentenses*
miguel-burnierense adj. s.2g.; pl. *miguel-burnierenses*
miguel-calmonense adj. s.2g.; pl. *miguel-calmonenses*
miguel-coutense adj. s.2g.; pl. *miguel-coutenses*
miguelense adj. s.2g.
miguelho (*ê*) s.m.
miguelino adj.
miguelismo s.m.
miguelista adj. s.2g.
miguelístico adj.
miguel-jorgense adj. s.2g.; pl. *miguel-jorgenses*
miguel-matense adj. s.2g.; pl. *miguel-matenses*
miguelopense adj. s.2g.
miguelopolitano adj. s.m.
miguel-pereirense adj. s.2g.; pl. *miguel-pereirenses*
miguel-xavierense adj. s.2g.; pl. *miguel-xavierenses*
miguim s.m.
migurno s.m.
miiagra s.m.
miiarco s.m.
miíase s.f.
miiátropa s.f.
miídeo adj. s.m.
miina s.f.
miíneo adj. s.m.
miióbio s.m.
miiocane s.m.
miiocefálico adj.
miiocéfalo s.m.
miíode adj.2g.
miiodinaste s.m.
miiodópsia s.f.
miiodóptico adj.
miiofoneu s.m.
miiologia s.f.
miiológico adj.
miiologista adj. s.2g.
miiólogo s.m.
miióspila s.f.
miioterete s.m.
miiozetete s.m.
miite s.f.
miítico adj.
mija s.f.
mija-burro s.m.; pl. *mija-burros*
mijação s.f.
mijaceira s.f.
mijaceiro s.m.
mijada s.f.
mijadeira s.f.
mijadeiro s.m.
mijadela s.f.
mijado adj. s.m.
mijadoiro s.m.
mijadouro s.m.
mija-fogo s.f.; pl. *mija-fogos*
mija-mansinho adj. s.2g.; pl. *mija-mansinhos*
mija-manso adj. s.2g.; pl. *mija-mansos*
mija-mija s.f.; pl. *mija-mijas* e *mijas-mijas*
mija-n'água s.m.; pl. *mija-n'águas*
mijanceira s.f.
mijaneira s.f.
mijão adj. s.m.; f. *mijona*
mijar v.
mijarete (*ê*) s.m.
mijarrela s.f.
mija-vinagre s.m.; pl. *mija-vinagres*
mijengra s.f.
mijicão s.m.
mijição s.f.
mijina s.f.
mijinha s.f.
mijo s.m.
mijoca s.f.
mijo de cão s.m.
mijo-de-cavalo s.m.; pl. *mijos-de-cavalo*
mijo de padre s.m.
mijo de rato s.m.
mijolo (*ô*) s.m.
mijona adj. s.f. de *mijão*
mijote s.m.
miju s.m.
mijuba s.f.
mijuí s.m.
mikânia s.f.
mil num.
milabre s.m.
milabrídeo adj. s.m.
milábris s.f.2n.
milacefalia s.f.
milacefálico adj.
milacéfalo s.m.
milácris s.f.2n.
milagraria s.f.
milagre s.m.
milagredo (*ê*) s.m.
milagreira s.f.
milagreiro adj. s.m.
milagrense adj. s.2g.
milagrento adj.
milagrice s.f.
milagrório s.m.
milagrosa s.f.
milagroso (*ô*) adj. s.m.; f. (*ó*); pl. (*ó*)
milanária s.f.
milanário adj.
milando s.m.
milando-homem s.m.; pl. *milandos-homem* e *milandos-homens*
milandurá s.f.
milanense adj. s.2g.
milanês adj. s.m.
milanesa (*ê*) s.f.
milânion s.m.
milano s.m.
milão s.m.
milara s.f.
milarita s.f.
milarite s.f.
mil-arrobas s.m.pl.
milaseia (*é*) adj. s.f de *milaseu*
milaseno adj. s.m.
milasense adj. s.2g.
milaseu adj. s.m.; f. *milaseia* (*é*)
milásio adj. s.m.
milavo s.m.
mil-cabeças s.f.2n.
mil-covas s.f.2n.
milde s.m.
mildebrédia s.f.
mildebrediodendro s.m.
mil-diabos s.m.2n.
míldio s.m.
mildiosado adj.
mildiose s.f.
mildioso (*ô*) adj.; f. (*ó*); pl. (*ó*)
mile s.m.
mileáceo adj.
mil e cem s.m.2n.
milecia s.f.
milefólio s.m.
milefólio-aquático s.m.; pl. *milefólios-aquáticos*
mileglana s.f.
milegrã s.f.
mileia (*é*) adj. s.f. de *mileu*
mil-em-rama s.f.2n.
milena s.f.
milenar adj.2g.
milenarianismo s.m.
milenarianista adj. s.2g.
milenarianístico adj.
milenariano adj. s.m.
milenário adj. s.m.
milenarismo s.m.
milenarista adj. s.2g.
milenarístico adj.
milênia s.f.
milênio s.m.
milento adj.
míleo adj.
milépeda s.f.
milépede adj.2g. s.m.
milepolita adj. s.2g.
milépora s.m.
mileporáceo adj. s.m.
mileporídeo adj. s.m.
mileporino s.m.
miléporo s.m.
milerita s.f.
milésia s.f.
milesíaco adj.
milesiano adj. s.m.
milésico adj. s.m.
milésima s.f.
milesimal adj.2g.
milésimo num. s.m.

milesina s.f.
milésio adj. s.m.
miletano s.m.
miletes s.m.2n.
milétia s.f.
mileto-da-cafraria s.m.; pl. *miletos-da-cafraria*
miletopolita adj. s.2g.
mileu adj. s.m.; f. *mileia* (*é*)
milevitano adj. s.m.
mil-flores s.f.pl.
milfolhada s.f.
mil-folhas s.f.2n.
mil-folhas-d'água s.m.2n.
milfontense adj. s.2g.
milfose s.f.
milfurada s.f.
milfurado adj.
milgamenho adj.
milgrá s.f.
milgrada s.f.
milgranada s.f.
mil-grãos s.m.2n.
milgreira s.f.
milha s.f. "medida itinerária"; cf. *milhã*
milhã s.f. "planta que nasce no milharal"; cf. *milha*
milhã-branca s.f.; pl. *milhãs-brancas*
milhaça s.f.
milhã-da-colônia s.f.; pl. *milhãs-da-colônia*
milhã-de-pendão s.f.; pl. *milhãs-de-pendão*
milhã-digitada s.f.; pl. *milhãs-digitadas*
milhado adj.
milhã-do-norte s.f.; pl. *milhãs-do-norte*
milhã-do-sertão s.f.; pl. *milhãs-do-sertão*
milhadura s.f.
milhafo s.m.
milhafre s.m.
milhafre-das-torres s.m.; pl. *milhafres-das-torres*
milhafre-de-asa-redonda s.m.; pl. *milhafres-de-asa-redonda*
milhafre-preto s.m.; pl. *milhafres-pretos*
milhafre-rabo-de-bacalhau s.m.; pl. *milhafres-rabo-de-bacalhau*
milhã-garça s.f.; pl. *milhãs-garça* e *milhãs-garças*
milhagem s.f.
milhã-gigante s.f.; pl. *milhãs-gigantes*
milhã-glauca s.f.; pl. *milhãs-glaucas*
milhal s.m.
milhã-maior s.f.; pl. *milhãs-maiores*
milhanço s.m.
milhaneiro adj. s.m.
milhano s.m.
milhano-das-torres s.m.; pl. *milhanos-das-torres*
milhano-de-asa-redonda s.m.; pl. *milhanos-de-asa-redonda*
milhão num. s.m.
milhão-verde s.m.; pl. *milhões-verdes*
milhã-pé-de-galo s.f.; pl. *milhãs-pé-de-galo* e *milhãs-pés-de-galo*
milhar v. num. s.m.
mílhara s.f.
milharada s.f.
milharado adj. s.m.
milharal s.m.
milharão s.m.
milharaque s.m.
mílharas s.f.pl.
milhardário adj. s.m.
milharde adj.
milharengo s.m.
milharense adj. s.2g.
milhareu s.m.
milharinha s.f.
milharós s.m.
milharouco s.m.
milhã-roxa s.f.; pl. *milhãs-roxas*
milhã-verde s.f.; pl. *milhãs-verdes*
milhã-vermelha s.f.; pl. *milhãs-vermelhas*
milhã-verticilada s.f.; pl. *milhãs-verticiladas*
milhear adj.2g.
milhedo s.m.
milheira s.f.
milheirada s.f.
milheira-feia s.f.; pl. *milheiras-feias*
milheira-galante s.f.; pl. *milheiras-galantes*
milheira-grande s.f.; pl. *milheiras-grandes*
milheiral s.m.
milheirão s.m.
milheiras s.f.pl.
milheiriça s.f.
milheirinha s.f.
milheirita s.f.
milheiro num. s.m. "grupo de mil"; cf. *milheiró*
milheiró s.m. "casta de uva"; cf. *milheiro*
milheiro-galante s.m.; pl. *milheiros-galantes*
milheirós s.m.
milhém s.f.
milhenta adj. s.f.
milhento adj. s.m.
milherão s.m.
mílheras s.f.pl.
milhereu s.m.
milhestre s.m.
milhete (*ê*) s.m.
milhete-branco-do-egito s.m.; pl. *milhetes-brancos-do-egito*
milhete-gigante s.m.; pl. *milhetes-gigantes*
milheto (*ê*) s.m.
milheu s.m.
milho s.m.
milhoal s.m.
milho-alho s.m.; pl. *milhos-alho* e *milhos-alhos*
milho-alpista s.m.; pl. *milhos-alpista* e *milhos-alpistas*
milho-alpiste s.m.; pl. *milhos-alpiste* e *milhos-alpistes*
milho-arroz s.m.; pl. *milhos-arroz* e *milhos-arrozes*
milho-branco-de-angola s.m.; pl. *milhos-brancos-de-angola*
milho-branco-do-egito s.m.; pl. *milhos-brancos-do-egito*
milho-bravo s.m.; pl. *milhos-bravos*
milho-cedo-vem s.m.; pl. *milhos-cedo-vem*
milho-cozido s.m.; pl. *milhos-cozidos*
milho-cozido-preto s.m.; pl. *milhos-cozidos-pretos*
milho-da-costa s.m.; pl. *milhos-da-costa*
milho-d'água s.m.; pl. *milhos-d'água*
milho-da-guiné s.m.; pl. *milhos-da-guiné*
milho-da-itália s.m.; pl. *milhos-da-itália*
milho das vassouras s.m.
milho-de-água s.m.; pl. *milhos-de-água*
milho-de-cem-dias s.m.; pl. *milhos-de-cem-dias*
milho-de-cobra s.m.; pl. *milhos-de-cobra*
milho-de-nossa-senhora-da-lapa s.m.; pl. *milhos-de-nossa-senhora-da-lapa*
milho-dente s.m.; pl. *milhos-dente* e *milhos-dentes*
milho-doce s.m.; pl. *milhos-doces*
milho-do-diabo s.m.; pl. *milhos-do-diabo*
milho-do-sol s.m.; pl. *milhos-do-sol*
milho-duro s.m.; pl. *milhos-duros*
milho-embandeirado s.m.; pl. *milhos-embandeirados*
milho-grolo s.m.; pl. *milhos-grolos*
mil-homens s.m.2n.
mil-homens-branco s.m.; pl. *mil-homens-brancos*
mil-homens-de-babado s.m.2n.
mil-homens-do-ceará s.m.2n.
mil-homens-do-rio-grande s.m.2n.
mil-homens-do-rio-grande-do-sul s.m.2n.
mil-homens-miúdo s.m.; pl. *mil-homens-miúdos*
milho-miúdo s.m.; pl. *milhos-miúdos*
milho-molar s.m.; pl. *milhos-molares*
milho-mole s.m.; pl. *milhos-moles*
milho-negro s.m.; pl. *milhos-negros*
milho-painço s.m.; pl. *milhos-painços*
milho-pipoca s.m.; pl. *milhos-pipoca* e *milhos-pipocas*
milhorde adj. s.m.
milho-rei s.m.; pl. *milhos-rei* e *milhos-reis*
milho-roxo s.m.; pl. *milhos-roxos*
milhos s.m.pl.
milho-sorgo s.m.; pl. *milhos-sorgo* e *milhos-sorgos*
milho-torrado s.m.; pl. *milhos-torrados*
milho-tunicado s.m.; pl. *milhos-tunicados*
milho-vassoureiro s.m.; pl. *milhos-vassoureiros*
milho-verde s.m.; pl. *milhos-verdes*
milho-verdense adj. s.2g.; pl. *milho-verdenses*
milho-vestido s.m.; pl. *milhos-vestidos*
milho-zaburro s.m.; pl. *milhos-zaburros*
milho-zaburro-branco s.m.; pl. *milhos-zaburros-brancos*
milho-zaburro-vermelho s.m.; pl. *milhos-zaburros-vermelhos*
miliácea s.f.
miliáceo adj.
miliampere s.m.
miliampère s.m.
miliamperímetro s.m.
miliamperômetro s.m.
miliangström s.m.
miliano adj.
miliar adj.2g.
miliardário adj. s.m.
miliare s.m.
miliarésio s.m.
miliária s.f.
miliário adj.
miliase s.f.
milibar s.m.
milibarn s.m.
milicada s.f.
milicaloria s.f.
milícia s.f. "tropa"; cf. *melícia*
miliciado adj.
miliciana s.f.
miliciano adj. s.m.
miliciar v. adj.2g.
milico s.m.
milicoulomb s.m.
milicure s.m.
miliéria s.f.
milifarad (*fá*) s.m.
miligal s.m.
miligilbert s.m.
miligrã s.f.
miligrada s.f.
miligrado s.m. "milésimo do grado"; cf. *milígrado*
milígrado s.m. "décimo do centígrado"; cf. *miligrado*
miligrama s.m.
miligrama-força s.m.; pl. *miligramas-força*
miligrama-minuto s.m.; pl. *miligramas-minuto*
miligrama-segundo s.m.; pl. *miligramas-segundo*
miligrana s.f.
miligraneira s.f.
mili-henry s.m.; pl. *mili-henries* e *mili-henrys*
milikelvin s.m.
mililambert s.m.
mililitro s.m.
mililux (*cs*) s.m.
milimbo s.m.
milimetração s.f.
milimetrado adj.
milimetral adj.2g.
milimetrar v.
milimétrico adj.
milímetro s.m.
milimicro s.m.
milimicrocurie s.m.
milimícron s.m.
mílimo s.m.
milímodo adj.
milimol s.m.
milindó s.m.
mílio s.m.
milióbata s.m.
miliobatídeo adj. s.m.
milióbatis s.f.2n.
miliohm s.m.
milióideo adj. s.m.
milíola s.f.
miliolídeo adj. s.m.
miliolina s.2g.
miliolíneo adj. s.m.
milíolo s.m.
milionário adj. s.m.
milionarização s.f.
milionarizado adj.
milionarizador (*ô*) adj.
milionarizante adj.2g.
milionarizar v.
milionésima s.f.
milionesimal adj.2g.
milionésimo num. s.m.
milionocracia s.f.
miliosmol s.m.
milípede adj.2g. s.m.
milipoise s.m.
miliporíneo adj. s.m.
milíquia s.f.
miliquídeo adj. s.m.
milirém s.m.
milirite s.f.
miliroentgen s.m.
milirradiano s.m.
milisiemens (*zi*) s.m.
milissegundo s.m.
milissiemens s.m.
milissita s.f.
milisteno s.m.
milistere s.m.
milistéreo s.m.
militança s.f.
militância s.f.
militante adj. s.2g.
militar v. adj.2g. s.m.
militarão s.m.
militarismo s.m.
militarista adj. s.2g.
militarístico adj.
militarização s.f.
militarizado adj.
militarizador (*ô*) adj.
militarizante adj.2g.
militarizar v.
militarizável adj.2g.
militável adj.2g.
mílite s.m.; cf. *milite*, fl. do v. *militar*
militermia s.f.
militofobia s.f.
militofóbico adj.
militófobo adj. s.m.
miliúsa s.f.
miliúsea s.f.
miliúsia s.f.
milivolt s.m.
milivoltímetro s.m.
milivoltômetro s.m.
miliwatt (*uó*) s.m.
millerita s.f.
millerite s.f.
millerítico adj.
milléttia s.f.
milliano adj.
milliarense s.m.
mil-lindo adj.; pl. *mil-lindos*
millosevichita s.f.
millsônia s.f.
millsoniíneo adj. s.m.
milnéria s.f.
milo s.m.
miloca s.f.
milococo s.m.
milodonte adj.2g. s.m.
milodontídeo adj. s.m.
milofaríngeo adj. s.m.
milofarodonte s.f.
miloglóssico adj.
miloglosso s.m.
milo-hióideo adj. s.m.; pl. *milo-hióideos*
miloide (*ó*) adj.2g.
milóideo adj.
miloióideo adj.
miloióideo adj.
milola s.f.
miloleuco s.m.
milolô s.m.
milombe s.m.
milombiana s.f.
milona s.f.
milondo s.m.
milonga s.f.
milongada s.f.
milongagem s.f.
milongas s.f.pl.
milongo s.m.
milongueiro adj. s.m.
milonita s.f.
milonítico adj.
milonitização s.f.
milonitizado adj.
milonitizante adj.2g.
milonitizar v.
milonitizável adj.2g.
milonito s.m.
miloptose s.m.
milorde s.m.
milórnis s.2g.2n.
milornite s.2g.
miloschita s.f.
milótris s.f.2n.
milpa s.f.
milpartir v.
mil-pés s.m.2n.
mil-réis adj.2g. s.m.2n.
mil-repolhos s.m.2n.
milreu s.m.
milsônia s.m.
milsoniíneo adj. s.m.
miltocrista s.f.
miltônia s.f.
miltoniano adj. s.m.
miltônico adj.
milu s.2g.
milundo s.m.
milvina s.f.
milvínea s.f.
milvíneo adj.
mílvio s.m.
milvo s.m.
milvulo s.m.
mim pron.
mima s.f.
mimaça s.f.

mimadeira adj. s.f.
mimadeiro adj. s.m.
mimado adj.
mimador (*ô*) adj.
mimalha s.f.
mimalheira s.f.
mimalheiro adj. s.m.
mimalhice s.f.
mimalho adj. s.m.
mimalo s.m.
mimálon s.m.
mimalonídeo adj. s.m.
mimança s.f. "mimo", etc.; cf. *mimansa*
mimanço adj. s.m.
mimansa s.f. "sistema filosófico"; cf. *mimança*
mimar v.
mimáster s.m.
mimasteríneo adj. s.m.
mimável adj.2g.
mimbar s.m.
mimbi s.f.
mimbo s.m.
mimbuia s.f.
mimbura s.2g.
mime s.m. "cobra"; cf. *mimê*
mimê s.m. "apito indígena"; cf. *mime* s.m. e fl. do v. *mimar*
mimeco s.m.
mimeira s.f.
mimento adj.
mimeografagem s.f.
mimeografar v.
mimeografia s.f.
mimeógrafo s.m.; cf. *mimeografo*, fl. do v. *mimeografar*
mimese s.f.
mímese s.f.
mimésis s.f.2n.
mimete s.m.
mimetésio s.m.
mimetesita s.f.
mimetesítico adj.
mimético adj.
mimétida adj.2g. s.m.
mimetídeo adj. s.m.
mimetíneo adj. s.m.
mimetismo s.m.
mimetista adj. s.2g.
mimetístico adj.
mimetita s.f.
mimetite s.f.
mimetização s.f.
mimetizado adj.
mimetizador (*ô*) adj.
mimetizante adj.2g.
mimetizar v.
mimetizável adj.2g.
mimeto s.m.
mimi s.m.
mimiâmbico adj.
mimiambo s.m.
mímica s.f.; cf. *mimica*, fl. do v. *mimicar*
mimicar v.
mimice s.f.
mímico adj. s.m.; cf. *mimico*, fl. do v. *mimicar*
mimicologia s.f.
mimicológico adj.
mimicólogo s.m.
mimídea s.f.
mimídeo adj. s.m.
mimo s.m. "agrado", etc.; cf. *mimô*
mimô s.m. "ave"; cf. *mimo* s.m. e fl. do v. *mimar*
mimocicla s.f.
mimocinético adj.
mimo-de-vênus s.m.; pl. *mimos-de-vênus*
mimo-do-céu s.m.; pl. *mimos-do-céu*
mimodrama s.m.
mimodramático adj.
mimografia s.f.
mimográfico adj.
mimografismo s.m.
mimógrafo s.m.
mimologia s.f.
mimológico adj.
mimologismo s.m.
mimólogo s.m.
mímon s.m.
mimonectes s.m.2n.
mimo no caco s.m.
mimoplástica s.f.
mimoplástico adj.
mimopórfiro s.m.
mimosa s.f.
mimosa-carmesi s.f.; pl. *mimosas-carmesis*
mimosa-carmesim s.f.; pl. *mimosas-carmesins*
mimosácea s.f.
mimosáceo adj.
mimosa-de-vereda s.f.; pl. *mimosas-de-vereda*
mimosa-dos-jardins s.f.; pl. *mimosas-dos-jardins*
mimósea s.f.
mimoseado adj.
mimoseador (*ô*) adj.
mimoseano adj. s.m.
mimosear v.
mimosela s.m.
mimoselídeo adj. s.m.
mimosense adj. s.2g.
mimóseo adj.
mimosicéria s.f.
mimosinho s.m.
mimoso (*ô*) adj. s.m.; f. (*ó*); pl. (*ó*)
mimoso-de-cacho s.m.; pl. *mimosos-de-cacho*
mimosóidea s.f.
mimotânico adj.
mimotipia s.f.
mimótipo s.m.
mímulo s.m.
mimusope s.f.
mimusópea s.f.
mimúsopo s.m.
mimusópode s.m.
mina adj. s.2g. s.f.
minace adj.2g.
minácido adj. s.m.
minacíssimo adj. sup. de *minaz*
minacu adj. s.2g.
minado adj.
minadoiro s.m.
minador (*ô*) s.m.
minadouro s.m.
minagem s.f.
minamina s.f.
minamuca s.f.
minana s.f.
minanço s.m.
minante adj.2g. s.m.
mina-popô adj. s.2g.; pl. *minas-popôs*
minar v. s.m.
minarete (*ê*) s.m.
minargento s.m.
minas-bocainense adj. s.2g.; pl. *minas-bocainenses*
minas-butiaense adj. s.2g.; pl. *minas-butiaenses*
minas-entre-riense adj. s.2g.; pl. *minas-entre-rienses*
minas-generalense adj. s.2g.; pl. *minas-generalenses*
minas-geralense adj. s.2g.; pl. *minas-geralenses*
minasita s.f.
minas-jardinense adj. s.2g.; pl. *minas-jardinenses*
minas-madrense adj. s.2g.; pl. *minas-madrenses*
minas-mimosense adj. s.2g.; pl. *minas-mimosenses*
minas-montalegrense adj. s.2g.; pl. *minas-montalegrenses*
minas-monte-santense adj. s.2g.; pl. *minas-monte-santenses*
minas-novense adj. s.2g.; pl. *minas-novenses*
minasragrita s.f.
minas-vicentino adj. s.m.; pl. *minas-vicentinos*
minável adj.2g.
minaz adj.2g.
mincha s.f.
minche s.m.
mincópio adj. s.m.
mindá s.m.
mindacará s.m.
mindanau adj. s.2g.
mindeleiro adj. s.m.
mindeliano adj.
mindense adj. s.2g.
minderico adj. s.m.
minderiqueiro adj. s.m.
mindigita s.f.
mindim adj. s.m.
mindinho adj. s.m.
mindongue adj. s.2g.
mindorra (*ô*) s.f.
mindrico s.m.
minduba s.f.
mindubi s.m.
minduri s.f.
minduriense adj. s.2g.
mindzã s.m.
mine s.f.
mineano adj. s.m.
mineia (*é*) adj. s.f. de *mineu*
mineira s.f.
mineirada s.f.
mineira-de-petrópolis s.f.; pl. *mineiras-de-petrópolis*
mineirense adj. s.2g.
mineirice s.f.
mineiridade s.f.
mineirinho s.m.
mineirismo s.m.
mineiro adj. s.m.
mineiro-cachoeirense adj. s.2g.; pl. *mineiro-cachoeirenses*
mineiro com botas s.m.
mineiro de botas s.m.
mineirolandense adj. s.2g.
mineiro-patense adj. s.2g.; pl. *mineiro-patenses*
mineiro-pau s.m.; pl. *mineiros-paus*
mineiro-rio-pardense adj. s.2g.; pl. *mineiro-rio-pardenses*
mineiros-tieteense adj. s.2g.; pl. *mineiros-tieteenses*
mineiro-tietense adj. s.2g.; pl. *mineiro-tietenses*
minense adj. s.2g.
minerabilidade s.f.
mineração s.f.
minerado adj.
minerador (*ô*) adj. s.m.
mineral adj.2g. s.m.
mineral-gema s.f.; pl. *minerais-gema* e *minerais-gemas*
mineralidade s.f.
mineral-índice s.m.; pl. *minerais-índice* e *minerais-índices*
mineralização s.f.
mineralizado adj.
mineralizador (*ô*) adj. s.m.
mineralizante adj.2g. s.m.
mineralizar v.
mineralizável adj.2g.
mineral-minério s.m.; pl. *mineral-minérios* e *minerais-minérios*
mineralocorticoide (*ó*) adj.2g. s.m.
mineralogia s.f.
mineralógico adj.
mineralogista adj. s.2g.
mineralógo s.m.
mineralografia s.f.
mineralográfico adj.
mineralógrafo s.m.
mineraloide (*ó*) s.f.
mineralurgia s.f.
mineralúrgico adj. s.m.
mineralurgista adj. s.2g.
minerante adj. s.2g.
minerar v.
minerário adj.
mineratório adj.
minerável adj.2g.
minério s.m.
mineroduto s.m.
minerografia s.f.
minerográfico adj.
minerógrafo s.m.
mineromedicinal adj.2g.
mineropetroleiro s.m.
minerorreniforme adj.2g.
minerva s.f.
minerva-dos-jardins s.f.; pl. *minervas-dos-jardins*
minervais s.f.pl.
minerval adj.2g. s.m.
minerválias s.f.pl.
minervas s.f.pl.
minervense adj. s.2g.
minérveo s.m.
minervista adj. s.2g.
minervita s.f.
minervite s.f.
minesotaíta s.f.
minessínger s.m.
minestra s.f.
minestrão s.m.
minestre s.m.
minestrone s.m.
minete s.m.
minetear v.
mineteiro s.m.
mineu adj. s.m.; f. *mineia* (*é*)
minga s.m.
mingacha s.f.
mingacho s.m.
mingado adj.
mingamento s.m.
mingança s.f.
mingante adj.2g. s.m.
mingar v.
mingau s.m.
mingau das almas s.m.
mingaupitinga s.m.
mingo adj. s.m.
mingola adj.2g. s.m.
mingolas adj. s.2g.2n.
mingomba s.f.
mingongo s.m.
mingornilha s.f.
mingorra (*ô*) s.f.
mingote s.m.
mingrélio adj. s.m.
mingróflo s.m.
mingu s.m.
minguá s.m. "ave"; cf. *míngua*
míngua s.f. "falta"; cf. *minguá*
minguação s.f.
minguado adj.
minguador (*ô*) adj.
minguamento s.m.
minguante adj.2g. s.m.
minguar v.
minguável adj.2g.
minguengue s.m.
minguetita s.f.
minguinha s.f.
minguinho adj. s.m.
minguitão s.m.
minguituba s.m.
mingusoto s.m.
minguta adj.2g.
minguzzita s.f.
minha pron. s.f.
minhã s.f.
minhafo s.m.
minhafre s.m.
minhajirum adj. s.2g.
minha-minha s.f.; pl. *minha-minhas*
minhamúndis s.m.2n.
minha-nega s.f.; pl. *minhas-negas*
minhanha s.f.
minhão s.m.
minheiro adj.
minhoca s.f.
minhoca-brava s.f.; pl. *minhocas-bravas*
minhocaçu s.m.
minhocada s.f.
minhoca-grande s.f.; pl. *minhocas-grandes*
minhocal s.m.
minhoca-louca s.f.; pl. *minhocas-loucas*
minhocão s.m.
minhocar v.
minhocário s.m.
minhocas s.2g.2n. s.f.pl.
minhococultura s.f.
minhocuçu s.m.
minhonete s.m.
minhoteira s.f.
minhoteiro adj. s.m.
minhotismo s.m.
minhoto (*ô*) adj. s.m.
míni s.2g.
miniádeo adj. s.m.
miniado adj.
miniajirum adj. s.2g.
miniajurina adj. s.2g.
miniano adj.
miniantina s.f.
minianto s.m.
miniar v.
miniatura s.f.
miniatural adj.2g.
miniaturar v.
miniaturesco (*ê*) adj.
miniaturismo s.m.
miniaturista adj. s.2g.
miniaturístico adj.
miniaturizabilidade s.f.
miniaturização s.f.
miniaturizado adj.
miniaturizador (*ô*) adj.
miniaturizante adj.2g.
miniaturizar v.
miniaturizável adj.2g.
minibar s.m.
minibiblioteca s.f.
minicalculadora s.f.
minicasaco s.m.
minicassete s.f.
minicomputador (*ô*) adj. s.m.
miniconto s.m.
minidesvalorização s.f.
minidicionário s.m.
minificação s.f.
minificado adj.
minificar v.
minificável adj.2g.
minifundiário adj. s.m.
minifúndio s.m.
minigâncias s.f.pl.
minigênio s.m.
mínima s.f.
minimação s.f.
minimador (*ô*) adj.
minimal adj.2g. s.m.
minimalismo s.m.
minimalista adj. s.2g.
minimalístico adj.
minimalizar v.
minimante adj.2g.
minimantô s.m.
minimar v.
minimável adj.2g.
minimax (*cs*) adj.2g. s.m.
minimidade s.f.
miniminizar v.
minimismo s.m.
minimista adj. s.2g.
minimístico adj.
minimização s.f.
minimizado adj.
minimizador (*ô*) adj.
minimizante adj.2g.
minimizar v.
minimizável adj.2g.
mínimo adj. s.m.
mínio s.m.
miniopteríneo adj. s.m.
minióptero s.m.
minipílula s.f.
miniquadro s.m.
minirretrospectiva s.f.

minissaia s.f.
minissubmarino s.m.
ministerial adj. s.2g.
ministerialismo s.m.
ministerialista adj. s.2g.
ministerialístico adj.
ministeriável adj.2g. s.m.
ministério s.m.
ministra s.f.
ministração s.f.
ministraço s.m.
ministrado s.m.
ministrador (*ô*) adj. s.m.
ministral adj.2g.
ministrança s.f.
ministrante adj. s.2g.
ministrar v.
ministraria s.f.
ministrável adj.2g.
ministrice s.f.
ministrículo s.m.
ministrificação s.f.
ministrificado adj.
ministrificar v.
ministrível adj.2g.
ministro s.m.
miniulita s.f.
minivestido s.m.
miniyulita s.f.
minje s.m.
minjoada s.f.
minkowskiano adj.
minnesotaíta s.f.
minoano adj. s.m. "povo"; cf. *minuano*
minociclina s.f.
minodunense adj. s.2g.
minoense adj. s.2g.
minoico (*ó*) adj.
minol s.m.
minoração s.f.
minorado adj.
minorador (*ô*) adj. s.m.
minoramento s.m.
minorante adj.2g.
minorar v.
minorativo adj. s.m.
minorato s.m.
minorável adj.2g.
minorca s.2g.
minorense s.m.
minoria s.f.
minoridade s.f.
minorista s.m.
minorita adj. s.2g.
minoritário adj. s.m.
minoritarismo s.m.
minoritarista adj. s.2g.
minorizar v.
minorquino adj. s.m.
minota s.f.
minotaurar v.
minotaurização s.f.
minotaurizado adj.
minotaurizar v.
minotauro s.m.
minoto (*ô*) s.m.
minoxidil (*cs*) s.m.
mintói s.m.
minturnense adj. s.2g.
minuana s.f.
minuano s.m. "vento"; cf. *minoano*
minuártia s.f.
minução s.f.
minúcia s.f.; cf. *minucia*, fl. do v. *minuciar*
minuciar v.
minuciosidade s.f.
minucioso (*ô*) adj.; f. (*ó*); pl. (*ó*)
minudar v.
minudear v.
minudência s.f.; cf. *minudencia*, fl. do v. *minudenciar*
minudenciar v.
minudencioso (*ô*) adj.; f. (*ó*); pl. (*ó*)
minudente adj.2g.
minudinho adj.
minuendo adj. s.m.
minuete (*ê*) s.m.
minueto (*ê*) s.m.
minuir v.
mínula s.f.
minungo adj. s.m.
minúscula s.f.
minusculação s.f.
minusculado adj.
minuscular v.
minuscularia s.f.
minusculativo adj.
minusculização s.f.
minusculizado adj.
minusculizar v.
minúsculo adj.
minuta s.f.
minutado adj.
minutador (*ô*) adj. s.m.
minutagem s.f.
minutante s.2g.
minutar v.
minuteria s.f.
minutismo s.m.
minutíssimo adj. sup. de *miúdo* e de *minuto*
minuto adj. s.m.
minutor (*ô*) s.m.
mioa (*ô*) s.f.
mioalbumina s.f.
mioalbumose s.f.
mióbaro s.m.
miobátraco s.m.
mioblástico adj.
mioblasto s.m.
miobradia s.f.
miobrádico adj.
miócama s.m.
miocamicina s.f.
miocardia s.f.
miocárdico adj.
miocárdio s.m.
miocardiopata adj. s.2g.
miocardiopatia s.f.
miocardiopático adj.
miocardiosclerose s.f.
miocardiosclerótico adj.
miocardite s.f.
miocardítico adj.
miocardose s.f.
miocardótico adj.
miocastor (*ô*) s.m.
miocefálico adj.
miocéfalo s.m.
miocelalgia s.f.
miocelálgico adj.
miocele s.f.
mioceliálgia s.f.
mioceliálgico adj.
miocélico adj.
miocelite s.f.
miocelítico adj.
miocelulite s.f.
miocelulítico adj.
miocênico adj.
mioceno adj. s.m.
miocerose s.f.
miocerótico adj.
miocimia s.f.
miocinese s.f.
miocinético adj.
miócito s.m.
mioclasia s.f.
mioclonia s.f.
mioclônico adj.
mioclono s.m.
miocolpite s.f.
miocoma s.m.
miocopte s.m.
miocordite s.f.
miocrismo s.m.
miocronoscopia s.f.
miocronoscópico adj.
miocronoscópio s.m.
miode adj.2g.
miodegenerescência s.f.
miodema s.m.
miodemia s.f.
miodêmico adj.
miodesopsia s.f.
miodiástase s.f.
miodiastático adj.
miodídimo s.m.
miodinamia s.f.
miodinâmico adj.
miodinamometria s.f.
miodinamométrico adj.
miodinamômetro s.m.
miodinia s.f.
miodínico adj.
miodite s.m.
miodócopo adj. s.m.
miodopsia s.f.
miodora s.m.
mioedema s.m.
mioelástico adj.
mioentérico adj.
mioentério s.m.
mioepitelial adj.2g.
mioesofágico adj.
miofibrila s.f.
miofibrilar adj.2g.
miofibrilha s.f.
miofibroma s.m.
miofibrose s.f.
miofilamento s.m.
miofilia s.f.
miófilo adj.
miofone s.m.
miofôneo s.m.
miofônio s.m.
mióforo s.m.
mioga s.f.
miógale s.m.
miogalíneo adj. s.m.
miogênese s.f.
miogenia s.f.
miogênico adj.
miogênio s.m.
miógeno adj.
miogeossiclinal adj.2g.
miogeossinclíneo adj. s.m.
miogeossinclínico adj.
mióglia s.f.
mioglobina s.f.
mioglobinúria s.f.
mioglobulina s.f.
miognatia s.f.
miógnato adj. s.m.
miógono adj.
miografia s.f.
miográfico adj.
miógrafo s.m.
miograma s.m.
mioide (*ó*) adj.2g. s.m.
miola (*ô*) s.f.
miolada s.f.
miolagem s.f.
miolatria s.f.
miolátrico adj.
mioleira s.f.
miolema s.m.
miolemal adj.2g.
miolemático adj.
miolha (*ô*) s.f.
miolinho s.m.
miolipoma s.m.
miólise s.f.
miolítico adj.
miolo (*ô*) s.m.; pl. (*ó*)
miolo-de-capim s.m.; pl. *miolos-de-capim*
miologia s.f.
miológico adj.
miologista adj. s.2g.
miólogo s.m.
mioloso (*ô*) adj.; f. (*ó*); pl. (*ó*)
mioludo adj.
mioma s.m.
miomalacia s.f.
miomalácico adj.
miomancia s.f.
miomante s.2g.
miomântico adj.
miomatose s.f.
miomatoso (*ô*) adj.; f. (*ó*); pl. (*ó*)
miomatótico adj.
miomba s.f.
miombo s.m.
miomectomia s.f.
miomectômico adj.
miomelanose s.f.
miomelanótico adj.
mioméríco adj.
miomério s.m.
miomerização s.f.
miômero s.m.
miométrico adj.
miométrio s.m.
miometrite s.f.
miometrítico adj.
miometro s.m. "porção muscular do útero"; cf. *miômetro*
miômetro s.m. "instrumento para avaliação do estrabismo"; cf. *miometro*
mio-mio s.m.; pl. *mio-mios*
miomórfico adj.
miomorfo adj. s.m.
miomotomia s.f.
miomotômico adj.
mionecrose s.f.
mionecte s.m.
mionefropéctico adj.
mionefropexia (*cs*) s.f.
mionema s.m.
mionemático adj.
mioneura s.f.
mioneural adj.2g.
mioneuralgia s.f.
mioneurálgico adj.
mioneurastenia s.f.
mioneurastênico adj.
mioneuroma s.m.
mionevral adj.2g.
mionevralgia s.f.
mionevrálgico adj.
mioniositol s.m.
mionite s.f.
mionose s.f.
mionótico adj.
miopa s.f.
mióparo s.m.
miopatia s.m.
miopático adj.
míope adj. s.2g.
miopericardite s.f.
miopericardítico adj.
miopia s.f.
miópico adj.
miopismo s.m.
miopiteco s.m.
mioplasma s.m.
mioplasmático adj.
mioplasmia s.f.
mioplásmico adj.
mioplastia s.f.
mioplástico adj.
mioplegia s.m.
mioplégico adj.
mioporácea s.f.
mioporáceo adj.
mioporínea s.f.
mioporíneo adj.
mióporo s.m.
miopótamo s.m.
miopragia s.f.
mioprasia s.f.
miopraxia (*cs*) s.f.
miopresbita adj. s.2g.
mioprocta s.f.
miópsida adj.2g. s.m.
miopsídeo adj. s.m.
miopsiquia s.m.
miopsíquico adj.
miopsítaco s.m.
mióptero s.m.
mioquímica adj. s.f.
miorrafia s.f.
miorráfico adj.
miorragia s.f.
miorrágico adj.
miorréctico adj.
miorrelaxante s.m.
miorrético adj.
miorrexe (*cs*) s.f.
miorrexia (*cs*) s.f.
miosalgia s.f.
miosálgico adj.
mioscálope s.m.
mióscalops s.m.2n.
miosclerose s.f.
miosclerótico adj.
miose s.f.
miosina s.f.
miosinogênio s.m.
miosite s.f.
miosítico adj.
miosmina s.f.
miosota s.f.
miosote s.m.
miosótis s.m.
miospasia s.f.
miospásico adj.
miospasmo s.m.
miospectroscopia s.f.
miospectroscópico adj.
miospectroscópio s.m.
miossalpingite s.f.
miossalpirigítico adj.
miossarcoma s.m.
miossepto s.m.
miossomo s.m.
miostêmone adj.2g.
miosteoma s.m.
miosuro s.m.
miotalpa s.m.
miotaxia (*cs*) s.f.
miotérmico adj.
miotexia (*cs*) s.f.
miótico adj.
miotilidade s.f.
miotina s.f.
mioto (*ô*) s.m.
mioto-de-asa-redonda s.m.; pl. *miotos-de-asa-redonda*
mioto-de-rabo-de-bacalhau s.m.; pl. *miotos-de-rabo-de--bacalhau*
miotomia s.f.
miotômico adj.
miotomista adj. s.2g.
miótomo s.m.
miotonia s.m.
miotônico adj.
miótono s.m.
miotônus s.m.2n.
miotrofia s.f.
miotrófico adj.
mioxantina (*cs*) s.f.
mioxídeo (*cs*) adj. s.m.
mioxo (*cs*) s.m.
mipibuense adj. s.2g.
miquáuxia s.f.
mique s.m.
miqueado adj.
miquear v.
miqueleno adj. s.2g.
miquelete (*ê*) s.m.
miquélia s.f.
miquelina s.f.
miquelino adj.
miqueselumbué adj. s.2g.
miquete (*ê*) s.m.
miqui adj. s.2g.
miquimba s.m.
mira s.m.f.
mirabálano s.m.
mirabanda s.f.
mirabe s.m.f.
mirabela s.f.
mirabeleiro s.m.
mirabelense adj. s.2g.
mirábil adj.2g.
mirábile s.f.
mirabílea s.f.
mirabilita s.f.
mirabilite s.f.
mirabolância s.f.
mirabólano s.m.
mirabolante adj.2g.
mirabolino s.m.
miracanguera (*ü*) s.2g.
miração s.f.
miracatuense adj. s.2g.
miraceém s.m.
miracelo s.m.
miracema s.f.
miracemense adj. s.2g.
miracemense-do-norte adj. s.2g.; pl. *miracemenses-do--norte*
mira-céu s.m.; pl. *mira-céus*

miracicense adj. s.2g.
miracídio s.m.
miraciquense adj. s.2g.
miraculado adj. s.m.
miracular v.
miraculina s.f.
miráculo s.m.; cf. *miraculo*, fl. do v. *miracular*
miraculoso (*ô*) adj.; f. (*ó*); pl. (*ó*)
mirada s.f.
miradela s.m.
miradoiro s.m.
mirador (*ô*) adj. s.m.
miradorense adj. s.2g.
miradourense adj. s.2g.
miradouro s.m.
mira-estrelense adj. s.2g.; pl. *mira-estrelenses*
mira-falante s.f.; pl. *miras-falantes*
mirafra s.f.
miragaia s.f.
miragaiense adj. s.2g.
miragaio s.m.
miragem s.f.
miraginense adj. s.2g.
miraguaia s.f.
miraguaiense adj. s.2g.
miraguaiente adj. s.2g.
miraia s.f.
miraiense adj. s.2g.
miraimense adj. s.2g.
miraitá s.m.
mirajuba s.f.
miralmuminim s.m.
miraltense adj. s.2g.
mira-lua s.m.; pl. *mira-luas*
miralucense adj. s.2g.
miraluzense adj. s.2g.
miramantense adj. s.2g.
miramar s.m.
mirambeense adj. s.2g.
miramento s.m.
miramolim s.m.
miramolino s.m.
miramomi adj. s.2g.
mira-muda s.f.; pl. *miras-mudas*
mirana adj. s.2g.
mirandeira s.f.
mirandeiro adj.
mirandelense adj. s.2g.
mirandelês adj. s.m.
mirandelo (*ê*) adj. s.m.
mirandense adj. s.2g.
mirandês adj. s.m.
mirandibense adj. s.2g.
mirandino adj.
mirandolano adj.
mirandopolense adj. s.2g.
mirandopolitano adj. s.m.
mirangabense adj. s.2g.
miranguense adj. s.2g.
miranha adj. s.2g.
mirante s.m.
mirantego s.m.
mirantense adj. s.2g.
mirantonense adj. s.2g.
mirão adj. s.m.; f. *mirona*
miraobi s.m.
mira-olho adj. s.m.; pl. *mira-olhos*
miraonde s.m.
mira-ovo s.m.; pl. *mira-ovos*
mirapaque adj. s.2g.
mirapinimense adj. s.2g.
mirapininga s.f.
mirapiranga s.f.
miraporanguense adj. s.2g.
mirapuama s.f.
mirar v.
mirária s.f.; cf. *miraria*, fl. do v. *mirar*
mirariense adj. s.2g.
mirás s.m.
mira-sol s.m.; pl. *mira-sóis*
mirasselvense adj. s.2g.
mirassolandense adj. s.2g.
mirassolense adj. s.2g.
miratuá s.m.
miraúba s.f.
mirável adj.2g.
mirbane s.m.
mirceno s.m.
mircenol s.m.
mírcia s.f.
mircianto s.m.
mirciária s.f.
mirdita adj. s.2g.
mirgã s.f.
mirgadeira s.f.
mirgandesa (*ê*) s.f.
miri s.m.f.
miriacanto adj.
miriacte s.f.
miriáctis s.f.2n.
miríada s.f.
miríade s.f.
miriagonal adj.2g.
miriágono s.m.
miriagrama s.m.
mirialitro s.m.
miriâmetro s.m.
miriana s.f.
miriangiácea s.f.
mirianida s.f.
miriânida adj.2g. s.m.
mirianídeo adj. s.m.
mirianopolitano adj. s.m.
mirianto adj. s.m.
miriapieze s.m.
miriapiezo s.m.
miriápode adj.2g. s.m.
miriapódico adj.
miriápodo adj. s.m.
miriarca s.m.
miriare s.m.
miriáspora s.m.
miriassanga s.m.
miriastere s.m.
miriastéreo s.m.
miriastra s.m.
miriavolt s.m.
miriawatt (*uó*) s.m.
mirica s.f.
miricácea s.f.
miricáceo adj.
mirical adj.2g.
miricale s.f.
miricária s.f.
mirícea s.f.
miríceo adj.
miricetina s.f.
mirici s.m.
mirícico adj.
mirícila s.f.
miricílico adj.
miricina s.f.
miricínico adj.
mirídeo adj. s.m.
mirídio s.m.
mirientomado adj. s.m.
mirificácia s.f.
mirificar v.
mirífico adj.; cf. *mirifico*, fl. do v. *mirificar*
mirim adj.2g. s.m.f.
mirimbiba s.f.
mirim-guaçu s.f.; pl. *mirins-guaçus*
mirim-pintada s.f.; pl. *mirins-pintadas*
mirim-preguiça s.f.; pl. *mirins-preguiça* e *mirins-preguiças*
mirim-rendeira s.f.; pl. *mirins-rendeiras*
mirina s.f.
mirindiba s.f.
mirindiba-bagre s.f.; pl. *mirindibas-bagre* e *mirindibas-bagres*
mirindiba-doce s.f.; pl. *mirindibas-doces*
mirindiba-rosa s.f.; pl. *mirindibas-rosa*
mirindiba-rósea s.f.; pl. *mirindibas-róseas*
mirinduva s.f.
mirinense adj. s.2g.
miríneo s.m.
miringe s.f.
miringiácea s.f.
miringiáceo adj.
miringite s.f.
miringocentese s.f.
miringodermatite s.f.
miringomicose s.f.
miringoplastia s.f.
miringotomia s.f.
miringuaçu s.f.
mirinzal s.m.
mirinzalense adj. s.2g.
mirió s.m.
miriocarpa s.f.
miriociclo s.m.
miriodésmea s.f.
miriodésmeo adj.
miriofilo adj. s.m.
mirioftalmo adj.
miriógono s.m.
miriologia s.f.
miriólogo s.m.
mirionema s.m.
mirionematácea s.f.
mirionglo s.m.
miriônimo adj.
miriopéltis s.m.2n.
miriópode adj.2g. s.m.
miriotela s.m.
miriotelídeo adj. s.m.
miriotonia s.f.
miriotríquia s.f.
mirιótroco s.m.
miriozóideo s.m.
miriozóon s.m.
miripristis s.m.2n.
miriqui s.m.
miriquidite s.f.
miriquiná s.m.
miriquita s.f.
míris s.m.2n.
miristato s.m.
mirística s.f.
miristicação s.f.
miristicácea s.f.
miristicáceo adj.
miristícea s.f.
miristiceno s.m.
miristíceo adj.
miristicina s.f.
miristicívora s.m.
mirístico adj.
miristina s.f.
miristoleico (*é*) adj.
miristona s.f.
miriti s.m.
miritiense adj. s.2g.
miriti-tapuia adj. s.2g.; pl. *miritis-tapuias*
miritizal s.m.
miritizalense adj. s.2g.
miritizeiro s.m.
miritubense adj. s.2g.
mirixi s.m.
mirizalense adj. s.2g.
mirliton s.m.
mirmece s.m.
mirmeceluro s.m.
mirmécia s.f.
mirmécio s.m.
mirmeciza s.m.
mirmecobídeo adj. s.m.
mirmecóbio s.m.
mirmecobromo adj.
mirmecocisto s.m.
mirmecocora adj.2g.
mirmecódia s.f.
mirmecódromo adj.
mirmecofagia s.f.
mirmecofágico adj.
mirmecofagídeo adj. s.m.
mirmecófago adj. s.m.
mirmecófila s.f.
mirmecofilia s.f.
mirmecofilismo s.m.
mirmecófilo adj. s.m.
mirmecófito adj. s.m.
mirmecofobia s.f.
mirmecofóbico adj.
mirmecófobo s.m.
mirmecologia s.f.
mirmecológico adj.
mirmecologista adj. s.2g.
mirmecólogo s.m.
mirmecópora s.f.
mirmecóxeno (*cs*) adj. s.m.
mirmedóbia s.f.
mirmédone s.m.
mirmedônia s.f.
mirmedoniino s.f.
mirmeleão s.m.
mirmeleoniano adj.
mirmeleonídeo adj. s.m.
mirmeleôntida adj.2g. s.m.
mirmeleontídeo adj. s.m.
mirmequita s.f.
mirmequito s.m.
mirmestesia s.f.
mirmestésico adj.
mirmestético adj.
mírmex (*cs*) s.m.
mirmica s.f.
mirmicária s.f.
mirmicida adj. s.2g.
mirmicídio s.m.
mirmicíneo adj. s.m.
mirmidão s.m.
mirmídone adj. s.2g.
mirmila s.m.
mirmilão s.m.
mirmo s.m.
mirmol s.m.
mirmosa s.f.
mirmosídeo adj. s.m.
mirmotérula s.m.
miro s.m.
mirobalânea s.f.
mirobalaneiro s.m.
mirobalâneo adj.
mirobálano s.m.
mirobolante adj.2g.
mirobrigense adj. s.2g.
mirocarpo s.m.
mirocônger (*ê*) s.m.
mirocongro s.m.
miroé s.m.
mírofis s.m.2n.
miróleo s.m.
mirolha (*ô*) adj. s.2g.
mirolho (*ô*) adj. s.m.; pl. (*ó*)
mirólogo s.m.
mirona adj. s.f. de *mirão*
mironar v.
mironato s.m.
mirone s.m.
mironga s.f.
mirongada s.f.
mirônico adj.
mirontela s.f.
miroró s.m.
miroró-caramuru s.m.; pl. *mirorós-caramuru* e *mirorós-caramurus*
miroroense adj. s.2g.
mirosina s.f.
mirosma s.f.
mirospermina s.f.
mirospermo s.m.
mirotamnácea s.f.
mirotamnáceo adj.
mirotamno s.m.
mirotanácea s.f.
mirotanáceo adj.
miroterme s.f.
miroxilina (*cs*) s.f.
miróxilo (*cs*) s.m.
mirra s.f. s.2g.
mirração s.f.
mirrado adj.
mirrador (*ô*) adj.
mirramento s.m.
mirra-mofina s.m.; pl. *mirras-mofina* e *mirras-mofinas*
mirrar v.
mirrastes s.m.pl.
mirre s.f.
mírreo adj.
mirríneo adj. "perfumado com mirra"; cf. *mirrínio*
mirrínio s.m. "gênero de planta"; cf. *mirríneo*
mírris s.f.2n.
mirrite s.f.
mirro adj.
mirrol s.m.
mirsifilo s.m.
mírsina s.f.
mirsinácea s.f.
mirsináceo adj.
mírsine s.f.
mirsínea s.f.
mirsíneo adj.
mirsiniácea s.f.
mirsiniáceo adj.
mirsinóidea s.f.
mirta s.f.
mirtácea s.f.
mirtáceo adj.
mirtal s.m.
mirtale s.f.
mirtássana s.m.
mírtea s.f.
mirtedo (*ê*) s.m.
mirtenal s.m.
mirtênico adj.
mirtenol s.m.
mírteo adj.
mirticolorina s.f.
mirtífero adj.
mirtiflora s.f.
mirtifólio adj.
mirtiforme adj.2g.
mírtil s.m.
mirtilidina s.f.
mirtilina s.f.
mirtilo s.m.
mírtilo s.m.
mirtínea s.f.
mirtíneo adj.
mirto s.m.
mirto-dos-surradores s.m.; pl. *mirtos-dos-surradores*
mirto-dos-surrados s.m.; pl. *mirtos-dos-surrados*
mirtofilo s.m.
mirtoide (*ó*) adj.2g.
mirtóidea s.m.
mirtóideo adj.
mirtol s.m.
mirtópsen s.m.
mirtoso (*ô*) adj.; f. (*ó*); pl. (*ó*)
mirucaia s.f.
mirueira s.f.
miruí s.m.
miruim s.m.
mirzá s.m.
mirzada s.m.
misaga s.f.
misandria s.f.
misândrico adj.
misantropia s.f.
misantrópico adj.
misantropismo s.m.
misantropo adj. s.m.
miscambilha s.f.
miscambilheiro adj. s.m.
miscandilha s.f.
miscantídio s.m.
miscanto s.m.
miscaria s.f.
míscaro s.m.
míscaro-amarelo s.m.; pl. *míscaros-amarelos*
míscaro-roxo s.m.; pl. *míscaros-roxos*
miscar-se v.
miscela s.f.
miscelada s.f.
miscelânea s.f.
miscélia s.f.
miscibilidade s.f.
miscigenação s.f.
miscigenacionista adj. s.2g.
miscigenado adj.
miscigenar v.
miscigênese s.f.
miscigenético adj.
miscigênio adj.
miscigenismo s.m.
miscígeno adj.
miscível adj.2g.
misco s.m.
miscofo s.m.

miscrado adj.
miscrador (ô) adj. s.m.
miscrar v.
miscro s.m.
misélia s.f.
misena s.f.
misenate adj. s.2g.
misenense adj. s.2g.
misenita s.f.
misenite s.f.
miserabilidade s.f.
miserabilismo s.m.
miserabilíssimo adj. sup. de *miserável*
miserabilizar v.
miseração s.f.
miserado adj.
miserando adj.
miserar v.
miserável adj. s.2g.
miserê s.m.
miserento adj.
miséria s.f.
misérias s.f.pl.
misericórdia s.f.
misericordiense adj. s.2g.
misericordioso (ô) adj. s.m.; f. (ó); pl. (ó)
miserita s.f.
mísero adj. s.m.; cf. *misero*, fl. do v. *miserar*
misérrimo adj. sup. de *mísero*
misgalhar v.
misgalho adj.
misgo adj.
misgolho (ô) s.m.
misidáceo adj. s.m.
misídeis s.m.2n.
misidela s.m.
misídeo adj. s.m.
misidópsis s.m.2n.
mísio adj. s.m.
mísis s.m.2n.
misná s.f.
misnaico adj.
miso adj. s.m.
misocálio s.m.
misodendrácea s.f.
misodendráceo adj.
misodendro s.m.
misofobia s.f.
misofóbico adj.
misófobo adj. s.m.
misogamia s.f.
misogâmico adj.
misógamo s.m.
misoginia s.f.
misogínico adj.
misógino adj. s.m.
misolampo s.m.
misologia s.f.
misológico adj.
misólogo s.m.
misomacédone adj. s.2g.
misomacedônio adj. s.m.
misoneico (é) adj.
misoneísmo s.m.
misoneísta adj. s.2g.
misoneístico adj.
misongué s.m.
misopedia s.f.
misopédico adj.
misopsiquia s.f.
misopsíquico adj. s.m.
misória s.2g.
misorina s.f.
misoso (ô) s.m.
misosofia s.f.
misosófico adj.
misósofo s.m.
misossofia s.f.
misossófico adj.
misóssofo s.m.
misoteísmo s.m.
misoteísta adj. s.2g.
mispíquel s.m.
misraim s.m.
missa s.f.
missa-cantante s.m.; pl. *missas-cantantes*
missadela s.f.
missado adj.
missador (ô) s.m.
missadura s.f.
missagra s.f.
missal adj.2g. s.m.
missalete (ê) s.m.
missalo s.m.
missanda s.f.
missangueiro s.m.
missão s.f.
missão-velhense adj. s.2g.; pl. *missão-velhenses*
missa-pedida s.f.; pl. *missas-pedidas*
missar v.
missaria s.f.
missa-seca s.2g.; pl. *missas-secas*
missefo s.m.
misseiro adj. s.m.
misser s.m.
missianopolitano adj. s.m.
missicantante s.m.
missício s.m.
míssil adj.2g. s.m.
mísssiles s.m.pl.
missilharia s.f.
missilheiro s.m.
missilismo s.m.
missilística s.f.
missilístico adj.
missiografia s.f.
missiográfico adj.
missiógrafo s.m.
missiologia s.f.
missiológico adj.
missiólogo s.m.
missionação s.f.
missionante adj.2g.
missionar v.
missionariense adj. s.2g.
missionário adj. s.m.
missionarismo s.m.
missionato s.m.
missioneiro adj. s.m.
missionense adj. s.2g.
mississippiano adj. s.m.
missiva s.f.
missivista adj. s.2g.
missivo adj.
missô s.m.
missoco (ô) s.m.
missó-cristão s.m.; pl. *missós-cristãos*
missoilo s.m.
missoira s.f.
missoneísmo s.m.
missoneísta adj. s.2g.
missongo s.m.
missório adj.
missourita s.f.
missourite s.f.
missure s.m.
missúri s.m.
missurite s.f.
mista s.2g.
místace s.m.
mistache s.m.
mistacídio s.m.
mistacina s.m.
mistacocárido adj.
mistacoceto s.m.
mistacoleuco s.m.
mistagogia s.f.
mistagógico adj.
mistagogo (ô) s.m.
mistangueira s.f.
mistão s.m.
mistárabe adj. s.2g.
mistate s.m.
místax (cs) s.m.
miste s.m.
misteca adj. s.2g.
misteco adj. s.m.
mistela s.f.
misteque adj.
mister (é) s.m.
mistério s.m.
misterioso (ô) adj.; f. (ó); pl. (ó)
mistiárabe adj. s.2g.
mistibinário adj.
mistibisunitário adj.
mistibiunitário (i-u) adj.
mística s.f.
misticeto adj. s.m.
misticidade s.f.
misticismo s.m.
misticista adj. s.2g.
misticístico adj.
misticizar v.
mistico s.m. "embarcação"; cf. *místico*
místico adj. s.m. "devoto"; cf. *mistico*
místico-pagão adj.; pl. *místico-pagãos*
misticória s.f.
misticório adj.
místide s.2g.
mistificação s.f.
mistificado adj.
mistificador (ô) adj. s.m.
mistificante adj.2g.
mistificar v.
mistificatório adj.
mistificável adj.2g.
mistifório s.m.
mistiguidade s.f.
mistilíneo adj.
mistilíngue (ü) adj.2g.
mistinérveo adj.
mistiternário adj.
mistítico adj.
mistito s.m.
mistitriunitário (i-u) adj.
mistiunibinário (i-u) adj.
misto adj. s.m.
misto-árabe adj. s.m.; pl. *misto-árabes*
misto-bárbaro adj. s.m.; pl. *misto-bárbaros*
misto-império s.m.; pl. *misto-impérios*
mistol s.m.
mistologia s.f.
mistopaguro s.m.
misto-quente s.m.; pl. *mistos-quentes*
mistral s.m.
mistraliano adj.
mistria s.f.
místrio s.m.
mistro s.m.
mistrômio s.m.
místromis s.m.2n.
mistropétalo s.m.
mistropetalóidea s.f.
mistura s.f.
misturada s.f.
misturadeira s.f.
misturadela s.f.
misturado adj.
misturador (ô) adj. s.m.
misturadora (ô) s.f.
misturador-modulador s.m.; pl. *misturadores-moduladores*
misturamento s.m.
misturar v.
misturável adj.2g.
mistureiro s.m.
mísula s.f.
misulagem s.f.
misulano adj. s.m.
misúmena s.f.
misura s.f.
mita s.m.f.
mitacismo s.m.
mitamba s.m.
mitaniano adj. s.m.
mitânico adj.
mitanita adj. s.2g.
mitauadê s.f.
mitchela s.f.
mitchellita s.f.
mitchurinianismo s.f.
mitchurinianista adj. s.2g.
mitchuriniano adj. s.m.
mitchurinismo s.m.
mitchurinista adj. s.2g.
mite adj.2g.
mitela s.f.
mitélase s.f.
mitema s.m.
mitemático adj.
mitêmico adj.
mitene s.f.
mitênia s.f.
miteniácea s.f.
mites s.m.pl.
mitete s.m.
mítica s.f.
mitical s.m.
miticida adj.2g. s.m.
miticídio s.m.
mítico adj.
miticultura s.f.
mitificação s.f.
mitificado adj.
mitificador (ô) adj. s.m.
mitificante adj.2g.
mitificar v.
mitificável adj.2g.
mitigação s.f.
mitigado adj.
mitigador (ô) adj. s.m.
mitigamento s.m.
mitigante adj.2g. s.m.
mitigar v.
mitigativo adj.
mitigatório adj.
mitigável adj.2g.
mitiláceo adj. s.m.
mitiláspide s.f.
mitiláspis s.f.2n.
mitileneia (é) adj. s.f. de *mitileneu*
mitilenense adj. s.2g.
mitileneu adj. s.m.; f. *mitileneia* (é)
mitília s.f.
mitilícola adj. s.2g.
mitilicultor (ô) adj. s.m.
mitilicultura s.f.
mitílida adj.2g. s.m.
mitilídeo adj. s.m.
mitiliforme adj.2g.
mitiliméria s.f.
mitilíneo adj. s.m.
mítilo s.m.
mitiloide (ó) adj.2g. s.m.
mitilotoxina (cs) s.f.
mitilotoxismo (cs) s.m.
mítim s.m.
mitimno s.m.
mitingueiro s.m.
mitiri adj. s.2g.
mitis s.m.
mitismo s.m.
mitistória s.f.
mitistoriador (ô) s.m.
mitistórico adj.
mitização s.f.
mitizado adj.
mitizante adj.2g.
mitizar v.
mitizável adj.2g.
mito s.m.
mitóbata s.m.
mitocentro s.m.
mitocinético adj.
mitocôndria s.f.
mitocondrial adj.2g.
mitofobia s.f.
mitófobo adj.
mitogenia s.f.
mitogênio s.m.
mitógeno s.m.
mitografia s.f.
mitográfico adj.
mitógrafo s.m.
mitologia s.f.
mitologice s.f.
mitológico adj.
mitologismo s.m.
mitomania s.f. "tendência para mentir"; cf. *metomania*
mitomaníaco adj. s.m.
mitômano s.m.
mitomicina s.f.
mitomicínico adj.
mitonde s.m.
mitonímia s.f.
mitonímico adj.
mitônimo s.m.
mitopoese s.f.
mitopoética s.f.
mitopoético adj.
mitose s.f. "divisão celular"; cf. *metose*
mitósico adj.
mitosítico adj.
mitósquise s.f.
mitossoma s.m.
mitostema s.m.
mitostigma s.m.
mitote s.m.
mitótico adj.
mitquela s.f.
mitra adj.2g. s.m.f.
mitração s.f.
mitracarpo s.m.
mitracíneo adj. s.m.
mitracismo s.m.
mitracma s.f.
mitracme s.f.
mitrado adj.
mitragina s.f.
mitraico adj.
mitraísmo s.m.
mitraísta adj. s.2g.
mitraístico adj.
mitral adj.2g. s.f.
mitralismo s.m.
mitralização s.f.
mitramicina s.f.
mitrante s.f.
mitranto s.m.
mitrar v.
mitrasacma s.f.
mitrasacme s.f.
mitrastema s.f.
mitrastemo s.m.
mitrastemônea s.f.
mítrax (cs) s.m.2n.
mitréfane s.m.
mitréola s.f.
mitreta (ê) s.f.
mitreu s.m.
mitriacismo s.m.
mitríaco adj.
mitriático adj.
mítrida adj.2g. s.m.
mitridático adj.
mitridatismo s.m.
mitridatita s.f.
mitridatizado adj.
mitridatizar v.
mitridato s.m.
mitrídeo adj. s.m.
mitriforme adj.2g.
mitrismo s.m.
mitro s.m.
mitrócoma s.f.
mitrocomela s.m.
mitrocômio s.m.
mitródia s.m.
mitrodídeo adj. s.m.
mítrofe s.f.
mitróforo s.m.
mítrula s.f.
mitrulária s.f.
mitscherlichita s.f.
mitu s.m.
mitua s.m.
miuá s.m.
miuatinga s.f.
miú-branco s.m.; pl. *miús-brancos*
miúça s.f.
miuçalha (i-u) s.f.
miuçalho (i-u) s.m.
miúças s.f.pl.
miudagem (i-u) s.f.
miudalha (i-u) s.f.
miudar (i-u) v.
miúdas s.f.pl.
miudear (i-u) v.
miudeira (i-u) s.f.
miudeiro (i-u) adj. s.m.
miudeza (i-u...ê) s.f.
miudezense (i-u) adj. s.2g.
miúdico adj.

miudinha (*i-u*) s.f.
miudinho (*i-u*) adj. s.m.
miúdo adj. s.m.
miúdos s.m.pl.
miul (*i-u*) s.m.
miúlo s.m.
mium s.m.
miunça s.f.
miunço adj.
miungo s.m.
miúra adj. s.2g.
miuriácea (*i-u*) s.f.
miuriáceo (*i-u*) adj.
miúro adj. s.m.
miúva s.f.
miva s.f.
mixa adj.2g. s.f.
mixácio s.m.
mixado adj.
mixador (*cs*) adj. s.m.
mixador (*ô*) adj.
mixagem (*cs*) s.f.
mixameba (*cs*) s.f.
mixanga s.2g.
mixante (*cs*) adj.2g.
mixar v.
mixar (*cs*) v.
mixaria s.f.
mixáster (*cs*) s.m.
mixastro (*cs*) s.m.
mixável (*cs*) adj.2g.
mixe adj.2g. s.m.
mixedema (*cs*) s.m.
mixedematosa (*cs*) s.f.
mixedematoso (*cs...ô*) adj. s.m.; pl. (*ó*)
mixedêmico (*cs*) adj.
mixeira s.f.
mixencondroma (*cs*) s.m.
mixeto (*cs*) s.m.
mixia (*cs*) s.f.
mixiaputo s.m.
mixicasnoide (*cs...ó*) s.m.
míxico (*cs*) adj.
mixícola (*cs*) s.f.
mixídio (*cs*) s.m.
mixidiotismo (*cs*) s.m.
mixila s.f.
mixila (*cs*) s.f.
mixilanga s.f.
mixina (*cs*) s.f.
mixínida (*cs*) adj.2g. s.m.
mixinídeo (*cs*) adj. s.m.
mixiniforme (*cs*) adj.
mixino (*cs*) s.m.
mixinoide (*cs...ó*) s.m.
mixipterígio (*cs*) s.m.
mixira s.f.
mixirra adj.2g.
mixita (*cs*) s.f.
mixite (*cs*) s.f.
mixna s.m.
mixná s.m.
mixnaico adj.
mixo adj. s.m.
mixo (*cs*) s.m.
mixoalino (*cs*) adj.
mixobactéria (*cs*) s.f.
mixobacteriácea (*cs*) s.f.
mixobacteriáceo (*cs*) adj.
mixobacterial (*cs*) adj.2g.
mixobacteriale (*cs*) s.f.
mixobiose (*cs*) s.f.
mixoblastoma (*cs*) s.m.
mixobolo (*cs*) s.m.
mixocele (*cs*) s.f.
mixocistoide (*cs...ó*) adj.2g. s.m.
mixocistoma (*cs*) s.m.
mixococo (*cs*) s.m.
mixocondroma (*cs*) s.m.
mixocromossoma (*cs*) s.m.
mixodermia (*cs*) s.f.
mixodes s.m.2n.
mixodíctio (*cs*) s.m.
mixofibroma (*cs*) s.m.
mixoficea (*cs*) s.f.
mixoficeo (*cs*) adj.
mixófies (*cs*) s.m.2n.
mixófita (*cs*) s.f.
mixofítico (*cs*) adj.
mixófito (*cs*) s.m.
mixoflagelado (*cs*) adj.
mixogáster (*cs*) s.m.
mixogástrio (*cs*) adj. s.m.
mixogastro (*cs*) adj. s.m.
mixógeno (*cs*) adj.
mixoglioma (*cs*) s.m.
mixoide (*cs...ó*) adj.2g.
mixole s.m.
mixole-da-areia s.m.; pl. *mixoles-da-areia*
mixolídio (*cs*) adj. s.m.
mixolímnio (*cs*) s.m.
mixolipoma (*cs*) s.m.
mixolo s.m.
mixoma (*cs*) s.m.
mixomatose (*cs*) s.f.
mixomatoso (*cs...ô*) adj.; f. (*ó*); pl. (*ó*)
mixomicete (*cs*) adj. s.m.
mixomiceto (*cs*) adj. s.m.
mixomioma (*cs*) s.m.
mixomônada (*cs*) s.f.
mixonefrídio (*cs*) s.m.
mixoneuroma (*cs*) s.m.
mixoneurose (*cs*) s.f.
mixono s.m.
mixopapiloma (*cs*) s.m.
mixópiro (*cs*) s.m.
mixoploide (*cs...ó*) adj.2g. s.m.
mixópode (*cs*) s.m.
mixópodo (*cs*) s.m.
mixopoese (*cs*) s.f.
mixopoético (*cs*) adj.
mixopterígio (*cs*) s.m.
mixorafada s.f.
mixordeiro adj. s.m.
mixórdia s.f.
mixordioso (*ô*) adj.; f. (*ó*); pl. (*ó*)
mixorne s.m.
mixorofada s.f.
mixorofar v.
mixorreia (*cs...é*) s.f.
mixorreico (*cs...é*) adj.
mixoscôngia (*cs*) adj.2g. s.m.
mixoscopia (*cs*) s.f.
mixoscópico (*cs*) adj.
mixospôneida (*cs*) s.f.
mixospôngia (*cs*) s.f.
mixospongiário (*cs*) adj. s.m.
mixospôngio (*cs*) adj. s.m.
mixosporídeo (*cs*) adj. s.m.
mixosporídio (*cs*) s.m.
mixósporo (*cs*) s.m.
mixossarcoma (*cs*) s.m.
mixóstoma (*cs*) s.m.
mixotalófita (*cs*) s.f.
mixotalófito (*cs*) adj. s.m.
mixótrico (*cs*) s.m.
mixotrófico (*cs*) adj.
mixótrofo (*cs*) adj.
mixotrópico (*cs*) adj.
mixovírus (*cs*) s.m.2n.
mixozoário (*cs*) adj.
mixtão (*s*) s.m.
mixteca (*cs*) adj. s.2g.
mixteco adj. s.m.
mixteque adj. s.2g.
mixtopaguro s.m.
mixuango s.m.
mixuruca adj.2g.
mixuruco adj.
mixuruquice s.f.
mixuto s.m.
mizacrê s.m.
mizando s.m.
mizcal s.m.
mizefe s.m.
mizeia (*é*) adj. s.f. de *mizeu*
mizena s.f.
mizeu adj. s.m.; f. *mizeia* (*é*)
mizina s.f.
mizine s.f.
mizitra s.m.
mizo adj. s.m.
mizobdela s.f.
mizocális s.f.2n.
mizocefalia s.f.
mizocefálico adj.
mizocéfalo adj. s.m.
mizocitose s.f.
mizocitótico adj.
mizodendrácea s.f.
mizodendráceo adj.
mizodendro s.m.
mizomela s.m.
mizomelínea s.f.
mizomia s.f.
mizomiia s.f.
mizonita s.f.
mizonítico adj.
mizopodíneo adj. s.m.
mizorrinco s.m.
mizóstoma s.m.
mizostomário adj. s.m.
mizostomídeo adj. s.m.
mizostomíneo adj. s.m.
mizóstomo s.m.
mizzonítico adj.
mnemecefálico s.m.
mnêmia s.f.
mnêmico adj.
mnemômetro s.m.
mnemonia s.f.
mnemônica s.f.
mnemônico adj.
mnemonimetria s.f.
mnemonimétrica s.f.
mnemonimétrico adj.
mnemonização s.f.
mnemonizar v.
mnemonizável adj.2g.
mnemotaxia (*cs*) s.f.
mnemotecnia s.f.
mnemotécnica s.f.
mnemotécnico adj.
mnemotecnismo s.m.
mnemotecnofonia s.f.
mnemotecnofônico adj.
mnemotecnografia s.f.
mnemotecnográfico adj.
mnemoteste s.m.
mnesicacético adj.
mnesicacia s.f.
mnesícaco adj.
mnésico adj.
mniácea s.f.
mniáceo adj.
mniaro s.m.
mnio s.m.
mniodendro s.m.
mnióﬁla s.f.
mnióﬁlo adj. s.m.
mniofilossoma s.f.
mnioide (*ó*) adj.2g.
mniopse s.2g.
mniotilte s.m.
mniotiltídeo adj. s.m.
mo contr. de *me* e *o*
mó s.f.
moa (*ô*) s.m.f.
moabi s.m.
moabita adj. s.2g.
moabítico adj.
moacã s.m.
moacaretá s.m.
moacirense adj. s.2g.
moadeira s.f.
moádi s.m.
moado s.m.
moafa s.f.
moafas s.f.pl.
moafeiro adj.
moageiro adj. s.m.
moagem s.f.
moaica s.f.
moal s.m.
moalaca s.m.
moáli s.f.
moambo s.m.
moametano adj. s.m.
moametismo s.m.
moana-samba s.f.; pl. *moanas-sambas*
moanda s.m.
moandim s.m.
moandjiva s.f.
moandjuva s.f.
moando s.m.
moangi s.m.
moanha s.f.
moansa s.m.
moar s.m. "dote"; cf. *muar*
moarbe s.m.
moarrã s.m.
moarrame s.m.
moarrão s.m.
moarreme s.m.
moatra s.f.
moauquita s.f.
moauquite s.f.
mobato s.m.
mobede s.m.
mobele s.m.
mobelha (*ê*) s.f.
mobica s.2g.
móbil adj.2g. s.m.
mobilação s.f.
mobilado adj.
mobilador (*ô*) adj. s.m.
mobilamento s.m.
mobilar v.
mobilaria s.f.
móbile adj.2g. s.m.
mobilhar v.
mobília s.f.; cf. *mobilia*, fl. do v. *mobiliar*
mobiliação s.f.
mobiliado adj.
mobiliador (*ô*) adj. s.m.
mobiliamento s.m.
mobiliar v.
mobiliaria s.f.
mobiliária s.f.; cf. *mobiliaria*, fl. do v. *mobiliar*
mobiliário adj. s.m.
mobiliável adj.2g.
mobilidade s.f.
mobilideserto adj.
mobilieiro s.m.
mobilismo s.m.
mobilista adj. s.2g.
mobilístico adj.
mobilização s.f.
mobilizado adj.
mobilizador (*ô*) adj. s.m.
mobilizante adj.2g.
mobilizar v.
mobilizável adj.2g.
mobilo s.m.
mobiro s.m.
mobola s.f.
mobralense adj. s.2g.
mobralista adj. s.2g.
mobralteca s.f.
mobuinguize s.m.
mobula s.f.
móbula s.m.
mobúlida adj.2g. s.m.
mobulídeo adj. s.m.
moca s.m.f. "libertação definitiva no bramanismo", etc.; cf. *mocã*
mocã s.m. "arbusto"; cf. *moca*
moça (*ô*) s.f. "mulher jovem"; cf. *moça*, fl. do v. *moçar* e *mossa*
moça-bonita s.f.; pl. *moças-bonitas*
moça-branca s.f.; pl. *moças-brancas*
moçaço s.m.
mocada s.f.
moçada s.f.
moça-dama s.f.; pl. *moças-damas*
mocadão s.m.
moça do fado s.f.
moça-e-velha s.f.; pl. *moças-e-velhas*
moçafe s.m.
moçafo s.m.
mocaíta s.f.
mocaíxe s.m.
mocajá s.m.
mocajaíba s.f.
mocajá-mirim s.m.; pl. *mocajás-mirins*
mocajuba s.f.
mocajubense adj. s.2g.
moçalha s.f.
moçalhão s.m.; f. *moçalhona*
moçalho s.m.
moçalhona s.f. de *moçalhão*
mocamau s.m.
mocambaria s.f.
moçambaz s.m.
mocambeira s.f.
mocambeirense adj. s.2g.
mocambeiro adj. s.m.
mocambense adj. s.2g.
moçambicano adj. s.m.
mocambinhense adj. s.2g.
mocambinho s.m.
moçambique s.m. s.2g.
moçambiquenho adj. s.m.
moçambiquense adj. s.2g.
mocambista s.2g.
mocambo s.m.
moçame s.m.
moçâmede adj. s.2g.
moçamedense adj. s.2g.
mocamo s.m.
mocanco adj.
mocaneiro s.m.
mocanera s.f.
mocano s.m.
mocanqueirismo s.m.
mocanqueiro adj.
mocanquice s.f.
moção s.f.
mocar v.
moçar v. s.m. "desvirginar"; cf. *mossar*
moçárabe adj. s.2g.
moçarábico adj.
moçarabismo s.m.
moçarabista adj. s.2g.
moçarabístico adj.
mocaranga s.f.
mocarraria s.f.
moças-e-velhas s.f.pl.
mocassim s.m.
mocassina s.f.
mocassino s.m.
mocassó s.m.
mocear v.
mocedo (*ê*) s.m.
moceiro adj. s.m.
mocelinha s.f.
mocendecende s.m.
mocerenguçu s.m.
mocerengue s.m.
moceta (*ê*) s.f.
mocetão s.m.; f. *mocetona*
mocete (*ê*) s.m.
mocetona s.f. de *mocetão*
mocha (*ô*) s.f. "cabeça" etc.; cf. *mocha*, fl. do v. *mochar*
mochachim s.m.
mochaco s.m.
mochado adj.
mochadura s.f.
mocha-mocha s.f.; pl. *mochas-mochas*
mochanga s.f.
mochão s.m.
mochar v. "tornar mocho"; cf. *moxar*
mocharra s.f.
mochau s.m.
moche s.m.
mocheca s.f.
mochela s.2g.
mochena s.f.
mocheta (*ê*) s.f.
mochi s.m.
mochica adj. s.2g.
mochichão s.m.
mochichos s.m.pl.
mochico s.m.
mochila s.f.
mochileta (*ê*) s.f.
mochilha s.f.
mochilinha s.f.
mochilo s.m.
mochinete (*ê*) s.m.
mochinho s.m.
mocho (*ô*) adj. s.m. "sem chifres", "ave"; cf. *mocho*, fl. do v. *mochar* e *moxo* adj. s.m.
mocho-cabeçudo s.m.; pl. *mochos-cabeçudos*

mocho-carijó s.m.; pl. *mochos-carijó* e *mochos-carijós*
mochococha s.f.
mocho-das-cavernas s.m.; pl. *mochos-das-cavernas*
mocho-de-espiga-branca s.m.; pl. *mochos-de-espiga-branca*
mocho-de-espiga-ruiva s.m.; pl. *mochos-de-espiga-ruiva*
mocho-de-orelhas s.m.; pl. *mochos-de-orelhas*
mocho-diabo s.m.; pl. *mochos-diabo* e *mochos-diabos*
mocho-galego s.m.; pl. *mochos-galegos*
mochole s.m.
mocholi s.m.
mocholo (*ô*) s.m.
mocho-mateiro s.m.; pl. *mochos-mateiros*
mocho-negro s.m.; pl. *mochos-negros*
mocho-orelhudo s.m.; pl. *mochos-orelhudos*
mocho-pequeno s.m.; pl. *mochos-pequenos*
mocho-rapado s.m.; pl. *mochos-rapados*
mocho-rasteiro s.m.; pl. *mochos-rasteiros*
mocho-real s.m.; pl. *mochos-reais*
mochuda s.f.
mocica s.f.
mocidade s.f.
mocim s.m.
mocinha s.f.
mocinha-branca s.f.; pl. *mocinhas-brancas*
mocinho adj. s.m.
mócis s.f.2n.
mocitaíba s.f.
mocitaíba-de-leite s.f.; pl. *mocitaíbas-de-leite*
mocitaibuçu s.m.
moco adj. s.m. "o mesmo que mocó"; cf. *mocó* e *mocô*
mocó s.m. "roedor", etc.; cf. *moco* e *mocô*
mocô s.m. "feitiço"; cf. *moco* e *mocó*
moço (*ô*) adj. s.m.; cf. *moço* e *mosso* fl. dos v. *moçar* e *mossar*
moçó s.f.
mocoa (*ô*) s.f.
mococano adj. s.m.
mococense adj. s.2g.
mococo s.m. "planta de Angola"; cf. *mococó*
mococó s.m. "mamífero de Moçambique"; cf. *mococo*
moçoco (*ô*) s.m.
moçoço (*ô*) s.m.
mococona s.f.
mococoró s.m.
moço da botica s.m.
moço de corda s.m.
moço de forcado s.m.
mocoense adj. s.2g.
moço-fidalgo s.m.; pl. *moços-fidalgo* e *moços-fidalgos*
moçoila s.f. de *moçoilo*
moçoilo adj. s.m.; f. *moçoila*
mocoim-caca s.m.; pl. *mocoins-caca* e *mocoins-cacas*
mocoiú s.m.
mocojé s.m.
mocoma s.m.
moçongo s.m.
moconi adj. s.2g.
mocoquense adj. s.2g.
mocoró s.m.
moçoró s.m.
moçoroense adj. s.2g.
moçorondongo s.m.
mocorongo adj. s.m. "caipira"; cf. *macorongo* e *mucorongo*
mocororó s.m.
mocosa s.f. "árvore"; cf. *mucosa*
moçote s.m.
mocotó s.m.
mocotoense adj. s.2g.
mocotozada s.f.
mocozal s.m.
mocozear v.
mocquerísia s.f.
mocreia (*é*) s.f.
mocreita s.f.
mocsa s.f.
moctezumita s.f.
moçuaquim s.m.
mocuba s.f.
mocubuçu s.m.
mocuda s.f.
mocúgio s.m.
mocuguê s.m.
mocuí s.m.
mocunhambele s.m.
mocureiro s.m.
mocurunto s.m.
mocurute s.m.
mocuso s.m.
moçutaíba s.f.
moda s.f.
modacrílico adj. s.m.
moda de patacoada s.f.
moda de recortado s.f.
moda de viola s.f.
moda-dobrada s.f.; pl. *modas-dobradas*
modal adj.2g.
modalidade s.f.
modalismo s.m.
modalista adj. s.2g.
modalístico adj.
modalização s.f.
modalizado adj.
modalizador (*ô*) adj.
modalizante adj.2g.
modalizar v.
modalizável adj.2g.
modarela s.f.
modderita s.f.
modeca s.f.
modelação s.f.
modelado adj. s.m.
modelador (*ô*) adj. s.m.
modelagem s.f.
modelar v. adj.2g.
modelável adj.2g.
modelense adj. s.2g.
modeliar s.m.
modelismo s.m.
modelista adj. s.2g.
modelístico adj.
modelo (*ê*) s.m.; cf. *modelo*, fl. do v. *modelar*
modelo-vivo s.m.; pl. *modelos-vivos*
modenatura s.f.
modenense adj. s.2g.
moderação s.f.
moderado adj. s.m.
moderador (*ô*) adj. s.m.
moderame s.m.
moderamento s.m.
moderante adj.2g. s.m.
moderantismo s.m.
moderantista adj. s.2g.
moderar v.
moderativo adj.
moderatório adj.
moderável adj.2g.
moderita s.f.
modernar v.
modernense adj. s.2g.
modernice s.f.
modernidade s.f.
moderninho adj.
modernismo s.m.
modernista adj. s.2g.
modernístico adj.
modernização s.f.
modernizado adj.
modernizador (*ô*) adj.
modernizante adj.2g.
modernizar v.
modernizável adj.2g.
moderno adj. s.m.
modernosidade s.f.
modernoso (*ô*) adj.; f. (*ó*); pl. (*ó*)
modestaço adj.
modestense adj. s.2g.
modéstia s.f.
modestino s.m.
modesto adj.
modicar v.
modicidade s.f.
módico adj.; cf. *modico*, fl. do v. *modicar*
modificabilidade s.f.
modificação s.f.
modificado adj.
modificador (*ô*) adj. s.m.
modificante adj.2g.
modificar v.
modificativo adj.
modificatório adj.
modificável adj.2g.
modiglianesco (*ê*) adj.
modilhão s.m.
modilhar v.
modilho adj. s.m.
modimperátor s.m.
modinatura s.f.
modinha s.f.
modinheiro adj. s.m.
modinho adv.
módio s.m.
modíola s.f.
modiolarca s.m.
modiolarcíneo adj. s.m.
modiolária s.f.
modiolário adj.
modiolastro s.m.
modiolícola s.m.
modioliforme adj.2g.
modíolo s.m.
modiolopsídeo adj. s.m.
modiolópsis s.2g.2n.
modismo s.m.
modista adj. s.2g. s.f.
modisto s.m.
modo s.m.
modorra (*ô*) s.f.; cf. *modorra*, fl. do v. *modorrar*
modorrado adj.
modorral adj.2g.
modorrar v.
modorrento adj.
modorrilha s.f.
modorro (*ô*) adj.; cf. *modorro*, fl. do v. *modorrar*
modorroso (*ô*) adj.; f. (*ó*); pl. (*ó*)
modo-temporal adj.2g.; pl. *modo-temporais*
modotex (*cs*) s.m.
moduba adj. s.2g.
modulação s.f.
modulado adj. s.m.
modulador (*ô*) adj. s.m.
modulagem s.f.
modulamento s.m.
modulante adj.2g.
modular v. adj.2g.
modulatório adj.
modulável adj.2g.
modulídeo adj. s.m.
módulo adj. s.m.; cf. *modulo*, fl. do v. *modular*
módulo-fonte s.m.; pl. *módulos-fontes*
módulo-objeto s.m.; pl. *módulos-objetos*
modulor (*ó*) s.m.
modumbiro s.m.
moeca s.f.
moeção s.f.
moeda s.f.
moedagem s.f.
moeda-ouro s.f.; pl. *moedas-ouro* e *moedas-ouros*
moeda-papel s.f.; pl. *moedas-papel* e *moedas-papéis*
moedeira s.f.
moedeiro s.m.
moedela s.f.
moedense adj. s.2g.
moedinha s.f.
moedinhas s.f.pl.
moedoiro s.m.
moedor (*ô*) adj. s.m.
moedouro s.m.
moedura s.f.
moega s.f.
moego s.m.
moeira s.f.
moeiro s.m.
moel s.m.
moela s.f. "terceiro estômago das aves"; cf. *muela*
moela-de-ema s.f.; pl. *moelas-de-ema*
moela-de-mutum s.f.; pl. *moelas-de-mutum*
moelele s.m.
moemense adj. s.2g.
moenda s.f. "aparelho para moer cana-de-açúcar"; cf. *muenda*
moendeira s.f.
moendeiro s.m.
moendense adj. s.2g.
moenga s.f.
moengo s.m.
moênquia s.f.
moente adj.2g. s.m.
moenza s.f.
moer v.
moere s.f.
moeríngia s.f.
moesina s.f.
moeso s.m.
moestar v.
moesu s.m.
moeta (*ê*) s.f.
mofa s.f.
mofado adj.
mofador (*ô*) adj. s.m.
mofante adj.2g.
mofar v.
mofareiro adj. s.m.
mofatra s.f.
mofatrão s.m.
mofé s.m.
mofeda (*ê*) s.f.
mofedo (*ê*) s.m.
mofeiro s.m.
mofendo adj.
mofento adj. s.m.
mofeta s.f.
mofina s.f.
mofineiro s.m.
mofinento adj.
mofinez (*ê*) s.f.
mofineza (*ê*) s.f.
mofino adj. s.m.
mofo (*ô*) s.m.; cf. *mofo*, fl. do v. *mofar*
mofofô s.m.
mofoso (*ô*) adj.; f. (*ó*); pl. (*ó*)
mofumbal s.m.
mofumbar v.
mofumbo s.m.
mofumbo-da-beira-do-rio s.m.; pl. *mofumbos-da-beira-do-rio*
mofumo s.m.
mofundar v.
mofungo s.m.
mogadourense adj. s.2g.
mogai s.f.
mogaininha s.f.
moganga s.f.
mogangar v.
mogangas s.f.pl.
mogango adj. s.m.
mogangueiro adj. s.m.
moganguento adj. s.m.
moganguice s.f.
moganguista adj. s.2g.
mogão adj. s.m.
mogarabil s.m.
mogareira s.f.
mogarim s.m.
mogatace s.m.
mogáver adj. s.m.
mogego s.m.
mogeirense adj. s.2g.
mogenge s.m.
mogengo adj.
mogiartria s.f.
mogica s.f.
mogicar v.
mogifasia s.f.
mogifásico adj.
mogifonia s.f.
mogifônico adj.
mogigangas s.f.pl.
mogigrafia s.f.
mogigráfico adj.
mogilalia s.f.
mogilálico adj.
mogilalismo s.m.
mogilalista adj. s.2g.
mogilexia (*cs*) s.f.
mogitocia s.f.
mogitocíaco adj.
mogitócico adj.
moglênico adj.
moglênio s.m.
mogno s.m.
mogno-australiano s.m.; pl. *mognos-australianos*
mogno-branco s.m.; pl. *mognos-brancos*
mogno-brasileiro s.m.; pl. *mognos-brasileiros*
mogno-da-austrália s.m.; pl. *mognos-da-austrália*
mogno-da-colômbia s.m.; pl. *mognos-da-colômbia*
mogno-da-guiné s.m.; pl. *mognos-da-guiné*
mogno-da-índia s.m.; pl. *mognos-da-índia*
mogno-da-senegâmbia s.m.; pl. *mognos-da-senegâmbia*
mogno-do-peru s.m.; pl. *mognos-do-peru*
mogno-japonês s.m.; pl. *mognos-japoneses*
mogno-verdadeiro s.m.; pl. *mognos-verdadeiros*
mogo s.m.
mogocigue s.m.
mogol adj. s.2g.
mogonciacense adj. s.2g.
mogoncíaco adj. s.m.
mógono s.m.
mogor adj. s.2g.
mogore adj. s.2g.
mogori adj. s.2g.
mogorim s.m.
mogorim-da-serra s.m.; pl. *mogorins-da-serra*
mogossigue s.m.
mograbino s.m.
mogrebi s.m.
mogrebino adj. s.m.
mogué s.m.
mogueira s.f.
mogueixo s.m.
moguino adj.
mogúlia s.f.
moguntino adj. s.m.
mohavita s.f.
mohawkita s.f.
mohlana s.f.
moho s.m.
mohsita s.f.
moi adj. s.2g.
moia s.f.
moiação s.f.
moiador (*ô*) s.m.
moião s.m.
moibandense adj. s.2g.
moicano adj. s.m.
moição s.f.
moico adj.
moiçó s.m.
moído adj.
moilele s.m.
moim s.f.
moimbaimbi s.m.
moimbalimbi s.m.
moimbe (*o-ím*) s.m.
moimentense adj. s.2g.
moimento s.m.

moina s.m.f.
moinante adj. s.2g.
moinar v.
moindo s.m.
moíngi s.m.
moinha s.f.
moinhar v.
moinhense adj. s.2g.
moinhento adj.
moinho s.m.
moinice s.f.
moio s.m.
moipira adj. s.2g.
moiporaense adj. s.2g.
moipua s.f.
moira s.f.
moirabense adj. s.2g.
moiradela s.f.
moiradoiro s.m.
moira-encantada s.f.; pl. *moiras-encantadas*
moirajaca s.f.
moiral s.m.
moirama s.f.
moirana s.f.
moirão adj. s.m.
moirar v.
moiraria s.f.
moiratinga s.f.
moira-torta s.f.; pl. *moiras-tortas*
moiraz s.m.
moirázio s.m.
moirecar s.2g.
moirejado adj.
moirejador (*ô*) adj. s.m.
moirejamento s.m.
moirejar v.
moirejo (*ê*) s.m.
moiresco (*ê*) adj.
moirete (*ê*) s.m.
moirisca s.f.
moirisca-branca s.f.; pl. *moiriscas-brancas*
moiriscada s.f.
moiriscado adj.
moirisco adj. s.m.
moirisco-tinto s.m.; pl. *moiriscos-tintos*
moirisma s.f.
moirismo s.m.
moirizar v.
moiro adj. s.m.
moironada s.f.
moirouço s.m.
moisaico adj.
moiseísmo s.m.
moiseístico adj.
moisés s.m.2n.
moisés-no-berço s.m.2n.
moissanita s.f.
moita s.f.
moita-bonitense adj. s.2g.; pl. *moita-bonitenses*
moital s.m.
moitanito s.m.
moitão s.m.
moitar v.
moita-redondense adj. s.2g.; pl. *moita-redondenses*
moitedo (*ê*) s.m.
moiteira s.f.
moitense adj. s.2g.
moitessiéria s.f.
moitinhense adj. s.2g.
moito s.m.
moitumba s.m.
mojajo adj. s.m.
mojar v.
moje s.m.
mojeirense adj. s.2g.
mojiano adj. s.m.
mojica s.f.
mojicar v.
moji-cruzense adj. s.2g.; pl. *moji-cruzenses*
mojiguaçuense adj. s.2g.
mojiguiçabense adj. s.2g.
mojimirinense adj. s.2g.
mojo adj. s.m.
mojojo adj. s.m.
mojolo adj. s.m.
mojuense adj. s.2g.
mojutaperense adj. s.2g.
mol s.m.
mola s.f. "peça espiralada"; cf. *molá*
molá s.m. "letrado entre os mogores"; cf. *mola*
molaço adj.
molada s.f.
molageiro adj. s.m.
molagem s.f.
molal adj.2g. s.m.
molalidade s.f.
molamba s.f.
molambeira s.f.
molambeiro s.m.
molambento adj.
molambo s.m.
molambundo adj. s.m.
molana s.f.
molancão adj. s.m.
molancas adj. s.2g.2n.
molanchão s.m.
molangueirão adj. s.m.; f. *molangueirona*
molangueirice s.f.
molangueiro adj. s.m.
molangueirona adj. s.f. de *molangueirão*
molanqueirão adj. s.m.; f. *molanqueirona*
molanqueiro adj. s.m.
molanqueirona adj. s.f. de *molanqueirão*
molar adj.2g. s.m.
molar-grosso s.m.; pl. *molares-grossos*
molaridade s.f.
molariforme adj.2g.
molarinha s.f.
molarinho adj.
molarite s.f.
molarito s.m.
molassa s.f.
molássico adj.
molasso s.m.
moldabilidade s.f.
moldação s.f.
moldadeira s.f.
moldado adj. s.m.
moldador (*ô*) adj. s.m.
moldagem s.f.
moldar v.
moldável adj.2g.
moldávia s.f.
moldávico adj. s.m.
moldávio adj. s.m.
moldavite s.f.
moldavito s.m.
molde s.m.
moldear v.
molde-caldeira s.m.; pl. *moldes-caldeira* e *moldes-caldeiras*
molde-fêmea s.m.; pl. *moldes-fêmeas*
moldeira s.f.
molde-macho s.m.; pl. *moldes-machos*
moldenhauera s.f.
moldina s.f.
moldo-valaco adj. s.m.; pl. *moldo-valacos*
moldo-valáquio adj. s.m.; pl. *moldo-valáquios*
moldura s.f.
moldurado adj.
molduragem s.f.
moldurar v.
moldureiro s.m.
mole adj.2g. "tenro", etc.; cf. mole s.m.f. e *móli*
mole s.m.f. "alho", "massa volumosa"; cf. mole adj.2g. e *móli*
molear v.
moleca adj. s.f. de *moleque*
molecada s.f.
molecagem s.f.
molecão s.m.
molecar v.
molecoreba s.f.
molecório s.m.
molecota s.f.
molecote s.m.
molécula s.f.
molécula-grama s.f.; pl. *moléculas-grama* e *moléculas-gramas*
molecular adj.2g.
molecularidade s.f.
molecularização s.f.
molecularizar v.
moledo (*ê*) s.m.
moledro (*ê*) s.m.
molego (*ê*) s.m.
molegueiro s.m.
moleguim s.m.
molei s.m.
moleia s.f.
moleija s.f.
moleira s.f.
moleirão adj. s.m.; f. *moleirona*
moleirinha s.f.
moleirinho adj. s.m.
moleiro s.m.
moleirona adj. s.f. de *moleirão*
moleja s.f.
molejamento s.m.
molejar v.
molejo s.m.
molejoso (*ô*) adj.; f. (*ó*); pl. (*ó*)
molembo s.m.
mole-mole s.m.; pl. *mole-moles*
molendário adj.
molendináceo adj.
molenga adj. s.2g. "indolente"; cf. *mulenga*
molengão adj. s.m.; f. *molengona*
molengar v.
molengo adj. s.m. "preguiçoso"; cf. *mulengo*
molengona adj. s.m. de *molengão*
molengraffita s.f.
molengue adj. s.2g.
molengueiro adj. s.m.
molenguice s.f.
moleque adj. s.m.; f. *moleca*
molequear v.
moleque-bamba s.m.; pl. *moleques-bambas*
moleque-da-bananeira s.m.; pl. *moleques-da-bananeira*
moleque-d'água s.m.; pl. *moleques-d'água*
moleque de assentar s.m.
moleque de colete s.m.
moleque de recado s.m.
moleque do surrão s.m.
moleque-duro s.m.; pl. *moleques-duros*
molequeira s.f.
molequense adj. s.2g.
molequice s.f.
molestado adj.
molestador (*ô*) adj. s.m.
molestamento s.m.
molestante adj.2g.
molestar v.
molestável adj.2g.
moleste s.m.
molesteira s.f.
moléstia s.f.
moléstia-magra s.f.; pl. *moléstias-magras*
moléstia-negra s.f.; pl. *moléstias-negras*
molesto adj.
molestoso (*ô*) adj.; f. (*ó*); pl. (*ó*)
moleta (*ê*) s.f. "pequena mó", etc.; cf. *muleta*
moletão s.m.
molete (*ê*) s.m.
moletom s.m.
moletos (*ê*) s.m.pl.
moleza (*ê*) s.f.
molga s.f.
molgar v.
molge s.f.
molguear v.
mólgula s.f.
molgulídeo adj. s.m.
molgulíneo adj. s.m.
molha s.f. "molhadela"; cf. *molha* (*ô*)
molha (*ô*) s.f. "jogo de rapazes"; cf. *molha* s.f. e fl. do v. *molhar*
molhaça s.f.
molhada s.f. "grande molho"; cf. *molhada* (*ô*)
molhada (*ô*) s.f. "molha"; cf. *molhada*
molhadela s.f.
molhado adj. s.m.
molhador (*ô*) adj. s.m.
molhados s.m.pl.
molhadura s.f.
molhagem s.f.
molhamento s.m.
molhança s.f.
molhanga s.f.
molhanqueiro adj.
molhante adj.2g.
molhar v.
molhe s.m.
molhe-cais s.m.2n.
molheira s.f.
molheirense adj. s.2g.
molheiro s.m.
molhelha (*ê*) s.f.
molhelheiro s.m.
molhelho (*ê*) s.m.
molhe-molhe s.m.; pl. *molhes-molhe* e *molhes-molhes*
molhense adj. s.2g.
molhida s.f.
molho s.m. "feixe"; cf. *molho* (*ô*)
molho (*ô*) s.m. "caldo temperado"; cf. *molho* s.m. e fl. do v. *molhar*
móli s.m. "planta"; cf. *mole* adj.2g e *mole* s.m.f.
mólia s.f.
moliana s.f.
molibdatado adj.
molibdato s.m.
molibdene s.f.
molibdênio s.m.
molibdenita s.f.
molibdenite s.f.
molibdeno s.m.
molibdenocre s.m.
molibdenoferrita s.f.
molíbdico adj.
molibdídeo s.m.
molibdina s.f.
molibdita s.f.
molibdite s.f.
molibdoferrita s.f.
molibdoferrite s.f.
molibdofilita s.f.
molibdofilite s.f.
molibdoide (*ó*) s.f.
molibdomancia s.f.
molibdomante s.2g.
molibdomântico adj.
molibdomenita s.f.
molibdomenite s.f.
molibdossodalita s.f.
molibdurânio s.m.
molibdurano s.m.
molição s.f.
moliceira s.f.
moliceiro adj. s.m.
molícia s.f.
molície s.f.
moliço s.m.
molícria s.f.
molicriáceo adj.
molida s.f.
molidão s.f.
molídeo adj. s.m.
molídia s.f.
molienísia s.f.
molièresco adj.
molièriano adj.
molièrismo s.m.
molièrista adj. s.2g.
molièrístico adj.
molificação s.f.
molificado adj.
molificador (*ô*) adj.
molificante adj.2g.
molificar v.
molificativo adj.
molificável adj.2g.
molifone s.m.
molifônio s.m.
molifono s.m.
molim adj. s.m.
molima s.f.
molime s.m.
molímen s.m.
molina s.f.
molinar v.
molinédia s.f.
molineira s.f.
molinéria s.f.
molineta (*ê*) s.f.
molinete (*ê*) s.m.
molinha s.f.
molinhã s.f.
molinhar v.
molinheira s.f.
molinheiro s.m.
molinhento adj.
molinhoso (*ô*) adj.; f. (*ó*); pl. (*ó*)
molínia s.f.
molinilho s.m.
molinismo s.m.
molinista adj. s.2g.
molinístico adj.
molinosismo s.m.
molinosista adj. s.2g.
molinosístico adj.
molinote s.m.
mólio s.m.
molione s.m.
moliônide s.m.
molipa s.f.
molípede adj.2g.
moliqueiro s.m.
molir v.
molísia s.f.
molisiácea s.f.
molisiáceo adj.
molisita s.f.
molisite s.f.
molismar v.
molissolo s.m.
molite s.f.
molitivo adj. s.m.
molito adj.
molneta (*ê*) s.f.
molo s.m.
moloca s.f.
moloço s.m.
molodonte s.m.
moloide (*ó*) adj. s.2g.
molola s.f.
molona s.f.
molongo s.m. "macucu-da-terra-firme"; cf. *molongó*
molongó adj. "fraco", "planta"; cf. *molongo*
molongó-branco s.m.; pl. *molongós-brancos*
molongó-de-colher s.m.; pl. *molongós-de-colher*
molopantera s.f.
molopaque s.m.
molopospermo s.m.
moloque s.m.
moloquense adj. s.2g.
moloquita s.f.
moloquite s.f.
molossiambo s.m.
molóssico adj.
molóssida adj.2g. s.m.
molossídeo adj. s.m.
molossíneo adj. s.m.
molosso (*ô*) adj. s.m.
molossobracoide (*ó*) adj.2g.
molossoide (*ó*) adj.2g.

molossolupoide (*ó*) adj.2g.
molossopirríquio s.m.
molossospondaico adj.
molossospondeu adj. s.m.
molotcha adj.2g.
molotro s.m.
molpádia s.m.
molpadídeo adj. s.m.
molpadômio adj. s.m.
molua adj. s.2g.
molucano adj. s.m.
molucela s.f.
molugem s.f.
moluginácea s.f.
moluginaceo adj.
molugíneo adj.
moluginóidea s.f.
moluginóideo adj.
molugo s.m.
molulero s.m.
molulo s.m. "arbusto medicinal da África"; cf. *molulu*
molulu s.m. "arbusto da família das compostas"; cf. *molulo*
molumbense adj. s.2g.
molungo s.m.
molungu s.m.
molura s.f.
moluranita s.f.
molúria s.2g. s.f.
moluro s.m.
moluscicida adj. s.2g. s.m.
moluscicídio s.m.
molusco s.m.
moluscocida adj. s.2g.
moluscocídio s.m.
moluscoide (*ó*) adj.2g. s.m.
molúsculo s.m.
mom s.m.
moma s.f.
momaná adj. s.2g.
momanaense adj. s.2g.
momar v.
mômaro s.m.
momatense adj. s.2g.
momaxó adj. s.2g.
mombaca s.f. "fruto"; cf. *mumbaca*
mombacense adj. s.2g.
mombejense adj. s.2g.
mombina s.f.
mombiú s.m.
momboiaxió s.f.
mombojombo s.m.
mombuca s.f.
mombucão s.m.
mombucense adj. s.2g.
mombucu s.m.
mombuero adj. s.m.
mombuquense adj. s.2g.
mombuto adj. s.m.
mome s.m.
momear v.
momentaneidade s.f.
momentâneo adj.
momentão s.m.
momento adj. s.m.
momentoso (*ô*) adj.; f. (*ó*); pl. (*ó*)
momesco (*ê*) adj.
momice s.f.
momo s.m.
momórdica s.f.
momordicina s.f.
momordipicrina s.f.
momota s.f.
momótida adj.2g. s.m.
momotídeo adj. s.m.
momoto s.m.
mompé s.m.
momperle s.m.
mona s.f.
mônaca s.f.
monacagem s.f.
monacal adj.2g.
monacântida adj.2g. s.m.
monacantídeo adj. s.m.
monacanto adj. s.m.
monacato s.m.
monacetina s.f.
monacídeo adj. s.m.
monacidez (*ê*) s.f.
monácido adj. s.m.
monacita s.f.
monacite s.f.
mônaco s.m.
monacoda s.f.
monacófilo adj. s.m.
monacófobo adj. s.m.
monacórdio s.m.
monacrorrizo adj.
monactinela s.f.
monactinélida adj.2g. s.m.
monactinelídeo adj.
monactino adj.
monada s.f. "momice"; cf. *mônada*
mônada s.f. "unidade simples", "indecomponível"; cf. *monada*
monadácea s.f.
monadáceo adj.
monadário adj. s.m.
mônade s.f.
monadejé s.2g.
monadelfia s.f.
monadélfico adj.
monadelfo adj.
monadênia s.f.
monadênio s.m.
monádico adj.
monadídeo adj. s.m.
monadiforme adj. s.2g.
monadiolentilha s.m.
monadismo s.m.
monadista adj. s.2g.
monadístico adj.
monado adj. s.m.
monadófita s.f.
monadologia s.f.
monadológico adj.
monadologista adj. s.2g.
monadólogo s.m.
monágono s.m.
monaguaga s.m.
monailo s.m.
monalbita s.f.
monalogenado adj.
monalquila s.f.
monalquílico adj.
monamida s.f.
monamido s.m.
monamina s.f.
monamniótico adj.
monandra s.f.
monandria s.f. "casamento com um só homem"; cf. *monândria*
monândria s.f. "classe botânica"; cf. *monandria*
monândrico adj.
monandro adj.
monangama s.f.
monangamba s.m.
monângico adj.
monântemo adj.
monantero adj.
monântia s.f.
monanto adj.
monantotaxe (*cs*) s.f.
monantropia s.f.
monantrópico adj.
monápia s.f.
monáptero adj.
monaquela s.m.
monaquídeo adj. s.m.
monaquíneo adj. s.m.
monaquino s.m.
monaquiro s.m.
monaquismo s.m.
monaquista adj. s.2g.
monaquístico adj.
monaquização s.f.
monaquizar v.
monaraquina s.f.
monarca adj.2g. s.m.
monarcada s.f.
monarcófago adj. s.m.
monarcólatra adj. s.2g.
monarcolatria s.f.
monarcolátrico adj.
monarcômaco adj. s.m.
monarcomaquia s.f.
monarcomáquico adj.
monarda s.f.
monárdea s.f.
monardeína s.f.
monárdeo adj.
monare s.m.
monaria s.f.
monarquia s.f.
monarquiação s.f.
monarquianismo s.m.
monarquianista adj. s.2g.
monarquianístico adj.
monarquiar v.
monárquico adj. s.m.
monarquismo s.m.
monarquista adj. s.2g.
monarquístico adj.
monarquização s.f.
monarquizar v.
monarrena s.f.
monarrenoso (*ô*) adj.; f. (*ó*); pl. (*ó*)
monas s.m.2n.
monasa s.m.
monasteiral adj.2g.
monasteirol s.m.
monáster s.m.
monasteriano adj.
monastério s.m.
monastical adj.2g.
monasticismo s.m.
monasticista adj. s.2g.
monasticístico adj.
monástico adj. s.m.
monastral adj.2g.
monástria s.f.
monatério s.m.
monatividade s.f.
monativo adj.
monatômico adj.
monauléria s.f.
monaulídeo adj. s.m.
monáulion s.m.
monaulo s.m.
monaural adj.2g.
monauricular adj.2g.
monaxial (*cs*) adj.2g.
monaxífero (*cs*) adj.
monaxó adj. s.2g.
monáxona (*cs*) s.f.
monaxônia (*cs*) s.f.
monaxônico (*cs*) adj.
monaxônida (*cs*) adj.2g. s.m.
monaxônido (*cs*) adj.
monáxono (*cs*) adj.
monazilho s.m.
monazita s.f.
monazitado adj.
monazite s.f.
monazítico adj.
monazitoide (*ó*) adj.2g. s.m.
monca s.f.
moncalho s.m.
monçanense adj. s.2g.
monção s.f.
moncar v.
monchão s.m.
moncheíta s.f.
monchiqueiro adj. s.m.
monchiquense adj. s.2g.
monchiquite s.f.
mōncia s.f.
moncionense adj. s.2g.
monco s.m.
monco-de-peru s.m.; pl. *moncos-de-peru*
monçonal adj.2g.
moncone s.m.
monçonense adj. s.2g.
monçônico adj.
moncorvense adj. s.2g.
moncorvino adj. s.m.
moncoso (*ô*) adj.; f. (*ó*); pl. (*ó*)
monda s.f.
mondação s.f.
mondadeira s.f.
mondadeiro s.m.
mondadentes s.m.2n.
mondado adj.
mondador (*ô*) adj. s.m.
mondadura s.f.
mondágide s.f.
mondaiense adj. s.2g.
mondar v.
mondável adj.2g.
mondé adj. s.2g. s.m.
mondego (*ê*) s.m.
mondeguense adj. s.2g.
mondéu s.m.
mondiá s.m.
mondilho s.m.
mondim s.m.
mondina s.f.
mondinense adj. s.2g.
mondino s.m.
mondo adj.
mondolim s.m.
mondombe adj. s.2g.
mondombo adj. s.m.
mondonga s.f.
mondongo s.m.
mondongudo adj.
mondongueira s.f.
mondongueiro s.m.
mondrongada s.f.
mondrongo s.m.
mondrongueiro adj.
mondronguice s.f.
monduaí s.m.
mondual s.m.
mondubinense adj. s.2g.
monduí s.m.
mondungo adj. s.m.
mondururu s.m.
monécia s.f.
monécico adj.
monécio adj.
monecismo s.m.
monecma s.m.
moneco adj.
monecômice s.m.
monecomiceto s.m.
monede adj. s.2g.
monédula s.f.
monegasco adj. s.m.
moneimita s.f.
monel s.m.
monelha (*ê*) s.f.
monelho (*ê*) s.m.
monelina s.f.
monélitro s.m.
monema s.m.
monemático adj.
monembrionia s.f.
monembriônico adj.
monêmero s.m.
monêmico adj.
monenergético adj.
monenergetismo s.m.
monenergetista adj. s.2g.
monenergetístico adj.
monenergismo s.m.
monenergista adj. s.2g.
monenergístico adj.
monentelo s.m.
monepiginia s.f.
monepígino adj.
monera s.f.
moneraense adj. s.2g.
monere s.f.
monerense adj. s.2g.
monergismo s.m.
monergista adj. s.2g.
monergístico adj.
monergol s.m.
monerma s.f.
monérula s.f.
monesgo adj.
monésia s.f.
monesina s.f.
monesita s.f.
moneso adj. s.m.
monespecificidade s.f.
monespecífico adj.
monesteiral s.m.
monesteirol s.m.
monéster s.m.
monesterático adj.
monesterato s.m.
monestérico adj.
monestro adj.
moneta (*ê*) s.f.
monetário adj. s.m.
monetarismo s.m.
monetarista adj. s.2g.
monetático adj.
monete (*ê*) s.m.
monetense adj. s.2g.
monético adj.
monetiforme adj.2g.
monetilênico adj.
monetileno s.m.
monetita s.f.
monetite s.f.
monetização s.f.
monetizado adj.
monetizar v.
monezinho s.m.
monfa s.f.
monferir v.
monfi s.m.
monfídeo adj. s.m.
monfortense adj. s.2g.
mongaguaense adj. s.2g.
monganga s.f.
mongariça s.f.
monge s.m.
monge-cavaleiro s.m.; pl. *monges-cavaleiros*
monge-do-mar s.m.; pl. *monges-do-mar*
monger v.
mongi s.m.
mongia s.f.
mongia-de-grão-escuro s.f.; pl. *mongias-de-grão-escuro*
mongil adj.2g. s.m.
mongiloto s.m.
mongírio adj. s.m.
mongivelo s.m.
mongo s.m.
môngoa s.f.
mongoio (*ó*) adj. s.m. "referente ao reino de Negoio" (*ó*); cf. *mongoió*
mongoió adj. s.2g. "grupo indígena"; cf. *mongoio* (*ó*)
mongol adj. s.2g.
mongolfieira s.f.
mongoliano adj. s.m.
mongólico adj.
mongolino adj.
mongolismo s.m.
mongolista adj. s.2g.
mongolístico adj.
mongolização s.f.
mongolizar v.
mongolo s.m. "árvore de Angola"; cf. *mongolô*
mongolô s.m. adv. "com força", etc.; cf. *mongolo*
mongolofalante adj. s.2g.
mongolofonia s.f.
mongolófono adj. s.m.
mongoloide (*ó*) adj. s.2g.
mongoloidismo s.m.
mongoloparlante adj. s.2g.
mongonha s.f.
mongoose s.m.
mongovo (*ô*) s.m.
mongu s.m.
monguba s.f.
mongubeira s.f.
mongubense adj. s.2g.
monha s.f.
monhé adj. s.2g.
monheimita s.f.
monhiço s.m.
monho s.m.
moni s.f.
moniáceo adj.
mônica s.f.
monição s.f. "advertência"; cf. *munição*
monicense adj. s.2g.
monices s.f.pl.
moniço s.m.
mônico adj.
monideísmo s.m.
monidratação s.f.
monidratado adj.

monidratante adj.2g.
monidratar v.
monidratável adj.2g.
monidrático adj.
monidrato s.m.
monídrico adj.
moniéria s.f.
moniézia s.f.
monieziose s.f.
monilena s.f.
moniletríquio s.m.
monilha s.f.
monilhar v.
monília s.f.
moniliado adj.
monilial adj.2g.
moniliale s.f.
monilíase s.f.
monilicorne adj.2g.
monilicórneo adj.
monilífero adj.
moniliforme adj.2g.
moniliformose s.f.
moniligáster s.m.
moniligastrídeo adj. s.m.
moniligastro s.m.
monilígero adj.
moniliose s.f.
monilitricose s.m.
monilitríquio s.m.
monilo adj. s.m.
monilomorfose s.f.
monima s.f.
monímia s.f.
monimiácea s.f.
monimiáceo adj.
monimióidea s.f.
monimolímnio s.m.
monimolita s.f.
monimolite s.f.
monimólito s.m.
monina s.f.
monindustrial adj.2g.
moninina s.f.
monipoginia s.f.
monipógino adj.
monir v.
moniro s.m.
monismo s.m.
monista adj. s.2g.
monística s.f.
monístico adj.
monita s.f. "mineral"; cf. *mônita*
mônita s.f. "advertência"; cf. *monita*
monitor (*ô*) adj. s.m.
monitoração s.f.
monitorado adj.
monitorador (*ô*) adj.
monitoragem s.f.
monitoramento s.m.
monitorar s.m.
monitorável adj.2g.
monitoria s.f. "cargo de monitor"; cf. *monitória*
monitória s.f. "chamado para depor"; cf. *monitoria*
monitoriado s.m.
monitorial adj.2g.
monitório adj. s.m.
monitorização s.f.
monitorizado adj.
monitorizante adj.2g.
monitorizar v.
monitorizável adj.2g.
monja s.f.
monjal adj.2g.
monja-velha s.f.; pl. *monjas-velhas*
monjio s.m.
monjo s.m.
monjolandense adj. s.2g.
monjolano adj. s.m.
monjoleiro s.m.
monjoleiro-preto s.m.; pl. *monjoleiros-pretos*
monjolense adj. s.2g.
monjoliense adj. s.2g.
monjolo (*ô*) s.m.
monjolo-ferro s.m.; pl. *monjolos-ferro* e *monjolos-ferros*
monjolo-preto s.m.; pl. *monjolos-pretos*
monjombo s.m.
monjopina s.f.
mon-khmer adj.2g. s.m.; pl. *mon-khmers*
monniera s.f.
monnina s.f.
mono adj. s.m.
monoacantídeo adj. s.m.
monoacetato s.m.
monoacidez (*ê*) s.f.
monoácido adj. s.m.
monoalfabético adj.
monoalogenado adj.
monoalquila s.f.
monoalquílico adj.
monoamida s.f.
monoamido s.m.
monoamima s.f.
monoaminureia (*é*) s.f.
monoamniótico adj.
monoamo s.m.
monoantropismo s.m.
monoartrite s.f.
monoatividade s.f.
monoativo adj.
monoato s.m.
monoatômico adj.
monoaxial (*cs*) adj.2g.
monoaxífero (*cs*) adj.
monoaxômia (*cs*) s.f.
monoáxona (*cs*) s.f.
monoaxônico (*cs*) adj.
monoaxônida (*cs*) adj.2g. s.m.
monoaxônido (*cs*) adj.
monobacilar adj.2g.
monobafia s.f.
monobáfico adj.
monobase s.f.
monóbase adj.2g.
monobásico adj.
monóbia s.m.
monóbio s.m.
monoblasto s.m.
monoblefaridáceo adj.
monoblefaridal adj.2g.
monoblefaridale s.f.
monoblefáride s.f.
monoblefarídeo adj. s.m.
monoblefarídinea s.f.
monobléfaris s.f.2n.
monobléfaro adj. s.m.
monoblepsia s.f.
monoblépsico adj.
monobloco adj.
monóbolo s.m.
monobótrio s.m.
monobromado adj.
monobrométrico adj.
monobrometo (*ê*) s.m.
monobromobenzênico adj.
monobromobenzeno s.m.
monoca s.f.
monocabo adj. s.m.
monocálamo s.m.
monocálcico adj.
monocaleno adj. s.m.
monocamerismo s.m.
monócamo s.m.
monocarboxila (*cs*) s.f.
monocarboxílico (*cs*) adj.
monocárdio adj.
monocárico adj.
monocário s.m.
monocarpelar adj.2g.
monocarpiano adj.
monocárpico adj.
monocarpo adj. s.m.
monocarril adj.2g. s.m.
mono-carvoeiro s.m.; pl. *monos-carvoeiros*
monocásio s.m.
monocaule adj.2g. s.m.
monocausal adj.2g.
monocefalia s.f.
monocefaliano s.m.
monocefálico adj.
monocéfalo adj. s.m.
monocelular adj.2g.
monocentrídeo adj. s.m.
monocêntris s.m.2n.
monocerco adj. s.m.
monocercômona s.m.
monócero adj.
monoceronte adj.2g. s.m.
monocíclico adj. s.m.
monociclista adj. s.2g.
monociclo s.m.
monocilíndrico adj.
monocímbio s.m.
monocina s.f.
monocinético adj.
monocirro s.m.
monocirte s.m.
monocístico adj.
monocístida adj.2g. s.m.
monocistídeo adj. s.m.
monocístis s.m.2n.
monocisto s.m.
monocistrônico adj.
monocitário adj. s.m.
monocítico adj.
monócito s.m.
monocitose s.f.
monóclado adj. s.m.
monoclamídea s.f.
monoclamídeo adj.
monoclinal adj.2g. s.m.
monoclínico adj.
monoclino adj.
monoclinoédrico adj.
monoclonal adj.2g.
monoclônico adj.
monocloração s.f.
monoclorado adj.
monoclorante adj.2g.
monoclorar v.
monoclorável adj.2g.
monoclorético adj.
monocloreto (*ê*) s.m.
monoclórico adj.
monocloro s.m.
monoclorobenzênico adj.
monoclorobenzeno s.m.
monococo adj. s.m.
monocolor (*ô*) adj.2g.
monocolpado adj.
monocôndilo s.m.
monocônico adj.
monoconsonântico adj.
monocontínuo adj. s.m.
monocoque s.m.
monocórdico adj.
monocórdio adj. s.m.
monocordo s.m.
monocória s.f.
monocotilado s.m.
monocotilar adj.2g.
monocotilário adj. s.m.
monocotilédone adj.2g.
monocotiledônea s.f.
monocotiledôneo adj.
monocotíleo adj. s.m.
monocotilíneo adj. s.m.
monocótilo adj. s.m.
monocracia s.f.
monocrata adj. s.2g.
monócrata adj. s.2g.
monocrático adj.
monocrepídio s.m.
monocristal s.m.
monocroísmo s.m.
monocromador (*ô*) s.m.
monocromata s.f.
monocromático adj.
monocromatismo s.m.
monocromia s.f.
monocrômico adj.
monocromo adj. s.m.
monocrótico adj.
monocrotismo s.m.
monócroto adj.
monoculado adj.
monocular adj.2g.
monoculizar v.
monóculo adj. s.m.
monoculode s.m.
monocultor (*ô*) s.m.
monocultura s.f.
monocultural adj.2g.
monoculturismo s.m.
monoculturista adj.2g.
monoculturístico adj.
monodactilar adj.2g.
monodactilia s.f.
monodáctilo adj.
monodatilar adj.2g.
monodatilia s.f.
monodátilo adj.
monodelfia s.f.
monodélfico adj. s.m.
monodelfo adj. s.m.
monodéltico adj.
monodemonismo s.m.
monodentado adj.
monodérmico adj.
monodia s.f.
monodialetal adj.2g.
monodiar v.
monódico adj.
monodimensional adj.2g.
monodimétrico adj.
monodinamismo s.m.
monodínamo adj.
monodínio s.m.
monodiplopia s.f.
monodiplópico adj.
monodiplóptico adj.
monodismo s.m.
monodisperso adj.
monodista adj. s.2g.
monodístico adj.
monodonta s.f.
monodonte adj.2g. s.m.
monodontídeo adj. s.m.
monodora s.f.
monodórea s.f.
monodrama s.m.
monodramático adj.
monodromia s.f.
monódromo adj.
monoecia s.f.
monoécio adj.
monoeleuteroginia s.f.
monoeleuterógino adj.
monoêmero adj.
monoemissão s.f.
monoenergético adj.
monoenergetismo s.m.
monoenergetista adj. s.2g.
monoenergetístico adj.
monoepiginia s.f.
monoepígino adj.
monoespecificidade s.f.
monoespecífico adj.
monoéster s.m.
monoesterático adj.
monoesterato s.m.
monoestérico adj.
monoetanolamina s.f.
monoetilênico adj.
monoetileno s.m.
monofacial adj.2g.
monofagia s.f.
monofágico adj.
monófago adj. s.m.
monófane adj.2g.
monofânio s.m.
monofase s.f.
monofasia s.f.
monofásico adj.
monofenol s.m.
monofenólico adj.
monófies s.f.2n.
monofiídeo s.m.
monofilamentar adj.2g.
monofilamento s.m.
monofilamentoso (*ô*) adj.; f. (*ó*); pl. (*ó*)
monofilar adj.2g.
monofilático adj.
monofilético adj.
monofiletismo s.m.
monofiletista adj. s.2g.
monofiletístico adj.
monofilia s.f.
monofilismo s.m.
monofilo adj. "que tem uma só folha", etc.; cf. *monófilo*
monófilo adj. "misantropo"; cf. *monofilo*
monofilogênese s.f.
monofilogenético adj.
monofiodonte adj. s.2g.
monofisismo s.m.
monofisista adj. s.2g.
monofisístico adj.
monofisita adj. s.2g.
monofisitismo s.m.
monofitâneo adj.
monofitia s.f.
monófito adj.
monóflebe s.m.
monoflebíneo adj. s.m.
monóflebo s.m.
monofobia s.f.
monofóbico adj.
monófobo s.m.
monofocal adj.2g.
monofone s.m.
monofonema s.m.
monofonemático adj.
monofonia s.f.
monofônico adj.
monofônio s.m.
monofono s.m. "aparelho telefônico"; cf. *monófono*
monófono adj. "que produz apenas um som"; cf. *monofono*
monofosfato s.m.
monofoto s.f. "máquina de fotocomposição"; cf. *monófoto*
monófoto s.m. "aparelho elétrico de iluminação"; cf. *monofoto*
monoftalmia s.f.
monoftalmo adj.
monoftongo s.m.
monofuncional adj.2g.
monogamia s.f.
monogâmico adj.
monogamista adj. s.2g.
monógamo adj. s.m.
monoganglionar adj.2g.
monogás s.m.
monogástrico adj.
monogatári s.m.
monogêneo s.m.
monogênese s.f.
monogenésico adj.
monogenético adj.
monogenia s.f.
monogênico adj.
monogênio adj.
monogenismo s.m.
monogenista adj. s.2g.
monógeno adj.
monogimnospermia s.f.
monogimnospermo adj.
monoginia s.f.
monógino adj.
monoginopédio s.m.
monoglacial adj.2g.
monoglacialismo s.m.
monoglacialista adj. s.2g.
monoglicéride s.m.
monoglicerídeo adj. s.m.
monoglota adj. s.2g.
monógnato adj. s.m.
monogonia s.f.
monogônico adj.
monogônio adj.
monogononte adj. s.m.
monogonopórico adj.
monogonóporo adj. s.m.
monografado adj. s.m.
monografar v.
monografia s.f.
monográfico adj.
monografista adj. s.2g.
monógrafo adj. s.m.; cf. *monografo*, fl. do v. *monografar*
monograma s.m.
monogramado adj.
monogramar v.
monogramático adj.
monogramista adj. s.2g.
monogramo adj.
monograptídeo adj. s.m.
monograpto s.m.

mono-hibridismo s.m.
mono-híbrido adj. s.m.
mono-hidratação s.f.
mono-hidratado adj.
mono-hidratante adj.2g.
mono-hidratar v.
mono-hidratável adj.2g.
mono-hidrático adj.
mono-hidrato s.m.
mono-hídrico adj.
mono-hidrocalcita s.f.
mono-hidroxifenol (*cs*) s.m.
mono-hipoginia adj.
mono-hipógino adj..
monoibridismo s.m.
monoíbrido adj. s.m.
monoicia s.f.
monoico (*ó*) adj.
monoicômice s.m.
monoidal adj.2g.
monoide (*ó*) adj.2g. s.m.
monoideísmo s.m.
monoidratação s.f.
monoidratado adj.
monoidratante adj.2g.
monoidratar v.
monoidratável adj.2g.
monoidrático adj.
monoidrato s.m.
monoídrico adj.
monoidrocalcita s.f.
monoidroxifenol (*cs*) s.m.
monoílo adj. s.m.
monoindustrial adj.2g.
monoiodado adj.
monoipoginia s.f.
monoipógino adj.
monoisquiático adj.
monoistera s.f.
monolatria s.f.
monolátrico adj.
monolatrismo s.m.
monoleína s.f.
monolene s.f.
monolépide adj.2g.
monolépido adj.
monolepse s.f.
monolepta s.f.
monoléptico adj.
monolínea s.f.
monolinista adj.2g.
monoliose s.f.
monoliótico adj.
monolítico adj.
monolitismo s.m.
monólito adj. s.m.
monolitro s.m.
monolocular adj.2g.
monologação s.f.
monologado adj.
monologador (*ô*) adj.
monologante adj.2g.
monologar v.
monologia s.f.
monológico adj.
monólogo s.m.; cf. *monologo*, fl. do v. *monologar*
monologuista adj. s.2g.
monolúcido adj.
monoma s.m.
monomania s.f.
monomaníaco adj. s.m.
monômano adj. s.m.
monomaquia s.f.
monomastigoda s.f.
monome s.m.
monomeria s.f.
monomérico adj.
monomerídeo adj. s.m.
monomérido adj. s.m.
monômero adj. s.m.
monometálico adj.
monometalismo s.m.
monometalista adj. s.2g.
monometilarsina s.f.
monometina s.f.
monometria s.f.
monométrico adj.
monômetro s.m.
monomial adj.2g.
monomiário adj. s.m.
monomiceto s.m.
monômico adj.
monomíctico adj.
monomídeo adj. s.m.
monominal adj.2g.
monomineral adj.2g. s.m.
monômio s.m.
monomocaia s.m.
monomolécula s.f.
monomolecular adj.2g.
monomorfêmico adj.
monomórfico adj.
monomorfismo s.m.
monomorfo adj.
monomório s.m.
monomotapa adj. s.2g.
monomotor (*ô*) adj. s.m.
monomotriz adj. s.f.
monondué s.m.
mononefrídeo adj. s.m.
mononeurite s.f.
mononeuro adj.
mononfalia s.f.
mononfaliano s.m.
mononfálico adj.
mononfálio s.m.
monônfalo s.m.
monônico adj. s.m.
monônimo adj.
monônique s.m.
mononíquio adj.
mononitrado adj.
mononitrogênico adj.
mononitrogênio s.m.
mônonix (*cs*) s.m.
mononte s.m.
mononuclear adj.2g. s.m.
mononucleose s.f.
mononucleotídeo adj. s.m.
monoparamétrico adj.
monoparental adj.2g.
monoparesia s.f.
monoparestesia s.f.
monopartidário adj.
monopatia s.f.
monopático adj.
monopatofobia s.f.
monopé adj.2g.
monopegia s.f.
monopégico adj.
monopéltis s.m.2n.
monoperiantado adj.
monoperiânteo adj.
monoperiginia s.f.
monoperigínico adj.
monoperígino adj.
monoperintado adj.
monopétala s.f.
monopetalia s.f.
monopétalo adj.
monopetalonema s.m.
monopilário adj. s.m.
monopilídio s.m.
monópilo adj.
monopirênico adj.
monopireno adj.
monópis s.f.2n.
monoplacentar adj.2g.
monoplacóforo adj. s.m.
monoplanético adj.
monoplano adj. s.m.
monoplastia s.f.
monoplástico adj.
monoplastídio s.m.
monoplegia s.f.
monoplégico adj.
monopleura s.f.
monopleurídeo adj. s.m.
monopleurobrânquio adj. s.m.
monoploide (*ó*) adj.2g. s.m.
monoploidia s.f.
monopnêumone adj.2g. s.m.
monopneumôneo adj.
monopneusto s.m.
monópode adj. s.2g.
monopódeo adj. s.m.
monopodia s.f.
monopodial adj.2g.
monopódico adj.
monopódio s.m.
monópodo adj. s.m.
monopolar adj.2g.
monopólico adj.
monopólio s.m.
monopolismo s.m.
monopolista adj. s.2g.
monopolístico adj.
monopolizabilidade s.f.
monopolização s.f.
monopolizado adj.
monopolizador (*ô*) adj. s.m.
monopolizante adj.2g.
monopolizar v.
monopolizável adj.2g.
monóporo s.m.
monoposto (*ô*) adj. s.m.
monopríone s.m.
monopriono s.m.
monopropelente adj.2g. s.m.
monoprós s.m.pl.
monoprótico adj.
monoprotofilado adj.
monopse adj.2g. s.m.
monopsia s.f.
monopso adj.
monopsônia s.f.
monopsônico adj.
monopsônio s.m.
monopsonismo s.m.
monopsonista adj. s.2g.
monoptérige s.f.
monopterígio adj.
monópterix (*cs*) s.f.
monóptero adj. s.m.
monóptico adj.
monoptoto s.m.
monoquelo s.m.
monoquete s.m.
monoqueto s.m.
monoquilho s.m.
monoquilo s.m.
monoquina s.f.
monoquíni s.m.
monoquiro s.m.
monorigma s.m.
monorquidia s.f.
monorquídio s.m.
monórquido adj.
monórquio adj.
monórquis s.m.2n.
monorradicular adj.2g.
monorrecidiva s.f.
monorrefringente adj.2g.
monorregional adj.2g.
monorrelha adj. s.m.
monorrema s.m.
monorrimo adj. s.m.
monorrino adj. s.m.
monorritmia s.f.
monorrítmico adj.
monorritmo s.m.
monoscelia s.f.
monoscélico adj.
monoscópio s.m.
monose s.f.
monosferídeo adj. s.m.
monosiga s.f.
monospermia s.f.
monospérmico adj.
monospermo adj.
monóspilo s.m.
monospôndilo adj.
monosporângio s.m.
monosporidiose s.f.
monospório s.m.
monósporo adj. s.m.
monosquelia s.f.
monossacáride s.m.
monossacarídeo adj. s.m.
monossacarídio s.m.
monossacárido adj. s.m.
monossacarose s.f.
monossecular adj.2g.
monossemia s.f.
monossêmico adj.
monossemiologia s.f.
monossemiológico adj.
monossemiologista adj. s.2g.
monossemiólogo s.m.
monossépalo adj.
monosseriado adj.
monossexual (*cs*) adj.2g.
monossexualidade (*cs*) s.f.
monossifílide adj.2g.
monossiga s.f.
monossilabar v.
monossilábico adj.
monossilabismo s.m.
monossílabo adj. s.m.
monossilano s.m.
monossinapse s.f.
monossináptico adj.
monossinfitógino adj.
monossintoma s.m.
monossintomático adj.
monossistema s.m.
monossitia s.f.
monossítico adj.
monossódico adj.
monossoma s.m.
monossomia s.f.
monossômico adj.
monossomo adj. s.m.
monossubstituição s.f.
monossubstituído adj.
monossubstituinte adj.2g. s.m.
monossubstituir v.
monossubstituível adj.2g.
monossulfeto (*ê*) s.m.
monossulfureto (*ê*) s.m.
monostáquio adj.
monóstego s.m.
monosteira s.f.
monostélico adj.
monóstico adj. s.m.
monostigmatia s.f.
monostigmático adj.
monostígmato adj.
monostila s.m.
monostilo adj.
monostira s.f.
monostomídeo adj. s.m.
monóstomo adj. s.m.
monóstrofe s.f.
monóstrofo adj.
monostroma s.m.
monotagma s.f.
monotalâmeo adj.
monotalâmico adj.
monotálamo adj. s.m.
monote s.m.
monotécio s.m.
monotécnico adj.
monoteco adj.
monoteico (*é*) adj.
monoteísmo s.m.
monoteísta adj. s.2g.
monoteístico adj.
monotelefone s.m.
monotelefônico adj.
monotelefônio s.m.
monoteleta s.2g.
monotelético adj.
monotelia s.f.
monotélico adj.
monotelismo s.m.
monotelista adj. s.2g.
monotelístico adj.
monotelita s.2g.
monotelítico adj.
monotelitismo s.m.
monotelitista adj. s.2g.
monotelitístico adj.
monotemático adj.
monotermia s.f.
monotérmico adj.
monotermita s.f.
monoterpeno s.m.
monotético adj.
monotídea s.f.
monotídeo adj. s.m.
monotínea s.f.
monotiônico adj.
monotipar v.
monotipia s.f.
monotípico adj.
monotipista s.2g.
monotipo s.m.f. "máquina de compor", etc.; cf. *monótipo*
monótipo s.m. "espécime único"; cf. *monotipo*
monótiro adj.
monótoa s.m.
monotocárdio adj. s.m.
monotocardo s.m.
monótoco adj.
monótoma s.f.
monotomídeo adj. s.m.
monotomito adj. s.m.
monótomo s.m.
monotongação s.f.
monotongado adj.
monotongar v.
monotongo s.m.
monotonia s.f.
monotônico adj.
monotonismo s.m.
monotonização s.f.
monotonizado adj.
monotonizar v.
monótono adj.
monotremado adj. s.m.
monotremato adj. s.m.
monotrêmato adj. s.m.
monotreme adj.2g. s.m.
monotremo adj. s.m.
monótrico adj. s.m.
monotrifásico adj.
monotríglifo adj. s.m.
monotrilho adj. s.m.
monotrimétrico adj.
monotríqueo adj.
monótroco adj.
monotrófico adj.
monótropa s.f.
monotropácea s.f.
monotropáceo adj.
monotrópea s.f.
monotrópeo adj.
monotropia s.f.
monotrópico adj.
monotropismo s.m.
monotropístico adj.
monotropitosídeo adj. s.m.
monótropo adj. s.m.
monotropóidea s.f.
monovalência s.f.
monovalente adj.2g.
monovariano adj.
monovárico adj.
monoverticilado adj.
monovitelino adj.
monovular adj.2g.
monox (*cs*) s.m.
monoxênia (*cs*) s.m.
monoxênico (*cs*) adj.
monóxeno (*cs*) adj.
monoxicarbonação (*cs*) s.f.
monoxicarbonado (*cs*) adj.
monoxicarbonante (*cs*) adj.2g.
monoxicarbonar (*cs*) v.
monoxicarbonável (*cs*) adj.2g.
monóxido (*cs*) s.m.
monoxílea (*cs*) s.f.
monóxilo (*cs*) adj. s.m.
monoxima (*cs*) s.f.
monoxímico (*cs*) adj.
monoxó adj. s.2g.
monozigótico adj.
monozigoto s.m.
monozoário adj. s.m.
monozoicidade s.f.
monozoico (*ó*) adj.
monozoniano s.m.
monquilho s.m.
monquino adj.
monquita s.f.
monquite s.f.
monradita s.f.
monradite s.f.
monrepita s.f.
monroeano adj.
monroelatria s.f.
monroelátrico adj.
monroelita s.f.
monroelite s.f.
monroíno adj.
monroísmo s.m.

monroísta adj. s.2g.
monroístico adj.
monroíta s.f.
monrolita s.f.
monsanense adj. s.2g.
monsantino adj.
monsenhor (*ô*) s.m.
monsenhorado s.m.
monsenhor-amarelo s.m.; pl. *monsenhores-amarelos*
monsenhorato s.m.
monsenhor-gilense adj. s.2g.; pl. *monsenhor-gilenses*
monsenhor-hipolitense adj. s.2g.; pl. *monsenhor-hipolitenses*
monsenhor-hortense adj. s.2g.; pl. *monsenhor-hortenses*
monsenhoria s.f.
monsenhor-joão-alexandrense adj. s.2g.; pl. *monsenhor-joão-alexandrenses*
monsenhor-paulense adj. s.2g.; pl. *monsenhor-paulenses*
monsenhor-tabosense adj. s.2g.; pl. *monsenhor-tabosenses*
monserrate s.f.
monsmedita s.f.
monso adj.
monsoado adj.
monsônia s.f.
monstera s.f.
monstérea s.f.
monsteróidea s.f.
monstrengo adj. s.m.
monstrilídeo adj. s.m.
monstrilo s.m.
monstriparição s.f.
monstriparidade s.f.
monstríparo adj.
monstro adj.2g.2n. s.m.
monstro-de-gila s.m.; pl. *monstros-de-gila*
monstruosidade s.f.
monstruoso (*ô*) adj.; f. (*ó*); pl. (*ó*)
monta s.f.
monta-cargas s.m.2n.
monta-correias s.m.2n.
montacuta s.f.
montada s.f.
montádego s.m.
montádigo s.m.
montado adj. s.m.
montador (*ô*) s.m.
montadora s.f.
montadouro s.m.
montagem s.f.
montalegrense adj. s.2g.
montalegrense-do-piauí adj. s.2g.; pl. *montalegrenses-do-piauí*
montalvanense adj. s.2g.
montalvaniense adj. s.2g.
montambole s.f.
montanha s.f.
montanhão s.m.
montanhaque s.m.
montanha-russa s.f.; pl. *montanhas-russas*
montanheira s.f.
montanheiro adj. s.m.
montanhense adj. s.2g.
montanhento adj.
montanhês adj. s.m.
montanhesco (*ê*) adj.
montanhismo s.m.
montanhista adj. s.2g.
montanhístico adj.
montanhite s.f.
montanhoso (*ô*) adj.; f. (*ó*); pl. (*ó*)
montânico adj.
montanismo s.m.
montanista adj. s.2g.
montanística s.f.
montanístico adj.
montanita s.f.
montanite s.f.
montano adj.
montanoa s.f.
montante adj.2g. s.m.
montão s.m.
montar v.
montaraz adj.2g. s.m.; cf. *montarás*, fl. do v. *montar*
montargilense adj. s.2g.
montaria s.f.
montarico s.m.
montariço adj. s.m.
montático s.m.
montauriense adj. s.2g.
montbrayita s.f.
montbrécia s.f.
monte s.m.
monteada s.f.
monteado adj.
monteador (*ô*) s.m.
monte-alegrense adj. s.2g.; pl. *monte-alegrenses*
monte-altense adj. s.2g.; pl. *monte-altenses*
monte-alvernense adj. s.2g.; pl. *monte-alvernenses*
monte-aprazibilense adj. s.2g.; pl. *monte-aprazibilenses*
monte-aprazivelense adj. s.2g.; pl. *monte-aprazivelenses*
montear v.
montearia s.f.
monte-azulense adj. s.2g.; pl. *monte-azulenses*
monte-belense adj. s.2g.; pl. *monte-belenses*
monte-branquense adj. s.2g.; pl. *monte-branquenses*
montebrasita s.f.
montebrasite s.f.
monte-carmelense adj. s.2g.; pl. *monte-carmelenses*
monte-carmense adj. s.2g.; pl. *monte-carmenses*
monte-castelense adj. s.2g.; pl. *monte-castelenses*
monte-celestense adj. s.2g.; pl. *monte-celestenses*
monteco s.m.
monte-cristense adj. s.2g.; pl. *monte-cristenses*
monte-cruzeirense adj. s.2g.; pl. *monte-cruzeirenses*
monte-de-ouro s.m.; pl. *montes-de-ouro*
monte de piedade s.m.
monte de socorro s.m.
montegomeryíta s.f.
monte-gordense adj. s.2g.; pl. *monte-gordenses*
monte-horebense adj. s.2g.; pl. *monte-horebenses*
monteia (*é*) s.f.; cf. *monteia*, fl. do v. *montear*
monteira s.f.
monteirense adj. s.2g.
monteiria s.f.
monteiro adj. s.m.
monteiro-lobatense adj. s.2g.; pl. *monteiro-lobatenses*
monteiro-mor s.m.; pl. *monteiros-mores*
monte-libanense adj. s.2g.; pl. *monte-libanenses*
monte-morense adj. s.2g.; pl. *monte-morenses*
montemorilonita s.f.
montemorilonítico adj.
montemurano adj. s.m.
montenegrense adj. s.2g.
montenegrino adj. s.m.
montenelo s.m.
montense adj. s.2g.
monte-pascoalense adj. s.2g.; pl. *monte-pascoalenses*
monte-pedrense adj. s.2g.; pl. *monte-pedrenses*
montepio s.m.
monteponita s.f.
montera s.f.
monte-realense adj. s.2g.; pl. *monte-realenses*
monte-reconcavense adj. s.2g.; pl. *monte-reconcavenses*
monteregianita s.f.
montês adj.
montes-altense adj. s.2g.; pl. *montes-altenses*
monte-santense adj. s.2g.; pl. *monte-santenses*
montes-clarense adj. s.2g.; pl. *montes-clarenses*
montes-clarino adj. s.m.; pl. *montes-clarinos*
montesense adj. s.2g.
monte-sianense adj. s.2g.; pl. *monte-sianenses*
montesinho adj.
montesino adj.
monte-sionense adj. s.2g.; pl. *monte-sionenses*
montesita s.f.
montessoriano adj.
monteu s.m.
monte-verdense adj. s.2g.; pl. *monte-verdenses*
monteverdiano adj.
montevideano adj. s.m.
montevidéu s.m.
montevideuense adj. s.2g.
montezumense adj. s.2g.
montgomerita s.f.
montiano adj. s.m.
monticelita s.f.
monticelite s.f.
monticellita s.f.
monticellite s.f.
montícola adj. s.2g.
monticulação s.f.
monticulado adj.
monticulário s.m.
monticulíporo s.m.
montículo s.m.
montifringila s.m.
montígeno adj.
montijano adj. s.m.
montijense adj. s.2g.
montijo s.m.
montilhão s.m.
montilho s.m.
montina s.f.
montínea s.f.
montinelo s.m.
montíneo adj.
montípora s.m.
montiporíneo adj. s.m.
montívago adj.
montmartrense (*mômar*) adj. s.2g.
montmartrês (*mômar*) adj. s.m.
montmartrita (*mômar*) s.f.
montmorillonita s.f.
montmorillonítico adj.
montoeira s.f.
montoitense adj. s.2g.
montoso (*ô*) adj.; f. (*ó*); pl. (*ó*)
montra s.f.
montrealense adj. s.2g.
montricárdia s.f.
montricardíea s.f.
montroidita s.f.
montroseíta s.f.
montrouziéria s.f.
montroydita s.f.
montuava s.f.
montujo s.m.
montuosidade s.f.
montuoso (*ô*) adj.; f. (*ó*); pl. (*ó*)
montureira s.f.
montureiro s.m.
monturo s.m.
montuva s.f.
monumental adj.2g.
monumentalidade s.f.
monumentalismo s.m.
monumentalista adj. s.2g.
monumentalístico adj.
monumentalização s.f.
monumentalizado adj.
monumentalizar v.
monumentense adj. s.2g.
monumentino adj. s.m.
monumento s.m.
monumentoso (*ô*) adj.; f. (*ó*); pl. (*ó*)
monuro s.m.
monvana adj. s.2g.
monvedro s.m.
monvo adj. s.m.
monzonite s.f.
monzonítico adj.
monzonito s.m.
moogo s.m.
moógono s.m.
mooihoekita s.f.
moônia s.f.
moorabolita s.f.
mooreíta s.f.
moorhouseíta s.f.
mopane s.m.
mopi adj. s.2g.
mopieçu s.m.
mopla adj. s.2g.
moponga s.f.
mopseia (*é*) s.f.
mopseíneo adj. s.m.
móqua s.f.
moque s.m.
moqueação s.f.
moqueado adj.
moquear v. "assar"; cf. *muquear*
moqueca s.f.
moquecar v.
moqueiro s.m.
moquém s.m.
moquenca s.f.
moquenco adj. s.m.
moquendequende s.m.
moquenqueiro adj. s.m.
moquenquice s.f.
moquenzense (*quên*) adj. s.2g.
moqueta (*ê*) s.f. s.2g.
moquetear v.
moqueteiro s.m.
moqui adj. s.2g.
moquiço s.m.
moquideira s.f.
moquílea s.f.
moquilho s.m.
moquimba adj. s.2g.
moquimbo adj. s.m.
moquínia s.f.
moquir v.
moquite s.f.
mor adj.2g. "maior"; cf. *mor* (*ô*)
mor (*ô*) s.m. "amor"; na loc. *por mor de*
mora s.f.
morabale s.m.
morabita s.m.
morabitinada s.f.
morabitino s.m.
morabito s.m.
morábito s.m.
morabuquiá s.m.
morácea s.f.
moráceo adj.
morada s.f.
morada-inteira s.m.; pl. *moradas-inteiras*
morada-limpense adj. s.2g.; pl. *morada-limpenses*
morada-novense adj. s.2g.; pl. *morada-novenses*
moradeína s.f.
moradeira s.f.
moradense adj. s.2g.
moradia s.f.
moradilho s.m.
moradina s.f.
moradine s.f.
moradio s.m.
morado adj.
morador (*ô*) adj. s.m.
moraesita s.f.
moraí s.m.
moraina s.f.
morâinico adj.
moral adj.2g. s.m.f.
moralão s.m.
moralense adj. s.2g.
moralicapto adj. s.m.
moralidade s.f.
moralismo s.m.
moralista adj. s.2g.
moralístico adj.
moralização s.f.
moralizado adj.
moralizador (*ô*) adj. s.m.
moralizante adj.2g.
moralizar v.
moralizável adj.2g.
morança s.f.
morane adj. s.2g.
moranga s.f.
morangabense adj. s.2g.
morangal s.m.
morangar v.
morango adj. s.m.
morango-bravo s.m.; pl. *morangos-bravos*
morango-do-campo s.m.; pl. *morangos-do-campo*
morangueira s.f.
morangueiro s.m.
morangueiro-bravo s.m.; pl. *morangueiros-bravos*
morangueiro-do-chile s.m.; pl. *morangueiros-do-chile*
moranilo s.m.
morante adj.2g.
morão s.m.
morar v.
morato adj. s.m.
moratória s.f.
moratório adj.
moraujense adj. s.2g.
moravianismo s.m.
morávio adj. s.m.
moravita adj. s.2g.
moravo s.m.
morbidade s.f.
morbidez (*ê*) s.f.
morbideza (*ê*) s.f.
morbidização s.f.
morbidizado adj.
morbidizar v.
mórbido adj.
morbífico adj.
morbígeno adj.
morbígero adj.
morbiláceto adj.
morbilia s.f.
morbilidade s.f.
morbiliforme adj.2g.
morbiloso (*ô*) adj.; f. (*ó*); pl. (*ó*)
morbíparo adj.
morbo s.m.
morboluco s.m.
morbosidade s.f.
morboso (*ô*) adj.; f. (*ó*); pl. (*ó*)
mórbus s.m.2n.
morca s.f. "peixe", etc.; cf. *morca* (*ô*)
morca (*ô*) s.f. "broa", etc.; cf. *morca*
morcanho s.m.
morcão s.m.
morcas (*ô*) s.m.2n.
morcegal adj.2g.
morcegão s.m. "morcego grande"; cf. *morsegão*
morcegar v. "explorar", etc.; cf. *morsegar*
morcego (*ê*) s.m.; cf. *morcego*, fl. do v. *morcegar*, e *morsego*, fl. do v. *morsegar*
morcego-do-mar s.m.; pl. *morcegos-do-mar*
morcego-orelhudo s.m.; pl. *morcegos-orelhudos*
morcego-pescador s.m.; pl. *morcegos-pescador* e *morcegos-pescadores*
morcego-vampa s.m.; pl. *morcegos-vampa* e *morcegos-vampas*
morcego-vampiro s.m.; pl. *morcegos-vampiro* e *morcegos-vampiros*
morcegueira s.f.

morcegueiro s.m.
morceguense adj. s.2g.
morceguinho s.m.
morcela s.f.
morchal s.m.
morchão s.m.
morchela s.f.
morchélio s.m.
morcheliópsis s.m.2n.
morchetar v.
morcierela s.f.
morcierelácea s.f.
morcilha s.f.
morcilho s.m.
morco (*ô*) s.m.
morcos-diabos s.f.2n.
morcuto s.m.
mordaça s.f.
mordaçagem s.f.
mordaçar v.
mordácia s.f.
mordacidade s.f.
mordacíssimo adj. sup. de *mordaz*
mordanga s.f.
mordango s.m.
mordangue s.m.
mordangueiro s.m.
mordângui s.m.
mordaxim s.m.
mordaxinado s.m.
mordaz adj.2g.
mordedeira s.f.
mordedela s.f.
mordedoiro s.m.
mordedor (*ô*) adj. s.m.
mordedouro s.m.
mordedura s.f.
morde e sopra s.2g.2n.
mordela s.f.
mordelídeo adj. s.m.
mordelístena s.f.
mordelóidea s.f.
mordência s.f.
mordenita s.f.
mordenite s.f.
mordentação s.f.
mordentagem s.f.
mordente adj.2g. s.m.
mordentura s.f.
morder v.
mordexi s.m.
mordexim s.m.
mordexinado adj.
mordezada s.f.
mordicação s.f.
mordicadela s.f.
mordicado adj.
mordicante adj.2g.
mordicar v.
mordicativo adj.
mordico s.m.
mordida s.f.
mordidela s.f.
mordido adj.
mordigação s.f.
mordimento s.m.
mordiscado adj.
mordiscar v.
mordível adj.2g.
mordixi s.m.
mordixim s.m.
mordo (*ô*) s.m.
mor-dobre s.m.; pl. *mores-dobres*
mordofe s.m.
mordomado adj. s.m.
mordomar v.
mordomear v.
mordomeiro adj.
mordomia s.f.
mordomia-mor s.f.; pl. *mordomias-mores*
mordomice s.f.
mordomizar v.
mordomo s.m.
mordomo-mor s.m.; pl. *mordomos-mores*
mordoviano adj. s.m.
morduínio adj. s.m.
morduíno adj. s.m.
moré adj. s.2g.
mórea s.f.
moreáceo adj.
moreão s.m.
moréea s.f.
moreia (*é*) s.f.
moreia-amarela s.f.; pl. *moreias-amarelas*
moreia-comum s.f.; pl. *moreias-comuns*
moreia-de-mangue s.f.; pl. *moreias-de-mangue*
moreia-de-rabo-amarelo s.f.; pl. *moreias-de-rabo-amarelo*
moreia-do-mangue s.f.; pl. *moreias-do-mangue*
moreia-pintada s.f.; pl. *moreias-pintadas*
moreiatim s.m.
moreia-verde s.f.; pl. *moreias-verdes*
moreira s.f.
moreira-cesarense adj. s.2g.; pl. *moreira-cesarenses*
moreira-salense adj. s.2g.; pl. *moreira-salenses*
moreiredo (*ê*) s.m.
moreirense adj. s.2g.
morelandita s.f.
morélia s.f.
morena s.f.
morenado adj.
morenaico adj.
morenão s.m.
morencita s.f.
morenense adj. s.2g.
morenge adj. s.2g.
morengo s.m.
morênia s.f.
morênico adj.
moreniína s.f.
moreno adj. s.m.
moreno-mate adj.2g.2n.
morenona s.f.
morenosita s.f.
morenosite s.f.
morense adj. s.2g.
moreota adj. s.2g.
morerê s.m.
morerenga s.f.
moresnetita s.f.
moresnetite s.f.
morétia s.f.
moreto (*ê*) s.m.
morexim s.m.
morfa s.f.
morfalaxe (*cs*) s.f.
morfalaxia (*cs*) s.f.
morfanho adj.
morfão s.m.
morfar v.
morfas s.f.pl.
morfe s.m.
morfeia (*é*) s.f.
morfeico (*é*) adj. s.m.
mórfeis s.f.2n.
morfema s.m.
morfemática s.f.
morfemático adj.
morfêmica s.f.
morfêmico adj.
morfemografia s.f.
morfemográfico adj.
morfemograma s.m.
morfenho adj.
morfenol s.m.
morfestrutura s.f.
morfestrutural adj.2g.
morfético adj. s.m.
morfetina s.f.
mórfico adj.
mórfico-sintático adj.; pl. *mórfico-sintáticos*
morfídeo adj. s.m.
morfilar v.
morfimetina s.f.
morfimetria s.f.
morfimétrico adj.
morfina s.f.
morfinado adj.
morfinar v.
morfíneo adj. s.m.
morfínico adj.
morfinismo s.m.
morfinização s.f.
morfinizar v.
morfino s.m.
morfinomania s.f.
morfinomaníaco adj. s.m.
morfinômano s.m.
morfinona s.f.
mórfis s.f.2n.
morfismo s.m.
morfno s.m.
morfo s.m.
morfoclimático adj.
morfocorese s.f.
morfocronologia s.f.
morfocronológico adj.
morfodiferenciação s.f.
morfodiferenciado adj.
morfodiferenciador (*ô*) adj.
morfodiferenciante adj.2g.
morfodiferenciar v.
morfodiferenciável adj.2g.
morfodiferente adj.2g.
morfodinâmica s.f.
morfodinâmico adj.
morfodistributividade s.f.
morfodistributivo adj.
morfoestrutura s.f.
morfoestrutural adj.2g.
morfofisiologia s.f.
morfofisiológico adj.
morfofisiologista adj. s.2g.
morfofisiólogo s.m.
morfofonema s.m.
morfofonemático adj.
morfofonêmica s.f.
morfofonêmico adj.
morfofonia s.f.
morfofonologia s.f.
morfofonológico adj.
morfofonologista adj. s.2g.
morfofonólogo s.m.
morfogênese s.f.
morfogenético adj.
morfogenia s.f.
morfogênico adj.
morfografema s.m.
morfografemático adj.
morfografêmico adj.
morfografia s.f.
morfográfico adj.
morfógrafo s.m.
morfoide (*ó*) s.m.
morfóideo adj. s.m.
morfol s.m.
morfoletria s.f.
morfolétrico adj.
morfolina s.f.
morfologia s.f.
morfológico adj.
morfologista adj. s.2g.
morfólogo s.m.
morfolona s.f.
morfomania s.f.
morfomaníaco adj.
morfometria s.f.
morfométrico adj.
morfonema s.m.
morfonemático adj.
morfonêmica s.f.
morfonêmico adj.
morfonologia s.f.
morfonológico adj.
morfonologista adj. s.2g.
morfonólogo s.m.
morfonte s.m.
morfoplasma s.m.
morfoplástico adj.
morfopolítica s.f.
morfopolítico adj. s.m.
morfopsicologia s.f.
morfopsicológico adj.
morfoscopia s.f.
morfoscópico adj.
morfose s.f.
morfossemântico adj.
morfossintático adj.
morfossintaxe (*ss*) s.f.
morfostequia s.f.
morfostrutura s.f.
morfostrutural adj.2g.
morfotebaína s.f.
morfotectonia s.f.
morfotectônico adj.
morfotectura s.f.
morfotectural adj.2g.
morfótico adj.
morfotropia s.f.
morfotrópico adj.
morfotropismo s.m.
morfozoário adj. s.m.
morgada s.f.
morgadelho (*ê*) s.m.
morgadeta (*ê*) s.f.
morgadete (*ê*) s.m.
morgadia s.f.
morgadilho s.m.
morgadio adj. s.m.
morgado adj. s.m.
morganático adj.
morganela s.f.
morganheira s.f.
morganho s.m.
morganiça s.f.
morganita s.f.
morganítico adj.
morgantense adj. s.2g.
morgantino adj. s.m.
morgar v.
morgeano adj.
morgete adj. s.2g.
morgeto (*ê*) adj. s.m.
morgiano adj.
mórgio adj.
morgo (*ô*) s.m.
morgonha s.f.
morgue s.f.
mori s.m.
moria s.f. "perturbação mental"; cf. *mória*
mória s.f. "planta"; cf. *moria*
morial s.m.
moribundear v.
moribundez (*ê*) s.f.
moribundo adj. s.m.
mórica s.f.
moricândia s.f.
moricandiína s.f.
mórico adj.
morigeração s.f.
morigerado adj.
morigerador (*ô*) adj.
morigerante adj.2g.
morigerar v.
morigerável adj.2g.
morígero adj.; cf. *morigero*, fl. do v. *morigerar*
moril s.m.
morilha s.f.
morilhão s.m.
morilho s.m.
morilo adj. s.m.
morim s.m.
morimo s.m.
morina s.f.
morinácea s.f.
morináceo adj.
morinda s.f.
moríndea s.f.
moríndeo adj.
morindiba s.f.
morindina s.f.
morindona s.f.
morínea s.f.
morinelo s.m.
moríneo adj.
moringa s.f.
moringácea s.f.
moringáceo adj.
moringínea s.f.
moringo s.m.
moríngua s.f.
moringue s.m.
moringueira s.f.
moringueiro s.m.
moringuinha s.f.
morinita s.f.
morinite s.f.
mórino adj. s.m.
morintânico adj.
mório s.m.
moriolácea s.f.
morioláceo adj.
morioplastia s.f.
morioplástico adj.
moriossomo s.m.
morique adj. s.2g.
moriquino s.m.
moririçó s.m.
moriruense adj. s.2g.
morisco s.m. "boi escuro"; cf. *mourisco*
moriseno adj. s.m.
morísia s.f.
morisônia s.f.
morisqueta (*ê*) s.f.
morissica s.f.
moriti s.m.
morituro s.m.
morítzia s.f.
moriuene (*i-u*) adj. s.2g.
morivá adj. s.2g.
morivene adj. s.2g.
morixaba s.f.
morlaco adj. s.m.
morlés s.m.
morma s.f.
mormaceira s.f.
mormaceiro s.m.
mormacense adj. s.2g.
mormacento adj.
mormaço s.m.
mormão adj. s.m.
mormídea s.f.
mormirídeo adj. s.m.
mormiro s.m.
mórmiro s.m.
mormirope s.m.
mórmirops s.m.
mormo (*ô*) s.m.
mormode s.m.
mormódica s.f.
mormofíleo adj. s.m.
mormólice s.f.
mormólice-folha s.f.; pl. *mormólices-folha* e *mormólices-folhas*
mórmon adj. s.2g.
mormônia s.f.
mormônico adj.
mormonismo s.m.
mormonista adj. s.2g.
mormonístico adj.
mormope s.m.
mormopíneo adj. s.m.
mormóptero s.m.
mormoso (*ô*) adj.; f. (*ó*); pl. (*ó*)
morna s.f.
mornaça s.m.f.
mornaceira s.f.
mornaco s.m.
mornaço adj. s.m.
mornal s.m.
mornança s.f.
mornar v.
morneiro s.m.
mornez (*ê*) s.f.
mornidão s.f.
mornita s.f.
mornite s.f.
morno (*ô*) adj.; f. (*ó*); pl. (*ó*); cf. *morno*, fl. do v. *mornar*; f. (*ó*); pl. (*ó*)
mornura s.f.
moro s.m.
moroba s.f.
morocha (*ô*) adj. s.f.
morocho (*ô*) adj. s.m.
moroçoca s.f.
morocochita s.f.
morocochite s.f.
moroda s.f.
moróforo s.m.
moroiceiro adj.
moroiço s.m.
moróidea s.f.
moroixo s.m.
morondongo s.m.
morone s.m.
moroníneo adj. s.m.

moronóbea s.f.
moronobéea s.f.
moronolita s.f.
moronolite s.f.
morópo s.m.
morópode s.m.
moroquita s.f.
moroquite s.f.
mororê s.m.
mororó s.m.
mororó-cipó s.m.; pl. *mororós-cipó* e *mororós-cipós*
mororó-de-flor-vermelha s.m.; pl. *mororós-de-flor--vermelha*
mororó-do-sertão s.m.; pl. *mororós-do-sertão*
mororoense adj. s.2g.
mororozinho s.m.
morosidade s.f.
moroso (*ô*) adj.; f. (*ó*); pl. (*ó*)
moroso-cigano s.m.; pl. *morosos-cigano* e *morosos--ciganos*
morosofia s.f.
morósofo s.m.
morossauro s.m.
morotério s.m.
morotinga adj.2g. s.f.
morotó s.m.
morototó s.m.
morouceiro adj.
morouço s.m.
morouxo s.m.
moroxita s.f.
moroxite s.m.
morparaense adj. s.2g.
morquela s.f.
morquelhinho s.m.
morquelho (*ê*) s.m.
morquélio s.m.
morqueliópsis s.m.2n.
morquelo s.m.
morquês adj. s.m.
morra interj.
morraca s.f.
morraça s.f. "estrume vegetal"; cf. *murraça*
morraçal s.m.
morraçar v.
morraceira s.f.
morraceiro s.m.
morraco s.m.
morrada s.f.
morralana s.f.
morrão s.m.
morrão-branco s.m.; pl. *morrões-brancos*
morrão-da-cevada s.m.; pl. *morrões-da-cevada*
morrão-das-árvores s.m.; pl. *morrões-das-árvores*
morrão-do-milho s.m.; pl. *morrões-do-milho*
morrão-do-trigo s.m.; pl. *morrões-do-trigo*
morrãozeiro s.m.
morraque s.m.
morraquento adj.
morraria s.f.
morrediço adj.
morredio adj.
morredoiro adj. s.m.
morredor (*ô*) adj. s.m.
morredouro adj. s.m.
morreiro adj.
morre-joão s.m.; pl. *morre--joões*
morremorrer v.
morre não morre adj.2g.2n. adv.
morrendo s.m.
morrênia s.f.
morrenina s.f.
morrense adj. s.2g.
morrente adj.2g.
morrer v. s.m.
morrete (*ê*) s.m.
morretense adj. s.2g.
morretiana s.f.
morretiano adj. s.m.
morrião s.m.
morrião-azul s.m.; pl. *morriões-azuis*
morrião-branco s.m.; pl. *morriões-brancos*
morrião-d'água s.m.; pl. *morriões-d'água*
morrião-de-inverno s.m.; pl. *morriões-de-inverno*
morrião-do-campo s.m.; pl. *morriões-do-campo*
morrião-dos-campos s.m.; pl. *morriões-dos-campos*
morrião-dos-fogueteiros s.m.; pl. *morriões-dos--fogueteiros*
morrião-dos-passarinhos s.m.; pl. *morriões-dos--passarinhos*
morrião-vermelho s.m.; pl. *morriões-vermelhos*
morrilhão s.m.
morrinha adj. s.2g. s.f.
morrinhaça s.f.
morrinhar v.
morrinheira s.f.
morrinhense adj. s.2g.
morrinhento adj.
morrinhice s.f.
morrinhoso (*ô*) adj.; f. (*ó*); pl. (*ó*)
morrinotipurgia s.f.
morrisônia s.f.
morrisoniano s.m.
morro (*ô*) s.m.
morro-agudense adj. s.2g.; pl. *morro-agudenses*
morro-altense adj. s.2g.; pl. *morro-altenses*
morro-azulense adj. s.2g.; pl. *morro-azulenses*
morro-bonitense adj. s.2g.; pl. *morro-bonitenses*
morro-borgense adj. s.2g.; pl. *morro-borgenses*
morro-branquense adj. s.2g.; pl. *morro-branquenses*
morro-chapelense adj. s.2g.; pl. *morro-chapelenses*
morro-florense adj. s.2g.; pl. *morro-florenses*
morro-fumacense adj. s.2g.; pl. *morro-fumacenses*
morro-garcense adj. s.2g.; pl. *morro-garcenses*
morro-grandense adj. s.2g.; pl. *morro-grandenses*
morro-grandino adj. s.m.; pl. *morro-grandinos*
morrondoé s.f.
morro-pequenense adj. s.2g.; pl. *morro-pequenenses*
morro-pilarense adj. s.2g.; pl. *morro-pilarenses*
morro-redondense adj. s.2g.; pl. *morro-redondenses*
morrório s.m.
morro-salense adj. s.2g.; pl. *morro-salenses*
morro-seco s.m.; pl. *morros--secos*
morrote s.m.
morroto (*ô*) s.m.
morro-verdense adj. s.2g.; pl. *morro-verdenses*
morro-veridiense adj. s.2g.; pl. *morro-veridienses*
morro-vermelhense adj. s.2g.; pl. *morro-vermelhenses*
morrudaço adj.
morrudo adj.
morruense adj. s.2g.
morruga s.2g.
morrugento adj.
morruico adj.
morruína s.f.
morrula s.f.
morruol s.m.
morsa s.f.
morsal adj.2g.
morse s.m.f.
morsegamento s.m.
morsegão s.m. "mordidela"; cf. *morcegão*
morsegar v. "mordiscar"; cf. *morcegar*
morseta (*ê*) s.f.
morso s.m.
morso-diabólico s.m.; pl. *morsos-diabólicos*
morsolo s.m.
mortacho s.m.
mortaço s.m.
morta-cor s.f.; pl. *morta-cores*
mortada s.f.
mortadela s.f.
mortagem s.f.
mortágua s.f.
mortaguense adj. s.2g.
mortal adj. s.2g.
mortalha s.f.
mortalhado adj.
mortalhamento s.m.
mortalhar v.
mortalidade s.f.
mortalizar v.
mortandade s.f.
morte s.f.
morte-color s.f.; pl. *morte--colores*
morte-cor s.f.; pl. *morte-cores*
morte-fuge s.f.; pl. *morte-fuges*
morteira s.f.
morteirada s.f.
morteirete (*ê*) s.m.
morteiro adj. s.m.
morte-luz s.f.; pl. *morte-luzes*
mortezinho adj. s.m.
mortical s.m.
morticidade s.f.
morticínio s.m.
mortiço adj.
mortícola adj. s.2g.
mortierela s.f.
mortierelácea s.f.
mortiereláceo adj.
mortífero adj.
mortificação s.f.
mortificado adj.
mortificador (*ô*) adj. s.m.
mortificante adj.2g.
mortificar v.
mortificativo adj.
mortificável adj.2g.
mortigura s.f.
mortilha s.f.
mortinatal adj. s.2g.
mortinatalidade s.f.
mortinato adj. s.m.
morto (*ô*) adj. s.m.
morto a fome s.m.
morto carregando o vivo s.m.
morto em pé s.m.
morto e vivo s.m.
mortona s.f.
mortônia s.f.
mortório adj. s.m.
morto-vivo s.m.; pl. *mortos--vivos*
mortualha s.f.
mortuárias s.f.pl.
mortuário adj. s.m.
mortugabense adj. s.2g.
mortulha s.f.
mortulhas s.f.pl.
mortulho s.m.
mortunha s.f.
mortuório s.m.
mortuoso (*ô*) adj.; f. (*ó*); pl. (*ó*)
morturas s.f.pl.
moru s.m.
morubixaba s.m.
moruco s.m.
morugem s.f.
morugem-branca s.f.; pl. *morugens-brancas*
morugem-vulgar s.f.; pl. *morugens-vulgares*
morula s.f. "planta"; cf. *mórula*
mórula s.f. "demora"; cf. *morula*
morulação s.f.
moruliforme adj.2g.
moruloide (*ó*) adj.2g.
moruloso (*ô*) adj.; f. (*ó*); pl. (*ó*)
morumbiense adj. s.2g.
morundo s.m.
morungabense adj. s.2g.
morungavense adj. s.2g.
morungo adj.
moruno adj. s.m.
moruone s.m.
moruôni s.m.
morupeteca s.f.
moruré s.m.
morvandês adj. s.m.
morvanês adj. s.m.
morvenita s.f.
morxama s.f.
morxi s.m.
morzela s.f.
morzelo (*ê*) adj. s.m.
mos contr. de *me* e *os*
mosa s.f.
mosaicidade s.f.
mosaicismo s.m.
mosaicista adj. s.2g.
mosaico adj. s.m.
mosaicocultura s.f.
mosaico do tabaco s.m.
mosaico do tomateiro s.m.
mosaicultura s.f.
mosaísmo s.m.
mosaísta adj. s.2g.
mosaístico adj.
mosandrita s.f.
mosandrite s.f.
mosano adj.
mosassauriano adj. s.m.
mosassáurico adj.
mosassaurídeo adj. s.m.
mosassauro adj. s.m.
mosbá s.f.
mosca (*ô*) s.f.
mosca-aranha s.f.; pl. *moscas--aranha* e *moscas-aranhas*
mosca-atordoada s.f.; pl. *moscas-atordoadas*
mosca-berneira s.f.; pl. *moscas-berneiras*
mosca-bicheira s.f.; pl. *moscas-bicheira* e *moscas--bicheiras*
mosca-branca s.f.; pl. *moscas--brancas*
mosca-brava s.f.; pl. *moscas--bravas*
mosca-chata s.f.; pl. *moscas--chatas*
moscada s.f.
mosca-da-abóbora s.f.; pl. *moscas-da-abóbora*
mosca-da-azeitona s.f.; pl. *moscas-da-azeitona*
mosca-da-carne s.f.; pl. *moscas-da-carne*
mosca-da-casuarina s.f.; pl. *moscas-da-casuarina*
mosca-da-cereja s.f.; pl. *moscas-da-cereja*
mosca-da-fruta s.f.; pl. *moscas-da-fruta*
mosca-da-laranja s.f.; pl. *moscas-da-laranja*
mosca-da-madeira s.f.; pl. *moscas-da-madeira*
mosca-da-oliveira s.f.; pl. *moscas-da-oliveira*
mosca-das-couves s.f.; pl. *moscas-das-couves*
mosca-das-frutas s.f.; pl. *moscas-das-frutas*
mosca-das-frutas-do--mediterrâneo s.f.; pl. *moscas-das-frutas-do--mediterrâneo*
mosca-de-bagaço s.f.; pl. *moscas-de-bagaço*
mosca-de-banheiro s.f.; pl. *moscas-de-banheiro*
mosca-de-bicheira s.f.; pl. *moscas-de-bicheira*
mosca-de-bicho s.f.; pl. *moscas-de-bicho*
mosca-de-casa s.f.; pl. *moscas--de-casa*
mosca-de-cavalo s.f.; pl. *moscas-de-cavalo*
mosca-de-cavalos s.f.; pl. *moscas-de-cavalos*
mosca-de-elefante s.f.; pl. *moscas-de-elefante*
mosca-de-estábulo s.f.; pl. *moscas-de-estábulo*
mosca-de-fogo s.f.; pl. *moscas-de-fogo*
mosca-de-hesse s.f.; pl. *moscas-de-hesse*
moscadeira s.f.
moscadeira-do-brasil s.f.; pl. *moscadeiras-do-brasil*
moscadeira-porta-sebo s.f.; pl. *moscadeiras-porta-sebo*
moscadeira-sebífera s.f.; pl. *moscadeiras-sebíferas*
moscadeiro s.m.
mosca-de-ura s.f.; pl. *moscas--de-ura*
moscadim s.m.
moscado adj.
mosca-do-bagaço s.f.; pl. *moscas-do-bagaço*
mosca-do-berne s.f.; pl. *moscas-do-berne*
mosca do fuso s.m.
mosca-do-gado s.f.; pl. *moscas-do-gado*
mosca-do-grão s.f.; pl. *moscas-do-grão*
moscadoiro s.m.
mosca-do-mediterrâneo s.f.; pl. *moscas-do-mediterrâneo*
mosca-doméstica s.f.; pl. *moscas-domésticas*
mosca-dos-estábulos s.f.; pl. *moscas-dos-estábulos*
mosca-do-sono s.f.; pl. *moscas-do-sono*
moscadouro s.m.
mosca-do-vinagre s.f.; pl. *moscas-do-vinagre*
mosca-gigante s.f.; pl. *moscas--gigantes*
moscambilha s.f.
moscambíria s.f.
mosca-molenga s.2g.; pl. *moscas-molengas*
mosca-morta s.2g.; pl. *moscas-mortas*
moscão s.m.
mosca-oura s.f.; pl. *moscas--oura* e *moscas-ouras*
mosca-piroga s.f.; pl. *moscas--piroga* e *moscas-pirogas*
moscar v.
mosca-rajada s.f.; pl. *moscas--rajadas*
moscardo s.m.
moscardo-cinzento s.m.; pl. *moscardos-cinzentos*
moscardo-fusco s.m.; pl. *moscardos-fuscos*
moscardo-maior s.m.; pl. *moscardos-maiores*
moscareira s.f.
moscaria s.f. "mosquedo"; cf. *moscária*
moscária s.f. "gênero de planta"; cf. *moscaria* s.f. e fl. do v. *moscar*
moscário s.m.
moscas de espanha s.f.pl.
moscas de freira s.f.pl.
moscas de inverno s.f.pl.
moscas de milão s.f.pl.
moscata s.f.
moscatel adj.2g. s.m.
moscatel-branco s.m.; pl. *moscatéis-brancos*
moscatel-bravo s.m.; pl. *moscatéis-bravos*
moscatel-de-jesus s.m.; pl. *moscatéis-de-jesus*

moscatel-de-setúbal s.m.; pl. *moscatéis-de-setúbal*
moscatel-do-douro s.m.; pl. *moscatéis-do-douro*
moscatel-galego s.m.; pl. *moscatéis-galegos*
moscatelina s.f.
moscatel-preto s.m.; pl. *moscatéis-pretos*
moscatel-roxo s.m.; pl. *moscatéis-roxos*
moscatina s.f.
mosca-tonta s.2g.; pl. *moscas-tontas*
mosca-tsé-tsé s.f.; pl. *moscas-tsé-tsé* e *moscas-tsé-tsés*
mosca-vareja s.f.; pl. *moscas-vareja* e *moscas-varejas*
mosca-varejeira s.f.; pl. *moscas-varejeiras*
moschellandsberguita s.f.
mosco (*ô*) s.m. "furto", etc.; cf. *mosco*
mosco adj. s.m. "povo"; cf. *mosco* (*ô*)
moscope s.m.
moscosma s.f.
moscosmina s.f.
moscoso (*ô*) adj.; f. (*ó*); pl. (*ó*)
moscou s.m.
moscóvia s.f.
moscovita adj. s.2g. s.f.
moscovite adj.2g. s.f.
moscovítico adj.
moscovitismo s.m.
moseísta adj. s.2g.
mosélia s.f.
mosequim s.m.
mosesita s.f.
mosimagão s.m.
mosineco adj. s.m.
mosino adj. s.m.
mosita s.f.
mosite s.f.
moslém adj. s.2g.
mosleme adj. s.2g.
moslemia s.f.
moslêmico adj.
moslemita adj. s.2g.
moslemo s.m.
moslim adj. s.2g.
mosmodiz s.m.
mosocosa s.f.
mosocoso (*ô*) s.m.; pl. (*ó*)
mosodendríneo adj. s.m.
mosqueado adj.
mosqueador (*ô*) adj.
mosqueamento s.m.
mosquear v.
mosquedo (*ê*) s.m.
mosqueia s.f.
mosqueira s.f.
mosqueirense adj. s.2g.
mosqueiro adj. s.m.
mosquem-se s.m.
mosqueno adj. s.m.
mosqueta (*ê*) s.f.
mosqueta-amarela s.f.; pl. *mosquetas-amarelas*
mosqueta-branca s.f.; pl. *mosquetas-brancas*
mosquetaço s.m.
mosquetada s.f.
mosquetão s.m.
mosquetaria s.f.
mosqueta-silvestre s.f.; pl. *mosquetas-silvestres*
mosquete (*ê*) s.m.
mosquetear v.
mosqueteiro s.m.
mosqueteiro-de-coroa-castanha s.m.; pl. *mosqueteiros-de-coroa-castanha*
mósquico adj.
mosquídeo adj. s.m.
mosquífero adj.
mosquila s.f.
mosquinha-atordoada s.2g.; pl. *mosquinhas-atordoadas*
mosquinha-das-frutas s.f.; pl. *mosquinhas-das-frutas*
mosquinha-morta s.2g.; pl. *mosquinhas-mortas*
mosquir v.
mosquitada s.f.
mosquitador (*ô*) s.m.
mosquitama s.f.
mosquitame s.m.
mosquitar v.
mosquiteiro s.m.
mosquitento adj.
mosquitinha s.f.
mosquitinha-verdadeira s.f.; pl. *mosquitinhas-verdadeiras*
mosquitinho s.m.
mosquitinho-verdadeiro s.m.; pl. *mosquitinhos-verdadeiros*
mosquito adj. s.m.
mosquito-berne s.m.; pl. *mosquitos-berne* e *mosquitos-bernes*
mosquito-da-dengue s.m.; pl. *mosquitos-da-dengue*
mosquito-da-febre-amarela s.m.; pl. *mosquitos-da-febre-amarela*
mosquito-da-malária s.m.; pl. *mosquitos-da-malária*
mosquito-da-maleita s.m.; pl. *mosquitos-da-maleita*
mosquito-das-frutas s.m.; pl. *mosquitos-das-frutas*
mosquito-de-parede s.m.; pl. *mosquitos-de-parede*
mosquito-do-algodão s.m.; pl. *mosquitos-do-algodão*
mosquito-do-fumo s.m.; pl. *mosquitos-do-fumo*
mosquito-do-mangue s.m.; pl. *mosquitos-do-mangue*
mosquito-elétrico s.2g.; pl. *mosquitos-elétricos*
mosquito-palha s.m.; pl. *mosquitos-palha* e *mosquitos-palhas*
mosquito-pernilongo s.m.; pl. *mosquitos-pernilongo* e *mosquitos-pernilongos*
mosquito-pólvora s.m.; pl. *mosquitos-pólvora* e *mosquitos-pólvoras*
mosquito-prego s.m.; pl. *mosquitos-prego* e *mosquitos-pregos*
mosquito-remela s.m.; pl. *mosquitos-remela* e *mosquitos-remelas*
mosquito-trombeteiro s.m.; pl. *mosquitos-trombeteiros*
mosquito-zumbidor s.m.; pl. *mosquitos-zumbidores*
mossa s.f. "vestígio de pancada"; cf. *moça* (*ô*) s.f. e *moça*, fl. do v. *moçar*
mossambe s.m.
mossamita s.f.
mossanite s.f.
mossar v. "torcer o linho"; cf. *moçar*
mossassa s.f.
mossecar v.
móssega s.f.
mossegado adj.
mossegão s.m.
mossegar v.
mosseguejo (*ê*) adj. s.m.
mossém s.m.
mosseque s.m.
mossesse s.m.
mossi adj. s.2g.
mossicosi s.m.
mossino adj. s.m.
mossior s.m.
mossita s.f.
mossite s.f.
mossocossa s.f.
mossocosso s.m.
mossondi s.m.
mossoró s.m.
mossoroca s.f.
mossoroense adj. s.2g.
mossoruco s.m.
mossotita s.f.
mossotite s.f.
mossua s.f.
mossué s.m.
mossulo adj. s.m.
mostacha s.f.
mostacho adj. s.m.
mostaço s.m.
mostajada s.f.
mostajeiro s.m.
mostajo s.m.
mostaquel s.m.
mostárabe adj. s.2g.
mostarda s.f.
mostarda-branca s.f.; pl. *mostardas-brancas*
mostarda-brava s.f.; pl. *mostardas-bravas*
mostarda-da-china s.f.; pl. *mostardas-da-china*
mostarda-da-índia s.f.; pl. *mostardas-da-índia*
mostarda-dos-campos s.f.; pl. *mostardas-dos-campos*
mostarda-indiana s.f.; pl. *mostardas-indianas*
mostardal s.m.
mostarda-negra s.f.; pl. *mostardas-negras*
mostarda-ordinária s.f.; pl. *mostardas-ordinárias*
mostarda-preta s.f.; pl. *mostardas-pretas*
mostardeira s.f.
mostardeira-branca s.f.; pl. *mostardeiras-brancas*
mostardeira-dos-campos s.f.; pl. *mostardeiras-dos-campos*
mostardeira-ordinária s.f.; pl. *mostardeiras-ordinárias*
mostardeira-preta s.f.; pl. *mostardeiras-pretas*
mostardeira-violeta s.f.; pl. *mostardeiras-violeta* e *mostardeiras-violetas*
mostardeiro s.m.
mostardense adj. s.2g.
mostardinha s.f.
mostardinha-do-mar s.f.; pl. *mostardinhas-do-mar*
mosteia s.f.
mosteira s.f.
mosteiral adj.2g.
mosteirense adj. s.2g.
mosteiro s.m. "convento"; cf. *mosteiró*
mosteiró s.m. "pequeno mosteiro"; cf. *mosteiro*
mostela s.f.
mosteno adj. s.m.
mostífero adj.
mostil s.m.
mostímetro s.m.
mosto (*ô*) s.m.
mostra s.f.
mostração s.f.
mostradela s.f.
mostrado adj.
mostrador (*ô*) adj. s.m.
mostrança s.f.
mostrandade s.f.
mostrar v.
mostrativo adj.
mostrável adj.2g.
mostrenga s.f.
mostrengar v.
mostrengo s.m.
mostroiço s.m.
mostruário s.m.
mostueia (*é*) s.f.
mota s.f.
motacila s.f.
motacilídea s.f.
motacilídeo adj. s.m.
motacilino adj. s.m.
motacu s.m.
motamo s.m.
motana s.f.
motandra s.f.
motanindele s.m.
motano s.m.
motava s.f.
motazilita adj. s.2g.
mote s.m.
motejado adj.
motejador (*ô*) adj. s.m.
motejamento s.m.
motejante adj.2g.
motejar v.
motejo (*ê*) s.m.
motel s.m.
motela s.f.
motelaria s.f.
moteleiro adj. s.m.
motena s.f.
moteneteiro adj. s.m.
moteno s.m.
motense adj. s.2g.
motetar v.
motete (*ê*) s.m.
moteteiro adj. s.m.
moteto (*ê*) s.m.
motevo (*ê*) s.m.
moti s.m.
motiense adj. s.2g.
motilho s.m.
motilidade s.f.
motim s.m.
motinação s.f.
motinada s.f.
motinar v.
motineiro adj. s.m.
motinoso (*ô*) adj.; f. (*ó*); pl. (*ó*)
motira s.f.
motivação s.f.
motivacional adj.2g.
motivado adj.
motivador (*ô*) adj. s.m.
motivar v.
motivável adj.2g.
motívico adj.
motivo adj. s.m.
moto s.m.f.
motobatedora (*ô*) s.f.
motobói s.m.
motobol s.m.
motobomba s.f.
motoboy s.m.
motoca s.f.
motocarreta (*ê*) s.f.
motocasa s.f.
motocicleta s.f.
motociclete s.f.
motociclismo s.m.
motociclista adj. s.2g.
motociclístico adj.
motociclo s.m.
motocompressor (*ô*) s.m.
moto-contínuo s.m.; pl. *motos-contínuos*
motocu s.m.
motocultor (*ô*) adj. s.m.
motocultura s.f.
motódromo s.m.
motogodile s.f.
motolo s.m.
motome s.m.
motomecanização s.f.
motomecanizado adj.
motomecanizar v.
motonauta s.2g.
motonáutica s.f.
motonáutico adj.
motonave s.f.
motondo s.m.
motoneta (*ê*) s.f.
motoneuronial adj.2g.
motoneurônio s.m.
motoniveladeor (*ô*) adj. s.m.
motoniveladora (*ô*) s.f.
moto-perpétuo s.m.; pl. *motos-perpétuos*
motoplanador (*ô*) s.m.
moto-próprio s.m.; pl. *motos-próprios*
motopropulsor (*ô*) adj. s.m.
motoqueiro s.m.
motor (*ô*) adj. s.m.; f. *motriz*
motor-canhão s.m.; pl. *motores-canhão* e *motores-canhões*
motoreiro s.m.
motor-foguete s.m.; pl. *motores-foguete* e *motores-foguetes*
motorial adj.2g.
motório adj.
motorismo s.m.
motorista adj. s.2g.
motorístico adj.
motorização s.f.
motorizado adj.
motorizar v.
motorneiro s.m.
motoro s.m.
motor-ocular adj.2g.; pl. *motor-oculares*
motorreator (*ô*) s.m.
motoscópio s.m.
motossegadora (*ô*) s.f.
motosserra s.f.
mototorpedeiro s.m.
mototrator (*ô*) s.m.
motreco s.m.
motricidade s.f.
motril s.m.
motriz adj. f. de *motor*
mottramita s.f.
mottramite s.f.
motuari adj. s.2g.
motuca s.f.
motucal s.m.
motucu s.m.
motukoreaíta s.f.
motula s.f.
motum s.m.
motumbá s.f.
motungo s.m.
moucar v.
moucarrão adj. s.m.; f. *moucarrona*
moucarrice s.f.
moucarrões s.m.pl.
moucarrona adj. s.m. de *moucarrão*
mouchão s.m.
mouche s.m.
mouchézia s.f.
mouco adj. s.m.
mouçó s.f.
moudrita s.f.
moufar v.
moufeiro s.m.
mougeócia s.f.
mouhótia s.f.
mouldrita s.f.
mouldrite s.f.
moumar v.
mounanaíta s.f.
mounha s.f.
mouníquio s.m.
mountainita s.f.
moúo s.m.
mouqueira s.f.
mouquice s.f.
mouquidão s.f.
moura s.f.
mouradela s.f.
mouradouro s.m.
moura-encantada s.f.; pl. *mouras-encantadas*
mourajaca s.f.
moural s.m.
mourama s.f.
mourana s.f.
mourão adj. s.m.
mourar v.
mouraria s.f.
mouras s.f.pl.
mourato s.m.
moura-torta s.f.; pl. *mouras-tortas*
mouraz s.m.
mourázio s.m.
mourejado adj.
mourejador (*ô*) adj. s.m.
mourejamento s.m.
mourejar v.
mourejo (*ê*) s.m.
mourense adj. s.2g.

mourera s.f.
mouresco (*ê*) adj.
mourete (*ê*) s.m.
mouril adj.2g.
mourisca s.f.
mouriscada s.f.
mouriscado adj.
mouriscar v.
mourisco adj. s.m. "mouro"; cf. *morisco*
mourisco-branco s.m.; pl. *mouriscos-brancos*
mourisco-de-semente s.m.; pl. *mouriscos-de-semente*
mourisco-fino s.m.; pl. *mouriscos-finos*
mourisco-preto s.m.; pl. *mouriscos-pretos*
mourisco-preto-de-grão--escuro s.m.; pl. *mouriscos--pretos-de-grão-escuro*
mourisco-ruivo s.m.; pl. *mouriscos-ruivos*
mourisco-tinto s.m.; pl. *mouriscos-tintos*
mourisma s.f.
mourismo s.m.
mourita s.f.
mourizar v.
mournival s.m.
mouro adj. s.m.
mouronada s.f.
mouronense adj. s.2g.
mouros s.m.pl.
mourouço s.m.
mourte s.f.
mousteriano adj.
mousteriense adj. s.2g.
mouta s.f.
moutábea s.f.
moutal s.m.
moutão s.m.
moutedo (*ê*) s.m.
mouteira s.f.
mouteiro adj.
moutulo s.m.
mouzaia adj. s.2g.
mouzinho s.m.
movediço adj.
movedor (*ô*) adj. s.m.
móvel adj.2g. s.m.
movelaria s.f.
moveleiro s.m.
movença s.f.
movente adj.2g.
mover v.
movida s.f.
movido adj.
movimentação s.f.
movimentado adj.
movimentador (*ô*) adj. s.m.
movimentante adj.2g.
movimentar v.
movimentável adj.2g.
movimentense adj. s.2g.
movimento s.m.
movingui s.m.
moviola s.f.
móvito s.m.
movível adj.2g.
movongo s.m.
moxa s.f. "mecha em combustão"; cf. *moxa (cs)*
moxa (*cs*) s.f. "planta"; cf. *moxa*
moxabustão (*cs*) s.f.
moxalatam s.m.
moxama s.f.
moxamar v.
moxameiro s.m.
moxa-moxa s.f.; pl. *moxa--moxas*
moxar v. "cauterizar com moxa"; cf. *mochar*
moxara s.f.
moxarela s.f.
moxibento adj.
moxibustão s.f.
moxicão s.m.
moxinfado adj.
moxinga s.f.
moxingueiro s.m.
moxinifada s.f.
moxinifado adj.
moxo adj. s.m. "povo"; cf. *mocho (ô)* s.m. e fl. do v. *mochar*
moxoli s.m.
moxóstoma (*cs*) s.m.
moxotoense adj. s.2g.
moxoxamento s.m.
moxubiá s.m.
moxuluxulu s.m.
moxurunfada s.f.
mozabita adj. s.2g.
mozambo s.m.
mozárabe adj. s.2g.
mozarábico adj.
mozarabismo s.m.
mozarela s.f.
mozarlandense adj. s.2g.
mozarlandiense adj. s.2g.
mozartiano adj.
mozartlesco (*zarlês*) adj.
mozembia s.f.
mozena s.f.
mozeta (*ê*) s.f.
mozina s.f.
mozinho adj. s.m.
mozmodiz s.m.
mozondoense adj. s.2g.
mroseíta s.f.
mu s.m.
muá s.m.
muaca s.m.
muacara s.f.
muaco adj. s.m.
muádi s.m.f.
muadiata s.m.
muadimpumpo s.m.
muadjir adj. s.2g.
muafa s.f.
muafo s.m.
muaianiampale s.m.
muaje s.m.
mualaca s.m.
mualala s.f.
mualape s.m.
mualimo s.m.
mualo s.m.
muama s.f.
muamba s.f.
muambeiro s.m.
muambo s.m.
muame s.m.
muana adj. s.2g.
muanacombo s.m.
muanaense adj. s.2g.
muanangana s.m.
muanapó s.m.
muance s.f.
muanco s.m.
muanda s.f.
muandi s.m.
muandio s.m.
muandiú s.m.
muando s.m.
muane s.m.
muanense adj. s.2g.
muanga s.f.
muangáchi s.m.
muange s.m.
muango s.m.
muangue s.m.
muangui s.m.
muanha adj. s.2g.
muanhi s.m.
muanjimuela s.m.
muanjolo s.m.
muanza s.f.
muar adj.2g. s.m. "burro"; cf. *moar*
muári s.f.
muarrã s.m.
muata s.2g.
muatulé s.m.
muave s.m.
muavina s.f.
mubafo s.m.
mubaladongo s.m.
mubambala s.m.
mubambe s.m.
mubambo s.m.
mubanda s.f.
mubandongo s.m.
mubanga s.f.
mubango s.m.
mubangolule s.m.
mubanja s.f.
mubânqui s.m.
mubata s.f.
mube s.m.
mubeba s.f.
mubela s.f.
mubi s.m.
mubica s.m.
mubilu s.m.
mubire adj. s.2g.
mubombolo s.m.
mubongo s.m.
mubono adj. s.m.
mubota s.f.
mubu s.m.
mubula s.f.
mubumbo s.m.
mubunda s.f.
mubungu s.m.
muça s.m. "trabalhador rural"; cf. *muçá*
muçá s.m. "fruto silvestre"; cf. *muça*
mucaade s.f.
mucaca s.m.
mucaça s.f.
muçaca s.f.
muçaça s.f.
mucacequere adj. s.2g.
muçaco s.m.
muçacosse s.f.
mucadamo s.m.
mucadinho s.m.
mucadiquinho s.m.
mucage s.f. "concubina"; cf. *mucaje*
mucagina s.f.
mucaiá s.f.
mucaino s.m.
mucaiuba (*ú*) s.f.
mucaíxe s.m.
mucajá s.m.
mucajaense adj. s.2g.
mucajaiense adj. s.2g.
mucajal s.m.
mucajá-mirim s.m.; pl. *mucajás-mirins*
mucajá-pequeno s.m.; pl. *mucajás-pequenos*
mucajazeiro s.m.
mucaje s.m. "árvore", "fruta"; cf. *mucage*
mucajeiro s.m.
mucajuba s.f.
mucala s.f.
muçala s.f.
mucalacala s.f.
mucalate s.m.
muçale s.f.
mucali s.f.
mucalina s.f.
muçalo s.m.
mucalula s.f.
mucama s.f.
mucamba s.f.
muçamba s.f.
mucambacamba s.f.
mucamba-do-sertão s.f.; pl. *mucambas-do-sertão*
mucambá-vlemé s.f.2n.
muçambé s.m.
muçambê s.m.
muçambé-catinga s.m.; pl. *muçambés-catinga*
muçambé-cor-de-rosa s.m.; pl. *muçambés-cor-de-rosa*
muçambé-de-três-folhas s.m.; pl. *muçambés-de-três-folhas*
muçambé-indecente s.m.; pl. *muçambés-indecentes*
mucambeiro s.m.
mucambense adj. s.2g.
muçambiçambi s.m.
mucambo s.m. "ave"; cf. *muçambo*
muçambo s.m. "enfeite de metal usado nas tranças"; cf. *mucambo*
mucamelo s.m.
mucamuca s.f.
mucancala adj. s.2g.
mucanda s.f.
muçanda s.f.
mucanda-cangongo s.m.; pl. *mucangas-cangongos*
muçandala s.f.
mucandara s.f.
muçande s.m.
muçandeira-sangue s.f.; pl. *muçandeiras-sangue*
mucândi s.m.
mucando s.m.
mucandona s.f.
muçandura s.f.
muçanga adj.2g.
mucangala s.f.
muçangará s.f.
mucangaxa s.f.
muçanha s.f.
muçanhi s.m.
mucania s.f.
mucanje s.f.
mucano s.m.
mução s.f.
muçapo s.m.
mucaraanga s.f.
mucarara s.f.
mucarati s.m.
muçarela s.f.
muçarete (*ê*) s.m.
mucaruncanga s.f.
mucata s.f.
mucataia s.f.
mucatamo s.m.
mucato s.m.
mucaúa s.m.
muçaxe s.m.
mucáxi s.m.
mucaxixi s.m.
mucazo s.m.
mucece s.m.
mucedina s.f.
mucedinácea s.f.
mucedináceo adj.
mucedínea s.f.
mucedíneo adj. s.m.
mucegueia s.f.
mucemba s.f.
mucendecende s.m.
muceque s.m.
mucequenha s.f.
mucequere s.m.
mucera s.f.
mucetaíba s.f.
mucete s.m.
mucha s.f.
muchacha s.f. "moça"; cf. *muxaxa*
muchachada s.f.
muchacharia s.f.
muchachim s.m.
muchacho s.m. "rapaz novo"; cf. *muxaxo*
muchaco s.m.
muchada s.f.
muchão s.m.
mucharinga s.f.
mucharra s.f.
mucharra-alvar s.f.; pl. *mucharras-alvares*
muchém s.m.
muchete (*ê*) s.m.
múchi s.m.2n.
muchicar v.
muchir s.m.
mucia s.f.
mucica s.f.
mucicada s.f.
mucicão s.m.
múcico adj. s.m.
mucífero adj.
mucífico adj.
muciforme adj.2g.
mucigênio s.m.
mucígeno adj.
mucilagem s.f.
mucilaginífero adj.
mucilaginíparo adj.
mucilaginoso (*ô*) adj.; f. (*ó*); pl. (*ó*)
mucimboa s.f.
mucina s.f.
mucinase s.f.
mucínase s.f.
mucinemia s.f.
mucinêmico adj.
mucinógeno s.m.
mucinose s.f.
mucíparo adj.
mucíporo s.m.
mucitaíba s.f.
mucite s.f.
mucito s.m.
mucívoro adj.
mucker (*mú*) s.2g.2n.
muco s.m. "fluido viscoso"; cf. *mucó*
mucó s.m. "pilão de descascar arroz"; cf. *muco*
mucoáli s.m.
mucoba s.f.
mucobromato s.m.
mucobrômico adj.
mucobue s.m.
mucocele s.f.
mucocelulose s.f.
mucócito s.m.
mucoclorato s.m.
mucoclórico adj.
mucoco s.m. "árvore"; cf. *moçoco*
muçoco s.m. "tributo"; cf. *mucoco*
mucocolo s.m.
muçocongo s.m.
mucocoto s.m.
mucocutâneo adj.
mucoenterite s.f.
mucogênio s.m.
mucoide (*ó*) adj.2g. s.m.
mucoitina s.f.
mucol s.m.
mucolipidose s.f.
mucólise s.f.
mucolítico adj.
mucolito s.m.
mucolo s.m.
mucoma s.m.
mucombe adj. s.2g. "povo"; cf. *mucombé*
mucombé s.m. "planta"; cf. *mucombe*
mucômbia s.f.
mucombo s.m. "árvore de Angola"; cf. *muçombo*
muçombo s.m. "árvore de Lunda"; cf. *mucombo*
mucomembranoso (*ô*) adj.; f. (*ó*); pl. (*ó*)
mucômetro s.m.
mucomuco s.m.
muconato s.m.
mucondabala s.m.
muçondo s.m.
mucondocundo s.m.
mucondute s.m.
mucongo s.m.
mucongolo s.m.
muçongue s.m.
muçongue-alambo s.m.; pl. *muçongues-alambo* e *muçongues-alambos*
mucônico adj.
muconite s.f.
muconítico adj.
mucopeirósteo s.m.
mucopeptídio s.m.
mucopolissacáride s.m.
mucopolissacarídeo adj. s.m.
mucopolissacaridose s.f.
mucoproteico (*é*) adj.
mucoproteídio s.m.
mucoproteido s.m.
mucoproteína s.f.
mucoproteínico adj.
mucopurulento adj.

muco-pus s.m.; pl. *mucos-pus*
mucor (*ô*) s.m.
múcor s.m.
mucorácea s.f.
mucoráceo adj.
mucoral adj.2g.
mucorale s.f.
mucórea s.f.
mucóreo adj.
mucoricori s.m.
mucorínea s.f.
mucoríneo adj.
mucorinicose s.f.
mucorinicótico adj.
mucormicose s.f.
mucorongo s.m. "casa"; cf. *macorongo* e *mocorongo*
muçorongo adj. s.m.
mucorora adj. s.2g.
mucosa s.f. "membrana que recobre cavidades orgânicas"; cf. *mocosa*
mucosidade s.f.
mucosina s.f.
mucoso (*ô*) adj.; f. (*ó*); pl. (*ó*)
mucosografia s.f.
mucossanguíneo (*ü*) adj.
mucosseroso (*ô*) adj.; f. (*ó*); pl. (*ó*)
mucostito s.m.
mucouco s.m.
mucoviscidose s.f.
mucóxi s.m.
mucoxo (*ô*) s.m.
mucro s.m.
múcron s.m.
mucronado adj.
mucronela s.f.
mucrônico adj.
mucronífero adj.
mucronifoliado adj.
mucronifólio adj.
mucroniforme adj.2g.
mucronulado adj.
mucrônulo s.m.
mucrossexe s.m.
mucruará s.m.
mucruaré s.m.
mucrusse s.f.
muctássana s.m.
muçu s.m.
mucuá s.m. "amigo"; cf. *muçuã* e *múcua*
muçuã s.2g. "pequena tartaruga"; cf. *mucuá* e *múcua*
múcua s.m. "fruto do baobá"; cf. *mucuá* e *muçuã*
mucuabô s.m.
mucuacoimba s.m.
mucual s.m.
mucuamatar s.m.
mucuambundo adj. s.m.
mucuando adj. s.m.
mucuaxe s.m.
mucuaxeiro s.m.
mucuba s.f.
mucubabâmbi s.m.
mucubal adj. s.2g.
mucubu s.m.
muçuca s.f.
mucuco s.m. "cuco da África"; cf. *mucucó* e *mucucu*
mucucó s.m. "árvore de Angola"; cf. *mucuco* e *mucucu*
mucuço s.m. "tribo de Angola"; cf. *muçuco*
muçuco s.m. "árvore de Angola"; cf. *mucuço*
mucucu s.m. "árvore de Moçambique"; cf. *mucuco* e *mucucó*
muçu-de-orelhas s.m.; pl. *muçus-de-orelhas*
mucudo adj. s.m.
mucué s.m.
muçueço s.m.
mucuenha s.f.
mucuense adj. s.2g.
mucufa adj. s.2g. s.f.
mucufo adj. s.m.
mucuí s.m.
mucuíba s.f.
muçuíca s.f.
mucuíce adj. s.2g.
mucuim (*u-im*) s.m.
mucuincaca (*u-im*) s.f.
mucuió s.m.
mucuísse adj. s.2g.
mucuísso adj. s.m.
mucuiú s.m.
mucuiuba (*ú*) adj.2g.
mucujá s.m.
mucujazeiro s.m.
mucujé s.m.
mucujê s.m.
mucujeense (*jê*) adj. s.2g.
mucula s.f.
muculaçuco s.m.
muculento adj.
muçulmânico adj.
muçulmanismo s.m.
muçulmanização s.f.
muçulmanizar v.
muçulmano adj. s.m.
muçulmi adj. s.2g.
muçulmuí adj. s.2g.
muculongoto s.m.
muculuana s.m.
muculungu s.m.
muculuvende s.m.
mucum s.m.
muçum s.m.
mucuma s.m.
mucumá s.f.
mucumã s.f.
mucumbabâmbi s.m.
mucumbabém s.f.
mucumbagem s.f.
mucumbli s.m.
mucumbu s.m.
muçum-de-orelha s.m.; pl. *muçuns-de-orelha*
muçum-de-rio s.m.; pl. *muçuns-de-rio*
muçum-do-mar s.m.; pl. *muçuns-do-mar*
muçum-do-rio s.m.; pl. *muçuns-do-rio*
mucume s.m.
muçumé s.f.
mucumuangana s.f.
mucumucu s.m.
mucuna s.f.
mucuná s.f.
mucunã s.f.
mucuná-açu s.f.; pl. *mucunás-açus*
mucunã-açu s.f.; pl. *mucunãs-açus*
mucunaçu s.f.
mucunã-de-flor-branca s.f.; pl. *mucunãs-de-flor-branca*
mucuna-do-mato s.f.; pl. *mucunas-do-mato*
mucuná-do-mato s.f.; pl. *mucunás-do-mato*
mucunã-do-mato s.f.; pl. *mucunãs-do-mato*
mucuna-do-norte s.f.; pl. *mucunas-do-norte*
mucuná-do-norte s.f.; pl. *mucunás-do-norte*
mucunã-do-norte s.f.; pl. *mucunãs-do-norte*
mucuna-preta s.f.; pl. *mucunas-pretas*
mucuna-rajada s.f.; pl. *mucunas-rajadas*
mucuna-vilosa s.f.; pl. *mucunas-vilosas*
mucunda s.f.
muçunda s.f.
mucunde s.f.
mucundo s.m.
mucundocundo s.m.
mucundulo s.m.
mucune s.m.
muçunense adj.2g.
mucunga s.f.
muçunga s.m.
muçungão s.m.
mucungo s.m.
mucungungo s.m.
mucunha s.m.
mucunhambambe s.m.
mucunhambele s.m.
mucuni adj. s.2g.
mucúni s.m.
mucunite s.f.
muçununga s.f.
mucunzá s.m.
muçunzense adj. s.2g.
mucuoca s.f.
mucupela s.m.
mucura s.f.
mucuracaá s.m.
mucura-de-quatro-olhos s.f.; pl. *mucuras-de-quatro-olhos*
mucura-do-fundo s.f.; pl. *mucuras-do-fundo*
mucurana s.f.
muçurana s.f.
mucuranchim s.m.
muçurango s.m.
mucuratense adj. s.2g.
mucuraxixica s.f.
mucure s.m.
mucureca s.f.
muçurepense adj. s.2g.
mucuri s.m.
mucuriciense adj. s.2g.
mucuriense adj. s.2g.
mucuripense adj. s.2g.
muçurmuni adj. s.2g.
mucuro s.m.
mucuroca adj. s.2g.
mucurro s.m.
mucurulúmbia s.m.
muçurumi adj. s.2g.
muçurumin adj. s.2g.
mucurúmpi s.m.
muçuruna-maracá s.m.; pl. *muçurunas-maracá* e *muçurunas-maracás*
muçurungar v.
muçurungo s.m.
mucurunto s.m.
mucuruto s.m.
mucurutu s.m.
mucusa s.f.
mucusambo s.m.
mucuso s.m.
mucusso s.m.
mucuta s.f.
mucutaia s.f.
mucuta-veado s.f.; pl. *mucutas-veado* e *mucutas-veados*
mucuto s.m.
mucutuca s.f.
mucuve s.m.
muda s.f.
mudação s.f.
mudada s.f.
mudadiço adj.
mudado adj.
mudador (*ô*) adj. s.m.
mudama s.f.
mudamento s.m.
mudança s.f.
mudancense adj. s.2g.
mudanciense adj. s.2g.
mudancismo s.m.
mudancista adj. s.2g.
mudancístico adj.
mudante adj.2g.
mudar v. s.m.
mudarina s.f.
mudável adj.2g.
mude s.f.
mudéjar adj. s.2g.
mudejarismo s.m.
mudeloaquime s.m.
mudez (*ê*) s.f.
mudeza (*ê*) s.f.
mudiambaje s.f.
mudiancai s.m.
mudiangombe s.m.
mudiangombo s.m.
mudianhoca s.f.
mudianjila s.f.
mudianona s.m.
mudianquene s.m.
mudibirum s.m.
mudima s.f.
mudiquixi s.m.
mudir s.m.
mudiri s.m.
mudirié s.m.
mudo adj. s.m.
mudondo s.m.
mudossua s.f.
mudra s.m.
mudrá s.m.
mudrã s.m.
mudubim s.m.
mudulo s.m.
mueba s.f.
muédano s.m.
muedem s.m.
muehlenbéckia s.f.
mueiraquetã s.f.
muela s.f. "planta de São Tomé"; cf. *moela*
muele s.m.
muelembéquia s.f.
muele-muele-branco s.m.; pl. *mueles-mueles-brancos*
muelerárgia s.f.
mueléria s.f.
mueles s.m.2n.
muellera s.f.
muellerargia s.f.
muellerina s.f.
muellerita s.f.
muembrije s.f.
muenaquento adj.
muenda s.f. "árvore de Angola"; cf. *moenda*
muene s.m.
muene-careia s.m.; pl. *muene-careias*
muene-caria s.m.; pl. *muene-carias*
muene-epata s.m.; pl. *muene-epatas*
muene-feca s.m.; pl. *muene-fecas*
muene-massa s.m.; pl. *muene-massas*
mueneputo s.m.
muene-putu s.m.; pl. *muene-putus*
muenéxi s.m.
muengue-utoca s.m.; pl. *muengue-utocas*
muenha s.f.
muenise s.m.
muenixe s.m.
muenque s.m.
muensteriano adj. s.m.
muentz s.m.
muentzeriano adj. s.m.
mueratinga s.f.
muere s.m.
muetete s.m.
muezim s.m.
mufa s.f.
múfalo s.m.
mufana s.2g.
mufanita s.2g.
mufé s.m.
mufete s.m.
mufiate s.m.
muficar v.
mufico s.m.
mufilo s.m.
mufirompepo s.m.
mufita s.f.
mufixé s.m.
mufla s.f.
muflão s.m.
muflo s.m.
mufongo s.m.
mufti s.m.
mufuapembe s.m.
mufufa s.f.
mufufuta s.f.
mufufuto s.m.
mufuí s.m.
mufulanfula s.f.
mufuma s.f.
mufumba s.f.
mufumbar v.
mufumbo s.m.
mufumbo-da-beira-do-rio s.m.; pl. *mufumbos-da-beira-do-rio*
mufumeira s.f.
mufunfa s.f.
mugalaji s.m.
mugalate s.m.
mugambo s.m.
muganda adj. s.2g.
mugande s.m.
muganga s.f.
mugangala adj. s.2g.
mugangar v.
mugangue s.m.
mugangueiro adj. s.m.
muganguela adj. s.2g.
muganguento adj. s.m.
muganguice s.f.
muganguista adj. s.2g.
muge s.f. "peixe"; cf. *muje*
mugearito s.m.
mugeira s.f.
mugeiro s.m.
mugem s.2g.
mugem-negrão s.m.; pl. *mugens-negrões*
mugente adj.2g.
muggletoniano adj. s.m.
mugia s.f.
mugideira s.f.
mugido adj. s.m.
mugidor (*ô*) adj.
mugieia (*é*) s.m.
mugiganga s.f.
múgil s.m.
mugílida adj.2g. s.m.
mugilídeo adj. s.m.
mugiliforme s.m.
mugiloide (*ó*) adj.2g. s.m.
mugilóideo adj. s.m.
muginge s.m.
mugir v.
mugletoniano s.m.
mugo s.m.
mugondo s.m.
mugôndue s.m.
mugongo s.m.
mugonguê s.m.
mugonha s.f.
mugre s.m.
múgria s.f.
mugué s.m.
mugueira s.f.
muguenga s.f.
muguengue s.m.
mugumbire s.m.
mugunda s.f.
mugungá s.f.
mugungo s.m.
mugungubaça s.m.
mugunje s.m.
mugunzá s.m.
mui adv. "muito"; cf. *muí*
muí s.m. "planta"; cf. *mui*
muiá s.m.
muiacarunga s.f.
muiaje s.m.
muiamuia s.f.
muiana s.f.
muicala s.m.
muicanzo s.m.
muichai s.f.
muídi s.m.
muiengue s.m.
muieu s.f.
muífo s.m.
muijangué (*ü*) s.m.
muíje s.f.
muíla s.2g. s.m.
muilembo s.m.
muílo s.m.
muim (*u-im*) s.m.
muimba (*u-in*) adj. s.2g.
muimbo (*u-in*) adj. s.m.
muinda (*u-in*) s.f.
muindo (*u-in*) s.m.
muinga (*u-in*) adj. s.2g.
muinge (*u-in*) s.m.

muinha (*u-in*) s.m.
muinje (*u-in*) s.m.
muinzique (*u-in*) s.m.
muio s.m.
muiombo s.m.
muiquele s.f.
muiquire s.m.
muirá s.m.
muiraçacaca s.f.
muiraçacaca-anga s.f.; pl. *muiraçacacas-angas*
muiracatiara s.f.
muiracatiara-rajada s.f.; pl. *muiracatiaras-rajadas*
muiracaua s.f.
muiracuracaua s.f.
muiracurucaua s.f.
muiracutaca s.f.
muiragonçalo s.m.
muiraíra s.f.
muiraitá s.f.
muirajanara s.f.
muirajiboia (*ó*) s.f.
muirajuba s.f.
muirajuçara s.f.
muirajuçara-falsa s.f.; pl. *muirajuçaras-falsas*
muirajuçara-verdadeira s.f.; pl. *muirajuçaras-verdadeiras*
muiraneuense adj. s.2g.
muirantá s.m.
muiraobi s.f.
muirapajé s.m.
muirapaque s.m.
muirapara s.f.
muirapaúba s.f.
muirapaxiúba s.f.
muirapicu s.m.
muirapinima s.f.
muirapinima-preta s.f.; pl. *muirapinimas-pretas*
muirapinima-verdadeira s.f.; pl. *muirapinimas-verdadeiras*
muirapiranga s.f.
muirapiranga-verdadeira s.f.; pl. *muirapirangas-verdadeiras*
muirapiririca s.f.
muirapixi s.2g.
muirapixuna s.f.
muirapuama s.f.
muirapuamina s.f.
muirapucu s.m.
muiraquatiara s.f.
muiraqueteca s.f.
muiraquitã s.m.
muirarema s.f.
muirarema-da-várzea s.f.; pl. *muiraremas-da-várzea*
muiraruíra s.f.
muiratauá s.f.
muirateteca s.f.
muiratinga s.f.
muiratinga-da-terra-firme s.f.; pl. *muiratingas-da-terra-firme*
muiratinga-da-várzea s.f.; pl. *muiratingas-da-várzea*
muiratinga-verdadeira s.f.; pl. *muiratingas-verdadeiras*
muiraúba s.f.
muiraúna s.f.
muiraximbé s.f.
muireita s.f.
muirita s.f.
muirri s.m.
muísca adj. s.2g.
muissanga s.m.
muissequeta s.m.
muitá s.m.
muitia s.m.
muito (*úi*) pron. adv.
muiuíra (*mui-uí*) s.f.
muiuna (*ú*) s.m.
muiuré (*mui-u*) s.m.
muíxe s.m.
muíza adj. s.2g.
muizinque s.m.
mujajo s.m.
mujamache s.m.
mujanguê (*u* ou *ü*) s.m.
mujarapa s.f.
mujau adj. s.2g.
muje s.m. "adorno"; cf. *muge*
mujeira s.f.
mujeiro s.m.
mujem s.f.
mujena s.f.
mujengema s.f.
mujia s.f.
mujiamaxe s.f.
mujiangama s.f.
mujica s.f.
mujico s.m.
mujije s.m.
mujil s.m.
mujílida adj.2g. s.m.
mujilídeo adj. s.m.
mujiliforme s.m.
mujiloide (*ó*) s.m.
mujima s.f.
mujimbar v.
mujimbo s.m.
mujinar v.
mujíngue (*ü*) s.m.
mujinha s.f.
mujinje s.m.
mújio s.m.
mujique s.m.; cf. *mojique*, fl. do v. *mojicar*
mujo s.m.
mujojo (*ô*) s.m.
mujolo (*ô*) s.m.
mujoroso (*ô*) adj.; f. (*ó*); pl. (*ó*)
mukhinita s.f.
mula s.f. "fêmea do mulo", etc.; cf. *mulá*
mulá s.m. "doutor da lei corânica"; cf. *mula*
mulabá s.m.
mulabanda s.m.
mulabe s.m.
mulada s.f.
muladar s.m.
muladara s.m.
muladeiro s.m.
muladense adj. s.2g.
mula de padre s.f.
muladi adj. s.2g.
mulage s.m.
mulai s.m.
mulaje s.m.
mulajeiro s.m.
muláli s.m.
mulamba s.f.
mulambalai s.m.
mulambe s.m.
mulambeiro s.m.
mulambento adj.
mulambo s.m. "traste de pano"; cf. *mulambó*
mulambó s.m. "árvore da Índia"; cf. *mulambo*
mulambúdia s.f.
mulambudo adj.
mulame s.m.
mulana s.m.
mulandalanungo s.m.
mulango s.m.
mulangue s.m.
mulanita s.f.
mulaprácrito s.m.
mula sem cabeça s.f.
mulata s.f.
mulataço s.m.
mulata-da-cá s.f.; pl. *mulatas-da-cá*
mulatame s.m.
mulatana s.f.
mulataria s.f.
mulateira s.f.
mulateiro adj. s.m.
mulatense adj. s.2g.
mulatete (*ê*) s.m.
mulatice s.f.
mulatinha s.f.
mulatinha-do-chão s.f.; pl. *mulatinhas-do-chão*
mulatinho adj. s.m.
mulatismo s.m.
mulato adj. s.m.
mulato-grosso s.m.; pl. *mulatos-grossos*
mulato-velho s.m.; pl. *mulatos-velhos*
muldana s.f.
muldera s.f.
muleado adj.
mulei s.m.
muleia s.f.
muleiro s.m.
mulelame s.m.
mulele s.m.
mulemá s.f.
mulemba s.f. "árvore morácea"; cf. *mulembá*
mulembá s.m. "figueira-branca de Angola"; cf. *mulemba*
mulembare s.m.
mulembéquia s.f.
mulembérgia s.f.
mulembo s.m.
mulembongo s.m.
mulembuje s.m.
mulemo s.m.
mule-mule s.m.; pl. *mule-mules*
mulende s.m.
mulenga s.f. "árvore africana"; cf. *molenga*
mulengalenga s.f.
mulengo s.m. "arbusto de Lunda"; cf. *molengo*
mulengue s.m.
muleno adj.
múleo s.m.
mulera s.f.
muléria s.m.
mulerina s.f.
muleta (*ê*) s.f. "bastão para apoio"; cf. *moleta* (*ê*)
muletada s.f.
muleteiro s.m.
muletim s.m.
muleu s.m.
mulgédio s.m.
mulgu s.m.
mulher s.f.
mulheraça s.f.
mulherada s.f.
mulherame s.m.
mulherão s.m.
mulher-dama s.f.; pl. *mulheres-damas*
mulher de gamela s.f.
mulheredo (*ê*) s.m.
mulhereiro adj. s.m.
mulherengo adj. s.m.
mulherenguice s.f.
mulherento adj. s.m.
mulheres s.m.2n.
mulher-feita s.f.; pl. *mulheres-feitas*
mulher-frágil s.f.; pl. *mulheres-frágeis*
mulher-homem s.f.; pl. *mulheres-homem* e *mulheres-homens*
mulhericas s.m.2n.
mulhericida s.m.
mulhericídio s.m.
mulherico adj.
mulherigo s.m.
mulheril adj.2g.
mulher-ingrata s.f.; pl. *mulheres-ingratas*
mulherinha s.f.
mulherio s.m.
mulherita s.f.
mulherizado adj.
mulher-macho s.f.; pl. *mulheres-machos*
mulher-objeto s.f.; pl. *mulheres-objeto*
mulherona s.f.
mulherota s.f.
mulher-pobre s.f.; pl. *mulheres-pobres*
mulher-solteira s.f.; pl. *mulheres-solteiras*
mulherum s.m.
mulherzada s.f.
mulherzinha s.f.
muliado adj.
mulicita s.f.
múlida adj.2g. s.m.
mulídeo adj. s.m.
muliebre adj.2g.
mulilampepo s.m.
mulileni adj. s.2g.
mulim s.m.
mulino s.m.
múlio s.m.
mulita s.f.
muliternense adj. s.2g.
mulítico adj.
mülleriano adj.
müllerita s.f.
mullicita s.f.
mullita s.f.
mullítico adj.
mulme s.m.
mulo s.m.
mulói s.m.
muloide (*ó*) s.m.
mulôji s.m.
mulola s.f.
mulolo s.m.
mulombe s.m.
mulombo s.m.
mulondo adj. s.m.
mulondolo s.m.
mulondolonda s.m.
mulonga s.f.
mulôngua s.f.
mulope s.m.
muloso s.m.
mulsa s.f.
mulsão s.f.
mulso (*ô*) s.m.
multa s.f.
multado adj.
multador (*ô*) adj.
multangular adj.2g.
multângulo s.m.
multani s.m.
multânico adj.
multanindele s.m.
multano s.m.
multar v.
multélea s.f.
multiaceso (*ê*) adj.
multiacoplador (*ô*) s.m.
multiangular adj.2g.
multianzolado adj.
multiaresta s.f.
multiarticulação s.f.
multiarticulado adj.
multiarticulador (*ô*) adj.
multiarticulante adj.2g.
multiarticular v. adj.2g.
multiarticulável adj.2g.
multiaxífero (*cs*) adj.
multibilionário adj. s.m.
multibracteado adj.
multibraqueteado adj.
multibulboso adj.
multicamerado adj.
multicanal adj.2g.
multicapsular adj.2g.
multicarenado adj.
multicaude adj.2g.
multicaudo adj.
multicaule adj.2g.
multicelular adj.2g.
multicelularidade s.f.
multicentral adj.2g.
multicêntrico adj.
multícepe s.m.
multíceps s.m.
multicíclico adj.
multiciente adj.2g.
multicília s.f.
multiciliado adj.
multicilíndrico adj.
multicitado adj.
multicitar v.
multiclassismo s.m.
multiclassista adj. s.2g.
multiclassístico adj.
multicoco adj.
multicolinearidade s.f.
multicolor (*ô*) adj.2g.
multicolorido adj.
multicolorir v.
multicolorizado adj.
multiconcavidade s.f.
multicôncavo adj.
multicontinental adj.2g.
multiconvexidade (*cs*) s.f.
multiconvexo (*cs*) adj.
multicor (*ô*) adj.2g.
multicostado adj.
multicultor (*ô*) adj. s.m.
multicultura s.f.
multicultural adj.2g.
multiculturalismo s.m.
multicuspidado adj.
multicúspide adj.2g.
multicúspido adj.
multidão s.f.
multidentado adj.
multidialectal adj.2g.
multidialectalismo s.m.
multidialectalista adj. s.2g.
multidialectalístico adj.
multidialectismo s.m.
multidialetal adj.2g.
multidialetalismo s.m.
multidialetalista adj. s.2g.
multidialetalístico adj.
multidialetismo s.m.
multidiedro s.m.
multidigitado adj.
multidimensional adj.2g.
multidireccional adj.2g.
multidirecional adj.2g.
multidisciplinar adj.2g.
multidisciplinaridade s.f.
multiembrionado adj.
multiembrionário adj.
multiestágio adj.
multiface adj.2g.
multifacetado adj.
multifactorial adj.2g.
multifamiliar adj.2g.
multifário adj.
multifásico adj.
multifatorial adj.2g.
multifendido adj.
multífido adj.
multifilamentar adj.2g.
multifilamento s.m.
multifilamentoso (*ô*) adj.; f. (*ó*); pl. (*ó*)
multifilar adj.2g.
multiflagelado adj.
multifloro adj.
multífluo adj.
multifocal adj.2g.
multifoliado adj.
multifoliar adj.2g.
multifoliolado adj.
multifoliolar adj.2g.
multiforme adj.2g.
multiformidade s.f.
multiformismo s.m.
multifuncional adj.2g.
multifuncionalidade s.f.
multifuro adj.
multiganglionar adj.2g.
multígeno adj.
multigiro adj.
multigrafação s.f.
multigrafado adj.
multigrafador (*ô*) adj. s.m.
multigrafar v.
multígrafo s.m.
multigrau adj.
multigrávida s.f.
multijugado adj.
multíjugo adj.
multilabro adj.
multilamelado adj.
multilamelar adj.2g.
multilateral adj.2g.
multilateralismo s.m.
multilátero adj.
multilinear adj.2g.
multilinearidade s.f.
multilíngue (*ü*) adj.2g.
multilinguismo (*ü*) s.m.

multilinguista (*ü*) adj. s.2g.
multilinguístico (*ü*) adj.
multilite s.f.
multilobado adj.
multilobulado adj.
multilobular adj.2g.
multilocal adj.2g.
multilocalidade s.f.
multilocular adj.2g.
multíloquo (*quo* ou *co*) adj.
multilustroso (*ô*) adj.; f. (*ó*); pl. (*ó*)
multiluzente adj.2g.
multimama s.f.
multimamia s.f.
multimâmio adj.
multimédia s.m.
multimérico adj.
multímetro s.m.
multimilenário adj. s.m.
multimilionário adj. s.m.
multimodal adj.2g.
multímodo adj.
multimotor (*ô*) s.m.
multinacional adj.2g. s.f.
multinacionalismo s.m.
multinatalidade s.f.
multinegativo s.m.
multinérveo adj.
multinérvia s.f.
multinfecção s.f.
multinodoso (*ô*) adj.; f. (*ó*); pl. (*ó*)
multinomiado adj.
multinomial adj.2g.
multinômio s.m.
multinucelar adj.2g.
multinucleado adj.
multinuclear adj.2g.
multinucleolado adj.
multinundar v.
multioculado adj.
multiocular adj.2g.
multiovulado adj.
multiparasitismo s.m.
multiparidade s.f.
multíparo adj. s.m.
multipartição s.f.
multipartidário adj.
multipartidarismo s.m.
multipartido adj.
multipartir v.
multípede adj.2g.
multiperfurado adj.
multiperfuradora s.f.
multipetalar adj.2g.
multipétalo adj.
multipistilado adj.
multiplano adj. s.m.
multípleto (*ê*) s.m.
multiplex (*cs*) adj. s.m.2n.
multíplex (*cs*) adj. s.m.2n.
multiplexação (*cs*) s.f.
multiplexado (*cs*) adj.
multiplexador (*cs...ô*) adj. s.m.
multiplexar (*cs*) v.
multiplicação s.f.
multiplicado adj.
multiplicador (*ô*) adj. s.m.
multiplicando s.m.
multiplicante adj.2g.
multiplicar v.
multiplicativo adj.
multiplicável adj.2g.
multíplice adj.2g.
multiplicidade s.f.
múltiplo adj. s.m.
multiplocaule adj.2g.
multipolar adj.2g.
multipolaridade s.f.
multipolo s.m.
multípolo s.m.
multiponteado adj.
multipontuado adj.
multipotente adj.2g.
multipresença s.f.
multiprocessador (*ô*) s.m.
multiprocessamento s.m.
multiprofissional adj.2g.
multiprogramação s.f.
multirracial adj.2g.
multirracialidade s.f.
multirracialismo s.m.
multirracialista adj. s.2g.
multirracialístico adj.
multirradiado adj.
multirradicular adj.2g.
multirramoso (*ô*) adj.; f. (*ó*); pl. (*ó*)
multirrelha (*ê*) adj.
multirreligioso (*ô*) adj.; f. (*ó*); pl. (*ó*)
multirreme adj. s.m.
multirrotação s.f.
multisciente adj.2g.
multíscio adj.
multiscópio s.m.
multispinhoso (*ô*) adj.; f. (*ó*); pl. (*ó*)
multispinoso (*ô*) adj.; f. (*ó*); pl. (*ó*)
multispiralado adj.
multissecto adj.
multissecular adj.2g.
multisseminado adj.
multisseptado adj.
multisseriado adj.
multissilabismo s.m.
multissilabista adj. s.2g.
multissílabo adj.
multíssono adj.
multissulcado adj.
multistaminado adj.
multistriado adj.
multitrasversário adj. s.m.
multituberculado adj. s.m.
multitubercular adj.2g.
multituberculoso (*ô*) adj.; f. (*ó*); pl. (*ó*)
multitubular adj.2g.
multitude s.f.
multitudinário adj.
multiungulado adj.
multívago adj.
multivalência s.f.
multivalente adj. s.2g.
multivalvular adj.2g.
multivariação s.f.
multivariado adj.
multivariador (*ô*) adj.
multivariante adj.2g.
multivariar v.
multivariável adj.2g.
multivector (*ô*) s.m.
multivértice adj.2g. s.m.
multivetor (*ô*) s.m.
multivibração s.f.
multivibrado adj.
multivibrador (*ô*) adj. s.m.
multivibrante adj.2g.
multivibrar v.
multivibrável adj.2g.
multivincular adj.2g.
multívio adj.
multiviscosidade s.f.
multivocidade s.f.
multívoco adj.
multivolipresença s.f.
multívolo adj.
multivoltino adj.
mulua s.m.
muluanda s.f.
mulucolo s.m.
mulucu s.m.
mululo s.m.
mulum adj.
mulumba s.f.
mulumbuaco s.m.
mulumbuantanga s.f.
mulume s.m.
mulundu s.m.
mulungala s.f.
mulungo s.m.
mulungu s.m.
mulungu-crista-de-galo s.m.; pl. *mulungus-crista--de-galo*
mulunguense (*ü*) adj. s.2g.
mulunguzeiro s.m.
mumanga s.m.
mumango s.m.
mumbabense adj. s.2g.
mumbaca s.f. "palmeira"; cf. *mombaca*
mumbacuçu s.m.
mumbamba s.f.
mumbanda s.f.
mumbango s.m.
mumbangululo s.m.
mumbava s.2g.
mumbavear v.
mumbavo s.m.
mumbé s.m.
mumbebo s.m.
mumbebo-branco s.m.; pl. *mumbebos-brancos*
mumbica adj.2g. s.m.
mumbimba s.f.
mumbiri s.f.
mumbiúmbi s.m.
mumbo adj. s.m.
mumbo-jumbo s.m.; pl. *mumbos-jumbos*
mumbombolo s.m.
mumbuca s.f.
mumbuca-loira s.f.; pl. *mumbucas-loiras*
mumbuca-loura s.f.; pl. *mumbucas-louras*
mumbuca-mirim s.f.; pl. *mumbucas-mirins*
mumbucão s.m.
mumbucense adj. s.2g.
mumbucu s.m.
mumbula s.f.
mumbulo s.m.
mumbungurulu s.m.
mumbuquense adj. s.2g.
mumbura s.f.
mumetal s.m.
múmia s.f.
mumiático adj.
mumificação s.f.
mumificado adj.
mumificador (*ô*) adj. s.m.
mumificante adj.2g.
mumificar v.
mumificável adj.2g.
mumiforme adj.2g.
mumiquilho s.m.
mumizar v.
mumo s.m.
mumona s.f.
mumonamona s.f.
mumono s.m.
mumpapa s.f.
mumpepo s.m.
mumpeque s.m.
mumpingué s.m.
mumpiquera s.f.
mumpuma s.f.
mumu s.m. "flauta"; cf. *mu-mu*
mu-mu s.m. "marido traído pela mulher"; cf. *mumu*
mumua s.f.
mumuca s.f.
mumungu s.m.
mumunha s.f.
múmure s.m.
muna s.f. "gênero de crustáceo"; cf. *munã*
munã s.f. "égua"; cf. *muna*
munamo adj. s.m.
munangama s.f.
munangomunguena s.m.
munaquisita s.m.
muncadinho s.m.
muncauseniano adj.
munchamba s.m.
münchhauseniano adj.
munchi s.m.
munchica s.f.
muncoto s.m.
muncrudita s.f.
muncrudite s.f.
muncure s.m.
muncúrio s.m.
munda adj. s.2g. s.f.
mundacó s.m.
mundana s.f.
mundanal adj.2g.
mundanalidade s.f.
mundanar v.
mundanário adj.
mundaneidade s.f.
mundaneira s.f.
mundanice s.f.
mundanidade s.f.
mundanismo s.m.
mundanista adj. s.2g.
mundanístico adj.
mundanização s.f.
mundanizado adj.
mundanizar v.
mundano adj. s.m.
mundanoso (*ô*) adj.; f. (*ó*); pl. (*ó*)
mundão s.m.
mundaréu s.m.
mundari adj. s.2g.
mundaú s.m.
mundauense adj. s.2g.
mundável adj.2g.
mundcária s.f.
mundé s.m.
mundeiro adj. s.m.
mundele s.m.
mundelê adj. s.2g.
mundelo s.m.
mundemba adj. s.2g.
mundequete adj. s.2g.
mundéu s.m.
múndi s.m.
múndia s.f.
mundiado adj.
mundiaíla s.f.
mundial adj.2g.
mundialidade s.f.
mundialização s.f.
mundializado adj.
mundializar v.
mundianhoca s.f.
mundiar v.
mundiça s.f.
mundice s.f.
mundícia s.f.
mundície s.f.
mundificação s.f.
mundificado adj.
mundificador (*ô*) adj.
mundificante adj.2g.
mundificar v.
mundificativo adj.
mundificável adj.
múndio s.m.; cf. *mundio*, fl. do v. *mundiar*
mundividência s.f.
mundivisão s.f.
mundo adj. s.m.
mundobi s.m.
mundolíngue (*ü*) s.m.
mundologia s.f.
mundológico adj.
mundologismo s.m.
mundologista adj. s.2g.
mundólogo s.m.
mundombe adj. s.2g.
mundombola s.f.
mundondo s.m.
mundonga s.f.
mundongama s.f.
mundongo s.m.
mundongueira s.f.
mundongueiro s.m.
mundo-novense adj. s.2g.; pl. *mundo-novenses*
mundovisão s.f.
mundrunga s.f.
mundrungo s.m.
mundrungueiro s.m.
mundubé s.m.
mundubi s.m.
mundubirana s.f.
munduca adj. s.2g.
munduí-guaçu s.m.; pl. *munduís-guaçus*
munduleia (*é*) s.f.
mundumbiro s.m.
mundungo s.m.
mundungu s.m.
mundungueiro s.m.
mundureba s.f.
munduri s.m.
munduriense adj. s.2g.
munduru s.m.
mundurucu adj. s.2g.
mundurucuense adj. s.2g.
mundururu s.m.
mune s.m.
munefe s.m.
munega s.f.
muneira s.f.
munelho (*ê*) s.m.
munema s.f.
munemune s.m.
munerário s.m.
munere s.m.
munga s.f.
mungai s.m.
mungaia s.f.
mungandó s.m.
munganga s.f.
mungangagem s.f.
mungangar v.
mungango s.m.
mungangué s.m.
munganguero adj. s.m.
munganguento adj. s.m.
munganguice s.f.
munganje s.m.
mungare s.m.
mungarino s.m.
mungas s.2g.2n.
mungênio s.m.
munger v.
mungição s.f.
mungida s.f.
mungido adj.
mungidor (*ô*) adj. s.m.
mungidura s.f.
mungil s.m.
mungimento s.m.
mungir v.
mungo s.m.
mungolo s.m.
mungombele s.m.
mungondo s.m.
mungone s.m.
mungongo s.m.
mungororo s.m.
mungu s.m.
munguai s.m.
munguba s.f.
mungubarana s.f.
mungubeira s.f.
mungubense adj. s.2g.
mungubu s.m.
mungue s.m.
mungueia s.f.
munguela s.f.
munguenga s.f.
munguengue s.m.
munguife s.m.
mungulfe s.m.
mungumbi s.m.
mungunçá s.m.
mungundo s.m.
mungunzá s.m.
mungunzá-de-cortar s.m.; pl. *mungunzás-de-cortar*
munguta s.m.
munguzá s.m.
munha s.f.
munhafo s.m.
munhafro s.m.
munhagolo s.m.
munhambana s.f.
munhambe s.m.
munhande s.m.
munhaneca adj. s.2g.
munhango s.m.
munhangolo (*ô*) s.m.
munhanhoca s.f.
munhanoca s.f.
munhão s.m.
munhata s.f.
munheca s.f.
munhecaço s.m.
munheca de cutia s.f.
munheca de pau s.2g.
munheca de samambaia s.2g.
munhecar v.
munheira s.f.
munheiro s.m.

munhequeira s.f.
munhere s.m.
munhime s.m.
munhimo s.m.
munho s.m.
munhoneira s.f.
munhozense adj. s.2g.
múni s.m.
múnia s.f.
munição s.f. "provisão"; cf. *monição*
muniche adj. s.2g.
munichi adj. s.2g.
municiado adj.
municiador (*ô*) adj. s.m.
municiamento s.m.
municiar v.
munício s.m.; cf. *municio*, fl. do v. *municiar*
municionamento s.m.
municionar v.
municionário s.m.
municipal adj.2g. s.m.
municipalense adj.2g.
municipalidade s.f.
municipalismo s.m.
municipalista adj. s.2g.
municipalístico adj.
municipalização s.f.
municipalizado adj.
municipalizador (*ô*) adj.
municipalizar v.
munícipe adj. s.2g.
município s.m.
múnida adj.2g. s.m.
munido adj.
munidopaguro s.m.
munidópsis s.m.2n.
muniense adj. s.2g.
munífice s.m.
munificência s.f.
munificente adj.2g.
munífico adj.
muningo s.m.
muninhé s.m.
munipiú s.m.
muniquense adj. s.2g.
muníquion s.m.
munir v.
muniz-freirense adj. s.2g.; pl. *muniz-freirenses*
munjaque s.f.
munjé s.2g.
munjinje s.m.
munjistina s.f.
munjojo (*ô*) adj. s.m.
munjoleiro s.m.
munjolo (*ô*) adj. s.m.
munjomba s.f.
munjovo s.m.
munjue s.m.
munkforssita s.f.
munkrudita s.f.
muno s.m.
munombumba s.f.
munongo s.m.
munono s.m.
munquê s.m.
munquia s.f.
munquir v.
munsi s.m.
münsteriano adj. s.m.
muntalandonga s.f.
muntíaco s.m.
muntíngia s.f.
muntinta s.f.
munto s.m.
muntumbilo s.m.
muntumbire s.m.
müntz s.m.
müntzeriano adj. s.m.
munumucaia s.m.
munupiú s.m.
munuru s.m.
múnus s.m.2n.
munxamba s.m.
munzinha s.f.
munzone s.m.
munzuá s.m.
muoco s.f.
muolo s.m.
múon s.m.
muondojola s.f.
muondongolo s.m.
muongongo s.m.
muônio s.m.
muônium s.m.
muonumucaia s.m.
mupa s.f.
mupaco s.m.
mupalaia s.f.
mupanda s.f.
mupandambale s.m.
mupandolola s.m.
mupandopando s.m.
mupanduambire s.m.
mupapa s.f.
mupapala s.f.
muparala s.f.
mupatata s.f.
mupeça s.f.
mupeque s.m.
mupéua s.f.
mupexe s.m.
mupicação s.f.
mupicar v.
mupinda adj. s.2g.
mupondo s.m.
muponga s.f.
muponguluve s.m.
mupororoca s.f.
mupubuzo s.m.
mupucação s.f.
mupucar v.
mupuluca s.f.
mupumbe adj. s.2g.
mupumpua s.f.
mupunga s.f.
mupupo s.m.
muque s.m.
muquear v. "apalpar o braço"; cf. *moquear*
muquende s.m.
muquendequende s.m.
muquengue s.m.
muquequeta (*ê*) s.f.
muquequete (*ê*) s.m.
muquete (*ê*) s.m.
muquetear v.
múquia s.f.
muquiama adj. s.2g.
muquiçabense adj. s.2g.
muquice s.m.
muquiche s.m.
muquiço s.m.
muquiense adj. s.2g.
muquifo s.m.
muquila s.f.
muquilobuebe s.m.
muquindo s.m.
muquinhar v.
muquira s.2g.
muquirana s.2g. s.f.
muquirão s.m.
muquixe s.m.
mura adj. s.2g. s.f. "povo", etc.; cf. *mura*, fl. do v. *murar*
murá s.m. "medida antiga indiana"; cf. *mura* adj. s.2g.
muracá s.m.
muraçanga s.f.
muracutaca s.f.
murada s.f.
muradal s.m.
murado adj. s.m.
muradoiro s.m.
murador (*ô*) adj. s.m.
muradouro s.m.
muragem s.f.
muraipama s.f.
muraiquitã s.f.
murajaense adj. s.2g.
murajica s.f.
murajuba s.f.
mural adj.2g. s.m.
murálcia s.f.
murale s.f.
muralha s.f.
muralhado adj.
muralhar v.
muralhedo (*ê*) s.m.
muralismo s.m.
muralista adj. s.2g.
muralístico adj.
muráltia s.f.
muramento s.m.
muramidase s.f.
murangane s.f.
muranho adj.
murapiranga s.f.
murapuama s.f.
muraqueteca s.f.
murar v.
murário adj.
murataíta s.f.
muratoriano adj.
murça s.f.
murcacho s.m.
murçado adj.
murceiro s.m.
murcense adj. s.2g.
murcha s.f.
murchação s.f.
murchadeira s.f.
murchado adj.
murchamento s.m.
murchar v.
murchecer v.
murchecível adj.2g.
murchez (*ê*) s.f.
murchidão s.f.
murchisônia s.f.
murchisoniela s.f.
murchisonita s.f.
murchisonite s.f.
murcho adj.
murchoso (*ô*) adj.; f. (*ó*); pl. (*ó*)
murciana s.f.
murciano adj. s.m.
murco s.m.
murcuto s.m.
murdanga s.f.
murdango s.m.
murdangueiro s.m.
murdângui s.m.
murdânia s.f.
murdijita s.2g.
murdochita s.f.
mure s.m.
murear v.
muregona s.f.
mureína s.f.
mureira s.f.
mureita s.f.
murejão s.m.
murejona s.f.
muremuré s.m.
murena s.f.
murenesocídeo adj. s.m.
murenesocíneo adj. s.m.
murenésox (*cs*) s.m.2n.
mureníctis s.m.2n.
murênida adj.2g. s.m.
murenídeo adj. s.m.
murense adj. s.2g.
mureré s.m.
mureru s.m.
mureta (*ê*) s.f.
murete (*ê*) s.m.
mureto (*ê*) s.m.
múrex (*cs*) s.m.
murexano (*cs*) s.m.
murexida (*cs*) s.f.
murexido (*cs*) s.m.
murfela s.f.
murganho s.m.
murgentino adj. s.m.
muri s.m.
muriá s.m. "fruta-de-tucano", etc.; cf. *múria*
múria s.f. "água-mãe nas salinas"; cf. *muriá*
muriacandombe s.m.
muriacita s.f.
muriaçu s.m.
muriaeense adj. s.2g.
muriagombe s.m.
muriamaembe s.m.
muriambambe s.m.
murianganga s.f.
murianha s.f.
muriapembe s.m.
muriapenima s.f.
muriatado adj.
muriático adj.
muriatífero adj.
muriato s.m.
muribecano adj. s.m.
muribecense adj. s.2g.
muribequense adj. s.2g.
muricado adj.
muricalcita s.f.
muricalcite s.f.
múrice s.m.
muriceia (*é*) s.f.
muriceídeo adj. s.m.
muricela s.f.
murici s.m.
muriciaçu s.m.
murici-amarelo s.m.; pl. *muricis-amarelos*
murici-branco s.m.; pl. *muricis-brancos*
murici-cascudo s.m.; pl. *muricis-cascudos*
murici-comum s.m.; pl. *muricis-comuns*
muricida adj.2g. s.m.
murici-da-chapada s.m.; pl. *muricis-da-chapada*
murici-da-mata s.m.; pl. *muricis-da-mata*
murici-da-praia s.m.; pl. *muricis-da-praia*
murici-das-capoeiras s.m.; pl. *muricis-das-capoeiras*
murici-de-flor-branca s.m.; pl. *muricis-de-flor-branca*
murici-de-fruto-médio s.m.; pl. *muricis-de-fruto-médio*
murici-de-fruto-miúdo s.m.; pl. *muricis-de-fruto-miúdo*
murici-de-lenha s.m.; pl. *muricis-de-lenha*
muricídeo adj. s.m. "molusco"; cf. *muricídio*
murici-de-porco s.m.; pl. *muricis-de-porco*
murici-de-tabuleiro s.m.; pl. *muricis-de-tabuleiro*
muricídio s.m. "matança de ratos"; cf. *muricídeo*
murici-do-brejo s.m.; pl. *muricis-do-brejo*
murici-do-campo s.m.; pl. *muricis-do-campo*
muriciense adj. s.2g.
murici-grande s.m.; pl. *muricis-grandes*
muriciguaçu s.m.
murici-miúdo s.m.; pl. *muricis-miúdos*
murici-pequeno s.m.; pl. *muricis-pequenos*
murici-pinima s.m.; pl. *muricis-pinimas*
murici-pitanga s.m.; pl. *muricis-pitanga* e *muricis-pitangas*
murici-rasteiro s.m.; pl. *muricis-rasteiros*
muricite s.f.
muricito s.m.
murici-vermelho s.m.; pl. *muricis-vermelhos*
muricizal s.m.
muricizalense adj. s.2g.
muricizeiro s.m.
muriçoca s.f.
murícola adj.2g.
muriçoquense adj. s.2g.
muriculado adj.
murída s.m.
murídeo adj. s.m.
muridismo s.m.
muridista adj. s.2g.
muridístico adj.
muriense adj. s.2g.
murifela s.f.
muriforme adj.2g.
murilaonde s.m.
murilhano adj.
murilhesco (*ê*) adj.
murillesco (*ê*) adj.
murindo s.m.
muríneo adj. s.m.
murinhanha s.f.
murino adj.
muriossulfato s.m.
muriossulfúrico adj.
muriqui s.m.
muriquina s.f.
muriri s.m.
muriti s.m.
muritibano adj. s.m.
muritibense adj. s.2g.
muritiense adj. s.2g.
muritim s.m.
muritinzal s.m.
muritizal s.m.
muritizeiro s.m.
muriuense (*i-u*) adj. s.2g.
murixaba s.f.
murixaca s.f.
murixi s.m.
murixi-rasteiro s.m.; pl. *murixis-rasteiros*
murjeira s.f.
murjinar v.
murjona s.f.
murle s.m.
murmanita s.f.
murmulhante adj.2g.
murmulhar v.
murmulho s.m.
murmulhoso (*ô*) adj.; f. (*ó*); pl. (*ó*)
múrmur s.m.
murmuração s.f.
murmuradeira s.f.
murmurado adj.
murmurador (*ô*) adj. s.m.
murmuramento s.m.
murmurante adj.2g.
murmurar v.
murmurativo adj.
murmuré s.m. "instrumento musical indígena"; cf. *múrmure*
múrmure s.m. "murmurante"; cf. *murmuré*
murmurejar v.
murmurejo (*ê*) s.m.
murmúreo adj. "murmurante"; cf. *murmúrio*
murmuriar v.
murmuridade s.f.
murmurinhar v.
murmurinhento adj.
murmurinho s.m.
murmúrio s.m. "vozearia"; cf. *murmúreo*
múrmuro adj.; cf. *murmuro*, fl. do v. *murmurar*
murmuroso (*ô*) adj.; f. (*ó*); pl. (*ó*)
murmurtrinador (*ô*) adj.
murmuruzeiro s.m.
murnau s.m.
muro s.m.
muróideo adj. s.m.
muromontita s.f.
muromontite s.f.
murquir v.
murquisônia s.f.
murquisoniela s.f.
murquisonita s.f.
murra s.f.
murraca s.f.
murraça s.f. "murro forte"; cf. *morraça*
murraco s.m.
murraia s.f.
murrão s.m.
murraya s.f.
murreda s.f.
murrega s.f.
murrena adj. s.2g.
murreta (*ê*) s.f.
murrete (*ê*) s.m.
murrícia s.f.
múrrina s.f.
múrrino adj. s.m.
murro s.m.
murroa (*ô*) s.f.

murrondo s.m.
murrué s.m.
murruto s.m.
murso s.m.
murta s.f.
murta-brava s.f.; pl. *murtas-bravas*
murta-cabeluda s.f.; pl. *murtas-cabeludas*
murtácea s.f.
murtáceo adj.
murta-cheirosa s.f.; pl. *murtas-cheirosas*
murta-cultivada s.f.; pl. *murtas-cultivadas*
murta-da-praia s.f.; pl. *murtas-da-praia*
murta-das-noivas s.f.; pl. *murtas-das-noivas*
murta-de-cheiro s.f.; pl. *murtas-de-cheiro*
murta-de-parida s.f.; pl. *murtas-de-parida*
murta-do-brejo s.f.; pl. *murtas-do-brejo*
murta-do-campo s.f.; pl. *murtas-do-campo*
murta-do-jardim s.f.; pl. *murtas-do-jardim*
murta-do-mato s.f.; pl. *murtas-do-mato*
murta-do-norte s.f.; pl. *murtas-do-norte*
murta-do-pará s.f.; pl. *murtas-do-pará*
murta-dos-jardins s.f.; pl. *murtas-dos-jardins*
murta-espinhosa s.f.; pl. *murtas-espinhosas*
murta-índia s.f.; pl. *murtas-índia*
murtal s.m.
murta-menor s.f.; pl. *murtas-menores*
murtamonim s.m.
murta-peluda s.f.; pl. *murtas-peludas*
murta-pimenta s.f.; pl. *murtas-pimenta* e *murtas-pimentas*
murta-preta s.f.; pl. *murtas-pretas*
murta-verdadeira s.f.; pl. *murtas-verdadeiras*
murta-vermelha s.f.; pl. *murtas-vermelhas*
murtefuge s.m.
murteira s.f.
murteiro s.m.
murtila s.f.
murtilho s.m.
murtinha s.f.
murtinha-italiana s.f.; pl. *murtinhas-italianas*
murtinheira s.f.
murtinheiro s.m.
murtinhense adj. s.2g.
murtinho s.m.
murto s.m.
murtoseira s.f.
murtoseiro adj. s.m.
murtosense adj. s.2g.
murtuço s.m.
murtunha s.f.
murtunho s.m.
muru s.m.
murua s.f.
muruanha s.f.
muruari s.m.
murubu s.m.
muruca s.f.
murucaia s.f.
murucalha s.f.
muruchi s.m.
muruci s.m.
muruci-cascudo s.m.; pl. *murucis-cascudos*
muruci-da-mata s.m.; pl. *murucis-da-mata*
muruci-das-capoeiras s.m.; pl. *murucis-das-capoeiras*
muruci-de-flor-branca s.m.; pl. *murucis-de-flor-branca*
muruci-de-fruto-miúdo s.m.; pl. *murucis-de-fruto-miúdo*
muruci-do-campo s.m.; pl. *murucis-do-campo*
muruci-pinima s.m.; pl. *murucis-pinimas*
muruci-vermelho s.m.; pl. *murucis-vermelhos*
muruçoca s.f.
murucu s.m.
muruçuca s.f.
murucucu s.m.
murucupiense adj. s.2g.
murucutu s.m.
murucutua s.f.
murucututu s.m.
murugem s.f.
murugem-branca s.f.; pl. *murugens-brancas*
muruí s.m.
muruim s.m.
murujar v.
murumbu s.m.
murumo s.m.
murumuré s.m.
murumuru s.m.
murumuru-da-terra-firme s.m.; pl. *murumurus-da-terra-firme*
murumuru-iri s.m.; pl. *murumurus-iris*
murumuruzal s.m.
murumuxaua s.m.
murumuzeiro s.m.
murundo s.m. "ave de Lunda"; cf. *murundu*
murundu s.m. "montículo"; cf. *murundo*
murunduense adj. s.2g.
murundum s.m.
murungo adj. "murcho"; cf. *murungu*
murungu s.m. "árvore da Amazônia"; cf. *murungo*
murungumbe s.m.
murupamiri s.m.
murupaúba s.f.
murupeense (*pé*) adj. s.2g.
murupeteca s.f.
murupi s.m.
murupiana s.f.
murupita s.f.
muruqui s.m.
mururé s.m.
mururé-carrapatinho s.m.; pl. *mururés-carrapatinho* e *mururés-carrapatinhos*
mururé-d'água s.m.; pl. *mururés-d'água*
mururé-das-cachoeiras s.m.; pl. *mururés-das-cachoeiras*
mururé-de-canudo s.m.; pl. *mururés-de-canudo*
mururé-de-flor-roxa s.m.; pl. *mururés-de-flor-roxa*
mururé-de-pajé s.m.; pl. *mururés-de-pajés*
mururé-orelha-de-veado s.m.; pl. *mururés-orelha-de-veado* e *mururés-orelhas-de-veado*
mururé-pajé s.m.; pl. *mururés-pajé* e *mururés-pajés*
mururerana s.m.
mururé-redondinho s.m.; pl. *mururés-redondinhos*
mururé-rendado s.m.; pl. *mururés-rendados*
mururu s.m.
mururuá adj. s.2g.
mururuense adj. s.2g.
muruti s.m.
murutinga s.f.
murutinguense adj. s.2g.
murutizeiro s.m.
murutucu s.m.
muruuá adj. s.2g.
muruxaba s.f.
muruxauá s.m.
muruxi s.m.
muruxi-rasteiro s.m.; pl. *muruxis-rasteiros*
murviedro s.m.
murzá s.m.
murzace s.m.
murzango adj.
murzela s.f.
murzelo (*ê*) adj. s.m.
mus s.m.2n.
musa s.f.
musaça s.f.
musacanca s.f.
musácea s.f.
musáceo adj.
musa-fria s.f.; pl. *musas-frias*
musageta adj. s.m.
musagete adj. s.m.
musagogo s.m.
musal adj.2g.
musale s.f.
musamba s.f.
musanga s.f.
musanganha s.f.
musanhi s.m.
musaranho s.m.
musaranho-comum s.m.; pl. *musaranhos-comuns*
musaranho-de-água s.m.; pl. *musaranhos-de-água*
musaranho-quadrangular s.m.; pl. *musaranhos-quadrangulares*
musaranho-raiado s.m.; pl. *musaranhos-raiados*
musaranho-vulgar s.m.; pl. *musaranhos-vulgares*
musaria s.f. "bens espirituais"; cf. *musária*
musária s.f. "inseto"; cf. *musaria*
musca s.f.
muscadeira s.f.
muscadínea s.f.
muscal s.m.
muscardina s.f.
muscardínico adj.
muscardino s.m.
muscari s.m.
muscária s.f.
muscariforme adj.2g.
muscarina s.f.
muscarinismo s.m.
muscário s.m.
muscarufina s.f.
muscicapa s.m.
muscicápida adj.2g. s.m.
muscicapídeo adj. s.m.
muscícapo s.m.
muscicápula s.m.
muscícola adj.2g.
múscida adj.2g. s.m.
muscídeo adj. s.m.
muscífago s.m.
musciforme adj.2g.
muscigrala s.f.
muscíloa s.f.
muscínea s.f.
muscíneo adj.
muscipra s.m.
muscípula adj.2g.
muscisaxícola (*cs*) s.m.
muscita s.f.
muscívora s.f.
muscívoro adj.
muscófilo adj.
muscoide (*ó*) adj.2g.
muscóideo adj. s.m.
muscologia s.f.
muscológico adj.
muscologista adj. s.2g.
muscólogo s.m.
muscona s.f.
muscóqui s.m.
muscoso (*ô*) adj.; f. (*ó*); pl. (*ó*)
muscovita s.f.
muscovítico adj.
musculação s.f.
musculado adj.
muscular adj.2g.
muscularidade s.f.
musculatura s.f.
musculina s.f.
músculo s.m.
musculoadiposo (*ô*) adj.; f. (*ó*); pl. (*ó*)
musculoarterial adj.2g.
musculocartilaginoso (*ô*) adj.
musculocutâneo adj.
musculodérmico adj.
musculoelástico adj.
musculoesqueletal adj.2g.
musculoesquelético adj.
musculofibroso (*ô*) adj.; f. (*ó*); pl. (*ó*)
musculofrênico adj.
musculoligamentoso (*ô*) adj.; f. (*ó*); pl. (*ó*)
musculomembranoso (*ô*) adj.; f. (*ó*); pl. (*ó*)
musculosidade s.f.
musculoso (*ô*) adj.; f. (*ó*); pl. (*ó*)
musculospinal adj.2g.
musculospiral adj.2g.
musculosqueletal adj.2g.
musculosquelético adj.
musculotegumentar adj.2g.
musculotendinoso (*ô*) adj.; f. (*ó*); pl. (*ó*)
musealizado adj.
musealizar v.
musena s.f.
musendesende s.m.
musenina s.f.
musenita s.f.
musenite s.f.
museofobia s.f.
museófobo s.m.
museografia s.f.
museográfico adj.
museógrafo s.m.
museologia s.f.
museológico adj.
museologista adj. s.2g.
museólogo s.m.
museomania s.f.
museômano s.m.
museotecnia s.f.
museotécnico adj.
musequesse s.m.
musesse s.f.
museta (*ê*) s.f.
museu s.m.
musga s.f.
musgaça s.f.
musgão s.m.
musgar v.
musgo s.m.
musgo-aquático s.m.; pl. *musgos-aquáticos*
musgo-branco s.m.; pl. *musgos-brancos*
musgo-d'água s.m.; pl. *musgos-d'água*
musgo-da-areia s.m.; pl. *musgos-da-areia*
musgo-da-córsega s.m.; pl. *musgos-da-córsega*
musgo-da-islândia s.m.; pl. *musgos-da-islândia*
musgo-das-paredes s.m.; pl. *musgos-das-paredes*
musgo-de-irlanda s.m.; pl. *musgos-de-irlanda*
musgo-de-perdão s.m.; pl. *musgos-de-perdão*
musgo de pinheiro s.m.
musgo-do-brejo s.m.; pl. *musgos-do-brejo*
musgo-do-café s.m.; pl. *musgos-do-café*
musgo-dos-cães-danados s.m.; pl. *musgos-dos-cães-danados*
musgo-espanhol s.m.; pl. *musgos-espanhóis*
musgo-histórico s.m.; pl. *musgos-históricos*
musgo-islândico s.m.; pl. *musgos-islândicos*
musgo-marinho s.m.; pl. *musgos-marinhos*
musgo-pedregoso s.m.; pl. *musgos-pedregosos*
musgo-perlado s.m.; pl. *musgos-perlados*
musgo-piraná s.m.; pl. *musgos-piraná* e *musgos-piranás*
musgoso (*ô*) adj.; f. (*ó*); pl. (*ó*)
musgo-terrestre s.m.; pl. *musgos-terrestres*
musgu adj. s.2g.
musgueiro s.m.
musguenta s.f.
musguento adj.
música s.f.; cf. *musica*, fl. do v. *musicar*
música de couro s.f.
musicado adj.
musical adj.2g. s.m.
musicalidade s.f.
musicalismo s.m.
musicalista adj. s.2g.
musicalístico adj.
musicalização s.f.
musicalizado adj.
musicalizador (*ô*) adj. s.m.
musicalizante adj.2g.
musicalizar v.
musicalizável adj.2g.
musicano adj. s.m.
musicante adj.2g.
musicar v.
musicaria s.f.
musicastro s.m.
musicata s.f.
musicável adj.2g.
musicismo s.m.
musicista adj. s.2g.
musicístico adj.
músico adj. s.m.; cf. *musico*, fl. do v. *musicar*
musicofilia s.f.
musicofílico adj.
musicófilo adj. s.m.
musicofobia s.f.
musicofóbico adj.
musicófobo adj. s.m.
musicografia s.f.
musicográfico adj.
musicógrafo s.m.
musicologia s.f.
musicológico adj.
musicólogo s.m.
musicomania s.f.
musicomaníaco adj. s.m.
musicômano adj. s.m.
musicomorfo adj.
musicoterapeuta s.2g.
musicoterapêutica s.f.
musicoterapêutico adj.
musicoterapia s.f.
musicoterápico adj.
musiquear v.
musiqueiro s.m.
musiqueta (*ê*) s.f.
musiquia s.f.
musiquim s.m.
musiquizi s.m.
muslemo adj.
muslim adj. s.2g.
muslímico adj.
musmé s.f.
musmê s.f.
musófaga s.f.
musofágida adj.2g. s.m.
musofagídeo adj. s.m.
musófago s.m.
musóidea s.f.
musole s.m.
musolveira s.f.
musoso (*ô*) s.m.
músquia s.f.
mussa s.f.
mussaca s.f.
mussacá s.f.
mussafe s.m.
mussala s.f.

mussale s.f.
mussalengue s.m.
musschia s.f.
musse s.f.
musselina s.f.
musselinagem s.f.
mussenda s.f.
musseque s.m.
mussetiano adj.
mussicada s.f.
mussigada s.f.
mussíneo adj. s.m.
mussino adj. s.m.
mussiquizi s.m.
mussita s.f.
mussitação s.f.
mussitar v.
mussite s.f.
mussiú s.m.
mussoco s.m.
mussoliniano adj.
mussolinismo s.m.
mussolinista adj. s.2g.
mussorongo adj. s.m.
mussuá s.m.
mussuesso s.m.
mussulina s.f.
mussumé s.m.
mussumê s.m.
mustacho s.m.
mustafá s.m.
mustango adj. s.m.
mustangue s.m.
mustela s.m.
mustélida adj.2g. s.m.
mustelídeo adj. s.m.
mustelíneo adj. s.m.
mustelino adj.
mustelo s.m.
musteriano adj. s.m.
musticense adj. s.2g.
mustierense adj. s.2g.
mustífero adj.
mustímero s.m.
mustímetro s.m.
musto adj. s.m.
mustone s.m.
musuar s.m.
musubiri s.m.
musulâmio adj. s.m.
musumba s.f.
musuno s.m.
musurgia s.f.
musurgo adj. s.m.
muta s.f. "árvore"; cf. *mutá*
mutá s.m. "jirau"; cf. *muta*
mutã s.m.
mutabeia (*é*) s.f.
mutabilidade s.f.
mutabílio adj. s.m.
mutaca s.f.
mutação s.f.
mutacateche s.m.
mutacionismo s.m.
mutacionista adj. s.2g.
mutacionístico adj.
mutacismo s.m.
mutaco s.m.
mutaço s.m.
mutaense adj. s.2g.
mutagênese s.f.
mutagenético adj.
mutagenia s.f.
mutagênico adj.
mutala s.f.
mutalamena s.f.
mutalamenha s.f.
mutalamenha-cafele s.f.; pl. *mutalamenhas-cafeles*
mutalara s.f.
mutalatete s.m.
mutalicumbe s.m.
mutamba s.f.
mutamba-preta s.f.; pl. *mutambas-pretas*
mutambeira s.f.
mutambeirense adj. s.2g.
mutambense adj. s.2g.
mutambo s.m.
mutambo-periquiteiro s.m.; pl. *mutambos-periquiteiros*
mutambote s.m.
mutá-mutá s.f.; pl. *mutá-mutás*
mutança s.f.
mutanense adj. s.2g.
mutangatanga s.f.
mutangue s.m.
mutanje adj. s.2g.
mutano s.m.
mutanta s.f.
mutante adj. s.2g.
mutapá s.f.
mutaputo s.m.
mutarrotação s.f.
mutarrotado adj.
mutarrotador (*ô*) adj.
mutarrotante adj.2g.
mutarrotar v.
mutarrotatório adj.
mutarrotável adj.2g.
mútase s.f.
mutatório adj.
mutável adj.2g.
mutãzense adj.2g.
mutazilismo s.m.
mutazilita adj. s.2g.
muteate s.m.
mutel s.m.
mutela s.m.
mutelatete s.m.
mutele s.m.
mutelina s.f.
mutelíneo adj. s.m.
mutembe s.f.
mutembo adj. s.2g.
mutenandua s.f.
mutenga s.f.
mutengue s.f.
mutenje s.f.
mutepa s.f.
mutete s.m.
muthmannita s.f.
mutia s.f.
mutialare s.m.
mutiáti s.m.
mutibi s.m.
mutiçala s.f.
muticense adj. s.2g.
múticeps s.m.
mutico s.m.
mutila s.f.
mutilação s.f.
mutilado adj. s.m.
mutilador (*ô*) adj. s.m.
mutilante adj.2g.
mutilão s.m.
mutilar v.
mutílida adj.2g. s.m.
mutilídeo adj. s.m.
mútilo adj. s.m.
mutinense adj. s.2g.
mutino s.m.
mutirão s.m.
mutirom s.m.
mutirum s.m.
mutísia s.f.
mutisíea s.f.
mutismo s.m.
muto s.m.
mutoa (*ô*) s.f.
mutobo s.m.
mutóbua s.f.
mutobué s.m.
mutoco s.m.
mutoé s.m.
mutom s.m.
mutombo s.m.
mutombote s.m.
mutona s.f.
mutonatona s.f.
mutondo s.m.
mutone s.m.
mutongatonga s.f.
mutongolo s.m.
mutonje s.m.
mutonto s.m.
mutontola s.f.
mutonute s.m.
mutopa s.f.
mutorama s.m.
mutoscópico adj.
mutoscópio s.m.
mutove s.m.
mutoxe s.m.
mutra s.f.
mutrar v.
mutreita s.f.
mutreitar v.
mutreta s.f.
mutrete s.m.
mutreteiro adj. s.m.
mutuã adj. s.2g.
mútua s.f.; cf. *mutua*, fl. do v. *mutuar*
mutuação s.f.
mutuado adj.
mutuador (*ô*) adj. s.m.
mutual adj.2g.
mutualidade s.f.
mutualismo s.m.
mutualista adj. s.2g.
mutualístico adj.
mutuante adj. s.2g.
mutuar v.
mutuário s.m.
mutuatário s.m.
mutuca adj. s.m.f.
mutucacaba s.f.
mutucal s.m.
mutucão s.m.
mutucapeva s.f.
mutucense adj. s.2g.
mutucuba s.f.
mutucumense adj. s.2g.
mutucuna s.f.
mutuense adj. s.2g.
mutuipense adj. s.2g.
mutula s.f.
mutular adj.2g.
mútulo s.m.
mutum adj. s.2g. s.m.
mutum-açu s.m.; pl. *mutuns-açus*
mutumboicinim s.m.
mutumbu s.m.
mutum-cavalo s.m.; pl. *mutuns-cavalo* e *mutuns-cavalos*
mutum-da-várzea s.m.; pl. *mutuns-da-várzea*
mutum-de-assobio s.m.; pl. *mutuns-de-assobio*
mutum-de-assovio s.m.; pl. *mutuns-de-assovio*
mutum-de-bico-vermelho s.m.; pl. *mutuns-de-bico-vermelho*
mutum-de-cu-branco s.m.; pl. *mutuns-de-cu-branco*
mutum-de-cu-vermelho s.m.; pl. *mutuns-de-cu-vermelho*
mutum-de-fava s.m.; pl. *mutuns-de-fava*
mutum-do-nordeste s.m.; pl. *mutuns-do-nordeste*
mutum-do-sudeste s.m.; pl. *mutuns-do-sudeste*
mutum-etê s.m.; pl. *mutuns-etê* e *mutuns-etês*
mutum-fava s.f.; pl. *mutuns-fava* e *mutuns-favas*
mutumiju s.m.
mutumparanaense adj. s.2g.
mutumpinima s.m.
mutumpiri s.m.
mutumporanga s.m.
mutumpuranga s.m.
mutumuju s.m.
mutunatá s.m.
mutunda s.f.
mutundo s.m.
mutune s.m.
mutunense adj. s.2g.
mutungo s.m.
mutunje s.m.
mutunopolitano adj. s.m.
mutunte s.m.
mutunzense adj. s.2g.
mútuo adj. s.m.; cf. *mutuo*, fl. do v. *mutuar*
mutuque s.m.
mutuqueiro s.m.
mutuquense adj. s.2g.
muturi s.m.
muturicu adj. s.2g.
muturiti s.m.
mutusceia (*é*) adj. s.f. de *mutusceu*
mutusceu adj. s.m.; f. *mutusceia* (*é*)
mutustratano adj. s.m.
mututi s.m.
mututi-branco s.m.; pl. *mututis-brancos*
mututi-da-terra-firme s.m.; pl. *mututis-da-terra-firme*
mututi-da-várzea s.m.; pl. *mututis-da-várzea*
mututirana s.f.
mututo s.m.
mututu s.m.
mututuca s.f.
muuba s.f.
muumbe adj. s.2g.
muungo s.m.
muvala s.f.
muvândi s.m.
muviú s.m.
muvomba s.f.
muvovo s.m.
muvuca s.f.
muvuga s.f.
muvúlia s.f.
muxa s.f.
muxangola s.f.
muxaquim s.m.
muxara s.f.
muxarabi s.m.
muxarabiê s.m.
muxaxa s.f. "árvore do Congo"; cf. *muchacha*
muxaxo s.m. "arbusto da família das euforbiáceas"; cf. *muchacho*
muxeca s.f.
muxém s.m.
muxenxe s.m.
muxi s.m.
muxiba s.f.
muxibento adj.
muxibi s.m.
muxiboso (*ô*) adj.; f. (*ó*); pl. (*ó*)
muxicana s.f.
muxicão s.m.
muxicar v.
muxicongo adj. s.m.
muxima s.f.
muximba adj. s.2g.
muxinda s.f.
muxinga s.f.
muxingueira s.f.
muxingueiro s.m.
muxinha s.f.
muxinta s.f.
muxira s.f.
muxirã s.f.
muxirão s.m.
muxirengue s.m.
muxiri s.m.
muxirom s.m.
muxixão s.m.
muxixe s.m.
muxo s.m.
muxongolo s.m.
muxove s.f.
muxoxar v.
muxoxear v.
muxoxo (*ô*) s.m.
muxoxo-branco s.m.; pl. *muxoxos-brancos*
muxoxo-vermelho s.m.; pl. *muxoxos-vermelhos*
muxuando s.m.
muxuango s.m.
muxuluxulu s.m.
muxuri s.m.
muxurumim s.m.
muxurundar v.
muzalengue s.m.
muzamba s.f.
muzambê s.m.
muzambibe s.f.
muzambinhense adj. s.f.
muzambizâmbi s.m.
muzambué s.m.
muzanda s.f.
muzangalacaxico s.m.
muzango s.m.
muzarela s.f.
muzazimbe s.f.
muzeba s.f.
muzemba s.f.
muzendezende s.m.
muzenga s.f.
muzenza s.f.
muzenze s.m.
muzequer s.m.
muzimba adj. s.2g.
muzimbo s.m.
muzimo s.m.
muzombe s.m.
muzombo adj. s.m.
muzongue s.m.
muzozo s.m.
múzua s.f.
muzuco s.m.
muzumba s.f.
muzumbo s.m.
muzuna s.f.
muzundu s.m.
muzungo s.m. "árvore africana"; cf. *muzúngu*
muzúngu s.m. "homem branco"; cf. *muzungo*
muzuno s.m.
muzuzu s.m.
muzuzuro adj. s.m.
mwila adj.2g. s.m.
myanmense adj. s.2g.

Nn

n (*ene* ou *nê*) s.m.
na pron. contr. de *em* e *a*
naalianismo s.m.
naalianista adj. s.2g.
naalianístico adj.
naaliano adj. s.m.
naarvalo adj. s.m.
naba s.f.
nababado s.m.
nababato s.m.
nababesco (*ê*) adj.
nababia s.f.
nababico adj.
nababizar-se v.
nababo s.m.
nabada s.f.
nabade adj. s.2g.
nabal s.m.
nabanga s.f.
nabangue s.m.
nabantiano adj. s.m.
nabantino adj. s.m.
nabão s.m.
nábata adj. s.2g.
nabateia (*é*) adj. s.f. de *nabateu*
nabateu adj. s.m.; f. *nabateia* (*é*)
nabi s.m.
nabiça s.f.
nabiçal s.m.
nabiceira s.f.
nabídeo adj. s.m.
nabíneo adj. s.m.
nabinha s.f.
nabinheira s.f.
nábis s.m.2n.
nabla s.m.
náblio s.m.
nablo s.m.
nablônio s.m.
nabo s.m.
nabocoviano adj.
nabo-da-bahia s.m.; pl. *nabos-da-bahia*
nabo-da-índia s.m.; pl. *nabos-da-índia*
nabo-da-suécia s.m.; pl. *nabos-da-suécia*
nabo-do-diabo s.m.; pl. *nabos-do-diabo*
nabo-japonês s.m.; pl. *nabos-japoneses*
nabokoviano adj.
nabo-ordinário s.m.; pl. *nabos-ordinários*
nabo-redondo s.m.; pl. *nabos-redondos*
nabo-selvagem s.m.; pl. *nabos-selvagens*
nabo-silvestre s.m.; pl. *nabos-silvestres*
nabuco adj.
nabucodonosor s.m.
nábulo s.m.
nabunasáreo adj.
nabuquense adj. s.2g.
nabuquiano adj. s.m.
naca s.f.
nacaca s.m.
nacada s.f.
nacadar s.m.
nacamurense adj. s.2g.
nação s.f.
nácar s.m.
nacara s.m.
nacarado s.m.
nacarar v.
nacareta s.f.
nacária s.f.
nacarino adj.
nacarizar v.
nacauã s.f.
nacázia s.f.
naceja (*ê*) s.f.
nacela s.f.
nacele s.f.
nacerda s.f.
nachampó s.m.
nachanim s.m.
nácharo adj. s.m.
nache s.m.
nachenim s.m.
nachinim s.m.
nachuchu s.m.
nacibo s.m.
nacional adj.2g. s.m.
nacionalicida adj.2g.
nacionalicídio s.m.
nacionalidade s.f.
nacionalismo s.m.
nacionalista adj. s.2g.
nacionalístico adj.
nacionalização s.f.
nacionalizado adj.
nacionalizador (*ô*) adj. s.m.
nacionalizante adj.2g.
nacionalizar v.
nacionalizável adj.2g.
nacional-sindicalismo s.m.; pl. *nacional-sindicalismos*
nacional-sindicalista adj. s.2g.; pl. *nacional-sindicalistas*
nacional-sindicalístico adj.; pl. *nacional-sindicalísticos*
nacional-socialismo s.m.; pl. *nacional-socialismos*
nacional-socialista adj. s.2g.; pl. *nacional-socialistas*
nacional-socialístico adj.; pl. *nacional-socialísticos*
nacipense adj. s.2g.
naclito s.f.
nacnenuque adj. s.2g.
naco s.m. "pedaço de pão"; cf. *nacu*
nacodá s.m.
nacolita s.f.
nacondeondeu s.m.
nacornim s.m.
nacre s.m.
nacreá adj. s.2g.
nacrerré adj. s.2g.
nacrita s.f.
nacrite s.f.
nacrítico adj.
nactarina s.f.
nacu s.m. "ave galinácea"; cf. *naco*
nacua s.f.
nacuini adj. s.2g.
nada pron. s.m. adv.
nadabau s.m.
nada-consta s.m.2n.
nadada s.f.
nadadeira s.f.
nadadoiro s.m.
nadador (*ô*) adj. s.m.
nadador-salvador s.m.; pl. *nadadores-salvadores*
nadadouro s.m.
nadadura s.f.
nadal s.m.
nadante adj.2g.
nadapoa (*ô*) s.f.
nadar v.
nádega s.f.
nadegada s.f.
nadegal adj.2g.
nadegudo adj.
nadegueiro adj.
nadém s.m.
nadense adj. s.2g.
nadi s.m.
nadiamba s.f.
nadica pron.
nadichinha s.m.
nadificar v.
nadim s.m.
nadimba s.f.
nadina s.m.
nadinha pron.
nadir s.m.
nadiral adj.2g.
nadível adj.2g.
nadivo adj.
nadjarga adj.
nado adj. s.m.
nadolol s.m.
nado-morto adj. s.m.; pl. *nados-mortos*
nadorita s.f.
nadorite s.f.
nadsônia s.f.
naegita s.f.
naegite s.f.
nafana s.m.
nafazolina s.f.
nafcilina s.f.
nafé s.m.
náfega s.f.
náfego adj. s.m.
nafil s.m.
nafir s.m.
nafo adj.
nafrequete s.m.
náfrico adj.
nafta s.f.
naftaceno s.m.
naftacetina s.f.
naftadil s.m.
naftalana s.f.
naftalânio s.m.
naftalano s.m.
naftalasa s.f.
naftalato s.m.
naftaldeído s.m.
naftalenacético adj.
naftalênico adj.
naftalênio s.m.
naftaleno s.m.
naftalenoacético adj.
naftalenossulfona s.f.
naftalenossulfônico adj.
naftálico adj.
naftalidrato s.m.
naftalina s.f.
naftalínico adj.
naftalinomonocarbônico adj.
naftalismo s.m.
naftalita s.f.
naftalol s.m.
naftameína s.f.
naftamina s.f.
naftantraceno s.m.
naftaquinona s.f.
naftasa s.f.
naftazarina s.f.
naftazina s.f.
naftazole s.f.
naftazolina s.f.
nafteína s.f.
naftênico adj.
nafteno s.m.
naftil s.m.
naftila s.f.
naftilamina s.f.
naftilaminossulfônico adj.
naftilcarbamida s.f.
naftilênico adj.
naftileno s.m.
naftiletileno s.m.
naftileureia (*é*) s.f.
naftílico adj.
naftílio s.m.
naftilsulfuroso (*ô*) adj.; f. (*ó*); pl. (*ó*)
naftilureia (*é*) s.f.
naftina s.f.
naftíndole s.m.
naftionato s.m.
naftiônico adj.
naftoato s.m.
naftoico (*ó*) adj.
naftol s.m.
naftola s.f.
naftolato s.m.
naftólico adj.
naftolismo s.m.
naftomania s.f.
naftomaníaco adj. s.m.
naftômano s.m.
naftoquinolina s.f.
naftoquinona s.f.
naftoxálico (*cs*) adj.
naftulmina s.f.
nafuquá adj. s.2g.
nafute s.m.
naga adj. s.2g. "povo"; cf. *nagã*
nagã s.m. "tipo de revólver"; cf. *naga*
nagadiense adj. s.2g.
nagaica s.f.
nagaína s.f.
nagalhé s.m.
nagalho s.m.
naga-mussadio s.m.; pl. *nagas-mussadios*
nagana s.f.
nagão s.m.
nagar v. s.m.
nagara s.m.
nagárico adj.
nagássana s.m.
nagatelita s.f.
nagatelítico adj.
nagelschmidtita s.f.
nager s.m.
nagera s.f.
nagi s.m.
nagia-anseque s.m.; pl. *nagias-anseques*
nagiagita s.f.
nagiagite s.f.
nagibe s.m.
nagirita s.f.
nagirite s.f.
nagô adj. s.2g.
nagoa (*ô*) s.f.
nagor (*ô*) s.m.
nágua s.f.
nagual s.m.
nagualismo s.m.
nagualista adj. s.2g.
nagui s.m.
naguim s.m.
nagul s.m.
nagyagita s.f.
nagyagite s.f.
nahcolita s.f.
nai s.m.
naia s.f. "náiade"; cf. *naiá*
naiá s.m. "palmeira"; cf. *naia*
náiada s.f.
naiadácea s.f.
naiadáceo adj.
naiadal adj.2g.
naiadale s.f.
náiade s.f.
naiádea s.f.
naiádeo adj.
naiadina s.f.
naianga s.f.
naíba s.f.
naibe s.m.
naibre s.m.
naide s.f.
náideo adj. s.m.
naídida adj.2g. s.m.
naidídeo adj. s.m.
naidimorfo s.m.
naídio s.m.
naifa s.f.
naifada s.f.
naife adj.2g.
naifista adj. s.2g.
naifo adj.
naifrir v.
náilon s.m.
naiófita s.f.
naiófito s.m.
naipada s.f.
naipar v.
naipe s.m.
naipeira s.f.
naipeiro adj.
naipo s.m.
naique s.m.
nair s.m.
naira s.f.
nairangia s.f.
naire s.m.
nairo adj. s.m.
nais s.f.
naiteia (*é*) adj. s.2g.
naivaxa adj. s.2g.
naiveca s.f.

naixó s.m.
naja s.f. "erva" e "serpente"; cf. *najá*
najá s.f. "palmeira"; cf. *naja*
najadácea s.f.
najadáceo adj.
najadali s.f.
najarana s.f.
najé s.m.
najeense (*jê*) adj. s.2g.
najera s.f.
naji s.2g.
nájir s.m.
najuru s.m.
nakauriita s.f.
nala s.f.
nalachitchi s.f.
nalagu s.m.
naláquio s.m.
nalasso s.m.
nalata s.f.
nalcornim s.m.
nale s.m.
nalga s.f.
nalgada s.f.
nalgatório s.m.
nalgudo adj.
nalgum contr. de *em* e *algum*
nalidíxico (*cs*) adj.
nalorfina s.m.
naloxona (*cs*) s.f.
nalu s.m.
nalucanda s.f.
nama adj. s.2g. s.f.
namacoto s.m.
namáqua adj. s.2g.
namaqualita s.f.
namaqualite s.f.
namarino adj. s.m.
namarra s.f.
namarral adj. s.2g.
namasque adv. contr. de *não mais que*
namassim s.m.
namassino s.m.
namatanga s.m.
namau s.m.
namaz s.m.
namázi s.m.
nambe s.m.
nambete s.f.
nambi adj.2g. s.m.
nambicuara adj. s.2g.
nambiju adj.2g.
nambipora s.m.
nambipororó s.m.
nambiquara adj. s.2g.
nambiquara do campo adj.
nambiquara do norte adj.
nambiquara do sul adj.
nambiuvu s.m.
nambu s.m.
nambua s.m.
nambuaçu s.m.
nambuanhanga s.m.
nambucuá s.m.
nambu-grande s.m.; pl. *nambus-grandes*
nambuguaçu s.m.
nambula s.f.
nambumirim s.m.
nambupixuna s.m.
nambu-preto s.m.; pl. *nambus-pretos*
nambuquiá s.m.
nambu-relógio s.m.; pl. *nambus-relógio* e *nambus-relógios*
namburi s.m.
nambu-saracuíra s.m.; pl. *nambus-saracuíra* e *nambus-saracuíras*
nambu-sujo s.m.; pl. *nambus-sujos*
nambuu s.m.
nambuxintã s.m.
nambuxororó s.m.
nambuzinho s.m.
namedoro s.m.
namegondo s.m.
nameia (*é*) s.f.
namenassane s.f.
namerrua s.f.
nâmia s.f.
namibiano adj. s.m.
namíbio adj. s.m.
namipora s.m.
namitoca s.f.
namnet adj. s.2g.
namoim s.m.
namonge s.f.
namoração s.f.
namoradeira s.f.
namoradeiro adj. s.m.
namoradiço adj. s.m.
namoradinho s.m.
namorado adj. s.m.
namorado-bicudo s.m.; pl. *namorados-bicudos*
namorador (*ô*) adj. s.m.
namoramento s.m.
namorante adj. s.2g.
namorar v.
namorativo adj. s.m.
namoratória s.f.
namoratório adj.
namorável adj.2g.
namorento adj. s.m.
namoricador (*ô*) adj. s.m.
namoricar v.
namorice s.f.
namorichar v.
namoricho s.m.
namorico s.m.
namorilho s.m.
namoriscador (*ô*) adj. s.m.
namoriscante adj. s.2g.
namoriscar v.
namorisco s.m.
namorismo s.m.
namorisqueiro adj.
namorista adj. s.2g.
namoro (*ô*) s.m.; cf. *namoro*, fl. do v. *namorar*
namorrogolo s.m.
namoxim s.m.
namulepemulepe s.m.
namunguno s.m.
namunu s.m.
namuriano adj. s.m.
nana s.f. "ação de ninar"; cf. *naná* e *nanã*
naná s.m. "ananás", "formiga"; cf. *nana* s.f., fl. do v. *nanar* e *nanã* s.f.
nanã s.f. "iaiá"; cf. *nana* s.f., fl. do v. *nanar* e *naná* s.m.
nanaci s.f.
nanacuru s.m.
naná-de-raposa s.f.; pl. *nanás-de-raposa*
nanal s.m.
nanambucuru s.f.
nanândrio s.m.
nanante s.f.
nanaquismo s.m.
nanar v.
nanás s.m.
nanastaco s.m.
nanáster s.m.
nanato s.m.
nanauí s.f.
nanavi s.m.
nanceato s.m.
nanceico (*é*) adj.
nancíbea s.f.
nancibeia (*é*) s.f.
nandaia s.f.
nandane s.m.
nandapoa (*ô*) s.f.
nandeira s.f.
nandi adj. s.2g.
nandídeo adj. s.m.
nandina s.f.
nandíneo adj. s.m.
nandínia s.f.
nandinina s.f.
nandiroba s.f.
nandiróbea s.f.
nandiróbeo adj.
nando s.m.
nandrenine s.m.
nandu s.m.
nanequismo s.m. "relação indiana"; cf. *naniquismo*
nanerque s.m.
nanetíope s.m.
nanetíops s.m.2n.
nanétiops s.m.2n.
nanfilho s.m.
nanga s.m.f.
nangassaque adj. s.f.
nangombeia-alungó (*é*) s.f.; pl. *nangombeias-alungós* (*é*)
nangone s.m.
nangor (*ô*) s.m.
nangoro s.m.
nangra s.f.
nangueanquine s.m.
nanguina s.f.
nanguinata s.f.
nani s.m.
nânia s.f.
nanica adj. s.f.
nanico adj. s.m.
nanine s.m.
naninho adj.
naniquice s.f.
naniquismo s.m. "nanismo"; cf. *nanequismo*
naniquista adj. s.2g.
nanisco s.m.
nanismo s.m.
nanista adj. s.2g.
nanja adv.
nanjoque s.m.
nanlinguita s.f.
nano adj. s.m. "língua"; cf. *nanó*
nanó s.m. "árvore"; cf. *nano*
nanoampere s.m.
nanoampère s.m.
nanobátraco s.m.
nanobráquio s.m.
nanocampo s.m.
nanocaracíneo adj. s.m.
nanocáraco s.m.
nanocárax (*cs*) s.m.
nanocefalia s.f.
nanocefálico adj.
nanocéfalo adj. s.m.
nanociência s.f.
nanocormia s.f.
nanocórmico adj.
nanocormo adj. s.m.
nanócrino s.m.
nanocurie s.m.
nanódea s.f.
nanodendro s.m.
nanodêndron s.m.
nanódeo adj.
nanodes s.m.2n.
nanodrilo s.m.
nanofanerófita s.f.
nanofanerofítico adj.
nanofanerófito s.m.
nanofarad (*fá*) s.m.
nanófia s.f.
nanófies s.m.2n.
nanófris s.m.2n.
nanograma s.m.
nano-henry s.m.; pl. *nano-henrys*
nanoide (*ó*) adj.2g.
nanolitro s.m.
nanomelia s.f.
nanomélico adj.
nanômelo adj. s.m.
nanometria s.f.
nanométrico adj.
nanômetro s.m.
nanomol s.m.
nanoplancto s.m.
nanoplâncton s.m.
nânopo s.m.
nanópode s.m.
nanorquesta s.m.
nanorqueste s.m.
nanosciúro s.m.
nanossaurídeo s.m.
nanossáurio s.m.
nanossegundo s.m.
nanossomia s.f.
nanossomo adj.
nanovolt s.m.
nanowatt s.m.
nanquim adj.2g. s.m.
nanquina s.f.
nanquineta (*ê*) s.f.
nansíbio s.m.
nansuque s.m.
nantala s.m.
nantapalova s.m.
nantense adj. s.2g.
nantês adj. s.m.
nantilda s.f.
nantokita s.f.
nantoquita s.f.
nantoquite s.f.
nantuano adj. s.m.
nantuate adj. s.2g.
nantuato adj. s.m.
nantuto s.m.
nanuquense adj. s.2g.
nanzuque s.m.
não s.m. adv.
não agressão s.f.
não alinhado adj.
não alinhamento s.m.
não apoiado s.m. interj.
não aromático adj.
não assistência s.f.
não assonância s.f.
não beligerância s.f.
não beligerante adj. s.2g.
não combatente adj. s.2g.
não conformismo s.m.
não conformista adj. s.2g.
não conservativo adj.
não contradição s.f.
não cooperação s.f.
não cumprimento s.m.
não discriminação s.f.
não disjunção s.f.
não engajado adj. s.m.
não engajamento s.m.
não esperado adj.
não essencial adj.2g.
não eu s.m.
não euclidiano adj.
não execução s.f.
não existência s.f.
não existente s.2g.
não ficção s.f.
não fumante s.2g.
não governamental adj.2g.
não holonômico adj.
não holônomo adj.
não iluminado adj. s.m.
não ingerência s.f.
não intervenção s.f.
não intervencionismo s.m.
não intervencionista adj. s.2g.
não ligado adj.
não linear adj.2g.
não localizado adj.
não-me-deixes s.m.2n.
não-me-esqueças s.m.2n.
não metal s.m.
não-me-toquense adj. s.2g.; pl. *não-me-toquenses*
não me toques s.m.2n. "melindres"
não-me-toques s.m.2n. "espécie de planta"
não nulo adj.
não orientável adj.
não pagamento s.m.
não participante adj. s.2g.
não passeriforme adj.2g. s.m.
não periódico adj.
não polar adj.2g.
não positivo adj.
não proliferação s.f.
não pronúncia s.f.
não salariado s.m.
não saturado adj.
não sei quê s.m.2n.
não sei que diga s.m.2n.
não ser s.m.
não simétrico adj.
não singular adj.2g.
não-te-esqueças s.m.2n.
não-te-esqueças-de-mim s.m.2n.
não te rales s.2g.2n.
não valia s.f.
não viciado adj.
não violência s.f.
não vocálico adj. s.m.
napa s.f.
napáceo adj.
napalita s.f.
napalite s.f.
napalm s.m.
naparama s.f.
napeia (*é*) s.f. de *napeu*
napeirão s.m.
napeiro adj.
napelina s.f.
napelo (*ê*) s.m.
napéocles s.m.2n.
napeógeno s.m.
napeu adj. s.m.; f. *napeia* (*é*)
napeva adj.2g.
napífito s.m.
napiforme adj.2g.
napista adj. s.2g.
napita adj. s.2g.
napocense adj. s.2g.
napófito s.m.
napoleanite s.f.
napoleão s.m.
napoleônea s.f.
napoleônico adj.
napoleonismo s.m.
napoleonista adj. s.2g.
napoleonístico adj.
napoleonite s.f.
napoleonito s.m.
napoleonóidea s.f.
napolês adj. s.m.
napolitana s.f.
napolitano adj. s.m.
napopé s.f.
naproxena (*cs*) s.m.
napula s.m.
napupa s.f.
napura s.m.
naque s.m.
naquele (*ê*) contr. de *em* e *aquele* (*ê*)
naqueloutro contr. de *em* e *aqueloutro*
naquense adj. s.2g.
naques s.m.2n.
naquibe s.m.
naquilo contr. de *em* e *aquilo*
nara s.m.
naraguagê adj. s.2g.
naranazeiro s.m.
narancharia s.f.
narandiba s.f.
narandibano adj. s.m.
narandibense adj. s.2g.
narânio s.m.
naraniuense adj. s.2g.
naranjaria s.f.
naraz s.m.
narbonense adj. s.2g.
narbonês adj. s.m.
narça s.f.
narcafto s.m.
narcapto s.m.
narceína s.f.
narceja (*ê*) s.f.
narceja-comum s.f.; pl. *narcejas-comuns*
narceja-de-bico-torto s.f.; pl. *narcejas-de-bico-torto*
narceja-miúda s.f.; pl. *narcejas-miúdas*
narceja-muda s.f.; pl. *narcejas-mudas*
narcejão s.m.
narceja-pequena s.f.; pl. *narcejas-pequenas*
narcejinha s.f.
narcetes s.m.2n.
narcetina s.f.
narcina s.f.
narcinídeo adj. s.m.
narcisação s.f.
narcisado adj.
narcisamento s.m.
narcisar-se v.

narcísea s.f.
narcíseo adj.
narcísico adj.
narcisina s.f.
narcisismo s.m.
narcisista adj. s.2g.
narcisístico adj.
narcismo s.m.
narciso s.m.
narciso-das-areias s.m.; pl. *narcisos-das-areias*
narciso-da-tarde s.m.; pl. *narcisos-da-tarde*
narciso-de-cheiro s.m.; pl. *narcisos-de-cheiro*
narciso-de-portugal s.m.; pl. *narcisos-de-portugal*
narciso-do-outono s.m.; pl. *narcisos-do-outono*
narciso-dos-poetas s.m.; pl. *narcisos-dos-poetas*
narciso-dos-prados s.m.; pl. *narcisos-dos-prados*
narcisoide (*ó*) adj.2g. s.m.
narciso-outoniço s.m.; pl. *narcisos-outoniços*
narciso-ramilhete s.m.; pl. *narcisos-ramilhete* e *narcisos-ramilhetes*
narciso-romano-dobrado s.m.; pl. *narcisos-romanos-dobrados*
narcíssea s.f.
narcíssia s.f.
narcissina s.f.
narcisso s.m.
narcissoide (*ó*) adj.2g. s.f.
narcitina s.f.
narcoaceleração s.f.
narcoanálise s.f.
narcoanalítico adj.
narcobátida adj.2g. s.m.
narcobatídeo adj. s.m.
narco-hipnose s.f.; pl. *narco-hipnoses*
narco-hipnótico adj.; pl. *narco-hipnóticos*
narcoipnose s.f.
narcoipnótico adj.
narcolepsia s.f.
narcoléptico adj.
narcomania s.f.
narcomaníaco adj. s.m.
narcômano s.m.
narcomedusa s.f.
narcornim s.m.
narcose s.f.
narcossíntese s.f.
narcoterapia s.f.
narcoterápico adj.
narcótico adj. s.m.
narcotina s.f.
narcotínico adj.
narcotismo s.m.
narcotização s.f.
narcotizado adj.
narcotizador (*ô*) adj. s.m.
narcotizante adj.2g.
narcotizar v.
narcotizável adj.2g.
narcotraficante adj. s.2g.
narcotráfico s.m.
nárdia s.f.
nárdino adj.
nardo s.m.
nárdoa s.f.
nardo-da-índia s.m.; pl. *nardos-da-índia*
nardo-do-monte s.m.; pl. *nardos-do-monte*
nardo-índico s.m.; pl. *nardos-índicos*
nardósmia s.f.
nardóstaque s.m.
nardóstaquis s.m.2n.
narduro s.m.
nárea adj. s.2g.
narece s.m.
naregamia s.f.
naregamina s.f.
narésio adj. s.m.
nargo s.m.
nargol s.m.
narguilé s.m.
narguilhé s.m.
narica s.m.
naricídeo adj. s.m.
narício adj. s.m.
narícula s.f.
nariela s.f.
nariforme adj.2g.
narigada s.f.
nariganga adj. s.2g. s.f.
narigão adj. s.m.; f. *narigona*
narigona s.f. de *narigão*
nariguda s.f.
narigudo adj. s.m.
narigueiro adj.
narigueta (*ê*) s.2g. s.f.
nariguete (*ê*) s.m.
narilão s.m.
narina s.f.
narinari s.f.
naringenina s.f.
naringina s.f.
nario s.m.
narisco adj. s.m.
nariz s.m.
nariz de burro s.m.
nariz de cera s.m.
nariz de folha s.2g.
narizite s.f.
narlela s.f.
narlo s.m.
narnela s.f.
narniense adj. s.2g.
narope s.2g.
narosca s.f.
narouco adj.
narra s.f.
narração s.f.
narrado adj. s.m.
narrador (*ô*) adj. s.m.
narrar v.
narrativa s.f.
narrativo adj.
narratologia s.f.
narratológico adj.
narratório adj.
narrável adj.2g.
narro s.m.
narsarsukita s.f.
narsarsuquita s.f.
narsinga s.f.
narta s.f.
narte adj. s.2g. s.m.
nartecato s.m.
nartece s.m.
nartécia s.f.
nartécico adj.
nartecina s.f.
nartécio s.m.
nártex (*cs*) s.f.
naru s.m.
naruense adj. s.2g.
narval s.m.
narvalina s.f.
nasal adj. s.2g. s.m.
nasalação s.f.
nasalado adj.
nasalamento s.m.
nasalante adj.2g.
nasalar v.
nasalidade s.f.
nasális s.m.2n.
nasalização s.f.
nasalizado adj.
nasalizante adj.2g.
nasalizar v.
nasalizável adj.2g.
nasamão adj. s.m.
nasamone adj. s.2g.
nasamônio adj.
nasamonita s.f.
nasamonite s.f.
nasara s.f.
nasardo s.m.
nasávia s.f.
nasaviácea s.f.
nasaviáceo adj.
nascediço adj.
nascedio s.m.
nascedoiro s.m.
nascedouro s.m.
nasceiro s.m.
nascença s.f.
nascenciense adj. s.2g.
nascente adj.2g. s.m.f.
nascentense adj. s.2g.
nascer v.
nascida s.f.
nascidiço adj.
nascido adj. s.m.
nascimento s.m.
náscio s.m.
nascituro adj. s.m.
nascível adj.2g.
nase s.m.
náseo s.m.
nasica s.f.
násico adj.
nasícola s.m.
nasicórneo adj. s.m.
nasinita s.f.
násio adj. s.m.
nasiterna s.f.
nasiternínea s.f.
nasiternínea adj. s.m.
nasledovita s.f.
nasoangioma s.m.
nasobucal adj.2g.
nasociano adj. s.m.
nasociliar adj.2g.
nasocular adj.2g.
nasóculos s.m.pl.
nasoduodenal adj.2g.
nasofaringe s.f.
nasofaringeia (*é*) adj. s.f. de *nasofaringeu*
nasofaríngeo adj.
nasofaringeoma s.m.
nasofaringeu adj. s.m.; f. *nasofaringeia* (*é*)
nasofaringiano adj.
nasofaringite s.f.
nasofaringítico adj.
nasofaringoscopia s.f.
nasofaringoscópico adj.
nasofaringoscópio s.m.
nasofrontal adj.2g.
nasogástrico adj.
nasogenal adj.2g.
nasogeniano adj.
nasolabial adj.2g.
nasolacrimal adj.2g.
nasolobular adj.2g.
nasomalar adj.2g.
nasomanômetro s.m.
nasonásico adj.
nasonita s.f.
nasopalatino adj.
nasopalpebral adj.2g.
nasoreia (*é*) adj. s.m. de *nasoreu*
nasoreu adj. s.m.; f. *nasoreia* (*é*)
nasoscópio s.m.
nasospinal adj.2g.
nasospinhal adj.2g.
nasosseptal adj.2g.
nasosseptite s.f.
nasossinusite s.f.
nasossuperciliar adj.2g.
nasossupraciliar adj.2g.
nasotransversal adj.2g.
naspercenita adj. s.2g.
násrida adj. s.2g.
nassa s.f. "cesto"; cf. *nasça*, fl. do v. *nascer*
nassada s.f.
nassadense adj. s.2g.
nassaná s.m.
nassari s.f.
nassáuvia s.f.
nasse s.m. "peixe africano"; cf. *nasce*, fl. do v. *nascer*
nassela s.f.
nassério s.m.
nasserismo s.m.
nasserista adj. s.2g.
nasserístico adj.
nássi s.m.
nassídeo adj. s.m.
nassipa s.f.
nasso s.m. "espécie de nassa"; cf. *nasço*, fl. do v. *nascer*
nassoviano adj.
nássula s.f.
nassulíneo adj. s.m.
nastia s.f.
nástico adj.
nastina s.f.
nastismo s.m.
nastrar v.
nastriforme adj.2g.
nastro s.m.
nastúrcio s.m.
násua s.m.
nasutitermes s.f.2n.
nasuto s.m.
nata s.f.
natabeia (*é*) adj. s.f. de *natabeu*
natabeu adj. s.m.; f. *natabeia* (*é*)
natabude adj. s.2g.
natação s.f.
natadeira s.f.
natado adj.
natafe s.m.
natal adj.2g. s.m.
natalaloína s.f.
natalense adj. s.2g.
natalícias s.f.pl.
natalício adj. s.m.
natalícola s.m.
natalidade s.f.
natalídeo adj. s.m.
natalíneo adj. s.m.
natalino adj.
natális s.f.2n.
natalista adj. s.2g.
natalo s.m.
nataloína s.f.
natância s.f.
natante adj.2g. s.m.
natântex (*cs*) adj.2g. s.m.
natarajássana s.m.
natária s.f.
natátil adj.2g.
natatória s.f.
natatório adj. s.m.
nataudara s.m.
nateirado adj.
nateiro s.m.
natento adj.
naterciano adj. s.m.
naterciense adj. s.2g.
nátia s.f.
nática s.f.
nátice s.f.
naticeiro s.m.
naticídeo adj. s.m.
naticiforme adj.2g.
naticóideo adj. s.m.
naticopse s.m.
natiforme adj.2g.
natil s.m.
natimortal adj.2g.
natimortalidade s.f.
natimorto (*ô*) adj. s.m.; f (*ó*); pl. (*ó*)
natineia (*é*) adj. s.f. de *natineu*
natineu adj. s.m.; f. *natineia* (*é*)
natinguiense adj. s.2g.
natiniano s.m.
natinopolitano adj. s.m.
natio s.m.
natioro s.m.
natisita s.f.
nativano adj. s.m.
nativense adj. s.2g.
natividade s.f.
natividade-carangolense adj. s.2g.; pl. *natividade-carangolenses*
natividadense adj. s.2g.
natividense adj. s.2g.
nativismo s.m.
nativista adj. s.2g.
nativístico adj.
nativitano adj. s.m.
nativitário s.m.
nativitate s.f.
nativitatense adj. s.2g.
nativo adj. s.m. "natural"; cf. *nativu*
nativu adj. s.2g. "tribo indígena"; cf. *nativo*
nato adj.
natralume s.m.
natralúmen s.m.
natrambligonita s.f.
natrambliogonita s.f.
natrão s.m.
natremia s.f.
natreno s.m.
natricalita s.f.
nátrio s.m.
natrionte s.m.
natrita s.f.
natriurese s.f.
natriurético adj.
natriuria s.f.
natriúria s.f.
natro s.m.
natroalume s.m.
natroalunita s.f.
natroambligonita s.f.
natroborocalcita s.f.
natroborocalcite s.f.
natrocalcita s.f.
natrocalcite s.f.
natrodavina s.f.
natrodavine s.f.
natrodavínico adj.
natrofilita s.f.
natrofilite s.f.
natrófita s.f.
natrofosfato s.m.
natrojarosita s.f.
natrolita s.f.
natrolite s.f.
natrólito s.m.
natromagnesita s.f.
natromelilita s.f.
natrometria s.f.
natrométrico adj.
natrômetro s.m.
natromontebrasita s.f.
natronalúmen s.m.
natroncatapleíta s.f.
natroniobita s.f.
natronita s.f.
natronite s.f.
natronortoclásio s.f.
natropexia (*cs*) s.f.
natrossanidina s.f.
natrossiderita s.f.
natrossiderite s.f.
natrossilita s.f.
natrum s.m.
natubense adj.2g.
natura s.f.
naturabilidade s.f.
naturado adj.
naturador (*ô*) adj.
natural adj.2g. s.m.
naturaleza (*ê*) s.f.
naturalidade s.f.
naturalismo s.m.
naturalista adj. s.2g.
naturalístico adj.
naturalizabilidade s.f.
naturalização s.f.
naturalizado adj. s.m.
naturalizador (*ô*) adj.
naturalizando adj. s.m.
naturalizante adj.2g.
naturalizar v.
naturalizável adj.2g.
naturalogia s.f.
naturalógico adj.
naturança s.f.
naturante adj.2g.
naturar v.
naturativo adj.
naturável adj.2g.
natureba adj. s.2g.
natureza (*ê*) s.f.
natureza-morta s.f.; pl. *naturezas-mortas*
naturismo s.m.
naturista adj. s.2g.
naturístico adj.
naturologia s.f.
naturológico adj.
naturologista adj. s.2g.
naturologístico adj.
naturólogo s.m.

naturopata adj. s.2g.
naturopatia s.f.
naturopático adj. s.2g.
naturoterapeuta adj. s.2g.
naturoterapêutica s.f.
naturoterapêutico adj.
naturoterapia s.f.
naturoterápico adj.
natuva s.f.
nau s.f.
naua adj. s.2g.
nauai s.f.
nauariense adj. s.2g.
náuatle adj. s.2g.
nau-catarineta s.f.; pl. *naus--catarinetas*
naúclea s.f.
naucleína s.f.
naúcleo adj.
nauclero s.m.
náucora s.f.
naucorária s.f.
náucore s.f.
naucórida adj.2g. s.m.
naucorídeo adj. s.m.
náucoris s.f.2n.
naucraria s.f.
náucraro s.m.
náucrata s.m.
náucrates s.m.2n.
naucuá adj. s.2g.
naudina s.f.
naudínia s.f.
nauete s.m.
naufauta s.m.
náufico adj.
naufragado adj. s.m.
naufragamento s.m.
naufragante adj. s.2g.
naufragar v.
naufragável adj.2g.
naufrágio s.m.
náufrago adj. s.m.; cf. *naufrago*, fl. do v. *naufragar*
naufragoso (*ô*) adj.; f. (*ó*); pl. (*ó*)
nauga s.f.
naujacasita s.f.
naujakasita s.f.
naulo s.m.
náumaco s.m.
naumanita s.f.
naumannita s.f.
naumaqueia (*é*) adj. s.f. de *naumaqueu*
naumaqueu adj. s.m.; f. *naumaqueia* (*é*)
naumaquia s.f.
naumaquiário adj. s.m.
naumáquico adj.
naumáquio adj.
naumbúrgia s.f.
naumique s.m.
naunacua s.f.
naunde s.m.
naupacto s.m.
naupatia s.f.
naupático adj.
náupeta s.f.
náuplio adj. s.m.
nauquá adj. s.2g.
nauro s.m.
nauropômetro s.m.
nauruano adj. s.m.
nauruíta s.f.
nauscopia s.f.
nauscópico adj.
nauscópio s.m.
náusea s.f.
nauseabundo adj.
nauseado adj.
nauseador (*ô*) adj.
nauseante adj.2g.
nausear v.
nauseativo adj.
nauseento adj.
nauseoso (*ô*) adj.; f. (*ó*); pl. (*ó*)
nauta s.m.
nautaque s.m.
nautarel s.m.
náutica s.f.
nauticagem s.f.
náutico adj. s.m.
nauticomania s.f.
nauticomaníaco adj. s.m.
nautílida adj.2g. s.m.
nautilídeo adj. s.m.
nautilínida adj.2g. s.m.
nautilino s.m.
nautilita s.m.
náutilo s.m.
nautilocorista s.m.
nautilograpso s.m.
nautiloide (*ó*) adj.2g. s.m.
nautilóideo s.m.
nautimodelismo s.m.
nautimodelista adj. s.2g.
nautismo s.m.
nautódica s.m.
nautódico adj.
nautofone s.m.
nautografia s.f.
nautográfico adj.
nautógrafo s.m.
nautométrico adj.
nautômetro s.m.
nautônia s.f.
nava s.f.
navagem s.f.
navajo adj. s.m.
navajoíta s.f.
naval adj.2g. s.m.
navalha s.f. s.2g.
navalhada s.f.
navalha-de-macaco s.m.; pl. *navalhas-de-macaco*
navalhado adj.
navalha-miúda s.f.; pl. *navalhas-miúdas*
navalhante adj.2g.
navalhão s.m.
navalhar v.
navalheira s.f.
navalheira-dura s.f.; pl. *navalheiras-duras*
navalheira-mole s.f.; pl. *navalheiras-moles*
navalheiro adj.
navalhinha s.f.
navalhista s.2g.
navalhoz s.m.
navalismo s.m.
navalorama s.m.
navaó adj. s.2g.
navarca s.m.
navarco s.m.
navarquia s.f.
navárquico adj.
navarra s.f.
navarrense adj. s.2g.
navarrês adj. s.m.
navarrino adj. s.m.
navarro adj. s.m.
navarro-aragonês adj.2g. s.m.; pl. *navarro-aragoneses*
nave s.f.
návea s.m.
navegabilidade s.f.
navegação s.f.
navegacional adj.2g.
navegações s.f.pl.
navegado adj.
navegador (*ô*) adj. s.m.
navegagem s.f.
navegante adj. s.2g. s.m.
navegantense adj. s.2g.
navegantino adj.
navegar v.
navegatório adj.
navegável adj.2g.
navego (*ê*) s.m.; cf. *navego*, fl. do v. *navegar*
navém s.m.
naveta (*ê*) s.f.
naveteiro s.m.
návia s.f.
naviarra s.f.
navicela s.f.
navicert s.m.
navícula s.f.
naviculácea s.f.
naviculáceo adj.
navicular adj.2g.
naviculária s.f.
naviculário s.m.
naviculoide (*ó*) adj.2g.
naviense adj. s.2g.
naviforme adj.2g.
navífrago adj.
navigabilidade s.f.
navígero adj.
navígrafo s.m.
navim s.m.
navio s.m.
navio-aeródromo s.m.; pl. *navios-aeródromos*
navio-aríete s.m.; pl. *navios--aríete* e *navios-aríetes*
navio-auxiliar s.m.; pl. *navios--auxiliares*
navio-baleeiro s.m.; pl. *navios--baleeiros*
navio-carvoeiro s.m.; pl. *navios--carvoeiros*
navio-cisterna s.m.; pl. *navios--cisterna*
navio-correio s.m.; pl. *navios--correio* e *navios-correios*
navio-escola s.m.; pl. *navios--escola*
navio-escolta s.m.; pl. *navios--escolta*
navio-farol s.m.; pl. *navios-farol*
navio-hospital s.m.; pl. *navios--hospital*
naviomodelismo s.m.
naviomodelista adj. s.2g.
navio-oficina s.m.; pl. *navios--oficina*
navio-petroleiro s.m.; pl. *navios-petroleiros*
navio-sonda s.m.; pl. *navios--sonda* e *navios-sondas*
navio-tanque s.m.; pl. *navios--tanque* e *navios-tanques*
navio-tênder s.m.; pl. *navios--tênder* e *navios-tênderes*
navio-transporte s.m.; pl. *navios-transporte*
navio-varredor s.m.; pl. *navios--varredores*
navipeça s.f.
naviraiense adj. s.2g.
navisfera s.f.
navisfério s.m.
naxa (*cs*) s.f.
náxaro adj. s.m.
naxenim s.m.
náxia (*cs*) s.f.
naxiano (*cs*) adj.
náxio (*cs*) adj. s.m.
nazanzeno adj. s.m.
nazareense adj. s.2g.
nazareense-da-mata adj. s.2g.; pl. *nazareenses-da-mata*
nazareia (*é*) adj. s.f. de *nazareu*
nazareísmo s.m.
nazareísta adj. s.2g.
nazareístico adj.
nazarena s.f.
nazarenense adj. s.2g.
nazarenismo s.m.
nazarenista adj. s.2g.
nazarenístico adj.
nazareno adj. s.m.
nazareno-do-piauí adj. s.m.; pl. *nazarenos-do-piauí*
nazáreo adj. s.m.
nazaré-paulistense adj. s.2g.; pl. *nazaré-paulistenses*
nazaretismo s.m.
nazareu adj. s.m.; f. *nazareia* (*é*)
nazarezinhense adj. s.2g.
nazariense adj. s.2g.
nazarita s.2g.
nazaritismo s.m.
naze s.m.
nazerino adj. s.m.
nazéris s.m.2n.
názi adj. s.2g.
názia s.f.
nazianzeno adj. s.m.
nazifascismo s.m.
nazifascista adj. s.2g.
nazifascístico adj.
nazificação s.f.
nazificado adj.
nazificar v.
názir s.m.
nazirado s.m.
nazirato s.m.
nazireado s.m.
nazireato s.m.
nazireia (*é*) adj. s.f. de *nazireu*
nazireu adj. s.m.; f. *nazireia* (*é*)
nazirita s.m.
nazismo s.m.
nazista adj. s.2g.
nazístico adj.
nazoreia (*é*) adj. s.f. de *nazoreu*
nazoreu adj. s.m.; f. *nazoreia* (*é*)
ndau adj. s.2g.
ndendo s.m.
ndimba adj. s.2g.
n-dimensional adj.2g.; pl. *n-dimensionais*
ndomba adj. s.2g. s.m.
ndombondola adj.2g. s.m.
ndongo s.m.
ndua s.f.
ndulu s.m.
ndumba s.f.
nê s.m.; pl. *nês* ou *nn*
nealeuródico s.m.
nealoto s.m.
neandertalense adj.
neandertalês adj. s.m.
neandertaliano adj.
neandertálico adj.
neandertaloide (*ó*) adj.2g.
neânia s.f.
neânico adj.
neão s.m.
neapolita adj. s.2g.
neapolitano adj. s.m.
nearca s.m.
nearco s.m.
neártica s.f.
neártico adj.
neartrose s.f.
neartrósico adj.
neartrótico adj.
neasso s.m.
nebafo s.m.
nebália s.f.
nebaliáceo adj. s.m.
nebálida adj.2g. s.m.
nebalídeo adj. s.m.
nebaliida adj.2g. s.m.
nebaliídeo adj. s.m.
nebaliópsis s.2g.2n.
nebanga s.f.
nebaso s.m.
nebel s.m. "medida de capacidade"; cf. *nébel*
nébel s.m. "harpa"; cf. *nebel*
nebélia s.f.
neblina s.f.
neblinação s.f.
neblinado adj.
neblinar v.
neblíneo adj.
neblinoso (*ô*) adj.; f. (*ó*); pl. (*ó*)
nebo s.m.
nebondo s.m.
nebonzo s.m.
neboto s.m.
nebraskiano adj.
nebráspis s.f.2n.
nebresia s.f.
nebri adj.2g. s.m.
nébria s.f.
nébrida adj.2g. s.m.f.
nébride s.f.
nebrídeo adj.
nébrido adj.
nebriídeo adj. s.m.
nebriíneo adj. s.m.
nebrina s.m.
nebrinar v.
nebrinoso (*ô*) adj.; f. (*ó*); pl. (*ó*)
nébris s.f.2n.
nebrita s.f.
nebrite s.f.
nebroma s.f.
nebruno adj.
nébula s.f.
nebulado adj.
nebular adj.2g.
nebulento adj.
nebulífero adj.
nebuligrama s.f.
nebúlio s.m.
nebulização s.f.
nebulizado adj.
nebulizador (*ô*) adj. s.m.
nebulizante adj.2g.
nebulizar v.
nebulizável adj.2g.
nebulosa s.f.
nebulosidade s.f.
nebuloso (*ô*) adj.; f. (*ó*); pl. (*ó*)
neca pron. adv.
necaneia (*é*) s.f.
necanida adj. s.2g.
nécara s.f.
nécaras s.f.pl.
necas pron. adv.
necator (*ô*) s.m.
necátor s.m.
necatoríase s.f.
necatoríneo adj. s.m.
necatorose s.f.
necear v.
necedade s.f.
necedro s.m.
necessária s.f.
necessariedade s.f.
necessário adj. s.m.
necessidade s.f.
necessitação s.f.
necessitado adj. s.m.
necessitante adj.2g.
necessitar v.
necessitário s.m.
necessitarismo s.m.
necessitável adj.2g.
necessitoso (*ô*) adj.; f. (*ó*); pl. (*ó*)
necídale s.f.
necidalídeo adj. s.m.
necídalis s.f.2n.
necídalo s.m.
neciomancia s.f.
neciomante s.2g.
neciomântico adj.
necísia s.f.
necisiano adj. s.m.
necissiano adj.
necíssias s.f.pl.
neckera s.f.
neckerácea s.f.
neckeráceo adj.
necoco s.m.
necodá s.m.
necoíta s.f.
necquera s.f.
necquerácea s.f.
necqueráceo adj.
necra s.f.
necrectomia s.f.
necrectômico adj.
necréctomo s.m.
necremia s.f.
necrêmico adj.
necrobacilose s.f.
necróbia s.f.
necrobino s.m.
necrobiose s.f.
necrobiótico adj.
necróboro s.m.
necrocitose s.f.
necrocitótico adj.
necrocômio s.m.
necrodásipo s.m.
necrodasípode s.m.
necrode s.m.
necrodo s.m.
necrodontia s.f.
necrodôntico adj.
necrodulia s.f.
necrodúlico adj.
necroectomia s.f.
necroectômico adj.
necroéctomo s.m.
necrofagia s.f.
necrofágico adj.

necrófago adj. s.m.
necrofilia s.f.
necrofílico adj.
necrófilo adj. s.m.
necrofitófago adj.
necrofobia s.f.
necrofóbico adj.
necrófobo adj. s.m.
necroforíneo adj. s.m.
necróforo s.m.
necrogêneo adj.
necrógeno adj.
necrografia s.f.
necrográfico adj.
necrografismo s.m.
necrógrafo s.m.
necrólatra s.2g.
necrolatria s.f.
necrolátrico adj.
necrologia s.f.
necrológico adj.
necrológio s.m.
necrologista adj. s.2g.
necrólogo s.m.
necromancia s.f.
necromania s.f.
necromaníaco adj. s.m.
necromante adj. s.2g.
necromântico adj.
necrometria s.f.
necrométrico adj.
necrômetro s.m.
necrônio s.m.
necronita s.f.
necronite s.f.
necropatia s.f.
necropático adj.
necropolar adj.2g.
necrópole s.f.
necropse s.f.
necropsia s.f.
necrópsia s.f.
necropsiar v.
necrópsico adj.
necropsista adj. s.2g.
necropso s.m.
necróptico adj.
necrosação s.f.
necrosado adj.
necrosamento s.m.
necrosante adj.2g.
necrosar v.
necrosável adj.2g.
necróscia s.f.
necróscio s.m.
necroscopia s.f.
necroscópico adj.
necrose s.f.
necrosectomia s.f.
necrósico adj.
necrospermia s.f.
necrospérmico adj.
necrossemiótico adj.
necrosteose s.f.
necrosteótico adj.
necroteca s.f.
necrotério s.m.
necrótico adj.
necrotização s.f.
necrotizado adj.
necrotizador (*ô*) adj.
necrotizante adj.2g.
necrotizar v.
necrotizável adj.2g.
necrotomia s.f.
necrotômico adj.
necrótomo s.m.
necróvora s.m.
nectália s.f.
nectalídeo adj. s.m.
nectandra s.f.
nectândrea s.f.
nectândreo adj.
nectandrina s.f.
néctar s.m.
nectarádena s.f.
nectáreo adj.
nectarífero adj.
nectarífico adj.
nectariforme adj.2g.
nectarilimo s.m.
nectarina s.f.
nectarínia s.f.
nectariniídeo adj. s.m.
nectarino adj. s.m.
nectário s.m.
nectaríparo adj.
nectarívoro adj.
nectarização s.f.
nectarizado adj.
nectarizar v.
nectaropétalo s.m.
nectaroscordo s.m.
nectarostigma s.m.
nectaroteca s.f.
nectes s.m.2n.
néctico adj.
necticonema s.m.
nectismo s.m.
nectita s.f.
necto s.m.
nectocálice s.m.
nectócia s.f.
nectofisa s.m.
nectofiúro s.m.
nectofórico adj.
nectóforo s.m.
nectófrina s.f.
nectófrino s.m.
nectógala s.f.
nectógale s.f.
nectógalo s.m.
nectômio s.m.
néctomis s.m.2n.
nécton s.m.
nectonematoide (*ó*) adj. s.m.
nectônico adj.
nectópico adj.
nectópode adj.2g. s.m.
nectóreo adj.
nectozoide (*ó*) s.m.
néctria s.f.
nectriácea s.f.
nectriáceo adj.
nectrídio adj. s.m.
nectriíneo adj. s.m.
nectrioidácea s.f.
nectrioidáceo adj.
necturo s.m.
necuriá adj. s.2g.
neda s.f.
nedaí s.m.
nedendo s.m.
nediez (*ê*) s.f.
nedinate adj. s.2g.
nedinho s.m.
nédio adj.
nedita adj. s.2g.
neditano adj. s.m.
nédji s.m.
nedum s.m.
nedungo s.m.
néea s.f.
needâmia s.f.
neegatu s.m.
neenengatu s.m.
neera s.f.
neerlandense adj. s.2g.
neerlandês adj. s.m.
neerlando-espanhol adj.; pl. *neerlando-espanhóis*
neerlandofalante adj. s.2g.
neerlandofônia s.f.
neerlandófono adj. s.m.
neerlando-francês adj.; pl. *neerlando-franceses*
neerlando-indiano adj.; pl. *neerlando-indianos*
neerlando-índico adj.; pl. *neerlando-índicos*
neerlando-inglês adj.; pl. *neerlando-ingleses*
neerlandoparlante adj. s.2g.
neerlando-português adj.; pl. *neerlando-portugueses*
neésia s.f.
neesiela s.f.
neetrópolo s.m.
nefa s.f.
nefália s.f.
nefálio adj. s.m.
nefalismo s.m.
nefalista adj. s.2g.
nefalita s.f.
nefalite s.f.
nefanalisado adj.
nefanalisar v.
nefanálise s.f.
nefanalista adj. s.2g.
nefanalístico adj.
nefanalítico adj.
nefandado adj.
nefando adj.
néfane s.m.
nefário adj.
nefas s.m.2n.; na loc. *ou por fás ou por nefas*
nefasto adj.
nefedievita s.f.
nefelauxético (*cs*) adj.
nefelegéreta adj. s.m.
nefelemancia s.f.
nefelibata adj. s.2g.
nefelíbata adj. s.2g.
nefelibatesco (*ê*) adj.
nefelibatice s.f.
nefelibático adj.
nefelibatismo s.m.
nefelíea s.f.
nefelina s.f.
nefelínico adj.
nefelinita s.f.
nefelinite s.f.
nefelinito s.m.
nefelinização s.f.
nefelinizar v.
nefélio s.m.
néfelis s.f.2n.
nefelita s.f.
nefelite s.f.
nefelitita s.f.
nefelitite s.f.
nefelófilo adj.
nefeloide (*ó*) adj.2g.
nefeloleuca s.f.
nefelomancia s.f.
nefelomante s.2g.
nefelomânteo adj.
nefelomântico adj. s.m.
nefelometria s.f.
nefelométrico adj.
nefelômetro s.m.
nefelopia s.f.
nefelópico adj.
nefena s.m.
nêfeta s.f.
nefetina s.f.
nefetinassienítico adj.
nefetinassienito s.m.
nefetínico adj.
nefetinossienítico adj.
nefetinossienito s.m.
néfila s.f.
nefita s.m.
néfodo s.m.
nefogênio s.m.
nefógrafo s.m.
nefograma s.m.
nefologia s.f.
nefometria s.f.
nefométrico adj.
nefômetro s.m.
nefoptérige s.f.
nefópterix (*cs*) s.f.
nefoscopia s.f.
nefoscópico adj.
nefoscópio s.m.
nefrabdominal adj.2g.
nefradênia s.f.
nefradenoma s.m.
nefralgia s.f.
nefrálgico adj.
nefrapóstase s.f.
nefratonia s.f.
nefratônico adj.
nefrauxia (*cs*) s.f.
nefráuxico (*cs*) adj.
nefrectasia s.f.
nefrectásico adj.
nefrectomia s.f.
nefrectômico adj.
nefrelcose s.f.
nefrelcósico adj.
nefrelita s.f.
nefrelite s.f.
nefrelmíntico adj.
nefremia s.f.
nefrêmico adj.
nefrenfráctico adj.
nefrenfrático adj.
nefrenfraxe (*cs*) s.f.
nefrenfraxia (*cs*) s.f.
nefretia s.f.
nefrético adj.
néfrico adj.
nefridiado adj. s.m.
nefridial adj.2g.
nefridiano adj.
nefrídico adj.
nefrídio s.m.
nefridiopórico adj.
nefridióporo s.m.
nefridióstomo s.m.
nefrina s.f.
nefrita s.f.
nefrite s.f.
nefrítico adj. s.m.
nefrito s.m.
nefritoide (*ó*) s.f.
nefro s.m.
nefroangiosclerose s.f.
nefroblaptina s.f.
nefroblastoma s.m.
nefrocalcionose s.f.
nefrocardíaco adj.
nefrocele s.f.
nefroceliano adj.
nefrocélico adj.
nefrocistanastomose s.f.
nefrocistite s.f.
nefrocistose s.f.
nefrocistósico adj.
nefrócito s.m.
nefrocolopéctico adj.
nefrocolopético adj.
nefrocolopexia (*cs*) s.f.
nefrocoloptose s.f.
nefrocoloptótico adj.
nefródio s.m.
nefroflegmasia s.f.
nefroflegmático adj.
nefrogástrico adj.
nefrogenia s.f.
nefrogênico adj.
nefrógeno adj.
néfroges s.m.2n.
nefrografia s.f.
nefrográfico adj.
nefrógrafo s.m.
nefrograma s.m.
nefro-helmíntico adj.
nefroide (*ó*) adj.2g. s.f.
nefrólepe s.f.
nefrolépida s.f.
nefrolepidácea s.f.
nefrolepidáceo adj.
nefrolépide s.f.
nefrólise s.f.
nefrolisina s.f.
nefrolitíase s.f.
nefrolitiásico adj.
nefrolítico adj.
nefrólito s.m.
nefrolitotomia s.f.
nefrolitotômico adj.
nefrologia s.f.
nefrológico adj.
nefrologista adj. s.2g.
nefrólogo s.m.
nefroma s.m.
nefromalacia s.f.
nefromalácico adj.
nefromático adj.
nefromegalia s.f.
nefromegálico adj.
nefrômero s.m.
nefrômio s.m.
nefromixio (*cs*) s.m.
néfron s.m.
nefronco s.m.
nefroncose s.f.
nefroncósico adj.
nefroneurose s.f.
nefroneurótico adj.
nefronevrose s.f.
nefronevrótico adj.
nefrônico adj.
nefrônio s.m.
nefronoftise s.f.
nefronoptise s.f.
nefroparalisia s.f.
nefroparalítico adj.
nefropatia s.f.
nefropático adj.
nefrope s.2g.
nefropéctico adj.
nefropexia (*cs*) s.f.
nefropielite s.f.
nefropielítico adj.
nefropiose s.f.
nefropiósico adj.
nefropiótico adj.
nefroplegia s.f.
nefroplégico adj.
nefropletora s.f.
nefropletórico adj.
nefropneusto adj. s.m.
nefroptose s.f.
nefroptótico adj.
nefrorrafia s.f.
nefrorráfico adj.
nefrorragia s.f.
nefrorrágico adj.
nefrosclerose s.f.
nefrosclerótico adj.
nefroscopia s.f.
nefroscópico adj.
nefrose s.f.
nefrospasmo s.m.
nefrospasmódico adj.
nefrospático adj.
nefróstoma s.m.
nefrostomado s.m.
nefrostomal adj.2g.
nefrostomia s.f.
nefrostômico adj.
nefróstomo s.m.
nefrótico adj.
nefrótoma s.f.
nefrotomia s.f.
nefrotômico adj.
nefrótomo s.m.
nefrotomografia s.f.
nefrotóxico (*cs*) adj.
nefrotoxina (*cs*) s.f.
nefrotromboide (*ó*) adj.2g.
nefrotrópico adj.
nefrouretectomia s.f.
nefroureterectomia s.f.
nefroureterectômico adj.
neftalita adj. s.2g.
néftea s.f.
neftidídeo adj. s.m.
néftis s.f.2n.
neftite s.f.
neftitídea s.f.
neftitídeo adj. s.m.
nega s.f.
negabelha (*ê*) s.f.
negabilidade s.f.
negaça s.f.
negação s.f.
negaçar v.
negaceado adj.
negaceador (*ô*) adj. s.m.
negacear v.
negaceio s.m.
negaceiro adj. s.m.
negacioso (*ô*) adj. s.m.; f. (*ó*); pl. (*ó*)
negado adj.
negador (*ô*) adj. s.m.
negalhas s.f.pl.
negalho s.m.
negamento s.m.
negar v.
negarça s.f.
negástrio s.m.
negativa s.f.
negativação s.f.
negativar v.
negatividade s.f.
negativismo s.m.
negativista adj. s.2g.
negativístico adj.

negativização s.f.
negativizado adj.
negativizador (*ô*) adj.
negativizante adj.2g.
negativizar v.
negativizável adj.2g.
negativo adj. s.m. adv.
negatório adj.
negatoscopia s.f.
negatoscópico adj.
negatoscópio s.m.
negatrão s.m.
négatron s.m.
negatrônio s.m.
negável adj.2g.
negelador (*ô*) s.m.
negelagem s.f.
negentropia s.f.
negentrópico adj.
negilassonde s.f.
negilicá s.m.
negiló s.m.
negligência s.f.; cf. *negligencia*, fl. do v. *negligenciar*
negligenciação s.f.
negligenciado adj.
negligenciador (*ô*) adj.
negligenciamento s.m.
negligenciar v.
negligente adj.2g.
negociabilidade s.f.
negociação s.f.
negociado adj.
negociador (*ô*) adj. s.m.
negocial adj.2g.
negocialidade s.f.
negociamento s.m.
negociante s.2g.
negocião s.m.
negociar v.
negociarrão s.m.
negociata s.f.
negociável adj.2g.
negócio s.m.; cf. *negocio*, fl. do v. *negociar*
negocioso (*ô*) adj.; f. (*ó*); pl. (*ó*)
negocismo s.m.
negocista adj. s.2g.
negocístico adj.
negoco s.m.
negombe s.m.
negra (*ê*) adj. s.f. "feminino de negro", etc.; cf. *negrã*
negrã s.f. "espécie de tainha"; cf. *negra*
negraça s.f.
negraço s.m.
negrada s.f.
negra de pote s.f.
negrainha (*a-i*) s.f.
negrais s.f.pl.
negral adj.2g. s.f.
negralhada s.f.
negralhão s.m.; f. *negralhona*
negralhaz s.m.
negralhento adj.
negralhona s.f. de *negralhão*
negralização s.f.
negralizado adj.
negralizar v.
negra-mina s.f.; pl. *negras-mina* e *negras-minas*
negra-miúda s.f.; pl. *negras-miúdas*
negra-moira s.f.; pl. *negras-moiras*
negra-molar s.f.; pl. *negras-molares*
negra-mole s.f.; pl. *negras-moles*
negra-moura s.f.; pl. *negras-mouras*
negrante s.m.
negrão s.m.
negrãoense adj. s.2g.
negrão-francês s.m.; pl. *negrões-franceses*
negrão-miúdo s.m.; pl. *negrões-miúdos*
negraria s.f.
negra-velha s.f.; pl. *negras-velhas*
negreda (*ê*) s.f.
negredão s.f.
negredura s.f.
negregado adj.
negregoso (*ô*) adj.; f. (*ó*); pl. (*ó*)
negregura s.f.
negreira s.f.
negreirinha s.f.
negreiro adj. s.m.
negrejamento s.m.
negrejante adj.2g.
negrejar v.
negrela s.f.
negrense adj. s.2g.
negresia s.f.
negrete (*ê*) s.m.
negricida adj.2g.
negricídio s.m.
negridão s.f.
negrilha s.f.
negrilhal s.m.
negrilho s.m.
negrilhos s.m.pl.
negrinha s.f.
negrinho adj. s.m.
negrismo s.m.
negrista adj. s.2g.
negrístico adj.
negrita s.f.
negritar v.
negrítico adj.
negrito adj. s.m.
negritoide (*ó*) adj.2g.
negritude s.f.
negritudinal adj.2g.
negro (*ê*) adj. s.m.
negroa (*ô*) s.f.
negro-aça s.m.; pl. *negros-aça* e *negros-aças*
negro-africano adj. s.m.; pl. *negro-africanos*
negro-animal s.m.; pl. *negros-animais*
negro-brasileiro adj.; pl. *negro-brasileiros*
negro-camítico adj. s.m.; pl. *negro-camíticos*
negro-d'água s.m.; pl. *negros-d'água*
negro de fumo s.m.
negro de marfim s.m.
negro-dos-bosques s.m.; pl. *negros-dos-bosques*
negro-europeu adj. s.m.; pl. *negro-europeus*
negrofilia s.f.
negrofílico adj.
negrófilo adj. s.m.
negrofobia s.f.
negrofóbico adj.
negrófobo adj. s.m.
negro-francês adj. s.m.; pl. *negro-franceses*
negro-fugido s.m.; pl. *negros-fugidos*
negroide (*ó*) adj. s.2g.
negro-inglês adj. s.m.; pl. *negro-ingleses*
negroísmo s.m.
negrola s.f.
negromante adj. s.2g.
negro-melro s.m.; pl. *negros-melros*
negro-mina s.m.; pl. *negros-mina* e *negros-minas*
negro-novo s.m.; pl. *negros-novos*
negro-português adj. s.m.; pl. *negro-portugueses*
negror (*ô*) s.m.
negrote s.m.
negro-velho s.m.; pl. *negros-velhos*
negrucha s.f.
negrucho adj.
negrume s.m.
negrumoso (*ô*) adj.; f. (*ó*); pl. (*ó*)
negrura s.f.
negrusco adj.
negruza s.f.
neguça s.f.
neguentropia s.f.
neguentrópico adj.
neguentropismo s.m.
neguentropístico adj.
neguila (*ü*) s.f.
neguma s.f.
negumbo s.m.
negundo s.m.
negungo s.m.
negus (*gús*) s.m.
négus s.m.
neides s.m.pl.
neidídeo adj. s.m.
neido s.m.
neighborita s.f.
nei-nei s.m.; pl. *nei-neis*
neísmo s.m.
neissséria s.f.
neisserose s.f.
neixente s.m.
neja s.f.
nekoíta s.f.
nelavã s.m.
neldo s.m.
nele s.m. "arroz", "moeda"; cf. *nele* (*ê*)
nele (*ê*) contr. de *em* e *ele*; cf. *nele*
nelense adj. s.2g.
nelênsia s.f.
nélia s.f.
nelióc aro s.m.
nelita s.f.
nelma s.f.
nelo adj. s.m.
nelore adj. s.2g.
nelsônia s.f.
nelsonióidea s.f.
nelsonita s.f.
nelsonite s.f.
nelúmbio s.m.
nelumbo s.m.
nelumbonácea s.f.
nelumbonáceo adj.
nelumbônea s.f.
nelumbôneo adj.
nelumbonóidea s.f.
nelúmula s.f.
nem adv. conj.
nema s.m.f.
nemáctis s.m.2n.
nemadáctilo s.m.
nemadátilo s.m.
nemadkevita s.f.
nemafilita s.f.
nemália s.f.
nemaliácea s.f.
nemaliáceo adj.
nemálio s.m.
nemálion s.m.
nemalional adj.2g.
nemalionale s.f.
nemalita s.f.
nemálito s.m.
nemalono adj. s.m.
nemapalpo s.m.
nemaquilo s.m.
nemástoma s.m.
nemastomácea s.f.
nemastomáceo adj.
nemastomatácea s.f.
nemastomatáceo adj.
nemastomídeo adj. s.m.
nematácea s.f.
nematáceo adj.
nematantera s.f.
nematanto s.m.
nematélia s.f.
nematelminte adj. s.m.
nematelmíntio adj. s.m.
nematelminto adj. s.m.
nematicida adj.2g. s.m.
nematicídio s.m.
nemático adj.
nêmato s.m.
nematoblástico adj.
nematoblasto s.m.
nematobótrio s.m.
nematobrótula s.m.
nematocálice s.m.
nematocarciníneo adj. s.m.
nematocárcino s.m.
nematocéfalo s.m.
nematócero adj. s.m.
nematocida adj.2g. s.m.
nematociste s.f.
nematocístico adj.
nematocisto s.m.
nematodáctilo s.m.
nematódeo adj. s.m.
nematodiríase s.f.
nematodiro s.m.
nematófora s.f.
nematóforo s.m.
nematogeníneo adj. s.m.
nematógenis s.m.2n.
nematoglossa s.f.
nematogmo s.m.
nematógnata adj.2g. s.m.
nematógnato adj. s.m.
nematogônio s.m.
nematoide (*ó*) adj.2g. s.m.
nematolita s.f.
nematolite s.f.
nematólito s.m.
nematologia s.f.
nematológico adj.
nematologista adj. s.2g.
nematólogo s.m.
nematômice adj.2g. s.m.
nematomicete adj. s.m.
nematomiceto adj. s.m.
nematomorfo adj. s.m.
nematonuro s.m.
nematopaguro s.m.
nemátope s.f.
nematopeza s.f.
nematópode adj.2g. s.m.
nematopogão s.m.
nematóscelis s.m.2n.
nematóstoma s.m.
nematotarso s.m.
nematóxis (*cs*) s.m.2n.
nematozoário adj. s.m.
nematuro adj. s.m.
nemausa s.f.
nemausense adj. s.2g.
nemausíaco adj. s.m.
nemausiense adj. s.2g.
nemba s.f.
nembanda s.f.
nembo s.m.
nemeano adj.
nemecita s.f.
nêmedra s.f.
nemeeia (*é*) adj. s.f de *nemeeu*
nemeeio adj. s.m.
nemeeu adj. s.m.; f. de *nemeeia* (*é*)
nementuro adj. s.m.
nemeobiídeo adj. s.m.
nemeobiíneo adj. s.m.
nemeóbio s.m.
nemeófila s.f.
nemerte s.m.
nemérteo adj. s.m.
nemertiano adj. s.m.
nemertídeo adj. s.m.
nemertíneo adj. s.m.
nemertino adj. s.m.
nemertodrilo s.m.
nêmese s.f.
nemésia s.f.
nemésico adj.
nêmesis s.f.2n.
nemestrina s.f.
nemeta adj. s.2g.
nemetacense adj. s.2g.
nemetano adj. s.m.
nêmete adj. s.2g.
nemetense adj. s.2g.
nemiano adj.
nemicelo s.m.
nemictiídeo adj. s.m.
nemictiíneo adj. s.m.
nemíctis s.m.2n.
nemigalha s.f.
nem-nhem-nhé s.m.; pl. *nem-nhem-nhés*
nem-nhem-nhê s.m.; pl. *nem-nhem-nhês*
nem-nhem-nhem s.m.; pl. *nem-nhem-nhens*
nemóbia s.f.
nemoblástico adj.
nemoblasto s.m.
nemocéfalo s.m.
nemócero adj. s.m.
nemofante s.m.
nemofila s.f.
nemófilo s.m.
nêmofis s.f.2n.
nemófora s.f.
nemoglosso adj.
nemógnata s.f.
nemólito s.m.
nemônico s.m.
nemoniquídeo adj. s.m.
nêmonix (*cs*) s.m.
nemopanto s.m.
nemópode s.m.
nemóptera s.f.
nemopterídeo adj. s.m.
nemóptero s.m.
nemoral adj.2g.
nemoreia (*é*) s.f.
nemoreia-das-crisálidas s.f.; pl. *nemoreias-das-crisálidas*
nemoreira s.f.
nemorense adj. s.2g.
nemóreo adj.
nemória s.f.
nemorícola adj.2g.
nemorívago adj. s.m.
nemoroso (*ô*) adj.; f. (*ó*); pl. (*ó*)
nemorredo s.m.
nemósia s.f.
nemosoma s.m.
nemossoma s.m.
nemossomíneo adj. s.m.
nemossomo s.m.
nemotarso s.m.
nemótele s.f.
nemótelo s.m.
nemótois s.m.2n.
nemplé s.m.
nemura s.f.
nena s.f.
nenadkevitchita s.f.
nênax (*cs*) s.m.2n.
nende s.m.
nendi s.m.
nené s.2g.
nenê s.2g.
neném s.m.
neném-de-galinha s.m.; pl. *nenéns-de-galinha*
nêngara s.f.
nêngaro s.m.
nengo s.m.
nengoné s.m.
nengoro s.m.
nengra s.f.
nengro s.m.
nenha s.f.
nenhando s.m.
nenhengatu s.m.
nenhetil s.m.
nenhice s.f.
nenho adj. s.m.
nenhum pron.
nenhures adv.
nênia s.f.
nênio s.m.
neno s.m.
nenúfar s.m.
neo s.m.
neoacademicismo s.m.
neoacademicista adj. s.2g.
neoacadêmico adj. s.m.
neoacademismo s.m.
neoacademista adj. s.2g.
neoafricano adj. s.m.
neoaleurodes s.m.2n.
neoaliancense adj. s.2g.
neoamericano adj. s.m.
neoantélice s.f.
neoantrópico adj.
neoaramaico adj. s.m.
neoárico adj. s.m.
neoaristotélico s.m.
neoarmênico adj. s.m.
neoarsenobenzol s.m.
neoarsenobenzólico adj.
neoarsenofenamina s.f.

neoático adj. s.m.
neoaurorense adj. s.2g.
neobabilônico adj.
neobalena s.f.
neobarroco (*ô*) adj. s.m.
neobarroquismo s.m.
neobartlétia s.f.
neobehaviorismo s.m.
neobehaviorista adj. s.2g.
neobehaviorístico adj.
neoberingo s.m.
neoberlésia s.m.
neobísnio s.m.
neobítaco s.m.
neobitites s.m.2n.
neobizantinismo s.m.
neobizantinista adj. s.2g.
neobizantinístico adj.
neoblasto s.m.
neoblisso s.m.
neóboro s.m.
neobramanismo s.m.
neobrasileiro adj. s.m.
neobretão adj. s.m.
neobrótica s.f.
neobudismo s.m.
neobudista adj. s.2g.
neobutônica s.f.
neobutônice s.f.
neocaína s.f.
neocaledônio adj. s.m.
neocalvinismo s.m.
neocalvinista adj. s.2g.
neocana s.m.
neocapitalismo s.m.
neocapitalista adj. s.2g.
neocarnégia s.f.
neocatolicismo s.m.
neocatólico adj. s.m.
neocelóstoma s.f.
neocéltico adj. s.m.
neoceno adj. s.m.
neoceratodo s.m.
neocerebelo (*ê*) s.m.
neochegado adj. s.m.
neocianina s.f.
neocíclico adj.
neocitemia s.f.
neocitêmico adj.
neócito s.m.
neocitose s.f.
neoclassicismo s.m.
neoclassicista adj. s.2g.
neoclassicístico adj.
neoclássico adj. s.m.
neoclino s.m.
neóclito s.m.
neocolonial adj.2g. s.m.
neocolonialismo s.m.
neocolonialista adj. s.2g.
neocolonialístico adj.
neocolonização s.f.
neocolonizado adj.
neocolonizador (*ô*) adj.
neocolonizante adj.2g.
neocolonizar v.
neocomaniano adj. s.m.
neocomiano adj. s.m.
neocômico adj. s.m.
neocomiense adj. s.2g.
neocômio adj. s.m.
neocomtismo s.m.
neocomtista adj. s.2g.
neocomtístico adj.
neocomungante adj. s.2g.
neocomunismo s.m.
neocomunista adj. s.2g.
neoconcretismo s.m.
neoconcretista adj. s.2g.
neoconcretístico adj.
neoconcreto adj.
neoconfucianismo s.m.
neoconfucianista adj. s.2g.
neoconfucianístico adj.
neoconfuciano adj.
neoconfucionismo s.m.
neoconfucionista adj. s.2g.
neoconfucionístico adj.
neocônger s.m.
neoconservador (*ô*) adj. s.m.
neoconservadorismo s.m.
neoconstrutivismo s.m.
neoconstrutivista adj. s.2g.
neoconstrutivístico adj.
neocontinental adj.2g.
neoconverso adj. s.m.
neocor s.m.
neocorado s.m.
neocorato s.m.
neocórico adj.
neócoro s.m.
neocórtex (*cs*) s.m.
neocortical adj.2g.
neocouma s.f.
neócrece s.f.
neocretácico adj. s.m.
néocrex (*cs*) s.f.
neocrinoide (*ó*) adj.2g. s.m.
neocrisolita s.f.
neocristão adj. s.m.
neocristianismo s.m.
neocriticismo s.m.
neocriticista adj. s.2g.
neocriticístico adj.
neocrítico adj. s.m.
neocrucense adj. s.2g.
neocruzeirense adj. s.2g.
neoctantes s.m.2n.
neocteno s.m.
neoctésio s.m.
neocultura s.f.
neocultural adj.2g.
neocurtila s.f.
neodadaísmo s.m.
neodadaísta adj. s.2g.
neodadaístico adj.
neodarwiniano (*rui*) adj.
neodarwinismo (*rui*) s.m.
neodarwinista (*rui*) adj. s.2g.
neodarwinístico (*rui*) adj.
neodentina s.f.
neodevoniano adj.
neodevônico adj.
neodialeto s.m.
neodidímio s.m.
neodigenita s.f.
neodímio s.m.
neodine s.f.
neodipsis s.f.
neodrepânide s.f.
neodrépanis s.f.2n.
neódria s.f.
neoélia s.f.
neoencéfalo s.m.
neoepigenesia s.f.
neoepigenesista adj. s.2g.
neoequinodermado adj.
neoequinodérmata s.f.
neoequinoide (*ó*) adj.2g. s.m.
neoerense adj. s.2g.
neoescocês adj. s.m.
neoescolástica s.f.
neoescolasticismo s.m.
neoescolástico adj. s.m.
neoeslavismo s.m.
neoeslavista adj. s.2g.
neoeslavístico adj.
neoesperancense adj. s.2g.
neoespinotalâmico adj.
neoestoicismo s.m.
neoestoico (*ó*) adj. s.m.
neoestriado adj. s.m.
neoeuropeu adj. s.m.
neoevolucionismo s.m.
neoevolucionista adj. s.2g.
neoexpressionismo s.m.
neoexpressionista adj. s.2g.
neofascismo s.m.
neofascista adj. s.2g.
neofatimense adj. s.2g.
neofeminismo s.m.
neofeminista adj. s.2g.
neofeto s.m.
neofibrina s.f.
neofigurativismo s.m.
neofigurativista adj. s.2g.
neofigurativístico adj.
neofigurativo adj.
neofilia s.f.
neofilismo s.m.
neófilo adj. s.m.
neofilólogo s.m.
neofilomiza s.f.
neofismo s.m.
neofítico adj.
neófito s.m.
neofobia s.f.
neofóbico adj.
neófobo adj. s.m.
neofonema s.m.
neoformação s.f.
neoformado adj.
neoformador (*ô*) adj.
neoformante adj.2g.
neoformar v.
neoformativo adj.
neoformável adj.2g.
neóforo s.m.
neofrancês adj. s.m.
neofrenia s.f.
neofrênico adj.
neofreudiano (*frói*) adj. s.m.
neofriburguense adj. s.2g.
neofriburguês adj. s.m.
neófron s.m.
neógala s.m.
neogalês adj. s.m.
neogálico adj.
neogamia s.f.
neógamo adj. s.m.
neogardnéria s.f.
neogarrettiano adj. s.m.
neogarrettismo s.m.
neogastrópode adj. s.2g.
neogeia (*é*) s.f.
neogeico (*é*) adj.
neogêneo adj. s.m.
neogênese s.f.
neogenético adj.
neogênico adj.
neógeno adj. s.m.
neogeofilídeo adj. s.m.
neogestaltismo (*gues*) s.m.
neogestaltista (*gues*) adj. s.2g.
neogestaltístico (*gues*) adj.
neoglaciação s.f.
neoglacial adj.2g.
neoglazióvia s.f.
neoglicogênese s.f.
neoglucogênese s.f.
neógnata s.2g.
neogodo (*ô*) adj. s.m.
neogoense adj. s.2g.
neogongórico adj. s.m.
neogongorismo s.m.
neogongorista adj. s.2g.
neogongorístico adj.
neógono adj.
neogoticismo s.m.
neogoticista adj. s.2g.
neogótico adj. s.m.
neografia s.f.
neográfico adj.
neografismo s.m.
neografista adj. s.2g.
neógrafo adj. s.m.
neogramática s.f.
neogramático adj. s.m.
neogranadino adj. s.m.
neogravura s.f.
neogrego (*ê*) adj. s.m.
neogueídeo adj. s.m.
neoguineense adj. s.2g.
neo-hamburguês adj. s.2g.
neo-hannoveriano adj. s.m.
neo-hanoveriano adj. s.m.
neo-hebraico adj. s.m.
neo-hebraísmo s.m.
neo-hebraísta adj. s.2g.
neo-hebraístico adj.
neo-hebridense adj. s.2g.
neo-hedonismo s.m.
neo-hedonista adj. s.2g.
neo-hedonístico adj.
neo-hegelianismo s.m.
neo-hegelianista adj. s.2g.
neo-hegeliano adj.
neo-helênico adj.
neo-helenismo s.m.
neo-helenista adj. s.2g.
neo-helenístico adj.
neo-helenizante adj. s.2g.
neo-hesperidina s.f.
neo-hidrófilo s.m.
neo-hipocrático adj.
neo-holandês adj. s.m.
neo-horizontino adj. s.m.
neo-humboldtiano adj. s.m.
neo-humorismo s.m.
neo-humorista adj. s.2g.
neoidealismo s.m.
neoidealista adj. s.2g.
neoidealístico adj.
neoiguaçuense adj. s.2g.
neoimperialismo s.m.
neoimperialista adj. s.2g.
neoimpressionismo s.m.
neoimpressionista adj. s.2g.
neoimpressionístico adj.
neoinglês adj. s.m.
neoirlandês adj. s.m.
neoisolacionismo s.m.
neoisolacionista adj. s.2g.
neoisomentol s.m.
neojurássico adj. s.m.
neokantiano adj.
neokantismo s.m.
neokantista adj. s.2g.
neokantístico adj.
neol s.m.
neolalia s.f.
neolamarckismo s.m.
neolamarckista adj. s.2g.
neolamarckístico adj.
neolampa s.f.
neolane s.2g.
neolatinista adj. s.2g.
neolatino adj.
neoláuquea s.f.
neolébias s.m.2n.
neolecânio s.m.
neolecanóquiton s.m.
neolésbia s.f.
neoliberal adj. s.2g.
neoliberalismo s.m.
neolimense adj. s.2g.
neolímulo s.m.
neolinguista (*ü*) adj. s.2g.
neolinguística (*ü*) s.f.
neolinguístico (*ü*) adj.
neolisbonense adj. s.2g.
neolita s.f.
neolite s.f.
neolítica s.f.
neolítico adj. s.m.
neólito s.m.
neolítsea s.f.
neolobite s.m.
neolocal adj.2g.
neolocalidade s.f.
neologia s.f.
neológico adj.
neologismar v.
neologismo s.m.
neologista adj. s.2g.
neologizante adj. s.2g.
neologizar v.
neólogo adj. s.m.
neologofilia s.f.
neologófilo adj. s.m.
neologofobia s.f.
neologófobo adj. s.m.
neolondrinense adj. s.2g.
neoluteranismo s.m.
neoluterano adj. s.m.
neomagma s.m.
neomalthusianismo s.m.
neomalthusianista adj. s.2g.
neomalthusiano adj. s.m.
neomaniqueia (*é*) adj. s.f. de *neomaniqueu*
neomaniqueísmo s.m.
neomaniqueu adj. s.m.; f. *neomaniqueia* (*é*)
neomárica s.f.
neomarxismo (*cs*) s.m.
neomarxista (*cs*) adj. s.m.
neomarxístico (*cs*) adj.
neomeckenburguês adj. s.m.
neomelia s.f.
neomembrana s.f.
neomênia s.f.
neomeniata s.m.
neomênida adj.2g. s.m.
neomenídeo adj. s.m.
neomeniida adj.2g. s.m.
neomeniídeo adj. s.m.
neomênio s.m.
neômeris s.m.2n.
neomexicano adj. s.m.
neomicina s.f.
neomicínico adj.
neomígade s.2g.
neômigas s.2g.2n.
neomisticismo s.m.
neomístico adj. s.m.
neomodernismo s.m.
neomodernista adj. s.2g.
neomodernístico adj.
neomorfáster s.m.
neomorfo s.m.
neomorfogênico adj.
neomorfose s.f.
neomorfótico adj.
neon s.m.
néon s.m.
neonacionalismo s.m.
neonacionalista adj. s.2g.
neonatal adj.2g.
neonato adj. s.m.
neonatologia s.f.
neonazismo s.m.
neonazista adj. s.2g.
néone s.m.
neonfália s.f.
neonfálio s.m.
neônfalo s.m.
neonicotina s.f.
neonino s.m.
neônio s.m.
neonomiano adj. s.m.
neonômio s.m.
neo-orleanês adj. s.m.
neo-ortodoxo adj. s.m.
neo-otoplastia adj. s.m.
neopaganismo s.m.
neopagão adj. s.m.
neopaleozoico (*ó*) adj. s.m.
neopálio s.m.
neopapal adj.2g.
neoparláspis s.f.2n.
neopentano s.m.
neopersa adj. s.m.
neopetropolitano adj. s.m.
neopilina s.f.
neopirálide s.f.
neopirális s.f.2n.
neopitagórico adj. s.m.
neopitagorismo s.m.
neopitagorista adj. s.2g.
neopitagorístico adj.
neopiteco adj. s.m.
neoplasia s.f.
neoplásico adj.
neoplasma s.m.
neoplasmo s.m.
neoplastia s.f.
neoplasticismo s.m.
neoplasticista adj. s.2g.
neoplasticístico adj.
neoplástico adj.
neoplatônico adj. s.m.
neoplatonismo s.m.
neoplinto s.m.
neopoesia s.f.
neopolitano adj. s.m.
neopomeraniano adj. s.m.
neopontino adj. s.m.
neopopulismo s.m.
neopopulista adj. s.2g.
neopositivismo s.m.
neopositivista adj. s.2g.
neopratense adj. s.2g.
neoprene s.m.
neoprênico adj.
neoprênio s.m.
neopreno s.m.
neopristílofo s.m.
neoprotestante adj. s.2g.
neoprotestantismo s.m.
neopterígio adj. s.m.
neopterina s.f.
neóptero adj. s.m.
neóptila s.f.
neoptolêmeas s.f.pl.

neopurpurita s.f.
neoquinhentismo s.m.
neoquinhentista adj. s.2g.
neorama s.m.
neorina s.f.
neornite adj.2g. s.f.
neorracionalismo s.m.
neorracionalista adj. s.2g.
neorracionalístico adj.
neorrealismo s.m.
neorrealista adj. s.2g.
neorrealístico adj.
neorreformista adj. s.2g.
neorrenascentismo adj. s.2g.
neorrepública s.f.
neorrepublicanismo s.m.
neorrepublicano adj. s.m.
neorresendense adj. s.2g.
neorromânico adj. s.m.
neorromano adj. s.m.
neorromântico adj. s.m.
neorromantismo s.m.
neorrussense adj. s.2g.
neospinotalâmico adj.
neosporídeo adj. s.m.
neossalomônico s.m.
neossantarenense adj. s.2g.
neossáurio s.m.
neosserranense adj. s.2g.
neossílvia s.f.
neossimbolismo s.m.
neossimbolista adj. s.2g.
neossimbolístico adj.
neossina s.f.
neossinefrina s.f.
neossiríaco adj. s.m.
neossocialismo s.m.
neossocialista adj. s.2g.
neossologia s.f.
neossóptilo s.m.
neossourense adj. s.2g.
neosteogênico adj.
neosterno s.m.
neostigmina s.f.
neostigmínico adj.
neostomia s.f.
neóstomo s.m.
neostriado adj. s.m.
neotaísta adj. s.2g.
neotalâmico adj.
neotálamo s.m.
neotantalia s.f.
neotantalita s.f.
neotantalite s.f.
neotaoismo s.m.
neotécnica s.f.
neotécnico adj.
neotectônica s.f.
neotectônico adj.
neotenia s.f.
neotênico adj.
neotenina s.f.
neotérico adj. s.m.
neoterismo s.m.
neotermes s.f.2n.
neotesita s.f.
neotestamentário adj.
neótia s.f.
neotíea s.f.
neotiglossa s.f.
neotimboteuano adj. s.m.
neotínea s.f.
neotípia s.f.
neótipo s.m.
neotocita s.f.
neotocite s.f.
neotomismo s.m.
neotomista adj. s.2g.
neotomístico adj.
neótomo s.m.
neotragíneo adj. s.m.
neótrago s.m.
neotremado adj. s.m.
neotrentino adj. s.m.
neotriátoma s.f.
neotrioza s.f.
neotrópica s.f.
neotropical adj.2g.
neotrópico adj.
neotropíneo adj. s.m.
neotuno s.m.
neotutocaína s.f.
neovascularização s.f.
neovitalismo s.m.
neovitalista adj. s.2g.
neovitalístico adj.
neovulcânico adj.
neoxilografia s.f.
neoyorkino adj. s.m.
neoytérbia s.f.
neoytérbico adj.
neoytérbio s.m.
neozelandense adj. s.2g.
neozelandês adj. s.m.
neozelandiense adj. s.2g.
neozoico (*ó*) adj. s.m.
neozonza s.f.
nepa s.f.
nepal s.m.
nepalense adj. s.2g.
nepalês adj. s.m.
nepali adj. s.2g.
nepalina s.f.
nepalita s.f.
nepalofalante adj. s.2g.
nepalofonia s.f.
nepalófono adj. s.m.
nepaloparlante adj. s.2g.
nepanda s.f.
nepanense adj. s.2g.
nepaulita s.f.
nepeforme s.m.
nepe-nepe adj. s.2g.; pl. *nepe-nepes*
nepenta s.f.
nepentácea s.f.
nepentáceo adj.
nepentale s.f.
nepente s.m.
nepentes s.m.2n.
nepepe s.m.
néper s.m.
neperiano adj.
neperímetro s.m.
nepesino adj. s.m.
népeta s.f.
nêpeta s.f.
nepétea s.f.
népida adj.2g. s.m.
nepídeo adj. s.m.
nepiologia s.f.
nepiológico adj.
nepiônico adj.
nepoide (*ó*) adj.2g. s.f.
nepóideo adj. s.m.
nepoíta s.f.
nepomucenense adj. s.2g.
nepomuceno adj.
nepos s.m.2n.
nepote s.m.
nepotiano adj.
nepotismo s.m.
nepotista adj. s.2g.
nepotístico adj.
nepouita (*í*) s.f.
nepsera s.f.
neptelita s.f.
neptícula s.f.
nepticúlida adj.2g. s.m.
nepticulídeo adj. s.m.
nepticulóideo adj. s.m.
néptis s.f.2n.
neptunais s.f.pl.
neptunália s.f.
neptúnia s.f.
neptuniano adj.
neptúnida s.2g.
neptunino adj.
neptúnio adj. s.m.
neptunismo s.m.
neptunista adj. s.2g.
neptunístico adj.
neptunita s.f.
neptuno s.m.
neque s.m.
nequeno s.m.
nequice s.f.
nequícia (*u* ou *ü*) s.f.
nequinate (*u* ou *ü*) adj. s.2g.
nequinha s.f.
nera s.f.
neral s.m.
nereia (*é*) s.f.
nereida s.f.
nereide s.f.
nereídeo adj. s.m.
nereidolépade s.f.
nereidólepas s.m.2n.
nereîlepas s.m.2n.
nereociste s.f.
nereocístia s.f.
neres pron.
neretino adj. s.m.
néria adj. s.2g. s.f.
neriácea s.f.
neriáceo adj.
neriantina s.f.
neriense adj. s.2g.
neriina s.f.
nerina s.f.
nerinácea s.f.
nerináceo adj.
nerinda s.f.
nerínea s.f.
nério adj. s.m.
neriocrístia s.f.
neriodoreína s.f.
neriodorina s.f.
neripo adj. s.m.
nerita s.f.
neritáceo adj. s.m.
nerítico adj.
nerítida adj.2g. s.m.
neritídeo adj. s.m.
neritina s.f.
neritino adj. s.m.
neritódomo s.m.
nerítula s.m.
nero adj. s.m.
nerocila s.f.
nérofis s.m.2n.
nerol s.m.
néroli s.m.
nerolidol s.m.
nerolina s.f.
neroniano adj.
nerônico adj.
nerônio adj.
neropolense adj. s.2g.
neropolino adj. s.m.
neropolitano adj. s.m.
nerovialone s.m.
nertera s.f.
nerto s.m.
nertobrigense adj. s.2g.
nertopíneo adj. s.m.
nertrídeo adj. s.m.
nerulano adj. s.m.
nerulonense adj. s.2g.
nerusca s.f. pron.
nerúsio adj. s.m.
neruso adj. s.m.
nervação s.f.
nervado adj.
nerval adj.2g.
nérveo adj.
nervifoliado adj.
nervifólio adj.
nervília s.f.
nervimoção s.f.
nervimuscular adj.2g.
nervino adj. s.m.
nérvio adj. s.m.
nervo (*ê*) s.m. "órgão de transmissão das sensações"; cf. *nervu* (*ê*)
nervol s.m.
nervopático adj.
nervosa s.f.
nervosado adj. s.m.
nervosia s.f.
nervosidade s.f.
nervosina s.f.
nervosismo s.m.
nervosista adj.2g.
nervosístico adj.
nervosizar v.
nervoso (*ô*) adj. s.m.; f. (*ó*); pl. (*ó*)
nervu s.m. "animal da China"; cf. *nervo* (*ê*)
nervudo adj.
nervulação s.f.
nervular adj.2g.
nérvulo s.m.
nervuloso (*ô*) adj.; f. (*ó*); pl. (*ó*)
nervura s.f.
nervurado adj.
nesanga s.f.
nesárpalo s.m.
nescaniense adj. s.2g.
nescidade s.f.
nescídia s.f.
nesciência s.f.
néscio adj. s.m.
neseia (*é*) adj. s.f. de *neseu*
nese-nese s.m.; pl. *nese-neses*
néseo adj. s.m.
neseu adj. s.m.; f. *neseia* (*é*)
nesga s.f.
nesgado adj.
nesgalha s.f.
nesgalho s.m.
nesgão s.m.
nesgar v.
nesiarco s.m.
nesinga s.f.
nesiota adj. s.2g.
nesita adj. s.2g.
néslia s.f.
neslita s.f.
nesócia s.f.
nesodontídeo adj. s.m.
nesografia s.f.
nesográfico adj.
nesógrafo s.m.
nesomiia s.f.
nesonímia s.f.
nesonímico adj.
nesônimo s.m.
nesopitecídeo adj. s.m.
nesopiteco s.m.
nesóquia s.f.
nesótrago s.m.
nespera s.f. "árvore"; cf. *nêspera*
nêspera s.f. "fruta"; cf. *nespera*
nêspera-de-obó s.f.; pl. *nêsperas-de-obó*
nespereira s.f.
nespereira-da-europa s.f.; pl. *nespereiras-da-europa*
nespereira-do-japão s.f.; pl. *nespereiras-do-japão*
nespereira-do-mato s.f.; pl. *nespereiras-do-mato*
nêspero s.m.
nesquehonita s.f.
nesque-nesque s.m.; pl. *nesque-nesques*
nésqui s.m.
nessa s.f.
nesse (*ê*) contr. de *em* e *esse* (*ê*)
nessora adv.
nessorrino s.m.
nessoutro contr. de *nesse* (*ê*) e *outro*
neste (*ê*) contr. de *em* e *este* (*ê*)
nesteia (*é*) s.f.
nesteostomia s.f.
nesteostômico adj.
nestia s.f.
nestiatria s.f.
nestiátrico adj.
néstico s.m.
nestino s.m.
néstis s.f.2n.
nestlera s.f.
nesto s.m.
nestolatria s.f.
nestor (*ô*) s.m.
nestorianismo s.m.
nestorianista adj.2g.
nestorianístico adj.
nestoriano adj. s.m.
nestoríneo adj. s.m.
nestório adj.
nestostomia s.f.
nestostômico adj.
nestoterapia s.f.
nestoterápico adj.
nestotomia s.f.
nestotômico adj.
nestoutro contr. de *neste* (*ê*) e *outro*
neta s.f. "espuma do melado"; cf. *neta* (*ê*)
neta (*ê*) s.f. "rede de arrasto"; cf. *neta*
netalhada s.f.
netapo s.m.
netástomo s.m.
nético adj. s.m.
netilmicina s.f.
netinense adj. s.2g.
netinho adj. s.m.
neto adj. s.m.
netoide (*ó*) adj.2g.
netrócera s.f.
netrocorina s.f.
netrocorine s.f.
netródera s.f.
netródero s.m.
netunais s.f.pl.
netunal adj.2g.
netunália s.f.
netúnia s.f.
netuniano adj.
netúnida s.2g.
netunino adj.
netúnio adj. s.m.
netunismo s.m.
netunista adj. s.2g.
netunístico adj.
netunita s.f.
netuno s.m.
neuma s.f.
neumado adj. s.m.
neumático adj.
neumatóforo s.m.
neumógrafo s.m.
neura s.f.
neuracanto s.m.
neuracne s.f.
nêurada s.f.
neuradácea s.f.
neuradáceo adj.
neurádea s.f.
neurádene s.f.
neuradênea s.f.
neurádeo adj.
neuradóidea s.f.
nêurafe s.m.
neuragmia s.f.
neurágmico adj.
neural adj.2g.
neuralgia s.f.
neurálgico adj.
neuramebímetro s.m.
neuramínico adj.
neuraminidase s.f.
neuraminídase s.f.
neuranemia s.f.
neuranêmico adj.
neuranfipétala s.f.
neuranfipétalo adj.
neurangiose s.f.
neurangiósico adj.
neurangiótico adj.
neurapófise s.f.
neurapraxia (*cs*) s.f.
neuraquílico adj.
neurarquia s.f.
neurárquico adj.
neurarterial adj.2g.
neurartrítico adj. s.m.
neurartritismo s.m.
neurartropatia s.f.
neurartropático adj.
neurastenia s.f.
neurastênico adj. s.m.
neurastenina s.f.
neurastenizante adj.2g.
neurastenizar v.
neuratrofia s.f.
neuratrófico adj.
neuraxe (*cs*) s.f.
neuraxite (*cs*) s.f.
neurectasia s.f.
neurectásico adj.
neurectomia s.f.
neurectômico adj.
neurectopia s.f.
neurectópico adj.
neureixo s.m.
neurelectricidade s.f.

neureléctrico adj.
neurelectrônica s.f.
neurelectrônico adj.
neurelectroterapia s.f.
neurelectroterápico adj.
neureletricidade s.f.
neurelétrico adj.
neureletrônica s.f.
neureletrônico adj.
neureletroterapia s.f.
neureletroterápico adj.
neurérgico adj.
nêuria s.f.
neuriatra s.2g.
neuriatria s.f.
neuriátrico adj.
neuriatro s.m.
neuricidade s.f.
nêurico adj.
neuridina s.f.
neurilema s.m.
neurilemal adj.2g.
neurilemático adj.
neurilemite s.f.
neurilemoma s.f.
neurilidade s.f.
neuriloma s.m.
neurina s.f.
neurino adj.
neurinoma s.m.
neuripnologia s.f.
neuripnológico adj.
neuripofisário adj.
neurisma s.m.
neurismo s.m.
neurista adj. s.2g.
neuristológico adj.
neuristor (*ô*) s.m.
neurístor s.m.
neurite s.f.
neurítica s.f.
neurítico adj. s.m.
neuro adj. s.m.
neuroanatomia s.f.
neuroanatômico adj.
neuroanatomista adj. s.2g.
neuroartritismo s.m.
neuroartropatia s.f.
neuroartropático adj.
neuroaxônio (*cs*) s.m.
neurobacia s.f.
neurobalística s.f.
neurobalístico adj.
neuróbio s.m.
neurobiologia s.f.
neurobiológico adj.
neurobiologista adj. s.2g.
neurobiólogo s.m.
neuroblasto s.m.
neuroblastoma s.m.
neurocardíaco adj.
neurocarpeia (*é*) s.f.
neurocarpo s.m.
neuroceratina s.f.
neuroceratínico adj.
neuroceratínio adj.
neurocerebral adj.2g.
neurociência s.f.
neurocimo s.m.
neurocirculatório adj.
neurocirurgia s.f.
neurocirurgião s.m.
neurocirúrgico adj.
neurocisticercose s.f.
neurocistolisina s.f.
neurocitário adj.
neurócito s.m.
neurocitoma s.m.
neuróclado s.m.
neuroclônico adj.
neurocondrite s.f.
neurocoriorretinite s.f.
neurocrânio s.m.
neurocrinia s.f.
neurocronáxico (*cs*) adj.
neurodendrito s.m.
neuroderma s.m.
neurodermatite s.f.
neurodermatose s.f.
neurodermatósico adj.
neurodermatótico adj.
neurodermia s.f.
neurodérmico adj.
neurodermite s.f.
neurodina s.f.
neurodinamia s.f.
neurodinâmico adj.
neurodinia s.f.
neurodínico adj.
neurodocite s.f.
neuródoco s.m.
neuroectoderma s.m.
neuroectodermona s.m.
neuroelectricidade s.f.
neuroeléctrico adj.
neuroeletricidade s.f.
neuroelétrico adj.
neuroeletrônica s.f.
neuroeletrônico adj.
neuroembriologia s.f.
neuroembriológico adj.
neuroembriologista adj. s.2g.
neuroembriólogo s.m.
neuroendócrino adj.
neuroendocrinologia s.f.
neuroendocrinológico adj.
neuroendocrinologista adj. s.2g.
neuroendocrinólogo s.m.
neuroentérico adj.
neuroepinefrina s.f.
neuroepitelial adj.2g.
neuroepitélio s.m.
neuroepitelioide (*ó*) adj.2g. s.m.
neuroepitelioma s.m.
neuroespinha s.m.
neuroespinhal adj.2g.
neuroesplâncnico adj.
neurofagia s.f.
neurofágico adj.
neurófago s.m.
neurofarmacologia s.f.
neurofarmacológico adj.
neurofarmacologista adj. s.2g.
neurofarmacólogo s.m.
neurofibrila s.f.
neurofibrilar adj.2g.
neurofibrilha s.f.
neurofibrilhar adj.2g.
neurofibroma s.m.
neurofibromatose s.f.
neurofilamento s.m.
neurófilo adj.
neurofisina s.f.
neurofisiologia s.f.
neurofisiológico adj.
neurofisiologismo s.m.
neurofisiologista adj. s.2g.
neurofisiologístico adj.
neuroflogose s.f.
neurofonia s.f.
neurofônico adj.
neurogamia s.f.
neurogâmico adj.
neurogânglio s.m.
neuroganglionar adj.2g.
neuroganglite s.f.
neuroganglítico adj.
neurogênese s.f.
neurogenético adj.
neurogenia s.f.
neurogênico adj.
neurógeno adj.
neuroglandular adj.2g.
neuróglia s.f.
neuroglial adj.2g.
neuróglico adj.
neuroglicopenia s.f.
neuroglioma s.m.
neurogliomatose s.f.
neurogliose s.f.
neurografia s.f.
neurográfico adj.
neurógrafo s.m.
neurograma s.m.
neuro-hipnologia s.f.
neuro-hipnológico adj.
neuro-hipnótico adj.
neuro-hipnotismo s.m.
neuro-hipofisário adj.
neuro-hipófise s.f.
neuro-histologia s.f.
neuro-histológico adj.
neuro-histologista s.2g.
neuro-hormonal adj.
neuro-hormônio s.m.
neuro-humoral adj.2g.
neuroide (*ó*) adj.2g.
neuróideo adj.
neuroipofisário adj.
neuroipófise s.f.
neurolabilidade s.f.
neurolabirintite s.f.
neurolema s.m.
neurolepsia s.f.
neuroléptico adj.
neurolinfa s.f.
neurolinfatose s.f.
neurolinfomatose s.f.
neurolinguista (*ü*) s.2g.
neurolinguística (*ü*) s.f.
neurolinguístico (*ü*) adj.
neurolipomatose s.f.
neurólise s.f.
neurolita s.f.
neurólita s.f.
neurolítico adj.
neurólito s.m.
neurolóbio s.m.
neurologia s.f.
neurológico adj.
neurologista adj. s.2g.
neurólogo s.m.
neurolues s.f.2n.
neuroluético adj. s.m.
neuroma s.m.
neuromalacia s.f.
neuromalácia s.f.
neuromalácico adj.
neuromasto s.m.
neuromatose s.f.
neuromério s.m.
neurômero s.m.
neuromialgia s.f.
neuromiálgico adj.
neurômico adj.
neurômida adj.2g. s.m.
neuromídeo adj. s.m.
neuromielite s.f.
neuromielítico adj.
neuromimese s.f.
neuromimético adj.
neuromiosite s.f.
neuromo s.m.
neuromodulador (*ô*) adj.
neuromotor (*ô*) adj.
neuromuscular adj.2g.
nêuron s.m.
neurona s.f.
neuronal adj.2g.
neurônico adj.
neuronímia s.f.
neuronímico adj.
neurônimo s.m.
neurônio s.m.
neuronixe (*cs*) s.f.
neuronofagia s.f.
neuronofágico adj.
neuronófago adj. s.m.
neuronólise s.f.
neuropapilite s.f.
neuroparalisia s.f.
neuroparalítico adj.
neuropata adj. s.2g.
neurópata adj. s.2g.
neuropatia s.f.
neuropático adj.
neuropatogenia s.f.
neuropatogênico adj.
neuropatologia s.f.
neuropatológico adj.
neuropelte s.f.
neuropeptídio adj. s.m.
neuropilema s.m.
neurópilo s.m.
neurópira s.f.
neuropiria s.f.
neuropírico adj.
neurópiro adj.
neuroplasma s.m.
neuroplásmico adj.
neuroplastia s.f.
neuroplástico adj.
neuroplégico adj. s.m.
neuroplexo (*cs*) s.m.
neurópode s.m.
neuropódio s.m.
neuróporo s.m.
neuropraxia (*cs*) s.f.
neuroprobasia s.f.
neuroprosopalgia s.f.
neuroprosopálgico adj.
neuropsicologia s.f.
neuropsicopata adj. s.2g.
neuropsicopatia s.f.
neuropsicopático adj.
neuropsicose s.f.
neuropsicósico adj.
neuropsicótico adj.
neuropsiquiatra s.2g.
neuropsiquiatria s.f.
neuropsiquiátrico adj.
neuropsíquico adj.
neuropterídea s.f.
neuropterídeo adj.
neurópteris s.m.2n.
neuróptero adj. s.m.
neuropteroide (*ó*) adj.2g. s.m.
neuropterologia s.f.
neuropterológico adj.
neuropterologista adj. s.2g.
neuropterólogo s.m.
neuroquímica s.f.
neuroquímico adj.
neuroquinina s.f.
neurorradiologia s.f.
neurorradiológico adj.
neurorradiologista s.2g.
neurorradiólogo s.m.
neurorrafe s.f.
neurorrafia s.f.
neurorráfico adj.
neurorrecidiva s.f.
neurorretinite s.f.
neurorretinítico adj.
neurorrexia (*cs*) s.f.
neurosação s.f.
neurosado adj.
neurosador (*ô*) adj.
neurosamento s.m.
neurosante adj.2g.
neurosar v.
neurosável adj.2g.
neurosclerose s.f.
neurosclerótico adj.
neurose s.f.
neurosíaco adj.
neurósico adj.
neurosismo s.m.
neurospásmico adj.
neurospasmo s.m.
neurospasta s.m.
neurospástico adj.
neurospinal adj.2g.
neurosplâncnico adj.
neurospôngio s.m.
neurossarcoclise s.f.
neurossarcoma s.m.
neurossecreção s.f.
neurossecretor (*ô*) adj.
neurossemiologia s.f.
neurossemiológico adj.
neurossensório s.m.
neurossífilis s.f.2n.
neurossifilítico adj.
neurossoma s.m.
neurossomo s.m.
neurosteárico adj.
neurostenia s.f.
neurostênico adj. s.m.
neurotabe s.f.
neurotabes s.f.2n.
neurotactismo s.m.
neurotagma s.m.
neurotagmático adj.
neurotatismo s.m.
neuroteca s.f.
neurotecite s.f.
neurotélio s.m.
neurotelite s.f.
neurotelítico adj.
neurotensina s.f.
neuróterо s.m.
neuroticismo s.m.
neurótico adj. s.m.
neurotização s.f.
neurotizado adj.
neurotizador (*ô*) adj.
neurotizante adj.2g.
neurotizar v.
neurotizável adj.2g.
neurotmese s.f.
neurotomia s.f.
neurotômico adj.
neurotômio s.m.
neurótomo s.m.
neurotonia s.f.
neurotônico s.m.
neurotonização s.f.
neurotoxia (*cs*) s.f.
neurotóxico (*cs*) adj.
neurotoxidade (*cs*) s.f.
neurotoxina (*cs*) s.f.
neurotransmissor (*ô*) s.m.
neurotrauma s.m.
neurotraumático adj.
neurotráumico adj.
neurótrico adj. s.m.
neurotripse s.f.
neurotripsia s.f.
neurotrípsico adj.
neurotríptico adj.
neurotrofastenia s.f.
neurotrofastênico adj.
neurotrofia s.f.
neurotrófico adj.
neurotrópico adj. s.m.
neurotropismo s.m.
neurótropo adj.
neurovacina s.f.
neurovacínico adj.
neurovegetativo adj.
neurovirose s.f.
neurovirulência s.f.
neurovisceral adj.2g.
nêurula s.f.
neurulação s.f.
neurumoral adj.2g.
neusto s.m.
nêuston s.m.
neustônico adj.
neustriano adj. s.m.
neustriense adj. s.2g.
nêustrio adj. s.m.
neutral adj. s.2g.
neutralidade s.f.
neutralismo s.m.
neutralista adj. s.2g.
neutralístico adj.
neutralitário adj.
neutralizabilidade s.f.
neutralização s.f.
neutralizado adj.
neutralizador (*ô*) adj. s.m.
neutralizamento s.m.
neutralizante adj.2g.
neutralizar v.
neutralizável adj.2g.
neutrão s.m.
neutrimetria s.f.
neutrimétrico adj.
neutrino s.m.
neutro adj. s.m.
neutrodinização s.m.
neutródino s.m.
neutrófila s.f.
neutrofilia s.f.
neutrófilo adj. s.m.
neutrofilorraquia s.f.
neutrografia s.f.
nêutron s.m.
neutrônico adj.
neutrônio s.m.
neutropausa s.f.
neutropenia s.f.
neutropênico adj.
neutrosfera s.f.
neuvangue s.m.
neuviédia s.f.
neuvita s.f.
nevada s.f.
nevadita s.f.
nevadite s.f.
nevadito s.m.

nevado adj. s.m.
nevalane s.f.
nevão s.m.
nevar v.
nevari s.m.
nevasca s.f.
nevasqueira s.f.
neve s.f.
nevebúldia s.f.
nêveda s.f.
nêveda-dos-campos s.f.; pl. *nêvedas-dos-campos*
nêveda-dos-gatos s.f.; pl. *nêvedas-dos-gatos*
nêveda-maior s.f.; pl. *nêvedas-maiores*
nêveda-menor s.f.; pl. *nêvedas-menores*
neveira s.f.
neveiro s.m.
nevense adj. s.2g.
neves-paulistense adj. s.2g.; pl. *neves-paulistenses*
nevianskita s.f.
nevirrosado adj.
neviscar v.
nevisco s.m.
nevo s.m.
névoa s.f.
nevoaça s.f.
nevoaçar v.
nevoado adj.
nevoal s.m.
nevoar v.
nevocarcinoma s.m.
nevoeira s.f.
nevoeirada s.f.
nevoeirento adj.
nevoeiro s.m.
nevoentar v.
nevoento adj.
nevolipoma s.m.
nevômetro s.m.
nevóprata adj. s.2g.
nevoso (*ô*) adj.; f. (*ó*); pl. (*ó*)
nevragmia s.f.
nevrágmico adj.
nevralgia s.f.
nevrálgico adj.
nevranfipétalo adj.
nevrarterial adj.2g.
nevraxe (*cs*) s.f.
nevrectomia s.f.
nevrectômico adj.
nevresia s.f.
nevri adj. s.m.
nevrilema s.m.
nevrilemal adj.2g.
nevrilemático adj.
nevrilemite s.f.
nevrilidade s.f.
nevriloma s.m.
nevrina s.f.
nevrino adj.
nevrismo s.m.
nevrista adj. s.2g.
nevrite s.f.
nevrítica s.f.
nevrítico adj.
nevroceratina s.f.
nevrodermia s.f.
nevrodermite s.f.
nevrofonia s.f.
nevrogenia s.f.
nevrogênico adj.
nevróglia s.f.
nevróglico adj.
nevrografia s.f.
nevrográfico adj.
nevrógrafo s.m.
nevrolisia s.f.
nevrologia s.f.
nevrológico adj.
nevrologista adj. s.2g.
nevrólogo s.m.
nevroma s.m.
nevromério s.m.
nevrômero s.m.
nevromielite s.f.
nevromo s.m.
nevrona s.f.
nevroparalisia s.f.
nevroparalítico adj.
nevropatia s.f.
nevropático adj.
nevropatologia s.f.
nevropatológico adj.
nevróptero adj. s.m.
nevropterologia s.f.
nevropterológico adj.
nevropterologista adj. s.2g.
nevropterólogo s.m.
nevroqueratina s.f.
nevrosado adj. s.m.
nevrosclerose s.f.
nevrose s.f.
nevrosíaco adj.
nevrósico adj.
nevrosismo s.m.
nevrostenia s.f.
nevrostênico adj. s.m.
nevrótico adj. s.m.
nevrotomia s.f.
nevrotômico adj.
nevrotômio s.m.
nevrótomo s.m.
nevrotrofia s.f.
nevrotrófico adj.
nevruz s.m.
newberita (*niu*) s.f.
newbôuldia s.f.
newiédia s.f.
newportita s.f.
newton (*niu*) s.m.
newtonianismo (*niu*) s.m.
newtonianista (*niu*) adj. s.2g.
newtoniano (*niu*) adj. s.m.
newtônico (*niu*) adj.
newtonismo (*niu*) s.m.
newtonista (*niu*) adj. s.2g.
newtonita (*niu*) s.f.
nexibua s.f.
nexina (*cs*) s.f.
nexo (*cs*) s.m.
nexual (*cs*) adj.2g.
neyita s.f.
nezara s.f.
nezinze s.m.
ngá s.m.
ngalangi adj.2g. s.m.
ngambwe adj.2g. s.m.
ngana s.m.
nganda adj. s.2g.
ngangela adj. s.2g.
ngavito s.m.
ngola adj.2g. s.m.
nguê-godô s.m.; pl. *nguês-godôs*
ngultrum s.m.
nguta s.m.
nhá s.f. "iaiá"; cf. *nhã*
nhã s.f. "castanha"; cf. *nhá*
nhaca s.f.
nhaçanã s.f.
nhacuada s.f.
nhacuata s.f.
nhacundá s.m.
nháfete s.m.
nhama s.f.
nhá-maruca s.f.; pl. *nhás-marucas*
nhambi s.m.
nhambibororoca s.m.
nhambiquara adj. s.2g.
nhambiquarense adj. s.2g.
nhambu s.m.
nhambuaçu s.m.
nhambuanhanga s.m.
nhambucuá s.m.
nhambu-grande s.m.; pl. *nhambus-grandes*
nhambuguaçu s.m.
nhambuguçu s.m.
nhambuí s.m.
nhambumirim s.m.
nhambupixuna s.m.
nhambu-preto s.m.; pl. *nhambus-pretos*
nhambuquiá s.m.
nhamburana s.f.
nhambu-relógio s.m.; pl. *nhambus-relógio* e *nhambus-relógios*
nhamburi s.m.
nhambu-saracuíra s.m.; pl. *nhambus-saracuíra* e *nhambus-saracuíras*
nhambu-sujo s.m.; pl. *nhambus-sujos*
nhambuu s.m.
nhambuxintã s.m.
nhambuxororó s.m.
nhamorandi s.m.
nhampã s.m.
nhampupê s.f.
nhamuí s.m.
nhamundaense adj. s.2g.
nhamussoro s.m.
nhançanã s.f.
nhancundá s.m.
nhancungo s.m.
nhancurutu s.m.
nhandaia s.f.
nhandearense adj. s.2g.
nhandeva adj. s.2g.
nhandi s.m.
nhandiá s.m.
nhandipá s.m.
nhandipapo s.m.
nhandiró s.m.
nhandiroba s.f.
nhandiróbea s.f.
nhandirova s.f.
nhandu s.m.
nhanduaçu s.m.
nhandubá s.m.
nhanduçu s.m.
nhanduguaçu s.m.
nhanduti s.m.
nhandutibense adj. s.2g.
nhanduva s.f.
nhaneca s.m.
nhangapiru s.m.
nhanguaçuano adj. s.m.
nhangue s.m.
nhanha s.f.
nhanhá s.f.
nhanhã s.f.
nhanhero s.m.
nhanica s.f.
nhaninha s.f.
nhanjaçanã s.f.
nhanjelite s.f.
nhanzinha s.f.
nhapango adj. s.m.
nhapim s.m.
nhapindá s.m.
nhaque interj.
nhatazira s.f.
nhati s.f.
nhatinga s.f.
nhato adj.
nhazinha s.f.
nhecolandense adj. s.2g.
nhecolandiense adj. s.2g.
nheengaíba adj. s.2g.
nheengatu s.m.
nhele s.m.
nhemba s.m.
nhem-nhem-nhem s.m.; pl. *nhem-nhem-nhens*
nhenha s.f.
nhe-nhe-nhem s.m.; pl. *nhe-nhe-nhens*
nhia s.f.
nhimó s.m.
nhô-chico s.m.; pl. *nhôs-chico* e *nhôs-chicos*
nhom s.m.
nhonha s.f.
nhonhepense adj. s.2g.
nhonho adj.
nhoque s.m.
nhu s.m.
nhuaçu s.f.
nhumbo s.m.
nhumue s.m.
nhunde s.m.
nhundi s.m.
nhundu s.m.
nhunguaçuano adj. s.m.
nhunguaçuense adj. s.2g.
nhurrio adj.
nhurro adj. s.m.
ni s.m.
niacina s.f.
niacinamida s.f.
niacínico adj.
niagárico adj.
niaia s.m.
nial s.m.
nialamida s.f.
nialo s.m.
niama s.m.
niambara adj. s.2g.
nianeca s.m.
niã-niã adj. s.2g.; pl. *niã-niãs*
nianja adj. s.2g.
niarana s.f.
niastaranga s.m.
nibala s.f.
nibelungo s.m.
niboé s.m.
nibora s.f.
nibu s.m.
nica s.f.
niçace s.m.
nicada s.f.
nicado adj.
nicadotisu adj. s.2g.
nicanço s.m.
nicandra s.f.
nicândrea s.f.
nicandro s.m.
nicané s.m.
nicar v.
nicaraguano adj. s.m.
nicaraguense (*ü*) adj. s.2g.
nicate s.m.
nicázia s.f.
niceense adj. s.2g.
nicéforo adj. s.m.
niceno adj. s.m.
nicense adj. s.2g.
nicerociano adj. s.m.
nicerotiano adj. s.m.
nicês adj. s.m.
nicha s.f.
nichado adj.
nichar v.
nicheiro adj. s.m.
nicho s.m.
nicholsônia s.f.
nicholsonita s.f.
niciense adj. s.2g.
niclosamida s.f.
niclosamídico adj.
nico adj. s.m.
nicobarês adj. s.m.
nicóbio s.m.
nicociana s.f.
nicociânea s.f.
nicociâneo adj.
nicociânico adj.
nicocianina s.f.
nicodemita adj. s.2g.
nicol s.m.
nicola s.f.
nicolaísmo s.m.
nicolaíta adj. s.2g.
nicolandense adj. s.2g.
nicolandiense adj. s.2g.
nicolásia s.f.
nicolato s.m.
nicolau s.m.
nicolauense adj. s.2g.
nicolau-vergueirense adj. s.2g.; pl. *nicolau-vergueirenses*
nicolétia s.f.
nicolicina s.f.
nicólico adj.
nicolita s.f.
nicolítico adj.
nicolo s.m.
nicolsônia s.f.
nicomedense adj. s.2g.
nicomelano s.m.
nicopirita s.f.
nicopirite s.f.
nicopolitano adj. s.m.
nicoquice s.f.
nicotamida s.f.
nicoteína s.f.
nicoteínico adj.
nicotelina s.f.
nicotelínico adj.
nicotiana s.f.
nicotianina s.f.
nicotice s.f.
nicótico adj.
nicotimina s.f.
nicotimínico adj.
nicotina s.f.
nicotinação s.f.
nicotinado adj.
nicotinamida s.f.
nicotinamídico adj.
nicotinante adj.2g.
nicotinar v.
nicotinato s.m.
nicotinável adj.2g.
nicotínico adj.
nicotinismo s.m.
nicotino adj.
nicotismo s.m.
nicotizado adj.
nicotizar v.
nicotoína s.f.
nicotoínico adj.
nicotol s.m.
nicotone s.f.
nicou s.m.
nicrado adj.
nicrolói s.m.
nicromancia s.f.
nicrômico adj.
nicromita s.f.
nicromite s.f.
nicromo s.m.
nicrosilal s.m.
nictação s.f.
nictagácea s.f.
nictaginácea s.f.
nictagináceo adj.
nictagínea s.f.
nictagíneo adj.
níctago s.f.
níctala s.f.
níctale s.f.
nictalemo s.m.
nictalgia s.f.
nictálgico adj.
níctalo s.m.
nictalope adj. s.2g.
nictalopia s.f.
nictalópico adj.
nictante adj.2g.
nictanto adj. s.m.
nictar v.
nictélias s.f.pl.
nictemeral adj.2g.
nictemérico adj.
nictêmero s.m.
nicteolídeo adj. s.m.
nictera s.f.
nicterente s.m.
nicteríbia s.f.
nicteribídeo adj. s.m.
nicteribiida s.m.
nicteribosca s.f.
nicteriboscíneo adj. s.m.
nicterídeo adj. s.m.
nicterínea s.f.
nicterino adj. s.m.
nicteróbia s.f.
nicteróbio adj.
nictibiídeo adj. s.m.
nictiboríneo adj. s.m.
nictícalo adj.
nicticebídeo adj. s.m.
nicticebo s.m.
nictíceo adj. s.m.
nictícero s.m.
nictícorace s.m.
nictícorax (*cs*) s.m.
nictígamo adj.
nictímero s.m.
nictinastia s.f.
nictinástico adj.
nictinastismo s.m.
nictínomo s.m.
nictípao s.m.
nictipelágico adj.
nictipiteco s.m.
nictitação s.f.
nictitante adj.2g. s.m.

nictitrópico adj.
nictitropismo s.m.
nicto s.m.
nictobata s.2g.
nictóbate s.f.
nictobatismo s.m.
nictoclepto s.m.
nictofilácia s.f.
nictofílaco s.m.
nictofilia s.f.
nictófilo adj. s.m.
nictofobia s.f.
nictofóbico adj.
nictófobo adj. s.m.
nictofonia s.f.
nictofônico adj.
nictografia s.f.
nictográfico adj.
nictógrafo s.m.
nictolábio s.m.
nictossauro s.m.
nictostratego s.m.
nictótero s.m.
nictotiflose s.f.
nictotiflósico adj.
nictozoilo s.m.
nictúria s.f.
nictúrico adj.
nicuri s.m.
nicurioba s.f.
nicuriroba s.m.
nidação s.f.
nidamento s.m.
nidante adj.2g.
nidar v.
nidema s.f.
nidícola adj.2g.
nidificação s.f.
nidificado adj.
nidificador (*ô*) adj. s.m.
nidificar v.
nidiforme adj.2g.
nidífugo adj.
nidogênio s.m.
nidor (*ô*) s.m.
nidorela s.f.
nidoroso (*ô*) adj.; f. (*ó*); pl. (*ó*)
nidulante adj.2g.
niduIária s.f.
nidulariácea s.f.
nidulariáceo adj.
nidularial adj.2g.
nidulariale s.f.
nidulariínea s.f.
niebúhria s.f.
niebúhrio s.m.
niebúria s.f.
niebúrio s.m.
nieiro s.m.
nielim s.m.
nielo s.m.
nietzscheísmo (*nitxi*) s.m.
nietzscheísta (*nitxi*) adj. s.2g.
nietzschianismo (*nitxi*) s.m.
nietzschianista (*nitxi*) adj. s.2g.
nietzschianístico (*nitxi*) adj.
nietzschiano (*nitxi*) adj. s.m.
nietzschismo (*nitxi*) s.m.
nietzschista (*nitxi*) adj. s.2g.
nifablepsia s.f.
nifablépsico adj.
nifal s.m.
nifão s.m.
nifargo s.m.
nife s.m.
nifedipina s.f.
nifela s.f.
nifóbolo s.m.
nifolita s.f.
nifólita s.f.
nifólito s.m.
nifona s.f.
nifontovita s.f.
nifotiflose s.f.
nifotiflósico adj.
nigabelha (*ê*) s.f.
nigalho s.m.
nigálio s.m.
nigela s.f.
nigela-bastarda s.f.; pl. *nigelas-bastardas*
nigela-damascena s.f.; pl. *nigelas-damascenas*
nigelado adj.
nigelador (*ô*) s.m.
nigela-dos-alqueives s.f.; pl. *nigelas-dos-alqueives*
nigela-dos-trigos s.f.; pl. *nigelas-dos-trigos*
nigela-espanhola s.f.; pl. *nigelas-espanholas*
nigelagem s.f.
nigelar v.
nigelina s.f.
nigelo s.m.
nigerense adj. s.2g.
nigeriano adj. s.m.
nigerino adj. s.m.
nigerita s.f.
nigero-camarônico adj. s.m.; pl. *nigero-camarônicos*
nigero-cameruniano adj. s.m.; pl. *nigero-camerunianos*
nigero-congolês adj. s.m.; pl. *nigero-congoleses*
nigero-senegalês adj. s.m.; pl. *nigero-senegaleses*
nigero-tchadiano adj. s.m.; pl. *nigero-tchadianos*
nigérrimo adj. sup. de *negro*
nigglita s.f.
níglaro s.m.
nigra adj. s.2g.
nigramina s.f.
nigranilina s.f.
nigrescência s.f.
nigrescente adj.2g.
nigrescita s.f.
nigreta (*ê*) adj. s.2g.
nigrete (*ê*) adj. s.2g.
nigrícia s.f.
nígrico adj.
nigricórneo adj.
nigrilho adj. s.m.
nigrina s.f.
nigrípede adj.2g. s.m.
nigripene adj.2g.
nigrirrostro adj.
nigrisina s.m.
nigrita adj. s.2g.
nigrite s.f.
nigritela s.f.
nigrítico adj.
nigritização s.f.
nigromancia s.f.
nigromante s.2g.
nigromântico adj.
nigrosina s.f.
nígua s.f.
niiama s.m.
niilianismo s.m.
niilidade s.f.
niilificação s.f.
niilificar v.
niilismo s.m.
niilista adj. s.2g.
niilístico adj.
niilpotente adj.2g.
nilas s.m.2n.
nilense adj.2g.
nilgai s.m.
nilgó s.m.
nili s.m.
niliaco adj.
nílico adj.
nilícola adj. s.2g.
nilígena adj. s.2g.
nilígeno adj.
nílio adj. s.m.
nilionídeo adj. s.m.
nilo adj.
nilo-abissínico adj. s.m.; pl. *nilo-abissínicos*
nilo-congolês adj. s.m.; pl. *nilo-congoleses*
nilo-equatoriano adj. s.m.; pl. *nilo-equatorianos*
nilometria s.f.
nilométrico adj.
nilômetro s.m.
nilo-peçanhense adj. s.2g.; pl. *nilo-peçanhenses*
nilopolitano adj. s.m.
nilo-saariano adj. s.m.; pl. *nilo-saarianos*
nilo-saárico adj. s.m.; pl. *nilo-saáricos*
niloscópio s.m.
nilota adj. s.2g.
nilo-tchadiano adj. s.m.; pl. *nilo-tchadianos*
nilótico adj.
nilpotente adj.2g.
nilsônia s.f.
nilsoniácea s.f.
nilsoniáceo adj.
nilsonial adj.2g.
nilsoniale s.f.
nimbado adj.
nimbaí s.m.
nimbar v.
nimbicumular adj.2g.
nimbicúmulo s.m.
nimbífero adj.
nimbiforme adj.2g.
nímbio s.m.
nimbistratal adj.2g.
nimbistrato s.m.
nimbo s.m.
nimbo-cúmulo s.m.; pl. *nimbo-cúmulos* e *nimbos-cúmulos*
nimbo-estrato s.m.; pl. *nimbo-estratos* e *nimbos-estratos*
nimboí s.m.
nimboso (*ô*) adj.; f. (*ó*); pl. (*ó*)
nimbuia s.f.
nimiedade s.f.
nímio adj.
nimita s.f.
nimpa s.f.
nina s.f.
ninainar v.
ninar v.
nina-rodriguense adj. s.2g.; pl. *nina-rodriguenses*
ninfa s.f.
ninfágeta adj.2g.
ninfagogo (*ô*) s.m.
ninfal adj.2g.
ninfala s.f.
ninfale s.m.
ninfálide s.f.
ninfalídeo adj. s.m.
ninfalíneo adj. s.m.
ninfálio s.m.
ninfális s.f.2n.
ninfeácea s.f.
ninfeáceo adj.
ninfeale s.f.
ninfectomia s.f.
ninfectômico adj.
ninfeia (*é*) adj. s.f. de *ninfeu*
ninfeia-pequena (*é*) s.f.; pl. *ninfeias-pequenas* (*é*)
ninfeínea s.f.
ninfeóidea s.f.
ninfeta (*ê*) s.f.
ninfete s.f.
ninfeu adj. s.m.; f. *ninfeia* (*é*)
nínfico s.m.
ninfidio s.m.
nínfio s.m.
ninfite s.f.
ninfítico adj.
ninfoide (*ó*) adj.2g. s.f.
ninfolepsia s.f.
ninfolépsico adj.
ninfoléptico adj.
ninfolepto adj.
ninfologia s.f.
ninfológico adj.
ninfômana s.f.
ninfomania s.f.
ninfomaníaco adj.
ninfomânico adj.
ninfômano adj. s.m.
ninfoncose s.f.
ninfoncósico adj.
ninfoncótico adj.
ninfose s.f.
ninfósico adj.
ninfotomia s.f.
ninfotômico adj.
ninfótomo s.m.
nínfula s.f.
ninga s.f.
ningamecha s.m.
ningioíta s.f.
ningres s.2g.2n.
ningres-ningres s.2g.2n.
ningrimanço s.m.
ninguém pron.
ninhada s.f.
ninhal s.m.
ninhar v.
ninharia s.f.
ninhego (*ê*) adj.
ninheiro adj. s.m.
ninheria s.f.
ninho s.m.
ninho de guincho s.m.
nini s.2g.
niníada adj. s.2g.
ninidrina s.f.
ninidrínico adj.
niningerita s.f.
ninivita adj. s.2g.
ninivítico adj.
ninja s.2g.
nínji s.m.
nino s.m.
ninocha s.2g.
ninquim s.m.
nínsia s.m.
niô s.m.
nioaquense adj. s.2g.
niobato s.m.
nióbico adj.
nióbida adj. s.2g.
nióbio s.m.
niobioesquinita s.f.
niobioperovskita s.f.
niobiotapiolita s.f.
niobita s.f.
niobite s.f.
nioboanatásio s.f.
niobochevknita s.f.
niobochevquinita s.f.
niobofilita s.f.
niobolabuntsovita s.f.
niobolaparita s.f.
niobotantalato s.m.
niobotantalita s.f.
niobozirconolita s.f.
niocalita s.f.
niopó s.f.
nipa s.f.
nipácea s.f.
nipáceo adj.
nipão adj. s.m.
níparo s.m.
nipecótico adj.
nipeira s.f.
nipene s.m.
nipeva s.m.
niple s.m.
nipo s.m.
nipo-americano adj. s.m.; pl. *nipo-americanos*
nipoanense adj. s.2g.
nipo-argentino adj. s.m.; pl. *nipo-argentinos*
nipo-brasileiro adj. s.m.; pl. *nipo-brasileiros*
nipo-chinês adj. s.m.; pl. *nipo-chineses*
nipocracia s.f.
nipoense adj. s.2g.
nipofalante adj. s.2g.
nipofilia s.f.
nipófilo adj. s.m.
nipofobia s.f.
nipófobo adj. s.m.
nipofonia s.f.
nipófono s.m.
nipóidea s.f.
nipo-lusitano adj. s.m.; pl. *nipo-lusitanos*
nipo-luso adj. s.m.; pl. *nipo-lusos*
nipo-manchu adj. s.m.; pl. *nipo-manchus*
nipo-mandchu adj. s.m.; pl. *nipo-mandchus*
niponense adj. s.2g.
nipônico adj. s.m.
niponiídio adj. s.m.
niponismo s.m.
niponista adj. s.2g.
niponófilo adj. s.m.
niponófobo adj. s.m.
niponológico adj.
niponólogo s.m.
niponotogia s.f.
nipo-português adj. s.m.; pl. *nipo-portugueses*
nipo-russo adj. s.m.; pl. *nipo-russos*
nipo-soviético adj.; pl. *nipo-soviéticos*
nipotenídeo adj. s.m.
nipto s.m.
nique s.m.
niqueiro adj.
níquel s.m. pron.
niquelação s.f.
niquelado adj.
niquelador (*ô*) adj. s.m.
niquelagem s.f.
niquelandense adj. s.2g.
niquelandiense adj. s.2g.
niquelar v.
niquelbischofita s.f.
niquelbloedita s.f.
niqueleira s.f.
niquelexa-hidrita s.f.
niquelexaidrita s.f.
niquelgimnita s.f.
niquelgimnite s.f.
níquel-hexa-hidrita s.f.
níquel-hexaidrita s.f.; pl. *níqueis-hexaidritas*
niquélico adj.
niquelífero adj.
niquelina s.f.
niquelita s.f.
niquelite s.f.
niquelização s.f.
niquelizar v.
niquelografia s.f.
niqueloso (*ô*) adj.; f. (*ó*); pl. (*ó*)
niquelskutterudita s.f.
niqueltipia s.f.
niqueltipo s.m.
niquéltipo s.m.
niquento adj.
niquetamida s.f.
niquice s.f.
niquídeo adj. s.m.
niquilar v.
niquilidade s.f.
niquim s.m.
niquim-da-areia s.m.; pl. *niquins-da-areia*
niquim-da-pedra s.m.; pl. *niquins-da-pedra*
niquim-da-praia s.m.; pl. *niquins-da-praia*
niquim-de-areia s.m.; pl. *niquins-de-areia*
niquim-de-saco s.m.; pl. *niquins-de-saco*
niquiode s.f.
niquira adj. s.2g.
niquito s.m.
nírex (*cs*) s.m.2n.
niró s.m.
niroca s.f.
nirvana s.m.
nirvanação s.f.
nirvanado adj.
nirvanar v.
nirvanesco (*ê*) adj.
nirvânico adj.
nirvanina s.f.
nirvanismo s.m.
nirvanista adj. s.2g.
nirvanístico adj.
nirvanização s.f.
nirvanizado adj.
nirvanizar v.
nirvanol s.m.
nisã s.m.
nisáeto s.m.
nisbita s.f.
nisca s.f.

níscaro s.m.
niscato s.m.
nisco s.m.
niscranço s.m.
niscro s.m.
nisei adj. s.2g.
niseia (é) adj. s.f. de *niseu*
nisense adj. s.2g.
niseu adj. s.m.; f. *niseia* (é)
nísia-florestense adj. s.2g.; pl. *nísia-florestenses*
nisicasta adj. s.2g.
nisina s.f.
nísio s.m.
nisita adj. s.2g.
nisorro (ô) adj. s.m.
nêspero s.m.
nispo s.m.
nisquinho s.m.
nisquito s.m.
nissa s.f.
nissácea s.f.
nissáceo adj.
nissei adj. s.2g.
nissiguiú s.m.
nisso contr. de *em* e *isso*
nissódris s.m.
níssodris s.m.2n.
nissóidea s.f.
nissólia s.f.
nissonídeo adj. s.m.
nissonita s.f.
nissorrinco s.m.
nistágmico adj.
nistagmo s.m.
nistagmografia s.f.
nistagmográfico adj.
nistagmógrafo s.m.
nistagmóideo adj.
nistagmomioclonia s.f.
nistagmomioclônico adj.
nistálea s.f.
nistatina s.f.
nisto contr. de *em* e *isto*
nisueta adj. s.2g.
nit s.m.
nita s.f.
nital s.m.
nitela s.f.
nitélia s.f.
nitelíea s.f.
nitente adj.2g.
niteroiense adj. s.2g.
nitescência s.f.
nitescente adj.2g.
nitescer v.
nitidade s.f.
nitidez (ê) s.f.
nitideza (ê) s.f.
nitidificar v.
nitidifloro adj.
nitidifólio adj.
nitidizar v.
nítido adj.
nitídula s.f.
nitidular adj.2g. s.m.
nitidulídeo adj. s.m.
nitidulíneo adj. s.m.
nitidulino adj. s.m.
nitidúlio adj. s.m.
nitídulo adj. s.m.
nitinga s.m.
nitinol s.m.
nitiobrige adj. s.2g.
nitiobrigo adj. s.m.
nito s.m.
nítoes s.m.2n.
nitófilo s.m.
nítois s.m.2n.
nitômetro s.m.
níton s.m.
nitônio s.m.
nitonte s.m.
nitração s.f.
nitracetanilido s.m.
nitracetato s.m.
nitracético adj.
nitrado adj.
nitrador (ô) s.m.
nitragina s.f.
nitraginar v.
nitral s.m.
nitralina s.f.
nitralite s.f.
nitralói s.m.
nitramida s.f.
nitramídico adj.
nitramido s.m.
nitramina s.f.
nitraminacetato s.m.
nitraminacético adj.
nitramita s.f.
nitranilato s.m.
nitranílico adj.
nitranilido s.m.
nitranilina s.f.
nitrar v.
nitrária s.f.
nitrariácea s.f.
nitrariáceo adj.
nitrarióidea s.f.
nitrarióideo adj.
nitratação s.f.
nitratado adj.
nitratar v.
nitratina s.f.
nitratita s.f.
nitratite s.f.
nitrato s.m.
nitrazepam s.m.
nitreira s.f.
nitreiro adj. s.m.
nitrento adj.
nitretação s.f.
nitretado adj.
nitretar v.
nitreto (ê) s.m.
nitrição s.f.
nítrico adj.
nitridela s.f.
nitrido s.m.
nitridor (ô) adj. s.m.
nitrídrico adj.
nitridrocelulose s.f.
nitridroclórico adj.
nitrificação s.f.
nitrificado adj.
nitrificador (ô) adj.
nitrificante adj.2g.
nitrificar v.
nitrila s.f.
nitrílico adj.
nitrilo s.m.
nitrímetro s.m.
nitrina s.f.
nitrindina s.f.
nitrínico adj.
nitrir v.
nitrito s.m.
nitritoide (ó) adj.2g.
nitro s.m.
nitroacético adj.
nitroaéreo s.m.
nitroalcana s.f.
nitroalgodão s.m.
nitroamida s.f.
nitroamídico adj.
nitroamido s.m.
nitroamoniacal adj.2g.
nitroanilina s.f.
nitrobactéria s.f.
nitrobacteriácea s.f.
nitrobacteriáceo adj.
nitrobactro s.m.
nitrobarbiturato s.m.
nitrobarbitúrico adj.
nitrobarita s.f.
nitrobarite s.f.
nitrobarítico adj.
nitrobenzaldeído adj. s.m.
nitrobenzênico adj.
nitrobenzênio s.m.
nitrobenzeno s.m.
nitrobenzina s.f.
nitrobenzoico (ó) adj.
nitrobenzol s.m.
nitrocalcita s.f.
nitrocalcite s.f.
nitrocarboneto (ê) s.m.
nitrocarbônio s.m.
nitrocelulose s.f.
nitrocianeto (ê) s.m.
nitrocianureto (ê) s.m.
nitroclorofórmio s.m.
nitrocomposto (ô) adj. s.m.
nitroderivação s.f.
nitroderivado adj.
nitroderivador (ô) adj.
nitroderivante adj.2g.
nitroderivar v.
nitroderivável adj.2g.
nitrodextrose (cs) s.f.
nitroeritrol s.m.
nitrofenilisadrina s.f.
nitrofenol s.m.
nitrófilo adj.
nitrófito s.m.
nitrofórmio s.m.
nitrofurano s.m.
nitrofurantoína s.f.
nitrofurazona s.f.
nitrogelatina s.f.
nitrogenado adj.
nitrogênio s.m.
nitrogenoso (ô) adj.; f. (ó); pl. (ó)
nitroglauberita s.f.
nitroglicerina s.f.
nitroglicol s.m.
nitroguanidina s.f.
nitro-hídrico adj.
nitro-hidrocelulose s.f.
nitro-hidroclórico adj.
nitroídrico adj.
nitroidrocelulose s.f.
nitroidroclórico adj.
nitrol s.m.
nitrolamina s.f.
nitrolato s.m.
nitrólico adj.
nitrolina s.f.
nitrolunar s.m.
nitromagnesita s.f.
nitromagnesite s.f.
nitromanitana s.f.
nitromanite s.f.
nitromanitol s.m.
nitrometano s.m.
nitrômetro s.m.
nitromolíbdico adj.
nitrômona s.f.
nitromuriático adj.
nitromuriato s.m.
nítron s.m.
nitrona s.f.
nitrônico adj.
nitrônio s.m.
nitronite s.f.
nitronte s.m.
nitroparafina s.f.
nitropenta s.m.f.
nitroprussiato s.m.
nitrosação s.f.
nitrosado adj.
nitrosador (ô) adj.
nitrosamina s.f.
nitrosamínico adj.
nitrosante adj.2g.
nitrosar v.
nitrosato s.m.
nitrosável adj.2g.
nitrose s.f.
nitrosidade s.f.
nitrosila s.m.
nitrosilo s.m.
nitrosite s.f.
nitrosito s.m.
nitroso (ô) adj.; f. (ó); pl. (ó)
nitrosobenzeno s.m.
nitrosocloreto (ê) s.m.
nitrosococo s.m.
nitrosodimetilanilina s.f.
nitrosofenol s.m.
nitrosofenólico adj.
nitrosômona s.f.
nitrosonaftol s.m.
nitrosospira s.f.
nitrossacarato s.m.
nitrossacárico adj.
nitrossacarose s.f.
nitrossalicilato s.m.
nitrossalicílico adj.
nitrossaturnino adj. s.m.
nitrossômona s.f.
nitrossoureia (é) s.f.
nitrossulfato s.m.
nitrossulfureto (ê) s.m.
nitrossulfúrico adj.
nitrotoluênico adj.
nitrotolueno s.m.
nitruração s.f.
niturado adj.
niturar v.
nitruro s.m.
nitschquia s.f.
nitudilídeo adj. s.m.
nítzschia s.f.
nitzschiácea s.f.
nitzschiáceo adj.
niuambê s.m.
niumbó s.m.
nivação s.f.
nival adj.2g.
nivator (ô) s.m.
nive s.f.
niveal adj.2g.
niveína s.f.
nível s.m.
nivelação s.f.
nivelado adj.
nivelador (ô) adj. s.m.
niveladora (ô) s.f.
nivelamento s.m.
nivelante adj.2g.
nivelar v.
nivelável adj.2g.
nivelista adj. s.2g.
nivênia s.f.
nivenita s.f.
níveo adj.
nivéola s.f.
nivernense adj. s.2g.
nivernês adj. s.m.
nividúlcido adj.
niviforme adj.2g.
nivoglacial adj.2g.
nivoglaciário adj. s.m.
nivometria s.f.
nivométrico adj.
nivômetro s.m.
nivopluvial adj.2g.
nivosidade s.f.
nivoso (ô) adj.; f. (ó); pl. (ó)
nixo (cs) s.m.
nixonite (cs) s.m.
nixonoide (cs...ó) s.m.
niza s.f.
nízaro s.m.
nizense adj. s.2g.
nízera s.f.
njango s.m.
njilika s.m.
nkakana s.f.
nkanyu s.m.
nkon-kon s.m.2n.
nkumbi adj.2g. s.m.

no pron. contr. de *em* e *o*
nó s.m. "entrelaçamento de dois fios"; cf. *nô*
nô s.m. "teatro japonês"; cf. *nó*
noa (ô) s.f.
nobélio s.m.
nobiliário adj. s.m.
nobiliarismo s.m.
nobiliarista adj. s.2g.
nobiliarístico adj.
nobiliarquia s.f.
nobiliárquico adj.
nobiliarquista adj. s.2g.
nobilidade s.f.
nobilifobia s.f.
nobilifóbico adj.
nobilífobo adj. s.m.
nobilíssimo adj. sup. de *nobre*
nobilita s.f.
nobilitação s.f.
nobilitado adj.
nobilitador (ô) adj. s.m.
nobilitamento s.m.
nobilitância s.f.
nobilitante adj.2g.
nobilitar v.
nobilitário adj.
nobilitável adj.2g.
nobilofobia s.f.
nobilofóbico adj.
nobleíta s.f.
nobre adj. s.2g.
nobrecente adj.2g.
nobrecer v.
nobrecido adj.
nobrecimento s.m.
nobresco (ê) adj.
nobreza (ê) s.f.
nobrezia s.f.
nobunda adj. s.2g.
noca s.f.
noção s.f. "conhecimento intuitivo de algo"; cf. *nução*
nocar v.
nocárdia s.f.
nocardiose s.f.
nocardiósico adj.
nocaute adj.2g. s.m.
nocauteado adj.
nocauteador (ô) adj. s.m.
nocautear v.
nocebo s.m.
nó-cego s.m.; pl. *nós-cegos*
nocente adj.2g.
nocerina s.f.
nocerita s.f.
nocerite s.f.
nocha s.f.
nochatra s.f.
nochatro s.m.
nociceptividade s.f.
nociceptivo adj.
nociceptor (ô) adj. s.m.
nocilho s.m.
nócio adj.
nocional adj.2g.
nocir v.
nocirreceptividade s.f.
nocirreceptivo adj.
nocividade s.f.
nocivo adj.
noctambulação s.f.
noctambulante adj. s.2g.
noctambular v.
noctambulismo s.m.
noctâmbulo adj. s.m.
noctícola adj. s.2g.
nocticolor (ô) adj.2g.
noctidiurno adj.
noctífero adj.
noctífilo adj. s.m.
noctifloro adj.
noctifobia s.f.
noctífobo adj. s.m.
noctiforme adj.2g.
noctífugo adj.
noctígeno adj.
noctígero adj.
noctilião s.m.
noctílio s.m.
noctilionídeo adj. s.m.
noctiluca s.f.
noctilucídeo adj. s.m.
noctilucina s.f.
noctilúcio adj. s.m.
noctiluco s.m.
noctiluz s.m.
noctiluzir v.
noctivagante adj. s.2g.
noctivagar v.
noctívago adj. s.m.
noctivídente adj. s.2g.
noctivígilo adj. s.m.
noctívolo adj.
noctovisão s.f.
nóctua s.f.
noctuélia s.f.
noctuelito adj. s.m.
noctuídeo adj. s.m.
noctuíneo adj. s.m.
nóctula s.f.
noctuóideo adj. s.m.
noctúria s.f.
noctúrico adj.
nocturlábio s.m.
nocuidade s.f.
nocuini adj. s.2g.
noda s.f.

nodação s.f.
nodado adj.
nodal adj.2g.
nodar v.
nó de adão s.m.
nó-de-cachorro s.m.; pl. *nós-de-cachorro*
nó-de-porco s.m.; pl. *nós-de-porco*
nodical adj.2g.
nódico adj.
nodícola adj.2g.
nodicórneo adj.
nodífero adj.
nodifloro adj.
nodiforme adj.2g.
nódio s.m.
nodo s.m.
nódoa s.f.; cf. *nodoa*, fl. do v. *nodoar*
nodoado adj.
nodoante adj.2g.
nodoar v.
nó-do-diabo s.m.; pl. *nós-do-diabo*
nodoide (*ó*) adj.2g. s.f.
nodonota s.f.
nodosária s.m.
nodosaríneo adj. s.m.
nodosidade s.f.
nodoso (*ô*) adj.; f. (*ó*); pl. (*ó*)
nodóstomo s.m.
nodular adj.2g.
nodulária s.f.
nodular-se v.
nodulectomia s.f.
nodulífero adj.
nódulo s.m.
noduloso (*ô*) adj.; f. (*ó*); pl. (*ó*)
noé adj. s.m.
noeciano adj. s.m.
noegênese s.f.
noegenético adj.
noel s.m.
noelatale s.m.
noelista adj. s.2g.
noema s.m.
noematacométrico adj.
noematacômetro s.m.
noemático adj.
noematográfico adj.
noematógrafo s.m.
noêmia s.f.
noemiano adj. s.m.
noêmico adj.
noergia s.f.
noese s.f.
noetano adj. s.m.
noetarca s.m.
noete (*ê*) s.m.
noetiano adj. s.m.
noética s.f.
noético adj.
nogada s.f.
nogado s.m.
nogai adj. s.m.
nogaico adj. s.m.
nogal s.m.
nogão s.m.
nogúchia s.f.
nogueira s.f.
nogueira-americana s.f.; pl. *nogueiras-americanas*
nogueira-brasileira s.f.; pl. *nogueiras-brasileiras*
nogueira-comum s.f.; pl. *nogueiras-comuns*
nogueira-da-américa s.f.; pl. *nogueiras-da-américa*
nogueira-da-austrália s.f.; pl. *nogueiras-da-austrália*
nogueira-da-índia s.f.; pl. *nogueiras-da-índia*
nogueira-de-bancul s.f.; pl. *nogueiras-de-bancul*
nogueira-de-cobra s.f.; pl. *nogueiras-de-cobra*
nogueira-de-iguape s.f.; pl. *nogueiras-de-iguape*
nogueira-de-pecã s.f.; pl. *nogueiras-de-pecã*
nogueirado adj.
nogueira-do-japão s.f.; pl. *nogueiras-do-japão*
nogueira-do-mato s.f.; pl. *nogueiras-do-mato*
nogueiral s.m.
nogueira-macadâmia s.f.; pl. *nogueiras-macadâmias*
nogueira-moscada s.f.; pl. *nogueiras-moscadas*
nogueira-moscada-do-brasil s.f.; pl. *nogueiras-moscadas-do-brasil*
nogueira-negra s.f.; pl. *nogueiras-negras*
nogueira-pecã s.f.; pl. *nogueiras-pecã* e *nogueiras-pecãs*
nogueira-preta s.f.; pl. *nogueiras-pretas*
nogueirense adj. s.2g.
noguito s.m.
noira s.f.
noitada s.f.
noitão s.m.
noite s.f.
noite-boa s.f.; pl. *noites-boas*
noitecer v.
noiteiro s.m.
noitibó s.m.
noitibó-rabilongo s.m.; pl. *noitibós-rabilongos*
noitinha s.f. adv.
noitol s.m.
noiva s.f.
noiva de arraiolos s.f.
noiva de panoias (*ó*) s.f.
noivado s.m.
noival adj.2g.
noivar v.
noivinha s.f.
noivo adj. s.m.
nojado adj.
nojeira s.f.
nojência s.f.
nojentão adj. s.m.; f. *nojentona*
nojenteza (*ê*) s.f.
nojento adj. s.m.
nojentona adj. s.f. de *nojentão*
nojice s.f.
nojo (*ô*) s.m.
nojoso (*ô*) adj.; f. (*ó*); pl. (*ó*)
nola s.f.
no-la pron. contr. de *nos* e *a*
nolana s.f.
nolanácea s.f.
nolanáceo adj.
nolânea s.f.
nolanita s.f.
nolano adj. s.m.
no-las pron. contr. de *nos* e *as*
nolascite s.f.
nolela s.m.
nolência s.f.
nolense adj. s.2g.
nolente adj.2g.
nolétia s.f.
nolha (*ô*) s.f.
nolição s.f.
nolídeo adj. s.m.
nóli-me-tângere s.f.2n.
nolina s.f.
nolínea s.f.
nolita s.f.
no-lo pron. contr. de *nos* e *o*
no-los pron. contr. de *nos* e *os*
noma s.f.
nômada adj. s.2g. s.f.
nomadácris s.f.2n.
nômade adj. s.2g.
nomádico adj.
nomadismo s.m.
nomadístico adj.
nomadização s.f.
nomadizar v.
nomadófila s.f.
nomáfila s.f.
nomancia s.f.
nomante s.2g.
nomântico adj.
nomarca s.m.
nomarcado s.m.
nomarquia s.f.
nomartro s.m.
nomasa s.f.
nome s.m.
nomeação s.f.
nomeada s.f.
nomeado adj.
nomeador (*ô*) adj. s.m.
nomeadura s.f.
nomeamento s.m.
nomeante adj. s.2g.
nomear v.
nomeável adj.2g.
nome do padre s.m.
nomeídeo adj. s.m.
nomenclação s.f.
nomenclador (*ô*) adj. s.m.
nomenclar v.
nomenclator (*ô*) adj. s.m.
nomenclatório adj.
nomenclatura s.f.
nomenclatural adj.2g.
nomenclaturar v.
nomenclaturista s.2g.
nômeno s.m.
nomentano adj. s.m.
nômeo s.m.
nômia s.f.
nômico adj. s.m.
nômina s.f.
nominação s.f.
nominal adj.2g.
nominálias s.f.pl.
nominalidade s.f.
nominalismo s.m.
nominalista adj. s.2g.
nominalístico adj.
nominata s.f.
nominativo adj. s.m.
nomisma s.m.
nomísmia s.f.
nomo s.m.
nomocânon s.m.
nomocânone s.m.
nomocracia s.f.
nomófila s.f.
nomofilácia s.f.
nomofilácico adj.
nomofilaco s.m.
nomofilo adj. s.m.
nomogênese s.f.
nomogenético adj.
nomografia s.f.
nomográfico adj.
nomógrafo s.m.
nomograma s.m.
nomologia s.f.
nomológico adj.
nomologista adj. s.2g.
nomólogo s.m.
nomomecânico adj.
nomônico s.m.
nomonimia s.f.
nomonímia s.f.
nomônimo s.m.
nômonix (*cs*) s.m.2n.
nomópleo s.m.
nomotesia s.f.
nomotésico adj.
nomóteta s.m.
nomotetese s.f.
nomotético adj.
nomotópico adj.
nomoxim s.m.
nona s.f.
nonacontaedro s.m.
nonacontágono s.m.
nonacontana s.f.
nonacosaedro s.m.
nonacoságono s.m.
nonacosana s.f.
nonacosanoico (*ó*) adj.
nonacosanol s.m.
nonacosílico adj.
nonácrio adj. s.m.
nonada s.2g.
nonadecaedro s.m.
nonadecágono s.m.
nonadecana s.f.
nonadecanoico (*ó*) adj.
nonadecanol s.m.
nonadecílico adj.
nonadiena s.m.
nonaedro s.m.
nonagenário adj. s.m.
nonagésima num.
nonagésimo num.
nonagintúplice num.
nonagíntuplo num.
nonagonal adj.2g.
nonágono s.m.
nonágria s.f.
nonal s.m.
nonana s.f.
nonanadioico (*ó*) s.m.
nonanal s.m.
nonandro adj.
nonano s.m.
nonanoico (*ó*) adj.
nonanol s.m.
nonanona s.f.
nonapeptídeo adj. s.m.
nonária s.f.
nonário adj.
nonas s.f.pl.
nó nas tripas s.m.
nonatélia s.f.
nonatense adj. s.2g.
nonato adj. s.m.
nó na tripa s.m.
nonavo s.m.
nonde s.m.
nondo s.m.
nônea s.f.
nonena s.m.
nones adj.2g.2n. s.m.2n.
noneto (*ê*) s.m.
nônex (*cs*) s.m.
nonga s.f.
nongentésimo num.
nongentúplice num.
nongêntuplo num.
nonilato s.m.
nonileno s.m.
nonilhão num.
nonilião num.
nonílico adj.
nonílio s.m.
nonilionesimal adj.2g.
nonilionésimo num.
nonina s.f.
noningentésimo num.
noninha s.2g.
nônio s.m.
nonipétalo adj.
nono num. "ordinal de nove"; cf. *nonó* e *nonô*
nonó s.m. "árvore"; cf. *nono* e *nonô*
nonô s.m. "senhor"; cf. *nono* e *nonó*
nonoaiense adj. s.2g.
nonobstância s.f.
nonodo (*ô*) s.m.
nonoico (*ó*) adj.
nonopétalo adj.
nonose s.f.
nonquenha s.f.
nonsense adj.2g.
nontronita s.f.
nonula s.m.
nonúplice num.
nônuplo num.
nonusse s.m.
nooca s.f.
noocracia s.f.
noocrático adj.
noogênese s.f.
noogenético adj.
noogenia s.f.
noogênico adj.
noógeno adj.
noologia s.f.
noológico adj.
noólogo s.m.
noosfera s.f.
noostênico adj.
nopa s.f.
nopal s.m.
nopaláceo adj.
nopálea s.f.
nopaleia (*é*) s.f.
nopáleo adj.
nope s.m.
nopineno s.m.
nopínico adj.
nopinona s.f.
nopra s.f.
nops s.m.2n.
noque s.m.
noqueto adj. s.m.
noquinha s.f.
nora s.f.
noradrenalina s.f.
noradrenalínico adj.
norântea s.f.
norânteo adj.
noraporfina s.f.
norarecaidina s.f.
norbanense adj. s.2g.
norbano adj. s.m.
norbense adj. s.2g.
norbergita s.f.
norberguita s.f.
norbu s.m.
norça s.f.
norça-branca s.f.; pl. *norças-brancas*
norça-preta s.f.; pl. *norças-pretas*
norcarano s.m.
nordalbíngio adj. s.m.
nordaltaico adj. s.m.
nordenskioeldina s.f.
nordestada s.f.
nordestal adj.2g.
nordestano adj. s.m.
nordeste adj.2g. s.m.
nordesteado adj.
nordestear v.
nordestense adj. s.2g.
nordésteo adj.
nordestia s.f.
nordestinense adj. s.2g.
nordestinismo s.m.
nordestinista adj. s.2g.
nordestino adj. s.m.
nórdico adj. s.m.
nordígena s.f.
nordismo s.m.
nordista adj. s.2g.
nordita s.f.
nordmarkita s.f.
nordmarkítico adj.
nordmarkito s.m.
nordstrandita s.f.
norefedrina s.f.
norense adj. s.2g.
norepinefrina s.f.
norepol s.m.
noretinodrel s.m.
norfloxacina (*cs*) s.f.
norgestrel s.m.
nória s.f.
noriano adj. s.m.
norício adj. s.m.
nórico adj. s.m.
norilskita s.f.
norimeno s.m.
norimono s.m.
norina s.f.
norinha s.f.
norinono s.m.
nório s.m.
norita s.f.
norite s.f.
norito s.m.
norlandês adj. s.m.
norleucina s.f.
norma s.f.
normação s.f.
normado adj.
normador (*ô*) adj.
normal adj.2g. s.m.
normália s.f.
normalidade s.f.
normalismo s.m.
normalista adj. s.2g.
normalização s.f.
normalizado adj.
normalizador (*ô*) adj. s.m.
normalizante adj.2g.
normalizar v.

normalizável adj.2g.
normandina s.f.
normandinho s.m.
normandismo s.m.
normando adj. s.m.
normando-árabe adj.2g.; pl. *normando-árabes*
normando-celta adj.2g.; pl. *normando-celtas*
normando-saxônico adj.; pl. *normando-saxônicos*
normando-teutônico adj.; pl. *normando-teutônicos*
normânico adj.
normanismo s.m.
normannita s.f.
normano s.m.
normante adj.2g.
norma-padrão s.f.; pl. *normas-padrão* e *normas-padrões*
normático adj.
normatividade s.f.
normativo adj.
normatizar v.
normável adj.2g.
normoblástico adj.
normoblasto s.m.
normocitário adj.
normocítico adj.
normócito s.m.
normocitose s.f.
normocitótico adj.
normocrômico adj.
normoergia s.f.
normoérgico adj.
normoglicemia s.f.
normoglicêmico adj.
normógrafo s.m.
normológico adj.
normortocitose s.f.
normortocitótico adj.
normosqueocitose s.f.
normosqueocitótico adj.
normotensão s.f.
normotensivo s.m.
normotenso adj.
normotermia s.f.
normotérmico adj.
normótipo s.m.
normovolemia s.f.
normovolêmico adj.
norna s.f.
nornicotina s.f.
nornicotínico adj.
nor-nordeste adj. s.m.; pl. *nor-nordestes*
nor-noroeste adj. s.m.; pl. *nor-noroestes*
norocuajé adj. s.2g.
norodônia s.m.
noroestada s.f.
noroestado adj.
noroeste adj.2g. s.m.
noroesteado adj.
noroestear v.
norogajé adj. s.2g.
noroguaje adj. s.2g.
noroguajé adj. s.2g.
noronhense adj. s.2g.
nórope s.m.
norpinano s.m.
norpínico adj.
norreno adj. s.m.
norsethita s.f.
norso adj. s.m.
norsteroide (*ó*) adj.2g. s.m.
nortada s.f.
nortão s.m.
norte adj.2g. s.m.
norteação s.f.
norteado adj.
norteador (*ô*) adj.
norte-africanismo s.m.; pl. *norte-africanismos*
norte-africanista adj. s.2g.; pl. *norte-africanistas*
norte-africano adj. s.m.; pl. *norte-africanos*
norteamento s.m.
norte-americanismo s.m.; pl. *norte-americanismos*
norte-americanista adj. s.2g.; pl. *norte-americanistas*
norte-americanizar v.
norte-americano adj. s.m.; pl. *norte-americanos*
norteante adj.2g.
nortear v.
norte-asiático adj. s.m.; pl. *norte-asiáticos*
norteável adj.2g.
norte-coreano adj. s.m.; pl. *norte-coreanos*
norte-cruzeirense adj. s.2g.; pl. *norte-cruzeirenses*
norte-diamantense adj. s.2g.; pl. *norte-diamantenses*
norte-europeu adj. s.m.; pl. *norte-europeus*
norteio s.m.
norteira s.f.
norte-irlandês adj. s.m.; pl. *norte-irlandeses*
norteiro adj. s.m.
nortelandense adj. s.2g.
nortelandiense adj. s.2g.
nortenho adj. s.m.
nortênia s.f.
nortense adj. s.2g.
norte-ocidental adj.2g.; pl. *norte-ocidentais*
norte-oriental adj.2g.; pl. *norte-orientais*
norte-rio-grandense adj. s.2g.; pl. *norte-rio-grandenses*
norte-vietnamita adj. s.2g.; pl. *norte-vietnamitas*
northamptonense adj. s.2g.
northupita s.f.
nortia s.f.
nortismo s.m.
nortista adj. s.2g.
nortístico adj.
nortropana s.f.
nortúmbrio s.m.
noruega s.f. s.2g.
noruegal adj.2g. s.m.
noruego adj. s.m.
noruegofalante adj. s.2g.
noruegofonia s.f.
noruegófono adj. s.m.
noruegoparlante adj. s.2g.
norueguense adj. s.2g.
norueguês adj. s.m.
norvalina s.f.
nos pron. contr. de *em* e *os*
nós pron.; cf. *noz*
nosairita adj. s.2g.
nosaria s.f.
noscapina s.f.
noseana s.f.
noseíta s.f.
noselha s.f.
noselita s.f.
noselite s.f.
nosema s.m.
nosematídeo adj. s.m.
nosemia s.f.
nosemíase s.f.
nosemose s.f.
nosencefalia s.f.
nosencéfalo adj. s.m.
nosita s.f.
nosite s.f.
nosocomial adj.2g.
nosocômico adj.
nosocômio s.m.
nosoconiose s.f.
nosocrático adj.
nosocrisia s.f.
nosoctonologia s.f.
nosoctonológico adj.
nosoctonólogo s.m.
nosodendro s.m.
nosoderma s.m.
nosoderme s.f.
nosodermo s.m.
nosódio s.m.
nosodógnio s.m.
nosoeconomia s.f.
nosoeconômico adj.
nosoeconomista adj. s.2g.
nosófito s.m.
nosofobia s.f.
nosofóbico adj.
nosófobo s.m.
nosóforo s.m.
nosoftoria s.f.
nosogenia s.f.
nosogênico adj.
nosogeografia s.f.
nosogeográfico adj.
nosografar v.
nosografia s.f.
nosográfico adj.
nosografista adj. s.2g.
nosógrafo s.m.
nosologia s.f.
nosológico adj.
nosologista adj. s.2g.
nosólogo s.m.
nosomancia s.f.
nosomania s.f.
nosomaníaco adj. s.m.
nosômano adj. s.m.
nosomante s.2g.
nosomântica s.f.
nosomântico adj.
nosomicose s.f.
nosomicósico adj.
nosonomia s.f.
nosonômico adj.
nosopoético adj.
nosopsilo s.m.
nosorgania s.f.
nosossilicático adj.
nosossilicato s.m.
nosotáctico adj.
nosotaxia (*cs*) s.f.
nosoterapia s.f.
nosoterápico adj.
nosotoxicose (*cs*) s.f.
nosotoxicótico (*cs*) adj.
nossa interj.
nossa-amizade s.f.; pl. *nossas-amizades*
nosso pron.
nosso-pai s.m.; pl. *nossos-pais*
nostalgia s.f.
nostálgico adj. s.m.
nostalgizar v.
nostocácea s.f.
nostocáceo adj.
nostocínea s.f.
nostocíneo adj.
nostocopsidácea s.f.
nostocopsidáceo adj.
nostomania s.f.
nostomaníaco adj. s.m.
nostômano s.m.
nostras adj. s.f.2n.
nostrasia s.f.
nostrático adj.
nota s.f.
notabilidade s.f.
notabilíssimo adj. sup. de *notável*
notabilização s.f.
notabilizado adj.
notabilizador (*ô*) adj.
notabilizante adj.2g.
notabilizar v.
notabilizável adj.2g.
notacantídeo adj. s.m.
notacantíneo adj. s.m.
notacanto s.m.
notação s.f.
notadiço adj.
notado adj.
notador (*ô*) adj. s.m.
notafebe s.f.
notáfo s.m.
notal adj.2g.
notalgia s.f.
notálgico adj.
notambulação s.f.
notambulante adj. s.2g.
notambular v.
notambulismo s.m.
notâmbulo adj. s.m.
notâmia s.m.
notamiídeo adj. s.m.
notando adj.
notântropo s.m.
notar v.
notarco s.m.
notariado s.m.
notarial adj.2g.
notarialista s.2g.
notariato s.m.
notárico adj.
notário s.m.
notário-mor s.m.; pl. *notários-mores*
notaspídea s.f.
notaspídeo adj. s.m.
notáspis s.f.2n.
notatina s.f.
notáulace s.f.
notáulax (*cs*) s.f.
notável adj.2g.
note s.m.
noteleia (*é*) s.f.
notencefalia s.f.
notencefálico adj.
notencéfalo adj. s.m.
nóteo s.m.
nótequis s.m.2n.
noteriano adj.
noteríneo adj. s.m.
nótero adj. s.m.
noterófila s.f.
noterófilo adj.
noticastro s.m.
notícera s.f.
notícia s.f.; cf. *noticia*, fl. do v. *noticiar*
noticiação s.f.
noticiado adj. s.m.
noticiador (*ô*) adj. s.m.
noticiamento s.m.
noticiante adj.2g.
noticiar v.
noticiário s.m.
noticiarismo s.m.
noticiarista adj. s.2g.
noticiarístico adj.
noticiável adj.2g.
noticieiro s.m.
noticioso (*ô*) adj.; f. (*ó*); pl. (*ó*)
notícipe s.2g.
notidânida adj.2g. s.m.
notidanídeo adj. s.m.
notídano s.m.
notidóbia s.f.
notificabilidade s.f.
notificação s.f.
notificado adj.
notificador (*ô*) adj.
notificamento s.m.
notificante adj.2g.
notificar v.
notificativo adj.
notificatório adj.
notificável adj.2g.
notífila s.f.
notília s.f.
notióbia s.f.
notiode adj. s.m.
notiófila s.f.
notiófilo s.m.
notiômetro s.m.
notiônomo s.m.
notióscopo s.m.
notiosórex (*cs*) s.m.
notiossórice s.m.
notista adj. s.2g.
notita s.f.
notite s.f.
notívago adj. s.m.
noto adj. s.m.
notobáride s.f.
notobranco s.m.
notobrânquea s.m.
notobranqueídeo adj. s.m.
notobrânquio adj. s.m.
notocáris s.f.2n.
notocélia s.f.
notócera s.f.
notoceratídeo adj. s.m.
notocerco s.m.
notocirro s.m.
notocirto s.m.
notoclena s.f.
notocorda s.f.
notocórdio s.m.
notocordoma s.m.
notocótilo s.m.
notócrax (*cs*) s.m.2n.
notocrisa s.f.
notodela s.f.
notodelfiida adj.2g. s.m.
notodelfiídeo adj. s.m.
notodélfis s.m.2n.
notodinia s.f.
notodínico adj.
notodonte adj.2g. s.m.
notodontídeo adj. s.m.
notodonto s.m.
notódroma s.m.
notoédrico adj.
notofago s.m.
notoflio s.m.
notóforo s.m.
notofrocta s.f.
notogamia s.f.
notogâmico adj.
notogapide adj. s.2g.
notogapigue adj. s.2g.
notogástrio s.m.
notogastro s.m.
notogeia s.f.
notogimno s.m.
notoglânide adj. s.2g.
notoglânido s.m.
notoglânis s.m.2n.
notóglanis s.m.2n.
notogônia s.f.
notograpto s.m.
notolca s.f.
notolena s.f.
notólopas s.m.2n.
notômalo s.m.
notomasto s.m.
notomata s.f.
notomatídeo adj. s.m.
notomelia s.f.
notomélico adj.
notômelo adj. s.m.
notomia s.f.
notomielite s.f.
notomielítico adj.
notomorfa s.f.
notonecta s.f.
notonecteforme s.m.
notonectídeo adj. s.m.
notonectíneo adj. s.m.
notonecto s.m.
notonectóideo s.m.
notôni s.f.
notônomo s.m.
notópode adj. s.m.
nótops s.m.2n.
notópsis s.m.2n.
notoptérida adj.2g. s.m.
notopterídeo adj. s.m.
notopterígio adj.
notópteris s.f.2n.
notóptero adj. s.m.
notopteróforo s.m.
notoquilo s.m.
notorictes s.m.2n.
notorictídeo adj. s.m.
notoriedade s.f.
notório adj.
notórnis s.2g.2n.
notornite s.2g.
notorrina s.f.
notorrizo adj.
notosaurídeo adj. s.m.
notosauro s.m.
notoscórdio s.m.
notoscordo s.m.
notosema s.f.
notossaurídeo adj. s.m.
notossauro s.m.
notossema s.f.
notossômalo s.m.
notossuquídeo adj. s.m.
notósteno s.m.
notostira s.f.
notóstomo s.m.
notostráceo adj. s.m.
notóstraco s.m.
nototênia s.f.

nototeniíneo adj. s.m.
nototírio s.m.
nototráquis s.m.2n.
nototrema s.m.
nototremo-de-saco s.m.; pl. *nototremos-de-saco*
notoungulado adj. s.m.
notoxo (*cs*) s.m.
notozéfiro s.m.
notozo s.m.
notozono s.m.
notra s.f.
notríneo adj. s.m.
notrízio s.m.
notro s.m.
notrotério s.m.
nótula s.f.
notura s.m.
noturnal adj.2g.
noturnância s.f.
noturnidade s.f.
noturnizar v.
noturno adj. s.m.
noturo s.m.
noulétia s.f.
noúmeno s.m.
noutada s.f.
noutão s.m.
noutaque s.m.
noute s.f.
noutecer v.
nouteiro s.m.
noutinha s.f.
noutra contr. de *em* e *outra*
noutrem contr. de *em* e *outrem*
noutro contr. de *em* e *outro*
noutrora contr. de *em* e *outrora*
nova s.f.
nova-acionense adj. s.2g.; pl. *nova-acionenses*
nova-alegriense adj. s.2g.; pl. *nova-alegrienses*
nova-aliancense adj. s.2g.; pl. *nova-aliancenses*
nova-alianciense adj. s.2g.; pl. *nova-aliancienses*
nova-almeidense adj. s.2g.; pl. *nova-almeidenses*
nova-ameliense adj. s.2g.; pl. *nova-amelienses*
nova-americano adj. s.m.; pl. *nova-americanos*
nova-andradinense adj. s.2g.; pl. *nova-andradinenses*
nova-araçaense adj. s.2g.; pl. *nova-araçaenses*
nova-aurorense adj. s.2g.; pl. *nova-aurorenses*
nova-bassanense adj. s.2g.; pl. *nova-bassanenses*
nova-belenense adj. s.2g.; pl. *nova-belenenses*
nova-betaniense adj. s.2g.; pl. *nova-betanienses*
nova-brasiliense adj. s.2g.; pl. *nova-brasilienses*
nova-bresciense adj. s.2g.; pl. *nova-brescienses*
nova-canaanense adj. s.2g.; pl. *nova-canaanenses*
novação s.f.
nova-castilhense adj. s.2g.; pl. *nova-castilhenses*
nova-catuense adj. s.2g.; pl. *nova-catuenses*
novacekita s.f.
novacianismo s.m.
novacianista adj. s.2g.
novacianístico adj.
novaciano adj. s.m.
nova-cintrense adj. s.2g.; pl. *nova-cintrenses*
nova-concordiense adj. s.2g.; pl. *nova-concordienses*
nova-conquistense adj. s.2g.; pl. *nova-conquistenses*
nova-crucense adj. s.2g.; pl. *nova-crucenses*
nova-cruzense adj. s.2g.; pl. *nova-cruzenses*
novácula s.f.
novacular adj.2g.
novaculite s.f.
novaculito s.m.
nova-culturense adj. s.2g.; pl. *nova-culturenses*
novadio adj.
novador (*ô*) adj. s.m.
nova-douradense adj. s.2g.; pl. *nova-douradenses*
nova-erense adj. s.2g.; pl. *nova--erenses*
nova-erexinense adj. s.2g.; pl. *nova-erexinenses*
nova-esperancense adj. s.2g.; pl. *nova-esperancenses*
nova-esperanciense adj. s.2g.; pl. *nova-esperancienses*
nova-estrelense adj. s.2g.; pl. *nova-estrelenses*
nova-europense adj. s.2g.; pl. *nova-europenses*
nova-fatimense adj. s.2g.; pl. *nova-fatimenses*
nova-florestense adj. s.2g.; pl. *nova-florestenses*
nova-friburguense adj. s.2g.; pl. *nova-friburguenses*
nova-galiciense adj. s.2g.; pl. *nova-galicienses*
nova-granadense adj. s.2g.; pl. *nova-granadenses*
nova-guataporanguense adj. s.2g.; pl. *nova--guataporanguenses*
nova-ibiaense adj. s.2g.; pl. *nova-ibiaenses*
nova-iguaçuense adj. s.2g.; pl. *nova-iguaçuenses*
nova-independenciense adj. s.2g.; pl. *nova--independencienses*
nova-iorquino adj. s.m.; pl. *nova-iorquinos*
nova-ipiraense adj. s.2g.; pl. *nova-ipiraenses*
nova-itaipense adj. s.2g.; pl. *nova-itaipenses*
nova-italiense adj. s.2g.; pl. *nova-italienses*
nova-itapiremense adj. s.2g.; pl. *nova-itapiremenses*
nova-itaranense adj. s.2g.; pl. *nova-itaranenses*
noval s.m.
nova-lajense adj. s.2g.; pl. *nova-lajenses*
nova-laranjeirense adj. s.2g.; pl. *nova-laranjeirenses*
novalense s.2g.
novalente adj.2g.
nova-licenciense adj. s.2g.; pl. *nova-licencienses*
nova-lidicense adj. s.2g.; pl. *nova-lidicenses*
nova-limense adj. s.2g.; pl. *nova-limenses*
nova-londrinense adj. s.2g.; pl. *nova-londrinenses*
nova-lusitaniense adj. s.2g.; pl. *nova-lusitanienses*
nova-maripaense adj. s.2g.; pl. *nova-maripaenses*
nova-mauriciense adj. s.2g.; pl. *nova-mauricienses*
nova-milanense adj. s.2g.; pl. *nova-milanenses*
nova-mocajubense adj. s.2g.; pl. *nova-mocajubenses*
nova-modicense adj. s.2g.; pl. *nova-modicenses*
nova-odessense adj. s.2g.; pl. *nova-odessenses*
nova-olimpiense adj. s.2g.; pl. *nova-olimpienses*
nova-olindense adj. s.2g.; pl. *nova-olindenses*
nova-orleanês adj. s.m.; pl. *nova-orleaneses*
nova-paduense adj. s.2g.; pl. *nova-paduenses*
nova-palmeirense adj. s.2g.; pl. *nova-palmeirenses*
nova-palmense adj. s.2g.; pl. *nova-palmenses*
nova-palmirense adj. s.2g.; pl. *nova-palmirenses*
nova-patriense adj. s.2g.; pl. *nova-patrienses*
nova-paulicense adj. s.2g.; pl. *nova-paulicenses*
nova-petropolitano adj. s.m.; pl. *nova-petropolitanos*
nova-pontense adj. s.2g.; pl. *nova-pontenses*
nova-pratense adj. s.2g.; pl. *nova-pratenses*
novaquita s.f.
novar v.
nova-resedense adj. s.2g.; pl. *nova-resedenses*
novariense adj. s.2g.
nova-riquezense adj. s.2g.; pl. *nova-riquezenses*
nova-romense adj. s.2g.; pl. *nova-romenses*
nova-russence adj. s.2g.; pl. *nova-russences*
nova-seita s.2g.; pl. *novas--seitas*
nova-serranense adj. s.2g.; pl. *nova-serranenses*
nova-serrinhense adj. s.2g.; pl. *nova-serrinhenses*
nova-sintrense adj. s.2g.; pl. *nova-sintrenses*
nova-sourense adj. s.2g.; pl. *nova-sourenses*
nova-souriense adj. s.2g.; pl. *nova-sourienses*
novaspirina s.f.
novata s.f.
nova-tebense adj. s.2g.; pl. *nova-tebenses*
nova-teutoniense adj. s.2g.; pl. *nova-teutonienses*
nova-timboteuense adj. s.2g.; pl. *nova-timboteuenses*
novato adj. s.m.
nova-trentense adj. s.2g.; pl. *nova-trentenses*
nova-trentino adj. s.m.; pl. *nova-trentinos*
nova-trevisense adj. s.2g.; pl. *nova-trevisenses*
nova-veneciano adj. s.m.; pl. *nova-venecianos*
nova-veneciense adj. s.2g.; pl. *nova-venecienses*
nova-venezense adj. s.2g.; pl. *nova-venezenses*
nova-viçosense adj. s.2g.; pl. *nova-viçosenses*
nova-videnses adj. s.2g.; pl. *nova-videnses*
nova-xavantinense adj. s.2g.; pl. *nova-xavantinenses*
nova-yorkiense adj. s.2g.; pl. *nova-yorkienses*
nova-yorkino adj. s.m.; pl. *nova-yorkinos*
nove num.
nóvea s.f.
noveado adj.
novecentismo s.m.
novecentista adj. s.2g.
novecentos num.
novedio adj. s.2g.
nove-horas s.f.pl.; na loc. *cheio de nove-horas*
nove-irmãs s.f.pl.
novel adj. s.2g.
novela s.f.
novelador (*ô*) s.m.
novelão s.m.
novelar v.
noveleira s.f.
noveleiro adj. s.m.
novelesco (*ê*) adj.
noveleta (*ê*) s.f.
novelismo s.m.
novelista adj. s.2g.
novelística s.f.
novelístico adj.
novelo (*ê*) s.m. "bola de fio enrolado"; cf. *novelo*, fl. do v. *novelar* e *novelo* s.m.
novelo s.m. "novilho", etc.; cf. *novelo* (*ê*) s.m. e *novelo*, fl. do v. *novelar*
novelo-da-china s.m.; pl. *novelos-da-china*
novelória s.f.
novelos-da-china s.m.pl.
novembrada s.f.
novembro s.m.
novempópulo adj. s.m.
novena s.f.
novena do caju s.f.
novenal adj. s.2g.
novenário adj. s.m.
novença s.f.
novendecilhão num.
novendecilião num.
novendecilionésimo num.
novendial adj.2g. s.m.
novendigitado adj.
novêndio s.m.
noveneira s.f.
novenervado adj.
novenfoliado adj.
novênio s.m.
novenlobado adj.
noveno num.
novense adj. s.2g.
noventa num.
noventão adj. s.m.; f. *noventona*
noventona adj. s.f. de *noventão*
novenvirado s.m.
novenvirato s.m.
novênviro s.m.
nove palavras por seis s.m.2n.
nove por dezesseis s.m.2n.
nove por dois s.m.2n.
nove por oito s.m.2n.
nove por quatro s.m.2n.
nove por seis s.m.2n.
novercal adj.2g.
novgorodiano adj. s.m.
novial s.m.
novibramanismo s.m.
noviça s.f.
novice s.f.
novicéltico adj.
noviciado adj. s.m.
noviciar v.
noviciaria s.f.
noviciário adj.
noviclassicismo s.m.
noviclássico adj. s.m.
noviço adj. s.m.
novidade s.f.
novidadeiro adj. s.m.
novídeo adj. s.m.
noviesmilésimo num.
novilatim s.m.
novilatino adj.
novilhada s.f.
novilheiro s.m.
novilho s.m.
novilhona s.f.
novilhonense adj. s.2g.
novilhota s.f.
novilhote s.m.
noviliberalismo s.m.
novilunar adj.2g.
noviluniforme adj.2g.
novilúnio s.m.
novimensal adj.2g.
novimestre s.m.
nóvio s.m.
novisco s.m.
novissilábico adj.
novissílabo adj. s.m.
novíssimo adj. s.m. sup. de *novo* (*ô*)
novíssimos s.m.pl.
novita s.f.
novo (*ô*) adj. s.m.
novo-acordense adj. s.2g.; pl. *novo-acordenses*
novo-acrense adj. s.2g.; pl. *novo-acrenses*
novo-apuaense adj. s.2g.; pl. *novo-apuaenses*
novo-arealense adj. s.2g.; pl. *novo-arealenses*
novo-aripuananense adj. s.2g.; pl. *novo-aripuananenses*
novobiocina s.f.
novo-brailense adj. s.2g.; pl. *novo-brailenses*
novocaína s.f.
novocomense adj. s.2g.
novo-cravinhense adj. s.2g.; pl. *novo-cravinhenses*
novo-cruzeirense adj. s.2g.; pl. *novo-cruzeirenses*
novo-destinense adj. s.2g.; pl. *novo-destinenses*
novo-hamburguense adj. s.2g.; pl. *novo-hamburguenses*
novo-horizontense adj. s.2g.; pl. *novo-horizontenses*
novo-horizontino adj. s.m.; pl. *novo-horizontinos*
novo-marapiense adj. s.2g.; pl. *novo-marapienses*
novo-mundense adj. s.2g.; pl. *novo-mundenses*
novo-nilense adj. s.2g.; pl. *novo-nilenses*
novo-oriental adj. s.2g.; pl. *novo-orientais*
novo-orientense adj. s.2g.; pl. *novo-orientenses*
novo-paradisense adj. s.2g.; pl. *novo-paradisenses*
novo-paraisense adj. s.2g.; pl. *novo-paraisenses*
novo-repartimentense adj. s.2g.; pl. *novo-repartimentenses*
novo-rico s.m.; pl. *novos-ricos*
novorientino adj. s.m.
novo-riquismo s.m.; pl. *novos--riquismos*
novo-sarandiense adj. s.2g.; pl. *novo-sarandienses*
novo-testamental adj.2g.; pl. *novo-testamentais*
novo-testamentar adj.2g.
novo-testamentário adj.; pl. *novo-testamentários*
novo-triunfense adj.2g.; pl. *novo-triunfenses*
novo-zelândico adj.; pl. *novo--zelândicos*
noxa (*cs*) s.f. "dano"; cf. *noxa*
noxa s.f. "árvore"; cf. *noxa* (*cs*)
noxal adj.2g.
nóxio (*cs*) adj.
noz s.f. "fruto da nogueira"; cf. *nós* pron. e "plural de nó"
nozada s.f.
noz-americana s.f.; pl. *nozes--americanas*
nozari s.m.
noz-da-índia s.f.; pl. *nozes-da--índia*
noz-de-alexandria s.f.; pl. *nozes-de-alexandria*
noz-de-areca s.f.; pl. *nozes-de--areca*
noz-de-bancul s.f.; pl. *nozes--de-bancul*
noz-de-banda s.f.; pl. *nozes-de--banda*
noz-de-bugre s.f.; pl. *nozes-de--bugre*
noz-de-cobra s.f.; pl. *nozes-de--cobra*
noz-de-cola s.f.; pl. *nozes-de-cola*
noz de galha s.f.
noz-de-patavá s.f.; pl. *nozes-de--patavá*
noz-do-brasil s.f.; pl. *nozes--do-brasil*
noz-do-pará s.f.; pl. *nozes-do--pará*
nozedo (*ê*) s.m.
nozeira s.f.
nozelha (*ê*) s.f.
nozelhinha s.f.
nozilha s.f.

nozilhão s.m.
nozilhento adj.
noz-macadâmia s.f.; pl. *nozes-macadâmia* e *nozes-macadâmias*
noz-molucana s.f.; pl. *nozes-molucanas*
noz-moscada s.f.; pl. *nozes-moscadas*
noz-moscada-de-calabache s.f.; pl. *nozes-moscadas-de-calabache*
noz-moscada-do-brasil s.f.; pl. *nozes-moscadas-do-brasil*
noz-moscada-do-pará s.f.; pl. *nozes-moscadas-do-pará*
noz-pecã s.f.; pl. *nozes-pecã* e *nozes-pecãs*
nozul s.m.
noz-vômica s.f.; pl. *nozes-vômicas*
noz-vômica-do-brasil s.f.; pl. *nozes-vômicas-do-brasil*
nu adj. s.m.
nua adj. s.f.
nuança s.f.
nuançado adj.
nuançar v.
nuaruaque adj. s.2g.
nuba adj. s.2g. s.f.
nubécula s.f.
nubeculária s.f.
nubecularíneo adj. s.m.
nubeia (*é*) adj. s.f. de *nubeu*
nubelar v.
nubelosidade s.f.
nubeloso (*ô*) adj.; f. (*ó*); pl. (*ó*)
nubente adj. s.2g.
nubeu adj. s.m.; f. *nubeia* (*é*)
nubiano adj. s.m.
nubicogo (*ô*) adj.
nubiense adj. s.2g.
nubífero adj.
nubiforme adj.2g.
nubífugo adj.
nubígena adj.2g.
nubígeno adj.
núbil adj.2g.
nubilar s.m.
nubilário s.m.
nubilidade s.f.
núbilo adj.
nubiloso (*ô*) adj.; f. (*ó*); pl. (*ó*)
núbio adj. s.m.
nubívago adj.
nublado adj.
nublar v.
nublina s.f.
nubloso (*ô*) adj.; f. (*ó*); pl. (*ó*)
nubo adj. s.m.
nuca s.f.
nucal adj.2g.
nucalgia s.f.
nucálgico adj.
nucametácea s.f.
nucametáceo adj.
nução s.f. "assentimento"; cf. *noção*
nuce s.m.
núcego adj.
nucela s.f.
nucelar adj.2g.
nucelo s.m.
nucerino adj. s.m.
nucibe s.m.
nucicultor (*ô*) s.m.
nucicultura s.f.
nucífero adj.
nuciforme adj.2g.
nucífraga s.f.
nucífrago adj. s.m.
nucina s.f.
núcio s.m.
nucitânico adj.
nucívoro adj.
nucláatico adj.
nucleação s.f.
nucleado adj.
nucleal adj.2g.
nucleão s.m.
nuclear v. adj.2g.
nucleário adj.
nuclearização s.f.
nuclearizado adj.
nuclearizador (*ô*) adj.
nuclearizante adj.2g.
nuclearizar v.
nuclearizável adj.2g.
nuclease s.f.
nucléase s.f.
nucleásico adj.
nucleico (*é* ou *ê*) adj.
nucleífero adj.
nucleiforme adj.2g.
nucleína s.f.
nucleinato s.m.
nucleínico adj.
núcleo s.m.
nucleoalbumina s.f.
nucleoalbuminuria s.f.
nucleoalbuminúria s.f.
nucleobrânquio adj. s.m.
nucleocapsídio s.m.
nucleocentrossomo s.m.
nucleocitoplásmico adj.
nucleocôndrio s.m.
nucleofilicidade s.f.
nucleofílico adj.
nucleófilo adj. s.m.
nucleogênese s.f.
núcleo-hialoplasma s.m.
núcleo-histona s.f.
nucleoialoplasma s.m.
nucleoide (*ó*) adj.2g. s.m.
nucleoistona s.f.
nucleolado adj.
nucleolar adj.2g.
nucleolina s.f.
nucleolino adj. s.m.
nucleolites s.m.2n.
nucléolo s.m.
nucleolonema s.m.
nucleoma s.m.
nucleomicrossomo s.m.
núcleon s.m.
nucleônica s.f.
nucleônico adj.
nucleoníneo adj. s.m.
nucleoplasma s.m.
nucleoplasmático adj.
nucleoplásmico adj.
nucleoprotamina s.f.
nucleoproteína s.f.
nucleoproteínico adj.
nucleoquilema s.m.
nucleose s.f.
nucleosidase s.f.
nucleosídase s.f.
nucleóside s.f.
nucleosídeo adj. s.m.
nucleosídio s.m.
nucleosina s.f.
nucleossíntese s.f.
nucleossintético adj.
nucleossoma s.m.
nucleossomo s.m.
nucleotidase s.f.
nucleotídeo adj. s.m.
nucleotídico adj.
nucleotídio s.m.
nucleótido s.m.
nuclídeo adj. s.m.
nuclídio s.m.
nucode s.m.
nucras s.f.2n.
núcula s.f.
nuculâneo adj.
nuculânio adj.
nuculano s.m.
nucular adj.2g.
nuculídeo adj. s.m.
nuculoso (*ô*) adj.; f. (*ó*); pl. (*ó*)
nudá s.m.
nudação s.f.
nudária s.f.
nudez (*ê*) s.f.
nudeza (*ê*) s.f.
nudibranquiado adj. s.m.
nudibrânquio adj. s.m.
nudicaudato adj.
nudicaude adj.2g.
nudicaule adj.2g.
nudifloro adj.
nudifólio adj.
nudíparo adj.
nudipedais s.f.pl.
nudipedálias s.f.pl.
nudípede adj.2g.
nudipilífero adj. s.m.
nudismo s.m.
nudissexo (*cs*) adj.
nudista adj. s.2g.
nudístico adj.
nuditarso adj.
nudiúsculo adj.
nudo adj. s.m.
nudoflagelado s.m.
nudofobia s.f.
nudofóbico adj. s.m.
nudófobo s.m.
nudomania s.f.
nudomaníaco adj.
nudotentaculífero s.m.
nuel adj.2g.
nuelo adj. s.m.
nuer s.m.
nuevita s.f.
nuez (*ê*) s.f.
nueza (*ê*) s.f.
núfar s.m.
nufárea s.f.
nufarina s.f.
nufe s.m.
nuffieldita s.f.
nuga s.f. "coisa sem importância"; cf. *nugá*
nugá s.m. "massa doce de amêndoas"; cf. *nuga*
nugação s.f.
nugacidade s.f.
nugaria s.f.
nugativo adj.
nugatório adj.
nugó s.m.
nuguaçuense adj. s.2g.
nuíma s.f.
nuinho adj.
nuissierita s.f.
nuitão adj. s.m.
nuitone adj. s.2g.
nuittalita s.f.
nujol s.m.
nukundamita s.f.
nulário adj.
nulidade s.f.
nulificação s.f.
nulificado adj.
nulificador (*ô*) adj. s.m.
nulificante adj.2g.
nulificar v.
nulificativo adj.
nulificável adj.2g.
nulinerve adj.2g.
nulípara s.f.
nuliparidade s.f.
nulíparo adj.
nulissomia s.f.
nulissômico adj.
nulivalente adj.2g.
nulo adj. s.m.
num contr. de *em* e *um*
numa contr. de *em* e *uma*
numantino adj. s.m.
numária s.f.
numário adj.
numas contr. de *em* e *umas*
numbe s.m.
numbela s.f.
numbu s.m.
nume s.m.
numeíta s.f.
numeíte s.f.
númen s.m.
numenal adj.2g.
numenalidade s.f.
numenalismo s.m.
numenalista adj. s.2g.
numênico adj.
numênio s.m.
numenismo s.m.
numenista adj. s.2g.
numenístico adj.
númeno s.m.
numeração s.f.
numerado adj.
numerador (*ô*) adj. s.m.
numeradora (*ô*) s.f.
numeral adj.2g. s.m.
numeramento s.m.
numerar v.
numerário adj. s.m.
numerativo adj.
numerável adj.2g.
numéria s.f.
numérico adj.
número s.m.; cf. *numero*, fl. do v. *numerar*
número-índice s.m.; pl. *números-índice* e *números-índices*
numerologia s.f.
numerológico adj.
numerologista adj. s.2g.
numerólogo s.m.
numerosidade s.f.
numeroso (*ô*) adj.; f. (*ó*); pl. (*ó*)
número-um s.2g.2n.
numestrano adj. s.m.
númida adj. s.2g.
numidiano adj. s.m.
numídico adj. s.m.
numidídeo adj. s.m.
numidínea s.f.
numiforme adj.2g.
numímetro s.m.
numiniense adj. s.2g.
numinoso (*ô*) adj.; f. (*ó*); pl. (*ó*)
numisma s.m.
numismal adj.2g.
numismalogia s.f.
numismata s.2g.
numismática s.f.
numismático adj. s.m.
numismatista adj. s.2g.
numismatografia s.f.
numismatográfico adj.
numismatógrafo s.m.
numismatologia s.f.
numismatológico adj.
numismatólogo s.m.
numismatoteca s.f.
numismografia s.f.
numismográfico adj.
numismógrafo s.m.
numismologia s.f.
numismológico adj.
numismólogo s.m.
numistrano adj. s.m.
numo s.m.
numulação s.f.
numular adj.2g.
numulária s.f.
numulário s.m.
numulinídeo adj. s.m.
numulite s.f.
numulítico adj. s.m.
numulitídeo adj. s.m.
numulitíneo adj. s.m.
nunação s.f.
nunalvariano adj.
nunca adv.
nunca-acabar s.m.2n.
nunce s.m.
núncia s.f.
nunciação s.f.
nunciado adj. s.m.
nunciante adj. s.2g.
nunciar v.
nunciativo adj.
nunciatura s.f.
núncio s.m.; cf. *nuncio*, fl. do v. *nunciar*
nuncupação s.f.
nuncupativo adj.
nuncupato adj.
nuncupatório adj.
núndina s.f.
nundinação s.f.
nundinal adj.2g.
nundinário adj.
núndinas s.f.pl.
nundo s.m.
nune s.m.
nunes adj.2g.2n. s.m.2n.
nungo s.m.
nunismo s.m.
nunuma s.m.
nunumusana s.m.
nuolaíta s.f.
núpcia s.f.; cf. *nupcia*, fl. do v. *nupciar-se*
nupcial adj.2g.
nupcialidade s.f.
nupciando adj. s.m.
nupciar-se v.
núpcias s.f.pl.; cf. *nupcias*, fl. do v. *nupciar-se*
nupé adj. s.2g.
nupê adj. s.2g.
nupeba s.f.
nupebense adj. s.2g.
nupercaína s.f.
nuperfalecido adj.
núpero adj.
nuperpublicado adj.
nupérrimo adj. sup. de *núpero*
nuporanguense adj. s.2g.
nu-proprietário adj. s.m.; pl. *nus-proprietários*
nuquear v.
nuquini adj. s.2g.
nurague s.m.
núria s.f.
nurseria s.f.
nursino adj. s.m.
nuruma s.m.
nuruz s.m.
nutação s.f.
nutacional adj.2g.
nutacionalidade s.f.
nutália s.m.
nutaliose s.f.
nutante adj.2g.
nutar v.
nutatório adj.
nuticana s.f.
nuto s.m.
nutramina s.f.
nútria s.f.; cf. *nutria*, fl. do v. *nutrir*
nutriacólico adj.
nutribilidade s.f.
nutrição s.f.
nutrice s.f.
nutriceptor (*ô*) adj.2g. s.m.
nutrícia s.f.
nutrício adj.
nutricional adj.2g.
nutricionismo s.m.
nutricionista adj. s.2g.
nutricionístico adj.
nutrido adj.
nutridor (*ô*) adj. s.m.
nutriência s.f.
nutriente adj.2g.
nutrificar v.
nutrilidade s.f.
nutrimental adj.2g.
nutrimento s.m.
nutrir v.
nutritício adj.
nutrítico adj.
nutritivo adj.
nutritivomuscular adj.2g.
nutrível adj.2g.
nutriz adj. s.f.
nutrócito s.m.
nutrodensímetro s.m.
nutrologia s.f.
nutrólogo s.m.
nutromuscular adj.2g.
nuvarrão s.m.
nuvear v.
nuvem adj. s.2g. s.f.
nuvens-castelas s.f.pl.
núveo adj.
nuverinhar v.
nuvioso (*ô*) adj.; f. (*ó*); pl. (*ó*)
nuvistor (*ô*) s.m.
nuvol s.m.
nuvrado adj. s.m.
nuvrejão s.m.
nuvrezia s.f.
núxia (*cs*) s.f.
nuytsia s.f.
nuytsíea s.f.
nuzungulo s.m.
nxila s.f.
nylândtia s.f.
nyungwe s.m.

Oo

o art. pron.
ó s.m. interj.
ô interj.
oacá s.m.
oaçacu s.m.
oacaju s.m.
oacariense adj. s.2g.
oacauã s.2g.
oaiana adj. s.2g.
oaiapi adj. s.2g.
oaimirijuru s.m.
oajeru s.m.
oajuru s.m.
oala s.f.
oanaçu s.m.
oanandi s.m.
oanani s.m.
oanda s.f.
oanuçu s.m.
oapina adj. s.2g.
oapixana adj. s.2g.
oarialgia s.f.
oariálgico adj.
oariana s.f.
oárico adj.
oariopatia s.f.
oariopático adj.
oariotomia s.f.
oariotômico adj.
oaririicarapiá s.m.
oaristo s.m.
oariúla s.f.
oasiano adj. s.m.
oásico adj.
oasiense adj. s.2g.
oasino adj. s.m.
oásis s.m.2n.
oasita adj. s.2g.
oatácida adj. s.2g.
oba s.f. "tribo ateniense"; cf. *oba (ô)*, *obá* e *obã*
oba (ô) interj. "denota admiração"; cf. *oba*, *obá* e *obã*
obá s.m. "planta", etc., cf. *oba*, *oba (ô)* e *obã*
obã s.m. "moeda"; cf. *oba*, *oba (ô)* e *obá*
obacatuara adj. s.2g.
obá de xangô s.m.
obam s.m.
obamba adj. s.2g.
obane s.m.
obanijé adj. s.m.
oba-oba s.m.; pl. *oba-obas*
obarana s.f.
obaranaçu s.f.
obarana-focinho-de-rato s.f.; pl. *obaranas-focinho-de-rato*
obarana-rato s.f.; pl. *obaranas-rato* e *obaranas-ratos*
obaudição s.f.
obauditivo adj.
obcecação s.f.
obcecado adj.
obcecador (ô) adj.
obcecante adj.2g.
obcecar v.
obcecável adj.2g.
obcláveo adj.
obclaviforme adj.2g.
obclavulado adj.
obcomprimido adj.
obcônico adj.
obcordado adj.
obcordiforme adj.2g.
obcorrente adj.2g.
obdentado adj.
obdiplostêmone adj.2g.
obdormício s.m.
obdução s.f.
obducente adj.2g.
obducto adj.
obduração s.f.
obdurado adj.
obdurador (ô) adj.
obdurar v.
obé s.f.
obeba s.m.
obécia s.f.
obedecedor (ô) adj.
obedecente adj.2g.
obedecer v.
obedecido adj.
obedecimento s.m.
obediência s.f.
obediencial adj.2g. s.m.
obedienciário adj. s.m.
obediente adj.2g.
obé-inlá s.f.; pl. *obés-inlás*
obélia s.f.
obeliíneo adj. s.m.
obélio s.m.
obélion s.m.
obeliscal adj.2g.
obeliscária s.f.
obelisco s.m.
obeliscolícnio s.m.
óbelo s.m.
oberado adj.
oberar v.
obérea s.f.
oberônia s.f.
obesidade s.f.
obesifragia s.f.
obesífugo adj.
obesígeno adj.
obeso (é ou ê) adj.
óbex (cs) s.m.
obfirmado adj.
obfirmar v.
obi s.m.f.
óbice s.m.
obidense adj. s.2g.
obimbricado adj.
obione s.m.
obipom s.m.
obirim s.f.
obisiídeo adj. s.m.
obísio s.m.
óbito s.m.
obituário adj. s.m.
obituarista s.2g.
objeção s.f.
objecção s.f.
objeccional adj.2g.
objeccionar v.
objeccionável adj.2g.
objecional adj.2g.
objecionar v.
objecionável adj.2g.
objectado adj.
objectal adj.2g.
objectante adj.2g.
objectar v.
objectável adj.2g.
objectificação s.f.
objectificado adj.
objectificador (ô) adj.
objectificante adj.2g.
objectificar v.
objectificável adj.
objectiva s.f.
objectivação s.f.
objectivado adj.
objectivar v.
objectivável adj.2g.
objectividade s.f.
objectivismo s.m.
objectivista adj. s.2g.
objectivístico adj.
objectivo adj. s.m.
objetado adj.
objetal adj.2g.
objetante adj.2g.
objetar v.
objetável adj.2g.
objetificação s.f.
objetificado adj.
objetificador (ô) adj.
objetificante adj.2g.
objetificar v.
objetificável adj.2g.
objetiva s.f.
objetivação s.f.
objetivado adj.
objetivar v.
objetivável adj.2g.
objetividade s.f.
objetivismo s.m.
objetivista adj. s.2g.
objetivístico adj.
objetivo adj. s.m.
objeto s.m.
objeto-símbolo s.m.; pl. *objetos-símbolo* e *objetos-símbolos*
objurgação s.f.
objurgado adj.
objurgador (ô) adj. s.m.
objurgante adj.2g.
objurgar v.
objurgativo adj.
objurgatória s.f.
objurgatório adj.
oblação s.f.
oblacionário adj. s.m.
obladagem s.f.
oblanceolado adj.
oblata s.f.
oblatar v.
oblatividade s.f.
oblativo adj.
oblato adj. s.m.
oblatura s.f.
obligulado adj.
obliguliflóreo adj.
obliguliforme adj.2g.
oblíqua s.f.; cf. *obliqua*, fl. do v. *obliquar*
obliquado adj.
obliquangular adj.2g.
obliquângulo adj.
obliquar v.
obliquário adj.
obliquidade (ü) s.f.
obliquímetro (ü) s.m.
oblíquo adj.
obliteração s.f.
obliterado adj.
obliterador (ô) adj. s.m.
obliterante adj.2g.
obliterar v.
obliterativo adj.
obliterável adj.2g.
oblívio s.m.
oblomovismo s.m.
oblomovista adj. s.2g.
oblomovítico adj.
oblongado adj.
oblongifólio adj.
oblongo adj.
oblongolanceolado adj.
oblóquio s.m.
obmisso adj.
obmutescência s.f.
obnoxiação (cs) s.f.
obnóxio (cs) adj.
obnubilação s.f.
obnubilado adj.
obnubilador (ô) adj.
obnubilante adj.2g.
obnubilar v.
obnubilável adj.2g.
obnunciação s.f.
obnunciante adj.2g.
obnunciar v.
obó s.m.
oboaz s.m.
obodrito adj. s.m.
oboé s.m.
oboísta adj. s.2g.
óbola s.f.
obólida adj.2g. s.m.
obolídeo adj. s.m.
óbolo s.m.
oboloburum s.m.
obongo adj. s.m.
obori s.m.
oborita s.f.
obotrito s.m.
obovado adj.
oboval adj.2g.
obovalado adj.
obovatifólio adj.
obóveo adj.
obovoide (ó) adj.2g.
oboyerita s.f.
obpiramidal adj.2g.
obpiriforme adj.2g.
obra s.f.
obração s.f.
obra-córnea s.f.; pl. *obras-córneas*
obra-cornuta s.f.; pl. *obras-cornutas*
obrada s.f.
obradação s.f.
obradar v.
obra de arte s.f.
obra de arte corrente s.f.
obra de bico s.f.
obra de gaita s.f.
obradeira s.f.
obra de nove por seis s.f.
obra de sete pés s.f.
obrado adj.
obrador (ô) adj. s.m.
obradório s.m.
obrage s.f.
obrageiro s.m.
obragem s.f.
obra-mestra s.f.; pl. *obras-mestras*
obra-mestre s.f.; pl. *obras-mestres*
obra-morta s.f.; pl. *obras-mortas*
obrante adj.2g.
obra-prima s.f.; pl. *obras-primas*
obrar v.
obrável adj.2g.
obreeiro s.m.
obregão s.m.
obreia s.f.
obreirismo s.m.
obreirista adj. s.2g.
obreirístico adj.
obreiro adj. s.m.
obrejar v.
ob-repção s.f.
ob-reptício adj.
obriga s.f.
obrigação s.f.
obrigacional adj.2g.
obrigacionário s.m.
obrigacionista adj. s.2g.
obrigado adj. s.m.
obrigador (ô) adj. s.m.
obrigamento s.m.
obrigante adj. s.2g.
obrigar v.
obrigatário s.m.
obrigatividade s.f.
obrigativo adj.
obrigatoriedade s.f.
obrigatório adj.
obrigável adj.2g.
obrima s.m.
ob-ringente adj.2g.
ob-ringentifloro adj.
ob-ringentiforme adj.2g.
óbrio s.m.
obrista s.m.
ob-rogação s.f.
ob-rogado adj.
ob-rogante adj.2g.
ob-rogar v.
ob-rogatório adj.
ob-rogável adj.2g.
obruchevita s.f.
obscenidade s.f.
obscenizar v.
obsceno adj.
obscuração s.f.
obscurado adj.
obscurador (ô) adj. s.m.
obscurante adj. s.2g.
obscurantismo s.m.
obscurantista adj. s.2g.
obscurantístico adj.
obscurantização s.f.
obscurantizado adj.
obscurantizador (ô) adj.
obscurantizante adj.2g.
obscurantizar v.
obscurecedor (ô) adj. s.m.
obscurecente adj.2g.
obscurecer v.

obscurecido adj.
obscurecimento s.m.
obscurecível adj.2g.
obscureza (*ê*) s.f.
obscuridade s.f.
obscuro adj.
obsecração s.f.
obsecrante adj. s.2g.
obsecrar v.
obsedado adj.
obsedante adj.2g.
obsedar v.
obsedável adj.2g.
obsediado adj.
obsediador (*ô*) adj.
obsediante adj.2g.
obsediar v.
obsediável adj.2g.
obsequência (*ü*) s.f.
obsequente (*ü*) adj.2g.
obsequiado (*ze*) adj.
obsequiador (*ze...ô*) adj. s.m.
obsequiante (*ze*) adj.2g.
obsequiar (*ze*) v.
obséquias (*zé*) s.f.pl.; cf. *obsequias*, fl. do v. *obsequiar*
obséquio (*zé*) s.m.; cf. *obsequio*, fl. do v. *obsequiar*
obsequiosidade (*ze*) s.f.
obsequioso (*ô*) adj.; f. (*ó*); pl. (*ó*)
obserreado adj.
obserrulado adj.
observação s.f.
observacional adj.2g.
observado adj.
observador (*ô*) adj. s.m.
observância s.f.
observando adj. s.m.
observante adj. s.2g.
observantina s.f.
observantino adj. s.m.
observar v.
observativo adj.
observatório adj. s.m.
observável adj.2g.
obsessão s.f.
obsessionado adj.
obsessionador (*ô*) adj.
obsessionante adj.2g.
obsessionar v.
obsessionável adj.2g.
obsessivo adj.
obsesso adj. s.m.
obsessor (*ô*) adj. s.m.
obsia s.f.
obsidente adj. s.2g.
obsidiado adj.
obsidiana s.f.
obsidiano adj.
obsidiante adj.2g.
obsidiar v.
obsidional adj.2g.
obsignador (*ô*) s.m.
obsolência s.f.
obsolescência s.f.
obsolescente adj.2g.
obsolescer v.
obsolescido adj.
obsolescimento s.m.
obsolescível adj.2g.
obsoletar v.
obsoletismo s.m.
obsoleto (*é* ou *ê*) adj.
obsônico adj.
obsonina s.f.
obstacular v.
obstaculizar v.
obstáculo s.m.
obstância s.f.
obstante adj.2g.
obstar v.
obstativo adj.
obstável adj.2g.
obstetra adj. s.2g.
obstétrica s.f.
obstetrical adj.2g.
obstetricano s.m.
obstetrícia s.f.
obstetrício adj.
obstétrico adj.
obstetriz s.f.
obsticidade s.f.
obstinação s.f.
obstinado adj.
obstinante adj.2g.
obstinar v.
obstipação s.f.
obstipado adj.
obstipante adj.2g.
obstipar v.
obstricto adj.
obstringente adj.2g.
obstringir v.
obstrito adj.
obstrução s.f.
obstrucionismo s.m.
obstrucionista adj. s.2g.
obstrucionístico adj.
obstruente adj.2g.
obstruído adj.
obstruir v.
obstrusividade s.f.
obstrusivo adj.
obstruso adj.
obstrutividade s.f.
obstrutivo adj.
obstrutor (*ô*) adj. s.m.
obstupefação s.f.
obstupefato adj.
obstúpido adj.
obsubulado adj.
obsúbulo adj.
obsutural adj.2g.
obtéctea s.f.
obtecto s.m.
obtemperação s.f.
obtemperado adj.
obtemperador (*ô*) adj. s.m.
obtemperante adj.2g.
obtemperar v.
obtemperativo adj.
obtemperatório adj.
obtemperável adj.2g.
obtenção s.f.
obtenível adj.2g.
obtentor (*ô*) adj. s.m.
obter v.
obtestação s.f.
obtestar v.
obtido adj.
obtundente adj.2g.
obtundir v.
obturação s.f.
obturado adj.
obturador (*ô*) adj. s.m.
obturante adj. s.2g.
obturar v.
obturável adj.2g.
obturbinado adj.
obtusado adj.
obtusangulado adj.
obtusangular adj.2g.
obtusângulo adj.
obtusão s.f.
obtusidade s.f.
obtusidez (*ê*) s.f.
obtusífido adj.
obtusifloro adj.
obtusifoliado adj.
obtusifólio adj.
obtusilíngue (*ü*) adj.2g.
obtusilobado adj.
obtusilobulado adj.
obtusipétalo adj.
obtusirrostro adj.
obtusiúsculo adj.
obtuso adj.
obulconense adj. s.2g.
obumbração s.f.
obumbrado adj.
obumbramento s.m.
obumbrante adj.2g.
obumbrar v.
obus s.m.
obuseiro adj. s.m.
obusite s.f.
obutu s.m.
obvenção s.f.
obversão s.f.
obverso adj.
obviar v.
obviável adj.2g.
obviedade s.f.
óbvio adj.; cf. *obvio*, fl. do v. *obviar*
obvir v.
obvolutado adj.
obvoluto adj.
obvolvido adj.
oca s.f. "morada de índios", etc.; cf. *ocá*
ocá s.m. "sumaúna", etc.; cf. *oca*
oça s.m.
ocachovi s.m.
ocado adj.
ocaia s.f.
ocaleia (*é*) s.f.
ocálio adj. s.m.
ocambadiona s.m.
ocanda adj. s.2g.
ocanhebo s.m.
ocanheira s.f.
ocanho s.m.
ocano adj. s.m.
ocapi s.m.
ocápia s.f.
ocar v.
ocara s.f.
ocarense adj. s.2g.
ocarina s.f.
ocarinista adj. s.2g.
ocaruçu s.m.
ocasião s.f.
ocasionado adj.
ocasionador (*ô*) adj. s.m.
ocasional adj.2g.
ocasionalidade s.f.
ocasionalismo s.m.
ocasionalista adj. s.2g.
ocasionalístico adj.
ocasionante adj.2g.
ocasionar v.
ocasionário adj.
ocasionável adj.2g.
ocaso s.m.
ocauçuano adj. s.m.
ocauçuense adj. s.2g.
ocável adj.2g.
occamismo s.m.
occamista adj. s.2g.
occamístico adj.
occemíila s.f.
occídio s.m.
occíduo adj.
occipicial adj.2g.
occipício s.m.
occipital adj.2g. s.m.
occipitalização s.f.
occipitalizado adj.
occipitanterior (*ô*) adj.2g.
occipitatlóideo adj.
occipitatloidiano adj.
occipitauricular adj.2g.
occipitaxóideo (*cs*) adj.
occipitobasilar adj.2g.
occipitobregmático adj.
occipitocervical adj.2g.
occipitocotilóideo adj.
occipitofacial adj.2g.
occipitofrontal adj.2g.
occipitolateral adj.2g.
occipitomastóideo adj.
occipitomeníngeo adj.
occipitomentoniano adj.
occipitonutritivo adj.
occipitoparietal adj.2g.
occipitopétreo adj.
occipitoposterior (*ô*) adj.2g.
occipitossacro adj.
occipitostafilino adj.
occipitovertebral adj.2g.
occipúcio s.m.
occisão s.f.
occisivo adj.
occitânico adj. s.m.
occitanofalante adj. s.2g.
occitanofonia s.f.
occitanófono adj. s.m.
occitanoparlante adj. s.2g.
ocê s.m.
oceanápia s.f.
oceanário s.m.
oceanauta s.2g.
oceânea s.f.
oceâneo adj.
oceanicidade s.f.
oceânico adj. "relativo ao oceano"; cf. *ossiânico*
oceanidade s.f.
oceânide s.f.
oceanídeo adj. s.m.
oceaniense adj. s.2g.
oceanismo s.m. "estudo dos oceanos"; cf. *ossianismo*
oceanista adj. s.2g. "estudioso de oceanos"; cf. *ossianista*
oceanístico adj. "relativo aos oceanos"; cf. *ossianístico*
oceanite s.m.
oceanítide s.f.
oceanitídeo adj. s.m.
oceanitínea s.f.
oceano s.m.
oceanódroma s.m.
oceanofilia s.f.
oceanófilo adj. s.m.
oceanografia s.f.
oceanográfico adj.
oceanograficultura s.f.
oceanografista adj. s.2g.
oceanógrafo s.m.
oceanologia s.f.
oceanológico adj.
oceanologista adj. s.2g.
oceanólogo s.m.
oceanometria s.f.
ocelado adj.
ocelar adj.2g.
ocelária s.f.
ocelense adj. s.2g.
océleo adj.
ocelífero adj.
oceliforme adj.2g.
ocelígero adj.
ocelo s.m.
ocelocopíli s.m.
ocelote s.m.
oche (*ô*) interj.
ochucuiana adj. s.2g.
ocíale s.m.
ocíalo s.m.
ocida s.f.
ócide s.f.
ocidental adj. s.2g.
ocidentalidade s.f.
ocidentalismo s.m.
ocidentalista adj. s.2g.
ocidentalístico adj.
ocidentalização s.f.
ocidentalizado adj.
ocidentalizante adj. s.2g.
ocidentalizar v.
ocidente s.m.
ocidentense adj. s.2g.
ocidento-samoense adj. s.2g.; pl. *ocidento-samoenses*
ocídio s.m.
ocídromo s.m.
ocíduo adj.
ocífabe s.f.
ócifaps s.f.
ocigrafia s.f.
ocigráfico adj.
ocígrafo s.m.
ocímea s.f.
ocimeno s.m.
ócimo s.m.
ocimóidea s.f.
ocimóideo adj.
ocinebra s.f.
ocinhé s.m.
ócio s.m.
ociosidade s.f.
ocioso (*ô*) adj.; f. (*ó*); pl. (*ó*)
ocipicial adj.2g.
ocipício s.m.
ocipital adj.2g. s.m.
ocipitalização s.f.
ocipitalizado adj.
ocipitanterior (*ô*) adj.2g.
ocipitatlóideo adj.
ocipitatloidiano adj.
ocipitauricular adj.2g.
ocipitaxóideo (*cs*) adj.
ocipitobasilar adj.2g.
ocipitobregmático adj.
ocipitocervical adj.2g.
ocipitocotilóideo adj.
ocipitofacial adj.2g.
ocipitofrontal adj.2g.
ocipitolateral adj.2g.
ocipitomastóideo adj.
ocipitomeníngeo adj.
ocipitomentoniano adj.
ocipitonutritivo adj.
ocipitoparietal adj.2g.
ocipitopétreo adj.
ocipitoposterior (*ô*) adj.2g.
ocipitossacro adj.
ocipitostafilino adj.
ocipitovertebral adj.2g.
ócipo s.m.
ocípoda s.f.
ocípode s.m.
ocipódida adj.2g. s.m.
ocipodídeo adj. s.m.
ociporito s.m.
ocíptamo s.m.
ocíptera s.f.
ocipúcio s.m.
ocíroe s.f.
ociróideo s.m.
ócis s.m.2n.
ocisão s.f.
ocisivo adj.
ocitocia s.f.
ocitócico adj.
ocitocina s.f.
ocítoe s.f.
ockamismo s.m.
ocládio s.m.
oclese s.f.
oclocracia s.f.
oclocrata s.2g.
oclocrático adj.
oclofilia s.f.
oclófilo adj. s.m.
oclofobia s.f.
oclofóbico adj.
oclófobo adj. s.m.
ocluir v.
oclusal adj.2g.
oclusão s.f.
oclusiva s.f.
oclusivação s.f.
oclusividade s.f.
oclusivo adj.
ocluso adj.
oclusor (*ô*) adj.
ocna s.f.
ocnácea s.f.
ocnáceo adj.
ocnéria s.f.
ocnerode s.m.
ocnerodrilo s.m.
ocno s.m.
ocnógina s.f.
ocnotrófico adj.
oco (*ô*) adj. s.m. "que não tem miolo"; cf. *ocó* s.m. e *oco*, fl. do v. *ocar*
ocó s.m. "marido"; cf. *oco* (*ô*) adj. s.m. e fl. do v. *ocar*
oçobó s.m.
ocoembo s.m.
ocófita s.f.
ocogravura s.f.
ocoionga adj. s.2g.
ocomoiana adj. s.2g.
oconite s.f.
ocorrência s.f.
ocorrente adj.2g.
ocorrer v.
ocorrido adj. s.m.
ocorrimento s.m.
ocota adj. s.2g.
ocótea s.f.
ocoteia (*é*) s.f.
ocoto s.m.
ocotona s.f.
ocotônida adj.2g. s.m.
ocotonídeo adj. s.m.
ocozoal s.m.

ocozol s.m.
ocra adj.2g. s.m.f.
ocráceo adj.
ocrádene s.m.
ocrádeno s.m.
ocraleia (*é*) s.f.
ocrame s.m.
ocrano s.m.
ocrantácea s.f.
ocrantáceo adj.
ocranto adj. s.m.
ocratoxina (*cs*) s.f.
ocratoxínico (*cs*) adj.
ocre adj.2g. s.m.f.
ócrea s.f.
ocreáceo adj.
ocreado adj.
ocreato adj.
ocre de chumbo s.m.
ocreína s.f.
ocreoso (*ô*) adj.; f. (*ó*); pl. (*ó*)
ocríase s.f.
ocricórneo adj.
ocriculano adj. s.m.
ocrocarpo s.m.
ocrocéfalo adj.
ocrocloro adj.
ocrodermia s.f.
ocrodérmico adj.
ocroíta s.f.
ocroíte s.f.
ocroíto s.m.
ocroléquia s.f.
ocroleuco adj.
ocrolita s.f.
ocrólita s.f.
ocrólito s.m.
ocroma s.m.
ocrômetro s.m.
ocrômia s.f.
ocromonadácea s.f.
ocromonadáceo adj.
ocronose s.f.
ocrópira s.f.
ocrópode adj.2g.
ocropsora s.f.
ocróptero adj.
ocrose s.f.
ocrosia s.f.
ocrósico adj.
ocrósis s.m.2n.
ocrospório s.m.
ocrósporo adj. s.m.
ocrostigma s.m.
octã adj. s.f.
octacêmida adj.2g. s.m.
octacnemídeo adj. s.m.
octacnemo s.m.
octacontaédrico adj.
octacontaedro s.m.
octacontágono s.m.
octacorde adj.2g.
octacórdio adj.
octacordo adj. s.m.
octacosaédrico adj.
octacosaedro s.m.
octacosagonal adj.2g.
octacoságono s.m.
octacosano s.m.
octadecadienoico (*ó*) adj.
octadecaédrico adj.
octadecaedro s.m.
octadecagonal adj.2g.
octadecágono s.m.
octadecanal s.m.
octadecano s.m.
octadecanoico (*ó*) adj.
octadecanol s.m.
octadecenoico (*ó*) adj.
octadieno s.m.
octaedral adj.2g.
octaédrico adj.
octaedriforme adj.2g.
octaedrita s.f.
octaedrite s.f.
octaedrito s.m.
octaedro s.m.
octaedroide (*ó*) s.m.
octaetéride s.f.
octal adj.2g. s.m.
octaleuródico s.f.
octalina s.f.
octamina s.f.
octana s.f.
octanado adj.
octanagem s.f.
octanal s.m.
octanante adj.2g.
octanar v.
octanável adj.2g.
octandria s.f.
octândria s.f.
octândrico adj.
octandro adj.
octangular adj.2g.
octânio s.m.
octano s.m.
octanoico (*ó*) adj.
octanoíla s.f.
octanona s.f.
octante adj.2g.
octantéreo adj.
octantero adj.
octapeptídeo adj. s.m.
octarilo s.m.
octatetracontaédrico adj.
octatetracontaedro s.m.
octateuco s.m.
octavalência s.f.
octavalente adj.2g.
octavário s.m.
octávia s.f.
octaviânia s.f.
octaviano adj.
octazano s.m.
octébio s.m.
octeca s.f.
octeno s.m.
octênomo s.m.
octera s.f.
octérida adj.2g. s.m.
octerídeo adj. s.m.
octero s.m.
octeroida (*ó*) adj.2g. s.m.
octeróideo adj. s.m.
octeto (*ê*) s.m.
octíase s.m.
octidi s.m.
octiesmilésimo num.
octífila s.f.
octil adj. s.m.
octila s.f.
octilamina s.f.
octileno s.m.
octilhão num.
octilião num.
octílico adj.
octílio s.m.
octilionésimo num.
octilo s.m.
octingenário adj. s.m.
octingentenário adj.
octingentésimo num.
octingentúplice num.
octingêntuplo num.
octino s.m.
octípara s.f.
octíparo adj.
octípede adj.2g.
octissecular adj.2g.
octobléfaro s.m.
octobótrio s.m.
octobraquídeo adj.
octocana s.m.
octocnema s.f.
octocnemácea s.f.
octocnemáceo adj.
octocnematácea s.f.
octocnematáceo adj.
octocoral adj. s.m.
octocorala s.f.
octocoralário adj. s.m.
octocórneo adj.
octocorreme s.m.
octocosmo s.m.
octocótilo s.m.
octodáctilo adj.
octodecilhão num.
octodecilião num.
octodecilionésimo num.
octodecimal adj.2g.
octodícera s.f.
octodieta s.f.
octódio s.m.
octodo (*ô*) s.m.
octodonte adj.2g. s.m.
octodontídeo adj. s.m.
octodontíneo adj. s.m.
octodrama s.m.
octódromo s.m.
octoduodecimal adj.2g.
octodurense adj. s.2g.
octofélia s.m.
octófido adj.
octofila s.f.
octofilo adj.
octóforo s.m.
octogamia s.f.
octogâmico adj.
octógamo adj. s.m.
octogenariado s.m.
octogenário adj. s.m.
octogentésimo num.
octogésimo num.
octoginia s.f.
octogínico adj.
octógino adj.
octogintúplice num.
octogíntuplo num.
octoglosso s.m.
octogonal adj.2g.
octógono adj. s.m.
octoico (*ó*) adj.
octólepe s.f.
octolépide adj.2g. s.f.
octolépido adj. s.m.
octolepidóidea s.f.
octolíngue (*ü*) adj.2g.
octólobo s.m.
octolobulado adj.
octolocular adj.2g.
octomerálio s.m.
octoméria s.f.
octomítida adj.2g. s.m.
octomitídeo adj. s.m.
octona s.f.
octonado adj.
octonário adj. s.m.
octonema s.m.
octonervado adj.
octonérveo adj.
octono s.m.
octopenado adj.
octopeptídeo adj. s.m.
octopétalo adj.
octoploíde adj.2g.
octoploidia s.f.
octopo s.m.
octópode adj.2g. s.m.
octopódida adj.2g. s.m.
octopodídeo adj. s.m.
octopódio s.m.
octoqueto s.m.
octorcandra s.f.
octorquídio s.m.
octórquis s.m.2n.
octorradiado adj.
octorreme adj.2g. s.f.
octorum adj. s.2g.
octoruno adj. s.m.
octosporado adj.
octósporo s.m.
octossecular adj.2g.
octossépalo adj.
octossesdecimal adj.2g.
octossesvigesimal adj.2g.
octossilábico adj.
octossílabo adj. s.m.
octostêmone adj.2g.
octostilo s.m.
octotemno s.m.
octótoma s.f.
octotriedro s.m.
octotrigesimal adj.2g.
octovalve adj.2g.
octovalvo adj.
octovigesimal adj.2g.
octóviro s.m.
octóxido (*cs*) s.m.
octozoico (*ó*) adj.
octraceno s.m.
octual s.m.
octulano adj. s.m.
octúpalo s.m.
octuplete adj. s.2g.
octuplicado adj.
octuplicar v.
octúplice num.
óctuplo num.
octupolo s.m.
octusse s.m.
ocua s.f.
ocujarê s.m.
oculação s.f.
oculado adj.
ocular adj.2g. s.f.
ocularismo s.m.
ocularista adj. s.2g.
ocúleo s.m.
oculífero adj.
oculiforme adj.2g.
oculina s.f.
oculinária s.m.
oculínida adj.2g. s.m.
oculinídeo adj. s.m.
oculiníneo adj. s.m.
oculinomancia s.f.
oculinomante s.2g.
oculinomântico adj.
oculista adj. s.2g.
oculística s.f.
óculo s.m.
oculocardíaco adj.
oculocerebral adj.2g.
óculo de alcance s.m.
óculo de ver ao longe s.m.
oculofacial adj.2g.
oculogiração s.f.
oculogiria s.f.
oculogiro adj.
oculógiro adj.
oculomicose s.f.
oculomiíase s.f.
oculomotor (*ô*) adj. s.m.
oculomuscular adj.2g.
oculomusculoso (*ô*) adj.; f. (*ó*); pl. (*ó*)
oculonasal adj.2g.
oculopalpebral adj.2g.
oculopupilar adj.2g.
óculos s.m.pl.
oculoso (*ô*) adj.; f. (*ó*); pl. (*ó*)
oculospôngia s.f.
oculozigomático adj.
ocultação s.f.
ocultado adj.
ocultador (*ô*) adj. s.m.
ocultamento s.m.
ocultante adj.2g.
ocultar v.
ocultas s.f.pl.; na loc. *às ocultas*
ocultável adj.2g.
ocultense adj. s.2g.
ocultismo s.m.
ocultista adj. s.2g.
ocultístico adj.
oculto adj.
oçum s.m.
ocumanga s.f.
ocumba s.f.
ocumé s.m.
ocunense adj. s.2g.
ocupação s.f.
ocupacional adj.2g.
ocupado adj.
ocupador (*ô*) adj. s.m.
ocupante adj. s.2g.
ocupar v.
ocupável adj.2g.
ocupoterapia s.f.
ocupoterápico adj.
ocursar v.
ocurso s.m.
ocutava s.m.
ocuuba s.m.
od s.m.
oda s.f.
odacanta s.f.
odacíneo adj. s.m.
odalisca s.f.
odalite s.f.
odara adj.2g.
odátria s.f.
ódax (*cs*) s.m.2n.
odaxismo (*cs*) s.m.
oddite s.f.
ode s.f.
odeão s.m.
odedé s.m.
odenita s.f.
odeofônio s.m.
odéon s.m.
odézia s.f.
odiá s.f.
odiado adj.
odiar v.
odiável adj.2g.
odico adj.
odiento adj.
odila s.f.
odina s.f.
odinacústica s.f.
odinacústico adj.
odinero s.m.
odínia s.m.
odínico adj.
odinofagia s.f.
odinofágico adj.
odinofilia s.f.
odinófilo adj. s.m.
odinofobia s.f.
odinofóbico adj.
odinófobo adj. s.m.
odinólise s.f.
odinolítico adj.
odinométrico adj.
odinômetro s.m.
odinopoese s.f.
odinopoético adj.
ódio s.m.
odiosidade s.f.
odioso (*ô*) adj.; f. (*ó*); pl. (*ó*)
odissaico adj.
odisseia (*é*) s.f.
odisseico (*é*) adj.
odista adj. s.2g.
odite s.f.
odito s.m.
odivelense adj. s.2g.
odo s.m.
odobenídeo adj. s.m.
odobeno s.m.
odocnêmide s.f.
odocnêmis s.f.2n.
odocoíleo adj. s.m.
odo-feiabá interj.
odofílaco s.m.
odogênese s.f.
odografia s.f.
odográfico adj.
odógrafo s.m.
odo-iá interj.
odologia s.f.
odológico adj.
odomante adj. s.2g. s.m.
odomântico adj.
odombera adj. s.2g.
odometria s.f.
odométrico adj.
odômetro s.m.
odonáiade s.f.
odonáspis s.m.2n.
odonata s.f.
odonato adj. s.m.
odôncia s.f.
odone adj. s.2g.
odonéspide s.f.
odonéstis s.f.2n.
odonímia s.f.
odonímico adj.
odônimo s.m.
odontadínia s.f.
odontagogo (*ô*) s.m.
odontagra s.f.
odontalgia s.f.
odontálgico adj.
odontandra s.f.
odontântia s.m.
odontarmose s.f.
odontarmósico adj.
odontáspida adj.2g. s.m.
odontaspídeo adj. s.m.
odontáspis s.f.2n.
odontáster s.m.

odontatrofia s.f.
odontatrófico adj.
odontecnia s.f.
odontécnica s.f.
odontécnico adj.
odontélio s.m.
odontemorragia s.f.
odontemorrágico adj.
odonterismo s.m.
odonterrana s.f.
odôntia s.f.
odontíase s.f.
odonticeto adj. s.m.
odontídeo adj. s.m.
odontina s.f.
odontinoide (*ó*) s.m.
odôntio s.m.
odontiônica s.f.
odontite s.f.
odontítico adj.
odontito s.m.
odontóbio s.m.
odontoblasta s.m.
odontoblástico adj.
odontoblasto s.m.
odontoblastoma s.m.
odontoblastômio s.m.
odontobotrite s.f.
odontocarfa s.f.
odontocária s.f.
odontócaro s.m.
odontocele s.f.
odontocélico adj.
odontocérida adj.2g. s.m.
odontocerídeo adj. s.m.
odontócero s.m.
odontoceto adj. s.m.
odontocia s.f.
odontociato s.m.
odontocismo s.m.
odontoclâmide s.f.
odontoclasta s.f.
odontoclasto s.m.
odontocorino s.m.
odontoderme adj.2g. s.m.
odontodermo adj. s.m.
odontódero s.m.
odontodinia s.f.
odontodínico adj.
odontoestomatologia s.f.
odontoestomatológico adj.
odontoestomatologista s.2g.
odontofia s.f.
odontófico adj.
odontoforínea s.f.
odontoforíneo adj. s.m.
odontóforo s.m.
odontogênese s.f.
odontogenético adj.
odontogenia s.f.
odontogênico adj.
odontóglifo s.m.
odontoglosso adj. s.m.
odontógnato s.m.
odontografia s.f.
odontográfico adj.
odontógrafo s.m.
odontoide (*ó*) adj.2g.
odontoideia (*é*) adj. f. de *odontoideu*
odontóideo adj.
odontoideu adj.; f. *odontoideia* (*é*)
odontolaimo s.m.
odontolando s.m.
odontolatria s.f.
odontolátrico adj.
odontolemo s.m.
odontólite s.m.
odontolitíase s.f.
odontolitiásico adj.
odontólito s.m.
odontólofo s.m.
odontologia s.f.
odontológico adj.
odontologista adj. s.2g.
odontólogo s.m.
odontoloma s.m.
odontoloxia (*cs*) s.f.
odontolóxico (*cs*) adj.
odontoma s.m.
odontômaco s.m.
odontomalacia s.f.
odontomalácio adj.
odontômero s.m.
odontometria s.f.
odontométrico adj.
odontômetro s.m.
odontômia s.f.
odôntomo s.m.
odônton s.m.
odontonecrose s.f.
odontonecrótico adj.
odontonema s.m.
odontônice s.m.
odontônio s.m.
odontônique s.m.
odontonosologia s.f.
odontonosológico adj.
odontoparaláctico adj.
odontoparalaxe (*cs*) s.f.
odontopatia s.f.
odontopático adj.
odontopedia s.f.
odontopediatra s.2g.
odontopediatria s.f.
odontopediátrico adj.
odontopediatro s.m.
odontopédico adj.
odontopedista adj. s.2g.
odontoperiósteo s.m.
odontopetra s.f.
odontoplástico adj.
odontopleurose s.f.
odontopleurótico adj.
odôntopo s.m.
odontópode s.m.
odontoprise s.f.
odontoptéride s.f.
odontoquesto s.m.
odontorina s.f.
odontornito adj. s.m.
odontorragia s.f.
odontorrágico adj.
odontorranfo adj. s.m.
odontorrina s.f.
odontorrizo adj.
odontortopedia s.f.
odontortopédico adj.
odontortopedista s.2g.
odontosceLária s.f.
odontoscélide s.f.
odontóscelis s.f.2n.
odontoscopia s.f.
odontoscópio s.m.
odontose s.f.
odontosílis s.f.2n.
odontosória s.f.
odontospermo s.m.
odontosquismo s.m.
odontostelma s.f.
odontosteófito s.m.
odontostilo adj.
odontostomatologia s.f.
odontostomatológico adj.
odontostomatologista adj. s.2g.
odontóstomo adj. s.m.
odontota s.f.
odontotarsária s.f.
odontotarso s.m.
odontoteca s.f.
odontotecnia s.f.
odontotécnica s.f.
odontotécnico adj.
odontotecoma s.f.
odontotomia s.f.
odontotorse s.f.
odontótrico s.m.
odontotripo s.m.
odontotripse s.f.
odontotripsia s.f.
odontotrofia s.f.
odontoxesta (*cs*) s.f.
odontoxesto (*cs*) s.m.
odôntria s.f.
odor (*ô*) s.m.
odorado adj.
odorante adj.2g.
odorar v.
odorato s.m.
odórico adj.
odorífero adj.
odorífico adj.
odorifumante adj.2g.
odorígeno adj.
odorimetria s.f.
odorímetro s.m.
odorina s.f.
odorização s.f.
odorizado adj.
odorizador (*ô*) adj. s.m.
odorizante adj.2g.
odorizar v.
odoro adj.
odoroscopia s.f.
odoroscópico adj.
odoróscopo adj.
odoroso (*ô*) adj.; f. (*ó*); pl. (*ó*)
odostômia s.f.
odotaquímetro s.m.
odotaxômetro (*cs*) s.m.
odrada s.f.
odraria s.f.
odre (*ô*) s.m.
odreiro s.m.
ódrisa adj. s.2g.
odrísio adj. s.m.
odu s.m.
oduciense adj. s.2g.
odulço s.m.
odule s.m.
odum s.m.
oecantídeo adj. s.m.
oecantíneo adj. s.m.
oecanto s.m.
oecdinemídeo adj. s.m.
oecétis s.f.2n.
oécio s.m.
oecoforídeo adj. s.m.
oecogônia s.f.
oecologia s.f.
oédalo s.m.
oedíníquis s.m.2n.
oedípoda s.f.
oedipodíneo adj. s.m.
oedopeza s.f.
oeduema s.f.
oeirana s.f.
oeirense adj. s.2g.
oena s.f.
oenístis s.m.2n.
oenocromíneo adj. s.m.
oenoftira s.f.
oéone adj. s.2g.
oersted (*êrsted*) s.m.
oerstedita s.f.
oerstite s.f.
oés-nordeste adj.2g. s.m.; pl. *oés-nordestes*
oés-noroeste adj.2g. s.m.; pl. *oés-noroestes*
oés-sudoeste adj.2g. s.m.; pl. *oés-sudoestes*
oés-sueste adj.2g. s.m.; pl. *oés-suestes*
oeste adj.2g. s.m.
oeste-amazônico adj.; pl. *oeste-amazônicos*
oeste-cruzeirense adj. s.2g.; pl. *oeste-cruzeirenses*
oeste-ervalense adj. s.2g.; pl. *oeste-ervalenses*
oeste-estrelense adj. s.2g.; pl. *oeste-estrelenses*
oeste-miguelense adj. s.2g.; pl. *oeste-miguelenses*
oestense adj. s.2g.
oestrídeo adj. s.m.
oestrímnico adj.
oestrímnida adj. s.2g.
oestrárea s.f.
oeta s.f.
ofa s.f. "cansaço"; cf. *ofá*
ofá s.m. "fetiche de Oxóssi"; cf. *ofa*
ofaié adj. s.2g.
ofaié-xavante adj. s.2g.; pl. *ofaiés-xavantes*
ofarita adj. s.2g.
ofarmose s.f.
ofato s.m.
ofegação s.f.
ofegada s.f.
ofegância s.f.
ofegante adj.2g.
ofegar v.
ofego (*ê*) s.m.; cf. *ofego*, fl. do v. *ofegar*
ofegoso (*ô*) adj.; f. (*ó*); pl. (*ó*)
ofeguento adj.
ofélia s.f.
ofeliídeo adj. s.m.
ofeliíneo adj. s.m.
ofelimidade s.f.
ofélimo adj.
ofendedor (*ê*) adj. s.m.
ofender v.
ofendículo s.m.
ofendido adj. s.m.
ofendimento s.m.
ofensa s.f.
ofensão s.f.
ofensiva s.f.
ofensividade s.f.
ofensivo adj.
ofenso adj.
ofensor (*ô*) adj. s.m.
oferecedor (*ô*) adj. s.m.
oferecer v.
oferecido adj.
oferecimento s.m.
oferenda s.f.
oferendado adj.
oferendador (*ô*) adj.
oferendar v.
oferendo s.m.
oferente adj. s.2g.
oferta s.f.
ofertado adj.
ofertador (*ô*) adj. s.m.
ofertamento s.m.
ofertante adj. s.2g.
ofertar v.
ofertável adj.2g.
ofertório s.m.
ofeso (*ê*) adj.
offenbachesco (*ê*) adj.
offenbachiano adj.
offenbachismo s.m.
offenbachização s.f.
ófia s.f.
ofiacanta s.f.
ofiacântida adj.2g. s.m.
ofiacantídeo adj. s.m.
ofiactídeo adj. s.m.
ofiáctis s.m.2n.
ofiâmbix (*cs*) s.m.2n.
ofiaracna s.f.
ofiartro s.m.
ofíase s.f.
ofibdela s.f.
oficalcia s.f.
oficálcio s.m.
oficalcite s.f.
oficalcito s.m.
oficefalídeo adj. s.m.
oficéfalo adj. s.m.
oficiado adj.
oficiador (*ô*) adj. s.m.
oficial adj.2g. s.m.
oficialada s.f.
oficialato s.m.
oficial de defunto s.m.
oficial de gabinete s.m.
oficial-de-sala s.m.; pl. *oficiais-de-sala*
oficial-general s.m.; pl. *oficiais-generais*
oficialidade s.f.
oficialismo s.m.
oficialista adj. s.2g.
oficialístico adj.
oficialização s.f.
oficializado adj.
oficializador (*ô*) adj. s.m.
oficializante adj.2g.
oficializar v.
oficial-maior s.m.; pl. *oficiais-maiores*
oficial-marinheiro s.m.; pl. *oficiais-marinheiros*
oficial-mor s.m.; pl. *oficiais-mores*
oficiante adj. s.2g.
oficiar v.
oficiente adj.2g.
oficina s.f.
oficinal adj.2g.
oficinense adj. s.2g.
ofício s.m.; cf. *oficio*, fl. do v. *oficiar*
oficionário s.m.
oficiosidade s.f.
oficioso (*ô*) adj.; f. (*ó*); pl. (*ó*)
oficleide s.m.
oficleidista s.2g.
oficlide s.m.
ófico adj. s.m.
ofictíida adj. s.2g. s.m.
ofictiídeo adj. s.m.
ofictiíneo adj. s.m.
ofíctis s.m.2n.
ofidiano adj.
ofidiário adj. s.m.
ofidiáster s.m.
ofidiastérida adj.2g. s.m.
ofidiasterídeo adj. s.m.
ofidiastro s.m.
ofídico adj.
ofídida adj.2g. s.m.
ofidídeo adj. s.m.
ofidiida adj.2g. s.m.
ofidiídeo adj. s.m.
ofídio adj. s.m.
ofídio-barbudo s.m.; pl. *ofídios-barbudos*
ofidiofobia s.f.
ofidiofóbico adj.
ofidiófobo s.m.
ofidioide (*ó*) adj.2g.
ofidiontose s.f.
ofidiossáurio adj. s.m.
ofidismo s.m.
ofidofobia s.f.
ofidofóbico adj.
ofidófobo adj. s.m.
ofidômona s.f.
ofidônais s.f.2n.
ofidontose s.f.
ofidontósico adj.
ofidossáurio s.m.
ofierno s.m.
ofigle s.m.
ofiobirsa s.f.
ofioblena s.f.
ofiocâmace s.2g.
ofiócamax (*cs*) s.2g.
ofiocanta s.f.
ofiocário s.m.
ofiocáulon s.m.
ofiocefálida adj.2g. s.m.
ofiocefalídeo adj. s.m.
ofiocéfalo s.m.
ofiocentro s.m.
ofiocerâmide s.f.
ofiocêramis s.f.2n.
ofiociciácea s.f.
ofiociciáceo adj.
ofiocício s.m.
ofiocímbio s.m.
ofiocitiácea s.f.
ofiocitiáceo adj.
ofiocládio s.m.
ofiocnêmis s.f.2n.
ofiocnida s.f.
ofiócoma s.f.
ofiocômida adj.2g. s.m.
ofiocomídeo adj. s.m.
ofiocomina s.m.
ofiocondro s.m.
ofiócreas s.m.2n.
ofiócten s.m.
ofioderma s.m.
ofiodermátida adj.2g. s.m.
ofiodermatídeo adj. s.m.
ofioderme s.f.
ofiodes s.m.2n.
ofiodisco s.m.
ofiodon s.m.
ofiodonte s.m.
ofiódromo s.m.
ofioélida adj.2g. s.m.

ofioelídeo adj. s.m.
ofioelo s.m.
ofiofagia s.f.
ofiofágico adj.
ofiófago adj. s.m.
ofiófilo s.m.
ofiofobia s.f.
ofiofóbico adj.
ofiófobo adj. s.m.
ofiofólide s.f.
ofiófolis s.f.2n.
ofiofragmo s.m.
ofioftalmo adj. s.m.
ofiógene adj. s.2g.
ofiógeno adj.
ofiogimna s.m.
ofióglifa s.m.
ofioglossácea s.f.
ofioglossáceo adj.
ofioglossal adj.2g.
ofioglossale s.f.
ofioglossídea s.f.
ofioglossídeo adj.
ofioglossite s.f.
ofioglosso s.m.
ofiognômon s.m.
ofiógona s.f.
ofiografia s.f.
ofiográfico adj.
ofiógrafo s.m.
ofioide (*ó*) adj.2g.
ofióideo adj. s.m.
ofiólatra s.2g.
ofiolatria s.f.
ofiolátrico adj.
ofiólebes s.m.2n.
ofiolebeto s.m.
ofiolépida adj.2g. s.m.
ofiolépide s.f.
ofiolepídeo adj. s.m.
ofiólepis s.f.2n.
ofiolípeo adj. s.m.
ofiólipo s.m.
ofiólita s.f.
ofiolítico adj.
ofiólito s.m.
ofiologia s.f.
ofiológico adj.
ofiologista adj. s.2g.
ofiólogo s.m.
ofiômaco adj. s.m.
ofiomancia s.f.
ofiomante adj. s.2g.
ofiomântico adj.
ofiomaquia s.f.
ofiomástix (*cs*) s.m.2n.
ofiomasto s.m.
ofiomaza s.f.
ofiômices s.m.2n.
ofiomitra s.f.
ofiomixa (*cs*) s.f.
ofiomíxida (*cs*) adj.2g. s.m.
ofiomixídeo (*cs*) adj. s.m.
ofiomorfia s.f.
ofiomórfico adj.
ofiomorfita s.f.
ofiomorfite s.f.
ofiomorfo adj.
ofiómoro s.m.
ofiomúsio s.m.
ófion s.m.
ofione s.m.
ofionéftis s.f.2n.
ofionela s.f.
ofionema s.f.
ofiônice s.m.
ofioníneo adj. s.m.
ofiônique s.m.
ofioníris s.f.2n.
ofionix (*cs*) s.m.2n.
ofiope s.m.
ofiopepale s.f.
ofiopeza s.f.
ofiopíren s.m.
ofiopírgida adj.2g. s.m.
ofiopirgídeo adj. s.m.
ofiopirgo s.m.
ofiopleura s.f.
ofioplinto s.m.
ofióploco s.m.
ofiopo s.m.
ofiópode s.m.
ofiopogão s.m.
ofiópogo s.m.
ofiopógon s.m.
ofiopogônea s.f.
ofiopogôneo adj.
ofiopogonóidea s.f.
ofiopsâmnio s.m.
ofiopsila s.m.
ofioptéris s.m.2n.
ofióptero s.m.
ofioqueta s.f.
ofióquiton s.m.
ofioquitônida adj.2g. s.m.
ofioquitonídeo adj. s.m.
ofioquitra s.f.
ofiorriza s.f.
ofiosciasma s.m.
ofioscides s.m.2n.
ofioscólex (*cs*) s.m.
ofioscórodo s.m.
ofiospérmea s.f.
ofiospérmeo adj. s.m.
ofiospermo s.m.
ofiossáureo adj. s.m.
ofiossáurio s.m.
ofiossauro s.m.
ofiossema s.f.
ofiostigma s.m.
ofióstoma s.f.
ofiosuro s.m.
ofiotamno s.m.
ofiotela s.f.
ofiotíreo adj. s.m.
ofiotólia s.m.
ofiotoxina (*cs*) s.f.
ofiotríquida adj.2g. s.m.
ofiotriquídeo adj. s.m.
ofiotrix (*cs*) s.m.
ofióxilo (*cs*) s.m.
ofiozona s.f.
ofira s.f.
ofiranganga s.f.
ofirino adj. s.m.
ofírio adj.
ofisma s.f.
ofissáurio s.m.
ofissauro s.m.
ofistodial adj.2g.
ofisúrida adj.2g. s.m.
ofisurídeo adj. s.m.
ofisuro s.m.
ofita adj. s.2g.
ofite s.f.
ofítico adj.
ofitina s.f.
ofito s.m.
ofitoso (*ô*) adj.; f. (*ó*); pl. (*ó*)
ofiúco s.m.
ofiúra s.m.
ofiúrida adj.2g. s.m.
ofiúride adj.2g. s.f.
ofiurídeo (*i-u*) adj. s.m.
ofiurineia (*i-u ... é*) s.f.
ofiuríneo (*i-u*) adj. s.m.
ofiúro adj. s.m.
ofiuroide (*i-u ... ó*) adj.2g. s.m.
ofiuróideo (*i-u*) adj. s.m.
ofiúsa s.f.
ofiúsida adj.2g. s.m.
ofiusídeo (*i-u*) adj. s.m.
ofiússa s.f.
ofloxacina (*cs*) s.f.
ofó s.m.
ofomimo s.m.
ofônio s.m.
ófono s.m.
ofre s.f.
ofretita s.f.
ofretite s.f.
ófride s.f.
ofrídea s.f.
ofrídeo adj. s.m.
ofridiíneo adj. s.m.
ofrídio s.m.
ófrio s.m.
ofriocótilo s.m.
ofriodendríneo adj. s.m.
ofriodendro s.m.
ofriofrino s.m.
ofrioglena s.f.
ófrion s.m.
ofriope s.m.
ofrioscolécida adj.2g. s.m.
ofrioscolecídeo adj. s.m.
ofrioscólex (*cs*) s.m.
ofriósporo s.m.
ofriótroca s.m.
ofriótroco (*ô*) adj.
ófris s.f.2n.
ofrísia s.f.
ofrite s.f.
ofrítico adj.
ofsete s.m.
ofsetista adj.2g. s.m.
oftalgia s.f.
oftálgico adj.
oftalmagia s.f.
oftalmágico adj.
oftalmagra s.f.
oftalmágrico adj.
oftalmatrofia s.f.
oftalmatrófico adj.
oftalmectomia s.f.
oftalmectômico adj.
oftalmencéfalo s.m.
oftalmia s.f.
oftalmíase s.f.
oftalmiatra s.2g.
oftalmiatria s.f.
oftalmiátrico adj.
oftalmiatro s.m.
oftálmico adj. s.m.
oftalmídio s.m.
oftálmio s.m.
oftalmite s.f.
oftalmobiótica s.f.
oftalmoblápton s.m.
oftalmoblenorreia (*é*) s.f.
oftalmoblenorreico (*é*) adj.
oftalmocarcinoma s.m.
oftalmocele s.f.
oftalmocélico adj.
oftalmoconiose s.f.
oftalmocopia s.f.
oftalmocópico adj.
oftalmocroíta s.f.
oftalmodesmite s.f.
oftalmodesmítico adj.
oftalmodiafanoscopia s.f.
oftalmodiafanoscópico adj.
oftalmodiafanoscópio s.m.
oftalmodiagnose s.f.
oftalmodiagnóstico adj.
oftalmodiastasímetro s.m.
oftalmodiastasiômetro s.m.
oftalmodinamométrico adj.
oftalmodinamômetro s.m.
oftalmodinia s.f.
oftalmodínico adj.
oftalmodonese s.f.
oftalmofacômetro s.m.
oftalmofantasma s.m.
oftalmoflebotomia s.f.
oftalmoflebotômico adj.
oftalmofundoscópio s.m.
oftalmografia s.f.
oftalmográfico adj.
oftalmógrafo s.m.
oftalmoleucoscópio s.m.
oftalmólito s.m.
oftalmologia s.f.
oftalmológico adj.
oftalmologista adj. s.2g.
oftalmólogo s.m.
oftalmomalacia s.f.
oftalmomalácico adj.
oftalmomelanose s.f.
oftalmomelanósico adj.
oftalmometria s.f.
oftalmométrico adj.
oftalmômetro s.m.
oftalmomicose s.f.
oftalmomicótico adj.
oftalmomicroscópico adj.
oftalmomicroscópio s.m.
oftalmomiíase s.f.
oftalmomiosite s.f.
oftalmomiosítico adj.
oftalmomiotomia s.f.
oftalmomiotômico adj.
oftalmoncose s.f.
oftalmoncósico adj.
oftalmoneurite s.f.
oftalmoneurítico adj.
oftalmonosologia s.f.
oftalmonosológico adj.
oftalmonosologista adj. s.2g.
oftalmonosólogo s.m.
oftalmopatia s.f.
oftalmopático adj.
oftalmopiorreia (*é*) s.f.
oftalmopiorreico (*é*) adj.
oftalmoplastia s.f.
oftalmoplástico adj.
oftalmoplegia s.f.
oftalmoplégico adj.
oftalmoponia s.f.
oftalmopônico adj.
oftalmoptose s.f.
oftalmoptótico adj.
oftalmorragia s.f.
oftalmorrágico adj.
oftalmorreação s.f.
oftalmorreia (*é*) s.f.
oftalmorreico (*é*) adj.
oftalmorrexia (*cs*) s.f.
oftalmoscopia s.f.
oftalmoscópico adj.
oftalmoscópio s.m.
oftalmossauro s.m.
oftalmóstase s.f.
oftalmostásico adj.
oftalmostático adj.
oftalmóstato s.m.
oftalmostatômetro s.m.
oftalmoteca s.f.
oftalmoterapêutica s.f.
oftalmoterapêutico adj.
oftalmoterapia s.f.
oftalmoterápico adj.
oftalmotermometria s.f.
oftalmotermométrico adj.
oftalmotermômetro s.m.
oftalmotomia s.f.
oftalmotômico adj.
oftalmotonometria s.f.
oftalmotonométrico adj.
oftalmotonômetro s.m.
oftalmotorrinolaringologia s.f.
oftalmotorrinolaringológico adj.
oftalmotorrinolaringologista adj. s.2g.
oftalmotorrinolaringólogo s.m.
oftalmotoxina (*cs*) s.f.
oftalmótropo s.m.
oftalmotropometria s.f.
oftalmotropométrico adj.
oftalmotropômetro s.m.
oftalmóxise (*cs*) s.f.
oftalmoxístico (*cs*) adj.
oftalmoxistro (*cs*) s.m.
oftalmozoário s.m.
ofuscação s.f.
ofuscado adj.
ofuscador (*ô*) adj. s.m.
ofuscamento s.m.
ofuscante adj.2g.
ofuscar v.
ofuscável adj.2g.
ogã s.m.
ogã-confirmado s.m.; pl. *ogãs-confirmados*
ogã de abaçá s.m.
ogã de agogô s.m.
ogã de alabê s.m.
ogã de coro s.m.
ogã de cozinha s.m.
ogã de despensa s.m.
ogã de faca s.m.
ogã de pasto s.m.
ogã de quarto s.m.
ogã de rua s.m.
ogã de sala s.m.
ogã do ferrium s.m.
ogadoiro s.m.
ogã dos atins s.m.
ogadouro s.m.
ogã-ilu s.m.; pl. *ogãs-ilu* e *ogãs-ilus*
ogambá s.m.
ogâmico adj.
ogamo s.m.
ogango s.m.
ogânico adj. s.m.
ogano adv.
oganruntó s.m.
ogão s.m.
ogá-ogá s.m.; pl. *ogá-ogás*
ogar v.
ogcocéfalo s.m.
ogcode s.m.
ogcódera s.f.
ogcódero s.m.
ogcogastro s.m.
ogdóada s.f.
ogdoecontaédrico adj.
ogdoecontaedro s.m.
ogdoecontágono s.m.
ogdoedria s.f.
ogdoédrico adj.
ógea s.f.
ogem s.f.
ogervão s.m.
ogervão-de-folha-estreita s.m.; pl. *ogervões-de-folha-estreita*
ogianxalo s.m.
ogidromite s.f.
ogiera s.f.
ogígico adj.
ogígio adj. s.m.
ogioromita s.f.
ogiva s.f.
ogivado adj.
ogival adj.2g.
ogivar v.
ogiveta (*ê*) s.f.
ogivo adj.
ogivocilíndrico adj.
ogivoplateresco (*ê*) adj.
oglifa s.f.
ogmáster s.m.
ogmocóris s.m.2n.
ogmogáster s.f.
ogmorrino s.m.
ogó s.m.
ogó-amarelo s.m.; pl. *ogós-amarelos*
ogocefalídeo adj. s.m.
ogó de exum s.m.
ogodô s.m.
ogoni s.m.
ogra s.f.
ogre s.m.
ogro s.m.
ogudê s.m.
ogue s.m.
ogueiro s.m.
oguidavi s.m.
oguim s.m.
oguiri s.m.
ogundelê s.m.
ogundemenê s.m.
ogunhê interj.
oguniê interj.
oguxó s.m.
oguz s.m.
oh (*ó* ou *ô*) interj.
ohernita s.f.
ohm (*ome*) s.m.
ohmamperímetro s.m.
ohmamperômetro s.m.
ohm-centímetro s.m.; pl. *ohms-centímetro* e *ohms-centímetros*
ôhmico adj.
ohmímetro s.m.
ohmômetro s.m.
oi (*ô*) interj.
oiá s.f.
oiacá adj. s.2g.
oiamalita s.f.
oiampim adj. s.2g.
oiana adj. s.2g.
oianangulo s.m.
oiapi adj. s.2g.
oiapoquense adj. s.2g.
oiapotira s.m.

oiara s.f.
oiaraná s.m.
oiça s.f.
oicocristal s.m.
oicomonadácea s.f.
oicomonadáceo adj.
oicomonadídeo adj. s.m.
oicômonas s.2g.
oicopleura s.m.
oidemia s.m.
oides s.f.2n.
oidial adj.2g.
oídio s.m.
oidiomicete s.m.
oidiomicose s.f.
oidiomicósico adj.
oidiomicótico adj.
oidiósporo s.m.
oiedeia (*é*) s.f.
oigalê interj.
oigar v.
oigaté interj.
oigatê interj.
oigópsida adj.2g. s.m.
oila interj.
oildag s.m.
oilite s.f.
oim s.m.
oingobelé s.m.
oinofílida adj.2g. s.m.
oinofilídeo adj. s.m.
oinóleo adj. s.m.
oinólico adj.
oió adj. s.2g.
oiospermo s.m.
oiqueticíneo adj. s.m.
oiquético s.m.
oiqueticoide (*ó*) s.f.
oiqueticoidíneo adj. s.m.
oira s.f.
oirada s.f.
oirado adj.
oirama s.f.
oiramento s.m.
oirana s.f.
oirar v.
oirarema s.f.
oirate adj. s.2g.
oirega s.m.
oirejante adj.2g.
oirejar v.
oiriçado adj.
oiriçamento s.m.
oiriçar v.
oiriceira s.f.
oiriceiro s.m.
oirichuvo adj.
oiriço s.m.
oiriço-cacheiro s.m.; pl. *oiriços-cacheiros*
oiriço-comestível s.m.; pl. *oiriços-comestíveis*
oiriço-da-europa s.m.; pl. *oiriços-da-europa*
oiriço-do-mar s.m.; pl. *oiriços-do-mar*
oiriço-fusco s.m.; pl. *oiriços-fuscos*
oirincu s.m.
oiripel s.m.
oiro s.m.
oiro de gato s.m.
oiro de pão s.m.
oiro e fio s.m.
oiro-fio s.m.; pl. *oiros-fio* e *oiros-fios*
oiropel s.m.
oiropelado adj.
oiro-pigmento s.m.; pl. *oiros-pigmento* e *oiros-pigmentos*
oiro-pimenta s.m.; pl. *oiros-pimenta e oiros-pimentas*
oiro-pretano adj. s.m.; pl. *oiro-pretanos*
oirote s.m.
oirovale s.m.
oiroxugo adj.
oirudo adj.
oisansita s.f.
oitante s.m.
oitão s.m.
oitava num. s.f.
oitava a quadrão s.f.
oitava de final s.f.
oitavado adj. s.m.
oitavanista adj. s.2g.
oitavão adj. s.m.
oitavar v.
oitava-rima s.f.; pl. *oitavas-rimas*
oitavário s.m.
oitaveiro adj. s.m.
oitaviante adj.2g.
oitavilha s.f.
oitavina s.f.
oitavinismo s.m.
oitavinista adj. s.2g.
oitavinístico adj.
oitavino s.m.
oitavo num.
oitchi s.m.
oiteda s.m.
oiteira s.f.
oiteiral adj.
oiteirense adj. s.2g.
oiteirista adj. s.2g.
oiteiro s.m.
oitenta num.
oitenta-e-oito s.f.2n.
oitentão adj. s.m.; f. *oitentona*
oitentona adj. s.f. de *oitentão*
oiti s.m.
oiti-amarelo s.m.; pl. *oitis-amarelos*
oitibá s.m.
oiti-bêbado s.m.; pl. *oitis-bêbados*
oitibó s.m.
oiti-bravo s.m.; pl. *oitis-bravos*
oiti-cagão s.m.; pl. *oitis-cagões*
oiticica s.f.
oiticica-amarela s.f.; pl. *oiticicas-amarelas*
oiticica-cica s.f.; pl. *oiticicas-cica e oiticicas-cicas*
oiticicano adj. s.m.
oiticica-verdadeira s.f.; pl. *oiticicas-verdadeiras*
oiticica-vermelha s.f.; pl. *oiticicas-vermelhas*
oiticoró s.m.
oiticoroia (*ó*) s.m.
oiti-da-beira-do-rio s.m.; pl. *oitis-da-beira-do-rio*
oiti-da-praia s.m.; pl. *oitis-da-praia*
oiti-de-porco s.m.; pl. *oitis-de-porco*
oiti-do-mato s.m.; pl. *oitis-do-mato*
oiti-do-pará s.m.; pl. *oitis-do-pará*
oiti-do-sertão s.m.; pl. *oitis-do-sertão*
oiti-dourado s.m.; pl. *oitis-dourados*
oiti-grande s.m.; pl. *oitis-grandes*
oiti-manso s.m.; pl. *oitis-mansos*
oiti-mirim s.m.; pl. *oitis-mirins*
oiti-silvestre s.m.; pl. *oitis-silvestres*
oititeuba s.m.
oitituruba s.f.
oitiuense adj. s.2g.
oitiva s.f.
oitizeirense adj. s.2g.
oitizeiro s.m.
oito num.
oitocentésimo num.
oitocentismo s.m.
oitocentista adj. s.2g.
oitocentístico adj.
oitocentos num.
oitona s.f.
oito pés em quadrão s.m.2n.
oitubro s.m.
oixo s.m.
oja s.f. "ave"; cf. *ojá*
ojá s.f. "faixa de tecido"; cf. *oja*
ojamba s.f.
ojambi s.m.
ojássana s.m.
ojé s.m.
ojeriza s.f.
ojerizar v.
ojerizeiro adj. s.m.
ojerizento adj.
ojó s.m.
ojungue s.m.
okanoganita s.f.
okênia s.f.
okenita s.f.
okenite s.f.
ola s.f. "folha de palmeira", etc.; cf. *olá*
olá interj.; cf. *ola*
olabo adj. s.m.
olacácea s.f.
olacáceo adj.
ólace s.m.
olácea s.f.
oláceo adj. s.m.
olacínea s.f.
olacíneo adj.
olacínico adj.
olacóidea s.f.
olada s.f.
olaeira s.f.
olafita s.f.
olaia s.f.
olalá interj.
olam s.m.
olampi s.m.
olandi s.m.
olandim s.m.
olangá s.m.
olânico adj.
olanina s.f.
olaré interj.
olaria s.f.
olariense adj. s.2g.
olarila interj.
olarionense adj. s.2g.
ólax (*cs*) s.m.
olbiano adj. s.m.
olbiense adj. s.2g.
olbiopolita adj. s.2g.
olbonense adj. s.2g.
ólcade adj. s.2g.
olcinata adj. s.2g.
olciniata adj. s.2g.
olciniate adj. s.2g.
oldegárico s.m.
oldembúrgia s.f.
oldemburguês adj. s.m.
oldenlândia s.f.
oldenlandíea s.f.
oldfíeldia s.f.
oldhamita s.f.
oldhamite s.f.
olé s.m. interj.
ólea s.f.
oleação s.f.
oleácea s.f.
oleáceo adj.
oleacidimetria s.f.
oleacidimétrico adj.
oleacidímetro s.m.
oleadar v.
oleado adj. s.m.
oleaginar v.
oleagínea s.f.
oleagíneo adj.
oleaginosa s.f.
oleaginoso (*ô*) adj.; f. (*ó*); pl. (*ó*)
oleal adj.2g.
oleale s.f.
oleanário adj.
oleânder s.m.
oleandomicina s.f.
oleandra s.f.
oleândrea s.f.
oleandrina s.f.
oleandrismo s.m.
oleandro s.m.
oleanólico adj.
olear v.
olearia s.f. "fábrica de óleo"; cf. *oleária*
oleária s.f. "planta"; cf. *olearia*
oleáse s.f.
oleastrense adj. s.2g.
oleastro s.m.
oleato s.m.
olécrana s.f.
olecraniano adj.
olecrânio s.m.
olécrano s.m.
olecranocoronóideo adj.
olede s.2g.2n.
oleense adj. s.2g.
oleento adj.
olefiante adj.2g.
olefina s.f.
olefínico adj.
olegariense adj. s.2g.
olegário-macielense adj. s.2g.; pl. *olegário-macielenses*
oleico (*é*) adj.
oleícola adj.2g.
oleicultor (*ô*) s.m.
oleicultura s.f.
oleídea s.f.
oleídeo adj. s.m.
oleído s.m.
oleifatura s.f.
oleífero adj.
oleificante adj.2g.
oleifoliado adj.
oleiforme adj.2g.
oleígeno adj.
oleila s.f.
oleílo s.m.
oleína s.f.
oleínea s.f.
oleíneo adj.
oleiro s.m.
olelé s.m.
olembro-negro s.m.; pl. *olembros-negros*
olenário adj.
olência s.f.
olencira s.f.
oleno s.m.
olente adj.2g.
óleo s.m. "líquido gorduroso"; cf. *ólio*
óleo-amarelo s.m.; pl. *óleos-amarelos*
óleo-bálsamo s.m.; pl. *óleos-bálsamo e óleos-bálsamos*
óleo-barão s.m.; pl. *óleos-barão e óleos-barões*
óleo-barrão s.m.; pl. *óleos-barrão e óleos-barrões*
óleo-branco s.m.; pl. *óleos-brancos*
oleobromia s.f.
oleobutírico adj.
óleo-cabureíba s.m.; pl. *óleos-cabureíba e óleos-cabureíbas*
oleocisto s.m.
óleo-comumbá s.m.; pl. *óleos-comumbá e óleos-comumbás*
óleo de bacaba s.m.
óleo de cana s.m.
óleo de copaíba s.m. "bálsamo"
óleo-de-copaíba s.m.; "espécie de árvore"; pl. *óleos-de-copaíba*; cf. *óleo de copaíba*
óleo-de-jataí s.m.; pl. *óleos-de-jataí*
óleo-de-macaco s.m.; pl. *óleos-de-macaco*
óleo-de-mocó s.m.; pl. *óleos-de-mocó*
óleo de setembro s.m.
óleo de zambujo s.m.
oleodução s.f.
oleoducção s.f.
oleoductivo adj.
oleoducto s.m.
oleodutivo adj.
oleoduto s.m.
oleofosfórico adj.
oleogasogênio s.m.
oleoginoso (*ô*) adj.; f. (*ó*); pl. (*ó*)
oleografia s.f.
oleográfico adj.
oleógrafo s.m.
oleogravura s.f.
oleóidea s.f.
oleol s.m.
oleolado s.m. "óleo medicinal"; cf. *oleulado*
oleolatado s.m.
oleolato s.m.
oleólico adj.
oleólito s.m.
oleomargarato s.m.
oleomargárico adj.
oleomargarina s.f.
oleomel s.m.
oleomela s.f.
oleometria s.f.
oleométrico adj.
oleômetro s.m.
oleona s.f.
oleonafta s.f.
óleo-pardo s.m.; pl. *óleos-pardos*
oleoplástico adj.
oleoplastídio s.m.
oleoplasto s.m.
oleoptênio s.m.
oleorrefractômetro s.m.
oleorrefratômetro s.m.
oleorresina s.f.
oleorresinoso (*ô*) adj.; f. (*ó*); pl. (*ó*)
oleorricinato s.m.
oleorricínico adj.
oleosidade s.f.
oleoso (*ô*) adj.; f. (*ó*); pl. (*ó*)
oleossacarato s.m.
oleossulfúrico adj.
oleosteárico adj.
oleosterato s.m.
oleotipia s.f.
oleotípico adj.
oleótipo s.m.
oleotórax (*cs*) s.m.
óleo-vermelho s.m.; pl. *óleos-vermelhos*
oleráceo adj.
oleré interj.
olericultor (*ô*) s.m.
olericultura s.f.
oleroso (*ô*) adj.; f. (*ó*); pl. (*ó*)
olesicoco s.m.
oletreute s.f.
oletrêutida adj.2g. s.m.
oletreutídeo adj. s.m.
oletreutíneo adj. s.m.
oleula s.f.
oleúla s.f.
oleulado adj. "medicamento formado de óleos voláteis"; cf. *oleolado*
oléulico adj.
óleum s.m.
oleuropina s.f.
olfacção s.f.
olfactar v.
olfactear s.f.
olfáctico adj.
olfactivo adj.
olfacto s.m.
olfactologia s.f.
olfactológico adj.
olfactometria s.f.
olfactométrico adj.
olfactômetro s.m.
olfactório adj.
olfactrônica s.f.
olfatar v.
olfatear v.
olfático adj.
olfativo adj.
olfato s.m.
olfatologia s.f.
olfatológico adj.
olfatometria s.f.
olfatométrico adj.
olfatômetro s.m.
olfatório adj.
olferina s.f.
olférsia s.f.
olga s.f.

olha (*ô*) s.f. "iguaria"; cf. *olha*, fl. do v. *olhar*
olhada s.f.
olhadela s.f.
olhado adj. s.m.
olhador (*ô*) adj. s.m.
olhadura s.f.
olhal s.m.
olhalegre adj.2g.
olhalva s.f.
olhalvo adj. s.m.
olhamento s.m.
olhandilha s.m.f.
olhandilhas s.m.2n.
olhanense adj. s.2g.
olhante adj. s.2g.
olhão s.m.
olha-o-bicho s.m.2n.
olha-o-dois s.m.2n.
olha-o-fogo s.m.2n.
olhapim s.m.
olha-podrida s.f.; pl. *olhas-podridas*
olhar v. s.m.
olharada s.f.
olharapo adj. s.m.
olhável adj.2g.
olheira s.f.
olheirada s.f.
olheirado adj.
olheiral s.m.
olheirão s.m.
olheiras s.f.pl.
olheirento adj.
olheiro s.m.
olheirudo adj.
olhento adj.
olhetado s.m.
olhete (*ê*) s.m.
olhete-listrado s.m.; pl. *olhetes-listrados*
olhiagudo adj.
olhibovino adj.
olhibranco adj.
olhica s.2g.
olhico s.m.
olhimanco adj. s.m.
olhinegro (*ê*) adj.
olhinho s.m.
olhipreto (*ê*) adj.
olhirridente adj.2g.
olhitáureo adj.
olhitoiro s.m.
olhitouro adj.
olhizaino adj. s.m.
olhizarco adj.
olho (*ô*) s.m.; pl. (*ó*); cf. *olho*, fl. do v. *olhar*
olho-aguense adj. s.2g.; pl. *olho-aguenses*
olho-bambu s.m.; pl. *olhos-bambus*
olho-branco s.m.; pl. *olhos-brancos*
olho-branco-de-príncipe s.m.; pl. *olhos-brancos-de-príncipe*
olho-cia s.m.; pl. *olhos-cia* e *olhos-cias*
olho-cozido s.m.; pl. *olhos-cozidos*
olho-d'água s.m.; pl. *olhos-d'água*
olho-d'aguense (*ü*) adj. s.2g.; pl. *olho-d'aguenses* (*ü*)
olho-de-água s.m.; pl. *olhos-de-água*
olho de bode s.m.
olho de boi s.m. "selo postal"
olho-de-boi s.m. "espécie de peixe"; pl. *olhos-de-boi*
olho-de-boi-dos-herbolários s.m.; pl. *olhos-de-boi-dos-herbolários*
olho-de-boi-falso s.m.; pl. *olhos-de-boi-falsos*
olho-de-boi-piranga s.m.; pl. *olhos-de-boi-piranga*
olho-de-boneca s.m.; pl. *olhos-de-boneca*
olho-de-burro s.m.; pl. *olhos-de-burro*
olho de cabra s.m. "selo postal"
olho-de-cabra s.m. "espécie de árvore"; pl. *olhos-de-cabra*
olho-de-cabra-miúda s.m.; pl. *olhos-de-cabra-miúda*
olho-de-cabra-miúdo s.m.; pl. *olhos-de-cabra-miúdos*
olho-de-cabra-verde s.m.; pl. *olhos-de-cabra-verdes*
olho-de-cão s.m.; pl. *olhos-de-cão*
olho-de-céu s.m.; pl. *olhos-de-céu*
olho-de-chede s.m.; pl. *olhos-de-chede*
olho de cobra s.m.
olho-de-coco s.m.; pl. *olhos-de-coco*
olho-de-dragão s.m.; pl. *olhos-de-dragão*
olho de fogo s.m. "albino"
olho-de-fogo s.m. "espécie de peixe"; pl. *olhos-de-fogo*
olho-de-galo s.m.; pl. *olhos-de-galo*
olho de gato s.m. "dispositivo de segurança"
olho-de-gato s.m. "espécie de erva"; pl. *olhos-de-gato*
olho-de-lebre s.m.; pl. *olhos-de-lebre*
olho de matar pinto s.m.
olho-de-mocho s.m.; pl. *olhos-de-mocho*
olho de mosquito s.m.
olho-de-onça s.m.; pl. *olhos-de-onça*
olho-de-pargo s.m.; pl. *olhos-de-pargo*
olho-de-pato s.m.; pl. *olhos-de-pato*
olho de peixe s.m. "lente", "variedade de quartzo"
olho-de-peixe s.m. "libélula"; pl. *olhos-de-peixe*
olho de perdigão s.m.
olho de perdiz s.m. "calosidade redonda que se forma nos dedos dos pés"
olho-de-perdiz s.m. "espécie de planta"; pl. *olhos-de-perdiz*
olho-de-poeta s.m.; pl. *olhos-de-poeta*
olho-de-pombo s.m.; pl. *olhos-de-pombo*
olho de porca s.m.
olho-de-santa-luzia s.m.; pl. *olhos-de-santa-luzia*
olho de sapiranga s.m.
olho de sapo s.m. "granito"
olho-de-sapo s.m. "espécie de uva"; pl. *olhos-de-sapo*
olho de seca pimenta s.m.
olho de seca pimenteira s.m.
olho de secar pimenta s.m.
olho de secar pimenteira s.m.
olho de sogra s.m.
olho-de-sol s.m.; pl. *olhos-de-sol*
olho de tigre s.m.
olho de vidro s.m. "olho artificial"
olho-de-vidro s.m. "espécie de abelha"; pl. *olhos-de-vidro*
olho-dormente s.m.; pl. *olhos-dormentes*
olho-grande s.2g.; pl. *olhos-grandes*
olho-grosso s.m.; pl. *olhos-grossos*
olho-marinho s.m.; pl. *olhos-marinhos*
olho-meirinho s.m.; pl. *olhos-meirinhos*
olhômetro s.m.
olho-mole s.m.; pl. *olhos-moles*
olho-mundense adj. s.2g. s.m.; pl. *olho-mundenses*
olho-rapado s.m.; pl. *olhos-rapados*
olho-roxo s.m.; pl. *olhos-roxos*
olho-santo s.m.; pl. *olhos-santos*
olhos-de-boneca s.m.pl.
olhos de caranguejo s.m.pl.
olhos-de-porco s.m.pl.
olhos-do-diabo s.m.pl.
olho-tortense adj. s.2g.; pl. *olho-tortenses*
olho-verde s.m.; pl. *olhos-verdes*
olho-vermelho s.m.; pl. *olhos-vermelhos*
olho-vivo s.m.; pl. *olhos-vivos*
olhudo adj. s.m.
olhudo-branco s.m.; pl. *olhudos-brancos*
olia s.f.
oliari s.f.
olíaro s.m.
olíbano s.m.
olibro s.m.
olicombocombo s.m.
oliculano adj. s.m.
ólido s.m.
olifante s.m.
oligacanto adj.
oligacto s.m.
oligalia s.f.
olígandra s.f.
oligante s.m.
oligantera s.f.
oligantero adj.
oliganto adj.
oligantropia s.f.
oligantrópico adj.
oligarca adj. s.2g.
oligarquia s.f.
oligárquico adj.
oligarquismo s.m.
oligarquização s.f.
oligarquizado adj.
oligarquizar v.
oligarrena s.f.
oligemia s.f.
oligêmico adj.
olígia s.f.
oligidria s.f.
oligídrico adj.
oligidrose s.f.
oligidrótico adj.
oligístico adj.
oligisto adj. s.m.
oligoâmnio s.m.
oligoblenia s.f.
oligoblênico adj.
oligocarpo adj. s.m.
oligocéfalo adj.
oligocelo s.m.
oligocênico adj. s.m.
oligoceno adj. s.m.
oligócera s.f.
oligócero adj. s.m.
oligocitemia s.f.
oligocitêmico adj.
oligoclado s.m.
oligóclase s.f.
oligoclásio s.m.
oligoclasito s.m.
oligóclaso s.m.
oligocolia s.f.
oligocólico adj.
oligocracia s.f.
oligocrata s.2g.
oligocrático adj.
oligocromemia s.f.
oligocromêmico adj.
oligócrono adj.
oligocronometria s.f.
oligocronométrico adj.
oligocronômetro s.m.
oligodacria s.f.
oligodácrico adj.
oligodactilia s.f.
oligodactílico adj.
oligodáctilo adj.
oligodendrócito s.m.
oligodendróglia s.f.
oligodinamia s.f.
oligodinâmico adj.
oligodipsia s.f.
oligodípsico adj.
oligodonte s.m.
oligodora s.f.
oligoelemento s.m.
oligoemia s.f.
oligoêmico adj.
oligoeritrocitemia s.f.
oligoeritrocitêmico adj.
oligofagia s.f.
oligofágico adj.
oligófago adj. s.m.
oligofarmácia s.f.
oligofármaco adj.
oligófido s.m.
oligofilo adj.
oligofrenia s.f.
oligofrênico adj.
oligogalaccia s.f.
oligogalactia s.f.
oligogaláctico adj.
oligogênico adj.
oligógnato s.m.
oligo-hidrâmnio s.m.
oligo-hipermenorreia (*é*) s.f.
oligo-hipermenorreico (*é*) adj.
oligoidrâmnio s.m.
oligoidria s.f.
oligoídrico adj.
oligoipermenorreia (*é*) s.f.
oligoipermenorreico (*é*) adj.
oligolecítico adj.
oligolécito s.m.
oligólofo s.m.
oligomania s.f.
oligomaníaco adj. s.m.
oligômano s.m.
oligomenorreia (*é*) s.f.
oligomenorreico (*é*) adj.
oligomeria s.f.
oligomérico adj.
oligoméride s.f.
oligômero adj. s.m.
oligomorfo adj.
oligoneuro adj. s.m.
oligonita s.f.
oligonite s.f.
oligonitrófilo adj.
oligonucleotídio s.m.
oligopionia s.f.
oligopiônico adj.
oligopireno adj.
oligoplasmia s.f.
oligoplásmico adj.
oligoplectro s.m.
oligopleuro s.m.
oligopneia (*é*) s.f.
oligopneico (*é*) adj.
oligópode adj.2g. s.m.
oligopólico adj.
oligopólio s.m.
oligopolista adj. s.2g.
oligoposia s.f.
oligopósico adj.
oligopotente adj.2g.
oligopsiquia s.f.
oligopsíquico adj.
oligopsônico s.m.
oligopsônio adj.
oligoqueta s.f.
oligoqueto s.m.
oligoquilia s.f.
oligoquílico adj.
oligoquilo adj.
oligoquimia s.f.
oligoquímico adj.
oligoro s.m.
oligorrizo adj.
oligospermia s.f.
oligospérmico adj.
oligospermo adj.
oligósporo adj.
oligossacarídeo adj. s.m.
oligossacárido s.m.
oligossapróbio adj.
oligossarco s.m.
oligossialia s.f.
oligossiálico adj.
oligossideremia s.f.
oligossiderêmico adj.
oligossidérico adj.
oligossiderito s.m.
oligossidero adj.
oligossiderosia s.f.
oligostemo s.m.
oligostêmone adj.2g.
olígota s.f.
oligotáctico adj.
oligotaxia (*cs*) s.f.
oligotete s.f.
oligotíneo adj. s.m.
oligotocia s.f.
oligótoco adj.
oligotoquia s.f.
oligótrico adj.
oligotriquia s.f.
oligotríquico adj.
oligotrofia s.f.
oligotrófico adj.
oligotrópico adj.
oligozoospermia s.f.
oligozoospérmico adj.
oliguresia s.f.
oligurésico adj.
oliguria s.f.
oligúrico adj. s.m.
olimone s.m.
olimpeno adj. s.m.
olimpense adj. s.2g.
olímpia s.f.
olimpíaco adj.
olimpíada s.f.
olimpíade s.f.
olimpiádico adj.
olimpiano adj. s.m.
olímpico adj.
olímpico-lopense adj. s.2g.; pl. *olímpico-lopenses*
olimpiense adj. s.2g.
olímpio adj. s.m.
olimpionice s.f.
olímpio-noronhense adj. s.2g.; pl. *olímpio-noronhenses*
olimpismo s.m.
olimpo s.m.
olina s.f.
olíncio adj. s.m.
olindense adj. s.2g.
olindês adj. s.m.
olíndia s.f.
olindiíneo adj. s.m.
olindinense adj. s.2g.
olínea s.f.
olineáceo adj.
olingo s.m.
oliniácea s.f.
oliniáceo adj.
olínico adj.
olíntico adj. s.m.
olíntio adj. s.m.
olinto s.m.
olintolite s.f.
olintólito s.m.
ólio s.m. "aranha"; cf. *óleo*
olípio s.m.
olira s.f.
olírea s.f.
olíreo adj.
olíria s.f.
olísbea s.f.
olisipofilia s.f.
olisipófilo adj. s.m.
olisipografia s.f.
olisipográfico adj.
olisipógrafo s.m.
olisiponense adj. s.2g.
olisiponiano adj. s.m.
olistena s.f.
olistero s.m.
olisterope s.m.
olístopo s.m.
olistópode s.m.
ólito s.m.
oliva s.f.
oliváceo adj.
olival s.m.
olivalense adj. s.2g.
olivalete (*ê*) s.m.
olivancilária s.f.
oliva-porfíria s.f.; pl. *olivas-porfírias*
olivar adj.2g. s.m.

olivari s.m.
olivário adj.
olivas s.f.pl.
olivedense adj. s.2g.
olivedo (*ê*) s.m.
oliveira s.f.
oliveira-brava s.f.; pl. *oliveiras-bravas*
oliveira-brejinhense adj. s.2g.; pl. *oliveira-brejinhenses*
oliveira-comum s.f.; pl. *oliveiras-comuns*
oliveira-crespa s.f.; pl. *oliveiras-crespas*
oliveira-da-china s.f.; pl. *oliveiras-da-china*
oliveira-da-madeira s.f.; pl. *oliveiras-da-madeira*
oliveira-de-cheiro s.f.; pl. *oliveiras-de-cheiro*
oliveira-de-marrocos s.f.; pl. *oliveiras-de-marrocos*
oliveira-do-cabo-da-boa-esperança s.f.; pl. *oliveiras-do-cabo-da-boa-esperança*
oliveira-do-paraíso s.f.; pl. *oliveiras-do-paraíso*
oliveira-fortense adj. s.2g.; pl. *oliveira-fortenses*
oliveiraíta s.f.
oliveiral s.m.
oliveirense adj. s.2g.
olivel s.m.
olivela s.f.
olivelar v.
olivençano adj. s.m.
olivencense adj. s.2g.
olivenciense adj. s.2g.
olivenita s.f.
olivenite s.f.
olivense adj. s.2g.
oliventino adj. s.m.
olíveo adj.
oliveranto s.m.
olivéria s.f.
oliveta (*ê*) s.f.
olivetino s.m.
oliviássico adj.
olivícola adj.2g.
olivicultor (*ô*) s.m.
olivicultura s.f.
olívida adj.2g. s.m.
olivídeo adj. s.m.
oliviense adj. s.2g.
olivífero adj.
oliviforme adj.2g.
olivila s.f.
olivina s.f.
olivina-branca s.f.; pl. *olivinas-brancas*
olivinagábrico adj.
olivinagabro s.m.
olivínico adj.
olivinigábrico adj.
olivinigabro s.m.
olivinoide (*ó*) s.m.
olivirrutina s.f.
olivita s.f.
olivite s.f.
olivívoro adj.
olivo s.m.
olivocerebeloso (*ô*) adj.; f. (*ó*); pl. (*ó*)
olivopontocerebelar adj.2g.
olmeca adj. s.2g.
olmedal s.m.
olmedano adj.
olmédia s.f.
olmedíea s.f.
olmedo (*ê*) s.m.
olmeira s.f.
olmeiro s.m.
olmeiro-piramidal s.m.; pl. *olmeiros-piramidais*
olmo (*ô*) s.m.
olmo-americano s.m.; pl. *olmos-americanos*
olmo-branco s.m.; pl. *olmos-brancos*
olmo-comum s.m.; pl. *olmos-comuns*
olmsteadita s.f.
oló s.m.
olobó s.m.
oloco s.m.
olococo s.m.
olodé s.m.
olofro s.m.
oloma s.m.
olombamba s.f.
olonango s.m.
olongo s.m.
olonguaio s.m.
olonguenjo s.m.
oloniti s.m.
oloófrone s.m.
olor (*ô*) s.m.
olorado adj.
olorante adj.2g.
olorente adj.2g.
olorífero adj.
olorizar v.
oloroso (*ô*) adj.; f. (*ó*); pl. (*ó*)
olossaca s.f.
olostra adj. s.2g.
olótelo s.m.
olpidiácea s.f.
olpidiáceo adj.
olpídio s.m.
olpiniácea s.f.
olpiniáceo adj.
olsacherita s.f.
olsalazina s.f.
olshanskyita s.f.
oltuituí s.m.
olua s.m.
olubajé s.m.
olubó s.m.
olulano s.m.
olulomo s.m.
olumué s.m.
olungingé s.m.
olunhaneca s.f.
olupalé s.m.
olvidadiço adj.
olvidado adj.
olvidamento s.m.
olvidar v.
olvidável adj.2g.
olvido s.m. "esquecimento"; cf. *ouvido*
om s.m.
oma s.f.
omacanta s.f.
omacefalia s.f.
omacefaliano adj.
omacefálico adj.
omacéfalo adj. s.m.
omácio s.m.
omacola s.m.
omacunde s.m.
omádio s.m.
omado s.m.
omafia s.m.
omagonge s.m.
omagra s.f.
omágua adj. s.2g.
omaha adj. s.2g.
omaiá adj. s.2g.
omalá s.m.
omalanto s.m.
omáleis s.m.2n.
omalgia s.f.
omálgico adj.
omália s.f.
omaliano adj.
omalíea s.f.
omalííneo adj. s.m.
omálio s.m.
omaliso s.m.
omalo s.m.
omalófia s.f.
omalogastro s.m.
omalomena s.f.
omalópode adj.2g. s.m.
omalóptero adj. s.m.
omalorranfo adj. s.m.
omalotécio s.m.
omalótilo s.m.
omanda s.f.
omanense adj. s.2g.
omani adj. s.2g.
omaniano adj. s.m.
omano adj. s.m.
omarim s.m.
omarista adj. s.2g.
omartrite s.f.
omartrítico adj.
omartrócace s.f.
omartrocacia s.f.
omartrocácico adj.
omartrocático adj.
omáseo s.m.
omaso s.m.
omáspide s.f.
omastrefídeo adj. s.m.
omástrefo s.m.
omata s.f.
omatela s.m.
omatídeo adj. s.m.
omatídia s.f.
omatídio adj. s.m.
omatidiodoto s.m.
omátio s.m.
omatocampo s.m.
omatódio s.m.
omatofoca s.m.
omatóforo s.m.
omatolampo s.m.
omatopleia (*é*) s.f.
omatostréfida adj.2g. s.m.
omatostrefídeo adj. s.m.
omatóstrefo s.m.
omátua s.m.
ombaca s.f.
ombambe s.m.
ombanja adj. s.2g.
ombaranto adj. s.m.
ombi s.m.
ombia s.f.
ombiaxo s.m.
ombo s.m.
omborolo s.f.
ombrã s.m.
ombrada s.f.
ombratura s.f.
ombrear v.
ombreira s.f.
ombridade s.f. "qualidade de quem ombreia"; cf. *hombridade*
ombrino s.m.
ombro s.m.
ombrofilia s.f.
ombrófilo adj.
ombrófita s.f.
ombrofobia s.f.
ombrófobo s.m.
ombrográfico adj.
ombrógrafo s.m.
ombrologia s.f.
ombrológico adj.
ombrometria s.f.
ombrométrico adj.
ombrômetro s.m.
ombrotífico adj.
ombrotropismo s.m.
ombrudo adj.
ombu s.m.
ombulo s.f.
ombundabunda s.m.
omega s.m.
ômega s.m.
ômega-mais s.m.; pl. *ômegas-mais*
ômega-menos s.m.; pl. *ômegas-menos*
omelê s.m.
omeleta (*ê*) s.f.
omelete s.2g.
omeleteira s.f.
omeme s.f.
omenié s.m.
omental adj.2g.
omentectomia s.f.
omentectômico adj.
omentite s.f.
omentítico adj.
omento s.m.
omentofixação (*cs*) s.f.
omentopexia (*cs*) s.f.
omentorrafia s.f.
omentorráfico adj.
omentosplenopexia (*cs*) s.f.
omentotomia s.f.
omentotômico adj.
omeprazol s.m.
ômer s.m.
omerti s.m.
omete s.m.
omíada adj. s.2g.
omiádico adj.
ômico adj.
omicro s.m.
ômicron s.m.
ominar v.
ominosidade s.f.
ominoso (*ô*) adj.; f. (*ó*); pl. (*ó*)
omiô s.m.
omióideo adj. s.m.
omiômetro s.m.
omiri s.m.
omissão s.f.
omissivo adj.
omisso adj.
omissor (*ô*) adj.
omissório adj.
omite s.f.
omitido adj.
omitilo s.m.
omitir v.
ômnibus s.m.2n.
omnicolor (*ô*) adj.2g.
omnidirecional adj.2g.
omniforme adj.2g.
omnilíngue (*u* ou *ü*) adj.2g.
omnímodo adj.
omnipalrante adj.2g.
omniparente adj.2g.
omnipessoal adj.2g.
omnipotência s.f.
omnipotente adj.2g.
omnipresença s.f.
omnipresente adj.2g.
omnisciência s.f.
omnisciente adj.2g.
omniscópio s.m.
omnissapiência s.f.
omnissapiente adj.2g.
omnividência s.f.
omnividente adj.2g.
omnivoridade s.f.
omnívoro adj.
omo s.m.
omoalgia s.f.
omoálgico adj.
omocefalia s.f.
omocefaliano adj.
omocefálico adj.
omocéfalo adj. s.m.
omócera s.f.
omoclavicular adj.2g.
omoclidumeral adj.2g.
omocótila s.f.
omocótilo s.m.
omocubital adj.2g.
omodinia s.f.
omodínico adj.
omofagia s.f.
omofágico adj.
omófago adj. s.m.
omoflíneo adj. s.m.
omoflo s.m.
omofório s.m.
omóforo s.m.
omofro s.m.
omófrone s.m.
omofrônida adj.2g. s.m.
omofronídeo adj. s.m.
omo-hióideo adj. s.m.
omoide (*ó*) adj.2g. s.m.
omóideo adj. s.m.
omoinique s.m.
omoioideia (*é*) adj. s.f. de *omoioideu*
omoióideo adj. s.m.
omoioideu adj. s.m.; f. *omoioideia* (*é*)
omólabo s.m.
omolucu s.m.
omolucum s.m.
omoma s.m.
omoncorim s.m.
omonutritivo adj.
omopérifo s.m.
omoplata s.f.
omoplatectomia s.f.
omoplatectômico adj.
omorga s.f.
omosita s.f.
omósteno s.m.
omosterno s.m.
omosúdis s.m.2n.
omotocia s.f.
omotócico adj.
omotraqueliano adj.
omotraquélio adj.
omotroquiniano adj.
omotroquiteriano adj.
omoumeral adj.2g.
omoumerocubital adj.2g.
ompata s.f.
omuande s.m.
omucuriunco s.m.
omué s.m.
omuenhe s.f.
omufito s.m.
omul s.m.
omulucu s.m.
omumbeu s.m.
omumbo s.m.
omumbungo-urulu s.m.; pl. *omumbungos-urulus*
omunhande s.m.
omunhete s.m.
omuxate s.m.
onaga s.f.
onagata s.m.
onagra s.f. de *ônagro* "gênero de plantas"; cf. *ônagra*
ônagra s.f. "fêmea do ônagro"; cf. *onagra*
onagrácea s.f.
onagráceo adj.
onagrária s.f.
onagrariácea s.f.
onagrariáceo adj.
onagrário adj.
onagre s.m.
onágrea s.f.
onágreo adj.
onagro s.m.
ônagro s.m.; f. *ônagra*
onanismo s.m.
onanista adj. s.2g.
onanístico adj.
onanizar v.
onastro s.m.
onça adj.2g. s.f.
onça-boi s.f.; pl. *onças-boi* e *onças-bois*
onça-borges s.f.; pl. *onças-borges*
onça-cabocla s.f.; pl. *onças-caboclas*
onça-d'água s.f.; pl. *onças-d'água*
oncaeia (*é*) s.f.
onça-maneta s.f.; pl. *onças-manetas*
onça-parda s.f.; pl. *onças-pardas*
onça-pintada s.f.; pl. *onças-pintadas*
onça-preta s.f.; pl. *onças-pretas*
onça-vermelha s.f.; pl. *onças-vermelhas*
onceia (*é*) s.f.
onceiro s.m.
oncense adj. s.2g.
oncial adj.2g.
oncidere s.m.
oncídia s.f.
oncidídeo adj. s.m.
oncidíea s.f.
oncidiela s.f.
oncídio s.m.
oncidiópsis s.m.2n.
oncima s.f.
oncinha-das-folhas s.f.; pl. *oncinhas-das-folhas*
oncínio s.m.

oncinocele s.f.
oncinocélico adj.
oncínopo s.m.
oncinópode s.m.
oncinote s.f.
oncnemosoma s.m.
oncnemossoma s.m.
onco s.m.
oncoba s.f.
oncóbea s.f.
oncóbeo adj.
oncobótrio s.m.
oncocálamo s.m.
oncocarpo s.m.
oncocefalíneo adj. s.m.
oncocéfalo s.m.
oncocerca s.m.
oncocercíase s.f.
oncocerco s.m.
oncocercose s.f.
oncócito s.m.
oncocitoma s.m.
oncocongo s.m.
oncocótila s.f.
oncode s.f.
oncódera s.f.
oncódero s.m.
oncodídeo adj. s.m.
oncofetal adj.2g.
oncofilite s.f.
oncófora s.f.
oncóforo s.m.
oncogastro s.m.
oncógene s.m.
oncogênese s.f.
oncogenético adj.
oncogenia s.f.
oncogênico adj.
oncografia s.f.
oncográfico adj.
oncógrafo s.m.
oncolaimelo s.m.
oncolaimídeo adj. s.m.
oncolaimo s.m.
oncolemelo s.m.
oncolemídeo adj. s.m.
oncolemo s.m.
oncologia s.f.
oncológico adj.
oncologista adj. s.2g.
oncólogo s.m.
oncomelanina s.f.
oncômero s.m.
oncometópia s.f.
oncometria s.f.
oncométrico adj.
oncômetro s.m.
oncopelto s.m.
oncorrinco s.m.
oncose s.f.
oncosfera s.f.
oncosférico adj.
oncosina s.f.
oncosperma s.f.
oncósporo s.m.
oncostema s.f.
oncostemo s.m.
oncótico adj.
oncotiotepa s.m.
oncotomia s.f.
oncotômico adj.
onda s.f.
onda-branquense adj. s.2g.; pl. *onda-branquenses*
ondaca s.f.
ondada s.f.
ondado adj.
ondagem s.f.
ondaio s.m.
onda-maré s.f.; pl. *ondas-maré* e *ondas-marés*
ondamétrico adj.
ondâmetro s.m.
onda-piloto s.f.; pl. *ondas-piloto* e *ondas-pilotos*
ondar v.
ondarrábio adj. s.m.
ondatra s.2g.
onda-verdense adj. s.2g.; pl. *onda-verdenses*
onde adv. pron.
ôndea s.f.
ondeado adj. s.m.
ondeamento s.m.
ondeante adj.2g.
ondear v.
ondeio s.m.
ondeirada s.f.
ondeiro adj. s.m.
ondejante adj.2g.
ondejar v.
ondim s.m.
ondimba s.f.
ondimetria s.f.
ondimétrico adj.
ondímetro s.m.
ondina s.f.
ondinense adj. s.2g.
ondingo s.m.
ondiongulo s.m.
ondissonante adj.2g.
ondjói s.m.
ondo adj. s.2g. "povo iorubano"; cf. *ondó*
ondó s.m. "poço"; cf. *ondo*
ondoado adj.
ondoar v.
ondocaí s.m.
ondografia s.f.
ondográfico adj.
ondógrafo s.m.
ondombócua s.m.
ondométrico adj.
ondômetro s.m.
ondoscópico adj.
ondoscópio s.m.
onduda s.m.
ôndula s.f.
ondulação s.f.
onduladeira s.f.
ondulado adj.
ondulamento s.m.
ondulância s.f.
ondulante adj.2g.
ondular v.
ondulatório adj.
ondulável adj.2g.
onduleio s.m.
onduliforme adj.2g.
ondulina s.f.
ondulíneo adj.
onduloso (*ô*) adj.; f. (*ó*); pl. (*ó*)
ondurmanês adj. s.m.
onegita s.f.
onegite s.f.
oneída s.m.
oneirode s.m.
oneirofante s.m.
onemania s.f.
onemaníaco adj. s.m.
onemânico adj.
onense adj. s.2g.
oneologia s.f.
oneológico adj.
oneologista adj. s.2g.
oneólogo s.m.
oneomania s.f.
oneomaníaco adj. s.m.
oneômano adj. s.m.
onerado adj.
onerante adj.2g.
onerar v.
onerário adj.
onerável adj.2g.
onerodita s.f.
onerodite s.f.
onerosidade s.f.
oneroso (*ô*) adj.; f. (*ó*); pl. (*ó*)
onesina s.f.
onesita s.f.
onesite s.f.
oneta s.m.
onfácino adj.
onfácio s.m.
onfacita s.f.
onfacite s.f.
onfacitita s.f.
onfacitite s.f.
onfalápion s.m.
onfálea s.f.
onfalectomia s.f.
onfalectômico adj.
onfalelcose s.f.
onfalelcósico adj.
onfalelcótico adj.
onfália s.f.
onfálico adj.
onfalite s.f.
onfalítico adj.
ônfalo s.m.
onfaloangiópago adj.
onfalocarpo s.m.
onfalocele s.f.
onfalocélico adj.
onfalode s.f.
onfalódio s.m.
onfalofima s.m.
onfaloflebite s.f.
onfaloflebítico adj.
onfaloide (*ó*) adj.2g.
onfalomancia s.f.
onfalomante s.2g.
onfalomântico adj.
onfalomesentérico adj.
onfaloncia s.f.
onfaloncose s.f.
onfaloncósico adj.
onfaloncótico adj.
onfalopagia s.f.
onfalópago adj. s.m.
onfalopapo s.m.
onfalopoma s.f.
onfalopomópsis s.m.2n.
onfaloproptose s.f.
onfaloproptótico adj.
onfalópsico adj. s.m.
onfalóptico adj.
onfaloptro s.m.
onfalorragia s.f.
onfalorrágico adj.
onfalorréctico adj.
onfalorreia (*é*) s.f.
onfalorreico (*é*) adj.
onfalorrexe (*cs*) s.f.
onfalorrexia (*cs*) s.f.
onfalóscelis s.f.2n.
onfalosito adj. s.m.
onfalotáctico adj.
onfalotaxe (*cs*) s.f.
onfalotomia s.f.
onfalotômico adj.
onfalótomo s.m.
onfalótribo s.m.
onfalotripsia s.f.
onfalótropo s.m.
onfra s.f.
onfuá s.m.
ongamba s.m.
ongangalume s.m.
ongareia (*é*) s.f.
ongebo s.m.
ongerite s.f.
onginibo s.m.
onglete (*ê*) s.m.
ongo s.m.
ongolo s.m.
ongombe s.m.
ongombo s.m.
ongonga s.f.
ongonhe s.m.
ongóquea s.f.
ongorové s.m.
ongoti s.m.
onguáli s.m.
onguari s.m.
ongue (*ü*) s.m.
ongueque (*ü*) s.f.
ongueve s.m.
ongulo s.m.
onguluve s.m.
onhã s.f.
onhame s.m.
onhaneca s.m.
onhenga s.f.
onhense adj. s.2g.
onhi s.m.
onhima s.f.
onhoca s.f.
onhuio s.m.
onhunga s.m.
onhutuva s.f.
onialai s.f.
onialia s.f.
oniama adj. s.2g.
onianga-pixirica s.f.; pl. *oniangas-pixiricas*
ônibus s.m.2n.
onicarnívoro adj. s.m.
onicatrofia s.f.
onicatrófico adj.
onicauxe (*cs*) s.f.
onicocélia s.m.
onicocélida adj.2g. s.m.
onicocelídeo adj. s.m.
onicócero s.m.
onicocriptose s.f.
onicocriptósico adj.
onicocriptótico adj.
onicodáctilo s.m.
onicodátilo s.m.
onicódromo s.m.
onicofagia s.f.
onicofágico adj.
onicofágio adj.
onicófago s.m.
onicofima s.m.
onicofimático adj.
onicofimia s.f.
onicóforo adj. s.m.
onicofose s.f.
onicoftoria s.f.
onicógalo s.m.
onicogenia s.f.
onicogênico adj.
onicógeno adj.
onicoglosso s.m.
onicografia s.f.
onicográfico adj.
onicógrafo s.m.
onicogripose s.f.
onicóideo adj.
onicólise s.f.
onicolítico adj.
onicolor (*ô*) adj.2g.
onicoma s.m.
onicomalacia s.f.
onicomalácico adj.
onicomalácio adj.
onicomancia s.f.
onicomante s.2g.
onicomântico adj.
onicomático adj.
onicomicose s.f.
onicomicósico adj.
onicomicótico adj.
onicomneno s.m.
onicompetência s.f.
onicompetente adj.2g.
onicopatia s.f.
onicopático adj.
onicopterígia s.f.
onicoptose s.f.
onicoptótico adj.
onicora s.f.
onicorréctico adj.
onicorrético adj.
onicorrexe (*cs*) s.f.
onicorrexia (*cs*) s.f.
onicosclerose s.f.
onicosclerótico adj.
onicose s.f.
onicósico adj.
onicotêutida adj.2g. s.m.
onicoteutídeo adj. s.m.
onicotêutis s.f.2n.
onicotrofia s.f.
onicotrófico adj.
onicracia s.f.
onicriador (*ô*) adj. s.m.
onicúmeno s.m.
onidirecional adj.2g.
onífero adj.
oniforme adj.2g. "que tem todas as formas"; cf. *uniforme*
onifulgente adj.2g.
onifulgor (*ô*) s.m.
onígena s.f.
onigenácea s.f.
onigenáceo adj.
onigênero adj.
onígeno adj.
onígrafo adj. s.m.
onilíngue (*u* ou *ü*) adj.2g. "poliglota"; cf. *unilíngue* (*u* ou *ü*)
onímodo adj.
oníneo adj. s.m.
oninlé s.f.
oniogoso (*ô*) s.m.
oniógrafo s.m.
oniologia s.f.
oniológico adj.
oniomania s.f.
oniomaníaco adj. s.m.
oniômano adj. s.m.
onioso (*ô*) adj.; f. (*ó*); pl. (*ó*)
onipalrante adj.2g.
oniparente adj.2g.
oníparo adj. "oniparente"; cf. *uníparo*
onipatente adj.2g.
onipessoal adj.2g. "verbo que tem todas as pessoas"; cf. *unipessoal*
onipoderoso (*ô*) adj.; f. (*ó*); pl.; (*ó*)
onipotência s.f.
onipotente adj.2g.
onipresença s.f.
onipresente adj.2g.
oniprodutivo adj.
oniprogresso s.m.
onipterígia s.f.
oniquia s.f.
oniquino adj.
oníquio s.m.
oniquióforo s.m.
oniquite s.f.
oniquito adj. s.m.
onírico adj.
onirismo s.m.
onirocricia s.f.
onirócrita s.2g.
onirocrítica s.f.
onirocrítico adj. s.m.
onirodinia s.f.
onirodínico adj.
onirofante s.m.
onirógina s.f.
onirogmo s.m.
onirógona s.f.
oniroide (*ó*) adj.2g.
onirologia s.f.
onirológico adj.
onirólogo s.m.
oniromancia s.f.
oniromante s.2g.
oniromântico adj.
oniropolese s.f.
onirópolo s.m.
oniroscopia s.f.
oniroscópico adj.
oniróscopo s.m.
oníscia s.f.
oníscida adj.2g. s.m.
oniscídeo adj. s.m.
onisciência s.f.
onisciente adj.2g.
onisciforme adj.2g.
onisciíneo adj. s.m.
oníscio adj.
onisco s.m.
oníscoda s.f.
oniscografia s.f.
oniscográfico adj.
oniscógrafo s.m.
oniscomorfo adj. s.m.
oniscópio s.m.
onissapiência s.f.
onissapiente adj.2g.
oníssono adj. "que produz todos ou muitíssimos sons"; cf. *uníssono*
oniticelo s.m.
onítis s.m.
onitônico adj.
onítono adj.
onívago adj.
onividência s.f.
onividente adj.2g.
onívomo adj.
onivoridade s.f.
onívoro adj.
ônix (*cs*) s.m.2n. "variedade de ágata"; cf. *onixe*
onixangô s.m.

ônix-calcário s.m.2n.
ônix da argélia s.m.2n.
ônix de fortificações s.m.2n.
ônix de olhos s.m.2n.
onixe (*cs*) s.m. "inflamação da pele"; cf. *ônix*
onjamba s.f.
onjélia s.f.
onjimbi s.m.
onjo s.m.
ono s.m.
onoba s.m.
onóbrique s.f.
onobríquea s.f.
onobríqueo adj.
onobríquide s.f.
onobriquídea s.f.
onobriquídeo adj.
onóbriquis s.f.2n.
onobrisate adj. s.2g.
onobroma s.f.
onocéfala s.f.
onocéfalo s.m.
onocentauro s.m.
onocerina s.f.
onoceto (*ê*) s.m.
onóclea s.f.
onocola s.f.
onocolo s.m.
onocrótalo s.m.
onofrense adj. s.2g.
onofrita s.f.
onofrite s.f.
ônogro s.m.
onolatria s.f.
onolátrico adj.
onomancia s.f.
onomania s.f.
onomaníaco adj. s.m.
onomântico adj. s.m.
onomasiologia s.f.
onomasiológico adj.
onomasiologista adj. s.2g.
onomasiólogo s.m.
onomástica s.f.
onomasticidade s.f.
onomástico adj. s.m.
onomastófilo adj. s.m.
onomastoteca s.f.
onomático adj.
onomatóforo s.m.
onomatologia s.f.
onomatológico adj.
onomatólogo s.m.
onomatomancia s.f.
onomatomania s.f.
onomatomaníaco adj.
onomatômano s.m.
onomatomante s.2g.
onomatomântico adj.
onomatopaico adj.
onomatopeia (*é*) s.f.
onomatopeico (*é*) adj.
onomatopeísta adj. s.2g.
onomatópico adj.
onomatopoese s.f.
onomatopoético adj.
onomatópose s.f.
onomatoteca s.f.
ononcanga s.f.
onondaga adj. s.2g.
onone s.f.
onônide s.f.
ononina s.f.
ononiquito s.m.
onônis s.f.2n.
onopórdio s.m.
onopórdon s.m.
onos s.m.2n.
onóscelo s.m.
onoséride s.f.
onóseris s.f.2n.
onosma s.f.
onosmódio s.m.
onosséride s.f.
onosserídea s.f.
onosserídeo adj.
onósseris s.f.2n.
onotauro s.m.
onotera s.f.
onoterácea s.f.
onoteráceo adj.
onótrago s.m.
onquela s.f.
onquestiano adj. s.m.
onquéstio adj. s.m.
onquídia s.f.
onquídio s.m.
ontariano adj. s.m.
ontário s.m.
ontariolita s.f.
ontariolite s.f.
ontem adv. s.m.
ontero s.m.
ôntico adj.
ontivo s.m.
ontocário s.m.
ontociclo s.m.
ontoética s.f.
ontofagia s.f.
ontofágico adj.
ontófago s.m.
ontofilia s.f.
ontófilo adj.
ontogênese s.f.
ontogenético adj.
ontogenia s.f.
ontogênico adj.
ontogonia s.f.
ontogônico adj.
ontoleste s.m.
ontologia s.f.
ontológico adj.
ontologismo s.m.
ontologista adj. s.2g.
ontólogo s.m.
onubense adj. s.2g.
onúfis s.m.2n.
onundo s.m.
onunha s.f.
ônus s.m.2n.
onussi s.m.
onusto adj.
onutuva s.f.
onveleira s.f.
onzabili s.m.
onze num.
onze-horas s.f.2n.
onze-letras s.2g.2n.
onzena s.f.
onzenar v.
onzenário adj. s.m.
onzenear v.
onzeneirar v.
onzeneiro adj. s.m.
onzenice s.f.
onzeno num.
ooângio s.m.
ooblastema s.m.
ooblástico s.m.
ooblasto s.m.
oocarpão s.m.
oocíano s.m.
oociese s.f.
oociésico adj.
oociético adj.
oocinese s.f.
oocinético adj.
oocineto s.m.
oocistácea s.f.
oocistáceo adj.
oociste s.m.
oocisto s.m.
oocitário adj.
oocítico adj.
oocitina s.f.
oócito s.m.
ooclinínia s.f.
oocormo s.m.
oocroto s.m.
óode s.m.
oodeopíneo adj. s.m.
oodéopo s.m.
oodinofagia s.f.
oodinofágico adj.
oodinófago adj. s.m.
oofagia s.f.
oofágico adj.
oófago adj. s.m.
oófita s.f.
oófito s.m.
ooforalgia s.f.
ooforálgico adj.
ooforauxe (*cs*) s.f.
ooforáuxico (*cs*) adj.
ooforectomia s.f.
ooforectômico adj. s.m.
ooforepilepsia s.f.
ooforepiléptico adj.
ooforídea s.f.
ooforisterectomia s.f.
ooforisterectômico adj.
ooforite s.f.
ooforítico adj.
oóforo s.m.
ooforocele s.f.
ooforocélico adj.
ooforocentese s.f.
ooforocentésico adj.
ooforocistose s.f.
ooforocistósico adj.
ooforodinia s.f.
ooforodínico adj.
ooforoepilepsia s.f.
ooforoepiléptico adj.
oóforo-histerectomia s.f.
oóforo-histerectômico adj.
ooforoisterectomia s.f.
ooforoisterectômico adj.
ooforoma s.m.
ooforomalacia s.f.
ooforomalácico adj.
ooforomania s.f.
ooforomaníaco adj. s.m.
ooforopéctico adj.
ooforopeliopéctico adj.
ooforopeliopético adj.
ooforopeliopexia (*cs*) s.f.
ooforopético adj.
ooforopexia (*cs*) s.f.
oofororrafia s.f.
oofororráfico adj.
ooforossalpingectomia s.f.
ooforossalpingectômico adj.
ooforossalpingite s.f.
ooforossalpingítico adj.
ooforotomia s.f.
ooforotômico adj.
ooforrafia s.f.
ooforráfico adj.
oogameta s.m.
oogamia s.f.
oogâmico adj.
oógamo adj.
oogáster s.m.
oogastro s.m.
oogema s.f.
oogênese s.f.
oogenético adj.
oogenia s.f.
oogênico adj.
oogonia s.f. "geração de óvulo"; cf. *oogônia*
oogônia s.f. "órgão vegetal"; cf. *oogonia*
oogônio s.m.
oogonióforo s.m.
oografia s.f.
oográfico adj.
oograma s.m.
oóideo adj. s.m.
ooína s.f.
ooleína s.f.
oolema s.m.
oólise s.f.
oolítico adj. s.m.
oólito s.m.
oologia s.f.
oológico adj.
oomancia s.f.
oomante s.2g.
oomântico adj.
oometra s.f.
oometria s.f.
oomiceta s.f.
oomicete s.m.
oomiceto s.m.
oomicrítico adj.
oomicrito s.m.
oomicrorrudítico adj.
oomicrorrudito s.m.
oomorfo s.m.
oonim s.m.
oonina s.f.
oonope s.m.
oonúcleo s.m.
oopelta s.f.
ooplasma s.m.
oóptero s.m.
ooquisto s.m.
oorodeína s.f.
oorrinco s.m.
ooscopia s.f.
ooscópico adj.
ooscópio s.m.
oosfera s.f.
oosita s.f.
oosite s.f.
oosparítico adj.
oosparito s.m.
oosparrudítico adj.
oosparrudito s.m.
oosperma s.m.
oóspora s.m.
oosporângio s.m.
oospórea s.f.
oospóreo adj.
oospórico adj.
oospório s.m.
oósporo s.m.
oosporose s.f.
oossoma s.m.
oossomo s.m.
oostegito s.m.
oostegópede adj.2g.
oosterboschita s.f.
ooteca s.f.
ootecário adj.
ooterapia s.f.
ooterápico adj.
oótide s.f.
ootídio s.m.
ootipia s.f.
ootípico adj.
oótipo s.m.
oótoco adj.
ootocoide (*ó*) adj.2g.
ootocóideo adj. s.m.
oótoma s.f.
ootomia s.f.
ootômico s.f.
ootomizar v.
oozoide (*ó*) s.m.
opa s.f. "espécie de capa"; cf. *opa* (*ô*)
opa (*ô*) interj.; cf. *opa* s.f. e fl. do v. *opar*
opaba s.m.
opacala s.f.
opacar v.
opacidade s.f.
opacificação s.f.
opacificado adj.
opacificar v.
opacimetria s.f.
opacímetro s.m.
opacíssimo adj. sup. de *opaco*
opacita s.f.
opacite s.f.
opaco adj.
opadaço adj.
opado adj.
opaié adj. s.2g.
opaié-xavante adj. s.2g.; pl. *opaiés-xavantes*
opala adj.2g.2n. s.m.f.
opala-arlequim s.f.; pl. *opalas-arlequim* e *opalas-arlequins*
opala-azul s.f.; pl. *opalas-azuis*
opala-comum s.f.; pl. *opalas-comuns*
opala de fogo s.f.
opala-dendrítica s.f.; pl. *opalas-dendríticas*
opala de ouro s.f.
opala do sol s.f.
opala-fígado s.f.; pl. *opalas-fígado* e *opalas-fígados*
opala-flamejante s.f.; pl. *opalas-flamejantes*
opala-leitosa s.f.; pl. *opalas-leitosas*
opala-musgo s.f.; pl. *opalas-musgo* e *opalas-musgos*
opalanda s.f.
opala-negra s.f.; pl. *opalas-negras*
opala-nobre s.f.; pl. *opalas-nobres*
opala-oriental s.f.; pl. *opalas-orientais*
opala-preciosa s.f.; pl. *opalas-preciosas*
opala-xiloide s.f.; pl. *opalas-xiloides*
opalescência s.f.
opalescente adj.2g.
opalescer v.
opalescido adj.
opalescimento s.m.
opalgia s.f.
opálgico adj.
opálias s.f.pl.
opálico adj.
opalífero adj.
opalina s.f.
opalinado adj.
opalinar v.
opalínida adj.2g. s.m.
opalinidade s.f.
opalinídeo adj. s.m.
opalinizante adj.2g.
opalino adj.
opalinópsis s.2g.2n.
opalita s.f.
opalização s.f.
opalizado adj.
opalizante adj.2g.
opalizar v.
ópalo s.m.
opanijé s.m.
opanol s.m.
opanqui s.f.
opar v. "tornar balofo"; cf. *upar*
oparlanda s.f.
opatrásida s.f.
opátrida adj.2g. s.m.
opatrídeo adj. s.m.
opatríneo adj. s.m.
opatro s.m.
ópatro s.m.
opatrópis s.f.2n.
opção s.f.
opcional adj.2g.
opeciopalpo s.m.
opégrafa s.f.
opelé s.m.
opelé-ifá s.m.; pl. *opelés-ifás*
opelifá s.m.
ópera s.f.; cf. *opera*, fl. do v. *operar*
ópera-balada s.f.; pl. *óperas-baladas*
ópera-balé s.f.; pl. *óperas-balés*
operabilidade s.f.
ópera-bufa s.f.; pl. *óperas-bufas*
operação s.f.
operacional adj.2g.
operacionalidade s.f.
operacionalismo s.m.
operacionalista adj. s.2g.
operacionalístico adj.
operacionalização s.f.
operacionalizado adj.
operacionalizante adj.2g.
operacionalizar v.
operacionalizável adj.2g.
operacionismo s.m.
operacionista adj. s.2g.
operacionístico adj.
ópera-cômica s.f.; pl. *óperas-cômicas*
operado adj. s.m.
operador (*ô*) adj. s.m.; f. *operatriz*
operadora s.f.
ópera-espiritual s.f.; pl. *óperas-espirituais*
operagem s.f.
ópera-lírica s.f.; pl. *óperas-líricas*

operâmetro s.m.
operando adj. s.m.
operante adj.2g.
operar v.
operária s.f.
operariado s.m.
operário adj. s.m.
ópera-sacra s.f.; pl. *óperas-sacras*
ópera-séria s.f.; pl. *óperas-sérias*
operático adj.
operatividade s.f.
operativo adj.
operatória s.f.
operatório adj.
operatriz adj.; s.f. de *operador*
operável adj.2g.
operculada s.f.
operculado adj.
operculamento s.m.
opercular adj.2g.
opercularela s.m.
operculária s.f.
opercularíácea s.f.
opercularíáceo adj.
operculífero adj.
operculiforme adj.2g.
operculina s.f.
operculita s.f.
operculite s.f.
opérculo s.m.
opereta (*ê*) s.f.
operetista adj. s.2g.
operismo s.m.
operista adj. s.2g.
operístico adj.
operômetro s.m.
óperon s.m.
operosidade s.f.
operoso (*ô*) adj.; f. (*ó*); pl. (*ó*)
opertâneo adj.
operto s.m.
opetíola s.f.
ópia s.f.; cf. *opia*, fl. do v. *opiar*
opiáceo adj.
opiado adj.
opianato s.m.
opiânico adj.
opianina s.f.
opianossulfuroso adj.
opiante adj.2g.
opiar v.
opiato s.m.
opidano adj. s.m.
ópido s.m.
opidoscópio s.m.
opífero adj.
opífice s.m.
opifício s.m.
opilação s.f.
opilado adj. s.m.
opilador (*ô*) adj.
opilante adj.2g.
opilar v.
opilativo adj.
opilência s.f.
opília s.f.
opiliácea s.f.
opiliáceo adj.
opilião s.m.
opiliônia s.m.
opiliônido adj. s.m.
ópilo s.m.; cf. *opilo*, fl. do v. *opilar*
opimiano adj.
opímio adj. s.m.
opimo adj.
opinado adj.
opinador (*ô*) adj.
opinajé s.f.
opinante adj. s.2g.
opinar v.
opinás adj. s.2g.
opinático adj.
opinativo adj.
opinável adj.2g.
opinião s.f.
opiniaticidade s.f.
opiniático adj.
opiniativo adj.
opinionista adj. s.2g.
opinioso (*ô*) adj.; f. (*ó*); pl. (*ó*)
opinoso (*ô*) adj.; f. (*ó*); pl. (*ó*)
ópio s.m.; cf. *opio*, fl. do v. *opiar*
opiofagia s.f.
opiofágico adj.
opiófago adj. s.m.
opioide (*ó*) s.m.
opiologia s.f.
opiológico adj.
opiomania s.f.
opiomaníaco adj. s.m.
opiômano adj. s.m.
opíparo adj.
opisômetro s.m.
opistacídio s.m.
opistectasia s.f.
opistectásico adj.
opístio s.m.
opístion s.m.
opistobranquiado adj. s.m.
opistobrânquio adj. s.m.
opistocéfalo s.m.
opistocélico adj.
opistocélio s.m.
opistocelo adj. s.m.
opistocentra s.f.
opistocifose s.f.
opistocifósico adj.
opistocifótico adj.
opistocômida adj.2g. s.m.
opistocomídeo adj. s.m.
opistocomiforme s.m.
opistócomo s.m.
opistocrânio s.m.
opistodético adj.
opistódomo s.m.
opistodonta s.m.
opistodonte s.m.
opistodrilo s.m.
opistofalacrose s.f.
opistofalacrósico adj.
opistofalacrótico adj.
opistofilácio s.m.
opistoftalmo s.m.
opistogástrico adj.
opistóglifa s.f.
opistóglifo adj.
opistoglosso adj.
opistógnata adj.2g.
opistognatia s.m.
opistognatismo s.m.
opistógnato adj. s.m.
opistogoniado adj. s.m.
opistografia s.f.
opistográfico adj.
opistógrafo adj.
opistográptis s.m.2n.
opistomelóforo adj. s.m.
opistômida adj.2g. s.m.
opistomídeo adj. s.m.
opístomo s.m.
opistopárico adj.
opistopário adj.
opistópode adj.2g.
opistópora s.m.
opistoporia s.f.
opistopórico adj.
opistóporo s.m.
opistoprora s.m.
opistóptero s.m.
opistorquíase adj. s.f.
opistorquídea adj. s.m.
opistorquiídeo adj. s.m.
opistórquis s.m.2n.
opistosílis s.f.2n.
opistossoma s.m.
opistótico adj. s.m.
opistotonia s.f.
opistotônico adj.
opistótono s.m.
opistotrema s.m.
opistótrica s.f.
opistóxis (*cs*) s.f.2n.
opistura s.f.
opitergino adj. s.m.
opitimo s.m.
opízia s.f.
oplário s.m.
oplismeno s.m.
oplo s.m.
oplocnemo s.m.
oplóforo s.m.
oplomo s.m.
óplon s.m.
oplopisa s.f.
oplotério s.m.
opobalsameira s.f.
opobálsamo s.m.
opocárpaso s.m.
opocárpato s.m.
opocefalia s.f.
opocefálico adj.
opocéfalo s.m.
opodeldoque s.m.
opodidimia s.f.
opodídimo adj. s.m.
opodimia s.f.
opódimo adj. s.m.
opoente adj. s.2g.
opófilo adj.
opógona s.f.
opol s.m.
opolêmur s.m.
opóleo s.m.
opólico adj.
opólito s.m.
opomiza s.f.
opomumo s.m.
oponal s.m.
oponente adj. s.2g.
oponibilidade s.f.
opon-ifá s.m.; pl. *opon-ifás*
oponível adj.2g.
opopânace s.m.
opoplacia s.f.
opopônax (*cs*) s.m.
opor (*ô*) v.
opórica s.f.
oporínia s.f.
opórino adj.
oporoteca s.f.
oportunidade s.f.
oportunismo s.m.
oportunista adj. s.2g.
oportunístico adj.
oportuno adj.
oposição s.f.
oposicionismo s.m.
oposicionista adj. s.2g.
oposicionístico adj.
oposina s.f.
opositiflor (*ô*) adj.2g.
opositifloro adj.
opositifólio adj.
opositipenado adj.
opositipetáleo adj.
opositipétalo adj.
opositipolar adj.2g.
opositissépalo adj.
opositivo adj.
opósito adj. s.m.
opositor (*ô*) adj. s.m.
opositório adj.
opossum s.m.
opóstega s.f.
opostégida adj.2g. s.m.
opostegídeo adj. s.m.
oposto (*ô*) adj. s.m.; f. (*ó*); pl. (*ó*)
opoterapia s.f.
opoterápico adj.
opovítase s.f.
opressão s.f.
opressividade s.f.
opressivo adj.
opresso adj.
opressor (*ô*) adj. s.m.
opressório adj.
oprimente adj.2g.
oprimido adj. s.m.
oprimidor (*ô*) adj.
oprimir v.
oprimível adj.2g.
opróbrio s.m.
oprobrioso (*ô*) adj.; f. (*ó*); pl. (*ó*)
opsariíctis s.m.2n.
opsialgia s.f.
opsiálgico adj.
opsífane s.m.
opsigamia s.f.
opsígamo adj. s.m.
opsigonia s.f.
opsígono adj.
opsília s.f.
opsimatia s.f.
opsimático adj.
opsimose s.f.
opsimósio s.m.
ópsio s.m.
opsiomenorreia (*é*) s.f.
opsiomenorreico (*é*) adj.
opsiometria s.f.
opsiométrico adj.
opsiômetro s.m.
opsiúria s.f.
opsiúrico adj.
opsocionia s.f.
opsoclonia s.f.
opsofagia s.f.
opsofágico adj.
opsófago s.m.
opsologia s.f.
opsológico adj.
opsomania s.f.
opsomaníaco adj.
opsômano s.m.
opsomenorreia (*é*) s.f.
opsomenorreico (*é*) adj.
opsônico adj.
opsonificação s.f.
opsonina s.f.
opsônomo s.m.
opsopirrose s.m.
optação s.f.
optálico adj.
optante adj. s.2g.
optar v.
optativo adj. s.m.
óptica s.f. "ciência da visão"; cf. *ótica*
opticidade s.f. "qualidade de óptico"; cf. *oticidade*
opticista adj. s.2g. "pessoa versada em óptica"; cf. *oticista*
óptico adj. s.m. "relativo a visão"; cf. *ótico*
opticociliar adj.2g.
opticociliotomia s.f.
opticoestriado adj.
opticografia s.f.
opticográfico adj.
opticógrafo s.m.
opticometria s.f.
opticométrico adj.
opticômetro s.m.
opticonásio s.m.
opticopupilar adj.2g.
opticotrocleosclerótico adj.
optigráfico adj.
optígrafo s.m.
optimacia s.f.
optimate s.m.
optimismo s.m.
optimista adj. s.2g.
optimístico adj.
optimização s.f.
optimizado adj.
optimizante adj.2g.
optimizar v.
optimizável adj.2g.
óptimo adj. s.m. interj.
optoblasto s.m.
optocele s.f.
optocinético adj.
optoeletrônica s.f.
optoestriado adj.
optofone s.m.
optofônico adj.
optofono s.m.
optogalvânico adj.
optografia s.f.
optográfico adj.
optógrafo s.m.
optograma s.m.
optomeninge s.f.
optometria s.f.
optométrico adj.
optometrista adj. s.2g.
optômetro s.m.
optomiometria s.f.
optomiométrico adj.
optomiômetro s.m.
optonuro s.m.
optoquina s.f.
optostriado adj.
optótico adj.
optótipo s.m.
optrônica s.f.
opugnação s.f.
opugnado adj.
opugnador (*ô*) adj. s.m.
opugnante adj.2g.
opugnar v.
opugnável adj.2g.
opulência s.f.
opulentado adj.
opulentar v.
opulento adj.
opuluí adj. s.2g.
opumbulume s.m.
opúncia s.f.
opunciácea s.f.
opunciáceo adj.
opuncial adj.2g.
opunciale s.f.
opuscular v. adj.2g.
opusculeiro s.m.
opúsculo s.m.
oquá s.f. "moeda"; cf. *óqua*
óqua s.f. "planta"; cf. *oquá*
oqueá s.f.
oquedê s.m.
oqueira s.f.
oquênia s.f.
oquenita s.f.
oquenite s.f.
oquétio s.m.
oquetóbio s.m.
oquetosteto s.m.
oquicecenebanene s.m.
oquicene s.m.
oquié s.m.
oquigrafia s.f.
oquigráfico adj.
oquígrafo s.m.
oquim s.m.
oquina s.f.
oquizópode s.m.
ora adv. s.f. conj. interj.; cf. *orá* e *hora*
orá s.f. "moeda"; cf. *ora* adv. s.f. conj. interj. e fl. do v. *orar* e *hora*
orabalão s.m.
orabim s.m.
orabutã s.m.
oraca s.f.
oraçá s.m.
oração s.f.
oracional adj.2g.
oracioneiro s.m.
oraçoeiro s.m.
oracular v. adj.2g.
oraculino adj.
oraculizado adj.
oraculizante adj.2g.
oraculizar v.
oráculo s.m.; cf. *oraculo*, fl. do v. *oracular*
orada s.f.
oradense adj. s.2g.
orado adj.
orador (*ô*) s.m.
orago s.m.
oral adj.2g. s.m.f. "relativo a boca"; cf. *horal*
oralidade s.f.
oralismo s.m.
oralista adj. s.2g.
oralístico adj.
oralização s.f.
oralizado adj.
oralizar v.
oranês adj. s.m.
oranganje s.m.
orangino adj. s.m.
orangismo s.m.
orangista adj. s.2g.
orangita s.f.
orango s.m.

orangotango s.m.
oranita s.f.
orano adj. s.m.
orante adj. s.2g.
ora-pro-nóbis s.m.2n.
orar v. "rezar"; cf. *horar*
orária s.f.; cf. *oraria*, fl. do v. *orar*
orarimogodogue s.m.
orário adj. s.m. "costeiro"; cf. *horário*
orastina s.f.
orate s.m.
oratelo adj. s.m.
oratória s.f.
oratoriano adj. s.m.
oratoriense adj. s.2g.
oratório adj. s.m.
ora veja s.m.
oravitsita s.f.
oravitsite s.f.
oravitzita s.f.
oravitzite s.f.
orawitzite s.f.
orbe s.m.
orbibariano s.m.
orbicelíneo adj. s.m.
orbícola adj. s.2g. "cosmopolita"; cf. *orbícula* e *urbícola*
orbicuidade s.f.
orbícula s.f. "corpo esférico microscópico"; cf. *orbícola* e *urbícola*
orbicular adj.2g. s.m.
orbiculina s.f.
orbículo s.m.
orbígnya s.f.
orbilha s.f. "cúpula orbicular dos liquens"; cf. *orbília*
orbília s.f. "gênero de fungos"; cf. *orbilha*
orbilianismo s.m.
orbilismo s.m.
orbínia s.f.
orbiquidade (*ü*) s.f.
órbita s.f.
orbitação s.f.
orbitado adj.
orbitador (*ô*) adj. s.m.
orbital adj.2g. s.m.
orbitância s.f.
orbitancial adj.2g.
orbitante adj.2g.
orbitar v.
orbitário adj.
orbitável adj.2g.
orbiteiro adj.
orbitelar adj.2g.
orbitelo adj.
orbitocele s.f.
orbitocélico adj.
orbitocular adj.2g.
orbitoide (*ó*) s.m.
orbitolacrimal adj. s.2g.
orbitolina s.f.
orbitomaxilolabial (*cs*) adj.2g.
orbitômetro s.m.
orbitonasal adj.2g.
orbitonasobucal adj.2g.
orbitopalpebral adj.2g.
orbitosfenoide (*ó*) adj.2g. s.m.
orbitóstato s.m.
orbivácuo adj.
orbivagante adj.2g.
orbívago adj.
orbo adj.
orbulina s.m.
orbulita s.f.
orbulite s.f.
orca s.f.
orça s.f. "orçamento", etc.; cf. *horsa*
orçada s.f.
órcade s.f.
orçadela s.f.
orçado adj.
orçador (*ô*) adj. s.m.
orçamental adj.2g.
orçamentário adj.
orçamentista adj. s.2g.
orçamentívoro adj.
orçamento s.m.
orçamentologia s.f.
orçamentológico adj.
orçamentologista adj. s.2g.
orçamentólogo s.m.
orçamento-programa s.m.; pl. *orçamentos-programa* e *orçamentos-programas*
orcaneta (*ê*) s.f.
orcanetina s.f.
orçar v.
orçável adj.2g.
orçaz s.m.
orceína s.f.
orceínico adj.
orcela s.f.
orcela-do-ganges s.f.; pl. *orcelas-do-ganges*
orcelita s.f.
orchata s.f.
orciano adj. s.m.
orcina s.f.
orcino adj. s.m.
orcinol s.m.
orcistano adj. s.m.
orco s.m.
orcômene s.m.
orcomênio adj. s.m.
orcotomia s.f.
orcotômico adj.
órcula s.f.
ordália s.f.
ordálio s.m.
ordeirismo s.m.
ordeiro adj. s.m.
ordem s.f.
ordem-unida s.f.; pl. *ordens-unidas*
ordenação s.f.
ordenada s.f.
ordenado adj. s.m.
ordenador (*ô*) adj. s.m.; f. *ordenadora* e *ordenatriz*
ordenadora adj. s.f. de *ordenador*
ordenamento s.m.
ordenança s.2g.
ordenando adj. s.m.
ordenante adj. s.2g.
ordenar v.
ordenatriz adj. s.f. de *ordenador*
ordenável adj.2g.
ordenha s.f.
ordenhação s.f.
ordenhadeira s.f.
ordenhado adj.
ordenhador (*ô*) adj. s.m.
ordenhar v.
ordenho s.m.
ordeno s.m.
ordenograma s.m.
ordéolo s.m.
ordetanga s.f.
ordevintém s.m.
ordinal adj.2g. s.m.
ordinando adj. s.m.
ordinante adj. s.2g.
ordinária s.f.
ordinariato s.m.
ordinário adj. s.m.
ordinarismo s.m.
ordinarote adj.2g.
ordinatório adj.
ordinhar v.
ordo s.m.
ordoñezita s.f.
ordonhezita s.f.
ordovice adj. s.2g.
ordoviciano adj. s.m.
ordoviciense adj. s.2g.
ordovício adj. s.m.
ordume s.m.
oré s.m.
órea s.m.
oréada s.f.
oréade s.f.
oreamno s.m.
orear v.
orebita adj. s.2g.
orecta s.f.
oréctico adj.
orectoquiliíneo adj. s.m.
orectoquilo s.m.
orega s.f.
orégano s.m.
orégão s.m.
orégão-longal s.m.; pl. *orégãos-longais*
oregógeno adj.
oregônia s.m.
oregonita s.f.
oreguista adj. s.2g.
oreia (*é*) adj. s.f. de *oreu*
oreícola s.f.
oreino s.m.
orêinomis s.m.2n.
orela s.m.
orelana s.f.
orelha (*ê*) s.f.
orelhada s.f.
orelha-de-boi s.f.; pl. *orelhas-de-boi*
orelha-de-burro s.f.; pl. *orelhas-de-burro*
orelha-de-cabra s.f.; pl. *orelhas-de-cabra*
orelha-de-coelho s.f.; pl. *orelhas-de-coelho*
orelha-de-cutia s.f.; pl. *orelhas-de-cutia*
orelha-de-elefante s.f.; pl. *orelhas-de-elefante*
orelha-de-frade s.f.; pl. *orelhas-de-frade*
orelha-de-gato s.f.; pl. *orelhas-de-gato*
orelha-de-judas s.f.; pl. *orelhas-de-judas*
orelha-de-lebre s.f.; pl. *orelhas-de-lebre*
orelha-de-macaco s.f.; pl. *orelhas-de-macaco*
orelha-de-monge s.f.; pl. *orelhas-de-monge*
orelha-de-morcego s.f.; pl. *orelhas-de-morcego*
orelha-de-mula s.f.; pl. *orelhas-de-mula*
orelha-de-negro s.f.; pl. *orelhas-de-negro*
orelha de onça s.f. "pé de café novo"; cf. *orelha-de-onça*
orelha-de-onça s.f.; "espécie de planta"; pl. *orelhas-de-onça*
orelha-de-onça-de-são-joão-del-rei s.f.; pl. *orelhas-de-onça-de-são-joão-del-rei*
orelha-de-onça-rasteira s.f.; pl. *orelhas-de-onça-rasteira*
orelha-de-pau s.f.; pl. *orelhas-de-pau*
orelha-de-pau-vermelha s.f.; pl. *orelhas-de-pau-vermelhas*
orelha-de-porco s.f.; pl. *orelhas-de-porco*
orelha-de-preto s.f.; pl. *orelhas-de-preto*
orelha-de-rato s.f.; pl. *orelhas-de-rato*
orelha-de-rato-dos-herbolários s.f.; pl. *orelhas-de-rato-dos-herbolários*
orelha-de-são-pedro s.f.; pl. *orelhas-de-são-pedro*
orelha de sota s.f.
orelha-de-toupeira s.f.; pl. *orelhas-de-toupeira*
orelha-de-urso s.f.; pl. *orelhas-de-urso*
orelha-de-veado s.f.; pl. *orelhas-de-veado*
orelhado adj. s.m.
orelhador (*ô*) adj. s.m.
orelha-livre s.f.; pl. *orelhas-livres*
orelha-marinha s.f.; pl. *orelhas-marinhas*
orelhame s.m.
orelhano adj.
orelhão s.m.
orelhar v.
orelha-redonda s.2g.; pl. *orelhas-redondas*
orelhas de abade s.f.pl.
orelhas de boi s.f.pl.
orelhas de mula s.f.pl.
orelheira s.f.
orelheiro s.m.
orelhete (*ê*) s.m.
orelhote s.m.
orelhudo adj. s.m.
orélia s.f.
orelina s.f.
oremanau adj. s.2g.
orenda s.f.
oreobátraco s.m.
oreóbio s.m.
oreóbolo s.m.
oreocálide s.f.
oreócaris s.f.2n.
oreócoris s.m.2n.
oreodafne s.f.
oreódera s.f.
oreodonte s.m.
oreodôntida adj.2g. s.m.
oreodontídeo adj. s.m.
oreodoxa (*cs*) s.f.
oreófasis s.m.2n.
oreófaso s.m.
oreófila s.f.
oreófilo s.m.
oreóforo s.m.
oreofrinela s.f.
oreognosia s.f.
oreognóstico adj.
oreografia s.f.
oreográfico adj.
oreógrafo s.m.
oreoica (*ó*) s.f.
oreomane s.m.
oreonecte s.m.
oreoninfo s.m.
oreopânace s.m.
oreopanaceia (*é*) s.f.
oreópanax (*cs*) s.m.
oreópira s.m.
oreopiteco s.m.
oreopsique s.f.
oreopsítaco s.m.
oreorrinco s.m.
oreórtix (*cs*) s.m.2n.
oreossáurio s.m.
oreossauro s.m.
oreossoma s.m.
oreossomíneo adj. s.m.
oreossomo s.m.
oreótrago s.m.
oreotroquilínea s.f.
oreotróquilo s.m.
oréscio s.m.
oressa s.f.
oréstia s.f.
óreta adj. s.2g.
oretano adj. s.m.
orete adj. s.2g.
oreu adj. s.m.; f. *oreia* (*é*)
orexia (*cs*) s.f.
orexigênico (*cs*) adj.
orexígeno (*cs*) adj.
oreximania (*cs*) s.f.
orexímano (*cs*) adj. s.m.
orexina (*cs*) s.f.
órfã adj. s.f. de *órfão*
orfaico adj.
orfanado adj. s.m.
orfanar v.
orfanato s.m.
orfandade s.f.
orfânia s.f.
orfanita adj. s.2g.
orfanologia s.f.
orfanológico adj.
orfanotrófio s.m.
órfão adj. s.m.; f. *órfã*
orfásio s.m.
orfeão s.m.
orfeico (*é*) adj.
orfelinato s.m.
orfeon s.m.
orfeônico adj.
orfeonista adj. s.2g.
orfeonístico adj.
orfeoteleste s.m.
órfia s.f.
órficas s.f.pl.
órfico adj. s.m.
orfidino adj.
orfilíneo adj. s.m.
órfilo s.m.
órfio s.m.
orfismo s.m.
orfista adj. s.2g.
orfneia (*é*) s.f.
orfno s.m.
orfnurgo s.m.
orga s.f.
orgada s.f.
orgadócola adj.2g.
orgadófilo adj.
orgadófita s.f.
orgadura s.f.
organaga adj. s.2g.
organalogenado adj.
organametálico adj.
organdi s.m.
organeiro s.m.
organela s.f.
organelo s.m.
orgânica s.f.
organicidade s.f.
organicismo s.m.
organicista adj. s.2g.
organicístico adj.
orgânico adj.
orgânida adj.2n. s.m.
organídeo s.m.
orgânido s.m.
organificação s.f.
organificado adj.
organificador (*ô*) adj.
organificante adj.2g.
organificar v.
organificável adj.2g.
organina s.f.
organino s.m.
organismal adj.2g.
organísmico adj.
organismo s.m.
organista adj. s.2g.
organístico adj.
organistro s.m.
organito s.m.
organização s.f.
organizacional adj.2g.
organizado adj.
organizador (*ô*) adj. s.m.
organizar v.
organizativo adj.
organizatório adj.
organizável adj.2g.
organizina s.f.
órgano s.m.
organoalogenado adj.
organoalumínico adj. s.m.
organoametálico adj.
organocalcário adj.
organoclorado adj.
organodinamia s.f.
organodinâmico adj.
organofilia s.f.
organofisica s.f.
organofisico adj.
organoformação s.f.
organoformado adj.
organoformador (*ô*) adj.
organoformante adj.2g.
organoformar v.
organoformativo adj.
organoformável adj.2g.
organofosforação s.f.
organofosforado adj.
organofosforador (*ô*) adj.
organofosforante adj.2g.
organofosforar v.
organofosforável adj.2g.
organofosfórico adj.
organofósforo s.m.
organogênese s.f.
organogenesia s.f.
organogenésico adj.

organogenético adj.
organogenia s.f.
organogênico adj.
organogenista adj. s.2g.
organógeno adj.
organogermânio adj. s.m.
organografia s.f.
organográfico adj.
organografismo s.m.
organógrafo s.m.
organograma s.m.
organoide (*ó*) adj.2g. s.m.
organoléptico adj.
organolético adj.
organolítico adj. s.m.
organologia s.f.
organológico adj.
organoma s.m.
organomagnesiano adj.
organomático adj.
organomercúrico adj. s.m.
organometálico adj. s.m.
organometaloídico adj.
organomineral adj.2g.
organonímia s.f.
organonímico adj.
organônimo s.m.
organonomia s.f.
organonômico adj.
organopatia s.f.
organopático adj.
organopatismo s.m.
organopatologismo s.m.
organopéctico adj.
organopexia (*cs*) s.f.
organoplastia s.f.
organoplástico adj.
organoplúmbico adj. s.m.
organoscopia s.f.
organoscópico adj.
organosol s.m.
organossiliciado adj. s.m.
organossilícico adj.
organotáctico adj.
organotático adj.
organotaxia (*cs*) s.f.
organotáxico (*cs*) adj.
organoterapia s.f.
organoterápico adj.
organotrófico adj.
organotropia s.f.
organotrópico adj.
organotropismo s.m.
organótropo s.m.
organozíncico adj. s.m.
organozoário s.m.
organozoonomia s.f.
organozoonômico adj.
organozoonomista adj. s.2g.
organsim s.m.
organsina s.f.
organsinar v.
organsino s.m.
orgânulo s.m.
órgão s.m.
orgasmático adj.
orgasmo s.m.
orgástico adj.
orgenomesco (*ê*) adj. s.m.
orgério s.m.
orgevão s.m.
orgia s.f. "bacanal"; cf. *órgia*
órgia s.f. "medida grega"; cf. *orgia*
orgíaco adj.
orgiar v.
orgiasmo s.m.
orgiasta adj. s.2g.
orgiástico adj.
orgiático adj.
orgiativo adj.
orgíia s.f.
órgilo s.m.
órgio adj.
orgiofante s.m.
orgivão s.m.
orgo s.m.
orgocino adj. s.m.
orgona (*ô*) s.f.
orgonidade s.f.
orgônio s.m.
orgonômetro adj.
orgonomia s.f.
orgonomista adj. s.2g.
orgueira s.f.
orgulhado adj.
orgulhar v.
orgulho s.m.
orgulhoso (*ô*) adj.; f. (*ó*); pl. (*ó*)
ori s.m.
oriá adj. s.2g. s.m. "povo"; cf. *ória*
ória s.m. "verme", etc.; cf. *oriá*
oríbata s.2g.
oribátida adj.2g. s.m.
oribatídeo adj. s.m.
oribatíneo adj. s.m.
oribatóideo adj. s.m.
oribi s.m.
orica s.f.
oricalcita s.f.
oricalcite s.f.
oricalcito s.m.
oricalco s.m.
oricanga s.f.
oricino adj. s.m.
orício adj.
órico adj.
oricoense adj. s.2g.
orictanto s.m.
oricte s.m.
oricter s.m.
orícter s.m.
orictero s.m.
oricterope s.m.
oricteropo s.m.
oricto s.m.
orictogeologia s.f.
orictogeológico adj.
orictognosia s.f.
orictognosta s.2g.
orictognóstico adj.
orictografia s.f.
orictográfico adj.
orictógrafo s.m.
orictólago s.m.
orictologia s.f.
orictológico adj.
orictologista adj. s.2g.
orictólogo s.m.
orictotecnia s.f.
orictotécnico adj.
oricungo s.m.
oricuri s.m.
oricuriá s.m.
oridrografia s.f.
oridrográfico adj.
orientação s.f.
orientado adj.
orientador (*ô*) adj. s.m.
oriental adj. s.2g.
orientalense adj. s.2g.
orientalesco (*ê*) adj.
orientalidade s.f.
orientalismo s.m.
orientalista adj. s.2g.
orientalístico adj.
orientalizante adj.2g.
orientalizar v.
orientando adj. s.m.
orientar v.
orientável adj.2g.
oriente adj.2g. s.m.
orientense adj. s.2g.
orientita s.f.
oriento-meridional adj. s.2g.; pl. *oriento-meridionais*
oriento-setentrional adj. s.2g.; pl. *oriento-setentrionais*
orificial adj.2g.
orifício s.m.
oriflama s.m.
oriforme adj.2g.
orígamo s.m.
orígano s.m.
órige s.m.
origem s.f.
origenismo s.m.
origenista adj. s.2g.
origenístico adj.
orígia s.f.
originação s.f.
originado adj.
originador (*ô*) adj. s.m.
original adj.2g. s.m.
originalidade s.f.
originalismo s.m.
originalista adj. s.2g.
originalizado adj.
originalizador (*ô*) adj.
originalizante adj.2g.
originalizar v.
originalizável adj.2g.
originante adj.2g.
originar v.
originário adj.
originável adj.2g.
originologia s.f.
originológico adj.
originologista adj. s.2g.
originólogo s.m.
origma s.m.
origmatobótrio s.m.
órigo s.m.
origone s.m.
oriídeo adj. s.m.
orijone s.m.
orileita s.f.
orilha s.f.
orilhado s.m.
orimbundo adj. s.m.
orinasal adj.2g.
orinco s.m.
orindeúva s.f.
orindiúva s.f.
orindiuvense adj. s.2g.
orinocárabo s.m.
orinômio s.m.
orínomis s.m.2n.
orinoterapia s.f.
orinoterápico adj.
orinque s.m.
orintita s.f.
oriô s.m.
oriolense adj. s.2g.
oriólia s.f.
oriólida adj.2g. s.m.
oriolídea s.f.
oriolídeo adj. s.m.
oríolo s.m.
orionense adj. s.2g.
oriqui s.m.
orismologia s.f.
orismológico adj.
orisol s.m.
orisso s.m.
orita adj. s.2g.
oritano adj. s.m.
orite s.f.
orítia s.f.
oritina s.f.
oriundo adj. s.m.
órix (*cs*) s.m.2n.
orixá s.m.
orixanim s.m.
oriximinaense adj. s.2g.
orixionomia (*cs*) s.f.
orixionômico (*cs*) adj.
oriz adj. s.2g.
oriza s.f.
orizabina s.f.
orizaniense adj. s.2g.
orizanina s.f.
orizário s.m.
orízea s.f.
orizéfilo s.m.
orízeo adj.
orizícola adj. s.2g.
orizicultor (*ô*) s.m.
orizicultura s.f.
orizicultural adj.2g.
oriziforme adj.2g.
orizita s.f.
orizite s.f.
orizívoro adj.
orizóboro s.m.
orizocultor (*ô*) adj. s.m.
orizocultura s.f.
orizocultural adj.2g.
orizofagia s.f.
orizofágico adj.
orizófago adj.
orizoide (*ó*) adj.2g.
orizóideo adj.
orizômio s.m.
orízomis s.m.2n.
orizonense adj. s.2g.
orizopse s.f.
orizópside s.f.
orizoricte s.m.
oriz-procá adj. s.2g.; pl. *oriz-procás*
orjal adj.2g. s.m.
orjavão s.m.
orla s.f.
orladeira s.f.
orlado adj. s.m.
orlador (*ô*) adj. s.m.
orladura s.f.
orladurar v.
orlaia s.f.
orlandiense adj. s.2g.
orlandino adj. s.m.
orlar v.
orleã s.f.
orleanense adj. s.2g.
orleanês adj. s.m.
orleanísia s.f.
orleanismo s.m.
orleanista adj. s.2g.
orleta (*ê*) s.f.
orlita s.f.
orlo s.m.
orlon s.m.
ormasde s.m.
ormiro s.m.
ormocarpo s.m.
ormorriza s.f.
ormósia s.f.
ormosina s.f.
ormosiopse s.f.
ormossolênia s.f.
ormulu s.m.
ormuziano adj. s.m.
orna s.f.
ornado adj.
ornador (*ô*) adj. s.m.
ornamentação s.f.
ornamentado adj.
ornamentador (*ô*) adj. s.m.
ornamental adj.2g.
ornamentalismo s.m.
ornamentalista adj. s.2g.
ornamentalístico adj.
ornamentante adj.2g.
ornamentar v.
ornamentária s.f.
ornamentável adj.2g.
ornamêntica s.f.
ornamentista adj. s.2g.
ornamento s.m.
ornansita s.f.
ornante adj.2g.
ornar v.
ornatista adj. s.2g.
ornato s.m.
ornatriz s.f.
orneadeiro s.m.
ornear v.
orneio s.m.
orneiro s.m.
ornejador (*ô*) adj. s.m.
ornejar v.
ornejo (*ê*) s.m.
ornemanista adj. s.2g.
ornêmide s.f.
órnemis s.f.2n.
orneode s.f.
orneódida adj.2g. s.m.
orneodídeo adj. s.m.
ornipatologia s.f.
ornipressina s.f.
ornis s.m.
orniśtomo s.m.
ornítico adj.
ornitídeo adj. s.m.
ornitídia s.f.
ornitina s.f.
ornitínico adj.
orníton s.m.
ornitisquiano adj. s.m.
ornitita s.f.
ornitite s.f.
ornitóbia s.f.
ornitóbio s.m.
ornitocéfalo s.m.
ornitocopro s.m.
ornitocoprófilo adj.
ornitocórico adj.
ornitócoris s.m.2n.
ornitócoro adj.
ornitodélfia s.f.
ornitodélfio adj.
ornitodelfo adj. s.m.
ornitodoro s.m.
ornitofagia s.f.
ornitofágico adj.
ornitófago adj. s.m.
ornitofilia s.f.
ornitófilo adj. s.m.
ornitofone s.m.
ornitofonia s.f.
ornitofônico adj.
ornitofônio s.m.
ornitofono s.m.
ornitógalo s.m.
ornitogamia s.m.
ornitógamo adj.
ornitogeografia s.f.
ornitogeográfico adj.
ornitogeógrafo s.m.
ornitoglosso s.m.
ornitoica (*ó*) s.f.
ornitóideo adj.
ornitólatra s.2g.
ornitolatria s.f.
ornitolátrico adj.
ornitólito s.m.
ornitologia s.f.
ornitológico adj.
ornitologista adj. s.2g.
ornitólogo s.m.
ornitomancia s.f.
ornitomania s.f.
ornitomaníaco adj. s.m.
ornitômano s.m.
ornitomante s.2g.
ornitomântico adj.
ornitômia s.f.
ornitomíia s.f.
ornitomimo s.m.
ornitomizo adj. s.m.
ornitomorfo adj. s.m.
ornitopatologia s.f.
ornitopatológico adj.
ornitopatologista adj. s.2g.
ornitopatólogo s.m.
ornítopo s.m.
ornitópode s.m.
ornitopódio s.m.
ornitóptero s.m.
ornitoquirídeo adj. s.m.
ornitoquiro s.m.
ornitorrinco s.m.
ornitorrinquídeo adj. s.m.
ornitoscopia s.f.
ornitoscópico adj.
ornitóscopo s.m.
ornitose s.f.
ornitósico adj.
ornitóstomo s.m.
ornitotecnia s.f.
ornitotécnico adj.
ornitótico adj.
ornitotomia s.f.
ornitotômico adj.
ornitotrofia s.f.
ornitotrófico adj.
ornitotrófio s.m.
ornitótrofo s.m.
ornitúrico adj.
orno s.m.
oró s.m. "planta e visão sobrenatural"; cf. *orô*
orô s.m. "rito e invocação do candomblé"; cf. *oró*
oroanal adj.2g.
oroandense adj. s.2g.
orobalão s.m.
orobanca s.f.
orobancácea s.f.
orobancáceo adj.
orobânquea s.f.
orobânqueo adj.

orobatimetria s.f.
orobatimétrico adj.
oróbio adj. s.m.
orobita s.f.
orobite s.f.
orobito s.m.
orobó s.m. "noz-de-cola"; cf. *orobô* e *órobo*
orobô s.m. "noz-de-cola"; cf. *orobó* e *órobo*
órobo s.m. "ervilha-de--pomba"; cf. *orobó* e *orobô*
órobo-das-boticas s.m.; pl. *órobos-das-boticas*
orobodó s.m.
oroboense adj. s.2g.
oroboide (*ó*) adj.2g.
oroclimatérico adj.
orocoense adj. s.2g.
orocungo s.m.
orodalo s.m.
oródino s.m.
orofacial adj.2g.
orofaringal adj.2g.
orofaringe s.f.
orofaríngeo adj.
orofeia (*é*) s.f.
orofilia s.f.
orofilismo s.m.
orófilo adj. s.m.
orófita s.f.
orofítio s.m.
orófito s.m.
oroflorestal adj.
orofobia s.f.
orofóbico adj.
orófobo adj. s.m.
oroforrinco s.m.
orogênese s.f.
orogenética s.f.
orogenético adj.
orogenia s.f.
orogênico adj.
orógeno adj. s.m.
orognosia s.f.
orognóstico adj.
orografado adj.
orografar v.
orografia s.f. "descrição das montanhas"; cf. *horografia*
orográfico adj. "relativo a orografia"; cf. *horográfico*
orógrafo s.m. "especialista em descrição das montanhas"; cf. *horógrafo*
oro-hidrografia s.f.
oro-hidrográfico adj.
oroide (*ó*) s.m.
oroidografia s.f.
oroidrográfico adj.
orologia s.f. "estudo das montanhas"; cf. *horologia* e *urologia*
orológico adj. "relativo a orologia"; cf. *urológico* e *horológico*
oromansaco adj. s.2g.
orometria s.f. "medição das montanhas"; cf. *horometria*
orométrico adj. "relativo a orometria"; cf. *horométrico*
orômetro s.m. "aparelho para medir altitude"; cf. *horômetro*
oromilá s.m.
oromo s.m.
oronasal adj.2g.
oronciácea s.f.
oronciáceo adj.
orôncio s.m.
oroneta (*ê*) s.f.
oronga s.f.
oronímia s.f.
oronímico adj.
orônimo s.m.
oronja s.f.
oronja-bastarda s.f.; pl. *oronjas-bastardas*
oronja-cicuta-amarela s.f.; pl. *oronjas-cicuta-amarela*
oronja-cicuta-branca s.f.; pl. *oronjas-cicuta-branca*
oronja-cicuta-verde s.f.; pl. *oronjas-cicuta-verde*
oronja-verdadeira s.f.; pl. *oronjas-verdadeiras*
orontanje s.f.
oroode s.m.
oropa s.f.
oropécio s.m.
ororama s.m.
ororoba s.f.
orosanga s.2g.
oroseíta s.f.
orosense adj. s.2g.
orosfera s.f.
orosférico adj.
orotanje s.f.
orotato s.m.
oroterapia s.f.
oroterápico adj.
orótico adj.
orotoponimia s.f.
orotoponímia s.f.
orotoponímico adj.
orotopônimo s.m.
orotraqueal adj.2g.
oro-uim adj. s.2g.; pl. *oro-uins*
orovaí s.m.
oroval s.m.
oróxilo (*cs*) s.m.
orozimbo s.m.
orpington adj. s.2g.
orque s.f.
orqueno adj. s.m.
orquesografia s.f.
orquesográfico adj.
orquesógrafo s.m.
orqueste s.m.
orquéstia s.f.
orquéstica s.f.
orquéstico adj.
orquéstida adj.2g. s.m.
orquestídeo adj. s.m.
orquestíida adj.2g. s.m.
orquestiídeo adj. s.m.
orquestíneo adj. s.m.
orquestografia s.f.
orquestográfico adj.
orquestógrafo adj.
orquestomania s.f.
orquestomaníaco adj. s.m.
orquestômano s.m.
orquestra s.m.
orquestração s.f.
orquestrador (*ô*) adj. s.m.
orquestral adj.2g.
orquestrar v.
orquestrino s.m.
orquialgia s.f.
orquiálgico adj.
orquicoreia (*é*) s.f.
orquicoreico (*é*) adj.
orquidácea s.f.
orquidáceo adj.
orquidal adj.2g.
orquidale s.f.
orquidanta s.f.
orquidário s.m.
órquide s.f.
orquídea s.f.
orquideácea s.f.
orquideáceo adj.
orquídea-do-rio s.f.; pl. *orquídeas-do-rio*
orquídea-piramidal s.f.; pl. *orquídeas-piramidais*
orquideário s.m.
orquidectomia s.f.
orquidectômico adj.
orquidiano adj.
orquidifloro adj.
orquidiografia s.f.
orquidiográfico adj.
orquidofilia s.f.
orquidófilo adj. s.m.
orquidografia s.f.
orquidográfico adj.
orquidomania s.f.
orquidopexia (*cs*) s.f.
orquidorrafia s.f.
orquidoterapia s.f.
orquidoterápico adj.
orquidotomia s.f.
orquiectomia s.f.
orquiectômico adj. s.m.
orquiectomizado adj.
orquiectomizar v.
orquiencefaloma s.m.
orquiencefalomático adj.
orquiepididimite s.f.
órquilo s.m.
orquimieloma s.m.
orquimielomático adj.
orquineuralgia s.f.
orquineurálgico adj.
orquinevralgia s.f.
orquinevrálgico adj.
orquiocele s.f.
orquiocélico adj.
orquiococo s.m.
orquiodinia s.f.
orquiodínico adj.
orquiomieloma s.m.
orquiomielomático adj.
orquioncia s.f.
orquioncose s.f.
orquioncósico adj.
orquioneuralgia s.f.
orquioneurálgico adj.
orquionevralgia s.f.
orquionevrálgico adj.
orquiopausa s.f.
orquiopéctico adj.
orquiopético adj.
orquiopexia (*cs*) s.f.
orquiorrafia s.f.
orquiorráfico adj.
orquiosclerose s.f.
orquiosclerótico adj.
orquiosqueocele s.f.
orquiosqueocélico adj.
orquioterapia s.f.
orquioterápico adj.
orquiotomia s.f.
orquiotômico adj.
orquiótomo s.m.
orquiotomologia s.f.
orquiotomológico adj.
orquiotomologista adj. s.2g.
orquiotomólogo s.m.
orquipausa s.f.
orquípeda s.f.
órquis s.m.2n.
orquístoma s.m.
orquita s.f. "variedade de azeitona"; cf. *orquite*
orquite s.f. "inflamação no testículo"; cf. *orquita*
orquítico adj.
orquitina s.f.
orreiro s.m.
orreta (*ê*) s.f.
orrocístico adj.
orrocisto s.m.
orrodiagnóstico s.m.
orrodiagrama s.m.
orroimunidade s.f.
orrologia s.f.
orrológico adj.
orromeningite s.f.
orromeningítico adj.
orropígio s.m.
orroquecia s.f.
orroquécico adj.
orroquécio adj.
orroquesia s.f.
orroquésico adj.
orroquésio adj.
orroterapia s.f.
orroterápico adj.
orsamo s.m.
orseia (*é*) adj. s.f. de *orseu*
orsela s.f.
orselato s.m.
orsélico adj.
orselinato s.m.
orselínico adj.
orseta (*ê*) s.f.
orseu adj. s.m.; f. *orseia* (*é*)
orsilária s.f.
orsilo s.m.
orsínia s.f.
órsis s.f.2n.
orsodacne s.m.
orsodacníneo adj. s.m.
ortacantácris s.m.2n.
ortacanto adj.
ortagoriscídeo adj. s.m.
ortagoriscíneo adj. s.m.
ortagorisco s.m.
ortalicídeo adj. s.m.
ortálico s.m.
ortálida adj.2g. s.m.
ortálide s.f.
ortalídeo adj. s.m.
órtalis s.f.2n.
ortanílico adj.
ortantera s.f.
ortaptodáctilo s.m.
ortaptodátilo s.m.
ortégia s.f.
orteia (*é*) s.f.
ortélia s.f.
ortetro s.m.
ortézia s.f.
ortezídeo adj. s.m.
orteziídeo adj. s.m.
ortezíneo adj. s.m.
órtico adj.
orticon s.m.
órticon s.m.
orticonoscópico adj.
orticonoscópio s.m.
ortidina s.f.
ortidínico adj.
órtige s.f.
ortigocopia s.f.
ortigocópico adj.
ortigócopo s.m.
ortigômetro s.m.
ortigope s.m.
ortigospiza s.f.
ortigueirense adj. s.2g.
ortinoscópio s.m.
órtis s.m.2n.
ortita s.f.
ortite s.f.
ortiva s.f.
ortivo adj.
órtix (*cs*) s.f.2n.
ortixelo (*cs*) s.m.
ortlerite s.f.
orto adj.2g.2n. s.m.2n. "posição de grupos funcionais de benzeno"; cf. *horto* (*ô*) s.m. e *horto*, fl. do v. *hortar*
ortoácido s.m.
ortoalbuminúria s.f.
ortoantigorita s.f.
ortoarsênico adj.
ortoarsenioso (*ô*) adj.; f. (*ó*); pl. (*ó*)
ortoazotato s.m.
ortoazótico adj.
ortoazotito s.m.
ortoazotoso (*ô*) adj.; f. (*ó*); pl. (*ó*)
ortobásico adj.
ortobiose s.f.
ortobiótico adj.
ortoblasto s.m.
ortoborato s.m.
ortobórico adj.
ortocarbonato s.m.
ortocarbônico adj.
ortocarboxílico (*cs*) adj.
ortocarpo s.m.
ortocefalia s.f.
ortocefálico adj.
ortocéfalo adj. s.m.
ortocelo adj.
ortocêntrico adj.
ortocentro s.m.
ortócera s.f.
ortocerátida adj.2g. s.m.
ortoceratídeo adj. s.m.
ortoceratose s.f.
ortoceratótico adj.
ortoceríneo adj. s.m.
ortócero s.m.
ortochamoisita s.f.
ortociclo adj. s.m.
ortocicloide (*ó*) adj.2g. s.f.
ortocitose s.f.
ortóclada s.f.
ortóclado adj.
ortóclase s.f.
ortoclásio s.m.
ortoclasita s.f.
ortoclinal adj.2g.
ortoclíneo adj. s.m.
ortoclínico adj.
ortoclone s.m.
ortoclorite s.f.
ortoclorito s.m.
ortocolimbo s.m.
ortocolo s.m.
ortocólon s.m.
ortoconco adj. s.m.
ortocoreia (*é*) s.f.
ortocoreico (*é*) adj.
ortocrisotilo s.m.
ortocromático adj.
ortocromatismo s.m.
ortocromatização s.f.
ortocromatizar v.
ortocrômico adj.
ortocromo s.m.
ortocromófilo adj.
ortodactilia s.f.
ortodactílico adj.
ortodáctilo adj.
ortódano s.m.
ortodatilia s.f.
ortodatílico adj.
ortodátilo adj.
ortodentina s.f.
ortodiagonal adj.2g.
ortodiagrafia s.f.
ortodiagráfico adj.
ortodiágrafo s.m.
ortodiagrama s.m.
ortodiascopia s.f.
ortodiascópico adj.
ortodoma s.m.
órtodon s.m.
ortodoncia s.f.
ortodonte adj.2g. s.m.
ortodontia s.f.
ortodôntico adj.
ortodontista adj. s.2g.
ortodontopedia s.f.
ortodontopedista adj. s.2g.
ortodontosia s.f.
ortodontosista adj. s.2g.
ortodoro s.m.
ortodoxia (*cs*) s.f.
ortodoxo (*cs*) adj. s.m.
ortodoxografia (*cs*) s.f.
ortodoxográfico (*cs*) adj.
ortodoxógrafo (*cs*) s.m.
ortodromia s.f.
ortodrômico adj.
ortoédrico adj.
ortoedro s.m.
ortoélio s.m.
ortoentérico adj.
ortoepia s.f.
ortoépia s.f.
ortoépico adj.
ortoericssonita s.f.
ortoéter s.m.
ortoexagonal (*cs* ou *z*) adj.2g.
ortófago s.m.
ortofálico adj.
ortofaloplastia s.f.
ortofanita adj. s.2g.
ortofanta adj. s.2g.
ortoferrossilita s.f.
ortófido adj. s.m.
ortofírico adj.
ortofirita s.f.
ortofirito s.m.
ortófiro s.m.
ortófito s.m.
ortofonia s.f.
ortofônico adj.
ortofonista adj. s.2g.
ortoforia s.f.
ortofórico adj.
ortoformiato s.m.
ortofórmico adj.
ortofórmio s.m.
ortofosfato s.m.

ortofosfórico adj.
ortofosforoso (ô) adj.; f. (ó); pl. (ó)
ortofotocartáceo adj.
ortofotografia s.f.
ortofotográfico adj.
ortofotógrafo s.m.
ortofotograma s.m.
ortofotoscopia s.f.
ortofotoscópico adj.
ortofotoscópio s.m.
ortofrenia s.f.
ortofrênico adj.
ortofrenopedia s.f.
ortofrenopédico adj.
ortoftálico adj.
ortogamia s.f.
ortogênese s.f.
ortogenético adj.
ortogenia s.f.
ortogenial adj.2g.
ortogênico adj.
ortogênida adj. s.2g.
ortógeno adj.
ortogeossinclinal adj.2g.
ortogeossinclíneo adj. s.m.
ortogeossinclínico adj.
ortogeotrópico adj.
ortogeotropismo s.m.
ortognaisse s.m.
ortognáissico adj.
ortognaissoso (ô) adj.; f. (ó); pl. (ó)
ortognata adj. s.2g.
ortógnata adj. s.2g.
ortognatia s.f.
ortognatismo s.m.
ortognato adj. s.m.
ortógnato adj. s.m.
ortognomônico adj.
ortogonal adj.2g.
ortogonalidade s.f.
ortogonalizar v.
ortogonização s.f.
ortógono adj.
ortógrado adj.
ortografação s.f.
ortografado adj.
ortografar v.
ortografia s.f.
ortográfico adj.
ortografista adj. s.2g.
ortógrafo adj. s.m.; cf. *ortografo*, fl. do v. *ortografar*
orto-hexagonal (*cs* ou *z*) adj.2g.
orto-hélio s.m.
orto-hidrogênico adj.
orto-hidrogênio s.m.
ortoide (ó) adj.2g. s.f.
ortoidrogênico adj.
ortoidrogênio s.m.
ortol s.m.
ortoléctico adj.
ortolético adj.
ortolexia (*cs*) s.f.
ortolinguagem s.f.
ortolita s.f.
ortolítico adj.
ortólito s.m.
ortólofo s.m.
ortologia s.f.
ortológico adj.
ortômega s.m.
ortometamórfico adj.
ortometoxibenzoico (*cs...ó*) adj.
ortometria s.f.
ortométrico adj.
ortômetro s.m.
ortomímida adj.2g. s.m.
ortomimídeo adj. s.m.
ortomitose s.f.
ortomitósico adj.
ortomitótico adj.
órtomo s.m.
ortomolecular adj.2g.
ortomorfia s.f.
ortomórfico adj.
ortomorfismo s.m.
ortonéctida adj.2g. s.m.
ortonectídeo adj. s.m.
ortonema s.m.
ortonense adj. s.2g.
ortoneura s.f.
ortoneuro adj.
ortoneuróptero adj. s.m.
ortônico s.m.
ortônimo s.m.
ortônique s.m.
órtonix (*cs*) s.m.
ortonormal adj.2g.
ortonormalidade s.f.
ortonormalizar v.
orto-oxibenzoico (*cs...ó*) adj.
ortopantomografação s.f.
ortopantomografar v.
ortopantomografável adj.2g.
ortopantomografia s.f.
ortopantomográfico adj.
ortopantomógrafo adj. s.m.
ortopantomograma s.m.
ortope s.m.
ortopedia s.f.
ortopédico adj.
ortopedismo s.m.
ortopedista adj. s.2g.
ortopercussão s.f.
ortopígio s.m.
ortopinacoide (ó) adj. s.2g.
ortopinaquiolita s.f.
ortopiroxênico (*cs*) adj.
ortopiroxênio (*cs*) s.m.
ortoplasia s.f.
ortoplásico adj.
ortoplástico adj.
ortoplóceo adj.
ortoplumbato s.m.
ortoplúmbico adj.
ortopneia (é) s.f.
ortopneico (é) adj.
ortopnoico (ó) adj.
ortópode adj. s.m.
ortopoxiviro (*cs*) s.m.
ortopoxivírus (*cs*) s.m.
ortopráctico adj.
ortoprático adj.
ortopraxia (*cs*) s.f.
ortoprimo s.m.
órtops s.m.2n.
ortopsiquiatria s.f.
ortopterígio s.m.
ortóptero adj. s.m.
ortopteroide (ó) s.m.
ortopterologia s.f.
ortopterológico adj.
ortopterologista adj. s.2g.
ortopterólogo s.m.
ortóptica s.f.
ortóptico adj.
ortoquete s.m.
ortorama s.m.
ortorradial adj.2g.
ortórrafa s.f.
ortórrafo adj. s.m.
ortorranfo s.m.
ortorraquia s.f.
ortorráquico adj.
ortorrino s.m.
ortorrinquídeo adj. s.m.
ortorrômbico adj.
ortosa s.f.
ortóscele s.m.
ortoscelia s.f.
ortoscélico adj.
ortóscelo s.m.
ortoscólex (*cs*) s.m.2n.
ortoscopia s.f.
ortoscópico adj.
ortoscópio s.m.
ortose s.f.
ortósia s.f.
ortósico adj.
ortósio s.m.
ortospermo adj.
ortóspora s.m.
ortosquema s.m.
ortosseleção s.f.
ortossifão s.m.
ortossilicático adj.
ortossilicato s.m.
ortossilícico adj.
ortossimétrico adj.
ortossimpático adj. s.m.
ortossismométrico adj.
ortossismômetro s.m.
ortossomática s.f.
ortossomático adj.
ortossomo s.m.
ortostádio s.m.
ortostasia s.f.
ortóstata s.m.
ortostático adj.
ortostatismo s.m.
ortóstato s.m.
ortostemo s.m.
ortosteriográfico adj.
ortóstica s.f.
ortostilo s.m.
ortóstomo adj. s.m.
ortotanásia s.f.
ortoteca s.f.
ortotécio s.m.
ortoterapia s.f.
ortoterápico adj.
ortotério s.m.
ortotetáceo adj.
ortótilo s.m.
ortotômico adj.
ortótomo s.m.
ortotônico adj.
ortótono s.m.
ortotonúmena s.f.
ortotonúmeno adj.
ortotópico adj.
ortotricácea s.f.
ortotricáceo adj.
ortótrico s.m.
ortotropia s.f.
ortotrópico adj.
ortotropismo s.m.
ortótropo adj.
ortoxibenzoico (*cs...ó*) adj.
ortoxilênico (*cs*) adj.
ortoxileno (*cs*) s.m.
ortroniense adj. s.2g.
oruá s.m.
oruco s.m. "árvore de Angola"; cf. *orucó*
orucó s.m. "palavra litúrgica no candomblé"; cf. *oruco*
orucungo s.m.
orucurana s.f.
orucuri s.f.
oruetita s.f.
orumanau adj. s.2g.
orumbeba s.f.
orumbóvio adj. s.m.
oruncó s.m.
orúncola adj. s.2g.
orungo adj. s.m.
orungu s.m.
orupá adj. s.2g.
oruzu s.m.
orvaeza (ê) s.f.
orvalhada s.f.
orvalhadiço adj.
orvalhado adj.
orvalhar v.
orvalheira s.f.
orvalheiro s.m.
orvalhinha s.f.
orvalho s.m.
orvalho-da-aurora s.m.; pl. *orvalhos-da-aurora*
orvalho-do-sol s.m.; pl. *orvalhos-do-sol*
orvalhoso (ô) adj.; f. (ó); pl. (ó)
orvalhudo adj.
orveto (ê) s.m.
orviatão s.m.
orvietão s.m.
orvieto s.m.
orvillita s.f.
órxula (*cs*) s.f.
orzaga s.f.
orzuna s.f.
osa s.f.
osana s.f. "antílope", etc.; cf. *hosana*
osannita s.f.
osar s.m.
osarizawaíta s.f.
osarsita s.f.
osasquense adj. s.2g.
osassa s.f.
osazona s.f.
osbéckia s.f.
osbornita s.f.
osbornite s.f.
osca s.f.
oscânio s.m.
óscar s.m.
osce s.m.
óscen s.m.
oscense adj. s.2g.
oscilação s.f.
oscilado adj.
oscilador (ô) adj. s.m.
osciladora (ô) s.f.
oscilante adj.2g.
oscilar v.
osciláría s.f.; cf. *oscilaria*, fl. do v. *oscilar*
oscilariácea s.f.
oscilariáceo adj.
oscilatória s.f.
oscilatoriácea s.f.
oscilatoriáceo adj.
oscilatoriale s.f.
oscilatório adj.
oscilatron s.m.
oscílatron s.m.
oscilatrônio s.m.
oscilável adj.2g.
oscilo s.m.
oscilografia s.f.
oscilográfico adj.
oscilógrafo s.m.
oscilograma s.m.
oscilometria s.f.
oscilométrico adj.
oscilômetro s.m.
oscilopsia s.f.
osciloscópico adj.
osciloscópio s.m.
óscina s.f.
óscine adj.2g. s.m.
oscitação s.f.
oscitância s.f.
oscitante adj.2g.
oscitar v.
osco adj. s.m. "povo"; cf. *hosco*
oscofórias s.f.pl.
osco-úmbrico adj. s.m.; pl. *osco-úmbricos*
osco-úmbrio s.m.; pl. *osco-úmbrios*
osco-umbro adj. s.m.; pl. *osco-umbros*
osculação s.f.
osculado adj.
osculador (ô) adj. s.m.; f. *osculatriz*
osculante adj.2g.
oscular v.
osculatório adj. s.m.
osculatriz adj. s.f. de *osculador*
osculífero adj.
ósculo s.m.; cf. *osculo*, fl. do v. *oscular*
osdroeno adj. s.m.
ose s.f.
osela s.f.
oséria s.f.
oseriate adj. s.2g.
osfalgia s.f.
osfálgico adj.
osfialgia s.f.
osfiálgico adj.
osfiia s.f.
osfiite s.f.
osfiítico adj.
osfite s.f.
osfrádio s.m.
osfrese s.f.
osfresia s.f.
osfrésico adj.
osfresiologia s.f.
osfresiológico adj.
osfresiólogo s.m.
osfresiometria s.f.
osfresiométrico adj.
osfresiômetro s.m.
osfrômeno s.m.
osga s.f.
osicuanhama s.m.
osidase s.f.
osídase s.f.
óside s.f.
osídio s.m.
ósido s.m.
ósio adj. s.m.
osiríaco adj. s.m.
osiriano adj. s.m.
osirícera s.f.
osíride s.f.
osirídea s.f.
osirídeo adj.
osiridócera s.f.
osísmio adj. s.m.
osleriano adj.
oslerizar v.
osma s.f.
osmandi adj. s.2g.
osmandita s.f.
osmânico adj. s.m.
osmanil adj. s.2g.
osmanli adj. s.2g. s.m.
osmanto s.m.
osmático adj.
osmato s.m.
osmazoma s.f.
osmazomado adj.
osmazômeo adj.
osmazomo s.m.
osmelita s.f.
osmelite s.f.
osmélito s.m.
osmerídeo adj. s.m.
osmero s.m.
osmetério s.m.
ósmia s.f.
osmiato s.m.
ósmico adj.
osmidrose s.f.
osmidrótico adj.
osmieto (ê) s.m.
osmífero adj.
ósmila s.f.
osmimetria s.f.
osmimétrico adj.
osmina s.f.
ósmio s.m.
osmioso (ô) adj.; f. (ó); pl. (ó)
osmirídio s.m.
osmita s.f.
osmócrina s.f.
osmoderma s.m.
osmoderme s.f.
osmodermo s.m.
osmofílico adj.
osmóforo adj. s.m.
osmogênico adj.
osmol s.m.
osmolalidade s.f.
osmolar adj.2g.
osmolaridade s.f.
osmologia s.f.
osmológico adj.
osmometria s.f.
osmométrico adj.
osmômetro s.m.
osmonda s.f.
osmondácea s.f.
osmondáceo adj.
osmondita s.f.
osmonocividade s.f.
osmonocivo adj.
osmonosologia s.f.
osmonosológico adj.
osmorreceptividade s.f.
osmorreceptivo adj.
osmorreceptor (ô) adj. s.m.
osmorregulação s.f.
osmorregulador (ô) s.m.
osmorregulatório adj.
osmose s.f.
osmotactismo s.m.
osmotatismo s.m.
osmotaxia (*cs*) s.f.
osmótico adj.
osmotréron s.m.

osmotrópico adj.
osmotropismo s.m.
osmozoma s.f.
osmozomado adj.
osmozômeo adj.
osmozomo s.m.
osmunda s.f.
osmundácea s.f.
osmundáceo adj.
osona s.f.
osoriense adj. s.2g.
osqueal adj.2g.
osqueíte s.f.
osqueocalasia s.f.
osqueocalásico adj.
osqueocele s.f.
osqueocélio adj.
ósqueo-hidrocele s.f.
ósqueo-hidrocélico adj.
osqueoidrocele s.f.
osqueoidrocélico adj.
osqueol s.m.
osqueólito s.m.
osqueoma s.m.
osqueoncose s.f.
osqueoncósico adj.
osqueoncótico adj.
osqueoplastia s.f.
osqueoplástico adj.
osqueose s.f.
osqueótico adj.
osqueotomia s.f.
osqueotômico adj.
ósquia s.f.
osquidate (*ü*) adj. s.2g.
osquidato (*ü*) adj. s.m.
osquite s.f.
osram s.m.
ossa s.f.
ossada s.f.
ossadura s.f.
ossama s.f.
óssame s.m.
ossamenta s.f.
ossamento s.m.
ossana s.m.
ossaria s.f.
ossário s.m.
ossatura s.f.
ossé s.m.
osseânico adj. s.m.
osseanismo s.m.
osseanista adj. s.2g.
osseanístico adj.
osseanizar v.
osseano adj. s.m. "herege"; cf. *oceano*
osseia (*é*) s.f.
osseína s.f.
osseniano s.m.
osseno adj. s.m.
ósseo adj.
osseomucina s.f.
osseta adj. s.2g.
osseto s.m.
ossiandrianismo s.m.
ossiandriano s.m.
ossianesco (*ê*) adj.
ossiânico adj. "relativo a Ossian"; cf. *oceânico*
ossianismo s.m. "imitação de Ossian"; cf. *oceanismo*
ossianista adj. s.2g. "imitador de Ossian"; cf. *oceanista*
ossianístico adj. "relativo a ossianismo"; cf. *oceanístico*
ossianizar v.
ossicos s.m.pl.
ossiculado adj.
ossicular adj.2g.
ossículo s.m.
ossiculoplastia s.f.
ossiculotomia s.f.
ossiculotômico adj.
ossidez (*ê*) s.f.
ossífero adj.
ossificação s.f.
ossificado adj.
ossificador (*ô*) adj. s.m.
ossificar v.
ossífico adj.; cf. *ossifico*, fl. do v. *ossificar*
ossifluência s.f.
ossifluente adj.2g.
ossiforme adj.2g.
ossífraga s.f.
ossífrago adj.
ossilégio s.m.
ossima s.m.
ossinhanga s.m.
ossinho s.m.
ossívoro adj.
osso (*ô*) s.m.; pl (*ó*)
ossobó s.m.
osso de cavalo s.m.
osso do pai joão s.m.
osso do pênis s.m.
osso do vintém s.m.
ossonhe s.m.
ossonobense adj. s.2g.
osso-podre s.m.; pl. *ossos-podres*
ossoso (*ô*) adj.; f. (*ó*); pl. (*ó*)
ossuário s.m.
ossudo adj.
ossuoso (*ô*) adj.; f. (*ó*); pl. (*ó*)
ostaga s.f.
ostagadura s.f.
ostagra s.f.
ostante adj.2g.
ostariofisário s.m.
ostariofiso adj. s.m.
ostariófita s.f.
ostaxa s.f.
oste s.f. "vela latina"; cf. *hoste*
ostealgia s.f.
osteálgico adj.
osteanabrose s.f.
osteanabrótico adj.
osteanáfise s.f.
ostearticulação s.f.
ostearticular adj.2g.
osteartrite s.f.
osteartrítico adj.
osteartropatia s.f.
osteartropático adj.
osteartrotomia s.f.
osteartrotômico adj.
osteateroma s.m.
ostectomia s.f.
ostectômico adj.
osteícte adj. s.m.
osteíctio s.m.
osteíctis s.m.2n.
osteído s.m.
osteína s.f.
osteíte s.f.
osteítico adj.
osteíto s.m.
ostelcose s.f.
ostemia s.f.
ostêmico adj.
ostempiose s.f.
ostempiótico adj.
ostencefaloma s.m.
ostende s.m.
ostensão s.f.
ostensibilidade s.f.
ostensível adj.2g.
ostensividade s.f.
ostensivo adj.
ostensor (*ô*) adj. s.m.
ostensório adj. s.m.
ostentação s.f.
ostentado adj.
ostentador (*ô*) adj. s.m.
ostentamento s.m.
ostentante adj.2g.
ostentar v.
ostentativo adj.
ostentatório adj.
ostentável adj.2g.
ostentoso (*ô*) adj.; f. (*ó*); pl. (*ó*)
osteoarticulação s.f.
osteoarticular adj.2g.
osteoartrite s.f.
osteoartrítico adj.
osteoartropatia s.f.
osteoblástico adj.
osteoblástio s.m.
osteoblasto s.m.
osteoblastoma s.m.
osteobroma s.m.
osteocampsia s.f.
osteocâmptico adj.
osteocaquético adj.
osteocaquexia (*cs*) s.f.
osteocarcinoma s.m.
osteocarpo s.m.
osteocartilaginoso (*ô*) adj.; f. (*ó*); pl. (*ó*)
osteocele s.f.
osteocélico adj.
osteocia s.f.
osteocistoide (*ó*) adj.2g. s.m.
osteocistoma s.m.
osteócito s.m.
osteoclasia s.f.
osteoclásico adj.
osteoclasta s.m.
osteoclastia s.f.
osteoclástico adj.
osteoclasto s.m.
osteoclastoma s.m.
osteoclastomático adj.
osteocola s.f.
osteocoma s.m.
osteocondral adj.2g.
osteocondrite s.f.
osteocondrítico adj.
osteocondrólito s.m.
osteocondroma s.m.
osteocondromatose s.f.
osteocondrose s.f.
osteocondrossarcoma s.m.
osteócopo adj.
osteocrânio s.m.
osteodentina s.f.
osteoderme adj.2g. s.m.f.
osteodermia s.f.
osteodermo adj. s.m.
osteodesmo s.m.
osteodesmose s.f.
osteodiástase s.f.
osteodiastásico adj.
osteodiastático adj.
osteodinia s.f.
osteodínico adj.
osteodistrofia s.f.
osteodistrófico adj.
osteoelcose s.f.
osteoemacromatose s.f.
osteoemacromatósico adj.
osteoemacromatótico adj.
osteoencefaloma s.m.
osteoepífise s.f.
osteoesclerose s.f.
osteoeteroplastia s.f.
osteoeteroplástico adj.
osteofagia s.f.
osteofágico adj.
osteófago adj. s.m.
osteofibroma s.m.
osteofibrose s.f.
osteofima s.m.
osteofimático adj.
osteofimia s.f.
osteofímico adj.
osteofítico adj.
osteófito s.m.
osteoflebite s.f.
osteoflebítico adj.
osteófleo adj. s.m.
osteofone s.m.
osteofonia s.f.
osteofônico adj.
osteofônio s.m.
osteóforo s.m.
osteoftoria s.f.
osteoganoide (*ó*) adj.2g. s.m.
osteoganóideo adj. s.m.
osteogênese s.f.
osteogenético adj.
osteogenia s.f.
osteogênico adj.
osteogenioso (*ô*) adj.; f. (*ó*); pl. (*ó*)
osteoglóssida adj.2g. s.m.
osteoglossídeo adj. s.m.
osteoglossiforme adj.2g.
osteoglosso s.m.
osteografia s.f.
osteográfico adj.
osteógrafo s.m.
osteograma s.m.
ósteo-helcose s.f.
ósteo-hemacromatose s.f.
ósteo-hemacromatósico adj.
ósteo-heteroplastia s.f.
ósteo-heteroplástico adj.
osteoide (*ó*) adj.2g.
osteolatirismo s.m.
osteolépide s.f.
osteólepis s.f.2n.
osteolipoma s.m.
osteolipomatoso (*ô*) adj.; f. (*ó*); pl. (*ó*)
osteólise s.f.
osteolita s.f.
osteolite s.f.
osteolítico adj.
osteólito s.m.
osteologia s.f.
osteológico adj.
osteologista adj. s.2g.
osteólogo s.m.
osteoma s.m.
osteomalacia s.f.
osteomalácico adj.
osteomalacose s.f.
osteomalacósico adj.
osteomalacótico adj.
osteomatoide (*ó*) adj.2g.
osteomatose s.f.
osteomatoso (*ô*) adj.; f. (*ó*); pl. (*ó*)
osteomérico adj.
osteomério s.m.
osteomerização s.f.
osteômero s.m.
osteometabólico adj.
osteometabolismo s.m.
osteometria s.f.
osteométrico adj.
osteomicodisplasia s.f.
osteomielalgia s.f.
osteomielálgico adj.
osteomielite s.f.
osteomielítico adj.
osteomielodisplasia s.f.
osteomielodisplásico adj.
osteomielografia s.f.
osteomielográfico adj.
osteomielograma s.m.
osteomielorreculosclerose s.f.
osteomiose s.f.
osteon s.m.
osteoncose s.f.
osteoncósico adj.
osteoncótico adj.
osteonecrose s.f.
osteonecrótico adj.
osteoneuralgia s.f.
osteoneurálgico adj.
osteonevralgia s.f.
osteonevrálgico adj.
osteonose s.f.
osteonósico adj.
osteopata s.2g.
osteopatia s.f.
osteopático adj.
osteopatologia s.f.
osteopatológico adj.
osteopecilia s.f.
osteopecilose s.f.
osteopédio s.m.
osteopenia s.f.
osteoperiosteíte s.f.
osteoperiosteítico adj.
osteoperióstico adj.
osteoperiostite s.f.
osteoperiostítico adj.
osteopetrose s.f.
osteoplasta s.m.
osteoplastia s.f.
osteoplástico adj.
osteoplasto s.m.
osteopoiquilose s.f.
osteopontina s.f.
osteoporose s.f.
osteoporósico adj.
osteoporótico adj.
osteopsatirose s.f.
osteopsatirósico adj.
osteoquilo s.m.
osteorrafia s.f.
osteorráfico adj.
osteorragia s.f.
osteorrágico adj.
osteosclereide s.f.
osteosclerose s.f.
osteosclerótico adj.
osteoscopia s.f.
osteoscópico adj.
osteoscópio s.m.
osteoscuto s.m.
osteose s.f.
osteósico adj.
osteospermo s.m.
osteospongioma s.m.
osteospongiomatoso (*ô*) adj.; f. (*ó*); pl. (*ó*)
osteospongiose s.f.
osteospongiósico adj.
osteossapria s.f.
osteossáprico adj.
osteossarcoma s.m.
osteossarcomático adj.
osteossarcomatoso (*ô*) adj.; f. (*ó*); pl. (*ó*)
osteosséptico adj.
osteossepto s.m.
osteossinovite s.f.
osteossinovítico adj.
osteossíntese s.f.
osteossintético adj.
osteosteatoma s.m.
osteosteatomático adj.
osteosteatomatoso (*ô*) adj.; f. (*ó*); pl. (*ó*)
osteostendíneo adj.
osteostixe (*cs*) s.f.
osteóstomo adj. s.m.
osteotabe s.f.
osteotabes s.f.2n.
osteotabético adj.
osteotelangiectasia s.f.
osteotelangiectásico adj.
osteótilo s.m.
osteotilose s.f.
osteotilósico adj.
osteotomia s.f.
osteotômico adj.
osteotomista adj. s.2g.
osteótomo s.m.
osteotomoclasia s.f.
osteotomoclásico adj.
osteotomoclástico adj.
osteotricose s.f.
osteotricótico adj.
osteotrofia s.f.
osteotrófico adj.
osteotrombose s.f.
osteotrombósico adj.
osteotrombótico adj.
osteotrópico adj.
osteotropismo s.m.
osteótropo adj.
osteotrose s.f.
osteozoário adj. s.m.
ostepífise s.f.
osterício s.m.
ostertágia s.m.
ostertagiose s.f.
ostexia (*cs*) s.f.
ostiaco adj. s.m.
ostial adj.2g.
ostiarato s.m.
ostiariato s.m.
ostiário s.m. "encarregado das portas do templo"; cf. *hostiário*
óstico adj. s.m.
ostiense adj. s.2g.
ostinope s.m.
óstio s.m.
ostiolado adj.
ostiolar adj.2g.
ostiólico adj.
ostíolo s.m.
ostite s.f.
ostomátida adj.2g. s.m.
ostomatídeo adj. s.m.
ostômida adj.2g. s.m.

ostomídeo adj. s.m.
ostomizado adj. s.m.
ostomizar v.
ostoteca s.f.
ostra (*ô*) s.f.
ostra-americana s.f.; pl. *ostras-americanas*
ostrácea s.f.
ostraceiro s.m.
ostraceiro-pirupiru s.m.; pl. *ostraceiros-pirupiru* e *ostraceiros-pirupirus*
ostráceo adj.
ostra-chata s.f.; pl. *ostras-chatas*
ostracião s.m.
ostracião-espinhoso s.m.; pl. *ostraciões-espinhosos*
ostraciídeo adj. s.m.
ostracino adj.
ostraciônida adj.2g. s.m.
ostracionídeo adj. s.m.
ostraciôntida adj.2g. s.f.
ostraciontídeo adj. s.m.
ostracismo s.m.
ostracista adj. s.2g.
ostracístico adj.
ostracita s.f.
ostracite s.f.
óstraco s.m.
ostracode adj.2g. s.m.
ostracódeo adj. s.m.
ostracodermo adj. s.m.
ostracodídeo adj. s.m.
ostracodo adj. s.m.
ostracologia s.f.
ostracológico adj.
ostracologista adj. s.2g.
ostracólogo s.m.
ostracomita s.f.
ostracomorfita s.f.
ostracomorfite s.f.
ostra-da-virgínia s.f.; pl. *ostras-da-virgínia*
ostra-de-pobre s.f.; pl. *ostras-de-pobre*
ostra-do-mangue s.f.; pl. *ostras-do-mangue*
ostra-espinhosa s.f.; pl. *ostras-espinhosas*
ostra-europeia s.f.; pl. *ostras-europeias*
ostra-francesa s.f.; pl. *ostras-francesas*
ostra-gaiteira s.f.; pl. *ostras-gaiteiras*
ostranita s.f.
ostranite s.f.
ostrano adj. s.m.
ostra-pé-de-cavalo s.f.; pl. *ostras-pé-de-cavalo* e *ostras-pés-de-cavalo*
ostra-perlífera s.f.; pl. *ostras-perlíferas*
ostra-portuguesa s.f.; pl. *ostras-portuguesas*
ostraria s.f.
ostra-verdadeira s.f.; pl. *ostras-verdadeiras*
óstrea s.f.
ostreáceo adj. s.m.
ostreal s.m.
ostreário adj.
ostreia (*é*) s.f.
ostreícola adj.2g.
ostreicultor (*ô*) s.m.
ostreicultura s.f.
ostreida adj.2g. s.m.
ostreídeo adj. s.m.
ostreífero adj.
ostreiforme adj.2g.
ostreína s.f.
ostreira s.f.
ostreiro adj. s.m.
ostreita s.f.
ostreíte s.f.
ostrense adj. s.2g.
ostreofagia s.f.
ostreofágico adj.
ostreófago adj. s.m.
ostreófilo adj.
ostreotoxismo (*cs*) s.m.
óstria s.f.
ostrícola adj.2g.
ostricultor (*ô*) s.m.
ostricultura s.f.
ostrífero adj.
ostrinho s.m.
ostrino adj.
ostro s.m.
ostrogodo (*ô*) adj. s.m.
ostrogótico adj.
ostropácea s.f.
ostropáceo adj.
osumilita s.f.
osvaldo-cruzense adj. s.2g.; pl. *osvaldo-cruzenses*
oswaldiano adj. s.m.
ota interj.; cf. *otá*
otá s.f. "pedra-fetiche"; cf. *ota*
otacanto s.m.
otacariose s.f.
otacústica s.f.
otacústico adj.
otaiano adj. s.m.
otalamba s.f.
otalgia s.f.
otálgico adj.
otantera s.f.
otanto s.m.
otantrite s.f.
otantrítico adj.
otão s.m.
otarampa s.f.
otária s.f.
otarídeo adj. s.m.
otariída adj.2g. s.m.
otariídeo adj. s.m.
otário adj. s.m.
otávia s.f.
otaviano adj.
otavita s.f.
otaylita s.f.
otchitau s.m.
oteátea s.f.
otectomia s.f.
otectômico adj.
oteenizar v.
otelcose s.f.
otelcósico adj.
otélia s.f.
otelíea s.f.
otelo s.m.
otematoma s.m.
otematomático adj.
otencefalite s.f.
otencefalítico adj.
otenizar v.
otenquita s.f.
otesino adj. s.m.
oti adj. s.2g. s.m.
otiatria s.f.
otiátrico adj.
otiatro s.m.
ótica s.f. "ciência da audição"; cf. *óptica*
oticidade s.f. "qualidade de ótico"; cf. *opticidade*
oticista s.2g. "pessoa versada em ótica"; cf. *opticista*
ótico adj. "relativo a audição"; cf. *óptico*
ótida adj.2g. s.m.
otídea s.f. "família de aves"; cf. *otídia*
otídia s.f. "gênero de fungos"; cf. *otídea*
otídida adj.2g. s.m.
otidídeo adj. s.m.
otidífabe s.f.
otidífaps s.f.2n.
otídio s.m.
otidocéfalo s.m.
otilídeo adj. s.m.
otílofo s.m.
otim s.m.
otimacia s.f.
otimate s.m.
otim-fim-fim s.m.; pl. *otins-fim-fins*
otimicótico adj.
otimismo s.m.
otimista adj. s.2g.
otimístico adj.
otimização s.f.
otimizado adj.
otimizante adj.2g.
otimizar v.
otimizável adj.2g.
ótimo adj. s.m. interj.
otina s.f.
otindumbiri s.m.
otingongue s.m.
otínida adj.2g. s.m.
otinídeo adj. s.m.
ótio s.m.
otiócero s.m.
otiodáctilo s.m.
otiófora s.f.
otiorrinco s.m.
otiorrinquíneo adj. s.m.
ótis s.f.2n.
otita s.f.
otite s.f.
otítico adj.
otítida adj.2g. s.m.
otitídeo adj. s.m.
oti-xavante adj. s.2g.; pl. *otis-xavante* e *otis-xavantes*
oto s.m.
ótoa s.f.
otoantrite s.f.
otoba s.f.
otobite s.f.
otoblenorreia (*é*) s.f.
otoblenorreico (*é*) adj.
otobótrio s.m.
otocaríase s.f.
otocefalia s.f.
otocefálico adj.
otocéfalo adj. s.m.
otocerebrite s.f.
otocerebrítico adj.
otocião s.m.
otócino s.m.
otócion s.m.
otocisto s.m.
otoclise s.f.
otoclítico adj.
otocofose s.f.
otocofósico adj.
otocompsa s.f.
otocônia s.f.
otocônio s.m.
otócoris s.m.2n.
otodecte s.m.
otodéctico adj.
otodinia s.f.
otodínico adj.
otoematoma s.m.
otoemineurastenia s.f.
otoemineurastênico adj.
otoencefalite s.f.
otoencefalítico adj.
otoesclerose s.f.
otoesclerótico adj.
otoespeleíte s.f.
otoespeleítico adj.
otófane s.m.
otofídio s.m.
otofone s.m.
otofônio s.m.
otofono s.m.
otóforo s.m.
otogânglio s.m.
otogipo s.m.
ótogips s.m.
otografia s.f.
otográfico adj.
otógrafo s.m.
oto-hematoma s.m.
oto-hemineurastenia s.f.
oto-hemineurastênico adj.
oto-higroma s.m.
oto-hiperpiese s.f.
otoiatria s.f.
otoiatro s.m.
otoigroma s.m.
otoiperpiese s.f.
otojo s.m.
otolítico adj.
otolítida adj.2g. s.m.
otolitídeo adj. s.m.
otólito s.m.
otolitometria s.f.
otolitométrico adj.
otologia s.f.
otológico adj.
otologista adj. s.2g.
otólogo s.m.
otoma s.f.
otomaco adj. s.m.
otomana s.f.
otomangue s.m.
otomano adj. s.m.
otomão adj. s.m.
otomassagem s.f.
otomastoidite s.f.
otomba s.f.
otombeira s.f.
otoméria s.f.
otomesóstomo s.m.
otomi adj. s.2g.
otomiano s.m.
otomíase s.f.
otomiastenia s.f.
otomiastênico adj.
otômice s.m.
otomiceto s.m.
otomicose s.f.
otomicótico adj.
otomiíneo adj. s.m.
otomíneo adj. s.m.
otômio s.m.
ótomis s.m.2n.
otomita adj. s.2g.
otona s.f.
otoneuralgia s.f.
otoneurálgico adj.
otoneurastenia s.f.
otoneurastênico adj.
otoneurose s.f.
otonevralgia s.f.
otonevrálgico adj.
otoni s.m.
otônia s.f.
otonictéride s.f.
otonícteris s.f.2n.
otoniíneo adj. s.m.
otonopse s.f.
otopatia s.f.
otopático adj.
otopiese s.f.
otopiético adj.
otopiorreia (*é*) s.f.
otopiorreico (*é*) adj.
otopiose s.f.
otopiósico adj.
otóplana s.f.
otoplânida adj.2g. s.m.
otoplanídeo adj. s.m.
otoplastia s.f.
otoplástico adj.
otopólipo s.m.
otoque adj. s.2g.
otóquis s.m.2n.
otorcular adj.2g.
otoro s.m.
otorragia s.f.
otorrágico adj.
otorreia (*é*) s.f.
otorreico (*é*) adj.
otorrino s.2g.
otorrinolaringologia s.f.
otorrinolaringológico adj.
otorrinolaringologista adj. s.2g.
otorrinolaringólogo s.m.
otosclerose s.f.
otosclerótico adj.
otoscopia s.f.
otoscópico s.m.
otoscópio adj.
otose s.f.
otospeleíte s.f.
otospeleítico adj.
otospermo s.m.
otospongiose s.f.
otosponjose s.f.
otossalpinge s.f.
otossalpíngico adj.
otostégia s.f.
otostílide s.f.
otostílis s.f.
otóstoma s.m.
ototecnia s.f.
ototécnico adj.
ototerapia s.f.
ototerápico adj.
ototó s.m.
ototó-grande s.m.; pl. *ototós-grandes*
ototomia s.f.
ototômico adj.
ototó-pequeno s.m.; pl. *ototós-pequenos*
ototóxico (*cs*) adj.
ototoxidade (*cs*) s.f.
otrioneia (*é*) adj. s.f. de *otrioneu*
otrioneu adj. s.m.; f. *otrioneia* (*é*)
otroniense adj. s.2g.
ottélia s.f.
ottelíea s.f.
ottemannita s.f.
óttoa s.f.
otu s.m.
otuituí s.m.
otulose s.f.
otuqué adj. s.2g.
otwayita s.f.
otxucaiana adj. s.2g.
ou conj.
ouabaína s.f.
ouabaio s.m.
ouari s.m.
ouaru adj. s.2g.
ouça s.f. "audição"; cf. *ouça*, fl. do v. *ouvir*
oução s.m.
oúco s.m.
oudre s.m.
ougã s.m.
ougado adj.
ougadoiro s.m.
ougadouro s.m.
ougamento s.m.
ougar v.
ouguelense adj. s.2g.
ouirirarema s.f.
ouláctis s.f.2n.
ouquia s.f.
oura s.f.
ôuraco s.m.
ourada s.f.
ourado adj.
ourama s.f.
ouramento s.m.
ourana s.f.
ouraniense adj. s.2g.
ourápterix (*cs*) s.f.
ourar v.
ourarema s.f.
ourate adj. s.2g.
ourátea s.f.
ouratéa s.f.
ourebia s.f.
oureça s.f.
oureense adj. s.2g.
ourega s.f.
ourégão s.m.
ourégão-do-mato s.m.; pl. *ourégãos-do-mato*
ourégão-longal s.m.; pl. *ourégãos-longais*
ourego s.m.
oureguista s.m.
ourejante adj.2g.
ourejar v.
ourela s.f.
ourelado adj.
ourelar v.
ourelo (*ê*) s.m.; cf. *ourelo*, fl. do v. *ourelar*
ourém s.m.
ouremense adj. s.2g.
ourenense adj. s.2g.
ourense adj. s.2g.
ourenzense adj. s.2g.
ourescência s.f.
ourescente adj.2g.
ourescer v.
ouriçado adj.
ouriçamento s.m.

ouricana s.f.
ouricanense adj. s.2g.
ouriçar v.
ouriceira s.f.
ouriceiro s.m.
ourichuvo adj.
ouriço s.m.
ouriço-cacheiro s.m.; pl. *ouriços-cacheiros*
ouriço-comestível s.m.; pl. *ouriços-comestíveis*
ouriço-da-europa s.m.; pl. *ouriços-da-europa*
ouriço-do-mar s.m.; pl. *ouriços-do-mar*
ouriço-escudo s.m.; pl. *ouriços-escudo* e *ouriços-escudos*
ouriço-fusco s.m.; pl. *ouriços-fuscos*
ouriço-preto s.m.; pl. *ouriços-pretos*
ouricuri s.m.
ouricuriense adj. s.2g.
ouricurizeiro s.m.
ouriense adj. s.2g.
ourincu s.m.
ouringue s.m.
ourinhense adj. s.2g.
ourinho-falso s.m.; pl. *ourinhos-falsos*
ourinque s.m.
ouripel s.m.
ouriquense adj. s.2g.
ourivense adj. s.2g.
ourives s.m.2n.
ourivesado adj.
ourivesaria s.f.
ourizonense adj. s.2g.
ouro s.m.
ouro-branco s.m.; pl. *ouros-brancos*
ouro-branquense adj. s.2g.; pl. *ouro-branquenses*
ouro de gato s.m.
ouro de pão s.m.
ouro e fio adv.
ouro-finense adj. s.2g.; pl. *ouro-finenses*
ouro-fio adv.
ourolo s.m.
ouro-negro s.m.; pl. *ouros-negros*
ouropel s.m.
ouropelado adj.
ouropeso (*ê*) s.m.
ouro-pigmento s.m.; pl. *ouros-pigmento* e *ouros-pigmentos*
ouro-pimenta s.m.; pl. *ouros-pimenta* e *ouros-pimentas*
ouro-pretano adj. s.2g.; pl. *ouro-pretanos*
ouro-pretense adj. s.2g.; pl. *ouro-pretenses*
ouro-pretense-do-oeste adj. s.2g.; pl. *ouro-pretenses-do-oeste*
ouros s.m.pl.
ouroupária s.f.
ourovale s.m.
ouro-velhense adj. s.2g.; pl. *ouro-velhenses*
ouro-verde s.m.; pl. *ouro-verdes*
ouro-verdense adj. s.2g.; pl. *ouro-verdenses*
ouroxugo adj.
ourreta (*ê*) s.f.
ourudo adj.
ourvíllea s.f.
ousadia s.f.
ousado adj.
ousamento s.m.
ousar v.
ousável adj.2g.
ousia s.f.
ousiar v.
ousio s.m.
outão s.m.
outar v.
outavado adj.
outavar v.
outeiral adj.2g.
outeirense adj. s.2g.
outeirete (*ê*) s.m.
outeirista adj. s.2g.
outeiro s.m.
outiva s.f.
outo num. s.m.
outonada s.f.
outonado adj.
outonal adj.2g.
outonar v.
outonear v.
outonial adj.2g.
outoniço adj. s.m.
outono s.m.
outorga s.f.
outorgado adj. s.m.
outorgador (*ô*) adj. s.m.
outorgamento s.m.
outorgante adj. s.2g.
outorgar v.
outorgável adj.2g.
outrega s.f.
outrem pron.
outro pron.
outrora adv.
outrossim adv.
outu s.m.
outubrismo s.m.
outubrista adj. s.2g.
outubrístico adj.
outubro s.m.
ouvença s.m.
ouvido adj. s.m. "órgão de audição", etc.; cf. *olvido*
ouvidor (*ô*) s.m.
ouvidorense adj. s.2g.
ouvidor-geral s.m.; pl. *ouvidores-gerais*
ouvidoria s.f.
ouvidor-mor s.m.; pl. *ouvidores-mores*
ouviela s.f.
ouvinte adj. s.2g.
ouvir v.
ouvirandra s.f.
ouvível adj.2g.
ouxe interj.
ouze adj. s.2g.
ouzo s.m.
ova s.f. "ovário dos peixes"; cf. *hova*
ovação s.f.
ovacionar v.
ovada s.f.
ovadela s.f.
ovado adj. s.m.
ovadoblongo adj.
ovadolanceolado adj.
ovado-oblongo adj.; pl. *ovado-oblongos*
oval adj.2g. s.f.
ovalação s.f.
ovaladeira s.f.
ovalado adj.
ovalar v. adj.2g.
ovalbumina s.f.
ovalifoliado adj.
ovalifólio adj.
ovalização s.f.
ovalizado adj.
ovalizar v.
óvalo s.m.; cf. *ovalo*, fl. do v. *ovalar*
ovalocitário adj.
ovalocitemia s.f.
ovalocitêmico adj.
ovalócito s.m.
ovalocitose s.f.
ovalocitótico adj.
ovaloide (*ó*) adj.2g. s.m.
ovalura s.f.
ovambo adj. s.m.
ovambúndio s.m.
ovampo adj. s.m.
ovando s.m.
óvano s.m.
ovante adj.2g.
ovar v.
ovarense adj. s.2g.
ovarialgia s.f.
ovariálgico adj.
ovariano adj.
ovárico adj.
ovariectomia s.f.
ovariectômico adj.
ovarífero adj.
ovarina s.f.
ovarino adj. s.m.
ovário s.m.
ovariocele s.f.
ovariocélico adj.
ovariocentese s.f.
ovariocentésico adj.
ovariociese s.f.
ovariodisneuria s.f.
ovarioepilepsia s.f.
ovariogênico adj.
ovário-histerectomia s.f.; pl. *ovário-histerectomias*
ovário-histerectômico adj. pl. *ovário-histerectômicos*
ovarioisterectomia s.f.
ovarioisterectômico adj.
ovariolítico adj.
ovaríolo s.m.
ovarioncose s.f.
ovarioncótico adj.
ovariopatia s.f.
ovariopático adj.
ovariorrexe (*cs*) s.f.
ovariorrexia (*cs*) s.f.
ovariossalpingectômico s.f.
ovariossalpingectômio adj.
ovariosterese s.f.
ovariosterético adj.
ovarioterapia s.f.
ovarioterápico adj.
ovariotéstis s.m.2n.
ovariotomia s.f.
ovariotômico adj.
ovariotomista adj. s.2g.
ovarismo s.m.
ovarista adj. s.2g.
ovarístico adj.
ovarite s.f.
ovarítico adj.
ovate s.m.
ovatifólio adj.
ovecate s.m.
oveira s.f.
oveiro adj. s.m.
ovelha (*ê*) s.f.
ovelhada s.f.
ovelheiro adj. s.m.
ovelhum adj.2g.
ovelhuno adj.
ovém s.m.; cf. *ovem*, fl. do v. *ovar*
ovença s.f.
ovençadura s.f.
ovençal s.m.
ovenístico adj.
ovenite s.f.
ovênquima s.m.
óveo adj.
overita s.f.
overloque s.f.
overloquista s.2g.
ovetense adj. s.2g.
oveva s.f.
ovex s.m.
oviado adj.
oviário s.m.
óvibos s.m.
ovibundo adj. s.2g.
ovicapra s.f.
ovicápsula s.f.
ovicapsular adj.2g.
ovicela s.f.
ovicélico adj.
ovicentro s.m.
ovículo s.m.
ovídeo adj. s.m.
ovideponente s.m.
ovidianismo s.m.
ovidiano adj.
oviducto s.m.
oviduto s.m.
oviela s.f.
oviengue s.m.
ovífero adj.
ovificação s.f.
oviforme adj.2g. "oval"; cf. *uviforme*
ovigênese s.f.
ovígeno adj.
ovígero adj.
ovil s.m.
ovilulo s.m.
ovimbundo adj. s.m.
ovinha s.f.
oviniologia s.f.
oviniológico adj.
oviniologista adj. s.2g.
oviniologístico adj.
oviniólogo s.m.
oviniomania s.f.
oviniomaníaco adj. s.m.
ovinionauta s.2g.
ovino adj. s.m.
ovinocultor (*ô*) s.m.
ovinocultura s.f.
oviparidade s.f.
oviparismo s.m.
ovíparo adj. s.m.
oviposição s.f.
ovipositor (*ô*) s.m.
ovirandra s.f.
ovirandroma s.f.
ovirraptor (*ô*) s.m.
óvis s.f.2n.
oviscapto s.m.
ovismo s.m.
ovissaco s.m.
ovista adj. s.2g.
ovitense adj. s.2g.
oviua s.f.
ovivitelínico adj.
ovívoro adj.
óvni s.m.
ovo (*ô*) s.m.; pl. (*ó*); cf. *ovo*, fl. do v. *ovar*
ovoalbumina s.f.
ovobotulismo s.m.
ovocélula s.f.
ovocentro s.m.
ovocítico adj.
ovócito s.m.
ovo-de-avestruz s.m.; pl. *ovos-de-avestruz*
ovo de cheiro s.m.
ovo-de-galo s.m.; pl. *ovos-de-galo*
ovo de peru s.m.
ovo de pombo s.m.
ovo de sapo s.m.
ovofagia s.f.
ovofágico adj.
ovófago adj. s.m.
ovogal s.m.
ovogênese s.f.
ovogenético adj.
ovogenia s.f.
ovogênico adj.
ovoglobulina s.f.
ovogonia s.f.
ovogônico adj.
ovogônio s.m.
ovoidal adj.2g.
ovoide (*ó*) adj.2g.
ovolactovegetariano adj. s.m.
ovolecitina s.f.
ovolisina s.f.
ovologia s.f.
ovológico adj.
ovômero s.m.
ovomucoide (*ó*) s.m.
ovonita s.f.
ovonito s.m.
ovoplastia s.f.
ovoplástico adj.
ovopositor (*ô*) s.m.
ovoscopia s.f.
ovoscópico adj.
ovoscópio s.m.
ovos-esquindins s.m.pl.
ovos-moles s.m.2n.
ovos-reais s.m.pl.
ovoterapia s.f.
ovoterápico adj.
ovotéstis s.m.2n.
ovótide s.f.
ovotídio s.m.
ovotoxina (*cs*) s.f.
ovourinário adj.
ovovitelina s.f.
ovovitelínico adj.
ovoviviparidade s.f.
ovovivíparo adj. s.m.
ovuiase s.f.
óvula s.f.
ovulação s.f.
ovulado adj.
ovular v. adj.2g. "de óvulo"; cf. *uvular*
ovulária s.f.
ovúlase s.f.
ovulífero adj.
ovuliforme adj.2g. "que tem forma de óvulo"; cf. *uvuliforme*
ovulígero adj.
ovulina s.f.
ovulismo s.m.
ovulista adj.2g.
ovulístico adj.
óvulo s.m.
ovulogênese s.f.
ovulogenético adj.
ovulogenia s.f.
ovulogênico adj.
ovulômero s.m.
owenismo s.m.
owenista adj. s.2g.
owenístico adj.
owenita s.f.
owyheeíta s.f.
oxacético (*cs*) adj.
oxácido (*cs*) s.m.
oxacilina (*cs*) s.f.
oxalacetato (*cs*) s.m.
oxalacético (*cs*) adj.
oxalaldina (*cs*) s.f.
oxalantina (*cs*) s.f.
oxalatado (*cs*) adj. s.m.
oxalatar (*cs*) v.
oxalato (*cs*) s.m.
oxaldina (*cs*) s.f.
oxale (*cs*) s.f.
oxalemia (*cs*) s.f.
oxalêmico (*cs*) adj.
oxálico (*cs*) adj.
oxálida (*cs*) s.f.
oxalidácea (*cs*) s.f.
oxalidáceo (*cs*) adj.
oxálide (*cs*) s.f.
oxalídea (*cs*) s.f.
oxalídeo (*cs*) adj.
oxalídrico (*cs*) adj.
oxalil (*cs*) s.m.
oxalila (*cs*) s.f.
oxalilo (*cs*) s.m.
oxalilureia (*cs...é*) s.f.
óxalis (*cs*) s.f.2n.
oxalismo (*cs*) s.m.
oxalista (*cs*) adj.2g.
oxalita (*cs*) s.f.
oxalma (*cs*) s.f.
oxalme (*cs*) s.f.
oxaloacético (*cs*) adj.
oxalose (*cs*) s.f.
oxalossucínico (*cs*) adj.
oxalovinato (*cs*) s.m.
oxalovínico (*cs*) adj.
oxaluramida (*cs*) s.f.
oxalurato (*cs*) s.m.
oxaluria (*cs*) s.f.
oxalúria (*cs*) s.f.
oxalúrico (*cs*) adj. s.m.
oxamato (*cs*) s.m.
oxambim s.m.
oxamelitana (*cs*) s.f.
oxametana (*cs*) s.f.
oxametilana (*cs*) s.f.
oxâmico adj. s.m.
oxamida (*cs*) s.f.
oxamídico (*cs*) adj.
oxamido (*cs*) s.m.
oxamina (*cs*) s.f.
oxamita (*cs*) s.f.

oxamite (*cs*) s.f.
oxamniquina (*cs*) s.f.
oxanilo (*cs*) s.m.
oxantrona (*cs*) s.f.
oxarita (*cs*) s.f.
oxasfondília (*cs*) s.f.
oxatre (*cs*) s.m.
oxaverita (*cs*) s.f.
oxazina (*cs*) s.f.
oxazol (*cs*) s.m.
oxazole (*cs*) s.m.
oxé s.m. "sabão da costa"; cf. *oxê*
oxê s.m. "machado de Xangô"; cf. *oxé*
óxea (*cs*) s.f.
oxeba adj. s.2g.
oxedudu s.m.
oxente interj.
oxeol (*cs*) s.m.
oxeolato (*cs*) s.m.
oxeóleo (*cs*) s.m.
oxera (*cs*) s.f.
oxeu s.m.
oxfordiano (*cs*) adj. s.m.
oxiacantina (*cs*) s.f.
oxiacanto (*cs*) adj.
oxiacético (*cs*) adj.
oxiacetilênico adj.
oxiacetileno (*cs*) s.m.
oxiácido (*cs*) s.m.
oxiacusia (*cs*) s.f.
oxiadeno (*cs*) adj.
oxiafia (*cs*) s.f.
oxiafial (*cs*) adj.
oxiamoníaco (*cs*) s.m.
oxiânion (*cs*) s.m.
oxiantera (*cs*) s.f.
oxianto (*cs*) s.m.
oxiantraquinona (*cs*) s.f.
oxião (*cs*) adj. s.m.
oxiapatita (*cs*) s.f.
oxiazoico (*cs...ó*) adj.
oxíbafo (*cs*) s.m.
oxíbase (*cs*) s.f.
oxibásico (*cs*) adj.
oxibelo (*cs*) s.m.
oxibenzeno (*cs*) s.m.
oxibenzoato (*cs*) s.m.
oxibenzoico (*cs...ó*) adj.
oxíbia (*cs*) s.f.
oxibiose (*cs*) s.f.
oxibiótico (*cs*) adj.
oxiblepsia (*cs*) s.f.
oxiblépsico (*cs*) adj.
oxibléptico (*cs*) adj.
oxibrácteo (*cs*) adj.
oxibrasilina (*cs*) s.f.
oxibrometo (*cs...ê*) s.m.
oxibutinina (*cs*) s.f.
oxibutirato (*cs*) s.m.
oxibutírico (*cs*) adj.
oxibutirúria (*cs*) s.f.
oxicânfora (*cs*) s.f.
oxicano (*cs*) s.m.
oxícara (*cs*) s.m.
oxicárbico (*cs*) adj.
oxicarbonado (*cs*) adj.
oxicarbonato (*cs*) adj.
oxicarbonemia (*cs*) s.f.
oxicarbonêmico adj.
oxicarbonil (*cs*) s.m.
oxicarbonílico (*cs*) adj.
oxicarbonismo (*cs*) s.m.
oxicareno (*cs*) s.m.
oxicarminato (*cs*) s.m.
oxicarmínico (*cs*) adj.
oxicarpo (*cs*) adj.
oxicedro (*cs*) s.m.
oxicéfala (*cs*) s.f.
oxicefalia (*cs*) s.f.
oxicefálico adj.
oxicefalida (*cs*) adj.2g. s.m.
oxicefalídeo (*cs*) adj. s.m.
oxicéfalo (*cs*) adj. s.m.
oxicelulose (*cs*) s.f.
oxícera (*cs*) s.f.
oxicerco (*cs*) s.m.
oxicianeto (*cs...ê*) s.m.
oxicinchonina (*cs*) s.f.
oxicinesia (*cs*) s.f.
oxicládeo (*cs*) adj.
oxíclado (*cs*) adj.
oxiclorato (*cs*) s.m.
oxicloreto (*cs...ê*) s.m.
oxiclórico (*cs*) adj.
oxiclorocarbônico (*cs*) adj.
oxicoco (*cs*) s.m.
oxiconicina (*cs*) s.f.
oxicorínia (*cs*) s.f.
oxicrato (*cs*) s.m.
oxicromatina (*cs*) s.f.
oxicromose (*cs*) s.f.
oxicromósico (*cs*) adj.
oxidabilidade (*cs*) s.f.
oxidação (*cs*) s.f.
oxidáctilo (*cs*) adj. s.m.
oxidado (*cs*) adj.
oxidante (*cs*) adj.2g. s.m.
oxidar (*cs*) v.
oxidase (*cs*) s.f.
oxídase (*cs*) s.f.
oxidásico (*cs*) adj.
oxidático (*cs*) adj.
oxidátilo (*cs*) adj. s.m.
oxidável (*cs*) adj.2g.
oxidendro (*cs*) s.m.
oxidimetria (*cs*) s.f.
oxidina (*cs*) s.f.
oxídio (*cs*) s.m.
óxido (*cs*) s.m.; cf. *oxido*, fl. do v. *oxidar*
oxidocianeto (*cs...ê*) s.m.
oxidocloreto (*cs...ê*) s.m.
oxidonte (*cs*) s.m.
oxidora (*cs*) s.m.
oxidorredução (*cs*) s.f.
oxidorreducente (*cs*) adj.2g.
oxidorredutibilidade (*cs*) s.f.
oxidorredutimetria (*cs*) s.f.
oxidorredutível (*cs*) adj.2g.
oxidorredutor (*cs...ô*) adj.
oxidorreduzido (*cs*) adj.
oxidorreduzir (*cs*) v.
oxidraca (*cs*) adj. s.2g.
oxidrato (*cs*) s.m.
oxídrico (*cs*) adj.
oxidrila (*cs*) s.f.
oxidrilado (*cs*) adj.
oxidrilião (*cs*) s.m.
oxidrílio (*cs*) s.m.
oxidrilo (*cs*) s.m.
oxidrocefalia (*cs*) s.f.
oxidrocefálico (*cs*) adj.
oxídromo (*cs*) s.m.
oxidulado (*cs*) adj.
oxidular (*cs*) v.
oxídulo (*cs*) s.m.; cf. *oxidulo*, fl. do v. *oxidular*
oxíeco (*cs*) s.m.
oxiematina (*cs*) s.f.
oxiemocianina (*cs*) s.f.
oxiemoglobina (*cs*) s.f.
oxiemoglobinométrico adj.
oxiemoglobinômetro (*cs*) s.m.
oxienídeo (*cs*) adj. s.m.
oxienoide (*cs...ó*) adj.2g. s.m.
oxiestesia (*cs*) s.f.
oxiestético (*cs*) adj.
oxietérico (*cs*) adj.
oxietilamina (*cs*) s.f.
oxifenacetina (*cs*) s.f.
oxifenilbutazona (*cs*) s.f.
oxifenol (*cs*) s.m.
oxifilia (*cs*) s.f.
oxifílico (*cs*) adj.
oxifilo (*cs*) adj. "que tem folhas agudas"; cf. *oxífilo*
oxífilo (*cs*) adj. s.m. "que tem afinidade ácida"; cf. *oxifilo*
oxiflegmasia (*cs*) s.f.
oxiflogose (*cs*) s.f.
oxifluoreto (*cs...ê*) s.m.
oxifonia (*cs*) s.f.
oxifônico (*cs*) adj.
oxifórico (*cs*) adj.
oxifosforeto (*cs...ê*) s.m.
oxifresia (*cs*) s.f.
oxígala (*cs*) s.f.
oxigalia (*cs*) s.f.
oxigálico (*cs*) adj.
oxígaro (*cs*) s.f.
oxigastra (*cs*) s.f.
oxigenabilidade (*cs*) s.f.
oxigenação (*cs*) s.f.
oxigenado (*cs*) adj.
oxigenador (*cs...ô*) adj. s.m.
oxigenante (*cs*) adj.2g.
oxigenar (*cs*) v.
oxigênase (*cs*) s.f.
oxigenável (*cs*) adj.2g.
oxigenífero (*cs*) adj.
oxigênio (*cs*) s.m.
oxigenita (*cs*) s.m.
oxigenite (*cs*) s.f.
oxigenização (*cs*) s.f.
oxigenizado (*cs*) adj.
oxigenizador (*cs...ô*) adj. s.m.
oxigenizante (*cs*) adj.2g.
oxigenizar (*cs*) v.
oxigenizável (*cs*) adj.2g.
oxigenografia (*cs*) s.f.
oxigenográfico (*cs*) adj.
oxigenógrafo (*cs*) s.m.
oxigenômetro (*cs*) s.m.
oxigenomorfose (*cs*) s.f.
oxigenotactismo (*cs*) s.m.
oxigenotatismo (*cs*) s.m.
oxigenotaxia (*cs*) s.f.
oxigenoterapia (*cs*) s.f.
oxigenoterápico (*cs*) adj.
oxigeófilo (*cs*) adj.
oxigeófita (*cs*) s.f.
oxigeusia (*cs*) s.f.
oxigêustico (*cs*) adj.
oxigiro (*cs*) s.m.
oxiglosso (*cs*) s.m.
oxígnato (*cs*) adj.
oxígona (*cs*) s.f.
oxigônia (*cs*) s.f.
oxígono (*cs*) adj.
oxigráfide (*cs*) s.f.
oxigúmico (*cs*) adj.
oxi-hematina (*cs*) s.f.
oxi-hemocianina (*cs*) s.f.
oxi-hemoglobina (*cs*) s.f.
oxi-hidrato (*cs*) s.m.
oxi-hídrico (*cs*) adj.
oxi-hidrila (*cs*) s.f.
oxi-hidrocefalia (*cs*) s.f.
oxi-hidrocefálico (*cs*) s.f.
oxi-iodeto (*cs...ê*) s.m.
oxikertschnita (*cs*) s.f.
oxil (*cs*) s.m.
oxilalia (*cs*) s.f.
oxilálico (*cs*) adj.
oxílio (*cs*) s.m.
oxiliquite (*cs*) s.f.
oxílito (*cs*) adj. s.m.
oxilóbio (*cs*) s.m.
oxilófilo (*cs*) adj.
oxilófita (*cs*) s.f.
oxiluminescência (*cs*) s.f.
oxiluminescente (*cs*) adj.2g.
oxima (*cs*) s.f.
oximação (*cs*) s.f.
oxímaco (*cs*) s.m.
oximagnita (*cs*) s.f.
oximagnítico (*cs*) adj.
oximaleico (*cs...é*) adj.
oximalônico (*cs*) adj.
oximalva (*cs*) s.f.
oximanganato (*cs*) s.m.
oximangânico (*cs*) adj.
oximel (*cs*) s.m.
oximelito (*cs*) s.m.
oxímero (*cs*) s.m.
oximetilbenzoico (*cs...ó*) adj.
oximetileno (*cs*) s.m.
oximetinizina (*cs*) s.f.
oximétopon (*cs*) s.m.
oximetria (*cs*) s.f.
oximétrico (*cs*) adj.
oxímetro (*cs*) s.m.
oximioglobina (*cs*) s.f.
oximitra (*cs*) s.f.
oximorfina (*cs*) s.f.
oximoro (*cs*) s.m.
oximóron (*cs*) s.m.
oximuriático (*cs*) adj.
oximuriato (*cs*) s.m.
oxina (*cs*) s.f.
oxinaftálico (*cs*) adj.
oxinaftilamina (*cs*) s.f.
oxinaftoico (*cs...ó*) adj.
oxinaftoquinona (*cs*) s.f.
oxindicamina (*cs*) s.f.
oxindicasina (*cs*) s.f.
oxindol (*cs*) s.m.
oxindole (*cs*) s.m.
oxineurina (*cs*) s.f.
oxinicotina (*cs*) s.f.
oxínoe (*cs*) s.m.
oxinóptero (*cs*) s.m.
oxinóptilo (*cs*) s.m.
oxinoto (*cs*) s.m.
oxíntico adj.
óxio (*cs*) adj. s.m.
oxiodeto (*cs...ê*) s.m.
oxiodonte (*cs*) s.m.
oxioftalmo (*cs*) s.m.
oxiolatividade (*cs*) s.f.
oxiolativo (*cs*) adj.
oxíone (*cs*) adj. s.2g.
oxiope (*cs*) s.m.
oxiopia (*cs*) s.f.
oxiópico (*cs*) adj.
oxiópida (*cs*) adj.2g. s.m.
oxiopídeo adj. s.m.
oxiopsia (*cs*) s.f.
oxiópsico (*cs*) adj.
oxiosfresia (*cs*) s.f.
oxiosfrésico (*cs*) adj.
oxiosmia (*cs*) s.f.
oxiósmico (*cs*) adj.
oxipatia (*cs*) s.f.
oxipático (*cs*) adj.
oxipelia (*cs*) s.f.
oxipétalo (*cs*) adj. s.m.
oxipicno (*cs*) adj.
oxipicrato (*cs*) s.m.
oxipícrico (*cs*) adj.
oxípilo (*cs*) s.m.
oxipleuro (*cs*) s.m.
oxípoda (*cs*) s.m.
oxipógon (*cs*) s.m.
oxíporo (*cs*) s.m.
oxiprolina (*cs*) s.f.
oxipropiônico (*cs*) adj.
oxíptero (*cs*) s.m.
oxíptila (*cs*) s.m.
oxipurina (*cs*) s.f.
oxipurinol (*cs*) s.m.
oxiquela (*cs*) s.f.
oxiquinol (*cs*) s.m.
oxiquinoleína (*cs*) s.f.
oxiregmia (*cs*) s.f.
oxirégmico (*cs*) adj.
oxiria (*cs*) s.f.
oxirrânfide (*cs*) s.f.
oxirranfídeo (*cs*) adj. s.m.
oxirranfo (*cs*) s.m.
oxirredução (*cs*) s.f.
oxirreducente (*cs*) adj.2g.
oxirredutase (*cs*) s.f.
oxirredútase (*cs*) s.f.
oxirredutásico (*cs*) adj.
oxirredutático (*cs*) adj.
oxirredutibilidade (*cs*) s.f.
oxirredutimetria (*cs*) s.f.
oxirredutível (*cs*) adj.2g.
oxirredutor (*cs...ô*) adj.
oxirreduzido (*cs*) adj.
oxirreduzir (*cs*) v.
oxirribonucleico (*cs...ê* ou *é*) adj.
oxirrina (*cs*) s.f.
oxirrinco (*cs*) adj. s.m.
oxirrino (*cs*) adj. s.m.
oxirrinquídeo (*cs*) adj. s.m.
oxírris (*cs*) s.m.2n.
oxirrodino (*cs*) s.m.
oxírrodo (*cs*) s.m.
oxirrubrênico (*cs*) adj.
oxirrubreno (*cs*) s.m.
oxiruncídeo (*cs*) adj. s.m.
oxirunco (*cs*) s.m.
oxispermo (*cs*) adj.
oxispírura (*cs*) s.m.
oxíspora (*cs*) s.f.
oxissácaro (*cs*) s.m.
oxissal (*cs*) s.m.
oxissalicilato (*cs*) s.m.
oxissalicílico (*cs*) adj.
oxisselenieto (*cs...ê*) s.m.
oxissol (*cs*) s.m.
oxissólico (*cs*) adj.
oxissolo (*cs*) s.m.
oxissoma (*cs*) s.m.
oxissuberato (*cs*) s.m.
oxissubérico (*cs*) adj.
oxissuccinato (*cs*) s.m.
oxissuccínico (*cs*) adj.
oxissucinato (*cs*) s.m.
oxissucínico (*cs*) adj.
oxissulfático (*cs*) adj.
oxissulfato (*cs*) s.m.
oxissulfeto (*cs...ê*) s.m.
oxissulfocianeto (*cs...ê*) s.m.
oxissulfossal (*cs*) s.m.
oxissulfureto (*cs...ê*) s.m.
oxistelma (*cs*) s.f.
oxistelo (*cs*) s.m.
oxisterno (*cs*) s.m.
oxistigma (*cs*) s.m.
oxistilo (*cs*) s.m.
oxistofilo (*cs*) s.m.
oxístoma (*cs*) adj.2g. s.f.
oxistômata (*cs*) s.f.
oxístomo (*cs*) adj. s.m.
oxistricnina (*cs*) s.f.
oxitalânico (*cs*) adj.
oxitandro (*cs*) s.m.
oxitártaro (*cs*) s.m.
oxiteca (*cs*) s.f.
oxitelíneo (*cs*) s.m.
oxítelo (*cs*) s.m.
oxitenantera (*cs*) s.f.
oxiterapia (*cs*) s.f.
oxiterápico (*cs*) adj.
oxitetraciclina (*cs*) s.f.
oxitimia (*cs*) s.f.
oxitímico (*cs*) adj.
oxitírea (*cs*) s.f.
oxitocia (*cs*) s.f.
oxitócico (*cs*) adj.
oxitocina (*cs*) s.f.
oxitocínico (*cs*) adj.
oxitólico (*cs*) adj.
oxitonia (*cs*) s.f.
oxitônico (*cs*) adj.
oxitonismo (*cs*) s.m.
oxitonização (*cs*) s.f.
oxitonizado (*cs*) adj.
oxitonizante (*cs*) adj.2g.
oxitonizar (*cs*) v.
oxítono (*cs*) adj. s.m.
oxítrica (*cs*) s.m.
oxitríquida (*cs*) adj.2g. s.m.
oxitriquídeo (*cs*) adj. s.m.
oxitrope (*cs*) s.m.
oxitropismo (*cs*) s.m.
oxitropista (*cs*) adj.2g.
oxituberculina (*cs*) s.f.
oxiuríase (*cs*) s.f.
oxiuriásico (*cs*) adj.
oxiuricida (*cs*) adj.2g. s.m.
oxiúrico (*cs*) adj.
oxiúride (*cs*) s.m.
oxiurídeo (*cs*) adj. s.m.
oxiuríneo (*cs*) adj. s.m.
oxiúro (*cs*) s.m.
oxiurose (*cs*) s.f.
oxóleo (*cs*) s.m.
oxolínico (*cs*) adj.
oxonato (*cs*) s.m.
oxoniano (*cs*) adj. s.m.
oxônico (*cs*) adj.
oxônio (*cs*) s.m.
oxono (*cs*) s.m.
oxozone (*cs*) s.m.
oxozônide (*cs*) s.m.
oxozônio (*cs*) s.m.
oxu s.m.
oxuderce (*cs*) s.m.
oxudércida (*cs*) adj.2g. s.m.
oxura (*cs*) s.f.
oxurdecídeo (*cs*) adj. s.m.
ozagre s.m.
ozarkita s.f.
ozear v.
ozena s.f.
ozênico adj.
ozenoso (*ô*) adj.; f. (*ó*); pl. (*ó*)

ozíneo adj. s.m.
ózio s.m.
ozo s.m.
ozóbia s.f.
ozobranco s.m.
ozocerina s.f.
ozocerita s.f.
ozocerite s.f.
ozocerítico adj.
ozodécero s.m.
ozódera s.f.
ózola adj. s.2g.
ozolaimo s.m.
ozolemo s.m.
ozolo adj. s.m.
ozômena s.f.
ozona s.f.
ozonador (*ô*) s.m.
ozonar v.
ozone s.m.
ozônide s.m.
ozonídio s.m.
ozônido s.m.
ozonífero adj.
ozonificação s.f.
ozonificado adj.
ozonificador (*ô*) adj. s.m.
ozonificar v.
ozônio s.m.
ozonização s.f.
ozonizado adj.
ozonizador (*ô*) adj. s.m.
ozonizante adj.2g.
ozonizar v.
ozonizável adj.2g.
ozono s.m.
ozonóforo s.m.
ozonólise s.f.
ozonolítico adj.
ozonometria s.f.
ozonométrico adj.
ozonômetro s.m.
ozonoscópico adj.
ozonoscópio s.m.
ozonosfera s.f.
ozonoterapia s.f.
ozonoterápico adj.
ozórias s.f.pl.
ozóroa s.f.
ozostomia s.f.
ozostômico adj.
ozotamno s.m.
ozoterita s.f.
ozoterite s.f.
ozotipia s.f.
ozotípico adj.
ozueia (*é*) adj. s.f. de *ozueu*
ozueu adj. s.m.; f. *ozueia* (*é*)

P p

p (*pê*) s.m.

pá s.f. "instrumento para cavar"; cf. *pan*

paaguaçu s.m.

paanga s.m.

paari s.m.

pabola adj. s.2g.

pábstia s.f.

pabstita s.f.

pabulação s.f.

pabulagem s.f.

pabulão s.m.

pabular v.

pábulo adj. s.m.; cf. *pabulo*, fl. do v. *pabular*

paca adj. s.2g. s.f. adv.

pacaá-nova adj. s.2g.; pl. *pacaás-novas*

pacabote s.m.

pacaça s.m.f.

pacaceiro s.m.

pacacidade s.f.

pacaço s.m.

paca-de-rabo s.f.; pl. *pacas-de-rabo*

pacaembuense adj. s.2g.

paçaguá s.m.

pacaguara adj. s.2g.

pacaí s.m.

pacaia adj.2g. s.m. "cigarro ordinário"; cf. *pacaiá*

pacaiá adj. s.2g. "nação indígena"; cf. *pacaia*

pacaído s.m.

pacaio adj. s.m.

pacajá adj. s.2g.

pacajaense adj. s.2g.

pacajudéu adj. s.2g.

pacajuense adj. s.2g.

paçal s.m.

pacala s.f.

pacalho s.m.

pacalias s.f.pl.

pacamá s.m.

pacamã s.m.

pacamão s.m.

pacamão-cuíca s.m.; pl. *pacamões-cuíca* e *pacamões-cuícas*

pacamão-do-rio s.m.; pl. *pacamões-do-rio*

pacamão-mirim s.m.; pl. *pacamões-mirins*

pacamão-niquim s.m.; pl. *pacamões-niquim* e *pacamões-niquins*

pacamate s.m.

pacanaua adj. s.2g.

pacão s.m. "jogo de cartas"; cf. *pação*

pação adj. s.m. "palaciano"; cf. *pacão*

pacapaca s.m.f.

pacapeua s.f.

pacapeuá s.f.

pacapiá s.f.

pacapio s.m.

pacará s.m.

pacarana s.f.

pacarané s.m.

pacarará adj. s.2g.

pacaratepu s.m.

pacaré s.m.

pacari s.m.

pacaria s.f.

pacari-da-mata s.m.; pl. *pacaris-da-mata*

pacari-do-mato s.m.; pl. *pacaris-do-mato*

pacarim s.m.

pacari-selvagem s.m.; pl. *pacaris-selvagens*

pacarupiá s.m.

pacas adv.

pacascas s.m.2n.

pacaso s.m.

pacastrela s.f.

pacastrelíneo adj. s.m.

pacatez (*ê*) s.f.

pacatismo s.m.

pacato adj. s.m.

pacatório adj. s.m.

pacatu s.m.

pacatubano adj. s.m.

pacatubense adj. s.2g.

pacatuense adj. s.2g.

pacau s.m.

pacauara adj. s.2g.

pacavara adj. s.2g.

pacavaré s.m.

pacavira s.f.

pacavira-grande s.f.; pl. *pacaviras-grandes*

pacaxodéu adj. s.2g.

pacaxotéu adj. s.2g.

pacé adj. s.2g.

paceiro adj. s.m. "frequentador do paço real"; cf. *passeiro*

paceiro-mor s.m.; pl. *paceiros-mores*

pacejar v.

pacém adj. s.m.

pacenho adj. s.m.

pacense adj. s.2g.

pachã s.m.

pachacha s.f.

pachachim s.m.

pachacho s.m.

pachacim s.m.

pachaco s.m.

pacharel s.m.

pacharil s.m.

pacharro s.m.

pachassim s.m.

pachavelão s.m.

pachecada s.f.

pachecal adj.2g.

pachel s.m.

pachelão s.m.

pachelgas s.2g.2n.

pachequense adj. s.2g.

pachequice s.f.

pachequismo s.m.

pacho s.m.

pachochada s.f.

pachocho (*ô*) s.m.

pachola adj. s.2g.

pacholando s.m.

pacholar v.

pacholear v.

pacholice s.f.

pacholismo s.m.

pacholista adj. s.2g.

pachorô s.m.

pachorra (*ô*) s.f.

pachorreiro adj.

pachorrento adj.

pachorro (*ô*) s.m.

pachouchada s.f.

pachoucheta (*ê*) s.f.

pachoucho s.m.

pachouvada s.f.

pachovada s.f.

pachuchada s.f.

pachuco s.m.

pachunchada s.f.

paciência s.f. interj.

pacienciense adj. s.2g.

pacienciosо (*ô*) adj.; f. (*ó*); pl. (*ó*)

paciense adj. s.2g.

pacientação s.f.

pacientado adj.

pacientador (*ô*) adj.

pacientar v.

paciente adj. s.2g.

pacificação s.f.

pacificado adj.

pacificador (*ô*) adj. s.m.

pacificante adj. s.2g.

pacificar v.

pacificativo adj.

pacificável adj.2g.

pacificidade s.f.

pacífico adj. s.m.; cf. *pacifico*, fl. do v. *pacificar*

pacifismo s.m.

pacifista adj. s.2g.

pacifístico adj.

pacigerante adj.2g.

pacigerato s.m.

pacite s.f.

pacivira s.f.

pacmina s.m.

pacnéforo s.m.

pacnoda s.f.

pacnóforo s.m.

pacnolita s.f.

pacnolite s.f.

pacnolito s.m.

pacnólito s.m.

paco s.m. "pacote de notas falsas"; cf. *pacó*

pacó s.m. "morcego"; cf. *paco*

paço s.m. "palácio"; cf. *passo*

pacoba s.f.

pacobal s.m.

pacobala s.f.

pacobalo s.m.

pacobate s.m.

pacobeira s.f.

pacoca s.f. "corredeira intensa num rio"; cf. *paçoca*

paçoca s.f. "alimento amassado"; cf. *pacoca*

paco-caatinga s.f.; pl. *pacos-caatinga* e *pacos-caatingas*

paco-catinga s.m.; pl. *pacos-catinga* e *pacos-catingas*

paco-de-golungo s.m.; pl. *pacos-de-golungo*

paço-ferreirense adj. s.2g.; pl. *paço-ferreirenses*

pacol s.m.

pacolé s.m.

pacometria s.f.

pacométrico adj.

pacômetro s.m.

paco-paco s.m.; pl. *paco-pacos*

pacoperá s.m.

pacoperá-da-várzea s.m.; pl. *pacoperás-da-várzea*

paçoquense adj. s.2g.

paco-seroca s.f.; pl. *pacos-serocas*

pacote s.m. "embrulho"; cf. *pacoté* e *pacotê*

pacoté s.m. "planta"; cf. *pacote* e *pacotê*

pacotê s.m. "arbusto"; cf. *pacote* e *pacoté*

pacotiense adj. s.2g.

pacotilha s.f.

pacotilheiro s.m.

pacotilho s.m.

pacotubense adj. s.2g.

pacourina s.f.

pacova adj. s.2g. s.f.

pacová s.f.

pacova-brava s.f.; pl. *pacovas-bravas*

pacova-catinga s.f.; pl. *pacovas-catinga* e *pacovas-catingas*

pacova-de-macaco s.f.; pl. *pacovas-de-macaco*

pacoval s.m.

pacovalense adj. s.2g.

pacovalzinhense adj. s.2g.

pacovão s.m.

pacova-sororoca s.f.; pl. *pacovas-sororoca* e *pacovas-sororocas*

pacoveira s.f.

pacoveira-grande s.f.; pl. *pacoveiras-grandes*

pacoviacari s.f.

pacovice s.f.

pacovicunha s.f.

pacóvio adj. s.m.

pacovismo s.m.

pacta s.f.

pactar v.

pactário adj. s.m.

pactear v.

pactício adj.

pacto s.m.

pactólida adj.2g. s.f.

pactolo (*ô*) s.m.

pactomania s.f.

pactuado adj.

pactual adj.2g.

pactuante adj. s.2g.

pactuar v.

pactuário adj. s.m.

pactuável adj.2g.

pacu s.m.

pacuã s.m.

pacu-apó s.m.; pl. *pacus-apó* e *pacus-após*

pacuará s.m.

pacuarana s.f.

paçuaré s.m.

pacuarima s.m.

pacuá-sororoca s.f.; pl. *pacuás-sororoca* e *pacuás-sororocas*

pacu-azul s.m.; pl. *pacus-azuis*

pacubala s.f.

pacubalo s.m.

pacubanana s.m.

pacubo s.m.

pacu-branco s.m.; pl. *pacus-brancos*

pacu-chico s.m.; pl. *pacus-chicos*

pacu-chidão s.m.; pl. *pacus-chidão* e *pacus-chidões*

pacuçu s.f.

pacu-da-corredeira s.m.; pl. *pacus-da-corredeira*

pacu-da-correnteza s.m.; pl. *pacus-da-correnteza*

pacu-do-amazonas s.m.; pl. *pacus-do-amazonas*

pacu-do-sarã s.m.; pl. *pacus-do-sarã*

pacuense adj. s.2g.

pacuera s.f.

pacuguaçu s.m.

pacuiense adj. s.2g.

pacujaense adj. s.2g.

pacula s.f.

pacumã s.m.

pacumirim s.m.

pacuna adj. s.2g.

pacu-oerudá s.m.; pl. *pacus-oerudá* e *pacus-oerudás*

pacupeba s.f.

pacupeba-da-correnteza s.f.; pl. *pacupebas-da-correnteza*

pacupeba-do-amazonas s.f.; pl. *pacupebas-do-amazonas*

pacupeba-do-sarã s.f.; pl. *pacupebas-do-sarã*

pacupeva s.m.

pacuri adj. s.m.

pacuriense adj. s.2g.

pacuri-grande s.m.; pl. *pacuris-grandes*

pacurina s.f.

pacutapuia adj. s.2g.

pacutiense adj. s.2g.

pacutinga s.f.

pacutubense adj. s.2g.

pacutuí s.m.

pacuzinho s.m.

pada s.m.f.

pá da borda s.f.

padagoz s.m.

padamarro adj. s.m.

padane s.m.

padaria s.f.

padassirxássana s.m.

padé s.m. "pássaro"; cf. *padê*

padê s.m. "cerimônia do candomblé"; cf. *padé*

padeado adj.

pá de cavalo s.m.

padecedor (*ô*) adj. s.m.

padecente adj. s.2g.

padecer v.

padecido adj. s.m.

padecimento s.m.

padé-do-mole s.m.; pl. *padês-do-mole*

padeia (*ê*) adj. s.f. de *padeu*

padeira s.f.

padeirada s.f.

padeiral adj.2g.
padeirinha s.f.
padeiro s.m.
padejado adj.
padejador (*ô*) adj. s.m.
padejadora (*ô*) s.f.
padejar v.
padejo (*ê*) s.m.
padela s.f.
padeliça s.f.
padelo s.m.
páder s.m.
padês s.m.
padesada s.f.
padesado adj.
padeu adj. s.m.; f. *padeia* (*é*)
padieira s.f.
padilhense adj. s.2g.
padina s.f.
padina-pavão s.f.; pl. *padinas-pavão* e *padinas-pavões*
padinate adj. s.2g.
padiola s.f.
padioleiro s.m.
padixá s.m.
padixado s.m.
padixato s.m.
padma s.m.
padmássana s.m.
padmini s.f.
pado s.m.
pádoa s.f.
padoque s.m.
padovana s.f.
padovano adj. s.m.
padrado adj.
padral s.m.
padrão s.m.
padrar v.
padraria s.f.
padrastal adj.2g.
padrasto s.m.
padre s.m.
padreação s.f.
padreado adj.
padreador (*ô*) adj. s.m.
padre-anchietano adj. s.m.; pl. *padre-anchietanos*
padre-anchietense adj. s.2g.; pl. *padre-anchietenses*
padrear v.
padre-bernardense adj. s.2g.; pl. *padre-bernardenses*
padre-britense adj. s.2g.; pl. *padre-britenses*
padreca s.m.
padre-cicerense adj. s.2g.; pl. *padre-cicerenses*
padreco s.m.
padre-cura s.m.; pl. *padres-curas*
padre de missa s.m.
padre-fialhense adj. s.2g.; pl. *padre-fialhenses*
padre-francisco s.m.; pl. *padres-franciscos*
padreiro s.m.
padre-linharense adj. s.2g.; pl. *padre-linharenses*
padre-marquense adj. s.2g.; pl. *padre-marquenses*
padre-mestre s.m.; pl. *padres-mestres*
padre-nobreguense adj. s.2g.; pl. *padre-nobreguenses*
padre-nosso s.m.; pl. *padre-nossos* e *padres-nossos*
padre-paraisense adj. s.2g.; pl. *padre-paraisenses*
padre-pintense adj. s.2g.; pl. *padre-pintenses*
padre-santo s.m.; pl. *padres-santos*
padresco (*ê*) adj.
padre-vieguense adj. s.2g.; pl. *padre-vieguenses*
padre-vieirense adj. s.2g.; pl. *padre-vieirenses*
padrice s.f.
padrinhado s.m.
padrinhar v.
padrinho s.m.
padrismo s.m.
padrista adj.2g.
padroádito s.m.
padroado s.m.
padroeiro adj. s.m.
padrófobo adj. s.m.
padronádiga s.f.
padronado s.m.
padronagem s.f.
padronização s.f.
padronizado adj.
padronizar v.
padronizável adj.2g.
padu s.m.
paduá s.m. "droga usada em tinturaria"; cf. *pádua*
pádua s.f. "pequeno pão"; cf. *paduá*
paduana s.f.
paduano adj. s.m.
paduca adj. s.2g. s.m.
paducado adj.
paducar v.
paduense adj. s.2g.
padutina s.f.
paederido s.m.
paederíneo adj. s.m.
paedero s.m.
paélia s.f.
paes-landinense adj. s.2g.; pl. *paes-landinenses*
paetê s.m.
páfia s.f.
pafínia s.f.
páfio adj. s.m.
pafiopédilo s.m.
pafioso (*ô*) adj.; f. (*ó*); pl. (*ó*)
paflagônio adj. s.m.
pafo s.m.
pafuá adj. s.2g.
pafúncio adj. s.m.
paga s.f.
pagã adj. s.f. de *pagão*
paga-contense adj. s.2g.; pl. *paga-contenses*
pagadebito s.m.
pagadilhos s.m.pl.
paga-dívidas s.f.2n.
pagado adj.
pagadoiro adj.
pagador (*ô*) adj. s.m.
pagadoria s.f.
pagadouro adj.
paga-filipe s.m.; pl. *paga-filipes*
pagaia s.f.
pagaia s.f.
pagaiar v.
pagala s.m.
pagâmea s.f.
pagamento s.m.
paganais s.f.pl.
paganal adj.2g.
paganálias s.f.pl.
paganel s.m.
pagangu s.m.
paganismo s.m.
paganista adj. s.2g.
paganístico adj.
paganização s.f.
paganizado adj.
paganizador (*ô*) adj. s.m.
paganizante adj.2g.
paganizar v.
paganizável adj.2g.
pagante adj. s.2g.
pagão adj. s.m.; f. *pagã*
pagapato s.m.
pagar v.
pagará s.m.
pagarca s.m.
pagarote s.m.
págasa s.f.
pagastinas s.f.pl.
pagável adj.2g.
paga-vistense adj. s.2g.; pl. *paga-vistenses*
pagaxotéu adj. s.m.
pageia (*é*) s.f.
pagel s.m.
pagela s.f.
pagelo s.m.
pagético adj.
pagetismo s.m.
pagetoide (*ó*) adj.2g.
pagiavela s.f.
pagiço adj.
página s.f.; cf. *pagina*, fl. do v. *paginar*
paginação s.f.
paginado adj.
paginador (*ô*) s.m.
paginar v.
paginável adj.2g.
pagito s.m.
pago adj. s.m.
pagode s.m.
pagodeação s.f.
pagodeado adj.
pagodeador (*ô*) adj. s.m.
pagodear v.
pagodeira s.f.
pagodeiro adj. s.m.
pagodento s.m.
pagodice s.f.
pagodina s.f.
pagodismo s.m.
pagodista adj. s.2g.
pagodita s.f.
pagodite s.f.
pagodito s.m.
pagodô s.m.
pagófila s.f.
pagófilo s.m.
pagófita s.f.
pagos s.m.pl.
pagoscopia s.f.
pagoscópico adj.
pagoscópio s.m.
pagóscopo s.m.
pagotém s.m.
pagrátida adj.2g. s.m.
pagríneo adj. s.m.
pagro s.m.
págua s.m.
paguel s.m.
paguer s.m.
paguilha adj. s.2g.
paguma s.m.
pagúrida adj.2g. s.m.
pagurídeo adj. s.m.
paguriste s.m.
paguro s.m.
pai s.m. "progenitor"; cf. *paí*
paí s.m. "pássaro"; cf. *pai*
paia s.m. "família de línguas"; cf. *paiá*
paiá s.m. "pulseira"; cf. *paia*
paiaba adj. s.2g.
paiacu adj. s.2g.
pai-agostinho s.m.; pl. *pais-agostinhos*
paiaguá adj. s.2g.
paiaguaense adj. s.2g.
paiaiá adj. s.2g.
paiaiaense adj. s.2g.
paialense adj. s.2g.
paiana adj. s.2g.
paianara s.m.
paião s.m.
paiauaru (*pai-au*) s.m.
paiauru (*pai-au*) s.m.
pai-avô s.m.; pl. *pais-avós*
paíba adj.2g.
paica s.f.
paicojé adj. s.2g.
paicojê adj. s.2g.
pai das queixas s.m.
pai de chiqueiro s.m.
pai de família s.m.
pai-d'égua s.m.; pl. *pais-d'égua*
pai de malhada s.m.
pai de mel s.m.
pai de santo s.m.
pai de terreiro s.m.
pai de todos s.m.
pai de velhacos s.m.
paídia s.f.
pai dos burros s.m.
pai dos filhos s.m.
paiena s.f.
paierioba s.f.
pai-filhense adj. s.2g.; pl. *pai-filhenses*
paigeíta s.f.
pai-gonçalo s.m.; pl. *pai-gonçalos* e *pais-gonçalos*
pai-joão s.m.; pl. *pais-joões*
pai-joaquinense adj. s.2g.; pl. *pai-joaquinenses*
pailão s.m.; f. *pailona*
pailó s.2g.
pailona s.f. de *pailão*
pai-luís s.m.; pl. *pais-luíses*
paim s.m.
pai-mané s.m.; pl. *pais-manés*
paina (*ãi*) s.f.
paina-cipó s.f.; pl. *painas-cipó* e *painas-cipós*
paina-de-arbusto s.f.; pl. *painas-de-arbusto*
paina-de-cuba s.f.; pl. *painas-de-cuba*
paina-de-penas s.f.; pl. *painas-de-penas*
paina-de-santa-bárbara s.f.; pl. *painas-de-santa-bárbara*
paina-de-sapo s.f.; pl. *painas-de-sapo*
paina-de-seda s.f.; pl. *painas-de-seda*
paina-do-arpoador s.f.; pl. *painas-do-arpoador*
paina-do-campo s.f.; pl. *painas-do-campo*
paina-fêmea s.f.; pl. *painas-fêmeas*
paina-ganga s.f.; pl. *painas-ganga* e *painas-gangas*
paina-lisa s.f.; pl. *painas-lisas*
paina-parda s.f.; pl. *painas-pardas*
paina-pedra-amarela s.f.; pl. *painas-pedra-amarela*
painça s.f.
painçada s.f.
painço adj. s.m.
painço-comum s.m.; pl. *painços-comuns*
painço-da-abissínia s.m.; pl. *painços-da-abissínia*
painço-da-índia s.m.; pl. *painços-da-índia*
painço-grande s.m.; pl. *painços-grandes*
painço-liso s.m.; pl. *painços-lisos*
paineira s.f.
paineira-barriguda s.f.; pl. *paineiras-barrigudas*
paineira-branca s.f.; pl. *paineiras-brancas*
paineira-carneira s.f.; pl. *paineiras-carneiras*
paineira-de-cipó s.f.; pl. *paineiras-de-cipó*
paineira-de-cuba s.f.; pl. *paineiras-de-cuba*
paineira-de-leite s.f.; pl. *paineiras-de-leite*
paineira-do-brejo s.f.; pl. *paineiras-do-brejo*
paineira-do-campo s.f.; pl. *paineiras-do-campo*
paineira-embiruçu s.f.; pl. *paineiras-embiruçus*
paineira-fêmea s.f.; pl. *paineiras-fêmeas*
paineira-loura s.f.; pl. *paineiras-louras*
paineira-rosa s.f.; pl. *paineiras-rosas*
paineirense adj. s.2g.
paineirinha s.f.
painel s.m.
painelense adj. s.2g.
painelista adj. s.2g.
painense adj. s.2g.
painheira s.f.
painho s.m.
painita s.f.
pai-nobre s.m.; pl. *pais-nobres*
pai-nosso s.m.; pl. *pai-nossos* e *pais-nossos*
painterita (*pen*) s.f.
painterite (*pen*) s.f.
paio adj. s.m.
paiol s.m.
paioleiro s.m.
paiolense adj. s.2g.
paiol-grandense adj. s.2g.; pl. *paiol-grandenses*
paiolinhense adj. s.2g.
paiorra (*ô*) s.f.
pai-paulino s.m.; pl. *pai-paulinos* e *pais-paulinos*
pai-pedro s.m.; pl. *pai-pedros* e *pais-pedros*
pai-pequeno s.m.; pl. *pais-pequenos*
paipibri adj. s.2g.
paipuna s.m.
paiquereense (*ré-en*) adj. s.2g.
paiquicé adj. s.2g.
pairá s.m.
pairação s.f.
pairado adj.
pairador (*ô*) adj. s.m.
pairante adj.2g.
pairar v.
pairari s.m.
pairável adj.2g.
pairitiri adj. s.2g.
pairo s.m.
país s.m.
paisagem s.f.
paisagenada s.f.
paisagesco (*ê*) adj.
paisagismo s.m.
paisagista adj. s.2g.
paisagística s.f.
paisagístico adj.
paisaísta adj. s.2g.
paisana s.f.
paisanada s.f.
paisanagem s.f.
paisanaria s.f.
paisanice s.f.
paisanita s.f.
paisanite s.f.
paisanito s.m.
paisano adj. s.m.
paiseiro s.m.
paisista adj. s.2g.
pais-lemense adj. s.2g.; pl. *pais-lemenses*
país-membro s.m.; pl. *países-membros*
pãi-taviterã adj. s.2g.; pl. *pãi-taviterãs*
paitina s.f.
pai-tio s.m.; pl. *pais-tios*
paiuarini adj. s.2g.
paiurá s.m.
paivante s.m.
paivar v.
paiveia (*é*) s.f.
pai-velho s.m.; pl. *pais-velhos*
paivense adj. s.2g.
paiveusa s.f.
paivo s.m.
paivoto (*ô*) adj. s.m.
paixa s.f.
paixão s.f.
paixoeiro s.m.
paixol s.m.
paixonento adj.
paixoneta (*ê*) s.f.
paixonite s.f.
paizeiro adj.
paizinho s.m.
pajade s.m.
pajamarioba s.m.
pajamaroba s.m.
pajamoroba s.m.
pajana adj. s.2g.
pajanélia s.f.
pajão s.m.
pajaú s.m.
pajauense adj. s.2g.
pajauri adj. s.2g.
pajé s.m.
pajeada s.f.

pajeado adj.
pajeador (*ô*) adj.
pajear v.
pajeense adj. s.2g.
pajelança s.f.
pajeluzeira s.f.
pajem s.m.
pajerecu s.m.
pajé-sacaca s.m.; pl. *pajés-sacaca* e *pajés-sacacas*
pajeú s.m.f.
pajeuense adj. s.2g.
pajeú-ventense adj. s.2g.; pl. *pajeú-ventenses*
pajeuzeira s.f.
pajião s.m.
pajola s.m.
pajomarioba s.m.
pajonal s.m.
pajonismo s.m.
pajonista adj. s.2g.
pajonístico adj.
pajualiene adj. s.2g.
pajuari s.m.
pajuçara adj.2g.
pajuçarense adj. s.2g.
pajurá s.m.
pajurá-da-mata s.m.; pl. *pajurás-da-mata*
pajurarana s.f.
pajuru s.m.
pal s.m.
pala s.m.f.
palabre s.m.
palace s.m.
palacego (*ê*) adj.
palacete (*ê*) s.m.
palacha s.f.
palacheíta s.f.
palacial adj.2g.
palacianidade s.f.
palacianismo s.m.
palaciano adj. s.m.
palaciego (*ê*) adj.
palácio s.m.
palacíolo s.m.
palacivínea s.f.
paladamina s.f.
paladar s.m.
paladato s.m.
pálade s.f.
paladiamina s.f.
paládico adj.
paladilhia s.f.
paladim s.m.
paladinar v.
paladínico adj.
paladinita s.f.
paladinite s.f.
paladino adj. s.m.
paládio s.m.
paládio-cloreto s.m.; pl. *paládio-cloretos*
palado adj. s.m.
paladoarseneto s.m.
paladoso (*ô*) adj.; f. (*ó*); pl. (*ó*)
paladseíta s.f.
palafita s.f.
palafítico adj.
palafrém s.m.
palafreneiro s.m.
palageira s.f.
palagonita s.f.
palagonite s.f.
palagonítico adj.
palagonito s.m.
palaio s.m.
palaíta s.m.
palalaca s.f.
palama s.f.
palamalha s.f.
palamalhar s.m.
palamalho s.m.
palamedeia (*é*) s.m.
palamedeídea s.f.
palamedeídeo adj. s.m.
palamedeiforme adj.2g. s.m.
palamédio adj.
palamense adj. s.2g.
palamenta s.f.
palamino s.m.
palamita s.2g. s.f.
pálamo s.m.
palampora s.f.
palanca s.f.
palancada s.f.
palanca-negra s.f.; pl. *palancas-negras*
palanca-preta s.f.; pl. *palancas-pretas*
palancar v.
palanca-vermelha s.f.; pl. *palancas-vermelhas*
palancho s.m.
palanco s.m.
palandra s.f.
palândria s.f.
palanestesia s.f.
palanestésico adj.
palanestético adj.
palanfrório s.m.
palanga s.m.
palangana s.f.
palanganada s.f.
palangre s.m.
palanque s.m.
palanqueação s.f.
palanqueado adj.
palanqueador (*ô*) adj. s.m.
palanquear v.
palanque de banhado s.m.
palanqueio s.m.
palanqueiro adj. s.m.
palanqueta (*ê*) s.f.
palanquim s.m.
palantino adj. s.m.
palão s.m.
palapa s.f.
pala-pala s.f.; pl. *pala-palas*
palapata s.f.
palapeira s.f.
palapoutense adj. s.2g.
palaque s.m.
palaquiácea s.f.
palaquiáceo adj.
paláquio s.m.
palaquita s.f.
palaquite s.f.
palar adj.2g.
palária s.f.
palásia s.f.
palasita s.f.
palasito s.m.
palastrão s.m.
palatal adj.2g. s.f.
palatalizabilidade s.f.
palatalização s.f.
palatalizado adj.
palatalizador (*ô*) adj.
palatalizante adj.2g.
palatalizar v.
palatalizável adj.2g.
palatégrafo s.m.
palatiforme adj.2g.
palatina s.f.
palatinado s.m.
palatinal adj.2g.
palatinita s.f.
palatinite s.f.
palatino adj. s.m.
palatite s.f.
palatização s.f.
palatizado adj.
palatizador (*ô*) adj.
palatizante adj.2g.
palatizar v.
palatizável adj.2g.
palato s.m.
palatoalveolar adj.2g.
palatodental adj.2g.
palatoestafilino adj. s.m.
palatofaríngeo adj. s.m.
palatofaringite s.f.
palatoglóssico adj.
palatoglosso adj. s.m.
palatografia s.f.
palatográfico adj.
palatógrafo s.m.
palatograma s.m.
palatolabial adj.2g.
palatolingual adj.2g.
palatometria s.f.
palatométrico adj.
palatômetro s.m.
palatomiografia s.f.
palatomiográfico adj.
palatomiógrafo s.m.
palatonasal adj.2g.
palatoplastia s.f.
palatoplástico adj.
palatoplegia s.f.
palatoplégico adj.
palatorrafia s.f.
palatorráfico adj.
palatósquise s.f.
palatosquiza s.f.
palatossalpíngeo adj. s.m.
palatostafilino adj. s.m.
palatouvular adj.2g.
palatuvular adj.2g.
palaú s.m.
palava adj. s.2g. s.f.
palavão s.m.
palavão-branco s.m.; pl. *palavões-brancos*
palavão-preto s.m.; pl. *palavões-pretos*
palave s.m.
palavi adj.2g. s.m. "família linguística indo-europeia"; cf. *palávi* e *pálavi*
palávi s.m. "planta de Moçambique"; cf. *palavi* e *pálavi*
pálavi adj.2g. s.m. "variante de palavi"; cf. *palavi* e *palávi*
palavra s.f.
palavração s.f.
palavra-chave s.f.; pl. *palavras-chave* e *palavras-chaves*
palavrada s.f.
palavrado adj.
palavra-fantasma s.f.; pl. *palavras-fantasma* e *palavras-fantasmas*
palavra-filtro s.f.; pl. *palavras-filtro* e *palavras-filtros*
palavragem s.f.
palavrão s.m.
palavra-ônibus s.f.; pl. *palavras-ônibus*
palavrar v.
palavra-testemunho s.f.; pl. *palavras-testemunho* e *palavras-testemunhos*
palavra-valise s.f.; pl. *palavras-valise* e *palavras-valises*
palavreado adj. s.m.
palavreador (*ô*) adj. s.m.
palavrear v.
palavreira s.f.
palavreiro adj. s.m.
palavrejar v.
palavrinha s.f.
palavrório s.m.
palavroso (*ô*) adj.; f. (*ó*); pl. (*ó*)
palco s.m.
paldrão s.m.
pale adj. s.m.
pálea s.f.
paleação s.f. "trabalho com pá"; cf. *paliação*
paleáceo adj.
paleáclia s.f.
paleal adj.2g.
paleameríndio adj. s.m.
paleantropo s.m.
paleantropologia s.f.
paleantropológico adj.
paleantropologista adj. s.2g.
paleantropólogo s.m.
palear v. "trabalhar com pá", "manifestar"; cf. *paliar*
palearamaico adj.
paleárctica s.f.
paleárctico adj.
palearqueologia s.f.
palearqueológico adj.
palearqueologista adj. s.2g.
palearqueólogo s.m.
paleártica s.f.
paleártico adj.
paleasiático adj.
paleatus s.m.
paleca s.f.
palecionadeira s.f.
palecionador (*ô*) s.m.
palecionar v.
paleco s.m.
pale-ecologia s.f.
pale-ecológico adj.
pale-ecologista adj. s.2g.
pale-ecólogo s.m.
pale-etnologia s.f.
pale-etnológico adj.
pale-etnologista adj. s.2g.
pale-etnólogo s.m.
palefe s.m.
palega s.f.
paleico (*é*) adj.
paleiforme adj.2g.
paleíndio adj. s.m.
paleio s.m.
paleira s.f.
paleiro s.m.
palejante adj.2g.
palejar v.
palêmon s.m.
palêmone s.m.
palemonela s.f.
palemonete s.f.
palemonídeo adj. s.m.
palemoníneo adj. s.m.
palemonópsido s.m.
palencefálico adj.
palencéfalo s.m.
palência s.f.
palene s.f.
palenense adj. s.2g.
palenópsis s.2g.2n.
palense adj. s.2g.
palente adj.2g.
palentino adj. s.m.
paleoacantocétalo adj. s.m.
paleoameríndio adj. s.m.
paleoantropologia s.f.
paleoantropológico adj.
paleoantropologista adj. s.2g.
paleoantropólogo s.m.
paleoaramaico adj.
paleoárctica s.f.
paleoárctico adj.
paleoarqueologia s.f.
paleoarqueológico adj.
paleoarqueologista adj. s.2g.
paleoarqueólogo s.m.
paleoasiático adj.
paleobatráquio s.m.
paleobiogeografia s.f.
paleobiogeográfico adj.
paleobiologia s.f.
paleobiológico adj.
paleobiologista adj. s.2g.
paleobiólogo s.m.
paleobotânica s.f.
paleobotânico adj.
paleobotanista s.m.
paleocarídeo s.m.
paleoceânico adj.
paleocênico adj. s.m.
paleoceno adj. s.m.
paleocerebelo (*ê*) s.m.
paleochadiano adj.
paleocinético adj.
paleocivilização s.f.
paleoclima s.m.
paleoclimático adj.
paleoclimatologia s.f.
paleoclimatológico adj.
paleoclimatologista adj. s.2g.
paleoclimatólogo s.m.
paleoconcha s.f.
paleocórtex (*cs*) s.m.
paleocórtice s.m.
paleocristão adj.
paleocrístico adj.
paleocultura s.f.
paleocultural adj.2g.
paleodendrologia s.f.
paleodendrológico adj.
paleodendrologista adj. s.2g.
paleodendrólogo s.m.
paleodevoniano adj. s.m.
paleodictióptero s.m.
paleoecologia s.f.
paleoecológico adj.
paleoecologista adj. s.2g.
paleoecólogo s.m.
paleoencéfalo s.m.
paleoespinotalâmico adj.
paleoetnologia s.f.
paleoetnológico adj.
paleoetnologista s.2g.
paleoetnólogo s.m.
paleofilia s.f.
paleofilo s.m. "madrépora fóssil"; cf. *paleófilo*
paleófilo adj. s.m. "amador de antiguidades"; cf. *paleofilo*
paleofítico adj.
paleofitografia s.f.
paleofitográfico adj.
paleofitógrafo s.m.
paleofitologia s.f.
paleofitológico adj.
paleofitologista adj. s.2g.
paleofitólogo s.m.
paleofobia s.f.
paleofóbico adj.
paleófobo adj. s.m.
paleoforma s.f.
paleoformal adj.2g.
paleoforme adj.2g.
paleogêneo adj. s.m.
paleogênico s.m.
paleógeno adj. s.m.
paleogeografia s.f.
paleogeográfico adj.
paleogeógrafo s.m.
paleogeomorfologia s.f.
paleogeomorfológico adj.
paleógnata adj.2g. s.f.
paleógnato s.m.
paleógono adj. s.m.
paleografar v.
paleografia s.f.
paleográfico adj.
paleográfico-diplomático adj.; pl. *paleográfico-diplomáticos*
paleógrafo s.m.; cf. *paleografo*, fl. do v. *paleografar*
paleografoteca s.f.
páleo-história s.f.
páleo-historiador s.m.
páleo-histórico adj.
páleo-historiografia s.f.
páleo-historiográfico adj.
páleo-historiógrafo s.m.
paleoíndio adj. s.m.
paleoistória s.f.
paleoistoriador s.m.
paleoistórico adj.
paleoistoriografia s.f.
paleoistoriográfico adj.
paleoistoriógrafo s.m.
paléola s.f.
paleolífero adj.
paleoliterário adj.
paleoliteratura s.f.
paleolítica s.f.
paleolítico adj. s.m.
paleologia s.f.
paleológico adj.
paleólogo adj. s.m.
paleomagnético adj.
paleomagnetismo s.m.
paleomanense adj. s.2g.
paleomastodonte s.m.
paleomicroflora s.f.
paleomicrofloral adj.2g.
paleomorfia s.f.
paleomórfico adj.
paleomorfo adj. s.m.
paleonatrólita s.f.
paleonegrita s.2g.
paleonegrítico adj.
paleonemertino adj. s.m.
paleonisco s.m.
paleontogenia s.f.
paleontogênico adj.

paleontognosia s.f.
paleontografia s.f.
paleontográfico adj.
paleontógrafo s.m.
paleontologia s.f.
paleontológico adj.
paleontologista adj. s.2g.
paleontólogo s.m.
paleopatologia s.f.
paleopatológico adj.
paleopiteco s.m.
paleopneuste s.m.
paleopsicologia s.f.
paleopsicológico adj.
paleóptere s.f.
paleopterígeo adj. s.m.
paleóptero adj. s.m.
paleórnis s.m.2n.
paleornitínea s.f.
paleospinotalâmico adj.
paleossiberiano adj.
paleossímio s.m.
paleossocial adj.2g.
paleossolo s.m.
paleostáquia s.f.
paleóstoma s.m.
paleostriado s.m.
paleotécnico adj.
paleotemperatura s.f.
paleoteriano adj.
paleotérico adj.
paleoterídeo adj. s.m.
paleotério s.m.
paleotermal adj.2g.
paleotípico adj.
paleótipo s.m.
paleotropical adj.2g.
paleotrópico adj.
paleótropo s.m.
paleovulcânico adj.
paleoxilologia (*cs*) s.f.
paleozoico (*ó*) adj. s.m.
paleozoítico adj.
paleozoologia s.f.
paleozoológico adj.
paleozoologista adj. s.2g.
paleozoólogo s.m.
palepolitano adj. s.m.
palerma adj. s.2g.
palermar v.
palermear v.
palermense adj. s.2g.
palermice s.f.
palermitano adj. s.m.
palermoíta s.f.
palescência s.f.
palescente adj.2g.
palesta s.f.
palestesia s.f.
palestético adj.
palestina s.f.
palestinense adj. s.2g.
palestiniano adj. s.m.
palestino adj. s.m.
palestino-aramaico adj. s.m.; pl. *palestino-aramaicos*
palestino-arameu s.m.; pl. *palestino-arameus*
palestra s.f.
palestrador (*ô*) adj. s.m.
palestrante adj. s.2g.
palestrar v.
palestrear v.
palestreiro adj.
paléstrica s.f.
paléstrico adj.
palestriniano adj.
palestrita s.2g.
palestrofilácio s.m.
paleta (*ê*) s.f.; cf. *paleta*, fl. do v. *paletar*
paletada s.f.
paletar v.
palete s.f.
paleteador (*ô*) adj. s.m.
paletear v.
paletizado adj. s.m.
paletó s.m.
paletó-saco s.m.; pl. *paletós-saco* e *paletós-sacos*
paletozeiro s.m.
paletúvio s.m.
palfreneiro s.m.
palha s.f.
palhabote s.m.
palhaboteiro s.m.
palha-branca s.f.; pl. *palhas-brancas*
palha-brava s.f.; pl. *palhas-bravas*
palhaça s.f.
palhaçada s.f.
palhaçal adj.2g.
palhacarga s.f.
palhaçaria s.f.
palhacice s.f.
palhacismo s.m.
palhaço adj. s.m.
palha-d'água s.f.; pl. *palhas-d'água*
palhada s.f.
palha da costa s.f.
palha da itália s.f.
palha de abade s.f.
palha-de-água s.f.; pl. *palhas-de-água*
palha-de-arco s.f.; pl. *palhas-de-arco*
palha de arroz s.f.
palha-de-caniço s.f.; pl. *palhas-de-caniço*
palha de frade s.f.
palha-de-guiné s.f.; pl. *palhas-de-guiné*
palha de itália s.f.
palha-de-penacho s.f.; pl. *palhas-de-penacho*
palha-de-prata s.f.; pl. *palhas-de-prata*
palha-de-santa-fé s.f.; pl. *palhas-de-santa-fé*
palha de seda s.f.
palhadiço adj.
palhado adj.
palha-fede s.f.; pl. *palhas-fede*
palhagal s.m.
palhagem s.f.
palhal s.m.
palhalense adj. s.2g.
palha-mansa s.f.; pl. *palhas-mansas*
palhana s.f.
palhanenense adj. s.2g.
palhão adj. s.m.
palha-preta s.f.; pl. *palhas-pretas*
palhar s.m.
palharal s.m.
palharesco (*ê*) adj.
palhas-alhas s.f.pl.
palha-tomás s.f.; pl. *palhas-tomás*
palha-voadora s.f.; pl. *palhas-voadoras*
palheáceo adj.
palhegal s.m.
palheira s.f.
palheirada s.f.
palheirança s.f.
palheirão s.m.
palheireiro adj. s.m.
palheiro adj. s.m.
palhense adj. s.2g.
palhento adj.
palheta (*ê*) s.f.; cf. *palheta*, fl. do v. *palhetar*
palhetada s.f.
palhetão s.m.
palhetar v.
palhetaria s.f.
palhetas s.f.pl.
palhete (*ê*) adj.2g. s.m.; cf. *palhete*, fl. do v. *palhetar*
palhetear v.
palhetense adj. s.2g.
palheto (*ê*) adj. s.m.
palhiça s.f.
palhiçar v.
palhiço adj. s.m.
palhim s.m.
palhinha s.m.f.
palhinhas s.m.2n.
palhito s.m.
palhoça s.f.
palhoceiro s.m.
palhocense adj. s.2g.
palhocinhense adj. s.2g.
palhona s.f.
palhosca s.f.
palhoso (*ô*) adj.; f. (*ó*); pl. (*ó*)
palhota s.f.
palhote s.m.
palhouço adj.
palhuço s.m.
páli adj.2g. s.m.
paliação s.f. "atenuação"; cf. *paleação*
paliáceo adj.
paliador (*ô*) adj. s.m.
palial adj.2g.
paliar v. "atenuar"; cf. *palear*
paliata s.f.
paliativo adj. s.m.
paliavana s.f.
paliável adj.2g.
palibe s.m.
palibotro adj. s.m.
paliça s.f.
paliçada s.f.
paliçádico adj.
palicário s.m.
palicinesia s.f.
pálico adj.
palicure adj. s.2g.
palidal adj.2g.
palidectomia s.f.
palidectômico adj.
palidejar v.
palidez (*ê*) s.f.
palideza (*ê*) s.f.
palidina s.f.
pálido adj.
palidotomia s.f.
palificação s.f.
palificar v.
paliforme adj.2g.
palifrasia s.f.
paligênese s.f.
paligorskite s.f.
palilalia s.f.
palilálico adj.
palilho s.m.
palílias s.f.pl.
palilogia s.f.
palilógico adj.
palilogista adj. s.2g.
palílogo s.m.
palimbáquico adj.
palimbáquio s.m.
palimbotro adj. s.m.
palímbotro adj. s.m.
palimnésia s.f.
palimpséstico adj.
palimpsesto s.m.
palindromia s.f.
palindrômico adj.
palíndromo adj. s.m.
palinestesia s.f.
palinestésico adj. s.m.
palinfrasia s.f.
palinfrásico adj.
palinfrasista adj. s.2g.
palínfraso s.m.
palinfrômico adj.
palingênese s.f.
palingenesia s.f.
palingenésico adj.
palingenético adj.
palingenia s.f.
palingênico adj.
palingrafia s.f.
palingráfico adj.
palingrafista adj. s.2g.
palíngrafo s.m.
palinlogia s.f.
palinlógico adj.
palinódia s.f.
palinódico adj.
palinodista adj. s.2g.
palinologia s.f.
palinológico adj.
palinologista s.2g.
palinólogo s.m.
palinopsia s.f.
palinosto s.m.
palintocia s.f.
palinurelo s.m.
palinúrida adj.2g. s.m.
palinurídeo adj. s.m.
palinuríneo s.m.
palinuro adj. s.m.
pálio s.m.; cf. *palio*, fl. do v. *paliar*
paliobrânquio adj.
paliocinético adj.
pálio-cirro s.m.; pl. *pálios-cirro* e *pálios-cirros*
pálio-cúmulo s.m.; pl. *pálios-cúmulo* e *pálios-cúmulos*
paliogênese s.f.
paliogenético adj.
palíolo s.m.
palionense adj. s.2g.
paliossensação s.f.
paliostriado s.m.
paliostriatal adj.2g.
palioto s.m.
palirreógrafo s.m.
palissandra s.f.
palissandro s.m.
palissão s.m.
palissota s.f.
palista adj. s.2g.
palitado adj.
palitar v.
palite s.f.
paliteira s.f.
paliteiro s.m.
palito s.m.
palito-francês s.m.; pl. *palitos-franceses*
paliúro s.m.
paliza s.f.
pallasito s.m.
palma s.f.
palma-branca s.f.; pl. *palmas-brancas*
palmácea s.f.
palmáceo adj.
palma-christi s.f.; pl. *palmas-christi*
palmada s.f.
palma-de-cacho s.f.; pl. *palmas-de-cacho*
palma-de-chicote s.f.; pl. *palmas-de-chicote*
palma-de-cristo s.f.; pl. *palmas-de-cristo*
palma-de-igreja s.f.; pl. *palmas-de-igreja*
palma-de-santa-rita s.f.; pl. *palmas-de-santa-rita*
palma-de-são-jorge s.f.; pl. *palmas-de-são-jorge*
palma-de-são-josé s.f.; pl. *palmas-de-são-josé*
palmado adj.
palma-do-campo s.f.; pl. *palmas-do-campo*
palma-doce s.f.; pl. *palmas-doces*
palmal adj.2g. s.m.
palmale s.f.
palma-mestiça s.f.; pl. *palmas-mestiças*
palmanço s.m.
palma-petiza s.f.; pl. *palmas-petizas*
palmar v. adj. s.2g. s.m.
palma-real s.f.; pl. *palmas-reais*
palmareiro s.m.
palmarense adj. s.2g.
palmares s.m.pl.
palmarino adj. s.m.
palmário s.m.
palmaticomposto (*ô*) adj.; f. (*ó*); pl. (*ó*)
palmatifendido adj.
palmatífido adj.
palmatifloro adj.
palmatifoliado adj.
palmatiforme adj.2g.
palmatilaciniado adj.
palmatilobado adj.
palmatina s.f.
palmatinérveo adj.
palmatipartido adj.
palmatissecto adj.
palmato s.m.
palmatoada s.f.
palmatoado adj.
palmatoar v.
palmatória s.f.; cf. *palmatoria*, fl. do v. *palmatoriar*
palmatória-de-espinho s.f.; pl. *palmatórias-de-espinho*
palmatória-doce s.f.; pl. *palmatórias-doces*
palmatória-do-inferno s.f.; pl. *palmatórias-do-inferno*
palmatória-grande s.f.; pl. *palmatórias-grandes*
palmatoriar v.
palmatoriense adj. s.2g.
palmatorres (*ô*) s.m.2n.
palmeado adj.
palmeador (*ô*) adj. s.m.
palmeano adj. s.m.
palmear v.
palmeira s.f.
palmeira-açaí s.f.; pl. *palmeiras-açaí* e *palmeiras-açaís*
palmeira-açaí-da-terra-firme s.f.; pl. *palmeiras-açaí-da-terra-firme* e *palmeiras-açaís-da-terra-firme*
palmeira-açaí-mirim s.f.; pl. *palmeiras-açaí-mirim* e *palmeiras-açaís-mirins*
palmeira-anã s.f.; pl. *palmeiras-anãs*
palmeira-andim s.f.; pl. *palmeiras-andim* e *palmeiras-andins*
palmeira-areca s.f.; pl. *palmeiras-areca* e *palmeiras-arecas*
palmeira-bambu s.f.; pl. *palmeiras-bambu* e *palmeiras-bambus*
palmeira-barriguda s.f.; pl. *palmeiras-barrigudas*
palmeira-brava s.f.; pl. *palmeiras-bravas*
palmeira-buri s.f.; pl. *palmeiras-buri* e *palmeiras-buris*
palmeira-camedória s.f.; pl. *palmeiras-camedória* e *palmeiras-camedórias*
palmeira-catolé s.f.; pl. *palmeiras-catolé* e *palmeiras-catolés*
palmeira-catulé s.f.; pl. *palmeiras-catulé* e *palmeiras-catulés*
palmeira-chifre s.f.; pl. *palmeiras-chifre* e *palmeiras-chifres*
palmeira-cipó s.f.; pl. *palmeiras-cipó* e *palmeiras-cipós*
palmeira-da-califórnia s.f.; pl. *palmeiras-da-califórnia*
palmeira-da-china s.f.; pl. *palmeiras-da-china*
palmeira-das-bermudas s.f.; pl. *palmeiras-das-bermudas*
palmeira-das-canárias s.f.; pl. *palmeiras-das-canárias*
palmeira-das-vassouras s.f.; pl. *palmeiras-das-vassouras*
palmeira-de-cera s.f.; pl. *palmeiras-de-cera*
palmeira-de-hong-kong s.f.; pl. *palmeiras-de-hong-kong*
palmeira-de-igreja s.f.; pl. *palmeiras-de-igreja*
palmeira-de-leque s.f.; pl. *palmeiras-de-leque*

palmeira-de-leque-da--europa s.f.; pl. *palmeiras-de--leque-da-europa*
palmeira-de-leque-do-rio--negro s.f.; pl. *palmeiras-de--leque-do-rio-negro*
palmeira-de-madagascar s.f.; pl. *palmeiras-de--madagascar*
palmeira-dendê s.f.; pl. *palmeiras-dendê* e *palmeiras--dendês*
palmeira-de-palmira s.f.; pl. *palmeiras-de-palmira*
palmeira-de-tebas s.f.; pl. *palmeiras-de-tebas*
palmeira-de-vinho s.f.; pl. *palmeiras-de-vinho*
palmeira-do-açúcar s.f.; pl. *palmeiras-do-açúcar*
palmeira-do-azeite s.f.; pl. *palmeiras-do-azeite*
palmeira-do-brejo s.f.; pl. *palmeiras-do-brejo*
palmeira-doce s.f.; pl. *palmeiras-doces*
palmeira-do-óleo s.f.; pl. *palmeiras-do-óleo*
palmeira-do-sagu-falso s.f.; pl. *palmeiras-do-sagu-falso*
palmeira-dos-brejos s.f.; pl. *palmeiras-dos-brejos*
palmeira-dos-rumes s.f.; pl. *palmeiras-dos-rumes*
palmeira-iará s.f.; pl. *palmeiras-iará* e *palmeiras--iarás*
palmeira-imperial s.f.; pl. *palmeiras-imperiais*
palmeira-jaraúva s.f.; pl. *palmeiras-jaraúva* e *palmeiras--jaraúvas*
palmeira-jiçara s.f.; pl. *palmeiras-jiçara* e *palmeiras--jiçaras*
palmeira-juçara s.f.; pl. *palmeiras-juçara* e *palmeiras--juçaras*
palmeiral s.m.
palmeira-laca s.f.; pl. *palmeiras-laca* e *palmeiras--lacas*
palmeiralense adj. s.2g.
palmeira-leque s.f.; pl. *palmeiras-leque* e *palmeiras--leques*
palmeira-leque-do-rio--negro s.f.; pl. *palmeiras--leque-do-rio-negro*
palmeira-marinha s.f.; pl. *palmeiras-marinhas*
palmeira-nanica s.f.; pl. *palmeiras-nanicas*
palmeirandense adj. s.2g.
palmeirão s.m.
palmeira-palmira s.f.; pl. *palmeiras-palmira* e *palmeiras--palmiras*
palmeira-piaçaba s.f.; pl. *palmeiras-piaçaba* e *palmeiras--piaçabas*
palmeira-princesa s.f.; pl. *palmeiras-princesa* e *palmeiras-princesas*
palmeira-pupunha s.f.; pl. *palmeiras-pupunha* e *palmeiras-pupunhas*
palmeira-rabo-de-peixe s.f.; pl. *palmeiras-rabo-de-peixe*
palmeira-real s.f.; pl. *palmeiras-reais*
palmeira-real-de-cuba s.f.; pl. *palmeiras-reais-de-cuba*
palmeira-real-de-porto-rico s.f.; pl. *palmeiras-reais-de--porto-rico*
palmeira-real-do-caribe s.f.; pl. *palmeiras-reais-do-caribe*
palmeireiro s.m.
palmeirense adj. s.2g.
palmeirim s.m.
palmeirinense adj. s.2g.
palmeirinha s.f.
palmeirinha-de-petrópolis s.f.; pl. *palmeirinhas-de--petrópolis*
palmeirinhense adj. s.2g.
palmeiro adj. s.m.
palmeiropolitano adj. s.m.
palmejador s.m.
palmejar v. s.m.
palmela adj. s.2g. s.m.f.
palmelácea s.f.
palmeláceo adj.
palmelão adj. s.m.
palmelense adj. s.2g.
palmelina s.f.
palmelino adj. s.m.
palmelista adj. s.2g.
palmeloide (*ó*) adj.2g.
palmense adj. s.2g.
pálmer s.m.
palmerino adj. s.m.
palmerita s.f.
palmeta (*ê*) s.f.
palmetão s.m.
palmetear v.
palmeto (*ê*) s.m.
palmeto-das-bermudas s.m.; pl. *palmetos-das-bermudas*
palmiano adj. s.m.
palmicelário s.m.
palmichato adj.
palmicheio adj.
palmico s.m. "pequeno palmo"; cf. *pálmico*
pálmico adj. "ácido"; cf. *palmico*
palmícola adj.2g.
palmicôncavo adj.
palmiconvexo (*cs*) adj.
palmiduro adj.
palmierita s.f.
palmierite s.f.
palmifalangiano adj.
palmífero adj.
palmífido adj.
palmifloro adj.
palmifoliado adj.
palmiforme adj.2g.
palmígero adj.
palmilha s.f.
palmilhadeira s.f.
palmilha-de-papa s.f.; pl. *palmilhas-de-papa*
palmilhado s.m.
palmilhador (*ô*) adj. s.m.
palmilhar v.
palmilobado adj.
palmimole adj.2g.
palmina s.f.
palminervado adj.
palminérveo adj.
palminha s.f.
palminho s.m.
palminopolitano adj. s.m.
palmipartido adj.
palmípede adj.2g. s.m.
palmiplano adj.
palmira s.f.
palmireno adj. s.m.
palmirense adj. s.2g.
palmiriano adj. s.m.
palmirídeo s.m.
palmirraso adj.
palmiste s.m.
palmital s.m.
palmitalense adj. s.2g.
palmitático adj.
palmitato s.m.
palmiteco s.m.
palmiteira s.f.
palmiteiro s.m.
palmitense adj. s.2g.
palmiteso (*ê*) adj.
palmítico adj.
palmitido s.m.
palmitilo s.m.
palmitina s.f.
palmitinhense adj. s.2g.
palmitiqueira s.f.
palmito s.m.
palmito-amargoso s.m.; pl. *palmitos-amargosos*
palmito-de-ferrão s.m.; pl. *palmitos-de-ferrão*
palmito-do-campo s.m.; pl. *palmitos-do-campo*
palmito-doce s.m.; pl. *palmitos-doces*
palmito-do-chão s.m.; pl. *palmitos-do-chão*
palmito-juçara s.m.; pl. *palmitos-juçara* e *palmitos--juçaras*
palmitoleico adj.
palmito-mole s.m.; pl. *palmitos-moles*
palmitona s.f.
palmitopolitano adj. s.m.
palmívoro adj. s.m.
palmo s.m.
palmocutâneo adj.
palmódia s.f.
palmoira s.f.
palmoiral adj.2g.
palmoneta (*ê*) s.f.
palmonete (*ê*) s.m.
palmoplantar adj.2g.
palmopolense adj. s.2g.
palmopolitano adj. s.m.
palmoscopia s.f.
palmoscópico adj.
palmoura s.f.
palmoural s.f.
palmóxilo (*cs*) s.m.
palmumá adj. s.2g.
palmura s.f.
palode s.m.
palo-de-calenturas s.m.; pl. *palos-de-calenturas*
palo de luz s.m.
palo-de-maria s.m.; pl. *palos--de-maria*
palofotofone s.m.
palografia s.f.
palógrafo s.m.
paloguindão s.m.
paloio adj.
palolo s.m.
paloma s.f.
palomadura s.f.
palomar v. s.m.
palomba s.f.
palombadura s.f.
palombar v.
palombeta (*ê*) s.f.
palombeta-do-alto s.f.; pl. *palombetas-do-alto*
palombeta-do-campo s.f.; pl. *palombetas-do-campo*
palombino adj. s.m.
palomeira s.f.
palomena s.f.
palomense adj. s.2g.
palometa (*ê*) s.f.
palomina s.f.
palomino s.m.
palomita s.f.
palonço adj. s.m.
palonga s.f.
palongueiro adj.
palonzano adj.
palor (*ô*) s.m.
palorejar v.
paloro s.m.
palos s.m.pl.
palospalos s.m.pl.
palotes s.m.pl.
palotinense adj. s.2g.
palotino adj. s.m.
palouzano s.m.
palpá s.m.
palpabilidade s.f.
palpabilizar v.
palpação s.f.
palpada s.f.
palpadeira s.f.
palpadela s.f.
palpado adj.
palpamento s.f.
palpante adj.2g.
palpar v. adj.2g. s.m.
palpário s.m.
palpatometria s.f.
palpatopercussão s.f.
palpator (*ô*) adj. s.m.
palpatore (*ô*) adj. s.m.
palpatório adj.
palpável adj.2g.
pálpebra s.f.
palpebração s.f.
palpebrado adj.
palpebral adj.2g.
palpebrear v.
palpebrejar v.
palpebrite s.f.
palpebrofrontal adj.2g.
palpexorista (*cs*) s.f.
palpicórneo adj. s.m.
pálpifer s.m.
palpífero adj. s.m.
palpiforme adj.2g.
pálpiger s.m.
palpígero adj. s.m.
palpígrado adj. s.m.
palpimanídeo adj. s.m.
palpímano s.m.
palpitação s.f.
palpitante adj.2g.
palpitar v.
palpite s.m.
palpiteiro adj. s.m.
palpitoso (*ô*) adj.; f. (*ó*); pl. (*ó*)
palplancha s.f.
palpo s.m.
palpocílio s.m.
palpomiia s.f.
palpopleura s.f.
palpos de aranha s.m.2n.
pálpulo s.m.
palpumá adj. s.2g.
palra s.f.
palração s.f.
palradeirice s.f.
palradeiro adj.
palrado adj.
palrador (*ô*) adj. s.m.
palradura s.f.
palrança s.f.
palrante adj.2g. s.m.
palrão adj. s.m.
palrar v.
palraria s.f.
palratório s.m.
pálrea s.f.
palreação s.f.
palreado adj. s.m.
palreador (*ô*) adj. s.m.
palrear v.
palreira s.f.
palreiro adj. s.m.
palrelha (*ê*) adj.2g.
palrice s.f.
palrisqueiro adj. s.m.
palro s.m.
palronho s.m.
palrônio adj. s.m.
paltodora s.f.
paltonense adj. s.2g.
paludal adj.2g.
paludamento s.m.
paludano adj.
paludário s.m.
palude s.m.
paludeína s.f.
paludela s.f.
paludestrina s.f.
paludial adj.2g.
paludicela s.f.
paludicelídeo s.m.
palúdico adj. s.m.
paludícola adj.2g. s.f.
paludífero adj.
paludígena adj.2g.
paludina s.f.
paludinela s.f.
paludinídeo adj. s.m.
paludismo s.m.
paludívago adj.
paludo s.m.
paludoso (*ô*) adj.; f. (*ó*); pl. (*ó*)
paluense adj. s.2g.
palumbela s.f.
palumbino adj.
palumo s.m.
paluncho s.m.
palurdice s.f.
palúrdio adj. s.m.
palurdo adj. s.m.
palustral adj.2g.
palustre adj.2g.
paluta s.f.
palygorskita s.f.
pama adj. s.2g.
pamaná adj. s.2g.
pamari adj. s.2g.
pamarioba s.f.
pamastite s.f.
pambabilonismo s.m.
pambala adj. s.2g. "etnia"; cf. *pâmbala*
pâmbala s.f. "alma transmigrada"; cf. *pambala*
pambiotismo s.m.
pamblástico adj.
pambo s.m.
pamboro s.m.
pambotano s.m.
pambrasileirismo s.m.
pambrasileirista adj. s.2g.
pambrasileirístico adj.
pambrasileiro adj.
pâmelas s.m.2n.
pamerística s.f.
pamerístico adj.
pami s.m.
pamoá adj. s.2g.
pamonã s.m.
pamonha adj. s.2g.
pamonha-azeda s.2g.; pl. *pamonhas-azedas*
pamonhense adj. s.2g.
pampa adj. s.m.
pâmpalo s.m.
pampanense adj. s.2g.
pampangano s.m.
pampango adj. s.m.
pâmpano s.m.
pâmpano-pacu s.m.; pl. *pâmpanos-pacu* e *pâmpanos--pacus*
pampanoso (*ô*) adj.; f. (*ó*); pl. (*ó*)
pamparra adj.2g.
pamparrear v.
pamparrona s.f.
pampeano adj.
pampeirense adj. s.2g.
pampeiro s.m.
pampiano adj.
pampilho s.m.
pampilho-aquático s.m.; pl. *pampilhos-aquáticos*
pampilho-das-searas s.m.; pl. *pampilhos-das-searas*
pampilho-de-micão s.m.; pl. *pampilhos-de-micão*
pampilho-espinhoso s.m.; pl. *pampilhos-espinhosos*
pampilho-marítimo s.m.; pl. *pampilhos-marítimos*
pampilho-ordinário s.m.; pl. *pampilhos-ordinários*
pampilhosense adj. s.2g.
pampilho-viscoso s.m.; pl. *pampilhos-viscosos*
pampílio s.m.
pampilo s.m.
pampíneo adj.
pampiniforme adj.2g.
pampino s.m.
pâmpino s.m.
pampinocelo s.m.
pampinódia s.f.
pampinoso (*ô*) adj.; f. (*ó*); pl. (*ó*)
pamplegia s.f.
pamplégico adj. s.m.
pamplemussa s.f.
pamplemusseira s.f.
pamplina s.2g. s.f.
pamplo s.m.
pamplonês adj. s.m.
pamplumossa s.f.
pamplumosseira s.f.

pampo adj. s.m.
pampo-arabebéu s.m.; pl. *pampos-arabebéu* e *pampos-arabebéus*
pampo-aracanguira s.m.; pl. *pampos-aracanguira* e *pampos-aracanguiras*
pampo-da-cabeça-mole s.m.; pl. *pampos-da-cabeça-mole*
pampo-da-espinha-mole s.m.; pl. *pampos-da-espinha-mole*
pampo-do-alto s.m.; pl. *pampos-do-alto*
pampo-galhudo s.m.; pl. *pampos-galhudos*
pampo-gigante s.m.; pl. *pampos-gigantes*
pampolinha s.f.
pampo-listrado s.m.; pl. *pampos-listrados*
pampo-mirim s.m.; pl. *pampos-mirins*
pampo-riscado s.m.; pl. *pampos-riscados*
pamporria s.f.
pamposto (*ô*) s.m.
pampo-tibilo s.m.; pl. *pampos-tibilo* e *pampos-tibilos*
pampo-tibiro s.m.; pl. *pampos-tibiro* e *pampos-tibiros*
pamprodáctilo adj.
pamprodátilo adj.
pampsiquismo s.m.
pampsiquista adj. s.2g.
pampsiquístico adj.
pampuã s.m.
pampulheira adj. s.f.
pampulheiro adj. s.m.
pampulho s.m.
pamuari adj. s.2g.
pan s.m. "gênero de primatas"; cf. *pá*
pana s.f. "instrumento musical bororo"; cf. *panã*
panã s.f. "árvore do Brasil"; cf. *pana*
panaba s.m.
panabase s.f.
panábase s.f.
panabásio s.m.
panaca adj. s.2g.
panaça s.m.
panaçar v.
panacarica s.f.
pânace s.m.
panaceia (*é*) s.f.
panaceia-das-quedas s.f.; pl. *panaceias-das-quedas*
panaceico (*é*) adj.
panacém s.m.
panacha s.f.
panacheiro s.m.
panaço s.m.
panacocó s.m.
panacronismo s.m.
panacu s.m.
panacuiense adj. s.2g.
panacum s.m.
panada s.f.
panadiço s.m.
panadilha s.f.
panado adj.
panadura s.f.
pan-africanismo s.m.
pan-africanista adj. s.2g.
pan-africanístico adj.
pan-africano adj.
panageídeo adj. s.m.
panageu s.m.
pan-aglutinação s.f.
pan-aglutinina s.f.
panaguaiú s.m.
panagueídeo adj. s.m.
panágueo s.m.
panal s.m.
panamá s.m.f.
panamá-camajondura s.m.; pl. *panamás-camajonduras*
panamaense adj. s.2g.
panamari adj. s.2g.
panambiense adj. s.2g.
panamenho adj. s.m.
panamense adj. s.2g.
pan-americanismo s.m.
pan-americanista adj. s.2g.
pan-americanístico adj.
pan-americanização s.m.
pan-americano adj.
panamismo s.m.
panamista adj. s.2g.
panangiite s.f.
panão s.m.
panapaná s.m.f.
panapanã s.f.
panapaná-piranga s.m.; pl. *panapanás-piranga* e *panapanás-pirangas*
panapanari s.m.
panapaná-roxo s.m.; pl. *panapanás-roxos*
panapaná-tauá s.m.; pl. *panapanás-tauá* e *panapanás-tauás*
panaque s.m.
panaqueija s.f.
panar v. adj.2g.
panará adj. s.2g.
pan-árabe adj.2g.
pan-arábico adj.
pan-arabismo s.m.
pan-arabista adj. s.2g.
pan-arabístico adj.
panari s.m.
panaria s.f. "celeiro"; cf. *panária*
panária s.f. "líquen"; cf. *panaria*
panariácea s.f.
panariáceo adj.
panarício s.m.
panariço s.m.
panário adj.
panariócito s.m.
panaripense adj. s.2g.
panariz s.m.
panarra adj. s.2g.
pan-arterite s.f.
pan-arterítico adj.
panartíneo adj. s.m.
panarto s.m.
pan-artrite s.f.
pan-artrítico adj.
panasca s.m.
panascal s.m.
panasco s.m.
panasco-do-tabuleiro s.m.; pl. *panascos-do-tabuleiro*
pan-asiático adj. s.m.
pan-asiatismo s.m.
pan-asiatista adj. s.2g.
pan-asiatístico adj.
panásio s.m.
panaso s.m.
panasqueira s.f.
panasqueiro adj. s.m.
panasquinho-de-tabuleiro s.m.; pl. *panasquinhos-de-tabuleiro*
pan-astenia s.f.
pan-astênico adj.
panatenaicas s.f.pl.
panatenaico adj.
panateneias (*é*) s.f.pl.
panateneico (*é*) adj.
panati adj. s.2g.
pan-atrofia s.f.
pan-atrófico adj.
panavueiro s.m.
pânax (*cs*) s.m.2n.
panázio s.m.
panazo s.m.
panca s.f. "alavanca"; cf. *pancá*
pancá s.m. "ventarola"; cf. *panca*
pança s.m.f.
pancada adj. s.2g. s.f. "choque", etc.; cf. *pançada*
pançada s.f. "barrigada"; cf. *pancada*
pancadão s.m.
pancadaria s.f.
pancadista adj. s.2g.
pancado adj.
pancadola adj. s.2g.
pancaiato s.m.
pancaico adj.
pancaio adj.
pancália s.f.
pancalismo s.m.
pancão s.m.
pancar s.m.
pancararé adj. s.2g.
pancararu adj. s.2g.
pancarati s.m.
pancardite s.f.
pancardítico adj.
pancáride adj.2g. s.m.
pancárpia s.f.
pancarpo s.m.
pancarta s.f.
pancaru adj. s.2g.
panceira s.f.
pancense adj. s.2g.
pancerno s.m.
panchagão s.m.
panchão s.m.
pancharatra s.m.
pancismo s.m.
pancitopenia s.f.
pancitopênico adj.
pancitose s.f.
panclastite s.f.
panclora s.f.
panclorineo adj. s.m.
panco s.m.
pancodudu s.m.
pancolectomia s.f.
pancolectômico adj.
pancontinental adj.2g.
pancosmismo s.m.
pancracia s.f.
pancraciasta s.m.
pancraciina s.f.
pancrácio adj. s.m.
pancratiasta s.m.
pancrático adj.
pancreáden s.m.
pancreádene s.m.
pancrealgia s.f.
pancreálgico adj.
pâncreas s.m.2n.
pancreatalgia s.f.
pancreatálgico adj.
pancreatectomia s.f.
pancreatectômico adj.
pancreatelcose s.f.
pancreatelcósico adj.
pancreatenfraxe (*cs*) s.f.
pancreatenfraxia (*cs*) s.f.
pancreático adj.
pancreático-duodenal adj.2g.; pl. *pancreático-duodenais*
pancreático-esplênico adj.; pl. *pancreático-esplênicos*
pancreático-jejunostomia s.f.; pl. *pancreático-jejunostomias*
pancreaticolecistectomia s.f.
pancreaticotomia s.f.
pancreatina s.f.
pancreatite s.f.
pancreatítico adj.
pancreatocolecistectomia s.f.
pancreatocolecistectômico adj.
pancreatoduodenal adj.2g.
pancreatoduodenectomia s.f.
pancreatógeno adj.
pancreatografia s.f.
pancreatográfico adj.
pancreatograma s.f.
pancreatojejunostomia s.f.
pancreatojejunostômico adj.
pancreatólito s.m.
pancreatônico s.m.
pancreatosplênico adj.
pancreatotomia s.f.
pancreatotômico adj.
pancreopepsina s.f.
pancreozimina s.f.
pancreozimínico adj.
pancresto s.m.
pancristalia s.f.
pancristão adj.
pancristianismo s.m.
pancromático adj.
pancrômico adj.
pancronia s.f.
pancrônico adj.
pançudo adj. s.m.
pancurônio s.m.
panda adj. s.2g. s.m.f.
pandácea s.f.
pandáceo adj.
pandacosta s.m.
pandáctilo adj.
pandactilografia s.f.
pandactilográfico adj.
pandactilógrafo s.m.
panda-gigante s.m.; pl. *pandas-gigantes*
pandaíta s.f.
pandal adj.2g.
pandale s.f.
pandalíneo adj. s.m.
pandalo s.m.
pandalópsis s.m.2n.
pandanácea s.f.
pandanáceo adj.
pandanal adj.2g.
pandanale s.f.
pandânea s.f.
pandanga s.f.
pandano s.m.
pândano s.m.
panda-pequeno s.m.; pl. *pandas-pequenos*
pandar v.
pandarana s.m.
pandarecos s.m.pl.
pandareto s.m.
pandaríneo s.m.
pandarino s.m.
pandaro s.m.
pandátilo adj.
pandatilografia s.f.
pandatilográfico adj.
pandatilógrafo s.m.
panda-vermelho s.m.; pl. *pandas-vermelhos*
pandavero s.m.
pandaxocoxoco s.m.
pande s.m.
pandear v.
pandeco s.m.
pandecta s.f.
pandectas s.f.pl.
pandectismo s.m.
pandectista adj. s.2g.
pandectologia s.f.
pandectológico adj.
pândega s.f.; cf. *pandega*, fl. do v. *pandegar*
pandegar v.
pândego adj. s.m.; cf. *pandego*, fl. do v. *pandegar*
pandegueiro adj. s.m.
pandeirão s.m.
pandeireiro s.m.
pandeireta (*ê*) s.f.
pandeirinha s.f.
pandeirista s.2g.
pandeiro s.m.
pandeiro de boi s.m.
pandelétrio s.m.
pandelha (*ê*) s.f.
pandeló s.m.
pandemia s.f.
pandêmico adj.
pândemis s.m.2n.
pandemizar v.
pandemônico adj.
pandemônio s.m.
pandemônium s.m.
pandendrítico adj.
pandereta (*ê*) s.f.
pandermita s.f.
pandermite s.f.
pandesma s.f.
pandeta s.f.
pandiabolismo s.m.
pândias s.f.pl.
pandiascópico adj.
pandiascópio s.m.
pandiculação s.f.
pandiculado adj.
pandiculante adj.2g.
pandicular v.
pandilha adj. s.2g. s.f.
pandilhar v.
pandilheiro s.m.
pandilhice s.f.
pandinâmico adj.
pandinamismo s.m.
pandinamista adj. s.2g.
pandinamístico adj.
pandinamômetro s.m.
pândino s.m.
pândio s.m.
pandionídeo adj. s.m.
pandiscópio s.m.
pândita s.m.
pândito s.m.
pando adj.
pandora s.f.
pandorca adj. s.2g. s.f.
pandórea s.f.
pandoreia (*é*) s.f.
pandorga adj. s.2g. s.f.
pandorguear v.
pandorgueiro s.m.
pandórida adj.2g. s.m.
pandorídeo adj. s.m.
pandorina s.f.
pandoro (*ô*) s.m.
pandulhar v.
pandulheiro adj. s.m.
pandulho s.m.
pandur s.m.
pandura s.f.
pandurifoliado adj.
pandurifólio adj.
panduriforme adj.2g.
panduro s.m.
pane s.f.
panedrázio s.m.
panedro (*ê*) s.m.
panegíria s.f.
panegiricado adj.
panegirical adj.2g.
panegiricar v.
panegírico adj. s.m.; cf. *panegirico*, fl. do v. *panegiricar*
panegiriqueiro adj. s.m.
panegirista adj. s.2g.
panegirístico adj.
panegirizar v.
paneirinha s.m.
paneiro adj. s.m.
panejado adj.
panejamento s.m.
panejão s.m.
panejar v.
panela s.f.
panelada s.f.
panela-de-bugio s.f.; pl. *panelas-de-bugio*
panelão s.m.
paneleira s.f.
paneleiro adj. s.m.
panelênias s.f.pl.
panelense adj. s.2g.
panelicídio s.m.
panelinha s.f.
panelo (*ê*) s.m.
paneloso (*ô*) adj.; f. (*ó*); pl. (*ó*)
panema adj. s.2g.
panemice s.f.
panenteísmo s.m.
panenteísta adj. s.2g.
panenteístico adj.
panento adj.
panenuá adj. s.2g.
panenva adj. s.2g.
panéolo s.m.
paneroque s.m.

pan-eslávico adj.
pan-eslavismo s.m.
pan-eslavista adj. s.2g.
pan-eslavístico adj.
panestesia s.f.
panestésico adj.
panestético adj.
panéstia s.f.
paneta (*ê*) s.f.
panete (*ê*) s.m.
panetela s.f.
panethita s.f.
panetone s.m.
pan-europeu adj.
panfagia s.f.
panfagíneo s.m.
pânfago adj. s.m.
pânfila s.f.
panfília s.f.
panfiliano adj. s.m.
panfiliense adj. s.2g.
panfilíneo adj. s.m.
panfílio adj. s.m.
pânfilo adj. s.m.
panflavina s.f.
panfleimão s.m.
panfletar v.
panfletário adj. s.m.
panfleteiro adj. s.m.
panfletismo s.m.
panfletista adj. s.2g.
panfletístico adj.
panfleto (*ê*) s.m.; cf. *panfleto*, fl. do v. *panfletar*
panfobia s.f.
panfóbico adj.
pânfobo adj. s.m.
panfrancesismo s.m.
panfrancesista adj. s.2g.
panfrancesístico adj.
panga s.m.f.
pangaia s.f.
pangaiada s.f.
pangaiar v.
pangaio s.m.
pangajava s.f.
pangajoa (*ô*) s.f.
pangala s.2g.
pangalatranas s.2g.2n.
pangalhada s.f.
pangalhão adj. s.m.
pangaluno s.m.
pangamia s.f.
pangâmico adj.
panga-panga s.f.; pl. *panga-pangas*
pangar v.
pangarave adj.2g.
pangaré adj. s.2g. s.m.
pangareense adj. s.2g.
pangas adj. s.2g.2n.
pangásio s.m.
pangastrite s.f.
pangau s.m.
pangeia (*é*) adj. s.f. de *pangeu*
pangeiro s.m.
pangelungo adj. s.m.
pangene s.m.
pangênese s.f.
pangenesia s.f.
pangenético adj.
pângeno s.m.
pangeômetra s.2g.
pangeometria s.f.
pangeométrico adj.
pangermânico adj.
pangermanismo s.m.
pangermanista adj. s.2g.
pangermanístico adj.
pangeu adj. s.m.; f. *pangeia* (*é*)
pangiácea s.f.
pangiáceo adj.
pangíea s.f.
pângio s.m.
pangire s.m.
panglossia s.f.
panglossiano adj. s.m.
pango s.m. "maconha"; cf. *pangó*
pangó adj. s.m. "pateta"; cf. *pango*
pangola s.m.
pangolim s.m.
pangônia s.f.
pangueira s.f.
panguejava s.f.
panguingue s.m.
panha s.f.
panhame adj. s.2g.
panhão s.m.
pan-harmônico adj.
pan-harmônio s.m.
panhe s.m.
panheira s.f.
panheiro s.m.
pan-helênico adj.
pan-helenismo s.m.
pan-helenista adj. s.2g.
pan-helenístico adj.
pan-heleno s.m.
pan-hematopenia s.f.
pan-hematopoético adj.
panhi s.m.
pan-hidrômetro s.m.
pan-hipopituitarismo s.m.
pan-hispânico adj.
pan-hispanismo s.m.
pan-hispanista adj.2g. s.2g.
pan-histerectomia s.f.
pan-histerectômico adj. s.m.
panhonha s.f.
panhota s.f.
panhote s.m.
pani s.m.
paniame adj. s.2g.
panical s.m.
panicale s.m.
paníceo adj. "relativo a uma gramínia"; cf. *panício*
panício s.m. "inseto"; cf. *paníceo*
paniclora s.f.
panico s.m. "paninho"; cf. *pânico*
paniço adj.
pânico adj. s.m. "medo"; cf. *panico*
pan-iconografia s.f.
pan-iconográfico adj.
panico-rei s.m.; pl. *panicos-reis*
panícula s.f.
paniculado adj.
panicular adj.2g.
paniculários s.m.pl.
paniculiforme adj.2g.
paniculite s.f.
paniculítico adj.
panículo s.m.
panicum s.m.
pan-idiomórfico adj.
paniego adj.
panífero adj.
panificação s.f.
panificado adj.
panificador (*ô*) s.m.
panificadora (*ô*) s.f.
panificar v.
panificável adj.2g.
panifício s.m.
paniforme adj.2g.
panigau s.m.
paniguado adj.
panilas s.m.2n.
paninho s.m.
panino s.m.
pan-iônico adj.
paniptila s.f.
paniquismo s.m.
panisco s.m.
pan-islâmico adj.
pan-islamismo s.m.
pan-islamista adj. s.2g.
pan-islamístico adj.
pan-islamita adj. s.2g.
panívoro adj.
panja s.m.
panjabi s.m.
panje s.m.
panjeiro s.m.
panjelungo adj. s.m.
panjônico adj.
panjorca s.f.
panlatinismo s.m.
panlatinista adj. s.2g.
panlatinístico adj.
panlatino adj. s.m.
panlécito s.m.
panleucopenia s.f.
panleucopênico adj.
panléxico (*cs*) s.m.
panlogismo s.m.
pan-mágico adj.
pan-mastite s.f.
pan-mastítico adj.
pan-mielofisite s.f.
pan-mítico adj.
pan-mixia (*cs*) s.f.
pan-negrismo s.m.
pan-negrista adj. s.2g.
pan-negritude s.f.
pan-negro adj.
pano adj. s.2g. s.m. "tecido"; cf. *panô*
panô s.m. "espécie de cortina rígida"; cf. *pano*
pano-baju s.m.; pl. *panos-baju* e *panos-bajus*
panoca s.2g.
panocha s.f.
pano-cru s.m.; pl. *panos-crus*
pano da costa s.m.
pano-família s.m.; pl. *panos-família* e *panos-famílias*
panofobia s.f.
panófobo adj.
pan-oftalmia s.f.
pan-oftálmico adj.
pan-oftalmite s.f.
pan-oftalmítico adj.
panoia (*ó*) s.f.
panoiense adj. s.2g.
panoilo s.m.
panoístico s.m.
panólopo s.m.
panolópode s.m.
pano-manta s.m.; pl. *panos-mantas*
panoníaco adj.
panoniano adj. s.m.
panônio adj. s.m.
pano-paló s.m.; pl. *panos-palós*
pano-patente s.m.; pl. *panos-patentes*
pano-piloto s.m.; pl. *panos-piloto* e *panos-pilotos*
panópiro adj.
panóplia s.f.
panóplico adj.
panoplite s.m.
panopolitano adj. s.m.
panopse s.f.
pan-óptico adj.
pan-optose s.f.
panorama s.m.
panoramágrafo s.m.
panoramático adj.
panoramense adj. s.2g.
panorâmica s.f.
panorâmico adj.
panoramista s.2g.
panoramizar v.
panoramógrafo s.m.
panoré s.m.
pan-órgão s.m.
panormitano adj. s.m.
pan-orógrafo s.m.
panorpa s.f.
panórpato adj. s.m.
panorpídeo adj. s.m.
panórpido adj. s.m.
panorpino adj. s.m.
pan-ortodoxo (*cs*) adj.
panos de rás s.m.pl.
panos de raso s.m.pl.
pan-osteíte s.f.
pan-osteítico adj.
pan-ótico adj.
panotilha s.m.
panoto adj. s.m.
panotrópio s.m.
panoura s.f.
panque s.m.
panquear v.
panqueca s.f.
panqueia (*é*) adj. s.f. de *panqueu*
panquense adj. s.2g.
panquetotripíneo s.m.
panqueu adj. s.m.; f. *panqueia* (*é*)
panquimagogo (*ô*) adj. s.m.
panri s.m.
pânria s.2g. s.f.; cf. *panria*, fl. do v. *panriar*
panriar v.
panró s.m.
panromânico adj.
pansemita adj. s.2g.
pansemítico adj.
pansemitismo s.m.
pansemitista adj. s.2g.
pansemitístico adj.
pansérvio adj.
pansexual (*cs*) adj.2g.
pansexualismo (*cs*) s.m.
pansexualista (*cs*) adj. s.2g.
pansexualístico (*cs*) adj.
pansofia s.f.
pansófico adj.
panspermia s.f.
panspérmico adj.
panspermismo s.m.
panspermista adj. s.2g.
panspermístico adj.
panstereorama s.m.
panstereorâmico adj.
panstrôngilo s.m.
panta s.2g.
pantaça s.f.
pantacóbrio adj.
pantáculo s.m.
pantafaçudo adj.
pantagrafia s.f.
pantagráfico adj.
pantagruel s.m.
pantagruelesco (*ê*) adj.
pantagruélico adj.
pantagruelino adj.
pantagruelismo s.m.
pantagruelista adj. s.2g.
pantagruelístico adj.
pantal s.m.
pantala s.f. "abajur"; cf. *pântala*
pântala s.f. "inseto"; cf. *pantala*
pantalão s.m.
pantalazanas s.2g.2n.
pantaleão s.m.
pantalha s.f.
pantalifúsio adj.
pantalona s.f.
pantalonada s.f.
pantana s.f.
pantanal s.m.
pantanalense adj. s.2g.
pantanalzinhense adj. s.2g.
pantanas s.2g.2n.
pantaneiro adj. s.m.
pantanense adj. s.2g.
pantanizar v.
pântano s.m.
pantanoso (*ô*) adj.; f. (*ó*); pl. (*ó*)
pântara s.m.
pantareco s.m.
pantarma s.f.
panteão s.m.
pantear v.
panteense adj. s.2g.
panteia (*é*) adj. f. de *panteu*
panteico adj.
panteiro s.m.
panteísmo s.m.
panteísta adj. s.2g.
panteístico adj.
pantelarita s.f.
pantelefone s.m.
pantelefônico adj.
pantelefono s.m.
pantelegrafia s.f.
pantelegráfico adj.
pantelégrafo s.m.
pantelerita s.f.
pantelerite s.f.
panteleritico adj.
pantelerito s.m.
pantelismo s.m.
pantelista adj. s.2g.
pantelístico adj.
pânteo adj.
panteologia s.f.
panteológico adj.
panteon s.m.
panteônico adj.
panteonímia s.f.
panteonímico adj.
pantera s.f.
pantera-negra s.f.; pl. *panteras-negras*
pantérico adj.
panteróptero s.m.
pantesma (*ê*) s.f.
panteu adj.; f. *panteia* (*é*)
panteutomania s.f.
panteutomaníaco adj. s.m.
panteutonismo s.m.
panticapeia (*é*) adj. s.f. de *panticapeu*
panticapense adj. s.2g.
panticapeu adj. s.m.; f. *panticapeia* (*é*)
pantim s.m.
pantiteísmo s.m.
pantiteísta adj. s.2g.
pantiteístico adj.
pantó s.m.
pantocaína s.f.
pantocrata adj. s.2g.
pantodáctilo s.m.
pantodátilo s.m.
pantodonte s.m.
pantodontídeo adj. s.m.
pantofagia s.f.
pantofágico adj.
pantófago adj. s.m.
pantofilia s.f.
pantófilo adj. s.m.
pantofobia s.f.
pantofóbico adj.
pantófobo adj. s.m.
pantofone s.m.
pantofônio s.m.
pantofono s.m.
pantoftalmídeo adj. s.m.
pantoftalmo s.m.
pantogamia s.f.
pantogâmico adj.
pantógamo adj. s.m.
pantografação s.f.
pantografado adj.
pantografador (*ô*) adj. s.m.
pantografante adj.2g.
pantografar v.
pantografável adj.2g.
pantografia s.f.
pantográfico adj.
pantografista adj. s.2g.
pantógrafo s.m.
pantograma s.m.
pantogravador (*ô*) s.m.
pantologia s.f.
pantólogo s.m.
pantolope s.m.
pantomalo s.m.
pantomera s.f.
pantometria s.f.
pantométrico adj.
pantômetro s.m.
pantomima s.f.
pantomimado adj.
pantomimador (*ô*) adj.
pantomimar v.
pantomimável adj.2g.
pantomimeiro adj. s.m.
pantomimice s.f.
pantomímico adj.
pantomimo s.m.
pantomina s.f.
pantominar v.
pantomineiro adj. s.m.
pantominice s.f.

pantomórfico adj.
pantomorfo adj.
pantomoro s.m.
pantopelagiano adj.
pantopelágico adj.
pantópio s.m.
pantoplanctônico adj.
pantópode adj.2g. s.m.
pantópodo adj. s.m.
pantopolista adj.2g.
pantopom s.m.
pantóptero adj.
pantoptose s.f.
pantoptótico adj.
pantorca adj. s.2g. s.f.
pantoscópico adj.
pantoscópio s.m.
pantosga s.f.
pantóstato s.m.
pantostomatal adj.2g.
pantostomatale s.f.
pantostomatídeo adj. s.m.
pantóstomo adj. s.m.
pantotênico adj.
pantoteno s.m.
pantotério s.m.
pantotipia s.f.
pantouco adj.
pantrigo s.m.
pantrigueira s.f.
pantropical adj.2g.
pantrópico adj.
pantufa s.f.
pantufada s.f.
pantufão adj. s.m.
pantufla s.f.
pantufo s.m.
pantum s.m.
pantume s.m.
pantuna s.2g.
panturanismo s.m.
panturra s.f.
panturrilha s.f.
panu s.m.
panuliro s.m.
panúrea s.f.
panurga s.f.
panúrgico adj.
panurgismo s.m.
panurgo s.m.
panuríneo s.m.
panuro s.m.
pânus s.m.2n.
panza s.f.
panzaria s.f.
panzeiro adj. s.m.
panzina s.f.
panzootia s.f.
panzoótico adj.
panzuá s.2g.
panzuar v.
paó s.m. "pavão-do-mato", etc.; cf. *paô* e *pão*
paô s.m. "palmas para saudar as divindades"; cf. *paó* e *pão*
pão s.m. "alimento feito com farinha"; cf. *paó* e *paô*
pão-açucarense adj. s.2g.; pl. *pão-açucarenses*
pão-baixo s.m.; pl. *pães-baixos*
pão-bengala s.m.; pl. *pães-bengala* e *pães-bengalas*
pão-canoa s.m.; pl. *pães-canoa* e *pães-canoas*
pão com rosca s.m.
pão-da-américa s.m.; pl. *pães-da-américa*
pão-de-açucarense adj. s.2g.; pl. *pão-de-açucarenses*
pão de bugio s.m.
pão de chumbo s.m.
pão-de-cuco s.m.; pl. *pães-de-cuco*
pão-de-galinha s.m.; pl. *pães-de-galinha*
pão-de-galo s.m.; pl. *pães-de-galo*
pão-de-leite s.m.; pl. *pães-de-leite*
pão de ló s.m.
pão de lobo s.m.
pão de ló de festa s.m.
pão-de-ló-de-mico s.m.; pl. *pães-de-ló-de-mico*
pão de milho s.m.
pão de oiro s.m.
pão de ouro s.m.
pão-de-pássaros s.m.; pl. *pães-de-pássaros*
pão-de-pobre s.m.; pl. *pães-de-pobre*
pão-de-porcino s.m.; pl. *pães-de-porcino*
pão-de-porco s.m.; pl. *pães-de-porco*
pão-de-são-joão s.m.; pl. *pães-de-são-joão*
pão-do-chile s.m.; pl. *pães-do-chile*
pão-dos-pobres s.m.; pl. *pães-dos-pobres*
pão-durismo s.m.; pl. *pão-durismos*
pão-duro s.m.; pl. *pães-duros*
pão-e-queijo s.m.2n.
pão-leve s.m.; pl. *pães-leves*
paolovita s.f.
paolu s.m.
pão-petrópolis s.m.; pl. *pães-petrópolis*
pão-pingado s.m.; pl. *pães-pingados*
pão-podre s.m.; pl. *pães-podres*
pão-porcino s.m.; pl. *pães-porcinos*
pão-posto s.m.; pl. *pães-postos*
pãozaria s.f.
pãozeira s.f.
pãozeiro adj. s.m.
pãozinho adj. s.m.
papa s.m.f. "Sumo Pontífice", "qualquer alimento"; cf. *papá*
papá s.m. "papai", "alimento"; cf. *papa*
papa-abelha s.m.; pl. *papa-abelhas*
papa-açaí s.m.; pl. *papa-açaís*
papa-açorda s.2g.; pl. *papa-açordas*
papa-amoras s.m.2n.
papa-aranha s.2g.; pl. *papa-aranhas*
papa-areia s.2g.; pl. *papa-areias*
papa-arroz s.2g. s.m.; pl. *papa-arrozes*
papa-arroz-de-barriga-branca s.m.; pl. *papa-arrozes-de-barriga-branca*
papa-arroz-de-costa-cinza s.m.; pl. *papa-arrozes-de-costa-cinza*
papa-arroz-de-crista-negra s.m.; pl. *papa-arrozes-de-crista-negra*
papa-arroz-preto s.m.; pl. *papa-arrozes-pretos*
papa-banana s.m.; pl. *papa-bananas*
papa-boba s.m.; pl. *papa-bobas*
papa-bobo s.m.; pl. *papa-bobos*
papa-bode s.m.; pl. *papa-bodes*
papa-breu s.m.; pl. *papa-breus*
papa-cacau s.m.; pl. *papa-cacaus*
papa-capim s.m.; pl. *papa-capins*
papa-capim-capuchinho s.m.; pl. *papa-capins-capuchinhos*
papa-capim-de-garganta-branca s.m.; pl. *papa-capins-de-garganta-branca*
papa-capim-de-peito-amarelo s.m.; pl. *papa-capins-de-peito-amarelo*
papa-capim-de-peito-preto s.m.; pl. *papa-capins-de-peito-preto*
papa-ceia s.f.; pl. *papa-ceias*
papa-chilbé s.2g.; pl. *papa-chilbés*
papa-cobras adj. s.2g.2n.
papa-coco s.m.; pl. *papa-cocos*
papaconha s.f.
papada s.f.
papa-defunto s.2g.; pl. *papa-defuntos*
papa-defuntos s.m.2n.
papádego s.m.
papa-derrotas adj.2g.2n.
papado adj. s.m.
papaeira s.f.
papa-feijões adj. s.2g.2n.
papa-figo s.m. "pássaro"; pl. *papa-figos*; cf. *papafigo*
papafigo s.m.2n. "vela de traquete"; cf. *papa-figo*
papa-figo-de-inverno s.m.; pl. *papa-figos-de-inverno*
papa-figo-do-norte s.m.; pl. *papa-figos-do-norte*
papa-figos s.m.2n.
papa-fila s.m.; pl. *papa-filas*
papa-fina adj. s.2g.; pl. *papa-finas*
papa-fogo s.m.; pl. *papa-fogos*
papa-formigas s.m.2n.
papa-formigas-grande s.m.; pl. *papa-formigas-grandes*
papa-fumo s.m.; pl. *papa-fumos*
papagaia s.f.
papagaiada s.f.
papagaiado adj.
papagaial adj.2g.
papagaiar v.
papagaíce s.f.
papagaieira s.f.
papagaiense adj. s.2g.
papagaiesco (*ê*) adj.
papagainho s.m.
papagainho-roxo s.m.; pl. *papagainhos-roxos*
papagaio s.m. interj.
papagaio-caboclo s.m.; pl. *papagaios-caboclos*
papagaio-campeiro s.m.; pl. *papagaios-campeiros*
papagaio-cinzento s.m.; pl. *papagaios-cinzentos*
papagaio-comum s.m.; pl. *papagaios-comuns*
papagaio-curau s.m.; pl. *papagaios-curau* e *papagaios-curaus*
papagaio-curraleiro s.m.; pl. *papagaios-curraleiros*
papagaio-da-serra s.m.; pl. *papagaios-da-serra*
papagaio-de-cabeça-amarela s.m.; pl. *papagaios-de-cabeça-amarela*
papagaio-de-cara-branca s.m.; pl. *papagaios-de-cara-branca*
papagaio-de-cara-roxa s.m.; pl. *papagaios-de-cara-roxa*
papagaio-de-coleira s.m.; pl. *papagaios-de-coleira*
papagaio-de-colete s.m.; pl. *papagaios-de-colete*
papagaio-de-cor-verde s.m.; pl. *papagaios-de-cor-verde*
papagaio-de-encontros-amarelos s.m.; pl. *papagaios-de-encontros-amarelos*
papagaio-de-encontros-verdes s.m.; pl. *papagaios-de-encontros-verdes*
papagaio-de-face-laranja s.m.; pl. *papagaios-de-face-laranja*
papagaio-de-fronte-azul s.m.; pl. *papagaios-de-fronte-azul*
papagaio-do-mangue s.m.; pl. *papagaios-do-mangue*
papagaio-do-mar s.m.; pl. *papagaios-do-mar*
papagaio-do-peito-roxo s.m.; pl. *papagaios-do-peito-roxo*
papagaio-dos-mangues s.m.; pl. *papagaios-dos-mangues*
papagaio-dos-pinheiros s.m.; pl. *papagaios-dos-pinheiros*
papagaio-do-suriname s.m.; pl. *papagaios-do-suriname*
papagaio-goiaba s.m.; pl. *papagaios-goiaba* e *papagaios-goiabas*
papagaio-grego s.m.; pl. *papagaios-gregos*
papagaio-imperial s.m.; pl. *papagaios-imperiais*
papagaio-moleiro s.m.; pl. *papagaios-moleiros*
papagaio-poaeiro s.m.; pl. *papagaios-poaeiro* e *papagaios-poaeiros*
papagaio-real s.m.; pl. *papagaios-reais*
papagaios s.m.pl.
papagaio-serrano s.m.; pl. *papagaios-serranos*
papagaio-urubu s.m.; pl. *papagaios-urubu* e *papagaios-urubus*
papagaio-verdadeiro s.m.; pl. *papagaios-verdadeiros*
papagaísmo s.m.
papagaíto s.m.
papagalho s.m.
papa-galinhas s.2g.2n.
papagarro s.m.
papa-gente s.2g.; pl. *papa-gentes*
papago adj. s.m.
papa-goiaba adj. s.2g.; pl. *papa-goiabas*
papagoíta s.f.
papaguçar v.
papagueado adj.
papagueador (*ô*) adj. s.m.
papagueamento s.m.
papaguear v.
papagueio s.m.
papaguejar v.
papaguela s.f.
papa-hóstia s.2g.; pl. *papa-hóstias*
papa-hóstias s.2g.2n.
papai s.m.
papaia s.f.
papaiácea s.f.
papaiáceo adj.
papaieira s.f.
papai e mamãe s.m.2n.
papaiíneo s.m.
papaína s.f.
papai-noel s.m.; pl. *papais-noéis*
papaiotina s.f.
papaíra s.f.
papaíres s.m.2n.
papa-isca s.m.; pl. *papa-iscas*
papa-isca-açu s.m.; pl. *papa-iscas-açus*
papa-jantares s.2g.2n.
papa-jerimum adj. s.2g.; pl. *papa-jerimuns*
papal adj.2g.
papa-lagarta-norte-americano s.m.; pl. *papa-lagartas-norte-americanos*
papa-lagartas s.2g.2n.
papalão s.m.
papa-laranja s.2g.; pl. *papa-laranjas*
papalatria s.f.
papa-léguas s.2g.2n.
papalhaz s.m.
papalina s.f.
papalino adj. s.m.
papalvice s.f.
papalvo adj. s.m.
papalvro s.m.
papa-macaco s.m.; pl. *papa-macacos*
papa-mamão s.2g.; pl. *papa-mamões*
papamane s.m.
papa-mel s.m.; pl. *papa-méis* e *papa-meles*
papa-melense adj. s.2g.; pl. *papa-melenses*
papa-mico s.m.; pl. *papa-micos*
papa-milhas s.2g.2n.
papa-missas s.2g.2n.
papa-mosca s.m.; pl. *papa-moscas*
papa-mosca-real s.m.; pl. *papa-moscas-reais*
papa-moscas s.2g.2n. s.m.
papa-moscas-real s.m.; pl. *papa-moscas-reais*
papamóvel s.m.
papa-mundo s.m.; pl. *papa-mundos*
papaná adj. s.2g.
papa na caixa s.m.2n.
papanás adj. s.2g.2n.
papança s.f.
papandório s.m.
papanduvense adj. s.2g.
papangu s.m.
papa-níqueis s.m.2n.
papa-novenas s.2g.2n.
papão s.m.
papa-ostras s.2g.2n.
papa-ova s.f.; pl. *papa-ovas*
papa-ovas s.f.2n.
papa-ovo s.f.; pl. *papa-ovos*
papa-ovos s.m.f.2n.
papa-peixe s.m.; pl. *papa-peixes*
papa-pimenta s.m.; pl. *papa-pimentas*
papa-pinto s.m.; pl. *papa-pintos*
papa-pintos s.f.2n.
papa-piri s.m.; pl. *papa-piris*
papar v.
paparajuba s.f.
papa-rapazes s.m.2n.
papa-ratos s.m.2n.
paparaúba s.f.
paparaz s.m.
papari s.m.
paparicação s.f.
paparicado adj.
paparicador (*ô*) adj. s.m.
paparicalho s.m.
paparicante adj.2g.
paparicar v.
paparice s.f.
paparicho s.m.
paparico s.m.
paparicos s.m.pl.
papariense adj. s.2g.
paparim s.m.
papariúba s.f.
paparoca s.f.
paparota s.f.
paparotada s.f.
paparote s.m.
papa-roxo s.m.; pl. *papa-roxos*
paparraça s.f.
paparrão s.m.; f. *paparrona*
paparraz s.m.
paparreta (*ê*) adj. s.2g.
paparriba adv.
paparroia (*ó*) s.f.
paparrona s.f. de *paparrão*
paparrotada s.f.
paparrotagem s.f.
paparrotão adj. s.m.
paparrotar v.
paparrotear v.
paparrotice s.f.
paparuca s.f.
papa-santos s.2g.2n.
papa-sebo s.2g. s.m.; pl. *papa-sebos*

papa-sururu s.2g.; pl. *papa-sururus*
papata s.f.
papa-tabaco s.m.; pl. *papa-tabacos*
papatácico adj.
papatálico adj.
papataoca s.m.
papataz s.m.
papa-terra s.m.; pl. *papa-terras*
papa-terra-de-assovio s.m.; pl. *papa-terras-de-assovio*
papa-terra-de-mar-grosso s.m.; pl. *papa-terras-de-mar-grosso*
papa-terra-estrela s.m.; pl. *papa-terras-estrela* e *papa-terras-estrelas*
papa-terrinha s.m.; pl. *papa-terrinhas*
papaúlhe s.m.
papável adj.2g.
papa-vento s.m.; pl. *papa-ventos*
papáver s.m.
papaverácea s.f.
papaveráceo adj.
papaveral adj.2g.
papaveraldina s.f.
papaverale s.f.
papaveramina s.f.
papaverato s.m.
papavérea s.f.
papavérico adj.
papaverina s.f.
papaverinol s.m.
papaveróidea s.f.
papaveróideo adj.
papaverolina s.f.
papazana s.f.
papeá-guaçu s.m.; pl. *papeás-guaçus*
papeamento s.m. "ato de papear"; cf. *papiamento*
papear v.
papeata s.f.
papeateiro adj. s.m.
papeio s.m.
papeira s.f.
papeiro adj. s.m.
papejar v.
papel adj. s.2g. s.m.
papelada s.f.
papelado adj.
papelagem s.f.
papel-alumínio s.m.; pl. *papéis-alumínio* e *papéis-alumínios*
papelama s.f.
papelame s.m.
papelão s.m.
papelaré s.m.
papelareiro s.m.
papelaria s.f.
papel-arroz s.m.; pl. *papéis-arroz* e *papéis-arrozes*
papelázio s.m.
papel-bíblia s.m.; pl. *papéis-bíblia* e *papéis-bíblias*
papel-bond s.m.; pl. *papéis-bond*
papel-branco s.m.; pl. *papéis-brancos*
papel-bule s.m.; pl. *papéis-bule* e *papéis-bules*
papel-carbono s.m.; pl. *papéis-carbono* e *papéis-carbonos*
papel-cartão s.m.; pl. *papéis-cartão* e *papéis-cartões*
papel-carvão s.m.; pl. *papéis-carvão* e *papéis-carvões*
papel-celofane s.m.; pl. *papéis-celofane* e *papéis-celofanes*
papel-chupão s.m.; pl. *papéis-chupão* e *papéis-chupões*
papel-contínuo s.m.; pl. *papéis-contínuos*
papel-cuchê s.m.; pl. *papéis-cuchês*
papel da china s.m.
papeleira s.f.
papeleiro adj. s.m.
papelejo (*ê*) s.m.
papeleta (*ê*) s.f.
papelete (*ê*) s.m.
papeleto (*ê*) s.m.
papel-filtro s.m.; pl. *papéis-filtro* e *papéis-filtros*
papelico s.m. "pequeno papel"; cf. *papeliço*
papeliço s.m. "pequeno embrulho de papel"; cf. *papelico*
papel-ilustração s.m.; pl. *papéis-ilustração* e *papéis-ilustrações*
papelismo s.m.
papelista adj. s.2g.
papelístico adj.
papel-jornal s.m.; pl. *papéis-jornal* e *papéis-jornais*
papel-ladrão s.m.; pl. *papéis-ladrão* e *papéis-ladrões*
papel-manilha s.m.; pl. *papéis-manilha* e *papéis-manilhas*
papel-manteiga s.m.; pl. *papéis-manteiga* e *papéis-manteigas*
papel-moeda s.m.; pl. *papéis-moeda* e *papéis-moedas*
papelocracia s.f.
papelocrata s.2g.
papelocrático adj.
papel-ofício s.m.; pl. *papéis-ofício* e *papéis-ofícios*
papelonado adj.
papelonar v.
papelonear v.
papelório s.m.
papelorreia (*é*) s.f.
papelorreico (*é*) adj.
papelosa s.f.
papeloso (*ô*) adj.; f. (*ó*); pl. (*ó*)
papelote s.m.
papel-oxford s.m.; pl. *papéis-oxford*
papel-ozalide s.m.; pl. *papéis-ozalide*
papel-palha s.m.; pl. *papéis-palha* e *papéis-palhas*
papel-paquete s.m.; pl. *papéis-paquete* e *papéis-paquetes*
papel-pergaminho s.m.; pl. *papéis-pergaminho* e *papéis-pergaminhos*
papel-pigmento s.m.; pl. *papéis-pigmento* e *papéis-pigmentos*
papel-pluma s.m.; pl. *papéis-pluma* e *papéis-plumas*
papel-porcelana s.m.; pl. *papéis-porcelana* e *papéis-porcelanas*
papel-registro s.m.; pl. *papéis-registro*
papel-relâmpago s.m.; pl. *papéis-relâmpago* e *papéis-relâmpagos*
papel-tabaco s.m.; pl. *papéis-tabaco* e *papéis-tabacos*
papel-tela s.m.; pl. *papéis-tela* e *papéis-telas*
papel-título s.m.; pl. *papéis-título* e *papéis-títulos*
papelucho s.m.
papeludo adj.
papia s.m.
papiamento s.m. "crioulo de Curaçau"; cf. *papeamento*
papíao s.m.
papícola adj. s.2g.
papífero adj.
papiforme adj.2g.
papila s.f.
papiladenocistoma s.m.
papilar adj.2g.
papilária s.f.
papilectomia s.f.
papilectômico adj.
papiledema s.m.
papiledemático adj.
papiledematoso (*ô*) adj.; f. (*ó*); pl. (*ó*)
papilha s.f.
papilheiro adj.
papilho s.m.
papilhoso (*ô*) adj.; f. (*ó*); pl. (*ó*)
papilífero adj.
papiliforme adj.2g.
papílio s.m.
papilionácea s.f.
papilionáceo adj.
papilionada s.f.
papilionado adj.
papiliônida adj.2g. s.m.
papilionídeo adj. s.m.
papilionóidea s.f.
papilionóideo adj. s.m.
papilite s.f.
papilítico adj.
papilo s.m.
papiloesfincteroplastia s.f.
papiloesfincterotomia s.f.
papiloma s.m.
papilomático adj.
papilomatose s.f.
papilomatósico adj.
papilomatoso (*ô*) adj.; f. (*ó*); pl. (*ó*)
papilomatótico adj.
papilomavírus s.m.
papilorretínico adj.
papilorretinite s.f.
papilorretinítico adj.
papiloso (*ô*) adj.; f. (*ó*); pl. (*ó*)
papilossarcoma s.m.
papilossarcomático adj.
papilote s.m.
papilotomia s.f.
papilotômico adj.
papílula s.f.
papilulado adj.
papimania s.f.
papímano s.m.
papinho-amarelo s.m.; pl. *papinhos-amarelos*
papinho-encarnado s.m.; pl. *papinhos-encarnados*
papinianismo s.m.
papinianista adj. s.2g.
papiniano adj.
pápio s.m.
papiráceo adj.
papireiro s.m.
papíreo adj.
papiri s.m.
papirífero adj.
papiriforme adj.2g.
papirina s.f.
papiristite s.f.
papiro s.m.
papiro-brasileiro s.m.; pl. *papiros-brasileiros*
papiro-do-egito s.m.; pl. *papiros-do-egito*
papirófago adj.
papirofléctico adj.
papiroflexia (*cs*) s.f.
papirografia s.f.
papirográfico adj.
papirógrafo s.m.
papirola s.f.
papirólito s.m.
papirologia s.f.
papirológico adj.
papirologista s.m.
papirólogo s.m.
papironga s.f.
papirongueiro s.m.
papiroteca s.f.
papirotecário adj. s.m.
papisa s.f.
papismo s.m.
papista adj. s.2g.
papístico adj.
papita s.f.
papo s.m.
papo-amarelo s.m.; pl. *papos-amarelos*
papo-branco s.m.; pl. *papos-brancos*
papoca s.f.
papocar v.
papoco (*ô*) s.m.; cf. *papoco*, fl. do v. *papocar*
papo de almíscar s.m.
papo de anjo s.m. "doce feito com gemas de ovos"
papo-de-anjo s.m. "espécie de arbusto"; pl. *papos-de-anjo*
papo-de-fogo s.m.; pl. *papos-de-fogo*
papo-de-galo s.m.; pl. *papos-de-galo*
papo de mutum s.m.
papo-de-pavão s.m.; pl. *papos-de-pavão*
papo-de-peru s.m.; pl. *papos-de-peru*
papo-de-peru-de-babado s.m.; pl. *papos-de-peru-de-babado*
papo-de-peru-do-grande s.m.; pl. *papos-de-peru-do-grande*
papo-de-peru-do-miúdo s.m.; pl. *papos-de-peru-do-miúdo*
papo de pomba s.m.
papo de rola s.m.
papo-de-vento s.m.; pl. *papos-de-vento*
papões s.m.pl.
papo-feito s.m.; pl. *papos-feitos*
papo-firme adj. s.2g.; pl. *papos-firmes*
papofóreo adj.
papóforo s.m.
papo-furado adj. s.2g. s.m.; pl. *papos-furados*
papoia (*ó*) s.f.
papoiço s.m.
papoila s.f.
papoila-bracteada s.f.; pl. *papoilas-bracteadas*
papoila-da-califórnia s.f.; pl. *papoilas-da-califórnia*
papoila-das-praias s.f.; pl. *papoilas-das-praias*
papoila-de-espinho s.f.; pl. *papoilas-de-espinho*
papoila-de-holanda s.f.; pl. *papoilas-de-holanda*
papoila-de-méxico s.f.; pl. *papoilas-de-méxico*
papoila-de-são-francisco s.f.; pl. *papoilas-de-são-francisco*
papoila-do-méxico s.f.; pl. *papoilas-do-méxico*
papoila-do-oriente s.f.; pl. *papoilas-do-oriente*
papoila-do-são-francisco s.f.; pl. *papoilas-do-são-francisco*
papoila-espinhosa s.f.; pl. *papoilas-espinhosas*
papoila-grande s.f.; pl. *papoilas-grandes*
papoilal s.m.
papoila-longa s.f.; pl. *papoilas-longas*
papoila-longa-peluda s.f.; pl. *papoilas-longas-peludas*
papoila-ordinária s.f.; pl. *papoilas-ordinárias*
papoila-ordinária-de-flor-dobrada s.f.; pl. *papoilas-ordinárias-de-flor-dobrada*
papoila-pelada s.f.; pl. *papoilas-peladas*
papoila-peluda s.f.; pl. *papoilas-peludas*
papoila-pontuda s.f.; pl. *papoilas-pontudas*
papoilar v.
papoila-rubra s.f.; pl. *papoilas-rubras*
papoila-vermelha s.f.; pl. *papoilas-vermelhas*
papola s.2g.
papólatra s.m.
papolatria s.f.
papolátrico adj.
papolina s.f.
papolino adj.
papo-roxo s.m.; pl. *papos-roxos*
papo-seco s.m.; pl. *papos-secos*
paposita s.f.
paposite s.f.
paposo (*ô*) adj.; f. (*ó*); pl. (*ó*)
papote s.m.
papoucar v.
papouco s.m.
papouço s.m.
papoula s.f.
papoula-bracteada s.f.; pl. *papoulas-bracteadas*
papoula-comum s.f.; pl. *papoulas-comuns*
papoula-da-califórnia s.f.; pl. *papoulas-da-califórnia*
papoula-das-praias s.f.; pl. *papoulas-das-praias*
papoula-das-searas s.f.; pl. *papoulas-das-searas*
papoula-de-duas-cores s.f.; pl. *papoulas-de-duas-cores*
papoula-de-espinho s.f.; pl. *papoulas-de-espinho*
papoula-de-holanda s.f.; pl. *papoulas-de-holanda*
papoula-de-são-francisco s.f.; pl. *papoulas-de-são-francisco*
papoula-do-méxico s.f.; pl. *papoulas-do-méxico*
papoula-do-oriente s.f.; pl. *papoulas-do-oriente*
papoula-do-são-francisco s.f.; pl. *papoulas-do-são-francisco*
papoula-dos-cereais s.f.; pl. *papoulas-dos-cereais*
papoula-espinhosa s.f.; pl. *papoulas-espinhosas*
papoula-grande s.f.; pl. *papoulas-grandes*
papoulal s.m.
papoula-longa s.f.; pl. *papoulas-longas*
papoula-longa-peluda s.f.; pl. *papoulas-longas-peludas*
papoula-ordinária s.f.; pl. *papoulas-ordinárias*
papoula-ordinária-de-flor-dobrada s.f.; pl. *papoulas-ordinárias-de-flor-dobrada*
papoula-pelada s.f.; pl. *papoulas-peladas*
papoula-peluda s.f.; pl. *papoulas-peludas*
papoula-pontuda s.f.; pl. *papoulas-pontudas*
papoular v.
papoula-rubra s.f.; pl. *papoulas-rubras*
papoula-vermelha s.f.; pl. *papoulas-vermelhas*
papoula-vermelha-dos-campos s.f.; pl. *papoulas-vermelhas-dos-campos*
papoulense adj. s.2g.
papovaviro s.m.
papovavírus s.m.2n.
páprica s.f.
papu adj. s.2g. s.m.
papua adj. s.2g. "povo"; cf. *papuã*
papuã s.m. "planta"; cf. *papua*
papuásico adj. s.m.
papuásio adj. s.m.
papuco s.m.
papudinha s.f.
papudinho s.m.
papudo adj.

papuíra s.f.
papujar v.
pápula s.f.
papulação s.f.
papulado adj.
papulagem s.f.
papular adj.2g.
papuleritematoso (ô) adj.; f. (ó); pl. (ó)
papulífero adj.
papuliforme adj.2g.
pápulo s.m.
papuloeritematoso (ô) adj.; f. (ó); pl. (ó)
papuloide (ó) adj.2g.
papulopustuloso (ô) adj.; f. (ó); pl. (ó)
papulose s.f.
papuloso (ô) adj.; f. (ó); pl. (ó)
papulovesiculoso (ô) adj.; f. (ó); pl. (ó)
papuo-neoguineense adj.2g.; pl. *papuo-neoguineenses*
papuo-neoguineia (é) adj. s.f. de *papuo-neoguinéu*; pl. *papuo-neoguineias*
papuo-neoguinéu adj. s.m.; f. *papuo-neoguineia*; pl. *papuo-neoguinéus*
papuo-novo-guineense adj. s.2g.; pl. *papuo-novo-guineenses*
papuriense adj. s.2g.
papusso s.m.
paquã s.f.
paquara s.m.
paquarima s.m.
paquaruína s.m.
paquê s.m.
paquebote s.m.
paqueboteiro s.m.
paqueiração s.f.
paqueirada s.f.
paqueirador (ô) adj. s.m.
paqueirar v.
paqueiro adj. s.m.
paqueló s.m.
paquense adj. s.2g.
paquequerense adj. s.2g.
paquera s.m.f.
paqueração s.f.
paquerador (ô) adj. s.m.
paquerar v.
paqueretê s.f.
paqueta (ê) s.f.
paquetaense adj. s.2g.
paquete s.m. "conjunto das qualidades de pelo para fabricação de chapéus"; cf. *paquete* (ê)
paquete (ê) adj.2g. s.m. "elegante", "navio"; cf. *paquete*
paqueteiro s.m.
paquevira s.f.
paquevirense adj. s.2g.
paquibátron s.m.
paquiblefarose s.f.
paquiblefarósico adj.
paquiblefarótico adj.
paquibráquio s.m.
paquíbraquis s.m.2n.
paquicamense adj. s.2g.
paquícara s.f.
paquicarpo adj.
paquicaule adj.2g.
paquicefalia s.f.
paquicefálico adj.
paquicefalíneo adj. s.m.
paquicéfalo adj. s.m.
paquicefalossalrídeo adj. s.m.
paquicefalossauro s.m.
paquicerina s.f.
paquícero s.m.
paquiclado adj.
paquiclemo adj.
paquiclena s.f.
paquicnêmia s.f.
paquicóccix (cs) s.m.2n.
paquícoris s.m.2n.
paquicoroidite s.f.
paquidactilia s.f.
paquidáctilo adj. s.m.
paquidai adj. s.2g.
paquidatilia s.f.
paquidátilo adj. s.m.
paquídemas s.m.2n.
paquidemíneo adj. s.m.
paquídemo s.m.
paquidendro s.m.
paquidermatocele s.f.
paquidermatocélico adj.
paquiderme adj.2g. s.m.
paquidermia s.f.
paquidérmico adj.
paquidermo adj. s.m.
paquidermoperiostose s.f.
paquidisco s.m.
paquidrilo s.m.
paquidróbia s.f.
paquifado adj.
paquife s.m.
paquifilo adj.
paquifleu s.m.
paquigástrico adj.
paquigiria s.f.
paquígnata s.f.
paquígnato s.m.
paquigônea s.f.
paquigôneo adj.
paquigrapso s.m.
paquilabra s.m.
paquilasma s.m.
paquilélaps s.m.2n.
paquilêmure s.m.
paquilemuriano s.m.
paquilemurídeo s.m.
paquilépide s.f.
paquileptomeningite s.f.
paquília s.f.
paquílobo s.m.
paquilócero s.m.
paquiloma s.m.
paquilômera s.f.
paquilômero s.m.
paquílopo s.m.
paquilópode s.m.
paquilótomo s.m.
páquima s.m.
paquimena s.f.
paquimeninge s.f.
paquimeningite s.f.
paquimeningítico adj.
paquimerina s.f.
paquímero s.m.
paquimerócero s.m.
paquimetópon s.m.
paquimetria s.f.
paquimétrico adj.
paquímetro s.m.
paquimorfo s.m.
paquina s.f.
paquinema s.f.
paquineura s.f.
paquineuro s.m.
paquinha s.f.
paquinha-das-hortas s.f.; pl. *paquinhas-das-hortas*
paquino s.m.
paquinólofo s.m.
paquinomíneo adj. s.m.
paquínomo s.m.
paquinose s.f.
paquinósico adj.
paquinótico adj.
paquiodonte s.m.
paquioníquia s.f.
paquionixe (cs) s.f.
paquiotênico adj.
paquióteno s.m.
paquipalpo s.m.
paquiperiostite s.f.
paquipeza s.f.
paquiplectro s.m.
paquipleura s.f.
paquipleuris s.2g.
paquipleurite s.f.
paquipleuro s.m.
paquipodântio s.m.
paquípode adj.2g. s.m.
paquipódio s.m.
paquiptero s.m.
paquiquila s.f.
paquiquimia s.f.
paquiquímico adj.
paquirina s.f.
paquirrinco adj. s.m.
paquirrinia s.f.
paquirrino adj. s.m.
paquirrínquido adj. s.m.
paquirrizo s.m.
paquíscelo s.m.
paquísquelo s.m.
paquissalpingite s.f.
paquissalpingítico adj.
paquissandro s.m.
paquísseris s.m.2n.
paquíssoma s.m.
paquissomo s.m.
paquistanense adj. s.2g.
paquistanês adj. s.m.
paquistani adj. s.2g.
paquístaque s.m.
paquistela s.f.
paquistêmone s.m.
paquístico adj.
paquistigma s.m.
paquístoma s.m.
paquistômias s.m.2n.
paquístomo s.m.
paquistroma s.m.
paquitélia s.f.
paquitena s.f.
paquitênico adj.
paquiteno adj. s.m.
paquitério s.m.
paquitíquio s.m.
paquito s.m.
paquítoma s.f.
paquitomela s.f.
paquítone s.f.
paquítria s.f.
paquítrica s.f.
paquítrico adj.
paquitritão s.m.
paquítroca s.f.
paquiúro s.m.
paquiurônis s.m.2n.
paquivaginalite s.f.
paquivaginite s.f.
paquiviri s.m.
paquíxifo (cs) s.m.
par adj.2g. s.m.
para prep.; cf. *pará* s.m.
pará s.m. "terreiro"; cf. *para* prep. e fl. do v. *parar*
paraamboia (ó) s.f.
para-apendicite s.f.
para-axial (cs) adj.2g.
parabacilo s.m.
parabactéria s.f.
para-balas s.m.2n.
parabanato s.m.
parabânico adj.
parabão s.m.
parabasal adj.2g.
parábase s.f.
parabásico adj.
parábata s.m.
parábato s.m.
parabayldonita s.f.
parabelmino s.m.
parabelo s.2g.
parabélum s.2g.
parabém s.m.
parabena s.f.
parabenização s.f.
parabenizado adj.
parabenizador (ô) adj. s.m.
parabenizante adj.2g.
parabenizar v.
parabéns s.m.pl.
parabenzina s.f.
parabenzínico adj.
parabenzoquinona s.f.
parabenzoquinônico adj.
parábia s.f.
parabignônia s.f.
parabiju s.m.
parabiologia s.f.
parabiológico adj.
parabiologista adj. s.2g.
parabiólogo s.m.
parabionte adj.2g. s.m.
parabiose s.f.
parabiótico adj.
parablástico adj.
parablasto s.m.
parabléfaro s.m.
parábola s.f.
parabolânio s.m.
parabolano s.m.
parabolão s.m.
parabolário s.m.
parabolicidade s.f.
parabólico adj.
parabolismo s.m.
parabolista s.2g.
parabolização s.f.
parabolizado adj.
parabolizar v.
parabolocrato s.m.
paraboloidal adj.2g.
paraboloide (ó) adj.2g. s.m.
parabóreo adj.
parabotulismo s.m.
parabouquécia s.f.
parabrepé s.m.
parabrepê s.m.
para-brisa s.m.; pl. *para-brisas*
parabromaleato s.m.
parabromaleico (é) adj.
parabronema s.m.
parabrônquio s.m.
parabu s.m.
parabulia s.f.
parabutlerita s.f.
parabuxina (cs) s.f.
paracaí s.m.
paracalano s.m.
paracalissomo s.m.
paracalo s.m.
paracambiense adj. s.2g.
paracambuquense adj. s.2g.
paracanã adj. s.2g.
paracanaxi s.m.
paração s.f.
paracardióforo s.m.
paracari s.m.
paracarpelo s.m.
paracárpio s.m.
paracarpo s.m.
paracartamina s.f.
paracaseína s.f.
paracatas s.f.pl.
paracatejê-gavião adj. s.2g.; pl. *paracatejês-gaviões*
paracatu s.m.
paracatuense adj. s.2g.
paracaúba s.f.
paracaúba-doce s.f.; pl. *paracaúbas-doces*
paraçava s.m.
paracaxi s.m.
paracefalia s.f.
paracefaliano s.m.
paracefálico adj.
paracéfalo s.m.
paracele s.f.
paracelsiano s.m.
paracelsismo s.m.
paracelsista adj. s.2g.
paracelsístico adj.
paracelulose s.f.
para-centelhas s.m.2n.
paracentese s.f.
paracentral adj.2g.
paracêntrico adj.
paracentroto s.m.
paraceratose s.f.
paraceratósico adj.
paraceratótico adj.
paracércion s.m.
paracetamol s.m.
parachim s.m.
para-chispas s.m.2n.
para-choque s.m.; pl. *para-choques*
parachor s.m.
parachute s.m.
para-chuva s.f.; pl. *para-chuvas*
paracianato s.m.
paraciânico adj.
paraciano s.m.
paracianogênio s.m.
paraciato s.m.
paraciclo s.m.
paracicloide (ó) adj.2g. s.f.
paraciesia s.f.
paraciésico adj.
paraciético adj.
paracifocário s.m.
paracimo s.m.
paracinância s.f.
paracinâncico adj.
paracinanque s.f.
paracinanquia s.f.
paracinânquico adj.
paracinema s.m.
paracinesia s.f.
paracinético adj.
para-cinzas s.m.2n.
paracismeiro s.m.
paracismice s.f.
paracismo s.m.
paracistite s.f.
paracistítico adj.
paracisto s.m.
paracítrico adj.
paraclâmide s.f.
paráclase s.f.
paraclásico adj.
paracleteadura s.f.
paracletear v.
paraclético adj.
paracleto s.m.
paraclímace s.m.
paraclímax (cs) s.m.2n.
paráclito s.m.
paraclorita s.f.
paraclorofenol s.m.
paracmástico adj.
paracme s.f.
paracmeodora s.f.
paracoccidioico (ó) adj.
paracoccidioidácea s.f.
paracoccidioide (ó) adj.2g. s.m.
paracoccidioidomicose s.f.
paracoccidioidomicótico adj.
paracólera s.f.
paracolérico adj.
paracolia s.f.
paracolibacilar adj.2g.
paracolibacilo s.m.
paracólico adj.
paracolite s.f.
paracolpite s.f.
paracolumbita s.f.
paracolumbite s.f.
paracomênico adj.
paracone s.m.
paraconforme adj.2g.
paraconformidade s.f.
paraconicina s.f.
paracônico adj.
paracônide s.f.
paracônido s.m.
paraconiina s.f.
paraconina s.f.
paraconjugal adj.2g.
paracônulo s.m.
paracoquimbita s.f.
parácora s.f.
paracordodo s.m.
paracorita s.f.
paracorite s.f.
paracoro (ô) s.m.
paracorola s.f.
paracoronal adj.2g. s.m.
para-costas s.m.2n.
paracostibita s.f.
paracoto s.m.
paracotoína s.f.
paracresol s.m.
paracrífia s.f.
paracrifiácea s.f.
paracrifiáceo adj.
paracrisotilo s.m.
paracristalino adj.
paracromático adj.
paracromatina s.f.
paracromatismo s.m.

paracromatóforo adj.
paracromatopsia s.f.
paracronismo s.m.
paráctida adj.2g. s.m.
paractídeo s.m.
paractídia s.f.
paráctio s.m.
paráctis s.f.2n.
paracuã s.m.
paracuaense adj. s.2g.
paracumarato s.m.
paracumárico adj.
paracumba s.f.
paracuri s.m.
paracuruense adj. s.2g.
paracusia s.f.
paracúsico adj.
paracústico adj.
paracutaca s.f.
paracutaca-da-terra-firme s.f.; pl. *paracutacas-da-terra--firme*
paracuuba s.f.
paracuuba-branca s.f.; pl. *paracuubas-brancas*
paracuuba-branca--do-estuário s.f.; pl. *paracuubas-brancas-do--estuário*
paracuuba-cheirosa s.f.; pl. *paracuubas-cheirosas*
paracuuba-cheirosa-da--várzea s.f.; pl. *paracuubas--cheirosas-da-várzea*
paracuuba-da-terra-firme s.f.; pl. *paracuubas-da-terra--firme*
paracuuba-da-várzea s.f.; pl. *paracuubas-da-várzea*
paracuuba-de-lei s.f.; pl. *paracuubas-de-lei*
paracuuba-de-leite s.f.; pl. *paracuubas-de-leite*
paracuuba-de-terra-firme s.f.; pl. *paracuubas-de-terra--firme*
paracuuba-doce s.f.; pl. *paracuubas-doces*
paracuubal s.m.
paracuuba-vermelha s.f.; pl. *paracuubas-vermelhas*
paracuuba-vermelha--do-estuário s.f.; pl. *paracuubas-vermelhas-do--estuário*
parada s.f.
paradáctilo s.m.
paradamita s.f.
paradão adj. s.m.
paradátilo s.m.
paradear v.
paradeira s.f.
paradeiro s.m.
paradela s.f.
paradelha (*ê*) s.f.
paradelho (*ê*) s.m.
parádema s.m.
paradense adj. s.2g.
paradental adj.2g.
paradentário adj.
paradentose s.f.
paradesmose s.f.
paradiafonia s.f.
paradiástole s.f.
paradiastólico adj.
paradiazeuxe (*cs*) s.f.
paradiazina s.f.
paradiclorobenzeno s.m.
paradidático adj.
paradídimo s.m.
paradifenol s.m.
paradigala s.f.
paradigalo s.m.
paradigitado adj.
paradigma s.m.
paradigmal adj.2g.
paradigmática s.f.
paradigmático adj.
paradigmatização s.f.
paradigmatizado adj.
paradigmatizar v.
paradígmico adj.
paradinamia s.f.
paradinâmico adj.
paradioxibenzol (*cs*) s.m.
paradipato s.m.
paradípico adj.
paradipimalato s.m.
paradipimálico adj.
paradiplomático adj.
paradiplomístax (*cs*) s.m.2n.
paradiseida adj.2g. s.m.
paradiseídeo adj. s.m.
paradiseíneo adj. s.m.
paradisense adj. s.2g.
paradísia s.f.
paradisíaco adj.
paradisial adj.2g.
paradisianto s.m.
paradísico adj.
paradista adj. s.2g.
parado adj.
paradocrasita s.f.
paradoiro s.m.
parador (*ô*) adj. s.m.
paradouro s.m.
paradoxal (*cs*) adj.2g.
paradoxalidade (*cs*) s.f.
paradoxar (*cs*) v.
paradoxiano (*cs*) adj. s.m.
paradóxide (*cs*) s.m.
paradoxidiano (*cs*) adj. s.m.
paradoxismo (*cs*) s.m.
paradoxista (*cs*) adj. s.2g.
paradoxístico (*cs*) adj.
paradoxita (*cs*) s.f.
paradoxite (*cs*) s.f.
paradoxites (*cs*) s.m.2n.
paradoxo (*cs*) adj. s.m.
paradoxógrafo (*cs*) s.m.
paradoxologia (*cs*) s.f.
paradoxológico (*cs*) adj.
paradoxólogo (*cs*) s.m.
paradoxomorfa (*cs*) s.f.
paradoxórnis (*cs*) s.2g.2n.
paradoxornite (*cs*) s.2g.
paradoxóstoma (*cs*) s.m.
paradoxóstomo (*cs*) s.m.
paradoxurino (*cs*) adj. s.m.
paradoxuro (*cs*) s.m.
paradrilo s.m.
paradrômio s.m.
parádromo s.m.
paraeconômico adj.
paraedrita s.f.
paraelagato s.m.
paraelágico adj.
paraeléctrico s.m.
paraelectronomia s.f.
paraelétrico s.m.
paraeletrônico adj.
paraeletronomia s.f.
paraélico adj.
paraélio s.m.
paraemiedria s.f.
paraemofilia s.f.
paraemofílico adj.
paraense adj. s.2g.
paraepidídimo s.m.
paraescarlatina s.f.
paraesculetina s.f.
paraesfenoide (*ó*) adj.2g.
paraestatal adj.2g.
paraestilbita s.f.
para-estilhaços s.m.2n.
para-estopilha s.m.; pl. *para--estopilhas*
paraexilênico (*cs*) adj.
paraexileno (*cs*) s.m.
parafagia s.f.
parafantasia s.f.
paráfase s.f.
parafasia s.f.
parafásico adj.
parafemia s.f.
parafêmico adj.
parafenetidina s.f.
parafenetolcarbamida s.f.
parafenilenodiamina s.f.
parafeno s.m.
parafenodisco s.m.
parafernal adj. s.2g.
parafernália s.f.
parafernalidade s.f.
paraferro s.m.
parafia s.f.
parafilária s.f.
parafilariose s.f.
parafilético adj.
parafilia s.f.
parafilo s.m.
parafimose s.f.
parafimósico adj.
parafimótico adj.
parafina s.f.
parafinação s.f.
parafinado adj.
parafinagem s.f.
parafinar v.
parafinaria s.f.
parafínico adj.
parafinina s.f.
parafinizacão s.f.
parafinizado adj.
parafinizar v.
parafinoma s.m.
para-fios s.m.2n.
parafisado adj.
parafiscal adj.2g.
parafiscalidade s.f.
paráfise s.f.
parafisíforo adj.
parafisógono s.m.
parafisoide (*ó*) adj.2g. s.m.
parafitas s.m.2n.
paráfito s.m.
paraflebite s.f.
parafleu s.m.
para-fogo s.m.; pl. *para-fogos*
parafonia s.f.
parafônico adj.
parafonista s.2g.
paráfora s.f.
paraformaldeído s.m.
parafórmio s.m.
parafosfático adj.
parafosfato s.m.
parafosfórico adj.
parafotografia s.f.
parafotográfico adj.
parafractura s.f.
parafracturo s.m.
paráfrase s.f.
parafraseado adj.
parafraseador (*ô*) adj. s.m.
parafrasear v.
parafrasia s.f.
parafrásico adj.
parafrasta s.2g.
parafraste s.2g.
parafrástico adj.
parafrenesia s.f.
parafrenia s.f.
parafrênico adj.
parafrenite s.f.
parafronia s.f.
parafrônico adj.
parafrósine s.f.
parafrosínico adj.
parafucsina s.f.
parafumarato s.m.
parafumárico adj.
parafusa s.f.
parafusação s.f.
parafusado adj.
parafusador (*ô*) adj. s.m.
parafusante adj.2g.
parafusão adj. s.m.
parafusar v.
parafusaria s.f.
parafusense adj. s.2g.
parafuso s.m.
paragaia s.f.
paragalactana s.f.
paragamacismo s.m.
paragamatismo s.m.
paragamia s.f.
paragâmico adj.
paraganas s.m.pl.
paragânglio s.m.
paraganglioma s.m.
paraganglionar adj.2g.
paragão s.m.
paragata s.f.
paragem s.f.
paragênese s.f.
paragenesia s.f.
paragenésico adj.
paragenético adj.
paragenita adj. s.2g.
parageusia s.f.
paragêusico adj.
parageustia s.f.
paragêustico adj.
paraglioxal (*cs*) adj.2g. s.m.
paraglobulina s.f.
paraglossa s.f.
paraglossia s.f.
paraglosso s.m.
paragluconato s.m.
paraglucônico adj.
paragnaisse s.m.
paragnáissico adj.
paragnaissoso (*ô*) adj.; f. (*ó*); pl. (*ó*)
parágnata s.m.
paragnatia s.f.
paragnátida s.f.
paragnátide s.f.
parágnato adj. s.m.
paragnosia s.f.
párago s.m.
paragoge s.f.
paragógica s.f.
paragógico adj.
paragolciano adj.
paragonar v.
paragonáster s.m.
paragonfose s.f.
paragônia s.f.
paragoniate s.m.
paragonimíase s.f.
paragônimo s.m.
paragonimose s.f.
paragonita s.f.
paragonite s.f.
paragonítico adj.
paragórgia s.f.
paragrafação s.f.
paragrafado adj.
paragrafar v.
paragrafia s.f.
paragráfico adj.
parágrafo s.m.; cf. *paragrafo*, fl. do v. *paragrafar*
paragrama s.m.
paragramatismo s.m.
paragranuloma s.m.
paragripoptérige s.f.
paragripópterix (*cs*) s.f.2n.
paragrúbia s.f.
paraguá adj. s.2g.
paraguaçu s.m.
paraguaçuense adj. s.2g.
paraguaçu-paulistense adj. s.2g.; pl. *paraguaçu--paulistenses*
paraguaí s.m.
paraguaia s.f.
paraguaiano adj. s.m.
paraguaiense adj. s.2g.
paraguaio adj. s.m.
paraguanajuatita s.f.
paraguariense adj. s.2g.
paraguatá s.m.
paraguatã s.m.
para-hélio s.m.
para-hidrogênico adj.
para-hidrogênio s.m.
para-história s.m.
parahopeíta s.f.
paraíba s.m.f.
paraibamirim s.f.
paraíba-mirim s.f.; pl. *paraíbas-mirins*
paraibanense adj. s.2g.
paraibanidade s.f.
paraibano adj. s.m.
paraibense adj. s.2g.
paraibunense adj. s.2g.
paraidrogênico adj.
paraidrogênio s.m.
paraiense adj. s.2g.
parailgardita s.f.
parailmenita s.f.
parailmenite s.f.
parainfluenza s.f.
paraipabense adj. s.2g.
paraisense adj. s.2g.
paraisense-do-norte adj. s.2g.; pl. *paraisenses-do-norte*
paraíso s.m.
paraisolandense adj. s.2g.
paraisolandiense adj. s.2g.
paraisopolense adj. s.2g.
paraisopolitano adj. s.m.
paraitinguense adj. s.2g.
paraitiri adj. s.2g.
paraitunga adj. s.2g.
paraiuvense adj. s.2g.
parajá s.f.
parajamesonita s.f.
paraju s.m.
parajuba s.f.
parajuense adj. s.2g.
parajuruense adj. s.2g.
parakhnita s.f.
paral s.m.
paraláctico adj.
paralagma s.m.
paralalia s.f.
paralálico adj.
para-lama s.m.; pl. *para-lamas*
paralambdacismo s.m.
paralamprope s.m.
paralâmpsia s.f.
paralâmptico adj.
paralático adj.
paralaurionita s.f.
paralaurionite s.f.
paralaxe (*cs*) s.f.
paralaxia (*cs*) s.f.
paraláxico (*cs*) adj.
paralbumina s.f.
paraldeído s.m.
paraldol s.m.
paralecânio s.m.
paralectótipo s.m.
paraleirode s.m.
paralela s.f.
paralelas s.f.pl.
paralelepipedal adj.2g.
paralelepipédico adj.
paralelepípedo s.m.
paralélico adj.
paralelidade s.f.
paralelígero s.m.
paralelinervado adj.
paralelinérveo adj.
paralelismo s.m.
paralelística s.f.
paralelístico adj.
paralelivenoso (*ô*) adj.; f. (*ó*); pl. (*ó*)
paralelização s.f.
paralelizado adj.
paralelizar v.
paralelizável adj.2g.
paralelo adj. s.m.
paralelocinesia s.f.
paralelocinético adj.
paralelódromo adj.
paralelografia s.f.
paralelográfico adj.
paralelógrafo s.m.
paralelogrâmico adj.
paralelogramo s.m.
paraleloquinesia s.f.
paralelótropo adj.
paralépide s.f.
paralepidíneo s.m.
parálepis s.f.2n.
paralergia s.f.
paralérgico adj.
paralergina s.f.
paraleu s.m.
paralexia (*cs*) s.f.
paraléxico (*cs*) adj.
paralheiro s.m.
paraliáctico adj.
paraliano adj.
parálico adj.
paralictiídeo adj. s.m.
paralíctis s.m.2n.
paralinguagem s.f.

paralinguístico (*ü*)
parálio adj.
paralíparis s.m.2n.
paralipômenos s.m.pl.
paralipse s.f.
paralíptico adj.
paralisação s.f.
paralisado adj.
paralisador (*ô*) adj. s.m.
paralisante adj.2g.
paralisar v.
paralisável adj.2g.
parálise s.f.; cf. *paralise*, fl. do v. *paralisar*
paralisia s.f.
paralissense adj. s.2g.
paraliteratura s.f.
paraliticar v.
paralítico adj. s.m.; cf. *paralitico*, fl. do v. *paraliticar*
paraliturgia s.f.
paralitúrgico adj.
páralo s.m.
paralogia s.f.
paralógico adj.
paralogismo s.m.
paralogita s.f.
paralogite s.f.
paralogizar v.
paraluminita s.f.
paraluminite s.f.
para-luz s.m.; pl. *para-luzes*
paralves s.f.2n.
paramaca adj. s.2g.
paramagnético adj.
paramagnetismo s.m.
paramaleato s.m.
paramaleico adj.
paramanense adj. s.2g.
paramanicócoris s.m.2n.
paramarioba s.f.
paramastigota s.m.
paramastite s.f.
parambeju s.m.
parambelo s.m.
parambuense adj. s.2g.
parambulacrário adj.
parameba s.f.
paramécero s.m.
paramecídeo adj. s.m.
paramecíneo adj. s.m.
paramécio s.m.
paramecônico adj.
paramecossoma s.m.
paramedicina s.f.
paramedicinal adj.2g.
paramédico adj. s.m.
paramelaconita s.f.
paramelaconite s.f.
parameles s.m.2n.
paramélico adj.
paramélopo s.m.
paramelópode s.m.
paramenia s.f. "perturbação menstrual"; cf. *paramênia*
paramênia s.f. "molusco"; cf. *paramenia*
paramênico adj.
paramenisco s.m.
paramenispermina s.f.
paramentação s.f.
paramentado adj.
paramentador (*ô*) adj. s.m.
paramentar v.
paramentável adj.2g.
paramenteira s.f.
paramenteiro s.m.
paramento s.m.
paramentoso (*ô*) adj.; f. (*ó*); pl. (*ó*)
paramérico adj.
paramério s.m.
parâmero s.m.
parâmese s.f.
paramésia s.f.
parametamórfico adj.
parametamorfose s.f.
parametamorfoseado adj.
parametamorfoseador (*ô*) adj.
parametamorfoseamento s.m.
parametamorfoseante adj.2g.
parametamorfosear v.
parametamorfoseável adj.2g.
parametamorfótico adj.
parametatacamita s.f.
paramétope s.f.
parametrial adj.2g.
paramétrico adj.
paramétrio s.m.
parametrismo s.m.
parametrite s.f.
parametrítico adj.
parametrização s.f.
parametrizado adj.
parametrizante adj.2g.
parametrizar v.
parametrizável adj.2g.
parâmetro s.m.
paramicetoma s.m.
paramicipa s.m.
paramida s.f.
paramido s.m.
paramidofenol s.m.
paramiísia s.f.
paramilitar adj.2g.
paramilitarização s.f.
paramilitarizado adj.
paramilitarizar v.
paramilo s.m.
paramilodonte s.m.
paramimia s.f.
paramímico adj.
pará-mineiro adj. s.m.; pl. *pará-mineiros*
pará-minense adj. s.2g.; pl. *pará-minenses*
paraminobenzoico (*ó*) adj. s.m.
paraminofenol s.m.
paramino-hipúrico adj.; pl. *paramino-hipúricos*
paraminoipúrico adj.
paraminossalicílico adj.
paramioclonia s.f.
paramioclônico adj.
paramióclono s.m.
paramiotomia s.f.
paramiotonia s.f.
paramiotônico adj.
paramirim s.m.
paramirinense adj. s.2g.
paramirinhense adj. s.2g.
paramiscocítaro s.m.
paramisgurno s.m.
paramitia s.f.
paramítico adj.
paramitoma s.m.
paramítrax (*cs*) s.m.2n.
paramitrofenina s.f.
paramixoviro (*cs*) s.m.
paramixovírus (*cs*) s.m.2n.
paramnesia s.f.
paramnésia s.f.
paramnésico adj.
paramnéstico adj.
paramnético adj.
paramo s.m. "lareira"; cf. *páramo*
páramo s.m. "planície deserta"; cf. *paramo*
paramolar adj.2g.
paramologia s.f.
paramológico adj.
paramônada s.f.
paramonádida adj.2g. s.m.
paramonadídeo adj. s.m.
parámonis s.f.2n.
paramontmorillonita s.f.
paramontroseíta s.f.
paramórfico adj.
paramorfina s.f.
paramorfismo s.m.
paramorfo adj.
paramotiense adj. s.2g.
paramucato s.m.
paramúcico adj.
paramuríceo adj. s.m.
para-muro s.m.; pl. *para-muros*
paramusia s.f.
paramúsico adj.
paramutualismo s.m.
paraná s.m.
paranã s.m.
paranabiense adj. s.2g.
paranaboia (*ó*) s.m.
paranacitense adj. s.2g.
paranacityense adj. s.2g.
paranado adj.
paranaense adj. s.2g.
paranãense adj. s.2g.
paranaftalina s.f.
paranaftalose s.f.
paranaguaçuense adj. s.2g.
paranaguaense adj. s.2g.
paranaibano adj. s.m.
paranaibense adj. s.2g.
paranaiense adj. s.2g.
paranajiense adj. s.2g.
paranambuca s.f.
paraná-mirim s.m.; pl. *paranás-mirins*
paranananense adj. s.2g.
paranapanemense adj. s.2g.
paranapedense adj. s.2g.
paranapoemense adj. s.2g.
paranapolitano adj. s.m.
paranapuanense adj. s.2g.
paranári s.m.
paranariense adj. s.2g.
paranasal adj.2g.
paranasalidade s.f.
paranastia s.f.
paranatamense adj. s.2g.
paranatelo s.m.
paranatelonte s.m.
paranatelôntico adj.
paranauate adj. s.2g.
paranavaiense adj. s.2g.
paranãzense adj. s.2g.
parança s.f.
parandra s.f.
paranebália s.f.
paranéfrico adj.
paranefrina s.f.
paranefrite s.f.
paranefrítico adj.
paranefro s.m.
paranefrope s.m.
paranéfrops s.m.2n.
paraneia (*é*) s.f.
paraneico (*é*) adj.
paraneoplásico adj.
parânese s.f.
paraneta (*ê*) s.f.
paraneuróptero adj. s.m.
paranfistomídeo adj. s.m.
paranfistomíneo adj. s.m.
paranfístomo s.m.
paranfistomóideo adj. s.m.
paranga s.m.
parangabense adj. s.2g.
parangina s.f.
parango s.m.
parangolé s.m.
parangona s.f.
parangonação s.f.
parangonagem s.f.
parangonar v.
parangue s.m.
paranheira s.f.
paranheiro s.m.
paranhense adj. s.2g.
paranho s.m.
paraniceno s.m.
paranicina s.f.
paranilina s.f.
paraninfa s.f.
paraninfado adj. s.m.
paraninfar v.
paranínfico adj.
paraninfo s.m.
paranipto s.m.
paranista adj. s.2g.
paranitranilina s.f.
paranitroazobenzênico adj.
paranitroazobenzeno s.m.
paranitrofenil s.m.
paranji s.m.
parano s.m.
paranoia (*ó*) s.f.
paranoico (*ó*) adj. s.m.
paranoide (*ó*) adj.2g.
paranomalia s.m.
paranômalo adj.
paranomásia s.f.
paranomásico adj.
paranomia s.f.
paranômico adj.
paranone s.m.
paranormal adj.2g.
paranormalidade s.f.
paranota s.f.
paranotal adj.2g.
parantelia s.f.
parantélio s.m.
parantéssio s.m.
parântia s.f.
parantina s.f.
parantisselênio s.m.
paranto s.m.
parantracênico adj.
parantraceno s.m.
parantropo s.m.
parantura s.f.
paranuclear adj.2g.
paranucleína s.f.
paranúcleo s.m.
paranucléolo s.m.
paranucleoproteína s.f.
paranucleoproteínico adj.
paranzela s.f.
parão s.m.
paraoclusal adj.2g.
paraolimpíada s.f.
paraolímpico adj.
paraoliva s.f.
paraoóforo s.m.
paraopebense adj. s.2g.
paraormética s.f.
paraormonial adj.2g.
paraormônico adj.
paraormônio s.m.
paraortoclásio s.f.
paraorvalho s.m.
paraovário s.m.
paraoxibenzila (*cs*) s.f.
paraoxibenzílico (*cs*) adj.
parapa s.f.
parapaguro s.m.
parapanda s.f.
paraparà s.f.
paraparaí s.m.
parapará-peúva s.f.; pl. *paraparás-peúva* e *paraparás-peúvas*
paraparesia s.f.
parapatia s.f.
parapático adj.
parapátrico adj.
parapaúba s.f.
parapécilo s.m.
parapéctico adj.
parapectina s.f.
parapegma s.m.
parapegmático adj.
parapeitado adj.
parapeitar v.
parapeito s.m.
para-pelote s.m.; pl. *para-pelotes*
parapendicite s.f.
parapente s.m.
parapentista adj. s.2g.
parapernada s.f.
parapétala s.f.
parapétalo adj.
parapetaloide (*ó*) adj.2g.
parapetalostêmone adj.2g.
parapetasma s.m.
parapeumense adj. s.2g.
parapéxico (*cs*) adj.
parapiano adj. s.m.
parapicolina s.f.
parapierrotita s.f.
parapineal adj.2g.
parapino adj.
parapiteco s.m.
parapitecoide (*ó*) adj.2g.
paraplasma s.m.
paraplasmático adj.
paraplásmico adj.
paraplasmo s.m.
paraplectana s.f.
parapléctico adj.
paraplegia s.f.
paraplégico adj. s.m.
paraplesiope s.m.
parapletênquima s.m.
parapleura s.f.
parapleûrico adj.
parapleurisia s.f.
parapleurísico adj.
parapleurite s.f.
parapleurítico adj.
paraplexia (*cs*) s.f.
parapodário adj.
parápode s.m.
parapódio s.m.
parápodo s.m.
parapofisário adj.
parapófise s.f.
parapônix (*cs*) s.m.2n.
parapopléctico adj.
parapoplético adj.
parapoplexia (*cs*) s.f.
parapositrônio s.m.
parapotâmia s.f.
paraprá s.m.
parapraxia (*cs*) s.f.
paraproctite s.f.
paraproctítico adj.
paraprocto s.m.
parapronoe s.m.
paraproséctico adj.
paraprosexia (*cs*) s.f.
paraproteína s.f.
paraproteínico adj.
parapsicologia s.f.
parapsicológico adj.
parapsicólogo s.m.
parapsicose s.f.
parapsicótico adj. s.m.
parapsíquico adj.
parapsocídeo adj. s.m.
parapsócido adj. s.m.
parapsoríase s.f.
paráptero s.m.
paraptexe (*cs*) s.f.
parapuanense adj. s.2g.
parapuense adj. s.2g.
parapulvilo s.m.
parapurgativo adj.
paraquedas s.m.2n.
paraquedismo s.m.
paraquedista adj. s.2g.
paraquedístico adj.
paraquemense adj. s.2g.
paraqueratose s.f.
paraqueratósico adj. s.m.
paraquinesia s.f.
paráquio s.m.
parar v.
pararaca adj.2g. s.m.
para-raios s.m.2n.
pararcáster s.m.
pararcasteríneo adj. s.m.
pararge s.f.
parari s.m.f.
parariense adj. s.2g.
pararrammelsberguita s.f.
pararretal adj.2g.
pararreumático adj. s.m.
pararreumatismo s.m.
pararrítmico adj.
pararrosanilina s.f.
pararrosólico adj.
pararrotacismo s.m.
pararrotacista adj. s.2g.
parartrema s.m.
pararu s.m.
parasalênia s.f.
parasanga adj. s.2g. s.f.
parasca s.f.
parascaptor (*ô*) s.m.
parascarlatina s.f.
parascelo s.m.
parascenástico adj.
parasceve s.f.
paraschoepita s.f.
parascídia s.f.
parascolopse s.m.
parascombrope s.m.
parascômbrops s.m.2n.

parascórpis s.m.2n.
parasculetina s.f.
parascutelo s.m.
parasetode s.m.
parasfenoide (*ó*) adj.2g. s.m.
parasimpíesis s.f.2n.
parasiopese s.f.
parasira s.f.
parasita adj. s.2g.
parasitação s.f.
parasita-da-terra s.f.; pl. *parasitas-da-terra*
parasita-de-samambaiuçu s.f.; pl. *parasitas-de--samambaiuçu*
parasitado adj.
parasitagem s.f.
parasitar v.
parasitário adj.
parasitarismo s.m.
parasitear v.
parasitemia s.f.
parasitêmico adj. s.m.
parasiticida adj.2g. s.m.
parasiticídio s.m.
parasítico adj.
parasitídeo adj. s.m.
parasitífero adj.
parasitismo s.m.
parasito adj. s.m.
parasitofobia s.f.
parasitofóbico adj.
parasitófobo adj. s.m.
parasitóforo adj.
parasitogenia s.f.
parasitogênico adj.
parasitoide (*ó*) adj. s.m.
parasitologia s.f.
parasitológico adj.
parasitologista adj. s.2g.
parasitólogo s.m.
parasitose s.f.
parasitotrópico adj.
parasitotropismo s.m.
parasitótropo adj.
para-sol s.m.; pl. *para-sóis*
para-sol-da-china s.f.; pl. *para-sóis-da-china*
parasotoide (*ó*) adj.2g. s.m.
paraspádias s.m.2n.
paraspurrita s.f.
parasquisto s.m.
parassacarômice s.m.
parassacaromiceto (*ê*) s.m.
parassacarose s.f.
parassalpingite s.f.
parasselene s.f.
parasselênico adj.
parasselênio s.m.
parassema s.m.
parassemático adj.
parassematografia s.f.
parassematográfico adj.
parassematógrafo s.m.
parassêmico adj.
parassepiolita s.f.
parassífilis s.f.2n.
parassifilítico adj.
parassigmatismo s.m.
parassimbâmato s.m.
parassimbionte s.m.
parassimbiose s.f.
parassimbiótico adj.
parassimpático adj. s.m.
parassimpaticolítico adj. s.m.
parassimpaticomimético adj. s.m.
parassimpaticotonia s.f.
parassimpaticotônico adj.
parassimpatolítico adj.
parassimpatomimético adj.
parassimpatotonia s.f.
parassimpatotônico adj.
parassimpíese s.f.
parassimplesita s.f.
parassinapse s.f.
parassíndese s.f.
parassindético adj.
parassíndeto adj. s.m.
parassinovite s.f.
parassíntese s.f.
parassintético adj. s.m.
parassintetismo s.m.
parassismeiro adj.
parassístole s.f.
parassomia s.f.
parassomo s.m.
parassórbico adj.
parástaco s.m.
parástade s.f.
parastame s.m.
parastaminia s.f.
parastânico adj.
parastarte s.f.
parastática s.f.
parastemo s.m.
parastêmone s.m.
parásteno s.m.
parasténopa s.f.
parasterno s.m.
parástica s.f.
parastilbita s.f.
parastilbite s.f.
parastilo s.m.
parastíquia s.f.
parastotropismo s.m.
parástrato s.m.
paratacamita s.f.
paratacamite s.f.
paratáctico adj.
paratagális s.m.2n.
paratagma s.m.
paratana s.f.
paratânais s.f.2n.
paratariense adj. s.2g.
paratársico adj.
paratarso s.m.
paratartarático adj.
paratartarato s.m.
paratatárico adj.
paratático adj.
parataxe (*cs*) s.f.
parataxia (*cs*) s.f.
paratécio s.m.
parateiense adj. s.2g.
paratelia s.f.
parateliácea s.f.
parateliáceo adj.
paratelurita s.f.
paratenar s.m.
paratênia s.f.
paratéria s.f.
paratétix (*cs*) s.m.
paratetrapédia s.f.
parati s.m.
paratião s.m.
parati-barbado s.m.; pl. *paratis-barbados*
paratibense adj. s.2g.
paratibu s.m.
paratiense adj. s.2g.
paratífico adj.
paratífis s.m.2n.
paratiflite s.f.
paratifo s.m.
parati-fogo s.m.; pl. *paratis--fogos*
paratifoide (*ó*) adj.2g. s.f.
paratifóideo adj.
paratijiense adj. s.2g.
paratinguense adj. s.2g.
parati-olho-de-fogo s.m.; pl. *paratis-olhos-de-fogo*
paratiônico adj.
parátipo s.m.
paratiqueira s.f.
paratireoide (*ó*) adj.2g. s.f.
paratireoidectomia s.f.
paratireoidectômico adj.
paratireoideia (*é*) adj.; f. de *paratireoideu*
paratireóideo adj.
paratireoideu adj. s.m.; f. *paratireoideia* (*é*)
paratireoidismo s.m.
paratireoprivo adj.
paratireotrófico adj.
paratireotrofismo s.m.
paratireótrofo adj. s.m.
paratiri adj. s.2g.
paratirina s.f.
paratiroide (*ó*) adj. s.2g. s.f.
paratiroidectomia s.f.
paratiroideia (*é*) adj. s.f. de *paratiroideu*
paratiróideo adj.
paratiroideu adj. s.m.; f. *paratiroideia* (*é*)
paratiroidismo s.m.
paratiroprivo adj.
paratirotrófico adj.
paratirotrofismo s.m.
paratirótrofo s.m.
paratitlário s.m.
paratitlos s.m.pl.
paratoe (*ô*) s.f.
parátoma s.f.
paratomia s.f.
paratômico adj.
paratonia s.f.
paratônico adj.
paratopia s.f.
paratópico adj.
paratopo s.m.
paratorite s.f.
paratormona s.f.
paratormônio s.m.
paratoxina (*cs*) s.f.
paratracoma s.m.
paratraqueal adj.2g.
paratrequina s.f.
paratriátoma s.f.
paratrigão s.m.
paratrigona s.f.
paratrigonídeo adj. s.m.
paratrima s.m.
paratrófico adj.
parátrofo s.m.
paratropa s.f.
paratrópia s.f.
paratropismo s.m.
paratuberculose s.f.
paratuberculoso (*ô*) adj.; f. (*ó*); pl. (*ó*)
paratucano s.m.
paratucu s.m.
paratudal s.m.
paratudalense adj. s.2g.
paratudo s.m.
paratudo-aromático s.m.; pl. *paratudos-aromáticos*
paratudo-da-estrada s.m.; pl. *paratudos-da-estrada*
paratudo-de-praia s.m.; pl. *paratudos-de-praia*
paratudo-do-campo s.m.; pl. *paratudos-do-campo*
paratudo-do-grande s.m.; pl. *paratudos-do-grande*
paratudo-do-mato s.m.; pl. *paratudos-do-mato*
paraturá s.m.
parau s.m. "embarcação de junco"; cf. *paraú*
paraú adj. s.2g. "índio brasileiro"; cf. *parau*
parauá adj. s.2g. s.m.
parauaboia (*ó*) s.f.
parauacu s.f. "cobra"; cf. *parauaçu*
parauaçu s.m. "macaco"; cf. *parauacu*
parauacuboia (*ó*) s.f.
parauaçu-preto s.m.; pl. *parauaçus-pretos*
parauaí s.m.
parauamá adj. s.2g.
parauana adj. s.2g.
parauara s.m.
parauaraense adj. s.2g.
parauatiti adj. s.2g.
parauaxi s.m.
parauense adj. s.2g.
paraumbilical adj.2g.
paraumboia (*ó*) s.f.
paraunense adj. s.2g.
parauniversitário adj.
paraúquene s.m.
parauretrite s.f.
parauricalcita s.f.
parauxese (*cs*) s.f.
parauxético (*cs*) adj.
paravá adj. s.2g.
paravacina s.f.
paravaginite s.f.
paravaí s.m.
paravalvar adj.2g.
paravana s.f.
paravane s.m.
paravante s.m.
paravar s.m.
paravauxita s.f.
parável adj.2g.
para-vento s.m.; pl. *para--ventos*
paraventricular adj.2g.
paraver adj. s.2g.
paravertebral adj.2g.
paravesical adj.2g.
paraviana adj. s.2g.
paravilhana adj. s.2g.
paravisco s.m.
paravivianita s.f.
paravivianite s.f.
paraviviparidade s.f.
paravivíparo adj.
parawollastonita s.f.
paraxantina (*cs*) s.f.
paraxial (*cs*) adj.2g.
paraxililato (*cs*) s.m.
paraxilílico (*cs*) adj.
paraxióteo (*cs*) s.m.
parazeiro s.m.
parazinhense (*rà*) adj. s.2g.
parazoário adj. s.m.
parazonia s.f.
parazônio s.m.
parba s.f.
parbão s.m.
parca s.f.
parcagem s.f.
parçar v.
parçaria s.f.
parceado adj.
parceador (*ô*) adj.
parcear v.
parceirada s.f.
parceiragem s.f.
parceirense adj. s.2g.
parceirinho adj. s.m.
parceiro adj. s.m.
parcel s.m.
parcela s.f.
parcela de dez s.f.
parcela de oito s.f.
parcelado adj.
parcelamento s.m.
parcelar v. adj.2g.
parcelário adj.
parcelarista adj. s.2g.
parcelarização s.f.
parcelarizar v.
parceleiro s.m.
parcento s.m.
parceria s.f.
parcha s.f. "casulo"; cf. *parche*
parche s.m. "pano embebido em líquido"; cf. *parcha*
parchear v.
parcho s.m.
parcial adj. s.2g.
parcialidade s.f.
parcialidar v.
parcialismo s.m.
parcialista adj.2g.
parcialístico adj.
parcialização s.f.
parcializado adj.
parcializar v.
parciário adj. s.m.
parcidade s.f.
parcidentado adj.
parcimônia s.f.
parcimonioso (*ô*) adj.; f. (*ó*); pl. (*ó*)
parcimonismo s.m.
parcioneiro s.m.
parcíssimo adj. sup. de *parco*
parco adj.
parda s.f.
pardacento adj.
pardaço adj.
pardainha s.f.
pardainho adj. s.m.
pardal s.m.; f. *pardaloca, pardoca, pardaleja*
pardalada s.f.
pardalar v.
pardal-boi s.m.; pl. *pardais-boi* e *pardais-bois*
pardal-castanheiro s.m.; pl. *pardais-castanheiros*
pardal-cinzento s.m.; pl. *pardais-cinzentos*
pardal-da-igreja s.m.; pl. *pardais-da-igreja*
pardal-da-índia s.m.; pl. *pardais-da-índia*
pardal-das-igrejas s.m.; pl. *pardais-das-igrejas*
pardal-de-asa-branca s.m.; pl. *pardais-de-asa-branca*
pardal-do-monte s.m.; pl. *pardais-do-monte*
pardal-do-norte s.m.; pl. *pardais-do-norte*
pardal-dos-rochedos s.m.; pl. *pardais-dos-rochedos*
pardal-dos-telhados s.m.; pl. *pardais-dos-telhados*
pardal-do-telhado s.m.; pl. *pardais-do-telhado*
pardal-do-trigo s.m.; pl. *pardais-do-trigo*
pardaleira s.f.
pardaleja (*ê*) s.f. de *pardal*
pardalense adj. s.2g.
pardal-espanhol s.m.; pl. *pardais-espanhóis*
pardal-francês s.m.; pl. *pardais-franceses*
pardal-galego s.m.; pl. *pardais-galegos*
pardal-gírio s.m.; pl. *pardais--gírios*
pardália s.f.
pardalisca s.f.
pardaliscídeo adj. s.m.
pardalitar v.
pardal-ladrão s.m.; pl. *pardais-ladrões*
pardal-ladro s.m.; pl. *pardais--ladros*
pardal-manso s.m.; pl. *pardais-mansos*
pardal-moirisco s.m.; pl. *pardais-moiriscos*
pardal-montês s.m.; pl. *pardais-monteses*
pardal-montesinho s.m.; pl. *pardais-montesinhos*
pardal-mourisco s.m.; pl. *pardais-mouriscos*
pardaloca s.f. de *pardal*
pardaloco (*ô*) s.m.
pardalófora s.f.
pardalopo (*ô*) adj.
pardalota s.f.
pardaloto (*ô*) s.m.
pardal-real s.m.; pl. *pardais--reais*
pardanto s.m.
parda-pequena s.f.; pl. *pardas-pequenas*
pardaquiro s.m.
pardar v.
pardau s.m.
pardavasco adj. s.m.
pardecência s.f.
pardecer v.
pardeja (*ê*) s.f.
pardejar v.
pardejo (*ê*) s.m.
pardela s.f.
pardela-de-bico-amarelo s.f.; pl. *pardelas-de-bico--amarelo*
pardela-sombria s.f.; pl. *pardelas-sombrias*
pardelha (*ê*) s.f.
pardelho (*ê*) s.m.
pardelhos (*ê*) s.m.pl.
pardelo s.m.
pardenço adj.

pardenomancia s.f.
pardenomante s.2g.
pardenomântico adj.
pardento adj.
pardieiro s.m.
pardilhal s.m.
pardilheira s.f.
pardilho adj. s.m.
pardilhoense adj. s.2g.
pardinha s.f.
pardinhense adj. s.2g.
pardinho s.m.
pardisco adj. s.m.
pardizela s.f.
pardo adj. s.m.
pardo-africano s.m.; pl. *pardos-africanos*
pardo-avermelhado adj.; pl. *pardos-avermelhados*
pardo-bravio s.m.; pl. *pardos-bravios*
pardoca s.f. de *pardal*
pardocorênio s.m.
pardo-doce s.m.; pl. *pardos-doces*
pardo-famego s.m.; pl. *pardos-famegos*
pardo-inglês s.m.; pl. *pardos-ingleses*
pardo-lindo s.m.; pl. *pardos-lindos*
pardo-mato s.m.; pl. *pardos-mato* e *pardos-matos*
pardo-mosto s.m.; pl. *pardos-mosto* e *pardos-mostos*
pardosa s.f.
pardosca adj.
pardoso (*ô*) adj.; f. (*ó*); pl. (*ó*)
pardo-violeta adj.; pl. *pardos-violeta*
pardulíparo s.m.
pardusco adj.
párea s.f. "régua"; cf. *pária*
pareada s.f.
pareado s.m.
pareador (*ô*) s.m.
pareamento s.m.
parear v.
páreas s.f.pl.
pareável adj.2g.
pareca s.m.
parécbase s.f.
parécbole s.f.
parece-mas-não-é s.f.2n.
parecença s.f.
parecência s.f.
parecente adj.2g.
parecer v. s.m.
parecerista s.2g.
pareci adj. s.2g.
parecido adj.
pareciense adj. s.2g.
pareci-novense adj. s.2g.; pl. *pareci-novenses*
parécio adj.
parecotó adj. s.2g.
paréctase s.f.
parectasia s.f.
parectásico adj.
paréctopa s.f.
paredal s.m.
paredão s.m.
parede (*ê*) s.f.
parede-cega s.f.; pl. *paredes-cegas*
paredeiro adj. s.m.
parede-meia s.f.; pl. *paredes-meias*
paredense adj. s.2g.
paredinha s.f.
paredismo s.m.
paredista adj. s.2g.
paredonense adj. s.2g.
paredono adj.
paredro adj. s.m.
paregle s.f.
paregoria s.f.
paregórico adj.
paregum s.m.
pareia s.f.
pareiassauro s.m.
pareíneo adj. s.m.
pareio s.m.
parejar v.
parelato s.m.
paréléctrico s.m.
parelectronomia s.f.
parelectronômico adj.
parelétrico s.m.
parelha (*ê*) s.f.
parelhão s.m.
parelhar v.
parelha-trocada s.f.; pl. *parelhas-trocadas*
parelheira s.f.
parelheirense adj. s.2g.
parelheiro adj. s.m.
parelhense adj. s.2g.
parelhinho s.f.
parelho (*ê*) adj. s.m.
parélico adj.
parelina s.f.
parélio s.m.
pareliodo (*ô*) s.m.
pareliotropismo s.m.
parelipse s.f.
parelíptico adj.
parelpídia s.f.
parêmbole s.f.
parêmbolo s.m.
paremia s.f.
parêmia s.f.
paremíaco adj.
paremiedria s.f.
paremiografia s.f.
paremiográfico adj.
paremiógrafo s.m.
paremiologia s.f.
paremiológico adj.
paremiologista adj. s.2g.
paremiólogo s.m.
paremoglobina s.f.
paremptose s.f.
paremptótico adj.
parencefalite s.f.
parencefalítico adj.
parencéfalo s.m.
parencefalocele s.f.
parencefalocélico adj.
parendômice s.m.
parendomiceto (*ê*) s.m.
parênese s.f.
parenética s.f.
parenético adj.
parênquima s.m.
parenquimático adj.
parenquimatoso (*ô*) adj.; f. (*ó*); pl. (*ó*)
parênquimo s.m.
parenquímula s.f.
parenquitreu s.m.
parenta s.f.
parentado adj. s.m.
parentagem s.f.
parentais s.f.pl.
parental adj.2g.
parentalha s.f.
parentano adj. s.m.
parentar v.
parentaxe (*cs*) s.f.
parente adj. s.2g.
parentear v.
parenteira s.f.
parenteiro adj. s.m.
parentela s.f.
parentém s.m.
parenteral adj. s.2g.
parentérico adj.
parentério s.m.
parentesar v.
parentesco (*ê*) s.m.
parêntese s.m.
parênteses s.m.pl.
parentesiação s.f.
parentesiar v.
parêntesis s.m.2n.
parentético adj.
parentirso s.m.
parentucélia s.f.
pareô s.m. "vestimenta usada no Taiti"; cf. *páreo* e *pário*
páreo s.m. "disputa"; cf. *pareô* e *pário*
parepidídimo s.m.
parepígrafe s.f.
parepigráfico adj.
parequema s.m.
parequemático adj.
parequese s.f.
parequético adj.
parergo s.m.
pareritrope s.f.
paréritrops s.f.2n.
parermeneuta s.2g.
parescarlatina s.f.
paresculetina s.f.
parésе s.f.
paresia s.f.
paresiação s.f.
paresiado adj.
paresiar v.
parésico adj.
parestatal adj.2g.
parestesia s.f.
parestésico adj.
parestético adj.
paretaceno adj.
parético adj.
paretimologia s.f.
paretimológico adj.
paretroplo s.m.
pareudiaste s.m.
pareudrilíneo adj. s.m.
pareudrilo s.m.
pareûmene s.m.
pareunia s.f.
parga s.f.
parganá s.m.
pargasita s.f.
pargasite s.f.
pargata s.f.
pargilina s.f.
pargo s.m.
pargo-boca-negra s.m.; pl. *pargos-boca-negra*
pargo-branco s.m.; pl. *pargos-brancos*
pargo-cabeçudo s.m.; pl. *pargos-cabeçudos*
pargo-cachucho s.m.; pl. *pargos-cachuchos*
pargo-de-cótula s.m.; pl. *pargos-de-cótula*
pargo-de-mitra s.m.; pl. *pargos-de-mitra*
pargo-de-morro s.m.; pl. *pargos-de-morro*
pargo-liso s.m.; pl. *pargos-lisos*
pargo-mirim s.m.; pl. *pargos-mirins*
pargo-mulato s.m.; pl. *pargos-mulatos*
pargo-olho-de-vidro s.m.; pl. *pargos-olho-de-vidro*
pargo-raiado s.m.; pl. *pargos-raiados*
pargo-rosa s.m.; pl. *pargos-rosa*
pargo-tereso s.m.; pl. *pargos-tereso* e *pargos-teresos*
pargo-vermelho s.m.; pl. *pargos-vermelhos*
pargueira s.f.
pargueiro s.m.
parguete (*ê*) s.m.
pari s.m.
pária s.m. "indivíduo sem casta"; cf. *párea*
pariá s.m.
pariambo s.m.
pariamboide (*ó*) adj.2g. s.m.
pariana adj. s.2g. s.f.
pariano adj. s.m.
pariara adj. s.2g.
pariassauro s.m.
pariatã s.f.
pariato s.m.
paricá s.m.
paricá-branco s.m.; pl. *paricás-brancos*
paricá-da-terra-firme s.m.; pl. *paricás-da-terra-firme*
paricá-da-várzea s.m.; pl. *paricás-da-várzea*
paricá-de-curtume s.m.; pl. *paricás-de-curtume*
paricá-de-esponjas s.m.; pl. *paricás-de-esponjas*
paricá-de-terra-firme s.m.; pl. *paricás-de-terra-firme*
paricaense adj. s.2g.
paricá-grande s.m.; pl. *paricás-grandes*
paricá-grande-da-terra-firme s.m.; pl. *paricás-grandes-da-terra-firme*
paricá-grande-da-várzea s.m.; pl. *paricás-grandes-da-várzea*
paricano adj.
parição s.f.
paricá-preto s.m.; pl. *paricás-pretos*
paricarana s.f.
paricarana-de-espinhos s.f.; pl. *paricaranas-de-espinhos*
paricarana-do-amazonas s.f.; pl. *paricaranas-do-amazonas*
paricatubense adj. s.2g.
paricaxi s.m.
paricazinho s.m.
parici adj. s.2g.
paricina s.f.
pariconhense adj. s.2g.
paricotó adj. s.2g.
paricuató adj. s.2g.
paricure adj. s.2g.
parida s.f.
paridácea s.f.
paridáceo adj.
paridade s.f.
parídea s.f.
parideira s.f.
parideiro adj.
paridela s.f.
parídeo adj. s.m.
paridina s.f.
paridinho adj. s.m.
parido adj.
paridura s.f.
parietal adj.2g. s.m.
parietale s.f.
parietária s.f.
parietária-da-espanha s.f.; pl. *parietárias-da-espanha*
parietária-vermelha s.f.; pl. *parietárias-vermelhas*
parietaríea s.f.
parietário adj.
pariético adj.
parietina s.f.
parietoccipital adj.2g.
parietofrontal adj.2g.
parietografia s.f.
parietográfico adj.
parietomastoide (*ó*) adj.2g.
parietotemporal adj.2g.
párifa s.2g.
parifanta s.m.
parificado adj.
parificar v.
pariforme adj.2g.
pariglina s.f.
parijoense adj. s.2g.
parílias s.f.pl.
parilidade s.f.
parimá s.m.
parimento s.m.
parina s.f.
parinari s.m.
parinárico adj.
parinervado adj.
parinheira s.f.
parinho s.m.
parinirvana s.m.
parintim adj. s.2g.
parintinense adj. s.2g.
parintintim adj. s.2g.
parintintim-cauaíba adj. s.2g.; pl. *parintintim-cauaíbas*
parintintim-cavaíba adj. s.2g.; pl. *parintintim-cavaíbas*
pário adj. s.m. "relativo a Paros"; cf. *pareô* e *páreo*
pariocela s.f.
pariodonte s.m.
pariossauro s.m.
pariparoba s.f.
paripenado adj.
paripiense adj. s.2g.
paripinado adj.
paripinulado adj.
paripiranguense adj. s.2g.
paripueirense adj. s.2g.
pariquató adj. s.2g.
pariquera-açuense adj. s.2g.; pl. *pariquera-açuenses*
pariquerense adj. s.2g.
pariqui adj. s.2g.
parir v.
pariri adj. s.2g. s.m.
paririense adj. s.2g.
paririzinho s.m.
pariru s.f.
páris s.f.2n.
parisátis s.f.2n.
pariseta (*ê*) s.f.
parisianice s.f.
parisianismo s.m.
parisianista adj. s.2g.
parisiano adj. s.m.
parisienismo s.m.
parisiense adj. s.2g.
parisiensismo s.m.
parisinismo s.m.
parisino adj. s.m.
parísio adj. s.m.
parísis adj. s.m.2n.
parisita s.f.
parisite s.f.
parisoscoeno s.m.
parisosqueno s.m.
parissilábico adj.
parissilabismo s.m.
parissílabo adj. s.m.
parissoma s.m.
parissonante adj.2g.
paristifina s.f.
paristmia s.f.
paristmite s.f.
paristo s.m.
paritá s.m.
paritário adj.
paritarismo s.m.
paritarista s.2g.
paritarístico adj.
paritireoide (*ó*) adj.2g.
parivincular adj.2g.
parizataco s.m.
parka s.2g.
parkeriácea s.f.
parkeriáceo adj.
parkerita s.f.
parkerização s.f.
parkerizado adj.
parkerizar v.
párkia s.f.
parkíea s.f.
parkinsônia s.f.
parkinsoniano adj. s.m.
parkinsonismo s.m.
parla s.f.
parlamentação s.f.
parlamentado adj.
parlamentar v. adj. s.2g.
parlamentário adj. s.m.
parlamentarismo s.m.
parlamentarista adj. s.2g.
parlamentarístico adj.
parlamentarização s.f.
parlamentarizado adj.
parlamentarizante adj.2g.
parlamentarizar v.
parlamentear v.
parlamentizar v.
parlamento s.m.
parlanda s.f.
parlante adj. s.2g.
parlapassada s.f.
parlapatão adj. s.m.; f. *parlapatona*
parlapateação s.f.
parlapateado adj.
parlapatear v.
parlapatice s.f.

parlapatona adj. s.f. de *parlapatão*
parlapatório s.m.
parlar v.
parlatorépsis s.f.2n.
parlatória s.f.
parlatoriíneo adj. s.m.
parlatório adj. s.m.
parlenda s.f.
parlendar v.
parlenga s.f.
parlengada s.f.
parlengar v.
parlo s.m.
parma s.f.
parmacela s.f.
parmacelina s.f.
parmárion s.m.
parmécia s.f.
parmélia s.f.
parmeliácea s.f.
parmeliáceo adj.
parmelina s.f.
parmena s.f.
parmenídico adj.
parmense adj. s.2g.
parmentiera s.f.
parmesão adj. s.m.
parmóptila s.f.
párмula s.f.
parmulário s.m.
parnaguaense adj. s.2g.
parnaguaiú s.m.
parnaguense (*ü*) adj. s.2g.
parnaíba s.f.
parnaibano adj. s.m.
parnaibense adj. s.2g.
parnaiuicavense adj. s.2g.
parnamirinense adj. s.2g.
parnanguara adj. s.2g.
parnão adj.
parnaramense adj. s.2g.
parnasense adj. s.2g.
parnáseo adj.
parnásia s.f.
parnasianismo s.m.
parnasianista adj. s.2g.
parnasianístico adj.
parnasiano adj. s.m.
parnásico adj.
parnásida adj.2g. s.f.
parnasismo s.m.
parnaso s.m.
parnássia s.f.
parnassiácea s.f.
parnassiáceo adj.
parnassíea s.f.
parnassim s.m.
parnassino s.m.
parnássio s.m.
parnasso s.m.
parnau s.m.
parnauita (*í*) s.f.
parné s.m.
parnellismo s.m.
parnellita adj. s.2g.
parneque s.m.
parno s.m.
parnope s.m.
paro s.m. "gênero de aves"; cf. *paro*, fl. do v. *parar* e *paró*
paró s.m. "navio de guerra"; cf. *paro*
paroara adj. s.2g. s.m.
paroária s.f.
parobeense adj. s.2g.
pároco s.m.
parocotó adj. s.2g.
paródia s.f.; cf. *parodia*, fl. do v. *parodiar*
parodiado adj.
parodiador (*ô*) s.m.
parodiar v.
paródico adj. s.m.
parodinia s.f.
parodínico adj.
parodista s.2g.
parodístico adj.
párodo s.m.
paródon s.m.
parodonte s.m.
parodontia s.f.
parodôntico adj.
parodontite s.f.
parodontítico adj.
parodontose s.f.
parodontósico adj.
parodontótico adj.
parofita s.f.
parofite s.f.
paróफono s.m.
paroftalmia s.f.
paroftálmico adj.
paroico (*ó*) adj.
parol s.m.
parola s.f. "conversa"; cf. *parola* (*ô*)
parola (*ô*) adj. s.f. de *parolo* (*ô*) "camponesa"; cf. *parola*
parolador (*ô*) adj. s.m.
parolagem s.f.
parolamento s.m.
parolar v.
parolear v.
paroleira s.f.
paroleiro adj. s.m.
parolento adj.
parolfativo adj.
paroli s.m.
parolice s.f.
paroligoclásico s.m.
parolim s.m.
paroliva s.f.
parolo (*ô*) adj. s.m.; f. *parola* (*ô*); cf. *parolo*, fl. do v. *parolar*
parômalo s.m.
paromalóptero s.m.
parómola s.f.
paromologia s.f.
paromológico adj.
paromomicina s.f.
paroneirode s.m.
paronfálico adj.
paronfalocele s.f.
paronfalocélico adj.
parônica s.f.
paronímia s.f.
paronímico adj.
parônimo adj. s.m.
paroniquia s.f. "unheiro"; cf. *paroníquia*
paroníquia s.f. "erva"; cf. *paroniquia*
paroníquia-ouriçada s.f.; pl. *paroníquias-ouriçadas*
paroníquida adj.2g. s.m.
paroniquídea s.f.
paroniquídeo adj. s.m.
paroniquíea s.f.
paroníria s.f.
paronirode s.m.
paronomásia s.f.
paronomásico adj.
paronomástico adj.
paro-óforo s.m.
paropamísada adj. s.2g.
paropamísida adj. s.2g.
paropamísio adj. s.m.
paropia s.f.
parópia s.f.
paropino adj. s.m.
parópio s.m.
paropse s.f.
paropsia s.f. "defeito da vista"; cf. *parópsia*
parópsia s.f. "gênero das passifloráceas"; cf. *paropsia*
paropsidácea s.f.
paropsidáceo adj.
paropsíea s.f.
paropsiopse s.f.
paroptese s.f.
paroptésico adj.
paróptico adj.
paroptria s.f.
paróptrico adj.
paróquia s.f.; cf. *paroquia*, fl. do v. *paroquiar*
paroquiado adj.
paroquial adj.2g.
paroquialidade s.f.
paroquialismo s.m.
paroquialista adj. s.2g.
paroquialístico adj.
paroquiamento s.m.
paroquiano adj. s.m.
paroquiar v.
paroquiato s.m.
parorase s.f.
parorático adj.
paroreata adj. s.2g.
paroreia (*é*) adj. s.f. de *paroreu*
paroreu adj. s.m.; f. *paroreia* (*é*)
parorexia (*cs*) s.f.
parorgânico adj.
paroriza s.f.
parorquia s.f.
parorquidenterocele s.f.
parorquidia s.f.
parorquídio s.m.
parorrexia (*cs*) s.f.
parosfresia s.f.
parosmia s.f.
parósmico adj.
parostal adj.2g.
parosteal adj.2g.
parosteíte s.f.
parosteítico adj.
parosteose s.f.
parosteósico adj.
parótia s.f.
parotiano adj.
parótico adj.
parótide s.f.
parotideano adj.
parotidectomia s.f.
parotidectômico adj. s.m.
parotídeo adj.
parotidiano adj.
parotidite s.f.
parotidítico adj.
parotidomassetérico adj.
paroubela s.f.
par ou ímpar s.m.
par ou pernão s.m.
parouveia s.f.
parouvela s.f.
parouvelar v.
parovárico adj.
parovário s.m.
parovaúna s.f.
paroxetina (*cs*) s.f.
paroxina (*cs*) s.f.
paroxíntico (*cs*) adj.
paroxismado (*cs*) adj.
paroxismal (*cs*) adj.2g.
paroxismático (*cs*) adj.
paroxísmico (*cs*) adj.
paroxismo (*cs*) s.m.
paroxismoso (*ô*) adj.; f. (*ó*); pl. (*ó*)
paroxista (*cs*) adj.2g.
paroxístico (*cs*) adj.
paroxistoglossa (*cs*) s.f.
paroxitonia (*cs*) s.f.
paroxitônico (*cs*) adj.
paroxitonismo (*cs*) s.m.
paroxitonização (*cs*) s.m.
paroxitonizado (*cs*) adj.
paroxitonizante (*cs*) adj.2g.
paroxitonizar (*cs*) v.
paroxítono (*cs*) adj. s.m.
párpado s.m.
parpalhaça s.f.
parpalhaz s.m.
parpalhó s.m.
parpalhós s.f.2n.
parpatana s.f.
parpejo (*ê*) s.m.
parque s.m. "grande jardim"; cf. *parquê*
parquê s.m. "assoalho"; cf. *parque*
parqueação s.f.
parqueador (*ô*) adj.
parqueamento s.m.
parqueante adj.2g.
parquear v.
parqueável adj.2g.
parque-industrialense adj. s.2g.; pl. *parque-industrialenses*
parqueiro s.m.
parquesina s.f.
parquete (*ê*) s.m.
parqueteria s.f.
parquíea s.f.
parquímetro s.m.
parquista s.2g.
parra s.m.f.
parracho adj. s.m.
parrado adj.
parrafaçol s.m.
parrafar v.
párrafo s.m.; cf. *parrafo*, fl. do v. *parrafar*
parrameiro s.m.
parrana adj. s.2g.
parrança adj. s.2g.
parrançar v.
parrancice s.f.
parranda s.f.
parranice s.f.
parranita adj. s.2g.
parrano adj. s.m.
parráqua s.f.
parrar-se v.
parrascano s.m.
parrasino adj. s.m.
parraxaxá s.m.
parreca s.f.
parreco s.m.
parreira s.f.
parreira-brava-do-rio s.f.; pl. *parreiras-bravas-do-rio*
parreira-brava-lisa s.f.; pl. *parreiras-bravas-lisas*
parreira-caapeba s.f.; pl. *parreiras-caapeba* e *parreiras-caapebas*
parreira-da-velha s.f.; pl. *parreiras-da-velha*
parreira-do-mato s.f.; pl. *parreiras-do-mato*
parreiral adj.2g. s.m.
parreira-matias s.f.; pl. *parreiras-matias*
parreirão s.m.
parreirol adj.2g.
parrelo s.m.
parrésia s.f.
parrésico adj.
párria s.f.
parricida adj. s.2g.
parricídio s.m.
parrico s.m.
parricrinito adj.
parricrito s.m.
párrida adj.2g. s.m.
parrídeo adj. s.m.
parrilha s.f.
parrinheira s.f.
parro s.m.
parrocha s.f.
parrócia s.f.
parrocíea s.f.
parrolo (*ô*) s.m.
parronar v.
parronice s.f.
parrono s.m.
parroqueira s.f.
parrosa s.f.
parrótia s.f.
parruá s.m.
parruda s.f.
parrudo adj.
parruma s.f.
parryta s.f.
parsano adj.
parse adj. s.2g. s.m.
parsec s.m.
párseo adj. s.m.
parseque s.m.
parsettensita s.f.
parsevão s.m.
pársi adj. s.2g. s.m.
parsiano adj. s.m.
parsina s.f.
parsismo s.m.
parsônsia s.f.
parsonsíea s.f.
parsonsita s.f.
parta adj. s.2g.
partasana s.f.
partasanada s.f.
parte s.f.
parte-cabeças s.m.2n.
parteira s.f.
parteiro adj. s.m.
partejado adj. s.m.
partejamento s.m.
partejar v.
partejo (*ê*) s.m.
parte-luz s.m.; pl. *parte-luzes*
partenão s.m.
parteneia (*é*) s.f.
partenembriospermo adj.
partenês adj. s.m.
partênia s.f.
parteniano s.m.
partenina s.f.
partênio s.m.
partenocarpia s.f.
partenocárpico adj.
partenocisso adj.
partenofilia s.f.
partenofílico adj.
partenófilo adj. s.m.
partenofobia s.f.
partenofóbico adj.
partenófobo adj. s.m.
partenogamia s.f.
partenogâmico adj.
partenogênese s.f.
partenogenésico adj.
partenogenético adj.
partenogênico adj.
partenogonia s.f.
partenogônico adj.
partenogonídio s.m.
partenoíta s.f.
partenologia s.f.
partenológico adj.
partenólogo s.m.
partenomancia s.f.
partenomante s.2g.
partenomântico adj.
pártenon s.m.
partênope s.f.
partenopeia (*é*) adj. s.f. de *partenopeu*
partenopeu adj. s.m.; f. *partenopeia* (*é*)
partenópida adj.2g. s.m.
partenopídeo adj. s.m.
partenopíneo adj. s.m.
partenoplastia s.f.
partenoplástico s.m.
partenopolitano adj. s.m.
partenosperma s.m.
partenospermia s.f.
partenospermo adj.
partenospório s.m.
partenoto s.m.
partezilha s.f.
partheíta s.f.
partibilidade s.f.
partição s.f.
particimeiro adj.
particioneiro s.m.
participação s.f.
participado adj.
participador (*ô*) adj. s.m.
participal adj.2g.
participante adj. s.2g.
participar v.
participável adj.2g.
partícipe adj. s.2g.; cf. *participe*, fl. do v. *participar*
participial adj.2g.
particípio s.m.
pártico adj. s.m.
partícula s.f.
particular adj.2g. s.m.
particularidade s.f.
particularismo s.m.
particularista adj. s.2g.
particularístico adj.
particularização s.f.
particularizado adj.
particularizador (*ô*) adj.
particularizante adj.2g.
particularizar v.
particularizativo adj.

particularizável adj.2g.
partida s.f.
partidão s.m.
partidário adj. s.m.
partidarismo s.m.
partidarista adj. s.2g.
partidarístico adj.
partidarizar v.
partideiro adj. s.m.
partidismo s.m.
partidista adj. s.2g.
partido adj. s.m.
partido-alto s.m.; pl. *partidos-altos*
partidoira s.f.
partidoiro adj.
partidor (*ô*) adj. s.m.
partidoura s.f.
partidouro adj.
partija s.f.
partilha s.f.
partilhado adj.
partilhante adj.2g.
partilhar v.
partilhável adj.2g.
partimento s.m.
partínio s.m.
partino adj. s.m.
partir v.
partista adj. s.2g.
partita s.f.
partitivo adj. s.m.
partitura s.f.
partível adj.2g.
partizela s.f.
parto adj. s.m.
partogênese s.f.
partridgeíta s.f.
partschina s.f.
partschinita s.f.
parturejado adj.
parturejar v.
parturição s.f.
parturiente adj. s.2g.
parturir v.
partuso adj. s.m.
partzia s.f.
partzita s.f.
partzite s.f.
paru s.m.
paruá s.m.
paruara s.m.
paruaruína s.f.
paru-beija-moça s.m.; pl. *parus-beija-moça*
paru-bicudo s.m.; pl. *parus-bicudos*
paru-branco s.m.; pl. *parus-brancos*
paruco adj.
parucotó adj. s.2g.
parucuató adj. s.2g.
parucutu adj. s.2g.
paru-da-pedra s.m.; pl. *parus-da-pedra*
paru-doirado s.m.; pl. *parus-doirados*
paru-dourado s.m.; pl. *parus-dourados*
paru-dourado-do-brasil s.m.; pl. *parus-dourados-do-brasil*
paru-frade s.m.; pl. *parus-frade* e *parus-frades*
paruí s.m.
paru-jandaia s.m.; pl. *parus-jandaia* e *parus-jandaias*
párula s.m.
parúlia s.f.
parúlida s.f.
parúlide s.f.
parulídeo adj. s.m.
parulíneo adj. s.m.
paru-listrado s.m.; pl. *parus-listrados*
parum s.m.
parum-amarelo s.m.; pl. *paruns-amarelos*
parumbeba s.f.
paru-mulato s.m.; pl. *parus-mulatos*
paru-papagaio s.m.; pl. *parus-papagaio* e *parus-papagaios*
paru-preto s.m.; pl. *parus-pretos*
paru-rajado s.m.; pl. *parus-rajados*
paruru s.m.
paruruense adj. s.2g.
parusia s.f.
parúsia s.f.
parúsico adj.
paru-soldado s.m.; pl. *parus-soldado* e *parus-soldados*
paru-tucano s.m.; pl. *parus-tucano* e *parus-tucanos*
parva s.f. de *parvo*
parvajão adj. s.m.
parvajola s.2g.
parvaleza s.f.
parvalhão s.m.; f. *parvalhona*
parvalheira s.f.
parvalhice s.f.
parvalhona s.f. de *parvalhão*
parvão s.m.
parvapena s.f.
parvatano s.m.
parvena adj. s.2g.
parvenusismo s.m.
parvi s.m.
parvice s.f.
parvicélula s.f.
parvicolo adj.
parvidade s.f.
parvifloro adj.
parvifoliado adj.
parvifólio adj.
parvifúndio s.m.
parvipulverização s.f.
parvo adj. s.m.; f. *parva* e *párvoa*
párvoa s.f. de *parvo*
parvoagem s.f.
parvoalho s.m.
parvobacteriácea s.f.
parvobacteriáceo adj.
parvoeira s.f.
parvoeirão s.m.; f. *parvoeirona*
parvoeirar v.
parvoeirona s.f. de *parvoeirão*
parvoejar v.
parvoela s.f.
parvoiçada s.f.
parvoíce s.f.
parvoidade s.f.
parvoide (*ó*) adj. s.2g.
parvoinho adj. s.m.
parvoleza (*ê*) s.f.
parvolina s.f.
parvonês s.m.
parvônia s.f.
parvorice s.f.
parvoviro s.m.
parvovírus s.m.2n.
parvu s.m.
parvulez (*ê*) s.f.
parvuleza (*ê*) s.f.
párvulo adj. s.m.
párvuo adj.
parwelita s.f.
pasárgada adj. s.2g.
pascacice s.f.
pascácio s.m.
pascada s.f.
pascal adj.2g. s.m.
pascália s.f.
pascaliano adj.
pascalina s.f.
pascalino adj.
pascaró adj.
pascásio adj. s.m.
pascentador (*ô*) adj. s.m.
pascentar v.
pascente adj.2g.
pascer v.
pascigo s.m.
pascigoso (*ô*) adj.; f. (*ó*); pl. (*ó*)
páscoa s.f.; cf. *pascoa*, fl. do v. *pascoar*
pascoal adj.2g.
pascoalense adj. s.2g.
pascoal-gomes s.m.; pl. *pascoais-gomes*
pascoano adj. s.m.
pascoar v.
pascoeira s.f.
pascoel s.m.
pascoela s.f.
pascoinha s.f.
pascoíta s.f.
pascóvio adj.
pasguate s.m.
pasguato s.m.
pasifeia (*é*) s.f.
pasifeína adj.2g. s.m.
pasifeíneo adj. s.m.
pasigrafado adj.
pasigrafar v.
pasigrafia s.f.
pasigráfico adj.
pasígrafo s.m.; cf. *pasigrafo*, fl. do v. *pasigrafar*
pasilalia s.f.
pasilálico adj.
pasílalo s.m.
pasilíngua s.f.
pasílobo s.m.
pasilogia s.f.
pasilógico adj.
pasílogo s.m.
pasímaco s.m.
pasira adj. s.2g.
pasire adj. s.2g.
pasistenografia s.f.
pasistenográfico adj.
pasistenotaquigrafia s.f.
pasistenotaquigráfico adj.
pasítea s.f.
pasitelegrafia s.f.
pasitelegráfico adj.
pasma s.m.f.
pasmação s.f.
pasmacear v.
pasmaceira s.f.
pasmaceiro s.m.
pasmada s.f.
pasmado adj. s.m.f.
pasmão s.m.
pasmar v.
pasmarota s.f.
pasmarote s.m.
pasmatória s.f.
pasmatório s.m.
pasmo adj. s.m.
pasmódico adj.
pasmoso (*ô*) adj.; f. (*ó*); pl. (*ó*)
paspaláceo adj.
paspalhaça s.f.
paspalhão adj. s.m.; f. *paspalhona*
paspalhar v.
paspalhás s.f.2n.
paspalhice s.f.
paspalho s.m.
paspalhona adj. s.f. de *paspalhão*
paspalhós s.f.2n.
paspalhuça s.f.
paspalídio s.m.
páspalo s.m.
pasquim s.m.
pasquinada s.f.
pasquinagem s.f.
pasquinar v.
pasquinário adj.
pasquinear v.
pasquineiro adj. s.m.
pasquinhas s.f.2n.
pasquinista s.2g.
passa s.f.
passa-alto s.m.; pl. *passa-altos*
passa-altos adj.2g.2n.
passa-baixo s.m.; pl. *passa-baixos*
passa-baixos adj.2g.2n.
passabenense adj. s.2g.
passabenzense adj. s.2g.
passacale s.f.
passacalha s.f.
passacu s.m.
passa-culpas adj. s.2g.2n.
passa-culpismo s.m.; pl. *passa-culpismos*
passada s.f.
passadão s.m.
passa-decense adj. s.2g.; pl. *passa-decenses*
passadeira s.f.
passa-de-viseu s.f.; pl. *passas-de-viseu*
passa-dez s.m.2n.
passa-dezense adj. s.2g.; pl. *passa-dezenses*
passadiço adj. s.m.
passadio s.m.
passadismo s.m.
passadista adj. s.2g.
passadístico adj.
passado adj. s.m.
passadoiro s.m.
passa-doisente adj. s.2g.; pl. *passa-doisentes*
passador (*ô*) adj. s.m.
passadouro s.m.
passa-fiquense adj. s.2g.; pl. *passa-fiquenses*
passa-fomes s.m.2n.
passa-fora s.m. interj.; pl. do s. *passa-foras*
passagear v.
passageira s.f.
passageiro adj. s.m.
passageiro-quilômetro s.m.; pl. *passageiros-quilômetro*
passagem s.f.
passagem-areense adj. s.2g.; pl. *passagem-areenses*
passagem-bastianense adj.2g.; pl. *passagem-bastianenses*
passagem-concepcionense adj. s.2g.; pl. *passagem-concepcionenses*
passagem-franquense adj. s.2g.; pl. *passagem-franquenses*
passagem-fundense adj. s.2g.; pl. *passagem-fundenses*
passagem-limeirense adj. s.2g.; pl. *passagem-limeirenses*
passagem-limpense adj. s.2g.; pl. *passagem-limpenses*
passagem-marianense adj. s.2g.; pl. *passagem-marianenses*
passagem-novense adj. s.2g.; pl. *passagem-novenses*
passagem-pajeuense adj. s.2g.; pl. *passagem-pajeuenses*
passagem-raizense adj. s.2g.; pl. *passagem-raizenses*
passagem-sonense adj. s.2g.; pl. *passagem-sonenses*
passagenense adj. s.2g.
passagense adj. s.2g.
passagenzense adj. s.2g.
passagiano adj. s.m.
passaguá s.m.
passaguava s.f.
passa-japonesa s.f.; pl. *passas-japonesas*
passajar v.
passal s.m.
passala adj. s.2g.
passaleco s.m.
passalídeo adj. s.m.
pássalo s.m.
passalorrinquita adj. s.2g.
passaluro s.m.
passamanado adj.
passamanar v.
passamanaria s.f.
passamane s.m.
passamaneira s.f.
passamaneiro s.m.
passamaque s.m.
passamento s.m.
passa-moleque s.m.; pl. *passa-moleques*
passa-muro s.m.; pl. *passa-muros*
passa-muros s.m.2n.
passandito adj.
passandra s.f.
passandríneo s.m.
passanita s.f.
passanito s.m.
passa-noite s.m.; pl. *passa-noites*
passa-novas s.2g.2n.
passante adj. s.2g.
passa-pachola s.m.f.; pl. *passa-pacholas*
passa-passa s.m.; pl. *passa-passas*
passa-pé s.m.; pl. *passa-pés*
passapelo (*ê*) s.m.
passa-piolho s.m.; pl. *passa-piolhos*
passaporte s.m.
passa-quatrense adj. s.2g.; pl. *passa-quatrenses*
passar v.
pássara s.f.; cf. *passara*, fl. do v. *passar*
passarada s.f.
passaralho s.m.
passarão s.m.
passaré s.m.
passaredo (*ê*) s.m.
passareira s.f.
passareiro adj. s.m.
passarela s.f.
passaria s.f.
passarico s.m.
passarinha s.f.
passarinhada s.f.
passarinhagem s.f.
passarinhão s.m.
passarinha-preta s.f.; pl. *passarinhas-pretas*
passarinhar v.
passarinheira s.f.
passarinheiro adj. s.m.
passarinhense adj. s.2g.
passarinho s.m.
passarinho a olhar s.m.
passarinho-branco s.m.; pl. *passarinhos-brancos*
passarinho-bravo s.m.; pl. *passarinhos-bravos*
passarinho-da-areia s.m.; pl. *passarinhos-da-areia*
passarinho-de-arribação s.m.; pl. *passarinhos-de-arribação*
passarinho-de-verão s.m.; pl. *passarinhos-de-verão*
passarinho-do-egito s.m.; pl. *passarinhos-do-egito*
passarinho-manso s.m.; pl. *passarinhos-mansos*
passarinho-moscardo s.m.; pl. *passarinhos-moscardo* e *passarinhos-moscardos*
passarinho-preto s.m.; pl. *passarinhos-pretos*
passarinho-trigueiro s.m.; pl. *passarinhos-trigueiros*
passa-rios s.m.2n.
passaritar v.
passariúba s.f.
passariúva s.f.
passariúva-preta s.f.; pl. *passariúvas-pretas*
pássaro s.m.
pássaro-alfaiate s.m.; pl. *pássaros-alfaiate* e *pássaros-alfaiates*
pássaro-angu s.m.; pl. *pássaros-angu* e *pássaros-angus*
pássaro-assobiador s.m.; pl. *pássaros-assobiadores*
pássaro-azul s.m.; pl. *pássaros-azuis*
pássaro-bique-bique s.m.; pl. *pássaros-bique-bique*
pássaro-bisnau s.m.; pl. *pássaros-bisnaus*
pássaro-boi s.m.; pl. *pássaros-boi* e *pássaros-bois*
passaroca s.f.
passaroco (*ô*) s.m.
pássaro-da-chuva s.m.; pl. *pássaros-da-chuva*
pássaro-da-morte s.m.; pl. *pássaros-da-morte*

pássaro de bico amarelo s.m.
pássaro-de-fandango s.m.; pl. *pássaros-de-fandango*
pássaro-de-figo s.m.; pl. *pássaros-de-figo*
pássaro-do-frio s.m.; pl. *pássaros-do-frio*
pássaro-do-mel s.m.; pl. *pássaros-do-mel*
pássaro-frade s.m.; pl. *pássaros-frade* e *pássaros-frades*
passarola s.f.
passarolo (*ô*) s.m.
pássaro-martelo s.m.; pl. *pássaros-martelo* e *pássaros-martelos*
pássaro-maú s.m.; pl. *pássaros-maú* e *pássaros-maús*
pássaro-mosca s.m.; pl. *pássaros-mosca* e *pássaros-moscas*
pássaro-pêndulo s.m.; pl. *pássaros-pêndulo* e *pássaros-pêndulos*
pássaro-preto s.m.; pl. *pássaros-pretos*
pássaro-preto-soldado s.m.; pl. *pássaros-pretos-soldado* e *pássaros-pretos-soldados*
pássaro-ribeiro s.m.; pl. *pássaros-ribeiros*
pássaro-sino s.m.; pl. *pássaros-sino* e *pássaros-sinos*
pássaro-sol s.m.; pl. *pássaros-sol* e *pássaros-sóis*
pássaro-soldado s.m.; pl. *pássaros-soldado* e *pássaros-soldados*
pássaro-trombeta s.m.; pl. *pássaros-trombeta* e *pássaros-trombetas*
pássaro-voa s.m.; pl. *pássaros-voa*
passatempear v.
passa-tempense adj. s.2g.; pl. *passa-tempenses*
passatempo s.m.
passa-tresense adj. s.2g.; pl. *passa-tresenses*
passa-triense adj. s.2g.; pl. *passa-trienses*
passa-tudo adj.2g.2n.
passauite (*í*) s.f.
passaunense adj. s.2g.
passavante s.m.
passável adj.2g.
passa-vintense adj. s.2g.; pl. *passa-vintenses*
passa-volante s.m.; pl. *passa-volantes*
passe s.m. "licença", etc.; cf. *passé*
passé adj. s.2g. "grupo indígena"; cf. *passe* s.m. e fl. do v. *passar*
passeado adj.
passeadoiro s.m.
passeador (*ô*) adj. s.m.
passeadouro s.m.
passeante adj. s.2g.
passear v.
passeata s.f.
passeense adj. s.2g.
passeio s.m.
passeira s.f.
passeiro adj. s.m. "que anda a passo", etc.; cf. *paceiro*
passeivão s.m.
passejar v.
passense adj. s.2g.
passento adj.
passe-passe s.m.; pl. *passes-passe* e *passes-passes*
passerídeo adj. s.m.
passeriforme adj.2g. s.m.
passerigalo adj. s.m.
passerina s.f.
passerita s.m.
passete (*ê*) s.m.
passibilidade s.f.
passiflora s.f.
passiflorácea s.f.
passifloráceo adj.
passiflórea s.f.
passiflóreo adj.
passiflorina s.f.
passiite s.f.
passilargo adj.
passilho s.m.
passinha s.f.
passinha de deus s.f.
passinhar v.
passinhas s.2g.2n.
passinhento adj.
passinho s.m.
passiofilia s.f.
passiofílico adj.
passiófilo adj. s.m.
passional adj.2g. s.m.
passionalidade s.f.
passionalismo s.m.
passionalista s.2g.
passionalístico adj.
passionário s.m.
passioneiro s.m.
passionista adj. s.2g.
passirense adj. s.2g.
passismo s.m.
passista adj. s.2g.
passístico adj.
passiva s.f.
passivação s.f.
passivado adj.
passivador (*ô*) adj.
passivante adj.2g.
passivar v.
passível adj.2g.
passividade s.f.
passivismo s.m.
passivista adj. s.2g.
passivístico adj.
passivo adj. s.m.
passo adj. s.m. "passada"; cf. *paço*
passo-areense adj. s.2g.; pl. *passo-areenses*
passo-camarajibense adj. s.2g.; pl. *passo-camarajibenses*
passo-dobre s.m.; pl. *passos-dobres*
passoela s.f.
passoelo s.m.
passo-feijoense adj. s.2g.; pl. *passo-feijoenses*
passo-fundense adj. s.2g.; pl. *passo-fundenses*
passo-gatense adj. s.2g.; pl. *passo-gatenses*
passola s.f.
passo-lisense adj. s.2g.; pl. *passo-lisenses*
passo-mansense adj. s.2g.; pl. *passo-mansenses*
passo-meense adj. s.2g.; pl. *passo-meenses*
passômetro s.m.
passo-novense adj. s.2g.; pl. *passo-novenses*
passo-pedrense adj. s.2g.; pl. *passo-pedrenses*
passo-pupense adj. s.2g.; pl. *passo-pupenses*
passo-rasense adj. s.2g.; pl. *passo-rasenses*
passo-reservense adj. s.2g.; pl. *passo-reservenses*
passo-sobradense adj. s.2g.; pl. *passo-sobradenses*
passota s.f.
passo-vermelhense adj. s.2g.; pl. *passo-vermelhenses*
passuaré s.m.
pasta s.f.
pastada s.f.
pastadeira s.f.
pastadeiro adj.
pastado adj.
pastadoiro s.m.
pastadouro s.m.
pastagal s.m.
pastagem s.f.
pastagoso (*ô*) adj. s.m.; f. (*ó*); pl. (*ó*)
pasta-miúda s.f.; pl. *pastas-miúdas*
pastante s.m.
pastar v.
pastaréu s.m.
pastaria s.f.
pasteira s.f.
pasteiro s.m.
pastejado adj.
pastejador (*ô*) adj.
pastejar v.
pastejo (*ê*) s.m.
pastel adj.2g. s.m.
pastelada s.f.
pastelão s.m.
pastelaria s.f.
pastel-dos-tintureiros s.m.; pl. *pastéis-dos-tintureiros*
pasteleira s.f.
pasteleiro adj. s.m.
pastelice s.f.
pastelim s.m.
pastelinho s.m.
pastelino adj.
pastelista s.2g.
pastense adj. s.2g.
pasteuraniano adj.
pasteurela s.f.
pasteurélea s.m.
pasteurelose s.f.
pasteurelósico adj.
pasteuriano adj.
pasteurização s.f.
pasteurizadeira s.f.
pasteurizado adj.
pasteurizador (*ô*) adj. s.m.
pasteurizante adj.2g.
pasteurizar v.
pasteurizável adj.2g.
pastiçal s.m.
pastichado adj.
pastichar v.
pasticharia s.f.
pastiche s.m.
pasticheiro s.m.
pasticho s.m.
pastifício s.m.
pastilha s.f.
pastilhamento s.m.
pastilhar v.
pastilheiro s.m.
pastilhense adj. s.2g.
pastinaca s.f.
pastinácia s.f.
pastinacina s.f.
pastinaga s.f.
pastinha s.f.
pastinhar v.
pastinheiro adj.
pastinhense adj. s.2g.
pastio s.m.
pasto s.m.
pasto-amargo s.m.; pl. *pastos-amargos*
pasto-aranha s.m.; pl. *pastos-aranha* e *pastos-aranhas*
pasto-bonense adj. s.2g.; pl. *pasto-bonenses*
pasto-borla s.m.; pl. *pastos-borla* e *pastos-borlas*
pasto-branco s.m.; pl. *pastos-brancos*
pasto-de-areia s.m.; pl. *pastos-de-areia*
pasto-de-bezerro s.m.; pl. *pastos-de-bezerro*
pasto de mel s.m.
pasto-de-outono s.m.; pl. *pastos-de-outono*
pasto-forano adj. s.m.; pl. *pasto-foranos*
pasto-forense adj. s.2g.; pl. *pasto-forenses*
pastofório s.m.
pastóforo s.m.
pasto-grandense adj. s.2g.; pl. *pasto-grandenses*
pasto-hético s.m.; pl. *pastos-héticos*
pasto-imperial s.m.; pl. *pastos-imperiais*
pasto-matense adj. s.2g.; pl. *pasto-matenses*
pastomeira s.f.
pastomeira-do-campo s.f.; pl. *pastomeiras-do-campo*
pastonga s.f.
pastor (*ô*) adj. s.m.
pastora (*ô*) s.f.
pastorada s.f.
pastorado adj. s.m.
pastoradoiro s.m.
pastorador (*ô*) s.m.
pastoradouro s.m.
pastoral adj.2g. s.f.
pastor-alemão s.m.; pl. *pastores-alemães*
pastoralismo s.m.
pastoralista adj. s.2g.
pastoralizar v.
pastorar v.
pasto-rasteiro s.m.; pl. *pastos-rasteiros*
pastorato s.m.
pastor-belga s.m.; pl. *pastores-belgas*
pastoreação s.f.
pastoreado adj.
pastoreador (*ô*) s.m.
pastoreano adj.
pastorear v.
pastoreio s.m.
pastoreiro s.m.
pastorejado adj.
pastorejador (*ô*) adj. s.m.
pastorejar v.
pastorejo (*ê*) s.m.
pastorela s.f.
pastorelho (*ê*) s.m.
pastorelose s.f.
pastorense adj. s.2g.
pastoriano adj.
pastorícia s.f.
pastoricida s.2g.
pastoricídio adj.
pastoril adj.2g. s.m.
pastorinha s.f.
pastorinhas s.f.pl.
pastorismo s.m.
pastorização s.f.
pastorizador (*ô*) adj. s.m.
pastorizar v.
pasto-salgado s.m.; pl. *pastos-salgados*
pastosidade s.f.
pastoso (*ô*) adj.; f. (*ó*); pl. (*ó*)
pastovinador (*ô*) s.m.
pastrana adj. s.2g.
pastranha s.2g.
pastrano adj. s.m.
pastreíte s.f.
pastugal s.m.
pastura s.f.
pastural adj.2g.
pat adj. s.m.
pata s.f. "fêmea do pato", etc.; cf. *patã*
patã adj. s.m. "povo"; cf. *pata*
pataca s.f.
patacão s.m.
patacaria s.f.
pata-cega adj.2g.; pl. *patas-cegas*
patachim s.m.
patachina s.f.
patacho s.m.
pata-choca s.m.f.; pl. *patas-chocas*
pataco s.m. "moeda"; cf. *pataço*
pataço s.m. "patada"; cf. *pataco*
patacoa (*ô*) s.f.
patacoada s.f.
patacório s.m.
patacudo adj.
patacusma s.f.
pata-d'água s.f.; pl. *patas-d'água*
patada s.f.
pata-de-boi s.f.; pl. *patas-de-boi*
pata-de-cavalo s.f.; pl. *patas-de-cavalo*
pata de coelho s.f.
pata-de-elefante s.f.; pl. *patas-de-elefante*
pata-de-galo s.f.; pl. *patas-de-galo*
pata-de-ganso s.f.; pl. *patas-de-ganso*
pata-de-gato s.f.; pl. *patas-de-gato*
pata-de-lebre s.f.; pl. *patas-de-lebre*
pata-de-lobo s.f.; pl. *patas-de-lobo*
pata-de-vaca s.f.; pl. *patas-de-vaca*
patado adj.
pataeiro adj. s.m.
patagã adj. s.f. de *patagão*
patagada s.f.
pata-galhana s.2g.; pl. *patas-galhanas*
pata-galharda s.f.; pl. *patas-galhardas*
pata-gansa s.f.; pl. *patas-gansas*
patagão adj. s.m.; f. *patagã* e *patagona*
patagarro s.m.
patagiado adj.
patagial adj.2g.
patagina s.f.
patágio s.m.
patagona adj. s.f. de *patagão*
patagônico adj.
patagônio adj. s.m.
patagônula s.f.
patagueira s.f.
pataí s.m.
pataia s.f.
pataibense adj. s.2g.
pataica s.f.
pataico s.m.
pataieiro adj. s.m.
patajuba s.f.
patajubarana s.f.
patala s.m.
pataleação s.f.
pataleado adj.
pataleador (*ô*) adj.
pataleante adj.2g.
patalear v.
pataleio s.m.
pataleta (*ê*) s.f.
patalitano adj. s.m.
pataloco (*ô*) adj. s.m.
patalogo (*ô*) adj. s.m.
pataloto (*ô*) adj. s.m.
patalou s.m.
patalou-dos-vales s.m.; pl. *patalous-dos-vales*
patalou-mata-bois s.m.; pl. *patalous-mata-bois*
pataluco s.m.
patamar s.m.
patamarim s.m.
patamarinho s.m.
patamario s.m.
pata-maxila s.f.; pl. *patas-maxilas*
patamaz adj. s.2g.
patameco s.m.
patameira s.f.
patameiro s.m.
patamo adj. s.m.
patamuteense adj. s.2g.
patana s.2g. s.f.
patanau adj. s.2g.
patane adj. s.2g.
patangantim s.m.
patangoma s.f.
patanhar v.
patanisca s.f.
patanquilha s.f.
patão s.m.
patá-patá s.m.; pl. *patá-patás*
patapeuá s.m.
pataqueira s.f.
pataqueiro adj. s.m.
pataquera (*ü*) s.m.f.

pataquinha s.f.
pataquinho s.m.
pataquitera s.f.
pataranha s.2g.
patarano adj. s.m.
patarata adj. s.2g. s.f.
pataratada s.f.
pataratar v.
pataratear v.
patarateiro adj. s.m.
pataratice s.f.
pataratismo s.m.
patareca s.f.
patareco s.m.
patarênio s.m.
patareu adj. s.m. "relativo a Pátara"; cf. *pataréu*
pataréu s.m. "pequeno patamar"; cf. *patareu*
patárico adj. s.m.
patarínia s.f.
patarino s.m.
pataroco (*ô*) adj. s.m.
patarola adj. s.2g.
patarolho (*ô*) adj. s.m.
patarouco adj. s.2g.
patarra s.f.
patarral s.m.
patarrão s.m.
patarrás s.m.
patarreca s.2g.
patarreco s.m.
patarrega s.2g.
patarrego (*ê*) s.m.
patarroxa (*ô*) s.f.
patarrudo adj.
patas s.m.f.2n. "erva", etc.; cf. *patás*
patás s.m.2n. "símio"; cf. *patas*
patassol s.m.
patassola s.f.
patatá s.m.
patatiba s.f.
patativa s.f.
patativa-boiadeira s.f.; pl. *patativas-boiadeiras*
patativa-chorona s.f.; pl. *patativas-choronas*
patativa-de-bico-vermelho s.f.; pl. *patativas-de-bico-vermelho*
patativa-do-sertão s.f.; pl. *patativas-do-sertão*
patativa-golada s.f.; pl. *patativas-goladas*
patativo s.m.
patatoada s.f.
patau s.m.
patauá s.m.
patavar adj.2g.
patavicense adj. s.2g.
patavina s.f. pron.
patavinice s.f.
patavinidade s.f.
patavinismo s.m.
patavino adj. s.m.
pataxó adj. s.2g.
pataxó hã hã hãe adj. s.2g.
patchuli s.m.
pate adj.2g. s.m. "posição do rei no xadrez"; cf. *patê*
patê s.m. "alimento pastoso"; cf. *pate*
pátea s.f.
pateada s.f.
pateado adj. s.m.
pateadura s.f.
pateante adj. s.2g.
patear v.
pateca s.f.
patecal s.m.
pateco s.m.
patefazer v.
pategada s.f.
pategar v.
patego (*ê*) adj. s.m.; cf. *patego*, fl. do v. *pategar*
pateguice s.f.
pateguinho s.m.
pateguito s.m.
pateira s.f.
pateiro adj. s.m.
pateironense adj. s.2g.
patejar v.
patel s.m.
patela s.f.
patelado s.m.
patelar adj.2g.
patelária s.f.
patelariácea s.f.
patelariáceo adj.
patélea s.f.
patelectomia s.f.
patelectômico adj.
patelha (*ê*) s.f.
patelídeo adj. s.m.
pateliforme adj.2g.
patelina s.f.
patelinho s.m.
patelo (*ê*) s.m.
patém s.m.
patema s.m.
patemar s.m.
pátena s.f. "objeto litúrgico"; cf. *pátina*
patença s.f.
patense adj. s.2g.
patentado adj.
patentar v.
patente adj.2g. s.f.
patenteabilidade s.f.
patenteação s.f.
patenteado adj.
patenteador (*ô*) adj.
patentear v.
patenteável adj.2g.
patentizar v.
páteo adj. "relativo a um tipo de cruz heráldica"; cf. *pátio*
patera s.f. "prego"; cf. *pátera*
pátera s.f. "taça"; cf. *patera*
pateraíta s.f.
patere s.m.
patereviú s.m.
páter-famílias s.m.
pateriforme adj.2g.
paternal adj.2g.
paternalidade s.f.
paternalismo s.m.
paternalista adj. s.2g.
paternalístico adj.
paterniano adj. s.m.
paternidade s.f.
paterno adj.
páter-nóster s.m.; *páter-nósteres*
patersônia s.f.
patersonita s.f.
patersonite s.f.
patesca (*ê*) s.m.f.
patescaria s.f.
patesco (*ê*) adj. s.m.
pateta adj. s.2g.
patetar v.
patetear v.
patetice s.f.
pateticismo s.m.
patético adj. s.m.
patetismo s.m.
patetoide (*ó*) adj. s.2g.
patexúli s.m.
pati adj. s.2g. s.m.
patiá s.m.
pati-alferense adj. s.2g.; pl. *pati-alferenses*
pati-amargoso s.m.; pl. *patis-amargosos*
patiar v.
pati-bastardo s.m.; pl. *patis-bastardos*
patibilidade s.f.
patibular adj.2g.
patíbulo s.m.
patica s.f.
pático adj.
pati-de-goiás s.m.; pl. *patis-de-goiás*
pati-doce s.m.; pl. *patis-doces*
patiense adj. s.2g.
patifa adj. s.f. de *patife*
patifão adj. s.m.; f. *patifona*
patifaria s.f.
patife adj. s.2g.; f. *patifa*
patifona adj. s.f. de *patifão*
patifório s.m.
patigabiraba s.f.
patiguá s.m.
patiguara adj. s.2g.
patilado s.m.
patilau s.m.
patilha s.f.
patilhão s.m.
patim s.m.
patima s.m.
patimarana s.f.
pátina s.f. "oxidação"; cf. *pátena* s.f. e *patina*, fl. do v. *patinar*
patinação s.f.
patinado adj.
patinador (*ô*) adj. s.m.
patinagem s.f.
patinar v.
patinável adj.2g.
patinela s.f.
patineta (*ê*) s.f.
patinete s.f.
patinga s.f.
patinha s.f.
patinha-d'água s.f.; pl. *patinhas-d'água*
patinhagem s.f.
patinhar v.
patinhas s.f.pl.
patinheiro s.m.
patinho s.m.
patinho-d'água s.m.; pl. *patinhos-d'água*
patinho-de-igapó s.m.; pl. *patinhos-de-igapó*
patinódromo s.m.
patinsonagem s.f.
pátio s.m. "recinto interno térreo não coberto"; cf. *páteo*
patioba s.f.
patiobamirim s.f.
patipate s.m.
patira s.m.
patíria s.f.
patível adj.2g.
patizalense adj. s.2g.
pato s.m. "ave"; cf. *pató*
pató adj.2g. s.f. "palerma", etc.; cf. *pato*
patoá s.m. "dialeto"; cf. *patuá*
pato-almiscarado s.m.; pl. *patos-almiscarados*
pato-argentino s.m.; pl. *patos-argentinos*
pato-arminho s.m.; pl. *patos-arminho* e *patos-arminhos*
pato-bagual s.m.; pl. *patos-baguais*
patobiologia s.f.
pato-bragadense adj. s.2g.; pl. *pato-bragadenses*
pato-branquense adj. s.2g.; pl. *pato-branquenses*
pato-bravo s.m.; pl. *patos-bravos*
pato-castelhano s.m.; pl. *patos-castelhanos*
patócero s.m.
patocho (*ô*) s.m.
patocírculo s.m.
patoclise s.f.
pato-colhereiro s.m.; pl. *patos-colhereiros*
pato-coral s.m.; pl. *patos-coral*
pato-corredor s.m.; pl. *patos-corredores*
patocrinia s.f.
pato-crioulo s.m.; pl. *patos-crioulos*
patocronia s.f.
patocrônico adj.
pato-da-carolina s.m.; pl. *patos-da-carolina*
pato-da-pomerânia s.m.; pl. *patos-da-pomerânia*
pato-de-caiena s.m.; pl. *patos-de-caiena*
pato-de-carúncula s.m.; pl. *patos-de-carúncula*
pato-de-crista s.m.; pl. *patos-de-crista*
patoderma s.m.
patodermo s.m.
pato-do-amazonas s.m.; pl. *patos-do-amazonas*
pato-do-mar s.m.; pl. *patos-do-mar*
pato-do-mato s.m.; pl. *patos-do-mato*
pato-ferrão s.m.; pl. *patos-ferrão* e *patos-ferrões*
patofobia s.f.
patofóbico adj.
patófobo adj. s.m.
patoforese s.f.
patoforético adj.
patóforo adj.
pato-ganso s.m.; pl. *patos-ganso* e *patos-gansos*
patogêneo adj.
patogênese s.f.
patogenesia s.f.
patogenético adj.
patogenia s.f.
patogenicidade s.f.
patogênico adj.
patogenista adj. s.2g.
patógeno adj.
patognomonia s.f.
patognomoníaco adj.
patognomônica s.f.
patognomônico adj.
patognóstico adj.
patoilar v.
patoilo s.m.
patola adj. s.2g. s.f. "tolo", etc.; cf. *pátola*
pátola s.f. "tecido", etc.; cf. *patola* adj. s.2g. s.f. e fl. do v. *patolar*
patolar v.
pato-lavanco s.m.; pl. *patos-lavanco* e *patos-lavancos*
patólise s.f.
patolítico adj.
patologia s.f.
patológico adj.
patologista adj. s.2g.
patólogo s.m.
pato-mandarim s.m.; pl. *patos-mandarim* e *patos-mandarins*
patomania s.f.
patomaníaco adj. s.m.
patômano s.m.
pato-marinho s.m.; pl. *patos-marinhos*
pato-mergulhão s.m.; pl. *patos-mergulhões*
pato-mestiço s.m.; pl. *patos-mestiços*
patomima s.2g.
patomimese s.f.
patomimia s.f.
patomímico adj.
patomimo s.m.
pato-moleque s.m.; pl. *patos-moleques*
pato-mudo s.m.; pl. *patos-mudos*
pato-negro s.m.; pl. *patos-negros*
patonha s.f.
patonomia s.f.
patonômico adj.
pato-pataca s.m.; pl. *patos-pataca* e *patos-patacas*
patopeia (*é*) s.f.
pato-picazo s.m.; pl. *patos-picazos*
patopoese s.f.
pato-pomerânia s.m.; pl. *patos-pomerânia*
patorá s.m.
patorá-das-praias s.m.; pl. *patorás-das-praias*
patoral s.m.
pato-rangedeiro s.m.; pl. *patos-rangedeiros*
patoré s.m.
pato-real s.m.; pl. *patos-reais*
patoreco s.m.
patornear v.
pato-rouco s.m.; pl. *patos-roucos*
patorra (*ô*) s.f.
patos s.m.2n.
pato-selvagem s.m.; pl. *patos-selvagens*
patos-minense adj. s.2g.; pl. *patos-minenses*
patota s.f.
patotada s.f.
patoteiro s.m.
patoterapia s.f.
patoterápico adj.
pato-trombeteiro s.m.; pl. *patos-trombeteiros*
pato-velhense adj. s.2g.; pl. *pato-velhenses*
patracense adj. s.2g.
patraculha s.f.
patrafum s.m.
patrajona s.f.
patrandeiro s.m.
patranha s.f.
patranhada s.f.
patranhar v.
patranharia s.f.
patranheiro adj. s.m.
patranhento adj.
patranhice s.f.
patranhista s.2g.
patranhoso (*ô*) adj.; f. (*ó*); pl. (*ó*)
patrão s.m.; f. *patroa* (*ô*)
patrão-mor s.m.; pl. *patrões-mores*
patrão-morense adj. s.2g.; pl. *patrão-morenses*
patrasana s.m.
patrato adj. s.m.
patrazana s.m.
patrense adj. s.2g.
pátria s.f.
pátria-amada s.m.; pl. *pátrias-amadas*
patriação s.f.
patriada s.f.
patrial adj.2g.
patriarca s.m.
patriarcado s.m.
patriarcal adj.2g. s.f.
patriarcalismo s.m.
patriarcalista adj. s.2g.
patriarcalístico adj.
patriarquense adj. s.2g.
patriarquia s.f.
patriarquismo s.m.
patrícia s.f.
patriciado s.m.
patriciano adj. s.m.
patriciato s.m.
patricida adj. s.2g.
patricídio s.m.
patriciense adj. s.2g.
patricinha s.f.
patrício adj. s.m.
patriclino adj.
patridã s.m.
patrilateral adj.2g.
patrilateralidade s.f.
patrilinear adj.2g.
patrilinearidade s.f.
patrilinhagem s.f.
patrilocal adj.2g.
patrilocalidade s.f.
patrimoniado adj.
patrimonial adj.2g.
patrimonialidade s.f.
patrimonialismo s.m.
patrimonialista adj. s.2g.
patrimonialístico adj.
patrimoniense adj. s.2g.
patrimônio s.m.
patrínia s.f.
patrinita s.f.
patrinite s.f.
pátrio adj.
patriofobia s.f.
patriofóbico adj.

patriófobo adj. s.m.
patriota adj. s.2g.
patriotaça s.2g.
patriotada s.f.
patriotador (*ô*) s.m.
patriotagem s.f.
patriotarreca s.2g.
patriotasno s.m.
patrioteiro adj. s.m.
patriotice s.f.
patriótico adj.
patriotinheiro s.m.
patriotismo s.m.
patriotista adj. s.2g.
patripassianismo s.m.
patripassiano adj. s.m.
patripassionismo s.m.
patrísia s.f.
patrística s.f.
patrístico adj.
patriúncula s.f.
patrizar v.
patroa (*ô*) s.f. de *patrão*
patroar v.
patrobídeo adj. s.m.
patróbio s.m.
pátrobo s.m.
patrocinado adj.
patrocinador (*ô*) adj. s.m.
patrocinal adj.2g.
patrocinamento s.m.
patrocinante adj.2g.
patrocinar v.
patrocinato s.m.
patrocinável adj.2g.
patrocinense adj. s.2g.
patrociniense adj. s.2g.
patrocínio s.m.
patrocínio-muriaense adj. s.2g.; pl. *patrocínio-muriaenses*
patrocínio-paulistense adj. s.2g.; pl. *patrocínio-paulistenses*
patrocínio-são-vicentense adj. s.2g.; pl. *patrocínio-são-vicentenses*
patrocinito s.m.
patroclinal adj.2g.
patroclínico adj.
patroclino adj.
patrogênese s.f.
patrogenético adj.
patrogenia s.f.
patrogênico adj.
patroginopédio s.m.
patrogonia s.f.
patrogônico adj.
patrol s.f.
patrola s.f.
patrolar v.
patrolista s.2g.
patrologia s.f.
patrológico adj.
patrologista s.f.
patrólogo s.m.
patromórfico adj.
patromoria s.f.
patrona s.f.
patronado s.m.
patronagem s.f.
patronal adj.2g.
patronalismo s.m.
patronalista adj. s.2g.
patronato s.m.
patronear v.
patronesse s.f.
patronia s.f.
patronímia s.f.
patronímico adj. s.m.
patrônimo s.m.
patronita s.f.
patronite s.f.
patronítico adj.
patronizar v.
patrono s.m.
patrônomo s.m.
patropédio s.m.
patruça s.f.
patrúcia s.f.
patruicida s.2g.
patruicídio s.m.
patrulha s.f.
patrulhado adj.
patrulhador (*ô*) adj.
patrulhamento s.m.
patrulhante adj.2g.
patrulhar v.
patrulhável adj.2g.
patrulheiro s.m.
patrulhense adj. s.2g.
patuá s.m. "amuleto"; cf. *patoá*
patuá-balaio s.m.; pl. *patuás-balaio* e *patuás-balaios*
patuarana s.f.
patuatiba s.f.
patuca adj. s.2g.
patudo adj.
patuense adj. s.2g.
patuguá s.m.
patulear v.
patuleia (*é*) adj.2g. s.f.; cf. *patuleia*, fl. do v. *patulear*
patulina s.f.
pátulo adj.
patum adj.
patuno s.m.
patural s.m.
patural-do-morro s.m.; pl. *paturais-do-morro*
paturé s.m.
patureba adj. s.2g. s.m.
paturega s.2g.
paturi s.m.
paturiaçu s.m.
paturi-do-mato s.m.; pl. *paturis-do-mato*
patusca s.f.
patuscada s.f.
patuscão adj. s.m.
patuscar v.
patusco adj. s.m.
patusqueiro adj.
pau adj.2g. s.m.
paual s.m.
pau-alazão s.m.; pl. *paus-alazão* e *paus-alazões*
pau-alecrim s.m.; pl. *paus-alecrim* e *paus-alecrins*
pau-alho s.m.; pl. *paus-alho* e *paus-alhos*
pau-altense adj. s.2g.; pl. *pau-altenses*
pau-ama s.m.; pl. *paus-ama* e *paus-amas*
pau-amarante s.m.; pl. *paus-amarantes*
pau-amarelense adj. s.2g.; pl. *pau-amarelenses*
pau-amarelo s.m.; pl. *paus-amarelos*
pau-amargo s.m.; pl. *paus-amargos*
pau-amargoso s.m.; pl. *paus-amargosos*
pau-amendoim s.m.; pl. *paus-amendoim* e *paus-amendoins*
pau-andrade s.m.; pl. *paus-andrade* e *paus-andrades*
pauapicar v.
pau a pique s.m.
pau-a-piquense adj. s.2g.; pl. *pau-a-piquenses*
pauapixunense adj. s.2g.
pau-arara s.m.; pl. *paus-arara* e *paus-araras*
pauatê adj. s.2g.
pau-azeite s.m.; pl. *paus-azeite* e *paus-azeites*
pau-azeitona s.m.; pl. *paus-azeitona* e *paus-azeitonas*
pau-azevim s.m.; pl. *paus-azevim* e *paus-azevins*
pau-bala s.m.; pl. *paus-bala* e *paus-balas*
pau-bálsamo s.m.; pl. *paus-bálsamo* e *paus-bálsamos*
pau-barrigudo s.m.; pl. *paus-barrigudos*
pau-barro s.m.; pl. *paus-barro* e *paus-barros*
pau-bicho s.m.; pl. *paus-bicho* e *paus-bichos*
pau-bicho-amarelo s.m.; pl. *paus-bicho-amarelo* e *paus-bichos-amarelos*
pau-boia s.m.; pl. *paus-boia* e *paus-boias*
pau-bonito s.m.; pl. *paus-bonitos*
pau-bosta s.m.; pl. *paus-bosta* e *paus-bostas*
pau-branco s.m.; pl. *paus-brancos*
pau-branquense adj. s.2g.; pl. *pau-branquenses*
pau-brasil s.m.; pl. *paus-brasil* e *paus-brasis*
pau-brasil-amarelo s.m.; pl. *paus-brasil-amarelo* e *paus-brasis-amarelos*
pau-brasileiro adj. s.2g.; pl. *paus-brasileiros*
pau-brasilense adj. s.2g.; pl. *pau-brasilenses*
pau-bravo s.m.; pl. *paus-bravos*
pau-breu s.m.; pl. *paus-breu* e *paus-breus*
pau-caboclo s.m.; pl. *paus-caboclos*
pau-cabra s.m.; pl. *paus-cabra* e *paus-cabras*
pau-cachorro s.m.; pl. *paus-cachorro* e *paus-cachorros*
pau-cadeira s.m.; pl. *paus-cadeira* e *paus-cadeiras*
pau-cadela s.m.; pl. *paus-cadela* e *paus-cadelas*
pau-caixão s.m.; pl. *paus-caixão* e *paus-caixões*
pau-caixeta s.m.; pl. *paus-caixeta* e *paus-caixetas*
pau-campeche s.m.; pl. *paus-campeches*
pau-candeia s.m.; pl. *paus-candeia* e *paus-candeias*
pau-candeia-de-marajó s.m.; pl. *paus-candeia-de-marajó* e *paus-candeias-de-marajó*
pau-canela s.m.; pl. *paus-canela* e *paus-canelas*
pau-caninana s.m.; pl. *paus-caninana* e *paus-caninanas*
pau-canoa s.m.; pl. *paus-canoa* e *paus-canoas*
pau-canudo s.m.; pl. *paus-canudo* e *paus-canudos*
pau-capitão s.m.; pl. *paus-capitão* e *paus-capitães*
pau-cardoso s.m.; pl. *paus-cardoso* e *paus-cardosos*
pau-careca s.m.; pl. *paus-carecas*
pau-carga s.m.; pl. *paus-carga* e *paus-cargas*
pau-carne s.m.; pl. *paus-carne* e *paus-carnes*
pau-carrapato s.m.; pl. *paus-carrapato* e *paus-carrapatos*
pau-carrasco s.m.; pl. *paus-carrascos*
pau-carvão s.m.; pl. *paus-carvão* e *paus-carvões*
pau-casca-de-anta s.m.; pl. *paus-cascas-de-anta*
pau-caseco s.m.; pl. *paus-caseco* e *paus-casecos*
pau-catinga s.m.; pl. *paus-catinga* e *paus-catingas*
pau-cavalo s.m.; pl. *paus-cavalo* e *paus-cavalos*
pau-caxique s.m.; pl. *paus-caxique* e *paus-caxiques*
pau-cera s.m.; pl. *paus-cera* e *paus-ceras*
pau-cetim s.m.; pl. *paus-cetim* e *paus-cetins*
pau-cetim-indiano s.m.; pl. *paus-cetim-indianos*
pau-cetim-vermelho s.m.; pl. *paus-cetim-vermelhos*
pau-cheiroso s.m.; pl. *paus-cheirosos*
pauciarticulado adj.
paucidade s.f.
paucidentado adj.
paucifloro adj.
paucifoliado adj.
paucifólio adj.
paucijugo adj.
paucilitionita s.f.
paucilóquio s.m.
paucíloquo adj.
paucinervado adj.
paucinérveo adj.
pauciovulado adj.
paucirradiado adj.
paucisseminado adj.
paucisseriado adj.
pau-cobra s.m.; pl. *paus-cobra* e *paus-cobras*
pau-colher s.m.; pl. *paus-colher* e *paus-colheres*
pau-colherense s.m.; pl. *paus-colherenses*
pau-comprido s.m.; pl. *paus-compridos*
pau-concha s.m.; pl. *paus-concha* e *paus-conchas*
pau-conta s.m.; pl. *paus-conta* e *paus-contas*
pau-copense adj. s.2g.; pl. *pau-copenses*
pau-coral s.m.; pl. *paus-coral* e *paus-corais*
pau-costa s.m.; pl. *paus-costa* e *paus-costas*
pau-cravo s.m.; pl. *paus-cravo* e *paus-cravos*
pau-crioulo s.m.; pl. *paus-crioulo* e *paus-crioulos*
pau-cruz s.m.; pl. *paus-cruz* e *paus-cruzes*
pau-cumaru s.m.; pl. *paus-cumaru* e *paus-cumarus*
pauda s.f.
pau-d'abóbora s.m.; pl. *paus-d'abóbora*
pau-da-china s.m.; pl. *paus-da-china*
pau da cumeeira s.m.
pau-dado s.m.; pl. *paus-dados*
pau-da-fumaça s.m.; pl. *paus-da-fumaça*
pau da giba s.m.
pau-d'água s.2g.; pl. *paus-d'água*
pau-d'águila s.m.; pl. *paus-d'águila*
pau-da-índia s.m.; pl. *paus-da-índia*
pau-d'alhense adj. s.2g.; pl. *pau-d'alhenses*
pau-d'alho s.m.; pl. *paus-d'alho*
pau-d'alho-do-campo s.m.; pl. *paus-d'alho-do-campo*
pau-d'alho-do-cerrado s.m.; pl. *paus-d'alho-do-cerrado*
pau-d'alho-verdadeiro s.m.; pl. *paus-d'alho-verdadeiros*
pau-da-manada s.m.; pl. *paus-da-manada*
pau-danejo s.m.; pl. *paus-danejo*
pau-d'angola s.m.; pl. *paus-d'angola*
pau-d'anjo s.m.; pl. *paus-d'anjo*
pau-da-rainha s.m.; pl. *paus-da-rainha*
pau-d'arara s.m.; pl. *paus-d'arara*
pau-d'arco s.m.; pl. *paus-d'arco*
pau-d'arco-amarelo s.m.; pl. *paus-d'arco-amarelos*
pau-d'arco-branco s.m.; pl. *paus-d'arco-brancos*
pau-d'arco-de-flor-roxa s.m.; pl. *paus-d'arco-de-flor-roxa*
pau-d'arco-de-pipa s.m.; pl. *paus-d'arco-de-pipa*
pau-d'arco-do-campo s.m.; pl. *paus-d'arco-do-campo*
pau-d'arco-do-igapó s.m.; pl. *paus-d'arco-do-igapó*
pau-d'arco-preto s.m.; pl. *paus-d'arco-pretos*
pau-d'arco-roxo s.m.; pl. *paus-d'arco-roxos*
pau-d'arquense adj. s.2g.; pl. *pau-d'arquenses*
pau das costas s.m.
pau das donzelas s.m.
pau-da-semana s.m.; pl. *paus-da-semana*
pau-da-serra s.m.; pl. *paus-da-serra*
pau-da-terra s.m.; pl. *paus-da-terra*
pau-d'azeite s.m.; pl. *paus-d'azeite*
pau-de-abóbora s.m.; pl. *paus-de-abóbora*
pau-de-água s.m.; pl. *paus-de-água*
pau de águia s.m.
pau de águila s.m.
pau-de-alho s.m.; pl. *paus-de-alho*
pau-de-alho-do-campo s.m.; pl. *paus-de-alho-do-campo*
pau-de-alho-do-cerrado s.m.; pl. *paus-de-alho-do-cerrado*
pau-de-alho-verdadeiro s.m.; pl. *paus-de-alho-verdadeiro*
pau-de-aloé s.m.; pl. *paus-de-aloé*
pau de amarrar égua s.m.
pau-de-angola s.m.; pl. *paus-de-angola*
pau-de-anjo s.m.; pl. *paus-de-anjo*
pau de arara s.m. s.2g. "suporte de madeira", "caminhão", "alcunha"
pau-de-arara s.m. "árvore"; pl. *paus-de-arara*
pau-de-arco s.m.; pl. *paus-de-arco*
pau-de-arco-amarelo s.m.; pl. *paus-de-arco-amarelos*
pau-de-arco-branco s.m.; pl. *paus-de-arco-brancos*
pau-de-arco-de-flor-roxa s.m.; pl. *paus-de-arco-de-flor-roxa*
pau-de-arco-de-pipa s.m.; pl. *paus-de-arco-de-pipa*
pau-de-arco-do-campo s.m.; pl. *paus-de-arco-do-campo*
pau-de-arco-do-igapó s.m.; pl. *paus-de-arco-do-igapó*
pau-de-arco-preto s.m.; pl. *paus-de-arco-pretos*
pau-de-arco-roxo s.m.; pl. *paus-de-arco-roxos*
pau de arrasto s.m.
pau de atracação s.m.
pau de avesseiro s.m.
pau-de-azeite s.m.; pl. *paus-de-azeite*
pau de balsa s.m. "madeira"
pau-de-balsa s.m. "árvore alta"; pl. *paus-de-balsa*
pau-de-bálsamo s.m.; pl. *paus-de-bálsamo*
pau de bandeira s.m.
pau-de-bicho s.m.; pl. *paus-de-bicho*
pau-de-bilros s.m.; pl. *paus-de-bilros*
pau-de-boás s.m.; pl. *paus-de-boás*
pau-de-boia (*ó*) s.m.; pl. *paus-de-boia*
pau-de-bola s.m.; pl. *paus-de-bola*
pau-de-bolo s.m.; pl. *paus-de-bolo*
pau de borda s.m.

pau-de-boto s.m.; pl. *paus-de-boto*
pau de botões s.m.
pau-de-breu s.m.; pl. *paus-de-breu*
pau-de-brincos s.m.; pl. *paus-de-brincos*
pau-de-bugre s.m.; pl. *paus-de-bugre*
pau de bujarrona s.m.
pau-de-burro s.m.; pl. *paus-de-burro*
pau de cabeleira s.m.
pau-de-caca s.m.
pau-de-cachimbo s.m.; pl. *paus-de-cachimbo*
pau-de-caibro s.m.; pl. *paus-de-caibro*
pau-de-caixa s.m.; pl. *paus-de-caixa*
pau-de-camarão s.m.; pl. *paus-de-camarão*
pau-de-campeche s.m.; pl. *paus-de-campeche*
pau-de-candeeiro s.m.; pl. *paus-de-candeeiro*
pau-de-candeia s.m.; pl. *paus-de-candeia*
pau-de-cangalha s.m.; pl. *paus-de-cangalha*
pau-de-caninana s.m.; pl. *paus-de-caninana*
pau-de-canoa s.m.; pl. *paus-de-canoa*
pau-de-canoas s.m.; pl. *paus-de-canoas*
pau-de-cantil s.m.; pl. *paus-de-cantil*
pau-de-capitão s.m.; pl. *paus-de-capitão*
pau-de-cápsico s.m.; pl. *paus-de-cápsico*
pau de carga s.m. "verga de madeira"
pau-de-carga s.m. "árvore"; pl. *paus-de-carga*
pau-de-carne s.m.; pl. *paus-de-carne*
pau-de-carrapato s.m.; pl. *paus-de-carrapato*
pau-de-castor s.m.; pl. *paus-de-castor*
pau-de-cera s.m.; pl. *paus-de-cera*
pau-de-chanca s.m.; pl. *paus-de-chanca*
pau-de-chapada s.m.; pl. *paus-de-chapada*
pau-de-cheiro s.m.; pl. *paus-de-cheiro*
pau-de-chicle s.m.; pl. *paus-de-chicle*
pau de chuva s.m.
pau-de-cinzas s.m.; pl. *paus-de-cinzas*
pau-de-coã s.m.; pl. *paus-de-coã*
pau-de-cobra s.m.; pl. *paus-de-cobra*
pau-de-colher s.m.; pl. *paus-de-colher*
pau-de-colher-de-vaqueiro s.m.; pl. *paus-de-colher-de-vaqueiro*
pau-de-combra s.m.; pl. *paus-de-combra*
pau-de-concha s.m.; pl. *paus-de-concha*
pau-de-concha-roxo s.m.; pl. *paus-de-concha-roxos*
pau-de-conta s.m.; pl. *paus-de-conta*
pau-de-coral s.m.; pl. *paus-de-coral*
pau-de-cortiça s.m.; pl. *paus-de-cortiça*
pau-de-cruz s.m.; pl. *paus-de-cruz*
pau-de-cubiú s.m.; pl. *paus-de-cubiú*
pau de cumeeira s.m.
pau-de-cunanã s.m.; pl. *paus-de-cunanã*
pau-de-curtir s.m.; pl. *paus-de-curtir*
pau-de-curtume s.m.; pl. *paus-de-curtume*
pau-de-cutia s.m.; pl. *paus-de-cutia*
pau-de-dedal s.m.; pl. *paus-de-dedal*
pau-de-elefante s.m.; pl. *paus-de-elefante*
pau-de-embira s.m.; pl. *paus-de-embira*
pau-de-erva s.m.; pl. *paus-de-erva*
pau-de-erva-doce s.m.; pl. *paus-de-erva-doce*
pau-de-ervilha s.m.; pl. *paus-de-ervilha*
pau de espera s.m.
pau-de-espeto s.m.; pl. *paus-de-espeto*
pau-de-espinho s.m.; pl. *paus-de-espinho*
pau de espora s.m.
pau-de-esteira s.m.; pl. *paus-de-esteira*
pau-de-faia s.m.; pl. *paus-de-faia*
pau-de-farinha s.m.; pl. *paus-de-farinha*
pau-de-fava s.m.; pl. *paus-de-fava*
pau-de-febre s.m.; pl. *paus-de-febre*
pau-de-ferro s.m.; pl. *paus-de-ferro*
pau-de-fígado s.m.; pl. *paus-de-fígado*
pau de fileira s.m.
pau de fita s.m.
pau-de-flecha s.m.; pl. *paus-de-flecha*
pau-de-flechas s.m.; pl. *paus-de-flechas*
pau-de-flor s.m.; pl. *paus-de-flor*
pau de fogo s.m.
pau-de-formiga s.m.; pl. *paus-de-formiga*
pau de forrar s.m.
pau de fumaça s.m.
pau de fumo s.m.
pau-de-gasolina s.m.; pl. *paus-de-gasolina*
pau-de-goma s.m.; pl. *paus-de-goma*
pau-de-guiné s.m.; pl. *paus-de-guiné*
pau-de-guitarra s.m.; pl. *paus-de-guitarra*
pau-de-incenso s.m.; pl. *paus-de-incenso*
pau-de-jangada s.m.; pl. *paus-de-jangada*
pau-de-jerimu s.m.; pl. *paus-de-jerimu*
pau-de-jerimum s.m.; pl. *paus-de-jerimum*
pau-de-judeu s.m.; pl. *paus-de-judeu*
pau-de-lacre s.m.; pl. *paus-de-lacre*
pau-de-lagarta s.m.; pl. *paus-de-lagarta*
pau-de-lagarto s.m.; pl. *paus-de-lagarto*
pau-de-lagoa s.m.; pl. *paus-de-lagoa*
pau-de-lágrima s.m.; pl. *paus-de-lágrima*
pau-de-lança s.m.; pl. *paus-de-lança*
pau-de-laranja s.m.; pl. *paus-de-laranja*
pau-de-leite s.m.; pl. *paus-de-leite*
pau-de-lepra s.m.; pl. *paus-de-lepra*
pau-de-letras s.m.; pl. *paus-de-letras*
pau-de-livros s.m.; pl. *paus-de-livros*
pau-de-lixa s.m.; pl. *paus-de-lixa*
pau-de-macaco s.m.; pl. *paus-de-macaco*
pau-de-malho s.m.; pl. *paus-de-malho*
pau-de-manjerioba s.m.; pl. *paus-de-manjerioba*
pau-de-manteiga s.m.; pl. *paus-de-manteiga*
pau-de-maria s.m.; pl. *paus-de-maria*
pau-de-mastro s.m.; pl. *paus-de-mastro*
pau-de-mau-cheiro s.m.; pl. *paus-de-mau-cheiro*
pau-de-merda s.m.; pl. *paus-de-merda*
pau-de-mocó s.m.; pl. *paus-de-mocó*
pau-de-monjolo s.m.; pl. *paus-de-monjolo*
pau-de-moquém s.m.; pl. *paus-de-moquém*
pau-de-morcego s.m.; pl. *paus-de-morcego*
pau-de-mutamba s.m.; pl. *paus-de-mutamba*
pau-de-navalha s.m.; pl. *paus-de-navalha*
pau-de-novato s.m.; pl. *paus-de-novato*
pau-de-olaria s.m.; pl. *paus-de-olaria*
pau-de-óleo s.m.; pl. *paus-de-óleo*
pau-de-óleo-de-pernambuco s.m.; pl. *paus-de-óleo-de-pernambuco*
pau-de-óleo-verdadeiro s.m.; pl. *paus-de-óleo-verdadeiros*
pau-de-orvalho s.m.; pl. *paus-de-orvalho*
pau-de-pente s.m.; pl. *paus-de-pente*
pau-de-pereira s.m.; pl. *paus-de-pereira*
pau-de-pernambuco s.m.; pl. *paus-de-pernambuco*
pau de pica peixe s.m.
pau-de-pilão s.m.; pl. *paus-de-pilão*
pau-de-piranha s.m.; pl. *paus-de-piranha*
pau-de-pólvora s.m.; pl. *paus-de-pólvora*
pau-de-pomba s.m.; pl. *paus-de-pomba*
pau-de-pombo s.m.; pl. *paus-de-pombo*
pau-de-porco s.m.; pl. *paus-de-porco*
pau-de-praga s.m.; pl. *paus-de-praga*
pau-de-prego s.m.; pl. *paus-de-prego*
pau-de-preguiça s.m.; pl. *paus-de-preguiça*
pau-de-quiabo s.m.; pl. *paus-de-quiabo*
pau-de-rainha s.m.; pl. *paus-de-rainha*
pau-de-rato s.m.; pl. *paus-de-rato*
pau-de-rego s.m.; pl. *paus-de-rego*
pau-de-remo s.m.; pl. *paus-de-remo*
pau-de-renda s.m.; pl. *paus-de-renda*
pau-de-resposta s.m.; pl. *paus-de-resposta*
pau-de-rosa s.m.; pl. *paus-de-rosa*
pau-de-rosas s.m.; pl. *paus-de-rosas*
pau-de-roseira s.m.; pl. *paus-de-roseira*
pau-de-sabão s.m.; pl. *paus-de-sabão*
pau-de-salanca s.m.; pl. *paus-de-salanca*
pau-de-salsa s.m.; pl. *paus-de-salsa*
pau-de-sangue s.m.; pl. *paus-de-sangue*
pau-de-santa-luzia s.m.; pl. *paus-de-santa-luzia*
pau-de-santa-maria s.m.; pl. *paus-de-santa-maria*
pau-de-santana s.m.; pl. *paus-de-santana*
pau de santo s.m. "madeira"
pau-de-santo s.m.; pl. *paus-de-santo*
pau-de-santo-antônio s.m.; pl. *paus-de-santo-antônio*
pau-de-são-josé s.m.; pl. *paus-de-são-josé*
pau-de-sapã s.m.; pl. *paus-de-sapã*
pau-de-sapateiro s.m.; pl. *paus-de-sapateiro*
pau-de-sapo s.m.; pl. *paus-de-sapo*
pau-de-sassafrás s.m.; pl. *paus-de-sassafrás*
pau de sebo s.m. "mastro de festas"
pau-de-sebo s.m. "árvore pequena"; pl. *paus-de-sebo*
pau-de-seda s.m.; pl. *paus-de-seda*
pau-de-semana s.m.; pl. *paus-de-semana*
pau de semente s.m.
pau-de-serra s.m.; pl. *paus-de-serra*
pau de serviola s.m.
pau-de-solar s.m.; pl. *paus-de-solar*
pau-de-tagara s.m.; pl. *paus-de-tagara*
pau-de-tamanco s.m.; pl. *paus-de-tamanco*
pau-de-tanho-branco s.m.; pl. *paus-de-tanho-brancos*
pau-de-tartaruga s.m.; pl. *paus-de-tartaruga*
pau-de-tingui s.m.; pl. *paus-de-tingui*
pau-de-tinta s.m.; pl. *paus-de-tinta*
pau-de-tucano s.m.; pl. *paus-de-tucano*
pau de urubu s.m.
pau-de-vaca s.m.; pl. *paus-de-vaca*
pau de vassoira s.m.
pau de vassoura s.m.
pau-de-veia s.m.; pl. *paus-de-veia*
pau-de-vinho s.m.; pl. *paus-de-vinho*
pau-de-vinho-preto s.m.; pl. *paus-de-vinho-pretos*
pau-de-vintém s.m.; pl. *paus-de-vintém*
pau-de-viola s.m.; pl. *paus-de-viola*
pau de virar tripa s.m.
pau-de-zebra s.m.; pl. *paus-de-zebra*
pau do ar s.m.
pau-do-bebedouro s.m.; pl. *paus-do-bebedouro*
pau-doce s.m.; pl. *paus-doces*
pau-do-chapado s.m.; pl. *paus-do-chapado*
pau do fim s.m.
pau-do-novato s.m.; pl. *paus-do-novato*
pau d'óleo s.m.
pau-do-óleo s.m.; pl. *paus-do-óleo*
pau-do-panamá s.m.; pl. *paus-do-panamá*
pau-do-papel s.m.; pl. *paus-do-papel*
pau do patarrás s.m.
pau-do-serrote s.m.; pl. *paus-do-serrote*
pau-dos-feiticeiros s.m.; pl. *paus-dos-feiticeiros*
pau-dos-olhos s.m.; pl. *paus-dos-olhos*
pau-dumo s.m.; pl. *paus-dumo* e *paus-dumos*
pau-duno s.m.; pl. *paus-duno* e *paus-dunos*
pau-duro s.m.; pl. *paus-duros*
pau-em-ser s.m.; pl. *paus-em-ser*
pau-espeto s.m.; pl. *paus-espeto* e *paus-espetos*
pau-espinha s.m.; pl. *paus-espinha* e *paus-espinhas*
pau-espinhense adj. s.2g.; pl. *pau-espinhenses*
pau-esteira s.m.; pl. *paus-esteira* e *paus-esteiras*
pau-facho s.m.; pl. *paus-facho* e *paus-fachos*
pau-farinha s.m.; pl. *paus-farinha* e *paus-farinhas*
pau-fava s.m.; pl. *paus-fava* e *paus-favas*
pau-fede s.m.; pl. *paus-fede*
pau-fedorento s.m.; pl. *paus-fedorentos*
pau-feitiço s.m.; pl. *paus-feitiço* e *paus-feitiços*
pau-ferradense adj. s.2g.; pl. *pau-ferradenses*
pau-ferrense adj. s.2g.; pl. *pau-ferrenses*
pau-ferro s.m.; pl. *paus-ferro* e *paus-ferros*
pau-ferro-da-índia s.m.; pl. *paus-ferro-da-índia* e *paus-ferros-da-índia*
pau-fígado s.m.; pl. *paus-fígado* e *paus-fígados*
pau-fincadense adj. s.2g.; pl. *pau-fincadenses*
pau-fofo s.m.; pl. *paus-fofos*
pau-formiga s.m.; pl. *paus-formiga* e *paus-formigas*
pau-forquilha s.m.; pl. *paus-forquilha* e *paus-forquilhas*
pau-fumaça s.m.; pl. *paus-fumaça* e *paus-fumaças*
pau-funcho s.m.; pl. *paus-funcho* e *paus-funchos*
pau-furado s.m.; pl. *paus-furados*
paugagem s.f.
pau-gamela s.m.; pl. *paus-gamela* e *paus-gamelas*
pau-gasolina s.m.; pl. *paus-gasolina* e *paus-gasolinas*
pau-goma-arábica s.m.; pl. *paus-goma-arábica*
pau-gonçalo s.m.; pl. *paus-gonçalo* e *paus-gonçalos*
pau-grandense adj. s.2g.; pl. *pau-grandenses*
pau-guiné s.m.; pl. *paus-guiné* e *paus-guinés*
pau-homem s.m.; pl. *paus-homem* e *paus-homens*
pauiana (*au-i*) adj. s.2g.
pau-imortal s.m.; pl. *paus-imortais*
pauiniense (*au-i*) adj. s.2g.
pauixana (*au-i*) adj. s.2g.
pau-jangada s.m.; pl. *paus-jangada* e *paus-jangadas*
pau-jantar s.m.; pl. *paus-jantar* e *paus-jantares*
pau-jerimu s.m.; pl. *paus-jerimu* e *paus-jerimus*
pau-jerimum s.m.; pl. *paus-jerimum* e *paus-jerimuns*
pau-jiboia (*ó*) s.m.; pl. *paus-jiboia* e *paus-jiboias*
pau-jiçara s.m.; pl. *paus-jiçara* e *paus-jiçaras*
pau-joão-lopes s.m.; pl. *paus-joão-lopes*

pau-josé s.m.; pl. *paus-josé*
pau-judeu s.m.; pl. *paus-judeus*
paul (*a-ú*) s.m.; pl. *pauis*
paula s.f.
paula-candidense adj. s.2g.; pl. *paula-candidenses*
pau-lacre s.m.; pl. *paus-lacre* e *paus-lacres*
paulada s.f.
paulado adj.
paula-freitense adj. s.2g.; pl. *paula-freitenses*
pau-lágrima s.m.; pl. *paus-lágrima* e *paus-lágrimas*
paula-limense adj. s.2g.; pl. *paula-limenses*
paulama s.f.
paula-pereirense adj. s.2g.; pl. *paula-pereirenses*
paular v.
pau-laranja s.m.; pl. *paus-laranja* e *paus-laranjas*
paula-sousa s.m.2n.
paulatino adj.
pauleiro adj. s.m.
pau-leite s.m.; pl. *paus-leite* e *paus-leites*
pau-leiteiro s.m.; pl. *paus-leiteiros*
paulense adj. s.2g.
paulento s.m.
pau-lepra s.m.; pl. *paus-lepra* e *paus-lepras*
pauletiano adj. s.m.
páulia s.f.
paulianista adj. s.2g.
pauliano adj. s.m.
pauliceense adj. s.2g.
pauliceia (é) s.f.
pauliceiense adj. s.2g.
pauliciano adj. s.m.
paúlico adj. "relativo a paul"; cf. *páulico*
páulico adj. "relativo a Paulo"; cf. *paúlico*
paulificação s.f.
paulificado adj.
paulificador (*ô*) adj. s.m.
paulificância s.f.
paulificante adj.2g.
paulificar v.
paulificável adj.2g.
pau-limão s.m.; pl. *paus-limão* e *paus-limões*
paulina s.f.
paulínea s.f.
paulinela s.f.
paulinense adj. s.2g.
pau-linense adj. s.2g.; pl. *pau-linenses*
paulinguita s.f.
paulínia s.f.
pauliníea s.f.
pauliniense adj. s.2g.
paulinismo s.m.
paulinista adj. s.2g.
paulinístico adj.
paulino adj. s.m.
paulino-nevense adj. s.2g.; pl. *paulino-nevenses*
paulino-trindadense adj. s.2g.; pl. *paulino-trindadenses*
pau-lírio s.m.; pl. *paus-lírio* e *paus-lírios*
paulismo s.m.
pau-liso s.m.; pl. *paus-lisos*
paulista adj. s.2g. s.f.
paulista-bragantino adj. s.m.; pl. *paulista-bragantinos*
paulista-marabaense adj. s.2g.; pl. *paulista-marabaenses*
paulista-monte-azulense adj. s.2g.; pl. *paulista-monte-azulenses*
paulistana s.f.
paulistanada s.f.
paulista-nazareense adj. s.2g.; pl. *paulista-nazareenses*
paulistanense adj. s.2g.
paulistânia s.f.
paulistanidade s.f.
paulistaniense adj. s.2g.
paulistanização s.f.
paulistanizado adj.
paulistanizar v.
paulistano adj. s.m.
paulista-paraguaçuense adj. s.2g.; pl. *paulista-paraguaçuenses*
paulista-tupiense adj. s.2g.; pl. *paulista-tupienses*
paulistense adj. s.2g.
paulita s.f.
paulitada s.f.
paulite s.f.
pauliteiro s.m.
paulito s.m.
paulivense adj. s.2g.
pau-lixa s.m.; pl. *paus-lixa* e *paus-lixas*
paúlo s.m.
paulo-afonsense adj. s.2g.; pl. *paulo-afonsenses*
paulo-bentense adj. s.2g.; pl. *paulo-bentenses*
paulocardia s.f.
paulo-fariense adj. s.2g.; pl. *paulo-farienses*
paulo-frontinense adj. s.2g.; pl. *paulo-frontinenses*
paulo-gomense adj. s.2g.; pl. *paulo-gomenses*
pau-loiro s.m.; pl. *paus-loiros*
paulo-jacintense adj. s.2g.; pl. *paulo-jacintenses*
paulo-lopense adj. s.2g.; pl. *paulo-lopenses*
paulo-pires s.m.; pl. *paulos-pires*
paulo-pitense adj. s.2g.; pl. *paulo-pitenses*
paulopolitano adj. s.m.
paulo-ramense adj. s.2g.; pl. *paulo-ramenses*
paulósporo s.m.
pau-louro s.m.; pl. *paus-louros*
paulównia s.f.
pau-maçã s.m.; pl. *paus-maçã* e *paus-maçãs*
pau-macaco s.m.; pl. *paus-macaco* e *paus-macacos*
pau-macucu s.m.; pl. *paus-macucu* e *paus-macucus*
pau-mamão s.m.; pl. *paus-mamão* e *paus-mamões*
pau-mandado s.m.; pl. *paus-mandados*
pau-manjerioba s.m.; pl. *paus-manjeriobas*
pau-manteiga s.m.; pl. *paus-manteiga* e *paus-manteigas*
pau-marfim s.m.; pl. *paus-marfim* e *paus-marfins*
pau-marfim-da-serra s.m.; pl. *paus-marfim-da-serra* e *paus-marfins-da-serra*
pau-marfim-do-campo s.m.; pl. *paus-marfim-do-campo* e *paus-marfins-do-campo*
pau-marfim-do-cerrado s.m.; pl. *paus-marfim-do-cerrado* e *paus-marfins-do-cerrado*
pau-marfim-verdadeiro s.m.; pl. *paus-marfim-verdadeiro* e *paus-marfins-verdadeiros*
paumari adj. s.2g.
pau-milho s.m.; pl. *paus-milho* e *paus-milhos*
pau-mirim s.m.; pl. *paus-mirins*
pau-mocó s.m.; pl. *paus-mocó* e *paus-mocós*
pau-moeda s.m.; pl. *paus-moeda* e *paus-moedas*
pau-mole s.m.; pl. *paus-moles*
pau-mole-das-alagoas s.m.; pl. *paus-moles-das-alagoas*
pau-mole-de-alagoas s.m.; pl. *paus-moles-de-alagoas*
pau-mole-de-pernambuco s.m.; pl. *paus-moles-de-pernambuco*
pau-mondé s.m.; pl. *paus-mondé* e *paus-mondés*
pau-monjolo s.m.; pl. *paus-monjolo* e *paus-monjolos*
pau-morcego s.m.; pl. *paus-morcego* e *paus-morcegos*
pau-mucumbi s.m.; pl. *paus-mucumbi* e *paus-mucumbis*
pau-mulato s.m.; pl. *paus-mulatos*
pau-mulato-da-terra-firme s.m.; pl. *paus-mulatos-da-terra-firme*
pau-mungongue s.m.; pl. *paus-mungongue* e *paus-mungongues*
pau-mutune s.m.; pl. *paus-mutunes*
pau-muzence s.m.; pl. *paus-muzences*
paúna s.f.
pau-negro s.m.; pl. *paus-negros*
pau no burro s.m.
pau-novo s.m.; pl. *paus-novos*
pau-obá s.m.; pl. *paus-obá* e *paus-obás*
pau-óleo s.m.; pl. *paus-óleo* e *paus-óleos*
pau-osso s.m.; pl. *paus-osso* e *paus-ossos*
pau-ová s.m.; pl. *paus-ová* e *paus-ovás*
pau-pacobala s.m.; pl. *paus-pacobala* e *paus-pacobalas*
pau-papel s.m.; pl. *paus-papel* e *paus-papéis*
pau-paraíba s.m.; pl. *paus-paraíba* e *paus-paraíbas*
pau para toda obra s.m. "pessoa servil"
pau-para-toda-obra s.m. "árvore"; pl. *paus-para-toda-obra*
pau-para-tudo s.m.; pl. *paus-para-tudo*
pau-pedra s.m.; pl. *paus-pedra* e *paus-pedras*
paupeira s.f.
pau-pente s.m.; pl. *paus-pente* e *paus-pentes*
pau-pepu s.m.; pl. *paus-pepu* e *paus-pepus*
paupérculo s.m.
pau-perdiz s.m.; pl. *paus-perdiz* e *paus-perdizes*
pau-pereira s.m.; pl. *paus-pereiras*
pau-pereira-do-campo s.m.; pl. *paus-pereiras-do-campo*
pau-pereira-do-mato s.m.; pl. *paus-pereiras-do-mato*
pau-pereiro s.m.; pl. *paus-pereiros*
paupérie s.f.
pauperismo s.m.
pauperização s.f.
pauperizado adj.
pauperizador (*ô*) adj.
pauperizante adj.2g.
pauperizar v.
pau-pernambuco s.m.; pl. *paus-pernambuco* e *paus-pernambucos*
pau-pérola s.m.; pl. *paus-pérola* e *paus-pérolas*
paupérrimo adj. sup. de *pobre*
pau-pêssego s.m.; pl. *paus-pêssego* e *paus-pêssegos*
pau-piaçaba s.m.; pl. *paus-piaçaba* e *paus-piaçabas*
pau-piaçava s.m.; pl. *paus-piaçava* e *paus-piaçavas*
pau-pimenta s.m.; pl. *paus-pimenta* e *paus-pimentas*
pau-pintado s.m.; pl. *paus-pintados*
pau-pobre s.m.; pl. *paus-pobres*
pau-podre s.m.; pl. *paus-podres*
pau-pombo s.m.; pl. *paus-pombo* e *paus-pombos*
pau-ponte s.m.; pl. *paus-ponte* e *paus-pontes*
pau-porco s.m.; pl. *paus-porco* e *paus-porcos*
pau-pra-tudo s.m.; pl. *paus-pra-tudo*
pau-precioso s.m.; pl. *paus-preciosos*
pau-pretano adj. s.m.; pl. *pau-pretanos*
pau-pretense adj. s.2g.; pl. *pau-pretenses*
pau-preto s.m.; pl. *paus-pretos*
pau-preto-do-sertão s.m.; pl. *paus-pretos-do-sertão*
pau-purga s.m.; pl. *paus-purga* e *paus-purgas*
pau-quássia s.m.; pl. *paus-quássia* e *paus-quássias*
pau-queimadense adj. s.2g.; pl. *pau-queimadenses*
pau-queimado s.m.; pl. *paus-queimados*
pau-quente s.m.; pl. *paus-quentes*
pau-quiabo s.m.; pl. *paus-quiabo* e *paus-quiabos*
pau-quicongo s.m.; pl. *paus-quicongos*
pau-quime s.m.; pl. *paus-quimes*
pau-quina-vermelha s.m.; pl. *paus-quinas-vermelhas*
pau-quizemba s.m.; pl. *paus-quizemba* e *paus-quizembas*
paúra s.f.
pau-rainha s.m.; pl. *paus-rainha* e *paus-rainhas*
pau-real s.m.; pl. *paus-reais*
pau-realense adj. s.2g.; pl. *pau-realenses*
pau-rei s.m.; pl. *paus-rei* e *paus-reis*
pauridianta s.f.
pau-ripa s.m.; pl. *paus-ripa* e *paus-ripas*
pau-rodado s.m.; pl. *paus-rodados*
paurometábole s.f.
paurometabólico adj. s.m.
paurometabólise s.f.
paurometabolismo s.m.
paurometabolítico adj.
paurometabolizado adj.
paurometabolizador (*ô*) adj.
paurometabolizante adj.2g.
paurometabolizar v.
paurometabolizável adj.2g.
paurometábolo adj. s.m.
paurope s.m.
pauropídeo s.m.
páuropo s.m.
paurópode adj.2g. s.m.
paurópodo s.m.
pauropsalta s.f.
pau-rosa s.m.; pl. *paus-rosa* e *paus-rosas*
pau-rosado s.m.; pl. *paus-rosados*
pau-rosa-do-amazonas s.m.; pl. *paus-rosa-do-amazonas* e *paus-rosas-do-amazonas*
pau-rosa-do-oiapoque s.m.; pl. *paus-rosa-do-oiapoque* e *paus-rosas-do-oiapoque*
pau-rosa-fêmea s.m.; pl. *paus-rosa-fêmea* e *paus-rosas-fêmeas*
pau-rosa-verdadeiro s.m.; pl. *paus-rosa-verdadeiro* e *paus-rosas-verdadeiros*
paurostáuria s.f.
pau-roxo s.m.; pl. *paus-roxos*
pau-roxo-da-caatinga s.m.; pl. *paus-roxos-da-caatinga*
pau-roxo-da-catinga s.m.; pl. *paus-roxos-da-catinga*
pau-roxo-da-terra s.m.; pl. *paus-roxos-da-terra*
pau-roxo-da-terra-firme s.m.; pl. *paus-roxos-da-terra-firme*
paururo s.m.
paus s.m.pl.
pausa s.f.
pau-sabão s.m.; pl. *paus-sabão* e *paus-sabões*
pausada s.f.
pausado adj.
pausador (*ô*) adj. s.m.
pausagem s.f.
pau-salgado-macho s.m.; pl. *paus-salgados-machos*
pau-sândalo s.m.; pl. *paus-sândalos*
pausandra s.f.
pau-sangue s.m.; pl. *paus-sangue* e *paus-sangues*
pau-sanguense adj. s.2g.; pl. *pau-sanguenses*
pau-santo s.m.; pl. *paus-santos*
pau-santo-macaco s.m.; pl. *paus-santos-macaco*
pausar v.
pau-sassafrás s.m.; pl. *paus-sassafrás* e *paus-sassafrases*
pau-sassafrás-da-serra s.m.; pl. *paus-sassafrás-da-serra* e *paus-sassafrases-da-serra*
páusea s.f.
pau-selado s.m.; pl. *paus-selados*
pau-seringa s.m.; pl. *paus-seringa* e *paus-seringas*
pau-serrote s.m.; pl. *paus-serrote* e *paus-serrotes*
páusia s.f.
pausimenia s.f.
pausimênico adj.
pausinistália s.f.
páussida adj.2g. s.m.
paussídeo adj. s.m.
pausso s.m.
pau-sujo s.m.; pl. *paus-sujos*
pausulano adj. s.m.
pausulense adj. s.2g.
pauta s.f.
pautação s.f.
pau-tacula s.m.; pl. *paus-taculas*
pautada s.f.
pautadeira s.f.
pautado adj.
pautador (*ô*) s.m.
pautadora (*ô*) s.f.
pautal adj.2g.
pautar v.
pau-tartaruga s.m.; pl. *paus-tartaruga* e *paus-tartarugas*
pau-tatu s.m.; pl. *paus-tatu* e *paus-tatus*
pautável adj.2g.
pauteação s.f.
pautear v.
pauteiro s.m.
pau-tenente s.m.; pl. *paus-tenente* e *paus-tenentes*
pau-terra s.m.; pl. *paus-terra* e *paus-terras*
pau-terra-de-flor-miudinha s.m.; pl. *paus-terra-de-flor-miudinha* e *paus-terras-de-flor-miudinha*
pau-terra-do-amazonas s.m.; pl. *paus-terra-do-amazonas* e *paus-terras-do-amazonas*
pau-terra-do-campo s.m.; pl. *paus-terra-do-campo* e *paus-terras-do-campo*
pau-terra-do-cerrado s.m.; pl. *paus-terra-do-cerrado* e *paus-terras-do-cerrado*
pau-terra-do-mato s.m.; pl. *paus-terra-do-mato* e *paus-terras-do-mato*
pau-terra-grande s.m.; pl. *paus-terra-grande* e *paus-terras-grandes*
pau-terra-jundiaí s.m.; pl. *paus-terra-jundiaí* e *paus-terras-jundiaí*

pau-terra-mirim s.m.; pl. *paus-terra-mirins* e *paus-terras-mirins*
pau-tocado s.m.; pl. *paus-tocados*
pau-triste s.m.; pl. *paus-tristes*
pau-trombeta s.m.; pl. *paus-trombeta* e *paus-trombetas*
pau-tucano s.m.; pl. *paus-tucano* e *paus-tucanos*
pau-urubu s.m.; pl. *paus-urubu* e *paus-urubus*
pau-vaca s.m.; pl. *paus-vaca* e *paus-vacas*
pau-vala s.m.; pl. *paus-vala* e *paus-valas*
pau-velho s.m.; pl. *paus-velhos*
pau-vermelho s.m.; pl. *paus-vermelhos*
pau-vintém s.m.; pl. *paus-vintém* e *paus-vinténs*
pau-viola s.m.; pl. *paus-viola* e *paus-violas*
pau-violeta s.m.; pl. *paus-violeta* e *paus-violetas*
pau-visgo s.m.; pl. *paus-visgo* e *paus-visgos*
pauxi s.m.
pauxiana adj. s.2g.
pauxi-de-pedra s.m.; pl. *pauxis-de-pedra*
pauxiense adj. s.2g.
pauxinara adj. s.2g.
pauzama s.f.
pau-zebra s.m.; pl. *paus-zebra* e *paus-zebras*
pauzeiro s.m.
pauzinhos s.m.pl.
pavã s.f. de *pavão*
pavacaré s.m.
paval s.m.
pavame s.m.
pavana s.f.
pavanamuctássana s.m.
pavano adj.
pavão s.m.; f. *pavã* e *pavoa* (*ô*)
pavão-bode s.m.; pl. *pavões-bode* e *pavões-bodes*
pavão-da-china s.m.; pl. *pavões-da-china*
pavão-da-noite s.m.; pl. *pavões-da-noite*
pavão-de-java s.m.; pl. *pavões-de-java*
pavão-de-mato-grosso s.m.; pl. *pavões-de-mato-grosso*
pavão-do-mato s.m.; pl. *pavões-do-mato*
pavão-do-pará s.m.; pl. *pavões-do-pará*
pavão-gigante s.m.; pl. *pavões-gigantes*
pavão-negro s.m.; pl. *pavões-negros*
pavão-papa-moscas s.m.; pl. *pavões-papa-moscas*
pavão-preto s.m.; pl. *pavões-pretos*
pavão-selvagem s.m.; pl. *pavões-selvagens*
pavão-verde s.m.; pl. *pavões-verdes*
pavãozinho s.m.
pavãozinho-do-mato s.m.; pl. *pavõezinhos-do-mato*
pavãozinho-do-pará s.m.; pl. *pavõezinhos-do-pará*
pavê s.m.
paveia s.f.
pavejar v.
pavena adj.2g.
paveramense adj. s.2g.
pavês s.m.
pavesa (*ê*) s.f.
pavesada s.f.
pavesado adj.
pavesadura s.f.
pavesar v.
paveta (*ê*) s.f.
pávia s.f.
pavião adj.
pavidez (*ê*) s.f.
pávido adj.
pavieira s.f.
paviense adj. s.2g.
pavilhão s.m.
pavimentação s.f.
pavimentado adj.
pavimentadora (*ô*) s.f.
pavimentar v.
pavimentável adj.2g.
pavimento s.m.
pavimentoso (*ô*) adj.; f. (*ó*); pl. (*ó*)
pavio s.m.
pavio-china s.m.; pl. *pavios-china* e *pavios-chinas*
paviola s.f.
pá-virada s.f.; pl. *pás-viradas*
pavlovianismo s.m.
pavlovianista adj. s.2g.
pavlovianístico adj.
pavloviano adj.
pavlovismo s.m.
pavo s.m. "pavão doméstico"; cf. *pavó* e *pavô*
pavó s.m. "pavão-do-mato"; cf. *pavo* e *pavô*
pavô s.m. "o mesmo que pavó"; cf. *pavo* e *pavó*
pavoa (*ô*) s.f. de *pavão*
pavoá s.f.
pavoã s.f.
pavoense adj. s.2g.
pavol s.m.
pavona s.f.
pavonáceo adj.
pavonaço adj.
pavonada s.f.
pavonado adj.
pavonária s.f.
pavonazo s.m.
pavoncela s.f.
pavoncinho s.m.
pavoncino s.m.
pavoneado adj.
pavoneamento s.m.
pavonear v.
pavoneio s.m.
pavonense adj. s.2g.
pavonesco (*ê*) adj.
pavônia s.f.
pavonina s.f.
pavoníneo adj. s.m.
pavonino adj.
pavonita s.f.
pavor (*ô*) s.m.
pavorosa s.f.
pavoroso (*ô*) adj.; f. (*ó*); pl. (*ó*)
pavuçuense adj. s.2g.
pavulagem s.f.
pávulo adj. s.m.
pavuna s.f.
pavunense adj. s.2g.
pavunva adj. s.2g.
paxá s.m.
paxalato s.m.
paxalique s.m.
paxalizar v.
paxaril s.m.
paxaú s.m.
paxaxo s.m.
páxia s.f.
paxicá s.m.
paxila (*cs*) s.f.
paxilar (*cs*) adj.2g.
paxiliforme (*cs*) adj.2g.
paxilo (*cs*) s.m.
paxilósido (*cs*) adj. s.m.
paxiloso (*cs...ô*) adj. s.m.; f. (*ó*); pl. (*ó*)
paximotássana s.m.
paximoxavássana s.m.
paxinimudrá s.m.
paxita s.f.
paxiúba s.f.
paxiúba-barriguda s.f.; pl. *paxiúbas-barrigudas*
paxiúba-manjerona s.f.; pl. *paxiúbas-manjerona* e *paxiúbas-manjeronas*
paxiúba-mirim s.f.; pl. *paxiúbas-mirins*
paxiubarana s.f.
paxiubarana-miúda s.f.; pl. *paxiubaranas-miúdas*
paxiubeira s.f.
paxiubinha s.f.
paxiuense adj. s.2g.
paxoró s.m.
paxorô s.m.
paxtônia (*cs*) s.f.
paxuense adj. s.2g.
paxulando s.m.
pax-vóbis (*cs*) s.m.2n.
paz s.f.
paza s.f.
pazada s.f.
pazão s.m.
pazarrás s.2g.2n.
paz de alma s.2g.
pazeamento s.m.
pazear v.
pazenda s.m.
pazense adj. s.2g.
paziguado adj.
paziguar v.
pazinaca adj. s.2g.
pé s.m. "extremidade do membro inferior"; cf. *pê*
pê s.m. "nome da letra p"; cf. *pé*
peã s.m.
peâ s.m.
peabiruense adj. s.2g.
peaça s.f.
peação s.f.
peado adj.
peadoiro s.m.
peador (*ô*) s.m.
peadouro s.m.
peageiro s.m.
peagem s.f.
peagômetro s.m.
pé-agudo s.m.; pl. *pés-agudos*
peal s.m.
pealação s.f.
pealador (*ô*) s.m.
pealar v.
pealha s.f.
pealho s.m.
pealita s.f.
pealite s.f.
pealo s.m.
péan s.m.
peana s.f.
peança s.m.
peane s.m.
peanha s.f.
peanho s.m.
peão s.m. "que anda a pé", etc.; cf. *pião*
pear v. "prender com peia"; cf. *piar*
pearça s.f.
pearceíta s.f.
peasca s.f.
pé-atrás s.m.; pl. *pés-atrás*
peba adj. s.2g. s.m.
pebado adj.
pebense adj. s.2g.
pebolim s.m.
pebrina s.f.
pecã s.f.
peça s.f.
pecabilidade s.f.
pecacuém s.m.
pecadaço s.m.
peça da índia s.f.
pecadão s.m.
pecadeiro s.m.
pecadilho s.m.
pecado s.m.
pecador (*ô*) adj. s.m.; f. *pecadora* (*ô*) e *pecatriz*
pecadora (*ô*) adj. s.f. de *pecador*
pecadoraço s.m.
pecadorão s.m.
pecaminoso (*ô*) adj.; f. (*ó*); pl. (*ó*)
peçanhense adj. s.2g.
pecante adj. s.2g.
pecapara s.f.
pecaparra s.f.
pecar v.
peça-revólver s.f.; pl. *peças-revólver* e *peças-revólveres*
pecari s.m.
pé-cascudo s.m.; pl. *pés-cascudos*
pecatifobia s.f.
pecatifóbico adj. s.m.
pecatífobo adj. s.m.
pecatofobia s.f.
pecatofóbico adj. s.m.
pecatófobo adj. s.m.
pecatriz adj. s.f. de *pecador*
pecável adj.2g.
pecém adj.2g.
pecenense adj. s.2g.
pecenho adj.
pecenzense (*cên*) adj. s.2g.
pecepinho s.m.; na loc. *a pecepinho*
peceta (*ê*) s.m.f.
pecha s.f.
pechacho s.m.
pechada s.f. "embate"; cf. *peixada*
pechador (*ô*) s.m.
pechar v.
pechblenda s.f.
pechblêndico adj.
pechelingue s.m.
pechelingueiro s.m.
pechém s.m.
pechenegue adj. s.2g.
pechibeque s.m.
pechincha s.f.
pechinchada s.f.
pechinchadela s.f.
pechinchado adj.
pechinchar v.
pechincheiro adj. s.m.
pechinchinho adj. s.m.
pechincho adj. s.m.
pechingado adj.
pechiolita s.f.
pechiolite s.f.
pechiringado adj.
pechiringar v.
pechisbeque s.m.
pechorim s.m.
pechoso (*ô*) adj.; f. (*ó*); pl. (*ó*)
pechstein s.m.
pechurano s.m.
pecilandria s.f.
pecilante s.f.
pécile s.f.
pecília s.f.
pecílico adj.
peciliídeo adj. s.m.
pecilite s.f.
pécilo s.m.
pecilócero s.m.
pecilocítaro adj.
pecilócito s.m.
pecilocitose s.f.
pecilocloro s.m.
pecilocromático adj.
pecilocrômico adj.
pecilocromo adj.
peciloderma s.m.
pecilodermo s.f.
pecilodermia s.f.
pecilodermo s.m.
pecilógalo s.m.
peciloginia s.f.
pecilogonia s.f.
pecilômetro s.m.
pecilopirita s.f.
pecilópode s.m.
peciloscito s.m.
pecilotermia s.f.
pecilotérmico adj.
peciloter mo adj. s.m.
peciolação s.f.
pecioláceo adj.
peciolado adj.
peciolar adj.2g.
pecioleano adj.
pecioliforme adj.2g.
pecíolo s.m.
peciolulado adj.
peciolular adj.2g.
peciólulo s.m.
pecita s.f.
pecite s.f.
péckia s.f.
peckolita s.f.
peckolite s.f.
peckóltia s.f.
peclisse s.m.
peco (*ê*) adj. s.m. "néscio"; cf. *peco*, fl. do v. *pecar*
pecoapá s.m.
pecói s.m.
pecólcia s.f.
pecolite s.f.
peconha (*ô*) s.f. "liga de embira para trepar em árvore"; cf. *peçonha* (*ô*)
peçonha (*ô*) s.f. "veneno"; cf. *peconha* (*ô*)
peçonhentar v.
peçonhento adj.
peçonhoso (*ô*) adj.; f. (*ó*); pl. (*ó*)
pecopterídea s.f.
pecopterídeo adj. s.m.
pecoptério s.m.
pecópteris s.f.2n.
pecopteroide (*ó*) adj.2g.
pécora adj. s.m.f.
pecoraíta s.f.
pecorear v.
peçote s.m.
pé-coxinho s.m.; pl. *pés-coxinhos*
pectântis s.m.2n.
péctase s.f.
pectato s.m.
pecte s.f.
pécten s.m.
pectenina s.f.
péctico adj.
pectilíneo adj. s.m.
péctilis s.f.2n.
pectílis s.f.2n.
pectina s.f.
pectinação s.f.
pectinácea s.f.
pectináceo adj. s.m.
pectinado adj.
pectinador (*ô*) adj.
pectinal adj.2g.
pectinante adj.2g.
pectinária s.f.
pectinase s.f.
pectínase s.f.
pectináster s.m.
pectinastro s.m.
pectinatela s.f.
pectinato adj.
pectinátor s.m.
pectinável adj.2g.
pectineal adj.2g. s.m.
pectinela s.f.
pectíneo adj.
pectínia s.f.
pectinibrânquio adj. s.m.
pectínico adj.
pectinicórneo adj.
pectinídeo adj. s.m.
pectinífero adj.
pectinifólio adj.
pectiniforme adj.2g.
pectinite s.f.
pectinófora s.f.
pectinose s.f.
pectinoso (*ô*) adj.; f. (*ó*); pl. (*ó*)
pectinura s.f.
péctis s.f.2n.
pectização s.f.
pectocelulose s.f.
pectócera s.f.
pectófito s.m.
pectografia s.f.
pectográfico adj.
pectolinarina s.f.
pectolita s.f.
pectolite s.f.
pectólito s.m.
pectoral adj.2g. s.m.
pectoriloquia s.f.

pectorilóquico adj.
pectoríloquo adj. s.m.
pectosato s.m.
pectose s.f.
pectósico adj.
pectótico adj.
pectunculado adj.
pectúnculo s.m.
pecuapá s.m.
pecuária s.f.
pecuário adj. s.m.
pecuarista s.2g.
peçuelos (*ê*) s.m.pl.
pecuinha s.f.
peculado s.m.
peculador (*ô*) s.m.
peculatário adj. s.m.
peculato s.m.
peculiar adj.2g.
peculiaridade s.f.
peculiarização s.f.
peculiarizado adj.
peculiarizante adj.2g.
peculiarizar v.
peculiarizável adj.2g.
pecúlio s.m.
pecúnia s.f.
pecuniária s.f.
pecuniário adj.
pecunioso (*ô*) adj.; f. (*ó*); pl. (*ó*)
pecurano s.m.
pecureiro s.m.
pecurruchada s.f.
pecurrucho s.m.
pé-curto s.m.; pl. *pés-curtos*
pé-d'água s.m.; pl. *pés-d'água*
pé-d'alferes s.m.; pl. *pés-d'alferes*
pedaço s.m.
pedado adj. s.m.
pedágio s.m.
pedagogia s.f.
pedagogice s.f.
pedagógico adj.
pedagogismo s.m.
pedagogista adj. s.2g.
pedagógium s.m.
pedagogizar v.
pedagogo (*ô*) s.m.
pedal adj.2g. s.m.
pedalada s.f.
pedalagem s.f.
pedalante adj. s.2g.
pedalar v.
pedaleira s.f.
pedaleiro s.m.
pedalejar v.
pedalfer s.m.
pedalheira s.f.
pedália s.f.
pedaliácea s.f.
pedaliáceo adj.
pedálico adj.
pedalíea s.f.
pedalífido adj.
pedaliforme adj.2g.
pedalílea s.f.
pedalilobado adj.
pedalínea s.f.
pedalíneo adj.
pedalinérveo adj.
pedalinho s.m.
pedálio s.m.
pedaliode s.f.
pedálion s.m.
pedalionídeo adj. s.m.
pedalipartido adj.
pedalista s.2g.
pedalvo adj.
pedanálise s.f.
pedanalista s.2g.
pedanalítico adj.
pedâneo adj.
pedano adj. s.m.
pedanosteto s.m.
pedantaria s.f.
pedante adj. s.2g.
pedantear v.
pedanteria s.f.
pedantesco (*ê*) adj.
pedantice s.f.
pedantismo s.m.
pedantizar v.
pedantocracia s.f.
pedantocrata adj. s.2g.
pedantocrático adj.
pedantório s.m.
pedaria s.f. "gênero de insetos"; cf. *pedária*
pedária s.f. "termo de geometria"; cf. *pedaria*
pedário adj.
pedarquia s.f.
pedárquico adj.
pedartículo s.m.
pedartrocacia s.f.
pedartrocácico adj.
pedata s.f.
pedatifídio adj.
pedatífido adj.
pedatilobado adj.
pedatílobo adj.
pedatinérveo adj.
pedatipartido adj.
pedatissecto adj.
pedato adj.
pedatrira adj. s.2g.
pedatrofia s.f.
pedatrófico adj.
pedauca s.f.
pé de água s.m.
pé de alferes s.m.
pé de altar s.m.
pé de amigo s.m.
pé de anjo s.m.
pé de atleta s.m.
pé de banco s.m.
pé-de-bezerro s.m.; pl. *pés-de-bezerro*
pé de bode s.m.
pé de boi s.m. "trabalhador esforçado"
pé-de-boi s.m. "árvore"; pl. *pés-de-boi*
pé de briga s.m.
pé-de-burrinho s.m.; pl. *pés-de-burrinho*
pé de burro s.m. "fumo de má qualidade"
pé-de-burro s.m. "planta"; pl. *pés-de-burro*
pé de cabra s.m. "alavanca metálica"
pé-de-cabra s.m. "planta"; pl. *pés-de-cabra*
pé de cana s.m.
pé de candeeiro s.m.
pé de carneiro s.m.
pé de castelo s.m.
pé-de-cavalo s.m.; pl. *pés-de-cavalo*
pé de chibau s.m.
pé de chinelo adj. s.m.
pé de chumbo s.m. "indivíduo que não sai do lugar"
pé-de-chumbo s.m. "planta"; pl. *pés-de-chumbo*
pede-chuva s.f.; pl. *pede-chuvas*
pé de craveiro s.m.
pé-de-elefante s.m.; pl. *pés-de-elefante*
pede-frio s.m.; pl. *pede-frios*
pé de galinha s.m. "rugas formadas em torno dos olhos"
pé-de-galinha s.m. "planta"; pl. *pés-de-galinha*
pé-de-galinha-verdadeiro s.m.; pl. *pés-de-galinha-verdadeiros*
pé de galo s.m. "âncora auxiliar"
pé-de-galo s.m. "planta"; pl. *pés-de-galo*
pedegalvo adj. s.m.
pé de gancho s.m.
pé-de-ganso s.m.; pl. *pés-de-ganso*
pé de garrafa s.m.
pé-de-gato s.m.; pl. *pés-de-gato*
pé de gibão s.m.
pedeireiro s.m.
pé-de-leão s.m.; pl. *pés-de-leão*
pé-de-lebre s.m.; pl. *pés-de-lebre*
pé-de-lobo s.m.; pl. *pés-de-lobo*
pé-de-macaco s.m.; pl. *pés-de-macaco*
pé de macuco s.m.
pé-de-meia s.m.; pl. *pés-de-meia*
pé de mesa s.m.
pé de moleque s.m.
pé-de-morto s.m.; pl. *pés-de-morto*
pé de muro s.m.
pé de oiro s.m.
pé de ouro s.m.
pé de ouvido s.m.
pé-de-papagaio s.m.; pl. *pés-de-papagaio*
pé de parede s.m.
pé de pata s.m.
pé de pato s.m. "nadadeira"
pé-de-pato s.m. "árvore"; pl. *pés-de-pato*
pé de pau s.m. "tamanco"
pé-de-pau s.m. "espécie de abelha"; pl. *pés-de-pau*
pé de peia s.m.
pé-de-perdiz s.m.; pl. *pés-de-perdiz*
pé de poeira s.m.
pé-de-pomba s.m.; pl. *pés-de-pomba*
pé-de-pombo s.m.; pl. *pés-de-pombo*
pé-de-prata s.m.; pl. *pés-de-prata*
pé de rabo s.m.
pederasta s.m.
pederastia s.f.
pederástico adj.
pé de rebolo s.m.
pedéria s.f.
pederido s.m.
pederíea s.f.
pederíneo adj. s.m.
pedernal adj.2g. s.m.
pedernalino adj.
pedernão s.m.
pederneira s.f.
pederneirense adj. s.2g.
pédero s.m.
pé-de-rola s.m.; pl. *pés-de-rola*
pé de salsa s.m.
pé-descalço s.m.; pl. *pés-descalços*
pedese s.f.
pedesia s.f.
pedésico adj.
pedestal s.m.
pedestalizar v.
pedestre adj. s.2g. s.m.
pedestriácea s.f.
pedestrianismo s.m.
pedestrianista adj. s.2g.
pedestriano s.m.
pedetes s.m.2n.
pedetídeo adj. s.m.
pé de valsa s.m.
pé-de-veado s.m.; pl. *pés-de-veado*
pé de vento s.m.
pedi s.m.
pedíaco s.m.
pedial adj.2g.
pedialgia s.f.
pediálgico adj.
pedião s.m.
pediário adj.
pediastro s.m.
pediatra s.2g.
pediatria s.f.
pediátrico adj.
pediatro s.m.
pedibola s.m.
pedição s.f.
pedicar v.
pedicel s.m.
pedicela s.f.
pedicelado adj.
pedicelária s.f.
pedicelário adj. s.m.
pediceláster s.m.
pedicelasterídeo adj. s.m.
pedicelina s.f.
pedicelínea s.f.
pedicelinídeo adj. s.m.
pedicelinópsis s.f.2n.
pedicelo s.m.
pedicélula s.f.
pedicélulo adj. s.m.
pedícia s.f.
pediciníneo adj. s.m.
pedicino s.m.
pediculação s.f.
pediculado adj. s.m.
pedicular adj.2g. s.f.
pediculária s.f.
pediculicida adj. s.2g.
pediculicídio s.m.
pediculídeo adj. s.m.
pediculíneo adj. s.m.
pediculização s.f.
pediculizado adj.
pediculizar v.
pedículo s.m.
pediculoide (*ó*) adj.2g. s.m.
pedículo-laminar adj.2g.; pl. *pedículo-laminares*
pediculose s.f.
pediculoso (*ô*) adj.; f. (*ó*); pl. (*ó*)
pedicura s.2g.
pedicure s.2g.
pedicuro s.m.
pedida s.f.
pedidedo (*ê*) s.m.
pedido adj. s.m.
pedidor (*ô*) adj. s.m.
pedidura s.f.
pedíea s.f.
pedífero adj.
pediforme adj.2g.
pedígero adj.
pedigolho (*ô*) s.m.
pedigonho s.m.
pedilanto s.m.
pedilóforo s.m.
pedilônia s.f.
pedilúvio s.m.
pedímano adj. s.m.
pedimentação s.f.
pedimentado adj.
pedimentador (*ô*) adj.
pedimentante adj.2g.
pedimentar v. adj.2g.
pedimentaridade s.f.
pedimentável adj.2g.
pedimento s.m.
pedimetria s.f.
pedimétrico adj.
pedímetro s.m.
pedincha adj. s.2g. s.f.
pedinchado adj.
pedinchão adj. s.m.; f. *pedinchona*
pedinchar v.
pedincharia s.f.
pedincheira s.f.
pedincheza (*ê*) s.f.
pedinchice s.f.
pedincho s.m.
pedinchona adj. s.f. de *pedinchão*
pedingão adj. s.m.
pediníneo adj. s.m.
pedino s.m.
pedinornito adj.
pedinta s.f.
pedintão adj. s.m.
pedintar v.
pedintaria s.f.
pedinte adj. s.2g.
pedinteria s.f.
pediocétis s.m.2n.
pediografia s.f.
pediográfico adj.
pediógrafo s.m.
pediometria s.f.
pediométrico adj.
pediômetro s.m.
pédion s.m.
pedionalgia s.f.
pedionálgico adj.
pedionita s.f.
pedionite s.f.
pedionomídeo adj. s.m.
pediônomo adj.
pediopatia s.f.
pediópside s.f.
pediópsis s.f.2n.
pediornito adj.
pedioso (*ô*) adj.; f. (*ó*); pl. (*ó*)
pedipalpo adj. s.m.
pédipes s.m.2n.
pediplanação s.f.
pediplanado adj.
pediplanador (*ô*) adj.
pediplanante adj.2g.
pediplanar v. adj.2g.
pediplanável adj.2g.
pediplanície s.f.
pediplano s.m.
pedir v.
pé-direito s.m.; pl. *pés-direitos*
pedísseqúo (*co* ou *quo*) adj.
pédite adj.2g.
peditório s.m.
pedival s.m.
pedivela s.f.
pedobarometria s.f.
pedobarométrico adj.
pedobarômetro s.m.
pedobatismal adj.2g.
pedobatismo s.m.
pedocaedro s.m.
pedocal s.m.
pedocálcico adj.
pedocêntrico adj.
pedocentrismo s.m.
pedocentrista adj.2g.
pedocentrístico adj.
pedoclímace s.m.
pedoclimático adj.
pedoclímax s.m.2n.
pedodontia s.f.
pedodôntico adj.
pedodontista adj. s.2g.
pedofilia s.f.
pedofílico adj.
pedófilo adj.
pedoflebotomia s.f.
pedoflebotômico adj.
pedofobia s.f.
pedofóbico adj.
pedófobo adj. s.m.
pedogamia s.f.
pedogâmico adj.
pedogênese s.f.
pedogenético adj.
pedogonia s.f.
pedogônico adj.
pedógrafo s.m.
pedoiro s.m.
pedolexia (*cs*) s.f.
pedoléxico (*cs*) adj.
pedologia s.f.
pedológico adj.
pedologista adj. s.2g.
pedólogo s.m.
pedometria s.f.
pedométrico adj.
pedômetro s.m.
pedomorfismo s.m.
pedomorfista adj.2g.
pedomorfose s.f.
pé-do-morto s.m.; pl. *pés-do-morto*
pedomotor (*ô*) s.m.
pedonecrofilia s.f.
pedonecrofílico adj.
pedonecrófilo adj. s.m.
pedonomia s.f.
pedonômico adj.
pedônomo s.m.
pé do ouvido s.m.
pedopartenogênese s.f.
pedopartenogenético adj.
pedopiteco s.m.
pedópitex (*cs*) s.m.2n.

pedopsiquiatra s.2g.
pedopsiquiatria s.f.
pedopsiquiátrico adj.
pedotecnia s.f.
pedotécnica s.f.
pedotécnico adj.
pedotisia s.f.
pedotísico adj.
pedótriba s.2g.
pedotríbica s.f.
pedotríbico adj.
pedotrofia s.f.
pedotrófico adj.
pedótrofo s.m.
pedouro s.m.
pedra s.f.
pedra-abelhense adj. s.2g.; pl. *pedra-abelhenses*
pedra-altense adj. s.2g.; pl. *pedra-altenses*
pedra-antense adj. s.2g.; pl. *pedra-antenses*
pedra-ararense adj. s.2g.; pl. *pedra-ararenses*
pedra-argueireira s.f.; pl. *pedras-argueireiras*
pedra-argueirinha s.f.; pl. *pedras-argueirinhas*
pedra-azul s.f.; pl. *pedras-azuis*
pedra-azulense adj. s.2g.; pl. *pedra-azulenses*
pedra-balizense adj. s.2g.; pl. *pedra-balizenses*
pedra-bazar s.f.; pl. *pedras-bazar* e *pedras-bazares*
pedra-belense adj. s.2g.; pl. *pedra-belenses*
pedra-bonitense adj. s.2g.; pl. *pedra-bonitenses*
pedra-braba s.2g.; pl. *pedras-brabas*
pedra-branquense adj. s.2g.; pl. *pedra-branquenses*
pedra-broeira s.f.; pl. *pedras-broeiras*
pedra-bronze s.f.; pl. *pedras-bronze* e *pedras-bronzes*
pedraça s.f.
pedra-calaminar s.f.; pl. *pedras-calaminares*
pedra-canguense adj. s.2g.; pl. *pedra-canguenses*
pedra-canta s.f.; pl. *pedras-canta*
pedraceira s.f.
pedra-chocalheira s.f.; pl. *pedras-chocalheiras*
pedraço s.m.
pedra-cordial s.f.; pl. *pedras-cordiais*
pedra-corridense adj. s.2g.; pl. *pedra-corridenses*
pedra-curuba s.f.; pl. *pedras-curuba* e *pedras-curubas*
pedra-d'água s.f.; pl. *pedras-d'água*
pedra-d'armas s.f.; pl. *pedras-d'armas*
pedrada s.f.
pedra da armênia s.f.
pedra da lídia s.f.
pedra da lua s.f.
pedra das amazonas s.f.
pedra de águia s.f.
pedra de águila s.f.
pedra de anil s.f.
pedra de armas s.f.
pedra-de-canela s.f.; pl. *pedras-de-canela*
pedra de cevar s.f.
pedra de cobra s.f.
pedra de cruz s.f.
pedra de ferir s.f.
pedra de ferro s.f.
pedra de flecha s.f.
pedra de fogo s.f.
pedra de fuzil s.f.
pedra de goa s.f.
pedra de lagar s.f.
pedra de leite s.f.
pedra de lua s.f.
pedra de mão s.f.
pedra de raio s.f.
pedra de sabão s.f.
pedra-de-sangue s.f.; pl. *pedras-de-sangue*
pedra de santa bárbara s.f.
pedra de santana s.f.
pedra de santo s.f.
pedra de sol s.f.
pedra de tocar ouro s.f.
pedra de toque s.f.
pedra de veado s.f.
pedra de xadrez s.f.
pedra de xangô s.f.
pedrado adj.
pedra do labrador s.f.
pedra do pará s.f.
pedra do piquá s.f.
pedra do santo s.f.
pedra do sol s.f.
pedra-douradense adj. s.2g.; pl. *pedra-douradenses*
pedra e cal s.m.2n.
pedra-escrófula s.f.; pl. *pedras-escrófula* e *pedras-escrófulas*
pedra-ferradense adj. s.2g.; pl. *pedra-ferradenses*
pedra-ferro s.f.; pl. *pedras-ferro* e *pedras-ferros*
pedra-fita s.f.; pl. *pedras-fita* e *pedras-fitas*
pedra-fogo s.f.; pl. *pedras-fogo* e *pedras-fogos*
pedra-foguense adj. s.2g.; pl. *pedra-foguenses*
pedra-furadense adj. s.2g.; pl. *pedra-furadenses*
pedragal s.m.
pedra-gema s.f.; pl. *pedras-gema* e *pedras-gemas*
pedragoso (*ô*) adj.; f. (*ó*); pl. (*ó*)
pedra-grandense adj. s.2g.; pl. *pedra-grandenses*
pedra-grão s.f.; pl. *pedras-grão* e *pedras-grãos*
pedra-imã s.f.; pl. *pedras-ímã* e *pedras-ímãs*
pedra-inca s.f.; pl. *pedras-incas*
pedra-indaiaense adj. s.2g.; pl. *pedra-indaiaenses*
pedra-infernal s.f.; pl. *pedras-infernais*
pedra-jade s.f.; pl. *pedras-jade* e *pedras-jades*
pedra-judeu s.f.; pl. *pedras-judeu* e *pedras-judeus*
pedral adj.2g. s.m.
pedra-lápis s.f.; pl. *pedras-lápis*
pedra-lar s.f.; pl. *pedras-lar* e *pedras-lares*
pedra-lavradense adj. s.2g.; pl. *pedra-lavradenses*
pedra-lipes s.f.; pl. *pedras-lipes*
pedra-lipse s.f.; pl. *pedras-lipse* e *pedras-lipses*
pedra-lispe s.f.; pl. *pedras-lispe* e *pedras-lispes*
pedra-louça s.f.; pl. *pedras-louça* e *pedras-louças*
pedralvense adj. s.2g.
pedralvo adj.
pedra-mármore s.f.; pl. *pedras-mármore* e *pedras-mármores*
pedra-matense adj. s.2g.; pl. *pedra-matenses*
pedra-mendobi s.f.; pl. *pedras-mendobi* e *pedras-mendobis*
pedranceira s.f.
pedra-nefrítica s.f.; pl. *pedras-nefríticas*
pedrão s.m.
pedra-olar s.f.; pl. *pedras-olar* e *pedras-olares*
pedra-pintadense adj. s.2g.; pl. *pedra-pintadenses*
pedra-pombo s.f.; pl. *pedras-pombo* e *pedras-pombos*
pedra-pomes s.f.; pl. *pedras-pomes*
pedra-pretano adj. s.m.; pl. *pedra-pretanos*
pedra-pretense adj. s.2g.; pl. *pedra-pretenses*
pedrar v.
pedra-redondense adj. s.2g.; pl. *pedra-redondenses*
pedraria s.f.
pedrariense adj. s.2g.
pedra-rosa s.f.; pl. *pedras-rosa*
pedra-rumense adj. s.2g.; pl. *pedra-rumenses*
pedra-sabão s.f.; pl. *pedras-sabão* e *pedras-sabões*
pedra-salamandra s.f.; pl. *pedras-salamandra* e *pedras-salamandras*
pedra-salense adj. s.2g.; pl. *pedra-salenses*
pedra-seladense adj. s.2g.; pl. *pedra-seladenses*
pedras-foguense adj. s.2g.; pl. *pedras-foguenses*
pedra-sinense adj. s.2g.; pl. *pedra-sinenses*
pedra-soda s.f.; pl. *pedras-soda* e *pedras-sodas*
pedra-sonense adj. s.2g.; pl. *pedra-sonenses*
pedra-ume s.f.; pl. *pedras-ume* e *pedras-umes*
pedra-ume-caá s.f.; pl. *pedras-ume-caá* e *pedras-umes-caá*
pedra-verde s.f.; pl. *pedras-verdes*
pedrázio s.m.
pedreanes s.m.
pedregal s.m.
pedregão s.m.
pedregoso (*ô*) adj.; f. (*ó*); pl. (*ó*)
pedreguento adj.
pedregulhal s.m.
pedregulhense adj. s.2g.
pedregulhento adj.
pedregulho s.m.
pedregulhoso (*ô*) adj.; f. (*ó*); pl. (*ó*)
pedreira s.f.
pedreirada s.f.
pedreiral adj.2g.
pedreirense adj. s.2g.
pedreirice s.f.
pedreirinho s.m.
pedreirismo s.m.
pedreiro adj. s.m.
pedreiro-das-barreiras s.m.; pl. *pedreiros-das-barreiras*
pedreiro-do-brasil s.m.; pl. *pedreiros-do-brasil*
pedreiro-livre s.m.; pl. *pedreiros-livres*
pedreneira s.f.
pedrenês adj.2g.
pedrense adj. s.2g.
pedrento adj.
pedrês adj. s.2g.
pedreta (*ê*) adj.2g.
pedriçal s.m.
pedrinha s.f.
pedrinha na boca s.f.
pedrinhas s.f.pl.
pedrinhense adj. s.2g.
pedrinho adj.
pedrinopolitano adj. s.m.
pedrisco s.m.
pedriscoso (*ô*) adj.; f. (*ó*); pl. (*ó*)
pedrista adj. s.2g.
pedritense adj. s.2g.
pedro-afonsense adj. s.2g.; pl. *pedro-afonsenses*
pedro-afonsino adj. s.m.; pl. *pedro-afonsinos*
pedro-avelinense adj. s.2g.; pl. *pedro-avelinenses*
pedro-barrense adj. s.2g.; pl. *pedro-barrenses*
pedro-botelho s.m.; pl. *pedro-botelhos*
pedro-cansadense adj. s.2g.; pl. *pedro-cansadenses*
pedro-carlense adj. s.2g.; pl. *pedro-carlenses*
pedro-celestinense adj. s.2g.; pl. *pedro-celestinenses*
pedro-garciense adj. s.2g.; pl. *pedro-garcienses*
pedro-gomense adj. s.2g.; pl. *pedro-gomenses*
pedroguense adj. s.2g.
pedroiço s.m.
pedro-leopoldense adj. s.2g.; pl. *pedro-leopoldenses*
pedro-ligeirense adj. s.2g.; pl. *pedro-ligeirenses*
pedro-lustosense adj. s.2g.; pl. *pedro-lustosenses*
pedro-marinhense adj. s.2g.; pl. *pedro-marinhenses*
pedronense adj. s.2g.
pedro-osoriense adj. s.2g.; pl. *pedro-osorienses*
pedro-pereirense adj. s.2g.; pl. *pedro-pereirenses*
pedro-quinto s.m.; pl. *pedros-quintos*
pedro-riano adj. s.m.; pl. *pedro-rianos*
pedro-riense adj. s.2g.; pl. *pedro-rienses*
pedrório s.m.
pedro-safardana s.m.; pl. *pedros-safardanas*
pedro-segundense adj. s.2g.; pl. *pedro-segundenses*
pedrosense adj. s.2g.
pedro-severense adj. s.2g.; pl. *pedro-severenses*
pedrosito s.m.
pedroso (*ô*) adj.; f. (*ó*); pl. (*ó*)
pedro-taquense adj. s.2g.; pl. *pedro-taquenses*
pedro-teixeirense adj. s.2g.; pl. *pedro-teixeirenses*
pedro-toledense adj. s.2g.; pl. *pedro-toledenses*
pedrouço s.m.
pedro-unionense adj. s.2g.; pl. *pedro-unionenses*
pedro-velhense adj. s.2g.; pl. *pedro-velhenses*
pedro-versianiense adj. s.2g.; pl. *pedro-versianienses*
pedro-xavierense adj. s.2g.; pl. *pedro-xavierenses*
pedro-ximenes s.m.; pl. *pedros-ximenes*
pedrulha s.f.
pedrulho s.m.
pedunculado adj.
peduncular adj.2g.
pedunculiano adj.
pedúnculo s.m.
pedunculoso (*ô*) adj.; f. (*ó*); pl. (*ó*)
pé-duro s.m.; pl. *pés-duros*
pê-efe s.m.; pl. *pê-efes*
peeira s.f. "doença do gado bovino"; cf. *pieira*
peeiro s.m.
pê-eme s.m.; pl. *pê-emes*
peemedebismo s.m.
peemedebista adj. s.2g.
pé-encarnado s.m.; pl. *pés-encarnados*
pé-espalhado s.m.; pl. *pés-espalhados*
peessedebismo s.m.
peessedebista adj. s.2g.
pefelismo s.m.
pefelista adj. s.2g.
péfilo s.m.
pé-franco s.m.; pl. *pés-francos*
pé-fresco s.m.; pl. *pés-frescos*
pé-frio s.m.; pl. *pés-frios*
pega s.m.f. "ação de pegar", etc.; cf. *pega* (*ê*)
pega (*ê*) adj.2g. s.m.f. "ave", etc.; cf. *pega* s.m.f. e fl. do v. *pegar*
pega-azul s.f.; pl. *pegas-azuis*
pega-boi s.f.; pl. *pegas-boi* e *pegas-bois*
pega-brasas s.m.2n.
pega-caboclo s.m.; pl. *pega-caboclos*
pega-cabrito s.m.; pl. *pega-cabritos*
pega-calça s.m.; pl. *pega-calças*
pegacho adj. s.m.
pega-cuca s.f.; pl. *pega-cucas* e *pegas-cucas*
pega-cuco s.f.; pl. *pega-cuco* e *pegas-cucos*
pegada s.f.
pega-da-índia s.f.; pl. *pegas-da-índia*
pega-de-encontro-amarelo s.f.; pl. *pegas-de-encontro-amarelo*
pegadeira s.f.
pegadiço adj.
pegadilha s.f.
pegadio s.m.
pegado adj.
pegadoira s.f.
pegadoiro s.m.
pega-do-mar s.f.; pl. *pegas-do-mar*
pega-do-norte s.f.; pl. *pegas-do-norte*
pegador (*ô*) adj. s.m.
pegadoura s.f.
pegadouro s.m.
pegadura s.f.
pega-enxame s.m.; pl. *pega-enxames*
pega-espanhola s.f.; pl. *pega-espanholas*
pega-flor s.m.; pl. *pegas-flor* e *pegas-flores*
pega-fogo s.m.; pl. *pega-fogos*
pega-francesa s.f.; pl. *pegas-francesas*
pega-gelo s.m.; pl. *pega-gelos*
pega-inseto s.m.; pl. *pega-insetos*
pegajento adj.
pegajosice s.f.
pegajoso (*ô*) adj.; f. (*ó*); pl. (*ó*)
pega-ladrão s.m.; pl. *pega-ladrões*
pegalhoso (*ô*) adj.; f. (*ó*); pl. (*ó*)
pega-mão s.m.; pl. *pega-mãos*
pega-marreco s.m.; pl. *pega-marrecos*
pegamassa s.f.
pegamasso s.m.
pegamasso-maior s.m.; pl. *pegamassos-maiores*
pegamasso-menor s.m.; pl. *pegamassos-menores*
pegamento s.m.
pegamoide (*ó*) s.m.
pega-moleque s.m.; pl. *pega-moleques*
pega-mosca s.f.; pl. *pega-moscas*
peganhar v.
peganhento adj.
peganhiço adj.
peganho s.m.
peganhoso (*ô*) adj.; f. (*ó*); pl. (*ó*)
peganita s.f.
peganite s.f.
pégano s.m.
peganóidea s.f.
peganta s.f.
pegantídeo adj. s.m.
pegão s.m.
pega-panelas s.f.2n.
pega-pega s.f.; pl. *pega-pegas* e *pegas-pegas*
pega-pega-mosca s.f.; pl. *pegas-pega-moscas* e *pegas-pegas-moscas*
pega-pega-trepadeira s.f.; pl. *pegas-pega-trepadeiras* e *pegas-pegas-trepadeiras*

pega-pinto s.m.; pl. *pega--pintos*
pega pra capar s.m.2n.
pegar v.
pega-rapaz s.m.; pl. *pega--rapazes*
pega-ratos s.m.2n.
pega-real s.m.; pl. *pegas-reais*
pega-saias s.f.2n.
pegáseo adj.
pegásia s.m.
pegasiano adj.
pegásida adj.2g. s.m.
pegasídeo adj. s.m.
pégaso s.m.
pégaso-marinho s.m.; pl. *pégasos-marinhos*
pegata s.f.
pegativo adj.
pega-varetas s.m.2n.
pegma s.m.
pegmário s.m.
pegmático adj.
pegmatite s.f.
pegmatítico adj.
pegmatito s.m.
pegmatófiro s.m.
pegmatofiso s.m.
pegmatoide (*ó*) adj.2g.
pegmatolita s.f.
pegmatolite s.f.
pegmatólito s.m.
pegmina s.f.
pégnia s.f.
pego s.m. "pélago"; cf. *pego* (*ê*)
pego (*ê*) adj. s.m. "macho da pega", etc.; cf. *pego* s.m. e fl. do v. *pegar*
pegomancia s.f.
pegomante s.2g.
pegomântico adj.
pegômia s.f.
pegomiia s.f.
pego-verde s.m.; pl. *pegos--verdes*
pegu s.2g.
peguaba s.f.
peguano adj. s.m.
pegudo adj.
pegueira s.f.
pegueiro s.m.
peguenhento adj.
peguenho adj.
peguento adj.
péguia s.f.
peguial s.m.
peguilha s.f.
peguilhado adj.
peguilhar v.
peguilhento adj.
peguilhice s.f.
peguilho s.m.
peguinhado adj.
peguinhar v.
peguinhento adj.
peguira s.f.
pegulhal s.m.
pegulhar s.m.
pegulho s.m.
pegungo s.m.
pegunha s.f.
pegunho s.m.
pegunta s.f.
peguntar v.
pegural adj.2g.
pegureira s.f.
pegureiro s.m.
peia s.f.
peia-boi s.m.; pl. *peia-bois*
peida s.f.
peidão adj. s.m.
peidar v.
peidaria s.f.
peideiro adj. s.m.
peido s.m.
peido-alemão s.m.; pl. *peidos--alemães*
peidoca s.f.
peido do meio s.m.
peidorrada s.f.
peidorrar v.
peidorrear v.
peidorreira s.f.
peidorreiro adj. s.m.
peidorreta (*ê*) s.f.
peina s.f.
peinaço s.m.
peinar v.
peinde adj. s.2g.
peiote s.m.
peiotilina s.f.
peiotismo s.m.
peiotista adj. s.2g.
peiotístico adj.
peiotle s.m.
peipá s.m.
peirão s.m.
peirau s.m.
peirciano adj. s.m.
peiréskia s.f.
peireskiopse s.f.
peita s.f.
peitaça s.f.
peitaço s.m.
peitada s.f.
peitado adj.
peitalha s.f.
peitalhar v.
peitama s.f.
peitão s.m.
peitar v.
peitaria s.f.
peiteira s.f.
peiteiro adj. s.m.
peitica s.f.
peitica-de-chapéu-preto s.f.; pl. *peiticas-de-chapéu-preto*
peitilho s.m.
peitinho s.m.
peito s.m.
peito-azul s.m.; pl. *peitos-azuis*
peito-celeste s.m.; pl. *peitos--celestes*
peito de armas s.m.
peito de canga s.m.
peito de forno s.m.
peito-de-lírio s.m.; pl. *peitos--de-lírio*
peito de moça s.m. "pão"
peito-de-moça s.m. "planta", "ave"; pl. *peitos-de-moça*
peito de morte s.m.
peito-de-pomba s.m.; pl. *peitos-de-pomba*
peito de prova s.m.
peito de quilha s.m.
peito-de-vênus s.m.; pl. *peitos-de-vênus*
peitoeira s.f.
peito-ferido s.m.; pl. *peitos--feridos*
peitogueira s.f.
peito-largo s.m.; pl. *peitos-largos*
peitoral adj.2g. s.m.
peitoril s.m.
peito-roxo s.m.; pl. *peitos--roxos*
peitorrear v.
peitorreira s.f.
peito-vermelho s.m.; pl. *peitos-vermelhos*
peitudo adj. s.m.
peituga s.f.
peiú adj.2g.
peiudo (*ú*) adj.
peixada s.f. "iguaria de peixe"; cf. *pechada*
peixamento s.m.
peixão s.m.
peixar v.
peixaria s.f.
peixe s.m.
peixe-agarrador s.m.; pl. *peixes-agarradores*
peixe-agulha s.m.; pl. *peixes--agulha* e *peixes-agulhas*
peixe-agulha-d'água-doce s.m.; pl. *peixes-agulha-d'água-doce* e *peixes-agulhas-d'água-doce*
peixe-agulha-do-brasil s.m.; pl. *peixes-agulha-do-brasil* e *peixes-agulhas-do-brasil*
peixe-aipim s.m.; pl. *peixes--aipim* e *peixes-aipins*
peixe-alecrim s.m.; pl. *peixes--alecrim* e *peixes-alecrins*
peixe-anjo s.m.; pl. *peixes-anjo* e *peixes-anjos*
peixe-aranha s.m.; pl. *peixes--aranha* e *peixes-aranhas*
peixe-armado s.m.; pl. *peixes--armados*
peixe-azeite s.m.; pl. *peixes--azeite* e *peixes-azeites*
peixe-balgado s.m.; pl. *peixes--balgado* e *peixes-balgados*
peixe-beijador s.m.; pl. *peixes-beijadores*
peixe-beta s.m.; pl. *peixes-beta* e *peixes-betas*
peixe-bigodeiro s.m.; pl. *peixes-bigodeiros*
peixe-boi s.m.; pl. *peixes-boi* e *peixes-bois*
peixe-boi-da-amazônia s.m.; pl. *peixes-boi-da-amazônia* e *peixes-bois-da-amazônia*
peixe-boi-do-pará s.m.; pl. *peixes-boi-do-pará* e *peixes--bois-do-pará*
peixe-boiense adj. s.2g.; pl. *peixe-boienses*
peixe-boi-marinho s.m.; pl. *peixes-boi-marinhos* e *peixes--bois-marinhos*
peixe-borboleta s.m.; pl. *peixes-borboleta* e *peixes--borboletas*
peixe-boto s.m.; pl. *peixes-boto* e *peixes-botos*
peixe-branco s.m.; pl. *peixes--brancos*
peixe-bravense adj. s.2g.; pl. *peixe-bravenses*
peixe-briga s.m.; pl. *peixes--briga* e *peixes-brigas*
peixe-bruxa s.m.; pl. *peixes--bruxa* e *peixes-bruxas*
peixe-cabeçudo s.m.; pl. *peixes-cabeçudos*
peixe-cabra s.m.; pl. *peixes--cabra* e *peixes-cabras*
peixe-cachimbo s.m.; pl. *peixes-cachimbo* e *peixes--cachimbos*
peixe-cachorro s.m.; pl. *peixes-cachorro* e *peixes--cachorros*
peixe-cadela s.m.; pl. *peixes--cadela* e *peixes-cadelas*
peixe-cana s.m.; pl. *peixes--cana* e *peixes-canas*
peixe-canga s.m.; pl. *peixes--canga* e *peixes-cangas*
peixe-cão s.m.; pl. *peixes-cão* e *peixes-cães*
peixe-capim s.m.; pl. *peixes--capim* e *peixes-capins*
peixe-carago s.m.; pl. *peixes--carago* e *peixes-caragos*
peixe-carlim s.m.; pl. *peixes--carlim* e *peixes-carlins*
peixe-carta s.m.; pl. *peixes--carta* e *peixes-cartas*
peixe-cavaleiro s.m.; pl. *peixes-cavaleiro* e *peixes--cavaleiros*
peixe-cavalo s.m.; pl. *peixes--cavalo* e *peixes-cavalos*
peixe-charuto s.m.; pl. *peixes--charuto* e *peixes-charutos*
peixe-chato s.m.; pl. *peixes--chatos*
peixe-cigarra s.m.; pl. *peixes--cigarra* e *peixes-cigarras*
peixe-cobra s.m.; pl. *peixes--cobra* e *peixes-cobras*
peixe-cobrelo s.m.; pl. *peixes--cobrelo* e *peixes-cobrelos*
peixe-coelho s.m.; pl. *peixes--coelho* e *peixes-coelhos*
peixe-coiro s.m.; pl. *peixes--coiro* e *peixes-coiros*
peixe-comum s.m.; pl. *peixes--comuns*
peixe-congo s.m.; pl. *peixes--congo* e *peixes-congos*
peixe-corcunda s.m.; pl. *peixes-corcundas*
peixe-corneta s.m.; pl. *peixes--corneta* e *peixes-cornetas*
peixe-corno s.m.; pl. *peixes--corno* e *peixes-cornos*
peixe-cornudo s.m.; pl. *peixes-cornudos*
peixe-correio s.m.; pl. *peixes--correio* e *peixes-correios*
peixe-couro s.m.; pl. *peixes--couro* e *peixes-couros*
peixe-cravo s.m.; pl. *peixes--cravo* e *peixes-cravos*
peixe-curvo s.m.; pl. *peixes--curvos*
peixe-da-china s.m.; pl. *peixes-da-china*
peixe-da-cola s.m.; pl. *peixes--da-cola*
peixe-de-briga s.m.; pl. *peixes--de-briga*
peixe-de-caixa s.m.; pl. *peixes--de-caixa*
peixe-de-cola s.m.; pl. *peixes--de-cola*
peixe-de-enxurrada s.m.; pl. *peixes-de-enxurrada*
peixe-de-farol s.m.; pl. *peixes--de-farol*
peixe-de-manilha s.m.; pl. *peixes-de-manilha*
peixe-de-são-pedro s.m.; pl. *peixes-de-são-pedro*
peixe-diabo s.m.; pl. *peixes--diabo* e *peixes-diabos*
peixe-disco s.m.; pl. *peixes--disco* e *peixes-discos*
peixe-doirado s.m.; pl. *peixes--doirados*
peixe-do-mato s.m.; pl. *peixes-do-mato*
peixe-do-paraíso s.m.; pl. *peixes-do-paraíso*
peixe-dourado s.m.; pl. *peixes-dourados*
peixe-doutor s.m.; pl. *peixes--doutor* e *peixes-doutores*
peixe-elástico s.m.; pl. *peixes--elásticos*
peixe-elefante s.m.; pl. *peixes--elefante* e *peixes-elefantes*
peixe-elétrico s.m.; pl. *peixes--elétricos*
peixe-escalado s.m.; pl. *peixes-escalados*
peixe-escama s.m.; pl. *peixes--escama* e *peixes-escamas*
peixe-escolar s.m.; pl. *peixes--escolares*
peixe-escorpião s.m.; pl. *peixes-escorpião* e *peixes--escorpiões*
peixe-esmargal s.m.; pl. *peixes--esmargal* e *peixes-esmargais*
peixe-espada s.m.; pl. *peixes--espada* e *peixes-espadas*
peixe-espada-preto s.m.; pl. *peixes-espada-pretos* e *peixes--espadas-pretos*
peixe-espinho s.m.; pl. *peixes--espinho* e *peixes-espinhos*
peixe-fila s.m.; pl. *peixes-fila* e *peixes-filas*
peixe-flor s.m.; pl. *peixes-flor* e *peixes-flores*
peixe-folha s.m.; pl. *peixes--folha* e *peixes-folhas*
peixe-frade s.m.; pl. *peixes--frade* e *peixes-frades*
peixe-frito s.m.; pl. *peixes--fritos*
peixe-galo s.m.; pl. *peixes-galo* e *peixes-galos*
peixe-galo-do-brasil s.m.; pl. *peixes-galo-do-brasil* e *peixes--galos-do-brasil*
peixe-galo-de-penacho s.m.; pl. *peixes-galo-de-penacho* e *peixes-galos-de-penacho*
peixe-gato s.m.; pl. *peixes-gato* e *peixes-gatos*
peixe-homem s.m.; pl. *peixes--homem* e *peixes-homens*
peixe-imperador s.m.; pl. *peixes-imperador* e *peixes--imperadores*
peixeira s.f.
peixeirada s.f.
peixeiro s.m.
peixe-japonês s.m.; pl. *peixes--japoneses*
peixe-judeu s.m.; pl. *peixes--judeus*
peixe-lagarto s.m.; pl. *peixes--lagarto* e *peixes-lagartos*
peixe-lenha s.m.; pl. *peixes--lenha* e *peixes-lenhas*
peixe-leque s.m.; pl. *peixes--leque* e *peixes-leques*
peixelim s.m.
peixe-lima s.m.; pl. *peixes-lima* e *peixes-limas*
peixe-lixa s.m.; pl. *peixes-lixa* e *peixes-lixas*
peixe-lobo s.m.; pl. *peixes-lobo* e *peixes-lobos*
peixe-lua s.m.; pl. *peixes-lua* e *peixes-luas*
peixe-macaco s.m.; pl. *peixes--macaco* e *peixes-macacos*
peixe-machado s.m.; pl. *peixes--machado* e *peixes-machados*
peixe-madama s.m.; pl. *peixes-madama* e *peixes--madamas*
peixe-martelo s.m.; pl. *peixes--martelo* e *peixes-martelos*
peixe-moela s.m.; pl. *peixes--moela* e *peixes-moelas*
peixe-morcego s.m.; pl. *peixes-morcego* e *peixes--morcegos*
peixe-mulher s.m.; pl. *peixes--mulher* e *peixes-mulheres*
peixe-mulher-de-angola s.m.; pl. *peixes-mulher-de--angola* e *peixes-mulheres-de--angola*
peixe-naire s.m.; pl. *peixes--naire* e *peixes-naires*
peixe-negro s.m.; pl. *peixes--negros*
peixense adj. s.2g.
peixe-palmito s.m.; pl. *peixes--palmito* e *peixes-palmitos*
peixe-papagaio s.m.; pl. *peixes-papagaio* e *peixes--papagaios*
peixe-paraíso s.m.; pl. *peixes--paraíso* e *peixes-paraísos*
peixe-pau s.m.; pl. *peixes-pau* e *peixes-paus*
peixe-pedra s.m.; pl. *peixes--pedra* e *peixes-pedras*
peixe-pegador s.m.; pl. *peixes--pegadores*
peixe-pena s.m.; pl. *peixes--pena* e *peixes-penas*
peixe-pérsico s.m.; pl. *peixes--pérsico* e *peixes-pérsicos*
peixe-pescador s.m.; pl. *peixes-pescador* e *peixes--pescadores*
peixe-pica s.m.; pl. *peixes-pica* e *peixes-picas*
peixe-piça s.m.; pl. *peixes-piça* e *peixes-piças*
peixe-piloto s.m.; pl. *peixes--piloto* e *peixes-pilotos*
peixe-pimenta s.m.; pl. *peixes--pimenta* e *peixes-pimentas*
peixe-piolho s.m.; pl. *peixes--piolho* e *peixes-piolhos*
peixe-pombo s.m.; pl. *peixes--pombo* e *peixes-pombos*
peixe-porco s.m.; pl. *peixes--porco* e *peixes-porcos*

peixe-prata s.m.; pl. *peixes-prata* e *peixes-pratas*
peixe-prateado s.m.; pl. *peixes-prateados*
peixe-prego s.m.; pl. *peixes-prego* e *peixes-pregos*
peixe-preto s.m.; pl. *peixes-pretos*
peixe-purgativo s.m.; pl. *peixes-purgativos*
peixe-rabo s.m.; pl. *peixes-rabo* e *peixes-rabos*
peixe-raposo s.m.; pl. *peixes-raposo* e *peixes-raposos*
peixe-rato s.m.; pl. *peixes-rato* e *peixes-ratos*
peixe-rei s.m.; pl. *peixes-rei* e *peixes-reis*
peixe-roda s.m.; pl. *peixes-roda* e *peixes-rodas*
peixe-sabão s.m.; pl. *peixes-sabão* e *peixes-sabões*
peixe-sanguessuga s.m.; pl. *peixes-sanguessuga* e *peixes-sanguessugas*
peixe-sapo s.m.; pl. *peixes-sapo* e *peixes-sapos*
peixe-serra s.m.; pl. *peixes-serra* e *peixes-serras*
peixe-sol s.m.; pl. *peixes-sol* e *peixes-sóis*
peixe-soldado s.m.; pl. *peixes-soldado* e *peixes-soldados*
peixe-sono s.m.; pl. *peixes-sono* e *peixes-sonos*
peixe-tamarindo s.m.; pl. *peixes-tamarindo* e *peixes-tamarindos*
peixeteiro s.m.
peixe-tigre s.m.; pl. *peixes-tigre* e *peixes-tigres*
peixe-tordo s.m.; pl. *peixes-tordo* e *peixes-tordos*
peixe-trombeta s.m.; pl. *peixes-trombeta* e *peixes-trombetas*
peixe-vaca s.m.; pl. *peixes-vaca* e *peixes-vacas*
peixe-vampiro s.m.; pl. *peixes-vampiro* e *peixes-vampiros*
peixe-vela s.m.; pl. *peixes-vela* e *peixes-velas*
peixe-ventosa s.m.; pl. *peixes-ventosa* e *peixes-ventosas*
peixe-verdadeiro s.m.; pl. *peixes-verdadeiros*
peixe-verde s.m.; pl. *peixes-verdes*
peixe-vermelho s.m.; pl. *peixes-vermelhos*
peixe-vivo s.m.; pl. *peixes-vivos*
peixe-voador s.m.; pl. *peixes-voadores*
peixe-voador-do-brasil s.m.; pl. *peixes-voadores-do-brasil*
peixe-zebra s.m.; pl. *peixes-zebra* e *peixes-zebras*
peixe-zorra s.m.; pl. *peixes-zorra* e *peixes-zorras*
peixe-zorro s.m.; pl. *peixes-zorro* e *peixes-zorros*
peixinheiro s.m.
peixinhense adj. s.2g.
peixinho s.m.
peixinho-da-horta s.m.; pl. *peixinhos-da-horta*
peixol s.m.
peixorra (*ô*) s.f.
peixota s.f.
peixote s.m. "peixe de tamanho médio"; cf. *pexote*
peixoteiro s.m.
peixotense adj. s.2g.
peixoto (*ô*) s.m.
peixotoa (*ô*) s.f.
peja (*ê*) s.f.
pejada s.f.
pejado adj.
pejadoiro s.m.
pejador (*ô*) adj. s.m.
pejadouro s.m.
pejaerum adj. s.2g.
pejamento s.m.
pejar v.
pejeiro s.m.
pejerecum s.m.
peji s.m.
peji-gã s.m.; pl. *peji-gãs*
pejo (*ê*) s.m.
pejoração s.f.
pejorar v.
pejorativo adj.
pejoso (*ô*) adj.; f. (*ó*); pl. (*ó*)
pejuçarense adj. s.2g.
pela contr. de *per* e *a*; cf. *pela* (*é*) e *pelã*
pela (*é*) s.f. "bola" etc. e fl. do v. *pelar*; cf. *pela* e *pelã*
pelã s.m. "embarcação"; cf. *pela* e *pela* (*é*)
pela-beicense adj. s.2g.; pl. *pela-beicenses*
pelacho s.m.
pelacil s.m.
pelacir s.m.
pelada s.f.
peladeira s.f.
pé-ladeirense adj. s.2g.; pl. *pé-ladeirenses*
peladeiro adj. s.m.
peladela s.f.
peladense adj. s.2g.
peladiço adj.
peládico adj.
peládiga s.f.
pelado adj. s.m.
peladofobia s.f.
pelador (*ô*) adj. s.m.
peladura s.f.
pelagão adj. s.m.; f. *pelagona*
pelagem s.f.
pelágia s.f.
pelagianismo s.m.
pelagianista adj. s.2g.
pelagianístico adj.
pelagiano adj. s.m.
pelágico adj.
pelagíneo adj. s.m.
pelágio adj.
pelágio-noctiluco s.m.; pl. *pelágios-noctilucos*
pelagismo s.m.
pelagita s.f.
pelagite s.f.
pélago s.m.
pelagóbata s.2g.
pelagobático adj.
pelagóbia s.f.
pelagódroma s.f.
pela-goela s.f.; pl. *pela-goelas*
pelagófito s.m.
pelagografia s.f.
pelagográfico adj.
pelagógrafo s.m.
pelágone adj. s.2g.
pelagonemerte s.m.
pelagonemertídeo adj. s.m.
pelagonemertino s.m.
pelagoscopia s.f.
pelagoscópico adj.
pelagoscópio s.m.
pelagóscopo s.m.
pelagosita s.f.
pelagosite s.f.
pelagosito s.m.
pelagossáurio s.m.
pelagra s.f.
pelagramina s.f.
pelagroso (*ô*) adj.; f. (*ó*); pl. (*ó*)
pé-lambert s.m.; pl. *pés-lambert*
pelame s.m.
pelamento s.m.
pelâmide s.f.
pélamis s.f.2n.
pelamo s.m.
pelanagem s.f.
pelanca s.m.f.
pelanco s.m.
pelancoso (*ô*) adj.; f. (*ó*); pl. (*ó*)
pelancudo adj.
pelanga s.f.
pelangana s.f.
pelanguento adj.
pelão s.m.
pela-porco (*é*) s.m.; pl. *pela-porcos*
pelar v.
pelargomorfa s.f.
pelargonato s.m.
pelargônico adj.
pelargonidina s.f.
pelargonidínico adj.
pelargonina s.f.
pelargônio s.m.
pelargópsis s.2g.2n.
pelaria s.f.
pelasgiano adj.
pelásgico adj.
pelasgo adj. s.m.
pelataria s.f.
pelatina s.f.
peldasno interj.
peldraca s.f.
pele s.f.
peleado adj.
peleador (*ô*) adj. s.m.
peleano adj.
pele-anserina s.f.; pl. *peles-anserinas*
pelear v.
pelebreu s.m.
peleca s.f.
pelecânida adj.2g. s.m.
pelecanídeo adj. s.m.
pelecaniforme adj.2g. s.m.
pelecaníneo adj. s.m.
pelecanoide (*ó*) adj.2g. s.m.
pelecanoidídeo adj. s.m.
pelechar v. "trocar de pelo" (*ê*); cf. *pelejar*
pelecho (*ê*) s.m.; cf. *pelecho*, fl. do v. *pelechar*
pelecífora s.f.
pelecíforo s.m.
pelecinela s.f.
pelécio s.m.
pelecípode adj.2g. s.m.
pelecístomo s.m.
peleco s.m.
pelecócera s.f.
pelecoide (*ó*) adj.2g.
pelecóptero s.m.
pelecótomo s.m.
pelecra s.f.
pele de asno s.2g.
pele de banha s.f.
pele de galinha s.f.
pele de lixa s.f.
pele de ovo s.f.
pele-de-sapo s.f.; pl. *peles-de-sapo*
pele de vinho s.f.
pele do diabo s.f.
pelega (*ê*) s.f.
pelegada s.f.
pelegama s.f.
pelego (*ê*) s.m.
pelego-branco s.m.; pl. *pelegos-brancos*
pelego-de-velha s.m.; pl. *pelegos-de-velha*
pelegra s.2g. s.f.
pelegrim s.m.
pelegrime s.m.
pelegrinar v.
pelegrino s.m.
peleguear v.
peleguismo s.m.
peleguista adj. s.2g.
peleguístico adj.
peleia (*é*) adj. s.f. de *peleu*; cf. *peleia*, fl. do v. *pelear*
peleio adj. s.m.
peleira s.f.
peleiro s.m.
peleiroso (*ô*) adj.; f. (*ó*); pl. (*ó*)
peleja (*ê*) s.f.; cf. *peleja*, fl. do v. *pelejar*
pelejador (*ô*) adj. s.m.
pelejante adj.2g.
pelejar v. "lutar"; cf. *pelechar*
pelejável adj.2g.
pelejo (*ê*) s.m.; cf. *pelejo*, fl. do v. *pelejar*
pelele s.m. "batoque do lábio"; cf. *pelelé*
pelelé s.m. "bebida"; cf. *pelele*
pelém adj.2g. s.m.
pelemia s.f.
pelêmico adj.
pelêndone adj. s.2g.
pelene s.m.
peleneia (*é*) adj. s.f. de *peleneu*
pelenense adj. s.2g.
peleneu adj. s.m.; f. *peleneia* (*é*)
peleoa (*ô*) s.f.
peleona s.f.
pelequesse s.m.
peleria s.f.
pelerine s.f.
pelestino adj. s.m.
peletaria s.f.
pelete s.m.
pélete s.m.
peleteiro s.m.
peleteria s.f.
peletiera s.f.
peletierina s.f.
peletização s.f.
peletizado adj.
peletizador (*ô*) adj.
peletizadora (*ô*) s.f.
peletizante adj.2g.
peletizar v.
peletizável adj.2g.
peletricas s.f.2n.
peletrônio adj.
peleu adj. s.m.; f. *peleia* (*é*)
pé-leve s.m.; pl. *pés-leves*
pele-vermelha adj. s.2g.; pl. *peles-vermelhas*
pele-vermelhismo s.m.; pl. *pele-vermelhismos*
pelevi s.m.
peléxia (*cs*) s.f.
pelga s.f.
pelhamina s.f.
pelhanca s.f.
pelhancaria s.f.
pelharanca s.f.
pelharengo adj.
pelharunca s.f.
pelhunca s.f.
pelia s.m. "gênero de crustáceo"; cf. *pélia*
pélia s.f. "planta"; cf. *pelia*
peliagado adj.
peliagudo adj.
pé-libra s.m.; pl. *pés-libras*
pelibranco adj.
pelibrande adj.2g.
pelibrando adj.
pelica s.f. "pele fina de animal" cf. *peliça*
peliça s.f. "peça forrada de peles"; cf. *pelica*
pelicanas s.f.pl.
pelicânida adj.2g. s.m.
pelicanídeo adj. s.m.
pelicaniforme adj.2g. s.m.
pelicanite s.f.
pelicano s.m.
pelicanoide (*ó*) adj.2g. s.m.
pelicanoidídeo adj. s.m.
pelicano-pardo s.m.; pl. *pelicanos-pardos*
pelicano-pequeno s.m.; pl. *pelicanos-pequenos*
pelicão s.m. "planta"; cf. *pelição*
pelição s.m. "vestido de peles"; cf. *pelicão*
pelicaria s.f. "indústria de peles"; cf. *pelicária*
pelicária s.f. "planta"; cf. *pelicaria*
pelicé s.m.
peliceiro s.m.
pelicha s.f.
pelichado adj.
pelichar v.
pelico s.m.
pelicógeno adj.
pelicoscopia s.f.
pelicoscópico adj.
pelicossáurio s.m.
pelicossauro adj. s.m.
pelicotomia s.f.
pelicotômico adj.
pelicreiro s.m.
película s.f.
peliculado adj.
peliculagem s.f.
pelicular adj.2g.
peliculável adj.2g.
peliculoso (*ô*) adj.; f. (*ó*); pl. (*ó*)
pelidna s.f.
peligno adj. s.m.
peligotita s.f.
pelilongo adj.
pelincho s.m.
pelindrengas s.f.pl.
pelinegro (*ê*) adj.
pelintra adj. s.2g.
pelintragem s.f.
pelintrante s.m.
pelintrão s.m.; f. *pelintrona*
pelintrar v.
pelintraria s.f.
pelintrice s.f.
pelintrismo s.m.
pelintrona s.f. de *pelintrão*
pelintrote s.m.
pélio adj.
pelioma s.m.
peliônia s.f.
peliose s.f.
peliplanimetria s.f.
peliplanimétrico adj.
peliqueiro s.m.
pelirruivo adj.
pelitaria s.f.
peliteira s.f.
peliteiro s.m.
pelítico adj.
pelitina s.f.
pelito s.m.
pelitrapo s.m.
pelitrate s.m.
pelitre s.m.
pelívora s.f.
pelletiera s.f.
pelletierina s.f.
pellicierácea s.f.
pellicieráceo adj.
pellyita s.f.
pelma s.m.
pelmatodinia s.f.
pelmatodínico adj.
pelmatograma s.m.
pelmatozoário adj. s.m.
pelmicrítico adj.
pelmicrito s.m.
pelo contr. de *per* e *o*; cf. *pelo* (*ê*) s.m. e *pelo* (*é*), fl. do v. *pelar*
pelo (*ê*) s.m. "cabelo"; cf. *pelo* contr. e *pelo* (*é*), fl. do v. *pelar*
pelóbata s.m.
pelobates s.m.2n.
pelobátida adj.2g. s.m.
pelobatídeo adj. s.m.
peloco (*ô*) s.m.
peloconita s.f.
peloconite s.f.
peloctiófilo adj.
peloctiófita s.f.
pelo-de-arame s.m.; pl. *pelos-de-arame*
pelo-de-onça s.m.; pl. *pelos-de-onça*
pelódera s.f.
pelo de rato s.m.
pelo-de-urso s.m.; pl. *pelos-de-urso*
pelódites s.m.2n.
pelodítico adj.
pelodito s.m.
pelodrilo s.m.
pelófila s.f.
pelófilo adj.

pelófita s.f.
pelogênia s.f.
pelógeno adj.
pelogonídeo adj. s.m.
pelógono s.m.
peloira s.f.
peloirada s.f.
peloirinho s.m.
peloiro s.m.
pelomancia s.f.
pelomante s.2g.
pelomântico adj.
pelombeta (*ê*) s.f.
pelome s.m.
pelomedusa s.f.
pelomedusídeo adj. s.m.
pelomixa (*cs*) s.f.
pelona s.f.
pelonaia s.f.
pelonectita s.f.
peloneia (*é*) s.f.
pelônia s.f.
pelônula s.f.
pelopátides s.m.2n.
pélope s.m.
pelopeias (*é*) s.f.pl.
pelopeu s.m.
pelópico adj.
pelópida adj. s.2g.
pelópio s.m.
peloponense adj. s.2g.
peloponésia s.f.
peloponesíaco adj. s.m.
peloponésico adj.
peloponésio adj. s.m.
pélops s.m.2n.
pelopsâmico adj.
pelor (*ô*) s.m.
peloria s.f.
pelórico adj.
pelorismo s.m.
pelorização s.f.
pelorizar v.
pelorneu s.m.
peloscoleco s.m.
peloscólex (*cs*) s.m.2n.
pelosidade s.f.
pelosina s.f.
pelo-sinal s.m.; pl. *pelos-sinais*
peloso (*ô*) adj.; f. (*ó*); pl. (*ó*)
pelossáurio s.m.
pelossiderita s.f.
pelossiderite s.f.
pelossiderito s.m.
pelota s.f.
pelotaço s.m.
pelotada s.f.
pelotão s.m.
pelotar s.m.
pelotário s.m.
pelotarismo s.m.
pelote s.m.
peloteamento s.m.
pelotear v.
peloteio s.m.
peloteiro s.m.
pelotense adj. s.2g.
peloterapia s.f.
peloterápico adj.
pelotica s.f.
pelotila s.f.
pelotilha s.f.
pelotina s.f.
pelotiqueiro s.m.
pelotiquice s.f.
pelotização s.f.
pelotizado adj.
pelotizador (*ô*) adj.
pelotizadora (*ô*) s.f.
pelotizante adj.2g.
pelotizar v.
pelotizável adj.2g.
pelotrica s.f.
pelotro (*ô*) s.m.
pelótrofo s.m.
peloura s.f.
pelourada s.f. "tiro de pelouro"; cf. *pilorada* e *pilourada*
pelourinho s.m.
pelouro s.m.
pelsparítico adj.
pelsparito s.m.
pelta s.f.
peltação s.f.
peltado adj.
peltador (*ô*) adj.
peltáfido adj.
peltandra s.f.
peltândrea s.f.
peltante adj.2g.
peltária s.f.
peltaspermácea s.f.
peltaspermáceo adj.
peltasta s.m.
peltasto s.m.
peltato adj. s.m.
peltável adj.2g.
peltela s.f.
pelteno adj. s.m.
peltídeo adj.
peltidiídeo adj. s.m.
peltídio s.m.
peltidocótilo s.m.
peltífido adj.
peltifilo s.m.
peltifoliado adj.
peltifólio adj.
peltiforme adj.2g.
peltígera s.f.
peltigerácea s.f.
peltigeráceo adj.
peltinérveo adj.
peltipartido adj.
peltissecto adj.
peltocéfalo adj. s.m.
peltódão s.m.
peltódites s.m.2n.
péltodon s.m.
peltodonte s.m.
peltóforo s.m.
peltogáster s.m.
peltogástrida adj.2g. s.m.
peltogastrídeo adj. s.m.
peltogastro s.m.
peltógine s.f.
peltogino s.m.
peltoias (*ó*) s.f.2n.
peltoiatínea s.f.
peltoide (*ó*) adj.2g. s.m.
peltope s.f.
peltorranfo s.m.
peltospermácea s.f.
peltospermáceo adj.
peltospermo s.m.
peltossoma s.m.
peltostigma s.m.
peltre s.m.
peltuinate adj.2g. s.2g.
peltuíno adj. s.m.
peluche s.f.
pelucho s.m.
pelúcia s.f.
pelucidade s.f.
pelúcido adj.
pelucioso (*ô*) adj.; f. (*ó*); pl. (*ó*)
peluda s.f.
peludear v.
peludo adj. s.m.
pelugem s.f.
peluginoso (*ô*) adj.; f. (*ó*); pl. (*ó*)
pelumba s.m.
peluqueiro s.m.
pelusíaco adj. s.m.
pelúsico adj.
pelusiota adj. s.2g.
peluteína s.f.
pelváptero adj.
pelve s.f.
pelvécia s.f.
pelvectomia s.f.
pelvectômico adj.
pelviano adj.
pelviapendicular adj.2g.
pelvicefalografia s.f.
pelvicefalográfico adj.
pelvicefalometria s.f.
pelvicefalômetro s.m.
pelviclisiômetro s.m.
pélvico adj.
pelvicostal adj.2g.
pelvicrural adj.2g.
pelviforme adj.2g.
pelvigrafia s.f.
pelvigráfico adj.
pelvígrafo s.m.
pelvilogia s.f.
pelvilógico adj.
pelvimetria s.f.
pelvimétrico adj.
pelvímetro s.m.
pelvino adj.
pelviperitonite s.f.
pelviplastia s.f.
pelviplástico adj.
pelvipterígio s.m.
pelvirretal adj.2g.
pélvis s.f.2n.
pelvispondilite s.f.
pelvissacro adj.
pelvissuporte s.m.
pelvitomia s.f.
pelvitômico adj.
pelvitrocanteriano adj.
pelvitrocantérico adj.
pema s.2g.
pemaneno adj. s.m.
pemano adj. s.m.
pé-manquinho s.m.; pl. *pés-manquinhos*
pemba s.f.
pembe s.m.
pembéji s.m.
pemberar v.
pembrar v.
pemedista adj. s.2g.
pemênica s.f.
pemênico adj.
pêmeno s.m.
pemi s.m.
pemom adj. s.2g.
pé-morrense adj. s.2g.; pl. *pé-morrenses*
pempa s.m.
pempadarca s.m.
pêmpade s.f.
pempélia s.f.
pena s.m.f.
pena-branco s.m.; pl. *penas-brancos*
penabsoluto adj.
penação s.f.
penáceo adj. "semelhante a pena"; cf. *pináceo*
penachada s.f.
penachado adj.
penachar v.
penacheira s.f.
penacheiro s.m.
penachento adj.
penachinho s.m.
penachista s.2g.
penacho s.m.
penacho-branco s.m.; pl. *penachos-brancos*
penacho-de-capim s.m.; pl. *penachos-de-capim*
penacho-do-campo s.m.; pl. *penachos-do-campo*
penachudo adj.
pé na cova s.2g.
penacovense adj. s.2g.
pena-d'água s.f.; pl. *penas-d'água*
penada s.f.
pena-de-avestruz s.f.; pl. *penas-de-avestruz*
penadeira s.f.
penado adj. s.m.
penadoiro adj.
penadouro adj.
penafidelense adj. s.2g.
penafiel s.m.
penafortense adj. s.2g.
penagris s.m.
penaguiense adj. s.2g.
penaguiota adj. s.2g.
penaguioto (*ô*) adj. s.m.
penaia s.f.
pena-juniorense adj. s.2g.; pl. *pena-juniorenses*
penal adj.2g. s.m.
penalidade s.f.
penalismo s.m.
penalista adj. s.2g.
penalística s.f.
penalístico adj.
penalização s.f.
penalizado adj.
penalizante adj.2g.
penalizar v.
penalogia s.f.
penalógico adj.
penalogista adj. s.2g.
penálogo s.m.
pênalti s.m.
penalvense adj. s.2g.
penamacor (*ô*) s.m.
penamacorense adj. s.2g.
penamar adj.2g.
penamarense adj. s.2g.
penambi s.f.
penamilha s.f.
penanguba s.f.
penanrilha s.m.
penantada s.f.
penante adj. s.2g. s.m.
penântia s.f.
penanular adj.2g.
penão s.m.
penapolense adj. s.2g.
penapolitano adj. s.m.
pena-preto s.m.; pl. *penas-pretos*
penar v.
penária s.f.
penarídeo adj. s.m.
penariz s.m.
penaroso (*ô*) adj.; f. (*ó*); pl. (*ó*)
pena-sargo s.m.; pl. *penas-sargo* e *penas-sargos*
penasco s.m.
penates s.m.pl.
penatifendido adj.
penatífido adj.
penatifoliado adj.
penatifólio adj.
penatilobado adj.
penatilobulado adj.
penatina s.f.
penatinérveo adj.
penatipartido adj.
penatissecto adj.
penatistipulado adj.
penátula s.f.
penatuláceo adj. s.m.
penatulário adj. s.m.
penatúlea s.f.
penatuleia (*é*) s.f.
penatulídeo adj. s.m.
penaveira s.f.
penável adj.2g.
penca s.f.
pencada s.f.
pencão s.m.
pencatita s.f.
pencatite s.f.
pence s.f.
pencenê s.m.
pencha s.f.
pencinê s.m.
penco adj. "cavalo sem valor"; cf. *pencó*
pencó adj. s.2g. "que coxeia"; cf. *penco*
pencudo adj.
pencvilcsita s.f.
pendacosta s.m.
pendal s.m.
pendanga s.f.
pendangada s.f.
pendanguense adj. s.2g.
pendão s.m.
pendão-amarelo s.m.; pl. *pendões-amarelos*
pendas s.f.pl.
pende s.m.
pendedela s.f.
pendença s.f.
pendençal adj.2g.
pendenceiro adj.
pendência s.f.; cf. *pendencia*, fl. do v. *pendenciar*
pendenciador (*ô*) adj. s.m.
pendenciano adj. s.m.
pendenciar v.
pendencieiro adj.
pendenciense adj. s.2g.
pendenga s.f.
pendengues s.m.pl.
pendente adj.2g. s.m.f.
pendentivo s.m.
pendepender v.
pender v.
penderica s.f.
penderico s.m.
pendículo s.m.
pendido adj.
pendifloro adj.
pendifoliado adj.
pendjabi s.m.
pendletonita s.f.
pendoado adj.
pendoar v.
pendoença s.f.
pêndola s.f.
pendolista s.2g.
pendor (*ô*) s.m.
pendorada s.f.
pendorado adj.
pendoral s.m.
pendorar v.
pendorelhos (*ê*) s.m.pl.
pendre s.m.
pêndula s.f.; cf. *pendula*, fl. do v. *pendular*
pendular v. adj.2g.
pendulear v.
penduliflоro adj.
pendulifoliado adj.
pendulifólio adj.
pendulina s.f.
pendulista s.2g.
pêndulo adj. s.m.; cf. *pendulo*, fl. do v. *pendular*
pendulógrafo s.m.
pendura s.2g. s.f.
pendura-amarela s.f.; pl. *penduras-amarelas*
pendurado adj. s.m.
pendural s.m.
penduralho s.m.
pendurar v.
pendurelho (*ê*) s.m.
pendureza (*ê*) s.f.
penduricalho s.m.
penduricar v.
pendurico s.m.
penduril s.m.
penduro s.m.
pendurol s.m.
pendurucalho s.m.
pene s.m.
pênea s.f.
peneácea s.f.
peneáceo adj.
peneano adj.
penedal s.m.
penedense adj. s.2g.
penedia s.f.
penediense adj. s.2g.
penedio s.m.
penedo (*ê*) s.m.
penego (*ê*) s.m.
pé-negro adj. s.2g.; pl. *pés-negros*
peneia (*é*) s.f.
peneídeo adj. s.m.
peneíneo adj. s.m.
peneira s.2g. s.f.
peneiração s.f.
peneirada s.f.
peneirado adj.
peneirador (*ô*) adj. s.m.
peneiradura s.f.
peneiragem s.f.
peneiramento s.m.
peneirar v.
peneirável adj.2g.
peneireiro s.m.
peneireixo-cinzento s.m.; pl. *peneireixos-cinzentos*
peneiro s.m.
penejado adj.
penejar v.
penela s.f.

penelago s.m.
penélope s.f.
penelópida adj. s.2g.
penelopídeo adj. s.m.
penelopíneo adj. s.m.
penengomem s.2g.
penenha s.f.
penense adj. s.2g.
peneplanação s.f.
peneplanície s.f.
peneplanização s.f.
peneplanizado adj.
peneplanizar v.
peneplano s.m.
peneroplidíneo adj. s.m.
peneróplis s.f.2n.
penesta adj. s.2g.
penetra adj. s.2g.
penetrabilidade s.f.
penetração s.f.
penetrado adj.
penetrador (*ô*) adj. s.m.
penetrais s.m.pl.
penetral s.m.
penetramento s.m.
penetrância s.f.
penetrante adj.2g.
penetrar v.
penetrativo adj.
penetrável adj.2g.
penetreto s.m.
penetro s.m.
penetrômetro s.m.
peneu s.m. "camarão"; cf. *pneu*
penférida adj.2g. s.m.
penferídeo adj. s.m.
penfieldita s.f.
penfieldite s.f.
pênfigo s.m.
penfigode adj.2g. "com pústulas"; cf. *penfigoide* (*ó*)
penfigoide (*ó*) adj.2g. "semelhante a pênfigo"; cf. *penfigode*
pengó adj. s.2g.
pengu s.m.
penha s.f.
penha-capinense adj. s.2g.; pl. *penha-capinenses*
penha-cassianense adj. s.2g.; pl. *penha-cassianenses*
penha-coquense adj. s.2g.; pl. *penha-coquenses*
penha-francense adj. s.2g.; pl. *penha-francenses*
penha-longuense adj. s.2g.; pl. *penha-longuenses*
penha-nortense adj. s.2g.; pl. *penha-nortenses*
penhão s.m.
penhascal s.m.
penhasco s.m.
penhascoso (*ô*) adj.; f. (*ó*); pl. (*ó*)
penhasqueira s.f.
penhasquento adj.
penha-tapauaense adj. s.2g.; pl. *penha-tapauaenses*
penhoar s.m.
penhor (*ô*) s.m.
penhora s.f.
penhorabilidade s.f.
penhorado adj.
penhorador (*ô*) adj.
penhorante adj.2g.
penhorar v.
penhoratício adj. s.m.
penhorável adj.2g.
penhoria s.f.
penhorista adj. s.2g.
pêni s.m.
pênia s.f.
peniágone s.m.
peniano adj.
peniântea s.f.
penianto s.m.
penibético adj.
penicada s.f. "conteúdo de um penico"; cf. *pinicada*
penicão s.m. "penico grande"; cf. *pinicão*
penicar v. "depenicar"; cf. *pinicar*
penichada s.f.
penicheira s.f.
penicheiro s.m.
penichense adj. s.2g.
penicilado adj.
penicilamina s.f.
penicilar adj.2g.
penicilária s.f.
penicílico adj.
penicilídia s.f.
peniciliforme adj.2g.
penicilina s.f.
penicilinado adj.
penicilinase s.f.
penicilínase s.f.
penicilinemia s.f.
penicilinêmico adj.
penicilínico adj.
penicilinorresistência s.f.
penicilinorresistente adj. s.2g.
penicilinoterapia s.f.
penicilinoterápico adj.
penicílio s.m.
peniciliose s.f.
penicilo s.m.
peniciloico (*ó*) adj.
penico s.m. "urinol"; cf. *pênico, pinico* s.m. e fl. do v. *pinicar*
pênico adj. s.m. "cartaginês"; cf. *penico*
penicórneo adj.
penicreiro s.m.
peniculíneo adj. s.m.
penículo s.m.
penidense adj. s.2g.
penífero adj. "que tem penas"; cf. *pinífero*
penificar v.
peniforme adj.2g. "que tem forma de pena"; cf. *piniforme*
penigeminado adj.
penígero adj. "que tem penas"; cf. *pinígero*
penilago s.m.
penilho s.m.
penima s.f.
penina s.f.
penincha s.f.
penine s.f.
peninervado adj.
peninérveo adj.
peninervo (*ê*) adj.
peninho s.m.
penínico adj.
peninita s.f.
peninite s.f.
península s.f.
peninsular adj. s.2g.
peninsularidade s.f.
peninxa s.f.
pênio s.m.
peniomania s.f.
peniomaníaco adj. s.m.
peniômano adj. s.m.
peniposte s.m.
penipotente adj.2g.
peniqueira s.f.
peniqueiro s.m.
pênis s.m.2n.
peniscar v.
penisco s.m.
peniseto s.m.
penisqueiro adj.
penísquise s.f.
penisseto s.m.
penita s.f.
penite s.f.
penitela s.f.
penitência s.f.; cf. *penitencia*, fl. do v. *penitenciar*
penitenciação s.f.
penitenciado adj. s.m.
penitencial adj.2g. s.m.
penitenciar v.
penitenciaria s.f. "tribunal pontifício"; cf. *penitenciária*
penitenciária s.f. "prisão"; cf. *penitenciaria* s.f. e fl. do v. *penitenciar*
penitenciário adj. s.m.
penitenciarista adj. s.2g.
penitencieiro s.m.
penitencieiro-mor s.m.; pl. *penitencieiros-mores*
penitente adj. s.2g.
penível adj.2g.
penjabi s.m.
penjábico adj.
pennaíta s.f.
pennaítico adj.
pennantita s.f.
pennina s.f.
pennínico adj.
pennsylvaniano adj.
pennsylvânico adj.
pennsylvânio adj. s.m.
peno adj. s.m. "púnico"; cf. *penó*
penó s.m. "indivíduo alto e magro"; cf. *peno*
penoca s.f.
pé no chão s.m.
penoco (*ô*) s.m.
penol s.m.
penologia s.f.
penológico adj.
penologista adj. s.2g.
penólogo s.m.
pênopo s.m.
penópode s.m.
penosa s.f.
penoseiro s.m.
penoso (*ô*) adj. s.m.; f. (*ó*); pl. (*ó*)
penostro (*ô*) s.m.
penque s.m.
penroseíta s.f.
pensabilidade s.f.
pensabundo adj.
pensação s.f.
pensado adj.
pensadoiro s.m.
pensador (*ô*) adj. s.m.
pensadouro s.m.
pensadura s.f.
pensamentar v.
pensamentear v.
pensamentense adj. s.2g.
pensamento s.m.
pensante adj.2g.
pensão s.f.
pensar v. s.m.
pensatividade s.f.
pensativo adj.
pensável adj.2g.
penseroso (*ô*) adj.; f. (*ó*); pl. (*ó*)
pênsil adj.2g.
pensionado adj. s.m.
pensionamento s.m.
pensionar v.
pensionário adj. s.m.
pensionato s.m.
pensioneiro adj. s.m.
pensionismo s.m.
pensionista adj. s.2g.
pensionístico adj.
penso adj. s.m.
pensoso (*ô*) adj.; f. (*ó*); pl. (*ó*)
penstêmon s.m.
pentaborânico adj.
pentaborano s.m.
pentacâmara s.f.
pentacampeão s.m.
pentacampeonato s.m.
pentacanto adj.
pentacapsular adj.2g.
pentacarpeia (*é*) s.f.
pentacarpelar adj.2g.
pentacarpo adj. s.m.
pentaceno s.m.
pentacêntrico adj.
pentácera s.f.
pentácero s.m.
pentaceropse s.m.
pentacerótida adj.2g. s.m.
pentacerotídeo adj. s.m.
pentacíclico adj. s.m.
pentaciclo adj. s.m.
pentacladócero s.m.
pentaclasita s.f.
pentaclasite s.f.
pentacletra s.f.
pentaclorético adj.
pentacloreto (*ê*) s.m.
pentaclorobenzênico adj.
pentaclorobenzeno s.m.
pentaclorofenato s.m.
pentaclorofenol s.m.
pentaclorofenólico adj.
pentacoco adj. s.m.
pentacontacordo s.m.
pentacontaedro adj. s.m.
pentacontágono s.m.
pentacontano s.m.
pentacontarco s.m.
pentacontarquia s.f.
pentacórdio s.m.
pentacordo s.m.
pentacosaedro s.m.
pentacoságono s.m.
pentacosano s.m.
pentacosiarco s.m.
pentacosiarquia s.f.
pentacósio s.m.
pentacosiomedimno s.m.
pentacósmia s.f.
pentacótilo adj.
pentacótomo adj.
pentacrinídeo adj. s.m.
pentacrino s.m.
pentácrino s.m.
pentacrinoide (*ó*) adj.2g. s.m.
pentacripto s.m.
pentacróstico adj. s.m.
pentactínico adj.
pentáctula s.f.
pentáculo s.m.
pentadactilia s.f.
pentadáctilo adj.
pentadarca s.m.
pentadatilia s.f.
pentadátilo adj.
pentadecaedral adj.2g.
pentadecaédrico adj.
pentadecaedro s.m.
pentadecagonal adj.2g.
pentadecágono s.m.
pentadecano s.m.
pentadecanol s.m.
pentadecilparatolilcetona s.f.
pentadélfia s.f.
pentadelfo adj.
pentadesma s.f.
pentadieno s.m.
pentadinâmico adj.
pentadínamo adj.
pentadiplandra s.f.
pentadracma s.f.
pentaedral adj.2g.
pentaédrico adj.
pentaedro s.m.
pentaedroide (*ó*) s.m.
pentaeritrita s.f.
pentaeritrite s.f.
pentaeritritol s.m.
pentaeritritólico adj.
pentaetéride s.f.
pentafármaco s.m.
pentáfido adj.
pentafilacácea s.f.
pentafilacáceo adj.
pentafílace s.m.
pentafilácea s.f.
pentafiláceo adj.
pentafílaco s.m.
pentafilar adj.2g.
pentafílax (*cs*) s.f.2n.
pentafilicácea s.f.
pentafilicáceo adj.
pentafilo adj. s.m.
pentafólio s.m.
pentafonia s.f.
pentáfono adj.
pentafragma s.m.
pentafragmatácea s.f.
pentafragmatáceo adj.
pentafragmátea s.f.
pentafragmáteo adj.
pentagaloilglucose s.f.
pentagastrina s.f.
pentaginia s.f. "qualidade de flores de cinco pistilos"; cf. *pentagínia*
pentagínia s.f. "ordem vegetal de plantas de flores de cinco pistilos"; cf. *pentaginia*
pentagínico adj.
pentágino adj.
pentagloto adj.
pentagnense (*tanhen*) adj. s.2g.
pentagonal adj.2g.
pentagonáster s.m.
pentagonasterídeo adj. s.m.
pentagonasteríneo adj. s.m.
pentagônia s.f.
pentágono s.m.
pentagonododecaédrico adj.
pentagonododecaedro s.m.
pentagrádico adj.
pentagrafia s.f.
pentagráfico adj.
pentágrafo s.m.
pentagrama s.m.
penta-hexaedro (*cs*) adj.
penta-hidrato s.m.
penta-hídrico adj.
penta-hidrita s.f.
penta-hidroborita s.f.
penta-hidrocalcita s.f.
pentaidrato s.m.
pentaídrico adj.
pentaidrita s.f.
pental s.m.
pentaldeídico adj.
pentaldeído s.m.
pentalépide adj.2g.
pentalfa s.m.
pentáloba s.f.
pentalobulado adj.
pentalonca s.f.
pentalônia s.f.
pentameridina s.f.
pentameridínico adj.
pentâmero adj. s.m.
pentametileno s.m.
pentametilenocarbinol s.m.
pentametilenocarbinólico adj.
pentametilenodiamina s.f.
pentametônio s.m.
pentâmetro adj. s.m.
pentamidina s.f.
pentamina s.f.
pentamóideo adj. s.m.
pentanal s.m.
pentandria s.f. "qualidade de flores de cinco estames"; cf. *pentândria*
pentândria s.f. "quinta classe de plantas"; cf. *pentandria*
pentândrico adj.
pentandro adj.
pentanemo s.m.
pentangular adj.2g.
pentânico adj.
pentânio s.m.
pentanísia s.f.
pentano s.m.
pentanodioico (*ó*) adj.
pentanoico (*ó*) adj.
pentanol s.m.
pentanomia s.f.
pentanona s.f.
pentantéreo adj.
pentanto s.m.
pentáperas s.m.2n.
pentapétalo adj.
pentapetes s.m.
pentápilo adj.
pentaploide (*ó*) adj.2g.
pentaploidia s.f.
pentaplostêmone adj.2g.
pentápode s.m.
pentapodia s.f.
pentapolar adj.2g.

pentápole s.f.
pentapolitano adj. s.m.
pentaprotia s.f.
pentaproto s.m.
pentáptera s.f.
pentapterígio s.m.
pentáptero adj.
pentáptico s.m.
pentaptoto adj. s.m.
pentaqueles s.m.2n.
pentaquênio s.m.
pentarca s.m.
pentarcado s.m.
pentária s.f.
pentarino adj.
pentariscópio s.m.
pentaroge s.f.
pentarquia s.f.
pentárquico adj.
pentarradial adj.2g.
pentarrafia s.f.
pentarráfico adj.
pentarreme s.f.
pentarrino s.m.
pentarrômbico adj.
pentas s.f.2n.
pentaspérmico adj.
pentaspermo adj.
pentassépalo adj.
pentassilábico adj.
pentassílabo adj. s.m.
pentassubstituído adj.
pentassubstituidor (*ô*) adj.
pentassubstituinte adj.2g.
pentassubstituir v.
pentassubstituível adj.2g.
pentassubstituto adj.
pentassulfético adj.
pentassulfeto (*ê*) s.m.
pentassulfureto (*ê*) s.m.
pentastêmon s.m.
pentastêmona s.f.
pentastemonacanto s.m.
pentastemonácea s.f.
pentastemonáceo adj.
pentastêmone s.m.
pentasterigmático adj.
pentástico adj.
pentastílico adj.
pentastilo adj. s.m.
pentastomídeo adj. s.m.
pentástomo adj. s.m.
pentatéreo adj.
pentateuco s.m.
pentationato s.m.
pentatiônico adj.
pentatleta s.2g.
pentatlo s.m.
pentátlon s.m.
pentátoma s.f.
pentatômico adj.
pentatômida adj.2g. s.m.
pentatomídeo adj. s.m.
pentatomíneo adj. s.m.
pentátomo s.m.
pentatônico adj.
pentátono s.m.
pentáurea s.f.
pentavacina s.f.
pentavalência s.f.
pentavalente adj.2g.
pentazocina s.f.
pentazônico adj.
pentazônio s.m.
pente s.m.
penteação s.f.
penteaço s.m.
penteada s.f.
penteadeira s.f.
penteadela s.f.
penteado adj. s.m.
penteador (*ô*) adj. s.m.
penteadora (*ô*) s.f.
penteadura s.f.
pentear v.
pentearia s.f.
penteável adj.2g.
pentecontacordo s.m.
pentecontaedro adj. s.m.
pentecontágono s.m.
pentecontarco s.m.
pentecontarquia s.f.
pentecostal adj. s.2g.
pentecostalismo s.m.
pentecostalista adj. s.2g.
pentecostalístico adj.
pentecostário s.m.
pentecoste s.m.
pentecostense adj. s.2g.
pentecostes s.m.2n.
pentecostismo s.m.
pentecostista adj. s.2g.
pentedecagonal adj.2g.
pentedecágono s.m.
pente-de-macaco s.m.; pl. *pentes-de-macaco*
pente-de-vênus s.m.; pl. *pentes-de-vênus*
pente dos bichos s.m.
penteeira s.f.
penteeiro s.m.
pente-fino s.m.; pl. *pentes--finos*
penteiro s.m.
pentelheira s.f.
pentelho (*ê*) s.m.
pentelhudo adj.
pentélico adj. s.m.
pentelina s.f.
pentem s.m.
pentemia s.f.
pentêmico adj.
pentemímere adj.2g.
pentemímero adj.
pentênico adj.
penteno s.m.
pentenoico (*ó*) s.m.
pentenol s.m.
penteola s.f.
penteoquete s.m.
pêntese s.f.
pentetéride s.f.
pentétria s.f.
pentetriopse s.f.
pentídrico adj.
pentil s.m.
pentila s.f.
pentilênio s.m.
pentília s.f.
pentílico adj.
pentilo s.m.
pentímia s.f.
pentina s.f.
pentino s.m.
pentiofeno s.m.
pentita s.f.
pentite s.f.
pentitol s.m.
pentlândia s.f.
pentlandita s.f.
pentlandite s.f.
pentobarbital s.m.
pentódio s.m.
pentodo (*ô*) s.m.
pêntodo s.m.
pêntodon s.m.
pentodonte s.m.
pentófera s.f.
pentol s.m.
pentoleia (*é*) s.f.
pentolínio s.m.
pentolita s.f.
pentolite s.f.
pentomacro s.m.
pentômacro s.m.
pentoplófora s.f.
pentoro s.m.
pentórquido adj.
pentosana s.f.
pentosânico adj.
pentosano s.m.
pentosazona s.f.
pentose s.f.
pentosemia s.f.
pentosêmico adj.
pentósido s.m.
pentosuria s.f.
pentosúria s.f.
pentosúrico adj.
pentotal s.m.
pentóxido (*cs*) s.m.
pentoxilácea (*cs*) s.f.
pentoxiláceo (*cs*) adj.
pentoxilal (*cs*) adj.2g.
pentoxilale (*cs*) s.f.
pentremite s.m.
pentrita s.f.
pentro adj. s.m.
penudo adj.
penugem s.f.; cf. *penujem*, fl. do v. *penujar*
penugento adj.
penúgeo adj.
penujar v.
penujoso (*ô*) adj.; f. (*ó*); pl. (*ó*)
pênula s.f.
pênulo adj. s.m.
penúltimo adj. s.m.
penumbra s.f.
penumbrado adj.
penumbral adj.2g.
penumbrar v.
penumbrento adj.
penumbrismo s.m.
penumbrista adj. s.2g.
penumbrístico adj.
penumbroso (*ô*) adj.; f. (*ó*); pl. (*ó*)
penúria s.f.
penuriar v.
penuriento adj.
penurioso (*ô*) adj.; f. (*ó*); pl. (*ó*)
penwithita s.f.
peó s.m.
peoa (*ô*) s.f.
peoada s.f.
peoagem s.f.
péon s.m.
peona s.f.
peonada s.f.
peonagem s.f.
péone adj. s.2g.
peônia s.f.
peoniácea s.f.
peoniáceo adj.
peônico adj.
peonídea s.f.
peonidina s.f.
peonina s.f.
peônio adj.
peonol s.m.
peopaia adj. s.2g.
peósina s.f.
peota s.f.
peote s.m.
peotismo s.m.
peotista adj. s.2g.
peotístico adj.
peotomia s.f.
peotômico adj.
pepa s.f.
pepalanto s.m.
pepalantóidea s.f.
pepalantóideo adj.
pepasmo s.m.
pepástico adj.
pepe s.m. "planta"; cf. *pepé*
pepé adj. s.2g. "coxo"; cf. *pepe*
pepeca s.2g.
pé-pecelho s.m.; pl. *pés--pecelhos*
pepe-claro s.m.; pl. *pepes--claros*
pepe-escuro s.m.; pl. *pepes--escuros*
pepelé s.m.
peperino s.m.
peperita s.f.
peperite s.f.
peperito s.m.
peperômia s.f.
pepéua s.f.
pepeva s.f.
pépia s.f.
pepiça s.f.
pepinado adj.
pepinal s.m.
pepinar v.
pepineira s.f.
pepineiro s.m.
pepinela s.f.
pepinilho s.m.
pepino s.m.
pepino-bravo s.m.; pl. *pepinos-bravos*
pepino-castanha s.m.; pl. *pepinos-castanha* e *pepinos--castanhas*
pepino-choco s.m.; pl. *pepinos-chocos*
pepino-da-américa s.m.; pl. *pepinos-da-américa*
pepino-das-antilhas s.m.; pl. *pepinos-das-antilhas*
pepino-de-burro s.m.; pl. *pepinos-de-burro*
pepino-de-papagaio s.m.; pl. *pepinos-de-papagaio*
pepino-de-são-gregório s.m.; pl. *pepinos-de-são--gregório*
pepino-do-diabo s.m.; pl. *pepinos-do-diabo*
pepino-do-mar s.m.; pl. *pepinos-do-mar*
pepino-do-mato s.m.; pl. *pepinos-do-mato*
pepino-espinhoso s.m.; pl. *pepinos-espinhosos*
pepione s.m.
pepira s.f.
pepita s.f.
pepitalense adj. s.2g.
pepitória s.f.
pepitoso (*ô*) adj.; f. (*ó*); pl. (*ó*)
péplida s.f.
peplídio s.m.
peplo s.m.
peplodita s.f.
peplolite s.f.
peplolito s.m.
peplólito s.m.
peplônia s.f.
peplum (*pé*) s.m.
pepo s.m.
pepoaça s.f.
pepolim adj.2g.
pepônide s.f.
peponídeo adj. s.m.
peponífera s.f.
peponífero adj.
pepônio s.m.
peponita s.f.
peponite s.f.
peponopse s.f.
peporesina s.f.
peporesínico adj.
pé-preto s.m.; pl. *pés-pretos*
pepsé s.f.
pepsia s.f.
pépsico adj.
pepsina s.f.
pepsinase s.f.
pepsínase s.f.
pepsinogêneo s.m.
pepsinogênico adj.
pepsinogênio s.m.
pepsinoterapia s.f.
pepsinoterápico adj.
pepsinuria s.f.
pepsinúria s.f.
peptagoge adj.2g.
peptagogo (*ô*) adj.
peptase s.f.
péptase s.f.
péptico adj.
peptidase s.f.
péptide s.m.
peptídeo adj. s.m.
peptídio s.m.
péptido s.m.
peptidólise s.f.
peptidolítico adj.
peptização s.f.
peptizante adj.2g.
peptizar v.
peptococo s.m.
peptocola s.f.
peptogêneo adj.
peptogênico adj.
peptógeno adj.
peptolito s.m.
peptólito s.m.
peptona s.f.
peptonato s.m.
peptonefridia s.f.
peptônico adj.
peptoniode s.m.
peptoniodo s.m.
peptonização s.f.
peptonizante adj.2g.
peptonizar v.
peptonuria s.f.
peptonúria s.f.
peptonúrico adj.
peptostreptococo s.m.
peptoxina (*cs*) s.f.
pepuaça s.f.
pepuciano s.m.
pepuíra s.f.
pepuiruçu s.f.
pepulim adj.2g.
pepuxi adj. s.2g.
pepuziano s.m.
pepuzita adj. s.2g.
pequapá s.f.
pequear v.
pé-quebrado s.m.; pl. *pés--quebrados*
pé-queimado s.m.; pl. *pés--queimados*
pequena s.f.
pequenada s.f.
pequenalho adj. s.m.
pequename s.m.
pequenete (*ê*) adj. s.m.
pequenez (*ê*) s.f.
pequeneza (*ê*) s.f.
pequenhez (*ê*) s.f.
pequenice s.f.
pequenico adj. s.m.
pequenidade s.f.
pequeninada s.f.
pequeninez (*ê*) s.f.
pequenineza (*ê*) s.f.
pequeninho adj. s.m.
pequenininho adj. s.m.
pequenino adj. s.m.
pequeninote adj. s.m.
pequenitates s.2g.2n.
pequenito adj. s.m.
pequenitote adj. s.m.
pequeno adj. s.m.
pequeno-abdominogenital adj.2g. s.m.; pl. *pequeno--abdominogenitais*
pequeno-burguês adj. s.m.; pl. *pequeno-burgueses*
pequeno-caixão s.m.; pl. *pequenos-caixões*
pequeno-caixão-de-defunto s.m.; pl. *pequenos-caixões-de--defunto*
pequeno-ciático adj. s.m.; pl. *pequeno-ciáticos*
pequenos-lábios s.m.pl.
pequenote adj. s.m.
pé-quente s.m.; pl. *pés--quentes*
pequeriense adj. s.2g.
pequerralho adj. s.m.
pequerrelho (*ê*) s.m.
pequerritinho adj.
pequerrito adj. s.m.
pequerruchada s.f.
pequerruchinho s.m.
pequerrucho adj. s.m.
pequetitinho adj. s.m.
pequetito adj.
pequi s.m.
pequiá s.m.
pequiá-açu s.m.; pl. *pequiás-açus*
pequiá-amarelo s.m.; pl. *pequiás-amarelos*
pequiá-branco s.m.; pl. *pequiás-brancos*
pequiá-bravo s.m.; pl. *pequiás-bravos*
pequiá-café s.m.; pl. *pequiás--café* e *pequiás-cafés*
pequiá-cetim s.m.; pl. *pequiás--cetim* e *pequiás-cetins*
pequiá-da-restinga s.m.; pl. *pequiás-da-restinga*

pequiá-de-folha-larga s.m.; pl. *pequiás-de-folha-larga*
pequiá-de-tanho-branco s.m.; pl. *pequiás-de-tanho-branco*
pequiá-doce s.m.; pl. *pequiás-doces*
pequiaense adj. s.2g.
pequiá-etê s.m.; pl. *pequiás-etês*
pequiagra s.f.
pequiágrico adj.
pequiá-mamão s.m.; pl. *pequiás-mamão* e *pequiás-mamões*
pequiá-mamona s.m.; pl. *pequiás-mamona* e *pequiás-mamonas*
pequiá-marfim s.m.; pl. *pequiás-marfim* e *pequiás-marfins*
pequiá-pedra s.m.; pl. *pequiás-pedra* e *pequiás-pedras*
pequiarana s.2g.
pequiarana-da-terra-firme s.2g.; pl. *pequiaranas-da-terra-firme*
pequiarana-da-várzea s.2g.; pl. *pequiaranas-da-várzea*
pequiá-tanho s.m.; pl. *pequiás-tanhos*
pequiá-verdadeiro s.m.; pl. *pequiás-verdadeiros*
pequice s.f.
pequi-de-zoada s.m.; pl. *pequis-de-zoada*
pequi-do-amazonas s.m.; pl. *pequis-do-amazonas*
pequi-do-pará s.m.; pl. *pequis-do-pará*
pequiense adj. s.2g.
pequilhar v.
pequilhento adj.
pequilisse s.m.
pequim s.m.
pequinês adj. s.m.
pequinhar v.
pequinhento adj.
pequinho adj.
pequira adj. s.2g.
pequirana s.f.
pequirão s.m.
pequiriense adj. s.2g.
pequirina adj.2g.
pequirinha s.2g.
pequitinga s.m.
pequizeirense adj. s.2g.
pequizeiro s.m.
per prep.; na loc. *de per si*
pera (*ê*) s.f. "pedra"; cf. *pera* (*ê*)
pera (*ê*) s.f. "fruta"; cf. *pera* (*é*)
pera-água s.f.; pl. *peras-água* e *peras-águas*
pera-amerim s.f.; pl. *peras-amerim* e *peras-amerins*
pera-amorim s.f.; pl. *peras-amorim* e *peras-amorins*
pera-carapinheira s.f.; pl. *peras-carapinheiras*
peracáride adj.2g. s.m.
peracefalia s.f.
peracéfalo adj. s.m.
peracética adj.
pé-rachado s.m.; pl. *pés-rachados*
perácido adj. s.m.
peracumbé s.m.
perada s.f.
pera-d'água s.f.; pl. *peras-d'água*
pera-da-aguieira s.f.; pl. *peras-da-aguieira*
pera-d'anjou s.f.; pl. *peras-d'anjou*
pera-de-advogado s.f.; pl. *peras-de-advogado*
pera-de-água s.f.; pl. *peras-de-água*
pera-de-aguieira s.f.; pl. *peras-de-aguieira*
pera-de-almeida s.f.; pl. *peras-de-almeida*
pera-de-arrátel s.f.; pl. *peras-de-arrátel*
pera-de-bom-cristão s.f.; pl. *peras-de-bom-cristão*
pera-de-cristo s.f.; pl. *peras-de-cristo*
pera-de-engonxo s.f.; pl. *peras-de-engonxo*
pera-de-ferro s.f.; pl. *peras-de-ferro*
pera-de-jesus s.f.; pl. *peras-de-jesus*
pera-de-pé-curto s.f.; pl. *peras-de-pé-curto*
pera-de-refego s.f.; pl. *peras-de-refego*
pera-de-rei s.f.; pl. *peras-de-rei*
pera-de-rosa s.f.; pl. *peras-de-rosa*
pera-de-santa-maria s.f.; pl. *peras-de-santa-maria*
pera-de-santo-antônio s.f.; pl. *peras-de-santo-antônio*
pera-de-sete-cotovelos s.f.; pl. *peras-de-sete-cotovelos*
pera-de-três-em-prato s.f.; pl. *peras-de-três-em-prato*
pera-de-unto s.f.; pl. *peras-de-unto*
perado s.m.
pera-do-conde s.f.; pl. *peras-do-conde*
pera-do-inverno s.f.; pl. *peras-do-inverno*
pera-do-norte s.f.; pl. *peras-do-norte*
pera-do-outono s.f.; pl. *peras-do-outono*
pera-do-poço s.f.; pl. *peras-do-poço*
pera-dos-anjos s.f.; pl. *peras-dos-anjos*
pera-dos-bairrais s.f.; pl. *peras-dos-bairrais*
pera-dos-freires s.f.; pl. *peras-dos-freires*
pera-dos-santos s.f.; pl. *peras-dos-santos*
pera-espinhosa s.f.; pl. *peras-espinhosas*
pera-fidalga s.f.; pl. *peras-fidalgas*
pera-figo s.f.; pl. *peras-figo* e *peras-figos*
pera-fita s.f.; pl. *peras-fita* e *peras-fitas*
pera-francesa s.f.; pl. *peras-francesas*
pera-gigante s.f.; pl. *peras-gigantes*
peragração s.f.
peragrar v.
peragratório adj.
peral adj.2g. s.m.
pera-lambe-lhe-os-dedos s.f.; pl. *peras-lambe-lhe-os-dedos*
pera-lambe-os-dedos s.f.; pl. *peras-lambe-os-dedos*
peraleiro adj. s.m.
pera-lemos s.f.; pl. *peras-lemos*
pera-lombarda s.f.; pl. *peras-lombardas*
peralta s.2g.
peraltada s.f.
peraltado adj.
peraltagem s.f.
peraltar v.
peralte s.m.
peraltear v.
peralteia (*é*) s.f.
peraltice s.f.
peraltismo s.m.
peralto s.m.
peralvilhada s.f.
peralvilhar v.
peralvilhice s.f.
peralvilhismo s.m.
peralvilho s.m.
peralvismo s.m.
perama s.m.f.
pera-manteiga s.f.; pl. *peras-manteiga* e *peras-manteigas*
pera-marmela s.f.; pl. *peras-marmela* e *peras-marmelas*
pera-marmelo s.f.; pl. *peras-marmelo* e *peras-marmelos*
pera-marquesa s.f.; pl. *peras-marquesa* e *peras-marquesas*
perambeba s.f.
perambeira s.f.
perambiju s.m.
perambulação s.f.
perambulador (*ô*) adj. s.m.
perambulagem s.f.
perambulante adj.2g.
perambular v.
perambulatório adj.
perambulável adj.2g.
peramelas s.m.2n.
peramelas-narigudo s.m.; pl. *peramelas-narigudos*
peramelídeo adj. s.m.
peramis s.f.2n.
peranema s.m.
peranematácea s.f.
peranematáceo adj.
peranemo s.m.
perangária s.f.
perangueira s.f.
pera-noiva s.f.; pl. *peras-noiva* e *peras-noivas*
peranose s.f.
perante prep.
perantracita s.f.
perantracite s.f.
pé-rapado s.m.; pl. *pés-rapados*
pera-pão s.f.; pl. *peras-pão* e *peras-pães*
pera-parda s.f.; pl. *peras-pardas*
pera-parda-de-lisboa s.f.; pl. *peras-pardas-de-lisboa*
pera-pérola s.f.; pl. *peras-pérola* e *peras-pérolas*
perapétalo adj. s.m.
perapeunense adj. s.2g.
pera-prata s.f.; pl. *peras-prata* e *peras-pratas*
perarcita s.f.
perárduo adj.
pera-rosa s.f.; pl. *peras-rosa*
peraticeno s.m.
perático adj. s.m.
peratoscopia s.f.
peratoscópico adj.
perau s.m.
perava s.f.
perazotato s.m.
perazótico adj.
perazotoso (*ô*) adj.; f. (*ó*); pl. (*ó*)
perborato s.m.
perbórax (*cs*) s.m.
perbórico adj.
perborina s.f.
perbromato s.m.
perbrômico adj.
perbuna s.f.
perbúnan s.f.
perca s.f.
perca-amarela s.f.; pl. *percas-amarelas*
perca-branca s.f.; pl. *percas-brancas*
perca-do-mar s.f. *percas-do-mar*
percal s.m.
percalçar v.
percalço s.m.
percale s.m.
percalina s.f.
percalino adj.
percâmbrico adj. s.m.
perca-pintada s.f.; pl. *percas-pintadas*
percar v.
percarbonato s.m.
percarbônico adj.
percarbureto (*ê*) s.m.
perce s.f. "proporção"; cf. *percê*
percê adj. "furado"; cf. *perce*
perceba (*ê*) s.f.
percebe (*ê*) s.m.
percebelho (*ê*) s.m.
perceber v.
percebido adj.
percebimento s.m.
percebível adj.2g.
percentagem s.f.
percentagista s.2g.
percentil adj.2g. s.m.
percentilagem s.f.
percentual adj.2g. s.m.
percentualidade s.f.
percepção s.f.
percepcional adj.2g.
percepcionalismo s.m.
percepcionalista adj. s.2g.
percepcionar v.
percepcionismo s.m.
percepcionista adj. s.2g.
perceptibilidade s.f.
perceptível adj.2g.
perceptividade s.f.
perceptivo adj.
percepto adj. s.m.
perceptomotor (*ô*) adj. s.m.
perceptomotriz adj. s.f.
perceptor (*ô*) adj. s.m.
perceptual adj.2g.
perceptualidade s.f.
perceptualização s.f.
perceptualizado adj.
perceptualizador (*ô*) adj.
perceptualizante adj.2g.
perceptualizar v.
perceptualizável adj.2g.
percevão s.m.
perceve (*ê*) s.m.
percevejada s.f.
percevejão s.m.
percevejar v.
percevejaria s.f.
percevejense adj. s.2g.
percevejento adj.
percevejo (*ê*) s.m.
percevejo-azul s.m.; pl. *percevejos-azuis*
percevejo-bexiguento s.m.; pl. *percevejos-bexiguentos*
percevejo-castanho s.m.; pl. *percevejos-castanhos*
percevejo-d'água s.m.; pl. *percevejos-d'água*
percevejo-da-baía s.m.; pl. *percevejos-da-baía*
percevejo-da-cama s.m.; pl. *percevejos-da-cama*
percevejo-da-cana s.m.; pl. *percevejos-da-cana*
percevejo-da-couve s.m.; pl. *percevejos-da-couve*
percevejo-da-haste s.m.; pl. *percevejos-da-haste*
percevejo-das-árvores s.m.; pl. *percevejos-das-árvores*
percevejo-das-gramíneas s.m.; pl. *percevejos-das-gramíneas*
percevejo-das-hortaliças s.m.; pl. *percevejos-das-hortaliças*
percevejo-das-hortas s.m.; pl. *percevejos-das-hortas*
percevejo-das-plantas s.m.; pl. *percevejos-das-plantas*
percevejo-da-soja s.m.; pl. *percevejos-da-soja*
percevejo-da-vinha s.m.; pl. *percevejos-da-vinha*
percevejo-de-cama s.m.; pl. *percevejos-de-cama*
percevejo-de-casa s.m.; pl. *percevejos-de-casa*
percevejo-de-galinha s.m.; pl. *percevejos-de-galinha*
percevejo-do-arroz s.m.; pl. *percevejos-do-arroz*
percevejo-do-cacau s.m.; pl. *percevejos-do-cacau*
percevejo-do-comércio s.m.; pl. *percevejos-do-comércio*
percevejo-do-fumo s.m.; pl. *percevejos-do-fumo*
percevejo-do-maracujá s.m.; pl. *percevejos-do-maracujá*
percevejo-do-mato s.m.; pl. *percevejos-do-mato*
percevejo-do-monte s.m.; pl. *percevejos-do-monte*
percevejo-dos-cereais s.m.; pl. *percevejos-dos-cereais*
percevejo-do-sertão s.m.; pl. *percevejos-do-sertão*
percevejo-fedido s.m.; pl. *percevejos-fedidos*
percevejo-fedorento s.m.; pl. *percevejos-fedorentos*
percevejo-francês s.m.; pl. *percevejos-franceses*
percevejo-gaudério s.m.; pl. *percevejos-gaudérios*
percevejo-grande-do-arroz s.m.; pl. *percevejos-grandes-do-arroz*
percevejo-manchador s.m.; pl. *percevejos-manchadores*
percevejo-pernilongo s.m.; pl. *percevejos-pernilongo* e *percevejos-pernilongos*
percevejoso (*ô*) adj.; f. (*ó*); pl. (*ó*)
percevejo-sugador s.m.; pl. *percevejos-sugadores*
percevejo-terrestre s.m.; pl. *percevejos-terrestres*
percevejo-verde s.m.; pl. *percevejos-verdes*
percevelho (*ê*) s.m.
percha s.f.
perchada s.f.
perchamento s.m.
perchar v.
percharão adj. s.m.
percheagem s.f.
percheia s.f.
percherã adj. s.f. de *percherão*
percherão adj. s.m.; f. *percherã*
perchina s.f.
perchista s.2g.
perchurão s.m.
percianeto (*ê*) s.m.
percíctis s.m.2n.
pércida adj.2g. s.m.
percídeo adj. s.m.
perciforme s.m.
percíneo adj. s.m.
percingir v.
percinta s.f.; cf. *persinta*, fl. do v. *persentir*
percintado adj.
percintar v.
perciorá s.m.
percipiendário s.m.
percipiente adj. s.2g.
pércis s.m.2n.
perclorado adj.
percloratado adj.
perclorato s.m.
percloretado adj.
percloretilênico adj.
percloretileno s.m.
percloreto (*ê*) s.m.
perclórico adj.
perclorobenzeno s.m.
percloroetilênico adj.
percloroetileno s.m.
percluso adj.
percnóptero s.m.
percnóstola s.f.
percófida adj.2g. s.m.
percofídeo s.m.
pércofis s.m.2n.
percoide (*ó*) adj.2g. s.m.
percóideo s.m.
percolabilidade s.f.
percolação s.f.
percolado adj.
percolador (*ô*) adj. s.m.
percolamento s.m.
percolante adj.2g.
percolar v.

percolátil adj.2g.
percolatilidade s.f.
percolatório adj.
percolável adj.2g.
percomorfo adj. s.m.
percópsida adj.2g. s.m.
percopsídeo adj. s.m.
percopsiforme adj. s.m.
percópsis s.m.2n.
percopsóideo s.m.
percorrer v.
percorrido adj.
percósia s.f.
percreta adj.
percuciência s.f.
percuciente adj.2g.
percudir v.
perculso adj.
percurso s.m.
percursor (*ô*) adj. s.m. "que percorre"; cf. *percussor* e *precursor*
percussão s.f.
percussionista adj. s.2g.
percusso adj.
percussor (*ô*) adj. s.m. "que percute"; cf. *percursor* e *precursor*
percutâneo adj.
percutente adj.2g.
percutidor (*ô*) adj. s.m.
percutir v.
percutirreação s.f.
percutível adj.2g.
percutor (*ô*) s.m.
percylita s.f.
percylite s.f.
percylito s.m.
perda (*ê*) s.m.
perdão s.m.
perdedela s.f.
perdediço adj.
perdedoiro adj.
perdedor (*ô*) adj. s.m. "que perde"; cf. *perdidor*
perdedouro adj.
perde-ganha s.m.2n.
perdenário adj.
perder v.
perderivação s.f.
perderivado adj. s.m.
perderivador (*ô*) adj.
perderivante adj.2g.
perderivar v.
perderivável adj.2g.
perdição s.f.
perdícea s.f.
perdicense adj. s.2g.
perdíceo adj.
perdicínea s.f.
perdicionense adj. s.2g.
perdícula s.f.
pérdicum s.m.
pérdicum-brasileiro s.m.; pl. *pérdicuns-brasileiros*
perdida s.f.
perdidela s.f.
perdidiço adj.
perdido adj. s.m.
perdidor (*ô*) adj. s.m. "aquele que leva à perdição"; cf. *perdedor*
perdidoso (*ô*) adj.; f. (*ó*); pl. (*ó*)
perdidura s.f.
perdigado s.m.
perdigão s.m.
perdigar v.
perdigonense adj. s.2g.
perdigoteiro adj. s.m.
perdigoto s.m.
perdigueira s.f.
perdigueiro adj. s.m.
perdiguense adj. s.2g.
perdimento s.m.
perditância s.f.
perdível adj.2g.
perdiz s.f.
perdiz-africana s.f.; pl. *perdizes-africanas*
perdizada s.f.
perdizana s.f.
perdiz-branca s.f.; pl. *perdizes-brancas*
perdiz-cinzenta s.f.; pl. *perdizes-cinzentas*
perdiz-de-alqueive s.f.; pl. *perdizes-de-alqueive*
perdiz-do-mar s.f.; pl. *perdizes-do-mar*
perdizense adj. s.2g.
perdizínea s.f.
perdizíneo adj. s.m.
perdizinha-do-campo s.f.; pl. *perdizinhas-do-campo*
perdizita s.f.
perdizite s.f.
perdiz-rubra s.f.; pl. *perdizes-rubras*
perdiz-vermelha s.f.; pl. *perdizes-vermelhas*
perdoado adj.
perdoador (*ô*) adj. s.m.
perdoamento s.m.
perdoança s.f.
perdoante adj.2g.
perdoar v.
perdoável adj.2g.
perdoa-vidas s.2g.2n.
perdoe (*ô*) s.f.
perdominante s.m.
perdonense adj. s.2g.
perdulariar v.
perdulariedade s.f.
perdulário adj. s.m.
perdularismo s.m.
perdurabilidade s.f.
perduração s.f.
perdurado adj.
perdurador (*ô*) adj.
perdurante adj.2g.
perdurar v.
perdurável adj.2g.
peré adj. s.2g.
pereá s.m.
pereba s.f.
perebagem s.f.
perebento adj.
perecedeiro adj.
perecedoiro adj.
perecedor (*ô*) adj.
perecedouro adj.
perecer v.
perecibilidade s.f.
perecimento s.m.
perecioso (*ô*) adj.; f. (*ó*); pl. (*ó*)
perecível adj.2g.
peregalha s.f.
peregrinação s.f.
peregrinado adj. s.m.
peregrinador (*ô*) adj. s.m.
peregrinagem s.f.
peregrinal adj.2g.
peregrinante adj. s.2g.
peregrinar v.
peregrinável adj.2g.
peregrinense adj. s.2g.
peregrinidade s.f.
peregrinismo s.m.
peregrino adj. s.m.
pereion s.m.
pereionoto s.m.
pereiópode s.m.
pereiorá s.m.
pereiorina s.f.
pereira s.f.
pereira-amarela s.f.; pl. *pereiras-amarelas*
pereira-barretense adj. s.2g.; pl. *pereira-barretenses*
pereira-bergamota s.f.; pl. *pereiras-bergamota* e *pereiras-bergamotas*
pereira-branca s.f.; pl. *pereiras-brancas*
pereira-brava s.f.; pl. *pereiras-bravas*
pereira-do-campo s.f.; pl. *pereiras-do-campo*
pereira-do-japão s.f.; pl. *pereiras-do-japão*
pereira-dos-diabos s.f.; pl. *pereiras-dos-diabos*
pereiral s.m.
pereirana s.f.
pereirara s.f.
pereira-vaqueta s.f.; pl. *pereiras-vaqueta* e *pereiras-vaquetas*
pereira-vermelha s.f.; pl. *pereiras-vermelhas*
pereirense adj. s.2g.
pereirina s.f.
pereirinhense adj. s.2g.
pereiro s.m.
pereiro-amarelo s.m.; pl. *pereiros-amarelos*
pereiro-da-catinga s.m.; pl. *pereiros-da-catinga*
pereiro-da-praia s.m.; pl. *pereiros-da-praia*
pereiro-da-restinga s.m.; pl. *pereiros-da-restinga*
pereiro-da-serra s.m.; pl. *pereiros-da-serra*
pereiro-do-campo s.m.; pl. *pereiros-do-campo*
perelita s.f.
perelito s.m.
perema s.f.
perempção s.f.
perempto adj.
peremptoriedade s.f.
peremptório adj. s.m.
perenação s.f.
perenal adj.2g.
perendengue s.m.
perene adj.2g.
perenga s.f.
perenial adj.2g.
perenibrânquio adj. s.m.
perenicordado adj. s.m.
perenicordeado adj. s.m.
perenidade s.f.
perenifoliado adj.
perenifólio adj.
perenização s.f.
perenizado adj.
perenizante adj.2g.
perenizar v.
perênquima s.m.
perentirso s.m.
peréon s.m.
pereônico adj.
pereonítico adj.
pereonito s.m.
pereonoto s.m.
pereopodal adj.2g.
pereópode s.m.
perequação s.f.
perequê s.m.
perequeense (*quê*) adj. s.2g.
perequeté adj.2g.
pereré s.m.; na loc. *no pereré*
perereca adj. s.2g. s.f.
perereca-azul s.f.; pl. *pererecas-azuis*
pererecar v.
perereca-verde s.f.; pl. *pererecas-verdes*
perereco s.m.
pererema s.f.
pererenga s.f.
perereto adj.
pereroba s.f.
peres s.f.2n.
perespiritual adj.2g.
perésquia s.f.
perestroica (*ó*) s.f.
peretanda s.m.
pereva s.f.
perexi s.m.
perézia s.f.
perfazer v.
perfazimento s.m.
perfeccionado adj.
perfeccionador (*ô*) adj.
perfeccional adj.2g.
perfeccionismo s.m.
perfeccionista adj. s.2g.
perfeccionístico adj.
perfectibilidade s.f.
perfectibilismo s.m.
perfectibilista adj. s.2g.
perfectibilístico adj.
perfectibilização s.f.
perfectibilizado adj.
perfectibilizante adj.2g.
perfectibilizar v.
perfectionista s.2g.
perfectissimado s.m.
perfectivação s.f.
perfectível adj.2g.
perfectividade s.f.
perfectivo adj.
perfector (*ô*) adj. s.m.
perfeição s.f.
perfeicionado adj.
perfeicionador (*ô*) adj. s.m.
perfeicionamento s.m.
perfeicionar v.
perfeiçoar v.
perfeitação s.f.
perfeitaço adj.
perfeitança s.f.
perfeitissimado s.m.
perfeitíssimo adj. s.m. sup. de *perfeito*
perfeito adj.
perfescópio s.m.
perfia s.f.
perfiado adj.
perfiar v.
perficiente adj.2g.
perfídia s.f.
perfidioso (*ô*) adj.; f. (*ó*); pl. (*ó*)
pérfido adj.
perfil s.m.
perfilado adj. s.m.
perfilador (*ô*) adj. s.m.
perfiladura s.f.
perfilagem s.f.
perfilamento s.m.
perfilar v.
perfil-diagrama s.m.; pl. *perfis-diagrama*
perfilhação s.f.
perfilhado adj. s.m.
perfilhador (*ô*) adj. s.m.
perfilhamento s.m.
perfilhar v.
perfilhável adj.2g.
perfilo s.m.
perfinca s.f.
perfioso (*ô*) adj.; f. (*ó*); pl. (*ó*)
perfixo (*cs*) adj.
perfloração s.f.
perfluoreto (*ê*) s.m.
perfluxo (*cs*) s.m.
perfolhada s.f.
perfolhado adj.
perfolheação s.f.
perfolhear v.
perfolhuda s.f.
perfoliação s.f.
perfoliada s.f.
perfoliado adj.
perfoliar v.
perforina s.f.
perfórmico adj.
perfosforado adj.
perfrigeração s.f.
perfrigerado adj.
perfringência s.f.
perfringente adj.2g.
perfulgência s.f.
perfulgente adj.2g.
perfumadeiro s.m.
perfumado adj.
perfumador (*ô*) adj. s.m.
perfumadura s.f.
perfumante s.f.
perfumar v.
perfumaria s.f.
perfume s.m.
perfumeiro s.m.
perfumismo s.m.
perfumista adj. s.2g.
perfumoso (*ô*) adj.; f. (*ó*); pl. (*ó*)
perfunctório adj.
perfundente adj.2g.
perfundido adj.
perfundir v.
perfundível adj.2g.
perfuntório adj.
perfuração adj. s.f.
perfurado adj.
perfurador (*ô*) adj. s.m.
perfuradora (*ô*) s.f.
perfurante adj.2g.
perfurar v.
perfurativo adj.
perfuratório adj. s.m.
perfuratriz s.f.
perfurável adj.2g.
perfurocortante adj.2g.
perfusão s.f.
perfusibilidade s.f.
perfusível adj.2g.
perfusividade s.f.
perfusivo adj.
perfuso adj.
pergameia (*é*) adj. s.f. de *pergameu*
pergameno adj. s.m.
pergamentáceo adj.
pergameu adj. s.m.; f. *pergameia* (*é*)
pergamilheiro s.m.
pergamináceo adj.
pergamingo s.m.
pergaminháceo adj.
pergaminhado adj.
pergaminhar v.
pergaminharia s.f.
pergaminheiro s.m.
pergaminhento adj.
pergaminho s.m.
pergaminhoso (*ô*) adj.; f. (*ó*); pl. (*ó*)
pergaminho-vegetal s.m.; pl. *pergaminhos-vegetais*
pergamita adj. s.2g.
pergamoide (*ó*) adj.2g. s.m.
pergeia (*é*) adj. s.f. de *pergeu*
pergelícola adj.2g.
pergelissolo s.m.
pergeloide (*ó*) adj.2g.
pergense adj. s.2g.
pergeu adj. s.m.; f. *pergeia* (*é*)
pergídeo adj. s.m.
pérgola s.f.
pérgula s.f.
pergulária s.f.
pergunta s.f.
perguntação s.f.
perguntadeiro adj. s.m.
perguntado adj.
perguntador (*ô*) adj. s.m.
perguntante adj. s.2g.
perguntão s.m.; f. *perguntona*
perguntar v.
perguntável adj.2g.
perguntona s.f. de *perguntão*
perhamita s.f.
peri s.m. "sulco", etc.; cf. *piri*
periaca s.f.
periacto s.m.
periadenite s.f.
periadenítico adj.
periambo s.m.
periamigdaliano adj.
perianagnose s.f.
perianagnóstico adj.
perianal adj.2g.
periandra s.f.
periândrico adj.
periandro s.m.
periangicolítico adj.
periangiite s.f.
periangiítico adj.
periangiocolite s.f.
periangite s.f.
periantã s.m.
periantado adj.
periantártico adj.
periânteo adj. "que tem perianto simples"; cf. *periântio*
periântio s.m. "invólucro dos órgãos sexuais da flor"; cf. *periânteo*
perianto s.m.

periantoide (*ó*) adj.2g.
periantomania s.f.
periantômega s.m.
periantópode s.m.
periantopódio s.m.
periaortite s.f.
periaotítico adj.
periapendicite s.f.
periapendicítico adj.
periapical adj.2g.
periapto s.m.
periartéria s.f.
periartério s.m.
periarterite s.f.
periarterítico adj.
periártico adj.
periarticular adj.2g.
periartrite s.f.
periartrítico adj.
periastral adj.2g.
periastro s.m.
periatã s.m.
periati adj. s.2g.
periato s.m.
periatri adj. s.2g.
periaxonal (*cs*) adj.2g.
periaxônico (*cs*) adj.
periaxônio (*cs*) s.m.
peribalo s.m.
períbare s.m.
peribárides s.f.pl.
periblastético adj.
periblástico adj.
periblasto s.m.
periblástula s.f.
periblefárico adj.
periblefaro adj.
periblema s.m.
periblepsia s.f.
periblépsico adj.
períbolo s.m.
peribologia s.f.
peribolologia s.f.
peribranquial adj.2g.
peribronquite s.f.
peribrose s.f.
peribrósico adj.
peribucal adj.2g.
pericália s.f.
pericalícia s.f.
pericárdia s.f.
pericardíaco adj.
pericardial adj.2g.
pericardiário adj.
pericárdico adj.
pericardino adj.
pericárdio s.m.
pericardiocentese s.f.
pericardiofrênico adj.
pericardiopexia (*cs*) s.f.
pericardiopéxico (*cs*) adj. s.m.
pericardiotomia s.f.
pericardiotômico adj.
pericardite s.f.
pericardítico adj.
pericardo s.m.
pericarpial adj.2g.
pericárpico adj.
pericárpio s.m.
pericarpioide (*ó*) adj.2g.
pericarpo s.m.
pericarpoide (*ó*) adj.2g.
pericecal adj.2g.
pericelular adj.2g.
pericemental adj.2g.
pericementite s.f.
pericemento s.m.
pericementoclasia s.f.
pericentral adj.2g.
pericêntrico adj.
pericerático adj.
periche s.m.
perícia s.f.
pericial adj.2g.
pericíclico adj.
periciclo s.m.
pericicloide (*ó*) s.f.
pericimatia s.f.
pericimático adj.
pericinético adj.
pericíntio s.m.
pericistite s.f.
pericistítico adj.
pericítula s.f.
periclase s.f.
periclásio s.m.
periclasita s.f.
periclasite s.f.
péricles s.m.2n.
periclina s.f.
periclinal adj.2g. s.m.
periclíneo adj. s.m.
periclínico adj.
pericliniforme adj.2g.
periclínio s.m.
periclinite s.f.
periclino s.m.
periclitância s.f.
periclitante adj.2g.
periclitar v.
perico s.m. "variedade de pera" (*ê*); cf. *pericó*
pericó s.m. "dança"; cf. *perico*
pericócio s.m.
pericoense adj. s.2g.
pericolangite s.f.
pericolangítico adj.
pericolecistite s.f.
pericolecistítico adj.
pericólia s.f.
pericolite s.f.
pericolítico adj.
pericolpa s.f.
pericólpida adj.2g. s.m.
pericolpídeo adj.2g. s.m.
pericolpite s.f.
pericolpítico adj.
pericom s.m.
pericondral adj.2g.
pericôndrio s.m.
pericondrite s.f.
pericondrítico adj.
pericondro s.m.
pericondroma s.m.
perícope s.m.
pericopídeo adj. s.m.
perícopis s.f.2n.
pericordal adj.2g.
pericorneal adj.2g.
pericorola s.f.
pericorólia s.f.
pericoronite s.f.
pericote s.m.
pericowperite s.f.
pericrânico adj.
pericrânio s.m.
periculosidade s.f.
periculoso (*ô*) adj.; f. (*ó*); pl. (*ó*)
peridá adj. s.2g.
perídea s.f.
peridecaedro adj.
peridendrítico adj.
peridental adj.2g.
perídereu s.m.
periderma s.m.
peridermático adj.
periderme s.f.
peridérmico adj.
peridérmio s.m.
peridésmico adj.
peridésmio s.m.
peridesmo s.m.
peridial adj.2g.
perididimite s.f.
perididimítico adj.
perididimo s.m.
peridinal adj.2g.
peridinale s.f.
peridínea s.f.
peridíneo adj. s.m.
peridiniácea s.f.
peridiniáceo adj.
peridinial adj.2g.
peridiniale s.f.
peridínio s.m.
perídio s.m.
perídíola s.f.
perídíolo s.m.
peridiscácea s.f.
peridiscáceo adj.
peridiscal adj.2g.
peridodecaédrico adj.
peridodecaedro s.m.
peridomiciliar adj.2g.
peridomicílio s.m.
peridonita s.f.
peridonite s.f.
peridonito s.m.
peridótico adj.
peridotite s.f.
peridotítico adj.
peridotito s.m.
peridoto s.m.
peridoto-brasileiro s.m.; pl. *peridotos-brasileiros*
peridoto-do-ceilão s.m.; pl. *peridotos-do-ceilão*
peridoto-do-oriente s.m.; pl. *peridotos-do-oriente*
peridotoso (*ô*) adj.; f. (*ó*); pl. (*ó*)
peridrol s.m.
peridrólico adj.
peridrômio s.m.
perídromo s.m.
periduodenite s.f.
periduodenítico adj.
peridural adj.2g.
peridurografia s.f.
peridurográfico adj.
perieciano adj. s.m.
perieco s.m.
periegese s.f.
periegeta s.m.
periegetes s.m.2n.
periegético adj.
perieilese s.f.
perielese s.f.
periélio s.m.
periemal adj.2g.
periencefalite s.f.
periencefalítico adj.
periendotelioma s.m.
periênquima s.m.
perientérico adj.
perienterite s.f.
perienterítico adj.
periêntero s.m.
periepático adj.
periepatite s.f.
periepatítico adj.
periepatógeno adj.
periepitelioma s.m.
periérese s.f.
perierético adj.
periergia s.f.
periérgico adj.
periesofagiano adj.
periesofagite s.f.
periesofagítico adj.
periesplenite s.f.
periexaedro (*cs*) s.m.
perifaríngeo adj.
periferia s.f.
periférico adj.
perifílida adj.2g. s.m.
perifilídeo adj. s.m.
perifilo s.m.
perífise s.f.
perifísico adj.
periflebite s.f.
periflebítico adj.
perifloema s.m.
perifloemático adj.
périfo s.m.
perifoco s.m.
perifoliar adj.2g.
perifoliculite s.f.
periforântio s.m.
periforanto s.m.
periforme adj.2g.
períforo s.m.
perifragma s.m.
perífrase s.f.
perifrasear v.
perifrástico adj.
perigadela s.f.
perigado adj.
perigador (*ô*) adj. s.m.
perigalho s.m.
perígamo s.m.
periganglionar adj.2g.
perigar v.
perigarense adj. s.2g.
perigástrico adj.
perigastrite s.f.
perigastrítico adj.
perigástrula s.f.
perigênese s.f.
perigenético adj.
perigeu s.m.
periginândrio s.m.
periginandro s.m.
periginia s.f.
perigínico adj.
perígino adj.
periglacial adj.2g.
periglaciário adj.
periglote s.f.
periglótico adj.
perigo s.m.
perigolati s.m.
perigona s.f.
perigoniário adj.
perigônico adj.
perigonídeo adj. s.m.
perigônio s.m.
perigonita s.f.
perigonite s.f.
perígono s.m.
perigordina s.f.
perigordino adj. s.m.
perigosa s.f.
perigosense adj. s.2g.
perigoso (*ô*) adj.; f. (*ó*); pl. (*ó*)
perígrafo s.m.
periguado adj.
periguari s.m.
peri-hélio s.m.
peri-hepático adj.
peri-hepatite s.f.
peri-hepatítico adj.
peri-hepatógeno adj.
peri-hexaedro (*cs*) s.m.
perijove s.m.
períjove s.m.
perila s.f.
perilampídeo adj. s.m.
perileno s.m.
perileptíneo adj. s.m.
perilepto s.m.
perileptomático adj.
perileucóptera s.f.
perilha s.f.
perilhão s.m.
perilina s.f.
perilinfa s.f.
perilinfático adj.
perilito s.m.
perilo s.m.
perilogia s.f.
perilômia s.f.
perilomíea s.f.
perilúnio s.m.
perilustre adj.2g.
perimamário adj.
perimão s.m.
perimastite s.f.
perimboense adj. s.2g.
perimedular adj.2g.
perimeningite s.f.
perimeningítico adj.
perimetral adj.2g.
perimetria s.f.
perimétrico adj.
perimétrio s.m.
perimetrite s.f.
perimetrítico adj.
perímetro s.m.
perimetrossalpingite s.f.
perimicropilar adj.2g.
perimielografia s.f.
perimielográfico adj.
perimir v.
perimiriense adj. s.2g.
perimirinense adj. s.2g.
perimísio s.m.
perimorfia s.f.
perimorfose s.f.
perimorfosear v.
perimorfósico adj.
perimorfótico adj.
perimórula s.f.
perina s.f. "camada do grão de pólen"; cf. *periná* e *perinã*
periná s.m. "cana-de--macaco"; cf. *perina* e *perinã*
perinã s.m. "palmeira"; cf. *perina* e *periná*
perinasal adj.2g.
perinatal adj.2g.
perinatalogia s.f.
perínclito adj.
perineal adj.2g.
perinecroscopia s.f.
perinecroscópico adj.
perinefrético adj.
perinefrite s.f.
perinefrítico adj.
períneo s.m.
perineocele s.f.
perineocélico adj.
perineoclitoridiano adj.
perineoplastia s.f.
perineoplástico adj.
perineorrafia s.f.
perineorráfico adj.
perineoscopia s.f.
perineoscópico adj.
perineostomia s.f.
perineostômico adj.
perineotomia s.f.
perineotômico adj.
perinervo (*ê*) s.m.
perineu s.m.
perineural adj.2g.
perineurite s.f.
perineurítico adj.
perineuro s.m.
períngia s.f.
peringueiro s.m.
perinho s.m.
perinictide s.f.
períntio adj. s.m.
perinuclear adj.2g.
periocular adj.2g.
periodal adj.2g.
periodato s.m.
periodeto (*ê*) s.m.
periodeuta adj.2g. s.2g.
periodical adj.2g.
periodicidade s.f.
periodicismo s.m.
periodicista adj. s.2g.
periodicístico adj.
periódico adj. s.m.
periodinia s.f.
periodínico adj.
periodiqueiro adj. s.m.
periodiquista adj. s.2g.
periodismo s.m.
periodista adj. s.2g.
periodístico adj.
periodização s.f.
periodizado adj.
periodizante adj.2g.
periodizar v.
periodizável adj.2g.
período s.m.
periodográfico adj. s.m.
periodograma s.m.
periodologia s.f.
periodológico adj.
periodometria s.f.
periodométrico adj.
periodômetro s.m.
periodonímia s.f.
periodonímico s.m.
periodônimo s.m.
periodontal adj.2g.
periodontário adj.
periodontia s.f.
periodontista adj. s.2g.
periodontite s.f.
periodontítico adj.
periodonto s.m.
periodontose s.f.
perioeciano adj. s.m.
perioftalmia s.f.
perioftálmico adj.
perioftalmite s.f.
perioftalmítico adj.
perioftalmo adj. s.m.

perionicídeo adj. s.m.
periônico s.m.
periônique s.m.
perioníquia s.f.
perioníquio s.m.
períonix (*cs*) s.m.
perióplico adj.
perioplo s.m.
periópodo s.m.
perióptico s.m.
perioptometria s.f.
periórbita s.f.
periorbital adj.2g.
periorbitário adj.
periorquite s.f.
periorquítico adj.
periortógono adj.
periósseo s.m.
periostal adj.2g.
perióstase s.f.
periosteal adj.2g.
periosteico (*é*) adj.
periosteíte s.f.
perióteo s.m.
periosteófito s.m.
periosteogênese s.f.
periosteogenético adj.
periosteomedulite s.f.
periosteomedulítico adj.
periosteomielite s.f.
periosteomielítico adj.
periosteoplastia s.f.
periosteoplástico adj.
periosteose s.f.
periosteótico adj.
periosteotoma s.f.
periosteotomia s.f.
periosteotômico adj.
perióstico adj.
periostite s.f.
periostítico adj.
periostógono adj.
periostose s.f.
periostotomia s.f.
perióstraco s.m.
periótico s.m.
periovular adj.2g.
peripalma s.f.
peripaquimeningite s.f.
peripaquimeningítico adj.
períparo s.m.
periparoba s.f.
peripatético adj. s.m.
peripatetismo s.m.
peripatetizar v.
peripátida adj.2g. s.m.
peripatídeo adj. s.m.
perípato s.m.
peripécia s.f.
peripeniano adj.
periperi s.m.
periperiaçu s.m.
peripetalia s.f.
peripetálico adj.
peripétalo adj.
peripetunga s.f.
peripiema s.m.
peripiemático adj.
peripilário adj. s.m.
peripitinga s.f.
periplaneta (*ê*) s.f.
periplasma s.m.
periplasmático adj.
periplásmico adj.
periplasmódio s.m.
periplástico adj.
periplasto s.m.
peripleroma s.m.
peripleromático adj.
peripleurite s.f.
peripleurítico adj.
periplo s.m.
períploca s.f.
periplócea s.f.
periplocina s.f.
periplocóidea s.f.
peripneumonia s.f.
peripneumônico adj. s.m.
peripnêustico adj.
peripneusto adj.
perípode s.m.
peripodial adj.2g.
peripolar adj.2g.
perípolo s.m.
peripomonga s.f.
periporite s.f.
periproctal adj.2g.
periprócticо adj.
periproctite s.f.
periproctítico adj.
periprocto s.m.
periprostático adj.
periprostatite s.f.
periprostatítico adj.
peripsoco s.m.
peripterado adj.
peripterio s.m.
períptero adj. s.m.
períptico adj. s.m.
periptíquida adj.2g. s.m.
periptose s.f.
periptótico adj.
periquarense adj. s.2g.
periquécio s.m.
periquena s.f.
periqueta s.m.
periquétida adj.2g. s.m.
periquetídeo adj. s.m.
periquilho s.m.
periquita s.f.
periquitamboia (*ó*) s.f.
periquitar v.
periquiteira s.f.
periquiteira-da-mata s.f.; pl. *periquiteiras-da-mata*
periquiteira-da-terra-firme s.f.; pl. *periquiteiras-da-terra-firme*
periquiteira-do-campo s.f.; pl. *periquiteiras-do-campo*
periquiteira-do-igapó s.f.; pl. *periquiteiras-do-igapó*
periquitense adj. s.2g.
periquitinho s.m.
periquitinho-de-vassoura s.m.; pl. *periquitinhos-de-vassoura*
periquitinho-santo s.m.; pl. *periquitinhos-santos*
periquito s.m.
periquito-australiano s.m.; pl. *periquitos-australianos*
periquito-coroa-de-frade s.m.; pl. *periquitos-coroa-de-frade*
periquito-da-caatinga s.m.; pl. *periquitos-da-caatinga*
periquito-da-campina s.m.; pl. *periquitos-da-campina*
periquito-d'anta s.m.; pl. *periquitos-d'anta*
periquito-da-serra s.m.; pl. *periquitos-da-serra*
periquito-das-ilhas s.m.; pl. *periquitos-das-ilhas*
periquito-da-várzea s.m.; pl. *periquitos-da-várzea*
periquito-de-anta s.m.; pl. *periquitos-de-anta*
periquito-de-asa-amarela s.m.; pl. *periquitos-de-asa-amarela*
periquito-de-asa-azul s.m.; pl. *periquitos-de-asa-azul*
periquito-de-asa-branca s.m.; pl. *periquitos-de-asa-branca*
periquito-de-bico-rosa s.m.; pl. *periquitos-de-bico-rosa*
periquito-de-cabeça-amarela s.m.; pl. *periquitos-de-cabeça-amarela*
periquito-de-cabeça-preta s.m.; pl. *periquitos-de-cabeça-preta*
periquito-de-cabeça-suja s.m.; pl. *periquitos-de-cabeça-suja*
periquito-de-campina s.m.; pl. *periquitos-de-campina*
periquito-de-encontros-amarelos s.m.; pl. *periquitos-de-encontros-amarelos*
periquito-de-pé-rosa s.m.; pl. *periquitos-de-pé-rosa*
periquito-de-santo-antônio s.m.; pl. *periquitos-de-santo-antônio*
periquito-de-são-joão s.m.; pl. *periquitos-de-são-joão*
periquito-de-testa-amarela s.m.; pl. *periquitos-de-testa-amarela*
periquito-do-espírito-santo s.m.; pl. *periquitos-do-espírito-santo*
periquito-do-pantanal s.m.; pl. *periquitos-do-pantanal*
periquito-dos-cáctus s.m.; pl. *periquitos-dos-cáctus*
periquito-estrela s.m.; pl. *periquitos-estrela* e *periquitos-estrelas*
periquito-gangarra s.m.; pl. *periquitos-gangarra* e *periquitos-gangarras*
periquito-miúdo s.m.; pl. *periquitos-miúdos*
periquito-ondulado s.m.; pl. *periquitos-ondulados*
periquito-real s.m.; pl. *periquitos-reais*
periquito-rei s.m.; pl. *periquitos-rei* e *periquitos-reis*
periquito-rico s.m.; pl. *periquitos-ricos*
periquito-santo s.m.; pl. *periquitos-santos*
periquito-tapuia s.m.; pl. *periquitos-tapuia* e *periquitos-tapuias*
periquito-testinha s.m.; pl. *periquitos-testinha* e *periquitos-testinhas*
periquito-tuim s.m.; pl. *periquitos-tuim* e *periquitos-tuins*
periquito-urubu s.m.; pl. *periquitos-urubu* e *periquitos-urubus*
periquito-vassoura s.m.; pl. *periquitos-vassoura* e *periquitos-vassouras*
periquito-verdadeiro s.m.; pl. *periquitos-verdadeiros*
periquito-verde s.m.; pl. *periquitos-verdes*
periquito-verde-de-cauda-longa s.m.; pl. *periquitos-verdes-de-cauda-longa*
periiriguiá s.m.
periiriguirá s.m.
peririma s.f.
peritonioscópio s.m.
perirrantério s.m.
perirrectite s.f.
perirrenal adj.2g.
perírrito s.m.
perisarco s.m.
perisca s.f.
periscélide s.f.
periscélio s.m.
periscilacismo s.m.
períscio s.m.
periscódio s.m.
periscópico adj.
periscópio s.m.
perisfera s.f.
perisférico adj.
perisfíncter s.m.
perisiérola s.f.
perisifônia s.f.
perisifonídeo adj. s.m.
perisônio s.m.
perisóreo adj. s.m.
perispasmo s.m.
perisperma s.m.
perispermado adj.
perispermático adj.
perispermatite s.f.
perispermatítico adj.
perispérmico adj.
perispermo s.m.
perispira s.m.
perispirítico adj.
perispírito s.m.
perispiritual adj.2g.
perisplancnite s.f.
perisplancnítico adj.
perisplenite s.f.
perisplenítico adj.
perispômeno adj. s.m.
perisporângio s.m.
perisporango s.m.
perisporiácea s.f.
perisporiáceo adj.
perisporiínea s.f.
perisporina s.f.
perispório s.m.
perissalpingite s.f.
perissalpingítico adj.
perissarco s.m.
perisselene s.f.
perissifônia s.f.
perissifonídeo adj. s.m.
perissigmoidite s.f.
perissigmoidítico adj.
perissinovite s.f.
perissinovítico adj.
perissístole s.f.
perissistólico adj.
perissocentro s.m.
perissodáctilo adj. s.m.
perissodátilo adj. s.m.
perissogáster s.m.
perissologia s.f.
perissológico adj.
perissólogo s.m.
perissoma s.m.
perissomático adj.
perissoploide (*ó*) adj.2g. s.m.
peristafilino adj. s.m.
peristafilofaríngeo adj. s.m.
peristalse s.f.
peristáltico adj.
peristaltismo s.m.
peristamíneo adj.
peristamínia s.f.
peristáquio s.m.
perístase s.f.
peristédio s.m.
peristema s.m.
peristéria s.f.
peristérida adj.2g. s.m.
peristerídeo adj. s.m.
peristério s.m.
peristerita s.f.
peristerite s.f.
peristerítico adj.
perístero adj. s.m.
peristeronia s.f.
peristerônica s.f.
peristerônico adj.
peristerópode adj. s.2g.
peristétida adj.2g. s.m.
peristetídeo adj. s.m.
peristétio s.m.
peristeto s.m.
peristia s.f.
peristiarca s.m.
peristílico adj.
peristilo s.m.
perístole s.f.
perístoma s.m.
peristomado adj.
peristomático adj.
peristômato s.m.
peristomial adj.2g.
peristômico adj.
peristômio s.m.
perístomo s.m.
perístrofe s.f.
peristroma s.m.
peristromático adj.
perita s.f.
peritagem s.f.
peritalo s.m.
peritar v.
periteca s.f.
peritécio s.m.
peritélio s.m.
peritelioma s.m.
perítelo s.m.
peritendinite s.f.
peritendinítico adj.
peritermostática s.f.
peritermostático adj.
peritético s.m.
peritica s.f.
peritiflite s.f.
peritiflítico adj.
peritímbia s.f.
perito adj. s.m.
perito-contador s.m.; pl. *peritos-contadores*
peritomia s.f.
peritômico adj.
peritomista adj. s.2g.
peritonalgia s.f.
peritonálgico adj.
peritoneal adj.2g.
peritonealgia s.f.
peritoneorragia s.f.
peritoneorrágico adj.
peritoneovaginal adj.2g.
peritoneu s.m.
peritonial adj.2g.
peritônio s.m.
peritoniocentese s.f.
peritoniografia s.f.
peritonioscopia s.f.
peritonioscópio s.m.
peritoniostomia s.f.
peritonismo s.m.
peritonite s.f.
peritonítico adj.
peritonização s.f.
peritonocentese s.f.
peritonocentético adj.
peritonorragia s.f.
peritonorrágico adj.
peritonoscopia s.f.
peritonoscópico adj.
peritonovaginal adj.2g.
peritonsilite s.f.
peritonsilítico adj.
peritorácico adj.
peritoroense adj. s.2g.
peritraqueal adj.2g.
peritraquélio s.m.
peritreco s.m.
peritrema s.m.
perítrico adj. s.m.
peritricoso (*ô*) adj.; f. (*ó*); pl. (*ó*)
peritríquio adj. s.m.
peritrófico adj.
perítropo adj.
perituro adj.
periurbano adj.
periureterite s.f.
periureterítico adj.
periuretral adj.2g.
periuretrite s.f.
periuretrítico adj.
periuterino adj.
perivaginite s.f.
perivaginítico adj.
perivascular adj.2g.
perivesical adj.2g.
perivisceral adj.2g.
periviscerite s.f.
perivisceritico adj.
perivitelino adj.
perivolências s.f.pl.
perixenite (*cs*) s.f.
perixenítico (*cs*) adj.
perizoário adj. s.m.
perjurado adj.
perjurante adj.2g.
perjurar v.
perjurável adj.2g.
perjúrio s.m.
perjuro adj. s.m.
perkinismo s.m.
perkinista adj. s.2g.
perkinita s.f.
perkinite s.f.
perkinítico adj.
perla s.f.
perlaboração s.f.
perlaborado adj.
perlaborador (*ô*) adj.
perlaborante adj.2g.
perlaborar v.
perláceo adj.

perlado adj.
perlamantíneo adj. s.m.
perlamântis s.m.2n.
perlar v.
perlaria s.f.
perlário adj. s.m.
perlasso s.m.
perlavado adj.
perlavar v.
perle s.m.
perleche s.f.
perleiro adj.
perlejar v.
perlenda s.f.
perlenga s.f.
perlengada s.f.
perlengar v.
perlengueiro s.m.
perlesia s.f.
perlico s.m.
perlídeo adj. s.m.
perlífero adj.
perlimpimpim s.m.
perlincafuzes s.m.pl.
perlingual adj.2g.
perlipateta adj. s.2g.
perlipatetice s.f.
perliquita s.f.
perliquiteta (*ê*) adj.2g.
perliquitete (*ê*) adj.2g.
perliquitetes adj.2g.2n.
perliquiteto (*ê*) adj.
perlita s.f.
perlite s.f.
perliteiro s.m.
perlítico adj. s.m.
perlitismo s.m.
perlito s.m.
perlocução s.f.
perlocucional adj. s.m.
perlocucionário adj. s.m.
perlocutório adj.
perloffita s.f.
perlon s.m.
perlonga s.f.
perlongado adj.
perlongante adj.2g.
perlongar v.
perlongável adj.2g.
perlongo s.m.
perlóptero adj. s.m.
perluí s.m.
perluís s.m.
perlustração s.f.
perlustrado adj.
perlustrador (*ô*) adj. s.m.
perlustrar v.
perluxidade (*cs*) s.f.
perluxidão (*cs*) s.f.
perluxo (*cs*) adj. s.m.
perluxoso (*csô*) adj.; f. (*ó*); pl. (*ó*)
perluzente adj.2g.
perluzido adj.
perluzir v.
perm s.m.
perma s.f.
permafrost s.m.
permalói s.m.
permanecente adj.2g.
permanecer v.
permanecido adj.
permanência s.f.
permanente adj.2g. s.m.f.
permanganato s.m.
permangânico adj.
permanganílico adj.
permanganilo s.m.
permanganimetria s.f.
permanganização s.f.
permanganizado adj.
permanganizar v.
permeabilidade s.f.
permeabilização s.f.
permeabilizar v.
permeação s.f.
permeado adj.
permeametria s.f.
permeamétrico adj.
permeâmetro s.m.
permeância s.f.
permear v.
perméase s.f.
permeável adj.2g.
permedida s.f.
permediva s.f.
permeio s.m. adv.
permelétrico adj.
perméssida adj.
permetron s.m.
pérmetron s.m.
permiano adj. s.m.
pérmico adj. s.m.
permidiva s.f.
permil adj. s.m.
permilagem s.f.
permiliar adj.2g.
permineralização s.f.
permineralizado adj.
permineralizador (*ô*) adj.
permineralizante adj.2g.
permineralizar v.
permineralizável adj.2g.
permingeatita s.f.
perminvar s.m.
permissão s.f.
permissionário adj. s.m.
permissível adj.2g.
permissividade s.f.
permissivismo s.m.
permissivista adj. s.2g.
permissivístico adj.
permissivo adj.
permissor (*ô*) adj. s.m.
permissório adj.
permistão s.f.
permisto adj.
permitância s.f.
permitideiro adj.
permitido adj.
permitidor (*ô*) adj.
permitimento s.m.
permitir v.
permitividade s.f.
permitivo adj.
permocarbônico adj. s.m.
permocarbonífero adj. s.m.
permonite s.f.
permotriássico adj. s.m.
permóvel adj.2g.
permudação s.f.
permudado adj.
permudança s.f.
permudar v.
permudável adj.2g.
permuta s.f.
permutabilidade s.f.
permutação s.f.
permutado adj.
permutador (*ô*) adj. s.m.
permutamento s.m.
permutante adj.2g.
permutar v.
permutativo adj.
permutatório adj.
permutatriz s.f.
permutável adj.2g.
permutita s.f.
permutite s.f.
perna s.f.
pernaça s.f.
pernaço s.m.
pernada s.f.
pernadeira s.f.
pernadela s.f.
perna-de-moça s.f.; pl. *pernas-de-moça*
perna de pau s.2g "jogador de má qualidade"
perna-de-pau adj.2g. s.2g. s.m. "pernilongo"; pl. *pernas-de-pau*
perna-de-saracura s.f.; pl. *pernas-de-saracura*
perna de serra s.f.
perna de xis s.m.
perna-fanfa s.m.; pl. *pernas-fanfas*
perna-fina s.2g.; pl. *pernas-finas*
perna-fofa s.m.; pl. *pernas-fofas*
perna-gorda s.f.; pl. *pernas-gordas*
perna-inchada s.f.; pl. *pernas-inchadas*
perna-lavada s.f.; pl. *pernas-lavadas*
pernalonga s.f.
pernalonga-comum s.f.; pl. *pernalongas-comuns*
pernalta adj.2g. s.f.
pernalteira s.f.
pernalteiro adj.
pernalto adj.
pernaltudo adj.
perna-manca s.f.; pl. *pernas-mancas*
perna-marota s.2g.; pl. *pernas-marotas*
pernambucana s.f.
pernambucanidade s.f.
pernambucanismo s.m.
pernambucanista adj. s.2g.
pernambucanístico adj.
pernambucanização s.f.
pernambucano adj. s.m.
pernambuco s.m.
pernambuquense adj. s.2g.
pernambuquinhense adj. s.2g.
pername s.m.
perna-mole adj.2g.; pl. *pernas-moles*
pernanguma s.f.
pernão adj. s.m.
perna-tesa s.2g.; pl. *pernas-tesas*
perna-vermelha s.m.; pl. *pernas-vermelhas*
pernavilheiro s.m.
perne s.m. "espigão de metal"; cf. *perné*
perné s.m. "barco de pesca"; cf. *perne*
pérnea s.f.
perneado adj.
perneador (*ô*) adj. s.m.
pernear v.
pernegão s.m.
pernegome s.2g.
pernegudo adj.
perneio s.m.
perneira s.f.
perneira-entripada s.f.; pl. *perneiras-entripadas*
perneiras s.f.pl.
perneiro adj.
pernejar v.
perneta (*ê*) s.2g. s.m.f.
pernetear v.
pernétia s.f.
perniaberto adj.
pernibambo adj.
pernície s.f.
perniciosa s.f.
perniciosidade s.f.
pernicioso (*ô*) adj.; f. (*ó*); pl. (*ó*)
pernicruzado adj.
pernicurto adj.
pernigordo (*ô*) adj.
pernigrande adj.2g.
pernigrosso (*ô*) adj.
pernil s.m.
pernilonga s.f.
pernilongo adj. s.m.
pernilongo-doméstico s.m.; pl. *pernilongos-domésticos*
pernilongo-rajado s.m.; pl. *pernilongos-rajados*
pernim s.m.
perningau s.m.
perniose s.f.
pérnis s.m.2n.
pernitorto (*ô*) adj. s.m.
pernítrico adj.
pernitroso (*ô*) adj.; f. (*ó*); pl. (*ó*)
perniz s.m.
perno s.m.
pernoca s.f.
pernoita s.f.
pernoitamento s.m.
pernoitar v.
pernoite s.m.
pernona s.f.
pernosticidade s.f.
pernosticismo s.m.
pernóstico adj. s.m.
pernouta s.f.
pernoutamento s.m.
pernoutar v.
pernoute s.m.
pernuca s.f.
pernudo adj.
pero (*ê*) s.m.
peroá s.m. "peixe"; cf. *piroá* e *piruá*
peroatinga s.m.
peroba adj. s.2g. s.f.
peroba-açu s.f.; pl. *perobas-açus*
peroba-amarela s.f.; pl. *perobas-amarelas*
peroba-amarga s.f.; pl. *perobas-amargas*
peroba-amargosa s.f.; pl. *perobas-amargosas*
peroba-branca s.f.; pl. *perobas-brancas*
peroba-brava s.f.; pl. *perobas-bravas*
peroba-café s.f.; pl. *perobas-café* e *perobas-cafés*
peroba-cetim s.f.; pl. *perobas-cetim* e *perobas-cetins*
peroba-comum s.f.; pl. *perobas-comuns*
peroba-d'água s.f.; pl. *perobas-d'água*
peroba-d'água-amarela s.f.; pl. *perobas-d'água-amarelas*
perobada s.f.
peroba-da-bahia s.f.; pl. *perobas-da-bahia*
peroba-de-campos s.f.; pl. *perobas-de-campos*
peroba-de-cantagalo s.f.; pl. *perobas-de-cantagalo*
peroba-de-folha-larga s.f.; pl. *perobas-de-folha-larga*
peroba-de-goiás s.f.; pl. *perobas-de-goiás*
peroba-de-gomo s.f.; pl. *perobas-de-gomo*
peroba-de-lagoa-santa s.f.; pl. *perobas-de-lagoa-santa*
peroba-de-minas s.f.; pl. *perobas-de-minas*
peroba-de-pernambuco s.f.; pl. *perobas-de-pernambuco*
peroba-de-rego s.f.; pl. *perobas-de-rego*
peroba-de-santa-catarina s.f.; pl. *perobas-de-santa-catarina*
peroba-de-são-paulo s.f.; pl. *perobas-de-são-paulo*
peroba-do-campo s.f.; pl. *perobas-do-campo*
peroba-do-cerrado s.f.; pl. *perobas-do-cerrado*
peroba-do-norte s.f.; pl. *perobas-do-norte*
peroba-do-pará s.f.; pl. *perobas-do-pará*
peroba-dos-campos s.f.; pl. *perobas-dos-campos*
peroba-graúda s.f.; pl. *perobas-graúdas*
peroba-iquira s.f.; pl. *perobas-iquiras*
perobal s.m.
perobalense adj. s.2g.
peroba-manchada s.f.; pl. *perobas-manchadas*
peroba-mirim s.f.; pl. *perobas-mirins*
peroba-miúda s.f.; pl. *perobas-miúdas*
peroba-parda s.f.; pl. *perobas-pardas*
peroba-paulista s.f.; pl. *perobas-paulistas*
peroba-poca s.f.; pl. *perobas-poca* e *perobas-pocas*
peroba-rajada s.f.; pl. *perobas-rajadas*
peroba-revessa s.f.; pl. *perobas-revessas*
peroba-rosa s.f.; pl. *perobas-rosa* e *perobas-rosas*
peroba-tabuada s.f.; pl. *perobas-tabuadas*
peroba-tambu s.f.; pl. *perobas-tambu* e *perobas-tambus*
peroba-tigre s.f.; pl. *perobas-tigre* e *perobas-tigres*
peroba-tigrina s.f.; pl. *perobas-tigrinas*
peroba-tremida s.f.; pl. *perobas-tremidas*
peroba-vermelha s.f.; pl. *perobas-vermelhas*
perobeação s.f.
perobeado adj.
perobeador (*ô*) adj. s.m.
perobear v.
perobeira s.f.
perobense adj. s.2g.
perobinha s.f.
perobinha-campestre s.f.; pl. *perobinhas-campestres*
perobinha-do-campo s.f.; pl. *perobinhas-do-campo*
perobinho s.m.
pero-botelho s.m.; pl. *peros-botelhos*
perobráquio adj. s.m.
perocefalia s.f.
perocefálico adj.
perocéfalo adj. s.m.
perodactilia s.f.
perodactílico adj.
perodáctilo adj. s.m.
perodatilia s.f.
perodatílico adj.
perodátilo adj. s.m.
peroderma s.m.
perodíctico s.m.
peródipo s.m.
pero-do-mato s.m.; pl. *peros-do-mato*
perófora s.f.
perogi s.m.
perógnato s.m.
peroide (*ó*) adj.2g.
pérola adj.2g.2n. s.f. "concreção que se forma em conchas"; cf. *pérula* s.f. e *perola*, fl. do v. *perolar*
pérola-da-aurora s.f.; pl. *pérolas-da-aurora*
pérola-da-terra s.f.; pl. *pérolas-da-terra*
perolado adj.
perolar v.
pérola-russa s.f.; pl. *pérolas-russas*
pérola-vegetal s.f.; pl. *pérolas-vegetais*
pérola-verde s.f.; pl. *pérolas-verdes*
peroleira s.f.
peroleiro adj.
perolense adj. s.2g.
perolífero adj.
perolino adj.
perolizar v.
peromedusa s.f.
peromelia s.f.
peromélico adj.
perômelo adj. s.m.
peromina s.f.
peromisco s.m.
peromoplastia s.f.
peromoplástico adj.
peronado adj.
peroneal adj.2g. s.m.
peroneiro adj.
peronela s.f.
peronema s.m.
perôneo adj. s.m.
peroneocalcâneo adj.
peroneocalcário adj.
peroneodáctilo adj. s.m.

peroneodigital adj.2g.
peroneomaleolar adj.2g.
peroneonutritivo adj.
peroneopódio s.m.
peroneotibial adj.2g.
peroneu adj. s.m.
perongueiro s.m.
perônia s.f.
peronina s.f.
perônio adj. s.m.
peroniocalcâneo adj.
peroniocalcário adj.
peroniodáctilo adj. s.m.
peroniodátilo adj. s.m.
peroniodigital adj.2g.
peroniomaleolar adj.2g.
peronionutritivo adj.
peroniopódio s.m.
peroniotibial adj.2g.
peronismo s.m.
peronista adj. s.2g.
peronístico adj.
peronóspora s.f.
peronosporácea s.f.
peronosporáceo adj.
peronosporal adj.2g.
peronosporale s.f.
peronóspora-vitícola s.f.; pl. *peronósporas-vitícolas*
peronospórea s.f.
peronosporínea s.f.
peroperatório adj.
perópode adj.2g.
peropterígio adj.
peroquiro adj.
peroração s.f.
perorado adj.
perorador (*ô*) adj. s.m.
peroral adj.2g.
perorante adj.2g.
perorar v.
perorata s.f.
perorável adj.2g.
perorso adj. s.m.
perosa s.f.
perose s.f.
perosiano adj.
perota adj. s.2g. s.f.
perote s.f.
perótis s.m.2n.
perova s.f.
perovana s.f.
perovaúna s.f.
peroveira s.f.
perovinha s.f.
perovskina s.f.
perovskita s.f.
perovskite s.f.
perovskítico adj.
peroxiácido (*cs*) s.m.
peroxiborato (*cs*) s.m.
peroxidação (*cs*) s.f.
peroxidado (*cs*) adj.
peroxidar (*cs*) v.
peroxidase (*cs*) s.f.
peroxídase (*cs*) s.f.
peróxido (*cs*) s.m.; cf. *peroxido*, fl. do v. *peroxidar* (*cs*)
peroxidrático (*cs*) adj.
peroxidrato (*cs*) s.m.
peroxigenado (*cs*) adj.
peroximonossulfúrico (*cs*) adj.
peroxissal (*cs*) s.m.
peroxissômico (*cs*) adj.
peroxissomo (*cs*) s.m.
perozil s.m.
perpassar v.
perpassável adj.2g.
perpasse s.m.
perpau s.m.
perpendicular v. adj.2g. s.f.
perpendicularidade s.f.
perpendicularismo s.m.
perpendículo s.m.
perpereno adj. s.m.
perpetração s.f.
perpetrado adj.
perpetrador (*ô*) adj. s.m.
perpetrar v.
perpetrável adj.2g.

perpétua s.f.; cf. *perpetua*, fl. do v. *perpetuar*
perpétua-amarela s.f.; pl. *perpétuas-amarelas*
perpétua-branca s.f.; pl. *perpétuas-brancas*
perpetuação s.f.
perpétua-da-mata s.f.; pl. *perpétuas-da-mata*
perpétua-das-areias s.f.; pl. *perpétuas-das-areias*
perpetuado adj.
perpétua-do-brasil s.f.; pl. *perpétuas-do-brasil*
perpétua-do-campo s.f.; pl. *perpétuas-do-campo*
perpétua-do-mato s.f.; pl. *perpétuas-do-mato*
perpetuador (*ô*) adj. s.m.
perpétua-fétida s.f.; pl. *perpétuas-fétidas*
perpetual adj.2g.
perpetualismo s.m.
perpetualista adj. s.2g.
perpetualístico adj.
perpétua-marroquina s.f.; pl. *perpétuas-marroquinas*
perpetuamento s.m.
perpetuana s.f.
perpetuar v.
perpétua-rosa s.f.; pl. *perpétuas-rosa* e *perpétuas--rosas*
perpétua-roxa s.f.; pl. *perpétuas-roxas*
perpétua-roxa-da-mata s.f.; pl. *perpétuas-roxas-da-mata*
perpetuável adj.2g.
perpetuense adj. s.2g.
perpetuição s.f.
perpetuidade s.f.
perpetuísmo s.m.
perpetuísta adj. s.2g.
perpetuístico adj.
perpetuizar v.
perpétuo adj.; cf. *perpetuo*, fl. do v. *perpetuar*
perpianho s.m.
perplexão (*cs*) s.f.
perplexar (*cs*) v.
perplexidade (*cs*) s.f.
perplexidão (*cs*) s.f.
perplexidez (*cs...ê*) s.f.
perplexo (*cs*) adj.
perpoém s.m.
perponte s.m.
perponto s.m.
perpsâmico adj.
perpunto s.m.
perpusilo adj.
perquento s.m.
perquinismo s.m.
perquinista adj. s.2g.
perquinístico adj.
perquinona s.m.
perquirição s.f.
perquirido adj.
perquiridor (*ô*) adj. s.m.
perquirir v.
perquiritório adj.
perquisição s.f.
perquisidor (*ô*) adj. s.m.
perquisitivo adj.
perra (*ê*) s.f.
perrada s.f.
perradial adj.2g.
perrádio s.m.
perraria s.f.
perrear v.
perrebo adj. s.m.
perrecil s.m.
perregil s.m.
perreiro s.m.
perremismo s.m.
perremista adj. s.2g.
perremístico adj.
perrenático adj.
perrenato s.m.
perrengada s.f.
perrengagem s.f.
perrengar v.

perrengo adj. s.m.
perrengue adj. s.2g.
perrengueação s.f.
perrengueado adj.
perrenguear v.
perrenho adj.
perrênico adj.
perrepismo s.m.
perrepista adj. s.2g.
perrepístico adj.
perrexil s.m.
perrexil-do-mar s.m.; pl. *perrexis-do-mar*
perrexilense adj. s.2g.
perriano adj. s.m.
perríbris s.m.2n.
perrice s.f.
perricha s.f.
perrico s.m.
perrierela s.f.
perriéria s.m.
perrierita s.f.
perrilha s.f.
perrinielo s.m.
perríquio s.m.
perrisco s.m.
perrísia s.f.
perrixil s.m.
perro (*ê*) adj. s.m.
perrôneo adj.
perrotina s.f.
perro-velho s.m.; pl. *perros--velhos*
perruca s.f.
perrum s.m.
perruma s.f.
perruna s.f.
perrunilha s.f.
perryita s.f.
persa adj. s.2g.
perságada adj. s.2g.
persal s.m.
persbergita s.f.
persbergite s.f.
perscruta s.f.
perscrutabilidade s.f.
perscrutação s.f.
perscrutado adj.
perscrutador (*ô*) adj. s.m.
perscrutamento s.m.
perscrutante adj.2g.
perscrutar v.
perscrutável adj.2g.
pérsea s.f.
persecução s.f.
persecutório adj.
perseguição s.f.
perseguida s.f.
perseguido adj. s.m.
perseguidor (*ô*) adj. s.m.
perseguimento s.m.
perseguir v.
perseguismo s.m.
perseguível adj.2g.
perseidade s.f.
perseíta s.f.
perseíte s.f.
persemeado adj.
persemelhante adj.2g.
persentir v.
pérseo adj.
perseóidea s.f.
persepolitano adj. s.m.
perseulose s.m.
persevão s.m.
perseveração s.f.
perseverado adj.
perseverador (*ô*) adj. s.m.
perseverança s.f.
perseveranciense adj. s.2g.
perseverante adj.2g.
perseverar v.
perseverativo adj. s.m.
perseverável adj.2g.
persiana s.f.
persianagem s.f.
persiano adj. s.m.
pérsica s.f.
persicária s.f.
persicária-do-brasil s.f.; pl. *persicárias-do-brasil*

persicária-mordaz s.f.; pl. *persicárias-mordazes*
persicita s.f.
persicito s.m.
pérsico adj.
persicote s.m.
persícula s.f.
persigal s.m.
persignação s.f.
persignado adj.
persignador (*ô*) adj. s.m.
persignante adj.2g.
persignar v.
persignável adj.2g.
persilhar v.
persina s.f.
persíneo s.m.
pérsio adj. s.m.
persistência s.f.
persistente adj.2g.
persistir v.
persofalante adj. s.2g.
persofonia s.f.
persófono adj. s.m.
persolta (*ô*) s.f.
persolvência s.f.
persolvente adj. s.2g.
persolver v.
persona s.f.
personada s.f.
personado adj.
personagem s.2g.
personalidade s.f.
personalismo s.m.
personalíssimo adj. sup. de *pessoal*
personalista adj. s.2g.
personalístico adj.
personalização s.f.
personalizado adj.
personalizar v.
personária s.f.
personativo adj.
personato adj.
personificação s.f.
personificado adj.
personificador (*ô*) adj. s.m.
personificante adj.2g.
personificar v.
personificável adj.2g.
persoônia s.f.
persooníea s.f.
persoonióidea s.f.
persoparlante adj. s.2g.
persorção s.f.
persorvente adj.2g. s.m.
persorver v.
persorvível adj.2g.
persoterrar v.
perspéctico adj.
perspectiva s.f.
perspectivação s.f.
perspectivado adj.
perspectivante adj.2g.
perspectivar v.
perspectivável adj.2g.
perspectívico adj.
perspectividade s.f.
perspectivismo s.m.
perspectivista adj. s.2g.
perspectivístico adj.
perspectivo adj.
perspectografia s.f.
perspectográfico adj.
perspectógrafo s.m.
perspectômetro s.m.
perspético adj.
perspetiva s.f.
perspetivação s.f.
perspetivado adj.
perspetivante adj.2g.
perspetivar v.
perspetivável adj.2g.
perspetívico adj.
perspetividade s.f.
perspetivismo s.m.
perspetivista adj. s.2g.
perspetivístico adj.
perspetivo adj.
perspetografia s.f.
perspetográfico adj.

perspetógrafo s.m.
perspetômetro s.m.
perspicácia s.f.
perspicacidade s.f.
perspicacíssimo adj. sup. de *perspicaz*
perspicaz adj.2g.
perspicuidade s.f.
perspícuo adj.
perspiração s.f.
perspirante adj.2g.
perspirar v.
perspiratório adj.
perspirável adj.2g.
perstrição s.f.
perstrito adj.
persuadente adj.2g.
persuadição s.f.
persuadido adj.
persuadidor (*ô*) adj. s.m.
persuadimento s.m.
persuadir v.
persuadível adj.2g.
persuasão s.f.
persuasiva s.f.
persuasível adj.2g.
persuasivo adj.
persuasor (*ô*) adj. s.m.
persuasória s.f.
persuasório adj.
persulfato s.m.
persulfeto (*ê*) s.m.
persulfociânico adj.
persulfocianídrico adj.
persulfocianogênio s.m.
persulfônico adj.
persulfurado adj.
persulfureto (*ê*) s.m.
persulfúrico adj.
perta s.f.
pertarouca s.f.
pertecnetático adj.
pertecnetato s.m.
pertença s.f.
pertence s.m.
pertencença s.f.
pertencente adj.2g.
pertencer v.
pertencido adj.
pertencimento s.m.
pertentar v.
perthita s.f.
perthite s.f.
perthítico adj.
pértica s.f.
pértiga s.f.
pértigo s.m.
pertigueira s.f.
pertigueiro s.m.
pertilense adj. s.2g.
pertina s.f.
pertinace adj.2g.
pertinácia s.f.
pertinacidade s.f.
pertinacíssimo adj. sup. de *pertinaz*
pertinaz adj.2g.
pertinência s.f.
pertinente adj.2g.
perto adj.2g. adv.
pertosse s.f.
pertransido (*zi*) adj.
pertransir (*zi*) v.
pertual s.m.
pertucha s.f.
pertuchar v.
pertucho s.m.
pértugo s.m.
pertuito s.m.
perturbabilidade s.f.
perturbação s.f.
perturbado adj.
perturbador (*ô*) adj. s.m.
perturbante adj.2g.
perturbar v.
perturbativo adj.
perturbatório adj.
perturbável adj.2g.
pertusária s.f.
pertusariácea s.f.
pertusariáceo adj.

pertuso adj. s.m.
pertussina s.f.
pertússis s.f.2n.
pertussoide (*ó*) adj.2g.
peru s.m.
perua s.f. "mulher espalhafatosa"; cf. *peruá*
peruá s.m. "peixe"; cf. *perua*
peruação s.f.
perua-choca s.f.; pl. *peruas-chocas*
peruada s.f.
peruana adj. s.2g. s.f.
peruanense adj. s.2g.
peruanismo s.m.
peruano adj. s.m.
peruar v.
peruca s.f.
peruda s.f.
peru-d'água s.m.; pl. *perus-d'água*
peru de festa s.m.
peru de roda s.m.
peru-de-sol s.m.; pl. *perus-de-sol*
peru-do-mato s.m.; pl. *perus-do-mato*
perueiro adj. s.m.
peruense adj. s.2g.
perugino adj. s.m.
peruibano adj. s.m.
peruibense adj. s.2g.
peruinho s.m.
peruinho-do-campo s.m.; pl. *peruinhos-do-campo*
pérula s.f. "invólucro dos brotos"; cf. *pérola*
perulado adj.
peruleira s.f.
peruleiro s.m.
perum s.m.
perunca s.f.
perunzete (*ê*) s.m.
peruruca s.f.
peru-selvagem s.m.; pl. *perus-selvagens*
perusiano adj. s.m.
perusino adj. s.m.
peruviano adj. s.m.
peruvita s.f.
peruzinho-do-campo s.m.; pl. *peruzinhos-do-campo*
pervagante adj.2g.
pervagar v.
pervage s.f.
pervalvar adj.2g.
pervencer v.
perver v.
perversão s.f.
perversidade s.f.
perversivo adj.
perverso adj. s.m.
perversor (*ô*) adj. s.m.
pervertedor (*ô*) adj. s.m.
perverter v.
pervertido adj. s.m.
pervicácia s.f.
pervicacíssimo adj. sup. de *pervicaz*
pervicaz adj.2g.
pervígil adj. s.2g.
pervigília s.f.
pervigílio adj.
pervígilo adj.
pervinca s.f.
pervinca-branca s.f.; pl. *pervincas-brancas*
pervinco s.m.
pérvio adj.
perxina s.f.
pesa (*ê*) s.f.; cf. *pesa*, fl. do v. *pesar*
pesa-ácido s.m.; pl. *pesa-ácidos*
pesa-aguardente s.m.; pl. *pesa-aguardentes*
pesa-álcool s.m.; pl. *pesa-alcoóis*
pesa-cartas s.m.2n.
pesa-crianças s.m.2n.
pesada s.f.
pesadão adj. s.m.; f. *pesadona*
pesadelo (*ê*) s.m.
pesadez (*ê*) s.f.
pesado adj. s.m.
pesadona adj. s.f. de *pesadão*
pesador (*ô*) adj. s.m.
pesadora (*ô*) s.f.
pesadote adj.2g.
pesadume s.m.
pesa-espírito s.m.; pl. *pesa-espíritos*
pesagem s.f.
pesa-leite s.m.; pl. *pesa-leites*
pesa-licor s.m.; pl. *pesa-licores*
pêsame s.m.
pesamenteiro s.m.
pêsames s.m.pl.
pesa-mosto s.m.; pl. *pesa-mostos*
pesante adj.2g. s.m.
pesantez (*ê*) s.f.
pesão s.m.
pesa-papéis s.m.2n.
pesar v. s.m.
pesaroso (*ô*) adj.; f. (*ó*); pl. (*ó*)
pesa-sais s.m.2n.
pesa-sal s.m.; pl. *pesa-sais*
pesa-urina s.m.; pl. *pesa-urinas*
pesa-vinagres s.m.2n.
pesa-vinho s.m.; pl. *pesa-vinhos*
pesa-xarope s.m.; pl. *pesa-xaropes*
pesca s.f.
pescada s.f.
pescada-amarela s.f.; pl. *pescadas-amarelas*
pescada-amazônica s.f.; pl. *pescadas-amazônicas*
pescada-aratanha s.f.; pl. *pescadas-aratanha* e *pescadas-aratanhas*
pescada-banana s.f.; pl. *pescadas-banana* e *pescadas-bananas*
pescada-bicuda s.f.; pl. *pescadas-bicudas*
pescada-branca s.f.; pl. *pescadas-brancas*
pescada-cachorro s.f.; pl. *pescadas-cachorro* e *pescadas-cachorros*
pescada-cambuci s.f.; pl. *pescadas-cambuci* e *pescadas-cambucis*
pescada-cambucu s.f.; pl. *pescadas-cambucu* e *pescadas-cambucus*
pescada-carvoa s.f.; pl. *pescadas-carvoa* e *pescadas-carvoas*
pescada-carvoeira s.f.; pl. *pescadas-carvoeiras*
pescada-cascuda s.f.; pl. *pescadas-cascudas*
pescada-chata s.f.; pl. *pescadas-chatas*
pescada-comum s.f.; pl. *pescadas-comuns*
pescada-corvina s.f.; pl. *pescadas-corvina* e *pescadas-corvinas*
pescada-cutinga s.f.; pl. *pescadas-cutinga* e *pescadas-cutingas*
pescada-de-angola s.f.; pl. *pescadas-de-angola*
pescada-de-dente s.f.; pl. *pescadas-de-dente*
pescada-dentuça s.f.; pl. *pescadas-dentuças*
pescada-de-escama s.f.; pl. *pescadas-de-escama*
pescada-dentão s.f.; pl. *pescadas-dentão* e *pescadas-dentões*
pescada-de-rede s.f.; pl. *pescadas-de-rede*
pescada-do-alto s.f.; pl. *pescadas-do-alto*
pescada-do-reino s.f.; pl. *pescadas-do-reino*
pescada-dourada s.f.; pl. *pescadas-douradas*
pescada-do-vapor s.f.; pl. *pescadas-do-vapor*
pescada-enchova s.f.; pl. *pescadas-enchova* e *pescadas-enchovas*
pescada-foguete s.f.; pl. *pescadas-foguete* e *pescadas-foguetes*
pescada-goirana s.f.; pl. *pescadas-goiranas*
pescada-goiva s.f.; pl. *pescadas-goiva* e *pescadas-goivas*
pescada-jaguara s.f.; pl. *pescadas-jaguara* e *pescadas-jaguaras*
pescada-legítima s.f.; pl. *pescadas-legítimas*
pescada-manteiga s.f.; pl. *pescadas-manteiga* e *pescadas-manteigas*
pescada-marlonga s.f.; pl. *pescadas-marlongas*
pescada-marmota s.f.; pl. *pescadas-marmota* e *pescadas-marmotas*
pescada-merlonga s.f.; pl. *pescadas-merlongas*
pescada-negra s.f.; pl. *pescadas-negras*
pescada-olhuda s.f.; pl. *pescadas-olhudas*
pescada-pequena s.f.; pl. *pescadas-pequenas*
pescada-perna-de-moça s.f.; pl. *pescadas-perna-de-moça*
pescada-polaca s.f.; pl. *pescadas-polacas*
pescada-polacha s.f.; pl. *pescadas-polachas*
pescada-portuguesa s.f.; pl. *pescadas-portuguesas*
pescada-preta s.f.; pl. *pescadas-pretas*
pescada-real s.f.; pl. *pescadas-reais*
pescadaria s.f.
pescada-rosa s.f.; pl. *pescadas-rosa*
pescada-sofia s.f.; pl. *pescadas-sofia* e *pescadas-sofias*
pescadeira s.f.
pescadeiro s.m.
pescadinha s.f.
pescadinha-branca s.f.; pl. *pescadinhas-brancas*
pescadinha-do-reino s.f.; pl. *pescadinhas-do-reino*
pescadinha-goete s.f.; pl. *pescadinhas-goete* e *pescadinhas-goetes*
pescadinha-marmota s.f.; pl. *pescadinhas-marmota* e *pescadinhas-marmotas*
pescado adj. s.m.
pescador (*ô*) adj. s.m.
pescado-real s.m.; pl. *pescados-reais*
pescadorense adj. s.2g.
pesca-em-pé s.m.2n.
pescal s.m.
pescanço s.m.
pescante adj.2g. s.m.
pescar v.
pesca-rapazes s.m.2n.
pescarejo (*ê*) adj.
pescarez (*ê*) adj.2g.
pescaria s.f.
pesca-siri s.f.; pl. *pesca-siris*
pescatório adj.
pescaz s.m.
pesco (*ê*) s.m.
pescoçada s.f.
pescoção s.m.
pescoceado adj.
pescoceador (*ô*) adj. s.m.
pescocear v.
pescoceira s.f.
pescoceiro adj.
pescócia s.f.
pescocinho s.m.
pescoço (*ô*) s.m.
pescoçudo adj.
pés-columbinos s.m.pl.
pescorência s.f.
pescorenço s.m.
pescota s.f.
pescotapa s.m.
pescunho s.m.
pés de galinha s.m.pl.
pés de lebre s.m.pl.
pesebre s.m.
pé-serrense adj. s.2g.; pl. *pé-serrenses*
peseta (*ê*) s.f.
pesga (*ê*) s.f.; cf. *pesga*, fl. do v. *pesgar*
pesgada s.f.
pesgado adj.
pesgar v.
pésico adj. s.m.
pesilita s.f.
pesilite s.f.
pesipelo s.m.
pesmé s.m.
pés-negros adj. s.2g.2n.
pés no chão s.m.2n.
peso (*ê*) s.m.; cf. *peso*, fl. do v. *pesar*
peso-atômico s.m.; pl. *pesos-atômicos*
peso-durense adj. s.2g.; pl. *peso-durenses*
peso-fórmula s.m.; pl. *pesos-fórmula* e *pesos-fórmulas*
peso-galo adj. s.2g. s.m.; pl. *pesos-galo* e *pesos-galos*
peso mais que pesado adj. s.2g. s.m.
peso meio mosca adj. s.2g. s.m.
peso meio pena adj. s.2g. s.m.
peso meio pesado adj. s.2g. s.m.
peso-molecular adj. s.2g. s.m.; pl. *pesos-moleculares*
peso-mosca adj. s.2g. s.m.; pl. *pesos-mosca* e *pesos-moscas*
peso-pena adj. s.2g. s.m.; pl. *pesos-pena* e *pesos-penas*
peso-pesado adj. s.2g. s.m.; pl. *pesos-pesados*
peso-pluma adj. s.2g. s.m.; pl. *pesos-pluma* e *pesos-plumas*
pespe s.m.
pespegar v.
pespego (*ê*) s.m.; cf. *pespego*, fl. do v. *pespegar*
pespeneiro s.m.
pespeneta (*ê*) s.f.
pespenheiro s.m.
pespenheta (*ê*) s.f.
pespilhar s.m.
pespinheiro s.m.
pespita s.f.
pespontadeira adj. s.f. de *pespontador*
pespontado adj. s.m.
pespontador (*ô*) adj. s.m.; f. *pespontadeira*
pespontar v.
pesponteado adj.
pespontear v.
pesponto s.m.
pesporrência s.f.
pesporrente adj.2g.
pesqueira s.f.
pesqueirense adj. s.2g.
pesqueirinhense adj. s.2g.
pesqueiro adj. s.m.
pesquisa s.f.
pesquisação s.f.
pesquisado adj.
pesquisador (*ô*) adj. s.m.
pesquisante adj.2g.
pesquisar v.
pesquisição s.f.
pesquisidor (*ô*) adj. s.m.
pessanhense adj. s.2g.
pessário s.m.
pesse s.f.
pessebismo s.m.
pessebista adj. s.2g.
pessebístico adj.
pessedismo s.m.
pessedista adj. s.2g.
pessedístico adj.
pêssega s.f.
pessegada s.f.
pessegal adj.2g. s.m.
pêssego s.m.
pêssego-careca s.m.; pl. *pêssegos-carecas*
pêssego-da-índia s.m.; pl. *pêssegos-da-índia*
pêssego-de-abrir s.m.; pl. *pêssegos-de-abrir*
pêssego-de-aparta-caroço s.m.; pl. *pêssegos-de-aparta-caroço*
pêssego-de-são-tomé s.m.; pl. *pêssegos-de-são-tomé*
pêssego-do-campo s.m.; pl. *pêssegos-do-campo*
pêssego-do-mato s.m.; pl. *pêssegos-do-mato*
pêssego-salta-caroço s.m.; pl. *pêssegos-salta-caroço*
pessegudo adj.
pessegueirense adj. s.2g.
pessegueiro s.m.
pessegueiro-bravo s.m.; pl. *pessegueiros-bravos*
pessegueiro-calvo s.m.; pl. *pessegueiros-calvos*
pessegueiro-careca s.m.; pl. *pessegueiros-carecas*
pessegueiro-da-áfrica s.m.; pl. *pessegueiros-da-áfrica*
pessegueiro-da-índia s.m.; pl. *pessegueiros-da-índia*
pessegueiro-de-abrir s.m.; pl. *pessegueiros-de-abrir*
pessegueiro-de-aparta-caroço s.m.; pl. *pessegueiros-de-aparta-caroço*
pessegueiro-de-são-tomé s.m.; pl. *pessegueiros-de-são-tomé*
pessegueiro-do-mato s.m.; pl. *pessegueiros-do-mato*
pessegueiro-inglês s.m.; pl. *pessegueiros-ingleses*
pessegueiro-salta-caroço s.m.; pl. *pessegueiros-salta-caroço*
pesseguelha (*ê*) s.f.
pesselão s.m.
pesselista s.2g.
pessepismo s.m.
pessepista adj. s.2g.
pessepístico adj.
pessimismo s.m.
pessimista adj. s.2g.
pessimisticante adj.2g.
pessimístico adj.
péssimo adj. sup. de *mau*
pessinúncio adj. s.m.
pessoa (*ô*) s.f.
pessoa-antense adj. s.2g.; pl. *pessoa-antenses*
pessoádigo s.m.
pessoaia s.f.
pessoal adj.2g. s.m.
pessoalho s.m.
pessoalidade s.f.
pessoalismo s.m.
pessoalista adj. s.2g.
pessoalístico adj.
pessoalização s.f.
pessoalizar v.
pessoalizável adj.2g.
pessoaria s.f. "cargo de pessoeiro"; cf. *pessoária*
pessoária s.f. "procuração"; cf. *pessoaria*
pessoeiro s.m.
pessoense adj. s.2g.
pessuelo (*ê*) s.m.
pestalózzia s.f.

pestalozzianismo s.m.
pestalozzianista adj. s.2g.
pestalozziano adj. s.m.
pestana s.f.
pestanear v.
pestaneio s.m.
pestanejante adj.2g.
pestanejar v.
pestanejo (*ê*) s.m.
pestano adj. s.m.
pestanudo adj.
pestarelho (*ê*) s.m.
peste s.2g. s.f.
pesteado adj. s.m.
pesteador (*ô*) adj. s.m.
pestear v.
peste-de-água s.f.; pl. *pestes-de-água*
pesteira s.f.
pesticemia s.f.
pesticêmico adj.
pesticida adj.2g. s.m.
pesticídio s.m.
pestiento adj.
pestiferação s.f.
pestiferado adj.
pestiferar v.
pestífero adj. s.m.; cf. *pestifero*, fl. do v. *pestiferar*
pestígena adj.2g.
pestilência s.f.
pestilencial adj.2g.
pestilenciar v.
pestilencioso (*ô*) adj.; f. (*ó*); pl. (*ó*)
pestilente adj.2g.
pestilento adj.
pestilo s.m. "tranca de porta"; cf. *pistilo*
pestinhar v.
pestinheiro adj.
pestivo adj.
pestólogo s.m.
pestoleta (*ê*) s.f.
pestoso (*ô*) adj. s.m.; f. (*ó*); pl. (*ó*)
pé-sujo s.m.; pl. *pés-sujos*
pesume s.m.
pésure adj. s.2g.
pésuro adj. s.m.
peta (*ê*) s.f.; cf. *peta*, fl. do v. *petar*
petacníneo adj. s.m.
petacno s.m.
petágnia s.f.
petal s.m.
pétala s.f.
petalação s.f.
petalado adj.
petalântea s.f.
petalânteo adj.
petalantera s.f.
petaleação s.f.
petalhada s.f.
petalidíea s.f.
petalídio s.m.
petaliforme adj.2g.
petalino adj.
petálio s.m.
petalípodo adj.
petalismo s.m.
petalita s.f.
petalite s.f.
petalítico adj.
petalócero adj.
petalodera s.f.
petalodia s.f.
petalódio s.m.
petalófora s.f.
petaloftalmo s.m.
petalógnato s.m.
petaloide (*ó*) adj.2g.
petaloidia s.f.
petalomania s.f.
petalômera s.f.
petálopo s.m.
petalópode adj.2g. s.m.
petaloprocto s.m.
petalóptero s.m.
petalóptila s.f.
petalospíride s.f.
petalóspiris s.f.2n.
petalossoma s.m.
petalossomo adj. s.m.
petalostelma s.f.
petalostêmone adj.2g. s.m.
petalóstica s.f.
petalóstico s.m.
petalostoma s.m.
petalostomídeo adj. s.m.
petalótoma s.f.
petalótrica s.f.
petalótrico s.m.
petaluma s.f.
petalura s.f.
petanisca s.f.
petaniscar v.
petanisco s.m.
petão s.m.
petar v.
petará s.m.
petarada s.f.
petarda s.f.
petardada s.f.
petardar v.
petardear v.
petardeiro s.m.
petardista s.2g.
petardo s.m.
petarola s.2g. s.f.
petarolar v.
petásato s.m.
petasídeo adj. s.m.
petasite s.f.
petasoforínea s.f.
petasóforo adj. s.m.
petasósporo adj.
petaurista s.2g.
petauristário adj. s.m.
petauro s.m.
petauroide (*ó*) adj.2g. s.m.
petavoniense adj. s.2g.
petchblenda s.f.
petchblêndico adj.
petcheskita s.f.
petchnegue adj. s.2g.
pete s.m. "rinoceronte"; cf. *peté*
peté s.m. "prato votivo de Oxum"; cf. *pete*
peteador (*ô*) adj. s.m.
petear v.
petebismo s.m.
petebista adj. s.2g.
petebístico adj.
peteca s.f.
petecada s.f.
petecado adj.
petecar v.
petechenegue adj. s.2g.
petefe s.m.
petegar v.
peteiro adj. s.m.
peteleca s.f.
peteleco s.m.
petelino adj. s.m.
petém s.m.
petema s.m.
petênia s.f.
petequear v.
petequeira s.f.
petequial adj.2g.
petequianose s.f.
petéquias s.f.pl.
petequíase s.f.
petéquico adj.
peterdita s.f.
peteribi s.m.
pé-terra s.m.; pl. *pés-terra* e *pés-terras*
petersburguês adj. s.m.
petersinista adj. s.2g.
petiá s.f.
petica s.f.
petiçada s.f.
petição s.m.f.
peticego adj. s.m.
petícia s.f.
peticionar v.
peticionário s.m.
petiço adj. s.m.
petiçote s.m.
petidina s.f.
petigma s.f.
petigris s.m.2n.
petiguara adj. s.2g.
petilhar v.
petilino adj. s.m.
petilnitrila s.f.
petilnitrílico adj.
petim s.m.
petima s.f.
petimbau s.m.
petimboaba s.f.
petimbuaba s.f.
petimetre adj. s.m.
petincoba s.f.
petinense adj. s.2g.
petinga s.f. "sardinha miúda"; cf. *pitinga*
petinha s.f.
petinha-aquática s.f.; pl. *petinhas-aquáticas*
petinha-das-árvores s.f.; pl. *petinhas-das-árvores*
petinha-de-garganta-vermelha s.f.; pl. *petinhas-de-garganta-vermelha*
petinha-de-richard s.f.; pl. *petinhas-de-richard*
petinha-dos-campos s.f.; pl. *petinhas-dos-campos*
petinha-dos-prados s.f.; pl. *petinhas-dos-prados*
petinho s.m.
petintal s.m.
petintuíba s.f.
petipé s.m.
petique s.m.
petisca s.f.
petiscado adj.
petiscador (*ô*) adj. s.m.
petiscar v.
petisco s.m.
petíscula s.f.
petisqueira s.f.
petisqueiro s.m.
petisquice s.f.
petisseco (*ê*) adj.
petista adj. s.2g.
petitar v.
petites adj.2g.
petitinga s.f.
petitor (*ô*) adj. s.m.
petitória s.f.
petitório adj. s.m.
petiú s.m.
petivéria s.f.
petiz adj.2g. s.m.
petiza s.f.
petizada s.f.
petizote adj.2g. s.m.
peto adj. s.m. "vesgo"; cf. *peto* (*ê*)
peto (*ê*) s.m. "pica-pau", etc.; cf. *peto*
peto-cavalheiro s.m.; pl. *petos-cavalheiros*
peto-cavalinho s.m.; pl. *petos-cavalinho* e *petos-cavalinhos*
peto-da-chuva s.m.; pl. *petos-da-chuva*
peto-espanhol s.m.; pl. *petos-espanhóis*
peto-formigueiro s.m.; pl. *petos-formigueiro* e *petos-formigueiros*
peto-galego s.m.; pl. *petos-galegos*
peto-malhado s.m.; pl. *petos-malhados*
peto-pequeno s.m.; pl. *petos-pequenos*
peto-real s.m.; pl. *petos-reais*
peto-rinchão s.m.; pl. *petos-rinchões*
petórito s.m.
petorra (*ô*) s.f.
petorrita s.f.
petórrito s.m.
peto-verde s.m.; pl. *petos-verdes*
peto-verdial s.m.; pl. *petos-verdiais*
petra (*ê*) s.f.
petragite s.f.
petragoricense adj. s.2g.
petragórico adj. s.m.
petral s.m.
petralite s.f.
petrarca s.m.
petrarquesco (*ê*) adj.
petrarquiano adj. s.m.
petrárquico adj.
petrarquismo s.m.
petrarquista adj. s.2g.
petrarquístico adj.
petrarquizar v.
pétrea s.f. "gênero de planta"; cf. *petreia* (*é*)
petreca s.f.
petrechado adj.
petrechal adj.2g. s.m.
petrechamento s.m.
petrechar v.
petrechos (*ê*) s.m.pl.
petreco s.m.
petrefacto s.m.
petrefato s.m.
petreia (*é*) adj. s.f. de *petreu*; cf. *pétrea*
petrel s.m.
petrense adj. s.2g.
pétreo adj. "de pedra"; cf. *petreu*
petreu adj. s.m. "povo"; f. *petreia* (*é*); cf. *pétreo*
petribilidade s.f.
petrícola adj.2g. s.m.
petricólida adj.2g. s.m.
petricolídeo adj. s.m.
petrideserto adj.
petrificação s.f.
petrificado adj.
petrificador (*ô*) adj.
petrificante adj.2g.
petrificar v.
petrificativo adj.
petrificável adj.2g.
petrífico adj.; cf. *petrifico*, fl. do v. *petrificar*
petrina adj. s.2g. s.f.
petrinal s.m.
petrinismo s.m.
petrinista adj. s.2g.
petrino adj. s.m.
petrite s.f.
petrobasilar adj.2g.
petróbio s.m.
petrobruciano s.m.
petrobrúcio s.m.
petrobrusiano s.m.
petrobrúsio s.m.
petroccipital adj.2g.
petrocório adj. s.m.
petrodólar s.m.
petródromo s.m.
petroestafilino adj. s.m.
petrofábrica s.f.
petrofabril adj.2g.
petrofaríngeo adj. s.m.
petrofassa s.f.
petrófila s.f.
petrófilo s.m.
petrófita s.f.
petrófito adj. s.m.
petrógale s.f.
petrogênese s.f.
petrogenético adj.
petrogenia s.f.
petrogênico adj.
petrógeno adj. s.m.
petróglifo s.m.
petrógnato s.m.
petrognosia s.f.
petrognosista adj. s.2g.
petrognóstico adj.
petrogradense adj. s.2g.
petrografia s.f.
petrográfico adj.
petrografista adj. s.2g.
petrógrafo s.m.
petrogrifo s.m.
petrolagem s.f.
petrolandense adj. s.2g.
petrolandiense adj. s.2g.
petrolar v.
petrolaria s.f.
petrolato s.m.
petrolátum s.m.
petrolear v.
petroleína s.f.
petroleiro adj. s.m.
petroleno s.m.
petróleo s.m.
petrolice s.f.
petrolífero adj.
petrolina s.f.
petrolina-goiasense adj. s.2g.; pl. *petrolina-goiasenses*
petroline s.f.
petrolinense adj. s.2g.
petrolinóleo s.m.
petrolismo s.m.
petrolista adj. s.2g.
petrolite s.f.
petrolização s.f.
petrolizado adj.
petrolizar v.
petrologia s.f.
petrológico adj.
petrologista adj. s.2g.
petrólogo s.m.
petromastoideia (*é*) adj. s.f. de *petromastoideu*
petromastóideo adj. s.m.
petromastoideu adj. s.m.; f. *petromastoideia* (*é*)
petromatognosia s.f.
petromatognósico adj.
petromatognosta adj. s.2g.
petromatognóstico adj.
petromatologia s.f.
petromatológico adj.
petromatólogo adj. s.m.
petrômio s.m.
pétromis s.m.2n.
petromizonte adj.2g. s.m.
petromizôntida adj.2g. s.m.
petromizontídeo adj. s.m.
petromizontiforme adj. s.m.
petrônia s.f.
petrônio s.m.
petronismo s.m.
petro-occipital adj.2g.
petropedete s.m.
petrópolis s.m.2n.
petropolitano adj. s.m.
petroquelidonte s.m.
petroquímica s.f.
petroquímico adj. s.m.
petrosal s.m.
petrosávia s.f.
petrose s.f.
petrosélico adj.
petroselínico adj.
petroselino s.m.
petrosfenoidal adj.2g.
petrosidade s.f.
petrosite s.f.
petroso (*ô*) adj.; f. (*ó*); pl. (*ó*)
petrossalpingostafilino adj. s.m.
petrossávia s.f.
petrossaviácea s.f.
petrossaviáceo adj.
petrossílex (*cs*) s.m.
petrossílice s.m.
petrossilicoso (*ô*) adj.; f. (*ó*); pl. (*ó*)
petrostafilino adj. s.m.
petrovicita s.f.
petrovinense adj. s.2g.
petulância s.f.
petulante adj. s.2g.
petum s.m.
petumbo s.m.
petume s.m.
petuncé s.m.
petúnculo s.m.
petunga s.f.
petúnia s.f.
petúnia-branca s.f.; pl. *petúnias-brancas*
petúnia-da-terra s.f.; pl. *petúnias-da-terra*

petuniense adj. s.2g.
petunse s.m.
petzita s.f.
petzite s.f.
peua s.f. "gramínea", etc.; cf. *péua*
péua adj. s.2g. "tribo de índios"; cf. *peua*
peucaleia (*é*) adj. s.f. de *peucaleu*
peucaleu adj. s.m.; f. *peucaleia* (*é*)
peucaneia (*é*) adj. s.f. de *peucaneu*
peucaneu adj. s.m.; f. *peucaneia* (*é*)
peucécia adj. s.2g.
peucécio adj. s.m.
peucedânea s.f.
peucedâneo adj.
peucedanina s.f.
peucedanínea s.f.
peucedanite s.f.
peucédano s.m.
peucedante s.f.
peuceno adj. s.m.
peucino adj. s.m.
peúco s.m.
peuenche adj. s.2g.
peúga s.f.
peugada s.f.
peul adj. s.2g. s.m.
peúle adj. s.2g. s.m.
peumo s.m.
peúva s.2g. s.f.
peúva-amarela s.f.; pl. *peúvas-amarelas*
peuvação s.f.
peuval s.m.
peúva-roxa s.f.; pl. *peúvas-roxas*
peva adj. s.2g. s.f.
pé-vela s.m.; pl. *pés-vela* e *pés-velas*
pé-vermelho s.m.; pl. *pés-vermelhos*
pevida s.f.
pevide s.f.
pevidoso (*ô*) adj.; f. (*ó*); pl. (*ó*)
pevinha s.f.
pevitada s.f.
pexã s.f.
pexão s.m.
pexelim s.m.
pexém s.m.
pexerica s.f.
pexeti adj. s.2g.
péxi s.m.
pexim s.m.
pexorim s.m.
pexotada s.f.
pexotar v.
pexote s.m. "aquele que joga mal"; cf. *peixote*
pexotear v.
pexotice s.f.
pez (*ê*) s.m.
pezada s.f.
pez-amarela s.m.; pl. *pezes-amarelas*
pezanho adj.
pez-bastardo s.m.; pl. *pezes-bastardos*
pez-branco s.m.; pl. *pezes-brancos*
pez de borgonha s.m.
pez de hulha s.m.
pez dos vosgos s.m.
pezenho adj.
peziza s.f.
pezizácea s.f.
pezizáceo adj.
peziza-de-copos s.f.; pl. *pezizas-de-copos*
peziza-vesiculosa s.f.; pl. *pezizas-vesiculosas*
pezizínea s.f.
pezizoide (*ó*) adj.2g. s.m.
pez-loiro s.m.; pl. *pezes-loiros*
pez-louro s.m.; pl. *pezes-louros*
pez-marinho s.m.; pl. *pezes-marinhos*
pez-naval s.m.; pl. *pezes-navais*
pez-negro s.m.; pl. *pezes-negros*
pezóbio s.m.
pezófabe s.f.
pézofaps s.f.2n.
pezômaco s.m.
pezóporo s.m.
pezorro s.m.
pezotetige s.m.
pezotétix (*cs*) s.m.
pez-resina s.m.; pl. *pezes-resina* e *pezes-resinas*
pez-seco s.m.; pl. *pezes-secos*
pezudo adj.
pezunhar v.
pezunho s.m.
pfaffiano adj.
phillipsita s.f.
ph-metro s.m.; pl. *ph-metros*
pi s.m.
pia s.f. "lavatório", etc.; cf. *piá* e *piã*
piá s.m. "menino"; cf. *pia* e *piã*
piã s.m. "doença"; cf. *pia* e *piá*
pia-aracnite s.f.; pl. *pias-aracnites*
pia-aracnoide (*ó*) s.f.; pl. *pias-aracnoides* (*ó*)
piaba s.f.
piaba-da-lagoa s.f.; pl. *piabas-da-lagoa*
piaba-do-rio s.f.; pl. *piabas-do-rio*
piabanha s.f.
piabanha-vermelha s.f.; pl. *piabanhas-vermelhas*
piabanhense adj. s.2g.
piabar v.
piaba-rodoleira s.f.; pl. *piabas-rodoleiras*
pia-batismal s.f.; pl. *pias-batismais*
piaba-torta s.f.; pl. *piabas-tortas*
piabense adj. s.2g.
piabinha s.f.
piabonu s.m.
piabuca s.f.
piabucina s.f.
piabuco s.m.
piabuçu s.m.
piaca s.f. "árvore"; cf. *piaça* e *piaçá*
piaça s.f. "correia"; cf. *piaca* e *piaçá*
piaçá s.f. "piaçaba"; cf. *piaca* e *piaça*
piaçaba s.f.
piaçaba-brava s.f.; pl. *piaçabas-bravas*
piaçaba-de-orenoco s.f.; pl. *piaçabas-de-orenoco*
piaçabal s.m.
piaçabarana s.f.
piaçabeira s.f.
piacabuçuense adj. s.2g.
piaçabuçuense adj. s.2g.
piacaense adj. s.2g.
piação s.f.
piacatubense adj. s.2g.
piacatuense adj. s.2g.
piaçava s.f.
piaçaval s.m.
piaçaveira s.f.
piachar v.
piache s.m.
piacho s.m.
piaço s.m. "pieira"; cf. *piaçó*
piaçó s.m. "ave"; cf. *piaço*
pia-cobra s.f.; pl. *pia-cobras*
piaçoca s.f.
piaçuense adj. s.2g.
piacular adj.2g.
piáculo s.m.
piacururu s.m.
piada s.f.
piadé s.m.
piadeira s.f.
piadeiro s.m.
piadela s.f.
piadinha s.f.
piadista adj. s.2g.
piadita s.f.
piado s.f.
piadoiro s.m.
piador (*ô*) adj. s.m.
piadouro s.m.
piadô-zauá s.m.2n.
piafar v.
piafé s.m.
piaga s.m.
piagetiano adj.
piaguaçucunhã s.f.
piaí s.m.
piaia s.f.
piaiuva (*ú*) s.f.
pial adj.2g. s.m.
piala adj. s.2g.
pialador (*ô*) s.m.
pialar v.
pialo s.m.
pia-madre s.f.; pl. *pias-madres*
pia-máter s.f.; pl. *pias-máteres*
piamba s.f.
piambre s.m.
pia-meninge s.f.; pl. *pias-meninges*
pia-milhos s.m.2n.
piampara s.f.
piana s.f.
piançada s.f.
piançar v.
pianchirana s.f.
pianço s.m.
piancoense adj. s.2g.
pianeiro s.m.
pianepsião s.m.
pianépsias s.f.pl.
pianépsion s.m.
pianice s.f.
pianinho s.m.
pianino s.m.
pianismo s.m.
pianíssimo s.m. adv.
pianista adj. s.2g.
pianística s.f.
pianístico adj.
pianívoro s.m.
pianizar v.
piano s.m. adv.
piano-amplo s.m.; pl. *pianos-amplos*
piano-bar s.m.; pl. *pianos-bar* e *pianos-bares*
pianocotó adj. s.2g.
piano de cuia s.m.
pianogotó adj. s.2g.
pianógrafo s.m.
pianola s.f.
pianolar v.
pianoma s.m.
pianótipo s.m.
piante adj.2g. s.f.
pianxirana s.f.
pião s.m. "brinquedo"; cf. *peão*
pião das nicas s.m.
pião da verga s.m.
pião-de-purga s.m.; pl. *piões-de-purga*
pião-madeira s.m.; pl. *piões-madeira* e *piões-madeiras*
pião-roxo s.m.; pl. *piões-roxos*
piapara s.f.
piaparaçu s.f.
piaparão s.m.
piapé s.m.
pia-pia s.f.2n.
pia-pouco s.m.2n.
piar v. "dar pios"; cf. *pear*
piara s.f.
piarça s.f.
piarda s.f.
piaremia s.f.
piarêmico adj.
piarista adj. s.2g.
piaroa (*ô*) adj. s.2g.
piartro s.m.
piartrose s.f.
piartrósico adj.
piasca s.f.
piasco s.m.
pia-sol s.m.; pl. *pia-sóis*
piasta s.2g.
piastra s.f.
piastrão s.m.
piatãense adj. s.2g.
piatanense adj. s.2g.
piatãzense adj. s.2g.
piatrótico adj.
piau s.m.
piauaçu s.m.
piauçu s.m.
piauense adj. s.2g.
piauí adj. s.m.
piauiense adj. s.2g.
piauizeiro adj. s.m.
piaunense adj. s.2g.
piau-verdadeiro s.m.; pl. *piaus-verdadeiros*
piau-vermelho s.m.; pl. *piaus-vermelhos*
piauzita s.f.
piauzite s.f.
piava s.f.
piava-verdadeira s.f.; pl. *piavas-verdadeiras*
piavinha s.f.
piavorense adj. s.2g.
pia-vovó s.m.; pl. *pia-vovós*
piavuna s.f.
piazada s.f.
piazita s.f.
piazorrino s.m.
piazote s.m.
pibirita s.f.
pibrete s.m.
píbroque s.m.
pica s.f. "picada de injeção", etc.; cf. *piça*
piça s.f. "pênis"; cf. *pica*
pica-amoras s.m.2n.
picabeca s.f.
pica-boi s.m.; pl. *pica-bois*
pica-bois s.m.2n.
pica-burro s.m.; pl. *pica-burros*
picáceo adj.
picacho s.m.
pica-chouriços s.m.2n.
picacismo s.m.
picaço adj. s.m.
picaçu s.m.
picacuanha s.f.
picacuroba s.f.
picada s.f.
picadão s.m.
picadeira s.f.
picadeiro s.m.
picadela s.f.
pica-del-rei s.f.; pl. *picas-del-rei*
picadense adj. s.2g.
picadete (*ê*) adj.2g.
picadilho s.m.
picadinhense adj. s.2g.
picadinho adj. s.m.
picado adj. s.m.
picadoiro s.m.
picador (*ô*) adj. s.m.
picadora (*ô*) s.f.
picador-sugador adj. s.m.; pl. *picadores-sugadores*
picadouro s.m.
picadura s.f.
pica-figo s.m.; pl. *pica-figos*
pica-flor s.m.; pl. *pica-flores*
pica-fogo s.m.; pl. *pica-fogos*
pica-folha s.f.; pl. *pica-folhas*
pica-fumo adj.2g. s.m.; pl. *pica-fumos*
picagem s.f.
picaim s.m.
pical adj. s.m.
pical-polho s.m.; pl. *picais-polho* e *picais-polhos*
picalvo adj.
piçamá s.m.
picamar s.m.
picamento s.m.
pica-milho s.m.; pl. *pica-milhos*
picana s.f.
pica-nariz s.m.; pl. *pica-narizes*
picanca s.f. "nariz grande"; cf. *picança*
picança s.f. "ave"; cf. *picanca*
picancilha s.f.
picancilho s.m.
picanço s.m.
picanço-bacoreiro s.m.; pl. *picanços-bacoreiros*
picanço-real s.m.; pl. *picanços-reais*
picançudo adj.
piçandó s.m.
picanear v.
picanha s.f.
picantaria s.f.
picante adj.2g. s.m.
picanteria s.f.
picão s.m.
picão-açu s.m.; pl. *picões-açus*
picão-branco s.m.; pl. *picões-brancos*
picão-da-praia s.m.; pl. *picões-da-praia*
picão-de-flor-grande s.m.; pl. *picões-de-flor-grande*
picão-de-trepar s.m.; pl. *picões-de-trepar*
picão-de-tropeiro s.m.; pl. *picões-de-tropeiro*
picão-do-campo s.m.; pl. *picões-do-campo*
picão-do-grande s.m.; pl. *picões-do-grande*
picão-do-padre s.m.; pl. *picões-do-padre*
pica-olho s.m.; pl. *pica-olhos*
picão-preto s.m.; pl. *picões-pretos*
pica-osso s.m.; pl. *pica-ossos*
picão-uçu s.m.; pl. *picões-uçu* e *picões-uçus*
picãozeiro s.m.
picapara s.f.
picaparra s.f.
pica-pau s.m.; pl. *pica-paus*
pica-pau-amarelo s.m.; pl. *pica-paus-amarelos*
pica-pau-anão s.m.; pl. *pica-paus-anões*
pica-pau-barrado s.m.; pl. *pica-paus-barrados*
pica-pau-branco s.m.; pl. *pica-paus-brancos*
pica-pau-carijó s.m.; pl. *pica-paus-carijó* e *pica-paus-carijós*
pica-pau-cinzento s.m.; pl. *pica-paus-cinzentos*
pica-pau-de-banda-branca s.m.; pl. *pica-paus-de-banda-branca*
pica-pau-de-barriga-vermelha s.m.; pl. *pica-paus-de-barriga-vermelha*
pica-pau-de-bico-comprido s.m.; pl. *pica-paus-de-bico-comprido*
pica-pau-de-cabeça-amarela s.m.; pl. *pica-paus-de-cabeça-amarela*
pica-pau-de-cabeça-vermelha s.m.; pl. *pica-paus-de-cabeça-vermelha*
pica-pau-de-manga s.m.; pl. *pica-paus-de-manga*
pica-pau-de-penacho s.m.; pl. *pica-paus-de-penacho*
pica-pau-do-campo s.m.; pl. *pica-paus-do-campo*
pica-pau-do-mato-virgem s.m.; pl. *pica-paus-do-mato-virgem*
pica-pau-doirado s.m.; pl. *pica-paus-doirados*
pica-pau-dourado s.m.; pl. *pica-paus-dourados*
pica-pau-fura-laranja s.m.; pl. *pica-paus-fura-laranjas*
pica-pau-galo s.m.; pl. *pica-paus-galo* e *pica-paus-galos*
pica-pau-grande s.m.; pl. *pica-paus-grandes*

pica-pau-malhado s.m.; pl. *pica-paus-malhados*
pica-pau-manchado s.m.; pl. *pica-paus-manchados*
pica-pau-pequeno s.m.; pl. *pica-paus-pequenos*
pica-pau-preto-real s.m.; pl. *pica-paus-preto-real*
pica-pau-rei s.m.; pl. *pica-paus-rei* e *pica-paus-reis*
pica-pau-soldado s.m.; pl. *pica-paus-soldado* e *pica-paus-soldados*
pica-pau-velho s.m.; pl. *pica-paus-velhos*
pica-pau-verde s.m.; pl. *pica-paus-verdes*
pica-pau-verde-barrado s.m.; pl. *pica-paus-verde-barrado*
pica-pau-vermelho s.m.; pl. *pica-paus-vermelhos*
picapauzinho s.m.
picape s.f.
pica-peixe s.m.; pl. *pica-peixes*
pica-pica s.m.2n.
pica-polho s.m.; pl. *pica-polhos*
pica-ponto s.m.; pl. *pica-pontos*
pica-porco s.m.; pl. *pica-porcos*
pica-porta s.m.; pl. *pica-portas*
picar v.
picarato adj. s.m.
picarço adj. s.m.
picardan s.m.
picardia s.f.
picardiar v.
picardo adj. s.m.
picaré s.m.
picaresca (*ê*) s.f.
picaresco (*ê*) adj.
picareta (*ê*) adj. s.2g. s.f.
picaretagem s.f.
picaretar v.
picareto (*ê*) s.m.
picaria s.f.
picarice s.f.
picarnel s.m.
picaró s.m. "tecido"; cf. *pícaro*
pícaro adj. s.m. "malandro"; cf. *picaró*
picarote adj. s.m.
picaroto (*ô*) adj. s.m.
piçarra s.f.
piçarra-de-pedra s.f.; pl. *piçarras-de-pedra*
piçarral s.m.
piçarramento s.m.
piçarrão s.m.
piçarrar v.
piçarra-sebo s.f.; pl. *piçarras-sebo* e *piçarras-sebos*
piçarreira s.f.
piçarrense adj. s.2g.
piçarrento adj.
picarro adj. "famoso"; cf. *piçarro*
piçarro s.m. "piçarra"; cf. *picarro*
piçarroso (*ô*) adj.; f. (*ó*); pl. (*ó*)
picarucu s.m.
piçaruru s.m.
piçasfalto s.m.
picassiano adj. s.m.
picatarto s.m.
picatimento s.m.
picatoco s.m.
picatoste s.m.
pica-triga s.f.; pl. *pica-trigas*
picaú s.m.
picaúro s.m.
picaxo s.m.
piccinismo s.m.
piccinista adj. s.2g.
piccinístico adj.
pícea s.f.
piceína s.f.
piceno adj. s.m.
picente adj. s.2g.
picentino adj. s.m.
píceo adj.
piceol s.m.
picha s.f.
pichação s.f.
pichado adj.
pichador (*ô*) adj. s.m.
pichagem s.f.
pichamento s.m.
pichão s.m.
pichar v.
pichardismo s.m.
pichardo adj.
piche s.m. "pez"; cf. *piché*
piché adj.2g. s.m. "mau cheiro"; cf. *piche*
picheira s.f.
picheiro adj. s.m.
pichel s.m.
pichela s.f.
pichelaria s.f.
picheleiro adj. s.m.
pichelim s.m.
pichelingue s.m.
pichelo (*ê*) s.m.
pichense adj. s.2g.
pichento adj.
pichi s.m.
pichico s.m.
pichilinga s.f.
pichincho adj.
pichinho adj. s.m.
picho s.m.
pichobo (*ô*) adj. s.m.
picholeio s.m.
picholeta (*ê*) s.f.
pichori s.m.
pichororé s.m.
pichorra (*ô*) adj. s.2g. s.f.
pichorro (*ô*) adj. s.m.
pichoso (*ô*) adj.; f. (*ó*); pl. (*ó*)
pichuleta (*ê*) s.f.
pichumeira s.f.
pichurim s.m.
pichurim-bastardo s.m.; pl. *pichurins-bastardos*
picica s.2g.
pícida adj.2g. s.m.
picídea s.f.
picídeo adj. s.m.
piciforme adj.2g. s.m. "ordem de aves", etc.; cf. *pisciforme*
picina s.f. "glicosídeo"; cf. *piscina*
picínea s.f.
picinguabense adj. s.2g.
picirica s.f.
piciricar v.
picirico s.m.
picita s.f.
picite s.f.
pickeringita s.f.
pickeringite s.f.
picle s.m.
picles s.m.pl.
picnacanto s.m.
picnanto s.m.
picnartro s.m.
pícnico adj. s.m.
picnídio s.m.
picnidióforo s.m.
picnidiospório s.m.
picnidiósporo s.m.
pícnio s.m.
picniósporo s.m.
picnita s.f.
picnite s.f.
picnito s.m.
picnocarpo adj.
picnocéfalo adj. s.m.
picnócero s.m.
picnoclorita s.f.
picnocoma s.f.
picnocomo s.m.
picnoconídio s.m.
picnocráspedo s.m.
picnode s.m.
picnodisostose s.f.
picnodonte adj.2g. s.m.
picnodôntida adj.2g. s.m.
picnodontídeo adj. s.m.
picnodontoide (*ó*) adj.2g. s.m.
picnofila s.f.
picnofilita s.f.
picnofilite s.f.
picnofilo adj.
picnogáster s.m.
picnogastro s.m.
picnogônida adj.2g. s.m.
picnogonídeo adj. s.m.
picnógono s.m.
picnolepsia s.f.
picnolexia (*cs*) s.f.
picnômero s.m.
picnometria s.f.
picnométrico adj.
picnômetro s.m.
picnomorfia s.f.
picnomórfico adj.
picnomorfo s.m.
picnonefridiado adj. s.m.
picnonótida adj.2g. s.m.
picnonotídeo adj. s.m.
picnonoto s.m.
picnopiésmico adj.
picnopígio s.m.
picnopódio s.m.
picnoquítrio s.m.
picnóscelo s.m.
picnoscopia s.f.
picnoscópico adj.
picnose s.f.
picnospório s.m.
picnósporo s.m.
picnóstaque s.m.
picnostilo s.m.
picnótico adj.
picnotrópio s.m.
picnótropo s.m.
pico s.m. "cume"; cf. *picó* e *piçó*
picó s.m. "espécie de pano"; cf. *pico* e *piçó*
piçó adj.2g. "bêbedo"; cf. *pico* e *picó*
picoa (*ô*) s.f.
picóbia s.f.
picocurie s.m.
picoeiro s.m.
picoense adj. s.2g.
picofarad s.m.
picograma s.m.
pico-grandense adj. s.2g.; pl. *pico-grandenses*
picoide (*ó*) s.m.
picola s.f.
picolapte s.m.
picolapto s.m.
picolé s.m.
picoleia (*é*) s.f.
picolete (*ê*) s.m.
picólico adj.
picolina s.f.
picolinha s.f.
picolínico adj.
picolita s.f.
pico-marianense adj. s.2g.; pl. *pico-marianenses*
picolinha s.f.
picômetro s.m.
picomol s.m.
picondro s.m.
piconeiro s.m.
pico-pico adj. s.m.; pl. *pico-picos*
pico-realense adj. s.2g.; pl. *pico-realenses*
piçorelho (*ê*) s.m.
picornaviro s.m.
picornavirídeo adj. s.m.
picornavírus s.m.2n.
picoso (*ô*) adj.; f. (*ó*); pl. (*ó*)
picossegundo s.m.
picota s.f. "variedade de cereja", etc.; cf. *picotá*
picotá s.m. "vantagem no peso"; cf. *picota*
picotadeira s.f.
picotado adj. s.m.
picotador (*ô*) adj. s.m.
picotadora (*ô*) s.f.
picotagem s.f.
picotar v.
picote s.m. "perfuração no papel", etc.; cf. *picotê*
picotê s.m. "peteleco"; cf. *picote*
picotilho s.m.
picotita s.f.
picotite s.f.
picotítico adj.
picoto (*ô*) adj. s.m.; cf. *picoto*, fl. do v. *picotar*
pico-verde s.m.; pl. *picos-verdes*
pico-verdinhense adj. s.2g.; pl. *pico-verdinhenses*
picowatt s.m.
picraconitina s.f.
picralina s.f.
picramato s.m.
picrâmico adj.
picramida s.f.
picrâmnia s.f.
picramniácea s.f.
picramniáceo adj.
picramnióidea s.f.
picramônio s.m.
picranalcima s.f.
picranálcima s.f.
picranálcimo s.m.
picrasma s.m.
picrasmátea s.f.
picratado adj.
picrato s.m.
picratol s.m.
picre s.f.
picrela s.f.
picrena s.f.
pícreo s.m.
picrepídoto s.m.
picreritrina s.f.
pícria s.f.
pícrico adj.
picrídio s.m.
picrilo s.m.
picrina s.f.
picrita s.f.
picrite s.f.
picrito s.m.
picroaconitina s.f.
picroalumogênio s.m.
picroamosita s.f.
picrobalotina s.f.
picrocarmim s.m.
picrócero s.m.
picrociamato s.m.
picrociâmico adj.
picrocolita s.f.
picrócolo adj.
picrocrocina s.f.
picrocrocínico adj.
picrocromita s.f.
picrocromítico adj.
picrodendrácea s.f.
picrodendráceo adj.
picroepídoto s.m.
picroeritrina s.f.
picrofarmacolita s.f.
picrofarmacolite s.f.
picrofarmacólito s.m.
picrofila s.f.
picrofílio s.m.
picrofilita s.f.
picrofilite s.f.
picrofilo s.m.
picrofluíta s.f.
picrofluíte s.f.
picroglício s.m.
picroilmenita s.f.
picrol s.m.
picrolema s.m.
picroliquenina s.f.
picrolita s.f.
picrolite s.f.
picrólito s.m.
picrolônico adj.
picromel s.m.
picromerita s.f.
picromerite s.f.
picromerito s.m.
picrômero s.m.
picronítrico adj.
picronitronaftalina s.f.
picropirina s.f.
picropluíta s.f.
picropluíte s.f.
picropodofilina s.f.
picrorriza s.f.
picrósia s.f.
picrosmina s.f.
picrospato s.m.
picrotanita s.f.
picrotanite s.f.
picrotefroíta s.f.
picrotefroíte s.f.
picrothomsonita s.f.
picrothomsonite s.f.
picrotina s.f.
picrotitanita s.f.
picrotitanite s.f.
picrotóxico (*cs*) adj.
picrotoxina (*cs*) s.f.
picrotoxinina (*cs*) s.f.
pictácio s.m.
pictavense adj. s.2g.
pictávico adj.
pictávio adj. s.m.
pictavo adj. s.m.
pictécia s.f.
píctico adj.
pictita s.f.
pictite s.f.
picto adj. s.m.
pictografia s.f.
pictográfico adj.
pictograma s.m.
pictograma-signo s.m.; pl. *pictogramas-signo* e *pictogramas-signos*
pictograma-sinal s.m.; pl. *pictogramas-sinal* e *pictogramas-sinais*
píctone adj. s.2g.
pictônico adj.
pictoresco (*ê*) adj.
pictorial adj.2g.
pictorialismo s.m.
pictorialista adj. s.2g.
pictorialístico adj.
pictoricidade s.f.
pictórico adj.
pictural adj.2g.
picturalismo s.m.
picturalista adj. s.2g.
picturalístico adj.
picu s.m.
picuá s.m.
picuaba s.f.
picuar v.
picuçaroba s.f.
picúculo s.m.
picudo adj. s.m. "que tem pico"; cf. *piçudo*
piçudo adj. "furioso"; cf. *picudo*
picuense adj. s.2g.
picueta (*ê*) s.f.
picuetada s.f.
picuí s.m.
picuí-açu s.m.; pl. *picuís-açus*
picuí-caboclo s.m.; pl. *picuís-caboclo* e *picuís-caboclos*
picuiçaroba s.m.
picuim adj. s.2g.
picuiense adj. s.2g.
picuinha s.f.
picuinhar v.
picuipeba s.2g.
picuipeom s.m.
picuipinima s.m.
picuipita s.m.
picuipiúma s.m.
picuíra adj. s.2g.
picuixirique s.m.
picul s.m.
picula s.f.
picum s.m.
picumã s.2g.
picumníneo adj. s.m.
picumno s.m.

pida s.f.
pidão adj. s.m.; f. *pidona*
pidginização s.f.
pidíbota adj. s.2g.
pidneia (*é*) adj. s.f. de *pidneu*
pidneu adj. s.m.; f. *pidneia* (*é*)
pidó s.m.
pidóbota adj. s.2g.
pidona adj. s.f. de *pidão*
pidonho adj. s.m.
piebaldismo s.m.
piedade s.f.
piedadense adj. s.2g.
piedense adj. s.2g.
piedoso (*ô*) adj.; f. (*ó*); pl. (*ó*)
piedra s.f.
piedrafita s.f.
piegas adj. s.2g.2n.
piego adj.
piegueiro adj.
pieguento adj.
pieguice s.f.
pieguismo s.m.
pieira s.f. "som produzido pela respiração difícil"; cf. *peeira*
pieiro s.m.
piela s.f.
pielectasia s.f.
piélico adj.
pielite s.f.
pielítico adj.
pielocistite s.f.
pielocistítico adj.
pielocistostomose s.f.
pielografar v.
pielografável adj.2g.
pielografia s.f.
pielográfico adj.
pielograma s.m.
pielolitomia s.f.
pielolitotomia s.f.
pielolitotômico adj.
pielonefrite s.f.
pielonefrítico adj.
pielonefrose s.f.
pielonefrótico adj.
pieloplastia s.f.
pieloplástico adj.
pieloplicação s.f.
pielostomia s.f.
pielostômico adj.
pielotomia s.f.
pielotômico adj.
pielotrombose s.f.
pielotrombótico adj.
pieloureteral adj.2g.
pielovesical adj.2g.
pielureteral adj.2g.
piêmese s.f.
piemético adj.
piemia s.f.
piêmico adj.
piemonte s.m.
piemontês adj. s.m.
piemôntico adj.
piemontita s.f.
piemontite s.f.
piemontítico adj.
pienense adj. s.2g.
piênquise s.f.
piense adj. s.2g.
pientíssimo adj. sup. de *pio*
piéquise s.f.
píer s.m.
píere adj. s.2g.
pierela s.f.
piérico adj.
piéride s.f.
pierídeo adj. s.m.
piério adj.
piéris s.f.2n.
píero adj. s.m.
pierrepontita s.f.
pierrô s.m.
pierrotesco (*ê*) adj.
pierrotino adj.
pierrotita s.f.
piese s.f.
piése s.f.
piesimétrico adj.
piesímetro s.m.
piesma s.m.
piesmídeo adj. s.m.
pietatense adj. s.2g.
pietismo s.m.
pietista adj. s.2g.
pietístico adj.
pieze s.m.
piezelectricidade s.f.
piezeléctrico adj.
piezelectrômetro s.m.
piezeletricidade s.f.
piezelétrico adj.
piezeletrômetro s.m.
piezo s.m.
piezocalibrador (*ô*) s.m.
piezócero s.m.
piezóclase s.f.
piezoclásio s.m.
piezocristalização s.f.
piezodielétrico adj.
piezodoro s.m.
piezoelectricidade s.f.
piezoeléctrico adj.
piezoelectrômetro s.m.
piezoeletricidade s.f.
piezoelétrico adj.
piezoeletrômetro s.m.
piezógrafo s.m.
piezoluminescência s.f.
piezoluminescente adj.2g.
piezomagnético adj.
piezomagnetismo s.m.
piezometria s.f.
piezométrico adj.
piezômetro s.m.
piezomicrofone s.m.
piezoquero s.m.
piezoquímica s.f.
piezoquímico adj.
piezorrinco s.m.
piezóscelis s.m.2n.
piezostático adj.
piezosteto s.m.
piezoterapia s.f.
piezoterápico adj.
piezotropismo s.m.
pifa s.2g.
pifado adj.
pífano s.m.
pifão s.m.
pifar v.
pífaro s.m.
pife s.m.
pife-pafe s.m.; pl. *pife-pafes*
piferaro s.m.
pífio adj.
pifonista adj. s.2g.
pigaça s.f.
pigaça-gigante s.f.; pl. *pigaças-gigantes*
pigafeta s.f.
pigal adj.2g.
pigalgia s.f.
pigálgico adj.
pigar v.
pigarça s.f.
pigarço adj. s.m.
pigareva s.f.
pigarga s.f.
pigargo s.m.
pigarra s.f.
pigarrar v.
pigarreador (*ô*) adj. s.m.
pigarreante adj.2g.
pigarrear v.
pigarreira s.f.
pigarrento adj.
pigárrico s.m.
pigarrinho s.m.
pigarro s.m.
pigarroso (*ô*) adj.; f. (*ó*); pl. (*ó*)
pígeo adj. s.m.
pigeonita s.f.
pigeonítico adj.
pigera s.f.
pigeu s.m.
pigídio s.m.
pigma s.f.
pigmacotamno s.m.
pigmalionismo s.m.
pigmeia (*é*) adj. s.f. de *pigmeu*
pigmeísmo s.m.
pigmena s.f.
pigmentação s.f.
pigmentado adj.
pigmentar v. adj.2g.
pigmentário adj. s.m.
pigmento s.m.
pigmentófago s.m.
pigmentogênico adj.
pigmentógeno adj.
pigmeodrilo s.m.
pigmeu adj. s.m.; f. *pigmeia* (*é*)
pigmístico adj.
pigmógrafo adj. s.m.
pigmoide (*ó*) adj.2g.
pignoratício adj.
pignorático adj.
pigoderma s.m.
pigodidimia s.f.
pigodidímico adj.
pigodídimo adj. s.m.
pigolâmpis s.m.2n.
pigomelia s.f.
pigomélico adj.
pigômelo s.m.
pigopagia s.f.
pigopágico adj.
pigópago adj. s.m.
pígopo s.m.
pigópode adj.2g. s.m.
pigopódida adj.2g. s.m.
pigopodídeo adj. s.m.
pigóptila s.f.
pigóptilo s.m.
pigóspio s.m.
pigostílio s.m.
pigostilo s.m.
pigotita s.f.
pigotite s.f.
pigotito s.m.
pigro adj.
piguá s.m.
piguancha s.f.
piguanchinha s.f.
pigulhal s.f.
piina s.m.
piíssimo adj. sup. de *pio*
pijama s.2g.
pijame s.m.
pijeiro s.m.
pijerecu s.m.
pijerecum s.m.
píjin s.m.
pijuca s.f.
pila s.2g. s.f. "indivíduo inútil", etc.; cf. *pilá*
pilá s.m. "pirão de farinha"; cf. *pila*
piláceo adj.
pilacrácea s.f.
pilacráceo adj.
pilacre s.f.
pilada s.f.
piladeira s.f.
piládia s.f.
pilado adj. s.m.
pilador (*ô*) adj. s.m.
piladura s.f.
pilafe s.m.
pilágora s.m.
pilaiela s.f.
pilaira s.f.
pilaisia s.f.
pilandrão s.m.
pilanga s.f.
pilangra s.f.
pilano s.m.
pilantra adj. s.2g.
pilantragem s.f.
pilão s.m.
pilão-arcadense adj. s.2g.; pl. *pilão-arcadenses*
pilão-de-fogo s.m.; pl. *pilões-de-fogo*
pilar v. s.m.
pilarense adj. s.2g.
pilarense-do-sul adj. s.2g.; pl. *pilarenses-do-sul*
pilarete (*ê*) s.m.
pilar-goiano adj. s.m.; pl. *pilar-goianos*
pilar-goiasense adj. s.2g.; pl. *pilar-goiasenses*
pilarita s.f.
pilarite s.f.
pilar-sulense adj. s.2g.; pl. *pilar-sulenses*
pilarte s.m.
pilastra s.f.
pilastrada s.f.
pilastrado adj.
pilastrão s.m.
pilastraria s.f.
pilastre s.m.
pilatos s.m.2n.
pilau s.m.
pilbarita s.f.
pilcha s.f.
pilchado adj.
pilchar v.
pilchardo s.m.
pilchudo adj.
pílcia s.f.
pildar v.
pildra s.f.
pildra-dourada s.f.; pl. *pildras-douradas*
pilé adj.2g. s.m.
pílea s.f.
pileado adj.
pileato s.m.
pileca s.f.
pilecado adj.
pileco adj. s.m.
pilecra s.f.
pileela s.f.
pileflebite s.f.
pileflebítico adj.
pilegra s.f.
pileiforme adj.2g.
pilense adj. s.2g.
pilenta s.f.
pilento s.m.
píleo s.m.
pileóforo s.m.
pileolado adj.
pileolária s.f.
piléolo s.m.
pileorriza s.f.
pileque s.m.
pilera s.f.
pilerector (*ô*) adj. s.m.
pileretor (*ô*) adj. s.m.
pilésia s.f.
pileta (*ê*) s.f.
piletromboflebite s.f.
piletromboflebítico adj.
piletrombose s.f.
piléu s.m.
pilha s.f.
pilhado adj.
pilhador (*ô*) adj. s.m.
pilha-galinhas s.m.2n.
pilhagem s.f.
pilhâncara s.f.
pilhanço s.m.
pilhancra s.f.
pilhancras s.2g.2n.
pilhanqueiro adj.
pilhante adj. s.2g.
pilha-pilha s.2g.; pl. *pilha-pilhas*
pilhar v.
pilha-ratos s.m.2n.
pilharengo adj. s.m.
pilharete (*ê*) s.m.
pilharia s.f.
pilhastre s.m.
pilha-três s.m.2n.
pilheira s.f.
pilheiro s.m.
pilhéria s.f.; cf. *pilheria*, fl. do v. *pilheriar*
pilheriado adj.
pilheriador (*ô*) adj. s.m.
pilheriar v.
pilheriático adj.
pilhérico adj.
pilheta (*ê*) s.f.
pilho s.m.
pilhona s.f.
pilhostre s.m.
pilhote s.m.
pília s.f.
pilídio s.m.
piliense adj. s.2g.
pilífero adj. s.m.
pilífico adj.
piliforme adj.2g.
pilígero adj.
pilijanina s.f.
pilim s.m.
pilimicção s.f.
pilina s.f.
pilinha s.f.
pilinita s.f.
pílio adj. s.m.
pilípede adj.2g.
pilita s.f.
pilite s.f.
pilma s.f.
pilo s.m. "espécie de dardo"; cf. *piló*
piló s.m. "anu branco", etc.; cf. *pilo*
piloada s.f.
pilobólea s.f.
pilóbolo s.m.
piloca s.f.
pilocarpácea s.f.
pilocarpáceo adj.
pilocarpada s.f.
pilocarpeno s.m.
pilocarpidina s.f.
pilocarpina s.f.
pilocarpínea s.f.
pilocarpo s.m.
pilocereína s.f.
pilocéreo s.m.
pilocístico adj.
pilócrocis s.m.2n.
pilocrota s.f.
pilodermia s.f.
pilodérmico adj.
piloerector (*ô*) adj. s.m.
piloeretor (*ô*) adj. s.m.
piloflebectasia s.f.
piloflebectásico adj.
piloflebite s.f.
piloflebítico adj.
pilóforo s.m.
piloia (*ó*) s.f.
piloira s.f.
piloirada s.f.
piloiro s.m.
piloiro de linha s.m.
piloliomioma s.m.
pilolita s.f.
pilolite s.f.
piloma s.m.
pilomatricoma s.m.
pilombeta (*ê*) s.2g.
pilometor (*ô*) s.m.
pilometria s.f.
pilométrico adj.
pilômetro s.m.
pilomotor (*ô*) adj.; f. *pilomotriz*
pilomotriz adj. f. de *pilomotor* (*ô*)
pilonagem s.f.
pilone s.m.
pilonense adj. s.2g.
pilonge s.m.
pilongo s.m.
pilonidal adj.2g.
pilono s.m.
piloqueles s.m.2n.
pilorada s.f. "bordoada"; cf. *pelourada* e *pilourada*
pilorda adj. s.2g.
pilorectomia s.f.
pilorectômico adj.
piloria s.f.
pilórico adj.
pilorismo s.m.
piloro s.m.
pilorocólico adj.
pilorodiose s.f.
pilorogastrectomia s.f.
pilorogastrectômico adj.

piloromiotomia s.f.
piloromiotômico adj.
piloroplastia s.f.
piloroplástico adj.
pilorospásmico adj.
pilorospasmo s.m.
pilorostenose s.f.
pilorostenótico adj.
pilorotomia s.f.
pilorotômico adj.
pilorriza s.f.
pilose s.f.
pilosela s.f.
pilosela-alaranjada s.f.; pl. *piloselas-alaranjadas*
pilosela-das-boticas s.f.; pl. *piloselas-das-boticas*
pilosela-dos-muros s.f.; pl. *piloselas-dos-muros*
pilosidade s.f.
pilosina s.f.
pilosismo s.m.
pilosiúsculo adj.
piloso (*ô*) adj.; f. (*ó*); pl. (*ó*)
pilossebáceo adj.
pilostile s.f.
pilota s.f.
pilotáctico adj.
pilotado adj. s.m.
pilotagem s.f.
pilotar v.
pilotável adj.2g.
pilotaxe (*cs*) s.f.
pilotáxico (*cs*) adj.
pilotaxítico (*cs*) adj.
pilotear v.
piloteiro s.m.
piloti s.m.
piloto (*ô*) s.m.; cf. *piloto*, fl. do v. *pilotar*
piloto-branco s.m.; pl. *pilotos-brancos*
piloto-mor s.m.; pl. *pilotos-mores*
piloto-pardo s.m.; pl. *pilotos-pardos*
pilotricácea s.f.
pilótrico s.m.
pilotriquela s.f.
piloucro s.m.
piloura s.f.
pilourada s.f. "ação de louco"; cf. *pelourada* e *pilorada*
pilouro s.m.
pilouro-de-linha s.m.; pl. *pilouros-de-linha*
pilra s.f.
pilrão s.m.
pilreta (*ê*) s.f.
pilrete (*ê*) s.m.
pilriteiro s.m.
pilriteiro-negro s.m.; pl. *pilriteiros-negros*
pilrito s.m.
pilsenita s.f.
pilsenite s.f.
pílula s.f.
pilulador (*ô*) s.m.
pilular v. adj.2g.
pilulária s.f.
pílulas interj.
piluleiro s.m.
pilulina s.m.
pilumna s.f.
pilumno s.m.
pilungada s.f.
pilungo s.m.
pima adj. s.2g.
pi-mais s.m.; pl. *pis-mais*
pimantreno s.m.
pimarabiético adj.
pimarato s.m.
pimárico adj.
pimba s.f. interj.
pimbar v.
pimbe adj. s.2g.
piméfales s.m.2n.
pimelato s.m.
pimelepteríneo s.m.
pimélia s.f.
pimélia-escabrosa s.f.; pl. *pimélias-escabrosas*
pimélico adj.
pimeliíneo adj. s.m.
pimelíneo adj. s.m.
pimelita s.f.
pimelite s.f.
pimelítico adj.
pimelito s.m.
pimelodídeo adj. s.m.
pimelodíneo adj. s.m.
pimelodo s.m.
pimeloma s.m.
pimelóptero s.m.
pimelorreia (*é*) s.f.
pimelorreico (*é*) adj.
pimelose s.f.
pimelósico adj.
pimelótico adj.
pimeluria s.f.
pimelúria s.f.
pimelúrico adj.
pi-menos s.m.; pl. *pis-menos*
pimenta s.f.
pimenta-albarrã s.f.; pl. *pimentas-albarrã* e *pimentas-albarrãs*
pimenta-apuã s.f.; pl. *pimentas-apuã* e *pimentas-apuãs*
pimenta-branca s.f.; pl. *pimentas-brancas*
pimenta-buenense adj. s.2g.; pl. *pimenta-buenenses*
pimenta-cereja s.f.; pl. *pimentas-cereja* e *pimentas-cerejas*
pimenta-chifre-de-veado s.f.; pl. *pimentas-chifre-de-veado* e *pimentas-chifres-de-veado*
pimenta-coroada s.f.; pl. *pimentas-coroadas*
pimenta-cumari s.f.; pl. *pimentas-cumari* e *pimentas-cumaris*
pimenta-cumarim s.f.; pl. *pimentas-cumarim* e *pimentas-cumarins*
pimenta-d'água s.f.; pl. *pimentas-d'água*
pimenta-da-água s.f.; pl. *pimentas-da-água*
pimenta-da-américa s.f.; pl. *pimentas-da-américa*
pimenta-da-costa s.f.; pl. *pimentas-da-costa*
pimenta-da-índia s.f.; pl. *pimentas-da-índia*
pimenta-da-guiné s.f.; pl. *pimentas-da-guiné*
pimenta-da-jamaica s.f.; pl. *pimentas-da-jamaica*
pimenta-da-lagoa s.f.; pl. *pimentas-da-lagoa*
pimenta-das-abelhas s.f.; pl. *pimentas-das-abelhas*
pimenta-das-paredes s.f.; pl. *pimentas-das-paredes*
pimenta-da-terra s.f.; pl. *pimentas-da-terra*
pimenta-de-água s.f.; pl. *pimentas-de-água*
pimenta-de-bugre s.f.; pl. *pimentas-de-bugre*
pimenta-de-buta s.f.; pl. *pimentas-de-buta*
pimenta-de-caiena s.f.; pl. *pimentas-de-caiena*
pimenta-de-cheiro s.f.; pl. *pimentas-de-cheiro*
pimenta-de-coroa s.f.; pl. *pimentas-de-coroa*
pimenta-de-folha-larga s.f.; pl. *pimentas-de-folha-larga*
pimenta-de-fruto-ganchoso s.f.; pl. *pimentas-de-fruto-ganchoso*
pimenta-de-galinha s.f.; pl. *pimentas-de-galinha*
pimenta-de-gentio s.f.; pl. *pimentas-de-gentio*
pimenta-de-macaco s.f.; pl. *pimentas-de-macaco*
pimenta-de-queimar s.f.; pl. *pimentas-de-queimar*
pimenta-de-rabo s.f.; pl. *pimentas-de-rabo*
pimenta-de-rato s.f.; pl. *pimentas-de-rato*
pimenta-de-são-tomé s.f.; pl. *pimentas-de-são-tomé*
pimenta-doce s.f.; pl. *pimentas-doces*
pimenta-do-congo s.f.; pl. *pimentas-do-congo*
pimenta-do-diabo s.f.; pl. *pimentas-do-diabo*
pimenta-do-japão s.f.; pl. *pimentas-do-japão*
pimenta-do-mato s.f.; pl. *pimentas-do-mato*
pimenta-do-méxico s.f.; pl. *pimentas-do-méxico*
pimenta-do-pará s.f.; pl. *pimentas-do-pará*
pimenta-do-reino s.f.; pl. *pimentas-do-reino*
pimenta-do-sertão s.f.; pl. *pimentas-do-sertão*
pimenta-dos-índios s.f.; pl. *pimentas-dos-índios*
pimenta-dos-mouros s.f.; pl. *pimentas-dos-mouros*
pimenta-dos-negros s.f.; pl. *pimentas-dos-negros*
pimental s.m.
pimenta-lambari s.f.; pl. *pimentas-lambari* e *pimentas-lambaris*
pimenta-longa s.f.; pl. *pimentas-longas*
pimenta-malagueta s.f.; pl. *pimentas-malagueta* e *pimentas-malaguetas*
pimenta-negra s.f.; pl. *pimentas-negras*
pimenta-negra-da-áfrica-ocidental s.f.; pl. *pimentas-negras-da-áfrica-ocidental*
pimentão s.m.
pimentão-bastardo s.m.; pl. *pimentões-bastardos*
pimentão-catalão s.m.; pl. *pimentões-catalães*
pimentão-comprido s.m.; pl. *pimentões-compridos*
pimentão-de-caiena s.m.; pl. *pimentões-de-caiena*
pimentão-de-cheiro s.m.; pl. *pimentões-de-cheiro*
pimentão-doce s.m.; pl. *pimentões-doces*
pimentão-do-sertão s.m.; pl. *pimentões-do-sertão*
pimentão-longal s.m.; pl. *pimentões-longais*
pimentão-maçã s.m.; pl. *pimentões-maçã* e *pimentões-maçãs*
pimenta-pintada s.f.; pl. *pimentas-pintadas*
pimenta-pitanga s.f.; pl. *pimentas-pitanga* e *pimentas-pitangas*
pimenta-preta s.f.; pl. *pimentas-pretas*
pimenta-redonda s.f.; pl. *pimentas-redondas*
pimenta-sino s.f.; pl. *pimentas-sino* e *pimentas-sinos*
pimenta-verde s.f.; pl. *pimentas-verdes*
pimenta-vulgar s.f.; pl. *pimentas-vulgares*
pimenteira adj. s.2g. s.f.
pimenteira-bastarda s.f.; pl. *pimenteiras-bastardas*
pimenteira-da-américa s.f.; pl. *pimenteiras-da-américa*
pimenteira-da-terra s.f.; pl. *pimenteiras-da-terra*
pimenteira-do-peru s.f.; pl. *pimenteiras-do-peru*
pimenteira-do-sertão s.f.; pl. *pimenteiras-do-sertão*
pimenteiralense adj. s.2g.
pimenteira-silvestre s.f.; pl. *pimenteiras-silvestres*
pimenteirense adj. s.2g.
pimenteiro adj. s.m.
pimenteiro-silvestre s.m.; pl. *pimenteiros-silvestres*
pimentelense adj. s.2g.
pimentense adj. s.2g.
pimentinha s.f.
pimento s.m.
pimpaião adj. s.m.
pimpalhão adj. s.m.; f. *pimpalhona*
pimpalhão-da-índia s.m.; pl. *pimpalhões-da-índia*
pimpalho s.m.
pimpalhona adj. s.f. de *pimpalhão*
pimpampum s.m.
pimpante adj. s.2g.
pimpão adj. s.m.; f. *pimpona*
pimpar v.
pimpilim s.m.
pimpim s.m.
pimpinela s.f.
pimpinela-da-itália s.f.; pl. *pimpinelas-da-itália*
pimpinela-menor s.f.; pl. *pimpinelas-menores*
pimpinélea s.f.
pimpinéleo adj.
pimpla s.f.
pimplar v.
pímpleo adj.
pimpleu s.m.
pimplíneo adj. s.m.
pimpol s.m.
pimpolhado adj.
pimpolhar v.
pimpolho (*ô*) s.m.; cf. *pimpolho*, fl. do v. *pimpolhar*
pimpolo (*ô*) s.m.
pimpona adj. s.f. de *pimpão*
pimponaço adj. s.m.
pimponar v.
pimponeante adj.2g.
pimponear v.
pimponente adj.2g.
pimponete (*ê*) s.m.
pimponice s.f.
pimpulhão s.m.
pina s.f. "pavilhão da orelha"; cf. *piná*
piná s.f. "açaí"; cf. *pina*
pinaca s.f. "resíduo ou bagaço de coco"; cf. *pinaça*
pinaça s.f. "antiga embarcação"; cf. *pinaca*
pinácea s.f. "espécie de plantas"; cf. *pinácia*
pináceo adj. "relativo às pináceas"; cf. *penáceo*
pinácia s.f. "pinaça"; cf. *pinácea*
pinacianol s.m.
pinacióforo s.f.
pinaciólito s.m.
pinacobdela s.f.
pinacoceratídeo adj. s.m.
pinacócero s.m.
pinacocístis s.f.2n.
pinacócito s.m.
pinacoidal adj.2g.
pinacoide (*ó*) adj. s.2g.
pinacol s.m.
pinacólico adj.
pinacolina s.f.
pinacolínico adj.
pinacologia s.f.
pinacológico adj.
pinacolona s.f.
pinacona s.f.
pinacopola s.2g.
pinacoscopia s.f.
pinacoscópico adj.
pinacoscópio s.m.
pinacoteca s.f.
pinacriptol s.m.
pinacromia s.f.
pináculo s.m.
pinada s.f.
pinadela s.f.
pinado adj.
pinador (*ô*) s.m.
pinafres s.m.pl.
pinagem s.f.
pinalado adj.
pinalha s.f.
pinalho s.m.
pinama s.f.
pinambaba s.f.
pinano s.m.
pinante adj.2g. s.m.
pinaquiolita s.f.
pinar v.
pinárdia s.f.
pinaré s.f.
pinareense adj. s.2g.
pinárico adj.
pinarita adj. s.2g.
pinarocicla s.f.
pinarolestes s.m.2n.
pinasco s.m.
pinásio s.m.
pináspide s.f.
pináspis s.f.2n.
pinatidentado adj.
pinatífido adj.
pinatilobado adj.
pinatinérveo adj.
pinatipartido adj.
pinatipia s.f.
pinatípico adj.
pinatissecto adj.
pinaúma s.f.
pinaverdol s.m.
pinaxame s.m.
pinaz s.m.
pinázio s.m.
pinça s.f.
pinçado adj.
pinçador (*ô*) adj.
pinçagem s.f.
pinçamento s.m.
pinçante adj.2g.
pinção s.m.
pinçar v.
pincarilho s.m.
pincarito s.m.
píncaro s.m.
pincel s.m.
pincelada s.f.
pinceladela s.f.
pincelado adj.
pincelagem s.f.
pincelamento s.m.
pincelar v.
pincel-de-estudante s.m.; pl. *pincéis-de-estudante*
pincel-de-macaco s.m.; pl. *pincéis-de-macaco*
pinceleiro s.m.
pincelista adj. s.2g.
pincenê s.m.
pincense adj. s.2g.
pinceta (*ê*) s.f.
pincha s.f.
pincha-cisco s.m.; pl. *pincha-ciscos*
pinchado adj.
pincha no crivo adj.2g. s.m.2n.
pinchante adj. s.2g.
pinchão s.m.
pinchar v.
pincharolar v.
pinche s.m.
pinchebeque s.m.
pincho s.m.
pincorro (*ô*) s.m.
pinçote s.m.
pincre adj.2g.
pinda s.f. "falta de dinheiro"; cf. *pindá*
pindá s.m. "ouriço-do-mar"; cf. *pinda*
pindabuna s.f.
pindabuna-preta s.f.; pl. *pindabunas-pretas*

pindabuna-verde s.f.; pl. *pindabunas-verdes*
pindacuema s.f.
pindaíba s.f.
pindaíba-branca s.f.; pl. *pindaíbas-brancas*
pindaíba-d'água s.f.; pl. *pindaíbas-d'água*
pindaíba-de-folha-grande s.f.; pl. *pindaíbas-de-folha-grande*
pindaíba-de-folha-pequena s.f.; pl. *pindaíbas-de-folha-pequena*
pindaíba-do-brejo s.f.; pl. *pindaíbas-do-brejo*
pindaibal s.m.
pindaíba-preta s.f.; pl. *pindaíbas-pretas*
pindaíba-vermelha s.f.; pl. *pindaíbas-vermelhas*
pindaibense adj. s.2g.
pindaibuna s.f.
pindaiense adj. s.2g.
pindaí-miriense adj. s.2g.; pl. *pindaí-mirienses*
pindaí-mirinense adj. s.2g.; pl. *pindaí-mirinenses*
pindaíva s.f.
pindaivense adj. s.2g.
pindamonhangabense adj. s.2g.
pindapoia (*ó*) s.f.
pindá-preto s.m.; pl. *pindás-pretos*
pindareense adj. s.2g.
pindaré-miriense adj. s.2g.; pl. *pindaré-mirienses*
pindaré-mirinense adj. s.2g.; pl. *pindaré-mirinenses*
pindari s.m.
pindárico adj.
pindarismo s.m.
pindarista adj. s.2g.
pindarístico adj.
pindarizador (*ô*) adj. s.m.
pindarizar v.
pindá-siririca s.f.; pl. *pindás-siririca* e *pindás-siriricas*
pindauaca s.f.
pindaúba s.f.
pindaubuna s.f.
pindaúva s.f.
pindauvuna s.f.
pindavuna s.f.
pindenissa adj. s.2g.
pindense adj. s.2g.
pindérico adj.
pinderiquismo s.m.
pindi s.m.
píndico adj.
pindó s.m.
pindoba s.f.
pindobaçuense adj. s.2g.
pindoba-do-sul s.f.; pl. *pindobas-do-sul*
pindobal s.m.
pindobalense adj. s.2g.
pindobeira s.f.
pindobense adj. s.2g.
pindobinha s.f.
pindocar v.
pindoguabense adj. s.2g.
pindonga s.f.
pindongar v.
pindopeua s.f.
pindorama s.m.
pindoramense adj. s.2g.
pindoretamense adj. s.2g.
pindorna s.f.
pindorva s.f.
pindotibense adj. s.2g.
pindova s.f.
pindoval s.m.
pindovalense adj. s.2g.
pindra s.f.
pindrar v.
pinduíba s.f.
piné s.m.
pineal adj.2g.
pinealoblastoma s.m.
pinealoma s.m.
pineira s.f.
pinel adj. s.2g.
pinélea s.f. "orquidácea"; cf. *pinélia*
pinélia s.f. "arácea"; cf. *pinélea*
pineno s.m.
pinense adj. s.2g.
píneo adj. "relativo ao pinheiro"; cf. *pinéu*
pinéria s.f.
pinéu s.m. "pássaro"; cf. *píneo*
pinga adj. s.2g. s.f.
pinga-amor adj. s.2g.; pl. *pinga-amores*
pinga-azeite adj. s.2g.; pl. *pinga-azeites*
pingaço adj. s.m.
pingada s.f.
pingadeira s.f.
pingadela s.f.
pingado adj. s.m.
pingadoiro s.m.
pingador (*ô*) adj.
pingadorense adj. s.2g.
pingadouro s.m.
pinga-fogo adj. s.2g. s.m.; pl. *pinga-fogos*
pingaleiro s.m.
pingalete (*ê*) s.m.
pingalhada s.f.
pingalhado adj.
pingalhar v.
pingalhareta (*ê*) s.f.
pingalheira s.f.
pingalhete (*ê*) s.m.
pingalho s.m.
pingalhote s.m.
pingalim s.m.
pinganel s.m.
pinganelo s.m.
pingante adj. s.2g.
pingão adj. s.m.; f. *pingona*
pinga-pinga adj.2g. s.m.; pl. *pinga-pingas* e *pingas-pingas*
pingar v.
pingarelho (*ê*) s.m.
pingateca s.f.
pingato s.m.
pingemoiro s.m.
pingemouro s.m.
pingentado adj.
pingentar v.
pingente s.m.
pingo s.m.
pingo-d'água s.m.; pl. *pingos-d'água*
pingo-de-lacre s.m.; pl. *pingos-de-lacre*
pingo de mel s.m.
pingoé s.m.
pingola s.2g.
pingolada s.f.
pingoladela s.f.
pingolar v.
pingolas s.2g.2n.
pingoleta (*ê*) s.f.
pingona adj. s.f. de *pingão*
pingonheiro adj. s.m.
pingo-pingo s.m.; pl. *pingo-pingos*
pingorça s.2g.
pingosidade s.f.
pingoso (*ô*) adj.; f. (*ó*); pl. (*ó*)
pingota s.2g.
pingotear v.
pinguaciba s.f.
pinguço adj. s.m.
pingue adj.2g. s.m.
pinguécula s.f.
pingueiro adj. s.m.
pinguel s.m.
pinguela s.f.
pinguelear v.
pinguelete (*ê*) s.m.
pinguelim s.m.
pinguelo s.m.
pinguepedíneo adj. s.m.
pingue-pongue s.m.; pl. *pingue-pongues*
pinguiça s.f.
pinguicho s.m.
pinguiço s.m.
pinguícola adj.2g. "que vive na gordura"; cf. *pinguícula*
pinguícula s.m. "gênero de plantas"; cf. *pinguícola*
pinguifólio adj.
pinguim (*ü*) s.m.
pinguim-real (*ü*) s.m.; pl. *pinguins-reais* (*ü*)
pinguinhas s.2g.2n.
pinguinho s.m.
pinguípede s.m.
pinguipedídeo adj. s.m.
pínguipes s.m.2n.
pinguita s.f.
pinguite s.f.
pingúrria s.f.
pingúrrio adj. s.m.
pinguruto s.m.
pinha s.f.
pinha-ata s.f.; pl. *pinhas-ata* e *pinhas-atas*
pinha-da-baía s.f.; pl. *pinhas-da-baía*
pinha-de-raiz s.f.; pl. *pinhas-de-raiz*
pinha-do-brejo s.f.; pl. *pinhas-do-brejo*
pinha-do-penedo s.f.; pl. *pinhas-do-penedo*
pinhal s.m.
pinhal-altense adj. s.2g.; pl. *pinhal-altenses*
pinhalense adj. s.2g.
pinhal-grandense adj. s.2g.; pl. *pinhal-grandenses*
pinhalitense adj. s.2g.
pinhalonense adj. s.2g.
pinhal-pretano adj. s.m.; pl. *pinhal-pretanos*
pinhal-pretense adj. s.2g.; pl. *pinhal-pretenses*
pinhal-ralense adj. s.2g.; pl. *pinhal-ralenses*
pinhal-serrense adj. s.2g. *pinhal-serrenses*
pinhalzinhense adj. s.2g.
pinha-marinha s.f.; pl. *pinhas-marinhas*
pinhão adj.2g.2n. s.m.
pinhão-bravo s.m.; pl. *pinhões-bravos*
pinhão-da-baía s.m.; pl. *pinhões-da-baía*
pinhão-de-cerca s.m.; pl. *pinhões-de-cerca*
pinhão-de-madagascar s.m.; pl. *pinhões-de-madagascar*
pinhão-de-purga s.m.; pl. *pinhões-de-purga*
pinhão-do-brasil s.m.; pl. *pinhões-do-brasil*
pinhão-do-brejo s.m.; pl. *pinhões-do-brejo*
pinhão-do-mato s.m.; pl. *pinhões-do-mato*
pinhão-do-paraguai s.m.; pl. *pinhões-do-paraguai*
pinhão-dos-barbados s.m.; pl. *pinhões-dos-barbados*
pinhão-manso s.m.; pl. *pinhões-mansos*
pinhão-paraguai s.m.; pl. *pinhões-paraguai*
pinhão-paraguaio s.m.; pl. *pinhões-paraguaios*
pinhãoense adj. s.2g.
pinhão-roxo s.m.; pl. *pinhões-roxos*
pinhãozense adj. s.2g.
pinhãozinhense adj. s.2g.
pinha-queimadeira s.f.; pl. *pinhas-queimadeiras*
pinhar-se v.
pinhé s.m.
pinheim s.m.
pinheira s.f.
pinheirada s.f.
pinheiral s.m.
pinheiralense adj. s.2g.
pinheirame s.m.
pinheirense adj. s.2g.
pinheirinha s.f.
pinheirinhense adj. s.2g.
pinheirinho adj. s.m.
pinheirinho-bravo s.m.; pl. *pinheirinhos-bravos*
pinheirinho-d'água s.m.; pl. *pinheirinhos-d'água*
pinheirinho-de-jardim s.m.; pl. *pinheirinhos-de-jardim*
pinheirinho-de-sala s.m.; pl. *pinheirinhos-de-sala*
pinheirinho-do-campo s.m.; pl. *pinheirinhos-do-campo*
pinheirinho-do-jardim s.m.; pl. *pinheirinhos-do-jardim*
pinheirismo s.m.
pinheirista adj. s.2g.
pinheiro adj. s.m.
pinheiro-aiacauite s.m.; pl. *pinheiros-aiacauite* e *pinheiros-aiacauites*
pinheiro-baboso s.m.; pl. *pinheiros-babosos*
pinheiro-branco s.m.; pl. *pinheiros-brancos*
pinheiro-branco-do-canadá s.m.; pl. *pinheiros-brancos-do-canadá*
pinheiro-brasileiro s.m.; pl. *pinheiros-brasileiros*
pinheiro-bravo s.m.; pl. *pinheiros-bravos*
pinheiro-calvo s.m.; pl. *pinheiros-calvos*
pinheiro-casquinha s.m.; pl. *pinheiros-casquinha* e *pinheiros-casquinhas*
pinheiro-chorão s.m.; pl. *pinheiros-chorões*
pinheiro-chorão-do-himalaia s.m.; pl. *pinheiros-chorões-do-himalaia*
pinheiro-comum s.m.; pl. *pinheiros-comuns*
pinheiro-da-austrália s.m.; pl. *pinheiros-da-austrália*
pinheiro-da-áustria s.m.; pl. *pinheiros-da-áustria*
pinheiro-da-escócia s.m.; pl. *pinheiros-da-escócia*
pinheiro-da-noruega s.m.; pl. *pinheiros-da-noruega*
pinheiro-da-rússia s.m.; pl. *pinheiros-da-rússia*
pinheiro-das-canárias s.m.; pl. *pinheiros-das-canárias*
pinheiro-das-landes s.m.; pl. *pinheiros-das-landes*
pinheiro-da-terra s.m.; pl. *pinheiros-da-terra*
pinheiro-de-alepo s.m.; pl. *pinheiros-de-alepo*
pinheiro-de-boston s.m.; pl. *pinheiros-de-boston*
pinheiro-de-casquinha s.m.; pl. *pinheiros-de-casquinha*
pinheiro-de-jerusalém s.m.; pl. *pinheiros-de-jerusalém*
pinheiro-de-norfolk s.m.; pl. *pinheiros-de-norfolk*
pinheiro-de-lord-weimouth s.m.; pl. *pinheiros-de-lord-weimouth*
pinheiro-de-monterrey s.m.; pl. *pinheiros-de-monterrey*
pinheiro-de-purga s.m.; pl. *pinheiros-de-purga*
pinheiro-de-riga s.m.; pl. *pinheiros-de-riga*
pinheiro-de-são-paulo s.m.; pl. *pinheiros-de-são-paulo*
pinheiro-de-são-tomé s.m.; pl. *pinheiros-de-são-tomé*
pinheiro-do-bispo s.m.; pl. *pinheiros-do-bispo*
pinheiro-do-brasil s.m.; pl. *pinheiros-do-brasil*
pinheiro-do-brejo s.m.; pl. *pinheiros-do-brejo*
pinheiro-do-canadá s.m.; pl. *pinheiros-do-canadá*
pinheiro-do-lorde s.m.; pl. *pinheiros-do-lorde*
pinheiro-do-méxico s.m.; pl. *pinheiros-do-méxico*
pinheiro-do-norte s.m.; pl. *pinheiros-do-norte*
pinheiro-do-paraná s.m.; pl. *pinheiros-do-paraná*
pinheiro-europeu s.m.; pl. *pinheiros-europeus*
pinheiro-francês s.m.; pl. *pinheiros-franceses*
pinheiro-insigne s.m.; pl. *pinheiros-insignes*
pinheiro-larício s.m.; pl. *pinheiros-larício* e *pinheiros-larícios*
pinheiro-machadense adj. s.2g.; pl. *pinheiro-machadenses*
pinheiro-machado s.m.; pl. *pinheiros-machados*
pinheiro-manso s.m.; pl. *pinheiros-mansos*
pinheiro-marcadense adj. s.2g.; pl. *pinheiro-marcadenses*
pinheiro-marítimo s.m.; pl. *pinheiros-marítimos*
pinheiro-molar s.m.; pl. *pinheiros-molares*
pinheiro-montanhês s.m.; pl. *pinheiros-montanheses*
pinheiro-nacional s.m.; pl. *pinheiros-nacionais*
pinheiro-negro s.m.; pl. *pinheiros-negros*
pinheiro-pretano adj. s.m.; pl. *pinheiro-pretanos*
pinheiro-pretense adj. s.2g.; pl. *pinheiro-pretenses*
pinheiro-silvestre s.m.; pl. *pinheiros-silvestres*
pinheiro-vermelho-da-nova-zelândia s.m.; pl. *pinheiros-vermelhos-da-nova-zelândia*
pinheiro-vermelho-do-báltico s.m.; pl. *pinheiros-vermelhos-do-báltico*
pinhel s.m.
pinhelense adj. s.2g.
pinhém s.m.
pinhiforme adj.2g.
pinho s.m.
pinhoã s.m.
pinhoada s.f.
pinhoão s.m.
pinho-branco s.m.; pl. *pinhos-brancos*
pinho-brasileiro s.m.; pl. *pinhos-brasileiros*
pinho-bravo s.m.; pl. *pinhos-bravos*
pinhoca s.f.
pinho-cuiabano s.m.; pl. *pinhos-cuiabanos*
pinho-de-flandres s.m.; pl. *pinhos-de-flandres*
pinho-de-riga s.m.; pl. *pinhos-de-riga*
pinho-do-brejo s.m.; pl. *pinhos-do-brejo*
pinho-do-paraná s.m.; pl. *pinhos-do-paraná*
pinhoeira s.f.
pinhoela s.f.
pinhões-de-ratos s.m.pl.
pinhola s.f.
pinhonense adj. s.2g.
pinhota s.f.
pinhotibense adj. s.2g.
pinhum s.m.
pinicada s.f. "beliscadela"; cf. *penicada*
pinicadela s.f.
pinicão s.m. "beliscão"; cf. *penicão*
pinica-pau s.m.; pl. *pinica-paus*

pinicar v. "beliscar"; cf. *penicar*
pinico s.m. "ponta aguda"; cf. *penico* s.m. e *pinico*, fl. do v. *pinicar*
pínico adj. "relativo ao pinheiro"; cf. *pinico* s.m. e fl. v. *pinicar*
pinícola adj.2g.
pinicorretina s.f.
pinicortânico adj.
pinicultor (*ô*) s.m.
pinicultura s.f.
pinicultural adj.2g.
pinicura s.f.
pinífero adj. "que produz pinheiros"; cf. *penífero*
piniforme adj. s.2g. "que tem forma de pinha"; cf. *peniforme*
pinígero adj. "que produz pinheiros"; cf. *penígero*
pinilho s.m.
pinima adj.2g. s.f.
pinimba s.f.
pinimbar v.
pinimbento adj.
pinina s.f.
pinípede adj.2g. s.m.
pinipicrina s.f.
pinita s.f.
pinitânico adj.
pinite s.f.
pinitoide (*ó*) s.m.
pinitol s.m.
pino s.m. "zênite", etc.; cf. *pinô*
pinô s.m. "espécie de palmeira"; cf. *pino*
pinoca adj. s.2g.
pinocanfeol s.m.
pinocanfona s.f.
pinocarveol s.m.
pinocarvona s.f.
pinocitose s.f.
pinocitótico adj.
pinoco (*ô*) s.m.
pinóctopo s.m.
pinoctópode s.m.
pinofilino adj. s.m.
pinófilo s.m.
pinoguaçu s.m.
pinoia (*ó*) adj. s.2g. s.f.
pinoiada s.f.
pinoide (*ó*) adj.2g.
pinóidea s.f.
pinoilfórmico adj.
pinoio (*ô*) s.m.
pinoíta s.f.
pinol s.m.
pinólico adj.
pinolina s.f.
pinolita s.f.
pinolite s.f.
pinolona s.f.
pinônico adj.
pinonônico adj.
pino-osso s.m.; pl. *pinos-osso* e *pinos-ossos*
pinotar v.
pinote s.m.
pinoteado adj.
pinoteador (*ô*) adj. s.m.
pinotear v.
pinotere s.m.
pinoteres s.m.2n.
pinotérida adj.2g. s.m.
pinoterídeo adj. s.m.
pinotero s.m.
pinque s.m.
pinta s.f.
pinta-brava s.2g.; pl. *pintas-bravas*
pinta-caldeira s.f.; pl. *pintas-caldeira* e *pintas-caldeiras*
pinta-cardeira s.f.; pl. *pintas-cardeira* e *pintas-cardeiras*
pinta-cardim s.2g.; pl. *pintas-cardim* e *pintas-cardins*
pinta-cega s.2g. s.f.; pl. *pintas-cegas*
pinta-cinzenta s.f.; pl. *pintas-cinzentas*
pinta-cuia adj. s.m.; pl. *pintas-cuia* e *pintas-cuias*
pinta-d'água s.f.; pl. *pintas-d'água*
pintada s.f.
pinta-da-erva s.f.; pl. *pintas-da-erva*
pintadeira s.f.
pintadela s.f.
pintadense adj. s.2g.
pintadina s.f.
pintadinha s.f.
pintadinho s.m.
pintado adj. s.m.
pintadoita s.f.
pintador (*ô*) s.m.
pinta-ferreiro s.m.; pl. *pintas-ferreiro* e *pintas-ferreiros*
pintafusquinho adj. s.m.
pintagoide (*ó*) s.m.
pintagol s.m.
pintagola s.f.
pintainha s.f.
pintainhada s.f.
pintainhar v.
pintainho s.m.
pintalado adj.
pintalar v.
pintalegrado adj.
pintalegre s.m.
pintalegreiro adj.
pintalegrete (*ê*) adj. s.m.
pintalegrismo s.m.
pintalgado adj.
pintalgar v.
pintalha s.f.
pintalhão s.m.
pintalhão-da-índia s.m.; pl. *pintalhões-da-índia*
pintalhar v.
pintalrar v.
pinta-macacos s.m.2n.
pinta-monos s.2g.2n.
pintane s.m.
pinta-no-cabo s.f.; pl. *pintas-no-cabo*
pinta-no-rabo s.m.; pl. *pintas-no-rabo*
pintão adj. s.m.
pintar v.
pintarada s.f.
pinta-ratos s.2g.2n.
pintarolar v.
pintarroixa s.f.
pintarroixo s.m.
pintarroxa (*ô*) s.f.
pintarroxo (*ô*) s.m.
pintassilbo s.m.
pintassilga s.f.
pintassilgo s.m.
pintassilgo-da-mata s.m.; pl. *pintassilgos-da-mata*
pintassilgo-da-mata-virgem s.m.; pl. *pintassilgos-da-mata-virgem*
pintassilgo-da-terra s.m.; pl. *pintassilgos-da-terra*
pintassilgo-da-venezuela s.m.; pl. *pintassilgos-da-venezuela*
pintassilgo-da-virgínia s.m.; pl. *pintassilgos-da-virgínia*
pintassilgo-derrabado s.m.; pl. *pintassilgos-derrabados*
pintassilgo-do-brejo s.m.; pl. *pintassilgos-do-brejo*
pintassilgo-do-campo s.m.; pl. *pintassilgos-do-campo*
pintassilgo-do-nordeste s.m.; pl. *pintassilgos-do-nordeste*
pintassilgo-do-reino s.m.; pl. *pintassilgos-do-reino*
pintassilgo-europeu s.m.; pl. *pintassilgos-europeus*
pintassilgo-mineiro s.m.; pl. *pintassilgos-mineiros*
pintassilgo-preto s.m.; pl. *pintassilgos-pretos*
pintassilgo-verde s.m.; pl. *pintassilgos-verdes*
pintassilva s.f.
pintassilvo s.m.
pintassirgo s.m.
pintaxilgo s.m.
píntega s.f.
pinteiro adj. s.m.
pintense adj. s.2g.
pintéu s.m.
pintiparado adj.
pintiparar v.
pinto s.m.
pinto-bandeirense adj. s.2g.; pl. *pinto-bandeirenses*
pinto-bravo s.m.; pl. *pintos-bravos*
pinto-calçudo s.m.; pl. *pintos-calçudos*
pinto-cordeiro s.m.; pl. *pintos-cordeiro* e *pintos-cordeiros*
pinto-d'água s.m.; pl. *pintos-d'água*
pinto-d'água-comum s.m.; pl. *pintos-d'água-comum*
pinto-do-mato s.m.; pl. *pintos-do-mato*
pintor (*ô*) s.m.
pintor-estucador s.m.; pl. *pintores-estucadores*
pintor-gravador s.m.; pl. *pintores-gravadores*
pintorice s.f.
pintorizado adj.
pintorroxa (*ô*) s.f.
pintorroxo (*ô*) s.m.
pintor-verdadeiro s.m.; pl. *pintores-verdadeiros*
pintoso (*ô*) adj.; f. (*ó*); pl. (*ó*)
pintura s.f.
pintural adj.2g.
pinturesco (*ê*) adj. s.m.
pinturice s.f.
pinturilado adj.
pinturilador (*ô*) adj. s.m.
pinturilagem s.f.
pinturilante adj.2g.
pinturilar v.
pinturista adj. s.2g.
pínula s.f.
pinulado adj.
pínulo s.m.
pinusco s.m.
pio adj. s.m. "piedoso", etc.; cf. *pió*
pió s.m. "correia de prender"; cf. *pio*
piobacilose s.f.
pioca s.2g.
piocaba s.f.
piocamecrã adj. s.2g.
piocele s.2g.
piocelia s.f.
piocélico adj.
piocho (*ô*) s.m.
piociânase s.f.
piociânico adj.
piocianina s.f.
piocianose s.f.
piocisto s.m.
piócito s.m.
piocobojé adj. s.2g.
piocolpia s.f.
piocolpo s.m.
piocolpocele s.f.
piócoris s.m.2n.
pioctanina s.f.
piocultura s.f.
piodermia s.f.
piodérmico adj.
piodermite s.f.
piodermítico adj.
pioé adj. s.2g.
pioêmese s.f.
pioemético adj.
pioemia s.f.
pioêmico adj.
pioemotórax (*cs*) s.m.2n.
piófila s.f.
piofilídeo adj. s.m.
pioforossalpinge s.f.
pioftalmia s.f.
pioftálmico adj.
pioftalmite s.f.
pioftalmítico adj.
piogênese s.f.
piogenético adj.
piogenia s.f.
piogênico adj.
piógeno adj.
pioguinha s.f.
pio-hemotórax (*cs*) s.m.2n.
pioia (*ó*) s.f.
pioide (*ó*) adj.2g.
pioié adj. s.2g.
piojota s.f.
piola s.f.
piolabirintite s.f.
piolabirintítico adj.
piolhada s.f.
piolhagem s.f.
piolhama s.f.
piolhar v.
piolharia s.f.
piolheira s.f.
piolheiro adj.
piolhento adj. s.m.
piolhice s.f.
piolho (*ô*) s.m.
piolho-branco s.m.; pl. *piolhos-brancos*
piolho-branco-da-batatinha s.m.; pl. *piolhos-brancos-da-batatinha*
piolho-branco-do-cafeeiro s.m.; pl. *piolhos-brancos-do-cafeeiro*
piolho-cinzento s.m.; pl. *piolhos-cinzentos*
piolho-da-cabeça s.m.; pl. *piolhos-da-cabeça*
piolho-da-couve s.m.; pl. *piolhos-da-couve*
piolho-da-faveira s.m.; pl. *piolhos-da-faveira*
piolho-da-língua s.m.; pl. *piolhos-da-língua*
piolho-da-madeira s.m.; pl. *piolhos-da-madeira*
piolho-da-roupa s.m.; pl. *piolhos-da-roupa*
piolho-das-aves s.m.; pl. *piolhos-das-aves*
piolho-das-plantas s.m.; pl. *piolhos-das-plantas*
piolho-das-roupas s.m.; pl. *piolhos-das-roupas*
piolho-das-virilhas s.m.; pl. *piolhos-das-virilhas*
piolho-de-baleia s.m.; pl. *piolhos-de-baleia*
piolho-de-cação s.m.; pl. *piolhos-de-cação*
piolho-de-cobra s.m.; pl. *piolhos-de-cobra*
piolho-de-faraó s.m.; pl. *piolhos-de-faraó*
piolho-de-galinha s.m.; pl. *piolhos-de-galinha*
piolho-de-onça s.m.; pl. *piolhos-de-onça*
piolho-de-padre s.m.; pl. *piolhos-de-padre*
piolho-de-planta s.m.; pl. *piolhos-de-planta*
piolho-de-são-josé s.m.; pl. *piolhos-de-são-josé*
piolho-de-soldado s.m.; pl. *piolhos-de-soldado*
piolho-de-tubarão s.m.; pl. *piolhos-de-tubarão*
piolho-de-urubu s.m.; pl. *piolhos-de-urubu*
piolho-do-cafeeiro s.m.; pl. *piolhos-do-cafeeiro*
piolho-do-corpo s.m.; pl. *piolhos-do-corpo*
piolho-do-fato s.m.; pl. *piolhos-do-fato*
piolho-do-homem s.m.; pl. *piolhos-do-homem*
piolho-do-mar s.m.; pl. *piolhos-do-mar*
piolho-do-pessegueiro s.m.; pl. *piolhos-do-pessegueiro*
piolho-do-púbis s.m.; pl. *piolhos-do-púbis*
piolho-dos-doentes s.m.; pl. *piolhos-dos-doentes*
piolho-dos-livros s.m.; pl. *piolhos-dos-livros*
piolho-dos-peixes s.m.; pl. *piolhos-dos-peixes*
piolho-dos-vegetais s.m.; pl. *piolhos-dos-vegetais*
piolho-fadista s.2g.; pl. *piolhos-fadistas*
piolho-farinhento s.m.; pl. *piolhos-farinhentos*
piolho-humano s.m.; pl. *piolhos-humanos*
piolho-ladro s.m.; pl. *piolhos-ladros*
piolho-ledos s.m.; pl. *piolhos-ledos*
piolho-mastigador s.m.; pl. *piolhos-mastigadores*
piolho-negro s.m.; pl. *piolhos-negros*
piolho-pulverulento s.m.; pl. *piolhos-pulverulentos*
piolhosa s.f.
piolhoso (*ô*) adj. s.m.; f. (*ó*); pl. (*ó*)
piolho-sugador s.m.; pl. *piolhos-sugadores*
piolho-verde s.m.; pl. *piolhos-verdes*
piolho-vermelho s.m.; pl. *piolhos-vermelhos*
piolho-vermelho-da-macieira s.m.; pl. *piolhos-vermelhos-da-macieira*
piolho-vermelho-do-cafeeiro s.m.; pl. *piolhos-vermelhos-do-cafeeiro*
piolim s.m.
piometria s.f.
piométrico adj.
piometrite s.f.
piometrítico adj.
piometrose s.f.
piom-piom s.m.; pl. *piom-pions*
píon s.m.
piona s.f.
piônea s.f.
pionefrite s.f.
pionefrítico adj.
pionefrolitíase s.f.
pionefrose s.f.
pionefrótico adj.
pioneirense adj. s.2g.
pioneirismo s.m.
pioneirista adj. s.2g.
pioneirístico adj.
pioneiro adj. s.m.
pionense adj. s.2g.
piongo s.m.
pionídeo adj. s.m.
pionínea s.f.
piônio s.m.
pionita adj. s.2g.
píono s.m.
pio-nonense adj. s.2g.; pl. *pio-nonenses*
pio-nono s.m.; pl. *pios-nonos*
pionopse s.f.
pionopsítaco s.m.
pionosílis s.f.2n.
pionoto s.m.
piopericárdio s.m.
pioperiepatite s.f.
pioperiepatítico adj.
pioperi-hepatite s.m.
pioperi-hepatítico adj.
pioperitônio s.m.
pio-pio s.m. interj.
pioplania s.f.
piopneumidátide s.f.
piopneumocolecistite s.f.
piopneumocolecistítico adj.
piopneumopericárdio s.m.
piopneumopericardite s.f.

piopneumopericardítico adj.
piopneumoperiepatite s.f.
piopneumoperiepatítico adj.
piopneumoperi-hepatite s.f.
piopneumoperi-hepatítico adj.
piopneumoperitônio s.m.
piopneumoperitonite s.f.
piopneumoperitonítico adj.
piopneumotorácico adj.
piopneumotórax (*cs*) s.m.2n.
pioptísia s.f.
pior adj.2g. s.m.f. adv.
piora s.f.
piorado adj.
pioramento s.m.
piorano s.m.
piorar v.
piorativo adj.
piorável adj.2g.
pioria s.f.
piorio s.m.
piorna s.f.
piornal s.m.
piorne s.m.
piorneira s.f.
piorneiro s.m.
piorno (*ô*) s.m.
piorno-amarelo s.m.; pl. *piornos-amarelos*
piorno-branco s.m.; pl. *piornos-brancos*
piorno-dos-tintureiros s.m.; pl. *piornos-dos-tintureiros*
pioró s.m.
piorra (*ô*) s.f.
piorragia s.f.
piorrágico adj.
piorreia (*é*) s.f.
piorreico (*é*) adj.
piorrinha s.f.
piorrinho s.m.
piorrita s.f.
piorro (*ô*) s.m.
piós s.m.
pioscópio s.m.
piose s.f.
piósico adj.
piospermia s.f.
piospérmico adj.
piósquise s.f.
piosquítico adj.
piossalpinge s.f.
piossalpingite s.f.
piossinusite s.f.
piossinusítico adj.
piossoma s.f.
piossomo s.m.
piostercoral adj.2g.
piotanina s.f.
piotina s.f.
piotorácico adj.
piotórax (*cs*) s.m.2n.
piovês adj. s.m.
pioxantina (*cs*) s.f.
pioxantose (*cs*) s.f.
pipa s.f. "vasilha bojuda"; cf. *pipá*
pipá s.m. "instrumento musical"; cf. *pipa*
pipadídeo adj. s.m.
pipal s.m.
pipão s.m.
piparia s.f.
piparota s.f.
piparotar v.
piparote s.m.
piparotear v.
piparralha s.f.
pipecolina s.f.
pipede s.m.
pipeirense adj. s.2g.
pipelê s.m.
pipense adj. s.2g.
píper s.m.
piperácea s.f.
piperáceo adj.
piperacilina s.f.
piperadizina s.f.
piperal adj.2g.
piperale s.f.
piperato s.m.
piperazina s.f.
piperazinodiona s.f.
piperi s.m.
pipérico adj.
piperídico adj.
piperidilo s.m.
piperidina s.f.
piperidínio s.m.
piperidona s.f.
piperileno s.m.
piperina s.f.
piperinato s.m.
piperínico adj.
piperino s.m.
piperioca s.f.
piperítea s.f.
piperitol s.m.
piperitona s.f.
piperoide (*é*) s.m.
piperômia s.f.
piperômio adj.
piperonal s.m.
piperonilato s.m.
piperonílico adj.
pipeta (*ê*) s.f.; cf. *pipeta*, fl. do v. *pipetar*
pipetar v.
pipi s.m.
pi-pi s.m.; pl. *pi-pis*
pipia s.2g. s.f.
pipião adj. s.2g. s.m.
pipiar v. s.m.
pípida adj.2g. s.m.
pipídeo adj. s.m.
pipila s.f.
pipilante adj.2g.
pipilar v. s.m.
pipilo s.m.
pipilro s.m.
pipinado adj.
pipinar v.
pipineira s.f.
pipinuquense adj. s.2g.
pipio s.m.
pi-piô s.m.
pipipã adj. s.2g.
pipira s.f.
pipira-bico-de-prata s.f.; pl. *pipiras-bico-de-prata*
pipira-de-máscara s.f.; pl. *pipiras-de-máscara*
pipira-de-papo-vermelho s.f.; pl. *pipiras-de-papo-vermelho*
pipira-de-prata s.f.; pl. *pipiras-de-prata*
pipira-encarnada s.f.; pl. *pipiras-encarnadas*
pipira-encontro-vermelho s.f.; pl. *pipiras-encontro-vermelho* e *pipiras-encontros-vermelhos*
pipiral s.m.
pipira-preta s.f.; pl. *pipiras-pretas*
pipira-verdadeira s.f.; pl. *pipiras-verdadeiras*
pipira-vermelha s.f.; pl. *pipiras-vermelhas*
pipirete (*ê*) s.m.
pipiri s.m.
pipiricar v.
pipirioca s.f.
pipistrela (*ê*) s.f.
pipistrelo (*ê*) s.m.
pipitante adj.2g.
pipitar v. s.m.
pipitinga s.f.
pipito s.m.
pipo s.m.
pipoca s.f.
pipocação s.f.
pipocado adj.
pipocamento s.m.
pipocante adj.2g.
pipocar v.
pipocas interj.
pipoco (*ô*) s.m.; cf. *pipoco*, fl. do v. *pipocar*
pipoqueação s.f.
pipoqueado adj.
pipoqueamento s.m.
pipoqueante adj.2g.
pipoquear v.
pipoqueira s.f.
pipoqueiro s.m.
pipote s.m.
pipra s.f.
pipréola s.f.
piprídea s.f.
piprídeo adj. s.m.
piprínea s.f.
píprites s.m.2n.
piptadênia s.f.
piptadeníea s.f.
piptanto s.m.
piptátero s.m.
piptocarfa s.f.
piptocefalidácea s.f.
piptocefalidáceo adj.
piptocefálide s.f.
piptocéfalis s.f.2n.
piptolépide s.f.
piptolépis s.f.2n.
piptoquécio s.m.
piptostigma s.m.
pipturo s.m.
pipuco s.m.
pipuíra adj. s.2g.
pipuiruçu adj. s.2g.
pipuncha s.f.
pipunculídeo adj. s.m.
píqua s.f.
piquancha s.f.
pique s.m. "ponto ou grau mais alto", etc.; cf. *piquê*
piquê s.m. "tecido de algodão"; cf. *pique*
piqueado adj.
piqueamento s.m.
piquear v.
pique-baixo s.m.; pl. *piques-baixos*
pique-cola s.m.; pl. *piques-colas*
piqueiro s.m.
piquenique s.m.
piquense adj. s.2g.
piquente adj. s.2g.
piquentino adj. s.m.
pique-rabo-emenda s.m.2n.
piqueria s.f.
piquerobiense adj. s.2g.
piqueta (*ê*) s.f.; cf. *piqueta*, fl. do v. *piquetar*
piquetado adj.
piquetagem s.f.
piquetar v.
piquet-carneirense adj. s.2g.; pl. *piquet-carneirenses*
piquete (*ê*) s.m.; cf. *piquete*, fl. do v. *piquetar*
piquetear v.
piqueteiro s.m.
piquetense adj. s.2g.
piqui s.m.
piquiá s.m.
piquiá-de-pedra s.m.; pl. *piquiás-de-pedra*
piquiarana s.2g.
piquira adj. s.2g.
piquirão s.m.
piquiriense adj. s.2g.
piquitinga s.m.
piquizeiro s.m.
pira s.f. "fogueira", etc.; cf. *pirá* e *pirã*
pirá s.m. "peixe"; cf. *pira* e *pirã*
pirã s.m. "farinha de mandioca"; cf. *pira* e *pirá*
piraaca s.m.
pirá-andirá s.m.; pl. *pirás-andirá* e *pirás-andirás*
piraba s.m.
pirá-bandeira s.m.; pl. *pirás-bandeira* e *pirás-bandeiras*
pirá-batata s.m.; pl. *pirás-batata* e *pirás-batatas*
pirabebe s.m.
pirabeirabense adj. s.2g.
pirabense adj. s.2g.
pirabibuense adj. s.2g.
pirabiju s.m.
piraboca s.f.
piraca s.f. "candeeiro"; cf. *piracá* e *piracaá*
piracá s.m. "peixe prejereba"; cf. *piraca* e *piracaá*
piracaá s.m. "peixe-folha"; cf. *piraca* e *piracá*
piracaibense adj. s.2g.
piracaiense adj. s.2g.
piracajara s.m.
piracajiara s.m.
piracambucu s.m.
piracanjuba s.2g.
piracanjuba-arrepiada s.f.; pl. *piracanjubas-arrepiadas*
piracanjubense adj. s.2g.
piracanjuva s.2g.
piracanjuva-arrepiada s.f.; pl. *piracanjuvas-arrepiadas*
piracanjuvira s.2g.
piracanta s.f.
piracanto adj. s.m.
piracará s.m.
piracatinga s.2g.
piracatu s.m.
piraçaua s.f.
piracauaense adj. s.2g.
piracaúba s.f.
piracém s.m.
piracema s.f.
piracemense adj. s.2g.
piracético adj.
piracicaba s.f.
piracicabano adj. s.m.
piracicabense adj. s.2g.
piracirica s.m.
piracoaxiara s.f.
piraconina s.f.
piraconitina s.f.
piracuaba s.m.
piracuara s.2g.
piracuca s.f.
piracuera s.f.
piracuí s.m.
piracuíra s.m.
piraçununga s.f.
piraçununguense adj. s.2g.
piracurucano adj. s.m.
piracurucense adj. s.2g.
piracuruquense adj. s.2g.
piracururu s.m.
piracururuca s.m.
pirado adj.
piraém s.m.
pirafedes s.2g.2n.
pirafrólito s.m.
piragaia s.f.
piragica s.m.
pirágua s.f.
piraguaguá s.m.
piraguaia s.f.
piraguara s.f.
piraguarense adj. s.2g.
piraguaxiara s.m.
piragueiro (*ü*) s.m.
piraí s.m.
piraia s.f.
piraiapeva s.f.
piraíba s.f.
piraiense adj. s.2g.
pirá-inambu s.m.; pl. *pirás-inambu* e *pirás-inambus*
pirainhense adj. s.2g.
piraiú s.m.
piraiuarense adj. s.2g.
pirajá s.m.
pirajaense adj. s.2g.
pirajaguara s.m.
pirajapeva s.f.
pirajá-pupunha s.m.; pl. *pirajás-pupunha* e *pirajás-pupunhas*
pirajém s.m.
pirajeva s.f.
piraji s.m.
pirajiá s.m.
pirajibense adj. s.2g.
pirajica s.m.
pirajoara s.m.
piraju s.m.
pirajuba s.f.
pirajubense adj. s.2g.
pirajuense adj. s.2g.
pirajuguara s.m.
pirajuiense adj.2g.
pirajupeba s.f.
pirajupeva s.f.
piral s.m.
pirale s.f.
pirale-da-farinha s.f.; pl. *pirales-da-farinha*
pirale-da-vinha s.f.; pl. *pirales-da-vinha*
piralene s.m.
piraleno s.m.
pirálida adj.2g. s.m.
pirálide s.f.
piralídeo adj. s.m.
pirális s.f.2n.
piralmandita s.f.
piralmandítico adj.
piralóideo adj. s.m.
piralolite s.f.
piralólito s.m.
piralspita s.f.
piramapu s.m.
pirambar v.
pirambé s.f.
pirambeba s.f.
pirambeira s.f.
pirambeiro s.m.
pirambela s.f.
pirambeva s.f.
piramboia (*ó*) s.f.
piramboiense adj. s.2g.
pirambu s.m.
pirambucu s.m.
pirambuense adj. s.2g.
piramembeca s.f.
piramena s.m.
pirametara s.f.
pirâmia s.f.
piramidação s.f.
piramidador (*ô*) adj.
piramidal adj.2g. s.m.
piramidamento s.m.
piramidante adj.2g.
piramidão s.m.
piramidar v.
piramidável adj.2g.
pirâmide s.f.
pirâmide de fada s.f.
pirâmide de terra s.f.
piramidela s.f.
piramidelídeo adj. s.m.
piramidelíneo adj. s.m.
piramidião s.m.
piramidínico adj.
piramidizar v.
piramido s.m.
piramidocarpo s.m.
piramidografia s.f.
piramidográfico adj.
piramidógrafo s.m.
piramidoide (*ó*) s.m.
piramidoloso (*ô*) adj.; f. (*ó*); pl. (*ó*)
piramidon s.m.
piramidona s.f.
piramídula s.f.
piramoide (*ó*) s.m.
piramombó s.m.
pirampeba s.f.
piramutá s.m.
piramutaba s.f.
piramutana s.f.
piramutatá s.m.
pirana s.f.
piranambu s.m.
piranambu-amarelo s.m.; pl. *piranambus-amarelos*
piranampu s.m.
piranampu-amarelo s.m.; pl. *piranampus-amarelos*
pirandelliano adj. s.m.
pirandellismo s.m.
pirandellista adj. s.2g.

pirandina s.f.
pirandínico adj.
pirandira s.m.
piranduba s.f.
piranema s.m.
piranga adj.2g. s.m.f.
pirangada s.f.
pirangagem s.f.
pirangaiense adj. s.2g.
pirangar v.
pirangaria s.f.
piranga-saíra s.f.; pl. *pirangas--saíra* e *pirangas-saíras*
pirange s.m.
piranguçuense adj. s.2g.
pirangueiro adj. s.m.
piranguense adj. s.2g.
piranguice s.f.
piranguinhense adj. s.2g.
piranguitense adj. s.2g.
piranha s.f.
piranha-açu s.f.; pl. *piranhas--açus*
piranha-amarela s.f.; pl. *piranhas-amarelas*
piranha-branca s.f.; pl. *piranhas-brancas*
piranha-cachorra s.f.; pl. *piranhas-cachorra* e *piranhas--cachorras*
piranha-cachorro s.f.; pl. *piranhas-cachorro* e *piranhas--cachorros*
piranha-caju s.f.; pl. *piranhas--caju* e *piranhas-cajus*
piranha-da-lagoa s.f.; pl. *piranhas-da-lagoa*
piranha-doce s.f.; pl. *piranhas-doces*
piranhagaba s.m.
piranha-mapará s.f.; pl. *piranhas-mapará* e *piranhas--maparás*
piranha-pequena s.f.; pl. *piranhas-pequenas*
piranha-preta s.f.; pl. *piranhas-pretas*
piranha-rodoleira s.f.; pl. *piranhas-rodoleiras*
piranhaúba s.f.
piranha-vermelha s.f.; pl. *piranhas-vermelhas*
piranheira s.f.
piranheiro adj. s.m.
piranhense adj. s.2g.
piranhuda s.f.
piraniampu s.m.
pirânico adj.
piranjiense adj. s.2g.
piranjinense adj. s.2g.
pirano s.m.
piranocarboxílico (*cs*) adj.
piranógrafo s.m.
piranômetro s.m.
piranose s.f.
piranótico adj.
piranqueiro s.m.
piranta s.f.
pirantel s.m.
pirantera s.f.
pirantimonita s.f.
pirantina s.f.
pirantreno s.m.
pirantrona s.f.
pirão s.m.
piraoá s.f.
piraoã s.f.
piraoba s.m.
piraômetro s.m.
pirão na unha s.2g.
pirapaiá s.m.
pirapamenho adj. s.m.
pirapanema s.m.
pirapanemense adj. s.2g.
pirapara s.m.
pirapeba s.f.
pirapebebe s.m.
pirapema s.f.
pirapemense adj. s.2g.
pirapetinga s.f.
pirapetinguense adj. s.2g.
pirapetingua s.f.
pirapeua s.f.
pirapeuaua s.f.
pirapiá s.m.
pirapiranga s.f.
pirapitanga s.f.
pirapitinga s.f.
pirapoense adj. s.2g.
pirá-poracé s.m.; pl. *pirás--poracés*
piraporense adj. s.2g.
pirapozense adj. s.2g.
pirapozinhense adj. s.2g.
pirapucá s.m.
pirapucu s.m.
pirapuia s.f.
piraputanga s.f.
piraputanguense adj. s.2g.
piraquara s.2g.
piraquarense adj. s.2g.
piraquê s.m. "peixe"; cf. *piraquém*
piraquém s.m. "variedade de coco"; cf. *piraquê*
piraquenanã s.m.
piraquera (*ü*) s.f.
piraqui s.m.
piraquiba s.f.
piraquiroa s.m.
piraquitinga s.f.
pirar v.
pirarã adj. s.2g.
pirarara s.m.
pirargilita s.f.
pirargilite s.f.
pirargirita s.f.
pirargirite s.f.
piraroba s.f.
piraruco s.m.
pirarucu s.m.
pirarucuboia (*ó*) s.m.
pirá-siririca s.m.; pl. *pirás--siriricas*
pirata adj. s.2g. s.m.
piratabense adj. s.2g.
piratada s.f.
piratagem s.f.
pirá-tamanduá s.m.; pl. *pirás--tamanduá* e *pirás-tamanduás*
piratantã s.m.
pirá-tapioca s.2g.; pl. *pirás--tapioca* e *pirás-tapiocas*
piratapuia adj. s.2g.
piratar v.
pirataria s.f.
pirá-tatu s.m.; pl. *pirás-tatu* e *pirás-tatus*
piratear v.
pirati s.f.
piratiapuá s.m.
piratice s.f.
pirático adj.
piratíneo adj. s.m.
piratinga s.f.
piratinga-chumbadinha s.f.; pl. *piratingas-chumbadinhas*
piratiniense adj. s.2g.
piratiningano adj. s.m.
piratininguense adj. s.2g.
piratubano adj. s.m.
piratubense adj. s.2g.
piraú s.f.
pirauá s.f.
pirauaca s.f.
pirauaense adj. s.2g.
pirauauara s.f.
piraubano adj. s.m.
piraubense adj. s.2g.
piraúna s.f.
piraupéua s.f.
pirauru s.m.
pirausta s.f.
pirauxi s.m.
pirauxita s.f.
pirazina s.f.
pirazol s.m.
pirazolidina s.f.
pirazolina s.f.
pirazolona s.f.
pirazolônico adj.
pirca s.f.
pircha s.f.
pirê s.m.
pírea s.f.
pireco s.m.
pireia (*é*) adj. s.f. de *pireu*
pirelaína s.f.
pirelectricidade s.f.
pireléctrico adj.
pireleína s.f.
pireletricidade s.f.
pirelétrico adj.
pirélia s.f.
pirelióforo s.m.
pireliógrafo s.m.
pireliometria s.f.
pireliométrico adj.
pireliômetro s.m.
pirema s.f.
pirena s.f.
pirenacanta s.f.
pirenaico adj.
pirenaína s.f.
pirene s.f.
pireneia (*é*) adj. s.f. de *pireneu*
pireneíta s.f.
pireneíte s.f.
pirenemia s.f.
pirenêmico adj.
pireneste s.m.
pireneu adj. s.m.; f. *pireneia* (*é*)
pirenga s.f.
pirengo adj.
pirenidiácea s.f.
pirenidiáceo adj.
pirenina s.f.
pirênio s.m.
pireno s.m.
pirenocárpea s.f.
pirenocárpico adj.
pirenocárpio s.m.
pirenocarpo adj. s.m.
pirenoide (*ó*) adj.2g. s.m.
pirenol s.m.
pirenólise s.f.
pirenolítico adj.
pirenomicete s.m.
pirenomicetícea s.f.
pirenomicetíceo adj.
pirenomicetínea s.f.
pirenomicetíneo adj.
pirenomiceto s.m.
pirenopolino adj. s.m.
pirenopolitano adj. s.m.
pirenopsidácea s.f.
pirenopsidáceo adj.
pirenoquinona s.f.
pirenossomo s.m.
pirenotâmnia s.f.
pirenotamniácea s.f.
pirenotamniáceo adj.
pirense adj. s.2g.
pirento adj. s.m.
pirênula s.f.
pirenulácea s.f.
pirenuláceo adj.
pireocarpina s.f.
pire-pire s.f.; pl. *pire-pires*
pirera adj.2g. s.f.
pires s.m.2n.
pires-albuquerquense adj. s.2g.; pl. *pires--albuquerquenses*
pires-ferreirense adj. s.2g.; pl. *pires-ferreirenses*
piresino adj. s.m.
pires-riense adj. s.2g.; pl. *pires-rienses*
pirético adj.
píreto s.m.
piretóforo s.m.
piretogêneo adj.
piretogênese s.f.
piretogenético adj.
piretogênico adj.
piretógeno adj.
piretologia s.f.
piretológico adj.
piretologista adj. s.2g.
piretólogo s.m.
piretoterapia s.f.
piretoterápico adj.
piretrina s.f.
piretrínico adj.
píretro s.m.
píretro-da-áfrica s.m.; pl. *píretros-da-áfrica*
píretro-da-beira s.m.; pl. *píretros-da-beira*
píretro-de-flor-amarela s.m.; pl. *píretros-de-flor-amarela*
píretro-do-cáucaso s.m.; pl. *píretros-do-cáucaso*
píretro-dos-jardins s.m.; pl. *píretros-dos-jardins*
píretro-partênio s.m.; pl. *píretros-partênio* e *píretros--partênios*
pireu adj. s.m.; f. *pireia* (*é*)
pirex s.m.
pírex s.m.
pirexia (*cs*) s.f.
piréxico (*cs*) adj.
pireza (*ê*) s.f.
pirgense adj. s.2g.
pirgíneo adj. s.m.
pirgo s.m.
pirgocefalia s.f.
pirgocefálico adj.
pirgocéfalo s.m.
pirgofisa s.f.
pirgoma s.m.
pirgomorfa s.f.
pirgomorfíneo adj. s.m.
pirgopse s.m.
pirgoscélide s.f.
pirgóscelis s.f.2n.
pirgotídeo adj. s.m.
pirgula s.f.
piri s.m. "junco", etc.; cf. *peri*
piria s.m. "crustáceo"; cf. *piriá*
piriá s.m. "açaí"; cf. *piria*
piriaense adj. s.2g.
piriantã s.m.
piribita s.f.
piricão s.m.
piriche s.m.
piricica adj. s.2g. s.f.
pírico adj.
piriculária s.f.
piri-da-mata-virgem s.m.; pl. *piris-da-mata-virgem*
piridazina s.f.
pirídico adj.
piridilo s.m.
piridina s.f.
piridínico adj.
piridínio s.m.
piridona s.f.
piridostigmina s.f.
piridostigmínico adj.
piridoxal (*cs*) s.m.
piridoxálico (*cs*) adj.
piridoxamina (*cs*) s.f.
piridoxamínico (*cs*) adj.
piridóxico (*cs*) adj.
piridoxina (*cs*) s.f.
piridoxínico (*cs*) adj.
piriense adj. s.2g.
pirífora s.f.
piriforme adj.2g.
piriglena s.f.
piriguá s.m.
piriguara s.f.
piriguau s.m.
pirijau s.m.
pirilampar v.
pirilampear v.
pirilampejar v.
pirilâmpico adj.
pirilâmpide s.f.
pirilampo s.m.
pirilampo-ordinário s.m.; pl. *pirilampos-ordinários*
pirílio s.m.
piriliteiro s.m.
pirima s.f.
pirimela s.f.
pirimembeca s.f.
pirimetamina s.f.
pirimídico adj.
pirimidina s.f.
pirimpimpim s.m.
pirina s.f.
pirinambu s.m.
pirinampu s.m.
pirinola s.f.
pírio s.m.
piripaense adj. s.2g.
piripiri adj. s.2g. s.m.f.
piripiriaçu s.m.
piripiriense adj. s.2g.
piripirioca s.f.
piriquaia s.f.
piriqueta (*ê*) s.f.
piriquitá s.m.
piriquitamboia (*ó*) s.f.
piriquiteira s.f.
piriquitete (*ê*) adj.2g.
piriquiti s.m.
piriri s.m.
piririca adj.2g. s.f.
piriricar v.
piririguá s.m.
piririma s.f.
pirisca s.f.
pirismo s.m.
pirita s.f. "mineral"; cf. *piritá*
piritá s.m. "ave"; cf. *pirita*
pirita-branca s.f.; pl. *piritas--brancas*
pirita-celular s.f.; pl. *piritas--celulares*
pirita-especular s.f.; pl. *piritas-especulares*
pirita-hepática s.f.; pl. *piritas--hepáticas*
pirita-lamelar s.f.; pl. *piritas--lamelares*
pirita-magnética s.f.; pl. *piritas-magnéticas*
pirita-rômbica s.f.; pl. *piritas--rômbicas*
pirite s.f.
piritibano adj. s.m.
piritibense adj. s.2g.
piritífero adj.
piritiforme adj.2g.
piritindiba s.f.
piritização s.f.
pirito s.m.
piritoédrico adj.
piritoedro s.m.
piritolamprita s.f.
piritolamprite s.f.
piritologia s.f.
piritológico adj.
piritologista adj. s.2g.
piritólogo s.m.
piritoso (*ô*) adj.; f. (*ó*); pl. (*ó*)
piritubense adj. s.2g.
pirituma s.f.
pirixi s.m.
piriz s.m.
pirizal s.m.
pirizalense adj. s.2g.
pirizeirense adj. s.2g.
pirliteiro s.m.
pirlito s.m.
pirmonota s.f.
piro adj. s.2g. s.m.
piroá s.m. "planta"; cf. *peroá* e *piruá*
piroaba s.f.
piroabiético adj.
piroácido s.m.
piroamarina s.f.
piroantimonita s.f.
piroaurita s.f.
piroaurite s.f.
pirobalística s.f.
pirobalístico adj.
pirobelonita s.f.
pirobetume s.m.
pirobetuminoso (*ô*) adj.; f. (*ó*); pl. (*ó*)
pirobo (*ô*) s.m.
pirobolária s.f.
pirobolário s.m.
pirobolelogia s.f.
pirobolelógico adj.
pirobolelogista s.2g.

pirobolélogo s.m.
pirobólico adj.
pirobólio s.m.
piróbolo s.m.
pirobologia s.f.
pirobológico adj.
pirobologista adj. s.2g.
pirobólogo s.m.
pirobolologia s.f.
pirobolológico adj.
pirobolologista adj. s.2g.
pirobolólogo s.m.
piroborato s.m.
pirobórico adj. s.m.
piroca adj.2g. s.f.
pirocada s.f.
pirocaína s.f.
pirocalciferol s.m.
pirocar v.
pirocatecol s.m.
pirocatecólico adj.
pirocatequina s.f.
pirocéfalo s.m.
pirocístide s.f.
pirocístis s.f.2n.
pirocitrato s.m.
pirocítrico adj.
piroclasita s.f.
piroclasite s.f.
piroclástica s.f.
piroclástico adj.
piroclasto s.m.
piroclímax (*cs*) s.m.2n.
pirocloro s.m.
pirocolódio s.m.
pirocoloidânico adj.
pirocomana s.f.
pirocondensação s.f.
piroconita s.f.
pirócroa s.f.
pirocrodita s.f.
pirocrodite s.f.
pirocróideo adj. s.m.
pirocroíta s.f.
pirocroíte s.f.
piroculu s.m.
pirocutu s.m.
piroderces s.m.2n.
piródero s.m.
pirodextrina (*cs*) s.f.
pirodigitalina s.f.
pirodina s.f.
pirodinâmica s.f.
pirodinâmico adj.
piroelectricidade s.f.
piroeléctrico adj.
piroeletricidade s.f.
piroelétrico adj.
piroeliômetro s.m.
pirófaco s.m.
pirófago adj.
pirofânio s.m.
pirofanita s.f.
pirofanite s.f.
pirófano adj.
pirofiláceo s.m.
pirofilila s.f.
pirofilita s.f.
pirofilite s.f.
pirófilo adj.
pirofisalita s.f.
pirofisalite s.f.
pirófito s.m.
pirofobia s.f.
pirofóbico adj.
pirófobo adj. s.m.
pirofone s.m.
pirofônio s.m.
piróforа s.f.
pirofórico adj.
piróforo adj. s.m.
pirofosfamato s.m.
pirofosfâmico adj.
pirofosfato s.m.
pirofosfático adj.
pirofosfórico adj. s.m.
pirofosforita s.f.
pirofosforite s.f.
pirofósforo s.m.
pirofosforoso (*ô*) adj.; f. (*ó*); pl. (*ó*)
pirofucusol s.m.
piroga s.f.
pirogaiácico adj.
pirogaiacina s.f.
pirogalato s.m.
pirogalhato s.m.
pirogálhico adj.
pirogalhol s.m.
pirogálico adj.
pirogalol s.m.
pirogalólico adj.
pirogenação s.f.
pirogenado adj.
pirogêneo adj. s.m.
pirogênese s.f.
pirogenético adj.
pirogênico adj.
pirogênio s.m.
pirógeno adj.
pirogeômetro s.m.
pirógero adj. s.m.
piroglobulina s.f.
piroglobulinemia s.f.
piroglobulinêmico adj.
pirognóstico adj.
pirografar v.
pirografia s.f.
pirográfico adj.
pirógrafo s.m.
pirograma s.m.
pirogranito s.m.
pirogravar v.
pirogravura s.f.
piroguanita s.f.
piroguanite s.f.
piroide (*ó*) adj.2g.
pirol s.m.
pirola s.f. "cama"; cf. *pírola*
pírola s.f. "planta"; cf. *pirola*
pirolácea s.f.
piroláceo adj.
pirolápis s.m.2n.
pirólata s.2g.
pirolatria s.f.
pirolátrico adj.
pirole s.m.
piroleico (*é*) adj.
pirolenhita s.f.
pirolenhite s.f.
pirolenhito s.m.
pirolenhoso (*ô*) adj.; f. (*ó*); pl. (*ó*)
piroleusita s.f.
pirólise s.f.
pirolisita s.f.
pirolisite s.f.
pirolisítico adj.
pirolisito s.m.
pirolite s.f.
pirolítico adj.
pirolito s.m. "bebida"; cf. *pirulito*
pirolivílico adj.
piroliz s.m.
pírolo s.m.
pirologia s.f.
pirológico adj.
pirologista adj. s.2g.
pirólogo s.m.
piroloídea s.f.
piroluminescência s.f.
piroluminescente adj.2g.
pirolusita s.f.
pirolusite s.f.
pirolusítico adj.
pirolusito s.m.
pirômaco adj. s.m.
piromagnético adj.
piromagnetismo s.m.
piromalato s.m.
piromálico adj.
piromancia s.f.
piromania s.f.
piromaníaco adj. s.m.
pirômano s.m.
piromante s.2g.
piromântico adj.
piromeconato s.m.
piromecônico adj.
piromelana s.f.
piromelânio s.m.
piromelano s.m.
piromêlano s.m.
piromélico adj.
piromelina s.f.
piromelítico adj.
piroméride s.f.
piromérido s.m.
pirometalurgia s.f.
pirometalúrgico adj. s.m.
pirometasomatose s.f.
pirometassomatose s.f.
pirometria s.f.
pirométrico adj.
pirômetro s.m.
piromorfita s.f.
piromorfite s.f.
piromorfítico adj.
piromotor (*ô*) s.m.
piromucato s.m.
piromúcico adj.
piromucoso (*ô*) adj.; f. (*ó*); pl. (*ó*)
pirona s.f.
pironema s.m.
pironematácea s.f.
pironematáceo adj.
pironeptuniano adj.
pironga s.f.
pironina s.f.
pirônio s.m.
pironite s.f.
pironomia s.f.
pironômico adj.
piropéctico adj.
pirópico adj.
piropina s.f.
piropincel s.m.
piropissita s.f.
piropissite s.f.
piroplasma s.m.
piroplásmio s.m.
piroplasmose s.f.
piroplasmótico adj.
piropneumático adj.
piropo s.m. "mineral", etc.; cf. *piropo* (*ô*)
piropo (*ô*) s.m. "galanteio"; cf. *piropo*
piropsita s.f.
piropunctura s.f.
piropuntura s.f.
piroquete s.m.
piroquímica s.f.
piroquímico adj.
piroquinol s.m.
piroquinóvico adj.
pirorracemato s.m.
pirorracêmico adj.
pirorretina s.f.
pirortita s.f.
pirortite s.f.
pirosal s.m.
pirosca s.f.
piróscafo s.m.
pirosclerita s.f.
pirosclerite s.f.
piroscopia s.f.
piroscópico adj.
piroscópio s.m.
pirose s.f.
pirosfera s.f.
pirosférico adj.
pirósico adj.
pirosmalita s.f.
pirosmalite s.f.
pirosmaragda s.f.
piroso (*ô*) adj.; f. (*ó*); pl. (*ó*)
pirosofia s.f.
pirosófico adj.
pirósofo s.m.
pirosômido adj. s.m.
pirosqui s.m.
pirossal s.m.
pirossilicático adj.
pirossilicato s.m.
pirossoma adj.2g. s.m.
pirossomatídeo adj. s.m.
pirossomídeo adj. s.m.
pirossômido adj. s.m.
pirossomo s.m.
pirossórbico adj.
pirossulfato s.m.
pirossulfúrico adj.
pirossulfuroso (*ô*) adj.; f. (*ó*); pl. (*ó*)
pirostática s.f.
pirostático adj.
piróstato s.m.
pirostégia s.f.
pirostibita s.f.
pirostibite s.f.
pirostilpnita s.f.
pirostilpnite s.f.
piróstoma s.f.
pirota s.f.
pirotartarato s.m.
pirotartárico adj.
pirotartrato s.m.
pirotártrico adj.
pirote s.m.
pirotecnia s.f.
pirotécnica s.f.
pirotécnico adj. s.m.
pirotecnizar v.
piroterapia s.f.
piroterápico adj.
piroterébico adj.
pirotério s.m.
pirótico adj. s.m.
pirotologia s.f.
pirotológico adj.
pirotologista adj. s.2g.
pirotônide s.f.
pirotônido s.m.
pirourato s.m.
piroúrico adj.
pirovínico adj.
piroxantina (*cs*) s.f.
piróxena (*cs*) s.f.
piroxênico (*cs*) adj.
piroxênio (*cs*) s.m.
piroxenita (*cs*) s.f.
piroxenite (*cs*) s.f.
piroxenítico (*cs*) adj.
piroxenito (*cs*) s.m.
piróxeno (*cs*) s.m.
piroxenólito (*cs*) s.m.
piroxenoso (*cs*) adj.; f. (*ó*); pl. (*ó*)
piroxferroíta (*cs*) s.f.
piroxila (*cs*) s.f.
piroxilado (*cs*) adj.
piroxíleo (*cs*) s.m.
piroxilina (*cs*) s.f.
piroxilino (*cs*) s.m.
piróxilo (*cs*) s.m.
piroxilol (*cs*) s.m.
piroxinita (*cs*) s.f.
piroxinite (*cs*) s.f.
piroxmanguita (*cs*) s.f.
pirozona s.f.
pirozone s.m.
pirozônio s.m.
pirpiritubense adj. s.2g.
pirraça s.f.
pirraçar v.
pirracear v.
pirraceiro adj. s.m.
pirracento adj. s.m.
pirracita s.f.
pirralhada s.f.
pirralho s.m.
pirraria s.f.
pirrarsenita s.f.
pirrauru s.m.
pirrazolona s.f.
pirreia (*é*) s.f.
pirreico (*é*) adj.
pirretina s.f.
pírrica s.f.
pírrico adj. s.m.
pirrídio s.m.
pirrila s.m.
pirríquico adj.
pirríquio s.m.
pirrita s.f.
pirrite s.f.
pirroarsenita s.f.
pirroarsenite s.f.
pirrocórace s.m.
pirrocórax (*cs*) s.m.2n.
pirrocórida adj.2g. s.m.
pirrocorídeo adj. s.m.
pirrocoríneo adj. s.m.
pirrócoris s.m.2n.
pirrofilina s.f.
pirrófilo adj.
pirrófita s.f.
pirrofítico adj.
pirrófito s.m.
pirrol s.m.
pirrólico adj.
pirrolidina s.f.
pirrolidino adj.
pirrolina s.f.
pirrolínico adj.
pirrolita s.f.
pirrolite s.f.
pirrólito s.m.
pirrona s.f.
pirronice s.f.
pirrônico adj. s.m.
pirronismo s.m.
pirronista adj.2g.
pirronístico adj.
pirronizar v.
pirrópige s.f.
pirropigíneo adj. s.m.
pirropigópsis s.f.2n.
pirropina s.f.
pirrópode s.m.
pirrosfodro s.m.
pirrósia s.f.
pirrossiderita s.f.
pirrossiderite s.f.
pirrossoma s.m.
pirrotina s.f.
pirrotita s.f.
pirrotite s.f.
pirrotítico adj.
pirrufônia s.f.
pírrula s.f.
pirrulauda s.f.
pirrulina s.f.
pirrulópsis s.f.2n.
pirrulorrinca s.f.
pirrura s.f.
pirsonite s.f.
pirssonita s.f.
pirssonite s.f.
pírtiga s.f.
pirtigada s.f.
pírtigo s.m.
piruá s.m. "grão de milho que não arrebenta"; cf. *peroá* e *piroá*
pirucaia s.f.
pirucaia-ubeba s.f.; pl. *pirucaias-ubeba* e *pirucaias-ubebas*
piruera s.f.
pirueta (*ê*) s.f.; cf. *pirueta*, fl. do v. *piruetar*
piruetada s.f.
piruetar v.
pirulária s.f.
pirulário s.m.
pirulito s.m. "bala no palito"; cf. *pirolito*
pirulo s.m.
pirunga s.f.
pirupiru s.m.
piruruca s.f.
pirusto adj. s.m.
piruvático adj.
piruvato s.m.
piruvemia s.f.
piruvêmico adj.
pirúvico adj.
piruvina s.f.
pirvínio s.m.
pisa s.f.
pisada s.f.
pisadeira s.f.
pisadeiro s.m.
pisadela s.f.
pisado adj.
pisador (*ô*) adj. s.m.
pisadura s.f.
pisa-flores s.m.2n.
pisália s.f.
pisa-mansinho adj. s.2g.2n.
pisamento s.m.
pisa-na-água s.m.2n.

pisânia s.f.
pisaniíneo adj. s.m.
pisanita s.f.
pisanite s.f.
pisano adj. s.m.
pisante adj.2g. s.m.
pisão adj. s.m.
pisar v.
pisaura s.f.
pisaurense adj. s.2g.
pisaurídeo adj. s.m.
pisauriense adj. s.2g.
pisauro s.m.
pisa-verde s.2g.; pl. *pisa-verdes*
pisa-verdes s.2g.2n.
pisca s.f. interj.
piscação s.f.
piscadela s.f.
piscado adj. s.m.
piscalhar v.
piscambense adj. s.2g.
piscamento s.m.
piscanço s.m.
piscante adj.2g.
pisca-pisca s.2g. s.m.; pl. *pisca-piscas* e *piscas-piscas*
pisca-piscar v.
piscar v.
piscativo adj.
piscato s.m.
piscatória s.f.
piscatório adj.
písceo adj.
pisciano adj. s.m.
pisciário adj.
piscicaptor (*ô*) adj. s.m.
piscicaptura s.f.
pisciceptologia s.f.
pisciceptológico adj.
piscícola adj. s.2g. s.f.
piscículo s.m.
piscicultor (*ô*) s.m.
piscicultura s.f.
piscídia s.f.
piscídia-eritrina s.f.; pl. *piscídias-eritrinas*
piscídico adj.
piscidina s.f.
piscídio adj.
piscifactor (*ô*) s.m.
piscifactura s.f.
piscifator (*ô*) s.m.
piscifatura s.f.
pisciforme adj.2g. "que tem forma de peixe"; cf. *piciforme*
piscina s.f. "tanque com instalações para natação"; cf. *picina*
piscinal adj.2g.
piscívoro adj.
pisco adj. s.m.
pisco-azul s.m.; pl. *piscos-azuis*
pisco-chilreiro s.m.; pl. *piscos-chilreiros*
pisco-comum s.m.; pl. *piscos-comuns*
pisco-de-peito-azul s.m.; pl. *piscos-de-peito-azul*
pisco-de-peito-ruivo s.m.; pl. *piscos-de-peito-ruivo*
pisco-ferreiro s.m.; pl. *piscos-ferreiros*
píscola s.f.
piscorência s.f.
pisco-ribeiro s.m.; pl. *piscos-ribeiro* e *piscos-ribeiros*
piscosidade s.f.
piscoso (*ô*) adj.; f. (*ó*); pl. (*ó*)
piseia (*é*) adj. s.f. de *piseu*
pisekita s.f.
píseo s.m.
piseu adj. s.m.; f. *piseia* (*é*)
pisgar-se v.
pisiaurifalângico adj.
pisida adj. s.2g.
pisídio s.m.
pisífero adj.
pisiforme adj.2g. s.m.
pisimetacárpico adj.
pisinate adj. s.2g.
pisitar s.m.
pisiunciforme adj.2g.
piso s.m.
pisoada s.f.
pisoado adj.
pisoador (*ô*) s.m.
pisoagem s.f.
pisoamento s.m.
pisoar v.
pisocarpo s.m.
pisocrinídeo adj. s.m.
pisócrino s.m.
pisoeiro s.m.
pisoide (*ó*) s.m.
pisolita s.f.
pisolite s.f.
pisolítico adj.
pisólito s.m.
pisônia s.f.
pisoníea s.f.
pisoodônofis s.m.2n.
pisorga s.m.f.
pisoteado adj.
pisoteador (*ô*) adj. s.m.
pisotear v.
pisoteio s.m.
pispeto (*ê*) adj.
pispirreta (*ê*) s.f.
pisqueiro adj.
pisqueta (*ê*) s.f.
pisquila s.2g.
pissasfáltico adj.
pissasfalto s.m.
pissatolho (*ô*) s.m.
pisseleu s.m.
pisseta s.f.
píssico adj. s.m.
pissita s.f.
pissitar v.
pissoda s.f.
pissode s.m.
pissofânio s.m.
pissondora s.f.
pissota s.f.
pist interj.
pista s.f.
pistaceira s.f.
pistacha s.f.
pistache s.m.
pistacheiro s.m.
pistacho s.m.
pistácia s.f.
pistácio s.m.
pistacita s.f.
pistacite s.f.
pistacito s.m.
pistado adj.
pistalgoide (*ó*) s.m.
pistão s.m.
pistão-coleira s.m.; pl. *pistões-coleira* e *pistões-coleiras*
pistar v. s.m.
pisteiro s.m.
pístia s.f.
pistiláceo adj.
pistilado adj.
pistilar adj.2g.
pistilária s.f.
pistilídio s.m.
pistilífero adj.
pistiliforme adj.2g.
pistílio s.m.
pistilo s.m. "órgão feminino das flores"; cf. *pestilo*
pistilodia s.f.
pistilódio s.m.
pistiloso (*ô*) adj.; f. (*ó*); pl. (*ó*)
pistióidea s.f.
pistola s.f.
pistolaço s.m.
pistolada s.f.
pistolão s.m.
pistolé s.m.
pistoleira s.f.
pistoleiro s.m.
pistoleta (*ê*) s.f.
pistolete (*ê*) s.m.
pistolim s.m.
pistolo (*ô*) s.m.
pistolóquia s.f.
pistoludo adj.
pistom s.m.
pistomesita s.f.
pistomesite s.f.
pistonista s.2g.
pistor (*ô*) s.m.
pistori s.m.
pistorínia s.f.
pistotira s.m.
pistrina s.f.
pisueta (*ê*) adj. s.2g.
pita s.f.
pita-barranqueira s.f.; pl. *pitas-barranqueiras*
pitaca s.f.
pitacal s.f.
pita-cega s.f.; pl. *pitas-cegas*
pitácio s.m.
pita-d'água s.f.; pl. *pitas-d'água*
pitada s.f.
pita-da-hera s.f.; pl. *pitas-da-hera*
pita-da-índia s.f.; pl. *pitas-da-índia*
pitadear v.
pita-de-erva s.f.; pl. *pitas-de-erva*
pitadela s.f.
pitadinha s.f.
pita-do-mar s.f.; pl. *pitas-do-mar*
pitador (*ô*) s.m.
pitafe s.m.
pitafo s.m.
pítago s.m.
pitagoreísmo s.m.
pitagórico adj. s.m.
pitagorismo s.m.
pitagorista adj. s.2g.
pitagorístico adj.
pitaguar adj. s.2g.
pitaguara s.f.
pitaguari adj. s.2g. s.m.
pitaiaiá s.m.
pitaica s.f.
pitaica-da-terra-firme s.f.; pl. *pitaicas-da-terra-firme*
pitaica-da-várzea s.f.; pl. *pitaicas-da-várzea*
pitaica-do-campo s.f.; pl. *pitaicas-do-campo*
pitaica-preta s.f.; pl. *pitaicas-pretas*
pitaicica s.f.
pítais s.f.2n.
pitaléu s.m.
pitambaiana s.f.
pitambor (*ô*) s.m.
pitanã s.m.
pitança s.f.
pitançaria s.f.
pitanceiro s.m.
pitaneia (*é*) adj. s.f. de *pitaneu*
pitaneu adj. s.m.; f. *pitaneia* (*é*)
pitanga s.f.
pitangaçu s.m.
pitanga-açu s.m.; pl. *pitangas-açu* e *pitangas-açus*
pitanga-da-praia s.f.; pl. *pitangas-da-praia*
pitanga-de-cachorro s.f.; pl. *pitangas-de-cachorro*
pitangal s.m.
pitanga-miúda s.f.; pl. *pitangas-miúdas*
pitangão s.m.
pitanga-pimenta s.f.; pl. *pitangas-pimenta* e *pitangas-pimentas*
pitanga-preta s.f.; pl. *pitangas-pretas*
pitanga-traíra s.f.; pl. *pitangas-traíra* e *pitangas-traíras*
pitangatuba s.f.
pitango s.m.
pitangola s.f.
pitanguá s.m.
pitanguá-açu s.m.; pl. *pitanguás-açus*
pitangueira s.f.
pitangueira-comum s.f.; pl. *pitangueiras-comuns*
pitangueira-de-cachorro s.f.; pl. *pitangueiras-de-cachorro*
pitangueira-de-jardim s.f.; pl. *pitangueiras-de-jardim*
pitangueira-do-banhado s.f.; pl. *pitangueiras-do-banhado*
pitangueira-do-campo s.f.; pl. *pitangueiras-do-campo*
pitangueira-do-mato s.f.; pl. *pitangueiras-do-mato*
pitangueira-mulata s.f.; pl. *pitangueiras-mulatas*
pitangueira-vermelha s.f.; pl. *pitangueiras-vermelhas*
pitangueirense adj. s.2g.
pitanguense adj. s.2g.
pitangui s.m.
pitanguiense adj. s.2g.
pitanguina s.f.
pítano s.m.
pitão s.m.
pitar v.
pitas s.m.2n.
pitassoma s.m.
pitauá s.m.
pitauã s.m.
pitaula s.m.
pitaulo s.m.
pitávia s.f.
pitcaírnia s.f.
pitcairníea s.f.
pitecantropia s.f.
pitecantropídeo adj. s.m.
pitecantropo (*ô*) s.m.
pitecantropoide (*ó*) adj.2g. s.m.
pitecelóbio s.m.
pitécia s.m.
piteciano adj.
pitécida adj.2g. s.m.
pitecídeo adj. s.m.
piteciídeo adj. s.m.
piteciíneo adj. s.m.
pitecíneo adj. s.m.
pitecino adj. s.m.
pitécio s.m.
pitecismo s.m.
piteco s.m.
pitecoctênio s.m.
pitecoide (*ó*) adj.2g.
pitecolóbio s.m.
pitecólobo s.m.
pitecoséride s.f.
pitecóseris s.f.2n.
pitecosséride s.f.
pitégias s.f.pl.
piteira s.f.
piteira-de-sinal s.f.; pl. *piteiras-de-sinal*
piteira-dos-valados s.f.; pl. *piteiras-dos-valados*
piteira-imperial s.f.; pl. *piteiras-imperiais*
piteirar v.
piteireiro adj. s.m.
piteirice s.f.
piteiro s.m.
pitém s.m.
pitequeiro s.m.
pitequiro s.m.
piterapaua s.f.
pitéu s.m.
pitexavássana s.m.
piti s.m.
pitiá s.f. "planta"; cf. *pítia*
pítia s.f. "pitonisa"; cf. *pitiá*
pitiá-café s.f.; pl. *pitiás-café* e *pitiás-cafés*
pitiácea s.f.
pitiáceo adj.
pitíada s.f.
pitíade s.f.
pitiâmbico adj.
pitianga s.f.
pitiático adj.
pitiatismo s.m.
pitiatria s.f.
piticaia s.m.
piticiácea s.f.
piticiáceo adj.
piticinho s.m.
piticita s.f.
pítico adj.
pitídeo adj. s.m.
pitifanga s.2g.
pítiga s.f.
pitigaia s.m.
pitigar adj. s.2g.
pítigo s.m.
pitiguar adj. s.2g.
pitiguara adj. s.2g.
pitiguari s.m.
pítilo s.m.
pitima s.f.
pitimboana s.f.
pitimboeiro s.m.
pitimboia (*ó*) s.f.
pitimbuense adj. s.2g.
pitinate adj. s.2g.
pitindiba s.f.
pitinga adj. s.f. "branco", etc.; cf. *petinga*
pitinguirra s.m.
pitinha s.f.
pitinho s.m.
pitinita s.f.
pitinite s.f.
pitinta s.f.
pítio adj. s.m.
pitiófago s.m.
pitióftoro s.m.
pitiógeno s.m.
pitiótico adj.
pitiotismo s.m.
pitipé s.m.
pitiríase s.f.
pitiriásico adj.
pitiriático adj.
pitirograma s.f.
pítis s.m.2n.
pititinga s.f.
pititinguense adj. s.2g.
pitiú s.m.
pitiú-açu s.m.; pl. *pitiús-açus*
pitiú-araçá s.m.; pl. *pitiús-araçás*
pitium s.m.
pitizita s.f.
pitizite s.f.
pitkarantita s.f.
pito s.m. "repreensão"; cf. *pitó*
pitó s.m. "coque"; cf. *pito*
pito-barranqueiro s.m.; pl. *pitos-barranqueiros*
pitoca s.f.
pitocha adj.2g. s.f.
pitocina s.f.
pitoco (*ô*) adj. s.m.
pito-cobra s.m.; pl. *pitos-cobra* e *pitos-cobras*
pito-d'água s.m.; pl. *pitos-d'água*
pito-de-coisa-ruim s.m.; pl. *pitos-de-coisa-ruim*
pito-de-saci s.m.; pl. *pitos-de-saci*
pito-do-demo s.m.; pl. *pitos-do-demo*
pito-formigueiro s.m.; pl. *pitos-formigueiro* e *pitos-formigueiros*
pitom s.m.
pitoma s.f.
pitomancia s.f.
pitomante s.2g.
pitomântico adj.
pitomba s.f.
pitomba-açu s.f.; pl. *pitombas-açus*
pitombada s.f.
pitomba-da-baía s.f.; pl. *pitombas-da-baía*
pitomba-da-mata s.f.; pl. *pitombas-da-mata*
pitomba-de-leite s.f.; pl. *pitombas-de-leite*
pitomba-de-macaco s.f.; pl. *pitombas-de-macaco*
pitomba-preta s.f.; pl. *pitombas-pretas*

pitombeira s.f.
pitombeira-da-baía s.f.; pl. *pitombeiras-da-baía*
pitombeira-de-marajó s.f.; pl. *pitombeiras-de-marajó*
pitombeirense adj. s.2g.
pitombeiro s.m.
pitombeiro-da-baía s.m.; pl. *pitombeiros-da-baía*
pitombo s.m.
pitomborana s.f.
pitometria s.f.
pitométrico adj.
pitômetro s.m.
pitomorfo adj. s.m.
píton s.m.
pitônico adj.
pitônida adj.2g. s.m.
pitoníneo adj. s.m.
pitonisa s.f.
pitoniso s.m.
pitonissa s.f.
pitonomorfo adj. s.m.
pitopolitano adj. s.m.
pitora s.f. "lombo com toucinho"; cf. *pitorra* (*ô*)
pitoresco (*ê*) adj. s.m.
pitorra (*ô*) s.f. "pião pequeno"; cf. *pitora*
pitorrinha s.f.
pitorrita s.f.
pitosca adj. s.2g.
pitosco (*ô*) adj.
pitosga adj. s.2g.
pitoso (*ô*) adj.; f. (*ó*); pl. (*ó*)
pitosporácea s.f.
pitosporáceo adj.
pitospórea s.f.
pitospóreo adj.
pitósporo s.m.
pitósporo-da-china s.m.; pl. *pitósporos-da-china*
pitote s.m.
pitressina s.f.
pitribi s.m.
pitu s.m.
pituá s.m. "pequeno pincel"; cf. *pituã*
pituã s.m. "bem-te-vi"; cf. *pituá*
pituaçu s.m.
pituba adj. s.2g. s.m.
pitubense adj. s.2g.
pitucuarana s.f.
pituí s.m.
pituicítico adj.
pituícito s.m.
pituicitoma s.m.
pituim s.m.
pituíta s.f.
pituitária s.f.
pituitário adj.
pituitocítico adj.
pituitócito s.m.
pituitoso (*ô*) adj.; f. (*ó*); pl. (*ó*)
pituitrina s.f.
pitula s.f.
pitulano adj. s.m.
pitumarana s.f.
pitumba-de-folha-miúda s.f.; pl. *pitumbas-de-folha-miúda*
pitunense adj. s.2g.
pitungáli s.m.
pitura s.f.
pituri s.m.
piturina s.f.
piturisca s.f.
piúba s.f.
piúca s.2g.
piucar v.
piuense adj. s.2g.
piúgo s.m.
piuiense adj. s.2g.
piulco s.m.
pium s.m.
piumense adj. s.2g.
piúna s.f.
piunense adj. s.2g.
piunzense adj. s.2g.
piuquém s.m.
piuria s.f.
piúria s.f.
piúrico adj.
piúva s.f.
piúva-amarela s.f.; pl. *piúvas-amarelas*
piuvação s.f.
piúva-do-campo s.f.; pl. *piúvas-do-campo*
piúva-do-charco s.f.; pl. *piúvas-do-charco*
piúva-grandense adj. s.2g.; pl. *piúva-grandenses*
piuval s.m.
piúva-roxa s.f.; pl. *piúvas-roxas*
piuveira s.f.
piuvense adj. s.2g.
piuvinha-do-campo s.f.; pl. *piuvinhas-do-campo*
piva s.f.
pivelo (*ê*) s.m.
piverada s.f.
pivetário s.m.
pivete s.m.
piveteiro s.m.
pivô s.m.
pivoca adj. s.2g.
pivotante adj.2g. s.f.
pixa adj. s.2g.
pixacanto (*cs*) s.m.
pixaim adj.2g. s.m.
pixainense adj. s.2g.
pixainho adj.
pixainzense adj. s.2g.
pixear v.
pixerar v.
pixé adj.2g. s.m.
pixéu s.m.
pixicéfalo (*cs*) s.m.
pixícola (*cs*) s.m.
pixidantera (*cs*) s.f.
píxide (*cs*) s.f.
pixídeo (*cs*) adj. s.m.
pixidícula (*cs*) s.f.
pixidífero (*cs*) adj.
pixídio (*cs*) s.m.
pixídula (*cs*) s.f.
pixilinga s.f.
pixina (*cs*) s.f.
pixíneo (*cs*) adj.
pixínia (*cs*) s.f.
pixirica s.f.
pixirica-brava s.f.; pl. *pixiricas-bravas*
pixirica-de-bolas s.f.; pl. *pixiricas-de-bolas*
pixirica-grande s.f.; pl. *pixiricas-grandes*
pixiricu s.m. "planta anonácea"; cf. *pixiricum*
pixiricuçu s.m.
pixiricum s.m. "pindaíba"; cf. *pixiricu*
pixirucuçu s.m.
píxis (*cs*) s.f.2n.
pixiubinha s.f.
pixixica s.f.
pixorco adj.
pixoré s.m.
pixorga adj.2g. s.f.
pixorgo adj.
pixororé s.m.
pixororém s.m.
pixotada s.f.
pixote s.f.
pixoxó s.m.
pixuá s.m.
pixuenirana s.f.
pixuíra s.2g.
pixuna adj.2g. s.f.
pixundé s.m.
pixundu s.m.
pixuneira s.f.
pixuneirarana s.m.
pixunxu s.m.
pixuri s.m.
pixurim s.m.
pixurim-bastardo s.m.; pl. *pixurins-bastardos*
pixurum s.m.
pi-zero s.m.; pl. *pis-zero*
pizzaria s.f.
plá s.m.
placa s.f. "folha de material resistente"; cf. *placá*
placá s.f. "peixe defumado"; cf. *placa*
placabilidade s.f.
placa-mãe s.f.; pl. *placas-mãe*
placar s.m.
placarte s.m.
placável adj.2g.
placê s.m.
placebo s.m.
placenciano adj. s.m.
placenta s.f.
placental adj.2g.
placentação s.f.
placentália s.f.
placentário adj. s.m.
placente adj.2g.
placentiforme adj.2g.
placentígero adj.
placentim s.m.
placentino adj. s.m.
placentite s.f.
placentografia s.f.
placentográfico adj.
placentoma s.m.
placentopatia s.f.
placentopático adj.
placentoterapia s.f.
placentoterápico adj.
plácer s.m.
placerosa s.f.
plachutta s.m.
placidar v.
placidez (*ê*) s.f.
plácido adj.
plácido-castrense adj. s.2g.; pl. *plácido-castrenses*
placídula s.f.
placimento s.m.
placitação s.f.
placitado adj.
placitar v.
plácito s.m.; cf. *placito*, fl. do v. *placitar*
placitude s.f.
placobdela s.f.
placobranco s.m.
placoderme adj.2g. s.m.
placodérmico adj.
placodermo adj. s.m.
placodina s.f.
placódio s.m.
placodioide (*ó*) adj.2g. s.m.
placodisco s.m.
placóforo adj. s.m.
placogórgia s.f.
placoide (*ó*) adj.2g. s.m.
placolítico adj.
placólito s.m.
placoplasto s.m.
plácopo s.m.
placopodácea s.f.
placopodáceo adj.
placópode s.m.
placorganometria s.f.
placorganométrico adj.
placorganômetro s.m.
placórtis s.m.2n.
placosmília s.f.
placosmiliíneo adj. s.m.
placospôngia s.f.
placospongíneo adj. s.m.
placossáurio s.m.
placótroco s.m.
placotroquíneo adj. s.m.
plaçuela s.f.
placuna s.f.
placunanômia s.f.
placunela s.f.
placusa s.f.
pladarose s.f.
pladóbolo adj.
pladopétrico adj.
plaga s.f.
plagal adj.2g.
plagão s.m.
plagiacanta s.f.
plagiado adj.
plagiador (*ô*) s.m.
plagiante adj.2g.
plagiar v.
plagiário adj. s.m.
plagiato s.m.
plagiáulace s.f.
plagiáulax (*cs*) s.f.
plagiédrico adj.
plagiedro adj. s.m.
plágio s.m.; cf. *plagio*, fl. do v. *plagiar*
plagiobásico adj.
plagiocasma s.f.
plagiocefalia s.f.
plagiocefálico adj.
plagiocéfalo adj.
plagiocitrita s.f.
plagiocitrite s.f.
plagioclase s.f.
plagioclásico adj.
plagioclásio s.m.
plagioclástico adj.
plagiódera s.f.
plagiodôntia s.f.
plagiodôntio s.m.
plagiófiro s.m.
plagiofototaxia (*cs*) s.f.
plagiofriídeo adj. s.m.
plagiogiriácea s.f.
plagiogiriáceo adj.
plagiognatíneo adj. s.m.
plagiógnato s.m.
plagiógrafo s.m.
plagiolépide s.f.
plagiólepis s.f.2n.
plagioliparite s.f.
plagiolíparito s.m.
plagiometriona s.f.
plagionita s.f.
plagionite s.f.
plagionoto s.m.
plagiópode adj.2g.
plagiopógão s.m.
plagiopógon s.m.
plagiopórfiro s.m.
plagioprosopia s.f.
plagioprosopo adj. s.m.
plagiopterácea s.f.
plagiopteráceo adj.
plagióptero s.m.
plagioqueilo s.m.
plagioqueta (*ê*) s.f.
plagioquila s.f.
plagioquilo s.m.
plagiostila s.f.
plagiostomídeo adj. s.m.
plagióstomo adj. s.m.
plagioteciácea s.f.
plagioteciáceo adj.
plagiotecíea s.f.
plagiotécio s.m.
plagiótoma s.m.
plagiotremo adj. s.m.
plagiótrica s.f.
plagiótroco s.m.
plagiotropia s.f.
plagiotrópico adj.
plagiotropismo s.m.
plagiótropo adj.
plagódis s.f.2n.
plagúsia s.f.
plaina s.f.
plainado adj.
plainador (*ô*) s.m.
plainar v.
plaineira s.f.
plainete (*ê*) s.m.
plaininha s.f.
plainista s.2g.
plaino adj. s.m.
plameira s.f.
plamplemussa s.f.
plana s.f.
planada s.f.
planadecta s.f.
planado adj.
planador (*ô*) adj. s.m.
planaltense adj. s.2g.
planáltico adj.
planaltinense adj. s.2g.
planaltino adj. s.m.
planalto s.m.
planar v.
planarado s.m.
planária s.f.
planariáceo adj. s.m.
planariídeo adj. s.m.
planaxídeo (*cs*) adj. s.m.
planáxis (*cs*) s.m.2n.
plancha s.f.
planchada s.f.
planchador (*ô*) adj. s.m.
planchar v.
planchear v.
plancheíta s.f.
plancheta (*ê*) s.f.
planckiano adj.
plancônia s.f.
planconióidea s.f.
plancto s.m.
planctologia s.f.
planctológico adj.
planctologista adj. s.2g.
planctólogo s.m.
plâncton s.m.
planctônico adj.
planctoniela s.f.
planctônio s.m.
planctonte s.m.
planeado adj.
planeador (*ô*) adj. s.m.
planeamento s.m.
planear v.
planeável adj.2g.
planeio s.m.
planejado adj.
planejador (*ô*) adj. s.m.
planejamento s.m.
planejar v.
planejável adj.2g.
planerita s.f.
planes s.m.2n.
planesita s.f.
planesite s.f.
planespiral adj.2g.
planeta s.f. "paramento sacerdotal"; cf. *planeta* (*ê*)
planeta (*ê*) s.m. "astro"; cf. *planeta*
planetar adj.2g.
planetário adj. s.m.
planete (*ê*) s.m.
planetense adj. s.2g.
planetesimal adj.2g. s.m.
planetículo s.m.
planetização s.f.
planetizado adj.
planetizar v.
planetizável adj.2g.
planetocêntrico adj.
planetografia s.f.
planetográfico adj.
planetoide (*ó*) adj.2g. s.m.
planetolábio s.m.
planetologia s.f.
planetológico adj.
planetologista adj. s.2g.
planetólogo s.m.
planeza (*ê*) s.f.
plangana s.f.
plangência s.f.
plangense adj. s.2g.
plangente adj.2g.
planger v.
plangitivo adj.
plangor (*ô*) s.m.
plangoroso (*ô*) adj.; f. (*ó*); pl. (*ó*)
planhir v.
planície s.f.
planiço s.m.
planicórneo adj.
planiedro adj.
planificação s.f.
planificado adj.
planificador (*ô*) adj. s.m.
planificar v.
planificável adj.2g.
planifólio adj.
planiforme adj.2g. s.m.
planifronte adj.2g.

planiglobo (*ô*) s.m.
planigrafia s.f.
planígrafo s.m.
planigrama s.m.
plani-impressão s.f.
planilha s.f.
planímetra s.2g.
planimetração s.f.
planimetrador (*ô*) adj.
planimetragem s.f.
planimetrar v.
planimetria s.f.
planimétrico adj.
planimetrista adj. s.2g.
planímetro s.m.
planinense adj. s.2g.
planipédia s.f.
planipédio adj.
planipene adj.2g. s.m.
planipênio adj. s.m.
planirrostro adj.
planisférico adj.
planisfério s.m.
planismo s.m.
planispiral adj.2g.
planispirina s.f.
planista adj. s.2g.
planização s.f.
planizado adj.
planizador (*ô*) adj.
planizar v.
plano adj. s.m.
plano-altense adj. s.2g.; pl. *plano-altenses*
planobdela s.f.
planoblasto s.m.
planócera s.f.
planocerídeo adj. s.m.
planócero s.m.
plano-cilíndrico adj.
planócito s.m.
planocitose s.f.
planocitósico adj.
planococo s.m.
plano-côncavo adj.; pl. *plano-côncavos*
plano-convexo adj.; pl. *plano-convexos*
plano-espiral adj.2g.
planoferrita s.f.
planogameta s.m.
planogâmeta s.m.
planogâmeto s.f.
planogâmico adj.
planografia s.f.
planográfico adj.
planógrafo s.m.
planômeno s.m.
planômetra s.2g.
planometragem s.f.
planometria s.f.
planométrico adj.
planometrista adj. s.2g.
planômetro s.m.
planonte s.m.
plano-paralelo adj.; pl. *plano-paralelos*
plano-polarização s.f.
plano-polarizado adj.
plano-polarizar v.
planorbe s.m.
planórbida adj.2g. s.m.
planorbídeo adj. s.m.
planorbíneo adj. s.m.
planórbis s.m.2n.
planorbulina s.f.
plano-rotativo adj.
plano-sequência (*ü*) s.m.; pl. *planos-sequência* e *planos-sequências*
planoscópico adj.
plano-simetria s.f.
plano-simétrico adj.
planospiral adj.2g.
planóspiro adj.
planospórico adj.
planospório s.m.
planósporo s.m.
planossarcina s.f.
planossárcina s.f.
planossarcino s.m.
planossárcino s.m.
planossito s.m.
planqueta (*ê*) s.f.
planta s.f.
planta-alimento s.f.; pl. *plantas-alimento* e *plantas-alimentos*
planta-camarão s.f.; pl. *plantas-camarão* e *plantas-camarões*
plantação s.f.
planta-cruel s.f.; pl. *plantas-cruéis*
plantada s.f.
planta-da-sorte s.f.; pl. *plantas-da-sorte*
plantadeira s.f.
planta-de-neve s.f.; pl. *plantas-de-neve*
plantado adj. s.m.
plantador (*ô*) adj. s.m.
plantadora (*ô*) s.f.
plantagem s.f.
plantaginácea s.f.
plantagináceo adj.
plantaginal adj.2g.
plantaginale s.f.
plantagínea s.f.
plantagíneo adj.
plantago s.f.
plantal adj.2g.
planta-mãe s.f.; pl. *plantas-mãe* e *plantas-mães*
planta-milho s.m.; pl. *plantas-milho* e *plantas-milhos*
planta-misteriosa s.f.; pl. *plantas-misteriosas*
planta-nova s.f.; pl. *plantas-novas*
plantão s.m.
planta-paredeira s.f.; pl. *plantas-paredeiras*
plantar v. adj.2g.
planta-rainha s.f.; pl. *plantas-rainha* e *plantas-rainhas*
plantário adj.
planta-telégrafo s.f.; pl. *plantas-telégrafo* e *plantas-telégrafos*
plantear v.
plantel s.m.
plantela s.f.
plantícula s.f.
plantífero adj.
plantígrado adj. s.m.
plantina s.f.
plantiniano adj.
plantio s.m.
plântipo s.m.
plantívoro adj.
plantomania s.f.
plantomaníaco adj. s.m.
plantonista s.2g.
plântula s.f.
plantulação s.f.
planturoso (*ô*) adj.; f. (*ó*); pl. (*ó*)
plânula s.f.
planulita s.f.
planulite s.f.
planura s.f.
planurense adj. s.2g.
planuria s.f.
planúria s.f.
planúrico adj.
planuroso (*ô*) adj.; f. (*ó*); pl. (*ó*)
planzém s.2g.
plapo s.m.
plaquê s.m.
plaqueamento s.m.
plaquear v.
plaqueta (*ê*) s.f.
plaquete s.f.
plasma s.m.
plasmabilidade s.f.
plasmação s.f.
plasmácito s.m.
plasmacitoma s.m.
plasmado adj.
plasmador (*ô*) adj. s.m.
plasmaférese s.f.
plasmaferético adj.
plasmagel s.m.
plasmagem s.f.
plasmagene s.m.
plasmalema s.m.
plasmalemático adj.
plasmalêmico adj.
plasmão s.m.
plasmar v.
plasmase s.f.
plásmase s.f.
plasmassol s.m.
plasmaticidade s.f.
plasmático adj.
plasmativo adj.
plasmatron s.m.
plásmatron s.m.
plasmável adj.2g.
plásmico adj.
plasmídeo adj. s.m.
plasmídio s.m.
plasmidiótico adj.
plasmina s.f.
plasminogênio s.m.
plasmocítico adj.
plasmócito s.m.
plasmocitoblasto s.m.
plasmocitoma s.m.
plasmocitose s.f.
plasmoderma s.m.
plasmodermo s.m.
plasmodesma s.f.
plasmodesmo s.m.
plasmódia s.f.
plasmodial adj.2g.
plasmodiérese s.f.
plasmodiídeo adj. s.m.
plasmódio s.m.
plasmodioblasto s.m.
plasmodiocarpo s.m.
plasmodiófora s.f.
plasmodioforácea s.f.
plasmodioforáceo adj.
plasmodioforal adj.2g.
plasmodioforale s.f.
plasmodióforo s.m.
plasmodioma s.m.
plasmodiose s.f.
plasmodiósico adj.
plasmodiótico adj.
plasmodoma s.m.
plasmodomia s.f.
plasmodomo s.m.
plasmódromo adj. s.m.
plasmódula s.f.
plasmófago s.m.
plasmoforese s.f.
plasmogamia s.f.
plasmogenia s.f.
plasmogênico adj.
plasmogonia s.f.
plasmogônico adj.
plasmoide (*ó*) s.m.
plasmolisabilidade s.f.
plasmolisante adj.2g. s.m.
plasmolisar v.
plasmolisável adj.2g.
plasmólise s.f.
plasmolítico adj.
plasmólito s.m.
plasmologia s.f.
plasmológico adj.
plasmomito s.m.
plasmonema s.m.
plasmópara s.f.
plasmoptse s.f.
plasmóquima s.m.
plasmórgão s.m.
plasmorréctico adj.
plasmorrexe (*cs*) s.f.
plasmosfera s.f.
plasmoso (*ô*) adj.; f. (*ó*); pl. (*ó*)
plasmósquise s.f.
plasmosquísico adj.
plasmossinagia s.f.
plasmossinágico adj.
plasmossoma s.m.
plasmossomo s.m.
plasmoterapia s.f.
plasmoterápico adj.
plasmotomia s.f.
plasmotômico adj.
plasmozoário adj. s.m.
plassoma s.m.
plassomo s.m.
plasta adj. s.2g. s.f.
plastalina s.f.
plastalói s.m.
plasteirão s.m.; f. *plasteirona*
plasteirona s.f. de *plasteirão*
plástica s.f.
plasticar v.
plasticidade s.f.
plasticina s.f.
plasticização s.f.
plasticizante adj.2g.
plasticizar v.
plástico adj. s.m.
plastidiário adj.
plastidinamia s.f.
plastídio s.m.
plastidógeno adj.
plastidoma s.m.
plastídula s.f.
plastidular adj.2g.
plastídulo s.m.
plastiduloperingênese s.f.
plastificação s.f.
plastificado adj.
plastificador (*ô*) adj. s.m.
plastificadora (*ô*) s.f.
plastificante adj.2g. s.m.
plastificar v.
plastificável adj.2g.
plastífice s.2g.
plastilina s.f.
plastina s.f.
plastispuma s.f.
plastissol s.m.
plastocianina s.f.
plastócito s.m.
plastocôndrio s.m.
plastoderma s.m.
plastodermo s.m.
plastodinamia s.f.
plastodinâmico adj.
plastogamia s.f.
plastogâmico adj.
plastogenia s.f.
plastogênico adj.
plastolite s.f.
plastômero s.m.
plastômetro s.m.
plastonema s.m.
plastoquímica s.f.
plastoquímico adj.
plastoquinona s.f.
plastoquinônico adj.
plastossoma s.m.
plastossomo s.m.
plastotipia s.f.
plastrada s.f.
plastrão s.m.
plastreirão adj. s.m.; f. *plastreirona*
plastreirona adj. s.f. de *plastreirão*
plastrom s.m.
plasturgia s.f.
plastúrgico adj.
platacântomis s.m.2n.
plátace s.m.
plataforma s.f.
plataformista adj. s.2g.
platagônio s.m.
platal s.m.
platálea s.f.
plataleídeo adj. s.m.
platanácea s.f.
platanáceo adj.
platanal s.m.
platâneo adj.
platanista s.m.
platanístida adj.2g. s.m.
platanistídeo adj. s.m.
plátano s.m.
plátano-americano s.m.; pl. *plátanos-americanos*
plátano-bastardo s.m.; pl. *plátanos-bastardos*
plátano-da-américa s.m.; pl. *plátanos-da-américa*
plátano-de-gênio s.m.; pl. *plátanos-de-gênio*
plátano-do-oriente s.m.; pl. *plátanos-do-oriente*
platanoide (*ó*) adj.2g.
platantera s.f.
platastéria s.f.
plátax (*cs*) s.m.2n.
platecarpo s.m.
plateense adj. s.2g.
plateia (*é*) s.f.
platelminta adj.2g. s.m.
platelminte adj.2g. s.m.
platelminto adj. s.m.
platêmio s.m.
platêmis s.m.2n.
platense adj. s.2g.
plateossauro adj. s.m.
plateresco (*ê*) adj. s.m.
platiamina s.f.
platianquênia s.f.
platiantera s.f.
platiartro s.m.
platiasmo s.m.
platiáspide s.f.
platiáspis s.f.2n.
platiasterídeo adj. s.m.
platibanda s.f.
platibasia s.f.
platibásico adj.
platibema s.m.
platibrisso s.m.
platicapno s.m.
platicareno s.m.
platicarfa s.f.
platicária s.f.
platicarpo s.m.
platicefalia s.f.
platicefálico adj.
platicefalídeo adj. s.m.
platicéfalo adj. s.m.
platicélico adj.
platicélio s.m.
platicentro s.m.
platicercínea s.f.
platicercíneo s.m.
platicerco s.m.
platicercômio s.m.
platicércomis s.m.2n.
platicerídeo adj. s.m.
platicério s.m.
platícero s.m.
platiciano s.m.
platiclorídrico adj.
platicnemia s.f.
platicnêmico adj.
platicnêmide s.f.
platicnêmis s.f.2n.
platicnemo adj. s.m.
platicodão s.m.
platicodina s.f.
platicopo adj. s.m.
platicótilo s.m.
platicrânia s.f.
platicrano s.m.
platictênio adj. s.m.
platicúrtico adj.
platicurtose s.f.
platidactilia s.f.
platidactílico adj.
platidáctilo adj.
platidatilia s.f.
platidatílico adj.
platidátilo adj.
platídemo s.m.
platídero s.m.
platídia s.f.
platídraco s.m.
platidrilo s.m.
platiedra s.f.
platielminte adj.2g. s.m.
platielmíntio adj. s.m.
platielminto adj. s.m.
platifilo adj.
platigastro s.m.
platigírio s.m.
platiglosso adj. s.m.
platigônio s.m.
plati-helminte adj.2g. s.m.

plati-helmíntio adj. s.m.
plati-helminto adj. s.m.
platilabo s.m.
platilépide adj.2g. s.f.
platílepis s.f.2n.
platilóbea s.f.
platilóbio s.m.
platilobulado adj.
platilofo s.m.
platimaia s.f.
platimênia s.f.
platímera s.f.
platimeria s.f.
platímero s.m.
platimetópio s.m.
platímetro s.m.
platimíscio s.m.
platina s.f.
platinado adj. s.m.
platinador (*ô*) s.m.
platinagem s.f.
platinamina s.f.
platinar v.
platináspide s.f.
platináspis s.f.2n.
platinato s.m.
platinematíctis s.m.2n.
platinense adj. s.2g.
platineuro adj.
platinglísia s.f.
platínico adj. s.m.
platiníídeo s.m.
platinífero adj.
platinirídio s.m.
platinita s.f.
platinite s.f.
platino adj. s.m.
platinocianeto (*ê*) s.m.
platinoide (*ó*) adj.2g. s.f.
platinoirídio s.m.
platinópode s.m.
platinóptera s.f.
platinoqueto s.m.
platinorródio s.m.
platinose s.f.
platinoso (*ô*) adj.; f. (*ó*); pl. (*ó*)
platinotipia s.f.
platinotípico adj.
platinúscio s.m.
platioftalmo s.m.
platiônico s.m.
plationiquíneo adj. s.m.
platipalpo s.m.
platipécilo s.m.
platípede adj.2g. s.m.
platipelia s.f.
platipélico adj.
platipélis s.m.2n.
platipétalo adj.
platipeza s.f.
platipézida adj.2g. s.m.
platipezídeo adj. s.m.
platíplace s.f.
plátiplax (*cs*) s.f.2n.
platipneia (*é*) s.f.
plátipo s.m.
platípode adj.2g. s.m.
platipodia s.f.
platipódico adj.
platipodídeo adj. s.m.
platipodíneo adj. s.m.
platipódio s.m.
platipsilo s.m.
platíptera s.f.
platíptero s.m.
platiptília s.f.
platirrina s.f.
platirrinco s.m.
platirríneo adj. s.m.
platirrinia s.f.
platirrínico adj.
platirriníídeo adj. s.m.
platirrínio adj.
platirrino adj. s.m.
platirrinquínea s.f.
platirriza s.f.
platirrópalo s.m.
platirrostro adj. s.m.
platiscélida adj.2g. s.m.
platiscelídeo adj. s.m.
platíscelo s.m.
platismo s.m.
platismógrafo s.m.
platismuro s.m.
platisomatíctis s.m.2n.
platisomídeo adj. s.m.
platisomo s.m.
platispérmico adj.
platispermo adj. s.m.
platispondilia s.f.
platissauro s.m.
platissema s.f.
platissépalo s.m.
platissiliquado adj.
platissoma s.m.
platissomídeo adj. s.m.
platisteira s.f.
platistêmon s.m.
platistêmone s.m.
platistemônea s.f.
platisteto s.m.
platistigma s.m.
platistira s.f.
platístolo s.m.
platístoma s.m.
platistomatíctis s.m.2n.
plátite s.m.
platiteca s.f.
plátites s.f.2n.
platitete s.f.
platitílepas s.m.2n.
platítomo s.m.
platitórax (*cs*) s.m.2n.
platitude s.f.
platiúra s.f.
platiúro adj. s.m.
platixanta (*cs*) s.f.
platô s.m.
platoamina s.f.
platófris s.f.2n.
platônia s.f.
platoniano adj.
platonice s.f.
platônico adj. s.m.
platonismo s.m.
platonista adj. s.2g.
platonístico adj.
platonizante adj.2g.
platonizar v.
platóstoma s.m.
plattnerita s.f.
platuro s.m.
plaudir v.
plauditivo adj.
plauenita s.f.
plauenite s.f.
plausibilidade s.f.
plausível adj.2g.
plaustra s.f.
plaustro s.m.
plautiano adj.
plautino adj.
playfairita s.f.
plázia s.f.
plazolita s.f.
pleária s.f.
pleariídeo adj. s.m.
plebe s.f.
plebeado s.m.
plebécula s.f.
plebeia (*é*) adj. s.f. de *plebeu*
plebeidade s.f.
plebeísmo s.m.
plebeização s.f.
plebeizado adj.
plebeizar v.
plebeu adj. s.m.; f. *plebeia* (*é*)
plebiscitado adj.
plebiscitar v.
plebiscitário adj. s.m.
plebiscitarismo s.m.
plebiscitarista adj. s.2g.
plebiscitarístico adj.
plebiscito s.m.
plebizar v.
plecoglosso s.m.
plecolépide adj.2g.
plecópode s.m.
plecóptero adj. s.m.
plecospermo s.m.
plecóstomo s.m.
plecotíneo adj. s.m.
plecoto s.m.
plecotrema s.f.
plectambonitáceo adj. s.m.
plectanocótilo s.m.
plectascal adj.2g.
plectascale s.f.
plectascínea s.f.
plectáster s.m.
plectênquima s.m.
pléctico adj.
plecto s.m.
plectobasidiínea s.f.
plectocômia s.f.
plectógnata adj.2g. s.m.
plectógnato adj.2g. s.m.
plectoide (*ó*) s.m.
plectomicete s.m.
plectomiceto s.m.
plectótero adj. s.m.
plectrânteo adj.
plectrântia s.f.
plectrantina s.f.
plectranto s.m.
plectridial adj.2g.
plectridiale s.f.
plectrídio s.m.
pléctris s.f.2n.
plectro s.m.
plectrófane s.m.
plectrofenace s.m.
plectrófenax (*cs*) s.m.
plectrófora s.f.
plectromântis s.m.2n.
plectromo s.m.
plectrônia s.f.
plectropoma s.m.
plectropterínea s.f.
plectróptero s.m.
plectrorrínquio s.m.
plectruro s.m.
plegádero s.m.
plégadis s.m.2n.
plegária s.f.
plegofonia s.f.
plêiade s.f.
pleiadélfia s.f.
pleíneo adj. s.m.
pleinogáster s.m.
pleiocarpa s.f.
pleiocárpea s.f.
pleiocarpo adj.
pleiocásio s.m.
pleiocromia s.f.
pleiocrômico adj.
pleiofilia s.f.
pleiômere s.f.
pleiomeria s.f.
pleiômero adj.
pleiomorfia s.f.
pleiomorfo adj.
plêiona s.f.
plêione s.f.
pleioquito s.m.
pleiotaxe (*cs*) s.f.
pleiotaxia (*cs*) s.f.
pleiotomia s.f.
pleiotropia s.f.
pleiotropismo s.m.
pleistocênico adj. s.m.
pleistoceno adj. s.m.
pleistossismo s.m.
pleistossista adj. s.2g.
pleitar v.
pleiteado adj.
pleiteador (*ô*) adj. s.m.
pleiteante adj. s.2g.
pleitear v.
pleiteável adj.2g.
pleitista adj. s.2g.
pleito s.m.
plenamente s.m. adv.
plenargirita s.f.
plenargirite s.f.
plenária s.f.
plenário adj. s.m.
plenarismo s.m.
plenarista adj. s.2g.
plenicórneo adj.
plenidão s.f.
plenificar v.
plenilunar adj.2g.
plenilúnio s.m.
pleninense adj. s.2g.
pleniposse s.f.
plenipotência s.f.
plenipotenciário adj. s.m.
plenirrostro adj.
plenismo s.m.
plenista adj. s.2g.
plenístico adj.
plenita s.f.
plenite s.f.
plenito s.m.
plenitude s.f.
pleno adj. s.m.
pleno-emprego s.m.; pl. *plenos-empregos*
pleno-relevo s.m.; pl. *plenos-relevos*
pleocitose s.f.
pleocroico (*ó*) adj.
pleocroísmo s.m.
pleocrômico adj.
pleodonte adj.2g.
pleodorina s.f.
pleofagia s.f.
pleofágico adj.
pleófago s.m.
pleomazia s.f.
pleomorfismo s.m.
pleomorfo adj.
pléon s.m.
pleonandra s.f.
pleonasmo s.m.
pleonástico adj.
pleonasto s.m.
pleonectita s.f.
pleonectite s.f.
pleonéxia (*cs*) s.f.
pleônico adj.
pleônio s.m.
pleonito s.m.
pleonocroísmo s.m.
pleonosteose s.f.
pleonosteósico adj.
pleonótoma s.m.
pleopodal adj.2g.
pleópode s.m.
pleóptica s.f.
pleorama s.m.
pleorâmico adj.
pleoroma s.m.
pleosféria s.f.
pleóspora s.f.
pleosporácea s.f.
pleosporáceo adj.
pleósporo s.m.
pleostêmone adj.2g.
pleotélsico adj.
pleotelso s.m.
pleotropia s.f.
plerastreia (*é*) s.f.
plerastreíneo adj. s.m.
plerema s.m.
pleremátema s.m.
plerемática s.f.
plerematico adj.
plerêmica s.f.
plerêmico adj.
plereta (*ê*) s.f.
plerocercoide (*ó*) adj.2g. s.f.
plerocestoide (*ó*) s.m.
pleródia s.f.
plerogira s.f.
pleroma s.m.
pleromático adj.
pleromíneo adj. s.m.
pleromorfose s.f.
pleromorfósico adj.
pleromorfótico adj.
plerose s.f.
plerótico adj.
plésia s.f.
plesiadapídeo adj. s.m.
plesiádapis s.m.2n.
plesiantropo s.m.
plesiarctômio s.m.
plesiárctomis s.m.2n.
plesiasmia s.f.
plesiastreia (*é*) s.f.
plesíctis s.m.2n.
plesioceto s.m.
plesiometacarpiano adj.
plesiomorfismo s.m.
plesiomorfista adj.2g.
plesiomorfo adj. s.m.
plesiope s.m.
plesiopeneu s.m.
plesiopíneo adj. s.m.
plesioporitídeo adj.
plesiossáurico adj.
plesiossaurídeo adj. s.m.
plesiossáurio s.m.
plesiossauro s.m.
plesiótipo s.m.
plessigrafia s.f.
plessigráfico adj.
plessígrafo s.m.
plessimetria s.f.
plessimétrico adj.
plessímetro s.m.
plessita s.f.
plessite s.f.
plessometria s.f.
plessométrico adj.
plessômetro s.m.
plestino adj. s.m.
pletênquima s.m.
pletismografia s.f.
pletismográfico adj.
pletismógrafo s.m.
pletismograma s.m.
pletodonte s.m.
pletodontídeo adj. s.m.
pletodontíneo adj. s.m.
pletodontoíla s.f.
pletora s.f.
pletorar v.
pletórico adj.
pletorizar v.
pletro s.m.
pleumósio adj. s.m.
pleumóxio (*cs*) adj. s.m.
plêuquia s.f.
pleura s.f.
pleuracanto s.m.
pleural adj.2g.
pleuralgia s.f.
pleurálgico adj.
pleuranta s.f.
pleurapófise s.f.
pleuraquino s.m.
pleurasita s.f.
pleurasite s.f.
pleurátoo s.m.
pleurectomia s.f.
pleurectômico adj.
pleurênquima s.m.
plêurico adj.
pleuricóspora s.f.
pleuricospórea s.f.
pleurídio s.m.
pleuris s.m.2n.
pleurisia s.f.
pleurísico adj.
pleurite s.f.
pleurítico adj. s.m.
pleurito s.m.
pleurobótrio s.m.
pleurobranco s.m.
pleurobranqueia (*é*) s.f.
pleurobranquia s.f.
pleurobrânquida adj.2g. s.m.
pleurobranquídeo adj. s.m.
pleurobranquiídeo adj. s.m.
pleurobrânquio s.m.
pleurobraquídeo adj. s.m.
pleurocapsa s.f.
pleurocapsácea s.f.
pleurocapsáceo adj.
pleurocapso s.m.
pleurocarpa s.f.
pleurocárpea s.f.
pleurocárpeo adj.
pleurocarpo adj. s.m.
pleurocele s.f.
pleurocélico adj.
pleurocenadelfo adj. s.m.
pleurocentese s.f.
pleurocentésico adj.
pleurocentro s.m.
pleurócera s.f.

pleurocercoide (*ó*) adj.2g. s.m.
pleurocerídeo adj. s.m.
pleurocládia s.f.
pleuróclase s.f.
pleuroclásio s.m.
pleuróclise s.f.
pleurococácea s.f.
pleurococáceo adj.
pleurococo s.m.
pleurocopo s.m.
pleurocorálio s.m.
pleurocótilo s.m.
pleurodão s.m.
pleurodelo s.m.
pleurodinia s.f.
pleurodínico adj.
pleuródio s.m.
pleurodiro adj. s.m.
pleurodiscal adj.2g.
plêurodon s.m.
pleurodonte adj.2g. s.m.
pleurofascácea s.f.
pleurofascáceo adj.
pleurofilídia s.f.
pleurofilidiídeo adj. s.m.
pleurófora s.f.
pleuróforo s.m.
pleurógeno adj.
pleurógina s.f.
pleurogínico adj.
pleurógino adj. s.m.
pleurogônio s.m.
pleurógono adj. s.m.
pleurografia s.f.
pleurográfico adj.
pleurolófio s.m.
pleuroma s.m.
pleuromeiácea s.f.
pleuromeiáceo adj.
pleurômelo s.m.
pleuromiácea s.f.
pleuromiáceo adj.
pleuromitose s.f.
pleuronecte s.m.
pleuronéctida adj.2g. s.m.
pleuronectídeo adj. s.m.
pleuronectiforme s.m.
pleuronectíneo adj. s.m.
pleuronecto s.m.
pleuronema s.m.
pleuronemídeo adj. s.m.
pleuropatia s.f.
pleuropático adj.
pleuropericardite s.f.
pleuropericardítico adj.
pleuroperipneumonia s.f.
pleuroperipneumônico adj.
pleuroperitoneal adj.2g.
pleuropiose s.f.
pleuropiósico adj.
pleuropiótico adj.
pleuropneumonia s.f.
pleuropneumônico adj.
plêuropo s.m.
pleurópode adj.2g. s.m.
pleuropódio adj.
pleuropterígio adj. s.m.
pleuropulmonar adj.2g.
pleuroquilídio s.m.
pleurorídgea s.f.
pleurorragia s.f.
pleurorrágico adj.
pleurorreia (*é*) s.f.
pleurorreico (*é*) adj.
pleurorrízio adj.
pleurorrizo adj.
pleurortopneia (*é*) s.f.
pleurortopneico (*é*) adj.
pleuroscopia s.f.
pleuroscópico adj.
pleuroscópio s.m.
pleurose s.f.
pleurósia s.f.
pleurósio s.m.
pleurosióidea s.f.
pleurospasmo s.m.
pleurospasmódico adj.
pleurospermo s.m.
pleurosporângio s.m.
pleurospório s.m.
pleurósporo adj.
pleurosquisma s.m.
pleurossigma s.m.
pleurossomia s.f.
pleurossômico adj.
pleurossomo s.m.
pleurósteo s.m.
pleurosteose s.f.
pleurosteósico adj.
pleurosteótico adj.
pleurota s.f.
pleurotal adj.2g.
pleurotale s.f.
pleurotalídea s.f.
pleurotalo s.m.
pleurotifoide (*ó*) s.f.
pleuroto (*ô*) s.m.
pleuroto-aconchado s.m.; pl. *pleurotos-aconchados*
pleuroto-cervino s.m.; pl. *pleurotos-cervinos*
pleurótoma s.f.
pleurotomária s.f.
pleurotomarídeo adj. s.m.
pleurotomariídeo adj. s.m.
pleurotomário s.m.
pleurotomia s.f.
pleurotômico adj.
pleurotomídeo adj. s.m.
pleurótomo s.m.
pleuroto-ostráceo s.m.; pl. *pleurotos-ostráceos*
pleurotótono s.m.
pleurotremado adj. s.m.
pleurótribo adj.
pleurótrica s.f.
pleurótroca s.f.
pleuroxo (*cs*) s.m.
pleusto s.m.
plêuston s.m.
plévia s.f.
plexaura (*cs*) s.f.
plexaurela (*cs*) s.f.
plexaurídeo (*cs*) adj. s.m.
plexauróideo (*cs*) adj. s.m.
plexeoblasto (*cs*) adj. s.m.
plexiforme (*cs*) adj.2g.
plexiglas (*cs*) s.m.
plexímetro (*cs*) s.m.
plexípede (*cs*) adj.2g.
plexípeo (*cs*) adj. s.m.
plexo (*cs*) s.m.
plexo-coroide (*ó*) s.m.; pl. *plexos-coroides* (*ó*)
plica s.f.
plicação s.f.
plicado adj.
plicador (*ô*) adj.
plicante adj.2g.
plicar v.
plicatipene adj.2g.
plicativo adj.
plicátula s.f.
plicatura s.f.
plicável adj.2g.
plicipene adj.2g. s.m.
plicipêneo adj. s.m.
plicoma s.m.
plictolofíneo adj.
plictolopíneo s.m.
plidar v.
plínia s.f.
pliniano adj.
plinite s.f.
plintérias s.f.pl.
plintiso s.m.
plintita s.f.
plintite s.f.
plinto s.m.
pliobirsa s.f.
pliobotro s.m.
pliocarpa s.f.
pliocárpea s.f.
pliocarpo adj.
pliocásio s.m.
pliocene adj.2g. s.m.
pliocênico adj. s.m.
plioceno adj. s.m.
pliócera s.f.
pliocromia s.f.
pliocrômico adj.
pliodinatrão s.m.
pliodínatron s.m.
pliodinátron s.m.
pliodinatrônio s.m.
pliofilia s.f.
pliofílico adj.
plioípo s.m.
pliômere s.f.
pliomeria s.f.
pliomérico adj.
pliômero adj.
pliomorfia s.f.
pliomorfo adj.
pliopiteco s.m.
pliopleistocênico adj.
pliopleistoceno s.m.
plioplistocênico adj.
plioplistoceno s.m.
plioquito s.m.
pliossáurio s.m.
pliossauro s.m.
pliotáctico adj.
pliotático adj.
pliotaxe (*cs*) s.f.
pliotaxia (*cs*) s.f.
pliotomia s.f.
pliotômico adj.
pliotrão s.m.
plíotron s.m.
pliótron s.m.
pliotrônio s.m.
pliotropia s.f.
pliotropismo s.m.
plissado adj. s.m.
plissador (*ô*) adj. s.m.
plissagem s.f.
plissamento s.m.
plissar v.
plissável adj.2g.
plissê adj. s.m.
plistóanax (*cs*) s.m.
plistoanacte s.m.
plistocênico adj. s.m.
plistoceno adj. s.m.
plistônax (*cs*) s.m.2n.
plistosseísmo s.m.
plistosseísta adj.2g.
plistossismo s.m.
plistossista adj.2g.
plócama s.f.
plocâmia s.f.
plocamiácea s.f.
plocamiáceo adj.
plocâmio s.m.
plocamóforo s.m.
plocandra s.f.
ploce s.f.
ploceela s.f.
ploceida adj.2g. s.m.
ploceídea s.f.
ploceídeo adj. s.m.
ploceínea s.f.
plóceo adj. s.m.
plócia s.f.
plococárpio s.m.
plococarpo s.m.
plocossoma s.m.
plódia s.f.
ploeiro s.m.
plogófora s.f.
ploiária s.f.
ploiariídeo adj. s.m.
ploimo adj. s.m.
ploira s.f.
plombagina s.f.
plombierita s.f.
plombierite s.f.
plome s.m.
plomo s.m.
plosão s.f.
plosiva s.f.
plosividade s.f.
plosivo adj.
plotação s.f.
plotado adj.
plotador (*ô*) adj. s.m.
plotadora s.f.
plotagem s.f.
plotante adj.2g.
plotar v.
plotável adj.2g.
plotídeo adj. s.m.
plotínea s.f.
plotosíneo adj. s.m.
plotoso (*ô*) adj.; f. (*ó*); pl. (*ó*)
plótzia s.f.
plúchea s.f.
plucheia s.f.
plucheína s.f.
plückeriano adj.
plugado adj.
plugar v.
pluge s.m.
plugue s.m.
pluma s.f.
plumaceiro s.m.
plumacho s.m.
plumaço s.m.
plumada s.f.
plumadada s.f.
pluma-da-pérsia s.f.; pl. *plumas-da-pérsia*
pluma-de-capim s.f.; pl. *plumas-de-capim*
pluma-de-príncipe s.f.; pl. *plumas-de-príncipe*
plumagem s.f.
plumalsita s.f.
plumão s.m.
plumar v.
plumarela s.f.
plumária s.f.
plumário adj. s.m.
plumatela s.f.
plumatelídeo adj. s.m.
plumátil s.m.
plumaz adj. s.2g.
plumbácea s.f.
plumbáceo adj.
plumbada s.f.
plumbagela s.f.
plumbagem s.f.
plumbagina s.f.
plumbaginácea s.f.
plumbagináceo adj.
plumbaginal adj.2g.
plumbaginale s.f.
plumbaginar v.
plumbagínea s.f.
plumbagíneo adj.
plumbaginoso (*ô*) adj.; f. (*ó*); pl. (*ó*)
plumbago s.m.
plumbago-europeu s.m.; pl. *plumbagos-europeus*
plumbalófana s.f.
plumbano s.m.
plumbaragonita s.f.
plumbaragonite s.f.
plumbargentífero adj.
plumbaria s.f.
plumbário adj. s.m.
plumbato adj. s.m.
plumbear v.
plumbeína s.f.
plúmbeo adj.
plumbeta (*ê*) s.f.
plúmbico adj.
plumbídeo adj. s.m.
plumbierita s.f.
plumbierite s.f.
plumbífero adj.
plumbiodita s.f.
plumbiodite s.f.
plumbismo s.m.
plumbito s.m.
plumboaragonita s.f.
plumboaragonite s.f.
plumboargentífero adj.
plumbobinnita s.f.
plumbocalcita s.f.
plumbocalcite s.f.
plumbocalcito s.m.
plumbocuprífero adj.
plumbocuprita s.f.
plumbocuprite s.f.
plumboferrita s.f.
plumboferrite s.f.
plumboferrítico adj.
plumbogravura s.f.
plumbogumita s.f.
plumbogumite s.f.
plumbojarosita s.f.
plumbojarosite s.f.
plumbomalaquita s.f.
plumbomanganita s.f.
plumbomanganite s.f.
plumbomicrolita s.f.
plumbonacrita s.f.
plumbonacrite s.f.
plumboniobita s.f.
plumbopirocloro s.f.
plumborresinita s.f.
plumborresinite s.f.
plumboso (*ô*) adj.; f. (*ó*); pl. (*ó*)
plumbossinadelfita s.f.
plumbostanita s.f.
plumbostanite s.f.
plumbostibina s.f.
plumbosvanbergita s.f.
plumbotelúrio s.m.
plumbotipia s.f.
plumécia s.f.
plumeiro s.m.
plumejado adj.
plumejar v.
plúmeo adj.
pluméria s.f.
plumério adj.
plumetis s.m.2n.
plumícolo adj. s.m.
plumicórneo adj.
plumiera s.f.
plumiérea s.f.
plumiéreo adj.
plumieróidea s.f.
plumífero adj.
plumígero adj.
plumilha s.f.
plumiliforme adj.2g.
plumípede adj.2g.
plumista adj. s.2g.
plumitivo adj. s.m.
plumo s.m.
plumoalicôndria s.f.
plumosita s.f.
plumoso (*ô*) adj.; f. (*ó*); pl. (*ó*)
plúmula s.f.
plumulado adj.
plumular adj.2g.
plumulária s.f.
plumularídeo adj. s.m.
plumulariídeo adj. s.m.
plumulário adj. s.m.
plumuliforme adj.2g.
plúquea s.f.
pluqueína s.f.
pluquenécia s.f.
pluquenétia s.f.
plural adj.2g. s.m.
pluralidade s.f.
pluralismo s.m.
pluralista adj. s.2g.
pluralístico adj.
pluralização s.f.
pluralizado adj.
pluralizador (*ô*) adj.
pluralizante adj.2g.
pluralizar v.
pluralizável adj.2g.
plurianual adj.2g.
pluriarticulado adj.
pluriartrose s.f.
pluricanaliculite s.f.
pluricarpelar adj.2g.
pluricavitário adj.
pluricelular adj.2g.
pluricelularidade s.f.
pluriciliado adj.
pluriciliar adj.2g.
pluricultura s.f.
pluricultural adj.2g.
pluridentado adj.
pluridirecional adj.2g.
pluridisciplinar adj.2g.
pluridisciplinaridade s.f.
plurienal adj.2g.
pluriestratificação s.f.
pluriestratificador (*ô*) adj.
pluriestratificante adj.2g.
pluriestratificar v.
pluriestratificável adj.2g.

plurifacial adj.2g.
plurifetação s.f.
plurificar v.
pluriflor adj.
pluriforcado adj.
pluriforme adj.2g.
plurigamia s.f.
pluriglandular adj.2g.
plurilateral adj.2g.
plurilátero adj.
plurilingual adj.2g.
plurilíngue (*ü*) adj.2g.
plurilinguismo (*ü*) s.m.
plurilinguista (*ü*) adj. s.2g.
plurilinguístico (*ü*) adj.
plurilobado adj.
plurilobulado adj.
plurilocular adj.2g.
plurimamia s.f.
plurinérveo adj.
plurinominal adj.2g.
plurinucleado adj.
plurinuclear adj.2g.
plurinucleolado adj.
plurinucleolar adj.2g.
plurinucleose s.f.
pluriocular adj.2g.
pluriovariado adj.
pluriovulado adj.
pluriparidade s.f.
pluripartidário adj.
pluripartidarismo s.m.
pluripartidarista adj. s.2g.
pluripartidarístico adj.
pluripartido adj.
pluripétalo adj.
plurirracial adj.2g.
plurirreligioso (*ô*) adj.; f. (*ó*); pl. (*ó*)
plurissecular adj.2g.
plurisseminado adj.
plurisseriado adj.
plurissetorial adj.2g.
plurissigno s.m.
plurissono adj.
plurissubsistente adj.2g.
pluristratificação s.f.
pluristratificador (*ô*) adj.
pluristratificante adj.2g.
pluristratificar v.
pluristratificável adj.2g.
plurivalência s.f.
plurivalente adj.2g.
plurivalve adj.2g.
plurivocabular adj.2g.
plurivocabularidade s.f.
plurivocidade s.f.
plurívoco adj.
plúsia s.f.
plusíaco adj.
plusiocampa s.f.
plutarquiano adj.
plutarquismo s.m.
plutarquista adj. s.2g.
plutarquização s.f.
plutarquizar v.
plutela s.f.
plutelídeo adj. s.m.
plutelo s.m.
plúteo s.m.
pluto s.m.
plutocracia s.f.
plutocrata s.2g.
plutocrático adj.
plutocratização s.f.
plutocratizar v.
plutodonto s.m.
plutologia s.f.
plutológico adj.
plutologista adj. s.2g.
plutólogo s.m.
plutomania s.f.
plutomaníaco adj. s.m.
plúton s.m.
plutonáster s.m.
plutonasteríneo adj. s.m.
plutônia s.f.
plutoniano adj.
plutônico adj.
plutonígeno adj.
plutônio adj. s.m.
plutonismo s.m.
plutonista adj. s.2g.
plutonístico adj.
plutonita s.f.
plutonite s.f.
plutonito s.m.
plutonografia s.f.
plutonográfico adj.
plutonógrafo s.m.
plutonomia s.f.
plutonômico adj.
plutonomista adj. s.2g.
plutopolítico adj.
pluviação s.f.
pluviacional adj.2g.
pluvial adj.2g. s.m.
pluviano s.m.
pluviátil adj.2g.
pluvierosão s.f.
pluvierosivo adj.
pluvilenhosa s.f.
pluvilignoso (*ô*) adj.; f. (*ó*); pl. (*ó*)
pluvímetro s.m.
plúvio s.m.
pluviografia s.f.
pluviográfico adj.
pluviógrafo s.m.
pluviometria s.f.
pluviométrico adj.
pluviômetro s.m.
pluviometrográfico adj.
pluviometrógrafo s.m.
pluvionival adj.2g.
pluvioscópico adj.
pluvioscópio s.m.
pluviosidade s.f.
pluvioso (*ô*) adj. s.m.; f. (*ó*); pl. (*ó*)
pluvipluma s.f.
pluvissilva s.f.
pneodinâmica s.f.
pneodinâmico adj.
pneóforo s.m.
pneografia s.f.
pneográfico adj.
pneógrafo s.m.
pneometria s.f.
pneométrico adj.
pneômetro s.m.
pneoscopia s.f.
pneoscópico adj.
pneoscópio s.m.
pneu s.m. "pneumático"; cf. *peneu*
pneu-balão s.m.; pl. *pneus-balão* e *pneus-balões*
pneuma s.m.
pneumalérgeno s.m.
pneumartrófico adj.
pneumartrografia s.f.
pneumartrográfico adj.
pneumartrorradiografia s.f.
pneumartrorradiográfico adj.
pneumartrose s.f.
pneumartrósico adj.
pneumatemia s.f.
pneumatêmico adj.
pneumática s.f.
pneumaticidade s.f.
pneumático adj. s.m.
pneumatidráulico adj.
pneumatismo s.m.
pneumatista adj. s.2g.
pneumatístico adj.
pneumato s.m.
pneumatocardia s.f.
pneumatocardíaco adj.
pneumatocárdico adj.
pneumatocefalia s.f.
pneumatocefálico adj.
pneumatocele s.f.
pneumatocélico adj.
pneumatocelo s.m.
pneumatocisto s.m.
pneumatodispneia (*é*) s.f.
pneumatodispneico (*é*) adj.
pneumatódoco adj.
pneumatofonia s.f.
pneumatofônico adj.
pneumatóforo adj. s.m.
pneumatogenia s.f.
pneumatógeno adj. s.m.
pneumatografia s.f.
pneumatográfico adj.
pneumatógrafo s.m.
pneumatograma s.m.
pneumatólise s.f.
pneumatolítico adj.
pneumatólito s.m.
pneumatologia s.f.
pneumatológico adj.
pneumatologista adj. s.2g.
pneumatólogo s.m.
pneumatoma s.m.
pneumatômaco adj. s.m.
pneumatomáquico adj. s.m.
pneumatometria s.f.
pneumatométrico adj.
pneumatômetro s.m.
pneumatônfalo s.m.
pneumatopericárdio s.m.
pneumatoquímica s.f.
pneumatoquímico adj.
pneumatórraque s.f.
pneumatorraquia s.f.
pneumatorráquico adj.
pneumatorráquio s.m.
pneumatórraquis s.f.2n.
pneumatoscópio s.m.
pneumatose s.f.
pneumatósico adj.
pneumatoterapia s.f.
pneumatoterápico adj.
pneumatotórax (*cs*) s.m.2n.
pneumaturia s.f.
pneumatúrico adj.
pneumectomia s.f.
pneumectômico adj.
pneumedema s.m.
pneumemia s.f.
pneumêmico adj.
pneumemorragia s.f.
pneumemorrágico adj.
pneumemotórax (*cs*) s.m.2n.
pneumencefalite s.f.
pneumencefalítico adj.
pneumencefalografação s.f.
pneumencefalografar v.
pneumencefalografia s.f.
pneumencefalográfico adj.
pneumencefalograma s.m.
pneumenfráctico adj.
pneumenfraxia (*cs*) s.f.
pneumenterite s.f.
pneumenterítico adj.
pnêumico adj.
pneumobacilemia s.f.
pneumobacilêmico adj.
pneumobacilina s.f.
pneumobacilo s.m.
pneumobrânquio adj. s.m.
pneumobulbar adj.2g.
pneumocefalia s.f.
pneumocefálico adj.
pneumocele s.f.
pneumocélico adj.
pneumocentese s.f.
pneumocentético adj.
pneumociose s.f.
pneumocirrose s.f.
pneumocirrótico adj.
pneumocirurgia s.f.
pneumocirúrgico adj.
pneumocistografia s.f.
pneumocistográfico adj.
pneumocistose s.f.
pneumocistótico adj.
pneumococemia s.f.
pneumococêmico adj.
pneumococia s.f.
pneumocócico adj.
pneumococo s.m.
pneumoconiose s.f.
pneumoconiósico adj.
pneumoconiótico adj.
pneumodema s.m.
pneumoderma s.m.
pneumoderme s.f.
pneumodermídeo adj. s.m.
pneumodermo s.m.
pneumodinâmica s.f.
pneumodinâmico adj.
pneumodógrafo s.m.
pneumoemia s.f.
pneumoemotórax (*cs*) s.m.2n.
pneumoempiema s.m.
pneumoencefalite s.f.
pneumoencefalografação s.f.
pneumoencefalografar v.
pneumoencefalografia s.f.
pneumoencefalográfico adj.
pneumoencefalograma s.m.
pneumoenterite s.f.
pneumoenterítico adj.
pneumofimia s.f.
pneumofímico adj.
pneumoflebite s.f.
pneumoflebítico adj.
pneumogástrico adj. s.m.
pneumografia s.f.
pneumográfico adj.
pneumógrafo s.m.
pneumograma s.m.
pneumo-hemia s.f.
pneumo-hemorragia s.f.
pneumo-hemorrágico adj.
pneumo-hemotórax (*cs*) s.m.2n.
pneumo-hidrometria s.f.
pneumo-hidropericardia s.f.
pneumo-hidrotórax (*cs*) s.m.2n.
pneumo-hipodermia s.f.
pneumoidrometria s.f.
pneumoidropericardia s.f.
pneumoidrotórax (*cs*) s.m.2n.
pneumoipodermia s.f.
pneumólise s.f.
pneumolitíase s.f.
pneumolitiásico adj.
pneumolítico adj.
pneumólito s.m.
pneumologia s.f.
pneumológico adj.
pneumomalacia s.f.
pneumomalácia s.f.
pneumomalácico adj.
pneumomassagem s.f.
pneumomediastino s.m.
pneumomelanose s.f.
pneumomelanósico adj.
pneumomelanótico adj.
pneumometria s.f.
pneumométrico adj.
pneumômetro s.m.
pneumomicose s.f.
pneumomicósico adj.
pneumomicótico adj.
pneumomielografia s.f.
pneumomielográfico adj.
pneumonalgia s.f.
pneumonálgico adj.
pneumonante s.m.
pneumonectasia s.f.
pneumonectásico adj.
pneumonectomia s.f.
pneumonectômico adj.
pneumonemia s.f.
pneumonêmico adj.
pneumonenfráctico adj.
pneumonenfraxia (*cs*) s.f.
pneumonia s.f.
pneumônica s.f.
pneumônico adj. s.m.
pneumonite s.f.
pneumonítico adj.
pneumonólise s.f.
pneumonolítico adj.
pneumonólito s.m.
pneumonologia s.f.
pneumonológico adj.
pneumonologista adj. s.2g.
pneumonometria s.f.
pneumonométrico adj.
pneumonômetro s.m.
pneumonomicose s.f.
pneumonomicósico adj.
pneumonomicótico adj.
pneumonopatia s.f.
pneumonopático adj.
pneumopalúdico adj.
pneumopaludismo s.m.
pneumopatia s.f.
pneumopático adj.
pneumopéctico adj.
pneumopericárdio s.m.
pneumoperitoneal adj.2g.
pneumoperitoneu s.m.
pneumoperitônio s.m.
pneumoperitonite s.f.
pneumoperitonítico adj.
pneumopexia (*cs*) s.f.
pneumopielografia s.f.
pneumopielográfico adj.
pneumopiopericardia s.f.
pneumopiopericárdio s.m.
pneumopiotórax (*cs*) s.m.2n.
pneumopléctico adj.
pneumoplegia s.f.
pneumoplégico adj.
pneumoplético adj.
pneumopleurisia s.f.
pneumopleurite s.f.
pneumopleurítico adj.
pneumoplexia (*cs*) s.f.
pneumoproteína s.f.
pneumorradiografia s.f.
pneumorradiográfico adj.
pneumorrafia s.f.
pneumorráfico adj.
pneumorragia s.f.
pneumorrágico adj.
pneumórraque s.f.
pneumórraquis s.f.2n.
pneumorreia (*é*) s.f.
pneumorreico (*é*) adj.
pneumorretroperitônio s.m.
pneumoscópio s.m.
pneumose s.f.
pneumósquise s.f.
pneumosserosa s.f.
pneumosserotórax (*cs*) s.m.2n.
pneumóstoma s.m.
pneumostomático adj.
pneumostômato s.m.
pneumostômio s.m.
pneumóstomo s.m.
pneumotaxe (*cs*) s.f.
pneumoterapia s.f.
pneumoterápico adj.
pneumotermomassagem s.f.
pneumótico adj.
pneumotifo s.m.
pneumotifoide (*ó*) adj.2g. s.f.
pneumotímpano s.m.
pneumótipo s.m.
pneumotísica s.f.
pneumotísico adj.
pneumotisiologia s.f.
pneumotisiológico adj.
pneumotômaco s.m.
pneumotomia s.f.
pneumotômico adj.
pneumotórax (*cs*) s.m.2n.
pneumotoxina (*cs*) s.f.
pneumotrópico adj.
pneumovago adj.
pneumoventriculografia s.f.
pneumoventriculográfico adj.
pneu-socorro s.m.; pl. *pneus-socorro* e *pneus-socorros*
pnigo s.m.
pnirôntis s.m.2n.
pnoepiga s.f.
pnoirmo s.m.
pnom s.m.
pó s.m.
pô interj.
poa (*ô*) s.f. "gênero de planta"; cf. *poá*
poá s.m. "pequeno círculo"; cf. *poa*
poácea s.f.
poáceo adj.
poaçu s.m.

poaense adj. s.2n.
poaia adj. s.2g. s.f.
poaia-branca s.f.; pl. *poaias-brancas*
poaia-cinzenta s.f.; pl. *poaias-cinzentas*
poaia-comprida s.f.; pl. *poaias-compridas*
poaia-da-praia s.f.; pl. *poaias-da-praia*
poaia-das-boticas s.f.; pl. *poaias-das-boticas*
poaia-de-cipó s.f.; pl. *poaias-de-cipó*
poaia-de-mato-grosso s.f.; pl. *poaias-de-mato-grosso*
poaia-de-minas s.f.; pl. *poaias-de-minas*
poaia-do-brasil s.f.; pl. *poaias-do-brasil*
poaia-do-campo s.f.; pl. *poaias-do-campo*
poaia-do-cerrado s.f.; pl. *poaias-do-cerrado*
poaia-do-mato s.f.; pl. *poaias-do-mato*
poaia-do-rio s.f.; pl. *poaias-do-rio*
poaia-legítima s.f.; pl. *poaias-legítimas*
poaia-ondulada s.f.; pl. *poaias-onduladas*
poaia-preta s.f.; pl. *poaias-pretas*
poaia-rasteira s.f.; pl. *poaias-rasteiras*
poaia-verdadeira s.f.; pl. *poaias-verdadeiras*
poaia-vermelha s.f.; pl. *poaias-vermelhas*
poaieiro s.m.
poaieiro-triste s.m.; pl. *poaieiros-tristes*
poaiense adj. s.2g.
poalha s.f.
poalho s.m.
poare s.m.
pobe (*ô*) s.m.
pobila s.f.
pobralhada s.f.
pobre adj. s.2g.
pobre-diabo s.m.; pl. *pobres-diabos*
pobrerio s.m.
pobreta (*ê*) adj. s.2g.
pobretalha s.f.
pobretana s.2g.
pobretão s.m.; f. *pobretona*
pobrete (*ê*) adj. s.2g.
pobretona s.f. de *pobretão*
pobreza (*ê*) s.f.
pobrezinho adj. s.m. interj.
pobura s.f.
poca s.f. "espécie de bambu"; cf. *pocá*
pocá s.f. "rede"; cf. *poca*
poça (*ô* ou *ó*) s.f.
pocachim s.m.
pocaçu s.f.
poçada s.f.
poçal s.m.
pocamó s.m.
poçanangara s.m.
poçanco s.m.
poçanense adj. s.2g.
pocanga adj. s.2g.
poção s.m.f.
poçãoense adj. s.2g.
poção-pedrense adj. s.2g.; pl. *poção-pedrenses*
poçãozense adj. s.2g.
pocar v.
poçaúna s.f.
poceca (*ê*) s.f.
poceco (*ê*) s.m.
poceira s.f.
poceirão s.m.
poceiro s.m. "cavador de poços", etc.; cf. *posseiro* e *puceiro*
pocema s.f.
pocense adj. s.2g.
pocha (*ô*) s.f. "casca", etc.; cf. *poxa* (*ô*)
pochete s.f.
pochiquense adj. s.2g.
pocho (*ô*) adj. s.m.
pocilga s.f.
pocilgo s.m.
pocilhão s.m.
pocilópora s.f.
pociloporídeo adj. s.m.
pocinheira s.f.
pocinhense adj. s.2g.
pocionense adj. s.2g.
poço (*ô*) s.m.; pl. (*ó*)
poço-antense adj. s.2g.; pl. *poço-antenses*
poço-arrozense adj. s.2g.; pl. *poço-arrozenses*
poço-azulense adj. s.2g.; pl. *poço-azulenses*
poço-bonitense adj. s.2g.; pl. *poço-bonitenses*
poço-branquense adj. s.2g.; pl. *poço-branquenses*
poçoca s.f.
poço-centralense adj. s.2g.; pl. *poço-centralenses*
pocócera s.f.
poço-compridense adj. s.2g.; pl. *poço-compridenses*
poço-cruzense adj. s.2g.; pl. *poço-cruzenses*
poço-dantense adj. s.2g.; pl. *poço-dantenses*
poço-embirense adj. s.2g.; pl. *poço-embirenses*
poçoense adj. s.2g.
poço-ferreirense adj. s.2g.; pl. *poço-ferreirenses*
poço-forano adj. s.m.; pl. *poço-foranos*
poço-forense adj. s.2g.; pl. *poço-forenses*
poço-fumense adj. s.2g.; pl. *poço-fumenses*
poço-fundense adj. s.2g.; pl. *poço-fundenses*
poço-grandense adj. s.2g.; pl. *poço-grandenses*
poço-irirubense adj. s.2g.; pl. *poço-irirubenses*
poço-isabelense adj. s.2g.; pl. *poço-isabelenses*
pocomão s.m.
poconeense adj. s.2g.
poçoneense adj. s.2g.
poço-pedrense adj. s.2g.; pl. *poço-pedrenses*
poço-portense adj. s.2g.; pl. *poço-portenses*
poço-pretano adj. s.m.; pl. *poço-pretanos*
poço-pretense adj. s.2g.; pl. *poço-pretenses*
poço-redondense adj. s.2g.; pl. *poço-redondenses*
poço-riquense adj. s.2g.; pl. *poço-riquenses*
poços-caldense adj. s.2g.; pl. *poços-caldenses*
poço-trincheirense adj. s.2g.; pl. *poço-trincheirenses*
poço-tristense adj. s.2g.; pl. *poço-tristenses*
poço-verdense adj. s.2g.; pl. *poço-verdenses*
pocranense adj. s.2g.
poçuca adj. s.2g.
poculiforme adj.2g.
poçuqueador (*ô*) adj. s.m.
poçuquear v.
poda s.f.
poda-a-vinha s.m.; pl. *poda-as-vinhas*
pó da baía s.m.
podabro s.m.
pó da china s.m.
podada s.f.
podadeira s.f.
podadela s.f.
podado adj.
podador (*ô*) adj. s.m.
podador-de-algodoeiro s.m.; pl. *podadores-de-algodoeiro*
podadura s.f.
podagoma s.m.
podagra s.f.
podagrária s.f.
podágrica s.f.
podágrico adj.
podagrismo s.m.
podagro adj. s.m.
podal adj.2g.
podalgia s.f.
podálgico adj.
podália s.f.
podálico adj.
podalíria s.f.
podalírico adj.
podaliríea s.f.
podaliriídeo adj. s.m.
podalírio adj. s.m.
podaliro s.m.
podange s.f.
podão s.m.
podápion s.m.
podar v.
podargídea s.f.
podargídeo adj. s.m.
podargo s.m.
podária s.f.
podárico adj.
podarque s.f.
podartrite s.f.
podartrítico adj.
podartro s.m.
podartrócace s.f.
podartrócaco s.m.
podásocis s.m.2n.
podastéria s.f.
podaxácea (*cs*) s.f.
podaxáceo (*cs*) adj.
podaxínea (*cs*) s.f.
podaxo (*cs*) s.m.
pó dearariba s.m.
pó de araroba s.m.
pó de arroz s.m.
podécio s.m.
podedema s.m.
pó de faca s.m.
pó de goa s.m.
pó de goma s.m.
pó de grés s.m.
pó de grès s.m.
podeira s.f.
podelcose s.f.
podelsósico adj.
pó de mico s.m.; "pelos urticantes de certa planta"
pó-de-mico s.m. "espécie de planta"; pl. *pós-de-mico*
podencefalia s.f.
podencefálico adj.
podencéfalo s.m.
podengo s.m.
podengo-d'água s.m.; pl. *podengos-d'água*
pó de pedra s.m.
pó de perlimpimpim s.m.
poder v. s.m.
podere s.m.
poderio s.m.
poderoso (*ô*) adj. s.m.; f. (*ó*); pl. (*ó*)
pó-de-santana s.m.; pl. *pós-de-santana*
pó de sapato s.m.
podestade s.m.f.
pódex (*cs*) s.m.2n.
podiatra s.2g.
podiatria s.f.
podiátrico adj.
podica s.f.
podical adj.2g.
pódice s.m.
podíceps s.m.2n.
podícipe s.m.
podicípede adj.2g. s.m.
podicipedídea s.f.
podicipedídeo adj. s.m.
podicipediforme adj.2g. s.m.
podilho s.m.
podilimbo s.m.
podimirinense adj. s.2g.
pódio s.m.
pódito s.m.
podito s.m.
podoa (*ô*) s.f.
podobrânquia s.f.
podobranquial adj.2g.
podobrânquio adj.
podocarpácea s.f.
podocarpáceo adj.
podocarpato s.m.
podocárpeo adj.
podocarpina s.f.
podocárpio s.m.
podocarpo adj. s.m.
podocarpóidea s.f.
podocéfalo adj.
podocerídeo adj. s.m.
podocerípsis s.f.2n.
podócero s.m.
podoces s.2g.2n.
podocídaris s.f.2n.
podocino s.m.
podocírtis s.f.2n.
podócito s.m.
podocnêmide s.f.
podocnêmis s.f.2n.
podocopo adj. s.m.
podocorine s.f.
podocoriníideo adj. s.m.
pododáctilo s.m.
pododátilo s.m.
pododema s.m.
pododermatite s.f.
pododermatítico adj.
pododigital adj.2g.
pododinamômetro s.m.
pododinia s.f.
pododínico adj.
pododisodia s.f.
pododisódico adj.
podofalange s.f.
podofalangeta (*ê*) s.f.
podofalangético adj.
podofalângico adj.
podofalanginha s.f.
podofalangínico adj.
podofilácea s.f.
podofiláceo adj.
podofílico adj.
podofilina s.f.
podofilino s.m.
podofilite s.f.
podofilo s.m.
podofilóidea s.f.
podofiloso (*ô*) adj.; f. (*ó*); pl. (*ó*)
podofilotoxina (*cs*) s.f.
podofolhoso (*ô*) adj.; f. (*ó*); pl. (*ó*)
podófria s.f.
podoftalmário s.m.
podoftálmio s.m.
podoftalmo adj. s.m.
podogínico adj.
podogínio s.m.
podógino s.m.
podogó s.m.
podogônio adj. s.m.
podograma s.m.
podói s.m.
podoide (*ó*) adj.2g. s.f.
podoio (*ó*) s.m.
podoiro s.m.
podolita s.f.
podolite s.f.
podologia s.f.
podológico adj.
podômero s.m.
podometragem s.f.
podometrar v.
podometria s.f.
podométrico adj.
podômetro s.m.
pódon s.m.
podone s.m.
podonipta adj. s.2g.
podonta s.f.
pódopes s.m.2n.
podopídeo adj. s.m.
podoplegmatite s.f.
podopse s.f.
podóptero adj. s.m.
podoquela s.f.
podormo s.m.
podóscafo s.m.
podosfera s.f.
podosperma s.m.
podospermático adj.
podospérmico adj.
podospermo s.m.
podostemácea s.f.
podostemáceo adj.
podostemal adj.2g.
podostemale s.f.
podostemo (*ê*) s.m.
podostêmon s.m.
podostemonácea s.f.
podostemonáceo adj.
podostemonal adj.2g.
podostemonale s.f.
podostêmone s.m.
podostemonínea s.f.
podostigma s.m.
podostigmo s.m.
podóstoma s.m.
podóstomo s.m.
podoteca s.f.
podoteco adj.
podotermo s.m.
podouro s.m.
podóxia (*cs*) s.f.
podraga s.2g. s.f.
podrão adj.; f. *podrona*
podre (*ô*) adj.2g. s.m.
podrecer v.
podredoiro s.m.
podredouro s.m.
podredum s.f.
podrenco adj. s.m.
podreza (*ê*) s.f.
podricalho adj. s.m.
podrice s.f.
podrida s.f.
podridão s.f.
podridão-branca s.f.; pl. *podridões-brancas*
podridão-castanha s.f.; pl. *podridões-castanhas*
podridão-cinzenta s.f.; pl. *podridões-cinzentas*
podridão-mole s.f.; pl. *podridões-moles*
podridão-negra s.f.; pl. *podridões-negras*
podridão-parda s.f.; pl. *podridões-pardas*
podridão-rósea s.f.; pl. *podridões-róseas*
podridão-seca s.f.; pl. *podridões-secas*
podrideiro s.m.
podridez (*ê*) s.f.
podrido adj.
podrigueira s.f.
podrigueiro adj. s.m.
podriqueira s.f.
podriqueiro adj.
podriz s.f.
podrona adj. f. de *podrão*
podrum s.m.
podrura s.f.
podura s.f.
podurela s.f.
podurídeo adj. s.m.
poduro adj. s.m.
poduromorfo adj. s.m.
podzol s.m.
podzólico adj.
podzolização s.f.
poechita s.f.
poecílico adj.
poecílio s.m.
poecilo s.m.
poecilóptera s.f.
poedeira adj.
poedeiro adj.
poedoiro s.m.
poedouro s.m.
poéfago adj. s.m.

poeira s.f. adj. s.m.
poeirada s.m.
poeirado adj.
poeirão s.m.
poeirense adj. s.2g.
poeirento adj.
poeirinha s.f.
poeiro s.m.
poeiroso (*ô*) adj.; f. (*ó*); pl. (*ó*)
poejeira s.f.
poejo (*ê*) s.m.
poejo-da-praia s.m.; pl. *poejos-da-praia*
poejo-das-hortas s.m.; pl. *poejos-das-hortas*
poejo-do-mato s.m.; pl. *poejos-do-mato*
poema s.m.
poemaço s.m.
poema-processo s.m.; pl. *poemas-processo* e *poemas-processos*
poemática s.f.
poemático adj.
poematização s.f.
poematizado adj.
poematizar v.
põe-mesa s.2g.; pl. *põe-mesas*
poemeto (*ê*) s.m.
poente adj.2g. s.m.
poentivo adj.
poento adj.
poequilóptera s.f.
poesco (*ê*) adj.
poesia s.f.
poesia de sete s.f.
poeta s.m.
poetaço s.m.
poetagem s.f.
poetar v.
poetastro s.m.
poete s.m.
poética s.f.
poético adj.
poético-musical adj.2g.; pl. *poético-musicais*
poetificar v.
poetisa s.f.; cf. *poetiza*, fl. do v. *poetizar*
poetismo s.m.
poetização s.f.
poetizado adj.
poetizar v.
poetoide (*ó*) s.m.
pofo (*ô*) s.m.
poga s.f.
pógea s.f.
pogócloa s.f.
pogonártria s.f.
pogonato s.m.
pogônia s.f.
pogoníase s.f.
pogoniina s.f.
pogoníneo adj. s.m.
pogônio s.m.
pogono s.m.
pogonocelo s.m.
pogonófora s.f.
pogonóforo adj.
pogonologia s.f.
pogonológico adj.
pogonoperca s.f.
pogonópode adj.2g.
pogonoquero s.m.
pogonórnis s.m.2n.
pogonorrinco s.m.
pogonostêmone s.m.
pogonóstoma s.f.
pogonotremo adj. s.m.
pogoro s.m.
pogostemo s.m.
pogostemônea s.f.
pogóstoma s.m.
poia s.f. "tipo de pão", etc.; cf. *poiá*
poiá s.m. "fogão rústico"; cf. *poia* (*ô*)
poiage s.f.
poial s.m.
poiana s.m.
poianaua adj. s.2g.
poiar v.
poiarense adj. s.2g.
poiarês adj. s.m.
poiçá s.m.
poidoiro s.m.
poilão s.m.
poilão-da-sumaúna s.m.; pl. *poilões-da-sumaúna*
poilão-encarnado s.m.; pl. *poilões-encarnados*
poilão-forro s.m.; pl. *poilões-forro* e *poilões-forros*
poiloso (*ô*) adj.; f. (*ó*); pl. (*ó*)
poimênica s.f.
poinciana s.f.
poinciana-régia s.f.; pl. *poincianas-régias*
poinséttia s.f.
poio s.m.
poiquilita s.f.
poiquilite s.f.
poiquilítico adj.
poiquilócito s.m.
poiquilocitose s.f.
poiquilodermia s.f.
poiquilopneia (*é*) s.f.
poiquilotérmico adj.
poiquilotermo adj.
poirécia s.f.
poiriense adj. s.2g.
pois adv. conj.
poisa s.f.
poisada s.f.
poisadeira s.f.
poisadeiro s.m.
poisadia s.f.
poisado adj.
poisadoiro s.m.
poisador (*ô*) adj. s.m.
poisa-foles s.2g.2n.
poisagem s.f.
poisa-mão s.m.; pl. *poisa-mãos*
poisamoira s.f.
poisante adj.2g.
poisar v.
poise s.m.
poiseira s.f.
poiseiro adj. s.m.
poisentador (*ô*) s.m.
poisinho s.m.
poisio adj. s.m.
poiso s.m.
poisol s.m.
poita s.f.
poitada s.f.
poitão s.m.
poitar v.
poitevinita s.f.
poitevino adj. s.m.
poja s.f.
pojado adj.
pojadoiro s.m.
pojadouro s.m.
pojadura s.f.
pojante adj.2g.
pojar v.
pojauru s.m.
pojeia s.f.
pojeira s.f.
pojinho s.m.
pojino s.m.
pojixá adj. s.2g.
pojo (*ô*) s.m. "cais" etc.; cf. *pojó* s.m. e *pojo*, fl. do v. *pojar*
pojó s.m. "planta"; cf. *pojo* (*ô*)
pojoji s.m.
pojucano adj. s.m.
pojuquense adj. s.2g.
pola (*ó*) s.f. "pancadaria"; cf. *pola* (*ô*)
pola (*ô*) s.f. "ramo novo"; cf. *pola* (*ó*)
polábico adj. s.m.
polábio adj. s.m.
polaca s.f.
polacígeno adj.
polaciuria s.f.
polaciúria s.f.
polaciúrico adj. s.m.
polaco adj. s.m.
polacofalante adj. s.2g.
polacofonia s.f.
polacófono adj. s.m.
polaco-húngaro adj. s.m.; pl. *polaco-húngaros*
polaco-lituano adj. s.m.; pl. *polaco-lituanos*
polacoparlante adj. s.2g.
polaco-russo adj. s.m.; pl. *polaco-russos*
polacra s.f.
polaina s.f.
polainado adj.
polainito s.m.
polaino s.m.
polainudo adj.
polandiano adj. s.m.
polanísia s.f.
polantina s.f.
polão s.m.
polaqueiro adj.
polaquênio adj. s.m.
polaquiuria s.f.
polaquiúria s.f.
polaquiúrico adj. s.m.
polar adj.2g.
polarcão s.m.
polarda s.f.
polaridade s.f.
polarigênese s.f.
polarimetria s.f.
polarimétrico adj.
polarímetro s.m.
polariscopia s.f.
polariscópico adj.
polariscópio s.m.
polarismo s.m.
polaríssima s.f.
polarista adj.2g.
polarístico adj.
polaristrobométrico adj.
polaristrobômetro s.m.
polarita s.f.
polarite s.f.
polarizabilidade s.f.
polarização s.f.
polarizado adj.
polarizador (*ô*) adj. s.m.
polarizante adj.2g.
polarizar v.
polarizável adj.2g.
polarografia s.f.
polarográfico adj.
polarógrafo s.m.
polarograma s.m.
polarogramático adj.
polarogrâmico adj.
polaroide (*ó*) adj.2g. s.m.f.
polaron s.m.
polatuco s.m.
polau s.m.
polca s.f.
polca de relação s.f.
polca de versos s.f.
polca-mancada s.f.; pl. *polcas-mancadas*
polca-mazurca s.f.; pl. *polcas-mazurca* e *polcas-mazurcas*
polcar v.
polda s.f.
pôlder s.m.
poldíngua s.f.
poldo (*ô*) s.m.
poldra (*ô*) s.f.
poldra-doirada s.f.; pl. *poldras-doiradas*
poldra-dourada s.f.; pl. *poldras-douradas*
poldragem s.f.
poldras (*ô*) s.f.pl.
poldreco s.m.
poldreiro s.m.
poldril s.m.
poldro (*ô*) s.m.
pole s.f. "cidade"; cf. *polé*
polé s.f. "máquina de tortura", etc.; cf. *pole*
poleá s.2g.
poleadela s.f.
poleame s.m.
poleango adj. s.m.
polear v. s.2g. "torturar com polé", "pária"; cf. *pulear*
polearia s.f.
poleeiro s.m.
polegada s.f.
polegada-libra s.f.; pl. *polegadas-libra* e *polegadas-libras*
polegar adj.2g. s.m.
poleia s.f.
poleirão s.m.
poleiro s.m.
polela s.f.
polemarco s.m.
polemarquia s.f.
polemárquico adj.
polêmia s.f.
polêmica s.f.; cf. *polemica*, fl. do v. *polemicar*
polemicar v.
polêmico adj.; cf. *polemico*, fl. do v. *polemicar*
polemícula s.f.
polemismo s.m.
polemista adj. s.2g.
polemistária s.m.
polemístico adj.
polemizar v.
polemografia s.f.
polemográfico adj.
polemógrafo s.m.
polemologia s.f.
polemológico adj.
polemologista adj. s.2g.
polemólogo s.m.
polemônia s.f.
polemoniácea s.f.
polemoniáceo adj.
polemonial adj.2g.
polemoniale s.f.
polemoníea s.f.
polemônio s.m.
polemonióidea s.f.
polêmono s.m.
polemonomia s.f.
polemonômico adj.
polemoscópico adj.
polemoscópio s.m.
pólen s.m.
polênia s.f.
polense adj. s.2g.
polenta s.f.
polentino adj. s.m.
poleografia s.f.
poleográfico adj.
pólex (*cs*) s.m.2n.
polha (*ô*) s.f.
polhacra s.f.
polhastro s.m.
polheira s.f.
polhemusita s.f.
polhinha s.f.
polho (*ô*) s.m.
polia s.f. "roda para correia transmissora de movimento"; cf. *pólia*
pólia s.f. "planta commelinácea"; cf. *polia*
poliacanto adj. s.m.
poliacidade s.f.
poliacidez (*ê*) s.f.
poliácido adj. s.m.
poliacrílico s.m.
poliacrilonitrila s.f.
poliactiniano adj. s.m.
poliactiniário adj. s.m.
poliacústico adj.
políada adj.2g.
políade adj.2g.
poliadelfia s.f.
poliadélfico adj.
poliadelfita s.f.
poliadelfite s.f.
poliadelfo adj.
poliadenia s.f. "hipertrofia dos gânglios linfáticos"; cf. *poliadênia*
poliadênia s.f. "gênero de plantas"; cf. *poliadenia*
poliadenite s.f.
poliadenítico adj.
poliadenoma s.m.
poliadenomatose s.f.
poliadenomatósico adj.
poliadenomatótico adj.
poliadenômico adj.
poliadenopatia s.f.
poliadenopático adj.
poliadenose s.f.
poliadenósico adj.
poliadenótico adj.
poliadição s.f.
poliadicional adj.2g.
poliádico s.m.
poliágua s.f.
poliálcool s.m.
polialcoólico adj.
polialelia s.f.
polialélico adj.
polialelo adj. s.m.
polialgesia s.f.
polialgésico adj.
polialiléster s.m.
polialita s.f.
polialite s.f.
polialito s.m.
poliáltia s.f.
poliamatipia s.f.
poliamatípico adj.
poliamátipo s.m.
poliamida s.f.
poliamídico adj.
poliamido s.m.
poliamina s.f.
poliancistro s.m.
poliandra s.f.
poliandria s.f. "estado da mulher que tem vários maridos simultaneamente"; cf. *poliândria*
poliândria s.f. "classe dos vegetais poliandros"; cf. *poliandria*
poliândrico adj.
poliândrio s.m.
poliandro adj.
poliandrococo s.m.
poliangiácea s.f.
poliangiáceo adj.
poliângio s.m.
polianilnitrila s.f.
polianilnitrílico adj.
polianita s.f.
polianite s.f.
poliano adj. s.m.
poliante s.f.
polianteia (*é*) s.f.
polianteico (*é*) adj.
poliantero adj.
polianto adj. s.m.
poliantrópico adj.
poliaquático adj.
poliaquênio s.m.
poliarca s.m.
poliargirita s.f.
poliargirite s.f.
poliargita s.f.
poliargite s.f.
poliarino adj.
poliarquia s.f.
poliárquico adj.
poliarquitetonismo s.m.
poliarsenita s.f.
poliarsenite s.f.
poliartêmia s.f.
poliarterite s.f.
poliarterítico adj.
poliarticular adj.2g.
poliartrite s.f.
poliartrítico adj.
poliase s.f.
políase s.f.
poliates s.m.pl.
poliatomicidade s.f.
poliatômico adj.
poliavitaminose s.f.
poliavitaminósico adj.
poliavitaminótico adj.
poliáxico (*cs*) adj. s.m.
poliáxona (*cs*) s.f.
poliaxonal (*cs*) adj.2g.
poliaxônico (*cs*) adj.

poliáxono (*cs*) adj. s.m.
poliazoico (*ó*) adj.
polibase s.f.
políbase s.f.
polibasicidade s.f.
polibásico adj.
polibasita s.f.
polibasite s.f.
polibático adj.
políbia s.f.
polibíneo adj. s.m.
políbio s.m.
poliblástia s.f.
poliblenia s.f.
poliblênico adj.
polibloco adj. s.m.
políbole s.f.
polibórida adj.2g. s.m.
poliborídeo adj. s.m.
poliborino adj. s.m.
políboro s.m.
polibótria s.f.
políbotro s.m.
polibrânquio s.m.
polibromofenol s.m.
polibromofenólico adj.
polibutadiênico adj.
polibutadieno s.m.
polibutilênico adj.
polibutileno s.m.
policalca s.f.
policalimna s.f.
policamerático adj.
policanaliculite s.f.
policanaliculítico adj.
polição s.f.
polícara s.f.
policárdia s.f.
policarina s.f.
policarpal adj.2g. s.m.
policárpea s.f.
policarpeia (*é*) s.f.
policarpelado adj.
policarpelar adj.2g.
policarpense adj. s.2g.
policárpico adj.
policarpo adj. s.m.
policarpo-de-quatro-folhas s.m.; pl. *policarpos-de-quatro--folhas*
policatódico adj.
pólice s.m.
policefalia s.f.
policefálico adj.
policefálio s.m.
policéfalo adj. s.m.
policelular adj.2g.
policêntrico adj.
policêntrida adj.2g. s.m.
policentrídeo adj. s.m.
policentro s.m.
policentropídeo adj. s.m.
policêntropo s.m.
policentrópode s.m.
polícera s.f.
policerco s.m.
policerídeo adj. s.m.
polícero s.m.
polichinelo s.m.
polícia s.m.f. "leis que asseguram a ordem"; cf. *policia*, fl. do v. *policiar* e *políscia*
policíaco adj.
policiado adj.
policiador (*ô*) adj. s.m.
polícia e ladrão s.m.2n.
polícia-inglesa s.f.; pl. *polícias-inglesas*
policial adj. s.2g.
policialesco (*ê*) adj.
policiamento s.m.
policiar v.
policiário s.m.
policiato s.m.
policiável adj.2g.
policíclico adj.
policiclo s.m.
policicna s.f.
policientista adj. s.2g.
policiesco (*ê*) adj.
policiliar adj.2g.
policilíndrico adj.
policipedídeo adj. s.m.
policipedíneo adj. s.m.
polícipes s.m.2n.
policirríneo adj. s.m.
policirro s.m.
policirtidíneo adj. s.m.
policiste s.m.
policístico adj.
policístida adj.2g. s.m.
policistídeo adj. s.m.
policitação s.f.
policitado adj.
policitante s.2g.
policitar v.
policitável adj.2g.
policitemia s.f.
policitêmico adj.
policladia s.f.
policládico adj.
policladídeo adj. s.m.
policládido adj. s.m.
policládio adj. s.m.
políclado adj.
policladodia s.f.
policlina s.f.
policlínica s.f.
policlínico adj. s.m.
policlínida adj.2g. s.m.
policlinídeo adj. s.m.
policliníneo adj. s.m.
policlino s.m.
policlinoide (*ó*) s.m.
policlinópsis s.f.2n.
policlônia s.f.
policlorético adj.
policloreto (*ê*) s.m.
policneia (*é*) adj. s.f. de *policneu*
policnêmea s.f.
policnemo s.m.
policneu adj. s.m.; f. *policneia* (*é*)
pólico adj.
policoca s.f.
policoco adj.
policolia s.f.
policólico adj.
policolpa s.f.
polícomo adj.
policondensabilidade s.f.
policondensação s.f.
policondensável adj.2g.
policôndrea s.f.
policondrético adj.
policondrite s.f.
policônico adj.
policópia s.f.
policopídeo adj. s.m.
polícopo s.m.
policoral adj. s.m.
policórdia s.f.
policórdio adj. s.m.
policordo adj. s.m.
policoria s.f.
policórico adj.
policório adj. s.m.
policotilar adj.2g.
policotiledôneo adj. s.m.
policótilo s.m.
policotomia s.f.
policotômico adj.
policótomo adj.
policrase s.f.
policrásio s.m.
policrasita s.f.
policrasítico adj.
policresto adj.
policricácea s.f.
policricáceo adj.
policristal s.m.
policristalino adj.
policro s.m.
pólicro s.m.
policroico (*ó*) adj.
policroísmo s.m.
policroístico adj.
policroíta s.f.
policroíte s.f.
policromado adj.
policromar v.
policromasia s.f.
policromático adj.
policromatofilia s.f.
policromatófilo adj.
policromia s.f.
policrômico adj.
policrômio s.m.
policromismo s.m.
policromista adj. s.2g.
policromização s.f.
policromizado adj.
policromizar v.
policromo adj.
policronia s.f.
policrônico adj.
policronismo s.m.
polícrono adj. s.m.
policrósis s.f.2n.
policrotismo s.m.
polícroto adj.
polictenídeo adj. s.m.
polictenóideo adj. s.m.
policultor (*ô*) s.m.
policultura s.f.
policurvo adj.
polidacria s.f.
polidácrico adj.
polidactilia s.f.
polidactílico adj.
polidactilismo s.m.
polidáctilo adj. s.m.
polidatilia s.f.
polidatílico adj.
polidatilismo s.m.
polidátilo adj. s.m.
polidélfis s.m.2n.
polidemonismo s.m.
polidépsido adj. s.m.
polidesma s.m.
polidésmida adj.2g. s.m.
polidesmídeo adj. s.m.
polidesmo s.m.
polidesmoideia (*é*) adj. s.f. de *polidesmoideu*
polidesmóideo adj. s.m.
polidesmoideu adj. s.m.; f. *polidesmoideia* (*é*)
polidez (*ê*) s.f.
polidimita s.f.
polidimite s.f.
polídimo s.m.
polidipsia s.f.
polidípsico adj.
polidispersão s.f.
polidisperso adj.
polidistrofia s.f.
polidistrófico adj.
polido adj.
polidor (*ô*) adj. s.m.
polidora s.f. "verme"; cf. *polidora* (*ô*)
polidora (*ô*) s.f. "máquina de polir"; cf. *polidora*
polidorense adj. s.2g.
polidoro s.m.
polidouro s.m.
polidrâmnico adj.
polidrâmnio s.m.
polídrico adj.
polidromia s.f.
polidrômico adj.
polídromo adj.
polidroso (*ô*) adj.; f. (*ó*); pl. (*ó*)
polidroxicomposto (*cs...ô*) adj. s.m.
polidroxila (*cs*) s.f.
polidroxilação (*cs*) s.f.
polidroxilado (*cs*) adj.
polidroxilante (*cs*) adj.2g.
polidroxilar (*cs*) v.
polidroxilável (*cs*) adj.2g.
polidroxílico (*cs*) adj.
polidrupa s.f.
polidura s.f.
políea s.f.
polieca s.f.
poliedral adj.2g.
poliédrico adj.
poliedro s.m.
polielectrólito s.m.
polieletrólito s.m.
poliembrionia s.f.
poliembriônico adj.
poliemia s.f.
poliêmico adj.
poliemissão s.f.
poliencefalite s.f.
poliencefalítico adj.
poliencefalomielite s.f.
poliencefalomielítico adj.
poliênico adj.
polieno s.m.
polierata s.f.
poliergia s.f.
poliérgico s.m.
poliergo s.m.
poliérsida adj.2g. s.m.
poliersídeo adj. s.m.
poliescleradenite s.f.
poliespermia s.f.
poliestearático adj.
poliestearato s.m.
poliesteatose s.f.
poliesteatósico adj.
poliéster s.m.
poliestérico adj.
poliestesia s.f.
poliestésico adj.
poliestétilo adj.
poliestirênico adj.
poliestireno s.m.
poliestiroleno s.m.
poliestro adj. s.m.
polietilênico adj.
polietileno s.m.
polietilenoglicol s.m.
polieto s.m.
polieudoxídeo (*cs*) adj. s.m.
polieudóxido (*cs*) adj. s.m.
polifacético adj.
polifagia s.f.
polifágico adj.
polífago adj. s.m.
polifarmacêutico adj.
polifarmácia s.f.
polifármaco adj. s.m.
polífase s.f.
polifasia s.f.
polifásico adj.
polifêmico adj.
polifemídeo adj. s.m.
polifemíneo adj. s.m.
polifemo s.m.
polifena s.f.
polifênis s.m.2n.
polifenol s.m.
polifenólico adj.
polifenoloxidase (*cs*) s.f.
polifenoloxídase (*cs*) s.f.
polifibra s.f.
polifibromatose s.f.
polifibromatósico adj.
polifibromatótico adj.
polifídeo adj. s.m.
polifie s.m.
polifiídeo adj. s.m.
polifilético adj.
polifiletismo s.m.
polifilia s.f. "afeição por muitos objetos"; cf. *polifília*
polifília s.f. "pólipo"; cf. *polifilia*
polifílico adj.
polifilismo s.m.
polifilo adj. "com muitas folhas"; cf. *polífilo*
polífilo adj. "de muitas afeições"; cf. *polifilo*
polifilogênese s.f.
polifilogenético adj.
polifiodonte adj.2g. s.m.
polifisa s.f.
polifisia s.f.
polifísico adj.
polifisionômico adj.
polífito adj. s.m.
polifólia s.f.
polifólio adj.
polifonemático adj.
polifonia s.f.
polifônico adj.
polifonismo s.m.
polifonista adj. s.2g.
polifonístico adj.
polifono adj.
polífono adj.
poliformado adj.
poliforme adj.2g. s.m.
polifórmico adj.
políforo s.m.
polifoto adj.
polifragma adj. s.m.
polifragmático adj.
polifuncional adj.2g.
polígala s.f.
poligalácea s.f.
poligaláceo adj.
poligalactia s.f.
poligaláctico adj.
polígala-da-virgínia s.f.; pl. *polígalas-da-virgínia*
poligálea s.f.
poligáleo adj.
poligálico adj.
poligalina s.f.
poligalínea s.f.
poligalíneo adj.
poligamia s.f.
poligâmico adj.
poligamista adj. s.2g.
poligamita adj. s.2g.
polígamo adj. s.m.
poligastria s.f.
poligastricidade s.f.
poligástrico adj.
poligastro adj.
poligástrula s.f.
polígene s.m.
poligênese s.f.
poligenético adj.
poligenia s.f.
poligênico adj.
polígenis s.m.2n.
poligenismo s.m.
poligenista adj. s.2g.
poligenístico adj.
polígeno adj.
poliginecia s.f.
poliginécico adj.
poliginia s.f.
poligínico adj.
poligínio adj.
polígino adj.
poliglicano s.m.
poliglicol s.m.
poliglicólico adj.
poliglipto s.m.
poliglobulia s.f.
poliglobúlico adj.
poliglota adj. s.2g.
poliglotia s.f.
poliglótico adj.
poliglotismo s.m.
poligloto adj. s.m.
polígnata s.2g.
polignatia s.f.
polígnato adj. s.m.
poligonácea s.f.
poligonáceo adj.
poligonado adj.
poligonal adj.2g. s.f.
poligonale s.f.
poligonátea s.f.
poligonato s.m.
poligônea s.f. "planta"; cf. *poligônia*
poligôneo adj.
poligônia s.f. "inseto"; cf. *poligônea*
poligonina s.f.
polígono adj. s.m.
poligonóidea s.f.
poligonometria s.f.
poligonométrico adj.
poligordiídeo adj. s.m.
poligórdio adj. s.m.
poligrádico adj.
poligrafar v.
poligrafia s.f.
poligráfico adj.
polígrafo s.m.; cf. *poligrafo*, fl. do v. *poligrafar*
poligrama s.m.
poligramático adj.

poligrâmico adj.
poligramode s.m.
poli-hibridismo s.m.
poli-híbrido adj. s.m.
poli-hide s.m.
poli-hidrâmnio s.m.
poli-hídrico adj.
poli-hidrita s.f.
poli-hidrite s.f.
poli-hidroxicomposto (*cs...ô*) adj. s.m.
poli-hidroxila (*cs*) s.f.
poli-hidroxilação (*cs*) s.f.
poli-hidroxilado (*cs*) adj.
poli-hidroxilante (*cs*) adj.2g.
poli-hidroxilar (*cs*) v.
poli-hidroxilável (*cs*) adj.2g.
poli-hidroxílico (*cs*) adj.
poli-hipníneo adj. s.m.
poli-hipno s.m.
poli-insaturado adj.
poli-isopreno s.m.
polílepe s.f.
polilépide adj.2g. s.f.
polilépido adj.
polilepíneo adj. s.m.
polilha s.f.
polilinfangite s.f.
polilinfia s.f.
polilínfico adj.
polilitionita s.f.
polilitionite s.f.
polílito s.m.
poliliturgia s.f.
polilitúrgico adj.
polilobado adj.
polilóbio s.m.
polilobulado adj.
polilóbulo s.m.
polílofo s.m.
polilogia s.f.
polilógico adj.
polílogo s.m.
polim s.m.
polimastia s.f.
polimástice s.m.
polimástico adj.
polimastigídeo adj. s.m.
polimastigíneo adj.
polimastigino adj. s.m.
polimastigodo s.m.
polimastismo s.m.
polimástix (*cs*) s.m.2n.
polimastodonte s.m.
polimastodontídeo adj. s.m.
polímata adj. s.2g.
polímate adj. s.2g.
polimatia s.f.
polimático adj.
polímato adj. s.m.
polimelia s.f.
polimélico adj.
polímelo adj.
polimelodia s.f.
polimelódico adj.
polimenorreia (*é*) s.f.
polimenorreico (*é*) adj.
polimentar v.
polimento s.m.
polimerase s.f.
polímere adj. s.2g.
polimeria s.f.
polimérico adj.
polimérida adj.2g. s.m.
polimerídeo adj. s.m.
polimerismo s.m.
polimerização s.f.
polimerizado adj.
polimerizar v.
polímero adj. s.m.
polimético adj.
polimetilênico adj.
polimetileno s.m.
polimetilmetacrilato s.m.
polimetria s.f.
polimétrico adj.
polímetro s.m.
polimiário adj.
polimielite s.f.
polimielítico adj.
polimignita s.f.
polimignite s.f.
polimioda s.f.
polimiósico adj.
polimiosite s.f.
polimiosítico adj.
polimite s.f.
polimitia s.f.
polimítico adj.
polimíxia (*cs*) s.f.
polimixina (*cs*) s.f.
polimixo (*cs*) adj.
polimizóstoma s.m.
polímnia s.f.
polímnico adj.
polímnio s.m.
polimodal adj.2g.
polimodalidade s.f.
polimodalismo s.m.
polimodalista adj. s.2g.
polimolécula s.f.
polimolecular adj.2g.
polimorfia s.f.
polimórfico adj.
polimorfina s.f.
polimorfiníneo adj. s.m.
polimorfismo s.m.
polimorfístico adj.
polimorfo adj.
polimorfonuclear adj.2g.
polina s.f.
polinar adj.2g.
polinário adj.
polinctor (*ô*) s.m.
polinema s.m.
polinemático adj.
polinêmico adj.
polinêmida adj.2g. s.m.
polinemídeo adj. s.m.
polinemo s.m.
polineo adj.
polinervado adj.
polinérveo adj.
polinesiano adj. s.m.
polinésico adj. s.m.
polinésio adj. s.m.
polineura s.f.
polineurite s.f.
polineurítico adj.
polineuromiosite s.f.
polineuromiosítico adj.
polineuropatia s.f.
polineurorradiculite s.f.
polineurorradiculítico adj.
polinevrite s.f.
polinevrítico adj.
polinheira s.f.
polinia s.f.
polínico adj.
polinidia s.f.
polinífago adj.
polinífero adj.
polínio s.m.
polinitrado adj.
polinização s.f.
polinizado adj.
polinizador (*ô*) adj. s.m.
polinizante adj.2g.
polinizar v.
polinizável adj.2g.
polinódio s.m.
polínoe s.m.
polinófago adj.
polinoíneo adj.2g. s.m.
polinologia s.f.
polinológico adj.
polinologista adj. s.2g.
polinólogo s.m.
polinomial adj.2g.
polinômico adj.
polinômio s.m.
polinopolitano adj. s.m.
polinose s.f.
polinósico adj.
polinoso (*ô*) adj.; f. (*ó*); pl. (*ó*)
polintrão adj. s.m.; f. *polintrona*
polintrona adj. s.f. de *polintrão*
polinucleado adj.
polinuclear adj.2g.
polinucleolado adj.
polinucleolar adj.2g.
polinucleose s.f.
polinucleósico adj.
polinucleótico adj.
polinucleotidase s.f.
polinucleotídase s.f.
polinucleotídio s.m.
polinucleotídico adj.
polinucleótido s.m.
pólio s.m.f.
polioclástico adj.
polioclínica s.f.
polioclínico adj.
poliocracia s.f.
poliocrático adj.
políodo s.m.
poliodonte s.m.
poliodontídeo adj. s.m.
poliodonto s.m.
poliodôntofis s.m.2n.
polioencefalite s.f.
polioencefalítico adj.
polioencefalomielite s.f.
polioencefalomielítico adj.
polioftalmíneo adj. s.m.
polioftalmo adj. s.m.
polioierace s.m.
polioiérax (*cs*) s.m.2n.
poliol s.m.
polioìatra adj. s.2g.
poliolatria s.f.
poliolefina s.f.
poliolefínico adj.
poliolimna s.f.
poliólofo s.m.
poliomátida adj.2g. s.m.
poliomatídeo adj. s.m.
poliômato s.m.
poliomaviro s.m.
poliomavírus s.m.2n.
poliomielite s.f.
poliomielítico adj.
poliomiia s.f.
pólio-montano s.m.; pl. *pólio-montanos*
polioncobótrio s.m.
poliônico adj.
polionimia s.f.
polionímia s.f.
polionímico adj.
poliônimo adj. s.m.
polioniquia s.f.
polioníquico adj.
poliope s.2g.
poliopia s.f.
poliópico adj.
poliopídeo adj. s.m.
poliópis s.m.2n.
polioplasma s.m.
poliopógon s.m.
poliopsia s.f.
poliópsico adj. s.m.
polióptico adj. s.m.
poliorama s.m.
poliorcética s.f.
poliorcético adj.
poliorexia (*cs*) s.f.
poliorquia s.f.
poliórquico adj.
poliorquidia s.f.
poliorquídico adj.
poliorquidismo s.m.
poliorquíneo adj. s.m.
poliórquis s.m.2n.
poliorromenite s.f.
poliorromenítico adj.
poliorta s.f.
poliose s.f.
poliósico adj.
poliossomo adj.
poliotia s.f.
poliótico adj.
poliovariado adj.
polioviro s.m.
poliovirótico adj.
poliovírus s.m.2n.
poliovulado adj.
poliovulatório adj.
polióxido (*cs*) s.m.
polioximetilênico (*cs*) adj.
polioximetileno (*cs*) s.m.
polipagia s.f.
polipágico adj.
polípago adj. s.m.
poliparesia s.f.
poliparésico adj.
poliparético adj.
polipatia s.f.
polipático adj.
polipatismo s.m.
polipátrida adj. s.2g.
polipectomia s.f.
polipectômico adj. s.m.
polipedatídeo adj. s.m.
polipedato s.m.
polipedia s.f.
polipédico adj.
polipeiro s.m.
polipeptidemia s.f.
polipeptidêmico adj.
polipeptídeo adj.
polipeptídico adj.
polipeptídio s.m.
polipeptido s.m.
polipéptido s.m.
poliperiantado adj.
polipetalia s.f.
polipetálico adj.
polipétalo adj.
polipídio s.m.
polipidráceo s.m.
polipieiro s.m.
polipiforme adj.2g.
polipiose s.f.
polipiósico adj.
polípiace s.f.
poliplacóforo adj. s.m.
poliplano adj.
póliplax (*cs*) s.f.2n.
poliplecta s.f.
polipléctron s.m.
poliplectro s.m.
polipleuro s.m.
polípIoca s.f.
poliploide (*ó*) adj.2g. s.m.
poliploidia s.f.
poliplumária s.f.
polipneia (*é*) s.f.
polipneico (*é*) adj.
polipo s.m.
pólipo s.m.
polípode adj.2g.
polipódea s.f.
polipodeácea s.f.
polipodeáceo adj.
polipódeo adj.
polipodésmio s.m.
polipodesmo s.m.
polipodia s.f.
polipodiácea s.f.
polipodiáceo adj.
polipódico adj. s.m.
polipodídeo s.m.
polipodíea s.f.
polipodiina s.f.
polipódio adj. s.m.
polipogão s.m.
polipoide (*ó*) adj.2g.
polipoidráceo adj.
polipoidrário adj.
polipolar adj.2g.
polipolaridade s.f.
polipólico adj.
polipólio s.m.
polipolo s.m.
polípolo s.m.
polipomedusa s.f.
polípono s.m.
poliporácea s.f.
poliporáceo adj.
poliporal adj.2g.
poliporale s.f.
polipórea s.f.
polipóreo adj.
políporo s.m.
polipose s.f.
poliposia s.f.
polipósico adj.
poliposo (*ô*) adj.; f. (*ó*); pl. (*ó*)
polipótico adj.
polipotômico adj.
polipótomo s.m.
polipótribo s.m.
polipótrito s.m.
polipreno s.m.
polipríome s.m.
políprion s.m.
polipríono s.m.
poliprisma s.m.
polipropilênico adj.
polipropileno s.m.
poliprótico adj.
poliprotodonte adj.2g. s.m.
poliprotônico adj.
polipsíquico adj.
polipsiquismo s.m.
polipterídeo adj. s.m.
políptero adj. s.m.
polipterospermo s.m.
políptico adj. s.m.
poliptoto s.m.
poliptóton s.m.
poliquelídeo adj. s.m.
políquelis s.f.2n.
poliquento adj.
poliquesia s.f.
poliquésico adj. s.m.
políqueso adj.
poliqueta adj.2g. s.m.
poliquilia s.f.
poliquílico adj.
poliquilo adj.
poliquiria s.f.
poliquírico adj.
polir v.
polirrabdo s.m.
polirradiculoneurite s.f.
polirradiculoneurítico adj.
polirráfide s.f.
polírrafis s.f.2n.
polirramificação s.f.
polirramificado adj.
polirramificador (*ô*) adj.
polirramificante adj.2g.
polirramificar v.
polirramificável adj.2g.
polirrelha s.f.
polirremo adj.
polirribonucleotídeo adj. s.m.
polirribossoma s.m.
polirribossomático adj.
polirribossômico adj.
polirribossomo s.m.
polirritmia s.f.
polirrítmico adj.
polirriza s.f.
polirrizia s.f.
polirrizo adj.
pólis s.f.2n.
polisarcia s.f.
polisárcico adj.
polisarco adj. s.m.
poliscelia s.f.
poliscélico adj.
políscelo s.m.
políscia s.f. "gênero de plantas"; cf. *polícia*
poliscópico adj.
poliscópio s.m.
polisféria s.f.
polisferídeo adj. s.m.
polisferita s.f.
polisferite s.f.
polisfigmógrafo s.m.
polisfondílio s.m.
polisoprênico adj.
polisopreno s.m.
polispasto adj. s.m.
polispermático adj.
polispermia s.f.
polispérmico adj.
polispermo adj.
polispílade s.f.
políspilas s.f.2n.
polísporo adj. s.m.
polisquelia s.f.
polisquélico adj.
polisquelo s.m.
polissacáride s.m.
polissacarídeo adj.
polissacarídico adj.
polissacarídio adj.
polissacarido s.m.

polissacárido s.m.
polissáceo adj.
polissaco s.m.
polissagem s.f.
polissapróbio s.m.
polissarcia s.f.
polissárcico adj. s.m.
polissarco adj. s.m.
polissemia s.f.
polissêmico adj.
polissepalia s.f.
polissepálico adj.
polissépalo adj.
polisseriado adj.
polisserosite s.f.
polisseto adj.
polissialia s.f.
polissiálico adj.
polissidero s.m.
polissifônia s.f.
polissifônico adj.
polissigma s.m.
polissigmático adj.
polissilábico adj.
polissilabismo s.m.
polissílabo adj. s.m.
polissilicato s.m.
polissilícico adj.
polissilogismo s.m.
polissilogístico adj.
polissimetria s.f.
polissimétrico adj.
polissinapse s.f.
polissináptico adj.
polissindactilia s.f.
polissindactílico adj.
polissindáctilo s.m.
polissindatilia s.f.
polissindatílico adj.
polissindátilo s.m.
polissindético adj.
polissindetismo s.m.
polissíndeto s.m.
polissíndeton s.m.
polissinergia s.f.
polissinérgico adj.
polissinodia s.f.
polissinódico adj.
polissíntese s.f.
polissintético adj.
polissintetismo s.m.
polissoma adj.2g. s.m.
polissomático adj.
polissomia s.f.
polissômico adj.
polissomo adj. s.m.
polissorbato s.m.
polissubstituído adj.
polissulfético adj.
polissulfeto (*ê*) s.m.
polissulfona s.f.
polissulfureto (*ê*) s.m.
polistáquia s.f.
polistaquíea s.f.
polistáquio adj. s.m.
polistauro s.m.
polistearático adj.
polistearato s.m.
polistelia s.f.
polistélico adj.
polistelo s.m.
polistêmone adj.2g.
polistêmono adj.
polistes s.m.2n.
polístico adj. s.m.
polisticto s.m.
polistiela s.f.
polistielíneo adj. s.m.
polistigma s.m.
polistigmado adj.
polistigmina s.f.
polistilo adj. s.m.
polistiquia s.f.
polistíquico adj.
polistiquina s.f.
polistirênico adj.
polistireno s.m.
polistiroleno s.m.
polisto s.m.
polistomado adj. s.m.
polistomela s.f.
polistomelíneo adj. s.m.
polistômeo adj. s.m.
polistomídeo adj. s.m. "verme"; cf. *polistomídio*
polistomídio s.m. "pólipo"; cf. *polistomídeo*
polistomíneo adj. s.m.
polístomo adj. s.m.
politáctico adj.
politaina s.f.
politalâmico adj.
politálamo s.m.
politático adj.
politáxico (*cs*) adj.
politburo s.m.
politeama s.m.
politecnia s.f.
politécnica s.f.
politécnico adj.
politeia (*é*) s.f.
politeico (*é*) adj.
politeísmo s.m.
politeísta adj. s.2g.
politeístico adj.
politelia s.f.
politélico adj.
politélio adj.
politélis s.f.2n.
politelismo s.m.
politelístico adj.
politelita s.f.
politelite s.f.
politelito s.m.
polítene adj. s.m.
politênica s.f.
politênico adj.
politeno s.m.
políteo adj.
politermismo s.m.
politerpeno s.m.
politetrafluoretileno s.m.
politia s.f.
política s.f.; cf. *politica*, fl. do v. *politicar*
politicada s.f.
politicagem s.f.
politicalha s.f.
politicalhão s.m.; f. *politicalhona*
politicalheiro adj.
politicalho s.m.
politicalhona s.f. de *politicalhão*
politicante adj. s.2g.
politicão s.m.
politicar v.
politicaria s.f.
politicastro s.m.
político adj. s.m.; cf. *politico*, fl. do v. *politicar*
político-administrativo adj.; pl. *político-administrativos*
político-econômico adj.; pl. *político-econômicos*
politicoide (*ó*) adj. s.2g.
politicologia s.f.
politicológico adj.
politicologista adj. s.2g.
politicólogo s.m.
politicomania s.f.
politicomaníaco adj. s.m.
politicômano s.m.
político-religioso adj.; pl. *político-religiosos*
politicorreia (*é*) s.f.
politicorreico (*é*) adj.
político-social adj.2g.; pl. *político-sociais*
politicote s.m.
politiônico adj.
politipagem s.f.
politipar v.
politipia s.f.
politípico adj.
politipo adj. s.m.
politiquear v.
politiqueiro adj. s.m.
politiquelho (*ê*) adj. s.m.
politiquento adj.
politiquete (*ê*) s.m.
politiquice s.f.
politiquilho s.m.
politiquismo s.m.
politiquista adj. s.2g.
politismo s.m.
politista adj. s.2g.
politização s.f.
politizado adj.
politizador (*ô*) adj. s.m.
politizante adj.2g.
politizar v.
politizável adj.2g.
politmo s.m.
politocia s.f.
polítoco adj.
politologia s.f.
politológico adj.
politologista adj. s.2g.
politólogo s.m.
politoma s.m.
politomia s.f.
politômico adj.
polítomo adj.
politonal adj.2g.
politonalidade s.f.
politonalismo s.m.
politonalista adj. s.2g.
politonalístico adj.
politonar v.
politonia s.f.
politônico adj.
politonimia s.f.
politonímia s.f.
politonímico adj.
politônimo s.m.
polítono adj.
politorentídeo adj. s.m.
politorentíneo adj. s.m.
politorento s.m.
politoxicomania (*cs*) s.f.
politrema s.m.
politricácea s.f.
politricáceo adj.
politrical adj.2g.
politricale s.f.
polítrico adj. s.m.
politricose s.f.
politricósico adj.
politricótico adj.
politriquia s.f.
politríquico adj.
politritoma s.m.
politrítomo s.m.
polítroco adj.
politrofia s.f.
politrófico adj.
politropia s.f.
politrópico adj.
polítropo adj.
poliuretana s.f.
poliuretânico adj.
poliuretano s.m.
poliuria s.f.
poliúria s.f.
poliúrico adj.
polivalência s.f.
polivalente adj.2g.
polivalve adj.2g.
polivinil s.m.
polivinila s.f.
polivinílico adj.
polivinilo s.m.
polivoltino adj.
polivolume s.m.
polivolúmico adj.
polixena (*cs*) s.f.
políxena (*cs*) s.f.
polixenia (*cs*) s.f.
polixenídeo (*cs*) adj. s.m.
polixeno (*cs*) adj. s.m.
políxeno (*cs*) adj. s.m.
polizigose s.f.
polizigótico adj.
polizoário adj. s.m.
polizoicidade s.f.
polizoico (*ó*) adj.
polizoísmo s.m.
polizonado adj.
polizônida adj.2g. s.m.
polizonídeo adj. s.m.
polizônio s.m.
polizonita s.f.
polizonite s.f.
polizono s.m.
polizooide (*ó*) adj.2g.
polizostéria s.f.
polja s.f.
polje s.m.
polmaço s.m.
polmão s.m. "tumor"; cf. *pulmão*
polme s.m.
polmear v.
polmeira s.f.
pólmen s.m.
polme-ruivo s.m.; pl. *polmes-ruivos*
polmo (*ô*) s.m.
polo (*ó*) s.m. "extremidade", etc.; cf. *polo* (*ô*) e *poló*
polo (*ô*) s.m. "filhote"; cf. *polo* (*ó*) e *poló*
poló s.m. "tecido indiano"; cf. *polo* (*ó*) e *polo* (*ô*)
polócito s.m.
polodia s.f.
polofalante adj. s.2g.
polofonia s.f.
polófono adj. s.m.
polografia s.f.
polográfico adj.
poloidal adj.2g.
poloide (*ó*) adj.2g. s.f.
polom s.m.
polonês adj. s.m.
polonesa (*ê*) s.f.
polonga s.f.
polônia s.f.
poloniano adj. s.m.
polônico adj. s.m.
poloniense adj. s.2g.
polônio adj. s.m.
polonismo s.m.
polonização s.f.
polonizado adj.
polonizar v.
polono adj. s.m.
polono-alemão adj.; pl. *polono-alemães*
polonofalante adj. s.2g.
polonofonia s.f.
polonófono adj. s.m.
polono-húngaro adj.; pl. *polono-húngaros*
polono-lituano adj.; pl. *polono-lituanos*
polonoparlante adj. s.2g.
polono-russo adj.; pl. *polono-russos*
polono-soviético adj.; pl. *polono-soviéticos*
polovtsiano adj. s.m.
polpa (*ô*) s.f. "substância carnuda e mole"; cf. *popa* (*ô*) s.f., *poupa* s.f. e *polpa*, fl. do v. *polpar*
polpação s.f.
polpão s.m.
polpar v.
polposo (*ô*) adj.; f. (*ó*); pl. (*ó*)
polpudo adj. "considerável"; cf. *poupudo*
polquinha s.f.
polquista adj. s.2g.
poltofagia s.f.
poltofágico adj.
poltranaz s.2g.
poltrão adj. s.m.; f. *poltrona*
poltrear v.
poltrona adj. s.f. de *poltrão*
poltronaria s.f.
poltronear v.
poltroneria s.f.
poltronice s.f.
polução s.f.
polucional adj.2g.
polucita s.f.
polucite s.f.
polucítico adj.
poluental adj.2g.
poluente adj.2g. s.m.
poluibilidade s.f.
poluição s.f.
poluído adj.
poluidor (*ô*) adj. s.m.
poluir v.
poluível adj.2g.
poluscino adj. s.m.
poluto adj.
pólux (*cs*) s.m.
polva s.f.
polvadeira s.m.f.
polvadeiro adj.
polvarim s.m.
polvarinho s.m.
polvarizar v.
polverim s.m.
polverinho s.m.
polverino s.m.
polvilhação s.f.
polvilhadeira s.f.
polvilhado adj.
polvilhador (*ô*) adj. s.m.
polvilhal s.m.
polvilhamento s.m.
polvilhar v.
polvilheiro s.m.
polvilho s.m.
polvo s.m.
pólvora s.f.
pólvora-calhau s.f.; pl. *pólvoras-calhau* e *pólvoras-calhaus*
pólvora com farinha adj.2g.2n.
polvorada s.f.
pólvora-dinamite s.f.; pl. *pólvoras-dinamite* e *pólvoras-dinamites*
polvorão-sevilhano s.m.; pl. *polvorões-sevilhanos*
polvoraria s.f.
polvoreda (*ê*) s.f.
polvorense adj. s.2g.
polvorento adj.
polvorim s.m.
polvorinho s.m.
polvorista adj. s.2g.
polvorizar v.
polvorolento adj.
polvorosa s.f.
polvoroso (*ô*) adj.; f. (*ó*); pl. (*ó*)
pom s.m.
poma s.f.
poma-candil s.f.; pl. *pomas-candil* e *pomas-candis*
pomacanto s.m.
pomacantídeo adj. s.m.
pomácea s.f.
pomacêntrida adj.2g. s.m.
pomacentrídeo adj. s.m.
pomacentro s.m.
pomáceo adj.
pomada s.f.
pomadado adj.
pomadasídeos s.m.pl.
pomadear v.
pomadista adj. s.2g.
pomal s.m.
pomaleiro s.m.
pomar s.m.
pomarada s.f.
pomaré s.m.
pomárea s.f. "ave"; cf. *pomária*
pomaredo (*ê*) s.m.
pomareiro adj. s.m.
pomarejo (*ê*) s.m.
pomari adj. s.2g.
pomária s.f. "gênero de plantas"; cf. *pomárea*
pomatiasíneo adj. s.m.
pomatiopsíneo adj. s.m.
pomatiópsis s.f.2n.
pomatócero s.m.
pomatoíctis s.m.2n.
pomatômida adj.2g. s.m.
pomatomídeo adj. s.m.
pomátomo s.m.
pomatopirgo s.m.
pomatóquelis s.f.2n.
pomatorrino s.m.
pomatóstego s.m.

pomba s.f.
pomba-amargosa s.f.; pl. *pombas-amargosas*
pomba-amargosinha s.f.; pl. *pombas-amargosinhas*
pomba-antártica s.f.; pl. *pombas-antárticas*
pomba-apunhalada s.f.; pl. *pombas-apunhaladas*
pomba-asa-branca s.f.; pl. *pombas-asa-branca* e *pombas-asas-brancas*
pomba-azul s.f.; pl. *pombas-azuis*
pomba-cabocla s.f.; pl. *pombas-cabocla* e *pombas-caboclas*
pomba-carijó s.f.; pl. *pombas-carijó* e *pombas-carijós*
pomba-cascavel s.f.; pl. *pombas-cascavel* e *pombas-cascavéis*
pomba-de-arribação s.f.; pl. *pombas-de-arribação*
pomba-de-bando s.f.; pl. *pombas-de-bando*
pomba-de-espelho s.f.; pl. *pombas-de-espelho*
pomba-de-mulata s.f.; pl. *pombas-de-mulata*
pomba-de-santa-cruz s.f.; pl. *pombas-de-santa-cruz*
pomba-de-sertão s.f.; pl. *pombas-de-sertão*
pomba-do-ar s.f.; pl. *pombas-do-ar*
pomba-do-cabo s.f.; pl. *pombas-do-cabo*
pomba-do-caminho s.f.; pl. *pombas-do-caminho*
pomba-do-mar s.f.; pl. *pombas-do-mar*
pomba-do-sertão s.f.; pl. *pombas-do-sertão*
pomba-espelho s.f.; pl. *pombas-espelho* e *pombas-espelhos*
pomba-galega s.f.; pl. *pombas-galegas*
pomba-gemedeira s.f.; pl. *pombas-gemedeiras*
pomba-gemedora s.f.; pl. *pombas-gemedoras*
pombagira s.f.
pombajira s.f.
pomba-juriti s.f.; pl. *pombas-juriti* e *pombas-juritis*
pombal s.m.
pomba-legítima s.f.; pl. *pombas-legítimas*
pombalense adj. s.2g.
pomba-lesa s.m.; pl. *pombas-lesas*
pombalesco (*ê*) adj.
pombália s.f.
pombalino adj.
pombalismo s.m.
pombalista adj. s.2g.
pombalístico adj.
pomba-mineira s.f.; pl. *pombas-mineiras*
pomba-pararu s.f.; pl. *pombas-pararu* e *pombas-pararus*
pomba-pariri s.f.; pl. *pombas-pariri* e *pombas-pariris*
pomba-pedrês s.f.; pl. *pombas-pedrês*
pomba-picuí s.f.; pl. *pombas-picuí* e *pombas-picuís*
pomba-preta s.f.; pl. *pombas-pretas*
pomba-pucaçu s.f.; pl. *pombas-pucaçu* e *pombas-pucaçus*
pombaria s.f.
pomba-rola s.f.; pl. *pombas-rola* e *pombas-rolas*
pombas s.f.pl.
pomba-trocal s.f.; pl. *pombas-trocal* e *pombas-trocais*
pomba-verdadeira s.f.; pl. *pombas-verdadeiras*
pombe s.m.
pombeação s.f.
pombeado adj.
pombeador (*ô*) adj. s.m.
pombear v.
pombeira s.f.
pombeirar v.
pombeiro adj. s.m.
pombela s.f.
pombense adj. s.2g.
pombinha s.f.
pombinha-cascavel s.f.; pl. *pombinhas-cascavel* e *pombinhas-cascavéis*
pombinha-das-almas s.f.; pl. *pombinhas-das-almas*
pombinhense adj. s.2g.
pombinho adj. s.m.
pombo adj. s.m.
pombo-anambé s.m.; pl. *pombos-anambé* e *pombos-anambés*
pombo-andorinha s.m.; pl. *pombos-andorinha* e *pombos-andorinhas*
pombo-belga s.m.; pl. *pombos-belgas*
pombo-branco s.m.; pl. *pombos-brancos*
pombo-bravo s.m.; pl. *pombos-bravos*
pomboca adj. s.2g.
pombo-cambalhota s.m.; pl. *pombos-cambalhota* e *pombos-cambalhotas*
pombo-capuchinho s.m.; pl. *pombos-capuchinhos*
pombo-carneau s.m.; pl. *pombos-carneau* e *pombos-carneaus*
pombo-cetim s.m.; pl. *pombos-cetim* e *pombos-cetins*
pombo-cetineta s.m.; pl. *pombos-cetineta* e *pombos-cetinetas*
pombo-claro s.m.; pl. *pombos-claros*
pombo-correio s.m.; pl. *pombos-correio* e *pombos-correios*
pombo-da-rocha s.m.; pl. *pombos-da-rocha*
pombo-de-anvers s.m.; pl. *pombos-de-anvers*
pombo-de-antuérpia s.m.; pl. *pombos-de-antuérpia*
pombo-de-bucara s.m.; pl. *pombos-de-bucara*
pombo-de-caux s.m.; pl. *pombos-de-caux*
pombo-de-dresden s.m.; pl. *pombos-de-dresden*
pombo-de-lahore s.m.; pl. *pombos-de-lahore*
pombo-de-leque s.m.; pl. *pombos-de-leque*
pombo-de-liège s.m.; pl. *pombos-de-liège*
pombo-de-modena s.m.; pl. *pombos-de-modena*
pombo-de-módena s.m.; pl. *pombos-de-módena*
pombo-de-montanha s.m.; pl. *pombos-de-montanha*
pombo-de-montauban s.m.; pl. *pombos-de-montauban*
pombo-dragão s.m.; pl. *pombos-dragão* e *pombos-dragões*
pombo-escuro-da-serra s.m.; pl. *pombos-escuros-da-serra*
pombo-gravatinha s.m.; pl. *pombos-gravatinha* e *pombos-gravatinhas*
pombo-heurté s.m.; pl. *pombos-heurtés*
pombo-inglês s.m.; pl. *pombos-ingleses*
pombo-lua s.m.; pl. *pombos-lua* e *pombos-luas*
pombo-migrador s.m.; pl. *pombos-migradores*
pombo-milanês s.m.; pl. *pombos-milaneses*
pombo-montanhês s.m.; pl. *pombos-montanheses*
pombo-mundano s.m.; pl. *pombos-mundanos*
pombo-negro s.m.; pl. *pombos-negros*
pombo-nicobar s.m.; pl. *pombos-nicobar* e *pombos-nicobares*
pombo-pega s.m.; pl. *pombos-pega* e *pombos-pegas*
pombo-polonês s.m.; pl. *pombos-poloneses*
pombo-preto s.m.; pl. *pombos-pretos*
pombo-romano s.m.; pl. *pombos-romanos*
pombo sem asa s.m.
pombo-suíço s.m.; pl. *pombos-suíços*
pombo-tambor s.m.; pl. *pombos-tambor* e *pombos-tambores*
pombo-torcaz s.m.; pl. *pombos-torcaz* e *pombos-torcazes*
pombo-trocal s.m.; pl. *pombos-trocal* e *pombos-trocais*
pombo-verde s.m.; pl. *pombos-verdes*
pombo-voador s.m.; pl. *pombos-voadores*
pombo-volante s.m.; pl. *pombos-volantes*
pomear v.
pomécio adj. s.m.
pomeiro s.m.
pomejar v.
pomeleiro s.m.
pomelo s.m.
pomeranense adj. s.2g.
pomeraniano adj. s.m.
pomerânio adj. s.m.
pomerano adj. s.m.
pomério s.m.
pomerodense adj. s.2g.
pomes s.m.2n.
pometado adj.
pometinense adj. s.2g.
pometino adj. s.m.
pômice s.m.
pomíceo adj.
pomícola adj. s.2g.
pomícolo adj. s.m.
pomicultor (*ô*) s.m.
pomicultura s.f.
pomífero adj.
pomificar v.
pomiforme adj.2g.
pomita s.f.
pomítico adj.
pomito s.m.
pomização s.f.
pomizado adj.
pomizar v.
pomo s.m.
pomo de adão s.m. "cartilagem tireóidea acentuada"
pomo-de-adão s.m. "árvore"; pl. *pomos-de-adão*
pomo-do-elefante s.m.; pl. *pomos-do-elefante*
pomodonte s.m.
pomóidea s.f.
pomologia s.f.
pomológico adj.
pomologista adj. s.2g.
pomólogo s.m.
pomona s.f.
pomonga s.f.
pomoso (*ô*) adj.; f. (*ó*); pl. (*ó*)
pomóxis (*cs*) s.m.2n.
pompa s.f.
pompadouriano (*du*) adj.
pompadourismo (*du*) s.m.
pompeano adj. s.m.
pompeante adj.2g.
pompear v.
pompeense adj. s.2g.
pompeiano adj. s.m.
pompeiismo s.m.
pompeio adj. s.m.
pompeísmo s.m.
pompeísta adj. s.2g.
pompelonense adj. s.2g.
pompeuense adj. s.2g.
pompilídeo adj. s.m.
pompílio s.m.
pômpilo s.m.
pompo s.m.
pompoar s.m.
pompoarismo s.m.
pompoarista s.f.
pompoarizar v.
pompom s.m.
pomponete (*ê*) s.m.
pomposidade s.f.
pomposo (*ô*) adj.; f. (*ó*); pl. (*ó*)
pômulo s.m.
pona s.f. "nariz curto e achatado"; cf. *ponã*
ponã s.f. "árvore"; cf. *pona*
ponaca s.f.
poncã s.m.
ponçada s.f.
ponçador (*ô*) s.m.
ponçagem s.f.
ponçar v.
poncatejé adj. s.2g.
poncha s.f.
ponchaci s.m.
ponchaço s.m.
ponchada s.f.
ponche s.m.
poncheira s.f.
poncho s.m.
poncho-pala s.m.; pl. *ponchos-palas*
ponciana-régia s.f.; pl. *poncianas-régias*
poncianense adj. s.2g.
ponciano adj. s.m.
pônciro s.m.
poncivo adj.
poncó adj.2g. s.m.
ponderabilidade s.f.
ponderação s.f.
ponderado adj.
ponderador (*ô*) adj. s.m.
ponderal adj.2g.
ponderamento s.m.
ponderando adj.
ponderante adj.2g.
ponderar v.
ponderativo adj.
ponderável adj.2g.
ponderoso (*ô*) adj.; f. (*ó*); pl. (*ó*)
pondo adj. s.m.
pondra s.f.
pone s.m.
pônei s.m.
ponente adj.2g. s.m.
ponentino s.m.
ponera s.f.
ponérida adj.2g. s.m.
ponerídeo adj. s.m.
poneríneo adj. s.m.
poneriníneo adj. s.m.
ponerodonto s.m.
ponfo s.m.
ponfólige s.f.
ponfoligófris s.f.2n.
ponfolígofris s.f.2n.
pônfolix (*cs*) s.f.2n.
ponfolixófris (*cs*) s.f.2n.
ponfolíxofris (*cs*) s.f.2n.
ponfos s.m.2n.
ponga s.f.
pongaiense adj. s.2g.
pongâmia s.f.
pongar v.
pôngida adj. s.2g.
pongídeo adj. s.m.
pongo s.m. "chimpanzé", etc.; cf. *pongó*
pongó adj. s.2g. "tolo"; cf. *pongo*
pongue s.m.
ponguerό s.m.
ponguiró s.m.
ponhema s.f.
ponilha s.f.
ponis s.f.2n.
ponjê s.m.
ponocracia s.f.
ponocrata s.2g.
ponocrático adj.
ponocratismo s.m.
ponofisiocracia s.f.
ponofisiocrata s.2g.
ponofisiócrata s.2g.
ponofisiocrático adj.
ponofobia s.f.
ponofóbico adj.
ponófobo s.m.
ponogenia s.f.
ponogênico adj.
ponógeno adj.
ponografia s.f.
ponográfico adj.
ponógrafo s.f.
ponograma s.m.
ponom s.m.
ponometria s.f.
ponométrico adj.
ponose s.f.
ponsagem s.f.
ponta s.f.
ponta-aguense (*ü*) adj. s.2g.; pl. *ponta-aguenses* (ü)
ponta-alegrense adj. s.2g.; pl. *ponta-alegrenses*
ponta-altense adj. s.2g.; pl. *ponta-altenses*
ponta-areense adj. s.2g.; pl. *ponta-areenses*
ponta-cabeça s.f.; pl. *pontas-cabeça* e *pontas-cabeças*
ponta-caiense adj. s.2g.; pl. *ponta-caienses*
pontaço s.m.
ponta-conoriense adj. s.2g.; pl. *ponta-conorienses*
ponta-corocoroense adj. s.2g.; pl. *ponta-corocoroenses*
ponta-d'água s.f.; pl. *pontas-d'água*
pontada s.f.
pontadáctilo s.m.
pontadátilo s.m.
ponta de diamante s.f.
ponta de lança s.f. "centro-avante"
ponta-de-lança s.f. "espécie de planta"; pl. *pontas-de-lança*
ponta-delgadense adj. s.2g.; pl. *ponta-delgadenses*
ponta-dentro s.f.; pl. *pontas-dentro*
ponta de rama s.f.
ponta de terra s.f.
ponta-direita s.2g.; pl. *pontas-direitas*
pontado adj.
pontadora s.f.
ponta-embutida s.f.; pl. *pontas-embutidas*
ponta-esquerda s.2g.; pl. *pontas-esquerdas*
ponta-flechalense adj. s.2g.; pl. *ponta-flechalenses*
ponta-fundense adj. s.2g.; pl. *ponta fundenses*
ponta-funilense adj. s.2g.; pl. *ponta-funilenses*
ponta-grandense adj. s.2g.; pl. *ponta-grandenses*
ponta-grossense adj. s.2g.; pl. *ponta-grossenses*
pontal s.m.
pontal-barrense adj. s.2g.; pl. *pontal-barrenses*

pontal-cururipense adj. s.2g.; pl. *pontal-cururipenses*
pontalense adj. s.2g.
pontaletar v.
pontalete (*ê*) s.m.; cf. *pontalete*, fl. do v. *pontaletar*
pontaletear v.
pontaletense adj. s.2g.
pontalindense adj. s.2g.
pontalinense adj. s.2g.
pontal-itarareense adj. s.2g.; pl. *pontal-itarareenses*
pontal-pebense adj. s.2g.; pl. *pontal-pebenses*
pontalzinhense adj. s.2g.
ponta-machadense adj. s.2g.; pl. *ponta-machadenses*
ponta-manguense adj. s.2g.; pl. *ponta-manguenses*
ponta-melense adj. s.2g.; pl. *ponta-melenses*
ponta-mofinense adj. s.2g.; pl. *ponta-mofinenses*
ponta-morrense adj. s.2g.; pl. *ponta-morrenses*
ponta-negrense adj. s.2g.; pl. *ponta-negrenses*
pontânia s.f.
pontão s.m.
ponta-paraguaçuense adj. s.2g.; pl. *ponta-paraguaçuenses*
pontapé s.m.
pontapear v.
ponta-pedrense adj. s.2g.; pl. *ponta-pedrenses*
ponta-poranense adj. s.2g.; pl. *ponta-poranenses*
ponta-preta s.f.; pl. *pontas-pretas*
pontar v.
pontaracna s.f.
ponta-ramense adj. s.2g.; pl. *ponta-ramenses*
ponta-rasense adj. s.2g.; pl. *ponta-rasenses*
pontareco s.m.
pontarelo s.m.
pontaria s.f.
pontarica s.f.
pontarrão s.m.
ponta-seca s.f.; pl. *pontas-secas*
ponta-serrense adj. s.2g.; pl. *ponta-serrenses*
ponta-pedrense adj. s.2g.; pl. *ponta-pedrenses*
ponta-solense adj. s.2g.; pl. *ponta-solenses*
pontavante s.f.
ponte s.f.
ponteação s.f.
ponteado adj. s.m.
ponteado do paraná s.m.
ponte-aguense (*ü*) adj. s.2g.; pl. *ponte-aguenses* (
ponte-altense adj. s.2g.; pl. *ponte-altenses*
ponte-altense-do-tocantins adj. s.2g.; pl. *ponte-altenses-do-tocantins*
ponte-aqueduto s.f.; pl. *pontes-aqueduto* e *pontes-aquedutos*
pontear v.
ponteavante s.f.
ponte-barquense adj. s.2g.; pl. *ponte-barquenses*
ponte-caidense adj. s.2g.; pl. *ponte-caidenses*
ponte-cais s.f.; pl. *pontes-cais*
ponte-canal s.f.; pl. *pontes-canal* e *pontes-canais*
ponte-carvalhense adj. s.2g.; pl. *ponte-carvalhenses*
ponte-ciganense adj. s.2g.; pl. *ponte-ciganenses*
ponteco s.m.
ponteçuela s.f.
ponte de água s.f.
pontederácea s.f.
pontederáceo adj.
pontedéria s.f.
pontederiácea s.f.
pontederiáceo adj.
pontederiina s.f.
ponte-faisquense adj. s.2g.; pl. *ponte-faisquenses*
ponte-firmense adj. s.2g.; pl. *ponte-firmenses*
ponte-fundense adj. s.2g.; pl. *ponte-fundenses*
ponte-gramense adj. s.2g.; pl. *ponte-gramenses*
ponteio s.m.
ponteira s.f.
ponteiro adj. s.m.
ponteiro-direito s.m.; pl. *ponteiros-direitos*
ponteiro-esquerdo s.m.; pl. *ponteiros-esquerdos*
ponte-itabapoanense adj. s.2g.; pl. *ponte-itabapoanenses*
pontel s.m.
pontela s.f.
ponte-leitense adj. s.2g.; pl. *ponte-leitenses*
pontelha s.f.
pontelhão s.m.
pontelídeo adj. s.m.
ponte-limense adj. s.2g.; pl. *ponte-limenses*
ponte-novense adj. s.2g.; pl. *ponte-novenses*
pontense adj. s.2g.
ponte-paraunense adj. s.2g.; pl. *ponte-paraunenses*
ponte-pedrense adj. s.2g.; pl. *ponte-pedrenses*
ponte-pretano adj. s.m.; pl. *ponte-pretanos*
ponte-pretense adj. s.2g.; pl. *ponte-pretenses*
ponterela s.f.
ponte-serradense adj. s.2g.; pl. *ponte-serradenses*
pontes-gestalense adj. s.2g.; pl. *pontes-gestalenses*
ponte-sorense adj. s.2g.; pl. *ponte-sorenses*
pontevedrino adj. s.m.
ponte-velhense adj. s.2g.; pl. *ponte-velhenses*
ponte-vermelhense adj. s.2g.; pl. *ponte-vermelhenses*
pontevilense adj. s.2g.
pontezela s.f.
pontezinhense adj. s.2g.
pontiagudo adj.
pontiano adj. s.m.
ponticidade s.f.
pôntico adj.
pontícula s.f.; cf. *ponticula*, fl. do v. *ponticular*
ponticular v.
pontículo s.m.; cf. *ponticulo*, fl. do v. *ponticular*
pontículo-plásmico s.m.; pl. *pontículos-plásmicos*
pontiense adj. s.2g.
pontieva s.f.
pontificação s.f.
pontificado s.m.
pontifical adj.2g. s.m.
pontificalismo s.m.
pontificante adj. s.2g.
pontificar v.
pontífice s.m.
pontificial adj.2g.
pontifício adj.
pontigo s.m.
pontil s.m.
pontilha s.f.
pontilhação s.f.
pontilhaço s.m.
pontilhada s.f.
pontilhado adj. s.m.
pontilhão s.m.
pontilhar v.
pontilheiro adj. s.m.
pontilhismo s.m.
pontilhista adj. s.2g.
pontilhístico adj.
pontilho s.m.
pontilhoso (*ô*) adj.; f. (*ó*); pl. (*ó*)
pontinense adj. s.2g.
pontíneo adj. s.m. "crustáceo"; cf. *pontineu*
pontineu s.m. "edifício para audiência"; cf. *pontíneo*
pontinha s.f.
pontinhar v.
pontinhense adj. s.2g.
pontinho s.m.
pontino adj. s.m.
pontista adj. s.2g.
pontizela s.f.
ponto s.m.
pontoação s.f.; cf. *pontuação*
pontoada s.f.; cf. *pontuada*
pontoado adj.; cf. *pontuado*
ponto-alegrense adj. s.2g.; pl. *ponto-alegrenses*
pontoar v. "apontoar"; cf. *pontuar*
ponto-atrás s.m.; pl. *pontos-atrás*
pontobdela s.f.
pontocaspiano adj.
pontocerebelar adj.2g.
ponto-chiquense adj. s.2g.; pl. *ponto-chiquenses*
pontocípris s.f.2n.
pontócrates s.m.2n.
ponto de admiração s.m.
ponto de exclamação s.m.
ponto de interrogação s.m.
ponto de venda s.m.
pontodrilídeo adj. s.m.
pontodrilíneo adj. s.m.
pontodrilo s.m.
pontoeira s.f.
ponto e vírgula s.m.
ponto-falso s.m.; pl. *pontos-falsos*
pontófilo s.m.
ponto-final s.m.; pl. *pontos-finais*
pontogênia s.f.
ponto-limite s.m.; pl. *pontos-limite* e *pontos-limites*
pontomania s.f.
pontoneiro s.m.
pontonense adj. s.2g.
pontônia s.f.
pontoníneo adj. s.m.
ponto-nortense adj. s.2g.; pl. *ponto-nortenses*
ponto-novense adj. s.2g.; pl. *ponto-novenses*
pontoporeia (*é*) s.f.
pontoporeídeo adj. s.m.
pontoso (*ô*) adj.; f. (*ó*); pl. (*ó*)
ponto-vogal s.m.; pl. *pontos-vogal* e *pontos-vogais*
pontuação s.f.; cf. *pontoação*
pontuada s.f.; cf. *pontoada*
pontuado adj.; cf. *pontoado*
pontual adj.2g. s.f.
pontualidade s.f.
pontualização s.f.
pontuar v. "usar sinais ortográficos"; cf. *pontoar*
pontudo adj.
pontuoso (*ô*) adj.; f. (*ó*); pl. (*ó*)
pontusal s.m.
ponxirão s.m.
poone s.m.
pop adj. s.2g.2n.
popa s.m. "sacerdote romano"; cf. *popa* (*ô*)
popa (*ô*) s.f. "parte posterior de uma embarcação"; cf. *polpa* (*ô*) s.f., *poupa* s.f. e fl. do v. *poupar*
popana s.f.
popão adj. s.m.
pope s.m.
popeiro s.m.
popela s.f.
popeláirea s.f.
popelérea s.f.
popelicano s.m.
popelina s.f.
popeline s.f.
poperi s.m.
popiã s.m.
popiliame s.m.
popina s.f.
popinha s.f.
popismo s.m.
poples s.m.2n.
poplicano s.m.
póplite s.m.
poplíteo adj.
poplítico adj.
popó s.m. "nespereira-do-mato", etc.; cf. *popô*
popô s.m. "popa"; cf. *popó*
popocar v.
popóvia s.f.
poppela s.f.
popuca adj.2g.
populaça s.f.
população s.f.
populacheiro adj.
populacho s.m.
populacidade s.f.
populacional adj.2g.
populacionismo s.m.
populacionista adj.2g.
populado s.m.
populago s.m.
popular adj.2g. s.m.f.
popularidade s.f.
populário s.m.
popularismo s.m.
popularista adj. s.2g.
popularístico adj.
popularização s.f.
popularizado adj.
popularizador (*ô*) adj. s.m.
popularizante adj.2g.
popularizar v.
popularizável adj.2g.
popularuncho adj.
populatório adj.
populeão adj. s.m.
populéo adj.
populifúgias s.f.pl.
populina s.f.
populinense adj. s.2g.
populiscito s.m.
populismo s.m.
populista adj. s.2g.
populístico adj.
pópulo s.m.
populoniense adj. s.2g.
populoso (*ô*) adj.; f. (*ó*); pl. (*ó*)
populônio adj. s.m.
poqueca s.f.
pôquer s.m.
por prep.; cf. *pôr* v.
pôr v.; cf. *por* prep.
poracá s.m.
poracamecrã adj. s.2g.
poracé s.2g.
porácea s.f.
poráceo adj.
poradenia s.f.
poradênico adj.
poradenite s.f.
poradenítico adj.
porana s.f.
poranduba s.f.
porânea s.f.
poranga s.f.
porangaba s.f.
porangabense adj. s.2g.
porangatuense adj. s.2g.
porangueiro s.m.
poranguense adj. s.2g.
porânia s.f.
poraniídeo adj. s.m.
poraniomorfo adj. s.m.
porantera s.f.
poranteróidea s.f.
porão s.m.
poraquê s.m.
poraqueíba s.f.
porca s.f.
porcaço s.m.
porcada s.f.
porcageiro s.m.
porcagem s.f.
porcalhada s.f.
porcalhão adj. s.m.; f. *porcalhona*
porcalho s.m.
porcalhona adj. s.f. de *porcalhão*
porcalhota s.f.
porca-marinha s.f.; pl. *porcas-marinhas*
porcão s.m.
porção s.f.
porcaria s.f.
porcariada s.f.
porcariço s.m.
porcaz adj.2g.
porceiro do covo s.m.
porcelana s.f.
porcelana-argosinha s.f.; pl. *porcelanas-argosinhas*
porcelana-mapiforme s.f.; pl. *porcelanas-mapiformes*
porcelanaria s.f.
porcelanáster s.m.
porcelanasterídeo adj. s.m.
porcelanasteríneo adj. s.m.
porcelânico adj.
porcelanídeo adj. s.m.
porcelaníneo adj. s.m.
porcelanista adj. s.2g.
porcelanístico adj.
porcelanita s.f.
porcelanite s.f.
porcelanizado adj.
porcélia s.f.
porcelídio s.m.
porcélio s.m.
porcelionídeo adj. s.m.
porcelofita s.f.
porcelofite s.f.
porcentagem s.f.
porcento s.m.
porcentual adj.2g.
pórcia s.f.
porcina s.f.
porcino adj. s.m.
porcionário adj. s.m.
porcioneira s.f.
porcioneiro adj. s.m.
porcionista s.2g.
porciúncula s.f.
porciunculense adj. s.2g.
porco (*ô*) adj. s.m.; f. (*ó*); pl. (*ó*)
porco-bravo s.m.; pl. *porcos-bravos*
porcoça s.f.
porco-couraçado s.m.; pl. *porcos-couraçados*
porco-da-índia s.m.; pl. *porcos-da-índia*
porco-da-terra s.m.; pl. *porcos-da-terra*
porco-de-verrugas s.m.; pl. *porcos-de-verrugas*
porco-do-mar s.m.; pl. *porcos-do-mar*
porco-do-mato s.m.; pl. *porcos-do-mato*
porco-espim s.m.; pl. *porcos-espim* e *porcos-espins*
porco-espinho s.m.; pl. *porcos-espinho* e *porcos-espinhos*
porco-espinho-de-cauda s.m.; pl. *porcos-espinho-de-cauda* e *porcos-espinhos-de-cauda*
porco-formigueiro s.m.; pl. *porcos-formigueiros*
porco-marinho s.m.; pl. *porcos-marinhos*
porco-miontês s.m.; pl. *porcos-mionteses*
porco-montês s.m.; pl. *porcos-monteses*
porco-negro s.m.; pl. *porcos-negros*
porco-pisco s.m.; pl. *porcos-pisco* e *porcos-piscos*
porco-ribeiro s.m.; pl. *porcos-ribeiro* e *porcos-ribeiros*

porco-sujo s.m.; pl. *porcos-sujos*
porco-veado s.m.; pl. *porcos--veado* e *porcos-veados*
porcum adj.2g.
pôr de sol s.m.
pôr do sol s.m.
porecamecrã adj. s.2g.
porecatuense adj. s.2g.
porejado adj.
porejamento s.m.
porejante adj.2g.
porejar v.
porejo (*ê*) s.m.
porela s.f.
porém s.m. conj.; cf. *porem*, fl. do v. *pôr*
porencefalia s.f.
porencefálico adj.
porencefalite s.f.
porencefalítico adj.
por-enquantense adj. s.2g.; pl. *por-enquantenses*
porênquima s.m.
porfender v.
porfendido adj.
porfia s.f.
porfiada s.f.
porfiado adj.
porfiador (*ô*) adj. s.m.
porfiante adj.2g.
porfiar v.
porfidita s.f.
pórfido s.m.
porfina s.f.
porfinuria s.f.
porfinúria s.f.
porfio s.m.
porfioso (*ô*) adj.; f. (*ó*); pl. (*ó*)
pórfira s.f.
porfirado adj.
porfiráspide s.f.
porfiráspis s.f.2n.
porfirazina s.f.
porfíreo adj.
porfiria s.f.
porfirião s.m.
porfírico adj.
porfiriense adj. s.2g.
porfirina s.f.
porfirinemia s.f.
porfirinêmico adj.
porfirínia s.f.
porfirínico adj.
porfirinúria s.f.
porfirinúrico adj.
porfírio s.m.
porfiríola s.f.
porfiriope s.m.
porfiriórnis s.2g.2n.
porfiriornite s.2g.
porfirismo s.m.
porfirita s.f.
porfirítico adj.
porfirito s.m.
porfirização s.f.
porfirizado adj.
porfirizante adj.2g.
porfirizar v.
pórfiro s.m.
porfiroblástico adj.
porfiroblasto s.m.
porfirocéfalo s.m.
porfiroclástico adj.
porfirocoma s.f.
porfirófora s.f.
porfiróforo s.m.
porfirogeneta adj.2g.
porfirogeneto adj.
porfirogênito s.m.
porfiroide (*ó*) adj.2g.
porfiroleuco adj.
porfirólito s.m.
pória s.f.
poricida adj.2g.
porictis s.m.2n.
porífero adj. s.m.
poriforme adj.2g.
porina s.f.
porinídeo adj. s.m.
pório s.m.
poriomania s.f.
poriomaníaco adj. s.m.
poriômano s.m.
pórion s.m.
porisma s.m.
porismático adj.
porístico adj.
porites s.m.2n.
poritídeo adj. s.m.
poritíneo adj. s.m.
porito s.m.
porliéria s.f.
porma adj. s.2g.
porme s.f.
pormenor s.m.
pormenorização s.f.
pormenorizado adj.
pormenorizante adj.2g.
pormenorizar v.
pormenorizável adj.2g.
porneia (*é*) s.f.
porneu s.m.
porno s.m. "prego grosso"; cf. *pornô*
pornô adj.2g. s.m. "pornografia", etc.; cf. *porno*
pornochanchada s.f.
pornocracia s.f.
pornocrata adj. s.2g.
pornocrático adj.
pornofonia s.f.
pornofônico adj.
pornografar v.
pornografia s.f.
pornografice s.f.
pornográfico adj.
pornografismo s.m.
pornógrafo s.m.; cf. *pornografo*, fl. do v. *pornografar*
pornologia s.f.
pornólogo s.m.
pornotopia s.f.
pornotópico adj.
poro s.m. "pequeno orifício"; cf. *poró*
poró s.m. "alho-poró"; cf. *poro*
poroadenolinfite s.f.
poroadenolinfítico adj.
porocefálido adj. s.m.
porocefalose s.f.
porocefalósico adj.
porocefalótico adj.
porocele s.f.
porocélico adj.
poroceratose s.f.
poroceratósico adj.
poroceratótico adj.
porocídaris s.f.2n.
porocifo s.m.
porociste s.f.
porócito s.m.
poroco s.m.
porocotó adj.2g. s.m.
porodia s.f.
poródico adj.
porodiscíneo adj. s.m.
porodisco s.m.
porodó s.m.
porofilo adj. s.m.
porófito s.m.
porofoliculite s.f.
porofoliculítico adj.
poróforo s.m.
porogado s.m.
porogamia s.f.
porogâmico adj.
poroma s.m.
porométrico adj.
porômetro s.m.
porômia s.f.
poromiídeo adj. s.m.
poromitra s.f.
porônfalo s.m.
porongo s.m.
porongudo adj.
porongueiro s.m.
poronguense adj. s.2g.
porônia s.f.
poroplástico adj. s.m.
poróptero s.m.
poroqueratose s.f.
poroqueratósico adj.
pororó s.f.
pororoca s.f.
pororocar v.
pororoco (*ô*) s.m.
pororom adj.2g. s.m.
pororoquense adj. s.2g.
poroscopia s.f.
poroscópico adj.
poroscópio s.m.
porose s.f.
porósico adj.
porosidade s.f.
porosimétrico adj.
porosímetro s.m.
poroso (*ô*) adj.; f. (*ó*); pl. (*ó*)
poróspora s.f.
porota s.f.
porótaquis s.m.2n.
porótico adj. s.m.
porótrico s.m.
poroxilácea (*cs*) s.f.
poroxiláceo (*cs*) adj.
porpália s.f.
porpau s.m.
porpezita s.f.
porpezite s.f.
porpianho s.m.
porpita s.f.
porpitela s.f.
porpitídeo adj. s.m.
porquanto conj.
porque conj.; cf. *por que*, *por quê* e *porquê*
porquê s.m.; cf. *porque*, *por que* e *por quê*
porquear v.
porqueira s.f.
porqueirão adj. s.m.; f. *porqueirona*
porqueiriço s.m.
porqueiro adj. s.m.
porqueirona adj. s.f. de *porqueirão*
porquete (*ê*) s.m.
porquice s.f.
porquidade s.f.
porquidão s.f.
porquinha s.f.
porquinha-de-santo--antônio s.f.; pl. *porquinhas--de-santo-antônio*
porquinho s.m.
porquinho-da-índia s.m.; pl. *porquinhos-da-índia*
porquinho-de-santo-antão s.m.; pl. *porquinhos-de-santo--antão*
porquinho-de-santo--antônio s.m.; pl. *porquinhos-de-santo-antônio*
porra (*ô*) s.f. interj.
porráceo adj.
porrada s.f.
porradaria s.f.
porradeira s.f.
porradeiro adj. s.m.
porrado adj.
porral s.m.
porra-louca adj. s.2g.; pl. *porras-loucas*
porra-louquice s.f.; pl. *porra--louquices*
porra-louquismo s.m.; pl. *porra-louquismos*
porranho s.m.
porrão s.m.
porras (*ô*) s.2g.2n.
porre s.m.
porrecto adj.
porreger v.
porreira s.f.
porreirinho adj.
porreiro adj.
porreta (*ê*) adj.2g. s.f.
porretada s.f.
porrete (*ê*) s.m.
porretear v.
porreteiro s.m.
porreto (*ê*) s.m.
porricina s.f.
pórrico adj.
porrifólio adj.
porrigem s.f.
porriginoso (*ô*) adj.; f. (*ó*); pl. (*ó*)
porrilhas s.f.pl.
porrina s.f.
porrinha s.f.
porrinho s.m.
pórrio s.m.
porrista adj. s.2g.
porro (*ô*) adj. s.m.
porro-bravo s.m.; pl. *porros--bravos*
porro-hortense s.m.; pl. *porros-hortenses*
porroma s.m.
porropsia s.f.
porrópsico adj.
porróptico adj.
porrudo s.m.
porrum s.m.
porta adj.2g. s.f.
porta-acumulador s.m.; pl. *porta-acumuladores*
porta-águia s.m.; pl. *porta--águias*
porta-agulhas s.m.2n.
porta-algodão s.m.; pl. *porta--algodões*
porta-aljava adj.2g. s.m.; pl. *porta-aljavas*
porta-amálgama s.m.; pl. *porta-amálgamas*
porta-arcabuz s.m.; pl. *porta--arcabuzes*
porta-aviões s.m.2n.
porta-bagagem s.m.; pl. *porta-bagagens*
porta-balaio s.m.; pl. *porta--balaios*
porta-bandeira s.2g.; pl. *porta-bandeiras*
porta-baquetas s.m.2n.
porta-batel s.m.; pl. *porta--batéis*
porta-bibelôs s.m.2n.
porta-bombas s.m.2n.
porta-broca s.m.; pl. *porta--brocas*
porta-cabos s.m.2n.
porta-cachimbos s.m.2n.
porta-caixa s.m.; pl. *porta--caixas*
porta-canecos s.m.2n.
porta-canetas s.m.2n.
porta-canhão s.m.; pl. *porta--canhões*
porta-capote s.m.; pl. *porta--capotes*
porta-cardápio s.m.; pl. *porta-cardápios*
porta-cartas s.m.2n.
porta-cartões s.m.2n.
porta-cáustico s.m.; pl. *porta--cáusticos*
porta-cautério s.m.; pl. *porta--cautérios*
porta-chapas s.m.2n.
porta-chapéus s.m.2n.
porta-chaves s.m.2n.
porta-cigarros s.m.2n.
porta-cilindros s.m.2n.
porta-clava adj.2g.; pl. *porta--clavas*
porta-clavina s.f.; pl. *porta--clavinas*
porta-cocheira s.f.; pl. *porta--cocheiras*
porta-colo s.m.; pl. *porta-colos*
porta-copos s.m.2n.
porta-cossinete s.m.; pl. *porta-cossinetes*
porta-cruz s.m.; pl. *porta-cruzes*
porta-d'água s.f.; pl. *portas--d'água*
portada s.f.
porta-da-loja s.f.; pl. *portas--da-loja*
porta da rua s.f. "porta principal da casa"
porta-da-rua s.f. "espécie de pimenta"; pl. *portas-da-rua*
porta de abelhas s.f.
porta-de-água s.f.; pl. *portas--de-água*
portádigo s.m.
porta-discos s.m.2n.
portado adj. s.m.
porta-documentos s.m.2n.
portador (*ô*) adj. s.m.
portadora (*ô*) s.f.
porta e janela s.f.
porta-electródio s.m.; pl. *porta-electródios*
porta-eletródio s.m.; pl. *porta-eletródios*
porta-emendas s.m.2n.
porta-enxerto s.m.; pl. *porta--enxertos*
porta-escovas s.m.2n.
porta-espaços s.m.2n.
porta-espada s.m.; pl. *porta--espadas*
porta-estandarte s.2g.; pl. *porta-estandartes*
porta-ferramenta s.m.; pl. *porta-ferramentas*
porta-ferro s.m.; pl. *porta-ferros*
porta-fios s.m.2n.
porta-flâmula s.m.; pl. *porta--flâmulas*
porta-flores s.m.2n.
porta-fogo adj.2g. s.m.; pl. *porta-fogos*
porta-fólio s.m.; pl. *porta--fólios*
porta-frasco s.m.; pl. *porta--frascos*
porta-fresa s.m.; pl. *porta--fresas*
porta-fronha s.m.; pl. *porta--fronhas*
porta-fusível s.m.; pl. *porta--fusíveis*
portagão s.m.
porta-garrafas s.m.2n.
portageiro s.m.
portagem s.f.
portaginense adj. s.2g.
porta-guarda-chuva s.m.; pl. *porta-guarda-chuvas*
porta-guardanapos s.m.2n.
porta-guião s.m.; pl. *porta--guiões*
porta-helicópteros s.m.2n.
porta-hipofisário adj.; pl. *porta-hipofisários*
porta-hipófise s.f.; pl. *porta--hipófises*
porta-insígnia s.m.; pl. *porta--insígnias*
porta-isca s.m.; pl. *porta-iscas*
porta-janela s.f.; pl. *porta--janelas*
porta-joias s.m.2n.
porta-jornais s.m.2n.
porta-júbilos s.2g.2n.
portal adj.2g. s.m.
porta-laços s.m.2n.
porta-lâmpadas s.m.2n.
porta-lança s.m.; pl. *porta--lanças*
porta-lanças s.m.2n.
porta-lanterna s.m.; pl. *porta--lanternas*
porta-lápis s.m.2n.
portalegrense adj. s.2g.
portaleira s.f.
porta-lenços s.m.2n.
porta-leque s.m.; pl. *porta--leques*
porta-lira adj. s.2g.; pl. *porta-liras*
porta-livros s.m.2n.
portaló s.m.
porta-luvas s.m.2n.
porta-luz s.m.; pl. *porta-luzes*
porta-maça s.m.; pl. *porta--maças*
porta-machado s.m.; pl. *porta-machados*

porta-malas s.m.2n.
porta-manta s.m.; pl. *porta-mantas*
porta-mantéus s.m.2n.
porta-marmita s.m.; pl. *porta-marmitas*
porta-mecha s.m.; pl. *porta-mechas*
porta-mechas s.m.2n.
portamento s.m.
porta-microfone s.m.; pl. *porta-microfones*
porta-mira s.2g.; pl. *porta-miras*
porta-misto s.m.; pl. *porta-mistos*
porta-mitra s.m.; pl. *porta-mitras*
porta-moedas s.m.2n.
porta-morrão s.m.; pl. *porta-morrões*
portanário adj.
portância s.f.
porta-negativo s.m.; pl. *porta-negativos*
porta-níqueis s.m.2n.
porta-nitrato s.m.; pl. *porta-nitratos*
porta-nó s.m.; pl. *porta-nós*
porta-notas s.m.2n.
porta-novas s.2g.2n.
portante adj.2g.
portanto conj.
portão s.m.
porta-objeto s.m.; pl. *porta-objetos*
porta-ordens s.2g.2n.
porta-original s.m.; pl. *porta-originais*
porta-ovos s.m.2n.
porta-pá s.m.; pl. *porta-pás*
porta-página s.m.; pl. *porta-páginas*
porta-papel s.m.; pl. *porta-papéis*
porta-paquê s.m.; pl. *porta-paquês*
porta-pastas s.m.2n.
porta-paz s.m.; pl. *porta-pazes*
porta-pedra s.m.; pl. *porta-pedras*
porta-penas s.m.2n.
porta-peso s.m.; pl. *porta-pesos*
porta-pneumático s.m.; pl. *porta-pneumáticos*
porta-pontas s.m.2n.
porta-projéteis s.m.2n.
portar v.
porta-rama s.f.; pl. *porta-ramas*
porta-rede s.m.; pl. *porta-redes*
porta-relógio s.m.; pl. *porta-relógios*
porta-resistência s.m.; pl. *porta-resistências*
porta-retícula s.m.; pl. *porta-retículas*
porta-retratos s.m.2n.
porta-revistas s.m.2n.
portaria s.f.
portaria-surda s.f.; pl. *portarias-surdas*
porta-roda s.m.; pl. *porta-rodas*
porta-sabre s.m.; pl. *porta-sabres*
porta-saco s.m.; pl. *porta-sacos*
porta-seios s.m.2n.
porta-sela s.m.; pl. *porta-selas*
porta-sementes s.m.2n.
porta-serra s.m.; pl. *porta-serras*
porta-sonda s.m.; pl. *porta-sondas*
porta-talas s.m.2n.
porta-talheres s.m.2n.
porta-tenaz s.m.; pl. *porta-tenazes*
portático s.m.
portátil adj.2g. s.m.
porta-tirso adj.2g.; pl. *porta-tirsos*
porta-toalhas s.m.2n.
portatório adj.
porta-torpedos s.m.2n.
porta-válvula s.m.; pl. *porta-válvulas*
portável adj.2g.
porta-vento s.m.; pl. *porta-ventos*
porta-voz s.2g.; pl. *porta-vozes*
porte s.m.
pórtea s.f.
porteado adj. s.m.
portear v.
porteio s.m.
porteira s.f.
porteirense adj. s.2g.
porteirinhense adj. s.2g.
porteiro s.m.
porteiro-mor s.m.; pl. *porteiros-mores*
portela s.f. "pequena porta"; cf. *portelã*
portelã s.f. "variedade de castanha"; cf. *portela*
portelama s.m.
portelense adj. s.2g.
portelho (*ê*) s.m.
portélia s.f.
portelo (*ê*) s.m.
portelo de cão s.m.
portenho adj. s.m.
portense adj. s.2g.
portento s.m.
portentosidade s.f.
portentoso (*ô*) adj.; f. (*ó*); pl. (*ó*)
portésia s.f.
porteta (*ê*) s.f.
portfólio s.m.
pórtico s.m.
portilha s.f.
portilhão s.m.
portilho s.m.
portimonense adj. s.2g.
portinha s.f.
portinhense adj. s.2g.
portinho s.m.
portinhola s.f.
portinola s.f.
portita s.f.
portlande s.m.
portlandiano adj. s.m.
portlândico adj. s.m.
portlandiense adj.2g. s.m.
portlandita s.f.
porto (*ô*) s.m.; pl. (*ó*); cf. *porto*, fl. do v. *portar*
porto-abrigo s.m.; pl. *portos-abrigo* e *portos-abrigos*
porto-acrense adj. s.2g.; pl. *porto-acrenses*
porto-acriano adj. s.m.; pl. *porto-acrianos*
porto-alegrense adj. s.2g.; pl. *porto-alegrenses*
porto-alegrense-do-tocantins adj. s.2g.; pl. *porto-alegrenses-do-tocantins*
porto-amazonense adj. s.2g.; pl. *porto-amazonenses*
porto-andiraense adj. s.2g.; pl. *porto-andiraenses*
porto-batistense adj. s.2g.; pl. *porto-batistenses*
porto-belano adj. s.m.; pl. *porto-belanos*
porto-belense adj. s.2g.; pl. *porto-belenses*
porto-biliar adj.2g.; pl. *porto-biliares*
porto-brasiliense adj. s.2g.; pl. *porto-brasilienses*
porto-caixense adj. s.2g.; pl. *porto-caixenses*
porto-calvense adj. s.2g.; pl. *porto-calvenses*
porto-camarguense adj. s.2g.; pl. *porto-camarguenses*
porto-cimense adj. s.2g.; pl. *porto-cimenses*
porto-esperaciense adj. s.2g.; pl. *porto-esperacienses*
porto-esperidionense adj. s.2g.; pl. *porto-esperidionenses*
porto-estrelense adj. s.2g.; pl. *porto-estrelenses*
porto-felicense adj. s.2g.; pl. *porto-felicenses*
porto-ferreirense adj. s.2g.; pl. *porto-ferreirenses*
porto-firmense adj. s.2g.; pl. *porto-firmenses*
porto-florense adj. s.2g.; pl. *porto-florenses*
porto-folhense adj. s.2g.; pl. *porto-folhenses*
porto-franco s.m.; pl. *portos-francos*
porto-franquense adj. s.2g.; pl. *porto-franquenses*
porto-franquino adj. s.m.; pl. *porto-franquinos*
porto-gabarrense adj. s.2g.; pl. *porto-gabarrenses*
portografia s.f.
portográfico adj.
porto-grandense adj. s.2g.; pl. *porto-grandenses*
porto-lucenense adj. s.2g.; pl. *porto-lucenenses*
porto-martinense adj. s.2g.; pl. *porto-martinenses*
porto-mauaense adj. s.2g.; pl. *porto-mauaenses*
porto-mendense adj. s.2g.; pl. *porto-mendenses*
porto-molense adj. s.2g.; pl. *porto-molenses*
porto-mosense adj. s.2g.; pl. *porto-mosenses*
porto-murtinhense adj. s.2g.; pl. *porto-murtinhenses*
portonação s.f.
porto-nacionalense adj. s.2g.; pl. *porto-nacionalenses*
portonense adj. s.2g.
porto-novense adj. s.2g.; pl. *porto-novenses*
porto-pedrense adj. s.2g.; pl. *porto-pedrenses*
portor (*ô*) s.m.
porto-realense adj. s.2g.; pl. *porto-realenses*
porto-realense-do-colégio adj. s.2g.; pl. *porto-realenses-do-colégio*
porto-riquenho adj. s.m.; pl. *porto-riquenhos*
porto-riquense adj. s.2g.; pl. *porto-riquenses*
porto-salvense adj. s.2g.; pl. *porto-salvenses*
porto-santense adj. s.2g.; pl. *porto-santenses*
porto-santanense adj. s.2g.; pl. *porto-santanenses*
porto-são-carlense adj. s.2g.; pl. *porto-são-carlenses*
porto-são-joseense adj. s.2g.; pl. *porto-são-joseenses*
porto-seco s.m.; pl. *portos-secos*
porto-segurense adj. s.2g.; pl. *porto-segurenses*
porto-unionense adj. s.2g.; pl. *porto-unionenses*
porto-velhense adj. s.2g.; pl. *porto-velhenses*
porto-vitoriense adj. s.2g.; pl. *porto-vitorienses*
porto-xaviense adj. s.2g.; pl. *porto-xavienses*
porto-xavierense adj. s.2g.; pl. *porto-xavierenses*
portuário adj. s.m.
portucalense adj. s.2g.
portucha s.f.
portuchar v.
portucho s.m.
portuense adj. s.2g.
portuga adj. s.2g.
portugalense adj. s.2g.
portugalês adj. s.m.
portugalização s.f.
portugalizador (*ô*) adj.
portugalizar v.
portugal-velho s.m.2n.
português adj. s.m.
portuguesa (*ê*) s.f.; cf. *portuguesa*, fl. do v. *portuguesar*
portuguesada s.f.
portuguesar v.
portuguesismo s.m.
portuguesmente adv.
portuguesofonia s.f.
portuguesofono adj. s.m.
portuguesófono adj. s.m.
portulaca s.f.
portulacácea s.f.
portulacáceo adj.
portulácea s.f.
portuláceo adj.
portulacínea s.f.
portulano s.m.
portumnais s.f.pl.
portunhol s.m.
portunídeo adj. s.m.
portuoso (*ô*) adj.; f. (*ó*); pl. (*ó*)
poruca s.f.
porunga s.f.
poruntum adj. s.2g.
poruti s.m.
porventura adv.
porvindoiro adj. s.m.
porvindouro adj. s.m.
porvir s.m.
porvirense adj. s.2g.
porvir-novense adj. s.2g.; pl. *porvir-novenses*
porviscar v.
porzana s.f.
porzânula s.f.
porzita s.f.
pós prep.
pós-abdome s.m.
pós-abdômen s.m.
pós-abdominal adj.2g.
pós-aceleração s.f.
pós-adolescência s.f.
pós-albiano adj. s.m.
posalosa s.f.
pós-alveolar adj.2g.
posanga s.f.
pós-apostólico adj.
pós-aptiano adj. s.m.
posar v.
pós-articulado adj.
pós-auricular adj.
pós-bélico adj.
pós-bíblico adj.
pós-boca s.f.
pós-braquial adj.2g. s.m.
posca s.f.
pós-cabralino adj.
pós-cartilagíneo adj.
pós-catrapós s.m. interj.
poscefálico adj.
poscéfalo s.m.
poscênio s.m.
pós-classicismo s.m.
pós-classicista adj. s.2g.
pós-clássico adj.
pós-combustão s.f.
pós-comicial adj.2g.
pós-comunhão s.f.
pós-conciliar adj.
pós-consulado s.m.
pós-data s.f.
pós-datado adj.
pós-datar v.
pós-decisional adj.2g.
pós-dental adj.2g.
pós-diluviano adj.
pós-dorsal adj.2g.
pós-dorso s.m.
pós-doutorado s.m.
pós-doutoramento s.m.
pose (*ô*) s.f.; cf. *pose*, fl. do v. *posar*
pós-edêmico adj.
poseidônias s.f.pl.
pós-eleitoral adj.2g.
pós-embrionário adj.
pós-escolar adj.2g.
pós-escrito adj. s.m.
pós-espermatogênese s.f.
pós-espermatogenético adj.
pós-esqui s.m.
pós-estenótico adj.
pós-estruturalismo s.m.
posético adj.
pós-exílico adj.
pós-exílio s.m.
posfaciar v.
posfácio s.m.; cf. *posfacio*, fl. do v. *posfaciar*
pós-fenício adj.
pós-flandriano adj. s.m.
pós-floração s.f.
pós-formação s.f.
pós-ganglionar adj.2g.
posgênito adj.
pós-gênito adj.
pós-glacial adj.2g.
pós-glaciário adj.
pós-graduação s.f.
pós-graduado adj.
pós-graduando s.m.
pós-graduar v.
pós-guerra s.m.
pós-hipofisário adj.
pós-hipófise s.f.
pós-homérico adj. s.m.
posição s.f.
posicionação s.f.
posicional adj.2g.
posicionamento s.m.
posicionar v.
pós-ictal adj.2g.
posidônias s.f.pl.
posidoníea s.f.
posidonômia s.f.
pós-impressionismo s.m.
pós-impressionista adj. s.2g.
pós-impressionístico adj.
posinga adj. s.2g.
positiva s.f.
positivabilidade s.f.
positivação s.m.
positivamento s.m.
positivar v.
positivável adj.2g.
positivice s.f.
positividade s.f.
positivismo s.m.
positivista adj. s.2g.
positivístico adj.
positivo adj. s.m.
positivoide (*ó*) adj.2g.
positogêneo adj.
pósiton s.m.
positrão s.m.
positrino s.m.
positrogêneo adj.
pósitron s.m.
positrônico adj.
positrônio s.m.
positura s.f.
pós-kantianismo s.m.
pós-kantianista s.2g.
pós-kantianístico adj.
pós-kantiano adj.
pós-kantismo s.m.
pós-kantista adj. s.2g.
pós-kantístico adj.
pós-larva s.f.
pós-letal adj.2g.
poslimínio s.m.
poslomínio s.m.
poslúdico adj.
poslúdio s.m.
pós-maëstrichtiano adj. s.m.
pós-magmático adj.
pós-mão s.f.
pós-maturação s.f.
pós-medieval adj.2g.
pós-médio adj.
pós-membranoso adj.; f. (*ó*); pl. (*ó*)
pós-menopausa s.f.
pós-mento s.m.
pós-meridiana s.f.
pós-meridiano adj.
pós-milenarismo s.m.
pós-milenarista adj. s.2g.

pós-militar adj.2g.
pós-minimalismo s.m.
pós-minimalista adj. s.2g.
pós-modernismo s.m.
pós-modernista adj. s.2g.
pós-modernístico adj.
pós-moderno adj. s.m.
pós-mortal adj.2g.
pós-morte adj.2g. s.f.
posnânio adj. s.m.
pós-natal adj.2g.
pós-natalidade s.f.
posnjakita s.f.
pós-nominal adj.2g. s.m.
pós-nupcial adj.2g.
pós-occipúcio s.m.
posocronografia s.f.
pós-ocular adj.2g.
posologia s.f.
posológico adj.
posômetro s.m.
pós-operatório adj. s.m.
pós-opercular adj.2g.
posoqueri s.m.
posoquéria s.f.
pós-oral adj.2g.
pós-orbital adj.2g.
pós-país s.m.
pós-palatal adj.2g.
pós-palato s.m.
pós-parnasiano adj.
pós-parto adj.2g. s.m.
pós-pasteuriano adj.
pospasto s.m.
pós-pastoriano adj.
pós-peitoral adj.2g.
pospelo (*ê*) s.m.; na loc. *a pospelo*
pós-perna s.f.
pós-pliocênico adj.
pós-plioceno adj. s.m.
pospolita s.f.
pospontador (*ô*) adj. s.m.
pospontar v.
posponto s.m.
pospor (*ô*) v.
posposição s.f.
posposicional adj.2g.
pospositiva s.f.
pospositivo adj.
posposto (*ô*) adj.
pós-prandial adj.2g.
pós-puberal adj.2g.
pós-puerperal adj.2g.
posquete (*ê*) s.m.
pós-radical adj.2g.
pós-romano adj.
possança s.f.
possante adj.2g.
possar v.
posse s.f.
possear v.
pós-seco s.m.
pós-secundário adj.
posseiro adj. s.m. "que está de posse de terra devoluta"; cf. *poceiro* e *puceiro*
possense adj. s.2g.
possessão s.f.
possessibilidade s.f.
possessionar v.
possessível adj.2g.
possessivo adj. s.m.
possesso adj. s.m.
possessor (*ô*) adj. s.m.
possessório adj. s.m.
possíbil adj.2g.
possibilidade s.f.
possibilismo s.m.
possibilista adj. s.2g.
possibilístico adj.
possibilitação s.f.
possibilitado adj.
possibilitante adj.2g.
possibilitar v.
possibilitável adj.2g.
possibilizar v.
possidente adj. s.2g.
possidônio adj. s.m.
possidonismo s.m.
pós-siluriano adj.
pós-simbolismo s.m.
pós-simbolista adj. s.2g.
pós-simbolístico adj.
pós-sináptico adj.
pós-sincronia s.f.
pós-sincrônico adj.
pós-sincronização s.f.
pós-sincronizado adj.
pós-sincronizador (*ô*) adj.
pós-sincronizante adj.2g.
pós-sincronizar v.
pós-sincronizável adj.2g.
possível adj.2g. s.m.
pós-socrático adj.
possoeiro s.m.
possoelo (*ê*) s.m.
possuca adj. s.2g.
possuído adj. s.m.
possuidor (*ô*) adj. s.m.
possuídos s.m.pl.
possuimento s.m.
possuinte adj. s.2g.
possuir v.
possuqueador (*ô*) adj. s.m.
possuquear v.
posta s.f.
postado adj.
postagem s.f.
postal adj.2g. s.m.
postalista adj. s.2g.
postar v.
posta-restante s.f.; pl. *postas-restantes*
postável adj.2g.
poste s.m.
posteação s.f.
posteado adj.
posteamento s.m.
postear v.
postectomia s.f.
postectômico adj.
pós-tectônico adj.
postedênico adj.
posteirada s.f.
posteiro s.m.
posteja (*ê*) s.f.
postejar v.
postema s.f.
postemão s.m.
postemar v.
postemeiro s.m.
pós-teodosiano adj.
posteotomia s.f.
posteotômico adj.
posteplastia s.f.
pós-terciário adj.
postergação s.f.
postergado adj.
postergador (*ô*) adj. s.m.
postergamento s.m.
postergante adj.2g.
postergar v.
postergável adj.2g.
posteridade s.f.
postério adj. s.m.
posterior (*ô*) adj.2g. s.m.
posterioridade s.f.
posterizar v.
póstero adj. s.m.
posterodorsal adj.2g.
posteroexterior adj.2g.
posteroexterno adj.
posteroinferior adj.2g.
posterointerior adj.2g.
posterointerno adj.
posterolombar adj.2g.
posteromedial adj.2g.
posteropalatar adj.2g.
posterorraquidiano adj.
pósteros s.m.pl.
posterossuperior adj.2g.
posterovelar adj.2g.
postetomia s.f.
postetômico adj.
pós-textual adj.2g.
postiça s.f.
postiçar v.
postiçaria s.f.
posticho s.m.
postico adj. "que está atrás"; cf. *postiço*
postiço adj. s.m. "acrescentado depois", etc.; cf. *postico*
postigo s.m.
postígrafo s.m.
postila s.f.
postilador (*ô*) adj. s.m.
postilar v.
postilena s.f.
postilha s.f.
postilhão s.m.
postimária s.f.
postimeiro adj.
postite s.f.
postítico adj.
postlimínio s.m.
posto (*ô*) adj. s.m.; f. (*ó*); pl. (*ó*); cf. *posto*, fl. do v. *postar*
posto-chave s.m.; pl. *postos-chave* e *postos-chaves*
postoiro s.m.
postoleta (*ê*) s.f.
postonicidade s.f.
pós-tônico adj.
postônico adj.
postorbital adj.2g.
postouro s.m.
pós-traducional adj.2g.
pós-transcricional adj.2g.
pós-transfusional adj.2g.
pós-translacional adj.2g.
postre s.m.
postreiro adj.
postremeiro adj.
postremo adj.
postrídio s.m.
postriduano adj.
postrimeiro adj.
postscênico s.m.
postulabilidade s.f.
postulação s.f.
postulado adj. s.m. "princípio reconhecido não demonstrado"; cf. *pustulado*
postulador (*ô*) adj. s.m.
postulantado s.m.
postulante adj. s.2g.
postular v.
postulável adj.2g.
postumaria s.f.
postumária s.f.
postumeiro adj.
póstumo adj.
postura s.f.
postural adj.2g.
posturar v.
postureiro s.m.
posual s.m.
posudo adj. s.m.
pós-védico adj.
pós-velar adj.2g.
pós-venda s.f.
pós-verbal adj.2g. s.m.
pós-vocálico adj.
pós-werberniano adj.
pós-zonatoso adj.; f. (*ó*); pl. (*ó*)
pota s.f.
potaba s.f.
potabilidade s.f.
potage s.f.
potagem s.f.
potajuca s.f.
potália s.f.
potaliácea s.f.
potâmea s.f.
potâmeo adj.
potâmico adj.
potâmide s.m.
potamila s.f.
pótamis s.m.2n.
potamita adj. s.2g. s.m.
potamófilo adj. s.m.
potamofobia s.f.
potamofóbico adj.
potamófobo adj. s.m.
potamogalídeo adj. s.m.
potamógalo s.m.
potamogeto s.m.
potamogetonácea s.f.
potamogetonáceo adj.
potamogetonínea s.f.
potamografia s.f.
potamográfico adj.
potamógrafo s.m.
potamolatra s.2g.
potamólatra s.2g.
potamolatria s.f.
potamolátrico adj.
potamologia s.f.
potamológico adj.
potamologista adj. s.2g.
potamólogo s.m.
potamometria s.f.
potamométrico adj.
potamonimia s.f.
potamonímia s.f.
potamonímico adj.
potamônimo s.m.
potamoplancto s.m.
potamoplâncton s.m.
potamoquero s.m.
potamotério s.m.
potamótoco adj.
potança s.f.
potão s.m.
potarita s.f.
potassa s.f.
potassado adj.
potasseiro s.m.
potassemia s.f.
potassêmico adj.
potássico adj.
potássido s.m.
potassimétrico adj.
potassímetro s.m.
potássio s.m.
potassismo s.m.
potava s.f.
potável adj.2g.
potazoto s.m.
pote s.m.
pótea s.f.
pote de graxa s.m.
poteense adj. s.2g.
poteia (*é*) s.f.
potência s.f.; cf. *potencia*, fl. do v. *potenciar*
potenciação s.f.
potenciado adj.
potencial adj.2g. s.m.
potencialidade s.f.
potencialização s.f.
potencializado adj.
potencializador (*ô*) adj. s.m.
potencializante adj.2g.
potencializar v.
potencializável adj.2g.
potenciar v.
potenciável adj.2g.
potenciográfico adj.
potenciógrafo s.m.
potenciograma s.m.
potenciometria s.f.
potenciométrico adj.
potenciômetro s.m.
potenjiense adj. s.2g.
potentada s.f.
potentado s.m.
potente adj.2g.
potenteia (*é*) s.f.
potentila s.f.
potentílea s.f.
potentilha s.f.
potentilina s.f.
potentino adj. s.m.
poterantera s.f.
poteri s.m.
poteriaçu s.m.
poterínea s.f.
poteríneo adj.
potério s.m.
poteripeba s.f.
poterna s.f.
potestade s.f.
potestatário adj. s.m.
potestativo adj.
potestatório adj.
poteti-guaçu s.m.; pl. *potetis-guaçus*
poti s.m.
pótia s.f.
potiácea s.f.
potiáceo adj.
potial adj.2g.
potiale s.f.
potiche s.m.
potici s.m.
poticiano adj. s.m.
potíea s.f.
potiense adj. s.2g.
potiguar adj. s.2g.
potiguara adj. s.2g.
potimirim s.m.
potipaca s.m.
potiporanga s.m.
potiqui s.m.
potiraguaense adj. s.2g.
potiraguarense adj. s.2g.
potiraguense (*ü*) adj. s.2g.
potirão s.m.
potirendabano adj. s.m.
potirendabense adj. s.2g.
potirense adj. s.2g.
potiretamense adj. s.2g.
potiri s.m.
potirom s.m.
potitinga s.m.
potiúna s.m.
poti-velhense adj. s.2g.; pl. *poti-velhenses*
potivrata s.f.
poto s.m. "bebida", etc.; cf. *potó*
potó s.m. "inseto", etc.; cf. *poto*
potoca s.f.
potocagem s.f.
potocar v. s.m.
potocite s.f.
potóea s.f.
potó-grande s.m.; pl. *potós-grandes*
potóidea s.f.
potologia s.f.
potológico adj.
potologista adj. s.2g.
potólogo s.m.
potomania s.f.
potomaníaco adj. s.m.
potômano s.m.
potométrico adj.
potômetro s.m.
potomoju s.m.
potó-pimenta s.m.; pl. *potós-pimenta* e *potós-pimentas*
potopoto s.m.
potoqueiro adj. s.m.
potoquista adj. s.2g.
potosi s.m.
potósia s.f.
potosino adj. s.m.
potra (*ô*) s.f.
potrada s.f.
potranca s.f.
potrancada s.f.
potranco s.m.
potranquice s.f.
potraria s.f.
pótrea s.f.
potreação s.f.
potreada s.f.
potreado adj.
potreador (*ô*) adj. s.m.
potrear v.
potreco s.m.
potreia (*é*) s.f.
potreirense adj. s.2g.
potreiritense adj. s.2g.
potreirito s.m.
potreiro s.m.
potril s.m.
potrilha s.2g.
potrilhada s.f.
potrilho s.m.
potrincas s.m.2n.
potro (*ô*) s.m.
potroso (*ô*) adj.; f. (*ó*); pl. (*ó*)
potruco s.m.
potrudo adj.
potsdamiano adj. s.m.
póttia s.f.
pottiácea s.f.
pottiáceo adj.

pottial adj.2g.
pottiale s.f.
potu s.m.
potum s.m.
potumuju s.m.
potunduvense adj. s.2g.
poturu adj. s.2g.
poubaíta s.f.
pouca s.f.
poucachinha s.f.
poucachinho s.m. adv.
poucacho adv.
poucadinho s.m. adv.
pouca-roupa adj. s.2g.; pl. *poucas-roupas*
pouca-vergonha s.f.; pl. *poucas-vergonhas*
pouchétia s.f.
pouco adj. s.m. adv. pron.
pouco-caso s.m.; pl. *poucos-casos*
poucochinho s.m. adv.
poughita s.f.
poula s.f.
poulo s.m.
poupa s.f. "ave", etc.; cf. *popa* (*ô*) s.f., *polpa* (*ô*) s.f. e *polpa*, fl. do v. *polpar*
poupa-boubela s.f.; pl. *poupas-boubela* e *poupas-boubelas*
poupado adj.
poupador (*ô*) adj. s.m.
poupadura s.f.
poupança s.f.
poupão adj. s.m.; f. *poupona*
poupar v.
pouparela s.f.
poupártia s.f.
poupa-solas s.m.2n.
pouperia s.f.
poupinha s.f.
poupo s.m.
poupona adj. s.f. de *poupão*
poupudo adj. "topetudo"; cf. *polpudo*
pouquécia s.f.
pouquidade s.f.
pouquidão s.f.
pouquinho s.m.
pourouma s.f.
pousa s.f.
pousada s.f.
pousadeira s.f.
pousadeiro s.m.
pousadia s.f.
pousado adj.
pousadoiro s.m.
pousador (*ô*) adj. s.m.
pousadouro s.m.
pousa-foles s.2g.2n.
pousagem s.f.
pousal s.m.
pousa-mão s.m.; pl. *pousa-mãos*
pousamoira s.f.
pousamoura s.f.
pousante adj.2g.
pousar v.
pouseira s.f.
pouseiro adj. s.m.
pousense adj. s.2g.
pousentador (*ô*) s.m.
pousentar v.
pousia s.f.
pousinho s.m.
pousio adj. s.m.
pouso s.m.
pouso-alegrense adj. s.2g.; pl. *pouso-alegrenses*
pouso-altense adj. s.2g.; pl. *pouso-altenses*
pouso-campense adj. s.2g.; pl. *pouso-campenses*
pouso-grandense adj. s.2g.; pl. *pouso-grandenses*
pouso-novense adj. s.2g.; pl. *pouso-novenses*
pouso-pindaibense adj. s.2g.; pl. *pouso-pindaibenses*
pouso-redondense adj. s.2g.; pl. *pouso-redondenses*
poussinesco (*pu...ê*) adj.
pouta s.f.
poutada s.f.
poutão s.m.
poutar v.
poutéria s.f.
pouzaquita s.f.
pouzólzia s.f.
povão s.m.
povaréu s.m.
povarinha s.f.
poveira s.f.
poveirismo s.m.
poveiro adj. s.m.
povelite s.f.
povense adj. s.2g.
poviléu s.m.
povilhal s.m.
povinho s.m.
povo (*ô*) s.m.; pl. (*ó*)
póvoa s.f.; cf. *povoa* (*ô*), fl. do v. *povoar*
povoação s.f.
povoacense adj. s.2g.
povoado adj. s.m.
povoador (*ô*) adj. s.m.
povoamento s.m.
povoar v.
povoarinha s.f.
povoável adj.2g.
povoeira s.f.
povoeiro adj. s.m.
povoense adj. s.2g.
povoléu s.m.
povolhal s.m.
povoréu s.m.
povoto (*ô*) s.m.
powellita s.f.
poxa (*ô*) interj.; cf. *pocha* (*ô*)
poxeti adj. s.2g.
poxoreano adj. s.m.
poxorense adj. s.2g.
poxoreuense adj. s.2g.
poxoxô s.m.
poxvírus (*cs*) s.m.2n.
pozeira s.f.
pozinhos s.m.pl.
pozolana s.f.
pozolânico adj.
pozolita s.f.
pozolite s.f.
pozolito s.f.
pozólito s.m.
pra prep.
praça s.f.
praça-branca s.f.; pl. *praças-brancas*
praça-d'armas s.m.; pl. *praças-d'armas*
praça de guerra s.f.
praça-forte s.f.; pl. *praças-fortes*
pracaqui s.m.
pracari s.m.
praçaria s.f.
pracata s.f.
pracatar v.
pracaxi s.f.
pracaxi-de-folha-grande s.f.; pl. *pracaxis-de-folha-grande*
praceamento s.m.
praceano adj. s.m.
pracear v.
praceiro adj.
pracejar v.
praceta (*ê*) s.f.
prácia s.f.
praciano adj. s.m.
pracinha s.m.f.
pracinhense adj. s.2g.
pracista adj. s.2g.
prácrite s.m.
pracrítico adj.
pracritismo s.m.
prácrito s.m.
practor (*ô*) s.m.
pracuíba s.f.
pracuuba-da-terra-firme s.f.; pl. *pracuubas-da-terra-firme*
pracuuba-da-várzea s.f.; pl. *pracuubas-da-várzea*
pracuubal s.m.
pradaria s.f.
pradeira s.f.
pradeiro adj. s.m.
pradejar v.
pradense adj. s.2g.
pradinhense adj. s.2g.
prado s.m.
pradopolitano adj. s.m.
pradosense adj. s.2g.
pradósia s.f.
pradoso (*ô*) adj.; f. (*ó*); pl. (*ó*)
praedora s.f.
pra-frente adj.2g.2n.
prafrentex (*cs*) adj.2g.2n.
praga s.f.
praga-de-couve s.f.; pl. *pragas-de-couve*
praga-de-besouro s.f.; pl. *pragas-de-besouro*
praga-de-galinha s.f.; pl. *pragas-de-galinha*
praga-de-galinheiro s.f.; pl. *pragas-de-galinheiro*
pragal s.m.
pragalhar v.
pragana s.f. "resto de palha dos cereais"; cf. *praganá*
praganá s.f. "espécie de distrito na Índia Portuguesa"; cf. *pragana*
praganã s.f.; cf. *pragana*
praganal s.m.
pragana-preta s.f.; pl. *praganas-pretas*
praganoso (*ô*) adj.; f. (*ó*); pl. (*ó*)
pragão s.m.
pragar v.
pragaria s.f.
pragata s.f.
pragmatamnésia s.f.
pragmatamnésico adj.
pragmática s.f.
pragmaticismo s.m.
pragmático adj.
pragmatismo s.m.
pragmatista adj. s.2g.
pragmatístico adj.
pragmatizador (*ô*) adj. s.m.
pragmatizante adj. s.2g.
pragmatizar v.
pragmatizável adj.2g.
pragmatognosia s.f.
pragmatognósico adj.
pragmatognosta s.2g.
pragmatognóstico adj.
praguá s.m.
praguari s.m.
praguedo (*ê*) s.m.
praguejado adj.
praguejador (*ô*) adj. s.m.
praguejamento s.m.
praguejante adj.2g.
praguejar v.
praguejável adj.2g.
praguense adj. s.2g.
praguento adj. s.m.
praguicida adj.2g. s.m.
praguicídio s.m.
praia s.f. "faixa de terra que confina com o mar"; cf. *praiá*
praiá adj. s.2g. "feiticeiro"; cf. *praia*
praia-araçatibense adj. s.2g.; pl. *praia-araçatibenses*
praia-camboriuense adj. s.2g.; pl. *praia-camboriuenses*
praia-concepcionense adj. s.2g.; pl. *praia-concepcionenses*
praiada s.f.
praia-grande s.f.; pl. *praias-grandes*
praia-grandense adj. s.2g.; pl. *praia-grandenses*
praia-lestense adj. s.2g.; pl. *praia-lestenses*
praiano adj. s.m.
praia-redondense adj. s.2g.; pl. *praia-redondenses*
praia-riquense adj. s.2g.; pl. *praia-riquenses*
praia-sequense adj. s.2g.; pl. *praia-sequenses*
praieiro adj. s.m.
praiense adj. s.2g.
praina s.f.
prainadeira s.f.
praineza (*ê*) s.f.
prainha-andradense adj. s.2g.; pl. *prainha-andradenses*
prainhense adj. s.2g.
praino adj. s.m.
prairial s.m.
prais s.m.2n.
prajá s.m.
prajandi s.m.
pralina s.f.
pralinado adj.
pram s.m.
prama s.f.
pramana s.m.
prana s.m.
pranacriá s.m.
pranaiama s.m.
prânale s.m.
prananguma s.f.
prancha s.f.
pranchada s.f.
pranchadense adj. s.2g.
pranchado adj.
pranchão s.m.
pranchar v.
pranchear v.
prancheiro s.m.
prancheta (*ê*) s.f.
pranchitense adj. s.2g.
prandial adj.2g.
prândio s.m.
pranga s.f.
prango s.m.
pranheira s.f.
praniza s.f.
pranizídeo adj. s.m.
prantaria s.f.
pranteadeira s.f.
pranteado adj.
pranteador (*ô*) adj. s.m.
pranteadora (*ô*) s.f.
pranteadura s.f.
pranteamento s.m.
prantear v.
pranteável adj.2g.
prantina s.f.
prantivo adj.
pranto s.m.
praquio adj. s.2g.
prase s.m.
praseodímio s.m.
praseódimo s.m.
praseolita s.f.
praseolite s.f.
prasiáceo adj.
prasiano adj. s.m.
prasilita s.f.
prasilite s.f.
prásina s.f.
prasinídeo adj. s.m.
prasinita s.f.
prásino adj. s.m.
prásio adj. s.m.
prasiobita s.f.
prasiocromo s.m.
prasiodímio s.m.
prasiódimo s.m.
prasióidea s.f.
prasiola s.f.
prasiolita s.f.
prasiolite s.f.
prasiólito s.m.
prásitis s.f.2n.
prasma s.m.
prasmado adj.
prasmar v.
prasmo s.m.
prasocrômio s.m.
prasocúris s.f.2n.
prasofilo s.m.
prasoide (*ó*) adj.2g. s.m.
prasopala s.f.
prasópala s.f.
prastrano adj. s.m.
prata s.f.
pratada s.f.
pratalhada s.f.
pratalhão s.m.
pratalhaz s.m.
prataniense adj. s.2g.
pratapolense adj. s.2g.
pratapolitano adj. s.m.
prataria s.f.
pratarrada s.f.
pratarrão s.m.
pratarraz s.m.
pratazada s.f.
pratázio s.m.
prateação s.f.
prateada s.f.
prateado adj. s.m.
prateador (*ô*) adj. s.m.
prateadura s.f.
prateamento s.m.
pratear v.
prateável adj.2g.
prateira s.f.
prateiro s.m.
pratejante adj.2g.
pratejar v.
pratel s.m.
prateleira s.f.
prateleiro s.m.
pratense adj. s.2g.
prátia s.f.
pratiaara s.m.
pratiano adj. s.m.
pratibimba s.2g.
pratibu s.m.
prática s.f.; cf. *pratica*, fl. do v. *praticar*
praticabilidade s.f.
praticação s.f.
praticado adj.
praticador (*ô*) adj. s.m.
praticagem s.f.
praticamento s.m.
praticante adj. s.2g.
praticão s.m.; f. *praticona*
praticar v.
praticável adj.2g. s.m.
praticidade s.f.
prático adj. s.m.; cf. *pratico*, fl. do v. *praticar*
pratícola adj.2g.
praticona s.f. de *praticão*
praticultor (*ô*) s.m.
praticultura s.f.
pratigela s.f.
pratilhada s.f.
pratilheira s.f.
pratilheiro s.m.
pratilho s.m.
pratíncola s.f.
pratinha s.f.
pratinhense adj. s.2g.
pratinho s.m.
pratipema s.m.
pratiqueira s.f.
pratita adj. s.2g.
prato adj. s.m.
prato-cheio s.m.; pl. *pratos-cheios*
pratos s.m.pl.
pravidade s.f.
pravo adj.
pravoeira s.f.
praxe s.f.
praxeano (*cs*) adj. s.m.
praxeologia (*cs*) s.f.
praxeológico (*cs*) adj.
praxeologista (*cs*) adj. s.2g.
praxeólogo (*cs*) s.m.
praxia (*cs*) s.f.
praxiliano (*cs*) adj.
praxinopose (*cs....ô*) s.m.
praxinoscopia (*cs*) s.f.
praxinoscópico (*cs*) adj.
praxinoscópio (*cs*) s.m.
praxiologia (*cs*) s.f.
praxiológico (*cs*) adj.
praxiologista (*cs*) adj. s.2g.
praxiólogo (*cs*) adj.
praxioscópico (*cs*) adj.

praxioscópio (*cs*) s.m.
práxis (*cs*) s.f.2n.
praxismo (*cs*) s.m.
praxista (*cs*) adj. s.2g.
praxiteliano (*cs*) adj.
praxiterapeuta (*cs*) s.2g.
praxiterapia (*cs*) s.f.
praxiterápico (*cs*) adj.
prazado adj.
prazentaria s.f.
prazente adj.2g.
prazenteador (*ô*) adj.
prazentear v.
prazentearia s.f.
prazenteio s.m.
prazenteiro adj.
prazentim adj. s.m.
prazer v. s.m.
prazerense adj. s.2g.
prazeroso (*ô*) adj.; f. (*ó*); pl. (*ó*)
prazia s.f.
prazida s.f.
prazimento s.m.
prazível adj.2g.
praz-me s.m.2n.
prazo s.m.
prazo-dado s.m.; pl. *prazos-dados*
pré s.m.
preá s.2g.
pré-abdome s.m.
pré-abdômen s.m.
pré-abdominal adj.2g.
preaca s.f.
preacaá s.f.
preacada s.f.
preação s.f.
preá-da-índia s.f.; pl. *preás-da-índia*
pré-adamismo s.m.
pré-adamita adj. s.2g.
pré-adaptação s.f.
pré-adaptativo adj.
pré-adivinhado adj.
pré-adivinhar v.
pré-adolescência s.f.
pré-adolescente adj. s.2g.
preado adj.
preador (*ô*) s.m.
pré-afonsino adj.
pré-agonia s.f.
pré-agônico adj.
pré-ajustado adj.
pré-ajustar v.
prealável adj.2g.
pré-albiano adj. s.m.
prealegar v.
preamar s.f.
preambulação s.f.
preambulador (*ô*) adj. s.m.
preambular v. adj.2g.
preâmbulo s.m.; cf. *preambulo*, fl. do v. *preambular*
pré-amplificador s.m.
pré-anal adj.2g.
preando adj.
pré-anestesia s.f.
pré-anestésico adj. s.m.
preanimismo s.m.
pré-antepenúltimo adj.
preanunciação s.f.
preanunciado adj.
preanunciador (*ô*) adj. s.m.
preanunciar v.
pré-apical adj.2g.
pré-aptiano adj. s.m.
preaquecedor (*ô*) s.m.
preaquecer v.
preaquecido adj.
preaquecimento s.m.
prear v.
pré-ariano adj.
pré-árico adj.
pré-arquetípico adj.
pré-arquétipo s.m.
pré-arrábido adj.
pré-artigo s.m.
pré-atômico adj.
pré-avisar v.
pré-aviso s.m.
pré-banto adj.
pré-basilar adj.2g.
prebenda s.f.
prebendado adj. s.m.
prebendal adj.2g.
prebendalização s.f.
prebendar v.
prebendaria s.f.
prebendário s.m.
prebendeiro s.m.
pré-biológico adj.
pré-biótico adj.
prebixim s.m.
pré-bizantino adj.
prebostado s.m.
prebostal adj.2g.
preboste s.m.
pré-burguês adj.
pré-cabraliano adj.
pré-cabralino adj.
precação s.f.
preçado adj.
pré-calagem s.f.
precalçar v.
precalcionado adj.
precalço s.m.
pré-cambriano adj. s.m.
pré-câmbrico adj. s.m.
pré-camoniano adj.
pré-câncer s.m.
pré-canceroso (*ô*) adj.; f. (*ó*); pl. (*ó*)
precantador (*ô*) adj. s.m.
precantar v.
precapara s.f.
pré-capilar adj.2g s.m.
pré-capitalismo s.m.
pré-capitalista adj. s.2g.
pré-capitalístico adj.
preçar v.
pré-carência s.f.
pré-carente adj.2g.
precaridade s.f.
precariedade s.f.
precário adj. "que não oferece estabilidade"; cf. *preçario*
preçario s.m. "lista de preços"; cf. *precário*
precarista adj. s.2g.
pré-carnavalesco (*ê*) adj.
pré-carolíngeo adj.
precatado adj.
precatar v.
precativa s.f.
precativo adj. s.m.
precato s.m.
precatória s.f.
precatório adj. s.m.
precaução s.f.
precaucional adj.2g.
precaucionar-se v.
precaucioso (*ô*) adj.; f. (*ó*); pl. (*ó*)
precautelar v.
precauto adj.
precautório adj.
precaver v.
precavido adj.
prece s.f.
precedência s.f.
precedente adj.2g. s.m.
preceder v.
precedido adj.
precedimento s.m.
preceitado adj.
preceitar v.
preceitivo adj.
preceito s.m.
preceitor (*ô*) s.m.
preceitoria s.f.
preceituação s.f.
preceituado adj.
preceituador (*ô*) adj. s.m.
preceitual adj.2g.
preceituante adj.2g.
preceituar v.
preceituário s.m.
preceituoso (*ô*) adj.; f. (*ó*); pl. (*ó*)
pré-céltico adj.
pré-celtismo s.m.
pré-censura s.f.
precentor (*ô*) s.m.
preceptismo s.m.
preceptista adj. s.2g.
preceptiva s.f.
preceptivo adj.
preceito s.m.
preceptor (*ô*) s.m.
preceptorado s.m.
preceptoral adj.2g.
preceptorato s.m.
preceptoria s.f.
preceptorial adj.2g.
precessão s.f.
precessional adj.2g.
precessionalidade s.f.
precha s.f.
pré-chelense adj.2g. s.m.
précia s.f.
preciano adj. s.m.
precidânea s.f.
precidâneo adj.
pré-científico adj.
precinção s.f.
precingir v.
precinta s.f. "faixa", "atadura"; cf. *pressinta*, fl. do v. *pressentir*
precintado adj.
precintar v.
precinto s.m. "faixa", "atadura"; cf. *pressinto*, fl. do v. *pressentir*
précio adj. s.m.
preciosa s.f.
preciosa-de-ois s.f.; pl. *preciosas-de-ois*
preciosidade s.f.
preciosismo s.m.
preciosista adj. s.2g.
preciosístico adj.
precioso (*ô*) adj.; f. (*ó*); pl. (*ó*)
precipício s.m.
precipitabilidade s.f.
precipitação s.f.
precipitado adj. s.m.
precipitador (*ô*) adj.
precipitante adj.2g. s.m.
precipitar v.
precipitável adj.2g.
precípite adj.2g.; cf. *precipite*, fl. do v. *precipitar*
precipitina s.f.
precipitinogênico adj.
precipitinogênio s.m.
precipitinógeno s.m.
precipitodiagnóstico s.m.
precipitogênico adj.
precipitogênio adj.
precipitógeno s.m.
precipitoso (*ô*) adj.; f. (*ó*); pl. (*ó*)
precípitron s.m.
precipítron s.m.
precipitrônio s.m.
precípuo adj. s.m.
pré-cirrose s.f.
pré-cirrótico adj.
precisado adj.
precisão s.f.
precisar v.
precismo s.m.
preciso adj. s.m.
precista s.2g.
precístico adj.
precitado adj.
precito adj. s.m.
preclamador (*ô*) s.m.
preclaridade s.f.
preclaro adj.
pré-classicismo s.m.
pré-classicista s.2g.
pré-classicístico adj.
pré-clássico adj.
preclávio s.m.
pré-clínico adj.
precludente adj.2g.
precludível adj.2g.
precluído adj.
precluir v.
precluível adj.2g.
preclusão s.f.
preclusibilidade s.f.
preclusível adj.2g.
preclusividade s.f.
preclusivo adj.
precluso adj.
preclusor (*ô*) adj.
preço (*ê*) s.m.
pré-coagulação s.f.
pré-coagulado s.m.
pré-coagular v.
precoce adj.2g.
precoceno s.m.
precocidade s.f.
precogitação s.f.
precogitado adj.
precogitador (*ô*) adj. s.m.
precogitante adj.2g.
precogitar v.
precognição s.f.
precognitivo adj.
precógnito adj.
precolendo adj.
pré-colombiano adj.
pré-colonial adj.2g.
pré-coma s.m.f.
pré-comatoso (*ô*) adj.; f. (*ó*); pl. (*ó*)
pré-combustão s.f.
preconceber v.
preconcebido adj.
preconcebimento s.m.
preconceito s.m.
preconceituado adj.
preconceitual adj.2g.
preconceituar v.
preconceituoso (*ô*) adj.; f. (*ó*); pl. (*ó*)
preconcepção s.f.
preconceptivo adj.
pré-conciliar adj.2g.
precondição s.f.
precondicionação s.f.
precondicionado adj.
precondicionador (*ô*) adj.
precondicional adj.2g.
precondicionamento s.m.
precondicionante adj.2g.
precondicionar v.
precondicionável adj.2g.
preconício s.m.
precônio s.m.
preconização s.f.
preconizado adj.
preconizador (*ô*) adj. s.m.
preconizar v.
preconizável adj.2g.
preconquiliano adj.
pré-consciente adj.2g. s.m.
pré-consonântico adj.
pré-constitucional adj.2g.
pré-contração s.f.
pré-contratação s.f.
pré-contratado adj. s.m.
pré-contratante adj. s.2g.
pré-contratar v.
pré-contratável adj.2g.
pré-contrato s.m.
pré-contratual adj.2g.
precoracoide (*ó*) s.m.
precordial adj.2g.
precordialgia s.f.
precordiálgico adj.
precordilheira s.f.
pré-cordilheira s.f.
precordilheiral adj.2g.
pré-cordilheiral adj.2g.
precórdio s.m.
pré-correção s.f.
precorrer v.
pré-cozido adj.
preço-teto s.m.; pl. *preços-teto* e *preços-tetos*
precória s.f.
precoz adj.2g.
pré-cristão adj.
precursão s.f.
precursor (*ô*) adj. s.m. "que abre caminho"; cf. *percursor* e *percussor*
predação s.f.
predador (*ô*) adj. s.m.
predar v.
pré-darwiniano adj.
pré-datação s.f.
pré-datado adj.
pré-datar v.
pré-datável adj.2g.
predatório adj.
predecessão s.f.
predecessor (*ô*) s.m.
pré-decimal adj.2g.
predefinição s.f.
predefinido adj.
predefinidor (*ô*) adj. s.m.
predefinir v.
predefunto adj.
predela s.f.
predelineação s.f.
predelineado adj.
predelineador (*ô*) adj.
predelineamento s.m.
predelineante adj.2g.
predelinear v.
predelineável adj.2g.
pré-delinquente (*ü*) adj. s.2g.
predemarcação s.f.
pré-demarcação s.f.
predemarcado adj.
pré-demarcado adj.
pré-demarcador adj. s.m.
predemarcar v.
pré-demarcar v.
pré-destilação s.f.
predestinação s.f.
predestinacionismo s.m.
predestinacionista adj.2g.
predestinacionístico adj.
predestinado adj. s.m.
predestinador (*ô*) adj. s.m.
predestinar v.
predestinativo adj.
predestinável adj.2g.
predestino s.m.
predeterminação s.f.
predeterminado adj.
predeterminante adj.2g.
predeterminar v.
predeterminável adj.2g.
pré-diabetes s.2g.2n.
pré-diabético adj.
predial adj.2g.
pré-diástole s.f.
pré-diastólico adj.
prédica s.f.; cf. *predica*, fl. do v. *predicar*
predicabilidade s.f.
predicação s.f.
predicado s.m.
predicador (*ô*) adj. s.m.
predical adj.2g.
predicamental adj.2g.
predicamentar v.
predicamento s.m.
predicante adj. s.2g.
predição s.f.
predicar v.
predicativo adj. s.m.
predicatório adj.
predicável adj.2g. s.m.
pré-digerido adj.
pré-digestão s.f.
pré-digestivo adj.
predileção s.f.
predilecionar v.
predileto adj. s.m.
pré-diluviano adj.
prédio s.m.
pré-dionísio adj.
predisponência s.f.
predisponente adj.2g.
predispor v.
predisposição s.f.
predisposto (*ô*) adj.; f. (*ó*); pl. (*ó*)
pré-dissociação s.f.
preditivo adj.
predito adj.
preditor (*ô*) adj. s.m.
predizer v.
predizibilidade s.f.
predizível adj.2g.
prednisolona s.f.
prednisona s.f.

prednisônico adj.
predominação s.f.
predominador (*ô*) adj. s.m.
predominância s.f.
predominante adj.2g.
predominar v.
predomínio s.m.
pré-dorsal adj.2g.
pré-dorso s.m.
pré-eclâmpsia s.f.
pré-edema s.m.
preeleger v.
preeleição s.f.
pré-eleição s.f.
preeleito adj.
pré-eleito adj.
pré-eleitoral adj.2g.
preembrião s.m.
pré-embrião s.m.
pré-embrionário adj.
preeminar v.
preeminência s.f.
preeminente adj.2g.
preempção s.f.
preencher v.
preenchido adj.
preenchimento s.m.
preenchível adj.2g.
pré-encolhido adj.
pré-ênfase s.f.
preensão s.f.
preênsil adj.2g.
preensividade s.f.
preensivo adj.
preensor (*ô*) adj.
pré-enzima s.f.
pré-enzímico adj.
pré-escapular adj.2g.
pré-esclerose s.f.
preesclerótico adj.
pré-esclerótico adj.
pré-escolar adj.2g. s.m.
pré-escolaridade s.f.
pré-escolhido adj.
pré-esdrúxulo adj. s.m.
pré-esfenoidal adj.2g.
pré-esfenoide (*ó*) adj.2g. s.m.
pré-esforçado adj.
preestabelecer v.
preestabelecido adj.
preestabelecimento s.m.
pré-estelar adj.2g.
pré-estreia (*é*) s.f.
preexcelência s.f.
preexcelente adj.2g.
preexcelso adj.
pré-exercício s.m.
pré-exílico adj.
pré-exílio s.m.
preexistência (*z*) s.f.
preexistencialismo (*z*) s.m.
preexistencialista (*z*) adj. s.2g.
preexistente (*z*) adj.2g.
preexistir (*z*) v.
pré-experiência s.f.
pré-fabricado adj.
prefação s.f.
prefaciador (*ô*) s.m.
prefacial adj.2g.
prefaciar v.
prefácio s.m.; cf. *prefacio*, fl. do v. *prefaciar*
prefactor (*ô*) s.m.
pré-fala s.f.
prefalado adj.
prefator (*ô*) s.m.
prefazer v.
prefeito s.m.
prefeitoral adj.2g.
prefeitura s.f.
preferência s.f.
preferencial adj.2g. s.f.
preferendo s.m.
preferente adj. s.2g.
preferido adj.
preferir v.
preferível adj.2g.
préfica s.f.
prefiguração s.f.
prefigurado adj.
prefigurador (*ô*) adj. s.m.
prefigurar v.
prefigurativo adj.
prefigurável adj.2g.
prefiltrar v.
prefiltro s.m.
pré-financiamento s.m.
prefinir v.
prefixação (*cs*) s.f.
prefixado (*cs*) adj.
prefixal (*cs*) adj.2g.
prefixar (*cs*) v.
prefixativo (*cs*) adj.
prefixo (*cs*) adj. s.m.
pré-flandriano adj. s.m.
prefloração s.f.
preflorescência s.f.
pré-folha s.f.
prefoliação s.f.
prefoliado adj.
prefoliador (*ô*) adj.
prefoliamento s.m.
prefoliante adj.2g.
prefoliar v.
prefoliável adj.2g.
pré-forma s.f.
pré-formação s.f.
pré-formado adj.
pré-formante adj.2g.
pré-formar v.
pré-formativo adj.2g.
pré-formável adj.2g.
preformismo s.m.
preformista adj.2g.
preformístico adj.
pré-formulação s.f.
pré-formular v.
prefrase s.f.
pré-franqueado adj.
pré-franquear v.
pré-frontal adj.2g. s.m.
prefulgência s.f.
prefulgente adj.2g.
prefulgir v.
prefulguração s.f.
prefulgurar v.
prega s.f.
pregação s.f.
pregada s.f.
pregadeira s.f.
pregadela s.f.
pregadiço adj.
pregado adj. s.m.
pregador (*ô*) adj. s.m.
pregadoiro s.m.
pregadouro s.m.
pregadura s.f.
pregagem s.f.
pregalha s.f.
pregalhar v.
pregalhas s.f.pl.
pregalho s.m.
pregamento s.m.
pregana s.f.
pré-ganglionar adj.2g.
pregante adj. s.2g.
pregão s.m.
pregar v.
pregareta (*ê*) s.f.
pregaria s.f.
pregatura s.f.
pregável adj.2g.
pré-genital adj.2g.
pré-getuliano adj.
pré-glacial adj.2g.
pré-glaciário adj.
pregnação s.f.
pregnado adj.
pregnador (*ô*) adj.
pregnância s.f.
pregnandiol s.m.
pregnanodiol s.m.
pregnanodiona s.f.
pregnante adj.2g.
pregnar v.
pregnável adj.2g.
pregneno s.m.
pregnenoloma s.f.
prego s.m.
pregoado adj.
pregoador (*ô*) adj. s.m.
pregoamento s.m.
pregoar v.
pregoava s.f.
pregoável adj.2g.
prego-cachorro s.m.; pl. *pregos-cachorro* e *pregos-cachorros*
prego-do-brasil s.m.; pl. *pregos-do-brasil*
prego-doirado s.m.; pl. *pregos-doirados*
prego-dourado s.m.; pl. *pregos-dourados*
pregoeiro s.m.
pregos-de-oiro s.m.pl.
pregos-de-ouro s.m.pl.
pregostar v.
pré-gramatical adj.2g.
pregratita s.f.
pré-gravação s.f.
pré-gravado adj.
pregressividade s.f.
pregressivo adj.
pregresso adj.
prégua s.f.
preguari s.m.
pregueadeira s.f.
pregueado adj. s.m.
pregueador (*ô*) s.m.
pregueamento s.m.
preguear v.
pregueiro adj. s.m.
preguense adj. s.2g.
pregueta (*ê*) s.f.
preguiça s.f.
preguiça-de-bentinho s.f.; pl. *preguiças-de-bentinho*
preguiça-de-coleira s.f.; pl. *preguiças-de-coleira*
preguiça-de-dois-dedos s.f.; pl. *preguiças-de-dois-dedos*
preguiça-de-três-dedos s.f.; pl. *preguiças-de-três-dedos*
preguiça-do-brasil s.f.; pl. *preguiças-do-brasil*
preguiça-gigante s.f.; pl. *preguiças-gigantes*
preguiçamento s.m.
preguiça-pequena s.f.; pl. *preguiças-pequenas*
preguiça-preta s.f.; pl. *preguiças-pretas*
preguiçar v.
preguiça-real s.f.; pl. *preguiças-reais*
preguiça-terrícola s.f.; pl. *preguiças-terrícolas*
preguiceira s.f.
preguiceiras s.f.pl.
preguiceiro adj. s.m.
preguicense adj. s.2g.
preguicento adj. s.m.
preguicite s.f.
preguiçosa s.f.
preguiçoso (*ô*) adj. s.m.; f. (*ó*); pl. (*ó*)
preguilha s.f.
preguista adj. s.2g.
preguntão s.m.
pregustação s.f.
pregustado adj.
pregustador (*ô*) adj. s.m.
pregustante adj.2g.
pregustar v.
pré-habilitação s.f.
pré-habilitar v.
pré-helênico adj.
pré-helenismo s.m.
pré-hepático adj.
pré-hipófise s.f.
pré-história s.f.
pré-historiador s.m.
pré-histórico adj.
prehnita s.f.
prehnite s.f.
prehnítico adj.
prehnitoide (*ó*) adj.2g.
pré-hominídeo adj. s.m.
pré-humano adj.
preia s.f.
preia-mar s.f.; pl. *preia-mares*
pré-ignição s.f.
preijereva s.f.
pré-imaginar v.
pré-imperial adj.2g.
pré-impressão s.f.
pré-inaugural adj.2g.
pré-incaico adj.
pré-independente adj.2g.
pré-industrial adj.2g.
pré-insular adj.2g.
pré-invasivo adj.
pré-iridiano adj.
pré-islâmico adj.
preíssia s.f.
preiswerkita s.f.
pré-itálico adj.
preitar v.
preitear v.
preitegar v.
preitejado adj.
preitejamento s.m.
preitejar v.
preitês adj.
preitesia s.f.
preito s.m.
prejacente adj.2g.
prejereba s.f.
prejudicado adj.
prejudicador (*ô*) adj. s.m.
prejudicamento s.m.
prejudicante adj.2g.
prejudicar v.
prejudicável adj.2g.
prejudicial adj.2g. s.m.f.
prejuízo s.m.
prejulgado s.m.
prejulgador (*ô*) adj. s.m.
prejulgamento s.m.
prejulgante adj.2g.
prejulgar v.
prejulgável adj.2g.
pré-jurídico adj.
prelação s.f.
prelacia s.f.
prelacial adj.2g.
prelaciar v.
prelada s.f.
preladia s.f.
prelado s.m.
pré-lançamento s.m.
pré-larva s.f.
pré-larvar adj.2g.
prelatício adj.
prelatista adj. s.2g.
prelativo adj.
prelatura s.f.
pré-laurenciano adj.
prelazia s.f.
prelazial adj.2g.
prelaziar v.
preleção s.f.
prelecionado adj.
prelecionador (*ô*) s.m.
prelecionar v.
prelecionável adj.2g.
prelecionista adj. s.2g.
prelegado s.m.
pré-leitura s.f.
preletor (*ô*) s.m.
preletorado s.m.
pré-letrado adj. s.m.
prelevamento s.m.
pré-levantamento s.m.
prelevar v.
prelezia s.f.
preliar v.
prelibação s.f.
prelibado adj.
prelibador (*ô*) adj. s.m.
prelibamento s.m.
prelibante adj.2g.
prelibar v.
prelibável adj.2g.
pré-ligação s.f.
pré-ligado adj.
pré-ligar v.
preliminar adj.2g. s.m.f.
preliminarismo s.m.
preliminarista adj. s.2g.
preliminarístico adj.
pré-limitado adj.
pré-limitar v.
prélio s.m.
prelista adj. s.2g.
pré-literário adj.
prelo s.m.
pré-lógica s.f.
pré-lógico adj.
pré-logismo s.m.
pré-lombar adj.2g.
pré-lombossuprapúbico adj.
pré-lombotorácico adj.
pré-lombotrocanteriano adj.
prelóquio s.m.
prelucidação s.f.
prelúcido adj.
preludial adj.2g.
preludiar v.
prelúdico adj.
prelúdio s.m.; cf. *preludio*, fl. do v. *preludiar*
preluzente adj.2g.
preluzido adj.
preluzimento s.m.
preluzir v.
prema s.f.
premadeira s.f.
pré-maëstrichtiano adj. s.m.
pré-maligno adj.
premar v.
pré-marital adj.2g.
premasterizar v.
pré-matrícula s.f.
pré-matricular v.
prematuração s.f.
prematurar v.
prematuridade s.f.
prematuro adj. s.m.
pré-maxilar s.m.
premedeira s.f.
premediato adj.
pré-medicação s.f.
pré-médico adj.
premeditação s.f.
premeditado adj.
premeditador (*ô*) adj. s.m.
preditar v.
premeditável adj.2g.
premência s.f.
pré-menopausa s.f.
pré-menstrual adj.2g.
premente adj.2g.
premento s.m.
premer v.
pré-messiânico adj.
pré-metrô s.m.
premiação s.f.
premiado adj. s.m.
premiador (*ô*) adj. s.m.
premiar v.
premiativo adj.
premido adj.
pré-milenarismo s.m.
pré-milenarista adj. s.2g.
pré-militar adj.2g.
premimento s.m.
preminência s.f.
preminente adj.2g.
prêmio s.m.; cf. *premio*, fl. do v. *premiar*
pré-miocênico adj.
pré-mioceno adj. s.m.
premir v.
premissa s.f.
pré-misturado adj.
premoção s.f. "ação divina sobre a vontade dos homens"; cf. *promoção*
pré-modernidade s.f.
pré-moderno adj.
pré-molar adj.2g. s.m.
pré-moldado adj. s.m.
premonição s.f. "intuição"; cf. *premunição*
premonitório adj.
premonstratense adj. s.2g.
pré-mórbido adj.
premoriência s.f.
premoriente adj. s.2g.
premorrer v.
premorso adj.

premorto (*ô*) adj. s.m.; f. (*ó*); pl. (*ó*)
pré-mosaico adj.
premudado adj.
premudar v.
premunição s.f. "ato ou efeito de evitar com antecipação"; cf. *premonição*
premunidade s.f.
premunido adj.
premunir v.
premunitivo adj.
premunitório adj.
premunização s.f.
premunizante adj.2g.
premura s.f.
prenanguma s.f.
prenante s.m.
prenanto s.m.
pré-nasalizado adj.
prenascer v.
prenascido adj.
pré-natal adj.2g. s.m.
prenato s.m.
prenda s.f.
prendado adj.
prendar v.
prendas s.f.pl.
prendedor (*ô*) adj. s.m.
prender v.
prendido adj.
prendimento s.m.
prenestino adj. s.m.
prenha adj.
prenhado adj.
prenhe adj.2g.
prenhez (*ê*) s.f.
prenhidão s.f.
prênico adj.
prenitrol s.m.
prenoção s.f.
prenolépide s.f.
prenólepis s.f.2n.
prenome s.m.
prenomeação s.f.
prenomeado adj.
prenomear v.
prenominal adj.2g.
prenominar v.
pré-normal adj.2g. s.m.
prenotação s.f.
prenotado adj.
prenotador (*ô*) adj. s.m.
prenotante adj.2g.
prenotar v.
prensa s.f.
prensada s.f.
prensado adj.
prensador (*ô*) adj. s.m.
prensagem s.f.
prensamento s.m.
prensante adj.2g.
prensa-pasta s.f.; pl. *prensa-pastas*
prensar v.
prensável adj.2g.
prenseiro s.m.
prensense adj. s.2g.
prensibilidade s.f.
prensista adj. s.2g.
prenunciação s.f.
prenunciado adj.
prenunciador (*ô*) adj. s.m.
prenunciamento s.m.
prenunciante adj. s.2g.
prenunciar v.
prenunciativo adj.
prenunciável adj.2g.
prenúncio s.m.; cf. *prenuncio*, fl. do v. *prenunciar*
pré-nupcial adj.2g.
preocupação s.f.
pré-ocupação s.f.
preocupado adj.
pré-ocupado adj.
preocupante adj. s.2g.
pré-ocupante adj. s.2g.
preocupar v.
pré-ocupar v.
preocupativo adj.
pré-olímpico adj.
preomenorreia (*é*) s.f.
preomenorreico (*é*) adj.
préon s.m.
pré-operatório adj. s.m.
pré-opérculo s.m.
preopinante adj. s.2g.
preopinar v.
pré-oral adj.2g.
preordenação s.f.
preordenado adj.
preordenar v.
preossístole s.f.
preossistólico adj.
pré-palatal adj.2g.
pré-palatalidade s.f.
pré-palato s.m.
preparação s.f.
preparado adj. s.m.
preparador (*ô*) adj. s.m.
preparamento s.m.
preparante adj.2g.
preparar v.
preparativo adj. s.m.
preparatorial adj.2g.
preparatoriano adj. s.m.
preparatório adj. s.m.
preparatorista adj. s.2g.
preparável adj.2g.
preparo s.m.
pré-patelar adj.2g.
prepau s.m.
pré-peritoneal adj.2g.
prepetana s.f.
prepetinga s.f.
prepoém s.m.
prepolimérico adj.
prepolímero s.m.
pré-pombalino adj.
prepona s.f.
preponderação s.f.
preponderância s.f.
preponderante adj.2g.
preponderantismo s.m.
preponderar v.
preponderável adj.2g.
preponente adj. s.2g.
prepor v.
preposição s.f.
preposicionado adj.
preposicional adj.2g.
preposicionar v.
prepositivo adj.
prepósito s.m.
prepositura s.f.
prepositural adj.2g.
preposteração s.f.
preposterar v.
preposteridade s.f.
prepóstero adj.; cf. *prepostero*, fl. do v. *preposterar*
preposto (*ô*) adj. s.m.
prepotência s.f.
prepotente adj.2g.
pré-prandial adj.2g.
pré-predicativo adj.
pré-prensação s.f.
pré-prensado adj.
pré-prensador (*ô*) adj.
pré-prensamento s.m.
pré-prensante adj.2g.
pré-prensar v.
pré-prensável adj.2g.
pré-preparação s.f.
pré-primário adj. s.m.
pré-proparoxítono adj. s.m.
pré-puberal adj.2g.
pré-puberdade s.f.
pré-pubiano adj.
pré-púbico adj.
prepucial adj.2g.
prepúcio s.m.
pré-pupa s.f.
prepusa s.f.
pré-qualificação s.f.
pré-qualificar v.
prequestionamento s.m.
prequestionar v.
prequeté adj.2g.
pré-radical adj.2g.
pré-rafaelismo s.m.
pré-rafaelista adj. s.2g.
pré-rafaelita adj. s.2g.
pré-rafaelítico adj.
pré-reformista adj. s.2g.
pré-refrigeração s.f.
pré-refrigerador s.m.
pré-refrigerar v.
pré-renascentismo s.m.
pré-renascentista adj. s.2g.
pré-renascentístico adj.
pré-republicano adj.
prerrequisito s.m.
pré-requisito s.m.
pré-retal adj.2g.
pré-revolucionário adj.
pré-românico adj.
pré-romano adj.
pré-romântico adj. s.m.
pré-romantismo s.m.
pré-ronsardiano adj.
pré-rotular adj.2g.
pré-rotuliano adj.
prerrebater v.
prerregalhas s.f.pl.
prerrequisito s.m.
prerrogativa s.f.
prerromper v.
presa (*ê*) s.f.; cf. *presa*, fl. do v. *presar* e *preza*, fl. do v. *prezar*
pré-saber v.
presado adj.; cf. *prezado*
presador (*ô*) s.m.; cf. *prezador*
presagiado adj.
presagiador (*ô*) adj. s.m.
presagiar v.
presságio s.m.
presagioso (*ô*) adj.; f. (*ó*); pl. (*ó*)
presago adj.
presamarco adj. s.m.
pré-santificado adj.
presar v. "apresar"; cf. *prezar*
presável adj.2g.; cf. *prezável*
presbiacusia s.f.
presbiacúsico adj.
presbiacústico adj.
presbicardia s.f.
presbicardíaco adj. s.m.
presbicárdico adj. s.m.
presbifrenia s.f.
presbifrênico adj.
presbiofrenia s.f.
presbiofrênico adj.
presbiope s.2g.
presbiopia s.f.
presbiópico adj.
presbipiteco s.m.
presbita adj. s.2g.
presbiterado s.m.
presbiteral adj.2g.
presbiteranismo s.m.
presbiterano s.m.
presbiterato s.m.
presbiteriado s.m.
presbiterianismo s.m.
presbiterianista adj. s.2g.
presbiterianístico adj.
presbiteriano adj. s.m.
presbiteriato adj.
presbitério s.m.
presbítero s.m.
presbitia s.f.
presbítico adj.
presbítide s.f.
presbítis s.f.2n.
presbitismo s.m.
presbitista adj.2g.
presbito adj. s.m.
presciência s.f.
presciente adj.2g.
prescindência s.f.
prescindente adj.2g.
prescindibilidade s.f.
prescindir v.
prescindível adj.2g.
prescito adj. s.m.
prescrever v.
prescrevido adj.
prescribente adj. s.2g.
prescrição s.f.
prescricional adj.2g.
prescritibilidade s.f.
prescritível adj.2g.
prescritividade s.f.
prescritivismo s.m.
prescritivista adj. s.2g.
prescritivístico adj.
prescritivo adj.
prescrito adj.
prescritor (*ô*) s.m.
prescrutador (*ô*) adj. s.m.
prescrutar v.
prescruto s.m.
pré-seleção s.f.
pré-selecionar v.
pré-selecionável adj.2g.
pré-seletivo adj.
pré-seletor (*ô*) s.m.
preselo (*ê*) s.m.
presença s.f.
presencial adj.2g.
presencialidade s.f.
presenciar v.
pré-senil adj.2g.
pré-senilidade s.f.
pré-sensibilizado adj.
presentação s.f.
presentado s.m.
presentâneo adj.
presentar v.
presente adj.2g. s.m.
presenteado adj.
presenteador (*ô*) adj. s.m.
presentear v.
presenteiro adj.
presentificação s.f.
presentificado adj.
presentificador (*ô*) adj. s.m.
presentificar v.
presentificável adj.2g.
presepada s.f.
presepe s.m.
presepeiro adj. s.m.
presépio s.m.
presepista s.2g.
preserva s.f.
preservabilidade s.f.
preservação s.f.
preservado adj.
preservador (*ô*) adj. s.m.
preservamento s.m.
preservante adj.2g.
preservar v.
preservativo adj. s.m.
preservável adj.2g.
preseta (*ê*) s.f.
presfenoide (*ó*) adj.2g.
presfígmico adj.
presidência s.f.
presidencial adj.2g.
presidencialismo s.m.
presidencialista adj. s.2g.
presidencialístico adj.
presidenciável adj.2g.
presidenta s.f.
presidente adj. s.2g. s.m.
presidente-alvense adj. s.2g.; pl. *presidente-alvenses*
presidente-bernardense adj. s.2g.; pl. *presidente-bernardenses*
presidente-castelo-branquense adj. s.2g.; pl. *presidente-castelo-branquenses*
presidente-da-porcaria s.m.; pl. *presidentes-da-porcaria*
presidente-dutrense adj. s.2g.; pl. *presidente-dutrenses*
presidente-epitaciense adj. s.2g.; pl. *presidente-epitacienses*
presidente-getuliense adj. s.2g.; pl. *presidente-getulienses*
presidente-juscelinense adj. s.2g.; pl. *presidente-juscelinenses*
presidente-kubitschekense adj. s.2g.; pl. *presidente-kubitschekenses*
presidente-nereuense adj. s.2g.; pl. *presidente-nereuenses*
presidente-olegariense adj. s.2g.; pl. *presidente-olegarienses*
presidente-prudentense adj. s.2g.; pl. *presidente-prudentenses*
presidente-soarense adj. s.2g.; pl. *presidente-soarenses*
presidente-varguino adj. s.m.; pl. *presidente-varguinos*
presidente-venceslauense adj. s.2g.; pl. *presidente-venceslauenses*
presidiado adj.
presidial adj.2g. s.m.
presidiar v.
presidiário adj. s.m.
presidido adj.
presidiense adj. s.2g.
presídio s.m.; cf. *presidio*, fl. do v. *presidiar*
presidir v.
presidutrense adj. s.2g.
presiganga s.f.
presigar v.
presigo s.m.
presilha s.f.
presilhado adj.
presilhar v.
presilhas s.2g.2n.
presilheiro s.m.
presilhice s.f.
pré-siluriano adj.
pré-simbolismo s.m.
pré-simbolista adj. s.2g.
pré-simbolístico adj.
presimol s.m.
pré-sincronização s.f.
pré-sincronizado adj.
pré-sincronizar v.
pré-sístole s.f.
pré-sistólico adj.
préslia s.f.
preslita s.f.
preso (*ê*) adj. s.m.; cf. *preso*, fl. do v. *presar* e *prezo*, fl. do v. *prezar*
pré-socrático adj.
presor (*ô*) s.m.
pressa s.f.
pressacral adj.2g.
pressagiador (*ô*) adj. s.m.
pressagiar v.
presságio s.m.; cf. *pressagio*, fl. do v. *pressagiar*
pressagioso (*ô*) adj.; f. (*ó*); pl. (*ó*)
pressago adj.
pressama s.f.
pressão s.f.
presseleção s.f.
presseletivo adj.
pressentido adj.
pressentimento s.m.
pressentir v.
pressiográfico adj.
pressiógrafo s.m.
pressiométrico adj.
pressiômetro s.m.
pressionabilidade s.f.
pressionado adj.
pressionador (*ô*) adj.
pressional adj.2g.
pressionalidade s.f.
pressionante adj. s.2g.
pressionar v.
pressionável adj.2g.
pressirrostro adj. s.m.
pressivo adj.
presso adj. s.m.
pressografia s.f.
pressográfico adj.
pressor (*ô*) adj. s.m.
pressórico adj.
pressorreceptivo adj.
pressorreceptor (*ô*) adj. s.m.
pressostato s.m.
pressuponível adj.
pressupor v.
pressuposição s.f.
pressuposto (*ô*) adj. s.m.
pressura s.f.
pressuração s.f.
pressúria s.f.

pressurizabilidade s.f.
pressurização s.f.
pressurizado adj.
pressurizador (*ô*) adj.
pressurizamento s.m.
pressurizante adj.2g.
pressurizar v.
pressurizável adj.2g.
pressurosidade s.f.
pressuroso (*ô*) adj.; f. (*ó*); pl. (*ó*)
prestabilidade s.f.
prestação s.2g. s.f.
prestacionar v.
prestacionista adj. s.2g.
prestadiço adj.
prestadio adj.
prestado adj.
prestador (*ô*) adj. s.m.
prestal s.m.
prestameiro s.m.
prestamento s.m.
prestamismo s.m.
prestamista adj. s.2g.
prestamístico adj.
préstamo s.m.
prestança s.f.
prestância s.f.
prestançoso (*ô*) adj.; f. (*ó*); pl. (*ó*)
presta-nome s.2g.; pl. *presta-nomes*
prestante adj.2g.
prestar v.
prestatário s.m.
prestativo adj.
prestável adj.2g.
preste adj.2g. s.m. adv.
prestense adj. s.2g.
presternal adj.2g.
prestes adj.2g.2n. adv.
presteza (*ê*) s.f.
prestidigitação s.f.
prestidigitado adj.
prestidigitador (*ô*) s.m.
prestidigitar v.
prestigiação s.f.
prestigiado adj.
prestigiador (*ô*) s.m.
prestigiante adj.2g.
prestigiar v.
prestígio s.m.; cf. *prestigio*, fl. do v. *prestigiar*
prestigioso (*ô*) adj.; f. (*ó*); pl. (*ó*)
prestiliano adj.
prestilóideo adj.
prestiloideu adj.
prestimanear v.
prestímano s.m.
préstimo s.m.
prestimoniado adj. s.m.
prestimonial adj.2g. s.m.
prestimoniário adj. s.m.
prestimônio s.m.
prestimosidade s.f.
prestimoso (*ô*) adj.; f. (*ó*); pl. (*ó*)
prestíssimo adj. s.m. adv. sup. de *presto*
préstite s.m.
préstito s.m.
presto adj. s.m. adv.
prestoeia (*é*) s.f.
prestone s.m.
prestônia s.f.
prestwíchia s.m.
presumança s.f.
presumania s.f.
presumar v.
presumida s.f.
presumido adj. s.m.
presumidor (*ô*) adj. s.m.
presumir v.
presumível adj.2g.
presunção s.f.
presunçoso (*ô*) adj. s.m.; f. (*ó*); pl. (*ó*)
presunho s.m.
presunteiro s.m.
presuntinho s.m.
presuntivo adj.
presunto s.m.
presuntuoso (*ô*) adj.; f. (*ó*); pl. (*ó*)
presura s.f.
presúria s.f.
preta s.m.; "demônio indiano"; cf. *preta* (*ê*)
preta (*ê*) s.f. "mulher de raça negra"; cf. *preta*
pretalhada s.f.
pretalhão s.m.; f. *pretalhona*
pretalhaz s.m.
petralhona s.f. de *petralhão*
preta-minense adj. s.2g.; pl. *preta-minenses*
preta-moira s.f.; pl. *pretas-moiras*
preta-moura s.f.; pl. *pretas-mouras*
pretangada s.f.
pretano adj. s.m.
pretaria s.f.
pré-tarso s.m.
pretejando s.m.
pretejar v.
pretendedor (*ô*) adj. s.m.
pretendença s.f.
pretendente adj. s.2g.
pretender v.
pretendido adj. s.m.
pretensão s.f.
pretense adj. s.2g.
pretensiosa s.f.
pretensioso (*ô*) adj. s.m.; f. (*ó*); pl. (*ó*)
pretenso adj.
pretensor (*ô*) adj. s.m.
pretentado adj.
preterdolo s.m.
preterdoloso (*ô*) adj.; f. (*ó*); pl. (*ó*)
pretergramatical adj.2g.
preteribilidade s.f.
preterição s.f.
preteridade s.f.
preterido adj.
preterintenção s.f.
preterintencional adj.2g.
preterintencionalidade s.f.
preterir v.
preterismo s.m.
preterista adj. s.2g.
preterístico adj.
preterital adj.2g.
pretérito adj. s.m.
preterível adj.2g.
pré-terminal adj.2g.
pretermissão s.f.
pretermisso adj.
pretermitido adj.
pretermitir v.
preternatural adj.2g.
preternaturalidade s.f.
preternaturalismo s.m.
preternaturalista adj. s.2g.
preternaturalizar v.
pré-teste s.m.
pré-testicular adj.2g.
pretexta (*ê*) s.f.; cf. *pretexta*, fl. do v. *pretextar*
pretextado adj.
pretextar v.
pretextato s.m.
pretexto (*ê*) s.m.; cf. *pretexto*, fl. do v. *pretextar*
pré-textual adj.2g.
pré-tibial adj.2g.
pretidão s.f.
prétiga s.f.
pretinha s.f.
pretinho s.m.
pré-tipográfico adj.
pré-tiroideia (*é*) adj. s.f. de *pré-tiroideu*
pré-tireóideo adj.
pré-tiroideu adj. s.m.; f. *pré-tiroideia* (*é*)
preto (*ê*) adj. s.m.
preto-aça s.m.; pl. *pretos-aça* e *pretos-aças*
preto-algarvio adj. s.m.; pl. *pretos-algarvios*
preto-amarelo adj. s.m.; pl. *pretos-amarelo* e *pretos-amarelos*
preto-azeviche adj. s.m.; pl. *pretos-azeviche* e *pretos-azeviches*
preto-branco adj. s.m.; pl. *pretos-brancos*
preto-carvão adj. s.m.; pl. *pretos-carvão* e *pretos-carvões*
preto da china adj. s.m.
preto-da-rosa s.m.; pl. *pretos-da-rosa*
preto e branco adj.2g.2n. s.m.2n.
preto-fulo s.m.; pl. *pretos-fulos*
pretolim s.m.
preto-martinho s.m.; pl. *pretos-martinhos*
preto-mina adj.2g. s.m.; pl. *pretos-minas*
pretonicidade s.f.
pré-tônico adj.
pretônico adj.
pretor (*ô*) s.m.
pretoria s.f. "jurisdição de pretor"; cf. *pretória*
pretória s.f. "sala onde se julgavam os pleitos"; cf. *pretoria*
pretorial adj.2g.
pretoriana s.f.
pretorianismo s.m.
pretorianizar v.
pretoriano adj. s.m.
pretoriense adj.2g.
pretório adj. s.m.
pretoríolo s.m.
pretraçado adj.
pré-traçado adj.
pretraçar v.
pré-traçar v.
pré-trovadoresco adj.
pré-tuberculose s.f.
pré-tuberculoso (*ô*) adj.; f. (*ó*); pl. (*ó*)
pretucano s.m.
pretume s.m.
pretura s.f.
preunerita s.f.
preunerite s.f.
preuneurito s.m.
pré-universitário adj. s.m.
pré-uretrite s.f.
pré-uretrítico adj.
pré-vacinação s.f.
prevalecente adj.2g.
prevalecer v.
prevalecido adj.
prevalecimento s.m.
prevalência s.f.
prevalente adj.2g.
prevaler v.
prevaricação s.f.
prevaricador (*ô*) adj. s.m.
prevaricamento s.m.
prevaricar v.
prevaricato s.m.
prevaricável adj.2g.
prevedor (*ô*) adj. s.m. "o que prevê"; cf. *provedor*
prevenção s.f.
pré-venda s.f.
prevenidense adj. s.2g.
prevenido adj.
preveniente adj.2g.
prevenir v.
preventivo adj. s.m.
prevento adj.
preventor (*ô*) adj. s.m.
preventório s.m.
prever v.
pré-verbal adj.2g.
prevérbio s.m.
pré-vértebra s.f.
pré-vertebral adj.2g.
pré-vesical adj.2g.
pré-vestibular adj.2g. s.m.
prévia s.f.; cf. *previa*, fl. do v. *prever*
previdência s.f.
previdencial adj.2g.
previdencialismo s.m.
previdencialista adj. s.2g.
previdenciário adj. s.m.
previdenciarismo s.m.
previdenciarista adj. s.2g.
previdente adj.2g.
previgente adj.2g.
previgorante adj.2g.
previmento s.m.
prévio adj.
previsão s.f.
previsibilidade s.f.
previsional adj.2g.
previsível adj.2g.
previso adj. s.m.
previsor (*ô*) adj. s.m.
previsto adj.
previvência s.f.
previvencial adj.2g.
previvente adj.2g.
previver v.
previvido adj.
pré-vocálico adj.
pré-vocacional adj.2g.
prevoste s.m.
prevóstea s.f.
prexeca s.f.
prez (*ê*) s.m.
prezado adj.; cf. *presado*
prezador (*ô*) adj. s.m.; cf. *presador*
prezar v. "estimar muito"; cf. *presar*
prezável adj.2g.; cf. *presável*
prézea s.f.
pria s.f.
priaboniano adj. s.m.
priabônico adj. s.m.
priaca s.f.
priacantídeo adj. s.m.
priacanto s.m.
príamo s.m.
priamomania s.f.
priamomaníaco s.m.
priamômano adj. s.m.
priangu s.m.
prianóptero s.m.
prianta adj. s.2g.
priapeia (*é*) s.f.
priapesco (*ê*) adj.
priapeu adj. s.m.
priápico adj.
priapisma s.m.
priapismo s.m.
priapo s.m.
priapolita s.f.
priapolite s.f.
priapulídeo adj. s.m.
priapúlido adj. s.m.
priapulimorfo s.m.
priápulo s.m.
priapuloide (*ó*) adj.2g. s.m.
priazovita s.f.
pribramita s.f.
priceíta s.f.
priceíte s.f.
prictória s.f.
pricúndia s.f.
priderita s.f.
prienense adj. s.2g.
priestleia (*é*) s.f.
priguinita s.f.
prijuí s.f.
prilepita s.f.
prilepite s.f.
prima s.m.f.
primacia s.f.
primacial adj.2g.
primacialidade s.f.
primaciato s.m.
prima-crucense adj. s.2g.; pl. *prima-crucenses*
primado s.m.
prima-dona s.f.; pl. *primas-donas*
primagem s.f.
primaiense adj. s.2g.
primal adj. s.2g.
primaquina s.f.
primar v.
primária s.f.
primariça s.f.
primariedade s.f.
primário adj. s.m.
primarismo s.m.
primarista adj. s.2g.
primarístico adj.
primata adj. s.2g.
primate adj. s.2g.
primatologia s.f.
primatológico adj.
primatologista s.2g.
primatólogo s.m.
primavera s.f.
primavera-da-mandioca s.f.; pl. *primaveras-da-mandioca*
primavera-de-caiena s.f.; pl. *primaveras-de-caiena*
primavera de flores s.f.
primavera-dos-jardins s.f.; pl. *primaveras-dos-jardins*
primaveral adj.2g.
primaverar v.
primaverase s.f.
primavérase s.f.
primaverense adj. s.2g.
primaveril adj.2g.
primaverina s.f.
primaverino s.f.
primaverização s.f.
primaverizado adj.
primaverizante adj.2g.
primaverizar v.
primavero adj.
primaverose s.f.
primaz adj.2g. s.m.
primazia s.f.
primeira s.f.
primeira-cruzense adj. s.2g.; pl. *primeira-cruzenses*
primeira-dama s.f.; pl. *primeiras-damas*
primeiranista adj. s.2g.
primeiras-águas s.f.pl.
primeiro num. adj. s.m. adv.
primeiro-cabo s.m.; pl. *primeiros-cabos*
primeiro-cadete s.m.; pl. *primeiros-cadetes*
primeiro de abril s.m.
primeiro-elevador s.m.; pl. *primeiros-elevadores*
primeiro-figo s.m.; pl. *primeiros-figos*
primeiro-ministro s.m.; pl. *primeiros-ministros*
primeiro-mundismo s.m.; pl. *primeiros-mundismos*
primeiro-mundista adj. s.2g.; pl. *primeiro-mundistas*
primeiro-mundístico adj.; pl. *primeiro-mundísticos*
primeiro-sargento s.m.; pl. *primeiros-sargentos*
primeiro-tenente s.m.; pl. *primeiros-tenentes*
primeval adj.2g.
primevo adj.
primiceria s.f.
primiceriato s.m.
primicério s.m.
primichica s.f.
primícia s.f.
primiciário s.m.
primícias s.f.pl.
primiclero s.m.
primicostal adj.2g.
primicuneiforme s.m.
primidia s.m.
primidona s.f.
primiesternal adj.2g.
primifalange s.f.
primifalangeta (*ê*) s.f.
primifalanginha s.f.
primigênio adj.
primígeno adj.
primigesto adj. s.m.
primigravidez (*ê*) s.f.
primigrávido adj. s.m.
primimetatársico adj.
primina s.f.
priminfecção s.f.
priminfeccioso (*ô*) adj.; f. (*ó*); pl. (*ó*)

primiparidade s.f.
primíparo adj. s.m.
primipilar s.m.
primipilo s.m.
primisternal adj.2g.
primitarsal s.m.
primitiva s.f.
primitivação s.f.
primitividade s.f.
primitivismo s.m.
primitivista adj. s.2g.
primitivístico adj.
primitivo adj. s.m.
primitura s.m.
primnoa s.m.
primnoela s.f.
primnóideo adj. s.m.
primnoísis s.m.2n.
primo adj. s.m.
primogênito adj. s.m.
primogenitor (*ô*) adj. s.m.
primogenitura s.f.
primoglacial adj.2g. s.m.
primoinfecção s.f.
primoinfeccioso (*ô*) adj.; f. (*ó*); pl. (*ó*)
primo-irmão s.m.; pl. *primos-irmãos*
primonato adj. s.m.
primoponendo adj.
primor (*ô*) s.m.
primorado adj.
primorar v.
primordial adj.2g.
primordialidade s.f.
primórdio s.m.
primorear v.
primorense adj. s.2g.
primoroso (*ô*) adj.; f. (*ó*); pl. (*ó*)
primovacinação s.f.
primovacinado adj. s.m.
primovacinando adj. s.m.
primovacinante adj.2g.
primovacinar v.
primovacinatório adj.
primovacinável adj.2g.
prímula s.f.
primulácea s.f.
primuláceo adj.
primulal adj.2g.
primulale s.f.
primulaverina s.f.
primulina s.f.
príncceps adj.2g.2n.
princesa (*ê*) s.f.
princesa-isabelense adj. s.2g.; pl. *princesa-isabelenses*
princesa-mafalda s.f.; pl. *princesas-mafaldas*
princesense adj.2g.
princesia s.f.
princídio s.m.
principado s.m.
principal adj. s.2g. s.m.
principalado s.m.
principalato s.m.
principalidade s.f.
principalismo s.m.
principalista adj. s.2g.
príncipe adj.2g. s.m.
príncipe-beirense adj. s.2g.; pl. *príncipe-beirenses*
príncipe de gales s.m.
principelho (*ê*) s.m.
principengo adj.
principesco (*ê*) adj.
principete (*ê*) s.m.
principiação s.f.
principiado adj.
principiador (*ô*) adj. s.m.
principiante adj. s.2g.
principiar v.
principiativo adj.
principiável adj.2g.
principículo s.m.
principina s.f.
princípio s.m.; cf. *principio*, fl. do v. *principiar*
principote s.m.
pringamoza s.f.
pringleia (*é*) s.f.
pringomeia (*é*) s.f.
pringuenho adj. s.m.
prínia s.f.
prino s.m.
prinóbio s.m.
príntzia s.f.
prióbio s.m.
priocela s.f.
prióccera adj.2g. s.f.
prióccero adj. s.m.
priodonte s.m.
prióffilo s.m.
priólobo s.m.
príon s.m.
prionáptero s.m.
prionastreia (*é*) s.f.
príone s.m.
priônia s.m.
priônico s.m.
prionídeo adj. s.m.
prioníneo adj. s.m.
priônio s.m.
prionirrinco s.m.
prionístio s.m.
prionites s.f.2n.
prioniturо s.m.
príono s.m.
prionóbio s.m.
prionócera adj.2g. s.f.
prionócero adj. s.m.
prionodáctilo s.m.
prionoderma s.m.
prionoderme s.m.
prionodermo s.m.
prionodontácea s.f.
prionodontáceo adj.
prionodonte s.m.
prionófilo s.m.
prionólobo s.m.
prionômero s.m.
prionope s.m.
prionopídea s.f.
prionopínea s.f.
priônopo s.m.
prionops s.m.2n.
prionoquilo s.m.
prionorrinco s.m.
prionóspio s.m.
prionote s.m.
prionótea s.f.
prionoteca s.f.
prionótilo s.m.
prionótropis s.f.2n.
prionuro s.m.
prior (*ô*) s.m.; f. *priora* e *prioresa*
priora (*ô*) s.f. de *prior*
priorado s.m.
prioral adj.2g.
priorar v.
priorato s.m.
prioresa (*ê*) s.f. de *prior*
prioridade s.f.
prioris s.m.
priorita s.f.
prioritário adj.
priorizar v.
prior-vigário s.m.; pl. *priores-vigário* e *priores-vigários*
priostado s.m.
prioste s.m.
priotelo s.m.
pripríoca s.f.
prisão s.f.
prisca s.f.
priscador (*ô*) adj. s.m.
priscar v.
priscilianismo s.m.
priscilianista adj. s.2g.
priscilianístico adj.
prisciliano s.m.
prisco adj. s.m.
prisional adj.2g.
prisioneiro adj. s.m.
prisma s.m.
prismado adj.
prisma-objetiva s.m.; pl. *prismas-objetivas*
prismar v.
prismática s.f.
prismático adj.
prismatina s.f.
prismatização s.f.
prismatizado adj.
prismatizar v.
prismatocarpo s.m.
prismatodonte adj.2g.
prismatoide (*ó*) adj.2g. s.m.
prismatolaimo s.m.
prismatolemo s.m.
prismênquima s.m.
prísmeo adj.
prismoide (*ó*) adj.2g. s.m.
prisográfico adj.
prisógrafo s.m.
prísopo s.m.
prisópode s.m.
prista s.m.
priste s.f.
pristídeo adj. s.m.
pristífora s.f.
pristigáster s.m.
pristigastro s.m.
pristina s.f.
pristinação s.f.
pristinado adj.
pristinador (*ô*) adj.
pristinante adj.2g.
pristinar v.
pristinável adj.2g.
prístino adj.
pristioforídeo adj. s.m.
pristióforo s.m.
pristiopoma s.m.
pristiopomo s.m.
pristiopomátida s.m.
pristiopomatídeo adj. s.m.
pristiopômida adj.2g. s.m.
pristiopomídeo adj. s.m.
pristipoma s.m.
pristipomátida adj.2g. s.m.
pristipomatídeo adj. s.m.
pristipômida adj.2g. s.m.
pristipomídeo adj. s.m.
prístis s.m.2n.
pristiúro s.m.
pristlena s.f.
pristo s.m.
pristônico s.m.
pristuro s.m.
prita s.f.
pritanato s.m.
prítane s.m.
pritaneu s.m.
pritania s.f.
pritchárdia s.f.
prítego s.m.
prítica s.f.
prítico s.m.
prítiga s.f.
prítive s.m.
priva s.f.
privação s.f.
privacidade s.f.
privada s.f.
privado adj. s.m.
privamento s.m.
privança s.f.
privante adj.2g.
privar v.
privatismo s.m.
privatista adj. s.2g.
privatístico adj.
privatividade s.f.
privativismo s.m.
privativista adj. s.2g.
privativístico adj.
privativo adj.
privatização s.f.
privatizado adj.
privatizador (*ô*) adj. s.m.
privatizante adj.2g.
privatizar v.
privatizável adj.2g.
privernate adj. s.2g.
privilegiação s.f.
privilegiado adj. s.m.
privilegiador (*ô*) adj.
privilegiante adj.2g.
privilegiar v.
privilegiativo adj.
privilegiável adj.2g.
privilégio s.m.; cf. *privilegio*, fl. do v. *privilegiar*
prixita s.f.
pró s.m. adv.
proa (*ô*) s.m.f.
proacelerina s.f.
proácria s.f.
proada s.f.
proagodero s.m.
proágoro s.m.
proal s.f.
proale s.f.
pró-americano adj. s.m.
proâmnio s.m.
proanagnose s.f.
proanagnosta s.2g.
proanagnóstico adj.
pró-análise adj.
proapódese s.f.
proar v.
proartrópode adj. s.m.
proatividade s.f.
pró-ativo adj.
proativo adj.
proatlas s.m.2n.
proávia s.f.
proavito adj.
proávo s.m.
proavúnculo s.m.
probabilidade s.f.
probabiliorismo s.m.
probabiliorista adj. s.2g.
probabiliorístico adj.
probabilismo s.m.
probabilíssimo adj. sup. de *provável*
probabilista adj. s.2g.
probabilístico adj.
probabilização s.f.
probabilizado adj.
probabilizador (*ô*) adj.
probabilizante adj.2g.
probabilizar v.
probácio s.m.
probaciomimo s.m.
probador (*ô*) adj. s.m.
probalizável adj.2g.
probando adj. s.m.
probante adj.2g.
probasídio s.m.
probático adj.
probativo adj.
probatório adj.
probenecida s.f.
probertita s.f.
probidade s.f.
probidadense adj. s.2g.
probidoso (*ô*) adj.; f. (*ó*); pl. (*ó*)
problema s.m.
problemática s.f.
problematicidade s.f.
problemático adj.
problematismo s.m.
problematização s.f.
problematizado adj.
problematizador (*ô*) adj. s.m.
problematizante adj.2g.
problematizar v.
problematizável adj.2g.
problemista adj. s.2g.
problemística s.f.
problemístico adj.
probo adj.
proboscela s.f.
probóscida adj. s.2g. s.f.
probóscide adj. s.2g. s.f.
proboscídea s.f.
proboscídeo adj. s.m.
proboscidiano adj.
proboscidífero s.m.
proboscidiforme adj.2g.
proboscina s.m.
probóscis s.f.2n.
proboste s.m.
probráquio s.m.
pró-britânico adj.
probuleuma s.m.
procá adj. s.2g.
procace adj.2g.
procacia s.f.
procacidade s.f.
procacíssimo adj. sup. de *procaz*
procaína s.f.
procainamida s.f.
procainamídico adj.
procalmadiol s.m.
procâmbio s.m.
procarionte adj.2g. s.m.
procariota s.m.
procarioto s.m.
procariótico adj.
procaristérias s.f.pl.
procarpal adj.2g.
procárpico adj.
procarpino adj.
procarpo s.m.
procatalético adj.
procatártico adj.
procávia s.m.
procaviídeo adj. s.m.
procaz adj.2g.
procedência s.f. "proveniência"; cf. *procidência*
procedente adj.2g.
proceder v. s.m.
procedido adj.
procedimental adj.2g.
procedimento s.m.
procedura s.f.
procedural adj.2g.
procefálico adj.
procela s.f.
procelária s.f.
procelária-do-cabo s.f.; pl. *procelárias-do-cabo*
procelária-negra-do-norte s.f.; pl. *procelárias-negras-do-norte*
procelarídeo adj. s.m.
procelariforme adj.2g. s.m.
procelariídeo adj. s.m.
procelariiforme adj.2g. s.m.
procelariínea s.f.
proceleusmático adj. s.m.
proceliano adj. s.m.
procélico adj.
procelo adj. s.m.
proceloso (*ô*) adj.; f. (*ó*); pl. (*ó*)
prócer s.m.
procerastreia (*é*) s.f.
procercoide (*ó*) adj.2g. s.m.
prócere s.m.
proceridade s.f.
prócero adj.
procerodes s.f.2n.
procerodídeo adj. s.m.
processabilidade s.f.
processação s.f.
processado adj. s.m.
processador (*ô*) adj. s.m.
processal adj.2g.
processamento s.m.
processante adj.2g.
processão s.f. "procedência"; cf. *procissão*
processar v.
processável adj.2g.
processional adj.2g.
processionar v.
processionária s.f.
processionário adj. s.m.
processionista adj. s.2g.
processivo adj.
processo s.m.
processologia s.f.
processológico adj.
processologista adj. s.2g.
processólogo s.m.
processual adj.2g.
processualidade s.f.
processualismo s.m.
processualista adj. s.2g.
processualística s.f.
processualístico adj.
procidência s.f. "deslocamento ou queda de parte mole do corpo"; cf. *procedência*
procidente adj.2g.
prócie s.f.

procinídeo adj. s.m.
prócio s.m.
prócion s.m.
procionídeo adj. s.m.
procissão s.f. "cortejo"; cf. *processão*
procissional adj.2g.
procissoeiro s.m.
prociste s.f.
proclama s.m.
proclamação s.f.
proclamado adj.
proclamador (*ô*) adj. s.m.
proclamar v.
proclamas s.m.pl.
proclamatório adj.
proclamável adj.2g.
proclame s.m.
próclea s.f.
procliano adj. s.m.
proclinado adj.
próclise s.f.
proclítica s.f.
proclítico adj. s.m.
proclive adj.2g.
proclividade s.f.
proclorita s.f.
proclorite s.f.
prócnia s.m.
procniatídeo adj. s.m.
procniatínea s.f.
procnópsis s.f.2n.
proco s.m.
procolo s.m.
procôndilo s.m.
procônia s.f.
proconiíneo adj. s.m.
proconismo s.m.
procônsul s.m.
proconsulado s.m.
proconsular adj.2g.
proconvertina s.f.
procopiense adj. s.2g.
procoracoidal adj.2g. s.m.
procoracoide (*ó*) adj.2g. s.m.
procoracoideia (*é*) adj. s.f. de *procoracoideu*
procoracóideo adj. s.m.
procoracoideu adj. s.m.; f. *procoracoideia* (*é*)
procordado adj. s.m.
procório s.m.
procótila s.f.
procotó s.m.
prócquia s.f.
procrastinabilidade s.f.
procrastinação s.f.
procrastinado adj.
procrastinador (*ô*) adj. s.m.
procrastinamento s.m.
procrastinante adj.2g.
procrastinar v.
procrastinatório adj.
procrastinável adj.2g.
procriação s.f.
procriado adj. s.m.
procriador (*ô*) adj. s.m.
procriática s.f.
procriático adj.
procriar v.
procriável adj.2g.
procrídea s.f.
prócris s.f.2n.
procrítico adj.
procromossomático adj.
procromossômico adj.
procromossomo s.m.
procronia s.f.
procrônico adj.
procronismo s.m.
procronista adj. s.2g.
procronístico adj.
proctagra s.f.
proctágrico adj.
proctal adj.2g.
proctalgia s.f.
proctálgico adj.
proctatresia s.f.
proctatrésico adj.
proctectasia s.f.
proctectásico adj.
proctectomia s.f.
proctectômico adj.
proctiro adj. s.m.
proctite s.f.
proctítico adj.
proctocele s.f.
proctocélico adj.
proctocelo s.m.
proctóclise s.f.
proctoclítico adj.
proctodinia s.f.
proctodínico adj.
proctódio s.m.
proctoelitroplastia s.f.
proctoelitroplástico adj.
proctofilode s.m.
proctologia s.f.
proctológico adj.
proctologista adj. s.2g.
proctólogo s.m.
proctonídeo adj. s.m.
proctonotídeo adj. s.m.
proctonoto s.m.
proctopéctico adj.
proctoperineoplastia s.f.
proctoperineoplástico adj.
proctopexia (*cs*) s.f.
proctoplastia s.f.
proctoplástico adj.
proctoplegia s.f.
proctoplégico adj.
próctopo s.m.
proctopólipo s.m.
proctóporo s.m.
proctoptose s.f.
proctoptótico adj.
proctorragia s.f.
proctorrágico adj.
proctorreia (*é*) s.f.
proctorreico (*é*) adj.
proctoscopia s.f.
proctoscópico adj.
proctoscópio s.m.
proctossigmoidoscopia s.f.
proctossigmoidoscópico adj.
proctossigmoidoscópio s.m.
proctostasia s.f.
proctostásico adj.
proctostomia s.f.
proctostômico adj.
proctotomia s.f.
proctotômico adj.
proctótomo s.m.
proctotrupídeo adj. s.m.
proctotrupo s.m.
procubital adj.2g.
procúbito s.m.
proculiano adj. s.m.
procumbência s.f.
procumbente adj.2g.
procumbido adj.
procumbir v.
procura s.f.
procuração s.f.
procuradeira s.f.
procurado adj.
procurador (*ô*) adj. s.m.
procuradora (*ô*) s.f.
procurador-geral s.m.; pl. *procuradores-gerais*
procuradoria s.f.
procuradoria-geral s.f.; pl. *procuradorias-gerais*
procurante adj. s.2g.
procurar v.
procuratoria s.f.
procuratório adj.
procuratura s.f.
procurável adj.2g.
procurvação s.f.
procurvado adj.
procurvante adj.
procurvar v.
procuste adj. s.2g.
procustear v.
procústeo adj.
procustiano adj.
procusto adj. s.m.
procuto adj. s.m.
prodajo s.m.
prodeanita adj. s.2g.
prodelfino s.m.
prodelta s.m.
prodeltaico adj.
prodênia s.f.
prodero s.m.
pró-detonante adj.2g. s.m.
prodiagnose s.f.
prodiagnóstico s.m.
prodiástase s.f.
prodição s.f.
pródico s.m.
prodigação s.f.
prodigado adj.
prodigador (*ô*) adj. s.m.
prodigalidade s.f.
prodigalíssimo adj. sup. de *pródigo*
prodigalização s.f.
prodigalizado adj.
prodigalizador (*ô*) adj. s.m.
prodigalizante adj.2g.
prodigalizar v.
prodigalizável adj.2g.
prodigamento s.m.
prodigante adj.2g.
prodigar v.
prodigável adj.2g.
prodígio s.m.
prodigiosidade s.f.
prodigioso (*ô*) adj.; f. (*ó*); pl. (*ó*)
pródigo adj. s.m.; cf. *prodigo*, fl. do v. *prodigar*
proditador (*ô*) s.m.
proditadura s.f.
proditatorial adj.2g.
pródito adj.
proditor (*ô*) s.m.
proditório adj.
prodivisão s.f.
prodiviso adj.
prodotisco s.m.
prodromal adj.2g.
prodrômico adj.
pródromo s.m.
produção s.f.
producente adj.2g.
productoide (*ó*) adj.2g. s.m.
produtibilidade s.f.
produtível adj.2g.
produtividade s.f.
produtivismo s.m.
produtivista adj. s.2g.
produtivístico adj.
produtivo adj.
produto s.m.
produtor (*ô*) adj. s.m.; f. *produtora*
produtora (*ô*) adj. s.f. de *produtor*
produtriz adj. s.f. de *produtor*
produzido adj.
produzidor (*ô*) adj. s.m.
produzir v.
produzível adj.2g.
proedria s.f.
proedro s.m.
proegúmeno adj.
proeiro s.m.
proejar v.
proembrião s.m.
proembrionário adj.
proemial adj.2g.
proemiar v.
proeminar v.
proeminência s.f.
proeminente adj.2g.
proeminir v.
proêmio s.m.; cf. *proemio*, fl. do v. *proemiar*
proemptose s.f.
proemptótico adj.
proencefalia s.f.
proencefálico adj.
proencefalina s.f.
proencéfalo s.m.
proencense adj. s.2g.
proenzima s.f.
proenzímico adj.
proequidna s.f.
proescólex (*cs*) s.m.
proestral adj.2g.
proestro s.m.
proeza (*ê*) s.f.
proezista adj. s.2g.
profaça s.f.
profaçado adj.
profaçar v.
profaço s.m.
prófago s.m.
profalange s.f.
profalangeal adj.2g.
profalângico adj.
profalçar v.
profalças s.f.pl.
profanação s.f.
profanado adj.
profanador (*ô*) adj. s.m.
profanante adj.2g.
profanar v.
profanável adj.2g.
profanete (*ê*) adj.2g.
profanidade s.f.
profanismo s.m.
profano adj. s.m.
profarmacêutico s.m.
profármaco s.m.
prófase s.f.
profásico adj.
profecia s.f.
profectício adj.
proferição s.f.
proferidor (*ô*) adj. s.m.
proferimento s.m.
proferir v.
proferível adj.2g.
profermento s.m.
proferretina s.f.
professa s.f.
professado adj.
professador (*ô*) adj. s.m.
professante adj. s.2g.
professar v.
professo adj. s.m.
professor (*ô*) s.m.
professoraço s.m.
professorado s.m.
professoral adj.2g.
professorando s.m.
professorar v.
professor-assistente s.m.; pl. *professores-assistentes*
professor-associado s.m.; pl. *professores-associados*
professoreco s.m.
profesto adj.
profeta s.m.; f. *profetisa*
profetante adj. s.2g.
profetar v.
profetense adj. s.2g.
profetício adj.
profético adj.
profetina s.f.
profetisa s.f. de *profeta*; cf. *profetiza*, fl. do v. *profetizar*
profetismo s.m.
profetista adj.2g.
profetístico adj.
profetização s.f.
profetizado adj.
profetizador (*ô*) adj. s.m.
profetizante adj.2g.
profetizar v.
profetizável adj.2g.
profetologia s.f.
profetológico adj.
profetólogo s.m.
proficiência s.f.
proficiente adj.2g.
profício s.m.
proficuidade s.f.
profícuo adj.
profilactério s.m.
profiláctica s.f.
profiláctico adj.
profilactismo s.m.
profilar v.
profilática s.f.
profilático s.m.
profilatismo s.m.
profilaxia (*cs*) s.f.
profiláxico (*cs*) adj.
profilaxista (*cs*) adj. s.2g.
profilo s.m.
profiloscópio s.m.
prófise s.f.
profissão s.f.
profissiografia s.f.
profissiográfico adj.
profissiografista adj. s.2g.
profissiógrafo s.m.
profissiograma s.m.
profissiologia s.f.
profissional adj. s.2g.
profissionalismo s.m.
profissionalista adj. s.2g.
profissionalístico adj.
profissionalização s.f.
profissionalizado adj.
profissionalizador (*ô*) adj.
profissionalizante adj.2g.
profissionalizar v.
profissionalizável adj.2g.
profitente adj. s.2g.
profiterole s.f.
proflavina s.f.
profligação s.f.
profligado adj.
profligador (*ô*) adj. s.m.
profligamento s.m.
profligante adj.2g.
profligar v.
profligável adj.2g.
profluência s.f.
profluente adj.2g.
proflúvio s.m.
pró-forma s.m. adv.; aport. do lat. *pro forma*
profototropia s.f.
profototrópico adj.
profototropismo s.m.
profragma s.m.
prófugo adj.
profundação s.f.
profundador (*ô*) adj. s.m.
profundamento s.m.
profundar v.
profundas s.f.pl.
profundável adj.2g.
profundear v.
profundez (*ê*) s.f.
profundeza (*ê*) s.f.
profundidade s.f.
profundimétrico adj.
profundímetro s.m.
profundir v.
profundo adj. s.m.
profundor (*ô*) adj. s.m.
profundura s.f.
profusão s.f.
profuso adj.
progameta s.m.
progâmeta s.m.
progametângio s.m.
progâmeto s.m.
progâmico adj.
progástrico s.m.
progenerar v.
progênese s.f.
progenético adj.
progênia s.f.
progênie s.f.
progênito adj. s.m.
progenitor (*ô*) s.m.
progenitura s.f.
progeotropia s.f.
progeotrópico adj.
progeotropismo s.m.
progéria s.f.
progérico adj.
progeríneo adj. s.m.
pró-germânico adj.
pró-germanismo s.m.
pró-germanista adj. s.2g.
pró-germanístico adj.
progestacional adj.2g.
progesterona s.f.
progesterônico adj.
progestina s.f.
progestogenia s.f.
progestogênico adj.
progestógeno s.m.
progimnasma s.m.

proginasma s.m.
proglote s.f.
proglótico adj.
proglótide s.f.
prognáster s.m.
prognata adj. s.2g.
prognatia s.f.
prognático adj.
prognatismo s.m.
prógnato adj. s.m.
progne s.m.f.
prognose s.f.
prognóstica s.f.
prognosticação s.f.
prognosticado adj.
prognosticador (*ô*) adj. s.m.
prognosticante adj.2g.
prognosticar v.
prognosticável adj.2g.
prognóstico adj. s.m.; cf. *prognostico*, fl. do v. *prognosticar*
progoneado adj. s.m.
progonia s.f.
progônico adj.
progonismo s.m.
progonista adj. s.2g.
progonístico adj.
prógono s.m.
progonoma s.m.
programa s.m.
programação s.f.
programado adj.
programador (*ô*) adj. s.m.
programadora (*ô*) s.f.
programa-fonte s.m.; pl. *programas-fonte* e *programas-fontes*
programa-objeto s.m.; pl. *programas-objeto* e *programas-objetos*
programar v.
programático adj.
programatizado adj.
programatizar v.
programável adj.2g.
programoteca s.f.
progredimento s.m.
progredir v.
progressão s.f.
progressar v.
progressense adj. s.2g.
progressismo s.m.
progressista adj. s.2g.
progressístico adj.
progressividade s.f.
progressivismo s.m.
progressivista adj.2g.
progressivístico adj.
progressivo adj.
progresso s.m.
pró-hidrotropia s.f.
pró-hidrotrópico adj.
pró-hidrotropismo s.m.
pró-homem s.m.
pró-hominida adj.2g. s.m.
pró-hominídeo adj. s.m.
proibição s.f.
proibicionismo s.m.
proibicionista adj. s.2g.
proibicionístico adj.
proibido adj.
proibidor (*ô*) adj. s.m.
proibir v.
proibitivo adj.
proibitório adj.
proindivisão s.f.
proinsulina s.f.
proiomenorreia (*é*) s.f.
proiomenorreico (*é*) adj.
proiossístole s.f.
proiossistólico adj.
proiz s.m.
projeção s.f.
projecional adj.2g.
projecionismo s.m.
projecionista adj. s.2g.
projeitar v.
projetação s.f.
projetado adj.
projetador (*ô*) adj. s.m.
projetante adj.2g. s.f.
projetar v.
projetável adj.2g.
projetense adj. s.2g.
projetício adj.
projetil adj.2g. s.m.
projétil adj.2g. s.m.
projétil-foguete s.m.; pl. *projéteis-foguete*
projetismo s.m.
projetista adj. s.2g.
projetístico adj.
projetiva s.f.
projetividade s.f.
projetivo adj.
projeto s.m.
projetógrafo s.m.
projetor (*ô*) s.m.
projetoscópio adj. s.m.
projeto-tipo s.m.; pl. *projetos-tipo* e *projetos-tipos*
projetura s.f.
projônico adj.
prol s.m.
prolabiado adj.
prolabial adj.2g.
prolábio s.m.
pró-labore s.m.; aport. do lat. *pro labore*
prolação s.f.
prolactina s.f.
prolactínico adj.
prolalia s.f.
prolálico adj.
prolamina s.f.
prolan s.m.
prolano s.m.
prolapsado adj.
prolapso s.m.
prolata s.f.
prolatar v.
prolato adj.
prolator (*ô*) adj. s.m.
prole s.f.
proléctico adj.
prolectita s.f.
prolectite s.f.
prolegação s.f.
prolegado s.m.
prolegômenos s.m.pl.
prolema s.m.
prolepse s.f.
proléptico adj.
proleta adj. s.2g.
proletariado s.m.
proletário adj. s.m.
proletarização s.f.
proletarizado adj. s.m.
proletarizante adj.2g.
proletarizar v.
proletarizável adj.2g.
prolfaça s.2g.
prólico adj. s.m.
proliferação s.f.
proliferado adj.
proliferador (*ô*) adj.
proliferante adj.2g.
proliferar v.
proliferativo adj.
proliferável adj.2g.
prolífero adj.; cf. *prolifero*, fl. do v. *proliferar*
prolificação s.f.
prolificar v.
prolificentíssimo adj. sup. de *prolífico*
prolificidade s.f.
prolífico adj.; cf. *prolifico*, fl. do v. *prolificar*
proligenismo s.m.
prolígeno adj.
proligeração s.f.
prolígero adj.
prolina s.f.
prolinfócito s.m.
prolínico adj.
prolixidade (*cs*) s.f.
prolixidez (*cs...ê*) s.f.
prolixo (*cs*) adj.
prolobodes s.m.2n.
prolóculo s.m.
prologal adj.2g.
prologar v.
prologista adj. s.2g.
prólogo s.m.; cf. *prologo*, fl. do v. *prologar*
prologuista adj. s.2g.
prolonga s.f.
prolongação s.f.
prolongado adj.
prolongador (*ô*) adj. s.m.
prolongamento s.m.
prolongar v.
prolongável adj.2g.
prolongo s.m.
prolôngoa s.f.
proloquial adj.2g.
prolóquio s.m.
prolusão s.f.
proluxidade (*cs*) s.f.
proluxo (*cs*) adj.
promacócrino s.m.
promagem s.f.
promagistrado s.m.
promagistratura s.f.
promalactério s.m.
promanação s.f.
promanado adj.
promanante adj.2g.
promanar v.
promanável adj.2g.
promandar v.
promáquia s.f.
promasípoda s.f.
promastigota s.m.
promatértera s.f.
promazina s.f.
prombeta (*ê*) s.f.
promécio s.m.
promediar v.
promédio s.m.
pró-memória s.m.
promeneia (*é*) s.f.
promérico adj.
promeristema s.m.
prómero s.m.
promérope s.m.
promeropídeo adj. s.m.
promesoscárpico adj.
promesosternal adj.2g.
promesóstomo s.m.
promesotársico adj.
promessa s.f.
prometacentro s.m.
prometaico adj.
prometazina s.f.
prometedor (*ô*) adj. s.m.
prometeias (*é*) s.f.pl.
prometeico (*é*) adj.
prometer v.
prometeu s.m.
prometíctis s.m.2n.
prometida s.f.
prometido adj. s.m.
prometimento s.m.
prométio s.m.
promicélio s.m.
promilantor (*ô*) s.m.
proeminência s.f.
prominente adj.2g.
promiscuidade s.f.
promiscuir v.
promíscuo adj.
promissão s.f.
promissário s.m.
promissense adj. s.2g.
promissionense adj. s.2g.
promissivo adj.
promisso adj.
promissor (*ô*) adj. s.m.
promissória s.f.
promissório adj.
promitente adj. s.2g.
promizol s.m.
promoção s.f. "ascensão a cargo", etc.; cf. *premoção*
promocional adj.2g.
promombó s.m.
promonde adj.
promontorial adj.2g.
promontório s.m.
promorfismo s.m.
promorfologia s.f.
promorfológico adj.
promorfólogo s.m.
promorfose s.f.
promorfótico adj.
promotor (*ô*) adj. s.m.
promotoria s.f.
promovedor (*ô*) adj. s.m.
promovente s.2g.
promover v.
promovido adj.
promulga s.f.
promulgação s.f.
promulgado adj.
promulgador (*ô*) adj. s.m.
promulgamento s.m.
promulgante adj.2g.
promulgar v.
promulgativo adj.
promulgatório adj.
promulgável adj.2g.
promulsidário s.m.
pronação s.f.
pronador (*ô*) adj. s.m.
pronamudrá s.m.
pronatório adj.
pronau s.m.
pronáuplio s.m.
prônax (*cs*) s.f.2n.
pronefrético adj.
prônefro s.m.
proneomênia s.f.
proninfa s.f.
pronissa s.f.
prono adj.
prônoe s.f.
pronógrado adj.
pronóideo adj. s.m.
pronome s.m.
pronominação s.f.
pronominado adj.
pronominal adj.2g.
pronominalidade s.f.
pronominalização s.f.
pronominalizado adj.
pronominalizar v.
pronominalizável adj.2g.
pronominar v.
pronopiógrafo s.m.
pronosticar v.
pronóstico s.m.
pronotal s.2g.
pronoto s.m.
pronta-entrega s.f.; pl. *prontas-entregas*
pronteza (*ê*) s.f.
prontidão s.m.f.
prontificação s.f.
prontificado adj.
prontificar v.
pronto adj. s.m. adv. interj.
pronto-cubador s.m.; pl. *prontos-cubadores*
pronto-socorro s.m.; pl. *prontos-socorros*
prontuariado adj. s.m.
prontuariar v.
prontuário s.m.
prônubo adj.
pronuclear adj.2g.
pronúcleo s.m.
pronúncia s.f.; cf. *pronuncia*, fl. do v. *pronunciar*
pronunciabilidade s.f.
pronunciação s.f.
pronunciado adj.
pronunciador (*ô*) adj. s.m.
pronunciamento s.m.
pronunciante adj.2g.
pronunciar v.
pronunciável adj.2g.
pronúncio s.m.; cf. *pronuncio*, fl. do v. *pronunciar*
proóstraco s.m.
proótico adj. s.m.
propadieno s.m.
propagabilidade s.f.
propagação s.f.
propagado adj.
propagador (*ô*) adj. s.m.
propagamento s.m.
propaganda s.f.
propagandear v.
propagandismo s.m.
propagandista adj. s.2g.
propagandístico adj.
propagante adj.2g.
propagar v.
propagativo adj.
propagável adj.2g.
propagem s.f.
propagócito s.m.
propagular adj.2g.
propagulífero adj.
propágulo s.m.
propaixão s.f.
propalação s.f.
propalado adj.
propalador (*ô*) adj. s.m.
propalar v.
propalável adj.2g.
propanal s.m.
propanatriol s.m.
propânico adj.
propânio s.m.
propano s.m.
propanodioico (*ó*) adj.
propanodioldioico (*ó*) adj.
propanoico (*ó*) adj. s.m.
propanol s.m.
propanólise s.f.
propanolítico adj.
propanona s.f.
propanônico adj.
propanotricarbônico adj.
propanotriol s.m.
propanotriólico adj.
propargila s.f.
propargilato s.m.
propargílico adj.
propargilo s.m.
propárico adj.
propário adj.
proparoxitonia (*cs*) s.f.
proparoxitônico (*cs*) adj.
proparoxitonismo (*cs*) s.m.
proparoxitonização (*cs*) s.f.
proparoxitonizado (*cs*) adj.
proparoxitonizante (*cs*) adj.2g.
proparoxitonizar (*cs*) v.
proparoxítono (*cs*) adj. s.m.
proparoxitonofobia (*cs*) s.f.
propatia s.f.
propático adj.
propátruo s.m.
propau s.m.
propectona s.f.
propedeuta s.2g.
propedêutica s.f.
propedêutico adj.
propelente adj.2g. s.m.
propelido adj.
propelir v.
propenal s.m.
propendência s.f.
propendente adj.2g.
propender v.
propêndico adj.
propenila s.f.
propenilo s.m.
propeno s.m.
propenoico (*ó*) s.m.
propenol s.m.
propensão s.f.
propenso adj.
propepsina s.f.
propeptenuria s.f.
propeptenúria s.f.
propeptona s.f.
propeptonúnia s.f.
propeptonúrico adj. s.m.
properdina s.f.
propergol s.m.
properispômeno adj. s.m.
properístoma s.m.
propiá s.m.
propianho s.m.
propiciação s.f.
propiciado adj.
propiciador (*ô*) adj. s.m.
propiciante adj.2g.
propiciar v.
propiciatório adj. s.m.

propiciável adj.2g.
propício adj.; cf. *propicio*, fl. do v. *propiciar*
propicioso (*ô*) adj.; f. (*ó*); pl. (*ó*)
propigídio s.m.
propila s.f.
propilamina s.f.
propilbenzina s.f.
propilênico adj.
propileno s.m.
propilenoglicol s.m.
propileu s.m.
propilgaláctico adj.
propilgalacto s.m.
propilglicol s.m.
propílico adj.
propilideno s.m.
propílio s.m.
propilita s.f.
propilite s.f.
propilitização s.f.
propilito s.m.
propilo s.m.
propiltiouracil s.m.
propina s.f.
propinação s.f.
propinado adj.
propinador (*ô*) adj. s.m.
propinamento s.m.
propinar v.
propinilo s.m.
propínio s.m.
propino s.m.
propinoico (*ó*) adj.
propinol s.m.
propinquidade (*ü*) s.f.
propínquo adj.
propínquos s.m.pl.
propiofenona s.f.
propiólico adj.
propiona s.f.
propionato s.m.
propione s.m.
propiônico adj. s.m.
propionila s.f.
propionílico adj.
propionilo s.m.
propionitrila s.f.
propiteco s.m.
proplasma s.m.
proplástica s.f.
proplástico adj. s.m.
proplastídio s.m.
proplasto s.m.
proplatina s.f.
propleura s.f.
proplêurida adj.2g. s.m.
propleurídeo adj. s.m.
propliopiteco s.m.
propnêustico adj.
propódio s.m.
propodito s.m.
propoétida s.f.
propofol s.m.
própole s.2g.
própolis s.2g.2n.
propolisação s.f.
propolisar v.
propolisável adj.2g.
propômacro s.m.
proponente adj. s.2g.
proponível adj.2g.
propor v.
proporção s.f.
proporcionabilidade s.f.
proporcionação s.f.
proporcionado adj.
proporcionador (*ô*) adj. s.m.
proporcional adj.2g.
proporcionalidade s.f.
proporcionalismo s.m.
proporcionalista adj. s.2g.
proporcionalístico adj.
proporcionalização s.f.
proporcionalizado adj.
proporcionalizar v.
proporcionamento s.m.
proporcionante adj.2g.
proporcionar v.
proporcionável adj.2g.
próporo s.m.
proposição s.f.
proposicional adj.2g.
propositado adj.
proposital adj.2g.
propositar v.
propositivo adj.
propósito s.m.; cf. *proposito*, fl. do v. *propositar*
propositura s.f.
proposta s.f.
proposto (*ô*) adj. s.m.
propóxi (*cs*) s.m.
propoxifeno (*cs*) s.m.
propranolol s.m.
propretor (*ô*) s.m.
propretoria s.f.
propretura s.f.
própria s.f.
propriador (*ô*) s.m.
propriaense adj. s.2g.
propriagem s.f.
propriedade s.f.
propriedadica s.f.
proprietariado s.m.
proprietário adj. s.m.
próprio adj. s.m. pron.
proprioceptividade s.f.
proprioceptivo adj.
proprioceptor (*ô*) adj. s.m.
propterígio s.m.
próptero s.m.
proptoma s.m.
proptose s.f.
proptótico adj.
propugnação s.f.
propugnáculo s.m.
propugnado adj.
propugnador (*ô*) adj. s.m.
propugnante adj.2g.
propugnar v.
propugnável adj.2g.
propulsa s.f.
propulsante adj.2g. s.m.
propulsão s.f.
propulsar v.
propulsionador (*ô*) adj.
propulsional adj.2g.
propulsionar v.
propulsivo adj.
propulsor (*ô*) adj. s.m.
proquestor (*ô*) s.m.
proquestura s.f.
proquilo s.m.
prorano s.m.
prorocentrácea s.f.
prorocentráceo adj.
prorocentro s.m.
prorodonte s.m.
prorodontídeo adj. s.m.
prórops s.f.2n.
prorratado adj.
prorratear v.
prorrateio s.m.
prorrinco s.m.
prorrinquídeo adj. s.m.
prorroga s.f.
prorrogabilidade s.f.
prorrogação s.f.
prorrogado adj.
prorrogador (*ô*) s.m.
prorrogante adj.2g.
prorrogar v.
prorrogativo adj.
prorrogatório adj.
prorrogável adj.2g.
prorromper v.
prorrompimento s.m.
pró-russo adj. s.m.
prosa adj. s.2g. s.f.
prosador (*ô*) s.m.
prosaico adj.
prosaísmo s.m.
prosaísta adj. s.2g.
prosaizar v.
prosálpia s.f.
prosápia s.f.
prosapioso (*ô*) adj.; f. (*ó*); pl. (*ó*)
prosapódose s.f.
prosapotlipse s.f.
prosar v. "escrever em prosa", etc.; cf. *prozar*
prosarmose s.f.
prosarmótico adj.
proscarabeu s.m.
proscênio s.m.
proscilaridina s.f.
proscilaridínico adj.
proscinema s.m.
proscolece s.m.
proscolécia s.m.
proscolécio s.m.
proscólex (*cs*) s.m.2n.
proscólio s.m.
proscolo s.m.
proscopídeo adj. s.m.
proscopiídeo adj. s.m.
proscrever v.
proscrição s.f.
proscrito adj. s.m.
proscritor (*ô*) adj. s.m.
proseado adj. s.m.
proseador (*ô*) adj. s.m.
prosear v.
proseio s.m.
proseirão s.m.
proselista adj.2g.
proselítico adj.
proselitismo s.m.
proselitista adj.2g.
proselitístico adj.
prosélito s.m.
prosena s.f.
prosencefálico adj.
prosencéfalo s.m.
proseneaédrico adj.
proseneaedro adj.
prosênquima s.m.
prosenquimático adj.
prosenquimatoso (*ô*) adj.; f. (*ó*); pl. (*ó*)
prosérpina s.f.
proserpinaca s.f.
proserpinela s.f.
proserpínia s.f.
proserpinídeo adj. s.m.
prósfise s.f.
prosfisectomia s.f.
prosfisectômico adj.
prosfototáctico adj.
prosfototaxia (*cs*) s.f.
prosificação s.f.
prosificado adj.
prosificador (*ô*) adj.
prosificante adj.2g.
prosificar v.
prosificável adj.2g.
prosimiano s.m.
prosimno s.m.
prosíssima s.f.
prosissímia s.f.
prosista adj. s.2g.
proslambanômeno s.m.
prosma s.f.
prosmeiro adj.
prosmice s.f.
prosobônia s.f.
prosobótrio s.m.
prosobranquiado adj. s.m.
prosobrânquio adj. s.m.
pró-socialista adj.
prosodema s.m.
prosodemático adj.
prosodemia s.f.
prosodêmica s.f.
prosodêmico adj.
prosodético adj.
prosódia s.f.
prosódico adj.
prosodista adj. s.2g.
prosofanco s.m.
prosonimia s.f.
prosonímia s.f.
prosonímico adj.
prosônimo s.m.
prosonomásia s.f.
prosonomástico adj.
prosopagia s.f.
prosopágico adj.
prosopagnosia s.f.
prosópago s.m.
prosopalgia s.f.
prosopálgico adj.
prosopanque s.f.
prosope s.f.
prosópide s.f.
prosopidíneo adj. s.m.
prosópila s.f.
prosópilo s.m.
prosópio s.m.
prosópis s.f.2n.
prosopistemo s.m.
prosopita s.f.
prosopite s.f.
prosoplasia s.f.
prosoplásico adj.
prosoplegia s.f.
prosoplégico adj.
prosopócero s.m.
prosopodásis s.m.2n.
prosopodismorfia s.f.
prosopodismórfico adj. s.m.
prosopografia s.f.
prosopográfico adj.
prosopologia s.f.
prosopológico adj.
prosópon s.m.
prosoponco s.m.
prosopopaico adj.
prosopopeia (*é*) s.f.
prosopopeico (*é*) adj.
prosoposcopia s.f.
prosoposcópico adj.
prosopósquise s.f.
prosopotocia s.f.
prosopotócico adj.
prosorocmo s.m.
pró-soviético adj. s.m.
prospaltela s.f.
prospecção s.f.
prospectar v.
prospectiva s.f.
prospectivismo s.m.
prospectivista adj. s.2g.
prospectivístico adj.
prospectivo adj.
prospecto s.m.
prospector (*ô*) s.m.
prosperação s.f.
prosperado adj.
prosperador (*ô*) adj. s.m.
prosperante adj.2g.
prosperar v.
prosperável adj.2g.
prosperidade s.f.
prosperidadense adj. s.2g.
prosperina s.f.
prosperita s.f.
próspero adj. s.m.
prospérrimo adj. sup. de *próspero*
prospetar v.
prospetiva s.f.
prospetivismo s.m.
prospetivista adj. s.2g.
prospetivístico adj.
prospetivo adj.
prospeto s.m.
prospetor (*ô*) s.m.
prossaurópode adj.2g. s.m.
prossecretina s.f.
prossector (*ô*) s.m.
prossectorado s.m.
prossecução s.f.
prossecutor (*ô*) adj. s.m.
prosseguição s.f.
prosseguido adj.
prosseguidor (*ô*) adj. s.m.
prosseguimento s.m.
prosseguir v.
prossetor (*ô*) s.m.
prossetorado s.m.
prossifão s.m.
prossifoniano s.m.
prossignatário s.m.
prossilogismo s.m.
prossilogístico adj.
prossimiano s.m.
prossímio adj. s.m.
prossinodal adj.2g.
prossoma s.m.
prossomático adj.
prostaciclina s.f.
prostadena s.f.
prostaférese s.f.
prostaferético adj.
prostaglandina s.f.
prostaglandínico adj.
prostantera s.f.
prostanteróidea s.f.
próstase s.f.
próstata s.f.
prostatalgia s.f.
prostatálgico adj.
prostatectomia s.f.
prostatectômico adj.
prostatelcose s.f.
prostática s.f.
prostático adj. s.m.
prostaticovesical adj.2g.
prostatismo s.m.
prostatite s.f.
prostatítico adj.
prostatocele s.f.
prostatocélico adj.
prostatocistite s.f.
prostatocistítico adj.
prostatocistotomia s.f.
prostatocistotônico adj.
prostatodinia s.f.
prostatodínico adj.
prostatografia s.f.
prostatográfico adj.
prostatólito s.m.
prostatolitotomia s.f.
prostatolitotômico adj.
prostatomegalia s.f.
prostatomegálico adj.
prostatométrico adj.
prostatômetro s.m.
prostatomia s.f.
prostatomiomectomia s.f.
prostatomiomectônico adj.
prostatomonose s.f.
prostatomonósico adj.
prostatopéctico adj.
prostatoperitoneal adj.2g.
prostatopexia (*cs*) s.f.
prostatorreia (*é*) s.f.
prostatorreico (*é*) adj.
prostatotomia s.f.
prostatotômico adj.
prostatovesiculectomia s.f.
prostatovesiculectômico adj.
prostatovesiculite s.f.
prostatovesiculítico adj.
prosteca s.f.
prostecério s.m.
prostecobótrio s.m.
prostecocótilo s.m.
prostecosácter s.m.
prostema s.m.
prostemádero s.m.
prostemático adj.
prostemíneo adj. s.m.
prosterápis s.m.2n.
prosternação s.f.
prosternado adj.
prosternal adj.2g.
prosternamento s.m.
prosternante adj.2g.
prosternar v.
prosternativo adj.
prosternável adj.2g.
prosterno s.m.
próstese s.f.
prostesima s.m.
próstesis s.f.2n.
prostético adj.
prostibular adj.2g.
prostibulário adj. s.m.
prostíbulo s.m.
prostigmina s.f.
prostigmínico adj.
prostilão s.m.
prostilo s.m.
próstio s.m.
prostiostomídeo adj. s.m.
prostióstomo s.m.
próstipo s.m.
prostírido s.m.
prostituição s.f.
prostituída s.f.
prostituído adj.

prostituidor (*ô*) adj. s.m.
prostituir v.
prostituível adj.2g.
prostituta s.f.
prostituto adj. s.m.
próstoma s.m.
prostomiado adj.
prostômida adj.2g. s.m.
prostômio s.m.
próstomis s.m.2n.
próstomo s.m.
prostração s.f.
prostrado adj.
prostrador (*ô*) adj. s.m.
prostramento s.m.
prostrante adj.2g.
prostrar v.
prostrável adj.2g.
prostrópico adj.
prostropismo s.m.
protactínio s.m.
protagão s.m.
protagonismo s.m.
protagonista adj. s.2g.
protagonístico adj.
protagonização s.f.
protagonizado adj.
protagonizante adj.2g.
protagonizar v.
protagonizável adj.2g.
protalbumose s.f.
protálea s.f.
protalêuron s.m.
protálico adj.
protalífero adj.
protalização s.f.
protalo s.m.
prótalo s.m.
protâmblico s.m.
protâmblix (*cs*) s.m.2n.
protameba s.f.
protamibo s.m.
protamina s.f.
protana s.f.
protandena s.f.
protandria s.f.
protândrico adj.
protandro s.m.
protanope s.2g.
protanopia s.f.
protanópico adj.
protanopo adj. s.m.
protanopsia s.f.
protanóptico adj.
protão s.m.
protárea s.f.
protargol s.m.
protaro s.m.
protársico adj.
protarso s.m.
protascínea s.f.
protasco s.m.
prótase s.f.
protasear v.
protásio-alvense adj. s.2g.; pl. *protásio-alvenses*
prótasis s.f.2n.
protáspide s.f.
protático adj.
prótea s.f.
proteácea s.f.
proteáceo adj.
proteal adj.2g.
proteale s.f.
protéase s.f.
proteásico adj.
proteático adj.
proteção s.f.
protecional adj.2g.
protecionalismo s.m.
protecionalista adj. s.2g.
protecionalístico adj.
protecionar v.
protecionense adj. s.2g.
protecionismo s.m.
protecionista adj. s.2g.
protecionístico adj.
protectoide (*ó*) s.m.
protéea s.f.
protegedor (*ô*) adj. s.m.
protegedoria s.f.
protegente adj.2g.
proteger v.
protegido adj. s.m.
proteia (*é*) s.f.
proteico (*é*) adj.
proteida adj.2g. s.m.
proteidemia s.f.
proteidêmico adj.
proteídeo adj. s.m.
proteído s.m.
proteiforme adj.2g.
proteílise s.f.
proteilítico adj.
proteína s.f.
proteinase s.f.
proteínase s.f.
proteinemia s.f.
proteinêmico adj. s.m.
proteínico adj.
proteiníneo adj. s.m.
proteíno s.m.
proteinocromogêneo s.m.
proteinocromorreação s.f.
proteinoglicano s.m.
proteinografia s.f.
proteinográfico adj.
proteinograma s.m.
proteinose s.f.
proteinossíntese s.f.
proteinossintético adj.
proteinoterapêutico adj.
proteinoterapia s.f.
proteinoterápico adj.
proteinuria s.f.
proteinúria s.f.
proteinúrico adj.
proteioquinase s.f.
proteísmo s.m.
proteíta s.f.
proteíte s.f.
protela s.f.
protelação s.f.
protelado adj.
protelador (*ô*) adj. s.m.
protelamento s.m.
protelante adj.2g.
protelar v.
protelatório adj.
protelável adj.2g.
protélia s.f.
protélmis s.f.2n.
protelo s.m.
protencéfalo s.m.
protender v.
protendido adj. s.m.
protensão s.f.
protensividade s.f.
protensivo adj.
protenso adj.
próteo s.m.
proteocefaloideia (*é*) adj. s.f. de *proteocefaloideu*
proteocefalóideo adj. s.m.
proteocefaloideu adj. s.m.; f. *proteocefaloideia* (*é*)
proteoclástico adj.
proteoglicana s.f.
proteolisado s.m.
proteólise s.f.
proteolítico adj.
proteoma s.m.
proteômica s.f.
proteômico adj.
proteomixo (*cs*) s.m.
proteopéxico (*cs*) adj.
proteoplástico adj.
proteoplastídeo adj. s.m.
proteoplasto s.m.
proteopse s.f.
proteose s.f.
proteosoterapia s.f.
proteosoterápico adj.
proteracanto s.m.
proterandria s.f.
proterândrico adj.
proterandro adj.
proterânteo adj.
proteróbase s.f.
proterogínia s.f.
proterogínico adj.
proterógino adj.
proteróglifa s.f.
proteróglifo adj. s.m.
proteroglifodonte adj.2g. s.m.
protéropo s.m.
proterópode s.m.
proteropteriídeo adj. s.m.
proteroptério s.m.
proteróptero s.m.
proterossáurida adj.2g. s.m.
proterossaurídeo adj. s.m.
proterossauro s.m.
proterozoico (*ó*) adj. s.m.
protérvia s.f.
protervo adj.
prótese s.f.
protesear v.
protésico adj. s.m.
protesileias (*é*) s.f.pl.
protesista adj. s.2g.
protestabilidade s.f.
protestação s.f.
protestado adj. s.m.
protestador (*ô*) adj. s.m.
protestante adj. s.2g.
protestantismo s.m.
protestantístico adj.
protestantizar v.
protestar v.
protestatário adj. s.m.
protestativo adj.
protestatório adj.
protestável adj.2g.
protesto s.m.
protético adj. s.m.
protetivo adj.
protetor (*ô*) adj. s.m.
protetorado s.m.
protetoral adj.2g.
protetorato s.m.
protetoria s.f.
protetório adj.
proteu s.m.
proteuneurônio s.m.
protiara s.m.
protiaríneo adj. s.m.
prótico adj.
prótide s.m.
protidemia s.f.
protidêmico adj.
protídeo s.m.
prótido s.m.
protidólise s.f.
protidolítico adj.
protidra s.f.
prótilo s.m.
protima s.m.
protiméseo adj.
protimia s.f.
protímico adj.
protímnia s.f.
protino s.m.
prótio s.m.
protiodeto (*ê*) s.m.
protipográfico adj.
protíride s.f.
prótiro s.m.
prótis s.m.2n.
protista adj.2g. s.m.
protisto adj. s.m.
protistologia s.f.
protistológico adj.
proto s.m.
protoactínio s.m.
protoalveitar s.m.
protoária adj. s.2g.
protoariano s.m.
protoárico adj.
protoascal adj.2g.
protoascale s.f.
protobanto adj. s.m.
protobarbeirato s.m.
protobarroco (*ô*) adj. s.m.
protobasidiomiceta (*ê*) s.f.
protobasidiomiceto (*ê*) s.m.
protobastita s.f.
protobastite s.f.
protóbio s.m.
protobiologia s.f.
protobiológico adj.
protobionte s.m.
protoblástico adj.
protoblasto s.m.
protobrânquio adj. s.m.
protobrometo (*ê*) s.m.
protobúlgaro adj. s.m.
protoca s.m.
protocácea s.f.
protocáceo adj.
protocalamariácea s.f.
protocalamariáceo adj.
protocalamitácea s.f.
protocalamitáceo adj.
protocaliciácea s.f.
protocaliciáceo adj.
protocaliciínea s.f.
protocampo s.m.
protocanônico adj.
protocarbonato adj.
protocarboneto (*ê*) s.m.
protocarbureto (*ê*) s.m.
protocatéquico adj.
protocela s.f.
protocélico adj.
protocélula s.f.
protocelular adj.2g.
protocercal adj.2g.
protocerebral adj.2g.
protocérebro s.m.
protocianado adj.
protocianeto (*ê*) s.m.
protocianureto (*ê*) s.m.
protociliado s.m.
protocirurgião s.m.
protoclanto s.m.
protóclase s.f.
protoclástico adj.
protocloretado adj.
protocloreto (*ê*) s.m.
protoclorita s.f.
protoclorite s.f.
protoclorofilia s.f.
protococácea s.f.
protococáceo adj.
protococal adj.2g.
protococale s.f.
protococo s.m.
protocolação s.f.
protocolado adj.
protocolador (*ô*) adj. s.m.
protocolante adj.2g.
protocolar v. adj.2g.
protocolável adj.2g.
protocolista adj. s.2g.
protocolizar v.
protocolo s.m.
protoconcha s.f.
protocone s.m.
protocônide s.f.
protocônido s.m.
protocônulo s.m.
protocordado adj. s.m.
protocordo s.m.
protocormo s.m.
protocosina s.f.
protocotoína s.f.
protocrânio s.m.
protocromossoma s.m.
protoctista adj. s.2g.
protocurarina s.f.
protocuridina s.f.
protocurina s.f.
protoderma s.f.
protodermáptero s.m.
protoderme s.f.
protodiastólico adj.
protodiniferácea s.f.
protodiniferáceo adj.
protodiscínea s.f.
protodórico adj. s.m.
protodrilo s.m.
protoelamita adj. s.2g.
protoepifitismo s.m.
protoepífito s.m.
protoeritrócito adj.
protoescleroso (*ô*) adj.; f. (*ó*); pl. (*ó*)
protoeslavo s.m.
protoespatário s.m.
protoestrela s.f.
protoetismo s.m.
protoevangelho s.m.
protoevangelical adj.2g.
protoevangelista adj. s.2g.
protofasmo s.m.
protofílico adj.
protofilo s.m.
protofiloma s.m.
protofilosofia s.f.
protófita s.f.
protofítico adj.
protófito adj. s.m.
protofitogêneo s.m.
protofitógeno s.m.
protofloema s.m.
protofloemático adj.
protofluorado adj.
protofluoreto (*ê*) s.m.
protofonia s.f.
protofônico adj.
protofosforado adj.
protofosforeto (*ê*) s.m.
protoframboesoma s.m.
protógala s.m.
protogaláctico adj.
protogaláxia (*cs*) s.f.
protogametófita s.f.
protogamia s.f.
protogâmico adj.
protógamo adj. s.m.
protogastrácea s.f.
protogastráceo adj.
protogástrio s.m.
protogastro s.m.
protógene adj.2g. s.m.
protogêneo s.m.
protogênico adj.
protógeno s.m.
protogeografia s.f.
protogeográfico adj.
protogeométrico adj.
protógine s.f.
protoginia s.f.
protogínico adj.
protogínio s.m.
protógino s.m.
protoglobulose s.f.
protognaisse s.m.
protognáissico adj.
protogônio s.m.
protogonista adj. s.2g.
protogonócito s.m.
protógrafo s.m.
proto-hematoblasto s.m.
proto-história s.f.
proto-historiador adj. s.m.
proto-histórico adj.
proto-hitita adj. s.2g.
proto-homem s.m.
proto-hominídeo adj. s.m.
proto-homo s.m.
protoimprensa s.f.
protoimpressor s.m.
protoindo-europeu s.m.
protoindustrialização s.f.
protoiodeto s.m.
protoípo s.m.
protoitabirito s.m.
protojônico adj.
protolamelibrânquio s.m.
protolécito s.m.
protoleucocítico adj.
protoleucócito s.m.
protolíngua s.f.
protolitionita s.f.
protolitionite s.f.
protólofo s.m.
protologia s.f.
prótoma s.f.
protomacronema s.f.
protômala s.f.
protomalaio adj. s.m.
protomanto s.m.
protomártir s.m.
protomastigal adj.2g.
protomastigale s.f.
protomecóptero adj. s.m.
protomedeia (*é*) s.f.
protomedicamento s.m.
protomedicato s.m.
protomédico s.m.
protomegabária s.f.
protomerídeo s.m.

protomeristema s.m.
protomerite s.f.
protomerito s.m.
protômero s.m.
protômetro s.m.
protômice s.m.
protomicetácea s.f.
protomicetáceo adj.
protomicete (*ê*) s.m.
protomicetínea s.f.
protomiceto (*ê*) s.m.
protomicopse s.f.
protominério s.m.
protomixa (*cs*) s.m.
protomo s.m.
protomônada s.f.
protomonadino adj. s.m.
protomonado adj. s.m.
protomorfo adj.
protomoteca s.f.
próton s.m.
protonauta s.m.
protonefrídia s.f.
protonefrídico adj.
protonefrídio s.m.
protônefro s.m.
protonema s.m.
protonemático adj.
protonemertino adj. s.m.
protoneolítico adj.
protoneurônio s.m.
protoneurono s.m.
protonicidade s.f.
protônico adj. s.m.
protonigromante s.2g.
protônio s.m.
protonismo s.m.
protonontronita s.f.
protonontronite s.f.
protonotariado s.m.
protonotário s.m.
protonzil s.m.
proto-oncogene s.m.
proto-orgânico adj.
proto-organismo s.m.
protopantele s.m.
protopapa s.m.
protoparce s.f.
protopasquita s.2g.
protopatia s.f.
protopático adj.
protopatriarca s.m.
protopatriarcado s.m.
protopina s.f.
protopinácea s.f.
protopináceo adj.
protopirâmide s.f.
protoplaneta (*ê*) s.m.
protoplanetário adj.
protoplasia s.f.
protoplásico adj.
protoplasma s.m.
protoplasmático adj.
protoplásmico adj.
protoplasta s.m.
protoplástico adj.
protoplasto s.m.
protópode adj.2g. s.m.
protopódico adj.
protopódio s.m.
protopodítico adj.
protopódito s.m.
protopoíde adj.2g.
protoporcelana s.f.
protoporfirina s.f.
protoprisma s.m.
protopse s.f.
protoptérida adj.2g. s.m.
protopterídeo adj. s.m.
protóptero s.m.
protopulvinária s.f.
protorácico adj.
protórax (*cs*) s.m.2n.
protorgânica s.f.
protorgânico adj.
protorganismo s.m.
protorossáurida adj.2g. s.m.
protorossaurídeo adj. s.m.
protorossauro s.m.
protorreligião s.f.
protorrenascença s.f.
protorrenascimento s.m.
protorrevolução s.f.
protorrevolucionário adj. s.m.
protorromance s.m.
protorromanço s.m.
protorromânico adj. s.m.
protorromântico adj.
protorromantismo s.m.
protorromboédrico adj.
protorromboedro s.m.
protorromboide (*ó*) adj.2g. s.m.
protortônia s.f.
protoscolece s.m.
protoscólex (*cs*) s.m.2n.
protoscriniário s.m.
protosiális s.f.2n.
protospermatoblástico adj.
protospermatoblasto s.m.
protospôndilo adj. s.m.
protospôngia s.f.
protospongídeo adj. s.m.
protósporo s.m.
protossal s.m.
protossatélite s.m.
protossebasto s.m.
protosseláquio adj. s.m.
protosselecieto s.m.
protossepto s.m.
protossiálide s.f.
protossiális s.f.2n.
protossifão s.m.
protossifiloma s.f.
protossifilomático adj.
protossifilômico adj.
protossifonácea s.f.
protossifonáceo adj.
protossincelo s.m.
protossingelo s.m.
protossinóptico adj.
protossistólico adj.
protossol s.m.
protossolar adj.2g.
protossoma s.m.
protossomo s.m.
protossulfeto s.m.
protossulfureto s.m.
protostélico adj.
protostelo s.m.
protostigma s.m.
protóstoma s.m.
protostomiado adj.
protostômio s.m.
protóstomo s.m.
prototalo s.m.
prototéria s.f.
prototeriano adj. s.m.
prototério adj. s.m.
protótese s.f.
prototético adj.
prototípico adj.
protótipo s.m.
prototipográfico adj.
prototorácico adj.
prototórax (*cs*) s.m.2n.
prototoxina (*cs*) s.f.
prototraqueado s.m.
prototrofia s.f.
prototrófico adj.
protótrono s.m.
prototropia s.f.
prototrópico adj.
protoveratridina s.f.
protoveratrina s.f.
protovermiculita s.f.
protovermiculite s.f.
protovértebra s.f.
protovertebral adj.2g.
protovertebriforme adj.2g.
protovestiaria s.f.
protovestiário s.m.
protoxidado (*cs*) adj.
protoxidar (*cs*) v.
protóxido (*cs*) s.m.; cf. *protoxido*, fl. do v. *protoxidar*
protoxilema (*cs*) s.m.
protoxilemático adj.
protoxilêmico (*cs*) adj.
protoxoide (*csó*) adj.2g. s.m.
protozeugma s.2g.
protozoado adj.
protozoário adj. s.m.
protozoeia (*é*) s.f.
protozoide (*ó*) s.m.
protozoologia s.f.
protozoológico adj.
protozoologista adj. s.2g.
protozoólogo s.m.
protozoonito s.m.
protozoose s.f.
protozoótico adj.
protração s.f.
protracção s.f.
protráctil adj.2g.
protractor (*ô*) adj. s.m.
protraído adj.
protraimento s.m.
protrair v.
protraível adj.2g.
protraqueado adj. s.m.
protrátil adj.2g.
protrator (*ô*) adj. s.m.
protrigeias (*é*) s.f.pl.
protripsina s.f.
protrombina s.f.
protrombínico adj.
protrusão s.f.
protruso adj.
protuberância s.f.
protuberancial adj.2g.
protuberante adj.2g.
protuberar v.
protula s.m.
protúlide s.m.
protulópsis s.f.2n.
proturo adj. s.m.
protuso adj.
protutela s.f.
protutor (*ô*) s.m.
proudhoniano adj.
proudhonismo s.m.
proudhonista adj. s.2g.
proustiano adj.
proustita s.f.
proustite s.f.
proustítico adj.
prouveia s.f.
prova s.f.
provabilidade s.f.
provação s.f.
provado adj.
provador (*ô*) adj. s.m.
provadura s.f.
provagem s.f.
provamento s.m.
provança s.f.
provante adj.2g.
provar v.
provará s.m.
provativo adj.
provatório adj.
provável adj.2g.
provecção s.f.
provecto adj.
provedor (*ô*) s.m. "o que provê"; cf. *prevedor*
provedoral adj.2g.
provedor-geral s.m.; pl. *provedores-gerais*
provedoria s.f.
provedoria-mor s.f.; pl. *provedorias-mores*
provedor-mor s.m.; pl. *provedores-mores*
proveiro s.m.
proveito s.m.
proveitoso (*ô*) adj.; f. (*ó*); pl. (*ó*)
provença adj.2g. s.f.
provençal adj. s.2g. s.m.
provençalesco (*ê*) adj.
provençalismo s.m.
provençalista adj. s.2g.
provençalístico adj.
provençalização s.f.
provençalizado adj.
provençalizador (*ô*) adj.
provençalizante adj.2g.
provençalizar v.
provençalizável adj.2g.
provenda s.f.
proveniência s.f.
proveniente adj.2g.
provento s.m.
proventrículo s.m.
prover v.
proverbiador (*ô*) s.m.
proverbial adj.2g.
proverbializar v.
provérbio s.m.; cf. *proverbio*, fl. do v. *proverbiar*
proverbioso (*ô*) adj.; f. (*ó*); pl. (*ó*)
proverbista s.2g.
provernal adj.2g.
proversão s.f.
proveta (*ê*) s.f.
provete (*ê*) s.m.
provica s.f.
providência s.f.; cf. *providencia*, fl. do v. *providenciar*
providenciado adj.
providenciador (*ô*) adj. s.m.
providencial adj.2g.
providencialidade s.f.
providencialismo s.m.
providencialista adj. s.2g.
providencialístico adj.
providenciar v.
providenciense adj. s.2g.
providente adj.2g.
providentíssimo adj. sup. de *providente* e *próvido*
provido adj. "munido"; cf. *próvido*
próvido adj. "prudente"; cf. *provido*
provigário s.m.
provimento s.m.
província s.f.
provincial adj. s.2g.
provincialado s.m.
provincialato s.m.
provincialismo s.m.
provincialista adj. s.2g.
provincialístico adj.
provincialização s.f.
provincializado adj.
provincializador (*ô*) adj. s.m.
provincializar v.
provincianismo s.m.
provincianista adj. s.2g.
provincianístico adj.
provincianização s.f.
provincianizado adj.
provincianizar-se v.
provinciano adj. s.m.
provinco s.m.
provindo adj.
provir v.
proviron s.m.
provisão s.f.
proviscar v.
provisionado adj. s.m.
provisional adj.2g.
provisionar v.
provisioneiro s.m.
provisor (*ô*) adj. s.m.
provisorado s.m.
provisoria s.f.
provisoriedade s.f.
provisório adj. s.m.
provista adj. s.2g.
provitamina s.f.
provo (*ô*) s.m.
provocação s.f.
provocado adj.
provocador (*ô*) adj. s.m.
provocamento s.m.
provocante adj.2g.
provocar v.
provocativo adj.
provocátor s.m.
provocatório adj.
provolone s.m.
provoque s.m.
provórtex (*cs*) s.m.
proxema (*cs*) s.m.
proxemático (*cs*) adj.
proxêmica (*cs*) s.f.
proxêmico (*cs*) adj.
proxeneta (*cs...ê*) s.2g.
proxenetes (*cs*) s.m.2n.
proxenético (*cs*) adj.
proxenetismo (*cs*) s.m.
proxenia (*cs*) s.f.
próxeno (*cs*) s.m.
proximal (*ss*) adj.2g.
proximática (*cs*) s.f.
proximidade (*ss*) s.f.
proximismo (*ss*) s.m.
próximo (*ss*) adj. s.m.
proxinela (*cs*) s.m.
próxis (*cs*) s.m.2n.
proxistomina (*cs*) s.f.
prozar v. "medrar"; cf. *prosar*
prozímase s.f.
prozoico (*ó*) adj.
pru s.m.
pruá s.f.
pruca s.f.
prudência s.f.; cf. *prudencia*, fl. do v. *prudenciar*
prudencial adj.2g.
prudencialismo s.m.
prudenciar v.
prudente adj.2g.
prudentense adj. s.2g.
prudentino adj. s.m.
prudentista adj. s.2g.
prudentopolitano adj. s.m.
prudhommesco adj.
prudhommiano adj.
prudhommismo s.m.
pruga s.f.
pruído s.m.
pruína s.f.
pruinoso (*ô*) adj.; f. (*ó*); pl. (*ó*)
pruir v.
pruível adj.2g.
prulaurasina s.f.
prulaurasinosídeo adj. s.m.
pruma s.f.
prumabela s.f.
prumada s.f.
prumado adj.
prumador (*ô*) s.m.
prumageira s.f.
prumagem s.f.
prumante s.f.
prumão s.m.
prumar v.
prumbeta (*ê*) s.f.
prumela s.f.
prumidade s.f.
prumiforme adj.2g.
prumo s.m.
prunasina s.f.
prunela s.f.
prunelídeo s.m.
prunerite s.f.
pruniforme adj.2g.
prunina s.f.
pruno s.m.
prunocarpo s.m.
prunóidea s.f.
prunóideo adj.
prúnulo s.m.
prurido s.m.
pruridoso (*ô*) adj.; f. (*ó*); pl. (*ó*)
pruriente adj.2g.
prurigem s.f.
prurígeno adj.
pruriginoso (*ô*) adj.; f. (*ó*); pl. (*ó*)
prurigo s.m.
prurir v.
prurito s.m.
prusense adj. s.2g.
prusiense adj. s.2g.
prussianismo s.m.
prussianista adj. s.2g.
prussianização s.f.
prussianizado adj.
prussianizante adj. s.2g.
prussianizar v.
prussiano adj. s.m.
prussiato s.m.
prússico adj.
prussina s.f.
prussita s.m.
prussito s.m.

prusso adj. s.m.
prussofilismo s.m.
prussofilístico adj.
prussófilo adj. s.m.
prussomania s.f.
prussomaníaco adj. s.m.
prussômano adj. s.m.
prustite s.f.
prustítico adj.
przhevalskita s.f.
przibramita s.f.
psacálio s.m.
psacasta s.f.
psafárocro s.m.
psálide s.f.
psalídio s.m.
psalidófora s.f.
psalidonota s.f.
psalidoprocne s.f.
psalidoprocníneo adj. s.m.
psalíneo s.m.
psaliota s.f.
psaliota-campestre s.f.; pl. *psaliotas-campestres*
psális s.f.2n.
psálix (*cs*) s.m.2n.
psalo s.m.
psalódio s.m.
psáltria s.f.
psama s.f.
psamaplídio s.m.
psamastra s.f.
psameco s.m.
psamísia s.f.
psamita s.f.
psamite s.f.
psamítico adj.
psamito s.m.
psamóbatis s.m.2n.
psamóbia s.f.
psamobiídeo adj. s.m.
psamóbio s.m.
psamocarídeo adj. s.m.
psamódio s.m.
psamodisco s.m.
psamodontídeo adj. s.m.
psamódromo s.m.
psamófida s.f.
psamofilia s.f.
psamófilo adj.
psâmofis s.m.2n.
psamófito adj. s.m.
psamógeno adj.
psamogórgia s.f.
psamoleste s.m.
psamólice s.f.
psamoma s.m.
psamomatoso (*ô*) adj.; f. (*ó*); pl. (*ó*)
psamômio s.m.
psâmonis s.m.2n.
psamopema s.m.
psamoperca s.f.
psamorictes s.m.2n.
psamoscafeu s.m.
psamoséride s.f.
psamoseríneo adj. s.m.
psamóseris s.f.2n.
psamosfera s.m.
psamossarcoma s.m.
psamoterna s.f.
psamótrofa s.f.
psara s.f.
psaro s.m.
psarônio s.m.
psátira s.f.
psatirela s.f.
psatiriano s.m.
psatirita s.f.
psatirite s.f.
psatirito s.m.
psatirose s.f.
psatirósio s.m.
psaturose s.f.
pseca s.f.
psécade s.f.
psecádia s.f.
psectrócera s.f.
psectrófora s.f.
psefisma s.m.
psefita s.f.
psefite s.f.
psefito s.m.
psefóbolo s.m.
psefoforia s.f.
psefofórico adj.
psefógrafo s.m.
psefologia s.f.
psefológico adj.
psefologista adj. s.2g.
psefólogo s.m.
psefoto s.m.
psefuro s.m.
pselafese s.f.
pselafesia s.f.
pseláfida adj.2g. s.m.
pselafídeo adj. s.m.
psélafo s.m.
pselafógnato adj. s.m.
psélio s.m.
pselioforídeo adj. s.m.
pselíopo s.m.
pselismo s.m.
pselocota s.m.
psenes s.m.2n.
psequente s.m.
psésio adj. s.m.
pseso adj. s.m.
pseta s.f.
psetíctis s.m.2n.
pseto s.m.
psetodes s.m.2n.
pseudaconina s.f.
pseudaconitina s.f.
pseudacromegalia s.f.
pseudactinomicose s.f.
pseudacusmia s.f.
pseudafia s.f.
pseudáfico adj.
pseudafilia s.f.
pseudagênia s.f.
pseudagrafia s.f.
pseudagrilo s.m.
pseudágrion s.m.
pseudagrostístaquis s.m.2n.
pseudalbuminuria s.f.
pseudalbuminúria s.f.
pseudalcanina s.f.
pseudaleurodes s.m.2n.
pseudaleurólobo s.m.
pseudálio s.m.
pseudalono s.m.
pseudalucinação s.f.
pseudalveolar adj.2g.
pseudamnícola s.m.
pseudanafilaxia (*cs*) s.f.
pseudanemia s.f.
pseudangustura s.f.
pseudanodoncia s.f.
pseudanodonta s.m.
pseudanorexia (*cs*) s.f.
pseudantéssio s.m.
pseudanto s.m.
pseudaonídia s.f.
pseudapendicite s.f.
pseudapígia s.f.
pseudápion s.m.
pseudapoplexia (*cs*) s.f.
pseudapossemático adj.
pseudapraxia (*cs*) s.f.
pseudarcáster s.m.
pseudarteriosclerose s.f.
pseudártria s.f.
pseudartrite s.f.
pseudartrose s.f.
pseudartrósico adj.
pseudáster s.m.
pseudataxia (*cs*) s.f.
pseudateroma s.m.
pseudatetose s.f.
pseudaulacáspis s.f.2n.
pseudaxino (*cs*) s.m.
pseudáxis (*cs*) s.m.2n.
pseudedema s.m.
pseudefedrina s.f.
pseudélitro s.m.
pseudelminte s.m.
pseudenartrose s.f.
pseudencefalia s.f.
pseudencefálico adj.
pseudencéfalo s.m.
pseudendometrite s.f.
pseudenfisema s.m.
pseudenótico s.m.
pseudepígrafe s.f.
pseudepigráfico adj.
pseudepígrafo s.m.
pseudequêneis s.m.2n.
pseudequinolena s.f.
pseudequis s.m.2n.
pseuderantêmea s.f.
pseuderântemo s.m.
pseuderisipela s.f.
pseudestesia s.f.
pseudestético adj.
pseudeucela s.f.
pseudeucoíla s.f.
pseudiástata s.f.
pseudício s.m.
pseudima s.f.
pseudimago s.f.
pseudímene s.m.
pseudimunidade s.f.
pseudinoma s.m.
pseudiosma s.f.
pseudis s.m.2n.
pseudoacético adj.
pseudoácido adj.
pseudoacomina s.f.
pseudoaconitina s.f.
pseudoacônito s.m.
pseudoácoro s.m.
pseudoacromegalia s.f.
pseudoacromegálico adj.
pseudoactinomicose s.f.
pseudoactinomicósico adj.
pseudoacusmia s.f.
pseudoacúsmico adj.
pseudoádena s.f.
pseudoadiábase s.f.
pseudoadiabásico adj.
pseudoadiabático adj.
pseudoágata s.f.
pseudoaglaia s.f.
pseudoagrafia s.f.
pseudoagráfico adj. s.m.
pseudoalbuminúria s.f.
pseudoalbuminúrico adj. s.m.
pseudoálcool s.m.
pseudoalucinação s.f.
pseudoalveolar adj.2g.
pseudoametista s.f.
pseudoamorfo adj.
pseudoanafiláctico adj.
pseudoanafilaxia s.f.
pseudoandaluzita s.f.
pseudoanemia s.f.
pseudoanêmico adj.
pseudoangustura s.f.
pseudoanodoncia s.f.
pseudoanônimo adj.
pseudoanorexia s.f.
pseudoapatita s.f.
pseudoapatite s.f.
pseudoapendicite s.f.
pseudoapoplexia s.f.
pseudoapossemático adj.
pseudoapóstolo s.m.
pseudoapraxia s.f.
pseudoarcaísmo s.m.
pseudoaroma s.m.
pseudoaromaticidade s.f.
pseudoaromático adj.
pseudoarteriosclerose s.f.
pseudoartrite s.f.
pseudoartrose s.f.
pseudoartrósico adj.
pseudoastático adj.
pseudoataxia s.f.
pseudoateroma s.m.
pseudoatetose s.f.
pseudoatrofodermia s.f.
pseudoautunita s.f.
pseudobacilar adj.2g.
pseudobacilo s.m.
pseudobaciloso (*ô*) adj.; f. (*ó*); pl. (*ó*)
pseudobagro s.m.
pseudobaptigenina s.f.
pseudobaptigina s.f.
pseudobaptisina s.f.
pseudobasedovismo s.m.
pseudobastardia s.f.
pseudobastionado adj.
pseudobatismo s.m.
pseudobatizado adj.
pseudobenjoim s.m.
pseudoberilo s.m.
pseudoberzelita s.f.
pseudoberzelite s.f.
pseudóbias s.f.2n.
pseudóbio s.m.
pseudobiológico adj.
pseudobiotita s.f.
pseudobispo s.m.
pseudoblênio s.m.
pseudoblenorragia s.f.
pseudoblenorrágico adj.
pseudoblepsia s.f.
pseudobléptico adj.
pseudobolbo (*ô*) s.m.
pseudobolécia s.f.
pseudoboleíta s.f.
pseudobórnia s.f.
pseudoborniácea s.f.
pseudoborniáceo adj.
pseudobornial adj.2g.
pseudoborniale s.f.
pseudobranco s.m.
pseudobrânquia s.f.
pseudobromo s.m.
pseudobronquita s.f.
pseudobronquite s.f.
pseudobrookita s.f.
pseudobulbar adj.2g.
pseudobulbo s.m.
pseudobutila s.f.
pseudobutileno s.m.
pseudobutilfenílico adj.
pseudobutílico adj.
pseudobutilo s.m.
pseudocádia s.f.
pseudocalázio s.m.
pseudocálceo s.m.
pseudocampilita s.f.
pseudocampilite s.f.
pseudocânone s.m.
pseudocarpiano adj.
pseudocárpico adj.
pseudocarpo s.m.
pseudocartilagem s.f.
pseudocartilagíneo adj.
pseudocartilaginoso (*ô*) adj.; f. (*ó*); pl. (*ó*)
pseudocatenária s.f.
pseudocatólico adj.
pseudocaule s.m.
pseudoccipital adj.2g.
pseudocedrela s.f.
pseudocefalia s.f.
pseudocefálico adj.
pseudocéfalo s.m.
pseudocefalocele s.f.
pseudocefalocélico adj.
pseudocela s.f.
pseudocele s.f.
pseudocélico adj. s.m.
pseudocelomado adj. s.m.
pseudocélula s.f.
pseudocentro s.m.
pseudocerasto s.m.
pseudocerídeo adj. s.m.
pseudócero s.m.
pseudocianogênio s.m.
pseudocicloide (*ó*) adj.2g. s.f.
pseudocidário s.m.
pseudociência s.f.
pseudocientífico adj.
pseudociese s.f.
pseudociético adj.
pseudocipo s.m.
pseudocirrose s.f.
pseudocirrótico adj.
pseudocisto s.m.
pseudocítero s.m.
pseudoclassicismo s.m.
pseudoclassicista adj.2g.
pseudoclássico adj.
pseudocleono s.m.
pseudoclorose s.f.
pseudoclorótico adj.
pseudocoarctação s.f.
pseudocobalto s.m.
pseudococcídeo adj. s.m.
pseudococcíneo adj. s.m.
pseudococo s.m.
pseudocodeína s.f.
pseudocodeinona s.f.
pseudocódigo s.m.
pseudocognitivo adj.
pseudocolapte s.m.
pseudocolecistite s.f.
pseudocolecistítico adj.
pseudocolesteatoma s.m.
pseudocolesteatomático adj.
pseudocolesteno s.m.
pseudocoloboma s.m.
pseudocolobomático adj.
pseudocoloidal adj.2g.
pseudocoloide (*ó*) s.m.
pseudocônaro s.m.
pseudoconceito s.m.
pseudoconcha s.f.
pseudoconidrina s.f.
pseudoconjugação s.f.
pseudoconjugado adj.
pseudocontinuidade s.f.
pseudocontínuo adj.
pseudocontração s.f.
pseudocórdilo s.m.
pseudocoreia (*é*) s.f.
pseudocoreico (*é*) adj.
pseudocoristes s.m.2n.
pseudocoristo s.m.
pseudocóssifo s.f.
pseudocotilédone s.m.
pseudocótilo s.m.
pseudocotunita s.f.
pseudocoxalgia (*cs*) s.f.
pseudocoxálgico (*cs*) adj.
pseudocriópsis s.f.2n.
pseudocrise s.f.
pseudocrisólita s.f.
pseudocristal s.m.
pseudocristão adj. s.m.
pseudocrocidolita s.f.
pseudocromestesia s.m.
pseudocromestético adj.
pseudocromia s.f.
pseudocromidiose s.f.
pseudocromidiósico adj.
pseudocromina s.f.
pseudocromíneo adj. s.m.
pseudócromis s.f.2n.
pseudocrupal adj.2g.
pseudocrupe s.m.
pseudocubelina s.f.
pseudocúbico adj.
pseudocumeno s.m.
pseudocumenol s.m.
pseudocumídeo adj. s.m.
pseudocumidina s.f.
pseudocumol s.m.
pseudocurarina s.f.
pseudocutícula s.f.
pseudodacíneo adj. s.m.
pseudodácnis s.m.2n.
pseudódax (*cs*) s.m.2n.
pseudodeltídeo adj. s.m.
pseudodemência s.f.
pseudodemente s.2g.
pseudodeweylita s.f.
pseudodextrocardia (*es*) s.f.
pseudodextrocardíaco (*es*) adj. s.m.
pseudodialágio s.m.
pseudodialectal adj.2g.
pseudodialetal adj.2g.
pseudodiamante s.m.
pseudodiascópio s.m.
pseudodicotoína s.f.
pseudodicotomia s.f.
pseudodicotômico adj.
pseudodifteria s.f.
pseudodiftérico adj.
pseudodimórfico adj.
pseudodimorfismo s.m.
pseudodíptero s.m.
pseudodisenteria s.f.
pseudodisentérico adj.
pseudodispepsia s.f.
pseudodispéptico adj. s.m.
pseudodominância s.f.

pseudodonte s.m.
pseudodoutor (*ô*) s.m.
pseudodoxo (*cs*) adj.
pseudodraconteia (*é*) s.f.
pseudoedema s.m.
pseudoédrico adj.
pseudoefedrina s.f.
pseudoélitro s.m.
pseudoemiso s.m.
pseudoenartrose s.f.
pseudoencefalia s.f.
pseudoencefálico adj.
pseudoencéfalo s.m.
pseudoendometrite s.f.
pseudoendometrítico adj.
pseudoenfisema s.m.
pseudoepígrafe s.f.
pseudoepigráfico adj.
pseudoepígrafo s.m.
pseudoepiléptico adj.
pseudoerisipela s.f.
pseudoescolece s.m.
pseudoescólex (*cs*) s.m.
pseudo-escorpião s.m.; pl. *pseudo-escorpiões*
pseudo-escorpionídeo adj. s.m.; pl. *pseudo-escorpionídeos*
pseudoesfera s.f.
pseudoesférico adj.
pseudoesmeralda s.f.
pseudoespato s.m.
pseudoesteatita s.f.
pseudoesteatite s.f.
pseudoestesia s.f.
pseudoestético adj.
pseudoetimológico adj.
pseudoeufêmico adj.
pseudoeufemismo s.m.
pseudofênix (*cs* ou *s*) s.f.2n.
pseudoferralítico adj.
pseudoferralito s.m.
pseudoferrálito s.m.
pseudoferrolítico adj.
pseudoferrolito s.m.
pseudoferrólito s.m.
pseudofibrina s.f.
pseudofibrinoso (*ô*) adj.; f. (*ó*); pl. (*ó*)
pseudofilídeo adj. s.m.
pseudofilosofia s.f.
pseudofiorde s.m.
pseudofite s.f.
pseudoflagelado s.m.
pseudofleimão s.m.
pseudofleíneo adj. s.m.
pseudofleu s.m.
pseudoflor (*ô*) s.f.
pseudoflutuação s.f.
pseudofobia s.f.
pseudofóbico adj.
pseudófobo s.m.
pseudofolíolo s.m.
pseudofóssil s.m.
pseudofotostesia s.f.
pseudofotostésico adj.
pseudofotostético adj.
pseudofratura s.f.
pseudofrente s.f.
pseudófrine s.f.
pseudofructose s.f.
pseudofruto s.m.
pseudogalena s.f.
pseudogalênico adj.
pseudogaltônia s.f.
pseudogamia s.f.
pseudogâmico adj.
pseudogânglio s.m.
pseudoganglionar adj.2g.
pseudogápeto s.m.
pseudógene s.m.
pseudogerígone s.f.
pseudogerme s.m.
pseudogestético adj.
pseudogeusestesia s.f.
pseudogeusestésico adj.
pseudogeusia s.f.
pseudogêusico adj.
pseudogimnita s.f.
pseudógina s.f.
pseudógino s.m.
pseudogipes s.m.2n.
pseudoglaucoma s.m.
pseudoglaucomático adj.
pseudoglicosazona s.f.
pseudoglioma s.m.
pseudogliomático adj.
pseudoglobulina s.f.
pseudoglote s.f.
pseudoglótis s.f.2n.
pseudoglucosazona s.f.
pseudogóbio s.m.
pseudogonorreia (*é*) s.f.
pseudogonorreico (*é*) adj.
pseudogórgia s.m.
pseudogota (*ô*) s.f.
pseudografia s.f.
pseudográfico adj.
pseudógrafo s.f.
pseudogranada s.m.
pseudogripal adj.2g.
pseudogripe s.f.
pseudo-helminte s.m.
pseudo-helminto s.m.
pseudo-hemaglutinação s.f.
pseudo-hematocele s.f.
pseudo-hematocélico adj.
pseudo-hemítropo s.m.
pseudo-hemoaglutinação s.f.
pseudo-hemofilia s.f.
pseudo-hemofílico adj.
pseudo-hemoptise s.f.
pseudo-hermafrodita adj. s.2g.
pseudo-hermafrodítico adj.
pseudo-hermafroditismo s.m.
pseudo-hérnia s.f.
pseudo-hernioso (*ô*) adj.; f. (*ó*); pl. (*ó*)
pseudo-heroicidade s.f.
pseudo-heterosita s.f.
pseudo-hexagonal (*z*) adj.2g.
pseudo-hidronefrose s.f.
pseudo-hímen s.m.
pseudo-hiosciamina s.f.
pseudo-hiperparatireoi-dismo s.m.
pseudo-hipertrofia s.f.
pseudo-hipertrófico adj.
pseudo-história s.f.
pseudo-histórico adj.
pseudoicterícia s.f.
pseudoictérico adj.
pseudoimago s.f.
pseudoimunidade s.f.
pseudoimunização s.f.
pseudoimunizado adj.
pseudoimunizador (*ô*) adj.
pseudoimunizante adj.2g.
pseudoincuso adj.
pseudoinfluenza s.f.
pseudoinulina s.f.
pseudoionona s.f.
pseudoíris s.2g.2n.
pseudoisatina s.f.
pseudoisocroma s.m.
pseudoisocromático adj.
pseudoisocromia s.f.
pseudoisotropia s.f.
pseudoisótropo adj. s.m.
pseudojúlis s.m.2n.
pseudojustificação s.f.
pseudojustificado adj.
pseudojustificador (*ô*) adj.
pseudojustificante adj.2g.
pseudojustificar v.
pseudojustificável adj.2g.
pseudolacnostile s.f.
pseudolárice s.f.
pseudolarício s.m.
pseudólarix (*cs*) s.f.
pseudolatim s.m.
pseudolaubuca s.f.
pseudolaueíta s.f.
pseudolaumontita s.f.
pseudolavenita s.f.
pseudoleístes s.m.2n.
pseudolésquea s.f.
pseudoleucemia s.f.
pseudoleucêmico adj. s.m.
pseudoleucita s.f.
pseudoleucite s.f.
pseudoleucocitemia s.f.
pseudoleucocitêmico adj.
pseudolibetenita s.f.
pseudolibetenite s.f.
pseudoliga s.f.
pseudolimace s.m.
pseudolímax (*cs*) s.m.2n.
pseudolinfócito s.m.
pseudolipoma s.m.
pseudolita s.f.
pseudolite s.f.
pseudólito s.m.
pseudoliva s.f.
pseudolivíneo adj. s.m.
pseudologia s.f.
pseudológico adj.
pseudologista adj. s.2g.
pseudoloxope (*cs*) s.m.
pseudolpídio s.m.
pseudolpidiose s.f.
pseudolucano s.m.
pseudolúpus s.m.2n.
pseudoluxação s.f.
pseudoma s.m.
pseudomalaquita s.f.
pseudomalaquite s.f.
pseudomalária s.f.
pseudomalécia s.f.
pseudomártir s.2g.
pseudomecas s.f.2n.
pseudomeconina s.f.
pseudomegacólon s.m.
pseudomeionita s.f.
pseudomelanose s.f.
pseudomelanósico adj.
pseudomelanótico adj.
pseudomembrana s.f.
pseudomembranoso (*ô*) adj.; f. (*ó*); pl. (*ó*)
pseudomeningite s.f.
pseudomeningítico adj.
pseudomeria s.f.
pseudômero s.m.
pseudomesolita s.f.
pseudomesólito s.m.
pseudomesonfalia s.f.
pseudomicetoma s.m.
pseudomicipa s.f.
pseudomicose s.f.
pseudomicósico adj.
pseudomicótico adj.
pseudomimético adj.
pseudomimetismo s.m.
pseudomíope adj.2g.
pseudomiopia s.f.
pseudomirma s.f.
pseudomisticismo s.m.
pseudomístico adj.
pseudomixia (*cs*) s.f.
pseudomixona (*cs*) s.m.
pseudomnésia s.f.
pseudomnésico adj.
pseudomo s.m.
pseudômona s.f.
pseudomonácea s.f.
pseudomonáceo adj.
pseudomônada s.f.
pseudomonadácea s.f.
pseudomonadáceo adj.
pseudomonadal adj.2g.
pseudomonadale s.f.
pseudomonília s.f.
pseudomonoclínico adj.
pseudomonofiodonte adj.2g. s.m.
pseudomonose s.f.
pseudomopíneo adj. s.m.
pseudomópsis s.f.2n.
pseudomórfico adj.
pseudomorfina s.f.
pseudomorfismo s.m.
pseudomorfista adj.2g.
pseudomorfo adj.
pseudomorfose s.f.
pseudomorfótico adj.
pseudomotor (*ô*) adj. s.m.
pseudomotriz adj. s.f.
pseudomucina s.f.
pseudomúrex (*cs*) s.m.2n.
pseudomúrice s.m.
pseudomussenda s.f.
pseudonavicela s.f.
pseudonefelina s.f.
pseudonefrita s.f.
pseudonefrite s.f.
pseudoneoplasma s.m.
pseudoneuralgia s.f.
pseudoneurálgico adj.
pseudoneurite s.f.
pseudoneurítico adj.
pseudoneuróptero adj. s.m.
pseudonevralgia s.f.
pseudonevrálgico adj.
pseudonevrite s.f.
pseudonevrítico adj.
pseudonevroma s.m.
pseudonimia s.f.
pseudonímia s.f.
pseudonímico adj.
pseudônimo adj. s.m.
pseudoninfa s.f.
pseudoninfal adj.2g.
pseudoninfose s.f.
pseudoninfótico adj.
pseudonistagma s.m.
pseudonistagmático adj.
pseudonistagmo s.m.
pseudonitrol s.m.
pseudonocerina s.f.
pseudonotoxo (*cs*) s.m.
pseudonucléolo s.m.
pseudonumeral adj.2g. s.m.
pseudo-occipital adj.2g.
pseudo-ofite s.f.
pseudo-orcina s.f.
pseudo-ortorrômbico adj.
pseudo-osteomalacia s.f.
pseudo-osteose s.f.
pseudo-otorrômbico adj.
pseudopalaíta s.f.
pseudopalavra s.f.
pseudopalúdico adj. s.m.
pseudopaludismo s.m.
pseudopapaverina s.f.
pseudopapilionácea s.f.
pseudopapilionáceo adj.
pseudopaquímero s.m.
pseudoparáfise s.f.
pseudoparalisia s.f.
pseudoparalítico adj. s.m.
pseudoparapléctico adj.
pseudoparaplexia (*cs*) s.f.
pseudoparasita adj. s.2g.
pseudoparasitado adj.
pseudoparasítico adj.
pseudoparasitismo s.m.
pseudoparasito adj. s.m.
pseudoparênquima s.m.
pseudoparenquimatoso (*ô*) adj.; f. (*ó*); pl. (*ó*)
pseudoparesia s.f.
pseudoparésico adj.
pseudoparisita s.f.
pseudoparlatória s.f.
pseudopatia s.f.
pseudopático adj.
pseudopatriota adj. s.2g.
pseudopatriótico adj.
pseudopédio s.m.
pseudopelada s.f.
pseudopeletierina s.f.
pseudopepsina s.f.
pseudoperídio s.m.
pseudoperíodo s.m.
pseudoperíptero s.m.
pseudoperístomo s.m.
pseudoperitécio s.m.
pseudoperitonite s.f.
pseudopeziza s.f.
pseudophillipsita s.f.
pseudopia s.f.
pseudopiázaro s.m.
pseudópico adj.
pseudopigmentar adj.2g.
pseudopilocarpina s.f.
pseudopirilampo s.m.
pseudopirocroíta s.f.
pseudopirofilita s.f.
pseudopirofilite s.f.
pseudopitina s.f.
pseudoplaino s.m.
pseudoplâncton s.m.
pseudoplanície s.f.
pseudoplasia s.f.
pseudoplásico adj.
pseudoplasma s.m.
pseudoplectruro s.m.
pseudoplesíops s.m.2n.
pseudopleurisia s.f.
pseudopleurite s.f.
pseudopleurítico adj.
pseudoplexaura (*cs*) s.f.
pseudoplexia (*cs*) s.f.
pseudoplúsia s.f.
pseudopneumococo s.m.
pseudopneumonia s.f.
pseudopneumônico adj. s.m.
pseudópode s.m.
pseudopódico adj.
pseudopódio s.m.
pseudópodo s.m.
pseudopolimielia s.f.
pseudopolimiélico adj. s.m.
pseudopólipo s.m.
pseudopolispermia s.f.
pseudopolispérmico adj.
pseudoporencefalia s.f.
pseudoporencefálico adj.
pseudoporfírico adj.
pseudoporfirítico adj.
pseudoporoencefalia s.f.
pseudopriacanto s.m.
pseudoproblema s.m.
pseudoproblemático adj.
pseudoprofecia s.f.
pseudoprofeta s.m.
pseudoprofético adj.
pseudopsia s.f.
pseudopsíneo adj. s.m.
pseudópsis s.f.2n.
pseudopterígio s.m.
pseudopterna s.f.
pseudóptica s.f.
pseudóptico adj.
pseudoptino s.m.
pseudopunctado adj.
pseudopuntado adj.
pseudopurpurina s.f.
pseudoquadrático adj.
pseudoqueilino s.m.
pseudoquerelante adj. s.2g.
pseudoquermes s.m.2n.
pseudoquilídio s.m.
pseudoquilino s.m.
pseudoquina s.f.
pseudoquiro s.m.
pseudoquístico adj.
pseudoquisto s.m.
pseudórbis s.m.2n.
pseudorca s.m.
pseudorcina s.f.
pseudorrábdio s.m.
pseudorrainha s.f.
pseudorraiva s.f.
pseudorrandômico adj.
pseudorreação s.f.
pseudorrectes s.m.2n.
pseudorréctico adj.
pseudorrepresentação s.f.
pseudorreumatismo s.m.
pseudorrevelação s.f.
pseudorrexia (*cs*) s.f.
pseudorrinco s.m.
pseudorrincoto adj. s.m.
pseudorrombo s.m.
pseudorrostro s.m.
pseudorrubi s.m.
pseudorrutilo s.f.
pseudóscaro s.m.
pseudosciada s.f.
pseudoscila s.f.
pseudosclerose s.f.
pseudosclerótico adj.
pseudoscolece s.m.
pseudoscólex (*cs*) s.m.
pseudoscopia s.f.
pseudoscópico adj.
pseudoscópio s.m.
pseudoscorpione adj. s.m.
pseudoscorpionídeo adj. s.m.

pseudoscorpiônido adj. s.m.
pseudosfresia s.f.
pseudosmia s.f.
pseudósmico adj.
pseudosofia s.f.
pseudosófico adj.
pseudosopúbia s.f.
pseudospermo adj. s.m.
pseudospôndia s.f.
pseudosporocnácea s.f.
pseudosporocnáceo adj.
pseudosporocno s.m.
pseudosquila s.m.
pseudossábio s.m.
pseudossafira s.f.
pseudossâmara s.f.
pseudossarcocele s.f.
pseudosselino s.m.
pseudossensação s.f.
pseudosserosa s.f.
pseudossífilis s.f.2n.
pseudossifilítico adj.
pseudossigla s.f.
pseudossimetria s.f.
pseudossimétrico adj.
pseudossiringomielia s.f.
pseudossiringomiélico adj.
pseudossolanóidea s.f.
pseudossomita s.f.
pseudossomite s.f.
pseudossubulina s.f.
pseudossufixal (*cs*) adj.2g.
pseudossufixo (*cs*) s.m.
pseudosteatita s.f.
pseudosteatite s.f.
pseudostélide s.f.
pseudóstelis s.f.2n.
pseudostenia s.f.
pseudostênico adj.
pseudosteomalacia s.f.
pseudosteose s.f.
pseudostesia s.f.
pseudostético adj.
pseudostose s.f.
pseudostrofantidina s.f.
pseudostrofantina s.f.
pseudostroma s.m.
pseudotabe s.f.
pseudotabes s.f.2n.
pseudotabético adj. s.m.
pseudotecido s.m.
pseudotectococo s.m.
pseudotelênomo s.m.
pseudoteobromina s.f.
pseudotetânico adj.
pseudotétano s.m.
pseudotifomeningite s.f.
pseudotifomeningítico adj.
pseudotitlônimo s.m.
pseudotoluidina s.f.
pseudotopázio s.m.
pseudotoxina (*cs*) s.f.
pseudotrabalhar v.
pseudotracoma s.m.
pseudotractriz s.f.
pseudotraqueia (*é*) s.f.
pseudotríacis s.m.2n.
pseudotridimita s.f.
pseudotrímero adj. s.m.
pseudotriplita s.f.
pseudotrocoide (*ó*) adj.2g. s.f.
pseudotronco s.m.
pseudotropanol s.m.
pseudotropeína s.f.
pseudotrópico adj.
pseudotropina s.f.
pseudotrópio s.m.
pseudotubérculo s.m.
pseudotuberculoma s.m.
pseudotuberculose s.f.
pseudotuberculoso (*ô*) adj. s.m.; f. (*ó*); pl. (*ó*)
pseudotumor (*ô*) s.m.
pseudoturingita s.f.
pseudoumbela s.f.
pseudourêmia s.f.
pseudourêmico adj.
pseudoúrico adj.
pseudoválvula s.f.
pseudovalvular adj.2g.
pseudovaríola s.f.
pseudoventrículo s.m.
pseudoversária s.f.
pseudoversiera s.f.
pseudoverticilado adj.
pseudovo (*ô*) s.m.
pseudovoz s.f.
pseudovulcânico adj.
pseudowavellita s.f.
pseudowollastonita s.f.
pseudoxantina (*cs*) s.f.
pseudoxantoma (*cs*) s.m.
pseudoxifóforo (*cs*) s.m.
pseudozoário adj. s.m.
pseudozoogleia (*é*) s.f.
psi s.m.
psiádia s.f.
psicacústica s.f.
psicacústico adj.
psicagogia s.f.
psicagógico adj.
psicagogo (*ô*) s.m.
psicalgia s.f.
psicálgico adj.
psicanalisado adj. s.m.
psicanalisador (*ô*) adj.
psicanalisando adj. s.m.
psicanalisante adj.2g.
psicanalisar v.
psicanalisável adj.2g.
psicanálise s.f.; cf. *psicanalise*, fl. do v. *psicanalisar*
psicanalismo s.m.
psicanalista adj. s.2g.
psicanalítico adj.
psicastenia s.f.
psicastênico adj.
psicautonomia s.f.
psicautonômico adj.
psiché s.m.
psichê s.m.
psicoacústica s.f.
psicoacústico adj.
psicoalgia s.f.
psicoanalisado adj.
psicoanalisando s.m.
psicoanalisar v.
psicoanálise s.f.; cf. *psicoanalise*, fl. do v. *psicoanalisar*
psicoanalismo s.m.
psicoanalista adj. s.2g.
psicoanalítico adj.
psicoativo adj.
psicóbio s.m.
psicobiologia s.f.
psicobiológico adj.
psicobiologista adj. s.2g.
psicobiólogo s.m.
psicocinese s.f.
psicocinesia s.f.
psicocinético adj.
psicocirurgia s.f.
psicocirúrgico adj.
psicocronometria s.f.
psicocronométrico adj.
psicocultural adj.2g.
psicodança s.f.
psicode s.f.
psicodélico adj.
psicodelismo s.m.
psicodemia s.f.
psicodiagnose s.f.
psicodiagnóstico s.m.
psicodiário s.m.
psicodídeo adj. s.m.
psicodiero adj. s.m.
psicodinâmica s.f.
psicodinâmico adj.
psicodinamismo s.m.
psicodinamista adj.2g.
psicodislepsia s.f.
psicodisléptico adj. s.m.
psicodrama s.m.
psicodramático adj.
psicodramista s.2g.
psicoeconomia s.f.
psicoeconômico adj.
psicoeconomista s.2g.
psicoemocional adj.2g.
psicoesplâncnica adj.
psicoestatística s.f.
psicoestatístico adj.
psicoétnica s.f.
psicoétnico adj.
psicofármaco adj. s.m.
psicofarmacologia s.f.
psicofarmacológico adj.
psicofarmacologista adj. s.2g.
psicofarmacólogo s.m.
psicofísica s.f.
psicofísico adj.
psicofisiologia s.f.
psicofisiológico adj.
psicofisiologismo s.m.
psicofisiologista adj. s.2g.
psicofisiologístico adj.
psicofisiólogo s.m.
psicofonia s.f.
psicofônico adj.
psicogalvânico adj.
psicogalvanômetro s.m.
psicogênese s.f.
psicogenésico adj.
psicogenética s.f.
psicogenético adj.
psicogenia s.f.
psicogênico adj.
psicógeno adj.
psicogeografia s.f.
psicogeográfico adj.
psicoginástica s.f.
psicoginástico adj.
psicognose s.f.
psicognosia s.f.
psicognósico adj.
psicognóstico adj.
psicogonia s.f.
psicogônico adj.
psicografar v.
psicografia s.f.
psicográfico adj.
psicógrafo s.m.; cf. *psicografo*, fl. do v. *psicografar*
psicograma s.m.
psico-história s.f.
psico-historiador s.m.
psico-histórico adj.
psicoide (*ó*) s.f.
psicóideo adj. s.m.
psicoléctico adj.
psicolepsia s.f.
psicoléptico adj.
psicolexia (*cs*) s.f.
psicolinguista (*ü*) adj.2g.
psicolinguística (*ü*) s.f.
psicolinguístico (*ü*) adj.
psicologar v.
psicologia s.f.
psicológico adj.
psicologismo s.m.
psicologista adj. s.2g.
psicologístico adj.
psicologização s.f.
psicologizado adj.
psicologizante adj.2g.
psicologizar v.
psicologizável adj.2g.
psicólogo s.m.; cf. *psicologo*, fl. do v. *psicologar*
psicologuês s.m.
psicomancia s.f.
psicomante s.2g.
psicomântico adj.
psicomaquia s.f.
psicomáquico adj.
psicomatemática s.f.
psicomatemático adj. s.m.
psicomecânica s.f.
psicomecânico adj.
psicomesologia s.f.
psicomesológico adj.
psicômetra s.2g.
psicometria s.f.
psicométrico adj.
psicômetro s.m.
psicometrologia s.f.
psicometrológico adj.
psicometrólogo s.m.
psicomiídeo adj. s.m.
psicomimético adj.
psicomiorrelaxante adj. s.2g.
psicomonismo s.m.
psicomonista adj. s.2g.
psicomoral adj.2g.
psicomotor (*ô*) adj.
psicomotricidade s.f.
psiconervoso (*ô*) adj.; f. (*ó*); pl. (*ó*)
psiconeurose s.f.
psiconeurótico adj. s.m.
psiconevrose s.f.
psiconevrótico adj. s.m.
psiconomia s.f.
psiconômico adj.
psiconomista adj.2g.
psiconose s.f.
psicopaniquia s.f.
psicopata adj. s.2g.
psicopatia s.f.
psicopático adj.
psicopatologia s.f.
psicopatológico adj.
psicopatologista adj. s.2g.
psicopatólogo s.m.
psicopedagogia s.f.
psicopedagógico adj.
psicopedologia s.f.
psicopedológico adj.
psicopenologia s.f.
psicoplasma s.m.
psicoplasmático adj.
psicoplasticidade s.f.
psicopolinevrite s.f.
psicopompo adj. s.m.
psicorragia s.f.
psicorrágico adj.
psicose s.f.
psicósico adj. s.m.
psicossensoriomotor (*ô*) adj.
psicossexual (*cs*) adj.2g.
psicossexualidade (*cs*) s.f.
psicossistemático adj.
psicossocial adj.2g.
psicossociologia s.f.
psicossociológico adj.
psicossociólogo s.m.
psicossoma s.m.
psicossomática s.f.
psicossomático adj.
psicossomatismo s.m.
psicossomatização s.f.
psicostasia s.f.
psicostática s.f.
psicostático adj.
psicostatística s.f.
psicostatístico adj.
psicostimulante adj.2g. s.m.
psicotecnia s.f.
psicotécnica s.f.
psicotécnico adj.
psicoteologia s.f.
psicoteológico adj.
psicoterapeuta s.2g.
psicoterapêutica adj.
psicoterapêutico s.f.
psicoterapia s.f.
psicoterápico adj.
psicótico adj. s.m.
psicotomimético adj.
psicotônico adj.
psicótria s.f.
psicotríea s.f.
psicotrina s.f.
psicotropia s.f.
psicotrópico adj. s.m.
psicotropismo s.m.
psicralgia s.f.
psicrálgico adj.
psicrestesia s.f.
psicrestético adj.
psicroalgia s.f.
psicroálgico adj.
psicroclinia s.f.
psicroclínico adj.
psicroestesia s.f.
psicroestético adj.
psicrofilia s.f.
psicrófilo adj. s.m.
psicrofobia s.f.
psicrofóbico adj.
psicrófobo s.m.
psicrólogo s.m.
psicrolutes s.m.2n.
psicrolutídeo adj. s.m.
psicrometria s.f.
psicrométrico adj.
psicrômetro s.m.
psicrópotes s.m.2n.
psicropotíneo adj. s.m.
psicroterapia s.f.
psicroterápico adj.
psíctico adj.
psicurgia s.f.
psicúrgico adj.
psídio s.m.
psidraciado adj.
psidrácio s.m.
psigmatócero s.m.
psila s.f.
psilacabária s.f.
psilagia s.f.
psilago s.m.
psilanto s.m.
psiláster s.m.
psiléfago s.m.
psileta s.m.
psílida adj.2g. s.m.
psilídeo adj. s.m.
psílio s.m.
psiliodes s.m.2n.
psilismo s.m.
psilista adj. s.2g.
psilito s.m.
psilo adj. s.m.
psilobirsa s.f.
psilóbora s.f.
psilocarpo s.m.
psilócera s.f.
psilócibe s.f.
psilocibina s.f.
psilocífara s.f.
psilófita s.f.
psilofítico adj.
psilófito s.m.
psilogastro s.m.
psilógino s.m.
psilóideo adj. s.m.
psilomêlana s.f.
psilomelânico adj.
psilomelânio s.m.
psilomelanita s.f.
psilomelanite s.f.
psilomelano s.m.
psilomima s.f.
psilônia s.f.
psilope s.m.
psilópilo s.m.
psilópode adj.2g.
psilopogão s.m.
psilopógon s.m.
psilopórnis s.m.2n.
psilópsis s.f.2n.
psilóptero s.m.
psiloquilo s.m.
psilorranfo s.m.
psilorrinco s.m.
psilorrino s.m.
psilose s.f.
psilóspora s.f.
psilostêmone s.m.
psilóstoma s.f.
psilota s.f.
psilotácea s.f.
psilotáceo adj.
psilotal adj.2g.
psilotale s.f.
psilótea s.f.
psilóteo adj.
psiloto s.m.
psilotoxo (*cs*) s.m.
psilótrica s.f.
psilótrix (*cs*) s.f.2n.
psilura s.f.
psiluro s.m.
psimitita s.f.
psique s.f.
psiquê s.f.
psiqueconomia s.f.
psiqueconômico adj.
psiqueconomista s.2g.
psiqueótrefes s.m.2n.
psiquétnica s.f.
psiquétnico adj.

psiqueuterpia s.f.
psiqueutérpico adj.
psiquialgia s.f.
psiquiálgico adj.
psiquiálise s.f.
psiquiálisis s.f.2n.
psiquiatra s.2g.
psiquiatria s.f.
psiquiátrico adj.
psiquiatrista adj. s.2g.
psiquiatro s.m.
psíquico adj.
psíquida adj.2g. s.m.
psiquídeo adj. s.m.
psiquínea s.f.
psiquíneo adj.
psiquismo s.m.
psit interj.
psítaca s.f.
psitacanto s.m.
psitácara s.f.
psitácea s.f.
psitacela s.f.
psitáceo adj. s.m.
psitácida adj.2g. s.m.
psitacídeo adj. s.m.
psitaciforme adj.2g. s.m.
psitacínea s.f.
psitacinita s.f.
psitacismo s.m.
psitacista adj.2g.
psítaco s.m.
psitacofulvina s.f.
psitacomorfo adj.
psitacose s.f.
psitacósico adj.
psitacótico adj.
psitácula s.f.
psitáculo s.m.
psitênteles s.m.2n.
psítia s.f.
psitino s.m.
psítio s.m.
psítira s.f.
psítiro s.m.
psitospiza s.m.
psiu s.m. interj.
psoa (*ô*) s.f.
psoas (*ô*) s.2g.2n.
psoasilíaco adj. s.m.
psocídeo adj. s.m.
psócido s.m.
psoco s.m.
psocomorfo s.m.
psocóptero adj. s.m.
psocopteroide (*ó*) adj.2g. s.m.
psodidimia s.f.
psodidímico adj.
psodídimo s.m.
psodimia s.f.
psodímico adj.
psódimo s.m.
psófia s.f.
psófida adj.2g. s.m.
psofídeo adj. s.m.
psofiida adj.2g. s.m.
psofiídea s.f.
psofiídeo adj. s.m.
psofo s.m.
psofocarpo s.m.
psofometria s.f.
psofométrico adj.
psofômetro s.m.
psoíte s.f.
psolíneo s.m.
psolo s.m.
psomofagia s.f.
psomofágico adj.
psora s.f.
psorálea s.f.
psoraleína s.f.
psorelcose s.f.
psorelcósico adj.
psorelitria s.f.
psorelítrico adj.
psorenteria s.f.
psorentérico adj.
psoríaco adj.
psoríase s.f.
psórico adj.
psoricóptera s.f.
psoriforme adj.2g.
psoroftalmia s.f.
psoroftálmico adj.
psoropta s.m.
psoroptes s.m.2n.
psoróptico adj.
psorosa s.f.
psorospérmia s.f.
psorospérmico adj.
psorospermo s.m.
psorospermose s.f.
psorospermósico adj.
psorótico adj.
psorotríquia s.f.
ptármica s.f.
ptármico adj.
ptármiga s.f.
ptélea s.f.
pteleácea s.f.
pteleáceo adj.
pteleia (*é*) s.f.
pteleíleo s.m.
pteleófago adj. s.m.
pteleopse s.f.
ptelídio s.m.
ptena s.f.
ptenídeo s.m.
ptênio s.m.
ptenoglosso adj. s.m.
ptênopo s.m.
ptenópode s.m.
pteracanta s.f.
pteracanto s.m.
pteraclíneo adj. s.m.
pteráclis s.f.2n.
pteragogo (*ô*) s.m.
pterália s.f.
pteralópece s.f.
pteralópex (*cs*) s.f.2n.
pterandra s.f.
pteranodonte s.m.
pteranodontídeo adj. s.m.
pterântea s.f.
pteranto s.m.
pteráster s.m.
pterasterídeo adj. s.m.
pterasteríneo adj. s.m.
ptere s.f.
pterela s.f.
pterérgato s.m.
pterial s.m.
ptérico adj.
ptericoco adj.
ptericopto s.m.
ptericoptomimo s.m.
ptérictia s.f.
pteridante s.m.
ptéride s.f.
pterídia s.f.
pteridina s.f.
pterídio s.m.
pteridismo s.m.
pteridófita s.f.
pteridofítico adj.
pteridófito adj. s.m.
pteridóforo s.m.
pteridografia s.f.
pteridográfico adj.
pteridógrafo s.m.
pteridologia s.f.
pteridológico adj.
pteridologista s.2g.
pteridólogo s.m.
pteridosperma s.f.
pteridospérmea s.f.
pteridospérmico adj.
pteridospermo s.m.
pteridoterófita s.f.
pterígeno adj.
pterigiano adj. s.m.
pterígina s.f.
pteriginandro s.m.
pterígino adj.
pterígio s.m.
pterigódio s.m.
pterigoestafilino adj. s.m.
pterigofaríngeo adj.
pterigofilo s.m.
pterigoflíctis s.m.2n.
pterigogêneo adj. s.m.
pterigógeno adj. s.m.
pterigografia s.f.
pterigográfico adj.
pterigógrafo s.m.
pterigoide (*ó*) adj.2g.
pterigoideia (*é*) adj. s.f. de *pterigoideu*
pterigóideo adj. s.m.
pterigoideu adj. s.m.; f. *pterigoideia* (*é*)
pterigoma s.m.
pterigomandibular adj.2g.
pterigomaxilar (*cs*) adj.2g.
pterigopalatino adj.
pterigopódio s.m.
pterigospermo adj.
pterigostafilino adj. s.m.
pterigota s.f.
pterigoto adj. s.m.
pterigrafia s.f.
pterigráfico adj.
pterígrafo s.m.
ptérila s.f.
ptérilo s.m.
pterilografia s.f.
pterilográfico adj.
pterilose s.f.
pterinóxilo (*cs*) s.m.
ptério s.m.
ptérion s.m.
ptéris s.f.2n.
pterisanto s.m.
pteritânico adj.
pternalgia s.f.
pternálgico adj.
pternistes s.m.2n.
pternoíla s.f.
pterobosca s.f.
pterobrânquio adj. s.m.
pterobriácea s.f.
pterobriáceo adj.
pterocacto s.m.
pterocária s.f.
pterocarpina s.f.
pterocarpino adj.
pterocarpo adj. s.m.
pterocaule adj.2g.
pterocéfalo s.m.
pterócera s.f.
pteroceriano adj. s.m.
pterocilo s.m.
pteróclado s.m.
ptérocle s.f.
pteroclídeo adj. s.m.
pteroclidiforme s.f.
pterocloro s.m.
pterocluro s.m.
pterocodonte s.m.
pterocormo s.m.
pterocroza s.f.
pteróctopo s.m.
pteroctópode s.m.
pterodactilia s.f.
pterodactílico adj.
pterodactilídio s.m.
pterodáctilo adj. s.m.
pterodatilia s.f.
pterodatílico adj.
pterodátilo adj. s.m.
pterodectes s.m.2n.
pteródina s.f.
pterodinídeo adj. s.m.
pterodisco s.m.
pterodófita s.f.
pterodofítico adj.
pterodófito s.m.
pterodonte s.m.
pteroessa s.f.
pterofagia s.f.
pterofágico adj.
pterófago adj. s.m.
pterófanes s.f.2n.
pterofilo s.m.
pteroforídeo adj. s.m.
pteróforo adj. s.m.
pterogastra s.f.
pterógina s.m.f.
pterogínio s.m.
pteroglossa s.f.
pteroglosso s.m.
pterogônio s.m.
pterógono adj.
pteroide (*ó*) adj.2g. s.f.
pteróideo adj.
ptérois s.m.2n.
pterolébia s.f.
pterólepe s.f.
pterolépide s.f.
pterólico s.m.
pterólito s.m.
pterolóbio s.m.
pterolonque s.f.
pteroma s.m.
pteromálida adj.2g. s.m.
pteromalídeo adj. s.m.
pterômalo s.m.
pteromedusa adj.2g. s.f.
pteromedúseo adj.
pteromiídeo adj. s.m.
pterômio s.m.
ptêromis s.m.2n.
pteronela s.f.
pteronema s.m.
pteronemíneo adj. s.m.
pteroneta (*ê*) s.f.
pteroneuro s.m.
pterônia s.f.
pteronídea s.f.
pteronisso s.m.
pterópates s.m.2n.
pteropego s.m.
pteropídeo adj. s.m.
pteropíneo adj. s.m.
pteroplátea s.f.
pteroplateídeo adj. s.m.
ptéropo adj. s.m.
pterópode adj.2g. s.m.
pteropodídeo adj. s.m.
pterópodo adj. s.m.
pteropodocis s.m.2n.
pterópsida adj.2g. s.m.
pteropsídeo adj. s.m.
pteroptíneo adj. s.m.
pteroptoco s.m.
pteroptoquídea s.f.
pteroptoquídeo adj. s.m.
pteroquilo s.m.
pteroscirtes s.m.2n.
pterosparto s.m.
pterospermo adj. s.m.
pteróspor o s.m.
pterossáurio s.m.
pterossauro s.m.
pterostégia s.f.
pterostelma s.m.
pterostemo s.m.
pterostemonóidea s.f.
pteróstico s.m.
pterostigma s.m.
pterostilidina s.f.
pterostilo adj. s.m.
pterostíquio s.m.
pterostírace s.m.
pterostíraco s.m.
pteróstirax (*cs*) s.m.2n.
pteróstoma s.f.
pteroteca s.f.
pterotecídeo adj. s.m.
pterotmeto s.m.
pterotráquea s.f.
pterotraqueída adj.2g. s.m.
pterotraqueídeo adj. s.m.
pteroxílea (*cs*) s.f.
pteróxilo (*cs*) s.m.
ptérula s.f.
ptesiofobia s.f.
ptesiofóbico adj.
ptesiófobo adj. s.m.
ptialagogo (*ô*) adj. s.m.
ptialíase s.f.
ptialina s.f.
ptialismo s.m.
ptiálito s.m.
ptialocele s.f.
ptialolita s.f.
ptialolitíase s.f.
ptialose s.f.
pticatracto s.m.
pticaudro s.m.
pticobótrio s.m.
pticocarpo s.m.
pticocéfalo s.m.
pticodactiário adj. s.m.
pticodera s.f.
pticogáster s.m.
pticogastro s.m.
pticógena s.f.
pticoméria s.f.
pticomitriácea s.f.
pticomitriáceo adj.
pticomitríea s.f.
pticomítrio s.m.
pticomniácea s.f.
pticomniáceo adj.
pticopétalo s.m.
pticoplêurida adj.2g. s.m.
pticopleurídeo adj. s.m.
pticópoda s.f.
pticoptigma s.m.
pticoptigmático adj.
pticosperma s.m.
pticospermo s.m.
pticostomíneo s.m.
pticóstomo s.m.
pticote s.f.
pticozóon s.m.
ptigmaturo adj.
ptilantura s.f.
ptilídio s.m.
ptilidióidea s.f.
ptilino s.m.
ptilinorrinquídeo adj. s.m.
ptílio s.m.
ptilobactilídeo adj. s.m.
ptilocerco s.m.
ptiloclorínea s.f.
ptilocloro s.m.
ptilofilo s.m.
ptilóforo adj.
ptilolita s.f.
ptilolite s.f.
ptilólito s.m.
ptilomania s.f.
ptilomaníaco adj. s.m.
ptilômano s.m.
ptilômero s.m.
ptilomissa s.f.
ptilomisso s.m.
ptilonorrinco s.m.
ptilonorrinquídeo adj. s.m.
ptilópaco s.m.
ptilópedo adj. s.m.
ptilopiga s.m.
ptilopo s.m.
ptilópode adj.2g. s.m.
ptilóris s.m.2n.
ptilóscelis s.m.2n.
ptilosclera s.f.
ptilose s.f.
ptilossarco s.m.
ptilota s.f.
ptilótis s.m.2n.
ptiloto s.m.
ptina s.m.
ptinela s.f.
ptinídeo adj. s.m.
ptino s.m.
ptinode s.m.
ptinomorfo s.m.
ptiócrina adj.
ptiodáctilo s.m.
ptiríase s.f.
ptiro s.m.
ptismagogo adj. s.m.
ptistes s.m.2n.
ptocóptera s.f.
ptocotrófio s.m.
ptoêmbaro adj. s.m.
ptoênfana adj. s.2g.
ptoênfano adj. s.m.
ptolemaico adj.
ptolemaida adj.2g.
ptolemaidense adj. s.2g.
ptolemaíta adj. s.2g.
ptolemense adj. s.2g.
ptolomaico adj.
ptomáfago s.m.
ptomaína s.f.
ptomatrópico adj.
ptomatropismo s.m.
ptomofagia s.f.
ptomofágico adj.
ptomófago s.m.

ptoquenusa s.f.
ptose s.f.
ptoseonomia s.f.
ptoseonômico adj.
ptósima s.f.
ptótico adj.
pu s.m.
pua s.f. "ponta aguda de um objeto", etc.; cf. *puá* e *puã*
puá s.m. "planta"; cf. *pua* e *puã*
puã s.f. "pinça de crustáceo"; cf. *pua* e *puá*
puaço s.m. "golpe com pua"; cf. *puaçu*
puaçu s.m. "tecido de algodão"; cf. *puaço*
puada s.f.
puado s.m.
puaia adj.2g.
puanense adj. s.2g.
puar v.
puava adj. s.2g.
puãzense adj. s.2g.
puba adj.2g. s.m.f.
pubar v.
pube s.2g.
pubeiro adj.
pubente adj.2g.
puberal adj.2g.
puberdade s.f.
púbere adj.2g.
pubertário adj.
puberulento adj.
pubérulo adj.
pubescência s.f.
pubescente adj.2g.
pubescer v. s.m.
pubiano adj.
púbico adj.
pubicórneo adj.
pubiesternal adj.2g.
pubifloro adj.
pubígero adj.
pubilária s.f.
pubiocavernoso (*ô*) adj.; f. (*ó*); pl. (*ó*)
pubiococcígeo adj.
pubiofemoral adj.2g.
pubioprostático adj.
pubiosternal adj.2g.
pubiotomia s.f.
pubiotômico adj.
pubiovesical adj.2g.
púbis s.m.2n.
pubisternal adj.2g.
pubitomia s.f.
pubitômico adj.
pubiumbilical adj.2g.
pubiuretral adj.2g.
pública s.f.
publicabilidade s.f.
publicação s.f.
publicado adj.
publicador (*ô*) adj. s.m.
pública-forma s.f.; pl. *públicas-formas*
publicano adj. s.m.
publicar v.
publicável adj.2g.
publicidade s.f.
publício adj.
publicismo s.m.
publicista adj. s.2g.
publicística s.f.
publicístico adj.
publicitário adj. s.m.
publicitês adj. s.m.
público adj. s.m.; cf. *publico*, fl. do v. *publicar*
público-alvo s.m.; pl. *públicos-alvo*
publícola adj. s.2g.
publimetria s.f.
publimétrico adj.
pubo adj.
pubofemoral adj.2g.
puboisquiorretal adj.2g.
pubotibial adj.2g.
puboumbilical adj.2g.
puça s.2g. "português que vive no Brasil"; cf. *puçá*
puçá s.f. "rede em forma cônica"; cf. *puça*
puçá-coca s.f.; pl. *puçás-coca* e *puçás-cocas*
pucaçu s.m.
puça-do-mato s.f.; pl. *puçás-do-mato*
puçaense adj. s.2g.
puçaguá s.m.
pucalpense adj. s.2g.
puçanga s.f.
puçanguara s.m.
puçá-poca s.f.; pl. *puçás-poca* e *puçás-pocas*
púcara s.f.
pucarada s.f.
puçareba s.m.
pucareiro adj. s.m.
pucarim s.m.
pucarinha s.f.
pucarinho s.m.
púcaro s.m.
pucateína s.f.
puçazeiro s.m.
puccínea s.f.
puccinélia s.f.
puccíneo adj.
pucciniácea s.f.
pucciniáceo adj.
pucciniano adj.
pucciniastro s.m.
pucciníea s.f.
puceiro s.m. "cesto de vime"; cf. *poceiro* e *posseiro*
pucela s.f.
pucelagem s.f.
púcero s.m.
puchanci s.m.
púchara s.f.
púcharo s.m.
pucheiro s.m.
pucherita s.f.
puchero s.m.
puchkínia s.f.
puchkinita s.f.
puchkinite s.f.
pucho s.m. "planta"; cf. *puxo* s.m. e fl. do v. *puxar*
puchom adj. s.m.
pucino adj. s.m.
puco s.m. "rato do campo"; cf. *puço*
puço s.m. "instrumento de pesca"; cf. *puco*
pucobié-gavião adj. s.2g.; pl. *pucobiés-gaviões*
puco-puco s.m.; pl. *puco-pucos*
pucrásia s.f.
puctó adj.2g. s.m.
puctu adj.2g. s.m.
pucu s.m.
puçuca adj. s.2g.
pucumã s.2g.
puçuqueador (*ô*) adj. s.m.
puçuquear v.
pucuri s.m.
pucuri-silvestre s.m.; pl. *pucuris-silvestres*
pudelagem s.f.
pudendagra s.f.
pudendágrico adj.
pudendo adj.; cf. *podendo*, fl. do v. *poder*
pudente adj.2g.
pudera interj.
pudevém s.m.
pudiano s.m.
pudibundaria s.f.
pudibundice s.f.
pudibundo adj.
pudicícia s.f.
pudico adj.
pudim s.m.
pudingue s.m.
pudivão s.m.
pudlado adj.
pudlador (*ô*) s.m.
pudlagem s.f.
pudlar v.
pudo s.m.
pudor (*ô*) s.m.
pudorino adj.
pudoroso (*ô*) adj.; f. (*ó*); pl. (*ó*)
pudu s.m.
pudvém s.m.
puela s.f.
puelar adj.2g.
puelche adj. s.2g.
puélia s.f.
puera (*ê*) s.f.
puerária s.f.
puerice s.f.
puerícia s.f.
puericida s.2g.
puericultor (*ô*) s.m.
puericultura s.f.
puericultural adj.2g.
pueril adj.2g.
puerilidade s.f.
puerilismo s.m.
puerilizar v.
puérpera s.f.
puerperal adj.2g.
puerperalidade s.f.
puerperalismo s.m.
puerpério s.m.
puérpero adj.
puérulo s.m.
puetana adj. s.2g.
puf interj.
pufahlita s.f.
pufe s.m.
pufínida adj.2g. s.m.
pufinídea s.f.
pufinídeo adj. s.m.
pufinínea s.f.
pufino s.m.
pufismo s.m.
pufista adj. s.2g.
puflerita s.f.
puflerite s.f.
pufo s.m.
pugécia s.f.
púgil adj. s.2g.
pugilador (*ô*) s.m.
pugilar v. s.m.
pugilático adj.
pugilativo adj.
pugilato s.m.
pugilimétrico adj.
pugilímetro s.m.
pugilismo s.m.
pugilista adj. s.2g.
pugilístico adj.
pugilo s.m.
pugilométrico adj.
pugilômetro s.m.
pugna s.f.
pugnace adj.2g.
pugnacidade s.f.
pugnacíssimo adj. sup. de *pugnaz*
pugnador (*ô*) adj. s.m.
pugnante adj.2g.
pugnar v.
pugnável adj.2g.
pugnaz adj.2g.
puguense adj. s.2g.
puh interj.
puia s.f.
puiapaia adj. s.2g.
puicobeje adj. s.2g.
puideira s.f.
puído adj.
puidoiro s.m.
puidor (*ô*) adj.
puidouro s.m.
puinave adj. s.2g.
puir v.
puiraçuense adj. s.2g.
puíta s.f.
puitar v.
puitena adj. s.2g.
pujacá adj. s.2g.
pujança s.f.
pujante adj.2g.
pujar v.
pujixá adj. s.2g.
pul s.m.
pula s.f. "aposta em jogo"; cf. *pulá*
pulá s.2g. "indivíduo de casta superior na Índia"; cf. *pula* s.f. e fl. do v. *pular*
pulação s.f.
pulada s.f.
puladela s.f.
puladinho s.m.
pulado adj.
pulador (*ô*) adj.
puladorense adj. s.2g.
pulante adj.2g.
pulão s.m.; f. *pulona*
pula-pula s.f.; pl. *pulas-pula* e *pulas-pulas*
pular v.
pulário s.m.
pula-sela s.m.; pl. *pula-selas*
pulasquita s.f.
pulasquite s.f.
pula-ventana s.m.; pl. *pula-ventanas*
pulcrícomo adj.
pulcritude s.f.
pulcro adj.
pule s.f.
pulear v. "pular"; cf. *polear*
puleato s.m.
pulegol s.m.
pulegona s.f.
pulênia s.f.
pulenona s.f.
púlex (*cs*) s.m.2n.
pulga s.f.
pulga-comum s.f.; pl. *pulgas-comuns*
pulga-d'água s.f.; pl. *pulgas-d'água*
pulga-d'anta s.f.; pl. *pulgas-d'anta*
pulga-da-areia s.f.; pl. *pulgas-da-areia*
pulga-da-couve s.f.; pl. *pulgas-da-couve*
pulga-da-macieira s.f.; pl. *pulgas-da-macieira*
pulga-da-praia s.f.; pl. *pulgas-da-praia*
pulga-da-terra s.f.; pl. *pulgas-da-terra*
pulga-de-água s.f.; pl. *pulgas-de-água*
pulga-de-anta s.f.; pl. *pulgas-de-anta*
pulga-de-areia s.f.; pl. *pulgas-de-areia*
pulga-de-bicho s.f.; pl. *pulgas-de-bicho*
pulga-de-galinha s.f.; pl. *pulgas-de-galinha*
pulga-do-fumo s.f.; pl. *pulgas-do-fumo*
pulga-do-homem s.f.; pl. *pulgas-do-homem*
pulga-do-mar s.f.; pl. *pulgas-do-mar*
pulga-do-porco s.f.; pl. *pulgas-do-porco*
pulga-do-rato s.f.; pl. *pulgas-do-rato*
pulgão s.m.
pulgão-branco s.m.; pl. *pulgões-brancos*
pulgão-carmim s.m.; pl. *pulgões-carmim*
pulgão-da-aveia s.m.; pl. *pulgões-da-aveia*
pulgão-da-cera s.m.; pl. *pulgões-da-cera*
pulgão-da-couve s.m.; pl. *pulgões-da-couve*
pulgão-da-laranjeira s.m.; pl. *pulgões-da-laranjeira*
pulgão-da-roseira s.m.; pl. *pulgões-da-roseira*
pulgão-da-vinha s.m.; pl. *pulgões-da-vinha*
pulgão-de-planta s.m.; pl. *pulgões-de-planta*
pulgão-do-algodoeiro s.m.; pl. *pulgões-do-algodoeiro*
pulgão-do-trigo s.m.; pl. *pulgões-do-trigo*
pulgão-lanígero s.m.; pl. *pulgões-lanígeros*
pulgão-lanígero-da-macieira s.m.; pl. *pulgões-lanígeros-da-macieira*
pulgão-verde s.m.; pl. *pulgões-verdes*
pulgão-verde-das-gramíneas s.m.; pl. *pulgões-verdes-das-gramíneas*
pulgão-verde-dos-cereais s.m.; pl. *pulgões-verdes-dos-cereais*
pulgão-verde-do-trigo s.m.; pl. *pulgões-verdes-do-trigo*
pulgão-vermelho s.m.; pl. *pulgões-vermelhos*
pulgão-vermelho-da-macieira s.m.; pl. *pulgões-vermelhos-da-macieira*
pulga-penetrante s.f.; pl. *pulgas-penetrantes*
pulgo s.m.
pulgoso (*ô*) adj.; f. (*ó*); pl. (*ó*)
pulguedo (*ê*) s.m.
pulgueiro s.m.
pulguento adj.
pulha adj. s.2g. s.f.
pulhador (*ô*) adj. s.m.
pulhar v.
pulhastra s.2g.
pulhastrão s.m.
pulhastro s.m.
pulheiro s.m.
pulhento adj.
pulhice s.f.
pulhismo s.m.
pulhista adj. s.2g.
pulhote adj. s.m.
puliato s.m.
pulicar v.
pulicária s.f.; cf. *pulicaria*, fl. do v. *pulicar*
púlice s.m.
pulicida adj.2g. s.m.
pulicídeo adj. s.m.
pulicíneo adj. s.m.
pulim s.m.
pulinária s.f.
pulinhar v.
pulitrica s.f.
puliz s.m.
pulmão s.m. "órgão respiratório"; cf. *polmão*
pulmobrânquio adj. s.m.
pulmoeira s.f.
pulmômetro s.m.
pulmonado adj. s.m.
pulmonal adj.2g.
pulmonar adj.2g.
pulmonária s.f.
pulmonária-das-árvores s.f.; pl. *pulmonárias-das-árvores*
pulmonária-das-boticas s.f.; pl. *pulmonárias-das-boticas*
pulmonária-de-carvalho s.f.; pl. *pulmonárias-de-carvalho*
pulmonia s.f.
pulmonífero adj.
pulmoniforme adj.2g.
pulmonite s.f.
pulmotor (*ô*) s.m.
pulmotuberculose s.f.
pulo s.m. "ação de pular"; cf. *puló*
puló adj. s.m. "tipo de arroz"; cf. *pulo* s.m. e fl. do v. *pular*
pulo do gato s.m.
pulo do macaco s.m.
pulo do nove s.m.
pulona s.f. de *pulão*
pulorose s.f.
pulorótico adj.
pulôver s.m.
pulpar adj.2g.
pulpectomia s.f.
pulpectômico adj.
pulpeiro s.m.

pulperia s.f.
pulpite s.f.
pulpítico adj.
púlpito s.m.
pulposo (*ô*) adj.; f. (*ó*); pl. (*ó*)
pulpotomia s.f.
pulpotômico adj.
pulque s.m.
pulquerita s.f.
pulquerite s.f.
pulquérrimo adj. sup. de *pulcro*
pulsação s.f.
pulsado adj.
pulsador (*ô*) adj.
pulsante adj.2g.
pulsão s.m.
pulsar v. s.m.
pulsátil adj.2g.
pulsatila s.f.
pulsativo adj.
pulsatório adj.
pulsável adj.2g.
pulseado adj.
pulsear v.
pulseira s.f.
pulseira-relógio s.f.; pl. *pulseiras-relógio* e *pulseiras--relógios*
pulseterapia s.f.
pulsimétrico adj.
pulsímetro s.m.
pulso s.m.
pulsógrafo s.m.
pulsojacto s.m.
pulsojato s.m.
pulsométrico adj.
pulsômetro s.m.
pulsorreator (*ô*) s.m.
pulsota s.f.
pultação s.f.
pultáceo adj.
puluaga s.f.
puluar s.m.
puluense adj. s.2g.
pululabilidade s.f.
pululação s.f.
pululamento s.m.
pululância s.f.
pululante adj.2g.
pulular v.
pululável adj.2g.
pulunga s.f.
pulvâmico adj.
pulvato s.m.
pulveráceo adj.
pulverento adj.
pulvéreo adj.
pulverescência s.f.
pulverífero adj. s.m.
pulveriforme adj.2g.
pulverimetria s.f.
pulverimétrico adj.
pulverímetro s.m.
pulverina s.f.
pulverização s.f.
pulverizado adj.
pulverizador (*ô*) adj. s.m.
pulverizante adj.2g.
pulverizar v.
pulverizável adj.2g.
pulveroso (*ô*) adj.; f. (*ó*); pl. (*ó*)
pulverulência s.f.
pulverulento adj.
pulveruloso (*ô*) adj.; f. (*ó*); pl. (*ó*)
púlvico adj.
pulvífero adj.
pulvilo s.m.
pulvimétrico adj.
pulvímetro s.m.
pulvinado adj.
pulvinar s.m.
pulvinária s.f.
pulvinato s.m.
pulvinela s.f.
pulvínico adj.
pulviniforme adj.2g.
pulvino s.m.
pulvínula s.f.
pulvinular adj.2g.
pulvinulina s.f.
pulvínulo s.m.
pulvipluma s.f.
pulviscópio s.m.
pulviscular adj.2g.
pulvísculo s.m.
pulvorosa s.f.
pulvoroso (*ô*) adj.; f. (*ó*); pl. (*ó*)
pulvurento adj.
pum s.m. interj.
puma s.m.
pumacaá adj. s.2g.
pumari adj. s.2g.
pumba interj.
pumbaúba s.f.
púmice s.m.
pumicita s.f.
pumpellyita s.f.
pumpro s.m.
pumumo s.m.
puna s.f. "planalto andino"; cf. *punã*
punã s.f. "árvore"; cf. *puna*
puna-bastarda s.f.; pl. *punas--bastardas*
punaca s.f.
punalita s.f.
puna-macha s.f.; pl. *punas--machas*
punaré adj.2g. s.m.
punaru s.m.
puna-vermelha s.f.; pl. *punas--vermelhas*
punção s.m.f.
punçar v.
puncejar v.
punceta (*ê*) s.f.
puncheira s.f.
puncionagem s.f.
puncionar v.
puncionista adj. s.2g.
puncionístico adj.
punçoar v.
punçonadeira s.f.
puncta s.f.
punctação s.f.
punctado adj.
punctador (*ô*) adj.
punctante adj.2g.
punctária s.f.
punctariácea s.f.
punctariáceo adj.
punctarial adj.2g.
punctariale s.f.
punctável adj.2g.
puncticular adj.2g.
punctiforme adj.2g.
punctilhismo s.m.
punctilhista adj. s.2g.
punctilhístico adj.
punctilioso (*ô*) adj.; f. (*ó*); pl. (*ó*)
punctual adj.2g.
punctura s.f.
puncturela s.f.
pundé s.f.
pundonor (*ô*) s.m.
pundonoramento s.m.
pundonoroso (*ô*) adj.; f. (*ó*); pl. (*ó*)
punense adj. s.2g.
punga adj. s.2g. s.f.
pungência s.f.
pungente adj.2g.
pungibarba s.m.
pungido adj.
pungidor (*ô*) adj. s.m.
pungimento s.m.
pungir v.
pungitivo adj.
pungível adj.2g.
pungue s.m.
punguear v.
punguismo s.m.
punguista adj. s.2g.
punhada s.f.
punhado s.m.
punhal s.m.
punhalada s.f.
punhal-baioneta s.m.; pl. *punhais-baioneta* e *punhais--baionetas*
punhão s.m.
punheta (*ê*) s.f.
punheta de estudante s.f.
punhete (*ê*) s.m.
punheteiro adj. s.m.
punho s.m.
punho-punhete s.m.; pl. *punhos-punhete* e *punhos--punhetes*
punho-real s.m.; pl. *punhos--reais*
punibilidade s.f.
púnica s.f.
punicácea s.f.
punicáceo adj.
punição s.f.
punícea s.f.
punicear v.
puníceo adj.
punicial adj.2g.
punicina s.f.
púnico adj. s.m.
punida s.f.
punido adj.
punidor (*ô*) adj. s.m.
punilha s.f.
punir v.
punitivo adj.
punível adj.2g.
punja s.2g.
punjabi adj.2g. s.m.
puno-grego adj.; pl. *puno--gregos*
puno-hispânico adj.; pl. *puno-hispânicos*
puno-romano adj.; pl. *puno--romanos*
punra s.f.
puntação s.f.
puntado adj.
puntador (*ô*) adj.
puntante adj.2g.
puntar v.
puntarura s.f.
puntável adj.2g.
punticular adj.2g.
puntiforme adj.2g.
puntilha s.f.
puntilhaço s.m.
puntilhismo s.m.
puntilhista adj. s.2g.
puntilhístico adj.
puntilioso (*ô*) adj.; f. (*ó*); pl. (*ó*)
puntilismo s.m.
puntilista adj. s.2g.
puntilístico adj.
puntinhoso (*ô*) adj.; f. (*ó*); pl. (*ó*)
punto s.m.
puntual adj.2g.
puntura s.f.
punu s.m.
punxirão s.m.
pupa s.f.
pupação s.f.
pupado adj.
pupador (*ô*) adj.
pupal adj.2g.
pupália s.f.
pupante adj.2g.
pupar v.
pupário s.m.
pupável adj.2g.
pupia s.f.
pupídeo adj. s.m.
pupila s.f.
pupilado adj. s.m.
pupilagem s.f.
pupilar v. adj.2g.
pupilaridade s.f.
pupilo s.m.
pupilometria s.f.
pupilométrico adj.
pupilômetro s.m.
pupiloscopia s.f.
pupiloscópico adj.
pupina s.f.
pupiníneo adj. s.m.
pupinização s.f.
pupinizado adj.
pupinizar v.
pupíparo adj. s.m.
pupívoro adj.
pupu s.m.
pupunha s.f.
pupunha-brava s.f.; pl. *pupunhas-bravas*
pupunha-de-jacu s.f.; pl. *pupunhas-de-jacu*
pupunha-de-porco s.f.; pl. *pupunhas-de-porco*
pupunha-piranga s.f.; pl. *pupunhas-piranga* e *pupunhas--pirangas*
pupunha-pitanga s.f.; pl. *pupunhas-pitanga* e *pupunhas--pitangas*
pupunharana s.f.
pupunha-verde-amarela s.f.; pl. *pupunhas-verde-amarelas*
pupunheira s.f.
pupunheiro s.m.
puquerita s.f.
puquerite s.f.
pura s.f.
púraca s.f.
puracé s.2g.
puraci-iara s.m.; pl. *puracis-iara*
puracliara s.m.
purágua s.f.
pural s.m.
puranã s.f.
puranas s.f.pl.
puranássana s.m.
puranégaton s.m.
puranegatônio s.m.
puranga adj.2g.
purangaba s.f.
purânico adj.
purapósiton s.m.
purapositônio s.m.
puraquê s.m.
puraquecaá s.f.
purássana s.m.
puravá s.f.
purabeckiano adj. s.m.
purê s.m.
puré s.m.
purecamecra s.2g.
pureia s.f.
purenumá adj. s.2g.
pureu adj. s.2g.
pureza (*ê*) s.f.
purezense adj. s.2g.
purga s.f.
purgabote s.m.
purgação s.f.
purga-de-amaro-leite s.f.; pl. *purgas-de-amaro-leite*
purga-de-caboclo s.f.; pl. *purgas-de-caboclo*
purga-de-caiapó s.f.; pl. *purgas-de-caiapó*
purga-de-caiapó-de-são--paulo s.f.; pl. *purgas-de--caiapó-de-são-paulo*
purga-de-caitité s.f.; pl. *purgas-de-caitité*
purga-de-carijó s.f.; pl. *purgas-de-carijó*
purga-de-cavalo s.f.; pl. *purgas-de-cavalo*
purga-de-cereja s.f.; pl. *purgas-de-cereja*
purga-de-gentio s.f.; pl. *purgas-de-gentio*
purga-de-joão-pais s.f.; pl. *purgas-de-joão-pais*
purga-de-marinheiro s.f.; pl. *purgas-de-marinheiro*
purga-de-nabiça s.f.; pl. *purgas-de-nabiça*
purga-de-pastor s.f.; pl. *purgas-de-pastor*
purga-de-paulista s.f.; pl. *purgas-de-paulista*
purga-de-quatro-patacas s.f.; pl. *purgas-de-quatro--patacas*
purga-de-veado s.f.; pl. *purgas-de-veado*
purga-de-vento s.f.; pl. *purgas-de-vento*
purgado adj.
purga-do-campo s.f.; pl. *purgas-do-campo*
purga-do-pastor s.f.; pl. *purgas-do-pastor*
purgador (*ô*) s.m.
purga-dos-paulistas s.f.; pl. *purgas-dos-paulistas*
purgaminho s.m.
purgante adj.2g. s.m.
purgantear v.
purga-preta s.f.; pl. *purgas--pretas*
purgar v.
purgatina s.f.
purgativa s.f.
purgativo adj. s.m.
purgatol s.m.
purgatório adj. s.m.
purgável adj.2g.
purgueira s.f.
puri adj. s.2g. s.m.
púrico adj.
puridade s.f.
purificabilidade s.f.
purificação s.f.
purificado adj.
purificador (*ô*) adj. s.m.
purificante adj.2g.
purificar v.
purificativo adj.
purificatório adj.
purificável adj.2g.
puriforme adj.2g.
purilandense adj. s.2g.
purilandiense adj. s.2g.
purim s.m.
purina s.f.
purinérgico adj.
purinha s.f.
purínico adj.
purismo s.m.
purista adj. s.2g.
purístico adj.
puritanismo s.m.
puritanista adj. s.2g.
puritanístico adj.
puritano adj. s.m.
purnássana s.m.
puro adj.
puromicina s.f.
puromicínico adj.
purona s.f.
puro-negro s.m.; pl. *puros-negros*
puropuru adj. s.2g.
puro-sangue adj. s.2g.; pl. *puros-sangues*
púrpura s.f.; cf. *purpura*, fl. do v. *purpurar*
purpurado adj. s.m.
purpural adj.2g.
purpurâmico adj.
purpuramida s.f.
purpurante adj.2g.
purpurar v.
purpúrase s.f.
purpurato s.m.
purpureado adj.
purpureante adj.2g.
purpurear v.
purpureína s.f.
purpurejado adj.
purpurejante adj.2g.
purpurejar v.
purpurela s.f.
purpúreo adj.
purpuriceno s.m.
purpúrico adj.
purpurídeo adj. s.m.
purpurífero adj.
purpurígeno adj.
purpurina s.f.
purpurino adj.
purpurita s.f.
purpurite s.f.
purpurizar v.
púrpuro adj.; cf. *purpuro*, fl. do v. *purpurar*
purpurogalhina s.f.

purpurolcina s.f.
purpuroxantina (*cs*) s.f.
purreico (*é*) adj.
púrria s.f.
purrinhém s.m.
púrrio adj.
purrona s.f.
purrutum s.m.
pursariano adj. s.m.
pursianina s.f.
purtussariácea s.f.
purtussariáceo adj.
puruborá adj. s.2g.
puruca s.f.
purucoto adj. s.2g.
puruí s.m.
puruí-da-costa s.m.; pl. *puruís-da-costa*
puruí-grande s.m.; pl. *puruís-grandes*
puruí-grande-da-mata s.m.; pl. *puruís-grandes-da-mata*
puruí-pequeno s.m.; pl. *puruís-pequenos*
puruizinho s.m.
purulência s.f.
purulento adj.
puruma s.f.
purumá s.f.
purumã s.f.
puruma-da-guina s.f.; pl. *purumas-da-guina*
purunga s.f.
purungo s.m.
purunguinha s.f.
purupaqui s.m.
purupuru adj. s.2g. s.m.
pururu s.m.
pururuca adj. s.2g. s.f.
puruuara s.f.
pus s.m.
pus-catrapus interj.
puseísmo s.m.
puseísta adj. s.2g.
puseístico adj.
pusilânime adj. s.2g.
pusilanimidade s.f.
pusilânimo adj. s.m.
pusionela s.f.
pústula s.f.
pustulação s.f.
pustulado adj. s.m. "coberto de pústulas"; cf. *postulado*
pustulento adj. s.m.
pustuloso (*ô*) adj.; f. (*ó*); pl. (*ó*)
puta s.f.
putada s.f.
putal s.m.
putâmen s.m.
putanato s.m.
putanheiro adj. s.m.
puta-pobre s.f.; pl. *putas-pobres*
putaria s.f.
putativo adj.
putauá s.m.
puteação s.f.
puteada s.f.
puteador (*ô*) adj. s.m.
puteal s.m.
putear v.
putedo (*ê*) s.m.
pútega s.f.
puteiro s.m.
puteolano adj. s.m.
puteorita adj. s.2g.
puti s.m.
putici s.m.
putila s.f.
putinguense adj. s.2g.
putirão s.m.
putiriense adj. s.2g.
putirom s.m.
putirum s.m.
puto adj. s.m.
putória s.f.
putório s.m.
putredíneo adj.
putredinosidade s.f.
putredinoso (*ô*) adj.; f. (*ó*); pl. (*ó*)
putrefação s.f.
putrefacção s.f.
putrefaciente adj.2g.
putrefactivo adj.
putrefacto adj.
putrefactor (*ô*) adj. s.m.
putrefactório adj.
putrefativo adj.
putrefato adj.
putrefator (*ô*) adj. s.m.
putrefatório adj.
putrefazer v.
putrefeito adj.
putreia (*é*) s.f.
putrescência s.f.
putrescente adj.2g.
putrescibilidade s.f.
putrescina s.f.
putrescível adj.2g.
putrião s.m.
putridez (*ê*) s.f.
pútrido adj.
putrificação s.f.
putrificado adj.
putrificar v.
putrificável adj.2g.
putrígeno adj.
putrilagem s.f.
putrilaginoso (*ô*) adj.; f. (*ó*); pl. (*ó*)
putrívoro adj.
putschista s.2g.
putuca s.2g.
putumuiú-iriribá s.m.; pl. *putumuiús-iriribá* e *putumuiús-iriribás*
putumuju s.m.
putumuju-amarelo s.m.; pl. *putumujus-amarelos*
putumuju-iriribá s.m.; pl. *putumujus-iriribá* e *putumujus-iriribás*
puva adj.2g. s.f.
puvi s.m.
puviá s.f.
puxa adj. s.2g. s.m. interj. "cuja forma se altera quando puxada"; cf. *puxá*
puxá s.m.f. "puxação"; cf. *puxa*
puxa-briga s.2g.; pl. *puxa-brigas*
puxação s.f.
puxacar adj. s.2g.
puxada s.f.
puxadeira s.f.
puxadela s.f.
puxadinho adj. s.m.
puxado adj. s.m.
puxadoiro s.m.
puxador (*ô*) s.m.
puxador de reza s.m.
puxador de samba s.m.
puxadoira s.f.
puxadoura s.f.
puxadouro s.m.
puxa-encolhe s.m.2n.
puxa-fieira s.2g.; pl. *puxa-fieiras*
puxa-frictor s.m.; pl. *puxa-frictores*
puxamento s.m.
puxança s.f.
puxanço s.m.
puxante adj.2g.
puxão s.m.
puxa-puxa adj.2g. s.m.; pl. *puxa-puxas* e *puxas-puxas*
puxar v.
puxa-saco adj. s.2g.; pl. *puxa-sacos*
puxa-sacos adj. s.2g.2n.
puxa-saquismo s.m.; pl. *puxa-saquismos*
puxativo adj.
puxavante adj.2g. s.m.
puxavão s.m.
puxa-verão s.m.; pl. *puxa-verões*
puxa-vista s.m.; pl. *puxa-vistas*
puxe interj.
puxeira s.f.
puxeta (*ê*) s.f.
puxiana adj. s.2g.
puxicaraim s.m.
puxicarim s.m.
puxinanãense adj. s.2g.
puxinanãzense adj.2g.
puxirão s.m.
puxiri s.m.
puxirum s.m.
puxo s.m. "tenesmo"; cf. *pucho*
puxuri s.m.
puxuri-bastardo s.m.; pl. *puxuris-bastardos*
puxuri-grosso s.m.; pl. *puxuris-grossos*
puxurim s.m.
puxurim-miúdo s.m.; pl. *puxurins-miúdos*
puxurirana s.m.

Q q

q (*quê*) s.m.
quabiburu s.m.
quacacuja s.f.
quacacujuba s.m.
quaçatunga s.f.
quacitunga s.f.
quaco s.m.
quacre s.m.
quacriano adj.
quacrismo s.m.
quada adj. s.2g.
quaderna s.f.
quadernado adj.
quadernal s.m.
quaderno s.m.
quado adj. s.m.
quadobro (*ô*) s.m.
quadra s.f.
quadraçal s.m.
quadração s.f.
quadraço s.m.
quadrada s.f.
quadradão adj. s.m.
quadradinhos s.m.pl.
quadrado adj. s.m.
quadrado-oco s.m.; pl. *quadrados-ocos*
quadrador (*ô*) adj. s.m.
quadradura s.f.
quadrafonia s.f.
quadrafônico adj.
quadragenário adj. s.m.
quadragenarismo s.m.
quadragésima s.f.
quadragesimal adj.2g.
quadragésimo num. s.m.
quadragintúplice num.
quadragíntuplo num.
quadralado adj.
quadrama s.f.
quadrangulação s.f.
quadrangulado adj.
quadrangulador (*ô*) adj.
quadrangulamento s.m.
quadrangular adj.2g.
quadrangulável adj.2g.
quadrângulo s.m.
quadrantal adj.2g. s.m.
quadrantanopia s.f.
quadrante s.m.
quadrantectomia s.f.
quadrantídeo s.m.
quadrão s.m.
quadrar v.
quadrarão adj. s.m.; f. *quadrarona*
quadrarona adj. s.f. de *quadrarão*
quadraspidioto s.m.
quadraste s.m.
quadrático adj.
quadratífero adj.
quadratiforme adj.2g.
quadratim s.m.
quadratriz adj. s.f.
quadratura s.f.
quadraturista adj. s.2g.
quadrável adj.2g.
quadrazenho adj. s.m.
quadrela s.f.
quadrelo (*ê*) s.m.
quadrense adj. s.2g.
quadriaceleração s.f.
quadrialado adj.
quadriângulo s.m.
quadribásico adj.
quadribinário adj.
quádrica s.f.
quadricapsular adj.2g.
quadricarboneto (*ê*) s.m.
quadricelar adj.2g. s.m.
quadricelular adj.2g.
quadricentenar adj.2g.
quadricentenário adj. s.m.
quadricentesimal adj.2g.
quadricentésimo num.
quadricêntrico adj.
quádriceps adj.2g.2n. s.m.
quadriciclo s.m.
quadrícipe adj.2g. s.m.
quadricípede adj.2g. s.m.
quadricipital adj.2g.
quadricípite adj.2g. s.m.
quádrico adj.
quadricolor (*ô*) adj.2g. s.m.
quadriconsonantal adj.2g.
quadriconsonântico adj.
quadricórneo adj.
quadricotiledôneo adj.
quadricromia s.f.
quadrícula s.f.; cf. *quadricula*, fl. do v. *quadricular*
quadriculado adj. s.m.
quadriculador (*ô*) adj.
quadriculagem s.f.
quadricular v. adj.2g.
quadriculável adj.2g.
quadrículo s.m.; cf. *quadriculo*, fl. do v. *quadricular*
quadricúspide adj.2g.
quadridecimal adj.2g.
quadridecioctonal adj.2g.
quadridentado adj.
quadridente s.m.
quadridente-cabeça-de-cágado s.m.; pl. *quadridentes-cabeça-de-cágado*
quadridigitado adj.
quadridigital adj.2g.
quadridigitipenado adj.
quadridimensional adj.2g.
quadridodecaedro adj.
quadriduodecimal adj.2g.
quadrienal adj.2g.
quadriênio s.m.
quadriexagonal (*cs* ou *z*) adj.2g.
quadrifário adj.
quadrifendido adj.
quadrífido adj.
quadrifilo adj.
quadrifínio s.m.
quadriflóreo adj.
quadrifoliado adj.
quadrifólio adj. s.m.
quadrifonte adj.2g.
quadriforcado adj.
quadriforme adj.2g.
quadrifronte adj.2g.
quadrifurcado adj.
quadriga s.f.
quadrigário s.m.
quadrigato s.m.
quadrigêmeo adj. s.m.
quadrigeminado adj.
quadrigêmino adj.
quadrigentesimal adj.2g.
quadrigentésimo num.
quadrigitado adj.
quadrigúmeo adj.
quadri-hexagonal (*cs* ou *z*) adj.2g.
quadrijugado adj.
quadríjugo adj.
quadril s.m.
quadrilateral adj.2g.
quadrilateralidade s.f.
quadrilátero adj. s.m.
quadrilha s.f.
quadrilhado adj.
quadrilhão num.
quadrilhar v.
quadrilheiro adj. s.m.
quadrilião num.
quadrilionesimal adj.
quadrilionésimo s.m.
quadriliteral adj.2g.
quadriliteralidade s.f.
quadrilítero adj. s.m.
quadrilobado adj.
quadrilobar adj.2g.
quadrilobulado adj.
quadrilóbulo s.m.
quadriloculado adj.
quadrilocular adj.2g.
quadrilongo adj. s.m.
quadrilugar adj.2g. s.m.
quadrilunar adj.2g.
quadrilunulado adj.
quadrimaculado adj.
quadrímano adj. s.m.
quadrimembre adj.2g.
quadrimensional adj.2g.
quadrimestral adj.2g.
quadrimestre s.m.
quadrimomento s.m.
quadrimosqueado adj.
quadrimotor (*ô*) s.m.
quadringentário s.m.
quadringentenário s.m.
quadringentesimal adj.2g.
quadringentésimo num.
quadringentúplice num.
quadringêntuplo num.
quadrinha s.f.
quadrinhos s.m.pl.
quadrinista adj. s.2g.
quadrinização s.f.
quadrinizado adj.
quadrinizador (*ô*) adj. s.m.
quadrinizar v.
quadrinizável adj.2g.
quadrinomial adj.2g.
quadrinômio s.m.
quadrioctogonal adj.2g.
quadripartição s.f.
quadripartido adj.
quadripartir v.
quadripartito adj.
quadripenado adj.
quadripene adj.2g.
quadripétalo adj.
quadriplegia s.f.
quadriplégico adj.
quadripolar adj.2g.
quadripolo s.m.
quadrípolo s.m.
quadripontuado adj.
quadrípora s.f.
quadriposição s.f.
quadripotencial s.m.
quadrirreator (*ô*) s.m.
quadrirreme adj.2g. s.f.
quadrissacramental adj. s.2g. s.f.
quadrissecular adj.2g.
quadrisseriado adj. s.m.
quadrissilábico adj.
quadrissílabo adj. s.m.
quadrissulco adj.
quadrituberculado adj.
quadritubercular adj.2g.
quadrivalado adj.
quadrivalência s.f.
quadrivalente adj.2g.
quadrivalvado adj.
quadrivalve adj.2g.
quadrivalvulado adj.
quadrivalvular adj.2g.
quadrivector (*ô*) s.m.
quadrivelocidade s.f.
quadrivetor (*ô*) s.m.
quadrívio s.m.
quadro adj. s.m.
quadro-alvo s.m.; pl. *quadros-alvo* e *quadros-alvos*
quadrobro (*ô*) s.m.
quadro de calçar s.m.
quadro de feltro s.m.
quadro de flanela s.m.
quadro de giz s.m.
quadro-negro s.m.; pl. *quadros-negros*
quadroplegia s.f.
quadroplégico adj.
quádrula s.f.
quadrum adj. s.2g.
quadrúmano adj. s.m.
quadrunvirado s.m.
quadrunviral adj.2g.
quadrunvirato s.m.
quadrúnviro s.m.
quadrupedal adj.2g.
quadrupedante adj.2g.
quadrupedar v.
quadrúpede adj.2g. s.m.; cf. *quadrupede*, fl. do v. *quadrupedar*
quadrúpeo adj. s.m.
quadruplar v.
quadruplegia s.f.
quadruplégico adj.
quadrupleta (*ê*) s.f.
quadruplete adj. s.2g.
quadrupleto (*ê*) s.m.
quadruplicação s.f.
quadruplicado adj.
quadruplicador (*ô*) adj. s.m.
quadruplicamento s.m.
quadruplicante adj.2g.
quadruplicar v.
quadruplicável adj.2g.
quadrúplice num.
quadruplicidade s.f.
quádruplo num. s.m.
quadrupolo s.m.
quadrúpolo s.m.
quadrurbano adj.
quadrúrbio s.m.
quadrusse s.m.
quadrússis s.m.2n.
quadrúvio s.m.
quaga s.m.
quaiapá s.m.
quaigue s.m.
quaiquica s.f.
quaira s.f.
quairela s.f.
quaireleiro s.m.
quajaraense adj. s.2g.
qual pron. conj. interj.; cf. *cual*
qualé s.m.
quálea s.f.
qualé-azul s.m.; pl. *qualés-azuis*
quáli s.m.
qualidade s.f.
qualificabilidade s.f.
qualificação s.f.
qualificado adj.
qualificador (*ô*) adj. s.m.
qualificamento s.m.
qualificante adj.2g.
qualificar v.
qualificativo adj. s.m.
qualificatório adj.
qualificável adj.2g.
qualímetro s.m.
qualira s.m.
qualiragem s.f.
qualitatividade s.f.
qualitativo adj.
qualquer pron.
quamanho adj.
quamato s.m.
quamoclite s.f.
quando adv. conj.
quandro s.m.
quantas s.f.pl.
quantassomático adj.
quantassômico adj.
quantassomo s.m.
quanté interj.
quantés interj.
quanteu interj.
quantia s.f.
quantiar v.
quântica s.f.
quântico adj.
quantidade s.f.
quantificação s.f.
quantificado adj.
quantificador (*ô*) adj. s.m.
quantificante adj.2g.
quantificar v.
quantificável adj.2g.
quantil s.m.
quantímetro s.m.
quantioso (*ô*) adj.; f. (*ó*); pl. (*ó*)
quantitativo adj. s.m.
quantização s.f.
quantizado adj.
quantizador (*ô*) adj. s.m.
quantizamento s.m.
quantizante adj.2g.
quantizar v.
quantizável adj.2g.
quanto pron. adv.

quantomecânica s.f.
quantomecânico adj.
quantômetro s.m.
quantumnidade s.f.
quão adv.
quapiranga s.f.
quapoia (*ó*) s.f.
quapunga s.f.
quá-quá-quá interj.
quáquer s.m.
quaqueriano adj.
quaquerismo s.m.
quáquero s.m.
quará s.m.
quará-bravo s.m.; pl. *quarás-bravos*
quaraçuense adj. s.2g.
quarador (*ô*) s.m.
quaradouro s.m.
quaraiaba s.f.
quaraiense adj. s.2g.
quarandié adj. s.2g.
quarango s.m.
quarar v.
quararíbea s.f.
quaraxaim s.m.
quárcico adj.
quarcífero adj.
quarciforme adj.2g.
quarcina s.f.
quarcita s.f.
quarcito s.m.
quarço s.m.
quarçoso (*ô*) adj.; f. (*ó*); pl. (*ó*)
quarenta num.
quarenta-feridas s.f.2n.
quarenta-horas s.f.pl.
quarentão adj. s.m.; f. *quarentona*
quarentar v.
quarentena s.f.
quarentenar v. adj.2g.
quarentenário adj. s.m.
quarenteno num. adj.
quarentense adj. s.2g.
quarentia s.f.
quarentona adj. s.f. de *quarentão*
quarentonizado adj.
quareógrafo s.m.
quaresma s.m.f.
quaresma-do-campo s.f.; pl. *quaresmas-do-campo*
quaresma-do-cerrado s.f.; pl. *quaresmas-do-cerrado*
quaresmal adj.2g.
quaresmar v.
quaresmeira s.f.
quaresmeira-roxa s.f.; pl. *quaresmeiras-roxas*
quariate adj. s.2g.
quariato adj. s.m.
quariba s.f.
quari-bravo s.m.; pl. *quaris-bravos*
quariense adj. s.2g.
quariúba s.f.
quariúba-azul s.f.; pl. *quariúbas-azuis*
quariúba-branca s.f.; pl. *quariúbas-brancas*
quariúba-de-flor-pequena s.f.; pl. *quariúbas-de-flor-pequena*
quariúba-jasmineira s.f.; pl. *quariúbas-jasmineiras*
quariubatinga s.f.
quariúba-vermelha s.f.; pl. *quariúbas-vermelhas*
quárkico adj.
quarkismo s.m.
quarkista adj. s.2g.
quarkístico adj.
quarkônio s.m.
quaró s.m.
quarquerno adj. s.m.
quarta s.f. "a quarta parte"; cf. *quartã*
quartã adj. s.f. "febre"; cf. *quarta*
quartação s.f.
quartada s.f.
quartadecimano adj. s.m. "soldado"; cf. *quartodecimano*
quarta de final s.f.
quartado adj.
quarta-doença s.f.; pl. *quartas-doenças*
quarta-feira s.f.; pl. *quartas-feiras*
quartal s.m.
quartaludo adj.
quartalvo adj.
quarta-moléstia s.f.; pl. *quartas-moléstias*
quartanário adj. s.m.
quartanista adj. s.2g.
quartano s.m.
quartão s.m.
quartapisa s.f.
quartapisado adj.
quartapisar v.
quartar v.
quartário s.m.
quartau s.m.
quarteado adj.
quarteador (*ô*) s.m.
quartear v.
quarteio s.m.
quarteirão s.m. "quadra"; cf. *quarterão*
quarteiro s.m.
quartejado adj.
quartejar v.
quartel s.m.
quartela s.f.
quartelada s.f.
quartela-longa adj. s.2g.; pl. *quartelas-longas*
quartelar v.
quarteleiro s.m.
quarteleiro-geral s.m.; pl. *quarteleiros-gerais*
quartelense adj. s.2g.
quartel-general s.m.; pl. *quartéis-generais*
quartel-generalense adj. s.2g.; pl. *quartel-generalenses*
quartelha (*ê*) s.f.
quartelismo s.m.
quartelista adj. s.2g.
quartel-mestre s.m.; pl. *quartéis-mestres*
quarteludo adj.
quartenário adj. s.m.
quartenílico adj.
quarterão adj. s.m. "mestiço"; cf. *quarteirão*
quarteta (*ê*) s.f.
quartetista adj. s.2g.
quarteto (*ê*) s.m.
quártica s.f.
quártico adj.
quartidi s.m.
quartifalange s.f.
quartifalangeta (*ê*) s.f.
quartifalanginha s.f.
quartil adj.2g. s.m.
quartilha s.f.
quartilhaça s.f.
quartilhada s.f.
quartilhado adj.
quartilhame s.m.
quartilhar v.
quartilheiro s.m.
quartilho s.m.
quartimetatársico adj.
quartinha s.f.
quartinheira s.f.
quartinheiro s.m.
quartinho s.m.
quarto num. s.m.
quartodecimano adj. s.m. "cristão"; cf. *quartadecimano*
quarto de círculo s.m.
quarto de tom s.m.
quarto e sala s.m.2n.
quarto-forte s.m.; pl. *quartos-fortes*
quartola s.f.
quarto-mundismo s.m.; pl. *quarto-mundismos*
quarto-mundista adj. s.2g.; pl. *quarto-mundistas*
quarto-mundístico adj.; pl. *quarto-mundísticos*
quarto-redondo s.m.; pl. *quartos-redondos*
quartos s.m.pl.
quarto-zagueiro s.m.; pl. *quartos-zagueiros*
quartudo adj.
quartzaria s.f.
quártzico adj.
quartzífero adj.
quartzificado adj.
quartziforme adj.2g.
quartzina s.f.
quartzita s.f.
quartzítico adj.
quartzito s.m.
quartzo s.m.
quartzo-azul s.m.; pl. *quartzos-azuis*
quartzo-citrino s.m.; pl. *quartzos-citrinos*
quartzo-defumado s.m.; pl. *quartzos-defumados*
quartzodiorito s.m.
quartzo-enfumaçado s.m.; pl. *quartzos-enfumaçados*
quartzo-espectral s.m.; pl. *quartzos-espectrais*
quartzo-fantasma s.m.; pl. *quartzos-fantasma* e *quartzos-fantasmas*
quartzofilade s.f.
quartzo-fumé s.m.; pl. *quartzos-fumés*
quartzogábrico adj.
quartzogabro s.m.
quartzo-leitoso s.m.; pl. *quartzos-leitosos*
quartzo-mórion s.m.; pl. *quartzos-mórion* e *quartzos-mórions*
quartzonorítico adj.
quartzonorito s.m.
quartzo-róseo s.m.; pl. *quartzos-róseos*
quartzo-rutilado s.m.; pl. *quartzos-rutilados*
quartzoso (*ô*) adj.; f. (*ó*); pl. (*ó*)
quartzoxisto s.m.
quaruba s.f.
quaruba-azul s.f.; pl. *quarubas-azuis*
quaruba-branca s.f.; pl. *quarubas-brancas*
quaruba-de-flor-pequena s.f.; pl. *quarubas-de-flor-pequena*
quaruba-jasmirana s.f.; pl. *quarubas-jasmiranas*
quarubatinga s.f.
quaruba-verdadeira s.f.; pl. *quarubas-verdadeiras*
quaruba-vermelha s.f.; pl. *quarubas-vermelhas*
quaruná adj. s.2g.
quarup s.m.
quasa adj. s.2g.
quasar s.m.
quase adv.
quase alijamento s.m.
quase contrato s.m.
quase contratual adj.2g.
quase crime s.m.
quase criminal adj.2g.
quase delito s.m.
quase delitual adj.2g.
quase domicílio s.m.
quase equilíbrio s.m.
quase estático adj.
quase estrela s.2g.
quase flagrância s.f.
quase nada s.m.2n.
quase ordem s.f.
quase ordinal adj.2g.
quase pároco s.m.
quase paróquia s.f.
quase posse s.f.
quase possessivo adj.
quase renda s.f.
quase usufruto s.m.
quasilina s.f.
quasimodal adj.2g.
quasimodesco (*ê*) adj.
quasímodo s.m.
quassação s.f.
quassado adj.
quassar v.
quássia s.f.
quássia-amarga s.f.; pl. *quássias-amargas*
quássia-amargosa s.f.; pl. *quássias-amargosas*
quássia-de-caiena s.f.; pl. *quássias-de-caiena*
quássia-do-pará s.f.; pl. *quássias-do-pará*
quássia-mineira s.f.; pl. *quássias-mineiras*
quássia-simaruba s.f.; pl. *quássias-simaruba* e *quássias-simarubas*
quassina s.f.
quassite s.f.
quassitunga s.m.
quat s.m.
quatá s.m.
quatá-de-cara-vermelha s.m.; pl. *quatás-de-cara-vermelha*
quatá-de-testa-branca s.m.; pl. *quatás-de-testa-branca*
quataense adj. s.2g.
quatambu s.m.
quataquiçaua s.f.
quaterfenilo s.m.
quatermilésimo num.
quaternado adj.
quaternário adj. s.m.
quaternião s.m.
quaternidade s.f.
quaternifoliado adj.
quatérnio s.m.
quatérnion s.m.
quaterniônico adj.
quaternização s.f.
quaternizar v.
quaterno adj.
quaternobisunitário adj.
quatetê s.m.
quati adj. s.2g. s.m.
quatiabo s.m.
quatiaipé s.m.
quatiara s.f.
quatiarinha s.f.
quatibo s.m.
quatiçabense adj. s.2g.
quati-caranguejeiro s.m.; pl. *quatis-caranguejeiros*
quaticoco s.m.
quati-de-bando s.m.; pl. *quatis-de-bando*
quati-de-vara s.m.; pl. *quatis-de-vara*
quatiense adj. s.2g.
quatiguabense adj. s.2g.
quatiguaense adj. s.2g.
quatiguense (*ü*) adj. s.2g.
quatimirim s.m.
quatimundé s.m.
quatimundéu s.m.
quatindiba s.f.
quatipuru s.m.
quatipuruaçu s.m.
quatipuru-bigodeiro s.m.; pl. *quatipurus-bigodeiros*
quatipuruense adj. s.2g.
quatipuru-roxo s.m.; pl. *quatipurus-roxos*
quatipuru-vermelho s.m.; pl. *quatipurus-vermelhos*
quatipuruzinho s.m.
quatipuruzinho-verdadeiro s.m.; pl. *quatipuruzinhos-verdadeiros*
quatiquanense adj. s.2g.
quatitubense adj. s.2g.
quatorze (*ô*) num.
quatorzeno num.
quatragem s.f.
quatralvo adj.
quatranha s.f.
quatreiro s.m.
quatrela s.f.
quatricromia s.f.
quatriduano adj.
quatríduo s.m.
quatrienal adj.2g.
quatriênio s.m.
quatrilhão num.
quatrilião num.
quatrilionesimal adj.2g.
quatrilionésimo num.
quatrim s.m.
quatrina s.f.
quatrinca s.f.
quatrineta (*ê*) s.f.
quatrissecular adj.2g.
quatro num.
quatro-baratas s.m.2n.
quatro-barrense adj. s.2g.; pl. *quatro-barrenses*
quatro-cantinhos s.m.pl.
quatro-cantos s.m.pl.
quatrocentão adj. s.m.; f. *quatrocentona*
quatrocentismo s.m.
quatrocentista adj. s.2g.
quatrocentístico adj.
quatrocentona adj. s.f. de *quatrocentão*
quatrocentos num.
quatro-dados s.f.2n.
quatrodobro (*ô*) num. adj.
quatro-folhas s.f.2n.
quatrolho (*ô*) adj.; pl. (*ó*)
quatro-olhos s.2g.2n.
quatro-palmas s.f.2n.
quatro-patacas s.f.2n.
quatro-patacas-amarelas s.f.2n.
quatro-patacas-roxas s.f.2n.
quatro-paus s.m.2n.
quatro-pés s.m.2n.
quatro-pontense adj. s.2g.; pl. *quatro-pontenses*
quatro-pontos s.m.2n.
quatro-quatros s.m.2n.
quatroquiáltera s.f.
quatro-réis s.m.2n.
quatro-tempos s.m.2n.
quatro-vinténs s.m.2n.
quatrumano s.m.
quatuordecilhão num.
quatuordecilião num.
quatuordecilionésimo num.
quatuorvirado s.m.
quatuorviral adj.2g.
quatuorvirato s.m.
quatuórviro s.m.
quaxinduba s.f.
quaxinduba-preta s.f.; pl. *quaxindubas-pretas*
quaxinguba s.f.
que adv. conj. prep. pron.; cf. *quê*
quê s.m. interj.; cf. *que*
queba (*ü*) adj.2g.
quebe s.m.
quebequense adj. s.2g.
queboense adj. s.2g.
quebra adj. s.2g. s.f.
quebra-anzol s.m.; pl. *quebra-anzóis*
quebra-arado s.m.; pl. *quebra-arados*
quebra-barbim s.m.; pl. *quebra-barbins*
quebra-bumba s.m.; pl. *quebra-bumbas*
quebra-bunda s.m.; pl. *quebra-bundas*
quebra-cabeça s.m.; pl. *quebra-cabeças*
quebra-cacos s.2g.2n.
quebra-cangalhas s.m.2n.
quebração s.f.
quebra-cavaco s.m.; pl. *quebra-cavacos*
quebrachal s.m.

quebra-chamas s.m.2n.
quebrachamina s.f.
quebrachense adj. s.2g.
quebráchia s.f.
quebra-chifre s.m.; pl. *quebra-chifres*
quebrachina s.f.
quebrachinho s.m.
quebra-chiquinha s.m.; pl. *quebra-chiquinhas*
quebrachite s.f.
quebrachitol s.m.
quebracho s.m.
quebracho-branco s.m.; pl. *quebrachos-brancos*
quebracho-colorado s.m.; pl. *quebrachos-colorados*
quebracho-crespo s.m.; pl. *quebrachos-crespos*
quebracho-vermelho s.m.; pl. *quebrachos-vermelhos*
quebraço s.m.
quebra-costas s.m.2n.
quebra-costela s.m.; pl. *quebra-costelas*
quebra-costelas s.f.2n.
quebrada s.f.
quebra de braço s.f.
quebra-dedos s.f.2n.
quebradeira s.f.
quebradeirista s.2g.
quebradela s.f.
quebra-dentes s.m.2n.
quebradiço adj.
quebradinha s.f.
quebradinho s.m.
quebrado adj. s.m.
quebradoiro s.m.
quebrador (*ô*) adj. s.m.
quebrados s.m.pl.
quebradouro s.m.
quebradura s.f.
quebra-enguiço s.m.; pl. *quebra-enguiços*
quebra-esquinas s.2g.2n.
quebra-facão s.m.; pl. *quebra-facões*
quebra-febre s.f.; pl. *quebra-febres*
quebra-fogo s.m.; pl. *quebra-fogos*
quebra-foice s.m.; pl. *quebra-foices*
quebra-fouce s.m.; pl. *quebra-fouces*
quebra-frasco s.m.; pl. *quebra-frascos*
quebra-freio adj.2g. s.m.; pl. *quebra-freios*
quebra-galho s.m.; pl. *quebra-galhos*
quebra-gelo s.m.; pl. *quebra-gelos*
quebra-gelos s.m.2n.
quebra-goela s.f.; pl. *quebra-goelas*
quebra-jejum s.m.; pl. *quebra-jejuns*
quebra-lanças s.2g.2n.
quebra-largado adj. s.m.; pl. *quebra-largados*
quebralhão adj. s.m.; f. *quebralhona*
quebralhona adj. s.f. de *quebralhão*
quebra-louças s.2g.2n.
quebra-luz s.m.; pl. *quebra-luzes*
quebra-machado s.m.; pl. *quebra-machados*
quebra-mar s.m.; pl. *quebra-mares*
quebramento s.m.
quebra-molas s.m.2n.
quebra-munheca s.f.; pl. *quebra-munhecas*
quebrança s.f.
quebrançoso (*ô*) adj.; f. (*ó*); pl. (*ó*)
quebrangulense adj. s.2g.
quebra-nozes s.m.2n.
quebrantação s.f.
quebrantado adj.
quebrantador (*ô*) adj. s.m.
quebrantadura s.f.
quebrantamento s.m.
quebrantar v.
quebranto s.m.
quebrantura s.f.
quebra-panela s.f.; pl. *quebra-panelas*
quebra-panelas s.m.2n.
quebra-panela-verdadeira s.f.; pl. *quebra-panelas-verdadeiras*
quebra-pau s.m.; pl. *quebra-paus*
quebra-pedra s.f.; pl. *quebra-pedras*
quebra-pote s.m.; pl. *quebra-potes*
quebra-potense adj. s.2g.; pl. *quebra-potenses*
quebra-quebra s.m.; pl. *quebra-quebras*
quebra-queixo adj.2g. s.m.; pl. *quebra-queixos*
quebra-quilos s.m.2n.
quebrar v.
quebra-rabicho adj.2g. s.m.; pl. *quebra-rabichos*
quebra-resguardo s.m.; pl. *quebra-resguardos*
quebra-tudo adj.2g.2n.
quebratura s.f.
quebra-urnas s.m.2n.
quebrável adj.2g.
quebra-ventos s.m.2n.
quebra-verso s.m.; pl. *quebra-versos*
quebra-vista s.m.; pl. *quebra-vistas*
quebrazinha s.f.
quebreira s.f.
quebro s.m.
quebucu s.m.
québulo s.m.
queçabense adj. s.2g.
quecé s.2g.
quecê s.2g.
queche s.m.
quéchua adj. s.2g. s.m.
queci-queci s.m.; pl. *queci-quecis*
queda s.f.
quedaço s.m.
queda-d'água s.f.; pl. *quedas-d'água*
queda de asa s.f.
queda de braço s.f.
queda de quatro s.f.
queda de rim s.f.
quedamento s.m.
quedano s.m.
quedar v.
quede s.m. "calçado"; cf. *quedê*
quedê adv.; cf. *quede*
quedense adj. s.2g.
que-diga s.m.2n.
quédio s.m.
quedionuco s.m.
quediva s.m.
quedivado s.m.
quedival adj.2g.
quedizeres (*ê*) s.m.pl.
quedo (*ê*) adj.; cf. *quedo*, fl. do v. *quedar*
queenstownito s.m.
quefazer s.m.
quefazeres (*ê*) s.m.pl.
quefequilita s.f.
quefir s.m.
quefirina s.f.
quefiroterapia s.f.
quefiroterápico adj.
quefrina s.f.
quegada s.f.
quegani s.f.
queguém s.m.
queia s.m.
queijada s.f.
queijadeira s.f.
queijadeiro adj. s.m.
queijadilho s.m.
queijadinha s.f.
queijar v.
queijaria s.f.
queijeira s.f.
queijeiro s.m.
queijinho s.m.
queijo s.m.
queijo-cavalo s.m.; pl. *queijos-cavalo* e *queijos-cavalos*
queijo de minas s.m.
queijo de minas meia cura s.m.
queijo de ovos s.m.
queijo do reino s.m.
queijoso (*ô*) adj.; f. (*ó*); pl. (*ó*)
queilalgia s.f.
queilálgico adj.
queilante s.f.
queilantina s.f.
queilanto s.m.
queilectrópio s.m.
queiletínio s.m.
queileto s.m.
queiletomia s.f.
queiletômico adj. s.m.
queiletrópion s.m.
queilhanita s.f.
queilino s.m.
quêilio s.m.
queilite s.f.
queiloangioscopia s.f.
queilócace s.f.
queiloclínio s.m.
queilodactílio adj. s.m.
queilodáctilo s.m.
queilodíptera s.m.
queilofagia s.f.
queilofima s.m.
queilognatopalatósquise s.f.
queilognatosquise s.f.
queilopalatognato s.m.
queiloplastia s.f.
queiloplástico adj.
queilorragia s.f.
queilose s.f.
queilósia s.f.
queilospirura s.f.
queilosquise s.f.
queilostomado adj. s.m.
queilostomoplastia s.f.
queiloteca s.f.
queilótico adj.
queilotomia s.f.
queima s.f.
queimação s.f.
queimada s.f.
queimadeira s.f.
queimadeiro s.m.
queimadela s.f.
queimadense adj. s.2g.
queimadiço adj.
queimado adj. s.m.
queimadoiro s.m.
queimador (*ô*) adj. s.m.
queimador de campo s.m.
queimadouro s.m.
queimadura s.f.
queimamento s.m.
queimante adj.2g. s.m.
queimão adj. s.m.
queima-queima s.f.; pl. *queima-queimas*
queimar v.
queimarço s.m.
queima-roupa s.f.; pl. *queima-roupas*
queimatóbia s.f.
queimável adj.2g.
queime s.m.
queimo s.m.
queimor (*ô*) s.m.
queimoso (*ô*) adj.; f. (*ó*); pl. (*ó*)
queinar v.
queira s.f.
queiracantídeo adj. s.m.
queiradênia s.f.
queirantera s.f.
queiranto s.m.
queiráster s.m.
queire s.m.
queiro adj. s.m. "dente de siso"; cf. *queiró*
queiró s.f. "arbusto da família das ericáceas"; cf. *queiro*
queirocrato s.m.
queiroga s.f.
queirolina s.f.
queiróptero adj. s.m.
queirós s.f.
queirosense adj. s.2g.
queirosiana s.f.
queirosiano adj.
queirostile s.f.
queirostrobácea s.f.
queirostrobáceo adj.
queirostrobale s.f.
queiróstrobo s.m.
queísmo s.m.
queitita s.f.
queixa s.f.
queixa-crime s.f.; pl. *queixas-crime* e *queixas-crimes*
queixada s.m.f.
queixada-ruiva s.f.; pl. *queixadas-ruivas*
queixadense adj. s.2g.
queixagens s.f.pl.
queixal adj.2g. s.m.
queixar-se v.
queixeira s.f.
queixeiro adj.
queixinho s.m.
queixo s.m.
queixo-branco s.m.; pl. *queixos-brancos*
queixo-duro s.m.; pl. *queixos-duros*
queixola s.f.
queixo-ruivo s.m.; pl. *queixos-ruivos*
queixoso (*ô*) adj. s.m.; f. (*ó*); pl. (*ó*)
queixudo adj.
queixume s.m.
queixumeiro adj.
quejadilho s.m.
quejando adj. s.m.
quejeme s.m.
quejendo adj.
quela s.m.f.
quelação s.f.
quelado s.f.
quelador (*ô*) adj.
quelante adj.2g.
quelar v.
quelatado adj.
quelático adj.
quelato s.m.
quelável adj.2g.
quelbincita s.f.
quelbincite s.f.
quelé s.m.
quelê s.m.
quélea s.f.
quelelê s.m.
quelém s.m.
queleque s.m.
queleritrina s.f.
queles s.m.2n.
queleto s.m.
queleutita s.f.
queleutóptero s.m.
quelha (*ê*) s.f.
quelho (*ê*) s.m.
quelhório s.m.
quélia s.f.
quelícera s.f.
quelicerado adj. s.m.
queliceral adj.2g.
quelicério s.m.
quélida adj.2g. s.m.f.
quelidão s.2g.
quelídeo adj. s.m.
quelidídeo adj. s.m.
quelídon s.f.
quelidônia s.f.
quelidônico adj.
quelidonina s.f.
quelidônio s.m.
quelidonomorfa s.f.
quelidonope s.2g.
quelidonópsis s.2g.2n.
quelidoperca s.f.
quelidoxantina (*cs*) s.f.
quélidra s.f.
quelidrídeo adj. s.m.
quélidro s.m.
queliela s.f.
quelielídeo adj. s.m.
quélifer s.m.
queliferídeo adj. s.m.
quelífero adj.
quelifítico adj.
queliforme adj.2g.
quelíforo adj.
quelim adj. s.2g.
quelimane adj. s.2g.
quelimorfa s.f.
quelina s.f.
quelinoduro s.m.
queliocarpo s.m.
queliossoma s.m.
quelípode s.m.
quélis s.f.2n.
quelma s.f.
quelmão s.m.
quelme s.m.
quelmo s.m.
quelocério s.m.
quelodina s.f.
quelodonte adj.2g.
quelóforo adj. s.m.
queloidal adj.2g.
queloide (*ó*) s.m.
queloidose s.f.
quelona s.f.
quelonanto s.m.
quelone s.f.
quelônea s.f. "planta"; cf. *quelônia*
queloneto s.m.
quelônia s.f. "tartaruga"; cf. *quelônea*
queloniano adj. s.m.
quelonídeo adj. s.m.
queloniídeo adj. s.m.
quelônio adj. s.m.
quelonióideo adj. s.m.
quelonita s.f.
quelonite s.f.
quelono s.m.
quelonóbia s.f.
quelonóbio s.m.
quelonofagia s.f.
quelonófago adj. s.m.
quelonografia s.f.
quelonográfico adj.
quelonógrafo s.m.
queloplastia s.f.
quelópode s.m.
quelóstoma s.f.
quelóstomo s.m.
quelote adj. s.2g.
quelotídeo adj. s.m.
quelotomia s.f.
quelotômico adj.
quelurídeo adj. s.m.
queluro s.m.
queluza s.f.
queluzense adj. s.2g.
queluzita s.f.
queluzitense adj. s.2g.
queluzito s.m.
quem pron.
quêmaque s.m.
quembe s.m.
quembembe s.m.
quem-come-saberá s.f.2n.
quemeia (*é*) s.f.
quemerina s.f.
quemi s.m.
quemocéfalo adj. s.m.
quemose s.f.
quempféria s.f.
quempferol s.m.
quem-quem s.m.f.; pl. *quem-quens*
quem-quem-caiapó s.f.; pl. *quem-quens-caiapó* e *quem-quens-caiapós*

quem-quem-campeira s.f.; pl. *quem-quens-campeiras*
quem-quem-de-árvore s.f.; pl. *quem-quens-de-árvore*
quem-quem-de-monte s.f.; pl. *quem-quens-de-monte*
quem-quem-mineira s.f.; pl. *quem-quens-mineiras*
quem-quem-mineira-de--duas-cores s.f.; pl. *quem--quens-mineiras-de-duas-cores*
quem-quem-mirim s.f.; pl. *quem-quens-mirins*
quem te pesa s.m.2n.
quem-te-vestiu s.m.2n.
quen s.2g.
quena s.f.
quenacho s.m.
quenali s.m.
quencatejê-canela adj. s.2g.; pl. *quencatejês-canelas*
quência s.f.
quenda s.f.
quende s.m.
quendô s.m.
quenebelita s.f.
quenebelite s.f.
quenevixita (*cs*) s.f.
quenevixite (*cs*) s.f.
quenga s.f.
quengada s.f.
quengo s.m.
quengotita s.f.
quengotite s.f.
quengueiro s.m.
queniano adj. s.m.
quênice s.f.
quênico s.m.
queníctis s.m.2n.
quenisco s.m.
quenlita s.f.
quenlite s.f.
queno s.m.
quenobrito s.m.
quenocolato s.m.
quenocoleato s.m.
quenocoleico (*é*) adj.
quenocólico adj.
quenocoprolite s.f.
quenocroprólito s.m.
quenodesoxicólico (*cs*) adj.
quenofobia s.f.
quenófobo adj. s.m.
quenômede s.f.
quenomeria s.f.
quenômero adj.
quenoneta (*ê*) s.f.
quenonetínea s.f.
quenópis s.2g.2n.
quênopo s.m.
quenópode s.m.
quenopódea s.f.
quenopodiácea s.f.
quenopodiáceo adj.
quenopodial adj.2g.
quenopodiale s.f.
quenopodídeo adj. s.m.
quenopodíea s.f.
quenopodiínea s.f.
quenopódio s.m.
quenorranfo s.m.
quenorrino s.m.
quenossomia s.f.
quenossomo s.m.
quenoteca s.f.
quenotoxina (*cs*) s.f.
quenotron s.m.
quenselita s.f.
quenstedtita s.f.
quenstedtite s.f.
quentadeiro s.m.
quentadura s.f.
quentália s.f.
quentão s.m.
quentar v.
quente adj.2g. s.m.
quente-frio s.m.; pl. *quentes--frios*
quêntia s.f.
quentinha s.f.
quentomania s.f.
quentume s.m.
quentura s.f.
queoma s.m.
queomó s.m.
quepe s.m.
quepiquiriuate adj. s.2g.
quépler s.m.
quepléria s.f.
quepleriano adj.
quepquiriuate adj. s.2g.
queque s.m.
que-qué s.m. pl. *que-qués*
quer conj.
quera (*ü*) adj.2g. "valentão"; cf. *cuera*
querabo s.m.
queracele s.f.
queracianina s.f.
querafilocele s.f.
querafiloso (*ô*) adj.; f. (*ó*); pl. (*ó*)
queraíba s.f.
querameca s.f.
querargirita s.f.
querárgiro s.m.
queratalgia s.f.
queratálgico adj.
queratectasia s.f.
queratectásico adj.
queratectomia s.f.
queratíase s.f.
queratina s.f.
queratínico adj.
queratinização s.f.
queratinizado adj.
queratinizar v.
queratinócito s.m.
queratite s.f.
queratítico adj.
queratoacantoma s.m.
queratocampídeo s.m.
queratocele s.f.
queratocentese s.f.
queratocone s.m.
queratoconjuntivite s.f.
queratoderma s.f.
queratodermatite s.f.
queratodermia s.f.
queratofaríngeo adj.
queratoférico adj.
queratofilo s.m.
queratofilocele s.f.
queratofítico adj.
queratófito s.m.
queratofolhoso (*ô*) adj.; f. (*ó*); pl. (*ó*)
queratogênio adj.
queratogênese s.f.
queratógeno adj.
queratóglobo s.m.
queratoide (*ó*) adj.2g.
queratoleptise s.f.
queratoleucoma s.m.
queratólise s.f.
queratolítico adj.
queratoma s.f.
queratomalacia s.f.
queratomalácia s.f.
queratomegalia s.f.
queratometria s.f.
queratométrico adj.
queratômetro s.m.
queratomicose s.f.
queratônico s.m.
querátonix (*cs*) s.m.
queratoplastia s.f.
queratoplástico adj.
queratopsídeo adj. s.m.
queratorrino s.m.
queratosclerite s.f.
queratoscopia s.f.
queratoscópico adj. s.m.
queratose s.f.
queratósico adj.
queratoso (*ô*) adj.; f. (*ó*); pl. (*ó*)
queratospermo adj.
queratotomia s.f.
queratótomo s.m.
queraunalgia s.f.
queraunálgico adj.
queraunografia s.f.
queraunográfico adj.
queraunoparalisia s.f.
queraunoparalítico adj.
queraunoscopia s.f.
queraunoscópico adj.
querbera s.f.
querceína (*ü*) s.f.
quercetagina (*ü*) s.f.
quercetamida (*ü*) s.f.
quercético (*ü*) adj.
quercetina (*ü*) s.f.
quercetínico (*ü*) adj.
quercetrina (*ü*) s.f.
quercico (*ü*) adj.
quercícola (*ü*) adj.2g.
quercífago (*ü*) adj. s.m.
querciméríco (*ü*) adj.
quercimetina (*ü*) s.f.
quercina (*ü*) s.f.
quercíneo (*ü*) adj. s.m.
quercinês (*ü*) s.m.
quercínia (*ü*) s.f.
quercino (*ü*) adj.
querciólico (*ü*) adj.
querciona (*ü*) s.f.
quercita (*ü*) s.f.
quercitânico (*ü*) adj.
quercitanino (*ü*) s.m.
quercite (*ü*) s.f.
quercitina (*ü*) s.f.
quercitínico (*ü*) adj.
quercitol (*ü*) s.m.
quercitrina (*ü*) s.f.
quercitrônio (*ü*) s.m.
quercitróside (*ü*) s.f.
quércivir (*ü*) s.m.
quercíviro (*ü*) s.m.
querco (*ü*) s.m.
quercocelulose (*ü*) s.f.
quercomorfismo (*ü*) s.m.
quercoso (*ü* ou *ô*) adj.; f. (*ó*); pl. (*ó*)
querdômetro (*ü*) s.m.
querebetã s.m.
querecа adj. s.2g.
queredor (*ô*) adj. s.m.
querefólio s.m.
querela s.f.
querelado adj. s.m.
querelador (*ô*) adj. s.m.
querelante adj. s.2g.
querelar v.
querelável adj.2g.
quereloso (*ô*) adj.; f. (*ó*); pl. (*ó*)
queremense adj. s.2g.
queremismo s.m.
queremista adj. s.2g.
queremístico adj.
querena s.f.
querenado adj.
querenar v.
querença s.f.
querenceiro adj.
querencho adj.
querência s.f.
querenciano adj. s.m.
querenciar v.
querenciense adj. s.2g.
querenço s.m.
querençoso (*ô*) adj.; f. (*ó*); pl. (*ó*)
querençudo adj.
querendão adj. s.m.; f. *querendona*
querendar v.
querendeirinho adj.
querendeiro adj.
querendona adj. s.f. de *querendão*
quereneiro s.m.
querente adj.2g.
querê-querê s.m.; pl. *querê--querês*
querequetê s.m.
querequexé s.m.
querer v. s.m.
quererê s.m.
querereca adj.2g.
quererequexê s.m.
queri s.m.
quéria s.f.
queridão s.m.; f. *queridona*
querido adj. s.m.
queridona s.f. de *queridão*
querigma s.m.
querigmático adj.
querila s.f.
querima s.f.
querimana s.f.
querimólia s.f.
querimolieiro s.m.
querimônia s.f.
querinte s.f.
quério s.m.
quérion s.m.
quéris s.m.2n.
querite s.f.
queriterapia s.f.
queriterápico adj.
querivoula s.f.
querléria s.f.
quermes s.m.2n.
quermésico adj.
quermesídeo adj. s.m.
quermesíneo adj. s.m.
quermesita s.f.
quermesítico adj.
quermesito s.m.
quermesse s.f.
quermídeo adj. s.m.
quermococcíneo s.m.
quermococo s.m.
quernera s.f.
querneta (*ê*) s.m.
quernétida adj.2g. s.m.
quernita s.f.
quernite s.f.
quernítico adj.
quernito s.m.
querocampa s.f.
querocampíneo adj. s.m.
querocino s.m.
querócito s.m.
querodão s.m.
queródris s.m.2n.
querofilo s.m.
querofobia s.f.
querofóbico adj.
querófobo s.m.
querogênico adj.
querogênio s.m.
querógeno s.m.
querogrilo s.m.
queroide (*ó*) adj.2g. s.m.
querolita s.f.
querolomania s.f.
quero-mana s.m.; pl. *quero--manas*
queromania s.f.
queromaníaco adj. s.m.
querômano s.m.
querona s.f.
queronícteris s.m.2n.
queropíneo adj. s.m.
querópo s.m.
querópode adj.2g. s.m.
quérops s.2g.2n.
quero-quero s.m.; pl. *quero--queros*
quero-quero-da-praia s.m.; pl. *quero-queros-da-praia*
quero-quero-real s.m.; pl. *quero-queros-reais*
querosenagem s.f.
querosenar v.
querosene s.m.
queroseno s.m.
querosolene s.m.
queroteno s.m.
querquedula (*ü...ü*) s.f.
querquédula s.f.
quérquera s.f.
querquerno (*ü...ü*) adj. s.m.
querquetulano (*ü...ü*) adj. s.m.
querrequexé s.m.
quérria s.f.
querríea s.f.
querrita s.f.
querrite s.f.
querrito s.m.
querróbia s.f.
querronense adj. s.2g.
quersantito s.m.
quérsida adj.2g. s.m.
quersídeo adj. s.m.
quersidro s.m.
quersina s.f.
quersite s.f.
quersófilo adj. s.m.
quersonense adj. s.2g.
quersoneso s.m.
quersonesonimia s.f.
quersonesonímia s.f.
quersonesonímico adj.
quersonesônimo s.m.
querua s.f.
quérube s.m.
querúbico adj.
querubim s.m.
querubíneo adj.
querubínico adj.
querubismo s.m.
querudo (*ü*) adj. "valentão"; cf. *cuerudo*
quérula (*u* ou *ü*) s.f.
querulência (*u* ou *ü*) s.f.
quérulo (*u* ou *ü*) s.m.
querumana s.m.
queru-queru s.m.
querusco adj. s.m.
quesada s.f.
quesal s.m.
quescolheiro adj.
quésias s.f.2n.
quesibilidade (*u* ou *ü*) s.f.
quesito s.m.
quesitor (*ô*) s.m.
quesível (*u* ou *ü*) adj.2g.
quesnélia s.f.
quesnelismo s.m.
quesnelista adj. s.2g.
quesri s.m.
quessível adj.2g.
questa s.f.
questão (*u* ou *ü*) s.f.
questionabilidade (*u* ou *ü*) s.f.
questionação (*u* ou *ü*) s.f.
questionado (*u* ou *ü*) adj.
questionador (*u* ou *ü...ô*) adj. s.m.
questionamento (*u* ou *ü*) s.m.
questionante (*u* ou *ü*) adj. s.2g.
questionar (*u* ou *ü*) v.
questionário (*u* ou *ü*) s.m.
questionável (*u* ou *ü*) adj.2g.
questiúncula (*u* ou *ü*) s.f.
questiuncular (*u* ou *ü*) v.
questor (*u* ou *ü...ô*) s.m.
questorado (*u* ou *ü*) s.m.
questório (*u* ou *ü*) adj.
questuário (*u* ou *ü*) adj. s.m.
questuoso (*u* ou *ü...ô*) adj.; f. (*ó*); pl. (*ó*)
questura (*u* ou *ü*) s.f.
quetador (*ô*) s.m.
quetamina s.f.
quetangiácea s.f.
quetangiáceo adj.
quetângio s.m.
quetáster s.m.
quetasteríneo adj. s.m.
quetçal s.m.
quetche s.m.
quete s.m.
queteleéria s.f.
quetelo s.m.
quetengo s.m.
quetenita s.f.
quetenite s.f.
quetenito s.m.
queterracho adj.
quétida s.f.
quetífero adj.
quetígero adj.
quetília s.f.
quetiliquê s.m.
quetilquê s.m.
queto (*ê*) adj. s.m. "subdivisão dos nagôs", etc...; cf. *quetó*

quetó s.2g. "criança gorducha"; cf. *queto*
quetobranco s.m.
quetocálice s.m.
quetocarpo s.m.
quetócera s.f.
quetocerco s.m.
quetocladiácea s.f.
quetocládio s.m.
quetoclâmide s.m.
quetocnema s.f.
quetoderma s.m.
quetodérmatas s.m.pl.
quetodermídeo adj. s.m.
quetodonte s.m.
quetodontídeo adj. s.m.
quetoessíneo adj. s.m.
quetoesso s.m.
quetófora s.f.
quetoforácea s.f.
quetoforáceo adj.
quetoforal adj.2g.
quetoforale s.f.
quetofórea s.f.
quetóforo s.m.
quetofracto s.m.
quetogáster s.m.
quetogastrídeo adj. s.m.
quetógnata s.m.
quetógnato adj. s.m.
quetomiácea s.f.
quetomiáceo adj.
quetomina s.f.
quetômio s.m.
quétomis s.m.2n.
quetomorfa s.f.
quetoniácea s.f.
quetoniáceo adj.
quetonial adj.2g.
quetoniale s.f.
quetoniina s.f.
quetoníquia s.f.
quetonotídeo adj. s.m.
quetonoto s.m.
quetonotoide (*ó*) adj.2g. s.m.
quetopária s.f.
quetopelmáteo s.m.
quetopelte s.f.
quetopeltidácea s.f.
quetopeltidáceo adj.
quetópode adj.2g. s.m.
quetópodo s.m.
quetopterídeo adj. s.m.
quetóptero s.m.
quetórnis s.2g.2n.
quetornite s.2g.
quetorrinco s.m.
quetospira s.f.
quetossoma s.m.
quetossômida adj.2g. s.m.
quetossomídeo adj. s.m.
quetossômido adj. s.m.
quetostila s.f.
quetóstoma s.m.
quetóstomo s.m.
quetotáctico adj.
quetotaxia (*cs*) s.f.
quetotáxico (*cs*) adj.
quetote s.m.
quetotílace s.f.
quetotílaco s.m.
quetozona s.f.
quetozone s.f.
quetri adj. s.m.
quetua s.m.
quetumbá s.m.
quetura s.f.
queturínea s.f.
queturo s.m.
quetúsia s.f.
quetzal s.m.
quetzalcoati s.m.
quetzalcoatlita s.f.
quêuper s.m.
quevatron s.m.
quévatron s.m.
quevedense adj. s.2g.
quevediano s.m.
quevel s.m.
quevindar v.
quevioço s.m.
quevrêulia s.f.
queza s.f.
quezila s.f.
quezilado adj.
quezilar v.
quezilento adj.
quezília s.f.
qui s.m.
quiá s.m.
quiabada s.f.
quiabeiro s.m.
quiabeiro-bravo s.m.; pl. *quiabeiros-bravos*
quiabeiro-chifre-de-veado s.m.; pl. *quiabeiros-chifre-de--veado* e *quiabeiros-chifres--de-veado*
quiabeiro-comum s.m.; pl. *quiabeiros-comuns*
quiabeiro-de-angola s.m.; pl. *quiabeiros-de-angola*
quiabento s.m.
quiabinho-do-campo s.m.; pl. *quiabinhos-do-campo*
quiabo s.m.
quiabo-azedo s.m.; pl. *quiabos-azedos*
quiabo-branco s.m.; pl. *quiabos-brancos*
quiabo-bravo s.m.; pl. *quiabos-bravos*
quiabo-cheiroso s.m.; pl. *quiabos-cheirosos*
quiabo-chifre-de-veado s.m.; pl. *quiabos-chifre-de--veado* e *quiabos-chifres-de--veado*
quiabo-comum s.m.; pl. *quiabos-comuns*
quiabo-de-angola s.m.; pl. *quiabos-de-angola*
quiabo-de-caiena s.m.; pl. *quiabos-de-caiena*
quiabo-de-cheiro s.m.; pl. *quiabos-de-cheiro*
quiabo-de-cipó s.m.; pl. *quiabos-de-cipó*
quiabo-de-quina s.m.; pl. *quiabos-de-quina*
quiabo-do-mangue s.m.; pl. *quiabos-do-mangue*
quiaborana s.f.
quiaborana-de-espinho s.f.; pl. *quiaboranas-de-espinho*
quiaborana-lisa s.f.; pl. *quiaboranas-lisas*
quiabo-róseo s.m.; pl. *quiabos-róseos*
quiabo-roxo s.m.; pl. *quiabos--roxos*
quiaça s.f.
quiáltera s.f.
quianda-muxito s.m.; pl. *quiandas-muxitos*
quiangala s.f.
quiangue s.m.
quianja s.f.
quianodelfita s.f.
quiaquiá s.m.
quiara s.m.
quiari adj. s.2g.
quiasma s.m.
quiasmático adj.
quiásmico adj.
quiasmo s.m.
quiasmodonte s.m.
quiasmodontídeo adj. s.m.
quiasógnato s.m.
quiástico adj.
quiastobasídio s.m.
quiastolífero adj.
quiastolita s.f.
quiastolite s.f.
quiastólito s.m.
quiastolóforo adj.
quiastra s.f.
quiastro s.m.
quiba (*u* ou *ü*) adj.2g. s.m.
quibaana adj. s.2g.
quibabá s.m.
quibaca s.f.
quibala adj.2g. s.f.
quibança s.f.
quibanda s.m. "presente dado ao soba"; cf. *quibandã*
quibandã s.m. "palmatória"; cf. *quibanda*
quibandabunze s.m.
quibandabúnzi s.m.
quibandar v.
quibandeiro s.m.
quibando s.m.
quibano s.m.
quibe s.m.
quibeba s.f.
quibebe (*ê* ou *é*) adj.2g. s.m.
quibemuxi s.f.
quibenza s.m.
quibire s.m.
quíbis s.f.2n.
quibitca s.f.
quiboa (*ô*) s.f.
quiboça s.f.
quibolabola s.f.
quibolobola s.f.
quibombó s.m.
quibondo s.m.
quibondo-de-água s.m.; pl. *quibondos-de-água*
quibondo-iá-menha s.f.; pl. *quibondos-iá-menha*
quibondo-iá-molembo s.m.; pl. *quibondos-iá-molembo*
quibori s.m.
quibuca s.f.
quibuco s.m.
quibumbo s.m.
quibungo s.m.
quica s.f.
quiça s.f. "planta leguminosa"; cf. *quiçá*
quiçá adv. "talvez"; cf. *quiça*
quiçaba s.f.
quicabo s.m.
quiçaça s.f.
quicácia s.f.
quicada s.f.
quica-d'água s.f.; pl. *quicas--d'água*
quiçafu s.m.
quiçai s.m.
quiçal s.m.
quicalango s.m.
quiçama adj. s.2g. s.m. "povo de Angola"; cf. *quiçamã*
quiçamã s.m.f. "variedade de cana", etc...; cf. *quiçama*
quiçamaense adj. s.2g.
quiçamãense adj. s.2g.
quiçamanense adj. s.2g.
quicamba s.f. "árvore do Congo", etc...; cf. *quiçamba*
quiçamba s.f. "cesto de taquara"; cf. *quicamba*
quiçameiro s.m.
quiçanama s.f.
quiçandaçuala s.f.
quiçanda-muxito s.m.; pl. *quiçandas-muxitos*
quicanga s.f.
quicange s.f.
quiçangua s.f.
quiçanja s.f.
quiçanje s.m.
quiçapo s.m.
quicar v.
quiçau s.m.
quiçava s.f.
quicé s.2g.
quicê s.2g.
quiceacica s.f.
quicê-acica s.f.; pl. *quicês-acica* e *quicês-acicas*
quicebaandua s.f.
quiceca s.f.
quiceco s.m.
quiceense adj. s.2g.
quicemo s.m.
quicengo s.m.
quicéqua s.f.
quichaça s.f.
quiché adj. s.2g. s.m.
quiche-do-sertão s.m.; pl. *quiches-do-sertão*
quichilangue s.m.
quichobo (*ô*) s.m.
quíchua adj. s.2g. s.m.
quício s.m.
quico s.m. "chapéu", etc...; cf. *quicó*
quicó s.m. "galo votivo no candomblé"; cf. *quico* s.m. e fl. do v. *quicar*
quiço s.m.
quicoa s.f.
quicobequelababa s.f.
quiçocolaloa (*ô*) s.f.
quicocomela s.f.
quiçoçoria s.f.
quicócua s.f.
quicole s.m.
quiçonda s.f.
quiçonde s.f.
quicongo s.m.
quiçongo s.m.
quicóqua s.f.
quicua s.f.
quiçua s.f.
quicuacula s.f.
quiçuaíle s.m.
quicuala s.f.
quicuamanga s.f.
quicuambe s.m.
quicuandiata s.f.
quicuanga s.f.
quicuca s.f.
quicuio adj. s.m.
quicumbi s.m.
quiçumbiandando s.m.
quicundo s.m.
quiçunje s.m.
quicunjo s.m.
quicuta s.f.
quidam (*ü*) s.m.
quididade (*ü*) s.f.
quididativo (*ü*) adj.
quidingo-cambonje s.m.; pl. *quidingos-cambonjes*
quido s.m.
quiebro s.m.
quieira s.f.
quienol s.m.
quiescência (*u* ou *ü*) s.f.
quiescente (*u* ou *ü*) adj.2g.
quietação s.f.
quietado adj.
quietador (*ô*) adj. s.m.
quietar v.
quietarrão adj.; f. *quietarrona*
quietarrona adj; f. de *quietarrão*
quiete s.f.
quietense adj. s.2g.
quietismo s.m.
quietista adj. s.2g.
quietístico adj.
quietitude s.f.
quieto adj. s.m.
quietole s.m.
quietório s.m.
quietude s.f.
quietura s.f.
quifaça s.f.
quifacoto s.m.
quifoci s.m.
quifosídeo s.m.
quifossi s.m.
quifufutila s.f.
quifuje s.m.
quifula s.f.
quifumbe s.m.
quifundo s.m.
quifuxo s.m.
quigaleno s.m.
quigalo s.m.
quigélia s.f.
quigombó s.m.
quigombô s.m.
quigombó-azedo s.m.; pl. *quigombós-azedos*
quigombó-de-cheiro s.m.; pl. *quigombós-de-cheiro*
quiiaapuá s.m.
quiina s.f.
quiinácea s.f.
quiináceo adj.
quiínico adj.
quií-quií s.m.; pl. *quií-quiís*
quiismo s.m.
quiita adj. s.2g.
quija s.m.
quijara s.f.
quijila s.f.
quijilar v.
quijilento adj.
quijília s.f.
quijinga s.f.
quijinguense adj. s.2g.
quijuba s.f.
quijubatuí s.m.
quijunga s.f.
quil s.m.
quilabotro s.m.
quilacatembo s.m.
quiláceo adj.
quilagem s.f.
quilaia s.f.
quilaja s.f.
quilájea s.f.
quilalgia s.f.
quilálgico adj.
quilambalambe s.m.
quilambelavula s.f.
quilampério s.m.
quilanga-lujimbo s.m.; pl. *quilangas-lujimbos*
quilangioma s.m.
quilante s.f.
quilantina s.f.
quilanto adj.
quilária s.f.
quilatação s.f.
quilatado adj.
quilatador (*ô*) adj. s.m.
quilatar v.
quilate s.m.
quilateira s.f.
quilbriquenita s.f.
quilbriquenite s.f.
quile s.m. "espécie de breu"; cf. *quilé*
quilé s.m. "órgão sexual masculino"; cf. *quile*
quilectrópio s.m.
quilelê s.m.
quilema s.m.
quilemba s.f.
quilemia s.f.
quilêmico adj.
quilendo s.m.
quilengolengo s.m.
quiletíneo s.m.
quileto s.m.
quiletomia s.f.
quiletômico adj.
quiletropíon s.m.
quilgramento s.m.
quilha s.f.
quilhada s.f.
quilhado adj.
quilhaja s.f.
quilhanita s.f.
quilhar v. s.m.
quilhau adj. s.2g.
quilhoto (*ô*) s.m.
quili s.m.
quilíada s.f.
quilíade s.f.
quiliagonal adj.2g.
quiliágono s.m.
quiliarca s.2g.
quiliarco s.m.
quiliare s.m.
quiliarquia s.f.
quiliasma s.m.
quiliasmo s.m.
quiliasta adj. s.2g.
quiliástico adj.
quilídio s.m.
quilífero adj. s.m.
quilificação s.f.
quilificado adj.
quilificar v.
quilificativo adj.

quilim s.m.
quilina s.f.
quilinga s.f.
quilinídeo adj. s.m.
quilinita s.f.
quilino s.m.
quílio s.m.
quiliodieresia s.f.
quiliógono s.m.
quiliombe s.f.
quilisma s.f.
quilite s.f.
quilmacooíta s.f.
quilmacoóito s.m.
quilme adj. s.2g.
quilo s.m.
quíloa adj. s.2g.
quiloamba s.m.
quiloampere s.m.
quiloampère s.m.
quiloamperímetro s.m.
quiloampério s.m.
quiloangioscopia s.f.
quiloangioscópico adj.
quiloapostilb s.m.
quilobaite s.m.
quilobar s.m.
quilobarn s.m.
quilobase s.f.
quilobit s.m.
quilobite s.m.
quilobranco s.m.
quilobyte s.m.
quilócace s.f.
quilocacia s.f.
quilocaloria s.f.
quilocandela s.f.
quilocaule adj.2g.
quilociclo s.m.
quilocládia s.f.
quiloclínio s.m.
quilocoreia (*é*) s.f.
quilocoreico (*é*) adj.
quilocoro s.m.
quilocoulomb (*culom*) s.m.
quilocrômis s.m.2n.
quilocuenque s.m.
quiloculômbio s.m.
quilocurie s.m.
quilodactilídeo adj. s.m.
quilodáctilo s.m.
quilodieresia s.f.
quilodierético adj.
quilodina s.m.
quilodíptera s.f.
quilodipteríneo adj. s.m.
quilodíptero s.m.
quilodonte s.m.
quilodôntida s.m.
quiloelétron-volt s.m.; pl. *quiloelétrons-volt* e *quiloelétrons-volts*
quiloerg s.m.
quiloesteno s.m.
quiloestéreo s.m.
quilofagia s.f.
quilofágico adj.
quilófago s.m.
quilofarad (*fá*) s.m.
quilofilia s.f.
quilofilo adj. s.m.
quilofima s.m.
quilófito s.m.
quilóforo adj.
quilofot s.m.
quilogauss s.m.
quilogilbert s.m.
quilógnato adj. s.m.
quilognatopalatósquise s.f.
quilognatopalatosquisma s.m.
quilognatosquisma s.m.
quilognatostafiosquisma s.m.
quilógono s.m.
quilógrafo s.m.
quilograma s.m.
quilograma-força s.m.; pl. *quilogramas-força* e *quilogramas-forças*
quilograma-metro s.m.; pl. *quilogramas-metro* e *quilogramas-metros*
quilograma-peso s.m.; pl. *quilogramas-peso* e *quilogramas-pesos*
quilogramétrico adj.
quilogrâmetro s.m.
quilo-henry s.m.
quilo-hertz s.m.
quilohm s.m.
quiloiô s.m.
quilojoule (*ju*) s.m.
quilojúlio s.m.
quilolambert s.m.
quilolitro s.m.
quilolo s.m.
quilologia s.f.
quilológico adj.
quilolúmen s.m.
quilolux (*cs*) s.m.2n.
quilomastigíase s.f.
quilomastigídeo adj. s.m.
quilomastigose s.f.
quilomástix (*cs*) s.m.2n.
quilomaxwell (*cs*) s.m.
quilombada s.f.
quilombense adj. s.2g.
quilombo s.m.
quilombola s.2g.
quilombolismo s.m.
quilombolista adj.2g.
quilomediastino s.m.
quilômeno s.m.
quilometrado adj.
quilometragem s.f.
quilometrar v.
quilométrico adj.
quilômetro s.m.; cf. *quilometro*, fl. do v. *quilometrar*
quilômetro-passageiro s.m.; pl. *quilômetros-passageiro* e *quilômetros-passageiros*
quilomicro s.m.
quilomícron s.m.
quilomíctero s.m.
quilômio s.m.
quilômis s.m.2n.
quilômona s.m.
quilomônada s.f.
quilomonadídeo adj. s.m.
quilonewton s.m.
quilo-oersted s.m.
quilo-ohm s.m.
quiloparsec s.m.
quilopericárdio s.m.
quiloperitoneu s.m.
quilopiezo s.m.
quiloplásico adj.
quiloplastia s.f.
quiloplástico adj.
quilópode adj.2g. s.m.
quilopoese s.f.
quilopoético adj.
quiloponcelet s.m.
quilópsis s.f.2n.
quilorad s.m.
quilorrafia s.f.
quilorráfico adj.
quilorragia s.f.
quilorrágico adj.
quilorreia (*é*) s.f.
quilorreico (*é*) adj.
quilóscifo s.m.
quiloscílio s.m.
quilose s.f.
quilósia s.f.
quilosiemens (*zi*) s.m.2n.
quiloso (*ô*) adj.; f. (*ó*); pl. (*ó*)
quilospirura s.f.
quilósquise s.f.
quilosquisma s.m.
quilossiemens (*ssi*) s.m.2n.
quilosteno s.m.
quilostere s.m.
quilostilb s.m.
quilostokes s.m.2n.
quilostomado adj. s.m.
quilostomatoplastia s.f.
quilostomatoplástico adj.
quilostômela s.f.
quilostomelídeo adj. s.m.
quilóstomo s.m.
quilostomoplastia s.f.
quilotar v.
quiloteca s.f.
quilotesla s.m.
quilótico adj.
quilotomia s.f.
quilotômico adj.
quiloton s.m.
quíloton s.m.
quilotonelada s.f.
quilotorácico adj.
quilotórax (*cs*) s.m.2n.
quilovar s.m.
quilovar-hora s.m.; pl. *quilovares-hora* e *quilovares-horas*
quilovátio s.m.
quilovátio-hora s.m.; pl. *quilovátios-hora* e *quilovátios-horas*
quilovolt s.m.
quilovolt-ampere s.m.; pl. *quilovolts-ampere* e *quilovolts-amperes*
quilovolt-ampère s.m.; pl. *quilovolts-ampère* e *quilovolts-ampères*
quilovóltio s.m.
quilowatt s.m.
quilowatt-hora s.m.; pl. *quilowats-hora* e *quilowats-horas*
quilowattímetro s.m.
quilowattmetro s.m.
quilowáttmetro s.m.
quiloweber (*vê*) s.m.
quilserita s.f.
quilserito s.m.
quiluanje s.m.
quiluanza s.f.
quilúbio s.m.
quilulo s.m.
quilundu s.m.
quilunje s.m.
quilurano s.m.
quiluria s.f.
quilúria s.f.
quilúrico adj. s.m.
quimáfila s.f.
quimalanca s.f.
quimama s.f.
quimamiense adj. s.2g.
quimana s.f.
quimanga s.f.
quimangata s.f.
quimano s.m.
quimão s.m.
quimarre s.f.
quimarríctis s.m.2n.
quimarrogalo s.m.
quimarrógalo s.m.
quimase s.f.
químase s.f.
quimatóbia s.f.
quimatófilo s.m.
quimau s.m.
quimba s.f.
quimbaia adj. s.2g.
quimbamba s.f.
quimbanda s.m.f.
quimbande s.m.
quimbandeiro s.m.
quimbandismo s.m.
quimbandista adj. s.2g.
quimbandístico adj.
quimbanze s.m.
quimbar v.
quimbe s.m.
quimbembe adj.2g. s.m. "traste", etc...; cf. *quimbembé*
quimbembé s.m. "bebida"; cf. *quimbembe*
quimbembeques s.m.pl.
quimbete (*ê*) s.m.
quimbimbe s.m.
quimbo s.m.
quimboa (*ô*) s.f.
quimboa-brava s.f.; pl. *quimboas-bravas*
quimboa-mansa s.f.; pl. *quimboas-mansas*
quimbobô s.m.
quimbobó s.m.
quimbólio s.m.
quimbombo s.m. "cerveja africana"; cf. *quimbombó*
quimbombó s.m. "quiabo"; cf. *quimbombo*
quimbondo s.m.
quimboto s.m.
quimbuca s.f.
quimbuma s.f.
quimbundo adj. s.m.
quime s.m.
quimé s.m.
quimera s.m.
quimera-antártica s.f.; pl. *quimeras-antárticas*
quimérico adj.
quimerídeo adj. s.m.
quimeridgiano adj. s.m.
quimeriforme adj.2g.
quimerista adj. s.2g.
quimerístico adj.
quimerizar v.
quimia s.f.
quimiatra s.2g.
quimiatria s.f.
quimiátrico adj.
quimiatro s.m.
quimiautotrófico adj.
quimiautótrofo adj. s.m.
química s.f.
químico adj. s.m.
químico-analista adj. s.2g.; pl. do adj. *químico-analistas*; pl. do s. *químicos-analistas*
químico-analítico adj.; pl. *químico-analíticos*
químico-bacteriológico adj.; pl. *químico-bacteriológicos*
químico-bacteriologista adj. s.2g.; pl. do adj. *químico-bacteriologistas*; pl. do s. *químicos-bacteriologistas*
químico-biológico adj.; pl. *químico-biológicos*
químico-bromatológico adj.; pl. *químico-bromatológicos*
químico-farmacêutico adj. s.m.; pl. do adj. *químico-farmacêuticos*; pl. do s. *químicos-farmacêuticos*
químico-farmacológico adj.; pl. *químico-farmacológicos*
químico-física s.f.; pl. *químico-físicas*
químico-físico adj.; pl. *químico-físicos*
químico-fisiológico adj.; pl. *químico-fisiológicos*
químico-industrial adj. s.2g.; pl. do adj. *químico-industriais*; pl. do s. *químicos-industriais*
químico-legal adj.2g.; pl. *químico-legais*
quimicoterapia s.f.
quimicoterápico adj.
quimificação s.f.
quimificar v.
quimigeografia s.f.
quimiluminescência s.f.
quimiluminescente adj.2g.
quimioabrasão s.f.
quimioanalista adj. s.2g.
quimioanalítico adj.
quimioautotrófico adj.
quimioautótrofo adj. s.m.
quimiobacteriológico adj.
quimiobacteriologista adj. s.2g.
quimiobiológico adj.
quimiobromatológico adj.
quimiocaustia s.f.
quimiocáustico adj.
quimiocinese s.f.
quimiocinético adj.
quimiocirurgia s.f.
quimiodectoma s.f.
quimiofarmacêutico adj. s.m.
quimiofarmacológico adj.
quimiofísica s.f.
quimiofísico adj. s.m.
quimiofisiológico adj.
quimiogeografia s.f.
quimiogeográfico adj.
quimiogeógrafo s.m.
quimioluminescência s.f.
quimioluminescente adj.2g.
quimioprevenção s.f.
quimioprofilaxia (*cs*) s.f.
quimiorrecepção s.f.
quimiorreceptividade s.f.
quimiorreceptivo adj.
quimiorreceptor (*ô*) adj. s.m.
quimiorresistência s.f.
quimiosfera s.f.
quimiossíntese s.f.
quimiossintético adj.
quimiossintetizador (*ô*) adj.
quimiossintetizante adj.2g.
quimiossintetizar v.
quimiossintetizável adj.2g.
quimiostato s.m.
quimiotáctico adj.
quimiotactismo s.m.
quimiotático adj.
quimiotatismo s.m.
quimiotaxia (*cs*) s.f.
quimiotáxico (*cs*) adj.
quimioterapeuta adj. s.2g.
quimioterapêutica s.f.
quimioterapêutico adj.
quimioterapia s.f.
quimioterápico adj.
quimiotipia s.f.
quimiotípico adj.
quimiotripsina s.f.
quimiotripsínico adj.
quimiotrofia s.f.
quimiotrófico adj.
quimiotrofismo s.m.
quimiotrópico adj.
quimiotropismo s.m.
quimismo s.m.
quimissorção s.f.
quimista s.2g.
quimitipia s.f.
quimitípico adj.
quimiurgia s.f.
quimo s.m.
quimofila s.f.
quimofobia s.f.
quimofóbico adj.
quimófobo s.m.
quimografia s.f.
quimográfico adj.
quimógrafo s.m.
quimograma s.m.
quimometria s.f.
quimométrico adj.
quimômetro s.m.
quimonanto s.m.
quimone s.m.
quimono s.m.
quimoscopia s.f.
quimoscópico adj.
quimoscópio s.m.
quimose s.f.
quimosina s.f.
quimoso (*ô*) adj.; f. (*ó*); pl. (*ó*)
quimossensorial adj.2g.
quimossensório adj.
quimpurula s.f.
quimuanamuana s.f.
quimuane adj.2g. s.m.
quimuxoco (*ô*) s.m.
quina s.f. "aresta", etc...; cf. *quiná*
quiná s.m. "dança"; cf. *quina* s.f. e fl. do v. *quinar*
quina-amarela s.f.; pl. *quinas-amarelas*
quina-amargosa s.f.; pl. *quinas-amargosas*
quina-bicolorada s.f.; pl. *quinas-bicoloradas*

quina-branca s.f.; pl. *quinas-brancas*
quina-brasileira s.f.; pl. *quinas-brasileiras*
quina-brava s.f.; pl. *quinas-bravas*
quina-calisaia s.f.; pl. *quinas-calisaia* e *quinas-calisaias*
quina-caribé s.f.; pl. *quinas-caribé* e *quinas-caribés*
quinacetofenona s.f.
quinacrina s.f.
quina-cruzeiro s.f.; pl. *quinas-cruzeiro* e *quinas-cruzeiros*
quina-da-chapada s.f.; pl. *quinas-da-chapada*
quina-da-serra s.f.; pl. *quinas-da-serra*
quina-das-três-folhas s.f.; pl. *quinas-das-três-folhas*
quina-da-terra s.f.; pl. *quinas-da-terra*
quina-de-caiena s.f.; pl. *quinas-de-caiena*
quina-de-camamu s.f.; pl. *quinas-de-camamu*
quina-de-campo s.f.; pl. *quinas-de-campo*
quina-de-cerrado s.f.; pl. *quinas-de-cerrado*
quina-de-cipó s.f.; pl. *quinas-de-cipó*
quina-de-condamine s.f.; pl. *quinas-de-condamine*
quina-de-cuiabá s.f.; pl. *quinas-de-cuiabá*
quina-de-diogo-de-sousa s.f.; pl. *quinas-de-diogo-de-sousa*
quina-de-dom-diogo s.f.; pl. *quinas-de-dom-diogo*
quina-de-folha-larga s.f.; pl. *quinas-de-folha-larga*
quina-de-goiás s.f.; pl. *quinas-de-goiás*
quina-de-mato-grosso s.f.; pl. *quinas-de-mato-grosso*
quina-de-paitá s.f.; pl. *quinas-de-paitá*
quina-de-periquito s.f.; pl. *quinas-de-periquito*
quina-de-pernambuco s.f.; pl. *quinas-de-pernambuco*
quina-de-raiz s.f.; pl. *quinas-de-raiz*
quina-de-raiz-preta s.f.; pl. *quinas-de-raiz-preta*
quina-de-rego s.f.; pl. *quinas-de-rego*
quina-de-remígio s.f.; pl. *quinas-de-remígio*
quina-de-santa-catarina s.f.; pl. *quinas-de-santa-catarina*
quina-de-são-joão s.f.; pl. *quinas-de-são-joão*
quina-de-são-paulo s.f.; pl. *quinas-de-são-paulo*
quina-de-veado s.f.; pl. *quinas-de-veado*
quinado adj. s.m.
quina-do-amazonas s.f.; pl. *quinas-do-amazonas*
quina-do-brasil s.f.; pl. *quinas-do-brasil*
quina-do-campo s.f.; pl. *quinas-do-campo*
quina-do-cerrado s.f.; pl. *quinas-do-cerrado*
quina-do-chimborazo s.f.; pl. *quinas-do-chimborazo*
quina-do-mato s.f.; pl. *quinas-do-mato*
quina-do-paitá s.f.; pl. *quinas-do-paitá*
quina-do-pará s.f.; pl. *quinas-do-pará*
quina-do-paraná s.f.; pl. *quinas-do-paraná*
quina-do-piauí s.f.; pl. *quinas-do-piauí*
quina-do-real s.f.; pl. *quinas-do-real*
quina-do-remígio s.f.; pl. *quinas-do-remígio*
quina-do-rio s.f.; pl. *quinas-do-rio*
quina-do-rio-de-janeiro s.f.; pl. *quinas-do-rio-de-janeiro*
quina-do-rio-grande-do-sul s.f.; pl. *quinas-do-rio-grande-do-sul*
quina-do-rio-negro s.f.; pl. *quinas-do-rio-negro*
quina-dos-pobres s.f.; pl. *quinas-dos-pobres*
quina-falsa s.f.; pl. *quinas-falsas*
quinafenina s.f.
quinafenínico adj.
quinal s.m.
quina-laranjeira s.f.; pl. *quinas-laranjeira* e *quinas-laranjeiras*
quinaldato s.m.
quináldico adj.
quinaldina s.f.
quinalizarona s.f.
quinamicina s.f.
quinamidina s.f.
quinamina s.f.
quina-mineira s.f.; pl. *quinas-mineiras*
quina-mole s.f.; pl. *quinas-moles*
quina-nacional s.f.; pl. *quinas-nacionais*
quinanda s.f.
quinanga s.f.
quinangabundo s.m.
quinanilina s.f.
quinano s.m.
quinante adj.2g.
quina-pereira s.f.; pl. *quinas-pereira* e *quinas-pereiras*
quinaquina s.f.
quinaquina-branca s.f.; pl. *quinaquinas-brancas*
quinaquina-vermelha s.f.; pl. *quinaquinas-vermelhas*
quinar v.
quinarana s.f.
quina-real s.f.; pl. *quinas-reais*
quinário adj. s.m.
quínase s.f.
quinato s.m.
quinatoxina (*cs*) s.f.
quinau s.m.
quina-verdadeira s.f.; pl. *quinas-verdadeiras*
quina-vermelha s.f.; pl. *quinas-vermelhas*
quina-vermelha-do-brasil s.f.; pl. *quinas-vermelhas-do-brasil*
quinazolina s.f.
quinazolínico adj.
quinca s.m.
quincaju s.m.
quincalha s.f.
quincalharia s.f.
quincálogo s.m.
quincanja s.f.
quincas s.m.2n.
quincha s.f.
quinchador (*ô*) s.m.
quinchar v.
quinchorro (*ô*) s.m.
quinchoso (*ô*) s.m.; f. (*ó*); pl. (*ó*)
quincita s.f.
quincite s.f.
quincito s.m.
quincocial adj.2g.
quincócio s.m.
quincoeense adj. s.2g.
quinconcial adj.2g.
quincôncio s.m.
quincônquio s.m.
quincuncaense adj. s.2g.
quincunce s.m. "grupo de cinco", etc...; cf. *quincusse*
quincuncial adj.2g.
quincusse s.m. "moeda de cinco ases"; cf. *quincunce*
quincússis s.m.2n.
quinda s.f.
quindão s.m.
quindarca s.m.
quindecágono (*ü*) s.m.
quindecenvirado (*ü*) s.m.
quindecenviral (*ü*) adj.2g.
quindecenvirato (*ü*) s.m.
quindecênviro (*ü*) s.m.
quindecilhão (*ü*) num.
quindecilião (*ü*) num.
quindecilionésimo (*ü*) num.
quindeciolionesimal (*ü*) adj.2g.
quindena (*ü*) s.f.
quindênio (*ü*) s.m.
quindim s.m.
quindins-das-brasileiras s.m.pl.
quindorna s.f.
quindumba s.f.
quindunde s.m.
quine s.m.
quinecu s.m.
quinei s.m.
quineira s.f.
quineiro adj. s.m.
quinemetria s.f.
quinemétrico adj.
quineno s.m.
quinesiergógrafo s.m.
quinesiergograma s.m.
quinesimetria s.f.
quinesímetro s.m.
quinetina s.f.
quinetínico adj.
quineto (*ê*) s.m.
quinetógrafo s.m.
quinetoscópio s.m.
quinetósquia s.m.
quineurina s.f.
quingala s.f.
quingandé s.m.
quingaquindiúlo s.m.
quingar v.
quingengue s.m.
quingentaria (*ü*) s.f.
quingentário (*ü*) s.m.
quingentesimal (*ü*) adj.2g.
quingentésimo (*ü*) num.
quingentúplice (*ü*) num.
quingêntuplo (*ü*) num.
quingobó s.m.
quingombe s.m.
quingombeiro s.m.
quingombó s.m.
quingombô s.m.
quingombó-azedo s.m.; pl. *quingombós-azedos*
quingombó-de-cheiro s.m.; pl. *quingombós-de-cheiro*
quingombó-de-espinho s.m.; pl. *quingombós-de-espinho*
quingombó-grande s.m.; pl. *quingombós-grandes*
quingosta (*ô*) s.f.
quinguana adj.2g. s.m.
quingue s.m.
quinguelenguele s.m.
quinguenge s.m.
quinguengu s.m.
quinguingu s.m.
quingumbe s.m.
quingúri s.m.
quinhame s.m.
quinhames s.m.pl.
quinhão s.m.
quinhentão s.m.
quinhentismo s.m.
quinhentista adj. s.2g.
quinhentístico adj.
quinhentos num.
quinhoado adj.
quinhoão adj.
quinhoar v.
quinhoeiro s.m.
quinhoísta s.2g.
quinhoneiro adj.
quinhonista adj. s.2g.
quinica s.m.
quinicina s.f.
quínico adj.
quinidina s.f.
quinidínico adj.
quinidrona s.f.
quiniela s.f.
quinifloro (*ü*) adj.
quinim s.m.
quinimetria s.f.
quinimétrico adj.
quinímetro s.m.
quínimum s.m.
quinimura adj. s.2g.
quinina s.f.
quinínico adj.
quininismo s.m.
quinino s.m.
quinino-dos-pobres s.m.; pl. *quininos-dos-pobres*
quininona s.f.
quininoterapia s.f.
quininoterápico adj.
quínio s.m.
quinional s.m.
quiniquinau adj. s.2g.
quinismo s.m.
quinite s.f.
quinitol s.m.
quinizarona s.f.
quinizaronaquinona s.f.
quinjengue s.m.
quinjuanjua s.f.
quino s.m.
quinoa (*ô*) s.f.
quinocloral s.m.
quinofórmio s.m.
quinoftalona s.f.
quinoide (*ó*) adj.2g.
quinoidina s.f.
quinoílo s.m.
quinol s.m.
quinola s.f.
quinolato s.m.
quinoleato s.m.
quinoleico (*é*) adj.
quinoleína s.f.
quinoleinacarbonato s.m.
quinoleinacarbônico adj.
quinoleinacarboxilato (*cs*) s.m.
quinoleinacarboxílico (*cs*) adj.
quinoleínico adj.
quinolênico adj.
quinólico adj.
quinolilo s.m.
quinolina s.f.
quinolinato s.m.
quinolínico adj.
quinolínio s.m.
quinologia s.f.
quinológico adj.
quinologista s.2g.
quinólogo s.m.
quinolona s.f.
quinolônio s.m.
quinombó s.m.
quinometria s.f.
quinométrico adj.
quinona s.f.
quinônico adj.
quinonimina s.f.
quinopirina s.f.
quinoquaternário (*ü*) adj.
quinoquino (*ü*) s.m.
quinor s.m.
quinorrinco adj. s.m.
quinospera s.f.
quinotânico adj.
quinoterapia s.f.
quinoterápico adj.
quinoto s.m.
quinotoxina (*cs*) s.f.
quinotropina s.f.
quinovato s.m.
quinóvico adj.
quinovina s.f.
quinovite s.f.
quinoxalina (*cs*) s.f.
quinquagenário (*ü*) adj. s.m.
quinquagésima (*ü*) s.f.
quinquagesimal (*ü*) adj.2g.
quinquagésimo (*ü*) num.
quinquagintúplice (*ü*) num.
quinquagíntuplo (*ü*) num.
quinquangular (*ü*) adj.2g.
quinquátrias (*ü*) s.f.pl.
quinqué s.m.
quinqueangular (*ü...ü*) adj.2g.
quinquecapsular (*ü...ü*) adj.2g.
quinquecelular (*ü...ü*) adj.2g.
quinquedentado (*ü...ü*) adj.
quinquedigitado (*ü...ü*) adj.
quinquédio (*ü...ü*) s.m.
quinquefendido (*ü...ü*) adj.
quinquefido (*ü...ü*) adj.
quinquefloro (*ü...ü*) adj.
quinquefoliado (*ü...ü*) adj.
quinquefólio (*ü...ü*) adj. s.m.
quinquéfore (*ü...ü*) adj.2g.
quinquegenciano (*ü...ü*) adj. s.m.
quinquéjugo (*ü...ü*) adj.
quinqueleger (*ü...ü*) v.
quinquelíngue (*ü...ü...ü*) adj. s.2g.
quinqueliteral (*ü...ü*) adj.2g.
quinqueliteralidade (*ü...ü*) s.f.
quinquelítero (*ü...ü*) adj. s.m.
quinquelobado (*ü...ü*) adj.
quinquelobulado (*ü...ü*) adj.
quinquelocular (*ü...ü*) adj.2g.
quinquenais (*ü...ü*) s.f.pl.
quinquenal (*ü...ü*) adj.2g. s.m.
quinquenalidade (*ü...ü*) s.f.
quinquenário (*ü...ü*) adj.
quinquenervado (*ü...ü*) adj.
quinquenérveo (*ü...ü*) adj.
quinquênio (*ü...ü*) s.m.
quinqueovulado (*ü...ü*) adj.
quinquepartido (*ü...ü*) adj.
quinquepontuado (*ü...ü*) adj.
quinquerreme (*ü...ü*) adj.2g. s.f.
quinquesseriado (*ü...ü*) adj.
quinquestriado (*ü...ü*) adj.
quinquetubercular (*ü...ü*) adj.2g.
quinquevalência (*ü...ü*) s.f.
quinquevalente (*ü...ü*) adj.2g.
quinquevalve (*ü...ü*) adj.2g.
quinquevalvular (*ü...ü*) adj.2g.
quinquevigesimal (*ü...ü*) adj.2g.
quinquevirado (*ü...ü*) s.m.
quinqueviral (*ü...ü*) adj.2g.
quinquevirato (*ü...ü*) s.m.
quinquéviro (*ü...ü*) s.m.
quinquídio (*ü...ü*) s.m.
quinquiduo (*ü...ü*) s.m.
quinquiesmilésimo (*ü...ü*) num.
quinquífido (*ü...ü*) adj.
quinquifólio (*ü...ü*) s.m.
quinquigêmeo (*ü...ü*) adj. s.m.
quinquilharia s.f.
quinquilheiro s.m.
quinquilheria s.f.
quinquim s.f.
quinquina s.f.
quinquinado adj. s.m.
quinquió s.m.
quinsolo s.m.
quinsonje s.m.
quinta s.f. "propriedade rural"; cf. *quintã*
quintã s.f. "febre", etc.; cf. *quinta*
quinta-coluna s.2g.; pl. *quinta-colunas*
quinta-colunismo s.m.; pl. *quinta-colunismos*
quinta-colunista adj. s.2g.; pl. *quinta-colunistas*
quinta-colunístico adj.; pl. *quinta-colunísticos*

quintadajila s.f.
quintadecimano adj. s.m.
quintadinamizado adj.
quintado adj.
quinta-doença s.f.; pl. *quintas-doenças*
quintador (*ô*) adj. s.m.
quinta-essência s.f.; pl. *quinta-essências*
quinta-essenciação s.f.; pl. *quinta-essenciações*
quinta-essenciado adj.; pl. *quinta-essenciados*
quinta-essenciador adj.; pl. *quinta-essenciadores*
quinta-essencial adj.2g.; pl. *quinta-essenciais*
quinta-essenciante adj.2g.; pl. *quinta-essenciantes*
quinta-essenciar v.
quinta-essenciável adj.2g.; pl. *quinta-essenciáveis*
quinta-feira s.f.; pl. *quintas-feiras*
quintagem s.f.
quintal s.m.
quintalada s.f.
quintalão s.m.
quintalejo (*ê*) s.m.
quintalório s.m.
quinta-moléstia s.f.; pl. *quintas-moléstias*
quintana s.f.
quintanal s.m.
quintaneiro s.m.
quintanense adj. s.2g.
quintanilha s.m.
quintanismo s.m.
quintanista adj. s.2g.
quintano adj. s.m.
quintante s.m.
quintão adj. s.m.
quintar v. s.m.
quinta-rédea s.f.; pl. *quintas-rédeas*
quintarola s.f.
quintarte s.m.
quinta-solense adj. s.2g.; pl. *quinta-solenses*
quinta-substância s.f.; pl. *quinta-substâncias*
quintatão s.m.
quintavar v.
quinté s.m.
quinteira s.f.
quinteirão s.m.
quinteireiro s.m.
quinteiro s.m.
quintena s.f.
quintense adj. s.2g.
quintessência s.f.
quintessenciação s.f.
quintessenciado adj.
quintessenciador (*ô*) adj.
quintessencial adj.2g.
quintessenciante adj.2g.
quintessenciar v.
quintessenciável adj.2g.
quintetista adj. s.2g.
quinteto (*ê*) s.m.
quinticlave s.f.
quíntico adj.
quintidi s.m.
quintifalange s.f.
quintifalangeta (*ê*) s.f.
quintifalanginha s.f.
quintil adj.2g.
quintilha s.f.
quintilhão num.
quintilho s.m.
quintilianismo s.m.
quintiliano adj.
quintilião num.
quintílio s.m.
quintilionesimal (*u* ou *ü*) adj.2g.
quintilionésimo (*u* ou *ü*) num.
quintimetatársico (*u* ou *ü*) adj.
quintimonarquista (*u* ou *ü*) adj. s.2g.
quintinense adj. s.2g.
quintissecular (*u* ou *ü*) adj.2g.
quintivalente (*u* ou *ü*) adj.2g.
quinto num.
quintório s.m.
quintoso (*ô*) adj.; f. (*ó*); pl. (*ó*)
quintupleta s.f.
quintuplicação s.f.
quintuplicado adj.
quintuplicador (*ô*) adj. s.m.
quintuplicar v.
quintuplicável adj.2g.
quintúplice num.
quintuplinérveo adj.
quíntuplo num.
quintuques s.m.2n.
quintusse s.m.
quintússis s.m.2n.
quinuclidina s.f.
quinze num.
quinzena s.f.
quinzenal adj.2g.
quinzenalista adj. s.2g.
quinzenário s.m.
quinzenze s.m.
quinzol s.m.
quinzongo s.m.
quinzopolitano adj. s.m.
quinzunguila s.f.
quio adj. s.m.
quioco (*ô*) adj. s.2g.
quiococa s.f.
quiocócea s.f.
quioco-lunda adj. s.m.; pl. *quioco-lundas*
quiodectonácea s.f.
quioglossa s.f.
quioglossídeo adj. s.m.
quioio s.m. "farofa de dendê adocicada"; cf. *quioiô*
quioiô s.m. "manjericão"; cf. *quioio*
quiolita s.f.
quiolite s.f.
quiólito s.m.
quiomara s.f.
quionablepsia s.f.
quionabléptico adj.
quionado s.m.
quionanto s.m.
quionarco s.m.
quionáspis s.m.2n.
quionectes s.m.2n.
quiônide s.m.
quionidídea s.f.
quionidídeo adj. s.m.
quionidóidea s.f.
quionidóideo adj. s.m.
quiónis s.m.2n.
quionococo s.m.
quionodoxa (*cs*) s.f.
quionófilo adj.
quionolena s.f.
quionótomo s.m.
quiosco s.m.
quiosque s.m.
quiosqueiro s.m.
quiota adj.2g.
quiotomia s.f.
quiótomo s.m.
quiova adj. s.2g.
quioza s.f.
quipá s.2g. "solidéu"; cf. *quipã*
quipã s.f. "prurido"; cf. *quipá*
quipaense adj. s.2g.
quipapaense adj. s.2g.
quipata s.f.
quipateiro s.m.
quipé s.m.
quipede s.m.
quipembe s.m.
quíper s.m.
quipico s.m.
quipiú adj. s.2g.
quipo s.m.
quipololo s.m.
quipoqué s.m.
quipoto s.m.
quiproquó (*ü*) s.m.
quipuculo s.m.
quipululo s.m.
quipúndi s.m.
quipungo adj. s.2g.
quipungulo s.m.
quiquala s.f.
quiquamanga s.f.
quiquanga s.f.
quique s.m.
quiquecuria s.f.
quiquerіqui s.m.
quíquero s.m.
quiqui s.m.
qui-qui-qui adj. s.2g.; pl. *qui-qui-quis*
quiquiquiri s.m.
quiquiru s.m.
quir s.m.
quira s.f.
quirabi s.m.
quiracantídeo adj. s.m.
quiracântio s.m.
quiradênia s.f.
quirágra adj.2g. s.f.
quirágrico adj.
quiraita s.f.
quiral adj.2g.
quiralgia s.f.
quirálgico adj.
quiralidade s.f.
quirana s.f.
quirantera s.f.
quiranto s.m.
quirapsia s.f.
quirari s.m.
quirartrite s.f.
quirartrítico adj.
quirartrócace s.f.
quirartrocácio adj.
quiráster s.m.
quirate s.m.
quirato s.m.
quirche s.m.
quirdi adj. s.2g.
quire s.m.
quirera s.f.
quirerear v.
quirguiz adj. s.2g. s.m.
quiri s.m.
quirial s.m.
quiriatra s.2g.
quiriatria s.f.
quiriátrico adj.
quiriatro s.m.
quiriba s.2g.
quiribatiano adj.
quirica s.f.
quirida s.f.
quirídio s.m.
quiridota s.f.
quírie s.m.
quirieléisom s.m.
quirim s.m.
quirina s.f.
quirinal adj.2g.
quirinálias s.f.pl.
quirinopolino adj. s.m.
quirinopolitano adj. s.m.
quiriologia s.f.
quiriológico adj.
quiriólogo s.m.
quiripiranga s.f.
quiri-quiri s.m.; pl. *quiri-quiris*
quiriri adj. s.2g. s.m.
quiririense adj. s.2g.
quiririnense adj. s.2g.
quiriripiranga s.f.
quiriripitá s.f.
quiriritiuense adj. s.2g.
quiriru s.m.
quirita s.f.
quiritário adj.
quirite s.m.
quiríxalo (*cs*) s.m.
quirixana adj. s.2g.
quirlando s.m.
quirlanguixe s.m.
quiro s.m.
quirobalista s.2g.
quirocentrídeo adj. s.m.
quirocentro s.m.
quirocentrodonte s.m.
quirocila s.m.
quirocinese s.f.
quirocinestesia s.f.
quirocinestésico adj.
quirocineta s.2g.
quirocrato s.m.
quirodáctilo s.m.
quiroderme s.f.
quirodinia s.f.
quirodota s.m.
quirodropídeo adj. s.m.
quiródropo s.m.
quirodrópode s.m.
quirófano s.m.
quirogaleíneo adj. s.m.
quirogálio s.m.
quiroginasta s.m.
quirogita s.f.
quirogite s.f.
quirognomia s.f.
quirognômone s.m.
quirognomonia s.f.
quirognomônico adj.
quirognomonista s.2g.
quirognóstico adj.
quirografário adj. s.m.
quirografia s.f.
quirográfico adj.
quirógrafo adj. s.m.
quirolepidácea s.f.
quirolepidáceo adj.
quirologia s.f.
quirológico adj.
quirólogo s.m.
quiromancia s.f.
quiromania s.f.
quiromaníaco adj. s.m.
quiromante s.2g.
quiromântico adj.
quiromântis s.m.2n.
quiromegalia s.f.
quiromegálico adj.
quirômetro s.m.
quiromíida adj.2g. s.m.
quiromiídeo adj. s.m.
quirômio s.m.
quiromioide (*ó*) s.m.
quirómis s.m.2n.
quironectes s.m.2n.
quironecto s.m.
quirônia s.f.
quironiano adj.
quironiina s.f.
quirônimo s.m.
quirônio adj.
quironomia s.f.
quironômico adj.
quironômida adj.2g. s.m.
quironomídeo adj. s.m.
quirônomo s.m.
quiropétalo s.m.
quiroplastia s.f.
quiroplástico adj.
quiroplasto s.m.
quiropleuria s.f.
quiropleuriácea s.f.
quiropleuriáceo adj.
quiropodalgia s.f.
quiropodálgico adj.
quirópode adj.2g.
quiropodia s.f.
quiropódico adj.
quiropodista s.2g.
quiropodômio s.m.
quiropódomis s.m.2n.
quiroponfólix (*cs*) s.f.
quiropótamo s.m.
quiroprática s.f.
quiroprático adj. s.m.
quiropraxia (*cs*) s.f.
quiropsalmo s.m.
quiropterita s.f.
quiropterite s.f.
quiróptero adj. s.m.
quiropterofilia s.f.
quiropterófilo adj.
quiroscopia s.f.
quiróscopo s.m.
quirosita s.f.
quirospasmo s.m.
quirossofista s.2g.
quirostila s.f.
quirostile s.f.
quirostrobácea s.f.
quirostrobáceo adj.
quirostrobal adj.2g.
quirostrobale s.f.
quiroteca s.f.
quirotes s.m.2n.
quirotesia s.f.
quirotésico adj.
quiroteutídeo adj. s.m.
quirotêutis s.f.2n.
quirótipo s.m.
quirotipografia s.f.
quirotipográfico adj.
quirotipógrafo s.m.
quirotonia s.f.
quirotônico adj.
quirotribia s.f.
quirotríbico adj.
quirovanita s.f.
quiroxilográfico adj.
quiruá s.m.
quirule s.m.
quirurgia s.f.
quirurômio s.m.
quirúromis s.m.2n.
quirúvia s.f.
quirvanite s.f.
quisafu s.m.
quisanana s.f.
quiscalínea s.f.
quíscalo s.m.
quisco s.m.
quiscuvilheiro adj. s.m.
quisiaque s.m.
quisocardia s.f.
quisiotago adj. s.m.
quispá s.m.
quisquale s.m.
quisquális (*ü*) s.2g.2n.
quissaca s.f.
quissacá s.f.
quissafu s.m.
quissama adj.2g. s.m.
quissanana s.f.
quissandambunje s.m.
quissanda-muxito s.m.; pl. *quissandas-muxito* e *quissandas-muxitos*
quissângua s.f.
quissanja s.f.
quissapo s.m.
quissau s.m.
quisseco s.m.
quissênia s.f.
quisséqua s.f.
quissinje s.m.
quissocolaloa (*ô*) s.f.
quissole s.m.
quissonda s.f.
quissonde s.m.
quissoqueto (*ê*) s.m.
quissuáili s.m.
quissuandaçuala s.f.
quissunhanga s.f.
quístico adj.
quisto adj. s.m.
quistoso (*ô*) adj.; f. (*ó*); pl. (*ó*)
quita s.f.
quitaba s.f.
quitaca s.f.
quitacamba s.f.
quitação s.f.
quitado adj.
quitador (*ô*) adj. s.m.
quitai s.m.
quitalha s.f.
quitambuera adj.2g. s.f.
quitamento s.m.
quitamerenda s.f.
quitança s.f.
quitanda s.f.
quitandar v.
quitande s.m. "refogado de purê de feijão"; cf. *quitandê*
quitandê s.m. "feijão verde miúdo"; cf. *quitande*
quitandeira s.f.

quitandeiro s.m.
quitandinhense adj. s.2g.
quitanlu adj. s.m.
quitante adj. s.2g.
quitão s.m.
quitar v.
quitare s.m.
quitasamicina s.f.
quita-sol s.m.; pl. *quita-sóis*
quitata s.f.
quite adj.2g. s.m.
quitece s.m.
quitenda s.f.
quitenho adj. s.m.
quitenina s.f.
quitenol s.m.
quitéria s.f.
quiterianopolense adj. s.2g.
quiteriense adj. s.2g.
quitesse s.m.
quiteta s.f.
quiteve s.m.
quiti s.m.
quitiaquene s.m.
quitiaquenene s.m.
quiticação s.f.
quitimbuense adj. s.2g.
quitina s.f.
quitinase s.f.
quitinete s.f.
quitínico adj.
quitinização s.f.
quitinizado adj.
quitinizar v.
quitinoarenoso (*ô*) adj.; f. (*ó*); pl. (*ó*)
quitinocalcário adj.
quitinóforo adj. s.m.
quitinofosfático adj.
quitinógeno adj.
quitinoide (*ó*) adj.2g.
quitinópoma s.m.
quitinoproteico (*e* ou *é*) adj.
quitinoso (*ô*) adj.; f. (*ó*); pl. (*ó*)
quitira s.f.
quititipitá s.f.
quitiva s.f.
quito adj. "quite"; cf. *quitó*
quitó s.m. "espada curta"; cf. *quito* adj. e fl. do v. *quitar*
quitoco (*ô*) s.m.
quito-de-pernambuco s.m.; pl. *quitos-de-pernambuco*
quitôli s.m.
quitomiceto (*ê*) s.m.
quíton s.m.
quitona s.f.
quitonáctis s.m.2n.
quitonelo s.m.
quitônia s.f.
quitônida adj.2g. s.m.
quitonídeo adj. s.m.
quitônio s.m.
quitonióidea s.f.
quitonisca s.f.
quitonisco s.m.
quitonite s.f.
quitonômice s.m.
quitonoptose s.f.
quitool s.m.
quitoptose s.f.
quitosamina s.f.
quitoto s.m.
quitranto s.m.
quitridial adj.2g.
quitridiale s.f.
quitrídio s.m.
quitroglossa s.f.
quituche s.m.
quitué s.m.
quituio s.m.
quitul s.m.
quitumbata s.f.
quitunde s.m.
quitundense adj. s.2g.
quitundo s.m.
quitundulo s.m.
quitungambela s.f.
quitungo s.m.
quitunguense adj. s.2g.
quitura s.f.
quitute s.m.
quituteiro adj. s.m.
quituxe s.m.
quituza s.f.
quiuí s.m.
quiumba s.m.
quiumbe s.f.
quiúto s.m.
quivi s.m.
quivória s.f.
quivúvi s.m.
quixa s.f.
quixaba s.f.
quixaba-preta s.f.; pl. *quixabas-pretas*
quixabeira s.f.
quixabeirense adj. s.2g.
quixabense adj. s.2g.
quixadá s.f.
quixadaense adj. s.2g.
quixariuense adj. s.2g.
quixeloense adj. s.2g.
quixeramobiense adj. s.2g.
quixeramobinense adj. s.2g.
quixerau s.m.
quixereense adj. s.2g.
quixexeu adj. s.2g.
quíxia (*cs*) s.f.
quixiba s.f.
quixibua s.f.
quixicongo s.m.
quixiligangue s.m.
quixiluanda s.f.
quixinha s.f.
quixiúme s.m.
quixiúna s.f.
quixó s.m.
quixoaense adj. s.2g.
quixobo (*ô*) s.m.
quixotada s.f.
quixote s.m.
quixotear v.
quixotesco (*ê*) adj.
quixotice s.f.
quixótico adj.
quixotino adj.
quixotismo s.m.
quixotização s.f.
quixotizado adj.
quixotizar v.
quiza s.f.
quizaca s.f.
quizeco s.m.
quizengo s.m.
quizenze s.m.
quizila s.f.
quizilado adj.
quizilar v.
quizilento adj.
quizília s.f.
quizoco s.m.
quizomba s.m. "dança"; cf. *quizumba*
quizotense adj. s.2g.
quizumba s.m. "confusão"; cf. *quizomba*
quizunda s.f.
quizungrila s.f.
quocientar v.
quociente s.m.
quóculo s.m.
quodlibetário adj.
quodlibético adj.
quodlíbeto s.m.
quodore s.m.
quogelo s.m.
quoroqué s.m.
quota s.f.
quotalício adj.
quota-parte s.f.; pl. *quotas-parte* e *quotas-partes*
quotar v.
quote adj. s.m.
quotidade s.f.
quotidianidade s.f.
quotidianizar v.
quotidiano adj. s.m.
quotiliquê s.m.
quotista adj. s.2g.
quotização s.f.
quotizar v.
quotizável adj.2g.

Rr

r (*erre* ou *rê*) s.m.
rá s.m.
rã s.f.
rababe s.m.
rabaça s.f. "planta umbelífera"; cf. *rabaçã*
rabaçã s.f. "ave de arribação"; cf. *rabaça*
rabaçal s.m.
rabação s.f.
rabaçaria s.f.
rabaceira s.f.
rabaceiro adj.
rabachola s.2g.
rabacholada s.f.
rabacholão adj. s.m.
rabacholeiro s.m.
rabaço s.m.
rabacuada s.f.
rabacué adj.2g.
rabada s.f.
rabadão s.m.; pl. *rabadães*
rabadela s.f.
rabadilha s.f.
rabado adj. s.m.
rabadoquim s.m.
rabagem s.f.
rabal adj.2g. s.m.
rabalde s.m.
rabalha s.f.
rabalva s.f.
rabalvo adj. s.m.
rabana s.f.
rabanação s.f.
rabanada s.f.
rabanador (*ô*) adj. s.m.
rabanal s.m.
rabanar v.
rabaneação s.f.
rabaneador (*ô*) adj. s.m.
rabanear v.
rabanejo (*ê*) s.m.
rabanete (*ê*) s.m.
rabanete-de-cavalo s.m.; pl. *rabanetes-de-cavalo*
rabanho s.m.
rabanita s.2g.
rabano adj. "rabão"; cf. *rábano*
rábano s.m. "planta"; cf. *rabano* adj. e fl. do v. *rabanar*
rábano-aquático s.m.; pl. *rábanos-aquáticos*
rábano-bastardo s.m.; pl. *rábanos-bastardos*
rábano-comprido s.m.; pl. *rábanos-compridos*
rábano-curto s.m.; pl. *rábanos-curtos*
rábano-de-cavalo s.m.; pl. *rábanos-de-cavalo*
rábano-picante s.m.; pl. *rábanos-picantes*
rábano-rústico s.m.; pl. *rábanos-rústicos*
rábano-silvestre s.m.; pl. *rábanos-silvestres*
rábano-silvestre-maior s.m.; pl. *rábanos-silvestres-maiores*
rabão adj. s.m. "de cauda curta", "diabo"; cf. *rábão*
rábão s.m. "planta"; cf. *rabão*
rábão-silvestre s.m.; pl. *rábãos-silvestres*
rabarbarina s.f.
rabarbarino s.m.
rabárbaro s.m.
rabastel s.m.
rabavento adj. na loc. *a rabavento*
rabaz adj.2g. s.m.
rabbittita s.f.
rabdadênia s.f.
rabdamina s.m.
rabdaminíneo adj. s.m.
rabdestesia s.f.
rabdestésico adj.
rabdestesista adj. s.2g.
rabdestético adj.
rábdia s.f.
rabdiolita s.f.
rabdiolite s.f.
rabdita s.f.
rabdite s.f.
rabditídeo adj. s.m.
rabditídio adj. s.m.
rabditiforme adj.2g.
rabdítis s.m.2n.
rabdito s.m.
rabditoide (*ó*) adj.2g.
rabdoblata s.f.
rabdocarpo s.m.
rabdocela s.f.
rabdocéleo adj. s.m.
rabdocélida adj.2g. s.m.
rabdocelídeo adj. s.m.
rabdocélido s.m.
rabdocélio adj. s.m.
rabdócero adj.
rabdodendrácea s.f.
rabdodendráceo adj.
rabdodendro s.m.
rabdófago s.m.
rabdofânio s.m.
rabdofanita s.f.
rabdófano s.m.
rabdofídio s.m.
rabdofilo s.m.
rabdóforo s.m.
rabdogáster s.m.
rabdogônio s.m.
rabdoide (*ó*) adj.2g.
rabdoídeo adj.
rabdolaimo s.m.
rabdolemo s.m.
rabdólito s.m.
rabdologia s.f.
rabdológico adj.
rabdólogo s.m.
rabdoma s.m.
rabdomancia s.f.
rabdomante s.2g.
rabdomântico adj.
rabdomático adj.
rabdômico adj.
rabdomioblastoma s.m.
rabdomiocondroma s.m.
rabdomiólise s.f.
rabdomioma s.m.
rabdonema s.m.
rabdônomo s.m.
rabdopleura s.m.
rabdopleurídeo adj. s.m.
rabdópode s.m.
rabdoscopia s.f.
rabdoscópico adj.
rabdossarcoma s.m.
rabdossoma s.m.
rabdossomático adj.
rabdossômico adj.
rabdossomo s.m.
rabdostila s.f.
rabdota s.f.
rabdoteca s.f.
rabdovírus s.m.2n.
rabeação s.f.
rabeadoiro s.m.
rabeador (*ô*) adj.
rabeadouro s.m.
rabeadura s.f.
rabear v.
rabeca s.f s.2g.
rabecada s.f.
rabecão s.m.
rabecense adj. s.2g.
rabeco s.m.
rabeio s.m.
rabeira s.f.
rabeirada s.f.
rabeirar v.
rabeiro s.m.
rabeja s.f.
rabejador (*ô*) adj. s.m.
rabejamento s.m.
rabejar v.
rabel s.m.
rabela s.f.
rabelada s.f.
rabelaico adj.
rabelaisianismo s.m.
rabelaisiano adj.
rabeleiro s.m.
rabelho (*ê*) s.m.
rabeliano adj.
rabelo (*ê*) s.m.
rabelo-coelha s.f.; pl. *rabelos-coelha* e *rabelos-coelhas*
rabendo s.m.
rabequear v.
rabequeiro s.m.
rabequense adj. s.2g.
rabequinha s.f.
rabequista adj. s.2g.
rabeta (*ê*) s.f.
rabete (*ê*) s.m.
rabeto (*ê*) adj.
rabi adj.2g. s.m.
rabia s.f. "jogo"; cf. *rábia*
rábia s.f. "hidrofobia"; cf. *rabia* s.f. e fl. do v. *rabiar*
rabiado adj.
rabialva s.f.
rabialvo adj.
rabiar v.
rabiça s.f.
rabiça-brava s.f.; pl. *rabiças-bravas*
rabiçaca s.f.
rabicano adj. s.m.
rabicão adj. s.m.
rabicha s.f.
rabichano adj. s.m.
rabichão adj. s.m.
rabicheira s.f.
rabichense adj. s.2g.
rabicho adj. s.m.
rabichola s.f.
rabichudo adj.
rabicó adj.2g. "sem rabo"; cf. *rábico*
rábico adj. "relativo a raiva"; cf. *rabicó*
rabiço s.m.
rabicoelha (*ê*) s.f.
rabiçola s.f.
rabiçolo (*ô*) s.m.
rabículo s.m.
rabicurto adj. s.m.
rábida s.f.
rabidante adj. s.2g.
rabidar v.
rabidez (*ê*) s.f.
rábido adj.
rabiforcado adj.
rabifurcado adj.
rabigato s.m.
rabigo adj. s.m.
rabigordo (*ô*) adj.
rabijunco adj.
rabil s.m.
rabila s.f.
rabileiro s.m.
rabilha s.f.
rabilhão s.m.
rabilinha s.f.
rabilonga s.f.
rabilongo adj. s.m.
rabilongo-do-norte s.m.; pl. *rabilongos-do-norte*
rabinato s.m.
rabinho s.m.
rabinice s.f.
rabínico adj.
rabinismo s.m.
rabinista adj. s.2g.
rabinístico adj.
rabinita adj. s.2g.
rabinização s.f.
rabinizado adj.
rabinizar v.
rabino adj. s.m.
rabinoso (*ô*) adj.; f. (*ó*); pl. (*ó*)
rabinostre s.m.
rabiola s.f.
rabiolo s.m.
rabiosar v.
rabiosca s.f.
rabioso (*ô*) adj.; f. (*ó*); pl. (*ó*)
rabiosque s.m.
rabioste s.m.
rabiote s.m.
rabipreto (*ê*) adj.
rabirruiva s.f.
rabirruivo adj. s.m.
rabisca s.f.
rabiscação s.f.
rabiscadeira s.f.
rabiscadeiro s.m.
rabiscado adj.
rabiscador (*ô*) adj. s.m.
rabiscadura s.f.
rabiscamento s.m.
rabiscante adj.2g.
rabiscar v.
rabiscável adj.2g. s.m.
rabisco s.m.
rabiscoelha (*ê*) s.f.
rabisforcado adj.
rabissaca s.f.
rabissaltão adj. s.m.; f. *rabissaltona*
rabissaltona adj. s.f. de *rabissaltão*
rabisseco (*ê*) adj.
rabisteco s.m.
rabistel s.m.
rabita s.f. "pássaro"; cf. *rábita*
rábita s.f. "lugar de oração"; cf. *rabita*
rabito s.m.
rabo s.m.
rabo-aberto s.m.; pl. *rabos-abertos*
rabo-branco s.m.; pl. *rabos-brancos*
rabo-branco-de-bigode s.m.; pl. *rabos-brancos-de-bigode*
rabo-branco-mirim s.m.; pl. *rabos-brancos-mirins*
rabo-branco-rubro s.m.; pl. *rabos-brancos-rubros*
rabocoelha (*ê*) s.f.
rabo de andorinha s.m.
rabo-de-aranata s.m.; pl. *rabos-de-aranata*
rabo-de-arara s.m.; pl. *rabos-de-arara*
rabo de arraia s.m.
rabo-de-asno s.m.; pl. *rabos-de-asno*
rabo-de-bacalhau s.m.; pl. *rabos-de-bacalhau*
rabo-de-boi s.m.; pl. *rabos-de-boi*
rabo-de-bugio s.m.; pl. *rabos-de-bugio*
rabo-de-burro s.m.; pl. *rabos-de-burro*
rabo-de-cachorro s.m.; pl. *rabos-de-cachorro*
rabo de caldeira s.m.
rabo-de-camaleão s.m.; pl. *rabos-de-camaleão*
rabo-de-cão s.m.; pl. *rabos-de-cão*
rabo de cavalo s.m. "penteado"
rabo-de-cavalo "planta" s.m.; pl. *rabos-de-cavalo*
rabo-de-cavalo-falso s.m.; pl. *rabos-de-cavalo-falso*
rabo-de-cavalo-verdadeiro s.m.; pl. *rabos-de-cavalo-verdadeiro*
rabo de coelho s.m.
rabo-de-coiro s.m.; pl. *rabos-de-coiro*
rabo-de-colher s.m.; pl. *rabos-de-colher*
rabo-de-couro s.m.; pl. *rabos-de-couro*
rabo-de-cutia s.m.; pl. *rabos-de-cutia*
rabo-de-escrivão s.m.; pl. *rabos-de-escrivão*
rabo de espada s.m.
rabo-de-espinho s.m.; pl. *rabos-de-espinho*
rabo-de-espinho-de-barriga-preta s.m.; pl. *rabos-de-espinho-de-barriga-preta*

rabo-de-fogo s.m.; pl. *rabos-de-fogo*
rabo de foguete s.m. "situação complicada"
rabo-de-foguete s.m. "planta"; pl. *rabos-de-foguete*
rabo-de-forquilha s.m.; pl. *rabos-de-forquilha*
rabo de galo s.m. "aperitivo", "navalhada" etc.; cf. *rabo-de-galo*
rabo-de-galo s.m. "espécie de flor"; pl. *rabos-de-galo*; cf. *rabo de galo*
rabo de gato s.m. "sobremesa", "café ruim"
rabo-de-gato s.m. "planta", "fruta", "cavalo"; pl. *rabos-de-gato*
rabo-de-guaraxaim s.m.; pl. *rabos-de-guaraxaim*
rabo-de-guariba s.m.; pl. *rabos-de-guariba*
rabo-de-iguana s.m.; pl. *rabos-de-iguana*
rabo-de-jacaré s.m.; pl. *rabos-de-jacaré*
rabo-de-junco s.m.; pl. *rabos-de-junco*
rabo-de-lagarto s.m.; pl. *rabos-de-lagarto*
rabo de leão s.m.
rabo-de-lebre s.m.; pl. *rabos-de-lebre*
rabo de leque s.m. "degrau maior de um lado que do outro"
rabo-de-leque s.m. "pombo"; pl. *rabos-de-leque*
rabo-de-macaco s.m.; pl. *rabos-de-macaco*
rabo de maré s.m.
rabo de minhoto s.m.
rabo-de-mola s.m.; pl. *rabos-de-mola*
rabo-de-mucura s.m.; pl. *rabos-de-mucura*
rabo-de-osso s.m.; pl. *rabos-de-osso*
rabo-de-ovelha s.m.; pl. *rabos-de-ovelha*
rabo-de-ovelha-preta s.m.; pl. *rabos-de-ovelha-preta*
rabo de palha s.m. "mancha na reputação"
rabo-de-palha s.m. "ave"; pl. *rabos-de-palha*
rabo de peixe s.m. "design de carros antigos"
rabo-de-peixe s.m. "planta ornamental"; pl. *rabos-de-peixe*
rabo-de-porco s.m.; pl. *rabos-de-porco*
rabo-de-raposa s.m.; pl. *rabos-de-raposa*
rabo-de-rato s.m.; pl. *rabos-de-rato*
rabo-de-rojão s.m.; pl. *rabos-de-rojão*
rabo de saia s.m.
rabo-de-tatu s.m.; pl. *rabos-de-tatu*
rabo-de-tesoira s.m.; pl. *rabos-de-tesoira*
rabo-de-tesoura s.m.; pl. *rabos-de-tesoura*
rabo-de-tucano s.m.; pl. *rabos-de-tucano*
rabo-de-vassoura s.m.; pl. *rabos-de-vassoura*
rabo-de-zorra-macio s.m.; pl. *rabos-de-zorra-macios*
rabo-forcado s.m.; pl. *rabos-forcados*
raboleiro s.m.
rabo-leva s.m.2n.
rabolo (*ô*) s.m.
rabona s.f.
rabonar v.
rabone s.m.
rabo-peixe s.m.; pl. *rabos-peixes*
rabo-queimado s.m.; pl. *rabos-queimados*
rabo-quente s.m.; pl. *rabos-quentes*
rabo-ruço s.m.; pl. *rabos-ruços*
rabo-ruço-grande s.m.; pl. *rabos-ruços-grandes*
rabo-ruivo s.m.; pl. *rabos-ruivos*
rabo-seco s.m.; pl. *rabos-secos*
raboso (*ô*) adj.; f. (*ó*); pl. (*ó*)
rabotar v.
rabote s.m.
raboto (*ô*) adj. s.m.
rabo-torto s.m.; pl. *rabos-tortos*
rabo-vermelho s.m.; pl. *rabos-vermelhos*
rabucho adj. s.m.
rabuco s.m.
rabuda s.f.
rabudo adj. s.m.
rabuge s.f.
rabugeira s.f.
rabugem s.f.; cf. *rabujem*, fl. do v. *rabujar*
rabugem-de-cachorro s.m.; pl. *rabugens-de-cachorro*
rabugento adj. s.m.
rabugice s.f.
rabuja adj. s.2g.
rabujado adj.
rabujão s.m.
rabujar v.
rabujaria s.f.
rabujo adj.
rabujoso (*ô*) adj.; f. (*ó*); pl. (*ó*)
rábula s.2g.; cf. *rabula*, fl. do v. *rabular*
rabulagem s.f.
rabulão s.m.
rabular v.
rabularia s.f.
rabuleado adj.
rabulear v.
rabulejação s.f.
rabulejado adj.
rabulejador (*ô*) adj. s.m.
rabulejar v.
rabulhana s.f.
rabulice s.f.
rabulista adj. s.2g.
rabunador (*ô*) adj. s.m.
rabunar v.
rabunear v.
rabunhar v.
rabusca s.f.
rabuscar v.
rabusco s.m.
raca adj. s.2g.
raça s.f.
rã-cachorro s.f.; pl. *rãs-cachorro* e *rãs-cachorros*
raçada s.f.
raçado adj.
raçador (*ô*) adj. s.m.
racama s.f.
ração s.m.f.
racaú s.m.
racaúte s.m.
raceado adj.
raceador (*ô*) adj. s.m.
racear v.
raceiro adj.
racemado adj.
racemase s.f.
racêmase s.f.
racemato s.m.
racêmico adj. s.m.
racemífero adj.
racemifloro adj.
racemiforme adj.2g.
racemização s.f.
racemizado adj.
racemizante adj.2g.
racemizar v.
racemizável adj.2g.
racemo s.m.
racemoso (*ô*) adj.; f. (*ó*); pl. (*ó*)
racewinita s.f.
racha s.m.f. "pelada", "fenda"; cf. *raxa*
rachada s.f.
rachadeira s.f.
rachadela s.f.
rachado adj. s.m.
rachador (*ô*) adj. s.m.
rachadura s.f.
rachão s.m.
racha-pé s.m.; pl. *racha-pés*
racha-pele s.m.; pl. *racha-peles*
rachar v. "fender"; cf. *raxar*
rachear v.
rachedo (*ê*) s.m.
racheta (*ê*) s.m. "fendazinha"; cf. *raxeta* (*ê*)
rachimburgo s.m.
racial adj.2g.
racialismo s.m.
racialista adj. s.2g.
racialístico adj.
raciarense adj. s.2g.
rácico adj.
racimado adj.
racímico adj. s.m.
racimífero adj.
racimifloro adj.
racimiforme adj.2g.
racimo s.m.
racimoso (*ô*) adj.; f. (*ó*); pl. (*ó*)
racinagem s.f.
racinar v.
raciniano adj.
racinoso (*ô*) adj.; f. (*ó*); pl. (*ó*)
raciocinação s.f.
raciocinado adj.
raciocinador (*ô*) adj. s.m.
raciocinal adj.2g.
raciocinamento s.m.
raciocinante adj. s.2g.
raciocinar v.
raciocinativo adj.
raciocinável adj.2g.
raciocínio s.m.
raciocracia s.f.
raciocrata s.2g.
raciocrático adj.
raciologia s.f.
raciológico adj.
racionabilidade s.f.
racionado adj.
racionador (*ô*) adj. s.m.
racional adj.2g. s.m.
racionalidade s.f.
racionalismo s.m.
racionalista adj. s.2g.
racionalístico adj.
racionalização s.f.
racionalizado adj.
racionalizador (*ô*) adj. s.m.
racionalizamento s.m.
racionalizante adj.2g.
racionalizar v.
racionalizável adj.2g.
racionamento s.m.
racionante adj.2g.
racionar v.
racionável adj.2g.
racioneiro adj.
racionita s.f.
racionite s.f.
racismo s.m.
racista adj. s.2g.
racístico adj.
raçoar v.
racocarpo s.m.
racodáctilo s.m.
racodátilo s.m.
racódio s.m.
racodísculo s.m.
raçoeiro adj. s.m.
racóforo s.m.
racômice s.m.
racomicete s.m.
racomiceto s.m.
racomítrio s.m.
racontar v.
raconto s.m.
racopilácea s.f.
racopiláceo adj.
racopilo s.m.
raçor (*ô*) adj. s.m.
racose s.f.
racótico adj.
raçudo adj.
racum s.m.
raçum s.m.
rad s.m.
rada s.f.
rã-da-beira s.f.; pl. *rãs-da-beira*
rã-da-beira-da-praia s.f.; pl. *rãs-da-beira-da-praia*
radameia (*é*) adj. s.f. de *radameu*
radameu adj. s.m.; f. *radameia* (*é*)
radanita adj. s.2g.
radão s.m.
radar s.m.
radarastromia s.f.
radarastronomia s.f.
radarastronômico adj.
radárico adj.
radarista adj. s.2g.
rã-das-moitas s.f.; pl. *rãs-das-moitas*
radauite (*í*) s.f.
radavita s.f.
rádia s.f.
radiação s.f.
radiacústica s.f.
radiacústico adj.
radiada s.f.
radiado adj. s.m.
radiador (*ô*) adj. s.m.
radiadorense adj. s.2g.
radiaéreo adj.
radial adj.2g. s.f.
radialinhamento s.m.
radialista adj. s.2g.
radialtímetro s.m.
radiamador (*ô*) adj. s.m.
radiamadorismo s.m.
radiamadorista adj. s.2g.
radiamadorístico adj.
radiamplificador (*ô*) s.m.
radianalisador (*ô*) s.m.
radiância s.f.
radiangiografia s.f.
radiangiográfico adj.
radiano s.m.
radiante adj.2g. s.m.
radiantena s.f.
radiar v.
radiário adj. s.m.
radiáster s.m.
radiastronomia s.f.
radiastronômico adj.
radiastrônomo s.m.
radiatiflora s.f.
radiatifloro adj.
radiatiforme adj.2g.
radiativação s.f.
radiativante adj.2g.
radiativar v.
radiativável adj.2g.
radiatividade s.f.
radiativo adj.
radiator (*ô*) s.m.; f. *radiatriz*
radiatriz s.f. de *radiator* (*ô*)
radiatro s.m.
radiautografia s.f.
radiautográfico adj.
radiautograma s.m.
radicação s.f.
radicado adj.
radicador (*ô*) adj.
radical adj. s.2g. s.m.
radicalão adj. s.m.
radicaleiro adj. s.m.
radicalismo s.m.
radicalista adj. s.2g.
radicalisteiro adj. s.m.
radicalístico adj.
radicalização s.f.
radicalizado adj.
radicalizador (*ô*) adj.
radicalizante adj. s.2g.
radicalizar v.
radicalizável adj.2g.
radicamento s.m.
radicando adj. s.m.
radicante adj.2g.
radicar v.
radicela s.f.
radiceloso (*ô*) adj.; f. (*ó*); pl. (*ó*)
radiciação s.f.
radiciado adj.
radiciador (*ô*) adj. s.m.
radiciante adj.2g.
radiciar v.
radicícola adj.2g.
radicífero adj.
radicifloro adj.
radiciforme adj.2g.
radicívoro adj.
rádico adj.; cf. *radico*, fl. do v. *radicar*
radícola adj.2g. "que vive nas raízes do vegetal"; cf. *radícula*
radicoso (*ô*) adj.; f. (*ó*); pl. (*ó*)
radicotomia s.f.
radicotômico adj.
radícula s.f. "pequena raiz" etc.; cf. *radícola*
radiculado adj.
radiculagia s.f.
radiculalgia s.f.
radiculálgico adj.
radicular adj.2g.
radiculectomia s.f.
radiculectômico adj.
radiculiforme adj.2g.
radiculímetro s.m.
radiculite s.f.
radiculítico adj.
radiculomeningomielite s.f.
radiculomeningomielítico adj.
radiculomielopatia s.f.
radiculomielopático adj.
radiculoneurite s.f.
radiculoneurítico adj.
radiecologia s.f.
radiecológico adj.
radielectricidade s.f.
radieléctrico adj.
radielectrocardiografia s.f.
radielectrocardiográfico adj.
radielectrocardiógrafo s.m.
radielectrocardiograma s.m.
radielectrônica s.f.
radielectrônico adj.
radielemento s.m.
radieletricidade s.f.
radielétrico adj.
radieletrocardiografia s.f.
radieletrocardiográfico adj.
radieletrocardiógrafo s.m.
radieletrocardiograma s.m.
radieletrônica s.f.
radieletrônico adj.
radiemanação s.f.
radiemanógeno adj.
radiemissão s.f.
radiemissor (*ô*) adj. s.m.
radiemissora (*ô*) s.f.
radiemitir v.
radiencefalografia s.f.
radienergia s.f.
radiengenharia s.f.
radienxofre (*ô*) s.m.
radiepiderme s.f.
radiequipamento s.m.
radiescência s.f.
radiescente adj.2g.
radiescuta s.2g.
radiespacial adj.2g.
radiespectro s.m.
radiespectrógrafo s.m.
radiespectrograma s.m.
radiespetro s.m.
radiespetrógrafo s.m.
radiespetrograma s.m.
radiestelar adj.2g.
radiestereoscopia s.f.
radiesteroscópico adj.
radiestesia s.f.
radiestésico adj.
radiestesista adj. s.2g.
radiestético adj.
radiestrela (*ê*) s.f.
radiestrôncio s.m.

radífero adj.
radinocarpo s.m.
radinocereia (*é*) s.f.
radinócero s.m.
radinóptera s.f.
rádio s.m.f.; cf. *radio*, fl. do v. *radiar*
radioactínio s.m.
radioacústica s.f.
radioacústico adj.
radioaéreo adj.
radioalinhamento s.m.
radioaltímetro s.m.
radioamador (*ô*) adj. s.m.
radioamadorismo s.m.
radioamadorista adj. s.2g.
radioamadorístico adj.
radioamplificador (*ô*) s.m.
radioanalisador (*ô*) s.m.
radioantena s.f.
radioastronomia s.f.
radioastronômico adj.
radioastrônomo s.m.
radioativação s.f.
radioativado adj.
radioativante adj.2g.
radioativar v.
radioativável adj.2g.
radioatividade s.f.
radioativo adj.
radioator (*ô*) adj. s.m.; f. *radiatriz* e *radioatriz*
radioatriz s.f. de *radioator* (*ô*)
radioautografia s.f.
radioautográfico adj.
radioautograma s.m.
radiobaliza s.f.
radiobalizado adj.
radiobalizagem s.f.
radiobalizar v.
radiobicipital adj.2g.
radiobinário adj.
radióbio s.m.
radiobiologia s.f.
radiobiológico adj.
radiobiologista s.2g.
radiobomba s.f.
radiobússola s.f.
radiocarbone s.m.
radiocarbônio s.m.
radiocarbono s.m.
radiocardiografia s.f.
radiocardiograma s.m.
radiocarpiano adj.
radiocárpico adj.
rádio-cassete s.m.; pl. *rádios-cassete* e *rádios-cassetes*
radiocentricidade s.f.
radiocêntrico adj.
radiochumbo s.m.
radiocimografia s.f.
radiocimográfico adj.
radiocimógrafo s.m.
radiocimograma s.m.
radiocinematografia s.m.
radiocinematográfico adj.
radiocintilação s.f.
radiocintilante adj.2g.
radiocircuito s.m.
radiocobalto s.m.
radiocobertura s.f.
radiocoloide (*ó*) s.m.
radiocompasso s.m.
radiocomunicação s.f.
radiocomunicador (*ô*) s.m.
radioconcentricidade s.f.
radioconcêntrico adj.
radiocondução s.f.
radiocondutividade s.f.
radiocondutivo adj.
radiocondutor (*ô*) s.m.
radiocontrolador (*ô*) s.m.
radiocontrole (*ô*) s.m.
radiocristalino adj.
radiocristalografia s.f.
radiocristalográfico adj.
radiocroísmo s.m.
radiocromatografar v.
radiocromatografável adj.2g.
radiocromatografia s.f.
radiocromatográfico adj.
radiocromatógrafo s.m.
radiocromatograma s.m.
radiocromometria s.f.
radiocromométrico adj.
radiocromômetro s.m.
radiocubital adj.2g.
radiocultura s.f.
radiocultural adj.2g.
radiodermatite s.f.
radiodermatítico adj.
radiodermite s.f.
radiodermítico adj.
radiodetecção s.f.
radiodetectar v.
radiodetector (*ô*) s.m.
radiodeterminação s.f.
radiodetonador (*ô*) s.m.
radiodiagnosticar v.
radiodiagnóstico s.m.
radiodiagrama s.m.
radiodifundido adj.
radiodifundir v.
radiodifusão s.f.
radiodifusor (*ô*) adj. s.m.
radiodifusora (*ô*) s.f.
radiódio s.m.
radiodistribuição s.f.
radiodontia s.f.
radiodosimetria s.f.
radiodosimétrico adj.
radioecologia s.f.
radioecológico adj.
radioelectricidade s.f.
radioeléctrico adj.
radioelectrocardiografia s.f.
radioelectrocardiográfico adj.
radioelectrocardiógrafo s.m.
radioelectrocardiograma s.m.
radioelectrônica s.f.
radioelectrônico adj.
radioelemento s.m.
radioeletricidade s.f.
radioelétrico adj.
radioeletrocardiografia s.f.
radioeletrocardiográfico adj.
radioeletrocardiógrafo s.m.
radioeletrocardiograma s.m.
radioeletrônica s.f.
radioeletrônico s.m.
radioemanação s.f.
radioemanógeno adj.
radioemissão s.f.
radioemissor (*ô*) adj. s.m.
radioemissora (*ô*) s.f.
radioemitir v.
radioencefalografia s.f.
radioenergia s.f.
radioengenharia s.f.
radioenxofre (*ô*) s.m.
radioepidermite s.f.
radioequipamento s.m.
radioescuta s.2g.
radioespacial adj.2g.
radioespectro s.m.
radioespectrógrafo s.m.
radioespectrograma s.m.
radioespetro s.m.
radioespetrógrafo s.m.
radioespetrograma s.m.
radioestelar adj.2g.
radioestereografia s.f.
radioestereográfico adj.
radioestereoscopia s.f.
radioestereoscópico adj.
radioestesia s.f.
radioestésico adj.
radioestesista adj. s.2g.
radioestético adj.
radioestrela (*ê*) s.f.
radioestrôncio s.m.
radiofarmácia s.f.
radiofármaco adj. s.m.
radiofarmacologia s.f.
radiofarmacológico adj.
radiofarmacologista adj. s.2g.
radiofarmacólogo adj. s.m.
radiofarol s.m.
radiofibroso (*ô*) adj.; f. (*ó*); pl. (*ó*)
radiofilia s.f.
radiofilita s.f.
radiófilo adj. s.m.
radiofiscal s.m.
radiofísica s.f.
radiofísico adj.
radioflagelado adj. s.m.
radiofobia s.f.
radiofóbico adj.
radiófobo s.m.
radiofone s.m.
radiofonia s.f.
radiofônico adj.
radiofônio s.m.
radiofonização s.f.
radiofonizado adj.
radiofonizador (*ô*) adj. s.m.
radiofonizar v.
radiofonizável adj.2g.
radiofono s.m.
radiofonógrafo s.m.
radiofonovisão s.f.
radiofonte s.f.
radiofósforo s.m.
radiofoto s.f.
radiofotografia s.f.
radiofotográfico adj.
radiofotograma s.m.
radiofotoluminescência s.f.
radiofotoluminescente adj.2g.
radiofrequência (*ü*) s.f.
radiofundir v.
radiofusão s.f.
radiogaláxia s.f.
radiogálio s.m.
radiogêneo adj.
radiogênese s.f.
radiogenética s.f.
radiogeneticista adj. s.2g.
radiogenético adj.
radiogênico adj.
radiógeno adj.
radiogeologia s.f.
radiogeológico adj.
radiogeologista adj. s.2g.
radiogeólogo s.m.
radioginasta s.2g.
radiogoniometria s.f.
radiogoniométrico adj.
radiogoniômetro s.m.
radiogonioscópio s.m.
radiogonometria s.f.
radiogonométrico adj.
radiografação s.f.
radiografado adj.
radiografar v.
radiografia s.f.
radiográfico adj.
radiógrafo s.m.; cf. *radiografo*, fl. do v. *radiografar*
radiograma s.m.
rádio-gravador (*ô*) s.m.; pl. *rádios-gravador* e *rádios-gravadores*
radioguia s.f.
radioguiado adj. s.m.
radioide (*ó*) adj.2g. s.m.
radioimpedância s.f.
radioimunensaio s.m.
radioimunidade s.f.
radioimunologia s.f.
radioimunológico adj.
radioimunologista adj. s.2g.
radioimunólogo s.m.
radioindicador (*ô*) s.m.
radiointerferômetro s.m.
radioiodo (*iô*) s.m.
radioisotopia s.f.
radioisotópico adj.
radioisótopo s.m.
radiojornal s.m.
radiojornalismo s.m.
radiojornalista adj. s.2g.
radiojornalístico adj.
radiola s.f. "radiovitrola"; cf. *radíola*
radíola s.f. "gênero de plantas"; cf. *radiola*
radiolábil adj.2g.
radiolário adj. s.m.
radiolarito s.m.
radiolesão s.f.
radiolinotipia s.f.
radiolinotípico adj.
radiólise s.f.
radiolita s.f.
radiolite s.m.
radiolítico adj.
radiolitídeo adj. s.m.
radiólito s.m.
radíolo s.m.
radiolocalização s.f.
radiolocalizado adj.
radiolocalizador (*ô*) s.m.
radiolocalizante adj.2g.
radiolocalizar v.
radiolocalizável adj.2g.
radiologia s.f.
radiológico adj.
radiologista adj. s.2g.
radiólogo s.m.
radioluminescência s.f.
radioluminescente adj.2g.
radiolux (*cs*) s.m.2n.
radioluzente adj.2g.
radiomania s.f.
radiomaníaco adj. s.m.
radiômano s.m.
radiomanometria s.f.
radiomanométrico adj.
radiomanômetro s.m.
radiomarcação s.f.
radiomarcador (*ô*) adj. s.m.
radiomarcante adj.2g.
radiomarcar v.
radiomarcável adj.2g.
radiomarítimo adj.
radiomecânica s.f.
radiomecânico adj. s.m.
radiomensagem s.f.
radiomensuração s.f.
radiometal s.m.
radiometalografia s.f.
radiometalográfico adj.
radiometeorografia s.f.
radiometeorográfico adj.
radiometeorografista adj. s.2g.
radiometeorógrafo s.m.
radiometeorograma s.m.
radiometeorologia s.f.
radiometeorológico adj.
radiometeorologista adj. s.2g.
radiometeorólogo s.m.
radiometria s.f.
radiométrico adj.
radiômetro s.m.
radiomicranálise s.f.
radiomicranalista s.2g.
radiomicranalítico adj.
radiomicroanálise s.f.
radiomicroanalista s.2g.
radiomicroanalítico adj.
radiomicrometria s.f.
radiomicrométrico adj.
radiomicrômetro s.m.
radiomimético adj.
radionavegação s.f.
radionavegado adj.
radionavegador (*ô*) adj. s.m.
radionavegante adj. s.2g.
radionavegar v.
radionavegável adj.2g.
radionda s.f.
radionecrose s.f.
radionecrótico adj.
radioneurite s.f.
radioneurítico adj.
radionevrite s.f.
radionita s.f.
radionose s.f.
radionovela s.f.
radionte s.m.
radionuclídeo s.m.
radionutritivo adj.
rádio-ohmímetro s.m.
rádio-ohmômetro s.m.
rádio-onda s.f.
rádio-opacidade s.f.
rádio-opaco adj.
rádio-operador (*ô*) adj. s.m.
radiopacidade s.f.
radiopaco adj.
radiopalmar adj.2g.
radiopatia s.f.
radiopático adj.
radiopatologia s.f.
radiopatológico adj.
radiopatologista adj. s.2g.
radiopatólogo s.m.
radiopatrulha s.f.
radiopatrulheiro s.m.
radiopelvigrafia s.f.
radiopelvigráfico adj.
radiopelvimetria s.f.
radiopelvimétrico adj.
radioperador (*ô*) adj. s.m.
radiopolegar adj.2g.
radiopotássio s.m.
radiopregação s.f.
radiopregador (*ô*) adj. s.m.
radiopregar v.
radioproteção s.f.
radioprotetor (*ô*) adj. s.m.
radioquímica s.f.
radioquímico adj. s.m.
radioquimografia s.f.
radioquimográfico adj.
radioquimógrafo s.m.
radioquimograma s.m.
radiorrealizador (*ô*) s.m.
radiorreceptor (*ô*) s.m.
radiorreportagem s.f.
radiorrepórter s.2g.
radiorresistência s.f.
radiorresistente adj.2g.
radiorrota s.f.
radiosclerômetro s.m.
radioscopia s.f.
radioscópico s.f.
radioscopista adj. s.2g.
radiosidade s.f.
radioso (*ô*) adj.; f. (*ó*); pl. (*ó*)
radiospectrografia s.f.
radiospectrográfico adj.
radiospectrógrafo s.m.
radiospectrograma s.m.
radiossensibilidade s.f.
radiossensitivo adj.
radiossensível adj.2g.
radiossódio s.m.
radiossol s.m.
radiossomático adj.
radiossonda s.f.
radiossondagem s.f.
radiossondar v.
radiostereoscopia s.f.
radiostereoscópico adj.
radiostereoscópio s.m.
radiotáxi s.m.
radioteatral adj.2g.
radioteatro s.m.
radiotecnia s.f.
radiotécnica s.f.
radiotécnico adj. s.m.
radiotelefone s.m.
radiotelefonema s.m.
radiotelefonia s.f.
radiotelefônico adj.
radiotelefonista adj. s.2g.
radiotelefoto s.m.
radiotelefotografado adj.
radiotelefotografia s.f.
radiotelefotográfico adj.
radiotelegrafar v.
radiotelegrafia s.f.
radiotelegráfico adj.
radiotelegrafista adj. s.2g.
radiotelégrafo s.m.; cf. *radiotelegrafo*, fl. do v. *radiotelegrafar*
radiotelegrama s.m.
radiotelemetria s.f.
radiotelemétrico adj.
radiotelescopia s.f.
radiotelescópico adj.
radiotelescópio s.m.
radiotelevisado adj.
radiotelevisão s.f.

radiotelevisar v.
radioteluro s.m.
radioterapeuta s.2g.
radioterapêutica s.f.
radioterapêutico adj.
radioterapia s.f.
radioterápico adj.
radiotermia s.f.
radiotérmico adj.
radiotermoluminescência s.f.
radiotermoluminescente adj.2g.
radiotórico adj.
radiotório s.m.
radiotoxemia (*cs*) s.f.
radiotoxêmico (*cs*) adj.
radiotraçador (*ô*) adj. s.m.
radiotransformador (*ô*) s.m.
radiotransistor (*zis...ô*) s.m.
radiotransístor (*zís*) s.m.
radiotransistorização (*zis*) s.f.
radiotransistorizado (*zis*) adj.
radiotransistorizador (*zis...ô*) adj. s.m.
radiotransistorizante (*zis*) adj.2g.
radiotransistorizar (*zis*) v.
radiotransistorizável (*zis*) adj.2g.
radiotransmissão s.f.
radiotransmissor (*ô*) adj. s.m.
radiotransmissora (*ô*) s.f.
radiotransmitido adj.
radiotransmitir v.
radiotrão s.m.
radiotron s.m.
radíotron s.m.
radiotrônio s.m.
radiotrópico adj.
radiotropismo s.m.
radioumeral adj.2g.
radiouvinte adj. s.2g.
radiovisão s.f.
radiovisivo adj.
radiovisor (*ô*) s.m.
rádio-vitrola s.f.; pl. *rádios-vitrola* e *rádios-vitrolas*
radiulnal s.m.
rádium s.m.
radiumbiologia s.f.
radiumbiológico adj.
radiumeral adj.2g.
radobado adj.
radobar v.
rádom s.m.
radomo s.m.
rádon s.m.
radônio s.m.
radote s.m.
radubado adj.
radubar v.
rádula s.f.
radulífero adj.
raduliforme adj.2g.
raer v.
rafa s.f.
rafada s.f.
rafadeira s.f.
rafado adj.
rafael s.m.
rafaelense adj. s.2g.
rafaelesco (*ê*) adj.
rafael-goldeirense adj. s.2g.; pl. *rafael-goldeirenses*
rafaeliano adj.
rafaélico adj.
rafaelismo s.m.
rafaelista adj. s.2g.
rafaelita adj. s.2g.
rafaelite s.f.
rafalo s.m.
rafameia (*é*) s.f.
rafânea s.f.
rafâneo adj.
rafania s.f.
rafanidose s.f.
ráfano s.m.
rafanosmita s.f.
rafanosmite s.f.
rafar v.
rafardano adj. s.m.
rafardense adj. s.2g.
rafe s.f.
rafeira s.f.
rafeirão s.m.
rafeiro adj. s.m.
raffar v.
raffles s.m.2n.
rafflésia s.f.
rafflesiácea s.f.
rafflesiáceo adj.
rafi s.m.
ráfia s.f.; cf. *rafia*, fl. do v. *rafiar*
rafiar v.
raficero s.m.
ráfida s.f.
ráfide s.f.
rafídeo s.m.
rafídia s.f.
rafídido adj. s.m.
rafidiídeo adj. s.m.
rafidiíneo adj. s.m.
rafidiociste s.f.
rafidiódeo adj. s.m.
rafidiófris s.f.2n.
rafidióideo adj. s.m.
rafidióptero adj. s.m.
rafidócera s.f.
rafidófora s.f.
rafidografia s.f.
rafidográfico adj.
rafidógrafo s.m.
rafidolépide s.f.
rafidólito s.m.
rafidômona s.2g.
rafidômonas s.2g.2n.
rafidonema s.f.
rafidopalpa s.f.
rafidostema s.m.
rafigáster s.m.
rafigastro s.m.
rafignatíneo adj. s.m.
rafignato s.m.
rafigrafia s.f.
rafigráfico adj.
rafígrafo s.m.
rafilita s.f.
rafilite s.f.
rafílito s.m.
rafinar v.
rafinase s.f.
rafinase s.f.
rafinaz s.m.
rafinose s.f.
rafiólepis s.f.2n.
rafionacme s.m.
rafiostile s.f.
rafiptera s.f.
rafiro s.m.
rafirrino s.m.
rafissiderita s.f.
rafissiderite s.f.
rafita s.f.
rafite s.f.
rafitoma s.m.
rafles s.m.2n.
raflésia s.f.
raflesiácea s.f.
raflesiáceo adj.
ráfnia s.f.
rafo s.m.
raga s.m.
ragáctis s.f.2n.
ragada s.f.
rágade s.f.
ragádio s.m.
ragadiolina s.f.
ragadíolo s.m.
rageira s.f.
ragião s.m.
ragiforme adj.2g. s.m.
rágio s.m.
ragiócrino adj.
ragionídeo adj. s.m.
ragita s.f.
ragite s.f.
raglã s.2g.2n.
raglanita s.f.
raglanite s.f.
ragódia s.f.
ragoide (*ó*) adj.2g.
ragoideia (*é*) adj. s.f. de *ragoideu*
ragóideo adj.
ragoideu adj. s.m.; f. *ragoideia* (*é*)
ragolétis s.f.2n.
ragônica s.f.
ragovélia s.f.
ragu s.m.
rague s.m.
ragueda s.f.
ragueira s.f.
raguinita s.f.
raguita s.f.
ragura s.f.
ragusano adj. s.m.
raguseia (*é*) adj. s.f. de *raguseu*
raguseu adj. s.m.; f. *raguseia* (*é*)
raia s.f.
raia-amarela s.f.; pl. *raias-amarelas*
raia-arara s.f.; pl. *raias-arara* e *raias-araras*
raia-bicuda s.f.; pl. *raias-bicudas*
raia-boi s.f.; pl. *raias-boi* e *raias-bois*
raia-borboleta s.f.; pl. *raias-borboleta* e *raias-borboletas*
raiação s.f.
raia-chita s.f.; pl. *raias-chita* e *raias-chitas*
raia-cocal s.f.; pl. *raias-cocais*
raia-comum s.f.; pl. *raias-comuns*
raia-cravadora s.f.; pl. *raias-cravadoras*
raiadela s.f.
raia-de-quatro-olhos s.f.; pl. *raias-de-quatro-olhos*
raiado adj.
raiador (*ô*) s.m.
raia-elétrica s.f.; pl. *raias-elétricas*
raia-focinho-de-vaca s.f.; pl. *raias-focinho-de-vaca*
raia-gererera s.f.; pl. *raias-gererera* e *raias-gsubmit*
raia-grande s.f.; pl. *raias-grandes*
raia-jamanta s.f.; pl. *raias-jamanta* e *raias-jamantas*
raial s.m.
raia-leopardo s.f.; pl. *raias-leopardo* e *raias-leopardos*
raia-lixa s.f.; pl. *raias-lixa* e *raias-lixas*
raia-maçã s.f.; pl. *raias-maçã* e *raias-maçãs*
raia-manteiga s.f.; pl. *raias-manteiga* e *raias-manteigas*
raiamento s.m.
raiano adj. s.m.
raiante adj.2g.
raião s.m.
raia-pintada s.f.; pl. *raias-pintadas*
raia-pregada s.f.; pl. *raias-pregadas*
raia-prego s.f.; pl. *raias-prego* e *raias-pregos*
raiar v.
raia-santa s.f.; pl. *raias-santas*
raia-sapo s.f.; pl. *raias-sapo* e *raias-sapos*
raia-ticonha s.f.; pl. *raias-ticonha* e *raias-ticonhas*
raia-viola s.f.; pl. *raias-viola* e *raias-violas*
raiberrugo s.m.
raide s.m.
raieiro adj.
raigão s.m.
raigota s.f.
raigoto (*ô*) s.m.
raigotoso (*ô*) adj.; f. (*ó*); pl. (*ó*)
raigrás s.m.
raiídeo s.m.
railhe s.m.
railietina s.f.
railietiníase s.f.
railuli s.m.
raimondita s.f.
raimondite s.f.
raimundense adj. s.2g.
raimundo-silvestre s.m.; pl. *raimundos-silvestres*
raineta (*ê*) s.f.
rainha s.f. de *rei*
rainha-cláudia s.f.; pl. *rainhas-cláudias*
rainha-da-holanda s.f.; pl. *rainhas-da-holanda*
rainha-da-noite s.f.; pl. *rainhas-da-noite*
rainha-das-avencas s.f.; pl. *rainhas-das-avencas*
rainha-das-flores s.f.; pl. *rainhas-das-flores*
rainha-das-orquídeas s.f.; pl. *rainhas-das-orquídeas*
rainha-de-ensaio s.f.; pl. *rainhas-de-ensaio*
rainha-do-abismo s.f.; pl. *rainhas-do-abismo*
rainha-do-bosque s.f.; pl. *rainhas-do-bosque*
rainha-do-lago s.f.; pl. *rainhas-do-lago*
rainha-dos-bosques s.f.; pl. *rainhas-dos-bosques*
rainha-dos-lagos s.f.; pl. *rainhas-dos-lagos*
rainha-dos-prados s.f.; pl. *rainhas-dos-prados*
rainha-isabelense adj. s.2g.; pl. *rainha-isabelenses*
rainha-mãe s.f.; pl. *rainhas-mãe* e *rainhas-mães*
rainha-margarida s.f.; pl. *rainhas-margaridas*
rainheta (*ê*) s.f.
rainho adj. s.m.
rainúnculo s.m.
rainúnculo-brasileiro s.m.; pl. *rainúnculos-brasileiros*
rainúnculo-negro s.m.; pl. *rainúnculos-negros*
rainúnculo-rasteiro s.m.; pl. *rainúnculos-rasteiros*
raio s.m.
raio-do-sol s.m.; pl. *raios-do-sol*
raiografia s.f.
raiográfico adj.
raiografista adj. s.2g.
raiógrafo adj. s.m.
raiograma s.m.
raiola s.f.
raiom s.m.
raios-de-júpiter s.m.pl.
raioso (*ô*) adj.; f. (*ó*); pl. (*ó*)
raiputo adj. s.m.
raíta s.f.
raitana s.f.
raiuna (*ú*) s.f.
raiva s.f.
raivacento adj.
raivaço s.m.
raival s.m.
raivar v.
raivecer v.
raivejar v.
raivel s.m.
raivença s.f.
raivento adj.
raivinha s.f.
raivinhas s.2g.2n. s.f.pl.
raivó s.m.
raivosa s.f.
raivoso (*ô*) adj.; f. (*ó*); pl. (*ó*)
raivudo adj.
raiz s.f.
raiz-açucarada s.f.; pl. *raízes-açucaradas*
raizada s.f.
raizado s.m.
raizalense adj. s.2g.
raizama s.f.
raiz-amarela s.f.; pl. *raízes-amarelas*
raiz-amarga s.f.; pl. *raízes-amargas*
raiz-amargosa s.f.; pl. *raízes-amargosas*
raizame s.m.
raizamense adj. s.2g.
raiz-da-bolsa s.f.; pl. *raízes-da-bolsa*
raiz-da-china s.f.; pl. *raízes-da-china*
raiz-da-guiné s.f.; pl. *raízes-da-guiné*
raiz-da-hungria s.f.; pl. *raízes-da-hungria*
raiz-da-mostarda s.f.; pl. *raízes-da-mostarda*
raiz-das-cólicas s.f.; pl. *raízes-das-cólicas*
raiz-das-filezinas s.f.; pl. *raízes-das-filezinas*
raiz-de-angélica s.f.; pl. *raízes-de-angélica*
raiz-de-antuérpia s.f.; pl. *raízes-de-antuérpia*
raiz-de-babeiro s.f.; pl. *raízes-de-babeiro*
raiz-de-barbeiro s.f.; pl. *raízes-de-barbeiro*
raiz-de-brandão s.f.; pl. *raízes-de-brandão*
raiz-de-bugre s.f.; pl. *raízes-de-bugre*
raiz-de-câmaras s.f.; pl. *raízes-de-câmaras*
raiz-de-cana s.f.; pl. *raízes-de-cana*
raiz-de-cedro s.f.; pl. *raízes-de-cedro*
raiz-de-chá s.f.; pl. *raízes-de-chá*
raiz-de-cheiro s.f.; pl. *raízes-de-cheiro*
raiz-de-cobra s.f.; pl. *raízes-de-cobra*
raiz-de-corcioneira s.f.; pl. *raízes-de-corcioneira*
raiz-de-corvo s.f.; pl. *raízes-de-corvo*
raiz-de-curvo s.f.; pl. *raízes-de-curvo*
raiz-de-empose s.f.; pl. *raízes-de-empose*
raiz-de-fel s.f.; pl. *raízes-de-fel*
raiz-de-frade s.f.; pl. *raízes-de-frade*
raiz-de-guiné s.f.; pl. *raízes-de-guiné*
raiz-de-jacaré-açu s.f.; pl. *raízes-de-jacaré-açu*
raiz-de-josé-domingues s.f.; pl. *raízes-de-josé-domingues*
raiz-de-lagarto s.f.; pl. *raízes-de-lagarto*
raiz-de-laranja s.f.; pl. *raízes-de-laranja*
raiz-de-laranjeira s.f.; pl. *raízes-de-laranjeira*
raiz-de-lopes s.f.; pl. *raízes-de-lopes*
raiz-de-mil-homens s.f.; pl. *raízes-de-mil-homens*
raiz-de-mostarda s.f.; pl. *raízes-de-mostarda*
raiz-de-oiro s.f.; pl. *raízes-de-oiro*
raiz-de-ouro s.f.; pl. *raízes-de-ouro*
raiz-de-pipi s.f.; pl. *raízes-de-pipi*
raiz-de-quina s.f.; pl. *raízes-de-quina*
raiz-de-quina-branca s.f.; pl. *raízes-de-quina-branca*
raiz-de-serpentária-do-brasil s.f.; pl. *raízes-de-serpentária-do-brasil*
raiz-de-sol s.f.; pl. *raízes-de-sol*
raiz-de-solteira s.f.; pl. *raízes-de-solteira*

raiz-de-tiú s.f.; pl. *raízes-de-tiú*
raiz-de-tucano s.f.; pl. *raízes-de-tucano*
raiz-divina s.f.; pl. *raízes-divinas*
raiz-do-brasil s.f.; pl. *raízes-do-brasil*
raiz-doce s.f.; pl. *raízes-doces*
raiz-do-congo s.f.; pl. *raízes-do-congo*
raiz-do-curvo s.f.; pl. *raízes-do-curvo*
raiz-do-espírito-santo s.f.; pl. *raízes-do-espírito-santo*
raiz-do-joão-da-costa s.f.; pl. *raízes-do-joão-da-costa*
raiz-do-padre-sabino s.f.; pl. *raízes-do-padre-sabino*
raiz-do-padre-salema s.f.; pl. *raízes-do-padre-salema*
raiz-do-sol s.f.; pl. *raízes-do-sol*
raizedo (*ê*) s.m.
raizeira s.f.
raizeira-vidrada s.f.; pl. *raizeiras-vidradas*
raizeiro s.m.
raiz-emética s.f.; pl. *raízes-eméticas*
raizense adj. s.2g.
raizepo (*ê*) s.m.
raiz-escora s.f.; pl. *raízes-escora* e *raízes-escoras*
raiz-fedorenta s.f.; pl. *raízes-fedorentas*
raiz-forte s.f.; pl. *raízes-fortes*
raizista adj. s.2g.
raiz-madre-de-deus s.f.; pl. *raízes-madre-de-deus*
raiz-mordida s.f.; pl. *raízes-mordidas*
raiz-preta s.f.; pl. *raízes-pretas*
raiz-queimosa s.f.; pl. *raízes-queimosas*
raja s.m.f. "listra", "planta"; cf. *rajá*
rajá s.m. "príncipe hindu"; f. *rani*; cf. *raja*
rajabe s.m.
rajada s.f.
rajadão s.m.
rajadense adj. s.2g.
rajado adj. s.m.
rajaioga s.m.
rajanagássana s.m.
rajânia s.f.
rajão s.m.
rajaputano adj. s.m.
rajaputra adj. s.2g.
rajaputro s.m.f.
rajar v.
rájava s.f.
rajeira s.f.
rájida adj.2g. s.m.
rajídeo adj. s.m.
rajido adj. s.m.
rajo s.m.
rajóideo adj. s.m.
rajputano adj. s.m.
rala s.f.
rala-bucho s.m.; pl. *rala-buchos*
ralação s.f.
rala-coco s.f.; pl. *rala-cocos*
raladela s.f.
ralado adj.
raladoiro s.m.
ralador (*ô*) adj. s.m.
raladouro s.m.
raladura s.f.
rala-gelo s.m.; pl. *rala-gelos*
ralamento s.m.
ralante adj.2g.
ralão s.m.
ralar v.
ralassaria s.f.
ralassice s.f.
ralasso adj. s.m.
ralável adj.2g.
ralé s.f.
raleado adj.
raleadura s.f.
raleamento s.m.
ralear v.
raleia s.f.
raleira s.f.
raleiro s.m.
ralentando adv.
ralentar v.
ralete (*ê*) s.m.
raleza (*ê*) s.f.
rálfsia s.f.
ralhação s.f.
ralhaço s.m.
ralhada s.f.
ralhado adj.
ralhador (*ô*) adj. s.m.
ralhadura s.f.
ralhamento s.m.
ralhão adj. s.m.; f. *ralhona*
ralhar v.
ralhatório s.m.
ralheta (*ê*) adj. s.2g.
ralhete (*ê*) s.m.
ralhista adj. s.2g.
ralho s.m.
ralhona adj. s.f. de *ralhão*
rali s.m.
ralica s.f.
ralice s.f.
ralícula s.m.
rálida adj.2g. s.f.
ralidade s.f.
ralídea s.f.
ralídeo adj. s.m.
raliforme adj.2g. s.m.
ralina s.f.
ralínea s.f.
ralíneo adj. s.m.
ralo adj. s.m.
raloeira s.m.
rálphsia s.f.
ralstonita s.f.
ralstonite s.f.
raluto adj. s.m.
rama s.f.
ramada s.f.
ramadã s.m.
ramadão s.m.
rama-de-bezerro s.f.; pl. *ramas-de-bezerro*
ramadense adj. s.2g.
ramado adj.
ramagem s.f.
ramai s.m.
ramaísmo s.m.
ramaísta adj. s.2g.
ramal s.m.
ramalda s.f.
ramalde s.m.
ramaldeira s.f.
ramalhada s.f.
ramalhado adj. s.m.
ramalhal adj.2g. s.m.
ramalhante adj.2g.
ramalhão adj. s.m.
ramalhar v.
ramalhedo (*ê*) s.m.
ramalheira s.f.
ramalheiro adj. s.m.
ramalhense adj. s.2g.
ramalhetado adj.
ramalhetar v.
ramalhete (*ê*) s.m.
ramalhete-do-mato s.m.; pl. *ramalhetes-do-mato*
ramalheteira s.f.
ramalhetense adj. s.2g.
ramalhiça s.f.
ramalho s.m.
ramalhoça s.f.
ramalhoso (*ô*) adj.; f. (*ó*); pl. (*ó*)
ramalhudo adj.
ramálias s.f.pl.
ramalina s.f.
ramalinácea s.f.
ramalináceo adj.
rã-manteiga s.f.; pl. *rãs-manteiga* e *rãs-manteigas*
ramapiteco s.m.
ramapitecoide (*ó*) adj.2g.
ramarama adj. s.2g.
ramarante adj.2g.
ramaria s.f.
ramarina s.f.
ramarrama adj. s.2g.
ramazã s.m.
rambana s.f.
rambembe adj.2g.
rambla s.f.
rambles adj.2g.2n.
ramboia (*ó*) adj. s.2g. s.f.
ramboiada s.f.
ramboieiro adj. s.m.
rambola s.f.
râmbola s.f.
rambotã s.m.
rambotim s.m.
ramburiela s.f.
rambutã s.f.
rambutão s.m.
rambuteira s.f.
rame s.m.
rameado adj.
rameal adj.2g.
ramear v.
rameário adj.
rameia (*é*) adj. s.f. de *rameu*
rameira s.f.
rameiro adj. s.m.
ramela s.f.
ramela-de-cachorro s.f.; pl. *ramelas-de-cachorro*
ramelado adj.
ramelar v.
ramelento adj.
rameloso (*ô*) adj.; f. (*ó*); pl. (*ó*)
ramelsbergita s.f.
ramelsbergite s.f.
ramense adj. s.2g.
ramentáceo adj.
ramento s.m.
râmeo adj.
rame-rame s.m.; pl. *rame-rames*
ramerrameiro adj.
ramerraneiro adj.
ramerranesco (*ê*) adj.
ramerrão s.m.
ramescência s.f.
ramescente adj.2g.
rameta (*ê*) s.f.
rameu adj. s.m.; f. *rameia* (*é*)
rami s.m.
ramibactéria s.f.
ramícola adj.2g.
ramicórneo adj.
ramie s.f.
ramífero adj.
ramificação s.f.
ramificado adj.
ramificador (*ô*) adj.
ramificamento s.m.
ramificante adj.2g.
ramificar v.
ramificável adj.2g.
ramifloro adj.
ramiforme adj.2g.
ramilhetado adj.
ramilhetar v.
ramilhete (*ê*) s.m.
ramilho s.m.
raminácea s.f.
ramináceo adj.
raminho s.m.
raminho-curto s.m.; pl. *raminhos-curtos*
ramíparo adj.
ramirense adj.2g.
rã-mirim s.f.; pl. *rãs-mirins*
ramirita s.f.
ramirite s.f.
ramisco s.m.
ramísia s.f.
ramismo s.m.
ramiso adj. s.m.
ramista adj. s.2g.
ramístico adj.
ramiverde (*ê*) s.m.
ramívoro adj.
ramizal s.m.
ramnácea s.f.
ramnáceo adj.
ramnal adj.2g.
ramnale s.f.
râmnea s.f.
ramnegina s.f.
ramnense adj. s.2g.
râmneo adj.
ramnetina s.f.
ramnina s.f.
ramnite s.f.
ramnitol s.m.
ramno s.m.
ramnocatartina s.f.
ramnocitrina s.f.
ramnocitrino s.m.
ramnóidea s.f.
ramnóideo adj.
ramnoneuro s.m.
ramnopiranose s.f.
ramnose s.f.
ramnosídeo adj. s.m.
ramnoxantina (*cs*) s.f.
ramnúsio s.m.
ramo s.m.
ramocar v.
ramo-de-seda s.m.; pl. *ramos-de-seda*
râmola s.f.
ramona s.f.
ramonadeira s.f.
ramonagem s.f.
ramôndia s.f.
ramondíea s.f.
ramonense adj. s.2g.
ramônia s.f.
ramosidade s.f.
ramosita s.f.
ramosite s.f.
ramoso (*ô*) adj.; f. (*ó*); pl. (*ó*)
rampa s.f.
rampado s.m.
rampadoiro s.m.
rampadouro s.m.
rampamento s.m.
rampanar v.
rampante adj.2g.
rampeado adj.
rampear v.
rampeiro adj.
ramplamplã s.m.
rampolia s.f.
ramsayita s.f.
ramsdellita s.f.
ramudo adj.
râmula s.f.
ramular adj.2g.
ramulária s.f.
ramulário s.m.
ramulinineo adj. s.m.
râmulo s.m.
ramulose s.f.
ramúsculo s.m.
ramusculoso (*ô*) adj.; f. (*ó*); pl. (*ó*)
rana s.f.
ranal adj.2g.
ranale s.f.
ranário s.m.
ranatita adj. s.2g.
ranatra s.f.
ranca s.f.
rançado adj.
rançalhão s.m.
rancalho s.m.
rancanca s.f.
rancanho s.m.
rançāo s.f.
rançar v.
rancatrilha s.2g.
rancear v.
ranceonar v.
rancescer v.
rancescido adj.
rancha s.f.
ranchada s.f.
ranchão s.m.
rancharia s.f.
ranchariense adj. s.2g.
ranchário s.m.
rancheira s.f.
rancheira de carreirinha s.f.
rancheiro adj. s.m.
ranchel s.m.
ranchense adj. s.2g.
rancheria s.f.
rancherio s.m.
rancheta (*ê*) adj. s.2g.
ranchinhense adj. s.2g.
ranchinho s.m.
ranchito s.m.
rancho s.m.
rancho-alegrense adj. s.2g.; pl. *rancho-alegrenses*
rancho-grandense adj. s.2g.; pl. *rancho-grandenses*
rancho-queimadense adj. s.2g.; pl. *rancho-queimadenses*
rancho-velhense adj. s.2g.; pl. *rancho-velhenses*
rancho-verdense adj. s.2g.; pl. *rancho-verdenses*
rancidez (*ê*) s.f.
rancidificação s.f.
rancidificado adj.
rancidificador (*ô*) adj.
rancidificante adj.2g.
rancidificar v.
râncido adj.
rancieíta s.f.
rancificação s.f.
rancificado adj.
rancificar v.
râncio adj.
ranco s.m.
ranço adj. s.m.
rancocamecrã adj. s.2g.
rancolho (*ô*) adj. s.m.
rancor (*ô*) s.m.
rancora (*ô*) s.f.
rancorar-se v.
rancordioso (*ô*) adj.; f. (*ó*); pl. (*ó*)
rancorejar v.
rancoroso (*ô*) adj.; f. (*ó*); pl. (*ó*)
rançoso (*ô*) adj.; f. (*ó*); pl. (*ó*)
rancoura s.f.
rancuãiangue s.m.
rancura s.f.
rancurar v.
randanita s.f.
randanite s.f.
randevu s.m.
rândia s.f.
randita s.f.
randite s.f.
randohrita s.f.
randômico adj.
randomização s.f.
randomizado adj.
randomizador (*ô*) adj. s.m.
randomizante adj.2g.
randomizar v.
randomizável adj.2g.
rane s.m.; f. *rani*
ranela s.f.
ranfástida adj.2g. s.m.
ranfastídeo adj. s.m.
ranfasto s.m.
rânfia s.f.
ranfíctis s.m.2n.
ranfídia s.f.
ranfo s.m.
ranfobráquio s.m.
ranfócaris s.f.2n.
ranfocelo s.m.
ranfoceno s.m.
ranfocinclo s.m.
ranfococcige s.m.
ranfocóccix (*cs*) s.m.2n.
ranfócoris s.m.2n.
ranfodonte s.m.
ranfoide (*ó*) adj.2g.
ranfoleão s.m.
ranfomântis s.m.2n.
ranfomícron s.m.
ranforrinco s.m.
ranforrinquídeo adj. s.m.
ranfoteca s.f.
ranfoteco adj.
rangalheira s.f.
rangamalho s.m.

rangar v.
range s.m.
rangedeira adj. s.f.
rangedor (*ô*) adj.
rangel s.f.
rangente adj.2g.
ranger v.
range-range s.m.; pl. *range-ranges*
rângia s.m.
rangido s.m.
rangífer s.m.
rangífero s.m.
rangir v.
rango s.m.
rangomela s.f.
ranguinha s.2g.
ranguinhar v.
ranguinhento adj.
ranha s.f.
ranhaceira s.f.
ranhadoiro s.m.
ranhadouro s.m.
ranhão s.m.
ranhar v.
ranheira s.f.
ranhento adj.
ranheta (*ê*) adj. s.2g.
ranhetice s.f.
ranho s.m.
ranhoada s.f.
ranhoca s.f.
ranhola s.f.
ranhosa s.f.
ranhoso (*ô*) adj. s.m.; f. (*ó*); pl. (*ó*)
ranhura s.f.
ranhuragem s.f.
ranhurar v.
ranhuzar v.
rani s.f. de *rajá* e *rane*
ranícipe s.m.
ranicipitíneo adj. s.m.
ranicultor (*ô*) s.m.
ranicultura s.f.
ranídeo adj. s.m.
raniforme adj.2g. s.m.
ranilha s.f.
ranilhado adj.
ranilhamento s.m.
ranilhar v.
ranilhas s.f.pl.
ranilheta (*ê*) s.f.
ranilhura s.f.
ranília s.f.
ranina s.f.
ranínео adj. s.m.
raninídeo adj. s.m.
ranino adj.
raninoide (*ó*) adj.2g. s.m.
raninope s.m.
râninops s.m.2n.
ranismo s.m.
ranitidina s.f.
ranívoro adj. s.m.
rankamaíta s.f.
rankinita s.f.
ranoide (*ó*) adj.2g. s.f.
ranquilita s.f.
ransdelita s.f.
ransomita s.f.
ranu s.m.
ranu-branco s.m.; pl. *ranus-brancos*
rânula s.f.
ranunculácea s.f.
ranunculáceo adj.
ranuncular adj.2g.
ranunculale s.f.
ranuncúlea s.f.
ranuncúleo adj.
ranunculínea s.f.
ranunculíneo adj.
ranunculita s.f.
ranúnculo s.m.
ranúnculo-aquático s.m.; pl. *ranúnculos-aquáticos*
ranúnculo-bolhado s.m.; pl. *ranúnculos-bolhados*
ranúnculo-brasileiro s.m.; pl. *ranúnculos-brasileiros*
ranúnculo-dos-prados s.m.; pl. *ranúnculos-dos-prados*
ranúnculo-mata-boi s.m.; pl. *ranúnculos-mata-boi*
ranúnculo-rasteiro s.m.; pl. *ranúnculos-rasteiros*
ranúnculo-turco s.m.; pl. *ranúnculos-turcos*
ranzal s.m.
ranzinza adj. s.2g.
ranzinzagem s.f.
ranzinzar v.
ranzinzento adj.
ranzinzice s.f.
ranzoado adj.
rapa s.m.f.
rapaçaio s.m.
rapaçais s.m.pl.
rapa-caldos adj. s.2g.2n.
rapa-canoa s.m.; pl. *rapa-canoas*
rapação s.m.
rapa-caveiras s.2g.2n.
rapace adj.2g. s.m.
rapaceiro s.m.
rapáceo adj.
rapacidade s.f.
rapacíssimo adj. sup. de *rapaz*
rapa-coco s.m.; pl. *rapa-cocos*
rapa-colher s.m.; pl. *rapa-colheres*
rapa-cuia s.f.; pl. *rapa-cuias*
rapadeira s.f.
rapadela s.f.
rapado adj.
rapadoira s.f.
rapadoiro s.m.
rapador (*ô*) adj. s.m.
rapadoura s.f.
rapadouro s.m.
rapadura s.f.
rapadurizado adj.
rapagão s.m.; f. *raparigaça*
rapagem s.f.
rapagoa (*ô*) s.f.
rapagote s.m.
rapalhas s.f.pl.
rapa-línguas s.m.2n.
rapana s.f.
rapança s.f.
rapânea s.f.
rapano adj. s.m.
rapante adj.2g.
rapão s.m.
rapa-ovos s.m.2n.
rapapé s.m.
rapa-queixos s.m.2n.
rapar v.
rapariga s.f.
raparigaça s.f. de *rapagão*
raparigada s.f.
raparigagem s.f.
raparigo s.m.
raparigota s.f.
raparigote s.m.
rapariguedo (*ê*) s.m.
rapariguеiro adj. s.m.
rapariguelha s.f.
rapariguita s.f.
raparugo s.m.
rapa-tábuas s.m.2n.
rapa-tachos s.2g.2n.
rapátea s.f.
rapateácea s.f.
rapateáceo adj.
rapa-torrão s.m.; na loc. *de rapa-torrão*
rã-paulistinha s.f.; pl. *rãs-paulistinhas*
rapaz adj.2g. s.m.
rapaza s.f.
rapazada s.f.
rapazão s.m.
rapazelho (*ê*) s.m.
rapazete (*ê*) s.m.
rapazia s.f.
rapaziada s.f.
rapazice s.f.
rapazinho s.m.
rapazinho-dos-velhos s.m.; pl. *rapazinhos-dos-velhos*
rapazinhos s.m.pl.
rapazio s.m.
rapazito s.m.
rapazola s.m.
rapazona s.f.
rapazota s.f.
rapazote s.m.
rapé s.m.
rapé-de-saci s.m.; pl. *rapés-de-saci*
rapeira s.f.
rapel s.m.
rapelar v.
rapelha (*ê*) s.f.
rapelho (*ê*) s.m.
rapezista adj. s.2g.
rápia s.f.
rapiá-guaçu s.m.; pl. *rapiás-guaçus*
rapiar v.
rapicel s.m.
rapichel s.m.
rapidez (*ê*) s.f.
rápido adj. s.m. adv.
rapidolita s.f.
rapidólita s.f.
rapieira s.f.
rapiforme adj.2g.
rapigar v.
rapigo s.m.
rapilhar v.
rapilho s.m.
rã-pimenta s.f.; pl. *rãs-pimentas*
rapina s.f.
rapinação s.f.
rapinado adj.
rapinador (*ô*) adj. s.m.
rapinagem s.f.
rapinança s.f.
rapinância s.f.
rapinanço s.m.
rapinante adj. s.2g.
rapinar v.
rapinável adj.2g.
rapineiro adj. s.m.
rapinento s.f.
rapinha s.f.
rapinhador (*ô*) adj. s.m.
rapinhar v.
rapinice s.f.
rapioca s.f.
rapioqueiro adj. s.m.
rapioquice s.f.
rapistro s.m.
rapola s.f.
rapolego (*ê*) s.m.
rapôncio s.m.
raponço s.m.
raponeiro s.m.
raponticina s.f.
rapôntico s.m.
rapôntico-da-terra s.m.; pl. *rapônticos-da-terra*
raporte s.m.
raposa (*ô*) adj. s.2g. s.f.; cf. *raposa*, fl. do v. *raposar*
raposa-azul s.f.; pl. *raposas-azuis*
raposáceo adj.
raposa-cinzenta s.f.; pl. *raposas-cinzentas*
raposada s.f.
raposa-do-campo s.f.; pl. *raposas-do-campo*
raposa-do-mato s.f.; pl. *raposas-do-mato*
raposão s.m.
raposar v.
raposa-vermelha s.f.; pl. *raposas-vermelhas*
raposa-voadora s.f.; pl. *raposas-voadoras*
raposear v.
raposeira s.m.f.
raposeiro adj. s.m.
raposense adj. s.2g.
raposia s.f.
raposice s.f.
raposim s.m.
raposinha s.f.
raposinhar v.
raposinho adj. s.m.
raposino adj.
raposio s.m.
raposo (*ô*) adj. s.m.
raposo-azul s.m.; pl. *raposos-azuis*
raposo-azulado s.m.; pl. *raposos-azulados*
ráppia s.f.
rapsoda s.2g.
rapsode s.m.
rapsódia s.f.
rapsódico adj.
rapsodista adj. s.2g.
rapsodo (*ó* ou *ô*) s.m.
rapsodomancia s.f.
rapsodomante s.2g.
rapsodomântico adj.
raptado adj. s.m.
raptador (*ô*) adj. s.m.
raptar v.
rapto adj. s.m.
raptor (*ô*) adj. s.m.
raptorial adj.2g.
rapume s.m.
rapúncio s.m.
raque s.f.
raqueano adj.
raquéis s.f.pl.
raquel s.f.
raqueóspila s.f.
raqueta (*ê*) s.f.
raquete s.f.
raquetista adj. s.2g.
ráqui s.f.
raquial adj.2g.
raquialgia s.f.
raquiálgico adj.
raquianalgesia s.f.
raquianalgésico adj.
raquianecte s.m.
raquianectídeo adj. s.m.
raquianestesia s.f.
raquianestésico adj.
raquiano adj.
raquicentese s.f.
raquicentésico adj.
raquicêntrida adj.2g. s.m.
raquicentrídeo adj. s.m.
raquicocainização s.f.
raquidiana s.f.
raquidiano adj.
raquídio adj.
raquiestovainação s.f.
raquiglosso adj. s.m.
raquígrafo s.m.
raquimeningite s.f.
raquimeningítico adj.
ráquio s.m.
raquiocampse s.f.
raquiocampsia s.f.
raquiocentese s.f.
raquiocentésico adj.
raquiocifose s.f.
raquiocostal adj.2g.
raquiodinia s.f.
raquiodínico adj.
raquioescapular adj.2g.
raquiometria s.f.
raquiométrico adj.
raquiômetro s.m.
raquiomielite s.f.
raquiomielítico adj.
raquiópago s.m.
raquioparalisia s.f.
raquioparalítico adj.
raquiopatia s.f.
raquiopático adj.
raquioplegia s.f.
raquioplégico adj.
raquiopneumia s.f.
raquiopnêumico adj.
raquiopneumonia s.f.
raquiopneumônico adj.
raquiorraquial adj.2g.
raquioscapular adj.2g.
raquioscoliose s.f.
raquioscoliótico adj.
raquiósquise s.f.
raquiotomia s.f.
raquiotômico adj.
raquiótomo s.m.
raquipagia s.f.
raquípago s.m.
raquiplegia s.f.
ráquis s.f.2n.
raquísquise s.f.
raquissagra s.f.
raquistovainação s.f.
raquite s.f.
raquítico adj. s.m.
raquitismo s.m.
raquitização s.f.
raquitizado adj.
raquitizar v.
raquitomia s.f.
raquitômico adj.
raquítomo adj. s.m.
raquius s.m.2n.
rarar v.
rareação s.f.
rareado adj.
rareamento s.m.
rarear v.
rarefação s.f.
rarefacção s.f.
rarefaciente adj.2g.
rarefactível adj.2g.
rarefactivo adj.
rarefacto adj.
rarefactor (*ô*) adj.
rarefatibilidade s.f.
rarefatível adj.2g.
rarefativo adj.
rarefato adj.
rarefator (*ô*) adj. s.m.
rarefazer v.
rarefeito adj.
rareira s.f.
rarejado adj.
rarejar v.
rarescência s.f.
rarescente adj.2g.
rarescer v.
rarescido adj.
rarescimento s.m.
rarescível adj.2g.
rareza (*ê*) s.f.
raridade s.f.
rarifloro adj.
rarifoliado adj.
rarifólio adj.
rarípilo adj.
raro adj. s.m. adv.
rás s.m.
rasa s.f.
rasado adj.
rasadura s.f.
rasamento s.m.
rasância s.f.
rasante adj.2g. s.m.
rasão s.m. "rasa"; cf. *razão*
rasar v.
rasbora s.m.
rasboríctis s.m.2n.
rasboríneo adj. s.m.
rasbuto s.m.
rasca adj.2g. s.f.
rascada s.f.
rascadeira s.f.
rascadela s.f.
rascadilho s.m.
rascado adj.
rascador (*ô*) adj. s.m.
rascadura s.f.
rascalço s.m.
rascância s.f.
rascanhadela s.f.
rascanhante adj.2g.
rascanhão s.m.
rascanhar v.
rascante adj.2g. s.m.
rascão s.m.
rascar v.
rascasso s.m.
rascasso-marrom s.m.; pl. *rascassos-marrons*
rascasso-vermelho s.m.; pl. *rascassos-vermelhos*
rasca-tubos s.m.2n.
rasco s.m.

rascoa (*ô*) s.f.
rascoagem s.f.
rascoeira s.f.
rascoeiro s.m.
rascoíce s.f.
rascol s.m.
rascole s.m.
rascolnique adj. s.2g.
rascolnismo s.m.
rascolnista adj. s.2g.
rascolnita adj. s.2g.
rascote s.m.
rascunhado adj.
rascunhador (*ô*) adj. s.m.
rascunhamento s.m.
rascunhante adj.2g.
rascunhar v.
rascunhável adj.2g.
rascunho s.m.
raseiro adj.
rasense adj. s.2g.
rasga s.m.
rasga-beiço s.m.; pl. *rasga-beiços*
rasgadela s.f.
rasgadinho s.m.
rasgado adj. s.m. adv.
rasgador (*ô*) adj. s.m.
rasgadura s.f.
rasga-letra s.m.; pl. *rasga-letras*
rasgamento s.m.
rasga-mortalha s.f.; pl. *rasga-mortalhas*
rasga-mortalha-grande s.m.; pl. *rasga-mortalhas-grandes*
rasgão s.m.
rasgar v.
rasga-seda s.2g.; pl. *rasga-sedas*
rasgo s.m.
rasgue s.m.
rasgunho s.m.
rashleighita s.f.
rasina s.f.
rasinho s.m.
rasmaguento adj.
rasmalhada s.f.
rasmolgar v.
rasmonino s.m.
rasmono s.m.
raso adj. s.m.
rasoeira s.f.
rasóforo s.m.
rasoila s.f.
rasoilo s.m.
rasoira s.f.
rasoirado adj.
rasoirante adj.2g.
rasoirar v.
rasoiro s.m.
rasolho (*ô*) s.m.
rasorismo s.m.
rasorita s.f.
rasoura s.f.
rasourado adj.
rasourante adj.2g.
rasourar v.
rasouro s.m.
raspa s.f.
raspação s.f.
raspa-coco s.m.; pl. *raspa-cocos*
raspadeira s.f.
raspadela s.f.
raspado adj.
raspador (*ô*) adj. s.m.
raspador-da-soja s.m.; pl. *raspadores-da-soja*
raspadorense adj. s.2g.
raspadouro s.m.
raspadura s.f.
raspagem s.f.
raspalhista adj. s.2g.
raspalho s.m.
raspa-língua s.f.; pl. *raspa-línguas*
raspamento s.m.
raspança s.f.
raspançadura s.f.
raspançar v.
raspanço s.m.
raspanete (*ê*) s.m.
raspante adj.2g.
raspão s.m.
raspar v.
raspa-raspa s.m.; pl. *raspa-raspas*
raspa-tubos s.m.2n.
raspe s.m.
raspelho (*ê*) s.m.
raspilha s.f.
raspinegro (*ê*) s.m.
raspinha s.f.
raspinhadeira s.f.
raspinhar v.
raspita s.f.
raspite s.f.
rasqueação s.f.
rasqueado adj. s.m.
rasqueador (*ô*) adj.
rasquear v.
rasqueiro adj. s.m.
rasqueta (*ê*) s.f.
rasqueteação s.f.
rasqueteado adj.
rasqueteador (*ô*) adj.
rasquetear v.
rasqueteio s.m.
rasquido s.m.
rasta adj.2g. s.f.
rastadeira s.f.
rastafári adj.2g.2n. s.2g.
rastafarianismo s.m.
rastafariano adj.
rastante s.m.
rastão s.m.
rastaquera (*ü*) adj. s.2g.
rastaquerar (*ü*) v.
rastaqueresco (ü...ê) adj.
rastaquérico (*ü*) adj.
rastaquerismo (*ü*) s.m.
rastaquero (*ü*) adj. s.m.
raste s.f.
rasteado adj.
rasteador (*ô*) adj. s.m.
rasteante adj.2g.
rastear v.
rasteira s.f.
rasteirado adj.
rasteirar v.
rasteirice s.f.
rasteirinha s.f.
rasteirinho adj. s.m.
rasteiro adj. s.m.
rastejado adj.
rastejador (*ô*) adj. s.m.
rastejadura s.f.
rastejamento s.m.
rastejante adj.2g.
rastejar v.
rastejável adj.2g.
rastejo (*ê*) s.m.
rastelação s.f.
rastelar v.
rastelo (*ê*) s.m.; cf. *rastelo*, fl. do v. *rastelar*
rastiço adj.
rastilha s.f.
rastilhagem s.f.
rastilhar v.
rastilho s.m.
rastinhar v.
rastinho adj.
rastinona s.f.
rasto s.m.
rastolhada s.f.
rastolhar v.
rastolhice s.f.
rastolho (*ô*) s.m.
rastolita s.f.
rastra s.f.
rastracuta adj. s.2g.
rastral s.m.
rastreado adj.
rastreador (*ô*) adj. s.m.
rastreamento s.m.
rastrear v.
rastreável adj.2g.
rastreio s.m.
rastreiro adj.
rastrejar v.
rastrelo (*ê*) s.m.
rastrilho s.m.
rastro s.m.
rasulha s.f.
rasulho s.m.
rasumovsquina s.f.
rasura s.f.
rasuração s.f.
rasurado adj.
rasurador (*ô*) adj. s.m.
rasuramento s.m.
rasurante adj.2g.
rasurar v.
rasurável adj.2g.
rasvumita s.f.
rata s.f. "ratazana", "gafe"; cf. *ratã*
ratã s.m. "planta"; cf. *rata*
ratada s.f.
ratado adj.
ratadura s.f.
ratafia s.f.
ratagem s.f.
ratainha s.f.
ratainha-da-terra s.f.; pl. *ratainhas-da-terra*
ratanha s.f.
ratanhi s.m.
ratânhia s.f.
ratânia s.f.
ratânia-da-terra s.f.; pl. *ratânias-da-terra*
ratânia-do-brasil s.f.; pl. *ratânias-do-brasil*
ratânia-do-pará s.f.; pl. *ratânias-do-pará*
ratanina s.f.
ratão adj. s.m.
ratão-d'água s.m.; pl. *ratões-d'água*
ratão-do-banhado s.m.; pl. *ratões-do-banhado*
ratão-falso s.m.; pl. *ratões-falsos*
rataplã s.m.
rataplana s.f.
rataplão s.m.
ratar v.
rataria s.f. "coletivo de ratos"; cf. *ratária*
ratária s.m. "pólipos"; cf. *rataria*
ratatau s.m.
ratazana s.2g. s.f.
ratazana-do-capim s.f.; pl. *ratazanas-do-capim*
ratazanar v.
ratazana-toupeira s.f.; pl. *ratazanas-toupeiras*
rateação s.f.
rateado adj.
rateador (*ô*) adj. s.m.
rateamento s.m.
ratear v.
rateável adj.2g.
rateense adj. s.2g.
rateio s.m.
rateira s.f.
rateiro adj. s.m.
ratel s.m.
ratense adj. s.2g.
rathita s.f.
rati s.m.
ratiabição s.f.
ratice s.f.
raticida adj.2g. s.m.
raticídio s.m.
raticum s.m.
ratificação s.f.
ratificado adj.
ratificador (*ô*) adj.
ratificante adj.2g.
ratificar v.
ratificável adj.2g.
ratiforme s.m.
ratim s.m.
ratimbó s.m.
ratimóscelis s.m.2n.
ratina s.f.
ratinado adj.
ratinadora (*ô*) s.f.
ratinagem s.f.
ratinar v.
ratinha s.f.
ratinhado adj.
ratinhador (*ô*) adj. s.m.
ratinhar v.
ratinheiro adj.
ratinho adj. s.m.
ratinho-bota-fogo s.m.; pl. *ratinhos-bota-fogo*
ratinho-lavadeiro s.m.; pl. *ratinhos-lavadeiros*
ratino s.m.
ratita adj.2g. s.f.
ratite adj.2g. s.f.
ratívoro adj.
rato adj. s.m. "roedor"; cf. *ratô*
ratô s.m. "peça de prensa litográfica"; cf. *rato*
rato-almiscarado s.m.; pl. *ratos-almiscarados*
rato-almiscareiro s.m.; pl. *ratos-almiscareiros*
rato-boiadeiro s.m.; pl. *ratos-boiadeiros*
rato-branco s.m.; pl. *ratos-brancos*
rato-calunga s.m.; pl. *ratos-calunga* e *ratos-calungas*
rato-canguru s.m.; pl. *ratos-canguru* e *ratos-cangurus*
rato-capivara s.m.; pl. *ratos-capivara* e *ratos-capivaras*
rato-caseiro s.m.; pl. *ratos-caseiros*
rato-catita s.m.; pl. *ratos-catita* e *ratos-catitas*
rato-cego s.m.; pl. *ratos-cegos*
rato-chinchila s.m.; pl. *ratos-chinchila* e *ratos-chinchilas*
rato-cinzento s.m.; pl. *ratos-cinzentos*
rato-comum s.m.; pl. *ratos-comuns*
rato-coró s.m.; pl. *ratos-coró* e *ratos-corós*
rato-cuandu s.m.; pl. *ratos-cuandu* e *ratos-cuandus*
rato-d'água s.m.; pl. *ratos-d'água*
rato-da-áfrica s.m.; pl. *ratos-da-áfrica*
rato-da-cana s.m.; pl. *ratos-da-cana*
rato-da-índia s.m.; pl. *ratos-da-índia*
rato-da-serra s.m.; pl. *ratos-da-serra*
rato-das-searas s.m.; pl. *ratos-das-searas*
rato-de-água s.m.; pl. *ratos-de-água*
rato-de-alexandria s.m.; pl. *ratos-de-alexandria*
rato-de-algodão s.m.; pl. *ratos-de-algodão*
rato-de-bambu s.m.; pl. *ratos-de-bambu*
rato-de-barriga-branca s.m.; pl. *ratos-de-barriga-branca*
rato-de-casa s.m.; pl. *ratos-de-casa*
rato-de-couro s.m.; pl. *ratos-de-couro*
rato-de-esgoto s.m.; pl. *ratos-de-esgoto*
rato-de-espinho s.m.; pl. *ratos-de-espinho*
rato-de-faraó s.m.; pl. *ratos-de-faraó*
rato-de-pentes s.m.; pl. *ratos-de-pentes*
rato-de-praga s.m.; pl. *ratos-de-praga*
rato-de-taquara s.m.; pl. *ratos-de-taquara*
rato-de-tromba s.m.; pl. *ratos-de-tromba*
rato-do-bambu s.m.; pl. *ratos-do-bambu*
rato-do-egito s.m.; pl. *ratos-do-egito*
rato-do-mato s.m.; pl. *ratos-do-mato*
rato-doméstico s.m.; pl. *ratos-domésticos*
rato-dos-esgotos s.m.; pl. *ratos-dos-esgotos*
rato-dos-matos s.m.; pl. *ratos-dos-matos*
ratódromo s.m.
ratoeira s.f.
rato-espinho s.m.; pl. *ratos-espinho* e *ratos-espinhos*
rato-espinhoso s.m.; pl. *ratos-espinhosos*
ratoíce s.f.
rato-intermediário s.m.; pl. *ratos-intermediários*
ratolice s.f.
rato-musgo s.m.; pl. *ratos-musgo* e *ratos-musgos*
ratona s.f.
ratonar v.
ratonear v.
ratoneirice s.f.
ratoneiro s.m.
ratonense adj. s.2g.
ratonice s.f.
rato-ordinário s.m.; pl. *ratos-ordinários*
rato-pardo s.m.; pl. *ratos-pardos*
rato-preto s.m.; pl. *ratos-pretos*
ratoqueira s.f.
rato-silvestre s.m.; pl. *ratos-silvestres*
rato-toró s.m.; pl. *ratos-toró* e *ratos-torós*
ratovkita s.f.
ratovquita s.f.
ratuína s.f.
ratuíno adj.
ratulídeo adj. s.m.
rátulo s.m.
ratzelianismo s.m.
ratzelianista adj. s.2g.
ratzeliano adj.
ratzelismo s.m.
rau s.m.
raubasina s.f.
raucíssono adj.
raucitroante adj.2g.
raudal s.m.
raudão adj. s.m.
raudiva s.f.
rauenthalita s.f.
raugrave s.m.
raugraviado s.m.
rauita (*í*) s.m.
rauite (*í*) s.f.
rauli s.m.
raul-soarense adj. s.2g.; pl. *raul-soarenses*
raumite s.f.
rauraciano adj. s.m.
raurácico adj. s.m.
rauraco adj. s.m.
raurico adj. s.m.
rausa s.f.
rausada adj. s.f.
rausado adj.
rausador (*ô*) adj. s.m.
rausar v.
rauso s.m.
rausor (*ô*) adj. s.m.
rautilha s.f.
rauvita s.f.
rauvólfia s.f.
rauvolfiina s.f.
rauwólfia s.f.
rauwolfiina s.f.
ravachol s.m.
ravachola s.2g.
ravana s.m.
ravanastra s.m.
ravanastrão s.m.
ravasca s.f.
ravasco s.m.
raveliano adj.
ravenala s.f.

ravenate adj. s.2g.
ravenatense adj. s.2g.
ravençara s.f.
ravenela s.f.
ravenense adj. s.2g.
ravenhar v.
ravenhento adj.
ravenhoso (*ô*) adj.; f. (*ó*); pl. (*ó*)
ravênia s.f.
ravensara s.f.
rã-verdadeira s.f.; pl. *rãs-verdadeiras*
rã-verde s.f.; pl. *rãs-verdes*
ravesilho s.m.
ravessa s.f.
raveta (*ê*) s.f.
ravina s.f.
ravinação s.f.
ravinado adj.
ravinador (*ô*) adj.
ravinamento s.m.
ravinante adj.2g.
ravinar v.
ravinável adj.2g.
ravinhar v.
ravinhento adj.
ravinhoso (*ô*) adj.; f. (*ó*); pl. (*ó*)
ravinoso (*ô*) adj.; f. (*ó*); pl. (*ó*)
ravióli s.m.
ravo adj. s.m.
ravsônia s.f.
rawinsoda s.f.
rawinsonda s.f.
rawinsondador (*ô*) adj. s.m.
rawinsondagem s.f.
rawinsondar v.
rawsônia s.f.
raxa s.f. "pano"; cf. *racha* s.m.f. e fl. do v. *rachar*
raxada s.f.
raxado adj.
raxar v. "rajar", "raiar"; cf. *rachar*
raxeta (*ê*) s.f. "tecido"; cf. *racheta* (*ê*)
raxo s.m.; cf. *racho* do v. *rachar*
raymondita s.f.
raymondite s.f.
razão s.m.f. "inteligência"; cf. *rasão*
razia s.f.
raziado adj.
raziador (*ô*) adj. s.m.
raziar v.
raziento adj.
razimo s.m.
razoabilidade s.f.
razoado adj. s.m.
razoador (*ô*) adj. s.m.
razoamento s.m.
razoar v.
razoável adj.2g.
razonar v.
razonável adj.2g.
razoumowskyna s.f.
ré s.m.f. "acusada", "nota musical" etc.; s.f. de *réu*; cf. *rê*
rê s.m. "erre"; cf. *ré*
rea s.f.
reabastecer v.
reabastecido adj.
reabastecimento s.m.
reabastecível adj.2g.
reaberto adj.
reabertura s.f.
reabilitação s.f.
reabilitado adj.
reabilitador (*ô*) adj. s.m.
reabilitante adj.2g.
reabilitar v.
reabilitativo adj.
reabilitatório adj.
reabilitável adj.2g.
reabitação s.f.
reabitado adj.
reabitar v.
reabituado adj.
reabituar v.
reabjurar v.
reabotoado adj.
reabotoar v.
reabraçado adj.
reabraçar v.
reabrasileirado adj.
reabrasileiramento s.m.
reabrasileirar v.
reabrir v.
reabrolhar v.
reabrotar v.
reabsorção s.f.
reabsorver v.
reabsorvibilidade s.f.
reabsorvido adj.
reabsorvível adj.2g.
reaça adj. s.2g.
reação s.f.
reaceitar v.
reaceite s.m.
reacender v. "tornar a acender"; cf. *reascender*
reacendido adj.
reaceso (*ê*) adj.
reachar v.
reacional adj.2g.
reacionário adj. s.m.
reacionarismo s.m.
reacionarista adj. s.2g.
reacionarístico adj.
reacionismo s.m.
reacionista adj. s.2g.
reacionístico adj.
reacomodação s.f.
reacomodado adj.
reacomodar v.
reacompanhado adj.
reacompanhar v.
reacordado adj.
reacordar v.
reactância s.f.
reacusação s.f.
reacusado adj.
reacusar v.
readal adj.2g.
readale s.f.
readaptabilidade s.f.
readaptação s.f.
readaptado adj.
readaptar v.
readaptável adj.2g.
readequação s.f.
readequar v.
readilho s.m.
readina s.f.
readínea s.f.
readjudicação s.f.
readjudicado adj.
readjudicar v.
readmiração s.f.
readmirar v.
readmissão s.f.
readmitido adj.
readmitir v.
readoção s.f.
readopção s.f.
readoptado adj.
readoptar v.
readormecer v.
readormecido adj.
readotado adj.
readotar v.
readquirido adj.
readquirir v.
readquisição s.f.
reafirmação s.f.
reafirmado adj.
reafirmar v.
reafixação (*cs*) s.f.
reafixado (*cs*) adj.
reafixar (*cs*) v.
reaforamento s.m.
reafretado adj.
reafretar v.
reagente adj.2g. s.m.
reagina s.f.
reagir v.
reagradecer v.
reagradecido adj.
reagravação s.f.
reagravado adj.
reagravar v.
reagrupado adj.
reagrupamento s.m.
reagrupar v.
reajuntamento s.m.
reajustação s.f.
reajustado adj.
reajustamento s.m.
reajustar v.
reajustável adj.2g.
reajuste s.m.
real adj.2g. s.m.
real-arca s.m.; pl. *reais-arcas*
realargado adj.
realargamento s.m.
realargar v.
realçado adj.
realçamento s.m.
realçante adj.2g.
realçar v.
realce s.m.
realço s.m.
realdade s.f.
realegrar v.
realegre adj.2g.
realejado adj.
realejar v.
realejo (*ê*) s.m.
realejo de boca s.m.
realengo adj. s.m.
realense adj. s.2g.
realentado adj.
realentar v.
realete (*ê*) s.m.
realeto (*ê*) s.m.
realeza (*ê*) s.f.
realezense adj. s.2g.
realgar s.m.
realidade s.f.
realimentação s.f.
realimentador (*ô*) adj. s.m.
realimentante adj.2g.
realimentar v.
realimentável adj.2g.
realimento s.m.
realinhado adj.
realinhamento s.m.
realismo s.m.
realista adj. s.2g.
realistado adj.
realistamento s.m.
realistar v.
realístico adj.
realito s.m.
realizabilidade s.f.
realização s.f.
realizado adj.
realizador (*ô*) adj. s.m.
realizante adj.2g.
realizar v.
realizável adj.2g.
realugado adj.
realugar v.
realumiado adj.
realumiar v.
realvorecer v.
reamado adj.
reamanhecer v.
reamar v.
reambulação s.f.
reambulador (*ô*) adj.
reambulante adj.2g.
reambular v.
reambulatório adj.
reambulável adj.2g.
reame s.m.
reamorita s.f.
reandado adj.
reandar v.
reanexação (*cs*) s.f.
reanexado (*cs*) adj.
reanexar (*cs*) v.
reanhas s.2g.2n.
reanimação s.f.
reanimado adj.
reanimador (*ô*) adj. s.m.
reanimalização s.f.
reanimalizar v.
reanimar v.
reanite s.m.
reanodado adj.
reanodar v.
reaparecer v.
reaparecido adj.
reaparecimento s.m.
reaparição s.f.
reapertado adj.
reapertar v.
reaperto (*ê*) s.m.
reaplicação s.f.
reaplicado adj.
reaplicar v.
reapoderado adj.
reapoderar-se v.
reapontado adj.
reapontar v.
reaportuguesado adj.
reaportuguesamento s.m.
reaportuguesar v.
reapossado adj.
reapossar v.
reapreciado adj.
reapreciar v.
reaprender v.
reaprendido adj.
reaprendizado s.m.
reaprendizagem s.f.
reapresentação s.f.
reapresentado adj.
reapresentar v.
reaprisionado adj.
reaprisionar v.
reaproveitado adj.
reaproveitamento s.m.
reaproveitar v.
reaprovisionamento s.m.
reaprovisionar v.
reaproximação (*ss*) s.f.
reaproximado (*ss*) adj.
reaproximar (*ss*) v.
reaquecer v.
reaquecido adj.
reaquecimento s.m.
reaquisição s.f.
reaquistar v.
rearborização s.f.
rearborizado adj.
rearborizar v.
rearmado adj.
rearmamento s.m.
rearmar v.
rearqueado adj.
rearquear v.
rearquitetado adj.
rearquitetar v.
rearranjador (*ô*) adj. s.m.
rearranjante adj.2g.
rearranjar v.
rearranjável adj.2g.
rearranjo s.m.
rearrepender-se v.
rearrependido adj.
rearrumar v.
rearticulação s.f.
rearticular v.
reascender v. "tornar a elevar"; cf. *reacender*
reassegurado adj.
reassegurar v.
reassenhoreado adj.
reassenhorear v.
reassentado adj.
reassentamento s.m.
reassentar v.
reassimilação s.f.
reassimilado adj.
reassimilar v.
reassinado adj.
reassinar v.
reassociação s.f.
reassociado adj.
reassociar v.
reassoldadar v.
reassomado adj.
reassomar v.
reassoprado adj.
reassoprar v.
reassumido adj.
reassumir v.
reassumpto adj.
reassunção s.f.
reassunto adj.
reata s.f.
reatado adj.
reatadura s.f.
reatamento s.m.
reatância s.f.
reatante adj.2g. s.m.
reatar v.
reate s.m.
reateado adj.
reatear v.
reatentar v.
reatestado adj.
reatestar v.
reatiçado adj.
reatiçar v.
reatino adj. s.m.
reativação s.f.
reativado adj.
reativador (*ô*) adj. s.m.
reativamento s.m.
reativante adj.2g.
reativar v.
reativável adj.2g.
reatividade s.f.
reativo adj. s.m.
reato s.m.
reator (*ô*) adj. s.m.
reatorização s.f.
reatorizado adj.
reatorizar v.
reatravessado adj.
reatravessar v.
reatualização s.f.
reatualizado adj.
reatualizar v.
reatulhado adj.
reatulhar v.
reaumentado adj.
reaumentar v.
reaumento s.m.
reaumúria s.f.
reaumuríea s.f.
reautuar v.
reavaliação s.f.
reavaliado adj.
reavaliador (*ô*) adj. s.m.
reavaliar v.
reavaliável adj.2g.
reaver v.
reaviado adj.
reaviar v.
reavido adj.
reavigorado adj.
reavigorar v.
reavir v.
reavisado adj.
reavisar v.
reaviso s.m.
reavistado adj.
reavistar v.
reavivado adj.
reavivador (*ô*) adj. s.m.
reavivamento s.m.
reavivar v.
reavultado adj.
reavultar v.
rebabe s.m.
rebaçã s.f.
rebaixa s.f.
rebaixadeira s.f.
rebaixado adj.
rebaixador (*ô*) adj. s.m.
rebaixamento s.m.
rebaixar v.
rebaixável adj.2g.
rebaixe s.m.
rebaixeadeira s.f.
rebaixo s.m.
rebaixolice s.f.
rebaldaria s.f.
rebalde s.m.
rebaldeira s.f.
rebaldio s.m.
rebalsado adj.
rebalsar v.
rebalso s.m.
rebamento s.m.
rebana s.f.
rebanada s.f.
rebanador (*ô*) s.m.
rebanar v.
rebaneação s.f.

rebaneador (*ô*) s.m.
rebaneamento s.m.
rebanear v.
rebanhada s.f.
rebanhado adj.
rebanhador (*ô*) adj. s.m.
rebanhar v.
rebanhio adj.
rebanhista adj. s.2g.
rebanho s.m.
rebar v.
rebarba s.f.
rebarbação s.f.
rebarbado adj.
rebarbador (*ô*) adj. s.m.
rebarbagem s.f.
rebarbar v.
rebarbarização s.f.
rebarbarizado adj.
rebarbarizar v.
rebarbativo adj.
rebatar v.
rebate s.m.
rebateado adj.
rebateador (*ô*) s.m.
rebatedeira s.f.
rebatedor (*ô*) adj. s.m.
rebater v.
rebatida s.f.
rebatido adj.
rebatimento s.m.
rebatina s.f.
rebatinha s.f.
rebatinhar v.
rebatismo s.m.
rebatível adj.2g.
rebatização s.f.
rebatizado adj.
rebatizante adj. s.2g.
rebatizar v.
rebato s.m.
rebebé s.m.
rebeber v.
rebeca s.f.
rebecada s.f.
rebecão s.m.
rebeijado adj.
rebeijar v.
rebel adj. s.2g.
rebela s.f. "revolta"; cf. *rebela* (*ê*)
rebela (*ê*) s.f. "variedade de maçã"; cf. *rebela* s.f. e fl. do v. *rebelar*
rebelado adj. s.m.
rebelador (*ô*) adj. s.m.
rebelão adj.; f. *rebelona*
rebelar v.
rebelável adj.2g.
rebeldaria s.f.
rebelde adj. s.2g.
rebeldia s.f.
rebeldismo s.m.
rebelião s.f.
rebelicar v.
rebelim s.m.
rebelionar v.
rebelo s.m. "fruta"; cf. *rebelo* (*ê*)
rebelo (*ê*) s.m. "barco"; cf. *rebelo* s.m. e fl. do v. *rebelar*
rebelona adj. f. de *rebelão*
rebeloso (*ô*) adj.; f. (*ó*); pl. (*ó*)
rebém s.m. adv.; cf. *rebem*, fl. do v. *rebar*
rebencaço s.m.
rebencada s.f.
rebendito adj.
rebenque s.m.
rebenqueado adj.
rebenqueador (*ô*) adj. s.m.
rebenquear v.
rebentação s.f.
rebentadiço adj.
rebentado adj.
rebentador (*ô*) adj. s.m.
rebentamento s.m.
rebentante adj.2g.
rebentão s.m.
rebentãozal s.m.
rebentar v.
rebentável adj.2g.
rebentia s.f.
rebentina s.f.
rebentinha s.f.
rebentino adj.
rebentio adj.
rebento adj. s.m.
rebentona s.f.
rebenzer v.
rebeque s.m.
rebequista adj. s.2g.
reberrar v.
reberta s.f.
rebesbelhar v.
rebesgado adj.
rebiasco s.m.
rebiassacos s.m.pl.
rebibiu s.m.
rebiça s.f.
rebicado adj.
rebicar v.
rebimba s.f.
rebimbalhação s.f.
rebimbalhado adj.
rebimbalhar v.
rebimbalho s.m.
rebimbar v.
rebimbo s.m.
rebingudo adj.
rebiopsiar v.
rebique s.m.
rebiscar v.
rebita s.f.
rebitadeira s.f.
rebitado adj.
rebitador (*ô*) adj. s.m.
rebitadora (*ô*) s.f.
rebitagem s.f.
rebitamento s.m.
rebitar v.
rebite s.m.
rebiteso (*ê*) adj.
rebo (*ê*) adj. s.m.; cf. *rebo*, fl. do v. *rebar*
reboante adj.2g.
reboar v.
rebobinadeira s.f.
rebobinado adj.
rebobinador (*ô*) adj. s.m.
rebobinagem s.f.
rebobinar v.
rebocado adj.
rebocador (*ô*) adj. s.m.
rebocadura s.f.
rebocamento s.m.
rebocar v.
reboco (*ô*) s.m.; cf. *reboco*, fl. do v. *rebocar*
reboço (*ô*) s.m.
rebocrania s.f.
rebojar v.
rebojense adj. s.2g.
rebojento adj.
rebojo (*ô*) s.m.; cf. *rebojo*, fl. do v. *rebojar*
rebolação s.f.
rebolada s.f.
reboladeira adj. s.f.
rebolado adj. s.m.
rebolador (*ô*) adj.
rebolal adj.2g.
rebolamento s.m.
rebolante adj.2g.
rebolão adj. s.m.; f. *rebolona*
rebolar v.
rebolaria s.f.
rebolativo adj.
rebolcar v.
rebolco (*ô*) s.m.; cf. *rebolco*, fl. do v. *rebolcar*
reboldosa s.f.
reboldrosa s.f.
rebolear v.
reboleio s.m.
reboleira s.f.
reboleiro adj. s.m.
reboleta (*ê*) s.f.
reboliçar v.
rebolício s.m.
reboliço adj. "que rebola" etc.; cf. *rebuliço*
rebolido adj.; cf. *rebulido*
rebolir v. "bambolear"; cf. *rebulir*
rebolo (*ô*) adj. s.m.; cf. *rebolo*, fl. do v. *rebolar*
rebolona adj. s.f. de *rebolão*
rebolqueada s.f.
rebolquear-se v.
reboludo adj.
rebombância s.f.
rebombante adj.2g.
rebombar v.
rebombeação s.f.
rebombeiro adj.
rebombo s.m.
reboo (*ô*) s.m.
reboque s.m.
reboquear v.
reboqueiro s.m.
reboquinho adj.
reboquismo s.m.
reboquista adj. s.2g.
rebora s.f.
reboração s.f.
reborado s.m.
reborar v.
reborbulhar v.
rebordado adj.
rebordagem s.f.
rebordante adj.2g.
rebordão adj. s.m.
rebordar v.
rebordeadeira s.f.
rebordeado adj.
rebordeamento s.m.
rebordear v.
rebordo (*ô*) s.m.; cf. *rebordo*, fl. do v. *rebordar*
rebordosa s.f.
reborqueada s.f.
reborquear v.
reborquiada s.f.
reborquiar v.
reboscelia s.f.
rebose s.f.
rebotada s.f.
rebotado adj.
rebotalhada s.f.
rebotalhado adj.
rebotalho s.m.
rebotar v.
rebote s.m.
rebótico adj.
reboto (*ô*) adj.; cf. *reboto*, fl. do v. *rebotar*
rebouçar v.
reboucense adj. s.2g.
rebraço s.m.
rebradar v.
rebramante adj.2g.
rebramar v.
rebramir v.
rebramo s.m.
rebrandecer v.
rebranqueado adj.
rebranquear v.
rebranquio adj.
rebrasilar v.
rebria s.f.; na loc. *à rebria*
rebrilhação s.f.
rebrilhante adj.2g.
rebrilhar v.
rebrilho s.m.
rebrilhoso (*ô*) adj.; f. (*ó*); pl. (*ó*)
rebroquim s.m.
rebrotação s.f.
rebrotado adj.
rebrotamento s.m.
rebrotar v.
rebrunido adj.
rebrunir v.
rebu s.m.
rebuçadeira s.f.
rebuçado adj. s.m.
rebuçar v.
rebuchudo adj.
rebucilho s.m.
rebucinho s.m.
rebuço s.m.
rebufar v.
rebufo s.m.
rebulhana s.f.
rebulhar v.
rebuliçar v.
rebulício s.m.
rebuliço s.m. "agitação"; cf. *reboliço*
rebulido adj.; cf. *rebolido*
rebulir v. "tornar a bulir"; cf. *rebolir*
rebumbado adj.
rebumbante adj.2g.
rebumbar v.
rebumbo s.m.
rebunhão s.m.
rébus s.m.2n.
rebusca s.f.
rebuscação s.f.
rebuscadeira s.f.
rebuscado adj.
rebuscador (*ô*) adj. s.m.
rebuscamento s.m.
rebuscante adj.2g.
rebuscar v.
rebuscável adj.2g.
rebusco s.m.
rebusnante adj.2g.
rebusnar v.
rebusno s.m.
rebusque s.m.
rebusqueiro s.m.
rebute s.m.
reca s.f.
recabedada adj. s.f.
recabedado adj.
recabedar v.
recábedo s.m.; cf. *recabedo*, fl. do v. *recabedar*
recabém s.m.
recabita adj. s.2g.
recábito s.m.
recacau s.m.
recachado adj.
recachão s.m.
recachar v.
recachiço s.m.
recachio s.m.
recacho s.m.
recada s.f.
recadado adj.
recadador (*ô*) adj. s.m.
recadar v.
recadastramento s.m.
recadastrar v.
recadeira s.f.
recadeiro adj. s.m.
recadejação s.f.
recadejado adj.
recadejar v.
recadém s.m.
recadista adj. s.2g.
recado s.m.
reçaga s.f.
reçagado adj. s.m.
recaída s.f.
recaidela s.f.
recaidiço adj.
recaimão s.m.
recaimento s.m.
recair v.
recaível adj.2g.
recalador (*ô*) s.m.
recalar v.
recalcabilidade s.f.
recalcação s.f.
recalcado adj. s.m.
recalçado adj.
recalcador (*ô*) adj. s.m.
recalcadura s.f.
recalcamento s.m.
recalcante adj.2g.
recalcar v.
recalcável adj.2g.
recalcificação s.f.
recalcificado adj.
recalcificador (*ô*) adj. s.m.
recalcificante adj.2g. s.m.
recalcificar v.
recalcificável adj.2g.
recalcitração s.f.
recalcitrado adj.
recalcitrador (*ô*) adj. s.m.
recalcitramento s.m.
recalcitrância s.f.
recalcitrante adj. s.2g.
recalcitrar v.
recalcitrável adj.2g.
recalcitro adj.
recalculação s.f.
recalculado adj.
recalculador (*ô*) adj. s.m.
recalculamento s.m.
recalculante adj.2g.
recalcular v.
recalculável adj.2g.
recálculo s.m.; cf. *recalculo*, fl. do v. *recalcular*
recaldado adj.
recaldeação s.f.
recaldeado adj.
recaldear v.
recalescência s.f.
recalescente adj.2g.
recalha s.f.
recalmão s.m.
recalmo s.m.
recalque s.m.
recamado adj.
recamador (*ô*) adj. s.m.
recamadura s.f.
recamar v.
recâmara s.f.; cf. *recamara*, fl. do v. *recamar*
recambejo (*ê*) s.m.
recambiado adj.
recambiador (*ô*) adj. s.m.
recambiamento s.m.
recambiante adj.2g.
recambiar v.
recambiável adj.2g.
recâmbio s.m.; cf. *recambio*, fl. do v. *recambiar*
recambó s.m.
recâmera s.f.
recamo s.m.
recanalização s.f.
recanalizado adj.
recanalizar v.
recandidatação s.f.
recandidatado adj.
recandidatar v.
recantação s.f.
recantado adj.
recantar v.
recanteado adj.
recanteio s.m.
recantelo s.m.
recantense adj. s.2g.
recanto s.m.
recão s.m.
recapacitação s.f.
recapacitado adj.
recapacitante adj.2g.
recapacitar v.
recapacitável adj.2g.
recapado adj.
recapagem s.f.
recapar v.
recapeação s.f.
recapeado adj.
recapeamento s.m.
recapeante adj.2g.
recapear v.
recapeável adj.2g.
recapitalização s.f.
recapitalizar v.
recapitulação s.f.
recapitulado adj.
recapitulador (*ô*) adj. s.m.
recapitulante adj. s.2g.
recapitular v.
recapitulativo adj.
recapitulável adj.2g.
recaptura s.f.
recapturação s.f.
recapturado adj.
recapturar v.
recar v.
recarbonatado adj.
recarbonatar v.
recarbonização s.f.
recarbonizado adj.

recarbonizar v.
recarburação s.f.
recarburado adj.
recarburar v.
recardado adj.
recardar v.
recarga s.f.
recargar v.
recarimbado adj.
recarimbar v.
recarregado adj.
recarregamento s.m.
recarregar v.
recartilha s.f.
recartilhamento s.m.
recartilhar v.
recasado adj.
recasar v.
recata s.f.
recatado adj.
recatador (*ô*) adj.
recatamento s.m.
recatar v.
recategorização s.f.
recativado adj. s.m.
recativar v.
recativo adj. s.m.
recato s.m.
recaução s.f.
recauchutado adj.
recauchutadora (*ô*) s.f.
recauchutagem s.f.
recauchutar v.
recaucionado adj.
recaucionar v.
recaucionável adj.2g.
recaudo adj.
recaus s.m.pl.
recautelado adj.
recautelar v.
recavado adj.
recavalgado adj.
recavalgar v.
recavar v.
recavém s.m.; cf. *recavem*, fl. do v. *recavar*
recavo adj.
receado adj.
receadoiro adj.
receadouro adj.
receança s.f.
receante adj.2g.
recear v.
receável adj.2g.
recebedoiro adj.
recebedor (*ô*) adj. s.m.
recebedoria s.f.
recebedouro adj.
recebente adj.2g.
receber v.
recebido adj.
recebimento s.m.
recebível adj.2g.
recebolho (*ô*) s.m.
recebondo adj.
receder v.
recedido adj.
receio s.m.
receita s.f.
receitado adj.
receitante adj.2g.
receitar v.
receitário s.m.
receituário s.m.
recém adv.
recém-aberto adj.
recém-achado adj.
recém-admitido adj.
recém-beatificado adj. s.m.
recém-beato adj. s.m.
recém-casado adj. s.m.
recém-chegado adj. s.m.
recém-chegar v.
recém-colhido adj.
recém-concluído adj.
recém-conquistado adj.
recém-convertido adj. s.m.
recém-criado adj.
recém-depositado adj.
recém-descoberto adj.
recém-desenterrado adj.
recém-desgravidado adj.
recém-desvendado adj.
recém-emancipado adj.
recém-fabricado adj.
recém-falecido adj. s.m.
recém-fechado adj.
recém-feito adj.
recém-ferido adj. s.m.
recém-ferir v.
recém-finado adj. s.m.
recém-findo adj.
recém-formado adj.
recém-geado adj.
recém-morto adj. s.m.
recém-nado adj. s.m.
recém-nascido adj. s.m.
recém-nato adj.
recém-nobre adj. s.2g.
recém-nomeação s.f.
recém-nomeado adj. s.m.
recém-ouvido adj.
recém-passado adj.
recém-plantado adj.
recém-publicado adj.
recém-saído adj.
recém-servo adj. s.m.
recém-sintetizado adj.
recém-talhado adj.
recém-tecido adj.
recém-tirado adj.
recém-vindo adj. s.m.
recenar v.
recendência s.f. "cheiro"; cf. *rescindência*
recendente adj.2g.
recender v.
recendor (*ô*) s.m.
recensão s.f.
recenseado adj. s.m.
recenseador (*ô*) adj. s.m.
recenseamento s.m.
recenseante adj.2g.
recensear v.
recenseável adj.2g.
recenseio s.m.
recensivo adj.
recental adj.2g. s.m.
recente adj.2g. s.m.
recenticidade s.f.
recentidade s.f.
receoso (*ô*) adj.; f. (*ó*); pl. (*ó*)
recepagem s.f.
recepção s.f.
recepcionado adj. s.m.
recepcionador (*ô*) adj. s.m.
recepcional adj.2g.
recepcionamento s.m.
recepcionante adj. s.2g.
recepcionar v.
recepcionável adj.2g.
recepcionismo s.m.
recepcionista adj. s.2g.
recepta s.f.
receptação s.f.
receptacular adj.2g.
receptaculite s.m.
receptaculitídeo adj. s.m.
receptáculo s.m.
receptado adj.
receptador (*ô*) adj. s.m.
receptar v.
receptibilidade s.f.
receptiva s.f.
receptível adj.2g.
receptividade s.f.
receptivo adj.
receptor (*ô*) adj. s.m.
receptossoma s.m.
recerrar v.
recerto adj. s.m.
recessão s.f. "retraimento"; cf. *resseção*
recessional adj.2g.
recessionalidade s.f.
recessionalismo s.m.
recessionalista adj. s.2g.
recessionalístico adj.
recessionismo s.m.
recessionista adj.2g.
recessionístico adj.
recessividade s.f.
recessivo adj.
recesso s.m.
recha (*ê*) s.f. "mancha nos olhos"; cf. *rechã*
rechã s.f. "altiplano"; cf. *recha* (*ê*)
rechaça s.f.
rechaçado adj.
rechaçador (*ô*) adj. s.m.
rechaçar v.
rechaço s.m.
rechano s.m.
rechão s.m.
rechapado adj.
rechapagem s.f.
rechapar v.
recheado adj. s.m.
recheadura s.f.
rechear v.
rechecagem s.f.
rechecar v.
rechega (*ê*) s.f.
rechegão s.m.
rechegar v.
rechego (*ê*) s.m.
recheio s.m.
recheios s.m.pl.
rechiar v.
rechina s.f.
rechinado adj.
rechinante adj.2g.
rechinar v.
rechino s.m.
rechó s.m.
rechô s.m.
rechonchar v.
rechonchudo adj.
rechover v.
rechupado adj.
rechupar v.
reciano adj. s.m.
reciário s.m.
recibado adj.
recibar v.
recibo s.m.
reciclação s.f.
reciclado adj.
reciclador (*ô*) adj.
reciclagem s.f.
reciclante adj.2g.
reciclar v.
reciclável adj.2g.
recidiva s.f.
recidivar v.
recidividade s.f.
recidivismo s.m.
recidivista adj. s.2g.
recidivo adj.
reciense adj. s.2g.
recifal adj.2g.
recife s.m.
recifense adj. s.2g.
recifoso (*ô*) adj.; f. (*ó*); pl. (*ó*)
recingido adj.
recingir v.
recínias s.f.pl.
recintado adj.
recintar v.
recinto s.m. "espaço fechado"; cf. *ressinto*, fl. do v. *ressentir*
récio adj. s.m.
recíolo s.m.
récipe s.m.
recipiendário adj. s.m.
recipiente adj.2g. s.m.
recíproca s.f.; cf. *reciproca*, fl. do v. *reciprocar*
reciprocação s.f.
reciprocado adj.
reciprocante adj.2g.
reciprocar v.
reciprocável adj.2g.
reciprocidade s.f.
recíproco adj. s.m.; cf. *reciproco*, fl. do v. *reciprocar*
récita s.f.; cf. *recita*, fl. do v. *recitar*
recitação s.f.
recitador (*ô*) adj. s.m.
recital s.m.
recitalista adj. s.2g.
recitante adj. s.2g.
recitar v.
recitativo adj. s.m.
recitista adj. s.2g.
recivilizado adj.
recivilizar v.
reclamação s.f.
reclamado adj. s.m.
reclamador (*ô*) adj. s.m.
reclamante adj. s.2g.
reclamar v.
reclamável adj.2g.
reclame s.m.
reclamismo s.m.
reclamista adj. s.2g.
reclamizar v.
reclamo s.m.
reclassificação s.f.
reclassificado adj.
reclassificador (*ô*) adj. s.m.
reclassificamento s.m.
reclassificante adj.2g.
reclassificar v.
reclassificativo adj.
reclassificatório adj.
reclassificável adj.2g.
reclinação s.f.
reclinado adj.
reclinar v.
reclinatória s.f.
reclinatório adj. s.m.
reclinável adj.2g.
recluir v.
reclusão s.f.
reclusar v.
reclúsia s.m.
reclusionário s.m.
recluso adj. s.m.
reco s.m.
recoberto adj.
recobra s.f.
recobrado adj.
recobramento s.m.
recobrar v.
recobrável adj.2g.
recobridor (*ô*) adj. s.m.
recobrimento s.m.
recobrir v.
recobro (*ô*) s.m.; cf. *recobro*, fl. do v. *recobrar*
recocar v.
recochete (*ê*) s.m.
recochetear v.
recochilado adj. s.m.
recocto adj.
recogitação s.f.
recogitado adj.
recogitar v.
recogitável adj.2g.
recognição s.f.
recognitivo adj.
recognoscível adj.2g.
recoice s.m.
recoitar v.
recoito adj.
recolado adj.
recolagem s.f.
recolar v.
recolecção s.f.
recolecta s.f.
recolecto adj. s.m.
recolector (*ô*) adj.
recolegir v.
recoleição s.f.
recoleta s.f.
recoleto adj. s.m.
recolha (*ô*) s.f.
recolhedor (*ô*) adj. s.m.
recolheita s.f.
recolheito adj.
recolhença s.f.
recolher v.
recolhida s.f.
recolhido adj. s.m.
recolhimento s.m.
recolho (*ô*) s.m.
recoligido adj.
recoligir v.
recolo s.m.
recolocação s.f.
recolocado adj.
recolocador (*ô*) adj. s.m.
recolocamento s.m.
recolocante adj.2g.
recolocar v.
recolocável adj.2g.
recolonização s.f.
recolonizado adj.
recolonizador (*ô*) adj.
recolonizante adj.2g.
recolonizar v.
recolonizável adj.2g.
recolorido adj.
recolorir v.
recolta s.f.
recoltado adj.
recoltar v.
recombinação s.f.
recombinado adj.
recombinante adj.2g.
recombinar v.
recombinatório adj.
recombusto adj.
recomeçado adj.
recomeçar v.
recomeço (*ê*) s.m.; cf. *recomeço*, fl. do v. *recomeçar*
recomenda s.f.
recomendação s.f.
recomendado adj. s.m.
recomendador (*ô*) adj. s.m.
recomendamento s.m.
recomendante adj.2g.
recomendar v.
recomendativo adj.
recomendatório adj.
recomendável adj.2g.
recomentado adj.
recomentar v.
recomentário adj. s.m.
recomer v.
recomido adj.
recomodado adj.
recomodar v.
recompensa s.f.
recompensação s.f.
recompensado adj.
recompensador (*ô*) adj. s.m.
recompensamento s.m.
recompensante adj.2g.
recompensar v.
recompensatório adj.
recompensável adj.2g.
recompilação s.f.
recompilado adj.
recompilador (*ô*) adj. s.m.
recompilar v.
recomponente adj.2g.
recompor v.
recomposição s.f.
recomposto (*ô*) adj.; f. (*ó*); pl. (*ó*)
recompra s.f.
recomprado adj.
recomprar v.
recôncavo s.m.
reconceituação s.f.
reconceituado adj.
reconceituar v.
reconcentração s.f.
reconcentrado adj.
reconcentrante adj.2g.
reconcentrar v.
reconcentrável adj.2g.
reconcertado adj.; cf. *reconsertado*
reconcertar v. "tornar a ajustar"; cf. *reconsertar*
reconcerto (*ê*) s.m.; cf. *reconserto* (*ê*) s.m., *reconserto*, fl. do v. *reconsertar e reconcerto*, fl. do v. *reconcertar*
reconciabilidade s.f.
reconciliação s.f.
reconciliado adj. s.m.
reconciliador (*ô*) adj. s.m.
reconciliante adj.2g.
reconciliar v.
reconciliatório adj.
reconciliável adj.2g.
reconcóvio s.m.

recondicionado adj.
recondicionador (*ô*) adj. s.m.
recondicionamento s.m.
recondicionante adj.2g.
recondicionar v.
recondicionável adj.2g.
reconditeza (*ê*) s.f.
recôndito adj. s.m.
reconditório s.m.
recondução s.f.
reconduta s.f.
reconduzido adj.
reconduzir v.
reconfessado adj.
reconfessar v.
reconfiança s.m.
reconfirmação s.f.
reconfirmado adj.
reconfirmar v.
reconfortação s.f.
reconfortado adj.
reconfortador (*ô*) adj. s.m.
reconfortante adj.2g. s.m.
reconfortar v.
reconfortável adj.2g.
reconforto (*ô*) s.m.; cf. *reconforto*, fl. do v. *reconfortar*
recongraçação s.f.
recongraçado adj.
recongraçamento s.m.
recongraçar v.
recongraçável adj.2g.
reconhecedor (*ô*) adj. s.m.
reconhecença s.f.
reconhecente adj.2g.
reconhecer v.
reconhecido adj.
reconhecimento s.m.
reconhecível adj.2g.
reconquista s.f.
reconquistado adj.
reconquistador (*ô*) adj. s.m.
reconquistar v.
reconsagração s.f.
reconsagrado adj.
reconsagrar v.
reconsertado adj.; cf. *reconcertado*
reconsertar v. "remendar de novo"; cf. *reconcertar*
reconserto (*ê*) s.m.; cf. *reconserto*, fl. do v. *reconsertar*, *reconcerto* (*ê*) s.m. e *reconcerto*, fl. do v. *reconcertar*
reconsideração s.f.
reconsiderado adj.
reconsiderar v.
reconsolidação s.f.
reconsolidado adj.
reconsolidador (*ô*) adj.
reconsolidamento s.m.
reconsolidante adj.2g.
reconsolidar v.
reconsolidável adj.2g.
reconsorciado adj.
reconsorciar v.
reconstitucionalização s.f.
reconstitucionalizado adj.
reconstitucionalizador (*ô*) adj.
reconstitucionalizamento s.m.
reconstitucionalizante adj.2g.
reconstitucionalizar v.
reconstitucionalizável adj.2g.
reconstituição s.f.
reconstituído adj.
reconstituidor (*ô*) adj.
reconstituinte adj.2g. s.m.
reconstituir v.
reconstituível adj.2g.
reconstitutível adj.2g.
reconstitutivo adj.
reconstrução s.f.
reconstruído adj.
reconstruinte adj.2g.
reconstruir v.
reconstrutivo adj.
reconstrutor (*ô*) adj. s.m.
reconsultado adj.
reconsultar v.
reconsultável adj.2g.
recontação s.f.
recontado adj.
recontagem s.f.
recontamento s.m.
recontar v.
recontável adj.2g.
recontente adj.2g.
reconto s.m.
recontrata s.f.
recontratação s.f.
recontratado adj.
recontratante adj. s.2g.
recontratar v.
recontratável adj.2g.
recontrato s.m.
recontro s.m.
reconvalescença s.f.
reconvalescente adj. s.2g.
reconvalescer v.
reconvenção s.f.
reconvencional adj.2g.
reconversão s.f.
reconverter v.
reconvertido adj.
reconvimento s.m.
reconvindo adj.
reconvinte adj. s.2g.
reconvir v.
reconvocação s.f.
reconvocado adj.
reconvocar v.
reconvocatório adj.
reconvocável adj.2g.
recópia s.f.
recopiado adj.
recopiar v.
recopilação s.f.
recopilado adj.
recopilador (*ô*) adj. s.m.
recopilar v.
recoqueiro adj.
recorçar v.
recordação s.f.
recordado adj.
recordador (*ô*) adj. s.m.
recordante adj.2g.
recordar v.
recordativo adj.
recordatório adj.
recordável adj.2g.
recorde adj.2g.2n. s.m.
recordista adj. s.2g.
recordo (*ô*) s.m.; cf. *recordo*, fl. do v. *recordar*
reco-reco s.m.; pl. *reco-recos*
recoroar v.
recorporação s.f.
recorporativo adj.
recorreção s.f.
recorreição s.f.
recorrência s.f.
recorrente adj. s.2g.
recorrenterapia s.f.
recorrenterápico adj.
recorrer v.
recorreto adj.
recorribilidade s.f.
recorrido adj. s.m.
recorrigido adj.
recorrigir v.
recorrível adj.2g.
recortada s.f.
recortadinho s.m.
recortado adj. s.m.
recortado da moda s.m.
recortador (*ô*) adj. s.m.
recortadura s.f.
recortar v.
recortável adj.2g.
recorte s.m.
recorte de fim de moda s.m.
recortilha s.f.
recoser v. "recosturar"; cf. *recozer*
recosido adj.; cf. *recozido*
recosta s.f.
recostado adj.
recostar v.
recosto (*ô*) s.m.; cf. *recosto*, fl. do v. *recostar*
recouce s.m.
recoutar v.
recouto adj.
recova s.f. "recovagem"; cf. *récova*
récova s.f. "récua"; cf. *recova* s.f. e fl. do v. *recovar*
recovado adj. s.m.
recovagem s.f.
recovar v.
recoveira s.f.
recoveiro s.m.
recovo (*ô*) s.m.; cf. *recovo*, fl. do v. *recovar*
recozedor (*ô*) adj. s.m.
recozedura s.f.
recozer v. "tornar a cozinhar"; cf. *recoser*
recozido adj.; cf. *recosido*
recozimento s.m.
recrava s.f.
recravação s.f.
recravadeira s.f.
recravado adj.
recravar v.
recreação s.f.
recreado adj.
recreador (*ô*) adj.
recreamento s.m.
recrear v.
recreativo adj.
recreatório adj.
recreável adj.2g.
recredencial s.f.
recredenciamento s.m.
recredenciar v.
recreence adj. s.2g.
recreense adj. s.2g.
recreience adj. s.2g.
recreio s.m.
recrementical adj.2g.
recrementício adj.
recremento s.m.
recrescência s.f.
recrescente adj.2g.
recrescer v.
recrescido adj.
recrescimento s.m.
recréscimo s.m.
recrestado adj.
recrestar v.
recria s.f.
recriação s.f.
recriado adj.
recriador (*ô*) adj. s.m.
recriar v.
recriável adj.2g.
recriminação s.f.
recriminado adj.
recriminador (*ô*) adj. s.m.
recriminante adj.2g.
recriminar v.
recriminativo adj.
recriminatório adj.
recriminável adj.2g.
recristalização s.f.
recristalizado adj.
recristalizador (*ô*) adj.
recristalizante adj.2g.
recristalizar v.
recristalizável adj.2g.
recristianização s.f.
recristianizado adj.
recristianizador (*ô*) adj.
recristianizamento s.m.
recristianizante adj.2g.
recristianizar v.
recristianizável adj.2g.
recru adj.
recrucificar v.
recrudescência s.f.
recrudescente adj.2g.
recrudescer v.
recrudescido adj.
recrudescimento s.m.
recrudescível adj.2g.
recruta s.m.f.
recrutado adj.
recrutador (*ô*) adj. s.m.
recrutamento s.m.
recrutar v.
recrutável adj.2g.
recruzado adj.
recruzar v.
recruzetado adj.
rectal adj.2g.
rectangular adj.2g.
rectangularidade s.f.
rectângulo adj.
recticórneo adj.
rectidão s.f.
rectificação s.f.
rectificado adj.
rectificador (*ô*) adj. s.m.
rectificar v.
rectificativo adj.
rectificável adj.2g.
rectifloro adj.
rectiforme adj.2g.
rectígrado adj.
rectilíneo adj.
rectinervado adj.
rectinérveo adj.
rectiparalelinervado adj.
rectiparalelinérveo adj.
rectirrostro adj.
rectisseriado adj.
rectite s.f.
rectitude s.f.
rectiúsculo adj.
recto adj. s.m.
rectocele s.f.
rectocélico adj.
rectococcígeo adj.
rectocolite s.f.
rectopexia (*cs*) s.f.
rectoria s.f.
rectorita s.f.
rectoscopia s.f.
rectoscópico adj.
rectoscópio s.m.
rectotomia s.f.
rectotômico adj.
rectouterino adj.
rectovaginal adj.2g.
rectovesical adj.2g.
rectriz s.f.
recturetral adj.2g.
recuterino adj.
recua s.f. "recuo"; cf. *récua*
récua s.f. "grupo de bestas"; cf. *recua* s.f. e fl. do v. *recuar*
recuada s.f.
recuadeira s.f.
recuadela s.f.
recuado adj.
recuamento s.m.
recuanço s.m.
recuão s.m.
recuar v.
recubeques s.f.pl.
recúbito s.m.
recuco adj. s.m.
recudar v.
recudir v.
recuidar v.
recuinhado adj.; cf. *recunhado*
recuinhar v. "grunhir repetidamente"; cf. *recunhar*
recuitar v.
recula adj. "galinha sem rabo"; cf. *récula*
récula s.f. "bando"; cf. *recula*
reculão s.m.
recultivação s.f.
recultivado adj.
recultivar v.
recumbente adj.2g.
recumbir v.
recunha s.f.
recunhado adj.; cf. *recuinhado*
recunhamento s.m.
recunhar v. "pôr no cunho de novo"; cf. *recuinhar*
recunho s.m.
recuo s.m.
recuperação s.f.
recuperadense adj. s.2g.
recuperado adj.
recuperador (*ô*) adj. s.m.
recuperamento s.m.
recuperante adj.2g.
recuperar v.
recuperativo adj.
recuperatório adj.
recuperável adj.2g.
recurado adj.
recuragem s.f.
recurar v.
recurção s.f. "recorreição"; cf. *recursão*
recurrência s.f.
recurrente adj.2g.
recursal adj.2g.
recursão s.f. "recurso"; cf. *recurção*
recursar v.
recursense adj. s.2g.
recursividade s.f.
recursivo adj.
recurso s.m.
recursório adj.
recurva s.f.
recurvação s.f.
recurvado adj.
recurvamento s.m.
recurvante adj.2g.
recurvar v.
recurvável adj.2g.
recurvicórneo adj.
recurvifoliado adj.
recurvifólio adj.
recurvirrostra s.f.
recurvirrostrídeo adj. s.m.
recurvirrostro adj. s.m.
recurvo adj.
recusa s.f.
recusação s.f.
recusado adj.
recusador (*ô*) adj. s.m.
recusante adj. s.2g.
recusar v.
recusativo adj.
recusatório adj.
recusável adj.2g.
recusense adj. s.2g.
recuso s.m.
reda s.f.
redabe s.m.
redação s.f.
redacional adj.2g.
redactilografar v.
redada s.f.
redamar v.
redambalar v.
redame s.m.
redanheiro s.m.
redanho s.m.
redão adj. s.m.; f. *redona*
redar v.
redardejar v.
redarguente (*ü*) adj.2g.
redarguição (*ü*) s.f.
redarguido (*ü*) adj.
redarguidor (*ü...ô*) adj. s.m.
redarguir (*ü*) v.
redarguitivo (*ü*) adj.
redarguível (*ü*) adj.2g.
redário s.m.
redatilografar v.
redator (*ô*) s.m.
redatorial adj.2g.
redatoriar v.
redaviano adj. s.m.
rede (*ê*) s.f.; cf. *rede*, fl. do v. *redar*
rédea s.f. "correia de couro", "direção" etc.; cf. *rédia*
redeador (*ô*) s.m.
redeal s.m.
redeclaração s.f.
redeclarado adj.
redeclarar v.
redecorar v.
redecretação s.f.
redecretado adj.
redecretar v.
rede-de-leão s.f.; pl. *redes-de-leão*
rededetização s.f.

rededetizado adj.
rededetizar v.
rededor (*ô*) s.m.
redefinição s.f.
redefinido adj.
redefinir v.
rede-fole s.f.; pl. *redes-fole* e *redes-foles*
redeiro s.f.
redeleiro s.m.
redém s.m.; cf. *redem*, fl. do v. *redar*
redemocratização s.f.
redemocratizado adj.
redemocratizador (*ô*) adj. s.m.
redemocratizante adj.2g.
redemocratizar v.
redemocratizável adj.2g.
redemoinhado adj.
redemoinhador (*ô*) adj.
redemoinhante adj.2g.
redemoinhar v.
redemoinho s.m.
redemolição s.f.
redemolir v.
redemonstração s.f.
redemonstrado adj.
redemonstrar v.
redempto adj.
redemunho s.m.
redenção s.f.
redencense adj. s.2g.
redencionense adj. s.2g.
redençonense adj. s.2g.
redendê s.m.
redengar v.
redenheiro s.m.
redenho s.m.
redentado adj.
redente s.m.
redentia s.f.
redento adj.
redentor (*ô*) adj. s.m.
redentora (*ô*) s.f.
redentorense adj. s.2g.
redentorismo s.m.
redentorista adj. s.2g.
redentoristina s.f.
rede-pé s.f.; pl. *redes-pé* e *redes-pés*
redepositado adj.
redepositar v.
redepósito s.m.
redescender v.
redescer v.
redescoberta s.f.
redescoberto adj.
redescobridor (*ô*) adj. s.m.
redescobrimento s.m.
redescobrir v.
redescontado adj.
redescontador (*ô*) adj. s.m.
redescontar v.
redescontário adj. s.m.
redescontável adj.2g.
redesconto s.m.
redesenhado adj.
redesenhar v.
redesgrenhado adj.
redesgrenhar v.
redestilação s.f.
redestilado adj.
redestilar v.
redinguita s.f.
rédia s.f. "forma larvar dos vermes trematódeos"; cf. *rédea*
redibição s.f.
redibido adj.
redibir v.
redibitório adj.
redição s.f.
rediforme adj.2g.
redigido adj.
redigir v.
redigitação s.f.
redigitado adj.
redigitar v.
redil s.m.
redimensionamento s.m.
redimensionar v.
redimento s.m.
redimículo s.m.
redimido adj.
redimidor (*ô*) adj. s.m.
redimir v.
redimível adj.2g.
redingita s.f.
redingite s.f.
redingote s.m.
redingtonita s.f.
redingtonite s.f.
redinha s.f.
redinhense adj. s.2g.
redintegração s.f.
redintegrado adj.
redintegrar v.
rediosca s.f.
redirecionar v.
rediscussão s.f.
rediscutir v.
redispor v.
redissolver v.
redissolvido adj.
redistribucionista adj. s.2g.
redistribuição s.f.
redistribuído adj.
redistribuidor (*ô*) adj. s.m.
redistribuir v.
redita s.f.
redito adj. "dito de novo"; cf. *rédito*
rédito s.m. "lucro"; cf. *redito*
redivinizado adj.
redivinizar v.
rediviva s.f.
redivivo adj.
redizer v.
redízima s.f.; cf. *redizima*, fl. do v. *redizimar*
redizimar v.
redledgeíta s.f.
redobado adj.
redobar v.
redobrado adj.
redobradura s.f.
redobramento s.m.
redobrar v.
redobre adj.2g. s.m.
redobro (*ô*) s.m.; cf. *redobro*, fl. do v. *redobrar*
redoiça s.f.
redoiçar v.
redoiração s.f.
redoirado adj.
redoirar v.
redoleiro s.m.
redolência s.f.
redolente adj.2g.
redolha (*ô*) s.f.
redolho (*ô*) s.m.
redolorido adj.
redolorir v.
redoma s.f.
redomão adj. s.m.
redomoinhar v.
redomoinho s.m.
redomoneação s.f.
redomoneamento s.m.
redomonear v.
redona adj. s.f. de *redão*
redonda s.f.
redondal adj.2g.
redondear v.
redondeiro adj. s.m.
redondel s.m.
redondela s.f.
redondense adj. s.2g.
redondete (*ê*) adj.
redondez (*ê*) s.f.
redondeza (*ê*) s.f.
redondil adj.2g.
redondilha s.f.
redondilho adj. s.m.
redondinha s.f.
redondita s.f.
redondite s.f.
redondo adj. s.m.
rédone adj. s.2g.
redoniano adj. s.m.
redônico adj.
rédono adj. s.m.
redopelo (*ê*) s.m.
redopiado adj.
redopiar v.
redopio s.m.
redor s.m. "contorno", "roda"; cf. *redor* (*ô*)
redor (*ô*) s.m. "operário salineiro"; cf. *redor*
redoria s.f.
redorta s.f.
redouça s.f.
redouçar v.
redouração s.f.
redourado adj.
redourar v.
redova s.f.
redovalho s.m.
redox (*cs*) adj. s.2g.2n.
redra s.f.
redrado adj.
redrar v.
redrolho (*ô*) s.m.
redrutita s.f.
redução s.f.
reducente adj.2g.
reducionismo s.m.
reducionista adj. s.2g.
reducionístico adj.
redundância s.f.
redundante adj.2g.
redundar v.
reduplicação s.f.
reduplicado adj.
reduplicador (*ô*) adj. s.m.
reduplicante adj.2g.
reduplicar v.
reduplicativo adj. s.m.
redura s.f.
redutase s.f.
redútase s.f.
redutásico adj.
redutático adj.
redutense adj. s.2g.
redutibilidade s.f.
redutível adj.2g.
redutividade s.f.
redutivo adj.
reduto s.m.
redutor (*ô*) adj. s.m.
redúvia s.f.
reduviano adj. s.m.
reduvídeo adj. s.m.
reduviídeo adj. s.m.
reduviiforme adj.2g. s.m.
reduviíneo adj. s.m.
redúvio s.m.
reduvióideo adj. s.m.
reduvíolo s.m.
reduzida s.f.
reduzido adj.
reduzir v.
reduzível adj.2g.
reebulidor (*ô*) s.m.
reecoado adj.
reecoar v.
reédia s.f.
reedição s.f.
reedificação s.f.
reedificado adj.
reedificador (*ô*) adj. s.m.
reedificante adj. s.2g.
reedificar v.
reedificável adj.2g.
reeditado adj.
reeditar v.
reeditável adj.2g.
reeditoração s.f.
reeditorado adj.
reeditorar v.
reeditorável adj.2g.
reedmergnerita s.f.
reeducabilidade s.f.
reeducação s.f.
reeducado adj.
reeducador (*ô*) adj. s.m.
reeducando s.m.
reeducar v.
reeducativo adj.
reeducável adj.2g.
reelaboração s.f.
reelaborado adj.
reelaborar v.
reelaborável adj.2g.
reelectrômetro s.m.
reeleger v.
reelegibilidade s.f.
reelegível adj.2g.
reeleição s.f.
reeleito adj. s.m.
reeletrômetro s.m.
reembalar v.
reembarcado adj.
reembarcar v.
reembarque s.m.
reembasado adj.
reembasamento s.m.
reembasar v.
reembolsado adj.
reembolsar v.
reembolsável adj.2g. s.m.
reembolso (*ô*) s.m.; cf. *reembolso*, fl. do v. *reembolsar*
reemenda s.f.
reemendado adj.
reemendar v.
reemendável adj.2g.
reemergência s.f.
reemergido adj.
reemergir v.
reemersão s.f.
reemerso adj.
reemigração s.f.
reemigrado adj.
reemigrar v.
reemissão s.f.
reemissor (*ô*) adj. s.m.
reemitente adj. s.2g.
reemitido adj.
reemitir v.
reempalhado adj.
reempalhador (*ô*) adj. s.m.
reempalhar v.
reempolgação s.f.
reempolgado adj.
reempolgamento s.m.
reempolgar v.
reempossado adj.
reempossamento s.m.
reempossar v.
reempreender v.
reempregado adj.
reempregar v.
reemprego (*ê*) s.m.; cf. *reemprego*, fl. do v. *reempregar*
reencadear v.
reencadernação s.f.
reencadernado adj.
reencadernar v.
reencafuado adj.
reencafuar v.
reencaixado adj.
reencaixar v.
reencaminhar v.
reencanado adj.
reencanamento s.m.
reencanar v.
reencapar v.
reencarceração s.f.
reencarcerado adj.
reencarceramento s.m.
reencarcerar v.
reencarnação s.f.
reencarnacionismo s.m.
reencarnacionista adj. s.2g.
reencarnado adj.
reencarnar v.
reencenado adj.
reencenador (*ô*) adj. s.m.
reencenar v.
reencetado adj.
reencetar v.
reencher v.
reenchido adj.
reenchimento s.m.
reencontrado adj.
reencontrar v.
reencontrável adj.2g.
reencontro s.m.
reendereçamento s.m.
reendereçar v.
reendireitado adj.
reendireitar v.
reendossabilidade s.f.
reendossar v.
reendossável adj.2g.
reendosso (*ô*) s.m.; cf. *reendosso*, fl. do v. *reendossar*
reendurecer v.
reendurecido adj.
reendurecimento s.m.
reenfiado adj.
reenfiar v.
reenfolhado adj.
reenfolhar v.
reengajado adj.
reengajamento s.m.
reengajar v.
reengendrado adj.
reengendrar v.
reengenharia s.f.
reengolipado adj.
reengolipar v.
reenlaçado adj.
reenlaçar v.
reenlace s.m.
reenleado adj.
reenlear v.
reenovelado adj.
reenovelar v.
reensaiado adj.
reensaiar v.
reensinado adj.
reensinar v.
reensino s.m.
reentelação s.f.
reentelado adj.
reentelar v.
reentender v.
reentendido adj.
reenterrado adj.
reenterrar v.
reentrada s.f.
reentrado adj.
reentrância s.f.
reentrante adj.2g.
reentrar v.
reentronização s.f.
reentronizado adj.
reentronizar v.
reenvasado adj.
reenvasamento s.m.
reenvasar v.
reenvernização s.f.
reenvernizador (*ô*) adj. s.m.
reenvernizamento s.m.
reenvernizante adj.2g.
reenvernizar v.
reenvernizável adj.2g.
reenviado adj.
reenviar v.
reenvidado adj.
reenvidar v.
reenvide s.m.
reenvio s.m.
reequilibrado adj.
reequilibrar v.
reequilíbrio s.m.
reequipagem s.f.
reequipamento s.m.
reequipar v.
reereto adj.
reerguer v.
reerguido adj.
reerguimento s.m.
reerigir v.
reescalado adj.
reescalar v.
reescalonado adj.
reescalonamento s.m.
reescalonar v.
reescravização s.f.
reescravizado adj.
reescravizar v.
reescrever v.
reescrita s.f.
reescrito adj.
reesperado adj.
reesperar v.
reesposado adj.
reesposar v.
reespumas s.f.pl.
reestabelecer v.

reestampa s.f.
reestampado adj.
reestampar v.
reestartar v.
reestimulado adj.
reestimulante adj.2g.
reestimular v.
reestipulação s.f.
reestipulado adj.
reestipulador (*ô*) adj. s.m.
reestipular v.
reestruturação s.f.
reestruturado adj.
reestruturador (*ô*) adj. s.m.
reestruturar v.
reestruturável adj.2g.
reestudado adj.
reestudar v.
reestudo s.m.
reevesita s.f.
reevocação s.f.
reevocado adj.
reevocar v.
reexalar (*z*) v.
reexame (*z*) s.m.
reexaminado (*z*) adj.
reexaminar (*z*) v.
reexceder v.
reexcedido adj.
reexcitado adj.
reexcitar v.
reexibição (*z*) s.f.
reexibir (*z*) v.
reexistência (*z*) s.f.
reexistir (*z*) v.
reexpedição s.f.
reexpedido adj.
reexpedidor (*ô*) adj. s.m.
reexpedir v.
reexperiência s.f.
reexperimentado adj.
reexperimentar v.
reexplicado adj.
reexplicar v.
reexploração s.f.
reexplorado adj.
reexplorar v.
reexpor v.
reexportação s.f.
reexportado adj.
reexportador (*ô*) adj. s.m.
reexportar v.
reexposição s.f.
reexposto (*ô*) adj.; f. (*ó*); pl. (*ó*)
reextradição s.f.
reextraditado adj. s.m.
reextraditar v.
refação s.f.
refacimento s.m.
refactível adj.2g.
refagulhante adj.2g.
refaiscar v.
refalar v.
refalsado adj.
refalsamento s.m.
refalsar v.
refalseado adj.
refalsear v.
refalso adj.
refartado adj.
refartar v.
refarto adj.
refazedor (*ô*) adj. s.m.
refazer v.
refazimento s.m.
refazível adj.2g.
refece adj.2g.
refecer v.
refechado adj.
refechamento s.m.
refechar v.
refecimento s.m.
refectivo adj.
refectório adj.
refecundado adj.
refecundar v.
refega s.f.
refegado adj.
refegão s.m.
refegar v.
refego (*ê*) s.m.; cf. *refego*, fl. do v. *refegar*
refeguinho s.m.
refeição s.f.
refeiçoar v.
refeita s.f.
refeito adj.
refeitoário s.m.
refeitoral adj.2g.
refeitoreiro s.m.
refeitorial adj.2g.
refeitório s.m.
refém s.m.
refender v.
refendido adj.
refendimento s.m.
refentar v.
referência s.f.
referenciação s.f.
referenciado adj.
referenciador (*ô*) adj. s.m.
referencial s.m.
referenciamento s.m.
referenciar v.
referenda s.f.
referendado adj.
referendar v.
referendário s.m.
referendatário s.m.
referendo s.m.
referente adj.2g. s.m.
referido adj.
referidor (*ô*) adj.
referimento s.m.
referir v.
referível adj.2g.
refermentação s.f.
refermentado adj.
refermentar v.
referrado adj.
referrar v.
referta s.f.
refertado adj.
refertamento s.m.
refertar v.
referteira s.f.
referteiro adj.
referto adj. s.m.
refertório s.m.
refervedoiro s.m.
refervedor (*ô*) adj. s.m.
refervedouro s.m.
refervência s.f.
refervente adj.2g.
referver v.
refervido adj.
refervimento s.m.
refervor (*ô*) s.m.
refestela s.f.
refestelado adj.
refestelar-se v.
refestelo (*ê*) s.m; cf. *refestelo*, fl. do v. *refestelar*
refesto (*ê*) s.m.
refez adj.2g.; cf. *refez* (*ê*), fl. do v. *refazer*
refezado adj.
refezar v.
refia s.f.
refiado adj.
refião s.m.
refiar v.
refil s.m.
refilado adj.
refilador (*ô*) adj.
refilagem s.f.
refilão adj. s.m.; f. *refilona*
refilar v.
refile s.m.
refilha s.f.
refilhado adj.
refilhar v.
refilho s.m.
refilmado adj.
refilmagem s.f.
refilmar v.
refilo s.m.
refilona adj. s.f. de *refilão*
refiltração s.f.
refiltrado adj.
refiltragem s.f.
refiltrar v.
refinação s.f.
refinado adj.
refinador (*ô*) adj. s.m.
refinadura s.f.
refinamento s.m.
refinanciamento s.m.
refinanciar v.
refinar v.
refinaria s.f.
refincado adj.
refincar v.
refino s.m.
refinose s.f.
refinta s.f.
refintar v.
refiquita s.f.
refiquite s.f.
refirmação s.f.
refirmado adj.
refirmar v.
refitar v.
refito adj.
reflação s.f.
reflacionar v.
reflada s.f.
reflar v.
refle s.m.
reflectância s.f.
reflectante adj.2g.
reflectido adj.
reflectividade s.f.
reflectografia s.f.
reflectográfico adj.
reflectométrico adj.
reflectômetro s.m.
reflectoterápico adj.
refletância s.f.
refletante adj.2g.
refletido adj.
refletidor (*ô*) adj. s.m.
refletir v.
refletividade s.f.
refletivo adj.
refletografia s.f.
refletográfico adj.
refletométrico adj.
refletômetro s.m.
refletor (*ô*) adj. s.m.
reflex (*cs*) s.f.
reflexa (*cs*) s.f.
reflexão (*cs*) s.f.
reflexar (*cs*) v.
reflexibilidade (*cs*) s.f.
reflexifloro (*cs*) adj.
reflexionador (*cs...ô*) adj.
reflexionar (*cs*) v.
reflexível (*cs*) adj.2g.
reflexividade (*cs*) s.f.
reflexivo (*cs*) adj.
reflexo (*cs*) adj. s.m.
reflexodiagnóstico (*cs*) adj. s.m.
reflexogêneo (*cs*) adj.
reflexologia (*cs*) s.f.
reflexológico (*cs*) adj.
reflexologismo (*cs*) s.m.
reflexologista (*cs*) adj. s.2g.
reflexologístico (*cs*) adj.
reflexólogo (*cs*) s.m.
reflexometria (*cs*) s.f.
reflexométrico (*cs*) adj.
reflexômetro (*cs*) s.m.
reflexopatia (*cs*) s.f.
reflexopático (*cs*) adj.
reflexor (*csô*) adj.
reflexoterapia (*cs*) s.f.
reflexoterápico (*cs*) adj.
reflorência s.f.
reflorente adj.2g.
reflorescência s.f.
reflorescente adj.2g.
reflorescer v.
reflorescido adj.
reflorescimento s.m.
reflorestação s.f.
reflorestado adj.
reflorestador (*ô*) adj. s.m.
reflorestamento s.m.
reflorestar v.
reflorido adj.
reflorir v.
refluência s.f.
refluente adj.2g.
refluir v.
réfluo adj.; cf. *refluo*, fl. do v. *refluir*
reflutuação s.f.
reflutuar v.
refluxar (*cs*) v.
refluxo (*cs*) s.m.
refocalizar v.
refocilado adj.
refocilamento s.m.
refocilante adj.2g.
refocilar v.
refocinhado adj.
refogado adj. s.m.
refogamento s.m.
refogar v.
refojo (*ô*) s.m.
refolegado adj.
refolegar v.
refolego (*ê*) s.m.
refolgar v.
refolgo (*ô*) s.m.; cf. *refolgo*, fl. do v. *refolgar*
refolhado adj.
refolhamento s.m.
refolhar v.
refolho (*ô*) s.m.; cf. *refolho*, fl. do v. *refolhar*
refolhudo adj.
refomentado adj.
refomentar v.
refonologização s.f.
refonologizar v.
refontoura s.f.
reforçado adj.
reforçador (*ô*) adj. s.m.
reforçagem s.f.
reforçar v.
reforçativo adj.
reforço (*ô*) s.m.; cf. *reforço*, fl. do v. *reforçar*
reforja s.f.
reforjado adj.
reforjar v.
reforma s.f.
reformabilidade s.f.
reformação s.f.
reformado adj. s.m.
reformador (*ô*) adj. s.m.
reformando adj. s.m.
reformar v.
reformatar v.
reformativo adj.
reformatório adj. s.m.
reformatriz adj. s.f.
reformável adj.2g.
reformeca s.f.
reformense adj. s.2g.
reformismo s.m.
reformista adj. s.2g.
reformístico adj.
reformorreia (*é*) s.f.
reformorreico (*é*) adj.
reformulação s.f.
reformulado adj.
reformulador (*ô*) adj. s.m.
reformular v.
reformúncula s.f.
refornecer v.
refornecido adj.
refornecimento s.m.
refortalecer v.
refortalecido adj.
refortalecimento s.m.
refortificado adj.
refortificar v.
refosseta (*ê*) s.f.
refossete (*ê*) s.m.
refotografado adj.
refotografar v.
refotografável adj.2g.
refotografia s.f.
refotográfico adj.
refoucinhado adj.
refoufinhado adj.
refração s.f.
refracção s.f.
refraccional adj.2g.
refracional adj.2g.
refractado adj.
refractar v.
refractariedade s.f.
refractário adj.
refractarismo s.m.
refractividade s.f.
refractivo adj.
refracto adj.
refractômetro s.m.
refractor (*ô*) adj. s.m.
refractoscópio s.m.
refractura s.f.
refracturado adj.
refracturar v.
refraneiro s.m.
refrangedor (*ô*) adj. s.m.
refrangência s.f.
refrangente adj.2g.
refranger v.
refrangibilidade s.f.
refrangido adj.
refrangir v.
refrangível adj.2g.
refranjar v.
refranzear v.
refranzido adj.
refranzir v.
refrão s.m.
refratante adj.2g.
refratar v.
refratariedade s.f.
refratário adj. s.m.
refratarismo s.m.
refratarista adj. s.2g.
refratividade s.f.
refrativo adj.
refrato adj.
refratometria s.f.
refratométrico adj.
refratômetro s.m.
refrator (*ô*) adj. s.m.
refratoscopia s.f.
refratoscópico adj.
refratoscópio s.m.
refratura s.f.
refraturado adj.
refraturar v.
refreado adj.
refreadoiro s.m.
refreador (*ô*) adj. s.m.
refreadouro s.m.
refreamento s.m.
refrear v.
refreável adj.2g.
refrega s.f.
refregar v.
refreio s.m.
refrém s.m.
refrequentação (*ü*) s.f.
refrequentar (*ü*) v.
refrescada s.f.
refrescadela s.f.
refrescado adj.
refrescador (*ô*) adj. s.m.
refrescamento s.m.
refrescante adj.2g. s.m.
refrescar v.
refrescata s.f.
refrescativo adj.
refresco (*ê*) s.m.; cf. *refresco*, fl. do v. *refrescar*
refresquidão s.f.
refretado adj.
refretar v.
refricado adj.
refricar v.
refrifaicado adj.
refrigeração s.f.
refrigerado adj.
refrigerador (*ô*) adj. s.m.
refrigerante adj.2g. s.m.
refrigerar v.
refrigerativo adj. s.m.
refrigeratório adj.
refrigerável adj.2g.
refrigério s.m.
refrígero adj.; cf. *refrigero*, fl. do v. *refrigerar*
refrigir v.
refringência s.f.
refringente adj.2g.

refrisado adj.
refrisar v.
refritado adj.
refritar v.
refrito adj.
refrondado adj.
refrondar v.
refrondescente adj.2g.
refrondescer v.
refrondescido adj.
refrulhar v.
refrulho s.m.
refugado adj.
refugador (*ô*) adj. s.m.
refugar v.
refugiadense adj. s.2g.
refugiado adj. s.m.
refugiar v.
refugido adj.
refúgio s.m.; cf. *refugio*, fl. do v. *refugiar*
refugir v.
refugo s.m.
refulgência s.f.
refulgente adj.2g.
refúlgido adj.
refulgir v.
refulguração s.f.
refulgurado adj.
refulgurar v.
refumar v.
refundação s.f.
refundado adj.
refundar v.
refundição s.f.
refundido adj.
refundidor (*ô*) adj. s.m.
refundir v.
refunfar v.
refunfo s.m.
refunfumegar v.
refungar v.
refunhar v.
refusação s.f.
refusado adj.
refusador (*ô*) adj. s.m.
refusão s.f.
refusar v.
refustão s.m.
refustar v.
refuste s.m.
refutabilidade s.f.
refutação s.f.
refutado adj.
refutador (*ô*) adj. s.m.
refutar v.
refutativo adj.
refutatório adj.
refutável adj.2g.
rega s.f.
rega-bofe s.m.; pl. *rega-bofes*
regaça s.f.
regaçada s.f.
regaçado adj.
regaçar v.
regaço s.m.
regada s.f.
regadeira s.f.
regadia s.f.
regadiço adj.
regadinho s.m.
regadio adj. s.m.
regadita s.f.
regado adj.
regador (*ô*) adj. s.m.
regadrela s.f.
regadura s.f.
regagem s.f.
regaixinha s.f.
regal s.m.
regalada s.f.
regalado adj.
regalador (*ô*) adj. s.m.
regalão adj. s.m.
regalar v.
regalardoado adj.
regalardoar v.
regalécida adj.2g. s.m.
regalecídeo adj. s.m.
regaleco s.m.
regaleira s.f.
regalengo adj. s.m.
regalense adj. s.2g.
regalez (*ê*) s.f.
regaleza (*ê*) s.f.
regalheira s.f.
regalia s.f.
regaliano adj.
regalice s.f.
regalindo s.m.
regalismo s.m.
regalista adj. s.2g.
regalístico adj.
regalito s.m.
regaliz s.m.
regalo s.m.
regalona s.f.
regalório s.m.
regalvanização s.f.
regalvanizado adj.
regalvanizar v.
regambiar v.
regambolear v.
regamboleio s.m.
regamento s.m.
regangão s.m.
reganhado adj.
reganhar v.
reganho s.m.
regano s.m.
regante adj.2g.
regão s.m.
regar v.
regasto adj.
regastro s.m.
regata s.f.
regatagem s.f.
regatão adj. s.m.; f. *regatoa* (*ô*)
regatar v.
regataria s.f.
regateado adj.
regateador (*ô*) adj. s.m.
regateamento s.f.
regatear v.
regateável adj.2g.
regateio s.m.
regateira s.f.
regateiral adj.2g.
regateirice s.f.
regateiro adj. s.m.
regateirona s.f.
regatia s.f.
regatiano adj. s.m.
regatice s.f.
regatinhado adj.
regatinhar v.
regatismo s.m.
regatista adj. s.2g.
regato s.m.
regatoa (*ô*) adj. s.f. de *regatão*
regedoiro adj.
regedor (*ô*) adj. s.m.
regedoral adj.2g.
regedoria s.f.
regedouro adj.
regeira s.f.
regelação s.f.
regelado adj.
regelador (*ô*) adj.
regelamento s.m.
regelante adj.2g.
regelar v.
regelável adj.2g.
regélido adj.
regelo (*ê*) s.m.; cf. *regelo*, fl. do v. *regelar*
regenadorismo s.m.
regência s.f.
regencial adj.2g.
regenciense adj. s.2g.
regencional adj.2g.
regenerabilidade s.f.
regeneração s.f.
regeneracionense adj. s.2g.
regeneraçonense adj. s.2g.
regenerado adj. s.m.
regenerador (*ô*) adj. s.m.; f. *regeneradora* (*ô*) e *regeneratriz*
regeneradora (*ô*) adj. s.f. de *regenerador* (*ô*)
regeneradorismo s.m.
regeneradorista adj. s.2g.
regenerando adj.
regenerante adj.2g.
regenerar v.
regenerativo adj.
regeneratriz adj. s.f. de *regenerador* (*ô*)
regenerável adj.2g.
regenerense adj. s.2g.
regenerescência s.f.
regentar v.
regente adj. s.2g.
regente-feijoense adj. s.2g.; pl. *regente-feijoenses*
regentense adj. s.2g.
reger v.
regerar v.
regerminar v.
regesto s.m.
regia s.f. "administração de bens"; cf. *régia*
régia s.f. "casa real" etc.; cf. *regia* s.f. e fl. do v. *reger*
região s.f.
região-continente s.f.; pl. *regiões-continente* e *regiões-continentes*
regiate adj. s.2g.
regibó s.m.
regicida adj. s.2g.
regicídio s.m.
regicidismo s.m.
regicismo s.m.
regido adj.
regiense adj. s.2g.
regifúgio s.m.
regila s.f.
regime s.m.
regímen s.m.
regimentado adj.
regimental adj.2g.
regimentar v. adj.2g.
regimentista adj.2g.
regimento s.m.
regina s.f.
reginado adj.
reginagem s.f.
reginar v.
reginense adj. s.2g.
regíneo adj.
regino adj. s.m.
reginopolense adj. s.2g.
reginopolitano adj. s.m.
regínula s.f.
régio adj.
regional adj.2g. s.m.
regionalidade s.f.
regionalismo s.m.
regionalista adj. s.2g.
regionalístico adj.
regionalização s.f.
regionalizado adj.
regionalizar v.
regionário s.m.
regirado adj.
regirar v.
regiro s.m.
registação s.f.
registado adj. s.m.
registador (*ô*) adj. s.m.
registadora (*ô*) s.f.
registando adj. s.m.
registar v.
registário s.m.
registável adj.2g.
registo s.m.
registração s.f.
registrado adj. s.m.
registrador (*ô*) adj. s.m.
registradora (*ô*) s.f.
registral adj.2g.
registrando adj. s.m.
registrar v.
registrário s.m.
registrável adj.2g.
registrense adj. s.2g.
registro s.m.
reglorioso (*ô*) adj.; f. (*ó*); pl. (*ó*)
regma s.m.
regmatodontácea s.f.
regmatodontáceo adj.
regmatodonte s.m.
regnelídio s.m.
regnicídio s.m.
regnícola adj.2g.
regnolita s.f.
regnolite s.f.
regnólito s.m.
regnóptero s.m.
regnossauro s.m.
rego (*ê*) s.m. "vala"; cf. *regô* s.m. e *rego*, fl. do v. *regar*
regô s.m. "pano de cabeça"; cf. *rego* (*ê*)
regoa (*ô*) s.f.
regoado adj.
regoadura s.f.
regoar v.
rego-d'água s.m.; pl. *regos-d'água*
rego-foral s.m.; pl. *regos-forais*
rego-foreiro s.m.; pl. *regos-foreiros*
regola s.f.
regolfar v.
regolfo (*ô*) s.m.
regolítico adj.
regolito s.m.
rególito s.m.
regoliz s.m.
regorjeado adj.
regorjeador (*ô*) adj. s.m.
regorjear v.
regorjeio s.m.
regossólico adj.
regossolo s.m.
regota s.f.
regougado adj.
regougante adj.2g.
regougar v.
regougo s.m.
regozijado adj. s.m.
regozijador (*ô*) adj. s.m.
regozijante adj.2g.
regozijar v.
regozijável adj.2g.
regozijo s.m.
regra s.f.
regraciar v.
regradecimento s.m.
regra de fé s.f.
regradeira s.f.
regrado adj. s.m.
regrador (*ô*) adj. s.m.
regragem s.f.
regra-inteira s.f.; pl. *regras-inteiras*
regramento s.m.
regrante adj.2g.
regrão s.m.
regrar v.
regra-três s.m.; pl. *regras-três*
regravação s.f.
regravado adj.
regravar v.
regravável adj.2g.
regraxar v.
regraxo s.m.
regredido adj.
regredir v.
regressado adj.
regressante adj.2g.
regressão s.f.
regressar v.
regressismo s.m.
regressista adj. s.2g.
regressístico adj.
regressividade s.f.
regressivo adj.
regresso s.m.
regreta (*ê*) s.f.
regrista adj. s.2g.
regrunhido adj.
regrunhir v.
régua s.f.
reguacho s.m.
reguada s.f.
reguardar v.
reguardo s.m.
régua-tê s.f.; pl. *réguas-tê*
regueifa s.f.
regueifar v.
regueifeiro s.m.
regueira s.f.
regueirado adj.
regueirão s.m.
regueirar v.
regueiro s.m.
reguelfa s.f.
reguenga s.f.
reguengo adj. s.m.
reguengueiro adj. s.m.
reguenguense adj. s.2g.
reguense (*ü*) adj. s.2g.
reguiço s.m.
reguila adj. s.2g.
reguinchante adj.2g.
reguinchar v.
reguinga s.2g. s.f.
reguingalho s.m.
reguingão adj. s.m.; f. *reguingona*
reguingar v.
reguingona adj. s.f. de *reguingão*
reguingoso (*ô*) adj.; f. (*ó*); pl. (*ó*)
reguingote s.m.
reguingue s.m.
reguingueiro adj. s.m.
reguinguete (*ê*) s.m.
regulação s.f.
regulada s.m.
regulado adj. s.m.
regulador (*ô*) adj. s.m.
regulagem s.f.
regulamentação s.f.
regulamentar v. adj.2g.
regulamentário adj.
regulamentarismo s.m.
regulamentarista adj. s.2g.
regulamentarístico adj.
regulamento s.m.
regular v. adj.2g. s.m.
regularia s.f.
regularidade s.f.
regularifloro adj.
regulariforme adj.2g.
regulário s.m.
regularização s.f.
regularizado adj.
regularizador (*ô*) adj. s.m.
regularizar v.
regulativo adj.
regulável adj.2g.
regulete (*ê*) s.m.
regulínea s.f.
régulo s.m.; cf. *regulo*, fl. do v. *regular*
régulon s.m.
regurgitação s.f.
regurgitado adj.
regurgitamento s.m.
regurgitar v.
rei s.m.; f. *rainha*
reichárdia s.f.
reichardita s.f.
reichardite s.f.
reichelo s.m.
reichenbachanto s.m.
reichenbáchia s.f.
reichiano adj. s.m.
reichiodes s.m.2n.
reichita s.f.
reichite s.f.
reicida adj. s.2g.
reico adj.
rei-congo s.m.; pl. *reis-congos*
rei-coxo s.m.; pl. *reis-coxos*
reicua s.f.
reida adj.2g. s.f.
rei-das-codornizes s.m.; pl. *reis-das-codornizes*
rei-das-formigas s.m.; pl. *reis-das-formigas*
reide s.m.
reídea s.f.
rei de boi s.m.
reídeo adj. s.m.
rei-do-mar s.m.; pl. *reis-do-mar*
rei-dos-abutres s.m.; pl. *reis-dos-abutres*
rei-dos-arenques s.m.; pl. *reis-dos-arenques*

rei-dos-ratos s.m.; pl. *reis-dos-ratos*
rei-dos-tuinins s.m.; pl. *reis-dos-tuinins*
rei-dos-tuiuiús s.m.; pl. *reis-dos-tuiuiús*
reidratação s.f.
reidratado adj.
reidratante adj.2g. s.m.
reidratar v.
reificação s.f.
reificado adj.
reificador (*ô*) adj.
reificante adj.2g.
reificar v.
reificável adj.2g.
reiforme adj.2g. s.m.
reigada s.f.
reigota s.f.
reigrasse-dos-ingleses s.m.2n.
reima s.f.
reimão s.m.
reimergir v.
reimersão s.f.
reimerso adj.
reimoso (*ô*) adj.; f. (*ó*); pl. (*ó*)
reimplantação s.f.
reimplantado adj.
reimplantar v.
reimplante s.m.
reimpor v.
reimportação s.f.
reimportado adj.
reimportador (*ô*) adj. s.m.
reimportar v.
reimposição s.f.
reimposto (*ô*) adj.; f. (*ó*); pl. (*ó*)
reimpressão s.f.
reimpresso adj.
reimpressor (*ô*) adj. s.m.
reimprimir v.
reimprimível adj.2g.
reimpulso s.m.
reimputação s.f.
reimputar v.
reína s.f.
reinação s.f.
reinaço s.m.
reinadio adj. s.m.
reinado s.m.
reinador (*ô*) adj. s.m.
reinal s.f.
reinante adj. s.2g.
reinar v.
reinata s.f.
reinauguração s.f.
reinaugurado adj.
reinaugurar v.
reincarnação s.f.
reincarnado adj.
reincarnar v.
reincidência s.f.
reincidente adj. s.2g.
reincidir v.
reincitado adj.
reincitamento s.m.
reincitar v.
reincorporação s.f.
reincorporado adj.
reincorporador (*ô*) adj. s.m.
reincorporamento s.m.
reincorporar v.
reincrustação s.f.
reincrustar v.
reindexação (*cs*) s.f.
reindexar (*cs*) v.
reinel adj.2g.
reinerita s.f.
reinervação s.f.
reinervamento s.m.
reinervante adj.2g.
reinervar v.
reinervável adj.2g.
reineta (*ê*) s.f.
reineta-deliciosa s.f.; pl. *reinetas-deliciosas*
reineta-do-canadá s.f.; pl. *reinetas-do-canadá*
reineta-parda s.f.; pl. *reinetas-pardas*

reinfeção s.f.
reinfecção s.f.
reinfectado adj.
reinfectar v.
reinfetar v.
reinflamado adj.
reinflamar v.
reinfundido adj.
reinfundir v.
reingressado adj.
reingressar v.
reingresso s.m.
reiniciado adj.
reinicializar v.
reiniciar v.
reinício s.m.; cf. *reinicio*, fl. do v. *reiniciar*
reinícola adj. s.2g.
reinita s.f.
reinite s.f.
reinjeção s.f.
reinjetado adj.
reinjetador (*ô*) adj. s.m.
reinjetamento s.m.
reinjetante adj.2g.
reinjetar v.
reinjetável adj.2g.
reinjetor (*ô*) adj. s.m.
reino s.m.
reinoculação s.f.
reinoculado adj.
reinoculador (*ô*) adj. s.m.
reinocular v.
reinoculável adj.2g.
reinol adj. s.2g.
reinola s.f.
reinquirição s.f.
reinquirido adj.
reinquirir v.
reinscrever v.
reinscrição s.f.
reinscrito adj.
reinserção s.f.
reinserir v.
reinsistência s.f.
reinsistir v.
reinspeção s.f.
reinstalação s.f.
reinstalado adj.
reinstalar v.
reinstituição s.f.
reinstituído adj.
reinstituir v.
reinsurgido adj.
reinsurgir v.
reintegração s.f.
reintegrado adj.
reintegrador (*ô*) adj. s.m.
reintegrante adj.2g.
reintegrar v.
reintegrativo adj.
reintegrável adj.2g.
reintegre adj.
reintegro s.m.
reinterpretação s.f.
reinterpretado adj.
reinterpretar v.
reinterrogação s.f.
reinterrogar v.
reintrância s.f.
reintrar v.
reintrodução s.f.
reintroduzido adj.
reintroduzir v.
reinumação s.f.
reinumado adj.
reinumar v.
reinvenção s.f.
reinventado adj.
reinventar v.
reinversão s.f.
reinvestido adj.
reinvestimento s.m.
reinvestir v.
reinvidado adj.
reinvidar v.
reinvite s.m.
reinvocação s.f.
reinvocado adj.
reinvocar v.
reipersecução s.f.

reipersecutor (*ô*) adj. s.m.
reipersecutório adj.
reiperseguinte adj.2g.
reiperseguir v.
rei-pescador s.m.; pl. *reis-pescadores*
rei-queimado s.m.; pl. *reis-queimados*
reiqueiodes s.m.2n.
reiquembacanto s.m.
reiquembáquia s.f.
reira s.f.
reiras s.f.pl.
reiriz s.f.
réis s.m.pl.
reisada s.f.
reisadas s.f.pl.
reisado s.m.
reisbuto adj. s.m.
reis do boi s.m.2n.
reiseiro s.m.
reísmo s.m.
reissequerite s.f.
reisséquia s.f.
reissita s.f.
reísta adj. s.2g.
reístico adj.
reiterabilidade s.f.
reiteração s.f.
reiterado adj.
reiterador (*ô*) adj. s.m.
reiterante adj.2g.
reiterar v.
reiterativo adj.
reiterável adj.2g.
reitor (*ô*) s.m.
reitorado s.m.
reitoral adj.2g.
reitorato s.m.
reitoria s.f.
reitorizar v.
reitre s.m.
reitrodilo s.m.
reitrodonte s.m.
reitrodôntomis s.m.2n.
reitrosciúro s.m.
reiuna (*ú*) s.f.
reiunada s.f.
reiunar v.
reiuno (*ú*) adj. s.m.
reivindicabilidade s.f.
reivindicação s.f.
reivindicado adj.
reivindicador (*ô*) adj. s.m.
reivindicamento s.m.
reivindicante adj. s.2g.
reivindicar v.
reivindicativo adj.
reivindicatório adj.
reivindicável adj.2g.
reixa s.f.
reixador (*ô*) adj. s.m.
reixar v.
reixelo (*ê*) s.m.
reizete (*ê*) s.m.
reja (*ê*) s.f.
rejão s.m.
rejectária s.f.
rejecto adj.
rejeição s.f.
rejeitado adj.
rejeitador (*ô*) adj. s.m.
rejeitar v.
rejeitável adj.2g.
rejeito s.m.
rejeitoso (*ô*) adj.; f. (*ó*); pl. (*ó*)
rejeto s.m.
rejubilação s.f.
rejubilado adj.
rejubilador (*ô*) adj.
rejubilante adj.2g.
rejubilar v.
rejubilável adj.2g.
rejúbilo s.m.; cf. *rejubilo*, fl. do v. *rejubilar*
rejubiloso (*ô*) adj.; f. (*ó*); pl. (*ó*)
rejuncado adj.
rejuncar v.
rejuntado adj.
rejuntamento s.m.

rejuntar v.
rejuntável adj.2g.
rejura s.f.
rejurado adj.
rejurar v.
rejustificação s.f.
rejustificar v.
rejuvenescedor (*ô*) adj. s.m.
rejuvenescência s.f.
rejuvenescente adj.2g.
rejuvenescer v.
rejuvenescido adj.
rejuvenescimento s.m.
rela s.f.
relação s.f.
relacionado adj.
relacionador (*ô*) adj. s.m.
relacional adj.2g.
relacionamento s.m.
relacionar v.
relacionativo adj.
relacionável adj.2g.
relações-públicas s.2g.2n.
relacrado adj.
relacrar v.
relamber v.
relambido adj.
relamboia (*ó*) s.f.
relambório adj. s.m.
relampadar v.
relampadear v.
relampadejante adj.2g.
relampadejar v.
relampado adj. "atordoado"; cf. *relâmpado*
relâmpado s.m. "relâmpago"; cf. *relampado*
relâmpago s.m.
relampagueamento s.m.
relampagueante adj.2g.
relampaguear v.
relampaguejar v.
relampar v.
relampeante adj.2g.
relampear v.
relampejante adj.2g.
relampejar v.
relampejo (*ê*) s.m.
relampo s.m.
relamposo (*ô*) adj.; f. (*ó*); pl. (*ó*)
relamprar v.
relançado adj.
relançamento s.m.
relançar v.
relance s.m.
relanceado adj.
relancear v. s.m.
relancetado adj.
relancetar v.
relancina s.f.
relancinho s.m.
relanço s.m.
relaparotomia s.f.
relapsão s.f.
relapsia s.f.
relapsitude s.f.
relapso adj. s.m.
relar v.
relargar v.
relassaria s.f.
relasso adj.
relatado adj.
relatador (*ô*) adj. s.m.
relatar v.
relate s.m.
relativação s.f.
relativado adj.
relativante adj.2g.
relativar v.
relativável adj.2g.
relatividade s.f.
relativismo s.m.
relativista adj. s.2g.
relativístico adj.
relativização s.f.
relativizado adj.
relativizante adj.2g.
relativizar v.
relativizável adj.2g.
relativo adj.

relato s.m.
relator (*ô*) s.m.
relatoria s.f.
relatoriado adj.
relatoriar v.
relatório s.m.
relavado adj.
relavar v.
relaxação s.f.
relaxado adj. s.m.
relaxador (*ô*) adj. s.m.
relaxamento s.m.
relaxante adj.2g. s.m.
relaxar v.
relaxativo adj.
relaxável adj.2g.
relaxe s.m.
relaxidão s.f.
relaxina (*cs*) s.f.
relaxínico (*cs*) adj.
relaxismo s.m.
relaxista adj. s.2g.
relaxo adj. s.m.
relbúnio s.m.
relé s.m.f.
relega (*ê*) s.f.
relegação s.f.
relegado adj.
relegador (*ô*) adj. s.m.
relegagem s.f.
relegamento s.m.
relegante adj.2g.
relegar v.
relegável adj.2g.
relego (*ê*) s.m.; cf. *relego*, fl. do v. *relegar*
relegueiro s.m.
releição s.f.
releiro s.m.
releitura s.f.
releixa s.f.
releixado adj.
releixar v.
releixo adj. s.m.
relejo (*ê*) s.m.
relembrado adj.
relembrador (*ô*) adj. s.m.
relembramento s.m.
relembrança s.f.
relembrante adj.2g.
relembrar v.
relembrativo adj.
relembrável adj.2g.
relengo adj. s.m.
relentado adj.
relentar v.
relento s.m.
relepa s.f.
relepado adj.
relepar v.
reler v.
reles adj.2g.2n.
relesa (*ê*) s.f.
relevação s.f.
relevado adj. s.m.
relevador (*ô*) adj. s.m.
relevamento s.m.
relevância s.f.
relevante adj.2g. s.m.
relevar v.
relevável adj.2g.
relevo (*ê*) s.m.; cf. *relevo*, fl. do v. *relevar*
relevografia s.f.
relevográfico adj.
relevogravura s.f.
relexo (*ê*) s.m.
relfa s.f.
relha (*ê*) s.f.
relhaço s.m.
relhada s.f.
relhador (*ô*) s.m.
relhânia s.f.
relhar v.
relheira s.f.
relheiro s.m.
relheiros s.m.pl.
relho adj. "rígido"; cf. *relho* (*ê*) s.m. e fl. do v. *relhar*
relho (*ê*) s.m. "chicote"; cf. *relho*

relhota s.f.
relhote s.m.
relianismo s.m.
relianista adj. s.2g.
relicário s.m.
relice s.f.
relicitação s.f.
relicitado adj.
relicitante s.2g.
relicitar v.
relicto adj. s.m.
relictual adj.2g.
relido adj.
religação s.f.
religado adj.
religador (*ô*) adj. s.m.
religamento s.m.
religar v.
religário s.m.
religável adj.2g.
religião s.f.
religiomania s.f.
religiomaníaco adj. s.m.
religiômano s.m.
religionário s.m.
religiosa s.f.
religiosidade s.f.
religioso (*ô*) adj. s.m.; f. (*ó*); pl. (*ó*)
religiúncula s.f.
relimado adj.
relimar v.
relinchante adj.2g.
relinchão adj.; f. *relinchona*
relinchar v.
relincho s.m.
relinchona adj. f. de *relinchão*
relinga s.f.
relingado adj.
relingar v.
relinquição (*ü*) s.f.
relinquimento (*ü*) s.m.
relinquir (*ü*) v.
relíquia s.f.
reliquiaria s.f.
reliquiário s.m.
reliquiense adj. s.2g.
reliquista adj. s.2g.
réliquo adj.
relíquo adj.
relocação s.f.
relocado adj.
relocar v.
relógio s.m.
relógio-calendário s.m.; pl. *relógios-calendário* e *relógios-calendários*
relógio-de-vaqueiro s.m.; pl. *relógios-de-vaqueiro*
relógio-preto s.m.; pl. *relógios-pretos*
relógio-pulseira s.m.; pl. *relógios-pulseira* e *relógios-pulseiras*
relógio-vassoura s.m.; pl. *relógios-vassoura* e *relógios-vassouras*
relojão s.m.
relojar v.
relojeiro s.m.
relojo s.m.
relojoaria s.f.
relojoeiro s.m.
reloteação s.f.
reloteado adj.
reloteador (*ô*) adj.
reloteamento s.m.
relotear v.
reloucado adj.
reloucamento s.m.
reloucar v.
reloucura s.f.
relouquear v.
relúcido adj.
relumar v.
relumbração s.f.
relumbramento s.m.
relumbrante adj.2g.
relumbrar v.
relumbre s.m.
relume s.m.
relumear v.
relustrado adj.
relustrar v.
relutação s.f.
relutância s.f.
relutante adj.2g.
relutar v.
relutividade s.f.
relutivo adj.
reluzente adj.2g.
reluzido adj.
reluzir v.
relva s.f.
relváceo adj.
relvadense adj. s.2g.
relvado adj. s.m.
relva-do-olimpo s.f.; pl. *relvas-do-olimpo*
relva-dos-caminhos s.f.; pl. *relvas-dos-caminhos*
relvagem s.f.
relval s.m.
relvão adj. s.m.
relvão-da-abissínia s.m.; pl. *relvões-da-abissínia*
relvar v.
relva-turca s.f.; pl. *relvas-turcas*
relvedo (*ê*) s.m.
relveiro s.m.
relvejante adj.2g.
relvejar v.
relvífero adj.
relvoso (*ô*) adj.; f. (*ó*); pl. (*ó*)
rem s.m.
rema s.m.
remada s.f.
remadalenizado adj.
remadalenizar v.
remadela s.f.
remado adj.
remador (*ô*) adj. s.m.
remadura s.f.
remaescer v.
remagnetização s.f.
remagnetizado adj.
remagnetizar v.
remal s.m.
remaldizer v.
remaléfico adj.
remalhado adj.
remalhar v.
remalina s.f.
remalinhar v.
remanchado adj.
remanchador (*ô*) adj. s.m.
remanchão adj. s.m.; f. *remanchona*
remanchar v.
remancheado adj.
remancheador (*ô*) adj. s.m.
remanchear v.
remancho s.m.
remanchona adj. s.f. de *remanchão*
remancipação s.f.
remandado adj.
remandar v.
remandiola s.f.
remaneio s.m.
remanejado adj.
remanejamento s.m.
remanejar v.
remanejável adj.2g.
remanejo (*ê*) s.m.
remanência s.f.
remanente adj.2g.
remanescência s.f.
remanescente adj. s.2g.
remanescer v.
remanescido adj.
remanga s.f.
remangado adj.
remangão adj. s.m.
remangar v.
remangueza (*ê*) s.f.
remanipulação s.f.
remanipulado adj.
remanipular v.
remaniscar v.
remanisco adj. s.m.
remansado adj.
remansão adj. s.m.; f. *remansona*
remansar-se v.
remanseado adj.
remansear v.
remansense adj. s.2g.
remanso s.m.
remanso-grandense adj. s.2g.; pl. *remanso-grandenses*
remansona adj. s.f. de *remansão*
remansonense adj. s.2g.
remansoso (*ô*) adj.; f. (*ó*); pl. (*ó*)
remanuseação s.f.
remanuseado adj.
remanuseamento s.m.
remanuseante adj.2g.
remanusear v.
remanuseável adj.2g.
remanuseio s.m.
remapear v.
remar v.
remarcação s.f.
remarcado adj.
remarcador (*ô*) adj. s.m.
remarcante adj.2g.
remarcar v.
remarcável adj.2g.
rema-rema s.m.; pl. *rema-remas*
remaridado adj.
remaridar v.
remartelado adj.
remartelar v.
remascado adj.
remascar v.
remassador (*ô*) adj. s.m.
remasse s.m.
remasterização s.f.
remasterizado adj.
remasterizar v.
remastigação s.f.
remastigado adj.
remastigar v.
rematação s.f.
rematado adj.
rematador (*ô*) adj. s.m.
rematar v.
remate s.m.
remático adj.
rematrícula s.f.
rembotim s.m.
rembrandtesco (*ê*) adj.
rembrandtizar v.
rembranesco (*ê*) adj.
rembranizar v.
remear v.
remedado adj.
remedador (*ô*) adj. s.m.
remedar v.
remedeio s.m.
remedense adj. s.2g.
remediabilidade s.f.
remediada s.f.
remediado adj.
remediador (*ô*) adj. s.m.
remediar v.
remediativo adj.
remediável adj.2g.
remedição s.f.
remediense adj. s.2g.
remédio s.m.
remédio-de-vaqueiro s.m.; pl. *remédios-de-vaqueiro*
remedir v.
remedista adj. s.2g.
remedo (*ê*) s.m.; cf. *remedo*, fl. do v. *remedar*
remeia s.f.
remeira s.f.
remeirada s.f.
remeiro adj. s.m.
remela s.f.
remelado adj.
remelão adj. s.m.; f. *remelona*
remelar v.
remeleiro adj.
remelento adj.
remelexo (*ê*) s.m.
remelga s.f.
remelgado adj.
remelgar v.
remelgueira s.f.
remelgueiro s.m.
remelhor adj.2g.
remelicho adj. s.m.
remelona adj. s.f. de *remelão*
remeloso (*ô*) adj.; f. (*ó*); pl. (*ó*)
remembrado adj.
remembrador (*ô*) adj. s.m.
remembramento s.m.
remembrança s.f.
remembrar v.
rememoração s.f.
rememorado adj.
rememorador (*ô*) adj.
rememorante adj.2g.
rememorar v.
rememorativo adj.
rememorável adj.2g.
rememoriado adj.
rememoriar v.
remêmoro adj.; cf. *rememoro*, fl. do v. *rememorar*
remendado adj.
remendador (*ô*) adj. s.m.
remendagem s.f.
remendão adj. s.m.; f. *remendona*
remendar v.
remendaria s.f.
remendeira s.f.
remendeiro adj. s.m.
remendo s.m.
remendona adj. s.f. de *remendão*
remenear v.
remeneio s.m.
remenicar v.
remeniqueio s.m.
remense adj. s.2g.
rementir v.
rementira s.f.
remercear v.
remerecedor (*ô*) adj.
remerecer v.
remerecido adj.
remergulhado adj.
remergulhar v.
remergulho s.m.
remesino adj. s.m.
remessa s.f. "ato de remeter ou de remessar"; cf. *remeça*, fl. do v. *remedir*
remessado adj.
remessão s.m.
remessar v.
remessista adj. s.2g.
remesso (*ê*) s.m.; cf. *remesso*, fl. do v. *remessar*
remestrado adj.
remestrar v.
remestre s.m.
remetedeira s.f.
remetedura s.f.
remetente adj. s.2g. "que ou quem remete"; cf. *remitente*
remeter v.
remetida s.f.
remetido adj.
remetimento s.m.
remexedela s.f.
remexedor (*ô*) adj.
remexer v.
remexida s.f.
remexido adj.
remeximento s.m.
remição s.f. "resgate"; cf. *remissão*
remido adj.
remidor (*ô*) adj. s.m.
remífero adj.
remiforme adj.2g.
rêmige adj.2g. s.f.
remigense adj. s.2g.
remígia s.f.
remigiar v.
remigiense adj. s.2g.
remígio s.m.
remigração s.f.
remigrado adj.
remigrar v.
remilhão s.m.
remilhenta s.f.
remilhento adj. s.m.
remilitarização s.f.
remilitarizar v.
remimado adj.
remimar v.
remimento s.m.
reminado adj.
reminar-se v.
remineralização s.f.
remineralizado adj.
remineralizante adj.2g.
remineralizar v.
remingtonita s.f.
remingtonite s.f.
reminhol s.m.
reminiscência s.f.
reminiscenciar v.
reminiscente adj.2g.
remípede adj.2g. s.m.
remir v.
remirada s.f.
remiradela s.f.
remirado adj.
remirar v.
remírea s.f.
remisga s.f.
remissa s.f.
remissão s.f. "perdão"; cf. *remição*
remissário adj.
remissibilidade s.f.
remissionário s.m.
remissível adj.2g.
remissivo adj.
remisso adj. s.m.
remissor (*ô*) adj.
remissório adj.
remista adj. s.2g.
remitarso adj.
remitência s.f.
remitente adj. s.2g. "que diminui"; cf. *remetente*
remitir v.
remível adj.2g.
remix (*cs*) s.m.2n.
remixagem (*cs*) s.f.
remixar (*cs*) v.
remo adj. s.2g. s.m.
remoagem s.f.
remoalho s.m.
remobilado adj.
remobilar v.
remobiliado adj.
remobiliar v.
remobilização s.f.
remobilizado adj.
remobilizar v.
remocado adj.
remoçado adj.
remoçador (*ô*) adj. s.m.
remoçante adj.2g.
remoção s.f.
remocar v.
remoçar v.
remoçativo adj.
remodelação s.f.
remodelado adj.
remodelador (*ô*) adj. s.m.
remodelagem s.f.
remodelamento s.m.
remodelar v.
remodelável adj.2g.
remodelo (*ê*) s.m.
remodulação s.f.
remodular v.
remoedura s.f.
remoela s.f.
remoelar v.
remoer v.
remoidanhar v.
remoído adj. s.m.
remoinhada s.f.
remoinhado adj.
remoinhador (*ô*) adj.
remoinhante adj.2g.
remoinhar v.
remoinho s.m.

remoinhoso (*ô*) adj.; f. (*ó*); pl. (*ó*)
remolada s.f.
remolar s.m.
remolaria s.f.
remolcar v.
remolgação s.f.
remolgão s.m.
remolgar v.
remolgo (*ô*) adj. s.m.; cf. *remolgo*, fl. do v. *remolgar*
remolgueiro adj. s.m.
remolhado adj.
remolhão s.m.
remolhar v.
remolho (*ô*) s.m.; cf. *remolho*, fl. do v. *remolhar*
remolinita s.f.
remolinite s.f.
remolinito s.m.
remonarquização s.f.
remonarquizar v.
remonda s.f.
remondado adj.
remondagem s.f.
remondar v.
remôndia s.f.
remonismo s.m.
remonista adj. s.2g.
remonotonizado adj.
remonotonizar v.
remonta s.f.
remontado adj.
remontador (*ô*) adj.
remontagem s.f.
remontamento s.m.
remontante adj.2g.
remontar v.
remontável adj.2g.
remonte s.m.
remontista adj. s.2g.
remoque s.m.
remoqueador (*ô*) adj. s.m.
remoquear v.
remora s.f. "adiamento"; cf. *rêmora*
rêmora s.f. "peixe"; cf. *remora* s.f. e fl. do v. *remorar*
remorado adj.
rêmora-maior s.f.; pl. *rêmoras-maiores*
rêmora-ordinária s.f.; pl. *rêmoras-ordinárias*
remorar v.
remorcador (*ô*) adj. s.m.
remorcadora (*ô*) s.f.
remorcar v.
remordacíssimo adj. sup. de *remordaz*
remordaz adj.2g.
remordedor (*ô*) adj. s.m.
remordedura s.f.
remordente adj.2g.
remorder v.
remordicar v.
remordido adj.
remordimento s.m.
remordiscado adj.
remordiscar v.
remoroso (*ô*) adj.; f. (*ó*); pl. (*ó*)
remorrer v.
remorsal adj.2g.
remorsear v.
remorso adj. s.m.
remorto (*ô*) adj.; f. (*ó*); pl. (*ó*)
remostar v.
remotifloro adj.
remotifoliado adj.
remotifólio adj.
remotispectivo adj.
remoto adj.
remotospectivo adj.
remoucar v.
remoucha s.f.
removedor (*ô*) s.m.
remover v.
removibilidade s.f.
removido adj.
removimento s.m.
removível adj.2g.
rem-rem s.m.; pl. *rem-rens*
remualho s.m.
remudar v.
remudo s.m.
remugar v.
remugir v.
remuncar v.
remunerabilidade s.f.
remuneração s.f.
remunerado adj.
remunerador (*ô*) adj. s.m.
remunerante adj.2g.
remunerar v.
remunerativo adj.
remuneratório adj.
remunerável adj.2g.
remuneroso (*ô*) adj.; f. (*ó*); pl. (*ó*)
remunhetar v.
remuniciamento s.m.
remurmuração s.f.
remurmurado adj.
remurmurador (*ô*) adj.
remurmurante adj.2g.
remurmurar v.
remurmurejar v.
remurmúrio s.m.
remúrmuro adj.; cf. *remurmuro*, fl. do v. *remurmurar*
remusácia s.f.
remusátia s.f.
remusgar v.
rena s.f.
renacionalização s.f.
renacionalizado adj.
renacionalizar v.
renaco s.m.
renal adj.2g.
renaletina s.f.
renaniano adj. s.m.
renanismo s.m.
renanista adj. s.2g.
renanístico adj.
renano adj. s.m.
renantera s.f.
renão adv.
renarcol s.m.
renardita s.f.
renascença adj.2g. s.f.
renascencense adj. s.2g.
renascente adj.2g.
renascentismo s.m.
renascentista adj. s.2g.
renascentístico adj.
renascer v.
renascido adj.
renascimento s.m.
renático adj.
renato s.m.
renaturação s.f.
renaturado adj.
renaturador (*ô*) adj.
renaturamento s.m.
renaturante adj.2g.
renaturar v.
renavegado adj.
renavegar v.
rencontro s.m.
renda s.f.
rendado adj. s.m.
rendalho s.m.
rendão s.m.
renda-portuguesa s.f.; pl. *rendas-portuguesas*
rendar v.
rendaria s.f.
rendário adj. s.m.
rendável adj.2g.
rendedoiro s.m.
rendedouro s.m.
rendedura s.f.
rendeira s.f.
rendeira-branca s.f.; pl. *rendeiras-brancas*
rendeirinha s.f.
rendeiro adj. s.m.
rendeiro-barbudinho s.m.; pl. *rendeiros-barbudinhos*
rendendê s.m.
rendengue s.m.
render v.
rendição s.f.
rendido adj.
rendidura s.f.
rendífero adj.
rendilha s.f.
rendilhado adj. s.m.
rendilhador (*ô*) adj. s.m.
rendilhamento s.m.
rendilhar v.
rendilheira s.f.
rendimento s.m.
rendista adj. s.2g.
rendoiça s.f.
rendor (*ô*) s.m.
rendoso (*ô*) adj.; f. (*ó*); pl. (*ó*)
rendouça s.f.
rendzina s.f.
rendzínico adj.
reneálmia s.f.
renegação s.f.
renegada s.f.
renegado adj. s.m.
renegador (*ô*) adj. s.m.
renegamento s.m.
renegante adj.2g.
renegar v.
renegável adj.2g.
renegociabilidade s.f.
renegociação s.f.
renegociar v.
renegociável adj.2g.
renegrejado adj.
renegrejar v.
renembrança s.f.
renembrar v.
renetado adj.
renetagem s.f.
renetar v.
renete (*ê*) s.m.
renga s.f.
rengaço s.m.
rengalho s.m.
renge s.m.
rengéria s.f.
renggéria s.f.
renglão s.m.
rengo adj. s.m.
rengra s.f.
rengrave s.m.
rengraviado s.m.
rengravina s.f.
rengue s.m.
renguear v.
rengueira s.f.
renguém s.m.
renhane s.m.
renhão s.m.
renhideiro s.m.
renhido adj.
renhidor (*ô*) adj. s.m.
renhimento s.m.
renhir v.
renicápsula s.f.
rênico adj.
renículo s.m.
renidente adj.2g.
reniera s.f.
renierídeo adj. s.m.
renieríneo adj. s.m.
renierita s.f.
reniflar v.
renifoliado adj.
renifólio adj.
reniforme adj.2g.
reniformita s.f.
renila s.f.
renilídeo adj. s.m.
renina s.f.
renínico adj.
rênio s.m.
renipunctura s.f.
renipuntura s.f.
renitência s.f.
renitente adj. s.2g.
renítico adj.
renitir v.
renito s.m.
renivelação s.f.
renivelado adj.
renivelamento s.m.
renivelar v.
renixígrado (*cs*) adj.
reno adj. s.m.
renoazigolombar adj.2g.
renocardíaco adj.
renocila s.f.
renodes s.m.2n.
renogástrico adj.
renografia s.f.
renograma s.m.
renointestinal adj.2g.
renomado adj.
renome s.m.
renomeação s.f.
renomeado adj.
renomear v.
renomeável adj.2g.
renômetro s.m.
renopericárdico adj.
renopiteco s.m.
renopulmonar adj.2g.
renormalização s.f.
renormalizado adj.
renormalizador (*ô*) adj.
renormalizante adj.2g.
renormalizar v.
renormalizável adj.2g.
renorreal adj.2g.
renova s.f.
renovabilidade s.f.
renovação s.f.
renovado adj.
renovador (*ô*) adj. s.m.
renovalho s.m.
renovamento s.m.
renovante adj.2g.
renovar v.
renovascular adj.2g.
renovatório adj.
renovável adj.2g.
renovo (*ô*) s.m.; cf. *renovo*, fl. do v. *renovar*
renque s.2g.
rênquea s.f.
renselerita s.f.
renselerite s.f.
rentabilidade s.f.
rentabilizar v.
rentado adj.
rentador (*ô*) adj. s.m.
rentão adj. s.m.; f. *rentona*
rentar v.
rentável adj.2g.
rente adj.2g. s.m. adv.
renteado adj.
renteador (*ô*) adj. s.m.
rentear v.
rentês adj. s.m.
rentilhar v.
rentista adj. s.2g.
rentístico adj.
rentona adj. s.f. de *rentão*
rentura s.f.
renuente adj.2g.
renuído s.m.
renuir v.
renumeração s.f.
renumerar v.
renúncia s.f.; cf. *renuncia*, fl. do v. *renunciar*
renunciabilidade s.f.
renunciação s.f.
renunciado adj. s.m.
renunciador (*ô*) adj. s.m.
renunciamento s.m.
renunciante adj. s.2g.
renunciar v.
renunciatário adj. s.m.
renunciativo adj.
renunciatório adj. s.m.
renunciável adj.2g.
renutação s.f.
renutrido adj.
renutrir v.
renxenxão s.m.
renzilha s.f.
renzilhar v.
reo s.m.
reobárbaro s.m.
reobase s.f.
reóbase s.f.
reóbio adj. s.m.
reobionte s.m.
reobservação s.f.
reobservado adj.
reobservar v.
reobtenção s.f.
reobter v.
reobtido adj.
reocorda s.f.
reocórdio s.m.
reocrisina s.f.
reocupação s.f.
reocupado adj.
reocupador (*ô*) adj. s.m.
reocupar v.
reoficialização s.f.
reoficializado adj.
reoficializador (*ô*) adj. s.m.
reoficializar v.
reoficializável adj.2g.
reofilia s.f.
reófilo adj. s.m.
reófito s.m.
reóforo s.m.
reografia s.f.
reográfico adj.
reógrafo s.m.
reograma s.m.
reolisador (*ô*) s.m.
reolisar v.
reologia s.f.
reológico adj.
reologista adj. s.2g.
reometria s.f.
reométrico adj.
reômetro s.m.
reomotor (*ô*) s.m.
reônomo adj.
reopexia (*cs*) s.f.
reopinar v.
reordenação s.f.
reordenado adj.
reordenamento s.m.
reordenante adj. s.2g.
reordenar v.
reordenável adj.2g.
reorganização s.f.
reorganizado adj.
reorganizador (*ô*) adj. s.m.
reorganizante adj.2g.
reorganizar v.
reorientação s.f.
reorientado adj.
reorientador (*ô*) adj. s.m.
reorientamento s.m.
reorientante adj.2g.
reorientar v.
reorientável adj.2g.
reorquestração s.f.
reorquestrado adj.
reorquestrador (*ô*) adj.
reorquestrar v.
reorquestrável adj.2g.
reoscopia s.f.
reoscópico adj.
reoscópio s.m.
reosfera s.f.
reosférico adj.
reostático adj.
reostato s.m.
reóstato s.m.
reostrição s.f.
reostricção s.f.
reotáctico adj.
reotânico adj.
reotaxia (*cs*) s.f.
reotáxico (*cs*) adj.
reótomo s.m.
reotrópico adj.
reotrópio s.m.
reotropismo s.m.
reótropo s.m.
reouvido adj.
reouvir v.
reovírus s.m.2n.
reoxidação (*cs*) s.f.
reoxidado (*cs*) adj.
reoxidante (*cs*) adj.2g.
reoxidar (*cs*) v.
reoxigenação (*cs*) s.f.
reoxigenado (*cs*) adj.
reoxigenar (*cs*) v.
reoxigenizar (*cs*) v.

rep s.m.
repa (*ê*) s.f.
repaganização s.f.
repaganizado adj.
repaganizar v.
repagar v.
repaginação s.f.
repaginado adj.
repaginar v.
repago adj.
repairação s.f.
repairar v.
repairo s.m.
repandido adj.
repandirrostro adj.
repando adj.
repanhado adj.
repanhar v.
reparabilidade s.f.
reparação s.f.
reparadeira s.f.
reparadeiro adj. s.m.
reparado adj.
reparador (*ô*) adj. s.m.
reparafusado adj.
reparafusar v.
reparametrização s.f.
reparametrizador (*ô*) adj.
reparametrizante adj.2g.
reparametrizar v.
reparametrizável adj.2g.
reparante adj.2g.
reparar v.
reparativo adj.
reparatório adj.
reparável adj.2g.
reparecer v.
reparecido adj.
reparo s.m.
reparte s.m.
repartição s.f.
repartideira s.f.
repartido adj. s.m.
repartidor (*ô*) adj. s.m.
repartimenense adj. s.2g.
repartimento s.m.
repartir v.
repartitivo adj.
repartível adj.2g.
repascer v.
repassada s.f.
repassadeira s.f.
repassado adj.
repassador (*ô*) adj. s.m.
repassagem s.f.
repassar v.
repassaritar v.
repasse s.m.
repasso s.m.
repastado adj.
repastar v.
repasto s.m.
repatanado adj.
repatanar-se v.
repatear v.
repatriação s.f.
repatriado adj. s.m.
repatriador (*ô*) adj. s.m.
repatriamento s.m.
repatriante adj.2g.
repatriar v.
repatriável adj.2g.
repavimentação s.f.
repavimentar v.
repeçado adj.
repeçar v.
repechar v.
repecho (*ê*) s.m.
repedado adj.
repedar v.
repedido adj. s.m.
repedir v.
repegado adj.
repegar v.
repeitado adj.
repeitar v.
repelação s.f.
repelado adj.
repelante adj.2g.
repelão s.m.
repelar v.
repelência s.f.
repelente adj.2g. s.m.
repelido adj. s.m.
repelidor (*ô*) adj. s.m.
repelir v.
repelível adj.2g.
repelo (*ê*) s.m.; cf. *repelo*, fl. do v. *repelar*
repelusado adj.
repenetrar v.
repenicadela s.f.
repenicado adj. s.m.
repenicador (*ô*) adj. s.m.
repenicar v.
repenique s.m.
repensação s.f.
repensado adj.
repensamento s.m.
repensão s.f.
repensar v.
repensável adj.2g.
repente adj.2g. s.m.
repentina s.f.
repentinidade s.f.
repentinista adj. s.2g.
repentino adj.
repentinoso (*ô*) adj.; f. (*ó*); pl. (*ó*)
repentismo s.m.
repentista adj. s.2g.
repentístico adj.
repercorrer v.
repercorrido adj.
repercussa s.f.
repercussão s.f.
repercussivo adj.
repercusso adj. s.m.
repercutente adj.2g.
repercutido adj.
repercutir v.
repercutível adj.2g.
reperder v.
reperdido adj.
repergunta s.f.
reperguntado adj.
reperguntar v.
repertoriado adj.
repertoriar v.
repertório s.m.; cf. *repertorio*, fl. do v. *repertoriar*
reperverter v.
repervertido adj.
repes s.m.2n.
repesado adj.
repesador (*ô*) adj. s.m.
repesagem s.f.
repesamento s.m.
repesar v.
repesável adj.2g.
repescado adj.
repescagem s.f.
repescar v.
repeso (*ê*) adj. s.m.; cf. *repeso*, fl. do v. *repesar*
repesoiro s.m.
repetear v.
repeteco s.m.
repetenado adj.
repetenar-se v.
repetência s.f.
repetente adj. s.2g.
repetição s.f.
repetido adj.
repetidor (*ô*) adj. s.m.
repetidora (*ô*) s.f.
repetimento s.m.
repetir v.
repetitivo adj.
repetitório adj.
repetível adj.2g.
repetoca s.f.
repicada s.f.
repicado adj.
repicador (*ô*) adj. s.m.
repicadora (*ô*) s.f.
repicagem s.f.
repica-ponto s.m.; pl. *repica-pontos*
repicar v.
repichel s.m.
repiegas s.2g.2n.
repieiro s.m.
repilgado adj.
repilgar v.
repimpado adj.
repimpante adj.2g.
repimpar v.
repimpinar v.
repimponado adj.
repimponar v.
repinal adj. s.2g.
repinaldo adj. s.m.
repinchado adj.
repinchar v.
repincho s.m.
repinhalização s.f.
repinhalizado adj.
repinhalizar v.
repinicado adj. s.m.
repinicador (*ô*) adj. s.m.
repinicar v.
repinique s.m.
repintado adj.
repintagem s.f.
repintalgado adj.
repintalgar v.
repintar v.
repinte s.m.
repintura s.f.
repique s.m.
repiquetar v.
repiquete (*ê*) s.m.; cf. *repiquete*, fl. do v. *repiquetar*
repisa s.f.
repisação s.f.
repisado adj.
repisador (*ô*) adj. s.m.
repisamento s.m.
repisar v.
repisativo adj.
repiscar v.
repiso s.m.
replaina s.f.
replainar v.
replaino s.m.
replanejamento s.m.
replanejar v.
replanta s.f.
replantação s.f.
replantado adj.
replantador (*ô*) adj. s.m.
replantar v.
replantável adj.2g.
replante s.m.
replantio s.m.
replastragem s.f.
repleção s.f.
replementar adj.2g.
replemento s.m.
replenado adj.
replenar v.
repleno adj. s.m.
repletado adj.
repletar v.
repleto adj.
réplica s.f.; cf. *replica*, fl. do v. *replicar*
replicação s.f.
replicado adj.
replicador (*ô*) adj. s.m.
replicante adj.2g.
replicar v.
replicativo adj.
replicável adj.2g.
repluir v.
repoda s.f.
repodado adj.
repodar v.
repoisado adj.
repoisante adj.2g.
repoisar v.
repoisentado adj.
repoiso s.m.
repolegado adj.
repolegar v.
repolego (*ê*) s.m.; cf. *repolego*, fl. do v. *repolegar*
repolga s.f.
repolgado adj.
repolgar v.
repolhaço s.m.
repolhal adj.2g. s.m.
repolhar v.
repolho (*ô*) s.m.; cf. *repolho*, fl. do v. *repolhar*
repolho-branco s.m.; pl. *repolhos-brancos*
repolho-chinês s.m.; pl. *repolhos-chineses*
repolho-crespo s.m.; pl. *repolhos-crespos*
repolho-vermelho s.m.; pl. *repolhos-vermelhos*
repolhudo adj.
repolido adj.
repolimento s.m.
repolir v.
repoltreado adj.
repoltrear-se v.
repoltronado adj.
repoltronar-se v.
repoltroneado adj.
repoltronear-se v.
repôncio s.m.
reponente adj. s.2g.
reponta s.f.
repontado adj.
repontador (*ô*) adj. s.m.
repontamento s.m.
repontão adj. s.m.; f. *repontona*
repontar v.
reponte s.m.
reponteado adj.
repontice s.f.
repontista adj. s.2g.
repontona adj. s.f. de *repontão*
repontuado adj.
repontuar v.
repopularizado adj.
repopularizar v.
repor v.
reportação s.f.
reportado adj. s.m.
reportador (*ô*) s.m.
reportagem s.f.
reportamento s.m.
reportante s.2g.
reportar v.
reportável adj.2g.
reporte s.m.
repórter s.2g.
reportório s.m.
reposição s.f.
reposicionamento s.m.
reposicionar v.
repósito s.m.
repositor (*ô*) adj. s.m.
repositória adj. s.m.
repossita s.f.
repossuído adj.
repossuir v.
reposta s.f. "restituição"; cf. *riposta*
repostaça s.f.
repostada s.f.
repostar v. "replicar"; cf. *ripostar*
repostaria s.f.
reposte s.m.
reposteiro s.m.
reposteiro-mor s.m.; pl. *reposteiros-mores*
reposto (*ô*) adj.; cf. *reposto*, fl. do v. *repostar*
repostura s.f.
repotreado adj.
repotrear-se v.
repotronado adj.
repotronar-se v.
repoupo s.m.
repousado adj.
repousante adj.2g.
repousar v.
repouseira s.f.
repousentado adj.
repousentar v.
repouso s.m.
repovoa (*ô*) s.f.
repovoação s.f.
repovoado adj.
repovoador (*ô*) adj. s.m.
repovoamento s.m.
repovoar v.
repovoável adj.2g.
reprecipitar v.
repreendedor (*ô*) adj. s.m.
repreender v.
repreendido adj.
repreendimento s.m.
repreensão s.f.
repreensibilidade s.f.
repreensível adj.2g.
repreensivo adj.
repreenso adj.
repreensor (*ô*) adj. s.m.
repregado adj. s.m.
repregar v.
reprego s.m.
repregueado adj.
repreguear v.
reprender v.
reprendido adj.
reprendoiro s.m.
reprendouro adj.
reprensão s.f.
represa (*ê*) s.f.; cf. *represa*, fl. do v. *represar*
represada s.f.
represado adj. s.m.
represador (*ô*) adj. s.m.
represadura s.f.
represália s.f.
represamento s.m.
represar v.
represária s.f.
represário s.m.
represense adj. s.2g.
representabilidade s.f.
representação s.f.
representacionalismo s.m.
representacionalista adj. s.2g.
representado adj. s.m.
representador (*ô*) adj. s.m.
representante adj. s.2g.
representar v.
representatividade s.f.
representativo adj.
representável adj.2g.
representeado adj.
representear v.
representório s.m.
represo (*ê*) adj.; cf. *represo*, fl. do v. *represar*
repressão s.f.
repressividade s.f.
repressivo adj.
represso adj.
repressor (*ô*) adj. s.m.
repressório adj.
reprimenda s.f.
reprimendar v.
reprimido adj.
reprimidor (*ô*) adj. s.m.
reprimir v.
reprimível adj.2g.
reprincipiado adj.
reprincipiar v.
reprisado adj.
reprisar v.
repristinação s.f.
repristinado adj.
repristinador (*ô*) adj.
repristinamento s.m.
repristinante adj.2g.
repristinar v.
repristinatório adj.
repristinável adj.2g.
repristinização s.f.
repristinizar v.
reprivada s.f.
reprobatório adj.
réprobo adj. s.m.
reprocessamento s.m.
reprocessar v.
reprochado adj.
reprochador (*ô*) s.m.
reprochar v.
reprochável adj.2g.
reproche s.m.
reprocurar v.
reprodução s.f.

reprodutibilidade s.f.
reprodutível adj.2g.
reprodutividade s.f.
reprodutivo adj.
reprodutor (*ô*) adj. s.m.; f. *reprodutriz*
reprodutriz adj. s.f. de *reprodutor* (*ô*)
reproduzido adj.
reproduzir v.
reproduzível adj.2g.
reprofundado adj.
reprofundar v.
reprografação s.f.
reprografador (*ô*) adj. s.m.
reprografante adj.2g.
reprografar v.
reprografável adj.2g.
reprografia s.f.
reprográfico adj.
reprografista adj. s.2g.
repró̧grafo adj. s.m.
reprograma s.m.
reprogramação s.f.
reprogramado adj.
reprogramar v.
reprometer v.
repromissão s.f.
repropor v.
reproposição s.f.
reproposta s.f.
reproposto (*ô*) adj.; f. (*ó*); pl. (*ó*)
reproteger v.
reprova s.f.
reprovabilidade s.f.
reprovação s.f.
reprovado adj. s.m.
reprovador (*ô*) adj. s.m.
reprovar v.
reprovativo adj.
reprovável adj.2g.
reprover v.
reprovido adj.
reprovimento s.m.
repruente adj.2g.
repruir v.
reprurir v.
reptação s.f.
reptado adj.
reptador (*ô*) adj. s.m.
reptamento s.m.
reptante adj. s.2g. s.m.
reptar v.
reptável adj.2g.
reptélea s.f.
repteleácea s.f.
repteleáceo adj.
reptil adj.2g. s.m.; pl. *reptis*
réptil adj.2g. s.m.; pl. *répteis*
reptilário adj.
reptília s.f.
reptiliano adj.
reptílico adj.
reptilizante adj.2g.
reptilizar v.
repto s.m.
reptônia s.f.
reptotubígera s.f.
república s.f.; cf. *republica*, fl. do v. *republicar*
republicação s.f.
republicado adj.
republicador (*ô*) adj. s.m.
republicanado adj.
republicanar v.
republicanismo s.m.
republicanista adj. s.2g.
republicanístico adj.
republicanização s.f.
republicanizado adj.
republicanizador (*ô*) adj. s.m.
republicanizar v.
republicanizável adj.2g.
republicano adj. s.m.
republicar v.
republicense adj. s.2g.
republicida adj. s.2g.
republicídio s.m.
repúblico adj. s.m.; cf. *republico*, fl. do v. *republicar*
republícola adj. s.2g.
republiqueiro s.m.
republiqueta (*ê*) s.f.
repudiação s.f.
repudiado adj. s.m.
repudiador (*ô*) adj. s.m.
repudiamento s.m.
repudiante adj. s.2g.
repudiar v.
repudiável adj.2g.
repúdio s.m.; cf. *repudio*, fl. do v. *repudiar*
repugnado adj.
repugnador (*ô*) adj. s.m.
repugnância s.f.
repugnante adj.2g.
repugnar v.
repugnatório adj.
repugnável adj.2g.
repugno s.m.
repuído adj.
repuir v.
repular v.
repulsa s.f.
repulsado adj.
repulsante adj.2g.
repulsão s.f.
repulsar v.
repulsivo adj.
repulso adj. s.m.
repulsor (*ô*) adj.
repululação s.f.
repululamento s.m.
repululante adj.2g.
repulular v.
repulverizado adj.
repulverizar v.
repungente adj.2g.
repungir v.
repurgação s.f.
repurgado adj.
repurgar v.
repurificação s.f.
repurificado adj.
repurificador (*ô*) adj. s.m.
repurificamento s.m.
repurificante adj.2g.
repurificar v.
repurificável adj.2g.
reputação s.f.
reputado adj.
reputar v.
repuxada s.f.
repuxadeira s.f.
repuxado adj. s.m.
repuxador (*ô*) adj. s.m.
repuxamento s.m.
repuxante adj.2g.
repuxão s.m.
repuxar v.
repuxável adj.2g.
repuxe s.m.
repuxo s.m.
requadração s.f.
requadro s.m.
requalificação s.f.
requalificar v.
requarto s.m.
reque s.m.
requebém s.m.
requebrado adj. s.m.
requebrador (*ô*) adj. s.m.
requebrar v.
requebrável adj.2g.
requebrilho s.m.
requebro (*ê*) s.m.; cf. *requebro*, fl. do v. *requebrar*
requeifa s.f.
requeija s.f.
requeijão s.m.
requeijaria s.f.
requeijeiro s.m.
requeijiteira s.f.
requeijitos s.m.pl.
requeima s.f.
requeimação s.m.
requeimado adj.
requeimar v.
requeimável adj.2g.
requeime s.m.
requeime-preto s.m.; pl. *requeimes-pretos*
requeimo s.m.
requeixado adj. s.m.
requenguela adj.2g.
requentado adj.
requentador (*ô*) adj. s.m.
requentão s.m.
requentar v.
requentável adj.2g.
requerá s.m.
requeredor (*ô*) adj. s.m.
requerente adj. s.2g.
reque-reque s.m.; pl. *reque-reques*
requerer v.
requerido adj.
requerimento s.m.
requerível adj.2g.
requeriz s.m.
requesta s.f.
requestação s.f.
requestado adj.
requestador (*ô*) adj. s.m.
requestar v.
requesto s.m.
requeté s.m.
requezitos s.m.pl.
réquiem s.m.
requiênia s.f.
requieto adj.
requietório s.m.
requietude s.f.
requifado adj.
requife s.m.
requifeiro s.m.
requifife s.m.
requim s.m.
requinta s.f.
requintado adj. s.m.
requintamento s.m.
requintar v.
requintável adj.2g.
requinte s.m.
requintista adj. s.2g.
requinto s.m.
requirição s.f.
requirir v.
requisição s.f.
requisir v.
requisitado adj.
requisitante adj. s.2g.
requisitar v.
requisito adj. s.m.
requisitoral adj.2g.
requisitória s.f.
requisitório adj. s.m.
requixó s.m.
rer (*ê*) v.
rerietê s.m.
reriú adj. s.2g.
reriutabense adj. s.2g.
rerradiação s.f.
rerradiado adj.
rerradiar v.
rerranger v.
rerratificação s.f.
rerratificado adj.
rerratificar v.
rerrespirado adj.
rerrespirar v.
rés adj.2g. adv. "rente"; cf. *rês*
rês s.f. "gado"; cf. *rés*
resacetofenona s.f.
resalgar s.m.
resalgário s.m.
resazurina s.f.
resbalosa s.f.
resbordo s.m.
resbunar v.
resbuno s.m.
resbuto adj. s.m.
rescaldado adj.
rescaldamento s.m.
rescaldar v.
rescaldeiro s.m.
rescaldo s.m.
rescendor (*ô*) s.m.
rescentricidade s.f.
rescêntrico adj.
rescindência s.f. "ato ou efeito de rescindir"; cf. *recendência*
rescindente adj.2g.
rescindibilidade s.f.
rescindido adj.
rescindidor (*ô*) adj. s.m.
rescindimento s.m.
rescindir v.
rescindível adj.2g.
rescisão s.f.
rescisor (*ô*) adj. s.m.
rescisório adj.
rescrever v.
rescrição s.f.
rescrito adj. s.m.
rescumar v.
rescunho s.m.
rés do chão s.m.2n.
reseda (*ê*) s.f.
resedá s.m.
resedá-amarelo s.m.; pl. *resedás-amarelos*
resedácea s.f.
resedáceo adj.
resedá-de-cheiro s.m.; pl. *resedás-de-cheiro*
resedá-grande s.m.; pl. *resedás-grandes*
resedal s.m.
resedá-odorífero s.m.; pl. *resedás-odoríferos*
resedá-verdadeiro s.m.; pl. *resedás-verdadeiros*
resedineia (*é*) s.f.
resélia s.f.
resende-costense adj. s.2g.; pl. *resende-costenses*
resendense adj. s.2g.
resenha s.f.
resenhado adj.
resenhador (*ô*) adj. s.m.
resenhar v.
resenhável adj.2g.
resenho s.m.
resenite s.f.
reseno s.m.
resentadura s.f.
reserpina s.f.
reserpínico adj.
reserva s.2g. s.f.
reservação s.f.
reservado adj. s.m.
reservador (*ô*) adj. s.m.
reservante adj.2g.
reserva-provisão s.f.; pl. *reservas-provisão* e *reservas-provisões*
reservar v.
reservatário adj.
reservativo adj.
reservatório adj. s.m.
reservável adj.2g.
reservense adj. s.2g.
reservista adj. s.2g.
reservo (*ê*) s.m.; cf. *reservo*, fl. do v. *reservar*
resfolegado adj.
resfolegadoiro s.m.
resfolegadouro s.m.
resfolegante adj.2g.
resfolegar v.
resfôlego s.m.; cf. *resfolego*, fl. do v. *resfolegar*
resfolgado adj.
resfolgadoiro s.m.
resfolgadouro s.m.
resfolgante adj.2g.
resfolgar v.
resfolgo (*ô*) s.m.; cf. *resfolgo*, fl. do v. *resfolgar*
resfolgueado adj.
resfolguear v.
resfriadeira s.f.
resfriado adj. s.m.
resfriadoiro s.m.
resfriador (*ô*) adj. s.m.
resfriadouro s.m.
resfrialdade s.f.
resfriamento s.m.
resfriante s.m.
resfriar v.
resfriável adj.2g.
resgalgar v.
resgalha s.f.
resgar v.
resgatabilidade s.f.
resgatado adj.
resgatador (*ô*) adj. s.m.
resgatante adj. s.2g.
resgatar v.
resgatável adj.2g.
resgate s.m.
resgo s.m.
resguarda s.f.
resguardado adj.
resguardador (*ô*) adj. s.m.
resguardante adj.2g.
resguardar v.
resguardável adj.2g.
resguardo s.m.
residência s.f.
residencial adj.2g.
residenciar v.
residenciense adj. s.2g.
residente adj. s.2g.
resídio s.m.
residir v.
residual adj.2g.
residuário adj.
resíduo adj. s.m.
resignação s.f.
resignado adj.
resignante adj. s.2g.
resignar v.
resignatário adj. s.m.
resignável adj.2g.
resignista adj. s.2g.
resilição s.f.
resiliência s.f.
resiliente adj.2g.
resilífero s.m.
resílio s.m.
resilir v.
resilível adj.2g.
resina s.f. "substância oleosa"; cf. *rezina*
resina-amarela s.f.; pl. *resinas-amarelas*
resinação s.f.
resinado adj.
resinagem s.f.
resinar v.
resinato s.m.
resineína s.f.
resineira s.f.
resineiro adj. s.m.
resinento adj.
resinga s.f.
resínico adj.
resinide adj.2g. s.f.
resinífero adj.
resinificação s.f.
resinificado adj.
resinificador (*ô*) adj.
resinificante adj.2g.
resinificar v.
resinificável adj.2g.
resiniforme adj.2g.
resínio adj.
resinita s.f.
resinite s.f.
resinito s.m.
resinocero s.m.
resinocisto s.m.
resinoguaiácico adj.
resinoide (*ó*) adj.2g.
resinol s.m.
resinoma s.f.
resinosa s.f.
resinose s.f.
resinoso (*ô*) adj.; f. (*ó*); pl. (*ó*)
resinotanol s.m.
resipiscência s.f.
resipiscente adj.2g.
resistência s.f.
resistente adj. s.2g.
resistibilidade s.f.
resistido adj.
resistidor (*ô*) adj.
resistir v.
resistível adj.2g.
resistividade s.f.
resistivo adj.
resistoflex (*cs*) s.m.

resistor (*ô*) s.m.
resístor s.m.
resita s.f.
resite s.f.
reslavra s.f.
reslinga s.f.
reslumbrância s.f.
reslumbrante adj.2g.
reslumbrar v.
resma (*ê*) s.f.; cf. *resma*, fl. do v. *resmar*
resmado adj.
resmalhada s.f.
resmalhado adj.
resmalhar v.
resmangalho s.m.
resmar v.
resmeirinho s.m.
resmelengar v.
resmelengo adj.
resmelengue adj. s.2g.
resmetengo adj.
resminga s.f.
resmoer v.
resmolga s.f.
resmolgar v.
resmonda s.f.
resmoneado adj.
resmoneador (*ô*) adj. s.m.
resmonear v.
resmoneio s.m.
resmoninhado adj.
resmoninhador (*ô*) adj. s.m.
resmoninhar v.
resmono s.m.
resmorder v.
resmordido adj.
resmuda s.f.
resmunar v.
resmunear v.
resmuneio s.m.
resmunga s.2g.
resmungada s.f.
resmungado adj.
resmungador (*ô*) adj. s.m.
resmungão adj. s.m.; f. *resmungona*
resmungar v.
resmungo s.m.
resmungona adj. s.f. de *resmungão*
resmunguento adj. s.m.
resmunguice s.f.
resmunhado adj.
resmunhar v.
resmuninhador (*ô*) adj. s.m.
resmuninhar v.
resmusgado adj.
resmusgar v.
resnatrom s.m.
resnatrônio s.m.
resnitinha s.f.
reso s.m. "macaco"; cf. *rezo*, fl. do v. *rezar*
resocianina s.f.
resocianínico adj.
resoflavina s.f.
resoflavínico adj.
resol s.m.
resolto (*ô*) adj.
resolubilidade s.f.
resolução s.f.
resolutivo adj. s.m.
resoluto adj.
resolutor (*ô*) adj.
resolutório adj.
resolúvel adj.2g.
resolvente adj.2g. s.m.
resolver v.
resolvido adj.
resolvimento s.m.
resolvível adj.2g.
resopirina s.f.
resopirínico adj.
resorbina s.f.
resorceno s.m.
resorcílico adj.
resorcina s.f.
resorcinado adj.
resorcinol s.m.
resorcinólico adj.
resorufina s.f.
respalda s.f.
respaldado adj.
respaldamento s.m.
respaldar v. s.m.
respalde s.m.
respaldeado adj.
respaldear v.
respaldo s.m.
respançado adj. s.m.
respançadura s.f.
respançamento s.m.
respançar v.
respanço s.m.
respe s.m.
respectivo adj.
respeitabilidade s.f.
respeitado adj.
respeitador (*ô*) adj. s.m.
respeitante adj.2g.
respeitar v.
respeitativo adj.
respeitável adj.2g.
respeito s.m.
respeitoso (*ô*) adj.; f. (*ó*); pl. (*ó*)
resperseguível adj.2g.
respetivo adj.
réspice s.m.
respício s.m.
respiga s.f.
respigadeira s.f.
respigado adj.
respigadoira s.f.
respigador (*ô*) adj. s.m.
respigadora (*ô*) s.f.
respigadoura s.f.
respigadura s.f.
respigão s.m.
respigar v.
respigável adj.2g.
respigo s.m.
respigueira s.f.
respigueiro adj. s.m.
respingadeira s.f.
respingado adj.
respingador (*ô*) adj. s.m.
respingão adj. s.m.; f. *respingona*
respingar v.
respingável adj.2g.
respingo s.m.
respingona adj. s.f. de *respingão*
respinhar v.
respirabilidade s.f.
respiração s.f.
respiráculo s.m.
respirado adj.
respiradoiro s.m.
respirador (*ô*) adj. s.m.
respiradouro s.m.
respiral adj.2g.
respiramento s.m.
respirante adj.2g.
respirar v.
respiratório adj.
respirável adj.2g.
respirina s.f.
respiro s.m.
respirometria s.f.
respirométrico adj.
respirômetro s.m.
respiroscopia s.f.
respiroscópico adj.
respiroscópio s.m.
resplandecência s.f.
resplandecente adj.2g.
resplandecer v.
resplandecido adj.
resplandecimento s.m.
resplandense adj. s.2g.
resplandente adj.2g.
resplandimento s.m.
resplandor (*ô*) s.m.
resplendecer v.
resplendecido adj.
resplendência s.f.
resplendente adj.2g.
resplender v.
resplendido adj. "resplandecido"; cf. *resplêndido*
resplêndido adj. "esplendidíssimo"; cf. *resplendido*
resplendor (*ô*) s.m.
resplendorense adj. s.2g.
resplendoroso (*ô*) adj.; f. (*ó*); pl. (*ó*)
respo (*ê*) s.m.
respondão adj. s.m.; f. *respondona*
respondedor (*ô*) adj. s.m.
respondência s.f.
respondente adj. s.2g.
responder v.
respondido adj.
respondimento s.m.
respondível adj.2g.
respondona adj. s.f. de *respondão*
responsabilidade s.f.
responsabilização s.f.
responsabilizado adj.
responsabilizador (*ô*) adj. s.m.
responsabilizante adj.2g.
responsabilizar v.
responsabilizável adj.2g.
responsado adj.
responsar v.
responsável adj. s.2g.
responsivo adj.
responso s.m.
responsorial adj.2g. s.m.
responsório s.m.
respontar v.
responto s.m.
resposta s.f.
respostada s.f.
respostar v.
resposte s.m.
respumejar v.
resquiado adj.
resquiar v.
resquicial adj.2g.
resquício s.m.
ressa s.f.
ressaber v.
ressabiado adj.
ressabiar v.
ressabido adj.
ressábio s.m.
ressaboreado adj.
ressaboreamento s.m.
ressaborear v.
ressaboreio s.m.
ressaca s.f.
ressacabilidade s.f.
ressacada s.f.
ressacado adj. s.m.
ressacador (*ô*) s.m.
ressacar v.
ressacável adj.2g.
ressaciado adj.
ressaciar v.
ressaco s.m.
ressada s.f.
ressaga s.f.
ressaibado adj.
ressaibar v.
ressaibiado adj.
ressaibiar v.
ressaibo s.m.
ressaído adj.
ressaio s.m.
ressair v.
ressalga s.f.
ressalgada s.f.
ressalgado adj.
ressalgar v.
ressaliente adj.2g.
ressaltado adj.
ressaltante adj.2g.
ressaltar v.
ressalte s.m.
ressalteado adj.
ressaltear v.
ressaltitar v.
ressalto s.m.
ressalva s.f.
ressalvado adj.
ressalvar v.
ressanfoninar v.
ressangrado adj.
ressangrar v.
ressaque s.m.
ressaquense adj. s.2g.
ressaquinhense adj. s.2g.
ressarcido adj.
ressarcidor (*ô*) adj.
ressarcimento s.m.
ressarcir v.
ressarcível adj.2g.
ressaudação s.f.
ressaudado adj.
ressaudar v.
ressecação s.f.
ressecado adj.
ressecador (*ô*) adj. s.m.
ressecamento s.m.
ressecante adj.2g.
resseção s.f. "ação de extirpar"; cf. *recessão*
ressecar v.
ressecção s.f.
resseco (*ê*) adj.; cf. *resseco*, fl. do v. *ressecar*
ressector (*ô*) s.m.
ressectoscópio s.m.
ressega s.f.
ressegado adj.
ressegar v.
ressegundar v.
ressegurado adj.
ressegurador (*ô*) adj. s.m.
ressegurar v.
resseguro adj. s.m.
resselado adj.
resselar v.
ressemeado adj.
ressemeadura s.f.
ressemear v.
ressenha s.f.
ressentadura s.f.
ressentido adj.
ressentimento s.m.
ressentir v.
ressequência (*ü*) s.f.
ressequente (*ü*) adj.2g.
ressequido adj.
ressequinado adj.
ressequir v.
resserenado adj.
resserenar v.
ressereno adj.
resserrado adj.
resserrar v.
resservido adj.
resservir v.
ressesso (*ê*) adj.
ressesso (*ê*) adj.
ressicação s.f.
ressicado adj.
ressicar v.
ressiga s.f.
ressíntese s.f.
ressintético adj.
ressintetização s.f.
ressintetizador (*ô*) adj.
ressintetizante adj.2g.
ressintetizar v.
ressintetizável adj.2g.
ressoado adj.
ressoador (*ô*) adj. s.m.
ressoamento s.m.
ressoante adj.2g.
ressoar v. "repercutir"; cf. *ressuar*
ressobrar v.
ressoca s.f.
ressocialização s.f.
ressocializado adj.
ressocializar v.
ressol s.m.
ressolana s.f.
ressoldado adj.
ressoldar v.
ressolhado adj.
ressolhador (*ô*) adj.
ressolhar v.
ressolho (*ô*) s.m.
ressoltar v.
ressolto (*ô*) adj.
ressombro s.m.
ressonadela s.f.
ressonado adj.
ressonador (*ô*) adj. s.m.
ressonadura s.f.
ressonância s.f.
ressonante adj.2g.
ressonar v.
ressonável adj.2g.
ressonhado adj.
ressonhar v.
ressono s.m.
ressonon s.m.
ressonoscópico adj.
ressonoscópio s.m.
ressoo (*ô*) s.m.
ressoprado adj.
ressoprar v.
ressopro (*ô*) s.m.; cf. *ressopro*, fl. do v. *ressoprar*
ressorção s.f.
ressorcina s.f.
ressorver v.
ressorvido adj.
ressorvo (*ô*) s.m.
ressuado adj.
ressuar v. "suar muito"; cf. *ressoar*
ressubido adj.
ressubir v.
ressudação s.f.
ressudado adj.
ressudar v.
ressulcado adj.
ressulcar v.
ressumação s.f.
ressumado adj.
ressumante adj.2g.
ressumar v.
ressumbrado adj.
ressumbrante adj.2g.
ressumbrar v.
ressumbro s.m.
ressumido adj.
ressumir v.
ressunção s.f.
ressunta s.f.
ressuntivo adj.
ressunto adj.
ressuperaquecimento s.m.
ressupinação s.f.
ressupinado adj.
ressupinar v.
ressupino adj.
ressurgência s.f.
ressurgente adj.2g.
ressurgido adj.
ressurgidor (*ô*) adj. s.m.
ressurgimento s.m.
ressurgir v.
ressurgista adj. s.2g.
ressurreccional adj.2g.
ressurrecional adj.2g.
ressurrecto adj.
ressurreição s.f.
ressurreicionismo s.m.
ressurreicionista adj. s.2g.
ressurreto adj.
ressurtir v.
ressuscitação s.f.
ressuscitado adj. s.m.
ressuscitador (*ô*) adj. s.m.
ressuscitamento s.m.
ressuscitar v.
ressuscitável adj.2g.
ressutura s.f.
restabelecedor (*ô*) adj. s.m.
restabelecer v.
restabelecido adj.
restabelecimento s.m.
restabelecível adj.2g.
resta-boi s.m.; pl. *resta-bois*
restagnação s.f.
restampa s.f.
restampado adj.
restampar v.
restante adj.2g. s.m.
restar v.
restartar v.
restauração s.f.
restauracionense adj. s.2g.
restauracionismo s.m.

restauracionista adj. s.2g.
restauracionístico adj.
restaurado adj.
restaurador (*ô*) adj. s.m.
restaurante adj.2g. s.m.
restauranteco adj.
restaurar v.
restaurativo adj.
restaurável adj.2g.
restauricar v.
restaurista adj. s.2g.
restauro s.m.
restável adj.2g.
reste s.m.
restela s.f.
restelada s.f.
restelado adj.
restelar v.
resteleira s.f.
restelho (*ê*) s.m.
restelo (*ê*) s.m.; cf. *restelo*, fl. do v. *restelar*
restênia s.f.
resteva (*ê*) s.f.
resteveiro s.m.
réstia s.f.
restiácea s.f.
restiáceo adj.
restianestesia s.f.
restianestésico adj.
restiforme adj.2g.
réstiga s.f.
restilação s.f.
restilada s.f.
restilado adj.
restilar v.
restilho s.m.
restilo s.m.
restinga s.f.
restingal s.m.
restingão s.m.
restingueiro s.m.
restinguense adj. s.2g.
restinguido adj.
restinguir v.
réstio s.m.
restionácea s.f.
restionáceo adj.
restione s.m.
restiôneo adj.
restirado adj.
restirar v.
restitar v.
restitivo adj.
restito s.m.
restituibilidade s.f.
restituição s.f.
restituído adj.
restituidor (*ô*) adj. s.m.
restituir v.
restituitório adj.
restituível adj.2g.
restitutório adj.
restiva s.f.
restivada s.f.
restivado adj.
restivar v.
restivo s.m.
resto s.m.
restolhada s.f.
restolhado adj. s.m.
restolhadoiro s.m.
restolhador (*ô*) adj. s.m.
restolhadora (*ô*) s.f.
restolhadouro s.m.
restolhal s.m.
restolhamento s.m.
restolhar v.
restolheira s.f.
restolhento adj.
restolhiça s.f.
restolhice s.f.
restolhiço s.m.
restolho (*ô*) s.m.; cf. *restolho*, fl. do v. *restolhar*
restralado adj.
restralar v.
restrelar v.
restrelo (*ê*) s.m.; cf. *restrelo*, fl. do v. *restrelar*
restrépia s.f.
restribado adj.
restribar v.
restricalar v.
restrição s.f.
restridular v.
restrilho s.m.
restringência s.f.
restringenda s.f.
restringente adj.2g. s.m.
restringido adj.
restringimento s.m.
restringir v.
restringível adj.2g.
restritiva s.f.
restritividade s.f.
restritivo adj.
restrito adj.
restritor (*ô*) adj. s.m.
restrugar v.
restrugido adj.
restrugir v.
restruturação s.f.
restruturar v.
restucado adj.
restucar v.
restumenga s.f.
resulho s.m.
resulta s.f.
resultado s.m.
resultância s.f.
resultante adj.2g. s.m.f.
resultar v.
resultativo adj.
resumido adj.
resumidor (*ô*) adj. s.m.
resumir v.
resumível adj.2g.
resumo s.m.
resura s.f.
resvalação s.f.
resvaladeiro s.m.
resvaladiço adj. s.m.
resvaladio adj. s.m.
resvalado adj.
resvaladoiro s.m.
resvalador (*ô*) adj.
resvaladouro s.m.
resvaladura s.f.
resvalamento s.m.
resvalante adj.2g.
resvalão s.m.
resvalar v.
resvalável adj.2g.
resvalo s.m.
resvés adj.2g. adv.
reta s.f.
retabular adj.2g.
retábulo s.m.
retacada s.f.
retacado adj.
retacar v.
retaco adj.
retada s.f.
retador (*ô*) adj. s.m.
retaguarda s.f.
retal adj.2g.
retalgia s.f.
retálgico adj.
retalhação s.f.; cf. *retaliação*
retalhadista adj.2g. s.m.
retalhado adj. s.m.; cf. *retaliado*
retalhador (*ô*) adj. s.m.; cf. *retaliador* (*ô*)
retalhadura s.f.
retalhagem s.f.
retalhamento s.m.
retalhante adj.2g.
retalhar v. "cortar"; cf. *retaliar*
retalheiro adj. s.m.
retalhista adj. s.2g.
retalho s.m.
retaliação s.f.; cf. *retalhação*
retaliado adj.; cf. *retalhado*
retaliador (*ô*) adj. s.m.; cf. *retalhador* (*ô*)
retaliar v. "revidar"; cf. *retalhar*
retaliativo adj.
retaliatório adj.
retaliável adj.
retama s.f.
retambana s.f.
retambanada s.f.
retame adj.2g. s.m.
retâmea s.f.
retamina s.f.
retancha s.f.
retanchamento s.m.
retanchar v.
retanchoa (*ô*) s.f.
retangular adj.2g.
retangularidade s.f.
retângulo adj. s.m.
retanha s.f.
retapado adj.
retar v.
retardação s.f.
retardado adj. s.m.
retardador (*ô*) adj. s.m.
retardamento s.m.
retardança s.f.
retardante adj.2g.
retardão adj. s.m.; f. *retardona*
retardar v.
retardatário adj. s.m.
retardativo adj.
retardável adj.2g.
retarde s.m.
retardiamento s.m.
retardio adj.
retardo s.m.
retardona adj. s.f. de *retardão*
retáster s.m.
retavo adj. s.m.
retear v.
retectomia s.f.
retectômico adj.
retedor (*ô*) adj. s.m.
reteimar v.
reteimoso (*ô*) adj. s.m.; f. (*ó*); pl. (*ó*)
retelefonado adj.
retelefonar v.
retelegrafado adj.
retelegrafar v.
retelhação s.f.
retelhado adj.
retelhador (*ô*) adj. s.m.
retelhadura s.f.
retelhamento s.m.
retelhar v.
retelho (*ê*) s.m.
retém adj. s.2g. s.m.
retemirábile s.f.
retêmpera s.f.
retemperação s.f.
retemperado adj.
retemperador (*ô*) adj.
retemperante adj.2g.
retemperar v.
retemperável adj.2g.
retempo s.m.
retenção s.f. "ato de reter"; cf. *retensão*
retência s.f.
retencionário s.m.
retencionista adj. s.2g.
retengatenga s.f.
retenho s.m.
retenida s.f.
retenido adj.
retenir v.
reteno s.m.
retenoquinona s.f.
retensão s.f. "grande tensão"; cf. *retenção*
retensivo adj.
retentado adj.
retentar v.
retentiva s.f.
retentividade s.f.
retentivo adj.
retento s.m.
retentor (*ô*) adj. s.m.; f. *retentora* (*ô*) e *retentriz*
retentora (*ô*) adj. s.f. de *retentor* (*ô*)
retentriz adj. s.f. de *retentor* (*ô*)
reter v.
retesado adj.
retesador (*ô*) adj. s.m.
retesamento s.m.
retesar v.
retesável adj.2g.
retesia s.f.
retesiar v.
reteso (*ê*) adj.; cf. *reteso*, fl. do v. *retesar*
reteste s.m.
retgersita s.f.
retiano adj. s.m.
retiário s.m.
reticência s.f.; cf. *reticencia*, fl. do v. *reticenciar*
reticenciado adj.
reticenciador (*ô*) adj. s.m.
reticenciar v.
reticências s.f.pl.; cf. *reticencias*, fl. do v. *reticenciar*
reticencioso (*ô*) adj.; f. (*ó*); pl. (*ó*)
reticente adj. s.2g.
rético adj. s.m.
reticórneo adj.
retícula s.f.; cf. *reticula*, fl. do v. *reticular*
reticulação s.f.
reticulado adj. s.m.
reticulado-venoso adj.; pl. *reticulado-venosos*
reticulagem s.f.
reticular v. adj.2g.
reticulariácea s.f.
reticulariáceo adj.
reticulário s.m.
reticulina s.f.
reticulite s.f.
reticulitерme s.m.
retículo adj. s.m.; cf. *reticulo*, fl. do v. *reticular*
reticulócito s.m.
reticulocitose s.f.
reticuloendotelial adj.2g.
reticuloendotelioma s.m.
reticuloendoteliose s.f.
reticulopatia s.f.
reticulopático adj.
reticuloperitonite s.f.
reticulose s.f.
reticulossarcoma s.m.
reticulossarcomático adj.
retidão s.f.
retido adj.
retiense adj. s.2g.
retífica s.f.; cf. *retifica*, fl. do v. *retificar*
retificabilidade s.f.
retificação s.f.
retificado adj.
retificador (*ô*) adj. s.m.
retificadora (*ô*) s.f.
retificamento s.m.
retificante adj.2g.
retificar v.
retificativo adj.
retificável adj.2g.
retifloro adj.
retiforme adj.2g.
retígrado adj.
retilinear adj.2g.
retilineidade s.f.
retilíneo adj.
retilintado adj.
retilintar v.
retimento s.m.
retina s.f.
retináculo s.m.
retinafta s.m.
retinal s.m.
retinalita s.f.
retinalite s.f.
retinasfalto s.m.
retinência s.f.
retineno s.m.
retinente adj. s.2g.
retinervado adj.
retinerval adj.2g.
retinérveo adj.
retingido adj.
retingir v.
retinhado adj.
retiniano adj.
retínico adj.
retinido adj. s.m.
retinifilo s.m.
retinilo s.m.
retinim s.m.
retinina s.f.
retininte adj.2g.
retinir v.
retinita s.f.
retinite s.f.
retinítico adj.
retinito s.m.
retinoangioscopia s.f.
retinoblasto s.m.
retinoblastoma s.m.
retinociascopia s.f.
retinocitoma s.m.
retinocoroidite s.f.
retinofilo s.m.
retinografia s.f.
retinográfico adj.
retinoide (*ó*) s.m.
retinol s.m.
retinolita s.f.
retinólito s.m.
retinopapilite s.f.
retinopatia s.f.
retinopático adj.
retinoplastia s.f.
retinoscioscopia s.f.
retinoscioscópico adj.
retinoscioscópio s.m.
retinoscopia s.f.
retinoscópico adj.
retinoscópio s.m.
retinose s.f.
retinóspora s.f.
retinósquise s.f.
retintim s.m.
retintinado adj.
retintinar v.
retintinir v.
retinto adj. s.m.
retintório s.m.
retínula s.f.
retíolo s.m.
retiparalelinervado adj.
retiparalelinérveo adj.
retípede adj.2g.
retira s.f.
retiração s.f.
retirada s.f.
retirado adj.
retiramento s.m.
retirante adj. s.2g. s.f.
retirar v.
retirável adj.2g.
retireiro s.m.
retirense adj. s.2g.
retiro s.m.
retirolandense adj. s.2g.
retirolandiense adj. s.2g.
retirrostro adj.
retisnado adj.
retisnar v.
retisseriado adj.
retite s.f.
retitelário adj. s.m.
retitripe s.m.
retitude s.f.
retiúsculo adj.
reto adj. s.m.
retocação s.f.
retocado adj.
retocadoiro s.m.
retocador (*ô*) adj. s.m.
retocadouro s.m.
retocamento s.m.
retocar v. "melhorar"; cf. *retoucar*
retocável adj.2g.
retocele s.f.
retocélico adj.
retococcígeo adj.
retocolite s.f.
retocolítico adj.
retoestenose s.f.
retoiça s.f.
retoiçador (*ô*) adj. s.m.
retoição adj. s.m.

retoiçar v.
retoiço s.m.
retoiçoa (*ô*) s.f.
retomada s.f.
retomadia s.f.
retomado adj.
retomar v.
retombo s.m.
retômetro s.m.
retonhar v.
retonho s.m.
retopéctico adj.
retoperineorrafia s.f.
retoperineorráfico adj.
retopexia (*cs*) s.f.
retoque s.m.
retoquista adj. s.2g.
rétor s.m.
retorção s.f.
retorce s.m.
retorcedeira s.f.
retorcedura s.f.
retorceio s.m.
retorcer v.
retorcida s.f.
retorcido adj.
retoria s.f.
retorianismo s.m.
retoriano adj. s.m.
retórica s.f.
retoricador (*ô*) adj. s.m.
retoricão s.m.
retoricar v.
retoricismo s.m.
retórico adj. s.m.
retoriquice s.f.
retorismo s.m.
retorita s.f.
retorna-boda s.f.; pl. *retorna-bodas*
retornado adj. s.m.
retornamento s.m.
retornança s.f.
retornar v.
retornelo s.m.
retornismo s.m.
retornista adj. s.2g.
retornístico adj.
retorno (*ô*) s.m.; cf. *retorno*, fl. do v. *retornar*
reto-romance adj.2g. s.m.; pl. *reto-romances*
reto-românico adj. s.m.; pl. *reto-românicos*
reto-romano adj. s.m.; pl. *reto-romanos*
retorquido (*u* ou *ü*) adj.
retorquir (*u* ou *ü*) v.
retorquível adj.2g.
retorsão s.f.
retorso (*ô*) adj.
retorta s.f.
retorta-moirisca s.f.; pl. *retortas-moiriscas*
retorta-mourisca s.f.; pl. *retortas-mouriscas*
retorto (*ô*) adj.; f. (*ó*); pl. (*ó*)
retosado adj.
retosar v.
retoscopia s.f.
retoscópico adj.
retoscópio s.m.
retossigmoide (*ó*) adj.2g. s.m.
retossigmoidectomia s.f.
retossigmoidectômico adj. s.m.
retossigmóideo adj.
retossigmoidoscopia s.f.
retossigmoidoscópico adj.
retossigmoidoscópio s.m.
retostado adj.
retostar v.
retotélio s.m.
retotomia s.f.
retotômico adj.
retouça s.f.
retoucado adj.
retouçado adj.
retouçador (*ô*) adj. s.m.
retoução adj. s.m.
retoucar v. "toucar novamente"; cf. *retocar*
retouçar v.
retouço s.m.
retouçoa (*ô*) s.f.
retouretral adj.2g.
retouterino adj.
retovado adj.
retovaginal adj.2g.
retovamento s.m.
retovar v.
retovesical adj.2g.
retovo (*ô*) s.m.; cf. *retovo*, fl. do v. *retovar*
retrabalhado adj.
retrabalhar v.
retrabalhável adj.2g.
retraçado adj.
retração s.f.
retraçar v.
retraço s.m.
retráctil adj.2g.
retractilidade s.f.
retractividade s.f.
retractivo adj.
retracto adj. s.m. "distraído", "retratação"; cf. *retrato*
retradução s.f.
retradutor (*ô*) adj. s.m.
retraduzido adj.
retraduzir v.
retraduzível adj.2g.
retraente adj. s.2g.
retraição s.f.
retraído adj.
retraimento s.m.
retrair v.
retraível adj.2g.
retrama s.f.
retramado adj.
retramar v.
retranca s.f.
retrança s.f.
retrancado adj.
retrancagem s.f.
retrancar v.
retrançar v.
retranquista adj. s.2g.
retranscrever v.
retranscrição s.f.
retransferir v.
retransfusão s.f.
retransição s.f.
retransido (*zi*) adj.
retransir (*zir*) v.
retransladado adj.
retransladar v.
retransmissão s.f.
retransmissor (*ô*) adj. s.m.
retransmissora (*ô*) s.f.
retransmitido adj.
retransmitir v.
retransplantar v.
retransplante s.m.
retransportar v.
retrasado adj.
retrasar v.
retrasladado adj.
retrasladar v.
retraso s.m.
retratabilidade s.f.
retratação s.f.
retratado adj.
retratador (*ô*) adj. s.m.
retratar v.
retratável adj.2g.
retratelho (*ê*) s.m.
retrátil adj.2g.
retratilidade s.f.
retratismo s.m.
retratista adj. s.2g.
retratístico adj.
retratividade s.f.
retrativo adj.
retrato adj. s.m. "imagem"; cf. *retracto*
retrator (*ô*) s.m.
retratual adj.2g.
retraussado adj.
retrauteado adj.
retrautear v.
retravado adj.
retravar v.
retrazer v.
retrazido adj.
retre s.m.
retrecheiro adj. s.m.
retreita s.f.
retremente adj.2g.
retremer v.
retremido adj.
retrêmulo adj.
retreta (*ê*) s.f.
retrete (*é* ou *ê*) s.m.f.
retretista adj. s.2g.
retribucionismo s.m.
retribucionista adj. s.2g.
retribucionístico adj.
retribuição s.f.
retribuído adj.
retribuidor (*ô*) adj. s.m.
retribuir v.
retribuível adj.2g.
retributividade s.f.
retributivo adj.
retrilhado adj.
retrilhar v.
retrinar v.
retrincado adj.
retrincar v.
retrinchar v.
retriz s.f.
retro s.m. adv. interj.
retroação s.f.
retroagido adj.
retroagir v.
retroalimentação s.f.
retroalimentado adj.
retroalimentador (*ô*) adj. s.m.
retroalimentar v. adj.2g.
retroalimentável adj.2g.
retroalimento s.m.
retroalveolar adj.2g.
retroanálise s.f.
retroanalítico adj.
retroante adj.2g.
retroar v.
retroativar v.
retroatividade s.f.
retroativo adj.
retroator (*ô*) s.m.
retroauricular adj.2g.
retrobronquial adj.2g.
retrobrônquico adj.
retrobucal adj.2g.
retrobulbar adj.2g.
retrocado adj.
retrocados s.m.pl.
retrocardíaco adj.
retrocarga s.f.
retrocarregação s.f.
retrocarregador (*ô*) adj.
retrocarregamento s.m.
retrocarregar v.
retrocarregável adj.2g.
retrocateterismo s.m.
retrocavidade s.f.
retrocecal adj.2g.
retrocededor (*ô*) adj. s.m.
retrocedência s.f.
retrocedente adj. s.2g.
retroceder v.
retrocedido adj.
retrocedimento s.m.
retrocel s.m.
retrocervical adj.2g.
retrocessão s.f.
retrocessionário adj. s.m.
retrocessivo adj.
retrocesso s.m.
retrocessor (*ô*) adj. s.m.
retrocido adj.
retrocitado adj.
retrocitar v.
retroclavicular adj.2g.
retrocognição s.f.
retrocognitivo adj.
retrocólico adj.
retrocontagem s.f.
retrocontrole (*ô*) s.m.
retrocruza s.f.
retrocruzado adj.
retrocruzador (*ô*) adj.
retrocruzamento s.m.
retrocruzante adj.2g.
retrocruzar v.
retrocruzável adj.2g.
retrocultura s.f.
retrodatação s.f.
retrodatado adj.
retrodatar v.
retrodentário adj.
retrodesvio s.m.
retrodifusão s.f.
retrodispersão s.f.
retrodontômio s.m.
retrodôntomis s.m.2n.
retrodural adj.2g.
retroescavadeira s.f.
retroesofágico adj.
retroespalhamento s.m.
retroesternal adj.2g.
retroestiliano adj.
retroestiloide (*ó*) adj.2g.
retroestiloideia (*é*) adj.; f. de *retroestiloideu*
retroestilóideo adj.
retroestiloideu adj.; f. *retroestiloideia* (*é*)
retroestomáquico adj.
retrofaringe s.f.
retrofaríngeo adj.
retroflectido adj.
retroflectir v.
retrofletido adj.
retrofletir v.
retroflexa (*cs*) s.f.
retroflexão (*cs*) s.f.
retroflexo (*cs*) adj.
retrofoguete (*ê*) s.m.
retrogasseriano adj.
retrogenética s.f.
retrognatia s.f.
retrógnato adj. s.m.
retrogradação s.f.
retrogradante adj.2g.
retrogradar v.
retrogradista adj. s.2g.
retrógrado adj. s.m.; cf. *retrogrado*, fl. do v. *retrogradar*
retrogredir v.
retrogressão s.f.
retrogressivo adj.
retrogresso s.m.
retroguarda s.f.
retroinfecção s.f.
retroinjeção s.f.
retroinjecção s.f.
retroinjector (*ô*) s.m.
retroinspecção s.f.
retroinjetor (*ô*) s.m.
retroinsular adj.2g.
retroiridiano adj.
retrolabiríntico adj.
retrolingual adj.2g.
retromaleolar adj.2g.
retromamário adj.
retromandibular adj.2g.
retromastoideia (*é*) adj.; f. de *retromastoideu*
retromastoideu adj.; f. *retromastoideia* (*é*)
retromaxilar (*cs*) adj.2g.
retronasal adj.2g.
retroo (*ô*) s.m.
retro-oclusão s.f.; *pl. retro-oclusões*
retro-ocular adj.2g.; pl. *retro-oculares*
retro-operar v.
retro-ovárico adj.; pl. *retro-ováricos*
retropedalagem s.f.
retropedalar v.
retroperitoneal adj.2g.
retroperitonial adj.2g.
retroperitônio s.m.
retroperitonite s.f.
retroperitonítico adj.
retropilastra s.f.
retropina s.f.
retroplacentário adj.
retroplasia s.f.
retropneumoperitônio s.m.
retropneumoperitoniografia s.f.
retropneumoperitoniográfico adj.
retropneumoperitoniograma s.m.
retroporto (*ô*) s.m.; pl. (*ó*)
retroposição s.f.
retroprojeção s.f.
retroprojetivo adj.
retroprojetor (*ô*) s.m.
retropropulsão s.f.
retropúbico adj.
retropulsão s.f.
retrorrefletor (*ô*) adj. s.m.
retrorreflexão (*cs*) s.f.
retrorreflexivo (*cs*) adj.
retrorso (*ô*) adj.
retrós s.m.
retrosaria s.f.
retroseiro s.m.
retrospeção s.f.
retrospecção s.f.
retrospectiva s.f.
retrospectividade s.f.
retrospectivo adj.
retrospecto s.m.
retrospetiva s.f.
retrospetividade s.f.
retrospetivo adj.
retrospeto s.m.
retrosseguir v.
retrosseroso (*ô*) adj.; f. (*ó*); pl. (*ó*)
retrossifoniano adj. s.m.
retrostação s.f.
retrosternal adj.
retrotarsal adj.2g.
retrotempo s.m.
retroterra s.f.
retrotração s.f.
retrotractivo adj.
retrotraído adj.
retrotrair v.
retrotrativo adj.
retrotrém s.m.
retrouterino adj.
retrovacina s.f.
retrovacinação s.f.
retrovacinado adj.
retrovacinar v.
retrovejar v.
retrovenda s.f.
retrovendedor (*ô*) s.m.
retrovendendo s.m.
retrovender v.
retrovendição s.f.
retroversão s.f.
retroverso adj.
retroversoflexão (*cs*) s.f.
retroverter v.
retrovertido adj.
retroviral adj.2g.
retroviro s.m.
retrovirótico adj.
retrovírus s.m.2n.
retrovisor (*ô*) adj. s.m.
retrucado adj.
retrucar v.
retruque s.m.
retruquir v.
retrusa s.f.
retrusão s.f.
retruso adj.
retruterino adj.
retubado adj.
retubagem s.f.
retubar v.
retumbado adj.
retumbância s.f.
retumbante adj.2g.
retumbão s.m.
retumbar v.
retumbejante adj.2g.
retumbo s.m.
retundido adj.
retundir v.
returetral adj.2g.
returno s.m.
retuso adj.
retuterino adj.

retzbanita s.f.
retzbanite s.f.
retzciácea s.f.
retzciáceo adj.
rétzia s.f.
retziana s.f.
retzita s.f.
retzite s.f.
réu adj. s.m.; f. *ré*
reuchliniano (*ròi*) adj.
reuchlínico (*ròi*) adj.
reudigno adj. s.m.
reuma s.m.f.
reumametria s.f.
reumamétrico adj.
reumâmetro s.m.
reumanação s.f.
reumanado adj.
reumanar v.
reumanização s.f.
reumanizado adj.
reumanizador (*ô*) adj.
reumanizante adj.2g.
reumanizar v.
reumanizável adj.2g.
reumatalgia s.f.
reumatálgico adj.
reumático adj. s.m.
reumatismal adj.2g.
reumatismo s.m.
reumatismoide (*ó*) adj.2g.
reumatizado adj.
reumatizante adj. s.2g.
reumatizar v.
reumatocele s.f.
reumatoide (*ó*) adj.2g.
reumatologia s.f.
reumatológico adj.
reumatologista adj. s.2g.
reumatólogo s.m.
reumatometria s.f.
reumatométrico adj.
reumatômetro s.m.
reumoso (*ô*) adj.; f. (*ó*); pl. (*ó*)
reúna s.f.
reunião s.f.
reunideira s.f.
reunido adj.
reunidor (*ô*) adj. s.m.
reunificação s.f.
reunificado adj.
reunificador (*ô*) adj. s.m.
reunificante adj.2g.
reunificar v.
reunificável adj.2g.
reunir v.
reunível adj.2g.
reúno adj. s.m.
reurbanização s.f.
reurbanizar v.
reusado adj.
reusador (*ô*) adj.
reusante adj.2g.
reusar v.
reusável adj.2g.
reúso s.m.
reússia s.f.
reussina s.f.
reussinita s.f.
reussinite s.f.
reusuário adj. s.m.
reutilização s.f.
reutilizado adj.
reutilizador (*ô*) adj. s.m.
reutilizante adj.2g.
reutilizar v.
reutilizável adj.2g.
revacinação s.f.
revacinado adj. s.m.
revacinador (*ô*) adj. s.m.
revacinar v.
revacinável adj.2g.
revalenta s.f.
revalidação s.f.
revalidado adj.
revalidador (*ô*) adj. s.m.
revalidante adj.2g.
revalidar v.
revalidável adj.2g.
revalorização s.f.
revalorizado adj.
revalorizador (*ô*) adj. s.m.
revalorizante adj.2g.
revalorizar v.
revalorizável adj.2g.
revancha s.f.
revanche s.f.
revanchismo s.m.
revanchista adj. s.2g.
revanchístico adj.
revascularização s.f.
revascularizado adj.
revascularizante adj.2g.
revascularizar v.
revascularizável adj.2g.
revdanskita s.f.
revdinskita s.f.
revedor (*ô*) adj. s.m.
revel adj. s.2g.
revelação s.f.
revelado adj.
revelador (*ô*) adj. s.m.; f. *reveladora* e *revelatriz*
reveladora (*ô*) adj. s.f. de *revelador* (*ô*)
revelagem s.f.
revelante adj. s.2g.
revelantismo s.m.
revelantista adj. s.2g.
revelão adj. s.m.; f. *revelona*
revelar v.
revelatriz adj. s.f. de *revelador* (*ô*)
revelável adj.2g.
revelhecido adj.
revelho adj. s.m.
revelhusco adj.
revelia s.f.; na loc. *à revelia*
revelim s.m.
revelir v.
revelo (*ê*) s.m.; cf. *revelo*, fl. do v. *revelar*
revelona adj. s.f. de *revelão*
revência s.f.
revenda s.f.
revendão adj. s.m.; f. *revendona*
revendedeira s.f.
revendedor (*ô*) adj. s.m.
revender v.
revendição s.f.
revendido adj.
revendilhão adj. s.m.; f. *revendilhona*
revendilhona adj. s.f. de *revendilhão*
revendível adj.2g.
revendona adj. s.f. de *revendão*
reveneração s.f.
revenerado adj.
revenerador (*ô*) adj. s.m.
revenerar v.
revenido s.m.
revenimento s.m.
revenir v.
rever v.
reverberação s.f.
reverberado adj.
reverberador (*ô*) adj. s.m.
reverberante adj.2g.
reverberar v.
reverberatório adj.
reverberável adj.2g.
reverbério s.m.
revérbero s.m. "luminosidade"; cf. *reverbero*, fl. do v. *reverberar*
reverdade s.f.
reverdecência s.f.
reverdecer v.
reverdecido adj.
reverdecimento s.m.
reverdejamento s.m.
reverdejante adj.2g.
reverdejar v.
reverdento adj.
reverência s.f.; cf. *reverencia*, fl. do v. *reverenciar*
reverenciado adj. s.m.
reverenciador (*ô*) adj. s.m.
reverencial adj.2g.
reverenciante adj.2g.
reverenciar v.
reverenciável adj.2g.
reverencioso (*ô*) adj.; f. (*ó*); pl. (*ó*)
reverendaço s.m.
reverendas s.f.pl.
reverendíssima s.f.
reverendíssimo adj. s.m.
reverendo adj. s.m.
reverente adj.2g.
revergado adj.
revergar v.
reverificação s.f.
reverificado adj.
reverificador (*ô*) adj. s.m.
reverificar v.
reverificável adj.2g.
revermelhado adj.
revermelhar v.
revernizado adj.
revernizar v.
reversa s.f.
reversado adj.
reversal adj. s.2g.
reversão s.f.
reversar v.
reversibilidade s.f.
reversível adj.2g.
reversividade s.f.
reversivo adj.
reverso adj. s.m.
revertátur s.m.
revertência s.f.
revertente adj.2g.
reverter v.
revertério s.m.
revertibilidade s.f.
revertido adj.
revertível adj.2g.
revés s.m. "reverso", "vicissitude"; cf. *revez* (*ê*)
revesa (*ê*) s.f.
revesado adj.
revesilho s.m.
revesio s.m.
reveso (*ê*) adj.
revessa (*ê*) s.f.
revessado adj.
revessar v.
revessilho s.m.
revesso (*ê*) adj. s.m.; cf. *revesso*, fl. do v. *revessar*
revestido adj.
revestidor (*ô*) adj. s.m.
revestidura s.f.
revestimento s.m.
revestir v.
revestrés s.m.
revez (*ê*) s.f. "repetição"; cf. *revés*
revezado adj.
revezador (*ô*) adj. s.m.
revezamento s.m.
revezar v.
revezável adj.2g.
revezeiro s.m.
revezes (*ê*) s.f.pl.; cf. *revezes*, fl. do v. *revezar*
revezino s.m.
revezo (*ê*) adj. s.m.; cf. *revezo*, fl. do v. *revezar*
revibração s.f.
revibrado adj.
revibramento s.m.
revibrante adj.2g.
revibrar v.
reviçado adj.
reviçamento s.m.
reviçar v.
reviço s.m.
revidação s.f.
revidar v.
revide s.m.
revido adj. s.m.
revigor (*ô*) s.m.
revigorado adj.
revigorador (*ô*) adj. s.m.
revigoramento s.m.
revigorante adj.2g.
revigorar v.
revigorável adj.2g.
revigorentado adj.
revigorentar v.
revigorização s.f.
revigorizado adj.
revigorizador (*ô*) adj. s.m.
revigorizante adj.2g.
revigorizar v.
revigorizável adj.2g.
revimento s.m.
revinda s.f.
revindicação s.f.
revindicado adj.
revindicador (*ô*) adj. s.m.
revindicar v.
revindita s.f.
revindo adj. s.m.
revingado adj.
revingar v.
revinhoso (*ô*) adj.; f. (*ó*); pl. (*ó*)
revir v.
revira s.f.
revirado adj. s.m.
revirador (*ô*) adj. s.m.
reviralho s.m.
reviramento s.m.
revirão s.m.
revira-olho s.m.; pl. *revira-olhos*
revirar v.
revirável adj.2g.
revira-vira s.m.2n.
reviravolta s.f.
reviravoltear v.
revirete (*ê*) s.m.
revirginizado adj.
revirginizar v.
reviro s.m.
revisado adj.
revisador (*ô*) adj. s.m.
revisadora (*ô*) s.f.
revisão s.f.
revisar v.
revisável adj.2g.
revisceração s.f.
revisco adj.
revisionismo s.m.
revisionista adj. s.2g.
revisionístico adj.
revisita s.f.
revisitação s.f.
revisitado adj.
revisitar v.
revisível adj.2g.
revisor (*ô*) adj. s.m.
revisório adj.
revista s.f.
revistadeira s.f.
revistado adj.
revistador (*ô*) adj. s.m.
revistar v.
revistável adj.2g.
revisteca s.f.
revisteiro s.m.
revisto adj.
revistografia s.f.
revistográfico adj.
revistógrafo s.m.
revitalização s.f.
revitalizado adj.
revitalizador (*ô*) adj. s.m.
revitalizante adj.2g.
revitalizar v.
revitalizável adj.2g.
revivalismo s.m.
revivalista adj. s.2g.
revivalístico adj.
revivência s.f.
revivente adj.2g.
reviver v.
revivescência s.f.
revivescente adj.2g.
revivescer v.
revivescido adj.
revivescimento s.m.
revivescível adj.2g.
revivido adj.
revivificação s.f.
revivificado adj.
revivificador (*ô*) adj. s.m.
revivificante adj.2g.
revivificar v.
revivificável adj.2g.
reviviscência s.f.
reviviscente adj.2g.
reviviscer v.
reviviscível adj.2g.
revivo adj.
révoa s.f.
revoada s.f.
revoar v.
revocabilidade s.f.
revocação s.f.
revocar v.
revocatória s.f.
revocatório adj.
revocável adj.2g.
revoejamento s.m.
revoejar v.
revoejo (*ê*) s.m.
revogabilidade s.f.
revogação s.f.
revogado adj.
revogador (*ô*) adj. s.m.
revogamento s.m.
revogante adj.2g.
revogar v.
revogativo adj.
revogatória s.f.
revogatório adj.
revogável adj.2g.
revolcar v.
revolinho s.m.
revolitar v.
revolta s.f.
revoltado adj. s.m.
revoltador (*ô*) adj. s.m.
revoltante adj.2g.
revoltão s.m.
revoltar v.
revoltável adj.2g.
revolteado adj.
revolteador (*ô*) adj. s.m.
revolteamento s.m.
revolteante adj.2g.
revoltear v.
revolteável adj.2g.
revolteio s.m.
revoltilho s.m.
revolto (*ô*) adj.; cf. *revolto*, fl. do v. *revoltar*
revoltoso (*ô*) adj. s.m.; f. (*ó*); pl. (*ó*)
revolução s.f.
revolucionado adj.
revolucionador (*ô*) adj. s.m.
revolucionamento s.m.
revolucionante adj.2g.
revolucionar v.
revolucionário adj. s.m.
revolucionarismo s.m.
revolucionarista adj. s.2g.
revolucionismo s.m.
revolucionista adj. s.2g.
revoluciúncula s.f.
revolucivo adj.
revolutante adj.2g.
revoluteado adj.
revoluteador (*ô*) adj. s.m.
revoluteante adj.2g.
revolutear v.
revoluteável adj.2g.
revoluteio s.m.
revolutivo adj.
revoluto adj.
revolutoso (*ô*) adj.; f. (*ó*); pl. (*ó*)
revolúvel adj.2g.
revolvedor (*ô*) adj. s.m.
revolver v. "remexer"; cf. *revólver*
revólver s.m. "arma"; cf. *revolver*
revolverada s.f.
revolvido adj.
revolvimento s.m.
revoo (*ô*) s.m.
revora s.f. "fortalecimento"; cf. *révora*
révora s.f. "tempo de puberdade, de emancipação"; cf. *revora*

revoração s.f.
revorar v.
revulsão s.f.
revulsar v.
revulsividade s.f.
revulsivo adj. s.m.
revulsor (*ô*) adj. s.m.
revulsório adj.
rexe s.m.
rexenxão s.m.
rexerta s.f.
réxia (*cs*) s.f.
rexismo (*cs*) s.m.
rexista (*cs*) adj. s.2g.
rexistasia (*cs*) s.f.
rexistático (*cs*) adj.
rexístico (*cs*) adj.
rexoxó s.m.
reyerita s.f.
reza s.f.
rezada s.f.
rezadeira s.f.
rezadeiro adj. s.m.
rezado adj.
rezador (*ô*) adj. s.m.
rezanada s.f.
rezandeira s.f.
rezão s.m.; f. *rezona*
rezar v.
rezaria s.f.
rezbanyita s.f.
rezental adj.2g. s.m.
rezentaleira s.f.
rezento adj.
rezina adj. s.2g. "ranzinza"; cf. *resina*
rezinga s.f.
rezingão adj. s.m.; f. *rezingona*
rezingar v.
rezingona adj. s.f. de *rezingão*
rezingueiro adj. s.m.
rezinguento adj. s.m.
rezo s.m.
rezona s.f. de *rezão*
rezoneamento s.m.
rezonear v.
rezuela s.f.
rezulho s.m.
rezumbir v.
rhe s.f.
rheédia s.f.
rhodesita s.f.
rhoenita s.f.
ri s.m.
ria s.f.
riachão s.m.
riachãoense adj. s.2g.
riachense adj. s.2g.
riachinhense adj. s.2g.
riacho s.m.
riacho-almense adj. s.2g.; pl. *riacho-almenses*
riacho-areense adj. s.2g.; pl. *riacho-areenses*
riacho-balaiense adj. s.2g.; pl. *riacho-balaienses*
riacho-burrense adj. s.2g.; pl. *riacho-burrenses*
riacho-cavalense adj. s.2g.; pl. *riacho-cavalenses*
riacho-cedrense adj. s.2g.; pl. *riacho-cedrenses*
riacho-cruzense adj. s.2g.; pl. *riacho-cruzenses*
riacho-dantense adj. s.2g.; pl. *riacho-dantenses*
riacho-docense adj. s.2g.; pl. *riacho-docenses*
riacho-foguense adj. s.2g.; pl. *riacho-foguenses*
riacho-fundense adj. s.2g.; pl. *riacho-fundenses*
riacho-garimpense adj. s.2g.; pl. *riacho-garimpenses*
riacho-grandense adj. s.2g.; pl. *riacho-grandenses*
riacho-machadense adj. s.2g.; pl. *riacho-machadenses*
riacho-matense adj. s.2g.; pl. *riacho-matenses*
riacho-meense adj. s.2g.; pl. *riacho-meenses*
riacho-melense adj. s.2g.; pl. *riacho-melenses*
riacho-mendense adj. s.2g.; pl. *riacho-mendenses*
riachonense adj. s.2g.
riacho-nortense adj. s.2g.; pl. *riacho-nortenses*
riacho-oncense adj. s.2g.; pl. *riacho-oncenses*
riacho-paulense adj. s.2g.; pl. *riacho-paulenses*
riacho-pedrense adj. s.2g.; pl. *riacho-pedrenses*
riacho-pequenense adj. s.2g.; pl. *riacho-pequenenses*
riacho-pintense adj. s.2g.; pl. *riacho-pintenses*
riacho-queimadense adj. s.2g.; pl. *riacho-queimadenses*
riacho-santanense adj. s.2g.; pl. *riacho-santanenses*
riacho-sequense adj. s.2g.; pl. *riacho-sequenses*
riacho-sertanense adj. s.2g.; pl. *riacho-sertanenses*
riacho-sobradense adj. s.2g.; pl. *riacho-sobradenses*
riachote s.m.
riacho-verdense adj. s.2g.; pl. *riacho-verdenses*
riachuelense adj. s.2g.
riácia s.f.
riacófila s.f.
riacofílida adj.2g. s.f.
riacofilídeo adj. s.m.
riacófilo s.m.
riacolita s.f.
riacolite s.f.
riacolito s.m.
riadara s.f.
ríade s.f.
rial s.m.
rialmense adj. s.2g.
rialtense adj. s.2g.
riamba s.f.
riana s.f.
rianapolitano adj. s.m.
rianodina s.f.
rianodínico adj.
riata adj. s.2g.
riazênico adj.
riazeno s.m.
riazulense adj. s.2g.
riba s.f.
ribaçã s.f.
ribação s.f.
ribacudano adj. s.m.
ribada s.f.
ribadilha s.f.
ribado s.m.
ribadouro adj. s.m.
ribaduriense adj. s.2g.
ribagorzano adj. s.m.
ribaldar v.
ribaldaria s.f.
ribaldeira s.f.
ribaldeiro adj. s.m.
ribaldia s.f.
ribaldio adj. s.m.
ribaldo adj. s.m.
ribalta s.f.
ribamar s.f.
ribamarense adj. s.2g.
ribaminhoto (*ô*) adj.
ribana s.f.
ribança s.f.
ribanceira s.f.
ribanço s.m.
ribas-rio-pardense adj. s.2g.; pl. *ribas-rio-pardenses*
ribatejano adj. s.m.
ribatejense adj. s.2g.
ribavirina s.f.
ribe s.m.
ribeira s.f.
ribeira-bravense adj. s.2g.; pl. *ribeira-bravenses*
ribeirada s.f.
ribeira-grandense adj. s.2g.; pl. *ribeira-grandenses*
ribeirão s.m.
ribeirão-amarelense adj. s.2g.; pl. *ribeirão-amarelenses*
ribeirão-azulense adj. s.2g.; pl. *ribeirão-azulenses*
ribeirão-baixense adj. s.2g.; pl. *ribeirão-baixenses*
ribeirão-bonitense adj. s.2g.; pl. *ribeirão-bonitenses*
ribeirão-branquense adj. s.2g.; pl. *ribeirão-branquenses*
ribeirão-cimense adj. s.2g.; pl. *ribeirão-cimenses*
ribeirão-clarense adj. s.2g.; pl. *ribeirão-clarenses*
ribeirão-correntense adj. s.2g.; pl. *ribeirão-correntenses*
ribeirão-correntino adj. s.2g.; pl. *ribeirão-correntinos*
ribeirão-cruzeirense adj. s.2g.; pl. *ribeirão-cruzeirenses*
ribeirãoense adj. s.2g.
ribeirão-fundense adj. s.2g.; pl. *ribeirão-fundenses*
ribeirão-grandense adj. s.2g.; pl. *ribeirão-grandenses*
ribeirão-indiense adj. s.2g.; pl. *ribeirão-indienses*
ribeirão-maiense adj. s.2g.; pl. *ribeirão-maienses*
ribeirão-meense adj. s.2g.; pl. *ribeirão-meenses*
ribeirão-nevense adj. s.2g.; pl. *ribeirão-nevenses*
ribeirão-pedrense adj. s.2g.; pl. *ribeirão-pedrenses*
ribeirão-pequenense adj. s.2g.; pl. *ribeirão-pequenenses*
ribeirão-pinhalense adj. s.2g.; pl. *ribeirão-pinhalenses*
ribeirão-piresino adj. s.m.; pl. *ribeirão-piresinos*
ribeirão-pratense adj. s.2g.; pl. *ribeirão-pratenses*
ribeirão-pretano adj. s.m.; pl. *ribeirão-pretanos*
ribeirão-pretense adj. s.2g.; pl. *ribeirão-pretenses*
ribeirão-saltense adj. s.2g.; pl. *ribeirão-saltenses*
ribeirão-serrense adj. s.2g.; pl. *ribeirão-serrenses*
ribeirão-sulense adj. s.2g.; pl. *ribeirão-sulenses*
ribeirão-vermelhense adj. s.2g.; pl. *ribeirão-vermelhenses*
ribeirão-vermelhense-do-sul adj. s.2g.; pl. *ribeirão-vermelhenses-do-sul*
ribeirar v.
ribeira-renense adj. s.2g.; pl. *ribeira-renenses*
ribeirense adj. s.2g.
ribeiresco (*ê*) adj.
ribeirinha s.f.
ribeirinhense adj. s.2g.
ribeirinho adj. s.m.
ribeirista adj. s.2g.
ribeirite s.f.
ribeiro adj. s.m.
ribeiro-gonçalvense adj. s.2g.; pl. *ribeiro-gonçalvenses*
ribeiro-gonçalvino adj. s.2g.; pl. *ribeiro-gonçalvinos*
ribeiro-junqueirense adj. s.2g.; pl. *ribeiro-junqueirenses*
ribeironense adj. s.2g.
ribeiro-pinhalense adj. s.2g.; pl. *ribeiro-pinhalenses*
ribeiropolense adj. s.2g.
ribeiropolitano adj. s.m.
ribeiro-pretano adj. s.m.; pl. *ribeiro-pretanos*
ribes s.m.2n.
ribesáceo adj.
ribésia s.f.
ribesiácea s.f.
ribesiáceo adj.
ribesiódea s.f.
ribeta s.f.
ribete (*ê*) s.m.
ribitilo s.m.
ribitol s.m.
ribó s.m.
ribocetose s.f.
ribocetósico adj.
ribodedose s.f.
riboflavina s.f.
riboflavínico adj.
ribombância s.f.
ribombante adj.2g.
ribombar v.
ribombo s.m.
ribonato s.m.
ribônico adj.
ribonismo s.m.
ribonista adj. s.2g.
ribonita s.f.
ribonuclease s.f.
ribonucléase s.f.
ribonucleásico adj.
ribonucleático adj.
ribonucleico (*é* ou *ê*) adj.
ribonucleoproteídio s.m.
ribonucleosídeo adj. s.m.
ribonucleosídio s.m.
ribonucleotídeo adj. s.m.
ribonucleotídio s.m.
ribose s.f.
ribosídeo s.m.
ribossoma s.m.
ribossomal adj.2g.
ribossomático adj.
ribossômico adj.
ribossomo s.m.
ribótico adj.
ribovírus s.m.2n.
ribrânquio adj.
ribu s.m.
ribulose s.f.
ribulótico adj.
riburonato s.m.
riburônico adj.
riça s.f.
ricaço adj. s.m.
riçado adj. s.m.
rica-dona s.f.; pl. *ricas-donas*
ricalhaço adj. s.m.
ricalhão adj. s.m.
ricalhaz adj. s.2g.
ricalhoiço adj. s.m.
ricalhouço adj. s.m.
ricanha s.f.
ricanho adj. s.m.
ricão adj. s.m.
riçar v.
ricárdia s.f.
ricardiano adj.
ricardiídeo adj. s.m.
ricardina s.f.
ricardismo s.m.
ricardista adj. s.2g.
ricardo s.m.
rica-senhora s.f.; pl. *ricas-senhoras*
ricasólia s.f.
ricbacta adj.2g.2n. s.m.
ricbatissa adj.2g.2n. s.m.
ricciácea s.f.
ricciáceo adj.
ricciela s.f.
riceiro s.m.
ricercar v.
ricercata s.f.
richárdia s.f.
richardsônia s.f.
richarte adj.2g. s.m.
richéria s.f.
richterita s.f.
richterite s.f.
rícia s.f.
riciácea s.f.
riciáceo adj.
ricidina s.f.
riciela s.f.
ricina s.f.
ricinato s.m.
ricínea s.f.
ricinela s.f.
ricinelaidato s.m.
ricinelaídico adj.
ricinelaidina s.f.
ricinense adj. s.2g.
ricíneo adj.
riciniano adj. s.m.
ricínico adj.
ricinina s.f.
ricinínico adj.
ricínio s.m.
rícino s.m.
ricinocarpo s.m.
ricinocarpóidea s.f.
ricinodendro s.m.
ricinolamida s.f.
ricinolato s.m.
ricinoleato s.m.
ricinoleico (*é* ou *ê*) adj. s.m.
ricinoleína s.f.
ricinoleínico adj.
ricinólico adj.
ricinolina s.f.
ricinolínico adj.
ricinolsulfúrico adj.
rícino-maior s.m.; pl. *rícinos-maiores*
ricinostearato s.m.
ricinosteárico adj.
ricinúleo adj. s.m.
rício s.m.
riciocarpo s.m.
rickardita s.f.
rickéttsia s.f.
rickettsiácea s.f.
rickettsiáceo adj.
rickettsial adj.2g.
rickettsiale s.f.
rickettsiano adj.
rickettsíase s.f.
rickettsiose s.f.
rickettsiótico adj.
ríckia s.f.
rico adj. s.m.
riço adj. s.m.
ricobola s.f.
ricochetar v.
ricochete (*ê*) s.m.; cf. *ricochete*, fl. do v. *ricochetar*
ricocheteado adj.
ricocheteante adj.2g.
ricochetear v.
rico-homem s.m.; pl. *ricos-homens*
ricoiço adj. s.m.
riçol s.f.
ricola s.f.
ricongo s.m.
rico-pobre s.m.; pl. *ricos-pobres*
ricota s.f.
ricótia s.f.
ricouço adj. s.m.
rícquia s.f.
ricto s.m.
rictulária s.f.
rictuoso (*ô*) adj.; f. (*ó*); pl. (*ó*)
ríctus s.m.2n.
ricungo s.m.
ride s.f.
rideiro adj. s.m.
ridela s.f.
ridência s.f.
ridente adj.2g.
ridicar v.
rídico adj.
ridicularia s.f.
ridicularização s.f.
ridicularizado adj.
ridicularizador (*ô*) adj. s.m.
ridicularizante adj.2g.
ridicularizar v.
ridicularizável adj.2g.
ridiculez (*ê*) s.f.
ridiculeza (*ê*) s.f.
ridiculismo s.m.
ridiculização s.f.
ridiculizado adj.
ridiculizador (*ô*) adj.
ridiculizante adj.2g.
ridiculizar v.
ridiculizável adj.2g.

ridículo adj. s.m.
ridiculoso (*ô*) adj.; f. (*ó*); pl. (*ó*)
ridicurela s.f.
rididico s.m.
ridimunho s.m.
ridita adj. s.2g.
ridó s.m.
ridô s.m.
ridólfia s.f.
ridolfita s.f.
ridolfite s.f.
ridor (*ô*) adj. s.m.
riebeckita s.f.
riebeckite s.f.
riebeckítico adj.
riebequita s.f.
riebequite s.f.
riedeliela s.f.
rieira s.f.
rieiro adj. s.m.
riel s.m.
riela s.f.
rielóidea s.f.
riemanite s.f.
riemanniano adj.
riencôurtia s.f.
riense adj. s.2g.
riete s.m.
rifa s.f.
rifada s.f.
rifado adj.
rifador (*ô*) adj. s.m.
rifainense adj. s.2g.
rifamicina s.f.
rifampicina s.f.
rifano adj.
rifão s.m.
rifar v.
rifárgia s.f.
rifaria s.f.
rifável adj.2g.
rifeia (*é*) adj. s.f. de *rifeu*
rifenho adj. s.m.
rifete (*ê*) s.m.
rifeu adj. s.m.; f. *rifeia* (*é*)
rififi s.m.
riflar v.
rifle s.m.
rifo s.m.
rifoneiro s.m.
rifte s.m.
riga s.f.
rigaço s.m.
rigar v.
rigeira s.f.
rígel s.f.
rigente adj.2g.
rigidez (*ê*) s.f.
rigideza (*ê*) s.f.
rígido adj.
rigínia s.f.
rígio adj.
rigiocária s.f.
rigo s.m.
rigodão s.m.
rigódio s.m.
rigol s.m.
rigola s.f.
rigolboche adj.2g.
rigolene s.m.
rigoliz s.f.
rigolô s.m.
rigor (*ô*) s.m.
rigoridade s.f.
rigorismo s.m.
rigorista adj. s.2g.
rigorístico adj.
rigorosidade s.f.
rigoroso (*ô*) adj.; f. (*ó*); pl. (*ó*)
rigosoleno s.m.
rigospira s.f.
rigueifa s.f.
rigvédico adj.
rija s.f.
rijal adj.2g.
rijão s.m.
rijar v.
rijeira s.f.
rijeza (*ê*) s.f.
rijkeboerita s.f.
rijo adj. s.m. adv.
rijoada s.f.
rijões s.m.pl.
rijoso (*ô*) adj.; f. (*ó*); pl. (*ó*)
rijume s.m.
rikbakta adj.2g.2n. s.m.
rikbaktisa adj.2g.2n. s.m.
ril s.m.
rilada s.f.
rilandita s.f.
rilar v.
rile s.m.
rilha-boi s.m.; pl. *rilha-bois*
rilhada adj. s.f.
rilhado adj.
rilhador (*ô*) adj. s.m.
rilhadura s.f.
rilhafolesco (*ê*) adj.
rilhante adj.2g.
rilhar v.
rilheira s.f.
rilheiro s.m.
rilhoso (*ô*) adj.; f. (*ó*); pl. (*ó*)
rilkiano adj. s.m.
rilo s.m.
rim s.m.
rima s.f.
rimação s.f.
rimado adj.
rimador (*ô*) adj. s.m.
rimalho s.m.
rimance s.m.
rimanço s.m.
rimar v.
rimário s.m.
rimático adj.
rimável adj.2g.
rimbombância s.f.
rimbombante adj.2g.
rimbombar v.
rimbombo s.m.
rim-de-boi s.m.; pl. *rins-de-boi*
rímel s.m.
rímico adj.
rimista s.2g.
rimocidina s.f.
rimósia s.f.
rimoso (*ô*) adj.; f. (*ó*); pl. (*ó*)
rimosolo adj. s.m.
rimpilita s.f.
rímula s.f.
rina s.m.
rinacanto s.m.
rinácloa s.f.
rinal adj.2g.
rinalergose s.f.
rinalergótico adj.
rinalgia s.f.
rinálgico adj.
rinantácea s.f.
rinantáceo adj.
rinántea s.f.
rinantina s.f.
rinanto s.m.
rinantóidea s.f.
rinareense adj. s.2g.
rinária s.f.
rinário s.m.
rináspide s.f.
rinasto s.m.
rinaua s.f.
rinçagem s.f.
rincantera s.f.
rincão s.m.
rinçar v.
rincha s.f.
rincha-cavalos s.m.2n.
rinchada s.f.
rinchadeira s.f.
rinchado adj.
rinchador (*ô*) adj.
rinchalar v.
rinchante adj.2g.
rinchanto adj.
rinchão adj. s.m.; f. *rinchona*
rinchão-das-boticas s.m.; pl. *rinchões-das-boticas*
rinchar v.
rinchavelhada s.f.
rinchavelhar v.
rinchavelho (*ê*) s.m.
rincho s.m.
rinchoeiro s.m.
rinchona adj. s.f. de *rinchão*
rincoalho s.m.
rincobatídeo adj. s.m.
rincóbato s.m.
rincobdela s.f.
rincobdélida adj.2g. s.m.
rincobdelídeo adj. s.m.
rincobdélido adj. s.m.
rincobotriídeo adj. s.m.
rincobótrio s.m.
rincocarpo s.m.
rincocefalia s.f.
rincocefálico adj.
rincocéfalo adj. s.m.
rincocéleo adj. s.m.
rincocélio adj. s.m.
rincocelo s.m.
rincociclo s.m.
rincódemo s.m.
rincodo s.m.
rincodonte adj.2g.
rincodontídeo adj. s.m.
rincóforo adj. s.m.
rincoftirino adj. s.m.
rincoglosso s.m.
rincólace s.f.
rincolheira s.f.
rincolita s.f.
ríncolo s.m.
rincolofíneo s.m.
rincólofo s.m.
rincomiia s.f.
rincômio s.m.
ríncomis s.m.2n.
rinconar v.
rinconela s.f.
rinconélia s.f.
rinconelídeo adj. s.m.
rinconense adj. s.2g.
rinconerela s.m.
rinconista adj. s.2g.
rincope s.m.
rincopídeo adj. s.m.
rincopigo s.m.
rincopínea s.f.
rincópora s.m.
rincóps s.m.2n.
rincopsítaco s.m.
rincória s.f.
rincoriza s.f.
rincorriza s.f.
rincósia s.f.
rincospermo adj. s.m.
rincóspora s.f.
rincospóreo adj.
rincósporo adj.
rincosporóidea s.f.
rincossaurídeo adj. s.m.
rincossáurio s.m.
rincostegiela s.f.
rincostégio s.m.
rincostruto s.m.
rincota s.f.
rincote s.m.
rincoteca s.f.
rincoto adj. s.m.
rincotórax (*cs*) s.m.2n.
rincótrope s.f.
rinedema s.m.
rinedemático adj.
rinelcose s.f.
rinelcósico adj.
rinelépide s.f.
rinélepis s.f.2n.
rinêmio s.m.
rínemis s.m.2n.
rinencefalia s.f.
rinencefálico adj.
rinencéfalo s.m.
rinenfráctico adj.
rinenfraxia (*cs*) s.f.
rínequis s.m.2n.
rinestesia s.f.
rinestésico adj.
rinfão adj.
rinfar v.
ringente adj.2g.
ringentifloro adj.
ríngia s.f.; cf. *ringia*, fl. do v. *ringir*
ringícula s.f.
ringiculídeo adj. s.m.
ringideira s.f.
ringideiro adj.
ringido adj. s.m.
ringidor (*ô*) adj.
ringir v.
ringleira s.f.
ringue s.m.
ringwoodita s.f.
rinha s.f.
rinhadeiro s.m.
rinhador (*ô*) adj. s.m.
rinhango s.m.
rinhão s.m.
rinhar v.
rinhedeiro s.m.
rínia s.f.
riniácea s.f.
riniáceo adj.
rinial adj.2g.
riniale s.f.
riniatria s.f.
riníctis s.m.2n.
rinídeo adj. s.m.
rínio s.m.
rínion s.m.
rinismo s.m.
rinite s.f.
rinítico adj.
rinneíta s.f.
rinóbate s.m.
rinobátida adj.2g. s.m.
rinobatídeo adj. s.m.
rinóbato s.m.
rinóbio s.m.
rinoblenorreia (*é*) s.f.
rinobótrio s.m.
rinobrisso s.m.
rinobrônquico adj.
rinobronquite s.f.
rinobronquítico adj.
rinocálamo s.m.
rinocarpo s.m.
rinocefalia s.f.
rinocefálico adj.
rinocéfalo adj. s.m.
rinocerídeo adj. s.m.
rinócero s.m.
rinoceronte s.m.
rinoceronte-branco s.m.; pl. *rinocerontes-brancos*
rinoceronte-da-áfrica s.m.; pl. *rinocerontes-da-áfrica*
rinoceronte-das-índias s.m.; pl. *rinocerontes-das-índias*
rinoceronte-negro s.m.; pl. *rinocerontes-negros*
rinocerôntico adj.
rinóceros s.m.2n.
rinocerota s.m.
rinocerote s.m.
rinocerotídeo adj. s.m.
rinocerotoide (*ó*) adj.2g. s.m.
rinocicla s.f.
rinocifose s.f.
rinocilo s.m.
rinóclise s.f.
rinoclítico adj.
rinocóccix (*cs*) s.m.2n.
rinocola s.f.
rinoconiose s.f.
rinoconiótico adj.
rinocóraco s.m.
rinocórax (*cs*) s.m.2n.
rinocorinura s.f.
rinocóris s.m.2n.
rinocripta s.f.
rinocriptídeo adj. s.m.
rinoderma s.m.
rinoderme s.f.
rinodina s.f.
rinodinia s.f.
rinodínico adj.
rínodon s.m.
rinodonte s.m.
rinodontídeo adj. s.m.
rinodora s.f.
rinodrilo s.m.
rinoespeleíte s.f.
rinoespeleítico adj.
rinofaringe s.f.
rinofaríngeo adj.
rinofaringite s.f.
rinofaringítico adj.
rínofe s.m.
rinofídio adj. s.m.
rinófila s.f.
rinófilo s.m.
rinofima s.m.
rinofimático adj.
rínofis s.m.2n.
rinofone s.m.
rinofonia s.f.
rinofônico adj.
rinofono s.m.
rinoforia s.f.
rinofrino s.m.
rinógale s.f.
rinoglânide s.2g.
rinoglaníneo adj. s.m.
rinóglanis s.2g.2n.
rinolalia s.f.
rinolálico adj.
rinolaringite s.f.
rinolaringítico adj.
rinolaringologia s.f.
rinolaringológico adj.
rinolaringologista adj. s.2g.
rinoleucofenga s.f.
rinoleucofengo s.m.
rinoliquorragia s.f.
rinolitíase s.f.
rinolitiásico s.f.
rinólito s.m.
rinolofídeo adj. s.m.
rinolofíneo adj. s.m.
rinólofo s.m.
rinolofopsila s.f.
rinologia s.f.
rinológico adj.
rinologista adj. s.2g.
rinólogo s.m.
rinômacro s.m.
rinomancia s.f.
rinomanometria s.f.
rinomante s.2g.
rinomântico adj.
rinometria s.f.
rinométrico adj.
rinômetro s.m.
rinomiia s.f.
rinonco s.m.
rinonecrose s.f.
rinonecrosia s.f.
rinonecrótico adj.
rinonemo s.m.
rinonictéride s.f.
rinonícteris s.f.2n.
rinope s.m.
rinopiteco s.m.
rinóplace s.f.
rinoplasta s.2g.
rinoplastia s.f.
rinoplástica s.f.
rinoplástico adj.
rinoplasto s.m.
rínoplax s.f.2n.
rinopolense adj. s.2g.
rinopólipo s.m.
rinopolitano adj. s.m.
rinopoma s.m.
rinopomasto s.m.
rinopomo s.m.
rínops s.m.2n.
rinopsia s.f.
rinóptera s.f.
rinóptero s.m.
rinoptia s.f.
rinóptico adj.
rinóptilo s.m.
rinoqueno s.m.
rinoquetídea s.f.
rinoquetídeo adj. s.m.
rinoqueto s.m.
rinoquilo s.m.
rinorrafia s.f.
rinorráfico adj.
rinorragia s.f.
rinorrágico adj.
rinorreação s.f.
rinorreia (*é*) s.f.

rinorreico (*é*) adj.
rinorta s.f.
rinoscleroma s.m.
rinosclerose s.f.
rinosclerótico adj. s.m.
rinoscópelo s.m.
rinoscopia s.f.
rinoscópico adj.
rinoscópio s.m.
rinose s.f.
rinósimo s.m.
rinosporidiose s.f.
rinosporidiótico adj.
rinossalpingite s.f.
rinossalpingítico adj.
rinossinusite s.f.
rinossinusítico adj.
rinostegnose s.f.
rinostegnótico adj.
rinostenose s.f.
rinostenótico adj.
rinoteca s.f.
rinotermitídeo adj. s.m.
rinótico adj.
rinotomia s.f.
rinotômico adj.
rinótora s.f.
rinotoraide s.f.
rinótrago s.m.
rinotraqueíte s.f.
rinotraqueítico adj.
rinótrico s.m.
rinotriquia s.f.
rinotríquico adj.
rinovacinação s.f.
rinovírus s.m.2n.
rinque s.m.
rinquélitro s.m.
rinquelminte s.f.
rinquélmis s.f.2n.
rinquita s.f.
rinquite s.m.
rinquitíneo adj. s.m.
rinquito s.m.
rinto s.m.
rintônico adj.
rinusa s.f.
rio s.m.
rio-acimense adj. s.2g.; pl. *rio-acimenses*
rio-afonsense adj. s.2g.; pl. *rio-afonsenses*
rio-alegrense adj. s.2g.; pl. *rio-alegrenses*
rio-almense adj. s.2g.; pl. *rio-almenses*
rio-angelense adj. s.2g.; pl. *rio-angelenses*
rio-antense adj. s.2g.; pl. *rio-antenses*
rio-antinhense adj. s.2g.; pl. *rio-antinhenses*
rio-antoniense adj. s.2g.; pl. *rio-antonienses*
rio-areense adj. s.2g.; pl. *rio-areenses*
rio-azulense adj. s.2g.; pl. *rio-azulenses*
rio-bananalense adj. s.2g.; pl. *rio-bananalenses*
rio-barrense adj. s.2g.; pl. *rio-barrenses*
rio-bonense adj. s.2g.; pl. *rio-bonenses*
rio-bonitense adj. s.2g.; pl. *rio-bonitenses*
rio-branquense adj. s.2g.; pl. *rio-branquenses*
rio-branquense-do-sul adj. s.2g.; pl. *rio-branquenses--do-sul*
rio-brilhantense adj. s.2g.; pl. *rio-brilhantenses*
rio-bugrense adj. s.2g.; pl. *rio-bugrenses*
rio-caixense adj. s.2g.; pl. *rio-caixenses*
rio-calçadense adj. s.2g.; pl. *rio-calçadenses*
rio-campense adj. s.2g.; pl. *rio-campenses*
rio-carolinense adj. s.2g.; pl. *rio-carolinenses*
rio-casquense adj. s.2g.; pl. *rio-casquenses*
rio-cedrense adj. s.2g.; pl. *rio-cedrenses*
rio-chatense adj. s.2g.; pl. *rio-chatenses*
rio-cinzense adj. s.2g.; pl. *rio-cinzenses*
rio-clarense adj. s.2g.; pl. *rio-clarenses*
rio-concepcionense adj. s.2g.; pl. *rio-concepcionenses*
rio-contense adj. s.2g.; pl. *rio-contenses*
rio-correntense adj. s.2g.; pl. *rio-correntenses*
rio-d'unense adj. s.2g.; pl. *rio-d'unenses*
riodina s.f.
riodinídeo adj. s.m.
rio-docense adj. s.2g.; pl. *rio-docenses*
rio-donense adj. s.2g.; pl. *rio-donenses*
riodonorês s.m.
rio-dulcense adj. s.2g.; pl. *rio-dulcenses*
rio-esperense adj. s.2g.; pl. *rio-esperenses*
rio-florense adj. s.2g.; pl. *rio-florenses*
rio-formosense adj. s.2g.; pl. *rio-formosenses*
rio-fortunense adj. s.2g.; pl. *rio-fortunenses*
rio-frio s.m.; pl. *rios-frios*
rio-fundense adj. s.2g.; pl. *rio-fundenses*
rio-furnense adj. s.2g.; pl. *rio-furnenses*
rio-grandense adj. s.2g.; pl. *rio-grandenses*
rio-grandense-do-norte adj. s.2g.; pl. *rio-grandenses-do-norte*
rio-grandense-do-piauí adj. s.2g.; pl. *rio-grandenses-do--piauí*
rio-grandense-do-sul adj. s.2g.; pl. *rio-grandenses-do-sul*
rio-grandinense adj. s.2g.; pl. *rio-grandinenses*
rio-grandino adj. s.m.; pl. *rio-grandinos*
rioja s.m.
riojano adj. s.m.
riolandense adj. s.2g.
rio-larguense adj. s.2g.; pl. *rio-larguenses*
rio-limpense adj. s.2g.; pl. *rio-limpenses*
riolita s.f.
riolite s.f.
riolítico adj.
riolito s.m.
riólito s.m.
rio-mainense adj. s.2g.; pl. *rio-mainenses*
rio-maiorense adj. s.2g.; pl. *rio-maiorenses*
rio-mansense adj. s.2g.; pl. *rio-mansenses*
rio-mariano adj. s.m.; pl. *rio-marianos*
rio-matense adj. s.2g.; pl. *rio-matenses*
rio-meense adj. s.2g.; pl. *rio-meenses*
rio-mortense adj. s.2g.; pl. *rio-mortenses*
rio-negrense adj. s.2g.; pl. *rio-negrenses*
rio-negrinhense adj. s.2g.; pl. *rio-negrinhenses*
rionita s.f.
rionorês s.m.
rio-novense adj. s.2g.; pl. *rio-novenses*
rio-novense-do-sul adj. s.2g.; pl. *rio-novenses-do-sul*
rio-oestense adj. s.2g.; pl. *rio-oestenses*
rio-ostrense adj. s.2g.; pl. *rio-ostrenses*
rio-palmense adj. s.2g.; pl. *rio-palmenses*
rio-paranaibano adj. s.m.; pl. *rio-paranaibanos*
rio-paranaibense adj. s.2g.; pl. *rio-paranaibenses*
rio-pardense adj. s.2g.; pl. *rio-pardenses*
rio-pardinhense adj. s.2g.; pl. *rio-pardinhenses*
rio-parnaibano adj. s.m.; pl. *rio-parnaibanos*
rio-pedrense adj. s.2g.; pl. *rio-pedrenses*
rio-peixense adj. s.2g.; pl. *rio-peixenses*
rio-pequenense adj. s.2g.; pl. *rio-pequenenses*
rio-pinhalense adj. s.2g.; pl. *rio-pinhalenses*
rio-piracicabense adj. s.2g.; pl. *rio-piracicabenses*
rio-pirense adj. s.2g.; pl. *rio-pirenses*
rio-platense adj. s.2g.; pl. *rio-platenses*
rio-pombense adj. s.2g.; pl. *rio-pombenses*
rio-pousense adj. s.2g.; pl. *rio-pousenses*
rio-pradense adj. s.2g.; pl. *rio-pradenses*
rio-pratense adj. s.2g.; pl. *rio-pratenses*
rio-pretano adj. s.m.; pl. *rio-pretanos*
rio-pretense adj. s.2g.; pl. *rio-pretenses*
riopteleácea s.f.
riopteleáceo adj.
rio-quentense adj. s.2g.; pl. *rio-quentenses*
rio-quinzense adj. s.2g.; pl. *rio-quinzenses*
rio-realense adj. s.2g.; pl. *rio-realenses*
rio-salense adj. s.2g.; pl. *rio-salenses*
rio-saltense adj. s.2g.; pl. *rio-saltenses*
rio-santense adj. s.2g.; pl. *rio-santenses*
riosca s.f.
rio-sonense adj. s.2g.; pl. *rio-sonenses*
rioste s.m.
rióstona s.m.
rio-sulense adj. s.2g.; pl. *rio-sulenses*
rio-sulino adj. s.m.; pl. *rio--sulinos*
rio-sulista adj. s.2g.; pl. *rio--sulistas*
rio-telhense adj. s.2g.; pl. *rio-telhenses*
rio-testense adj. s.2g.; pl. *rio-testenses*
rio-tintense adj. s.2g.; pl. *rio-tintenses*
rio-unense adj. s.2g.; pl. *rio-unenses*
rio-varzeense adj. s.2g.; pl. *rio-varzeenses*
rio-verdense adj. s.2g.; pl. *rio-verdenses*
rio-verdino adj. s.m.; pl. *rio-verdinos*
rio-vermelhense adj. s.2g.; pl. *rio-vermelhenses*
riozinhense adj. s.2g.
ripa s.f.
ripada s.f.
ripadeira s.f.
ripado adj. s.m.
ripadoiro s.m.
ripador (*ô*) s.m.
ripadouro s.m.
ripadura s.f.
ripagem s.f.
ripal adj.2g.
ripamento s.m.
ripançado adj.
ripançar v.
ripanço s.m.
ripão s.m.; f. *ripona*
ripar v. adj.2g.
ripária s.f.; cf. *riparia*, fl. do v. *ripar*
ripário adj.
riparoclópio s.m.
riparocromo s.m.
riparofagia s.f.
riparofágico adj.
riparofilia s.f.
riparofílico adj.
riparófilo s.m.
riparofobia s.f.
riparofóbico adj.
riparófobo s.m.
riparografia s.f.
riparográfico adj.
riparorógrafo s.m.
ripeia (*é*) adj. s.f. de *ripeu*
ripeira s.f.
ripeiro adj. s.m.
ripeta (*ê*) s.f.
ripeu adj. s.m.; f. *ripeia* (*é*)
ripia s.f.
ripiado adj.
ripicéfalo s.m.
ripicefalose s.f.
ripícera s.f.
ripícola adj.2g.
ripidáster s.m.
ripíde s.f.
ripídia s.f.
ripidiíneo adj. s.m.
ripídio s.m.
ripidocéfalo s.m.
ripidócera s.f.
ripidocerídeo adj. s.m.
ripidócero s.m.
ripidodendro s.m.
ripidoforídeo adj. s.m.
ripidóforo s.m.
ripidoglossa s.f.
ripidoglosso adj. s.m.
ripidolita s.f.
ripidolite s.f.
ripidolítico adj.
ripidólito s.m.
ripidômio s.m.
ripidómis s.m.2n.
ripidópteris s.f.2n.
ripidórnis s.2g.2n.
ripidornite s.2g.
ripidura s.m.
ripiforídeo adj. s.m.
ripiforíneo adj. s.m.
ripiforme adj.2g.
ripíforo s.m.
ripiglossa s.f.
ripiglosso adj. s.m.
ripina s.f.
rípio s.m.
ripiptérige s.f.
ripípterix (*cs*) s.f.2n.
ripíptero adj. s.m.
ripiste s.m.
ripo s.m.
ripóbio s.m.
ripolém s.m.
ripona s.f. de *ripão*
riponga s.2g.
riponita s.f.
riponite s.f.
riposta s.f. "resposta incisiva"; cf. *reposta*
ripostado adj.
ripostar v. "rebater a estocada"; cf. *repostar*
rípsale s.f.
ripsálide s.f.
ríptico s.m.
ripuário adj. s.m.
rique s.m.
riqueifa s.f.
riquelita s.f.
riquelite s.f.
riquéria s.m.f.
riquesu s.m.
riquétsia s.f.
riquetsiácea s.f.
riquetsiáceo adj.
riquetsial adj.
riquetsiale s.f.
riquetsiano adj.
riquetsiose s.f.
riquetsiótico adj.
riquexó s.m.
riqueza (*ê*) s.f.
riquezense adj. s.2g.
ríquia s.f.
riquichito s.m.
riquixá s.m.
rir v.
ri-ri s.m.; pl. *ri-ris* e *ris-ris*
risa s.f.
risada s.f.
risadagem s.f.
risadaria s.f.
risadinha s.f.
risanza s.f.
risão adj.; f. *risona*
risbordo s.m.
risca s.f.
riscação s.f.
riscada s.f.
riscadeira s.f.
risca de união s.f.
riscadilho s.m.
riscadinha s.f.
riscadinho s.m.
riscado adj. s.m.
riscador (*ô*) adj. s.m.
riscadura s.f.
riscagem s.f.
riscamento s.m.
riscanhada s.f.
riscanhado adj.
riscanhar v.
riscante s.m.
riscão s.m.
riscar v.
riscazita s.f.
risco s.m.
riscoso (*ô*) adj.; f. (*ó*); pl. (*ó*)
riscote s.m.
risdale s.m.
riseíta s.f.
riseíte s.f.
risibilidade s.f.
risilóquio s.m.
risinho s.f.
risível adj.2g.
riso s.m. "sorriso"; cf. *rizo*, fl. do v. *rizar*
risodídeo adj. s.m.
risodo s.m.
risoerita s.f.
risona adj.; f. de *risão*
risonho adj.
risope s.m.
risops s.m.2n.
risor (*ô*) adj. s.m.
risório adj. s.m.
risota s.f. "riso irônico"; cf. *rizota*
risote adj. s.2g.
risoteiro adj.
risoto (*ô*) s.m. "iguaria"; cf. *rizoto* (*ô*)
rispidez (*ê*) s.f.
rispideza (*ê*) s.f.
ríspido adj.
rissa s.f.
risseíte s.f.
rissemo s.m.
rissiano adj.
risso s.m.
rissoiídeo adj. s.m.
rissoina s.m.
rissole s.m.
rissômato s.m.
rissonoto s.m.
riste s.m.
ristela s.f.
ristilo s.m.
ristina s.f.

ristocetina s.f.
rita s.f.
ritacne s.f.
ritaforme s.m.
ritangueira s.f.
ritão s.m.
ritapolense adj. s.2g.
riteba s.f.
riteira s.f.
ritelminte s.f.
ritende s.m.
ritense adj. s.2g.
ritião s.m.
rítida adj.2g. s.m.
ritidectomia s.f.
ritidectômico adj.
ritidelminte s.f.
ritidiácea s.f.
ritidiáceo adj.
ritidiadelfo s.m.
ritídio s.m.
ritidócero s.m.
ritidofilo s.m.
ritidoma s.m.
ritidomático adj.
ritidômico adj.
ritidoplastia s.f.
ritidoplástico adj.
ritidorrino s.m.
ritidose s.f.
ritidósia s.f.
ritifleia (*é*) s.f.
ritigínia s.f.
ritina s.f.
ritingerita s.f.
ritingerite s.f.
rítio s.m.
ritiodere s.m.
ritiodo s.m.
ritirrino s.m.
ritisma s.m.
ritismo s.m.
ritmado adj.
ritmador (*ô*) adj. s.m.
ritmar v.
ritmável adj.2g.
rítmica s.f.
ritmicidade s.f.
rítmico adj.
ritmista adj. s.2g.
ritmítico adj.
ritmito s.m.
ritmizar v.
ritmo s.m.
ritmófono s.m.
ritmométrico adj.
ritmômetro s.m.
ritmopeia (*é*) s.f.
ritmopeico (*é*) adj.
ritmoterapia s.f.
ritmoterápico adj.
rito s.m.
ritologista s.m.
ríton s.m.
ritonde s.m.
ritornelar v.
ritornelo s.m.
ritquíea s.f.
ritrodilo s.m.
ritrodonte s.m.
ritrodontômio s.m.
ritrodôntomis s.m.2n.
ritrógena s.f.
ritrosciúro s.m.
ritteriano adj. s.m.
ritual adj.2g. s.m.
ritualesco (*ê*) adj.
ritualismo s.m.
ritualista adj. s.2g.
ritualístico adj.
ritualização s.f.
ritualizado adj.
ritualizador (*ô*) adj. s.m.
ritualizante adj.2g.
ritualizar v.
rituco s.m.
ritumba s.f.
rituti s.m.
riúta s.f.
rivadavita s.f.
rivaíta s.f.
rival adj. s.2g.
rivalidade s.f.
rivalização s.f.
rivalizado adj.
rivalizador (*ô*) adj.
rivalizante adj.2g.
rivalizar v.
rivalizável adj.2g.
rivanol s.m.
rívea s.f.
rivélia s.f.
rivense adj. s.2g.
riversideíta s.f.
riversulense adj. s.2g.
rivícola adj.2g.
rivina s.f.
rivínea s.f.
rivínia s.f.
rivotita s.f.
rivotite s.f.
rívula s.f.
rivulária s.f.
rivulariácea s.f.
rivulariáceo adj.
rivulídeo s.m.
rivulina s.f.
rívulo s.m.
rixa s.f.
rixador (*ô*) adj. s.m.
rixar v.
rixento adj.
rixoso (*ô*) adj.; f. (*ó*); pl. (*ó*)
riz s.m.
rizado adj.
rizadura s.f.
rizagra s.f.
rizagrotis s.f.2n.
rizalito s.f.
rizamina s.f.
rizanglíneo adj. s.m.
rizântea s.f.
rizânteo adj.
rizanto adj. s.m.
rizar v.
rizeco s.m.
rizícola adj. s.2g.
rizicultor (*ô*) adj. s.m.
rizicultura s.f.
rizicultural adj.2g.
rizidiácea s.f.
rizidiáceo adj.
rizídio s.m.
riziforme adj.2g.
rizina s.f.
rizinácea s.f.
rizináceo adj.
rizino s.m.
riziófise s.f.
rizóbia s.f.
rizobiácea s.f.
rizobiáceo adj.
rizóbio s.m.
rizoblasto s.m.
rizobolácea s.f.
rizoboláceo adj.
rizóbolo s.m.
rizocalina s.f.
rizocárpea s.f.
rizocárpico adj.
rizocárpio adj. s.m.
rizocarpo adj.
rizocéfalo adj. s.m.
rizoclônio s.m.
rizócrino s.m.
rizóctone s.f.
rizoctônia s.f.
rizoctônio s.m.
rizoctoniose s.f.
rizóctono s.m.
rizodo s.m.
rizodontripia s.f.
rizodontropia s.f.
rizoeco s.m.
rizofagia s.f.
rizofágico adj.
rizofagídeo adj. s.m.
rizófago adj. s.m.
rizofarácea s.f.
rizofaráceo adj.
rizofídio s.m.
rizofilidácea s.f.
rizofilidáceo adj.
rizofilo adj. s.m. "vegetal cujas folhas produzem raízes"; cf. *rizófilo*
rizófilo adj. "radicícola"; cf. *rizofilo*
rizofisa s.m.
rizófise s.f.
rizofísida adj.2g. s.m.
rizofisídeo adj. s.m.
rizófito s.m.
rizoflagelado adj. s.m.
rizófora s.f.
rizoforácea s.f.
rizoforáceo adj.
rizoforale s.f.
rizofórea s.f.
rizofóreo adj.
rizóforo adj. s.m.
rizoforóidea s.f.
rizógena s.f.
rizogenia s.f.
rizogênico adj.
rizógeno adj. s.m.
rizogéton s.m.
rizóglifo s.m.
rizogoniácea s.f.
rizogoniáceo adj.
rizogônio s.m.
rizógono adj.
rizografia s.f.
rizográfico adj.
rizógrafo s.m.
rizoidal adj.2g.
rizoide (*ó*) adj.2g. s.m.
rizólise s.f.
rizolita s.f.
rizolítico adj.
rizólito s.m.
rizologia s.f.
rizológico adj.
rizologista s.2g.
rizólogo s.m.
rizoma s.m.
rizômanas s.2g.2n.
rizomania s.f.
rizomaníaco adj.
rizomastigácea s.f.
rizomastigáceo adj.
rizomastigídeo adj. s.m.
rizomastigino adj. s.m.
rizomático adj.
rizomatose s.f.
rizomatoso (*ô*) adj.; f. (*ó*); pl. (*ó*)
rizomélico adj.
rizomeningomielite s.f.
rizomério s.m.
rizômero s.m.
rizomínico adj.
rizômio s.m.
rizomirma s.f.
rizomis s.m.2n.
rizomoide (*ó*) s.m.
rizomônada s.f.
rizomonadídeo adj. s.m.
rizomoptéride s.f.
rizomorfa s.f.
rizomorfo adj. s.m.
rizoníquio s.m.
rizonita s.f.
rizonite s.f.
rizopatronita s.f.
rizoperta s.f.
rizoplan s.m.
rizoplano s.m.
rizoplasta s.m.
rizopo s.m.
rizópode adj.2g. s.m.
rizopódico adj.
rizopódio adj. s.m.
rizópodo adj. s.m.
rizopogão s.m.
rizopógon s.m.
rizopsâmia s.f.
rizopsamíneo adj. s.m.
rizopterina s.f.
rizoquilo s.m.
rizosfera s.f.
rizosolênia s.f.
rizospermácea s.f.
rizospermáceo adj.
rizospérmea s.f.
rizospérmeo adj.
rizospermo adj.
rizossolênia s.f.
rizossoleniácea s.f.
rizossoleniáceo adj.
rizostímeo adj. s.m.
rizóstoma s.m.
rizostômeo s.m.
rizostômico adj.
rizostomídeo adj. s.m.
rizóstomo adj. s.m.
rizota s.m. "animal"; cf. *risota*
rizotáctico adj.
rizotático adj.
rizotaxia (*cs*) s.f.
rizótero s.m.
rizótipe s.f.
rizoto adj. s.m. "animal metazoário"; cf. *risoto* (*ô*)
rizotomia s.f.
rizotômico adj.
rizótomo s.m.
rizotonia s.f.
rizotonicidade s.f.
rizotônico adj.
rizotrogo s.m.
rizoxênia (*cs*) s.f.
rízula s.f.
rô s.m.
roalo adj. s.m.
roânia s.f.
roaz adj.2g. s.m.
roaz-de-bandeira s.m.; pl. *roazes-de-bandeira*
robafo s.m.
robalão s.m.
robaleira s.f.
robalete (*ê*) s.m.
robaliço s.m.
robalinho s.m.
robalo s.m.
robalo-aratanha s.m.; pl. *robalos-aratanha* e *robalos-aratanhas*
robalo-bicudo s.m.; pl. *robalos-bicudos*
robalo-branco s.m.; pl. *robalos-brancos*
robalo-de-areia s.m.; pl. *robalos-de-areia*
robalo-de-galha s.m.; pl. *robalos-de-galha*
robalo-estoque s.m.; pl. *robalos-estoque* e *robalos-estoques*
robalo-flecha s.m.; pl. *robalos-flecha* e *robalos-flechas*
robalo-miraguaia s.m.; pl. *robalos-miraguaia* e *robalos-miraguaias*
robaz s.m.
róbbia s.f.
robe s.m.
robechar v.
robelasita s.f.
robellasita s.f.
robenhausiano adj.
robenhausiense adj.2g.
róber s.m.
robércia s.f.
roberciano adj.
robertense adj. s.2g.
robértia s.f.
robertiano adj. s.m.
roberto adj.
robértsia s.f.
robertsita s.f.
roberval s.f.
robervaliano adj. s.m.
robespierriano (*èr*) adj.
robespierrismo (*èr*) s.m.
robespierrista (*èr*) adj. s.2g.
róbia s.f.
robigálias s.f.pl.
robina s.f.
robínia s.f.
robínia-comum s.f.; pl. *robínias-comuns*
robínia-do-novo-méxico s.f.; pl. *robínias-do-novo-méxico*
robínia-falsa-acácia s.f.; pl. *robínias-falsa-acácia* e *robínias-falsas-acácias*
robínia-híspida s.f.; pl. *robínias-híspidas*
robínia-viscosa s.f.; pl. *robínias-viscosas*
robínico adj.
robinina s.f.
robinose s.f.
robinsonada s.f.
robinsoniano adj.
robinsonita s.f.
robissão s.m.
roble s.m.
robledo (*ê*) s.m.
roblingita s.f.
robô s.m.
roboão s.m.
roboleira s.f.
róbor s.m.
robora s.f.
roboração s.f.
roborado adj.
roborador (*ô*) adj. s.m.
roborante adj.2g.
roborar v.
roborativo adj.
roborável adj.2g.
roboredo (*ê*) s.m.
robóreo adj.
roborite s.f.
roborito s.m.
roborizado adj.; cf. *ruborizado*
roborizar v. "roborar"; cf. *ruborizar*
robótica s.f.
robótico adj.
robotização s.f.
robotizado adj.
robotizador (*ô*) adj.
robotizante adj.2g.
robotizar v.
robotizável adj.2g.
roboviro s.m.
robovírus s.m.2n.
robsônia s.f.
róbur s.m.
roburita s.f.
roburite s.f.
robusta s.2g.
robustecedor (*ô*) adj.
robustecer v.
robustecido adj.
robustecimento s.m.
robustez (*ê*) s.f.
robusteza (*ê*) s.f.
robustidade s.f.
robustidão s.f.
robustino adj. s.m.
robusto adj.
roca s.m.f.
roça s.f.
rocada s.f.
roçada s.f.
roca-de-eva s.f.; pl. *rocas-de-eva*
roca-de-flores s.f.; pl. *rocas-de-flores*
rocadeira s.f.
roçadeira s.f.
roçadeiro adj.
roçadela s.f.
roçadense adj. s.2g.
roçadilho s.m.
roçadinho s.m.
rocado adj. s.m.
roçado s.m.
roçadoira s.f.
roçador (*ô*) adj. s.m.
roçadoura s.f.
roçadouro adj.
roçadura s.f.
roca-forte s.f.; pl. *rocas-fortes*
roçagante adj.2g.
roçagar v.
roçagem s.f.
roça-grandense adj. s.2g.; pl. *roça-grandenses*

rocal adj.2g. s.m.
rocalha s.f.
rocalhar v.
rocalhoso (*ô*) adj.; f. (*ó*); pl. (*ó*)
rocalite s.f.
rocamador (*ô*) s.m.
roçamalha s.f.
roça-marinha s.f.; pl. *rocas-marinhas*
rocambolaria s.f.
rocambole s.m.
rocamboleria s.f.
rocambolesco (*ê*) adj.
rocambólico adj.
rocambolismo s.m.
roçamento s.m.
roçamonte s.m.
roçana s.f.
roça-novense adj. s.2g.; pl. *roça-novenses*
rocanso s.m.
roçante adj.2g.
rocão s.m.
rocar v.
roçar v.
roçaria s.f.
roca-salense adj. s.2g.; pl. *roca-salenses*
rocaz adj.2g. s.m.
roce s.m.
rocedão s.m.
rocega s.f.
rocegada s.f.
rocegado adj.
rocegador (*ô*) adj.
rocegante adj.2g.
rocegar v.
roceira s.f.
roceirama s.f.
roceiro adj. s.m.
roceiro-planta s.m.; pl. *roceiros-planta* e *roceiros-plantas*
rocela s.f.
rocelácea s.f.
roceláceo adj.
rocelato s.m.
rocélico adj.
rocelina s.f.
rocena s.m.
rocerama s.f.
rocha s.f. "pedra"; cf. *roxa* (*ô*)
rochaz adj.2g.
rocheadura s.f.
rochedense adj. s.2g.
rochedinhense adj. s.2g.
rochedo (*ê*) s.m.
rochedura s.f.
rócheo adj.
rochete (*ê*) s.m.
rochidura s.f.
rochina s.f.
rochinha adj.2g.
rochoso (*ô*) adj.; f. (*ó*); pl. (*ó*)
rociada s.f.
rociado adj.
rociante adj.2g.
rociar v.
rocim s.m.
rocinal adj.2g.
rocinante s.m.
rocinar v.
rocinela s.f.
rocinha s.f.
rocio s.m. "orvalho"; cf. *rócio* e *rossio*
rócio s.m. "orgulho"; cf. *rocio* e *rossio*
rocioso (*ô*) adj.; f. (*ó*); pl. (*ó*)
rockbridgeíta s.f.
roclar v.
rocló s.m.
rocmóptero s.m.
rocó s.m.
roço s.m. "presunção" etc.; cf. *roço* (*ô*)
roço (*ô*) s.m. "sulco em pedra ou parede" etc.; cf. *roço*
rococó adj.2g. s.m.
roçoeiro s.m.
roconota s.f.
rocororé s.m.
roda s.f. interj.
rodácea s.f.
rodáceo adj.
roda-coroa s.f.; pl. *rodas-coroa* e *rodas-coroas*
rodactíneo adj. s.m.
rodáctis s.f.2n.
roda da fortuna s.f. "sorte"
roda-da-fortuna s.f. "espécie de planta"; pl. *rodas-da-fortuna*
roda-d'água s.f.; pl. *rodas-d'água*
rodada s.f.
roda de navalhas s.f.
roda de pau s.f.
roda de proa s.f.
roda de são gonçalo s.f.
rodado adj. s.m.
rodador (*ô*) adj.
roda dos altos coices s.f.
rodagem s.f.
roda-gigante s.f.; pl. *rodas-gigantes*
rodágio s.m.
rodal s.m.
rodalho s.m.
rodália s.f.
rodalídeo adj. s.m.
rodalita s.f.
rodalite s.f.
roda-livre s.f.; pl. *rodas-livres*
rodalósio s.m.
rodamento s.m.
roda-mestra s.f.; pl. *rodas-mestras*
rodamina s.f.
rodamínico adj.
rodamite s.f.
rodâmnia s.f.
rodamoinho s.m.
rodamontada s.f.
rodamonte adj.2g. s.m.
rodamôntico adj.
rodanato s.m.
rodaniano adj.
rodânico adj.
rodaniense adj.2g.
rodanita s.f.
rodanite s.f.
rodanito s.m.
rodanogênio s.m.
rodanta s.f.
rodante adj.2g. s.m.
rodão s.m.
roda-pagode s.f.; pl. *rodas-pagode* e *rodas-pagodes*
rodapé s.m.
roda-pisa s.f.; pl. *roda-pisas*
rodaque s.m.
rodar v. s.m.
rodareia (*é*) s.f.
rodária s.f.; cf. *rodaria*, fl. do v. *rodar*
rodarseniana s.f.
rodarseniano adj.
rodato s.m.
rodavalho s.m.
rodável adj.2g.
roda-vinho s.m.; pl. *rodas-vinho* e *rodas-vinhos*
roda-viva s.f.; pl. *rodas-vivas*
ródea s.f.
rodeado adj.
rodeador (*ô*) adj. s.m.
rodeamento s.m.
rodeante adj.2g.
rodear v. s.m.
rodeense adj. s.2g.
rodeiense adj. s.2g.
rodeíneo adj. s.m.
rodeio s.m.
rodeio-bonitense adj. s.2g.; pl. *rodeio-bonitenses*
rodeira s.f.
rodeirense adj. s.2g.
rodeiro adj. s.m.
rodeite s.f.
rodejar v.
rodel s.m.
rodela adj. s.2g. s.f.
rodelano adj. s.m.
rodeleira s.f.
rodeleiro adj. s.m.
rodelha (*ê*) s.f.
rodelinha s.f.
rodelista adj. s.2g.
rodelo (*ê*) s.m.
rodendrano s.m.
rodense adj. s.2g.
rodenticida adj. s.2g.
rodenticídio s.m.
ródeo s.m.
rodeol s.m.
rodeorético adj.
rodeoretinol s.m.
rodeose s.f.
rodesiano adj. s.m.
rodesita s.f.
rodeta (*ê*) s.f.
rodete (*ê*) s.m.
rodgérsia s.f.
ródia s.f.
rodíaco adj.
rodiagem s.f.
rodício s.m.
rodicita s.f.
ródico adj.
rodiense adj. s.2g.
rodilha s.f.
rodilhado adj. s.m.
rodilhão s.m.
rodilhar v.
rodilheiro s.m.
rodilho s.m.
rodilhona s.f.
rodilhudo adj.
rodim s.m.
rodimênia s.f.
rodimeniácea s.f.
rodimeniáceo adj.
rodimenial adj.2g.
rodimeniales s.f.pl.
rodinal s.m.
rodine s.m.
rodingita s.f.
rodingite s.f.
rodinha s.f.
rodinol s.m.
ródio adj. s.m.
rodíola s.f.
rodíolo s.m.
rodiosca s.f.
rodiota adj. s.2g.
rodista adj. s.2g.
rodita s.f.
rodite s.f.
rodito s.m.
rodízia s.f.; cf. *rodizia*, fl. do v. *rodiziar*
rodiziar v.
rodízio s.m.; cf. *rodizio*, fl. do v. *rodiziar*
rodizita s.f.
rodizite s.f.
rodizonato s.f.
rodizônico adj.
ródnio s.m.
rodo (*ô*) s.m.; cf. *rodo*, fl. do v. *rodar*
rodoarseniano s.m.
rodoarseniato s.m.
rodobacilo s.m.
rodobacteriácea s.f.
rodobacteriáceo adj.
rodobacteriínea s.f.
rodobactério s.m.
rodocálice s.m.
rodócera s.f.
rodociânico adj.
rodoclorita s.f.
rodoclorite s.f.
rodoclorítico adj.
rodococose s.f.
rodocórtão s.m.
rodocorto s.m.
rodocórton s.m.
rodocromatita s.f.
rodocromatite s.f.
rodocromatítico adj.
rodocromatito s.m.
rodocrômio s.m.
rodocrosita s.f.
rodocrosite s.f.
rodocrosítico adj.
rodocrosito s.m.
rododáctilo adj.
rododátilo adj.
rododendrácea s.f.
rododendráceo adj.
rododêndrea s.f.
rododêndreo adj.
rododendro s.m.
rododendróidea s.f.
rododrilíneo adj. s.m.
rododrilo s.m.
rodófano s.m.
rodofeia (*é*) s.f.
rodoferrovia s.f.
rodoferrovial adj.2g.
rodoferroviário adj. s.m.
rodofícea s.f.
rodofíceo adj.
rodofiláctico adj.
rodofilaxia (*cs*) s.f.
rodofile s.f.
rodofilidácea s.f.
rodofilidáceo adj.
rodofilina s.f.
rodofilita s.f.
rodofilite s.f.
rodofilo s.m.
rodofisa s.f.
rodofise s.f.
rodofisita s.f.
rodofisite s.f.
rodófita s.f.
rodófito s.m.
rodofosfita s.f.
rodofosfite s.f.
rodofosfito s.m.
rodogáster s.m.
rodogástreo adj.
rodogástria s.f.
rodogastro adj.
rodogênese s.f.
rodografia s.f.
rodográfico adj.
rodografista s.2g.
rodógrafo s.m.
rodoiça s.f.
rodoide (*ó*) s.m.
rodoiro s.m.
rodolego (*ê*) s.m.
rodoleia s.f.
rodoleira s.f.
rodoleiro s.m.
rodolena s.f.
rodoleuco adj.
rodolfinas s.f.pl.
rodolfino adj.
rodolfo-fernandense adj. s.2g.; pl. *rodolfo-fernandenses*
rodolho (*ô*) s.m.
rodólia s.f.
rodolita s.f.
rodolite s.f.
rodolito s.m.
rodólito s.m.
rodologia s.f.
rodológico adj.
rodologista adj. s.2g.
rodólogo s.m.
rodomão s.m.
rodomel s.m.
rodômel s.m.
rodômela s.f.
rodomelácea s.f.
rodomeláceo s.f.
rodomélea s.f.
rodoméleo adj.
rodomelo s.m.
rodômetra s.m.
rodomicetina s.f.
rodomirto s.m.
rodomoça (*ô*) s.f.
rodomoinhar v.
rodomoinho s.m.
rodomontada s.f.
rodomonte adj.2g. s.m.
rodomôntico adj.
rodonalgia s.f.
rodonálgico adj.
rodônea s.f.
rodôneo adj.
rodonessa s.f.
rodoneura s.f.
rodoniquia s.f.
rodonita s.f.
rodonite s.f.
rodonítico adj.
rodonito s.m.
rodopeia (*é*) adj. s.f. de *rodopeu*
rodopelo (*ê*) s.m.
rodopeno adj.
rodopéquis s.m.2n.
rodopeto (*ê*) s.m.
rodopeu adj. s.f.; f. *rodopeia* (*é*)
rodopiado adj.
rodopiador (*ô*) adj.
rodopiante adj.2g.
rodopiar v.
rodopiável adj.2g.
rodopina s.f.
rodopio s.m.
rodópis s.f.2n.
rodoplastídio s.m.
rodoporfirina s.f.
rodopsâmia s.m.
rodopsina s.f.
rodóptero adj.
rodoquetácea s.f.
rodoquetáceo adj.
rodoquina s.f.
rodoquitão s.m.
rodóquiton s.m.
rodora s.f.
rodorácea s.f.
rodoráceo adj.
rodosoma s.m.
rodóspata s.f.
rodospermo adj.
rodospiza s.f.
rodospório s.m.
rodósporo s.m.
rodossoma s.m.
rodóstaque s.m.
rodostáquis s.m.2n.
rodostécia s.m.
rodostétia s.m.
rodóstomo adj.
rodostrófia s.f.
rodotamno s.m.
rodotanato s.m.
rodotânico adj.
rodotilita s.f.
rodotilite s.f.
rodótipo s.m.
rodouça s.f.
rodovalho s.m.
rodovia s.f.
rodovial adj.2g.
rodoviária s.f.
rodoviário adj. s.m.
rodoviolascina s.f.
rodoxantina (*cs*) s.f.
rodozita s.f.
rodriga s.f.
rodrigão s.m.
rodrigar v.
rodrigo adj. s.m.
rodrigo-afonso s.m.; pl. *rodrigos-afonsos*
rodriguézia s.f.
rodrigueziopse s.m.
rodriguiano adj. s.m.
rodriguice s.f.
rodriguinho s.m.
rodubado adj.
rodura s.f.
rodusita s.f.
roeadina s.f.
roeblingita s.f.
roeblingite s.f.
roeblinguita s.f.
roedderita s.f.
roedeira s.f.
roedeiro s.m.
roederioide (*ó*) s.m.
roedoiro s.m.
roedor (*ô*) adj. s.m.

roedouro s.m.
roedura s.f.
roel s.m.
roelmana s.f.
roeméria s.f.
roemeriano adj.
roemerita s.f.
roemerite s.f.
roemerito s.m.
roendo adj. s.m.
roenita s.f.
roentgen s.m.
roentgenabreugrafia s.f.
roentgendiagnóstico s.m.
roentgenfotografia s.f.
roentgenfotográfico adj.
roentgenismo s.m.
roentgenita s.f.
roentgenização s.f.
roentgenocinematografia s.f.
roentgenocinematográfico adj.
roentgenofotografia s.f.
roentgenofotográfico adj.
roentgenografia s.f.
roentgenográfico adj.
roentgenologia s.f.
roentgenológico adj.
roentgenologista adj. s.2g.
roentgenometria s.f.
roentgenométrico adj.
roentgenopelvimetria s.f.
roentgenoscopia s.f.
roentgenoscópico adj.
roentgenoterapeuta s.2g.
roentgenoterapêutico adj.
roentgenoterapia s.f.
roentgenoterápico adj.
roentgenterapeuta s.2g.
roentgenterapêutica s.f.
roentgenterapêutico adj.
roentgenterapia s.f.
roentgenterápico adj.
roeperita s.f.
roeperite s.f.
roepperita s.f.
roer v.
roesélia s.f.
roesslerita s.f.
roesslerite s.f.
roetisita s.f.
roetisite s.f.
roetléria s.f.
rofegado adj.
rofego (*ê*) s.m.
rofo (*ô*) adj. s.m.
rofoteira s.f.
rofoteiro adj.
roga s.f.
rogação s.f.
rogaciano adj. s.m.
rogada s.f.
rogado adj.
rogador (*ô*) adj. s.m.
rogadora (*ô*) adj. s.f.
rogal adj.2g.
rogante adj.2g.
rogar v. "suplicar"; cf. *rugar*
rogaria s.f.
rogativa s.f.
rogativo adj.
rogatória s.f.
rogatório adj.
rogável adj.2g.
rogeira s.f.
rogéria s.f.
rogersita s.f.
rogersite s.f.
roggianita s.f.
rogiera s.f.
rogo (*ô*) s.m.; cf. *rogo*, fl. do v. *rogar*
rogueira s.f.
rohaíta s.f.
rohânia s.f.
roicisso s.m.
rói-coiro s.m.; pl. *rói-coiros*
rói-couro s.m.; pl. *rói-couros*
roídea s.f.
roído adj.
róidsia s.f.
roidsióidea s.f.
roiena s.f.
roila adj. s.2g.
roipteleácea s.f.
roipteleáceo adj.
rói-rói s.m.; pl. *rói-róis*
roixinol s.m.
rojado adj.
rojador (*ô*) adj. s.m.
rojão s.m.
rojão de viola s.m.
rojar v.
rojásia s.f.
rojo (*ô*) adj. s.m.; cf. *rojo*, fl. do v. *rojar*
rojoada s.f.
rojoneador (*ô*) adj. s.m.
rojonear v.
rol s.m.
rola s.f. "deriva"; cf. *rola* (*ô*)
rola (*ô*) s.f. "pomba"; cf. *rola* s.f. e fl. do v. *rolar*
rola-azul s.f.; pl. *rolas-azuis*
rola-bagaço s.m.; pl. *rolas-bagaço* e *rolas-bagaços*
rola-bosta s.m.; pl. *rola-bostas*
rolaça s.f.
rola-cabocla s.f.; pl. *rolas-caboclas*
rola-caldo-de-feijão s.f.; pl. *rolas-caldo-de-feijão* e *rolas-caldos-de-feijão*
rola-capa s.m.; pl. *rolas-capa* e *rolas-capas*
rola-carijó s.f.; pl. *rolas-carijós*
rola-cascavel s.f.; pl. *rolas-cascavel* e *rolas-cascavéis*
rolada s.f.
rola-de-fernando s.f.; pl. *rolas-de-fernando*
roladeira s.f.
rola-de-são-josé s.f.; pl. *rolas-de-são-josé*
rolado adj.
rola-do-mar s.f.; pl. *rolas-do-mar*
rolador (*ô*) adj. s.m.
roladorense adj. s.2g.
rola-dos-bosques s.f.; pl. *rolas-dos-bosques*
rolagem s.f.
rola-gemedeira s.f.; pl. *rolas-gemedeiras*
rola-grande s.f.; pl. *rolas-grandes*
rola-marinha s.f.; pl. *rolas-marinhas*
rolamento s.m.
rolança s.f.
rolandense adj. s.2g.
rolândia s.f.
rolandiana s.f.
rolandiano adj.
rolândico adj.
rolandiense adj. s.2g.
rolandino adj.
rolandra s.f.
rolândreo adj.
rolante adj.2g. s.f.
rolantear v.
rolantense adj. s.2g.
rolão adj. s.m.
rola-pajeú s.f.; pl. *rolas-pajeú* e *rolas-pajeús*
rola-pau s.m.; pl. *rolas-pau* e *rolas-paus*
rola-pedrês s.f.; pl. *rolas-pedreses*
rola-pequena s.f.; pl. *rolas-pequenas*
rolar v.
rola-rola s.m.; pl. *rola-rolas* e *rolas-rolas*
rola-roxa s.f.; pl. *rola-roxas*
rola-sangue-de-boi s.f.; pl. *rolas-sangue-de-boi*
rola-vaqueira s.f.; pl. *rolas-vaqueiras*
rola-vermelha s.m.; pl. *rolas-vermelhas*
rolaz s.m.
rolbélia s.f.
rolda s.f.
roldado adj.
roldana s.f.
roldanesco (*ê*) adj.
roldão s.m.
roldar v.
roldeado adj.
roldear v.
roldoniano adj.
rolé s.m. "passeio"; cf. *rolê*
rolê s.m. "movimento de capoeira" etc.; cf. *rolé*
roleira s.f.
roleiro adj. s.m.
roleta (*ê*) s.f.
roletado adj.
roletamento s.m.
roleta-paulista s.f.; pl. *roletas-paulistas*
roletar v.
roleta-russa s.f.; pl. *roletas-russas*
rolete (*ê*) s.m. "pequeno rolo"; cf. *rolete*, fl. do v. *roletar*
roleteador (*ô*) adj. s.m.
roletear v.
roleteiro s.m.
roleto (*ê*) s.m. "pequeno rolo"; cf. *roleto*, fl. do v. *roletar*
rolha (*ô*) s.f.; cf. *rolha*, fl. do v. *rolhar*
rolhado adj.
rolhador (*ô*) s.m.
rolhadura s.f.
rolha-espécie s.f.; pl. *rolhas-espécie* e *rolhas-espécies*
rolhagem s.f.
rolhante adj.2g.
rolhão s.m.
rolhar v.
rolharia s.f.
rolheira s.f.
rolheiro adj. s.m.
rolheta (*ê*) s.f.
rolhete (*ê*) s.m.
rolhista adj. s.2g.
rolho (*ô*) adj. s.m.; cf. *rolho*, fl. do v. *rolhar*
roliçado adj.
roliçar v.
roliço adj.
rolieiro s.m.
rolim s.m.
rolimã s.m.
rolimorense adj. s.2g.
rolinha s.f.
rolinha-branca s.f.; pl. *rolinhas-brancas*
rolinha-caldo-de-feijão s.f.; pl. *rolinhas-caldo-de-feijão* e *rolinhas-caldos-de-feijão*
rolinha-carijó s.f.; pl. *rolinhas-carijós*
rolinha-cascavel s.f.; pl. *rolinhas-cascavel* e *rolinhas-cascavéis*
rolinha-do-mar s.f.; pl. *rolinhas-do-mar*
rolinha-do-planalto s.f.; pl. *rolinhas-do-planalto*
rolínia s.f.
roliniopse s.m.
rolista adj. s.2g.
rollínia s.f.
rolo (*ô*) s.m.; cf. *rolo*, fl. do v. *rolar*
rolo de fumo s.m.
rolotê s.m.
rom adj. s.2g. s.m.
romã s.f.
romã-brava s.f.; pl. *romãs-bravas*
romagem s.f.
romaica s.f.
romaico adj. s.m.
romaleocáris s.m.2n.
romalho s.m.
romana s.f.
romanadeira s.f.
romanal s.m.
romança s.f.
romançada s.f.
romançaria s.f.
romance adj.2g. s.m.
romanceação s.f.
romanceado adj.
romanceador (*ô*) adj. s.m.
romanceante adj.2g.
romancear v.
romancearia s.f.
romanceável adj.2g.
romanceco s.m.
romanceiro adj. s.m.
romanceria s.f.
romance-rio s.m.; pl. *romances-rio* e *romances-rios*
romancete (*ê*) s.m.
romanche adj.2g. s.m.
romancice s.f.
romancilho s.m.
romancismo s.m.
romancista adj. s.2g.
romancístico adj.
romanço adj. s.m.
romançório s.m.
romando adj. s.m.
romanear v.
romanechita s.f.
romaneio s.m.
romaneira s.f.
romanesca (*ê*) s.f.
romanescado adj.
romanescar v.
romanesco (*ê*) adj. s.m.
romanhês adj. s.m.
romanho s.m.
romanhol adj. s.m.
romanholo adj. s.m.
romani s.m.
români s.m.
romania s.f.
romanichel s.m.
romanicista adj. s.2g.
românico adj. s.m.
romanidade s.f.
romanim s.m.
romanisco adj.
romanismo s.m.
romanista adj. s.2g.
romanística s.f.
romanístico adj.
romanita s.f.
romanização s.f.
romanizado adj.
romanizador (*ô*) adj.
romanizante adj. s.2g.
romanizar v.
romanizável adj.2g.
romano adj. s.m.
romano-árabe adj.2g.; pl. *romano-árabes*
romano-bizantino adj.; pl. *romano-bizantinos*
romano do rei s.m.
romanofilia s.f.
romanófilo adj. s.m.
romanofobia s.f.
romanófobo adj. s.m.
romanologia s.f.
romanológico adj.
romanologista adj. s.2g.
romanólogo s.m.
romanopexia (*cs*) s.f.
romanoscópio s.m.
romantesco (*ê*) adj.
romântica s.f.
romanticão s.m.
romantice s.f.
romanticidade s.f.
romanticismo s.m.
romanticista adj. s.2g.
romanticístico adj.
romântico adj. s.m.
romantismo s.m.
romantista s.2g.
romantístico adj.
romantização s.f.
romantizado adj.
romantizador (*ô*) adj. s.m.
romantizante adj.2g.
romantizar v.
romantizável adj.2g.
romanzófia s.f.
romanzovita s.f.
romão adj. s.m.
romãoense adj. s.2g.
romãozinho s.m.
romar v.
romarense adj. s.2g.
romari adj. s.2g.
romaria s.f.
romariense adj. s.2g.
romãzeira s.f.
romãzeira-anã s.f.; pl. *romãzeiras-anãs*
romãzeira-brava s.f.; pl. *romãzeiras-bravas*
romãzeiral s.m.
rombado adj.
rombarsenita s.f.
rombarsenite s.f.
rombencefálico adj.
rombencéfalo s.m.
rômbico adj.
rombífero adj.
rombifoliado adj.
rombifólio adj.
rombiforme adj.2g.
rombo adj. s.m.
rombocéfalo s.f.
rombocelo s.m.
romboclásio s.m.
rombódera s.f.
rombododecaédrico adj.
rombododecaedro s.m.
romboédrico adj.
romboedro s.m.
rombófrine s.f.
romboglosso s.m.
rombógnato s.m.
romboidal adj.2g. s.m.
romboide (*ó*) adj.2g. s.m.
romboidíctis s.m.2n.
rombômero s.m.
rombômis s.m.2n.
rômbomis s.m.2n.
rombopalpo s.m.
romboporia s.f.
rombopórico adj.
rombóporo adj. s.m.
romboptila s.f.
romborrina s.f.
rombosólea s.f.
rombospermo adj.
rombospório adj. s.m.
rombósporo adj.
rombozoário adj. s.m.
rombudo adj.
romeco adj. s.m.
romeico (*é*) adj. s.m.
romeína s.f.
romeira s.f.
romeira-anã s.f.; pl. *romeiras-anãs*
romeira-brava s.f.; pl. *romeiras-bravas*
romeira-da-granada s.f.; pl. *romeiras-da-granada*
romeira-de-flor-dobrada s.f.; pl. *romeiras-de-flor-dobrada*
romeira-doce s.f.; pl. *romeiras-doces*
romeiral s.m.
romeira-ordinária s.f.; pl. *romeiras-ordinárias*
romeirinho s.m.
romeiro s.m.
romeíta s.f.
romeíte s.f.
romeíto s.m.
romela s.f.
romelandense adj. s.2g.
romelandiense adj. s.2g.
romélio adj. s.m.
romeliota adj. s.2g.
romenho s.m.
romenismo s.m.

romenista adj. s.2g.
romenístico adj.
romeno adj. s.m.
romenofalante adj. s.2g.
romenofonia s.f.
romenófono adj. s.m.
romesentar v.
rometal s.m.
romeu s.m.
romeu e julieta s.m.
rominhol s.m.
romípeta s.2g.
romite s.f.
romneia (*é*) s.f.
romneica (*é*) s.f.
romonia s.f.
rompante adj.2g. s.m.
rompantoso (*ô*) adj.; f. (*ó*); pl. (*ó*)
rompão s.m.
rompedeira s.f.
rompedor (*ô*) adj. s.m.
rompedura s.f.
rompe-galas s.m.2n.
rompe-gibão s.m.; pl. *rompe-gibões*
rompente adj.2g.
romper v.
rompesada s.f.
rompe-saias s.f.2n.
rompida s.f.
rompido adj.
rompimento s.m.
rompível adj.
rom-rom s.m.; pl. *rom-rons*
romular s.m.
romúlea s.f.
romúlida adj. s.2g.
ronábea s.f.
ronca s.f.
roncã adj.; f. de *roncão*
roncada s.f.
roncadeira s.f.
roncadense adj. s.2g.
roncado adj.
roncadoiro s.m.
roncador (*ô*) adj. s.m
roncadorense adj. s.2g.
roncador-taboca s.m.; pl. *roncadores-taboca* e *roncadores-tabocas*
roncadouro s.m.
roncadura s.f.
roncal s.m.
roncalha s.f.
roncante adj.2g.
roncão adj.; f. *roncã*
roncar v.
roncaria s.f.
rونçaria s.f.
ronca-ronca s.m.; pl. *ronca-roncas*
roncável adj.2g.
roncaz s.m.
roncear v.
ronceirice s.f.
ronceirismo s.m.
ronceiro adj.
roncha s.f.
ronchar v.
roncice s.f.
roncinado adj.
roncinela s.f.
ronco adj. s.m. "ruído" etc.; cf. *roncó*
roncó s.m. "camarinha"; cf. *ronco*
roncolho (*ô*) adj. s.m.
roncor (*ô*) s.m.
ronda s.f.
ronda-altense adj. s.2g.; pl. *ronda-altenses*
rondado adj.
rondador (*ô*) adj. s.m.
rondante adj. s.2g.
rondão s.m.
rondar v.
rondé s.m.
rondear v.
rondel s.m.
rondelécia s.f.
rondelecíea s.f.
rondeletíneo adj. s.m.
rondeme s.m.
rondinha s.f.
rondinhense adj. s.2g.
rondinho s.m.
rondista adj. s.2g.
rondiz s.m.
rondo s.m. "letra redonda"; cf. *rondó*
rondó s.m. "poema"; cf. *rondo*
rondola adj.2g.
rondon s.m.
rondonense adj. s.2g.
rondoniano adj. s.m.
rondoniano-do-pará adj. s.m.; pl. *rondonianos-do-pará*
rondoniense adj. s.2g.
rondonopolitano adj. s.m.
rone s.m.
ronflante adj.2g.
ronflar v.
ronga adj. s.2g.
rongalite s.m.
ronge s.m.
rongó s.f.
ronha s.f.
ronhento adj.
ronhice s.f.
ronhoso (*ô*) adj.; f. (*ó*); pl. (*ó*)
ronhura s.f.
ronim s.2g.
roninhas s.2g.2n.
rono s.m.
ronqueado adj.
ronqueador (*ô*) s.m.
ronquear v.
ronqueira s.f.
ronquejador (*ô*) adj. s.m.
ronquejante adj.2g.
ronquejar v.
ronquém adj.2g.; cf. *ronquem*, fl. do v. *roncar*
ronquenho adj.
ronquidão s.f.
ronquido s.m.
ronronado adj.
ronronador (*ô*) adj. s.m.
ronronante adj.2g.
ronronar v.
ronsardiano adj. s.m.
ronsardista adj. s.2g.
rontó s.m.
rooseveltiano (*ru*) adj.
rooseveltita (*ru*) s.f.
rópala s.f.
ropaláctis s.f.2n.
ropalastro s.m.
ropáldia s.f.
ropálico adj.
ropálio s.m.
rópalo s.m.
ropalocampta s.f.
ropalocânio s.m.
ropalocarpo s.m.
ropalócero adj. s.m.
ropalocneme s.f.
ropalódia s.f.
ropalodíctio s.m.
ropalodina s.f.
ropalóforo s.f.
ropalômelo s.m.
ropalômera s.f.
ropalomerídeo adj. s.m.
ropalona s.m.
ropalonema s.m.
ropalopsilo s.m.
ropalose s.f.
ropalósico adj.
ropalostilo s.m.
rópia s.f.
ropografia s.f.
ropográfico adj.
ropógrafo s.m.
ropoteiro adj. s.m.
róptria s.f.
roque s.m.
roqueá s.m.
roque-de-castro s.m.; pl. *roques-de-castro*
roquefor (*ór*) s.m.
roque-gonzalense adj. s.2g.; pl. *roque-gonzalenses*
roqueia s.f.
roqueira s.f.
roqueirada s.f.
roqueiro adj. s.m.
roquelinho s.m.
roqueló s.m.
roquense adj. s.2g.
roque-roque s.m.; pl. *roque-roques*
roquesita s.f.
roqueta (*ê*) s.f.
roquete (*ê*) s.m.
roquiano adj. s.m.
roquilha s.f.
roquinha s.f.
roquinho s.m.
ror (*ô*) s.m.
roraimense adj.
rorante adj.2g.
rorar v.
rorário s.m.
rorejado adj.
rorejante adj.2g.
rorejar v.
rorejo (*ê*) s.m.
rorela s.f.
rórico adj.
rórido adj.
rorídula s.f.
roridulácea s.f.
roriduláceo adj.
rorífero adj.
rorífluo adj.
roripa s.f.
ró-ró s.m.; pl. *ró-rós*
rorocoré s.m.
rorqual s.m.
rorqual-gigante s.m.; pl. *rorquais-gigantes*
rosa adj.2g.2n. s.f.
rosa-albardeira s.f.; pl. *rosas-albardeiras*
rosa-almiscarada s.f.; pl. *rosas-almiscaradas*
rosa-amarela s.f.; pl. *rosas-amarelas*
rosa-amélia s.f.; pl. *rosas-amélia* e *rosas-amélias*
rosa-bandalha s.f.; pl. *rosas-bandalhas*
rosa-bilanca s.f.; pl. *rosas-bilanca* e *rosas-bilancas*
rosa-branca s.f.; pl. *rosas-brancas*
rosa-brava s.f.; pl. *rosas-bravas*
rosaça s.f.
rosa-canina s.f.; pl. *rosas-caninas*
rosácea s.f.
rosáceo adj.
rosa-chá s.f.; pl. *rosas-chá* e *rosas-chás*
rosácico adj.
rosacrucianismo s.m.
rosacrucianista adj. s.2g.
rosacrucianístico adj.
rosa-cruz s.m.f.; pl. *rosa-cruzes*
rosa-cruzar v.
rosa-cruzismo s.m.; pl. *rosa-cruzismos*
rosa-cruzista adj. s.2g.; pl. *rosa-cruzistas*
rosa-cruzístico adj.; pl. *rosa-cruzísticos*
rosada s.f.
rosa-da-china s.f.; pl. *rosas-da-china*
rosa-da-índia s.f.; pl. *rosas-da-índia*
rosa-damascena s.f.; pl. *rosas-damascenas*
rosa-da-montanha s.f.; pl. *rosas-da-montanha*
rosa-da-turquia s.f.; pl. *rosas-da-turquia*
rosa de agulha s.f.
rosa-de-bem-fazer s.f.; pl. *rosas-de-bem-fazer*
rosa-de-bobo s.f.; pl. *rosas-de-bobo*
rosa-de-caboclo s.f.; pl. *rosas-de-caboclo*
rosa-de-cachorro s.f.; pl. *rosas-de-cachorro*
rosa-de-cão s.f.; pl. *rosas-de-cão*
rosa-de-cem-folhas s.f.; pl. *rosas-de-cem-folhas*
rosa-de-chão s.f.; pl. *rosas-de-chão*
rosa-de-defunto s.f.; pl. *rosas-de-defunto*
rosa-de-gueldres s.f.; pl. *rosas-de-gueldres*
rosa-de-guelres s.f.; pl. *rosas-de-guelres*
rosa-de-jericó s.f.; pl. *rosas-de-jericó*
rosa-de-jericó-verdadeira s.f.; pl. *rosas-de-jericó-verdadeiras*
rosa-de-lobo s.f.; pl. *rosas-de-lobo*
rosa-de-musgo s.f.; pl. *rosas-de-musgo*
rosa-de-nossa-senhora s.f.; pl. *rosas-de-nossa-senhora*
rosa-de-ouro s.f.; pl. *rosas-de-ouro*
rosa-de-páscoa s.f.; pl. *rosas-de-páscoa*
rosa-de-são-francisco s.f.; pl. *rosas-de-são-francisco*
rosa-de-toucar s.f.; pl. *rosas-de-toucar*
rosa-de-vênus s.f.; pl. *rosas-de-vênus*
rosadinha s.f.
rosado adj. s.m.
rosa-do-bem-fazer s.f.; pl. *rosas-do-bem-fazer*
rosa-do-campo s.f.; pl. *rosas-do-campo*
rosa-do-céu s.f.; pl. *rosas-do-céu*
rosa-do-japão s.f.; pl. *rosas-do-japão*
rosa-do-mato s.f.; pl. *rosas-do-mato*
rosa dos rumos s.f.
rosa dos ventos s.f.
rosa-do-ultramar s.f.; pl. *rosas-do-ultramar*
rosa-francesa s.f.; pl. *rosas-francesas*
rosaginina s.f.
rosagrana s.f.
rosa-grega s.f.; pl. *rosas-gregas*
rosa-inca s.f.; pl. *rosas-incas*
rosa-infalível s.f.; pl. *rosas-infalíveis*
rosal adj.2g. s.m.
rosalana s.f.
rosalandense adj. s.2g.
rosale s.f.
rosalense adj. s.2g.
rosalgar adj. s.2g. s.m.
rosalgarino adj.
rosália s.f.
rosálias s.f.pl.
rosálico adj.
rosaliense adj. s.2g.
rosa-limense adj. s.2g.; pl. *rosa-limenses*
rosalina s.f.
rosalindense adj. s.2g.
rosa-louca s.f.; pl. *rosas-loucas*
rosalvo adj.
rosa-madeira s.f.; pl. *rosas-madeira* e *rosas-madeiras*
rosa-maravilha adj.2g.2n. s.m.; pl. *rosas-maravilha* e *rosas-maravilhas*
rosa-marinha s.f.; pl. *rosas-marinhas*
rosa-mesquita s.f.; pl. *rosas-mesquita* e *rosas-mesquitas*
rosa-mijona s.f.; pl. *rosas-mijonas*
rosamina s.f.
rosa-moscada s.f.; pl. *rosas-moscadas*
rosa-mosqueta s.f.; pl. *rosas-mosqueta* e *rosas-mosquetas*
rosa-náutica s.f.; pl. *rosas-náuticas*
rosanense adj. s.2g.
rosanilina s.f.
rosantreno s.m.
rosão s.m.
rosa-palmeirão s.f.; pl. *rosas-palmeirão* e *rosas-palmeirões*
rosa-paulista s.f.; pl. *rosas-paulistas*
rosapolitano adj. s.m.
rosa-primitiva s.f.; pl. *rosas-primitivas*
rosar v.
rosarense adj. s.2g.
rosariense adj. s.2g.
rosariense-do-sul adj. s.2g.; pl. *rosarienses-do-sul*
rosário s.m.
rosário-bravo s.m.; pl. *rosários-bravos*
rosário-catetense adj. s.2g.; pl. *rosário-catetenses*
rosário de ifá s.m.
rosário-de-jambri s.m.; pl. *rosários-de-jambri*
rosário-de-jambu s.m.; pl. *rosários-de-jambu*
rosário-oestense adj. s.2g.; pl. *rosário-oestenses*
rosarista adj. s.2g.
rosa-rúbida s.f.; pl. *rosas-rúbidas*
rosa-rubra s.f.; pl. *rosas-rubras*
rosa-selvagem s.f.; pl. *rosas-selvagens*
rosa-shocking adj.2g.2n. s.m.; pl. do s.m. *rosas-shocking*
rosa-silvestre s.f.; pl. *rosas-silvestres*
rosasita s.f.
rosas-pálidas s.f.pl.
rosa-vermelha s.f.; pl. *rosas-vermelhas*
rosas-vermelhas s.f.pl.
rosato s.m.
rosbife s.m.
rosca (*ô*) s.f.; cf. *rosca*, fl. do v. *roscar*
rosca de mula s.f.
roscado adj.
roscador (*ô*) adj.
roscadora (*ô*) s.f.
rosca para mulas s.f.
roscar v.
róscea s.f.
roscherita s.f.
róscido adj.
roscioso (*ô*) adj.; f. (*ó*); pl. (*ó*)
roscoelita s.f.
roscoelite s.f.
roscoelítico adj.
roscoélito s.m.
roscofe adj.2g. s.m.
rose s.m.
roseado adj.
roseador (*ô*) adj.
roseano adj. s.m.
roseante adj.2g.
rosear v.
roseável adj.2g.
roseína s.f.
roseira s.f.
roseira-almiscarada s.f.; pl. *roseiras-almiscaradas*
roseira-brava s.f.; pl. *roseiras-bravas*
roseira-canina s.f.; pl. *roseiras-caninas*
roseira-de-damasco s.f.; pl. *roseiras-de-damasco*
roseira-do-japão s.f.; pl. *roseiras-do-japão*
roseira-do-mato s.f.; pl. *roseiras-do-mato*

roseira-francesa s.f.; pl. *roseiras-francesas*
roseiral s.m.
roseiralense adj. s.2g.
roseira-rubra s.f.; pl. *roseiras-rubras*
roseira-silvestre s.f.; pl. *roseiras-silvestres*
roseirense adj. s.2g.
roseirista s.2g.
roseiro adj.
rosela s.f.
roselana s.f.
roselha (*ê*) s.f.
roselha-grande s.f.; pl. *roselhas-grandes*
rosélia s.f.
roselincose s.f.
roselínea s.f.
roselíneo adj.
roselínia s.f.
roseliniose s.f.
roseliniótico adj.
roselita s.f.
roselite s.f.
rosélito s.m.
rosema s.f.
rosenbuschita s.f.
rosenbuschite s.f.
rosenhahnita s.f.
rosênia s.f.
rosenita s.f.
rosental s.m.
rosente adj.2g.
róseo adj. s.m.
roséola s.f.
roseolar adj.2g.
roseólico adj.
róseo-purpúreo adj.; pl. *róseo-purpúreos*
roseta (*ê*) s.f.
roseta-de-pernambuco s.f.; pl. *rosetas-de-pernambuco*
roseta-de-santa-catarina s.f.; pl. *rosetas-de-santa-catarina*
rosetado adj.
rosetão s.m.
rosetar v.
roseta-rasteira s.f.; pl. *rosetas-rasteiras*
rosete (*ê*) adj.2g.
roseteado adj.
rosetear v.
roseteiro adj. s.m.
rosianismo s.m.
rosianista adj. s.2g.
rosianístico adj.
rosiano adj.
rosickyita s.f.
rosicler adj.2g. s.m.
rosicrucianismo s.m.
rosicrucianista adj. s.2g.
rosicrucianístico adj.
rosicultor (*ô*) s.m.
rosicultura s.f.
rosieresita s.f.
rosiflor (*ô*) adj.2g.
rosiflora s.f.
rosigastro adj.
rosilha s.f.
rosilho adj. s.m.
rosiluminoso (*ô*) adj.; f. (*ó*); pl. (*ó*)
rosina s.f.
rosindulina s.f.
rosínea s.f.
rosinha s.f.
rosinol s.m.
rósio adj. s.m.
rosismo s.m.
rosista adj.2g.
rosita s.f.
rosite s.f.
rosito s.m.
rosmânia s.f.
rosmaninhal s.m.
rosmaninhar v.
rosmaninho s.m.
rosmaninho-bravo s.m.; pl. *rosmaninhos-bravos*
rosmaninho-maior s.m.; pl. *rosmaninhos-maiores*
rosmaninho-verde s.m.; pl. *rosmaninhos-verdes*
rosmano s.m.
rosmarínea s.f.
rosmarinho s.m.
rosmarino s.m.
rosmaro s.m.
rosmear v.
rosminiano adj. s.m.
rosnada s.f.
rosnadeira s.f.
rosnadela s.f.
rosnado adj. s.m.
rosnador (*ô*) adj. s.m.
rosnadura s.f.
rosnar v.
rosnatório s.m.
rosnento adj.
rosnido s.m.
rosnorar v.
rosofenina s.f.
rosóidea s.f.
rosolato s.m.
rosólico adj.
rosólio s.m.
rosolita s.f.
rosolítico adj.
rosolito s.m.
rosólito s.m.
rosqueado adj.
rosqueador (*ô*) adj. s.m.
rosquear v.
rosquedo (*ê*) s.m.
rosquete (*ê*) s.m.
rosquilha s.f.
rosquilho s.m.
rosquinha s.f.
rosquinha-do-campo s.f.; pl. *rosquinhas-do-campo*
rosquinho s.m.
rossela s.m.
rosselídeo adj. s.m.
róssia s.f. "molusco"; cf. *rocia*, fl. do v. *rociar*
rossiada s.f.
rossiana s.f.
rossilhona s.f.
rossiniano adj.
rossinismo s.m.
rossinista adj. s.2g.
rossinístico adj.
rossio s.m. "praça"; cf. *rocio* s.m., fl. do v. *rociar* e *rócio*
rossita s.f.
rossolis s.m.2n.
rossólis s.m.2n.
rostão s.m.
rosteamento s.m.
rostear v.
rostelária s.f.
rostelo (*ê*) s.m.
rosterita s.f.
rosterite s.f.
rosterito s.m.
rosti s.m.
rostideira s.f.
rostido adj.
rostilhada s.f.
rostilhante adj.2g.
rostilhar v.
rostir v. "maltratar"; cf. *rustir*
rosto (*ô*) s.m.
rostolhada s.f.
rostolho (*ô*) s.m.
rostornita s.f.
rostornite s.f.
rostornito s.m.
rostrado adj.
rostral adj.2g.
rostrária s.f.
rostrato adj.
rostrátula s.f.
rostratulídeo adj. s.m.
rostraulídeo s.m.
róstrico adj.
rostricórneo adj.
rostrífero adj.
rostriforme adj.2g.
rostrilho s.m.
rostro (*ó*) s.m.
rostrum (*rós*) s.m.
rosulado adj.
rosulária s.f.
rosulho s.m.
rosura s.f.
rota s.f.
rotação s.f.
rotáceo adj.
rotacional adj.2g. s.m.
rotacismo s.m.
rotacista adj. s.2g.
rotada s.f.
rotador (*ô*) adj. s.m.
rotala s.f.
rotália s.f.
rotaliatina s.f.
rotalídeo adj. s.m.
rotalíneo adj. s.m.
rotaloide (*ó*) adj. s.2g.
rotâmetro s.m.
rotante adj.2g.
rotar v.
rotariano adj. s.m.
rotário adj. s.m.
rotativa s.f.
rotatividade s.f.
rotativismo s.m.
rotativista adj. s.2g.
rotativístico adj.
rotativo adj.
rotatório adj. s.m.
rotavírus s.m.2n.
rotbélia s.f.
rotbérgia s.f.
roteação s.f.
roteado adj.
roteador (*ô*) adj. s.m.
roteadura s.f.
rotear v.
rotearia s.f.
roteictiíneo adj. s.m.
roteíctis s.m.2n.
roteirano adj. s.m.
roteirense adj. s.2g.
roteirismo s.m.
roteirista adj. s.2g.
roteirístico adj.
roteirização s.f.
roteirizado adj.
roteirizar v.
roteiro s.m.
rotejar v.
rotela s.f.
rotelina s.f.
roteliogravura s.f.
rotenona s.f.
rotenone s.m.
rotenônico adj.
roterdamês adj. s.m.
rótfer s.m.
rotfone s.m.
rothbérgia s.f.
rothfone s.m.
rothoffita s.f.
rótia s.f.
rotífero adj. s.m.
rotiforme adj.2g.
rotim s.m.
rotina s.f. "hábito"; cf. *rutina*
rotinário adj.
rotineira s.f.
rotineiro adj. s.m.
rotinho s.m.
rotinice s.f.
rotinização s.f.
rotinizado adj.
rotinizador (*ô*) adj.
rotinizante adj.2g.
rotinizar v.
rotinizável adj.2g.
rotissaria s.f.
rotlera s.f.
rotlerina s.f.
roto (*ô*) adj. s.m.; cf. *roto*, fl. do v. *rotar*
rotocalcografia s.f.
rotocalcográfico adj.
rotoduplicador (*ô*) s.m.
rotoestereotipia s.f.
rotoestereotípico adj.
rotofita s.f.
rotofite s.f.
rotofoto s.f.
rotográfico adj.
rotogravador (*ô*) s.m.
rotogravar v.
rotogravura s.f.
rotoimpressão s.f.
rotoína s.f.
rótolo s.m. "peso egípcio"; cf. *rótulo*
rotomagense adj. s.2g.
rotometalografia s.f.
rotometalográfico adj.
rotoplano adj.
rotor (*ô*) s.m.
rotoria s.f.
rotorrelevo (*ê*) s.m.
rotoscópio s.m.
rototipa s.f.
rotótipa s.f.
rotroenge s.f.
rotruenge s.f.
rotschíldia s.f.
rottboéllia s.f.
rottlera s.f.
rottlerina s.f.
rótula s.f.; cf. *rotula*, fl. do v. *rotular*
rotulação s.f.
rotulado adj. s.m.
rotulador (*ô*) adj. s.m.
rotuladora (*ô*) s.f.
rotulagem s.f.
rotulamento s.m.
rotulante adj.2g.
rotular v. adj.2g.
rotulável adj.2g.
rotuliano adj.
rótulo s.m. "letreiro"; cf. *rotulo*, fl. do v. *rotular*, e *rótolo*
rotuloide (*ó*) adj.2g. s.m.
rotunda s.f.
rotundense adj.2g.
rotundícolo adj.
rotundidade s.f.
rotundifólio adj.
rotundiventre adj.2g.
rotundo adj.
rotura s.f.
rouba s.f.
roubação s.f.
roubada s.f.
roubadia s.f.
roubado adj.
roubador (*ô*) adj. s.m.
rouba-honras s.2g.2n.
roubalheira s.f.
rouba-monte s.m.; pl. *rouba-montes*
roubar v.
roubaultita s.f.
roubável adj.2g.
roubo s.m.
rouca s.f.
rouçado adj.
rouçador (*ô*) adj. s.m.
roucanho adj.
roução adj. s.m.
rouçar v.
rouceiro adj. s.m.
rouco adj.
rouço s.m.
roucura s.f.
roufenhar v.
roufenho adj.
rougécio (*ru*) s.m.
rougemontita s.f.
rougemontite (*ru*) s.f.
rougemontito (*ru*) s.m.
roulínia s.f.
roupa s.f.
roupa-branca s.f.; pl. *roupas-brancas*
roupa de franceses s.f.
roupado adj.
roupagem s.f.
roupala s.f.
roupão s.m.
roupar v.
rouparia s.f.
roupa-solta s.f.; pl. *roupas-soltas*
roupa-velha s.f.; pl. *roupas-velhas*
roupa-velheiro s.m.; pl. *roupas-velheiros*
roupeira s.f.
roupeiro adj. s.m.
roupélia s.f.
roupeta (*ê*) s.m.f.
roupetão s.m.
roupido adj.
roupinha s.f.
roupiquinha s.f.
roupudo adj. s.m.
rouqueijo s.m.
rouqueira s.f.
rouquejado adj.
rouquejante adj.2g.
rouquejar v.
rouquenho adj.
rouquento adj.
rouquice s.f.
rouquidão s.f.
rouquido s.m.
rôurea s.f.
roureopse s.m.
rousseauísmo (*russô-ismo*) s.m.
rousseauísta (*russô-ista*) adj. s.2g.
rousseauístico (*russô-ístico*) adj.
rousseaunianismo (*russô-nianismo*) s.m.
rousseaunianista (*russô-nianista*) adj. s.2g.
rousseaunianístico (*russô-nianístico*) adj.
rousseauniano (*russô-niano*) adj.
rousseaunismo (*russô-nismo*) s.m.
rousseaunista (*russô-nista*) adj. s.2g.
rousseaunístico (*russô-nístico*) adj.
rousseto s.m.
roussetto s.m.
routhierita s.f.
rouval adj.2g.
rouvilito s.m.
rouxinol s.m.
rouxinolar v.
rouxinol-bravo s.m.; pl. *rouxinóis-bravos*
rouxinol-da-muralha s.m.; pl. *rouxinóis-da-muralha*
rouxinol-das-caniças s.m.; pl. *rouxinóis-das-caniças*
rouxinol-de-encontro-amarelo s.m.; pl. *rouxinóis-de-encontro-amarelo*
rouxinol-de-espadana s.m.; pl. *rouxinóis-de-espadana*
rouxinol-de-java s.m.; pl. *rouxinóis-de-java*
rouxinol-de-manaus s.m.; pl. *rouxinóis-de-manaus*
rouxinol-de-muralha s.m.; pl. *rouxinóis-de-muralha*
rouxinol-do-campo s.m.; pl. *rouxinóis-do-campo*
rouxinol-do-mato s.m.; pl. *rouxinóis-do-mato*
rouxinol-do-rio-negro s.m.; pl. *rouxinóis-do-rio-negro*
rouxinol-dos-pauis s.m.; pl. *rouxinóis-dos-pauis*
rouxinolear v.
rouxinoleio s.m.
rouxinolizar v.
rouxinol-manhoso s.m.; pl. *rouxinóis-manhosos*
rouxinol-pequeno-das-caniças s.m.; pl. *rouxinóis-pequenos-das-caniças*
rouxinol-preto s.m.; pl. *rouxinóis-pretos*
rovote s.m.
roweíta s.f.

rowlandita s.f.
roxa (*ô*) s.f. "nódoa arroxeada"; cf. *rocha*
roxamina (*cs*) s.f.
roxbúrghia (*cs*) s.f.
roxburghiácea (*cs*) s.f.
roxburghiáceo (*cs*) adj.
roxbúrgia (*cs*) s.f.
roxburgiácea (*cs*) s.f.
roxburgiáceo (*cs*) adj.
roxbúrguia (*cs*) s.f.
roxeado adj.
roxeamento s.m.
roxeante adj.2g.
roxear v.
roxeável adj.2g.
roxeta (*ê*) s.f.
roxete adj.2g. s.m.
roxibúrgia (*cs*) s.f.
roxiburgiácea (*cs*) s.f.
roxiburgiáceo (*cs*) adj.
roxidão s.f.
roxinho s.m.
roxinho-do-pará s.m.; pl. *roxinhos-do-pará*
roxiscuro adj.
roxo (*ô*) adj. s.m.
roxo-azul adj.2g. s.m.; pl. *roxo-azuis* e *roxos-azuis*
roxo-forte s.m.; pl. *roxos-fortes*
roxolano (*cs*) adj. s.m.
roxo-rei s.m.; pl. *roxos-reis*
roxo-terra s.m.; pl. *roxos-terra* e *roxos-terras*
roxura s.f.
rozeimo s.m.
rozenita s.f.
rozental s.m.
rozomúcor s.m.
rua s.f. interj.
ruaça s.f.
ruaceiro s.m.
ruador (*ô*) adj. s.m.
rua dos salgados s.f.
rual s.m.
ruamom s.m.
ruana s.f.
ruandense adj. s.2g.
ruandês adj. s.m.
ruandofalante adj.2g.
ruandofonia s.f.
ruandófono adj. s.m.
ruano adj. s.m.
rua-novense adj. s.2g.; pl. *rua-novenses*
ruante adj.2g.
ruão adj. s.m.
ruar v.
rubá s.m.
rubacão s.m.
rubafo s.m.
rubago s.m.
rubai s.2g.
rubala s.f.
rubano s.m.
rubão adj. s.m.; pl. *rubães*
rubarbarina s.f.
rubasse s.f.
rubastino adj. s.m.
rubefação s.f.
rubefaciente adj.2g. s.m.
rubejado adj.
rubejante adj.2g.
rubejar v.
rubelana s.f.
rubelita s.f.
rubelitano adj. s.m.
rubelite s.f.
rubelitense adj. s.2g.
rubelito s.m.
rubelo s.m.
rubenesco (*ê*) adj.
rubeno s.m.
rubente adj.2g.
rúbeo adj. "rubro"; cf. *rúbio*
rubéola s.f.
rubeolar adj.2g.
rubeoliforme adj.2g.
rubeoloso (*ô*) adj.; f. (*ó*); pl. (*ó*)
ruberita s.f.
ruberite s.f.
ruberítrico adj.
rubescência s.f.
rubescente adj.2g.
rubescer v.
rubescido adj.
rubeta (*ê*) s.f.
rubi s.m.
rúbia s.f.
rubiácea s.f.
rubiaceano adj. s.m.
rubiaceense adj. s.2g.
rubiacense adj. s.2g.
rubiáceo adj.
rubiácico adj.
rubiacina s.f.
rubiadina s.f.
rubiadipina s.f.
rubiafina s.f.
rubiagina s.f.
rubial adj.2g.
rubiale s.f.
rubi-almandina s.m.; pl. *rubis-almandina* e *rubis-almandinas*
rubi-americano s.m.; pl. *rubis-americanos*
rubiânico adj.
rubianina s.f.
rubião adj. s.m.
rubiatabense adj. s.2g.
rubi-balaio s.m.; pl. *rubis-balaio* e *rubis-balaios*
rubi-balas s.m.; pl. *rubis-balas*
rubi-califórnia s.m.; pl. *rubis-califórnia* e *rubis-califórnias*
rubicano adj.
rubicão adj. s.m.
rubicelo s.m.
rubi-cingalês s.m.; pl. *rubis-cingaleses*
rubiclórico adj.
rubicundo adj.
rubi da américa s.m.
rubi da sibéria s.m.
rubi de enxofre s.m.
rubidez (*ê*) s.f.
rubidina s.f.
rubídio s.m.
rúbido adj.
rubi do brasil s.m.
rubi do cabo s.m.
rubi do colorado s.m.
rubi dos urais s.m.
rubiense adj. s.2g.
rubiesita s.f.
rubi-espinela s.m.; pl. *rubis-espinela* e *rubis-espinelas*
rubi-estrela s.m.; pl. *rubis-estrela* e *rubis-estrelas*
rubieva s.f.
rubi-falso s.m.; pl. *rubis-falsos*
rubificação s.f.
rubificado adj.
rubificador (*ô*) adj.
rubificante adj.2g.
rubificar v.
rubificável adj.2g.
rubiforme adj.2g.
rubigal adj.2g.
rubigálias s.f.pl.
rubigem s.f.
rubigervina s.f.
rubigina s.f.
rubígine s.f.
rubiginoso (*ô*) adj.; f. (*ó*); pl. (*ó*)
rubígula s.f.
rubim s.m.
rubina s.f.
rubinéctar s.m.
rubineense adj. s.2g.
rubinegro (*ê*) adj.
rubi-negro s.m.; pl. *rubis-negros*
rubinense adj. s.2g.
rubinete (*ê*) s.m.
rubínia s.f.
rubínico adj.
rubinina s.f.
rúbio s.m. "medida de capacidade"; cf. *rúbeo*
rubi-ocidental s.m.; pl. *rubis-ocidentais*
rubi-oriental s.m.; pl. *rubis-orientais*
rubirretina s.f.
rubirretínea s.f.
rubirrostro adj.
rubisca s.f.
rubi-siberiano s.m.; pl. *rubis-siberianos*
rubislita s.f.
rubislite s.f.
rubislito s.m.
rubi-sul-africano s.m.; pl. *rubis-sul-africanos*
rubitânico adj.
rubitopázio s.m.
rubi-topázio s.m.; pl. *rubis-topázio* e *rubis-topázios*
rubixá s.m.
rublo s.m.
rubo s.m.
rubor (*ô*) s.m.
ruborejado adj.
ruborejante adj.2g.
ruborejar v.
ruborescência s.f.
ruborescente adj.2g.
ruborescer v.
ruborescido adj.
ruborescível adj.2g.
ruborização s.f.
ruborizado adj.; cf. *roborizado*
ruborizador (*ô*) adj.
ruborizante adj.2g.
ruborizar v. "tornar rubro"; cf. *roborizar*
ruborizável adj.2g.
rubra s.f.
rubramina s.f.
rubrênico adj.
rubreno s.m.
rubreserina s.f.
rubrica s.f.
rubricado adj.
rubricador (*ô*) adj. s.m.
rubricar v.
rubricaule adj.2g.
rubricável adj.2g.
rubricista adj. s.2g.
rubrícolo adj.
rubricórneo adj.
rubrifloro adj.
rubrigástreo adj.
rubrigastro adj.
rubriloiro adj.
rubrilouro adj.
rubrípede adj.2g.
rubriplúmeo adj.
rubrirrostro adj.
rubrita s.f.
rubrite s.f.
rubrizado adj.
rubrizar v.
rubro adj. s.m.
rubrocinta s.f.
rubrocinto s.m.
rubro-negro adj. s.m.; pl. *rubro-negros*
rubrospinal adj.2g.
rubustino adj. s.m.
ruça s.f.
ruçado adj.
ruçar v.
rucega s.f.
ruceguinha s.f.
rucete (*ê*) s.m.
ruchuchu s.m.
rucilho adj.
rucinate adj. s.2g.
ruckéria s.f.
rucklidgeíta s.f.
ruço s.m. "pardacento", "nevoeiro"; cf. *russo*
ruço-cardão adj.; pl. *ruço-cardões*
ruço-pombo adj.; pl. *ruço-pombos*
ruço-redondo adj.; pl. *ruço-redondos*
rucuiana adj. s.2g.
rucuiene adj. s.2g.
rucumbo s.m.
rucungo s.m.
rucuri s.m.
ruda s.f. interj.
rudáceo adj.
rudão s.m.
rudbéckia s.f.
rudbeckianismo s.m.
rudbeckianista s.m.
rudbéquia s.f.
rudbequianismo s.m.
rudbequianista s.m.
rude adj.2g.
rudentura s.f.
rudenturado adj.
ruderal adj.2g.
rudez (*ê*) s.f.
rudeza (*ê*) s.f.
rúdgea s.f.
rudiário s.m.
rudimental adj.2g.
rudimentar adj.2g.
rudimentaridade s.f.
rudimentariedade s.f.
rudimentário adj.
rudimentarismo s.m.
rudimentarista adj. s.2g.
rudimentarístico adj.
rudimentarização s.f.
rudimentarizado adj.
rudimentarizador (*ô*) adj.
rudimentarizante adj.2g.
rudimentarizar v.
rudimento s.m.
rudista s.m.
rudita s.f.
rudite s.f.
rudito s.m.
rudo adj.
rudolfiano adj.
rudravina s.f.
rudraxa (*cs*) s.f.
rueiro adj. s.m.
ruela s.f.
ruélia s.f.
ruelíea s.f.
ruéllia s.f.
ruéllica s.f.
rufa s.f.
rufadeira s.f.
rufadela s.f.
rufado adj. s.m.
rufador (*ô*) adj. s.m.
rufão s.m.
rufar v.
rufe-rufe s.m.; pl. *rufe-rufes* e *rufes-rufes*
rufia s.m.
rufianaço s.m.
rufianagem s.f.
rufianaz adj. s.2g.
rufianesco (*ê*) adj.
rufianice s.f.
rufianismo s.m.
rufião s.m.; f. *rufiona*
rufiar v.
ruficarpo adj.
ruficórneo adj.
rufigálhico adj.
rufigálico adj.
rufigástreo adj.
rufigastro adj.
rufimórico adj.
rufina s.f.
rufinérveo adj.
rufinossulfúrico adj.
rúfio s.m.
rufiococcina s.f.
rufiococina s.f.
rufiona s.f. de *rufião*
rufipalpo adj.
rufista adj. s.2g.
rufitarso adj.
rufitomentoso adj.; f. (*ó*); pl. (*ó*)
rufiventre s.m.
rufla s.f.
ruflado adj.
ruflador (*ô*) adj.
ruflalhada adj.
ruflante adj.2g.
ruflar v.
ruflo s.m.
rufo adj. s.m.
rufocatéquico adj.
rufol s.m.
ruga s.f.
rugado adj.
rugadura s.f.
rugar v. "fazer rugas"; cf. *rogar*
rugasida s.f.
rúgbi s.m.
ruge s.m.
rugedor (*ô*) adj. s.m.
rugente adj.2g.
ruge-ruge s.m.; pl. *ruge-ruges* e *ruges-ruges*
rugibó s.m.
rugidão s.f.
rugido adj. s.m.
rugidor (*ô*) adj. s.m.
rugiente adj.2g.
rugífero adj.
rugina s.f.
ruginação s.f.
ruginado adj.
ruginagem s.f.
ruginar v.
rúgio adj. s.m.
rugir v. s.m.
rugitar v.
rugito s.m.
rugosa s.f.
rugosidade s.f.
rugosímetro s.m.
rugoso (*ô*) adj.; f. (*ó*); pl. (*ó*)
rugosômetro s.m.
rugusco adj. s.m.
rui s.m.
ruiano adj. s.m.
ruibárbico adj.
ruibarbina s.f.
ruibarbo s.m.
ruibarbo-da-china s.m.; pl. *ruibarbos-da-china*
ruibarbo-da-mata s.m.; pl. *ruibarbos-da-mata*
ruibarbo-das-hortas s.m.; pl. *ruibarbos-das-hortas*
ruibarbo-de-frança s.m.; pl. *ruibarbos-de-frança*
ruibarbo-do-brejo s.m.; pl. *ruibarbos-do-brejo*
ruibarbo-do-campo s.m.; pl. *ruibarbos-do-campo*
ruibarbo-dos-charcos s.m.; pl. *ruibarbos-dos-charcos*
ruibarbo-dos-pobres s.m.; pl. *ruibarbos-dos-pobres*
ruibarbo-inglês s.m.; pl. *ruibarbos-ingleses*
rui-barbosense adj. s.2g.; pl. *rui-barbosenses*
rui-barbosiano adj. s.m.; pl. *rui-barbosianos*
ruidar v.
ruidejar v.
ruidento adj.
ruído s.m.
ruidoso (*ô*) adj.; f. (*ó*); pl. (*ó*)
ruilandense adj. s.2g.
ruíle s.f.
ruim adj.2g. s.m.
ruína s.f.
ruinação s.f.
ruinado adj.
ruinador (*ô*) adj. s.m.
ruinar v.
ruinaria s.f.
ruindade s.f.
ruindadeiro adj.
ruinense adj. s.2g.
ruiniforme adj.2g.
ruinoso (*ô*) adj.; f. (*ó*); pl. (*ó*)
ruinzão adj. s.m.; f. *ruinzona*
ruinzeira s.f.
ruinzona adj. s.f. de *ruinzão*

ruir v.
ruísmo s.m.
ruísta adj. s.2g.
ruístico adj.
ruiva s.f.
ruiva-brava s.f.; pl. *ruivas-bravas*
ruivaca s.f.
ruivaças adj. s.2g.2n.
ruivacento adj.
ruiváceo adj.
ruivaco s.m.
ruivaço adj. s.m.
ruiva-da-índia s.f.; pl. *ruivas-da-índia*
ruiva-da-sibéria s.f.; pl. *ruivas-da-sibéria*
ruiva-dos-tintureiros s.f.; pl. *ruivas-dos-tintureiros*
ruiva-indiana s.f.; pl. *ruivas-indianas*
ruivais s.f.2n.
ruival adj.2g.
ruivano adj.
ruiva-venenosa s.f.; pl. *ruivas-venenosas*
rúivico adj.
ruividão s.f.
ruivinha s.f.
ruivinha-do-campo s.f.; pl. *ruivinhas-do-campo*
ruivinha-do-pântano s.f.; pl. *ruivinhas-do-pântano*
ruivinho s.m.
ruivo adj. s.m.
ruivor (*ô*) s.m.
ruivote adj. s.m.
ruízia s.f.
ruizita s.f.
rulamala s.f.
rular v.
rulê adj.
rulengo s.m.
rulhador (*ô*) adj. s.m.
rulhar v.
rulíngia s.f.
rulo s.m.
rulul s.m.
rum s.m.
ruma s.f. interj.
rumado adj.
rumanita s.f.
rumar v.
rumba s.f.
rumbar v.
rumbatron s.m.
rumbatrônio s.m.
rumbeador (*ô*) adj.
rumbear v.
rumbeiro s.m.
rúmbia s.f.
rumbodo (*ô*) s.m.
rumbor (*ô*) s.m.
rume adj. s.2g. s.m. "turco", "pança"; cf. *rumé*
rumé s.m. "espécie de cana"; cf. *rume*
rúmen s.m.
rumero adj. s.m.
rúmex (*cs*) s.m.
rumi adj. s.2g. s.m. "turco"; cf. *rúmi*
rúmi s.m. "jogo"; cf. *rumi*
rumiar v.
rumícea s.f.
rumiceira s.f.
rumicina s.f.
rumina s.f.
ruminação s.f.
ruminado adj.
ruminadoiro s.m.
ruminador (*ô*) adj. s.m.
ruminadouro s.m.
ruminal adj.2g.
ruminante adj.2g. s.m.
ruminar v.
ruminativo adj.
ruminite s.f.
rúmino adj.
ruminorreticular adj.2g.
rumisteque s.m.
rumo s.m.
rumongita s.f.
rumor (*ô*) s.m.
rumorante adj.2g.
rumorar v.
rumorejado adj.
rumorejante adj.2g.
rumorejar v.
rumorejo (*ê*) s.m.
rumorido s.m.
rumorinho s.m.
rumorio s.m.
rumoroso (*ô*) adj.; f. (*ó*); pl. (*ó*)
rumpfita s.f.
rumpfite s.f.
rumpi s.m.
rumpri s.m.
rum-rum s.m.; pl. *rum-runs*
runa s.f.
runcina s.f.
runcinado adj.
runcínia s.m.
runcinídeo adj. s.m.
runcó s.m.
rundembo s.m.
rundemo s.m.
rundo s.m.
rundungue s.m.
runfão s.m.
runfar v.
rungã s.m.
runha s.m.
runhar v.
runíbia s.f.
rúnico adj.
runiforme adj.2g.
runim s.f.
runimol s.m.
runjebe s.m.
runjefe s.m.
runlé s.m.
runo s.m.
runografia s.f.
runográfico adj.
runógrafo s.m.
runologia s.f.
runológico adj.
runólogo s.m.
runtó s.m.
ruolz s.m.
rupa s.m.
rupália s.f.
rupar v.
rupela s.f.
rupélia s.f.
rupeliano adj. s.m.
rupequeiro s.m.
rupércia s.f.
rupértia s.f.
rupestre adj.2g. s.m.
rupia s.f. "inflamação da pele", "moeda"; cf. *rúpia*
rúpia s.f. "planta"; cf. *rupia*
rupiácea s.f.
rupiáceo adj.
rupiada s.f.
rupicaia s.f.
rupicapra s.m.
rupicaprineo adj. s.m.
rupichel s.m.
rupícola adj.2g. s.m.
rupicolídeo adj. s.m.
rupicolínea s.f.
rupínia s.f.
rupipa s.f.
rupofobia s.f.
rupofóbico adj.
rupófobo s.m.
rupóforo s.m.
rúppia s.f.
ruppiácea s.f.
ruppiáceo adj.
rupréchtia s.f.
rupréctia s.f.
rúptil adj.2g.
ruptilidade s.f.
ruptinérveo adj.
ruptor (*ô*) adj. s.m.
ruptório adj. s.m.
ruptura s.f.
rupturita s.f.
rupul s.m.
ruquéria s.f.
ruquibo s.m.
rural adj.2g. s.f.
ruralidade s.f.
ruralismo s.m.
ruralista adj. s.2g.
ruralístico adj.
ruralização s.f.
ruralizado adj.
ruralizador (*ô*) adj.
ruralizante adj. s.2g.
ruralizar v.
rurbanidade s.f.
rurbanismo s.m.
rurbanista adj. s.2g.
rurbanístico adj.
rurbanização s.f.
rurbanizador (*ô*) adj.
rurbanizante adj.2g.
rurbanizar v.
rurbanizável adj.2g.
rurbano adj. s.m.
rurícola adj. s.2g.
rúrida adj. s.2g.
rurígena adj. s.2g.
rurografia s.f.
rurográfico adj.
rurógrafo s.m.
rus s.m.2n.
rusa s.2g.
rusacovita s.f.
rusakovita s.f.
rusbiântea s.f.
rusbianto s.m.
ruscácea s.f.
ruscáceo adj.
rusco s.m.
ruselano adj. s.m.
rusélia s.f.
rusga s.f.
rusgador (*ô*) adj. s.m.
rusgar v.
rusgata s.f.
rusguento adj.
rusina s.f.
ruskiniano adj.
rusma s.f.
rusma dos orientais s.f.
rusníaco s.m.
rusografia s.f.
rusográfico adj.
rusógrafo s.m.
ruspone s.m.
rusquiniano adj.
russalhada s.f.
russano adj. s.m.
russar v.
russélia s.f.
russeliano adj.
russellita s.f.
russense adj. s.2g.
russiana s.f.
russianismo s.m.
russianista s.2g.
russianização s.f.
russianizado adj.
russianizador (*ô*) adj. s.m.
russianizar v.
russiano adj. s.m.
russificação s.f.
russificado adj.
russificador (*ô*) adj.
russificante adj.2g.
russificar v.
russificável adj.2g.
russilhona s.f.
russínio s.m.
rússio s.m.
russismo s.m.
russista s.2g.
russístico adj.
russização s.f.
russizante adj.2g.
russizar v.
russo adj. s.m. "povo"; cf. *ruço* s.m. e fl. do v. *ruçar*
russo-americano adj. s.m.; pl. *russo-americanos*
russo-branco adj. s.m.; pl. do s. *russos-brancos*; pl. do adj. *russo-brancos*
russofilia s.f.
russófilo adj. s.m.
russofobia s.f.
russofóbico adj.
russófobo adj. s.m.
russofonia s.f.
russofônico adj. s.m.
russofono adj. s.m.
russófono adj. s.m.
rússula s.f.
russuliopse s.f.
ruste s.m.
rustenburguita s.f.
rústia s.f.
rusticação s.f.
rusticado adj.
rusticador (*ô*) s.m.
rusticano adj. s.m.
rusticar v.
rusticaria s.f.
rusticidade s.f.
rusticismo s.m.
rusticista adj. s.2g.
rusticístico adj.
rústico adj. s.m.; cf. *rustico*, fl. do v. *rusticar*
rusticoide (*ó*) adj.2g.
rustideira s.f.
rustidoiro s.m.
rustidor (*ô*) s.m.
rustidouro s.m.
rustificação s.f.
rustificado adj.
rustificar v.
rustilhada s.f.
rustilhão s.m.; na loc. *de rustilhão*
rustilo s.m.
rustiquez (*ê*) s.f.
rustiqueza (*ê*) s.f.
rustir v. "enganar"; cf. *rostir*
rusto s.m.
rustumita s.f.
ruta s.f.
rutabaga s.f.
rutácea s.f.
rutáceo adj.
ruta-de-cheiro-forte s.f.; pl. *rutas-de-cheiro-forte*
rutal adj.2g.
rutale s.f.
ruta-murária s.f.; pl. *rutas-murárias*
rutar v.
rutárea s.f.
rutáreo adj.
rútea s.f.
rutela s.f.
rutelídeo adj. s.m.
rutelíneo adj. s.m.
rutenamina s.f.
rutenamônio s.m.
rutenarsenita s.f.
rutenático adj.
rutenato s.m.
rutenense adj. s.2g.
rutênico adj. s.m.
rutênio s.m.
rutenita s.f.
rutenite s.f.
rutenito s.m.
ruteno adj. s.m.
rutenodiamônio s.m.
ruterfórdio s.m.
ruterfordita s.f.
rutherford s.m.
rutherfordita s.f.
rutherfordite s.f.
rutherfordito s.m.
ruticila s.m.
rútico adj.
rutídea s.f.
rútila s.f.; cf. *rutila*, fl. do v. *rutilar*
rutilação s.f.
rutilância s.f.
rutilante adj.2g.
rutilar v.
rutilariácea s.f.
rutilariáceo adj.
rutileno s.m.
rutília s.f.
rutiliano adj.
rutílico adj.
rutilina s.f.
rutílio s.m.
rutilismo s.m.
rutilita s.f.
rutilite s.f.
rutilito s.m.
rutilo s.m. "rutilância"; cf. *rútilo*
rútilo adj. "rutilante"; cf. *rutilo* s.m. e fl. do v. *rutilar*
rutim s.m.
rutina s.f. "antiespasmódico"; cf. *rotina*
rutínico adj.
rutinosídeo s.m.
rutóidea s.f.
rutonal s.m.
rutosídio s.m.
rutuba s.f.
rutul s.m.
rútulo adj. s.m.
ruveto s.m.
ruvinha adj. s.2g.
ruvinhoso (*ô*) adj.; f. (*ó*); pl. (*ó*)
ruz s.m.
ruzagá adj. s.2g.
rynersonita s.f.

S s

s s.m.
sá s.f.
sã s.f.
saá s.m.
saadiano s.m.
saamona s.f.
saarense adj. s.2g.
saariano adj. s.m.
saárico adj. s.m.
saasrara s.m.
sabá s.m.
sabácia s.f.
sabaciano adj. s.m.
sabácon s.m.
sabacu s.m.
sabacu-de-coroa s.m.; pl. *sabacus-de-coroa*
sabacuim s.m.
sabadeado adj.
sabadeador (*ô*) adj. s.m.
sabadear v.
sabadejar v.
sabadila s.f.
sabadilina s.f.
sabadim s.m.
sabadina s.f.
sabadinina s.f.
sabadista adj. s.2g.
sabado s.m.
sábado de aleluia s.m.
sábado-gordo s.m.; pl. *sábados-gordos*
sábado-magro s.m.; pl. *sábados-magros*
sábado-perpétuo s.m.; pl. *sábados-perpétuos*
sábado-santo s.m.; pl. *sábados-santos*
sábado-seco s.m.; pl. *sábados-secos*
sabaense adj. s.2g.
sabagage s.m.
sabagante s.m.
sabaísmo s.m.
sabaísta adj. s.2g.
sabaístico adj.
sabaíta adj. s.2g.
sabajo s.m.
sabajoia (*ó*) s.f.
sabal s.m.
sabálea s.f.
sabalínea s.f.
sabalíneo adj.
sabandijo s.m.
sabanga s.m.
sabanilha s.f.
sábano s.m.
sabaó s.m.
sabão s.m.
sabão-animal s.m.; pl. *sabões-animais*
sabão-branco s.m.; pl. *sabões-brancos*
sabão da costa s.m.
sabão-de-macaco s.m.; pl. *sabões-de-macaco*
sabão de montanha s.m.
sabão-dentifrício s.m.; pl. *sabões-dentifrício*
sabão de pedra s.m.
sabão-de-soldado s.m.; pl. *sabões-de-soldado*
sabão dos filósofos s.m.
sabão dos vidraceiros s.m.
sabão-medicinal s.m.; pl. *sabões-medicinais*
sabão-negro s.m.; pl. *sabões-negros*
sabão-rajado s.m.; pl. *sabões-rajados*
sabão-vegetal s.m.; pl. *sabões-vegetais*
sabão-verde s.m.; pl. *sabões-verdes*
sabãozeira s.f.
sabãozinho s.m.
sabaquante s.m.
sabaque s.m.
sabaquim s.m.
sabaraense adj. s.2g.
sabárbare adj. s.2g.
sabarense adj. s.2g.
sabat s.m.
sabatado s.m.
sabatariano s.m.
sabatário s.m.
sabateno adj. s.m.
sabátia s.f.
sabatiano adj. s.m.
sabático adj.
sabatina s.f.
sabatinado adj.
sabatinador (*ô*) s.m.
sabatinar v.
sabatineiro adj. s.m.
sabatino adj. s.m.
sabatismo s.m.
sabatista adj. s.2g.
sabatístico adj.
sabatizar v.
sabatrina s.f.
sabaudiense adj. s.2g.
sabaunense adj. s.2g.
sabável adj.2g.
sabázia s.f.
sabázias s.f.pl.
sabe s.m.
sabeano adj. s.m.
sabedor (*ô*) adj. s.m.
sabedoria s.f.
sabedoria-legítima s.f.; pl. *sabedorias-legítimas*
sabeia (*é*) adj. s.f. de *sabeu*
sabeísmo s.m.
sabeísta adj. s.2g.
sabeístico adj.
sabeíta adj. s.2g.
sabela s.f.
sabelária s.f.
sabelariídeo adj. s.m.
sabelha s.f.
sabelianismo s.m.
sabelianista adj. s.2g.
sabelianístico adj.
sabeliano adj. s.m.
sabélico adj. s.m.
sabélide s.m.
sabelídio adj. s.m.
sabelifelo s.m.
sabélio adj. s.m.
sabelo adj. s.m.
sábena s.f.
sabença s.f.
sabendas s.f.pl.
sabente adj.2g.
sã-bento s.f.; pl. *sã-bentos*
saber v. s.m.
saberé s.m.
saberê s.m.
saberecar v.
saberente adj. s.2g.
sabererecar v.
sabereta (*ê*) adj. s.2g.
saberete (*ê*) adj. s.2g. s.m.
sã-bernardo s.m.f.; pl. *sã-bernardos*
sabeto (*ê*) adj.
sabe-tudo s.2g.2n.
sabeu adj. s.m.; f. *sabeia* (*é*)
sabiá s.2g. cf. *sábia* s.f. e *sabia*, fl. do v. *saber*
sábia s.f. "planta"; cf. *sabiá* e *sabia*, fl. do v. *saber*
sabiá-anu s.m.; pl. *sabiás-anu* e *sabiás-anus*
sabiá-barranco s.m.; pl. *sabiás-barranco* e *sabiás-barrancos*
sabiá-branco s.m.; pl. *sabiás-brancos*
sabiá-cachorro s.m.; pl. *sabiás-cachorro* e *sabiás-cachorros*
sabiá-cavalo s.m.; pl. *sabiás-cavalo* e *sabiás-cavalos*
sabiácea s.f.
sabiáceo adj.
sabiaci s.2g.
sabiacica s.m.
sabiá-cinzento s.m.; pl. *sabiás-cinzentos*
sabiá-coleira s.m.; pl. *sabiás-coleira* e *sabiás-coleiras*
sabiá-da-campina s.m.; pl. *sabiás-da-campina*
sabiá-da-capoeira s.m.; pl. *sabiás-da-capoeira*
sabiá-da-lapa s.m.; pl. *sabiás-da-lapa*
sabiá-da-mata s.m.; pl. *sabiás-da-mata*
sabiá-da-mata-virgem s.m.; pl. *sabiás-da-mata-virgem*
sabiá-da-praia s.m.; pl. *sabiás-da-praia*
sabiá-da-restinga s.m.; pl. *sabiás-da-restinga*
sabiá-da-serra s.m.; pl. *sabiás-da-serra*
sabiá-de-barriga-vermelha s.m.; pl. *sabiás-de-barriga-vermelha*
sabiá-do-banhado s.m.; pl. *sabiás-do-banhado*
sabiá-do-brejo s.m.; pl. *sabiás-do-brejo*
sabiá-do-campo s.m.; pl. *sabiás-do-campo*
sabiá-do-mato-grosso s.m.; pl. *sabiás-do-mato-grosso*
sabiá-do-piri s.m.; pl. *sabiás-do-piri*
sabiá-dos-campos s.m.; pl. *sabiás-dos-campos*
sabiá-do-sertão s.m.; pl. *sabiás-do-sertão*
sabiaense adj. s.2g.
sabiá-ferreiro s.m.; pl. *sabiás-ferreiros*
sabiá-gongá s.m.; pl. *sabiás-gongá* e *sabiás-gongás*
sabiaguabense adj. s.2g.
sabiá-guaçu s.m.; pl. *sabiás-guaçus*
sabiá-gute s.m.; pl. *sabiás-gute* e *sabiás-gutes*
sabiá-laranja s.m.; pl. *sabiás-laranja* e *sabiás-laranjas*
sabiá-laranjeira s.m.; pl. *sabiás-laranjeira* e *sabiás-laranjeiras*
sabiá-pardo s.m.; pl. *sabiás-pardos*
sabiá-pimenta s.m.; pl. *sabiás-pimenta* e *sabiás-pimentas*
sabiá-piranga s.m.; pl. *sabiás-pirangas*
sabiapiri s.m.
sabiapoca s.m.
sabiaponga s.m.
sabiá-preto s.m.; pl. *sabiás-pretos*
sabiatinga s.m.
sabiá-tropeiro s.m.; pl. *sabiás-tropeiros*
sabiaúna s.m.
sabiá-verdadeiro s.m.; pl. *sabiás-verdadeiros*
sabícea s.f.
sabichã adj. s.f. de *sabichão*
sabichagem s.f.
sabichão adj. s.m.; f. *sabichã* e *sabichona*
sabichar v.
sabichona adj. s.f. de *sabichão*
sabichoso (*ô*) adj. s.m.; f. (*ó*); pl. (*ó*)
sabicões s.m.pl.
sabicu s.m.
sabidão s.m.; f. *sabidona*
sabido adj. s.m.
sabidona s.f. de *sabidão*
sabidório s.m.
sabieno s.m.
sabin s.m.
sabina s.f.
sabinada s.f.
sabina-da-praia s.f.; pl. *sabinas-da-praia*
sabinano s.m.
sabinato s.m.
sabínea s.f.
sabineno s.m.
sabinense adj. s.2g.
sabínia s.f.
sabiniano adj. s.m.
sabínico adj.
sabinismo s.m.
sabino adj. s.m.
sabinol s.m.
sabinopolense adj. s.2g.
sabinopolitano adj. s.m.
sabinótroco s.m.
sábio adj. s.m.
sabipira s.f.
sabipira-branca s.f.; pl. *sabipiras-brancas*
sabir s.m.
sabitu s.m.
sabiú s.m.
sabiúna s.m.
sabível adj.2g.
sable adj.2g. s.m.
saboarana s.f.
saboaria s.f.
saboeira s.f.
saboeira-legítima s.f.; pl. *saboeiras-legítimas*
saboeirana s.f.
saboeirense adj. s.2g.
saboeiro s.m.
saboga s.f.
saboguense adj. s.2g.
saboi (*ó*) s.m.
saboia (*ó*) s.f.
saboiana s.f.
saboiano adj. s.m.
saboiense adj. s.2g.
saboneira s.f.
saboneiro s.m.
sabonetada s.f.
sabonete (*ê*) s.m.
sabonete-de-cipó s.m.; pl. *sabonetes-de-cipó*
sabonete-de-soldado s.m.; pl. *sabonetes-de-soldado*
saboneteira s.f.
saboneteiro s.m.
sabonetense adj. s.2g.
sabongo s.m.
sabor (*ô*) s.m.
saborá s.m.
saboreado adj.
saboreador (*ô*) adj. s.m.
saboreamento s.m.
saborear v.
saboreável adj.2g.
saborido adj.
saborosa s.f.
saboroso (*ô*) adj.; f. (*ó*); pl. (*ó*)
saborra (*ô*) s.f.
saborreiro s.m.
sabotado adj.
sabotador (*ô*) adj. s.m.
sabotagem s.f.
sabotar v.
sabotável adj.2g.
saboteado adj.
saboteador (*ô*) adj. s.m.
sabra s.2g. s.f.
sabraca adj. s.2g.
sabraço s.m.
sabrada s.f.
sabrainho s.m.
sabra-mole s.f.; pl. *sabras-moles*
sã-brasense adj. s.2g.; pl. *sã-brasenses*
sabre s.m.
sabre-baioneta s.m.; pl. *sabres-baioneta* e *sabres-baionetas*
sabrecar v.
sabre-punhal s.m.; pl. *sabres-punhal* e *sabres-punhais*
sabrista adj. s.2g.
sabromina s.f.
sabrosino adj. s.m.
sabuarana s.f.
sabucar v.

sabuco s.m.
sabucu s.m.
sabugado adj.
sabugal adj.2g. s.m.f.
sabugalense adj. s.2g.
sabugalita s.f.
sabugar v.
sabugo s.m.
sabugueirense adj. s.2g.
sabugueirinho s.m.
sabugueirinho-do-campo s.m.; pl. *sabugueirinhos-do--campo*
sabugueiro s.m.
sabugueiro-d'água s.m.; pl. *sabugueiros-d'água*
sabugueiro-do-campo s.m.; pl. *sabugueiros-do-campo*
sabugueiro-dos-pântanos s.m.; pl. *sabugueiros-dos--pântanos*
sabuiá adj.2g. s.m.
sabujá adj. s.2g. s.m.
sabujado adj.
sabujar v.
sabujice s.f.
sabujiense adj. s.2g.
sabujismo s.m.
sabujo adj. s.m.
sabulícola adj.2g.
sabulite s.f.
sabuloso (*ô*) adj.; f. (*ó*); pl. (*ó*)
saburá s.m.
saburra s.f.
saburral adj.2g.
saburrar v.
saburrento adj.
saburrinha s.f.
saburrosidade s.f.
saburroso (*ô*) adj.; f. (*ó*); pl. (*ó*)
saburu s.m.
saca s.f. "saco", etc.; cf. *sacá* e *sacã*
sacá s.m. "presente"; cf. *saca* e *sacã*
sacã s.f. "graveto"; cf. *saca* e *sacá*
saca-amostras s.m.2n.
saca-balas s.m.2n.
saca-bocado s.m.; pl. *saca--bocados*
saca-bocados s.m.2n.
saca-boi s.m.; pl. *saca-bois*
sacaboia (*ó*) s.f.
saca-bucha s.m. "saca-trapo"; cf. *sacabuxa*; pl. *saca-buchas*
sacabuxa s.f. "trombeta", etc.; cf. *saca-bucha*
sacaca adj. s.2g. s.f.
saca-cartucho s.m.; pl. *saca--cartuchos*
saca-cubos s.m.2n.
sacada s.f.
saca de carvão s.m.
sacadela s.f.
sacadense adj. s.2g.
sacado adj. s.m.
sacador (*ô*) adj. s.m.
sacadoria s.f.
saca-espoletas s.m.2n.
saca-estojo s.m.; pl. *saca--estojos*
saca-estrepe s.m.; pl. *saca--estrepes*
saca-estrepe-da-campina s.m.; pl. *saca-estrepes-da--campina*
saca-estrepe-da-mata s.m.; pl. *saca-estrepes-da-mata*
saca-estrepe-de-campinas s.m.; pl. *saca-estrepes-de--campinas*
saca-filaça s.f.; pl. *saca-filaças*
saca-fundo s.m.; pl. *saca--fundos*
saca-gaxetas s.m.2n.
sacaí s.m.
sacaiboia (*ó*) s.f.
sacaio adj. s.m.
sacaíta s.f.
sacal adj.2g. s.m.
sacalão s.m.
sacalave adj. s.2g.
sacalhada s.f.
sacalho s.m.
sacalinha s.f.
saca-lobos s.m.2n.
sacamalo s.m.
sacambu s.m.
sacambuense adj. s.2g.
sacamecrã adj. s.2g.
saçamelo adj. s.m.
saca-metal s.m.; pl. *saca--metais*
sacamina s.m.
sacaminíneo adj. s.m.
saca-molas s.m.2n.
sacana adj. s.2g. s.m.f.
saca-nabo s.m.; pl. *saca-nabos*
sacanagem s.f.
sacaneação s.f.
sacaneado adj.
sacaneador (*ô*) adj. s.m.
sacaneamento s.m.
sacaneante adj.
sacanear v.
sacaneável adj.2g.
sacanga s.f.
saçanga s.f.
sacanice s.f.
sacão s.m.
saca-peloiro s.m.; pl. *saca--peloiros*
saca-ponteiros s.m.2n.
saca-pregos s.m.2n.
saca-projétil s.m.; pl. *saca--projéteis* e *saca-projetis*
sacaputo s.m.
sacaquinha s.f.
sacar v.
sacara s.m.f.
sacaramelo s.m.
sacarase s.f.
sacárase s.f.
sacaratado adj.
sacarato s.m.
sacarefidrose s.f.
sacareína s.f.
saçarelo s.m.
sacareto (*ê*) s.m.
sacaria s.f.
saçaricar v.
sacárico adj.
saçarico s.m.
sacáride s.m.
sacarídeo adj. s.m.
sacarido s.m.
sacárido s.m.
sacarífero adj.
sacarificação s.f.
sacarificado adj.
sacarificador (*ô*) adj. s.m.
sacarificante adj.2g.
sacarificar v.
sacarificável adj.2g.
sacarígeno adj.
sacarimetria s.f.
sacarimétrico adj.
sacarímetro s.m.
sacarina s.f.
sacarinato s.m.
sacarínea s.f.
sacaríneo adj.
sacarínico adj.
sacarino adj.
sacarinoide (*ó*) adj.2g.
sacário s.m.
sacarismo s.m.
sacarita s.f.
sacarite s.f.
sacarito s.m.
sacarívoro adj. s.m.
sácaro s.m.
sacarobacilar adj.2g.
sacarobacilo s.m.
sacarobiose s.f.
saca-rochas s.m.2n.
saca-rodas s.m.2n.
sacaróforo adj. s.m.
sacarogalactorreia (*é*) s.f.
sacarogalactorreico (*é*) adj.
sacaroglicose s.f.
sacaroglicósico adj.
sacaroglicótico adj.
sacaroide (*ó*) adj.2g.
sacaroíto s.m.
sacarol s.m.
sacarolactato s.m.
sacaroláctico adj.
sacarolactona s.f.
sacarolado adj. s.m.
sacarolático adj.
sacaróleo s.m.
saca-rolha s.m.; pl. *saca-rolhas*
saca-rolhas s.m.2n.
sacarólico adj.
sacarolinita s.f.
sacarólise s.f.
sacarolítico adj.
sacarologia s.f.
sacarológico adj.
sacarologista adj. s.2g.
sacarólogo s.m.
sacarometabólico adj.
sacarometabolismo s.m.
sacarometria s.f.
sacarométrico adj.
sacarômetro s.m.
sacarômice s.m.
sacaromicetácea s.f.
sacaromicetáceo adj.
sacaromicete s.m.
sacaromicético adj.
sacaromicetínea s.f.
sacaromiceto s.m.
sacaromicode s.m.
sacaromicopse s.f.
sacaromicose s.f.
sacaromicósico adj.
sacaromicótico adj.
sacarona s.f.
sacaronato s.m.
sacarônico adj.
sacarorreia (*é*) s.f.
sacarorreico (*é*) adj.
sacarose s.f.
sacaróside s.f.
sacaroso (*ô*) adj.; f. (*ó*); pl. (*ó*)
sacarosuria s.f.
sacarosúria s.f.
sacarosúrico adj.
sacarótico adj.
sacarraia s.f.
sacarrão s.m.
sacarrolhar v.
saçarugo s.m.
sacarureto (*ê*) s.m.
sacaruria s.f.
sacarúria s.f.
sacarúrico adj.
sacaruro s.m.
saca-saia s.f.; pl. *saca-saias*
saca-soca s.m.; pl. *saca-socas*
sacassano adj. s.m.
sacatear v.
sacateira s.f.
saca-trapo s.m.; pl. *saca-trapos*
saca-trapos s.m.2n.
saca-tutano s.m.; pl. *saca--tutanos*
sacaubarana s.f.
sacavenense adj. s.2g.
sacaveno adj. s.m.
sacavinho s.m.
sace s.m.
sáceas s.f.pl.
sacelário s.m.
saceliforme adj.2g.
sacelinho s.m.
sacelo s.m.
sacena s.f.
sacerdócio s.m.
sacerdocracia s.f.
sacerdocrático adj.
sacerdotal adj.2g. s.m.
sacerdotalismo s.m.
sacerdotalista adj. s.2g.
sacerdote s.m.
sacerdote-mor s.m.; pl. *sacerdotes-mores*
sacerdotisa s.f.
sacerdotismo s.m.
sacerdotista adj. s.2g.
sacha s.f.
sacha-cebola s.f.; pl. *sachas--cebola*
sachada s.f.
sachadela s.f.
sachado adj.
sachadoiro s.m.
sachador (*ô*) adj. s.m.
sachadouro s.m.
sachadura s.f.
sacha-manga s.f.; pl. *sachas--manga*
sachar v.
sacha-rosa s.f.; pl. *sachas-rosa*
saché s.m.
sachê s.m.
sachém s.m.
sachicanga s.f.
sacho s.m.
sachola s.f.
sacholada s.f.
sacholado adj.
sacholar v.
sacholeiro s.m.
sacholo (*ô*) s.m.
saci s.m.
saciabilidade s.f.
saciação s.f.
saciado adj.
saciador (*ô*) adj. s.m.
saciamento s.m.
saciante adj.2g.
saciar v.
saciável adj.2g.
saci-cererê s.m.; pl. *saci-cererês* e *sacis-cererês*
sacicesco (*ê*) adj.
saciedade s.f.
sacietógeno s.m.
sacífero adj.
saciforme adj.2g.
saciíneo adj. s.m.
sacimândia s.f.
sacimandina s.f.
saciólepe s.f.
saciolépede s.f.
saci-pererê s.m.; pl. *saci--pererês* e *sacis-pererês*
sacizete (*ê*) s.m.
saco s.m.
saço s.m.
sacobdela s.f.
sacobranco s.m.
sacoca s.f.
sacocirrídeo adj. s.m.
sacociro s.m.
saco-d'água s.m.; pl. *sacos-d'água*
saco-de-pó s.m.; pl. *sacos-de-pó*
saco-de-veado s.m.; pl. *sacos--de-veado*
sacódio s.m.
sacodonte s.m.
sacofaringe s.f.
sacofaringídeo adj. s.m.
sacóforo adj. s.m.
saco-furado s.m.; pl. *sacos--furados*
sacogáster s.m.
sacógina s.f.
sacoglote s.f.
sacogomita s.f.
sacoiense adj. s.2g.
sacola s.f.
sacolábio s.m.
sacolactato s.m.
sacoláctico adj.
sacolão s.m.
sacolar v.
sacolático adj.
sacolejado adj.
sacolejão s.m.
sacolejar v.
sacolejo (*ê*) s.m.
sacomano s.m.
sacomão s.m.
sacomardo s.m.
sacôndio s.m.
saconena s.f.
sacopari s.m.
sacopema s.f.
sacopemba s.f.
sacopétalo s.m.
sacoptérige s.f.
saco-roto s.m.; pl. *sacos-rotos*
sacorriza s.f.
sacosperma s.m.
sacossoma s.m.
sacóstomo s.m.
sacoto (*ô*) s.m.
sacová s.2g.
sacra s.f.
sacrafineiro s.m.
sacral adj.2g.
sacralgia s.f.
sacrálgico adj.
sacralidade s.f.
sacralismo s.m.
sacralização s.f.
sacralizado adj.
sacralizador (*ô*) adj.
sacralizante adj.2g.
sacralizar v.
sacralizável adj.2g.
sacramentação s.f.
sacramentado adj. s.m.
sacramentador (*ô*) adj. s.m.
sacramental adj.2g. s.m.
sacramentalidade s.f.
sacramentalismo s.m.
sacramentano adj. s.m.
sacramentante adj.2g.
sacramentar v.
sacramentário s.m.
sacramentável adj.2g.
sacramentense adj. s.2g.
sacramentino adj. s.m.
sacramento s.m.
sacrano adj. s.m.
sacrário s.m.
sacratina s.f.
sacratíssimo adj. sup. de *sagrado*
sacre adj. s.m.
sacrífero adj.
sacrificado adj.
sacrificador (*ô*) adj. s.m.
sacrifical adj.2g.
sacrificando s.m.
sacrificante adj. s.2g.
sacrificar v.
sacrificativo adj.
sacrificatório adj.
sacrificatura s.f.
sacrificável adj.2g.
sacrifíce s.2g.
sacrificial adj.2g.
sacrifício s.m.
sacrífico adj. s.m.; cf. *sacrifico*, fl. do v. *sacrificar*
sacrifículo s.m.
sacrilégio s.m.
sacrílego adj. s.m.
sacrilíaco adj.
sacripanta adj. s.2g.
sacripante adj. s.2g.
sacrismocho (*ô*) s.m.
sacrisquiático adj.
sacrista s.m.
sacristã s.f. de *sacristão*
sacristania s.f.
sacristão s.m.; f. *sacristã* e *sacristoa* (*ô*)
sacristia s.f.
sacristoa (*ô*) s.f. de *sacristão*
sacro adj. s.m.
sacrocervical adj.2g.
sacrociático adj.
sacrococcígeo adj. s.m.
sacrococcigiano adj.
sacrocóccix s.m.2n.
sacrocostal adj.2g.
sacrocoxalgia (*cs*) s.f.
sacrocoxálgico (*cs*) adj.
sacrocoxite (*cs*) s.f.
sacrocoxítico (*cs*) adj.
sacrodinia s.f.
sacrodínico adj.
sacrodural adj.2g.
sacroespinhal adj.2g.
sacroespinhoso (*ô*) adj.; f. (*ó*); pl. (*ó*)

sacrofemoral adj.2g.
sacrogenital adj.2g.
sacroileíte s.f.
sacroilíaco adj.
sacroiliolombar adj.2g.
sacroisquiático adj.
sacrolombar adj.2g.
sacromicetácea s.f.
sacromicetáceo adj.
sacroperineal adj.2g.
sacroprofano adj.
sacrorraquiano adj.
sacrorraquidiano adj.
sacrospinal adj.2g.
sacrospinoso (*ô*) adj.; f. (*ó*); pl. (*ó*)
sacrossantidade s.f.
sacrossanto adj.
sacrotomia s.f.
sacrotômico adj.
sacrotrocanteriano adj.
sacrouterino adj.
sacrovertebral adj.2g.
sacta adj. s.2g.
sacti s.f.
sactismo s.m.
sacubaré s.m.
sacudida s.f.
sacudidela s.f.
sacudido adj.
sacudidor (*ô*) adj. s.m.
sacudidura s.f.
sacudimento s.m.
sacudir v.
sacué s.f.
sacuê s.f.
sacuia adj. s.2g.
saculação s.f.
saculamento s.m.
saculante adj.2g.
sacular v. adj.2g.
saculauditivo adj.
saculiforme adj.2g.
saculina s.f.
saculmina s.m.
sáculo s.m.
saculoauditivo adj.
sacumixaba s.f.
sacupari s.m.
sacupema s.f.
saçupema s.m.
saçupemba s.m.
sacuraíta s.f.
saçurana s.f.
sacuranina s.f.
sacurê s.m.
sacuritá s.m.
sacuubarana s.f.
sada s.f.
sadaca s.f.
sadal s.m.
sadão s.m.
sade s.m.
sadense adj. s.2g.
sadi s.m.
sádico adj. s.m.
sádico-agressivo adj.; pl. *sádico-agressivos*
sádico-anal adj.2g.; pl. *sádico-anais*
sádida adj. s.2g.
sadim s.m.
sadino adj. s.m.
sadio adj.
sadismo s.m.
sadista adj. s.2g.
sadístico adj.
sadléria s.f.
sado s.m.
sadoagressivo adj.
sadoanal adj.2g.
sadomasoquismo s.m.
sadomasoquista adj. s.2g.
sadomasoquístico adj.
sá-domingos s.m.2n.
sá-dona s.f.; pl. *sás-donas*
sadrá s.m.f.
sadrinhola s.f.
sadu s.m.
saduceia (*é*) s.f. de *saduceu*
saduceísmo s.m.
saduceísta adj. s.2g.
saduceístico adj.
saduceu s.m.; f. *saduceia* (*é*)
sael s.m.
saelino adj. s.m.
saense adj. s.2g.
saeta (*ê*) s.f.
safa interj.
safa-cabos interj.
safadagem s.f.
safadão s.m.; f. *safadona*
safadeza (*ê*) s.f.
safadice s.f.
safadinho adj.
safadismo s.m.
safado adj. s.m.
safadona s.f. de *safadão*
safador (*ô*) s.m.
safaítica s.f.
safaítico adj. s.m.
safanão s.m.
safanico s.m.
safano s.m.
safão s.m.
safa-onça s.2g.; pl. *safa-onças*
safar v.
sáfara s.f.; cf. *safara*, fl. do v. *safar*
safardana s.2g.
safardel s.m.
safarenho adj. s.m.
safarense adj. s.2g.
safári s.m.
safaria s.f.
safárida adj.2g.
safarinídeo s.m.
sáfaro adj.
safarrascada s.f.
safa-safa s.f.; pl. *safa-safas* e *safas-safas*
safata s.f.
safe s.f.
safena s.f.
safenectomia s.f.
safenectômico adj.
safeno adj. s.m.
sáfeo adj.
safeossauro s.m.
safer s.m.
saferiano adj.
sáfico adj.
safio s.m. "peixe"; cf. *sáfio*
sáfio adj. "rude"; cf. *safio*
safio-preto s.m.; pl. *safios-pretos*
safira s.f.
safira-branca s.f.; pl. *safiras-brancas*
safira-brasileira s.f.; pl. *safiras-brasileiras*
safira-d'água s.f.; pl. *safiras-d'água*
safira do brasil s.f.
safira-elétrica s.f.; pl. *safiras-elétricas*
safira-estrela s.f.; pl. *safiras-estrela* e *safiras-estrelas*
safira-ocidental s.f.; pl. *safiras-ocidentais*
safirense adj. s.2g.
safirespinélio s.m.
safírico adj.
safirina s.f.
safirínico adj.
safirinídeo adj. s.m.
safirino adj.
safirização s.f.
safirizado adj.
safirizante adj.2g.
safirizar v.
safirizável adj.2g.
safiro s.m.
safismo s.m.
safista adj. s.2g.
safístico adj.
saflorita s.f.
saflorite s.f.
safo adj. s.m.
safões s.m.pl.
saforil s.m.
saforino s.m.
safra s.f.
safradeira s.f.
safradura s.f.
safranina s.f.
safranófilo adj.
safranol s.m.
safranólico adj.
safrão s.m.
safre s.m.
safreira s.f.
safreiro s.m.
safrejar v.
safreno s.m.
safrol s.m.
safrólico adj.
safrosina s.f.
safu s.m.
safucala s.f.
safu-de-obó s.m.; pl. *safus-de-obó*
safueiro s.m.
safuta s.f.
saga s.f.
sagaçaria s.f.
sagaceza (*ê*) s.f.
sagácia s.f.
sagacidade s.f.
sagacíssimo adj. sup. de *sagaz*
sagai s.m.
saganha s.f.
saganho s.m.
saganho-oiro s.m.; pl. *saganhos-oiro* e *saganhos-oiros*
saganho-ouro s.m.; pl. *saganhos-ouro* e *saganhos-ouros*
sagapejo (*ê*) s.m.
sagapeno s.m.
sagáritis s.m.2n.
sagártia s.m.
sagartídeo adj. s.m.
sagartixa s.m.
sagaz adj.2g.
sage adj.2g.
sageira s.f.
ságena s.f.
sagenária s.f.
sagenela s.f.
sagenita s.f.
sagenite s.f.
sagenítico adj.
sagenito s.m.
sagerécia s.f.
sageria s.f.
sages adj.2g.2n.
sagez (*ê*) adj.2g.
sageza (*ê*) s.f.
sagidade s.f.
sagina s.f.
saginação s.f.
saginar v.
ságio adj. s.m.
sagionia s.f.
sagita s.f.
sagitado adj.
sagital adj.2g.
sagitar v.
sagitária s.f.
sagitariano adj. s.m.
sagitariídeo adj. s.m.
sagitário adj. s.m.
sagitela s.f.
sagitídeo adj. s.m.
sagitífero adj.
sagitifoliado adj.
sagitifólio adj.
sagma s.m.
sago s.m.
sagócia s.f.
sagona s.f.
sagonho adj.
sagoraji s.m.
sagorrar v.
sagorro (*ô*) adj. s.m.
sagotar v.
sagote s.m.
sagração s.f.
sagradense adj. s.2g.
sagrado adj. s.m.
sagrador (*ô*) adj. s.m.
sagrando adj. s.m.
sagrante adj. s.2g.
sagrar v.
sagrável adj.2g.
ságrea s.f.
sagreiro adj. s.m.
sagrense adj. s.2g.
sagres s.m.2n.
sagrina s.f.
sagro s.m.
sagu s.m.
saguá s.m.
saguairu s.m.
sagual s.m.
saguão s.m.
saguaraji s.m.
saguari s.m.
saguaritá s.m.
saguaro s.m.
saguaru s.m.
saguate s.m.
saguatear v.
sagucho s.m.
sagueiro (*ü*) s.m.
sagueiro-do-mato (*ü*) s.m.; pl. *sagueiros-do-mato* (*ü*)
sagueza (*ê*) s.f.
sagui (*ü*) s.m.
saguiaçu (*ü*) s.m.
sagui-amarelo s.m.; pl. *saguis-amarelos*
sagui-branco s.m.; pl. *saguis-brancos*
sagui-caratinga s.m.; pl. *saguis-caratinga* e *saguis-caratingas*
sagui-comum s.m.; pl. *saguis-comuns*
sagui-de-bigode s.m.; pl. *saguis-de-bigode*
sagui-de-duas-cores s.m.; pl. *saguis-de-duas-cores* **sagui-de-mão-ruiva** s.m.; pl. *saguis-de-mão-ruiva*
sagui-de-orelhas-compridas s.m.; pl. *saguis-de-orelhas-compridas*
sagui-do-brasil s.m.; pl. *saguis-do-brasil*
sagui-do-rio-de-janeiro s.m.; pl. *saguis-do-rio-de-janeiro*
saguiguaçu (*ü*) s.m.
sagui-imperador s.m.; pl. *saguis-imperador* e *saguis-imperadores*
saguim (*ü*) s.m.
saguim-açu s.m.; pl. *saguins-açus*
saguim-amarelo s.m.; pl. *saguins-amarelos*
saguim-branco s.m.; pl. *saguins-brancos*
saguim-caratinga s.m.; pl. *saguins-caratinga* e *saguins-caratingas*
saguim-comum s.m.; pl. *saguins-comuns*
saguim-de-bigode s.m.; pl. *saguins-de-bigode*
saguim-de-duas-cores s.m.; pl. *saguins-de-duas-cores*
saguim-de-mão-ruiva s.m.; pl. *saguins-de-mão-ruiva*
saguim-de-orelhas-compridas s.m.; pl. *saguins-de-orelhas-compridas*
saguim-do-brasil s.m.; pl. *saguins-do-brasil*
saguim-do-rio-de-janeiro s.m.; pl. *saguins-do-rio-de-janeiro*
saguim-imperador s.m.; pl. *saguins-imperador* e *saguins-imperadores*
saguim-mascarado s.m.; pl. *saguins-mascarados*
saguim-ordinário s.m.; pl. *saguins-ordinários*
saguim-pequenino-do-maranhão s.m.; pl. *saguins-pequeninos-do-maranhão*
saguimpiranga s.m.
saguim-preto s.m.; pl. *saguins-pretos*
saguim-preto-de-bigode-branco s.m.; pl. *saguins-pretos-de-bigode-branco*
saguim-veludo s.m.; pl. *saguins-veludos*
saguini (*ü*) s.m.
sagui-ordinário s.m.; pl. *saguis-ordinários*
sagui-pequenino-do-maranhão s.m.; pl. *saguis-pequeninos-do-maranhão*
saguipiranga (*ü*) s.m.
sagui-preto s.m.; pl. *saguis-pretos*
sagui-preto-de-bigode-branco s.m.; pl. *saguis-pretos-de-bigode-branco*
saguira (*ü*) s.f.
saguiru (*ü*) s.m.
saguiúna (*ü*) s.m.
sagui-veludo s.m.; pl. *saguis-veludos*
sagui-vermelho s.m.; pl. *saguis-vermelhos*
ságulo s.m.
sagum s.m.
saguncho s.m.
saguntino adj. s.m.
saguvate s.m.
saguzeiro s.m.
sahamalita s.f.
saheliano adj. s.m.
sahlinita s.f.
saí s.m.f.; cf. *sai*, fl. do v. *sair*
saia s.f.; cf. *saía*, fl. do v. *sair*
saia-balão s.f.; pl. *saias-balão* e *saias-balões*
saiaçaiá s.m.
saia-calça s.f.; pl. *saias-calça* e *saias-calças*
saia-calção s.f.; pl. *saias-calção* e *saias-calções*
saí-açu s.m.; pl. *saís-açus*
saí-açu-azul s.m.; pl. *saís-açus-azuis*
saiada s.f.
saia de balão s.f.
saia-de-cunhã s.f.; pl. *saias-de-cunhã*
saiaguês adj. s.m.
saial s.m.
saí-andorinha s.m.; pl. *saís-andorinha* e *saís-andorinhas*
saiano adj. s.m.
saião adj. s.m.
saião-acre s.m.; pl. *saiões-acres*
saião-curto s.m.; pl. *saiões-curtos*
saí-arara s.m.; pl. *saís-arara* e *saís-araras*
saí-arara-da-serra s.m.; pl. *saís-arara-da-serra* e *saís-araras-da-serra*
saias s.f.pl.
saiá-saiá s.m.; pl. *saiás-saiás*
saia-verde s.f.; pl. *saias-verdes*
saí-azul s.m.; pl. *saís-azuis*
saí-bicudo s.m.; pl. *saís-bicudos*
saibo s.m.
saibrada s.f.
saibrado adj.
saibramento s.m.
saibrão s.m.
saibrar v.
saibreira s.f.
saibreiro s.m.
saibrense adj. s.2g.
saibrento adj.
saibro s.m.
saibro-branco s.m.; pl. *saibros-brancos*
saibroso (*ô*) adj.; f. (*ó*); pl. (*ó*)
saí-buraqueira s.m.; pl. *saís-buraqueiras*
saica s.f.
saicã s.f.
saicanga s.f.
saicãzense adj. s.2g.

sai-cimense adj. s.2g.; pl. *sai-cimenses*
saicíneo adj. s.m.
sai-cinzense adj. s.2g.; pl. *sai-cinzenses*
saíco s.m.
saída s.f.
saída de baile s.f.
saída de banho s.f.
saída de praia s.f.
saí-da-sécia s.m.; pl. *saís-da-sécia*
saide s.m.
saí-de-bando s.m.; pl. *saís-de-bando*
saí-de-coleira s.m.; pl. *saís-de-coleira*
saí-de-fogo s.m.; pl. *saís-de-fogo*
saideira s.f.
saidela s.f.
saí-de-sete-cores s.f.; pl. *saís-de-sete-cores*
saídico s.m.
saído adj.
saidoiro s.m.
saí-do-pará s.m.; pl. *saís-do-pará*
saidor (*ô*) adj. s.m.
saidouro s.m.
saieira s.f.
saiense adj. s.2g.
saierê s.m.
saieta (*ê*) s.f.
saiga s.f.
saí-guaçu s.m.; pl. *saís-guaçus*
saiguira s.m.
saijé s.m.
sail s.m.
saim s.m.
saimel s.m.
saimento s.m.
saí-militar s.m.; pl. *saís-militares*
saimiri s.m.
saí-mirim s.m.; pl. *saís-mirins*
sainaumense adj. s.2g.
saindaru adj. s.2g.
sainé s.m.
sainete (*ê*) s.m.
sainfeldita s.f.
sainha s.f.
sainho s.m.
sainita s.f.
saino adj. s.m.
sainte adj.2g. s.f.
saint-john-persiano adj.; pl. *saint-john-persianos*
saintpáulia s.f.
saint-simoniano adj.; pl. *saint-simonianos*
saint-simoniense adj.2g.; pl. *saint-simonienses*
saint-simonismo s.m.; pl. *saint-simonismos*
saint-simonista adj. s.2g.; pl. *saint-simonistas*
saio s.m.
saioado s.m.
saiodina s.f.
saiodino s.m.
saiola s.f.
saionaria s.f.
saionia s.f.
saionício s.m.
saionízio s.m.
saioria s.f.
saiota s.f.
saiote s.m.
saioto (*ô*) s.m.
saí-papagaio s.m.; pl. *saís-papagaio* e *saís-papagaios*
saipé s.m.
sair v.
sairá s.m. "ave"; cf. *saíra*
saíra s.f. "ave"; cf. *sairá*
saíra-açu s.f.; pl. *saíras-açus*
saíra-amarela s.f.; pl. *saíras-amarelas*
saíra-buraqueira s.f.; pl. *saíras-buraqueiras*
sairaçu s.f.
saíra-de-cabeça-azul s.f.; pl. *saíras-de-cabeça-azul*
saíra-de-sete-cores s.f.; pl. *saíras-de-sete-cores*
saíra-guaçu s.f.; pl. *saíras-guaçus*
saíra-militar s.f.; pl. *saíras-militares*
sairara s.m.
saíra-sapucaia s.f.; pl. *saíras-sapucaias*
saíra-sete-cores s.f.; pl. *saíras-sete-cores*
saíra-verde s.f.; pl. *saíras-verdes*
saíra-vermelha s.f.; pl. *saíras-vermelhas*
sairé s.m.
sairê s.m.
saireense adj. s.2g.
sairi s.m.
sairinho s.m.
sairinhola s.f.
sairuçu s.m.
saí-sapucaia s.f.; pl. *saís-sapucaia* e *saís-sapucaias*
saisina s.f.
saíta adj. s.2g.
saitaia s.m.
saitaia-amarelado-do-pará s.m.; pl. *saitaias-amarelados-do-pará*
saitaia-chorão s.m.; pl. *saitaias-chorões*
saitaia-chorão-do-pará s.m.; pl. *saitaias-chorões-do-pará*
saitaia-negro-do-pará s.m.; pl. *saitaias-negros-do-pará*
saitauá s.m.
saiticídeo adj. s.m.
saítico adj. s.m.
saítis s.m.2n.
saium s.m.
saivá s.m.
saí-verde s.m.; pl. *saís-verdes*
saixé s.m.
saixê s.m.
sajaria s.f.
sájena s.f.
sajene s.f.
sajense s.f.
sajica adj.2g.
sajinita s.f.
saju s.m.
saju-capuchinho s.m.; pl. *sajus-capuchinhos*
sajum s.m.
sakharovaíta s.f.
sal s.m.
sala s.f. "cômodo"; cf. *salá*
salá s.m. "oração"; cf. *sala*
salabardote s.m.
salabássana s.m.
salabórdia s.f.
salação s.f.
salacetol s.m.
salácia s.f.
salaciano adj. s.m.
salacidade s.f.
salacídeo adj. s.m.
salaciense adj. s.2g.
salacinato s.m.
salacínico adj.
salacíssimo adj. sup. de *salaz*
salacorta s.f.
salactol s.m.
salada s.f.
sala de dança s.f.
saladeira s.f.
saladeiril adj.2g.
saladeirista adj. s.2g.
saladeiro s.m.
saladina s.f.
saladino adj.
sala e quarto s.m.2n.
salafrário s.m.
salafré s.2g.
salagarta s.f.
salagem s.f.
salagre adj.2g.
salagué s.m.
salaio s.m.
salalé s.m.
salaléu s.m.
salama s.f.
salamaleque s.m.
salamalequeador (*ô*) adj. s.m.
salamalequear v.
salamancada s.f.
salamandra s.f.
salamandra-aquática s.f.; pl. *salamandras-aquáticas*
salamandra-caucásica s.f.; pl. *salamandras-caucásicas*
salamandra-de-água s.f.; pl. *salamandras-de-água*
salamandra-negra s.f.; pl. *salamandras-negras*
salamandra-terrestre s.f.; pl. *salamandras-terrestres*
salamandrídeo s.m.
salamandrina s.f.
salamandríneo adj. s.m.
salamandrino adj. s.m.
salamânia s.f.
salamânica s.f.
salamanquense adj. s.2g.
salamanquina s.f.
salamanquino adj. s.m.
salamanta s.f.
salamântega s.f.
salamanticense adj. s.2g.
salamântico adj. s.m.
salamantino adj. s.m.
salamar s.f.
sal-amargo s.m.; pl. *sais-amargos*
salamaria s.f.
salamba s.f.
salame s.m.
salamear v.
salaminho s.m.
salamínio adj. s.m.
salamo s.m.
sal-amoníaco s.m.; pl. *sais-amoníacos*
salamorda (*ô*) s.2g.
salamordar v.
salamurdo adj. s.m.
salandra s.f.
salangana s.f.
salangídeo adj. s.m.
salango s.m.
salão s.m.
salão de beleza s.m.
salapino adj. s.m.
salapitano adj. s.m.
salária s.f.
salariado adj. s.m.
salarial adj.2g.
salariar v.
salariato s.m.
salário s.m.
salário-base s.m.; pl. *salários-base* e *salários-bases*
salário-família s.m.; pl. *salários-família* e *salários-famílias*
salário-hora s.m.; pl. *salários-hora* e *salários-horas*
salário-maternidade s.m.; pl. *salários-maternidade*
salário-mínimo s.m.; pl. *salários-mínimos*
salasso adj. s.m.
salatino adj. s.m.
salavessense adj. s.2g.
salaxe (*cs*) s.f.
salaxidáceo (*cs*) adj.
salaxídea (*cs*) s.f.
salaz adj.2g.
salazarismo s.m.
salazarista adj. s.2g.
salazarístico adj.
salbanda s.f.
salbutamol s.m.
salça-proa s.f.; pl. *salças-proas*
salçarana s.f.
saldado adj.
saldador (*ô*) adj. s.m.
saldanhada s.f.
saldanheia (*é*) s.f.
saldanhense adj. s.2g.
saldanhista adj. s.2g.
saldanita s.f.
saldanite s.f.
saldar v.
sal de azedas s.m.
sal de chifre de veado s.m.
sal de embate s.m.
sal de epsom s.m.
sal de frutas s.m.
sal de gláuber s.m.
sal de júpiter s.m.
sal de santa maria s.m.
sal de saturno s.m.
sal de tártaro s.m.
sal de vidro s.m.
sal de vinagre s.m.
saldídeo adj. s.m.
saldínia s.f.
saldo adj. s.m.
sal do mar s.m.
sal do peru s.m.
sáldula s.f.
salé s.f.
saleeíta s.f.
saleira s.f.
saleiro adj. s.m.
salém s.m.
salema s.f.
salema-rajada s.f.; pl. *salemas-rajadas*
salenda s.f.
salênia s.f.
saleniídeo adj. s.m.
saleníneo adj. s.m.
saleno adj. s.m.
salense adj. s.2g.
salentino adj. s.m.
salepeira s.f.
salepeira-grande s.f.; pl. *salepeiras-grandes*
salepeira-maior s.f.; pl. *salepeiras-maiores*
sal e pimenta adj.2g.2n.
salepo s.m.
salepo-maior s.m.; pl. *salepos-maiores*
salerne s.m.
salernitano adj. s.m.
saleroso (*ô*) adj.; f. (*ó*); pl. (*ó*)
salesense adj. s.2g.
salésia s.f.
salesianidade s.f.
salesiano adj. s.m.
salésio adj. s.m.
salesita s.f.
sales-oliveirense adj. s.2g.; pl. *sales-oliveirenses*
salesopolense adj. s.2g.
salesopolitano adj. s.m.
saleta (*ê*) s.f.
saletense adj. s.2g.
saletino adj. s.m.
salfeno s.m.
salga s.f.
salgação s.f.
salgada s.f.
salgadaliense adj. s.2g.
salgadeira s.f.
salgadense adj. s.2g.
salgadiço adj. s.m.
salgadinha s.f.
salgadinhense adj. s.2g.
salgadinho s.m.
salgadinhos s.m.pl.
salgadio adj. s.m.
salgado adj. s.m.
salgador (*ô*) adj. s.m.
salgado-vermelho s.m.; pl. *salgados-vermelhos*
salgadura s.f.
salgagem s.f.
salgalhada s.f.
salgalho s.m.
salgamento s.m.
salgante adj.2g.
salgar v.
salgável adj.2g.
sal-gema s.m.; pl. *sais-gemas*
salgo adj. s.m.
salgueira s.f.
salgueira-branca s.f.; pl. *salgueiras-brancas*
salgueiral s.m.
salgueireiro adj. s.m.
salgueirense adj. s.2g.
salgueirinha s.f.
salgueiro adj. s.m.
salgueiro-anão s.m.; pl. *salgueiros-anões*
salgueiro-branco s.m.; pl. *salgueiros-brancos*
salgueiro-chorão s.m.; pl. *salgueiros-chorões*
salgueiro-da-babilônia s.m.; pl. *salgueiros-da-babilônia*
salgueiro-de-casca-roxa s.m.; pl. *salgueiros-de-casca-roxa*
salgueiro-do-diabo s.m.; pl. *salgueiros-do-diabo*
salgueiro-do-mato s.m.; pl. *salgueiros-do-mato*
salgueiro-do-rio s.m.; pl. *salgueiros-do-rio*
salgueiro-dos-rios s.m.; pl. *salgueiros-dos-rios*
salgueiro-falso s.m.; pl. *salgueiros-falsos*
salgueiro-frágil s.m.; pl. *salgueiros-frágeis*
salgueiro-francês s.m.; pl. *salgueiros-franceses*
salgueiro-mainato s.m.; pl. *salgueiros-mainatos*
salgueiro-preto s.m.; pl. *salgueiros-pretos*
salgueiro-quebradiço s.m.; pl. *salgueiros-quebradiços*
salgueiro-rastejante s.m.; pl. *salgueiros-rastejantes*
salha s.f.; na loc. *à salha*
salhar v.
saliavata s.f.
saliavatíneo adj. s.m.
salicácea s.f.
salicáceo adj.
salical adj.2g.
salicale s.f.
salicária s.f.
salicariácea s.f.
salicariáceo adj.
salicário s.m.
sálice s.f.
salicícola adj.2g.
salicicultor (*ô*) adj. s.m.
salicicultura s.f.
salicifoliado adj.
salicifólio adj.
salicilácea s.f.
salicilacetato s.m.
salicilacético adj.
salicilado adj.
salicilagem s.f.
salicilalanilido s.m.
salicilaldeído s.m.
salicilaldoxima (*cs*) s.f.
salicilamida s.f.
salicilar v.
salicilária s.f.
salicilarseniato s.m.
salicilatado adj.
salicilato s.m.
salicileto (*ê*) s.m.
salicílico adj.
salicilideno s.m.
salicilido s.m.
salicilidroxamato (*cs*) s.m.
salicilidroxâmico (*cs*) adj.
salicililo s.m.
salicilina s.f.
salicílio s.m.
salicilo s.m.
saliciloílo s.m.
salicilol s.m.
saliciloso (*ô*) adj.; f. (*ó*); pl. (*ó*)
salicilquinidina s.f.
salicilsalicilato s.m.
salicilsalicílico adj.
salicilsulfenato s.m.

salicilsulfônico adj.
saliciltanato s.m.
saliciltânico adj.
salicilurato s.m.
salicilúrico adj.
salicina s.f.
salicinácea s.f.
salicináceo adj.
salicínea s.f.
salicíneo adj.
salicional s.m.
salicite s.f.
salicitrina s.f.
salicívoro adj.
sálico adj.
salícola adj.2g.
salicóquio s.m.
salicórnia s.f.
salicorníea s.f.
salicosídeo s.m.
salicosídio s.m.
salicultor (*ô*) s.m.
salicultura s.f.
saliência s.f.
saliêncio adj. s.m.
salientador (*ô*) adj. s.m.
salientar v.
saliente adj.2g.
saliferiano adj.
salífero adj.
salificação s.f.
salificado adj.
salificador (*ô*) adj.
salificante adj.2g.
salificar v.
salificável adj.2g.
saligenina s.f.
salígeno adj.
saligenol s.m.
salilota s.f.
salimancia s.f.
salimante s.2g.
salimântico adj.
salina s.f.
salinação s.f.
salinadense adj. s.2g.
salinaftol s.m.
salinagem s.f.
salinar v.
salinável adj.2g.
salineira s.f.
salineiro adj. s.m.
salinense adj. s.2g.
salinidade s.f.
saliniense adj. s.2g.
salinífero adj.
salinigrina s.f.
salininhense adj. s.2g.
salinização s.f.
salinizado adj.
salino adj.
salinometria s.f.
salinométrico adj.
salinômetro s.m.
salinopolitano adj. s.m.
sálio adj. s.m.
salipirina s.f.
salirretina s.f.
salisbúria s.f.
salita s.f.
salite s.f.
salitração s.f.
salitrado adj.
salitral s.m.
salitrar v.
salitraria s.f.
salitre s.m.
salitre da índia s.m.
salitre do chile s.m.
salitreira s.f.
salitreiro adj. s.m.
salitrense adj. s.2g.
salitrização s.f.
salitrizador (*ô*) adj. s.m.
salitrizar v.
salitro s.m.
salitroso (*ô*) adj.; f. (*ó*); pl. (*ó*)
saliva s.f.
salivação s.f.
salivado adj.
salivador (*ô*) adj. s.m.
salival adj.2g.
salivante adj.2g. s.m.
salivar v. adj.2g.
salivária s.f.; cf. *salivaria*, fl. do v. *salivar*
salivário s.m.
salivoso (*ô*) adj.; f. (*ó*); pl. (*ó*)
sálix (*cs*) s.f.; pl. *sálices*
salmácide s.m.f.
salmácido adj.
salmacina s.f.
sálmacis s.f.2n.
salmaço adj.
salmanasar s.m.
salmano adj. s.m.
salmanticense adj. s.2g.
salmantino adj. s.m.
salmão adj.2g.2n. s.m.
salmão-da-califórnia s.m.; pl. *salmões-da-califórnia*
salmão-pequeno s.m.; pl. *salmões-pequenos*
salmão-rei s.m.; pl. *salmões-rei* e *salmões-reis*
salmão-truta s.m.; pl. *salmões-truta* e *salmões-trutas*
salmeado adj.
salmear v.
salmeira s.f.
salmejar v.
salmejo (*ê*) s.m.
salmeopse s.f.
salmi s.m.
salmiaque s.m.
sálmico adj.
salmilhado adj.
salmina s.f.
salmino s.m.
salmista adj. s.2g.
salmita s.f.
salmite s.m.
salmização s.f.
salmizado adj.
salmizar v.
salmo s.m.
salmodejado adj.
salmodejar v.
salmodia s.f.
salmódia s.f.
salmodiado adj.
salmodiar v.
salmoeira s.f.
salmoeirado adj.
salmoeirar v.
salmoeiro s.m.
salmoira s.f.
salmoirão s.m.
salmoirar v.
salmoirização s.f.
salmoíta s.f.
salmonada s.f.
salmonado adj.
salmonejo (*ê*) adj. s.m.
salmonela s.f.
salmonelíase s.f.
salmonelose s.f.
salmonete (*ê*) s.m.
salmonete-preto s.m.; pl. *salmonetes-pretos*
salmonicultor (*ô*) adj. s.m.
salmonicultura s.f.
salmonídeo adj. s.m.
salmoniforme adj.2g. s.m.
salmonina s.f.
salmoníneo adj. s.m.
salmonsita s.f.
salmoperco adj. s.m.
salmoura s.f.
salmourado adj.
salmouranense adj. s.2g.
salmourão s.m.
salmourar v.
salmourização s.f.
saloaense adj. s.2g.
salobinhense adj. s.2g.
salobre (*ô*) adj.2g.
salobrense adj. s.2g.
salobro (*ô*) adj.
salocola s.f.
salofênio s.m.
salofeno s.m.
saloiada s.f.
saloiismo s.m.
saloio adj. s.m.
saloísmo s.m.
salol s.m.
salolado adj.
salomão s.m.
salomeense adj. s.2g.
salomônia s.f.
salomônico adj.
saloneiro s.m.
salonense adj. s.2g.
salonicense adj. s.2g.
salonismo s.m.
salonista s.2g.
salonitano adj. s.m.
saloquinina s.f.
salossândalo s.m.
salossantol s.m.
salpa s.f.
sal-pedra s.m.; pl. *sais-pedras*
sal-pedrês s.m.; pl. *sais-pedreses*
salpesano adj. s.m.
sal-pétreo s.m.; pl. *sais-pétreos*
salpianto s.m.
salpica s.f.
salpicado adj.
salpicador (*ô*) adj. s.m.
salpicadura s.f.
salpica-lamas s.m.2n.
salpicamento s.m.
salpicante adj.2g.
salpicão s.m.
salpicar v.
salpicável adj.2g.
salpico s.m.
salpícola s.f.
salpiconesco (*ê*) adj.
salpícroa s.f.
sálpida adj.2g. s.m.
salpídeo adj. s.m.
sálpido s.m.
salpiglossa s.f.
salpiglóssea s.f.
salpiglósseo adj.
salpiglossídea s.f.
salpiglossídeo adj.
salpiglóssis s.m.2n.
salpim s.m.
sal-pimenta adj.2g.2n. s.f.; pl. *sais-pimenta* e *sais-pimentas*
sal-pimentado adj.; pl. *sais-pimentados*
sal-pimentar v.
salpina s.f.
salpinate adj. s.2g.
salpinetes s.m.2n.
salpinga s.f.
salpinge s.f.
salpíngea s.f.
salpingeca s.f.
salpingecídeo adj. s.m.
salpingectomia s.f.
salpingectômico adj.
salpingemia s.f.
salpingêmico adj.
salpingenfráctico adj.
salpingenfraxe (*cs*) s.f.
salpingenfraxia (*cs*) s.f.
salpingiano adj.
salpíngico adj.
salpingídeo adj. s.m.
salpíngio s.m.
salpingisterociese s.f.
salpingisterociésico adj.
salpingisterociético adj.
salpingite s.f.
salpingítico adj.
salpingo s.m.
salpingocateterismo s.m.
salpingocele s.f.
salpingocélico adj.
salpingociese s.f.
salpingociésico adj.
salpingofaríngeo adj. s.m.
salpingoforectomia s.f.
salpingoforectômico adj.
salpingoforite adj. s.m.
salpingoforítico adj.
salpingoforocele s.f.
salpingoforocélico adj.
salpingoglossa s.f.
salpingografia s.f.
salpingográfico adj.
salpingógrafo s.m.
salpingograma s.m.
salpingólise s.f.
salpingolítico adj.
salpingo-oforectomia s.f.
salpingo-oforectômico adj.
salpingo-oforite s.f.
salpingo-oforítico adj.
salpingo-oforocele s.f.
salpingo-oforocélico adj.
salpingo-otecectomia s.f.
salpingo-otecectômico adj.
salpingo-otecite s.f.
salpingo-otecítico adj.
salpingo-otecocele s.m.
salpingo-otecocélico adj.
salpingo-ovariectomia s.f.
salpingo-ovariectômico adj.
salpingo-ovariopexia (*cs*) s.f.
salpingo-ovariopéxico (*cs*) adj.
salpingo-ovariotripsia s.f.
salpingo-ovariotríptico adj.
salpingo-ovarite s.f.
salpingo-ovarítico adj.
salpingopalatino adj.
salpingopéctico adj.
salpingoperitonite s.f.
salpingoperitonítico adj.
salpingopético adj.
salpingopexia (*cs*) s.f.
salpingopéxico (*cs*) adj.
salpingopiesia s.f.
salpingopiésico adj.
salpingoplastia s.f.
salpingoplástico adj.
salpingorrafia s.f.
salpingorráfico adj.
salpingoscopia s.f.
salpingoscópico adj.
salpingoscópio s.m.
salpingossalpingostomia s.f.
salpingossalpingostômico adj.
salpingostafilino adj.
salpingostomia s.f.
salpingostômico adj.
salpingóstomo s.m.
salpingotecectomia s.f.
salpingotecectômico adj.
salpingotecite s.f.
salpingotecítico adj.
salpingotecocele s.m.
salpingotecocélico adj.
salpingotomia s.f.
salpingotômico adj.
salpingovariectomia s.f.
salpingovariectômico adj.
salpingovariopexia (*cs*) s.f.
salpingovariopéxico (*cs*) adj.
salpingovariotripsia s.f.
salpingovariotríptico adj.
salpingovarite s.f.
salpingovarítico adj.
salpinídeo adj. s.m.
salpintado adj.
salpintar v.
sálpio adj. s.m.
sálpis s.m.2n.
salpoeirado adj.
salpoeirar v.
salpor (*ô*) s.m.
salporinha s.f.
salpórnis s.2g.2n.
salpresa (*ê*) s.f.
salpresado adj.
salpresar v.
salpreso (*ê*) adj.; cf. *salpreso*, fl. do v. *salpresar*
salpurro s.m.
salretas (*ê*) s.f.pl.
salsa s.f.
salsa-americana s.f.; pl. *salsas-americanas*
salsa-ardente s.f.; pl. *salsas-ardentes*
salsa-branca s.f.; pl. *salsas-brancas*
salsa-brava s.f.; pl. *salsas-bravas*
salsa-crespa s.f.; pl. *salsas-crespas*
salsada s.f.
salsa-d'água s.f.; pl. *salsas-d'água*
salsa-da-praia s.f.; pl. *salsas-da-praia*
salsa-da-rocha s.f.; pl. *salsas-da-rocha*
salsa-de-água s.f.; pl. *salsas-de-água*
salsa-de-burro s.f.; pl. *salsas-de-burro*
salsa-de-castanheiro s.f.; pl. *salsas-de-castanheiro*
salsa-de-cavalos s.f.; pl. *salsas-de-cavalos*
salsa-de-cheiro s.f.; pl. *salsas-de-cheiro*
salsa-de-cupim s.f.; pl. *salsas-de-cupim*
salsa-de-rocha s.f.; pl. *salsas-de-rocha*
salsa-do-brejo s.f.; pl. *salsas-do-brejo*
salsa-do-campo s.f.; pl. *salsas-do-campo*
salsa-do-mato s.f.; pl. *salsas-do-mato*
salsa-do-monte s.f.; pl. *salsas-do-monte*
salsa-do-rio-grande-do-sul s.f.; pl. *salsas-do-rio-grande-do-sul*
salsa-do-rio-novo s.f.; pl. *salsas-do-rio-novo*
salsa-dos-cavalos s.f.; pl. *salsas-dos-cavalos*
salsa-dos-pântanos s.f.; pl. *salsas-dos-pântanos*
salsa-gorda s.f.; pl. *salsas-gordas*
salsa-leitosa s.f.; pl. *salsas-leitosas*
salsa-limão s.f.; pl. *salsas-limão* e *salsas-limões*
salsa-moura s.f.; pl. *salsas-mouras*
salsão s.m.
salsaparrilha s.f.
salsaparrilha-bastarda s.f.; pl. *salsaparrilhas-bastardas*
salsaparrilha-da-alemanha s.f.; pl. *salsaparrilhas-da-alemanha*
salsaparrilha de bristol s.f.
salsaparrilha-de-lisboa s.f.; pl. *salsaparrilhas-de-lisboa*
salsaparrilha-do-canadá s.f.; pl. *salsaparrilhas-do-canadá*
salsaparrilha-do-maranhão s.f.; pl. *salsaparrilhas-do-maranhão*
salsaparrilha-do-reino s.f.; pl. *salsaparrilhas-do-reino*
salsaparrilha-do-rio s.f.; pl. *salsaparrilhas-do-rio*
salsaparrilha-indiana s.f.; pl. *salsaparrilhas-indianas*
salsaparrilha-indígena s.f.; pl. *salsaparrilhas-indígenas*
salsaparrilha-oriental s.f.; pl. *salsaparrilhas-orientais*
salsaponina s.f.
salsa-proa s.f.; pl. *salsas-proa* e *salsas-proas*
salsarana s.f.
salsa-selvagem s.f.; pl. *salsas-selvagens*
salsa-vulgar s.f.; pl. *salsas-vulgares*
salsedo (*ê*) s.m.
salseira s.f.
salseirada s.f.
salseirinha s.f.
salseiro s.m.
salsense adj. s.2g.
sálseo adj.
salsetano adj. s.m.

salsicha s.f.
salsichado adj.
salsichão s.m.
salsicharia s.f.
salsicheiro s.m.
salsifi s.m.
salsifi-negro s.m.; pl. *salsifis-negros*
salsifi-preto s.m.; pl. *salsifis-pretos*
salsifré s.m.
salsinha s.m.f.
salso adj. s.m.
salsola s.f.
salsolácea s.f.
salsoláceo adj.
salsólea s.f.
salsóleo adj.
salsolina s.f.
salsugem s.f.
salsuginoso (ô) adj.; f. (ó); pl. (ó)
salta s.m.
salta-atrás s.2g.2n.
salta-caminho s.m.; pl. *salta-caminhos*
saltação s.f.
salta-caroço s.m.; pl. *salta-caroços*
salta-cavaco s.m.; pl. *salta-cavacos*
salta-cavalo s.m.; pl. *salta-cavalos*
salta-chão s.m.; pl. *salta-chãos*
saltada s.f.
saltadeira s.f.
saltado adj. s.m.
saltadoiro s.m.
saltador (ô) adj. s.m.
saltadouro s.m.
salta-marquês s.m.; pl. *salta-marqueses*
salta-martim s.m.; pl. *salta-martins*
salta-martinho s.m.; pl. *salta-martinhos*
salta-moita adj.2g.; pl. *salta-moitas*
salta-montes s.m.2n.
saltanga s.f.
saltante adj.2g.
saltante-picado s.m.; pl. *saltantes-picados*
saltão adj. s.m.
saltão-da-praia s.m.; pl. *saltões-da-praia*
salta-paredes s.m.2n.
salta-pocinhas s.m.2n.
saltar v.
saltareco s.m.
salta-regra s.m.; pl. *salta-regras*
saltarela s.f.
saltarelar v.
saltarelo adj. s.m.
saltaricado adj. s.m.
saltaricar v.
saltarico s.m.
saltarilhar v.
saltarilho s.m.
saltarinhar v.
saltarino s.m.
salta-sebes s.2g.2n.
salta-toco s.m.; pl. *salta-tocos*
saltatório adj. s.m.
saltatrice adj. s.f.
saltatriz adj. s.f.
salta-valados s.m.2n.
salteação s.f.
salteada s.f.
salteado adj. s.m.
salteador (ô) adj. s.m.
salteagem s.f.
salteamento s.m.
saltear v.
salteável adj.2g.
salteio s.m.
salteira s.f.
salteiro s.m.
saltense adj. s.2g.
salter s.m.
saltério s.m.
saltério-mexicano s.m.; pl. *saltérios-mexicanos*
sáltica s.f.
salticídeo adj. s.m.
saltico s.m. "saltinho"; cf. *sáltico*
sáltico s.m. "aranha"; cf. *saltico*
saltígrado adj.
saltimbanco s.m.
saltimbanquear v.
saltimbarca s.f.
saltinhar v.
saltinhense adj. s.2g.
saltinvão s.m.
saltitante adj.2g.
saltitar v.
salto s.m.
salto-alegrense adj. s.2g.; pl. *salto-alegrenses*
salto-avanhandavense adj. s.2g.; pl. *salto-avanhandavenses*
salto-divisense adj. s.2g.; pl. *salto-divisenses*
salto do palhaço s.m.
salto-grandense adj. s.2g.; pl. *salto-grandenses*
salto-itarareense adj. s.2g.; pl. *salto-itarareenses*
salto-lontrense adj. s.2g.; pl. *salto-lontrenses*
salto-mortal s.m.; pl. *saltos-mortais*
salto-pedrense adj. s.2g.; pl. *salto-pedrenses*
salto-piraporense adj. s.2g.; pl. *salto-piraporenses*
saltos-furtados s.m.pl.
salto-velosense adj. s.2g.; pl. *salto-velosenses*
sáltria s.f.
saltuário adj. s.m.
salu s.m.
salubá interj.
salubérrimo adj. sup. de *salubre*
salubre adj.2g. s.m.
salubridade s.f.
salubrificação s.f.
salubrificado adj.
salubrificar v.
salubrização s.f.
salubrizado adj.
salubrizar v.
salubrol s.m.
saludador (ô) adj. s.m.
saludar v.
saludo s.m.
saluga s.f.
sã-luisense adj. s.2g.; pl. *sã-luisenses*
saluki s.m.
salung s.m.
sã-luquено adj. s.m.; pl. *sã-luquenos*
salurese s.f.
salurético adj.
salutante adj.2g.
salutar adj.2g.
salutariense adj. s.2g.
salutáris s.m.2n.
salutífero adj.
salúvio adj. s.m.
salva s.f.
salva-bastarda s.f.; pl. *salvas-bastardas*
salvabilidade s.f.
salva-brava s.f.; pl. *salvas-bravas*
salvação s.f.
salvacionense adj. s.2g.
salvacionismo s.m.
salvacionista adj. s.2g.
salvacionístico adj.
salva-das-boticas s.f.; pl. *salvas-das-boticas*
salvádego adj. s.m.
salva-de-marajó s.f.; pl. *salvas-de-marajó*
salva-de-pernambuco s.f.; pl. *salvas-de-pernambuco*
salvado s.m.
salva-do-brasil s.f.; pl. *salvas-do-brasil*
salva-do-campo s.f.; pl. *salvas-do-campo*
salva-do-mato s.f.; pl. *salvas-do-mato*
salva-do-pará s.f.; pl. *salvas-do-pará*
salvador (ô) adj. s.m.
salvadora (ô) s.f.
salvadorácea s.f.
salvadoráceo adj.
salvadorenho adj. s.m.
salvadorense adj. s.2g.
salvadorina s.f.
salva-do-rio-grande s.f.; pl. *salvas-do-rio-grande*
salva-do-rio-grande-do-sul s.f.; pl. *salvas-do-rio-grande-do-sul*
salvadorita s.f.
salvadorite s.f.
salvados s.m.pl.
salva-folhas s.m.2n.
salvagem s.f.
salvaguarda s.f.
salvaguardar v.
salva-larga s.f.; pl. *salvas-largas*
salva-limão s.f.; pl. *salva-limões*
salva-mão s.m.; pl. *salva-mãos*
salvamento s.m.
salvanda s.f.
salvanor (ô) s.m.
salvante adj.2g. prep.
salvar v.
salvarana s.f.
salvarsan s.m.
salvarsânico adj.
salvatagem s.f.
salvatela s.f.
salvatério s.m.
salvaterra s.f.
salvaterrense adj. s.2g.
salvaterriano adj. s.m.
salvatoriano adj. s.m.
salva-trilobada s.f.; pl. *salvas-trilobadas*
salvável adj.2g.
salva-verdadeira s.f.; pl. *salvas-verdadeiras*
salva-vida s.f.; pl. *salva-vidas*
salva-vidas adj. s.2g.2n.
salva-vidense adj. s.2g.; pl. *salva-videnses*
salve s.m.f. interj.
salveira s.f.
salvelino s.m.
salveno s.m.
salvense adj. s.2g.
salve-rainha s.f.; pl. *salve-rainhas*
salve-se quem puder s.m.2n.
salveta (ê) s.f.
salvete interj.
salveterrano adj. s.m.
sálvia s.f.
salvíea s.f.
salvífico adj.
salvina s.f.
salvínea s.f.
salvíneo adj.
salvínia s.f.
salviniácea s.f.
salviniáceo adj.
salviol s.m.
salviona s.f.
salvo adj. s.m. prep.
salvo-conduto s.m.; pl. *salvo-condutos* e *salvos-condutos*
salzedense adj. s.2g.
sama s.m.f.
samacaio s.m.
samaderina s.f.
samádi s.m.
samagaio s.m.
sâmago s.m.
samambaia s.f.
samambaia-aquática s.f.; pl. *samambaias-aquáticas*
samambaia-azul s.f.; pl. *samambaias-azuis*
samambaia-cheirosa s.f.; pl. *samambaias-cheirosas*
samambaia-chorona s.f.; pl. *samambaias-choronas*
samambaia-crespa s.f.; pl. *samambaias-crespas*
samambaiaçu s.f.
samambaia-cumaru s.f.; pl. *samambaias-cumaru* e *samambaias-cumarus*
samambaia-da-amazônia s.f.; pl. *samambaias-da-amazônia*
samambaia-de-penacho s.f.; pl. *samambaias-de-penacho*
samambaia-do-brejo s.f.; pl. *samambaias-do-brejo*
samambaia-do-mato-virgem s.f.; pl. *samambaias-do-mato-virgem*
samambaia-douradinha s.f.; pl. *samambaias-douradinhas*
samambaia-imperial s.f.; pl. *samambaias-imperiais*
samambaia-japonesa s.f.; pl. *samambaias-japonesas*
samambaial s.m.
samambaia-mosquito s.f.; pl. *samambaias-mosquito* e *samambaias-mosquitos*
samambaia-paulista s.f.; pl. *samambaias-paulistas*
samambaia-real s.f.; pl. *samambaias-reais*
samambaia-uçu s.f.; pl. *samambaias-uçus*
samambaia-verdadeira s.f.; pl. *samambaias-verdadeiras*
samambaiense adj. s.2g.
samambaiuçu s.m.
samanássana s.m.
samanco s.m.
samânea s.f.
samangada s.f.
samangão adj. s.m.
samangar v.
samango s.m.
samanguaiá s.f.
samanguice s.f.
samaniano adj. s.m.
samânida adj. s.2g.
samão s.m.
sâmara s.f.
samarábria adj. s.2g.
samaranduba s.f.
samarau s.m.
samardanesco (ê) adj.
samardice s.f.
samarídeo adj.
samariforme adj.2g.
samaríneo adj. s.m.
samarinês adj.
samário s.m.
sâmaris s.m.2n.
samarita adj. s.2g.
samaritanismo s.m.
samaritano adj. s.m.
samaroide (ó) adj.2g.
samaronete s.m.
samaropse s.f.
samarópsis s.f.2n.
samarra s.m.f.
samarrão s.m.
samarreiro s.m.
samarrinho s.m.
samarrinho-preto s.m.; pl. *samarrinhos-pretos*
samarro s.m.
samarskita s.f.
samarskite s.f.
samarskítico adj.
samarsquita s.f.
samarsquite s.f.
samarsquítico adj.
samartinhego (ê) adj. s.m.
samatra s.f.
samaúma s.f.
samaumeira s.f.
samaumense adj. s.2g.
samaúva s.f.
samba s.m. "dança"; cf. *sambá*
sambá s.m. "concha"; cf. *samba*
samba-batido s.m.; pl. *sambas-batidos*
sambacaçote s.m.
sambacaetá s.m.
sambacaeté s.m.
samba-canção s.m.; pl. *sambas-canção* e *sambas-canções*
samba-choro s.m.; pl. *sambas-choro* e *sambas-choros*
samba-chulado s.m.; pl. *sambas-chulados*
samba-corrido s.m.; pl. *sambas-corridos*
sambaçote s.m.
sambacuim s.m.
sambacuité s.m.
sambado adj.
sambador (ô) adj. s.m.
samba em berlim s.m.
samba-enredo s.m.; pl. *sambas-enredo* e *sambas-enredos*
sambaetibano adj. s.m.
sambaetibense adj. s.2g.
samba-exaltação s.m.; pl. *sambas-exaltação* e *sambas-exaltações*
sambaíba s.f.
sambaíba-da-baía s.f.; pl. *sambaíbas-da-baía*
sambaíba-de-minas-gerais s.f.; pl. *sambaíbas-de-minas-gerais*
sambaíba-de-sergipe s.f.; pl. *sambaíbas-de-sergipe*
sambaíba-do-rio-são-francisco s.f.; pl. *sambaíbas-do-rio-são-francisco*
sambaibatubense adj. s.2g.
sambaibense adj. s.2g.
sambaibinha s.f.
sambaité s.m.
sambalada s.m.
sambalaji s.2g.
sambalanço s.m.
sambalelê s.m.
samba-lenço s.m.; pl. *sambas-lenço* e *sambas-lenços*
sambalolô s.m.
sambamba s.f.
sambanga adj. s.2g.
sambango adj. s.m.
sambaqui s.m.
sambaquiano adj.
sambaquieiro s.m.
sambaquiense adj. s.2g.
sambaquim s.m.
sambar v. s.m.
sambara s.m.
sambarca s.f.
sambarcar v.
sambarco s.m.
sambaré s.m.
sambarnabense adj. s.2g.
samba-roda s.m.; pl. *sambas-roda* e *sambas-rodas*
sambaúva s.f.
sambear v.
sambeense adj. s.2g.
sambeiro adj. s.m.
sambeneditense adj. s.2g.
sambenitado adj.
sambenitar v.
sambenito s.m.
sambento s.f.
sambernardense adj. s.2g.
sambernardo s.m.
sambertense adj. s.2g.
sambeta s.f.
sambetara s.f.
sambico s.m.
sambiqueira s.f.
sambiquira s.f.

sambismo s.m.
sambista adj. s.2g.
sambístico adj.
samblação s.f.
samblado adj.
samblador (*ô*) adj. s.m.
sambladura s.f.
samblagem s.f.
samblante adj.2g.
samblar v.
samblável adj.2g.
sambo s.m.
sambocar v.
sambódromo s.m.
sambojô adj.2g.
sambolero s.m.
sambonaventurense adj. s.2g.
sambongo s.m.
sambraceno adj. s.m.
sambrar v.
sambuca s.f.
sambucácea s.f.
sambucáceo adj.
sambúcea s.f.
sambúceo adj.
sambucina s.f. "alcaloide"; cf. *sambúcina*
sambúcina s.f. "tocadora de sambuca"; cf. *sambucina*
sambucístria s.f.
sambuco s.m.
sambudo adj.
sambuio s.m.
sâmbula s.f.
sambulho s.m.
sambúmbia s.f.
sambunigrina s.f.
sambunigriosídeo s.m.
sambur s.m.
samburá s.m.
samburo adj. s.m.
samburro s.m.
sâmea s.f.
sameia (*ê*) adj. s.f. de *sameu*
samelo (*ê*) s.m.
samenina s.f.
sameode s.m.
sametblenda s.f.
sameu adj. s.m.; f. *sameia* (*ê*)
samiana s.f.
samiano adj. s.m.
samibelegão s.m.
samidácea s.f.
samidáceo adj.
samídea s.f.
samídeo adj.
samiel s.m.
samilhado adj.
saminduara s.f.
samíneo adj. s.m.
samino s.m.
sâmio adj. s.m.
samiresita s.f.
samiresite s.f.
samiresítico adj.
samirresito s.m.
samite s.m.
samito s.m.
sâmnio s.m.
samnita adj. s.2g.
samnite adj. s.2g.
samnítico adj.
samo s.m.
samoano adj. s.m.
samóbia s.f.
samoense adj. s.2g.
samoieda (*ê*) adj. s.2g.
samoiédico adj.
samoiedo (*ê*) adj. s.m.
samoíta s.f.
samólea s.f.
samóleo adj.
sâmolo s.m.
samonga adj.2g.
samorano adj. s.m.
samorense adj. s.2g.
samori s.m.
samorim s.m.
samosatense adj. s.2g.
samosatiano s.m.
samouco s.m.
samovar s.m.
sampa s.f.
sampaio-correense adj. s.2g.; pl. *sampaio-correenses*
sampana s.f.
sampar v.
sampleíta s.f.
samprassárana s.m.
sampseano s.m.
samsonita s.f.
samuelense adj. s.2g.
samuelsonita s.f.
samuenda s.f.
samur s.m.
samurai s.m.
saná s.f.
sanã s.2g.
sanação s.f.
sanã-de-samambaia s.f.; pl. *sanãs-de-samambaia*
sanado adj.
sanador (*ô*) adj.
sanadura s.f.
sanagense adj. s.2g.
sanagoga s.f.
sanai s.m.
sanamaicã adj. s.2g.
sanambaia s.f.
sanamento s.m.
sanamunda s.f.
sanandu s.m.
sananduí s.m.
sananduva s.f.
sananduvense adj. s.2g.
sanar v.
sanas s.m.2n.
sanate adj. s.2g.
sanativo adj.
sanatogênio s.m.
sanatório s.m.
sanatorização s.f.
sanatorizado adj.
sanatorizar v.
sanável adj.2g.
sanbornita s.f.
sanca s.f.
sancã s.m.
sancadilha s.f.
sancado adj.
sancandidense adj. s.2g.
sanção s.f. "aprovação"; cf. *sansão*
sancarrão adj. s.m.; f. *sancarrona*
sançarrão adj. s.m.
sancarrona adj. s.f. de *sancarrão*
sanceno s.m.
sancha s.f.
sancha-amarela s.f.; pl. *sanchas-amarelas*
sancha-roxa s.f.; pl. *sanchas-roxas*
sancheira s.f.
sanchesco (*ê*) adj.
sanchesiano adj.
sanchete (*ê*) s.m.
sanchézia s.f.
sanchificação s.f.
sanchim s.m.
sanchismo s.m.
sancho s.m.
sancho-pança s.m.; pl. *sanchos-panças*
sancho-pancesco (*ê*) adj.; pl. *sanchos-pancescos*
sanchu s.m.
sancionado adj.
sancionador (*ô*) adj. s.m.
sancionante adj.2g.
sancionar v.
sancionável adj.2g.
sanco s.m.
sancocho (*ô*) s.m.
sandaba s.f.
sandala s.f.
sandalado adj.
sandalar v.
sandália s.f.
sandalina s.f.
sandalino adj.
sandaliólito s.m.
sandalita s.f.
sandalite s.f.
sandálito s.m.
sândalo s.m.
sândalo-africano s.m.; pl. *sândalos-africanos*
sândalo-amarelo s.m.; pl. *sândalos-amarelos*
sândalo-branco s.m.; pl. *sândalos-brancos*
sândalo-citrino s.m.; pl. *sândalos-citrinos*
sandalol s.m.
sandalolita s.f.
sândalo-vermelho s.m.; pl. *sândalos-vermelhos*
sandambunje s.m.
sandaná s.m.
sandápila s.f.
sandapilário s.m.
sandar v.
sandará s.m.
sandáraca s.f.
sandarácico adj.
sandaracina s.f.
sandaracinólico adj.
sandaracoreseno s.m.
sandareso s.m.
sandasiro s.m.
sandastro s.m.
sandave adj. s.2g. s.m.
sandbergerita s.f.
sandbergerito s.m.
sandejar v.
sandemaniano adj. s.m.
sanderense adj. s.2g.
sanderita s.f.
sanderlingo s.m.
sandersônia s.f.
sandesideriense adj. s.2g.
sandeu adj. s.m.; f. *sandia*
sândi s.m.
sandia adj. s.f. de *sandeu*
sandiçal adj.2g.
sandice s.f.
sandicino adj.
sandil s.m.
sandim s.m.
sandim-dos-curtidores s.m.; pl. *sandins-dos-curtidores*
sandinista adj. s.2g.
sandio adj.
sandiva s.f.
sandiz s.m.
sandjacato s.m.
sandjaque s.m.
sandomingos s.m.2n.
sandominicense adj. s.2g.
sandorico s.m.
sandovalense adj. s.2g.
sandovalinense adj. s.2g.
sandre s.f.
sanduichado adj.
sanduichar v.
sanduíche s.m.
sanduicheira s.f.
sandumonense adj. s.2g.
saneado adj.
saneador (*ô*) adj. s.m.
saneamento s.m.
sanear v.
saneável adj.2g.
sanedrim s.m.
sanédrio s.m.
sanefa s.f.
sanefar v.
sanense adj. s.2g.
sanestefanense adj. s.2g.
sanfedismo s.m.
sanfedista adj. s.2g.
sanfedístico adj.
sanfelicense adj. s.2g.
sanfenal s.m.
sanfeno s.m.
sanfeno-da-índia s.m.; pl. *sanfenos-da-índia*
sanfeno-de-espanha s.m.; pl. *sanfenos-de-espanha*
sanfirminense adj. s.2g.
sanfona s.2g. s.f.
sanfonada s.f.
sanfonado adj.
sanfonante adj.2g.
sanfonar v.
sanfonável adj.2g.
sanfoneiro s.m.
sanfonina s.2g. s.f.
sanfoninar v.
sanfonineiro s.m.
sanfoninha s.f.
sanfonista adj. s.2g.
sanfordita s.f.
sanforinheiro s.m.
sanforização s.f.
sanforizado adj.
sanforizadora (*ô*) s.f.
sanforizar v.
sanfranciscano adj. s.m.
sanfranciscense adj. s.2g.
sanga adj. s.2g.
sangado adj.
sangage s.m.
sangalele s.m.
sangalha s.f.
sangalheiro adj. s.m.
sangalhense adj. s.2g.
sangalhês adj. s.m.
sangalho s.m.
sanganare s.m.
sanganense adj. s.2g.
sangangu s.m.
sanganhanense adj. s.2g.
sangão s.m.
sângaris s.m.2n.
sangavira s.m.
sangês s.m.
sanglitsi s.m.
sango s.m.
sangoé s.m.
sangonense adj. s.2g.
sangotim s.m.
sangra s.f.
sangradeira s.f.
sangrado adj. s.m.
sangradoiro s.m.
sangrador (*ô*) adj. s.m.
sangradouro s.m.
sangradura s.f.
sangralinga s.f.
sangralíngua s.f.
sangramento s.m.
sangrante adj.2g.
sangrar v.
sangrável adj.2g.
sangrentejar v.
sangrento adj.
sangria s.f.
sangrinheiro s.m.
sangrinho s.m.
sangue s.m.
sangueado adj.
sanguechuva s.f.
sangue-de-adão s.m.; pl. *sangues-de-adão*
sangue-de-boi s.m.; pl. *sangues-de-boi*
sangue-de-cristo s.m.; pl. *sangues-de-cristo*
sangue de dragão s.m.
sangue de drago s.m. "resina da árvore-do-dragão"
sangue-de-drago s.m. "espécie de árvore"; pl. *sangues-de-drago*
sangue-de-gato s.m.; pl. *sangues-de-gato*
sangue-de-nosso-senhor s.m.; pl. *sangues-de-nosso-senhor*
sangue de salamandra s.m.
sangue de tatu adj.2g.2n. s.m.
sangue do baço s.m.
sangue-do-cordeiro s.m.; pl. *sangues-do-cordeiro*
sanguefol s.m.
sangue-frio s.m.; pl. *sangues-frios*
sangueira s.f.
sangueiro s.m.
sanguejante adj.2g.
sanguejar v.
sangue-novo s.m.; pl. *sangues-novos*
sanguentado (*u* ou *ü*) adj.
sanguentar (*u* ou *ü*) v.
sanguento (*u* ou *ü*) adj.
sanguera (*ê*) s.f.
sanguessuga s.f.
sanguessugação s.f.
sanguessuga-do-mar s.f.; pl. *sanguessugas-do-mar*
sanguessugar v.
sanguessugófilo s.m.
sanguessuguense adj. s.2g.
sangui s.m.
sanguicel s.m.
sanguícola (*u* ou *ü*) adj.2g.
sanguífero adj.
sanguificação s.f.
sanguificado adj.
sanguificar v.
sanguificativo adj.
sanguífico adj.; cf. *sanguifico*, fl. do v. *sanguificar*
sanguiformação s.f.
sanguiformador (*ô*) adj.
sanguileixado adj.
sanguileixador (*ô*) s.m.
sanguileixia s.f.
sanguimisto s.m.
sanguina s.f.
sanguinação (*u* ou *ü*) s.f.
sanguinária (*u* ou *ü*) s.f.
sanguinária-do-canadá (*u* ou *ü*) s.f.; pl. *saguinárias-do-canadá*
sanguinarina (*u* ou *ü*) s.f.
sanguinário (*u* ou *ü*) adj.
sanguinarismo (*u* ou *ü*) s.m.
sanguinaz adj.2g.
sanguínea (*u* ou *ü*) s.f.
sanguíneo (*u* ou *ü*) adj. s.m.
sanguinha s.f.
sanguinhal s.m.
sanguinhar v.
sanguinheiro s.m.
sanguinho adj. s.m.
sanguinho-d'água s.m.; pl. *sanguinhos-d'água*
sanguinho-das-sebes s.m.; pl. *sanguinhos-das-sebes*
sanguinho-de-água s.m.; pl. *sanguinhos-de-água*
sanguinho-legítimo s.m.; pl. *sanguinhos-legítimos*
sanguinhoso (*ô*) adj.; f. (*ó*); pl. (*ó*)
sanguinidade (*u* ou *ü*) s.f.
sanguinita s.f.
sanguinite s.f.
sanguinívoro (*u* ou *ü*) adj.
sanguino (*u* ou *ü*) adj. s.m.
sanguinolária (*u* ou *ü*) s.f.
sanguinolariídeo (*u* ou *ü*) adj. s.m.
sanguinolência (*u* ou *ü*) s.f.
sanguinolento (*u* ou *ü*) adj.
sanguinólito (*u* ou *ü*) s.m.
sanguinoso (*u* ou *ü* ... *ô*) adj.; f. (*ó*); pl. (*ó*)
sanguissedento adj.
sanguissorba s.f.
sanguissórbea s.f.
sanguissorbeácea s.f.
sanguissorbeáceo adj.
sanguívoro adj.
sangurinheiro s.m.
sanha s.f. "fúria"; cf. *sanhá*
sanhá s.m. "sanhaço"; cf. *sanha*
sanhaço s.m.
sanhaço-coqueiro s.m.; pl. *sanhaços-coqueiro* e *sanhaços-coqueiros*
sanhaço-da-serra s.m.; pl. *sanhaços-da-serra*
sanhaço-de-coqueiro s.m.; pl. *sanhaços-de-coqueiro*
sanhaço-de-encontros s.m.; pl. *sanhaços-de-encontros*
sanhaço-de-fogo s.m.; pl. *sanhaços-de-fogo*
sanhaço-de-mamoeiro s.m.; pl. *sanhaços-de-mamoeiro*
sanhaço-do-campo s.m.; pl. *sanhaços-do-campo*

sanhaço-frade s.m.; pl. *sanhaços-frade* e *sanhaços-frades*
sanhaço-pardo s.m.; pl. *sanhaços-pardo* e *sanhaços-pardos*
sanhaçotinga s.m.
sanhaço-verde s.m.; pl. *sanhaços-verdes*
sanhaçu s.m.
sanhaçu-coqueiro s.m.; pl. *sanhaçus-coqueiro* e *sanhaçus-coqueiros*
sanhaçu-de-encontros s.m.; pl. *sanhaçus-de-encontros*
sanhaçu-de-mamoeiro s.m.; pl. *sanhaçus-de-mamoeiro*
sanhaçu-frade s.m.; pl. *sanhaçus-frade* e *sanhaçus-frades*
sanhaçuíra s.f.
sanhaçu-pardo s.m.; pl. *sanhaçus-pardos*
sanhaçu-verde s.m.; pl. *sanhaçus-verdes*
sanharão s.m.
sanharó s.m.
sanharoense adj. s.2g.
sanheiro s.m.
sanhoso (*ô*) adj.; f. (*ó*); pl. (*ó*)
sanhudo adj.
sanibá s.m.
sanica s.m.f.
sanicar v.
sanícula s.f.
sanícula-dos-montes s.f.; pl. *sanículas-dos-montes*
sanicúlea s.f.
sanicúleo adj.
saniculóidea s.f.
sanidade s.f.
sanidina s.f.
sanidínico adj.
sanidófido s.m.
sânie s.f.
sanifeno s.m.
sanificação s.f.
sanificado adj.
sanificador (*ô*) adj. s.m.
sanificante adj.2g.
sanificar v.
sanilária s.f.
sânio s.m.
sanioje s.m.
sanioso (*ô*) adj.; f. (*ó*); pl. (*ó*)
sanisca s.f.
saníssimo adj. sup. de *são*
sanitário adj. s.m.
sanitarismo s.m.
sanitarista adj. s.2g.
sanitarístico adj.
sanitarização s.f.
sanitarizado adj.
sanitarizar v.
sanitização s.f.
sanitizador (*ô*) adj. s.m.
sanitizante adj.2g.
sanitizar v.
sanitizável adj.2g.
sanja s.f.
sanjar v.
sanjica s.f.
sanjoaneira s.f.
sanjoaneiro adj. s.m.
sanjoanense adj. s.2g.
sanjoanesco (*ê*) adj.
sanjoanino adj. s.m.
sanjosefense adj. s.2g.
sanludovicense adj. s.2g.
sanluqueno adj. s.m.
san-marinense adj. s.2g.; pl. *san-marinenses*
sanmartinita s.f.
sanoca s.f.
sanoco (*ô*) s.m.
sanocrisina s.f.
sanofórmio s.m.
sanoisiano adj. s.m.
sanona s.2g. s.f.
sanquézia s.f.
sânquia s.m.
sanquitar v.
sanradeiro s.m.
sanradela s.f.
sansa s.f.
sansadurninho adj. s.m.
sansama s.f.
sansão s.m. "espécie de guindaste"; cf. *sanção*
sanscridâmico adj.
sanscrítico adj.
sanscritismo s.m.
sanscritista adj. s.2g.
sânscrito adj. s.m.
sanscritologia s.f.
sanscritológico adj.
sanscritologista adj. s.2g.
sanscritólogo s.m.
sansedurninha adj.2g.
sansei adj. s.2g.
sanselimão s.m.
sanseviéria s.f.
sansimoniano adj. s.m.
sansimoniense adj. s.2g.
sansimonismo s.m.
sansimonista adj. s.2g.
sansimonístico adj.
santa s.f.
santa-adelaidense adj. s.2g.; pl. *santa-adelaidenses*
santa-adeliense adj. s.2g.; pl. *santa-adelienses*
santa-agnesense adj. s.2g.; pl. *santa-agnesenses*
santa-albertinense adj. s.2g.; pl. *santa-albertinenses*
santa-ameliense adj. s.2g.; pl. *santa-amelienses*
santa-americense adj. s.2g.; pl. *santa-americenses*
santa-ana s.f.; pl. *santas-anas*
santa-angelicense adj. s.2g.; pl. *santa-angelicenses*
santa-aparecidense adj. s.2g.; pl. *santa-aparecidenses*
santa-barbarense adj. s.2g.; pl. *santa-barbarenses*
santa-barbarense-do-rio-pardo adj. s.2g.; pl. *santa-barbarenses-do-rio-pardo*
santa-batuta s.f.; pl. *santas-batutas*
santa-branquense adj. s.2g.; pl. *santa-branquenses*
santa-brigidense adj. s.2g.; pl. *santa-brigidenses*
santa-carlotense adj. s.2g.; pl. *santa-carlotenses*
santa-casa s.f.; pl. *santas-casas*
santa-catarinense adj. s.2g.; pl. *santa-catarinenses*
santa-ceciliense adj. s.2g.; pl. *santa-cecilienses*
santa-ceia s.f.; pl. *santas-ceias*
santa-clara s.f.; pl. *santas-claras*
santa-clarense adj. s.2g.; pl. *santa-clarenses*
santa-combadense adj. s.2g.; pl. *santa-combadenses*
santa-cristinense adj. s.2g.; pl. *santa-cristinenses*
santa-cruz s.f.; pl. *santas-cruzes*
santa-cruzense adj. s.2g.; pl. *santa-cruzenses*
santa-edelvirense adj. s.2g.; pl. *santa-edelvirenses*
santa-efigeniense adj. s.2g.; pl. *santa-efigenienses*
santa-elisense adj. s.2g.; pl. *santa-elisenses*
santa-emiliense adj. s.2g.; pl. *santa-emilienses*
santa-ernestinense adj. s.2g.; pl. *santa-ernestinenses*
santa-eudoxiense adj. s.2g.; pl. *santa-eudoxienses*
santa-eugeniense adj. s.2g.; pl. *santa-eugenienses*
santa-eulaliense adj. s.2g.; pl. *santa-eulalienses*
santa-família s.f.; pl. *santas-famílias*
santa-fé s.f.; pl. *santas-fé* e *santas-fés*
santa-feense adj. s.2g.; pl. *santa-feenses*
santafeíta s.f.
santa-felicidadense adj. s.2g.; pl. *santa-felicidadenses*
santa-fé-sulense adj. s.2g.; pl. *santa-fé-sulenses*
santafezal s.m.
santa-fezal s.m.; pl. *santa-fezais* e *santas-fezais*
santa-fidense adj. s.2g.; pl. *santa-fidenses*
santa-filomenense adj. s.2g.; pl. *santa-filomenenses*
santa-gertrudense adj. s.2g.; pl. *santa-gertrudenses*
santa-helenense adj. s.2g.; pl. *santa-helenenses*
santa-ifigeniense adj. s.2g.; pl. *santa-ifigenienses*
santa-ilidiense adj. s.2g.; pl. *santa-ilidienses*
santa-inesense adj. s.2g.; pl. *santa-inesenses*
santa-isabelense adj. s.2g.; pl. *santa-isabelenses*
santa-joanense adj. s.2g.; pl. *santa-joanenses*
santa-julianense adj. s.2g.; pl. *santa-julianenses*
santa-juliense adj. s.2g.; pl. *santa-julienses*
santa-justa s.f.; pl. *santas-justas*
santa-justense adj. s.2g.; pl. *santa-justenses*
santal adj.2g. s.m.
santalácea s.f.
santaláceo adj.
santalal adj.2g.
santalale s.f.
santalato s.m.
santa-laurense adj. s.2g.; pl. *santa-laurenses*
santale s.f.
santálea s.f.
santaleno s.m.
santáleo adj.
santa-leocadiense adj. s.2g.; pl. *santa-leocadienses*
santa-leopoldinense adj. s.2g.; pl. *santa-leopoldinenses*
santalhão s.m.
santali s.m.
santálico adj.
santa-lidiense adj. s.2g.; pl. *santa-lidienses*
santalilo s.m.
santalina s.f.
santalínea s.f.
santalite s.f.
sântalo s.m.
santaloide (*ó*) adj.2g. s.m.
santalol s.m.
santalona s.f.
santa-lúcia s.f.; pl. *santas-lúcias*
santa-luciense adj. s.2g.; pl. *santa-lucienses*
santa-lucreciense adj. s.2g.; pl. *santa-lucrecienses*
santa-luisense adj. s.2g.; pl. *santa-luisenses*
santa-luzense adj. s.2g.; pl. *santa-luzenses*
santa-luzia s.f.; pl. *santas-luzias*
santa-luziense adj. s.2g.; pl. *santa-luzienses*
santa-marcelinense adj. s.2g.; pl. *santa-marcelinenses*
santa-margaridense adj. s.2g.; pl. *santa-margaridenses*
santa-maria s.f.; pl. *santas-marias*
santa-maria-de-alcântara s.f.; pl. *santas-marias-de-alcântara*
santa-marianense adj. s.2g.; pl. *santa-marianenses*
santa-mariense adj. s.2g.; pl. *santa-marienses*
santa-marta adj.; pl. *santas-martas*
santa-mercedense adj. s.2g.; pl. *santa-mercedenses*
santa-missão s.f.; pl. *santas-missões*
santa-monicense adj. s.2g.; pl. *santa-monicenses*
santa-morena s.f.; pl. *santas-morenas*
santana s.m.f.
santanal s.m.
santanaria s.f.
santanário adj. s.m.
santanense adj. s.2g.
santanesiense adj. s.2g.
santanopolitano adj. s.m.
santantoninha s.f.
santantoninhas s.f.pl.
santantoninho s.m.
santantoninho onde te porei adj. s.2g.2n.
santantônio s.m.
santão adj. s.m.; f. *santona*
santa-quiteriense adj. s.2g.; pl. *santa-quiterienses*
santareense adj. s.2g.
santarém s.m.
santarém-novense adj. s.2g.; pl. *santarém-novenses*
santarenense adj. s.2g.
santareno adj. s.m.
santarense adj. s.2g.
santaria s.f.
santa-rita s.f.; pl. *santas-ritas*
santa-ritense adj. s.2g.; pl. *santa-ritenses*
santa-rosense adj. s.2g.; pl. *santa-rosenses*
santarrão adj. s.m.; f. *santarrona*
santarrona adj. s.f. de *santarrão*
santa-saletense adj. s.2g.; pl. *santa-saletenses*
santa-silvanense adj. s.2g.; pl. *santa-silvanenses*
santa-silveriense adj. s.2g.; pl. *santa-silverienses*
santa-sofiense adj. s.2g.; pl. *santa-sofienses*
santa-teclense adj. s.2g.; pl. *santa-teclenses*
santa-teresense adj. s.2g.; pl. *santa-teresenses*
santa-teresinhense adj. s.2g.; pl. *santa-teresinhenses*
santa-unionense adj. s.2g.; pl. *santa-unionenses*
santa-ursulinense adj. s.2g.; pl. *santa-ursulinenses*
santa-virginense adj. s.2g.; pl. *santa-virginenses*
santa-vitória s.f.; pl. *santas-vitórias*
santa-vitoriense adj. s.2g.; pl. *santa-vitorienses*
santa-zeliense adj. s.2g.; pl. *santa-zelienses*
santé s.m.
santeiro adj. s.m.
santelmense adj. s.2g.
santelmo s.m.
santelo (*ê*) s.m.
santênio s.m.
santeno s.m.
santense adj. s.2g.
santentrudo adj. s.m.
santério adj. s.m.
sântia s.f.
santiagueiro adj. s.m.
santiaguense adj. s.2g.
santiaguês adj. s.m.
santiaguino adj. s.m.
santiamém s.m.
santico s.m.
santidade s.f.
santieiro s.m.
santificação s.f.
santificado adj.
santificador (*ô*) adj. s.m.
santificante adj.2g.
santificar v.
santificável adj.2g.
santil s.m.
santilão s.m.; f. *santilona*
santilhana s.f.
santilita s.f.
santilite s.f.
santilona s.f. de *santilão*
santimônia s.f.
santimonial adj.2g.
santinha s.f.
santinho s.m.
santir s.m.
santiriopse s.f.
santismo s.m.
santíssimo adj. s.m. sup. de *santo*
santista adj. s.2g.
santita s.f.
santo adj. s.m.
santo-agostinhense adj. s.2g.; pl. *santo-agostinhenses*
santo-agostinho s.m.; pl. *santos-agostinhos*
santo-aleixano adj. s.m.; pl. *santo-aleixanos*
santo-aleixense adj. s.2g.; pl. *santo-aleixenses*
santo-aleixino adj. s.m.; pl. *santo-aleixinos*
santo-amarense adj. s.2g.; pl. *santo-amarenses*
santo-anastaciense adj. s.2g.; pl. *santo-anastacienses*
santo-andreense adj. s.2g.; pl. *santo-andreenses*
santo-angelense adj. s.2g.; pl. *santo-angelenses*
santo-antoniense adj. s.2g.; pl. *santo-antonienses*
santo-antônio s.m.; pl. *santo-antônios* e *santos-antônios*
santo-augustense adj. s.2g.; pl. *santo-augustenses*
santo-cristense adj. s.2g.; pl. *santo-cristenses*
santo-daime s.m.; pl. *santo-daimes* e *santos-daimes*
santo-eduardense adj. s.2g.; pl. *santo-eduardenses*
santo-emiliense adj. s.2g.; pl. *santo-emilienses*
santo e senha s.m.
santo-estefanense adj. s.2g.; pl. *santo-estefanenses*
santo-estevanense adj. s.2g.; pl. *santo-estevanenses*
santo-estevense adj. s.2g.; pl. *santo-estevenses*
santo-eugeniense adj. s.2g.; pl. *santo-eugenienses*
santo-eusebiense adj. s.2g.; pl. *santo-eusebienses*
santo-expeditense adj. s.2g.; pl. *santo-expeditenses*
santo-hilariense adj. s.2g.; pl. *santo-hilarienses*
santo-hipolitense adj. s.2g.; pl. *santo-hipolitenses*
santo-inaciano adj. s.m.; pl. *santo-inacianos*
santo-inaciense adj. s.2g.; pl. *santo-inacienses*
santo-isidrense adj. s.2g.; pl. *santo-isidrenses*
santol s.m.
santola s.f.
santola-de-pernas-longas s.f.; pl. *santolas-de-pernas-longas*
santola-tuberculosa s.f.; pl. *santolas-tuberculosas*
santólico adj.
santolina s.f.
santolinha s.f.
santolino s.m.

santom s.m.
santomé s.m.
santomense adj. s.2g.
santona adj. s.f. de *santão*
santonato s.m.
sântone adj. s.2g.
santoniano adj. s.m.
santônica s.f.
santônico adj. s.m.
santonina s.f.
santoninato s.m.
santonínico adj.
sântono adj. s.m.
santo-onofrense adj. s.2g.; pl. *santo-onofrenses*
santopolitano adj. s.m.
santoral s.m.
santoriano adj.
santórico s.m.
santoriniano adj.
santorinita s.f.
santorinite s.f.
santos-dumontense adj. s.2g.; pl. *santos-dumontenses*
santos-reis s.m.pl.
santo-tomé s.m.; pl. *santo-tomés* e *santos-tomés*
santuária s.f.
santuário s.m.
santuense adj. s.2g.
santulha s.f.
santulhana s.f.
sanvitália s.f.
sanvó s.m.
sanvori s.m.
sanzoro s.m.
são adj. s.m.
são-barnabeense adj. s.2g.; pl. *são-barnabeenses*
são-bartolomeense adj. s.2g.; pl. *são-bartolomeenses*
são-beneditense adj. s.2g.; pl. *são-beneditenses*
são-bentense adj. s.2g.; pl. *são-bentenses*
são-bentista adj. s.2g.; pl. *são-bentistas*
são-bento s.m.; pl. *são-bentos*
são-bentoense adj. s.2g.; pl. *são-bentoenses*
são-bento-grande s.m.; pl. *são-bentos-grandes*
são-bento-nortense adj. s.2g.; pl. *são-bentos-nortenses*
são-bento-pequeno s.m.; pl. *são-bentos-pequenos*
são-bernardense adj. s.2g.; pl. *são-bernardenses*
são-bernardo s.m.; pl. *são-bernardos*
são-bertense adj. s.2g.; pl. *são-bertenses*
são-boaventurense adj. s.2g.; pl. *são-boaventurenses*
são-bonifaciense adj. s.2g.; pl. *são-bonifacienses*
são-borjense adj. s.2g.; pl. *são-borjenses*
são-brasense adj. s.2g.; pl. *são-brasenses*
são-caetanense adj. s.2g.; pl. *são-caetanenses*
são-caetano s.m.; pl. *são-caetanos*
são-candidense adj. s.2g.; pl. *são-candidenses*
são-carlense adj. s.2g.; pl. *são-carlenses*
são-cristovanense adj. s.2g.; pl. *são-cristovanenses*
são-cristóvão s.2g.; pl. *são-cristóvãos*
são-cristovense adj. s.2g.; pl. *são-cristovenses*
são-damianense adj. s.2g.; pl. *são-damianenses*
são-desideriense adj. s.2g.; pl. *são-desiderienses*
são-domingos s.m.2n.
são-dominguense adj. s.2g.; pl. *são-dominguenses*
são-estevanense adj. s.2g.; pl. *são-estevanenses*
são-felicense adj. s.2g.; pl. *são-felicenses*
são-felista adj. s.2g.; pl. *são-felistas*
são-fernandense adj. s.2g.; pl. *são-fernandenses*
são-fideliense adj. s.2g.; pl. *são-fidelienses*
são-filipense adj. s.2g.; pl. *são-filipenses*
são-firminense adj. s.2g.; pl. *são-firminenses*
são-franciscano adj. s.m.; pl. *são-franciscanos*
são-franciscense adj. s.2g.; pl. *são-franciscenses*
são-francisquense adj. s.2g.; pl. *são-francisquenses*
são-gabrielense adj. s.2g.; pl. *são-gabrielenses*
são-geraldense adj. s.2g.; pl. *são-geraldenses*
são-gonçalense adj. s.2g.; pl. *são-gonçalenses*
são-gonçalo s.m.; pl. *são-gonçalos*
são-gotardense adj. s.2g.; pl. *são-gotardenses*
são-graaliano adj.; pl. *são-graalianos*
são-gregoriense adj. s.2g.; pl. *são-gregorienses*
são-guilhermense adj. s.2g.; pl. *são-guilhermenses*
são-jeronimense adj. s.2g.; pl. *são-jeronimenses*
são-joaneira s.f.; pl. *são-joaneiras*
são-joaneiro adj. s.m.; pl. *são-joaneiros*
são-joanense adj. s.2g.; pl. *são-joanenses*
são-joanesco (*ê*) adj.; pl. *são-joanescos*
são-joanino adj.; pl. *são-joaninos*
são-joão s.m.; pl. *são-joões*
são-joão-barrense adj. s.2g.; pl. *são-joão-barrenses*
são-joão-patense adj. s.2g.; pl. *são-joão-patenses*
são-joão-pontense adj. s.2g.; pl. *são-joão-pontenses*
são-joãozinho s.m.; pl. *são-joõezinhos*
são-joaquim-barrense adj. s.2g.; pl. *são-joaquim-barrenses*
são-joaquim-montense adj. s.2g.; pl. *são-joaquim-montenses*
são-joaquinense adj. s.2g.; pl. *são-joaquinenses*
são-jorgense adj. s.2g.; pl. *são-jorgenses*
são-joseense adj. s.2g.; pl. *são-joseenses*
são-julianense adj. s.2g.; pl. *são-julianenses*
são-leonardense adj. s.2g.; pl. *são-leonardenses*
são-leopoldense adj. s.2g.; pl. *são-leopoldenses*
são-lourencense adj. s.2g.; pl. *são-lourencenses*
são-lourenciano adj. s.m.; pl. *são-lourencianos*
são-ludgerense adj. s.2g.; pl. *são-ludgerenses*
são-luís s.m.; pl. *são-luíses*
são-luisense adj. s.2g.; pl. *são-luisenses*
são-luqueno adj. s.m.; pl. *são-luquenos*
são-luquense adj. s.2g.; pl. *são-luquenses*
são-mamedense adj. s.2g.; pl. *são-mamedenses*
são-manuelense adj. s.2g.; pl. *são-manuelenses*
são-marcelinense adj. s.2g.; pl. *são-marcelinenses*
são-marcense adj. s.2g.; pl. *são-marcenses*
são-marinense adj. s.2g.; pl. *são-marinenses*
são-marquense adj. s.2g.; pl. *são-marquenses*
são-martinhense adj. s.2g.; pl. *são-martinhenses*
são-martinho s.f.; pl. *são-martinhos*
são-mateusense adj. s.2g.; pl. *são-mateusenses*
são-miguel s.m.f.; pl. *são-miguéis*
são-miguelense adj. s.2g.; pl. *são-miguelenses*
são-murtinhense adj. s.2g.; pl. *são-murtinhenses*
são-nicolauense adj. s.2g.; pl. *são-nicolauenses*
são-pauleiro s.m.; pl. *são-pauleiros*
são-paulense adj. s.2g.; pl. *são-paulenses*
são-paulino adj. s.m.; pl. *são-paulinos*
são-paulo s.2g.; pl. *são-paulos*
são-pedrense adj. s.2g.; pl. *são-pedrenses*
são-pedrense-do-sul adj. s.2g.; pl. *são-pedrenses-do-sul*
são-pedro s.m.; pl. *são-pedros*
são-pedro-branco s.m.; pl. *são-pedros-brancos*
são-pedro-caá s.m.; pl. *são-pedros-caás*
são-pedro-ferrense adj. s.2g.; pl. *são-pedros-ferrenses*
são-pedro-mole s.m.; pl. *são-pedros-moles*
são-pedro-pequeno s.m.; pl. *são-pedros-pequenos*
são-pedro-piauiense adj. s.2g.; pl. *são-pedros-piauienses*
são-pedro-turvense adj. s.2g.; pl. *são-pedros-turvenses*
são-pedro-vermelho s.m.; pl. *são-pedros-vermelhos*
são-piense adj. s.2g.; pl. *são-pienses*
são-rafaelense adj. s.2g.; pl. *são-rafaelenses*
são-raimundense adj. s.2g.; pl. *são-raimundenses*
são-robertense adj. s.2g.; pl. *são-robertenses*
são-romaneiro adj. s.m.; pl. *são-romaneiros*
são-romanense adj. s.2g.; pl. *são-romanenses*
são-roquense adj. s.2g.; pl. *são-roquenses*
são-salavá s.m.; pl. *são-salavás*
são-salvadorense adj. s.2g.; pl. *são-salvadorenses*
são-saturninense adj. s.2g.; pl. *são-saturninenses*
são-sebastianense adj. s.2g.; pl. *são-sebastianenses*
são-sepeense adj. s.2g.; pl. *são-sepeenses*
são-silvanense adj. s.2g.; pl. *são-silvanenses*
são-silvestrense adj. s.2g.; pl. *são-silvestrenses*
são-simonense adj. s.2g.; pl. *são-simonenses*
são-tiaguense adj. s.2g.; pl. *são-tiaguenses*
são-timoteense adj. s.2g.; pl. *são-timoteenses*
são-tomasense adj. s.2g.; pl. *são-tomasenses*
são-tomé s.f.; pl. *são-tomés*
são-tomeense adj. s.2g.; pl. *são-tomeenses*
são-tomense adj. s.2g.; pl. *são-tomenses*
são-valentinense adj. s.2g.; pl. *são-valentinenses*
são-valeriense adj. s.2g.; pl. *são-valerienses*
são-vandelinense adj. s.2g.; pl. *são-vandelinenses*
são-vicente s.m.; pl. *são-vicentes*
são-vicentense adj. s.2g.; pl. *são-vicentenses*
são-vicentino adj. s.m.; pl. *são-vicentinos*
são-vitorense adj. s.2g.; pl. *são-vitorenses*
sapa s.f. "buraco", etc.; cf. *sapá*
sapá s.f. "peixe"; cf. *sapa*
sapada s.f.
sapadoira s.f.
sapador (*ô*) adj. s.m.
sapador-mineiro s.m.; pl. *sapadores-mineiros*
sapadoura s.f.
sapajo s.m.
sapaju s.m.
sapaju-aurora s.m.; pl. *sapajus-aurora* e *sapajus-auroras*
sapal s.m.
sapanina s.f.
sapanzoba s.f.
sapão s.m.
sapar v.
sapará adj. s.2g.
saparia s.f.
sapário s.m.
saparrão s.m.; f. *saparrona*
saparrona s.f. de *saparrão*
sapata s.f.
sapata-branca s.f.; pl. *sapatas-brancas*
sapataço s.m.
sapatada s.f.
sapatadinha s.f.
sapatão s.m.
sapata-preta s.f.; pl. *sapatas-pretas*
sapatar v.
sapataria s.f.
sapatariense adj. s.2g.
sapatarinha s.f.
sapaté s.m.
sapateada s.f.
sapateado adj. s.m.
sapateador (*ô*) adj. s.m.
sapatear v.
sapateia s.f.
sapateio s.m.
sapateira s.f.
sapateirada s.f.
sapateiral adj.2g.
sapateiro s.m.
sapateirola s.m.
sapateta (*ê*) s.f.
sapatião s.m.
sapatilha s.f.
sapatilho s.m.
sapatina s.f.
sapatinha s.f.
sapatinho s.m.
sapatinho-de-judeu s.m.; pl. *sapatinhos-de-judeu*
sapatinho-de-nossa-senhora s.f.; pl. *sapatinhos-de-nossa-senhora*
sapatinho-de-vênus s.m.; pl. *sapatinhos-de-vênus*
sapatinho-do-diabo s.m.; pl. *sapatinhos-do-diabo*
sapatinho-dos-jardins s.m.; pl. *sapatinhos-dos-jardins*
sapatinhos-de-iaiá s.m.pl.
sapatinhos-do-diabo s.m.pl.
sapato s.m.
sapato-de-vênus s.m.; pl. *sapatos-de-vênus*
sapato-do-diabo s.m.; pl. *sapatos-do-diabo*
sapatola s.m.f.
sapatorra (*ô*) s.f.
sapatorro (*ô*) s.m.
sapato-tênis s.m.; pl. *sapatos-tênis*
sapatranca s.m.f.
sapatrancas s.f.pl.
sapé s.m.
sapê s.m.
sapeação s.f.
sapeaçuense adj. s.2g.
sapear v.
sapeca adj. s.2g. s.f.
sapecação s.f.
sapecada s.f.
sapecadense adj. s.2g.
sapecado adj. s.m.
sapecadoiro s.m.
sapecadouro s.m.
sapecagem s.f.
sapecar v.
sapeco (*ê*) s.m.
sapécoas s.f.pl.
sapé-de-capoeira s.m.; pl. *sapés-de-capoeira*
sã-pedro-branco s.m.; pl. *sã-pedros-brancos*
sapeeira s.f.
sapeense adj. s.2g.
sapé-gigante s.m.; pl. *sapés-gigantes*
sapeia (*é*) adj. s.f. de *sapeu*
sapeira s.f.
sapeiro adj. s.m.
sapejar v.
sapelo (*ê*) s.m.
sapé-macho s.m.; pl. *sapés-machos*
sapenos s.m.2n.
sapense adj. s.2g.
sapeque s.m.
sapequeiro s.m.
sapequice s.f.
sapequismo s.m.
saperda s.f.
saperê adj.2g.
saperecar v.
sape-sape s.m.; pl. *sape-sapes*
sapeu adj. s.m.; f. *sapeia* (*é*)
sapezal s.m.
sapezalense adj. s.2g.
sapezeiro s.m.
sápia s.f.
sapibocana adj. s.2g.
sapico s.m.
sapicuá s.m.
sápido adj.
sapieira s.f.
sapiência s.f.
sapiencial adj.2g.
sapiente adj.2g.
sapientíssimo adj. sup. de *sábio* e *sapiente*
sapiético adj.
sapífora adj.2g.
sapim s.m.
sapindácea s.f.
sapindáceo adj.
sapindal adj.2g.
sapindale s.f.
sapíndea s.f.
sapíndeo adj.
sapindínea s.f.
sapindo s.m.
sapinhaguá s.m.
sapinho s.m.
sapinho-da-praia s.m.; pl. *sapinhos-da-praia*
sapinho-roxo s.m.; pl. *sapinhos-roxos*
sapínico adj.
sápio s.m.
sapiolita s.f.
sapipoca s.m.
sapiranga s.f.
sapiranguense adj. s.2g.
sapirangui s.m.
sapirão s.m.
sapiraquento adj.
sapiroca adj.2g. s.f.
sapiroquento adj.
sapitica s.f.
sapituca s.f.
sapixorém s.m.
sapo s.m.
sapo-aranzeiro s.m.; pl. *sapos-aranzeiros*

sapo-aru s.m.; pl. *sapos-aru* e *sapos-arus*
sapo-boi s.m.; pl. *sapos-boi* e *sapos-bois*
sapo-cachorro s.m.; pl. *sapos-cachorro* e *sapos-cachorros*
sapocado adj.
sapocólico adj.
sapo-concho s.m.; pl. *sapos-conchos*
sapo-conqueiro s.m.; pl. *sapos-conqueiros*
sapocu s.m.
sapocuara s.m.
sapo-cururu s.m.; pl. *sapos-cururus*
sapo-da-areia s.m.; pl. *sapos-da-areia*
sapo-da-praia s.m.; pl. *sapos-da-praia*
sapo-de-chifre s.m.; pl. *sapos-de-chifre*
sapo-de-unha-preta s.m.; pl. *sapos-de-unha-preta*
sapodilha s.f.
sapo-do-mar s.m.; pl. *sapos-do-mar*
sapo-do-surinã s.m.; pl. *sapos-do-surinã*
sapo-e-cobra s.m.; pl. *sapos-e-cobras*
sapo-ferreiro s.m.; pl. *sapos-ferreiros*
sapo-folha s.m.; pl. *sapos-folha* e *sapos-folhas*
sapo-gameleiro s.m.; pl. *sapos-gameleiros*
sapogenina s.f.
sapo-gigante s.m.; pl. *sapos-gigantes*
sapoila adj.2g.
sapoilar v.
sapoilo adj.
sapo-intanha s.m.; pl. *sapos-intanha* e *sapos-intanhas*
sapo-jururu s.m.; pl. *sapos-jururus*
sapo-leve s.m.; pl. *sapos-leves*
sapolga adj.2g.
sapolina s.f.
sapólio s.m.
saponã s.m.
saponácea s.f.
saponáceo adj.
saponado adj.
saponária s.f.
saponarina s.f.
saponário adj.
saponase s.f.
sapônase s.f.
saponetina s.f.
sapônico adj.
saponídeo s.m.
saponificação s.f.
saponificado adj.
saponificador (*ô*) adj. s.m.
saponificante adj.2g.
saponificar v.
saponificável adj.2g.
saponiforme adj.2g.
saponina s.f.
saponita s.f.
saponite s.f.
sapanítico adj.
saponito s.m.
sapo-parteiro s.m.; pl. *sapos-parteiros*
sapopé adj. s.2g.
sapo-peixe s.m.; pl. *sapos-peixe* e *sapos-peixes*
sapopema s.f.
sapopemba s.f.
sapopemense adj. s.2g.
sapopera s.f.
sapo-pipa s.m.; pl. *sapos-pipa* e *sapos-pipas*
sapo-pipa-da-guiana s.m.; pl. *sapos-pipa-da-guiana* e *sapos-pipas-da-guiana*
sapoquara s.m.
sapoquema s.f.
saporé s.m.
saporema adj.2g. s.m.
saporiar v.
saporífero adj.
saporífico adj.
saposimetria s.f.
sapota s.f.
sapota-açu s.f.; pl. *sapotas-açus*
sapota-branca s.f.; pl. *sapotas-brancas*
sapotácea s.f.
sapotáceo adj.
sapotacite s.f.
sapotaçu s.f.
sapota-do-peru s.f.; pl. *sapotas-do-peru*
sapotaia s.f.
sapotaleno s.m.
sapota-negra s.f.; pl. *sapotas-negras*
sapota-preta s.f.; pl. *sapotas-pretas*
sapote s.m.
sapótea s.f.
sapote-grande s.m.; pl. *sapotes-grandes*
sapoteiro s.m.
sapóteo adj.
sapoti s.m.
sapotiaba s.f.
sapoti-grande s.m.; pl. *sapotis-grandes*
sapotilha s.f.
sapotilheira s.f.
sapotínea s.f.
sapotíneo adj.
sapotizeiro s.m.
sapotoxina (*cs*) s.f.
sapoula adj.2g.
sapoular v.
sapoulo adj.
saprema s.f.
sapremar v.
sapremia s.f.
saprêmico adj.
saprina s.f.
saprino s.m.
sapróbia s.f.
sapróbico adj.
sapróbio adj. s.m.
saprobiose s.f.
saprobiótico adj.
saprocola s.f.
saprodontia s.f.
saprofagia s.f.
saprofágico adj.
saprófago adj. s.m.
saprofilia s.f.
saprófilo adj.
saprófita adj.2g. s.m.
saprofitia s.f.
saprofítico adj.
saprofitismo s.m.
saprófito adj. s.m.
saprofitófago adj. s.m.
saprogênese s.f.
saprogenético adj.
saprógeno adj. s.m.
saprolégnia s.f.
saprolegniácea s.f.
saprolegniáceo adj.
saprolegnial adj.2g.
saprolegniale s.f.
saprolegniínea s.f.
saprolégnio s.m.
saprolenhose s.f.
saprólito s.m.
sapromiza s.f.
sapromízia s.f.
sapromizídeo adj. s.m.
sapropel s.m.
sapropélico adj.
sapropelítico adj.
sapropelito s.m.
saprópélito s.m.
saprópira s.f.
saprosma s.f.
saprovóro adj. s.m.
saprozoário adj. s.m.
saprozoítico adj.
saprozoíto s.m.
sapu s.m.
sapuá s.m.
sapucaí s.m.
sapucaia s.f.
sapucaia-açu s.f.; pl. *sapucaias-açus*
sapucaia-amargosa s.f.; pl. *sapucaias-amargosas*
sapucaia-branca s.f.; pl. *sapucaias-brancas*
sapucaia-de-castanha s.f.; pl. *sapucaias-de-castanha*
sapucaia-de-folha-pequena s.f.; pl. *sapucaias-de-folha-pequena*
sapucaia-grande s.f.; pl. *sapucaias-grandes*
sapucaia-mirim s.f.; pl. *sapucaias-mirins*
sapucaieira s.f.
sapucaieira-mirim s.f.; pl. *sapucaieiras-mirins*
sapucaieiro s.m.
sapucaiense adj. s.2g.
sapucaí-mirinense adj.2g.; pl. *sapucaís-mirinenses*
sapucainha s.f.
sapucaio s.m.
sapucairana s.f.
sapucairana-branca s.f.; pl. *sapucairanas-brancas*
sapucaiú s.m.
sapucajuba s.f.
sapucaranense adj.2g.
sapuche s.f.
sapudo adj.
sapuiá adj. s.2g. s.m.
sapujuba s.m.
sapuleu s.m.
sapuleve s.m.
sapuparense adj. s.2g.
sapupema s.m.
sapupira s.f.
sapupira-amarela s.f.; pl. *sapupiras-amarelas*
sapupira-da-mata s.f.; pl. *sapupiras-da-mata*
sapupira-da-várzea s.f.; pl. *sapupiras-da-várzea*
sapupira-do-campo s.f.; pl. *sapupiras-do-campo*
sapupira-do-igapó s.f.; pl. *sapupiras-do-igapó*
sapupira-parda s.f.; pl. *sapupiras-pardas*
sapupira-preta s.f.; pl. *sapupiras-pretas*
sapurana s.2g.
sapurema s.m.
sapuruçu s.m.
sapuruna s.2g.
saputá s.m.
saputá-grande s.m.; pl. *saputás-grandes*
saputi s.m.
saputiaba s.f.
saputilheira s.f.
saputizeiro s.m.
sapuva s.f.
sapuvão s.m.
sapuvuçu s.2g.
saquarema s.m.
saquaremense adj.2g.
saque s.m. "ato de sacar"; cf. *saqué* e *saquê*
saqué s.m. "bebida"; cf. *saque* s.m. e fl. do v. *sacar* e *saquê*
saquê s.m. "bebida"; cf. *saqué* e *saque* s.m. e fl. do v. *sacar*
saqueado adj.
saqueador (*ô*) adj. s.m.
saquear v.
saqueio s.m.
saqueiro s.m.
saquete (*ê*) s.m.
saqueto (*ê*) s.m.
saqui s.m.
saquiada s.f.
saquilada s.f.
saquilhão s.m.
saquim s.m.
saqui-monge s.m.; pl. *saquis-monge* e *saquis-monges*
saquinavir s.m.
saquinhense adj. s.2g.
saquinho s.m.
saqui-satanás s.m.; pl. *saquis-satanás* e *saquis-satanases*
saquista adj. s.2g.
saquitel s.m.
saquito s.m.
sara adj. s.2g. s.m. "etnia do Chade"; cf. *sará* e *sarã*
sará s.m. "missa solene dos malês"; cf. *sara* e *sarã*
sarã s.m. "planta"; cf. *sara* e *sará*
sarabacana s.f.
sarabaiara s.f.
sarabaíta adj.2g. s.m.
sarabanda s.f.
sarabandeador (*ô*) adj. s.m.
sarabandear v.
sarabaqué (*ü*) s.m.
sarabaquê (*ü*) s.m.
sarabarita adj.2g. s.m.
sarabatana s.f.
sarabatucu s.m.
sarabauita (*í*) s.f.
sarabeque s.m.
sarabiana s.f.
sarabulhento adj.
sarabulho s.m. "aspereza na superfície da louça"; cf. *sarrabulho*
sarabulhoso (*ô*) adj.; f. (*ó*); pl. (*ó*)
saraça s.2g. s.f.
saraçá s.f.
saraças s.f.pl.
saracenária s.f.
saraço s.m.
saracolé s.m.
saracote s.m.
saracoteado adj. s.m.
saracoteador (*ô*) adj. s.m.
saracoteamento s.m.
saracoteante adj.2g.
saracotear v.
saracoteio s.m.
saracotinga s.f.
saracoto (*ô*) s.m.
saracuá s.m.
saracuíra s.f.
saracura s.f.
saracura-açu s.f.; pl. *saracuras-açus*
saracuraçu s.f.
saracura-da-praia s.f.; pl. *saracuras-da-praia*
saracura-do-banhado s.f.; pl. *saracuras-do-banhado*
saracura-do-brejo s.f.; pl. *saracuras-do-brejo*
saracura-do-mangue s.f.; pl. *saracuras-do-mangue*
saracura-do-norte s.f.; pl. *saracuras-do-norte*
saracura-muirá s.f.; pl. *saracuras-muirá* e *saracuras-muirás*
saracurana s.f.
saracura-sanã s.f.; pl. *saracuras-sanãs*
saracurense adj. s.2g.
saracuruçu s.f.
saracuruense adj. s.2g.
saracutinga s.f.
saracutinguinha s.f.
sara-de-pita s.m.; pl. *saras-de-pita*
sarado adj.
saradoiro s.m.
saradouro s.m.
sarafana s.f.
sarafano adj. s.m.
sarafulha s.m.
sarafuscar v.
saragaça s.f.
saragacinha s.f.
saragaço s.m.
saragata s.f.
sarago s.m.
saragoça (*ô*) s.f.
saragoçana s.f.
saragoçano adj. s.m.
saragoço (*ô*) adj.
saragui s.m.
sarah-bernhardtiano adj.
saraíba s.f.
saraiú s.m.
saraiva s.f.
saraivada s.f.
saraivado adj.
saraivar v.
saraiveiro s.m.
saraivense adj. s.2g.
saraivisco s.m.
saraizal s.m.
saralho s.m.
saramago s.m.
saramago-d'água s.m.; pl. *saramagos-d'água*
saramago-de-água s.m.; pl. *saramagos-de-água*
saramago-maior s.m.; pl. *saramagos-maiores*
saramangata s.f.
saramanho s.m.
saramanta s.f.
saramântiga s.f.
saramátulo s.m.
saramba s.f.
sarambão adj. s.m.
sarambaqué (*ü*) s.m.
sarambé s.2g.
sarambelada s.f.
sarambelão adj. s.m.
sarambeque s.m.
sarâmbia s.f.
sarambira s.f.
sarambote s.m.
sarambu s.m.
sarambura s.f.
sarame s.m.
saramela s.f.
saramenheira s.f.
saramenheiro s.m.
saramenho s.m.
saramingues s.m.2n.
saramiques s.m.2n.
saramoco (*ô*) s.m.
saramona s.f.
saramonete (*ê*) s.m.
sarampantona adj.
sarampão s.m.
sarampeira s.f.
sarampelho (*ê*) s.m.
sarampelo (*ê*) s.m.
sarampento adj. s.m.
sarampiforme adj.2g.
sarampo s.m.
sarampo-alemão s.m.; pl. *sarampos-alemães*
saramposo (*ô*) adj.; f. (*ó*); pl. (*ó*)
sarampura s.f.
saramuga s.f.
saramugo s.m.
saran s.m.
saranco s.m.
saranda adj. s.2g.
sarandagem s.f.
sarandalhas s.f.pl.
sarandalhos s.m.pl.
sarandear v.
sarandeio s.m.
sarandi s.m.
sarandi-amarelo s.m.; pl. *sarandis-amarelos*
sarandi-branco s.m.; pl. *sarandis-brancos*
sarandi-de-caranguejo s.m.; pl. *sarandis-de-caranguejo*
sarandi-de-espinho s.m.; pl. *sarandis-de-espinho*
sarandiense adj. s.2g.
sarandilhar v.
sarandim s.m.
sarandi-mole s.m.; pl. *sarandis-moles*
sarandirense adj. s.2g.

sarandizal s.m.
saranga adj. s.2g.
sarango adj. s.m.
sarangonha s.f.
sarangonhar v.
sarangosti s.m.
sarangravaia s.f.
sarangue s.m. "piloto"; cf. *sarangui*
sarangui s.m. "espécie de rabeca"; cf. *sarangue*
saranha s.f.
saranha-de-rabo-amarelo s.f.; pl. *saranhas-de-rabo--amarelo*
sarante adj.2g. s.f.
saranzal s.m.
sarão s.m.
sarapa s.m.f.
sarapalhento adj.
sarapanel s.m.
sarapanta s.f.
sarapantado adj.
sarapantão adj. s.m.; f. *sarapantona*
sarapantar v.
sarapanteado adj.
sarapantear v.
sarapantona adj. s.f. de *sarapantão*
sarapantum s.m.
sarapara adj. s.2g.
sarapatel s.m.
sarapicar v.
sarapico s.m.
sarapieira s.f.
sarapilheira s.f.
sarapino s.m.
sarapinta s.f.
sarapintadela s.f.
sarapintado adj.
sarapintar v.
sarapitola s.f.
sarapó s.m.
sarapó-raiado s.m.; pl. *sarapós-raiados*
sarapó-tuvira s.m.; pl. *sarapós--tuvira* e *sarapós-tuviras*
sarapuá s.m.
sarapueira s.f.
sarapuiano adj. s.m.
sarapuiense adj. s.2g.
sarapulhada s.f.
sarapulhagem s.f.
saraquá s.m.
saraqueimar v.
saraquitar v.
sarar v.
sarará adj. s.2g. s.m.f.
sararaca s.f.
sararacão s.m.
sararaense adj. s.2g.
sararau s.m.
sarassará adj. s.2g. s.m.f.
sarassará-amarela s.f.; pl. *sarassarás-amarelas*
sarassará-de-pernas-ruivas s.f.; pl. *sarassarás-de-pernas--ruivas*
sarau s.m.
sarauê s.m.
saravá s.m. interj.
saravakita s.f.
saravaquita s.f.
saravaquite s.f.
sarca s.f.
sarça s.f.
sarça-amoreira s.f.; pl. *sarças-amoreira* e *sarças--amoreiras*
sarça-ardente s.f.; pl. *sarças--ardentes*
sarça-de-moisés s.f.; pl. *sarças-de-moisés*
sarça-ideia s.f.; pl. *sarças-ideia* e *sarças-ideias*
sarçal s.m.
sarçamora s.f.
sarcântea s.f.
sarcântemo s.m.
sarcanto s.m.
sarcásmico adj.
sarcasmo s.m.
sarcasta adj. s.2g.
sarcástico adj.
sarcaule s.m.
sarcepiplocele s.f.
sarcepiplônfalo s.m.
sarcídio s.m.
sarcidrocele s.f.
sárcina s.f.
sarcinanto s.m.
sarcínia s.f.
sarcínico adj.
sarciniforme adj.2g.
sarcinita s.f.
sarcinite s.f.
sarcinômice s.m.
sarcinomiceto s.m.
sarcínula s.f.
sarcióforo s.m.
sarcita s.f.
sarcite s.f.
sarcito s.m.
sarcóbase s.f.
sarcobatídea s.f.
sarcóbato s.m.
sarcoblasto s.m.
sarcocálice s.m.
sarcocapno s.m.
sarcocarcinoma s.m.
sarcocarpiano adj.
sarcocárpio s.m.
sarcocarpo s.m.
sarcocáulon s.m.
sarcocéfalo s.m.
sarcocele s.f.
sarcocistes s.m.2n.
sarcocistídeo adj. s.m.
sarcocisto s.m.
sarcococa s.f.
sarcococo s.m.
sarcocola s.f.
sarcocoleira s.f.
sarcocolina s.f.
sarcode s.m.
sarcódea s.f.
sarcoderma s.m.
sarcoderme s.f.
sarcódico adj.
sarcodíneo adj. s.m.
sarcodino s.m.
sarcódio s.m.
sarcoepiplocele s.m.
sarcoepiplônfalo s.m.
sarcófaga s.f.
sarcofagia s.f.
sarcofagiano adj.
sarcofágico adj.
sarcofagídeo adj. s.m.
sarcofagíneo adj. s.m.
sarcófago adj. s.m.
sarcofila s.f.
sarcofilo s.m. "folha suculenta"; cf. *sarcófilo*
sarcófilo adj. s.m. "que gosta de carne"; cf. *sarcofilo*
sarcofima s.m.
sarcofite s.f.
sarcofitoide (*ó*) s.f.
sarcofrínio s.m.
sarcogêneo adj.
sarcóglia adj.
sarcoglote s.f.
sarcógono s.m.
sarco-hidrocele s.f.
sarcoide (*ó*) adj.2g. s.m.
sarcóideo adj. s.m.
sarcoidose s.f.
sarcoidótico adj.
sarcoidrocele s.f.
sarcolactato s.m.
sarcoláctico adj.
sarcolatato s.m.
sarcolático adj.
sarcolema s.m.
sarcolemal adj.2g.
sarcolemático adj.
sarcolêmico adj.
sarcolena s.f.
sarcolenácea s.f.
sarcolenáceo adj.
sarcólise s.f.
sarcolite s.f.
sarcólito s.m.
sarcólobo s.m.
sarcologia s.f.
sarcológico adj.
sarcólogo s.m.
sarcoma s.m.
sarcomatoide (*ó*) adj.2g.
sarcomatose s.f.
sarcomatoso (*ô*) adj.; f. (*ó*); pl. (*ó*)
sarcomelanina s.f.
sarcomério s.m.
sarcômero s.m.
sarcomicete adj.2g. s.m.
sarcomiceto adj. s.m.
sarcomixoma (*cs*) s.m.
sarcônfalo s.m.
sarconfalocele s.f.
sarcopioide (*ó*) adj.2g.
sarcopirâmide s.f.
sarcoplasma s.m.
sarcoplasmático adj.
sarcoplásmico adj.
sarcoplástico adj.
sarcoplasto adj. s.m.
sarcopoese s.f.
sarcopoético adj.
sarcopside s.f.
sarcopsídio s.m.
sarcopsíleo s.m.
sarcopsilídeo adj. s.m.
sarcopsilo s.m.
sarcopsilose s.f.
sarcópsio s.m.
sarcopta s.m.
sarcoptes s.m.2n.
sarcóptico adj.
sarcoptídeo adj. s.m.
sarcoptiforme adj.2g.
sarcopto s.m.
sarcoptóideo s.m.
sarcoquilo s.m.
sarcorranfo s.m.
sarcóscifa s.f.
sarcose s.f.
sarcosina s.f.
sarcoso (*ô*) adj.; f. (*ó*); pl. (*ó*)
sarcospermatácea s.f.
sarcospermatáceo adj.
sarcospermo adj.
sarcosporídeo adj. s.m.
sarcosporídio adj. s.m.
sarcosporidiose s.f.
sarcossoma s.m.
sarcostema s.m.
sarcostemina s.f.
sarcosteose s.f.
sarcosteósico adj.
sarcosteótico adj.
sarcóstomo adj.
sarcotaxo (*cs*) s.m.
sarcótico adj.
sarcotripsia s.f.
sarcotríptico adj.
sarcotriptor (*ô*) s.m.
sarda s.f.
sarda-ágata s.f.; pl. *sardas--ágata* e *sardas-ágatas*
sardana s.f.
sardanapalesco (*ê*) adj.
sardanapálico adj.
sardanapalismo s.m.
sardanapalizar v.
sardanapalo s.m.
sardaneta (*ê*) s.f.
sardanica s.f.
sardanisca s.f.
sardanisca-do-mato s.f.; pl. *sardaniscas-do-mato*
sardanisca-do-monte s.f.; pl. *sardaniscas-do-monte*
sardanita s.f.
sardão s.m.
sardar v.
sardas s.f.pl.
sardenho adj. s.m.
sardento adj.
sardessai s.m.
sardíaco adj. s.m.
sardiano adj. s.m.
sardiate adj. s.2g.
sardiense adj. s.2g.
sardinela s.f.
sardinha s.f.
sardinha-amazônica s.f.; pl. *sardinhas-amazônicas*
sardinha-bandeira s.f.; pl. *sardinhas-bandeira* e *sardinhas-bandeiras*
sardinha-bandeirada s.f.; pl. *sardinhas-bandeirada* e *sardinhas-bandeiradas*
sardinha-boca-de-cobra s.f.; pl. *sardinhas-boca-de-cobra* e *sardinhas-bocas-de-cobra*
sardinha-boca-de-velha s.f.; pl. *sardinhas-boca-de-velha* e *sardinhas-bocas-de-velha*
sardinha-branca s.f.; pl. *sardinhas-brancas*
sardinha-cascuda s.f.; pl. *sardinhas-cascudas*
sardinha-da-califórnia s.f.; pl. *sardinhas-da-califórnia*
sardinha-de-água-doce s.f.; pl. *sardinhas-de-água-doce*
sardinha-de-galha s.f.; pl. *sardinhas-de-galha*
sardinha-de-gato s.f.; pl. *sardinhas-de-gato*
sardinha-do-reino s.f.; pl. *sardinhas-do-reino*
sardinha-dourada s.f.; pl. *sardinhas-douradas*
sardinha-europeia s.f.; pl. *sardinhas-europeias*
sardinha-facão s.f.; pl. *sardinhas-facão* e *sardinhas-facões*
sardinha-gato s.f.; pl. *sardinhas-gato* e *sardinhas--gatos*
sardinha-gorda s.f.; pl. *sardinhas-gordas*
sardinha-grande s.f.; pl. *sardinhas-grandes*
sardinha-japonesa s.f.; pl. *sardinhas-japonesas*
sardinha-laje s.f.; pl. *sardinhas-laje* e *sardinhas-lajes*
sardinha-larga s.f.; pl. *sardinhas-largas*
sardinha-maromba s.f.; pl. *sardinhas-maromba* e *sardinhas-marombas*
sardinha-norueguesa s.f.; pl. *sardinhas-norueguesas*
sardinha-papuda s.f.; pl. *sardinhas-papudas*
sardinha-prata s.f.; pl. *sardinhas-prata* e *sardinhas--pratas*
sardinha-verdadeira s.f.; pl. *sardinhas-verdadeiras*
sardinheira s.f.
sardinheiro adj. s.m.
sardinhense adj. s.2g.
sardinheta (*ê*) s.f.
sardinho s.m.
sardínio s.m.
sardinioide (*ó*) adj.2g. s.m.
sárdio s.m.
sardo adj. s.m.
sardoaense adj. s.2g.
sardoalense adj. s.2g.
sardoeira s.f.
sardoína s.f.
sardonesco (*ê*) adj.
sardônia s.f.
sardônica s.f.
sardônico adj.
sardônio adj. s.m.
sardônique s.2g.
sardonisca s.f.
sardonismo s.m.
sárdonix (*cs*) s.2g.; pl. *sardônices*
sardonizar v.
sardosa s.f.
sardoso (*ô*) adj.; f. (*ó*); pl. (*ó*)
sarduesco (*ê*) adj.
sarentino adj. s.m.
saresma (*ê*) adj. s.2g.
sarga s.f.
sargaça s.f.
sargaça-híspida s.f.; pl. *sargaças-híspidas*
sargaçal s.m.
sargaceiro s.m.
sargacinha s.f.
sargaço s.m.
sargaço-híspido s.m.; pl. *sargaços-híspidos*
sargaço-vesiculoso s.m.; pl. *sargaços-vesiculosos*
sargeira s.f.
sargenta s.f.
sargentada s.f.
sargentão s.m.
sargentaria-mor s.f.; pl. *sargentarias-mores*
sargenteação s.f.
sargenteante adj.2g. s.m.
sargentear v.
sargentense adj. s.2g.
sargentina s.f.
sargento s.m.
sargento-ajudante s.m.; pl. *sargentos-ajudantes*
sargento-aspirante s.m.; pl. *sargentos-aspirantes*
sargento de armas s.m.
sargento de batalha s.m.
sargentodoxácea (*cs*) s.f.
sargentodoxáceo (*cs*) adj.
sargentola s.m.
sargento-maior s.m.; pl. *sargentos-maiores*
sargento-mor s.m.; pl. *sargentos-mores*
sargento mor de batalha s.m.
sargento mor de campanha s.m.
sargento mor de ordenanças s.m.
sargento-quartel-mestre s.m.; pl. *sargentos-quartel--mestre*, *sargentos-quartéis--mestre* e *sargentos-quartéis--mestres*
sargo s.m.
sargo-bastardo s.m.; pl. *sargos-bastardos*
sargo-bicudo s.m.; pl. *sargos--bicudos*
sargo-de-beiço s.m.; pl. *sargos-de-beiço*
sargo-de-dente s.m.; pl. *sargos-de-dente*
sargola s.f.
sargo-veado s.m.; pl. *sargos--veado* e *sargos-veados*
sarguça s.f.
sargueta (*ê*) s.f.
sarguete (*ê*) s.m.
sari s.m.
saria s.f.
sariaçu s.m.
sariarkita s.f.
sariarquita s.f.
sariba s.f.
saribanda s.f.
saribebe s.m.
sárica s.f.
saricanga s.f.
saricóli s.m.
saricoté s.m.
sariema s.f.
sariga s.m.
sarigóli s.m.
sarigué (*u* ou *ü*) s.m.
sarigueia (*üé*) s.f.
sarigueia-da-virgínia s.f.; pl. *sarigueias-da-virgínia*
sarigueiro adj.
sarilhar v.
sarilho s.m.
saripoca s.m.
sarissa s.f.
sarissóforo s.m.
saritã s.f.

sarja s.f.
sarjação s.f.
sarjadeira s.f.
sarjado adj.
sarjador (ô) adj. s.m.
sarjadura s.f.
sarjão s.m.
sarjar v.
sarjeira s.f.
sarjel s.m.
sarjeta (ê) s.f.
sarjota s.f.
sarmaciano adj. s.m.
sarmão s.m.
sármata adj. s.2g.
sarmático adj.
sarmenho s.m.
sarmentácea s.f.
sarmentáceo adj.
sarmentício adj.
sarmentífero adj.
sarmento s.m.
sarmentocimarina s.f.
sarmentocimarinosídeo adj. s.m.
sarmentogenina s.f.
sarmentoso (ô) adj.; f. (ó); pl. (ó)
sarmientita s.m.
sarmonejo s.m.
sarna s.2g. s.f.
sarnambi s.m.
sarnambiguá s.m.
sarnambiguara s.f.
sarnambitinga s.f.
sarnandi s.m.
sarnão s.m.
sarnar v.
sarné s.m.
sarnelha (ê) s.f.
sarneto adj. s.m.
sarnicida adj.2g. s.m.
sarnicídio s.m.
sarnosa s.f.
sarnoso (ô) adj.; f. (ó); pl. (ó)
saroba s.f. "ave"; cf. *sarobá*
sarobá s.m. "mato"; cf. *saroba*
saroé s.f.
sarongue s.m.
sarônide adj.2g. s.m.
sarópode adj.2g. s.m.
saros s.m.2n.
sarospatakita s.f.
sarospataquita s.f.
sarotamno s.m.
sarote s.m.
saroto (ô) adj.
sarova s.f.
sarpa s.f.
sarquinita s.f.
sarquinite s.f.
sarrabal s.m.
sarrabalho s.m.
sarrabeco s.m.
sarrabiscar v.
sarrabisco s.m.
sarrabolho (ô) s.m.
sarrabulhada s.f.
sarrabulhento adj.
sarrabulho s.m. "sangue coagulado de porco"; cf. *sarabulho*
sarraçada s.f.
sarracênia s.f.
sarraceniácea s.f.
sarraceniáceo adj.
sarracenial adj.2g.
sarraceniale s.f.
sarracênico adj.
sarracenina s.f.
sarraceno adj. s.m.
sarracino adj. s.m.
sarraco s.m.
sarrafaçador (ô) adj. s.m.
sarrafaçadura s.f.
sarrafaçal s.m.
sarrafaçana s.2g.
sarrafaçar v.
sarrafada s.f.
sarrafado adj.
sarrafagem s.f.
sarrafão s.m.
sarrafar v.
sarrafascada s.f.
sarrafear v.
sarrafo s.m.
sarrafusca s.f.
sarragão s.m.
sarraia s.f.
sarraipa s.f.
sarralha s.f.
sarranate adj. s.2g.
sarranho s.m.
sarrão s.m.
sarrapiá s.m.
sarrapilha s.f.
sarrapilheira s.f.
sarrar v.
sarraste adj. s.2g.
sarrau s.m.
sarreira s.f.
sarreiro s.m.
sarrento adj.
sarreta (ê) s.f.
sarrico s.m.
sarrido s.m.
sarrifalho s.m.
sarrifo s.m.
sarrinho s.m.
sarro s.m.
sarroada s.f.
sarro-de-pito s.m.; pl. *sarros-de-pito*
sarrona s.f.
sarronca s.f.
sarroso (ô) adj.; f. (ó); pl. (ó)
sarrotripa s.f.
sarrotripíneo adj. s.m.
sarrotripo s.m.
sarrudo adj.
sarrufo s.m.
sarrufônio s.m.
sarrussofone s.m.
sarsará s.m.
sarsina s.f.
sarsinate adj. s.2g.
sarsório s.m.
sarta s.f.
sartã s.f.
sartal s.m.
sartar v.
sartorial s.2g.
sartório adj. s.m.
sartorita s.f.
sartorite s.f.
sartriano adj. s.m.
saru adj.2g.
saruá s.m.
saruado adj. s.m.
saruê adj. s.2g. s.m.
saruga s.f.
saruma s.f.
sarunete adj. s.2g.
sarutaiaense adj. s.2g.
sarvanganássana s.m.
sarverogenina s.f.
sarverogenona s.f.
sarverosídeo s.m.
sarverósido s.m.
sarzedense adj. s.2g.
sassa s.f.
sassabi s.m.
sassafrás s.m.
sassafrás-amarelo s.m.; pl. *sassafrases-amarelos*
sassafrás-de-cantagalo s.m.; pl. *sassafrases-de-cantagalo*
sassafrás-de-guiana s.m.; pl. *sassafrases-de-guiana*
sassafrás-do-brasil s.m.; pl. *sassafrases-do-brasil*
sassafrás-do-pará s.m.; pl. *sassafrases-do-pará*
sassafrás-do-paraná s.m.; pl. *sassafrases-do-paraná*
sassafrás-do-rio s.m.; pl. *sassafrases-do-rio*
sassafrídio s.m.
sassânida adj. s.2g.
sassarês s.m.
sasseia (é) adj. s.f. de *sasseu*
sasseu adj. s.m.; f. *sasseia* (é)
sassolita s.f.
sassolite s.f.
sassor (ô) s.m.
sassumino adj. s.m.
sastra s.m.
sastre s.m.
sasuro adj. s.m.
satã s.m.
satádia s.f.
satagana s.f.
satanás s.m.
satanense adj. s.2g.
sataniano s.m.
sataniar v.
satânico adj. s.m.
satanismo s.m.
satanista adj. s.2g.
satanístico adj.
satanita adj. s.2g.
satanização s.f.
satanizar v.
satarca adj. s.2g.
satária s.f.
satarqueia (é) adj. s.f. de *satarqueu*
satarqueu adj. s.m.; f. *satarqueia* (é)
sate s.m.
satelício s.m.
satelita s.f.
satélite adj.2g. s.m.
satelítico adj.
satelitismo s.m.
satelitista adj. s.2g.
satelitização s.f.
satelitizado adj.
satelitizador (ô) adj.
satelitizante adj.2g.
satelitizar v.
satelitizável adj.2g.
satelização s.f.
satelizado adj.
sateloide (ó) s.m.
sateposa s.f.
saterê-mauê s.f.; pl. *saterês-mauês*
sati s.m.f.
satilha s.f.
satilhas s.f.pl.
satimolita s.f.
sátira s.f.
satirão s.m.
satireta (ê) s.f.
satiriácea s.f.
satiriáceo adj.
satiríaco adj.
satirião s.m.
satirião-bastardo s.m.; pl. *satiriões-bastardos*
satirião-macho s.m.; pl. *satiriões-machos*
satirião-maior s.m.; pl. *satiriões-maiores*
satirião-menor s.m.; pl. *satiriões-menores*
satiríase s.f.
satiriásico adj.
satiríasis s.f.2n.
satiriasmo s.m.
satírico adj. s.m.
satirídeo adj. s.m.
satiriina s.f.
satiríneo adj. s.m.
satírio s.m.
satírio-maior s.m.; pl. *satírios-maiores*
satírio-menor s.m.; pl. *satírios-menores*
satirismo s.m.
satirista adj. s.2g.
satirístico adj.
satirização s.f.
satirizado adj.
satirizador (ô) adj. s.m.
satirizar v.
sátiro s.m.
satiromania s.f.
satisdação s.f.
satisdar v.
satisfação s.f.
satisfacionário s.m.
satisfatoriedade s.f.
satisfatório adj.
satisfazer v.
satisfazimento s.m.
satisfazível adj.2g.
satisfeito adj.
sativo adj.
satori s.m.
satpaevita s.f.
sátrapa s.m.
sátrape s.m.
satrapear v.
satrapia s.f.
satrapial adj.2g.
satrápico adj.
satrapismo s.m.
satricano adj. s.m.
satubense adj. s.2g.
satubinense adj. s.2g.
satubinzense adj. s.2g.
sátura s.f.
saturabilidade s.f.
saturação s.f.
saturado adj.
saturador (ô) adj. s.m.
saturagem s.f.
saturamento s.m.
saturante adj.2g.
saturar v.
saturável adj.2g.
satureja s.f.
saturéjea s.f.
saturnais s.f.pl.
saturnal adj.2g. s.f.
saturnense adj. s.2g.
satúrnia s.f.
saturniádeo adj. s.m.
saturniano adj. s.m.
saturnicêntrico adj.
saturnídeo adj. s.m.
saturnígeno adj.
saturnigráfico adj.
saturniídeo adj. s.m.
saturnilita s.m.
saturnino adj. s.m.
satúrnio adj.
saturnismo s.m.
saturnista adj.2g.
saturnita s.f.
saturnite s.f.
saturnito s.m.
saturno adj. s.m.
saturnoterapia s.f.
saturnoterápico adj.
sauá s.m.
sauaçu s.m.
saualpita s.f.
saualpite s.f.
sauá-mascarado s.m.; pl. *sauás-mascarados*
sauá-vermelho s.m.; pl. *sauás-vermelhos*
saúba s.f.
saubal s.m.
saubarense adj. s.2g.
saucar s.m.
saucaria s.f.
saucarismo s.m.
saúco s.m.
sauconita s.f.
sauconite s.f.
saudação s.f.
saudade s.f.
saudade-da-campina s.f.; pl. *saudades-da-campina*
saudade-de-inverno s.f.; pl. *saudades-de-inverno*
saudade-do-brejo s.f.; pl. *saudades-do-brejo*
saudadense adj. s.2g.
saudades s.f.pl.
saudades-brancas s.f.pl.
saudades-de-inverno s.f.pl.
saudades-de-pernambuco s.f.pl.
saudades-do-brejo s.f.pl.
saudades-perpétuas s.f.pl.
saudades-roxas s.f.pl.
saudado adj.
saudador (ô) adj. s.m.
saudante adj.2g.
saudar v. s.m.
saudatário adj.
saudável adj.2g.
saudavelense adj. s.2g.
saúde s.f. interj.
saudense adj. s.2g.
saudi-arábico adj. s.m.; pl. *saudi-arábicos*
saudita adj. s.2g.
saudosismo s.m.
saudosista adj. s.2g.
saudosístico adj.
saudoso (ô) adj.; f. (ó); pl. (ó)
saueense adj. s.2g.
sauentesu adj. s.2g.
saugate s.m.
sauí s.m.
sauiá s.m.
sauiá-bandeira s.m.; pl. *sauiás-bandeira* e *sauiás-bandeiras*
sauiaense adj. s.2g.
sauí-caratinga s.m.; pl. *sauís-caratinga* e *sauís-caratingas*
sauí-de-bigode-branco s.m.; pl. *sauís-de-bigode-branco*
sauí-de-duas-cores s.m.; pl. *sauís-de-duas-cores*
sauí-de-mão-ruiva s.m.; pl. *sauís-de-mão-ruiva*
sauiguaçu s.m.
sauim s.m.
sauí-mirim s.m.; pl. *sauís-mirins*
sauimpiranga s.m.
sauí-preto-de-bigode-branco s.m.; pl. *sauís-pretos-de-bigode-branco*
sauí-una s.m.; pl. *sauís-unas*
saumério s.m.
saumuriano s.m.
sauna s.f. "banho a vapor"; cf. *saúna*
saúna s.f. "peixe"; cf. *sauna*
saúna-de-olho-de-fogo s.m.; pl. *saúnas-de-olho-de-fogo*
saúna-de-olho-preto s.m.; pl. *saúnas-de-olho-preto*
saúna-de-olho-vermelho s.m.; pl. *saúnas-de-olho-vermelho*
saúna-olho-de-fogo s.m.; pl. *saúnas-olho-de-fogo*
saúna-rolha s.f.; pl. *saúnas-rolha* e *saúnas-rolhas*
saundérsia s.f.
sauni s.m.
saunita adj. s.2g.
saupé s.m.
saurá s.m.
saurânia s.f.
sauraurense adj. s.2g.
saurésia s.f.
sauríase s.f.
sáurida adj.2g. s.m.
saurídeo adj. s.m.
sáurido s.m.
saurim s.m.
saurino adj.
sáurio adj. s.m.
saúrion s.m.
sauriose s.f.
saurisquiano adj. s.m.
saurita s.f.
sauriúra s.f.
saurivulpa s.f.
sauro s.m.
saurocefalídeo adj. s.m.
saurocéfalo s.m.
sauróctono adj.
saurodipterídeo adj. s.m.
saurodonte s.m.
saurófago adj.
saurofídio adj. s.m.
sauroglosso s.m.
saurografia s.f.
saurográfico adj.
saurógrafo s.m.
sauroide (ó) adj.2g. s.m.
saurologia s.f.

saurológico adj.
saurologista adj. s.2g.
saurólogo s.m.
saurômalo s.m.
saurômata adj. s.2g.
sauromátide adj.2g. s.f.
saurômato s.m.
sauromorfo adj. s.m.
sauropátide s.f.
saurópode adj.2g. s.m.
sauropodomórfico adj.
sauropodomorfo adj. s.m.
sauropse s.f.
saurópsida adj.2g. s.m.
saurópside s.m.
sauropsídeo adj. s.m.
sauropsídio s.m.
saurópsis s.f.2n.
sauropterígio adj. s.m.
sauróstomo s.m.
saurotera s.f.
saururácea s.f.
saururáceo adj.
saurúrea s.f.
saurúreo adj.
saururo s.m.
saussuriano adj.
saussurita s.f.
saussurite s.f.
saussurítico adj.
saussuritização s.f.
saussuritizar v.
saussurito s.m.
sautéria s.f.
sautiera s.f.
sautor (*ô*) s.m.
saúva s.f.
sauvagésia s.f.
sauval s.m.
sauveiro adj. s.m.
sauvense adj. s.2g.
sauvicida adj.2g. s.m.
sauvicídio s.m.
sava s.f.
savacu s.m.
savacu-de-coroa s.m.; pl. *savacus-de-coroa*
saval s.m.
savaleiro adj.
savaleta (*ê*) s.f.
savalu s.m.
savana s.f.
savana-parque s.f.; pl. *savanas-parque* e *savanas-parques*
savânico adj.
savanícola adj.2g.
savaniforme adj.2g.
savart s.m.
savata s.f.
savate s.f.
saveira s.f.
saveirinho s.m.
saveirista s.2g.
saveiro s.m.
sável s.m.
saveleta (*ê*) s.f.
savelha (*ê*) s.f.
savelha-mole s.f.; pl. *savelhas-moles*
savelhinha s.f.
savete s.m.
savetismo s.m.
saviá s.m.
sávia s.m.
savica s.f.
savicão s.m.
savígnia s.f.
savite s.f.
savito s.m.
savitu s.m.
savodinskita s.f.
savodinskite s.f.
savodinsquita s.f.
savodinsquite s.f.
savoga s.f.
savonarola s.f.
savônulo s.m.
savora s.f.
sax (*cs*) s.m.2n.
sax-alto s.m.; pl. *sax-altos*
saxão (*cs*) adj. s.m.
saxátil (*cs*) adj.2g.
sax-baixo s.m.; pl. *sax-baixos*
sax-barítono s.m.; pl. *saxes-barítonos*
saxe (*cs*) s.m.
saxe-alto (*cs*) s.m.; pl. *saxes-altos*
saxe-baixo (*cs*) s.m.; pl. *saxes-baixos*
saxe-barítono (*cs*) s.m.; pl. *saxes-barítonos*
saxegótea (*cs*) s.f.
sáxeo (*cs*) adj.
saxicava (*cs*) s.f.
saxicávida (*cs*) adj.2g. s.m.
saxicavídeo (*cs*) adj. s.m.
saxícola (*cs*) adj. s.2g.
saxicolídea (*cs*) s.f.
saxicolídeo (*cs*) adj. s.m.
saxidomo (*cs*) s.m.
saxificado (*cs*) adj.
saxificador (*cs...ô*) adj.
saxificar (*cs*) v.
saxífico (*cs*) adj.
saxífraga (*cs*) s.f.
saxífraga-branca s.f.; pl. *saxífragas-brancas*
saxifragácea (*cs*) s.f.
saxifragáceo (*cs*) adj.
saxífraga-do-reino s.f.; pl. *saxífragas-do-reino*
saxifragante (*cs*) adj.2g.
saxifrágea (*cs*) adj.2g. s.f.
saxifrágeo (*cs*) adj.
saxifrágia (*cs*) s.f.
saxifragiácea (*cs*) s.f.
saxifragiáceo (*cs*) adj.
saxifragina (*cs*) s.f.
saxifragínea (*cs*) s.f.
saxifragíneo (*cs*) adj.
saxífrago (*cs*) adj.
saxifragóidea (*cs*) s.f.
saxígeno (*cs*) adj.
saxigrafia (*cs*) s.f.
saxigráfico (*cs*) adj.
saxina (*cs*) adj. s.2g.
saxissonante (*cs*) adj.2g.
saxo (*cs*) s.m.
saxo-céltico adj.; pl. *saxo-célticos*
saxofone (*cs*) s.m.
saxofônio (*cs*) s.m.
saxofonista (*cs*) adj. s.2g.
saxofonístico (*cs*) adj.
saxofono (*cs*) s.m.
saxofrederícia (*cs*) s.f.
sáxone (*cs*) adj. s.2g.
saxoniano (*cs*) adj. s.m.
saxônico (*cs*) adj. s.m.
saxônio (*cs*) adj. s.m.
saxonite (*cs*) s.f.
saxonito (*cs*) s.m.
saxo-normando (*cs*) adj.; pl. *saxo-normandos*
saxorne (*cs*) s.m.
saxoso (*csô*) adj.; f. (*ó*); pl. (*ó*)
saxotrompa (*cs*) s.m.
saxotrompista (*cs*) adj. s.2g.
sax-tenor (*cs...ô*) s.m.; pl. *sax-tenores*
saxtrompa (*cs*) s.f.
saxtrompista (*cs*) adj. s.2g.
sazão s.f.
sazeiro s.f.
sazo s.m.
sazoado adj.
sazoamento s.m.
sazoar v.
sazonação s.f.
sazonado adj.
sazonador (*ô*) adj.
sazonal adj.2g.
sazonalidade s.f.
sazonamento s.m.
sazonante adj.2g.
sazonar v.
sazonário adj.
sazonático adj.
sazonável adj.2g.
sazu s.m.
sborgita s.f.
scacchita s.f.
scarbroíta s.f.
scawtita s.m.
schadeíta s.f.
schaefféria s.f.
schafarzikita s.f.
schairerita s.f.
schallerita s.f.
schapbachita s.f.
schaurteíta s.f.
schebeíta s.f.
scheelita s.f.
scheelítico adj.
schefferita s.f.
schefflera s.f.
schênckia s.f.
scheol s.m.
schertelita s.f.
scheteliguita s.f.
scheuchzeriácea s.f.
scheuchzeriáceo adj.
schilleriano adj.
schillerização s.f.
schillerizar v.
schirmerita s.f.
schlegélia s.f.
schlegeliano adj.
schleichera s.f.
schleichéria s.f.
schlossmacherita s.f.
schmeiderita s.f.
schmitterita s.f.
schneebergita s.f.
schneiderhoenita s.f.
schneiderita s.f.
schoderita s.f.
schoenbergiano adj.
schoenita s.f.
schoenítico adj.
schoepita s.f.
scholzita s.f.
schombúrgkia s.f.
schönbergiano adj.
schönita s.f.
schönítico adj.
schoonerita s.f.
schopenhaueresco (*ê*) adj.
schopenhauerianismo s.m.
schopenhauerianista adj. s.2g.
schopenhauerianístico adj.
schopenhaueriano adj.
schopenhauerismo s.m.
schopenhauerista adj. s.2g.
schorlita s.f.
schorlomita s.f.
schreibersita s.f.
schreyerita s.f.
schroeckingerita s.f.
schrotterita s.f.
schubértia s.f.
schubertiano adj.
schubnelita s.f.
schuetteíta s.f.
schuilinguita s.f.
schultenita s.f.
schultésia s.f.
schulzenita s.f.
schutzita s.f.
schwânnia s.f.
schwannoma s.m.
schwanoma s.m.
schwartzenbergita s.f.
schweiggéria s.f.
schweizerita s.f.
scopólia s.f.
scorzalita s.f.
scottélia s.f.
scottiano adj.
scoulerita s.f.
scovillita s.f.
se conj. pron.
sé s.f.
seabórgio s.m.
seabranano s.m.
seabrense adj. s.2g.
seabrina s.f.
seabrismo s.m.
seabrista adj. s.2g.
seada s.f.
seamanita s.f.
seara s.f.
searão s.m.
searedo (*ê*) s.m.
seareiro s.m.
searense adj. s.2g. "de Seara-SC"; cf. *cearense*
searlesita s.f.
seba (*ê*) s.f.
sebaça s.f.
sebacato s.m.
sebáceo adj.
sebácico adj. s.m.
sebacina s.f.
sebada s.f.
sêbado interj.
seba-do-rio s.f.; pl. *sebas-do-rio*
sebáldia s.f.
sebalense adj. s.2g.
sebaquita s.f.
sebaquite s.f.
sebaste s.m.
sebasteno adj. s.m.
sebásteo adj. s.m.
sebástia s.f.
sebastiana s.f.
sebastiana-crespa s.f.; pl. *sebastianas-crespas*
sebastianense adj. s.2g.
sebastianesco (*ê*) adj.
sebastianice s.f.
sebastiânico adj.
sebastianino adj.
sebastianismo s.m.
sebastianista adj. s.2g.
sebastianístico adj.
sebastianochauéria s.f.
sebastianófilo adj. s.m.
sebastianopolitano adj. s.m.
sebastião s.m.
sebastião-brunense adj. s.2g.; pl. *sebastião-brunenses*
sebastião-crispinense adj. s.2g.; pl. *sebastião-crispinenses*
sebastião-da-mata s.m.; pl. *sebastiões-da-mata*
sebastião-de-arruda s.m.; pl. *sebastiões-de-arruda*
sebastião-ferreirense adj. s.2g.; pl. *sebastião-ferreirenses*
sebastião-gonçalvense adj. s.2g.; pl. *sebastião-gonçalvenses*
sebastião-lacerdense adj. s.2g.; pl. *sebastião-lacerdenses*
sebastião-laranjeirense adj. s.2g.; pl. *sebastião-laranjeirenses*
sebastião-lopense adj. s.2g.; pl. *sebastião-lopenses*
sebastião-pereirense adj. s.2g.; pl. *sebastião-pereirenses*
sebástico adj.
sebastíctis s.m.2n.
sebasto s.m.
sebastode s.m.
sebastólobo s.m.
sebastopolense adj. s.2g.
sebato s.m.
sebe s.f.
sebeiro s.m.
sebel adj.2g.
sebeniscar v.
sebenta s.f.
sebentão adj. s.m.; f. *sebentona*
sebentaria s.f.
sebenteiro adj. s.m.
sebentice s.f.
sebentista adj. s.2g.
sebento adj. s.m.
sebentona adj. s.f. de *sebentão*
sebereba s.f.
seberiense adj. s.2g.
sebesita s.f.
sebesta s.f.
sebesteira s.f.
sebesteiro s.m.
sebífero adj.
sebina s.f.
sebinho s.m.
sebíparo adj.
sebipira s.f.
sebipira-falsa s.f.; pl. *sebipiras-falsas*
sebista adj. s.2g.
sebite adj. s.2g. "atrevido"; cf. *cebite*
sebito s.m.
sebiubu s.m.
sebo (*ê*) s.m.
sebo-confeito s.m.; pl. *sebos-confeito* e *sebos-confeitos*
sebólito s.m.
sebório adj. s.m.
seborragia s.f.
seborrágico adj.
seborreia (*é*) s.f.
seborreico (*é*) adj.
seborreide s.f.
seboso (*ô*) adj. s.m.; f. (*ó*); pl. (*ó*)
sebraju s.m.
sebruno adj.
sebuaúva s.f.
sebusiano adj. s.m.
seca s.f. "ato de secar", etc.; cf. *ceca* e *seca* (*ê*)
seca (*ê*) s.f. "estiagem"; cf. *ceca*, *seca* s.f. e fl. do v. *secar*
seca-bofes s.m.2n.
secação s.f.
seca-d'água s.f.; pl. *secas-d'água*
secadal adj.2g. s.m.
secadeira s.f.
secadio s.m.
secado adj.
secadoiro s.m.
secador (*ô*) adj. s.m.
secadora (*ô*) s.f.
secadorense adj. s.2g.
secadouro s.m.
seca-gás s.2g.; pl. *seca-gases*
secagem s.f.
secal adj.2g. s.m.
secalhal adj.2g.
secalina s.f.
secalônico adj.
secalose s.f.
secamento s.m.
secâmona s.f.
secamônea s.f.
secança s.f.
secância s.f.
secanense adj. s.2g.
secante adj. s.2g. s.m.f.
secantoide (*ó*) adj.2g. s.f.
seção s.f. "corte", etc.; cf. *ceção*, *cessão*, *secção* e *sessão*
secar v.
secaria s.f.
secarrão adj. s.m.; f. *secarrona*
secarrona adj. s.f. de *secarrão*
secasto s.m.
secativo adj. s.m.
secatória s.f.
secatório adj.
secatura s.f.
secável adj.2g.
secção s.f. "parcela"; cf. *seção*, *sessão*, *ceção* e *cessão*
seccionado adj.
seccionador (*ô*) adj. s.m.
seccional adj.2g.
seccionamento s.m.
seccionar v.
seccionável adj.2g.
secernente adj.2g. s.m.
secessão s.f.
secessionado adj.
secessional adj.2g.
secessionar v.
secessionismo s.m.
secessionista adj. s.2g.
secessionístico adj.
secesso s.m.
sechuana adj. s.2g.
sécia s.f.; cf. *secia*, fl. do v. *seciar*
sécia-dobrada s.f.; pl. *sécias-dobradas*

seciar v.
sécio adj. s.m.; cf. *secio*, fl. do v. *seciar*
secionado adj.
secionador (*ô*) adj. s.m.
secional adj.2g.
secionamento s.m.
secionar v.
secionável adj.2g.
seclusão s.f.
secluso adj.
seco (*ê*) adj. s.m.; cf. *ceco* s.m. e *seco*, fl. do v. *secar*
secobarbital s.m.
secodonte adj.2g. s.m.
seco-fico s.m.2n.
seco na paçoca adj.2g.
secondácia s.f.
secreção s.f.
secreta s.m.f.
secretagogia s.f.
secretagógico adj.
secretagogo (*ô*) s.m.
secretar v.
secretaria s.f. "repartição"; cf. *secretária*
secretária s.f. "mesa de escrever"; cf. *secretaria*, s.f. e fl. do v. *secretariar*
secretariado s.m.
secretariado-geral s.m.; pl. *secretariados-gerais*
secretaria-geral s.f.; pl. *secretarias-gerais*
secretarial adj.2g.
secretariar v.
secretário s.m.; cf. *secretario*, fl. do v. *secretariar*
secretário-geral s.m.; pl. *secretários-gerais*
secretina s.f.
secretismo s.m.
secretividade s.f.
secreto adj. s.m. adv.
secretodermatose s.f.
secretodermatósico adj.
secretomotor (*ô*) adj.
secretor (*ô*) adj. s.m.
secretório adj.
secricri s.m.
secrinho s.m.
secta s.f.
sectário adj. s.m.
sectarismo s.m.
sectarista adj. s.2g.
sectarístico adj.
séctil adj.2g.
secto adj.
sector (*ô*) s.m.
sectorial adj.2g.
sectório adj.
sectura s.f.
secuenha s.f.
secular adj. s.2g.
secularidade s.f.
secularismo s.m.
secularista adj. s.2g.
secularístico adj.
secularização s.f.
secularizado adj.
secularizador (*ô*) adj. s.m.
secularizar v.
secularizável adj.2g.
seculo s.m. "dignitário africano"; cf. *século*
século s.m. "cem anos"; cf. *seculo*
secunda s.f.
secundado adj.
secundanista s.2g.
secundano s.m.
secundar v.
secundário adj. s.m.
secundarismo s.m.
secundarista adj. s.2g.
secundarístico adj.
secundarizado adj.
secundarizar v.
secundável adj.2g.
secundeiro adj.
secundiano s.m.
secundifalange s.f.
secundifalangeta (*ê*) s.f.
secundifalanginha s.f.
secundifloro adj.
secundigênito adj. s.m.
secundigravidez s.f.
secundigrávido adj.
secundimetatársico adj.
secundina s.f.
secundinas s.f.pl.
secundinismo s.m.
secundinista adj. s.2g.
secundiparidade s.f.
secundíparo adj.
secundogênito adj. s.m.
secura s.f.
secure s.f.
securidaca s.f.
securiforme adj.2g.
securígera s.f.
securígero adj.
securina s.f.
securinega s.f.
securipalpo adj.
securitário adj. s.m.
securite s.f.
secussão s.f.
secusse adj. s.2g.
secutor (*ô*) s.m.
secutório adj.
seda (*ê*) s.f. "substância filamentosa"; cf. *seda*, fl. do v. *sedar*, *sedã* s.m. e *ceda*, fl. do v. *ceder*
sedã s.m. "automóvel"; cf. *seda* (*ê*) s.f. e *ceda*, fl. do v. *ceder*
seda-azul s.f.; pl. *sedas-azuis*
sedação s.f.
sedaceiro s.m.
sedaço s.m.
sedadeiro s.m.
sedado adj.
sedagem s.f.
sedal adj.2g. s.m.
sedalha s.f.
sedalina s.f.
sedante adj.2g.
sedão s.m.
seda-palha s.f.; pl. *sedas-palhas*
sedar v.
sedaria s.f.
sedativo adj. s.m.
seda-vegetal s.f.; pl. *sedas-vegetais*
sede s.f. "assento"; cf. *sede* (*ê*) s.f. e *cede*, fl. do v. *ceder*
sede (*ê*) s.f. "vontade de beber água"; cf. *sede* s.f., fl. do v. *sedar* e *cede*, fl. do v. *ceder*
sedeado adj.; cf. *sediado*
sedear v. "escovar com seda"; cf. *sediar*
sedeca s.f.
sedecilhão num.
sedecilião num.
sedecilionésimo num. s.m.
sedeiro s.m.
sedela s.f.
sedém s.m.; cf. *sedem*, fl. do v. *sedar*
sedendo adj.
sedenho adj. s.m.
sedense adj. s.2g.
sedentariedade s.f.
sedentário adj. s.m.
sedentarismo s.m.
sedentarização s.f.
sedentarizado adj.
sedentarizador (*ô*) adj.
sedentarizante adj.2g.
sedentarizar v.
sedentarizável adj.2g.
sedente adj.2g. "sequioso"; cf. *cedente*
sedento adj. s.m.
sederento adj.
sederolmita s.f.
sede-sede s.m.; pl. *sede-sedes*
sedestre adj.2g.
sedetano adj. s.m.
sedeúdo adj.
sédia s.f.
sediado adj. "instalado"; cf. *sedeado*
sediar v. "servir de sede a"; cf. *sedear*
sedição s.f.
sedicente adj.2g.
sedicioso (*ô*) adj. s.m.; f. (*ó*); pl. (*ó*)
sedígero adj.
sedilúvio s.m.
sedimentação s.f.
sedimentado adj.
sedimentador (*ô*) adj.
sedimentar v. adj.2g.
sedimentário adj.
sedimento s.m. "resultante de uma sedimentação"; cf. *cedimento*
sedimentologia s.f.
sedimentológico adj.
sedimentologista adj. s.2g.
sedimentologístico adj.
sedimentólogo s.m.
sedimentômetro s.m.
sedimentoscopia s.f.
sedimentoscópico adj.
sedimentoso (*ô*) adj.; f. (*ó*); pl. (*ó*)
sedinha s.f.
sedo s.m. "planta"; cf. *cedo* (*ê*) adv. e fl. do v. *ceder*
sedonho s.m.
sedorento adj.
sedosidade s.f.
sedoso (*ô*) adj.; f. (*ó*); pl. (*ó*)
sedovita s.f.
sedução s.f.
sédulo adj.
seduno adj. s.m.
sedutor (*ô*) adj. s.m.
seduzente adj.2g.
seduzido adj.
seduzimento s.m.
seduzir v.
seduzível adj.2g.
seelandita s.f.
seeligerita s.f.
seetzênia s.f.
sefardi adj. s.2g.
sefárdico adj.
sefardim adj. s.2g.
sefardínico adj.
sefardita adj. s.2g.
sefarito s.m.
sefel s.m.
sefela s.f.
sefelo s.m.
sefelpa s.f.
seféria s.m.
sefévida adj. s.2g.
sefia s.f.
sefina s.f.
sega s.f. "ceifa"; cf. *sega* (*ê*) e *cega*, fl. do v. *cegar*
sega (*ê*) s.f. "ferro do arado"; cf. *sega* s.f. e fl. do v. *segar*
segada s.f. "ceifa"; cf. *cegada* s.f. e fl. do v. *cegar*
segadeira s.f.
segado adj.; cf. *cegado*
segadoiro adj.
segador (*ô*) adj. s.m.
segadora (*ô*) s.f.
segadora-atadora s.f.; pl. *segadoras-atadoras*
segadora-batedora s.f.; pl. *segadoras-batedoras*
segadouro adj.
segadura s.f.
segalauno adj. s.m.
segão s.m.
segar v. "ceifar"; cf. *cegar*
segareliano adj. s.m.
sega-vidas adj. s.2g.2n.
sege s.f.
segécia s.f.
segeiro s.m.
segelerita s.f.
segestano adj. s.m.
segestense adj. s.2g.
segéstria s.f.
segetal adj.2g.
segiense adj. s.2g.
segisamajuliense adj. s.2g.
segisamonense adj. s.2g.
segitório s.m.
segmentação s.f.
segmentado adj.
segmentador (*ô*) adj. s.m.
segmental adj.2g.
segmentar v. adj.2g.
segmentaridade s.f.
segmentariedade s.f.
segmentário adj.
segmentectomia s.f.
segmentectômico adj.
segmento s.m.
segne adj.2g.
segnícia s.f.
segnície s.f.
segnício adj.
segno adj. s.m.
segobrigense adj. s.2g.
segobrígio adj. s.m.
segolado adj.
segoncíaco adj. s.m.
segontina s.f.
segontinense adj. s.2g.
segontino adj. s.m.
segovelauno adj. s.m.
segóvia s.f.
segoviano adj. s.m.
segredado adj.
segredamento s.m.
segredança s.f.
segredar v.
segredável adj.2g.
segredeio s.m.
segredeiro adj.
segredense adj. s.2g.
segredismo s.m.
segredista adj. s.2g.
segredístico adj.
segredo (*ê*) adj. s.m.; cf. *segredo*, fl. do v. *segredar*
segregabilidade s.f.
segregação s.f.
segregacionismo s.m.
segregacionista adj. s.2g.
segregacionístico adj.
segregado adj.
segregador (*ô*) adj. s.m.
segregamento s.m.
segregante adj.2g.
segregar v.
segregatício adj.
segregativo adj.
segregável adj.2g.
segrel s.m.
seguênzia s.m.
seguenzídeo s.m.
seguida s.f.
seguidilha s.f.
seguidilheira s.f.
seguidilheiro s.m.
seguidinho adv.
seguido adj. adv.
seguidor (*ô*) adj. s.m.
seguiéria s.f.
seguilhote s.m.
seguimento s.m.
seguinte adj.2g. s.m.
seguir v.
segunda s.f.
segundada s.f.
segunda-feira s.f.; pl. *segundas-feiras*
segundanista adj. s.2g.
segundar v.
segundeira s.f.
segundeiro adj.
segundense adj. s.2g.
segundo num. adj. s.m. prep. adv. conj.
segundo-cabo s.m.; pl. *segundos-cabos*
segundo-cadete s.m.; pl. *segundos-cadetes*
segundo-elevador s.m.; pl. *segundos-elevadores*
segundogênito adj. s.m.
segundogenitura s.f.
segundo-sargento s.m.; pl. *segundos-sargentos*
segundo-secretário s.m.; pl. *segundos-secretários*
segundo-tenente s.m.; pl. *segundos-tenentes*
segundo-tenente-aviador s.m.; pl. *segundos-tenentes-aviadores*
segura s.f.
seguração s.f.
segurado adj. s.m.
segurador (*ô*) adj. s.m.
seguradora (*ô*) s.f.
segurança s.m.f.
segurando s.m.
segurante adj.2g. s.m.
segurar v.
segurável adj.2g.
segure s.f.
segurelha (*ê*) s.f.
segurelha-brava s.f.; pl. *segurelhas-bravas*
segurelha-dos-jardins s.f.; pl. *segurelhas-dos-jardins*
segurelhal s.m.
segurense adj. s.2g.
segureza (*ê*) s.f.
seguridade s.f.
seguro adj. s.m. adv.
seguro-desemprego s.m.; pl. *seguros-desemprego* e *seguros-desempregos*
seguro-maternidade s.m.; pl. *seguros-maternidade* e *seguros-maternidades*
seguro-saúde s.m.; pl. *seguros-saúde* e *seguros-saúdes*
segusiavo adj. s.m.
segusiense adj. s.2g.
segusino adj. s.m.
seiada s.f.
seibão s.m.
seibertista s.f.
seibertito s.m.
seibo s.m.
seicanga s.f.
seice s.m.
seiche s.m.
seichelense adj.2g.
seidozerita s.f.
seifia s.f.
seigenita s.f.
seima s.f.
seimiri s.m.
seimúria s.f.
seinajokita s.f.
seio s.m.; cf. *ceio*, fl. do v. *cear*
seira s.f. "cesta de esparto"; cf. *ceira*
seirão s.m.
seires s.m.2n.
seirigita s.f.
seirita adj. s.2g.
seiroada s.f.
seirolítico adj.
seis num.
seiscentésimo num.
seiscentismo s.m.
seiscentista adj. s.2g.
seiscentístico adj.
seiscentos num. s.m.
seiscentos e seis s.m.
seisdobro (*ô*) num.
seis e cinco s.m.2n.
seis filetes s.m.2n.
seis por dezesseis s.m.2n.
seis por nove s.m.2n.
seis por oito s.m.2n.
seis por quatro s.m.2n.
seita s.f. "facção"; cf. *ceita*
seitador (*ô*) s.m.
seitante s.m.
seitar v.
seiteira s.f.
seitoira s.f.
seitoiro s.m.
seitoril s.m.
seitoso (*ô*) adj.; f. (*ó*); pl. (*ó*)

seitoura s.f.
seitouro s.m.
seiudo adj.
seiva s.f. "líquido que circula nos vegetais"; cf. *ceiva*
seival s.m.
seivalense adj. s.2g.
seivar v.
seive s.m.
seivo s.m.
seivoeira s.f.
seivoso (*ô*) adj.; f. (*ó*); pl. (*ó*)
seixa s.f.
seixada s.f.
seixagal s.m.
seixal s.m.
seixaleiro adj. s.m.
seixalense adj. s.2g.
seixebra s.f.
seixeira s.f.
seixeiro s.m.
seixo s.m.
seixoeira s.f.
seixoso (*ô*) adj.; f. (*ó*); pl. (*ó*)
seja conj. interj.
sejagão s.m.
séjana s.f.
sejaria s.f.
sejo s.m.
sekaninaíta s.f.
sela s.f. "arreio"; cf. *cela*
selácio adj. s.m.
selacoida adj.2g. s.m.
selacóideo adj. s.m.
selacoleato s.m.
selacoleico adj.
selada s.f. "vão nos montes"; cf. *celada*
seladerma s.m.
seladerme s.f.
selado adj. s.m.
seladoiro s.m.
selador (*ô*) adj. s.m.
seladouro s.m.
seladura s.f.
selagão s.m.
selagem s.f. "ato de selar"; cf. *celagem* e *silagem*
selagina s.f.
selaginácea s.f.
selagínea s.f.
selaginela s.f.
selaginelácea s.f.
selagineláceo adj.
selaginelal adj.2g.
selaginelale s.f.
selaginelínea s.f.
selaginelite s.f.
selagíneo adj.
selaginite s.f.
selagita s.f.
selagite s.f.
selagito s.m.
selagote s.m.
selaíta adj. s.2g. s.f.
selaíte s.f.
selaíto s.m.
selambina s.f.
selâmia s.m.
selandra s.f.
selândria s.f.
selão s.m.
sela-polaca s.f.; pl. *selas-polacas*
seláquio adj. s.m.
selar v.
selaria s.f.
selário s.m. "imposto"; cf. *celário*
selá-selá s.f.; pl. *selá-selás*
selásforo s.m.
selásia s.f.
selbachense adj. s.2g.
selbite s.f.
seldjúcida adj. s.2g.
seldjuque adj. s.2g.
seldjúquida adj.2g.
sele adj. s.2g.
seleção s.f.
selecionado adj. s.m.
selecionador (*ô*) adj. s.m.
selecional adj.2g.
selecionamento s.m.
selecionante adj.2g.
selecionar v.
selecionismo s.m.
selecionista adj.2g.
selecionístico adj.
seleiro adj. s.m. "fabricante de selas", etc.; cf. *celeiro*
selempaládio s.m.
selenaldina s.f.
selenariádea s.f.
selenáspido s.m.
selenato s.m.
selencuprita s.f.
selencuprite s.f.
selenético adj.
selenetídeo adj. s.m.
selenetilo s.m.
seleneto (*ê*) s.m.
selênia s.f.
seleniado adj.
seleniato s.m.
seleníbase s.f.
selenicéreo adj. s.m.
selênico adj.
selenicuprita s.f.
selenidera s.m.
selênido adj. s.m.
selenidrato s.m.
selenídrico adj.
selenieto (*ê*) s.m.
selenífero adj.
selenínico adj.
selênio s.m.
selenióbase s.f.
seleniocianato s.m.
seleniociânico adj.
seleniocuprita s.f.
seleniofosfato s.m.
seleniofosfito s.m.
seleniofosfórico adj.
seleniofosforoso (*ô*) adj.; f. (*ó*); pl. (*ó*)
selênio-hipofosfito s.m.; pl. *selênio-hipofosfitos*
selênio-hipofosforoso adj.; pl. *selênio-hipofosforosos*;
selenioipofosforoso (*ô*) adj.; f. (*ó*); pl. (*ó*)
selenioso (*ô*) adj.; f. (*ó*); pl. (*ó*)
seleniossulfato s.m.
seleniossulfúrico adj.
selenípede s.m.
selenipédio s.m.
selênis s.m.2n.
selenissal s.m.
selenita adj. s.2g. s.f.
selenite s.f.
selenito s.m.
selenitoso (*ô*) adj.; f. (*ó*); pl. (*ó*)
selenizona s.f.
selenobismutita s.f.
selenocéfalo s.m.
selenocêntrico adj.
selenocianato s.m.
selenociânico adj.
selenocobelita s.f.
selenocosalita s.f.
selenocuprita s.f.
selenódero s.m.
selenodonte adj.2g. s.m.
selenofeno s.m.
selenofenol s.m.
selenofone s.m.
selenofotografia s.f.
selenofotográfico adj.
selenognóstica s.f.
selenografia s.f.
selenográfico adj.
selenógrafo s.m.
selenokaballita s.f.
selenolita s.f.
selenologia s.f.
selenológico adj.
selenologista adj. s.2g.
selenólogo s.m.
selenomancia s.f.
selenomante s.2g.
selenomântico adj.
selenônico adj.
selenopalpo s.m.
selenope s.m.
selenópode s.m.
selênops s.m.2n.
selenose s.f.
selenóstato s.m.
selenotopografia s.f.
selenotopográfico adj.
selenotripe s.m.
selenotropismo s.m.
selentelúrio s.m.
selepitano adj. s.m.
seleta s.f.
seletado adj.
seletar v.
seletível adj. s.2g.
seletividade s.f.
seletivo adj.
seleto adj. "selecionado"; cf. *celeto*
seletor (*ô*) adj. s.m.
seleuceno adj. s.m.
seleucense adj. s.2g.
seleuciano adj. s.m.
selêucida adj. s.2g.
selêucide s.m.
seleuciense adj. s.2g.
sélfico adj.
selha (*ê*) s.f. "vaso"; cf. *celha* (*ê*)
selidosema s.m.
seliera s.f.
seligéria s.f.
seligmannita s.f.
selim s.m.
selimbriano adj. s.m.
selina s.f. "mancha nas unhas"; cf. *celina*
selínea s.f.
selineno s.m.
selíneo adj.
selino s.m.
selino-palustre s.m.; pl. *selinos-palustres*
selinúncio adj. s.m.
selinúsio adj. s.m.
sélio s.m.
selisca s.f.
selísia s.f.
selista adj. s.2g.
selistérnio s.m.
selite adj. s.2g.
seljúcida adj. s.2g.
seljúquida adj. s.2g.
selmense adj. s.2g.
selo (*ê*) s.m. "estampilho"; cf. *selo*, fl. do v. *selar*, e *celo*
seloa (*ô*) s.f.
selócaris s.f.2n.
selo-de-salomão s.m.; pl. *selos-de-salomão*
selote s.m.
selva s.f.
selvageira s.f.
selvagem adj. s.2g. s.f.
selvageria s.f.
selvagina s.f.
selvagíneo adj.
selvaginha s.2g.
selvagino adj.
selvagismo s.m.
selvajaria s.f.
selvaticar v.
selvático adj.
selvatiqueza (*ê*) s.f.
selvela s.f.
selvense adj. s.2g.
selvícola adj. s.2g.
selvinita s.f.
selvinite s.f.
selvoso (*ô*) adj.; f. (*ó*); pl. (*ó*)
sem prep.; cf. *cem*
sema s.m.
semafórico adj. s.m.
semáforo adj. s.m.
semana s.f.
semanada s.f.
semanal adj.2g.
semanálise s.f.
semanalismo s.m.
semanalista adj. s.2g.
semanalístico adj.
semanalítico adj.
semanário adj. s.m.
semancol s.m.
semancômetro s.m.
semaneiro adj. s.m.
semangue adj. s.2g.
semanista adj. s.2g.
semanoto s.m.
semantema s.m.
semantemática s.f.
semantemático adj.
semantêmica s.f.
semantêmico adj.
semântica s.f.
semanticismo s.m.
semanticista adj. s.2g.
semanticístico adj.
semântico adj.
semanticologia s.f.
semanticológico adj.
semanticologismo s.m.
semanticologista adj. s.2g.
semanticologístico adj.
semanticólogo s.m.
semantismo s.m.
semantista adj. s.2g.
semantístico adj.
semantização s.f.
semantizador (*ô*) adj.
semantizante adj.2g.
semantizar v.
semantizável adj.2g.
semásia s.f.
semasiologia s.f.
semasiológico adj.
semasiologista adj. s.2g.
semasiólogo s.m.
semático adj.
sematologia s.f.
sematológico adj.
sematologista s.2g.
sematólogo s.m.
sematotecnia s.f.
sematotécnico adj.
sematrópio s.m.
sematura s.f.
semba s.f.
sem-bagulho s.m.2n.
sem-barba s.m.2n.
sembela s.f.
semberrita adj. s.2g.
semblante s.m.
sembrar v.
sem-cerimônia s.f.; pl. *sem-cerimônias*
sem-cerimonioso (*ô*) adj.; f. (*ó*); pl. (*ó*)
sem-cerimonizar v.
sem-cuecas s.m.2n.
sem-cuequismo s.m.
sem-cuequista adj. s.2g.
sem-cuequístico adj.
sem-deus s.2g.2n.
sem-dita s.2g.2n.
sêmea s.f.
semeação s.f.
semeada s.f.
semeadeira s.f.
semeadela s.f.
semeadiço adj.
semeado adj. s.m.
semeadoiro adj. s.m.
semeador (*ô*) adj. s.m.
semeadouro adj. s.m.
semeadura s.f.
semear v.
semeável adj.2g.
semecárpea s.f.
semecarpo s.m.
semecracia s.f.
se me dão s.m.2n.
semeia-linho s.m.; pl. *semeia-linhos*
semeia-milho s.m.; pl. *semeia-milhos*
semeiótica s.f.
semelhado adj.
semelhador (*ô*) adj. s.m.
semelhança s.f.
semelhante adj.2g. s.m.
semelhar v.
semelhável adj.2g.
semelitano adj. s.m.
semema s.m.
sememática s.f.
sememático adj.
semêmica s.f.
semêmico adj.
sêmen s.m.; pl. *semens* e *sêmenes*
semencina s.f.
sêmen-contra s.m.; pl. *semens-contra* e *sêmenes-contra*
semenista adj. s.2g.
sementado adj.; cf. *cementado* e *cimentado*
semental adj.2g. s.m.
sementalha s.f.
sementão adj. s.m.
sementar v. "semear"; cf. *cementar* e *cimentar*
sementário s.m.; cf. *cementário*
semente s.f.
semente-de-embira s.f.; pl. *sementes-de-embira*
semente-de-paraíso s.f.; pl. *sementes-de-paraíso*
sementeira s.f.
sementeiro adj. s.m.
semente-santa s.f.; pl. *sementes-santas*
sementilha s.f.
sementina s.f.
sementinas s.f.pl.
sementio s.m.
sementivo adj.
semeóstoma adj.2g. s.f.
semeostômico adj.
semeóstomo adj. s.m.
semestral adj.2g.
semestralidade s.f.
semestre adj.2g. s.m.
semestreiro adj.
sem-família s.2g.2n.
sem-fim adj.2g. s.m.; pl. *sem-fins*
sem-gracice s.f.; pl. *sem-gracices*
semiabandonado adj.
semiabarcante adj.2g.
semiaberto adj.
semiabertura s.f.
semiacerbo adj.
semiacetal adj.2g. s.m.
semiaço s.m.
semiacordado adj.
semiadália s.f.
semiaderente adj.2g.
semialabardina adj.
semialegórico adj.
semialfabetizado adj. s.m.
semialma s.f.
semiamador adj. s.m.
semiamadorismo s.m.
semiamadorista adj. s.2g.
semiamadorístico adj.
semiamigo adj. s.m.
semiamplexicaule (*cs*) adj.2g.
semiamplexifloro (*cs*) adj.
semiamplexivo (*cs*) adj.
semiamplitude s.f.
semiamplitudinal adj.2g.
semianalfabetismo s.m.
semianalfabeto adj. s.m.
semianão adj. s.m.
semianátropo adj.
semianel s.m.
semiangular adj.2g.
semiangularidade s.f.
semiângulo s.m.
semianimal adj.2g.
semianimalizado adj.
semianimalizante adj.2g.
semianimalizar v.
semiânime adj.2g.
semiânimo adj.
semiantracite s.f.
semianual adj.2g.
semianular adj.2g.

semiânuo adj.
semiapagado adj.
semiapóstata adj. s.2g.
semiaquático adj.
semiarco s.m.
semiarianismo s.m.
semiarianista adj. s.2g.
semiariano adj. s.m.
semiaridez s.f.
semiárido adj.
semiárvores s.f.pl.
semiasse s.m.
semiatento adj.
semiativo adj.
semiautomático adj.
semiautopropulsão s.f.
semiaxial (*cs*) adj.2g.
semiazedo adj.
semiázigo adj. s.m.
semibaboso (*ô*) adj.; f. (*ó*); pl. (*ó*)
semibalístico adj.
semibanto adj. s.m.
semibárbaro adj.
semibenzidínico adj.
semibetuminoso (*ô*) adj.; f. (*ó*); pl. (*ó*)
semibíblico adj.
semiblástula s.f.
semibranco adj.
semibrasileiro adj. s.m.
semibreve s.f.
semibruto adj. s.m.
semiburlesco (*ê*) adj.
sêmica s.f.
semicadáver s.m.
semicapro adj. s.m.
semicaráter s.m.
semicarbazida s.f.
semicarbazídico adj.
semicarbazido s.m.
semicarbazona s.f.
semicarbazônico adj.
semicarbonizado adj.
semicarbonizar v.
semicarnudo adj.
semicárter s.m.
semicartilaginoso (*ô*) adj.; f. (*ó*); pl. (*ó*)
semicativeiro s.m.
semicatolicismo s.m.
semicatólico adj. s.m.
semicaudado adj.
semicélebre adj.2g.
semicerrado adj.
semicerrar v.
semicesáreo adj.
semicetal adj.2g. s.m.
semichas s.f.pl.
semicíclico adj.
semiciclo s.m.
semiciência s.f.
semicientífico adj.
semicilíndrico s.m.
semicilindro s.m.
semicircular adj.2g.
semicírculo adj. s.m.
semicircunferência s.f.
semicivilizado adj.
semiclássico adj. s.m.
semiclausura s.f.
semicluso s.f.
sêmico adj.
semicolar adj.2g.
semicolcheia s.f.
semicolo s.m.
semicólon s.m.
semicolonial adj.2g.
semicolosso (*ô*) s.m.
semicoma s.m.
semicomatoso (*ô*) adj.; f. (*ó*); pl. (*ó*)
semicômico adj.
semicomplemento s.m.
semicondutor (*ô*) adj. s.m.
semiconfuso adj.
semiconsciência s.f.
semiconsciente adj.2g.
semiconsoante adj.2g. s.f.
semiconsonância s.f.
semicontínuo adj.
semiconto s.m.
semiconvergente adj.2g.
semicoque s.m.
semicorpóreo adj.
semicretinismo s.m.
semicretino adj. s.m.
semicristal s.m.
semicristalino adj.
semicristão adj. s.m.
semicrítico adj.
semicromático adj.
semicúbico adj.
semicubital adj.2g.
semiculto adj. s.m.
semicúpio s.m.
semicúpula s.f.
semicursivo adj. s.m.
semidecíduo adj.
semideclaração s.f.
semidefunto adj. s.m.
semideia (*é*) s.f.
semidelírio s.m.
semidepoente adj. s.m.
semidesértico adj.
semidesligado adj.
semidesnudez (*ê*) s.f.
semidestilação s.f.
semidestruído adj.
semideus s.m.
semidevorar v.
semidiáfano adj.
semidiametral adj.2g.
semidiâmetro s.m.
semidiapasão s.m.
semidiapente s.m.
semidigital adj.2g.
semidireto adj.
semidisco s.m.
semidistraído adj.
semiditongo s.m.
semidítono s.m.
semidiurno adj. s.m.
semidivindade s.f.
semidivinização s.f.
semidivinizado adj.
semidivinizar v.
semidivino adj.
semidobrado adj.
semidobrar v.
semidobrez (*ê*) s.f.
semidoce (*ô*) adj.
semidocumental adj.2g.
semidocumentário adj. s.m.
semidoido adj. s.m.
semidomesticação s.f.
semidomesticado adj.
semidomesticar v.
semidomesticável adj.2g.
semidoméstico adj.
semidormente adj.2g.
semidoudo adj. s.m.
semidouto adj. s.m.
semiduplex (*cs*) adj.2g.
semidúplex (*cs*) adj.2g.
semiduro adj.
semieclesiástico adj.
semieixo s.m.
semielaborado adj.
semielipse s.f.
semielíptico adj.
semiembrionário adj.
semiencantado adj.
semienciclopédico adj.
semienfastiado adj.
semienterrado adj.
semientrevado adj.
semieremítico adj.
semierguer v.
semierótico adj.
semierudito adj.
semiescaldante adj.
semiescravidão s.f.
semiescuro adj.
semiesfera s.f.
semiesférico adj.
semiesferoidal adj.2g.
semiesferoide (*ó*) s.m.
semiespaço s.m.
semiespecializado adj.
semiesquemático adj.
semiestabulação s.f.
semiestabulado adj.
semiestépico adj.
semiestragado adj.
semiestrangeirice s.f.
semiestranho adj. s.m.
semifabuloso (*ô*) adj.; f. (*ó*); pl. (*ó*)
semifaceta (*ê*) s.f.
semifactorial s.m.
semifatorial s.m.
semifavor (*ô*) s.m.
semifechar v.
semifendido adj.
semífero adj.
semifeudal adj.2g.
semifigurado adj.
semifilosófico adj.
semifinal adj.2g. s.f.
semifinalista adj. s.2g.
semiflectido adj.
semifletido adj.
semiflexão (*cs*) s.f.
semiflorestal adj.2g.
semiflósculo s.m.
semiflosculoso (*ô*) adj.; f. (*ó*); pl. (*ó*)
semifluido adj.
semifricativo adj.
semifundido adj.
semifundir v.
semifundismo s.m.
semifundista adj. s.2g.
semifundístico adj.
semifusa s.f.
semifuso s.m.
semigalego (*ê*) adj.
semigarganta s.f.
semigarlopa s.f.
semigastado adj.
semigasto adj.
semiglobuloso (*ô*) adj.; f. (*ó*); pl. (*ó*)
semigola s.f.
semigótico adj.
semigrego (*ê*) adj.
semigrupal adj.2g.
semigrupo s.m.
semi-hebdomadário adj.
semi-heresia s.f.
semi-hidrático adj.
semi-hidrato s.m.
semi-hipnotizado adj.
semi-histórico adj.
semi-homem s.m.
semi-humano adj.
semi-idólatra s.2g.
semi-idolatria s.f.
semi-idolátrico adj.
semi-imbecil adj.2g.
semi-improvisado adj.
semi-improviso s.m.
semi-inconsciência s.f.
semi-inconsciente adj.2g.
semi-independência s.f.
semi-independente adj.2g.
semi-infantil adj.2g.
semi-ínfero adj.
semi-inspiração s.f.
semi-integral adj.2g.
semi-inteligível adj.2g.
semi-internado adj. s.m.
semi-internato s.m.
semi-interno adj. s.m.
semi-invariante adj.2g.
semijacobinismo s.m.
semijacobinista adj. s.2g.
semijacobino adj. s.m.
semilacustre adj.2g.
semilegal adj.2g.
semilendário adj.
semilenhoso (*ô*) adj.; f. (*ó*); pl. (*ó*)
semileonês adj.
semiletrado adj. s.m.
semilevantar v.
semilha s.f.
semilheira s.f.
semilhos s.m.pl.
semiligado adj.
semilinear adj.2g.
semilíquido adj.
semiliterário adj.
semilitúrgico adj.
semilocular adj.2g.
semilóculo s.m.
semilogarítmico adj.
semiloiro adj.
semilonga s.f.
semilouco adj. s.m.
semilouro adj.
semilúcido adj.
semilunar adj.2g. s.m.
semilunático adj.
semilúnio s.m.
semiluz s.f.
semimaligno adj.
semimaluco adj. s.m.
semimanadio adj.
semimanufatura s.f.
semimanufaturação s.f.
semimanufaturado adj.
semimanufaturador (*ô*) adj. s.m.
semimanufaturar v.
semimanufaturável adj.2g.
semimarinho adj.
semimediano adj.
semimédico s.m.
semimembranoso (*ô*) adj.; f. (*ó*); pl. (*ó*)
semimensal adj.2g.
semimetal s.m.
semimetálico adj.
semimi s.m.
semimícrico adj.
semimicro s.m.
semimilionário adj. s.m.
semimítico adj.
semimonopólico adj.
semimonopólio s.m.
semimonopolismo s.m.
semimonopolista adj. s.2g.
semimonopolístico adj.
semimorênico adj.
semimorte s.f.
semimorto (*ô*) adj.
semimórula s.f.
semimundial adj.2g.
seminação s.f.
seminacional adj.2g.
seminal adj.2g.
seminarcose s.f.
seminarcótico adj.
seminário adj. s.m.
seminarista adj. s.2g.
seminarístico adj.
seminase s.f.
semínase s.f.
seminata s.f.
seminatural adj.2g.
seminaturalidade s.f.
seminícola adj.2g.
seminífero adj.
semínima s.f.
semínimo adj.
semininfa s.f.
seminíparo adj.
seminismo s.m.
seminista adj. s.2g.
seminístico adj.
seminivérbio s.m.
semino s.m.
semínola adj. s.2g.
seminole adj. s.2g.
seminoma s.m.
seminômade adj. s.2g.
seminomadismo s.f.
seminorma s.f.
seminormação s.f.
seminormal adj.2g.
seminormante adj.2g.
seminormar v.
seminormatividade s.f.
seminormativo adj.
seminormável adj.2g.
seminose s.f.
seminota s.f.
seminoturno adj.
seminu adj.
seminublado adj.
seminudez (*ê*) s.f.
semínula s.f.
seminulífero adj.
seminume s.m.
seminuria s.f.
seminúria s.f.
seminúrico adj.
semióbolo s.m.
semiobscuridade s.f.
semioclusivo adj.
semioculto adj.
semioficial adj.2g.
semioficioso adj.; f. (*ó*); pl. (*ó*)
semiografado adj.
semiografar v.
semiografia s.f.
semiográfico adj.
semiógrafo s.m.; cf. *semiografo*, fl. do v. *semiografar*
semiograma s.m.
semiogramático adj.
semiogrâmico adj.
semioitava s.f.
semiologia s.f.
semiológico adj.
semiologista adj. s.2g.
semiólogo s.m.
semionda s.f.
semionoto s.m.
semiopaco adj.
semiopala s.f.
semióptera s.f.
semióptero s.m.
semiorbe s.m.
semiorbicular adj.2g. s.m.
semiose s.f.
semiotecnia s.f.
semiotécnica s.f.
semiotécnico adj.
semiótica s.f.
semiótico adj.
semioto s.m.
semioval adj.2g.
semiovoide (*ó*) adj.2g.
semipadroado s.m.
semipaganismo s.m.
semipagão adj. s.m.
semipalavra s.f.
semipalmado adj.
semiparadisíaco adj.
semiparalela s.f.
semiparasita adj. s.2g. s.m.
semiparasitário adj.
semiparasito adj. s.m.
semiparente adj. s.2g.
semipartido adj.
semipasmado adj.
semipasta s.f.
semipatriarcal adj.2g.
semipécten s.m.
semipedagógico adj.
semipedal adj.2g.
semipelagianismo s.m.
semipelagiano adj. s.m.
semipenoso adj.; f. (*ó*); pl. (*ó*)
semipenumbra s.f.
semiperiferia s.f.
semiperímetro s.m.
semiperiódico adj.
semiperíodo s.m.
semipermanente adj.2g.
semipermeável adj.2g.
semipetaloide (*ó*) adj.2g.
semiplano s.m.
semipleno adj.
semipoeta s.m.
semipoético adj.
semipolar adj.2g.
semipolítico adj. s.m.
semipopular adj.2g.
semiporcelana s.f.
semiportátil adj.2g.
semiprebenda s.f.
semiprebendado s.m.
semiprecioso (*ô*) adj.; f. (*ó*); pl. (*ó*)
semipregadura s.f.
semiproboscidífero s.m.
semiprofano adj.
semipronação s.f.
semipronador (*ô*) adj.
semipronto adj.

semiprostrado adj.
semiprotestante adj. s.2g.
semiprova s.f.
semiprovinciano adj.
semipúblico adj.
semipútrido adj.
semiquadrado adj.
semiquietismo s.m.
semiquietista adj. s.2g.
semiquímico adj.
semiquinário adj.
semíramis s.f.2n.
semirracional adj.2g.
semirradiado adj.
semirrápido adj.
semirreal adj.2g.
semirreboque s.m.
semirregular adj.2g.
semirregularidade s.f.
semirrei s.m.
semirreligioso adj.; f. (*ó*); pl. (*ó*)
semirreta s.f.
semirreto adj.
semirrígido adj.
semirrisonho adj.
semirroliço adj.
semirroto (*ô*) adj.
semirrústico adj.
sêmis s.f.2n.
semiscarúnfio adj.
semisfera s.f.
semisfério s.m.
semisino s.m.
semíspata s.f.
semissábio adj. s.m.
semissagitado adj.
semissavânico adj.
semissecular adj.2g.
semissedentário adj. s.m.
semissegredo s.m.
semisselvagem adj. s.2g.
semisselvático adj.
semissenhorial adj.2g.
semisseptenário adj.
semissério adj.
semisserpente s.f.
semisserrano adj.
semissetenário adj.
semissilvestre adj.2g.
semissinfostêmone adj.2g.
semissintético adj.
semissistematização s.f.
semissoberania s.f.
semissoberano adj. s.m.
semissólido adj.
semissom s.m.
semissoma s.f.
semissono s.m.
semissuspenso adj.
semistaminar adj.2g.
semistaminário adj.
semita adj. s.2g. "povo"; cf. *sêmita*
sêmita s.f. "atalho"; cf. *semita*
semitangente adj.2g. s.m.
semitendinoso (*ô*) adj.; f. (*ó*); pl. (*ó*)
semiterçã adj. s.f.
semiternário adj.
semiticismo s.m.
semítico adj. s.m.
semitismo s.m.
semitista adj. s.2g.
semitístico adj.
semitização s.f.
semitizado adj.
semitizante adj. s.2g.
semitizar v.
semitizável adj.2g.
semitoar v.
semito-camítico adj.; pl. *semito-camíticos*
semito-fenício adj.; pl. *semito-fenícios*
semitofobia s.f.
semitofóbico adj.
semitófobo adj. s.m.
semitom s.m.
semitonado adj.
semitonar v.
semítono s.m.
semitotal adj.2g.
semitrágico adj.
semitranquilo (*ü*) adj.
semitranslúcido adj.
semitransparência s.f.
semitransparente adj.2g.
semitropical adj.2g.
semitubular adj.2g.
semitúndrico adj.
semiúmido adj.
semiuncial adj.2g. s.f.
semiuniversal adj.2g.
semiurbano adj.
semiusto adj.
semivegetariano adj. s.m.
semivelado adj.
semiverdade s.f.
semiverticilastro s.m.
semivirgem s.f.
semivirginal adj.2g.
semivirgindade s.f.
semíviro s.m.
semivítreo adj.
semiviver v.
semivivo adj.
semivoar v.
semivocálico adj.
semivogal adj.2g. s.f.
sem-justiça s.f.
sem-lar s.2g.2n.
sem-luz s.2g.2n.
sem-luzios adj. s.2g.2n.
sem-modos adj.2g.2n.
sem-nome adj. s.2g. s.f.
sêmnone adj. s.2g.
semnopitécida adj.2g. s.m.
semnopitecídeo adj. s.m.
semnopiteco s.m.
sem-número adj.2g. s.m.
semodagem s.f.
sêmola s.f.
semólido s.m.
semolina s.f.
sem-osso s.f.
semostômida adj.2g. s.m.
semostomídeo adj. s.m.
semostração s.f.
semostradeira s.f.
semostrador (*ô*) adj. s.m.
semostrar v.
semótile s.m.
semoto adj.
semovente adj.2g. s.m.
sem-pão s.2g.2n.
sem-par adj. s.2g.2n.
sem-partido adj. s.2g.2n.
sem-pátria adj. s.2g.2n.
semperela s.f.
semperelídeo adj. s.m.
sempéria s.f.
sêmper-virens s.f.2n.
sempervivo s.m.
sempiterna s.f.
sempiternal adj.2g.
sempiternidade s.f.
sempiterno adj.
sempre s.m. adv.
sempre-liso adj. s.m.; pl. *sempre-lisos*
sempre-lustrosa s.f.; pl. *sempre-lustrosas*
sempre-noiva s.f.; pl. *sempre-noivas*
sempre-noiva-dos-modernos s.f.; pl. *sempre-noivas-dos-modernos*
sem-préstimo adj. s.2g.2n.
sempre-verde s.f.; pl. *sempre-verdes*
sempre-viçosa s.f.; pl. *sempre-viçosas*
sempre-viva s.f.; pl. *sempre-vivas*
sempre-viva-da-serra s.f.; pl. *sempre-vivas-da-serra*
sempre-viva-do-mato s.f.; pl. *sempre-vivas-do-mato*
sempre-vivense adj. s.2g.; pl. *sempre-vivenses*
sempre-vivo adj. s.m.; pl. *sempre-vivos*
semprônia s.f.
semprônio adj. s.m.
sem-pudor s.m.2n.
sem-pulo s.m.2n.
sem-razão s.f.; pl. *sem-razões*
sem-rebuço s.m.; pl. *sem-rebuços*
sem-sal adj. s.2g.2n.
sem-segundo adj.; pl. *sem-segundos*
sem-termo s.m.; pl. *sem-termos*
sem-terra adj. s.2g.2n.
sem-teto adj. s.2g.2n.
sem-trabalho s.2g.2n.
sem-tripense adj. s.2g.
sem-ventura s.f.2n.
sem-vergonha adj. s.2g.2n.
sem-vergonhez s.f.; pl. *sem-vergonhezes*
sem-vergonheza s.f.; pl. *sem-vergonhezas*
sem-vergonhice s.f.; pl. *sem-vergonhices*
sem-vergonhismo s.m.; pl. *sem-vergonhismos*
sena adj. s.2g. "carta de baralho com número 6"; cf. *cena*
senabó adj. s.2g.
senábria s.f.
senacenada s.f.
senáculo s.m. "lugar de reunião do Senado romano"; cf. *cenáculo*
senado s.m.
senador (*ô*) s.m.
senadora (*ô*) s.f.
senador-amaralense adj. s.2g.; pl. *senador-amaralenses*
senador-cortense adj. s.2g.; pl. *senador-cortenses*
sena-do-reino s.f.; pl. *senas-do-reino*
senadorense adj. s.2g.
senador-firminense adj. s.2g.; pl. *senador-firminenses*
senadoria s.f.
senador-pompeuense adj. s.2g.; pl. *senador-pompeuenses*
senador-saense adj. s.2g.; pl. *senador-saenses*
senagra adj. s.2g.
senaíta s.f.
senaíte s.f.
senaíto s.m.
senal adj.2g. s.m.
sena-madureirense adj. s.2g.; pl. *sena-madureirenses*
senão adj. s.m. conj. prep.; cf. *sinão*
senapicrina s.f.
senário adj. "de seis unidades"; cf. *cenário*
senarmontita s.f.
senarmontite s.f.
senásqua s.f.
senata adj. s.2g.
senatoria s.f.
senatorial adj.2g.
senatório adj. "relativo a Senado"; cf. *cenatório*
senatriz s.f.
senátus-consulto s.m.; pl. *senátus-consultos*
senavoga s.f.
sencenada s.f.
senceno s.m.
senciência s.f.
senciente adj.2g.
sencilha s.f.
sencilheiro s.m.
senda s.f.
sendeira s.f.
sendeirada s.f.
sendeirão adj. s.m.
sendeirice s.f.
sendeiro adj. s.m.
sendilhado adj.
sendinês adj. s.m.
sendtenera s.f.
sendur s.m.
sene s.m.
sene-bastardo s.m.; pl. *senes-bastardos*
senebiera s.f.
sêneca adj. s.2g. s.f.
senécio s.m.
seneciônea s.f.
seneciôneo adj.
seneciônico adj.
senecionídea s.f.
senecionídeo adj.
senecionina s.f.
senecto adj.
senectude s.f.
senecuriá adj. s.2g.
sene-da-europa s.m.; pl. *senes-da-europa*
sene-de-alexandria s.m.; pl. *senes-de-alexandria*
sene-de-itália s.m.; pl. *senes-de-itália*
sene-do-campo s.m.; pl. *senes-do-campo*
senedônia s.f.
sene-do-reino s.m.; pl. *senes-do-reino*
sene-dos-provençais s.m.; pl. *senes-dos-provençais*
senefeldera s.f.
sênega s.f.
senegalense adj. s.2g.
senegalês adj. s.m.
senegalesco (*ê*) adj.
senegali s.m.
senegaliano adj. s.m.
senegálico adj. s.m.
senegalita s.f.
senegambiano adj. s.m.
senegambiense adj. s.2g.
senegâmbio adj. s.m.
senegina s.f.
seneginina s.f.
senembi s.m.
senembu s.m.
senense adj. s.2g.
senescal s.m.
senescalado s.m.
senescalia s.f.
senescência s.f.
senescente adj.2g.
senestrado adj.
senestrogiro adj.
senestroquiro s.m.
sene-vesiculoso s.m.; pl. *senes-vesiculosos*
senevol s.m.
senevole s.m.
senga adj. s.2g. s.f.
sengador (*ô*) adj. s.m.
sengar v.
sengierita s.f.
sengo adj.
sengue s.m.
senha s.f.
senheiro adj.
senho adj. s.m. "sonso", etc.; cf. *cenho*
senhor (*ô*) adj. s.m.
senhora s.f.
senhoraça s.f.
senhoraço s.m.
senhora das águas s.f.
senhorama s.f.
senhor de engenho s.m. "fazendeiro"
senhor-de-engenho s.m. "espécie de peixe"; pl. *senhores-de-engenho*
senhoreado s.m.
senhoreador (*ô*) adj. s.m.
senhorear v.
senhoria s.f.
senhoriagem s.f.
senhorial adj.2g.
senhoril adj.2g.
senhorilidade s.f.
senhorinha s.f.
senhorio s.m.
senhorismo s.m.
senhorita s.f.
senhoritense adj. s.2g.
senhorizar v.
senhor-sampaio s.m.; pl. *senhores-sampaios*
senhor-velho s.m.; pl. *senhores-velhos*
senhor-zorrilho s.m.; pl. *senhores-zorrilhos*
sênica s.f.
senil adj.2g.
senilidade s.f.
senilismo s.m.
senilização s.f.
senilizado adj.
senilizante adj.2g.
senilizar v.
sênio s.m. "velhice"; cf. *cênio*
sênior adj.2g. s.m.
senisga s.f.
seno s.m. "função trigonométrica", etc.; cf. *ceno*
senodônia s.f.
senogáster s.m.
senogastro s.m.
senografia s.f. "mamografia"; cf. *cenografia, cinografia* e *sinografia*
senográfico adj. "relativo a senografia"; cf. *cenográfico, cinográfico* e *sinográfico*
senoidal adj.2g.
senoide (*ó*) adj.2g. s.f.
senometópia s.f.
sênone adj. s.2g.
senoniano adj. s.m.
senônico s.m.
senônio s.m.
senopterina s.f.
senra s.f.
senrada s.f. "seara extensa"; cf. *cenrada*
sensabor (*ô*) adj. s.2g.
sensaborão adj. s.m.; f. *sensaborona*
sensaboria s.f.
sensaborizar v.
sensaborona adj. s.f. de *sensaborão*
sensação s.f.
sensacional adj.2g.
sensacionalismo s.m.
sensacionalista adj. s.2g.
sensacionalístico adj.
sensacionismo s.m.
sensacionista adj. s.2g.
sensacionístico adj.
sensatez (*ê*) s.f.
sensato adj.
senseiita s.f.
senseiite s.f.
sensibilidade s.f.
sensibilismo s.m.
sensibilíssimo adj. sup. de *sensível*
sensibilização s.f.
sensibilizado adj.
sensibilizador (*ô*) adj. s.m.
sensibilizante adj.2g. s.m.
sensibilizar v.
sensibilizável adj.2g.
sensificado adj.
sensificar v.
sensismo s.m.
sensista adj. s.2g.
sensístico adj.
sensitiva s.f.
sensitiva-mansa s.f.; pl. *sensitivas-mansas*
sensitividade s.f.
sensitivo adj. s.m.
sensitivo-glandular adj.2g.; pl. *sensitivo-glandulares*
sensitivo-motor adj.; pl. *sensitivo-motores*
sensitivo-muscular adj.2g.; pl. *sensitivo-musculares*
sensitivo-sensorial adj.2g.; pl. *sensitivo-sensoriais*

sensitivo-vascular adj.2g.; pl. *sensitivo-vasculares*
sensitografia s.f.
sensitográfico adj.
sensitograma s.m.
sensitometria s.f.
sensitométrico adj.
sensitômetro s.m.
sensível adj.2g. s.m.f.
sensivo adj.
senso s.m. "juízo claro"; cf. *censo*
sensoactorial adj.2g.
sensoativo adj.
sensofone s.m.
sensofônio s.m.
sensofono s.m.
sensor (*ô*) s.m. "aparelho"; cf. *censor* (*ô*)
sensoreação s.f.
sensoreante adj.2g.
sensorear v.
sensoreável adj.2g.
sensorial adj.2g. "relativo a sensação"; cf. *censorial*
sensorialidade s.f.
sensorialismo s.f.
sensorialista adj. s.2g.
sensorialístico adj.
sensorimotor (*ô*) adj.
sensorimotriz adj. s.f.
sensório adj. s.m. "relativo a sensações"; cf. *censório*
sensório-motor adj.; pl. *sensório-motores*
sensório-motriz adj. s.f.; pl. *sensório-motrizes*
sensual adj. s.2g. "relativo aos sentidos"; cf. *censual*
sensualão s.m.
sensualidade s.f.
sensualismo s.m.
sensualista adj. s.2g. "adepto do sensualismo"; cf. *censualista*
sensualístico adj.
sensualização s.f.
sensualizado s.f.
sensualizador (*ô*) adj. s.m.
sensualizante adj.2g.
sensualizar v.
sentada s.f.
sentado adj.
sentador (*ô*) adj.
sentar v.
sentável adj.2g.
sentença s.f.
sentenciação s.f.
sentenciado adj. s.m.
sentenciador (*ô*) adj. s.m.
sentencial adj.2g.
sentenciar v.
sentenciável adj.2g.
sentencioso (*ô*) adj.; f. (*ó*); pl. (*ó*)
sentenciúncula s.f.
sentido adj. s.m. interj.
sentimental adj. s.2g.
sentimentalão adj. s.m.; f. *sentimentalona*
sentimentalice s.f.
sentimentalidade s.f.
sentimentalismo s.m.
sentimentalista adj. s.2g.
sentimentalístico adj.
sentimentalização s.f.
sentimentalizado adj.
sentimentalizar v.
sentimentaloide (*ó*) adj. s.2g.
sentimentalona adj. s.f. de *sentimentalão*
sentimentaria s.f.
sentimento s.m.
sentina s.f.
sentinate adj. s.2g.
sentinela s.f.
sentinelar v.
sentinelense adj. s.2g.
sentinoso (*ô*) adj.; f. (*ó*); pl. (*ó*)
sentir v. s.m.
sento-seense adj. s.2g.; pl. *sento-seenses*
senusismo s.m.
senusista adj. s.2g.
senzala s.f.
senzalismo s.m.
sépala s.f.
sepalar adj.2g.
sepalino adj.
sépalo s.m.
sepaloide (*ó*) adj.2g.
separa-águas s.2g.2n.
separabilidade s.f.
separação s.f.
separacionense adj. s.2g.
separadas s.f.pl.
separado adj.
separador (*ô*) adj. s.m.
separadora (*ô*) s.f.
separa o visgo s.m.2n.
separar v.
separata s.f.
separatismo s.m.
separatista adj. s.2g.
separatístico adj.
separativo adj.
separatório adj. s.m.
separatriz s.f.
separável adj.2g.
sepedogênese s.f.
sepedogenético adj.
sepedônio s.m.
sepedonogênese s.f.
sepedonogenético adj.
sepeese adj. s.2g.
sepelido adj.
sepepira s.f.
seperu s.f.
sepetibense adj. s.2g.
sépia adj.2g.2n. s.f.
sepiáceo adj.
sepiadariídeo adj. s.m.
sepiadário s.m.
sepícola adj.2g. s.m.
sepídio s.m. "coleóptero"; cf. *sepiídeo*
sepiela s.m.
sepiídeo adj. s.m. "molusco"; cf. *sepídio*
sepimento s.m.
sepinate adj. s.2g.
sépio s.m.
sepióforo s.m.
sepíola s.f.
sepiolento s.m.
sepiolídeo adj. s.m.
sepiolita s.f.
sepiolite s.f.
sepiólito s.m.
sepiolito s.m.
sepiolóidea s.f.
sépion s.m.
sepióptero s.m.
sepiostário s.m.
sepiotanto s.m.
sepiotêutide s.f.
sepiotêutis s.f.2n.
sepioteuto s.m.
sepita s.f.
sepite s.f.
sepo s.m.
seposição s.f.
seposo (*ô*) adj.; f. (*ó*); pl. (*ó*)
sepotubense adj. s.2g.
seps s.m.2n.
sepse s.f.
sepsia s.f.
sépside s.f.
sepsídeo adj. s.m.
sepsina s.f.
sepsioquimia s.f.
sepsiquimia s.f.
sépsis s.f.2n.
septa s.f.
septação s.f.
septado adj.
septal adj.2g.
septangulado adj.
septangular adj.2g.
septângulo adj.
septante adj.2g.
septar v.
septaria s.f.
septário adj.
septável adj.2g.
septectomia s.f.
septectômico adj.
septemaculado adj.
septemestral adj.2g.
septemestralidade s.f.
septemestre adj.2g. s.m.
septempartido adj.
septempedano adj. s.m.
septêmplice adj.2g.
septempontuado adj.
septena s.f.
septenado adj. s.m.
septenal adj.2g.
septenalidade s.f.
septenalismo s.m.
septenalista adj. s.2g.
septenalístico adj.
septenário adj. s.m.
septenato s.m.
septendecilhão num.
septendecilião num.
septendecilionésimo num. s.m.
septendentado adj.
septendigitado adj.
septenduodecimal adj.2g.
septenervado adj.
septênfluo adj.
septenfoliado adj.
septenial adj.2g.
septênio s.m.
septenlobado adj.
septeno adj. s.m.
septenvirado s.m.
septenviral adj.2g.
septenvirato s.m.
septênviro s.m.
septeto (*ê*) s.m.
septiangulado adj.
septiangular adj.2g.
septibrânquio adj. s.m.
septicelo adj.
septicemia s.f.
septicêmico adj.
septiciana s.f.
septicida adj.2g. s.m.
septicidade s.f.
septiclávio s.m.
séptico adj. "putrígeno"; cf. *céptico*
septicoflebite s.f.
septicole adj.2g.
septicolor (*ô*) adj. s.m.
septiconevrite s.f.
septicopiemia s.f.
septicopiêmico adj.
septicorde adj.2g.
septidentado adj.
septidia s.m.
septidigitado adj.
septiesmilésimo num. s.m.
séptifer s.m.
septífero adj. "que tem septo"; cf. *setífero*
septifoliado adj.
septifólio adj.
septifoliolado adj.
septiforme adj.2g. "que tem a forma de septo"; cf. *setiforme*
septífrago adj.
septigrávida s.f.
séptil adj.2g.
septilha s.f.
septilhão num.
septilião num. s.m.
septilionésimo num. s.m.
septímano s.m.
septimátria s.f.
septimátrias s.f.pl.
septimatros s.m.pl.
septimestre adj.2g. s.m.
septimetrite s.f.
septimetrítico adj.
septimino s.m.
septimôncio s.m.
septingentésimo num.
septingentúplice num.
septingêntuplo num.
septípara s.f.
septíparo adj.
septissecular adj.2g.
septissílabo adj. s.m.
septíssono adj.
septívoco adj.
septizônio s.m.
septo s.m.
septogleu s.m.
septomarginal adj.2g.
septometria s.f.
septométrico adj.
septômetro s.m.
septonasal adj.2g.
septonema s.m.
septória s.f.
septoriose s.f.
septoso (*ô*) adj.; f. (*ó*); pl. (*ó*)
septósporo s.m.
septotomia s.f.
septotômico adj.
septuagenário adj. s.m.
septuagésima s.f.
septuagésimo num.
septuagintúplice num.
septuagíntuplo num.
séptula s.f.
septulado adj.
septulífero adj.
séptulo s.m.
septunce s.m.
séptuor s.m.
septupleta (*ê*) s.f.
septuplete (*ê*) adj. s.2g.
septuplicado adj.
septuplicar v.
septúplice num.
séptuplo num.
septusse s.m.
sepulcrado adj.
sepulcral adj.2g.
sepulcrar v.
sepulcrário adj. s.m.
sepulcro s.m.
sepulcrologia s.f.
sepulcrológico adj.
sepulcrologista adj. s.2g.
sepulcrólogo s.m.
sepultação s.f.
sepultado adj.
sepultador (*ô*) adj. s.m.
sepultadora (*ô*) s.f.
sepultamento s.m.
sepultante adj.2g.
sepultar v.
sepultável adj.2g.
sepulto adj.
sepultura s.f.
sepultureiro s.m.
sepulturense adj. s.2g.
sequace adj. s.2g.
sequaciano adj. s.m.
sequacidade s.f.
sequanês adj. s.m.
sequaniano adj. s.m.
sequânico adj. s.m.
séquano adj. s.m.
sequardiano adj.
sequardina s.f.
sequaz adj. s.2g.
seque s.m.
sequeira s.f.
sequeiro adj. s.m.
sequela (*ü*) s.f.
sequência (*ü*) s.f.
sequencial (*ü*) adj.2g. s.m.
sequencionário (*ü*) s.m.
sequense (*ü*) adj. s.2g.
sequente (*ü*) adj.2g.
sequer adv.
sequestrabilidade (*ü*) s.f.
sequestração (*ü*) s.f.
sequestrado (*ü*) adj. s.m.
sequestrador (*ü...ô*) adj. s.m.
sequestrante (*ü*) adj.2g.
sequestrar (*ü*) v.
sequestratário (*ü*) s.m.
sequestrável (*ü*) adj.2g.
sequestre (*ü*) s.m.
sequestrectomia (*ü*) s.f.
sequestrectômico (*ü*) adj.
sequestro (*ü*) s.m.
séqui s.m.
sequia s.f.
sequiar v.
sequidade s.f.
sequidão s.f.
sequilho s.m.
sequilo s.m.
sequim s.m.
sequinhoso (*ô*) adj.; f. (*ó*); pl. (*ó*)
séquio s.m.
sequioso (*ô*) adj.; f. (*ó*); pl. (*ó*)
sequista adj. s.2g.
sequititi s.f.
séquito (*u* ou *ü*) s.m.
sequoia (*ó*) s.f.
sequoia-gigante s.f.; pl. *sequoias-gigantes*
sequoia-sempre-verde s.f.; pl. *sequoias-sempre-verdes*
ser v. s.m.
sera adj. s.2g.
serábia s.f.
seraco adj. s.m.
seracomá adj. s.2g.
seracoto (*ô*) adj.
seráfica s.f.
seráfico adj.
serafim s.m.
serafina s.f.
serafinesco (*ê*) adj.
serafizar v.
seraiva s.f.
seral adj.2g. s.f.
seralbumina s.f.
seramangar v.
serâmbia s.f.
serancolino s.m.
serandar v.
serandeiro s.m.
serandim s.m.
serandina s.f.
serandinha s.f.
serandita s.f.
serandite s.f.
serangite s.f.
serangítico adj.
seranzar v.
seranzeiro s.m.
serão s.m.
serapeu s.m.
serápia s.f.
serapiadina s.f.
serapião s.m.
serápico adj.
serapidiano adj.
serapilheira s.f.
serapino s.m.
serapoto (*ô*) s.m.
serasmão s.m.
serasqueiro s.m.
serátula s.f.
serbiana s.f.
serbo-croata adj. s.2g. s.m.; pl. *serbo-croatas*
serbro s.m.
sercial s.m.
serdão s.m.
serdar s.m.
sere adj. s.2g. s.f.
sereia s.f.
sereíba s.f.
sereibatinga s.f.
sereibuna s.f.
sereibuno s.m.
serelepe adj. s.2g. s.m.
seremonata s.f.
serena s.f.
serenação s.f.
serenada s.f.
serenado adj.
serenador (*ô*) adj. s.m.
serenagem s.f.
serenamento s.m.
serenante adj.2g.
serenar v.
serenata s.f.
serenatear v.
serenateiro adj. s.m.
serenatista adj. s.2g.

serenável adj.2g.
serendibita s.f.
serendibite s.f.
sereneiro s.m.
serenense adj. s.2g.
serenga s.f.
serenidade s.f.
serenim s.m.
sereninha s.f.
serenitude s.f.
serenização s.f.
serenizado adj.
serenizar v.
sereno adj. s.m.
serenterite s.f.
serere adj. s.2g.
serero adj. s.m.
seresma (*ê*) adj. s.2g.
seresta s.m.f.
seresteiro adj. s.m.
serezino s.m.
serfo s.m.
serfófaga s.f.
serfoide (*ó*) adj.2g.
serfóideo adj.2g.
serfoídeo adj.2g.
sergantana s.f.
sergenta s.f.
sergestídeo adj. s.m.
sergesto s.m.
sérgia s.f.
sergideira s.f.
sergiense adj. s.2g.
sergipanidade s.f.
sergipano adj. s.m.
sergipano-montalegrense adj. s.2g.; pl. *sergipano-montalegrenses*
sergipense adj. s.2g.
sergueiras s.f.pl.
serguilha s.f.
serguilhal s.m.
seri adj. s.2g.
seriação s.f.
seriado adj. s.m.
serial adj.2g.
serialária s.f.
serialismo s.m.
serialista adj. s.2g.
serialístico adj.
seriar v.
seriário adj.
seriba s.f.
seribeiro s.m.
seribinhense adj. s.2g.
seribolo (*ô*) s.m.
sérica s.f. "inseto"; cf. *cérica*
sericaia s.f.
sericária s.f.
sericato adj. s.m.
seríceo adj.
sericícola adj. s.2g.
sericicultor (*ô*) adj. s.m.
sericicultura s.f.
sericífero adj.
sericígeno adj.
sericimetria s.f.
sericimétrico adj.
sericímetro s.m.
sericina s.f.
sericíneo adj. s.m.
sericinose s.f.
sericita s.f.
sericitaxisto s.m.
sericite s.f.
sericitense adj. s.2g.
sericitização s.f.
sericito s.m.
sericitoso (*ô*) adj.; f. (*ó*); pl. (*ó*)
sérico adj. s.m. "relativo a soro"; cf. *cérico*
sericocarpo s.m.
sericócoma s.f.
sericoderíneo adj. s.m.
sericódero s.m.
sericogáster s.m.
sericogastro s.m.
sericoia (*ó*) s.f.
sericóla adj. s.2g.
sericolita s.f.
sericolite s.f.
sericólito s.m.
sericometria s.f.
sericométrico adj.
sericômetro s.m.
sericomirmece s.m.
sericomírmex (*cs*) s.m.2n.
sericóptera s.f.
sericora s.f.
sericori s.f.
sericória s.f.
sericornis s.2g.2n.
sericornite s.2g.
sericóssifa s.f.
sericóstoma s.f.
sericostomatídeo adj. s.m.
sericostômida adj.2g. s.m.
sericóstomo s.m.
sericotripe s.m.
sericotripo s.m.
serículo s.m.
sericultor (*ô*) adj. s.m.
sericultura s.f.
séride s.f.
serídea s.f.
seridento s.m.
serídia s.f.
seridó s.m.
seridoense adj. s.2g.
série s.f.; cf. *serie*, fl. do v. *seriar*
seriedade s.f.
seriema s.f.
seriense adj. s.2g.
serifa s.f.
serifado adj.
serífio s.m.
serigado s.m. "certo peixe"; cf. *cerigado*
serigado-badejo s.m.; pl. *serigados-badejo* e *serigados-badejos*
serigado-cherne s.m.; pl. *serigados-cherne* e *serigados-chernes*
serigado-de-barriga-amarela s.m.; pl. *serigados-de-barriga-amarela*
serigado-focinhudo s.m.; pl. *serigados-focinhudos*
serigado-papa-fumo s.m.; pl. *serigados-papa-fumo*
serigado-preto s.m.; pl. *serigados-pretos*
serigado-sabão s.m.; pl. *serigados-sabão* e *serigados-sabões*
serigado-tapuã s.m.; pl. *serigados-tapuã* e *serigados-tapuãs*
serigado-vermelho s.m.; pl. *serigados-vermelhos*
serigado-xerre s.m.; pl. *serigados-xerre* e *serigados-xerres*
serigaita s.f.
serigaitar v.
serigaria s.f.
serígeno adj.
serigola s.f.
serigolia s.f.
serigote s.m.
serigrafação s.f.
serigrafado adj.
serigrafar v.
serigrafável adj.2g.
serigrafia s.f.
serigráfico adj.
serígrafo s.m.
serigueiro s.m.
seriguela (*ü*) s.f.
seriguilha s.f.
seriíssimo adj. sup. de *sério*
serílofo s.m.
serimétrico adj.
serímetro s.m.
serina s.f. "albumina do soro"; cf. *cerina*
serineta (*ê*) s.f.
serinfolha s.f.
seringa adj. s.2g. s.f. "pessoa esquisita", etc.; cf. *siringa*
seringação s.f.
seringada s.f.
seringadela s.f.
seringado adj.
seringador (*ô*) adj. s.m.
seringal s.m.
seringalista adj. s.2g.
seringão adj. s.m.; f. *seringona*
seringapatã s.f.
seringar v.
seringarana s.f.
seringatório adj. s.m.
seringona adj. s.f. de *seringão*
seringonhar v.
seringonheira s.f.
seringonheiro adj. s.m.
seringonho s.m.
seringueira s.f.
seringueira-barriguda s.f.; pl. *seringueiras-barrigudas*
seringueira-branca s.f.; pl. *seringueiras-brancas*
seringueira-chicote s.f.; pl. *seringueiras-chicote* e *seringueiras-chicotes*
seringueira-itaúba s.f.; pl. *seringueiras-itaúba* e *seringueiras-itaúbas*
seringueira-tambaqui s.f.; pl. *seringueiras-tambaqui* e *seringueiras-tambaquis*
seringueira-vermelha s.f.; pl. *seringueiras-vermelhas*
seringueiro s.m.
serínico adj.
serinicultura s.f.
serino s.m.
serinuria s.f.
serinúria s.f.
serinúrico adj.
sério adj. s.m. adv. "grave", etc.; cf. *céreo*, *cério* e *serio*, fl. do v. *seriar*
serioba s.f.
sério-cômico adj.; f. *sério-cômica*; pl. *sério-cômicos*
seriografação s.f.
seriografado adj.
seriografar v.
seriografável adj.2g.
seriografia s.f.
seriográfico adj.
seriógrafo adj. s.m.
seríola s.f.
seriolela s.m.
seriolíctis s.m.2n.
serioso (*ô*) adj.; f. (*ó*); pl. (*ó*)
serísico s.m.
serissa s.f.
serisse s.f.
seritinguense adj. s.2g.
seriú s.f.
seriúva s.f.
serja s.f.
serjânia s.f.
serjiense adj. s.2g.
sermão s.m.
sermoa (*ô*) s.f.
sermoar v.
sermonar v.
sermonário adj. s.m.
sermonata s.f.
sermonático adj.
sermonear v.
sermoneco s.m.
sermonenda s.f.
sermontésio adj. s.m.
serna s.f.
sernachense adj. s.2g.
sernada s.f.
sernal s.m.
sernalha s.f.
sernambi s.m.
sernambiguá s.m.
sernambiguara s.m.
sernambitinga s.m.
sernancelhano adj. s.m.
sernancelhense adj. s.2g.
sernifita s.f.
sernifite s.f.
sernifito s.m.
ser no mundo s.m.2n.
seró s.m.
seroada s.f.
seroador (*ô*) adj. s.m.
seroalbumina s.f.
seroanatoxiterapia (*cs*) s.f.
seroanatoxiterápico (*cs*) adj.
seroante adj. s.2g.
seroapendicite s.f.
seroar v.
seroata s.f.
seroatenuação s.f.
serocolite s.f.
serocolítico adj.
serocultura s.f.
serodermatose s.f.
serodiagnóstico s.m.
serôdio adj.
seroeiro s.m.
seroenterite s.f.
seroenterítico adj.
serofibrina s.f.
serofibrinoso (*ô*) adj.; f. (*ó*); pl. (*ó*)
serófito s.m.
seroglobulina s.f.
sero-hepatite s.f.
sérola s.f.
serolico s.m.
serolídeo adj. s.m.
serolina s.f.
serolípase s.f.
serolipase s.f.
serolipose s.f.
sérolis s.m.2n.
serolisina s.f.
serologia s.f.
serológico adj.
serologista adj. s.2g.
serólogo s.m.
serolongue s.m.
seroma s.m.
seromucina s.f.
seromucoso (*ô*) adj.; f. (*ó*); pl. (*ó*)
seromuscular adj.2g.
seropedicense adj. s.2g.
seroperitoneu s.m.
seroperitônio s.m.
seropneumotórax (*cs*) s.m.2n.
seroprevenção s.f.
seropreventivo adj.
seroprofiláctico adj.
seroprofilático adj.
seroprofilaxia (*cs*) s.f.
seroprognóstico s.m.
seropurulento adj.
seroquístico adj.
serorreação s.f.
serorreativo adj.
serosa s.f.
serosidade s.f.
serosite s.f.
seroso (*ô*) adj. "que tem soro"; f. (*ó*); pl. (*ó*); cf. *ceroso*
serossanguíneo (*u* ou *ü*) adj.
serossanguinolento (*u* ou *ü*) adj. s.2g.
serossaprófito s.m.
serosseroso (*ô*) adj.; f. (*ó*); pl. (*ó*)
serossinovial adj.2g.
serossinovite s.f.
serossinovítico adj.
serotaxia (*cs*) s.f.
seroterapêutica s.f.
seroterapêutico adj.
seroterapia s.f.
seroterápico adj.
serotina s.f.
serotino adj. s.m.
serótino adj. s.m.
serotonina s.f.
serotonínico adj.
serovacinação s.f.
serpa s.m.
serpão s.m.
serpão-do-monte s.m.; pl. *serpões-do-monte*
serpe s.f.
serpeado adj.
serpeante adj.2g.
serpear v.
serpejante adj.2g.
serpejar v.
serpejinoso (*ô*) adj.; f. (*ó*); pl. (*ó*)
serpense adj. s.2g.
serpentado adj.
serpentante adj.2g.
serpentão s.m.
serpentar v.
serpentária s.f.; cf. *serpentaria*, fl. do v. *serpentar*
serpentária-da-virgínia s.f.; pl. *serpentárias-da-virgínia*
serpentárida adj.2g. s.m.
serpentarídeo adj. s.m.
serpentarina s.f.
serpentário s.m.
serpente adj. s.2g. s.f.
serpenteado adj.
serpenteador (*ô*) adj.
serpenteamento s.m.
serpenteante adj.2g.
serpentear v.
serpentezinha s.f.
serpentezona s.f.
serpenticida adj. s.2g.
serpenticídio s.m.
serpentífero adj.
serpentiforme adj.2g.
serpentígeno adj.
serpentígero adj.
serpentil adj.2g.
serpentina s.f.
serpentina-jararaca s.f.; pl. *serpentinas-jararaca* e *serpentinas-jararacas*
serpentineiro s.m.
serpentinita s.f.
serpentinítico adj.
serpentinito s.m.
serpentinização s.f.
serpentinizado adj.
serpentinizar v.
serpentino adj.
serpentinoso (*ô*) adj.; f. (*ó*); pl. (*ó*)
serpentípede adj.2g.
serpete (*é* ou *ê*) s.f.
serpícula s.f.
serpierita s.f.
serpierite s.f.
serpífero adj.
serpígero adj.
serpiginoso (*ô*) adj.; f. (*ó*); pl. (*ó*)
serpil s.m.
serpilho s.m.
serpinão s.m.
serpinha s.f.
serpofita s.f.
serpofite s.f.
serpol s.m.
sérpula s.f.
serpulária s.f.
serpulídeo adj. s.m.
serpulídio adj. s.m.
serpulíneo adj. s.m.
serpulita s.f.
serpulite s.f.
serra s.f. "montanha", etc.; cf. *cerra*, fl. do v. *cerrar*
serrã adj. s.f. de *serrano*
serra-abaixo s.f.; pl. *serras-abaixo*
serra-acima s.f.; pl. *serras-acima*
serra-aimoreense adj. s.2g.; pl. *serra-aimoreenses*
serra-ajudense adj. s.2g.; pl. *serra-ajudenses*
serra-altense adj. s.2g.; pl. *serra-altenses*
serra-alvense adj. s.2g.; pl. *serra-alvenses*
serra-ararense adj. s.2g.; pl. *serra-ararenses*
serra-azulense adj. s.2g.; pl. *serra-azulenses*
serra-baia s.f.; pl. *serra-baias*

serrabeco s.m.
serra-boca s.m.; pl. *serra-bocas*
serra-bonitense adj. s.2g.; pl. *serra-bonitenses*
serra-branquense adj. s.2g.; pl. *serra-branquenses*
serrabulhada s.f.
serrabulhadoiro s.m.
serrabulhadouro s.m.
serrabulhão s.m.
serrabulhento adj.
serrabulho s.m.
serra-caiadense adj. s.2g.; pl. *serra-caiadenses*
serra-camapuanense adj. s.2g.; pl. *serra-camapuanenses*
serra-canastrense adj. s.2g.; pl. *serra-canastrenses*
serração s.f. "serramento"; cf. *cerração*
serra-d'aguense (*ü*) adj. s.2g.; pl. *serra-d'aguenses* (*ü*)
serrada s.f.
serra-de-escama s.f.; pl. *serras-de-escama*
serra-de-escamas s.f.; pl. *serras-de-escamas*
serradeira s.f.
serradela s.f.
serradela-brava s.f.; pl. *serradelas-bravas*
serradela-estreita s.f.; pl. *serradelas-estreitas*
serradela-larga s.f.; pl. *serradelas-largas*
serradiço adj.
serradinho adj.
serrado adj.; cf. *cerrado*
serrador (*ô*) adj. s.m.
serra-douradense adj. s.2g.; pl. *serra-douradenses*
serradura s.f. "corte"; cf. *cerradura*
serra-esperancense adj. s.2g.; pl. *serra-esperancenses*
serrafalco s.m.
serra-feia s.f.; pl. *serras-feias*
serra-garoupa s.f.; pl. *serra-garoupas*
serragem s.f.
serragem-de-panamá s.f.; pl. *serragens-de-panamá*
serra-grandense adj. s.2g.; pl. *serra-grandenses*
serrajão s.m.
serra-leonense adj. s.2g.; pl. *serra-leonenses*
serra-leonês adj. s.m.; pl. *serra-leoneses*
serralha s.f.
serralha-áspera s.f.; pl. *serralhas-ásperas*
serralha-branca s.f.; pl. *serralhas-brancas*
serralha-brava s.f.; pl. *serralhas-bravas*
serralha-da-praia s.f.; pl. *serralhas-da-praia*
serralha-da-rocha s.f.; pl. *serralhas-da-rocha*
serralha-espinhosa s.f.; pl. *serralhas-espinhosas*
serralha-macia s.f.; pl. *serralhas-macias*
serralha-preta s.f.; pl. *serralhas-pretas*
serralhar v.
serralharia s.f.
serralheiro s.m.
serralheria s.f.
serralhinha s.f.
serralho s.m.
serralitrense adj. s.2g.
serramancar v.
serra-matonense adj. s.2g.; pl. *serra-matonenses*
serramento s.m. "serração", "corte"; cf. *cerramento*
serra-metais s.2g.2n.
serramona s.f.
serrana s.f.
serranada s.f.
serra-natividadense adj. s.2g.; pl. *serra-natividadenses*
serra-naviense adj. s.2g.; pl. *serra-navienses*
serra-negrense adj. s.2g.; pl. *serra-negrenses*
serra-negrense-do-norte adj. s.2g.; pl. *serra-negrenses-do-norte*
serranense adj. s.2g.
serrania s.f.
serranice s.f.
serrânida adj.2g. s.m.
serranídeo adj. s.m.
serraniense adj. s.2g.
serranilha s.f.
serraninho s.m.
serrano adj. s.m.; f. *serrana*
serranopolitano adj. s.m.
serra-novense adj. s.2g.; pl. *serra-novenses*
serrante adj.2g.
serrão adj. s.m.; f. *serrã*
serra-osso s.m.; pl. *serra-ossos*
serra-ouricanense adj. s.2g.; pl. *serra-ouricanenses*
serra-pau s.m.; pl. *serra-paus*
serra-peladense adj. s.2g.; pl. *serra-peladenses*
serra-perna s.f.; pl. *serra-pernas*
serrapieira s.f.
serrapilheira s.f.
serrapinima s.f.
serra-pratense adj. s.2g.; pl. *serra-pratenses*
serra-pretano adj. s.m.; pl. *serra-pretanos*
serra-pretense adj. s.2g.; pl. *serra-pretenses*
serrar v. "cortar"; cf. *cerrar*
serra-raizense adj. s.2g.; pl. *serra-raizenses*
serra-redondense adj. s.2g.; pl. *serra-redondenses*
serraria s.f.
serrariense adj. s.2g.
serrário s.m.
serra-salitrense adj. s.2g.; pl. *serra-salitrenses*
serra-são-bentense adj. s.2g.; pl. *serra-são-bentenses*
serra-saudadense adj. s.2g.; pl. *serra-saudadenses*
serra-serra s.m.; pl. *serra-serras* e *serras-serras*
serra-sobradense adj. s.2g.; pl. *serra-sobradenses*
serrassalmídeo adj. s.m.
serrassalmo s.m.
serrassalmonídeo adj. s.m.
serrassalmoníneo adj. s.m.
serra-talhadense adj. s.2g.; pl. *serra-talhadenses*
serrátia s.f.
serratifoliado adj.
serratifólio adj.
serratiforme adj.2g.
serrátil adj.2g.
serrátula s.f.
serratura s.f.
serravaliano adj. s.m.
serra-ventense adj. s.2g.; pl. *serra-ventenses*
serra-verdense adj. s.2g.; pl. *serra-verdenses*
serra-vermelhense adj. s.2g.; pl. *serra-vermelhenses*
serrazense adj. s.2g.
serrazin s.m.
serrazina adj. s.2g. s.m.
serrazinação s.f.
serrazinador (*ô*) adj. s.m.
serrazinar v.
serreado adj.
serreal adj.2g.
serrear v.
serredo (*ê*) s.m.
serreiro adj. s.m.
serrenho adj. s.m.
serrense adj. s.2g. "de serra ou serro"; cf. *cerrense*
sérreo adj.
serrésio s.m.
serreta (*ê*) s.f.
serrete adj. s.2g. "povo da Cólquida"; cf. *cerrete*
serrial adj.2g.
serricórneo adj. s.m.
serridentado adj.
serridênteo adj.
serriforme adj.2g.
serril adj.2g.
serrilha s.f. "bordo denteado", etc.; cf. *cerrilha*
serrilhada s.f.; cf. *cerrilhada*
serrilhado adj.
serrilhador (*ô*) adj. s.m.
serrilhagem s.f.
serrilhão s.m.
serrilhar v.
serrilho s.m.
serrim s.m.
serrinar v.
serrinhense adj. s.2g.
serrinho s.m.
serrino adj.
serrípede adj.2g.
serrirrostro adj.
serritense adj. s.2g. "de Serrita"; cf. *ceritense*
serrivômer s.m.
serro (*ê*) s.m. "espinhaço"; cf. *serro*, fl. do v. *serrar*, *cerro* (*ê*) s.m. e *cerro*, fl. do v. *cerrar*
serrócero s.m.
serrolandense adj. s.2g.
serrolandiense adj. s.2g.
serropalpo s.m.
serropião s.m.
serrota s.f.
serrotado adj.
serrotagem s.f.
serrotar v.
serrote s.m. "ferramenta"; cf. *cerrote*
serrotense adj. s.2g.
serro-verdense adj. s.2g.; pl. *serro-verdenses*
serrulado adj.
sersalísia s.f.
sertã s.f. "frigideira rasa"; cf. *certã*
sertaginense adj. s.2g.
sertainho adj. s.m.
sertalina s.f.
sertaneja (*ê*) s.f.
sertanejar v.
sertanejense adj. s.2g.
sertanejo (*ê*) adj. s.m.
sertanense adj. s.2g.
sertanezino adj. s.m.
sertania s.f.
sertaniense adj. s.2g.
sertanismo s.m.
sertanista adj. s.2g.
sertanístico adj.
sertanizar v.
sertanopolense adj. s.2g.
sertanopolitano adj. s.m.
sertão s.m. "região agreste"; cf. *certão*
sertãozinhense adj. s.2g.
sertela s.f.
sertelha (*ê*) s.f.
sertém s.f.
sertoliano adj.
sertoriano adj.
sértula s.f.
sertulária s.f.
sertularídeo adj. s.m.
sertulariídeo adj. s.m.
sertulário adj. s.m.
sertulífero adj.
sértulo s.m.
sertum s.m.
seruaia s.f.
serubuna s.f.
seruda s.f.
serulhal s.m.
sérum s.m.
serunterapia s.f.
seruntерápico adj.
serutinga s.f.
serutinta s.f.
serva s.f. "feminino de servo"; cf. *cerva*
servador (*ô*) adj.
serval s.m. "gato selvagem"; cf. *cerval*
servência s.f.
servense adj. s.2g.
serventa s.f.
servente adj. s.2g.
serventésio adj.
serventia s.m.f.
serventista adj. s.2g.
serventuário s.m.
serverita s.f.
serviano adj. s.m.
serviçal adj. s.2g.
serviçalismo s.m.
servição s.m.
servicial adj. s.2g.
servicialismo s.m.
serviço s.m.
servidão s.f.
servidiço adj.
servido adj.
servidor (*ô*) adj. s.m.
servidora (*ô*) s.f.
servidume s.f.
serviente adj.2g.
servieta (*ê*) s.f.
servigueira s.f.
servil adj.2g.
servilão s.m.
servilha s.f.
servilheiro s.m.
servilheta (*ê*) s.f.
servilheteiro s.m.
servilidade s.f.
servilismo s.m.
servilizado adj.
servilizar v.
servimento s.m.
sérvio adj. s.m.
sérvio-croata adj. s.2g.; pl. *sérvio-croatas*
serviola s.f.
servir v.
servita adj. s.2g.
servitude s.f.
servível adj.2g.
servo adj. s.m. "escravo"; cf. *cervo*
servo-austríaco adj. s.m.; pl. *servo-austríacos*
servo-búlgaro adj. s.m.; pl. *servo-búlgaros*
servocomando s.m.
servo-croácio adj. s.m.; pl. *servo-croácios*
servo-croata adj. s.2g. s.m.; pl. *servo-croatas*
servodireção s.f.
servofreio s.m.
servo-grego adj. s.m.; pl. *servo-gregos*
servo-húngaro adj.; pl. *servo-húngaros*
servomecânico adj.
servomecanismo s.m.
servomotor (*ô*) s.m.
servo-romeno adj. s.m.; pl. *servo-romenos*
servo-russo adj. s.m.; pl. *servo-russos*
servossistema s.m.
servossistemático adj.
servossistêmico adj.
serzeta (*ê*) s.f.
serzete (*ê*) s.m.
serzilho s.m.
serzinho s.m.
serzino s.m.
sesâmea s.f. "planta"; cf. *sesâmia*
sesâmeo adj.
sesâmia s.f. "inseto"; cf. *sesâmea*
sesamina s.f.
sésamo s.m.
sesamoide (*ó*) adj.2g. s.m.
sesamoideia (*é*) adj. s.f. de *sesamoideu*
sesamoide-menor s.m.; pl. *sesamoides-menores*
sesamóideo adj. s.m.
sesamoideu adj. s.m.; f. *sesamoideia* (*é*)
sesamoidite s.f.
sesamol s.m.
sesamolina s.f.
sesamotamno s.m.
sesarna s.f.
sesbânia s.f.
sescúncia s.f.
sescuncial adj.2g.
sescúplice num.
séscuplo num. s.m.
sésea s.f. "planta"; cf. *sésia*
sésega s.f.
sésele s.m.
séseli s.m.
séseli-de-marselha s.m.; pl. *séselis-de-marselha*
seselina s.f.
seselínea s.f.
seselíneo adj.
sesélio s.m.
seserigo s.m.
seserino s.m.
sesgo (*ê*) adj. s.m.
sésia s.f. "inseto"; cf. *sésea*
sésica s.f.
sésiga s.f.
sesiídeo adj. s.m.
sesimbrão adj. s.m.; f. *sesimbroa* (*ô*)
sesimbrense adj. s.2g.
sesimbroa (*ô*) adj. s.f. de *sesimbrão*
sesléria s.f.
seslídeo adj. s.m.
sesma (*ê*) s.f.
sesmado adj.
sesmar v.
sesmaria s.f.
sesmeiro s.m.
sesmo (*ê*) s.m.; cf. *sesmo*, fl. do v. *sesmar*
sesquiáltera s.f.
sesquiáltero adj.
sesquicentenário s.m.
sesquicloreto (*ê*) s.m.
sesquifloro adj.
sesquilinear adj.
sesquioitava s.f.
sesquióxido (*cs*) s.m.
sesquipedal adj.2g.
sesquipedalice s.f.
sesquipedalidade s.f.
sesquiplano s.m.
sesquiplar s.m.
sesquiplário s.m.
sesquiquadrado s.m.
sesquiquadrato s.m.
sesquiquarta s.f.
sesquiquinta s.f.
sesquissal s.m.
sesquissétima s.f.
sesquissexta (*ê*) s.f.
sesquissulfeto (*ê*) s.m.
sesquissulfureto (*ê*) s.m.
sesquiterceira s.f.
sesquitércia s.f.
sesquitércio adj.
sesquiterço (*ê*) adj.
sesquiterpênico adj.
sesquiterpeno s.m.
sesquiterpenoide (*ó*) adj.2g. s.m.
sessa s.f.; cf. *cessa*, fl. do v. *cessar*
sessação s.f.; cf. *cessação*
sessadinho adj.
sessado adj.; cf. *cessado*
sessador (*ô*) s.m. "peneirador"; cf. *cessador*
sessamento s.m.; cf. *cessamento*

sessão s.f. "reunião", etc.; cf. *ceção, cessão, seção* e *secção*
sessar v. "peneirar"; cf. *cessar*
séssega s.f.
sêssego s.m.
sessélia s.f.
sessene s.m.
sessenta num.
sessenta-e-dois s.2g.2n.
sessenta e nove s.m.2n.
sessenta e seis s.m.2n.
sessenta e um s.m.
sessenta-feridas s.f.2n.
sessentão adj. s.m.; f. *sessentona*
sessentésimo num.
sessentona adj. s.f. de *sessentão*
séssil adj.2g.
sessiliflor (*ô*) adj.
sessilifloro adj.
sessilifoliado adj.
sessilifólio adj.
sessiliventre adj. s.m.
sessionar v.
sesso (*ê*) s.m.; cf. *cesso* s.m. e fl. do v. *cessar*, e *sesso*, fl. do v. *sessar*
sessoeira s.f.
sessor (*ô*) s.m.
sesta s.f. "repouso"; cf. *sexta* (*ês*) e *cesta* (*ê*)
sesteada s.f.
sesteado adj.
sestear v.
sesteiro s.m. "medida"; cf. *cesteiro*
sesterciário s.m.
sestércio s.m.
sestercíolo s.m.
sestinate adj. s.2g.
sesto s.m. "séston"; cf. *cesto, cesto* (*ê*) e *sexto* (*ês*)
sestra s.f.
sestrar v.
sestro adj. s.m. "canhoto"; cf. *cestro* e *sestro* (*ê*)
sestro (*ê*) s.m. "sistro"; cf. *sestro* adj. s.m., fl. do v. *sestrar* e *cestro*
sestroso (*ô*) adj.; f. (*ó*); pl. (*ó*)
sesuvíea s.f.
sesúvio s.m.
seta s.f. "flecha"; cf. *ceta*
setabitano adj. s.m.
setáceo adj. "cerdoso", etc.; cf. *cetáceo*
setada s.f.
seta de amor s.f.
setarda s.f.
setária s.f.
setariopse s.f.
setarque s.m.
sete num. s.m.
seteado adj.
seteal s.m.
setear v.
sete-barbas s.m.2n.
sete-barraquense adj. s.2g.; pl. *sete-barraquenses*
sete-barrense adj. s.2g.; pl. *sete-barrenses*
sete-belo s.m.; pl. *sete-belos*
sete-cabrinhas s.f.pl.
sete-cachoeirense adj. s.2g.; pl. *sete-cachoeirenses*
sete-capotes s.m.2n.
sete-casacas s.f.2n.
sete-casas s.f.pl.
sete-cascos s.m.2n.
setecentismo s.m.
setecentista adj. s.2g.
setecentístico adj.
setecentos num.
sete-chagas s.f.2n.
sete-coiros s.m.2n.
sete-cores s.m.2n.
sete-cotovelos s.m.2n.
sete-couros s.m.2n.
sete e meio s.m.2n.
sete em porta s.m.2n.
sete-em-rama s.m.2n.
sete-espigas s.f.2n.
sete-estrelo s.m.
sete-flamas s.f.pl.
seteira s.f.
seteirado adj.
seteirar v.
seteiro s.m.
sete-lagoano adj. s.m.; pl. *sete-lagoanos*
sete-lagoense adj. s.2g.; pl. *sete-lagoenses*
sete-lagunense adj. s.2g.; pl. *sete-lagunenses*
sete-leguense (*ü*) adj. s.2g.; pl. *sete-leguenses* (*ü*)
setelerã s.m.
setélia s.f.
sete-marias s.f.2n.
setembrada s.f.
setembrino adj.
setembrismo s.m.
setembrista adj. s.2g.
setembrístico adj.
setembrizada s.f.
setembro s.m.
setemês adj. s.2g.
setemesinho adj. s.m.
setemesino adj. s.m.
setempartido adj.
setempedano adj. s.m.
setêmplice adj.2g.
setena s.f. "setilha"; cf. *cetena*
setenado adj. s.m.
setenal adj.2g.
setenalidade s.f.
setenalismo s.m.
setenalista adj. s.2g.
setenalístico adj.
setenário adj. s.m.
setenato s.m.
setendentado adj.
setendigitado adj.
setenduodecimal adj.2g.
setenervado adj.
setênfluo adj.
setenfoliado adj.
setenial adj.2g.
setênio s.m.
setenlobado adj.
seteno adj. s.m. "o mesmo que repteno"; cf. *ceteno*
setenta num.
setentão adj. s.m.; f. *setentona*
setentona adj. s.f. de *setentão*
setentrião s.m.
setentrional adj. s.2g.
setenvirado s.m.
setenviral adj.2g.
setenvirato s.m.
setênviro s.m.
sete-pontense adj. s.2g.; pl. *sete-pontenses*
sete-portas s.f.2n.
sete-portense adj. s.2g.; pl. *sete-portenses*
séter s.m.
sete-ranchense adj. s.2g.; pl. *sete-ranchenses*
sete-roncós s.m.2n.
sete-saltense adj. s.2g.; pl. *sete-saltenses*
sete-sangrias s.f.2n.
sete-semanas s.m.2n.
sete-setembrense adj. s.2g.; pl. *sete-setembrenses*
sete-setembrino adj. s.m.; pl. *sete-setembrinos*
setestrelo s.m.
sete-vargense adj. s.2g.; pl. *sete-vargenses*
sete-virtudes s.f.2n.
sete-voltense adj. s.2g.; pl. *sete-voltenses*
setfari s.f.
setia s.f. "pequena embarcação"; cf. *cetia*
setial s.m.
setiano adj. s.m.
seticano adj. s.m.
seticaude adj.2g.
seticlávio s.m.
seticole adj.2g.
seticolor (*ô*) adj.2g. s.m.
seticorde adj.2g.
seticórneo adj.
setífero adj. "que produz seda"; cf. *septífero*
setifloro adj.
setiforme adj.2g. "de aspecto de sedas ou cerdas"; cf. *septiforme*
setígero adj.
setilha s.f. "estrofe de sete versos"; cf. *cetilha*
setilhão num.
setilião num.
setilionésimo num.
setílobo s.m.
sétima s.f.
setimanista adj. s.2g.
setímano s.m.
setimátria s.f.
setimestre adj. s.2g. s.m.
setímino s.m.
sétimo num.
setimôncio s.m.
setinar v.
setingentésimo num.
setino adj. s.m.
setissecular adj.2g.
setissílabo adj. s.m.
setíssono adj.
setívoco adj.
setizônio s.m.
setlingite s.f.
seto s.m. "sebe", etc.; cf. *ceto*
setófaga s.f.
setoira s.f.
setomorfa s.f.
setor (*ô*) s.m.
setorial adj.2g.
setorização s.f.
setorizado adj.
setorizador (*ô*) adj. s.m.
setorizante adj.2g.
setorizar v.
setorizável adj.2g.
setoso (*ô*) adj.; f. (*ó*); pl. (*ó*)
setoura s.f.
setra s.m. "atiradeira"; cf. *cetra*
setrossos s.m.pl.
setuagenário adj. s.m.
setuagésima s.f.
setuagésimo num.
setúbal s.m.
setubalão adj. s.m.; f. *setubaloa* (*ô*)
setubalense adj. s.2g.
setubaloa (*ô*) adj. s.f. de *setubalão*
setubinhense adj. s.2g.
sétula s.f.
setuloso (*ô*) adj.; f. (*ó*); pl. (*ó*)
setupleta s.f.
setuplete adj. s.2g.
setuplicar v.
sétuplo num.
seu s.m. pron.
seurbo adj. s.m.
seuropão s.m.
seutera s.f.
seutil s.m.
seu-vizinho s.m.; pl. *seus-vizinhos*
seva s.f. "cipó", etc.; cf. *ceva*
sevadeira s.f. "aparelho de sevar"; cf. *cevadeira*
sevado adj. s.m.; cf. *cevado*
sevador (*ô*) s.m.; cf. *cevador*
sevandija s.2g. s.f.
sevandijar v.
sevandijaria s.f.
sevandijo s.m.
sevandilha s.m.f.
sevar v. "ralar"; cf. *cevar*
sevas s.f.2n.
sevatiano s.m.
seve s.f.
severense adj. s.2g.
severianismo s.m.
severiano adj. s.m.
severiano-almeidense adj. s.2g.; pl. *severiano-almeidenses*
severidade s.f.
severinense adj. s.2g.
severiniense adj. s.2g.
severino s.m.
severino-ribeirense adj. s.2g.; pl. *severino-ribeirenses*
severita s.f.
severite s.f.
severito s.m.
severizado adj.
severizar v.
severo adj. s.m.
severo-velhense adj. s.2g.; pl. *severo-velhenses*
severzóvia s.f.
sevícia s.f.; cf. *sevicia*, fl. do v. *seviciar*
seviciado adj.
seviciador (*ô*) adj. s.m.
seviciamento s.m.
seviciante adj.2g.
seviciar v.
sevícias s.f.pl.
seviciável adj.2g.
sevilhana s.f.
sevilhano adj. s.m.
sevilhão adj. s.m.; f. *sevilhoa* (*ô*)
sevilhoa (*ô*) adj. s.f. de *sevilhão*
sevirado s.m.
seviral adj.2g.
sevirato s.m.
séviro s.m.
sevo adj. "cruel"; cf. *cevo*, fl. do v. *cevar*, e *cevo* (*ê*)
sevres s.m.2n.
sexa (*ê*) s.f.
sexagenário (*cs*) adj. s.m.
sexagésima (*cs*) s.f.
sexagesimal (*cs*) adj.2g.
sexagésimo (*cs*) num.
sexagintúplice (*cs*) num.
sexagíntuplo (*cs*) num.
sexangulado (*cs*) adj.
sexangular (*cs*) adj.2g.
sexangulita (*cs*) s.f.
sexangulite (*cs*) s.f.
sexângulo (*cs*) s.m.
sexante (*cs*) s.m.
sexata (*cs*) s.f.
sexátrias (*cs*) s.f.pl.
sexatro (*cs*) s.m.
sexavô (*cs*) s.m.
sexcelular (*cs*) adj.2g.
sexcentésimo (*cs*) num.
sexdecimal (*cs*) adj.2g.
sexdecioctonal (*cs*) adj.2g.
sexdigitado (*cs*) adj.
sexdigital (*cs*) adj.2g.
sexdigitário (*cs*) adj. s.m.
sexdigitismo (*cs*) s.m.
sexenal (*cs*) adj.2g.
sexenalidade (*cs*) s.f.
sexênio (*cs*) s.m.
sexiesmilésimo num. s.m.
sexífero (*cs*) adj.
sexífido (*cs*) adj.
sexifinilo (*cs*) s.f.
sexifloro (*cs*) adj.
sexilocular (*cs*) adj.2g.
sexiparidade (*cs*) s.f.
sexíparo (*cs*) adj.
sexjugado (*cs*) adj.
sexlocular (*cs*) adj.2g.
sexmaculado (*cs*) adj.
sexo (*cs*) s.m.
sexocêntrico (*cs*) adj.
sexoctodecimal (*cs*) adj.2g.
sexodução (*cs*) s.f.
sexologia (*cs*) s.f.
sexológico (*cs*) adj.
sexologista (*cs*) adj. s.2g.
sexólogo (*cs*) s.m.
sexopatia (*cs*) s.f.
sexoscópico (*cs*) adj.
sexoscópio (*cs*) s.m.
sexpartido (*cs*) adj.
sexpontuado (*cs*) adj.
sexpustulado (*cs*) adj.
sexradiado (*cs*) adj.
sexta (*ês*) s.f. "hora canônica", etc.; cf. *cesta* (*ê*) e *sesta*
sextadecimano (*es*) s.m.
sexta-feira (*es*) s.f.; pl. *sextas-feiras*
sextanário (*es*) s.m.
sextanista (*es*) adj. s.2g.
sextante (*es*) s.m.
sexta-rima (*es*) s.f.; pl. *sextas-rimas*
sextário (*es*) s.m.
sextavado (es) adj.
sextavar (*es*) v.
sexteiro (*es*) v.
sexteto (*es*) s.m.
sextidia (*es*) s.m.
sextiforme (*es*) adj.2g.
sextigrávida (*es*) s.f.
sextil (*es*) adj.2g.
sextilha (*es*) s.f.
sextilhão (*es*) num.
sextilião (*es*) num.
sextilionésimo (*es*) num. s.m.
sextina (*es*) s.f.
sextípara (*es*) s.f.
sextissecular (*es*) adj.2g.
sexto (*ês*) num. "ordinal de 6"; cf. *cesto, cesto* (*ê*) e *sesto*
sextogênito (*es*) adj. s.m.
sextrigesimal (*es*) adj.2g.
sêxtulo (*ês*) s.m.
sextunvirato (*es*) s.m.
sêxtuor (*es*) s.m.
sextupleta (*es*) s.f.
sextuplete (*es*) adj. s.2g.
sextuplicação (*es*) s.f.
sextuplicado (*es*) adj.
sextuplicante (*es*) adj.2g.
sextuplicar (*es*) v.
sextuplicável (*es*) adj.2g.
sextúplice (*es*) num.
sêxtuplo (*ês*) num.
sexuado (*cs*) adj.
sexual (*cs*) adj.2g.
sexuale (*cs*) s.f.
sexualidade (*cs*) s.f.
sexualismo (*cs*) s.m.
sexualista (*cs*) adj. s.2g.
sexualístico (*cs*) adj.
sexualização (*cs*) s.f.
sexualizado (*cs*) adj.
sexualizar (*cs*) v.
sexuana (*cs*) adj. s.2g.
sexuar (*cs*) v.
sexúpara (*cs*) s.f.
séxviro (*cs*) s.m.
seymôuria s.f.
sezão s.f.
sezeno adj. s.m.
sezoar v.
sezonado adj.
sezonal adj.2g.
sezonático adj.
sezônico adj.
sezonígeno adj.
sezonismo s.m.
sezonologia s.f.
sezonológico adj.
sezonólogo s.m.
sezuto s.m.
shadlunita s.f.
shakespearianismo s.m.
shakespeariano adj. s.m.
shakespearólatra adj.2g.
shakespearolatria s.f.
shakespearolátrico adj.
shakespearologia s.f.
shakespearológico adj.
shakespearólogo s.m.
shandita s.f.
shaniavskita s.f.
shannonita s.f.
sharpita s.f.
shattuckita s.f.
shcherbakovita s.f.
shergottito s.f.

sheridanita s.f.
sherlockiano adj.
sherwoodita s.f.
shigela s.f.
shigelose s.f.
shilkinita s.f.
shonkinita s.f.
shonkinito s.m.
shortita s.f.
showmício s.m.
shrapnel s.m.
shungita s.f.
shuntar v.
si s.m. pron.
sia s.f.
siá s.f.
siablesiano adj. s.m.
siagantrite s.f.
siagantrítico adj.
siagitano adj. s.m.
siagonagra s.f.
siagonágrico adj.
siagonantrite s.f.
siagonantrítico adj.
siagônia s.f.
síagro s.m.
sial s.2g.
sialadenite s.f.
sialadenítico adj.
sialadenoma s.m.
sialadenomático adj.
sialadenoncose s.f.
sialadenoncósico adj.
sialadenoncótico adj.
sialadoquite s.f.
sialadoquítico adj.
sialaerofagia s.f.
sialaerofágico adj.
sialagogo (*ô*) adj. s.m.
sialêmese s.f.
sialemético adj.
siália s.m.
siálico adj.
siálida adj.2g. s.m.
sialídeo adj. s.m.
sialidiforme adj.2g. s.m.
sialidose s.f.
siális s.m.2n.
sialismo s.m.
sialodocoplastia s.f.
sialodocoplástico adj.
sialodoquite s.f.
sialodoquítico adj.
sialofagia s.f.
sialofágico adj.
sialófago s.m.
sialofistula s.f.
sialogêneo adj.
sialogia s.f.
sialógico adj.
sialografia s.f.
sialográfico adj.
sialograma s.m.
sialoide (*ó*) adj. s.m.
sialoína s.f.
sialoísmo s.m.
sialolitectomia s.f.
sialolitectômico adj.
sialolitíase s.f.
sialólito s.m.
sialolitotomia s.f.
sialolitotômico adj.
sialologia s.f.
sialológico adj.
sialomucina s.f.
sialopenia s.f.
sialoponia s.f.
sialoporia s.f.
sialorreia (*é*) s.f.
sialorreico (*é*) adj.
sialoscopia s.f.
sialoscópico adj.
sialósquite s.f.
sialostenose s.f.
sialostenósico adj.
sialostenótico adj.
siamanga s.f.
siame adj. s.2g.
siamense adj. s.2g.
siamês adj. s.m.
siampão s.m.
siangualita s.f.
sianinha s.f.
sião s.m.
siar v. "fechar as asas"; cf. *cear e ciar*
siara s.f.
siariense adj. s.2g.
siarresinol s.m.
siau s.m.
siba s.f.
sibadani s.f.
sibala s.f.
sibáldia s.f.
sibana s.f.
sibar s.m. "embarcação"; cf. *cibar*
síbara adj. s.2g.
sibárico adj.
síbaris s.m.2n.
sibarismo s.m.
sibarita adj. s.2g.
sibaritano adj. s.m.
sibaritar v.
sibarítico adj.
sibaritismo s.m.
sibe s.m.
siberiano adj. s.m.
siberita s.f.
siberite s.f.
siberito s.m.
sibetórpia s.f.
sibila s.f.
sibilação s.f.
sibilado adj.
sibilador (*ô*) adj. s.m.
sibilamento s.m.
sibilância s.f.
sibilante adj.2g. s.f.
sibilantização s.f.
sibilantizado adj.
sibilantizar v.
sibilar v.
sibilário adj.
sibilate adj. s.2g.
sibilável adj.2g.
sibildo s.m.
sibilino adj.
sibilismo s.m.
sibilista adj. s.2g.
sibilístico adj.
sibilítico adj.
sibilo s.m.
sibilu s.m.
síbina s.f.
síbine s.f.
sibinofíneo adj. s.m.
sibipira s.f.
sibipiruna s.f.
sibira s.f.
sibireia (*é*) s.f.
sibirsquita s.f.
sibistroma s.m.
sibitar v.
sibivo adj. s.m.
siboense adj. s.2g.
sibthórpia s.f.
sibuzate adj. s.2g.
sica s.f. "punhal"; cf. *cica*
sicambro adj. s.m.
sicana s.f.
sicano adj. s.m.
sicariato s.m.
sicário adj. s.m.
sicatividade s.f.
sicativo adj. s.m.
sicélida adj.2g.
sicelitano adj. s.m.
sicense adj. s.2g.
sícera s.f.
sicidade s.f.
sicídio s.m.
sicilense adj. s.2g.
siciliana s.f.
sicilianita s.f.
sicilianite s.f.
siciliano adj. s.m.
sicílico s.m.
siciliense adj. s.2g.
sicílio adj.
siciliota adj. s.2g.
sicínico adj.
sicínide s.f.
sicínio s.m.
sicínis s.f.2n.
sicinista adj. s.2g.
sicino adj.
sício s.m.
siciódea s.f.
sicióidea s.f.
siciônico adj. s.m.
siciônide s.f.
sicionídeo adj. s.m.
siciônio adj. s.m.
siciônis s.f.2n.
sicita s.m.f.
sicite s.f.
sickínguia s.f.
sicklerita s.f.
siclanemia s.f.
siclanêmico adj.
siclo s.m. "moeda"; cf. *ciclo*
sicnodimita s.f.
sicnodimite s.f.
sicnosfigmia s.f.
sicnosfígmico adj.
sicnúria s.f.
sicnúrico adj.
sico s.m.
sicobote adj. s.2g.
sicofagia s.f.
sicofágico adj.
sicófago adj. s.m.
sicofanta s.2g.
sicofântico adj.
sicofantismo s.m.
sicofilo s.m.
sicoia (*ó*) s.f.
sicoma s.m.
sicomancia s.f.
sicomante s.2g.
sicomântico adj.
sicômoro s.m.
sicômoro-bastardo s.m.; pl. *sicômoros-bastardos*
sicômoro-figueira s.m.; pl. *sicômoros-figueira* e *sicômoros-figueiras*
sícon s.m.
sícone s.m.
sicônida adj.2g. s.m.
siconídeo adj. s.m.
sicônio s.m.
sícono s.m.
siconoide (*ó*) adj.2g.
sicorda s.f.
sicorretina s.f.
sicose s.f.
sicosiforme adj.2g.
sicótico adj.
sicquínguia s.f.
sicrana s.f.
sicrano s.m. pron.
sicu s.f.
siçuíra s.f.
sícula s.f.
sicular adj.2g.
sículo adj. s.m.
siculota adj. s.2g.
sicupira s.f.
sicupira-amarela s.f.; pl. *sicupiras-amarelas*
sicupira-branca s.f.; pl. *sicupiras-brancas*
sicupira-do-cerrado s.f.; pl. *sicupiras-do-cerrado*
sicupira-maior s.f.; pl. *sicupiras-maiores*
sicupira-mirim s.f.
sicuri s.m.
sicuri-de-galha-preta s.m.; pl. *sicuris-de-galha-preta*
sicuriju s.f.
sida s.f.
sidagã s.f.
sidálgea s.f.
sidamo s.m.
sidássana s.m.
sidático adj. s.m.
sídea s.f.
sidêmia s.f.
sidense adj. s.2g.
sídeo adj.
sideração s.f.
siderado adj.
siderador (*ô*) adj. s.m.
sideral adj.2g.
sideralidade s.f.
sideramina s.f.
siderante adj.2g.
siderar v.
siderástrea s.m.
siderável adj.2g.
siderazotilo s.m.
siderazoto (*ô*) s.m.
sidéreo adj.
sideretina s.f.
sidérico adj.
sidérida adj.2g. s.m.
sidéride adj.2g. s.m.
siderídeo adj. s.m.
sidéridis s.f.2n.
siderismo s.m.
siderista adj. s.2g.
siderístico adj.
siderita s.f.
siderite s.f.
sideritina s.f.
siderito s.m.
siderização s.f.
siderizado adj.
siderizar v.
siderobástico adj.
siderobetão s.m.
sideroborina s.f.
siderocalcite s.f.
siderocalcito s.m.
siderocimento s.m.
sideroconita s.f.
sideroconite s.f.
siderocristo s.m.
siderocrômio s.m.
siderocromita s.f.
siderocromite s.f.
siderocromo s.m.
siderodendro s.m.
siderodoto s.m.
siderodromofobia s.f.
siderodromofóbico adj.
siderodromófobo s.m.
siderodromose s.f.
siderófera s.f.
sideroferrita s.f.
sideroferrite s.f.
siderofibrose s.f.
siderofilia s.f.
siderofilina s.f.
siderofilita s.f.
siderofilite s.f.
siderófilo adj.
sideróforo adj.
siderogáster adj.2g. s.m.
siderogastro adj. s.m.
siderografia s.f.
siderográfico adj.
siderógrafo s.m.
siderolina s.f.
siderolita s.f.
siderolite s.f.
siderolítico adj.
siderólito s.m.
sideromagnético adj.
sideromancia s.f.
sideromante s.2g.
sideromântico adj.
sideromelana s.f.
sideromélana s.f.
sideromelânio s.m.
sideromelano s.m.
sideromélano s.m.
sideronatrita s.f.
sideronatrite s.f.
sideropécilo s.m.
sideropenia s.f.
sideroplesita s.f.
sideroplesite s.f.
sideroplessita s.f.
sideropolitano adj. s.m.
sideróporo s.m.
sideroscopia s.f.
sideroscópico adj.
sideroscópio s.m.
siderose s.f.
siderósio s.m.
siderosquizolita s.f.
siderossilicose s.f.
siderostática s.f.
siderostático adj.
sideróstato s.m.
siderotantalita s.f.
siderotecnia s.f.
siderotécnico adj.
siderotério s.m.
siderotilo s.m.
siderotina s.f.
sideróxido (*cs*) s.m.
sideroxilina (*cs*) s.f.
sideróxilo (*cs*) s.m.
siderurgia s.f.
siderúrgica s.f.
siderúrgico adj.
siderurgista adj. s.2g.
sideta adj. s.2g.
sidi s.m.
sidicino adj. s.m.
sidídeo adj. s.m.
sidina s.f.
sidíneo adj. s.m.
sidoiro s.m.
sidonal s.m.
sidoniano adj. s.m.
sidônio adj. s.m.
sidonismo s.m.
sidonista adj. s.2g.
sidouro s.m.
sidra s.f. "bebida"; cf. *cidra*
sidrolandense adj. s.2g.
sidrolandiense adj. s.2g.
siebóldia s.f.
siedrita s.f.
siedrite s.f.
siegburgita s.f.
siegburgite s.f.
siegeniano adj. s.m.
siegenita s.f.
siegenite s.f.
siegesbéquia s.f.
siena s.f.
sienense adj. s.2g.
sienês adj. s.m.
sienilito s.m.
sienita adj. s.2g. s.f.
sienite s.f.
sienítico adj.
sienito s.m.
sieporita s.f.
sieporite s.f.
sifão s.m.
sífia s.m.
sífile s.f.
sifilicômio s.m.
sifílide s.f.
sifilidofobia s.f.
sifilidofóbico adj.
sifilidófobo s.m.
sifilidografia s.f.
sifilidográfico adj.
sifilidografista adj. s.2g.
sifilidógrafo s.m.
sifilidomania s.f.
sifilidomaníaco adj. s.m.
sifilidômano s.m.
sifiligrafia s.f.
sifiligráfico adj.
sifiligrafista adj. s.2g.
sifilígrafo s.m.
sifilimania s.f.
sifilimaníaco adj. s.m.
sifilímano s.m.
sifiliocômio s.m.
sifiliografia s.f.
sifiliógrafo s.m.
sífilis s.f.2n.
sifilismo s.m.
sifilista adj. s.2g.
sifilítico adj. s.m.
sifilização s.f.
sifilizado adj.
sifilizador (*ô*) adj.
sifilizante adj.2g.
sifilizar v.
sifilizável adj.2g.
sifiloderma s.m.
sifilodermia s.f.
sifilofobia s.f.

sifilofóbico adj.
sifilófobo s.m.
sifilografia s.f.
sifilográfico adj.
sifilografista adj. s.2g.
sifilógrafo s.m.
sifiloide (*ó*) adj. s.2g.
sifilologia s.f.
sifilológico adj.
sifilologista adj. s.2g.
sifilólogo s.m.
sifiloma s.m.
sifilomania s.f.
sifilomaníaco adj.
sifilômano adj. s.m.
sifilomático adj.
sifilômico adj.
sifilopsicose s.f.
sifilopsicótico adj.
sifilose s.f.
sifiloterapia s.f.
sifiloterápico adj.
siflado adj.
siflante adj.2g.
siflar v.
siflo s.m.
sifneíneo adj. s.m.
sífneo s.m. "toupeira"; cf. *sífnio*
sífnio adj. "de certa pedra"; cf. *sífneo*
sifocâmpilo s.m.
sifoide (*ó*) adj.2g.
sifomicete adj.2g. s.m.
sifona s.f.
sifonacanto s.m.
sifonácea s.f.
sifonáceo adj.
sifonactínia s.m.
sifonactinídeo adj. s.m.
sifonado adj.
sifonador (*ô*) adj.
sifonagem s.f.
sifonal adj.2g.
sifonale s.f.
sifonália s.f.
sifonáptero adj. s.m.
sifonar v.
sifonária s.f.; cf. *sifonaria*, fl. do v. *sifonar*
sifonariídeo adj. s.m.
sifonecete s.m.
sifonela s.f.
sifônia s.f.
sifoniado adj. s.m.
sifoniano adj. s.m.
sifonídio s.m.
sifonífero adj.
sifonocalina s.m.
sifonocladácea s.f.
sifonocladáceo adj.
sifonocladal adj.2g.
sifonocladale s.f.
sifonóclado s.m.
sifonodentálio s.m.
sifonóforo adj. s.m.
sifonogamia s.f.
sifonogâmico adj.
sifonógamo adj.
sifonogáster s.m.
sifonóglifa s.f.
sifonóglife s.f.
sifonoglífico adj.
sifonóglifo s.m.
sifonógnato s.m.
sifonogórgia s.m.
sifonogorgíneo adj. s.m.
sifonoide (*ó*) adj.2g.
sifonolaimo s.m.
sifonolemo s.m.
sifonoma s.m.
sifonomicete s.m.
sifonópode adj.2g. s.m.
sifonóporo s.m.
sifonostégia s.f.
sifonostélia s.f.
sifonostélico adj.
sifonostelo s.m.
sifonóstoma s.f.
sifonóstomo adj. s.m.
sifonozoide (*ó*) adj.2g. s.m.
sifonozooide (*ó*) adj.2g. s.m.
sifônulo s.m.
sífula s.f.
sifunculado adj. s.m.
sifunculídeo adj. s.m.
sifúnculo s.m.
siga s.f.
sigilação s.f.
sigilado adj.
sigilador (*ô*) s.m.
sigilante adj.2g.
sigilar v. adj.2g.
sigilária s.f.; cf. *sigilaria*, fl. do v. *sigilar*
sigilariácea s.f.
sigilariáceo adj.
sigilárias s.f.pl.; cf. *sigilarias*, fl. do v. *sigilar*
sigilário adj.
sigilariófilo s.m.
sigilariopse s.f.
sigilarióstrobo s.m.
sigilável adj.2g.
sigilina s.m.
sigilismo s.m.
sigilista adj. s.2g.
sigilo s.m.
sigilografia s.f.
sigilográfico adj.
sigilógrafo s.m.
sigiloso (*ô*) adj.; f. (*ó*); pl. (*ó*)
sigisbéu s.m.
sigla s.f.
siglação s.f.
siglado adj.
siglador (*ô*) adj. s.m.
siglar v. adj.2g.
siglário adj. s.m.
siglatura s.f.
siglema s.m.
siglista s.2g.
siglística s.f.
siglístico adj.
siglizante adj.2g.
siglizar v.
siglógrafo s.m.
sigloide (*ó*) adj.2g. s.m.
sigloíta s.f.
siglologia s.f.
siglológico adj.
siglólogo s.m.
siglomania s.f.
siglomaníaco adj. s.m.
siglômano s.m.
siglonímia s.f.
siglonímico adj.
siglonimização s.f.
siglonimizar v.
siglônimo s.m.
sigma s.m.
sigmafórmio s.m.
sigma-mais s.m.; pl. *sigmas-mais*
sigma-menos s.m.; pl. *sigmas-menos*
sigmatela s.f.
sigmático adj.
sigmatismo s.m.
sigmatoforídeo adj. s.m.
sigma-zero s.m.; pl. *sigmas-zero*
sigmó s.m.
sígmodo s.m.
sígmodon s.m.
sigmodonte s.m.
sigmodontômio s.m.
sigmodôntomis s.m.2n.
sigmodostilo s.m.
sigmoide (*ó*) adj.2g.
sigmoidectomia s.f.
sigmoidectômico adj. s.m.
sigmoideia (*é*) adj. f. de *sigmoideu*
sigmóideo adj. s.m.
sigmoideu adj.; f. *sigmoideia* (*é*)
sigmoidite s.f.
sigmoidítico adj.
sigmoidopéctico adj.
sigmoidopexia (*cs*) s.f.
sigmoidoproctostomia s.f.
sigmoidoproctostômico adj.
sigmoidorrectostomia s.f.
sigmoidoscopia s.f.
sigmoidoscópico adj.
sigmoidoscópio s.f.
sigmoidostomia s.f.
sigmoidostômico adj.
sigmopéctico adj.
sigmopexia (*cs*) s.f.
signa s.f.
signáculo s.m.
signado adj.
signalética s.f.
signalético adj.
signar v.
signatário adj. s.m.
sígnico adj.
sígnifer s.m.
signífero s.m.
significabilidade s.f.
significação s.f.
significado adj. s.m.
significador (*ô*) adj. s.m.
significância s.f.
significante adj.2g. s.m.
significar v.
significatividade s.f.
significativo adj.
significável adj.2g.
signífora s.f.
signiforídeo adj. s.m.
signígero adj.
signino adj. s.m.
signo s.m.
signo de salomão s.m.
signoforídeo adj. s.m.
signo-salomão s.m.; pl. *signos-salomão* e *signos-salomões*
sigralha s.f.
sigsbeia (*é*) s.m.
siguitano (*u* ou *ü*) adj. s.m.
sikismo s.m.
sila s.f. "sinal cabalístico"; cf. *cila*
sílaba s.f.; cf. *silaba*, fl. do v. *silabar*
silabação s.f.
silabada s.f.
silabado adj.
silabar v.
silabário adj. s.m.
silabável adj.2g.
silábico adj.
silabismo s.m.
silabista adj. s.2g.
silabístico adj.
sílabo s.m.; cf. *silabo*, fl. do v. *silabar*
silabografia s.f.
silabográfico adj.
silabograma s.m.
silagem s.f. "ensilagem"; cf. *selagem* e *celagem*
silânico adj.
silano s.m.
silanodiol s.m.
silanol s.m.
silanotriol s.m.
silaonita s.f.
silarinho s.m.
silástico s.m.
silberol s.m.
silbiano adj. s.m.
silbolita s.f.
silbolite s.f.
sildefanil s.m.
sile s.m.
silebaua adj. s.2g.
silectra s.f.
silectro s.m.
silena s.f.
silenácea s.f.
silenáceo adj.
silenciação s.f.
silenciado adj.
silenciador (*ô*) adj. s.m.
silencial adj.2g.
silenciamento s.m.
silenciante adj.2g.
silenciar v.
silenciário adj. s.m.
silenciável adj.2g.
silenciense adj. s.2g.
silêncio s.m. interj.; cf. *silencio*, fl. do v. *silenciar*
silenciosa s.f.
silencioso (*ô*) adj. s.m.; f. (*ó*); pl. (*ó*)
silene s.f.
silênea s.f. "planta"; cf. *silênia*
silene-aurora s.f.; pl. *silenes-aurora* e *silenes-auroras*
silêneo adj.
silênia s.f. "molusco"; cf. *silênea*
silênico adj.
sileno adj. s.m.
silenóidea s.f.
silense adj. s.2g.
silentbloco s.m.
silente adj.2g.
silepse s.f.
silépsico adj.
silepsiologia s.f.
silepsiológico adj.
silepta s.f.
siléptico adj.
síler s.m.
silerca s.f.
sílere s.m.
silesiana s.f.
silesiano adj. s.m.
silésis s.f.2n.
silesita s.f.
sílex (*cs*) s.m.2n.
silfberguita s.f.
sílfida adj.2g. s.m.
sílfide s.f.
silfídeo adj. s.m.
silfidez (*ê*) s.f.
silfídico adj.
sílfio s.m.
sílfion s.m.
silfo s.m.
silha s.f. "pedra em que assenta a colmeia"; cf. *cilha*
silhadoiro s.m.
silhadouro s.m.
silhal s.m.
silhão s.m. "sela", "cadeira", etc.; cf. *cilhão*
silhar s.m. "pedra lavrada em quadrado"; cf. *cilhar*
silharia s.f.
silho s.m.
silhueta (*ê*) s.f.
silhuetado adj.
silhuetagem s.f.
silhuetar v.
silhuetismo s.m.
silhuetista adj. s.2g.
silhuetístico adj.
silíaco s.m.
sílibo s.m.
silibura s.m.
sílica s.f.
sílica-gel s.2g.; pl. *sílicas-gel*, *sílicas-géis* e *sílicas-geles*
silicalcário adj.
silicaluminoso (*ô*) adj.; f. (*ó*); pl. (*ó*)
silicano s.m.
silicatação s.f.
silicatado adj.
silicatar v.
silicático adj.
silicatização s.f.
silicatizado adj.
silicatizar v.
silicato s.m.
silicatose s.f.
sílice s.m. "sílex"; cf. *cílice*
silíceo adj.
silicérnio s.m.
siliciado adj.
silicibromofórmio s.m.
siliciclorofórmio s.m.
silícico adj.
silicícola adj.2g.
silicicromo adj.
silícida adj.2g. s.m.
silicidiimida s.f.
silicietação s.f.
silicieto (*ê*) s.m.
silicífero adj.
silicificação s.f.
silicificado adj.
silicificador (*ô*) adj.
silicificante adj.2g.
silicificar v.
silicificável adj.2g.
siliciforme adj.2g.
silici-iodofórmio s.m.
silicila s.f.
silicimesoxalato (*cs*) s.m.
silicimesoxálico (*cs*) adj.
silicino s.m.
silício s.m. "metaloide"; cf. *cilício*
siliciosa s.f.
silicioso (*ô*) adj.; f. (*ó*); pl. (*ó*)
silicioxalato (*cs*) s.m.
silicioxálico (*cs*) adj.
silicite s.f.
silicitetramida s.f.
silicito s.m.
silicitúngstico adj.
sílico adj. s.m.
silicoacetileno s.m.
silicoantimoniato s.m.
silicoargilocalcário adj.
silicoargiloso (*ô*) adj.; f. (*ó*); pl. (*ó*)
silicoblasto s.m.
silicobromofórmio s.m.
silicobutano s.m.
silicocalcário adj.
silicocálcio s.m.
silicocianeto (*ê*) s.m.
silicocianídrico adj.
silicoclorofórmio s.m.
silicodecitungstato s.m.
silicodecitúngstico adj.
silicoetano s.m.
silicoetileno s.m.
silicoflagelado s.m.
silicofluoreto (*ê*) s.m.
silicofluorfórmio s.m.
silicoflúor-hídrico adj.; pl. *silicoflúor-hídricos*
silicofluorídrico adj.
silicoformiato s.m.
silicofórmico adj.
silico-hexano s.m.
silicoiodofórmio s.m.
silicomagnesiofluorita s.f.
silicomanganês s.m.
silicometano s.m.
silicona s.f.
siliconado adj.
siliconagem s.f.
siliconar v.
silicone s.m.
silicônico adj.
silicônio s.m.
silico-oxálico (*cs*) adj.
silicopentano s.m.
silicopropano s.m.
silicopropionato s.m.
silicopropiônico adj.
silicorrabdofanita s.f.
silicose s.f.
silicoso (*ô*) adj.; f. (*ó*); pl. (*ó*)
silicotermia s.f.
silicótico adj.
silicotitanato s.m.
silicotuberculose s.f.
silicotungstato s.m.
silicotúngstico adj.
silicromo adj.
silícula s.f.
siliculiforme adj.2g.
siliculosa s.f.
siliculose s.f.
siliculoso (*ô*) adj.; f. (*ó*); pl. (*ó*)
silídeo adj. s.m.
silidrita s.f.
silificação s.f.
siligem s.f.
siligináceo adj.
siliginário adj. s.m.
siliginosidade s.f.
siliginoso (*ô*) adj.; f. (*ó*); pl. (*ó*)

siligo s.f.
siligristido adj.
sililamina s.m.
sililimida s.f.
sililo s.m.
sililuia s.f.
silimanita s.f.
silimanite s.f.
silimanítico adj.
silimba s.f.
silina s.f.
silindra s.f. "planta"; cf. *cilindra* s.f. e fl. do v. *cilindrar*
silingo adj. s.m.
silingórnio adj.
silingue adj. s.2g.
síliqua s.f.
siliquiforme (*ü*) adj.2g.
siliquosa s.f.
siliquoso (*ô*) adj.; f. (*ó*); pl. (*ó*)
sílis s.m.2n.
silitúngstico adj.
sillenita s.f.
sillimanita s.f.
sillimanite s.f.
sillimanítico adj.
silmanal s.m.
silo s.m. "depósito"; cf. *cilo*
silogeu s.m.
silógico adj.
silogismar v.
silogismo s.m.
silogística s.f.
silogisticar v.
silogístico adj.
silogização s.f.
silogizar v.
silografia s.f.
silográfico adj.
silógrafo s.m.
silometria s.f.
silométrico adj.
silômetro s.m.
silôndia s.f.
silonita adj. s.2g.
siloquismo s.m.
siloxânico (*cs*) adj.
siloxano (*cs*) s.m.
siloxeno (*cs*) s.m.
silte s.m.
siltítico adj.
siltito s.m.
siltoso (*ô*) adj.; f. (*ó*); pl. (*ó*)
siluminita s.f.
silundo s.m.
silurânodon s.m.
silure adj. s.2g.
siluriano adj. s.m.
silúrico adj. s.m.
siluríctis s.m.2n.
silúrida adj.2g. s.m.
silurídeo adj. s.m.
siluriforme adj.2g. s.m.
siluríneo adj. s.m.
siluro adj. s.m.
siluroide (*ó*) adj.2g. s.m.
siluróideo adj. s.m.
silva s.f.
silva-branca s.f.; pl. *silvas-brancas*
silvaçal s.m.
silva-campense adj. s.2g.; pl. *silva-campenses*
silva-d'água s.f.; pl. *silvas-d'água*
silvada s.f.
silva-da-praia s.f.; pl. *silvas-da-praia*
silva-das-amoras s.f.; pl. *silvas-das-amoras*
silva-de-água s.f.; pl. *silvas-de-água*
silvadense adj. s.2g.
silva-de-são-francisco s.f.; pl. *silvas-de-são-francisco*
silvado adj. s.m.
silva-framboesa s.f.; pl. *silvas-framboesa* e *silvas-framboesas*
silva-galega s.f.; pl. *silvas-galegas*
silva-jardinense adj. s.2g.; pl. *silva-jardinenses*
silvaldense adj.2g.
silva-macha s.f.; pl. *silvas-machas*
silvana s.f.
silvandra s.f.
silvanecta adj. s.2g.
silvanectense adj. s.2g.
silvanense adj. s.2g.
silvaniense adj. s.2g.
silvanismo s.m.
silvanista adj. s.2g.
silvanístico adj.
silvanita s.f.
silvanite s.f.
silvanito s.m.
silvano adj. s.m.
silvante adj.2g.
silvão s.m.
silvar v. s.m.
silva-sem-espinhos s.f.; pl. *silvas-sem-espinhos*
silvático adj.
silvato s.m.
silvedo (*ê*) s.m.
silveira s.f.
silveiral adj.2g. s.m.
silveiraniense adj. s.2g.
silveirense adj. s.2g.
silveiro adj.
silveirote s.m.
silvense adj. s.2g.
silveriense adj. s.2g.
silvestre adj.2g.
silvestrense adj. s.2g.
silvestrino adj. s.m.
silvestrito s.m.
sílvia s.f.
silvíada adj.2g. s.m.
silviana s.f.
silviano adj.
silvianopolense adj. s.2g.
silvianopolitano adj. s.m.
sílvico adj.
silvícola adj. s.2g.
silvicultor (*ô*) s.m.
silvicultura s.f.
sílvida adj.2g. s.m.
silvídeo adj. s.m.
silviense adj. s.2g.
silviforme adj.2g.
silviída adj.2g. s.m.
silviídeo adj. s.m.
silvina s.f.
silvina-de-folha-grande s.f.; pl. *silvinas-de-folha-grande*
silvina-grande s.f.; pl. *silvinas-grandes*
silvina-miúda s.f.; pl. *silvinas-miúdas*
silvinita s.f.
silvinite s.f.
silvinito s.m.
silvino adj. s.m.
silvita s.f.
silvite s.f.
silvo s.m.
silvoso (*ô*) adj.; f. (*ó*); pl. (*ó*)
sim s.m. adv.
sima s.m. "camada geológica"; cf. *cima*
simaba s.f.
simandra s.f.
simanguaiá s.f.
simão s.m.
simão-diense adj. s.2g.; pl. *simão-dienses*
simaquia s.f.
simáquico adj.
simaruba s.f.
simaruba-amarga s.f.; pl. *simarubas-amargas*
simarubácea s.f.
simarubáceo adj.
simaruba-copaia s.f.; pl. *simarubas-copaia* e *simarubas-copaias*
simaruba-falsa s.f.; pl. *simarubas-falsas*
simaruba-mirim s.f.; pl. *simarubas-mirins*
simaruba-oficinal s.f.; pl. *simarubas-oficinais*
simaruba-versicolor s.f.; pl. *simarubas-versicolores*
simarúbea s.f.
simarúbeo adj.
simarubidina s.f.
simarubóidea s.f.
simássana s.m.
simático adj.
simazina s.m.
simba adj. s.2g. "povo"; cf. *cimba*
simbaíba s.f.
simbaibinha s.f.
símbama s.m.
simbâmase s.f.
simbamático adj.
simbaoé s.f.
símbase s.f.
simbatócrino s.m.
simbereba s.f.
simbi s.m.
simbionte adj. s.2g.
simbiôntico adj.
simbiose s.f.
simbiota adj. s.2g.
simbiotes s.m.2n.
simbiótico adj.
simbioto adj. s.m.
simbléfaro s.m.
simblefaropterígio s.m.
simbo s.m.
simbolado adj.
simbolanto s.m.
simbolar v.
simbolema s.m.
simbolemático adj.
simbolêmico adj.
simbolia s.f.
simbólica s.f.
simbólico adj.
simbolismo s.m.
simbolista adj. s.2g.
simbolístico adj.
simbolização s.f.
simbolizado adj.
simbolizador (*ô*) adj. s.m.
simbolizante adj.2g.
simbolizar v.
simbolizável adj.2g.
símbolo s.m.
simbolofobia s.f.
simbolofóbico adj.
simbolófobo adj. s.m.
simbologia s.f.
simbológico adj.
simbologista adj. s.2g.
simbólogo s.m.
simbolologia s.f.
simbolológico adj.
simbolologista adj. s.2g.
simbolólogo s.m.
simbor (*ô*) s.m.
simbranco s.m.
simbranquídeo adj. s.m.
simbrânquio adj. s.m.
simbuleta (*ê*) s.f.
simediana s.f.
simediano adj.
símel s.m.
símela s.f.
simelia s.f.
simeliano adj. s.m.
simélico adj.
simélio s.m.
símelo adj. s.m.
simenquelídeo adj. s.m.
simenqueliídeo adj.
simênquelis s.f.2n.
simete s.m.
simetita s.f.
simetite s.f.
simetranto adj.
simetria s.f.
simetríaco adj.
simétrico adj. s.m.
simetrismo s.m.
simetrista adj.2g.
simetrístico adj.
simetrização s.f.
simetrizado adj.
simetrizar v.
simetrizável adj.2g.
simetrocarpo adj.
simetromania s.f.
símia s.f.
simiana s.f.
simianismo s.m.
simianista adj. s.2g.
simianístico adj.
simiano adj. s.m.
símico adj.
simiesco (*ê*) adj.
simiídeo adj. s.m.
símil adj.2g.
similâmetro s.m.
similar v. adj.2g. s.m.
similaridade s.f.
símile adj.2g. s.m.
similibronze s.m.
similicadência s.f.
similicólera s.2g.
similidade s.f.
similiferro s.m.
similiflor (*ô*) adj.2g.
similifloro adj.
similigravador (*ô*) s.m.
similigravura s.f.
similimármore s.m.
simílimo adj. sup. de *símil* e *símile*
similipedra s.f.
similipenínsula s.f.
similissulfurizado adj.
similitude s.f.
similitudinal adj.2g.
similitudinário adj.
similização s.f.
símio adj. s.m.
simiologia s.f.
simiológico adj.
simiologista adj. s.2g.
simiólogo s.m.
simira s.f.
simiri s.m.
simístor s.m.
simoca s.f.
simocárcino s.m.
simocéfalo s.m.
simoco s.m.
simógnato s.m.
simôndsia s.f.
simonense adj. s.2g.
simonesiense adj. s.2g.
simongoiá s.f.
simonia s.f.
simoníaco adj. s.m.
simoniano adj. s.m.
simonita s.f.
simonite s.f.
simonsenense adj. s.2g.
simonseniano adj.
simonte adj.2g. s.m.
simorfilar v.
simorfismo s.m.
simória s.f.
simorita adj. s.2g.
simorrinco s.m.
simote s.m.
simotráceo adj.
simpaguro s.m.
simpatalgia s.f.
simpatálgico adj.
simpatectomia s.f.
simpatectômico adj.
simpatetoblasto s.m.
simpatetoblastoma s.m.
simpatia s.f.
simpaticectomia s.f.
simpaticectômico adj. s.m.
simpaticismo s.m.
simpático adj. s.m.
simpaticoblasto s.m.
simpaticoblastoma s.m.
simpaticodistrofia s.f.
simpaticolítico adj. s.m.
simpaticomimese s.f.
simpaticomimético adj.
simpaticonevrite s.f.
simpaticoparalisia s.f.
simpaticoparalítico adj. s.m.
simpaticopata s.2g.
simpaticópata s.2g.
simpaticopatia s.f.
simpaticopático adj. s.m.
simpaticostenia s.f.
simpaticostênico adj. s.m.
simpaticoterapia s.f.
simpaticoterápico adj.
simpaticotonia s.f.
simpaticotônico adj. s.m.
simpaticotripsia s.f.
simpaticotrópico adj.
simpatiense adj. s.2g.
simpatina s.f.
simpatismo s.m.
simpatista adj. s.2g.
simpatização s.f.
simpatizado adj.
simpatizante adj. s.2g.
simpatizar v.
simpatizável adj.2g.
simpatoblasto s.m.
simpatoblastoma s.m.
simpatolítico adj.
simpatoma s.m.
simpatomimese s.f.
simpatomimético adj.
simpatonevrite s.f.
simpatoparalisia s.f.
simpatoparalítico adj. s.m.
simpatopata s.2g.
simpatópata s.2g.
simpatopatia s.f.
simpatopático adj. s.m.
simpatose s.f.
simpatostenia s.f.
simpatostênico adj. s.m.
simpatoterapia s.f.
simpatoterápico adj.
simpatotonia s.f.
simpatotônico adj.
simpatotripsia s.f.
simpatotrópico adj.
simpatria s.f.
simpátrico adj.
simperasma s.m.
simperasmo s.m.
simperiantado adj.
simpétala s.f.
simpetálico adj.
simpétalo adj.
simpexão (*cs*) s.m.
simpexe (*cs*) s.f.
simpéxio (*cs*) s.m.
simpicno s.m.
simpiezométrico adj.
simpiezômetro s.m.
simplacheirão adj. s.m.; f. *simplacheirona*
simplacheirona adj. s.f. de *simplacheirão*
simplacho adj. s.m.
simplalhão adj. s.m.; f. *simplalhona*
simplalheirão adj. s.m.; f. *simplalheirona*
simplalheirona adj. s.f. de *simplalheirão*
simplalhona addj. s.f. de *simplalhão*
simplão s.m.
simplástico adj.
simpléctico adj. s.m.
simpleirão s.m.; f. *simpleirona*
simpleirona s.f. de *simpleirão*
simples adj. s.2g.2n.
simplesita s.f.
simplesite s.f.
simplético adj. s.m.
símplex (*cs*) num. adj. s.2g.2n.
simplexina (*cs*) s.f.
simplez (*ê*) s.f.
simpleza (*ê*) s.f.
símplice adj.2g. s.m.
simplicela s.f.
símplices s.m.pl.
simpliciano s.m.
simplicicaule adj.2g.
simplicidade s.f.

simplicidentado s.m.
simpliciense adj. s.2g.
simplicifólio adj.
simplício s.m.
simplício-mendense adj. s.2g.; pl. *simplício-mendenses*
simplicismo s.m.
simplicíssimo adj. sup. de *simples*
simplicista adj. s.2g.
simplificação s.f.
simplificacionista adj. s.2g.
simplificado adj.
simplificador (*ô*) adj. s.m.
simplificante adj.2g.
simplificar v.
simplificativo adj.
simplificável adj.2g.
simplismo s.m.
simplíssimo adj. sup. de *simples*
simplista adj. s.2g.
simplístico adj.
simplocácea s.f.
simplocáceo adj.
simplocária s.f.
simplocárpea s.f.
simplocárpeo adj.
simplocarpo s.m.
símploce s.f.
simplócio s.m.
símploco s.m.
simploísmo s.m.
simplória s.f.
simploriedade s.f.
simplório adj. s.m.
simplote s.m.
simplotita s.f.
simpodal adj.2g.
símpode adj.2g. s.m.
simpodia s.f.
simpodial adj.2g.
simpodiale s.f.
simpódico adj.
simpodíneo adj. s.m.
simpódio s.m.
simpodito s.m.
simpódito s.m.
símpodo s.m.
simposíaco adj. s.m.
simposiarca s.m.
simposiasta s.2g.
simpósio s.m.
simposista s.2g.
simpótica s.f.
simpótico adj.
simprítane s.m.
simpsonita s.f.
simptômio s.m.
símptomis s.m.2n.
simptose s.f.
simptósico adj.
simptótico adj.
simpulatriz s.f.
símpulo s.m.
simpúvio s.m.
sim-senhor s.m.; pl. *sim-senhores*
sim-sim s.m.; pl. *sim-sins*
simulabilidade s.f.
simulação s.f.
simulacro s.m.
simulado adj.
simulador (*ô*) adj. s.m.
simulamento s.m.
simulante adj.2g.
simular v.
simulatório adj.
simulável adj.2g.
simulcadência s.f.
simulcadente adj.2g.
simuldesinência s.f.
simuldesinente adj.2g.
simúlia s.f.
simulídeo adj. s.m.
simuliídeo adj. s.m.
simúlio s.m.
símulo adj. s.m.; cf. *simulo*, fl. do v. *simular*
simulta s.f.
simultaneidade s.f.
simultaneísmo s.m.
simultaneísta adj. s.2g.
simultaneístico adj.
simultâneo adj.
simum s.m.
sina s.f. "sorte", etc.; cf. *cina*
sinabafa s.m.
sinabo adj. s.m.
sinacoluto s.m.
sináculo s.m.
sinadelfia s.f.
sinadélfico adj.
sinadelfita s.f.
sinadelfite s.f.
sinadelfo adj. s.m.
sinadênio s.m.
sinadense adj. s.2g.
sínafe s.f.
sinafia s.f.
sináfico adj.
sinafobranco s.m.
sinafobranquídeo adj. s.m.
sinafose s.f.
sinagelástico adj.
sinágelo s.m.
sinagoga s.f.
sinagogal adj.2g.
sinagógico adj.
sinágride s.f.
sinágris s.f.2n.
sinagro s.m.
sinaíta adj. s.2g. "relativo ou habitante do Sinai"; cf. *sinaíte*
sinaíte s.f. "mineral"; cf. *sinaíta*
sinaítico adj.
sinaíto s.m.
sinal s.m.
sinalação s.f.
sinalado adj.
sinalagma s.m.
sinalagmático adj.
sinalar v.
sinalaxe (*cs*) s.f.
sinalbina s.f.
sinalbinosídeo adj. s.m.
sinalbumina s.f.
sinal da cruz s.m.
sinalefa s.f.
sinalefista adj. s.2g.
sinaleira s.f.
sinaleiro adj. s.m.
sinalejar v.
sinalética s.f.
sinalético adj.
sinalgia s.f.
sinálgico adj.
sinalhada s.f.
sinalita s.f.
sinalítico adj.
sinalização s.f.
sinalizado adj.
sinalizador (*ô*) adj. s.m.
sinalizante adj.2g.
sinalizar v.
sinalizável adj.2g.
sinalpende s.m.
sinamina s.f.
sinanastomose s.f.
sinandra s.f.
sinandria s.f.
sinândrico adj.
sinândrio s.m.
sinandro adj. s.m.
sinandrodafne s.f.
sinandrodafnóidea s.f.
sinanduba s.f.
sinângio s.m.
sinanta s.f.
sinântea s.f.
sinantédone s.m.
sinantema s.m.
sinânteo adj.
sinanterácea s.f.
sinanteráceo adj.
sinanteral adj.2g.
sinanterale s.f.
sinantérea s.f.
sinantéreo adj.
sinanteria s.f.
sinantérico adj.
sinanterina s.f.
sinantero adj.
sinanterografia s.f.
sinanterográfico adj.
sinanterógrafo s.m.
sinanterologia s.f.
sinanterológico adj.
sinanterologista adj. s.2g.
sinanterólogo s.m.
sinanteronomia s.f.
sinanteronômico adj.
sinanterotecnia s.f.
sinanterotécnico adj.
sinantia s.f.
sinântico adj.
sinantocarpado adj.
sinantocarpia s.f.
sinantocárpico adj.
sinantocárpio adj.
sinantocarpo adj. s.m.
sinantreno s.m.
sinantropo s.m. "homem-fóssil"; cf. *cinantropo*
sinantrose s.f.
sinão s.m. "sino grande"; cf. *senão*
sinapato s.m.
sinape s.f.
sinápea s.f.
sinápi s.m.
sinápico adj.
sinapidendro s.m.
sinapina s.f.
sinapinato s.m.
sinapínico adj.
sinápis s.f.2n.
sinapisina s.f.
sinapismo s.m.
sinapização s.f.
sinapizado adj.
sinapizar v.
sinapizável adj.2g.
sinápode adj. s.2g.
sinapodendro s.m.
sinapolina s.f.
sinapse s.f.
sinapta s.f.
sináptase s.f.
sinapteno adj.
sináptico adj.
sinaptídeo adj. s.m.
sinapto s.m.
sinaptossoma s.m.
sinaptura s.f.
sinapturo s.m.
sinar v.
sinarada s.f.
sinarca s.m.
sinarmonia s.f.
sinarmônico adj.
sinarmonismo s.m.
sinarquia s.f.
sinárquico adj.
sinartrodial adj.2g.
sinartrófise s.f.
sinartrose s.f.
sinartrósico adj.
sinartrósis s.f.2n.
sinascídio adj. s.m.
sina-sina s.f.; pl. *sina-sinas* e *sinas-sinas*
sinaspisma s.f.
sinaspismo s.m.
sinatroísmo s.m.
sinaulia s.f.
sinaxário (*cs*) adj. s.m.
sinaxe (*cs*) s.f.
sincaína s.f.
sincalina s.f.
sincalipta s.f.
sincanto s.m.
sincárida adj.2g. s.m.
sincáride adj.2g. s.m.
sincariófito s.m.
sincarpado adj.
sincarpia s.f. "fusão anômala de flores"; cf. *sincárpia*
sincárpia s.f. "planta mirtácea"; cf. *sincarpia*
sincárpico adj.
sincárpio s.m.
sincarpo s.m.
sincategorema s.m.
sincategoremático adj.
sincategorematista adj. s.2g.
sincategoremista adj. s.2g.
sincefalanto s.m.
sincefalia s.f.
sincefaliano s.m.
sincefálico adj.
sincefalídea s.f.
sincefalídeo adj.
sincéfalo adj. s.m.
sinceiral s.m.
sinceiro s.m. "salgueiro"; cf. *cinceiro*
sincelada s.f.
sincelar v.
sincelo (*ê*) s.m.
sinceloma s.m.
sinceloso (*ô*) adj.; f. (*ó*); pl. (*ó*)
sincelro s.m.
sincenada s.f.
sincenho s.m.
sinceno s.m.
sinceral s.m.
sinceridade s.f.
sincerizar v.
sincero adj.
sincianina s.f.
sincicial adj.2g.
sincício s.m.
sinciciolisina s.f.
sincicioma s.m.
sinciciotrofoblástico adj.
sinciciotrofoblasto s.m.
sincíclia s.f.
sincinese s.f.
sincinesia s.f.
sincinético adj.
sinciotoxina (*cs*) s.f.
sincipital adj.2g.
sincipúcio s.m.
síncito s.m.
sínclase s.f.
sinclásio s.m.
sinclinal adj.2g. s.m.
sinclíneo adj. s.m.
sinclínico adj.
sinclínio s.m.
sinclinório s.m.
síncIise s.f. "colocação pronominal"; cf. *cínclise*
sinclísia s.f.
sinclítica s.f.
sinclítico adj.
sinclitismo s.m.
sinclonese s.f.
síncIono s.m.
sinclora s.f.
sincodendro s.m.
sincolostêmone s.m.
sincolóstomo s.m.
sincondral adj.2g.
sincondrose s.f.
sincondrosiotomia s.m.
sincondrósis s.f.2n.
sincondrostose s.f.
sincondrotomia s.f.
sincondrotômico adj.
síncopa s.f.; cf. *sincopa*, fl. do v. *sincopar*
sincopação s.f.
sincopada s.f.
sincopado adj.
sincopal adj.2g.
sincopar v.
síncope s.f.; cf. *sincope*, fl. do v. *sincopar*
sincópico adj.
sincopizante adj.2g.
sincopizar v.
sincoraense adj. s.2g.
sincorologia s.f.
sincorológico adj.
sincosita s.f.
sincotilédone adj.2g. s.m.
sincotiledôneo adj.
sincotilia s.f.
sincótilo adj.
sincraniano adj. s.m.
sincrético adj.
sincretismo s.m.
sincretista adj. s.2g.
sincretístico adj.
sincretização s.f.
sincretizado adj.
sincretizador (*ô*) adj.
sincretizante adj.2g.
sincretizar v.
sincretizável adj.2g.
sincripta s.f.
síncrise s.f.
sincristalização s.f.
sincristalizado adj.
sincrítico adj.
sincrocíclotron s.m.
sincromia s.f.
sincrômico adj.
sincronia s.f.
sincrônico adj.
sincronismo s.m.
sincronista adj. s.2g.
sincronístico adj.
sincronização s.f.
sincronizado adj.
sincronizador (*ô*) adj. s.m.
sincronizante adj.2g.
sincronizar v.
sincronizável adj.2g.
síncrono adj.
sincronofosforoscópico adj.
sincronofosforoscópio s.m.
sincronógrafo s.m.
sincronologia s.f.
sincronológico adj.
sincronoscópico adj.
sincronoscópio s.m.
sincrótono s.m.
síncrotron s.m.
sindactilia s.f.
sindactilismo s.m.
sindáctilo adj. s.m.
sindapso s.m.
sindatilia s.f.
sindatilismo s.m.
sindátilo adj. s.m.
sindectomia s.f.
sindectômico adj.
sindense adj. s.2g.
sindérese s.f.
sinderético adj.
sinderma s.m.
síndese s.f.
sindesmectomia s.f.
sindesmectômico adj.
sindesmectopia s.f.
sindesmectópico adj.
sindesmia s.f. "união por ligamentos"; cf. *sindésmia*
sindésmia s.f. "gênero de moluscos"; cf. *sindesmia*
sindésmico adj.
sindesmite s.f.
sindesmofaríngeo adj.
sindesmófito s.m.
sindesmografia s.f.
sindesmográfico adj.
sindesmógrafo s.m.
sindesmologia s.f.
sindesmológico adj.
sindesmologista adj. s.2g.
sindesmólogo s.m.
sindesmoma s.m.
sindesmomático adj.
sindesmopéctico adj.
sindesmopético adj.
sindesmopexia (*cs*) s.f.
sindesmoplastia s.f.
sindesmoplástico adj.
sindesmorrafia s.f.
sindesmorráfico adj.
sindesmose s.f.
sindesmostose s.f.
sindesmostósico adj.
sindesmótico adj.
sindesmotomia s.f.
sindesmotômico adj.
sindética s.f.
sindético adj.
síndeto s.m.

síndeton s.m.
síndi adj. s.m.
sindiba s.f.
sindicação s.f.
sindicado adj. s.m.
sindicador (*ô*) s.m.
sindical adj.2g.
sindicalismo s.m.
sindicalista adj. s.2g.
sindicalístico adj.
sindicalização s.f.
sindicalizado adj. s.m.
sindicalizador (*ô*) adj.
sindicalizante adj.2g.
sindicalizar v.
sindicalizável adj.2g.
sindicância s.f.
sindicante adj. s.2g.
sindicar v.
sindicata s.f.
sindicatado adj. s.m.
sindicatal adj.2g.
sindicatar v.
sindicatário adj. s.m.
sindicateiro adj. s.m.
sindicato s.m.
sindicatório adj. s.m.
sindicatura s.f.
sindicável adj.2g.
síndico adj. s.m.; cf. *sindico*, fl. do v. *sindicar*
sindiotácito adj.
sindo adj. s.m.
síndone adj. s.2g.
sindora s.f.
síndroma s.f.
sindromal adj.2g.
sindromático adj.
síndrome s.f.
sindrômico adj.
síndromo s.m.
sinecanto s.m.
sinecfonese s.f.
sinecia s.f.
sinecismo s.m.
sineco adj.
sinecologia s.f.
sinecológico adj.
sinecólogo s.m.
sinecotomia s.f.
sinecótomo s.m.
sinectenterotomia s.f.
sinectenterotômico adj.
sinectia s.f.
sinéctico adj.
sinecura s.f.
sinecurismo s.m.
sinecurista adj. s.2g.
sinecurístico adj.
sinédoque s.f.
sinedóquico adj.
sinedra s.f.
sinedrela s.f.
sinedrim s.m.
sinédrio s.m.
sinedro s.m.
sineense adj. s.2g.
sinégoro s.m.
sineira s.f.
sineiro adj. s.m.
sinela s.f.
sinelcosciádio s.m.
sinema s.m. "filete estaminal das orquídeas"; cf. *cenema* e *cinema*
sinemático adj. "relativo aos estames"; cf. *cenemático* e *cinemático*
sinêmio s.m.
sinemúria s.f.
sinemuriano adj. s.m.
sinemúrico adj. s.m.
sinencefalia s.f.
sinencefálico adj.
sinencéfalo s.m.
sinencefalocele s.f.
sinencefalocélico adj.
sinenclítico adj.
sinentógnato adj. s.m.
sinequia s.f.
sinéquico adj.
sinequiotomia s.f.
sinequiotômico adj.
sinérese s.f.
sinerético adj.
sinergia s.f.
sinérgico adj.
sinérgide adj.2g. s.f.
sinergídea s.f.
sinergismo s.m.
sinergista adj. s.2g.
sinergístico adj.
sinergo s.m.
sinervo s.m.
sinervose s.f.
sínese s.f. "silepse"; cf. *cinese*
sinestesia s.f. "relação subjetiva entre percepções sensoriais"; cf. *cenestesia* e *cinestesia*
sinestesialgia s.f.
sinestesiálgico adj.
sinestésico adj. "relativo a sinestesia"; cf. *cenestésico* e *cinestésico*
sinestético adj. "relativo a sinestesia"; cf. *cenestético* e *cinestético*
sinestratal adj.2g.
sinestratia s.f.
sinestrático adj.
sinestro adj. s.m.
sineta s.f. "inseto"; cf. *sineta* (*ê*)
sineta (*ê*) s.f. "sino pequeno"; cf. *sineta* s.f. e fl. do v. *sinetar*
sinetada s.f.
sinetado adj.
sinetar v.
sinete (*ê*) s.m.
sinetia s.f.
sinético adj. "relativo a sinetia"; cf. *cinético*
sineura s.f.
sineurose s.f.
sineurósico adj.
sineurótico adj.
sinevrose s.f.
sinevrósico adj.
sinevrótico adj.
sinfalangismo s.m.
sinfanense adj. s.2g.
sínfano s.m.
sínfase s.f.
sinfêmia s.f.
sinfiandra s.f.
sinfibrose s.f.
sinfilia s.f.
sinfílico adj.
sínfilo adj. s.m.
sinfilurino s.m.
sinfinoto adj.
sinfiostêmone adj.2g. s.m.
sinfipléono adj. s.m.
sinfisandra s.f.
sinfisandria s.f.
sinfisândrico adj.
sinfisandro adj.
sinfisantérea s.f.
sinfisantéreo adj.
sínfise s.f.
sinfisectomia s.f.
sinfisectômico adj.
sinfisia s.f.
sinfisial adj.2g.
sinfisiandria s.f.
sinfisiandro adj.
sinfisiano adj. s.m.
sinfisiantérea s.f.
sinfisiantéreo adj.
sinfisiário adj.
sinfísico adj.
sinfisio adj. s.m.
sinfisiodactilia s.f.
sinfisiodactílico adj.
sinfisiógino adj.
sinfisiólise s.f.
sinfisiotomia s.f.
sinfisiotômico adj.
sinfisiótomo s.m.
sinfisodactilia s.f.
sinfisodactílico adj.
sinfisodáctilo adj. s.m.
sinfisodatilia s.f.
sinfisodatílico adj.
sinfisodátilo adj. s.m.
sinfisopsia s.f.
sinfisóptico adj.
sinfisotomia s.f.
sinfisotômico adj.
sinfita s.f.
sinfitandria s.f.
sinfítico adj.
sínfito s.m.
sinfitógino adj.
sínfodo s.m.
sinfonalaxia (*cs*) s.f.
sinfonia s.f.
sinfônica s.f.
sinfônico adj.
sinfonieta (*ê*) s.f.
sinfonismo s.m.
sinfonista adj. s.2g.
sinfonístico adj.
sinfonização s.f.
sinfonizado adj.
sinfonizante adj.2g.
sinfonizar v.
sinfonizável adj.2g.
sinforema s.m.
sinforêmea s.f.
sinforese s.f.
sinforético adj.
sinforeto (*ê*) s.m.
sinforicarpo s.m.
sinforicoco s.m.
sinforina s.f.
singa adj. s.2g. s.f.
singalês adj. s.m.
singâmbria s.f.
singâmeo adj. s.m.
singamia s.f.
singâmico adj.
singamídeo adj. s.m.
síngamo adj. s.m.
singamose s.f.
singapurense adj. s.2g.
singareno adj. s.m.
singela s.f.
singeleira s.f.
singeleiro s.m.
singelez (*ê*) s.f.
singeleza (*ê*) s.f.
singelo adj. s.m.
singenciana s.f.
singênese s.f.
singenesia s.f.
singenésico adj.
singenesioplástico adj.
singenesiotransplantação s.f.
singenesista adj. s.2g.
singenesístico adj.
singenesita s.f.
singenesite s.f.
singenético adj.
singenismo s.m.
singenista adj. s.2g.
singenístico adj.
singenita s.f.
singenite s.f.
singenito s.m.
singidunense adj. s.2g.
síngilo adj. s.m.
singlete adj. s.2g.
singleto (*ê*) s.m.
singnátida adj.2g. s.m.
singnatídeo adj. s.m.
síngnato adj. s.m.
singonal adj.2g.
singonanto s.m.
singonia s.f.
singônico adj.
singoníea s.f.
singônio s.m.
síngono adj. s.m.
singra s.f.
singrado adj.
singradoiro s.m.
singrador (*ô*) adj. s.m.
singradouro s.m.
singradura s.f.
síngrafa s.f.
singráfico adj.
síngrafo s.m.
singrante adj.2g.
singrar v.
singuidalho s.m.
singular adj.2g. s.m. "um só"; cf. *cingular*
singularice s.f.
singularidade s.f.
singularismo s.m.
singularista adj. s.2g.
singularístico adj.
singularização s.f.
singularizado adj.
singularizante adj.2g.
singularizar v.
singularizável adj.2g.
singulativo adj.
singultar v.
singulto s.m.
singultoso (*ô*) adj.; f. (*ó*); pl. (*ó*)
sinhá s.f.
sinhá-carandá s.f.; pl. *sinhás-carandá* e *sinhás-carandás*
sinhá-dona s.f.; pl. *sinhás-donas*
sinhama s.f.
sinhá-moça s.f.; pl. *sinhás-moças*
sinhaninha s.f.
sinhara s.f.
sinhá-velha s.f.; pl. *sinhás-velhas*
sinhazinha s.f.
sinhô s.m.
sinhô-moço s.m.; pl. *sinhôs-moços*
sinhô-velho s.m.; pl. *sinhôs-velhos*
sinhozinho s.m.
sini s.m.
siniano adj. s.m.
sinicita s.f.
sínico adj. "relativo a China"; cf. *cínico*
sinieta adj. s.2g.
sinigrina s.f.
sinigrínico adj.
sinigrosídeo adj. s.m.
sinimbu s.m.
sinimbuense adj. s.2g.
siníngia s.f.
sininguíea s.f.
sinionia s.f.
siniperca s.f.
siniqueiro s.m.
sinisacta s.f.
sinistra s.f.
sinistrado adj. s.m.
sinistrar v.
sinistrato adj. s.m.
sinistráurico adj.
sinistrina s.f.
sinistrínico adj.
sinistrino s.m.
sinistrismo s.m.
sinistrizado adj.
sinistrizar v.
sinistro adj. s.m.
sinistrocardia s.f.
sinistrocardíaco adj. s.m.
sinistrocerebral adj.2g.
sinistrocular adj.2g.
sinistrogiro adj.
sinistrógrado adj.
sinistrômano adj.
sinistropedal adj.2g.
sinistroquério s.m.
sinistroquero s.m.
sinistroquírio s.m.
sinistroquiro s.m.
sinistrorsidade s.f.
sinistrorso adj.
sinistrose s.f.
sinistrovolúvel adj.2g.
sinização s.f.
sinizado adj.
sinizante adj. s.2g.
sinizar v.
sinizese s.f.
sinjarita s.f.
sinlaíta s.f.
sinnerita s.f.
sino s.m.
sinoatrial adj.2g.
sinoauricular adj.2g.
sinoble s.m.
sino-brasileiro adj.; pl. *sino-brasileiros*
sínoca s.f.
sinocarotidiano adj.
sinoceísmo s.m.
sínoco adj.
sino-coreano adj.; pl. *sino-coreanos*
sinocostico s.m.
sinodal adj.2g.
sinodático adj. s.m.
sinodendro s.m.
sinódico adj. s.m.
sínodo s.m.
sinodonte s.m.
sinodontídeo adj. s.m.
sinoesteótico adj.
sinófono adj. s.m.
sino-francês adj.; pl. *sino-franceses*
sinofranquécia s.f.
sínofre s.m.
sínofro s.m.
sinoftalmia s.f.
sinoftálmico adj.
sinografia s.f. "sistema criptográfico"; cf. *cenografia*, *cinografia* e *senografia*
sinográfico adj. "relativo a sinografia"; cf. *cenográfico*, *cinográfico* e *senográfico*
sinógrafo s.m. "especialista em sinografia"; cf. *cenógrafo* e *cinógrafo*
sinograma s.m.
sino-hindu adj.2g.; pl. *sino-hindus*
sinoico (*ó*) s.m.
sino-indiano adj.; pl. *sino-indianos*
sino-inglês adj.; pl. *sino-ingleses*
sinoíta s.f.
sino-japonês adj. s.m.; pl. *sino-japoneses*
sinologia s.f. "estudos relativos a China"; cf. *cenologia* e *cinologia*
sinológico adj. "relativo a sinologia"; cf. *cenológico* *cinológico*
sinólogo adj. s.m.
sinomenina s.f.
sinonimar v.
sinonímia s.f.
sinonímica s.f.
sinonímico adj.
sinonimista adj. s.2g.
sinonimístico adj.
sinonimização s.f.
sinonimizado adj.
sinonimizador (*ô*) adj. s.m.
sinonimizante adj.2g.
sinonimizar v.
sinonimizável adj.2g.
sinônimo adj. s.m.; cf. *sinonimo*, fl. do v. *sinonimar*
sinonismo s.m.
sinopense adj. s.2g.
sinópeo adj. s.m.
sinopita s.f.
sinopite s.f.
sinopla adj. s.2g.
sinople adj. s.2g.
sino-português adj.; pl. *sino-portugueses*
sinopse s.f. "resumo", etc.; cf. *cinopse*
sinópsia s.f.
sinópsico adj.
sinóptico adj. s.m.
sinoptização s.f.
sinoptizado adj.
sinoptizar v.
sinoptóforo s.m.

sinoquita s.f.
sinoquite s.f.
sinormal s.f.
sinorogênese s.f.
sinorogenético adj.
sinorogenia s.f.
sinorogênico adj.
sinorquia s.f.
sinórquico adj.
sinorquidia s.f.
sinorquismo s.m.
sinorrizo adj.
sino-russo adj.; pl. *sino-russos*
sino-siberiano adj.; pl. *sino--siberianos*
sinosteografia s.f.
sinosteográfico adj.
sinosteologia s.f.
sinosteológico adj.
sinosteose s.f.
sinosteósico adj.
sinosteotomia s.f.
sinosteotômico adj.
sinosterno s.m.
sinostose s.f.
sinostósico adj.
sinotia s.f.
sino-tibetano adj.; pl. *sino--tibetanos*
sinótico adj. s.m.
sinoto adj. s.m.
sinovectomia s.f.
sinovectômico adj.
sinóvia s.f.
sinovial adj.2g. s.f.
sinovialoma s.m.
sinovina s.f.
sinovioma s.m.
sinovite s.f.
sinovítico adj.
sinóxilo (*cs*) s.m.
sinoxilone (*cs*) s.m.
sinquilia s.f.
sinquílico adj.
sinquiria s.f.
sinquírico adj.
sínquise s.f.
sinquisita s.f.
sinquisite s.f.
sinquita s.f.
sinquítico adj.
sinquitonite s.f.
sinquitriácea s.f.
sinquitriáceo adj.
sinquítrio s.m.
sinrabdossoma s.m.
sinrizo adj.
sinsará s.2g.
sinsépalo adj.
sinstratal adj.2g.
sinstratia s.f.
sinstrático adj.
sintactema s.m.
sintactemático adj.
sintactêmico adj.
sintacticista s.2g.
sintáctico adj.
sintactístico adj.
sintactologia s.f.
sintactológico adj.
sintactólogo s.m.
sintagma s.m.
sintagmarca s.m.
sintagmatarca s.m.
sintagmatema s.m.
sintagmática s.f.
sintagmático adj.
sintagmatita s.f.
sintagmatite s.f.
sintan s.m.
sintatema s.m.
sintatemático adj.
sintatêmico adj.
sintaticista s.2g.
sintático adj.
sintaxe (*ss*) s.f.
sintaxema (*cs*) s.m.
sintaxemático (*cs*) adj.
sintaxêmico (*cs*) adj.
sintáxico (*cs* ou *ss*) adj.
sintaxiologia (*ss*) s.f.
sintaxiológico (*ss*) adj.
sintaxiólogo (*ss*) s.m.
sintaxístico (*ss*) adj.
sintaxólogo (*ss*) s.m.
sintecar v.
sinteco s.m.
sintelologia s.f.
sintelológico adj.
sintema s.m.
sintemática s.f.
sintemático adj.
sintêmica s.f.
sintêmico adj.
sintépalo adj.
sínter s.m.
sinterização s.f.
sinterizado adj.
sinterizar v.
sinterizável adj.2g.
síntese s.f.
sínteta s.2g.
sintética s.f.
sinteticidade s.f.
sintético adj.
sintetismo s.m.
sintetista adj. s.2g.
sintetístico adj.
sintetização s.f.
sintetizado adj.
sintetizador (*ô*) adj. s.m.
sintetizante adj.2g.
sintetizar v.
sintetizável adj.2g.
sintímia s.f.
síntipo s.m.
sinto s.m. "religião"; cf. *cinto*
sintoísmo s.m.
sintoísta adj. s.2g.
sintoístico adj.
sintoma s.m.
sintomática s.f.
sintomático adj.
sintomatismo s.m.
sintomatista adj. s.2g.
sintomatístico adj.
sintomatização s.f.
sintomatizado adj.
sintomatizante adj.2g.
sintomatizar v.
sintomatologia s.f.
sintomatológico adj.
sintomatologismo s.m.
sintomatologista adj. s.2g.
sintomatologístico adj.
sintomeida s.f.
sintomia s.f. "resumo"; cf. *sintômia*
sintômia s.f. "inseto"; cf. *sintomia*
sintômico adj.
sintomídeo adj. s.m.
síntomo s.m.
sintomologia s.f.
sintomológico adj.
sintonema s.m.
sintonemática s.f.
sintonemático adj.
sintonêmica s.f.
sintonêmico adj.
sintonia s.f.
sintônico adj.
sintonina s.f.
sintonização s.f.
sintonizado adj.
sintonizador (*ô*) adj. s.m.
sintonizante adj.2g.
sintonizar v.
sintonizável adj.2g.
síntono adj. s.m.
sintopia s.f.
sintópico adj.
sintoxoide (*csó*) s.m.
sintrã adj. s.f. de *sintrão*
sintrão adj. s.m.; f. *sintrã*; pl. *sintrãos*
sintratriz s.f.
sintrense adj. s.2g.
sintriana s.f.
sintríquia s.f.
sintro s.m.
sintrofia s.f.
sintrófico adj.
síntrofo adj.
síntrono adj.
sintropia s.f.
sintrópico adj.
sinuado adj.
sinuagem s.f.
sinuar v.
sinuca s.f.
sinucar v.
sinuco s.m.
sinueleiro adj.
sinuelo (*ê*) s.m.
sinulótico adj.
sinumbu s.m.
sinuosa s.f.
sinuosagem s.f.
sinuosar v.
sinuosidade s.f.
sinuoso (*ô*) adj.; f. (*ó*); pl. (*ó*)
sinupaliado adj. s.m.
sinupalial adj.2g. s.m.
sinura s.f. "planta"; cf. *cinura*
sínus s.m.2n.
sinusal adj.2g.
sinuscopia s.f.
sinuscópico adj.
sinusectomia s.f.
sinúsia s.f.
sinusial adj.2g.
sinusiasta adj. s.2g.
sinusite s.f.
sinusoidal adj.2g.
sinusoide (*ó*) adj.2g. s.m.f.
sinvastativa s.f.
sinxó s.m.
sinzal s.f.
sinzigia s.f.
sio s.m. "planta"; cf. *cio*
sioba s.f.
siobinha s.f.
siocho (*ô*) s.m.
siode s.m.
sioegruvita s.f.
sionismo s.m.
sionista adj. s.2g.
sionístico adj.
sionita adj. s.2g.
siote s.m.
sipai s.m.
sipaio s.m.
sipália s.f.
sipânea s.f.
sipário s.m.
siparuna s.f.
sipatão s.m.
sipaúba s.f.
sipe s.f.
sipeira s.f.
sipia s.f.
sipibo adj. s.m.
sipicueense adj. s.2g.
sipilho s.m.
sipilita s.f.
sipinauá adj. s.2g.
sipipira s.f.
sipiri s.m.
siporoba s.f.
sipoúba s.f.
siptórnis s.2g.2n.
siptornite s.2g.
sipunculáceo adj. s.m.
sipunculídeo adj. s.m.
sipunculimorfo s.m.
sipúnculo s.m.
sipunculoide (*ó*) adj.2g. s.m.
sique adj. s.2g.
siqueira-belense adj. s.2g.; pl. *siqueira-belenses*
siqueira-campense adj. s.2g.; pl. *siqueira-campenses*
siqueirense adj. s.2g.
siquelerita s.f.
siquelerite s.f.
siquemita adj. s.2g.
siquismo s.m.
sira s.f. "ânimo"; cf. *cira*
siraco adj. s.m.
síraco adj. s.m.
siracosferácea s.f.
siracosferáceo adj.
siracu s.m.
siracusa s.m.
siracusano adj. s.m.
sirage s.m.
sirali s.m.
sirapelo adj. s.m.
sirbato s.m.
sirbota adj. s.2g.
sírbota adj. s.2g.
sirdar s.m.
sirdeno s.m.
sireca adj. s.2g.
síreca adj. s.2g.
siredonte s.m.
sirembo s.m.
sirena s.f.
sirenar v.
sirene s.f.
sireniano adj. s.m.
sirênico adj.
sirênida adj.2g. s.m.
sirenídeo adj. s.m.
sirênio adj. s.m.
sirenômela s.m.
sirenomelia s.f.
sirenomélico adj.
sirenômelo s.m.
sirenomielia s.f.
sirenopse s.f.
sírex s.m.2n.
sírfida adj.2g. s.m.
sirfídeo adj. s.m.
sirfo adj. s.m.
sirga s.f.
sirgado adj.
sirgadoiro s.m.
sirgadouro s.m.
sirgagem s.f.
sirgamento s.m.
sirgar v.
sirgaria s.f.
sirgilim s.m.
sirgo s.m.
sirgueiro s.m.
sirgueta (*ê*) s.f.
sirguilha s.f.
siri s.m.
síria s.f.
siriacismo s.m.
siríaco adj. s.m.
siriaçu s.m.
siriarca s.m.
siriarquia s.f.
siríase s.f.
siri-azul s.m.; pl. *siris-azuis*
siribá s.m.
siri-baú s.m.; pl. *siris-baú* e *siris-baús*
siri-branco s.m.; pl. *siris-brancos*
sirica s.f.
siricaia s.f.
siri-candeia s.m.; pl. *siris--candeia* e *siris-candeias*
siricha s.f.
siri-chita s.m.; pl. *siris-chita* e *siris-chitas*
siricídeo adj. s.m.
sirico-melado s.m.; pl. *siricos--melados*
siricora s.f.
siri-corredor s.m.; pl. *siris--corredores*
siricto s.m.
siri-da-areia s.m.; pl. *siris--da-areia*
siri-da-praia s.m.; pl. *siris--da-praia*
siri-de-coral s.m.; pl. *siris--de-coral*
siri-do-mangue s.m.; pl. *siris--do-mangue*
sirieno adj. s.m.
siriense adj. s.2g.
sirifoles s.m.2n.
sirigadense adj. s.2g.
sirigado s.m. "peixe"; cf. *cirigado*
sirigado-badejo s.m.; pl. *sirigados-badejo* e *sirigados--badejos*
sirigado-cherne s.m.; pl. *sirigados-cherne* e *sirigados--chernes*
sirigado-de-barriga--amarela s.m.; pl. *sirigados--de-barriga-amarela*
sirigado-focinhudo s.m.; pl. *sirigados-focinhudos*
sirigado-papa-fumo s.m.; pl. *sirigados-papa-fumo*
sirigado-preto s.m.; pl. *sirigados-pretos*
sirigado-sabão s.m.; pl. *sirigados-sabão* e *sirigados--sabões*
sirigado-tapuã s.m.; pl. *sirigados-tapuã* e *sirigados--tapuãs*
sirigado-vermelho s.m.; pl. *sirigados-vermelhos*
sirigado-xerre s.m.; pl. *sirigados-xerre* e *sirigados--xerres*
sirigaita s.f.
sirigaitar v.
sirigmo s.m.
sirigoiá s.m.
sirigote s.m.
sirigueia (*é*) s.f.
sirigueiro s.m.
sirijiense adj. s.2g.
sirimirim s.m.
siri-mole s.m.; pl. *siris-moles*
siringa s.f. "planta"; cf. *seringa*
siringe s.f.
siringenina s.f.
siringina s.f.
siringita s.f.
siringite s.f.
siringoadenoma s.m.
siringoadenoso (*ô*) adj.; f. (*ó*); pl. (*ó*)
siringobulbia s.f.
siringobúlbico adj.
siringocele s.f.
siringocélico adj.
siringocistadenoma s.m.
siringocistoma s.m.
siringodendro s.m.
siringoencefalia s.f.
siringoencefálico adj.
siringoide (*ó*) adj.2g.
siringoma s.m.
siringomeningocele s.m.
siringomeningocélico adj.
siringomielia s.f.
siringomiélico adj. s.m.
siringomielite s.f.
siringomielítico adj.
siringomielocele s.m.
siringomielocélico adj.
siringoponcia s.f.
siringopôncico adj.
siringoscopia s.f.
siringoscópico adj.
siringotomia s.f.
siringotômico adj.
siringotômio s.m.
siringótomo s.m.
sirinhaense adj. s.2g.
sirino adj. s.m.
sírinx (*cs*) s.f.2n.
sírio adj. s.m. "natural da Síria"; cf. *círio*
sirioba s.f.
sírio-libanês adj. s.m.; pl. *sírio-libaneses*
siriômetro s.m.
siri-patola s.m.; pl. *siris-patola* e *siris-patolas*
siripuã s.m.
siriri s.m.
siriria s.f.
siririca adj.2g. s.f.
siriricar v.
siririense adj. s.2g.
siriringa s.f.
siriringação s.f.
siriritinga s.2g.
siriroca s.f.

siriruiá s.f.
sirirujá s.m.
sirita s.f.
sirito s.m.
siriú s.f.
siriúba s.f.
siriubal s.m.
siriúva s.f.
sirixa s.f.
sirizada s.f.
sirló s.m.
sirma s.2g.
sirmaísmo s.m.
sirmaísta adj. s.2g.
sirmático s.m.
sirmiense adj. s.2g.
sirniíneo adj. s.m.
sírnio s.m.
siro adj. s.m. "sírio"; cf. *ciro*
siro-árabe adj.2g.; pl. *siro--árabes*
siro-arábico adj.; pl. *siro--arábicos*
siro-arábigo adj.; pl. *siro--arábigos*
sirobasidiácea s.f.
sirobasidiáceo adj.
sirobasídio s.m.
siro-caldaico adj. s.m.; pl. *siro-caldaicos*
siroco (*ô*) s.m.
sirolicótico s.m.
sirólise s.f.
sirolítico adj.
siro-macedônio adj. s.m.; pl. *siro-macedônios*
sironídeo adj. s.m.
siropígis s.m.2n.
siroposo (*ô*) adj.; f. (*ó*); pl. (*ó*)
siroquês adj. s.m.
siro-siro s.m.; pl. *siro-siros*
sirossifão s.m.
sirossifonácea s.f.
sirossifonáceo adj.
sirote s.m.
sirrador (*ô*) s.m.
sirrandossoma s.m.
sirrapto s.m.
sirrizo adj.
sirrópodo s.m.
sirrum s.m.
sirsaca s.f.
sirte s.f.
sirtênea s.f.
sirtes s.2g.pl.
sírtico adj.
siruabale s.m.
sirvente s.f.
sirventês s.m.
sirventesca (*ê*) s.f.
sirventesco (*ê*) adj.
sirventésio adj.
sirxapadássana s.m.
sirxássana s.m.
sirzino s.m.
sisa s.f.
sisal s.m. "fibra"; cf. *sizau*
sisalana s.f.
sisamina s.f.
sisanento adj. s.m.
sisão s.m. "ave"; cf. *cisão*
sisaponense adj. s.2g.
sisar v.
sisarra s.f.
sisbordo s.m.
sisciano adj. s.m.
siseiro s.m.
siserskita s.f.
sisersquita s.f.
sisertsquita s.f.
sisfinge s.f.
sisfingídeo adj. s.m.
sisgo s.m.
sisgola s.f.
sisifino adj.
sisífio adj.
sisifismo s.m.
sísifo s.m.
sisímbrea s.f.
sisímbreo adj.
sisimbriina s.f.
sisímbrio s.m.
sisirrínquea s.f.
sisirrínqueo adj.
sisirrínquio s.m.
sismal adj.2g.
sismicidade s.f.
sísmico adj.
sismigênese s.f.
sismigênico adj.
sismo s.m. "tremor de terra"; cf. *cismo*, fl. do v. *cismar*
sismocartograma s.m.
sismocronógrafo s.m.
sismofone s.m.
sismogênese s.f.
sismogênico adj.
sismografia s.f.
sismográfico adj.
sismógrafo s.m.
sismograma s.m.
sismologia s.f.
sismológico adj.
sismologista adj. s.2g.
sismólogo s.m.
sismometria s.f.
sismométrico adj.
sismômetro s.m.
sismometrógrafo s.m.
sismonastia s.f.
sismonástico adj.
sismonastismo s.m.
sismondina s.f.
sismondita s.f.
sismondite s.f.
sismoscopia s.f.
sismoscópico adj.
sismoscópio s.m.
sismotectônico adj.
sismoterapia s.f.
sismoterápico adj.
sismotropismo s.m.
sisnandino adj.
siso s.m.
sisolense adj. s.2g.
sisomicina s.f.
sisor (*ô*) s.m.
sisório s.m.
sispono s.m.
sissarcose s.f.
sissídero s.m.
sissítia s.f.
sissó s.m.
sissoma s.m.
sissomático adj.
sissomia s.f.
sissomiano adj.
sissômico adj.
sissomo s.m.
sistáltico adj.
sistarca s.m.
sístase s.f.
sístate s.m.
sistático adj.
sisteco s.m.
sistelófito s.m.
sistema s.m.
sistemar v.
sistêmata s.2g.
sistemática s.f.
sistematicismo s.m.
sistematicista adj. s.2g.
sistematicístico adj.
sistemático adj. s.m.
sistematismo s.m.
sistematista adj. s.2g.
sistematístico adj.
sistematização s.f.
sistematizado adj.
sistematizador (*ô*) adj. s.m.
sistematizante adj.2g.
sistematizar v.
sistematizável adj.2g.
sistematologia s.f.
sistematológico adj.
sistematologista adj. s.2g.
sistematólogo s.m.
sistêmica s.f.
sistêmico adj.
sistemoide (*ó*) adj.2g.
sistena s.f.
sistenócero s.m.
sistente adj.2g.
sistilo adj. s.m.
sistino adj.
sistolar v. adj.2g.
sístole s.f.
sistolia s.f.
sistólico adj.
sistolismo s.m.
sistotrema s.m.
sistrado adj.
sistratal adj.2g.
sistratia s.f.
sistrático adj.
sistrefa s.f.
sistrema s.m.
sistrematarca s.m.
sistro s.m. "matraca"; cf. *cistro*
sístrofe s.f.
sistruro s.m.
sisudez (*ê*) s.f.
sisudeza (*ê*) s.f.
sisudo adj. s.m.
sisura s.f.
sita s.f. "pássaro", etc.; cf. *cita* adj. s.2g. s.m.f. e fl. do v. *citar*
sitana s.f.
sitaparita s.f.
sitar v. "estar situado"; cf. *citar*
sitarca s.m.
sitárcia s.f.
sitarião s.m.
sitário s.m.
sítaris s.m.2n.
sitarquia s.f.
sitárquico adj.
sitarrão s.m.
sitela s.f.
sitiado adj. s.m.
sitiador (*ô*) adj. s.m.
sitiaense adj. s.2g.
sitial s.m.
sitiamento s.m.
sitiano s.m.
sitiante adj. s.2g.
sitiar v.
sitibundo adj. s.m.
sitícine s.m.
sítico s.m. "gênero de aracnídeos"; cf. *cítico*
siticuloso (*ô*) adj.; f. (*ó*); pl. (*ó*)
sitídeo adj. s.m.
sitieiro s.m.
sitiense adj. s.2g.
siti-irgia s.f.
siti-írgico adj.
sítio s.m.; cf. *sitio*, fl. do v. *sitiar*
sítio-abadiense adj. s.2g.; pl. *sítio-abadienses*
sitioca s.f.
sitiofobia s.f.
sitiofóbico adj.
sitiófobo s.m.
sitiologia s.f.
sitiológico adj.
sitiologista s.2g.
sitiólogo s.m.
sitiomania s.f.
sitiomaníaco adj. s.m.
sitiômano s.m.
sitionovense adj.2g.
sitiotoxina (*cs*) s.f.
sitiotoxismo (*cs*) s.m.
sitita s.f.
sitite s.f.
sitito s.m.
sitiurgia s.f.
sitiúrgico adj.
sito adj. s.m. "situado", etc.; cf. *cito* s.m.f. e fl. do. v. *citar*
sitódrepa s.f.
sitofagia s.f. "qualidade de sitófago"; cf. *citofagia*
sitofágico adj.
sitófago adj. s.m. "que se alimenta de trigo"; cf. *citófago*
sitofilace s.m.
sitofilia s.f.
sitófilo adj. s.m. "que aprecia cereais"; cf. *citófilo*
sitofobia s.f.
sitofóbico adj.
sitófobo adj. s.m.
sitogoniômetro s.m.
sitometria s.f. "emprego de sitômetro"; cf. *citometria*
sitométrico adj. "relativo a sitometria"; cf. *citométrico*
sitômetro s.m. "instrumento para medir a densidade dos cereais"; cf. *citômetro*
sitona s.m.
sítone adj. s.2g.
sitônia s.f.
sitônio adj. s.m. "natural da Trácia"; cf. *citônio*
sitosterina s.f.
sitosterol s.m.
sitotoxismo (*cs*) s.m.
sitotroga s.f.
sitra adj. s.2g.
situação s.f.
situacional adj.2g.
situacionismo s.m.
situacionista adj. s.2g.
situacionístico adj.
situado adj.
situante adj. s.2g.
situar v.
situável adj.2g.
sítula s.f. "vaso"; cf. *cítola*
siú adj. s.2g.
siúba s.f.
siupeense adj. s.2g.
siúro s.m.
siva s.f.
sivã s.m.
sivaísmo s.m.
sivaísta adj. s.2g.
sivana s.f.
sivane s.f.
sivani s.m.
sivanimudrá s.m.
sivão s.m.
sivapiteco s.m.
sivateríida adj.2g. s.m.
sivateríideo adj. s.m.
sivatério s.m.
sivom s.m.
sizau s.m. "ave"; cf. *sisal*
sizencto s.m.
sizetese s.f.
sizetésico adj.
sizeteta s.m.
sizígia s.f.
sizígio s.m.
sizigite s.f.
skematita s.f.
skenite s.f.
skinneriano adj.
skinnerita s.f.
sklodovskita s.f.
skogboelita s.f.
skolita s.f.
skutterudita s.f.
skutterudítico adj.
slaviansquita s.f.
slavikita s.f.
slavina s.m.
slawsonita s.f.
sloânea s.f.
sluitéria s.m.
smirnovita s.f.
smithianismo s.m.
smithianista adj. s.2g.
smithianístico adj.
smithiano adj.
smithianta s.f.
smithita s.f.
smithsoniano adj.
smithsonita s.f.
smithsonítico adj.
smythita s.f.
sniperscópio s.m.
snobocracia s.f.
só adj.2g. s.m. adv.
sô s.m.
soaberto adj.
soabrir v.
soada s.f.
soadeiro adj. s.m.
soado adj.
soagem s.f.
soaje s.m.
soajense adj. s.2g.
soala s.f.
soalha s.f.
soalhado adj. s.m.
soalhal s.m.
soalhamento s.m.
soalhar v. s.m.
soalheira s.f.
soalheirento adj.
soalheiro adj. s.m.
soalhento adj.
soalho s.m.
soalhoso (*ô*) adj.; f. (*ó*); pl. (*ó*)
soante adj.2g.
soão s.m. "vento do oriente"; cf. *suão*
soar v. s.m.
soarense adj. s.2g.
soassar v.
sob (*ô*) prep.
soba s.m.
sobado s.m.
sobalçar v.
sobarba s.f.
sobarbada s.f.
sobaúra s.f.
sobe (*ô*) s.m.; cf. *sobe*, fl. do v. *subir*
sobe e desce s.m.2n.
sobeira s.f.
sobejado adj.
sobejante adj.2g.
sobejar v.
sobejidão s.f.
sobejo (*ê*) adj. s.m. adv.
sobelho (*ê*) s.m.
soberana s.f.
soberanense adj. s.2g.
soberanete (*ê*) s.m.
soberania s.f.
soberanizado adj.
soberanizar v.
soberano adj. s.m.
soberba (*ê*) s.f.
soberbaço adj. s.m.
soberbão adj. s.m.; f. *soberbona*
soberbar v.
soberbete (*ê*) adj. s.m.
soberbia s.f.
soberbo (*ê*) adj. s.m.
soberbona adj. s.f. de *soberbão*
soberboso (*ô*) adj.; f. (*ó*); pl. (*ó*)
sobernal s.m.
soberta s.f.
sobesca s.f.
sobescavar v.
sobessa s.f.
sobestar v.
sobeta (*ê*) s.m.
sobeu s.m.
sobgrave adj.2g.
sobiador (*ô*) s.m.
sobiar v.
sóbio adj. s.m.
sobiote s.m.
soboagã s.f.
sobolado adj.
sóbole s.m.
sobolévskia s.f.
sobolevskita s.f.
soboléwskia s.f.
sobolífero adj.
soborda s.f.
soboró adj.2g. s.m.
soborralhado adj.
soborralhadoiro s.m.
soborralhadouro s.m.
soborralhar v.
soborralho s.m.
soboscoso (*ô*) adj.; f. (*ó*); pl. (*ó*)
sobosque s.m.
sobpesar v.
sobpor v.
sobposto (*ô*) adj.

sobra s.f.
sobraçado adj.
sobraçar v.
sobradado adj.
sobradão s.m.
sobradar v.
sobradense adj. s.2g.
sobradinhense adj. s.2g.
sobradinho s.m.
sobradiz s.m.
sobrado adj. s.m.
sobraji s.m.
sobral s.m.
sobraleiro adj. s.m.
sobralense adj. s.2g.
sobrália s.f.
sobralíea s.f.
sobraliense adj. s.2g.
sobralita s.f.
sobrançado adj.
sobrançar v.
sobrançaria s.f.
sobranceado adj.
sobrancear v.
sobranceiro adj. adv.
sobrancelha (*ê*) s.f.
sobrancelhudo adj.
sobranceria s.f.
sobrançudo adj.
sobrante adj.2g.
sobrar v.
sobrasar v.
sobrasil s.m.
sobrável adj.2g.
sobre (*ô*) prep. s.m.; cf. *sobre*, fl. do v. *sobrar*
sobreabundância s.f.
sobreabundante adj.2g.
sobreabundar v.
sobreafligido adj.
sobreafligir v.
sobreagitado adj.
sobreagitar v.
sobreaguado adj.
sobreaguar v.
sobreagudo adj.
sobrealcoolizado adj.
sobrealcoolizar v.
sobrealcunha s.f.
sobrealcunhado adj.
sobrealcunhar v.
sobrealimentação s.f.
sobrealimentado adj.
sobrealimentar v.
sobreanca s.f.
sobreano s.m.
sobreapelido s.m.
sobreaquecedor (*ô*) s.m.
sobreaquecer v.
sobreaquecido adj.
sobreaquecimento s.m.
sobreárbitro s.m.
sobrearca s.f.
sobrearco s.m.
sobreasa s.f.
sobreavisado adj.
sobreavisar v.
sobreaviso s.m.
sobreaxilar (*cs*) adj.2g.
sobreazedar v.
sobrebailéu s.m.
sobrebainha s.f.
sobrebase s.f.
sobrebico s.m.
sobrebojo (*ô*) s.m.
sobrebrocha s.f.
sobrebujarrona s.f.
sobrecabado adj.
sobrecabar v.
sobrecabeça (*ê*) s.f.
sobrecabeceado s.m.
sobrecabecear v.
sobrecabeceira s.f.
sobrecadeia s.f.
sobrecalça s.f.
sobrecama s.f.
sobrecâmara s.f.
sobrecana s.f.
sobrecanja s.f.
sobrecanjica s.f.
sobrecapa s.f.
sobrecapacidade s.f.
sobrecapitalização s.f.
sobrecapitalizado adj.
sobrecapitalizar v.
sobrecarga s.m.f.
sobrecarregado adj.
sobrecarregar v.
sobrecarta s.f.
sobrecárter s.m.
sobrecasaca s.f.
sobrecasacar v.
sobrecaudal adj. s.2g.
sobreceia s.f. adv.
sobreceleste adj.2g.
sobrecelestial adj.2g.
sobrecenho adj. s.m.
sobrecéu s.m.
sobrecevadeira s.f.
sobrechedeiro s.m.
sobrechegar v.
sobrecheio adj.
sobrecifra s.f.
sobrecifração s.f.
sobrecifrado adj.
sobrecifragem s.f.
sobrecifrar v.
sobrecifrável adj.2g.
sobrecilha s.f.
sobrecílio s.m.
sobrecincha s.f.
sobreclaustra s.f.
sobreclaustro s.m.
sobrecoberta s.f.
sobrecodal s.m.
sobrecomissão s.f.
sobrecompensado adj.
sobrecompensar v.
sobrecomposto (*ô*) adj.
sobrecomprido adj.
sobrecomum adj.2g. s.m.
sobreconfissão s.f.
sobrecopa s.f.
sobrecoroa (*ô*) s.f.
sobrecorte s.m.
sobrecoser v.
sobrecosido adj. s.m.
sobrecostelar s.m.
sobrecostilhar s.m.
sobrecostura s.f.
sobrecota s.f.
sobrecotoveleira s.f.
sobrecoxa (*ô*) s.f.
sobrecrescer v.
sobrecu s.m.
sobrecurva s.f.
sobredáctilo adj. s.m.
sobredátilo adj. s.m.
sobredecomposto (*ô*) adj.
sobredemora s.f.
sobredensidade s.f.
sobredenso adj.
sobredental adj.2g.
sobredente s.m.
sobredeterminação s.f.
sobredistender v.
sobredistensão s.f.
sobreditador (*ô*) s.m.
sobreditadura s.f.
sobreditatorial adj.2g.
sobredito adj. s.m.
sobredivino adj.
sobredoirado adj. s.m.
sobredoirar v.
sobredominância s.f.
sobredominante adj. s.2g.
sobredourado adj. s.m.
sobredourar v.
sobre-edificação s.f.
sobre-edificar v.
sobre-elevação s.f.
sobre-elevado adj.
sobre-elevar v.
sobre-eminência s.f.
sobre-eminente adj.2g.
sobre-emissão s.f.
sobre-encantado adj.
sobre-encantar v.
sobre-enxertia s.f.
sobre-erguer v.
sobre-erguido adj.
sobre-escada s.f.
sobre-esforço (*ô*) s.m.
sobre-esgalho s.m.
sobre-esperado adj.
sobre-esperar v.
sobre-estadia s.f.
sobre-estimar v.
sobre-exaltação (*z*) s.f.
sobre-exaltado (*z*) adj.
sobre-exaltar (*z*) v.
sobre-excedente adj.2g.
sobre-exceder v.
sobre-excedido adj.
sobre-excelência s.f.
sobre-excelente adj.2g.
sobre-excesso s.m.
sobre-excitação s.f.
sobre-excitado adj.
sobre-excitante adj.2g.
sobre-excitar v.
sobre-existir v.
sobre-exploração s.f.
sobre-explorado adj.
sobre-explorar v.
sobre-exposição s.f.
sobreface s.f.
sobrefaturamento s.m.
sobrefaturar v.
sobrefazer v.
sobrefeito adj.
sobrefoliáceo adj.
sobrefusão s.f.
sobregata s.f.
sobregatinha s.f.
sobregávea s.f.
sobregizado adj.
sobregizar v.
sobrego s.m.
sobregola s.f.
sobregonel s.m.
sobregoverno (*ê*) s.m.
sobre-homem s.m.
sobre-horrendo adj.
sobre-humanismo s.m.
sobre-humanizado adj.
sobre-humanizar v.
sobre-humano adj.
sobreimposto (*ô*) s.m.
sobreimpressão s.f.
sobreimpresso adj. s.m.
sobreimprimir v.
sobreinfusa s.f.
sobreinteligível adj.2g.
sobreintendente adj. s.2g.
sobreintender v.
sobreintensidade s.f.
sobreir v.
sobreira s.f.
sobreiral s.m.
sobreirense adj. s.2g.
sobreirinho s.m.
sobreiro adj. s.m.
sobreirritado adj.
sobreirritar v.
sobrejacente adj.2g.
sobrejanela s.f.
sobrejazer v.
sobrejazimento s.m.
sobrejeção s.f.
sobrejecional adj.2g.
sobrejetividade s.f.
sobrejetivo adj.
sobrejetor (*ô*) adj.
sobrejoanete (*ê*) s.m.
sobrejoanetinho s.m.
sobrejuiz s.m.
sobrejustiça s.f.
sobrelanço s.m.
sobrelátego s.m.
sobreleitado adj.
sobreleitar v.
sobreleite s.m.
sobreleito s.m.
sobrelevação s.f.
sobrelevado adj.
sobrelevante adj.2g.
sobrelevar v.
sobrelimão s.m.
sobreliminar s.m.
sobreloja s.f.
sobrelombo s.m.
sobrelotação s.f.
sobrelotado adj.
sobrelotar v.
sobrelustrado adj.
sobrelustrar v.
sobreluzir v.
sobremachinho s.m.
sobremaneira adv.
sobremanhã s.f.
sobremão s.m.
sobremaravilhado adj.
sobremaravilhar v.
sobremarcha s.f.
sobremédio adj.
sobremesa (*ê*) s.f.
sobremístico adj.
sobremochinho s.m.
sobremodo adv.
sobremodulação s.f.
sobremontado adj.
sobremontar v.
sobremordomo s.m.
sobremoscóvia s.f.
sobremunhoneira s.f.
sobrenadação s.f.
sobrenadado adj.
sobrenadante adj.2g.
sobrenadar v.
sobrenadável adj.2g.
sobrenatural adj.2g. s.m.
sobrenaturalidade s.f.
sobrenaturalismo s.m.
sobrenaturalista adj. s.2g.
sobrenaturalístico adj.
sobrenaturalização s.f.
sobrenaturalizado adj.
sobrenaturalizar v.
sobrenervo (*ê*) s.m.
sobrenome s.m.
sobrenomeado adj.
sobrenomear v.
sobrenovel s.m.
sobrenumerário adj. s.m.
sobrenumerável adj.2g.
sobrenutrição s.f.
sobrenutrir v.
sobreolhado adj.
sobreolhar v.
sobreolho (*ô*) s.m.
sobreopa s.f.
sobreosso (*ô*) s.m.
sobreoxidação (*cs*) s.f.
sobrepaga s.f.
sobrepairado adj.
sobrepairante adj.2g.
sobrepairar v.
sobrepartilha s.f.
sobrepartilhar v.
sobreparto s.m. adv.
sobrepassar v.
sobrepasso s.m.
sobrepasto s.m.
sobrepé s.m.
sobrepele s.f.
sobrepeliz s.f.
sobrepender v.
sobrependido adj.
sobrepensado adj.
sobrepensar v.
sobrepesado adj.
sobrepesar v.
sobrepeso (*ê*) s.m.; cf. *sobrepeso*, fl. do v. *sobrepesar*
sobreponível adj.2g.
sobreponta s.f.
sobrepopulação s.f.
sobrepor v.
sobreporta s.f.
sobreposição s.f.
sobreposse s.f. adv.
sobreposta s.f.
sobreposto (*ô*) adj. s.m.; f. (*ó*); pl. (*ó*)
sobrepovoação s.f.
sobrepovoado adj.
sobrepovoamento s.m.
sobrepovoar v.
sobreprateado adj.
sobrepratear v.
sobreprêmio s.m.
sobrepresidente s.m.
sobrepressão s.f.
sobrepressor (*ô*) s.m.
sobreprova s.f.
sobrepujado adj.
sobrepujamento s.m.
sobrepujança s.f.
sobrepujante adj.2g.
sobrepujar v.
sobrepujável adj.2g.
sobrequartela s.f.
sobrequilha s.f.
sobrerrealismo s.m.
sobrerrealista adj. s.2g.
sobrerrelha s.f.
sobrerrenal adj.2g.
sobrerrestar v.
sobrerroda s.f.
sobrerrodela s.f.
sobrerrolda s.2g. s.f.
sobrerroldado adj.
sobrerroldar v.
sobrerronda s.2g. s.f.
sobrerrondado adj.
sobrerrondar v.
sobrerrosado adj.
sobrescritado adj.
sobrescritar v.
sobrescrito adj. s.m.
sobresdrúxulo adj. s.m.
sobresperado adj.
sobresperar v.
sobressaia s.f.
sobressaído adj.
sobressair v.
sobressalente adj.2g.
sobressaliente adj.2g.
sobressaltado adj.
sobressaltar v.
sobressalteado adj.
sobressaltear v.
sobressalto adj. s.m.
sobressano s.m.
sobressarado adj.
sobressarar v.
sobressaturação s.f.
sobressaturado adj.
sobressaturar v.
sobresseguido adj.
sobresseguir v.
sobressegura s.m.
sobresseguro s.m.
sobresselado adj.
sobresselar v.
sobresselente adj. s.2g.
sobresselo (ê) s.m.
sobresselo s.m.
sobressemeado adj.
sobressemear v.
sobressentado adj.
sobressentença s.f.
sobresser v.
sobresseveridade s.f.
sobressinal s.m.
sobressolado adj.
sobressolar v.
sobressoleira s.f.
sobressorver v.
sobressorvido adj.
sobressubstancial adj.2g.
sobrestado adj.
sobrestamento s.m.
sobrestância s.f.
sobrestante adj. s.2g.
sobrestar v.
sobrestimação s.f.
sobrestimado adj.
sobrestimar v.
sobretarde s.f. adv.
sobretaxa s.f.
sobretaxado adj.
sobretaxar v.
sobretecer v.
sobretecido adj.
sobreteima s.f. adv.
sobretensão s.f.
sobretensiométrico adj.
sobretensiômetro s.m.
sobretensor (*ô*) s.m.
sobreterráqueo adj.
sobreterrestre adj.2g.
sobretítulo s.m.
sobretoalha s.f.

sobretom s.m.
sobretônica s.f.
sobretônico adj.
sobretrabalho s.m.
sobretroar v.
sobretudo s.m. adv.
sobreumeral adj.2g. s.m.
sobreunha s.m.
sobrevaidade s.f.
sobrevaler v.
sobrevalia s.f.
sobrevela s.f.
sobrevença s.f.
sobreveniente adj.2g.
sobrevento s.m.
sobreverga s.f.
sobreveste s.f.
sobrevestido adj.
sobrevestir v.
sobrevida s.f.
sobrevigiado adj.
sobrevigiar v.
sobrevindo adj. s.m.
sobrevindoiro adj.
sobrevindouro adj.
sobrevir v.
sobrevirtude s.f.
sobrevista s.f.
sobrevivência s.f.
sobrevivente adj. s.2g.
sobreviver v.
sobrevivido adj. s.m.
sobrevivo adj.
sobrevoado adj.
sobrevoar v.
sobrevogado adj.
sobrevogar v.
sobrevoltado adj.
sobrevoltador (*ô*) s.m.
sobrevoltagem s.m.
sobrevoo (*ô*) s.m.
sobrexcedente adj.2g.
sobrexceder v.
sobrexcedido adj.
sobrexceler v.
sobrexposição s.f.
sobriedade s.f.
sobrigo s.m.
sobrinha s.f.
sobrinhal adj.2g.
sobrinha-neta s.f.; pl. *sobrinhas-netas*
sobrinha-segunda s.f.; pl. *sobrinhas-segundas*
sobrinho s.m.
sobrinho-neto s.m.; pl. *sobrinhos-netos*
sobrinho-segundo s.m.; pl. *sobrinhos-segundos*
sóbrio adj. s.m.
sobriqué s.m.
sobro (*ô*) s.m.; cf. *sobro*, fl. do v. *sobrar*
sob-roda s.f.
sob-rojar v.
sobrolho (*ô*) s.m.; pl. (*ó*)
sobrosso (*ô*) s.m.
sobsaia s.f.
sobtensão s.f.
sobterranho adj.
soca s.f.
socação s.f.
socadeira s.f.
socadinho s.m.
socado adj. s.m.
socador (*ô*) adj. s.m.
socadura s.f.
socairo s.m.
socalcado adj.
socalcar v.
socalco s.m.
socamento s.m.
socamirinense adj. s.2g.
socancra adj. s.2g.; na loc. *à socancra*
socantã s.f.
socão adj.
socapa s.f.
socar v.
socarnes s.m.2n.
socarrão adj. s.m.; f. *socarrona*
socarrona adj. s.f. de *socarrão*
socata s.f.
socate s.m.
socava s.f.
socavado adj.
socavamento s.m.
socavanco s.m.
socavanense adj. s.2g.
socavão s.m.
socavar v.
sochantrado s.m.
sochantraria s.f.
sochantre s.m.
sochantrear v.
sochantria s.f.
sócia s.f.
sociabilidade s.f.
sociabilização s.f.
sociabilizado adj.
sociabilizador (*ô*) adj.
sociabilizante adj.2g.
sociabilizar v.
sociabilizável adj.2g.
social adj.2g. s.f.
social-democracia s.f.; pl. *sociais-democracias*
social-democrata adj. s.2g.; pl. do adj. *social-democratas*; pl. do s. *sociais-democratas*
social-democrático adj. s.m.; pl. do adj. *social-democráticos*; pl. do s. *sociais-democráticos*
social-econômico adj.; pl. *social-econômicos*
socialidade s.f.
socialismo s.m.
socialista adj. s.2g.
socialístico adj.
socialitário adj.
socialização s.f.
socializado adj.
socializador (*ô*) adj. s.m.
socializante adj. s.2g.
socializar v.
socializável adj.2g.
social-patriota adj. s.2g.; pl. do adj. *social-patriotas*; pl. do s. *sociais-patriotas*
social-patriótico adj.; pl. *social-patrióticos*
social-patriotismo s.m.; pl. *sociais-patriotismos*
sociativo adj.
sociauxia (*cs*) s.f.
sociável adj.2g. s.f.
socieconomia s.f.
socieconômico adj.
socieconomismo s.m.
socieconomista adj. s.2g.
socieconomístico adj.
sociedade s.f.
sociedadense adj. s.2g.
sociergia s.f.
societariado s.m.
societário adj. s.m.
socinado adj.
socinianismo s.m.
sociniano adj. s.m.
sócio adj. s.m.
sociobiologia s.f.
sociobiológico adj.
sociocida adj. s.2g.
sociocracia s.f.
sociocrático adj.
sociocultura s.f.
sociocultural adj.2g.
socioculturalização s.f.
socioculturalizar v.
sociodrama s.m.
socioeconomia s.f.
socioeconômico adj.
socioeconomismo s.m.
socioeconomista adj. s.2g.
socioeconomístico adj.
sociofamília s.f.
sociofamiliar adj.2g.
sociofamiliaridade s.f.
sociofilia s.f.
sociófilo s.m.
sociofobia s.f.
sociófobo s.m.
sociogenético adj.
sociogenia s.f.
sociogênico adj.
sociogeografia s.f.
sociogeográfico adj.
sócio-gerente s.m.; pl. *sócios-gerentes*
sociografia s.f.
sociográfico adj.
sociograma s.m.
sociojurídico adj.
sociolatria s.f.
sociolátrico adj.
sociolinguista (*ü*) adj. s.2g.
sociolinguística (*ü*) s.f.
sociolinguístico (*ü*) adj.
sociologia s.f.
sociológico adj.
sociologismo s.m.
sociologista adj. s.2g.
sociologístico adj.
sociólogo s.m.
sociologuês s.m.
sociometria s.f.
sociométrico adj.
sociopático adj.
sociopolítica s.f.
sociopolítico adj.
socioprofissional adj.2g.
sociopsicogenia s.f.
sociopsicogênico adj.
sociopsicologia s.f.
sociopsicológico adj.
sociopsicólogo s.m.
sociotaráctico adj.
sociotaraxia (*cs*) s.f.
sociotaráxico (*cs*) adj.
sociotecnia s.f.
sociotécnica s.f.
sociotécnico adj.
soclo (*ô*) s.m.
soclopé s.m.
soco s.m. "tamanco", etc.; cf. *soco* (*ô*) s.m. e *socó*
soco (*ô*) s.m. "murro"; cf. *soco* s.m., fl. do v. *socar*, e *socó*
socó s.m. "ave"; cf. *soco* s.m., fl. do v. *socar*, e *soco* (*ô*)
socó-azul s.m.; pl. *socós-azuis*
socó-beija-flor s.m.; pl. *socós-beija-flor*
socó-boi s.m.; pl. *socós-boi* e *socós-bois*
soçobra s.f.
soçobrado adj.
soçobrador (*ô*) adj.
soçobramento s.m.
soçobrar v.
soçobrável adj.2g.
socobreta (*ê*) s.f.
soçobro (*ô*) s.m.; cf. *soçobro*, fl. do v. *soçobrar*
soçoca s.f.
soçocar v.
sococó s.m.
socoçoco s.m.
socó-criminoso s.m.; pl. *socós-criminosos*
socó-de-bico-largo s.m.; pl. *socós-de-bico-largo* e *socós-de-bicos-largos*
socó-dorminhoco s.m.; pl. *socós-dorminhocos*
socó-estudante s.m.; pl. *socós-estudantes*
socó-grande s.m.; pl. *socós-grandes*
socoí s.m.
soco-inglês s.m.; pl. *socos-ingleses*
socoí-vermelho s.m.; pl. *socoís-vermelhos*
socol s.m.
socolhedor (*ô*) s.m.
socolipé s.m.
socolovita s.f.
socó-mirim s.m.; pl. *socós-mirins*
socopé s.m.
socopo s.m.
socórdia s.f.
socornar v.
socoró s.m.
socorozeiro s.m.
socorredor (*ô*) adj. s.m.
socorrense adj. s.2g.
socorrer v.
socorrido adj. s.m.
socorrimento s.m.
socorrista s.2g.
socorro (*ô*) s.m. interj.; pl. (*ó*)
socos da rainha s.m.pl.
socoto s.m.
socotori adj. s.2g.
socotorino adj. s.m.
socotri adj. s.2g.
socotrino adj. s.m.
socová s.m.
socovão s.m.
socó-vermelho s.m.; pl. *socós-vermelhos*
socozinho s.m.
socrar s.m.
socrático adj. s.m.
socratismo s.m.
socratizar v.
socrestação s.f.
socrestar v.
socresteiro s.m.
socresto s.m.
socume s.m.
soda s.f.
sodado adj.
sodagar s.m.
sodaíta s.f.
sodaíte s.f.
sodaíto s.m.
sodalício s.m.
sodalita s.f.
sodalite s.f.
sodalítico adj.
sodalito s.m.
sodamargarita s.f.
sodamida s.f.
sodamídico adj.
sodamina s.f.
sodar v. s.m.
sodatol s.m.
soddita s.f.
sodiautunita s.f.
sódico adj.
sódio adj. s.m.
sodiobetpakdalita s.f.
sodita s.f.
sodite s.f.
sodiuranospinita s.f.
sodoku s.m.
sodomia s.f.
sodômico adj.
sodomita adj. s.2g.
sodomítico adj.
sodomitismo s.m.
sodomizar v.
sodra s.f.
sodrelandense adj. s.2g.
sodrelandiense adj. s.2g.
sodrelandino adj. s.m.
sodreliense adj. s.2g.
soemmeríngea s.f.
soenga s.f.
soer v.
soerguer v.
soerguido adj.
soerguimento s.m.
soestamento s.m.
soestro adj.
soez (*ê*) adj.2g.
soezice s.f.
sofá s.m.
sofá-bicama s.m.; pl. *sofás-bicama* e *sofás-bicamas*
sofá-cama s.m.; pl. *sofás-cama* e *sofás-camas*
sofá de arrastro s.m.
sofalense adj. s.2g.
sofá-rasteiro s.m.; pl. *sofás-rasteiros*
sofenha s.f.
sofenho adj. s.m.
sofeno adj. s.m.
sofia s.f.
sofia-dos-cirurgiões s.f.; pl. *sofias-dos-cirurgiões*
sofisma s.m.
sofismação s.f.
sofismado adj.
sofismador (*ô*) adj. s.m.
sofismar v.
sofismável adj.2g.
sofista adj. s.2g.
sofistaria s.f.
sofisteira s.f.
sofística s.f.
sofisticação s.f.
sofisticado adj.
sofisticador (*ô*) adj. s.m.
sofisticante adj.2g.
sofisticar v.
sofisticaria s.f.
sofisticável adj.2g.
sofístico adj.; cf. *sofistico*, fl. do v. *sofisticar*
sofistiquice s.f.
sofito s.m.
soflagem s.f.
soflagrante s.m.
sofocarpina s.f.
sofocliano adj.
sofolié s.m.
sofomania s.f.
sofomaníaco adj. s.m.
sofômano adj. s.m.
sófora s.f.
soforamina s.f.
soforar v.
sofórea s.f.
sofóreo adj.
soforetina s.f.
soforidrina s.f.
soforim s.m.
soforina s.f.
sofralda s.f.
sofraldado adj.
sofraldar v.
sofraldeca s.f.
sofrê s.m.
sofreada s.f.
sofreado adj.
sofreador (*ô*) adj. s.m.
sofreadura s.f.
sofreamento s.m.
sofreante adj.2g.
sofrear v.
sofreável adj.2g.
sofredor (*ô*) adj. s.m.
sofregar v.
sôfrego adj.
sofreguice s.f.
sofreguidão s.f.
sofreio s.m.
sofrenaço s.m.
sofrenada s.f.
sofrenado adj.
sofrenão s.m.
sofrenar v.
sofrença s.f.
sofrente adj. s.2g.
sofrer v. s.m.
sofreu s.m.
sofríbil adj.2g.
sofribilidade s.f.
sofrideira s.f.
sofrido adj.
sofrimento s.m.
sofrível adj.2g. s.m.
sofrologia s.f.
sofrológico adj.
sofrônia s.f.
sofrônica s.f.
sofronista s.m.
sofronistério s.m.
sofronita s.f.
sofronite s.f.
sofronitela s.f.
sofrósina s.f.
soga s.f.
sogabano s.m.
sogaço s.m.
sogar v.
sogata s.f.
sogdiano adj. s.m.
sogdianovita s.f.
sogiôncio adj. s.m.
sogonídeo adj. s.m.

sogra s.f.
sograr v.
sogro (*ô*) s.m.; cf. *sogro*, fl. do v. *sograr*
soguá s.m.
soguaguá s.m.
sogueiro s.m.
soguilha s.f.
sohngeíta s.f.
soído s.m.
soieira s.f.
soiéria s.f.
soila s.f.
soim s.m.
soíma s.f.
soiona adj. s.2g.
soiosa adj. s.2g.
soiota adj. s.2g.
soiote adj. s.2g.
soioto-samoiedo adj.; pl. *soioto-samoiedos*
soito s.m.
soja s.f.
soja-de-grãos-amarelos s.f.; pl. *sojas-de-grãos-amarelos*
soja-de-grãos-pretos s.f.; pl. *sojas-de-grãos-pretos*
sojicultura s.f.
sojicultural adj.2g.
sojigador (*ô*) adj. s.m.
sojigamento s.m.
sojigar v.
sojoada s.f.
sojugar v.
sokolovita s.f.
sol s.m.
sola s.f.
solacada s.f.
solação s.f.
solaçar v.
solaçoso (*ô*) adj.; f. (*ó*); pl. (*ó*)
solada s.f.
solado adj. s.m.
solador (*ô*) s.m.
solagem s.f.
solais adj.2g.2n. s.m.2n.
solama s.f.
solanácea s.f.
solanáceo adj.
solancar v.
solanco s.m.
solandra s.f.
solandre s.m.
solandro s.m.
solânea s.f.
solaneense adj. s.2g.
solaneína s.f.
solanense adj. s.2g.
solâneo adj.
solangustina s.f.
solanidina s.f.
solanina s.f.
solanínea s.f.
solanínico adj.
solano s.m.
solano-da-carolina s.m.; pl. *solanos-da-carolina*
solanômetro s.m.
solanopse s.f.
solante adj. s.2g.
solão s.m.
solapa s.f.
solapado adj.
solapador (*ô*) adj. s.m.
solapamento s.m.
solapão s.m.
solapar v.
solapo s.m.
solar v. adj.2g. s.m.
solarengo adj. s.m.
solaria s.f.
solariano adj. s.m.
solarígrafo s.m.
solariídeo adj. s.m.
solarímetro s.m.
solarina s.f.
solário adj. s.m.
solarização s.f.
solarizar v.
solarômetro s.m.
solaroso (*ô*) adj.; f. (*ó*); pl. (*ó*)
sola-sapato s.m.; pl. *solas-sapato* e *solas-sapatos*
solasela s.m.
solaselídeo adj. s.m.
solasodina s.f.
solasonina s.f.
soláster s.m.
solasterídeo adj. s.m.
solasteríneo adj. s.m.
solatubina s.f.
solau s.m.
solauricidina s.f.
solauricina s.f.
solavancação s.f.
solavancado adj.
solavancante adj.2g.
solavancar v.
solavanco s.m.
solaz adj.2g. s.m.
solazar v.
solcris s.m.
solda s.f.
soldabilidade s.f.
sol-da-bolívia s.m.; pl. *sóis-da-bolívia*
solda-branca s.f.; pl. *soldas-brancas*
soldada s.f.
soldadeira s.f.
soldadeiro adj. s.m.
soldadesca (*ê*) s.f.
soldadesco (*ê*) adj.
soldado adj. s.m.
soldado-do-bico-preto s.m.; pl. *soldados-do-bico-preto*
soldado-pago s.m.; pl. *soldados-pagos*
soldador (*ô*) adj. s.m.
soldadora (*ô*) s.f.
soldadura s.f.
soldagem s.f.
soldanela s.f.
soldanela-d'água s.f.; pl. *soldanelas-d'água*
soldanelina s.f.
soldânia s.f.
soldante adj.2g.
soldão s.m.
soldar v.
solda-real s.f.; pl. *soldas-reais*
sol das almas s.m.
soldável adj.2g.
sol de gata s.m.
soldevilha s.f.
soldo (*ô*) s.m.; cf. *soldo*, fl. do v. *soldar*
soldra s.f.
soldura s.f.
soldúrio s.m.
sole s.m. "ave"; cf. *solé*
solé s.m. "peixe"; cf. *sole*
sólea s.f.
soleada adj. s.2g.
solear v. adj.2g. s.m.
solecar v.
solecismo s.m.
solecista adj. s.2g.
solecístico adj.
solecizar v.
soleçole s.m.
solecurta s.f.
solecurto s.m.
soledade s.f.
soledadense adj. s.2g.
sol e dó s.m.
soleídeo adj. s.m.
soleína s.f.
soleíneo adj. s.m.
soleira s.f.
soleirólia s.f.
solemarense adj. s.2g.
solêmia s.f.
solenáceo adj. s.m.
solenaia s.m.
solenange s.f.
solenanto s.m.
solene adj.2g. s.m.
soleníctia s.f.
soleníctis s.m.2n.
solenidade s.f.
soleníideo adj. s.m.
solênio s.m.
solenióidea s.f.
soleníscia s.f.
solenita s.f.
solenite s.f.
solenização s.f.
solenizado adj.
solenizador (*ô*) adj. s.m.
solenizante adj.2g.
solenizar v.
solenocarpo s.m.
solenocurto s.m.
solenodonte s.m.
solenodontídeo adj. s.m.
solenodontíneo adj. s.m.
solenofaringe s.f.
solenofaringídeo adj. s.m.
solenófora s.f.
solenofórea s.f.
solenófria s.m.
solenogáster adj. s.m.
solenogástrio adj. s.m.
solenogastro adj. s.m.
solenóglifa s.f.
solenoglífico adj.
solenóglifo adj. s.m.
solenoglifodonte adj.2g. s.m.
solenoidal adj.2g.
solenoide (*ó*) adj.2g. s.m.
solenolambro s.m.
solenoma s.m.
solenômia s.m.
solenomoídeo adj. s.m.
solenopse s.m.
solenóptera s.f.
solenosmília s.m.
solenostélio adj.
solenostelo s.m.
solenostema s.m.
solenostêmone s.m.
solenóstoma s.m.
solenostomídeo adj. s.m.
solenóstomo s.m.
solenoteca s.f.
solenotelina s.m.
solentino adj. s.m.
sóleo s.m.
soleotalpa s.f.
solércia s.f.
solerte adj. s.2g.
soles s.m.2n.
soleta (*ê*) s.f.
soletano s.m.
soletração s.f.
soletrado adj.
soletrador (*ô*) adj. s.m.
soletrar v.
soletrável adj.2g.
soletreação s.f.
soletreado adj.
soletrear v.
soletreável adj.
solevação s.f.
solevado adj.
solevamento s.m.
solevantado adj.
solevantar v.
solevar v.
solfa s.f.
solfado adj.
solfar v.
solfatara s.f.
solfatariano adj.
solfatarita s.f.
solfatarite s.f.
solfeado adj.
solfear v.
solfeio s.m.
solfejação s.f.
solfejado adj.
solfejador (*ô*) adj. s.m.
solfejar v.
solfejo (*ê*) s.m.
solferino s.m.
solfista s.2g.
sol-fora s.m.; pl. *sóis-fora*
solha (*ô*) s.f.; cf. *solha*, fl. do v. *solhar*
solha-das-pedras s.f.; pl. *solhas-das-pedras*
solhado adj. s.m.
solhadura s.f.
solha-espinhosa-do-norte s.f.; pl. *solhas-espinhosas-do-norte*
solhão s.m.
solhar v. adj.2g. s.m.
solha-tapa s.f.; pl. *solhas-tapa* e *solhas-tapas*
solheira s.f.
solheiro adj. s.m.
solho (*ô*) s.m.; cf. *solho*, fl. do v. *solhar*
solho-rei s.m.; pl. *solhos-rei* e *solhos-reis*
solhoso (*ô*) adj.; f. (*ó*); pl. (*ó*)
solia s.f.
solias s.f.pl.
solicas s.f.pl.
solicitação s.f.
solicitado adj.
solicitador (*ô*) adj. s.m.
solicitadoria s.f.
solicitante adj. s.2g.
solicitar v.
solicitável adj.2g.
solicitidão s.f.
solícito adj.; cf. *solicito*, fl. do v. *solicitar*
solicitude s.f.
solidade s.f.
solidaginina s.f.
solidago s.f.
solidão s.f.
solidãozense adj. s.2g.
solidar v.
solidariedade s.f.
solidário adj.
solidarismo s.m.
solidarista adj. s.2g.
solidarístico adj.
solidarização s.f.
solidarizado adj.
solidarizador (*ô*) adj.
solidarizante adj.2g.
solidarizar v.
solidarizável adj.2g.
solidéu s.m.
solidez (*ê*) s.f.
solideza (*ê*) s.f.
solidicórneo adj.
solidificação s.f.
solidificado adj.
solidificador (*ô*) adj. s.m.
solidificante adj.2g.
solidificar v.
solidificável adj.2g.
solidismo s.m.
solidista adj. s.2g.
sólido adj. s.m.; cf. *solido*, fl. do v. *solidar*
solidônia s.f.
solidônico adj.
solidônio adj.
solidungulado adj.
solierela s.f.
soliférreo s.m.
solifluxão (*cs*) s.f.
solifluxibilidade (*cs*) s.f.
solifluxional (*cs*) adj.2g.
solifluxionário (*cs*) adj.
solífugo adj. s.m.
soliloquiar v.
solilóquio s.m.; cf. *soliloquio*, fl. do v. *soliloquiar*
soliloquista adj. s.2g.
solima adj. s.2g.
solimão s.m.
sólimo adj. s.m.
solina s.f.
solinate adj. s.2g.
solinhadeira s.f.
solinhado adj. s.m.
solinhar v.
solinho s.m.
sólio s.m.
soliota s.f.
solipa s.f.
solipé s.m.
solípede adj.2g. s.m.
solipsismo s.m.
solipsista adj. s.2g.
solipsístico adj.
solipso adj. s.m.
solisga s.f.
solista adj. s.2g.
solitária s.f.
solitário adj. s.m.
soliticário s.m.
solito adj. "sozinho"; cf. *sólito*
sólito adj. "habitual"; cf. *solito*
solitude s.f.
solitudinense adj. s.2g.
solitudo s.f.
solmarídeo adj. s.m.
sólmaris s.m.2n.
solmisso s.m.
solmização s.f.
solmizado adj.
solmizar v.
solmoneta s.m.
solo adj.2g. s.m.
solo-asfalto s.m.; pl. *solos-asfalto* e *solos-asfaltos*
solobriasa adj. s.2g.
solo-cimento s.m.; pl. *solos-cimento* e *solos-cimentos*
solocoto s.m.
sologáster s.m.
sologastro s.m.
solombra s.f.
solonate adj. s.2g.
solongoíta s.f.
solônis s.f.2n.
solonopolense adj. s.2g.
solonopolitano adj. s.m.
solorina s.f.
solovox (*cs*) s.m.2n.
sol-ponente s.m.; pl. *sóis-ponentes*
sol-pôr s.m.; pl. *sol-pores*
sol-posto s.m.; pl. *sóis-postos*
solpúgido adj. s.m.
sol-quadrado s.m.; pl. *sóis-quadrados*
solquebrar v.
solsticial adj.2g.
solstício s.m.
solta (*ô*) s.f.; cf. *solta*, fl. do v. *soltar*
soltada s.f.
soltado adj.
soltador (*ô*) adj. s.m.
soltamento s.m.
soltar v.
soltável adj.2g.
solteira s.f.
solteirão adj. s.m.; f. *solteirona*
solteirice s.f.
solteirismo s.m.
solteiro adj. s.m.
solteirona adj. s.f. de *solteirão*
soltense adj. s.2g.
solto (*ô*) adj. s.m.; cf. *solto*, fl. do v. *soltar*
soltura s.f.
solubilidade s.f.
solubilíssimo adj. sup. de *solúvel*
solubilização s.f.
solubilizado adj.
solubilizador (*ô*) adj. s.m.
solubilizante adj.2g. s.m.
solubilizar v.
solubilizável adj.2g.
soluçado adj.
soluçante adj.2g.
solução s.f.
solução-tampão s.f.; pl. *soluções-tampão* e *soluções-tampões*
soluçar v. s.m.
solucionabilidade s.f.
solucionado adj.
solucionador (*ô*) adj. s.m.
solucionamento s.m.
solucionante adj.2g.
solucionar v.
solucionável adj.2g.
solucionismo s.m.
solucionista adj. s.2g.
soluço s.m.

soluçoso (*ô*) adj.; f. (*ó*); pl. (*ó*)
solumínio s.m.
solunar adj.2g.
soluntino adj. s.m.
solutivo adj.
soluto adj. s.m.
solutol s.m.
solutreano adj. s.m.
solutrense adj. s.2g.
solúvel adj.2g.
solvabilidade s.f.
solvatabilidade s.f.
solvatação s.f.
solvatado adj.
solvatar v.
solvatável adj.2g.
solvatização s.f.
solvatizar v.
solvato s.m.
solvável adj.2g.
solvência s.f.
solvente adj.2g. s.m.
solveol s.m.
solver v.
solvibilidade s.f.
solvido adj.
solvível adj.2g.
solvólise s.f.
som s.m.
soma s.m.f.
somação s.f.
somada s.f.
somado adj.
somador (*ô*) adj. s.m.
somadora (*ô*) s.f.
somaíta s.f.
somaíte s.f.
somali adj. s.2g.
somaliano adj. s.m.
somaliense adj.2g.
somamento s.m.
somar v.
somascética s.f.
somasco adj. s.m.
somastenia s.f.
somatestesia s.f.
somatestésico adj.
somática s.f.
somático adj.
somaticoesplâncnico adj.
somatismo s.m.
somatista adj. s.2g.
somativo adj.
somatização s.f.
somatizado adj.
somatizador (*ô*) adj.
somatizante adj.2g.
somatizar v.
somatizável adj.2g.
somatoagnosia s.f.
somatoagnósico adj.
somatoagnóstico adj.
somatoblástico adj.
somatoblasto s.m.
somatocela s.f.
somatocélico adj.
somatócito s.m.
somatocrômico adj.
somatocromo adj.
somatodidimia s.f.
somatodidímico adj.
somatodídimo s.m.
somatogênico adj.
somatógeno adj.
somatognosia s.f.
somatognósico adj.
somatognóstico adj.
somatologia s.f.
somatológico adj.
somatologista adj. s.2g.
somatólogo s.m.
somatomamotrofina s.f.
somatomedina s.f.
somatometria s.f.
somatométrico adj.
somatomorfo adj.
somatopagia s.f.
somatopágico adj.
somatópago s.m.
somatoplasma s.m.
somatoplasmático adj.
somatopleura s.f.
somatopsicose s.f.
somatopsicótico adj. s.m.
somatopsíquico adj.
somatória s.f.
somatório adj. s.m.
somatormônio s.m.
somatoscopia s.f.
somatoscópico adj.
somatose s.f.
somatosplâncnico adj.
somatostatina s.f.
somatotipia s.f.
somatotípico adj.
somatótipo s.m.
somatotonia s.f.
somatotônico adj.
somatotopia s.f.
somatotópico adj.
somatótopo s.m.
somatotrídimo s.m.
somatotrofina s.f.
somatotrofínico adj.
somatotrópico adj.
somatotropina s.f.
somatotropínico adj.
somatotropismo s.m.
somatovisceral adj.2g.
somável adj.2g.
sombo s.m.
sombra s.f.
sombração s.f.
sombracho s.m.
sombra-de-azevim s.f.; pl. *sombras-de-azevim*
sombra-de-boi s.f.; pl. *sombras-de-boi*
sombra-de-touro s.f.; pl. *sombras-de-touro*
sombral s.m.
sombrar v.
sombreação s.f.
sombreado adj. s.m.
sombreador (*ô*) adj.
sombreamento s.m.
sombrear v.
sombredo (*ê*) s.m.
sombreia s.f.
sombreira s.f.
sombreira-de-lágrima s.f.; pl. *sombreiras-de-lágrima*
sombreireira s.f.
sombreireiro s.m.
sombreirinho s.m.
sombreirinho-dos-telhados s.m.; pl. *sombreirinhos-dos-telhados*
sombreiro adj. s.m.
sombreiro-dos-telhados s.m.; pl. *sombreiros-dos-telhados*
sombrejado adj.
sombrejar v.
sombrejo (*ê*) s.m.
sombrela s.f.
sombrerita s.f.
sombrerite s.f.
sombrerito s.m.
sombria s.f.
sombria-brava s.f.; pl. *sombrias-bravas*
sombriense adj. s.2g.
sombrífero adj.
sombrinha s.f.
sombrinhas s.f.pl.
sombrio adj. s.m.
sombrografia s.f.
sombrográfico adj.
sombroso (*ô*) adj.; f. (*ó*); pl. (*ó*)
som-direto s.m.; pl. *sons-diretos*
someiro adj. s.m.
somenos adj.2g.2n.
somente adv.
somervilita s.f.
somervilite s.f.
somestesia s.f.
somestésico adj.
sometéria s.m.
som-guia s.m.; pl. *sons-guia* e *sons-guias*
somiê s.m.
somitarro adj.
somite s.f.
somiticar v.
somiticaria s.f.
somítico adj. s.m.; cf. *somitico*, fl. do v. *somiticar*
somitiquice s.f.
somito s.m.
sommaíta s.f.
sommaíte s.f.
somoinita s.f.
somoinite s.f.
somosfera s.f.
sonador (*ô*) adj.
sonaja s.f.
sonal adj.2g. s.m.
sonalha s.f.
sonâmbula s.f.
sonambular v.
sonambulento s.m.
sonambulia s.m.
sonambúlico adj.
sonambulismo s.m.
sonambulista adj. s.2g.
sonambulístico adj.
sonambulizado adj.
sonambulizar v.
sonâmbulo adj. s.m.; cf. *sonambulo*, fl. do v. *sonambular*
sonambuloso (*ô*) adj.; f. (*ó*); pl. (*ó*)
sonância s.f.
sonante adj.2g. s.m.
sonar v. s.m.
sonarento adj.
sonárico adj.
sonata s.f.
sonatina s.f.
sonda s.f. "sondagem"; cf. *sondá*
sondá s.f. "linha de pescar"; cf. *sonda*
sondado adj.
sondador (*ô*) adj. s.m.
sondagem s.f.
sondaia s.f.
sondalita s.f.
sondalito s.m.
sondar v.
sondareza (*ê*) s.f.
sondável adj.2g.
sondeiro s.m.
sondeque s.m.
sondografia s.f.
sondográfico adj.
sondógrafo s.m.
sondra adj. s.2g.
sone s.m.
soneca s.f.
sonega s.f.
sonegabilidade s.f.
sonegação s.f.
sonegado adj. s.m.
sonegador (*ô*) adj. s.m.
sonegamento s.m.
sonegante adj.2g.
sonegar v.
sonegável adj.2g.
sonego (*ê*) s.m.; cf. *sonego*, fl. do v. *sonegar*
soneira s.f.
sonerácia s.f.
soneraciácea s.f.
soneraciáceo adj.
sonerátia s.f.
soneratiácea s.f.
soneratiáceo adj.
sonerila s.f.
sonetada s.f.
sonetado adj.
sonetar v.
sonetaria s.f.
sonetear v.
soneteiro adj. s.m.
sonetilho s.m.
sonetismo s.m.
sonetista adj. s.2g.
sonetístico adj.
soneto (*ê*) s.m.; cf. *soneto*, fl. do v. *sonetar*
sonetófobo s.m.
sonetômano s.m.
sonfóxilo (*cs*) s.m.
songa adj. s.2g. s.f.
songai adj. s.2g. s.m.
songamonga adj. s.2g.
songar s.m.
songati s.m.
songo adj. s.2g.
songororo (*ô*) s.m.
songue s.m.
songuinha adj. s.2g.
sonhação s.f.
sonhado adj.
sonhador (*ô*) adj. s.m.
sonhante adj.2g.
sonhar v. s.m.
sonharento adj.
sonhável adj.2g.
sonhense adj. s.2g.
sonhi s.m.
sonhim s.m.
sonho s.m.
sonhoso (*ô*) adj. s.m.; f. (*ó*); pl. (*ó*)
sonial adj.2g.
sônica s.f.
sonicar v.
sonicéfalo s.m.
sônico adj. s.m.
soniculoso (*ô*) adj.; f. (*ó*); pl. (*ó*)
sonido s.m.
sonidor (*ô*) s.m.
sonífero adj. s.m.
sonificação s.f.
sonificador adj. s.m.
sonificar v.
sonífico adj.
sonifilídeo adj. s.m.
sonigrafia s.f.
sonigráfico adj.
sonígrafo s.m.
sonilogia s.f.
sonilógico adj.
sonílogo s.m.
soniloquência (*ü*) s.f.
soníloquo adj. s.m.
sonínia s.f.
soninqué adj. s.2g.
sonípede adj. s.2g.
sonito s.m.
sonívio adj. s.m.
sonji s.m.
sonnerátia s.f.
sonneratiácea s.f.
sonneratiáceo adj.
sono s.m.
sonofonia s.f.
sonofórmio s.m.
sonografia s.f.
sonográfico adj.
sonógrafo adj. s.m.
sonograma s.m.
sonoite s.f.
sonolear v.
sonolência s.f.
sonolentar v.
sonolento adj. s.m.
sonolita s.f.
sonoluminescência s.f.
sonoluminescente adj.2g.
sonomaíta s.f.
sonomaíte s.f.
sonometria s.f.
sonométrico adj.
sonômetro s.m.
sonoplasta s.2g.
sonoplastia s.f.
sonora s.f.
sonoração s.f.
sonorento adj.
sonoriano adj. s.m.
sonoridade s.f.
sonorífero adj.
sonorização s.f.
sonorizado adj.
sonorizador (*ô*) adj. s.m.
sonorizar v.
sonoro adj.
sonorosidade s.f.
sonoroso (*ô*) adj.; f. (*ó*); pl. (*ó*)
sonose s.f.
sonoteca s.f.
sonotecário adj. s.m.
sonotécnica s.f.
sonotécnico adj.
sonoterapia s.f.
sonoterápico adj.
sonoute s.f.
sono-vigília s.m.; pl. *sonos-vigília e sonos-vigílias*
sônquia s.f.
sonrai adj. s.2g.
sonreia (*é*) s.f.
sonsa s.f.
sonsarrão adj. s.m.; f. *sonsarrona*
sonsarrona adj. s.f. de *sonsarrão*
sonsice s.f.
sonsidade s.f.
sonsidão s.f.
sonso adj. s.m.
sonsonete (*ê*) s.m.
sonsoniche s.f.
sontal s.m.
sontinha s.f.
sontino adj. s.m.
sonto s.m.
sonurno adj.
sopa (*ô*) s.f.
sopada s.f.
sopa de cavalo cansado s.f.
sopa de frade s.f.
sopaina s.2g.
sopanga adj. s.2g.
sopão adj. s.m.
sopapa s.f.
sopapado adj.
sopapar v.
sopapeado adj.
sopapear v.
sopapo s.m.
sope s.m. "base"; cf. *sopé*
sopé s.m. "falda"; cf. *sope*
sopeado adj.
sopeador (*ô*) adj. s.m.
sopeamento s.m.
sopear v. "subjugar"; cf. *sopiar*
sopegar v.
sopeio s.m.
sopeira s.f.
sopeiral adj.2g.
sopeirame s.m.
sopeirão s.m.
sopeirinha s.f.
sopeiro adj. s.m.
sopelão s.m.
sopendo adj.
sopense adj. s.2g.
sopesado adj.
sopesador (*ô*) adj.
sopesagem s.f.
sopesar v.
sopesável adj.2g.
sopeso (*ê*) s.m.; cf. *sopeso*, fl. do v. *sopesar*
sopetarra s.f.
sopeteado adj.
sopetear v.
sopiado adj.
sopiar v. "batizar em casa"; cf. *sopear*
sopilão s.m.
sopilho s.m.
sopista adj. s.2g.
sopita s.f.
sopitação s.f.
sopitado adj.
sopitamento s.m.
sopitar v.
sopitável adj.2g.
sopito adj.
soplo (*ô*) s.m.
sopo (*ô*) adj.
sopontado adj.
sopontadura s.f.
sopontar v.
sopor (*ô*) s.m.
soporado adj. "sonolento"; cf. *supurado*

soporal adj.2g.
soporativo adj. s.m. "soporífero"; cf. *supurativo*
soporífero adj. s.m.
soporífico adj. s.m.
soporizado adj.
soporizador (*ô*) adj. s.m.
soporizar v.
soporoso (*ô*) adj.; f. (*ó*); pl. (*ó*)
soportal s.m.
soprado adj.
soprador (*ô*) adj. s.m.
sopradura s.f.
sopragem s.f.
sopramento s.m.
sopranino adj. s.m.
sopranista s.m.
sopranizado adj.
sopranizar v.
soprano adj. s.m.
soprante adj.2g.
soprão s.m.
soprar v.
sopresa (*ê*) s.f.; cf. *sopresa*, fl. do v. *sopresar*
sopresado adj.; cf. *soprezado*
sopresar v. "apressar"; cf. *soprezar*
soprezado adj.; cf. *sopresado*
soprezar v. "menosprezar"; cf. *sopresar*
soprilho s.m.
soprior (*ô*) s.m.; f. *sopriores*a (*ê*)
soprioresa (*ê*) s.f. de *soprior* (*ô*)
sopro (*ô*) s.m.; cf. *sopro*, fl. do v. *soprar*
sopros (*ô*) s.m.pl.
soproso (*ô*) adj.; f. (*ó*); pl. (*ó*)
sopúbia s.f.
sopuxar v.
soque s.m.
soqueado adj.
soquear v.
soqueira s.f.
soqueiro adj. s.m.
soqueixado adj.
soqueixar v.
soqueixo s.m.
soquense adj. s.2g.
soque-soque s.m.; pl. *soque-soques*
soquete s.f. "meia curta"; cf. *soquete* (*ê*)
soquete (*ê*) s.m. "ferramenta", etc.; cf. *soquete*
soqueteado adj.
soqueteador (*ô*) adj. s.m.
soquetear v.
soqueteiro adj. s.m.
soquidora (*ô*) s.f.
soquinha s.f.
soquir v.
sor (*ô*) s.f.
sora (*ô*) s.f.
sorábio adj. s.m.
sóraco s.m.
soral adj.2g.
soralbumina s.f.
soralbumínico adj.
sorame s.m.
sorantera s.f.
sorapilácea s.f.
sorapiláceo adj.
sorar v.
sorbamida s.f.
sorbária s.f.
sorbato s.m.
sorbicadela s.f.
sorbicado adj.
sorbicar v.
sórbico adj.; cf. *sorbico*, fl. do v. *sorbicar*
sorbina s.f.
sorbinato s.m.
sorbínico adj.
sorbinose s.f.
sorbita s.f.
sorbite s.f.
sorbítico adj.
sorbitol s.m.
sorbitólico adj.
sorbo s.m.
sorbol s.m.
sorbônica s.f.
sorbônico adj.
sorbonista adj. s.2g.
sorbose s.f.
sorbyita s.f.
sorça (*ô*) s.f.
sorção s.f.
sorda (*ô*) s.f.
sordão adj. s.m.
sordária s.f.
sordariácea s.f.
sordariáceo adj.
sordavalita s.f.
sordavalite s.f.
sordavalito s.m.
sordes s.f.pl.
sordície s.f.
sordidez (*ê*) s.f.
sordideza (*ê*) s.f.
sórdido adj.
sorear v.
soredial adj.2g.
soredíifero adj.
sorédio s.m.
soreliano adj.
sorelismo s.m.
sorelista adj. s.2g.
sorelístico adj.
sorelo (*ê*) s.m.
sorema s.f.
sorensenita s.f.
sorete (*ê*) s.m.
soretita s.f.
sórex (*cs*) s.m.; pl. *sórices*
sorfete s.m.
sorga adj. s.2g.
sorgo (*ô*) s.m.
sorgo-açucarado s.m.; pl. *sorgos-açucarados*
sorgo-açucarado-da-china s.m.; pl. *sorgos-açucarados-da-china*
sorgo-branco s.m.; pl. *sorgos-brancos*
sorgo-cafre s.m.; pl. *sorgos-cafres*
sorgo-comum s.m.; pl. *sorgos-comuns*
sorgo-da-china s.m.; pl. *sorgos-da-china*
sorgo-de-alepo s.m.; pl. *sorgos-de-alepo*
sorgo-de-espiga s.m.; pl. *sorgos-de-espiga*
sorgo-de-pincel s.m.; pl. *sorgos-de-pincel*
sorgo-de-vassoura s.m.; pl. *sorgos-de-vassoura*
sorgo-do-açúcar s.m.; pl. *sorgos-do-açúcar*
sorgo-doce s.m.; pl. *sorgos-doces*
sorgo-miúdo s.m.; pl. *sorgos-miúdos*
sorgo-negro-da-áfrica s.m.; pl. *sorgos-negros-da-áfrica*
sorgo-sacarino s.m.; pl. *sorgos-sacarinos*
sorgo-vassoura s.m.; pl. *sorgos-vassoura* e *sorgos-vassouras*
sória s.f.
soriano adj. s.m.
sórice s.m.
soricídeo adj. s.m.
sorículo s.m.
sorídio s.m.
soriela s.m.
sorífero adj.
sorimão adj. s.m.
sorindeia (*é*) s.f.
sorites s.m.2n.
sorítico adj.
sormenho s.m.
sorna (*ô*) adj. s.2g. s.f.; cf. *sorna*, fl. do v. *sornar*
sornar v.
sorneada s.f.
sorneado adj.
sornear v.
sorneiro adj. s.m.
sornice s.f.
sornir v.
sorno (*ô*) adj.
soro s.m. "vegetal"; cf. *soro* (*ô*) e *soró*
soro (*ô*) s.m. "líquido"; cf. *soro* e *soró*
soró s.m. "cigarro de maconha"; cf. *soro* e *soro* (*ô*)
soroaglutinação s.f.
soroaglutinado adj.
soroaglutinina s.f.
soroalbumina s.f.
soroalbumínico adj.
soroanatoxiterapia (*cs*) s.f.
soroanatoxiterápico (*cs*) adj.
soroatenuação s.f.
soroatenuado adj.
sorobacterina s.f.
sorobã s.m.
sorobacterínico adj.
soroca s.f.
sorocabanense adj. s.2g.
sorocabano adj. s.m.
sorocabense adj. s.2g.
sorocabuçu s.m.
sorocarpo s.m.
sorócea s.f.
sorócelis s.m.2n.
sorocó s.m.
sorodiagnóstico adj. s.m.
sorodisco s.m.
soroglobulina s.f.
soroglobulínico adj.
sorogrupo s.m.
soro-homologia s.f.
soro-homológico adj.
soro-homólogo adj. s.m.
sorolhento adj.
sorologia s.f.
sorológico adj.
sorologista adj. s.2g.
sorólogo s.m.
soromenha s.f.
soromenheiro s.m.
soromenho adj. s.m.
soronegativo adj.
soroneutral adj.2g.
soroneutralização s.f.
soroneutralizante adj.2g.
soroneutralizar v.
soroneutralizável adj.2g.
soroneutro adj. s.m.
soronga adj. s.2g.
sorongo adj. s.m.
sorônia s.f.
soropa s.f.
soropositivo adj.
soroprognóstico s.m.
soror (*ô*) s.f.
sóror s.f.
sororal adj.2g.
sororato s.m.
sororiação s.f.
sororicida adj. s.2g.
sororicídio s.m.
sorório adj.
sororó s.m.
sororoca s.f.
sororocamiri s.f.
sororocamirim s.f.
sororocar v.
sororoense adj. s.2g.
sororoquinha s.f.
sororreação s.f.
sororreativo adj.
sorose s.f.
sorosfera s.f.
sorosidade s.f.
sorósio s.m.
soroso (*ô*) adj.; f. (*ó*); pl. (*ó*)
sorospório s.m.
sorossilicático adj.
sorossilicato s.m.
soroterapêutica s.f.
soroterapêutico adj.
soroterapia s.f.
soroterápico adj.
sorotípico adj.
sorótipo s.m.
sorovacinação s.f.
sorovacinado adj.
sorovacinar v.
sorraba s.f.
sorrabado adj.
sorrabar v.
sorraia s.m.
sorraiano adj. s.m.
sorrascado adj.
sorrascadoiro s.m.
sorrascador (*ô*) s.m.
sorrascadouro s.m.
sorrascar v.
sorrasco s.m.
sorrasqueiro s.m.
sorrasquinho s.m.
sorrate s.m.
sorrateado adj.
sorratear v.
sorrateio s.m.
sorrateira s.f.
sorrateiro adj.
sorreição s.f.
sorrelfa adj. s.2g. s.f.
sorrelfar v.
sorrelfo adj.
sorrenar v.
sorrente s.m.
sorretício adj.
sorridelhar v.
sorridência s.f.
sorridenho adj.
sorridente adj.2g.
sorrido adj.
sorrifulgente adj.2g.
sorrir v. s.m.
sorriscado adj.
sorriscar v.
sorriso s.m.
sorrisonho adj.
sorrisoteiro adj. s.m.
sorrobalhadouro s.m.
sorrobalhar v.
sorrobeco s.m.
sorroda s.f.
sorrolho (*ô*) s.m.
sorta s.f.
sortalhão s.m.
sorte s.f.
sorteação s.f.
sorteado adj. s.m.
sorteador (*ô*) adj. s.m.
sorteamento s.m.
sorteante adj. s.2g.
sortear v.
sorte de campo s.f.
sorteio s.m.
sorteiro adj. s.m.
sortela s.f.
sortelha (*ê*) s.f.
sortelhanense adj. s.2g.
sortelhense adj. s.2g.
sortélia s.f.
sortida s.f.
sortido adj. s.m.
sortilégio s.m.
sortílego adj. s.m.
sortilha s.f.
sortimento s.m.
sortir v. "abastecer"; cf. *surtir*
sortista s.2g.
sortudo adj.
sorubiana s.f.
sorubim s.m.
sorubim-barbado s.m.; pl. *sorubins-barbados*
sorubim-caparari s.m.; pl. *sorubins-caparari* e *sorubins-capararis*
sorubim-chicote s.m.; pl. *sorubins-chicote* e *sorubins-chicotes*
sorubim-lima s.m.; pl. *sorubins-lima* e *sorubins-limas*
sorubim-mena s.m.; pl. *sorubins-mena* e *sorubins-menas*
sorubim-pintado s.m.; pl. *sorubins-pintados*
sorubim-pirambubu s.m.; pl. *sorubins-pirambubu* e *sorubins-pirambubus*
soruma s.f.
sorumbático adj. s.m.
sorumbatismo s.m.
sorva (*ô*) s.f.; cf. *sorva*, fl. do v. *sorvar*
sorva-das-caatingas s.f.; pl. *sorvas-das-caatingas*
sorva-de-belém s.f.; pl. *sorvas-de-belém*
sorvado adj.
sorva-do-pará s.f.; pl. *sorvas-do-pará*
sorva-do-peru s.f.; pl. *sorvas-do-peru*
sorva-dos-passarinhos s.f.; pl. *sorvas-dos-passarinhos*
sorva-grande s.f.; pl. *sorvas-grandes*
sorval adj.2g.
sorvalhada s.f.
sorva-pequena s.f.; pl. *sorvas-pequenas*
sorvar v.
sorvático adj.
sorvato s.m.
sorvedela s.f.
sorvediço adj.
sorvedoiro s.m.
sorvedouro s.m.
sorvedura s.f.
sorveira s.f.
sorveira-brava s.f.; pl. *sorveiras-bravas*
sorveira-do-peru s.f.; pl. *sorveiras-do-peru*
sorveira-dos-passarinhos s.f.; pl. *sorveiras-dos-passarinhos*
sorvente adj.2g. s.m.
sorver v.
sorvetaria s.f.
sorvete (*ê*) s.m.
sorvetear v.
sorveteira s.f.
sorveteiro s.m.
sorveteria s.f.
sorvido adj.
sorvierita s.f.
sorvierite s.f.
sorvinha s.f.
sorvível adj.2g.
sorvo (*ô*) s.m.
sosa s.f.
sosane s.m.
sosano s.m.
sósia s.2g.
sosiano adj.
sósibe adj. s.2g.
soslaiar v.
soslaio s.m.
sosmanita s.f.
sóspita s.f.
sospitade s.f.
sospital adj.2g.
sospitar v.
sossega s.m.f.
sossegado adj.
sossegador (*ô*) adj. s.m.
sossega-leão s.m.; pl. *sossega-leões*
sossegamento s.m.
sossegar v.
sossegável adj.2g.
sossego (*ê*) s.m.; cf. *sossego*, fl. do v. *sossegar*
sosseguense adj. s.2g.
sosso (*ô*) adj. s.m.
sostenizar v.
sostra (*ô*) adj. s.f.
sostreiro adj.
sostrejar v.
sostrice s.f.
sostro (*ô*) adj.
sota s.m.f.
sotaã adj. s.2g.
sota-almirante s.m.; pl. *sota-almirantes*

sota-capitânia s.f.; pl. *sota-capitânias*
sota-capitão s.m.; pl. *sota-capitães*
sota-cocheiro s.m.; pl. *sota-cocheiros*
sota-comitre s.m.; pl. *sota-comitres*
sotádeo adj.
sotádico adj.
sota-embaixador s.m.; pl. *sota-embaixadores*
sota-estribeiro s.m.; pl. *sota-estribeiros*
sota-general s.m.; pl. *sota-generais*
sotaina s.m.f.
sotala s.f.
sotalhar v.
sotália s.f.
sota-mestre s.m.; pl. *sota-mestres*
sota-ministro s.m.; pl. *sota-ministros*
sótão s.m.; pl. *sótãos*
sota-patrão s.m.; pl. *sota-patrões*
sota-piloto s.m.; pl. *sota-pilotos*
sota-piloto-mor s.m.; pl. *sota-pilotos-mores*
sota-proa s.m.; pl. *sota-proas*
sotaque s.m.
sotaqueado adj.
sotaquear v.
sota-ventado adj.
sota-ventar v.
sota-venteado adj.
sota-ventear v.
sota-vento s.m.
sota-voga s.m.
soteia (*é*) s.f.
soteiense adj. s.2g.
soteiro adj.
sóter adj.2g.
sotéria s.f.
sotérias s.f.pl.
soteriologia s.f.
soteriológico adj.
soterismo s.m.
soteropolitano adj. s.m.
soterração s.f.
soterrado adj.
soterrador (*ô*) adj. s.m.
soterramento s.m.
soterrâneo adj. s.m.
soterranho adj. s.m.
soterrante adj.2g.
soterrar v.
soterrável adj.2g.
sotérreo adj.
sotesoureiro s.m.
sotia s.f.
sotiacal adj.2g.
sotíaco adj.
sotiate adj. s.2g.
soticapa s.f.
sótnia s.f.
soto s.m.
soto-almirante s.m.; pl. *soto-almirantes*
sotoar s.m.
sotoba s.f.
soto-cacheiro s.m.; pl. *soto-cacheiros*
soto-capitão s.m.; pl. *soto-capitães*
soto-comitre s.m.; pl. *soto-comitres*
soto-embaixador s.m.; pl. *soto-embaixadores*
soto-estribeiro s.m.; pl. *soto-estribeiros*
soto-general s.m.; pl. *soto-generais*
soto-mestre s.m.; pl. *soto-mestres*
soto-ministro s.m.; pl. *soto-ministros*
soto-patrão s.m.; pl. *soto-patrões*
soto-piloto s.m.; pl. *soto-pilotos*
soto-piloto-mor s.m.; pl. *soto-pilotos-mores*
soto-pôr v.
soto-posto (*ô*) adj.; f. (*ó*); pl. (*ó*)
soto-soberania s.f.; pl. *soto-soberanias*
sotrancado adj.
sotrancão adj. s.m.
sotrancar v.
sotranco adj.
sotranqueiro adj. s.m.
sotreta (*ê*) adj. s.2g.
sotroço (*ô*) s.m.
soturnado adj.
soturnar v.
soturnez (*ê*) s.f.
soturnice s.f.
soturnidade s.f.
soturnizado adj.
soturnizar v.
soturno adj. s.m.
souá s.m.
souesita s.f.
souleiécia s.m.
soumansita s.f.
soupicar v.
sourense adj. s.2g.
sourúbea s.f.
sousa s.m.
sousafone s.m.
sousalita s.f.
sousana s.f.
sousaniense adj. s.2g.
sousão s.m.
souseano adj.
souselense adj. s.2g.
sousense adj. s.2g.
sousiano adj.
soutar v.
soutaria s.f.
soutenho adj.
soutense adj. s.2g.
soutinha s.f.
soutinho adj. s.m.
souto s.m.
sova s.m.f.
sovacada s.f.
sovação s.f.
sovaco s.m.
sovadeira s.f.
sovadela s.f.
sovado adj. s.m.
sovador (*ô*) adj. s.m.
sovadura s.f.
sovamento s.m.
sovaqueira s.f.
sovaqueiro adj. s.m.
sovaquete (*ê*) s.m.
sovaquinho adj. s.m.
sovar v.
sovcoz s.m.
sovcoziano adj.
sovela s.f.
sovelada s.f.
sovelado adj.
sovelão s.m.
sovelar v.
sovelaria s.f.
soveleiro s.m.
sovelo s.m.
soventre s.m.
soveral s.m.
sovereira s.f.
sovereiral s.m.
sovereiro s.m.
soverícola adj.2g.
sôvero s.m.
soverter v.
soveta (*ê*) s.f.
soveto (*ê*) s.m.
sovéu s.m.
sovi s.m.
soviete s.m.
soviético adj. s.m.
sovietismo s.m.
sovietista adj. s.2g.
sovietístico adj.
sovietização s.f.
sovietizado adj.
sovietizante adj. s.2g.
sovietizar v.
sovietologia s.f.
sovietológico adj.
sovietologista s.2g.
sovietólogo s.m.
sovina adj. s.2g. s.f.
sovinada s.f.
sovinagem s.f.
sovinar v.
sovinaria s.f.
sovineza (*ê*) s.f.
sovinha s.f.
sovinice s.f.
sovino s.m.
soyéria s.f.
sozal s.f.
sozinho adj.
sozoiodol s.m.
sozoiodolato s.m.
sozoiodólico adj.
spallanzânia s.f.
spangolita s.f.
spaniolita s.f.
spencerianismo s.m.
spencerianista adj. s.2g.
spencerianístico adj.
spenceriano adj.
spencerista adj.2g.
spencerita s.f.
spencerítico adj.
spencita s.f.
spenglerianismo s.m.
spenglerianista adj. s.2g.
spengleriano adj.
spenglério s.m.
sperrylita s.f.
sperssartina s.f.
speziaíta s.f.
spianterita s.f.
spielmânnia s.f.
spigélia s.f.
spigeliácea s.f.
spigeliáceo adj.
spigélia-de-maryland s.f.; pl. *spigélias-de-maryland*
spigelíea s.f.
spigelina s.f.
spinelana s.f.
spinozianismo s.m.
spinozianista adj. s.2g.
spinozianístico adj.
spinoziano adj.
spinozismo s.m.
spinozista adj. s.2g.
spinozístico adj.
spiroffita s.f.
spitzélia s.f.
spurrita s.f.
stadouerato s.m.
stahlianismo s.m.
stahlianista adj. s.2g.
stahlianístico adj.
stahliano adj. s.m.
stainierita s.f.
stakhanovismo s.m.
stakhanovista adj. s.2g.
stalinismo s.m.
stalinista adj. s.2g.
stalinístico adj.
stancariano adj. s.m.
stancarista adj. s.2g.
stanfleldita s.f.
stanleyina s.f.
staringuita s.f.
starkeyita s.f.
starlita s.f.
stasita s.f.
stassfurtita s.f.
staszicita s.f.
statampère s.m.
statcoulomb s.m.
statfarad s.m.
stathenry s.m.
stathouderato s.m.
statohm s.m.
stáudtia s.f.
steadita s.f.
steeleiita s.f.
steelina s.f.
steelita s.f.
steenstrupita s.f.
steigerita s.f.
steinbachnéria s.f.
steinheilita s.f.
steinmannita s.f.
stellerita s.f.
stelznerita s.f.
stendhaliano adj.
stenhuggarita s.f.
stenoniano adj.
stenonita s.f.
stephanita s.f.
sterlingita s.f.
sternbérgia s.f.
sternbergita s.f.
sterniano adj. s.m.
sterretita s.f.
sterryta s.f.
stetefeldita s.f.
stevênia s.f.
stevênsia s.f.
stevensita s.f.
stevensonense adj. s.2g.
stewartita s.f.
stiberita s.f.
stichtita s.f.
stiepelmannita s.f.
stilleíta s.f.
stillwaterita s.f.
stillwellita s.f.
stilpnomélana s.f.
stilpnomelânico adj.
stimpsônia s.f.
stipoverita s.f.
stirlingita s.f.
stishovita s.f.
stistaíta s.f.
stoffertita s.f.
stokésia s.f.
stokesita s.f.
stolzita s.f.
stórmia s.f.
stottita s.f.
strashimerita s.f.
strassburgéria (*gué*) s.f.
strassburgeriácea (*gue*) s.f.
strassburgeriáceo (*gue*) adj.
stratlinguita s.f.
stratopeíta s.f.
stráussia s.f.
straussiano adj. s.m.
strelkinita s.f.
strenguita s.f.
strigovita s.f.
strindbergiano adj.
stringhamita s.f.
stroganowita s.f.
strogonóvia s.f.
stromeyerita s.f.
strunzita s.f.
struverita s.f.
struvita s.f.
stuártia s.f.
studerita s.f.
studtita s.f.
stumpfillita s.f.
sturtita s.f.
sturvenita s.f.
stuzita s.f.
sua pron. f. de *seu*
suã adj. s.f.
suábio adj. s.m.
suabita s.f.
suabite s.f.
suaço s.m.
suaçu s.m.
suaçuá s.m.
suaçuaçu s.m.
suaçuaia s.f.
suaçuapara s.m.
suaçuarana s.f.
suaçubirá s.m.
suaçucaá s.f.
suaçucanga s.m.
suaçuçu s.m.
suaçuetê s.m.
suaçuiense adj. s.2g.
suaçupiranga s.m.
suaçupita s.m.
suaçupucu s.m.
suaçuranense adj. s.2g.
suaçureca s.f.
suaçutinga s.m.
suaçutunga s.m.
suaçuvirá s.m.
suadeira s.f.
suadeiro adj.
suadela s.f.
suadir v.
suadistana s.m.
suado adj.
suadoiro s.m.
suador (*ô*) adj. s.m.
suadouro s.m.
suaíli adj. s.2g.
suaina s.f.
suaja s.f.
suambergite s.f.
suanense adj. s.2g.
suangássana s.m.
suangue s.m.
suanita s.f.
suano adj. s.m.
suante adj.2g.
suão adj. s.m. "vento do sul"; cf. *soão*
suar v.
suarabácti s.m.
suarabáctico adj.
suarda s.f.
suardão adj. s.m.
suare s.m.
suarento adj.
suareziano adj.
suário s.m.
suarismo s.m.
suarista adj. s.2g.
suarístico adj.
suarno adj. s.m.
suaro adj. s.m.
suártzia s.f.
suasão s.f.
suasficássana s.m.
suasivo adj.
suasor (*ô*) adj. s.m.
suasória s.f.
suasório adj.
suástica s.f.
suasticássana s.m.
suástico adj.
suave adj.2g.
suavidade s.f.
suaviloquência (*ü*) s.f.
suaviloquente (*ü*) adj.2g.
suavíloquo adj.
suavização s.f.
suavizado adj.
suavizador (*ô*) adj.
suavizante adj.2g.
suavizar v.
suavizável adj.2g.
suázi adj. s.2g.
suazilandense adj. s.2g.
suazilandês adj. s.m.
suazilandiense adj. s.2g.
subabdominal adj.2g.
subabdominoperitoneal adj.2g.
subabia s.f.
subabo s.m.
subabrangência s.f.
subacada s.f.
subacaule adj.2g.
subacetano s.m.
subacetato s.m.
subacicular adj.2g.
subacidez (*ê*) s.f.
subácido adj.
subacromial adj.2g.
subacromumeral adj.2g.
subadaptado adj.
subaditividade s.f.
subaditivo adj.
subadquirente adj. s.2g.
subadstringente adj.2g.
subaéreo adj.
subafluente s.m.
subafretamento s.m.
subafunilado adj.
subagência s.f.
subagente s.2g.
subagregado adj.
subagudo adj.

subagulha s.f.
subaiense adj. s.2g.
subalado adj.
subalar adj.2g.
subalcaide s.m.
subálgebra s.f.
subalhitos s.m.pl.
subalimentação s.f.
subalimentado adj. s.m.
subalimentar v.
subalínea s.f.
subalpino adj.
subalternação s.f.
subalternado adj.
subalternante adj.2g.
subalternar v.
subalternas s.f.pl.
subalternidade s.f.
subalternização s.f.
subalternizado adj.
subalternizamento s.m.
subalternizar v.
subalterno adj. s.m.
subalugação s.f.
subalugado adj.
subalugador (*ô*) adj. s.m.
subalugar v.
subaluguel s.m.
subaluguer s.m.
subálveo adj. s.m.
subambiental adj.2g.
subambiente adj.2g. s.m.
subambulacrário adj.
subamortecido adj.
subamortecimento s.m.
subamostra s.f.
subamostragem s.f.
subanal adj.2g.
subandar s.m.
subandino adj.
subanel s.m.
subantárctico adj.
subantárctida adj.2g.
subantártico adj.
subantártida adj.2g.
subaórtico adj.
subapenino adj.
subapical adj.2g.
subapicular adj.2g.
subaponeurótico adj.
subaponevrótico adj.
subáptero adj.
subaquático adj.
subáqueo (*ü*) adj.
subaquoso (*ô*) adj.; f. (*ó*); pl. (*ó*)
subará s.m.
subaracajá s.m.
subaracnoideia (*é*) adj. s.f. de *subaracnoideu*
subaracnóideo adj.
subaracnoideu adj. f. *subaracnoideia* (*é*)
subaracnoidite s.f.
subaracnoidítico adj.
subarbóreo adj.
subarbústeo adj.
subarbustivo adj.
subarbusto s.m.
subárctico adj.
subárea s.f.
subareolar adj.2g.
subárido adj.
subaristado adj.
subaristiforme adj.2g.
subarmal s.m.
subarmônico adj.
subarqueado adj.
subarquivista adj. s.2g.
subarrendado adj.
subarrendador (*ô*) adj. s.m.
subarrendamento s.m.
subarrendar v.
subarrendatário adj. s.m.
subarseniato s.m.
subártico adj.
subassinado adj.
subassinar v.
subassíntota s.f.
subasta s.f.
subastação s.f.
subastado adj.
subastar v.
subastragaliano adj.
subatloideia (*é*) adj. f. de *subatloideu*
subatlóideo adj.
subatloideu adj.; f. *subatloideia* (*é*)
subatômico adj.
subatributo s.m.
subaumense adj. s.2g.
subauriculado adj.
subauricular adj.2g.
subauriforme adj.2g.
subave s.f.
subaxilar (*cs*) adj.2g.
subaxoide (*csó*) adj.
subaxoideia (*cs...é*) adj. f. de *subaxoideu* (*cs*)
subaxoideu (*cs*) adj.; f. *subaxoideia* (*cs...é*)
subazotato s.m.
sub-barrocal adj.2g. s.m.
sub-base s.f.
sub-bético adj.
sub-betume s.m.
sub-betuminoso (*ô*) adj.; f. (*ó*); pl. (*ó*)
sub-bibliotecário s.m.
sub-bilabiado adj.
sub-biotipia s.f.
sub-biotípico adj.
sub-biótipo s.m.
sub-borato s.m.
sub-borralho s.m.
sub-boscoso (*ô*) adj.; f. (*ó*); pl. (*ó*)
sub-bosque s.m.
sub-braquial adj.2g. s.m.
sub-braquicéfalo adj.
sub-brigadeiro s.m.
sub-burgo s.m.
subcacuminal adj.2g.
subcalibrado adj.
subcamareiro s.m.
subcampaniço adj.
subcampanulado adj.
subcampeão s.m.
subcampo s.m.
subcantão s.m.
subcapa s.f.
subcapilar adj.2g.
subcapitalização s.f.
subcapitalizado adj.
subcapítulo s.m.
subcapsular adj.2g.
subcarbonato s.m.
subcarbonífero adj.
subcarpático adj.
subcartilaginoso (*ô*) adj.; f. (*ó*); pl. (*ó*)
subcasta s.f.
subcategoria s.f.
subcaudal adj. s.2g.
subcaulescente adj.2g.
subcecal adj.2g.
subcélula s.f.
subcelular adj.2g.
subcensítico adj.
subcentimétrico adj.
subcentral adj.2g.
subcenturião s.m.
subcervical adj.2g.
subcessivo adj.
subcessor (*ô*) s.m.
subchefe s.2g.
subchefia s.f.
subciência s.f.
subciliado adj.
subcilíndrico adj.
subcinerício adj.
subcircular adj.2g.
subcircunscrição s.f.
subclasse s.f.
subclassificação s.f.
subclassificado adj.
subclávia s.f.
subclavicular adj.2g.
subclaviforme adj.2g.
subclávio adj.
subclima s.f.
subclínico adj.
subcloreto (*ê*) s.m.
subcoalescente adj.2g.
subcobertura s.f.
subcoleitor (*ô*) s.m.
subcoloidal adj.2g.
subcomandância s.f.
subcomandante adj. s.2g.
subcomando s.m.
subcomissão s.f.
subcomissário s.m.
subcompartimento s.m.
subcomposto (*ô*) adj.; f. (*ó*); pl. (*ó*)
subconcavidade s.f.
subconcavilíneo adj.
subcôncavo adj.
subconcêntrico adj.
subconcessão s.f.
subconcoide (*ó*) adj.2g.
subconjuntival adj.2g.
subconjuntividade s.f.
subconjuntivo adj.
subconjunto s.m.
subconsciência s.f.
subconsciente adj.2g. s.m.
subconscientizado adj.
subconscientizar v.
subconsolidado adj.
subconsumidor (*ô*) adj. s.m.
subconsumir v.
subconsumo s.m.
subcontíguo adj.
subcontinental adj.2g.
subcontinentalidade s.f.
subcontinente s.m.
subcontingência s.f.
subcontrário adj.
subcontratação s.f.
subcontratado adj.
subcontratador (*ô*) adj. s.m.
subcontratante adj. s.2g.
subcontratar v.
subconvexidade (*cs*) s.f.
subconvexo (*cs*) adj.
subcopo s.m.
subcoracodiano adj.
subcoralíneo adj.
subcordiforme adj.2g.
subcordilheira s.f.
subcoriáceo adj.
subcoriônico adj.
subcórneo adj.
subcoro (*ô*) s.m.
subcorpo (*ô*) s.m.; f. (*ó*); pl. (*ó*)
subcorrente s.f.
subcortical adj.2g.
subcostal adj.2g.
subcotilóideo adj.
subcrepitante adj.2g.
subcrista s.f.
subcristalino adj.
subcrítico adj.
subcrônico adj.
subcrural adj.2g.
subcrustáceo adj.
subcrustal adj.2g.
subcultura s.f.
subcultural adj.2g.
subcume s.m.
subcurador (*ô*) s.m.
subcutâneo adj.
subcutícula s.f.
subcuticular adj.2g.
subcutina s.f.
subcutol s.m.
subdatário s.m.
subdeão s.m.
subdecania s.f.
subdecano s.m.
subdécuplo adj.
subdelegação s.f.
subdelegacia s.f.
subdelegado adj. s.m.
subdelegador (*ô*) adj.
subdelegante adj.2g.
subdelegar v.
subdelegável adj.2g.
subdelirante adj.2g.
subdelirar v.
subdelírio s.m.
subdelta s.m.
subdeltaico adj.
subdeltoide (*ó*) adj.2g.
subdeltoideia (*é*) adj. f. de *subdeltoideu*
subdeltóideo adj.
subdeltoideu adj.; f. *subdeltoideia* (*é*)
subdentado adj.
subdental adj.2g.
subderivação s.f.
subderivado s.m.
subderivante adj. s.2g.
subderivar v.
subdérmico adj.
subdesenvolver v.
subdesenvolvido adj. s.m.
subdesenvolvimento s.m.
subdesértico adj.
subdeserto s.m.
subdeterminação s.f.
subdeterminado adj. s.m.
subdeterminante adj.2g. s.m.
subdiaconato s.m.
subdiaconisa s.f.
subdiácono s.m.
subdiafragmático adj.
subdiagonal adj.2g. s.f.
subdial s.m.
subdialectal adj.2g.
subdialectalismo s.m.
subdialecto s.m.
subdialetal adj.2g.
subdialetalismo s.m.
subdialeto s.m.
subdíptero adj.
subdireção s.f.
subdiretor (*ô*) s.m.
subdiretorado s.m.
subdiretoria s.f.
subdirigido adj.
subdirigir v.
subdisjunção s.f.
subdisjuntivo adj.
subdistinção s.f.
subdistinguir v.
súbdito adj. s.m.
subdividido adj.
subdividir v.
subdivisão s.f.
subdivisionário adj.
subdivisível adj.2g.
subdivisor (*ô*) adj. s.m.
subdivisória s.f.
subdivisório adj.
subdolicocefalia s.f.
subdolicocéfalo adj. s.m.
subdoloso (*ô*) adj.; f. (*ó*); pl. (*ó*)
subdominância s.f.
subdominante adj.2g. s.f.
subdomínio s.m.
subdorsal adj.2g.
subduplo adj. s.m.
subdural adj.2g. s.f.
subecúmena s.f.
subecumênico adj.
subedar s.m.
subeditor (*ô*) s.m.
subeditoria s.f.
subédrico adj.
subedro s.m.
subeio s.m.
subelemento s.m.
subelíptico adj.
subeliscar v.
subelítico adj.
subemenda s.f.
subemendar v.
subemendativo adj.
subemisférico adj.
subemprazado adj.
subemprazador (*ô*) adj. s.m.
subemprazamento s.m.
subemprazar v.
subemprazo s.m.
subempregado adj. s.m.
subempregador (*ô*) adj. s.m.
subempregar v.
subempregável adj.2g.
subemprego (*ê*) s.m.
subempreitada s.f.
subempreitar v.
subempreiteiro s.m.
subendocárdico adj.
subendotelial adj.2g.
subenfeudação s.f.
subenfeudado adj.
subenfiteuse s.f.
subenfiteuta s.2g.
subenfiteuticado adj.
subenfiteuticar v.
subenfitêutico adj.
subentender v. "compreender implicitamente"; cf. *subintender*
subentendido adj. s.m.
subentendimento s.m.
subentendível adj.2g.
subentrante adj.2g.
subenumeração s.f.
subenvasamento s.m.
subenxertar v.
subenxertável adj.2g.
subenxertia s.f.
subenxerto (*ê*) s.m.
subepático adj.
subepicárdico adj.
subepiderme adj.2g.
subepidérmico adj.
subepiglótico adj.
subepígrafe s.f.
subepitelial adj.2g.
subequatorial adj.2g.
subequilateral (*ü*) adj.2g.
súber s.m.
suberal adj.2g. s.m.
suberamato s.m.
suberâmico adj.
suberamida s.f.
suberanilato s.m.
suberanílico adj.
suberanilina s.f.
suberano s.m.
suberato s.m.
subercerina s.f.
suberecto adj.
suberesterol s.m.
subereto adj.
subericerina s.f.
subérico adj.
subericola adj.2g.
subericultor (*ô*) adj. s.m.
subericultura s.f.
suberífago adj. s.m.
suberífero adj.
suberificação s.f.
suberificado adj.
suberificar v.
suberiforme adj.2g.
suberigênico adj.
suberilátex (*cs*) s.m.2n.
suberílico adj.
suberilo s.m.
suberina s.f.
suberinato s.m.
suberínico adj.
suberinização s.f.
suberinizado adj.
suberinizar v.
suberite s.f.
suberitídeo adj. s.m.
suberitíneo adj. s.m.
suberívoro adj.
suberização s.f.
suberizado adj.
suberizar v.
suberizável adj.2g.
suberlátex (*cs*) s.m.2n.
suberoclasta adj.2g.
suberófago adj. s.m.
suberofeloderme s.f.
suberofelodérmico adj.
suberogênese s.f.
suberogenia s.f.
suberogênico adj.
suberoglifia s.f.
suberoglífico adj.
suberografia s.f.
suberográfico adj.
suberoide (*ó*) adj.2g.

suberol s.m.
suberolato s.m.
suberolatria s.f.
suberolátrico adj.
suberólico adj.
suberolina s.f.
suberologia s.f.
suberológico adj.
suberólogo s.m.
suberona s.f.
suberorresina s.f.
suberose s.f.
suberoso (*ô*) adj.; f. (*ó*); pl. (*ó*)
subertano adj. s.m.
subescandente adj.2g.
subescapular adj.2g.
subesclerótico adj.
subesfenoidal adj.2g.
subesfera s.f.
subesférico adj.
subesofagiano adj.
subesofágico adj.
subespacial adj.2g.
subespaço s.m.
subespécie s.f.
subespecificação s.f.
subespecificador (*ô*) adj.
subespecificante adj.2g.
subespecificar v.
subespecificável adj.2g.
subespecificidade s.f.
subespecífico adj.
subespinal adj.2g.
subespinha s.f.
subespinhal adj.2g.
subespinhoso (*ô*) adj.; f. (*ó*); pl. (*ó*)
subesplênico adj.
subespontaneidade s.f.
subespontâneo s.f.
subestabelecer v.
subestabelecido adj.
subestabelecimento s.m.
subestação s.f.
subestaminal adj.2g.
subestelar adj.2g.
subesterco s.m.
subesternal adj.2g.
subestima s.m.
subestimação s.f.
subestimado adj.
subestimar v.
subestomático adj.
subestratosfera s.f.
subestratosférico adj.
subestrutura s.f.
subestrutural adj.2g.
subeuropeia (*é*) adj. s.f. de *subeuropeu*
subeuropeu adj. s.m.; f. *subeuropeia* (*é*)
subexponente adj.2g.
subexponível adj.2g.
subexpor (*ô*) v.
subexposição s.f.
subexpositivo adj.
subexposto (*ô*) adj.; f. (*ó*); pl. (*ó*)
subface s.f.
subfalcado adj.
subfalciforme adj.2g.
subfamília s.f.
subfaríngeo adj.
subfasciculado adj.
subfaturação s.f.
subfaturado adj.
subfaturador (*ô*) adj. s.m.
subfaturamento s.m.
subfaturante adj.2g.
subfaturar v.
subfaturável adj.2g.
subfebril adj.2g.
subfeudatário adj. s.m.
subfeudo s.m.
subfiador (*ô*) s.m.
subfílico adj.
subfiliforme adj.2g.
subfilo s.m.
subfixa (*cs*) s.f.
subfloresta s.f.
subfluvial adj.2g.
subfoliáceo adj.
subfosfato s.m.
subfóssil adj.
subfrênico adj.
subfretado adj.
subfretador (*ô*) adj.
subfretamento s.m.
subfretar v.
subfrontal adj.2g.
subfrutescente adj.2g.
subfusiforme adj.2g.
subgaleria s.f.
subgalhato s.m.
subgelatinoso (*ô*) adj.; f. (*ó*); pl. (*ó*)
subgeminado adj.
subgemíparo adj.
subgenérico adj.
subgênero s.m.
subgerente s.2g.
subgiboso (*ô*) adj.; f. (*ó*); pl. (*ó*)
subgigante adj. s.2g.
subglabro adj.
subglacial adj.2g.
subglacialidade s.f.
subgladinoideia (*é*) adj. f. de *subgladinoideu*
subgladinoideu adj.; f. *subgladinoideia* (*é*)
subglandiforme adj.2g.
subglenoideia (*é*) adj.; f. *subglenoideu*
subglenoideu adj.; f. *subglenoideia* (*é*)
subgloboso (*ô*) adj.; f. (*ó*); pl. (*ó*)
subglobuloso (*ô*) adj.; f. (*ó*); pl. (*ó*)
subglossite s.f.
subglótico adj.
subgovernador (*ô*) s.m.
subgrave adj.2g.
subgravidade s.f.
subgrundação s.f.
subgrupado adj.
subgrupamento s.m.
subgrupar v.
subgrupo s.m.
subguia s.m.
sub-hepático adj.
sub-hidroclorato s.m.
sub-hirsuto adj.
sub-híspido adj.
sub-horizontal adj.2g.
sub-horizonte s.m.
sub-humanidade s.f.
sub-humano adj.
subia s.m.
subictericia s.f.
subictérico adj.
subicular adj.2g.
subículo s.m.
subida s.f.
subideira s.f.
subideiro s.m.
subidense adj. s.2g.
subido adj.
subidoiro s.m.
subidouro s.m.
subidroclorato s.m.
subilíaco adj.
subimaginal adj.2g.
subimago s.f.
subimbricado adj.
subimbrical adj.2g.
subimento s.m.
subinata s.f.
subíndice s.m.
subinfeção s.f.
subinfecção s.f.
subinferior (*ô*) adj.2g.
subinflamação s.f.
subinflamatório adj.
subinguinal adj.2g.
subinquilino s.m.
subinspetor (*ô*) s.m.
subinspetoria s.f.
subinte adj.2g.
subinteiro adj.
subintelecto adj.
subintenção s.f.
subintencional adj.2g.
subintencionalidade s.f.
subintendência s.f.
subintendente adj. s.2g.
subintender v. "ter função de subintendente"; cf. *subentender*
subintervalar adj.2g.
subintervalo s.m.
subintitulado adj.
subintitular v.
subintrante adj.2g.
subinversível adj.2g.
subinvolução s.f.
subiote s.m.
subir v.
subirsuto adj.
subíspido adj.
subisquiático adj.
subitaneidade s.f.
subitâneo adj.
subitário s.m.
subitem s.m.
subiterícia s.f.
subitérico adj.
subiteza (*ê*) s.f.
súbito adj. s.m. adv.
subjacência s.f.
subjacente adj.2g.
subjazer v.
subjeção s.f.
subjecção s.f.
subjeitar v.
subjetivação s.f.
subjetivado adj.
subjetivar v.
subjetividade s.f.
subjetivismo s.m.
subjetivista adj. s.2g.
subjetivístico adj.
subjetivização s.f.
subjetivizado adj.
subjetivizante adj.2g.
subjetivizar v.
subjetivo adj. s.m.
subjugação s.f.
subjugado adj.
subjugador (*ô*) adj. s.m.
subjugante adj.2g.
subjugar v.
subjugável adj.2g.
subjunção s.f.
subjuntiva s.f.
subjuntividade s.f.
subjuntivo adj. s.m.
sublacustre (*sub-la*) adj.2g.
sublamelar (*sub-la*) adj.2g.
sublanceolado (*sub-lan*) adj.
sublanceta (*sub-lancê*) s.f.
sublanoso (*sub-la...ô*) adj.; f. (*ó*); pl. (*ó*)
sublapsarianismo (*sub-lap*) s.m.
sublapsariano (*sub-lap*) adj. s.m.
sublapsário (*sub-la*) s.m.
sublatino (*sub-la*) adj. s.m.
sublegato (*sub-le*) s.m.
sublegenda (*sub-le*) s.f.
subleito (*sub-le*) s.m.
sublenhoso (*sub-le...ô*) adj.; f. (*ó*); pl. (*ó*)
sublevação (*sub-le* ou *su-ble*) s.f.
sublevado (*sub-le* ou *su-ble*) adj.
sublevador (*sub-le* ou *suble...ô*) s.m.
sublevantado (*sub-le*) adj.
sublevantamento (*sub-le*) s.m.
sublevantar (*sub-le*) v.
sublevar (*sub-le* ou *su-ble*) v.
sublício adj.
subligáculo s.m.
subligadura s.f.
subligar s.m.
sublimação s.f.
sublimado adj. s.m.
sublimador (*ô*) adj. s.m.
sublimar v.
sublimativo adj.
sublimatório adj. s.m.
sublimável adj.2g.
sublime adj.2g. s.m.
sublimidade s.f.
subliminal (*sub-li*) adj.2g.
subliminalidade (*sub-li*) s.f.
subliminar (*sub-li*) adj.2g.
subliminaridade (*sub-li*) s.f.
sublimizar v.
sublinear (*sub-li*) adj.2g.
sublinearidade (*sub-li*) s.f.
sublingual (*sub-li*) adj.2g.
sublinguite (*sub-li*) s.f.
sublinha (*sub-li* ou *su-bli*) s.f.
sublinhado (*sub-li* ou *su-bli*) adj.
sublinhador (*sub-li* ou *subli...ô*) adj. s.m.
sublinhar (*sub-li* ou *su-bli*) v.
subliterário (*sub-li*) adj.
subliterato (*sub-li*) s.m.
subliteratura (*sub-li*) s.f.
sublitoral (*sub-li*) adj. s.2g.
sublitorâneo (*sub-li*) adj.
sublobado (*sub-lo*) adj.
sublobulado (*sub-lo*) adj.
sublobular (*sub-lo*) adj.2g.
sublocação (*sub-lo*) s.f.
sublocado (*sub-lo*) adj.
sublocador (*sub-lo...ô*) s.m.
sublocar (*sub-lo*) v.
sublocatário (*sub-lo*) s.m.
sublomba (*sub-lom*) s.f.
sublombada (*sub-lom*) s.f.
sublombar (*sub-lom*) adj.2g.
sublunar (*sub-lu*) adj.2g.
subluxação (*sub-lu*) s.f.
submacicez (*ê*) s.f.
submaciço adj. s.m.
submagistrado s.m.
submamário adj.
submamilar adj.2g.
submandatário s.m.
submandato s.m.
submandibular adj.2g.
submarginal adj.2g.
submarinho adj. s.m.
submarinista adj. s.2g.
submarino adj. s.m.
submata s.f.
submatidez (*ê*) s.f.
submatriz s.f.
submaxilar (*cs*) adj.2g.
submaxilarite (*cs*) s.f.
submaxilite (*cs*) s.f.
submaxilolabial (*cs*) adj.2g.
submaxilonasal (*cs*) adj.2g.
submaxiloparotidiano (*cs*) adj.
submáximo (*ss*) adj.
submediano adj.
submediante s.f.
submédio adj.
submedíocre adj.2g.
submembranoso (*ô*) adj.; f. (*ó*); pl. (*ó*)
submental adj.2g.
submento s.m.
submentoniano adj.
submergência s.f.
submergente adj.2g.
submergido adj.
submergir v.
submergível adj.2g. s.m.
submersão s.f.
submersibilidade s.f.
submersível adj.2g. s.m.
submerso adj.
submersor (*ô*) adj.
submesa (*ê*) s.f.
submeseta (*ê*) s.f.
submetacentricidade s.f.
submetacêntrico adj.
submetacentro s.m.
submetálico adj.
submetedor (*ô*) adj. s.m.
submeter v.
submetido adj.
submetimento s.m.
submétodo s.m.
submetralhadora (*ô*) s.f.
submicroestrutura s.f.
submícron s.m.
submicrônico adj.
submicroscopia s.f.
submicroscópico adj.
subminiatura s.f.
subminiatural adj.2g.
subminiaturização s.f.
subminiaturizado adj.
subminiaturizar v.
subministração s.f.
subministrado adj.
subministrador (*ô*) adj. s.m.
subministrar v.
subministrável adj.2g.
subministro s.m.
submissão s.f.
submissionário s.m.
submissível adj.2g.
submissivo adj.
submisso adj. s.m.
submissor (*ô*) adj. s.m.
submixolídio (*cs*) adj.
submodulador (*ô*) s.m.
submódulo s.m.
submonomiário adj.
submonte s.m.
submonumento s.m.
submoralidade s.f.
submorro (*ô*) s.m.
submucosa s.f.
submucoso (*ô*) adj.; f. (*ó*); pl. (*ó*)
submucronado adj.
submultíplex (*cs*) adj.2g.; pl. *submultíplices*
submultíplice adj.2g.
submúltiplo adj. s.m.
submundo s.m.
submuro s.m.
subnasal adj.2g.
subnegação s.f.
subnegado adj.
subnegador (*ô*) adj. s.m.
subnegamento s.m.
subnegar v.
subnegroide (*ó*) adj.2g.
subnegroidismo s.f.
subnitrato s.m.
subnível s.m.
subnivelação s.f.
subnivelado adj.
subnivelante adj.2g.
subnivelar v.
subnivelável adj.2g.
subnomenclatura s.f.
subnormal adj.2g. s.f.
subnormalidade s.f.
subnota s.f.
subnúcleo s.m.
subnulo adj.
subnutrição s.f.
subnutrido adj.
subnutrir v.
suboccipital adj.2g.
suboceânico adj.
subocrino adj. s.m.
subocular adj.2g.
suboficial s.m.
subofítico adj.
suboleato s.m.
subondulado adj.
subopérculo s.m.
suborbicular adj.2g.
suborbital adj.2g.
suborbitário adj.
subordem s.f.
subordinação s.f.
subordinacionismo s.m.
subordinacionista adj. s.2g.
subordinada s.f.
subordinado adj. s.m.
subordinador (*ô*) adj. s.m.
subordinante adj.2g. s.f.
subordinar v.
subordinatismo s.m.
subordinatista adj. s.2g.
subordinativa s.f.
subordinatividade s.f.
subordinativo adj.
subordinável adj.2g.

subornação s.f.
subornado adj. s.m.
subornador (*ô*) adj. s.m.
subornamento s.m.
subornante adj.2g.
subornar v.
subornável adj.2g.
suborno (*ô*) s.m.; cf. *suborno*, fl. do v. *subornar*
suborralho s.m.
suboscoso (*ô*) adj.; f. (*ó*); pl. (*ó*)
subosque s.m.
subósseo adj.
subovoide (*ó*) adj.2g.
suboxalato (*cs*) s.m.
subóxido (*cs*) s.m.
subpapilar adj.2g.
subpapular adj.2g.
subparagráfico adj.
subparágrafo s.m.
subparalelo adj. s.m.
subparasita adj.2g. s.m.
subparasito adj. s.m.
subparietal adj.2g.
subparnasiano adj.
subparte s.f.
subpartição s.f.
subpartido s.m.
subpatelar adj.2g.
subpeciolado adj.
subpeciolar adj.2g.
subpectíneo adj.
subpediculado adj.
subpedroso (*ô*) adj.; f. (*ó*); pl. (*ó*)
subpeduncular adj.2g.
subpélvico adj.
subpelvínico adj.
subpelviperitoneal adj.2g.
subpenetração s.f.
subpeniano adj.
subpenitenciária s.f.
subpenitenciário adj. s.m.
subpenitencieiro s.m.
subpentagonal adj.2g.
subpentâmero adj.
subpericárdico adj.
subpericárdio adj.
subpericraniano adj.
subperiostal adj.2g.
subperiosteal adj.2g.
subperióstеo adj.
subperióstico adj.
subperitoneal adj.2g.
subperpendicular adj.2g.
subpétreo adj.
subpetroso (*ô*) adj.; f. (*ó*); pl. (*ó*)
subpico s.m.
subplacentar adj.2g.
subpleural adj.2g.
subpoder s.m.
subpolar adj.2g.
subpontuado adj.
subpopulação s.f.
subpor (*ô*) v.
subportadora (*ô*) adj. s.f.
subposto (*ô*) adj.; f. (*ó*); pl. (*ó*)
subpovoado adj.
subpovoamento s.m.
subprefeito s.m.
subprefeitura s.f.
subprefeitural adj.2g.
subprepucial adj.2g.
subpressão s.f.
subprincipal adj.2g.
subprior (*ô*) s.m.
subpriorado s.m.
subprioresa (*ê*) s.f.
subproboscídeo adj.
subprocesso s.m.
subprocurador (*ô*) s.m.
subprocuradoria s.f.
subprodução s.f.
subproduto s.m.
subpromotor (*ô*) s.m.
subprostrado adj.
subprovíncia s.f.
subpubiano adj.
subpúbico adj.
subpujado adj.
subpujar v.
subpulmonar adj.2g.
subquadrado adj.
subquadrífido adj.
subquádruplo adj. s.m.
subquíntuplo adj. s.m.
sub-raça s.f.
sub-racial adj.2g.
sub-raiano adj.
subraji s.f.
sub-ramal s.m.
sub-ramo s.m.
sub-ramoso (*ô*) adj. f. (*ó*); pl. (*ó*)
sub-refeitoreiro s.m.
sub-referendário s.m.
sub-regano s.m.
sub-região s.f.
sub-regional adj.2g.
sub-regionalidade s.f.
sub-regionalismo s.m.
sub-regular adj.2g.
sub-régulo s.m.
sub-reino s.m.
sub-reitor (*ô*) s.m.
sub-reitoria s.f.
sub-remunerado adj.
sub-renascença s.f.
sub-reniforme adj.2g.
sub-repartição s.f.
sub-repassar v.
sub-repasse s.m.
sub-repção s.f.
sub-reptício adj.
sub-resfriado adj.
sub-resfriamento s.m.
sub-resfriar v.
sub-residência s.f.
sub-resinoide (*ó*) adj.2g.
sub-resinoso (*ô*) adj.; f. (*ó*); pl. (*ó*)
sub-resultante adj.2g. s.f.
sub-retangular adj.2g.
sub-retiniano adj.
sub-roda s.f.
sub-rogação s.f.
sub-rogado adj. s.m.
sub-rogador (*ô*) adj. s.m.
sub-rogante adj.2g.
sub-rogar v.
sub-rogativo adj.
sub-rogatória s.f.
sub-rogatório adj.
sub-rogável adj.2g.
sub-rolho (*ô*) s.m.
sub-rostrado adj.
sub-rotina s.f.
sub-rotundo adj.
subsaariano adj.
subsalário s.m.
subsaturado adj.
subscapular adj.2g.
subscrever v.
subscrição s.f.
subscritar v.
subscrito adj. s.m.
subscritor (*ô*) adj. s.m.
subseção s.f.
subsecção s.f.
subsecivo adj.
subsecretariado s.m.
subsecretariar v.
subsecretário s.m.; cf. *subsecretario*, fl. do v. *subsecretariar*
subsecutivo adj.
subseguido adj.
subseguir v.
subseguro s.m.
subselvático adj.
subsemigrupal adj.2g.
subsemigrupo s.m.
subsentido s.m.
subseptado adj.
subsepto adj.
subséptuplo adj. s.m.
subsequência (*ü*) s.f.
subsequenciação (*ü*) s.f.
subsequencial (*ü*) adj.2g.
subsequenciar (*ü*) v.
subsequenciável (*ü*) adj.2g.
subsequente (*ü*) adj.2g. s.m.
subsérie s.f.
subseroso (*ô*) adj.; f. (*ó*); pl. (*ó*)
subserra s.f.
subserrano adj. s.m.
subserrenho adj. s.m.
subserviência s.f.
subserviente adj.2g.
subservir v.
subséssil adj.2g.
subsétuplo adj. s.m.
subsêxtuplo (*es*) adj. s.m.
subsiálico adj.
subsibilante adj.2g.
subsidência (*si*) s.f.
subsidente (*si*) adj.2g.
subsidiado (*si*) adj. s.m.
subsidiar (*si*) v.
subsidiária (*si*) s.f.; cf. *subsidiaria*, fl. do v. *subsidiar*
subsidiário (*si*) adj.
subsídio (*si*) s.m.; cf. *subsidio*, fl. do v. *subsidiar*
subsignano (*si*) adj. s.m.
subsignário (*si*) adj.
subsiles (*si*) s.m.pl.
subsimilar (*si*) adj.2g.
subsimples (*si*) adj.2g.2n.
subsíncrono (*si*) adj.
subsíndico (*si*) s.m.
subsino (*si*) s.m.
subsinuado (*si*) adj.
subsinuoso (*si...ô*) adj.; f. (*ó*); pl. (*ó*)
subsistema (*si*) s.m.
subsistemático (*si*) adj.
subsistêmico (*si*) adj.
subsistência (*si* ou *zi*) s.f.
subsistente (*si* ou *zi*) adj.2g.
subsistir (*si* ou *zi*) v.
subsoberania s.f.
subsoberano s.m.
subsolado adj.
subsolador (*ô*) adj. s.m.
subsoladora (*ô*) s.f.
subsolagem s.f.
subsolamento s.m.
subsolano adj. s.m.
subsolar v. adj.2g.
subsolo s.m.
subsônico adj.
subsorotipia s.f.
subsorotípico adj.
subsorótipo s.m.
subsorteio s.m.
substabelecente adj. s.2g.
substabelecer v.
substabelecido adj. s.m.
substabelecimento s.m.
substaminal adj.2g.
substância s.f.; cf. *substancia*, fl. do v. *substanciar*
substanciação s.f.
substanciado adj.
substanciador (*ô*) adj. s.m.
substancial adj.2g. s.m.
substancialidade s.f.
substancialismo s.m.
substancialista adj. s.2g.
substancialístico adj.
substancializado adj.
substancializador (*ô*) adj.
substancializar v.
substancializável adj.2g.
substanciar v.
substanciário s.m.
substanciável adj.2g.
substancioso (*ô*) adj.; f. (*ó*); pl. (*ó*)
substantificação s.f.
substantificado adj.
substantificante adj.2g.
substantificar v.
substantificável adj.2g.
substantífico adj.
substantivação s.f.
substantivado adj.
substantival adj.2g.
substantivante adj.2g.
substantivar v.
substantivável adj.2g.
substantivo adj. s.m.
substatório adj.
substelar adj.2g.
substitucional adj.2g.
substitucionalidade s.f.
substituição s.f.
substituído adj. s.m.
substituidor (*ô*) adj. s.m.
substituinte adj. s.2g.
substituir v.
substituível adj.2g.
substitutibilidade s.f.
substitutível adj.2g.
substitutividade s.f.
substitutivo adj. s.m.
substituto adj. s.m.
substração s.f.
substrato adj. s.m.
substrução s.f.
substrutura s.f.
subsucessão s.f.
subsulano adj. s.m.
subsulfato s.m.
subsultante adj.2g.
subsultar v.
subsulto s.m.
subsumido adj.
subsumir v.
subsumpção s.f.
subsumpto adj.
subsunção s.f.
subsunto adj.
subsuperficial adj.2g.
subsuperficialidade s.f.
subsuperfície s.f.
subtabulação s.f.
subtalâmico adj.
subtálamo s.m.
subtangente s.f.
subtársico adj.
subtegmal adj.2g.
subtelha (*ê*) s.f.
subtemporal adj.2g.
subtendente adj.2g. s.f.
subtender v.
subtenente s.m.
subtenolina s.f.
subtensa s.f.
subtenso adj.
subtentorial adj.2g.
subtentório adj.
subteoria s.f.
subterfluente adj.2g.
subterfúgio s.m.
subterfugioso (*ô*) adj.; f. (*ó*); pl. (*ó*)
subterfugir v.
subterminal adj.2g.
subterrado adj.
subterrâneo adj. s.m.
subterrar v.
subtérreo adj.
subterritório s.m.
subtetânico adj.
subtetrágono adj.
subtil adj.2g. s.m.
subtileza (*ê*) s.f.
subtilidade s.f.
subtilifoliado adj.
subtilifólio adj.
subtilina s.f.
subtilisina s.f.
subtilização s.f.
subtilizado adj.
subtilizador (*ô*) adj. s.m.
subtilizar v.
subtimpânico adj.
subtípico adj.
subtipo s.m.
subtirano s.m.
subtireoidismo s.m.
subtiroidismo s.m.
subtitular v. adj.2g.
subtítulo s.m.
subtom s.m.
subtonal adj.2g.
subtonalidade s.f.
subtônica s.f.
subtônico adj.
subtotal s.m.
subtotalidade s.f.
subtotalização s.f.
subtotalizado adj.
subtotalizador (*ô*) adj. s.m.
subtotalizar v.
subtração s.f.
subtraendo s.m.
subtraído adj.
subtraidor (*ô*) adj. s.m.
subtrair v.
subtraquismo s.m.
subtraquista adj. s.2g.
subtrativo adj. s.m.
subtrator (*ô*) adj. s.m.
subtriangular adj.2g.
subtribal adj.2g.
subtribo s.f.
subtrigonal adj.2g.
subtrígono adj.
subtríplice adj.2g. s.m.
subtriplo adj. s.m.
subtrocanteriano adj.
subtrocantérico adj.
subtrocantiniano adj.
subtropical adj.2g.
subtubar adj.2g.
subtuberositário adj.
subtutor (*ô*) s.m.
subu s.m.
subúcula s.f.
súbula s.f.
subulado adj.
subulão s.m.
subulária s.f.
subularíea s.f.
subulicórneo adj. s.m.
subulifoliado adj.
subulifólio adj.
subulina s.f.
subulipalpo adj. s.m.
subulípede adj.2g.
subulirrostro adj. s.m.
súbulo s.m.
subulura s.m.
subumanidade s.f.
subumano adj.
subumbilicado adj.
subumbilical adj.2g.
subumbrela s.f.
subumbrelar adj.2g.
subumeral adj.2g.
subungueal adj.2g.
subunguiculado (*ü*) adj.
subungulado adj. s.m.
subunidade s.f.
subunilabiado adj.
subunilateral adj.2g.
subunivocidade s.f.
subunívoco adj.
suburanense adj. s.2g.
suburbanal adj.2g.
suburbanidade s.f.
suburbanização s.f.
suburbanizado adj.
suburbanizador (*ô*) adj.
suburbanizante adj.2g.
suburbanizar v.
suburbanizável adj.2g.
suburbano adj. s.m.
suburbicário adj.
subúrbio s.m.
suburetral adj.2g.
suburgo s.m.
suburitano adj. s.m.
suburra s.f.
subutilitário adj.
subutilização s.f.
subutilizado adj.
subutilizador (*ô*) adj.
subutilizante adj.2g.
subutilizar v.
subutilizável adj.2g.
subutraquismo s.m.
subutraquista adj. s.2g.
subutraquístico adj.
subvaginal adj.2g.
subvale s.m.
subvariância s.f.
subvariante s.f.
subvariedade s.f.
subvassalagem s.f.

subvassalo s.m.
subvenção s.f.
subvencionado adj.
subvencionador (*ô*) adj. s.m.
subvencional adj.2g.
subvencionamento s.m.
subvencionar v.
subvencionável adj.2g.
subvencionismo s.m.
subvencionista adj. s.2g.
subventâneo adj.
subventral adj.2g.
subverbetação s.f.
subverbetado adj.
subverbetar v.
subverbete (*ê*) s.m.
subversão s.f.
subversivo adj. s.m.
subversor (*ô*) adj. s.m.
subvertebral adj.2g.
subvertedor (*ô*) adj. s.m.
subverter v.
subvertido adj.
subvertimento s.m.
subvéspero adj. s.m.
subvespertino adj. s.m.
subvidro s.m.
subvigília s.f.
subvilarejo (*ê*) adj.
subvocal adj.2g.
subvolúvel adj.2g.
subzero s.m.
subzigomático adj.
subzona s.f.
subzonagem s.f.
subzonal adj.2g.
subzonalidade s.f.
suça s.f.
sucado adj.
sucanga s.f.
sução s.f.
sucapé s.m.
sucapúrvaca s.m.
sucar v.
sucará s.m.
sucaré s.m.
sucareiro s.m.
sucaro s.m.
sucássana s.m.
sucasse adj. s.2g.
sucata s.f.
sucatagem s.f.
sucateiro s.m.
sucatinguense adj. s.2g.
sucção s.f.
succinaldeído s.m.
succinamato s.m.
succinâmico adj.
succinamida s.f.
succinaminato s.m.
succinamínico adj.
succinático adj.
succinato s.m.
succínea s.f.
succineídeo adj. s.m.
succinelita s.f.
succinelite s.f.
succinelítico adj.
succíneo adj.
succínico adj.
succinilcolina s.f.
succinilcolínico adj.
succinilo s.m.
succinimida s.f.
succinimídico adj.
succinita s.f.
succinite s.f.
succinítico adj.
súccino s.m.
sucedâneo adj. s.m.
sucedendo s.m.
suceder v.
sucedido adj. s.m.
sucedimento s.m.
sucenturiado adj.
sucessão s.f.
sucessense adj. s.2g.
sucessibilidade s.f.
sucessível adj.2g.
sucessivo adj.
sucesso s.m.
sucessor (*ô*) adj. s.m.
sucessoral adj.2g.
sucessorial adj.2g.
sucessório adj.
sucho s.m. "variedade de chá"; cf. *suxo*
súcia s.f.; cf. *sucia*, fl. do v. *suciar*
suciante adj. s.2g.
suciar v.
suciata s.f.
sucinâmico adj.
sucinamida s.f.
sucinaminato s.m.
sucinamínico adj.
sucinático adj.
sucinato s.m.
sucínea s.f.
sucineídeo adj. s.m.
sucinelite s.f.
sucinelítico adj.
sucíneo adj.
sucínico adj.
sucinilcolina s.f.
sucinilcolínico adj.
sucinilo s.m.
sucinimida s.f.
sucinimídico adj.
sucinita s.f.
sucinite s.f.
sucinítico adj.
súcino s.m.
sucintez (*ê*) s.f.
sucinteza (*ê*) s.f.
sucinto adj.
súcio s.m.; cf. *sucio*, fl. do v. *suciar*
sucisa s.f.
suco s.m.
sucorreia (*é*) s.f.
sucosidade s.f.
sucoso (*ô*) adj.; f. (*ó*); pl. (*ó*)
sucóvia s.f.
sucralfato s.m.
sucrase s.f.
súcrase s.f.
sucrato s.m.
sucre adj.2g. s.m.
sucrioso (*ô*) adj.; f. (*ó*); pl. (*ó*)
sucroalcooleiro adj.
sucrol s.m.
sucroquímica s.f.
sucroquímico adj.
sucrosa s.f.
sucrose s.f.
sucrosuria s.f.
sucrosúria s.f.
sucrosúrico adj.
sucrótico adj.
sucto s.m.
suctória s.f.
suctorial adj.2g.
suctorífero adj. s.m.
suctório adj. s.m.
sucuabo s.m.
suçuaia s.f.
suçuanhense adj. s.2g.
suçuapara s.m.
suçuaparense adj. s.2g.
suçuapita s.m.
suçuarana s.f.
suçuaranense adj. s.2g.
sucuba s.f. "árvore"; cf. *súcuba*
súcuba s.f. "amásia"; cf. *sucuba*
sucubato s.m.
sucubense adj. s.2g.
sucúbico adj.
súcubo adj. s.m.
sucuíba s.f.
suçuiense adj. s.2g.
suculaíta s.f.
suculência s.f.
suculêntea s.f.
suculênteo adj.
suculento adj.
sucumbência s.f.
sucumbido adj.
sucumbimento s.m.
sucumbir v.
sucunduí s.m.
sucupi s.m.
sucupira s.f.
sucupira-amarela s.f.; pl. *sucupiras-amarelas*
sucupira-branca s.f.; pl. *sucupiras-brancas*
sucupiraçu s.f.
sucupira-da-praia s.f.; pl. *sucupiras-da-praia*
sucupira-da-várzea s.f.; pl. *sucupiras-da-várzea*
sucupira-do-campo s.f.; pl. *sucupiras-do-campo*
sucupira-do-cerrado s.f.; pl. *sucupiras-do-cerrado*
sucupira-lisa s.f.; pl. *sucupiras-lisas*
sucupiramirim s.f.
sucupirana s.f.
sucupira-parda s.f.; pl. *sucupiras-pardas*
sucupira-preta s.f.; pl. *sucupiras-pretas*
sucupira-vermelha s.f.; pl. *sucupiras-vermelhas*
sucupirense adj. s.2g.
sucupirina s.f.
sucupirol s.m.
sucureense adj. s.2g.
sucuri s.m.f.
sucurial adj.2g.
sucuriense adj. s.2g.
sucuriju s.f.
sucurijuaçu s.f.
sucurijuba s.f.
sucurijuense adj. s.2g.
sucuriju-tapuia s.f.; pl. *sucurijus-tapuias*
sucuriú s.f.
sucuriúba s.f.
sucuriuense adj. s.2g.
sucurizinhense adj. s.2g.
sucursal adj.2g. s.f.
sucursalista adj. s.2g.
sucuru adj. s.2g. s.m.
sucuruba s.f.
sucuruense adj. s.2g.
sucuruiú s.f.
sucuruiúba s.f.
sucuruju s.f.
sucurujuba s.f.
sucurujuense adj. s.2g.
sucussão s.f.
sucutuba adj.2g.
sucuuba s.f.
sucuuba-pequena s.f.; pl. *sucuubas-pequenas*
sucuubarana s.f.
sucuuba-verdadeira s.f.; pl. *sucuubas-verdadeiras*
sucuuva s.f.
suçuva s.f.
sudação s.f.
sudâmina s.f.
sudâmine s.f.
sudanense adj. s.2g.
sudanês adj. s.m.
sudanofilia s.f.
sudanófilo adj. s.m.
sudante adj.2g.
sudão s.m.
sudar v.
sudário s.m.
sudatório adj.
sudável adj.2g.
sudburyíta s.f.
sudeiro s.m.
sudermanesco (*ê*) adj.
sudermannesco (*ê*) adj.
sudeste adj.2g. s.m.
sudeta (*ê*) s.2g.
sudeto (*ê*) adj.
sudista adj. s.2g.
súdito adj. s.m.
sudoestada s.f.
sudoestado adj.
sudoestar v.
sudoeste adj.2g. s.m.
sudoíta s.f.
sudoração s.f.
sudoral adj.2g.
sudorário adj.
sudorato s.m.
sudorese s.f.
sudorético adj.
sudórico adj.
sudorífero adj. s.m.
sudorificação s.f.
sudorificado adj.
sudorificar v.
sudorífico adj. s.m.
sudorípara s.f.
sudoríparo adj.
sudoroso (*ô*) adj.; f. (*ó*); pl. (*ó*)
sudra s.2g. s.f.
sudro s.m.
sué s.m.
sueca s.f.
suécia s.f.
suécio adj.
sueco adj. s.m.
sueco-dinamarquês adj. s.m.; pl. *sueco-dinamarqueses*
sueco-finlandês adj. s.m.; pl. *sueco-finlandeses*
sueco-gótico adj.; pl. *sueco-góticos*
sueco-norueguês adj.; pl. *sueco-noruegueses*
sueco-russo adj. s.m.; pl. *sueco-russos*
sueda s.f.
suede s.m.
suédea s.f.
suedine s.f.
sueira s.f.
sueltista adj. s.2g.
suessano adj. s.m.
suessão adj. s.m.; f. *suessona*
suessetano adj. s.m.
suessião adj. s.m.; f. *suessiona*
suessiense adj. s.2g.
suessiona adj. s.f. de *suessião*
suessona adj. s.f. de *suessão*
suessoniano adj. s.m.
suessônico adj.
suessulano adj. s.m.
suestada s.f.
suestado adj.
suestar v.
sueste adj.2g. s.m.
suéter s.2g.
sueto (*ê*) s.m.
suetro adj. s.m.
suevo adj. s.m.
suevo-alano adj.; pl. *suevo-alanos*
suevo-godo adj.; pl. *suevo-godos*
suevo-vândalo adj.; pl. *suevo-vândalos*
suezense adj. s.2g.
sufeito adj.
sufenate adj. s.2g.
sufeta s.m.
sufete s.m.
sufetulano adj. s.m.
sufetulense adj. s.2g.
suffolkiano adj. s.m.
sufi s.m.
sufíbulo s.m.
suficiência s.f.
suficiente adj.2g. s.m.
sufídeo adj. s.m.
sufismo s.m.
sufista adj. s.2g.
sufístico adj.
sufita adj. s.2g.
sufítico adj.
sufixação (*cs*) s.f.
sufixado (*cs*) adj.
sufixador (*cs...ô*) adj.
sufixal (*cs*) adj.2g.
sufixar (*cs*) v.
sufixativo (*cs*) adj.
sufixo (*cs*) s.m.
suflado adj.
suflar v.
suflê s.m.
sufocação s.f.
sufocado adj.
sufocador (*ô*) adj. s.m.
sufocamento s.m.
sufocante adj.2g.
sufocar v.
sufocativa s.f.
sufocativo adj.
sufocável adj.2g.
sufoco (*ô*) s.m.
sufolié s.m.
sufolkiano adj. s.m.
sufolquiano adj. s.m.
sufradeira s.f.
sufragado adj.
sufragâneo adj. s.m.
sufragante adj. s.m.
sufragar v.
sufrágio s.m.
sufragismo s.m.
sufragista adj. s.2g.
sufragístico adj.
sufrutescente adj.2g.
sufruticoso (*ô*) adj.; f. (*ó*); pl. (*ó*)
sufufe s.m.
sufumigação s.f.
sufumigado adj.
sufumigante adj.2g.
sufumigar v.
sufumígio s.m.
sufusão s.f.
sugação s.f.
sugado adj.
sugadoiro s.m.
sugador (*ô*) adj. s.m.
sugadouro s.m.
suga-flores s.m.2n.
sugambro adj. s.m.
sugar v.
sugarda s.f.
sugerido adj.
sugeridor (*ô*) adj.
sugerir v.
sugerível adj.2g.
sugesta s.f.
sugestão s.f.
sugestibilidade s.f.
sugestionabilidade s.f.
sugestionado adj.
sugestionador (*ô*) adj. s.m.
sugestionamento s.m.
sugestionante adj.2g.
sugestionar v.
sugestionável adj.2g.
sugestionista adj.2g.
sugestível adj.2g.
sugestivo adj.
sugesto s.m.
sugestor (*ô*) adj. s.m.
sugilação s.f.
sugilado s.f.
sugilar v.
sugilita s.f.
sugo s.m.
sugrivapiteco s.m.
suguiru s.m.
sugumburno s.m.
sui s.m.
suia s.f. "ave"; cf. *suiá*
suiá adj. s.2g. "povo"; cf. *suia*
suíça s.f.
suíças s.f.pl.
suicense dj. s.2g.
suícero adj. s.m.
suicida adj. s.2g.
suicidado adj.
suicidante adj.2g.
suicidar v.
suicídio s.m.
suicidomania s.f.
suicidomaníaco adj. s.m.
suicidômano s.m.
suíço adj. s.m.
suídeo adj. s.m.
suiforme adj.2g.
suil s.m.
suilate adj. s.2g.
suília s.f.
suimanga s.m.
suiná s.f.
suinã s.f.
suinara s.f.
suinaria s.f.
suindá s.f.
suindara s.f.

suindária s.f.
suingue s.m.
suinicida adj. s.2g.
suinicídio s.m.
suinícola adj.2g.
suinicultor (*ô*) s.m.
suinicultura s.f.
suíno adj. s.m.
suinocultor (*ô*) s.m.
suinocultura s.f.
suinofagia s.f.
suinofágico adj.
suinófago s.m.
suinofobia s.f.
suinófobo s.m.
suintina s.f.
suione adj. s.2g.
suiônio adj. s.m.
suiriguaçu s.m.
suiriri s.m.
suiriri-do-campo s.m.; pl. *suiriris-do-campo*
suiruá s.m.
suíte s.m.f.
suízaro adj. s.m.
suja s.f.
sujado adj.
sujador (*ô*) adj. s.m.
sujão adj.; f. *sujona*
sujar v.
sujável adj.2g.
sujeição s.f.
sujeira s.f.
sujeira-do-batista s.f.; pl. *sujeiras-do-batista*
sujeita s.f.
sujeitação s.f.
sujeitado adj.
sujeitador (*ô*) adj. s.m.
sujeitar v.
sujeitável adj.2g.
sujeitinho s.m.
sujeito adj. s.m.
sujeitório s.m.
sujelas s.2g.2n.
sujicé s.f.
sujidade s.f.
sujigado adj.
sujigar v.
sujigola s.f.
sujinada s.f.
sujo adj. s.m.
sujona adj. f. de *sujão*
sujugado adj.
sujugar v.
sukulaíta s.f.
sul adj.2g. s.m.
sula s.m.f.
sulado adj.
sul-africanismo s.m.; pl. *sul-africanismos*
sul-africanista adj. s.2g.; pl. *sul-africanistas*
sul-africano adj. s.m.; pl. *sul-africanos*
sul-alentejano adj. s.m.; pl. *sul-alentejanos*
sul-alvoradense adj. s.m.; pl. *sul-alvoradenses*
sulamba adj. s.2g.
sul-americanismo s.m.; pl. *sul-americanismos*
sul-americanista adj. s.2g.; pl. *sul-americanistas*
sul-americano adj. s.m.; pl. *sul-americanos*
sulamita s.f.
sulamite s.f.
sulancar v.
sulano adj. s.m.
sulão s.m.
sulapeba s.f.
sulaque s.m.
sular v.
sul-arábico adj. s.m.; pl. *sul-arábicos*
sul-asiático adj. s.m.; pl. *sul-asiáticos*
sulaventar v.
sulaventeado adj.
sulaventear v.
sulavento s.m.
sul-bocaiuvense adj. s.2g.; pl. *sul-bocaiuvenses*
sul-caçapavense adj. s.2g.; pl. *sul-caçapavenses*
sul-cachoeirense adj. s.2g.; pl. *sul-cachoeirenses*
sulcado adj.
sulcador (*ô*) adj. s.m.
sulcagem s.f.
sulcamento s.m.
sulcante adj.2g.
sulcar v.
sulcável adj.2g.
sul-caxiense adj. s.2g.; pl. *sul-caxienses*
sulcense adj. s.2g.
sul-centenariense adj. s.2g.; pl. *sul-centenarienses*
sulcífero adj.
sulciforme adj.2g.
sulcipene adj.2g.
sulcirrostro adj.
sulcitano adj. s.m.
sulco s.m.
sul-continental adj.2g.; pl. *sul-continentais*
sul-coreano adj. s.m.; pl. *sul-coreanos*
sul-cruzense adj. s.2g.; pl. *sul-cruzenses*
suldenito s.m.
suleiro adj. s.m.
sul-encruzilhadense adj. s.2g.; pl. *sul-encruzilhadenses*
sulento adj.
sul-esperancense adj. s.2g.; pl. *sul-esperancenses*
sul-estrelense adj. s.2g.; pl. *sul-estrelenses*
sul-europeu adj. s.m.; pl. *sul-europeus*
sulfa s.f.
sulfacetamida s.f.
sulfacetato s.m.
sulfacético adj.
sulfacetilenato s.m.
sulfacetilênico adj.
sulfacetona s.f.
sulfácido s.m.
sulfacrisoidina s.f.
sulfactina s.f.
sulfadiazina s.f.
sulfadiazínico adj.
sulfaguanidina s.f.
sulfaldeído s.m.
sulfaluminático adj.
sulfaluminato s.m.
sulfamato s.m.
sulfamerazina s.f.
sulfametazina s.f.
sulfametiltiazol s.m.
sulfametoxazol (*cs*) s.m.
sulfametoxipiridazina (*cs*) s.f.
sulfâmico adj.
sulfamida s.f.
sulfamidato s.m.
sulfamídico adj.
sulfamidorresistência s.f.
sulfamidorresistente adj.2g.
sulfamidoterapia s.f.
sulfamidoterápico adj.
sulfamilato s.m.
sulfamílico adj.
sulfamilo s.m.
sulfaminato s.m.
sulfamínico adj.
sulfamino s.m.
sulfaminol s.m.
sulfamônio s.m.
sulfanilamida s.f.
sulfanilamido s.m.
sulfanilamidopirimidina s.f.
sulfanilamidopirina s.f.
sulfanilamidotiazol s.m.
sulfanilaminopirazina s.f.
sulfanilato s.m.
sulfanílico adj.
sulfanililguanidina s.f.
sulfanililo s.m.
sulfantimoniato s.m.
sulfantimônico adj.
sulfantimônio adj.
sulfantimonioso (*ô*) adj.; f. (*ó*); pl. (*ó*)
sulfantimonito s.m.
sulfapirazina s.f.
sulfapiridina s.f.
sulfarseniato s.m.
sulfarsênico adj.
sulfarsenieto (*ê*) s.m.
sulfarsenioso (*ô*) adj.; f. (*ó*); pl. (*ó*)
sulfarsenito s.m.
sulfassalazina s.f.
sulfatação s.f.
sulfatado adj.
sulfatador (*ô*) adj. s.m.
sulfatagem s.f.
sulfatar v.
sulfatara s.f.
sulfatariano adj.
sulfatiazol s.m.
sulfatídio s.m.
sulfationte s.m.
sulfatização s.f.
sulfatizado adj.
sulfatizar v.
sulfato s.m.
sulfato-do-campo s.m.; pl. *sulfatos-do-campo*
sulfazido s.m.
sulfemoglobina s.f.
sulfemoglobínico adj.
sulferino adj.
sulfetação s.f.
sulfetado adj.
sulfetadora (*ô*) s.f.
sulfetar v.
sulfetilato s.m.
sulfetílico adj.
sulfeto (*ê*) s.m.; cf. *sulfeto*, fl. do v. *sulfetar*
sulficarbonatação s.f.
sulficarbonatado adj.
sulficarbonatar v.
sulficarbonato s.m.
sulfido s.m.
sulfidrato s.m.
sulfidricado adj.
sulfídrico adj. s.m.
sulfidrila s.f.
sulfidrilo s.m.
sulfidrismo s.m.
sulfidrita s.f.
sulfidrítico adj.
sulfidrometria s.f.
sulfidrométrico adj.
sulfidrômetro s.m.
sulfimida s.f.
sulfina s.f.
sulfinato s.m.
sulfínico adj.
sulfínida adj.2g. s.f.
sulfínide adj.2g. s.f.
sulfinilo s.m.
sulfinização s.f.
sulfino s.m.
sulfinona s.f.
sulfinpirazona s.f.
sulfitação s.f.
sulfitador (*ô*) s.m.
sulfitagem s.f.
sulfitar v.
sulfite adj.2g.
sulfito s.m.
sulfitômetro s.m.
sulfixazol (*cs*) s.m.
sulfo s.m.
sulfoalita s.f.
sulfoalite s.f.
sulfoaluminático adj.
sulfoaluminato s.m.
sulfoantimoneto (*ê*) s.m.
sulfoarsenieto (*ê*) s.m.
sulfoazotado adj.
sulfobactéria s.f.
sulfobase s.f.
sulfóbase s.f.
sulfobásico adj.
sulfobenzoato s.m.
sulfobenzoico (*ó*) adj.
sulfoborita s.f.
sulfobromoftaleína s.f.
sulfocarbamida s.f.
sulfocarbimida s.f.
sulfocarbol s.m.
sulfocarbonato s.m.
sulfocarbônico adj.
sulfocarbonilo s.m.
sulfocarbonismo s.m.
sulfocarbovínico adj.
sulfocianato s.m.
sulfocianeto (*ê*) s.m.
sulfociânico adj.
sulfocianídrico adj.
sulfocianidro s.m.
sulfocianogênio s.m.
sulfocianomato s.m.
sulfocinâmico adj.
sulfocloreto (*ê*) s.m.
sulfoconjugação s.f.
sulfoconjugado adj. s.m.
sulfocortiça s.f.
sulfocrômico adj.
sulfocromito s.m.
sulfocromo s.m.
sulfocuminato s.m.
sulfocumínico adj.
sulfocuprito s.m.
sulfoemoglobina s.f.
sulfoemoglobinemia s.f.
sulfoemoglobinêmico adj.
sulfoestanato s.m.
sulfoéster s.m.
sulfoéter s.m.
sulfofórmio s.m.
sulfofostato s.m.
sulfoglicoproteína s.f.
sulfo-hemoglobina s.f.
sulfo-hemoglobinemia s.f.
sulfo-hemoglobinêmico adj.
sulfoictiolato s.m.
sulfoictiólico adj.
sulfoleato s.m.
sulfolipídeo adj. s.m.
sulfolipídico adj.
sulfolipídio s.m.
sulfomangânico adj.
sulfomargárico adj.
sulfomucina s.f.
sulfona s.f.
sulfonação s.f.
sulfonado adj.
sulfonador (*ô*) adj.
sulfonaftaleico (*é*) adj.
sulfonaftalina s.f.
sulfonal s.m.
sulfonalismo s.m.
sulfonamida s.f.
sulfonamídico adj.
sulfonamido s.m.
sulfonante adj.2g.
sulfonar v.
sulfonato s.m.
sulfonável adj.2g.
sulfoneftaleína s.f.
sulfonetilmetano s.m.
sulfônico adj.
sulfonilo s.m.
sulfonilureia (*é*) s.f.
sulfonilureico (*é*) adj.
sulfônio s.m.
sulfonitrato s.m.
sulfonítrico adj.
sulfonitro s.m.
sulfonoftaleína s.f.
sulforesinato s.m.
sulforicinato s.m.
sulforínico adj.
sulforricinato s.m.
sulfossal s.m.
sulfossalicilato s.m.
sulfossalicílico adj.
sulfosseleneto (*ê*) s.m.
sulfosselenieto (*ê*) s.m.
sulfosselenite s.f.
sulfossideretina s.f.
sulfossulfato s.m.
sulfostanato s.m.
sulfosteatita s.f.
sulfosteatite s.f.
sulfourreia (*é*) s.f.
sulfovinato s.m.
sulfovínico adj.
sulfóxido (*cs*) s.m.
sulfoxila (*cs*) s.f.
sulfoxilático (*cs*) adj.
sulfoxilato (*cs*) s.m.
sulfoxílico (*cs*) adj.
sul-franciscano adj. s.m.; pl. *sul-franciscanos*
sul-francisquense adj. s.2g.; pl. *sul-francisquenses*
súlfur s.m.
sulfurabilidade s.f.
sulfuração s.f.
sulfurado adj.
sulfurador (*ô*) s.m.
sulfurar v.
sulfurária s.f.; cf. *sulfuraria*, fl. do v. *sulfurar*
sulfurável adj.2g.
sulfureira s.f.
sulfúreo adj.
sulfuretação s.f.
sulfuretado adj.
sulfuretador (*ô*) adj. s.m.
sulfuretadora (*ô*) s.f.
sulfuretar v.
sulfureto (*ê*) s.m.
sulfuricina s.f.
sulfúrico adj.
sulfurido adj.
sulfurífero adj.
sulfurila s.m.
sulfurilo s.m.
sulfurina s.f.
sulfurino adj. s.m.
sulfurização s.f.
sulfurizado adj.
sulfurizante adj.2g.
sulfurizar v.
sulfurizável adj.2g.
sulfuroide (*ó*) adj.2g. s.m.
sulfuroso (*ô*) adj.; f. (*ó*); pl. (*ó*)
sulia s.f.
sulídeo adj. s.m.
sul-iemenita adj. s.2g.; pl. *sul-iemenitas*
sulimão s.m.
sulínea s.f.
sulinense adj. s.2g.
sulino adj. s.m.
suliota adj. s.2g.
sulipa adj.2g. s.f.
sulismo s.m.
sulista adj. s.2g.
sulístico adj.
sulivância s.f.
sul-lourencense adj. s.2g.; pl. *sul-lourencenses*
sul-mato-grossense adj. s.2g.; pl. *sul-mato-grossenses*
sul-mimosense adj. s.2g.; pl. *sul-mimosenses*
sul-mineiro adj. s.m.; pl. *sul-mineiros*
sulmonense adj. s.2g.
sul-montalegrense adj. s.2g.; pl. *sul-montalegrenses*
sulo adj.
sul-ocidental adj.2g.; pl. *sul-ocidentais*
sul-oriental adj.2g.; pl. *sul-orientais*
sul-paraibano adj. s.m.; pl. *sul-paraibanos*
sulpiciano adj. s.m.
sul-polar adj.2g.; pl. *sul-polares*
sul-rio-grandense adj. s.2g.; pl. *sul-rio-grandenses*
sul-siberiano adj. s.m.; pl. *sul-siberianos*
sultana s.f. de *sultão*
sultanado s.m.
sultanato s.m.
sultanear v.
sultanesco (*ê*) adj.
sultani s.m.
sultania s.f.
sultânico adj.

sultanim s.m.
sultanina s.f.
sultanino s.m.
sultânio s.m.
sultanismo s.m.
sultão s.m.; f. *sultana*
sultão dos matos s.m.
sulvanita s.f.
sulvanite s.f.
sulvento s.m.
sul-vento s.m.; pl. *sul-ventos*
sul-vietnamita adj. s.2g.; pl. *sul-vietnamitas*
suma s.m.f.
sumaca s.f.
sumagrado adj.
sumagral s.m.
sumagrar v.
sumagre s.m.
sumagre-aromático s.m.; pl. *sumagres-aromáticos*
sumagreira s.f.
sumagreiro s.m.
sumagre-venenoso s.m.; pl. *sumagres-venenosos*
sumalar adj.2g.
sumalário adj.
sumalé s.m.
sumanais s.m.pl.
sumanal s.m.
sumanta s.f.
sumaque s.m.
sumaquinha s.f.
sumaré s.m.
sumaré-de-pedras s.m.; pl. *sumarés-de-pedras*
sumareense adj. s.2g.
sumarengo adj. s.m.
sumarento adj.
sumariação s.f.
sumariado adj.
sumariador (*ô*) adj. s.m.
sumariante adj. s.2g.
sumariar v.
sumariável adj.2g.
sumário adj. s.m.; cf. *sumario*, fl. do v. *sumariar*
sumarização s.f.
sumarizante adj.2g.
sumarizar v.
sumarizável adj.2g.
sumatra s.f.
sumatrino adj. s.m.
sumatriptano s.m.
sumaúma s.f.
sumaúma-bastarda s.f.; pl. *sumaúmas-bastardas*
sumaúma-da-várzea s.f.; pl. *sumaúmas-da-várzea*
sumaúma-do-igapó s.f.; pl. *sumaúmas-do-igapó*
sumaumeira s.f.
sumaumeira-de-macaco s.f.; pl. *sumaumeiras-de-macaco*
sumaumense adj. s.2g.
sumauveira s.f.
sumba s.f.
sumbaia s.f.
sumbamba s.m.f.
sumbaré s.m.
sumbo s.m.
sumbrado adj.
sumbrar v.
sumbul s.m.
sumé s.m.
súmea s.f.
sumeense adj. s.2g.
sumelga s.2g.
sumeniana s.f.
sumeniano adj. s.m.
sumeriano adj. s.m.
sumério adj. s.m.
sumério-ácade adj.2g.; pl. *sumério-ácades*
sumerista adj. s.2g.
sumerso adj.
sumetume s.m.
sumição s.f.
sumicha s.f.
sumicho adj. s.m.
sumiço s.m.
sumidade s.f.
sumideiro s.m.
sumidiço adj.
sumido adj.
sumidoiro s.m.
sumidourense adj. s.2g.
sumidouro s.m.
sumidura s.f.
sumiga s.f.
sumilher s.m.
sumir v.
sumista adj. s.2g.
sumo adj. s.m. "elevado", "suco"; cf. *sumô*
sumô s.m. "luta japonesa"; cf. *sumo*
sumo da cana s.m.
sumoso (*ô*) adj.; f. (*ó*); pl. (*ó*)
sumoterapia s.f.
sumoterápico adj.
sumpção s.f.
sumpto s.m.
sumptualizado adj.
sumptualizar v.
sumptuária s.f.
sumptuário adj.
sumptuosidade s.f.
sumptuoso (*ô*) adj.; f. (*ó*); pl. (*ó*)
súmula s.f.; cf. *sumula*, fl. do v. *sumular*
sumulado adj.
sumular v.
sumulista adj. s.2g.
sumuriense adj. s.2g.
suna s.f.
sunamita adj. s.2g.
sunamite adj. s.2g.
sunção s.f.
sundanês adj. s.m.
sundiusita s.f.
sundo s.m.
sundtita s.f.
sundtite s.f.
sundunga s.f.
sune s.m.
suneisacta s.f.
sunfa s.f.
sunga s.f.
sungação s.f.
sungada s.f.
sungado adj.
sungador (*ô*) adj. s.m.
sungamento s.m.
sungante adj.2g.
sungar v.
sunguiandondo s.m.
sungulandondo s.m.
sungulita s.f.
súnhaca s.m.
sunhacássana s.m.
sunhaçu s.m.
sunisga s.f.
sunisgo adj.
sunismo s.m.
sunita adj. s.2g.
sunto s.m.
suntualizado adj.
suntualizar v.
suntuária s.f.
suntuário adj.
suntuosidade s.f.
suntuoso (*ô*) adj.; f. (*ó*); pl. (*ó*)
sunuco adj. s.m.
sununga s.f.
suolonita s.f.
suome s.m.
suômi s.m.
suor (*ô* ou *ó*) s.m.
suor da cana torta s.m.
suor de alambique s.m.
suovetaurílios s.m.pl.
supedâneo s.m.
supeditação s.f.
supeditado adj.
supeditar v.
supeléctiles s.f.pl.
supenhorado adj.
supenhorar v.
supeno adj. s.m.
superabdução s.f.
superabilidade s.f.
superabundado adj.
superabundância s.f.
superabundante adj.2g.
superabundar v.
superação s.f.
superacidez (*ê*) s.f.
superácido adj.
superacuidade s.f.
superadição s.f.
superado adj.
superador (*ô*) adj. s.m.
superadução s.f.
superaerodinâmica s.f.
superaerodinâmico adj.
superagitado adj.
superagudo adj.
superaguiense adj. s.2g.
superajuntação s.f.
superajuntamento s.m.
superajuntar v.
superajuntável adj.2g.
superalbuminuria s.f.
superalbuminúria s.f.
superalbuminúrico adj. s.m.
superalcalinidade s.f.
superalcalino adj.
superalimentação s.f.
superalimentado adj.
superalimentador (*ô*) s.m.
superalimentar v. adj.2g.
superalimentável adj.2g.
superaltar s.m.
superamortecido adj.
superando adj.
superante adj.2g.
superantimoniato s.m.
superaquecedor (*ô*) s.m.
superaquecer v.
superaquecido adj.
superaquecimento s.m.
superar v.
superárbitro s.m.
superaridez (*ê*) s.f.
superarmamento s.m.
superativado adj.
superativar v.
superatividade s.f.
superatleta s.2g.
superaudível adj.2g.
superautomação s.f.
superautomatização s.f.
superautomatizado adj.
superável adj.2g.
superavitário adj.
superaxilar (*cs*) adj.2g.
superbacia s.f.
superbelo adj.
superbina s.f.
superbíssimo adj. sup. de *soberbo*
superbomba s.f.
superbronze s.m.
superbrotamento s.m.
supercalandra s.f.
supercalandrado adj.
supercalandrar v.
supercalcinado adj.
supercalcinar v.
supercalibre s.m.
supercampeão s.m.
supercampeonato s.m.
supercanhão s.m.
supercapitalização s.f.
supercapitalizado adj.
supercapitalizar v.
supercavitante adj.2g.
superceleste adj.2g.
supercentral adj.2g. s.f.
supercheio adj.
superciência s.f.
supercientífico adj.
superciliar v. adj.2g.
supercílio s.m.; cf. *supercilio*, fl. do v. *superciliar*
supercilioso (*ô*) adj.; f. (*ó*); pl. (*ó*)
supercimento s.m.
supercivilização s.f.
supercivilizado adj. s.m.
supercivilizador (*ô*) adj. s.m.
supercivilizante adj. s.2g.
supercivilizar v.
supercivilizatório adj.
supercivilizável adj.2g.
superclasse s.f.
supercoluna s.f.
supercomissão s.f.
supercompensação s.f.
supercompensado adj.
supercompensador (*ô*) adj.
supercompensante adj.2g.
supercompensar v.
supercompensável adj.2g.
supercompressão s.f.
supercompressor (*ô*) s.m.
superconcentração s.f.
superconcentrado adj. s.m.
superconcentrante adj.2g.
superconcentrar v.
superconcentrável adj.2g.
superconcepção s.f.
supercondução s.f.
supercondutibilidade s.f.
supercondutível adj.2g.
supercondutividade s.f.
supercondutivo adj.
supercondutor (*ô*) adj. s.m.
supercongelação s.f.
superconjunção s.f.
superconsciência s.f.
superconsciente adj.2g. s.m.
superconstrução s.f.
superconstrutivo adj.
supercontinental adj.2g.
supercontinentalidade s.f.
supercontinente s.m.
supercorreção s.f.
supercorrente s.f.
supercorrosão s.f.
supercortiça s.f.
supercostal adj.2g.
supercouraçado adj. s.m.
supercrescente adj.2g.
supercretáceo adj.
supercrítico adj.
supercromático adj.
supercultura s.f.
superdelicadeza (*ê*) s.f.
superdensidade s.f.
superdenso adj.
superdimensionação s.f.
superdimensionado adj.
superdimensionamento s.m.
superdimensionante adj.2g.
superdimensionar v.
superdimensionável adj.2g.
superdinâmico adj.
superdireção s.f.
superdistensão s.f.
superdivindade s.f.
superdivino adj.
superdominância s.f.
superdominante s.f.
superdosagem s.f.
superdose s.f.
superdotado adj. s.m.
superedificação s.f.
superefusão s.f.
superefusividade s.f.
superefusivo adj.
superego s.m.
superelegante adj. s.2g.
superelevação s.f.
superelipse s.f.
superelíptico adj.
supereloquência (*ü*) s.f.
supereloquente (*ü*) adj.2g.
supereminência s.f.
supereminente adj.2g.
superemitron s.m.
supererosão s.f.
supererrogação s.f.
supererrogativo adj.
supererrogatório adj.
superescavamento s.m.
superescola s.f.
superespecialização s.f.
superespetacular adj.2g.
superespetáculo s.m.
superessencial adj.2g.
superestado s.m.
superestável adj.2g.
superestesia s.f.
superestima s.f.
superestimação s.f.
superestimado adj.
superestimar v.
superestrato s.m.
superestrutura s.f.
superestruturação s.f.
superestruturado adj.
superestrutural adj.2g.
superestruturante adj.2g.
superestruturar v.
superestruturável adj.2g.
supereu s.m.
superexagerado (*z*) adj.
superexagerar (*z*) v.
superexagero (*z...ê*) s.m.
superexaltação (*z*) s.f.
superexaltado (*z*) adj.
superexaltador (*z...ô*) adj.
superexaltar (*z*) v.
superexcelência s.f.
superexcelente adj.2g.
superexcitabilidade s.f.
superexcitação s.f.
superexcitado adj.
superexcitante adj.2g.
superexcitar v.
superexcitável adj.2g.
superexcreção s.f.
superexigente (*z*) adj.2g.
superexistir (*z*) v.
superexploração s.f.
superexplorado adj.
superexplorador (*ô*) adj.
superexploramento s.m.
superexplorante adj.2g.
superexplorar v.
superexplorativo adj.
superexploratório adj.
superexplorável adj.2g.
superexplosivo s.m.
superexponente adj.2g.
superexponibilidade s.f.
superexponível adj.2g.
superexpor v.
superexposição s.f.
superexpositivo adj.
superexposto (*ô*) adj.
superextensão s.f.
superfamília s.f.
superfamilial adj.2g.
superfamiliar adj.2g.
superfantasma s.m.
superfaturação s.f.
superfaturado adj.
superfaturador (*ô*) adj. s.m.
superfaturamento s.m.
superfaturar v.
superfaturável adj.2g.
superfecundação s.f.
superfêmino adj.
superfetação s.f.
superfetar v.
superficial adj.2g.
superficialidade s.f.
superficialismo s.m.
superficialização s.f.
superficializado adj.
superficializar v.
superficializável adj.2g.
superficiário adj.
superfície s.f.
superfílico adj.
superfilo s.m.
superfinidade s.f.
superfino adj.
superfísico adj.
superfluidade s.f.
superfluidez (*ê*) s.f.
supérfluo adj. s.m.
superformação s.f.
superformado adj.
superformador (*ô*) adj.
superformante adj.2g.
superformar v.
superformatividade s.f.
superformativo adj.
superformável adj.2g.
superfortaleza (*ê*) s.f.
superfosfatação s.f.

superfosfatado adj.
superfosfatante adj.2g.
superfosfatar v.
superfosfatável adj.2g.
superfosfático adj.
superfosfato s.m.
superfrívolo adj.
superfusão s.f.
supergaláctico adj.
supergaláxia (*cs*) s.f.
supergalgado adj.
supergalgar v.
supergasolina s.f.
supergelado adj.
supergelante adj.2g.
supergelar v.
supergelável adj.2g.
supergelo (*ê*) s.m.; cf. *supergelo*, fl. do v. *supergelar*
supergenérico adj.
supergenia s.f.
supergênico adj.
supérgeno s.m.
supergigante adj. s.2g.
supergrande adj. s.2g.
supergrupal adj.2g.
supergrupo s.m.
super-habilidade s.f.
super-heterodinia s.f.
super-heteródino adj. s.m.
super-hidratação s.f.
super-homem s.m.
super-humanidade s.f.
super-humano adj.
supericonoscópio s.m.
superimpor v.
superimposição s.f.
superimposto (*ô*) adj.; f. (*ó*); pl. (*ó*)
superimpregnação s.f.
superincumbente adj.2g.
superindustrialização s.f.
superindustrializado adj.
superindustrializar v.
superinfecção s.f.
superinteligente adj.2g.
superintendência s.f.
superintendente adj. s.2g.
superintendente-geral s.2g.; pl. *superintendentes-gerais*
superintender v.
superinvalidez (*ê*) s.f.
superinvestidor (*ô*) adj.2n.
superinvestimento s.m.
superinvolução s.f.
superior (*ô*) adj. s.2g. s.m.
superiora (*ô*) s.f.
superiorato s.m.
superior-geral s.m.; pl. *superiores-gerais*
superioridade s.f.
superiorização s.f.
superiorizado adj.
superiorizar v.
superjacente adj.2g.
superjeção s.f.
superjecção s.f.
superlactação s.f.
superlargura s.f.
superlaríngeo adj.
superlateral adj.2g.
superlativação s.f.
superlativado adj.
superlativador (*ô*) adj. s.m.
superlativante adj.2g.
superlativar v.
superlativável adj.2g.
superlatividade s.f.
superlativo adj. s.m.
superletal adj.2g.
superleve adj. s.m.
superliga s.f.
superlírico adj.
superloiro adj.
superloja s.f.
superlotação s.f.
superlotado adj.
superlotar v.
superloteria s.f.
superlotérico adj.
superlouro adj.
superluminoso (*ô*) adj.; f. (*ó*); pl. (*ó*)
superlunar adj.2g.
superlustroso (*ô*) adj.; f. (*ó*); pl. (*ó*)
superluxo s.m.
superluxuoso (*ô*) adj.; f. (*ó*); pl. (*ó*)
supermãe s.f.
supermaxila (*cs*) s.f.
supermaxilar (*cs*) adj.2g. s.m.
supermercado s.m.
supermilionário adj. s.m.
supermobilidade s.f.
supermodulação s.f.
supermonstruoso (*ô*) adj.; f. (*ó*); pl. (*ó*)
supermontanhoso (*ô*) adj.; f. (*ó*); pl. (*ó*)
supermorbidade s.f.
supermortalidade s.f.
supermundo s.m.
supernacional adj.2g.
supernal adj.2g.
supernatalidade s.f.
supernatural adj.2g.
supernaturalidade s.f.
supernaturalismo s.m.
supernaturalista adj. s.2g.
supernaturalístico adj.
superno adj.
supernormal adj. s.2g.
supernova s.f.
supernovo adj.
supernumerário adj. s.m.
supernutrição s.f.
supernutrido adj. s.m.
súpero adj.; cf. *supero*, fl. do v. *superar*
superoanterior adj.2g.
superocupação s.f.
superocupado adj.
superocupante adj.2g.
superocupar v.
superocupável adj.2g.
superoexterior adj.2g.
superointerior adj.2g.
superolateral adj.2g.
superóleo s.m.
superolocular adj.2g.
súpero-ovariado adj.
superopalmar adj.2g.
superoposterior adj.2g.
superordem s.f.
superordenação s.f.
superordenado adj.
superordenar v.
superorgânico adj.
superorganismo s.m.
superorganização s.f.
superosculação s.f.
superossatura s.f.
superovariado adj.
superovulação s.f.
superoxidação (*cs*) s.f.
superoxidado (*cs*) adj.
superoxidar (*cs*) v.
superóxido (*cs*) s.m.
superoxigenação (*cs*) s.f.
superoxigenado (*cs*) adj.
superoxigenar (*cs*) v.
superparticipação s.f.
superparticular adj.2g.
superparticularidade s.f.
superpartiente adj.2g.
superpersonalidade s.f.
superpesado adj. s.m.
superplatônico adj.
superpoliamida s.f.
superpoliamina s.f.
superpopulação s.f.
superpopulado adj.
superpopular v. adj.2g.
superpor v.
superposição s.f.
superpositivo adj.
superposto (*ô*) adj.; f. (*ó*); pl. (*ó*)
superpotência s.f.
superpotencial adj.2g.
superpotencialidade s.f.
superpotente adj.2g.
superpovoado adj.
superpovoamento s.m.
superpovoar v.
superprêmio s.m.
superprodução s.f.
superprodutibilidade s.f.
superprodutível adj.2g.
superprodutividade s.f.
superprodutivo adj.
superproduzido adj.
superproduzir v.
superproteção s.f.
superproteger v.
superpurgação s.f.
superquadra s.f.
super-reação s.f.
super-real adj.2g.
super-realidade s.f.
super-realismo s.m.
super-realista adj. s.2g.
super-realístico adj.
super-realização s.f.
super-realizado adj.
super-realizador adj.
super-realizante adj.2g.
super-realizar v.
super-realizável adj.2g.
super-reatividade s.f.
super-reativo adj.
super-regeneração s.f.
super-regeneratividade s.f.
super-regenerativo adj.
super-requintado adj.
super-resfriado adj.
supérrimo adj. sup. de *súpero*
super-rogação s.f.
supersábio s.m.
supersafra s.f.
supersalgado adj.
supersalino adj.
supersantificar v.
supersargento s.m.
supersaturação s.f.
supersaturado adj.
supersaturante adj.2g.
supersaturar v.
superscópico adj.
superscópio s.m.
superseco (*ê*) adj.
supersecreção s.f.
supersecreto adj.
supersensibilidade s.f.
supersensibilismo s.m.
supersensibilizado adj.
supersensibilizar v.
supersensível adj.2g.
supersensual adj.2g.
supersifilização s.f.
supersimples adj.2g.2n.
supersincrônico adj.
supersíncrono adj.
supersíntese s.f.
supersintético adj.
supersocial adj.2g.
supersólido adj. s.m.
supersom s.m.
supersomativo adj.
supersônico adj.
superstante adj.2g.
superstar v.
superstição s.f.
supersticiosidade s.f.
supersticioso (*ô*) adj. s.m.; f. (*ó*); pl. (*ó*)
supérstite adj. s.2g.
superstratal adj.2g.
superstrato s.m.
superstruir v.
superstrutura s.f.
superstrutural adj.2g.
supersubstancial adj.2g.
supersulfatação s.f.
supersulfatante adj.2g.
supersulfatar v.
supersulfatável adj.2g.
supersulfático adj.
supersulfato s.m.
supertensão s.f.
supertextura s.f.
supertitã s.m.
supertônica s.f.
supertrabalho s.m.
supertuberculinização s.f.
supertuberculização s.f.
supertunical s.f.
superumeral adj.2g. s.m.
superumidade s.f.
superúmido adj.
superurbanismo s.m.
supervacâneo adj.
supervácuo adj.
supervaidade s.f.
supervaidoso (*ô*) adj.; f. (*ó*); pl. (*ó*)
supervalor (*ô*) s.m.
supervalorização s.f.
supervalorizado adj.
supervalorizar v.
supervalorizável adj.2g.
supervelocidade s.f.
supervenção s.f.
superveniência s.f.
superveniente adj.2g.
supervida s.f.
supervigiado adj.
supervigiar v.
supervigilante adj. s.2g.
superviolento adj.
supervisado adj.
supervisador (*ô*) s.m.
supervisão s.f.
supervisar v.
supervisionado adj.
supervisionar v.
supervisor (*ô*) adj. s.m.
supervivência s.f.
supervivente adj. s.2g.
superviver v.
supervolição s.f.
supervolutivo adj.
supervulcanização s.f.
supervulcanizado adj.
supervulcanizar v.
supervulcanizável adj.2g.
supetão s.m.
súpeto adj.
supi s.m.
supiaense adj. s.2g.
supimpa adj.2g.
supimpice s.f.
supinação s.f.
supinador (*ô*) adj. s.m.
supinatório adj.
supino adj. s.m.
suplantação s.f.
suplantado adj.
suplantador (*ô*) adj. s.m.
suplantamento s.m.
suplantar v.
suplantável adj.2g.
suplementação s.f.
suplementar v. adj.2g.
suplementário adj.
suplementável adj.2g.
suplemento s.m.
suplência s.f.
suplente adj. s.2g.
supletivismo s.m.
supletivo adj. s.m.
supletório adj.
súplica s.f.; cf. *suplica*, fl. do v. *suplicar*
suplicação s.f.
suplicado adj. s.m.
suplicador (*ô*) adj. s.m.
suplicamento s.m.
suplicante adj. s.2g.
suplicar v.
suplicativo adj.
suplicatória s.f.
suplicatório adj.
suplicável adj.2g.
súplice adj.2g.
supliciado adj. s.m.
supliciador (*ô*) adj. s.m.
supliciamento s.m.
supliciante adj.2g.
supliciar v.
supliciativo adj.
supliciável adj.2g.
suplício s.m.; cf. *suplicio*, fl. do v. *supliciar*
suplícios s.m.pl.
súplico s.m.; cf. *suplico*, fl. do v. *suplicar*
supliquento adj.
supontar v.
supor v.
suportabilidade s.f.
suportação s.f.
suportado adj.
suportador (*ô*) adj. s.m.
suportal s.m.
suportamento s.m.
suportando adj.
suportar v.
suportável adj.2g.
suporte s.m.
suposição s.f.
supositício adj.
supositivo adj.
supositório adj. s.m.
suposto (*ô*) adj. s.m.; f. (*ó*); pl. (*ó*)
supra-acromial adj.2g.
supra-acromiotomia s.f.
supra-acromiotômico adj.
supra-anal adj.2g.
supra-atmosférico adj.
supra-auricular adj.2g.
supra-axiliar adj.2g.
suprabasal adj.2g.
suprabranquial adj.2g.
supracaloso (*ô*) adj.; f. (*ó*); pl. (*ó*)
supracaudal adj.2g.
supracelestial adj.2g.
supracerebeloso (*ô*) adj.; f. (*ó*); pl. (*ó*)
supracerebral adj.2g.
supraciliar adj.2g.
supracitado adj.
supraclassal adj.2g.
supraclasse s.f.
supraclavícula s.f.
supraclavicular adj.2g.
supracoccígeo adj.
supracomissura s.f.
supracondução s.f.
supracondutibilidade s.f.
supracondutividade s.f.
supracondutivo adj.
supracondutor (*ô*) adj. s.m.
supraconsciência s.f.
supraconsciente adj.2g.
supraconstitucionalidade s.f.
supraconsumismo s.m.
supraconsumista adj. s.2g.
supraconsumístico adj.
supraconsumo s.m.
supracontinental adj.2g.
supraconvergente adj.2g.
supracoroide (*ó*) adj.2g. s.f.
supracostal adj.2g.
supracotiloide (*ó*) adj.2g.
supracotiloideia (*é*) adj. f. de *supracotiloideu*
supracotilóideo adj.
supracotiloideu adj.; f. *supracotiloideia* (*é*)
supracretáceo adj.
supracretácico adj. s.m.
supradental adj.2g.
supradiafragmático adj.
supradito adj.
supradivergente adj.2g.
supradivino adj.
supradorsal adj.2g.
supradural adj.2g.
supraenumerado adj.
supraepicondiliano adj.
supraepitrocleano adj.
supraescápula s.f.
supraescapular adj.2g.
supraesclerótico adj.
supraesofagiano adj.
supraesofágico adj.
supraespinal adj.2g.
supraespinhoso adj.; f. (*ó*); pl. (*ó*)
supraestapédico adj.
supraesternal adj.2g.
supraesterol s.m.

supraestratosférico adj.
supraestrutura s.f.
supraetmoide (*ó*) adj.2g. s.m.
supraexaltar (*z*) v.
supraexcitação s.f.
supraexcitado adj.
supraexcitante adj.2g.
supraexcitar v.
suprafisiologia s.f.
suprafisiológico adj.
suprafrontal adj.2g.
supraglótico adj.
supra-hepático adj.
supra-hioideia (*é*) adj. f. de *supra-hioideu*
supra-hióideo adj.
supra-hioideu adj.; f. *supra-hioideia* (*é*)
supra-histórico adj.
supra-homem s.m.
supra-humanismo s.m.
supra-humano adj.
suprainguinal adj.2g.
suprajacente adj.2g.
suprajuraico adj.
suprajurássico adj.
supralabial adj.2g.
supralapsarianismo s.m.
supralapsariano adj. s.m.
supralapsário adj. s.m.
supralapsarismo s.m.
supralaríngeo adj.
supralateral adj.2g.
supralegalidade s.f.
supraliássico adj.
supraliminal adj.2g.
supraliminar adj.2g.
supralunar adj.2g.
supramaleolar adj.2g.
supramamário adj.
supramandibular adj.2g.
supramarginal adj.2g.
supramastite s.f.
supramastítico adj.
supramastoideia (*é*) adj. f. de *supramastoideu*
supramastoideu adj.; f. *supra-mastoideia* (*é*)
supramaxila (*cs*) s.f.
supramaxilar (*cs*) adj.2g.
supramediano adj.
supramencionado adj.
supramencionar v.
suprameníngeo adj.
supramental adj.2g.
suprametacárpico adj.
suprametatársico adj.
supramodal adj.2g.
supramodalidade s.f.
supramolecular adj.2g.
supramundano adj.
supranacional adj.2g.
supranacionalidade s.f.
supranasal adj.2g.
supranatural adj.2g.
supranaturalismo s.m.
supranaturalista adj. s.2g.
supranodal adj.2g.
supranodalidade s.f.
supranormal adj.2g.
supranuclear adj.2g.
supranumerado adj.
supranumerário adj. s.m.
supraoccipital adj.2g.
supraoclusal adj.2g.
supraoclusão s.f.
supraocular adj.2g.
supraorbital adj.2g.
supraorbitário adj.
suprapartidário adj.
suprapartidarismo s.m.
suprapatelar adj.2g.
suprapélvico adj.
suprapineal adj.2g.
suprapontino adj.
suprapúbico adj.
suprarracional adj.2g.
suprarradial adj.2g.
suprarrealismo s.m.
suprarrealista adj. s.2g.
suprarrealístico adj.
suprarrealização s.f.
suprarrealizado adj.
suprarrealizante adj.2g.
suprarrealizar v.
suprarrealizável adj.2g.
suprarregional adj.2g.
suprarrenal adj.2g. s.f.
suprarrenalectomia s.f.
suprarrenalectômico adj.
suprarrenalismo s.m.
suprarrenalite s.f.
suprarrenaloma s.m.
suprarrenina s.f.
suprarrenogênico adj.
suprarrenopatia s.f.
suprarrenotropismo s.m.
suprarretal adj.2g.
suprascápula s.f.
suprascapular adj.2g.
supraspinal adj.
suprassegmental adj.2g.
suprassensível adj.2g.
suprassenso s.m.
suprassensorial adj.2g.
suprassolar adj.2g.
suprassumo s.m.
suprasternal adj.
suprastrutura s.f.
suprategmal adj.2g.
supratemporal adj.2g.
supratênue adj.2g.
supraterrâneo adj.
supratimpânico adj.
supratonsilar adj.2g.
supratorácico adj.
supratranscrito adj.
supratroclear adj.2g.
supraumbilical adj.2g.
supravaginal adj.2g.
supraventricular adj.2g.
supraversão s.f.
supravesical adj.2g.
supravital adj.2g.
supraxifoidiano adj.
suprema s.f.
supremacia s.f.
supremacial adj.2g.
suprematismo s.m.
suprematista adj.2g.
supremo adj. s.m.
supressão s.f.
supressivo adj.
supresso adj.
supressor (*ô*) adj. s.m.
supressório adj.
suprido adj.
supridor (*ô*) adj. s.m.
suprimento s.m.
suprimido adj.
suprimir v.
suprimível adj.2g.
suprir v.
suprível adj.2g.
supupara s.f.
supuração s.f.
supurado adj. "em supuração"; cf. *soporado*
supurante adj.2g.
supurar v.
supurativo adj. s.m. "remédio"; cf. *soporativo*
supuratório adj.
suputação s.f.
suputado adj.
suputador (*ô*) adj.
suputar v.
suputável adj.2g.
sura adj. s.2g. s.f. "capítulo do Corão"; cf. *surá*
surá s.m. "tecido de seda"; cf. *sura*
sural adj.2g.
surana s.f.
surane s.m.
suranga s.f.
surangueira s.f.
surarana s.f.
surata s.f.
súrculo s.m.
surculoso (*ô*) adj.; f. (*ó*); pl. (*ó*)
surda s.f.
surdear v.
surdescência s.f.
surdescente adj.2g.
surdez (*ê*) s.f.
surdeza (*ê*) s.f.
surdidade s.f.
surdido adj.
surdimudez (*ê*) s.f.
surdimutismo s.m.
surdina s.f.
surdinado adj.
surdinante adj.2g.
surdinar v.
surdinoso (*ô*) adj.; f. (*ó*); pl. (*ó*)
surdir v.
surdista adj. s.2g.
surdo adj. s.m.
surdo-mudez s.f.; pl. *surdo-mudezes*
surdo-mudo adj. s.m.; pl. *surdos-mudos*
surfactante adj. s.2g.
surfar v.
surfável adj.2g.
surfe s.m.
surfismo s.m.
surfista adj. s.2g.
surfístico adj.
surgente adj.2g. s.f.
surgida s.f.
surgido adj.
surgidoiro s.m.
surgidouro s.m.
surgimento s.m.
surgir v.
surgitar s.m.
suri adj.2g. s.m.
suriana s.f.
surianácea s.f.
surianáceo adj.
suriâneo adj.
suriano adj. s.m.
surianóidea s.f.
suriapana s.f.
suribi s.f.
suricata s.f.
suricato s.m.
surilho adj. s.m.
surim s.m.
surinamense adj. s.2g.
surinamês adj. s.m.
surinamina s.f.
surinamita s.f.
surineia (*é*) s.f.
súrio adj.
surirela s.f.
surirelóidea s.f.
surita s.f.
súrnia s.f.
surnículo s.m.
surno s.m.
suro adj.
surobeco adj. s.m.
suropodal adj.2g.
surote adj.2g.
surpalita s.f.
surpalite s.f.
surpreendedor (*ô*) adj. s.m.
surpreendente adj.2g.
surpreender v.
surpreendido adj. s.m.
surpreendimento s.m.
surpresa (*ê*) s.f.; cf. *surpresa*, fl. do v. *surpresar*
surpresado adj.
surpresar v.
surpresense adj.2g.
surpreso (*ê*) adj.; cf. *surpreso*, fl. do v. *surpresar*
surra s.f.
surradeira s.f.
surradeiro s.m.
surrado adj.
surrador (*ô*) adj. s.m.
surramento s.m.
surrapa s.f.
surrar v.
surrasco s.m.
surrate s.m.
surratear v.
surrateio s.m.
surrável adj.2g.
surrealismo s.m.
surrealista adj. s.2g.
surrealístico adj.
surrealização s.f.
surrealizante adj.2g.
surrealizar v.
surrealizável adj.2g.
surreição s.f.
surreira s.f.
surrentino adj. s.m.
surrento adj.
surriado adj.
surriar v.
surriba s.f.
surribado adj.
surribador (*ô*) adj. s.m.
surribar v.
surrinense adj. s.2g.
surriola s.f.
surripiação s.f.
surripiado adj.
surripiador (*ô*) adj. s.m.
surripiagem s.f.
surripianço s.m.
surripiar v.
surripilhado adj.
surripilhar v.
surripio s.m.
surro s.m.
surrobeco adj. s.m.
surrobeque adj.2g. s.m.
surrolho (*ô*) s.m.
surrupeia s.f.
surrupiar v.
sursanga s.f.
sursassita s.f.
sursunversão s.f.
sursunverso adj.
surtida s.f.
surtir v. "dar origem a"; cf. *sortir*
surto adj. s.m.
surtum s.m.
suru adj.2g. s.m.
suruaná s.f.
suruba adj.2g. s.f.
surubada s.f.
surubi s.m.
surubim s.m.
surubim-barbado s.m.; pl. *surubins-barbados*
surubim-caparari s.m.; pl. *surubins-caparari* e *surubins-capararis*
surubim-chicote s.m.; pl. *surubins-chicote* e *surubins-chicotes*
surubim-lima s.m.; pl. *surubins-lima* e *surubins-limas*
surubim-lira s.m.; pl. *surubins-lira* e *surubins-liras*
surubim-mena s.m.; pl. *surubins-mena* e *surubins-menas*
surubim-pintado s.m.; pl. *surubins-pintados*
surubim-pirambubu s.m.; pl. *surubins-pirambubu* e *surubins-pirambubus*
surubim-rajado s.m.; pl. *surubins-rajados*
surubinense adj. s.2g.
surucar v.
suruco adj.
surucuá s.m.
surucuá-de-barriga-amarela s.m.; pl. *surucuás-de-barriga-amarela*
surucuá-de-barriga-vermelha s.m.; pl. *surucuás-de-barriga-vermelha*
surucuá-pequeno s.m.; pl. *surucuás-pequenos*
surucuá-tatá s.m.; pl. *surucuás-tatás*
surucucu s.f.
surucucu-bico-de-jaca s.f.; pl. *surucucus-bico-de-jaca* e *surucucus-bicos-de-jaca*
surucucu-de-fogo s.f.; pl. *surucucus-de-fogo*
surucucu-de-patioba s.f.; pl. *surucucus-de-patioba*
surucucu-de-pindoba s.f.; pl. *surucucus-de-pindoba*
surucucu-do-pantanal s.f.; pl. *surucucus-do-pantanal*
surucucu-patioba s.f.; pl. *surucucus-patioba* e *surucucus-patiobas*
surucucu-pindoba s.f.; pl. *surucucus-pindoba* e *surucucus-pindobas*
surucucu-pinta-de-ouro s.f.; pl. *surucucus-pinta-de-ouro* e *surucucus-pintas-de-ouro*
surucucurana s.f.
surucucu-tapete s.f.; pl. *surucucus-tapete* e *surucucus-tapetes*
surucucutinga s.f.
surucuí s.m.
surucuína s.f.
surucura s.f.
surucurana s.f.
surucurirana s.f.
surucutinga s.f.
surucuvaco s.m.
suruí adj. s.2g.
suruiá s.m.
suruíba s.f.
suruiense adj. s.2g.
surujé s.m.
surujê s.m.
surulina s.f.
suruma s.f.
surumbamba s.m.
surumbi s.m.
surungá s.f.
surunganga adj. s.2g.
surungo s.m.
surupango s.m.
sururina s.f.
sururina-grande s.f.; pl. *sururinas-grandes*
sururu s.m.
sururuca s.f.
sururucado adj.
sururucar v.
sururucujá s.f.
sururu-de-alagoas s.m.; pl. *sururus-de-alagoas*
sururuense adj. s.2g.
sururuzada s.f.
sus interj.
susã adj.; f. de *susão*
susalpim s.m.
susana s.f.
susanense adj. s.2g.
susanita s.f.
susanite s.f.
susanito s.m.
susano adj.
susanopolitano adj. s.m.
susão adj.; f. *susã*
suscepção s.f.
susceptância s.f.
susceptibilidade s.f.
susceptibilização s.f.
susceptibilizado adj.
susceptibilizar v.
susceptível adj. s.2g.
susceptivo adj.
susceptor (*ô*) s.m.
suscetibilidade s.f.
suscetibilização s.f.
suscetibilizado adj.
suscetibilizar v.
suscetível adj. s.2g.
suscetivo adj.
suscetor (*ô*) s.m.
suscitação s.f.
suscitado adj. s.m.
suscitador (*ô*) adj. s.m.
suscitamento s.m.
suscitante adj. s.2g.
suscitar v.
suscitável adj.2g.
suserana s.f.
suseranato s.m.
suserania s.f.
suserano adj. s.m.

susfito s.m.
susiano adj. s.m.
susino adj. s.m. "relativo a Susa"; cf. *súsino*
súsino adj. s.m. "relativo a lírio"; cf. *susino*
súsio adj. s.m.
susodito adj.
susotoxina (*cs*) s.f.
suspeição s.f.
suspeita s.f.
suspeitado adj.
suspeitador (*ô*) adj. s.m.
suspeitar v.
suspeitável adj.2g.
suspeito adj. s.m.
suspeitosidade s.f.
suspeitoso (*ô*) adj.; f. (*ó*); pl. (*ó*)
suspender v.
suspendida s.f.
suspendido adj.
suspensão s.f.
suspense s.m.
suspensivo adj.
suspenso adj.
suspensoide (*ó*) s.m.
suspensor (*ô*) adj. s.m.
suspensório adj. s.m.
suspicácia s.f.
suspicacidade s.f.
suspicacíssimo adj. sup. de *suspicaz*
suspicaz adj.2g.
suspiração s.f.
suspiráculo s.m.
suspirado adj.
suspiradoiro s.m.
suspirador (*ô*) adj. s.m.
suspiradouro s.m.
suspirante adj.2g.
suspirar v.
suspirável adj.2g.
suspirense adj. s.2g.
suspiro s.m.
suspiro-dos-jardins s.m.; pl. *suspiros-dos-jardins*
suspiros-brancos-do-monte s.m.pl.
suspiroso (*ô*) adj.; f. (*ó*); pl. (*ó*)
suspiros-roxos s.m.pl.
susquir v.
sussarra s.f.
sussexita (*cs*) s.f.
sussexito (*cs*) s.m.
sussu s.m.
sussurração s.f.
sussurrado adj.
sussurrador (*ô*) adj.
sussurrante adj.2g.
sussurrar v. s.m.
sussurrável adj.2g.
sussurrear v.
sussurrejante adj.2g.
sussurrejar v.
sussurro s.m.
sussurroso (*ô*) adj.; f. (*ó*); pl. (*ó*)
sustação s.f.
sustado adj.
sustamento s.m.
sustança s.f.
sustância s.f.
sustancial adj.2g.
sustar v.
sustatório adj.
sustável adj.2g.
sustedor (*ô*) adj.
sustendo adj.2g.
sustenido adj. s.m.
sustenizado adj.
sustenizar v.
sustentabilidade s.f.
sustentação s.f.
sustentáculo s.m.
sustentado adj.
sustentador (*ô*) adj. s.m.
sustentamento s.m.
sustentante adj.2g.
sustentar v.
sustenta-seios s.m.2n.
sustentável adj.2g.
sustento s.m.
suster v.
sustido adj.
sustimento s.m.
sustinência s.f.
sustinense adj. s.2g.
sustinente adj.2g. s.m.
susto s.m.
sustoso (*ô*) adj.; f. (*ó*); pl. (*ó*)
su-sudeste adj.2g. s.m.; pl. *su-sudestes*
su-sudoeste adj.2g. s.m.; pl. *su-sudoestes*
su-sueste adj.2g. s.m.; pl. *su-suestes*
suta s.f.
sutache s.f.
sutado s.m.
sutagem s.f.
sutambaque s.m.
sutamento s.m.
sutana s.f.
sutar v.
sutate s.m.
sutera s.f.
sutéria s.f.
suterlândia s.f.
sutiã s.m.
sutil adj.2g. "quase imperceptível"; cf. *sútil*
sútil adj.2g. "costurado"; cf. *sutil*
sutileza s.f.
sutilidade s.f.
sutilifoliado adj.
sutilifólio adj.
sutilização s.f.
sutilizado adj.
sutilizador (*ô*) adj. s.m.
sutilizar v.
sutinga s.f.
sutora s.f.
sutória s.m.
sutra s.m.f.
sutrão s.m.
sutrino adj. s.m.
sutura s.f.
suturação s.f.
suturado adj.
suturador (*ô*) adj. s.m.
sutural adj.2g.
suturar v.
suturável adj.2g.
suumba s.f.
suvenir s.m.
suxar v.
suxo adj. "desapertado", "solto"; cf. *sucho*
suzunu s.m.
svabita s.f.
svava s.f.
svetlozarita s.f.
swamerdâmia s.f.
swannbergite s.f.
swártzia s.f.
swartzíea s.f.
swartzita s.f.
swedenborgianismo s.m.
swedenborgianista adj. s.2g.
swedenborgiano adj. s.m.
swedenborgismo s.m.
swedenborgista adj. s.2g.
swedenborguita s.f.
sweétia s.f.
swietênia s.f.
swieteníea s.f.
swietenióidea s.f.
swiftia s.m.
swiftiano adj. s.m.
swinefordita s.f.
syssfinge s.f.
syssfingídeo adj. s.m.
szaboíta s.f.
szaibelyíta s.f.
szaskaíta s.f.
szechenyíta s.f.
szmikita s.f.
szomolnokita s.f.

Tt

t (*tê*) s.m.
ta contr. pron. *te* e pron. *a*
tá s.m. interj.
taã s.f.
taacã s.m.
taafeíta s.f.
taanhé s.m.
tabaca adj. s.2g. s.f.
tabacada s.f.
tabacal adj.2g. s.m.
tabacão s.m.
tabacarana s.f.
tabacaria s.f.
tabacense adj. s.2g.
tabácico adj.
tabacina s.f.
tabacino adj.
tabaco s.m.
tabaco-bom s.m.; pl. *tabacos-bons*
tabaco-da-serra s.m.; pl. *tabacos-da-serra*
tabaco das montanhas s.m. "tintura de arnica"
tabaco-das-montanhas s.m. "planta"; pl. *tabacos-das-montanhas*
tabaco de caco s.m.
tabaco-de-cão s.m.; pl. *tabacos-de-cão*
tabaco-de-folha-de-couve s.m.; pl. *tabacos-de-folha-de-couve*
tabaco-de-folha-estreita s.m.; pl. *tabacos-de-folha-estreita*
tabaco-de-folha-larga s.m.; pl. *tabacos-de-folha-larga*
tabaco-de-judeu s.m.; pl. *tabacos-de-judeu*
tabaco-do-diabo s.m.; pl. *tabacos-do-diabo*
tabaco-do-méxico s.m.; pl. *tabacos-do-méxico*
tabacofilia s.f.
tabacófilo adj. s.m.
tabacofobia s.f.
tabacófobo adj. s.m.
tabaco-indiano s.m.; pl. *tabacos-indianos*
tabacologia s.m.
tabacológico s.m.
tabacologista adj. s.2g.
tabacólogo s.m.
tabacomania s.f.
tabacomaníaco adj. s.m.
tabacômano adj. s.m.
tabacorana s.m.
tabacose s.f.
tabacoso (*ô*) adj.; f. (*ó*); pl. (*ó*)
tabaco-verde s.m.; pl. *tabacos-verdes*
tabacudo adj.
tabagia s.f.
tabagismo s.m.
tabagista adj. s.2g.
tabagístico adj.
tabago s.m.
tabaiacu s.m.
tabaiense adj. s.2g.
tabainhense adj. s.2g.
tabajara adj. s.2g.
tabajarense adj. s.2g.

tabala s.m.
tabalo s.m.
tabana s.m.
tabanagira s.f.
tabanara s.f.
tabanca s.f.
tabânida adj.2g. s.m.
tabanídeo adj. s.m.
tabaniforme adj.2g.
tabano s.m.
tabão s.m.
tabapuã adj. s.2g.
tabapuanense adj. s.2g.
tabaque s.m.
tabaqueação s.f.
tabaqueado adj.
tabaquear v.
tabaqueira s.f.
tabaqueiras s.f.pl.
tabaqueirento adj. s.m.
tabaqueiro adj. s.m.
tabaquense adj. s.2g.
tabaquismo s.m.
tabaquista adj. s.2g.
tabaquístico adj.
tabarana s.f.
tabaranaí s.m.
tabardão s.m.
tabardete (*ê*) s.m.
tabardilão s.m.
tabardilha s.f.
tabardilhar v.
tabardilho s.m.
tabardo s.m.
tabaréu s.m.; f. *tabaroa* (*ô*)
tabarito s.m.
tabaroa (*ô*) s.f. de *tabaréu*
tabarrada s.f.
tabarreira s.f.
tabarro s.m.
tabarzé s.m.
tabasco s.m.
tabatinga s.f.
tabatingal s.m.
tabatingano adj. s.m.
tabatinguense adj. s.2g.
tabaunense adj. s.2g.
tabaxir s.m.
tabaz s.m.
tabe s.f.
tabebuia s.f.
tabebuia-do-brejo s.f.; pl. *tabebuias-do-brejo*
tabeca s.f.
tabedai s.m.
tabefe s.m.
tabeira s.f.
tabela s.f.
tabelada s.f.
tabelado adj.
tabelador (*ô*) adj. s.m.
tabelamento s.m.
tabelão s.m.
tabelar v. adj.2g.
tabelária s.f.; cf. *tabelaria*, fl. do v. *tabelar*
tabelariácea s.f.
tabelariáceo adj.
tabelário s.m.
tabela-verde s.f.; pl. *tabelas-verdes*
tabeliã s.f. de *tabelião*

tabeliado s.m.
tabeliano s.m.
tabelião adj. s.m.; f. *tabeliã* e *tabelioa* (*ô*); pl. *tabeliães*
tabeliar v.
tabelilha s.f.
tabelinha s.f.
tabelioa (*ô*) adj. s.f. de *tabelião*
tabelionado s.m.
tabelional adj.2g.
tabelionar v. adj.2g.
tabelionático adj.
tabelionato s.m.
tabelionesco (*ê*) adj.
tabeliônico adj.
tabelioso (*ô*) adj.; f. (*ó*); pl. (*ó*)
tabelista adj. s.2g.
tabelização s.f.
tabelizado adj.
tabelizar v.
tabenense adj. s.2g.
taberna s.f.
tabernáculo s.m.
tabernal adj.2g. s.m.
tabernário adj. s.m.
tabernear v.
taberneira s.f.
taberneiro adj. s.m.
tabernemontana s.f.
tabernemontanina s.f.
tabernola s.f.
tabernória s.f.
tabernório s.m.
taberoense adj. s.2g.
tabes s.f.2n.
tabescência s.f.
tabescente adj.2g.
tabético adj. s.m.
tabeticocerebeloso (*ô*) adj.; f. (*ó*); pl. (*ó*)
tabetiforme adj.2g.
tabetocerebeloso (*ô*) adj.; f. (*ó*); pl. (*ó*)
tabetospasmódico adj.
tabexiriba s.f.
tabi s.m.
tabica s.f.
tabicada s.f.
tabicado adj. s.m.
tabicão s.m.
tabicar v.
tabidez (*ê*) s.f.
tábido s.m.
tabífico adj.
tabijara adj. s.2g.
tabino s.m.
tabique s.m.
tabira s.f.
tabirense adj. s.2g.
tabizado adj.
tabizar v.
tabla adj.2g. s.f.
tablacho s.m.
tablada s.f.
tablado s.m.
tablatura s.f.
tableta (*ê*) s.f.
tablete s.2g.
tablilha s.f.
tablino s.m.

tabloide (*ó*) adj.2g. s.m.
tabó s.m.
taboa (*ô*) s.f.
taboadense adj. s.2g.
taboca adj. s.2g. s.f.
taboca-de-folha-larga s.f.; pl. *tabocas-de-folha-larga*
taboca-de-marajó s.f.; pl. *tabocas-de-marajó*
taboca-gigante s.f.; pl. *tabocas-gigantes*
tabocal s.m.
tabocalense adj. s.2g.
taboca-mansa s.f.; pl. *tabocas-mansas*
taboeira s.f.
tabolim s.m.
taboparalisia s.f.
taboqueado adj.
taboqueador (*ô*) s.m.
taboquear v.
taboqueira adj. s.m.
taboquense adj. s.2g.
taboquinha s.f.
taboquinhense adj. s.2g.
tabor (*ô*) s.m.
tabordas s.2g.2n.
tabordiano adj.
taborita adj. s.2g.
taborrão s.m.
taborro (*ô*) s.m.
tabosense adj. s.2g.
tabu adj.2g. s.m.
tabua s.f.
tábua s.f.
tabuada s.f.
tabuadense adj. s.2g.
tabuado s.m.
tabua-estreita s.f.; pl. *tabuas-estreitas*
tabual adj.2g. s.m.
tabua-larga s.f.; pl. *tabuas-largas*
tabualense adj. s.2g.
tabuame s.m.
tabuanense adj. s.2g.
tabuão s.m.
tabueira s.f.
tabuense adj. s.2g.
tabuiaiá s.m.
tabuinha s.f.
tabuinhense adj. s.2g.
tabujajá s.m.
tabujo s.m.
tábula s.f.; cf. *tabula*, fl. do v. *tabular*
tabulação s.f.
tabulacho s.m.
tabulado adj. s.m.
tabulador (*ô*) s.m.
tabuladora (*ô*) s.f.
tabulageiro s.m.
tabulagem s.f.
tabulão adj. s.m.; f. *tabulona*
tabular v. adj.2g.
tabulário adj. s.m.
tabulato s.m.
tabulável adj.2g.
tabule s.m.
tabuleirense adj. s.2g.
tabuleiro s.m.
tabuleironense adj. s.2g.

tabuleta (*ê*) s.f.; cf. *tabuleta*, fl. do v. *tabuletar*
tabuletado adj.
tabuletar v.
tabulhão s.m.
tabuliforme adj.2g.
tabulista adj. s.2g.
tabulona adj. s.f. de *tabulão*
tabulu s.m.
taburnar v.
taburno s.m.
taca s.f.
taça s.f.
taçã s.m.
tacaamaca s.f.
tacaca s.f. "gambá"; cf. *tacacá*
tacacá s.m. "caldo feito à base de mandioca"; cf. *tacaca*
tacacazeiro s.m.
tacacazeiro-da-terra-firme s.m.; pl. *tacacazeiros-da-terra-firme*
tacacazeiro-da-várzea s.m.; pl. *tacacazeiros-da-várzea*
tacáceo adj.
tacada s.f.
taçada s.f.
tacadela s.f.
taçado adj. s.m.
tacaimboense adj. s.2g.
tacaleense adj. s.2g.
tacamaca s.f.
tacamagueiro s.m.
tacana s.f.
tacanada s.f.
tacangue s.m.
tacanharia s.f.
tacanhear v.
tacanhez (*ê*) s.f.
tacanheza (*ê*) s.f.
tacanhice s.f.
tacanho adj. s.m.
tacanhoba s.f.
tacaniça s.f.
tacão adj. s.m.
tacapaço s.m.
tacapada s.f.
tacape s.m.
tacar v.
tacará s.m.
tacaranita s.f.
tacaratuense adj. s.2g.
tacaré s.m.
taçarema s.f.
tácaro s.m.
tacaú s.m.
tacauá s.f.
taceira s.f.
taceiro s.m.
tacha s.f. "prego", etc.; cf. *tachá* s.m., *taxa* s.f. e fl. do v. *taxar*
tachá s.m. "pássaro"; cf. *tacha* s.f., fl. do v. *tachar*, *taxa* s.f. e fl. do v. *taxar*
tachã s.f.
tachada s.f.
tachado adj.; cf. *taxado*
tachador (*ô*) adj. s.m.; cf. *taxador* (*ô*)
tachadura s.f.
tachão s.m.

tachar v. "censurar"; cf. *taxar*
tachável adj.2g.; cf. *taxável*
tacheado adj.
tachear v.
tacheiro s.m.
tachense adj. s.2g.
tachim s.m.
tachinha s.f.
tachira s.f.
tachismo s.m.
tachista adj. s.2g.
tachístico adj.
tacho s.m.; cf. *taxo*, fl. do v. *taxar*
tachonado adj.
tachonar v.
tachote s.m.
taci s.m.
tácia s.f.
taciaí s.f.
tacianista adj. s.2g.
taciano adj. s.m.
taciateuense adj. s.2g.
taciba s.f.
tacibense adj. s.2g.
tacibura s.f.
tacícula s.f.
tacicular adj.2g.
taciforme adj.2g.
tacimense adj. s.2g.
tacimirinense adj. s.2g.
tacinga s.f.
tacipitanga s.f.
tacitífluo adj.
tácito adj.
taciturnidade s.f.
taciturno adj. s.m.
taciuanense adj. s.2g.
taco adj. s.m.
tacócua s.m.
tacodínamo s.m.
tacografia s.f.
tacográfico adj.
tacógrafo s.m.
tacoide (*ó*) s.m.
tacoila s.f.
tacomaré s.m.
tacometria s.f.
tacométrico adj.
tacômetro s.m.
taconhapé adj. s.2g.
tacônico adj. s.m.
tacórnis s.m.2n.
tacornite s.m.
tacose s.f.
tacsônia s.f.
tacteabilidade s.f.
tacteado adj.
tacteador (*ô*) adj. s.m.
tacteamento s.m.
tacteante adj.2g.
tactear v.
tacteável adj.2g.
tacteio s.m.
tactema s.m.
tactemático adj.
tactêmico adj.
tactibilidade s.f.
táctica s.f.
tacticidade s.f.
táctico adj.
tacticografia s.f.
tacticográfico adj.
tacticógrafo s.m.
táctil adj.2g.
tactilidade s.f.
tactilizar v.
tactismo s.m.
tacto s.m.
tactômetro s.m.
tactossol s.m.
tactura s.f.
tacu adj. s.2g.
tacuá s.f.
tacuela s.f.
tacuiquenense adj. s.2g.
taçuíra s.f.
tacuité s.m.
tacujá s.m.
tacula s.f.
tacumbaíva s.f.
tacuná adj. s.2g.
tacupapirema s.f.
taçura s.f.
tacuri s.m.
tacuru s.m.f.
taçuru s.m.
tacurua s.f.
tacuruba s.f.
tacuruense adj. s.2g.
tacuruzal s.m.
tádega s.f.
tadeia s.f.
tadeuense adj. s.2g.
tadiate adj. s.2g.
tadinate adj. s.2g.
tadita adj.2g.
tadjerito s.m.
tadjique adj. s.2g. s.m.
tadorna s.f.
tadórnida adj.2g. s.m.
tadornídeo adj. s.m.
tadorno (*ô*) adj.
taegéria s.f.
tael s.m.
tafarel s.m.
tafecira s.f.
tafetá s.m.
tafe-tafe s.m.; pl. *tafe-tafes*
tafetalina s.f.
tafiá s.m.
tafiano adj. s.m.
taficira s.f.
tafife s.f.
tafile s.m.
tafilete (*ê*) s.m.
táfio adj. s.m.
tafire s.m.
tafofilia s.f.
tafofílico adj.
tafófilo s.m.
tafofobia s.f.
tafofóbico adj.
tafófobo s.m.
tafona s.f.
tafoné s.m.
tafoneiro adj. s.m.
taforeia s.f.
taforonota s.f.
tafozoida (*ó*) adj.2g. s.m.
tafozóideo adj. s.m.
tafria s.f.
tafrídio s.m.
tafrina s.f.
tafrinácea s.f.
tafrináceo adj.
tafrinal adj.2g.
tafrinale s.f.
tafrócero s.m.
tafródero s.m.
tafroderomimo s.m.
tafrófilo adj.
tafropelto s.m.
taful adj. s.m.; f. *tafula*
tafula adj. s.f. de *taful*
tafulão adj. s.m.; f. *tafulona*
tafular v.
tafularia s.f.
tafuleira s.f.
tafuleiro adj.
tafulhamento s.m.
tafulhar v.
tafulho s.m.
tafulice s.f.
tafulo adj. s.m.
tafulona adj. s.f. de *tafulão*
tagal adj. s.2g. s.m.
tagala s.f.
tagalar adj. s.2g. s.m.
tagalo adj. s.m.
tagana s.f.
tagano adj.
tagantaço s.m.
tagantada s.f.
tagantado adj.
tagantar v.
tagante s.m.
taganteado adj.
taganteador (*ô*) adj. s.m.
tagantear v.
tagarela adj. s.2g. s.f.
tagarelada s.f.
tagarelado adj.
tagarelar v.
tagarelice s.f.
tagarino adj. s.m.
tagarote s.m.
tagarra s.f.
tagarrão s.m.
tagarrilha s.f.
tagarrina s.f.
tagarrinha s.f.
tagba s.m.
tagênia s.f.
tagenite adj. s.m.
tagetes s.f.2n.
tagetina s.f.
tageto s.m.
tágico adj.
tágide s.f.
tagídeo adj.
tagilita s.f.
tagma s.m.
tagmema s.m.
tagmemático adj.
tagmêmica s.f.
tagmêmico adj.
tagna s.f.
tagona s.f.
tagoriano adj.
tágoro adj. s.m.
tagra s.f.
taguá s.m.
taguaiense adj. s.2g.
taguara s.f.
taguarajibe s.m.
taguari adj. s.2g. s.m.
taguatinguense adj. s.2g.
taguaú adj. s.2g.
taguaúva s.f.
taguicati s.m.
tai adj. s.2g. s.m.
taiá s.m.
taiá-açu s.m.; pl. *taiás-açus*
taiabucu s.m.
taiabuçu s.m.
taiabueira s.f.
taiacica s.f.
taiaçu s.m.
taiaçuba s.f.
taiaçu-caiaguira s.m.; pl. *taiaçus-caiaguira* e *taiaçus-caiaguiras*
taiaçu-carapiá s.m.; pl. *taiaçus-carapiá* e *taiaçus-carapiás*
taiaçuense adj. s.2g.
taiaçuetê s.m.
taiaçuídeo adj. s.m.
taiaçuíra s.m.
taiaçupebense adj. s.2g.
taiá-jararaca s.m.; pl. *taiás-jararaca* e *taiás-jararacas*
taiá-jiboia s.m.; pl. *taiás-jiboia* e *taiás-jiboias*
taiamanense adj. s.2g.
taiá-mangarito s.m.; pl. *taiás-mangarito* e *taiás-mangaritos*
taiamar s.m.
taiapurá s.m.
taia-taia s.f.; pl. *taia-taias*
taiaúva s.f.
taiauval s.m.
taiavevuia s.f.
taibense adj. s.2g.
taibu s.m.
taico s.m.
taieira s.f.
taietê s.m.
taifa s.f.
taifeiro s.f.
taifó s.m.
taifoada s.f.
taiga s.f.
tailandês adj. s.m.
taimado adj.
taimbé s.m.
taimeira s.f.
taina s.f.
tainar v.
taineiro adj. s.m.
tainense adj. s.2g.
tainha s.f.
tainha-barbuda s.f.; pl. *tainhas-barbudas*
tainha-de-corso s.f.; pl. *tainhas-de-corso*
tainha-de-rio s.f.; pl. *tainhas-de-rio*
tainha-dos-rios s.f.; pl. *tainhas-dos-rios*
tainha-seca s.f.; pl. *tainhas-secas*
tainha-verdadeira s.f.; pl. *tainhas-verdadeiras*
tainha-voadeira s.f.; pl. *tainhas-voadeiras*
tainheira s.f.
tainheiro s.m.
tainhense adj. s.2g.
tainhota s.f.
tainhota-verdadeira s.f.; pl. *tainhotas-verdadeiras*
tainhota-voadeira s.f.; pl. *tainhotas-voadeiras*
tainhota-voadora s.f.; pl. *tainhotas-voadoras*
tainiano adj. s.m.
tainiolita s.f.
taino adj. s.m.
taioba s.f.
taioba-de-são-tomé s.f.; pl. *taiobas-de-são-tomé*
taiobal s.m.
taiobeira s.f.
taiobeiral s.m.
taiobeirense adj. s.2g.
taioca s.2g.
taiova s.f.
taioval s.m.
taipa s.f.
taipado adj.
taipal s.m.
taipamento s.m.
taipão s.m.
taipar v.
taipeira s.f.
taipeiro adj. s.m.
taipense adj. s.2g.
taipinhense adj. s.2g.
taipó s.m.
taipoca s.f.
taipuense adj. s.2g.
taipuru adj. s.2g.
taira s.f.
tairetaense adj. s.2g.
tairetano adj. s.m.
tairoca s.f.
tairocado adj.
tairocar v.
tairoqueiro adj.
taisaqui s.m.
taiseno s.m.
taita s.m.
taitiano adj. s.m.
taititu s.m.
taiuiá s.m.
taiuiá-de-cipó s.m.; pl. *taiuiás-de-cipó*
taiuiá-de-comer s.m.; pl. *taiuiás-de-comer*
taiuiá-de-fruta-envenenada s.m.; pl. *taiuiás-de-fruta-envenenada*
taiuiá-de-goiás s.m.; pl. *taiuiás-de-goiás*
taiuiá-de-jardim s.m.; pl. *taiuiás-de-jardim*
taiuiá-de-pimenta s.m.; pl. *taiuiás-de-pimenta*
taiuiá-de-quiabo s.m.; pl. *taiuiás-de-quiabo*
taiuiá-de-são-paulo s.m.; pl. *taiuiás-de-são-paulo*
taiuiá-do-mato s.m.; pl. *taiuiás-do-mato*
taiuiá-do-pará s.m.; pl. *taiuiás-do-pará*
taiuiá-grande s.m.; pl. *taiuiás-grandes*
taiuiá-miúdo s.m.; pl. *taiuiás-miúdos*
taiuiarana s.f.
taiura (*ú*) s.f.
taiutá s.f.
taiuva (*ú*) s.f.
taiuvense adj. s.2g.
taixi s.m.
taixizeiro s.m.
taixo s.m.
tajá s.m.
tajã s.m.
tajá-açu s.m.; pl. *tajás-açus*
tajabemba s.f.
tajabucu s.m.
tajabuçu s.m.
tajacica s.f.
tajaçu s.m.
tajaçu-caiaguira s.m.; pl. *tajaçus-caiaguira* e *tajaçus-caiaguiras*
tajaçu-carapiá s.m.; pl. *tajaçus-carapiá* e *tajaçus-carapiás*
tajaçuíra s.f.
tajá-de-cobra s.m.; pl. *tajás-de-cobra*
tajá-jiboia (*ó*) s.m.; pl. *tajás-jiboia* e *tajás-jiboias* (*ó*)
tajal s.m.
tajá-mangarito s.m.; pl. *tajás-mangarito* e *tajás-mangaritos*
tajapurá s.m.
tajatubense adj. s.2g.
tajibá s.f.
tajibibuia s.f.
tajiense adj. s.2g.
tajipá s.f.
tajuabense adj. s.2g.
tajuba s.f.
tajujá s.m.
tajujá-de-cabacinho s.m.; pl. *tajujás-de-cabacinho*
tajujá-de-quiabo s.m.; pl. *tajujás-de-quiabo*
tajujá-do-mato s.m.; pl. *tajujás-do-mato*
tajupá s.m.
tajupar s.m.
tajurá s.m.
tajuva s.f.
takeuchita s.f.
takizolita s.f.
tal adj. s.2g. s.m. pron.
tala s.f.
talabardão s.m.
talabardo s.m.
talabartaria s.f.
talabarte s.m.
talabarteiro s.m.
talabarteria s.f.
talabricense adj. s.2g.
talabrigense adj. s.2g.
talaburdo s.m.
talaço s.m.
talada s.f.
talador (*ô*) adj. s.m.
talagada s.f.
talagarça s.f.
talagaxa s.f.
talagoia (*ó*) s.f.
talagrepo s.m.
talagui (*ü*) s.m.
talalgia s.f.
találgico adj.
talamanca adj. s.2g.
talambor (*ô*) s.m.
talamego (*ê*) s.m.
talamencefálico adj.
talamencéfalo s.m.
talamento s.m.
talâmico adj.
talamiflora s.f.
talamifloro adj.
talamita s.m.
tálamo s.m.
talamocelo s.m.
talamocortical adj.2g.
talamocrural adj.2g.
talamoestriado adj.
talamóforo s.m.
talamolenticular adj.2g.
talamopeduncular adj.2g.
talamostriado adj.
talamotomia s.f.

talamotômico adj.
talanina s.f.
talanqueira s.f.
talante s.m.
talão s.m.
talapão s.m.
talapate s.m.
talapõe s.m.
talapoim s.m.
talar v. adj.2g. s.m.
talara s.f.
talarejo (*ê*) s.m.
talarense adj. s.2g.
talária s.f.
talassa adj. s.2g.
talassaquita s.f.
talassaria s.f.
talassemia s.f.
talassêmico adj.
talássero s.m.
talassia s.f.
talassiantídeo adj. s.m.
talassianto s.m.
talassiarca s.m.
talassiarquia s.f.
talassiárquico adj.
talassice s.f.
talássico adj.
talassícola adj.2g. s.m.
talassídroma s.f.
talassídromo s.m.
talassina s.f.
talassínea s.f.
talassíneo adj. s.m.
talassinídeo adj. s.m.
talassiofilo s.m.
talassiófito s.m.
talassióidea s.f.
talassismo s.m.
talassita s.f.
talassite s.m.
talassito s.m.
talassóbio adj. s.m.
talassobionte s.m.
talassocracia s.f.
talassocrata adj. s.2g.
talassocrático adj.
talassofilia s.f.
talassófilo adj. s.m.
talassofobia s.f.
talassofóbico adj.
talassófobo s.m.
talassofrínida adj.2g. s.m.
talassofrinídeo adj. s.m.
talassogênese s.f.
talassogenético adj.
talassogenia s.f.
talassogênico adj.
talassografia s.f.
talassográfico adj.
talassografista adj. s.2g.
talassógrafo s.m.
talassograma s.m.
talassologia s.f.
talassológico adj.
talassólogo s.m.
talassomel s.m.
talassometria s.f.
talassométrico adj.
talassômetro s.m.
talassonímia s.f.
talassonímico adj.
talassônimo s.m.
talassoplâncton s.m.
talassoplanctônico adj.
talassorama s.m.
talassosfera s.f.
talassosférico adj.
talassossismo s.m.
talassoterapia s.f.
talassoterápico adj.
talassótoco adj.
talauma s.f.
talaumina s.f.
talaveira s.m.
talaveirada s.f.
talaverano adj. s.m.
talbotipia s.f.
talbotípico adj.
talbótipo s.m.
talcácio adj.
talcário adj.
tálcico adj.
talcita s.f.
talcite s.f.
talcito s.m.
talcitoide (*ó*) adj.2g.
talco s.m.
talcoclorite s.f.
talcoide (*ó*) adj.2g. s.m.
talcomicáceo adj.
talcoquartzoso (*ô*) adj.; f. (*ó*); pl. (*ó*)
talcose s.f.
talcoso (*ô*) adj.; f. (*ó*); pl. (*ó*)
talcoxisto s.m.
talcusita s.f.
tale s.m.
taleiga s.f.
taleigada s.f.
taleigão adj. s.m.
taleigo s.m.
taleira s.f.
taleirão s.m.
taleiro s.m.
talentaço s.m.
talentão s.m.
talentário s.m.
talento s.m.
talentometria s.f.
talentométrico adj.
talentômetro s.m.
talentoso (*ô*) adj.; f. (*ó*); pl. (*ó*)
talépora s.f.
táler s.m.
talerar v.
talete s.m.
talético adj.
taleto s.m.
taleva s.f.
talguênea s.f.
talha s.f.
talhada s.f.
talhadão s.m.
talhadeira s.f.
talhadense adj. s.2g.
talha-dente s.m.; pl. *talha-dentes*
talhadia s.f.
talhadiço adj.
talhadinha s.f.
talhadinho s.m.
talhado adj. s.m.
talha-doce s.f.; pl. *talhas-doces*
talhadoiro s.m.
talhador (*ô*) adj. s.m.
talhadora (*ô*) s.f.
talhadouro s.m.
talhadura s.f.
talha-frio s.m.; pl. *talha-frios*
talha-mar s.m.; pl. *talha-mares*
talhame s.m.
talhamento s.m.
talhante adj.2g. s.m.
talhão s.m.
talhar v.
talharia s.f.
talharim s.m.
talharola s.f.
talhe s.m.
talhe-doce s.m.; pl. *talhes-doces*
talheiro s.m.
talher s.m.
talhinha s.f.
talho s.m.
talho-doce s.m.; pl. *talhos-doces*
talho-docismo s.m.; pl. *talho-docismos*
talho-docista s.m.; pl. *talho-docistas*
talho-docístico adj.; pl. *talho-docísticos*
tali s.m.
tália s.f.
taliáceo adj. s.m.
talião s.m.
taliarba adj. s.2g.
taliate adj. s.2g.
taliato s.m.
talicão s.m.
tálico adj.
talictrina s.f.
talictro s.m.
talictro-ordinário s.m.; pl. *talictros-ordinários*
talide s.m.
talidomida s.f.
talidomídico adj.
talidomidopatia s.f.
talidomidopático adj.
taliga s.f.
taligálea s.f.
talim s.m.
talima s.f.
talimanense adj. s.2g.
talimar v.
talina s.f.
talinga s.f.
talingado adj.
talingadura s.f.
talingar v.
talinheira s.f.
talino adj. s.m.
talintona s.f.
tálio s.m.
talionado adj.
talionador (*ô*) adj.
talionar v.
talionato s.m.
talioso (*ô*) adj.; f. (*ó*); pl. (*ó*)
taliotoxicose (*cs*) s.f.
talipe s.m.
talipédico adj.
talipo s.m.
talipômano adj. s.m.
talipote s.m.
talique s.m.
talisca s.f.
talísia s.f.
talismã s.m.
talismânico adj.
talisquento adj.
talitre s.m.
talitro s.m. "planta angiosperma"; cf. *tálitro*
tálitro s.m. "piparote"; cf. *talitro*
talma s.m.
talmessita s.f.
talmi s.m.
talmuda s.f.
talmude s.m.
talmúdico adj.
talmudismo s.m.
talmudista adj. s.2g.
talmudístico adj.
talnakhita s.f.
talo s.m.
taloca s.m.f.
talocalcâneo adj.
talocha s.f.
talocloro s.m.
taloco (*ô*) s.m.
talocrural adj.2g.
talodi s.m.
talódico adj.
taloeira s.f.
taloescafoide (*ó*) adj.2g.
taloescafóideo adj.
talófita s.f.
talofítico adj.
talófito adj. s.m.
talóforo s.m.
talógeno adj. s.m.
taloide (*ó*) adj.
talol s.m.
talomucato s.m.
talomúcico adj.
talona s.f.
talonado adj.
talonagem s.f.
talonar v.
talonário adj.
talonato s.m.
talonavicular adj.2g.
talondo s.m.
taloneadito adj.
taloneado adj.
talonear v.
taloneiro s.m.
talônico adj.
talônido s.m.
talonqueiras s.f.pl.
taloperoneal adj.2g.
talóptera s.f.
taloro adj. s.m.
talose s.f.
taloso (*ô*) adj.; f. (*ó*); pl. (*ó*)
talotibial adj.2g.
taloucada s.f.
taloufeira s.f.
talpa s.f.
talpache s.m.
talpaque s.m.
talpária s.f.
talpídeo adj. s.m.
talpiforme adj.2g.
talpíneo adj. s.m.
talpófila s.f.
talpose s.f.
taltalita s.f.
taltalite s.f.
taluca s.f.
talucta adj. s.2g.
taludado adj.
taludagem s.f.
taludamento s.m.
taludão adj. s.m.
taludar v.
talude s.m.
taludete (*ê*) adj.2g.
taludo adj.
taludote adj.2g.
taluronato s.m.
talurônico adj.
tálus s.m.2n.
talvegue s.m.
talvez (*ê*) adv.
tama adj. s.2g.
tamacano adj. s.m.
tamacarica s.f.
tamacuaré s.m.
tamaindé adj. s.2g.
tamajuá s.m.
tamalanes adj. s.2g.2n.
tamale s.m.
tamambaia s.m.
tamanaque adj. s.2g.
tamanca s.f.
tamancada s.f.
tamancão s.m.
tamancar v.
tamancaria s.f.
tamanco s.m.
tamancudo adj.
tamandaré s.m.
tamandareense adj. s.2g.
tamanduá s.m.
tamanduá-açu s.m.; pl. *tamanduás-açus*
tamanduá-bandeira s.m.; pl. *tamanduás-bandeira* e *tamanduás-bandeiras*
tamanduá-cavalo s.m.; pl. *tamanduás-cavalo* e *tamanduás-cavalos*
tamanduá-colete s.m.; pl. *tamanduás-colete* e *tamanduás-coletes*
tamanduaense adj. s.2g.
tamanduaí s.m.
tamanduá-jaleco s.m.; pl. *tamanduás-jaleco* e *tamanduás-jalecos*
tamanduá-macambira s.m.; pl. *tamanduás-macambira* e *tamanduás-macambiras*
tamanduá-mirim s.m.; pl. *tamanduás-mirins*
tamanduazinho s.m.
tamanhão adj. s.m.
tamanhinho adj. s.m.
tamanho adj. s.m.
tamanhoço adj. s.m.
tamanino adj.
tamaniquaense adj. s.2g.
tamanita s.f.
tamanite s.f.
tamanqueação s.f.
tamanqueado adj.
tamanqueador (*ô*) adj.
tamanqueamento s.m.
tamanquear v.
tamanqueio s.m.
tamanqueira s.f.
tamanqueira-de-leite s.f.; pl. *tamanqueiras-de-leite*
tamanqueirense adj. s.2g.
tamanqueiro s.m.
tamão s.m.
tamaotarana s.f.
tamaquaré s.m.
tamaquareí (*è*) s.m.
tamaquaré-miúdo s.m.; pl. *tamaquarés-miúdos*
tamaquariense adj. s.2g.
tamaquera s.f.
tâmara s.f.
tamaracá s.m.
tâmara-da-china s.f.; pl. *tâmaras-da-china*
tâmara-da-terra s.f.; pl. *tâmaras-da-terra*
tâmara-do-deserto s.f.; pl. *tâmaras-do-deserto*
tamaral s.m.
tamarana s.m.f.
tamarança s.f.
tamaranense adj. s.2g.
tamararé adj. s.2g.
tamaratana s.f.
tamaré adj. s.2g.
tamareira s.f.
tamareira-anã s.f.; pl. *tamareiras-anãs*
tamarembere adj. s.2g.
tamarês adj. s.m.
tamarga s.f.
tamargal s.m.
tamargueira s.f.
tamari s.m.
tamaricácea s.f.
tamaricáceo adj.
tamárice s.f.
tamarícea s.f.
tamaricínea s.f.
tamarim s.m.
tamarina s.f.
tamarinácea s.f.
tamarináceo adj.
tamarinada s.f.
tamarindal s.m.
tamarindeira s.f.
tamarindeiro s.m.
tamarindo s.m.
tamarineira s.f.
tamarineirense adj. s.2g.
tamarineiro s.m.
tamarinheiro s.m.
tamarinho s.m.
tamarino s.m.
tamariscínea s.f.
tamariscíneo adj.
tamarisco s.m.
tamariz s.m.
tamarma s.f.
tamaru s.m.
tamaru-do-mangue s.m.; pl. *tamarus-do-mangue*
tamarugita s.f.
tamarugite s.f.
tamarutaca s.f.
tamatá s.m.
tamatarana s.f.
tamati s.m.
tamatiá s.m.
tamatiá-aquático-do-pará s.m.; pl. *tamatiás-aquáticos-do-pará*
tamatiá-barbudo s.m.; pl. *tamatiás-barbudos*
tamatiá-do-brasil s.m.; pl. *tamatiás-do-brasil*
tamatião s.m.
tamatra s.f.
tamauana adj. s.2g.
tamaxeque s.m.
tamazirte s.m.
tamba s.m.f. "bebida indígena fermentada"; cf. *tambá*
tambá s.m. "concha"; cf. *tamba*
tambaca s.f.

tambaco s.m.
tambacori adj. s.2g.
tambaculi s.m.
tambafóli s.m.
tambaíba s.f.
tambalear v.
tambaleio s.m.
tambancê s.m.
tambaquari adj. s.2g.
tambaque s.m.
tambaqui s.m.
tambaquiense adj. s.2g.
tambarane s.m.
tambaru s.m.
tambarutaca s.f.
tambatajá s.m.
tambataruga s.f.
tambatica s.f.
tambauense adj. s.2g.
tambeense adj. s.2g.
tambeira s.f.
tambeirada s.f.
tambeiro adj. s.m.
também adv. conj.
tambetá s.m.
tambetara s.f.
tambetaru s.m.
tambetaru-de-espinho s.m.; pl. *tambetarus-de-espinho*
tambi s.m. "espécie de lambari"; cf. *tâmbi*
tâmbi s.m. "ritual fúnebre em Angola"; cf. *tambi*
tambica s.f.
tambicu s.m.
tambió s.m.
tambiú s.m.
tambó s.m.
tamboarense adj. s.2g.
tamboatá s.m.
tamboataense adj. s.2g.
tamboeira s.f.
tambolarão s.m.
tambona s.f.
tambono s.m.
tambor (*ô*) s.m.
tamborada s.f.
tambor da mata s.m.
tambor das minas s.m.
tambor de choro s.m.
tambor de crioula s.m.
tambor de crioulo s.m.
tambor de mina s.m.
tambor de pagamento s.m.
tambor dos bascos s.m.
tamborete (*ê*) s.m.
tamborete de brega s.m.
tamborete de forró s.m.
tamboreto (*ê*) s.m.
tamboréu s.m.
tambori s.m.
tamboril s.m.
tamborilação s.f.
tamborilada s.f.
tamborilado adj.
tamborilador (*ô*) adj. s.m.
tamborilante adj.2g.
tamborilar v.
tamboril-bravo s.m.; pl. *tamboris-bravos*
tamboril-de-bravo s.m.; pl. *tamboris-de-bravo*
tamborileira s.f.
tamborileiro adj. s.m.
tamborilense adj. s.2g.
tamborilete (*ê*) s.m.
tamborilzinhense adj. s.2g.
tamborim s.m.
tamborinar v.
tamborino s.m.
tamboriúva s.m.
tambor-mor s.m.; pl. *tambores-mores*
tambor-onça s.m.; pl. *tambores-onça* e *tambores-onças*
tambor-surdo s.m.; pl. *tambores-surdos*
tambozeiro s.m.
tambu s.m.
tambuatá s.m.
tambuca s.f.
tambuí s.m.
tambul s.m.
tambuladeira s.f.
tamburão s.m.
tamburapará s.m.
tambureiro s.m.
tamburi s.m.
tamburiense adj. s.2g.
tamburipará s.m.
tamburu s.m.
tamburucu s.m.
tamburupará s.m.
tamburutaca s.m.
tamearama s.f.
tameguense adj. s.2g.
tameira s.f.
tamepunga adj. s.2g.
tamequense adj. s.2g.
tametara s.m.f.
tâmia s.f.
tamiago adj. s.m.
tamiano adj. s.m.
tamiarama s.f.
tamiarana s.f.
tamiça s.f.
tamicana adj. s.2g.
tamiceira s.f.
tamiceiro adj. s.m.
tamidina s.f.
tamiíneo adj. s.m.
tâmil adj. s.2g.
tamina s.f.
taminguá s.m.
tamis s.m.
tamisação s.f.
tamisado adj.
tamisar v.
tamiseiro s.m.
tamnasteroide (*ó*) adj.2g.
tamnídio s.m.
tâmnio s.m.
tamnocarpo s.m.
tamnófilo s.m.
tamnófora s.f.
tamnóforo adj. s.m.
tamnolato s.m.
tamnólico adj.
tamnonoma s.m.
tamnosma s.f.
tamnotetige s.m.
tamo s.m.
tamoão s.m.
tamoatá s.m.
tamoeiro s.m.
tamoela s.f.
tamoiense adj. s.2g.
tamoio adj. s.m.
tamônea s.f.
tampa s.f.
tampação s.f.
tampadela s.f.
tampado adj.
tampadouro s.m.
tampadura s.f.
tampafole s.m.
tampão s.m.
tampar v.
tampável adj.2g.
tampícico adj.
tampicina s.f.
tampicolato s.m.
tampicólico adj.
tampinha s.2g.
tampo s.m.
tamponação s.f.
tamponado adj. s.m.
tamponamento s.m.
tamponar v.
tamponável adj.2g.
tamponeira s.f.
tampouco adv.
tam-tam s.m. "tambor"; pl. *tam-tans*; cf. *tantã*
tamuana adj. s.2g.
tamuatá s.m.
tamucu s.m.
tamugão s.m.
tâmul adj. s.2g.
tamulense adj.2g.
tamúlico adj.
tamulista adj. s.2g.
tamungo s.m.
tamuria s.f.
tamuripará s.m.
tamurupará s.m.
tamuscar v.
tamuz s.m.
tana adj. s.2g. s.f.
tanabiense adj. s.2g.
tanaceteno s.m.
tanacético adj.
tanacetina s.f.
tanaceto (*ê*) s.m.
tanacetol s.m.
tanacetona s.f.
tanacol s.m.
tanadar s.m.
tanadaria s.f.
tanadar-mor s.m.; pl. *tanadares-mores*
tanado adj.
tanagem s.f.
tânagra s.f.
tanagrela s.m.
tanágrida adj.2g. s.m.
tanagrídea s.f.
tanagrídeo adj. s.m.
tanagrínea s.f.
tanagríneo adj. s.m.
tanaidáceo adj. s.m.
tanaide s.m.f.
tanaídeo adj. s.m.
tanaíta adj. s.2g.
tanajuba s.f.
tanajura s.f.
tanal s.m.
tanala adj. s.2g.
tanalbina s.f.
tanamaco adj. s.m.
tananá s.m.
tanante adj.2g. s.m.
tanar v.
tanaria s.f.
tanariense adj. s.2g.
tanas s.2g.2n.
tânase s.f.
tanásia s.f.
tanásimo adj. s.m.
tanaspídico adj. s.m.
tanasse s.f.
tanatã s.f.
tanatarita s.f.
tanatau s.m.
tanateiro adj.
tanatermômetro s.m.
tanató s.m.
tanatobiológico adj.
tanatocracia s.f.
tanatócrito s.m.
tanatofilia s.f.
tanatofílico adj.
tanatófilo adj. s.m.
tanatofobia s.f.
tanatofóbico adj.
tanatófobo adj. s.m.
tanatogênese s.f.
tanatogenético adj.
tanatognomônico adj.
tanatognose s.f.
tanatografia s.f.
tanatográfico adj.
tanatoide (*ó*) adj.2g.
tanatologia s.f.
tanatológico adj.
tanatologista adj. s.2g.
tanatólogo s.m.
tanatomania s.f.
tanatomaníaco adj. s.m.
tanatômano s.m.
tanatometria s.f.
tanatométrico adj.
tanatômetro s.m.
tanatomorfose s.f.
tanatopsia s.f.
tanatopsiquista adj. s.2g.
tanatormeia (*é*) s.f.
tânatos s.m.2n.
tanatoscopia s.f.
tanatoscópico adj.
tanatoscópio s.m.
tanatospermia s.f.
tanatotrópico adj.
tanatotropismo s.m.
tanatropismo s.m.
tanauana adj. s.2g.
tanaúba s.f.
tanável adj.2g.
tanca s.m.f.
tancada s.f.
tancagem s.f.
tancar v.
tancareira s.f.
tancha s.f.
tanchação s.f.
tanchado adj.
tanchagem s.f.
tanchagem-alvadia s.f.; pl. *tanchagens-alvadias*
tanchagem-aquática s.f.; pl. *tanchagens-aquáticas*
tanchagem-d'água s.f.; pl. *tanchagens-d'água*
tanchagem-da-água s.f.; pl. *tanchagens-da-água*
tanchagem-dos-alpes s.f.; pl. *tanchagens-dos-alpes*
tanchagem-maior s.f.; pl. *tanchagens-maiores*
tanchagem-menor s.f.; pl. *tanchagens-menores*
tanchagem-rabo-de-rato s.f.; pl. *tanchagens-rabo-de-rato* e *tanchagens-rabos-de-rato*
tanchão s.m.
tanchar v.
tanchim s.m.
tanchina s.f.
tanchinha s.f.
tanchoal s.m.
tanchoeira s.f.
tancredinhense adj. s.2g.
tancredo (*ê*) s.m.
tandel s.m.
tandil s.m.
tanduju s.m.
tandur s.m.
tanécio s.m.
tanetano adj. s.m.
tanético adj. s.m.
tanetiense adj. s.2g.
tanga s.f.
tangado adj.
tangala adj. s.2g.
tangale s.m.
tangana s.f.
tanganha s.f.
tanganhão s.m.
tanganheira s.f.
tanganheiro adj.
tanganho s.m.
tanganhoso (*ô*) adj.; f. (*ó*); pl. (*ó*)
tanganiícia s.f.
tanganim s.m.
tângano s.m.
tangão s.m.
tangapema s.f.
tangar v.
tangará s.m.
tangará-açu s.m.; pl. *tangarás-açus*
tangaracá s.m.
tangaraçá s.m.
tangaracá-açu s.m.; pl. *tangaracás-açus*
tangará-de-cabeça-branca s.m.; pl. *tangarás-de-cabeça-branca*
tangará-de-cabeça-encarnada s.m.; pl. *tangarás-de-cabeça-encarnada*
tangaraense adj. s.2g.
tangará-guaçu s.m.; pl. *tangarás-guaçus*
tangaralhão adj. s.m.
tangarana s.f.
tangaranaçu s.f.
tangaranhão adj. s.m.
tangaraú s.m.
tangarazinho s.m.
tangarelho (*ê*) s.m.
tangaril s.m.
tangaripará s.m.
tangarra s.f.
tangarrinha s.f.
tange-asno s.m.; pl. *tange-asnos*
tangedoira s.f.
tangedor (*ô*) adj. s.m.
tangedoura s.f.
tangedouro s.m.
tange-fole s.m.; pl. *tange-foles*
tangeíta s.f.
tangelo s.m.
tangência s.f.; cf. *tangencia*, fl. do v. *tangenciar*
tangenciação s.f.
tangenciado adj.
tangencial adj.2g.
tangenciante adj.2g.
tangenciar v.
tangendo adj.
tangente adj.2g. s.f.
tangentoide (*ó*) adj.2g. s.f.
tanger v. s.m.
tangerina s.f.
tangerina-cravo s.f.; pl. *tangerinas-cravo* e *tangerinas-cravos*
tangerina-do-rio s.f.; pl. *tangerinas-do-rio*
tangerineira s.f.
tangerino adj. s.m.
tange-tange s.m.; pl. *tange-tanges* e *tanges-tanges*
tange-viola s.m.; pl. *tange-violas*
tangibilidade s.f.
tangida s.f.
tangido adj.
tangilense adj. s.2g.
tangimento s.m.
tangitano adj. s.m.
tangível adj.2g.
tanglomanglo s.m.
tango s.m.
tangófilo adj. s.m.
tangolomango s.m.
tangomania s.f.
tangomão s.m.
tangomau s.m.
tangor (*ô*) s.m.
tangoromângoro s.m.
tangrama s.m.
tangromangro s.m.
tanguá s.f.
tanguaense adj. s.2g.
tanguara s.f.
tanguará-guaçu s.m.; pl. *tanguarás-guaçus*
tanguari s.m.
tangueiro adj. s.m.
tanguilho s.m.
tanguim s.m.
tanguinho s.m.
tanguínia s.f.
tanguinina s.f.
tanguista adj. s.2g.
tangul s.m.
tangurupará s.m.
tangurupará-de-asa-branca s.m.; pl. *tanguruparás-de-asa-branca*
tanguto adj. s.m.
tanhaçu s.m.
tanhaçuense adj. s.2g.
tanhocati s.m.
tani s.m.
tanibuca s.f.
taniça s.f.
tânico adj.
tanífero adj.
tanificação s.f.
tanificado adj.
tanificador (*ô*) adj.
tanificar v.
tanigênio s.m.
tanígnato s.m.
tanimeco s.m.
taninação s.f.
taninado adj.
taninagem s.f.
taninar v.

taninato s.m.
taninização s.f.
taninizado adj.
taninizagem s.f.
taninizar v.
tanino s.m.
taninometria s.f.
taninométrico adj.
taninoso (*ô*) adj.; f. (*ó*); pl. (*ó*)
tanistilo s.m.
tanístomo adj. s.m.
tanítico adj.
tanjão adj. s.m.
tanjardo s.m.
tanjarra s.f.
tanjarro s.m.
tanjasno s.m.
tanoada s.f.
tanoar v.
tanoaria s.f.
tanoca s.f.
tanoclarimetria s.f.
tanoclarimétrico adj.
tanoclarímetro s.m.
tanoeiria s.f.
tanoeiro s.m.
tanofórmio s.m.
tanogelatina s.f.
tanoide (*ó*) adj.2g. s.m.
tanomelânico adj.
tanômetro s.m.
tanona s.f.
tanopina s.f.
tanopínico adj.
tanossal s.m.
tanoxílico (*cs*) adj.
tanque s.m.
tanquense adj. s.2g.
tanqueta (*ê*) s.f.
tanquinhense adj. s.2g.
tanreque s.m.
tanseira s.f.
tanso adj. s.m.
tantã adj. s.2g. s.m. "pessoa desequilibrada"; c.f. *tam-tam*
tantalato s.m.
tantálico adj.
tantalina s.f.
tantálio s.m.
tantalita s.f.
tantalite s.f.
tantalítico adj.
tantalito s.m.
tantalização s.f.
tantalizado adj.
tantalizante adj.2g.
tantalizar v.
tântalo s.m.
tantalobetafita s.f.
tantalocolumbita s.f.
tantaloso (*ô*) adj.; f. (*ó*); pl. (*ó*)
tantalpirocloro s.m.
tantanguê s.m.
tantânico adj.
tanteuxenita (*cs*) s.f.
tantinho s.m.
tantirom s.m.
tantito adj. s.m.
tanto adj. adv. pron.
tantra s.2g.
tântrico adj.
tantrismo s.m.
tanuana s.m.
tanuíne s.f.
tanzaniano adj. s.m.
tanzanita s.f.
tao s.m.
tão adv.
taoca s.f.
taoismo (*i*) s.m.
taoista (*i*) adj. s.2g.
taoístico adj.
taonisco s.m.
taoronero s.m.
taosita s.f.
tão só adv.
tão somente adv.
tapa adj. s.2g. s.m.f.
tapa-boca s.m.; pl. *tapa-bocas*
tapa-boquilha s.f.; pl. *tapa-boquilhas*
tapa-buraco s.2g.; pl. *tapa-buracos*
tapação s.f.
tapaçaré s.m.
tapaciriba s.f.
tapaciriba-amarela s.f.; pl. *tapaciribas-amarelas*
tapaciriba-branca s.f.; pl. *tapaciribas-brancas*
tapa-cristo s.m.; pl. *tapa-cristos*
tapa-cu s.m.; pl. *tapa-cus*
tapa-culpas s.2g.2n.
tapacum s.m.
tapacurá adj. s.2g.
tapada s.f.
tapadão adj. s.m.
tapadeira s.f.
tapadeiro s.m.
tapado adj. s.m.
tapadoira s.f.
tapadoiro s.m.
tapador (*ô*) adj. s.m.
tapadote adj.2g.
tapadoura s.f.
tapadouro s.m.
tapadura s.f.
tapa-esteiro s.m.; pl. *tapa-esteiros*
tapagem s.f.
tapaguaçu s.m.
tapaiuna (*ú*) adj. s.2g.
tapaiunense adj. s.2g.
tapaiuno (*ú*) adj. s.m.
tapajara adj. s.2g.
tapajiba s.f.
tapajó adj. s.2g.
tapajônia s.f.
tapajônico adj.
tapalpita s.f.
tapa-luz s.m.; pl. *tapa-luzes*
tapamento s.m.
tapa-misérias s.m.2n.
tapa-missa s.m.; pl. *tapa-missas*
tapa-nariz s.m.; pl. *tapa-narizes*
tapanhaúna s.2g.
tapanhoacanga s.f.
tapanhuna adj. s.2g.
tapanhuno s.m.
tapa-nuca s.m.; pl. *tapa-nucas*
tapão s.m.
tapa-olho s.m.; pl. *tapa-olhos*
tapa-olhos s.m.2n.
tapaquá adj. s.2g.
tapar v.
taparaense adj. s.2g.
taparambé adj. s.2g.
tapareba s.f.
tapari s.m.
tapa-rosto s.m.; pl. *tapa-rostos*
taparubense adj. s.2g.
tapa-sexo s.m.; pl. *tapa-sexos*
tapa-sol s.m.; pl. *tapa-sóis*
tapasteiro s.m.
tapauaense adj. s.2g.
tapa-vaso s.m.; pl. *tapa-vasos*
tapável adj.2g.
tapaxana adj. s.2g.
tapaxina s.f.
tape adj. s.2g. s.m.
tapeação s.f.
tapeacuaçu s.m.
tapeado adj.
tapeador (*ô*) adj. s.m.
tapeamento s.m.
tapeante adj.2g.
tapear v.
tapeável adj.2g.
tapeçado adj.
tapeçar v.
tapeçaria s.f.
tapeceiro s.m.
tapecuim s.m.
tapeinotesmo s.m.
tapeixa s.f.
tapejara adj. s.2g.
tapejarense adj. s.2g.
tapema s.f.
tapena s.f.
tapense adj. s.2g.
tapera s.f. "habitação em ruínas"; cf. *taperá*
taperá s.m. "andorinha"; cf. *tapera*
taperá-guaçu s.m.; pl. *taperás-guaçus*
taperão s.m.
taperebá s.m.
taperebá-açu s.m.; pl. *taperebás-açus*
taperebá-cedro s.m.; pl. *taperebás-cedro* e *taperebás-cedros*
taperebá-do-sertão s.m.; pl. *taperebás-do-sertão*
taperebaí s.m.
taperebazeira s.f.
taperebazeiro s.m.
taperebazinho s.m.
taperense adj. s.2g.
taperibá s.m.
taperibá-cedro s.m.; pl. *taperibás-cedro* e *taperibás-cedros*
taperibá-do-sertão s.m.; pl. *taperibás-do-sertão*
taperibaí s.m.
taperibazeira s.f.
taperibazeiro s.m.
taperibazinho s.m.
taperiense adj. s.2g.
taperinhense adj. s.2g.
taperoaense adj. s.2g.
taperu s.m.
taperuabense adj. s.2g.
taperuçu s.m.
tapetado adj.
tapetar v.
tapete (*ê*) s.m.; cf. *tapete*, fl. do v. *tapetar*
tapete-de-oxalá s.m.; pl. *tapetes-de-oxalá*
tapeteiro s.m.
tapetíneo adj. s.m.
tapetizado adj.
tapetizar v.
tapetorretiniano adj.
tapiá s.m.
tapiaca s.f.
tapiaçu s.m.
tapiá-do-mato s.m.; pl. *tapiás-do-mato*
tapiá-guaçu s.m.; pl. *tapiás-guaçus*
tapiaí s.f.
tapiá-mirim s.m.; pl. *tapiás-mirins*
tapiara s.f.; cf. *tapeara*, fl. do v. *tapear*
tapicari adj. s.2g.
tapichi s.m.
tapiciriba s.f.
tapiço s.m.
tapiçuá s.f.
tapicuém s.m.
tapicuim s.m.
tapicuri s.m.
tapicuru s.m.
tapieira s.f.
tapigo s.m.
tapii s.f.
tapiira s.f.
tapijara adj. s.2g.
tapina s.f.
tapinambaba s.f.
tapinense adj. s.2g.
tapinha s.m.f.
tapinhoã s.m.
tapinhoã-amarelo s.m.; pl. *tapinhoãs-amarelos*
tapinhuacanga s.f.
tapinitinga s.f.
tapinocefalia s.f.
tapinocefálico adj.
tapinocéfalo adj. s.m.
tapinócera s.f.
tapinoma s.m.
tapinopa s.f.
tapinose s.f.
tapinotesmo s.m.
tapioca s.f.
tapiocaba s.f.
tapioca de purga s.f.
tapiocanga s.f.
tapiocano s.m.
tapiocuí s.m.
tapiolita s.f.
tapiolite s.f.
tapiolítico adj.
tapipitinga s.f.
tapir s.m.
tapira s.m.
tapira-caapora s.m.; pl. *tapiras-caapora* e *tapiras-caaporas*
tapiracanguense adj. s.2g.
tapiracoana s.m.
tapiragem s.f.
tapiraiense adj. s.2g.
tapirainense adj. s.2g.
tapiraipense adj. s.2g.
tapiramense adj. s.2g.
tapiramutaense adj. s.2g.
tapiranga s.f.
tapiranguense adj. s.2g.
tapirapé adj. s.2g.
tapirapecu s.m.
tapirapuanense adj. s.2g.
tapiratibano adj. s.m.
tapiratibense adj. s.2g.
tapiré s.f.
tapireça s.m.
tapirense adj. s.2g.
tapiretê s.m.
tapiri s.m.
tapíria s.f.
tapiriba s.f.
tapirídeo adj. s.m.
tapiriri s.m.
tápiro adj. s.m.
tapiróideo adj. s.m.
tapiru s.m.
tapiti s.m.
tapitim s.m.
tapiú s.m.
tapiuá s.f.
tapiúba s.f.
tapiucaba s.m.
tapixaba s.f.
tapixi s.m.
tapixingui s.m.
tapixó s.m.
tapiz s.m.
tapizado adj.
tapizante adj.2g.
tapizar v.
tapona s.f.
taporense adj. s.2g.
taporo adj. s.m.
tapotim s.m.
tapotopatia s.f.
tapotopático adj.
taprobano adj. s.m.
tápsia s.f.
tapsínea s.f.
tapsíneo adj.
tapsitano adj. s.m.
tapuarana s.f.
tapucaiá s.m.
tapucaja s.m.
tapuia adj. s.2g. s.m.
tapuiense adj. s.2g.
tapuio adj. s.m.
tapuio-miguelense adj. s.2g.; pl. *tapuio-miguelenses*
tapuiramense adj. s.2g.
tapuirana s.f.
tapuiranga s.f.
tapuiretama s.f.
tapuiruare s.m.
tapuísa s.f.
tapuji s.m.
tapulhado adj.
tapulhador (*ô*) adj. s.m.
tapulhar v.
tapulho s.m.
tapume s.m.
tapunhunacanga s.f.
tapuoca s.f.
tapurapo s.m.
tapuru s.m.
tapuruca s.f.
tapuru-da-vargem s.m.; pl. *tapurus-da-vargem*
tapuruense adj. s.2g.
tapuruíce s.f.
tapuruquarense adj. s.2g.
tapururuca s.f.
taputém s.m.
taquapiriense adj. s.2g.
taquara s.f.
taquara-bambu s.f.; pl. *taquaras-bambu* e *taquaras-bambus*
taquara-brava s.f.; pl. *taquaras-bravas*
taquaraçu s.f.
taquaraçuense adj. s.2g.
taquara-do-reino s.f.; pl. *taquaras-do-reino*
taquaral s.m.
taquaralense adj. s.2g.
taquara-mansa s.f.; pl. *taquaras-mansas*
taquarandiense adj. s.2g.
taquarapoca s.f.
taquara-seca s.f.; pl. *taquaras-secas*
taquaratinga s.f.
taquara-trepadora s.f.; pl. *taquaras-trepadoras*
taquaré s.m.
taquaremboense adj. s.2g.
taquarense adj. s.2g.
taquari s.m.
taquariço adj.
taquari-d'água s.m.; pl. *taquaris-d'água*
taquari-da-guiana s.m.; pl. *taquaris-da-guiana*
taquari-de-cavalo s.m.; pl. *taquaris-de-cavalo*
taquari-do-mato s.m.; pl. *taquaris-do-mato*
taquariense adj. s.2g.
taquaril s.m.
taquarilense adj. s.2g.
taquarilho s.m.
taquarinha s.f.
taquarinha-d'água s.f.; pl. *taquarinhas-d'água*
taquarinhense adj. s.2g.
taquaripana s.f.
taquaritinguense adj. s.2g.
taquaritubano adj. s.m.
taquaritubense adj. s.2g.
taquariúba s.f.
taquarivaiense adj. s.2g.
taquarixinense adj. s.2g.
taquaruçu s.m.
taquaruçuense adj. s.2g.
taquaruçuzal s.m.
taquaruva s.f.
taquatepe adj. s.2g.
táquea s.f.
taqueação s.f.
taqueado adj. s.m.
taqueador (*ô*) s.m.
taqueamento s.m.
taquear v.
taqueira s.f.
taqueiro s.m.
taquenho s.m.
taqueografia s.f.
taqueográfico adj.
taqueógrafo s.m.
taqueometria s.f.
taqueométrico adj.
taqueômetro s.m.
taqueótipo s.m.
taquiantese s.f.
taquiarritmia s.f.
taquiarrítmico adj.
taquiasfaltita s.f.
taquicardia s.f. "pulsação rápida do coração"; cf. *traquicardia*
taquicardíaco adj. s.m. "de pulsação rápida"; cf. *traquicardíaco*
taquicárdico adj. s.m.

taquiclora s.f.
táquico adj.
táquide s.f.
taquídio s.m.
taquidiurético s.m.
taquidrita s.f.
taquidrite s.f.
taquidrito s.m.
taquidrômia s.f.
taquidrômico adj.
taquídromo s.m.
taquierges s.m.2n.
taquifagia s.f.
taquifágico adj.
taquífago s.m.
taquifemia s.f.
taquifêmico adj.
taquifila s.f.
taquifiláctico adj.
taquifilaxia (*cs*) s.f.
taquifrasia s.f.
taquifrásico adj.
taquifrenia s.f.
taquifrênico adj.
taquigália s.f.
taquigênese s.f.
taquigenético adj.
taquigerasia s.f.
taquigerásico adj.
taquiglossídeo adj. s.m.
taquiglosso s.m.
taquígono s.m.
taquigrafação s.f.
taquigrafado adj.
taquigrafar v.
taquigrafia s.f.
taquigráfico adj.
taquígrafo s.m.; cf. *taquigrafo*, fl. do v. *taquigrafar*
taquigrama s.m.
taquilalia s.f.
taquilálico adj.
taquilaxia (*cs*) s.f.
taquilha s.f.
taquilite s.f.
taquilítico adj.
taquilito s.m.
taquimênis s.m.2n.
taquimetria s.f.
taquimétrico adj.
taquímetro s.m.
táquina s.f.
taquinária s.f.
taquinário adj. s.m.
taquinho s.m.
taquinídeo adj. s.m.
taquiníneo adj. s.m.
táquino s.m.
taquipneia (*é*) s.f.
taquipneico (*é*) adj. s.m.
taquípode s.m.
taquipsíquico adj.
taquipsiquismo s.m.
taquiptília s.f.
taquiri s.m.
taquisfigmia s.f.
taquissístole s.f.
taquissistolia s.f.
taquisterol s.m.
taquistoscopia s.f.
taquistoscópico adj.
taquistoscópio s.m.
taquisurídeo adj. s.m.
taquisuro s.m.
taquitômico adj.
taquitriórquis s.m.2n.
taquizeiro s.m.
tara s.m.f.
tarã s.f.
tarabaiense adj. s.2g.
tarabé s.m.
taracaiá s.m.
taracajá s.m.
taração s.f.
taracena s.f.
taracuá s.f.
tarado adj. s.m.
tarador (*ô*) adj.
taraense adj. s.2g.
tarafe s.m.
taraguaense adj. s.2g.
taraguira s.f.
taraguirapeba s.f.
taraguirapeva s.f.
taraíra s.f.
taraitaia s.f.
tarajuba s.f.
taralhão s.m.
taralhão-mosqueiro s.m.; pl. *taralhões-mosqueiros*
taralhar v.
taralheira s.f.
taralheta (*ê*) adj. s.2g.
taralhice s.f.
taralhoeira s.f.
taramasso s.m.
tarambambé adj. s.2g.
tarambela adj. s.2g.
tarambelho (*ê*) s.m.
tarambola s.f.
tarambola-caranguejeira s.f.; pl. *tarambolas-caranguejeiras*
tarambola-coleirada s.f.; pl. *tarambolas-coleiradas*
tarambote s.m.
taramela s.f.
taramelagem s.f.
taramelar v.
taramelear v.
tarameleiro adj. s.m.
taramelice s.f.
taramelo (*ê*) s.m.; cf. *taramelo*, fl. do v. *taramelar*
taramembé adj. s.2g.
taramense adj. s.2g.
tarampabo s.m.
tarampantão s.m.
tarangalho s.m.
taranta adj. s.2g.
tarantela s.f.
tarantinídio s.m.
tarantismo s.m.
tarântula s.f.
tarantular v.
tarantulismo s.m.
tarão s.m.
tarapacaíta s.f.
tarapacaíte s.f.
tarapantão s.m.
tarapé s.f.
tarapema s.f.
tarapitinga s.f.
taraquá s.f.
taraquaense adj. s.2g.
táraque s.f.
taraquídia s.f.
tarar v.
tarara s.f. "limpador de trigo"; cf. *tarará*
tarará s.m. "som da trombeta"; cf. *tarara*
tararaca adj.2g. s.f.
tararaçu s.m.
tararira s.f.
tararucu s.m.
tarasca s.f.
tarasco adj. s.m.
tarasconês adj. s.m.
taraspita s.f.
taraspite s.f.
tarasquento adj.
tarata s.m.
taratanga s.f.
taratanga-preta s.f.; pl. *taratangas-pretas*
taratetê s.m.
taratufo s.m.
tarau s.2g.
tarauacaense adj. s.2g.
tarauaxi s.m.
tarauira (*í*) s.f.
taráxaco (*cs* ou *ch*) s.m.
taraxantina (*cs* ou *ch*) s.f.
taraxe (*cs*) s.f.
taraxia (*cs*) s.f.
tarazede s.f.
tarbelo adj. s.m.
tarbês adj. s.m.
tarbucha s.f.
tarbuche s.f.
tarbutita s.f.
tarca s.f.
tarcena s.f.
tarconantina s.f.
tarconanto s.m.
tarconina s.f.
tardada s.f.
tardado adj.
tardador (*ô*) adj. s.m.
tardamento s.m.
tardança s.f.
tardância s.f.
tardão adj. s.m.; f. *tardona*
tardar v.
tarde adv. s.f.
tardeiro adj.
tardenense adj. s.2g.
tardenoisense adj. s.2g.
tardenoisiense adj. s.2g.
tardenosiano adj. s.m.
tardesco (*ê*) adj.
tardeza (*ê*) s.f.
tardião adj. s.m.
tardiarado adj.
tardiflorente adj.2g.
tardifloro adj.
tardiglacial adj.2g. s.m.
tardígrado adj. s.m.
tardijumento s.m.
tardíloquo (*cuo* ou *co*) adj.
tardimagma s.m.
tardimagmático adj.
tardina s.f.
tardinha s.f.
tardinhar v.
tardinheiro adj. s.m.
tardio adj.
tardívago adj.
tardo adj. s.m.
tardona adj. s.f. de *tardão*
tardonho adj.
tardoz s.m.
tarduncho adj.
tarear v.
tarecada s.f.
tarecagem s.f.
tarecaí s.m.
tarecama s.f.
tarecena s.f.
tareco adj. s.m.
taredo (*ê*) s.m.
tarefa s.f.
tarefar v.
tarefa-redonda s.f.; pl. *tarefas-redondas*
tarefeiro s.m.
tarega s.m.
taregicagem s.f.
tareia s.f.
tareira s.f.
tarela s.2g.
tarelar v.
tareleiro s.m.
tarelho (*ê*) s.m.
tarelice s.f.
tarelo s.m.
tarena s.f.
tarendeira s.f.
tarentela s.f.
tarentês adj. s.m.
tarentinarquia s.f.
tarentino adj. s.m.
tarentismo s.m.
tarêntula s.f.
tarequice s.f.
tarequito s.m.
tareré s.m.
tarerequi s.m.
tárfio s.m.
targana s.f.
targélias s.f.pl.
targélio s.m.
targélion s.m.
targinense adj. s.2g.
targiônea s.f.
targiôneo adj.
targiônia s.f.
targionióidea s.f.
targionite s.f.
targionito s.m.
targra s.f.
targum s.m.
targúmico adj.
targumista adj. s.2g.
targumístico adj.
tari s.m.
taria adj. s.2g.
tariana adj. s.2g.
tarianense adj. s.2g.
tarieiro adj.
tariento s.m.
tarifa s.f.
tarifação s.f.
tarifado adj.
tarifar v.
tarifário adj.
tarificação s.f.
tarificado adj.
tarificar v.
tárigue s.m.
tariiramboia (*ó*) s.f.
tarim s.m.
tarima s.f.
tarimba s.f.
tarimbado adj.
tarimbar v.
tarimbeco s.m.
tarimbeirice s.f.
tarimbeiro adj. s.m.
tarimpiú adj. s.2g.
tarinate adj. s.2g.
tarioba s.f.
tariota adj. s.2g. s.m.
tariqueuta s.m.
tarira s.f.
tariraboia (*ó*) s.f.
tarirato s.m.
tariri s.m.
tarírico adj.
taririqui s.m.
tarisa s.f.
taritubano adj. s.m.
taritubense adj. s.2g.
tarja s.f.
tarjado adj.
tarjão s.m.
tarjar v.
tarje s.f.
tarjeta (*ê*) s.f.
tarlatana s.f.
tarmac s.m.
tarmacadame s.m.
tármico adj.
tarnagalho s.m.
tarnovitzita s.f.
tarnovitzite s.f.
tarô s.m.
taroca s.f.
tarocada s.f.
tarocar v.
taroco (*ô*) s.m.; cf. *taroco*, fl. do v. *tarocar*
tarol s.m.
tarola s.f.
tarolar v.
tarole s.m.
tarolo (*ô*) s.m.; cf. *tarolo*, fl. do v. *tarolar*
taronja adj. s.2g.
tarono s.m.
taropé s.m.
taroque s.m.
tarós s.m.
tarosada s.f.
tarote s.2g.
tarouca s.f.
taroucar v.
tarouco adj.
tarouquense adj. s.2g.
tarouquês adj. s.m.
tarouquice s.f.
tarozeiro s.m.
tarpa s.f.
tarpã s.m.
tarpacar s.m.
tarpão s.m.
tarquiniense (*ü*) adj. s.2g.
tarrabázia s.f.
tarrabufado adj. s.m.
tarraçada s.f.
tarracena s.f.
tarracense adj. s.2g.
tarracinense adj. s.2g.
tarraco adj. s.m.
tarraço s.m.
tarraconense adj. s.2g.
tarracote adj.2g.
tarrada s.f.
tarrafa s.f.
tarrafada s.f.
tarrafado adj.
tarrafar v.
tarrafe s.m.
tarrafeada s.f.
tarrafeado adj.
tarrafear v.
tarrafeira s.f.
tarrafense adj. s.2g.
tarrafia s.f.
tarrafo s.m.
tárraga s.f.
tarragense adj. s.2g.
tarragonês adj. s.m.
tarramaque s.m.
tarranquém s.m.
tarranquim s.m.
tarrantana s.f.
tarrão s.m.
tarraqueta (*ê*) s.f.
tarraquice s.f.
tarraquim s.m.
tarrasca s.f.
tarrasconada s.f.
tarrasqueta (*ê*) s.f.
tarratão s.m.
tarraxa s.f.
tarraxar v.
tarraxo s.m.
tarrear v.
tarreco adj. s.m.
tarrelo (*ê*) s.m.
tarrequice s.f.
tarreta (*ê*) s.f.
tarreto (*ê*) s.m.
tarréu s.m.
tarrincar v.
tarrinco s.m.
tarrinheira s.f.
tarro s.m.
tarroeira s.f.
tarrote s.m.
tarrote-do-monte s.m.; pl. *tarrotes-do-monte*
tarruca s.f.
tarruta s.f.
tarrutar v.
tarsadenite s.f.
tarsadenítico adj.
tarsal adj.2g.
tarsalgia s.f.
tarsálgico adj.
tarsarola s.f.
tarsáster s.m.
tarseclose s.f.
tarsectomia s.f.
tarsectômico adj.
tarsectopia s.f.
tarsectópico adj.
tarseiro s.m.
tarseíte s.f.
tarsense adj. s.2g.
társeo adj. s.m.
tarseomalacia s.f.
tarseomalácico adj.
tarseorrafia s.f.
tarseorráfico adj.
tarseostrofia s.f.
tarseostrófico adj.
tarseotomia s.f.
tarseotômico adj.
tarsiano adj.
társico adj.
tarsídeo adj. s.m.
tarsiforme adj. s.2g.
társiger s.m.
tarsígero s.m.
tarsiídeo adj. s.m.
társio s.m.
tarsioide (*ó*) adj.2g. s.m.
tarsióidea s.f.
tarsióideo adj. s.m.
tarsípede s.m.
tarsipedídeo adj. s.m.
társipes s.m.2n.

társis s.m.2n.
tarsite s.f.
tarso adj. s.m.
tarsoclasia s.f.
tarsoclose s.f.
tarsofalangiano adj.
tarsofalângico adj.
tarsofima s.m.
tarsomalacia s.f.
tarsomalácico adj.
tarsometatarsiano adj.
tarsometatársico adj.
tarsonemíneo adj. s.m.
tarsonemo s.m.
tarsoplastia s.f.
tarsoplástico adj.
tarsoptose s.f.
tarsoptótico adj.
tarsoquiloplastia s.f.
tarsorrafia s.f.
tarsorráfico adj.
tarsósteno s.m.
tarsostrofia s.f.
tarsostrófico adj.
tarsotomia s.f.
tarsotômico adj.
tartã s.m.
tartada s.f.
tartadio adj.
tartago s.m.
tartalha s.2g.
tartamelar v.
tartamelear v.
tartamelo adj. s.m.
tartamudado adj.
tartamudeado adj.
tartamudear v.
tartamudeio s.m.
tartamudez (*ê*) s.f.
tartamudo adj. s.m.
tartana s.f.
tartanha s.f.
tartaralhão s.m.
tartaranha s.2g. s.f.
tartaranhão s.m.
tartaranhão-azulado s.m.; pl. *tartaranhões-azulados*
tartaranhão-pigargo s.m.; pl. *tartaranhões-pigargo* e *tartaranhões-pigargos*
tartaranhão-ruivo s.m.; pl. *tartaranhões-ruivos*
tartaranhão-vulgar s.m.; pl. *tartaranhões-vulgares*
tartaranho s.m.
tartarato s.m.
tartarazina s.f.
tartareador (*ô*) adj. s.m.
tartarear v.
tartareio s.m.
tartáreo adj.
tartárico adj.
tartariforme adj.2g.
tartarífugo adj.
tartarimetria s.f.
tartarimétrico adj.
tartarímetro s.m.
tartarinesco (*ê*) adj.
tartarinismo s.m.
tartarização s.f.
tartarizado adj.
tartarizar v.
tártaro adj. s.m.
tartaronato s.m.
tartarônico adj.
tartaroso (*ô*) adj.; f. (*ó*); pl. (*ó*)
tartaruga s.2g. s.f.
tartarugada s.f.
tartaruga-da-amazônia s.f.; pl. *tartarugas-da-amazônia*
tartaruga-da-europa s.f.; pl. *tartarugas-da-europa*
tartaruga-de-couro s.f.; pl. *tartarugas-de-couro*
tartaruga-de-pente s.f.; pl. *tartarugas-de-pente*
tartaruga-do-amazonas s.f.; pl. *tartarugas-do-amazonas*
tartaruga-do-mar s.f.; pl. *tartarugas-do-mar*
tartaruga-do-nilo s.f.; pl. *tartarugas-do-nilo*
tartaruga-geométrica s.f.; pl. *tartarugas-geométricas*
tartaruga-gigante s.f.; pl. *tartarugas-gigantes*
tartaruga-grande-encourada s.f.; pl. *tartarugas-grandes-encouradas*
tartaruga-grega s.f.; pl. *tartarugas-gregas*
tartaruga-imbricada s.f.; pl. *tartarugas-imbricadas*
tartarugal adj.2g. s.m.
tartaruga-lira s.f.; pl. *tartarugas-lira* e *tartarugas-liras*
tartaruga-matamatá s.f.; pl. *tartarugas-matamatás*
tartaruga-verdadeira s.f.; pl. *tartarugas-verdadeiras*
tartaruga-verde s.f.; pl. *tartarugas-verdes*
tartarugo s.m.
tartaruguense adj. s.2g.
tartaruguinha s.f.
tartaúba s.f.
tártego adj. s.m.
tartemelear v.
tartésio adj. s.m.
tartessiano adj.
tartéssio adj. s.m.
tartesso adj. s.m.
tartufaria s.f.
tartufear v.
tartufia s.f.
tartuficador (*ô*) adj. s.m.
tartuficar v.
tartufice s.f.
tartufismo s.m.
tartufista adj. s.2g.
tartufita s.f.
tartufite s.f.
tartufizar v.
tartufo s.m.
taruaçuense adj. s.2g.
tarubá s.m.
taruca s.f.
taruco s.m.
taruga s.f.
tarugado adj.
tarugador (*ô*) adj. s.m.
tarugamento s.m.
tarugar v.
tarugo s.m.
taruíra s.f.
tarumá adj. s.2g. s.m.
tarumã s.m.
tarumã-cheiroso s.m.; pl. *tarumãs-cheirosos*
tarumã-da-mata s.m.; pl. *tarumãs-da-mata*
tarumã-da-várzea s.m.; pl. *tarumãs-da-várzea*
tarumã-de-espinho s.m.; pl. *tarumãs-de-espinho*
tarumã-de-espinhos s.m.; pl. *tarumãs-de-espinhos*
tarumã-do-alagado s.m.; pl. *tarumãs-do-alagado*
tarumã-do-campo s.m.; pl. *tarumãs-do-campo*
tarumã-do-igapó s.m.; pl. *tarumãs-do-igapó*
tarumaí s.m.
tarumã-mirim s.m.; pl. *tarumãs-mirins*
tarumanense adj. s.2g.
tarumã-pardo s.m.; pl. *tarumãs-pardos*
tarumã-silvestre s.m.; pl. *tarumãs-silvestres*
tarumã-tuíra s.m.; pl. *tarumãs-tuíras*
tarumatuíra s.m.
tarumazeiro s.m.
tarumirinense adj. s.2g.
tarumirinhense adj. s.2g.
tarusate adj. s.2g.
tarusconiense adj. s.2g.
tarvia s.f.
tarvisano adj. s.m.
tarvisino adj. s.m.
tasca s.f.
tascadeira s.f.
tascado adj.
tascador (*ô*) adj. s.m.
tascanhar v.
tascante adj.2g. s.m.
tascar v.
tascina s.f.
tasco s.m.
tascoa (*ô*) s.f.
tascoado adj.
tascoar v.
tasgalho s.m.
tasgar v.
tásgio s.m.
tasiano adj. s.m.
tasicinesia s.f.
tasicinético adj.
tasimetria s.f.
tasimétrico adj.
tasímetro s.m.
tásio adj. s.m.
tasiocinesia s.f.
tasiocinético adj.
tasiometria s.f.
tasiométrico adj.
tasiômetro adj.
tasmânia s.f.
tasmaniano adj. s.m.
tasmaniense adj. s.2g.
tasmânio adj. s.m.
tasmanita s.f.
tasmanite s.f.
tasmanoide (*ó*) adj.2g.
tasna s.f.
tasneira s.f.
tasneirinha s.f.
taspinita s.f.
taspinite s.f.
taspinito s.m.
tasqueira s.f.
tasqueiro s.m.
tasquinado adj.
tasquinar v.
tasquinha s.2g. s.f.
tasquinhação s.f.
tasquinhado adj. s.m.
tasquinhador (*ô*) adj. s.m.
tasquinhagem s.f.
tasquinhar v.
tasquinho s.m.
tassádia s.f.
tassalhação s.f.
tassalhado adj.
tassalhar v.
tassalho s.m.
tasselo (*ê*) s.m.
tastavelar v.
tastavelhar v.
tasteado adj.
tastear v.
tasteira s.f.
tasto s.m.
tata s.m. "chefe do terreiro"; cf. *tatá*
tatá s.m. "papai"; cf. *tata*
tatabu s.m.
tatacaá s.f.
tatacajuba s.f.
tatacuçu s.f.
tata de inquice s.m.
tatagata s.f.
tataíba s.f.
tataipeva s.f.
tataíra s.f.
tatairense adj. s.2g.
tatajiba s.f.
tatajuba s.f.
tatajuba-amarela s.f.; pl. *tatajubas-amarelas*
tatajuba-do-brejo s.f.; pl. *tatajubas-do-brejo*
tatajubense adj. s.2g.
tatajupoca s.f.
tatalação s.f.
tatalame s.m.
tatalante adj.2g.
tatalar v. s.m.
tatalo s.m.
tatamba adj. s.2g.
tatambeado adj.
tatambear v.
tatâmbico adj.
tatame s.m.
tatâmi s.m.
tatané s.m.
tatangué s.m.
tatanguê s.m.
tataparica s.f.
tatapirica s.f.
tatapiririca s.f.
tatapora s.f.
tataracaíta s.f.
tatarakaíta s.f.
tatarana s.f.
tataraneto s.m.
tataranha adj. s.2g.
tataranhão s.m.
tataranhar v.
tataranho adj. s.m.
tataravó s.f. de *tataravô*
tataravô s.m.; f. *tataravó*; pl. *tataravôs* e *tataravós*
tatarcaíta s.f.
tataré s.m.
tatarear v.
tatareji s.m.
tatarema s.f.
tatarenho adj. s.m.
tatarez (*ê*) s.f.
tataria s.f.
tatarinha s.f.
tatarismo s.m.
tátaro adj. s.m.
tatarskita s.f.
tatau s.m.
tataúba s.f.
tataurana s.f.
tate adv. interj.
tateabilidade s.f.
tateação s.f.
tateado adj.
tateador (*ô*) adj. s.m.
tateamento s.m.
tateante adj.2g.
tatear v.
tateável adj.2g.
tatebuia s.f.
tateio s.m.
tatemono s.m.
tatera s.f.
tateto (*ê*) s.m.
tatibilidade s.f.
tatibitate adj. s.2g.
tatibitatear v.
tática s.f.
taticidade s.f.
tático adj. s.m.
taticografia s.m.
taticográfico adj.
taticógrafo s.m.
taticumã s.m.
tatiguatá adj. s.2g.
tátil adj.2g.
tatilidade s.f.
tatilizar v.
tatireji s.m.
tatismo s.m.
tato adj. s.m.
tatoga s.m.
tatra adj. s.2g.
tatsu s.m.
tatu s.m.
tatua s.f.
tatuaba s.f.
tatuaçu s.m.
tatuado adj. s.m.
tatuador (*ô*) adj. s.m.
tatuagem s.f.
tatuaíba s.m.
tatuaíva s.m.
tatuamunhense adj. s.2g.
tatuapara s.m.
tatuar v.
tatu-bola s.m.; pl. *tatus-bola* e *tatus-bolas*
tatucaá s.m.
tatucaba s.m.
tatu-canastra s.m.; pl. *tatus-canastra* e *tatus-canastras*
tatu-cascudo s.m.; pl. *tatus-cascudo* e *tatus-cascudos*
tatucaua s.m.
tatuço s.m.
tatu-d'água s.m.; pl. *tatus-d'água*
tatu-de-folha s.m.; pl. *tatus-de-folha*
tatu-de-mão-amarela s.m.; pl. *tatus-de-mão-amarela*
tatu-de-rabo-mole s.m.; pl. *tatus-de-rabo-mole*
tatuense adj. s.2g.
tatuetê s.m.
tatu-folha s.m.; pl. *tatus-folha* e *tatus-folhas*
tatu-galinha s.m.; pl. *tatus-galinha* e *tatus-galinhas*
tatuí s.m.
tatuiá s.m.
tatuiano adj. s.m.
tatuiense adj. s.2g.
tatuíra s.m.
tatu-milheiro s.m.; pl. *tatus-milheiros*
tatu-mulita s.m.; pl. *tatus-mulita* e *tatus-mulitas*
tatupeba s.m.
tatu-peludo s.m.; pl. *tatus-peludos*
tatupeva s.m.
tatupoiú s.m.
tatuquarense adj. s.2g.
tatuquira s.m.
tatura s.f.
taturana s.f.
taturu s.m.
tatusiíneo adj. s.m.
tatusuia s.m.
tatu-tapuia s.m.; pl. *tatus-tapuias*
tatu-veado s.m.; pl. *tatus-veado* e *tatus-veados*
tatu-verdadeiro s.m.; pl. *tatus-verdadeiros*
tatu-vespa s.m.; pl. *tatus-vespa* e *tatus-vespas*
tatuxima s.m.
tatuzão s.m.
tatuzinho s.m.
tatuzinho-da-areia s.m.; pl. *tatuzinhos-da-areia*
tatuzinho-de-quintal s.m.; pl. *tatuzinhos-de-quintal*
tatzé s.m.
tau s.m. interj.
tauá adj.2g. s.m.
tauaçu s.m.
tauaense adj. s.2g.
tauanã s.m.
tauapeçaçuense adj. s.2g.
tauapense adj. s.2g.
tauapiranguense adj. s.2g.
tauara adj. s.2g.
tauari s.m.
tauarianense adj. s.2g.
tauariãzinhense adj. s.2g.
tauariense adj. s.2g.
tauaruanense adj. s.2g.
tauatinga s.f.
tauató s.m.
tauató-pintado s.m.; pl. *tauatós-pintados*
tauató-preto s.m.; pl. *tauatós-pretos*
taubateano adj. s.m.
taubateense adj. s.2g.
tauchéria s.f.
taué s.m.
taugui s.m.
tauiri s.m.
tauismo (*í*) s.m.
tauista (*í*) adj. s.2g.
tauístico adj.
tauité adj. s.2g.
taulâncio adj. s.m.
taulipangue adj. s.2g.
taumásia s.f.
taumasita s.f.
taumasite s.f.
taumataense adj. s.2g.

taumatopeu s.m.
taumatropia s.f.
taumatrópico adj.
taumatrópio s.m.
taumaturgense adj. s.2g.
taumaturgia s.f.
taumatúrgico adj. s.m.
taumaturgo adj. s.m.
taumaturguense adj. s.2g.
taumauita (*í*) s.f.
taumauítico adj.
taumetopeia (*é*) s.f.
taumetopeídeo s.m.
tauná s.m.
taunayense adj. s.2g.
taunense adj. s.2g.
taunusiano adj. s.m.
tauoaense adj. s.2g.
tauoca s.f.
taura adj. s.2g.
taurasino adj. s.m.
tauredofídio s.m.
táureo adj.
tauriano adj. s.m.
tauricéfalo adj.
tauricida adj. s.2g.
tauricídio s.m.
táurico adj.
tauricorne adj.2g.
tauricórneo adj.
táurida s.f.
taurífero adj.
tauriforme adj.2g.
taurifrônteo adj.
taurigenia s.f.
taurigênico adj.
taurilo s.m.
taurim s.m.
taurina s.f.
tauriniense adj. s.2g.
taurino adj. s.m.
taurisano adj. s.m.
tauriscita s.f.
tauriscite s.f.
tauriscito s.m.
taurisco adj. s.m.
taurita s.f.
taurite s.f.
taurito s.m.
tauro adj. s.m.
taurobola s.f.
taurobólico adj.
taurobólio s.m.
taurobolizar v.
tauróbolo s.m.
taurocarbâmico adj.
taurocéfalo adj.
taurocenta s.m.
taurócera s.f.
taurócero s.m.
taurocola s.f.
taurocolato s.m.
taurocolemia s.f.
taurocólico adj.
taurocreatina s.f.
tauróctono adj. s.m.
tauródromo s.m.
taurófago adj.
taurófilo adj. s.m.
taurolema s.m.
tauromaquia s.f.
tauromáquico adj.
tauromínio adj. s.m.
tauromiritano adj. s.m.
tauroscita adj. s.2g.
taurunense adj. s.2g.
tauruscо adj. s.m.
tauschéria s.f.
tautacismo s.m.
tautacista adj.2g.
tautífono adj.
tautócrona s.f.
tautocronia s.f.
tautocrônico adj.
tautocronismo s.m.
tautócrono adj. s.m.
tautofonia s.f.
tautofônico adj.
tautograma s.m.
tautogramático adj.
tautólito s.m.
tautologia s.f.
tautológico adj.
tautomenial adj.2g.
tautomeria s.f.
tautomérico adj.
tautomério s.m.
tautomerismo s.m.
tautômero adj.
tautometria s.f.
tautométrico adj.
tautossilábico adj.
tautossilabismo s.m.
tautvinita s.f.
taúva s.f.
tauxia s.f.
tauxiado adj.
tauxiador (*ô*) adj. s.m.
tauxiar v.
tava s.f.
tavacuçu s.m.
tavajiba s.f.
tavajuba s.f.
tavala adj. s.2g.
tavanês adj. s.m.
tavão s.m.
tavão-besteiro s.m.; pl. *tavãos-besteiros*
tavão-ceguinho s.m.; pl. *tavãos-ceguinhos*
tavara s.m.
tavarense adj. s.2g.
tavares s.m.2n.
tavarésia s.f.
tavaresiela s.f.
tavastiano adj. s.m.
táveda s.f.
tavel s.m.
taveno adj. s.m.
taverna s.f.
tavernal adj.2g.
tavernário adj.
taverneiro adj. s.m.
taverniéria s.f.
tavernola s.f.
tavernória s.f.
tavernório s.m.
tavila s.f.
tavirense adj. s.2g.
tavistoquite s.f.
tavistoquito s.m.
tavita s.f.
tavite s.f.
tavítico adj.
tavoca s.f.
távola s.f.
tavolado s.m.
tavolageiro s.m.
tavolagem s.f.
távola-redonda s.f.; pl. *távolas-redondas*
tavoleta (*ê*) s.f.
tavorense adj. s.2g.
tavorita s.f.
tawmawita s.f.
tawmawítico adj.
taxa s.f. "imposto"; cf. *tacha* s.f., fl. do v. *tachar*, e *tachá* s.m.
taxã s.f.
taxação s.f.
taxácea (*cs*) s.f.
taxáceo (*cs*) adj.
taxado adj.; cf. *tachado*
taxador (*ô*) adj. s.m.; cf. *tachador* (*ô*)
taxal (*cs*) adj.2g.
taxale (*cs*) s.f.
taxar v. "impor tributo"; cf. *tachar*
taxaspidiano adj.
taxativo adj.
taxável adj.2g.; cf. *tachável*
taxe (*cs*) s.f. "redução de tumor herniário"; cf. *taxe*, fl. do v. *taxar*, *táxi* (*cs*) s.m. e *taxi* s.m.f.
taxema (*cs*) s.m.
taxemático (*cs*) adj.
taxêmica (*cs*) s.f.
taxêmico (*cs*) s.m.
taxi s.m.f. "formiga"; cf. *taxe*, fl. do v. *taxar*, *taxe* (*cs*) s.f. e *táxi* (*cs*) s.m.
táxi (*cs*) s.m. "automóvel"; cf. *taxi* s.m.f., *taxe* (*cs*) s.f. e *taxe*, fl. do v. *taxar*
taxia (*cs*) s.f.
táxi-aéreo s.m.; pl. *táxis-aéreos*
taxiar (*cs*) v.
taxiarca (*cs*) s.m.
taxiarcado (*cs*) s.m.
taxiarquia (*cs*) s.f.
taxiárquico (*cs*) adj.
taxi-branco s.m.; pl. *taxis-brancos*
taxi-branco-da-mata s.m.; pl. *taxis-brancos-da-mata*
taxi-branco-da-terra-firme s.m.; pl. *taxis-brancos-da-terra-firme*
taxi-branco-da-várzea s.m.; pl. *taxis-brancos-da-várzea*
taxicatina (*cs*) s.f.
táxico (*cs*) adj.
taxícola (*cs*) adj. s.2g.
taxicórneo (*cs*) adj. s.m.
taxidermia (*cs*) s.f.
taxidérmico (*cs*) adj.
taxidermista (*cs*) adj. s.2g.
taxi-de-terra-firme s.m.; pl. *taxis-de-terra-firme*
taxiforme (*cs*) adj.2g.
taxifoto (*cs*) s.m.
táxila (*cs*) adj. s.2g.
taxiladar (*cs*) s.m.
taxilogia (*cs*) s.f.
taxilógico (*cs*) adj.
taxilogista (*cs*) adj. s.2g.
taxílogo (*cs*) s.m.
taximetria (*cs*) s.f.
taximétrico (*cs*) adj.
taxímetro (*cs*) s.m.
taxina (*cs*) s.f.
taxínea (*cs*) s.f.
taxíneo (*cs*) adj.
taxinomia (*cs*) s.f.
taxinômico (*cs*) adj. s.m.
taxiodermia (*cs*) s.f.
taxiodérmico (*cs*) adj.
taxiodermista (*cs*) adj. s.2g.
taxiologia (*cs*) s.f.
taxiológico (*cs*) adj.
taxiologista (*cs*) adj. s.2g.
taxiólogo (*cs*) s.m.
taxionomia (*cs*) s.f.
taxionômico (*cs*) adj. s.m.
taxiônomo (*cs*) s.m.
taxipá s.m.
taxípates (*cs*) s.m.2n.
taxi-pequeno s.m.; pl. *taxis-pequenos*
taxi-preto s.m.; pl. *taxis-pretos*
taxi-preto-da-mata s.m.; pl. *taxis-pretos-da-mata*
taxira s.f.
taxirana s.f.
táxis (*cs*) s.f.2n.
taxista (*cs*) s.2g.
taxita s.f.
taxite s.f.
taxítico adj.
taxizal s.m.
taxizeiro s.m.
taxizeiro-branco s.m.; pl. *taxizeiros-brancos*
taxizeiro-branco-da-mata s.m.; pl. *taxizeiros-brancos-da-mata*
taxizeiro-de-tinta s.m.; pl. *taxizeiros-de-tinta*
taxizeiro-preto-da-mata s.m.; pl. *taxizeiros-pretos-da-mata*
taxocrinídeo (*cs*) adj. s.m.
taxócrino (*cs*) s.m.
taxodiácea (*cs*) s.f.
taxodiáceo (*cs*) s.f.
taxódio (*cs*) s.m.
taxódio-dístico s.m.; pl. *taxódios-dísticos*
taxodióidea (*cs*) s.f.
taxodonte (*cs*) adj.2g. s.m.
taxologia (*cs*) s.f.
taxológico (*cs*) adj.
taxologista (*cs*) adj. s.2g.
taxólogo (*cs*) s.m.
táxon (*cs*) s.m.
taxonomia (*cs*) s.f.
taxonômico (*cs*) adj. s.m.
taxonomista (*cs*) adj. s.2g.
taxônomo (*cs*) s.m.
taxupá s.m.
taxuri s.m.
taylória s.f.
tayloriano adj.
tayloríea s.f.
taylorismo s.m.
taylorístico adj.
taylorista adj. s.2g.
taylorita s.f.
taylorite s.f.
taylorização s.f.
taylorizado adj.
taylorizar v.
tchã s.m.
tchacaviano adj. s.m.
tchadiano adj. s.m.
tchau s.m. interj.
tcheco adj. s.m.
tcheco-eslovaco adj. s.m.; pl. *tcheco-eslovacos*
tchecoeslovaco adj. s.m.
tchecoslovaco adj. s.m.
tchekhoviano adj.
tcheque adj. s.2g.
tchetchene adj. s.2g.
tchetcheno-lesguiano adj. s.m.; pl. *tchetcheno-lesguianos*
tchicaridjana adj. s.2g.
tchitola s.m.
te pron.
tê s.m.
teaça s.f.
teácea s.f.
teáceo adj.
teaçu s.m.
teada s.f.
teagem s.f.
teagogo (*ô*) s.m.
teália s.f.
tealídio s.m.
tealismo s.m.
tealita s.f.
tealite s.f.
tealítico adj.
teallita s.f.
teallítico adj.
teame s.m.
teamina s.f.
teandria s.f.
teândrico adj.
teanense adj. s.2g.
teangélide s.f.
teano adj. s.m.
teantropia s.f.
teantrópico adj.
teantropista adj. s.2g.
teantropo (*ô*) s.m.
tear s.m.
tearâneo adj.
tearo adj. s.m.
teate adj. s.2g.
teatina s.f.
teatinada s.f.
teatinar v.
teatino adj. s.m.
teatrada s.f.
teatral adj.2g.
teatralidade s.f.
teatralismo s.m.
teatralístico adj.
teatralização s.f.
teatralizado adj.
teatralizar v.
teatrão s.m.
teatreco s.m.
teatrelho (*ê*) s.m.
teátrico adj.
teatrículo s.m.
teatrista adj. s.2g.
teatro s.m.
teatrofone s.m.
teatrofonia s.f.
teatrofônico adj.
teatrofono s.m.
teatrólogo s.m.
teatro-revista s.m.; pl. *teatros-revista* e *teatros-revistas*
teatrório s.m.
teatroterapia s.f.
teba adj. s.2g. s.f.
tebaicina s.f.
tebaico adj. s.m.
tebaida s.f.
tebaidense adj. s.2g.
tebaína s.f.
tebaísmo s.m.
tebano adj. s.m.
tebas adj. s.2g.2n.
tebasano adj. s.m.
tebaseno adj. s.m.
tebedaí s.m.
tebeia (*é*) adj. s.f. de *tebeu*
tebele s.m.
tebena s.f.
tebenina s.f.
tebense adj.2g.
tebeth s.m.
tebeu adj. s.m.; f. *tebeia* (*é*)
tebexê s.m.
tebuane s.m.
teca s.f.
teca-africana s.f.; pl. *tecas-africanas*
tecácera s.f.
tecácoris s.f.2n.
tecadáctilo s.m.
tecado adj.
teca-do-brasil s.f.; pl. *tecas-do-brasil*
tecáfora s.f.
tecafóreo adj.
tecáforo adj. s.m.
teçaindaense adj. s.2g.
tecal adj.2g.
tecália s.f.
tecameba s.f.
tecamonádeo adj. s.m.
tecápode s.m.
tecar v.
tecaspóreo adj. s.m.
tecásporo adj.
tecebá s.m.
tecedeira s.f.
tecedor (*ô*) adj. s.m.
tecedura s.f.
tecelã s.f. de *tecelão*
tecelagem s.f.
tecelão s.m.; f. *tecelã* e *teceloa* (*ô*)
tecelão-de-bico-vermelho s.m.; pl. *tecelões-de-bico-vermelho*
tecelaria s.f.
tecelinho s.m.
tecelino s.m.
teceloa (*ô*) s.f. de *tecelão*
tecer v.
tecídea s.f.
tecideáceo adj. s.m.
tecideídeo adj. s.m.
tecido adj. s.m.
tecidual adj.2g.
tecígero adj.
tecigrama s.m.
tecimento s.m.
tecite s.f.
tecla s.f.
tecladista s.2g.
teclado s.m.
teclar v.
téclea s.f.
tecleador (*ô*) s.m.
teclear v.
tecmessa s.f.
tecnécico adj.
tecnécio s.m.
tecnetático adj.
tecnetato s.m.
tecnétron s.m.
tecnetrônio s.m.
técnica s.f.
tecnicagem s.f.

tecnicalidade s.f.
tecnicidade s.f.
tecnicismo s.m.
tecnicista adj.2g.
tecnicização s.f.
tecnicizado adj.
tecnicizante adj.2g.
tecnicizar v.
tecnicizável adj.2g.
técnico adj. s.m.
tecnicolor (*ô*) adj.2g. s.m.
tecnicólor adj.2g. s.m.
tecnicolorido adj. s.m.
tecnismo s.m.
tecnista adj. s.2g.
tecnístico adj.
tecnita s.m.
tecnitela s.f.
tecnocentrismo s.m.
tecnocracia s.f.
tecnocrata s.2g.
tecnocrático adj.
tecnoestrutura s.f.
tecnofobia s.f.
tecnofóbico adj.
tecnófobo s.m.
tecnografia s.f.
tecnográfico adj.
tecnógrafo s.m.
tecnograma s.m.
tecnólito s.m.
tecnologia s.f.
tecnológico adj.
tecnologista adj. s.2g.
tecnólogo s.m.
tecnomástica s.f.
tecnomorfite s.f.
tecnomorfito s.m.
tecnonímia s.f.
tecnonímico adj.
tecnônimo s.m.
tecnonomástica s.f.
tecnopatia s.f.
tecnopático adj.
tecnósporo s.m.
teco s.m. "golpe que se dá com bola de gude"; cf. *tecó*
tecó s.m. "hábito"; cf. *teco* s.m. e fl. do v. *tecar*
tecodonte adj.2g. s.m.
tecodontossauro s.m.
tecofileia (*é*) s.f.
tecóforo adj. s.m.
tecole s.m.
tecolita s.f.
tecólito s.m.
tecoma s.m.f.
tecomária s.f.
tecômea s.f.
tecomébeo s.m.
tecomina s.f.
tecomonádeo s.m.
tecópode s.m.
tecopsâmia s.f.
tecopsora s.f.
tecorretina s.f.
tecospóreo s.m.
tecossomo adj.
tecostele s.f.
tecostenose s.f.
teco-teco s.m.; pl. *teco-tecos*
tectária s.f.
tectário s.m.
tectepitelial adj.2g.
tectibranquiado adj. s.m.
tectibrânquio adj. s.m.
tecticita s.f.
tecticite s.f.
tectipena s.f.
tectipene adj.2g. s.m.
tectito s.m.
tecto s.m.
tectocefalia s.f.
tectócito s.m.
tectococo s.m.
tectoepitelial adj.2g.
tectogênese s.f.
tectogenético adj.
tectogenia s.f.
tectogênico adj.
tectógeno adj.
tectologia s.f.
tectológico adj.
tectona s.f.
tectonia s.f.
tectônica s.f.
tectônico adj.
tectônio adj.
tectonismo s.m.
tectonista adj.2g.
tectonístico adj.
tectonito s.m.
tectonofísica s.f.
tectonofísico adj. s.m.
tectonologia s.f.
tectonológico adj.
tectopulvinária s.f.
tectoridina s.f.
tectório adj.
tectósage adj. s.2g.
tectósago adj. s.m.
tectospondílida adj.2g. s.m.
tectospondilídeo adj. s.m.
tectospôndilo s.m.
tectossilicático adj.
tectossilicato s.m.
tectrice adj. s.f.
tectriz adj. s.f.
teçubá s.m.
teçuda s.f.
tecueno adj. s.m.
tecum s.m.
tecuma s.f.
teçume s.m.
tecuna adj. s.2g.
tecunapeuá adj. s.2g.
teda (*ê*) s.f.
tedânia s.f.
tedaniíneo adj. s.m.
tedesco (*ê*) adj. s.m.
tedéu s.m.
te-déum s.m.; pl. *te-déuns*
tedífero adj.
tédio s.m.
tedioso (*ô*) adj.; f. (*ó*); pl. (*ó*)
teédia s.f.
teepleíta s.f.
teesdália s.f.
tefe s.f.
tefeense adj. s.2g.
tefe-tefe adv. s.m.; pl. *tefe-tefes*
tefigrama s.m.
tefilim s.m.
teflã s.m.
teflão s.m.
teflônico adj.
tefracanto adj.
tefrilômetro s.m.
tefrina s.f.
tefrita s.f.
tefrite s.f.
tefrítico adj.
tefritídeo adj. s.m.
tefrito s.m.
tefrofilo adj.
tefroíta s.f.
tefroíte s.f.
tefroíto s.m.
tefromalacia s.f.
tefromalácia s.f.
tefromancia s.f.
tefromante s.2g.
tefromântico adj.
tefromielite s.f.
tefrônia s.f.
tefronilemita s.f.
tefronilemite s.f.
tefrosanto adj.
tefrose s.f.
tefrósia s.f.
tefrosina s.f.
tefrótico adj.
teganoptérige s.f.
tegão s.m.; pl. *tegãos*
tegbo adj. s.m.
tegeata adj. s.2g.
tegenária s.f.
tegeócrano s.m.
tegéria s.f.
tegeríneo adj. s.m.
tegianense adj. s.2g.
tegmal adj.2g.
tegme s.m.
tégmen s.m.
tegmento s.m.
tégmina s.f.
tegminado adj.
tegui s.m.
tégula s.f.
tegular adj.2g.
tegulífera s.f.
tégumen s.m.
tegumentar adj.2g.
tegumentário adj.
tegumento s.m.
tegumentoso (*ô*) adj.; f. (*ó*); pl. (*ó*)
tegúmine s.m.
tegúrio s.m.
teia s.f.
teiforme adj.2g.
teiga s.f.
teigo s.m.
teiídeo adj. s.m.
teiléria s.f.
teileriídeo adj. s.m.
teiloriose s.f.
teima s.f.
teimação s.f.
teimado adj.
teimador (*ô*) adj.
teimante adj.2g.
teimar v.
teimice s.f.
teimosa s.f.
teimosia s.f.
teimosiar v.
teimosice s.f.
teimoso (*ô*) adj. s.m.; f. (*ó*); pl. (*ó*)
teína s.f.
teínea s.f.
teineíta s.f.
teinopalpo s.m.
teinoscópio s.m.
teio adj. s.m.
teipoca s.f.
teira s.f.
teiró s.2g.
teiroga s.f.
teiru s.m.
teísmo s.m.
teísta adj. s.2g.
teístico adj.
teité interj.
teitei s.m.
tei-tei s.m.; pl. *tei-teis*
teiú s.m.
teiú-açu s.m.; pl. *teiús-açus*
teiú-guaçu s.m.; pl. *teiús-guaçus*
teiuiaguá s.2g.
teixe s.m.
teixeira-soarense adj. s.2g.; pl. *teixeira-soarenses*
teixeirense adj. s.2g.
teixo s.m.
tejadilho s.m.
tejano adj.
tejaroz s.m.
tejas s.m.2n.
tejelina s.f.
tejídeo adj. s.m.
tejo s.m.
tejoila s.f.
tejoula s.f.
teju s.m.
tejuaçu s.m.
tejubina s.f.
tejubu s.m.
tejuçuoquense adj. s.2g.
tejucupapense adj. s.2g.
tejuguaçu s.m.
tejuíba s.f.
tejunhana s.f.
tejupaense adj. s.2g.
tejupim s.m.
tejutiú s.m.
tela s.f.
teláctis s.f.2n.
telado adj.
telagarça s.f.
telalgia s.f.
telálgico adj.
telamão s.m.
télamon s.m.
telamone s.m.
telamônia s.f.
telamônio adj. s.m.
telangectásico adj.
telangiectasia s.f.
telangiectásico adj.
telangioma s.m.
telangiose s.f.
telangiótico adj.
telangite s.f.
telangítico adj.
telangoma s.m.
telantera s.f.
telantérea s.f.
telantero s.m.
telão s.m.
telão-de-seda-azul s.m.; pl. *telões-de-seda-azul*
telar v.
telarca s.f.
telargpalita s.f.
telaria s.f. "muitas telas"; cf. *telária*
telária s.f. "planta"; cf. *telaria* s.f. e fl. do v. *telar*
telaro s.m.
telaspirita s.f.
telaspirite s.f.
telastoma s.m.
telautocopista s.m.
telautografia s.f.
telautográfico adj.
telautógrafo s.m.
telautomático adj.
telaziase s.f.
telazíase s.f.
tele s.f.
telealuno s.m.
teleangiectasia s.f.
teleangiectásico adj.
teleantena s.f.
telearca s.m.
telearco s.m.
telearquia s.f.
teleasta adj. s.2g.
teleástico adj.
teleator (*ô*) s.m.; f. *teleatriz*
teleatriz s.f. de *teleator*
teleautocopista s.m.
telebê s.m.
teleblema s.f.
teléboa adj. s.2g.
telebolito s.m.
telebólito s.m.
teléboo adj. s.m.
telebulia s.f.
telebúlico adj.
telecabine s.f.
telecal s.m.
telecardiofone s.f.
telecardiofonia s.f.
telecardiofônico adj.
telecardiofono s.m.
telecardiófono s.m.
telecardiografia s.f.
telecardiográfico adj.
telecardiógrafo s.m.
telecardiograma s.m.
telecêntrico adj.
telecine s.m.
telecinema s.m.
telecinematografia s.f.
telecinematográfico adj.
telecinematógrafo s.m.
telecinesia s.f.
telecinético adj.
teleclinografia s.f.
teleclinográfico adj.
teleclinógrafo s.m.
telecobalto s.m.
telecomandado adj.
telecomandar v.
telecomando s.m.
telecomunicação s.f.
telecomunicado adj.
telecomunicador (*ô*) adj. s.m.
telecomunicante adj.2g.
telecomunicar v.
telecomunicável adj.2g.
telecondução s.f.
teleconduzido adj.
teleconduzir v.
teleconferência s.f.
telecontrole (*ô*) s.m.
telecriptografia s.f.
telecriptográfico adj.
telecriptógrafo s.m.
telecron s.m.
telectógrafo s.m.
telecurieterapia s.f.
telecurieterápico adj.
telecursar v.
telecursista adj. s.2g.
telecurso s.m.
teledactilografia s.f.
teledactilográfico adj.
teledactilógrafo s.m.
teledendrito s.m.
teledetecção s.f.
teledetectabilidade s.f.
teledetectado adj.
teledetectador (*ô*) adj. s.m.
teledetectante adj.2g.
teledetectar v.
teledetectável adj.2g.
teledetector (*ô*) adj. s.m.
teledetectora (*ô*) s.f.
telediafisário adj.
telediagráfico adj.
telediágrafo s.m.
telediástole s.f.
telediastólico adj.
teledifusão s.f.
teledinamia s.f.
teledinâmica s.f.
teledinâmico adj.
teledireção s.f.
teledirigido adj.
teledirigir v.
teledrama s.m.
teleducação s.f.
teleducando s.m.
telefax (*cs*) s.m.2n.; tb. *telefaxes*
teleferagem s.f.
teleférico adj. s.m.
teleferismo s.m.
teleferista adj. s.2g.
telefilia s.f.
teléfilo s.m.
teléfio s.m.
telefonada s.f.
telefonadela s.f.
telefonado adj.
telefonador (*ô*) adj. s.m.
telefonante adj.2g.
telefonar v.
telefonável adj.2g.
telefone s.m.
telefonema s.m.
telefone sem fio s.m.
telefonia s.f.
telefônico adj.
telefonista s.2g.
telefonístico adj.
telefono s.m.
teléfora s.f.
teleforácea s.f.
teleforáceo adj.
telefórea s.f.
telefóreo adj.
telefórico adj.
teleforídeo adj. s.m.
teléforo s.m.
telefoto s.m.f.
telefotografado adj.
telefotografar v.
telefotografia s.f.
telefotográfico adj.
telefotógrafo s.m.; cf. *telefotografo*, fl. do v. *telefotografar*
telega s.f.
telegonia s.f.
telegônico adj.
telegonídeo adj. s.m.
telegoniometria s.f.
telegoniométrico adj.
telégono s.m.
telegrafação s.f.

telegrafado adj.
telegrafar v.
telegrafável adj.2g.
telegrafia s.f.
telegráfico adj.
telegrafista s.2g.
telégrafo s.m.; cf. *telegrafo*, fl. do v. *telegrafar*
telegrafopostal adj.2g.
telegrama s.m.
telegrama sem fio s.m.
telegramático adj.
telegramatista s.2g.
telegrama-vale s.m.; pl. *telegramas-vale* e *telegramas-vales*
telegramista s.2g.
teleguiado adj. s.m.
teleguiagem s.f.
teleguiar v.
teleiconógrafo s.m.
teleidosáurio s.m.
teleimpressão s.f.
teleimpresso adj.
teleimpressor (*ô*) s.m.
teleimpressora (*ô*) s.f.
teleinterruptor (*ô*) adj. s.m.
telejornal s.m.
telejornalismo s.m.
telejornalista adj. s.2g.
telejornalístico adj.
telêmaco-borbense adj. s.2g.; pl. *telêmaco-borbenses*
telemania s.f.
telemaníaco adj. s.m.
telemática s.f.
telemecânica s.f.
telemecânico adj. s.m.
telemedição s.f.
telemedida s.f.
telemedido adj.
telemedir v.
telemetacarpiano adj.
telemetacárpico adj.
telemeteorografia s.f.
telemeteorográfico adj.
telemeteorógrafo s.m.
telemetria s.f.
telemétrico adj.
telemetrista adj. s.2g.
telêmetro s.m.
telemetrografia s.f.
telemetrográfico adj.
telemetrógrafo s.m.
telemicroscopia s.f.
telemicroscópico adj.
telemicroscópio s.m.
telemicroscopista adj. s.2g.
telemotor (*ô*) s.m.
telencefálico adj.
telencéfalo s.m.
telenergia s.f.
telenêurone s.m.
teleneurônio s.m.
telênomo s.m.
telenovela s.f.
telenovelista adj. s.2g.
teleobjetiva s.f.
teleocoma s.m.
teleodonte adj.2g.
teleóforo s.m.
teleologia s.f.
teleológico adj.
teleologismo s.m.
teleologista adj. s.2g.
teleologístico adj.
teleólogo s.m.
teleometeorógrafo s.m.
teleomitose s.f.
teleonomia s.f.
teleoperador adj. s.m.
teleossaurídeo adj. s.m.
teleossáurio s.m.
teleossauro s.m.
teleósteo adj. s.m.
teleóstomo adj. s.m.
teleouvinte adj. s.2g.
telepantoscópio s.m.
telepata adj. s.2g.
telépata adj. s.2g.
telepatia s.f.
telepático adj.
telepesquisa s.f.
teleplasma s.m.
teleplasmia s.f.
teleplásmico adj.
teleplastia s.f.
teleplástico adj.
télepo s.m.
telépode s.m.
telepontaria s.f.
teleposto (*ô*) s.m.
telepresença s.f.
telepresencial adj.2g.
telepresente adj.2g.
teleprocessamento s.m.
telepsavo s.m.
teléquia s.f.
telequirógrafo s.m.
telerradar s.m.
telerradiofonia s.f.
telerradiofônico adj.
telerradiografação s.f.
telerradiografar v.
telerradiografável adj.2g.
telerradiografia s.f.
telerradiográfico adj.
telerradiógrafo adj. s.m.; cf. *telerradiografo*, fl. do v. *telerradiografar*
telerradiograma s.m.
telerradioterapia s.f.
telerradioterápico adj.
telerregulação s.f.
telerregulado adj.
telerregulador (*ô*) adj. s.m.
telerregulagem s.f.
telerregular v.
telerreprodução s.f.
telerrobô s.m.
telerroentgenterapia s.f.
telerroentgenterápico adj.
telerruptor (*ô*) s.m.
telescopagem s.f.
telescopar v.
telescopia s.f.
telescópico adj.
telescopiforme adj.2g.
telescópio s.m.
telescritor (*ô*) s.m.
telese s.f.
telésia s.f.
telespectador (*ô*) adj. s.m.
telespetáculo s.m.
telesporídio s.m.
telessinal s.m.
telessinalização s.f.
telessinalizado adj.
telessinalizar v.
telessísmico adj.
telessismo s.m.
telessismográfico adj.
telessismógrafo s.m.
telessismograma s.m.
telessístole s.f.
telessistólico adj.
telessonda s.f.
telessondado adj.
telessondagem s.f.
telessondar v.
telestáceo adj. s.m.
telestereografia s.f.
telestereográfico adj.
telestereógrafo s.m.
telestereoscopia s.f.
telestereoscópico adj.
telestereoscópio s.m.
telestesia s.f.
telestético adj.
telestetoscópico adj. s.m.
telesto s.m.
telestúdio s.m.
teletaquímetro s.m.
teleteatral adj.2g.
teleteatralidade s.f.
teleteatro s.m.
teleteatrólogo s.m.
teletécnico s.m.
teleterapia s.f.
teleterápico adj.
teletermal adj.2g.
teletermografia s.f.
teletermográfico adj.
teletermógrafo s.m.
teletermometria s.f.
teletermométrico adj.
teletermômetro s.m.
teletermoscópio s.m.
teletexto s.m.
teletipia s.f.
teletipista s.2g.
teletipo s.m.
telétipo s.m.
teletismo s.m.
teletorácico adj.
teletórax (*cs*) s.m.2n.
teletransmissão s.f.
teletransmissor (*ô*) adj. s.m.
teletron s.m.
teletrônio s.m.
teleutospórico adj.
teleutospório s.m.
teleutósporo adj. s.m.
teleutossoro (*ô*) s.m.
telever v.
televisado adj.
televisamento s.m.
televisão s.f.
televisar v.
televisável adj.2g.
televisibilidade s.f.
televisionado adj.
televisional adj.2g.
televisionamento s.m.
televisionar v.
televisível adj.2g.
televisivo adj.
televisor (*ô*) adj. s.m.
televisora (*ô*) s.f.
televisual adj.2g.
televizinho s.m.
telex (*cs*) s.m.2n.
telexar (*cs*) v.
telexograma (*cs*) s.m.
telfusídeo adj. s.m.
telfuso s.m.
telha (*ê*) s.f.
telha-canal s.f.; pl. *telhas-canal* e *telhas-canais*
telha de marselha s.f.
telhado s.m.
telhador (*ô*) adj. s.m.
telhadura s.f.
telha-flamenga s.f.; pl. *telhas-flamengas*
telha-francesa s.f.; pl. *telhas-francesas*
telha-holandesa s.f.; pl. *telhas-holandesas*
telhal s.m.
telha-marselhesa s.f.; pl. *telhas-marselhesas*
telhamento s.m.
telhão s.m.
telha-ordinária s.f.; pl. *telhas-ordinárias*
telha-paulista s.f.; pl. *telhas-paulistas*
telhar v.
telha-romana s.f.; pl. *telhas-romanas*
telha-vã s.f.; pl. *telhas-vãs*
telheira s.f.
telheirense adj. s.2g.
telheiro s.m.
telhense adj.2g.
telhice s.f.
telhinha s.f.
telho (*ê*) s.m.
telhudo adj.
télia s.f.
teliano adj.
telianto adj.
teliblasto s.m.
teliconógrafo s.m.
telídio s.m.
telifônida adj.2g. s.m.
telifonídeo adj. s.m.
telífono s.m.
teliforme adj.2g.
teligonácea s.f.
teligonáceo adj.
teligônea s.f.
teligôneo adj.
telígono s.m.
telilha s.f.
telim s.m.
telimitra s.f.
telimitrina s.f.
telina s.f.
telináceo adj. s.m.
telina-escabrosa s.f.; pl. *telinas-escabrosas*
telina-língua-de-gato s.f.; pl. *telinas-língua-de-gato* e *telinas-línguas-de-gato*
telina-radiada s.f.; pl. *telinas-radiadas*
telinga s.m.
teliníideo adj. s.m.
telínio s.m.
télio s.m.
teliospórico adj.
teliospório s.m.
teliósporo s.m.
teliostádio s.m.
teliplasma s.m.
telipodíea s.f.
telipoteíba s.f.
teliqueta (*ê*) s.f.
telista adj. s.2g.
telite s.f.
telitocia s.f.
telitócico adj.
telitone s.m.
telitoquia s.f.
teliz s.m.
telmatóbio s.m.
telmatodrilo s.m.
telmatófila s.f.
telmatofilíneo adj. s.m.
telmatófilo s.m.
telmessense adj. s.2g.
telmintostelma s.m.
telo (*ê*) s.m.
teloblasto s.m.
telocele s.f.
telocêntrico adj.
telocinese s.f.
telocinético adj.
telodendria s.f.
telodêndrico adj.
telodendro s.m.
telodermite s.f.
telodermítico adj.
telodiafisário adj.
telodinâmico adj.
telófase s.f.
telofásico adj.
telóforo s.m.
telofragma s.m.
teloglia s.f.
telolecítico adj.
telolécito adj. s.m.
telomeria s.f.
telomérico adj.
telomerização s.f.
telomerizado adj.
telomerizador (*ô*) adj.
telomerizante adj.2g.
telomerizar v.
telomerizável adj.2g.
telômero s.m.
telonário s.m.
telônio s.m.
telonismo s.m.
telopeia (*é*) s.f.
telopes s.m.2n.
teloplastia s.f.
teloplástico adj.
telopse s.f.
telópsis s.f.2n.
telorragia s.f.
telorrágico adj.
telosporídio adj. s.m.
telosquistácea s.f.
telosquistáceo adj.
telosquiste s.m.
telossinapse s.f.
telossináptico adj.
telotáctico adj.
telotático adj.
telotaxe (*cs*) s.f.
telotaxia (*cs*) s.f.
telotáxico (*cs*) adj.
teloteca s.f.
telotismo s.m.
telotrema s.m.
telotrematácea s.f.
telotrematáceo adj.
telotrêmato adj. s.m.
telotremo adj. s.m.
telótroco adj.
telotroquídio s.m.
telquino adj. s.m.
telso s.m.
télson s.m.
telugo s.m.
télugo s.m.
telurato s.m.
telureto (*ê*) s.m.
teluriano adj.
telúrico adj.
telurido adj. s.m.
telúrido adj. s.m.
teluridrato s.m.
telurídrico adj.
telurífero adj.
telurina s.f.
telúrio s.m.
telurismo s.m.
telurita s.f.
telurite s.f.
telurito s.m.
telurizar v.
telurobionte s.m.
telurobismutita s.f.
telurografia s.f.
telurográfico adj.
telurógrafo s.m.
telurômetro s.m.
teluroso (*ô*) adj.; f. (*ó*); pl. (*ó*)
tema s.m.
temagamita s.f.
temangue s.m.
temanita adj.2g.
temapara s.m.
temário s.m.
temática s.f.
temático adj.
tematologia s.f.
tematológico adj.
temba s.m.f.
tembataiá s.m.
tembatajá s.m.
tembé adj. s.2g. s.m.
tembê s.m.
tembequara adj. s.2g.
tembetá adj. s.2g. s.m.
tembetara s.f.
tembetaru s.m.
tembetaru-de-espinho s.m.; pl. *tembetarus-de-espinho*
tembezeira (*bé* ou *bê*) s.f.
tembi s.m.
tembiucatu s.m.
temblado adj.
temblamento s.m.
temblar v.
tembleque s.m.
temboandangui s.m.
temboíba s.f.
tembrião s.m.
temedário adj.
temedoiro adj.
temedor (*ô*) adj. s.m.
temedouro adj.
temembó adj. s.2g.
temembu adj. s.2g.
têmenis s.m.2n.
têmeno s.m.
temente adj.2g.
temer v.
temera s.f.
temerantense adj. s.2g.
temerário adj.
temeridade s.f.
temerópis s.f.2n.
temeroso (*ô*) adj.; f. (*ó*); pl. (*ó*)
temesano adj. s.m.
temeto (*ê*) s.m.
têmia s.f.; cf. *temia*, fl. do v. *temer*
temibilidade s.f.
temido adj.

temiminó adj. s.2g.
têmio s.m.
temipujó adj. s.2g.
temiscamita s.f.
temiskamita s.f.
temisto s.m.
temível adj.2g.
temné s.m.
temnequino s.m.
temnita adj. s.2g.
temnocefalídeo adj. s.m.
temnocéfalo s.m.
temnodonte s.m.
temnópis s.m.2n.
temnopleuríneo adj. s.m.
temnopleuro s.m.
temnóptero s.m.
temnoquila s.f.
temnoquilídeo adj. s.m.
temnorrinco s.m.
temnorrino s.m.
temnospondiliano adj.
temnospondílico adj.
temnospôndilo s.m.
temnosquila s.f.
temoeiro s.m.
temor (*ô*) s.m.
temorizado adj.
temorizar v.
tempão s.m.
tempe s.m.
têmpera s.f.; cf. *tempera*, fl. do v. *temperar*
temperabilidade s.f.
temperação s.f.
temperada s.f.
temperadela s.f.
temperado adj. s.m.
temperador (*ô*) adj. s.m.
temperamental adj. s.2g.
temperamento s.m.
temperamentologia s.f.
temperamentológico adj.
temperança s.f.
temperante adj.2g.
temperar v.
temperatura s.f.
temperatural adj.2g.
temperável adj.2g.
tempera-viola s.m.; pl. *tempera-violas*
tempereiro s.m.
temperense adj. s.2g.
temperilha s.f.
temperilho s.m.
temperita s.f.
tempero (*ê*) s.m.; cf. *tempero*, fl. do v. *temperar*
tempestade s.f.
tempestear v.
tempestividade s.f.
tempestivo adj.
tempestuar v.
tempestuosidade s.f.
tempestuoso (*ô*) adj.; f. (*ó*); pl. (*ó*)
tempista adj. s.2g.
templar v.
templário s.m.
temple s.m.
templeiro s.m.
templete (*ê*) s.m.
templetônia s.f.
templino s.m.
templo s.m.
tempo s.m.
tempolábil adj.2g.
tempo-quente s.m.; pl. *tempos-quentes*
têmpora s.f.
temporã adj. s.f. de *temporão*
temporada s.f.
temporada de tobias s.f.
temporal adj.2g. s.m.
temporalidade s.f.
temporalização s.f.
temporalizado adj.
temporalizador (*ô*) adj. s.m.
temporalizar v.
temporamente adj.
temporaneidade s.f.
temporâneo adj.
temporão adj. s.m.; f. *temporã*
temporão-de-coruche s.m.; pl. *temporãos-de-coruche*
temporariedade s.f.
temporário adj.
têmporas s.f.pl.
temporauricular adj.2g.
temporejar v.
temporização s.f.
temporizado adj.
temporizador (*ô*) adj. s.m.
temporizamento s.m.
temporizante adj.2g.
temporizar v.
temporizável adj.2g.
temporoauricular adj.2g.
temporobucal adj.2g.
têmporo-occipital adj.2g.; pl. *têmporo-occipitais*
temporocerebeloso (*ô*) adj.; f. (*ó*); pl. (*ó*)
temporoescamoso (*ô*) adj.; f. (*ó*); pl. (*ó*)
temporoesfenoidal adj.2g.
temporofacial adj.2g.
temporofrontal adj.2g.
temporoinsular adj.2g.
temporoioideia (*é*) adj. f. de *temporoioideu*
temporoioideu adj.; f. *temporoioideia* (*é*)
temporolímbico adj.
temporomalar adj.2g.
temporomandibular adj.2g.
temporomassetérico adj.
temporomasseterino adj. s.m.
temporomastoide (*ó*) adj.2g.
temporomastoideia (*é*) adj. f. de *temporomastoideu*
temporomastoideu adj.; f. *temporomastoideia* (*é*)
temporomaxilar (*cs*) adj.2g.
temporo-occipital adj.2g.
temporoparietal adj.2g.
temporopontino adj.
temporossuperficial adj.2g. s.m.
temporozigomático adj.
tempo-será s.m.2n.
tempostábil adj.2g.
tem te lá interj. "alto"
tem-te-lá s.m. "codorniz"
tem-tem s.m. "gaturano", etc.; cf. *tentém*; pl. *tem-tens*
tem-tem-coroado s.m.; pl. *tem-tens-coroados*
tem-tem-de-estrela s.m.; pl. *tem-tens-de-estrela*
tem-tem-do-espírito-santo s.m.; pl. *tem-tens-do-espírito-santo*
tem-tem-pium s.m.; pl. *tem-tens-pium* e *tem-tens-piuns*
tem-tem-verdadeiro s.m.; pl. *tem-tens-verdadeiros*
tem te não caias s.2g.2n.
tem-te-na-raiz s.m.
tem-tenzinho s.m.; pl. *tem-tenzinhos*
temuda s.f.
temulência s.f.
temulentismo s.m.
temulento adj.
temulina s.f.
tenacidade s.f.
tenacíssimo adj. sup. de *tenaz*
tenáculo s.m.
tenador (*ô*) s.m.
tenagócaris s.f.2n.
tenalgia s.f.
tenálgico adj.
tenalha s.f.
tenalhado adj.
tenalhão s.m.
tenalhar v.
tenalim s.f.
tenalina s.f.
tenantita s.f.
tenantite s.f.
tenantito s.m.
tênar s.m.
tenardia s.f.
tenardita s.f.
tenardite s.f.
tenardito s.m.
tenaz adj.2g. s.f.
tenazado adj.
tenazar v.
tenca s.f.
tença s.f. "remuneração"; cf. *tensa*
tenção s.f. "intento"; cf. *tensão*
tenceiro s.m.
tencionar v.
tencionário s.m.
tencioneiro adj. s.m.
tençoeiro adj. s.m.
tenctero adj. s.m.
tenda s.m.f.
tenda-abrigo s.f.; pl. *tendas-abrigo* e *tendas-abrigos*
tendado adj.
tendal s.m.
tendão s.m.
tendedeira s.f.
tendedor (*ô*) adj. s.m.
tendedura s.f.
tendeira s.f.
tendeiro s.m.
tendelhão s.m.
tendelim s.m.
tendência s.f.
tendenciado adj.
tendencial adj.2g.
tendencialidade s.f.
tendencialismo s.m.
tendenciar v.
tendenciosidade s.f.
tendencioso (*ô*) adj.; f. (*ó*); pl. (*ó*)
tendente adj.2g. s.m.
tendepá s.m.
tender v. "estender"; cf. *tênder*
tênder s.m. "vagão"; cf. *tender*
tendido adj.
tendilha s.f.
tendilhão s.m.
tendíneo adj.
tendinha s.f.
tendinite s.f.
tendinofalângico adj.
tendinoindifalângico adj.
tendinomedifalângico adj.
tendinoquartifalângico adj.
tendinoquintifalângico adj.
tendinoso (*ô*) adj.; f. (*ó*); pl. (*ó*)
tendinossecundifalângico adj.
tendinotercifalângico adj.
tendola s.f.
tendoplastia s.f.
tendoplástico adj.
tendorna s.f.
tendovaginal adj.2g.
tendovaginite s.f.
tene s.m.
tênea s.f.
tênebra s.f.
tenebral adj.2g.
tenebrante adj.2g.
tenebrário s.m.
tenebrescência s.f.
tenebrescente adj.2g.
tenebrescer v.
tenebrião s.m.
tenebrião-dos-moinhos-e-farinhas s.m.; pl. *tenebriões-dos-moinhos-e-farinhas*
tenebrícola adj.2g.
tenebricosidade s.f.
tenebricoso (*ô*) adj.; f. (*ó*); pl. (*ó*)
tenebridade s.f.
tenebrífero adj.
tenébrio s.m.
tenebrioide (*ó*) s.m.
tenebrionídeo adj. s.m.
tenebrioníneo adj. s.m.
tenebrismo s.m.
tenebrista adj. s.2g.
tenebrístico adj.
tenebrizador (*ô*) s.m.
tenebroide (*ó*) s.m.
tenebrosidade s.f.
tenebroso (*ô*) adj.; f. (*ó*); pl. (*ó*)
tenectomia s.f.
tenectômico adj.
tenedeira s.f.
tenédio adj. s.m.
tenedura s.f.
teneíneo adj. s.m.
tenelifloro adj.
tenência s.f.
tenente adj.2g. s.m.
tenente-aviador s.m.; pl. *tenentes-aviadores*
tenente-brigadeiro s.m.; pl. *tenentes-brigadeiros*
tenente-coronel s.m.; pl. *tenentes-coronéis*
tenente-coronel-aviador s.m.; pl. *tenentes-coronéis-aviadores*
tenente do mar s.m.
tenente-general s.m.; pl. *tenentes-generais*
tenente mestre de campo geral s.m.
tenente-portelense adj. s.2g.; pl. *tenente-portelenses*
tenentismo s.m.
tenentista adj. s.2g.
tenentístico adj.
tenerife s.m.
tenesmo (*ê*) s.m.
tenesmódico adj.
teneteara adj. s.2g.
tengerita s.f.
tengerite s.f.
tengo-tengo adv.
tenharim adj. s.2g.
tênia s.f.
tênia-armada s.f.; pl. *tênias-armadas*
tênia-da-vaca s.f.; pl. *tênias-da-vaca*
teniádeo adj. s.m.
teniado adj. s.m.
tênia-do-boi s.f.; pl. *tênias-do-boi*
teníase s.f.
teniata s.m.
tenicida adj.2g. s.m.
tenicídio s.m.
tenídio s.m.
teniforme adj.2g.
tenífugo adj. s.m.
teniídeo adj. s.m.
teniíneo adj. s.m.
tenilha s.f.
teniobrânquio adj.
teniocarpo s.m.
teniodíctis s.m.2n.
teniofilo s.m.
tenioglosso adj. s.m.
tenioide (*ó*) adj.2g. s.m.
tenióideo adj. s.m.
teníola s.f.
teniolita s.f.
teniolite s.f.
teniope adj.2g.
teniopiga s.f.
tenióptera s.m.
teniopterídea s.f.
teniopterige s.f.
teniopterigídeo adj. s.m.
teniopterínea s.f.
tenióptérix (*cs*) s.f.2n.
tenióptero adj.
teniossoma s.m.
teniossomo adj. s.m.
teniotes s.m.2n.
tenioto adj.
teniotoa (*ô*) s.f.
tênis s.m.2n.
tênis de mesa s.m.2n.
tenista adj. s.2g.
tenístico adj.
tenita s.f.
tenitano adj. s.m.
tenitidina s.f.
tenito s.m.
teniúra s.m.
tenjarro s.m.
tennantita s.f.
teno s.m.
tenodera s.f.
tenodese s.f.
tenodinia s.f.
tenodínico adj.
tenófito s.m.
tenofonia s.f.
tenofônico adj.
tenografia s.f.
tenográfico adj.
tenoísmo s.m.
tenologia s.f.
tenológico adj.
tenologista adj. s.2g.
tenólogo s.m.
tenomioplastia s.f.
tenomioplástico adj.
tenomiotomia s.f.
tenomiotômico adj.
tenonite s.f.
tenontagra s.f.
tenontalgia s.f.
tenontectomia s.f.
tenontectômico adj.
tenontodinia s.f.
tenontodínico adj.
tenontofirma s.m.
tenontolemite s.f.
tenontoplastia s.f.
tenontoplástico adj.
tenopatia s.f.
tenopático adj.
tenopéctico adj.
tenopexia (*cs*) s.f.
tenoplastia s.f.
tenoplástico adj.
tenor (*ô*) s.m.
tenorino s.m.
tenório s.m.
tenorita s.f.
tenorite s.f.
tenorito s.m.
tenorizante adj.2g.
tenorizar v.
tenorrafia s.f.
tenorráfico adj.
tenorrexe (*cs*) s.f.
tenosite s.f.
tenossinite s.f.
tenossinítico adj.
tenossinovectomia s.f.
tenossinovectômico adj.
tenossinovite s.f.
tenossinovítico adj.
tenotomia s.f.
tenotômico adj.
tenótomo s.m.
tenovaginite s.f.
tenrecídeo adj. s.m.
tenreiro adj. s.m.
tenrificado adj.
tenrificar v.
tenro adj.
tensa s.f. "carro romano"; cf. *tença*
tensão s.f. "estado do que está esticado"; cf. *tenção*
tense s.f.
tensidade s.f.
tênsil adj.2g.
tensilite s.f.
tensímetro s.m.
tensioação s.f.
tensioativo adj.
tensiólise s.f.
tensiolítico adj. s.m.
tensiometria s.f.
tensiométrico adj.
tensiômetro s.m.
tensional adj.2g.
tensivo adj.
tenso adj. s.m.
tensoação s.f.
tensoatividade s.f.

tensoativo adj.
tensocoesão s.f.
tensocoesivo adj.
tensolite s.f.
tensor (*ô*) adj. s.m.
tensorial adj.2g.
tensorialidade s.f.
tenta s.f.
tentabilidade s.f.
tenta-cânula s.f.; pl. *tenta-cânulas*
tentação s.f. s.m.
tentaculado adj. s.m.
tentacular adj.2g.
tentaculífero adj. s.m.
tentaculiforme adj.2g.
tentaculite s.f.
tentáculo s.m.
tentaculocisto s.m.
tentaculoide (*ó*) adj.2g. s.m.
tentaculozoide (*ó*) adj.2g. s.m.
tentadeiro s.m.
tentadiço adj.
tentado adj.
tentador (*ô*) adj. s.m.
tentame s.m.
tentâmen s.m.
tentamento s.m.
tentana s.m.
tentante adj.2g.
tentar v.
tentativa s.f.
tentativo adj.
tentável adj.2g.
tenteação s.f.
tenteado adj.
tenteador (*ô*) adj. s.m.
tenteal s.m.
tenteamento s.m.
tenteante adj.2g.
tentear v.
tenteio s.m.
tenteiro s.m.
tenteiro-grande-da-mata s.m.; pl. *tenteiros-grandes-da-mata*
tenteiro-preto s.m.; pl. *tenteiros-pretos*
tentelhão s.m.
tentelheira s.f.
tentém s.m. "erva-de-passarinho"; cf. *tem-tem*
tentém-coroado s.m.; pl. *tenténs-coroados*
tentenar v.
tenterê s.m.
tentigem s.f.
tentiginal adj.2g.
tentigo s.f.
tentilha s.f.
tentilhão s.m.; f. *tentilhoa* (*ô*)
tentilhão-da-índia s.m.; pl. *tentilhões-da-índia*
tentilhão-grande-dos-pomares s.m.; pl. *tentilhões-grandes-dos-pomares*
tentilhão-montês s.m.; pl. *tentilhões-monteses*
tentilheira s.f.
tentilho s.m.
tentilhoa (*ô*) s.f. de *tentilhão*
tentíria s.f.
tentirita adj. s.2g.
tento s.m.
tento-amarelo s.m.; pl. *tentos-amarelos*
tento-azul s.m.; pl. *tentos-azuis*
tento-carolina s.m.; pl. *tentos-carolina* e *tentos-carolinas*
tento-das-campinas s.m.; pl. *tentos-das-campinas*
tento-grande s.m.; pl. *tentos-grandes*
tento-grande-da-mata s.m.; pl. *tentos-grandes-da-mata*
tento-pequeno s.m.; pl. *tentos-pequenos*
tento-preto s.m.; pl. *tentos-pretos*
tentória s.f.
tentório s.m.
tentredão s.m.
tentredém s.m.
tentredinídeo adj. s.m.
tentredinífero adj.
tentredinóideo adj.
tentredo (*ê*) s.m.
tentrédone s.m.
tentugalense adj. s.2g.
tênue adj.2g.
tenuicorne adj.2g.
tenuicórneo adj.
tenuidade s.f.
tenuifloro adj.
tenuifoliado adj.
tenuilácteo adj.
tenuiláteo adj.
tenuilívido adj.
tenuilúnio s.m.
tenuípede adj.2g.
tenuipense adj.2g.
tenuirrostro adj. s.m.
teobáldia s.f.
teobaldinela s.f.
teobroma s.m.
teobromina s.f.
teobromínico adj.
teobromose s.f.
teobromótico adj.
teocal s.m.
teocêntrico adj. s.m.
teocentrismo s.m.
teocentrista adj. s.2g.
teocina s.f.
teocosmogônico adj.
teocracia s.f.
teocrata adj. s.2g.
teocraticismo s.m.
teocrático adj.
teocratismo s.m.
teocratização s.f.
teocratizado adj.
teocratizar v.
teodiceia (*é*) s.f.
teodisca s.f.
teodolito s.m.
teodolito-bússola s.m.; pl. *teodolitos-bússola* e *teodolitos-bússolas*
teodórea s.f.
teodorense adj. s.2g.
teodoro-sampaiense adj. s.2g.; pl. *teodoro-sampaienses*
teodosiano adj. s.m.
teodóxia (*cs*) s.m.
teofagia s.f.
teofágico adj.
teófago adj. s.m.
teofania s.f.
teofanias s.f.pl.
teofânico adj.
teofemia s.f.
teofêmico adj.
teofilantropia s.f.
teofilantrópico adj.
teofilantropismo s.m.
teofilantropo (*trô*) s.m.
teofilina s.f.
teofilínico adj.
teofilizar v.
teófilo-otonense adj. s.2g.; pl. *teófilo-otonenses*
teofobia s.f.
teofóbico adj.
teófobo adj. s.m.
teofórico adj.
teoforina s.f.
teóforo adj.
teofrasta s.f.
teofrastácea s.f.
teofrastáceo adj.
teogenesia s.f.
teogonia s.f.
teogônico adj.
teogonista adj. s.2g.
teolina s.f.
teologal adj.2g. s.m.
teologastro s.m.
teologia s.f.
teológico adj.
teológico-jurídico adj.; pl. *teológico-jurídicos*
teológico-metafísico-retórico adj.; pl. *teológico-metafísico-retóricos*
teológico-político adj.; pl. *teológico-políticos*
teologismo s.m.
teologista adj. s.2g.
teologizar v.
teólogo adj. s.m.
teologúmeno s.m.
teomancia s.f.
teomania s.f.
teomaníaco adj. s.m.
teômano s.m.
teomante s.2g.
teomântico adj.
teomitia s.f.
teomítico adj.
teomitologia s.f.
teomitológico adj.
teomitologista adj. s.2g.
teomitólogo s.m.
teomorfo adj.
teonela s.m.
teonímia s.f.
teonímico adj.
teônimo s.m.
teonino adj.
teônoe s.f.
teopasquita adj. s.2g.
teopatia s.f.
teopático adj.
teopatita adj. s.2g.
teopeia (*é*) s.f.
teopneustia s.f.
teopnêustico adj.
teopsia s.f.
teor (*ô*) s.m.
teorema s.m.
teoremática s.f.
teoremático adj.
teorêmico adj.
teoreticismo s.m.
teoreticista adj. s.2g.
teoreticístico adj.
teorético adj.
teoria s.f.
teórica s.f.
teórico adj. s.m.
teórico-prático adj.; pl. *teórico-práticos*
teorismo s.m.
teorista adj. s.2g.
teorístico adj.
teorização s.f.
teorizado adj.
teorizador (*ô*) adj. s.m.
teorizante adj.2g.
teorizar v.
teorizável adj.2g.
teoro s.m.
teorópode s.m.
teose s.f.
teosebia s.f.
teosebista adj. s.2g.
teosinto s.m.
teósis s.f.2n.
teosofia s.f.
teosófico adj.
teosofismo s.m.
teosofista adj. s.2g.
teosofístico adj.
teósofo s.m.
teoteia (*é*) s.f.
teoterapia s.f.
teoterápico adj.
teotisco adj. s.m.
teotismo s.m.
teotonense adj. s.2g.
teotoniense adj. s.2g.
teoxênias (*cs*) s.f.pl.
teoxênio (*cs*) adj.
tepacuema s.f.
tépala s.f.
tepalino adj.
tepaneca s.m.
tepe s.m.
tepente adj.2g.
tepe-tepe s.m.; pl. *tepe-tepes*
tepidário s.m.
tepidez (*ê*) s.f.
tépido adj.
tepor (*ô*) s.m.
teque s.m.
tequesquita s.f.
teque-teque s.m.; pl. *teque-teques*
tequila s.f.
ter v.
terabdela s.f.
teracena s.f.
teraconato s.m.
teracônico s.m.
teradontógrafo s.m.
terafosa s.f.
terafosídeo adj. s.m.
terafosomorfa adj. s.f.
terai s.m.
teraíra s.f.
teralítico adj.
teralito s.m.
terálito s.m.
teramno s.m.
terapeuta s.2g.
terapêutica s.f.
terapêutico adj.
terapeutismo s.m.
terapeutista adj. s.2g.
terapeutógeno adj.
terapia s.f.
terápico adj.
terapina s.f.
terapista s.2g.
terapneu adj. s.m.
terapsídeo adj. s.m.
terasomorfa s.f.
terástia s.f.
teratembiídeo adj. s.m.
teratia s.f.
teratismo s.m.
teratoblastoma s.m.
teratocardia s.f.
teratocárdico adj.
teratocéfalo s.m.
teratócito s.m.
teratofobia s.f.
teratofóbico adj.
teratófobo s.m.
teratogênese s.f.
teratogenesia s.f.
teratogenético adj.
teratogenia s.f.
teratogênico adj.
teratógeno adj.
teratografia s.f.
teratográfico adj.
teratógrafo s.m.
teratoide (*ó*) adj.2g.
teratólita s.f.
teratólite s.f.
teratólito s.m.
teratologia s.f.
teratológico adj.
teratologista adj. s.2g.
teratólogo s.m.
teratoma s.m.
teratopagia s.f.
teratopágico adj.
teratópago adj. s.m.
teratoplastia s.f.
teratoplástico adj.
teratoscopia s.f.
teratoscópico adj.
teratoscópio adj.
teratose s.f.
teratospermátide s.f.
teratospermatídeo s.m.
térbico adj.
terbina s.f.
terbinafina s.f.
terbinário adj.
térbio s.m.
terbo s.m.
terbutalina s.f.
terça (*ê*) num. s.f.; cf. *terça*, fl. do v. *terçar*
terçã adj. s.f. de *terção*
terçada s.f.
terçadada s.f.
terçado adj. s.m.
terçador (*ô*) adj. s.m.
terça-feira s.f.; pl. *terças-feiras*
tercanal s.m.
terção adj. s.m.; f. *terçã*
terçar v.
terçaria s.f.
terça-rima s.f.; pl. *terças-rimas*
tercedia s.f.
terceira s.f.
terceiranista adj. s.2g.
terceirar v.
terceirense adj. s.2g.
terceirização s.f.
terceirizar v.
terceiro num. s.m.
terceirogênito s.m.
terceiro-mundista adj.2g.; pl. *terceiro-mundistas*
terceiro-mundo s.m.; pl. *terceiros-mundos*
terceiro-sargento s.m.; pl. *terceiros-sargentos*
tercena s.f.
tercenaria s.f.
tercenário s.m.
terceneiro s.m.
tercentésimo num.
tercetagem s.f.
tercetar v.
terceto (*ê*) s.m.; cf. *terceto*, fl. do v. *tercetar*
tércia s.f.
terciado adj.
terciar v.
terciarão s.m.
terciário adj. s.m.
terciarismo s.m.
tercicuneiforme adj.2g. s.m.
tercifalange s.f.
tercifalangeta (*ê*) s.f.
tercifalanginha s.f.
tercifólio s.m.
tercil s.m.
tercilho s.m.
tercimetatársico adj.
tercina s.f. "membrana vegetal"; cf. *tersina*
tercinela s.f.
tércio adj. s.m.
tércio-décimo num.; pl. *tércio-décimos*
tercionário adj. s.m.
tercionela s.f.
terciopelo (*ê*) s.m.
terciopeludo adj.
tércios s.m.pl.
tercista s.2g.
tercitarsal adj.2g. s.m.
terço (*ê*) num. s.m. "terça parte de alguma coisa", etc.; cf. *terço*, fl. do v. *terçar*, e *terso* adj.
terçó adj. s.m.
terçô adj. s.m.
terçogo (*ô*) s.m.
terçoinho s.m.
terçol s.m. "pequeno tumor na pálpebra"; cf. *tersol*
terçolho (*ô*) s.m.
terê s.m.
terebato s.m.
terebela s.f.
terebelária s.f.
terebelícola adj.2g. s.m.
terebelídeo adj. s.m.
terebelo s.m.
terebênico adj.
terebênio s.m.
terebeno s.m.
terebenzato s.m.
terebênzico adj.
terébico adj.
terebileno s.m.
terebílico adj.
terebinato s.m.
terebínico adj.
terebintácea s.f.
terebintáceo adj.
terebíntea s.f.
terebintênio s.m.
terebinteno s.m.

terebintilato s.m.
terebintileno s.m.
terebintílico adj.
terebintina s.f.
terebintina de quio s.f.
terebintina de veneza s.f.
terebintinado adj.
terebintinagem s.f.
terebintinar v.
terebintinato s.m.
terebintínico adj.
terebintinismo s.m.
terebinto s.m.
térebra s.f.; cf. *terebra*, fl. do v. *terebrar*
terebração s.f.
terebrador (*ô*) s.m.
terebrâncio s.m.
terebrante adj.2g. s.m.
terebrar v.
terebrátula s.f.
terebratuláceo adj. s.m.
terebratulídeo adj. s.m.
terebratulina s.f.
terebrídeo adj. s.m.
terebripora s.m.
terecaí s.f.
terecanfeno s.m.
teredão s.m.
teredem s.m.
terédilo s.m.
teredinídeo adj. s.m.
teredo s.f.
terédone s.f.
tereftalamida s.f.
tereftalático adj.
tereftalato s.m.
tereftálico adj.
tereftálio s.m.
tereia (*é*) adj. s.f. de *tereu*
terékia s.f.
terém s.m.; cf. *terem*, fl. do v. *ter*
teremembé adj. s.2g.
teremim s.m.
terém-terém s.m.; pl. *teréns-teréns*
terena adj. s.2g.
terenciano adj.
terendeira s.f.
terenense adj. s.2g.
tereniabim s.m.
terenita s.f.
terenite s.f.
terenito s.m.
tereno adj. s.2g. s.m.
teréns s.m.pl.
terepiroleno s.m.
terepomonga s.f.
tereponga s.f.
terequísico adj.
tereré s.m.
tererê s.m.
terereca adj. s.2g.
terereense adj. s.2g.
teres (*ê*) s.m.pl.
teresa (*ê*) s.f.
teresa-cristinense adj. s.2g.; pl. *teresa-cristinenses*
teresense adj. s.2g.
teresiana s.f.
teresiano adj.
teresinense adj. s.2g.
teresinha s.f.
teresinhense adj. s.2g.
tereso (*ê*) s.m.
teresopolitano adj. s.m.
tereterê s.m.
tereticaude adj.2g.
tereticaule adj.2g.
tereticole adj.2g. s.m.
tereticolo adj. s.m.
teretifoliado adj.
teretifólio adj.
teretiforme adj.2g.
teretinato s.m.
teretínico adj.
teretirrostro adj.
teretístris s.m.2n.
terétrio s.m.
tereu adj. s.m.; f. *tereia* (*é*)
teréu-teréu s.m.; pl. *teréu-teréus*
tereuticografia s.f.
tereuticográfico adj.
tereuticógrafo s.m.
terévida adj.2g. s.m.
terevídeo adj. s.m.
terfenadina s.f.
terfézia s.f.
terfeziácea s.f.
terfeziáceo adj.
tergal adj.2g. s.m.
tergeminado adj.
tergêmino adj.
tergestino adj. s.m.
tergilano adj. s.m.
terginigrante adj.2g.
tergite s.f.
tergito s.m.
tergiversação s.f.
tergiversado adj.
tergiversador (*ô*) adj. s.m.
tergiversante adj.2g.
tergiversão s.f.
tergiversar v.
tergiversatório adj.
tergiversável adj.2g.
tergo s.m.
téria s.f.
teríaca s.f.
teriacal adj.2g.
teríaco s.m.
teriacologia s.f.
teriacológico adj.
teriacologista adj. s.2g.
teriacólogo s.m.
teriaga s.f.
teriaga-alemã s.f.; pl. *teriagas-alemãs*
teriagueiro s.m.
térias s.f.2n.
teriatra s.2g.
teriatria s.f.
teriátrico adj.
teriatro s.m.
tericaude adj.2g.
teríclio adj.
teridiídeo adj. s.m.
terídio s.m.
terilene s.m.
teringoá s.f.
tério adj. s.m.
teriodonte s.m.
teriomórfico adj.
teriomorfo s.m.
terionarca s.f.
teriotomia s.f.
teriotômico adj.
terístico s.m.
teristro s.m.
terité s.m.
terjurar v.
terladação s.f.
terladar v.
terlado s.m.
terlinguaíta s.f.
terlinguaíte s.f.
terlinguaíto s.m.
terlingualite s.f.
terlingualito s.m.
terlinta s.2g.
terlintar v.
terlintim s.m.
terlo s.m.
terluca s.m.
terma s.f.
termaeroterapia s.f.
termaeroterápico adj.
termal adj.2g.
termaleno s.m.
termalgesia s.f.
termalgésico adj.
termalidade s.f.
termalismo s.m.
termalização s.f.
termalói s.f.
termalomegalia s.f.
termalotropia s.f.
termamperímetro s.m.
termanalgesia s.f.
termanalgésico adj.
termanestesia s.f.
termanestésico adj.
termanestético adj.
termanita s.f.
termanite s.f.
termanito s.m.
termântico adj.
termas s.f.pl.
termaste s.f.
termatômica s.f.
termatômico adj.
terme s.f.
termelástico adj.
termeléctrica s.f.
termelectricidade s.f.
termeléctrico adj.
termelectrômetro s.m.
termelectromotriz adj.
termelectrônico adj.
termelemento s.m.
termelétrica s.f.
termeletricidade s.f.
termelétrico adj.
termeletrômetro s.m.
termeletromotriz adj.
termelétron s.m.
termeletrônico adj.
termense adj. s.2g.
termentina s.f.
termes s.f.2n.
termessense adj. s.2g.
termestabilidade s.f.
termestável adj. s.2g.
termestesia s.f.
termestésico adj.
termestesiometria s.f.
termestesiométrico adj.
termestesiômetro s.m.
termestético adj.
termestino adj. s.m.
termetrógrafo s.m.
termia s.f.
termiatria s.f.
termiátrico adj.
térmica s.f.
termicidade s.f.
térmico adj. s.m.
termidor (*ô*) s.m.
termidoriano adj. s.m.
termierita s.f.
termierite s.f.
termigroscopia s.f.
termigroscópico adj.
termigroscópio s.m.
termilésimo num. s.m.
termilionesimal adj.2g.
termilionésimo adj.
terminação s.f.
terminado adj.
terminadoiro s.m.
terminadouro s.m.
terminais s.f.pl.
terminal adj.2g. s.m.
terminália s.f.
terminaliácea s.f.
terminaliáceo adj.
terminálias s.f.pl.
terminalidade s.f.
terminante adj.2g.
terminar v.
terminativo adj.
terminável adj.2g.
terminismo s.m.
terminista adj. s.2g.
término s.m.; cf. *termino*, fl. do v. *terminar*
terminolateral adj.2g.
terminologia s.f.
terminológico adj.
terminologista adj. s.2g.
terminólogo s.m.
terminoterminal adj.2g.
terminto s.m.
termíon s.m.
termiônico adj.
termionização s.f.
termionte s.m.
termiôntico adj.
termisóbata adj. s.m.
termistor (*ô*) s.m.
termistorização s.f.
termistorizado adj.
termistorizar v.
termistorizável adj.2g.
termita s.f. "mistura química"; cf. *térmita*
térmita s.f. "inseto isóptero"; cf. *termita*
termite s.f. "dermatose"; cf. *térmite*
térmite s.f. "mistura química"; cf. *termite*
termiteira s.f.
termiteiro s.m.
termítico adj.
termitídeo adj. s.m.
termitococo s.m.
termitófago adj.
termitófilo adj.
termitoxenia (*cs*) s.f.
termo s.m. "recipiente térmico"; cf. *termo* (*ê*)
termo (*ê*) s.m. "limite"; cf. *termo*
termoaeroterapia s.f.
termoaeroterápico adj.
termoanalgesia s.f.
termoanalgésico adj.
termoanálise s.f.
termoanestesia s.f.
termoanestésico adj.
termoanestético adj.
termoatômica s.f.
termoatômico adj.
termobarometria s.f.
termobarométrico adj.
termobarômetro s.m.
termobaroscopia s.f.
termobaroscópico adj.
termobaroscópio s.m.
termóbia s.f.
termobomba s.f.
termocatalisador (*ô*) s.m.
termocautério s.m.
termocinemática s.f.
termocinemático adj.
termoclimatismo s.m.
termoclina s.f.
termoclino s.m.
termocoagulação s.f.
termocoagulado adj.
termocolorimétrico adj.
termocolorímetro s.m.
termocompressor (*ô*) s.m.
termocondutibilidade s.f.
termoconvecção s.f.
termocópia s.f.
termocopiadora (*ô*) s.f.
termocorrente s.f.
termocroico (*ó*) adj.
termocroísmo s.m.
termocrose s.f.
termocura s.f.
termodiferencial adj.2g.
termodifusão s.f.
termodifusivo adj.
termódina s.f.
termodinamia s.f.
termodinâmica s.f.
termodinâmico adj.
termódota s.m.
termoelástico adj.
termoeléctrica s.f.
termoelectricidade s.f.
termoeléctrico adj.
termoelectrômetro s.m.
termoelectromotriz adj.
termoelectrônico adj.
termoelemento s.m.
termoelétrica s.f.
termoeletricidade s.f.
termoelétrico adj.
termoeletrômetro s.m.
termoeletromotriz adj.
termoelétron s.m.
termoeletrônico adj.
termoestábil adj.2g.
termoestabilidade s.f.
termoestável adj.2g.
termoestesia s.f.
termoestésico adj.
termoestesímetro s.m.
termoestesiometria s.f.
termoestesiométrico adj.
termoestesiômetro s.m.
termoestético adj.
termofagia s.f.
termofágico adj.
termofilia s.f.
termofílico adj.
termofilita s.f.
termofilite s.f.
termófilo adj.
termofisiologia s.f.
termofisiológico adj.
termófita s.f.
termofixo (*cs*) adj.
termofobia s.f.
termofóbico adj.
termófobo adj. s.m.
termofone s.m.
termofonia s.f.
termofônico adj.
termofono s.m.
termóforo s.m.
termofosforescência s.f.
termofosforescente adj.2g.
termogalvanometria s.f.
termogalvanométrico adj.
termogalvanômetro s.m.
termogêneo adj. s.m.
termogênese s.f.
termogenético adj.
termogenia s.f.
termogênico adj.
termógeno adj.
termogenose s.f.
termografia s.f.
termográfico adj.
termógrafo adj. s.m.
termograma s.m.
termo-higrográfico adj.
termo-higrógrafo s.m.
termo-higroscopia s.f.
termo-higroscópico adj.
termo-higroscópio s.m.
termo-hiperestesia s.f.
termo-hiperestésico adj.
termo-hipostesia s.f.
termo-hipostésico adj.
termoigrográfico adj.
termoigrógrafo s.m.
termoigroscopia s.f.
termoigroscópico adj.
termoigroscópio s.m.
termoiônico adj.
termoionização s.f.
termoirradiação s.f.
termolábil adj.2g.
termolabilidade s.f.
termolactodensimetria s.f.
termolactodensimétrico adj.
termolactodensímetro s.m.
termolama s.f.
termolâmpada s.f.
termólise s.f.
termolítico adj.
termologia s.f.
termológico adj.
termoluminescência s.f.
termoluminescente adj.2g.
termomagnético adj.
termomagnetismo s.m.
termomanométrico adj.
termomanômetro s.m.
termomassagem s.f.
termomecânica s.f.
termomecânico adj.
termometabolia s.f.
termometabólico adj.
termometal s.m.
termometamórfico adj.
termometamorfismo s.m.
termometria s.f.
termométrico adj.
termometrização s.f.
termômetro s.m.
termometrografia s.f.
termometrográfico adj.
termometrógrafo s.m.
termomicrofone s.m.
termomicrofônio s.m.
termomineral adj.2g.

termomultiplicador (ô) s.m.
termonastia s.f.
termonástico adj.
termonatrita s.f.
termonatrite s.f.
termonatrito s.m.
termoneutralidade s.f.
termonose s.f.
termonuclear adj.2g.
termonuclearização s.f.
termonuclearizado adj.
termonuclearizar v.
termopalpação s.f.
termopar adj.2g. s.m.
termoparestesia s.f.
termoparestésico adj.
termoparestético adj.
termoparidade s.f.
termopenetração s.f.
termoperiódico adj.
termoperiodismo s.m.
termoperíodo s.m.
termopilha s.f.
termoplástico adj. s.m.
termoplegia s.f.
termoplégico adj.
termopódico s.m.
termopódio s.m.
termopólio s.m.
termopolipneia (é) s.f.
termopolipneico (é) adj.
termopolitano adj. s.m.
termopropulsão s.f.
termopse s.f.
termópsis s.f.2n.
termoquímica s.f.
termoquímico adj.
termorradioterapia s.f.
termorradioterápico adj.
termorreceptor (ô) adj. s.m.
termorregeneração s.f.
termorregenerador (ô) adj. s.m.
termorregistrador (ô) s.m.
termorregulabilidade s.f.
termorregulação s.f.
termorregulador (ô) adj. s.m.
termorregular v. adj.2g.
termorregularidade s.f.
termorregulável adj.2g.
termorrelé s.m.
termorreostato s.m.
termorreóstato s.m.
termorresistência s.f.
termorresistente adj.2g.
termorresistividade s.f.
termorresistivo adj.
termorrígido adj.
termosbenáceo adj. s.m.
termoscopia s.f.
termoscópico adj.
termoscópio s.m.
termose s.f.
termosfera s.f.
termossemiologia s.f.
termossemiológico adj.
termossifão s.m.
termossistáltico adj.
termossistaltismo s.m.
termostábil adj.2g.
termostabilidade s.f.
termostática s.f.
termostático adj.
termostato s.m.
termóstato s.m.
termostável adj.2g.
termosterese s.f.
termosterético adj.
termotáctico adj.
termotactismo s.m.
termotático adj.
termotatismo s.m.
termotaxia (cs) s.f.
termotécnica s.f.
termotécnico adj. s.m.
termotelefone s.m.
termotelefônico adj.
termotelefônio s.m.
termotensão s.f.
termoterapia s.f.
termoterápico adj.
termoterapismo s.m.
termotono s.m.
termótono s.m.
termotonométrico adj.
termotonômetro s.m.
termótonus s.m.2n.
termotônus s.m.2n.
termotoxina (cs) s.f.
termotrópico adj.
termotropismo s.m.
ternado adj.
ternal adj.2g.
ternar v.
ternário adj.
ternate adj. s.2g.
ternatês adj. s.m.
terneira s.f.
terneirada s.f.
terneiragem s.f.
terneiro s.m.
terneirona s.f.
terneza (ê) s.f.
ternifloro adj.
ternifoliado adj.
ternifólio adj.
terno adj. s.m.
ternoanular adj.2g.
terno de música s.m.
terno de reis s.m.
terno de zabumba s.m.
ternovskita s.f.
ternovsquita s.f.
ternstrêmia s.f.
ternstremiácea s.f.
ternstremiáceo adj.
ternura s.f.
tero s.m.
teródamo s.m.
terófilo adj.
terófita s.f.
terófito s.m.
teroide (ó) adj.2g.
terol s.m.
terolero s.m.
teromorfia s.f.
teromorfo adj.
teropiteco s.m.
terópode adj.2g. s.m.
terósporo s.m.
tero-tero s.m.; pl. *tero-teros*
terpenato s.m.
terpênico adj.
terpenílato s.m.
terpenílico adj.
terpênio s.m.
terpeno s.m.
terpenoide (ó) adj.2g. s.m.
terpenolato s.m.
terpenólico adj.
terpentileno s.m.
terpilênio s.m.
terpileno s.m.
terpina s.f.
terpinena s.f.
terpineno s.m.
terpinenol s.m.
terpineol s.m.
terpinila s.f.
terpinol s.m.
terpinoleno s.m.
terpola (ô) s.f.
terpsicórico adj.
terpsifone s.f.
terquetes s.f.2n.
terra s.f.
terra-altense adj. s.2g.; pl. *terra-altenses*
terra-areense adj. s.2g.; pl. *terra-areenses*
terra a terra adj.2g.2n. s.m. 2n.
terrabinto adj.
terra-bonense adj. s.2g.; pl. *terra-bonenses*
terra-branquense adj. s.2g.; pl. *terra-branquenses*
terra-caidense adj. s.2g.; pl. *terra-caidenses*
terraceadeira s.f.
terraceamento s.m.
terracear v.
terracinense adj. s.2g.
terraço s.m.
terracota s.f.
terra-cozida s.f.; pl. *terras-cozidas*
terrada s.f.
terrádego s.m.
terradegueiro s.m.
terra-de-sevilha s.f.; pl. *terras-de-sevilha*
terra de siena s.f.
terrádigo s.m.
terrado adj. s.m.
terra-firmense adj. s.2g.; pl. *terra-firmenses*
terra-forense adj. s.2g.; pl. *terra-forenses*
terra-forte s.f.; pl. *terras-fortes*
terrafungina s.f.
terragido s.m.
terra-grandense adj. s.2g.; pl. *terra-grandenses*
terra-inglesa s.f.; pl. *terras-inglesas*
terra-japônica s.f.; pl. *terras-japônicas*
terral adj.2g. s.m.
terralão s.m.
terralina s.f.
terra-mãe s.f.; pl. *terras-mãe* e *terras-mães*
terramara s.f.
terramicina s.f.
terramicínico adj.
terramotada s.f.
terramotar v.
terra-nova s.2g.; pl. *terras-novas*
terra-noveiro adj. s.m.; pl. *terra-noveiros*
terra-novense adj. s.2g.; pl. *terra-novenses*
terranquim s.m.
terrantês adj. s.m.
terrão s.m.
terraplanado adj.
terraplanador (ô) s.m.
terraplanagem s.f.
terraplanamento s.m.
terraplanar v.
terraplano s.m.
terraplenado adj.
terraplenador (ô) adj. s.m.
terraplenagem s.f.
terraplenamento s.m.
terraplenar v.
terrapleno s.m.
terra-pretense adj. s.2g.; pl. *terra-pretenses*
terráqueo adj. s.m.
terrar v.
terrário s.m.
terra-riquense adj. s.2g.; pl. *terra-riquenses*
terra-roxense adj. s.2g.; pl. *terra-roxenses*
terra-santense adj. s.2g.; pl *terra-santenses*
terras-raras s.f.pl.
terrastão adj. s.m.
terratenente s.2g.
terra-tenente s.2g.; pl. *terras-tenentes*
terra-vermelhense adj. s.2g.; pl. *terra-vermelhenses*
terreal adj.2g.
terreanho adj. s.m.
terrear v.
terreína s.f.
terreireiro adj. s.m.
terreirense adj. s.2g.
terreiro adj. s.m.
terrejar v.
terrejola s.f.
terremoto s.m.
terrenal adj.2g.
terrenalidade s.f.
terrenho adj. s.m.
terrenidade s.f.
terreno adj. s.m.
terrense adj. s.2g.
terrento adj.
térreo adj. s.m.
terresina s.f.
terrestre adj.2g.
terrestreidade s.f.
terréu s.m.
terribilidade s.f.
terribilíssimo adj. sup. de *terrível*
terriça s.f.
terriço s.m.
terrícola adj. s.2g. "habitante da terra"; cf. *terrícula*
terrícula s.f. "aldeola"; cf. *terrícola*
terrificação s.f.
terrificado adj.
terrificador (ô) adj. s.m.
terrificante adj.2g.
terrificar v.
terrificável adj.2g.
terrífico adj.; cf. *terrifico*, fl. do v. *terrificar*
terrígeno adj.
terrina s.f.
terrinada s.f.
terrincar v.
terrinha s.f.
terrinhense adj. s.2g.
terriola s.f.
terrípeto adj.
terríssono adj.
territela s.f.
territelária s.f.
territorial adj.2g.
territorialidade s.f.
território s.m.
terrível adj.2g. s.m.
terrívomo adj.
terroada s.f.
terroeiro s.m.
terrol s.m.
terrola s.f.
terrometálico adj.
terror (ô) s.m.
terrorado adj.
terrorar v.
terrorífico adj.
terrorismo s.m.
terrorista adj. s.2g.
terrorístico adj.
terrorização s.f.
terrorizado adj.
terrorizador (ô) adj.
terrorizante adj.2g.
terrorizar v.
terrorizável adj.2g.
terroroso (ô) adj.; f. (ó); pl. (ó)
terroso (ô) adj.; f. (ó); pl. (ó)
terrulento adj.
terrunho s.m.
tersarola s.f.
tersina s.f. "gênero de aves"; cf. *tercina*
tersinídeo adj. s.m.
tersites s.m.2n.
terso adj. "puro", etc.; cf. *terço* (ê) num. s.m. e *terço*, fl. do v. *terçar*
tersol s.m. "manutérgio"; cf. *terçol*
tersura s.f.
tertschita s.f.
tertúlia s.f.
tertulianismo s.m.
tertulianista adj. s.2g.
tertuliano s.m.
teruela s.f.
teruelita s.f.
teruelite s.f.
teruelo s.m.
terúncio s.m.
tesa s.f. "repreensão"; cf. *tesa* (ê)
tesa (ê) s.f. "peça de ferro"; cf. *tesa* s.f. e fl. do v. *tesar*
tesadeira s.f.
tesão s.2g.
tesar v.
tesaurismose s.f.
tesaurização s.f.
tesaurizado adj.
tesaurizador (ô) adj. s.m.
tesaurizar v.
tesaurose s.f.
tesbi s.m.
tescão adj. s.m.
tescarete (ê) s.m.
teschemacherita s.f.
teschemacherite s.f.
tesconjuro interj.
tese s.f.
teseias (é) s.f.pl.
tesida adj. s.2g.
tesidão s.f.
tesíea s.f.
tésio s.m.
tésis s.f.2n.
tesla s.m.
teslaio adj. s.m.
teslaização s.f.
teslinice s.f.
teslino adj. s.m.
tesminar v.
tesmofiláceo s.m.
tesmófora s.f.
tesmofórias s.f.pl.
tesmóteta s.m.
tesno s.m.
teso (ê) adj. s.m.; cf. *teso*, fl. do v. *tesar*
tesoira s.f.
tesoirada s.f.
tesoira de costas s.f.
tesoira de frente s.f.
tesoirado s.m.
tesoira-do-brejo s.f.; pl. *tesoiras-do-brejo*
tesoira-do-campo s.f.; pl. *tesoiras-do-campo*
tesoirão s.m.
tesoirão-do-brejo s.m.; pl. *tesoirões-do-brejo*
tesoirar v.
tesoiraria s.f.
tesoiraria-geral s.f.; pl. *tesoirarias-gerais*
tesoireiro s.m.
tesoireiro-geral s.m.; pl. *tesoireiros-gerais*
tesoireiro-pagador s.m.; pl. *tesoireiros-pagadores*
tesoirinha s.f.
tesoiro s.m.
tesoura s.f.
tesourada s.f.
tesoura de costas s.f.
tesoura de frente s.f.
tesourado s.m.
tesoura-do-brejo s.f.; pl. *tesouras-do-brejo*
tesoura-do-campo s.f.; pl. *tesouras-do-campo*
tesourão s.m.
tesourão-do-brejo s.m.; pl. *tesourões-do-brejo*
tesourar v.
tesouraria s.f.
tesouraria-geral s.f.; pl. *tesourarias-gerais*
tesoureiro s.m.
tesoureiro-geral s.m.; pl. *tesoureiros-gerais*
tesoureiro-pagador s.m.; pl. *tesoureiros-pagadores*
tesourense adj. s.2g.
tesourinha s.f.
tesourinhense adj. s.2g.
tesouro s.m.
tespésia s.f.
tespíada s.f.
tespiense adj. s.2g.
tespieu s.m.
téspio adj. s.m.
tesprócio adj. s.m.
tesproto adj. s.m.
tessaliano adj. s.m.
tessálico adj. s.m.
tessálio adj. s.m.
téssalo adj. s.m.
tessalonicense adj. s.2g.

tessalônio adj. s.m.
tessar s.f.
tessarandra s.f.
tessária s.f.
tesse s.m.
tessela s.f.
tesselação s.f.
tesselado adj. s.m.
tesselamento s.m.
tesselar v.
tesselárctia s.f.
tesselário s.m.
tesselina s.f.
tesselita s.f.
téssera s.f.
tesseral adj.2g.
tesseranta s.f.
tesserário adj. s.m.
tesserídeo adj. s.m.
tesserologia s.f.
tessitura s.f.
testa s.f.
testaça s.f.
testação s.f.
testaceado adj.
testaceiforme adj.2g.
testacela s.f.
testacelídeo adj. s.m.
testáceo adj. s.m.
testaceografia s.f.
testaceográfico adj.
testaceógrafo s.m.
testaceologia s.f.
testaceológico adj.
testaceologista adj. s.2g.
testaceólogo s.m.
testaçudo adj. s.m.
testada s.f.
testa-de-boi s.f.; pl. *testas-de-boi*
testa de ferro s.2g.
testa-de-lã s.m.; pl. *testas-de-lã*
testado adj. s.m.
testador (*ô*) adj. s.m.
testagem s.f.
testalho s.m.
testamentado adj.
testamental adj.2g.
testamentar v. adj.2g.
testamentaria s.f.
testamentário adj. s.m.
testamenteiro adj. s.m.
testamento s.m.
testamento de judas s.m.
testante adj. s.2g.
testar v.
testavilhar v.
teste s.m.f.
testear v.
testectomia s.f.
testectômico adj.
teste-diagnóstico s.m.; pl. *testes-diagnóstico* e *testes--diagnósticos*
testédio s.m.
testeira s.f.
testeirada s.f.
testeiro adj. s.m.
testemunha s.f.
testemunhadeira s.f.
testemunha de jeová s.2g.
testemunhado adj.
testemunhador (*ô*) adj. s.m.
testemunhal adj.2g. s.m.
testemunhante adj.2g.
testemunhar v.
testemunhável adj.2g.
testemunho s.m.
testenegão s.m.
testibiopaladita s.f.
testicar v.
testicárdina adj.2g. s.m.
testicardíneo adj. s.m.
testico s.m.
testicondia s.f.
testicondo adj. s.m.
testicular adj.2g.
testículo s.m.
testículo-de-cão s.m.; pl. *testículos-de-cão*
testículo-de-frade s.m.; pl. *testículos-de-frade*
testículo-de-galo s.m.; pl. *testículos-de-galo*
testículo-de-perro s.m.; pl. *testículos-de-perro*
testiculoso (*ô*) adj.; f. (*ó*); pl. (*ó*)
testificação s.f.
testificado adj.
testificador (*ô*) adj. s.m.
testificante adj. s.2g.
testificar v.
testificável adj.2g.
testigo s.m.
testilha s.f.
testilhante adj. s.2g.
testilhão s.m.
testilhar v.
testilheiro adj. s.m.
testilho s.m.
testimania s.f.
testinha s.f.
testo adj. s.m. "firme", etc.; cf. *testo* (*ê*) e *texto* (*ê*)
testo (*ê*) s.m. "tampa de vasilha"; cf. *texto* (*ê*), *testo* adj. s.m. e fl. do v. *testar*
testosterona s.f.
testosterônico adj.
testudaço adj.
testudinado adj. s.m.
testudinária s.f.
testudíneo adj. s.m.
testudinídeo adj. s.m.
testudiníneo adj. s.m.
testudino adj. s.m.
testudo adj. s.m.
testugar v.
téstula s.f.
testulária s.f.
testularídeo adj. s.m.
tesudo adj. s.m.
tesum s.m.
tesura s.f.
teta s.m. "letra do alfabeto grego"; cf. *teta* (*ê*)
teta (*ê*) s.f. "glândula mamária"; cf. *teta* s.m. e fl. do v. *tetar*
teta-de-cabra s.f.; pl. *tetas--de-cabra*
tetalita s.f.
tetania s.f.
tetânico adj.
tetaniforme adj.2g.
tetanígeno adj.
tetanina s.f.
tetanismo s.m.
tetanização s.f.
tetanizado adj.
tetanizante adj.2g.
tetanizar v.
tétano s.m.
tetanocanabina s.f.
tetanócera s.f.
tetanoide (*ó*) adj.2g.
tetanolisina s.f.
tetanométrico adj.
tetanômetro s.m.
tetanomotor (*ô*) adj. s.m.
tetanospasmina s.f.
tetanotoxina (*cs*) s.f.
tetanotro s.m.
tetar v.
tetaracontaédrico adj.
tetaracontaedro s.m.
tetaracontagonal adj.2g.
tetaracontágono s.m.
tetarnina s.f.
tetartanopia s.f.
tetartanópico adj.
tetartanopsia s.f.
tetartanópsico adj.
tetartemório s.m.
tetartoedria s.f.
tetartoédrico adj.
tetartoedro s.m.
tetartopeu s.m.
tetartopirâmide s.f.
tetartoprismático adj.
teteia (*é*) s.f.
teteira s.f.
tetense adj. s.2g.
tetequera (*ü*) s.f.
tetérrimo adj. sup. de *tetro*
tetéu s.m.
teteuare adj. s.2g.
tetéu-de-savana s.m.; pl. *tetéus-de-savana*
tétia s.f.
tetiáster s.m.
tético adj.
tetídeo adj. s.m.
tetiforme adj.
tetígia s.f.
tetigídeo adj. s.m.
tetigometra s.f.
tetigométrida adj.2g. s.m.
tetigometrídeo adj. s.m.
tetigônia s.f.
tetigonídeo adj. s.m.
tetigoniela s.f.
tetigoniídeo adj. s.m.
tetigonióideo adj. s.m.
tetiídeo adj. s.m.
tetila s.f.
tetilha s.f.
tetilíneo adj. s.m.
tetim s.m.
tetimixira s.f.
tetina s.f.
tétio adj. s.m.
tetióideo adj. s.m.
tetiopsila s.f.
tetiópsis s.f.2n.
tetiórrafis s.m.2n.
tetipoteira s.f.
tétis s.f.2n.
teto s.m. "cobertura", etc.; cf. *teto* (*ê*)
teto (*ê*) s.m. "mamilo"; cf. *teto* s.m. e fl. do v. *tetar*
tetônica s.f.
tetônico adj.
tetrabase s.f.
tetrábase s.f.
tetrabásico adj.
tetrabíblio s.m.
tetraborânico adj.
tetraborano s.m.
tetraborato s.m.
tetrabórico adj.
tetrabotriídeo adj. s.m.
tetrabotriíneo adj. s.m.
tetrabótrio s.m.
tetrabranquiado adj. s.m.
tetrabranquial adj.2g. s.m.
tetrabrânquio s.m.
tetrabromado adj.
tetrabrometo (*ê*) s.m.
tetrabromoanil s.m.
tetrabromobrasilina s.f.
tetrabromoetano s.m.
tetrabromoíndigo s.m.
tetracaína s.f.
tetracalsilita s.f.
tetracâmaro adj.
tetracampeão s.m.
tetracampeonato s.m.
tetracampídeo adj. s.m.
tetracampo s.m.
tetracarbonado adj. s.m.
tetracarboxilato (*cs*) s.m.
tetracarboxílico (*cs*) adj.
tetracárpico adj.
tetracarpo adj.
tetracedecaedro s.m.
tetraceno s.m.
tetracentígrado adj.
tetracentrácea s.f.
tetracentráceo adj.
tetracentro s.m.
tetrácera s.f.
tetrácero adj. s.m.
tetracéstodo s.m.
tetracetático adj.
tetracetato s.m.
tetracetilaconina s.f.
tetracetilbrasilina s.f.
tetracetiluteolina s.f.
tetracíclico adj.
tetraciclina s.f.
tetrácido s.m.
tetracila s.f.
tetracisazoico (*ó*) adj.
tetracládia s.f.
tetraclasita s.f.
tetraclasite s.f.
tetraclasito s.m.
tetracline s.f.
tetraclita s.f.
tetraclito s.m.
tetraclorado adj.
tetracloralcânico adj.
tetracloralcano s.m.
tetracloretano s.m.
tetracloretileno s.m.
tetracloreto (*ê*) s.m.
tetraclorobenzênico adj.
tetraclorobenzeno s.m.
tetraclorobenzoquinona s.f.
tetracloroftalato s.m.
tetracloroftálico adj.
tetraclorometano s.m.
tetracloroquinolina s.f.
tetracloroquinona s.f.
tetracna s.f.
tetracnemo s.m.
tetracoco s.m.
tetracolo s.m.
tetracomo s.m.
tetracontaédrico adj.
tetracontaedro s.m.
tetracontagonal adj.2g.
tetracontágono s.m.
tetracontânico adj.
tetracontano s.m.
tetracontaoctaédrico adj.
tetracontaoctaedro s.m.
tetracoral s.m.
tetracorálico adj.
tetracordal adj.2g.
tetracorde s.m.
tetracórdio s.m.
tetracordo adj. s.m.
tetracórico adj.
tetracosaédrico adj.
tetracosaedro s.m.
tetracosagonal adj.2g.
tetracoságono s.m.
tetracosano s.m.
tetracosanoico (*ó*) adj.
tetracotilíneo adj. s.m.
tetracótilo s.m.
tetracromático adj.
tetracromato s.m.
tetracromia s.f.
tetracrômico adj.
tetráctico adj.
tetractinélida adj.2g. s.m.
tetractinelídeo adj. s.m.
tetractinélido adj. s.m.
tetracúspida s.f.
tetracúspide adj.2g. s.f.
tétrada s.f.
tetradactilia s.f.
tetradactílico adj.
tetradáctilo adj. s.m.
tetradatilia s.f.
tetradatílico adj.
tetradátilo adj. s.m.
tétrade s.f.
tetradecaédrico adj.
tetradecaedro s.m.
tetradecágono s.m.
tetradecano s.m.
tetradecanoico (*ó*) adj.
tetradecanol s.m.
tetradecílico adj.
tetradecilo s.m.
tetradelfo adj.
tetradentado adj.
tetradépsido s.m.
tetrádia s.f.
tetradiapasão s.m.
tetradíclide s.f.
tetradiclidóidea s.f.
tetradíclis s.f.2n.
tetrádico s.m.
tetradímia s.f.
tetradimita s.f.
tetradimite s.f.
tetradimito s.m.
tetrádimo adj. s.m.
tetradinamia s.f.
tetradinâmico adj.
tetradínamo adj.
tetradita adj. s.2g.
tétrado s.m.
tetradoro s.m.
tetradracma s.m.
tetraedral adj.2g.
tetraédrico adj.
tetraedrita s.f.
tetraedrite s.f.
tetraedrítico adj.
tetraedrito s.m.
tetraedro s.m.
tetraedroide (*ó*) adj.2g. s.m.
tetraetil s.m.
tetraetilamônio s.m.
tetraetílico adj.
tetraetilplumbano s.m.
tetraetilureia (*é*) s.f.
tetraexaédrico (*cs* ou *z*) adj.
tetraexaedro (*cs* ou *z*) s.m.
tetrafalangarca s.m.
tetrafalangarquia s.f.
tetrafalero s.m.
tetrafármaco s.m.
tetrafenil s.m.
tetrafenilado adj.
tetrafenilfurano s.m.
tetrafenílico adj.
tetraferroplatina s.f.
tetráfido adj.
tetrafilar adj.2g.
tetrafilídio adj. s.m.
tetrafilina adj.
tetrafilo adj.
tetrafluorético adj.
tetrafluoretilênico adj.
tetrafluoretileno s.m.
tetrafluoreto (*ê*) s.m.
tetrafoliado adj.
tetrafólio adj.
tetrafonia s.f.
tetrafônico adj.
tetrafosfato s.m.
tetrafosfórico adj.
tetrafósforo s.m.
tetragamia s.f.
tetraginia s.f. "estado de flores de quatro pistilos"; cf. *tetragínia*
tetragínia s.f. "classe de plantas"; cf. *tetraginia*
tetragínico adj.
tetrágino adj.
tetrágnata s.f.
tetragnatíneo adj. s.m.
tetragnátio s.m.
tetragonal adj.2g.
tetragônio adj.
tetragonismo s.m.
tetrágono adj. s.m.
tetragonocarpo adj.
tetragonocefalia s.f.
tetragonocefálico adj.
tetragonocéfalo adj.
tetragonolépide s.f.
tetragonolóbio adj. s.m.
tetragonólobo s.m.
tetragonopterídeo adj. s.m.
tetragonopteríneo adj. s.m.
tetragonóptero adj.
tetragonosquema s.m.
tetragonoteco adj.
tetragonuro s.m.
tetragráfico adj.
tetrágrafo s.m.
tetragrama adj.2g. s.m.
tetragramático adj.
tetra-halogenado adj.
tetra-hexaédrico (*cs* ou *z*) adj.
tetra-hexaedro s.m.
tetra-hidrato s.m.
tetra-hidreto (*ê*) s.m.
tetra-hídrico adj.
tetra-hidrobenzeno s.m.
tetra-hidroberberina s.f.
tetra-hidrocanabinol s.m.
tetra-hidrofole s.m.
tetra-hidrofólico adj.

tetra-hidrofólio s.m.
tetra-hidroftal s.m.
tetra-hidroftálico adj.
tetra-hidrofurano s.m.
tetra-hidrofurfurílico adj.
tetra-hidrogenado adj.
tetra-hidroisoquinoleína s.f.
tetra-hidronaftaleno s.m.
tetra-hidronicotinina s.f.
tetra-hidropalmatina s.f.
tetra-hidropirano s.m.
tetra-hidropirrol s.m.
tetra-hidroquinoleína s.f.
tetra-hidroxiadipato (*cs*) s.m.
tetra-hidroxiadípico (*cs*) adj.
tetraidrato s.m.
tetraidreto (*ê*) s.m.
tetraídrico adj.
tetraidrobenzeno s.m.
tetraidroberberina s.f.
tetraidrocanabinol s.m.
tetraidrofole s.m.
tetraidrofólico adj.
tetraidrofólio s.m.
tetraidroftal s.m.
tetraidroftálico adj.
tetraidrofurano s.m.
tetraidrofurfurílico adj.
tetraidrogenado adj.
tetraidroisoquinoleína s.f.
tetraidronaftaleno s.m.
tetraidronicotinina s.f.
tetraidropalmatina s.f.
tetraidropirano s.m.
tetraidropirrol s.m.
tetraidroquinoleína s.f.
tetraidroxiadipato (*cs*) s.m.
tetraidroxiadípico (*cs*) adj.
tetraiodado adj.
tetraiodeto (*ê*) s.m.
tetraiodoetano s.m.
tetraiodoetileno s.m.
tetraiodofenolftaleína s.f.
tetraiodofluoresceína s.f.
tetraiodopirrol s.m.
tetraiodotironina s.f.
tetraiodotironínico adj.
tetraldeído s.m.
tetraleno s.m.
tetralépide adj.2g.
tetralépido adj.
tetralina s.f.
tetralobado adj.
tetralogia s.f.
tetralógico adj.
tetramastia s.f.
tetramástico adj.
tetramasto adj. s.m.
tetramazo adj.
tetramelo s.m.
tetramerálio s.m.
tetrâmero adj. s.m.
tetramerose s.f.
tetrametafosfato s.m.
tetrametilado adj.
tetrametilamônio s.m.
tetrametilênico adj.
tetrametileno s.m.
tetrametilenodiamina s.f.
tetrametilenoglicol s.m.
tetrametilenoglicólico adj.
tetrametilglicose s.f.
tetrametilglicósico adj.
tetrametílico adj.
tetrametilobenzeno s.m.
tetrametilodiarsina s.f.
tetrametilometano s.m.
tetrametilossilânico adj.
tetrametilossilano s.m.
tetramétrico adj.
tetrâmetro adj. s.m.
tetramicra s.f.
tetramidobenzol s.m.
tetramilamônio s.m.
tetramina s.f.
tetraminzinco s.m.
tetramitácea s.f.
tetramitáceo adj.
tetramitídeo adj. s.m.
tetramito s.m.
tetramixa (*cs*) s.f.
tetramorfo adj. s.m.
tetrandria s.f. "qualidade de tetrandro"; cf. *tetrândria*
tetrândria s.f. "conjunto dos vegetais tetrandros"; cf. *tetrandria*
tetrândrico adj.
tetrandro adj.
tetraneftalenossulfona s.f.
tetraneftalenossulfônico adj.
tetranema s.m.
tetranematíctis s.m.2n.
tetranemo adj. s.m.
tetraneto s.m.
tetraneura s.f.
tetrânico s.m.
tetraníquida adj.2g. s.m.
tetraniquídeo adj. s.m.
tetraniquíneo adj. s.m.
tetranitrado adj.
tetranitranilina s.f.
tetranitrático adj.
tetranitrato s.m.
tetranitroanilina s.f.
tetranitroantraquinona s.f.
tetranitrofenilmetilanilina s.f.
tetranitrol s.m.
tetranitrometano s.m.
tetranitrometilanilina s.f.
tetranope s.2g.
tetranopia s.f.
tetranópico adj.
tetranopsia s.f.
tetranópsico adj.
tetranóptico adj.
tetrantera s.f.
tetranto s.m.
tétrao s.m.
tetraódio s.m.
tetraodontídeo adj. s.m.
tetraófase s.m.
tetraófrase s.m.
tetraonco s.m.
tetraônida adj.2g. s.m.
tetraonídeo adj. s.m.
tetraonínea s.f.
tetraotia s.f.
tetraótico adj.
tetraoto s.m.
tetraoxiantraquinona (*cs*) s.f.
tetraoxibenzofenona (*cs*) s.f.
tetraoxibenzoquinona (*cs*) s.f.
tetraoxiquinona (*cs*) s.f.
tetrapânace s.m.
tetrapetalia s.f.
tetrapetálico adj.
tetrapétalo adj.
tetrápila s.f.
tetrápilo adj. s.m.
tetráplaco s.m.
tetraplandra s.f.
tetraplátipo s.m.
tetraplegia s.f.
tetraplégico adj. s.m.
tetrapleura s.f.
tétraplo s.m.
tetraplodonte s.m.
tetraploide (*ó*) adj.2g. s.m.
tetraploidia s.f.
tetraplostêmone adj.2g.
tetrapnêumone adj.2g. s.m.
tetrápode adj.2g. s.m.
tetrapodia s.f.
tetrapódico adj.
tetrapodólito s.m.
tetrapodologia s.f.
tetrapodológico adj.
tetrapolar adj.2g.
tetrapolaridade s.f.
tetrápole s.f.
tetrápora s.f.
tetráptero adj.
tetrapteruro s.m.
tetrapturo s.m.
tetraquênio s.m.
tetraquilglicol s.m.
tetraquilglicólico adj.
tetraquilonema s.m.
tetrarca s.m.
tetrarcado s.m.
tetrarquia s.f.
tetrárquico adj.
tetrarradiado adj.
tetrarrinco s.m.
tetrarrínquida adj.2g. s.m.
tetrarrinquídeo adj. s.m.
tetrarritmia s.f.
tetrarrítmico adj.
tetrarritmo adj. s.m.
tetrarsênico adj. s.m.
tetrarsênio s.m.
tetráscele s.m.
tetraspérmeo adj.
tetraspérmico adj.
tetraspermo adj.
tetrasporácea s.f.
tetrasporáceo adj.
tetrasporângio s.m.
tetraspório s.m.
tetrásporo adj. s.m.
tetrassacáride s.m.
tetrassacarídeo adj. s.m.
tetrassacárido s.m.
tetrassâmara s.f.
tetrassemo adj.
tetrassepálea s.f.
tetrassepalia s.f.
tetrassepálico adj.
tetrassépalo adj.
tetrassilábico adj.
tetrassílabo adj. s.m.
tetrassilano s.m.
tetrassilicato s.m.
tetrassilícico adj.
tetrassoma s.m.
tetrassomático adj.
tetrassomia s.f.
tetrassômico adj.
tetrassomo s.m.
tetrassubstituição s.f.
tetrassubstituído adj.
tetrassubstituinte adj.2g.
tetrassubstituir v.
tetrassubstituível adj.2g.
tetrassulfeto (*ê*) s.m.
tetrastáqueo adj.
tetrastema s.m.
tetrastêmone adj.2g.
tetrástico adj. s.m.
tetrasticodes s.m.2n.
tetrastigma s.m.
tetrastigmático adj.
tetrastilídio s.m.
tetrastilo adj. s.m.
tetrástoma s.m.
tetrástomo adj.
tetrástrofo adj.
tetrateca s.f.
tetratenita s.f.
tetraterma s.f.
tetratinato s.m.
tetratiônico adj.
tetratirídio s.m.
tetratiro adj. s.m.
tetratomicidade s.f.
tetratômico adj.
tetratonicidade s.f.
tetratônico adj.
tetrátono s.m.
tetraulácio s.m.
tetravalência s.f.
tetravalente adj.2g.
tetravó s.f. de *tetravô*
tetravô s.m.; f. *tetravó*
tetráxona (*cs*) s.f.
tetraxônico (*cs*) adj.
tetraxônio (*cs*) adj. s.m.
tetráxono (*cs*) adj.
tetraz s.m.
tetraz-grande-das-serras s.m.; pl. *tetrazes-grandes-das-serras*
tetrazígia s.f.
tetrazina s.f.
tetrazoico (*ó*) adj.
tetrazol s.m.
tetrazólio s.m.
tetrazona s.f.
tetraz-pequeno-das-serras s.m.; pl. *tetrazes-pequenos-das-serras*
tetrenura s.f.
tetrícia s.f.
tetricidade s.f.
tetricídeo adj. s.m.
tétrico adj.
tetricol s.m.
tetrídico adj.
tetril s.m.
tetrilo s.m.
tetrite s.f.
tetritol s.m.
tetritólico adj.
tetriz adj. s.f.
tetro adj.
tetróbolo s.m.
tetrócio s.m.
tetródico adj.
tetródio s.m.
tétrodo s.m.
tetrodonte s.m.
tetrodontídeo adj. s.m.
tetrodontíneo adj. s.m.
tetroftalmia s.f.
tetroftálmico adj.
tetroftalmo adj. s.m.
tetrol s.m.
tetrolato s.m.
tetrólico adj.
tetronal s.m.
tetrôncio s.m.
tetrope s.m.
tetrorquídeo adj. s.m.
tetrorquidia s.f.
tetrorquídico adj.
tetrorquídio s.m.
tetrórquido s.m.
tetrose s.f.
tetroxicunúnico (*cs*) adj.
tetróxido (*cs*) s.m.
tetrurátea s.f.
tetudo adj.
tétum s.m.
teu adj. s.m. pron.; cf. *téu*
téu s.m. "pássaro", etc.; cf. *teu*
teúba s.f.
teucrieta (*ê*) s.f.
teucrina s.f.
têucrio s.m.
teucro adj. s.m.
teudalense adj. s.2g.
teúdo adj.
teuiniense adj. s.2g.
teuquestes s.m.2n.
teurgia s.f.
teúrgico adj.
teurgismo s.m.
teurgista adj. s.2g.
teurgístico adj.
teurgo s.m.
teutão adj. s.m.; f. *teutona*
téu-téu s.m.; pl. *téu-téus*
téu-téu-da-savana s.m.; pl. *téu-téus-da-savana*
teutídeo adj. s.m.
têutis s.m.2n.
teuto adj. s.m.
teuto-americano adj. s.m.; pl. *teuto-americanos*
teuto-argentino adj. s.m.; pl. *teuto-argentinos*
teutobodíaco adj. s.m.
teuto-brasileiro adj. s.m.; pl. *teuto-brasileiros*
teutoburgiense adj. s.2g.
teutoburguês adj. s.m.
teuto-catarinense adj. s.2g.; pl. *teuto-catarinenses*
teuto-gaúcho adj. s.m.; pl. *teuto-gaúchos*
teutoide (*ó*) adj.2g. s.m.
teuto-italiano adj. s.m.; pl. *teuto-italianos*
teuto-japonês adj. s.m.; pl. *teuto-japoneses*
teutomania s.f.
teutomaníaco adj.
teutômano s.m.
teutona adj. s.f. de *teutão*
têutone adj. s.2g.
teutônia s.f.
teutônico adj. s.m.
teutoniense adj. s.2g.
teutonismo s.m.
teutonista adj. s.2g.
teuto-paranaense adj. s.2g.; pl. *teuto-paranaenses*
tevá s.f.
tevê s.f.
teveasta adj. s.2g.
teveástico adj.
tevécia s.f.
tevecina s.f.
tevenótia s.f.
tevente adj. s.2g.
teveriano adj.
tevestino adj. s.m.
tevet s.m.
tevétia s.f.
tevetina s.f.
texalite (*cs*) s.f.
texálito (*cs*) s.m.
texano (*cs*) adj. s.m.
texasita (*cs*) s.f.
texasite (*cs*) s.f.
texasito (*cs*) s.m.
texiano (*cs*) adj. s.m.
textiforme adj.2g.
têxtil adj.2g.
textilidade s.f.
textilização s.f.
textilizado adj.
textilizar v.
texto (*ê*) s.m. "obra escrita"; cf. *testo* adj. s.m., fl. do v. *testar*, e *testo* (*ê*) s.m.
texto-foguete s.m.; pl. *textos-foguete* e *textos-foguetes*
texto-legenda s.m.; pl. *textos-legenda* e *textos-legendas*
texto-piloto s.m.; pl. *textos-piloto* e *textos-pilotos*
textor (*ô*) s.m.
téxtor (*cs*) s.m.
textório adj.
textrice s.f.
textrino adj.
téxtrix (*trics*) s.f.
textual adj.2g.
textualidade s.f.
textualismo s.m.
textualista adj. s.2g.
textualístico adj.
textualização s.f.
textualizado adj.
textualizador (*ô*) adj.
textualizante adj.2g.
textualizar v.
textualizável adj.2g.
textuário adj. s.m.
textular adj.2g.
textulária s.f.
textularídeo adj. s.m.
textularíneo adj. s.m.
textura s.f.
textural adj.2g.
texturização s.f.
texturizado adj.
texturizar v.
texturizável adj.2g.
texugado adj.
texugo s.m.
texugo-americano s.m.; pl. *texugos-americanos*
texugo-glutão s.m.; pl. *texugos-glutões*
texugo-melívoro s.m.; pl. *texugos-melívoros*
texugo-ordinário s.m.; pl. *texugos-ordinários*
texugueira s.f.
texugueiro s.m.
tez (*ê*) s.f.
tezime s.m.
thalenita s.f.
theiléria s.f.
theileriídeo adj. s.m.
theileriose s.f.

thenardita s.f.
thenardite s.f.
thenardito s.m.
therblig s.m.
theremim s.m.
therévida adj.2g. s.m.
therevídeo adj. s.m.
thevenótia s.f.
thevétia s.f.
thevetina s.f.
thibaudia (*bô*) s.f.
thibaudíea (*bo*) s.f.
thomandérsia s.f.
thomasita s.f.
thomsenolita s.f.
thomsenolite s.f.
thomsenólito s.m.
thomsonianismo s.m.
thomsonianista adj. s.2g.
thomsonita s.f.
thomsonite s.f.
thomsonito s.m.
thonníngia s.f.
thonsenólito s.m.
thonsonianista adj. s.2g.
thonsonita s.f.
thonsonite s.f.
thonsonito s.m.
thoreaulita (*rro*) s.f.
thorndikiano adj.
thortveitita s.f.
thouarela s.f.
thujopsídea s.f.
thujópsis s.f.2n.
thulita s.f.
thulite s.f.
thulítico adj.
thunbérgia s.f.
thunbérgia-azul s.f.; pl. *thunbérgias-azuis*
thunbergianto s.m.
thunbergióidea s.f.
thurinfítico adj.
thuringita s.f.
thuringite s.f.
thuringítico adj.
thuringito s.m.
thúrnia s.f.
thurniácea s.f.
thurniáceo adj.
ti s.m. pron.
tia s.f. "irmã do pai e da mãe em relação aos filhos", etc.; cf. *tiã*
tiã s.m. "amuleto"; cf. *tia*
tia-avó s.f.; pl. *tias-avós*
tiabendazol s.m.
tia-bisavó s.f.; pl. *tias-bisavós*
tiacé s.f.
tiacetato s.m.
tiacético adj.
tiacetonina s.f.
tiaçuba s.f.
tíade s.f.
tiadiazol s.m.
tiaguense adj. s.2g.
tial s.m.
tialdina s.f.
tiambo s.m.
tiamida s.f.
tiamilal s.m.
tiamilato s.m.
tiamílico adj.
tiamina s.f.
tiana s.f.
tianafteno s.m.
tianeia (*é*) adj. s.f. de *tianeu*
tianeu adj. s.m.; f. *tianeia* (*é*)
tianguaense adj. s.2g.
tiângulo s.m.
tianha s.f.
tianilina s.f.
tiano adj. s.m.
tiapi s.m.
tiaporanga s.f.
tiara s.f.
tiarajuense adj. s.2g.
tiarela s.f.
tiareno adj. s.m.
tiarídeo adj. s.m.
tiarina s.f.
tiarínia s.f.
tiarode s.m.
tiarópsis s.f.2n.
tia-rosa s.f.; pl. *tias-rosa* e *tias-rosas*
tias s.f.2n.
tíaso s.m.
tiasote s.m.
tiasótico adj.
tiatã s.m.
tiã-tiã s.m.; pl. *tiã-tiãs*
tiã-tiã-preto s.m.; pl. *tiã-tiãs-pretos*
tiatira s.f.
tiatireno adj. s.m.
tiatirídeo adj. s.m.
tiau s.m.
tiauiquia adj.2g. s.m.
tiazida s.f.
tiazina s.f.
tiazol s.m.
tiazólico adj.
tiazolidinocarboxílico (*cs*) adj.
tiazona s.f.
tiba adj.2g. s.f.
tibaca s.f.
tibado adj.
tibajiense adj. s.2g.
tibanco s.m.
tibar v. s.m.
tibarano adj. s.m.
tibareno adj. s.m.
tibaúdia s.f.
tibaudíea s.f.
tibauense adj. s.2g.
tibel s.m.
tibelo s.m.
tiber s.m.
tibéria s.f.
tiberiano adj.
tibérico adj.
tiberino adj.
tibetano adj. s.m.
tibetano-birmanês adj. s.m.; pl. *tibetano-birmaneses*
tibete s.m.
tibeto-birmânico adj. s.m.; pl. *tibeto-birmânicos*
tibeto-birmano adj. s.m.; pl. *tibeto-birmanos*
tibe-vote interj.
tibi adj.2g. s.m. interj.
tíbia s.f.
tibial adj.2g. s.m.
tibícina s.f.
tibícine s.m.
tibicuera s.f.
tibicuri s.m.
tibiense adj. s.2g.
tibiez (*ê*) s.f.
tibieza (*ê*) s.f.
tíbio adj. s.m.
tibiocalcaneano adj.
tibiodigital adj.2g.
tibioentocuneiforme adj.2g.
tibiomaleolar adj.2g.
tibionutritivo adj.
tibioperonial adj.2g.
tibioperônio adj.
tibioperoniocalcaneamo adj.
tibioperoniodigital adj.2g.
tibioperonioescafoideia (*é*) adj. s.f. de *tibioperonioescafoideu*
tibioperonioescafoideu adj. s.m.; f. *tibioperonioescafoideia* (*é*)
tibiopódio s.m.
tibiossural adj.2g. s.m.
tibiotarsiano adj.
tibiotársico adj.
tibiotarso s.m.
tibiquera (*ü*) s.f.
tibira s.2g.
tibirar v.
tibiriçaense adj. s.2g.
tibiriense adj. s.2g.
tibiro s.m.
tibirro-do-brejo s.m.; pl. *tibirros-do-brejo*
tibirro-do-campo s.m.; pl. *tibirros-do-campo*
tibissural adj.2g. s.m.
tibi-vote interj.
tiborna s.f.
tibornada s.f.
tiborna-traiçoeira s.f.; pl. *tibornas-traiçoeiras*
tibórnea s.f.
tiborneira s.f.
tibórnia s.f.
tibornice s.f.
tibraca s.f.
tibracena s.f.
tibrícola adj. s.2g.
tibrino adj.
tibu adj. s.2g. s.m.
tibuna s.f.
tibunense adj. s.2g.
tibungo s.m.
tibuquina s.f.
tiburciano adj.
tibúrio s.m.
tiburno adj. s.m.
tiburo s.m.
tiburte adj. s.2g.
tiburtino adj. s.m.
tica s.f.
ticaca s.f.
ticado adj.
tical s.m.
tiçalho s.m.
tição s.m.
ticar v.
ticarcilina s.f.
tichita s.f.
ticianesco (*ê*) adj.
ticiense adj. s.2g.
ticinense adj. s.2g.
tício s.m.
tico s.m.
tiço s.m.
ticoá s.m.
tiçoada s.f.
ticobionte s.m.
ticodendrácea s.f.
ticodendráceo adj.
ticodendro s.m.
ticódroma s.f.
ticódromo s.m.
tiçoeiro s.m.
tico-guloso s.m.; pl. *ticos-gulosos*
ticolão s.m.
ticolimnético adj.
tiçonado adj.
ticonela s.f.
ticonha s.f.
ticoníneo adj. s.m.
ticono s.m.
ticopá s.m.
ticopartenogênese s.f.
ticopartenogenético adj.
ticopedóbio adj. s.m.
ticopotâmico adj.
ticopsia s.f.
ticórea s.f.
ticoró s.m.
ticoso (*ô*) adj.; f. (*ó*); pl. (*ó*)
ticossomo s.m.
ticotécio s.m.
ticotelúrico adj.
tico-tico s.m.; pl. *tico-ticos*
tico-ticoaçu s.m.; pl. *tico-ticoaçus*
tico-tico-coleiro s.m.; pl. *tico-ticos-coleiros*
tico-tico-da-mata s.m.; pl. *tico-ticos-da-mata*
tico-tico-do-biri s.m.; pl. *tico-ticos-do-biri*
tico-tico-do-campo s.m.; pl. *tico-ticos-do-campo*
tico-tico-do-mato s.m.; pl. *tico-ticos-do-mato*
tico-tico-do-mato-do-bico-preto s.m.; pl. *tico-ticos-do-mato-do-bico-preto*
tico-tico-do-piri s.m.; pl. *tico-ticos-do-piri*
tico-tico-do-sertão s.m.; pl. *tico-ticos-do-sertão*
tico-tico-guloso s.m.; pl. *tico-ticos-gulosos*
tico-tico-rasteiro s.m.; pl. *tico-ticos-rasteiros*
tico-tico-rei s.m.; pl. *tico-ticos-rei* e *tico-ticos-reis*
tico-tico-rei-cinza s.m.; pl. *tico-ticos-rei-cinza* e *tico-ticos-reis-cinza*
tico-tico-rei-vermelho s.m.; pl. *tico-ticos-rei-vermelhos* e *tico-ticos-reis-vermelhos*
tictologia s.f.
tictológico adj.
ticu s.m.
ticuanga s.f.
ticuara s.f.
ticuca s.f.
ticum s.m.
ticumbi s.m.
ticuna adj. s.2g. s.f.
tiçuna adj. s.2g.
ticupá s.m.
ticupi s.m.
ticura s.2g.
ticvinita s.f.
tídio adj. s.m.
tido adj.
tidor (*ô*) adj. s.m.
tidore (*ô*) adj. s.2g.
tié s.m.
tiê s.m.
tié-caburé s.m.; pl. *tiés-caburé* e *tiés-caburés*
tié-da-mata s.m.; pl. *tiés-da-mata*
tiedemânia s.f.
tié-de-peito-vermelho s.m.; pl. *tiés-de-peito-vermelho*
tié-de-topete s.m.; pl. *tiés-de-topete*
tié-do-mato-grosso s.m.; pl. *tiés-do-mato-grosso*
tié-fogo s.m.; pl. *tiés-fogo* e *tiés-fogos*
tié-galo s.m.; pl. *tiés-galo* e *tiés-galos*
tié-guaçu-paroara s.m.; pl. *tiés-guaçus-paroara* e *tiés-guaçus-paroaras*
tiela s.f.
tielita s.f.
tiém s.m.
tiemanita s.f.
tiemannita s.f.
tiemia s.f.
tiêmico adj.
tiena s.f.
tienamicina s.f.
tienxanita s.f.
tienzu s.m.
tié-piranga s.m.; pl. *tiés-piranga* e *tiés-pirangas*
tié-preto s.m.; pl. *tiés-pretos*
tiê-preto s.m.; pl. *tiês-pretos*
tié-sangue s.m.; pl. *tiés-sangue* e *tiés-sangues*
tiê-sangue s.m.; pl. *tiês-sangue* e *tiês-sangues*
tié-sangue-preto s.m.; pl. *tiés-sangue-pretos* e *tiés-sangues-pretos*
tiê-sangue-preto s.m.; pl. *tiês-sangue-pretos* e *tiês-sangues-pretos*
tiésteo adj.
tietê s.m.
tieteano adj.
tieteense adj. s.2g.
tieteí s.m.
tietinga (*è*) s.m.
tié-veludo s.m.; pl. *tiés-veludo* e *tiés-veludos*
tié-vermelho s.m.; pl. *tiés-vermelhos*
tifa s.f.
tifácea s.f.
tifáceo adj.
tifale s.f.
tifanita s.f.
tifão s.m.
tife s.f.
tifeia (*é*) s.f.
tifeíneo adj. s.m.
tifemia s.f.
tifêmico adj.
tifento adj. s.m.
tiféola s.f.
tifernate adj. s.2g.
tifeu s.m.
tífia s.f.
tífico adj.
tifídeo adj. s.m.
tifineia (*é*) s.f.
tífis s.m.2n.
tifismo s.m.
tifização s.f.
tiflatonia s.f.
tiflatônico adj.
tiflectasia s.f.
tiflectásico adj.
tiflectomia s.f.
tiflectômico adj.
tiflenterite s.f.
tiflenterítico adj.
tiflíctis s.m.2n.
tiflina s.f.
tiflisista adj. s.2g.
tiflite s.f.
tiflítico adj.
tiflóciba s.f.
tiflocibídeo adj. s.m.
tiflocibíneo adj. s.m.
tiflocolecistite s.f.
tiflocolescistítico adj.
tiflocolite s.f.
tiflocolítico adj.
tiflodiclidite s.f.
tiflodiclidítico adj.
tiflofilia s.f.
tiflofílico adj.
tiflófilo adj. s.m.
tiflografia s.f.
tiflográfico adj.
tiflógrafo s.m.
tifloléctico adj.
tiflolepto s.m.
tiflolexia (*cs*) s.f.
tiflologia s.f.
tiflológico adj.
tiflologista adj. s.2g.
tiflólogo s.m.
tiflomegalia s.f.
tiflomegálico adj.
tiflômio s.m.
tíflomis s.m.2n.
tiflomolgo s.m.
tiflonectes s.m.2n.
tiflonisco s.m.
tiflono s.m.
tiflope s.m.
tiflopéctico adj.
tiflopexia (*cs*) s.f.
tiflópida adj.2g. s.m.
tiflopídeo adj. s.m.
tiflopíneo adj. s.m.
tíflops s.m.2n.
tifloscolecídeo adj. s.m.
tifloscólex (*cs*) s.m.2n.
tiflose s.f.
tiflossáurio s.m.
tiflossauro s.m.
tiflostenose s.f.
tiflostenótico adj.
tiflostomia s.f.
tiflostômico adj.
tiflotomia s.f.
tiflotômico adj.
tiflotritão s.m.
tiflotríton s.m.
tifo s.m.
tifobacilose s.f.
tifobacilósico adj.
tifobacilótico adj.
tifóbia s.f.
tifoemia s.f.
tifoêmico adj.
tifófilo adj.
tifófita s.f.
tifogênico adj.
tifógeno adj.
tifo-hemia s.f.

tifo-hêmico adj.
tifoia (*ó*) s.f.
tifoide (*ó*) adj.2g.
tifoideia (*é*) adj.; f. de *tifoideu*
tifóideo adj.
tifoideu adj.; f. *tifoideia* (*é*)
tifoídico adj.
tifolisina s.f.
tifomania s.f.
tifomaníaco adj. s.m.
tifônico adj.
tifonodórea s.f.
tifonodoro s.m.
tifose s.f.
tifoso (*ô*) adj.; f. (*ó*); pl. (*ó*)
tifotoxina (*cs*) s.f.
tifotuberculose s.f.
tífula s.f.
tiga s.m.
tigão s.m.
tigarro s.m.
tigedite s.f.
tigela s.f.
tigelada s.f.
tigelão s.m.
tigelinha s.f.
tigelo (*ê*) s.m.
tigenol s.m.
tiglão s.m.
tiglato s.m.
tíglico adj.
tiglina s.f.
tíglio s.m.
tigmomorfose s.f.
tigmonastia s.f.
tigmotáctico adj.
tigmotaxia (*cs*) s.f.
tigmotropismo s.m.
tigrado adj.
tigre adj.2g.2n. s.m. "grande felino asiático"; cf. *tigré*
tigré s.m. "língua do ramo etíope"; cf. *tigre*
tigre-da-água s.m.; pl. *tigres-da-água*
tigre-d'água s.m.; pl. *tigres-d'água*
tigre-da-américa s.m.; pl. *tigres-da-américa*
tigre-das-pereiras s.m.; pl. *tigres-das-pereiras*
tigre-da-tasmânia s.m.; pl. *tigres-da-tasmânia*
tigre-de-mão-torta s.m.; pl. *tigres-de-mão-torta*
tigre-dentes-de-sabre s.m.; pl. *tigres-dentes-de-sabre*
tigre-do-mar s.m.; pl. *tigres-do-mar*
tigre-do-mate s.m.; pl. *tigres-do-mate*
tigreiro s.m.
tigrense adj. s.2g.
tigre-ruivo s.m.; pl. *tigres-ruivos*
tigresa s.f.
tigrésia s.f.
tigre-veloz s.m.; pl. *tigres-velozes*
tígride adj. s.2g.
tigrídeo adj. s.m.
tigrídia s.f.
tigridíea s.f.
tígrido adj.
tigrina s.f.
tigrinelo s.m.
tigrinhense adj. s.2g.
tigrinho s.m.
tigrino adj. s.m.
tigroide (*ó*) adj.2g.
tigrólise s.f.
tigrolítico adj.
tiguera (*ü*) s.f.
tíguera s.f.
tigúlio adj. s.m.
tigura s.f.
tigurino adj. s.m.
tiíada s.f.
tiiera s.f.
tiierero s.m.
tiinganguela s.f.
tiipingo s.m.
tiito s.m.
tijé s.f.
tijeguacu s.m.
tijibu s.m.
tijipioense adj. s.2g.
tijitica s.f.
tijocense adj. s.2g.
tijoco (*ô*) s.m.
tijolada s.f.
tijolado adj.
tijolar v.
tijolaria s.f.
tijoleira s.f.
tijoleiro s.m.
tijoleta (*ê*) s.f.
tijolinho s.m.
tijolo (*ô*) s.m.; pl. (*ó*)
tijolo-burro s.m.; pl. *tijolos-burros*
tijoquense adj. s.2g.
tiju s.m.
tijuaçu s.m.
tijuaçuense adj. s.2g.
tijubina s.f.
tijuca s.f.
tijucada s.f.
tijucal s.m.
tijucalense adj. s.2g.
tijucano adj. s.m.
tijucense adj. s.2g.
tijuco s.m.
tijucuçuense adj. s.2g.
tijucupaua s.f.
tijucupava s.f.
tijupá s.m.
tijupaba s.m.
tijupar s.m.
tijuqueira s.f.
tijuqueiro s.m.
tijuquense adj. s.2g.
tijuquinhense adj. s.2g.
tikhonenkovita s.f.
til s.m.
tila s.m.f.
tilacanta s.f.
tilacanto s.m.
tilacíneo adj. s.m.
tilacinídeo adj. s.m.
tilacino s.m.
tilácio s.m.
tilacite s.f.
tilacítico adj.
tilacoide (*ó*) s.m.
tilacóptero s.m.
tilacospermo s.m.
tilado adj.
tilaído s.m.
tilaíta s.f.
tilaíte s.f.
tilanda s.f.
tilândsia s.f.
tilandsíea s.f.
tilanto s.m.
tilápia s.f.
tilápia-do-congo s.f.; pl. *tilápias-do-congo*
tiláquio s.m.
tilar v.
tilas s.f.2n.
tilasita s.f.
tilasite s.f.
tilasito s.m.
tiláster s.m.
tilbureiro s.m.
tílburi s.m.
tildado adj.
tildar v.
tilde s.m.
tílea s.f.
tilécia s.f.
tileciácea s.f.
tileciáceo adj.
tileciínea s.f.
tilectomia s.f.
tileia (*é*) s.f.
tilenco s.m.
tilencolaimo s.m.
tilencolemo s.m.
tilenquídeo adj. s.m.
tiléria s.f.
tilestoniano s.m.
tilétia s.f.
tiletiácea s.f.
tiletiáceo adj.
tiletiínea s.f.
tilha s.f.
tilhado adj. s.m.
tilho s.m.
tília s.f.
tília-americana s.f.; pl. *tílias-americanas*
tiliácea s.f.
tiliáceo adj.
tiliácora s.f.
tiliácoro s.m.
tília-prateada s.f.; pl. *tílias-prateadas*
tilíbix (*cs*) s.m.2n.
tilíea s.f.
tilim s.m. interj.
tilina s.f.
tilíneo adj. s.m.
tilintada s.f.
tilintado adj.
tilintante adj.2g.
tilintar v. s.m.
tilintido s.m.
tílio s.m.
tilítico adj.
tilito s.m.
tilkerodita s.f.
till s.m.
tillândsia s.f.
tillandsíea s.f.
tillétia s.f.
tilletiácea s.f.
tilletiáceo adj.
tilletiínea s.f.
tilleyita s.f.
tilmatura s.f.
tilo s.m.
tíloa s.f.
tilobrânquio s.m.
tilocárcino s.m.
tilocéfalo s.m.
tilócero s.m.
tilodes s.m.2n.
tilodina s.f.
tilodo s.m.
tilodonte s.m.
tilodruso s.m.
tilofaringe s.m.
tilófora s.f.
tilofórea s.f.
tilógale s.f.
tilógnato s.m.
tilolaimorfo s.m.
tilolemorfo s.m.
tilolita s.f.
tilolite s.f.
tiloma s.m.
tilômio s.m.
tílomis s.m.2n.
tilópates s.m.2n.
tilópoda s.f.
tilópode adj.2g. s.m.
tilópsis s.f.2n.
tilopteridácea s.f.
tilopteridáceo adj.
tilopteridade s.f.
tilopteridal adj.2g.
tiloptéride s.f.
tilopterídea s.f.
tilópteris s.f.2n.
tilos s.m.2n.
tilose s.f.
tiloso (*ô*) adj.; f. (*ó*); pl. (*ó*)
tilóstomo s.m.
tilotado adj.
tilotritão s.m.
tilotríton s.m.
tilotropídeo adj. s.m.
tima s.f.
timaca s.f.
timacense adj. s.2g.
timacetina s.f.
timaço s.m.
tímaco adj. s.m.
timalho s.m.
timália s.f.
timalídeo adj. s.m.
timalo s.m.
timanara adj. s.2g.
timaneia (*é*) adj. s.f. de *timaneu*
timaneu adj. s.m.; f. *timaneia* (*é*)
timão s.m.
timão-de-negro s.m.; pl. *timões-de-negro*
timãozela s.f.
timaquete (*ê*) s.m.
timar s.m.
timarca s.m.
timariota s.m.
timáris s.m.2n.
timarquia s.f.
timáspis s.f.2n.
timazita s.f.
timazite s.f.
timazito s.m.
timba s.f.
timbaba s.f.
timbal s.m.
timbalão s.m.
timbalário s.m.
timbale s.m.
timbalear v.
timbaleio s.m.
timbaleiro adj. s.m.
timbalejar v.
timbalejo (*ê*) s.m.
tímbalos s.m.pl.
timbapeba s.m.
timbatu s.m.
timbaúba s.f.
timbaubense adj. s.2g.
timbaúva s.f.
timbé s.m.
timbeba s.f.
timbeense adj. s.2g.
timbérgia s.f.
timbira adj. s.2g.
timbirense adj. s.2g.
timbiro s.m.
timbó s.m.
timbó-açu s.m.; pl. *timbós-açus*
timbó-amarelo s.m.; pl. *timbós-amarelos*
timbó-boticário s.m.; pl. *timbós-boticário* e *timbós-boticários*
timbó-branco s.m.; pl. *timbós-brancos*
timbó-bravo s.m.; pl. *timbós-bravos*
timbó-caá s.m.; pl. *timbós-caá* e *timbós-caás*
timbó-cabeludo s.m.; pl. *timbós-cabeludos*
timbó-carajuru s.m.; pl. *timbós-carajuru* e *timbós-carajurus*
timbó-catinga s.m.; pl. *timbós-catinga* e *timbós-catingas*
timbó-cipó s.m.; pl. *timbós-cipó* e *timbós-cipós*
timbó-da-mata s.m.; pl. *timbós-da-mata*
timbó-das-piranhas s.m.; pl. *timbós-das-piranhas*
timbó-de-boticário s.m.; pl. *timbós-de-boticário*
timbó-de-caiena s.m.; pl. *timbós-de-caiena*
timbó-de-peixe s.m.; pl. *timbós-de-peixe*
timbó-de-raiz s.m.; pl. *timbós-de-raiz*
timbó-do-campo s.m.; pl. *timbós-do-campo*
timbó-do-cerrado s.m.; pl. *timbós-do-cerrado*
timbó-do-rio-de-janeiro s.m.; pl. *timbós-do-rio-de-janeiro*
timboense adj. s.2g.
timbó-fedorento s.m.; pl. *timbós-fedorentos*
timbó-grande s.m.; pl. *timbós-grandes*
timbó-grandense adj. s.2g.; pl. *timbó-grandenses*
timboína s.f.
timbó-legítimo s.m.; pl. *timbós-legítimos*
timbó-macaquinho s.m.; pl. *timbós-macaquinho* e *timbós-macaquinhos*
timbó-manso s.m.; pl. *timbós-mansos*
timbó-mirim s.m.; pl. *timbós-mirins*
timbó-miúdo s.m.; pl. *timbós-miúdos*
timbonina s.f.
timbó-pau s.m.; pl. *timbós-pau* e *timbós-paus*
timbopeba s.m.
timbopeva s.m.
timboraense adj. s.2g.
timborana s.f.
timboré s.m.
timboreense adj. s.2g.
timboril s.m.
timbó-taturuaia s.m.; pl. *timbós-taturuaia* e *timbós-taturuaias*
timboteuano adj. s.m.
timboteuense adj. s.2g.
timbó-titica s.m.; pl. *timbós-titica* e *timbós-titicas*
timboúba s.m.
timbó-urucu s.m.; pl. *timbós-urucu* e *timbós-urucus*
timboúva s.m.
timbó-venenoso s.m.; pl. *timbós-venenosos*
timbó-verdadeiro s.m.; pl. *timbós-verdadeiros*
timbó-vermelho s.m.; pl. *timbós-vermelhos*
timbozalense adj. s.2g.
timbozinhense adj. s.2g.
timbozinho s.m.
timbra s.f.
timbrado adj.
timbrador (*ô*) adj. s.m.
timbragem s.f.
timbramento s.m.
timbrar v.
timbrável adj.2g.
timbre s.m.
timbreira s.f.
tímbreo s.m.
timbri s.m.
timbriano adj. s.m.
timbrofilia s.f.
timbrogravura s.f.
timbrologia s.f.
timbrológico adj.
timbrologista adj. s.2g.
timbrólogo s.m.
timbromania s.f.
timbromaníaco adj. s.m.
timbrorrelevo (*lê*) s.m.
timbroso (*ô*) adj.; f. (*ó*); pl. (*ó*)
timbu s.m.
timbuar v.
timbucu s.m.
timbuense adj. s.2g.
timbuí s.m.
timbuia s.f.
timbuíba s.f.
timbuiense adj. s.2g.
timburana s.f.
timburé s.m.
timburê s.m.
timburé-pintado s.m.; pl. *timburés-pintados*
timburê-pintado s.m.; pl. *timburês-pintados*
timburetinga s.m.
timburi s.m.
timburiense adj. s.2g.
timbuva s.f.
time s.m.
timectomia s.f.
timectômico adj.
tímela s.f.
timelácea s.f.
timeláceo adj.

timelcose s.f.
timelcósico adj.
tímele s.f.
timeleácea s.f.
timeleáceo adj.
timeleal adj.2g.
timeleale s.f.
timeleia (*é*) s.f.
timeleína s.f.
timeleóidea s.f.
timélia s.f.
timeliciano s.m.
timelídeo adj. s.m.
timeliídeo adj. s.m.
timeliínea s.f.
timena s.f.
timênio s.m.
timeno s.m.
timerosal s.m.
timiácea s.f.
timiáceo adj.
timiadense adj. s.2g.
timiama s.f.
timiamato s.m.
timiatecnia s.f.
timiatécnico adj.
timiatério s.m.
timicitano adj. s.m.
timico adj. s.m. "povo"; cf. *tímico*
tímico adj. "relativo ao timo"; cf. *timico*
timicolinfático adj.
timicu s.m.
timicuí s.m.
timicuim s.m.
timicupi s.m.
timidade s.f.
timidez (*ê*) s.f.
timidina s.f.
timidínico adj.
tímido adj. s.m.
timifloro adj.
timilo s.m.
timina s.f.
timínico adj.
tímio s.m.
timiose s.f.
timiskamiano adj.
timite s.f.
timo s.m.
timoanaléptico adj.
timócito s.m.
timocracia s.f.
timocrata s.2g.
timocrático adj.
timocrescina s.f.
timo-dependente adj.2g.
timofórmio s.m.
timo-independente adj.2g.
timol s.m.
timolftaleína s.f.
timolina s.f.
timolinfático adj.
timologia s.f.
timológico adj.
timólogo adj. s.m.
timolol s.m.
timolsulfonoftaleína s.f.
timoma s.m.
timomentol s.m.
timonado adj.
timonar v.
timonear v.
timoneira s.f.
timoneirense adj. s.2g.
timoneiro s.m.
timonense adj. s.2g.
timonhense adj. s.2g.
timoniacense adj. s.2g.
timonucleato s.m.
timonucleico (*é*) adj.
timo-opoterapia s.f.
timo-opoterápico adj.
timopatia s.f.
timopático adj.
timopoietina s.f.
timopsiquia s.f.
timopsíquico adj.
timoquinona s.f.
timor (*ô*) adj. s.2g.
timorantense adj. s.2g.
timorato adj.
timore adj. s.2g.
timorense adj. s.2g.
timorino adj. s.m.
timormona s.f.
timoro s.m.
timoso (*ô*) adj.; f. (*ó*); pl. (*ó*)
timostimulina s.f.
timotato s.m.
timote s.m.
timoteano adj. s.m.
timotecnia s.f.
timotécnico adj.
timoteense adj. s.2g.
timóteo s.m.
timoterapia s.f.
timoterápico adj.
timótico adj.
timotol s.m.
timpabela s.f.
timpanal adj.2g. s.m.
timpanão s.m.
timpanar v.
timpanectomia s.f.
timpanectômico adj.
timpaneiro s.m.
timpania s.f.
timpanicida adj.2g.
timpânico adj.
timpanilho s.m.
timpanismo s.m.
timpanista adj. s.2g.
timpanístico adj.
timpanístria s.f.
timpanite s.f.
timpanítico adj.
timpanização s.f.
timpanizado adj.
timpanizar v.
tímpano s.m.
timpanocentese s.f.
timpanocentésico adj.
timpanocentético adj.
timpanocentísico adj.
timpanodermatite s.f.
timpanodermatítico adj.
timpanola s.f.
timpanomaleolar adj.2g.
timpanomastoideia (*é*) adj. f. de *timpanomastoideu*
timpanomastoideu adj.; f. *timpanomastoideia* (*é*)
timpanomastoidite s.f.
timpanomicose s.f.
timpanomicósico adj.
timpanomicótico adj.
timpanoplastia s.f.
timpanoplástico adj.
timpanosclerose s.f.
timpanosclerótico adj.
timpanotomia s.f.
timpanotômico adj.
timpanuco s.m.
tim-tim s.m.; pl. *tim-tins*
timuco s.m. "magistrado grego"; cf. *timucu*
timucu s.m. "peixe-agulha"; cf. *timuco*
timutu s.m.
tina s.f.
tinação s.f.
tinada s.f.
tinaksita s.f.
tinalha s.f.
tinamalu s.m.
tinâmida adj.2g. s.m.
tinamídeo adj. s.m.
tinamiforme adj.2g. s.m.
tínamo s.m.
tinamótis s.m.2n.
tinamu s.m.
tinão s.m.
tinaria s.f.
tinbérgia s.f.
tinca s.f.
tincal s.m.
tincalcita s.f.
tincalcite s.f.
tincalconita s.f.
tincalconite s.f.
tincaleira s.f.
tinção s.f.
tincar s.m.
tincheireiro s.m.
tincoã s.f.
tindalização s.f.
tindalizado adj.
tindalizador (*ô*) adj. s.m.
tindalizar v.
tindallização s.f.
tindallizador (*ô*) adj.
tindallizar v.
tíndalo s.m.
tindarita s.f.
tindaritano adj. s.m.
tindins s.m.pl.
tindola s.f.
tiné adj. s.2g. s.m.
tínea s.f.
tinebra s.f.
tinebre s.m.
tinefe s.m.
tineia (*é*) s.f.
tineídeo adj. s.m.
tineira s.f.
tineleiro adj. s.m.
tinelo s.m.
tineóideo adj. s.m.
tinéola s.f.
tíner s.m.
tineta (*ê*) s.f.
tinfaico adj.
tinfeia (*é*) adj. s.f. de *tinfeu*
tinfeu adj. s.m.; f. *tinfeia* (*é*)
tinga s.f.
tingaçu s.m.
tingar v.
tingará s.m.
tingarra s.f.
tinge-burro s.m.; pl. *tinge-burros*
tinge-cuia s.m.; pl. *tinge-cuias*
tinge-língua s.m.; pl. *tinge-línguas*
tinge-linhas s.m.2n.
tingenete (*ê*) s.m.
tingídeo adj. s.m.
tingido adj.
tingidor (*ô*) adj. s.m.
tingidura s.f.
tingir v.
tíngis s.m.2n.
tingitano adj. s.m.
tingitídeo adj. s.m.
tingo s.m.
tingongo-do-campo s.m.; pl. *tingongos-do-campo*
tinguá s.m.
tinguá-aba s.m.; pl. *tinguás-aba* e *tinguás-abas*
tinguaci s.m.
tinguaciba s.f.
tinguaciba-do-pará s.f.; pl. *tinguacibas-do-pará*
tinguaciúba s.f.
tinguaçu s.m.
tinguaçu-de-cabeça-cinza s.m.; pl. *tinguaçus-de-cabeça-cinza*
tinguaense adj. s.2g.
tinguaíta s.f.
tinguaíte s.f.
tinguaíto s.m.
tinguatibense adj. s.2g.
tingue s.m.
tingueiro adj. s.m.
tingui s.m.
tingui-botó s.m.; pl. *tinguis-botó* e *tinguis-botós*
tingui-capeta s.m.; pl. *tinguis-capeta* e *tinguis-capetas*
tingui-da-praia s.m.; pl. *tinguis-da-praia*
tingui-de-caiena s.m.; pl. *tinguis-de-caiena*
tingui-de-cipó s.m.; pl. *tinguis-de-cipó*
tingui-de-cola s.m.; pl. *tinguis-de-cola*
tingui-de-folha-grande s.m.; pl. *tinguis-de-folha-grande*
tingui-de-leite s.m.; pl. *tinguis-de-leite*
tingui-de-peixe s.m.; pl. *tinguis-de-peixe*
tinguijação s.f.
tinguijada s.f.
tinguijado adj.
tinguijador (*ô*) adj. s.m.
tinguijar v.
tinguizeiro s.m.
tingura s.f.
tinha s.f.
tinhanha s.f.
tinhão s.m.
tinhó s.m.
tinhorão s.m.
tinhorão-de-lombriga s.m.; pl. *tinhorões-de-lombriga*
tinhosa s.f.
tinhoso (*ô*) adj. s.m.; f. (*ó*); pl. (*ó*)
tinhuma s.f.
tini s.m.
tiníaco adj. s.m.
tinicéfalo s.m.
tiníctis s.m.2n.
tinidazol s.m.
tinideira s.f.
tinídeo adj. s.m.
tinido adj. s.m.
tinidor (*ô*) adj. s.m.
tinilho s.m.
tininte adj.2g.
tinir v.
tinita adj. s.2g.
tinito adj. s.m.
tinjema s.f.
tino adj. s.m.
tinoada s.f.
tinoca s.f.
tinócaris s.f.2n.
tinocorídeo adj. s.m.
tinocoritídeo adj. s.m.
tinócoro s.m.
tinocoróideo adj. s.m.
tinodes s.m.2n.
tinódromo s.m.
tinófilo adj.
tinófita s.f.
tinólita s.f.
tinolite s.f.
tinopalpo s.m.
tinoporíneo adj. s.m.
tinóporo s.m.
tinor (*ô*) s.m.
tinório s.m.
tinórnis s.f.2n.
tinornite s.f.
tinoscópio s.m.
tinóspora s.f.
tinospórea s.f.
tinóstoma s.m.
tinote s.m.
tinoto s.m.
tinqui s.m.
tinta s.f.
tinta-albanesa s.f.; pl. *tintas-albanesas*
tinta-amarela s.f.; pl. *tintas-amarelas*
tinta-aragonesa s.f.; pl. *tintas-aragonesas*
tinta-barroca s.f.; pl. *tintas-barrocas*
tinta-bastarda s.f.; pl. *tintas-bastardas*
tinta-cachuda s.f.; pl. *tintas-cachudas*
tinta-cão s.f.; pl. *tintas-cão* e *tintas-cães*
tinta-carneira s.f.; pl. *tintas-carneiras*
tinta-carvalha s.f.; pl. *tintas-carvalhas*
tinta-castelã s.f.; pl. *tintas-castelãs*
tinta-casteloa s.f.; pl. *tintas-casteloas*
tinta-choca s.f.; pl. *tintas-chocas*
tinta-comum s.f.; pl. *tintas-comuns*
tinta-consoeira s.f.; pl. *tintas-consoeiras*
tinta-da-barca s.f.; pl. *tintas-da-barca*
tinta-de-castela s.f.; pl. *tintas-de-castela*
tinta-de-manuel-pereira s.f.; pl. *tintas-de-manuel-pereira*
tinta-de-melro s.f.; pl. *tintas-de-melro*
tinta-de-murteira s.f.; pl. *tintas-de-murteira*
tinta-de-pé-curto s.f.; pl. *tintas-de-pé-curto*
tinta-de-santiago s.f.; pl. *tintas-de-santiago*
tintado adj.
tinta do choco s.f.
tinta-do-gentio s.f.; pl. *tintas-do-gentio*
tinta-do-gregório s.f.; pl. *tintas-do-gregório*
tinta-do-lameiro s.f.; pl. *tintas-do-lameiro*
tinta-do-languedoque s.f.; pl. *tintas-do-languedoque*
tinta-do-manuel-pereira s.f.; pl. *tintas-do-manuel-pereira*
tinta-do-padre-antônio s.f.; pl. *tintas-do-padre-antônio*
tinta-do-pinhão s.f.; pl. *tintas-do-pinhão*
tinta-dos-gentios s.f.; pl. *tintas-dos-gentios*
tinta-dos-pobres s.f.; pl. *tintas-dos-pobres*
tinta-espadeira s.f.; pl. *tintas-espadeiras*
tinta-fina s.f.; pl. *tintas-finas*
tinta-francesa s.f.; pl. *tintas-francesas*
tinta-francisca s.f.; pl. *tintas-francisca* e *tintas-franciscas*
tinta-franciscana s.f.; pl. *tintas-franciscanas*
tintagem s.f.
tinta-geral s.f.; pl. *tintas-gerais*
tinta-gorda s.f.; pl. *tintas-gordas*
tinta-grossa s.f.; pl. *tintas-grossas*
tinta-imperial s.f.; pl. *tintas-imperiais*
tinta-índica s.f.; pl. *tintas-índicas*
tinta-lameira s.f.; pl. *tintas-lameiras*
tintalhar v.
tinta-merençã s.f.; pl. *tintas-merençãs*
tinta-miúda s.f.; pl. *tintas-miúdas*
tinta-molar s.f.; pl. *tintas-molares*
tinta-mole s.f.; pl. *tintas-moles*
tinta-morela s.f.; pl. *tintas-morelas*
tinta-musguenta s.f.; pl. *tintas-musguentas*
tinta-patorra s.f.; pl. *tintas-patorra* e *tintas-patorras*
tinta-peral s.f.; pl. *tintas-perais*
tinta-pérola s.f.; pl. *tintas-pérola* e *tintas-pérolas*
tinta-pinheira s.f.; pl. *tintas-pinheiras*
tinta-pomar s.f.; pl. *tintas-pomar* e *tintas-pomares*
tintar v.
tinta-raiz s.f.; pl. *tintas-raiz* e *tintas-raízes*
tinta-rija s.f.; pl. *tintas-rijas*
tinta-roriz s.f.; pl. *tintas-roriz* e *tintas-rorizes*
tinta-sobreirinha s.f.; pl. *tintas-sobreirinhas*
tinta-vianesa s.f.; pl. *tintas-vianesas*
tinta-vigária s.f.; pl. *tintas-vigárias*
tinte s.m.
tinteira s.f.

tinteira-da-costa s.f.; pl. *tinteiras-da-costa*
tinteira-do-campo s.f.; pl. *tinteiras-do-campo*
tinteira-dos-mangais s.f.; pl. *tinteiras-dos-mangais*
tinteiro s.m.
tintilar v.
tintinable s.m.
tintinabulado adj.
tintinabulante adj.2g.
tintinabular v.
tintinábulo s.m.; cf. *tintinabulo*, fl. do v. *tintinabular*
tintinado adj.
tintinante adj.2g.
tintinar v.
tintinídeo adj. s.m.
tintinídio s.m.
tintinini s.m.
tintinir v.
tintino s.m.
tintinópsis s.f.2n.
tintiolim s.m.
tintiquita s.f.
tintirrim s.m.
tinto adj. s.m.
tinto-cão s.m.; pl. *tintos-cão* e *tintos-cães*
tinto-macho s.m.; pl. *tintos-machos*
tintômetro s.m.
tintor (*ô*) adj. s.m.
tintorial adj.2g.
tintório adj.
tintorro (*ô*) s.m.
tintura s.f.
tintura-mãe s.f.; pl. *tinturas-mãe* e *tinturas-mães*
tinturão adj. s.m.
tinturaria s.f.
tintureira s.f.
tintureira-vulgar s.f.; pl. *tintureiras-vulgares*
tintureiro adj. s.m.
tintureiro-das-pedras s.m.; pl. *tintureiros-das-pedras*
tinturia s.f.
tinzenita s.f.
tio adj. s.m.
tioacetal s.m.
tioácido adj. s.m.
tioálcool s.m.
tioalcoólico adj.
tioaldeído s.m.
tioamida s.f.
tioanil s.m.
tioantimoniato s.m.
tioantimônico adj.
tioantimonioso (*ô*) adj.; f. (*ó*); pl. (*ó*)
tioantimonito s.m.
tioarsefenamina s.f.
tioarseniato s.m.
tioarsênico adj.
tioarsenioso (*ô*) adj.; f. (*ó*); pl. (*ó*)
tioarsenito s.m.
tio-avô s.m.; pl. *tios-avós* e *tios-avôs*
tiobactéria s.f.
tiobacteriácea s.f.
tiobacteriáceo adj.
tiobacterial adj.2g.
tiobacteriale s.f.
tiobactério s.m.
tiobarbitúrico adj. s.m.
tiobenzoato s.m.
tiobenzoico (*ó*) adj.
tio-bisavô s.m.; pl. *tios-bisavós* e *tios-bisavôs*
tioborato s.m.
tiobórico adj.
tioca s.f.
tiocaína s.f.
tiocarbamático adj.
tiocarbamato s.m.
tiocarbâmico adj.
tiocarbamida s.f.
tiocarbaminato s.m.
tiocarbamínico adj.
tiocarbonático adj.
tiocarbonato s.m.
tiocarbônico adj.
tiocarbonilo s.m.
tiocarboxílico (*cs*) adj.
tiocetona s.f.
tiocianato s.m.
tiocianeto (*ê*) s.m.
tiociânico adj.
tiocianogênio s.m.
tioco (*ô*) s.m.
tiocol s.m.
tiocromito s.m.
tiocromo s.m.
tiocromoso (*ô*) adj.; f. (*ó*); pl. (*ó*)
tiocrotonático adj.
tiocrotonato s.m.
tiocumarona s.f.
tiocuminol s.m.
tiocuprito s.m.
tiocuproso (*ô*) adj.; f. (*ó*); pl. (*ó*)
tioestanato s.m.
tioestânico adj.
tioéster s.m.
tioestérico adj.
tioéter s.m.
tioetérico adj.
tiofano s.m.
tiofênico adj.
tiofeno s.m.
tiofenol s.m.
tiofenólico adj.
tioferrato s.m.
tioférrico adj.
tioferrito s.m.
tioferroso (*ô*) adj.; f. (*ó*); pl. (*ó*)
tiófilo adj. s.m.
tioformamida s.f.
tiofórmico adj.
tiofórmio s.m.
tiofosfato s.m.
tiofosfórico adj.
tiofosgênico adj.
tiofosgênio s.m.
tiofurano s.m.
tiofurfurol s.m.
tiogênico adj.
tiógeno adj.
tiogermanático adj.
tiogermanato s.m.
tioglicolato s.m.
tioglicólico adj.
tioguanina s.f.
tioico (*ó*) adj. s.m.
tioíndigo s.m.
tiol s.m.
tioláctico adj.
tiólase s.f.
tiolato s.m.
tiolcarbonato s.m.
tiolcarbônico adj.
tiólico adj.
tiólise s.f.
tiolítico adj.
tioltionacarbonato s.m.
tioltionacarbônico adj.
tiolutina s.f.
tiomargárico adj.
tiombe s.f.
tiomelânico adj.
tiom-tiom s.m.; pl. *tiom-tions*
tiona s.f.
tionacarbonato s.m.
tionacarbônico adj.
tionafteno s.m.
tionáftico adj.
tionamato s.m.
tionâmico adj.
tionato s.m.
tione s.f.
tioneína s.f.
tionembutal s.m.
tiônico adj.
tionídio s.m.
tionido adj. s.m.
tiônido s.m.
tionila s.f.
tionílico adj.
tionilo s.m.
tionina s.f.
tionol s.m.
tionúrico adj.
tiopéctico adj.
tiopental s.m.
tiopexia (*cs*) s.f.
tiopéxico (*cs*) adj.
tiopirina s.f.
tioquínase s.f.
tiorba s.f.
tiorega s.f.
tiorga s.f.
tioridazina s.f.
tiorrodácea s.f.
tiorrodáceo adj.
tiorsauita (*í*) s.f.
tiosinamina s.f.
tiospirilo s.m.
tiossal s.m.
tiossalicilato s.m.
tiossalicílico adj.
tiossárcina s.f.
tiossinamida s.f.
tiossulfato s.m.
tiossulfúrico adj.
tiostanato s.m.
tiostânico adj.
tiotê s.m.
tiotepa s.m.
tiotolueno s.m.
tiótrice s.f.
tiouracil s.m.
tiouracilo s.m.
tioureia (*é*) s.f.
tioureico (*é*) adj.
tioureto (*ê*) s.m.
tiozinho s.m.
tipa s.f.
tipa-branca s.f.; pl. *tipas-brancas*
tipacoema s.f.
tipâneo adj. s.m.
tipão s.m.; f. *tipona*
tiparrão s.m.; f. *tiparrona*
tiparrona s.f. de *tiparrão*
tipe s.2g. "canto da dança de São Gonçalo"; cf. *tipé*
tipé s.m. "planta herbácea"; cf. *tipe*
tipi s.m.
tipiaçu s.m.
tipi-bravo s.m.; pl. *tipis-bravos*
tipicar v.
tipicidade s.f.
típico adj.
tipi-do-maranhão s.m.; pl. *tipis-do-maranhão*
tipiense adj. s.2g.
tipificação s.f.
tipificado adj.
tipificar v.
tipi-manso s.m.; pl. *tipis-mansos*
tipió s.m.
tipiri s.m.
tipisca s.f.
tipismo s.m.
tipiti s.m.
tipitiense adj. s.2g.
tipitinga adj.2g.
tipi-verdadeiro s.m.; pl. *tipis-verdadeiros*
tipixa s.f.
tipização s.f.
tipizado adj.
tipizar v.
tiple s.2g.
tipo s.m.
tipo-altura s.f.; pl. *tipos-altura* e *tipos-alturas*
tipocelografia s.f.
tipocelográfico adj.
tipocosmia s.f.
tipocromia s.f.
tipocrômico adj.
tipocromo adj.
tipódero s.m.
tipofaula s.f.
tipofone s.m.
tipofonia s.f.
tipofônico adj.
tipofônio s.m.
tipofono s.m.
tipóforo s.m.
tipofotografia s.f.
tipofotográfico adj.
tipofsete s.m.
tipógrafa s.f.; cf. *tipografa*, fl. do v. *tipografar*
tipografação s.f.
tipografado adj.
tipografar v.
tipografável adj.2g.
tipografia s.f.
tipográfico adj.
tipógrafo s.m.; cf. *tipografo*, fl. do v. *tipografar*
tipói s.m.
tipoia (*ó*) s.f.
tipólita s.f.
tipólito s.m.
tipolitografia s.f.
tipolitográfico adj.
tipologia s.f.
tipológico adj.
tipologista adj. s.2g.
tipólogo s.m.
tipomania s.f.
tipomaníaco s.m.
tipometria s.f.
tipométrico adj.
tipômetro s.m.
tipona s.f. de *tipão*
tipório s.m.
tiposcópio s.m.
tipote s.m.
tipoteca s.f.
tipotelegrafia s.f.
tipotelegráfico adj.
tipótono s.m.
tipozoário s.m.
tiptologia s.f.
tiptológico adj.
tiptologista adj. s.2g.
tiptólogo s.m.
típton s.m.
tipu s.m.
tipuana s.f.
tipuca s.f.
tipuiu s.m.
típula s.f.
tipulária s.f.
tipulário adj.
tipulídeo adj. s.m.
tipuliforme adj.2g.
tipulodes s.m.2n.
tiquara s.f.
tiquaruçuense adj. s.2g.
tique adj.2g. s.m.
tiquear v.
tique-taque s.m.; pl. *tique-taques*
tiquetaquear v.
tíquete s.m.
tíquete-alimentação s.m.; pl. *tíquetes-alimentação*
tíquete-refeição s.m.; pl. *tíquetes-refeição* e *tíquetes-refeições*
tíquete-restaurante s.m.; pl. *tíquetes-restaurante*
tique-tique s.m.; pl. *tique-tiques*
tiqui s.m.
tíquio s.m.
tiquira s.f.
tiquismo s.m.
tiquista adj. s.2g.
tiquístico adj.
tira s.m.f.
tira-balas s.m.2n.
tira-botas s.m.2n.
tira-bragal s.m.; pl. *tira-bragais*
tira-braguel s.m.; pl. *tira-braguéis*
tiração s.f.
tira-chapéu s.m.; pl. *tira-chapéus*
tira-chumbo s.m.; pl. *tira-chumbos*
tiraciense adj. s.2g.
tiracinense adj. s.2g.
tira-cisma s.m.; pl. *tira-cismas*
tiraço s.m.
tiracolo s.m.
tirada s.f.
tiradeira s.f.
tiradeiro adj. s.m.
tiradela s.f.
tiradentense adj. s.2g.
tira-dentes s.2g.2n.
tiradentino adj. s.m.
tirado adj.
tiradoira s.f.
tirador (*ô*) adj. s.m.
tirador de cipó s.m.
tirador de coco s.m.
tiradoura s.f.
tiradura s.f.
tira-dúvidas s.m.2n.
tira e retira s.f.2n.
tira-espinho s.m.; pl. *tira-espinhos*
tira-faca s.m.; pl. *tira-facas*
tira-flor s.m.; pl. *tira-flores*
tira-fundo s.m.; pl. *tira-fundos*
tiragalloíta s.f.
tiragem s.f.
tirágeta adj. s.2g.
tira-gosto s.m.; pl. *tira-gostos*
tira-jejum s.m.; pl. *tira-jejuns*
tira-juízo s.m.; pl. *tira-juízos*
tira-leite s.m.; pl. *tira-leites*
tira-liço s.m.; pl. *tira-liços*
tira-linhas s.m.2n.
tira-manchas s.m.2n.
tira-manha s.m.; pl. *tira-manhas*
tirambaço s.m.
tiramboia (*ó*) s.f.
tiramento s.m.
tiramina s.f.
tiramola s.f.
tiramolar v.
tirana s.f.
tiranaboia (*ó*) s.f.
tirana da fronteira s.f.
tirana de ombro s.f.
tirana do lenço s.f.
tirana dos farrapos s.f.
tirana-tremida s.f.; pl. *tiranas-tremidas*
tira-nervo s.m.; pl. *tira-nervos*
tiranete (*ê*) s.m.
tirania s.f.
tiranicida adj. s.2g.
tiranicídio s.m.
tirânico adj.
tiranídea s.f.
tiranídeo adj. s.m.
tiranido adj. s.m.
tiraníneo adj. s.m.
tiraninha s.f.
tiranisco s.m.
tiranismo s.m.
tiranização s.f.
tiranizado adj.
tiranizador (*ô*) adj. s.m.
tiranizante adj.2g.
tiranizar v.
tiranizável adj.2g.
tirano adj. s.m.
tira-nódoas s.m.2n.
tiranomania s.f.
tiranomaníaco adj. s.m.
tiranômano s.m.
tiranossauro adj. s.m.
tirante adj.2g. s.m. prep.
tirantes s.m.pl.
tiranteza (*ê*) s.f.
tirânulo s.m.
tirão s.m.
tira o chapéu s.m.2n.
tira-olho s.m.; pl. *tira-olhos*
tira-olhos s.m.2n.
tirapé s.m.
tirapeia (*é*) s.f.
tira-prosa adj. s.2g.; pl. *tira-prosas*
tira-provas s.m.2n.
tirar v.

tira-sol s.m.; pl. *tira-sóis*
tira-sonda s.m.; pl. *tira-sondas*
tiras-viras s.f.2n.
tira-teima s.m.; pl. *tira-teimas*
tira-teimas s.m.2n.
tira-testa s.m.; pl. *tira-testas*
tira-tinta s.m.; pl. *tira-tintas*
tiratrão s.m.
tiratron s.m.
tíratron s.m.
tiratrônico adj.
tiratrônio s.m.
tira-vergal s.m.; pl. *tira-vergais*
tira-vergonha s.m.; pl. *tira--vergonhas*
tiravira s.m.
tiraz s.m.
tirázio s.m.
tircana s.f.
tírea s.f.
tireadenite s.f.
tirearitenoideia (*é*) adj. s.f. de *tirearitenoideu*
tirearitenóideo adj.
tirearitenoideu adj. s.m.; f. *tirearitenoideia* (*é*)
tire-epiglótico adj.
tirefão s.m.; pl. *tirefões*
tireia (*é*) s.f.
tirêmese s.f.
tiremético adj.
tirense adj. s.2g.
tireoadenite s.f.
tireoadenítico adj.
tireoaplasia s.f.
tireoaritenoideia (*é*) adj. s.f. de *tireoaritenoideu*
tireoaritenóideo adj.
tireoaritenoideu adj. s.m.; f. *tireoaritenoideia* (*é*)
tireocalciotonina s.f.
tireocele s.f.
tireocervical adj.2g.
tire o chapéu s.m.2n.
tireocondrotomia s.f.
tireocondrotômico adj.
tireocorídeo adj. s.m.
tireócoris s.m.2n.
tireocricofaríngeo adj.
tireocricotomia s.f.
tireocricotômico adj.
tireoepiglótico adj.
tireofaríngeo adj.
tireofima s.m.
tireofimático adj.
tireofimo s.m.
tireogênico adj.
tireógeno adj. s.m.
tireoglobulina s.f.
tireoglobulínico adj.
tireoglosso adj.
tíreo-hial s.m.; pl. *tíreo-hiais*
tíreo-hióideo adj.; pl. *tíreo--hióideos*
tireoide (*ó*) adj.2g. s.f.
tireoidectomia s.f.
tireoidectômico adj. s.m.
tireoideia (*é*) adj. s.f. de *tireoideu*
tireóideo adj.
tireoideu adj. s.m.; f. *tireoideia* (*é*)
tireoidiano adj.
tireoidina s.f.
tireoidinase s.f.
tireoidínase s.f.
tireoidismo s.m.
tireoidite s.f.
tireoidítico adj.
tireoidoterapia s.f.
tireoidoterápico adj.
tireoidotomia s.f.
tireoidotômico adj.
tireolaríngeo adj.
tireolinguofacial adj.2g.
tireomegalia s.f.
tireomegálico adj.
tireonoto s.m.
tireopatia s.f.
tireopático adj.
tireoprivo adj.
tireoptose s.f.
tireoptótico adj.
tireossarcoma s.m.
tireossarcomático adj.
tireostafilino adj.
tireostimulina s.f.
tireostimulínico adj.
tireotomia s.f.
tireotômico adj.
tireotoxicose (*cs*) adj.
tireotoxicótico (*cs*) adj.
tireotoxinemia (*cs*) s.f.
tireotricina s.f.
tireotrófico adj.
tireotrofina s.f.
tireotrofínico adj.
tireotrofismo s.m.
tireotrópico adj.
tireotropismo s.m.
tireótropo adj. s.m.
tireoxina (*cs*) s.f.
tireoxínico (*cs*) adj.
tirésia s.f.
tiresina s.f.
tiresínico adj.
tirete (*ê*) s.m.
tiriamã s.m.
tiríase s.f.
tiriba s.m.
tiriba-de-cara-suja s.m.; pl. *tiribas-de-cara-suja*
tiriba-de-costa-azul s.m.; pl. *tiribas-de-costa-azul*
tiriba-de-orelha-branca s.m.; pl. *tiribas-de-orelha--branca*
tiriba-de-testa-vermelha s.m.; pl. *tiribas-de-testa--vermelha*
tiriba-grande s.m.; pl. *tiribas--grandes*
tiribaí s.m.
tiriba-pequeno s.m.; pl. *tiribas-pequenos*
tiriba-pintado s.m.; pl. *tiribas-pintados*
tiriba-verde s.m.; pl. *tiribas--verdes*
tiribinha s.f.
tiribique s.m.
tiriça s.f.
tirídia s.f.
tiridídeo adj. s.m.
tirídio s.m.
tiridóspila s.f.
tiriense adj. s.2g.
tirilintar v.
tirintintim s.m.
tirina s.f.
tirinteína s.f.
tiríntia s.f.
tiríntio adj. s.m.
tirió adj. s.2g. s.m. "grupo indígena"; cf. *tírio*
tírio adj. s.m. "relativo a Tiro"; cf. *tirió*
tirira s.f.
tiriri s.m.
tiririca adj.2g. s.m.f.
tiririca-brava s.f.; pl. *tiriricas--bravas*
tiririca-comum s.f.; pl. *tiriricas-comuns*
tiririca-de-flor-amarela s.f.; pl. *tiriricas-de-flor-amarela*
tiririca-do-campo s.f.; pl. *tiriricas-do-campo*
tiririca-do-mato-grosso s.f.; pl. *tiriricas-do-mato-grosso*
tiririca-dos-diamantes s.f.; pl. *tiriricas-dos-diamantes*
tiririca-falsa s.f.; pl. *tiriricas--falsas*
tiririical s.m.
tiriricalense adj. s.2g.
tiriricar v.
tiririquense adj. s.2g.
tíris s.m.2n.
tirisseia (*é*) adj. s.f. de *tirisseu*
tirisseu adj. s.m.; f. *tirisseia* (*é*)
tiristor (*ô*) adj. s.m.
tirita s.f.
tiritação s.f.
tiritado adj.
tiritador (*ô*) adj.
tiritana s.f.
tiritante adj.2g.
tiritar v.
tirite s.f.
tiriteso (*ê*) adj.
tiritir v.
tiriúma adj.2g.
tiriva s.m.
tirlintar v.
tiro s.m.
tiroadenite s.f.
tiroaplasia s.f.
tirobricina s.f.
tirobricínico adj.
tirocalcitonina s.f.
tirocidina s.f.
tirocidínico adj.
tirocinado adj.
tirocinante adj. s.2g.
tirocinar v.
tirocínio s.m.
tirocondrotomia s.f.
tirocondrotômico adj.
tirocricotomia s.f.
tirocricotômico adj.
tiro de guerra s.m.
tirodita s.f.
tiroepiglótico adj.
tirofaríngeo adj.
tirofone s.m.
tirogênico adj.
tiroglífida adj.2g. s.m.
tiroglifídeo adj. s.m.
tiróglifo s.m.
tiroglobulina s.f.
tiroglobulínico adj.
tiroglosso adj.
tiro-hial s.m.; pl. *tiro-hiais*
tiroial s.m.
tiroide (*ó*) adj.2g. s.f.
tiroidectomia s.f.
tiroidectômico adj.
tiróideo adj.
tiroidiano adj.
tiroidina s.f.
tiroidismo s.m.
tiroidite s.f.
tiroidoterapia s.f.
tiroidoterápico adj.
tiroidotomia s.f.
tiroidotômico adj.
tirolaríngeo adj.
tiroleano s.m.
tirolene s.f.
tirolês adj. s.m.
tirolesa (*ê*) s.f.
tiroleucina s.f.
tiroliro s.m.
tirolita s.f.
tirolite s.f.
tirólites s.m.2n.
tirolito s.m. "dança do fandango"; cf. *tirólito*
tirólito s.m. "arseniato de cobre"; cf. *tirolito*
tiroma s.m.
tiromancia s.f.
tiromante s.2g.
tiromântico adj.
tirombaço s.m.
tiromegalia s.f.
tiromegálico adj.
tironada s.f.
tironeada s.f.
tironeado adj.
tironear v.
tironiano adj. s.m.
tirônico adj.
tironina s.f.
tironínico adj.
tirônio adj.
tiropatia s.f.
tiropático adj.
tiroprivo adj.
tiróptera s.f.
tiropterídeo adj. s.m.
tiropteríneo adj. s.m.
tiropteróideo adj. s.m.
tiroptose s.f.
tiroptótico adj.
tirorrina s.m.
tirosina s.f.
tirosinase s.f.
tirosínase s.f.
tirosinemia s.f.
tirosínico adj.
tirosinuria s.f.
tirosinúria s.f.
tirosinúrico adj.
tirostafilino adj.
tiroteado adj.
tirotear v.
tiroteio s.m.
tirotomia s.f.
tirotômico adj.
tirotóxico (*cs*) s.m.
tirotoxicose (*cs*) s.f.
tirotoxinemia (*cs*) s.f.
tirotoxismo (*cs*) s.m.
tirotricina s.f.
tirotrofina s.f.
tiroxina (*cs*) s.f.
tiroxínico (*cs*) adj.
tirreniano adj. s.m.
tirrênico adj. s.m.
tirrênio adj. s.m.
tirreno adj. s.m.
tirridéu s.m.
tirságeta adj. s.2g.
tirsense adj. s.2g.
tirsífero adj.
tirsígero adj.
tirsigeropotente adj.2g.
tirsipotente adj.2g.
tirsites s.m.2n.
tirsitídeo adj. s.m.
tirsitíneo adj. s.m.
tirsito s.m.
tirsitope s.m.
tirsítops s.m.2n.
tirso s.m.
tirsóforo adj. s.m.
tirsoide (*ó*) adj.2g.
tirsopterídea s.f.
tirsópteris s.f.2n.
tirsoso (*ô*) adj.; f. (*ó*); pl. (*ó*)
tirta s.f.
tirtancara s.m.
tir-te s.m.
tisana s.f.
tisanártria s.f.
tisânia s.f.
tísano s.m.
tisanocéfalo s.m.
tisanoessa s.f.
tisanópiga s.f.
tisanópoda s.f.
tisanóptero adj. s.m.
tisanossoma s.m.
tisanossomo s.m.
tisanote s.m.
tisanoteutídeo adj. s.m.
tisanotêutis s.f.2n.
tisanuco s.m.
tisanuriforme adj.2g.
tisanuro adj. s.m.
tisca s.f.
tíscio adj.
tisco s.m.
tisdritano adj. s.m.
tísica s.f.
tisicado adj.
tisicar v.
tísico adj. s.m.
tisiofobia s.f.
tisiofóbico adj.
tisiófobo s.m.
tisiogênese s.f.
tisiógeno adj.
tisiologia s.f.
tisiológico adj.
tisiologista adj. s.2g.
tisiólogo s.m.
tisioterapeuta adj. s.2g.
tisioterapêutica s.f.
tisioterapêutico adj.
tisioterapia s.f.
tisioterápico adj.
tisita s.f.
tisite s.f.
tisito s.m.
tisiuria s.f.
tisiúria s.f.
tisiúrico adj.
tísmia s.f.
tismíea s.f.
tisna s.f.
tisnação s.f.
tisnado adj. s.m.
tisnador (*ô*) adj. s.m.
tisnadura s.f.
tisnante adj.2g.
tisnar v.
tisnável adj.2g.
tisne s.m.
tisneira s.f.
tisoicetro s.m.
tisonita s.f.
tisonite s.f.
tisonossoma s.m.
tisonossomo s.m.
tisorelho (*ê*) s.m.
tispanodes s.m.2n.
tisságeta adj. s.2g.
tissanense adj. s.2g.
tissense adj. s.2g.
tissierografia s.f.
tissierográfico adj.
tisso s.m.
tissu s.m.
tissular adj.2g.
tisuria s.f.
tisúria s.f.
tisúrico adj.
titã s.m.
titanação s.f.
titanado s.m.
titanato s.m.
titanaugita s.f.
titanaugítico adj.
titancota s.f.
titanesco (*ê*) adj.
titanetes s.m.2n.
titânia s.f.
titânico adj.
titânide s.2g.
titanídeo adj. s.m.
titanífero adj.
titanila s.f.
titânio s.m.
titanismo s.m.
titanita s.f.
titanite s.f.
titanítico adj.
titanito s.m.
titanlavenita s.f.
titano s.m.
titanobetafita s.f.
titanobiotita s.f.
titanoeca s.f.
titanoelpidita s.f.
titano-hidroclinumita s.f.
titanoidroclinumita s.f.
titanomagemita s.f.
titanomagnetita s.f.
titanomagnetite s.f.
titanomagnetítico adj.
titanomaquia s.f.
titanomáquico adj.
titanometria s.f.
titanométrico adj.
titanomorfita s.f.
titanomorfite s.f.
titanoniobático adj.
titanoniόbato s.m.
titanoso (*ô*) adj.; f. (*ó*); pl. (*ó*)
titanossauro adj. s.m.
titanotério s.m.
titânox (*cs*) s.m.2n.
titanóxido (*cs*) s.m.
titara s.f.
titáspis s.f.2n.
titeense adj. s.2g.
titela s.f.
titenídias s.f.pl.
titenídios s.m.pl.
titeragem s.f.
títere s.m.
titereação s.f.

titereado adj.
titerear v.
titereiro adj. s.m.
titeri s.m.
titeriteiro adj. s.m.
titi s.m.f.
titia s.f.
titiaense adj. s.2g.
titiarrense adj. s.2g.
titica s.f.
titicação s.f.
titicado adj.
titicamento s.m.
titicante adj.2g.
titicar v.
titicaria s.f.
titicoso (*ô*) adj.; f. (*ó*); pl. (*ó*)
titicuã s.m.
titilação s.f.
titilado adj.
titilador (*ô*) adj.
titilamento s.m.
titilante adj.2g.
titilar v. adj.2g.
titilável adj.2g.
titilomania s.f.
titilomaníaco adj. s.m.
titilômano adj. s.m.
titiloso (*ô*) adj.; f. (*ó*); pl. (*ó*)
titim s.m.
titímalo s.m.
titímalo-dos-vales s.m.; pl. *titímalos-dos-vales*
titimaloide (*ó*) adj.2g.
titímalo-maior s.m.; pl. *titímalos-maiores*
titina s.f.
titinaíta s.f.
titinga s.f.
titio s.m. "tio"; cf. *títio*
títio s.m. "aracnídeo"; cf. *titio*
titiqueiro adj. s.m.
titiquento adj.
titira s.f.
titiribá s.m.
titirínea s.f.
titiscânia s.f.
titiscaniídeo adj. s.m.
titisiri s.m.
titismo s.m.
titista adj. s.2g.
titístico adj.
ti-ti-ti s.m.; pl. *ti-ti-tis*
titlônimo s.m.
tito s.m.
titoísmo s.m.
titoísta adj. s.2g.
titoístico adj.
tito-liviano adj.; pl. *tito-livianos*
titomicidade s.f.
titômico adj.
titônia s.f.
titoniano s.m.
titônico adj.
titonídio adj. s.m.
titubação s.f.
titubado adj.
titubante adj.2g.
titubar v.
titubeação s.f.
titubeado adj.
titubeador (*ô*) adj. s.m.
titubeamento s.m.
titubeante adj.2g.
titubear v.
titubeável adj.2g.
titubeio s.m.
titulabilidade s.f.
titulação s.f.
titulado adj.
titulador (*ô*) adj. s.m.
tituladora (*ô*) s.f.
titulagem s.m.
titulando adj. s.m.
titulante adj.2g.
titular v. adj. s.2g.
titularidade s.f.
titulativo adj.
titulatura s.f.
titulável adj.2g.
tituleira s.f.
tituleiro s.m.
título s.m.; cf. *titulo*, fl. do v. *titular*
título-chave s.m.; pl. *títulos-chave* e *títulos-chaves*
titulometria s.f.
titulométrico adj.
tituria s.f.
tiú s.m.
tiúba s.f.
tiúba-preta s.f.; pl. *tiúbas-pretas*
tiufadia s.f.
tiufado s.m.
tiuiense adj. s.2g.
tiupá s.m.
tiurânida s.f.
tiureico (*é*) adj.
tiureto (*ê*) s.m.
tiúva s.f.
tivolino adj. s.m.
tixotropia (*cs*) s.f.
tixotrópico (*cs*) adj.
tixótropo (*cs*) adj.
tiza s.f.
tizanozoa (*ô*) s.f.
tizi s.m.
tizio s.m.
tiziu s.m.
tlaco s.m.
tladianta s.f.
tlaloquita s.f.
tlanoma s.m.
tlapalita s.f.
tlaspe s.f.
tláspea s.f.
tlaspídea s.f.
tlaspídeo adj.
tláspio s.m.
tlaxcalteca adj. s.2g.
tlim s.m.
tlim-tlim s.m.; pl. *tlim-tlins*
tlim-tlim-tim s.m.; pl. *tlim-tlim-tlins*
tlipse s.f.
tlintar v.
tlipsencefalia s.f.
tlipsencefálico adj.
tlipsencéfalo s.m.
tlipsia s.f.
tlíptico adj.
tmema s.m.
tmese s.f.
tmesíforo s.m.
tmesisdermo s.m.
tmiskamita s.f.
tmólio adj. s.m.
tmolita adj. s.2g.
to contr. de *te* e *o*
tô s.m.
toa (*ô*) s.f.
toaca adj. s.2g.
toada s.f.
toadas-de-couro s.f.pl.
toadeira s.f.
toadeiro adj.
toadilha s.f.
toalete s.f.
toaleteira s.f.
toaleteiro s.m.
toalha s.f.
toalha-de-nossa-senhora s.f.; pl. *toalhas-de-nossa-senhora*
toalheira s.f.
toalheiro s.m.
toalhete (*ê*) s.m.
toalhinha s.f.
toaliquiçu s.m.
toância s.f.
toano adj. s.m.
toante adj.2g. s.m.
toanteiro adj. s.m.
toaqueira s.f.
toar v.
toarciano adj. s.m.
toárcico adj. s.m.
toba adj.2g. s.m. "povo", etc.; cf. *tobá*
tobá s.m. "grande diamante", etc.; cf. *toba*
tobaca s.f.
tobaguiano adj. s.m.
tobajeira adj. s.2g.
tobarana s.f.
tobatiense adj. s.2g.
tobatinga s.f.
tobeiro adj. s.m.
tobermorita s.f.
tobiano adj. s.m.
tobiarense adj. s.2g.
tobias-barretense adj. s.2g.; pl. *tobias-barretenses*
tobiense adj. s.2g.
tobin s.m.
tobira s.f.
tobiu s.m.
tobó s.m.
tobogã s.m.
toboganista s.2g.
tobogão s.m.
tobote s.m.
toca s.f.
toça s.f.
tocada s.f.
tocadela s.f.
tocadilho s.m.
tocadinho s.m.
toca-discos s.m.2n.
tocado adj.
tocador (*ô*) adj. s.m.
tocadura s.f.
toca-fita s.m.; pl. *toca-fitas*
toca-fitas s.m.2n.
tocagem s.f.
tocai s.m.; cf. *tocai*, fl. do v. *tocar*
tocaia s.f.
tocaião adj.
tocaiar v.
tocaieiro s.m.
tocaiense adj. s.2g.
tocainará s.f.
tocaio adj. s.m.
tocajé s.m.
toca-lápis s.m.2n.
tocama s.f.
tocamento s.m.
tocanairá s.f.
tocanalgesia s.f.
tocanalgésico adj. s.m.
tocandera s.f.
tocandira adj. s.2g. s.f.
tocandirana s.f.
tocandirense adj. s.2g.
tocanera (*ê*) s.f.
tocanestesia s.f.
tocanestésico adj. s.m.
tocanestético adj.
tocanguira s.f.
tocanquibira s.f.
tocanquirense adj. s.2g.
tocante adj.2g.
tocanteira s.f.
tocantera (*ê*) s.f.
tocanti adj. s.2g.
tocantinense adj. s.2g.
tocantiniense adj. s.2g.
tocantinopolitano adj. s.m.
toca-pinos s.m.2n.
tocar v. adj.2g. s.m.
tocari s.m.
tocariano adj. s.m.
tocário adj. s.m.
tócaro adj. s.m.
tocarola s.f.
tocata s.f.
toca-teclas s.m.2n.
toca-vaquense adj. s.2g.; pl. *toca-vaquenses*
tocável adj.2g.
toca-viola s.m.; pl. *toca-violas*
tocear v.
tocha s.f.
tocheira s.f.
tocheiro s.m.
tocho (*ô*) s.m.
toci s.m.
tocló s.m.
toco (*ô*) adj. s.m.; "parte de uma planta presa ao solo"; cf. *tocó* adj. s.m. e *toco*, fl. do v. *tocar*; pl. (*ô* ou *ó*)
tocó adj. s.m. "cotó"; cf. *toco* (*ô*) adj. s.m. e *toco*, fl. do v. *tocar*
tococa s.f.
tocócito s.m.
toco de amarrar besta s.m.
toco de amarrar jegue s.m.
toco de amarrar onça s.m.
toco de cachorro mijar s.m.
tocodede adj. s.m.
tocodinamometria s.f.
tocodinamométrico adj.
tocodinamômetro s.m.
toco-duro s.m.; pl. *tocos-duros*
tocoferol s.m.
tocoferólico adj.
tocófria s.m.
tocoginecologia s.f.
tocoginecológico adj.
tocoginecologista adj. s.2g.
tocoginecólogo adj. s.m.
tocogonia s.f.
tocogônico adj.
tocografia s.f.
tocográfico adj.
tocógrafo s.m.
tocoiena s.f.
tocoió adj. s.2g.
tocologia s.f.
tocológico adj.
tocologista adj. s.2g.
tocólogo s.m.
tocomático s.m.
tocometria s.f.
tocômetro s.m.
toco-mocho s.m.; pl. *tocos-mochos*
toconomia s.f.
toconômico adj.
tocornalita s.f.
tocornalite s.f.
tocornalito s.m.
tocotecnia s.f.
tocotécnico adj.
tocotraumatismo s.m.
tocotropismo s.m.
tocurgia s.f.
toda adj. s.2g. s.f.
todália s.f.
todalíea s.f.
todalióidea s.f.
todároa s.f.
todarodes s.m.2n.
todaropse s.m.
todavia adv. conj.
toddália s.f.
toddalíea s.f.
toddalióidea s.f.
toddita s.f.
tódea s.f.
todeiro s.m.
tódi s.m.
todídeo adj. s.m.
todínea s.f.
todirranfo s.m.
todirrostro s.m.
todo (*ô*) adj. s.m. adv. pron.
todo-nada s.m.2n.
todo-poderoso adj. s.m.; f. *todo-poderosa*; pl. *todo-poderosos*
todópsis s.f.2n.
todorokita s.f.
todos-santense adj. s.2g.; pl. *todos-santenses*
toé s.f.
toeira s.f.
toeiro adj.
toenita s.f.
toenite s.f.
toernebohmita s.f.
toesa (*ê*) s.f. "medida"; cf. *toeza* (*ê*) s.f. e *toesa*, fl. do v. *toesar*
toesado adj.
toesar v.
toeza (*ê*) s.f. "vacuidade"; cf. *toesa* (*ê*) s.f. e *toesa*, fl. do v. *toesar*
tofáceo adj. "relativo ao tofo"; cf. *tofácio*
tofácio s.m. "medida hebreia de comprimento"; cf. *tofáceo*
tofana adj. s.f.
tofeira s.f.
tofel s.m.
tofo s.m.
tofolipoma s.m.
tô-fraca s.f.; pl. *tô-fracas*
tô-fraco s.m.; pl. *tô-fracos*
toga s.f.
togado adj. s.m.
togar v.
togata s.f.
togatário s.m.
togato adj. s.m.
togavírus s.m.2n.
togiense adj. s.2g.
togo s.m.
togói adj. s.2g.
togolense adj. s.2g.
togolês adj. s.m.
tógua adj. s.2g.
toguense adj. s.2g.
toguês adj. s.m.
toiça s.f.
toiçar v.
toiceira s.f.
toiceiral s.m.
toicinhama s.f.
toicinharia s.f.
toicinheira s.f.
toicinheiro s.m.
toicinhento adj.
toicinho s.m.
toicinho do céu s.m.
toicinhoso (*ô*) adj.; f. (*ó*); pl. (*ó*)
toiço (*ô*) s.m.
toira (*ô*) s.f.
toiração s.f.
toirada s.f.
toirado adj.
toiral adj.2g. s.m.
toiralho s.m.
toirão s.m.
toirão-do-mato s.m.; pl. *toirões-do-mato*
toirão-fétido s.m.; pl. *toirões-fétidos*
toirar v.
toiraria s.f.
toireação s.f.
toireado adj.
toireador (*ô*) adj. s.m.
toireanda s.f.
toirear v.
toireio s.m.
toireira s.f.
toireiro adj. s.m.
toirejado adj.
toirejão s.m.
toirejar v.
toirigo s.m.
toiril s.m.
toirinha s.f.
toirista adj. s.2g.
toiro (*ô*) s.m.
toiro-galego s.m.; pl. *toiros-galegos*
toiruno adj.
toita (*ô*) s.f.
toiteador (*ô*) adj. s.m.
toitear v.
toitiçada s.f.
toitiço s.m.
tojal s.m.
tojeira s.f.
tojeiro s.m.
tojo (*ô*) s.m.; pl. (*ó*)
tojo-arnal s.m.; pl. *tojos-arnais*
tojo-chamusco s.m.; pl. *tojos-chamusco* e *tojos-chamuscos*
tojo-da-charneca s.m.; pl. *tojos-da-charneca*

tojo-durázio s.m.; pl. *tojos-durázios*
tojo-gadanho s.m.; pl. *tojos-gadanhos*
tojo-gatanho-maior s.m.; pl. *tojos-gatanhos-maiores*
tojo-gatanho-menor s.m.; pl. *tojos-gatanhos-menores*
tojo-gatão s.m.; pl. *tojos-gatão* e *tojos-gatões*
tojo-gatenho s.m.; pl. *tojos-gatenhos*
tojo-gatum s.m.; pl. *tojos-gatum* e *tojos-gatuns*
tojo-gatunha s.m.; pl. *tojos-gatunha* e *tojos-gatunhas*
tojo-manso s.m.; pl. *tojos-mansos*
tojo-molar s.m.; pl. *tojos-molares*
tojo-ordinário s.m.; pl. *tojos-ordinários*
tojoso (*ô*) adj.; f. (*ó*); pl. (*ó*)
tola s.f. "espécie de torquês", etc.; cf. *tola* (*ô*) f. de *tolo* (*ô*), *tolá* e *tolã*
tolá s.2g. "peso indiano"; cf. *tola* e *tolã*
tolã s.f. "logro"; cf. *tola* e *tolá*
tola-branca s.f.; pl. *tolas-brancas*
tolacíssimo adj. sup. de *tolaz*
tolaço adj. s.m.
tolai s.m.
tolanga s.f.
tolano s.m.
tolão adj. s.m.; f. *tolona*
tolar s.m.
tolaria s.f.
tolaz adj. s.2g.
tolazolina s.f.
tolbutamida s.f.
tolbutamídico adj.
tolda (*ô*) s.f.; cf. *tolda*, fl. do v. *toldar*
toldação s.f.
toldado adj.
toldador (*ô*) adj.
toldamento s.m.
toldana s.f.
toldar v.
toldaria s.f.
toldável adj.2g.
tolde s.m.
toldeia (*é*) s.f.
toldeira s.f.
toldense adj. s.2g.
tolderia s.f.
toldo (*ô*) s.m.; cf. *toldo*, fl. do v. *toldar*
toledana s.f.
toledano adj. s.m.
toledense adj. s.2g.
toledo (*ê*) s.m.
toleima s.f.
toleimado adj.
toleirão adj. s.m.; f. *toleirona*
toleiro s.m.
toleirona adj. s.f. de *toleirão*
tolejar v.
tolendo adj.
toleno s.m.
tolentiniano adj.
toler v.
tolerabilidade s.f.
tolerada s.f.
tolerado adj.
tolerador (*ô*) adj. s.m.
toleramento s.m.
tolerância s.f.
tolerante adj.2g.
tolerantismo s.m.
tolerantista adj. s.2g.
tolerantístico adj.
tolerar v.
tolerável adj.2g.
toleria s.f.
toleriense adj. s.2g.
tolerogênio s.m.
toleta (*ê*) s.f.
toletada s.f.
toletano adj. s.m.
tolete (*ê*) s.m.
tolete de poita s.m.
toleteira s.f.
tole-tole s.m.; pl. *tole-toles*
tolhedoiro s.m.
tolhedouro s.m.
tolhedura s.f.
tolheita s.f.
tolheito adj.
tolher v.
tolhiço adj. s.m.
tolhido adj.
tolhimento s.m.
tolho (*ô*) s.m.
tólia s.f.
toliçada s.f.
tolice s.f.
tolidade s.f.
tolidina s.f.
tolil s.m.
tolila s.f.
tolilantipirina s.f.
tolilênico adj.
tolileno s.m.
tolílico adj.
tolílio s.m.
tolilo s.m.
tolina s.f.
tolinado adj.
tolinar v.
tolineiro s.m.
tolinha s.f.
tolinha-das-couves s.f.; pl. *tolinhas-das-couves*
tólipe s.f.
tolipela s.f.
tolipeuta (*ê*) s.m.
tolipeutes (*ê*) s.m.2n.
tolípida adj.2g. s.m.
tolipídeo adj. s.m.
tolipirina s.f.
toliposporio s.m.
tolipótrice s.f.
tolismo s.m.
tolissal s.m.
tolistobogo adj. s.m.
tolistóboi adj. s.m.
tolita s.f.
tolitates s.m.2n.
tolite s.f.
tolo s.m. "sepultura pré-histórica"; cf. *tolo* (*ô*)
tolo (*ô*) adj. s.m. "simplório"; cf. *tolo*
toloiriense adj. s.2g.
tolomaico adj.
tolomana s.f.
tolona adj. s.f. de *tolão*
tolontro s.m.
tolosano adj. s.m.
tolosate adj. s.2g.
tolosense adj. s.2g.
tolpache s.m.
tolpe s.f.
tólpide s.f.
tólpis s.f.2n.
tolstoiano adj. s.m.
tolstoísmo s.m.
tolstoísta s.2g.
tolstoizante adj. s.2g.
tolteca adj. s.2g.
tolu s.m.
toluamida s.f.
toluato s.m.
tolúcia s.f.
toluena s.f.
toluênico adj.
toluênio s.m.
tolueno s.m.
toluenossulfamida s.f.
toluenossulfona s.f.
toluenossulfonato s.m.
toluenossulfônico adj.
toluico adj.
toluidido s.m.
toluidina s.f.
toluidínico adj.
toluífera s.f.
toluífero adj.
toluíla s.f.
toluileno s.m.
toluílo s.m.
toluína s.f.
toluinato s.m.
toluíno s.m.
toluização s.f.
toluizado adj.
toluizar v.
tolunato s.m.
tolunitrilo s.m.
toluol s.m.
toluólico adj.
toluquinona s.f.
tolurato s.m.
toluretina s.f.
tolúrico adj.
tolva s.f.
tom s.m.
toma s.m.f. interj. "ação de tomar", etc.; cf. *tomã*
tomã s.m. "moeda"; cf. *toma* s.m.f. interj. e fl. do v. *tomar*
tomabeia (*é*) adj. s.f. de *tomabeu*
tomabeu adj. s.m.; f. *tomabeia* (*é*)
tomação s.f.
tomada s.f.
tomada-banana s.f.; pl. *tomadas-banana* e *tomadas-bananas*
tomadela s.f.
tomadete (*ê*) adj.2g.
tomadia s.f.
tomadiço adj.
tomado adj.
tomadoiro s.m.
tomador (*ô*) adj. s.m.
tomadote adj.2g.
tomadouro s.m.
tomadura s.f.
toma-espaço adj. s.2g.; pl. *toma-espaços*
tomai-mai s.m.; pl. *tomai-mais*
tomaíta s.f.
tomaíte s.f.
tomaíto s.m.
toma lá dá cá s.m.2n.
toma-largura s.m.; pl. *toma-larguras*
tomamento s.m.
tomandersia s.f.
tomão s.m.
tomar v.
tomara interj.
tomara que caia adj.2g.2n. s.m.2n.
tomareiro adj. s.m.
tomarense adj. s.2g.
tomarista adj. s.2g.
tomarto s.m.
tomarutemense adj. s.2g.
tomás-aquinense adj. s.2g.; pl. *tomás-aquinenses*
tomás-gonzaguense adj. s.2g.; pl. *tomás-gonzaguenses*
tomasiense adj. s.2g.
tomasinense adj. s.2g.
tomaspidídeo adj. s.m.
tomáspis s.f.2n.
tomata s.f.
tomatada s.f.
tomatal s.m.
tomate s.m.
tomate-bravo s.m.; pl. *tomates-bravos*
tomate-cabacinha s.m.; pl. *tomates-cabacinha* e *tomates-cabacinhas*
tomate-cheiroso s.m.; pl. *tomates-cheirosos*
tomate-chimango s.m.; pl. *tomates-chimango* e *tomates-chimangos*
tomate-de-árvore s.m.; pl. *tomates-de-árvore*
tomate-de-princesa s.m.; pl. *tomates-de-princesa*
tomate-de-sodoma s.m.; pl. *tomates-de-sodoma*
tomate-do-amazonas s.m.; pl. *tomates-do-amazonas*
tomate-francês s.m.; pl. *tomates-franceses*
tomate-grande s.m.; pl. *tomates-grandes*
tomate-groselha s.m.; pl. *tomates-groselha* e *tomates-groselhas*
tomate-inglês s.m.; pl. *tomates-ingleses*
tomateira s.f.
tomateiro s.m.
tomateiro-da-serra s.m.; pl. *tomateiros-da-serra*
tomateiro-do-diabo s.m.; pl. *tomateiros-do-diabo*
tomateiro-inglês s.m.; pl. *tomateiros-ingleses*
tomate-pera s.m.; pl. *tomates-pera* e *tomates-peras*
tomate-piriforme s.m.; pl. *tomates-piriformes*
tomate-redondo s.m.; pl. *tomates-redondos*
tomates s.m.pl.
tomate-vermelho s.m.; pl. *tomates-vermelhos*
tomatidina s.f.
tomatina s.f.
tomatinho-de-capucho s.m.; pl. *tomatinhos-de-capucho*
tomba s.f.
tombac s.m.
tombação s.f.
tombada s.f.
tombadilho s.m.
tombado adj.
tombadoiro s.m.
tombador (*ô*) adj. s.m.
tombadorense adj. s.2g.
tombadouro s.m.
tomba-ladeiras s.2g.2n.
tomba las águas s.m.2n.
tomba-lobos s.m.2n.
tomba-lombos s.2g.2n.
tomba-luz s.m.; pl. *tomba-luzes*
tombamento s.m.
tombante adj.2g.
tombão s.m.
tombar v.
tombaralha s.f.
tombarthita s.f.
tombasil s.m.
tombazita s.f.
tombazite s.f.
tombazito s.m.
tombeação s.f.
tombeado adj.
tombear v.
tombeirinho s.m.
tombeiro adj.
tombense adj. s.2g.
tombequi s.m.
tombo s.m.
tômbola s.f.; cf. *tombola*, fl. do v. *tombolar*
tombolar v.
tômbolo s.m.; cf. *tombolo*, fl. do v. *tombolar*
tômboro s.m.
tom de pestana s.m.
tomé s.m.
tomé-açuense adj. s.2g.; pl. *tomé-açuenses*
tomé-gagé-zé s.m.; pl. *tomés-gagés-zés*
tome-juízo s.m.; pl. *tome-juízos*
tomelista s.2g.
tomelo s.m.
tomentela s.f.
tomentelo adj. s.m.
tomentilho s.m.
tomentina s.f.
tomento s.m.
tomentoso (*ô*) adj.; f. (*ó*); pl. (*ó*)
tomé-principino adj. s.m.; pl. *tomé-principinos*
tomichita s.f.
tomicídeo adj. s.m.
tômico s.m.
tomilhal s.m.
tomilhinha s.f.
tomilho s.m.
tomilho-alvadio s.m.; pl. *tomilhos-alvadios*
tomilho-cabeçudo s.m.; pl. *tomilhos-cabeçudos*
tomilho-de-creta s.m.; pl. *tomilhos-de-creta*
tomilho-de-dioscórides s.m.; pl. *tomilhos-de-dioscórides*
tomilho-peludo s.m.; pl. *tomilhos-peludos*
tomim s.m.
tomingue s.f.
tôminx (*cs*) s.f.2n.
tômio s.m.
tomíparo adj.
tomisídeo adj. s.m.
tomisíneo adj. s.m.
tomismo s.m.
tomiso s.m.
tomista adj. s.2g.
tomístico adj.
tomistoma s.m.
tomita adj. s.2g.
tômix (*cs*) s.f.2n.
tommasínia s.f.
tomo s.m.
tomoatá s.m.
tomocintigrafia s.f.
tomocintigráfico adj.
tomodensitometria s.f.
tomódero s.m.
tomografação s.f.
tomografar v.
tomografável adj.2g.
tomografia s.f.
tomográfico adj.
tomógrafo s.m.; cf. *tomografo*, fl. do v. *tomografar*
tomograma s.m.
tomomania s.f.
tomomaníaco adj. s.m.
tomômano s.m.
tomomasto s.m.
tomomino adj. s.2g.
tomômio s.m.
tômomis s.m.2n.
tomopaguro s.m.
tomoplágia s.f.
tomóptero s.m.
tômoro s.m.
tomoscopia s.f.
tomoscópico adj.
tomosita s.f.
tomosite s.f.
tomosito s.m.
tomosteto s.m.
tömösvariano adj.
tomosvariano adj.
tomotocia s.f.
tomotócico adj.
tona s.f.
tonadilha s.f.
tonadilho s.m.
tonafasia s.f.
tonafásico adj.
tonal adj.2g.
tonalidade s.f.
tonalismo s.m.
tonalista adj. s.2g.
tonalístico adj.
tonalito s.m.
tonalização s.f.
tonalizado adj.
tonalizar v.
tonante adj.2g. s.m.
tonantinense adj. s.2g.
tonar v. "trovejar"; cf. *tunar*
tonário s.m.
tonca s.f.
toncaí adj.2g. s.m.
toncastearóptenno s.m.
tôncico adj.
tondelense adj. s.2g.
tondense adj. s.2g.
tondinho s.m.
tondo s.m.
tone s.m. "embarcação"; cf. *tôni*

toneira s.f.
toneiro adj. s.m.
tonel s.m.
tonelada s.f.
tonelada-força s.f.; pl. *toneladas-força* e *toneladas-forças*
tonelada-milha s.f.; pl. *toneladas-milha* e *toneladas-milhas*
tonelada-quilômetro s.f.; pl. *toneladas-quilômetro* e *toneladas-quilômetros*
tonelagem s.f.
tonelame s.m.
tonelaria s.f.
toneleiro s.m.
tonelete (*ê*) s.m.
tonema s.m.
tonemático adj.
tonêmica s.f.
tonêmico adj.
tonésia s.f.
tonética s.f.
tonga s.2g. s.m.
tonganês adj. s.m.
tongano adj. s.m.
tongo adj. s.m.
tongriano adj. s.m.
tôngrico adj. s.m.
tongus adj. s.2g.
tonha s.f.
tonho adj. s.m.
tôni s.m. "palhaço"; cf. *tone* s.m. e fl. do v. *tonar*
tonia s.f.
tonibobe s.m.
tônica s.f.
tonicardíaco s.m.
tonicidade s.f.
tônico adj. s.m.
tonificação s.f.
tonificado adj.
tonificador (*ô*) adj.
tonificante adj.2g.
tonificar v.
tonificável adj.2g.
tonilho s.m.
tonina s.f.
toníngia s.f.
toninha s.f.
toninho s.m.
tonínia s.f.
toniolense adj. s.2g.
tonionela s.f.
tonismo s.m.
tonite s.f.
tonitrofobia s.f.
tonitrofóbico adj.
tonitruância s.f.
tonitruante adj.2g.
tonitruar v.
tonítruo adj.
tonitruoso (*ô*) adj.; f. (*ó*); pl. (*ó*)
tonizado adj.
tonizar v.
tono s.m.
tonoa (*ô*) s.f.
tonóbolo adj.
tonoclônico adj.
tonodistintivo adj.
tonofanto s.m.
tonofasia s.f.
tonofásico adj.
tonofibrila s.f.
tonofilamento s.m.
tonogamia s.f.
tonogâmico adj.
tonografia s.f.
tonográfico adj.
tonógrafo s.m.
tonólise s.f.
tonolítico adj.
tonometria s.f.
tonométrico adj.
tonômetro s.m.
tonoplastídeo s.m.
tonoplasto s.m.
tonoscilografia s.f.
tonoscilográfico adj.
tonoscilógrafo s.m.
tonoscopia s.f.
tonoscópico adj.
tonoscópio s.m.
tonose s.f.
tonotáctico adj.
tonotactismo s.m.
tonotático adj.
tonotatismo s.m.
tonotaxia (*cs*) s.f.
tonotecnia s.f.
tonotécnico adj. s.m.
tonotropismo s.m.
tonquim adj. s.2g.
tonquinês adj. s.m.
tonquiol s.m.
tonsar v.
tonsila s.f.
tonsilar adj.2g.
tonsilectomia s.f.
tonsilectômico adj. s.m.
tonsilha s.f.
tonsilite s.f.
tonsilítico adj.
tonsilólito s.m.
tonsilotomia s.f.
tonsilotômico adj.
tonsilótomo s.m.
tonsura s.f.
tonsuração s.f.
tonsurado adj. s.m.
tonsurador (*ô*) adj. s.m.
tonsurante adj.2g.
tonsurar v.
tonsurável adj.2g.
tonta s.f.
tontada s.f.
tontão adj. s.m.; f. *tontona*
tontaria s.f.
tontas s.f.pl.
tonteação s.f.
tonteado adj.
tonteador (*ô*) adj.
tonteante adj.2g.
tontear v.
tonteável adj.2g.
tonteira s.f.
tontejamento s.m.
tontejar v.
tontense adj. s.2g.
tonteria s.f.
tonteroso (*ô*) adj.; f. (*ó*); pl. (*ó*)
tontice s.f.
tontina s.f.
tontinária s.f.
tontineiro adj. s.m.
tontinha s.f.
tontinização s.f.
tontino adj.
tonto adj. s.m.
tontona adj. s.f. de *tontão*
tontonguê s.m.
tontura s.f.
tônus s.m.2n.
too (*ô*) s.m.
toona s.f.
topa s.f.
topa a tudo s.2g.2n. s.m.
topa-carneiro s.m.; pl. *topa-carneiros*
topada s.f.
topadela s.f.
topado adj.
topador (*ô*) adj. s.m.
topalgia s.f.
topálgico adj.
topanestesia s.f.
topanestésico adj.
topar v.
toparca s.m.
toparó s.m.
toparquia s.f.
topárquico adj.
topatinga s.m.
topa-tudo s.2g.2n.
topaz s.m.
topaza s.m.
topázico adj.
topaziense adj. s.2g.
topazino adj.
topázio s.m.
topázio-baía s.m.; pl. *topázios-baía* e *topázios-baías*
topázio-citrino s.m.; pl. *topázios-citrinos*
topázio da boêmia s.m.
topázio do brasil s.m.
topázio dos joalheiros s.m.
topázio-espanhol s.m.; pl. *topázios-espanhóis*
topázio-falso s.m.; pl. *topázios-falsos*
topázio gota-d'água s.m.; pl. *topázios gota-d'água* e *topázios gotas-d'água*
topázio-hialino s.m.; pl. *topázios-hialinos*
topázio-imperial s.m.; pl. *topázios-imperiais*
topázio-indiano s.m.; pl. *topázios-indianos*
topázio-ocidental s.m.; pl. *topázios-ocidentais*
topázio-oriental s.m.; pl. *topázios-orientais*
topázio-ouro s.m.; pl. *topázios-ouro* e *topázios-ouros*
topázio-palmira s.m.; pl. *topázios-palmira* e *topázios-palmiras*
topázio-precioso s.m.; pl. *topázios-preciosos*
topázio-rio-grande s.m.; pl. *topázios-rio-grande*
topázio-saxônico s.m.; pl. *topázios-saxônicos*
topazolita s.f.
topazolite s.f.
topazolítico adj.
topazólito s.m.
topazosemo s.m.
tope s.m.
topeado adj.
topear v.
topectomia s.f.
topectômico s.f.
topejadeira s.f.
topejado adj.
topejar v.
topense adj. s.2g.
topestesia s.f.
topestésico adj.
topestético adj.
topeta s.f.
topetada s.f.
topetadeira s.f.
topetado adj.
topetar v.
topete (*é* ou *ê*) s.m.; cf. *topete*, fl. do v. *topetar*
topete-de-cardeal s.m.; pl. *topetes-de-cardeal*
topeteira s.f.
topetuda s.f.
topetudo adj.
topiaria s.f.
topiário s.m.
tópica s.f.
topical adj.2g.
topicalização s.f.
topicalizado adj.
topicalizar v.
topicidade s.f.
tópico adj. s.m.
topinambo s.m.
topinambor s.m.
topinho adj.
topino adj.
topiquista adj. s.2g.
topista s.2g.
topitá s.m.
topnestético adj.
topo s.m. "encontro"; cf. *topo* (*ô*)
topo (*ô*) s.m. "cume"; cf. *topo* s.m. e fl. do v. *topar*
topoalgia s.f.
topoálgico adj.
topóbea s.f.
topocentral adj.2g.
topocentralidade s.f.
topocentricidade s.f.
topocêntrico adj.
topoclimático adj.
topoclimatologia s.f.
topoclimatológico adj.
topoclimatologista adj. s.2g.
topoclimatólogo adj. s.m.
topofobia s.f.
topofóbico adj.
topófobo s.m.
topofone s.m.
topofono s.m.
topofotografia s.f.
topofotográfico adj.
topogênese s.f.
topogenético adj.
topografação s.f.
topografado adj.
topografar v.
topografia s.f.
topográfico adj.
topógrafo s.m.; cf. *topografo*, fl. do v. *topografar*
topograma s.m.
topologia s.f.
topológico adj.
topologista adj. s.2g.
topólogo s.m.
topometria s.f.
topométrico adj.
topômetro s.m.
toponarcose s.f.
toponarcótico adj.
toponeurose s.f.
toponeurótico adj.
toponímia s.f.
toponímico adj. s.m.
topônimo s.m.
toponomástica s.f.
toponomástico adj. s.m.
topopolita adj.2g.
topopolítica s.f.
topopolítico adj.
topoquímico adj.
toporama s.m.
toporâmico adj.
topotáctico adj.
topotaxia (*cs*) s.f.
topotermestesiômetro s.m.
topotesia s.f.
topotésico adj.
topotípico adj.
topótipo s.m.
topotrópico adj.
topotropismo s.m.
toque s.m.
toquedá adj. s.2g.
toque-emboque s.m.; pl. *toque-emboques* e *toques-emboques*
toqueiro s.m.
toqueixo s.m.
toquelô s.m.
toque-remoque s.m.; pl. *toque-remoques* e *toques-remoques*
toque-toque s.m.; pl. *toque-toques*
toquila s.f.
toquista adj. s.2g.
tora s.f. "grande tronco de madeira", etc.; cf. *torá*
torá adj. s.2g. s.f. "lei mosaica", etc.; cf. *tora* s.f. e fl. do v. *torar*
toracadelfia s.f.
toracadélfico adj.
toracadelfo adj. s.m.
toracalgia s.f.
toracálgico adj.
toracanto s.m.
toracáster s.m.
toracectomia s.f.
toracectômico adj.
toracemia s.f.
toracêmico adj.
toracentese s.f.
toracentésico adj.
toracete (*ê*) s.m.
torácica s.f.
torácico adj. s.m.
toracidria s.f.
toracídrico adj.
toracidropneumia s.f.
toracidropnêumico adj.
toracoacromial adj.2g.
toracocentese s.f.
toracocentésico adj.
toracocentético adj.
toracocilose s.f.
toracocilósico adj.
toracocilótico adj.
toracocirtose s.f.
toracocirtósico adj.
toracodidimia s.f.
toracodidímico adj.
toracodídimo adj. s.m.
toracodinia s.f.
toracodínico adj.
toracofacial adj.2g.
toracofisia s.f.
toracóforo s.m.
toracofrenolaparotomia s.f.
toracofrenolaparotômico adj.
toracografia s.f.
toracográfico adj.
toracolaparotomia s.f.
toracolaparotômico adj.
toracolombar adj.2g.
toracomandibular adj.2g.
toracomelia s.f.
toracomélico adj.
toracômelo s.m.
toracometria s.f.
toracométrico adj.
toracômetro s.m.
toracomiodinia s.f.
toracomiodínico adj.
toracópage adj. s.m.
toracopagia s.f.
toracopágico adj.
toracópago adj. s.m.
toracoplastia s.f.
toracoplástico adj.
toracopneumia s.f.
toracopulmonar adj.2g.
toracoscopia s.f.
toracoscópico adj.
toracoscópio s.m.
toracósquise s.f.
toracosquísico adj.
toracostenose s.f.
toracostenósico adj.
toracostenótico adj.
toracósteo s.m.
toracostoma s.m.
toracostomia s.f.
toracostômico adj.
toracostráceo adj. s.m.
toracotomia s.f.
toracotômico adj. s.m.
toracoxifopagia s.f.
toracoxifopágico adj.
toracoxifópago s.m.
toracozoário adj.
torada s.f.
toradelfia s.f.
toradélfico adj.
toradelfo s.m.
torado adj.
toragem s.f.
toraí s.m.
toral adj.2g. s.m.
toralho s.m.
torana s.m.
torânia s.f.
toranja s.f.
toranjal s.m.
toranjeira s.f.
torão s.m.
toraquemia s.f.
toraquidria s.f.
toraquidropneumia s.f.
torar v.
tórax (*cs*) s.m.2n.
torba s.f.
torbanita s.f.
torbanite s.f.
torbanítico adj.
torbastnasita s.f.
torberite s.f.
torbernita s.f.

torbernite s.f.
torbernítico adj.
torbernito s.m.
torbertita s.f.
torca s.f.
torça s.f.; cf. *torça* (*ô*), fl. do v. *torcer*
torçado s.m.
torcal adj. s.2g.
torçal s.m.
torçalado adj.
torção s.f.
torcaz adj. s.2g.
torcázio s.m.
torce s.m.
torceado adj.
torcear v.
torce-cabelo s.m.; pl. *torce-cabelos*
torcedeira s.f.
torcedela s.f.
torcedoira s.f.
torcedor (*ô*) adj. s.m.
torcedora (*ô*) s.f.
torcedoura s.f.
torcedura s.f.
torcegado adj.
torcegão s.m.
torcegar v.
torcel s.m.
torcelado adj.
torcer v.
torcicolado adj.
torcicolante adj.2g.
torcicolar v.
torcicolo s.m.
torcida s.f.
torcidela s.f.
torcidense adj. s.2g.
torcidígito adj.
torcido adj. s.m.
torcilhão s.m.
torcimento s.m.
torcímetro s.m.
torciógrafo s.m.
torciolo s.m.
torcionado adj.
torcionar v.
torcionário adj. s.m.
torcisco s.m.
torço (*ô*) s.m. "torcedura"; cf. *torso* (*ô*)
torçol s.m.
torculado adj.
torcular v. adj. s.2g.
torculariano adj.
tórculo s.m.; cf. *torculo*, fl. do v. *torcular*
torda (*ô*) s.f.
torda-francesa s.f.; pl. *tordas-francesas*
torda-mergulheira s.f.; pl. *tordas-mergulheiras*
torda-zorzal s.f.; pl. *tordas-zorzais*
tordeia (*é*) s.f.
tordeia-do-mar (*é*) s.f.; pl. *tordeias-do-mar* (*é*)
tordeio s.m.
tordeira s.f.
tordeiro s.m.
tordião s.m.
tordilhada s.f.
tordilho adj. s.m.
tordiliina s.f.
tordiliínea s.f.
tordílio s.m.
tordinho s.m.
tordo (*ô*) s.m.
tordo-branco s.m.; pl. *tordos-brancos*
tordo-comum s.m.; pl. *tordos-comuns*
tordo-dos-remédios s.m.; pl. *tordos-dos-remédios*
tordo-francês s.m.; pl. *tordos-franceses*
tordo-marinho s.m.; pl. *tordos-marinhos*
tordo-menor-cantador s.m.; pl. *tordos-menores-cantadores*
tordo-menor-cantor s.m.; pl. *tordos-menores-cantores*
tordo-petinho s.m.; pl. *tordos-petinhos*
tordo-pisco s.m.; pl. *tordos-pisco* e *tordos-piscos*
tordo-ruivo s.m.; pl. *tordos-ruivos*
tordoveia s.f.
tordo-visgueiro s.m.; pl. *tordos-visgueiros*
tordo-zorzal s.m.; pl. *tordos-zorzais*
toré s.m.
toreácea s.f.
toreáceo adj.
torecta s.m.
torectandra s.f.
torectes s.m.2n.
torém s.m.; cf. *torem*, fl. do v. *torar*
torena adj.2g. s.m.
torenaço adj. s.m.
torendrikita s.f.
torengo adj. s.m.
torênia s.f.
tóreta adj. s.2g.
torete (*ê*) s.m.
toreuma s.m.
toreumatografia s.f.
toreumatográfico adj.
toreumatógrafo s.m.
toreumatologia s.f.
toreumatológico adj.
toreumatólogo s.m.
toreuta s.2g.
torêutica s.f.
torêutico adj.
torga s.f.
torgainha s.f.
torgal s.m.
torgalho s.m.
torgão s.m.
torga-ordinária s.f.; pl. *torgas-ordinárias*
torgo s.m.
torgote adj. s.2g.
torgueira s.f.
torgueiro adj.
tori s.m. "pórtico japonês"; cf. *tóri*
tóri adj. s.2g. "partido conservador inglês"; cf. *tori*
torianita s.f.
torianite s.f.
torianítico adj.
torianito s.m.
toríbio s.m.
tórico adj.
torictídeo adj. s.m.
toricto s.m.
torilo s.m.
torimídeo adj. s.m.
torina s.f.
toringina s.f.
tórino adj. s.m.
tório adj. s.m.
toriobritolita s.f.
torioesquinita s.f.
toriparuense adj. s.2g.
torique s.m.
torita s.f.
toritamense adj. s.2g.
torite s.f.
torítico adj.
torito s.m.
torixoreuense adj. s.2g.
torixorino adj. s.m.
tormenta s.f.
tormentaria s.f.
tormentativo adj.
tormenteio s.m.
tormentelho (*ê*) s.m.
tormentila s.f.
tormentilha s.f.
tormentina s.f.
tormentinhense adj. s.2g.
tormento s.m.
tormentório adj.
tormentoso (*ô*) adj.; f. (*ó*); pl. (*ó*)
tórmina s.f.
torna s.f.
torna-boda s.f.; pl. *torna-bodas*
torna-boi s.m.; pl. *torna-bois*
tornacense adj. s.2g.
tornada s.f.
tornadiço adj.
tornado adj. s.m.
tornadoira (*ô*) s.f.
tornadoiro (*ô*) s.m.
tornador (*ô*) adj. s.m.
tornadoura s.f.
tornadouro s.m.
tornadura s.f.
torna-fio s.m.; pl. *torna-fios*
torna-jeira s.f.; pl. *torna-jeiras*
tornamento s.m.
tornar v.
tornassol s.m.
tornassol-da-europa s.m.; pl. *tornassóis-da-europa*
tornassol-dos-franceses s.m.; pl. *tornassóis-dos-franceses*
tornate adj. s.2g.
tornatelina s.m.
tornatídeo adj. s.m.
tornatina s.m.
tornatinídeo s.m.
torna-torna s.f.; pl. *torna-tornas*
torna-tornarás s.f.2n.
torna-viagem adj. s.2g. s.f.; pl. *torna-viagens*
torna-voda s.f.; pl. *torna-vodas*
torna-volta s.f.; pl. *torna-voltas*
torneação s.f.
torneado adj. s.m.
torneador (*ô*) adj. s.m.
torneadura s.f.
torneamento s.m.
torneante adj.2g.
tornear v.
tornearia s.f.
torneável adj.2g.
torneio s.m.
torneira s.f.
torneirense adj. s.2g.
torneiro s.m.
torneja (*ê*) s.f.
tornejado adj.
tornejamento s.m.
tornejante adj.2g.
tornejão s.m.
tornejar v.
tornel s.m.
tornélia s.f.
tornense adj. s.2g.
tornês adj. s.m.
tornesol s.m.
tornessol s.m.
tornete (*ê*) s.m.
torneuma s.m.
torneutíneo adj. s.m.
tornil s.m.
tornilheiro adj. s.m.
tornilho s.m.
torninho s.m.
tornino adj.
torniquete (*ê*) s.m.
torno (*ô*) s.m.; pl. (*ó*); cf. *torno*, fl. do v. *tornar*
tornol s.m.
torno-revólver s.m.; pl. *tornos-revólver* e *tornos-revólveres*
tornozeleira s.f.
tornozelo (*ê*) s.m.
toro s.m. "tronco de árvore"; cf. *toró*
toró adj. s.2g. s.m. "pancada de chuva"; cf. *toro*
torocana s.m.
torochevkinita s.f.
toró-de-espinho s.m.; pl. *torós-de-espinho*
torofo s.m.
torogumita s.f.
torogumite s.f.
torogumito s.m.
toroidal adj.2g.
toroide (*ó*) adj. s.2g.
toromona adj. s.2g.
torom-torom s.m.; pl. *torom-torons*
tóron s.m.
toronado adj.
toronaico adj.
toronar v.
toroneia (*é*) adj. s.f. de *toroneu*
toroneu adj. s.m.; f. *toroneia* (*é*)
torônio s.m.
toronja s.f.
toronjal s.m.
toronjeira s.f.
tóropa s.f.
toropiense adj. s.2g.
toropixi s.m.
toró-preto s.m.; pl. *torós-pretos*
toroquaense adj. s.2g.
tororó adj.2g. s.m.
tororoma s.f.
torortita s.f.
toroso (*ô*) adj.; f. (*ó*); pl. (*ó*)
torosteenstrupina s.f.
torotungstita s.f.
toroviro s.m.
torovírus s.m.2n.
torpe (*ô*) adj.2g.
torpecer v.
torpecido adj.
torpedado adj.
torpedagem s.f.
torpedar v.
torpedeação s.f.
torpedeado adj. s.m.
torpedeador (*ô*) adj. s.m.
torpedeamento s.m.
torpedear v.
torpedeável adj.2g.
torpedeira s.f.
torpedeiro adj. s.m.
torpédico adj.
torpédida adj.2g. s.m.
torpedídeo adj. s.m.
torpedinho s.m.
torpedinídeo adj. s.m.
torpedo (*ê*) s.m.; cf. *torpedo*, fl. do v. *torpedar*
torpedo-automóvel s.m.; pl. *torpedos-automóveis*
torpente adj.2g.
torpeza (*ê*) s.f.
torpidade s.f.
tórpido adj.
torpilha s.f.
torpilhado adj.
torpilhar v.
torpitude s.f.
torpor (*ô*) s.m.
torporizado adj.
torporizar v.
torporoso (*ô*) adj.; f. (*ó*); pl. (*ó*)
torquatela s.m.
torquatelídeo adj. s.m.
torquato adj.
torquato-severense adj. s.2g.; pl. *torquato-severenses*
torque s.m.
torquemadesco adj.
torques s.m.2n. "bracelete da época pré-histórica"; cf. *torquês*
torquês s.f. "ferramenta de agarrar"; cf. *torques*
torquimétrico adj.
torquímetro s.m.
torquisco s.m.
torra s.f.
torração s.f.
torrada s.f.
torradeira s.f.
torradela s.f.
torrado adj. s.m.
torrador (*ô*) adj. s.m.
torragem s.f.
torranense adj. s.2g.
torrantês adj.
torrão s.m.
torrão de açúcar s.m.
torrão de alicante s.m.
torrar v.
torrável adj.2g.
torre (*ô*) s.f.; cf. *torre*, fl. do v. *torrar*
torreado adj.
torreame s.m.
torreano adj. s.m.
torreante adj.2g.
torreão s.m.
torrear v.
torre-branquense adj. s.2g.; pl. *torre-branquenses*
torreense adj. s.2g.
torrefação s.f.
torrefacção s.f.
torrefacto adj.
torrefactor (*ô*) adj. s.m.
torrefactura s.f.
torrefato adj.
torrefator (*ô*) adj. s.m.
torrefatura s.f.
torrefazer v.
torrefeito adj.
torreia (*ê*) s.f.
torreira (*ê*) s.f.
torrejado adj.
torrejano adj. s.m.
torrejão s.m.
torrejar v.
torrela s.f.
torrelha s.f.
torrelita s.f.
torrelite s.f.
torrencial adj.2g.
torrencialidade s.f.
torrencialismo s.m.
torrencioso (*ô*) adj.; f. (*ó*); pl. (*ó*)
torrense adj. s.2g.
torrensita s.f.
torrensite s.f.
torrente s.f.
torrentícola adj.2g.
torrentoso (*ô*) adj.; f. (*ó*); pl. (*ó*)
torrentuoso (*ô*) adj.; f. (*ó*); pl. (*ó*)
torreonense adj. s.2g.
torre-pedrense adj. s.2g.; pl. *torre-pedrenses*
torresão adj. s.m.
torrésia s.f.
torresmada s.f.
torresmice s.f.
torresmo (*ê*) s.m.
torreta (*ê*) s.f.
torreyita s.f.
torriano adj. s.m.
torricado adj.
torricar v.
torricoroado adj.
tórrida s.f.
tórrido adj.
torrificação s.f.
torrificado adj.
torrificador (*ô*) adj. s.m.
torrificar v.
torrígero adj.
torrija s.f.
torrinha s.f.
torrinheira s.f.
torrinheiro adj. s.m.
torrinhense adj. s.2g.
torriqueiro s.m.
torriscado adj.
torriscar v.
torroa (*ô*) s.f.
torroada s.f.
torroeira s.f.
torroeiro s.m.
torronense adj. s.2g.
torroso (*ô*) adj.; f. (*ó*); pl. (*ó*)
torsal s.m.
torsiógrafo s.m.
torsiômetro s.m.
torso (*ô*) s.m. "busto"; cf. *torço* (*ô*) s.m. e fl. do v. *torcer*

torsor (*ô*) s.m.
torta s.f.
tortão s.m.
tortão-besante s.m.; pl. *tortões-besantes*
torteira (*ê*) s.f.
tortela s.f.
tortelia s.f.
tortelos adj. s.m.2n.
tortense adj. s.2g.
torticeiro (*ê*) adj. s.m.
torticolo s.m.
tortilha s.f.
tortinha s.f.
tortivanho adj.
torto (*ô*) adj. s.m. adv.; f. (*ó*); pl. (*ó*)
tortoinho s.m.
tortolão s.m.
tortoles adj.2n. s.m.2n.
tortolho (*ô*) s.m.
tortolia s.f.
tortomela s.f.
tortoniano s.m.
tortônico adj.
tortor (*ô*) s.m.
tortosa s.f.
tortoz s.2g.
tortrice s.f.
tortricídeo adj. s.m.
tortricode s.f.
tortricóideo adj. s.m.
tórtrix (*cs*) s.f.2n.
tortuagem s.f.
tortual s.m.
tortudo adj.
tortueiral s.m.
tortuejante adj.2g.
tortuejar v.
tórtula s.f.
tortulácea s.f.
tortuláceo adj.
tortulheira (*ê*) s.f.
tortulho s.m.
tortulho da terra s.m.
tortulho-vermelho s.m.; pl. *tortulhos-vermelhos*
tortumelo (*ê*) s.m.
tortuno adj. s.m.
tortuosidade s.f.
tortuoso (*ô*) adj.; f. (*ó*); pl. (*ó*)
tortura s.f.
torturado adj. s.m.
torturador (*ô*) adj. s.m.
torturante adj.2g.
torturar v.
torturário adj.
torturável adj.2g.
tortveitite s.f.
toru s.m.
tórula s.f.
toruláceo adj. s.m.
torularodina s.f.
torúlea s.f.
torulina s.f.
tórulo s.m.
toruloide (*ó*) adj.2g.
torulopsidose s.m.
torulópsis s.f.2n.
torulose s.f.
toruloso (*ô*) adj.; f. (*ó*); pl. (*ó*)
torumã s.m.
torunguenga adj. s.2g.
torutita s.f.
torva (*ô*) s.f.
torvação s.f.
torvado adj.
torvador (*ô*) adj.
torvamento s.m.
torvar v.
torvate adj. s.2g.
torveitita s.f.
torvelim s.m.
torvelinhante adj.2g.
torvelinhar v.
torvelinho s.m.
torvelino s.m.
torvento adj.
torvisco s.m.
torvo (*ô*) adj. s.m.; cf. *torvo*, fl. do v. *torvar*
tosa s.f.
tosadeira s.f.
tosado adj.
tosador (*ô*) adj. s.m.
tosadura s.f.
tósalis s.f.2n.
tosamento s.m.
tosão s.m.
tosar v.
toscado adj.
toscanejamento s.m.
toscanejante adj.2g.
toscanejar v.
toscanita s.f.
toscanite s.f.
toscanito s.m.
toscano adj. s.m.
toscante s.m.
toscar v.
toscaria s.m.
tosco (*ô*) adj.; cf. *tosco*, fl. do v. *toscar*
tosconear v.
tosela v.
tosguinha s.f.
tosila s.f.
tosilático adj.
tosilato s.m.
tosílico adj.
toso (*ô*) s.m.; cf. *toso*, fl. do v. *tosar*
tosque s.m.
tosquedade s.f.
tosquenejamento s.m.
tosquenejar v.
tosquia s.f.
tosquiada s.f.
tosquiadeira s.f.
tosquiadela s.f.
tosquiado adj.
tosquiador (*ô*) adj. s.m.
tosquiadora (*ô*) s.f.
tosquiadura s.f.
tosquiamento s.m.
tosquiar v.
tosquiável adj.2g.
tosquidade s.f.
tossafista adj. s.2g.
tosse s.f.
tossegar v.
tossegoso (*ô*) adj.; f. (*ó*); pl. (*ó*)
tosseira (*ê*) s.f.
tossicar v.
tóssico adj.
tossícula s.f.
tossiculoso (*ô*) adj.; f. (*ó*); pl. (*ó*)
tossidela s.f.
tossido adj. s.m.
tossigar v.
tossigoso (*ô*) adj. s.m.; f. (*ó*); pl. (*ó*)
tossila s.m.
tossiqueira (*ê*) s.f.
tossiquento adj.
tossir v.
tosso (*ô*) adj.
tosta s.f.
tostadela s.f.
tostado adj.
tostadura s.f.
tostamento s.m.
tostão s.m.
tosta-olho s.m.; pl. *tosta-olhos*
tostar v.
tostável adj.2g.
toste adj.2g. s.m.
tostegado adj.
tostegão s.m.
tostegar v.
total adj.2g. s.m.
totalidade s.f.
totalitário adj.
totalitarismo s.m.
totalitarista adj. s.2g.
totalitarístico adj.
totalizabilidade s.f.
totalização s.f.
totalizado adj.
totalizador (*ô*) adj. s.m.
totalizante adj.2g.
totalizar v.
totalizável adj.2g.
totalux (*cs*) s.m.2n.
totanga s.f.
totanínea s.f.
totano s.m.
totaquina s.f.
totelicário s.m.
totelimúndi s.m.
totem s.m.
tóteme s.m.
totêmico adj.
totemismo s.m.
totemista adj. s.2g.
totemístico adj.
totemização s.f.
totemizado adj.
totemizar v.
totilimunde s.m.
totipalma s.f.
totipalmado adj. s.m.
totipálmea s.f.
totipotência s.f.
totipotencial adj.2g.
totipotente adj.2g.
totó s.m.
totolita s.f.
totolite s.f.
totolito s.m.
totoloque s.m.
totonaca adj. s.2g. s.m.
totoparcial adj.2g.
totora s.f.
tototoal adj.2g.
totuma s.f.
totumo s.m.
toturubá s.m.
touaíte adj. s.2g.
touarela s.m.
touca s.f. "peça usada para cobrir a cabeça"; cf. *toucá*
toucá s.m. "castanheira-do-pará"; cf. *touca*
touça s.f.
touca-de-viúva s.f.; pl. *toucas-de-viúva*
toucado adj. s.m.
touca-do-diabo s.f.; pl. *toucas-do-diabo*
toucador (*ô*) adj. s.m.
toucar v.
touçar v.
touceira (*ê*) s.f.
touceiral s.m.
toucinhama s.f.
toucinharia s.f.
toucinheira (*ê*) s.f.
toucinheiro (*ê*) s.m.
toucinhento adj.
toucinho s.m.
toucinho do céu s.m.
toucinhoso (*ô*) adj.; f. (*ó*); pl. (*ó*)
touço s.m.
toufão s.m.
tougue s.m.
touguinho adj.
toupa s.f.
toupeira (*ei*) s.f.
toupeirão s.m.
toupeirinho adj. s.m.
toupeirismo s.m.
toupeiro (*ê*) adj. s.m.
touqueiro (*ê*) adj. s.m.
touqueixo (*ê*) s.m.
touquete (*ê*) s.m.
toura s.f.
touração s.f.
tourada s.f.
tourado adj.
toural adj.2g. s.m.
touralho s.m.
tourão s.m.
tourão-do-mato s.m.; pl. *tourões-do-mato*
tourão-fétido s.m.; pl. *tourões-fétidos*
tourar v.
touraria s.f.
toureação s.f.
toureado adj.
toureador (*ô*) adj. s.m.
toureanda s.f.
tourear v.
tourega s.f.
toureio (*ê*) s.m.
toureira (*ê*) s.f.
toureiro (*ê*) adj. s.m.
tourejado adj.
tourejão s.m.
tourejar v.
tourense adj. s.2g.
touriga s.f.
touriga-fina s.f.; pl. *tourigas-finas*
touriga-foufeira s.f.; pl. *tourigas-foufeiras*
touriga-francesa s.f.; pl. *tourigas-francesas*
touriga-macha s.f.; pl. *tourigas-machas*
touriga-nacional s.f.; pl. *tourigas-nacionais*
tourigão s.m.
tourigão-foufeiro s.m.; pl. *tourigões-foufeiros*
tourigo s.m.
touril s.m.
touringa s.f.
touringo s.m.
tourinha s.f.
tourinhense adj. s.2g.
tournefórcia s.f.
touro s.m.
touro-das-índias s.m.; pl. *touros-das-índias*
touro-galego s.m.; pl. *touros-galegos*
tourôulia s.f.
tourrétia s.f.
tourunguenga adj. s.2g.
touruno adj.
touta s.f.
touteador (*ô*) adj. s.m.
toutear v.
toutelo s.m.
toutiçada s.f.
toutiço s.m.
toutinegra (*ê*) s.f.
toutinegra-de-barrete-preto s.f.; pl. *toutinegras-de-barrete-preto*
toutinegra-de-cabeça-preta s.f.; pl. *toutinegras-de-cabeça-preta*
toutinegra-dos-valados s.f.; pl. *toutinegras-dos-valados*
toutinegra-real s.f.; pl. *toutinegras-reais*
toutivanas s.2g.2n.
tova adj. s.2g.
tovaca s.f.
tovacaçu s.f.
tovacuçu s.f.
tovacuçu-malhado s.m.; pl. *tovacuçus-malhados*
továria s.f.
tovariácea s.f.
tovariáceo adj.
toviado s.m.
tovomita s.f.
tovomitópsis s.f.2n.
toxafeno (*cs*) s.m.
toxalbumina (*cs*) s.f.
toxalbuminose (*cs*) s.f.
toxalbuminósico (*cs*) adj.
toxalbuminótico (*cs*) adj.
toxalbumose (*cs*) s.f.
toxalbumósico (*cs*) adj.
toxalbumótico (*cs*) adj.
toxandro (*cs*) adj. s.m.
toxanemia (*cs*) s.f.
toxanêmico (*cs*) adj.
toxascáride (*cs*) s.f.
toxáscaris (*cs*) s.f.2n.
toxaspira (*cs*) s.f.
toxemia (*cs*) s.f.
toxêmico (*cs*) adj.
toxia (*cs*) s.f.
toxibacterioterapia (*cs*) s.f.
toxibacterioterápico (*cs*) adj.
toxicado (*cs*) adj.
toxicador (*cs...ô*) adj. s.m.
toxicar (*cs*) v.
toxicemia (*cs*) s.f.
toxicêmico (*cs*) adj.
toxicida (*cs*) adj.2g. s.m.
toxicidade (*cs*) s.f.
toxicina (*cs*) s.f.
tóxico (*cs*) adj. s.m.
toxicodendro (*cs*) s.m.
toxicodendrômico (*cs*) adj.
toxicodependência (*cs*) s.f.
toxicodependente (*cs*) adj. s.2g.
toxicodermatite (*cs*) s.f.
toxicodermatítico (*cs*) adj.
toxicodermatose (*cs*) s.f.
toxicodermatósico (*cs*) adj.
toxicodermia (*cs*) s.f.
toxicodérmico (*cs*) adj.
toxicoemia (*cs*) s.f.
toxicoêmico (*cs*) adj.
toxicofagia (*cs*) s.f.
toxicofágico (*cs*) adj.
toxicófago (*cs*) adj. s.m.
toxicofidia (*cs*) s.f.
toxicofídico (*cs*) adj.
toxicofleia (*cs...é*) s.f.
toxicofobia (*cs*) s.f.
toxicofóbico (*cs*) adj.
toxicófobo (*cs*) adj. s.m.
toxicóforo (*cs*) adj.
toxicógeno (*cs*) adj.
toxicografia (*cs*) s.f.
toxicográfico (*cs*) adj.
toxicógrafo (*cs*) s.m.
tóxico-hemia (*cs*) s.f.
tóxico-hêmico (*cs*) adj.
toxicologia (*cs*) s.f.
toxicológico (*cs*) adj.
toxicologista (*cs*) adj. s.2g.
toxicólogo (*cs*) s.m.
toxicomania (*cs*) s.f.
toxicomaníaco (*cs*) adj. s.m.
toxicômano (*cs*) s.m.
toxicometria (*cs*) s.f.
toxicométrico (*cs*) adj.
toxicômetro (*cs*) s.m.
toxicopata (*cs*) adj. s.2g.
toxicópata (*cs*) adj. s.2g.
toxicopatia (*cs*) s.f.
toxicopático (*cs*) adj.
toxicoscórdio (*cs*) s.m.
toxicose (*cs*) s.f.
toxicoterapia (*cs*) s.f.
toxicoterápico (*cs*) adj.
toxicótico (*cs*) adj.
toxidade (*cs*) s.f.
toxidendro (*cs*) s.m.
toxidermia (*cs*) s.f.
toxidérmico (*cs*) adj.
toxidez (*cs...ê*) s.f.
toxiesterol (*cs*) s.m.
toxiferina (*cs*) s.f.
toxiferínico (*cs*) adj.
toxífero (*cs*) adj.
toxifilia (*cs*) s.f.
toxifílico (*cs*) adj.
toxifrenia (*cs*) s.f.
toxigenicidade (*cs*) s.f.
toxigenina (*cs*) s.f.
toxígeno (*cs*) adj.
toxiglosso (*cs*) s.m.
toxi-infecção (*cs*) s.f.
toxi-infeccioso (*cs...ô*) adj.; f. (*ó*); pl. (*ó*)
toxina (*cs*) s.f.
toxina-anatoxina s.f.; pl. *toxinas-anatoxinas*
toxinemia (*cs*) s.f.
toxinêmico (*cs*) adj.
toxinfecção (*cs*) s.f.
toxinfeccioso (*ô*) adj.; f. (*ó*); pl. (*ó*)
toxinicida (*cs*) adj.2g. s.m.
toxinicídio (*cs*) s.m.
toxínico (*cs*) adj.
toxinose (*cs*) s.f.
toxinoterapia (*cs*) s.f.
toxinoterápico (*cs*) adj.
toxipata (*cs*) adj. s.2g.
toxípata (*cs*) adj. s.2g.

toxipatia (*cs*) s.f.
toxipático (*cs*) adj.
toxipeptona (*cs*) s.f.
toxiquemia (*cs*) s.f.
toxiquêmico (*cs*) adj.
toxisterol (*cs*) s.m.
toxiterapia (*cs*) s.f.
toxiterápico (*cs*) adj.
toxitubercúlida (*cs*) s.f.
toxituberculide (*cs*) s.f.
toxitubercúlide (*cs*) s.f.
toxoalexina (*cs...cs*) s.f.
toxocalina (*cs*) s.f.
toxocampa (*cs*) s.f.
toxócara (*cs*) s.f.
toxocaríase (*cs*) s.f.
toxocarpo (*cs*) adj. s.m.
toxócera (*cs*) s.f.
toxodonte (*cs*) adj.2g. s.m.
toxodontídeo (*cs*) adj. s.m.
toxofilaxina (*cs...cs*) s.f.
toxofilia (*cs*) s.f.
toxofílico (*cs*) adj.
toxofilo (*cs*) adj.
toxoflavina (*cs*) s.f.
toxoflavínico (*cs*) adj.
toxofobia (*cs*) s.f.
toxofóbico (*cs*) adj.
toxófobo (*cs*) adj. s.m.
toxóforo (*cs*) adj. s.m.
toxogenina (*cs*) s.f.
toxoglosso (*cs*) adj. s.m.
toxógum (*cs*) s.m.
toxoide (*csó*) adj.2g. s.m.
toxoideantitoxoide (*ó*) s.m.
toxolecitina (*cs*) s.f.
toxólise (*cs*) s.f.
toxolisina (*cs*) s.f.
toxolítico (*cs*) adj.
toxólito (*cs*) s.m.
toxomimese (*cs*) s.f.
toxomimético (*cs*) adj.
toxona (*cs*) s.f.
toxoneura (*cs*) s.f.
toxopeptona (*cs*) s.f.
toxoplasma (*cs*) s.m.
toxoplasmídeo (*cs*) adj. s.m.
toxoplasmose (*cs*) s.f.
toxoplasmósico (*cs*) adj.
toxopneustes (*cs*) s.m.2n.
toxóptera (*cs*) s.f.
toxóptero (*cs*) s.m.
toxórquis (*cs*) s.m.2n.
tóxota (*cs*) s.m.
tóxotes (*cs*) s.m.2n.
toxoteuques (*cs*) s.m.2n.
toxótide (*cs*) s.f.
toxotídeo (*cs*) adj. s.m.
tóxotis (*cs*) s.f.2n.
tóxoto (*cs*) s.m.
toxuria (*cs*) s.f.
toxúria (*cs*) s.f.
toxúrico (*cs*) adj.
tózia s.f.
trabácolo s.m.
trabal adj.2g.
trabalbada s.f.
trabalhabilidade s.f.
trabalhadeira s.f.
trabalhado adj.
trabalhador (*ô*) adj. s.m.
trabalhão s.m.
trabalhar v.
trabalhável adj.2g.
trabalheira s.f.
trabalhiscar v.
trabalhismo s.m.
trabalhista adj. s.2g.
trabalhístico adj.
trabalho s.m.
trabalhoso (*ô*) adj.; f. (*ó*); pl. (*ó*)
trabalhucar v.
trabante s.m.
trábea s.f.
trabeação s.f.
trabecos s.m.pl.
trabécula s.f.
trabeculado adj.
trabecular adj.2g.
trabeculoplastia s.f.
trabeculotomia s.f.
trabela s.f.
trabeleia (*ê*) s.2g.
trabelhar v.
trabelho (*ê*) s.m.
trabiate adj. s.2g.
trabijuense adj. s.2g.
trabisósteno s.m.
traboeirada s.f.
trabola s.f.
trabota s.f.
trabucada s.f.
trabucador (*ô*) adj. s.m.
trabucante adj.2g.
trabucar v.
trabuco s.m.
trabul s.m.
trabula s.f.
trabulado adj.
trabulança s.f.
trabular v.
trabulo s.m.
trabuqueiro s.m.
trabuqueta (*ê*) s.f.
trabuquete (*ê*) s.m.
trabuzana adj. s.2g. s.f.
trabuzanada s.f.
traca s.f.
traça s.f.
traça-da-azeitona s.f.; pl. *traças-da-azeitona*
traça-da-batata s.f.; pl. *traças-da-batata*
traça-da-batatinha s.f.; pl. *traças-da-batatinha*
traça-da-cera s.f.; pl. *traças-da-cera*
traça-da-fruta s.f.; pl. *traças-da-fruta*
traça-da-lã s.f.; pl. *traças-da-lã*
traça-das-colmeias (*ê*) s.f.; pl. *traças-das-colmeias*
traça-das-couves s.f.; pl. *traças-das-couves*
traça-das-farinhas s.f.; pl. *traças-das-farinhas*
traça-das-paredes s.f.; pl. *traças-das-paredes*
traça-das-peletarias s.f.; pl. *traças-das-peletarias*
traça-das-peleterias s.f.; pl. *traças-das-peleterias*
traça-das-roupas s.f.; pl. *traças-das-roupas*
traça-das-tapeçarias s.f.; pl. *traças-das-tapeçarias*
traça-das-uvas s.f.; pl. *traças-das-uvas*
traça-de-biblioteca s.f.; pl. *traças-de-biblioteca*
traçadeira s.f.
traçado adj. s.m.
traça-do-livro s.f.; pl. *traças-do-livro*
traçador (*ô*) adj. s.m.
traça-dos-celeiros-de-trigo s.f.; pl. *traças-dos-celeiros-de-trigo*
traça-dos-cereais s.f.; pl. *traças-dos-cereais*
traça-dos-figos s.f.; pl. *traças-dos-figos*
traça-dos-livros s.f.; pl. *traças-dos-livros*
traça-dos-panos-de-lã s.f.; pl. *traças-dos-panos-de-lã*
traça-dos-tapetes s.f.; pl. *traças-dos-tapetes*
traçagem s.f.
tracajá s.m.
traça-letras s.m.2n.
traçalhão s.m.
tracalhaz s.m.
traçalheiro adj. s.m.
tracalhice s.f.
traçalho s.m.
traça-mapas s.2g.2n.
tracambista s.2g.
traçamento s.m.
traça-moldes s.m.2n.
traçana adj. s.2g.
tracanaço s.m.
tracanaz s.m.
traçanga s.f.
traçante adj.2g.
traça-números s.m.2n.
tração adj. s.m.f.
traça-prateada s.f.; pl. *traças-prateadas*
traçar v.
traçaria s.f.
traça-saltadora s.f.; pl. *traças-saltadoras*
trace adj. s.2g.
tracejado adj. s.m.
tracejamento s.m.
tracejar v.
tracelete (*ê*) s.m.
tracense adj. s.2g.
trácia s.f.
trácico adj. s.m.
tracicomido adj.
trácides s.f.2n.
tracilhado adj.
tracilim s.m.
trácio adj. s.m.
tracionado adj.
tracionar v.
tracista adj. s.2g.
traco adj. s.m.
traço s.m.
traco-búlgaro adj.; pl. *traco-búlgaros*
traço de união s.m.
traco-frígio adj.; pl. *traco-frígios*
traco-grego adj.; pl. *traco-gregos*
traco-ilírico adj.; pl. *traco-ilíricos*
traco-ilírio adj.; pl. *traco-ilírios*
tracolança s.f.
tracolejar v.
tracolejo (*ê*) s.m.
tracoma s.m.
traco-macedônico adj.; pl. *traco-macedônicos*
traco-macedônio adj.; pl. *traco-macedônios*
tracomatologia s.f.
tracomatológico adj.
tracomatoso (*ô*) adj. s.m.; f. (*ó*); pl. (*ó*)
tracomedusa s.f.
tracônico adj.
traconídeo adj. s.m.
traconismo s.m.
traconita adj. s.2g.
traconuro s.m.
traco-romano adj.; pl. *traco-romanos*
traco-turco adj.; pl. *traco-turcos*
tractarianismo s.m.
tractariano adj. s.m.
tráctaro adj. s.m.
tractatriz s.f.
tractonite adj. s.2g.
tractório adj.
tractotomia s.f.
tractotômico adj.
tractriz s.f.
tracuá s.f. "formiga"; cf. *tracuã*
tracuã s.m. "planta"; cf. *tracuá*
tracuaense adj. s.2g.
tracuateuense adj. s.2g.
tracunhaenense adj. s.2g.
tracupaense adj. s.2g.
tracuro s.m.
tracutinga s.f.
tracuxinga s.f.
tradado adj.
tradar v.
tradeado adj.
tradeador (*ô*) adj. s.m.
tradear v.
tradela s.f.
tradente s.2g.
tradescância s.f.
tradescancíea s.f.
tradição s.f.
tradicional adj.2g.
tradicionalidade s.f.
tradicionalismo s.m.
tradicionalista adj. s.2g.
tradicionalístico adj.
tradicionalizado adj.
tradicionalizar v.
tradicionário adj. s.m.
tradicionismo s.m.
tradicionista adj. s.2g.
tradicionístico adj.
tradilha s.f.
tradinha s.f.
traditivo adj.
trádito adj.
trado s.m.
tradorsado adj.
tradução s.f.
traducianismo s.m.
traducianista adj. s.2g.
traducianístico adj.
traduciano s.m.
traducional adj.2g.
traduciônimo s.m.
traducionismo s.m.
traducionista adj. s.2g.
traducionístico adj.
traductologia s.f.
traductológico adj.
traductólogo s.m.
tradutibilidade s.f.
tradutível adj.2g.
tradutologia s.f.
tradutológico adj.
tradutólogo s.m.
tradutor (*ô*) adj. s.m.
traduzibilidade s.f.
traduzido adj.
traduzir v.
traduzível adj.2g.
tráfega s.f.; cf. *trafega*, fl. do v. *trafegar*
trafegabilidade s.f.
trafegado adj.
trafegador (*ô*) adj.
trafegante adj. s.2g.
trafegar v.
trafegável adj.2g.
tráfego s.m.; cf. *trafego*, fl. do v. *trafegar*
trafeguear v.
trafegueiro s.m.
traficabilidade s.f.
traficagem s.f.
traficância s.f.
traficante adj. s.2g.
traficar v.
traficável adj.2g.
tráfico s.m.; cf. *trafico*, fl. do v. *traficar*
trafogueiro s.m.
trafolim s.m.
trafulha adj. s.2g. s.f.
trafulhar v.
trafulhice s.f.
traga-balas s.2g.2n.
tragacanta s.f.
tragacanto s.m.
tragada s.f.
tragadeiro s.m.
tragadela s.f.
tragado adj.
tragadoiro s.m.
tragador (*ô*) adj. s.m.
tragadouro s.m.
tragamento s.m.
traga-moiros s.m.2n.
traga-mouros s.m.2n.
tragano s.m.
tragante adj.2g.
traganto s.m.
tragar v.
traga-sangue s.m.; pl. *traga-sangues*
tragável adj.2g.
tragédia s.f.
tragediado adj.
tragediador (*ô*) s.m.
tragediante adj. s.2g.
tragediar v.
tragediografia s.f.
tragediográfico adj.
tragediógrafo s.m.
tragelafíneo adj. s.m.
tragélafo s.m.
trágia s.f.
tragiano adj.
trágico adj. s.m.
trágico-cômico adj.; pl. *trágico-cômicos*
trágico-marítimo adj.; pl. *trágico-marítimos*
tragicomédia s.f.
tragicomediografia s.f.
tragicomediográfico adj.
tragicomediógrafo s.m.
tragicômico adj.
tragifarsa s.f.
tragimentos s.m.pl.
traginante s.2g.
traginar v.
trágio s.m.
trago s.m.
tragocéfala s.f.
tragócero s.m.
tragocutâneo adj.
trago-espinhoso s.m.; pl. *trago-espinhosos*
tragofonia s.f.
tragofônico adj.
trágopa s.f.
tragopana s.f.
tragopógon s.m.
tragor (*ô*) s.m.
tragossoma s.m.
tragossomo s.m.
traguá s.f.
tragueado adj.
traguear v.
traguira s.f.
trágula s.f.
tragulário s.m.
tragulídeo adj. s.m.
trágulo s.m.
traguloide (*ó*) adj.2g. s.m.
trágus s.m.2n.
traianapolitano adj. s.m.
traianense adj. s.2g.
traição s.f.
traicionado adj.
traicionar v.
traiçoado adj.
traiçoeiro adj. s.m.
traído adj.
traidor (*ô*) adj. s.m.; f. *traidora*
traidora (*ô*) adj. s.f. de *traidor* (*ô*)
traidoria s.f.
traieira s.f.
traimento s.m.
traina s.f.
trainar v.
traineira s.f.
trainel s.m.
traipuense adj. s.2g.
trair v.
traíra s.m.f.
trairaboia (*ó*) s.f.
traíra-das-pedras s.f.; pl. *traíras-das-pedras*
traíra-do-mar s.f.; pl. *traíras-do-mar*
trairamboia (*ó*) s.f.
trairão s.m.
traíra-pedra s.f.; pl. *traíras-pedra* e *traíras-pedras*
traíra-pixuna s.f.; pl. *traíras-pixuna* e *traíras-pixunas*
traíra-pixúria s.f.; pl. *traíras-pixúria* e *traíras-pixúrias*
trairense adj. s.2g.
trairiense adj. s.2g.
traironense adj. s.2g.
trairuçu s.m.
traituense adj. s.2g.
traiuçu s.m.
trajado adj.
trajadura s.f.
trajanense adj. s.2g.
trajano-moralense adj. s.2g.; pl. *trajano-moralenses*
trajar v. s.m.
traje s.m.

trajeitado adj.
trajetício adj.
trajeto s.m.
trajetória s.f.
trajo s.m.
traladação s.f.
traladado adj.
traladar v.
trá-lá-lá s.m.; pl. *trá-lá-lás*
trale adj. s.2g.
tralense adj. s.2g.
tralha s.f.
tralhada s.f.
tralhadela s.f.
tralhado adj. s.m.
tralhadoiro s.m.
tralhadouro s.m.
tralhão s.m.
tralhar v.
tralharão adj. s.m.; f. *tralharona*
tralharona adj. s.f. de *tralharão*
tralho s.m.
tralhoada s.f.
tralhoeira s.f.
tralhoto (*ô*) s.m.
traliano adj. s.m.
tralo adj. s.m.
trama s.m.f.
tramação s.f.
tramado adj.
tramador (*ô*) adj. s.m.
tramaga s.f.
tramagal s.m.
tramagueira s.f.
tramalhado adj.
tramalhar v.
tramandaiense adj. s.2g.
tramanzola s.2g.
tramar v.
tramático adj.
tramável adj.2g.
tramazeira s.f.
tramba las águas s.m.2n.
trambalazanas s.2g.2n.
trambalear v.
trambalhar v.
trambecar v.
trambelho (*ê*) s.m.
trambicado adj.
trambicar v.
trambicheiro adj.
trambique s.m.
trambiqueiro adj. s.m.
trambleque adj.
trambocalho s.m.
trambola s.f.
trambolhada s.f.
trambolhado adj.
trambolhão s.m.
trambolhar v.
trambolhia s.f.
trambolho (*ô*) s.m.; cf. *trambolho*, fl. do v. *trambolhar*
trambuzana s.f.
tramela s.2g.
tramelado adj.
tramelão s.m.
tramelar v.
tramelo (*ê*) s.m.; cf. *tramelo*, fl. do v. *tramelar*
tramembé adj. s.2g.
tramenha s.f.
tramenho s.m.
trameter v.
tramista s.2g.
tramitação s.f.
tramitar v.
trâmite s.m.; cf. *tramite* do v. *tramitar*
tramo s.m.
tramoeiro s.m.
tramoia (*ó*) s.f.
tramoieiro s.m.
tramolhada s.f.
tramontana s.f.
tramontano adj. s.m.
tramontante adj.2g.
tramontar v. s.m.
tramoso (*ô*) adj.; f. (*ó*); pl. (*ó*)
tramosseríceo adj.
tramouco adj.
trampa s.f.
trampalho s.m.
trampão adj. s.m.; f. *trampona*
trampear v.
trampejar v.
trampesco (*ê*) s.m.
trampicalho s.m.
trampice s.f.
trampista adj. s.2g.
trampo s.m.
trampola s.f.
trampolim s.m.
trampolina s.f.
trampolinada s.f.
trampolinagem s.f.
trampolinar v.
trampolineiro adj. s.m.
trampolinice s.f.
trampolinista adj. s.2g.
trampona adj. s.f. de *trampão*
tramposeado adj.
tramposear v.
tramposo (*ô*) adj.; f. (*ó*); pl. (*ó*)
trâmuei s.m.
tramuinha s.f.
trana s.f.
tranado adj.
tranador (*ô*) adj.
tranar v.
tranca adj. s.2g. s.f.
trança s.f.
trancação s.f.
trancaço s.m.
trancada s.f.
trançadeira s.f.
trancado adj.
trançado adj. s.m.
trancador (*ô*) adj. s.m.
trançador (*ô*) adj. s.m.
trancafiação s.f.
trancafiado adj.
trancafiador (*ô*) adj. s.m.
trancafiamento s.m.
trancafiar v.
trancafiável adj.2g.
trancafilado adj.
trancafilar v.
trancafio s.m.
tranca-gira s.2g.; pl. *tranca-giras*
trancalhetas (*ê*) s.f.pl.
trancalho s.m.
trancamento s.m.
tranca-mestra s.2g.; pl. *tranca-mestras*
trancanaz s.m.
trancanholas s.f.pl.
trancante adj.2g.
trançante adj. s.2g.
trancão s.m.
trancar v.
trançar v.
trancara s.f.
trançaria s.f.
tranca-rua s.2g.; pl. *tranca-ruas*
tranca-ruas s.2g.2n.
tranca-trilhos s.m.2n.
trancável adj.2g.
trançável adj.2g.
trancázio s.m.
trancazo s.m.
trance s.m.
trancelho (*ê*) s.m.
trancelim s.m.
trancha s.f. "ferramenta de funileiro"; cf. *tranchã*
tranchã adj.2g.2n. "incisivo"; cf. *trancha* s.f. e fl. do v. *tranchar*
tranchar v.
tranchefilas s.m.2n.
trancho s.m.
trancinha adj. s.2g. s.f.
tranco s.m.
trancoeiro s.m.
trancosano adj. s.m.
trancosão adj. s.m.
trancoseiro adj. s.m.
trancosense adj. s.2g.
trancoso (*ô*) s.m.; na loc. *de trancoso*
trancucho adj. s.m.
trancudo adj. s.m.
trangalhadanças s.2g.2n.
trangalhão s.m.; f. *trangalhona*
trangalho s.m.
trangalhona s.f. de *trangalhão*
trangana s.f.
tranganho s.m.
trangla s.f.
tranglomanglo s.m.
trango s.m.
trangola s.m.
trangolho (*ô*) s.m.
trangolomango s.m.
trangomango s.m.
trangulho s.m.
tranita s.f.
tranoco adj.
tranqueação s.f.
tranqueada s.f.
tranqueado adj. s.m.
tranqueamento s.m.
tranquear v.
tranqueira s.f.
tranqueirado adj.
tranqueirar v.
tranqueirense adj. s.2g.
tranqueiro s.m.
tranquelejado adj.
tranquelejar v.
tranqueta (*ê*) s.f.
tranquete (*ê*) s.m.
tranquia s.f.
tranquiberna s.f.
tranquibernar v.
tranquiberneiro adj. s.m.
tranquibérnia s.f.; cf. *tranquibernia*, fl. do v. *tranquiberniar*
tranquiberniar v.
tranquibernice s.f.
tranquilha s.f.
tranquilheiro s.m.
tranquilidade (*ü*) s.f.
tranquilidita (*ü*) s.f.
tranquilização (*ü*) s.f.
tranquilizado (*ü*) adj.
tranquilizador (*ü...ô*) adj. s.m.
tranquilizante (*ü*) adj.2g. s.m.
tranquilizar (*ü*) v.
tranquilizável (*ü*) adj.2g.
tranquilo (*ü*) adj.
tranquinar v.
tranquitana s.f.
tranquito s.m.
transa (*za*) s.f.
transaariano adj.
transação (*za*) s.f.
transacetílase (*za*) s.f.
transacionado (*za*) adj.
transacionador (*za...ô*) adj. s.m.
transacional (*za*) adj.2g.
transacionalidade (*za*) s.f.
transacionar (*za*) v.
transacionista (*za*) adj. s.2g.
transacriano (*za*) adj.
transacto (*za*) adj.
transactor (*zactôr*) adj. s.m.
transadição (*za*) s.f.
transadmitância (*za*) s.f.
transafricano (*za*) adj.
transalpino (*za*) adj.
transamazonense (*za*) adj.2g.
transamazoniano (*za*) adj.
transamazônico (*za*) adj.
transamericano (*za*) adj.
transaminação (*za*) s.f.
transaminante (*za*) adj.2g.
transaminar (*za*) v.
transaminase (*za*) s.f.
transamínase (*za*) s.f.
transaminasemia (*za*) s.f.
transaminasêmico (*za*) adj.
transaminável (*za*) adj.2g.
transandino (*zan*) adj.
transanimação (*za*) s.f.
transanimado (*za*) s.m.
transar (*za*) v.
transaraliano (*za*) adj.
transariano (*za*) adj.
transarmônico (*zar*) adj.
transasiático (*za*) adj.
transatlântico (*za*) adj. s.m.
transato (*za*) adj.
transator (*zatôr*) adj. s.m.
transaustraliano (*za*) adj.
transbaicaliano adj. s.m.
transbalcânico adj. s.m.
transbolhão s.m.
transbordado adj.
transbordador (*ô*) adj. s.m.
transbordamento s.m.
transbordante adj.2g.
transbordar v.
transbordável adj.2g.
transbordejante adj.2g.
transbordejar v.
transbordo (*ô*) s.m.; cf. *transbordo*, fl. do v. *transbordar*
transbrasiliano adj. s.m.
transcamaronense adj.2g.
transcanadense adj.2g.
transcapsidização s.f.
transcaspiano adj. s.m.
transcaucasiano adj. s.m.
transcaucásico adj. s.m.
transcaucásio adj. s.m.
transcendência s.f.
transcendental adj.2g.
transcendentalidade s.f.
transcendentalismo s.m.
transcendentalista adj. s.2g.
transcendentalístico adj.
transcendentalização s.f.
transcendentalizado adj.
transcendentalizar v.
transcendente adj.2g. s.m.
transcendentismo s.m.
transcendentista adj. s.2g.
transcendentístico adj.
transcendentivo adj.
transcender v.
transcendido adj.
transcensão s.f.
transceptor (*ô*) s.m.
transcoação s.f.
transcoado adj.
transcoador (*ô*) adj.
transcoar v.
transcobalamina s.f.
transcodificação s.f.
transcodificado adj.
transcodificador (*ô*) adj. s.m.
transcodificar v.
transcodificável adj.2g.
transcolação s.f.
transcolado adj.
transcolador (*ô*) adj.
transcolar v.
transcolatório adj.
transcondução s.f.
transcondutância s.f.
transconduto s.m.
transcondutor (*ô*) adj. s.m.
transcontinental adj.2g.
transcontinentalidade s.f.
transcorrência s.f.
transcorrente adj.2g.
transcorrer v.
transcorrido adj.
transcortical adj.
transcortina s.f.
transcrever v.
transcriação s.f.
transcriativo adj.
transcrição s.f.
transcricional adj.2g.
transcriptase s.f.
transcrito adj. s.m.
transcritor (*ô*) adj. s.m.
transcudano adj. s.m.
transcultura s.f.
transculturação s.f.
transculturado adj.
transcultural adj.2g.
transculturamento s.m.
transculturante adj.2g.
transculturar v.
transculturável adj.2g.
transcurado adj.
transcurar v.
transcurável adj.2g.
transcurral s.m.
transcursão s.f.
transcursar v.
transcurso adj. s.m.
transcurvo adj.
transcutâneo adj.
transdanubiano adj. s.m.
transdução s.f.
transducente adj.2g.
transductor (*ô*) s.m.
transdutível adj.2g.
transdutor (*ô*) adj. s.m.
transduzente adj.2g.
transduzido adj.
transduzir v.
transduzível adj.2g.
transe (*ze*) s.m.
transeção s.f.
transecção s.f.
transeccionar v.
transecionar v.
transecular adj.2g.
transefusão (*ze*) s.f.
transempírico (*zem*) adj.
transena s.f.
transeptal adj.2g.
transepto s.m.
transequatorial (*ze*) adj.2g.
transerrano adj.
transesterificação (*zes*) s.f.
transesterificado (*zes*) adj.
transesterificador (*zes...ô*) adj. s.m.
transesterificante (*zes*) adj.2g.
transesterificar (*zes*) v.
transesterificável (*zes*) adj.2g.
transeunte (*ze*) adj. s.2g.
transeuropeia (*zeu...é*) s.f. de *transeuropeu*
transeuropeu (*zeu*) adj.; f. *transeuropeia* (*é*)
transexuado (*cs*) adj.
transexual (*cs*) adj.2g.
transexualidade (*cs*) s.f.
transexualismo (*cs*) s.m.
transexualista (*cs*) adj. s.2g.
transexualístico (*cs*) adj.
transexualizado (*cs*) adj.
transexualizar (*cs*) v.
transfásico adj.
transfazer v.
transfecção s.f.
transfegar v.
transfeito adj.
transferase s.f.
transférase s.f.
transferência s.f.
transferencial adj.2g.
transferencialidade s.f.
transferente adj. s.2g.
transferibilidade s.f.
transferido adj. s.m.
transferidor (*ô*) adj. s.m.
transferimento s.m.
transferínico adj.
transferir v.
transferível adj.2g.
transferrina s.f.
transfiguração s.f.
transfigurado adj. s.m.
transfigurador (*ô*) adj. s.m.
transfiguramento s.m.
transfigurante adj.2g.
transfigurar v.
transfigurável adj.2g.
transfiltrado adj.
transfiltrar v.
transfinalização s.f.
transfinalizado adj.
transfinalizante adj.2g.

transfinalizar v.
transfinalizável adj.2g.
transfinito adj. s.m.
transfinitude s.f.
transfinitudinal adj.2g.
transfixação (*cs*) s.f.
transfixado (*cs*) adj.
transfixão (*cs*) s.f.
transfixar (*cs*) v.
transfluência s.f.
transfluente adj.2g. s.m.
transfogueiro s.m.
transfolado adj.
transfonação s.f.
transfonar v.
transforação s.f.
transforador (*ô*) s.m.
transforar v.
transformabilidade s.f.
transformação s.f.
transformacional adj.2g.
transformacionalidade s.f.
transformacionalismo s.m.
transformacionalista adj. s.2g.
transformacionalístico adj.
transformado adj.
transformador (*ô*) adj. s.m.
transformante adj.2g.
transformar v.
transformatividade s.f.
transformativismo s.m.
transformativista adj. s.2g.
transformativístico adj.
transformativo adj.
transformável adj.2g.
transformismo s.m.
transformista adj. s.2g.
transformístico adj.
transfrástico adj.
transfretado adj.
transfretano adj.
transfretar v.
trânsfuga adj. s.2g.
transfúgio s.m.
transfugir v.
transfundido adj.
transfundir v.
transfurado adj.
transfurador (*ô*) adj. s.m.
transfurar v.
transfusão s.f.
transfusar v.
transfusibilidade s.f.
transfusional adj.2g.
transfusível adj.2g.
transfusivo adj.
transfuso adj.
transfusor (*ô*) adj.
transgangético adj.
transgênico s.m.
transgranular adj.2g.
transgredido adj.
transgredir v.
transgredível adj.2g.
transgressão s.f.
transgressivo adj.
transgressor (*ô*) adj. s.m.
transiberiano adj. s.m.
transição (*zi*) s.f.
transicionado (*zi*) adj.
transicional (*zi*) adj.2g.
transicionar (*zi*) v.
transicionismo (*zi*) s.m.
transido (*zi*) adj.
transiente (*zi*) adj.2g.
transigência (*zi*) s.f.
transigente (*zi*) adj. s.2g.
transigir (*zi*) v.
transigível (*zi*) adj.2g.
transignificação s.f.
transignificado adj. s.m.
transignificante adj.2g. s.m.
transignificar v.
transignificável adj.2g.
transiluminação (*zi*) s.f.
transiluminado (*zi*) adj. s.m.
transiluminar (*zi*) v.
transilvaniano s.m.
transilvano adj. s.m.
transimento (*zi*) s.m.
transindiano (*zin*) adj.
transindochinês (*zin*) adj. s.m.
transindu (*zin*) adj. s.2g.
transinduísmo (*zin*) s.m.
transinduísta (*zin*) adj. s.2g.
transir (*zir*) v.
transispânico (*zis*) adj.
transistor (*zi...ô*) s.m.
transístor (*zi*) s.m.
transistórico (*zis*) adj.
transistorização (*zis*) s.f.
transistorizado (*zis*) adj.
transistorizante (*zis*) adj.2g.
transistorizar (*zis*) v.
transistorizável (*zis*) adj.2g.
transístron (*zis*) s.m.
transistrônio (*zis*) s.m.
transitabilidade (*zi*) s.f.
transitado (*zi*) adj.
transitador (*zi...ô*) adj.
transitar (*zi*) v.
transitário (*zi*) adj. s.m.
transitarismo (*zi*) s.m.
transitarista (*zi*) adj. s.2g.
transitarístico (*zi*) adj.
transitável (*zi*) adj.2g.
transitivado (*zi*) adj.
transitivar (*zi*) v.
transitividade (*zi*) s.f.
transitivo (*zi*) adj.
trânsito (*zi*) s.m.; cf. *transito*, fl. do v. *transitar*
transitorial (*zi*) adj.2g.
transitorialidade (*zi*) s.f.
transitoriedade (*zi*) s.f.
transitório (*zi*) adj.
transítron (*zi*) s.m.
transitrônio (*zi*) s.m.
transjordânio adj. s.m.
transjordano adj. s.m.
transjurano adj.
translação s.f.
translacional adj.2g.
transladação s.f.
transladado adj. s.m.
transladador (*ô*) adj.
transladar v.
transladável adj.2g.
translatício adj.
translatividade s.f.
translativo adj.
translato adj.
translator (*ô*) adj. s.m.
transleitano adj.
translimitação s.f.
translineação s.f.
translineado adj.
translinear v.
transliteração s.f.
transliterado adj.
transliteral adj.2g.
transliteralidade s.f.
transliterante adj.2g.
transliterar v.
translocação s.f.
translocado adj.
translocal adj.2g.
translocalidade s.f.
translocar v.
translocase s.f.
translocável adj.2g.
transloucado adj.
transloucar v.
translucência s.f.
translucidação s.f.
translucidado adj.
translucidar v.
translucidez (*ê*) s.f.
translúcido adj.; cf. *translucido*, fl. do v. *translucidar*
translumbrado adj.
translumbrar v.
transluminoso (*ô*) adj.; f. (*ó*); pl. (*ó*)
translunar adj.2g.
transluzente adj.2g.
transluzido adj.
transluzimento s.m.
transluzir v.
transmalhado adj.
transmalhar v.
transmanchego (*ê*) adj.
transmanchuriano adj.
transmandchuriano adj.
transmarino adj.
transmeabilidade s.f.
transmeável adj.2g.
transmediterrâneo adj.
transmental adj.2g.
transmentalidade s.f.
transmentalismo s.m.
transmentalista adj. s.2g.
transmentalístico adj.
transmetilação s.f.
transmetilado adj.
transmetilar v.
transmigração s.f.
transmigrado adj.
transmigrador (*ô*) adj. s.m.
transmigrante adj. s.2g.
transmigrar v.
transmigratório adj.
transmigrável adj.2g.
transmissão s.f.
transmissibilidade s.f.
transmissível adj.2g.
transmissividade s.f.
transmissivo adj.
transmissor (*ô*) adj. s.m.
transmissora (*ô*) s.f.
transmissório adj.
transmissor-receptor adj. s.m.; pl. *transmissores-receptores*
transmitância s.f.
transmitendo adj.
transmitente adj. s.2g.
transmitido adj.
transmitir v.
transmodulação s.f.
transmontado adj.
transmontanismo s.m.
transmontano adj. s.m.
transmontar v.
transmonto s.m.
transmudação s.f.
transmudado adj.
transmudador (*ô*) adj. s.m.
transmudamento s.m.
transmudante adj.2g.
transmudar v.
transmudável adj.2g.
transmundano adj.
transmutabilidade s.f.
transmutação s.f.
transmutado adj.
transmutador (*ô*) adj. s.m.
transmutante adj.2g.
transmutar v.
transmutativo adj.
transmutável adj.2g.
transnacional adj.2g. s.f.
transnacionalidade s.f.
transnacionalismo s.m.
transnacionalista adj. s.2g.
transnacionalístico adj.
transnacionalização s.f.
transnacionalizador (*ô*) adj.
transnacionalizante adj.2g.
transnacionalizar v.
transnacionalizável adj.2g.
transnadado adj.
transnadar v.
transnadável adj.2g.
transnatural adj.2g.
transnoitado adj.
transnoitar v.
transnominação s.f.
transnominado adj.
transnominar v.
transnoutado adj.
transnoutar v.
transobjetivo (*zo*) adj.
transoceânico (*zo*) adj.
transoceanismo (*zo*) s.m.
transocular (*zo*) adj.2g.
transonância s.f.
transonante adj.2g.
transônico adj.
transoperatório (*zo*) adj.
transordinário (*zo*) adj.
transpacífico adj.
transpadano adj. s.m.
transpaleteira s.f.
transpantaneiro adj.
transparecer v.
transparência s.f.
transparentado adj.
transparentar v.
transparente adj.2g. s.m.
transpassado adj.
transpassamento s.m.
transpassar v.
transpasse s.m.
transperitoneal adj.2g.
transpiração s.f.
transpiradeiro s.m.
transpirado adj.
transpirador (*ô*) adj.
transpirar v.
transpiratório adj.
transpirável adj.2g.
transpirenaico adj.
transplacentário adj.
transplantação s.f.
transplantado adj. s.m.
transplantador (*ô*) adj. s.m.
transplantante adj.2g.
transplantar v.
transplantatório adj.
transplantável adj.2g.
transplante s.m.
transplantio s.m.
transplatino adj. s.m.
transpleural adj.2g.
transpolar adj.2g.
transponibilidade s.f.
transponível adj.2g.
transpontino adj.
transpor (*ô*) v.
transporase s.f.
transportabilidade s.f.
transportação s.f.
transportado adj.
transportador (*ô*) adj. s.m.
transportadora (*ô*) s.f.
transportamento s.m.
transportante adj.2g.
transportar v.
transportável adj.2g.
transporte s.m.
transporto (*ô*) s.m.; cf. *transporto*, fl. do v. *transportar*
transposão s.m.
transposição s.f.
transpositivo adj.
transpositor (*ô*) adj. s.m.
transpóson s.m.; pl. *transpósones* e *transpósons*
transposta s.f.
transposto (*ô*) adj. s.m.; f. (*ó*); pl. (*ó*)
transpredicativo adj.
transracional adj.2g.
transreceptor (*ô*) s.m.
transrefulgir v.
transregional adj.2g.
transrenano adj. s.m.
transtagano adj.
transteverino adj. s.m.
transtiberino adj. s.m.
transtíbrino adj. s.m.
transtigrino adj. s.m.
transtigritano adj. s.m.
transtoracotomia s.f.
transtoracotômico adj.
transtornação s.f.
transtornado adj.
transtornador (*ô*) adj. s.m.
transtornamento s.m.
transtornante adj.2g.
transtornar v.
transtorno (*ô*) s.m.; cf. *transtorno*, fl. do v. *transtornar*
transtornoso (*ô*) adj.; f. (*ó*); pl. (*ó*)
transtravado adj.
transtrocado adj.
transtrocar v.
transubjetivismo s.m.
transubjetivista adj. s.2g.
transubjetivístico adj.
transubstanciação s.f.
transubstanciado adj.
transubstanciador (*ô*) adj. s.m.
transubstancial adj.2g.
transubstancialidade s.f.
transubstancialismo s.m.
transubstancialista adj. s.2g.
transubstanciar v.
transudação s.f.
transudado adj. s.m.
transudante adj.2g.
transudar v.
transudato s.m.
transudável adj.2g.
transumado (*zu*) adj.
transumanado (*zu*) adj.
transumanar (*zu*) v.
transumância (*zu*) s.f.
transumano (*zu*) adj.
transumante (*zu*) adj.2g.
transumar (*zu*) v.
transumido adj.
transumir v.
transunto adj. s.m.
transuraniano (*zu*) adj. s.m.
transurânico (*zu*) adj. s.m.
transuranídeo (*zu*) adj. s.m.
transuretral (*zu*) adj.2g.
transvaaliano adj. s.m.
transvaginal adj.2g.
transvalense adj. s.2g.
transvaliana s.f.
transvaliano adj. s.m.
transvalino adj. s.m.
transvalita s.f.
transvariação s.f.
transvasação s.f.; cf. *transvazação*
transvasado adj.; cf. *transvazado*
transvasador (*ô*) adj. s.m.; cf. *transvazador*
transvasamento s.m.; cf. *transvazamento*
transvasar v. "passar de um vaso para outro"; cf. *transvazar*
transvazação s.f.; cf. *transvasação*
transvazado adj.; cf. *transvasado*
transvazador (*ô*) adj.; cf. *transvasador*
transvazamento s.m.; cf. *transvasamento*
transvazar v. "esvaziar"; cf. *transvasar*
transventricular adj.2g.
transverberação s.f.
transverberado adj.
transverberar v.
transversal adj.2g. s.m.f.
transversalidade s.f.
transversão s.f.
transversário adj. s.m.
transversectomia s.f.
transversectômico adj.
transversilíaco adj. s.m.
transversina s.f.
transverso adj.
transversoaxioideia (*cs...é*) adj. f. de *transversoaxioideu*
transversoaxioideu (*cs*) adj.; f. *tranversoaxioideia* (*é*)
transversobasioccipital adj.2g.
transversoccipital adj.2g.
transversocostal adj.2g. s.m.
transversoilíaco adj.
transversomastóideo adj.
transversoprismicostal adj.2g. s.m.
transversossecundicostal adj.2g.
transversostomia s.f.
transversostômico adj.
transversotransversário adj.
transversuretral adj.2g. s.m.
transverter v.
transvertido adj.

transvesical adj.2g.
transvestir v.
transvestismo s.m.
transviada s.f.
transviado adj. s.m.
transviador (ô) adj. s.m.
transviamento s.m.
transviar v.
transviável adj.2g.
transvio s.m.
transvisto adj.
transvisual adj.2g.
transvoado adj.
transvoar v.
transvoo (ô) s.m.
trantanas s.f.pl.
tranvia s.f.
trapa s.m.f.
trapaça s.f.
trapaçado adj.
trapaçador (ô) adj. s.m.
trapaçar v.
trapaçaria s.f.
trapácea s.f.
trapaceado adj.
trapaceador (ô) adj. s.m.
trapacear v.
trapaceiro adj. s.m.
trapacento adj. s.m.
trapáceo adj.
trapachado adj.
trapachar v.
trapacice s.f.
trapada s.f.
trapador (ô) s.m.
trapagem s.f.
trápala s.f.
trapalhada s.f.
trapalhado adj.
trapalhão adj. s.m.; f. *trapalhona*
trapalhice s.f.
trapalho s.m.
trapalhona adj. s.f. de *trapalhão*
trapantão s.m.
traparia s.f.
trapassado s.m.
trapassar v.
trapaz adj.2g.
trape s.f. interj.
trapeada s.f.
trapeado adj.
trapear v.
trapeio s.m.
trapeira s.f.
trapeiro s.m.
trapejante adj.2g.
trapejar v.
trapel s.m.
trapento adj.
trape-zape s.m.; pl. *trape-zapes*
trapézia s.f.
trapézico adj.
trapezifoliado adj.
trapezifólio adj.
trapeziforme adj.2g.
trapézio s.m.
trapezista adj. s.2g.
trapezita s.2g.
trapezoedral adj.2g.
trapezoédrico adj.
trapezoedro s.m.
trapezoidal adj.2g.
trapezoide (ó) adj.2g. s.m.
trapezometacarpiano adj.
trapezometacárpico adj.
trapezonga s.f.
trapezonoto s.m.
trapezopolifalângico adj.
trapezopolita adj. s.2g.
trapiá s.m.
trapiaense adj. s.2g.
trapiá-guaçu s.m.; pl. *trapiás-guaçus*
trapiarana s.f.
trapicalhada s.f.
trapicalho s.m.
trapiche s.m.
trapicheiro adj. s.m.
trapichense adj. s.2g.
trapilho s.m.
trapincola adj. s.2g.
trapinho s.m.
trapio s.m.
trapipense adj. s.2g.
trapista adj. s.2g.
trapistina s.f.
trapistino adj.
trapita s.f.
trapite s.f.
trapitinga s.f.
trapizarga s.f.
trapizonda s.f.
trapizonga s.f.
trapo s.m.
trapoeraba s.f.
trapoeraba-azul s.f.; pl. *trapoerabas-azuis*
trapoerabaçu s.f.
trapoeraba-efêmera s.f.; pl. *trapoerabas-efêmeras*
trapoeraba-rajada s.f.; pl. *trapoerabas-rajadas*
trapoerabarana s.f.
trapoeraba-roxa s.f.; pl. *trapoerabas-roxas*
trapoeraba-verdadeira s.f.; pl. *trapoerabas-verdadeiras*
trapoeraba-vermelha s.f.; pl. *trapoerabas-vermelhas*
trápola adj. s.2g. s.f.
trapomonga s.f.
trapuca s.m.
trapucaia s.f.
trapucha s.f.
trapucho s.m.
trapus s.m. interj.
trapuz s.m. interj.
traquá s.f.
traque s.m.
tráquea s.f.
traqueado adj. s.m.
traqueal adj.2g.
traqueano adj.
traquear v.
traquectasia s.f.
traquectásico adj.
traqueia (é) s.f.
traqueia-artéria (é) s.f.; pl. *traqueias-artérias* (é)
traqueico (é) adj.
traqueidal adj.2g.
traqueíde s.f.
traqueídeo s.m.
traqueiro adj.
traqueíte s.f.
traqueítico adj.
traquejado adj.
traquejão s.m.
traquejar v.
traquejo (ê) s.m.
traquelagra s.f.
traquelanguloscapular adj.2g.
traquelatloidoccipital adj.2g.
traquelectomia s.f.
traquelectômico adj.
traquelectomopéctico adj.
traquelectomopexia (cs) s.f.
traquelematoma s.m.
traquélia s.f.
traqueliano adj.
traqueliastes s.m.2n.
traquélida adj.2g. s.m.
traquelídeo adj. s.m.
traquelíneo adj. s.m.
traquelino adj.
traquélio s.m.
traquelióptero s.m.
traquelípode adj.2g.
traquelismo s.m.
traquelissa s.f.
traquelista adj.2g.
traqueloanguliescapular adj.2g.
traqueloatloido-occipital adj.2g.
traquelobasilar adj.2g.
traquelobrânquio adj. s.m.
traqueloccipital adj.2g.
traquelocele s.f.
traquelocélico adj.
traquelocervical adj.2g.
traquelocistite s.f.
traquelocistítico adj.
traquelocostal adj.2g.
traquelodiafragmático adj.
traquelodinia s.f.
traquelodínico adj.
traquelodorsal adj.2g.
traqueloescapular adj.2g.
traquelofima s.m.
traquelofimático adj.
traquelografia s.f.
traquelográfico adj.
traquelomastoideia (é) adj. f. de *traquelomastoideu*
traquelomastóideo adj.
traquelomastoideu adj.; f. *traquelomastoideia* (é)
traquelomiite s.f.
traquelomiítico adj.
traquelomíris s.m.2n.
traquelômonas s.2g.2n.
traquelo-occipital adj.2g.
traquelopéctico adj.
traquelopético adj.
traquelopexia (cs) s.f.
traquelópode adj.2g.
traquelopodia s.f.
traquelopódico adj.
traquelóptico s.m.
traqueloquismo s.m.
traquelorrafia s.f.
traquelorráfico adj.
traqueloscapular adj.2g.
traquelospermo s.m.
traquelósquise s.f.
traquelosquísico adj.
traquelossubcutâneo adj.
traquelossuboccipital adj.2g.
traquelotêutide s.f.
traquelotêutis s.f.2n.
traqueoaerocele s.f.
traqueoaerocélico adj.
traqueobdela s.f.
traqueobroncoscopia s.f.
traqueobroncoscópico adj.
traqueobrônquico adj.
traqueobrônquio adj.
traqueobronquite s.f.
traqueobronquítico adj.
traqueocele s.f.
traqueocélico adj.
traqueocricoide (ó) adj.2g.
traqueocricoideia (é) adj. f. de *traqueocricoideu*
traqueocricóideo adj.
traqueocricoideu adj.; f. *traqueocricoideia* (é)
traqueoesofagiano adj.
traqueoesofágico adj.
traqueofistulização s.f.
traqueófita s.f.
traqueofítico adj.
traqueófito s.m.
traqueofona s.f.
traqueofonia s.f.
traqueofônico adj.
traqueofono s.m.
traqueófono s.m.
traqueoide (ó) adj.2g. s.f.
traquéola s.f.
traqueolaringotomia s.f.
traqueolaringotômico adj.
traqueomalacia s.f.
traqueomalácia s.f.
traqueomalácico adj.
traqueomicose s.f.
traqueomicósico adj.
traqueomicótico adj.
traqueopiose s.f.
traqueopiósico adj.
traqueorragia s.f.
traqueorrágico adj.
traqueoscopia s.f.
traqueoscópico adj.
traqueoscópio s.m.
traqueósquise s.f.
traqueosquísico adj.
traqueostenose s.f.
traqueostenósico adj.
traqueostenótico adj.
traqueostomia s.f.
traqueostômico adj.
traqueotomia s.f.
traqueotômico adj.
traquete (ê) s.m.
traquetina s.f.
traquiandesítico adj.
traquiandesito s.m.
traquiaugita s.f.
traquibasáltico adj.
traquibasalto s.m.
traquibdela s.f.
traquibérnia s.f.
traquicardia s.f. "pulsação cardíaca áspera e difícil"; cf. *taquicardia*
traquicardíaco adj. s.m. "de pulsação cardíaca áspera e difícil"; cf. *taquicardíaco*
traquicarpo adj. s.m.
traquicaulo s.m.
traquícomo s.m.
traquicoristídeo adj. s.m.
traquicromático adj.
traquictídeo adj. s.m.
traquíctis s.m.2n.
traquíderes s.f.2n.
traquidermo s.m.
traquidiorito s.m.
traquidolerítico adj.
traquidolerito s.m.
traquifonia s.f.
traquifônico adj.
traquifono s.m.
traquifonolítico adj.
traquifonólito s.m.
traquifrínio s.m.
traquiglosso adj.
traquilina s.f.
traquilíneo adj. s.m.
traquilino adj. s.m.
traquílito s.m.
traquilóbio s.m.
traquimaia s.f.
traquimedusa s.f.
traquimedúseo adj.
traquímene s.m.
traquimirmece s.f.
traquimírmex (cs) s.f.2n.
traquina adj. s.2g.
traquinada s.f.
traquinado adj. s.m.
traquinagem s.f.
traquinar v.
traquinas adj. s.2g.2n.
traquiné s.m.
traquinema s.m.
traquinêmida adj.2g. s.m.
traquinemídeo adj. s.m.
traquinemo s.m.
traquiné-roxo s.m.; pl. *traquinés-roxos*
traquinice s.f.
traquínida adj.2g. s.m.
traquinídeo adj. s.m.
traquiniforme s.m.
traquiníneo adj. s.m.
traquínio adj. s.m.
traquino adj. s.m.
traquinócia s.f.
traquinope s.m.
tráquinops s.m.2n.
traquinote s.m.
traquiope s.m.
tráquiops s.m.2n.
traquipógon s.m.
traquipoma s.m.
traquíporo s.m.
traquipterídeo adj. s.m.
traquipteriforme s.m.
traquíptero s.m.
traquirrinco s.m.
tráquis s.m.2n.
traquiscelíneo adj. s.m.
traquíscelis s.m.2n.
traquisma s.m.
traquisomo s.m.
traquissauro s.m.
traquissoma s.m.
traquistêmone s.f.
traquitana s.f.
traquitanar v.
traquitanda s.f.
traquítico adj.
traquitismo s.m.
traquito s.m.
traquitoide (ó) adj.2g.
traquitoporfírico adj.
trara adj. s.2g.
trás adv. interj. prep.; cf. *traz*, fl. do v. *trazer*
trasandado adj.
trasandante adj.2g.
trasandar v.
trasanteontem adv.
trasbordado adj.
trasbordador (ô) adj. s.m.
trasbordadura s.f.
trasbordamento s.m.
trasbordante adj.2g.
trasbordar v.
trasbordo (ô) s.m.; cf. *trasbordo*, fl. do v. *trasbordar*
trasbordura s.f.
trascalado adj.
trascalar v.
trascâmara s.f.
trascolação s.f.
trascurado adj.
trascurar v.
trasdós s.m.
traseato s.m.
traseira s.f.
traseiro adj. s.m.
trasfega s.f.
trasfegado adj.
trasfegador (ô) adj. s.m.
trasfegadura s.f.
trasfegar v.
trasfego (ê) s.m.; cf. *trasfego*, fl. do v. *trasfegar*
trasfegueiro s.m.
trasflor (ô) s.m.
trasfogueiro adj.
trasfoliado adj.
trasfoliar v.
trasga s.f.
trasgo s.m.
trasguear v.
trasgueiro s.m.
trasguinho s.m.
traskita s.f.
traslação s.f.
trasladação s.f.
trasladado adj.
trasladador (ô) adj. s.m.
trasladar v.
trasladável adj.2g.
traslado s.m.
traslar s.m.
trasluzido adj.
trasluzir v.
trasmalhado adj.
trasmalhar v.
trasmalho s.m.
trasmontado adj.
trasmontana s.f.
trasmontanismo s.m.
trasmontano adj. s.m.
trasmontar v.
trasmudado adj.
trasmudar v.
trasnoitado adj.
trasnoitar v.
trasnoutado adj.
trasnoutar v.
trasonismo s.m.
trasordinário adj.
trasorelho (ê) s.m.
traspassação s.f.
traspassado adj.
traspassador (ô) adj. s.m.
traspassamento s.m.
traspassante adj.2g.
traspassar v.
traspassável adj.2g.
traspasse s.m.
traspasso s.m.
traspés s.m.pl.

traspilar s.m.
trasplantação s.f.
trasplantado adj.
trasplantar v.
traspor (*ô*) v.
trasportado adj.
trasportar v.
trasposto (*ô*) adj.; f. (*ó*); pl. (*ó*)
trasse s.m.
trasserrano adj.
trassoíto s.m.
trastagano adj.
trastalhão s.m.; f. *trastalhona*
trastalhona s.f. de *trastalhão*
trastaria s.f.
traste s.m.
trasteado adj.
trastear v.
trasteio s.m.
trastejado adj.
trastejador (*ô*) adj. s.m.
trastejamento s.m.
trastejão s.m.; f. *trastejona*
trastejar v.
trastejona s.f. de *trastejão*
trastempar v.
trastempo s.m.
trasto s.m.
trastornado adj.
trastornamento s.m.
trastornar v.
trastravado adj.
trastrocar v.
trasumância s.f.
trasumante adj.
trasunto s.m.
trasvasado adj.; cf. *trasvazado*
trasvasar v. "passar de um vaso a outro"; cf. *trasvazar*
trasvazado adj.; cf. *trasvasado*
trasvazar v. "esvaziar"; cf. *trasvasar*
trasvestido adj.
trasvestir v.
trasviado adj.
trasviar v.
trasvio s.m.
trasvisto adj.
trasvolteado adj.
trasvoltear v.
tratabilidade s.f.
tratada s.f.
tratadeira s.f.
tratadismo s.m.
tratadista adj. s.2g.
tratadístico adj.
tratado adj. s.m.
tratador (*ô*) adj. s.m.
tratamento s.m.
tratantada s.f.
tratante adj. s.2g.
tratantear v.
tratantice s.f.
tratantório s.m.
tratar v.
tratativa s.f.
tratativo adj.
tratável adj.2g.
trateado adj.
trateador (*ô*) s.m.
tratear v.
tratiníquia s.f.
tratista adj. s.2g.
trato adj. s.m.
trator (*ô*) s.m.
tratoração s.f.
tratorado adj.
tratorar v.
tratória s.f.
tratório adj.
tratorista s.2g.
tratotomia s.f.
tratotômico adj.
tratriz s.f.
trattnickia s.f.
trauira s.f.
traulismo s.m.
traulita s.f.
traulitada s.f.
traulitado adj.
traulitânia s.f.
traulitar v.
traulite s.f.
trauliteiro s.m.
traulito s.m.
trauma s.m.
traumaticidade s.f.
traumaticina s.f.
traumático adj.
traumatina s.f.
traumatismo s.m.
traumatização s.f.
traumatizado adj.
traumatizante adj.2g.
traumatizar v.
traumatizável adj.2g.
traumatofilia s.f.
traumatologia s.f.
traumatológico adj.
traumatologista adj. s.2g.
traumatólogo s.m.
traumatopneia (*é*) s.f.
traumatopneico (*é*) adj.
traumatotrópico adj.
traumatotropismo s.m.
tráumato-ortopedia s.f.
traumatrópio s.m.
traupídeo adj. s.m.
traupíneo adj. s.m.
trauso adj. s.m.
trauta s.f.
trautar v.
trauteado adj.
trauteador (*ô*) adj. s.m.
trautear v.
trauteio s.m.
trautvetéria s.f.
trautvettéria s.f.
trautvinita s.f.
trautvinite s.f.
trava s.f.
travação s.f.
trava-contas s.m.2n.
travada s.f.
travadeira s.f.
travadela s.f.
travadinha s.f.
travadinho adj. s.m.
travado adj. s.m.
travadoira s.f.
travadoiro s.m.
travador (*ô*) adj. s.m.
travadoura s.f.
travadouro s.m.
travadura s.f.
travagem s.f.
traval adj.2g.
trava-língua s.m.; pl. *trava-línguas*
travamento s.m.
travanca s.f.
travanco s.m.
travanda s.f.
travante adj.2g.
travão s.m.
travar v.
travável adj.2g.
trave s.f.
traveira s.f.
travejado adj.
travejador (*ô*) adj.
travejamento s.m.
travejar v.
travejável s.m.
travela s.f.
travento adj.
traverselita s.f.
traverselite s.f.
traversita s.f.
traverso s.m.
traversoíta s.f.
travertino s.m.
través s.m.
travesado adj.
travesar v.
travessa s.f.
travessa-calço s.f.; pl. *travessas-calço* e *travessas-calços*
travessado adj.
travessamento s.m.
travessanho s.m.
travessão adj. s.m.
travessar v.
travesse adj.2g.
travessear v.
travesseira s.f.
travesseirense adj. s.2g.
travesseirinha s.f.
travesseiro s.m.
travessense adj. s.2g.
travessia s.f.
travessiada s.f.
travessião s.m.
travessiense adj. s.2g.
travessio adj. s.m.
travesso adj. s.m. "atravessado"; cf. *travesso* (*ê*)
travesso (*ê*) adj. "traquinas"; cf. *travesso* adj. s.m. e fl. do v. *travessar*
travessonense adj. s.2g.
travessura s.f.
travesti s.2g.
travestido adj. s.m.
travestimenta s.f.
travestir v.
travestismo s.m.
traveta (*ê*) s.f.
travia s.f.
travicha s.f.
travinca s.f.
travinha s.f.
travisco s.m.
travísia s.m.
travisqueira s.f.
travo s.m.
travoela s.f.
travor (*ô*) s.m.
travoroso (*ô*) adj.; f. (*ó*); pl. (*ó*)
travoso (*ô*) adj.; f. (*ó*); pl. (*ó*)
travota s.f.
trazedeiro adj.
trazedor (*ô*) adj. s.m.
trazer v.
traz-farinha-aí s.m.2n.
trazida s.f.
trazimento s.m.
tré s.m.
treala s.f.
trealase s.f.
treálase s.f.
trealose s.f.
treanorita s.f.
trebano adj. s.m.
trebelhado adj.
trebelhador (*ô*) adj. s.m.
trebelhar v.
trebelho (*ê*) s.m.
trebiano adj. s.m.
trebiate adj. s.2g.
trebilongo s.m.
trébio s.m.
treboar v.
treboçu s.m.
trebol s.m.
trebola (*ô*) s.f.
trebolha (*ô*) s.f.
trebulano adj. s.m.
trebulo s.m.
trecentésimo num. s.m.
trecentismo s.m.
trecentista adj. s.2g.
trecentístico adj.
trecentúplice num.
trecêntuplo num.
trecheio adj.
trechmannita s.f.
trecho (*ê*) s.m.
treco s.m.
treçó adj.2g. s.m.
treçol s.m.
trecoriano adj. s.m.
trécula s.f.
trecúlia s.f.
tredecilhão num.
tredecilião num.
tredecilionésimo num. s.m.
tredecimal adj.2g.
tredécimo num.
tredice s.f.
tredo (*ê*) adj.
treeleger v.
treeleito adj.
trefegar v.
trêfego adj.
trefegueiro s.m.
trefe-trefe s.2g.; pl. *trefe-trefes*
trefilação s.f.
trefilado adj. s.m.
trefilador (*ô*) s.m.
trefiladora (*ô*) s.f.
trefilamento s.m.
trefilar v.
trefilaria s.f.
trefilável adj.2g.
trefina s.f.
trefinação s.f.
trefinar v.
trefo (*ê*) adj.
trefúsia s.m.
trégua s.f.
treício adj. s.m.
treiense adj. s.2g.
treina s.f.
treinação s.f.
treinado adj. s.m.
treinador (*ô*) s.m.
treinagem s.f.
treinamento s.m.
treinar v.
treinável adj.2g.
treino s.m.
treita s.f.
treitado adj.
treitar v.
treiteiro adj. s.m.
treitento adj. s.m.
treito adj. s.m.
treitoeira s.f.
treitoira s.f.
treitoura s.f.
trejeitado adj.
trejeitador (*ô*) adj. s.m.
trejeitar v.
trejeiteado adj.
trejeiteador (*ô*) adj. s.m.
trejeitear v.
trejeiteiro adj. s.m.
trejeito s.m.
trejeitoso (*ô*) adj.; f. (*ó*); pl. (*ó*)
trejense adj. s.2g.
trejugado adj.
trejugar v.
trejura s.f.
trejurado adj.
trejurar v.
trela s.f.
treladado adj.
treladar v.
trelado adj.
treleado adj.
trelear v.
trelência s.f.
trelense adj. s.2g.
trelente s.2g.
treler v.
trelho (*ê*) s.m.
treliça s.f.
treliçado adj.
treliçamento s.m.
treliçar v.
treloso (*ô*) adj.; f. (*ó*); pl. (*ó*)
trem s.m.
trema s.m.f.
tremado adj.
tremalho s.m.
tremandra s.f.
tremandrácea s.f.
tremandráceo adj.
tremândrea s.f.
tremândreo adj.
tremandro s.m.
tremão s.m.
tremar v.
tremarcto s.m.
tremate s.m.
trematode s.m.
trematódeo adj. s.m.
trematodíase s.f.
tremátodon s.m.
trematologia s.f.
trematológico adj.
trematologista adj. s.2g.
trematólogo s.m.
trematosféria s.f.
trem-bala s.m.; pl. *trens-bala* e *trens-balas*
trembleque adj.2g.
tremebrilhar v.
tremebundo adj.
tremecém adj.2g.
tremecenal adj.2g.
tremecense adj. s.2g.
tremedal s.m.
tremedalense adj. s.2g.
tremedeira s.f.
tremedeiro adj.
tremedoiro s.m.
tremedor (*ô*) adj. s.m.
tremedouro s.m.
tremedura s.f.
tremefazer v.
tremela s.f.
tremelácea s.f.
tremeláceo adj.
tremelal adj.2g.
tremelale s.f.
tremelar v.
tremelear v.
tremelga s.f.
tremelhicado adj.
tremelhicar v.
tremelhique s.m.
tremelica adj. s.2g.
tremelicação s.f.
tremelicado adj.
tremelicante adj.2g.
tremelicar v.
tremelicoso (*ô*) adj.; f. (*ó*); pl. (*ó*)
tremelina s.f.
tremelínea s.f.
tremelique s.m.
tremeliquento adj.
tremeloide (*ó*) adj.2g.
tremeluzente adj.2g.
tremeluzir v.
treme-mão s.f.; pl. *treme-mãos*
tremembé adj. s.2g.
tremembeense adj. s.2g.
tremenda s.f.
tremendismo s.m.
tremendista adj. s.2g.
tremendístico adj.
tremendo adj.
tremenho s.m.
tremente adj.2g.
tremer v.
tremês adj.2g.
tremesada s.f.
tremês-arroxeado s.m.; pl. *tremeses-arroxeados*
tremês-branco s.m.; pl. *tremeses-brancos*
tremês-de-folha-verde s.m.; pl. *tremeses-de-folha-verde*
tremês-de-tavira s.m.; pl. *tremeses-de-tavira*
tremesinho adj.
tremesino adj.
tremês-preto s.m.; pl. *tremeses-pretos*
tremês-ribeirinho s.m.; pl. *tremeses-ribeirinhos*
tremês-rijo s.m.; pl. *tremeses-rijos*
tremês-ruivo s.m.; pl. *tremeses-ruivos*
tremetara s.f.
tremeter v.
treme-treme s.m.; pl. *treme-tremes* e *tremes-tremes*
trem-hospital s.m.; pl. *trens-hospital* e *trens-hospitais*
tremiculoso (*ô*) adj.; f. (*ó*); pl. (*ó*)
tremido adj. s.m.
tremifusa s.f.
tremilongo s.m.
treminhão s.m.
trêmito s.m.
tremível adj.2g.
tremó s.m.
tremoçada s.f.

tremoçado adj.
tremoçagem s.f.
tremoçal s.m.
tremoção s.m.
tremoçar v.
tremoceira s.f.
tremoceiro s.m.
tremocilho s.m.
tremocinha s.f.
tremoço (ô) s.m.; pl. (ó); cf. *tremoço*, fl. do v. *tremoçar*
tremoço-amarelo s.m.; pl. *tremoços-amarelos*
tremoço-azul s.m.; pl. *tremoços-azuis*
tremoço-branco s.m.; pl. *tremoços-brancos*
tremoço-de-cheiro s.m.; pl. *tremoços-de-cheiro*
tremoço-de-flor-amarela s.m.; pl. *tremoços-de-flor--amarela*
tremoço-de-flor-azul s.m.; pl. *tremoços-de-flor-azul*
tremoço-de-folhas-estreitas s.m.; pl. *tremoços-de-folhas--estreitas*
tremoço-de-jardim s.m.; pl. *tremoços-de-jardim*
tremoço-de-minas s.m.; pl. *tremoços-de-minas*
tremoço-hirsuto s.m.; pl. *tremoços-hirsutos*
tremoço-ordinário s.m.; pl. *tremoços-ordinários*
tremoço-ordinário-da-beira s.m.; pl. *tremoços-ordinários--da-beira*
tremoços-de-cheiro s.m.pl.
tremoctopídeo adj. s.m.
tremóctopo s.m.
tremoctópode s.m.
tremofobia s.f.
tremofóbico adj.
tremófobo s.m.
tremografia s.f.
tremográfico adj.
tremógrafo s.m.
tremograma s.m.
tremoia (ó) s.f.
tremoicela s.f.
tremolita s.f.
tremolite s.f.
tremolito s.m.
tremonado s.m.
tremonemertíneo adj. s.m.
tremonha s.f.
tremonhado s.m.
tremonhal s.m.
tremontelo (ê) s.m.
tremor (ô) s.m.
trempe s.f.
trem-tipo s.m.; pl. *trens-tipo* e *trens-tipos*
tremudação s.f.
tremudado adj.
tremudador (ô) adj.
tremudar v.
tremulação s.f.
tremulado adj.
tremulador (ô) adj.
tremulamento s.m.
tremulante adj.2g.
tremular v.
tremulável adj.2g.
tremulejado adj.
tremulejar v.
tremulento adj.
tremúleo adj.
tremulho adj.
tremulim s.m.
tremulina s.f.
tremulinar v.
trêmulo adj. s.m.; cf. *tremulo*, fl. do v. *tremular*
tremulório s.m.
tremuloso (ô) adj.; f. (ó); pl. (ó)
tremunido s.m.
tremura s.f.
trena s.f.
trenado adj.
trenador (ô) adj. s.m.
trenagem s.f.
trenamento s.m.
trenar v.
trença s.f.
trenel s.m.
trenete s.m.
trenético adj.
trengo s.m.
trenhama s.f.
trenheira s.f.
trenheiro adj.
trenhoso (ô) adj.; f. (ó); pl. (ó)
trenla s.f.
treno s.m. "lamento fúnebre", etc.; cf. *trenó*
trenó s.m. "carro sem rodas usado na neve"; cf. *treno* s.m. e fl. do v. *trenar*
trenode s.f.
trenodia s.f.
trens s.m.pl.
trentepólia s.f.
trentepoliácea s.f.
trentepoliáceo adj.
trentino adj. s.m.
trentoira s.f.
trentoniano adj. s.m.
trentoura s.f.
treonina s.f.
treonínico adj.
treose s.f.
trepa s.f.
trepação s.f.
trepada s.f.
trepadeira s.f.
trepadeira-azul s.f.; pl. *trepadeiras-azuis*
trepadeira-carmesim s.f.; pl. *trepadeiras-carmesins*
trepadeira-das-balças s.f.; pl. *trepadeiras-das-balças*
trepadeira-de-são-joão s.f.; pl. *trepadeiras-de-são-joão*
trepadeira-dos-muros s.f.; pl. *trepadeiras-dos-muros*
trepadeira-gameleira s.f.; pl. *trepadeiras-gameleiras*
trepadeira-sirigaita s.f.; pl. *trepadeiras-sirigaita* e *trepadeiras-sirigaitas*
trepadela s.f.
trepadiço adj.
trepado adj.
trepadoiro s.m.
trepador (ô) adj. s.m.
trepadora (ô) s.f.
trepadorzinho s.m.
trepadouro s.m.
trepa-gato s.m.; pl. *trepa-gatos*
trepa-moleque s.m.; pl. *trepa--moleques*
trepanação s.f.
trepanado adj.
trepanador (ô) adj. s.m.
trepanar v.
trépano s.m.; cf. *trepano*, fl. do v. *trepanar*
trepante adj.2g.
trepa-pinheiros s.f.2n.
trepar v.
trepável adj.2g.
trepe s.m.
trepeira s.f.
trepelada s.f.
trepicar v.
trepiche s.m.
trepidação s.f.
trepidado adj.
trepidador (ô) adj.
trepidagem s.f.
trepidante adj.2g.
trepidar v.
trepidável adj.2g.
trepidez (ê) s.f.
trépido adj.; cf. *trepido*, fl. do v. *trepidar*
trepidômetro s.m.
tréplica s.f.; cf. *treplica*, fl. do v. *treplicar*
treplicado adj.
treplicador (ô) adj. s.m.
treplicante adj.2g.
treplicar v.
treplicável adj.2g.
trepo (ê) s.m.; cf. *trepo*, fl. do v. *trepar*
trepola (ô) s.f.
treponema s.m.
treponematácea s.f.
treponematáceo adj.
treponematose s.f.
treponematótico adj.
treponemíase s.f.
treponemicida adj. s.2g.
treponemicídio s.m.
treponemo s.m.
treponemose s.f.
trepopneia (é) s.f.
treposta s.f.
trepostomado adj. s.m.
trepostômico adj.
trepóstomo s.m.
trepsilogia s.f.
trepsiologia s.f.
trepsologia s.f.
trepsológico adj.
treptodonte s.m.
tréptria s.m.
trequedipna s.f.
trequedipno s.m.
trequídeo adj. s.m.
trequíneo adj. s.m.
trere adj. s.2g.
trero adj. s.m.
tréron s.m.
treronídeo adj. s.m.
três num. s.m.2n.
três-agostense adj. s.2g.; pl. *três-agostenses*
tresalto s.m.
tresalvo adj.
tresandado adj.
tresandante adj.2g.
tresandar v.
três ao prato adj. s.f.2n.
três-arroiense adj. s.2g.; pl. *três-arroienses*
tresavó s.f.
tresavô s.m.; pl. *tresavós* e *tresavôs*
três-barrense adj. s.2g.; pl. *três-barrenses*
três-biquense adj. s.2g.; pl. *três-biquenses*
tresbisavó s.f.
tresbisavô s.m.; pl. *tresbisavós* e *tresbisavôs*
três-boquense adj. s.2g.; pl. *três-boquenses*
tresbordado adj.
tresbordamento s.m.
tresbordante adj.2g.
tresbordar v.
três-bracense adj. s.2g.; pl. *três-bracenses*
três-cachoeirense adj. s.2g.; pl. *três-cachoeirenses*
trescalado adj.
trescalância s.f.
trescalante adj.2g.
trescalar v.
trescalo s.m.
trescâmara s.f.
três-casense adj. s.2g.; pl. *três-casenses*
três-cocos s.m.2n.
trescomprido adj.
três-corações s.m.2n.
três-coroense adj. s.2g.; pl. *três-coroenses*
três-coronense adj. s.2g.; pl. *três-coronenses*
três-correguense adj. s.2g.; pl. *três-correguenses*
três-cruzense adj. s.2g.; pl. *três-cruzenses*
três-dedos s.m.2n.
três-divisense adj. s.2g.; pl. *três-divisenses*
tresdobrado adj.
tresdobradura s.f.
tresdobrar v.
tresdobre adj.2g. s.m.
tresdobro (ô) s.m.; cf. *tresdobro*, fl. do v. *tresdobrar*
três em conca s.f.2n.
três em prato s.f.2n.
tresentender v.
tresentendido adj.
três-estradense adj. s.2g.; pl. *três-estradenses*
três-estrelas s.f.pl.
três-estrelinhas s.f.pl.
tresfegado adj.
tresfegar v.
tresfiar v.
três-figueirense adj. s.2g.; pl. *três-figueirenses*
tresfigurado adj.
tresfigurar v.
tresfilar v.
tresfogueiro s.m.
tresfolegar v.
tresfôlego s.m.
tresfolgar v.
tresfolgo (ô) s.m.; cf. *tresfolgo*, fl. do v. *tresfolgar*
três-folhas s.f.2n.
três-folhas-brancas s.f.2n.
três-folhas-do-mato s.f.2n.
três-folhas-verdes s.f.2n.
três-folhas-vermelhas s.f.2n.
tresfoliar v.
três-forquilhense adj. s.2g.; pl. *três-forquilhenses*
três-fronteirense adj. s.2g.; pl. *três-fronteirenses*
tresgastador (ô) adj.
tresgastar v.
tresidela s.f.
três-ilhense adj. s.2g.; pl. *três-ilhenses*
três-irmanense adj. s.2g.; pl. *três-irmanenses*
três-irmãos s.m.2n.
três-irmãs s.f.pl.
tresjurado adj.
tresjurar v.
tresladação s.f.
tresladado adj.
tresladador (ô) adj. s.m.
tresladar v.
três-ladeirense adj. s.2g.; pl. *três-ladeirenses*
treslado s.m.
três-lagoano adj. s.m.; pl. *três-lagoanos*
três-lagoense adj. s.2g.; pl. *três-lagoenses*
tresler v.
treslida s.f.
treslido adj.
tresloucado adj. s.m.
tresloucar v.
três-maiense adj. s.2g.; pl. *três-maienses*
tresmalhação s.f.
tresmalhado adj.
tresmalhão s.m.
tresmalhar v.
tresmalheiro s.m.
tresmalho s.m.
três-marias s.f.pl.
três-mariense adj. s.2g.; pl. *três-marienses*
três-martelos s.f.2n.
tresmentir v.
tresmontar v.
três-morrense adj. s.2g.; pl. *três-morrenses*
tresmudado adj.
tresmudar v.
tresneto s.m.
tresnoitado adj. s.m.
tresnoitar v.
tresnoite s.m.
tresnorteado adj.
tresnorteamento s.m.
tresnortear v.
tresnoutado adj. s.m.
tresnoutar v.
tresnoute s.m.
três-novidades s.f.2n.
três num prato s.f.2n.
treso (ê) adj.
três-outubrense adj. s.2g.; pl. *três-outubrenses*
trespano s.m.
trespassação s.f.
trespassado adj.
trespassador (ô) adj. s.m.
trespassamento s.m.
trespassante adj.2g.
trespassar v.
trespassável adj.2g.
trespasse s.m.
três-passense adj. s.2g.; pl. *três-passenses*
trespasso s.m.
três-paus s.m.pl.
três-peças s.m.2n.
três-pedaços s.m.pl.
três-pedrense adj. s.2g.; pl. *três-pedrenses*
três-pinheirense adj. s.2g.; pl. *três-pinheirenses*
três-pocense adj. s.2g.; pl. *três-pocenses*
três-pontano adj. s.m.; pl. *três-pontanos*
três-pontense adj. s.2g.; pl. *três-pontenses*
três-pontinhos s.m.pl.
trespor v.
três por dois s.m.2n.
três-portas s.f.2n.
tresposta s.f.
tresposto (ô) adj.; f. (ó); pl. (ó)
três-potes s.m.2n.
três-quartos adj.2g.2n. s.m.2n.
tresquiáltera s.f.
tresquiórnis s.2g.2n.
tresquiornite s.2g.
tresquiornitídeo adj. s.m.
três-ranchense adj. s.2g.; pl. *três-ranchenses*
três-riense adj. s.2g.; pl. *três-rienses*
tressaltar v.
tresse s.m.
tresselim s.m.
três-setes s.m.2n.
tréssis s.m.2n.
tressuado adj.
tressuante adj.2g.
tressuar v.
tressuo s.m.
trestampar v.
três-tombos s.m.2n.
trestônia s.f.
trestornado adj.
trestornar v.
três-tostões s.m.pl.
tresvariado adj.
tresvariamento s.m.
tresvariar v.
tresvario s.m.
três-vendense adj. s.2g.; pl. *três-vendenses*
tresver v.
tresvertedura s.f.
tresviado adj.
tresviar v.
três-vinténs s.m.pl.
tresvolteado adj.
tresvoltear v.
treta (ê) s.f.
tretear v.
treteiro adj. s.m.
treu s.m.
treuita s.f.
treva s.f.
trevado adj.
trevagem s.f.
treval s.m.
trevas s.f.pl.
treveliana s.f.
trevelô s.2g.
trevelyana s.f.
treventinate adj. s.2g.
treventino adj. s.m.

trévero adj. s.m.
trevésia s.f.
trévia s.f.
trevilho s.m.
trevina s.f.
trevinho-do-campo s.m.; pl. *trevinhos-do-campo*
tréviro adj. s.m.
trevisana s.f.
trevisano adj. s.m.
treviscar v.
trevisco s.m.
trevisense adj. s.2g.
trevisqueira s.f.
trevite s.f.
trevo (*ê*) s.m.
trevo-amarelo s.m.; pl. *trevos-amarelos*
trevo-aquático s.m.; pl. *trevos-aquáticos*
trevo-azedo s.m.; pl. *trevos-azedos*
trevo-azul s.m.; pl. *trevos-azuis*
trevo-betuminoso s.m.; pl. *trevos-betuminosos*
trevo-branco s.m.; pl. *trevos-brancos*
trevo-cervino s.m.; pl. *trevos-cervinos*
trevo-cheiroso s.m.; pl. *trevos-cheirosos*
trevo-copado s.m.; pl. *trevos-copados*
trevo-cumurá s.m.; pl. *trevos-cumurás*
trevo-da-alexandria s.m.; pl. *trevos-da-alexandria*
trevo-da-areia s.m.; pl. *trevos-da-areia*
trevo-da-flórida s.m.; pl. *trevos-da-flórida*
trevo-d'água s.m.; pl. *trevos-d'água*
trevo-da-pérsia s.m.; pl. *trevos-da-pérsia*
trevo-de-água s.m.; pl. *trevos-de-água*
trevo-de-carvalho s.m.; pl. *trevos-de-carvalho*
trevo-de-cheiro s.m.; pl. *trevos-de-cheiro*
trevo-de-folhas-estreitas s.m.; pl. *trevos-de-folhas-estreitas*
trevo-de-quatro-folhas s.m.; pl. *trevos-de-quatro-folhas*
trevo-de-santa-maria s.m.; pl. *trevos-de-santa-maria*
trevo-de-seara s.m.; pl. *trevos-de-seara*
trevo-de-serra s.m.; pl. *trevos-de-serra*
trevo-do-campo s.m.; pl. *trevos-do-campo*
trevo-doce s.m.; pl. *trevos-doces*
trevo-do-egito s.m.; pl. *trevos-do-egito*
trevo-do-norte s.m.; pl. *trevos-do-norte*
trevo-dos-charcos s.m.; pl. *trevos-dos-charcos*
trevo-dos-prados s.m.; pl. *trevos-dos-prados*
trevo-encarnado s.m.; pl. *trevos-encarnados*
trevo-estrelado s.m.; pl. *trevos-estrelados*
trevo-gigante-da-sibéria s.m.; pl. *trevos-gigantes-da-sibéria*
trevo-híbrido s.m.; pl. *trevos-híbridos*
trevo-indiano s.m.; pl. *trevos-indianos*
trevo-maçaroca s.m.; pl. *trevos-maçaroca* e *trevos-maçarocas*
trevo-namorado s.m.; pl. *trevos-namorados*
trevo-pé-de-pássaro s.m.; pl. *trevos-pé-de-pássaro* e *trevos-pés-de-pássaro*
trevo-preto s.m.; pl. *trevos-pretos*
trevor (*ô*) s.m.
trevo-rasteiro s.m.; pl. *trevos-rasteiros*
trevo-rasteiro-da-praia s.m.; pl. *trevos-rasteiros-da-praia*
trevo-real s.m.; pl. *trevos-reais*
trevória s.f.
trevorita s.f.
trevorítico adj.
trevo-roxo s.m.; pl. *trevos-roxos*
trevosidade s.f.
trevoso (*ô*) adj.; f. (*ó*); pl. (*ó*)
trevo-vermelho s.m.; pl. *trevos-vermelhos*
trevo-violeta s.m.; pl. *trevos-violetas*
tréwia s.f.
treze (*ê*) num. s.m.
treze de maio s.m.2n.
treze-janeirense adj. s.2g.; pl. *treze-janeirenses*
treze-maiense adj. s.2g.; pl. *treze-maienses*
trezena s.f.
trezênio adj. s.m.
trezeno num.
trezentismo s.m.
trezentista adj. s.2g.
trezentos num. s.m.
treze-tiliense adj. s.2g.; pl. *treze-tilienses*
tri s.m.
triaca s.f.
triacantídeo adj. s.m.
triacantíneo adj. s.m.
triacanto adj. s.m.
triacantode s.m.
triacense adj. s.2g.
triacetamida s.f.
triacetático adj.
triacetato s.m.
triacetido s.m.
triacetilaconitina s.f.
triacetilcelulose s.f.
triacetildifenolisatina s.f.
triacetilgalhato s.m.
triacetilgálhico adj.
triacetilmorfina s.f.
triacetina s.f.
triacetonamina s.f.
triacídeo adj. s.m.
triácido adj. s.m.
triacilglicerídeo adj. s.m.
tríacis s.m.2n.
triacontaédrico adj.
triacontaedro s.m.
triacontagonal adj.2g.
triacontágono s.m.
triacontano s.m.
triacontanoico (*ó*) adj.
triacontanol s.m.
triacosaédrico adj.
triacosaedro s.m.
triacosagonal adj.2g.
triacoságono s.m.
triáctis s.m.2n.
tríada s.f.
tríade s.f.
triadelfia s.f.
triadelfo adj.
triádico adj. s.m.
triadita s.f.
triadite s.f.
triadito s.m.
triado adj.
triador (*ô*) s.m.
triaga s.f.
triagem s.f.
triagostino adj. s.m.
triagueiro s.m.
trial adj.2g. s.m.
trialado adj.
triálcool s.m.
trialcoólico adj.
trialdeídico adj.
trialdeído s.m.
triale s.f.
trialeurode s.m.
trialismo s.m.
trialogenado adj.
triálogo s.m.
trialto s.m.
trialumínico adj.
triamida s.f.
triamilênio s.m.
triamina s.f.
triaminado adj.
triaminodifenilotolilcarbinol s.m.
triaminofenol s.m.
triaminotriazina s.f.
triamoníaco adj.
triamônico adj.
triancinolona s.f.
triandria s.f. "qualidade de ter três estames"; cf. *triândria*
triândria s.f. "classe dos vegetais triandros"; cf. *triandria*
triândrico adj.
triândrio adj.
triandro adj.
triânea s.f.
triangulação s.f.
triangulada s.f.
triangulado adj.
triangulador (*ô*) adj. s.m.
triangular v. adj.2g. s.m.
triangularidade s.f.
triangulável adj.2g.
triangulense adj. s.2g.
triangulino adj. s.m.
triângulo s.m.; cf. *triangulo*, fl. do v. *triangular*
triano adj.
trianosperma s.m.
trianospermatina s.f.
trianospermina s.f.
triântemo s.m.
triantereno s.m.
trianto adj. s.m.
trianular adj.2g.
trião s.m.
triaqueira s.f.
triaquênio s.m.
triaquídeo adj. s.m.
tríaquis s.m.2n.
triar v.
triarca s.m.
triarco adj.
triarestado adj. "de três arestas"; cf. *triaristado*
triário s.m.
triaristado adj. "de três arestas"; cf. *triarestado*
triarquia s.f.
triárquico adj.
triarroiense adj. s.2g.
triarticulado adj.
triartra s.m.
triartrídeo adj. s.m.
trias s.m.2n.
triásico adj. s.m.
triásio adj. s.m.
triaspe s.f.
triáspis s.f.2n.
triássico adj. s.m.
triatera s.f.
triático adj.
triatleta s.2g.
triatlo s.m.
triatlodidimia s.f.
triatlodídimo s.m.
triátlon s.m.
triátoma adj. s.2g.
triatomáptera s.f.
triatomicidade s.f.
triatômico adj.
triatomídio s.m.
triatomíneo adj. s.m.
triátomo adj. s.m.
triaxial (*cs*) adj.2g.
triáxico (*cs*) adj.
triaxífero (*cs*) adj.
triáxona (*cs*) s.f.
triaxônio (*cs*) adj. s.m.
triáxono (*cs*) adj.
triazina s.f.
triazol s.m.
triazoldissulfona s.f.
triazoldissulfônico adj.
tribáctis s.m.2n.
tríbade s.f.
tribadia s.f.
tribádico adj.
tribadismo s.m.
tríbado adj.
tribal adj.2g.
tribalismo s.m.
tribalístico adj.
tribalo adj. s.m.
tribarrense adj. s.2g.
tribase s.f.
tríbase s.f.
tribasicidade s.f.
tribásico adj.
tribasilar adj.2g.
tribelocéfala s.f.
tribelocefalíneo adj. s.m.
tribico s.m.
tribiquense adj. s.m.
tribiuense adj. s.2g.
triblástico adj. s.m.
triblidiácea s.f.
triblidiáceo adj.
tribo s.f.
triboboense adj. s.2g.
triboco adj. s.m.
tribódero s.m.
triboeletricidade s.f.
triboelétrico adj.
tribofar v.
tribofe s.m.
tribofeiro s.m.
tribofluorescência s.f.
tribofluorescente adj.2g.
tribofosforescência s.f.
tribofosforescente adj.2g.
triboirradiação s.f.
triboirradiado adj.
triboirradiar v.
tribólio s.m.
tribologia s.f.
tribolonoto s.m.
triboluminescência s.f.
triboluminescente adj.2g.
tribombó s.m.
tribometria s.f.
tribométrico adj.
tribômetro s.m.
tribômia s.f.
tribonema s.m.
tribonemácea s.f.
tribonemáceo adj.
tribonianismo s.m.
tribônique s.m.
tríbonix (*cs*) s.m.2n.
triboquense adj. s.m.
tribosfênico adj.
tribotermoluminescência s.f.
tribotermoluminescente adj.2g.
tribracense adj. s.m.
tríbraco adj. s.m.
tribracteado adj.
tribracteolado adj.
tribráquico adj.
tribráquio s.m.
tríbreve adj.2g. s.m.
tribridismo s.m.
tribromacetato s.m.
tribromacético adj.
tribromado adj.
tribrometano s.m.
tribrometo (*ê*) s.m.
tribromidrido s.m.
tribromidrina s.f.
tribromoacetaldeído s.m.
tribromoacetato s.m.
tribromoacético adj.
tribromoanilina s.f.
tribromoatropina s.f.
tribromobenzeno s.m.
tribromoetanal s.m.
tribromoetano s.m.
tribromoetanol s.m.
tribromofenol s.m.
tribromofenólico adj.
tribromometânio s.m.
tribromometano s.m.
tribromomidrina s.f.
tribromonaftol s.m.
tribromopropano s.m.
tribromossalol s.m.
tribuário adj.
tribuçu adj.
tribufe adj.2g. s.m.
tribufu adj.2g. s.m.
tribul adj.2g.
tribulação s.f.
tribulado adj.
tribular v.
tribúlea s.f.
tríbulo s.m.
tríbulo-aquático s.m.; pl. *tríbulos-aquáticos*
tribuna s.f.
tribunado s.m.
tribunal adj.2g. s.m.
tribunato s.m.
tribuneca s.f.
tribunício adj.
tribuno s.m.
tribunocracia s.f.
tribunocrático adj.
tributação s.f.
tributado adj.
tributador (*ô*) adj.
tributal adj.2g.
tributamento s.m.
tributando adj.
tributante adj.2g.
tributar v.
tributário adj. s.m.
tributarismo s.m.
tributarista adj. s.2g.
tributarístico adj.
tributável adj.2g.
tributeiro s.m.
tributífero adj.
tributirido s.m.
tributirina s.f.
tributismo s.m.
tributista adj. s.2g.
tributo s.m.
tribuzana adj. s.2g. s.f.
trica s.f.
tricachoeirense adj. s.2g.
tricadenotecno s.m.
tricaidecofobia s.f.
tricaidecofóbico adj.
tricaidecófobo s.m.
tricálcico adj.
tricalcita s.f.
tricalcite s.f.
tricalcito s.m.
tricalco s.m.
tricalhar v.
tricalho s.m.
tricalísia s.f.
tricalsilita s.f.
tricama s.f.
tricâmaro adj.
tricâmero adj. s.m.
tricampeã adj. s.f. de *tricampeão*
tricampeão adj. s.m.; f. *tricampeã*
tricampeonato s.m.
tricana s.f.
tricangiectasia s.f.
tricangiectásico adj.
tricangiectático adj.
tricantera s.f.
tricantérea s.f.
tricanto s.m.
tricaprido s.m.
tricaprina s.f.
tricapsular adj.2g.
tricarbalilato s.m.
tricarbalílico adj.
tricarboxilato (*cs*) s.m.
tricarboxílico (*cs*) adj.
tricarenado adj.
tricarpelar adj.2g.
tricarpo adj.
tricasense adj. s.m.

tricásio s.m.
tricasse adj. s.2g.
tricassino adj. s.m.
tricastino adj. s.m.
tricatrofia s.f.
tricatrófico adj.
tricauxe (*cs*) s.f.
tricáuxico (*cs*) adj.
tricefalia s.f.
tricefálico adj.
tricéfalo adj. s.m.
tricelular adj.2g.
tricenal adj.2g.
tricenário adj. s.m.
tricênio s.m.
tricentenário adj. s.m.
tricentésimo num. s.m.
tricêntrico adj.
tríceps adj.2g.2n. s.m.2n.
trícera s.f.
tricerácio s.m.
tricerasta s.m.
triceratope s.f.
trícero s.m.
tricésimo num. s.m.
tricetoidrindênico adj.
tricetoidrindeno s.m.
trícia s.f.
triciânico adj.
tricicle s.m.
tricíclea s.f.
tricicleno s.m.
tricicleta s.f.
tricíclico adj.
triciclista adj. s.2g.
triciclo s.m.
triciense adj. s.2g.
tricinquentenário (*ü*) s.m.
tricintado adj.
trício adj. s.m.
tricipital adj.2g.
tricípite adj.2g. s.m.
triclada s.f.
triclådia s.f.
tricládido adj. s.m.
tricládio adj. s.m.
triclado adj. s.m.
triclária s.f.
triclasita s.f.
triclasite s.f.
triclasito s.m.
triclênio s.m.
triclérias s.f.pl.
tricles adj.2g.2n.
triclinário s.m.
tricliniarca s.m.
tricliniário s.m.
triclínico adj.
triclínio s.m.
triclinoédrico adj.
triclísia s.f.
triclisíea s.f.
triclisto s.m.
triclora s.f.
tricloracetato s.m.
tricloracético adj.
triclorado adj.
tricloraldeído s.m.
tricloretileno s.m.
tricloreto (*ê*) s.m.
tricloridrido s.m.
tricloridrina s.f.
tricloroacetaldeídico adj.
tricloroacetaldeído s.m.
tricloroacetato s.m.
tricloroacético adj.
tricloroanilina s.f.
triclorobenzênico adj.
triclorobenzeno s.m.
triclorobutanal s.m.
triclorobutilaldeído s.m.
triclorobutilmalonato s.m.
triclorobutilmalônico adj.
triclorobutirato s.m.
triclorobutírico adj.
tricloroetanal adj.2g. s.m.
tricloroetano s.m.
tricloroetanoico (*ó*) adj.
tricloroetanol s.m.
tricloroeteno s.m.
tricloroetileno s.m.
tricloroetílico adj.
triclorofenoxiacético (*cs*) adj.
tricloroisopropanol s.m.
tricloroisopropílico adj.
triclorometânio s.m.
triclorometano s.m.
tricloronitrometano s.m.
tricloropropano s.m.
tricnemo s.m.
tricô s.m.
tricobália s.f.
tricobáltico adj.
tricobezoar s.m.
tricóbio s.m.
tricobírrulo s.m.
tricoblasto s.m.
tricobótria s.f.
tricobótrico adj.
tricoca s.f.
tricocardia s.f.
tricocárdico adj.
tricocarpo adj. s.m.
tricocatantope s.m.
tricocáulão s.m.
tricocaule adj.2g.
tricocefalíase s.f.
tricocefaliásico adj.
tricocefalídeo adj. s.m.
tricocefálido adj. s.m.
tricocéfalo s.m.
tricocefalose s.f.
tricocefalósico adj.
tricocefalótico adj.
tricocentro s.m.
tricócera s.f.
tricocercômona s.f.
tricócero s.m.
tricociclo s.m.
tricociste s.f.
tricocisto s.m.
tricocládio s.m.
tricóclado s.m.
tricoclaênio s.m.
tricóclase s.f.
tricoclasia s.f.
tricoclásico adj.
tricoclastia s.f.
tricoclástico adj.
tricoclêmio s.m.
tricocletes s.m.2n.
tricocline s.f.
tricoco adj.
tricocólea s.f.
tricócoma s.f.
tricocomácea s.f.
tricocomáceo adj.
tricocriptose s.f.
tricocriptósico adj.
tricocriptótico adj.
tricodangeíte s.f.
tricodangeítico adj.
tricodátilo s.m.
tricodectídeo adj. s.m.
tricodecto s.m.
tricoderma s.m.
tricodes s.m.2n.
tricodesma s.f.
tricodésmio s.m.
tricodesmo s.m.
tricodina s.f.
tricodínida adj.2g. s.m.
tricodinídeo adj. s.m.
tricodinopsídeo adj. s.m.
tricodinópsis s.f.2n.
tricodiodonte s.m.
tricodoflebite s.f.
tricodoflebítico adj.
trícodon s.m.
tricodonte adj.2g. s.m.
tricodrilíneo adj. s.m.
tricodrilo s.m.
tricódroma s.f.
tricoestesia s.f.
tricoestésico adj.
tricoestesiômetro s.m.
tricoestético adj.
tricófaga s.f.
tricofagia s.f.
tricofágico adj.
tricófago s.m.
tricófero s.m.
tricófia s.f.
tricofibroacantoma s.m.
tricofibroepitelioma s.m.
tricofícia s.f.
tricofilo s.m.
tricofitia s.f.
tricofitíase s.f.
tricofítico adj.
tricofitina s.f.
tricofitite s.f.
tricófito s.m.
tricofitobezoar s.m.
tricofitose s.f.
tricofitósico adj.
tricofitótico adj.
tricofluorético adj.
tricofluoreto (*ê*) s.m.
tricofobia s.f.
tricofóbico adj.
tricófobo s.m.
tricóforo s.m.
tricoforópsis s.f.2n.
tricofota s.f.
tricófria s.m.
tricogáster s.m.
tricogáster-azul s.m.; pl. *tricogásteres-azuis*
tricogêneo adj.
tricógeno adj.
tricógina s.f.
tricogínio s.m.
tricógino s.m.
tricóglea s.f.
tricoglossia s.f.
tricoglóssico adj.
tricoglosso s.m.
tricoglote s.f.
tricogônia s.f.
tricograma s.m.
tricogramatídeo adj. s.m.
tricogramídeo adj. s.m.
tricoide (*ó*) adj.2g.
tricoísmo s.m.
tricolábio s.m.
tricolema s.m.
tricolena s.f.
tricolépide s.f.
tricólepis s.f.2n.
tricoleste s.m.
tricolimna s.f.
tricolina s.f.
tricoline s.f.
tricolino s.m.
tricolino-de-chifre s.m.; pl. *tricolinos-de-chifre*
tricolino-de-crista s.m.; pl. *tricolinos-de-crista*
tricólito s.m.
tricolo adj. s.m.
tricologia s.f.
tricológico adj.
tricologista adj. s.2g.
tricólogo s.m.
tricoloma s.m.
tricoloma-de-são-jorge s.m.; pl. *tricolomas-de-são-jorge*
tricolômonas s.2g.2n.
tricolor (*ô*) adj.2g. s.m.
tricolóreo adj.
tricolpado adj.
tricolporado adj.
tricoma s.m.
tricômalo s.m.
tricômanes s.m.2n.
tricomania s.f.
tricomaníaco adj. s.m.
tricômano adj. s.m.
tricomária s.f.
tricomasto s.m.
tricomático adj
tricomatopsia s.f.
tricomatose s.f.
tricomatoso (*ô*) adj.; f. (*ó*); pl. (*ó*)
tricomicose s.f.
tricomicósico adj.
tricomicótico adj.
tricomicterídeo adj. s.m.
tricomicteríneo adj. s.m.
tricomictero s.m.
tricômio s.m.
trícomis s.m.2n.
tricomisco s.m.
tricomo s.m.
tricômona s.2g.
tricomônada s.f.
tricomônade s.f.
tricomonádico adj.
tricomonadídeo adj. s.m.
tricomonadina s.f.
tricomonadino adj. s.m.
tricomoníase s.f.
tricomonose s.f.
tricomórfico adj.
tricomorfo adj. s.m.
tricomássana s.m.
tricôndilo s.m.
tricone s.m.
triconema s.m.
triconinfa s.f.
triconinfídeo adj. s.m.
triconisco s.m.
triconodonte adj.2g. s.m.
triconodôntico adj.
triconodontídeo adj. s.m.
triconose s.f.
triconósico adj.
triconotídeo adj. s.m.
triconoto s.m.
triconquilioide (*ó*) adj.2g.
triconsonântico adj.
tricontinental adj.2g.
tricopatia s.f.
tricopático adj.
tricopatofobia s.f.
tricopatofóbico adj.
tricopatófobo adj. s.m.
tricopília s.f.
tricopirita s.f.
tricopirite s.f.
tricoplancto s.m.
tricoplâncton s.m.
tricoplanina s.f.
tricopleura s.f.
trícopo s.m.
tricópode s.m.
tricopódia s.f.
tricopódio s.m.
tricopoliodistrofia s.f.
tricopoliose s.f.
tricopoliósico adj.
tricópria s.f.
tricopseta s.m.
tricoptérige s.f.
tricopterígia s.f.
tricopterigídeo adj. s.m.
tricópterix (*cs*) s.f.2n.
tricóptero adj. s.m.
tricoptilomania s.f.
tricoptilomaníaco adj. s.m.
tricoptilose s.f.
tricoqueta s.m.
tricorde adj.2g.
tricordiano adj. s.m.
tricórdio s.m.
tricordo adj. s.m.
tricória s.f.
tricorina s.f.
tricório adj. s.m.
tricorne adj.2g. s.m.
tricórnio s.m.
tricoronense adj. s.2g.
tricorpóreo adj.
tricorréctico adj.
tricorreguense adj. s.2g.
tricorrexe (*cs*) s.f.
tricorrexia (*cs*) s.f.
tricorrinco s.m.
tricorriza s.f.
tricorrizo s.m.
tricosaedro s.m.
tricoságono s.m.
tricosandra s.f.
tricosano s.m.
tricosantes s.m.2n.
tricosanto s.m.
tricóscifa s.f.
tricosclereide s.f.
tricosclereíde s.f.
tricosclereídeo s.m.
tricoscopia s.f.
tricoscópico adj.
tricose s.f.
tricosféria s.f.
tricosférula s.f.
tricósia s.f.
tricósico adj.
tricosina s.f.
tricosma s.f.
tricosoma s.m.
tricospermo adj. s.m.
tricospira s.f.
tricospórea s.f.
tricospóreo adj.
tricosporia s.f.
tricosporíase s.f.
tricospórico adj.
tricosporíea s.f.
tricospório s.m.
tricósporo s.m.
tricósquise s.f.
tricosquísico adj.
tricossépalo adj.
tricossoma s.m.
tricossomoide (*ó*) adj.2g. s.m.
tricostema s.m.
tricostêmone adj.2g.
tricóstoma s.m.
tricostômea s.f.
tricóstomo s.m.
tricostrôngilo s.m.
tricosuro s.m.
tricotação s.f.
tricotada s.f.
tricotado adj.
tricotálico adj.
tricotar v.
tricote s.m.
tricotear v.
tricotecina s.f.
tricotécio s.m.
tricoteiro adj. s.m.
tricotilédone adj.2g.
tricotiledôneo adj.
tricótilo adj.
tricotilomania s.f.
tricotilomaníaco adj. s.m.
tricótoma s.f.
tricotomia s.f.
tricotômico adj.
tricótomo adj.
tricotonano s.m.
tricotósia s.f.
tricotraquélida adj.2g. s.m.
tricotraquelídeo adj. s.m.
tricotráupide s.f.
tricotráupis s.f.2n.
tricotrofia s.f.
tricotrófico adj.
tricoxerose (*cs*) s.f.
tricoxerósico (*cs*) adj.
tricroico (*ó*) adj.
tricroísmo s.m.
tricroito (*ó*) adj.
tricromático adj.
tricromato s.m.
tricromia s.f.
tricrômico adj.
tricrotismo s.m.
trícroto adj.
tricrucense adj. s.2g.
trictácero s.m.
trictenótomo s.m.
tricuria s.f.
tricuríase s.f.
tricurídeo adj. s.m.
tricuro s.m.
tricuspidado adj.
tricuspidal adj.2g.
tricúspide adj.2g. s.f.
tricuspídeo adj.
tricuspidiano adj.
tricúspido adj.
tridácio s.m.
tridacna s.f.
tridácneo adj. s.m.
tridácnida adj.2g. s.m.
tridacnídeo adj. s.m.
tridacofila s.f.
tridacofilia s.m.
tridáctile s.f.

tridactilia s.f.
tridactílico adj.
tridactilídeo adj. s.m.
tridactilíneo adj. s.m.
tridáctilo adj. s.m.
tridáquia s.m.
tridatilia s.f.
tridatílico adj.
tridatilídeo adj. s.m.
tridátilo adj. s.m.
tridecaédrico adj.
tridecaedro s.m.
tridecagonal adj.2g.
tridecágono s.m.
tridecano s.m.
tridecanoico (*ó*) s.m.
trideceno s.m.
tridecileno s.m.
tridecílico adj.
tridecoico (*ó*) adj.
tridentado adj.
tridentária s.f.
tridente adj.2g. s.m.
tridenteado adj.
tridênteo adj.
tridentífero adj.
tridentígero adj.
tridentino adj. s.m.
tridérmico adj.
tridésmide s.f.
tridi s.m.
tridia s.m.
tridianista s.f.
tridigitado adj.
tridimensional adj.2g.
tridimensionalidade s.f.
tridimensionalismo s.m.
tridimita s.f.
tridimite s.f.
trídimo s.m.
tridivisense adj. s.m.
tridodecaedro adj. s.m.
tridôzer s.m.
tridracma s.f.
tridracmo adj. s.m.
triduano adj.
tríduo s.m.
triebdomadário adj.
triécfora s.m.
triécforo s.m.
triecia s.f.
triécia s.f.
triécico adj.
trieco adj.
triecosaédrico adj.
triecosaedro s.m.
triedral adj.2g.
triédrico adj.
triedro adj. s.m.
trielco s.m.
trielina s.f.
triemímere adj.2g.
triemímetro adj. s.m.
triemitom s.m.
trienado s.m.
trienal adj.2g.
trienalidade s.f.
triencefalia s.f.
triencefálico adj.
triencéfalo s.m.
triênico adj.
trienina s.f.
triênio s.m.
triénodon s.m.
trienodonte s.m.
trienoforíctis s.m.2n.
trienofórida adj.2g. s.m.
trienoforídeo adj. s.m.
trienóforo s.m.
trienope s.m.
triênops s.m.2n.
triental adj.2g. s.m.
trientale s.f.
triente s.m.
triera s.f.
trierarca s.m.
trierarco s.m.
trierarquia s.f.
trierárquico adj.
trieraula s.m.
trierauleta s.m.
triere s.f.
triestadual adj.2g.
triestearido s.m.
triestearina s.f.
triéster s.m.
triestérico adj.
triestino adj. s.m.
trietanamida s.f.
trietanolamina s.f.
trietérico adj.
trietéride s.f.
trietérides s.f.pl.
trietil s.m.
trietilalumínio s.m.
trietilamina s.f.
trietilamínico adj.
trietilarsina s.f.
trietilênico adj.
trietileno s.m.
trietilenoglicol s.m.
trietilenoglicólico adj.
trietilfosfato s.m.
trietilfosfina s.f.
trietílico adj.
trietilolamina s.f.
triexaédrico (*cs* ou *z*) adj.
triexaedro (*cs* ou *z*) s.m.
trifaca s.f.
triface adj.2g. s.m.
trifaciado adj.
trifacial adj.2g. s.m.
trifactotripe s.m.
trifactotripo s.m.
trifáctotrips s.m.2n.
trifana s.f. "gênero de crustáceos"; cf. *trífana*
trífana s.f. "silicato de alumínio"; cf. *trifana*
trifânia s.m.
trifanita s.f.
trifanite s.f.
trífano s.m.
trifário adj.
trifármaco s.m.
trifarmose s.f.
trifásia s.f.
trifásico adj.
trifauce adj.2g.
trifélia s.f.
trifena s.f.
trifenilalquilidenofosforânico adj.
trifenilalquilidenofosforano s.m.
trifenilamina s.f.
trifenilarsina s.f.
trifenilcarbinol s.m.
trifenileno s.m.
trifenílico adj.
trifenilmetano s.m.
trifenilmetanol s.m.
trifenilmetilo s.m.
trifenilo s.m.
trifenina s.f.
trifenol s.m.
trifenólico adj.
trífera s.f.
trífero adj.
triférrico adj.
triferrina s.f.
triferroso (*ô*) adj.; f. (*ó*); pl. (*ó*)
trifeta (*ê*) s.f.
trifidafis s.f.2n.
trífido adj.
trifigueirense adj. s.2g.
trifilar adj.2g.
trifilia s.f.
trifilina s.f.
trifilita s.f.
trifilite s.f.
trifilito s.m.
trifilme adj.
trifilo adj. s.m.
trifisária s.f.
triflagelado adj.
triflebe s.f.
triflebo s.m.
triflecha adj.
trifleps s.f.2n.
trifloro adj.
trifluoracetático adj.
trifluoracetato s.m.
trifluoracético adj.
trifluorado adj.
trifluoreto (*ê*) s.m.
trifluórico adj.
trifluormetil s.m.
trifluormetílico adj.
trifluorometano s.m.
trifocal adj.2g. s.m.
trifocalidade s.f.
trifólia s.f.
trifoliácea s.f.
trifoliáceo adj.
trifoliado adj.
trifolianol s.m.
trifolíea s.f.
trifolina s.f.
trifólio adj. s.m.
trifólio-comum s.m.; pl. *trifólios-comuns*
trifólio-hirsuto s.m.; pl. *trifólios-hirsutos*
trifoliolado adj.
trifoliose s.f.
trifoliósico adj.
trifonia s.f.
trifônico adj.
trifoníneo adj. s.m.
trifonte adj.2g.
trifório s.m.
tríforis s.m.2n.
triforme adj.2g.
tríforo adj.
triforquilhense adj. s.m.
trifosa s.m.
trifosfático adj.
trifosfato s.m.
trifostema s.m.
trifrágmio s.m.
trifraternense adj. s.2g.
trifronteirense adj. s.2g.
trifurcação s.f.
trifurcado adj.
trifurcador (*ô*) adj.
trifurcante adj.2g.
trifurcar v.
trifurcável adj.2g.
trifusa s.f.
triga s.f.
trigada s.f.
trigado adj.
trigador (*ô*) adj. s.m.
trigães s.f.2n.
trigal adj.2g. s.m.
trigamia s.f.
trigamilha s.f.
trígamo adj. s.m.
trigança s.f.
trigar v.
trigáster s.m.
trigástrico adj.
trigatrônio s.m.
trigemelar adj.2g.
trigêmeo adj. s.m.
trigeminação s.f.
trigeminada s.f.
trigeminado adj.
trigeminal adj.2g.
trigeminismo s.m.
trigeminista adj. s.2g.
trigeminístico adj.
trigêmino adj. s.m.
trigenato s.m.
trigênea s.f.
trigênico adj.
trígeo adj.
trigesimal adj.2g.
trigésimo num. s.m.
triginia s.f. "qualidade de planta de três carpelos"; cf. *trigínia*
trigínia s.f. "ordem das plantas que têm três carpelos"; cf. *triginia*
trigínico adj.
trigínio adj.
trígino adj.
trigintúplice num.
trigíntuplo num.
trigla s.f.
triglicéride s.m.
triglicerídeo adj. s.m.
triglicerídico adj.
triglicerídio s.m.
triglicérido s.m.
triglicosido s.m.
triglicósido s.m.
tríglida adj.2g. s.m.
triglídeo adj. s.m.
triglífico adj.
tríglifo adj. s.m.
triglifodonte s.m.
triglo s.m.
triglócno adj.
triglope s.m.
tríglops s.m.2n.
triglóquin s.m.
trigloquinácea s.f.
trigloquináceo adj.
trigloquínea s.f.
triglóquino adj. s.m.
triglóquis s.m.2n.
triglota adj. s.2g.
triglotismo s.m.
trigloto adj. s.m.
tríglumo adj.
trigo adj. s.m.
trigo-arroz s.m.; pl. *trigos-arroz* e *trigos-arrozes*
trigo-asa-de-corvo s.m.; pl. *trigos-asa-de-corvo* e *trigos-asas-de-corvo*
trigo-barbela s.m.; pl. *trigos-barbela* e *trigos-barbelas*
trigo-branco s.m.; pl. *trigos-brancos*
trigo-cachudo s.m.; pl. *trigos-cachudos*
trigo-da-guiné s.m.; pl. *trigos-da-guiné*
trigo-da-terra s.m.; pl. *trigos-da-terra*
trigo-da-turquia s.m.; pl. *trigos-da-turquia*
trigode s.m.
trigo-de-barba-preta s.m.; pl. *trigos-de-barba-preta*
trigo-de-israel s.m.; pl. *trigos-de-israel*
trigo-de-milagre s.m.; pl. *trigos-de-milagre*
trigo-de-perdiz s.m.; pl. *trigos-de-perdiz*
trigo-de-prioste s.m.; pl. *trigos-de-prioste*
trigo-de-verão s.m.; pl. *trigos-de-verão*
trigódia s.f.
trigo do mar s.m.
trigo-durázio s.m.; pl. *trigos-durázios*
trigo-durázio-molar s.m.; pl. *trigos-durázios-molares*
trigo-durázio-rijo s.m.; pl. *trigos-durázios-rijos*
trigo-duro s.m.; pl. *trigos-duros*
trigo-galego s.m.; pl. *trigos-galegos*
trigo-galego-barbado s.m.; pl. *trigos-galegos-barbados*
trigogenina s.f.
trigo-grama s.m.; pl. *trigos-grama* e *trigos-gramas*
trigolpe s.m.
trigo-moiro s.m.; pl. *trigos-moiros*
trigo-mole s.m.; pl. *trigos-moles*
trigo-mourisco-fino s.m.; pl. *trigos-mouriscos-finos*
trigo-mourisco-preto s.m.; pl. *trigos-mouriscos-pretos*
trigo-mouro s.m.; pl. *trigos-mouros*
trígon s.m.
trígona s.f.
trigonal adj.2g.
trigonálida adj.2g. s.m.
trigonalídeo adj. s.m.
trigonântea s.f.
trigonápsis s.f.2n.
trígone s.f.
trigo-negro s.m.; pl. *trigos-negros*
trigonela s.f.
trigonelina s.f.
trigonelínico adj.
trigônia s.f.
trigoniácea s.f.
trigoniáceo adj.
trigoniastro s.m.
trigonicórneo adj.
trigônida adj.2g. s.m.
trigonídea s.f.
trigonídeo adj. s.m.
trigonidiíneo adj. s.m.
trigonídio s.m.
trigônido adj. s.m.
trigonidomorfa s.f.
trigoniídeo adj. s.m.
trigonina s.f.
trigonita s.f.
trigonite s.f.
trigonítico adj.
trígono adj. s.m.
trigonocarpo adj. s.m.
trigonocéfala s.f.
trigonocefalia s.f.
trigonocefálico adj.
trigonocéfalo adj. s.m.
trigonócero s.m.
trigonocídaris s.f.2n.
trigonoclâmide s.f.
trigonóclamis s.f.2n.
trigonocolíneo adj. s.m.
trigonocolo s.m.
trigonocórneo adj.
trigonodáctilo s.m.
trigonodátilo s.m.
trigonódero s.m.
trigonodonte s.m.
trigonodoro s.m.
trigonofimo s.m.
trigonófora s.f.
trigonóforo s.m.
trigonogastro s.m.
trigonômetra s.2g.
trigonometria s.f.
trigonométrico adj.
trigonometrista s.2g.
trigonopeplo s.m.
trigonóporo s.m.
trigonopséfalo s.m.
trigonópsis s.f.2n.
trigonorrina s.f.
trigonospermo s.m.
trigonossoma s.m.
trigonossomo s.m.
trigonostêmone adj.2g.
trigonostêmono s.m.
trigonostomia s.f.
trigonostômico adj.
trigonóstomo s.m.
trigonotarso s.m.
trigonótilo s.m.
trigo-novo s.m.; pl. *trigos-novos*
trigonura s.f.
trigonuro adj. s.m.
trigo-ordinário s.m.; pl. *trigos-ordinários*
trigo-polônico s.m.; pl. *trigos-polônicos*
trigo-precoce s.m.; pl. *trigos-precoces*
trigo-preto s.m.; pl. *trigos-pretos*
trigo-preto-amarelo s.m.; pl. *trigos-pretos-amarelos*
trigo-raspinegro s.m.; pl. *trigos-raspinegros*
trigo-ribeiro s.m.; pl. *trigos-ribeiros*
trigo-ruivo s.m.; pl. *trigos-ruivos*
trigo-russo s.m.; pl. *trigos-russos*
trigo-santa-marta s.m.; pl. *trigos-santa-marta*
trigo-sarraceno s.m.; pl. *trigos-sarracenos*
trigo-selvagem s.m.; pl. *trigos-selvagens*

trigo-sete-espigas s.m.; pl. *trigos-sete-espigas*
trigoso (*ô*) adj.; f. (*ó*); pl. (*ó*)
trigo-túrgido s.m.; pl. *trigos-túrgidos*
trigo-vermelho s.m.; pl. *trigos-vermelhos*
trigo-vermelho-fino s.m.; pl. *trigos-vermelhos-finos*
trigráfico adj.
trígrafo s.m.
trigrama s.m.
trigueira s.f.
trigueirão adj. s.m.; f. *trigueirona*
trigueiro adj. s.m.
trigueirona adj. s.f. de *trigueirão*
trigueirote adj.2g.
triguenho adj.
triguilho adj. s.m.
tri-halogenado adj.
tri-hebdomadário adj.
tri-hibridação s.f.
tri-hibridado adj.
tri-hibridar v.
tri-hibridismo s.m.
tri-híbrido adj. s.m.
tri-hídrico adj.
tri-hidrobenzoico (*ó*) adj.
tri-hidrocalcita s.f.
tri-hidroxiantaquinona (*cs*) s.f.
tri-hidroxibenzênico (*cs*) adj.
tri-hidroxibenzeno (*cs*) s.m.
tri-hidroxibenzoato (*cs*) s.m.
tri-hidroxibutírico (*cs*) adj.
tri-hidroxicolânico (*cs*) adj.
tri-hidroxicolonato (*cs*) s.m.
tri-hidroxiglutárico (*cs*) adj.
tri-hidroxilado (*cs*) adj.
tri-hidroxitrietilamina (*cs*) s.f.
tri-iniodimia s.f.
tri-iniodímio s.m.
tri-iodado adj.
tri-iodético adj.
tri-iodeto (*ê*) s.m.
tri-iodometacresol s.m.
tri-iodometânio s.m.
tri-iodometano s.m.
tri-iodotironina s.f.
tri-iodotironínico adj.
trijugado adj.
trijunção s.f.
trijuncional adj.2g.
trijungir v.
trijungível adj.2g.
trijuntamento s.m.
trijuntar v.
trikalsilita s.f.
trilábio s.m.
trílabo s.m.
triladeirense adj. s.m.
trilado adj. s.m.
trilagoense adj. s.2g.
trilagunense adj. s.2g.
trilaminar adj.2g.
trilante adj.2g.
trilar v.
trilateração s.f.
trilateral adj.2g.
trilateralidade s.f.
trilaterante adj.2g.
trilaterar v.
trilátero adj. s.m.
trilaurido s.m.
trilaurina s.f.
trilável adj.2g.
trilema s.m.
trilépide s.f.
trilepísio s.m.
trileuco adj.
trilha s.f.
trilhada s.f.
trilhadeira s.f.
trilhadela s.f.
trilhado adj.
trilhador (*ô*) adj. s.m.
trilhadora (*ô*) s.f.
trilhadura s.f.
trilhamento s.m.
trilhão num. s.m.
trilhar v.
trilhável adj.2g.
trilheira s.f.
trilho s.m.
trilhoada s.f.
triliácea s.f.
triliáceo adj.
trilião num. s.m.
trilice adj.2g.
trilídio s.m.
trilina s.f.
trilinear adj.2g.
trilinearidade s.f.
trilíngue (*ü*) adj. s.2g.
trilinguismo (*ü*) s.m.
trilinguista (*ü*) adj. s.2g.
trilinguístico (*ü*) adj.
trílio s.m.
trilionesimal adj.2g.
trilionésimo num. s.m.
trilisa s.f.
trilistrado adj.
trilita s.f.
trilite s.f.
triliteral adj.2g.
triliteralidade s.f.
triliteralismo s.m.
trilítero adj. s.m.
trílito s.m.
trilo s.m.
trilobado adj.
trilobamina s.f.
trilóbeo s.m.
trilobina s.f.
trilobita s.f.
trilobite adj.2g. s.m.
trilobítico adj.
trilobito s.m.
trilobitomorfo adj. s.m.
trílobo s.m.
trilobulado adj.
trilóbulo s.m.
triloculado adj.
trilocular adj.2g.
trílofo s.m.
trilofodonte s.m.
trilofodôntico adj.
trilogia s.f.
trilógico adj.
trílogo s.m.
trilongo adj. s.m.
trilupa s.f.
trimaculado adj.
trimaiense adj. s.2g.
trimálio s.m.
trimamoca s.f.
trimarã s.m.
trimargarido s.m.
trimargarina s.f.
trimarginado adj. s.m.
trimariano adj. s.m.
trimariense adj. s.2g.
trimastia s.f.
trimástico adj.
trimastigácea s.f.
trimastigáceo adj.
trimastige s.f.
trimástix (*cs*) s.f.2n.
trimasto adj. s.m.
trimatococo s.m.
trimbobó s.m.
trimbolar v.
trimbolim s.m.
trimbombó s.m.
trimegisto s.m.
trimelato s.m.
trimélico adj.
trimelitato s.m.
trimelítico adj.
trimembre adj.2g.
trimênia s.f.
trimeniácea s.f.
trimeniáceo adj.
trimênopon adj.2g. s.m.
trimenópone adj.2g. s.m.
trimenoponídeo adj. s.m.
trimensal adj.2g.
trimensalidade s.f.
trimeranto s.m.
trímere adj.2g. s.m.
triméria s.f.
trimerita s.f.
trimerite s.f.
trimeriza s.f.
trímero adj. s.m.
trimesato s.m.
trimésico adj.
trimesinato s.m.
trimesínico adj.
trimesitato s.m.
trimesítico adj.
trimestral adj.2g.
trimestralidade s.f.
trimestre adj.2g. s.m.
trimetadiona s.f.
trimetafosfato s.m.
trimetafosfórico adj.
trimetilacetato s.m.
trimetilacético adj.
trimetilacetona s.f.
trimetilado adj.
trimetilamina s.f.
trimetilamínico adj.
trimetilarsina s.f.
trimetilbenzênico adj.
trimetilbenzeno s.m.
trimetilbenzoato s.m.
trimetilbenzoico (*ó*) adj.
trimetilbenzol s.m.
trimetilbenzoxipiperidina (*cs*) s.f.
trimetilcarbinol s.m.
trimetilcelulose s.f.
trimetilcelulótico adj.
trimetildioxipurina (*cs*) s.f.
trimetilênico adj.
trimetileno s.m.
trimetilenocarboxilato (*cs*) s.m.
trimetilenocarboxílico (*cs*) adj.
trimetilenomalonato s.m.
trimetilenomalônico adj.
trimetileteno s.m.
trimetiletílico adj.
trimetilglicocola s.f.
trimetilmetano s.m.
trimetilnaftaleno s.m.
trimetilobenzol s.m.
trimetilsilil s.m.
trimetilsilílico adj.
trimetiltetraoxibenzeno (*cs*) s.m.
trimetilxantina (*cs*) s.f.
trimetilxantínico (*cs*) adj.
trimetoprim s.m.
trimetoxilado (*cs*) adj.
trímetra s.f.
trimétrico adj.
trímetro adj. s.m.
trimeza s.f.
trimilenário adj. s.m.
trimilênio s.m.
trimilionésimo num. s.m.
trímio s.m.
trimiristido s.m.
trimiristina s.f.
trimódio s.m.
trimoélia s.f.
trimontense adj. s.2g.
trimontita s.f.
trimorfia s.f.
trimórfico adj.
trimorfismo s.m.
trimorfo adj.
trimorfose s.f.
trimorrense adj. s.2g.
trimosterno s.m.
trimotor (*ô*) adj. s.m.
trimúrti s.f.
trina s.f.
trínace s.m.
trinacional adj.2g. s.f.
trinacófora adj.2g. s.m.
trinacoforíneo adj. s.m.
trinácrio adj. s.m.
trinacrita s.f.
trinadia s.f.
trinado adj. s.m.
trinador (*ô*) adj.
trinaftalenossulfona s.f.
trinaftalenossulfônico adj.
trinalidade s.f.
trinante adj.2g.
trinar v.
trínax (*cs*) s.m.2n.
trinca s.f.
trinca-cevada s.f.; pl. *trinca-cevadas*
trincada s.f.
trinca da joia (*ó*) s.f.
trincadeira s.f.
trincadeira-branca s.f.; pl. *trincadeiras-brancas*
trincadela s.f.
trinca-dente s.f.; pl. *trinca-dentes*
trinca-dentes s.f.2n.
trincado adj. s.m.
trincadura s.f.
trinca-espinhas s.m.2n.
trinca-ferro s.m.; pl. *trinca-ferros*
trinca-ferro-bicudo s.m.; pl. *trinca-ferros-bicudos*
trinca-ferro-da-amazônia s.m.; pl. *trinca-ferros-da-amazônia*
trinca-ferro-da-serra s.m.; pl. *trinca-ferros-da-serra*
trinca-ferro-de-asa-verde s.m.; pl. *trinca-ferros-de-asa-verde*
trinca-ferro-de-bico-grosso s.m.; pl. *trinca-ferros-de-bico-grosso*
trinca-ferro-verdadeiro s.m.; pl. *trinca-ferros-verdadeiros*
trincafiado adj.
trincafiador (*ô*) adj.
trincafiar v.
trincafilado adj.
trincafilar v.
trincafio s.m.
trinca-fortes s.m.2n.
trinca-gente s.2g.; pl. *trinca-gentes*
trincal adj.2g. s.m.
trincal-de-pau s.m.; pl. *trincais-de-pau*
trincalhada s.f.
trincalhado adj.
trincalhar v.
trincalho s.m.
trincamento s.m.
trincaniz s.f.
trinca-nozes s.m.2n.
trincante adj.2g. s.m.
trinca-pau s.m.; pl. *trinca-paus*
trinca-pinhas s.m.2n.
trinca-pintos s.2g.2n.
trincar v.
trincável adj.2g.
trincha s.f.
trinchado adj.
trinchador (*ô*) adj. s.m.
trinchante adj. s.2g. s.m.
trinchão s.m.
trinchar v.
trinchável adj.2g.
trincheira s.f.
trincheira-abrigo s.f.; pl. *trincheiras-abrigo* e *trincheiras-abrigos*
trincheirado adj.
trincheiramento s.m.
trincheirar v.
trincheiro s.m.
trincheta (*ê*) s.f.
trinchete (*ê*) s.m.
trincho s.m.
trínçia s.f.
trinclido s.m.
trinco s.m.
trincolejar v.
trincolejo (*ê*) s.m.
trincolhos-brincolhos s.m.pl.
trincosa s.f.
trindade s.f.
trindadense adj. s.2g.
trinefro s.m.
trinema s.m.
trinervado adj.
trinérveo adj.
trineto s.m.
trineural adj.2g.
trinfar v. s.m.
tringa s.m.
tringalha s.f.
tringalheira s.f.
tringalho s.m.
tringalim s.m.
tringlido s.m.
trin0guaba s.f.
trínia s.f.
trínio s.m.
trinir v.
trinitária s.f.
trinitário adj. s.m.
trinitário-tobagense adj. s.2g.; pl. *trinitário-tobagenses*
trinitarismo s.m.
trinitarista adj. s.2g.
trinitarístico adj.
trinitino adj. s.m.
trinitrado adj. s.m.
trinitranilina s.f.
trinitrato s.m.
trinítrico adj.
trinitrido s.m.
trinitrina s.f.
trinitro adj. s.m.
trinitroaminobenzeno s.m.
trinitroanilina s.f.
trinitrobenzeno s.m.
trinitrobutiltolueno s.m.
trinitrocelulose s.f.
trinitrocresol s.m.
trinitrofênico adj.
trinitrofenilmetilnitroamina s.f.
trinitrofenilmetilnitroamínico adj.
trinitrofenol s.m.
trinitrofenólico adj.
trinitroglicerina s.f.
trinitroglicerol s.m.
trinitrolvênico adj.
trinitrometacresol s.m.
trinitrometano s.m.
trinitronaftaleno s.m.
trinitronaftalina s.f.
trinitrorresorcina s.f.
trinitrorresorcinático adj.
trinitrorresorcinato s.m.
trinitrotolueno s.m.
trinitroxileno (*cs*) s.m.
trino adj. s.m.
trinobante adj. s.2g.
trinode adj.2g.
trinódino s.m.
trinogeto s.m.
trinomial adj.2g.
trinômico adj.
trinominal adj.2g.
trinômine adj.2g.
trinômino adj.
trinômio adj. s.m.
trinoto s.m.
trinque s.m.
trinquebale s.m.
trinquerita s.f.
trinquerite s.f.
trinqueta (*ê*) s.f.
trinquete (*ê*) s.m.
trinqueval s.m.
trinquevale s.m.
trinquinétia s.f.
trinta num. s.m.
trinta-botões s.m.2n.
trinta-cinquense (*ü*) adj. s.2g.; pl. *trinta-cinquenses*
trintada s.f.
trintadozeno adj.
trinta e dois s.m.2n.
trinta e oito s.m.2n.
trinta e quarenta s.m.2n.
trinta e um s.m.2n. "jogo de baralho"; cf. *trinta-e-um*
trinta-e-um s.m.2n. "espécie de ave"; cf. *trinta e um*
trinta e um de roda s.m.2n.
trintanário s.m.
trintaneiro adj. s.m.

trintão adj. s.m.; f. *trintona*
trintar v.
trinta-raízes s.m.2n.
trinta-réis s.m.2n.
trinta-réis-anão s.m.; pl. *trinta-réis-anões*
trinta-réis-branco s.m.; pl. *trinta-réis-brancos*
trinta-réis-de-bico-amarelo s.m.2n.
trinta-réis-de-bico--vermelho s.m.2n.
trinta-réis-escuro s.m.; pl. *trinta-réis-escuros*
trinta-réis-grande s.m.; pl. *trinta-réis-grandes*
trinta-réis-pequeno s.m.; pl. *trinta-réis-pequenos*
trinta-réis-real s.m.; pl. *trinta-réis-reais*
trintário s.m.
trintena s.f.
trintenário adj. s.m.
trinteno adj.
trintídio s.m.
trintona adj. s.f. de *trintão*
trintúplice num.
tríntuplo num.
trinucleado adj.
trinucleídeo adj. s.m.
trinúcleo s.m.
trinulado adj.
trinular v.
trínulo s.m.; cf. *trinulo*, fl. do v. *trinular*
trinundino s.m.
trio adj. s.2g. s.m.
trióbolo s.m.
triocalino adj. s.m.
triocefalia s.f.
triocefálico adj.
triocéfalo s.m.
trioctaédrico adj.
trioctaedro s.m.
trióctil adj.2g.
trioctubriano adj. s.m.
trioculado adj.
triódia s.f.
triódio s.m.
triodioexódio (*cs* ou *z*) s.m.
triodo (*ô*) s.m.
tríodo s.m.
tríodon s.m.
triodonte s.m.
triodontela s.f.
triodontídeo adj. s.m.
triodontíneo adj. s.m.
triodontolaimo s.m.
triodontolemo s.m.
triodotironina s.f.
triodrexódio (*cs* ou *z*) s.m.
trióﬁlo s.m.
trioicia s.f.
trióicia s.f.
trioico (*ó*) adj.
triol s.m.
triolé s.f.
trioleático adj.
trioleato s.m.
trioleído s.m.
trioleína s.f.
triolena s.f.
triolete (*ê*) s.m.
triolismo s.m.
triolosídio s.m.
trional s.m.
triongulino s.m.
triônice s.m.
triônico s.m.
trionicoide (*ó*) s.m.
triônimo s.m.
trionique s.m.
trioníquida adj.2g. s.m.
trioniquídeo adj. s.m.
tríonix (*cs*) s.m.2n.
trionômio s.m.
triônomis s.m.2n.
tríopa s.f.
triope s.m.
triopela s.f.
triopídeo adj. s.m.
trioptéride s.f.
triópteris s.f.2n.
triórqueo adj.
triorquídeo adj. s.m.
triorquidia s.f.
triorquídico adj.
triorquídio s.m.
triórquido adj. s.m.
triorquismo s.m.
triose s.f.
triosga s.f.
triosídeo adj. s.m.
triósido s.m.
triótoro s.m.
triovulado adj.
trioxânico (*cs*) adj.
trioxano (*cs*) s.m.
trioxibenzênico (*cs*) adj.
trioxibenzeno (*cs*) s.m.
trioxibenzoato (*cs*) s.m.
trioxibenzoico (*ó*) adj.
trióxido (*cs*) adj. s.m.
trioxifenol (*cs*) s.m.
trioximetileno (*cs*) s.m.
trioxinitrático (*cs*) adj.
trioxinitrato (*cs*) s.m.
trioxipurina (*cs*) s.f.
triozíneo adj. s.m.
tripa s.f.
tripadecte s.m.
tripa-de-galinha s.f.; pl. *tripas-de-galinha*
tripa-de-judas s.f.; pl. *tripas--de-judas*
tripa-de-lobo s.f.; pl. *tripas--de-lobo*
tripa-de-ovelha s.f.; pl. *tripas--de-ovelha*
tripagem s.f.
tripalhada s.f.
tripalhame s.m.
tripalmítido s.m.
tripalmitina s.f.
tripânea s.f.
tripaneídeo adj. s.m.
tripango s.m.
tripanídio s.m.
tripanocida adj.2g. s.m.
tripanocídio s.m.
tripanocórace s.m.
tripanocóraco s.m.
tripanócorax (*cs*) s.m.2n.
tripanófera s.f.
tripanófora s.f.
tripanólise s.f.
tripanolítico adj.
tripanoplasma s.m.
tripanorrinco adj. s.m.
tripanose s.f.
tripanósico adj.
tripanosílis s.m.2n.
tripanosoma s.m.
tripanossílis s.m.2n.
tripanossoma s.m.
tripanossomíase s.f.
tripanossomiásico adj.
tripanossômida adj.2g. s.m.
tripanossomídeo adj. s.m.
tripanossomo s.m.
tripanossomose s.f.
tripanossomósico adj.
tripanotoxina (*cs*) s.f.
tripanozoário s.m.
triparia s.f.
tríparo adj.
triparsamida s.f.
tripartição s.f.
tripartidário adj. s.m.
tripartidarismo s.m.
tripartidarista adj. s.2g.
tripartidismo s.m.
tripartidista adj. s.2g.
tripartido adj.
tripartir v.
tripartite adj.2g.
tripartito adj.
tripartível adj.2g.
tripassense adj. s.2g.
tripe s.m. "estofo aveludado"; cf. *tripé*
tripé s.m. "suporte com três escoras"; cf. *tripe*
tripeça s.f.
tripeço s.m.
tripeira s.f.
tripeirada s.f.
tripeiro adj. s.m.
tripenado adj.
tripenatífido adj.
tripenatipartido adj.
tripenatissecto adj.
tripeptídio s.m.
tripeptido s.m.
tripeta s.m. "inseto"; cf. *trípeta*
trípeta adj.2g. "cortado em três"; cf. *tripeta*
tripétalo adj.
tripeteliácea s.f.
tripeteliáceo adj.
tripetélio s.m.
tripétida adj.2g. s.m.
tripetídeo adj. s.m.
tripetrense adj. s.2g.
tripetrepe adv.
tripídeo adj. s.m.
trípila s.f.
tripíleo s.m.
trípilo s.m.
tripilone s.m.
tripilônico adj.
tripilono s.m.
tripinapartido adj.
tripinatífido adj.
tripinatipartido adj.
tripinatissecto adj.
tripinense adj. s.2g.
tripíneo adj. s.m.
tripinheirense adj. s.2g.
tripiridilo s.m.
tripitaca s.m.
triplacne s.f.
tríplaco s.m.
triplano adj. s.m.
triplare s.m.
triplarídea s.f.
triplastita s.f.
triplatoma s.m.
triplax (*cs*) s.m.2n.
triple num.
triplegia s.f.
triplégico adj.
triplenervado adj.
triplenérveo adj.
triplessência s.f.
tripleta (*ê*) s.f.
triplete adj.2g. s.m.
triplético adj.
tripleto (*ê*) s.m.
triplex (*cs*) adj.2g.2n. s.m.2n.
tríplex (*cs*) num. adj.2g.2n. s.m.2n.
triplicabilidade s.f.
triplicação s.f.
triplicado adj. s.m.
triplicador (*ô*) s.m.
triplicamento s.m.
triplicante adj.2g.
triplicar v.
triplicata s.f.
triplicável adj.2g.
tríplice num. adj.2g. s.f.
triplicidade s.f.
triplinervado adj.
triplinérveo adj.
triplita s.f.
triplite s.f.
triplo num. adj.
triploblástico adj.
triploblasto s.m.
triplocânia s.f.
triplocaulo adj.
triploclásio s.m.
triploédrico adj.
triploedro s.m.
triploide (*ó*) adj.2g. s.m.
triploidia s.f.
triploidita s.f.
triploidite s.f.
triplopia s.f.
triplópico adj.
triplopsia s.f.
triplópsico adj.
triplóptero adj. s.m.
triplóptico adj.
triploquitão s.m.
triplostégia s.f.
triplostegíea s.f.
triplostêmone adj.2g.
triplostêmono adj.
triplotaxe (*cs*) s.f.
tripo s.m. "inseto"; cf. *tripó*
tripó s.m. "banco de três pés"; cf. *tripo*
tripocense adj. s.2g.
tripócopris s.m.2n.
trípoda adj.2g. s.f.
trípode adj.2g. s.f.
tripodefórico adj.
tripodia s.f.
tripodismo s.m.
trípodo adj.
tripófaga s.f.
tripofagia s.f.
tripofágico adj.
tripófago adj.
tripoﬁlo s.m.
tripógon s.m.
tripóideo adj. s.m.
tripolândia s.f.
tripolar adj.2g.
trípole s.m.
tripóleo adj.
trípoli s.m.
tripolino adj. s.m.
tripólio s.m.
tripolita s.f.
tripolitano adj. s.m.
tripolítico adj.
tripólito s.m.
tripolo s.m.
trípolo s.m.
tripônace s.m.
tripôndio s.m.
tripontense adj. s.2g.
tripontino adj. s.m.
tripositividade s.f.
tripositivo adj.
tripoxil (*cs*) s.m.
tripoxilo (*cs*) s.m.
tripóxilo (*cs*) s.m.
tripóxilon (*cs*) s.m.
trippkeíta s.f.
triprião s.m.
tripríon s.m.
triprosopia s.f.
triprosópico adj.
triprosopo s.m.
triprótico adj.
triprotômico adj.
trips s.m.2n.
trípsaco s.m.
tripse s.m.
trípsida adj.2g. s.m.
tripsídeo adj. s.m.
tripsina s.f.
tripsinase s.f.
tripsínase s.f.
tripsínico adj.
tripsinizado adj.
tripsinizar v.
tripsinogênese s.f.
tripsinogênico adj.
tripsinogênio s.m.
tripsinógeno adj.
triptamina s.f.
triptase s.f.
triptéride s.f.
tripterígio s.m.
trípteris s.f.2n.
tríptero adj.
tripterocarpo s.m.
tripterodendro s.m.
triptérodon s.m.
tripterospermo s.m.
tríptico s.m.
triptílio s.m.
triptófana s.f.
triptofânico adj.
triptofano s.m.
triptófano s.m.
triptolêmico adj.
triptólise s.f.
triptolítico adj.
triptomena s.f.
trípton s.m.
triptona s.f.
triptonemia s.f.
triptonêmico adj.
triptorino s.m.
triptorrino s.m.
triptoto adj. s.m.
tripudiação s.f.
tripudiado adj.
tripudiador (*ô*) adj. s.m.
tripudiamento s.m.
tripudiante adj. s.2g.
tripudiar v.
tripudiável adj.2g.
tripúdio s.m.; cf. *tripudio*, fl. do v. *tripudiar*
tripuíta s.f.
tripulação s.f.
tripulado adj.
tripulagem s.f.
tripulante adj. s.2g.
tripular v.
tripulável adj.2g.
tripuuíta s.f.
triquátrico adj.
triquatro s.m.
triquécida adj.2g. s.m.
triquecídeo adj. s.m.
tríqueco s.m.
triqueilonema s.m.
triquelóforo s.m.
triquencirto s.m.
triquequídeo adj. s.m.
triquera s.f.
triques adj.2g.2n.
triquestesia s.f.
triquestético adj.
triques-troques s.m.2n.
triquete (*ê*) s.m.
trique-traque s.m.; pl. *trique--traques*
trique-traz s.m.; pl. *trique-trazes*
tríquetro adj. s.m.
tríquia s.f.
triquiácea s.f.
triquiáceo adj.
triquíase s.f.
triquiásico adj.
triquiático adj.
triquídio s.m.
triquiíneo adj. s.m.
triquília s.f.
triquilíea s.f.
triquilonema s.m.
triquina s.f.
triquinado adj.
triquinela s.f.
triquinelíase s.f.
triquinelídeo adj. s.m.
triquinelose s.f.
triquiníase s.f.
triquiniásico adj.
triquiniático adj.
triquinofobia s.f.
triquinofóbico adj.
triquinófobo s.m.
triquinoide (*ó*) adj.2g.
triquinoílo s.m.
triquinoscopia s.f.
triquinoscópico adj.
triquinoscópio s.m.
triquinose s.f.
triquinósico adj.
triquinoso (*ô*) adj.; f. (*ó*); pl. (*ó*)
triquinquenal (*ü...ü*) adj.2g.
tríquio s.m.
triquiossomo s.m.
tríquis s.m.2n.
triquismo s.m.
triquita s.f.
triquite s.f.
triquito s.m.
triquiúra s.f.
triquiúrida adj.2g. s.m.
triquiurídeo adj. s.m.
triquiuriforme adj.2g. s.m.
triquixo (*cs*) s.m.

trirradiado adj.
trirradial adj.2g.
trirradiante adj.2g.
trirrádio s.m.
trirráfide s.f.
trírrafis s.f.2n.
trirramoso (*ô*) adj.; f. (*ó*); pl. (*ó*)
trirranchense adj. s.2g.
trirregno s.m.
trirrelha (*ê*) s.m.
trirreme adj.2g. s.f.
trirretangular adj.2g.
trirretângulo adj. s.m.
trirriense adj. s.2g.
trirrivense adj. s.2g.
trirrogma s.f.
trirromboidal adj.2g.
trirromboide (*ó*) adj.2g. s.m.
tris s.m. interj. "ruído de coisa que se parte"; cf. *triz*
trisado adj.
triságio s.m.
trisanual adj.2g.
trisar v.
trisarca s.m.
trisarcado s.m.
trisarquia s.f.
trisárquico adj.
trisavó s.f.
trisavô s.m.; pl. *trisavós* e *trisavôs*
trisca s.f.
triscado adj.
triscaidecofobia s.f.
triscaidecofóbico adj.
triscaidecófobo s.m.
triscar v.
triscedecafobia s.f.
triscedecafóbico adj.
triscedecáfobo s.m.
triscedecofobia s.f.
triscedecofóbico adj.
triscedecófobo adj. s.m.
tríscele s.m.
tríscelo s.m.
trisco s.m.
trisígono adj.
trisisogônico adj.
trisisógono adj. s.m.
trismegisto adj.
trismo s.m.
trisna s.f.
trisneto s.m.
trisormiano s.m.
trisperma adj.2g.
trispérmico adj.
trispermo adj.
trispítamo adj. s.m.
trisplâncnico adj. s.m.
trisqueira s.f.
trisque-troque s.m.; pl. *trisque-troques*
trissacarídeo adj. s.m.
trissacárido s.m.
trissacramental adj.2g.
trissacramentário s.m.
trissal s.m.
trissar v.
trissecado adj.
trissecante adj.2g. s.f.
trisseção s.f.
trissecar v.
trissecável adj.2g.
trissecção s.f.
trissectado adj.
trissectar v.
trissecto adj.
trissector (*ô*) adj. s.m.
trissectriz s.f.
trissecular adj.2g.
trissegmentado adj.
trissemanal adj.2g.
trissemanário s.m.
trissemestral adj.2g.
trissemo s.m.
trissepalia s.f.
trissepálico adj.
trissépalo adj.
trisseptado adj.
trisseriado adj.
trisseto adj.
trissetor (*ô*) adj. s.m.
trissetriz s.f.
trissifão s.m.
trissilábico adj.
trissílabo adj. s.m.
trissilano s.m.
trissilicato s.m.
trissilícico adj.
trissililamina s.f.
trisso s.m.
trissódico adj.
trissoma s.m.
trissomático adj.
trissomia s.f.
trissômico adj.
trissomo s.m.
trissope s.m.
tríssops s.m.2n.
trissubstituição s.f.
trissubstituído adj.
trissubstituir v.
trissubstituível adj.2g.
trissubstituto adj. s.m.
trissulcado adj.
trissulcar v.
trissulco adj.
trissulfeto (*ê*) s.m.
trissulfureto (*ê*) s.m.
tristagma s.m.
tristaminífero adj.
tristânia s.f.
tristânico adj.
tristanita adj. s.2g.
tristão adj.; f. *tristona*
tristáquia s.f.
tristaquiado adj.
triste adj. s.2g.
tristécio adj.
trístega s.f.
trístege s.f.
tristegínea s.f.
trístego adj.
tristema s.m.
triste-pia s.f.; pl. *tristes-pias*
tristernal adj.2g.
triste-sina s.f.; pl. *tristes-sinas*
triste-vida s.f.; pl. *tristes-vidas*
tristeza (*ê*) s.f.
trístia s.f.
trística s.f.
trístico adj.
tristigmado adj.
tristimania s.f.
tristimaníaco adj. s.m.
tristímano adj. s.m.
tristiquia s.f.
tristíquico adj.
trístoma s.m.
tristomídeo adj. s.m.
tristomíneo adj. s.m.
trístomo s.m.
tristona adj. f. de *tristão*
tristonho adj.
tristor (*ô*) s.m.
tristradense adj. s.2g.
tristriado adj.
tristuoso (*ô*) adj.; f. (*ó*); pl. (*ó*)
tristura s.f.
tristuroso (*ô*) adj.; f. (*ó*); pl. (*ó*)
tritagonista s.2g.
tritanope adj. s.2g.
tritanopia s.f.
tritanópico adj.
tritanopsia s.f.
tritanópsico adj.
tritanóptico adj.
tritão s.m.
tritar v.
tritasceópode s.m.
triteísmo s.m.
triteísta adj. s.2g.
triteístico adj.
triteíta adj. s.2g.
tritelandra s.f.
tritemático adj.
tritêmide s.f.
trítemis s.f.2n.
triteófia s.f.
triteófico adj.
triternado adj.
triterpeno s.m.
triterpenoide (*ó*) adj.2g. s.m.
triteta s.f.
tritetracontânico adj.
tritetracontano s.m.
trítia s.f.
tritiado adj.
tritical s.m.
triticale s.m.
triticela s.m.
triticelídeo adj. s.m.
tritíceo adj.
triticina s.f.
triticite s.f.
trítico s.m.
tritícola adj.2g.
triticultor (*ô*) s.m.
triticultura s.f.
tritiense adj. s.2g.
tritileno s.m.
tritilo s.m.
tritinar v.
trítio s.m.
tritiocarbonato s.m.
tritiocarbônico adj.
tritíride s.f.
trítiris s.f.2n.
trítis s.m.2n.
trito adj.
tritocérebro s.m.
tritocloreto (*ê*) s.m.
tritoclorita s.f.
tritoclorite s.f.
tritol s.m.
tritom s.m.
trítoma s.f.
tritomídeo adj. s.m.
tritomita s.f.
tritomite s.f.
tríton s.m.
tritonal adj.2g.
tritongação s.f.
tritongado adj.
tritongar v.
tritongo s.m.
tritônia s.f.
tritoniano adj. s.m.
tritônico adj.
tritônida adj.2g. s.m.
tritonídeo adj. s.m.
tritoniida adj.2g. s.m.
tritoniídeo adj. s.m.
tritonita s.f.
trítono s.m.
tritopina s.f.
tritopsila s.f.
tritóxido (*cs*) s.m.
tritriacontaedro s.m.
tritriacontágono s.m.
tritrínace s.m.
tritrinar v.
tritrínax (*cs*) s.m.2n.
trituberculado adj.
tritubercular adj.2g.
trituberculoso (*ô*) adj.; f. (*ó*); pl. (*ó*)
tritura s.f.
trituração s.f.
triturado adj.
triturador (*ô*) adj. s.m.
trituramento s.m.
triturante adj.2g.
triturar v.
triturável adj.2g.
tritúrio s.m.
trituro s.m.
triulato adj. s.m.
triumala adj. s.2g.
triumpilino adj. s.m.
triunfado adj.
triunfador (*ô*) adj. s.m.
triunfal adj.2g.
triunfalismo s.m.
triunfalista adj. s.2g.
triunfalístico adj.
triunfância s.f.
triunfano adj. s.m.
triunfante adj.2g.
triunfar v.
triunfeminato s.m.
triunfense adj. s.2g.
triunfeta s.f.
triunfo s.m.
triunfoso (*ô*) adj.; f. (*ó*); pl. (*ó*)
triungulina s.f.
triunvirado s.m.
triunviral adj.2g.
triunvirato s.m.
triúnviro s.m.
triúra s.f.
triuridácea s.f.
triuridáceo adj.
triuridal adj.2g.
triuridale s.f.
triúris s.m.2n.
triúso adj. s.m.
trivalência s.f.
trivalente adj.2g.
trivalerido s.m.
trivalerina s.f.
trivalvar adj.2g.
trivalve adj.2g.
trivalvo adj.
trivalvulado adj.
trivato s.m.
trivela s.f.
trivelinada s.f.
trivelino s.m.
trivendense adj. s.2g.
trívia s.f.
trivial adj.2g. s.m.
trivialesco (*ê*) adj.
trivialidade s.f.
trivialismo s.m.
trivialização s.f.
trivializado adj.
trivializar v.
trívio adj. s.m.
trivogal s.f.
trivoli s.m.
trixagem (*cs*) s.f.
trixagídeo (*cs*) adj. s.m.
trixênia (*cs*) s.f.
triz s.m.f. "vara", "por pouco"; cf. *tris*
trízia s.f.
trizíncico adj.
trizircônico adj.
trizonado adj.
trizonal adj.2g.
troada s.f.
troador (*ô*) adj.
troante adj.2g.
troar v. s.m.
trobo s.m.
troca s.f.
troça s.m.f.
trocabilidade s.f.
troca-bolas s.2g.2n.
troca-burras s.2g.2n.
trocação s.f.
trocada s.f.
trocadela s.f.
trocadilhar v.
trocadilhismo s.m.
trocadilhista adj. s.2g.
trocadilho s.m.
trocado adj. s.m.
troçado adj. s.m.
trocador (*ô*) adj. s.m.
troçador (*ô*) adj. s.m.
trocafiar v.
trocaico adj. s.m.
trocal s.m.
troçal s.m.
trocalópteron s.m.
trocamento s.m.
troçamento s.m.
trocamina s.f.
trocano s.m.
troçante adj.2g.
trocanter (*tér*) s.m.
trocânter s.m.
trocanteriano adj.
trocantérico adj.
trocantério s.m.
trocantiniano adj.
trocantínico adj.
trocantinino s.m.
trocantino s.m.
troca-pernas adj. s.2g.2n.
troca-queixos adj. s.2g.2n.
trocar v.
troçar v.
trocarte s.m.
trocartrose s.f.
trocartrósico adj.
troca-teclas adj. s.2g.2n.
troca-tintas adj. s.2g.2n.
troca-tintice s.f.; pl. *troca-tintices*
troca-troca s.m.; pl. *troca-trocas* e *trocas-trocas*
trocável adj.2g.
troçável adj.2g.
trocaz adj. s.2g.
trocázio s.m.
trocha s.f.
trochada s.f.
trochado adj. s.m.
trochar v.
trochétia s.f.
trochisco s.m.
trocho (*ô*) s.m.; cf. *trocho*, fl. do v. *trochar*
trochuela s.f.
trociscação s.f.
trociscado adj.
trociscar v.
trocisco s.m.
trocista adj. s.2g.
trocístico adj.
tróclea s.f.
trocleador (*ô*) adj. s.m.
troclear adj.2g.
trocleartrose s.f.
trocleartrósico adj.
trocleartrótico adj.
trocleiforme adj.2g.
trocmo adj. s.m.
troco s.m. "molusco", etc.; cf. *troco* (*ô*)
troco (*ô*) s.m. "câmbio", etc.; pl. (*ó* ou *ô*); cf. *troco* s.m. e fl. do v. *trocar*
troço s.m. "coisa imprestável", etc.; cf. *troço* (*ô*)
troço (*ô*) s.m. "pedaço de madeira", etc.; pl. (*ó*); cf. *troço* s.m. e fl. do v. *troçar*
trocobalista s.f.
trococardia s.f.
trococardíaco adj.
trococárdico adj.
trococarpo s.m.
trococefalia s.f.
trococefálico adj.
trococéfalo adj.
trococerco s.m.
trocociatíneo adj. s.m.
trococíato s.m.
trococóclea s.f.
trocócopo s.m.
trocodendrácea s.f.
trocodendráceo adj.
trocodendrale s.f.
trocodêndrea s.f.
trocodendrínea s.f.
trocodendro s.m.
trocófora s.f.
trocóforo adj. s.m.
trocoide (*ó*) adj. s.2g.
trocoideia (*é*) adj. f. de *trocoideu*
trocóideo adj.
trocoideu adj.; f. *trocoideia* (*é*)
troçolho (*ô*) s.m.; pl. (*ó*)
trocólica s.f.
trocolista adj.2g.
trocoméria s.f.
trócopo s.m.
trocorrizocardia s.f.
trocorrizocárdico adj.
trocosfera s.f.
trocosférico adj.
trocosferídeo adj. s.m.
trocosséride s.f.
trocósseris s.f.2n.
trocostigma s.m.
trocóstoma s.m.
trocozoário adj. s.m.

troctes s.m.2n.
troctídeo adj. s.m.
trocto s.m.
troctolítico adj.
troctólito s.m.
tróctulo s.m.
troçulho s.m.
tróculos s.m.pl.
tróculos-brancos s.m.pl.
troegerita s.f.
trofa s.f.
trofaláctico adj.
trofalaxia (*cs*) s.f.
trofedema s.m.
trofense adj. s.2g.
troféu s.m.
troféu de cabeça s.m.
trofia s.f.
troficidade s.f.
trófico adj.
trófide s.f.
trofil s.m.
trofismo s.m.
trofístico adj.
trofobiose s.f.
trofobiótico adj.
trofoblástico adj.
trofoblasto s.m.
trofoblastoma s.m.
trofócito s.m.
trofocromatina s.f.
trofoderma s.m.
trofodermatose s.f.
trofodermatósico adj.
trofodermatótico adj.
trofoderme s.f.
trofoedema s.m.
trofofila s.f.
trofofilo s.m.
trofogamia s.f.
trofogâmico adj.
trofolecítico adj.
trofolécito s.m.
trofologia s.f.
trofológico adj.
trofologista adj. s.2g.
trofólogo s.m.
trófon s.m.
trofoneurite s.f.
trofoneurítico adj.
trofoneurose s.f.
trofoneurósico adj.
trofoneurótico adj.
trofonevrose s.f.
trofonevrótico adj.
trofônia s.f.
trofonítico adj.
trofonópsis s.f.2n.
trofonose s.f.
trofonósico adj.
trofonúcleo s.m.
trofopatia s.f.
trofopático adj.
trofoplasma s.m.
trofoplásmico adj.
trofopólen s.m.
trofopolínico adj.
trofosfera s.f.
trofosperma s.m.
trofospérmico adj.
trofospérmio s.m.
trofospôngio s.m.
trofosporofilo s.m.
trofosporossomo s.m.
trofotáctico adj.
trofotático adj.
trofotaxe (*cs*) s.f.
trofotaxia (*cs*) s.f.
trofotáxico (*cs*) adj.
trofoterapia s.f.
trofoterápico adj.
trofotrópico adj.
trofotropismo s.m.
trofotropista adj.2g.
trofozoíta s.f.
trofozoíte s.f.
trofozoítico adj.
trofozoíto s.m.
trofozooide (*ó*) s.m.
trogalha s.f.
trogalheira s.f.
trogalho s.m.
trogastro s.m.
troge s.m.
trogerita s.f.
trogerite s.f.
trogia s.f.
trogídeo adj. s.m. "inseto coleóptero"; cf. *trogiídeo*
trogiídeo adj. s.m. "inseto psocóptero"; cf. *trogídeo*
trogílio adj. s.m.
trogíneo adj. s.m.
trogino adj. s.m.
trógio s.m.
troglóbia adj.2g. s.f.
troglócaris s.f.2n.
troglodita adj. s.2g.
troglodita-negro s.m.; pl. *trogloditas-negros*
troglodite adj. s.2g.
troglodítico adj.
troglodítida adj.2g. s.m.
trogloditídea s.f.
trogloditídeo adj. s.m.
trogloditismo s.m.
troglódromo s.m.
troglofilia s.f.
troglófilo adj. s.m.
troglope s.m.
troglóxeno (*cs*) adj.
trogma s.m.
trogmo adj. s.m.
trogodêndron s.m.
trogoderma s.m.
trogoderme s.f.
trogofleu s.m.
trógon s.m.
trogônida adj.2g. s.m.
trogonídea s.f.
trogonídeo adj. s.m.
trogoniforme adj.2g. s.m.
trógono s.m.
trogonófido s.m.
trogonuro s.m.
trogóptera s.f.
trogosita s.f.
trogositídeo adj. s.m.
trogosito s.m.
trogotorna s.f.
trogtalita s.f.
trogulídeo adj. s.m.
trógulo s.m.
troia (*ó*) s.f.
troiano adj. s.m.
troião adj. s.m.
troiar v.
troica (*ó*) s.f.
troico (*ó*) adj.
troiense adj. s.2g.
troile s.m.
troilita s.f.
troilite s.f.
troilo (*ó*) s.m.
troipala s.f.
troira s.f.
troixa adj. s.2g. s.f.
troixada s.f.
troixado adj.
troixel s.m.
troixelo (*ê*) s.m.
troixe-moixe s.m.; pl. *troixe-moixes*
troixismo s.m.
troixo s.m.
trojúgena adj. s.2g.
trol s.m.
trolado adj.
trolas adj. s.2g.2n.
trole s.m.
trólebus s.m.2n.
troleíta s.f.
troleíte s.f.
trolha s.f. "bofetada", etc.; cf. *trolha* (*ô*)
trolha (*ô*) s.2g. s.f. "pá", "pedreiro", etc.; cf. *trolha*
trolhada s.f.
trolho (*ô*) s.m.
trolim s.m.
trólio s.m.
trolista s.2g.
tró-ló-ló adj.2g. s.m.; pl. *tró-ló-lós*
trom s.m.
tromba s.f.
tromba-d'água s.f.; pl. *trombas-d'água*
trombada s.f.
tromba de boi s.f.
tromba-de-elefante s.f.; pl. *trombas-de-elefante*
trombadinha s.m.
trombangiite s.f.
trombangiítico adj.
trombão adj. s.m.
trombar v.
trombarterite s.f.
trombarterítico adj.
trombase s.f.
trômbase s.f.
trombastenia s.f.
trombastênico adj.
trombectomia s.f.
trombectômico adj.
trombeiro s.m.
trombejado adj.
trombejante adj.2g.
trombejar v.
trombelão s.m.
trombelas adj. s.2g.2n.
trombeleado adj.
trombelear v.
trombembolia s.f.
trombembólico adj.
trombembolísmico adj.
trombembolismo s.m.
trombembolístico adj.
trombense adj. s.2g.
trombeta (*ê*) s.m.f.
trombeta-azul s.f.; pl. *trombetas-azuis*
trombeta-bastarda s.f.; pl. *trombetas-bastardas*
trombeta-branca s.f.; pl. *trombetas-brancas*
trombeta-cheirosa s.f.; pl. *trombetas-cheirosas*
trombetada s.f.
trombeta da fama s.f.
trombeta da nau s.f.
trombeta-de-arauto s.f.; pl. *trombetas-de-arauto*
trombeta-do-juízo-final s.f.; pl. *trombetas-do-juízo-final*
trombeta-final s.f.; pl. *trombetas-finais*
trombeta-marinha s.f.; pl. *trombetas-marinhas*
trombetão s.m.
trombetão-azul s.m.; pl. *trombetões-azuis*
trombetão-branco s.m.; pl. *trombetões-brancos*
trombetão-roxo s.m.; pl. *trombetões-roxos*
trombetar v.
trombeta-roxa s.f.; pl. *trombetas-roxas*
trombeteação s.f.
trombeteado adj.
trombeteador (*ô*) adj. s.m.
trombeteante adj.2g.
trombetear v.
trombeteável adj.2g.
trombeteira s.f.
trombeteira-branca s.f.; pl. *trombeteiras-brancas*
trombeteira-roxa s.f.; pl. *trombeteiras-roxas*
trombeteiro adj. s.m.
trombetista adj. s.2g.
trombicar v.
trombícula s.f.
trombiculíase s.f.
trombiculídeo adj. s.m.
trombidíase s.f.
trombidiásico adj.
trombidídeo adj. s.m.
trombidiforme adj.2g. s.m.
trombidiídeo adj. s.m.
trombidiíneo adj. s.m.
trombídio s.m.
trombidiose s.f.
trombífero adj.
trombil s.m.
trombina s.f.
trombíneo adj. s.m.
trombínico adj.
trombino adj. s.m.
trombinogênico adj.
trombinogênio s.m.
trombo s.m.
tromboaférese s.f.
tromboangeíte s.f.
tromboangeítico adj.
tromboangiite s.f.
tromboangiítico adj.
tromboarterectomia s.f.
tromboarterite s.f.
tromboarterítico adj.
tromboblasto s.m.
trombocinase s.f.
trombocínase s.f.
trombocinásico adj.
trombocintilografação s.f.
trombocintilografar v.
trombocintilografia s.f.
trombocintilográfico adj.
trombocintilógrafo adj. s.m.; cf. *trombocintilografo*, fl. do v. *trombocintilografar*
trombocintilograma s.m.
trombocisto s.m.
trombocitário adj.
trombocitemia s.f.
trombocitêmico adj.
trombócito s.m.
trombocitogênico adj.
trombocitólise s.f.
trombocitolítico adj.
trombocitopenia s.f.
trombocitopênico adj.
trombocitopoese s.f.
trombocitopoético adj.
trombocitose s.f.
trombocitósico adj.
trombocitótico adj.
tromboclasia s.f.
tromboclástico adj.
tromboelastografia s.f.
tromboelastograma s.m.
tromboembolia s.f.
tromboembólico adj.
tromboembolísmico adj.
tromboembolismo s.m.
tromboembolístico adj.
tromboendocardite s.f.
tromboendocardítico adj.
trombofilia s.f.
trombofílico adj.
tromboflebite s.f.
tromboflebítico adj.
trombogênese s.f.
trombogenia s.f.
trombogênico adj.
trombogênio s.m.
trombógeno adj.
tromboide (*ó*) adj.2g.
trombóideo adj. s.m.
trombolinfangite s.f.
trombolinfangítico adj.
trombólise s.f.
trombolita s.f.
trombolite s.f.
trombolítico adj.
trombolito s.m.
trombólito s.m.
trombombó s.m.
trombométrico adj.
trombômetro s.m.
trombone s.m.
trombônio s.m.
trombonista s.2g.
trombono adj. s.m.
trombopatia s.f.
trombopático adj.
trombopenia s.f.
trombopênico adj.
tromboplástico adj.
tromboplastina s.f.
tromboplastínico adj.
tromboplastinopenia s.f.
tromboplastinopênico adj.
trombopoese s.f.
trombopoético adj.
tromboquínase s.f.
tromboquinásico adj.
trombosado adj.
trombosar v.
trombose s.f.
trombósico adj.
trombosina s.f.
trombossinusite s.f.
trombossinusítico adj.
trombóstase s.f.
trombostasia s.f.
trombostásico adj.
trombostático adj.
tromboteste s.m.
trombótico adj.
tromboxano (*cs*) s.m.
trombozima s.f.
trombozímico adj.
trombudense adj. s.2g.
trombudo adj.
trombudo-altense adj. s.2g.; pl. *trombudo-altenses*
trombudo-centralense adj. s.2g.; pl. *trombudo-centralenses*
trombuquense adj. s.2g.
tromila s.f.
tromofilia s.f.
tromófilo adj. s.m.
tromomania s.f.
tromomaníaco adj. s.m.
tromômano s.m.
tromometria s.f.
tromométrico adj.
tromômetro s.m.
trompa s.m.f.
trompaço s.m.
trompada s.f.
trompadela s.f.
trompado adj.
trompão s.m.
trompar v.
trompázio s.m.
trompeado adj.
trompear v.
trompeiro adj. s.m.
trompejado adj.
trompejar v.
trompeta (*ê*) adj. s.2g.
trompetada s.f.
trompete s.2g.
trompetear v.
trompetista s.2g.
trompicado adj.
trompicão s.m.
trompicar v.
trompilhar v.
trompim s.m.
trompista adj. s.2g.
trompleado adj.
tromplear v.
trom-trom s.m.; pl. *trom-trons*
trona s.f.
tronação s.f.
tronado adj.
tronador (*ô*) adj.
tronante adj.2g.
tronar v.
troncácea s.f.
troncado adj.
troncadura s.f.
troncagem s.f.
troncal adj.2g.
troncão s.m.
troncapendicular adj.2g.
troncar v.
troncaria s.f.
troncatura s.f.
troncha s.f.
tronchaço s.m.
tronchada s.f.
tronchado adj.
tronchadura s.f.
tronchar v.
troncho adj. s.m.
tronchuda s.f.
tronchuda-maior s.f.; pl. *tronchudas-maiores*
tronchudo adj.

tronchura s.f.
tronco adj. s.m.
troncoapendicular adj.2g.
troncocônico adj.
troncônico adj.
troncudo adj.
troncular adj.2g.
trônculo s.m.
tronda s.f.
trondão s.m.
trondhjemítico adj.
trondhjemito s.m.
tronear v.
troneira s.f.
tronejar v.
tronejo (*ê*) s.m.
troneto (*ê*) s.m.
tronga s.f.
trongalheira s.f.
trongalho s.m.
tronício adj.
troninho s.m.
trônio s.m.
trono s.m.
tronqueira s.f.
tronqueirada s.f.
tronqueirão s.m.
tronqueiro s.m.
tronqueiro-mor s.m.; pl. *tronqueiros-mores*
tronquense adj. s.2g.
troostila (*trus*) s.f.
troostita (*trus*) s.f.
troostite (*trus*) s.f.
troostítico (*trus*) adj.
troostoperlítico (*trus*) adj.
tropa s.m.f.
tropacocaína s.f.
tropada s.f.
tropa-fandanga s.f.; pl. *tropas-fandangas*
tropana s.f.
tropano s.m.
tropanol s.m.
tropanolesterase s.f.
tropanolestérase s.f.
tropão s.m.
tropar v.
tropário s.m.
tropato s.m.
tropeada s.f.
tropear v.
tropeça s.m.
tropeçada s.f.
tropeçadela s.f.
tropeçador (*ô*) adj. s.m.
tropeçamento s.m.
tropeçante adj.2g.
tropeção adj. s.m.
tropeçar v.
tropecelho (*ê*) s.m.
tropecilho s.m.
tropecina s.f.
tropeço (*ê*) s.m.; cf. *tropeço*, fl. do v. *tropeçar*
tropeçudo adj.
tropegar v.
trôpego adj.; cf. *tropego*, fl. do v. *tropegar*
tropeguidão s.f.
tropeína s.f.
tropeirada s.f.
tropeiro s.m.
tropeiro-da-serra s.m.; pl. *tropeiros-da-serra*
tropejar v.
tropel s.m.
tropelão adj.
tropelas s.m.2n.
tropelha (*ê*) s.f.
tropelia s.f.
tropeliar v.
tropeno s.m.
tropeolácea s.f.
tropeoláceo adj.
tropeólea s.f.
tropeoleácea s.f.
tropeoleáceo adj.
tropeóleo adj.
tropeólico adj.
tropeolina s.f.
tropéolo s.m.
tropezia s.f.
tropia s.f.
tropicada s.f.
tropical adj.2g. s.m.
tropicalidade s.f.
tropicalismo s.m.
tropicalista adj. s.2g.
tropicalístico adj.
tropicalização s.f.
tropicalizado adj.
tropicalizar v.
tropicana s.f.
tropicão adj. s.m.
tropicar v.
trópico adj. s.m.; cf. *tropico*, fl. do v. *tropicar*
tropicologia s.f.
tropicológico adj.
tropicologista adj. s.2g.
tropicologístico adj.
tropicólogo s.m.
tropicopolita adj. s.2g.
tropicopolitismo s.m.
tropidácride s.f.
tropidácris s.f.2n.
tropíderes s.m.2n.
tropideucele s.f.
tropideucoile s.f.
tropídia s.f.
tropidina s.f.
tropidiópsis s.f.2n.
tropidiplo s.m.
tropido s.m.
tropidocárdio s.m.
tropidocarpo s.m.
tropidocíato s.m.
tropidocóclis s.m.2n.
tropidodáctilo s.m.
tropidodátilo s.m.
tropidofídio s.m.
tropidofíneo adj. s.m.
tropídofis s.m.2n.
tropidóforo s.m.
tropidogastro s.m.
tropidolépide s.f.
tropidólepis s.f.2n.
tropidonotíneo adj. s.m.
tropidonoto s.m.
tropidoquila s.f.
tropidorrinco s.m.
tropidossauro s.m.
tropidossoma s.f.
tropiduquídeo adj. s.m.
tropiduro s.m.
tropíguo s.m.
tropilha s.f.
tropilideno s.m.
tropilídeo adj. s.m.
tropiltropeína s.f.
tropímio s.m.
tropina s.f.
tropinacarboxílico (*cs*) adj.
tropinato s.m.
tropínico adj.
tropinona s.f.
tropinota s.f.
tropiocaríneo adj. s.m.
tropiócaris s.f.2n.
tropiqueiro adj.
tropismo s.m.
tropista adj. s.2g.
tropisterno s.m.
tropisteto s.m.
tropístico adj.
tropita adj. s.2g.
tropo s.m. "figura de estilo"; cf. *tropo* (*ô*)
tropo (*ô*) adj. "trôpego"; cf. *tropo*
tropococaína s.f.
tropocolágeno s.m.
tropofilia s.f.
tropofílico adj.
tropófilo adj.
tropófita adj.2g.
tropófito s.m.
tropogêneo adj.
tropogênese s.f.
tropograma s.m.
tropologia s.f.
tropológico adj.
tropologista adj. s.2g.
tropólogo s.m.
tropometria s.f.
tropométrico adj.
tropômetro s.m.
tropomiosina s.f.
tropona s.f.
troponina s.f.
troponômico adj.
tropopausa s.f.
tropopáusico adj.
tropóptero s.m.
troposfera s.f.
troposférico adj.
tropossismométrico adj.
tropossismômetro s.m.
tropotáctico adj.
tropotático adj.
tropotaxia (*cs*) s.f.
tropotropismo s.m.
tropsina s.f.
troquel s.m.
troquelar v.
troquelminte adj.2g. s.m.
troquelminto adj. s.m.
troqueobicondilomeniscartrose adj.
troqueobicondilomeniscartrósico adj.
troqueobicondilomeniscartrótico adj.
troques s.m.pl.
troquetíneo adj. s.m.
troqueu s.m.
troquezada s.f.
troquídeo adj. s.m.
troquilha s.2g. s.f.
troquilhar v.
troquilhas s.2g.2n.
troquilheira s.f.
troquília s.m.
troquílida adj.2g. s.m.
troquilídeo adj. s.m.
troquilidiário s.m.
troquilínea s.f.
troquílio s.m.
tróquilo s.m.
troquiniano adj.
troquínico adj.
troquino s.m.
tróquio s.m.
tróquio-aglutinado s.m.; pl. *tróquios-aglutinados*
troquiscano s.m.
troquisco s.m.
troquista adj. s.2g.
troquiteira s.f.
troquiter (*tér*) s.m.
troquiteriano adj.
troscídeo adj. s.m.
trosquia s.f.
trosquiado adj.
trosquiador (*ô*) s.m.
trosquiar v.
tróssulo s.m.
trota-conventos adj. s.2g.2n.
trotada s.f.
trotado adj.
trotador (*ô*) adj. s.m.
trotandante adj.2g.
trotão adj. s.m.; f. *trotona*
trotar v.
trote s.m.
troteada s.f.
troteado adj.
troteador (*ô*) adj. s.m.
troteante adj.2g.
trotear v.
troteável adj.2g.
troteiro adj. s.m.
trotejar v.
trotejo (*ê*) s.m.
trotenho s.m.
trotéria s.f.
trotil s.m.
trotílico adj.
trotinar v.
trotista s.2g.
troto s.m.
trotona adj. s.f. de *trotão*
trotskismo s.m.
trotskista adj. s.2g.
trotskístico adj.
trouçado adj.
trouxa adj. s.2g. s.f.
trouxada s.f.
trouxado adj.
trouxel s.m.
trouxelo (*ê*) s.m.
trouxe-mouxe s.m.; pl. *trouxe-mouxes*
trouxice s.f.
trouxinha s.f.
trouxismo s.m.
trouxo s.m.
trova s.f.
trovação s.f.
trovado adj.
trovador (*ô*) adj. s.m.
trovadoresco (*ê*) adj.
trovadorismo s.m.
trovante s.2g.
trovão s.m.
trovar v.
trovável adj.2g.
troveiro s.m.
trovejada s.f.
trovejado adj.
trovejador (*ô*) adj.
trovejante adj.2g.
trovejar v. s.m.
trovejo (*ê*) s.m.
troviscada s.f.
troviscado adj.
troviscal s.m.
troviscar v.
trovisco s.m.
trovisco-alvar s.m.; pl. *troviscos-alvares*
trovisco-fêmea s.m.; pl. *troviscos-fêmeas*
trovisco-macho s.m.; pl. *troviscos-machos*
trovisco-ordinário s.m.; pl. *troviscos-ordinários*
troviscoso (*ô*) adj.; f. (*ó*); pl. (*ó*)
trovisco-timeleu s.m.; pl. *troviscos-timeleus*
trovisqueira s.f.
trovista adj. s.2g.
trovoada s.f.
trovoado adj.
trovoante adj.2g.
trovoar v.
trovoeira s.f.
trovoento adj.
trovoso (*ô*) adj.; f. (*ó*); pl. (*ó*)
troz-troz s.m.2n.
trua s.f.
truaca s.f.
truanaz s.2g.
truanear v.
truanesco (*ê*) adj.
truania s.f.
truanice s.f.
truão s.m.
truaria s.f.
trubufu adj.2g. s.m.
truca s.f. interj. "máquina"; cf. *trucá*
trucá adj. s.2g. "povo"; cf. *truca* s.f. interj. e fl. do v. *trucar*
trucada s.f.
trucagem s.f.
trucar v.
trucha adj. s.2g.
trucidação s.f.
trucidade s.f.
trucidado adj.
trucidador (*ô*) adj. s.m.
trucidamento s.m.
trucidante adj.2g.
trucidar v.
trucidável adj.2g.
trucilador (*ô*) adj. s.m.
trucilar v. s.m.
truco s.m.
truco-fecha s.m.2n.
trucuá s.m.
truçuense adj. s.2g.
truculência s.f.
truculento adj.
trude s.f.
trudelita s.f.
trudellita s.f.
trudo s.m.
truentino adj. s.m.
trufa s.f.
trufado adj.
trufal s.m.
trufar v.
trufaria s.f.
trufegueiro s.m.
trufeira s.f.
trufeiro adj. s.m.
truficultor (*ô*) s.m.
truficultura s.f.
trugimão s.m.
truirapeva s.m.
truísmo s.m.
truísta adj. s.2g.
truístico adj.
trumaí adj. s.2g.
trumbicão s.m.
trumbicar-se v.
trumbuca s.f.
trum-dum-dum s.m.; pl. *trum-dum-duns*
trum-durum s.m.; pl. *trum-duruns*
truncação s.f.
truncado adj.
truncador (*ô*) adj.
truncadura s.f.
truncamento s.m.
truncante adj.2g.
truncar v.
truncária s.f.; cf. *truncaria*, fl. do v. *truncar*
truncatela s.m.
truncatelídeo adj. s.m.
truncatipene adj.2g.
truncatura s.f.
truncável adj.2g.
truncha s.f.
truncícola adj.2g.
trunfa s.f.
trunfada s.f.
trunfado adj.
trunfar v.
trunfeira s.f.
trunfo s.m.
trupar v.
trupe s.m.f. interj.
trúpia s.f.
trupial s.m.
trupido s.m.
trupir v.
trupitante adj.2g.
trupitar v.
truque s.m.
truqueiro s.m.
truquilheiro s.m.
truscaloide (*ó*) s.m.
truscotita s.f.
truscotite s.f.
trusquiado adj.
trusquiar v.
trussa s.f.
truste s.m.
trusteação s.f.
trusteado adj.
trustear v.
trustedtita s.f.
trustificação s.f.
trustificado adj.
trustificante adj.2g.
trustificar v.
trustificável adj.2g.
trustismo s.m.
trustista adj. s.2g.
trustístico adj.
truta s.f.
truta-arco-íris s.f.; pl. *trutas-arco-íris*
truta-brasileira s.f.; pl. *trutas-brasileiras*
truta-comum s.f.; pl. *trutas-comuns*

truta-de-lago s.f.; pl. *trutas-de-lago*
truta-dos-ribeiros s.f.; pl. *trutas-dos-ribeiros*
truta-francesa s.f.; pl. *trutas-francesas*
trutaria s.f.
truta-salmoneja s.f.; pl. *trutas-salmonejas*
truta-salmoneja-do-norte s.f.; pl. *trutas-salmonejas-do-norte*
truticultor (*ô*) adj. s.m.
truticultura s.f.
trutífero adj.
trutina s.f.
trutinado adj.
trutinar v.
trutruca s.f.
trutungo adj. s.m.
truxalídeo (*cs*) adj. s.m.
truxálido (*cs*) adj. s.m.
trúxalo (*cs*) s.m.
truxamante s.2g.
truxilato (*cs*) s.m.
truxílico (*cs*) adj.
truxilina (*cs*) s.f.
truxilínico (*cs*) adj.
truxona (*cs*) s.f.
truxu s.m.
truz s.m. interj.
truz-truz s.m.2n. interj.
tsar s.m.
tsarévitche s.m.
tsarevna s.f.
tsaricida adj. s.2g.
tsaricídio s.m.
tsarina s.f.
tsarismo s.m.
tsarista adj.2g. s.2g.
tsarizado adj.
tsela adj. s.2g.
tsé-tsé s.2g.; pl. *tsé-tsés*
tsilaisita s.f.
tsonga adj. s.2g. s.m.
tsua adj. s.2g.
tsumebita s.f.
tsumoíta s.f.
tsunhum-djapá adj. s.2g. s.m.; pl. *tsunhuns-djapás*
tu adj. s.2g. s.m. pron.
tua s.f. pron.
tuaca s.m.
tuadeira s.f.
tuadeiro adj.
tuaiá s.m.
tuaiuçu s.m.
tuamina s.f.
tuapoca s.f.
tuaqueira s.f.
tuaregue adj. s.2g.
tuatara s.m.
tuatua s.f.
tuauçu s.m.
tuaupoca s.f.
tuba s.f.
tubã s.f.
tubabdominal adj.2g.
tubaca s.f.
tubação s.f.
tubáceo adj.
tubado adj. s.m.
tubagem s.f.
tubaiaiá s.f.
tubaína s.f.
tubal adj.2g.
tubana s.f.
tubança s.f.
tubanha s.m.
tubante adj. s.2g.
tubar v. adj.2g.
túbara s.f.
tubarana s.f.
tubarão s.m.
tubarão-anequim s.m.; pl. *tubarões-anequim* e *tubarões-anequins*
tubarão-azul s.m.; pl. *tubarões-azuis*
tubarão-baleia s.m.; pl. *tubarões-baleia* e *tubarões-baleias*
tubarão-bicudo s.m.; pl. *tubarões-bicudos*
tubarão-branco s.m.; pl. *tubarões-brancos*
tubarão-de-água-doce s.m.; pl. *tubarões-de-água-doce*
tubarão-de-focinho s.m.; pl. *tubarões-de-focinho*
tubarão-jaguara s.m.; pl. *tubarões-jaguara* e *tubarões-jaguaras*
tubarão-limão s.m.; pl. *tubarões-limão* e *tubarões-limões*
tubarão-martelo s.m.; pl. *tubarões-martelo* e *tubarões-martelos*
tubarão-raposa s.m.; pl. *tubarões-raposa* e *tubarões-raposas*
tubarão-sombreiro s.m.; pl. *tubarões-sombreiros*
tubarão-tigre s.m.; pl. *tubarões-tigre* e *tubarões-tigres*
tubarão-tintureira s.m.; pl. *tubarões-tintureira* e *tubarões-tintureiras*
tubarão-vitamínico s.m.; pl. *tubarões-vitamínicos*
tubária s.f.
tubárico adj.
tubário adj.
túbaro s.m.
tubaronato s.m.
tubaronense adj. s.2g.
tubarosa s.f.
tubatoxina (*cs*) s.f.
tube s.f.
tubeira s.f.
tubel s.m.
tubendubense adj. s.2g.
túber s.m.
túbera s.f.
túbera-branca s.f.; pl. *túberas-brancas*
túbera-brumal s.f.; pl. *túberas-brumais*
tuberácea s.f.
tuberáceo adj.
túbera-de-inverno s.f.; pl. *túberas-de-inverno*
túbera-de-verão s.f.; pl. *túberas-de-verão*
túbera-do-périgord s.f.; pl. *túberas-do-périgord*
tuberal adj.2g. s.m.
tuberale s.f.
túbera-negra s.f.; pl. *túberas-negras*
tuberária s.f.
tuberculado adj.
tubercular adj.2g.
tuberculária s.f.
tuberculariácea s.f.
tuberculariáceo adj.
tuberculema s.m.
tuberculemia s.f.
tuberculêmico adj.
tuberculicida adj.2g. s.m.
tuberculicídio s.m.
tuberculidade s.f.
tuberculide s.f.
tuberculífero adj.
tuberculiforme adj.2g.
tuberculina s.f.
tuberculínico adj.
tuberculinização s.f.
tuberculinizado adj.
tuberculinizar v.
tuberculinoterapia s.f.
tuberculinoterápico adj.
tuberculite s.f.
tuberculítico adj.
tuberculização s.f.
tuberculizado adj. s.m.
tuberculizar v.
tuberculizável adj.2g.
tubérculo s.m.
tuberculocele s.m.
tuberculoderma s.m.
tuberculodermático adj.
tuberculodermatoso (*ô*) adj.; f. (*ó*); pl. (*ó*)
tuberculodérmico adj.
tuberculofibrose s.f.
tuberculofibrótico adj.
tuberculofobia s.f.
tuberculofóbico adj.
tuberculófobo adj. s.m.
tuberculoide (*ó*) adj.2g.
tuberculóideo adj.
tuberculoma s.m.
tuberculomania s.f.
tuberculomaníaco adj. s.m.
tuberculoproteína s.f.
tuberculose s.f.
tuberculosidade s.f.
tuberculoso (*ô*) adj. s.m.; f. (*ó*); pl. (*ó*)
tuberculostático adj. s.m.
tuberculostearato s.m.
tuberculosteárico adj.
tuberculoterapia s.f.
tuberculoterápico adj.
tuberculótico adj.
tuberculotoxina (*cs*) s.f.
tubérea s.f.
tubereira s.f.
tuberela s.m.
tubéria s.f.
tubericultor (*ô*) adj. s.m.
tubericultura s.f.
tuberificar v.
tuberiforme adj.2g.
tuberínea s.f.
tuberíneo adj.
tuberisquiotrocantério s.m.
tuberívoro adj.
tuberização s.f.
tuberizado adj.
tuberizar v.
túbero s.m.
tuberófago adj.
tuberoide (*ó*) adj.2g.
tuberolacno s.m.
tuberosa s.f.
tuberosidade s.f.
tuberositário adj.
tuberoso (*ô*) adj.; f. (*ó*); pl. (*ó*)
tuberossagrado adj.
tuberta s.m.
tubi s.m.
tubiano adj. s.m.
tubiba s.f.
tubiceláría s.m.
tubicelarídeo adj. s.m.
tubicinela s.m.
tubiclava s.m.
tubícola adj.2g. s.m.
tubicolado adj. s.m.
tubicolar adj.2g. s.m.
tubicolário adj.
tubicóleo adj. s.m.
tubicórneo adj. s.m.
tubiferácea s.f.
tubiferáceo adj.
tubífero adj.
túbifex (*cs*) s.m.2n.
tubífice s.m.
tubificídeo adj. s.m.
tubificimorfo s.m.
tubiflora s.f.
tubifloro adj.
tubiforme adj.2g.
tubigeira s.f.
tubijuba s.f.
tubilho s.m.
tubilingual adj.2g.
tubilústrias s.f.pl.
tubilústrio adj.
tubim s.m.
tubímetro s.m.
tubinar adj.2g. s.f.
tubinho s.m.
tubípora s.f.
tubipórida adj.2g. s.m.
tubiporídeo adj. s.m.
tubiporíneo s.m.
tubiporite s.f.
tubiqué s.m.
tubista s.2g.
tubitelário adj.
tubitelo adj. s.m.
tubixaba s.m.f.
tublinate adj. s.2g.
tubo s.m.
tuboabdominal adj.2g.
tubocônico adj.
tubocrivoso (*ô*) adj.; f. (*ó*); pl. (*ó*)
tubocurare s.m.
tubocurárico adj.
tubocurarina s.f.
tubocurarínico adj.
tubolifloro adj.
tuboligamentoso (*ô*) adj.; f. (*ó*); pl. (*ó*)
tubo-ovário adj.
tubo-ovarite s.f.
tuboperitoneal adj.2g.
tubotimpânico adj.
tubotimpanite s.f.
tubotimpanítico adj.
tubouterino adj.
tubovaginal adj.2g.
tubovárico adj.
tubovariectomia s.f.
tubovariectômico adj.
tubovário adj.
tubovarite s.f.
tubovarítico adj.
tubucelária s.f.
tubucelárida adj.2g. s.m.
tubucelarídeo adj. s.m.
tubulação s.f.
tubulacinoso (*ô*) adj.; f. (*ó*); pl. (*ó*)
tubulado adj.
tubulador (*ô*) adj. s.m.
tubuladura s.f.
tubulão s.m.
tubular v. adj.2g.
tubulária s.f.; cf. *tubularia*, fl. do v. *tubular*
tubulárida adj.2g. s.m.
tubularídeo adj. s.m.
tubulariida adj.2g. s.m.
tubulariídeo adj. s.m.
tubulematia s.f.
tubulibrânquio adj. s.m.
tubulidentado adj. s.m.
tubulífero adj. s.m.
tubuliflora s.f.
tubulifloro adj.
tubuliforme adj.2g.
tubulina s.f.
tubulínea s.f.
tubulíneo adj.
tubulino adj. s.m.
tubulípora s.f.
tubuliporídeo adj. s.m.
tubulite s.f.
tubulito s.m.
tubulização s.f.
tubulizar v.
túbulo s.m.
tubuloacinoso (*ô*) adj.; f. (*ó*); pl. (*ó*)
tubulocisto s.m.
tubulodermoide (*ó*) s.m.
tubulopatia s.f.
tubulorracemoso (*ô*) adj.; f. (*ó*); pl. (*ó*)
tubuloso (*ô*) adj.; f. (*ó*); pl. (*ó*)
tubulossacular adj.2g.
tubulura s.f.
tubulutricular adj.2g.
tubuna s.f.
tubunense adj. s.2g.
tuburcínia s.f.
tubuterino adj.
tuca s.f. "antílope africano"; cf. *tucá*
tucá s.m. "planta"; cf. *tuca*
tucaiá s.m.
tucaíra s.f.
tucajé s.m.
tucana s.f.
tucanaboia (*ó*) s.f.
tucanaçu s.m.
tucanairá s.f.
tucanaré s.m.
tucandeira s.f.
tucandira s.f.
tucaneiro s.m.
tucanense adj. s.2g.
tucanera s.f.
tucanguirá s.f.
tucani s.m.
tucaniei s.m.
tucaninho s.m.
tucanivar s.m.
tucano adj. s.m.
tucanoaçu s.m.
tucano-boi s.m.; pl. *tucanos-boi* e *tucanos-bois*
tucano-cachorrinho s.m.; pl. *tucanos-cachorrinho* e *tucanos-cachorrinhos*
tucano-de-bico-preto s.m.; pl. *tucanos-de-bico-preto*
tucano-de-bico-verde s.m.; pl. *tucanos-de-bico-verde*
tucano-de-cinta s.m.; pl. *tucanos-de-cinta*
tucano-de-peito-amarelo s.m.; pl. *tucanos-de-peito-amarelo*
tucano-de-peito-branco s.m.; pl. *tucanos-de-peito-branco*
tucano-do-peito-amarelo s.m.; pl. *tucanos-do-peito-amarelo*
tucano-do-peito-branco s.m.; pl. *tucanos-do-peito-branco*
tucano-grande s.m.; pl. *tucanos-grandes*
tucano-gritador s.m.; pl. *tucanos-gritadores*
tucano-pacova s.m.; pl. *tucanos-pacova* e *tucanos-pacovas*
tucanuçu s.m.
tucanuí s.m.
tucão s.m.
tucari s.m.
tucekita s.f.
tuchado adj.
tucho s.m.
tucholita s.f.
tucidídio adj.
tuciense adj. s.2g.
tuciorismo s.m.
tuciorista adj. s.2g.
tuciorístico adj.
tucitano adj. s.m.
tuco s.m. "empregado rodoviário"; cf. *tucu*
tuco-tuco s.m.; pl. *tuco-tucos*
tucu s.m. "planta"; cf. *tuco*
tucuari s.m.
tucuí s.m.
tucujá s.m.
tucuju adj. s.2g.
tucum s.m.
tucuma s.m.
tucumá s.m.
tucumã s.m.
tucumã-açu s.m.; pl. *tucumãs-açus*
tucumã-arara s.m.; pl. *tucumãs-arara* e *tucumãs-araras*
tucum-açu s.m.; pl. *tucuns-açus*
tucumadeuense adj. s.2g.
tucumaense adj. s.2g.
tucumãí s.m.
tucumãí-da-terra-firme s.m.; pl. *tucumãís-da-terra-firme*
tucumãí-da-vargem s.m.; pl. *tucumãís-da-vargem*
tucumãí-da-várzea s.m.; pl. *tucumãís-da-várzea*
tucumãí-uaçu s.m.; pl. *tucumãís-uaçus*
tucumanfede adj. s.m.
tucumano adj. s.m.
tucumã-piranga s.m.; pl. *tucumãs-piranga* e *tucumãs-pirangas*
tucumã-piririca s.m.; pl. *tucumãs-piririca* e *tucumãs-piriricas*

tucumã-purupuru s.m.; pl. *tucumãs-purupuru* e *tucumãs--purupurus*
tucumarana s.m.
tucum-bravo s.m.; pl. *tucuns--bravos*
tucum-da-serra s.m.; pl. *tucuns-da-serra*
tucum-de-redes s.m.; pl. *tucuns-de-redes*
tucum-do-amazonas s.m.; pl. *tucuns-do-amazonas*
tucum-do-brejo s.m.; pl. *tucuns-do-brejo*
tucum-do-mato s.m.; pl. *tucuns-do-mato*
tucumeiro s.m.
tucum-marajá s.m.; pl. *tucuns-marajá* e *tucuns--marajás*
tucum-mirim s.m.; pl. *tucuns--mirins*
tucum-preto s.m.; pl. *tucuns--pretos*
tucum-rasteiro s.m.; pl. *tucuns-rasteiros*
tucum-uaçu s.m.; pl. *tucuns--uaçus*
tucum-vermelho s.m.; pl. *tucuns-vermelhos*
tucuna adj. s.2g. s.m.
tucunaí s.m.
tucunapeua adj. s.2g.
tucunaré s.m.
tucunaré-cipó s.m.; pl. *tucunarés-cipó* e *tucunarés--cipós*
tucunaré-comum s.m.; pl. *tucunarés-comuns*
tucunaré-embira s.m.; pl. *tucunarés-embiras*
tucunareense adj. s.2g.
tucunaré-envira s.m.; pl. *tucunarés-enviras*
tucunaré-mereçá s.m.; pl. *tucunarés-mereçá* e *tucunarés--mereçás*
tucunaré-pinima s.m.; pl. *tucunarés-pinimas*
tucunaré-putanga s.m.; pl. *tucunarés-putangas*
tucunaretinga s.m.
tucundubense adj. s.2g.
tucundum s.m.
tucunduvense adj. s.2g.
tucunense adj. s.2g.
tucunzal s.m.
tucunzeiro s.m.
tucunzense adj. s.2g.
tucupá s.m.
tucupapirema s.m.
tucupareense adj. s.2g.
tucupi s.m.
tucupipora s.m.
tucura s.f.
tucurão s.m.
tucuri s.m.
tucuribá s.m.
tucuribense adj. s.2g.
tucurina adj. s.2g.
tucuru s.m.
tuçuru s.m.
tucuruiense adj. s.2g.
tucuruju adj. s.2g.
tucurunda s.f.
tucurupuca s.m.
tucuruva s.m.
tucuruviense adj. s.2g.
tucuxi s.m.
tuczonina s.f.
tudaca s.f.
tudel s.m.
tudense adj. s.2g.
tuderte adj. s.2g.
tudertino adj. s.m.
tudesco (*ê*) adj. s.m.
tudicla s.f.
tudista adj. s.2g.
tudo pron.
tudo-nada s.m.; pl. *tudo-nadas* e *tudos-nadas*
tudro adj. s.m.
tudum s.m.
tuduramina s.f.
tuenita s.f.
tuenite s.f.
tuenito s.m.
tuesita s.f.
tuesite s.f.
tufa s.2g.
tufácio adj. s.m.
tufado adj. s.m.
tufaíta s.f.
tufamento s.m.
tufante adj.2g.
tufão s.m.
tufar v.
tufável adj.
tuficano adj. s.m.
tufinho-verde s.m.; pl. *tufinhos-verdes*
tufnol s.m.
tufo s.m.
tufoso (*ô*) adj.; f. (*ó*); pl. (*ó*)
tugandês adj. s.m.
tugelana s.f.
tugido adj. s.m.
tugir v.
tugônia s.m.
tugra s.f.
tugtupita s.f.
tugue adj. s.2g.
tuguismo s.m.
tuguriense adj. s.2g.
tugúrio s.m.
tuí s.m.
tuia s.f.
tuia-da-argélia s.f.; pl. *tuias--da-argélia*
tuia-da-china s.f.; pl. *tuias--da-china*
tuia-de-areia s.f.; pl. *tuias--de-areia*
tuia-gigante s.f.; pl. *tuias--gigantes*
tuiaíca s.m.
tuia-vulgar s.f.; pl. *tuias--vulgares*
tuição s.f.
tuí-da-china s.f.; pl. *tuís-da--china*
tuidara s.f.
tuíde s.m.
tuídio s.m.
tuietê s.m.
tuijuba s.f.
tuijuva s.f.
tuim s.m.
tuimaitaca s.f.
tuim-de-asa-azul s.m.; pl. *tuins-de-asa-azul*
tuim-santo s.m.; pl. *tuins--santos*
tuim-tuim s.m.; pl. *tuim-tuins*
tuindá s.f.
tuinense adj. s.2g.
tuinim s.m.
tuinim-de-cabeça-vermelha s.m.; pl. *tuinins-de-cabeça--vermelha*
tuiona s.f.
tuipara s.f.
tuipara-de-asa-dourada s.f.; pl. *tuiparas-de-asa-dourada*
tuipara-de-asa-laranja s.f.; pl. *tuiparas-de-asa-laranja*
tuipara-estrelinha s.f.; pl. *tuiparas-estrelinha* e *tuiparas--estrelinhas*
tuíra adj.2g. s.f.
tuiroca s.f.
tuíste s.m.
tuíta s.f.
tuitante adj.2g.
tuitar v.
tuitiri s.m.
tuitirica s.f.
tuitivo adj.
tui-tui s.m.; pl. *tui-tuis*
tuiu s.m.
tuiuca adj. s.2g.
tuiueense adj. s.2g.
tuiué-tipi s.m.; pl. *tuiués-tipi* e *tuiués-tipis*
tuiuguaçu s.m.
tuiuiú s.m.
tuiuiú-coral s.m.; pl. *tuiuiús--corais*
tuiuiuense adj. s.2g.
tuiú-mirim s.m.; pl. *tuiús-mirins*
tuiupara s.m.
tuiú-quarteleiro s.m.; pl. *tuiús-quarteleiros*
tuiuti s.m.
tuiutiense adj. s.2g.
tuiutinguense adj. s.2g.
tuiuva (*ú*) s.f.
tuja s.f.
tujano s.m.
tujeno s.m.
tujílico adj.
tujol s.m.
tujona s.f.
tujopsídea s.f.
tujópsis s.f.2n.
tuju s.m.
tujuba s.f.
tujuca s.f.
tujucada s.f.
tujucal s.m.
tujuco s.m.
tujuju s.m.
tujumirim s.m.
tujupar s.m.
tujupi s.m.
tujuva s.f.
tujuveira s.f.
tujuvinha s.f.
tujuvinhamirim s.f.
tula s.f.
tulameenita s.f.
tulangue s.m.
tularemia s.f.
tularêmico adj.
tularense adj. s.2g.
tularina s.f.
tulásnea s.f.
tulasnela s.f.
tulasnelácea s.f.
tulasneláceo adj.
tulbáguia s.f.
tule s.m.
tulha s.f.
tulheira s.f.
tulheiro adj.
tuliano adj. s.m.
tulingo adj. s.m.
túlio s.m.
tulipa s.f.
tulipa-brava s.f.; pl. *tulipas--bravas*
tulipácea s.f.
tulipáceo adj.
tulipa-da-áfrica s.f.; pl. *tulipas-da-áfrica*
tulipa-de-jardim s.f.; pl. *tulipas-de-jardim*
tulipa-do-cabo s.f.; pl. *tulipas--do-cabo*
tulipão s.m.
tulípea s.f.
tulipeira s.f.
tulipeira-da-áfrica s.f.; pl. *tulipeiras-da-áfrica*
tulipeiro s.m.
tulipeiro-da-virgínia s.m.; pl. *tulipeiros-da-virgínia*
tulipiferina s.f.
tulipífero adj.
tulipofilia s.f.
tulipófilo s.m.
tulipomania s.f.
tulipomaníaco adj. s.m.
tulita s.f.
tulite s.f.
tulítico adj.
tulo s.m.
tulocarpo s.m.
tulonês adj. s.m.
tulóstoma s.m.
tulostomácea s.f.
tulostomáceo adj.
tulostomatácea s.f.
tulostomatáceo adj.
tulóstomo s.m.
tulpai s.m.
tulúnida adj. s.2g.
tulupa s.m.
túluva s.m.
tumba s.2g. s.f. interj.
tumba-catatumba interj.
tumbado adj.
tumbaga s.m.
tumbal adj.2g.
tumbança s.f.
tumbandé s.m.
tumbaque s.m.
tumbar v.
tumbe s.f.
tumbeiro adj. s.m.
tumbense adj. s.2g.
tumbérgia s.f.
tumbergianto s.m.
tumbergióidea s.f.
tumbice s.m.
tumbinho s.m.
tumbira adj. s.2g.
tumburuvina s.m.
tum-dum-dum s.m.; pl. *tum--dum-duns*
tumecer v.
tumecido adj.
tumefação s.f.
tumefacção s.f.
tumefaciente adj.2g.
tumefato adj.
tumefazer v.
tumefeito adj.
tumeficado adj.
tumeficante adj.2g.
tumeficar v.
tumenol s.m.
tumenolamônio s.m.
tumenolsulfona s.f.
tumenolsulfonato s.m.
tumenolsulfônico adj.
tumente adj.2g.
tumescência s.f.
tumescente adj.2g.
tumescer v.
tumescido adj.
tumidez (*ê*) s.f.
tumideza (*ê*) s.f.
tumididade s.f.
tumidificação s.f.
tumidificado adj.
tumidificar v.
túmido adj.
tumidoso (*ô*) adj.; f. (*ó*); pl. (*ó*)
tumificado adj.
tumificar v.
tumiritinguense adj. s.2g.
tumita s.f.
tumor (*ô*) s.m.
tumoração s.f.
tumoral adj.2g.
tumor-branco s.m.; pl. *tumores-brancos*
tumorectomia s.f.
tumorosidade s.f.
tumoroso (*ô*) adj.; f. (*ó*); pl. (*ó*)
tumulação s.f.
tumulado adj. s.m.
tumular v. adj.2g.
tumulário adj.
tumulência s.f.
tumulização s.f.
tumulizado adj.
tumulizar v.
túmulo s.m.; cf. *tumulo*, fl. do v. *tumular*
tumulto s.m.
tumultuação s.f.
tumultuado adj.
tumultuador (*ô*) adj. s.m.
tumultuante adj.2g.
tumultuar v.
tumultuário adj. s.m.
tumultuável adj.2g.
tumultuoso (*ô*) adj.; f. (*ó*); pl. (*ó*)
tumungão s.m.
tumurá s.m.
tuna adj. s.2g. s.f.
tunada s.f.
tunador (*ô*) adj. s.m.
tunal s.m.
tunantada s.f.
tunantagem s.f.
tunantão s.m.
tunantaria s.f.
tunante adj. s.2g.
tunantear v.
tunapolitano adj. s.m.
tunar v. "vadiar"; cf. *tonar*
tunária s.f.
tunco s.m.
tuncum s.m.
tunda s.f. "surra"; cf. *tundá*
tundá s.m. "anquinhas"; cf. *tunda*
tundado adj.
tundar v.
tundra s.f.
túndrico adj.
tundrita s.f.
tuneirense adj. s.2g.
túnel s.m.
tunelização s.f.
tunellita s.f.
tunense adj. s.2g.
tunerita s.f.
tunesco (*ê*) s.m.
tunesino adj. s.m.
tunetano s.m.
tunga s.2g. s.f.
tungada s.f.
tungado adj.
tungador (*ô*) adj. s.m.
tungagem s.f.
tungão adj.
tungar v.
tungíase s.f.
tungomelano s.m.
tungose s.f.
tungro adj. s.m.
tungstatado adj.
tungstato s.m.
tungstênico adj.
tungstênio s.m.
tungstenita s.f.
tungstenite s.f.
túngstico adj.
tungstídeo adj. s.m.
tungstina s.f.
tungstita s.f.
tungstite s.f.
tungstofosfato s.m.
tungstossilicato s.m.
tungstossilícico adj.
tungu adj. s.2g.
tunguaçu s.m.
tungue adj. s.2g. s.m.
tunguear v.
tunguete (*ê*) s.m.
tunguíase s.f.
tungula s.f.
tungurulua s.f.
tungurupará s.m.
tunguse adj. s.2g.
tungúsico adj. s.m.
tungúsio adj. s.m.
tungusita s.f.
túnica s.f.
tunicado adj. s.m.
tunicário adj. s.m.
tuniceiro adj. s.m.
tunicela s.f.
tuniciário adj. s.m.
tunicífero adj. s.m.
tunicina s.f.
tunídeo adj. s.m.
tuniqueiro s.m.
tuniquete (*ê*) s.m.
tunisiano adj. s.m.
tunisificação s.f.
tunisificado adj.
tunisificar v.
tunisil adj. s.2g.
tunisino adj. s.m.
tuno adj. s.m.
tuntuense adj. s.2g.
tuntumense adj. s.2g.
tuntunense adj. s.2g.
tuntunqué s.2g.

tuongonhe s.f.
tupá s.m.
tupã s.m.
tupaciguarense adj. s.2g.
tupacinunga s.m.
tupadelute adj. s.2g.
tupãense adj. s.2g.
tupaia s.f.
tupaídeo adj. s.m.
tupaiídeo adj. s.m.
tupaióideo adj. s.m.
tupaipi s.m.
tupajídeo adj. s.m.
tupambaê s.m.
tupanaciense adj. s.2g.
tupanatinguense adj. s.2g.
tupanciretanense adj. s.2g.
tupandiense adj. s.2g.
tupanense adj. s.2g.
tupantubense adj. s.2g.
tupaocense adj. s.2g.
tupaoquense adj. s.2g.
tuparaceense adj. s.2g.
tuparaiense adj. s.2g.
tuparandiense adj. s.2g.
tuparapo s.m.
tuparendiense adj. s.2g.
tuparetamense adj. s.2g.
tupari adj. s.2g.
tuparobá s.m.
tuparubo s.m.
tuparuru adj. s.2g.
tupãzense adj. s.2g.
tupé s.m.
tupeense adj. s.2g.
tupeia (*é*) s.f.
tupeiçava s.f.
tupenear v.
tuperiba s.f.
tupeti s.m.
tupi adj. s.2g. s.m.
tupia s.f.
tupiana s.f.
tupiano adj.
tupiçaba s.f.
túpico adj.
tupido adj.
tupieiro s.m.
tupiense adj. s.2g.
tupiguá adj. s.2g.
tupi-guarani adj. s.2g. s.m.; pl. *tupis-guaranis*
tupílogo s.m.
tupina adj. s.2g. "valente", "afoito"; cf. *tupiná*
tupiná adj. s.2g. "povo"; cf. *tupina*
tupinaê adj. s.2g.
tupinaí adj. s.2g.
tupinamba s.f. "girassol"; cf. *tupinambá*
tupinambá adj. s.2g. s.m. "povo"; cf. *tupinamba*
tupinambaba s.f.
tupinambaense adj. s.2g.
tupinambarana adj. s.2g. s.f.
tupinambeiro s.m.
tupinâmbis s.m.2n.
tupinambo s.m.
tupinambor (*ô*) s.m.
tupinense adj. s.2g.
tupinimim adj. s.2g.
tupinimó adj. s.2g.
tupiniquim adj. s.2g.
tupinismo s.m.
tupinista adj. s.2g.
tupinístico adj.
tupinologia s.f.
tupinológico adj.
tupinologista adj. s.2g.
tupinólogo s.m.
tupioide (*ó*) adj.2g.
tupi-paulistense adj. s.2g.; pl. *tupi-paulistenses*
tupir v.
tupiraçabense adj. s.2g.
tupiramense adj. s.2g.
tupiratinense adj. s.2g.
tupi-silveirense adj. s.2g.; pl. *tupi-silveirenses*
tupistra s.f.
tupitinguense adj. s.2g.
tupitixa s.f.
tupixá adj. s.2g. s.m.
tupixaba s.f.
tupixava s.f.
tupônia s.f.
tupurapo s.m.
tupurubo s.m.
tuputá s.m.
tuque s.m.
tuquianês adj. s.m.
tuquiara s.f.
tuquira s.f.
turá adj. s.2g.
turacena s.m.
turacina s.f.
turaco s.m.
turaí s.m.
turaia s.f.
turamina s.m.
turanda s.f.
turânia s.f.
turaniano adj. s.m.
turânico adj.
turânio adj. s.m.
turanismo s.m.
turanista adj. s.2g.
turanita s.f.
turanose s.f.
turaré s.m.
turari s.m.
turário adj.
turba s.f.
turbação s.f.
turbado adj.
turbador (*ô*) adj. s.m.
turbalternador (*ô*) s.m.
turbamento s.m.
turbamulta s.f.
turbante s.m.
turbão s.m.
turbar v.
turbativo adj.
turbável adj.2g.
turbé s.f.
turbeira s.f.
turbela s.f.
turbelariado adj. s.m.
turbelário adj. s.m.
turbeléctrico adj.
turbelétrico adj.
turbelinho s.m.
turbelino s.m.
turbidância s.f.
turbidante adj.2g.
turbidez (*ê*) s.f.
turbidimetria s.f.
turbidimétrico adj.
turbidimetrista adj. s.2g.
turbidímetro s.m.
turbidite s.f.
turbidítico adj.
turbidito s.m.
túrbido adj.
turbidometria s.f.
turbidométrico adj.
turbidometrista adj. s.2g.
turbidômetro s.m.
turbidostato s.m.
turbilhão s.m.
turbilho s.m.
turbilhoar v.
turbilho-escadinha s.m.; pl. *turbilhos-escadinha* e *turbilhos--escadinhas*
turbilhonamento s.m.
turbilhonante adj.2g.
turbilhonar v. adj.2g.
turbilho-roseta s.m.; pl. *turbilhos-roseta* e *turbilhos--rosetas*
turbina s.f.
turbinação s.f.
turbináceo adj. s.m.
turbinado adj. s.m.
turbinagem s.f.
turbinal adj.2g.
turbinante adj.2g.
turbinar v.
turbinária s.f.; cf. *turbinaria*, fl. do v. *turbinar*
turbinarídeo adj. s.m.
turbinectomia s.f.
turbinectômico adj.
turbineiro s.m.
turbinela s.f.
turbinelídeo adj. s.m.
turbinídeo adj. s.m.
turbinifloro adj.
turbiniforme adj.2g.
turbinimetria s.f.
turbinimétrico adj.
turbinímetro s.m.
turbinita s.f.
turbinólia s.f.
turbinolídeo adj. s.m.
turbinolíneo adj. s.m.
turbinologia s.f.
turbinológico adj.
turbinolópsis s.f.2n.
turbinometria s.f.
turbinométrico adj.
turbinômetro s.m.
turbinosfenoidal adj.2g.
turbinosfenoide (*ó*) adj.2g. s.m.
turbinoso (*ô*) adj.; f. (*ó*); pl. (*ó*)
turbinotomia s.f.
turbinotômico adj.
turbinótomo s.m.
turbita s.f.
turbite s.f.
turbito s.m.
turbito-branco s.m.; pl. *turbitos-brancos*
turbito-mineral s.m.; pl. *turbitos-minerais*
turbito-negro s.m.; pl. *turbitos-negros*
turbito-nitroso s.m.; pl. *turbitos-nitrosos*
turbito-vegetal s.m.; pl. *turbitos-vegetais*
turbo adj. s.m. "compressor de gás"; cf. *turbó*
turbó s.m. "ova seca de sável"; cf. *turbo* adj. s.m. e fl. do v. *turbar*
turboacionado adj.
turboalternador (*ô*) s.m.
turbobomba s.f.
turbocompressor (*ô*) s.m.
turboconversor (*ô*) s.m.
turbodiesel s.m.
turbodínamo s.m.
turboeléctrico adj.
turboelétrico adj.
turboélice s.m.
turboembreagem s.f.
turboexcitador (*ô*) s.m.
turboextrator (*ô*) s.m.
turbogerador (*ô*) s.m.
turbo-hélice s.m.
turbojacto s.m.
turbojato s.m.
turbolejar v.
turbolejo (*ê*) s.m.
turbomáquina s.f.
turbomotor (*ô*) s.m.
turbonila s.f.
turbonilíneo adj. s.m.
turbo-oxigenador (*cs...ô*) s.m.
turbopausa s.f.
turbopropulsor (*ô*) s.m.
turbor (*ô*) s.m.
turborreator (*ô*) s.m.
turboso (*ô*) adj.; f. (*ó*); pl. (*ó*)
turboventilador (*ô*) s.m.
turbulejar v.
turbulejo (*ê*) s.m.
turbulência s.f.
turbulento adj. s.m.
turbulentoso (*ô*) adj.; f. (*ó*); pl. (*ó*)
turca s.f.
turcada s.f.
turcalhada s.f.
turchemão s.m.
turchimão s.m.
túrcico adj.
turcimão s.m.
turcismo s.m.
turcização s.f.
turcizado adj.
turcizar v.
turco adj. s.m.
turco-árabe adj.2g. s.m.; pl. *turco-árabes*
turco-asiático adj. s.m.; pl. *turco-asiáticos*
turco-balcânico adj. s.m.; pl. *turco-balcânicos*
turco-búlgaro adj. s.m.; pl. *turco-búlgaros*
turco-europeu adj. s.m.; pl. *turco-europeus*
turcofalante adj. s.2g.
turcofilia s.f.
turcofílico adj.
turcófilo adj. s.m.
turcofobia s.f.
turcofóbico adj.
turcófobo adj. s.m.
turcofonia s.f.
turcofônico adj.
turcófono adj. s.m.
turcol s.m.
turcomano adj. s.m.
turcomeno adj. s.m.
turcópolo adj. s.m.
turdesca (*ê*) s.f.
turdetânico adj.
turdetano adj. s.m.
turdídea s.f.
turdídeo adj. s.m.
turdilhada s.f.
turdilho adj. s.m.
turdíneo adj. s.m.
turdino s.m.
turdínulo s.m.
turdo s.m.
turduletano adj. s.m.
túrdulo adj. s.m.
tureba s.2g.
turejo (*ê*) s.m.
turfa s.f.
turfe s.m.
turfeira s.f.
turfento adj.
turfismo s.m.
turfista adj. s.2g.
turfístico adj.
turfita s.f.
turfite s.f.
turfol s.m.
turfoso (*ô*) adj.; f. (*ó*); pl. (*ó*)
turgência s.f.
turgênia s.f.
turgente adj.2g.
turgescência s.f.
turgescente adj.2g.
turgescer v.
turgescido adj.
turgescimento s.m.
turgidez (*ê*) s.f.
túrgido adj.
turgimão s.m.
turgir v.
turgita s.f.
turgite s.f.
turgito s.m.
turgômetro s.m.
turi s.m.
turia s.f.
turiaçuense adj. s.2g.
turião s.m.
turiassonense adj. s.2g.
turiate adj. s.2g.
turibulação s.f.
turibulado adj.
turibular v.
turibulário adj. s.m.
turibulização s.f.
turibulizado adj.
turibulizar v.
turíbulo s.m.; cf. *turibulo*, fl. do v. *turibular*
turica s.f.
turicina s.f.
túrico adj. s.m.
turícola s.m.
turícremo adj.
turidila s.m.
turielense adj. s.2g.
turiferação s.f.
turiferado adj.
turiferal adj.2g.
turiferar v.
turiferário adj. s.m.
turífero adj.; cf. *turifero*, fl. do v. *turiferar*
turificação s.f.
turificado adj.
turificador (*ô*) adj. s.m.
turificante adj. s.2g.
turificar v.
turificável adj.2g.
turimari adj. s.2g.
turimua s.f.
turina adj. s.2g.
turinense adj. s.2g.
turinês adj. s.m.
turíngia s.f.
turingiano adj. s.m.
turíngico adj. s.m.
turíngio adj. s.m.
turingita s.f.
turingite s.f.
turingítico adj.
turingito s.m.
turingo adj. s.m.
turino adj. s.m.
turional adj.2g.
turiri s.m.
turismo s.m.
turista adj. s.2g.
turístico adj.
turiúa s.f.
turiuara adj. s.2g. s.m.
turiubense adj. s.2g.
turiúva s.f.
turivara adj. s.2g.
turlupino adj. s.m.
turma s.f.
turmação s.f.
turmado adj.
turmalina s.f.
turmalinense adj. s.2g.
turmalinita s.f.
turmalinite s.f.
turmalinito s.m.
turmalinoso (*ô*) adj.; f. (*ó*); pl. (*ó*)
turmar v.
turmeiro s.m.
turmentino adj. s.m.
turmogido adj. s.m.
turmógido adj. s.m.
turna s.f.
turnagra s.f.
turnamal s.m.
turnamalina s.f.
turnário adj.
turnê s.f.
turnedô s.m.
túrnepo s.m.
túrnepo-amarelo s.m.; pl. *túrnepos-amarelos*
túrnepo-branco s.m.; pl. *túrnepos-brancos*
túrnepo-bravo-da-índia s.m.; pl. *túrnepos-bravos-da--índia*
túrnepo-dos-ingleses s.m.; pl. *túrnepos-dos-ingleses*
turnera s.f.
turnerácea s.f.
turneráceo adj.
turnerita s.f.
turnerite s.f.
turnesiano adj. s.m.
turnessol s.m.
túrnia s.f.
turniácea s.f.
turniáceo adj.
túrnice s.m.
turnicídea s.f.
turnicídeo adj. s.m.
turniciforme adj.2g. s.m.
túrnix (*cs*) s.m.2n.
turno s.m.
túrone adj. s.2g.
turonense adj. s.2g.

turoniano adj. s.m.
turonicense adj. s.2g.
turônico adj. s.m.
turônio adj. s.m.
túrono adj. s.m.
turpelina s.f.
turpético adj.
turpetina s.f.
turpetol s.m.
turpetólico adj.
túrpido adj.
turpílocro adj.
turpiloquente (*ü*) adj. s.2g.
turpilóquio s.m.
turpíloquo s.m.
turpínia s.f.
turpitude s.f.
turquês adj. s.f.
turquesa (*ê*) adj.2g.2n. s.m.f.
turquesada s.f.
turquesado adj.
turquesca (*ê*) s.f.
turquesco (*ê*) adj.
turquesino adj. s.m.
turquestano adj. s.m.
turqueti s.m.
turqui adj.2g.2n. s.m.
turquia s.f.
túrquico adj. s.m.
turquim s.m.
turquimão adj. s.m.
turquina s.f.
turquisco adj.
turquizar v.
turra adj. s.2g. s.f.
turrante adj.2g.
turrão adj. s.m.; f. *turrona*
turrar v.
turre s.m.
túrrea s.f.
turreia (*é*) s.f.
turricefalia s.f.
turricefálico adj.
turricéfalo s.m.
turrícula s.f.
turriculado adj.
turrífero adj.
turriforme adj.2g.
turrífrago adj.
turrígera s.f.
turrígero adj.
turrila s.f.
turrilite s.f.
túrrio adj. s.m.
turrista adj. s.2g.
turrite s.f.
turritela s.f.
turritelídeo adj. s.m.
turritina s.f.
turritópsis s.f.2n.
turrona adj. s.f. de *turrão*
tursiope s.m.
túrsiops s.m.2n.
turtônia s.f.
turturejar v.
turturejo (*ê*) s.m.
turturila s.f.
turturilha s.f.
turturinar v.
turturínea s.f.
turturinhar v.
turturinho s.m.
turturino adj. s.m.
turtuveado adj.
turtuvear v.
turu s.m.
turuba s.f.
turubi s.m.
turubimirim s.m.
turuçu s.f.
turucué s.m.
turueí s.f.
turulangila s.m.
turúlia s.f.
turumã s.m.
turumanense adj. s.2g.
turumbamba s.m.
turuna adj. s.2g.
turundu s.m.
turundundum s.m.
turundurum s.m.
turunguenga adj. s.2g.
tururi adj. s.2g. s.m.
tururié s.m.
tururim s.m.
tururu s.m.
tururuense adj. s.2g.
tururuim s.m.
turusá s.m.
turva s.f.
turvação s.f.
turvado adj.
turvador (*ô*) adj.
turvamento s.m.
turvaniense adj. s.2g.
turvar v.
turvejado adj.
turvejar v.
turvelandense adj. s.2g.
turvense adj. s.2g.
turviniense adj. s.2g.
turvisco adj.
turvo adj. s.m.
turvolandense adj. s.2g.
tus adj. s.2g.2n. s.m.
tusca s.f.
tuscano adj. s.m.
tuscarora adj. s.2g.
tusco adj. s.m.
tusculandense adj. s.2g.
tusculano adj. s.m.
tusébio s.m.
tusque adj. s.2g.
tussi adj. s.2g.
tussícula s.f.
tussigênico adj.
tussígeno adj.
tussilagem s.f.
tussilagina s.f.
tussilagínea s.f.
tussilagíneo adj.
tussilagínico adj.
tussilagínio adj.
tussilago s.m.
tussíparo adj.
tussol s.m.
tussor (*ô*) s.m.
tusta s.m.
tústio s.m.
tusto s.m.
tuta s.f.
tuta e meia s.f.
tutameia (*é*) s.f.
tutanaga s.f.
tutânia s.f.
tutano s.m.
tutão s.m.
tutar v.
tute s.m.
tuteação s.f.
tuteado adj.
tuteador (*ô*) adj. s.m.
tuteamento s.m.
tutear v.
tuteável adj.2g.
tuteio s.m.
tutejado adj.
tutejar v.
tutela s.f.
tutelação s.f.
tutelado adj. s.m.
tutelador (*ô*) adj. s.m.
tutelagem s.f.
tutelando adj. s.m.
tutelar v. adj.2g.
tutemeia s.f.
tutenaga s.f.
tutia s.f.
tutiense adj. s.2g.
tutilimúndi s.m.
tutimeia s.f.
tutinaga s.f.
tutinegra (*ê*) s.f.
tutinegro (*ê*) s.m.
tutino adj. s.m.
tutiribá s.m.
tutocaína s.f.
tutoiense adj. s.2g.
tutor (*ô*) s.m.; f. *tutora* (*ô*) e *tutriz*
tutora (*ô*) s.f. de *tutor* (*ô*)
tutorado adj.
tutoragem s.f.
tutorar v.
tutoreado adj.
tutorear v.
tutoria s.f.
tutorial adj.2g. s.m.
tutorização s.f.
tutriz s.f. de *tutor* (*ô*)
tútsi adj. s.2g.
tutu s.m.
tutucar v.
túrulo s.m.
tutum s.m.
tutumumbuca s.m.
tutunaga s.f.
tutunaué s.m.
tutunete (*ê*) s.m.
tutunqué s.2g.
tutuque s.m.
tuturubá s.m.
tutuviar v.
tutuzeira s.f.
tuualita s.f.
tuvaluano adj. s.m.
tuvi s.m.
tuvininha s.f.
tuvira s.m.
tuvucué s.m.
tuvuna s.m.
tuvuninha s.f.
tuxá adj. s.2g. s.m.
tuxaua s.m.f.
tuxava s.m.
tuxi s.m.
tuxinau s.m.
tuxinauá adj. s.2g.
tuza s.f.
tuzina s.f.
tvalchrelidzeíta s.f.
tvaregue s.m.
tveitita s.f.
twinnita s.f.
txá s.m.
txapacura adj. s.m.
txiavicua adj. s.2g.
txicão adj. s.2g. s.m.
txiloli s.m.
txiuaiçu adj.
txunhuã-djapá adj. s.2g. s.m.; pl. *txunhuãs-djapás*
tyndallização s.f.
tyndallizado adj.
tyndallizador (*ô*) adj. s.m.
tyndallizar v.
tyretskita s.f.
tyrrellita s.f.
tysonita (*tai*) s.f.
tzar s.m.
tzarévitche s.m.
tzarevna s.f.
tzaricida adj. s.2g.
tzaricídio s.m.
tzarina s.f.
tzarismo s.m.
tzarista adj.2g. s.2g.
tzarizado adj.

Uu

u s.m.; cf. *uh*
uaabismo s.m.
uaabita adj. s.2g.
uabagenina s.f.
uabaia s.f.
uabaína s.f.
uabaio s.m.
uabatimó s.m.
uabatimô s.m.
uabatinga s.f.
uabuí adj. s.2g.
uacá s.m. "planta"; cf. *uaçá*
uaçá s.m. "crustáceo"; cf. *uacá*
uacacu s.m.
uaçaçu s.m.
uaçaí s.m.
uaçaí-chumbo s.m.; pl. *uaçaís-chumbo* e *uaçaís-chumbos*
uaçaí-miri s.m.; pl. *uaçaís-miris*
uaçaí-mirim s.m.; pl. *uaçaís-mirins*
uaçaituíra s.m.
uacamba adj. s.2g.
uacananense adj. s.2g.
uacanga s.f.
uacani adj. s.m.
uacapará s.m.
uacapu s.m.
uacapurana s.f.
uacará s.m.
uacaranhá adj. s.2g.
uacarau s.m.
uacarauá adj. s.2g.
uacari s.m.
uacariaçu s.m.
uacari-branco s.m.; pl. *uacaris-brancos*
uacari-de-cabeça-preta s.m.; pl. *uacaris-de-cabeça-preta*
uacariense adj. s.2g.
uacariguaçu s.m.
uacari-preto s.m.; pl. *uacaris-pretos*
uacari-vermelho s.m.; pl. *uacaris-vermelhos*
uacaruá adj. s.2g.
uacataca s.f.
uacauã s.m.
uacima s.f.
uacima-da-praia s.f.; pl. *uacimas-da-praia*
uacima-do-brejo s.f.; pl. *uacimas-do-brejo*
uacima-do-campo s.f.; pl. *uacimas-do-campo*
uacima-grande s.f.; pl. *uacimas-grandes*
uacima-roxa s.f.; pl. *uacimas-roxas*
uacindiba s.f.
uacliteçu adj. s.m.
uaco s.m.
uacociense adj. s.2g.
uaconá adj. s.2g.
uacu s.m.
uacuará s.m.
uacumã s.m.
uacumo adj. s.m.
uacupi adj. s.2g.
uacurau s.m.
uacuri s.m.
uacurizalense adj. s.2g.
uadadá s.m.
uadaduri s.m.
uadaiano s.m.
uade s.m.
uádi s.m.
uádico adj.
uado s.m.
uaeira s.f.
uafé s.m.
uaganda adj. s.2g.
uagenia adj. s.2g.
uagogo adj. s.m.
uágua adj. s.2g.
uai interj.
uaiá adj. s.2g.
uaiana adj. s.2g.
uaiandi s.m.
uaiapé s.m.
uaiapi adj. s.2g.
uaiapuçá s.m.
uaíba adj. s.2g.
uaibama s.f.
uaicá adj. s.2g.
uaicana adj. s.2g.
uaícana adj. s.2g.
uaicima s.f.
uaicima-da-praia s.f.; pl. *uaicimas-da-praia*
uaicué adj. s.2g.
uaieira s.f.
uaieué adj. s.2g.
uaimá s.m.
uaimani adj. s.2g.
uaimiri adj. s.2g.
uaimiri-atroari adj. s.2g.; pl. *uaimiris-atroaris*
uaimirijuru s.m.
uaimiuru s.m.
uaina s.f.
uaindizê adj. s.2g.
uainedezê adj. s.2g.
uainumá adj. s.2g.
uaiô s.m.
uaioró adj. s.2g.
uaipi s.m.
uaiquina adj. s.2g.
uaiquino adj. s.m.
uairari s.m.
uaitá s.m.
uaitacá adj. s.2g.
uaiua (*ú*) s.f.
uaiuai adj. s.2g.
uaiumá s.m.
uaiumana adj. s.2g.
uaiunana adj. s.2g.
uaiupé adj. s.2g.
uaiupi adj. s.2g.
uaiuru adj. s.2g.
uaixima s.f.
uajará s.m.
uajeru s.m.
uajuru s.m.
ualá s.m.
ualabá s.m.
ualala s.f.
ualalocê s.m.
uale s.m.
uáli s.m.
ualongo s.m.
ualua s.f.
uamá s.m.
uamami adj. s.2g.
uambé s.m.
uambé-curuá s.m.; pl. *uambés-curuás*
uambiza adj. s.2g.
uambuti adj. s.2g.
uamiri s.m.
uamói adj. s.2g.
uamoti s.m.
uaná s.m.
uanalcuri adj. s.2g.
uanambé s.m.
uanana adj. s.2g.
uananau adj. s.2g.
uanani s.m.
uananim s.m.
uanapo s.m.
uanaracense adj. s.2g.
uanauau adj. s.2g.
uanda s.f.
uanderu s.m.
uanga s.f.
uanguindo adj. s.m.
uanhã adj. s.m.
uanhaí adj. s.2g.
uanhi s.m.
uaniá adj. s.2g.
uaniamuezi adj. s.2g.
uanica adj. s.2g.
uanimuezi adj. s.2g.
uanioro adj. s.2g.
uanjila s.m.
uantuafuno s.m.
uantuia adj. s.2g.
uapá s.m.
uapaca s.f.
uapajaçanã s.2g.
uapé s.m.
uapê s.m.
uapé-da-cachoeira s.m.; pl. *uapés-da-cachoeira*
uapê-da-cachoeira s.m.; pl. *uapês-da-cachoeira*
uapeense adj. s.2g.
uaperaçu s.f.
uapi s.m.
uapiraçu s.f.
uapiti s.m.
uapixana adj. s.2g.
uapixaua adj. s.2g.
uaplerita s.f.
uapuçá s.m.
uapuçá-de-coleira s.m.; pl. *uapuçás-de-coleira*
uapuim s.m.
uapuim-açu s.m.; pl. *uapuins-açus*
uapuinguaçu s.m.
uaqui adj. s.2g.
uaquicinga adj. s.2g.
uaquimbo adj. s.m.
uará adj. s.2g.
uaracu s.m.
uaraense adj. s.2g.
uaraicu adj. s.2g.
uarana s.f. "fruta-de-anel"; cf. *uaraná*
uaraná s.m. "guaraná"; cf. *uarana*
uaranacoacena adj. s.2g.
uarangá s.m.
uarapá adj. s.2g.
uaraperu s.m.
uarapiranga adj. s.2g.
uarara s.f.
uarequena adj. s.2g. s.f.
uarerui s.m.
uari s.m.
uariá s.m.
uariense adj. s.2g.
uarinense adj. s.2g.
uariquena s.f.
uariqueta (*ê*) s.f.
uariquina s.f.
uarirama s.f.
uarirambaense adj. s.2g.
uariuá adj. s.2g.
uariuaiú s.m.
uariuiti adj. s.2g.
uarixi adj. s.2g.
uaru adj. s.2g. s.m.
uaruará s.m.
uarubé s.m.
uaruecoca adj. s.2g.
uarumã s.m.
uarumense adj. s.2g.
uaruremboia (*ó*) s.f.
uaruuará s.m.
uás s.m.2n.
uasca s.f.
uasena adj. s.2g.
uassu adj. s.2g.
uatanari adj. s.2g.
uatapi s.m.
uatapu s.m.
uatapuaçu s.m.
uatita s.f.
uatite s.f.
uatito s.m.
uatotó s.m.
uatumãense adj. s.2g.
uaturá s.m.
uatúsi adj. s.2g.
uatútsi adj. s.2g.
uau interj.
uauá s.m.
uauaçu s.m.
uauaçuzal s.m.
uauaense adj. s.2g.
uauçu s.m.
uauira (*í*) s.f.
uauiru s.m.
uaupé adj. s.2g.
uaupeense adj. s.2g.
uaurá adj. s.2g.
uaurequena adj. s.2g.
uauri s.m.
uavaona s.f.
uaxuá s.m.
uaxupé s.m.
ubá s.m.f.
ubaaçu s.m.
ubacaba s.f.
ubacaiá s.m.
ubá-de-facho s.m.; pl. *ubás-de-facho*
ubaense adj. s.2g.
ubaeté s.m.
ubaia s.f.
ubaia-do-campo s.f.; pl. *ubaias-do-campo*
ubaia-muxama s.f.; pl. *ubaias-muxama* e *ubaias-muxamas*
ubaibá adj. s.2g.
ubaibeira s.f.
ubaiense adj. s.2g.
ubaína s.f.
ubairense adj. s.2g.
ubaitabense adj. s.2g.
ubajarense adj. s.2g.
ubândgi s.f.
ubango s.m.
ubanguiano adj. s.m.
ubapeba s.f.
ubapeba-miúda s.f.; pl. *ubapebas-miúdas*
ubaporanguense adj. s.2g.
ubaraba s.f.
ubarana s.f.
ubarana-branca s.f.; pl. *ubaranas-brancas*
ubarana-camorim s.f.; pl. *ubaranas-camorim* e *ubaranas-camorins*
ubaranaçu s.f.
ubarana-do-norte s.f.; pl. *ubaranas-do-norte*
ubarana-focinho-de-rato s.f.; pl. *ubaranas-focinho-de-rato* e *ubaranas-focinhos-de-rato*
ubarana-jiruma s.f.; pl. *ubaranas-jiruma* e *ubaranas-jirumas*
ubaranamirim s.f.
ubarana-rato s.f.; pl. *ubaranas-rato* e *ubaranas-ratos*
ubaranense adj. s.2g.
ubaranuçu s.f.
ubari s.m.
ubariense adj. s.2g.
ubatã s.m. "árvore"; cf. *ubatá*
ubatá s.m. "instrumento musical"; cf. *ubatã*
ubatanense adj. s.2g.
ubatão s.m.
ubatense adj. s.2g.
ubatibense adj. s.2g.
ubatim s.m.
ubatinga s.f.
ubatubana s.f.
ubatubano adj. s.m.
ubatubense adj. s.2g.
ubaunense adj. s.2g.
ubazinhense adj. s.2g.
ubeba s.f.
ubeguê s.f.
ubelê s.m.
uberabense adj. s.2g.
uberal adj.2g.
uberana s.f.
uberdade s.f.
úbere adj.2g. s.m.
uberino adj.
uberlandense adj. s.2g.
uberlandês adj. s.m.
uberlandiense adj. s.2g.
úbero adj.
uberosidade s.f.
uberoso (*ô*) adj.; f. (*ó*); pl. (*ó*)
ubérrimo adj. sup. de *úbere*
ubertoso (*ô*) adj.; f. (*ó*); pl. (*ó*)
ubi s.m.
ubiaçu s.m.

ubianganga s.f.
ubicação s.f.
ubículo s.m.
ubiedade s.f.
ubiguaçu s.m.
ubijara s.f.
ubim s.m.
ubim-açu s.m.; pl. *ubins-açus*
ubim-do-igapó s.m.; pl. *ubins-do-igapó*
ubim-mirim s.m.; pl. *ubins--mirins*
ubim-rana s.m.; pl. *ubins-rana* e *ubins-ranas*
ubim-uaçu s.m.; pl. *ubins--uaçus*
úbio adj. s.m.
ubipitanga s.f.
ubiquação s.f.
ubiquidade (*ü*) s.f.
ubiquinona s.f.
ubiquinônico adj.
ubiquismo (*ü*) s.m.
ubiquista (*ü*) adj. s.2g.
ubiquístico (*ü*) adj.
ubiquitário (*ü*) adj. s.m.
ubiquitarismo (*ü*) s.m.
ubiquitarístico (*ü*) adj.
ubiquitina s.f.
ubíquo adj.
ubira s.f.
ubiraçabense adj. s.2g.
ubiracema s.f.
ubiracica s.f.
ubiraçoca s.f.
ubiraçuense adj. s.2g.
ubiraitaense adj. s.2g.
ubirajara adj. s.2g.
ubirajarense adj. s.2g.
ubirana s.f.
ubiraparíba s.m.
ubiraquá s.f.
ubirarana s.f.
ubirarema s.f.
ubiratã s.m.
ubirataia s.f.
ubirataiense adj. s.2g.
ubiratanense adj. s.2g.
ubiretamense adj. s.2g.
ubiretense adj. s.2g.
ubisco adj. s.m.
ubixuma s.f.
ubochea s.f.
ubojara s.m.
ubóquea s.f.
ubre s.m.
ubu s.m.
ubucaba s.f.
ubuçu s.m.
ubuçual s.m.
ubuçuzal s.m.
ubuesco (*ê*) adj.
uburana s.m.
uburanense adj. s.2g.
uca s.f. "gramínea", etc.; cf. *ucá, uça* e *uçá*
uça s.f. "planta herbácea"; cf. *uca, ucá* e *uçá*
ucá s.m. "cachimbo"; cf. *uca, uça* e *uçá*
uçá s.m. "crustáceo"; cf. *uca, ucá* e *uça*
ucaciá s.f.
ucaiali adj. s.2g.
ucamari s.m.
uçamba s.f.
uçango s.m.
ucanha s.f.
ucanheira s.f.
ucasse s.m.
uçaúna s.f.
uceciano s.m.
uceno adj. s.m.
ucha s.f.
uchão s.m.
ucharia s.f.
uchimono s.m.
uchiva s.m.
uchoense adj. s.2g.
uci s.m.
ucila s.f.
ucimá s.m.
ucola s.f.
ucraíno adj. s.m.
ucrainofalante adj. s.2g.
ucrainofonia s.f.
ucrainófono adj. s.m.
ucrainoparlante adj. s.2g.
ucraniano adj. s.m.
ucraniense adj. s.2g.
ucrânio adj. s.m.
ucriana s.f.
ucronia s.f.
ucrônico adj.
uçubi s.m.
ucubu s.m.
ucuí s.m.
ucuíssi adj. s.2g.
ucumba s.f.
ucuqui s.m.
ucuquirana s.f.
ucuquirana-brava s.f.; pl. *ucuquiranas-bravas*
ucuuba s.f.
ucuuba-branca s.f.; pl. *ucuubas-brancas*
ucuuba-cheirosa s.f.; pl. *ucuubas-cheirosas*
ucuuba-punã s.f.; pl. *ucuubas--punãs*
ucuubarana s.f.
ucuuba-vermelha s.f.; pl. *ucuubas-vermelhas*
ucuubeira s.f.
udabnopiteco s.m.
udamina s.f.
udana s.m.
udaraxavássana s.m.
udasi s.m.
udecrá s.f.
udenismo s.m.
udenista adj. s.2g.
udenístico adj.
udgatri s.m.
udi adj. s.2g.
udiiana s.m.
udiianabanda s.m.
udino adj. s.m.
udom s.m.
udometria s.f.
udométrico adj.
udômetro s.m.
udomógrafo s.m.
udonela s.m.
udonelídeo adj. s.m.
udonelíneo adj. s.m.
udora s.f.
udossadenite s.f.
udossólito s.m.
udótea s.f.
udu s.m.
udu-de-coroa-azul s.m.; pl. *udus-de-coroa-azul*
udunga s.f.
ué interj.
uédi s.m.
uei interj.
uena s.f.
uerá s.f.
uerana s.f.
uerequena adj. s.2g.
uerimá adj. s.2g.
ués s.m.2n.
uetacás adj. s.2g.
uéua s.f.
uf interj.
ufa s.f. interj.
ufanado adj.
ufanar v.
ufanático adj.
ufaneado adj.
ufanear v.
ufania s.f.
ufanismo s.m.
ufanista adj. s.2g.
ufanístico adj.
ufano adj.
ufanoso (*ô*) adj.; f. (*ó*); pl. (*ó*)
ufertita s.f.
ufo s.m.
ufologia s.f.
ufológico adj.
ufologista adj. s.2g.
ufologístico adj.
ufólogo s.m.
ufomania s.f.
ufomaníaco adj. s.m.
ufômano adj. s.m.
ufonauta adj. s.2g.
ufuá s.m.
uga s.f. interj.
ugada s.f.
ugado adj.
ugalhado adj.
ugalhar v.
ugalho s.m.
ugandense adj. s.2g.
ugandês adj. s.m.
ugandita s.f.
ugar v.
ugarítico adj. s.m.
uge s.m.
ugerbão s.m.
ugerbo s.m.
ugerno adj. s.m.
ugh interj.
ugina adj. s.2g.
ugni s.m.
ugolinesco (*ê*) adj.
ugolino adj.
ugrandita s.f.
ugrandítico adj.
ugriano s.m.
úgrico adj.
ugro-finês adj. s.m.; pl. *ugro--fineses*
ugro-fínico adj. s.m.; pl. *ugro-fínicos*
ugro-finlandês adj. s.m.; pl. *ugro-finlandeses*
uh interj.; cf. *u*
uhliguita s.f.
ui interj.
uiabuí adj. s.2g.
uiacima s.f.
uiai interj.
uianari s.f.
uianuri s.f.
uiapé adj. s.2g.
uiara s.f.
uiari s.m.
uíba s.f.
uibaiense adj. s.2g.
uicungo s.m.
uído s.m.
uigita s.f.
uigur adj. s.2g.
uigúrico adj.
uinarana s.f.
uintaíta s.f.
uintatério s.m.
uintato s.m.
uiofobia s.f.
uiofóbico adj.
uiófobo s.m.
uiqué s.m.
uirá s.m.
uirá-angu s.m.; pl. *uirás-angu* e *uirás-angus*
uiraçu s.m.
uiraçu-falso s.m.; pl. *uiraçus--falsos*
uiraçu-verdadeiro s.m.; pl. *uiraçus-verdadeiros*
uirafede adj. s.2g.
uiramembi s.m.
uiramiri s.m.
uiramombucu s.m.
uirana s.f.
uirapaçu s.m.
uirapajé s.m.
uirapepé s.m.
uirapequi s.f.
uirapiana s.f.
uirapitangue s.f.
uiraponga s.f.
uiraponguense adj. s.2g.
uirapuru s.m.
uirapuru-catimbozeiro s.m.; pl. *uirapurus--catimbozeiros*
uirapuru-de-bando s.m.; pl. *uirapurus-de-bando*
uirapuru-de-cabeça--amarela s.m.; pl. *uirapurus--de-cabeça-amarela*
uirapuru-de-cabeça-branca s.m.; pl. *uirapurus-de-cabeça--branca*
uirapuru-de-cabeça--dourada s.m.; pl. *uirapurus-de-cabeça-dourada*
uirapuru-de-cabeça--encarnada s.m.; pl. *uirapurus-de-cabeça--encarnada*
uirapuru-de-cabeça--vermelha s.m.; pl. *uirapurus-de-cabeça-vermelha*
uirapuru-de-costa-azul s.m.; pl. *uirapurus-de-costa-azul*
uirapuru-verdadeiro s.m.; pl. *uirapurus-verdadeiros*
uirari s.m.
uirarirana s.f.
uirariúva s.f.
uirataimi s.m.
uiratatá s.m.
uiratauá s.m.
uiraúna s.f.
uiraunense adj. s.2g.
uiraxué s.m.
uiraxuê s.m.
uirina adj. s.2g.
uiriri s.f.
uiruu s.m.
uiruucotim s.m.
uiruuetê s.m.
uiscada s.f.
uiscaria s.f.
uísque s.m.
uisqueira s.f.
uisqueiro adj. s.m.
uisqueria s.f.
uíste s.m.
uistiti s.m.
uitiribá s.m.
uititoroba s.m.
uitoto adj. s.2g.
uivação s.f.
uivada s.f.
uivado adj.
uivador (*ô*) adj. s.m.
uivamento s.m.
uivante adj.2g.
uivar v.
uivo s.m.
uja s.f.
ujamanta s.f.
ujará s.f.
uje s.m.
ujica s.f.
ujo s.m.
uklonskovita s.f.
ula s.f.
uláctis s.f.2n.
uládi s.2g.
ulângia s.m.
ulano s.m.
ulástrea s.m.
ulatrofia s.f.
ulatrófico adj.
ulau s.m.
ulbiense adj. s.2g.
ulca s.f.
úlcera s.f.; cf. *ulcera*, fl. do v. *ulcerar*
ulceração s.f.
ulcerado adj.
ulcerador (*ô*) adj.
ulceramento s.m.
ulcerante adj.2g.
ulcerar v.
ulcerativo adj.
ulcerável adj.2g.
ulceriforme adj.2g.
ulcerocâncer s.m.
ulcerocanceroso (*ô*) adj. s.m.; f. (*ó*); pl. (*ó*)
ulcerogangrena s.f.
ulcerogangrenoso (*ô*) adj.; f. (*ó*); pl. (*ó*)
ulcerogenia s.f.
ulcerogênico adj.
ulcerógeno adj. s.m.
ulceroide (*ó*) adj.2g.
ulceromembranoso (*ô*) adj.; f. (*ó*); pl. (*ó*)
ulceronecrótico adj.
ulceroso (*ô*) adj. s.m.; f. (*ó*); pl. (*ó*)
ulcerovegetante adj.2g.
ulcerovegetativo adj.
uleanto s.m.
uleаro s.m.
uleda s.f.
uleia (*é*) s.f.
uleiota s.f.
ulema s.f. "gênero de insetos"; cf. *ulemá*
ulemá s.m. "teólogo muçulmano"; cf. *ulema*
ulemba s.f.
ulemorragia s.f.
ulemorrágico adj.
uleota s.f.
uleritema s.m.
uleritemático adj.
uleritematoso (*ô*) adj.; f. (*ó*); pl. (*ó*)
ulesina s.f.
ulético adj.
úlex (*cs*) s.m.2n.
ulexina (*cs*) s.f.
ulexita (*cs*) s.f.
ulexite (*cs*) s.f.
ulexito (*cs*) s.m.
ulfilano adj.
ulianopolense adj. s.2g.
ulicórnio s.m.
ulídia s.f.
ulidiíneo adj. s.m.
uliense adj. s.2g.
uliginário adj.
uliginoso (*ô*) adj.; f. (*ó*); pl. (*ó*)
uliia s.f.
uliolépida adj.2g. s.m.
ulisseia (*é*) adj. s.f. de *ulisseu*
ulisseu adj. s.m.; f. *ulisseia* (*é*)
ulissipofilia s.f.
ulissipófilo adj. s.m.
ulissipografia s.f.
ulissipográfico adj.
ulissipógrafo s.m.
ulissiponense adj. s.2g.
ulissiponiano adj. s.m.
ulite s.f.
ullmannita s.f.
ullmannito s.m.
ulmácea s.f.
ulmáceo adj.
ulmanete (*ê*) adj. s.2g.
ulmarena s.f.
ulmarênio s.m.
ulmária s.f.
ulmária-de-flor-dobrada s.f.; pl. *ulmárias-de-flor--dobrada*
ulmárico adj.
ulmarina s.f.
ulmaríneo adj. s.m.
ulmáris s.m.2n.
ulmato s.m.
ulmeira s.f.
ulmeiral s.m.
ulmeiro s.m.
úlmico adj.
ulmina s.f.
ulmo s.m.
ulmóidea s.f.
ulna s.f.
ulnal adj.2g. s.m.
ulnar adj.2g. s.m.
ulnário adj.
ulnocarpal adj.2g.
ulnomanual adj.2g.
ulnorradial adj.2g.
ulnulnar adj.2g.
ulnulnário adj.
ulo s.m.
uloatrofia s.f.
uloatrófico adj.
uloborídeo adj. s.m.
ulóboro s.m.
ulocace s.f.

ulocarcinoma s.m.
ulocentra s.m.
ulocola s.f.
ulodendro s.m.
ulodermatite s.f.
ulodermatítico adj.
uloglossite s.f.
ulojanja s.f.
ulolendo s.m.
ulom s.m.
uloma s.m.
ulomíneo adj. s.m.
uloncia s.f.
ulonco s.m.
ulopa s.f.
ulopíneo adj. s.m.
ulorragia s.f.
ulorrágico adj.
ulorreia (*é*) s.f.
ulorreico (*é*) adj.
ulose s.f.
ulosônia s.f.
ulossomo s.m.
ulota s.f.
ulotíngis s.m.2n.
ulotomia s.f.
ulotômico adj.
ulotricácea s.f.
ulotricáceo adj.
ulotrical adj.2g.
ulotricale s.f.
ulótrice adj.2g.
ulótrico adj. s.m.
ulotríquea s.f.
ulrei s.m.
ulrichita s.f.
ulsteriano adj. s.m.
ulsteriense adj. s.2g.
ulterior (*ô*) adj.2g.
ulterioridade s.f.
última s.f.; cf. *ultima*, fl. do v. *ultimar*
ultimação s.f.
ultimado adj.
ultimador (*ô*) adj.
ultimanista adj. s.2g.
ultimar v.
últimas s.f.pl.
ultimato s.m.
ultimátum s.m.
ultimável adj.2g.
último adj. s.m.; cf. *ultimo*, fl. do v. *ultimar*
ultimogênito s.m.
ultimogenitura s.f.
ultor (*ô*) adj. s.m.
ultório adj.
ultra s.2g.
ultra-alto adj.
ultra-americanismo s.m.
ultra-americanista adj. s.2g.
ultra-apressado adj.
ultra-aquecer v.
ultra-aquecido adj.
ultra-atômico adj.
ultra-áudion s.m.
ultra-autoafirmação s.f.
ultra-autônomo adj.
ultrabárbaro adj.
ultrabasbaque adj. s.2g.
ultrabásico adj.
ultrabasita s.f.
ultrabraquicefalia s.f.
ultrabraquicefálico adj.
ultrabraquicéfalo s.m.
ultracansado adj.
ultracentrífuga s.f.
ultracentrifugabilidade s.f.
ultracentrifugação s.f.
ultracentrifugador (*ô*) adj.
ultracentrifugadora (*ô*) s.f.
ultracentrifugante adj.2g.
ultracentrifugar v.
ultracentrifugável adj.2g.
ultracentrífugo adj. s.m.
ultracheio adj.
ultracivilização s.f.
ultracivilizado adj. s.m.
ultracivilizador (*ô*) adj.
ultracivilizante adj.2g.
ultracivilizar v.
ultracivilizável adj.2g.
ultraclássico adj.
ultracolapsante adj.2g.
ultracolapsar v.
ultracolapso s.m.
ultracompetente adj.2g.
ultracomplexo (*cs*) adj.
ultracomprimido adj.
ultracomprimir v.
ultraconcavilíneo adj.
ultracondensador (*ô*) s.m.
ultraconfiança s.f.
ultraconservador (*ô*) adj. s.m.
ultraconservantismo s.m.
ultraconservantista adj. s.2g.
ultracontinental adj.2g.
ultracorreção s.f.
ultracorreto adj.
ultracristão adj.
ultracurioso (*ô*) adj.; f. (*ó*); pl. (*ó*)
ultracurto adj.
ultrademocrata adj. s.2g.
ultrademocrático adj.
ultradiáfano adj.
ultradiatermia s.f.
ultradiatérmico adj.
ultradivino adj.
ultradolicocefalia s.f.
ultradolicocéfalo adj. s.m.
ultradolicocrania s.f.
ultradolicocranial adj.
ultradoloroso (*ô*) adj.; f. (*ó*); pl. (*ó*)
ultraeconômico adj.
ultraelevado adj.
ultraendinheirado adj.
ultraescuro adj.
ultraesdrúxulo adj.
ultraestratosférico adj.
ultraestrutura s.f.
ultraestruturabilidade s.f.
ultraestruturação s.f.
ultraestrutural adj.2g.
ultraestruturalidade s.f.
ultraestruturante adj.2g.
ultraestruturar v.
ultraestruturável adj.2g.
ultraetimológico adj.
ultraeuropeu adj. s.m.
ultraexistência (*z*) s.f.
ultraexistente (*z*) adj.2g.
ultraexistir (*z*) v.
ultrafabuloso (*ô*) adj.; f. (*ó*); pl. (*ó*)
ultrafagocitose s.f.
ultrafalaz adj.2g.
ultrafamoso (*ô*) adj.; f. (*ó*); pl. (*ó*)
ultrafanático adj.
ultrafantástico adj.
ultrafecundo adj.
ultrafederalista adj.2g.
ultrafiltrabilidade s.f.
ultrafiltração s.f.
ultrafiltrado adj.
ultrafiltrador (*ô*) adj.
ultrafiltrante adj.2g.
ultrafiltrar v.
ultrafiltrável adj.2g.
ultrafiltro s.m.
ultrafluvial adj.2g.
ultrafraco adj.
ultrafrequência (*ü*) s.f.
ultrafrequencial (*ü*) adj.2g.
ultrafrequente (*ü*) adj.2g.
ultrafunesto adj.
ultragasoso (*ô*) adj.; f. (*ó*); pl. (*ó*)
ultragerme s.m.
ultragigantesco (*ê*) adj.
ultragovernamental adj.2g.
ultragrosso (*ô*) adj.; f. (*ó*); pl. (*ó*)
ultra-hipérbole s.f.
ultra-hiperbólico adj.
ultra-homérico adj.
ultra-honesto adj.
ultra-humano adj.
ultraindependente adj.2g.
ultrainfernal adj.2g.
ultrainfracomprimido adj.
ultraísmo s.m.
ultraísta adj.2g.
ultraístico adj.
ultrajado adj.
ultrajador (*ô*) adj. s.m.
ultrajante adj.2g.
ultrajar v.
ultraje s.m.
ultrajoso (*ô*) adj.; f. (*ó*); pl. (*ó*)
ultrajudicial adj.2g.
ultralaqueação s.f.
ultralatinista adj. s.2g.
ultraliberal adj. s.2g.
ultraliberalismo s.m.
ultraliberalista adj. s.2g.
ultralírico adj.
ultralisonjeiro adj.
ultraluminoso (*ô*) adj.; f. (*ó*); pl. (*ó*)
ultramajestático adj.
ultramar adj.2g.2n. s.m.
ultramarino adj. s.m.
ultramelânico adj.
ultrametamorfia s.f.
ultrametamórfico adj.
ultrametamorfo adj. s.m.
ultrametódico adj.
ultramicroanálise s.f.
ultramicroanalítico adj.
ultramicróbio s.m.
ultramicrométrico adj.
ultramicrômetro s.m.
ultramícron s.m.
ultramicroquímica s.f.
ultramicroquímico adj.
ultramicroscopia s.f.
ultramicroscópico adj.
ultramicroscópio s.m.
ultramilitarismo s.m.
ultramilitarista adj. s.2g.
ultramilitarístico adj.
ultramilonito s.m.
ultramístico adj.
ultramodernismo s.m.
ultramodernista s.2g.
ultramodernístico adj.
ultramoderno adj.
ultramonárquico adj. s.m.
ultramonarquismo s.m.
ultramonarquista adj.2g.
ultramontanismo s.m.
ultramontanista adj. s.2g.
ultramontanístico adj.
ultramontanização s.f.
ultramontanizado adj.
ultramontanizar v.
ultramontano adj. s.m.
ultramovediço adj.
ultramuçulmano adj.
ultramundano adj.
ultranacional adj.2g.
ultranacionalismo s.m.
ultranacionalista adj. s.2g.
ultranacionalístico adj.
ultranatural adj.2g.
ultranaturalismo s.m.
ultraobscuro adj.
ultraoceânico adj.
ultraoriental adj.2g.
ultrapagão adj.
ultraparadoxal (*cs*) adj.2g.
ultrapassado adj.
ultrapassador (*ô*) adj.
ultrapassagem s.f.
ultrapassante adj.2g.
ultrapassar v.
ultrapassável adj.2g.
ultrapasse s.m.
ultrapasteurização s.f.
ultrapasteurizado adj.
ultrapasteurizar v.
ultrapatético adj.
ultrapeninsular adj.2g.
ultrapífio adj.
ultrapiramidal adj.2g.
ultrapoderoso (*ô*) adj.; f. (*ó*); pl. (*ó*)
ultrapressão s.f.
ultraprofundo adj.
ultraprovado adj.
ultraprovar v.
ultrapureza (*ê*) s.f.
ultrapurificação s.f.
ultrapurificado adj.
ultrapurificador (*ô*) adj.
ultrapurificante adj.2g.
ultrapurificar v.
ultrapurificável adj.2g.
ultrapuritanismo s.m.
ultrapuritano adj. s.m.
ultrapuro adj.
ultraquímico adj.
ultrarracional adj.2g.
ultrarracionalidade s.f.
ultrarracionalismo s.m.
ultrarracionalista adj. s.2g.
ultrarradical adj.2g.
ultrarradicalidade s.f.
ultrarradicalismo s.m.
ultrarrápido adj.
ultrarraro adj.
ultrarreacionário adj. s.m.
ultrarrealismo s.m.
ultrarrealista adj. s.2g.
ultrarrefinado adj.
ultrarreforma s.f.
ultrarregional adj.2g.
ultrarrepublicanismo s.m.
ultrarrepublicano adj.
ultrarrevolucionário adj. s.m.
ultrarromântico adj.
ultrarromantismo s.m.
ultrarromantizado adj.
ultrarromantizar v.
ultrarroxo (*ô*) adj.
ultrarrusso adj.
ultrassápido adj.
ultrassecular adj.2g.
ultrassemicircular adj.2g.
ultrassensível adj.2g.
ultrassofisticado adj.
ultrassolar adj.2g.
ultrassom s.m.
ultrassônico adj.
ultrassonografado adj.
ultrassonografador (*ô*) adj.
ultrassonografante adj.2g.
ultrassonografar v.
ultrassonografável adj.2g.
ultrassonografia s.f.
ultrassonográfico adj.
ultrassonograma s.m.
ultrassonoro adj.
ultrassonoterapia s.f.
ultrassonoterápico adj.
ultrassupercomprimido adj.
ultrassupracomprimido adj.
ultraterreno adj.
ultraterrestre adj.2g.
ultratitânico adj.
ultratropical adj.2g.
ultratumba s.f.
ultratumular adj.2g.
ultraveloz adj.2g.
ultravermelho adj.
ultravida s.f.
ultravidente adj.2g.
ultravioleta (*ê*) adj. s.m.
ultravirginal adj.2g.
ultravirótico adj.
ultravírus s.m.2n.
ultravisão s.f.
ultrazodiacal adj.2g.
ultreia (*é*) s.f.
ultrice adj.
ultriz adj. s.f.
ultrôneo adj.
ulu s.m.
ulua s.f.
uluba s.f.
ulubrense adj. s.2g.
uluco s.m.
ulufe adj. s.2g.
ululação s.f.
ululado adj. s.m.
ululador (*ô*) adj. s.m.
ululante adj.2g.
ulular v.
ululato s.m.
ululíneo adj. s.m.
ululo s.m.
ulurtino adj. s.m.
ulva s.f.
ulvácea s.f.
ulváceo adj.
ulvernate adj. s.2g.
ulvina s.f.
ulvita s.f.
ulvoespinélio s.m.
um num. art. pron.
umã adj. s.2g.; f. de *umão*
umação s.f.
umado adj.
umanense adj. s.2g.
umangita s.f.
umangite s.f.
umão adj. s.m.; f. *umã*
umar v.
umara s.f.
umari s.m.
umariana s.f.
umari-bastardo s.m.; pl. *umaris-bastardos*
umari-bravo s.m.; pl. *umaris-bravos*
umari-comum s.m.; pl. *umaris-comuns*
umariense adj. s.2g.
umari-gordo s.m.; pl. *umaris-gordos*
umarirana s.f.
umari-roxo s.m.; pl. *umaris-roxos*
umaritubense adj. s.2g.
umarizal s.m.
umarizalense adj. s.2g.
umauá adj. s.2g.
umbaíba s.f.
umbala s.f.
umbamba s.f.
umbanda s.m.f.
umbandismo s.m.
umbandista adj. s.2g.
umbandístico adj.
umbaraense adj. s.2g.
umbarana s.f.
umbarana-de-abelha s.f.; pl. *umbaranas-de-abelha*
umbaré s.m.
umbaru s.m.
umbaua s.f.
umbaúba s.f.
umbaúba-do-mato s.f.; pl. *umbaúbas-do-mato*
umbaubal s.m.
umbaubeira s.f.
umbaubense adj. s.2g.
umbé s.m.
umbê s.m.
umbela s.f.
umbelada s.f.
umbelado adj.
umbelal adj.2g.
umbelale s.f.
umbelato s.m.
umbélico adj.
umbelífera s.f.
umbelífero adj.
umbeliferona s.f.
umbeliflora s.f.
umbelifloral adj.2g.
umbelifloro adj.
umbeliforme adj.2g.
umbelinense adj. s.2g.
umbelol s.m.
umbélula s.f.
umbelulado adj.
umbelulária s.f.
umbelulídeo s.m.
umbelulífero adj.
umbelulona s.f.
umbigada s.f.
umbigadela s.f.
umbigo s.m.
umbigo-branco s.m.; pl. *umbigos-brancos*
umbigo de boi s.m.
umbigo de freira s.m.
umbigo-de-vênus s.m.; pl. *umbigos-de-vênus*
umbigueira s.f.

umbigueiro s.m.
umbiguismo s.m.
umbiguista adj. s.2g.
umbilicado adj.
umbilical adj.2g.
umbilicano s.m.
umbilicária s.f.
umbilicário adj.
umbílico s.m.
umbílico-coccígeo adj.; pl. *umbílico-coccígeos*
umbirajá s.f.
umbiruçu s.m.
umbitzã s.f.
umbitzame s.f.
umbla s.f.
umblina s.f.
umblo s.m.
umbo s.m.
umboá s.m.
umbola s.f.
umbonado adj.
umbonal adj.2g.
umbonela s.f.
umbônia s.f.
umbônio s.m.
umbozerita s.f.
umbra adj. s.2g.
umbrácula s.f.
umbracúlida adj.2g. s.m.
umbraculídeo adj. s.m.
umbraculífera s.f.
umbraculífero adj.
umbraculiforme adj.2g.
umbráculo s.m.
umbral s.m.
umbrânico adj. s.m.
umbrão s.m.
umbrário s.m.
umbrascopia s.f.
umbrático adj.
umbratícola adj.2g.
umbrátil adj.2g.
umbreira s.f.
umbrela s.f.
umbrelado adj.
umbrelar adj.2g.
umbrelária s.f.
umbrelídeo adj. s.m.
umbreliforme adj.2g. s.m.
umbreta (*ê*) s.f.
úmbria s.f.
umbriano adj. s.m.
úmbrico adj. s.m.
umbrícola adj.2g.
umbrídeo adj. s.m.
umbrífero adj.
umbrimania s.f.
umbrímano s.m.
umbrina s.f.
umbrino s.m.
úmbrio adj. s.m.
umbripotente adj.2g.
umbrita adj. s.2g.
umbrívago adj.
umbro adj. s.m.
umbrófilo adj.
umbromania s.f.
umbrômano s.m.
umbror (*ô*) s.m.
umbrosa s.f.
umbroso (*ô*) adj.; f. (*ó*); pl. (*ó*)
umbu s.m.
umbuapurama s.f.
umbuense adj. s.2g.
umbuia s.f.
umbula s.f.
umbundo adj. s.m.
umburana s.f.
umburana-de-abelha s.f.; pl. *umburanas-de-abelha*
umburana-de-cheiro s.f.; pl. *umburanas-de-cheiro*
umburanense adj. s.2g.
umburaninhense adj. s.2g.
umburapuama s.f.
umburatibense adj. s.2g.
umburetamense adj. s.2g.
umburuçu s.m.
umbuzada s.f.
umbuzal s.m.
umbuzeirense adj. s.2g.
umbuzeiro s.m.
ume adj. s.m.
umectação s.f.
umectador (*ô*) s.m.
umectância s.f.
umectante adj.2g. s.m.
umectar v.
umectativo adj.
umedecedor (*ô*) adj. s.m.
umedecer v.
umedecido adj.
umedecimento s.m.
umente adj.2g.
umeral adj.2g.
umerário adj.
umeri s.m.
úmero s.m.
umerocubital adj.2g.
umeroindimetacárpio adj.
umerolecraniano adj.
umeromedimetacárpico adj. s.m.
umeronutritivo adj.
úmero-olecraniano adj.
umeroradial adj.2g.
umeroumbral adj.2g.
umerumbral adj.2g.
umidade s.f.
umidificabilidade s.f.
umidificação s.f.
umidificado adj.
umidificador (*ô*) adj. s.m.
umidificante adj.2g.
umidificar v.
umidificável adj.2g.
umidífobo adj.
umidífugo adj.
úmido adj.
umidofobia s.f.
umidófobo adj.
umidostático adj.
umidóstato s.m.
umiri s.m.
umiri-bálsamo s.m.; pl. *umiris-bálsamo* e *umiris-bálsamos*
umiri-bastardo s.m.; pl. *umiris-bastardos*
umiri-de-casca-cheirosa s.m.; pl. *umiris-de-casca-cheirosa*
umiri-de-cheiro s.m.; pl. *umiris-de-cheiro*
umiri-do-pará s.m.; pl. *umiris-do-pará*
umiriense adj. s.2g.
umirinense adj. s.2g.
umirirana s.f.
umiriranacaá s.f.
umirizal s.m.
umirizeiro s.m.
umohoíta s.f.
umotina adj. s.2g.
umpada s.f.
umpanzo s.m.
umpeque s.m.
umperevu s.m.
um-sete-um s.2g.2n.
umuaramense adj. s.2g.
umulucu s.m.
umutina adj. s.2g.
unacopo s.m.
unade adj.2g.
unaiense s.2g.
unamunesco (*ê*) adj.
unamunianismo s.m.
unamunianista adj. s.2g.
unamuniano adj.
unamunismo s.m.
unamunista adj. s.2g.
unani s.f.
unanimado adj.
unanimador (*ô*) adj.
unanimante adj.2g.
unanimar v.
unânime adj.2g.; cf. *unanime*, fl. do v. *unanimar*
unanimidade s.f.
unanimificação s.f.
unanimificado adj.
unanimificar v.
unanimismo s.m.
unanimista adj. s.2g.
unanimístico adj.
unanimização s.f.
unanimizado adj.
unanimizador (*ô*) adj.
unanimizante adj.2g.
unanimizar v.
unaquito s.m.
unário adj.
unáspis s.m.2n.
unau s.m.
unça s.f.
unção s.f.
uncária s.f.
úncia s.f.
uncial adj.2g. s.f.
unciário adj.
unciaurifalângico adj. s.m.
unciaurimetacárpico adj. s.m.
uncífera s.f.
unciforme adj.2g. s.m.
uncinado adj.
uncinária s.f.
uncinaríase s.f.
uncinariose s.f.
uncinatária s.f.
uncínea s.f.
uncíneo adj.
uncínia s.f.
uncínula s.f.
uncinulado adj.
uncíola s.m.
uncípede adj.2g.
uncipene adj.2g.
uncipressão s.f.
uncirrostro adj. s.m.
uncito s.m.
unco s.m.
uncoche s.m.
uncompagrito s.m.
úncus s.m.2n.
undação s.f.
undaí s.m.
undalo s.m.
undante adj.2g.
undar v.
undecaedro s.m.
undecágono s.m.
undecalactona s.f.
undecano s.m.
undecanoico (*ó*) adj.
undecanol s.m.
undecanólico adj.
undecenal adj.2g.
undeceno s.m.
undecenoico (*ó*) s.m.
undecenvirado s.m.
undecenvirato s.m.
undecênviro s.m.
undecilenato s.m.
undecilênico adj.
undecileno s.m.
undecilhão num.
undecilião num.
undecílico adj.
undecilionésimo num.
undecilo s.m.
undecimano s.m.
undecumano s.m.
undecúplice num.
undécuplo num.
undeira s.f.
undembe s.m.
undevicesimano s.m.
undevicésimo s.m.
undícola adj. s.2g.
undífero adj.
undiflavo adj.
undífluo adj.
undiforme adj.2g.
undina s.f.
undíssono adj.
undívago adj.
undo s.m.
undosa s.m.
undosidade s.f.
undoso (*ô*) adj.; f. (*ó*); pl. (*ó*)
undular v.
undulina s.m.
unduloso (*ô*) adj.; f. (*ó*); pl. (*ó*)
uneagolina s.f.
unedo s.m.
unelco s.m.
unelo adj. s.m.
unense adj. s.2g.
ungá s.m.
ungaíta s.f.
ungaítico adj.
ungaíto s.m.
ungajo adj. s.2g.
ungália s.f.
ungemachita s.f.
ungido adj. s.m.
ungidoiro s.m.
ungidor (*ô*) adj. s.m.
ungidouro s.m.
ungimento s.m.
ungir v.
ungiri s.m.
ungnádia s.f.
ungongo s.m.
ungote s.f.
unguaguaçupe s.m.
unguari s.m.
úngue (*ü*) s.m.
ungueado adj.
ungueal adj.2g.
unguebe s.f.
unguentáceo (*ü*) adj.
unguentário (*ü*) adj. s.m.
unguento (*ü*) s.m.
unguento-basilicão s.m.; pl. *unguentos-basilicão* e *unguentos-basilicões*
unguento-mole s.m.; pl. *unguentos-moles*
unguento-napolitano s.m.; pl. *unguentos-napolitanos*
unguento-populeão s.m.; pl. *unguentos-populeão* e *unguentos-populeões*
ungui (*u* ou *ü*) s.m.
unguiculado (*ü*) adj.
unguífero (*ü*) adj.
unguiforme (*ü*) adj.2g.
unguinal (*ü*) adj.2g.
unguinoso (*u...ô*) adj.; f. (*ó*); pl. (*ó*)
unguirrostro adj.
únguis (*ü*) s.m.2n.
úngula s.f.
ungulado adj. s.m.
ungular adj.2g.
ungulígrado adj. s.m.
ungulina s.m.
unguliníneo adj. s.m.
ungvarita s.f.
unha s.f.
unhaca s.2g.
unhaço s.m.
unhada s.f.
unha-de-anta s.f.; pl. *unhas-de-anta*
unha-de-asno s.f.; pl. *unhas-de-asno*
unha-de-boi s.f.; pl. *unhas-de-boi*
unha-de-boi-do-campo s.f.; pl. *unhas-de-boi-do-campo*
unha de cabra s.f.
unha-de-cavalo s.f.; pl. *unhas-de-cavalo*
unha de fome adj. s.2g.
unha-de-gata s.f.; pl. *unhas-de-gata*
unha-de-gato s.f.; pl. *unhas-de-gato*
unha-de-gato-da-praia s.f.; pl. *unhas-de-gato-da-praia*
unha-de-gato-do-sertão s.f.; pl. *unhas-de-gato-do-sertão*
unha-de-morcego s.f.; pl. *unhas-de-morcego*
unha de santo s.f.
unha-de-vaca s.f.; pl. *unhas-de-vaca*
unha-de-vaca-roxa s.f.; pl. *unhas-de-vaca-roxas*
unha-de-veado s.f.; pl. *unhas-de-veado*
unha-de-velha s.f.; pl. *unhas-de-velha*
unha-de-velho s.f.; pl. *unhas-de-velho*
unhado adj.
unha do olho s.f.
unhador (*ô*) adj. s.m.
unha-encravada s.f.; pl. *unhas-encravadas*
unha-gata s.f.; pl. *unhas-gata* e *unhas-gatas*
unhame s.m.
unhamento s.m.
unha no olho s.f.
unhante s.m.
unhão s.m.
unhar v.
unhas s.2g.2n. s.f.pl.
unhas de fome s.2g.2n.
unhas de tamanduá s.2g.2n.
unhata s.f.
unheira s.f.
unheiro s.m.
unheirudo adj.
unheta (*ê*) s.f.
unho s.m.
unhona s.f.
unhoso (*ô*) adj.; f. (*ó*); pl. (*ó*)
unhudo adj.
únhula s.f.
unialado adj.
uniangular adj.2g.
unianular adj.2g.
união s.f.
união-oestense adj. s.2g.; pl. *união-oestenses*
união-paulista adj. s.2g.; pl. *união-paulistas*
união-vitoriense adj. s.2g.; pl. *união-vitorienses*
uniarticulado adj.
uniarticular adj.2g.
uniartrose s.f.
uniata adj. s.2g.
uniaxial (*cs*) adj.2g.
uniaxialidade (*cs*) s.f.
unibásico adj.
unibilidade s.f.
unibracteado adj.
unicamaralista adj.2g.
unicameral adj.2g.
unicameralidade s.f.
unicameralismo s.m.
unicameralista adj.
unicameralístico adj.
unicapsular adj.2g.
unicarenado adj.
unicário s.m.
unicarpelar adj.2g.
unicaudal adj.2g.
unicaule adj.2g.
unicavitário adj.
unicelular adj.2g.
unicelularidade s.f.
unicentral adj.2g.
unicêntrico adj.
unicentrismo s.m.
unicentrístico adj.
úniceps adj.2g.2n.
unicidade s.f.
uniciliar adj.2g.
unicípite adj.2g.
unicismo s.m.
unicista adj. s.2g.
unicístico adj.
único adj.
unicolo adj.
unicolor (*ô*) adj.2g.
uniconsonântico adj.
unicórdio adj.
unicornado adj.
unicorne adj.2g. s.m.
unicorne-do-mar s.m.; pl. *unicornes-do-mar*
unicórneo adj. "que tem um só chifre"; cf. *unicórnio*
unicórnio s.m. "animal fabuloso e simbólico"; cf. *unicórneo*
unicórnio-do-mar s.m.; pl. *unicórnios-do-mar*

unicotiledôneo adj.
unicroísmo s.m.
unicroísta adj.2g.
unicroístico adj.
unicultor (*ô*) adj. s.m.
unicultura s.f.
unicursal adj.2g.
unicúspide adj.2g.
unicúspido adj.
unidade s.f.
unidade-base s.f.; pl. *unidades-base*
unidentado adj.
unidental adj.2g.
unidimensional adj.2g.
unidirecional adj.2g.
unidirecionalidade s.f.
unidirecionalismo s.m.
unido adj.
uniembrionado adj.
uniente adj.2g.
uniespinhoso (*ô*) adj.; f. (*ó*); pl. (*ó*)
unifacial adj.2g.
unifamiliar adj.2g.
unificabilidade s.f.
unificação s.f.
unificado adj.
unificador (*ô*) adj. s.m.; f. *unificadora* e *unificatriz*
unificadora adj. s.f. de *unificador*
unificar v.
unificatriz adj. s.f. de *unificador*
unificável adj.2g.
unifilar adj.2g.
uniflagelado adj.
uniflorense adj. s.2g.
uniflorígero adj.
unifloro adj.
unifocal adj.2g.
unifoliado adj.
unifólio adj.
unifoliolado adj.
uniformado adj.
uniformador (*ô*) adj.
uniformar v.
uniformável adj.2g.
uniforme adj.2g. s.m. "de uma única forma"; cf. *oniforme*
uniformidade s.f.
uniformismo s.m.
uniformista adj. s.2g.
uniformístico adj.
uniformitarianismo s.m.
uniformitarianista adj. s.2g.
uniformitarianístico adj.
uniformitário adj.
uniformitarismo s.m.
uniformitarista adj. s.2g.
uniformitarístico adj.
uniformização s.f.
uniformizado adj.
uniformizador (*ô*) adj. s.m.
uniformizar v.
uniformizável adj.2g.
uníforo adj.
unigamia s.f.
unigâmico adj.
unígamo adj. s.m.
unígena adj. s.2g.
unígene s.m.
unigênito adj. s.m.
unígeno adj.
unigerador (*ô*) adj. s.m.
unigerminal adj.2g.
uniglandular adj.2g.
uniglumo adj.
unigrafia s.f.
unigráfico adj.
unigrávida s.f.
unijugado adj.
unijugo adj.
unilabiado adj.
unilaminado adj.
unilaminar adj.2g.
unilateral adj.2g.
unilateralidade s.f.
unilateralismo s.m.
unilátero adj.
unilinear adj.2g.
unilinearidade s.f.
unilíngue (*ü*) adj.2g. "de uma única língua"; cf. *onilíngue* (*ü*)
unilinguismo (*ü*) s.m.
unilinguista (*ü*) adj. s.2g.
unilinguístico (*ü*) adj.
unilinóleo s.m.
uniliteral adj.2g.
uniliteralidade s.f.
unilítero adj.
unilobado adj.
unilobar adj.2g.
unilobulado adj.
unilobular adj.2g.
unilocal adj.2g.
unilocalidade s.f.
unilocalismo s.m.
unilоco adj.
unilocular adj.2g.
unilоquo (*co* ou *quo*) adj.
unimaculado adj.
unimamário adj.
unímamo adj.
unimetalismo s.m.
unimetalista adj. s.2g.
unimetalístico adj.
unimineral adj.2g.
unimineralidade s.f.
unimodal adj.2g.
unimodalidade s.f.
unímodo adj.
unimolecular adj.2g.
unimolecularidade s.f.
unimórfico adj.
unimuscular adj.2g.
uninervado adj.
uninerve adj.2g.
uninérveo adj.
uninominal adj.2g.
uninormal adj.2g.
uninucleado adj.
uninuclear adj.2g.
uninucleolado adj.
uninucleolar adj.2g.
unio s.m.
unioa (*ô*) s.f.
unioculado adj.
uniocular adj.2g.
unióforа s.f.
uníola s.f.
unionense adj. s.2g.
unionídeo adj. s.m.
unioníneo adj. s.m.
unionismo s.m.
unionista adj. s.2g.
unionístico adj.
unionita s.f.
unionite s.f.
unionito s.m.
uniora s.m.
uniovulado adj.
uniovular adj.2g.
unípara s.f.
uniparamétrico adj.
uniparâmetro s.m.
uniparidade s.f.
uníparo adj. "que dá à luz uma única vez"; cf. *oníparo*
unipedal adj.2g.
unípede adj.2g.
unipene adj.2g.
unipessoal adj.2g. "que consta de uma única pessoa"; cf. *onipessoal*
unipetalado adj.
unipétalo adj.
unipolar adj.2g.
unipolaridade s.f.
unipômulo adj.
unipontuado adj.
unipustulado adj.
unir v.
unirracial adj.2g.
unirramado adj.
unirrefringência s.f.
unirrefringente adj.2g.
unirreme adj.2g. s.f.
unirrostro adj.
unispermo adj.
unispinoso (*ô*) adj.; f. (*ó*); pl. (*ó*)
unispiralado adj.
unisseptado adj.
unisseriado adj.
unissex (*cs*) adj.2g.2n.
unissexuado (*cs*) adj.
unissexual (*cs*) adj.2g.
unissexualidade (*cs*) s.f.
unissexualismo (*cs*) s.m.
unissiliquoso (*ô*) adj.; f. (*ó*); pl. (*ó*)
unissonância s.f.
unissonante adj.2g.
unissonismo s.m.
uníssono adj. s.m. "que tem o mesmo som"; cf. *oníssono*
unissubsistente adj.2g.
unissulcado adj.
unistriado adj.
unitário adj. s.m.
unitarismo s.m.
unitarista adj. s.2g.
unitarístico adj.
unitegumentar adj.2g.
uniteísmo s.m.
uniteísta adj. s.2g.
uniteístico adj.
uniterminado adj.
uniterminal adj.2g.
unitestáceo adj.
unitivo adj.
unitização s.f.
unitizado adj.
unitizar v.
unítono adj.
unitunicado adj. s.m.
univalência s.f.
univalente adj.2g.
univalve adj.2g.
univalvular adj.2g.
univariante adj.2g.
unível adj.2g.
universal adj.2g. s.m.
universalidade s.f.
universalismo s.m.
universalista adj. s.2g.
universalístico adj.
universalização s.f.
universalizado adj.
universalizador (*ô*) adj. s.m.
universalizante adj.2g.
universalizar v.
universalizável adj.2g.
universense adj. s.2g.
universidade s.f.
universitário adj. s.m.
universitarismo s.m.
universo adj. s.m.
universo-ilha s.m.; pl. *universos-ilha* e *universos-ilhas*
univesicular adj.2g.
univibrador (*ô*) adj. s.m.
univitelino adj.
univocabular adj.2g.
univocabularidade s.f.
univocação s.f.
univocado adj.
univocador (*ô*) adj.
univocante adj.2g.
univocar v.
univocidade s.f.
unívoco adj.
univoltinismo s.m.
univoltino adj.
unizonado adj.
unjiri s.m.
unló s.m.
unnilhexium (*cs*) s.m.
unnilpentium s.m.
unnilquadium s.m.
uno adj. "único no seu gênero"; cf. *huno*
unóculo adj. s.m.
unógato adj. s.m.
unona s.f.
unquinim s.m.
únsia s.f.
unta s.f.
untação s.f.
untadela s.f.
untado adj.
untador (*ô*) adj. s.m.
untadura s.f.
untamento s.m.
untanha s.f.
untanha-pequena s.f.; pl. *untanhas-pequenas*
untar v.
untável adj.2g.
unteiro s.m.
unto s.m.
untor (*ô*) s.m.
untório s.m.
untué s.m.
untué-de-obó s.m.; pl. *untués--de-obó*
untuém s.m.
untuosidade s.f.
untuoso (*ô*) adj.; f. (*ó*); pl. (*ó*)
untura s.f.
unué-bolina s.f.; pl. *unués--bolina* e *unués-bolinas*
ununóctio s.m.
ununquádio s.m.
ununúnio s.m.
uolofe adj.2g.
uolofonia s.f.
uolófono adj. s.m.
uolofoparlante adj. s.2g.
uolongo s.m.
uomaloliense adj. s.2g.
uongo s.m.
uoraçu s.f.
up interj.
upa s.f. interj.; cf. *upá*
upá s.m. "árvore"; cf. *upa*
upacaraí s.m.
upacaraiense adj. s.2g.
upado adj.
upamirinense adj. s.2g.
upanda s.m.f.
upanemense adj. s.2g.
upanissade s.m.
upanixade s.m.
upar v. "dar upas"; cf. *opar*
upas s.m.2n.
upas-antiar s.m.2n.
upas-tieuté s.m.2n.
upatininguense adj. s.2g.
upema s.f.
upeneíctis s.m.2n.
upeneoide (*ó*) s.m.
upeneóideo adj.
upeneu s.m.
uperu s.m.
uperuquiba s.m.
upião s.m.
upiraipu s.f.
upiúba s.f.
uplote s.m.
upo s.m.
upsilão s.m.
upsiloide (*ó*) adj.2g.
upsilon s.m.
upsiquia s.f.
upsíquico adj.
uptioto s.m.
upucértia s.m.
upupa s.f.
upupiara s.m.
upúpida adj.2g. s.m.
upupídea s.f.
upupídeo adj. s.m.
upupíneo adj. s.m.
uquedano s.m.
uquelele s.m.
uqueté s.m.
uqueté-de-água s.m.; pl. *uquetés-de-água*
uqueté-de-obó s.m.; pl. *uquetés-de-obó*
uqui s.m.
uquirana s.f.
ura s.m. "verme"; cf. *hura*
uraca s.f.
uracaçu s.m.
uracal adj.2g.
uracanto s.m.
uracicu adj. s.2g.
uracil s.m.
uracila s.f.
uracilo s.m.
uracilribosídeo adj. s.m.
úraco s.m.
uraconisa s.f.
uracovesical adj.2g.
uracrasia s.f.
uracrásico adj.
uracrático adj.
uraçu s.m.
uracuera s.f.
uracupa s.f.
urago s.m.
uragoga (*ô*) s.f.
uragogo (*ô*) adj.
uraí s.m.
uraiense adj. s.2g.
ural s.m.
uralborita s.f.
uralepto s.m.
urali s.m.
uraliano adj. s.m.
urálico adj.
uralina s.f.
urálio adj. s.m.
uralita s.f.
uralite s.f.
uralitização s.f.
uralitizado adj.
uralitizante adj.2g.
uralitizar v.
uralitizável adj.2g.
uralito s.m.
uralização s.f.
uralizado adj.
uralizar v.
uralo-altaico adj. s.m.; pl. *uralo-altaicos*
uralolita s.f.
uralortita s.f.
uralortite s.f.
uralortito s.m.
uramaçá s.m.
uramila s.f.
uramilo s.m.
uranação s.f.
uranado adj.
uranar v.
uranateminte s.f.
uranato s.m.
urandiense adj. s.2g.
uranfita s.f.
urânia s.f.
urânico adj.
uranídeo adj. s.m.
uraniense adj. s.2g.
uranífero adj.
uraniída adj.2g. s.m.
uraniídeo adj. s.m.
uranila s.f.
uranílico adj.
uranilo s.m.
uranina adj. s.2g. s.f.
uraninita s.f.
uraninite s.f.
urânio s.m.
uraniobita s.f.
uraniobite s.f.
uranisco s.m.
uraniscocasma s.m.
uraniscodo s.m.
uraniscolalia s.f.
uraniscolálico adj. s.m.
uranisconite s.f.
uraniscoplastia s.f.
uraniscoplástico adj.
uraniscorrafia s.f.
uraniscorráfico adj.
uraniscosteoplastia s.f.
uraniscosteoplástico adj.
uranismo s.m.
uranista adj. s.2g.
uranístico adj.
uranita s.f.
uranite s.f.
uranito s.m.
uranizado adj.
uranizar v.
urano s.m.
uranocalcita s.f.
uranocalcite s.f.

uranócero s.m.
uranocircita s.f.
uranocircite s.f.
uranocircito s.m.
uranoconita s.f.
uranoconite s.f.
uranocro s.m.
uranófana s.f.
uranofânio s.m.
uranófano s.m.
uranofotografia s.f.
uranofotográfico adj.
uranognosia s.f.
uranognóstico adj.
uranografia s.f.
uranográfico adj.
uranógrafo s.m.
uranogumita s.f.
uranogumite s.f.
uranolepidita s.f.
uranolepidite s.f.
uranolítico adj.
uranólito s.m.
uranologia s.f.
uranológico adj.
uranologista adj. s.2g.
uranólogo s.m.
uranomancia s.f.
uranometria s.f.
uranométrico adj.
uranômetro s.m.
uranomicrolita s.f.
uranomitra s.f.
uranomorfita s.f.
uranopilita s.f.
uranopinita s.f.
uranopissita s.f.
uranopissite s.f.
uranoplastia s.f.
uranoplástico adj.
uranoplegia s.f.
uranoplégico adj.
uranoplexia (*cs*) s.f.
uranorama s.m.
uranorrafia s.f.
uranoscopia s.f.
uranoscópico adj.
uranoscopídeo adj. s.m.
uranoscópio s.m.
uranóscopo s.m.
uranosferita s.f.
uranosferite s.f.
uranoso (*ô*) adj.; f. (*ó*); pl. (*ó*)
uranospatita s.f.
uranospatite s.f.
uranospinita s.f.
uranospinite s.f.
uranosquiza s.f.
uranostafiloplastia s.f.
uranostafiloplástico adj.
uranostafilorrafia s.f.
uranostafilorráfico adj.
uranosteoplastia s.f.
uranosteoplástico adj.
uranotalita s.f.
uranotalite s.f.
uranotantálio s.m.
uranotantalita s.f.
uranotantalite s.f.
uranotênia s.f.
uranotera s.f.
uranotilo s.m.
uranotorianita s.f.
uranotorita s.f.
uranotorite s.f.
uranovitríolo s.m.
uranpirocloro s.m.
urantera s.f.
urapará s.m.
urapeba s.m.
uraponga s.f.
uraptérice s.f.
uraptérige s.f.
urapterígeo adj. s.m.
urapterígio adj. s.m.
urapuca s.f.
uraquera (*ü*) s.f.
uraquitã s.m.
urare s.m.
urarema s.f.
urareúva s.f.
urari s.m.
urária s.f.
uraricu adj. s.2g.
urarina adj. s.2g.
urariquerense adj. s.2g.
urariqueua s.f.
urarirana s.f.
urariúva s.f.
urartrite s.f.
urartuano adj. s.m.
úrase s.f.
urasespermo s.m.
urasterinídeo adj. s.m.
urataciú s.m.
uratado adj.
urátea s.f.
uratéea s.f.
uratelórnis s.2g.2n.
uratelornita s.f.
uratelornite s.2g.
uratelornito s.m.
uratemia s.f.
uratêmico adj.
urático adj.
urato s.m.
uratólise s.f.
uratolítico adj.
uratoma s.m.
uratose s.f.
uratósico adj.
uratótico adj.
uraturia s.f.
uratúria s.f.
uratúrico adj.
uraúna s.f.
urbainito s.m.
urbaíta s.f.
urbanate adj. s.2g.
urbaniciano adj.
urbanidade s.f.
urbaníneo adj. s.m.
urbanismo s.m.
urbanista adj. s.2g.
urbanística s.f.
urbanístico adj.
urbanita adj. s.2g. s.f.
urbanite s.f.
urbanização s.f.
urbanizado adj.
urbanizador (*ô*) adj.
urbanizamento s.m.
urbanizante adj.2g.
urbanizar v.
urbanizativo adj.
urbanizatório adj.
urbanizável adj.2g.
urbano adj. s.m.
urbanodendro s.m.
urbanofilia s.f.
urbanofílico adj.
urbanófilo s.m.
urbanofobia s.f.
urbanofóbico adj.
urbanófobo s.m.
urbanografia s.f.
urbanográfico adj.
urbanógrafo s.m.
urbanólatra s.2g.
urbanolatria s.f.
urbanolátrico adj.
urbanologia s.f.
urbanológico adj.
urbanologista s.2g.
urbanólogo adj. s.m.
urbano-santense adj. s.2g.; pl. *urbano-santenses*
urbano-santista adj. s.2g.; pl. *urbano-santistas*
urbe s.f.
urbeque s.m.
urbicário adj.
urbícola adj. s.2g. "habitante da cidade"; cf. *orbícola* e *orbícula*
urbígena adj. s.2g.
urbígeno adj. s.m.
urbinate adj. s.2g.
urbo adj. s.m.
urca adj.2g. s.f.
urcaço adj.
urceiforme adj.2g.
urcela s.f.
úrceo s.m.
urcéola s.f.
urceolado adj.
urceolar adj.2g.
urceolária s.f.
urceolífero adj.
urceolina s.f.
urcéolo s.m.
urchila s.f.
urchilha s.f.
urcilha s.f.
urco adj. s.m.
urda s.f.
urdição s.f.
urdideira s.f.
urdido adj.
urdidor (*ô*) adj. s.m.
urdidura s.f.
urdimaça s.2g.
urdimaças s.2g.2n.
urdimalas s.2g.2n.
urdimenta s.f.
urdimento s.m.
urdir v.
urdita s.f.
urdite s.f.
urdu adj. s.2g. s.m.
urdume s.m.
urduofalante adj. s.2g.
urduofonia s.f.
urduófono adj. s.m.
urduoparlante adj. s.2g.
ure s.m.
ureaplasma s.2g.
urease s.f.
uréase s.f.
urebi s.m.
urébia s.f.
uréboro s.m.
uredema s.m.
uredinal adj.2g.
uredinale s.f.
uredíneo adj. s.m. "ordem de cogumelos"; cf. *uredínio*
uredinial adj.2g.
uredínio adj. "relativo ao uredo"; cf. *uredíneo*
uredinopse s.f.
uredinópsis s.2g.2n.
urediospório s.m.
uredo s.m.
uredospórico adj.
uredosporífero adj.
uredósporo s.m.
uredossoro (*ô*) s.m.
urega s.f.
ureia (*é*) s.f.
ureico (*é*) adj.
ureide s.f.
ureídeo s.m.
ureído s.m.
ureidoacético adj.
ureilite s.f.
ureilito s.m.
ureína s.f.
ureio (*é*) s.m.
urelcose s.f.
urelcósico adj.
urelcótico adj.
urélia s.f.
uremia s.f.
urêmico adj. s.m.
urêmide s.f.
uremígeno adj.
urena s.f.
urência s.f.
urente adj.2g.
ureogênese s.f.
ureogenia s.f.
ureogênico adj.
ureometria s.f.
ureométrico adj.
ureômetro s.m.
ureopoese s.f.
ureopoético adj.
ureossecretório adj.
ureotélico adj.
ureotelismo s.m.
ureotiflo s.m.
urera s.f.
urérea s.f.
ureritrina s.f.
uresiestese s.f.
uresiestésico adj.
uresiestético adj.
uretana s.f.
uretânio s.m.
uretano s.m.
ureter (*tér*) s.m.; pl. *ureteres*
ureteral adj.2g.
ureteralgia s.f.
ureterálgico adj.
ureterectasia s.f.
ureterectásico adj.
ureterectático adj.
ureterectomia s.f.
ureterectômico adj.
ureterenfráctico adj.
ureterenfrático adj.
ureterenfraxia (*cs*) s.f.
ureterenterostomia s.f.
ureterenterostômico adj.
uretérico adj.
ureterileostomia s.f.
ureterileostômico adj. s.m.
ureterileóstomo s.m.
ureterintestinal adj.2g.
ureterite s.f.
ureterítico adj.
uretero s.m.
ureterocele s.f.
ureterocélico adj.
ureterocervical adj.2g.
ureterocistoneostomia s.f.
ureterocistoneostômico adj.
ureterocistoscopia s.f.
ureterocistoscópico adj.
ureterocistoscópio s.m.
ureterocistostomia s.f.
ureterocistostômico adj.
ureterocolostomia s.f.
ureterocolostômico adj.
ureterodiálise s.f.
ureterodialítico adj.
ureteroemorragia s.f.
ureteroemorrágico adj.
ureteroenterostomia s.f.
ureteroenterostômico adj.
ureteroflegma s.m.
ureteroflegmático adj.
ureteroflegmia s.f.
ureterografia s.f.
ureterográfico adj.
uretero-hemorragia s.f.
uretero-hemorrágico adj.
ureterointestinal adj.2g.
ureterolitíase s.f.
ureterolitiásico adj.
ureterolítico adj.
ureterólito s.m.
ureterolitotomia s.f.
ureterolitotômico adj.
ureteronefrectomia s.f.
ureteronefrectômico adj.
ureteroneocistostomia s.f.
ureteroneocistostômico adj.
ureteroneopielostomia s.f.
ureteroneopielostômico adj.
ureteropielite s.f.
ureteropielítico adj.
ureteropielografia s.f.
ureteropielográfico adj.
ureteropielonefrite s.f.
ureteropielonefrítico adj.
ureteropieloneostomia s.f.
ureteropieloneostômico adj.
ureteropielostomia s.f.
ureteropielostômico adj.
ureteropiico adj.
ureteropiose s.f.
ureteropiósico adj.
ureteropiótico adj.
ureteroplastia s.f.
ureteroplástico adj.
ureteroproctostomia s.f.
ureteroproctostômico adj.
ureterorrafia s.f.
ureterorráfico adj.
ureterorragia s.f.
ureterorrágico adj.
ureterorrectostomia s.f.
ureterorrectostômico adj.
ureterossigmoidostomia s.f.
ureterossigmoidostômico adj.
ureterostenose s.f.
ureterostenósico adj.
ureterostenótico adj.
ureteróstoma s.m.
ureterostomático adj.
ureterostomia s.f.
ureteróstomo s.m.
ureterotomia s.f.
ureterotômico adj.
ureterotrigonoenterostomia s.f.
ureterotrigonoenterostômico adj.
ureterotrigonossigmoidostomia s.f.
ureterotrigonossigmoidostômico adj.
ureterouterino adj.
ureterovaginal adj.2g.
ureterovesical adj.2g.
ureterovesicostomia s.f.
ureterureteral adj.2g.
ureteruterino adj.
urético adj.
uretilana s.f.
uretilano s.m.
uretra s.f.
uretral adj.2g.
uretralgia s.f.
uretrálgico adj.
uretrectomia s.f.
uretrectômico adj.
uretrelmíntico adj.
uretrenfráctico adj.
uretrenfrático adj.
uretrenfraxia (*cs*) s.f.
uretresia s.f.
uretrésico adj.
uretrético adj.
uretrico adj.
uretrimenoide (*ó*) adj.2g.
uretrismo s.m.
uretrite s.f.
uretrítico adj.
uretroblenorreia (*é*) s.f.
uretroblenorreico (*é*) adj.
uretrobulbar adj.2g.
uretrocele s.f.
uretrocélico adj.
uretrocistite s.f.
uretrocistítico adj.
uretrocisto s.m.
uretrocistocele s.f.
uretrocistocélico adj.
uretrocistografia s.f.
uretrocistográfico adj.
uretrocistomia s.f.
uretrocistômico adj.
uretrocistoscopia s.f.
uretrocistoscópico adj.
uretrocistoscópio s.m.
uretrocistotomia s.f.
uretrocistotômico adj.
uretroescrotal adj.2g.
uretrofima s.m.
uretrofimático adj.
uretrofráctico adj.
uretrofrático adj.
uretrofraxia (*cs*) s.f.
uretrografia s.f.
uretrográfico adj.
uretrógrafo s.m.
uretrolitíase s.f.
uretrolitiásico adj.
uretrolitiático adj.
uretrolítico adj.
uretrólito s.m.
uretrometria s.f.
uretrométrico adj.
uretrômetro s.m.
uretropeniano adj.
uretroperineal adj.2g.
uretroperineoscrotal adj.2g.
uretropiico adj.
uretropiose s.f.

uretropiósico adj.
uretropiótico adj.
uretroplastia s.f.
uretroplástica s.f.
uretroplástico adj.
uretroprostático adj.
uretrorrafia s.f.
uretrorráfico adj.
uretrorragia s.f.
uretrorrágico adj.
uretrorrectal adj.2g.
uretrorreia (*é*) s.f.
uretrorreico (*é*) adj.
uretrorretal adj.2g.
uretroscopia s.f.
uretroscópico adj.
uretroscópio s.m.
uretróscopo s.m.
uretroscrotal adj.2g.
uretrospasmo s.m.
uretrospasmódico adj.
uretrosquize s.f.
uretrostaxe (*cs*) s.f.
uretrostenia s.f.
uretrostênico adj.
uretrostenose s.f.
uretrostenósico adj.
uretrostenótico adj.
uretrostomia s.f.
uretrostômico adj.
uretrotomia s.f.
uretrotômico adj.
uretrotomizado adj.
uretrotomizador (*ô*) adj.
uretrótomo s.m.
uretrotromboide (*ó*) adj.2g.
uretrovaginal adj.2g.
uretrovesical adj.2g.
ureyita s.f.
urga s.f.
urgaonense adj. s.2g.
urge s.m.f.
urgebão s.m.
urgeira s.f.
urgência s.f.
urgencial adj.2g.
urgente adj.2g.
urgevão s.m.
urgibilidade s.f.
úrgico adj.
urgido adj.
urgidor (*ô*) adj.
urgínea s.f.
urgir v.
urgita s.f.
urgível adj.2g.
urgoniano adj. s.m.
urgueira s.f.
urgueiral s.m.
urguela s.f.
uri s.m.
uria s.m.
urial s.m.
uriate adj. s.2g.
uribaco s.m.
uricana s.f.
uricanga s.f.
uricaninha s.f.
uricase s.f.
urícase s.f.
uricemia s.f.
uricêmico adj.
urichoa (*ô*) s.f.
úrico adj.
uricólise s.f.
uricolítico adj.
uricometria s.f.
uricométrico adj.
uricômetro s.m.
uricongo s.m.
uricopéctico adj.
uricopético adj.
uricopexia (*cs*) s.f.
uricopoese s.f.
uricopoético adj.
uricose s.f.
uricosúria s.f.
uricosúrico adj.
uricungo s.m.
uricurana s.f.
uricuri s.m.
uricúria s.f.
uricuriba s.m.
uricúrico adj.
uricuriroba s.f.
urida s.f.
uridilato s.m.
uridílico adj.
uridina s.f.
uridinafosfato s.m.
uridinafosfórico adj.
uridrose s.f.
uridrósico adj.
uridrótico adj.
urilon s.m.
urim s.f.
urimamanense adj. s.2g.
urina s.f.
urinação s.f.
urinada s.f.
urinadeiro s.m.
urinadela s.f.
urina de santo s.f.
urinado adj.
urinadoiro s.m.
urinador (*ô*) adj. s.m.
urinadouro s.m.
urinana s.f. "planta"; cf. *urinaná*
urinaná adj. s.2g. "tribo indígena"; cf. *urinana*
urinanálise s.f.
urinanalista adj. s.2g.
urinanalítico adj.
urinar v.
urinária s.f.; *urinaria*, cf. fl. do v. *urinar*
urinário adj.
urinátor s.m.
urinatório s.m.
urinável adj.
urindeúva s.f.
urindiúba s.f.
urinemia s.f.
urinêmico adj.
urinífero adj.
uriníparo adj.
urinoanálise s.f.
urinoanalista adj. s.2g.
urinoanalítico adj.
urinocrioscopia s.f.
urinocrioscópico adj.
urinocultura s.f.
urinodiagnóstico adj. s.m.
urinodignose s.f.
urinol s.m.
urinólise s.f.
urinolítico adj.
urinoma s.m.
urinometria s.f.
urinométrico adj.
urinômetro s.m.
urinomo s.m.
urinoso (*ô*) adj.; f. (*ó*); pl. (*ó*)
uriquemia s.f.
uriquêmico adj.
urisa s.f.
uristaldense adj. s.2g.
uritano adj. s.m.
urite adj. s.2g. s.f.
urítico adj.
uritutu s.m.
uriú adj. s.2g.
uriunduba s.f.
urivi s.m.
urjal s.f.
urjamanta s.f.
urmada s.f.
urmana s.f.
urna s.f.
urnada s.f.
urnário adj. s.m.
urnatela s.m.
urnatelídeo adj. s.m.
urniforme adj.2g.
urnígero adj.
urningo s.m.
urnula s.f. "protozoário"; cf. *úrnula*
úrnula s.f. "urnazinha"; cf. *urnula*
urnulídeo adj. s.m.
uro adj. s.m. "povo"; cf. *uró*
uró s.m."planta euforbiácea"; cf. *uro*
urobacilar adj.2g.
urobacilo s.m.
urobactéria s.f.
urobacterial adj.2g.
urobacteriano adj.
urobeno s.m.
urobenzoato s.m.
urobenzoico (*ó*) adj.
urobilina s.f.
urobilinemia s.f.
urobilinêmico adj.
urobilinogênio s.m.
urobilinógeno s.m.
urobilinogenuria s.f.
urobilinogenúria s.f.
urobilinogenúrico adj.
urobilinoide (*ó*) adj.2g.
urobilinuria s.f.
urobilinúria s.f.
urobilinúrico adj.
uróboro s.m.
urobótria s.f.
urobranquia s.f.
urobranquial adj.2g.
urobrânquio adj.
urobráquia s.m.
urocânico adj.
urocanina s.f.
urocéfalo s.m.
urocele s.f.
urocélico adj.
urocentríneo adj. s.m.
urocentro s.m.
urocérida adj.2g. s.m.
urocerídeo adj. s.m.
urocianina s.f.
urocianogênio s.m.
urocianose s.f.
urocianósico adj.
urocianótico adj.
urocicla s.f.
urociclo s.m.
urocinina s.f.
urocinínico adj.
urócino s.m.
urócio s.m.
urócion s.m.
urocissa s.m.
urociste s.f.
urocístico adj.
urocistite s.f.
urocistítico adj.
urocisto s.m.
uroclena s.f.
uroclepsia s.f.
urócloa s.f.
uroclorálico adj.
uroclorato s.m.
urocóccis s.m.2n.
urococo s.m.
urócopo s.m.
urócopro s.m.
urocordado adj. s.m.
urocrasia s.f.
urocrático adj.
urocrise s.f.
urocrisia s.f.
urocrítico adj.
urocroma s.m.
urocrômio s.m.
urocromo s.m.
urocromogêneo s.m.
urocteia (*é*) s.f.
urocteídeo adj. s.m.
urocultura s.f.
urodela s.f.
urodelo adj. s.m.
urodensímetro s.m.
uródeo adj. s.m.
urodésmio s.m.
urodiálise s.f.
urodialítico adj.
urodiereter (*tér*) s.m.
urodínamis s.m.2n.
urodinia s.f.
urodínico adj.
urodode s.m.
urodoníneo adj. s.m.
urodonte s.m.
urodrimia s.f.
urodrímico adj.
uroematina s.f.
uroematonefrítico adj.
uroematonefrose s.f.
uroematonefrótico adj.
uroematoporfirina s.f.
uroemorragia s.f.
uroemorrágico adj.
uroeritrina s.f.
uroeto s.m.
urofânico adj.
urofeína s.f.
uroferina s.f.
uroferínico adj.
uróface s.m.
urófícis s.m.2n.
urofilia s.f.
urofilo s.m.
urófito s.m.
uroflicte s.f.
uróforo s.m.
urogalba s.m.
urógale s.m.
urógalo s.m.
urogáster s.m.
urogastro s.m.
urogastrona s.f.
urogênico adj.
urogenital adj.2g.
urógeno adj.
urogimno s.m.
uroglaucina s.f.
uroglena s.f.
urogleníneo adj. s.m.
urogonfo s.m.
urografia s.f.
urográfico adj.
urograma s.m.
uro-hematina s.f.
uro-hematonefrítico adj.
uro-hematonefrose s.f.
uro-hematonefrótico adj.
uro-hematoporfirina s.f.
uro-hemorragia s.f.
uro-hemorrágico adj.
uroial s.m.
uroide (*ó*) adj.2g.
urol s.m.
urolagnia s.f.
urolepto s.m.
uroleste s.m.
uroleuca s.f.
uroleuco s.m.
urolipia s.f.
uroliste s.m.
urolitíase s.f.
urolitiásico adj.
urolitiático adj.
urolítico adj.
urólito s.m.
urolitologia s.f.
urolitológico adj.
urólofo s.m.
urologia s.f. "especialidade médica"; cf. *horologia* e *orologia*
urológico adj. "relativo a urologia"; cf. *horológico* e *orológico*
urologista adj. s.2g.
urólogo s.m.
urolonca s.f.
urolonco s.m.
uroluteína s.f.
urômacer s.m.
urômacro s.m.
uromancia s.f.
urômanis s.m.2n.
uromante s.2g.
uromântico adj.
uromastige s.f.
uromelanina s.f.
uromelia s.f.
uromeliano adj.
uromélico adj.
uromélio s.m.
urômelo s.m.
urômero s.m.
urometria s.f.
urométrico adj.
urômetro s.m.
urômice s.m.
uromicete s.m.
uromodulina s.f.
uromorfo adj.
uronato s.m.
uronecto s.m.
uronefrose s.f.
uronefrótico adj.
uronema s.f.
uronemo s.m.
urônico adj.
uroníquea s.f.
uroníqueo adj. s.m.
uronóxido (*cs*) s.m.
uropata s.2g.
uropatágio s.m.
uropatia s.f.
uropático adj.
uropélia s.f.
uropélio adj. s.m.
uropelta s.2g.
uropéltida adj.2g. s.m.
uropeltídeo adj. s.m.
uropéltis s.2g.2n.
uropêndula s.f.
uropenia s.f.
uropênico adj.
uropepsina s.f.
uropétalo s.m.
uropígeno adj.
uropígeo adj. s.m.
uropigial adj.2g.
uropígio s.m.
uropigo adj. s.m.
uropionefrose s.f.
uropionefrótico adj.
uropitina s.f.
uroplania s.f.
uróplata s.f.
uróplate s.m.
uroplatídeo adj. s.m.
uróplato s.m.
uroplecte s.m.
úropo s.m.
urópoda adj.2g. s.f.
urópode adj.2g. s.m.
uropodíneo adj. s.m.
uropoese s.f.
uropoético adj.
uroporfirina s.f.
uropriste adj.2g.
uropsamo s.m.
uropsila s.f.
uropsilo s.m.
uropterina s.f.
uróptero adj. s.m.
uroque s.m.
uroquezia s.f.
uroquilia s.f.
uroquílico adj.
uroquinase s.f.
urorragia s.f.
urorrágico adj.
urorreia (*é*) s.f.
urorreico (*é*) adj. s.m.
urorroseína s.f.
urorrubina s.f.
uroscopia s.f.
uroscópico adj.
uróscopo adj.
urose s.f.
uroseio s.m.
uróspata s.f.
urospérmeo adj.
urospermo s.m.
urospízia s.f.
urospízio s.m.
uróspora s.f.
urósporo s.m.
urosqueocele s.f.
urosquese s.f.
urosquésico adj.
urosquético adj.
urósquise s.f.
urosquísico adj.
urosquítico adj.
urossalpinge s.f.
urossalpingo s.m.
urossárcina s.f.

urossarcínico adj.
urossemiologia s.f.
urossemiológico adj.
urossemiologista adj. s.2g.
urossemiólogo s.m.
urossemiótica s.f.
urossemiótico adj.
urossepsia s.f.
urosséptico adj.
urosseptina s.f.
urossoma s.m.
urossomático adj.
urossômico adj.
urossomo s.m.
urostalagmometria s.f.
urostalagmométrico adj.
urosteálito s.m.
urosteatólito s.m.
urosteólito s.m.
urosternito s.m.
urosticte s.f.
urostigma s.m.
urostila s.f.
urostilo s.m.
uroteca s.f.
urotélio s.m.
urotelioma s.m.
urótemis s.f.2n.
uroteobromina s.f.
uroterapia s.f.
uroterápico adj.
urótoe s.f.
urotoxia (*cs*) s.f.
urotóxico (*cs*) adj.
urotoxidade (*cs*) s.f.
urotoxina (*cs*) s.f.
urotráupis s.m.2n.
urótrica s.f.
urótrico s.m.
urotrima s.f.
urotriórquis s.m.2n.
urotropina s.f.
urotropínico adj.
uroxânico (*cs*) adj.
uroxantina (*cs*) s.f.
uroxina (*cs*) s.f.
urporfirinogênio s.m.
urquília s.f.
urra-boi s.m.; pl. *urra-bois*
urraca s.f.
urração s.f.
urrado adj.
urrador (*ô*) adj. s.m.
urrante adj.2g.
urraque s.m.
urrar v.
urreiro s.m.
urro s.m.
urrodina s.f.
urrosárcina s.f.
ursa s.f.
ursada s.f.
ursar v.
urselo (*ê*) s.m.
ursentino adj. s.m.
ursídeo adj. s.m.
ursigrama s.m.
ursilita s.f.
ursina s.f.
ursínia s.f.
ursino adj.
urso adj. s.m.
ursoanense adj. s.2g.
urso-branco s.m.; pl. *ursos-brancos*
urso-cinzento s.m.; pl. *ursos-cinzentos*
ursocolanato s.m.
ursocolânico adj.
urso-de-bolso s.m.; pl. *ursos-de-bolso*
urso-de-colar s.m.; pl. *ursos-de-colar*
urso-de-lunetas s.m.; pl. *ursos-de-lunetas*
urso-de-óculos s.m.; pl. *ursos-de-óculos*
ursodesoxicolato (*cs*) s.m.
ursodesoxicólico (*cs*) adj.
urso-do-bolso s.m.; pl. *ursos-do-bolso*
urso-do-himalaia s.m.; pl. *ursos-do-himalaia*
urso-do-mar s.m.; pl. *ursos-do-mar*
urso-dos-coqueiros s.m.; pl. *ursos-dos-coqueiros*
urso-escuro s.m.; pl. *ursos-escuros*
urso-formigueiro s.m.; pl. *ursos-formigueiros*
urso-gato s.m.; pl. *ursos-gato* e *ursos-gatos*
ursolato s.m.
ursólico adj.
urso-malaio s.m.; pl. *ursos-malaios*
urso-marinho s.m.; pl. *ursos-marinhos*
ursona s.f.
urso-narigudo s.m.; pl. *ursos-narigudos*
urso-negro s.m.; pl. *ursos-negros*
ursonense adj. s.2g.
urso-pardo s.m.; pl. *ursos-pardos*
urso-polar s.m.; pl. *ursos-polares*
ursulina s.f.
ursulino adj.
urtica s.f.
urticação s.f.
urticácea s.f.
urticáceo adj.
urticado adj.
urtical adj.2g.
urticale s.f.
urticante adj.2g.
urticar v.
urticária s.f.; cf. *urticaria*, fl. do v. *urticar*
urticariforme adj.2g.
urticário adj.
urticarismo s.m.
urticável adj.2g.
urtícea s.f.
urtíceo adj.
urticifoliado adj.
urticifólio adj.
urticina s.f.
urticínea s.f.
urticíneo adj.
urtiga s.f.
urtiga-amarela s.f.; pl. *urtigas-amarelas*
urtiga-branca s.f.; pl. *urtigas-brancas*
urtiga-brava s.f.; pl. *urtigas-bravas*
urtiga-cansanção s.f.; pl. *urtigas-cansanção* e *urtigas-cansanções*
urtigação s.f.
urtiga-cipó s.f.; pl. *urtigas-cipó* e *urtigas-cipós*
urtigada s.f.
urtiga-da-china s.f.; pl. *urtigas-da-china*
urtiga-de-cauda s.f.; pl. *urtigas-de-cauda*
urtiga-de-cipó s.f.; pl. *urtigas-de-cipó*
urtiga-de-espinho s.f.; pl. *urtigas-de-espinho*
urtiga-de-leite s.f.; pl. *urtigas-de-leite*
urtiga-de-mamão s.f.; pl. *urtigas-de-mamão*
urtiga-de-papel s.f.; pl. *urtigas-de-papel*
urtigado adj.
urtiga-do-mar s.f.; pl. *urtigas-do-mar*
urtiga-fogo s.f.; pl. *urtigas-fogo* e *urtigas-fogos*
urtiga-grande s.f.; pl. *urtigas-grandes*
urtigal s.m.
urtiga-maior s.f.; pl. *urtigas-maiores*
urtiga-miúda s.f.; pl. *urtigas-miúdas*
urtiga-morta s.f.; pl. *urtigas-mortas*
urtigante adj.2g.
urtigão s.m.
urtiga-queimadeira s.f.; pl. *urtigas-queimadeiras*
urtigar v.
urtiga-tamearama s.f.; pl. *urtigas-tamearama* e *urtigas-tamearamas*
urtiga-vermelha s.f.; pl. *urtigas-vermelhas*
urtigosense adj. s.2g.
urtigueira s.f.
urtiguinha s.f.
urtiguinha-de-cipó s.f.; pl. *urtiguinhas-de-cipó*
urtita s.f.
urtito s.m.
uru s.2g. s.m.
uruá s.m.
uruaçu s.m.
uruaçuense adj. s.2g.
uruanense adj. s.2g.
uruaraense adj. s.2g.
uruazeiro s.m.
uruazinho s.m.
urubá adj.2g. s.f.
urubá-de-caboclo s.f.; pl. *urubás-de-caboclo*
urubaiana s.f.
urubaiana-boca-de-rato s.f.; pl. *urubaianas-boca-de-rato* e *urubaianas-bocas-de-rato*
urubamba s.f.
urubiciense adj. s.2g.
urubu adj. s.2g. s.m.
urubu-branco s.m.; pl. *urubus-brancos*
urubucaá s.m.
urubu-caapor adj. s.2g. s.m.; pl. *urubus-caapores*
urubu-caçador s.m.; pl. *urubus-caçadores*
urubu-camiranga s.m.; pl. *urubus-camirangas*
urubu-campeiro s.m.; pl. *urubus-campeiros*
urubuciense adj. s.2g.
urubu-comum s.m.; pl. *urubus-comuns*
urubucuba s.m.
urubuçuense adj. s.2g.
urubu-de-cabeça-amarela s.m.; pl. *urubus-de-cabeça-amarela*
urubu-de-cabeça-preta s.m.; pl. *urubus-de-cabeça-preta*
urubu-de-cabeça-vermelha s.m.; pl. *urubus-de-cabeça-vermelha*
urubu-do-mar s.m.; pl. *urubus-do-mar*
urubuense adj. s.2g.
urubu-gameleira s.m.; pl. *urubus-gameleira* e *urubus-gameleiras*
urubugoém s.m.
urubu-jereba s.m.; pl. *urubus-jereba* e *urubus-jerebas*
urubujeréu s.m.
urubu-malandro s.m.; pl. *urubus-malandros*
urubu-mineiro s.m.; pl. *urubus-mineiros*
urubu-ministro s.m.; pl. *urubus-ministros*
urubu-paraguá s.m.; pl. *urubus-paraguás*
urubupeba s.m.
urubu-peru s.m.; pl. *urubus-peru* e *urubus-perus*
urubu-preto s.m.; pl. *urubus-pretos*
urubuquarense adj. s.2g.
urubu-real s.m.; pl. *urubus-reais*
urubu-rei s.m.; pl. *urubus-rei* e *urubus-reis*
uruburetamense adj. s.2g.
urubutinga s.m.
urubuzada s.f.
urubuzar v.
urubuzeiro s.m.
urubuzinho s.m.
uruca s.2g. s.f.
uruçá s.m.
urucaca s.f.
uruçaganga s.f.
uruçaguiense adj. s.2g.
urucaia s.f.
urucaiana s.f.
urucanguense adj. s.2g.
uruçanguense adj. s.2g.
urucaniense adj. s.2g.
urucaraense adj. s.2g.
urucari s.m.
urucatu s.m.
urucongo s.m.
urucu s.m. "urucum"; cf. *uruçu*
uruçu s.f. "abelha"; cf. *urucu*
urucuana s.f.
urucuba s.f.
urucubaca s.f.
uruçubense adj. s.2g.
uruçu-boi s.f.; pl. *uruçus-boi* e *uruçus-bois*
urucu-bravo s.m.; pl. *urucus-bravos*
urucuca s.f.
uruçucense adj. s.2g.
urucu-corcovado s.m.; pl. *urucus-corcovados*
urucu-da-mata s.m.; pl. *urucus-da-mata*
uruçu-de-caboclo s.f.; pl. *uruçus-de-caboclo*
urucueiro s.m.
urucuense adj. s.2g.
urucuera s.f.
urucufutu adj. s.2g.
uruçuí s.m.
urucuiano adj. s.m.
urucuiense adj. s.2g.
uruçuiense adj. s.2g.
urucum s.m.
urucum-da-mata s.m.; pl. *urucuns-da-mata*
uruçumirim s.m.
urucunense adj. s.2g.
urucungo adj. s.m.
urucunju s.m.
uruçuquense adj. s.2g.
urucurana s.f.
urucurana-parda s.f.; pl. *urucuranas-pardas*
urucurana-vermelha s.f.; pl. *urucuranas-vermelhas*
urucurani adj. s.2g.
urucureia (*é*) s.f.
urucurgo s.m.
urucuri s.m.
urucuriá s.f.
urucuriabecanga s.f.
urucuriense adj. s.2g.
urucuriiba s.m.
urucuriteuense adj. s.2g.
urucuritubense adj. s.2g.
urucuruna s.f.
urucurutu adj. s.2g.
urucuuba s.f.
urucuzeiro s.m.
uruense adj. s.2g.
uru eu uau uau adj. s.2g
urufá s.m.
urugaia s.m.
uruguaianense adj. s.2g.
uruguaiano adj. s.m.
uruguaiense adj. s.2g.
uruguaiíneo s.m.
uruguaio adj. s.m.
uruguinhense adj. s.2g.
uruí s.m.
uruiauara s.f.
uruitense adj. s.2g.
urumã adj. s.2g.
urumaçá s.m.
urumajoense adj. s.2g.
urumanau adj. s.2g.
urumbamba s.f.
urumbeba s.2g.
urumbebal s.m.
urumbebense adj. s.2g.
urumbeva s.2g.
urumi adj. s.2g.
urumutum s.m.
urundeira s.f.
urundeúva s.f.
urundiova s.f.
uruocense adj. s.2g.
uruoquense adj. s.2g.
urupá adj. s.2g.
urupaia adj. s.2g.
uru pa in adj. s.2g.
urupanada adj. s.f.
urupanado adj.
urupari s.m.
uruparıba s.f.
urupê s.m.
urupecaá s.m.
urupeense adj. s.2g.
urupema s.f.
urupemense adj. s.2g.
urupê-piranga s.m.; pl. *urupês-piranga* e *urupês-pirangas*
urupetim s.m.
urupê-vermelho s.m.; pl. *urupês-vermelhos*
urupiagara s.f.
urupitim s.m.
urupuca s.f.
urupuiá adj. s.2g.
urupuqueiro adj. s.m.
uruqueense adj. s.2g.
ururaiense adj. s.2g.
ururau s.m.
ururi s.m.
ururosense adj. s.2g.
ururu s.m.
urus s.m.2n.
urusina s.f.
urusiol s.f.
urussanguense adj. s.2g.
urutago s.m.
urutágua s.f.
urutaguense (*ü*) adj. s.2g.
urutaí s.m.
urutaiense adj. s.2g.
urutaíno adj. s.m.
urutão s.m.
urutau s.m.
urutauí s.m.
urutaurana s.m.
urutu s.f.
urutu-amarelo s.m.; pl. *urutus-amarelos*
urutu-cruzeiro s.2g.; pl. *urutus-cruzeiro* e *urutus-cruzeiros*
urutu-doirado s.m.; pl. *urutus-doirados*
urutu-dourado s.m.; pl. *urutus-dourados*
urutueira s.f.
urutu-estrela s.m.; pl. *urutus-estrela* e *urutus-estrelas*
urutum s.m.
urutu-preto s.m.; pl. *urutus-pretos*
uruxi s.m.
urvantsevita s.f.
urvílea s.f.
urvinate adj. s.2g.
urvolgita s.f.
urzal s.m.
urze s.f.
urze-branca s.f.; pl. *urzes-brancas*
urze-das-camarinhas s.f.; pl. *urzes-das-camarinhas*
urze-das-vassouras s.f.; pl. *urzes-das-vassouras*
urze-de-cheiro s.f.; pl. *urzes-de-cheiro*
urzedo (*ê*) s.m.
urze-do-mato s.f.; pl. *urzes-do-mato*
urze-durázia s.f.; pl. *urzes-durázias*

urzeira s.f.
urzeiro s.m.
urzela s.f.
urzélico adj.
urzelina s.f.
urzes s.m.pl.
urzibelha s.f.
usabilidade s.f.
usadiço adj.
usado adj.
usador (*ô*) adj. s.m.
usagem s.f.
usagre s.m.
usalitano adj. s.m.
usambau s.f.
usâmbio s.m.
usança s.f.
usante adj. s.2g.
usar v.
usável adj.2g.
usbeque adj. s.2g.
usbequita s.f.
uscanense adj. s.2g.
uscardeia (*é*) adj. s.f. de *uscardeu*
uscardeu adj. s.m.; f. *uscardeia* (*é*)
uscense adj. s.2g.
uscufe s.m.
useira s.f.
useiro adj.
usga s.f.
úsia s.f.
usidicano adj. s.m.
usina s.f.
usinado adj.
usinagem s.f.
usina-piloto s.f.; pl. *usinas-piloto*
usina-protótipo s.f.; pl. *usinas-protótipo*
usinar v.
usinável adj.2g.
usineiro adj. s.m.
usinense adj. s.2g.
usípete adj. s.2g.
usípio adj. s.m.
usitado adj.
usitar v.
usmado adj.
usmar v.
usmeira s.f.
usmeiro adj.
usnarina s.f.
usnato s.m.
úsnea s.f.
usneácea s.f.
usneáceo adj.
usneal adj.2g.
usneína s.f.
usneol s.m.
usnetato s.m.
usnético adj.
úsnico adj.
usnidínico adj.
usnina s.f.
usninato s.m.
usnínico adj.
usnolato s.m.
usnólico adj.
usnônico adj.
uso s.m. "emprego", etc.; cf. *uzo*
usovita s.f.
uspense adj. s.2g.
usquebaque s.m.
ussia s.f.
ussila s.f.
ussinguita s.f.
úsua s.f.
ustão s.f.
ustarasita s.f.
uste s.m.
ustéria s.f.
ústia s.f.
ustilagem s.f.
ustilaginácea s.f.
ustilagináceo adj.
ustilaginal adj.2g.
ustilaginale s.f.
ustilagínea s.f.
ustilagíneo adj.
ustilaginismo s.m.
ustilaginoso (*ô*) adj.; f. (*ó*); pl. (*ó*)
ustilago s.f.
ustina s.f.
ustir v.
ustível adj.2g.
usto adj.
ustório adj.
ustrássana s.m.
ustrina s.f.
ustulação s.f.
ustulado adj.
ustulador (*ô*) adj.
ustulante adj.
ustular v.
ustulável adj.2g.
ustulina s.f.
usual adj.2g.
usualidade s.f.
usuano adj.
usuário adj. s.m.
usucapião s.2g.
usucapido adj.
usucapiente adj. s.2g.
usucapir v.
usucapto adj.
usufructo s.m.
usufructuado adj.
usufructuar v.
usufructuário adj. s.m.
usufruição s.f.
usufruído adj.
usufruidor (*ô*) adj. s.m.
usufruir v.
usufruto s.m.
usufrutuado adj.
usufrutuar v.
usufrutuário adj. s.m.
usufrutueiro adj.
usura s.f.
usurar v.
usurário adj. s.m.
usureiro adj. s.m.
usurpabilidade s.f.
usurpação s.f.
usurpado adj.
usurpador (*ô*) adj. s.m.
usurpamento s.m.
usurpante adj.2g.
usurpar v.
usurpativo adj.
usurpatório adj.
usurpável adj.2g.
ut s.m.
utahita s.f.
utahite s.f.
utahlita s.f.
utaíta s.f.
utaíte s.f.
utana s.f.
utar v.
utarajapa s.m.
utariense adj. s.2g.
utata s.f.
ute adj. s.m.
utena s.f.
utensil adj.2g. s.m.
utênsil adj.2g. s.m.
utensilagem s.f.
utensiliado adj.
utensiliar v. adj.2g.
utensilidade s.f.
utensílio s.m.; cf. *utensilio*, fl. do v. *utensiliar*
utente adj. s.2g.
uterabdominal adj.2g.
uteralgia s.f.
uterálgico adj.
uterectomia s.f.
uterectômico adj.
uteremia s.f.
uterêmico adj.
uterepicorial adj.2g.
uteriforme adj.2g.
uterinidade s.f.
uterino adj.
uteríporo s.m.
uterismo s.m.
uterite s.f.
uterítico adj.
útero s.m.
uteroabdominal adj.2g.
uterocele s.f.
uterocélico adj.
uteróceps s.m.2n.
uterocervical adj.2g.
uterócipe s.m.
uterocípite s.m.
uterocistotomia s.f.
uterocistotômico adj.
uterofixação (*cs*) s.f.
útero-hemorrágico adj.
uterólito s.m.
uterolombar adj.2g.
uteromania s.f.
uteromaníaca s.f.
uteromaníaco adj.
uterômano s.m.
uterômetro s.m.
útero-ovárico adj.
uteroparietal adj.2g.
uteropatia s.f.
uteropático adj.
uteropéctico adj.
uteropélvico adj.
uteropexia (*cs*) s.f.
uteroplacentário adj.
uterorragia s.f.
uterorrágico adj.
uterorrectal adj.2g.
uterorreia (*é*) s.f.
uterorreico (*é*) adj.
uterorretal adj.2g.
uterosclerose s.f.
uteroscopia s.f.
uteroscópico adj.
uteroscópio s.m.
uterossacral adj.2g.
uterossacro adj.
uterossagrado adj.
uterossalpingografia s.f.
uterossalpingográfico adj.
uterostenia s.f.
uterostênico adj.
uterostomatomia s.f.
uterostomátomo s.m.
uterotomia s.f.
uterotômico adj.
uterótomo s.m.
uterotônico adj.
uterotubário adj.
uterovaginal adj.2g.
uterovariano adj.
uterovárico adj.
uteroventral adj.2g.
uteroverdina s.f.
uterovesical adj.2g.
uteruéria s.f.
uteteisa s.f.
uteteísa s.f.
utia s.f.
utiariti s.m.
utiaritiense adj. s.2g.
uticense adj. s.2g.
utichacrássana s.m.
utidorso (*ô*) adj. s.m.
útil adj.2g. s.m.
utilidade s.f.
utilitarianismo s.m.
utilitarianista adj. s.2g.
utilitarianístico adj.
utilitário adj. s.m.
utilitarismo s.m.
utilitarista adj. s.2g.
utilitarístico adj.
utilização s.f.
utilizado adj.
utilizador (*ô*) adj. s.m.
utilizar v.
utilizável adj. s.2g.
utinguense adj. s.2g.
utitapadmássana s.m.
utitavajrássana s.m.
utlateco adj. s.m.
utléria s.f.
uto-asteca adj. s.m.; pl. *uto-astecas*
utopia s.f.
utópico adj.
utopismo s.m.
utopista adj. s.2g.
utopístico adj.
utopização s.f.
utopizado adj.
utopizante adj. s.2g.
utopizar v.
utota s.f.
utpala s.m.
utra s.f.
utraquismo s.m.
utraquista adj. s.2g.
utraquístico adj.
utriculacinoso (*ô*) adj.; f. (*ó*); pl. (*ó*)
utriculado adj.
utricular adj.2g.
utriculária s.f.
utriculariácea s.f.
utriculariáceo adj.
utricularíada adj.2g. s.f.
utriculariado adj.
utriculariforme adj.2g.
utricularínea s.f.
utricularíneo adj.
utriculário s.m.
utriculífero adj.
utriculiforme adj.2g.
utriculite adj.
utrículo s.m.
utrículo-acinoso adj.; pl. *utrículo-acinosos*
utrículo-auditivo adj.; pl. *utrículo-auditivos*
utriculoso (*ô*) adj.; f. (*ó*); pl. (*ó*)
utrífero adj.
utriforme adj.2g.
utrígero adj.
utu s.m.
utuaba s.f.
utuambé s.m.
utuapoca s.f.
utuaúba s.f.
uuçango s.m.
uuteni adj. s.2g.
uva s.f. "fruto da videira"; cf. *uvá*
uvá s.f. "planta da família das mirtáceas"; cf. *uva*
uva-açu s.f.; pl. *uvas-açus*
uvaaia s.f.
uva-bastarda s.f.; pl. *uvas-bastardas*
uva-branca s.f.; pl. *uvas-brancas*
uva-brava s.f.; pl. *uvas-bravas*
uvaça s.f.
uvaça-do-campo s.f.; pl. *uvaças-do-campo*
uva-cão s.f.; pl. *uvas-cão* e *uvas-cães*
uva-crespa s.f.; pl. *uvas-crespas*
uvaçu s.f.
uvacupari s.m.
uvada s.f.
uva-da-praia s.f.; pl. *uvas-da-praia*
uva-da-promissão s.f.; pl. *uvas-da-promissão*
uva-da-promissão-roxa s.f.; pl. *uvas-da-promissão-roxas*
uva-da-serra s.f.; pl. *uvas-da-serra*
uva-da-terra-da-promissão s.f.; pl. *uvas-da-terra-da-promissão*
uva-de-cão s.f.; pl. *uvas-de-cão*
uva-de-cão-menor s.f.; pl. *uvas-de-cão-menores*
uva-de-cheiro s.f.; pl. *uvas-de-cheiro*
uva-de-espinho s.f.; pl. *uvas-de-espinho*
uva-de-facho s.f.; pl. *uvas-de-facho*
uva-de-galo s.f.; pl. *uvas-de-galo*
uva-de-gentio s.f.; pl. *uvas-de-gentio*
uva-de-joão-pais s.f.; pl. *uvas-de-joão-pais*
uva-de-mato-grosso s.f.; pl. *uvas-de-mato-grosso*
uva-de-obó s.f.; pl. *uvas-de-obó*
uva-de-praia s.f.; pl. *uvas-de-praia*
uva-de-rei s.f.; pl. *uvas-de-rei*
uva-de-urso s.f.; pl. *uvas-de-urso*
uva-do-campo s.f.; pl. *uvas-do-campo*
uva-do-diabo s.f.; pl. *uvas-do-diabo*
uva-do-inferno s.f.; pl. *uvas-do-inferno*
uva-do-inverno s.f.; pl. *uvas-do-inverno*
uva-do-mato s.f.; pl. *uvas-do-mato*
uva-do-monte s.f.; pl. *uvas-do-monte*
uva-do-nascimento s.f.; pl. *uvas-do-nascimento*
uva-do-rio-apa s.f.; pl. *uvas-do-rio-apa*
uvaeira s.f.
uvaense adj. s.2g.
uva-espim s.f.; pl. *uvas-espim* e *uvas-espins*
uva-espim-do-brasil s.f.; pl. *uvas-espim-do-brasil* e *uvas-espins-do-brasil*
uva-espinha s.f.; pl. *uvas-espinha* e *uvas-espinhas*
uva-gorda s.f.; pl. *uvas-gordas*
uvaia s.f.
uvaia-do-campo s.f.; pl. *uvaias-do-campo*
uvaia-do-mato s.f.; pl. *uvaias-do-mato*
uvaieira s.f.
uvaiense adj. s.2g.
uva-isabel s.f.; pl. *uvas-isabel* e *uvas-isabéis*
uva-japonesa s.f.; pl. *uvas-japonesas*
uval adj.2g. s.m.
uvalense adj. s.2g.
uvalha s.f.
uvalheira s.f.
uva-maçã s.f.; pl. *uvas-maçã* e *uvas-maçãs*
uva-mijona s.f.; pl. *uvas-mijonas*
uvanita s.f.
uva-passa s.f.; pl. *uvas-passas*
uva-passada s.f.; pl. *uvas-passadas*
uvapiritica s.f.
uvapurama s.f.
uvar v.
uvarana s.f.
uva-rara s.f.; pl. *uvas-raras*
uva-rei s.f.; pl. *uvas-rei* e *uvas-reis*
uvária s.f.
uvaríea s.f.
uvário adj.
uvarovita s.f.
uvarovite s.f.
uvarovito s.m.
uvas s.f.pl.
uvas-de-rato s.f.pl.
uva-seca s.f.; pl. *uvas-secas*
uva-silvestre s.f.; pl. *uvas-silvestres*
uva-tinta s.f.; pl. *uvas-tinta* e *uvas-tintas*
uvato s.m.
uva-ursina s.f.; pl. *uvas-ursinas*
úvea s.f.
uveal adj.2g.
uvedália s.f.
uveira s.f.
uveiro adj. s.m.
uveíta adj. s.2g.
uveíte s.f.
uveoparotídeo adj.
uveoparotidite s.f.
uveoparotidítico adj.
uvertido adj.
uvespim s.m.f.

úvico adj.
úvido adj.
uvífero adj.
uviforme adj. s.2g. "semelhante a bago de uva"; cf. *oviforme*
uvigerina s.m.
uvilha s.f.
uvita s.f.
uvitato s.m.
uvite s.f.
uvítico adj.
uvitinato s.m.
uvitínico adj.
uvitonato s.m.
uvitônico adj.
uvomorulina s.f.
úvula s.f.
uvular adj.2g. "relativo a úvula"; cf. *ovular*
uvulária s.f.
uvulário adj.
uvulectomia s.f.
uvulectômico adj.
uvuliforme adj. s.2g. "semelhante a úvula"; cf. *ovuliforme*
uvulite s.f.
uvulítico adj.
uvuloplastia s.f.
uvuloptose s.f.
uvuloptótico adj.
uvulotomia s.f.
uvulotômico adj.
uxamense (*cs*) adj. s.2g.
uxentino (*cs*) adj. s.m.
uxer s.m.
uxi s.m.
uxiano (*cs*) adj. s.m.
uxicrim adj. s.2g.
uxicuruá s.m.
uxi-de-morcego s.m.; pl. *uxis-de-morcego*
uxim s.m.
uximono s.m.
uxipuçu s.m.
uxirana s.f.
uxirana-da-várzea s.f.; pl. *uxiranas-da-várzea*
uxitubense adj. s.2g.
uxiva s.f.
uxoriano (*cs*) adj.
uxoricida (*cs*) adj.2g. s.m.
uxoricídio (*cs*) s.m.
uxórico (*cs*) adj.
uxorilocal (*cs*) adj.2g.
uxório (*cs*) adj.
uxu s.m.
uxumbergação s.f.
uzaidela s.f.
uzalense adj. s.2g.
uzalitano adj. s.m.
uzamba s.f.
uzambau s.f.
uzarigenina s.f.
uzarina s.f.
uzbeque s.2g.
uzbequistanês adj. s.m.
uzélia s.f.
uzentino adj. s.m.
uzífur s.m.
uzífuro s.m.
uzitense adj. s.2g.
uzo s.m. "licor de origem grega"; cf. *uso* s.m. e fl. do v. *usar*

Vv

v (*vê*) s.m.
vá interj.
vã adj. s.f. de *vão*
vaabismo s.m.
vaabita adj. s.2g.
vaali s.m.
vaalita s.f.
vaalite s.f.
vaca s.f. "fêmea do boi"; cf. *vacá*
vacá s.f. "planta da família das quiináceas"; cf. *vaca*
vaca-brava s.m.; pl. *vacas-bravas*
vacacaiense adj. s.2g.
vacação s.f.
vaca-chinesa s.f.; pl. *vacas-chinesas*
vacada s.f.
vaca-do-mato s.f.; pl. *vacas-do-mato*
vaca-fria s.f.; pl. *vacas-frias*
vacagem s.f.
vacal adj.2g. s.f.
vaca-leiteira s.f.; pl. *vacas-leiteiras*
vaca-loira s.f.; pl. *vacas-loiras*
vaca-loira-de-maio s.f.; pl. *vacas-loiras-de-maio*
vaca-loura s.f.; pl. *vacas-louras*
vaca-loura-de-maio s.f.; pl. *vacas-louras-de-maio*
vaca-marinha s.f.; pl. *vacas-marinhas*
vacância s.f.
vaca-negra s.f.; pl. *vacas-negras*
vacano s.m.
vacante adj.2g. s.f.
vacapari s.f.
vacaparrilha s.f.
vaca-preta s.f.; pl. *vacas-pretas*
vacar v.
vacaraí s.m.
vacari s.m.
vacaria s.f. "vacalhada"; cf. *vacária*
vacária s.f. "planta"; cf. *vacaria* s.f. e fl. do v. *vacar*
vacariano adj. s.m.
vacaricense adj. s.2g.
vacariense adj. s.2g.
vacaril adj.2g.
vacarino adj.
vacarrona s.f.
vaca-sem-chifre s.f.; pl. *vacas-sem-chifre*
vaçatunga s.f.
vacatura s.f.
vaccínia s.f.
vaceano adj. s.m.
vaceia (*ê*) adj. s.f. de *vaceu*
vacense adj. s.2g.
vacenato s.m.
vacênico adj.
váceo adj. s.m.
vaceu adj. s.m.; f. *vaceia* (*ê*)
vachíria s.f.
vacibá s.m.
vacilação s.f.
vacilada s.f.
vacilado adj.
vacilador (*ô*) adj. s.m.
vacilância s.f.
vacilante adj.2g.
vacilar v.
vacilatório adj.
vacilável adj.2g.
vacilo s.m.
vacina s.f.
vacinação s.f.
vacinado adj. s.m.
vacinador (*ô*) adj. s.m.
vacinal adj.2g.
vacinar v.
vacinato s.m.
vacinatório adj.
vacinável adj.2g.
vacinela s.f.
vacínia s.f.
vaciniácea s.f.
vaciniáceo adj.
vacínico adj.
vacínida s.f.
vacínide s.f.
vaciníea s.f.
vacinífero adj.
vaciniforme adj.2g.
vacinina s.f.
vacínio s.m.
vacinióidea s.f.
vacinite s.f.
vacinofobia s.f.
vacinofóbico adj.
vacinófobo s.m.
vacinogenia s.f.
vacinogênico adj.
vacinoide (*ó*) adj.2g. s.f.
vacinoprofiláctico adj.
vacinoprofilático adj.
vacinoprofilaxia (*cs*) s.f.
vacinose s.f.
vacinossífilis s.f.2n.
vacinossifilítico adj.
vacinossifiloide (*ó*) adj.2g. s.m.
vacinostilo s.m.
vacinoterapia s.f.
vacinoterápico adj.
vacisco s.m.
vacrássana s.m.
vacreação s.f.
vacreator (*ô*) s.m.
vacu s.m.
vacuá s.m.
vacuefação s.f.
vacuefazer v.
vacuefeito adj.
vacuidade s.f.
vacuidão s.f.
vacuifação s.f.
vacuifaciente adj.2g.
vacuifazer v.
vacuifeito adj.
vacuísmo s.m.
vacuísta s.2g.
vacuístico adj.
vaculose s.f.
vacum adj.2g. s.m.
vacunais s.f.pl.
vacunal adj.2g.
vácuo adj. s.m.
vacuolado adj.
vacuolar adj.2g.
vacuolária s.f.
vacuolário adj.
vacuólide s.m.
vacuolizabilidade s.f.
vacuolização s.f.
vacuolizado adj.
vacuolizador (*ô*) adj.
vacuolizante adj.2g.
vacuolizar v.
vacuolizável adj.2g.
vacúolo s.m.
vacuolose s.f.
vacuoma s.m.
vacuômetro s.m.
vadagaio s.m.
vadeabilidade s.f.
vadeação s.f.; cf. *vadiação*
vadeado adj.; cf. *vadiado*
vadeador (*ô*) adj. s.m.; cf. *vadiador*
vadear v. "passar a vau"; cf. *vadiar*
vadeável adj.2g.
vadeísmo s.m.
vade-mécum s.m.; pl. *vade-mécuns*
vadense adj. s.2g.
vadeoso (*ô*) adj.; f. (*ó*); pl. (*ó*)
vade-retro interj.
vadeu adj. s.m.; f. *vadeia* (*ê*)
vadia s.f.
vadiação s.f.; cf. *vadeação*
vadiado adj.; cf. *vadeado*
vadiador (*ô*) adj. s.m.; cf. *vadeador*
vadiagem s.f.
vadiança s.f.
vadiante adj. s.2g.
vadiar v. "viver ociosamente"; cf. *vadear*
vadiaria s.f.
vadiice s.f.
vadiismo s.m.
vadimone s.m.
vadio adj. s.m.
vadiote s.m.
vadoso (*ô*) adj.; f. (*ó*); pl. (*ó*)
vadroil s.m.
váea s.f.
vaesita s.f.
vaesite s.f.
vafrícia s.f.
vafro adj.
vaga s.f.
vagabunda s.f.
vagabundagem s.f.
vagabundante adj.2g.
vagabundar v.
vagabundear v.
vagabundice s.f.
vagabundismo s.m.
vagabundo adj. s.m.
vagação s.f.
vágado s.m.
vagagem s.f.
vagal adj.2g.
vagalhão s.m.
vaga-lume s.m.; pl. *vaga-lumes*
vagalumear v.
vagâmen s.m.
vagamundar v.
vagamundeação s.f.
vagamundeador (*ô*) adj. s.m.
vagamundeante adj.2g.
vagamundear v.
vagamundo adj. s.m.
vaganão adj. s.m.
vaganau adj. s.m.
vagância s.f.
vaganear v.
vaganice s.f.
vagante adj.2g. s.f.
vagantio adj.
vagão s.m.
vagão-cavalariça s.m.; pl. *vagões-cavalariça* e *vagões-cavalariças*
vagão-cisterna s.m.; pl. *vagões-cisterna* e *vagões-cisternas*
vagão de mar s.m.
vagão-dinamômetro s.m.; pl. *vagões-dinamômetros*
vagão-dormitório s.m.; pl. *vagões-dormitórios*
vagão-frigorífico s.m.; pl. *vagões-frigoríficos*
vagão-leito s.m.; pl. *vagões-leito* e *vagões-leitos*
vagão-pipa s.m.; pl. *vagões-pipa* e *vagões-pipas*
vagão-postal s.m.; pl. *vagões-postais*
vagão-restaurante s.m.; pl. *vagões-restaurante* e *vagões-restaurantes*
vagão-salão s.m.; pl. *vagões-salão* e *vagões-salões*
vagão-tanque s.m.; pl. *vagões-tanque* e *vagões-tanques*
vagão-tremonha s.m.; pl. *vagões-tremonha* e *vagões-tremonhas*
vagar v. s.m.
vagarento adj.
vagareza (*ê*) s.f.
vagaria s.f. "ondas"; cf. *vagária*
vagária s.f. "planta"; cf. *vagaria* s.f. e fl. do v. *vagar*
vagarosa s.f.
vagarosidade s.f.
vagaroso (*ô*) adj.; f. (*ó*); pl. (*ó*)
vagatura s.f.
vage s.f.
vagear v.
vageiro s.m.
vagem s.f.
vagense adj. s.2g.
vagido s.m.
vagieno adj. s.m.
vagiforme adj.2g.
vágil adj.2g.
vagina s.f.
vaginabdominal adj.2g.
vaginado adj.
vaginal adj.2g. s.f.
vaginalectomia s.f.
vaginalectômico adj.
vaginalite s.f.
vaginante adj.2g.
vaginária s.f.
vaginectomia s.f.
vaginectômico adj.
vaginela s.f.
vaginérveo adj.
vagínico adj.
vaginícola adj.2g. s.m.
vaginicolíneo adj. s.m.
vaginífero adj.
vaginiforme adj.2g.
vaginísmico adj.
vaginismo s.m.
vaginista adj.2g.
vaginite s.f.
vaginoabdominal adj.2g.
vaginocele s.f.
vaginocélico adj.
vaginodinia s.f.
vaginodínico adj.
vaginofixação (*cs*) s.f.
vaginoide (*ó*) adj.2g.
vaginolabial adj.2g.
vaginomicose s.f.
vaginomicósico adj.
vaginomicótico adj.
vaginopéctico adj.
vaginoperineorrafia s.f.
vaginoperineorráfico adj.
vaginoperineotomia s.f.
vaginoperineotômico adj.
vaginoperitoneal adj.2g.
vaginopético adj.
vaginopexia (*cs*) s.f.
vaginoplastia s.f.
vaginoplástico adj.
vaginorragia s.f.
vaginorrágico adj.
vaginorretal adj.2g.
vaginoscopia s.f.
vaginoscópico adj.
vaginoscópio s.m.
vaginose s.f.
vaginotomia s.f.
vaginotômico adj.
vaginouterino adj.
vaginovesical adj.2g.
vaginovulvar adj.2g.
vagínula s.f.
vaginulado adj.
vaginulídeo adj. s.m.
vaginulífero adj.
vaginuretral adj.2g.
vaginuterino adj.
vagípede adj.2g.
vagir v. s.m.
vagita s.f.
vagite s.f.
vagito s.m.
vago adj. s.m.
vagograma s.m.
vagomestre s.m.
vagomimético adj.
vagona s.f.
vagoneiro s.m.
vagoneta (*ê*) s.f.
vagonete (*ê*) s.m.
vagoneteiro s.m.
vagonite s.f.
vagossecção s.f.
vagossimpático adj. s.m.
vagotomia s.f.
vagotômico adj.
vagotonia s.f.
vagotônico adj. s.m.
vagotonina s.f.

vagotrópico adj. s.m.
vagotropismo s.m.
vagotropista adj.2g.
vagótropo adj.
vagovagal adj.2g.
vagruço s.m.
vagueação s.f.
vagueado adj.
vagueador (*ô*) adj. s.m.
vaguear v.
vaguedo (*ê*) s.m.
vagueira s.f.
vagueiro adj. s.m.
vaguejar v.
vaguense adj. s.2g.
vagueza (*ê*) s.f.
vaguidade s.f.
vaguidão s.f.
vagulação s.f.
vágulo adj.
vaia s.f.
vaiado adj.
vaiador (*ô*) adj. s.m.
vaiamontense adj. s.2g.
vaiamontês adj. s.m.
vaiar v.
vaicia adj. s.2g.
vaidade s.f.
vai da valsa s.m.2n.
vai de roda s.m.2n.
vaidosão adj. s.m.; f. *vaidosona*
vaidoso (*ô*) adj. s.m.; f. (*ó*); pl. (*ó*)
vaidosona adj. s.f. de *vaidosão*
vaidosura s.f.
vai e vem s.m.
vaila s.f.
vailância s.f.
vailântia s.f.
vaimiri adj. s.2g.
vaimiri-atroari adj. s.2g.; pl. *vaimiris-atroaris*
vai não vai s.m.2n.
vaioró adj. s.2g.
vaiqueno (*ê*) s.m.
vaira s.f.
vairão s.m.
vairinha s.f.
vaisesica adj. s.m.
vaisnava adj. s.2g.
vaitá s.m.
vaitarreca interj.
vai-te a ele s.m.2n.
vaiú s.m.
vaiumará adj. s.2g.
vai-vai adj. s.2g.; pl. *vai-vais* e *vais-vais*
vaival adj. s.2g.
vaivém s.m.
vaivoda s.m.
vaivodia s.f.
vai-volta s.m.2n.
vai-voltense adj. s.2g.; pl. *vai-voltenses*
vaixá adj. s.2g.
vaixia adj. s.2g.
vaixiá adj. s.2g.
vaixnava adj. s.2g.
vajana s.f.
vajé s.m.
vajrássana s.m.
vajroli s.m.
vajroliássana s.m.
vajrolimudrá s.m.
val s.m.
vala s.f.
valaate s.m.
valabá s.m.
valabuá s.f.
vala-cabocla s.f.; pl. *valas-caboclas*
valaco adj. s.m.
valada s.f.
valadagem s.f.
valadão s.m.
valadarense adj. s.2g.
valadeiro s.m.
valadio adj.
valado adj. s.m.
valador (*ô*) adj. s.m.
valadora (*ô*) s.f.
valadura s.f.
valagem s.f.
valagote s.m.
valagoto (*ô*) s.m.
valaíta s.f.
valaíte s.f.
valâmen s.m.
valanense adj. s.2g.
valangiano adj. s.m.
valanginense adj. s.m.
valanginiano adj. s.m.
valão adj. s.m.
valapié s.f.
valáquio adj. s.m.
valar v. adj.2g.
valaria s.f.
valáride s.m.
vala-sousense adj. s.2g.; pl. *vala-sousenses*
valbelite s.f.
valbelito s.m.
valboeiro adj. s.m.
valboense adj. s.2g.
valcória s.f.
valcovense adj. s.2g.
valdeimita s.f.
valdeiro adj.
valdelandense adj. s.2g.
valdense adj. s.2g.
valdevinos s.m.2n.
valdigense adj. s.2g.
valdirrostro adj.
valdismo s.m.
valdista adj. s.2g.
valdístico adj.
valdivia s.f.
valdivina s.f.
valdo adj. s.m.
valdurão s.m.
vale s.m. "depressão de terreno", etc.; cf. *váli*
válea s.f.
valécula s.f.
valecular adj.
vale-de-arinto s.m.; pl. *vales-de-arinto*
valedio adj.
valedoiro adj. s.m.
valedor (*ô*) adj. s.m.
valedouro adj. s.m.
valego (*ê*) adj.
valeia (*é*) adj. s.f. de *valeu*
valeira s.f.
valeirão s.m.
valeiro s.m.
valeíta s.f.
valeíte s.f.
valejo (*ê*) s.m.
valença s.f.
valencense adj. s.2g.
valência s.f.
valenciana s.f.
valencianita s.f.
valencianite s.f.
valenciano adj. s.m.
valenciense adj. s.2g.
valencina s.f.
valencínia s.m.
valense adj. s.2g.
valentaço adj. s.m.
valentão adj. s.m.; f. *valentona*
valente adj. s.2g.
valentear v.
valentense adj. s.2g.
valentia s.f.
valentice s.f.
valentim-gentilense adj. s.2g.; pl. *valentim-gentilenses*
valentinense adj. s.2g.
valentínia s.f.
valentinianismo s.m.
valentinianista adj. s.2g.
valentinianístico adj.
valentiniano adj. s.m.
valentinista adj. s.2g.
valentinita s.f.
valentinite s.f.
valentinítico adj.
valentinito s.m.
valentino adj. s.m.
valentona adj. s.f. de *valentão*
valentonada s.f.
vale-paraibano adj. s.m.; pl. *vale-paraibanos*
vale-pesense adj. s.2g.; pl. *vale-pesenses*
valequecer s.m.
valer v.
valeral s.m.
valeraldeído s.m.
valerato s.m.
vale-refeição s.m.; pl. *vales-refeição* e *vales-refeições*
valerena s.f.
valerênio s.m.
valéria s.f.
valeriana s.f.
valerianácea s.f.
valerianáceo adj.
valerianal adj.2g.
valerianale s.f.
valerianato s.m.
valeriânea s.f.
valerianela s.f.
valerianense adj. s.2g.
valeriâneo adj.
valeriânico adj.
valerianina s.f.
valerianita s.f.
valerianite s.f.
valérico adj.
valeriense adj. s.2g.
valeriita s.f.
valeriite s.f.
valeril s.m.
valerila s.f.
valerileno s.m.
valerilfenetidina s.f.
valerilo s.m.
valerina s.f.
valerite s.f.
valerobromina s.f.
valerol s.m.
valerolactona s.f.
valerona s.f.
valésia s.f.
valesiano adj. s.m.
valeta (*ê*) s.f.
valetada s.f.
valetadeira s.f.
valetagem s.f.
valete s.m.
valeteamento s.m.
valete de copas s.m.
vale-transporte s.m.; pl. *vales-transporte* e *vales-transportes*
valetudinário adj. s.m.
valetudinarismo s.m.
vale-tudo s.m.2n.
valeu adj. s.m.; f. *valeia* (*é*)
vale-varguense adj. s.2g.; pl. *vale-varguenses*
valevarita s.f.
valevarite s.f.
vale-verdense adj. s.2g.; pl. *vale-verdenses*
válgio s.m.
valgismo s.m.
valgo adj.
valha s.f.
valhacoito s.m.
valhacouto s.m.
valhala s.2g.
valhalá s.2g.
váli s.m. "governador árabe"; cf. *vale* s.m. e fl. do v. *valer*
valia s.f.
valiado s.m.
valiamento s.m.
valiato s.m.
valicultura s.f.
validabilidade s.f.
validação s.f.
validade s.f.
validado adj.
validador (*ô*) adj. s.m.
validamento s.m.
validante adj.2g.
validar v.
validável adj.2g.
validé adj. s.f.
validez (*ê*) s.f.
validio adj.
validirrostro adj.
validismo s.m.
valido adj. s.m. "favorito"; cf. *válido*
válido adj. "valioso"; cf. *valido*
validol s.m.
valiforme adj.2g.
valigoto (*ô*) s.m.
valilo s.m.
valimento s.m.
valina s.f.
valinca s.f.
valinginiano adj. s.m.
valinhense adj. s.2g.
valínico adj.
vállio adj. s.m.
valioso (*ô*) adj.; f. (*ó*); pl. (*ó*)
valíquia s.f.
valisa s.f.
valise s.f.
valísia s.f.
valisnéria s.f.
valisneriácea s.f.
valisneriáceo adj.
valisneríea s.f.
valisnerióidea s.f.
valisoletano adj.
valkéria s.f.
valkeriida adj.2g. s.m.
valkeriídeo adj. s.m.
vallisnéria s.f.
vallisneriácea s.f.
vallisneriáceo adj.
vallisneríea s.f.
vallisnerióidea s.f.
valo s.m.
valoca s.f.
valoide (*ó*) adj.2g.
valombrosiano adj. s.m.
valona s.f.
valonado s.m.
valongueiro adj. s.m.
valonguense adj. s.2g.
valônia s.f.
valoniácea s.f.
valoniáceo adj.
valônico adj.
valônio adj.
valonismo s.m.
valonista adj. s.2g.
valonístico adj.
valor (*ô*) s.m.
valoração s.f.
valorádia s.f.
valorar v.
valoratividade s.f.
valorativo adj.
valores (*ô*) s.m.pl.
valorímetro adj.
valorização s.f.
valorizado adj.
valorizador (*ô*) adj. s.m.
valorizar v.
valor-oiro s.m.; pl. *valores-oiro* e *valores-oiros*
valorosidade s.f.
valoroso (*ô*) adj.; f. (*ó*); pl. (*ó*)
valor-ouro s.m.; pl. *valores-ouro* e *valores-ouros*
valor-papel s.m.; pl. *valores-papel* e *valores-papéis*
valoso (*ô*) adj.; f. (*ó*); pl. (*ó*)
valota s.f.
valpacense adj. s.2g.
valparaisense adj. s.2g.
valpolicella s.m.
valpurgina s.f.
valpurgita s.f.
valpurgite s.f.
valquíria s.f.
valquiriano adj.
valsa s.f.
valsácea s.f.
valsáceo adj.
valsado adj.
valsador (*ô*) adj. s.m.
valsante adj. s.2g.
valsar v.
valsarina s.f.
valsear v.
valsejar v.
válseo adj.
valsista adj. s.2g.
valsoide (*ó*) adj.2g.
valsol s.m.
valsorciano adj. s.m.
valtéria s.f.
valtoniano adj. s.m.
valueuita s.f.
valuiú s.f.
valuma s.f.
valura s.f.
valva s.f.
valváceo adj.
valvado adj. s.m.
valvar adj.2g.
valváster s.m.
valvasteríneo adj. s.m.
valvata s.f.
valvateia (*é*) s.m.
valvatela s.f.
valvatídeo adj. s.m.
valverde (*ê*) s.m.
valverde-da-praia s.m.; pl. *valverdes-da-praia*
valverde de ladrão s.m.
valverdense adj. s.2g.
valverdiano adj. s.m.
valvicida adj.2g.
valvicídio s.m.
valvífero adj.
valviforme adj.2g.
valvispório adj.
valvotomia s.f.
valvotômico adj.
valvu s.f.
válvula s.f.
valvulado adj.
valvular adj.2g.
valvulina s.f.
valvulite s.f.
valvulítico adj.
valvuloplastia s.f.
valvuloplástico adj.
valvuloso (*ô*) adj.; f. (*ó*); pl. (*ó*)
valvulotomia s.f.
valvulotômico adj.
valvulótomo s.m.
vamacrama s.m.
vamacur adj. s.2g.
vamanaule s.m.
vamapada s.m.
vamaxavássana s.m.
vambenedênia s.m.
vamiri adj. s.2g.
vamonez s.m.
vamos-embora s.f.2n.
vamos na chácara s.m.2n.
vamos-peneirar s.m.2n.
vampe s.f. "mulher sedutora"; cf. *vampi*
vampi s.m. "arbusto"; cf. *vampe*
vampirado adj.
vampirar v.
vampireiro s.m.
vampirela s.f.
vampirelácea s.f.
vampireláceo adj.
vampiresa (*ê*) s.f.
vampiresco (*ê*) adj.
vampírico adj.
vampirino adj.
vampirismo s.m.
vampirista adj. s.2g.
vampirístico adj.
vampirizado adj.
vampirizador (*ô*) adj.
vampirizante adj.2g.
vampirizar v.
vampiro s.m.
vampirolepsia s.f.
vampirope s.m.
vanacino adj. s.m.
vanadato s.m.
vanadiado adj.
vanádico adj.
vanadífero adj.
vanadílico adj.

vanadilo s.m.
vanadiloso (*ô*) adj.; f. (*ó*); pl. (*ó*)
vanadilvanadato s.m.
vanadina s.f.
vanadinífero adj.
vanadinita s.f.
vanadinite s.f.
vanadinito s.m.
vanádio s.m.
vanadiolita s.f.
vanadiolite s.f.
vanadiolito s.m.
vanadioso (*ô*) adj.; f. (*ó*); pl. (*ó*)
vanádis s.m.2n.
vanadismo s.m.
vanadite s.f.
vanadítico adj.
vanadito s.m.
vanadol s.m.
vanadoso (*ô*) adj.; f. (*ó*); pl. (*ó*)
vanajurá s.2g.
vanaquiá s.m.
vançali s.f.
vancão s.m.
vancomicina s.f.
vanda s.f.
vandalear v.
vandálico adj.
vandalismo s.m.
vandalização s.f.
vandalizado adj.
vandalizar v.
vândalo adj. s.m.
vandar v.
vandau adj. s.m.
vândea s.f.
vandeano adj. s.m.
vandeense adj. s.2g.
vandelêuria s.f.
vandélia s.f.
vandélio s.m.
vandenbrandeíta s.f.
vandenbrandeíte s.f.
vandendriesscheíta s.f.
vândeo adj.
vanderbiltizado adj.
vanderleiense adj. s.2g.
vandiestita s.f.
vanelo s.m.
vanense adj. s.2g.
vanescer v.
vanésia s.f.
vanessa s.f.
vanga s.m.
vangana s.f.
vanganela s.m.
vangião adj. s.m.
vangídeo adj. s.m.
vangione adj. s.2g.
vanglória s.f.; cf. *vangloria*, fl. do v. *vangloriar*
vangloriado adj.
vangloriador (*ô*) adj. s.m.
vangloriante adj.2g.
vangloriar v.
vangloriável adj.2g.
vangloriense adj. s.2g.
vanglorioso (*ô*) adj.; f. (*ó*); pl. (*ó*)
vangor (*ô*) s.m.
vângor s.m.
vanguarda s.f.
vanguardeado adj.
vanguardeador (*ô*) adj.
vanguardear v.
vanguardeiro adj. s.m.
vanguardice s.f.
vanguardismo s.m.
vanguardista adj. s.2g.
vanguardístico adj.
vanguejar v.
vanguenarau s.f.
vanguéria s.f.
vanguerica s.f.
vanhai adj. s.2g.
vanhame adj. s.2g.
vanhêurckia s.f.
vanhôuttea s.f.
vânico adj. s.m.
vanidade s.f.
vanila s.f.
vanilado adj.
vanilal s.m.
vanilato s.m.
vanílico adj.
vanilina s.f.
vanilino s.m.
vanilismo s.m.
vaniloquência (*ü*) s.f.
vaniloquente (*ü*) adj.2g.
vaniloquentíssimo (*ü*) adj. sup. de *vanîloquo* (*co* ou *quo*)
vanilóquio s.m.
vaníloquo (*co* ou *quo*) adj.
vanilosmopse s.f.
vaníssimo adj. sup. de *vão*
vanoxita (*cs*) s.f.
vanoxite (*cs*) s.f.
vantagem s.f.
vantajado adj.
vantajar v.
vantajoso (*ô*) adj.; f. (*ó*); pl. (*ó*)
vante s.f.
vanthoffita s.f.
vanthoffite s.f.
vantrapi s.m.
vanuatense adj. s.2g.
vanuralinita s.f.
vanuralita s.f.
vanuxemita (*cs*) s.f.
vanuxemite (*cs*) s.f.
vanuxemito (*cs*) s.m.
vanzão s.m.
vanzear v.
vanzeiro adj.
vanzima s.f.
vanzura s.f.
vão adj. s.m.; f. *vã*
vão-livre s.m.; pl. *vãos-livres*
vapa s.f.
vapi s.m.
vapicense adj. s.2g.
vapidiana adj. s.2g.
vápido adj.
vapincense adj. s.2g.
vapixana adj. s.2g.
vapografia s.f.
vapor (*ô*) s.m.
vaporação s.f.
vaporada s.f.
vaporado adj.
vaporar v.
vaporário s.m.
vaporável adj.2g.
vapor-d'água s.m.; pl. *vapores-d'água*
vapores (*ô*) s.m.pl.
vaporidade s.f.
vaporífero adj.
vaporimétrico adj.
vaporímetro s.m.
vaporização s.f.
vaporizado adj.
vaporizador (*ô*) adj. s.m.
vaporizar v.
vaporizável adj.2g.
vaporosidade s.f.
vaporoso (*ô*) adj.; f. (*ó*); pl. (*ó*)
vapozeiro s.m.
vapuã s.m.
vapuaçu s.m.
vapulação s.f.
vapulado adj.
vapulador (*ô*) adj. s.m.
vapulamento s.m.
vapular v.
vapuronga s.f.
vaqueado adj.
vaqueanaço s.m.
vaqueanar v.
vaqueano adj. s.m.
vaquear v.
vaqueira s.f.
vaqueirada s.f.
vaqueiragem s.f.
vaqueirama s.f.
vaqueirar v.
vaqueirice s.f.
vaqueiro adj. s.m.
vaquejada s.f.
vaquejado adj.
vaquejador (*ô*) s.m.
vaquejadorense adj. s.2g.
vaquejar v.
vaquejo (*ê*) s.m.
vaqueria s.f.
vaqueta (*ê*) s.f.
vaquia s.f.
vaquice s.f.
vaquilhona s.f.
vaquinha s.f.
vaquinha-amarela s.f.; pl. *vaquinhas-amarelas*
vaquinha-azul-da-batatinha s.f.; pl. *vaquinhas-azuis-da-batatinha*
vaquinha-da-batatinha s.f.; pl. *vaquinhas-da-batatinha*
vaquinha-das-flores s.f.; pl. *vaquinhas-das-flores*
vaquinha-do-algodoeiro s.f.; pl. *vaquinhas-do-algodoeiro*
vaquinha-do-fumo s.f.; pl. *vaquinhas-do-fumo*
vaquinha-verde-e-amarela s.f.; pl. *vaquinhas-verdes-e-amarelas*
vaquíria s.f.
vaquito s.m.
var s.m.
vara s.f.
varação s.f.
varacu s.m.
varada s.f.
vara-de-canoa s.f.; pl. *varas-de-canoa*
vara-de-foguete s.f.; pl. *varas-de-foguete*
vara-de-oiro s.f.; pl. *varas-de-oiro*
vara-de-ouro s.f.; pl. *varas-de-ouro*
varado adj. s.m.
varadoiro s.m.
varador (*ô*) s.m.
varadouro s.m.
varago s.m.
varal s.m.
varali adj. s.2g.
varame s.m.
varancada s.f.
varanda s.f.
varandado s.m.
varandão s.m.
varandel s.m.
varandim s.m.
varandinha s.f.
varanga s.f.
varangada s.f.
varangiano s.m.
varango s.m.
varanídeo adj. s.m.
varano s.m.
varante adj.2g. s.m.
varão adj. s.m.
varapau s.m. s.2g.
varapó s.m.
vara-preta s.f.; pl. *varas-pretas*
varar v.
varasca s.f.
varascada s.f.
varatojano adj. s.m.
varatojo (*ô*) s.m.
varável adj.2g.
varbaro adj. s.m.
varciano adj. s.m.
vardagatense adj. s.2g.
vardasca s.m.f.
vardascada s.f.
vardascado adj.
vardascar v.
várdea s.f.
vardeia (*é*) adj. s.f. de *vardeu*
vardeu adj. s.m.; f. *vardeia* (*é*)
vardiá s.f.
várdulo adj. s.m.
vareado adj.
vareador (*ô*) adj. s.m.
vareagem s.f.
varear v. "governar (embarcação) com vara", etc.; cf. *variar*
varedo (*ê*) s.m.
varego adj. s.m.
vareio s.m.
vareira s.f.
vareiro adj. s.m.
vareja (*ê*) s.f.
varejada s.f.
varejado adj.
varejador (*ô*) adj. s.m.
varejadura s.f.
varejamento s.m.
varejante adj. s.2g.
varejão s.m.
varejar v.
varejeira s.f.
varejeiro s.m.
varejista adj. s.2g.
varejo (*ê*) s.m.
varejoada s.f.
varela s.m.f.
varelo s.m.
varênea s.f.
vareque s.m.
varestilha s.f.
vareta (*ê*) s.f.
varetata adj. s.2g.
vareteiro s.m.
vareza (*ê*) s.f.
varga s.f.
varganense adj. s.2g.
vargásia s.f.
vargasita s.f.
vargasite s.f.
vargasito s.m.
varge s.f.
várgea s.f.
vargeanense adj. s.2g.
vargedense adj. s.2g.
vargedo (*ê*) s.m.
vargeiro s.m.
vargem s.f.
vargem-alegrense adj. s.2g.; pl. *vargem-alegrenses*
vargem-altense adj. s.2g.; pl. *vargem-altenses*
vargem-bonitense adj. s.2g.; pl. *vargem-bonitenses*
vargem-cedrense adj. s.2g.; pl. *vargem-cedrenses*
vargem-dantense adj. s.2g.; pl. *vargem-dantenses*
vargem-formosense adj. s.2g.; pl. *vargem-formosenses*
vargem-grandense adj. s.2g.; pl. *vargem-grandenses*
vargem-lajense adj. s.2g.; pl. *vargem-lajenses*
vargem-limpense adj. s.2g.; pl. *vargem-limpenses*
vargem-lindense adj. s.2g.; pl. *vargem-lindenses*
vargem-meense adj. s.2g.; pl. *vargem-meenses*
vargem-santanense adj. s.2g.; pl. *vargem-santanenses*
vargeria s.f.
vargeta (*ê*) s.f.
vargiano adj. s.m.
vargim s.m.
varginense-de-são-josé adj. s.2g.; pl. *varginenses-de-são-josé*
varginha s.f.
varginhense adj. s.2g.
vargitense adj. s.2g.
vargueiro s.m.
varguense adj. s.2g.
varguismo s.m.
varguista adj. s.2g.
varguístico adj.
var-hora s.m.; pl. *vars-hora* e *vars-horas*
var-horímetro s.m.; pl. *vars-horímetro* e *vars-horímetros*
vari s.m.
vária s.f.; cf. *varia*, fl. do v. *variar*
variabilidade s.f.
variação s.f.
variacional adj.2g.
variadeira s.f.
variadela s.f.
variado adj.
variador (*ô*) adj. s.m.
variagem s.f.
variança s.f.
variância s.f.
variante adj.2g. s.f.
variar v. "alterar"; cf. *varear*
variável adj.2g. s.m.f.
variaz s.m.
varicectomia s.f.
varicectômico adj.
varicela s.f.
varicelar v. adj.2g.
varicelaviro s.m.
varicelavírus s.m.2n.
varicela-zóster s.m.; pl. *varicelas-zóster*
varicélico adj.
variceliforme adj.2g.
variceloide (*ó*) adj.2g.
varicha s.f.
variço adj.
varicobléfaro s.m.
varicocele s.f.
varicocelectomia s.f.
varicocelectômico adj.
varicônfalo s.m.
varicose s.f.
varicosidade s.f.
varicoso (*ô*) adj. s.m.; f. (*ó*); pl. (*ó*)
varicotomia s.f.
varicotômico adj.
varícula s.f.
variedade s.f.
variedades s.f.pl.
variegação s.f.
variegado adj.
variegar v.
varifólio adj.
varilha s.f.
varilhas s.f.pl.
varilongo adj.
varina s.f.
varinada s.f.
varinagem s.f.
varinel s.m.
varinha s.f.
varinha-de-jacó s.f.; pl. *varinhas-de-jacó*
varinha-de-são-josé s.f.; pl. *varinhas-de-são-josé*
varino adj. s.m.
vário adj.; cf. *vario*, fl. do v. *variar*
varíola s.f.
variolação s.f.
variolado adj.
variolar adj.2g.
variolarina s.f.
variolário adj.
variólico adj.
varioliforme adj.2g.
variolina s.f.
variolita s.f.
variolite s.f.
variolítico adj.
variolito s.m.
variolização s.f.
variolizado adj.
variolizar v.
varíolo s.m.
varioloide (*ó*) adj.2g. s.f.
variolose s.f.
varioloso (*ô*) adj. s.m.; f. (*ó*); pl. (*ó*)
variolovacina s.f.
variolovacinação s.f.
variômetro s.m.
varioso (*ô*) adj.; f. (*ó*); pl. (*ó*)
variospermo adj.
variscaniano adj. s.m.
variscano adj. s.m.
variscita s.f.
variscite s.f.

variscópio s.m.
varismo s.m.
varistência s.f.
varístor s.m.
variz s.f.
varja s.f.
varjanense adj. s.2g.
varjão s.m.
varjota s.f.
varjotense adj. s.2g.
varlamoffita s.f.
varlete s.m.
varli adj. s.2g.
varloa (*ô*) s.f.
varlopa s.f.
varmetro s.m.
vármetro s.m.
varna s.f.
varno adj. s.m.
varnsingito s.m.
varo adj.
varoa (*ô*) s.f.
varola s.f. s.2g.
varonia s.f.
varonil adj.2g.
varonilidade s.f.
varote s.m.
varotrepsia s.f.
varpense adj. s.2g.
varrante s.m.
varrão s.m.
varrasco s.m.
varrasco-do-mar s.m.; pl. *varrascos-do-mar*
varrasquete (*ê*) s.m.
varreção s.f.
varredalho s.m.
varredeira s.f.
varredeiro s.m.
varredela s.f.
varredoira s.f.
varredoiro s.m.
varredor (*ô*) adj. s.m.
varredoura s.f.
varredouro s.m.
varredura s.f.
varreirada s.f.
varrenhado adj.
varrenhar v.
varrenite s.f.
varrer v.
varre-saiense adj. s.2g.; pl. *varre-saienses*
varrição s.f.
varrido adj. s.m.
varrimenta s.f.
varriscadela s.f.
varriscado adj.
varriscadoiro s.m.
varriscador (*ô*) s.m.
varriscadouro s.m.
varriscar v.
varroniano adj.
varruscadela s.f.
varruscado adj.
varruscar v.
varsoviana s.f.
varsoviano adj. s.m.
varsoviense adj.2g.
varsovino adj. s.m.
vartense adj. s.2g.
varuano adj. s.m.
varudo adj.
varulita s.f.
varulite s.f.
varunca adj. s.m.
varvacita s.f.
varvacite s.f.
varvacito s.m.
varvarino adj. s.m.
varvaro adj. s.m.
varve s.m.
varvicita s.f.
varvicite s.f.
várvico adj.
varvítico adj.
varvito s.m.
varvo s.m.
várzea s.f.
várzea-alegrense adj. s.2g.; pl. *várzea-alegrenses*
várzea-baixense adj. s.2g.; pl. *várzea-baixenses*
várzea-branquense adj. s.2g.; pl. *várzea-branquenses*
várzea-caldense adj. s.2g.; pl. *várzea-caldenses*
várzea-cedrense adj. s.2g.; pl. *várzea-cedrenses*
várzea-cercense adj. s.2g.; pl. *várzea-cercenses*
várzea-compridense adj. s.2g.; pl. *várzea-compridenses*
várzea-edense adj. s.2g.; pl. *várzea-edenses*
várzea-forano adj. s.m.; pl. *várzea-foranos*
várzea-forense adj. s.2g.; pl. *várzea-forenses*
várzea-fundense adj. s.2g.; pl. *várzea-fundenses*
várzea-grandense adj. s.2g.; pl. *várzea-grandenses*
várzea-jenipapeirense adj. s.2g.; pl. *várzea--jenipapeirenses*
varzeanense adj. s.2g.
varzeano adj.
várzea-novense adj. s.2g.; pl. *várzea-novenses*
várzea-palmense adj. s.2g.; pl. *várzea-palmenses*
várzea-paulistense adj. s.2g.; pl. *várzea-paulistenses*
várzea-pocense adj. s.2g.; pl. *várzea-pocenses*
varzeariense adj. s.2g.
varzedense adj. s.2g.
varzedo (*ê*) s.m.
varzeense adj. s.2g.
varzeiro s.m.
varzelandense adj. s.2g.
varzelandiense adj. s.2g.
varzelandino adj. s.m.
várzeo s.m.
varziano adj. s.m.
varzinhense adj. s.2g.
varzino adj. s.m.
vasa s.f. "lodo"; cf. *vaza* s.f. e fl. do v. *vazar*
vasal adj.2g.
vasalgia s.f.
vasaréu s.m.
vasário s.m.
vasata adj. s.2g.
vasate adj. s.2g.
vasático adj.
vasca s.f.
vascado adj.
vascaíno adj. s.m.
vascão adj. s.m.
vascar v.
vascas s.f.pl.
vasco adj. s.m.
vascófilo adj. s.m.
vascolejado adj.
vascolejador (*ô*) adj. s.m.
vascolejamento s.m.
vascolejar v.
vascolejo (*ê*) s.m.
vasconçado adj.
vasconceado adj.
vasconcear v.
vasconcelense adj. s.2g.
vasconço adj. s.m.
vascongado adj. s.m.
vascônio adj. s.m.
vascoso (*ô*) adj.; f. (*ó*); pl. (*ó*)
vascuense adj. s.2g.
vascuenso adj. s.m.
vascular adj.2g.
vascularidade s.f.
vascularite s.f.
vascularização s.f.
vascularizado adj.
vascularizar v.
vasculatura s.f.
vasculhadeira s.f.
vasculhadela s.f.
vasculhado adj.
vasculhador (*ô*) s.m.
vasculhar v.
vasculho s.m.
vasculífero adj.
vasculite s.f.
vasculítico adj.
vasculização s.f.
vasculizado adj.
vasculizador (*ô*) adj.
vasculizar v.
vasculogênese s.f.
vasculolinfático adj.
vasculomotor (*ô*) adj.
vasculonervoso (*ô*) adj.; f. (*ó*); pl. (*ó*)
vasculose s.f.
vasculoso (*ô*) adj.; f. (*ó*); pl. (*ó*)
vasculossanguíneo (*u* ou *ü*) adj.
vasectomia s.f.
vasectômico adj.
vaseirão s.m.; f. *vaseirona*
vaseiro adj. s.m.
vaseirona s.f. de *vaseirão*
vasélia s.f.
vaselina s.f. s.2g.
vaselinado adj.
vaselinar v.
vaselinoma s.m.
vasento adj.
vasestimulante adj.2g.
vasicina s.f.
vasícola adj.2g. s.m.
vasiconstrição s.f.
vasículo s.m.
vasiduto s.m.
vasiense adj. s.2g.
vasiforme adj.2g.
vasilha s.f.
vasilhame s.m.
vasilheiro s.m.
vasilho s.m.
vasimotor (*ô*) adj. s.m.
vasinibidor (*ô*) adj. s.m.
vasipertônico adj.
vasipnótico adj.
vasipotônico adj.
vasita s.f.
vasite s.f.
vasiúdo adj.
vasiveia (*é*) s.f.
vaso s.m.
vasoativabilidade s.f.
vasoativação s.f.
vasoativador (*ô*) adj.
vasoativante adj.2g.
vasoativar v.
vasoativável adj.2g.
vasoatividade s.f.
vasoativo adj.
vasoconstrição s.f.
vasoconstricção s.f.
vasoconstricto adj.
vasoconstrictor (*ô*) adj. s.m.
vasoconstringir v.
vasoconstritina s.f.
vasoconstrito adj.
vasoconstritor (*ô*) adj. s.m.
vasodentina s.f.
vasodilatabilidade s.f.
vasodilatação s.f.
vasodilatador (*ô*) adj. s.m.
vasodilatante adj.2g.
vasodilatar v.
vasodilatativo adj.
vasodilatável adj.2g.
vasodilatina s.f.
vasoformador (*ô*) adj.
vasoformativo adj.
vasogênio s.m.
vaso-hipertônico adj.
vaso-hipotônico adj.
vasoipertônico adj.
vasoipotônico adj.
vasol s.m.
vasoligadura s.f.
vasomobilidade s.f.
vasomoção s.f.
vasomotividade s.f.
vasomotivo adj.
vasomotor (*ô*) adj.; f. *vasomotriz*
vasomotricidade s.f.
vasomotriz adj.; f. de *vasomotor* (*ô*)
vasomóvel adj.2g.
vasomover v.
vasoneuropatia s.f.
vasoneuropático adj.
vasoneurose s.f.
vasoneurótico adj.
vasoparesia s.f.
vasoparético adj.
vasoplegia s.f.
vasoplégico adj.
vasopressina s.f.
vasopressínico adj.
vasopressor (*ô*) adj. s.m.
vasoso (*ô*) adj.; f. (*ó*); pl. (*ó*)
vasospasmo s.m.
vasossensitivo adj.
vasostimulante adj.2g.
vasotomia s.f.
vasotômico adj.
vasótribo s.m.
vasotripsia s.f.
vasotrófico adj.
vasovagal adj.2g.
vasovasostomia s.f.
vasovasostômico adj.
vasovesiculectomia s.f.
vasovesiculectômico adj.
vasqueado adj.
vasquear v.
vasqueiro adj.
vasquejado adj.
vasquejante adj.2g.
vasquejar v.
vasquejo (*ê*) s.m.
vasquesense adj. s.2g.
vasquilha s.f.
vasquim s.m.
vasquinha s.f.
vasrássana s.m.
vasroli s.m.
vasroliássana s.m.
vasrolimudrá s.m.
vassá s.m.
vassalagem s.f.
vassalar v.
vassalaria s.f.
vassalático adj.
vassalidade s.f.
vassalismo s.m.
vassalo adj. s.m.
vasseia (*é*) adj. s.f. de *vasseu*
vásseo adj. s.m.
vasseu adj. s.m.; f. *vasseia* (é)
vassoira s.f.
vassoira-branca s.f.; pl. *vassoiras-brancas*
vassoirada s.f.
vassoira-de-bruxa s.f.; pl. *vassoiras-de-bruxa*
vassoira-de-feiticeira s.f.; pl. *vassoiras-de-feiticeira*
vassoira-de-ferro s.f.; pl. *vassoiras-de-ferro*
vassoira-do-campo s.f.; pl. *vassoiras-do-campo*
vassoira-do-forno s.f.; pl. *vassoiras-do-forno*
vassoiral s.m.
vassoirão s.m.
vassoira-preta s.f.; pl. *vassoiras-pretas*
vassoirar v.
vassoira-vermelha s.f.; pl. *vassoiras-vermelhas*
vassoireira s.f.
vassoireiro s.m.
vassoirinha s.f.
vassoirinha-alegre s.f.; pl. *vassoirinhas-alegres*
vassoirinha-d'água s.f.; pl. *vassoirinhas-d'água*
vassoirinha-de-botão s.f.; pl. *vassoirinhas-de-botão*
vassoirinha-de-relógio s.f.; pl. *vassoirinhas-de-relógio*
vassoirinha-de-varrer s.f.; pl. *vassoirinhas-de-varrer*
vassoirinha-do-brejo s.f.; pl. *vassoirinhas-do-brejo*
vassoirinha-do-mato s.f.; pl. *vassoirinhas-do-mato*
vassoirinha-miúda s.f.; pl. *vassoirinhas-miúdas*
vassoirinha-vermelha s.f.; pl. *vassoirinhas-vermelhas*
vassoiro s.m.
vassoirudo adj.
vassoura s.f.
vassoura-branca s.f.; pl. *vassouras-brancas*
vassourada s.f.
vassoura-das-feiticeiras s.f.; pl. *vassouras-das-feiticeiras*
vassoura de bruxa s.f. "doença dos cacaueiros"
vassoura-de-bruxa s.f.; "fungo"; pl. *vassouras-de-bruxa*
vassoura de feiticeira s.f. "o mesmo que vassoura de bruxa"; cf. *vassoura-de-feiticeira*
vassoura-de-feiticeira s.f. "fungo"; pl. *vassouras-de-feiticeira*; cf. *vassoura de feiticeira*
vassoura-de-ferro s.f.; pl. *vassouras-de-ferro*
vassoura-do-campo s.f.; pl. *vassouras-do-campo*
vassoura-do-forno s.f.; pl. *vassouras-do-forno*
vassoural s.m.
vassouralense adj. s.2g.
vassourão s.m.
vassoura-preta s.f.; pl. *vassouras-pretas*
vassourar v.
vassouraria s.f.
vassoura-vermelha s.f.; pl. *vassouras-vermelhas*
vassoureira s.f.
vassoureiro s.m.
vassourense adj. s.2g.
vassourinha s.f.
vassourinha-alegre s.f.; pl. *vassourinhas-alegres*
vassourinha-d'água s.f.; pl. *vassourinhas-d'água*
vassourinha-de-botão s.f.; pl. *vassourinhas-de-botão*
vassourinha-de-relógio s.f.; pl. *vassourinhas-de-relógio*
vassourinha-de-varrer s.f.; pl. *vassourinhas-de-varrer*
vassourinha-do-brejo s.f.; pl. *vassourinhas-do-brejo*
vassourinha-doce s.f.; pl. *vassourinhas-doces*
vassourinha-do-mato s.f.; pl. *vassourinhas-do-mato*
vassourinha-miúda s.f.; pl. *vassourinhas-miúdas*
vassourinha-vermelha s.f.; pl. *vassourinhas-vermelhas*
vassouro s.m.
vassourudo adj.
vasta s.f.
vastação s.f.
vastado adj.
vastador (*ô*) adj. s.m.
vastar v.
vastense adj. s.2g.
vasteza (*ê*) s.f.
vastidão s.f.
vasto adj.
vata s.m.
vataireópsis s.2g.2n.
vatalhão s.m.
vatapá s.m.
vatapásico adj.
vatapi s.m.
vatapu s.m.
vate s.2g.
vatel s.m.
vateliano adj.
vatéria s.f.
vateriano adj.
vaterilita s.f.
vaterilite s.f.
vaterita s.f.
vaterladiano adj. s.m.
vatevilita s.f.

vatevilite s.f.
vática s.f.
vaticanismo s.m.
vaticanista adj. s.2g.
vaticano s.m.
vaticinação s.f.
vaticinado adj.
vaticinador (*ô*) adj. s.m.
vaticinante adj.2g.
vaticinar v.
vaticinável adj.2g.
vaticínio s.m.
vaticino adj. s.m.
vático adj.
vatídico adj.
vatímetro s.m.
vatíneo s.m.
vatinga s.f.
vátio s.m.
vátio-hora s.m.; pl. *vátios-hora* e *vátios-horas*
vatiômetro s.m.
vatricoso (*ô*) adj.; f. (*ó*); pl. (*ó*)
vátua adj. s.2g.
vatuate adj. s.2g.
vatúsico adj.
vau s.m.
vau-açuense adj. s.2g.; pl. *vau-açuenses*
vauclusiano adj. s.m.
vaudense adj. s.2g.
vaudevile (*vo*) s.m.
vaudevilesco (*vo...ê*) adj.
vaudevilista (*vo*) adj. s.2g.
vauense adj. s.2g.
vau-novense adj. s.2g.; pl. *vau-novenses*
vaupélia s.f.
vauquelina s.f.
vauquelínia s.f.
vauquelinita s.f.
vauquéria s.f.
vauqueriácea s.f.
vauqueriáceo adj.
vaurá adj. s.2g.
vautompsomiídeo adj. s.m.
vautompsônia s.f.
vauxita s.f.
vauxite s.f.
vauzinhense adj. s.2g.
vava s.f.
vavassalo s.m.
vá-vá-vá s.m.; pl. *vá-vá-vás*
vavelita s.f.
vavelite s.f.
vavucar v.
vavuco s.m.
vaxelo s.m.
vayrynenita s.f.
vaza s.f. "lance de baralho", etc.; cf. *vasa*
vaza-barris s.m.2n.
vazada s.f.
vazadeira s.f.
vazadiço adj.
vazado adj.
vazadoiro s.m.
vazador (*ô*) adj. s.m.
vazadouro s.m.
vazadura s.f.
vaza-maré s.m.; pl. *vaza-marés*
vazamento s.m.
vazamorense adj. s.2g.
vazante adj.2g. s.f.
vazanteiro s.m.
vazantense adj. s.2g.
vazantino adj. s.m.
vazão s.f.
vazar v.
vazeia (*é*) s.f.
vazeirão adj. s.m.
vazeiro s.m.
vazia s.f.
vaziado adj.
vaziador (*ô*) adj.
vaziamento s.m.
vaziar v.
vaziez (*ê*) s.f.
vazimba adj. s.2g.
vazio adj. s.m.
vaziúdo adj.
vazlandense adj. s.2g.
vazlandiense adj. s.2g.
vê s.m.
veação s.f. "caçada", etc.; cf. *viação*
veada s.f.
veadagem s.f.
veadeira s.f.
veadeirense adj. s.2g.
veadeiro s.m.
veadeiro-mestre s.m.; pl. *veadeiros-mestres*
veadense adj. s.2g.
veadinhense adj. s.2g.
veadinho s.m.
veado s.m. "animal"; cf. *viado*
veado-bororó s.m.; pl. *veados-bororó* e *veados-bororós*
veado-branco s.m.; pl. *veados-brancos*
veado-camocica s.m.; pl. *veados-camocica* e *veados-camocicas*
veado-campeiro s.m.; pl. *veados-campeiros*
veado-canela s.m.; pl. *veados-canela* e *veados-canelas*
veado-caracu s.m.; pl. *veados-caracu* e *veados-caracus*
veado-cariacu s.m.; pl. *veados-cariacu* e *veados-cariacus*
veado-catingueiro s.m.; pl. *veados-catingueiros*
veado-de-virgínia s.m.; pl. *veados-de-virgínia*
veado-do-cabo s.m.; pl. *veados-do-cabo*
veado-do-mangue s.m.; pl. *veados-do-mangue*
veado do mato s.m.
veado-foboca s.m.; pl. *veados-foboca* e *veados-fobocas*
veado-galheiro s.m.; pl. *veados-galheiros*
veado-galheiro-do-norte s.m.; pl. *veados-galheiros-do-norte*
veado-garapu s.m.; pl. *veados-garapu* e *veados-garapus*
veado-guatapará s.m.; pl. *veados-guatapará* e *veados-guataparás*
veado-mão-curta s.m.; pl. *veados-mãos-curtas*
veado-mateiro s.m.; pl. *veados-mateiros*
veado-negro s.m.; pl. *veados-negros*
veado-pardo s.m.; pl. *veados-pardos*
veador (*ô*) s.m. "caçador", etc.; cf. *viador* (*ô*)
veado-roxo s.m.; pl. *veados-roxos*
veado-suaçutinga s.m.; pl. *veados-suaçutinga* e *veados-suaçutingas*
veado-vermelho s.m.; pl. *veados-vermelhos*
veado-virá s.m.; pl. *veados-virá* e *veados-virás*
vealdiano adj. s.m.
veamino adj. s.m.
vearia s.f.
veba s.m.
vecejante adj.2g.
vecejar v.
vecejo (*ê*) s.m.
vectação s.f.
vectão adj. s.m.
vectatório adj.
vectigal s.m.
vectissauro s.m.
vectocardiografia s.f.
vectocardiográfico adj.
vectocardiograma s.m.
vectografia s.f.
vectógrafo s.m.
vectograma s.m.
vector (*ô*) adj. s.m.
vectorcardiografia s.f.
vectorcardiográfico adj.
vectorcardiograma s.m.
vectorgrafia s.f.
vectorial adj.
vectorialista s.2g.
vectórico adj.
vectriz s.f.
vecturião adj. s.m.
vecunoso (*ô*) adj.; f. (*ó*); pl. (*ó*)
veda s.f. "os quatro livros religiosos hinduístas"; cf. *vedá*
vedá adj. s.2g. "povo do Sri Lanka"; cf. *veda* s.f. e fl. do v. *vedar*
vedação s.f.
vedado adj. s.m.
vedador (*ô*) adj. s.m.
vedaico adj.
vedal s.m.
vedalha s.f.
vedália s.f.
veda-luz s.m.; pl. *veda-luzes*
vedanga s.m.
vedanta adj. s.2g. s.m.
vedante adj. s.2g.
vedântico adj.
vedantino adj.
vedantismo s.m.
vedantista adj. s.2g.
vedantístico adj.
vedar v.
vedas s.m.pl.
vedável adj.2g.
vedeta s.f. "vedete"; cf. *vedeta* (*ê*)
vedeta (*ê*) s.m. "guarita para vigia"; cf. *vedeta*
vedeta-da-praia s.f.; pl. *vedetas-da-praia*
vedeta-torpedeira s.f.; pl. *vedetas-torpedeiras*
vedete s.f.
vedetismo s.m.
vediâncio adj. s.m.
vediantino adj. s.m.
védico adj.
vedismo s.m.
vedista s.2g.
vedístico adj.
vedo s.m. "árvore-dos-pagodes"; cf. *vedo* (*ê*)
vedo (*ê*) s.m. "tapume"; cf. *vedo* s.m. e fl. do v. *vedar*
vedoia (*ó*) s.m.
vedoide (*ó*) adj.2g.
vedonho (*ô*) s.m.
vedor (*ô*) adj. s.m.
vedor-geral s.m.; pl. *vedores-gerais*
vedoria s.f.
vedoria-geral s.f.; pl. *vedorias-gerais*
vedro adj. s.m.
vedro-castelhano adj. s.m.; pl. *vedro-castelhanos*
veeiro s.m.
veelerita s.f.
veeme s.f.
veemência s.f.
veemente adj.2g.
veementizado adj.
veementizar v.
veêmico adj.
vegado adj.
vegetabilidade s.f.
vegetabilismo s.m.
vegetação s.f.
vegetacional adj.2g.
vegetal adj.2g. s.m.
vegetálculo s.m.
vegetaliano adj.
vegetalidade s.f.
vegetaliforme adj.2g.
vegetalina s.f.
vegetalino adj.
vegetalismo s.m.
vegetalista adj. s.2g.
vegetalização s.f.
vegetalizado adj.
vegetalizante adj.2g.
vegetalizar v.
vegetanimal adj.2g.
vegetante adj.2g.
vegetar v.
vegetarianismo s.m.
vegetarianista adj.2g.
vegetariano adj. s.m.
vegetário s.m.
vegetarismo s.m.
vegetarista adj. s.2g.
vegetativo adj. s.m.
vegetável adj.2g.
vegete (*gê*) s.m.
vegetívoro adj.
végeto adj.; cf. *vegeto*, fl. do v. *vegetar*
vegetoalcaloide (*ó*) s.m.
vegetoanimal adj.2g.
vegetomineral adj.2g.
vegetoso (*ô*) adj.; f. (*ó*); pl. (*ó*)
vei s.m.
veia s.f.
veiado adj.
veiar v.
veiculação s.f.
veiculado adj.
veiculador (*ô*) adj. s.m.
veicular v. adj.2g.
veículo s.m.; cf. *veiculo*, fl. do v. *veicular*
veieira s.f.
veientano adj. s.m.
veiente adj. s.2g.
veientino adj. s.m.
veiga s.f.
veigal s.m.
veiguense adj. s.2g.
veilonela s.f.
veimarense adj. s.2g.
veinulado adj.
veio s.m.
veiquibari s.m.
veirado adj. s.m.
veirense adj. s.2g.
veiro s.m.
veissigita s.f.
veissigite s.f.
veiudo (*ú*) adj.
veja s.f.
vejeira s.f.
vejentano adj. s.m.
vejente adj. s.2g. "povo"; cf. *vigente*
vejete (*jê*) s.m.
vejovídeo adj. s.m.
vejóvis s.m.2n.
vela s.f. "círio", etc.; cf. *velá*
velá s.m. "árvore da família das araliáceas"; cf. *vela* s.f. e fl. do v. *velar*
velabrense adj. s.2g.
velábrum s.m.
velação s.f.
velacho s.m.
velada s.f.
vela-de-pureza s.f.; pl. *velas-de-pureza*
velado adj.
velador (*ô*) adj. s.m.
veladura s.f.
vela-enfeitada s.f.; pl. *velas-enfeitadas*
vela-luz s.f.; pl. *velas-luz* e *velas-luzes*
velame s.m.
velame-branco s.m.; pl. *velames-brancos*
velame-bravo s.m.; pl. *velames-bravos*
velame-do-campo s.m.; pl. *velames-do-campo*
velame-do-campo-de-minas s.m.; pl. *velames-do-campo-de-minas*
velame-do-cerrado s.m.; pl. *velames-do-cerrado*
velame-do-mato s.m.; pl. *velames-do-mato*
velame-do-rio-grande s.m.; pl. *velames-do-rio-grande*
velame-metro s.m.; pl. *velames-metro* e *velames-metros*
velame-miúdo s.m.; pl. *velames-miúdos*
velâmen s.m.
velamento s.m.
velamentoso (*ô*) adj.; f. (*ó*); pl. (*ó*)
velame-preto s.m.; pl. *velames-pretos*
velame-trepador s.m.; pl. *velames-trepadores*
velame-verdadeiro s.m.; pl. *velames-verdadeiros*
velaminar adj.2g.
velança s.f.
velaneda s.f.
velanense adj. s.2g.
velani s.m.
velaniense adj. s.2g.
vela-nova s.f.; pl. *velas-novas*
velante adj.2g. s.m.
vela-pé s.f.; pl. *vela-pés*
velar v. adj.2g. s.f.
velardenhita s.f.
velardenita s.f.
velardeñita s.f.
velaria s.f. "estaleiro"; cf. *velária*
velária s.f. "curva"; cf. *velaria* s.f. e fl. do v. *velar*
velarina s.f.
velarinho s.m.
velário s.m.
velarização s.f.
velarizado adj.
velarizar v.
velatura s.f.
velauno adj. s.m.
velavo adj. s.m.
velazquiano adj.
vele s.m.
vélea s.f. "planta"; cf. *vélia*
veleação s.f.
veleado adj.
veleador (*ô*) adj. s.m.
veleamento s.m.
velear v.
veleia (*é*) s.f.
veleidade s.f.
veleidoso (*ô*) adj.; f. (*ó*); pl. (*ó*)
veleira s.f.
veleiro adj. s.m.
velejado adj.
velejador (*ô*) adj. s.m.
velejante adj. s.2g.
velejar v.
velejate adj. s.2g.
velejável adj.2g.
velejo (*ê*) s.m.
velela s.m.
velelídeo adj. s.m.
velenho s.m.
velense adj.2g.
velericórneo s.m.
velerita s.f.
velerite s.f.
veleta (*ê*) s.f. "cata-vento"; cf. *vileta* (*ê*)
velete (*ê*) adj. s.2g.
veletina s.f.
veleto (*ê*) adj. s.m.
velézia s.f.
velha s.f.
velha-boipebense adj. s.2g.; pl. *velha-boipebenses*
velhacaço adj. s.m.
velhacada s.f.
velhacagem s.f.
velhacão adj. s.m.; f. *velhacona*
velhacap s.f.
velhacar v.
velhacaria s.f.
velhaças s.m.2n.
velhacaz s.m.
velhaco adj. s.m.
velhacona adj. s.f. de *velhacão*
velhacório s.m.
velhada s.f.
velhancão adj. s.m.; f. de *velhancona*
velhancaria s.f.
velhancona adj. s.f. de *velhancão*

velhão adj. s.m.; f. *velhona*
velhaqueado adj.
velhaqueadoiro s.m.
velhaqueador (ô) adj.
velhaqueadouro s.m.
velhaquear v.
velhaquesco (ê) adj.
velhaqueto (ê) adj. s.m.
velhaquez (ê) s.f.
velharaco s.m.
velharia s.f.
velharico s.m.
velharusco adj.
velheira s.f.
velhentado adj.
velhez (ê) s.f.
velhice s.f.
velhinha s.f.
velhinho adj. s.m.
velho adj. s.m.
velho-católico adj. s.m.; pl. *velhos-católicos*
velho-crente adj. s.m.; pl. *velhos-crentes*
velho e relho adj. s.m.
velhona adj. s.f. de *velhão*
velhongra s.f.
velhori adj.2g.
velhorro (ô) adj. s.m.
velhota adj. s.f. de *velhote*
velhotazita s.f.
velhote adj. s.m.; f. *velhota*
velhoto (ô) s.m.
velhusco adj. s.m.
velhustro adj. s.m.
vélia s.f. "inseto"; cf. *vélea*
velicação s.f.
velicar v.
velicativo adj.
vélida adj.2g. s.m.
velídeo adj. s.m.
velido adj.
veliense adj.
velífero adj. s.m.
veliforme adj.2g.
véliger s.2g.
velígero adj.
veligóstico adj.
velíida adj.2g. s.m.
veliídeo adj. s.m.
velilho s.m.
velinha s.f.
velino adj. s.m.
veliocasse adj. s.2g.
velípara s.f.
veliqueiro adj.
velisca s.f.
vélite s.m.
veliterno adj. s.m.
velitrino adj. s.m.
velívago adj.
velívolo adj.
vellózia s.f.
velloziácea s.f.
velloziáceo adj.
velloziale s.f.
velo s.m.
velocasse adj. s.2g.
veloce adj.2g.
velocidade s.f.
velocídromo s.m.
velocífero adj.
velocígrafo s.m.
velocímano s.m.
velocimetria s.f.
velocímetro s.m.
velocino s.m.
velocípede adj.2g. s.m.
velocipédico adj.
velocipedismo s.m.
velocipedista adj. s.2g.
velocíssimo adj. sup. de *veloz*
veloclube s.m.
veloclubismo s.m.
veloclubista adj. s.2g.
velodrômico adj.
velódromo s.m.
velofaringal adj.2g.
velofaríngeo adj.
velófila s.f.
velógrafo s.m.
velogutural adj.2g.
velomotor (ô) s.m.
velon s.m.
velopalatino adj.
velório s.m.
velósia s.f.
velosiácea s.f.
velosiáceo adj.
velosidade s.f.
velosiela s.f.
velosina s.f.
veloso (ô) adj.; f. (ó); pl. (ó)
velosporte s.m.
velosportivo adj.
velossíntese s.f.
veloveículo s.m.
veloz adj.2g.
velózia s.f.
veloziácea s.f.
veloziáceo adj.
veloziale s.f.
velta s.f.
veltêimia s.f.
veludado adj.
veludar v.
veludaria s.f.
veludeiro s.m.
veludilho s.m.
veludina s.f.
veludíneo adj.
veludinha s.f.
veludinho s.m.
veludo adj. s.m.
veludo-branco s.m.; pl. *veludos-brancos*
veludo-de-penca s.m.; pl. *veludos-de-penca*
veludosidade s.f.
veludoso (ô) adj.; f. (ó); pl. (ó)
veludo-vermelho s.m.; pl. *veludos-vermelhos*
vélum s.m.
velutado adj.
velutar v.
velutiforme adj.2g.
velutina s.f.
velutíneo adj.
velvético adj.
velvetina s.f.
vem-cá s.m.2n.
vem cá siriri s.m.2n.
vemeliano s.m.
vem-vem s.m.; pl. *vem-vens*
venablo s.m.
venábulo s.m.
venação s.f.
venado adj. s.m.
venador (ô) s.m.
venafrano adj. s.m.
venal adj.2g.
venaliciário s.m.
venalidade s.f.
venalismo s.m.
venalista adj.2g.
venalização s.f.
venalizado adj.
venalizador (ô) adj.
venalizante adj.2g.
venalizar v.
venalizável adj.2g.
venamo adj. s.m.
venanciense adj. s.2g.
venâncio-airense adj. s.2g.; pl. *venâncio-airenses*
venanzito s.m.
venário s.m.
venasquita s.f.
venasquite s.f.
venatória s.f.
venatório adj.
venatura s.f.
vencedor (ô) adj. s.m.
vencelhado adj.
vencelhar v.
vencelho (ê) s.m.
vencer v.
venceslau-brasense adj. s.2g.; pl. *venceslau-brasenses*
venceslauense adj. s.2g.
venceslauzense adj. s.2g.
vencibilidade s.f.
vencida s.f.
vencido adj. s.m.
vencilho s.m.
vencimento s.m.
vencimentos s.m.pl.
vencitiva s.f.
vencível adj.2g.
venda s.f.
vendabilidade s.f.
vendado adj.
vendador (ô) adj. s.m.
venda-florense adj. s.2g.; pl. *venda-florenses*
vendagem s.f.
venda-grandense adj. s.2g.; pl. *venda-grandenses*
venda-novense adj. s.2g.; pl. *venda-novenses*
vendar v.
vendaval s.m.
vendável adj.2g.
vende s.m.
vendeano adj. s.m.
vendedeira s.f.
vendedoiro s.m.
vendedor (ô) adj. s.m.
vendedora (ô) s.f.
vendedouro s.m.
vendeense adj. s.2g.
vendeiro s.m.
vendelhão s.m.
vendemiário s.m.
vendense adj. s.2g.
vender v.
vendeta (ê) s.f.
vendíbil adj.2g.
vendibilidade s.f.
vendição s.f.
vendiço adj. s.m.
vêndico adj. s.m.
vendidiço adj.
vendido adj. s.m.
vendilhão s.m.; f. *vendilhona* e *vendilhoa* (ô)
vendilhoa (ô) adj. s.f. de *vendilhão*
vendilhona adj. s.f. de *vendilhão*
vendimento s.m.
vendista s.m.
vendível adj.2g.
vendo adj. s.m.
vendola s.f.
vendos s.m.pl.
veneciano adj. s.m.
vênedo adj. s.m.
venéfica s.f.
veneficado adj.
veneficar v.
veneficiado adj.
veneficiar v.
venefício s.m.; cf. *veneficio*, fl. do *v. veneficiar*
venéfico adj.
venelo adj. s.m.
venenar v.
venenense adj. s.2g.
venenífero adj.
venenífico adj.
veneníparo adj.
veneno adj. s.m.
veneno-de-porco s.m.; pl. *venenos-de-porco*
venenosidade s.f.
venenoso (ô) adj.; f. (ó); pl. (ó)
venense adj. s.2g.
venera s.f.
venerábil adj.2g.
venerabilidade s.f.
venerabilíssimo adj. sup. de *venerável*
venerabundo adj.
veneração s.f.
venerácea s.f.
venerado adj.
venerador (ô) adj. s.m.
venerais s.f.pl.
veneral adj.2g.
veneralato s.m.
venerando adj.
venerar v.
venerário adj.
venerável adj.2g. s.m.
venéreo adj. s.m.
venereofobia s.f.
venereofóbico adj.
venereófobo adj. s.m.
venereologia s.f.
venereológico adj.
venereologista adj. s.2g.
venereólogo s.m.
venereopatia s.f.
venereopático adj.
venericárdia s.f.
venerídeo adj. s.m.
veneríneo s.m.
venerita s.f.
venerite s.f.
venerito s.m.
vênero adj.; cf. *venero*, fl. do v. *venerar*
veneroso (ô) adj.; f. (ó); pl. (ó)
venerúpis s.m.2n.
veneta (ê) s.f.
venetense adj. s.2g.
venético adj. s.m.
vêneto adj. s.m.
venetulano adj. s.m.
venezara s.m.
venezense adj. s.2g.
veneziana s.f.
venezianeira s.f.
veneziano adj. s.m.
venezolanismo s.m.
venezolanista adj.2g.
venezolano adj.
venezuelano adj. s.m.
venha a mim s.m.2n.
venha a nós s.m.2n.
vênia s.f.
veniaga s.f.
veniagador (ô) adj. s.m.
veniagar v.
venial adj.2g.
venialidade s.f.
venializado adj.
venializar v.
venida s.f.
venídio s.m.
venifício s.m.
venífluo adj.
venipunctura s.f.
venipuntura s.f.
venissecção s.f.
venizelismo s.m.
venizelista adj. s.2g.
venloquiano s.m.
venoconstrição s.f.
venoconstricção s.f.
venoconstrictor (ô) adj.
venoconstritor (ô) adj.
venocontração s.f.
venografia s.f.
venomérico adj.
venômero s.m.
venonete adj. s.2g.
venopressão s.f.
venopressor (ô) adj.
venosidade s.f.
venoso (ô) adj.; f. (ó); pl. (ó) "relativo a veias"; cf. *vinoso* (ô)
venoste adj. s.2g.
venromedial adj.2g.
venta s.f. "cada um dos orifícios do nariz"; cf. *ventã*
ventã s.f. "vesícula cheia de ar"; cf. *venta* s.f. e fl. do v. *ventar*
ventado adj.
venta-furada adj. s.2g.; pl. *ventas-furadas*
ventagem s.f.
ventalha s.f.
ventana adj. s.2g. s.f.
ventanado adj.
ventanário s.m.
ventaneado adj.
ventanear v.
ventaneira s.f.
ventaneiro adj. s.m.
ventanejar v.
ventania adj. s.2g. s.f.
ventaniense adj. s.2g.
ventanilha s.f.
ventanio adj.
ventanista adj. s.2g.
ventante adj.2g.
ventão s.m.
ventapopa (ô) adv.
ventar v.
venta-rasgada adj. s.2g.; pl. *ventas-rasgadas*
ventarola s.f.
ventarrão s.m.
ventas s.f.pl.
vente adj.2g.
venteada s.f.
ventear v.
venteira s.f.
ventejar v.
ventena adj. s.2g.
ventiela s.f.
ventifáctico adj.
ventifacto s.m.
ventifactor (ô) adj.
ventifactura s.f.
ventifático adj.
ventifato s.m.
ventifator (ô) adj.
ventifatura s.f.
ventifeito adj.
ventifeitura s.f.
ventígeno adj.
ventilabro s.m.
ventilação s.f.
ventilado adj. s.m.
ventilador (ô) adj. s.m.
ventilagem s.f.
ventilagina s.f.
ventilagínea s.f.
ventilago s.f.
ventilante adj.2g.
ventilar v.
ventilativo adj.
ventilável adj.2g.
ventilocalórico adj.
ventisca s.f.
ventisco s.m.
ventiscoso (ô) adj.; f. (ó); pl. (ó)
ventisqueiro s.m.
vento s.m. "ar atmosférico em movimento"; cf. *ventó*
ventó s.m. "móvel antigo"; cf. *vento*
ventoinha s.f.
ventoinhar v.
ventoinheiro adj.
ventoirinho s.m.
vento-leste s.m.; pl. *ventos-lestes*
ventona-da-várzea s.f.; pl. *ventonas-da-várzea*
ventoninho s.m.
ventor (ô) s.m.
ventoreiro adj.
ventosa s.f.
ventosado adj.
ventosar v.
ventosidade s.f.
ventoso (ô) adj. s.m.; f. (ó); pl. (ó)
vento-virado s.m.; pl. *ventos-virados*
ventrada s.f.
ventral adj.2g.
ventrapi s.m.
ventre s.m.
ventre ao sol s.m.
ventrecha (ê) s.f.
ventresca s.f.
ventribojar v.
ventrícola adj.2g.
ventricoso (ô) adj.; f. (ó); pl. (ó)
ventricular adj.2g.
ventriculectomia s.f.
ventriculectômico adj.
ventriculite s.f.
ventriculítico adj.
ventrículo s.m.
ventriculocardíaco adj.

ventriculografabilidade s.f.
ventriculografação s.f.
ventriculografar v.
ventriculografável adj.2g.
ventriculografia s.f.
ventriculográfico adj.
ventriculógrafo adj. s.m.; cf. *ventriculografo*, fl. do v. *ventriculografar*
ventriculograma s.m.
ventriculopulmonar adj.2g. s.m.
ventridorsal adj.2g.
ventrifixação (*cs*) s.f.
ventril s.m.
ventrilavado adj.
ventrilha s.f.
ventrilho s.m.
ventriloquia s.f.
ventriloquismo s.m.
ventriloquista adj. s.2g.
ventríloquo (*quo* ou *co*) adj. s.m.
ventripotência s.f.
ventripotente adj.2g.
ventrisca s.f.
ventrofixação (*cs*) s.f.
ventrolateral adj.2g.
ventromedial adj.2g.
ventroscopia s.f.
ventrosidade s.f.
ventroso (*ô*) adj.; f. (*ó*); pl. (*ó*)
ventrudo adj.
ventrulho s.m.
ventrusidade s.f.
ventudo adj.
ventura s.f.
venturança s.f.
venturão adj. s.m.
ventureiro adj. s.m.
venturense adj. s.2g.
venturi s.m.
ventúria s.f.
venturina s.f.
venturo adj.
venturosense adj. s.2g.
venturoso (*ô*) adj.; f. (*ó*); pl. (*ó*)
ventusa s.f.
venucosidade s.f.
venucoso (*ô*) adj.; f. (*ó*); pl. (*ó*)
vênula s.f.
venulado adj.
venusiano adj. s.m.
venusino adj. s.m.
venúsio s.m.
venustade s.f.
venustidade s.f.
venusto adj.
vê-oito adj. s.m.; pl. *vê-oitos*
vepre s.f.
vépris s.m.2n.
vepsa s.m.
vequeiro s.m.
ver v. s.m.
vera s.f.
veracepoti s.m.
veracidade s.f.
veracíssimo adj. sup. de *veraz*
vera-cruzano adj. s.m.; pl. *vera-cruzanos*
vera-cruzense adj. s.2g.; pl. *vera-cruzenses*
vera-efígie s.f.; pl. *veras-efígies*
veragrano adj. s.m.
veragro adj. s.m.
veranal adj.2g.
veraneador (*ô*) adj. s.m.
veraneante adj. s.2g.
veranear v.
veraneável adj.2g.
veraneio s.m.
veranense adj. s.2g.
verânia s.m.f.
veranico s.m.
veraniço adj.
veranil adj.2g.
veranista adj. s.2g.
veranito s.m.
veranopolitano adj. s.m.
verantina s.f.
verão s.m.
verãozinho s.m.
verapamila s.f.
verária s.f.
veras s.f.pl.
verascópio s.m.
veratralbina s.f.
veratraldeído s.m.
veratramina s.f.
veratrato s.m.
verátrea s.f.
verátreo adj.
verátrico adj.
veratridina s.f.
veratrina s.f.
veratrinático adj.
veratrinato s.m.
veratrínico adj.
veratrino s.m.
veratro s.m.
veratro-branco s.m.; pl. *veratros-brancos*
veratrol s.m.
veratrólico adj.
veratro-preto s.m.; pl. *veratros-pretos*
veratro-verde s.m.; pl. *veratros-verdes*
veravense adj. s.2g.
veraz adj.2g.
verba s.f.
verbal adj.2g.
verbálico adj.
verbalidade s.f.
verbalismo s.m.
verbalista adj. s.2g.
verbalístico adj.
verbalização s.f.
verbalizado adj.
verbalizador (*ô*) adj.
verbalizar v.
verbalizável adj.2g.
verbascácea s.f.
verbascáceo adj.
verbasco s.m.
verbasco-branco s.m.; pl. *verbascos-brancos*
verbasco-brasileiro s.m.; pl. *verbascos-brasileiros*
verbasco-do-brasil s.m.; pl. *verbascos-do-brasil*
verbasco-pulverulento s.m.; pl. *verbascos-pulverulentos*
verbascose s.f.
verbejar v.
verbena s.f.
verbenácea s.f.
verbenáceo adj.
verbena-cidrada s.f.; pl. *verbenas-cidradas*
verbenado adj.
verbena-falsa s.f.; pl. *verbenas-falsas*
verbenalina s.f.
verbena-odorífera s.f.; pl. *verbenas-odoríferas*
verbena-oficinal s.f.; pl. *verbenas-oficinais*
verbenário s.m.
verbênea s.f.
verbenínea s.f.
verbenol s.f.
verbenona s.f.
verberação s.f.
verberado adj.
verberador (*ô*) adj.
verberamento s.m.
verberante adj.2g.
verberão s.m.
verberar v.
verberativo adj.
verberável adj.2g.
verbesina s.f.
verbesina-da-índia s.f.; pl. *verbesinas-da-índia*
verbesinina s.f.
verbesiníneo adj.
verbetado adj.
verbetar v.
verbete (*ê*) s.m.
verbeteiro s.m.
verbetista adj. s.2g.
verbiagem s.f.
verbígeno adj. s.m.
verbigeração s.f.
verbigrácia adv.
verbo s.m.
verboide (*ó*) adj.2g.
verbomania s.f.
verbomaníaco adj.
verbômano adj. s.m.
verbo-nominal adj.; pl. *verbo-nominais*
verborragia s.f.
verborrágico adj.
verborreia (*é*) s.f.
verborreico (*é*) adj.
verbosidade s.f.
verbosismo s.m.
verboso (*ô*) adj.; f. (*ó*); pl. (*ó*)
verbo-suporte s.m.; pl. *verbos-suporte* e *verbos-suportes*
verbotonal adj.2g.
verça s.f. "couve"; cf. *versa* (*ê*) s.f. e *versa*, fl. do v. *versar*
verça-de-cão s.f.; pl. *verças-de-cão*
verceira s.f.
verceiro adj.
vercelense adj. s.2g.
vercelino adj. s.m.
vercingetórico adj.
verçudo adj. "cheio de folhas"; cf. *versudo*
verdacho adj. s.m.
verdade s.f.
verdadeiro adj. s.m.
verdadura s.f.
verdal adj.2g.
verdão s.m.
verdasca s.f.
verdascada s.f.
verdascado adj.
verdascante adj.2g.
verdascar v.
verdasco adj. s.m.
verde (*ê*) adj.2g. s.m.
verde-abacate adj.2g.2n. s.m.; pl. do s. *verdes-abacate* e *verdes-abacates*
verdeado adj.
verde-água adj.2g.2n. s.m.; pl. do s. *verdes-água* e *verdes-águas*
verdeal adj.2g. s.m.f.
verdeal-branco s.m.; pl. *verdeais-branco* e *verdeais-brancos*
verdeal-cobrançosa s.f.; pl. *verdeais-cobrançosa* e *verdeais-cobrançosas*
verde-alface adj.2g.2n. s.m.; pl. do s. *verdes-alface* e *verdes-alfaces*
verde-alga adj.2g.2n. s.m.; pl. do s. *verdes-alga* e *verdes-algas*
verdeal-quebrançosa s.f.; pl. *verdeais-quebrançosa* e *verdeais-quebrançosas*
verdeal-rija s.f.; pl. *verdeais-rija* e *verdeais-rijas*
verdeal-tinta s.f.; pl. *verdeais-tinta* e *verdeais-tintas*
verde-alvo adj.2g.2n. s.m.; pl. do s. *verdes-alvo* e *verdes-alvos*
verde-amarelismo s.m.; pl. *verde-amarelismos*
verde-amarelista adj. s.2g.; pl. *verde-amarelistas*
verde-amarelístico adj.; pl. *verde-amarelísticos*
verde-amarelo adj. s.m.; pl. do adj. *verde-amarelos*; pl. do s. *verdes-amarelos*
verdear v.
verde-azeitona adj.2g.2n. s.m.; pl. do s. *verdes-azeitona* e *verdes-azeitonas*
verde-azul adj.2g. s.m.; pl. do adj. *verde-azuis*; pl. do s. *verde-azuis* e *verdes-azuis*
verde-bandeira adj.2g.2n. s.m.; pl. do s. *verdes-bandeira* e *verdes-bandeiras*
verde-bexiga s.m.; pl. *verdes-bexiga* e *verdes-bexigas*
verde-bronze adj.2g.2n. s.m.; pl. do s. *verdes-bronze* e *verdes-bronzes*
verdeceledão s.m.
verdeceledônio s.m.
verdecência s.f.
verdecer v.
verde-cinza adj.2g.2n. s.m.; pl. do s. *verdes-cinza* e *verdes-cinzas*
verde-claro adj. s.m.; pl. do adj. *verde-claros*; pl. do s. *verdes-claro* e *verdes-claros*
verde-cré s.m.; pl. *verdes-cré* e *verdes-crés*
verde e amarelo adj. s.m.
verde-escuro adj. s.m.; pl. do adj. *verde-escuros*; pl. do s. *verdes-escuros*
verde-esmeralda adj.2g.2n. s.m.; pl. do s. *verdes-esmeralda* e *verdes-esmeraldas*
verde-flavo adj. s.m.; pl. do adj. *verdes-flavo*; pl. do s. *verdes-flavo* e *verdes-flavos*
verdegado adj.
verde-gai adj.2g.2n. s.m.; pl. do s. *verdes-gai* e *verdes-gais*
verde-gaio adj.2g.2n. s.m.; pl. do s. *verdes-gaio* e *verdes-gaios*
verdegais s.m.2n.
verdegar v.
verde-garrafa adj.2g.2n. s.m.; pl. do s. *verdes-garrafa* e *verdes-garrafas*
verde-guignet s.m.; pl. *verdes-guignet*
verdegulho s.m.
verdeia s.f.
verde-imperial s.m.; pl. *verdes-imperial* e *verdes-imperiais*
verdeio s.m.
verdeiro s.m.
verde-jade adj.2g.2n. s.m.; pl. do s. *verdes-jade* e *verdes-jades*
verdejado adj.
verdejância s.f.
verdejante adj.2g.
verdejantense adj. s.2g.
verdejar v.
verdejo (*ê*) s.m.
verdelha (*ê*) s.f.
verdelhão s.m.
verdelho (*ê*) s.m.
verdelho-feijão s.m.; pl. *verdelhos-feijão* e *verdelhos-feijões*
verde-limo adj.2g.2n. s.m.; pl. do s. *verdes-limo* e *verdes-limos*
verde-limoso adj.2g.2n. s.m.; pl. do s. *verdes-limoso* e *verdes-limosos*
verdelinho s.m.
verdelite s.f.
verdemã s.f.
verde-malva adj.2g.2n. s.m.; pl. do s. *verdes-malva* e *verdes-malvas*
verde-mar adj.2g.2n. s.m.; pl. do s. *verdes-mar* e *verdes-mares*
verdemau s.m.
verde-mineral s.m.; pl. *verdes-mineral* e *verdes-minerais*
verde-montanha adj.2g.2n. s.m.; pl. do s. *verdes-montanha* e *verdes-montanhas*
verde-musgo adj.2g.2n. s.m.; pl. do s. *verdes-musgo* e *verdes-musgos*
verde-negro adj. s.m.; pl. do adj. *verde-negros*; pl. do s. *verdes-negro* e *verdes-negros*
verdengório s.m.
verdense adj. s.2g.
verdento adj.
verde-oliva adj.2g.2n. s.m.; pl. do s. *verdes-oliva* e *verdes-olivas*
verde-paris s.m.; pl. *verdes-paris*
verde-pavão adj.2g.2n. s.m.; pl. do s. *verdes-pavão* e *verdes-pavões*
verde-piscina adj.2g.2n. s.m.; pl. do s. *verdes-piscina* e *verdes-piscinas*
verderol s.m.
verde-rubro adj.; pl. *verde-rubros*
verde-salsa adj.2g.2n. s.m.; pl. do s. *verdes-salsa* e *verdes-salsas*
verdete (*ê*) s.m.
verde-verdete adj.2g.2n. s.m.; pl. do s. *verdes-verdete* e *verdes-verdetes*
verde-viena s.m.; pl. *verdes-viena* e *verdes-vienas*
verde-virgo s.m.; pl. *verdes-virgo* e *verdes-virgos*
verdezelha (*ê*) s.f.
verdiano adj.
verdico adj.
verdidão s.f.
verdilhão s.m.
verdilhento adj.
verdilhote s.m.
verdinhento adj.
verdinzela s.f.
verdisseco (*ê*) adj.
verdito s.m.
verdizel s.m.
verdizela s.f.
verdizelo s.m.
verdoaga s.f.
verdoega s.f.
verdoengo adj.
verdogada s.f.
verdolengo adj.
verdor (*ô*) s.m.
verdoso (*ô*) adj.; f. (*ó*); pl. (*ó*)
verdote adj.
verdugada s.f.
verdugadim s.m.
verdugal s.m.
verdugão s.m.
verdugo s.m.
verduguilho s.m.
verdum s.m.
verdume s.m.
verdunense adj.2g.
verdunização s.f.
verdunizado adj.
verdunizar v.
verdura s.f.
verdureiro s.m.
verdurengo adj.
verduroso (*ô*) adj.; f. (*ó*); pl. (*ó*)
vereação s.f.
vereado adj.
vereador (*ô*) s.m.
vereamento s.m.
vereança s.f.
verear v.
verecúndia s.f.
verecundo adj.
vereda (*ê*) s.f.
vereda-grandense adj. s.2g.; pl. *vereda-grandenses*
vereda-matense adj. s.2g.; pl. *vereda-matenses*
vereda-meense adj. s.2g.; pl. *vereda-meenses*
vereda-novense adj. s.2g.; pl. *vereda-novenses*
vereda-paraisense adj. s.2g.; pl. *vereda-paraisenses*
veredeiro s.m.
veredense adj. s.2g.
veredicto s.m.
veredinhense adj. s.2g.
veredito s.m.
vereense (*rê*) adj. s.2g.

vereia s.f.
vereio s.m.
verendo adj.
vereno adj.
verense adj. s.2g.
vereque s.m.
veretílea s.f.
veretilo s.m.
veretino adj. s.m.
verga (*ê*) s.f.; cf. *verga*, fl. do v. *vergar*
verga-áurea s.f.; pl. *vergas-áureas*
vergada s.f.
verga de aço s.f.
verga-de-jabuti s.m.; pl. *vergas-de-jabuti*
vergadiço adj.
vergado adj.
vergador (*ô*) adj.
vergadura s.f.
vergal adj.2g. s.m.
vergalhada s.f.
vergalhado adj.
vergalhamento s.m.
vergalhão s.m.
vergalhar v.
vergalheira s.f.
vergalho s.m.
vergalhoto (*ô*) s.m.
vergame s.m.
vergamento s.m.
vergamota s.f.
vergamoteira s.f.
vergancha s.f.
vergão s.m.
vergar v.
vergasta s.f.
vergastada s.f.
vergastado adj.
vergastador (*ô*) adj. s.m.
vergastão s.m.
vergastar v.
vergasteiro s.m.
vergatura s.f.
vergável adj.2g.
verga-verga s.f.; pl. *vergas-vergas*
vergê adj.2g.2n. s.m.
vergel s.m.
vergência s.f.
vergestano adj. s.m.
vergília s.f.
vergiliano adj.
vergiliense adj. s.2g.
vergilista adj. s.2g.
vergoada s.f.
vergôbreto s.m.
vergonha s.f.
vergonhaça s.f.
vergonhaço s.m.
vergonha-de-estudante s.f.; pl. *vergonhas-de-estudante*
vergonhar v.
vergonhas s.f.pl.
vergonheira s.f.
vergonhosa s.f.
vergonhoso (*ô*) adj.; f. (*ó*); pl. (*ó*)
vergôntea s.f.
vergonteado adj.
vergontear v.
vergor (*ô*) s.m.
vergueira s.f.
vergueiro adj. s.m.
vergueta (*ê*) s.f.
verguetação s.f.
verguetado adj.
verguio adj.
verguno adj. s.m.
veri s.f.
vericidade s.f.
veridicidade s.f.
verídico adj. "verdadeiro"; cf. *viridico*
verificabilidade s.f.
verificação s.f.
verificado adj.
verificador (*ô*) adj. s.m.
verificadora (*ô*) s.f.
verificante adj.2g.
verificar v.
verificativo adj.
verificável adj.2g.
veril s.m. "bordas de recifes"; cf. *viril*
verilo s.m.
veriloquentíssimo (*ü*) adj. sup. de *verílоquo* (*co* ou *quo*)
verílоquo (*co* ou *quo*) adj.
verina s.f.
vério s.m.
verisímil adj.2g.
verisímile adj.2g.
verisimilhança s.f.
verisimilhante adj.2g.
verisimilidade s.f.
verisimílimo adj. sup. de *verisímil*
verisimilitude s.f.
verismo s.m.
verissimense adj. s.2g.
verissímil adj.2g.
verissímile adj.2g.
verissimilhança s.f.
verissimilhante adj.2g.
verissimilidade s.f.
verissimílimo adj. sup. de *verissímil*
verissimilitude s.f.
verista adj. s.2g.
verístico adj.
verito s.m.
verjoeiro s.m.
verlainiano (*lè*) adj. s.m.
verlângia s.f.
verlete (*ê*) s.m. "tipo de bandeja"; cf. *verlite*
verlite s.f. "rocha eruptiva"; cf. *verlete* (*ê*)
verlito s.m.
verlúsia s.f.
verme adj. s.m.
verme-arame s.m.; pl. *vermes-arame* e *vermes-arames*
verme-cabelo s.m.; pl. *vermes-cabelo* e *vermes-cabelos*
verme-chicote s.m.; pl. *vermes-chicote* e *vermes-chicotes*
verme-crina-de-cavalo s.m.; pl. *vermes-crina-de-cavalo* e *vermes-crinas-de-cavalo*
verme-da-farinha s.m.; pl. *vermes-da-farinha*
verme-da-guiné s.m.; pl. *vermes-da-guiné*
verme-do-amarelão s.m.; pl. *vermes-do-amarelão*
verme-do-pulmão s.m.; pl. *vermes-do-pulmão*
verme-dos-olhos s.m.; pl. *vermes-dos-olhos*
verme-do-vinagre s.m.; pl. *vermes-do-vinagre*
vermejoilo adj.
verme-leão s.m.; pl. *vermes-leão* e *vermes-leões*
vermelhaço adj.
vermelhado adj.
vermelhal adj.2g. s.f.
vermelhante adj.2g.
vermelhão s.m.
vermelhar v.
vermelhear v.
vermelhecer v.
vermelhejar v.
vermelhense adj. s.2g.
vermelhento adj.
vermelhiço adj.
vermelhidão s.f.
vermelhinha s.f.
vermelhinha-de-galho s.f.; pl. *vermelhinhas-de-galho*
vermelho (*ê*) adj. s.m.
vermelho-aricó s.m.; pl. *vermelhos-aricó* e *vermelhos-aricós*
vermelho-cachorro s.m.; pl. *vermelhos-cachorro* e *vermelhos-cachorros*
vermelho-cereja adj.2g.2n. s.m.; pl. do s. *vermelhos-cereja* e *vermelhos-cerejas*
vermelho-cioba s.m.; pl. *vermelhos-cioba* e *vermelhos-ciobas*
vermelho-de-fundo s.m.; pl. *vermelhos-de-fundo*
vermelho-do-cafeeiro s.m.; pl. *vermelhos-do-cafeeiro*
vermelho-fundo s.m.; pl. *vermelhos-fundos*
vermelho-henrique s.m.; pl. *vermelhos-henrique* e *vermelhos-henriques*
vermelho-novense adj. s.2g.; pl. *vermelho-novenses*
vermelho-paramirim s.m.; pl. *vermelhos-paramirim* e *vermelhos-paramirins*
vermelho-púrpura adj.2g.2n. s.m.; pl. do s. *vermelhos-púrpura* e *vermelhos-púrpuras*
vermelho-salmão s.m.; pl. *vermelhos-salmão* e *vermelhos-salmões*
vermelho-siriúba s.m.; pl. *vermelhos-siriúba* e *vermelhos-siriúbas*
vermelhoso (*ô*) adj.; f. (*ó*); pl. (*ó*)
vermelho-turco s.m.; pl. *vermelhos-turcos*
vermelho-velhense adj. s.2g.; pl. *vermelho-velhenses*
vermelho-verdadeiro s.m.; pl. *vermelhos-verdadeiros*
vermelhuço adj.
vermelhusco adj.
vermelojoilo s.m.
vermem s.m.
verme-solitário s.m.; pl. *vermes-solitários*
vermetídeo adj. s.m.
vermeto (*ê*) s.m.
vermiana s.f.
vermiano adj.
vermiático adj.
vermicelo s.m.
vermicida adj.2g. s.m.
vermicídio adj.
vérmico adj.
vermiculação s.f.
vermiculado adj.
vermicular v. adj.2g.
vermiculária s.f.
vermiculária-queimante s.f.; pl. *vermiculárias-queimantes*
vermicularidade s.f.
vermiculita s.f.
vermiculite s.f.
vermiculito s.m.
vermículo s.m.
vermiculoso (*ô*) adj.; f. (*ó*); pl. (*ó*)
vermiculura s.f.
vermidiano adj. s.m.
vermiforme adj.2g.
vermífugo adj. s.m.
vermília s.m.
vermilíngua s.m.
vermilíngue (*ü*) adj.2g. s.m.
vermilópsis s.2g.2n.
vérmina s.f.
verminação s.f.
verminado adj.
verminal adj.2g.
verminar v.
vermineira s.f.
verminose s.f.
verminoso (*ô*) adj.; f. (*ó*); pl. (*ó*)
vermiola s.f.
vermiote s.f.
vérmis s.m.2n.
vermitar v.
vermívoro adj.
vermizela s.f.
vermoilense adj. s.2g.
vermontita s.f.
vermontite s.f.
vermontito s.m.
vermulho adj.
vermute s.m.
vermutear v.
vermuto s.m.
verna s.2g.
vernação s.f.
vernaculidade s.f.
vernaculismo s.m.
vernaculista adj. s.2g.
vernaculístico adj.
vernaculização s.f.
vernaculizado adj.
vernaculizador (*ô*) adj.
vernaculizante adj.2g.
vernaculizar v.
vernaculizável adj.2g.
vernáculo adj. s.m.
vernal adj.2g.
vernalidade s.f.
vernalização s.f.
vernalizar v.
vernante adj.2g.
vernar v.
verneiano adj.
vernerita s.f.
vernerite s.f.
vernerito s.m.
vernes s.m.pl.
verneuilina s.m.
vernicífero adj.
vernicoso (*ô*) adj.; f. (*ó*); pl. (*ó*)
vernina s.f.
vernissagem s.f.
verniz s.m.
vernizagem s.f.
verniz-da-china s.m.; pl. *vernizes-da-china*
verniz-do-japão s.m.; pl. *vernizes-do-japão*
vernizeira s.f.
verniz-emulsão s.m.; pl. *vernizes-emulsão* e *vernizes-emulsões*
verno adj.
vernon s.m.
vernônia s.f.
vernoniáceo adj.
vernoníea s.f.
vernonina s.f.
vero adj. "verdadeiro"; cf. *veró*
veró s.m. "prisão"; cf. *vero*
verodunense adj. s.2g.
verodunização s.f.
verodunizar v.
veroduno adj. s.m.
verologia s.f.
verológico adj.
verologista adj. s.2g.
verólogo s.m.
veromânduo adj. s.m.
veronal s.m.
veronense adj. s.2g.
veronês adj. s.m.
veronésico adj.
verônica s.f.
veronicácea s.f.
veronicáceo adj.
verônica-das-boticas s.f.; pl. *verônicas-das-boticas*
verônica-do-igapó s.f.; pl. *verônicas-do-igapó*
verônica-do-rio-grande s.f.; pl. *verônicas-do-rio-grande*
verônica-oficinal s.f.; pl. *verônicas-oficinais*
veronicina s.f.
veronicínico adj.
veronita s.f.
veronite s.f.
veronito s.m.
ver o peso s.m.2n.
verorola s.f.
verosímil adj.2g.
verosímile adj.2g.
verosimilhança s.f.
verosimilhante adj.2g.
verosimilidade s.f.
verosimílimo adj. sup. de *verosímil*
verosimilitude s.f.
verossímil adj.2g.
verossímile adj.2g.
verossimilhança s.f.
verossimilhante adj.2g.
verossimilidade s.f.
verossimílimo adj. sup. de *verossímil*
verossimilitude s.f.
verotoxina (*cs*) s.f.
verpa s.f.
verplanckita s.f.
verrasco s.m.
verreâuxia (*cs*) s.f.
verrina s.f.
verrinante adj.2g.
verrinar v.
verrinária s.f.
verrinário adj.
verrineiro adj. s.m.
verrinista adj. s.2g.
verrinoso (*ô*) adj.; f. (*ó*); pl. (*ó*)
verriondez (*ê*) s.f.
verrocchiano adj.
verruca s.m.
verrucal adj.2g.
verrucano-da-suíça s.m.; pl. *verrucanos-da-suíça*
verrucária s.f.
verrucariácea s.f.
verrucariáceo adj.
verrucídeo adj. s.m.
verrucífero adj.
verruciforme adj.2g.
verrucino adj. s.m.
verrucite s.f.
verrucito s.m.
verrucose s.f.
verrucosidade s.f.
verrucoso (*ô*) adj.; f. (*ó*); pl. (*ó*)
verrucótico adj.
verrúcula s.f.
verruculária s.f.
verruculoso (*ô*) adj.; f. (*ó*); pl. (*ó*)
verruga s.f.
verruga-do-cafeeiro s.f.; pl. *verrugas-do-cafeeiro*
verruga do peru s.f.
verrugal adj.2g.
verruga-peruana s.f.; pl. *verrugas-peruanas*
verrugar v.
verrugose s.f.
verrugosidade s.f.
verrugoso (*ô*) adj.; f. (*ó*); pl. (*ó*)
verrugótico adj.
verruguense adj. s.2g.
verruguento adj.
verruma s.f.
verrumado adj.
verrumador (*ô*) adj.
verrumante adj.2g.
verrumão s.m.
verrumar v.
verrumeiro s.m.
verrusga s.f.
versa (*ê*) s.f. "acidente que atinge os frutos e cereais"; cf. *verça* s.f. e *versa*, fl. do v. *versar*
versado adj.
versador (*ô*) adj. s.m.
versal adj. s.2g.
versalete (*ê*) s.m.
versalhada s.f.
versalhês adj. s.m.
versalhesco (*ê*) adj.
versamento s.m.
versante adj.2g.
versão s.f.
versar v.
versaria s.f.
versátil adj.2g.
versatilidade s.f.
versável adj.2g.
verseiro adj. s.m.
versejação s.f.
versejado adj.
versejador (*ô*) adj. s.m.
versejadura s.f.
versejal adj.2g.
versejamento s.m.

versejante adj.2g.
versejar v.
versejatura s.f.
versejável adj.2g.
versejote s.m.
verseto (*ê*) s.m.
versicolor (*ô*) adj.2g.
versícula s.f.
versiculário s.m.
versículo s.m.
versidade s.f.
versiera s.f.
versífero adj.
versificação s.f.
versificado adj.
versificador (*ô*) adj. s.m.
versificante adj.2g.
versificar v.
versificatório adj.
versificável adj.2g.
versífico adj.; cf. *versifico*, fl. do v. *versificar*
versiforme adj.2g.
versilibrismo s.m.
versilibrista adj. s.2g.
versilibrístico adj.
versismo s.m.
versista adj. s.2g.
versístico adj.
versividade s.f.
versivo adj.
verso s.m.
versor (*ô*) s.m.
versória s.f.
versta s.f.
versúcia s.f.
versudo adj. "relativo a versa (ê)"; cf. *verçudo*
versura s.m.
versuríneo adj. s.m.
versuto adj.
vertalha s.f.
vertátur s.m.
verteá s.m.
vértebra s.f.
vertebração s.f.
vertebrado adj. s.m.
vertebral adj.2g.
vertebralidade s.f.
vertebralina s.f.
vertebralite s.f.
vertebralizado adj.
vertebralizar v.
vertebraterial adj.2g.
vertebrectomia s.f.
vertebrectômico adj.
vertebrilíaco adj.
vertebrite s.f.
vertebroarterial adj.
vertebrocondral adj.2g.
vertebrocostal adj.2g.
vertebrodidimia s.f.
vertebrodídimo s.m.
vertebrofemoral adj.2g.
vertebroilíaco adj.
vertebronutritivo adj.
vertebropericárdico adj.
vertebropleural adj.2g.
vertebroso (*ô*) adj.; f. (*ó*); pl. (*ó*)
vertebrossacro adj.
vertebrosternal adj.2g.
vertedoiro s.m.
vertedor (*ô*) adj. s.m.
vertedouro s.m.
vertedura s.f.
vertência s.f.
vertente adj.2g. s.f.
vertentense adj. s.2g.
verter v.
vértex (*cs*) s.m.2n.
vertibilidade s.f.
vertical adj.2g. s.f.
verticalidade s.f.
verticalista s.2g.
verticalização s.f.
verticalizado adj.
verticalizador (*ô*) adj.
verticalizante adj.2g.
verticalizar v.
verticalizável adj.2g.
vértice s.m.
verticelado adj.
verticelo s.m.
verticidade s.f.
verticilado adj.
verticilar adj.2g.
verticilaridade s.f.
verticilastro s.m.
verticilíea s.f.
verticilifloro adj.
verticílio s.m.
verticiliose s.f.
verticilo s.m.
verticórdia s.f.
verticordídeo adj. s.m.
vertido adj.
vertigem s.f.
vertiginador (*ô*) adj.
vertiginal adj.2g.
vertiginar v.
vertiginizar v.
vertiginosidade s.f.
vertiginoso (*ô*) adj.; f. (*ó*); pl. (*ó*)
vertímetro s.m.
vertível adj.2g.
vertoeja (*ê*) s.f.
vertômetro s.m.
vertugadim s.f.
vertumno s.m.
verulâneo adj.
verulano adj. s.m.
verumontanite s.f.
verumontano s.m.
veruno adj. s.m.
verutina s.f.
veruto s.m.
vervasse adj. s.2g.
verve s.f.
vesalânio s.m.
vesaliano adj.
vesânia s.f.
vesânico adj.
vesano adj.
vesbina s.f.
vescelano adj. s.m.
véscia s.f.
vesciíneo adj. s.m.
vescino adj. s.m.
vesco (*ê*) adj.
vesentino adj. s.m.
véseris s.m.2n.
vesgo (*ê*) adj. s.m.
vesguear v.
vesgueira s.f.
vesgueiro adj.
vesguice s.f.
vesicabdominal adj.2g.
vesicação s.f.
vesicado adj.
vesical adj.2g.
vesicante adj.2g. s.m.
vesicar v.
vesicária s.f.; cf. *vesicaria*, fl. do v. *vesicar*
vesicatório adj. s.m.
vesicoabdominal adj.2g.
vesicocele s.f.
vesicocervical adj.2g.
vesicóclise s.f.
vesicoespinhal adj.2g.
vesicofixação (*cs*) s.f.
vesicoperineal adj.2g.
vesicoprostático adj.
vesicopúbico adj.
vesicopústula s.f.
vesicorretal adj.2g.
vesicospinal adj.2g.
vesicospinhal adj.2g.
vesicovaginal adj.2g.
vesicovaginorretal adj.2g.
vesícula s.f.
vesiculação s.f.
vesiculado adj.
vesicular adj.2g.
vesiculária s.f.
vesicularídeo adj. s.m.
vesicúlase s.f.
vesiculectomia s.f.
vesiculectômico adj.
vesiculífero adj.
vesiculiforme adj.2g.
vesiculite s.f.
vesiculografia s.f.
vesiculográfico adj.
vesiculograma s.f.
vesiculopapuloso (*ô*) adj.; f. (*ó*); pl. (*ó*)
vesiculopustuloso (*ô*) adj.; f. (*ó*); pl. (*ó*)
vesiculoso (*ô*) adj.; f. (*ó*); pl. (*ó*)
vesiculotomia s.f.
vesiculotômico adj.
vesicumbilical adj.2g.
vesicuretral adj.2g.
vesicuterino adj.
vesicuterovaginal adj.2g.
vesionicate adj. s.2g.
vesonciense adj. s.2g.
vespa (*ê*) s.f.
vespa-cabocla s.f.; pl. *vespas-caboclas*
vespa-caçadeira s.f.; pl. *vespas-caçadeiras*
vespa-caçadora s.f.; pl. *vespas-caçadoras*
vespa-cega s.f.; pl. *vespas-cegas*
vespacinina s.f.
vespacinínico adj.
vespa-de-cobra s.f.; pl. *vespas-de-cobra*
vespa-de-rodeio s.f.; pl. *vespas-de-rodeio*
vespa-do-figo s.f.; pl. *vespas-do-figo*
vespa-dourada s.f.; pl. *vespas-douradas*
vespa-marinha s.f.; pl. *vespas-marinhas*
vespão s.m.
vespão-dos-cacauais s.m.; pl. *vespões-dos-cacauais*
vespasianense adj. s.2g.
vespa-tatu s.f.; pl. *vespas-tatu* e *vespas-tatus*
vespeira s.f.
vespeiro s.m.
vésper s.m.
véspera s.f.
vesperal adj.2g. s.m.f.
vesperanopsia s.f.
vésperas s.f.pl.
vespereiro s.m.
vespérias s.f.pl.
véspero s.m.
vespertilião adj.
vespertiliavo s.m.
vespertílio s.m.
vespertilionídeo adj. s.m.
vespertino adj. s.m.
vespetro s.m.
vespiano adj. s.m.
vespiça s.f.
vespícia s.f.
véspida adj.2g. s.m.
vespídeo adj. s.m.
vespiforme adj.2g.
vespilão s.m.
vespilheira s.f.
vespíneo adj. s.m.
vespoídeo adj. s.m.
vespucciano adj.
vespuccista adj. s.2g.
vespuciano adj.
vespucista adj. s.2g.
véspula s.f.
vessada s.f.
vessadeira s.f.
vessadela s.f.
vessado adj.
vessadoiro s.m.
vessadouro s.m.
vessar v.
vessaria s.f.
vessas s.f.pl.
vesseira s.f.
vessigão s.m.
vestado adj.
vestais s.f.pl.
vestal adj.2g. s.f.
vestalato s.m.
vestálias s.f.pl.
vestalidade s.f.
vestalino adj.
vestanita s.f.
vestanite s.f.
vestar v.
veste s.f.
vesteria s.f.
véstia s.f.; cf. *vestia*, fl. do v. *vestir*
vestiaria s.f.
vestiário s.m.
vestibulando adj. s.m.
vestibular adj.2g. s.m.
vestíbulo s.m.
vestibulococlear adj.2g.
vestibulotimpânico adj.
vestibulotomia s.f.
vestibulotômico adj.
vestição s.f.
vestideira s.f.
vestido adj. s.m.
vestidura s.f.
vestiense adj. s.2g.
vestigial adj.2g.
vestígio s.m.
vestigo s.m.
vestimenta s.f.
vestimentaria s.f.
vestimentário adj.
vestimenteiro s.m.
vestiniano s.m.
vestino adj. s.m.
vestioso (*ô*) adj.; f. (*ó*); pl. (*ó*)
vestir v.
vestível adj.2g.
vestuário s.m.
vesugo s.m.
vesugo-trombeteiro s.m.; pl. *vesugos-trombeteiros*
vesuliano adj. s.m.
vesúnico adj. s.m.
vesuviana s.f.
vesuvianita s.f.
vesuvianite s.f.
vesuvianítico adj.
vesuvianito s.m.
vesuviano adj.
vesuvina s.f.
vesuvinita s.f.
vesúvio s.m.
veszelyíta s.f.
vetabilidade s.f.
vetação s.f.
vetado adj.
vetador (*ô*) adj. s.m.
vetamento s.m.
vetante adj.2g.
vetão adj. s.m.
vetar v.
vetável adj.2g.
veteranice s.f.
veterano adj. s.m.
veterinária s.f.
veterinário adj. s.m.
veteritestamentar adj.2g.
veteritestamentário adj.
veterocatolicidade s.f.
veterocatolicismo s.m.
veterocatólico adj. s.m.
veterocretense adj. s.2g.
veterotestamental adj.2g.
veterotestamentar adj.2g.
veterotestamentário adj.
vetila s.f.
vetivazuleno s.m.
vetivenol s.m.
vetiver (*vér*) s.m.
vetiver-da-terra s.m.; pl. *vetiveres-da-terra*
vetivéria s.f.
veto s.m.
vetocardiografia s.f.
vetocardiográfico adj.
vetocardiograma s.m.
vetocatólico adj. s.m.
vetografia s.f.
vetógrafo s.m.
vetograma s.m.
vetonense adj. s.2g.
vetor (*ô*) adj. s.m.
vetorgrafia s.f.
vetorial adj.2g.
vetotestamental adj.2g.
vetotestamentar adj.2g.
vetotestamentário adj.
vetriz s.f.
vetuloniense adj. s.2g.
vetulônio adj. s.m.
vetúrio s.m.
vetustade s.f.
vetustez (*ê*) s.f.
vetustidade s.f.
vetusto adj.
véu s.m.
veuzinho s.m.
veuzinho-verdeal s.m.; pl. *veuzinhos-verdeais*
vevuia s.f.
vexação s.f.
vexado adj.
vexador (*ô*) adj. s.m.
vexame s.m.
vexaminoso (*ô*) adj.; f. (*ó*); pl. (*ó*)
vexante adj.2g.
vexar v.
vexativo adj.
vexatório adj.
vexável adj.2g.
vexilar (*cs*) adj.2g.
vexilária (*cs*) s.f.
vexilário (*cs*) s.m.
vexilo (*cs*) s.m.
vexilologia (*cs*) s.f.
vexilólogo (*cs*) s.m.
vez (*ê*) s.f.
vezada s.f.
vezar v.
vezeira s.f.
vezeireiro s.m.
vezeiro adj. s.m.
vézera s.f.
vezo (*ê*) s.m.; cf. *vezo*, fl. do v. *vezar*
via s.f.
viabilidade s.f.
viabilizabilidade s.f.
viabilização s.f.
viabilizado adj.
viabilizador (*ô*) adj.
viabilizante adj.2g.
viabilizar v.
viabilizável adj.2g.
viação s.f. "conjunto dos meios de transportes"; cf. *veação*
viaciense adj. s.2g.
via-crúcis s.f.; pl. *vias-crúcis*
viado s.m. "pano"; cf. *veado*
viador (*ô*) adj. s.m. "passageiro"; cf. *veador* (*ô*)
viadora (*ô*) s.f.
viadutense adj. s.2g.
viaduto s.m.
via-espigada s.f.; pl. *vias-espigadas*
viagear v.
viageiro adj. s.m.
viagem s.f.; cf. *viajem*, fl. do v. *viajar*
viagra s.m.
viágrafo s.m.
viajada s.f.
viajado adj.
viajador (*ô*) adj. s.m.
viajante adj. s.2g.
viajão s.m.
viajar v.
viajata s.f.
viajável adj.2g.
viajor (*ô*) s.m.
vial adj.2g. s.m.
viamanense adj. s.2g.
viâmetro s.m.
viamonense adj. s.2g.
viana s.m.
vianda s.f.
viandante adj. s.2g.
viandar v.
viandeiro adj. s.m.
viandite s.f.
vianense adj. s.2g.
vianês adj. s.m.

vianesa (*ê*) s.f.
vianinha s.f.
vianopolense adj. s.2g.
vianopolino adj. s.m.
vianopolitano adj. s.m.
viante adj. s.2g.
viara s.f.
viário s.m.
via-sacra s.f.; pl. *vias-sacras*
viasca s.f.
viasco s.m.
viatense adj. s.2g.
viaticação s.f.
viaticado adj.
viaticar v.
viaticável adj.2g.
viático s.m.; cf. *viatico*, fl. do v. *viaticar*
viatório adj.
viatura s.f.
viatura-munição s.f.; pl. *viaturas-munição* e *viaturas-munições*
viável adj.2g.
viba s.f.
vibal s.m.
vibelo adj. s.m.
vibero adj. s.m.
víbice s.f.
vibídea s.f.
vibília s.m.
vibílida adj.2g. s.f.
vibilídeo adj. s.m.
vibinate adj. s.2g.
viboniense adj. s.2g.
víbora s.f.
víbora-alcatifa s.f.; pl. *víboras-alcatifa* e *víboras-alcatifas*
víbora-cornuda s.f.; pl. *víboras-cornudas*
víbora-cornuta s.f.; pl. *víboras-cornutas*
víbora-da-morte s.f.; pl. *víboras-da-morte*
víbora-do-deserto s.f.; pl. *víboras-do-deserto*
víbora-negra-do-norte s.f.; pl. *víboras-negras-do-norte*
viborão s.m.
víbora-ordinária s.f.; pl. *víboras-ordinárias*
vibordo s.m.
vibórgia s.f.
vibração s.f.
vibracional adj.2g.
vibraculário s.m.
vibráculo s.m.
vibrado adj.
vibrador (*ô*) adj. s.m.
vibrafone s.m.
vibrafonista adj. s.2g.
vibrante adj.2g. s.f.
vibrar v.
vibratibilidade s.f.
vibrático adj.
vibrátil adj.2g.
vibratilidade s.f.
vibratilização s.f.
vibratilizado adj.
vibratilizar v.
vibratódio s.m.
vibratório adj.
vibrião s.m.
vibrião-do-grude s.m.; pl. *vibriões-do-grude*
vibrião-do-vinagre s.m.; pl. *vibriões-do-vinagre*
víbrio s.m.
vibrioniano adj.
vibriônido s.m.
vibriônio adj. s.m.
vibriose s.f.
vibrismo s.m.
vibrissa s.f.
vibrissiforme adj.2g.
vibrista adj. s.2g.
vibrófugo adj.
vibrógrafo s.m.
vibromassageador s.m.
vibromassagear v.
vibromassagista s.2g.
vibrometria s.f.
vibrométrico adj.
vibrômetro s.m.
vibroscopia s.f.
vibroscópico adj.
vibroscópio s.m.
vibrotáctico adj.
vibrotático adj.
vibrotaxia (*cs*) s.f.
vibroterapia s.f.
vibroterápico adj.
vibrotrópico adj.
vibrotropismo s.m.
vibúrnea s.f.
vibúrneo adj.
viburnina s.f.
viburno s.m.
vibute s.m.
vicácia s.f.
viçado adj.
vicaloi (*ó*) s.m.
viçar v.
vicaria s.f.
vicariação s.f.
vicariado s.m.
vicarial adj.2g.
vicariância s.f.
vicariante adj.2g.
vicariato s.m.
vicariedade s.f.
vicário adj. s.m.
vice-almirantado s.m.
vice-almirante s.m.
vice-bailio s.m.
vice-campeão adj. s.m.
vice-campeonato s.m.
vice-chanceler s.m.
vice-chefe s.m.
vice-chefia s.f.
vice-coletor s.m.
vice-comandante s.m.
vice-comissário s.m.
vice-comodoro s.m.
vice-cônsul s.m.
vice-consulado s.m.
vice-consular adj.2g.
vice-diretor s.m.
vice-gerência s.f.
vice-gerente s.2g.
vice-governador s.m.
vice-governança s.f.
vice-imperador s.m.
vice-intendência s.f.
vice-intendente s.2g.
vicejado adj.
vicejante adj.2g.
vicejar v.
vicejo (*ê*) s.m.
vice-legação s.f.
vice-legado s.m.
vicelense adj. s.2g.
vice-líder s.2g.
vice-liderança s.f.
vice-maestro s.m.
vice-marechal s.m.
vice-ministro s.m.
vice-mordomia s.f.
vice-mordomo s.m.
vice-morte s.f.
vicenal adj.2g.
vicenálias s.f.pl.
vicenário adj. s.m.
vicenciano adj. s.m.
vicenciense adj. s.2g.
vicênio s.m.
vicentadense adj. s.2g.
vicente s.m.
vicente-carvalhense adj. s.2g.; pl. *vicente-carvalhenses*
vicente-dutrense adj. s.2g.; pl. *vicente-dutrenses*
vicentense adj. s.2g.
vicentinense adj. s.2g.
vicentino adj. s.m.
vicentino-ferrense adj. s.2g.; pl. *vicentino-ferrenses*
vicentismo s.m.
vicentista adj. s.2g.
vicentístico adj.
vicentopolitano adj. s.m.
vice-penitenciária s.f.
vice-penitenciário s.m.
vice-postulador s.m.
vice-prefeito s.m.
vice-prefeitura s.f.
vice-presidência s.f.
vice-presidencial adj.2g.
vice-presidente s.2g.
vice-primeiro-ministro s.m.
vice-procurador s.m.
vice-providência s.f.
vice-província s.f.
vice-provincial s.2g.
vice-provincialado s.m.
vice-questor s.m.
vice-questura s.f.
vice-rainha s.f.
vice-real adj.2g.
vice-realeza s.f.
vice-rei s.m.
vice-reinado s.m.
vice-reinar v.
vice-reino s.m.
vice-reitor s.m.
vice-reitorado s.m.
vice-reitoral adj.2g.
vice-reitoria s.f.
vice-secretaria s.f.
vice-secretaria-geral s.f.
vice-secretário s.m.
vice-secretário-geral s.m.
vice-senescal s.m.
vice-senescalado s.m.
vice-senescalia s.f.
vicesimal adj.2g.
vicesimário s.m.
vicésimo num.
vice-tesoiraria s.f.
vice-tesoireiro s.m.
vice-tesouraria s.f.
vice-tesoureiro s.m.
vicetino adj. s.m.
vice-tutela s.f.
vice-tutor s.m.
vice-versa adv.
vichi s.f.
vícia s.f.; cf. *vicia*, fl. do v. *viciar*
viciação s.f.
viciado adj. s.m.
viciador (*ô*) adj. s.m.
viciamento s.m.
viciânase s.f.
vicianina s.f.
vicianore s.f.
viciante adj.2g.
viciar v.
viciável adj.2g.
vicieira s.f.
vicilino s.m.
vicina s.f.
vicinal adj.2g.
vicinalidade s.f.
vicindade s.f.
vicindário s.m.
vicinismo s.m.
vício s.m.; cf. *vicio*, fl. do v. *viciar*
viciosidade s.f.
vicioso (*ô*) adj.; f. (*ó*); pl. (*ó*)
vicissitude s.f.
vicissitudinário adj.
vico s.m.
viço s.m.
vícoa s.f.
vicoíta s.f.
vicoíte s.f.
viçor (*ô*) s.m.
viçosense adj. s.2g.
viçosidade s.f.
viçoso (*ô*) adj.; f. (*ó*); pl. (*ó*)
victo s.m.
victoralo adj. s.m.
victorela s.m.
victorélida adj.2g. s.f.
victorelídeo adj. s.m.
victor-graefense adj. s.2g.; pl. *victor-graefenses*
victorita s.f.
victorite s.f.
victron s.m.
vicuíba s.f.
viçungo s.m.
vicunha s.f.
vida s.f.
vidaça s.f.
vidaço s.m.
vida de lopes s.f.
vidago s.m.
vidala s.f.
vidalense adj. s.2g.
vidalita s.f.
vida-longa s.f.; pl. *vidas-longas*
vidal-ramense adj. s.2g.; pl. *vidal-ramenses*
vidama s.m.
vidamia s.f.
vidana s.m.
vidania s.f.
vida-novense adj. s.2g.; pl. *vida-novenses*
vidão s.m.
vidar v. s.m.
vidarabina s.f.
vida-sequense adj. s.2g.; pl. *vida-sequenses*
videado adj.
videal s.m.
videar v.
vide-branca s.f.; pl. *vides-brancas*
videira s.f.
videira-americana s.f.; pl. *videiras-americanas*
videira-de-enforcado s.f.; pl. *videiras-de-enforcado*
videirense adj. s.2g.
videirinho adj. s.m.
videirismo s.m.
videirista adj. s.2g.
videiro adj. s.m.
vidência s.f.
vidente adj. s.2g.
videntismo s.m.
vídeo s.m.
videoalarme s.m.
videoamador (*ô*) adj. s.m.
videoamadorístico adj.
videoarte s.f.
videobuque s.m.
videocâmara s.f.
videocassete s.m.
videocharge s.f.
videoclipe s.m.
videoclube s.m.
videoconferência s.f.
videodisco s.m.
videodiscoteca s.f.
videodiscotecário adj. s.m.
videoendoscopia s.f.
videofax (*cs*) s.m.2n.
videofilia s.f.
videófilo adj. s.m.
videofone s.m.
videofonograma s.f.
videofrequência (*ü*) s.f.
videografia s.f.
videograma s.m.
videojogo (*ô*) s.m.; pl. (*ó*)
videojóquei s.m.
videojornal s.m.
videolaparoscopia s.f.
videolocadora (*ô*) s.f.
videomania s.f.
videomaníaco adj. s.m.
videopôquer s.m.
videoquê s.m.
videoteca s.f.
videoteipe s.m.
videotex (*cs*) s.m.2n.
videotexto (*ê*) s.m.
videotoracoscopia s.f.
vídia s.m.
vidiano adj.
vidicon s.m.
vidigalense adj. s.2g.
vidigueirense adj. s.2g.
vidinhense adj. s.2g.
vidma s.f.
vido s.m.
vidoca s.f.
vidoeiro s.m.
vidoeiro-amarelo s.m.; pl. *vidoeiros-amarelos*
vidoeiro-branco s.m.; pl. *vidoeiros-brancos*
vidoeiro-cerejeira s.m.; pl. *vidoeiros-cerejeira* e *vidoeiros-cerejeiras*
vidoeiro-de-papel s.m.; pl. *vidoeiros-de-papel*
vidoeiro-preto s.m.; pl. *vidoeiros-pretos*
vidoeiro-ribeirinho s.m.; pl. *vidoeiros-ribeirinhos*
vidoeiro-vermelho s.m.; pl. *vidoeiros-vermelhos*
vidoiro s.m.
vidonha s.f.
vidonho s.m.
vidonho-labrusco s.m.; pl. *vidonhos-labruscos*
vidouro s.m.
vidraça s.f.
vidraçaria s.f.
vidraceiro s.m.
vidracento adj.
vidracista adj. s.2g.
vidraço s.m.
vidrado adj. s.m.
vidrador (*ô*) s.m.
vidradura s.f.
vidragem s.f.
vidral s.m.
vidralhada s.f.
vidramento s.m.
vidrante adj.2g.
vidrão s.m.
vidrar v.
vidraria s.f.
vidrecome s.m.
vidreira s.f.
vidreiro adj. s.m.
vidrento adj.
vidrilheiro s.m.
vidrilho s.m.
vidrino adj.
vidrio s.m.
vidrista adj. s.2g.
vidro s.m.
vidro-do-ar s.m.; pl. *vidros-do-ar*
vidro-mole s.m.; pl. *vidros-moles*
vidroso (*ô*) adj.; f. (*ó*); pl. (*ó*)
vídua s.m.
vidual adj.2g.
viducasse adj.2g. s.2g.
viduínea s.f.
viechene s.m.
viegas s.m.2n.
vieguense adj. s.2g.
vieira s.f.
vieira-machadense adj. s.2g.; pl. *vieira-machadenses*
vieirense adj. s.2g.
vieiriano adj.
vieirina s.f.
vieiro s.m.
viela s.f.
vielesco (*ê*) adj.
vielo s.m.
vienense adj. s.2g.
vienês adj. s.m.
vierina s.f.
vierzonita s.f.
vierzonite s.f.
viés s.m.
vietcongue adj. s.2g.
vietingofita s.f.
vietnamense adj. s.2g.
vietnamês adj. s.m.
vietnamiano adj. s.m.
vietnamita adj. s.2g.
vietnamofalante adj. s.2g.
vietnamofonia s.f.
vietnamófono adj. s.m.
vietnamoparlante adj. s.2g.
viga s.f.
vigado adj.
vigairada s.f.
vigairaria s.f.
vigamento s.m.
vigar v.
vigararia s.f.

vigária s.f.; cf. *vigaria*, fl. do v. *vigar*
vigariado s.m.
vigariaria s.f.
vigariato s.m.
vigarice s.f.
vigariense adj. s.2g.
vigário s.m.
vigário-geral s.m.; pl. *vigários-gerais*
vigarismo s.m.
vigarista adj. s.2g.
vigência s.f.
vigenel s.m.
vigente adj.2g. "vigorante"; cf. *vejente*
viger v.
vigesimal adj.2g.
vigésimo num. s.m.
vigia s.f. s.2g.
vigiado adj.
vigiador (*ô*) adj. s.m.
vigiante adj. s.2g.
vigiar v.
vigieiro s.m.
vigiense adj. s.2g.
vígil adj.2g.
vigilado adj.
vigilador (*ô*) adj. s.m.
vigilambúlico adj.
vigilambulismo s.m.
vigilâmbulo adj. s.m.
vigilância s.f.
vigilanciano adj. s.m.
vigilante adj. s.2g.
vigilantismo s.m.
vigilar v.
vigilativo adj.
vigilenga s.f.
vigilengo s.m.
vigília s.f.
vigilinga s.f.
vígilo adj.
vigintivirado s.m.
vigintivirato s.m.
vigintíviro s.m.
vigintúplice num.
vigíntuplo num.
vigna s.f.
vignita s.f.
vignite s.f.
vignito s.m.
vigo s.m.
vigonho s.m.
vigor (*ô*) s.m.
vigorado adj.
vigorador (*ô*) adj.
vigorante adj.2g.
vigorar v.
vigorável adj.2g.
vigorético adj.
vigorexia (*cs*) s.f.
vigorita s.f.
vigorite s.f.
vigorizado adj.
vigorizador (*ô*) adj. s.m.
vigorizante adj.2g.
vigorizar v.
vigorizável adj.2g.
vigoroso (*ô*) adj.; f. (*ó*); pl. (*ó*)
vigota s.f.
vigote s.m.
viguês adj. s.m.
viguiera s.f.
viguierela s.m.
vikita s.f.
vikítico adj.
vil adj. s.2g.
vila s.f.
vilã adj. s.f. de *vilão*
vila-albino adj. s.m.; pl. *vila-albinos*
vila-alegrense adj. s.2g.; pl. *vila-alegrenses*
vila-alicense adj. s.2g.; pl. *vila-alicenses*
vila-altense adj. s.2g.; pl. *vila-altenses*
vila-alvense adj. s.2g.; pl. *vila-alvenses*
vila-ameliense adj. s.2g.; pl. *vila-amelienses*
vila-amperense adj. s.2g.; pl. *vila-amperenses*
vila-andradense adj. s.2g.; pl. *vila-andradenses*
vila-aromense adj. s.2g.; pl. *vila-aromenses*
vila-atlanticense adj. s.2g.; pl. *vila-atlanticenses*
vila-audeniense adj. s.2g.; pl. *vila-audenienses*
vila-balneariense adj. s.2g.; pl. *vila-balnearienses*
vila-barbosense adj. s.2g.; pl. *vila-barbosenses*
vila-batistense adj. s.2g.; pl. *vila-batistenses*
vila-baturiteense adj. s.2g.; pl. *vila-baturiteenses*
vila-belense adj. s.2g.; pl. *vila-belenses*
vila-bielense adj. s.2g.; pl. *vila-bielenses*
vila-bispense adj. s.2g.; pl. *vila-bispenses*
vila-blockense adj. s.2g.; pl. *vila-blockenses*
vila-boinense adj. s.2g.; pl. *vila-boinenses*
vila-brasilense adj. s.2g.; pl. *vila-brasilenses*
vila-condense adj. s.2g.; pl. *vila-condenses*
vila-costinense adj. s.2g.; pl. *vila-costinenses*
vila-diogo s.f.; pl. *vilas-diogos*
vila-fernandense adj. s.2g.; pl. *vila-fernandenses*
vila-florense adj. s.2g.; pl. *vila-florenses*
vila-fradense adj. s.2g.; pl. *vila-fradenses*
vilafranca s.m.
vilafrancada s.f.
vila-franquense adj. s.2g.; pl. *vila-franquenses*
vila-gloriense adj. s.2g.; pl. *vila-glorienses*
vila-gramense adj. s.2g.; pl. *vila-gramenses*
vila-guaiense adj. s.2g.; pl. *vila-guaienses*
vilaiete (*ê*) s.m.
vila-ipeense adj. s.2g.; pl. *vila-ipeenses*
vila-maripaense adj. s.2g.; pl. *vila-maripaenses*
vila-matiense adj. s.2g.; pl. *vila-matienses*
vilamento s.m.
vila-modelense adj. s.2g.; pl. *vila-modelenses*
vila-muriquiense adj. s.2g.; pl. *vila-muriquienses*
vilanaço adj. s.m.
vilanagem s.f.
vilanaz adj. s.2g.
vilancete (*ê*) s.m.
vilancico s.m.
vilancoiel s.m.
vilancole s.m.
vilanela s.f.
vilanesco (*ê*) adj.
vilania s.f.
vilanova s.f.
vila-novense adj. s.2g.; pl. *vila-novenses*
vilanoviano adj. s.m.
vilão adj. s.m.; f. *vilã* e *viloa* (*ô*)
vilão de agulha s.m.
vilão de lenço s.m.
vilão de mala s.m.
vila-pacense adj. s.2g.; pl. *vila-pacenses*
vila-pereirense adj. s.2g.; pl. *vila-pereirenses*
vila-portense adj. s.2g.; pl. *vila-portenses*
vila-pouquense adj. s.2g.; pl. *vila-pouquenses*
vilar s.m.
vila-realense adj. s.2g.; pl. *vila-realenses*
vila-regense adj. s.2g.; pl. *vila-regenses*
vilarejo (*ê*) s.m.
vilarelho (*ê*) s.m.
vilarézia s.f.
vilariço adj.
vilarinho s.m.
vilarinho-montense adj. s.2g.; pl. *vilarinho-montenses*
vila-riquense adj. s.2g.; pl. *vila-riquenses*
vilársia s.f.
vilarsita s.f.
vilarsite s.f.
vilarsito s.m.
vila-ruivense adj. s.2g.; pl. *vila-ruivenses*
vilas-boense adj. s.2g.; pl. *vilas-boenses*
vilastro s.m.
vila-unionense adj. s.2g.; pl. *vila-unionenses*
vila-velhense adj. s.2g.; pl. *vila-velhenses*
vilaverde s.f.
vila-verdense adj. s.2g.; pl. *vila-verdenses*
vila-verdiano adj. s.m.; pl. *vila-verdianos*
vilcoxite (*cs*) s.f.
vildade s.f.
vildegravado s.m.
vildegrave s.m.
vileco s.m.
vilegiatura s.f.
vilegiaturar v.
vilegiaturista adj. s.2g.
vilela s.f.
vilenado adj.
vilescer v.
vilescido adj.
vilescimento s.m.
vileta (*ê*) s.f. "vilazinha"; cf. *veleta* (*ê*)
vileu s.m.
vileza (*ê*) s.f.
vilhancete s.m.
vilhancico s.m.
vilhanesca (*ê*) s.f.
vilhenense adj. s.2g.
vilhenista adj. s.2g.
vili adj. s.2g.
viliar v.
viliastro s.m.
vilicado adj.
vilicar v.
vilico s.m.
vilífero adj.
vilificado adj.
vilificador (*ô*) adj.
vilificante adj.2g.
vilificar v.
viliforme adj.2g.
vilipendiação s.f.
vilipendiado adj.
vilipendiador (*ô*) adj. s.m.
vilipendiar v.
vilipêndio s.m.; cf. *vilipendio*, fl. do v. *vilipendiar*
vilipendioso (*ô*) adj.; f. (*ó*); pl. (*ó*)
villarésia s.f.
villiaumita s.f.
vilmorínia s.f.
vilnita s.f.
vilnito s.m.
viloa (*ô*) adj. s.f. de *vilão*
viloca s.f.
viloma s.m.
vilória s.f.
vilório s.m.
vilosidade s.f.
vilosina s.f.
vilosite s.f.
viloso (*ô*) adj.; f. (*ó*); pl. (*ó*)
vilosogastro s.m.
vilósulo adj.
vilota s.f.
vilotoxemia (*cs*) s.f.
vilotoxêmico (*cs*) adj.
vilpiano s.m.
vilro s.m.
vilta s.f.
viltança s.f.
viltar v.
viltoso (*ô*) adj.; f. (*ó*); pl. (*ó*)
viluíta s.f.
viluíte s.f.
vílula s.f.
vima s.m.
vimado adj.
vimana s.m.
vimar v.
vimaranense adj. s.2g.
vimba s.f.
vimblastina s.f.
vimbunde s.m.
vime s.m.
vímea s.f.
vimeirense adj. s.2g.
vimeiro s.m.
vimeiro-amarelo s.m.; pl. *vimeiros-amarelos*
vimeiro-branco s.m.; pl. *vimeiros-brancos*
vimeiro-brózio s.m.; pl. *vimeiros-brózio* e *vimeiros-brózios*
vimeiro-efêmero s.m.; pl. *vimeiros-efêmeros*
vimeiro-verde s.m.; pl. *vimeiros-verdes*
vimeiro-vermelho s.m.; pl. *vimeiros-vermelhos*
vimetina s.f.
vimial s.m.
vimieirense adj. s.2g.
vimieiro s.m.
vimina s.f.
viminálias s.f.pl.
viminária s.f.
vimíneo adj.
viminoso (*ô*) adj.; f. (*ó*); pl. (*ó*)
vimitelário adj. s.m.
vimoso (*ô*) adj.; f. (*ó*); pl. (*ó*)
vim-vim s.m.; pl. *vim-vins*
vina s.f.
vináceo adj.
vinagem s.f.
vinago s.f.
vinagrada s.f.
vinagrado adj.
vinagrar v.
vinagre adj.2g. s.m.
vinagreira s.f.
vinagreira-do-campo s.f.; pl. *vinagreiras-do-campo*
vinagreiro s.m.
vinagrento adj.
vinagreta (*ê*) s.f.
vinagrete (*ê*) s.m.
vinagreza (*ê*) s.f.
vinagrinho s.m.
vinagrista adj. s.2g.
vinagroso (*ô*) adj.; f. (*ó*); pl. (*ó*)
vinaia s.f.
vinais s.f.pl.
vinal s.m.
vinálias s.f.pl.
vinálico adj.
vinário adj.
vinato s.m.
vinca s.f.
vincada s.f.
vincadeira s.f.
vincado adj.
vincagem s.f.
vincapervinca s.f.
vincar v.
vincelha (*ê*) s.f.
vincelho (*ê*) s.m.
vincendo adj.
vincenita s.f.
vincentela s.f.
vincentita s.f.
vincentóxico (*cs*) s.m.
vincentoxina (*cs*) s.f.
vinciano adj.
vinciense adj. s.2g.
vincilhar v.
vincilho s.m.
víncio s.m.
vincituro adj.
vinclerita s.f.
vinclerite s.f.
vinco s.m.
vincristina s.f.
vinculação s.f.
vinculado adj.
vinculador (*ô*) adj. s.m.
vinculante adj.2g.
vincular v. adj.2g.
vinculária s.m.; cf. *vincularia*, fl. do v. *vincular*
vincularídeo adj. s.m.
vinculativo adj.
vinculatório adj.
vinculável adj.2g.
vinculina s.f.
vínculo s.m.; cf. *vinculo*, fl. do v. *vincular*
vinda s.f.
vindalho s.m.
vinde s.m.
vindecaá s.2g.
vindélico adj. s.m.
vindemiais s.f.pl.
vindemiário s.m.
vindiano adj. s.m.
vindicação s.f.
vindicado adj.
vindicador (*ô*) adj. s.m.
vindicamento s.m.
vindicante adj. s.2g.
vindicar v.
vindicativo adj.
vindicatório adj.
vindicável adj.2g.
víndice adj. s.2g.
vindícia s.f.
vindiço adj.
vindicta s.f.
vindima s.f.
vindimadeira s.f.
vindimadeiro adj. s.m.
vindimado adj.
vindimador (*ô*) adj. s.m.
vindimadura s.f.
vindimal adj.2g.
vindimar v.
vindimário s.m.
vindimate adj.2g.
vindimeiro adj. s.m.
vindimo adj.
vindimo-branco s.m.; pl. *vindimos-brancos*
vindimo-preto s.m.; pl. *vindimos-pretos*
vindinate adj. s.2g.
vindita s.f.
vindo adj.
vindobonense adj. s.2g.
vindoboniano adj. s.m.
vindoiro adj. s.m.
vindonissense adj. s.2g.
vindouro adj. s.m.
vínea s.f.
víneo adj.
vineteno s.m.
vingação s.f.
vingado adj.
vingador (*ô*) adj. s.m.
vingamento s.m.
vingança s.f.
vingante adj. s.2g.
vingar v.
vingativo adj.
vingável adj.2g.
vingue adj.2g.
vinha s.f.
vinha-branca s.f.; pl. *vinhas-brancas*
vinhaça s.f.
vinháceo adj.
vinhaço s.m.
vinha-d'alho s.f.; pl. *vinhas-d'alho*
vinha-d'alhos s.f.; pl. *vinhas-d'alhos*
vinhada s.f.

vinhádego s.m.
vinhadeiro s.m.
vinhado s.m.
vinha-do-norte s.f.; pl. *vinhas-do-norte*
vinhaense adj. s.2g.
vinhaga s.f.
vinhagem s.f.
vinhago s.m.
vinhal s.m.
vinhalense adj. s.2g.
vinhame s.m.
vinhança s.f.
vinhão s.m.
vinhão-da-tinta s.m.; pl. *vinhões-da-tinta*
vinhão-mole s.m.; pl. *vinhões-moles*
vinhão-tinto s.m.; pl. *vinhões-tintos*
vinhar v.
vinharrão s.m.
vinha-selvagem s.f.; pl. *vinhas-selvagens*
vinhataria s.f.
vinhateira s.f.
vinhateiro adj. s.m.
vinhaticense adj. s.2g.
vinhático s.m.
vinhático-amarelo s.m.; pl. *vinháticos-amarelos*
vinhático-branco s.m.; pl. *vinháticos-brancos*
vinhático-cabeleira s.m.; pl. *vinháticos-cabeleira* e *vinháticos-cabeleiras*
vinhático-castanho s.m.; pl. *vinháticos-castanhos*
vinhático-da-mata s.m.; pl. *vinháticos-da-mata*
vinhático-das-ilhas s.m.; pl. *vinháticos-das-ilhas*
vinhático-de-espinho s.m.; pl. *vinháticos-de-espinho*
vinhático-do-campo s.m.; pl. *vinháticos-do-campo*
vinhático-do-mato s.m.; pl. *vinháticos-do-mato*
vinhático-pé-de-boi s.m.; pl. *vinháticos-pé-de-boi* e *vinháticos-pés-de-boi*
vinhático-rajado s.m.; pl. *vinháticos-rajados*
vinhático-testa-de-boi s.m.; pl. *vinháticos-testa-de-boi* e *vinháticos-testas-de-boi*
vinhato s.m.
vinhatu s.m.
vinha-virgem s.f.; pl. *vinhas-virgens*
vinheca s.f.
vinhedense adj. s.2g.
vinhedo (*ê*) s.m.
vinheiro s.m.
vinheiro-do-campo s.m.; pl. *vinheiros-do-campo*
vinheiro-do-mato s.m.; pl. *vinheiros-do-mato*
vinhento adj.
vinheta (*ê*) s.f.
vinhete (*ê*) s.m.
vinheteiro s.m.
vinhetista adj. s.2g.
vinho s.m.
vinhoca s.f.
vinhocel s.m.
vinhocelo s.m.
vinhoco (*ô*) s.m.
vinhogo (*ô*) s.m.
vinho-judeu s.m.; pl. *vinhos-judeus*
vinhômetro s.m.
vinhoneira s.f.
vinhoso (*ô*) adj. s.m.; f. (*ó*); pl. (*ó*)
vinhote s.m.
vinhoto (*ô*) s.m.
vinhozel s.m.
vinhuça s.f.
vini s.m.
viniaga s.f.
vinial adj.2g.
vínico adj.
vinícola adj.2g.
vinicolorimetria s.f.
vinicolorimétrico adj.
vinicolorímetro s.m.
vinicultor (*ô*) adj. s.m.
vinicultura s.f.
vinífera s.f.
vinífero adj.
vinificação s.f.
vinificado adj.
vinificador (*ô*) s.m.
vinificante adj.2g.
vinificar v.
vinificável adj.2g.
vinifórmico adj.
vinil s.m.
vinila s.f.
vinilacetilênico adj.
vinilacetileno s.m.
vinílico adj.
vinilidene s.m.
vinilidênico adj.
vinilideno s.m.
vinilita s.f.
vinilite s.f.
vinilítico adj.
vinilo s.m.
vinilogia s.f.
viniloide (*ó*) s.m.
vinilpiridina s.f.
vinilpiridínico adj.
vinion s.m.
vínion s.m.
vinobenzoico (*ó*) adj.
vinocolorímetro s.m.
vinogradovita s.f.
vinolência s.f.
vinolento adj.
vinometria s.f.
vinométrico adj.
vinômetro s.m.
vinórica s.f.
vinosidade s.f.
vinoso (*ô*) adj.; f. (*ó*); pl. (*ó*) "vinífero"; cf. *venoso* (*ô*)
vintadozeno adj.
vintaneiro adj. s.m.
vintão adj. s.m.; f. *vintona*
vintavo s.m.
vinte num.
vintedozena s.f.
vintedozeno adj.
vinte e dois s.m.2n.
vinte e quatro adj. s.m.2n. "homem homossexual"
vinte-e-quatro s.m.2n. "inseto"
vinte e quatro horas s.m.2n.
vinte e um s.m.2n.
vinte-e-um-pintado s.m.; pl. *vinte-e-um-pintados*
vintém s.m.
vintena s.f.
vintenário adj. s.m.
vinteneira s.f.
vinteneiro adj. s.m.
vintênio s.m.
vinteno adj. num.
vinte-pés s.f.2n.
vintequatreno adj.
vintequatria s.f.
vinteranácea s.f.
vinteranáceo adj.
vintes s.m.2n.
vintesseiseno adj.
vintilho s.m.
vintiplicação s.f.
vintiplicado adj.
vintiplicar v.
vintismo s.m.
vintista adj. s.2g.
vintístico adj.
vintona adj. s.f. de *vintão*
vintúplice num.
víntuplo num.
vintusca s.m.
viochene s.m.
viocuro s.m.
viola s.f. s.2g.
violabilidade s.f.
violação s.f.
violácea s.f.
violaceína s.f.
violáceo adj.
violada s.f.
viola de cocho s.f.
violado adj.
violador (*ô*) adj. s.m.
violaíte s.f.
violal adj.2g. s.m.
violale s.f.
violamina s.f.
violana s.f.
violanilina s.f.
violantina s.f.
violantrona s.f.
violão s.m.
violão sem braço s.m.
violaquercitrina (*ü*) s.f.
violar v. s.m.
violárea s.f.
violáreo adj.
violaria s.f.
violariácea s.f.
violariáceo adj.
violarínea s.f.
violaríneo adj.
violato s.m.
violatório adj.
violável adj.2g.
violaxantina (*cs*) s.f.
violea s.f.
violebo s.m.
violeiro s.m.
violência s.f.
violentado adj.
violentador (*ô*) adj. s.m.
violentar v.
violentável adj.2g.
violento adj. s.m.
vióleo adj.
violeta (*ê*) adj.2g.2n. s.m.f.
violeta-africana s.f.; pl. *violetas-africanas*
violeta-amor-perfeito s.f.; pl. *violetas-amor-perfeito*
violeta-branca-do-campo s.f.; pl. *violetas-brancas-do-campo*
violeta-brava s.f.; pl. *violetas-bravas*
violeta-da-água s.f.; pl. *violetas-da-água*
violeta-da-lua s.f.; pl. *violetas-da-lua*
violeta-da-pérsia s.f.; pl. *violetas-da-pérsia*
violeta-de-são-paulo s.f.; pl. *violetas-de-são-paulo*
violeta-do-brasil s.f.; pl. *violetas-do-brasil*
violeta-do-brejo s.f.; pl. *violetas-do-brejo*
violeta-do-campo s.f.; pl. *violetas-do-campo*
violeta-do-pará s.f.; pl. *violetas-do-pará*
violeta-dos-alpes s.f.; pl. *violetas-dos-alpes*
violeta-roxa s.f.; pl. *violetas-roxas*
violeta-tricolor s.f.; pl. *violetas-tricolores*
violete (*ê*) adj.2g. s.m.
violeteira s.f.
violetense adj. s.2g.
violetinha s.f.
violetista adj. s.2g.
vióllico adj.
violina s.f.
violinar v.
violinha s.f.
violinista adj. s.2g.
violino s.m.
violista adj. s.2g.
violita s.f.
violle s.m.
violoncelista adj. s.2g.
violoncelo s.m.
violonista adj. s.2g.
violurato s.m.
violúrico adj.
violutina s.f.
viomal s.m.
viomicina s.f.
vioneira s.f.
viosterol s.m.
viparitacarani s.m.
viparitacaraniássana s.m.
viparitacaranimudrá s.m.
vípera s.m.
vipéreo adj.
viperídeo adj. s.m.
viperina s.f.
viperíneo adj. s.m.
viperino adj.
vípero adj.
vipoma s.m.
viquingue adj.
viquita s.f.
viquítico adj.
vir v.
vira s.m.f. "dança popular portuguesa", etc.; cf. *virá* s.m. e fl do v. *vir*
virá s.m. "veado-virá"; cf. *vira* s.m.f. e fl. do v. *vir* e do v. *virar*
virabeira s.f.
vira-bosta s.m.; pl. *vira-bostas*
vira-bosta-de-chifre s.m.; pl. *vira-bostas-de-chifre*
vira-bosta-grande s.m.; pl. *vira-bostas-grandes*
vira-bosta-mau s.m.; pl. *vira-bostas-maus*
vira-bostão s.m.; pl. *vira-bostões*
vira-bosta-preto s.m.; pl. *vira-bostas-pretos*
virabrequim s.m.
vira-bucho s.m.; pl. *vira-buchos*
vira-cabeça s.m.; pl. *vira-cabeças*
vira-campo s.m.; pl. *vira-campos*
viração s.f.
vira-casaca s.2g.; pl. *vira-casacas*
viracento s.m.
viracionense adj. s.2g.
vira-copo s.2g.; pl. *vira-copos*
vira-corpo s.m.; pl. *vira-corpos*
virada s.f.
viradeira s.f.
viradela s.f.
viradinho s.m.
virado adj. s.m.
virador (*ô*) adj. s.m.
viradourense adj. s.2g.
vira e mexe s.m.2n.
vira-face s.f.; pl. *vira-faces*
vira-folhas s.m.2n.
viragem s.f.
virago s.m.f.
viral adj.2g.
vira-lata adj. s.2g.; pl. *vira-latas*
virale s.f.
virama s.m.
viramento s.m.
vira-mexe s.2g.; pl. *vira-mexes*
vira-mexer v.
vira-mundo s.m.; pl. *vira-mundos*
virante adj.2g.
virão s.m.
vira-pedra s.m.; pl. *vira-pedras*
vira-pedras s.m.2n.
virapuru s.m.
virar v.
viraru s.m.
vira-solense adj. s.2g.; pl. *vira-solenses*
virássana s.m.
viratão s.m.
vira tem mão s.m.2n.
vira-vira s.m.; pl. *viras-viras* e *vira-viras*
vira-virar v.
vira-virote s.m.; pl. *vira-virotes*
viravó s.m.
viravolta s.f.
viravoltar v.
viravoltear v.
vírbia s.f.
virchóvia s.m.
virchoviano adj.
virconídeo adj. s.m.
virelai s.m.
viremia s.f.
virêmico adj.
virente adj.2g.
víreo s.m.
vireolânio s.m.
vireonídeo adj. s.m.
vireonínea s.f.
virescência s.f.
virescente adj.2g.
virga s.f.
virga-áurea s.f.; pl. *virgas-áureas*
virgação s.f.
virgado adj.
virga-férrea s.f.; pl. *virgas-férreas*
virgáurea s.f.
virgem adj. s.2g.
virgem-lapense adj. s.2g.; pl. *virgem-lapenses*
virgília s.f.
virgiliana s.f.
virgiliano adj.
virgílico adj.
virgiliense adj. s.2g.
virgilista adj. s.2g.
virgilita s.f.
virgina s.f.
virginal adj.2g. s.m.
virginalista s.2g.
virginalizado adj.
virginalizar v.
virgindade s.f.
virginense adj. s.2g.
virgíneo adj.
virgínia s.f.
virginiano adj. s.m.
virgínica s.f.
virginiense adj. s.2g.
virgínio s.m.
virginismo s.m.
virginizado adj.
virginizar v.
virginopolitano adj. s.m.
virgloriano adj. s.m.
virgo s.m.
virgolandense adj. s.2g.
virgolandês adj. s.m.
virgo-lapense adj. s.2g.; pl. *virgo-lapenses*
virgoso (*ô*) adj.; f. (*ó*); pl. (*ó*)
virgueiro adj.
vírgula s.f.; cf. *virgula*, fl. do v. *virgular*
virgulação s.f.
virgulado adj.
virgulamento s.m.
virgulante adj. s.2g.
virgular v.
virgulária s.f.; cf. *virgularia*, fl. do v. *virgular*
virgularídeo adj. s.m.
virgulariídeo adj. s.m.
virgulativo adj.
virgulável adj.2g.
virguliano s.m.
virgulina s.m.
virgulófilo adj. s.m.
virgulófobo adj. s.m.
virgulosa s.f.
virgulta s.f.
víria s.f.; cf. *viria*, fl. do v. *vir*
virial s.m.
viriático adj.
viriatino adj.
viriato s.m.
vírico adj.
viricola adj.2g.
viricultura s.f.
viridante adj.2g.
viridário s.m.
víride adj.2g.

viridência s.f.
viridente adj.2g.
viridez (*ê*) s.f.
virídico adj. "relativo a um ácido"; cf. *verídico*
viridifloro adj.
viridifoliado adj.
viridifólio adj.
viridina s.f.
viridipene adj.2g.
viridita s.f.
viridite s.f.
virídito s.m.
viridul s.m.
viril adj.2g. s.m. "masculino"; cf. *veril*
virilescência s.f.
virilescente adj.2g.
virilha s.f.
viriliana s.f.
virilidade s.f.
virilidão s.f.
virilismo s.m.
virilista adj. s.2g.
virilização s.f.
virilizado adj.
virilizador (*ô*) adj.
virilizante adj.2g.
virilizar v.
virilizável adj.2g.
virilocal adj.2g.
virilocalidade s.f.
virilocalista adj. s.2g.
virion s.m.
virioplancto s.m.
virioplâncton s.m.
viripotência s.f.
viripotente adj.2g.
virmondense adj. s.2g.
viro s.m. "prego", etc.; cf. *viró*
viró s.m. "gênero de árvore"; etc.; cf. *viro* s.m. e fl. do v. *virar*
viro-branco s.m.; pl. *viros-brancos*
virodunense adj. s.2g.
viroide (ó) s.m.
virol s.m.
virola s.f.
virolada s.f.
virolado adj.
virolagem s.f.
viroleiro s.m.
virologia s.f.
virológico adj.
virologista adj. s.2g.
virologístico adj.
virólogo adj. s.m.
virosca s.f.
virose s.f.
virósico adj.
viroso (*ô*) adj.; f. (*ó*); pl. (*ó*)
virotaço s.m.
virotada s.f.
virotão s.m.
virote s.m.
viroteiro s.m.
virótico adj.
virsungiano adj.
virtal s.m.
virte s.m.
virtigo adj. s.m.
virtoniano s.m.
virtual adj.2g.
virtualidade s.f.
virtualismo s.m.
virtualista adj. s.2g.
virtude s.f.
virtuema s.m.
virtuose (*ô*) s.2g.
virtuosidade s.f.
virtuosismo s.m.
virtuosista adj. s.2g.
virtuosístico adj.
virtuoso (*ô*) adj. s.m.; f. (*ó*); pl. (*ó*)
virucida adj.2g. s.m.
virucídio s.m.
virucinate adj. s.2g.
viruçu s.m.
virulência s.f.
virulento adj.
virulicida adj.2g. s.m.
virulicídio s.m.
virunense adj. s.2g.
vírus s.m.2n.
viruta s.f.
visácea s.f.
visáceo adj.
visada s.f.
visado adj.
visador (*ô*) adj.
visagem s.f.
viságia s.f.
visagismo s.m.
visagista adj. s.2g.
visagístico adj.
visagra s.f.
visaia adj. s.2g.
visaiano adj. s.m.
visaio adj. s.m.
visamento s.m.
visaniano s.m.
visante adj.2g.
visão s.m.f.
visar v.
visarga s.m.
visarma s.f.
viscacha s.f.
viscacheira s.f.
viscado adj.
viscar v.
viscária s.f.
víscea s.f.
visceno s.m.
viscense adj.2g.
vísceo adj.
víscera s.f.
visceral adj.2g.
visceralgia s.f.
viscerálgico adj.
visceralismo s.m.
visceralista adj.2g.
vísceras s.f.pl.
viscéreo adj.
visceroinibidor (*ô*) adj.
visceromotor (*ô*) adj.
visceroparietal adj.2g.
visceropatia s.f.
visceropático adj.
visceroperitoneal adj.2g.
visceropleura s.f.
visceropleural adj.2g.
visceroptose s.f.
visceroptótico adj.
visceroso (*ô*) adj.; f. (*ó*); pl. (*ó*)
viscerosquelético adj.
viscerossensorial adj.2g.
viscerossomático adj.
viscerotomia s.f.
viscerotômico adj.
viscerótomo s.m.
viscerotonia s.m.
viscerotônico adj. s.m.
viscidez (*ê*) s.f.
viscídio s.m.
víscido adj.
viscífero adj.
viscina s.f.
viscinol s.m.
viscívoro adj.
visco s.m.
visco-branco s.m.; pl. *viscos-brancos*
visco-das-oliveiras s.m.; pl. *viscos-das-oliveiras*
viscoelasticidade s.f.
viscóidea s.f.
visco-indiano s.m.; pl. *viscos-indianos*
viscolita s.f.
viscolite s.f.
viscoloide (*ó*) s.m.
viscondado s.m.
viscondal adj.2g.
viscondalho s.m.
visconde s.m.
viscondessa (*ê*) s.f.
viscondesso (*ê*) s.m.
viscondização s.f.
viscondizado adj.
viscondizar v.
viscopado s.m.
viscorredução s.f.
viscose s.f.
viscosidade s.f.
viscosimetria s.f.
viscosimétrico adj.
viscosímetro s.m.
viscosina s.f.
viscoso (*ô*) adj.; f. (*ó*); pl. (*ó*)
viseano s.m.
viseense adj. s.2g.
viseira s.f.
viseíta s.f.
visentino adj. s.m.
viseofone s.m.
viserina s.f.
viserite s.f.
viseuense adj. s.2g.
visgado adj.
visgar v.
visgo s.m.
visgonhento adj.
visgoso (*ô*) adj.; f. (*ó*); pl. (*ó*)
visgosota adj. s.2g.
visgoto (*ô*) adj. s.m.
visgueiro s.m.
visguento adj.
visíbil adj.2g.
visibilidade s.f.
visibilizado adj.
visibilizador (*ô*) adj. s.m.
visibilizante adj.2g.
visibilizar v.
visibilizável adj.2g.
visiense adj. s.2g.
visigodo (*ô*) adj. s.m.
visígota adj.2g. s.2g.
visigótico adj.
visígoto adj. s.m.
visiometria s.f.
visiométrico adj.
visiômetro s.m.
visionação s.f.
visionado adj.
visionador (*ô*) adj.
visionamento s.m.
visionante adj.2g.
visionar v.
visionário adj. s.m.
visionice s.m.
visionismo s.m.
visiotelefonia s.f.
visiotransmissão s.f.
visita s.f.
visitação s.f.
visitado adj.
visitador (*ô*) adj. s.m.
visitadora (*ô*) s.f.
visitandina s.f.
visitante adj. s.2g.
visitável adj.2g.
visiteio s.m.
visiteiro adj. s.m.
visiva s.f.
visível adj.2g.
visivo adj.
vislumbrado adj.
vislumbrança s.f.
vislumbrar v.
vislumbre s.m.
visma s.f.
vísmea s.f.
vísmeo adj.
vísmia s.f.
vísnea s.f.
viso s.m.
visonha s.f.
visor (*ô*) adj. s.m.
visório adj.
vispar v.
visperar v.
víspere s.m. interj.
víspora s.f.; cf. *vispora*, fl. do v. *visporar*
visporar v.
visqueira s.f.
visqueiro s.m.
vissagra s.f.
vissiá s.m.
vissungo s.m.
vista s.f.
vista-alegrense adj. s.2g.; pl. *vista-alegrenses*
vistacaia s.f.
vistaço s.m.
vista de olhos s.f.
vista-d'olhos s.f.; pl. *vistas-d'olhos*
vista-gauchense adj. s.2g.; pl. *vista-gauchenses*
vista-novense adj. s.2g.; pl. *vista-novenses*
vistas s.f.pl.
vistavisão s.f.
visto adj. s.m.
vistor (*ô*) s.m.
vistoria s.f.
vistoriado adj.
vistoriador (*ô*) adj. s.m.
vistoriante adj.2g.
vistoriar v.
vistoriável adj.2g.
vistorizado adj.
vistorizador (*ô*) adj. s.m.
vistorizar v.
vistoso (*ô*) adj.; f. (*ó*); pl. (*ó*)
vistuliano adj.
visual adj.2g.
visualidade s.f.
visualismo s.m.
visualista adj. s.2g.
visualístico adj.
visualização s.f.
visualizado adj.
visualizador (*ô*) s.m.
visualizar v.
visualizável adj.2g.
visuopsíquico adj.
visuossensorial adj.2g.
visurite s.m.
vita s.f.
vitabilidade s.f.
vitacaia s.f.
vitácea s.f.
vitáceo adj.
vitadínia s.f.
vitadínia-das-floristas s.f.; pl. *vitadínias-das-floristas*
vitafone s.m.
vital adj.2g. s.m.
vitaliciado adj.
vitaliciar v.
vitaliciedade s.f.
vitalício adj.
vitalidade s.f.
vitalina s.f.
vitálio s.m.
vitalismo s.m.
vitalista adj. s.2g.
vitalístico adj.
vitalização s.f.
vitalizado adj.
vitalizador (*ô*) adj.
vitalizamento s.m.
vitalizante adj.2g.
vitalizar v.
vitalizável adj.2g.
vitamina s.f.
vitaminação s.f.
vitaminado adj.
vitaminante adj.2g.
vitaminar v.
vitamínico adj.
vitaminização s.f.
vitaminizado adj.
vitaminizador (*ô*) adj.
vitaminizante adj.2g.
vitaminizar v.
vitaminizável adj.2g.
vitaminoide (*ó*) adj.2g.
vitaminologia s.f.
vitaminológico adj.
vitaminomania s.f.
vitaminomaníaco adj. s.m.
vitaminômano s.m.
vitaminose s.f.
vitaminoterapia s.f.
vitaminoterápico adj.
vitaminótico adj.
vitando adj. s.m.
vitária s.f.
vitariácea s.f.
vitariáceo s.f.
vitaríea s.f.
vitascópico adj.
vitascópio s.m.
vitatório adj.
vitável adj.2g.
vite s.f.
vitela s.f.
vitelão s.m.
vitelária s.f.
vitelário s.m.
vítele s.m.
viteleiro s.m.
vitelense adj. s.2g.
viteliano adj.
vitelífero adj.
vitelígeno adj.
vitelina s.f.
vitelínico adj.
vitelino adj.
vitelintestinal adj.2g.
vitelo s.m.
vitelócito s.m.
viteloduto s.m.
vitelófago adj. s.m.
vitelogênese s.f.
vitelógeno adj.
viterbita s.f.
viterbite s.f.
viterbito s.m.
vítex s.f.2n.
vitiano adj. s.m.
vitibá s.m.
vítice s.f.
vitícea s.f.
viticino adj. s.m.
viticóidea s.f.
vitícola adj. s.2g.
viticomado adj.
viticultor (*ô*) adj. s.m.
viticultura s.f.
vitífero adj.
vitígeno adj.
vitígero adj.
vitiligem s.f.
vitiliginoso (*ô*) adj.; f. (*ó*); pl. (*ó*)
vitiligo s.m.
vítima s.f.; cf. *vitima*, fl. do v. *vitimar*
vitimação s.f.
vitimado adj.
vitimador (*ô*) adj. s.m.
vitimar v.
vitimário adj. s.m.
vitimável adj.2g.
vitimologia s.f.
vitimológico adj.
vitimologista adj. s.2g.
vitimólogo s.m.
vitina s.f.
vitinga s.f.
vitiriê s.m.
vítis s.f.2n.
vitivinícola adj.2g.
vitivinicultor (*ô*) s.m.
vitivinicultura s.f.
vitizano adj. s.m.
vitodurense adj. s.2g.
vitóidea s.f.
vítor s.m. interj.
vitor-huguesco adj.; pl. *vitor-huguescos*
vitor-huguiano adj.; pl. *vitor-huguianos*
vitor-huguismo s.m.; pl. *vitor-huguismos*
vitória s.f.; cf. *vitoria*, fl. do v. *vitoriar*
vitoriado adj.
vitoriador (*ô*) adj. s.m.
vitorianense adj. s.2g.
vitorianismo s.m.
vitorianista adj. s.2g.
vitoriano adj. s.m.
vitoriar v.
vitória-régia s.f.; pl. *vitórias-régias*
vitória-regina s.f.; pl. *vitórias-reginas*
vitória-unionense adj. s.2g.; pl. *vitória-unionenses*
vitoriense adj. s.2g.

vitorina s.f.
vitorinense adj. s.2g.
vitorino adj. s.m.
vitorino-freirense adj. s.2g.; pl. *vitorino-freirenses*
vitorioso (*ô*) adj. s.m.; f. (*ó*); pl. (*ó*)
vitorita s.f.
vitorite s.f.
vitor-meirelense s.m.; pl. *vitor-meirelenses*
vitragem s.f.
vitral s.m.
vitraleiro adj. s.m.
vitralha s.f.
vitralismo s.m.
vitralista adj. s.2g.
vitralístico adj.
vitralização s.f.
vitralizado adj.
vitralizar v.
vitre s.m.
vitrectomia s.f.
vitrênico adj.
vitrênio s.m.
vítreo adj.
vitreocapsulite s.f.
vitrescibilidade s.f.
vitrescível adj.2g.
vítria s.f.
vitrificabilidade s.f.
vitrificação s.f.
vitrificado adj.
vitrificador (*ô*) adj. s.m.
vitrificante adj. s.2g.
vitrificar v.
vitrificável adj.2g.
vitrimetálico adj.
vitrina s.f.
vitrinário s.m.
vitriníde o adj. s.m.
vitrinista adj. s.2g.
vitrinócomo s.m.
vitrinopse s.f.
vitríola s.f.; cf. *vitriola*, fl. do v. *vitriolar*
vitriolado adj. s.m.
vitriolador (*ô*) s.m.
vitriolagem s.f.
vitriolar v.
vitriolaria s.f.
vitriólico adj.
vitriolização s.f.
vitriolizado adj.
vitriolizador (*ô*) adj.
vitriolizar v.
vitríolo s.m.; cf. *vitriolo*, fl. do v. *vitriolar*
vitriosidade s.f.
vitripene adj.2g.
vitriporfírico adj.
vitripórfiro s.m.
vitrita s.f.
vitrítico adj.
vitrito s.m.
vitrofírico adj.
vitrófiro s.m.
vitrola s.f.
vitroleiro s.m.
vitrometálico adj.
vitronectina s.f.
vitroporfírico adj.
vitropórfiro s.m.
vitropressão s.f.
vitroso (*ô*) adj.; f. (*ó*); pl. (*ó*)
vitu s.m.
vitualha s.f.
vitualhado adj.
vitualhar v.
vitualhas s.f.pl.
vitudurense adj. s.2g.
vitular adj.2g.
vitulária s.f.
vítulo s.m.
vituperação s.f.
vituperado adj.
vituperador (*ô*) adj. s.m.
vituperamento s.m.
vituperante adj.2g.
vituperar v.
vituperativo adj.
vituperável adj.2g.
vitupério s.m.
vituperioso (*ô*) adj.; f. (*ó*); pl. (*ó*)
vituperoso (*ô*) adj.; f. (*ó*); pl. (*ó*)
viúva s.f.
viúva-alegre s.f.; pl. *viúvas-alegres*
viúva-azul s.f.; pl. *viúvas-azuis*
viuvada s.f.
viuval adj.2g.
viúva-moça s.f.; pl. *viúvas-moças*
viúva-negra s.f.; pl. *viúvas-negras*
viuvar v.
viuvez (*ê*) s.f.
viuveza (*ê*) s.f.
viuvice s.f.
viuvidade s.f.
viuvinha s.f.
viuvinha-do-igapó s.f.; pl. *viuvinhas-do-igapó*
viúvo adj. s.m.
viva s.m. interj.
viva-artética s.f.; pl. *vivas-artéticas*
vivace adj.2g.
vivacidade s.f.
vivaldino s.m.
vivalhar v.
vivalma s.f.
vivandeira s.f.
vivandeiro s.m.
vivar v.
vivaracho adj. s.m.
vivariense adj. s.2g.
vivário s.m.
vivaz adj.2g.
vivedoiro adj.
vivedor (*ô*) adj. s.m.
vivedouro adj.
viveirista s.2g.
viveiro s.m.
vivência s.f.
vivenciabilidade s.f.
vivenciação s.f.
vivenciador (*ô*) adj.
vivencial adj.2g.
vivenciamento s.m.
vivenciante adj.2g.
vivenciar v.
vivenciável adj.2g.
vivenda s.f.
viventano adj. s.m.
viventar v.
vivente adj. s.2g.
viver v. s.m.
víveres s.m.pl.; cf. *viveres*, fl. do v. *viver*
viverra s.m.
viverrícula s.m.
viverrídeo adj. s.m.
viverríneo s.m.
viverrino adj. s.m.
viveza (*ê*) s.f.
vivi s.m.
viviânia s.f.
vivianita s.f.
viviano s.m.
vivicombúrio s.m.
vividez (*ê*) s.f.
vivido adj. "que viveu muito"; cf. *vívido*
vívido adj. "brilhante"; cf. *vivido*
vivificação s.f.
vivificado adj.
vivificador (*ô*) adj. s.m.
vivificante adj.2g.
vivificar v.
vivificativo adj.
vivificável adj.
vivificaz adj.2g.
vivífico adj.; cf. *vivifico*, fl. do v. *vivificar*
vivinatalidade s.f.
vi-vió s.m.; pl. *vi-viós*
viviparação s.f.
viviparição s.f.
viviparidade s.f.
viviparídeo adj. s.m.
viviparismo s.m.
vivíparo adj. s.m.
vivisco adj. s.m.
vivisseção s.f.
vivissecção s.f.
vivisseccionismo s.m.
vivisseccionista adj. s.2g.
vivissecionismo s.m.
vivissecionista adj. s.2g.
vivissectar v.
vivissectista adj. s.m.
vivissector (*ô*) adj. s.m.
vivissectório adj. s.m.
vivissetor (*ô*) adj. s.m.
vivissetório adj. s.m.
viviú s.m.
vivível adj.2g.
vivo adj. s.m.
vivório s.m.
vivoteio s.m.
vívula s.f.
vivungo s.m.
vixenuísmo s.m.
vixenuísta adj. s.2g.
vixenuístico adj.
vixenuíta adj. s.2g.
vixenutismo s.m.
vixenutista adj. s.2g.
vixenutístico adj.
vixnuísmo s.m.
vixnuísta adj. s.2g.
vixnuístico adj.
vixnuíta adj. s.2g.
vixnutismo s.m.
vixnutista adj. s.2g.
vixnutístico adj.
vixuda s.m.
vizeiro s.m.
vizelense adj.2g.
vizicurum s.m.
vizinal adj.2g.
vizindade s.f.
vizindário s.m.
vizinhada s.f.
vizinhal adj.2g.
vizinhança s.f.
vizinhante adj. s.2g.
vizinhar v.
vizinheiro adj.
vizinho adj. s.m.
vizir s.m.
vizirado s.m.
vizirato s.m.
vizo-rei s.m.
vlamíngia s.m.
vlax (*cs*) s.2g.2n.
vlemê s.m.
voacanga s.f.
voaço s.m.
voadeira s.f.
voadoiros s.m.pl.
voador (*ô*) adj. s.m.
voador-cascudo s.m.; pl. *voadores-cascudos*
voador-de-fundo s.m.; pl. *voadores-de-fundo*
voador-de-pedra s.m.; pl. *voadores-de-pedra*
voador-do-alto s.m.; pl. *voadores-do-alto*
voador-holandês s.m.; pl. *voadores-holandeses*
voadouros s.m.pl.
voadura s.f.
voaduru s.m.
voagem s.f.
voamento s.m.
voandzeia (*é*) s.f.
voanganga s.f.
voante adj.2g.
voa-pé s.m.; pl. *voa-pés*
voar v.
voaria s.f.
voata s.f.
voaz adj.2g.
vobisco s.m.
voborde s.m.
vocabular adj.2g.
vocabulário s.m.
vocabularista adj. s.2g.
vocabularização s.f.
vocabularizado adj.
vocabularizar v.
vocabularizável adj.2g.
vocabulibrismo s.m.
vocabulibrista adj. s.2g.
vocabulibrístico adj.
vocabulismo s.m.
vocabulista adj. s.2g.
vocabulístico adj.
vocábulo s.m.
vocaca s.f.
vocação s.f.
vocacional adj.2g.
vocal adj.2g.
vocálico adj.
vocalismo s.m.
vocalista adj. s.2g.
vocalístico adj.
vocalização s.f.
vocalizado adj.
vocalizador (*ô*) adj. s.m.
vocalizar v.
vocalizo s.m.
vocaloide (*ó*) s.m.
vocate adj. s.2g.
vocativo adj. s.m.
você pron.
voceratriz s.f.
vocero s.f.
vociferação s.f.
vociferado adj.
vociferador (*ô*) adj. s.m.
vociferante adj.2g.
vociferar v.
vociferável adj.2g.
vocífero s.m.; cf. *vocifero*, fl. do v. *vociferar*
vociferoso (*ô*) adj.; f. (*ó*); pl. (*ó*)
vocificação s.f.
vocoidal adj.2g.
vocoide (*ó*) adj.2g. s.m.
vocôncio adj. s.m.
voçoroca s.f.
voda (*ô*) s.f.
vodca s.f.
vodo (*ô*) s.m.
vodu adj.2g. s.m.
voduísmo s.m.
voduísta adj. s.2g.
voduístico adj.
vodum s.m.
vodunce s.f.
vodunô s.2g.
vodúnsi s.f.
voeira s.f.
voejador (*ô*) adj. s.m.
voejante adj.2g.
voejar v. s.m.
voejo (*ê*) s.m.
voga s.f.
voga-avante s.m.; pl. *vogas-avante*
vogador (*ô*) adj.
vogal adj. s.2g. s.f.
vogante adj.2g.
vogar v.
vogaria s.f.
vogavante s.m.
vogélia s.f.
vogesita s.f.
vogesite s.f.
vogesito s.m.
vogestina s.f.
vóglia s.f.
voglianita s.f.
voglianite s.f.
voglianito s.m.
voglita s.f.
voglite s.f.
voglito s.m.
vogtita s.f.
vogue s.m.
vogueiro s.m.
vogul s.m.
voícia s.f.
voigtita s.f.
voigtite s.f.
vôiria s.f.
voivoda s.m.
voivodado s.m.
voivodato s.m.
voivode s.m.
voivodia s.f.
voixo adj. s.m.
vola s.f.
volácio s.m.
voladura s.f.
volandeira s.f.
volano adj. s.m.
volanta s.f.
volante adj.2g. s.m.f.
volanteira s.f.
volantim s.m.
volantina s.f.
volapé s.m.
volapucomania s.f.
volapucomaníaco adj. s.m.
volapucômano s.m.
volapuque s.m.
volapuquiano adj.
volapuquista adj. s.2g.
volar adj.2g.
volastonita s.f.
volataria s.f.
volateante adj.2g.
volatear v.
volateria s.f.
volaterrano adj. s.m.
volátil adj.2g. s.m.
volatilidade s.f.
volatilização s.f.
volatilizado adj.
volatilizador (*ô*) adj. s.m.
volatilizante adj.2g.
volatilizar v.
volatilizável adj.2g.
volatim s.m.
volatina s.f.
volatização s.f.
volatizado adj.
volatizador (*ô*) adj. s.m.
volatizante adj.2g.
volatizar v.
volatizável adj.2g.
volatório adj.
volborthita s.f.
volborthite s.f.
volbortite s.f.
volca adj. s.2g.
volcado adj.
volcador (*ô*) adj. s.m.
volcana s.f.
volcar v.
volcárcia s.f.
volcense adj. s.2g.
volcentano adj. s.m.
volcentino adj. s.m.
volco (*ô*) s.m.
voleador (*ô*) s.m.
vôlei s.m.
voleibol s.m.
voleibolista adj. s.2g.
voleibolístico adj.
voleio s.m.
volemia s.f.
volêmico adj.
volemitol s.m.
volentina s.f.
volframado adj.
volframato s.m.
volfrâmico adj.
volframina s.f.
volfrâmio s.m.
volframista adj. s.2g.
volframita s.f.
volframite s.f.
volframocre s.m.
volframoixiolita s.f.
volfrão s.m.
volfro (*ô*) s.m.
volgaico adj.
volgerita s.f.
volgerite s.f.
volgerito s.m.
volgiano adj. s.m.
volibol s.m.
volibolista adj. s.2g.
volição s.f.
volicional adj.2g.
volicionalidade s.f.

volínico adj.
volitante adj.2g. s.m.
volitar v.
volitivo adj.
vólito adj.; cf. *volito*, fl. do v. *volitar*
volível adj.2g.
volkonskoíta s.f.
volkovita s.f.
volkovskita s.f.
vo-lo pron. *vós* e pron. *o*
volo s.m.
volofo (*ô*) adj. s.m.
volovã s.m.
volovelismo s.m.
volovelista adj. s.2g.
volovelístico adj.
volpino s.m.
volsciano adj. s.m.
volsco adj. s.m.
volsiniense adj. s.2g.
volt s.m.
volta s.f.
volta-aiveca s.f.; pl. *volta-aivecas*
volta-alegrense adj. s.2g.; pl. *volta-alegrenses*
volta-cara s.f.; pl. *volta-caras*
volta da lua s.f.
voltado adj.
volta-face s.f.; pl. *volta-faces*
volta-freitense adj. s.2g.; pl. *volta-freitenses*
voltagem s.f.
volta-grandense adj. s.2g.; pl. *volta-grandenses*
voltaico adj. s.m.
voltaire (*tè*) s.f.
voltairianesco (*te...nê*) adj.
voltairianismo (*tè*) s.m.
voltairianista (*tè*) adj. s.2g.
voltairiano (*tè*) adj. s.m.
voltairismo (*tè*) s.m.
voltaísmo s.m.
voltaíta s.f.
voltaíte s.f.
voltaíto s.m.
voltaização s.f.
voltamétrico adj.
voltâmetro s.m.
volt-ampere s.m.; pl. *volts--amperes*
volt-ampère s.m.; pl. *volts--ampères*
voltamperimétrico adj.
voltamperímetro s.m.
voltamperômetro s.m.
volta no meio s.m.
voltar v.
volta-redondense adj. s.2g.; pl. *volta-redondenses*
voltarete (*ê*) s.m.
voltaretista adj. s.2g.
voltário adj.
voltascópio s.m.
volta-senhora s.f.; pl. *volta--senhoras*
voltástato s.m.
volt-coulomb s.m.; pl. *volts--coulombs*
volte s.m.
volteação s.f.
volteada s.f.
volteado adj.
volteador (*ô*) adj. s.m.
volteadura s.f.
volteamento s.m.
volteante adj.2g.
voltear v.
volteável adj.2g.
volteio s.m.
volteiro adj. s.m.
voltejado adj.
voltejador (*ô*) adj. s.m.
voltejante adj.2g.
voltejar v.
voltejável adj.2g.
voltejo (*ê*) s.m.
volt-eléctron s.m.; pl. *volts--eléctrons*
volt-elétron s.m.; pl. *volts--elétrons*
voltense adj. s.2g.
volterianismo s.m.
voltijar v.
voltimétrico adj.
voltímetro s.m.
voltiniense adj. s.2g.
voltínio adj.
vóltio s.m.
vóltio-ampério s.m.; pl. *vóltios-ampérios*
vóltio-colômbio s.m.; pl. *vóltios-colômbios*
voltiométrico adj.
voltiômetro s.m.
voltívolo adj.
voltizado adj.
voltizar v.
volto (*ô*) adj.; cf. *volto*, fl. do v. *voltar*
voltométrico adj.
voltômetro s.m.
volt-segundo s.m.; pl. *volts--segundos*
volturídea s.f.
vóltzia s.f.
voltziácea s.f.
voltziáceo adj.
voltzita s.f.
volúbil adj.2g.
volubilado adj.
volubilidade s.f.
volubilismo s.m.
volubilista adj.2g. s.m.
volubilizado adj.
volubilizar v.
volucela s.f.
volucrário s.m.
vólucre adj.2g.
volumaço s.m.
volumão s.m.
volumar v. adj.2g.
volume s.m.
volume-minuto s.m.; pl. *volumes-minuto*
volumenômetro s.m.
volumetria s.f.
volumétrico adj.
volúmetro s.m.
volúmico adj.
voluminador adj. s.m.
voluminal adj.2g.
voluminimetria s.f.
voluminimétrico adj.
voluminímetro s.m.
voluminometria s.f.
voluminométrico adj.
voluminômetro s.m.
voluminosidade s.f.
voluminoso (*ô*) adj.; f. (*ó*); pl. (*ó*)
volumito s.m.
volumosidade s.f.
volumoso (*ô*) adj.; f. (*ó*); pl. (*ó*)
voluntariado s.m.
voluntariato s.m.
voluntariedade s.f.
voluntário adj. s.m.
voluntariosidade s.f.
voluntarioso (*ô*) adj. s.m.; f. (*ó*); pl. (*ó*)
voluntarismo s.m.
voluntarista adj. s.2g.
voluntarístico adj.
volúpia s.f.
volúpico adj.
voluptuário adj.
voluptuosidade s.f.
voluptuoso (*ô*) adj. s.m.; f. (*ó*); pl. (*ó*)
volúsia s.f.
voluta s.f.
volutabro s.m.
volutear v.
volutela s.f.
volutídeo adj. s.m.
volutilita s.f.
volutilite s.m.
volutite s.f.
volutolíria s.m.
volutomitra s.m.
volutuário adj.
volutuosidade s.f.
volutuoso (*ô*) adj. s.m.; f. (*ó*); pl. (*ó*)
volúvel adj.2g.
volva (*ô*) s.f.
volváceo adj.
volvadeira s.f.
volvado adj.
volvária s.f.
volvatela s.m.
volvedor (*ô*) adj. s.m.
volvele s.m.
volvente adj.2g.
volver v.
volvido adj.
volvimento s.m.
volvo (*ô*) s.m.
volvocácea s.f.
volvocáceo adj.
volvocal adj.2g.
volvocale adj. s.f.
vólvoce s.f.
volvocídeo adj. s.m.
vólvox (*cs*) s.m.2n.
vólvula s.f.
vólvulo s.m.
volvulose s.f.
volynskita s.f.
vombate s.m.
vombatídeo adj. s.m.
vomente adj.2g.
vômer s.m.; pl. *vômeres*
vomeriano adj.
vomérula s.m.
vômica s.f.
vomição s.f.
vomicina s.f.
vômico adj.
vomífico adj.
vomipurgativo adj.
vomiqueiro s.m.
vomitado adj. s.m.
vomitador (*ô*) adj. s.m.
vomitar v.
vomitaria s.f.
vomitivo adj. s.m.
vômito s.m.; cf. *vomito*, fl. do v. *vomitar*
vômito-negro s.m.; pl. *vômitos-negros*
vômito-preto s.m.; pl. *vômitos-pretos*
vomitório adj. s.m.
vomituração s.f.
vomiturição s.f.
vondeia s.f.
vondérgrafo s.m.
vondiestita s.f.
vôngole s.m.
vonsenita s.f.
vontade s.f.
vontadoso (*ô*) adj.; f. (*ó*); pl. (*ó*)
vonvoleiro s.m.
voo (*ô*) s.m.
voo-abatido s.m.; pl. *voos--abatidos*
voo do morcego s.m.
voorara s.m.
vopisco adj. s.m.
vopriniano adj. s.m.
voquísia s.f.
voquisiácea s.f.
voquisiáceo adj.
vorá s.m.
vorá-boi s.m.; pl. *vorás-boi* e *vorás-bois*
vorá-cavalo s.m.; pl. *vorás--cavalo* e *vorás-cavalos*
vorace adj.2g.
voracidade s.f.
vorador (*ô*) adj.
voraense adj. s.2g.
voragem s.f.
voragica s.f.
voraginoso (*ô*) adj.; f. (*ó*); pl. (*ó*)
voraz adj.2g.
vordense adj. s.2g.
voríngia s.f.
vormiano adj.
vórmio adj.
vórtex s.m.2n.
vórtice s.m.
vorticela s.f.
vorticelídeo adj. s.m.
vorticelíneo adj. s.m.
vortícero s.m.
vorticidade s.f.
vorticídeo adj. s.m.
vorticíneo adj. s.m.
vorticismo s.m.
vorticista adj. s.2g.
vorticlava s.m.
vorticoso (*ô*) adj.; f. (*ó*); pl. (*ó*)
vortiginoso (*ô*) adj.; f. (*ó*); pl. (*ó*)
vortilhão s.m.
vortilhonar v.
vos pron.
vós pron.; cf. *voz*
vosear v. "tratar por vós"; cf. *vozear*
vosmecê pron.
vosméria s.m.
vosmerínea s.m.
vosmicê pron.
vosselência pron.
vossemecê pron.
vossência pron.
vossenhoria pron.
vóssia s.f.
vosso pron.
votação s.f.
votado adj.
votador (*ô*) adj.
votalhada s.f.
votar v.
votável adj.2g.
vote (*ó*) interj.; cf. *vote*, do v. *votar*
votiago adj. s.m.
votismo s.m.
votivo adj.
voto s.m.
votômetro s.m.
votona s.f.
votorantinense adj. s.2g.
votourense adj. s.2g.
votuporanguense adj. s.2g.
voturão adj.
voturo adj. s.m.
voturunense adj. s.2g.
votuveravense adj. s.2g.
vouacapoua s.m.
vouvê adj. s.2g.
vouzelense adj. s.2g.
vovente adj. s.2g.
vovó s.f.
vovô s.m.
voyeurismo s.m.
voyeurístico adj.
voz s.f. "som"; cf. *vós*
vozão s.m.
vozaria s.f.
vozario s.m.
vozeada s.f.
vozeado adj.
vozeador (*ô*) adj. s.m.
vozeamento s.m.
vozear v. s.m. "falar em voz alta", "vozeio"; cf. *vosear*
vozearia s.f.
vozeio s.m.
vozeirada s.f.
vozeirante adj.2g.
vozeirão s.m.
vozeirar v.
vozeiro adj. s.m.
vozeirudo adj.
vozeria s.f.
vozerio s.m.
vozido s.m.
vrancelha (*ê*) s.f.
vrangélia s.f.
vreia s.f.
vriangueme s.m.
vribaíta s.f.
vricxássana s.m.
vrídi s.f.
vridização s.f.
vriésia s.f.
vrijá s.m.
vriti s.m.
vrixicássana s.m.
vu s.m.
vuanganga s.f.
vuapa s.m.
vuapericica s.f.
vuarame s.m.
vuba s.f.
vubarana s.f.
vudu adj.2g. s.m.
vuduísmo s.m.
vuduísta adj. s.2g.
vuduístico adj.
vuerométrico adj.
vuerômetro s.m.
vulcan s.m.
vulcana s.f.
vulcanais s.f.pl.
vulcanal adj.2g. s.m.
vulcâneo adj.
vulcaniano adj.
vulcanicidade s.f.
vulcânico adj.
vulcanífero adj.
vulcaniforme adj.2g.
vulcanina s.f.
vulcanismo s.m.
vulcanista adj. s.2g.
vulcanístico adj.
vulcanite s.f.
vulcanização s.f.
vulcanizado adj.
vulcanizador (*ô*) adj. s.m.
vulcanizadora (*ô*) s.f.
vulcanizante adj.2g.
vulcanizar v.
vulcanizável adj.2g.
vulcanoclástico adj.
vulcanogênico adj.
vulcanologia s.f.
vulcanológico adj.
vulcanologista adj. s.2g.
vulcanólogo s.m.
vulcão s.m.
vulcentino adj. s.m.
vulciente adj. s.2g.
vulco adj. s.m.
vulfenita s.f.
vulfenítico adj.
vulfilano adj.
vulfiliano adj.
vulgacho s.m.
vulgado adj.
vulgar v. adj.2g. s.m.
vulgaridade s.f.
vulgarismo s.m.
vulgarista s.2g.
vulgarização s.f.
vulgarizado adj.
vulgarizador (*ô*) adj. s.m.
vulgarizante adj.2g.
vulgarizar v.
vulgarizável adj.2g.
vulgata s.f.
vulgiense adj. s.2g.
vulgívaga s.f.
vulgívago adj. s.m.
vulgo s.m.
vulgocracia s.f.
vulgocrata s.2g.
vulgocrático adj.
vulina s.f.
vulnerabilidade s.f.
vulnerabilizado adj.
vulnerabilizar v.
vulneração s.f.
vulnerado adj.
vulnerador (*ô*) adj.
vulneral adj.2g.
vulnerante adj.2g.
vulnerar v.
vulnerária s.f.; cf. *vulneraria*, fl. do v. *vulnerar*
vulnerária-das-guianas s.f.; pl. *vulnerárias-das-guianas*
vulnerário adj. s.m.
vulnerativo adj.
vulnerável adj.2g.
vulnífico adj.
vulpato s.m.

vulpes s.m.2n.
vúlpia s.f.
vulpiano adj.
vúlpico adj.
vulpina s.f.
vulpinato s.m.
vulpínico adj.
vulpinismo s.m.
vulpinita s.f.
vulpino adj.
vulsco adj. s.m.
vulsela s.m.
vulselíneo adj. s.m.
vulso s.m.
vultar v.
vulto s.m.
vultosidade s.f. "voluminosidade"; cf. *vultuosidade*
vultoso (*ô*) adj. "volumoso"; f. (*ó*); pl. (*ó*); cf. *vultuoso* (*ô*)
vultuosidade s.f. "inchação"; cf. *vultosidade*
vultuoso (*ô*) adj. "inchado"; f. (*ó*); pl. (*ó*); cf. *vultoso* (*ô*)
vúltur s.m.
vultúrida adj.2g. s.m.
vulturídeo adj. s.m.
vulturíneo adj. s.m.
vulturino adj.
vulturnal s.f.
vulturno adj. s.m.
vulva s.f.
vulvar adj.2g.
vulvária s.f.
vulvário adj.
vulvectomia s.f.
vulvectômico adj.
vulvífero adj.
vulviforme adj.2g.
vulvimenial adj.2g.
vulvismo s.m.
vulvite s.f.
vulvítico adj.
vulvopatia s.f.
vulvopático adj.
vulvovaginal adj.2g.
vulvovaginite s.f.
vulvovaginítico adj.
vulvuterino adj.
vumbada s.f.
vumbe s.m.
vumbi s.m.
vumo s.m.
vum-vum s.m.; pl. *vum-vuns*
vunda s.m.
vundém s.m.
vungar v.
vunje adj.2g.
vunjice s.f.
vunzado adj.
vunzar v.
vuonemita s.f.
vupt interj.
vurapiá s.m.
vurina s.f.
vurme s.m.
vurmeiro s.m.
vurmo s.m.
vurmosidade s.f.
vurmoso (*ô*) adj.; f. (*ó*); pl. (*ó*)
vurtemberguense adj. s.2g.
vurtemberguês adj. s.m.
vurtzita s.f.
vurubana s.f.
vu-vu s.m.; pl. *vu-vus*
vuvucar v.
vuvuco s.m.
vysotskita s.f.

w (*dáblio, dabliú, dábliu*) s.m.
wagneriana s.f.
wagneriano adj.
wagneriense adj. s.2g.
wagnerismo s.m.
wagnerista adj. s.2g.
wagnerístico adj.
wagnerita s.f.
wagnerizar v.
wahlembérgia s.f.
walchowita s.f.
walkerita s.f.
walleriano adj.
wallisita s.f.
walpoliano adj.
walpurgita s.f.
walstromita s.f.
wambu adj.2g. s.m.
wampanoag adj. s.2g. s.m.
wanderlandiense adj. s.2g.
wapplerita s.f.
wardsmithita s.f.
warfarin s.m.
warfarina s.f.
waringtonita s.f.
warnowense adj. s.2g.
warrantado (*uò*) adj.
warrantagem (*uò*) s.f.
warrantar (*uò*) v.
warrenita s.f.
warthita s.f.
washingtônia s.f.
washingtoniano adj. s.m.
washingtonita s.f.
washingtonite s.f.
watsoniano adj.
watt (*uót*) s.m.
wattado adj.
wattevillita s.f.
watt-hora s.m.; pl. *watts-hora* e *watts-horas*
watt-horímetro s.m.; pl. *watts-horímetro* e *watts-horímetros*
wattimétrico adj.
wattímetro s.m.
watt-minuto s.m.; pl. *watts-minuto* e *watts-minutos*
wattobiídeo adj.
wattômetro s.m.
watt-segundo s.m.; pl. *watts-segundo* e *watts-segundos*
watusi adj.2g. s.m.
wavelita s.f.
wavelítico adj.
wavellita s.f.
wavellítico adj.
waylandita s.f.
wealdiano adj. s.m.
weber s.m.
weberiano adj.
weberita s.f.
weberniano adj.
webnerita s.f.
websteriano adj.
websterita s.f.
weddelita s.f.
wedekindiano adj.
weeksita s.f.
wegeneriano adj.
wegenerismo s.m.
wegenerista adj. s.2g.
wegenerístico adj.
wegscheiderita s.f.
wehrlita s.f.
wehrlito s.m.
weibullita s.f.
weibyeíta s.f.
weilerita s.f.
weilita s.f.
weimaranense adj. s.2g.
weimarense adj. s.2g.
weimariano adj. s.m.
weinbergerita s.f.
weinmânia s.f.
weinmânnia s.f.
weinschenkita s.f.
weisbachita s.f.
weissbergita s.f.
weissiano adj.
weissita s.f.
weizmanniano adj.
weldita s.f.
wellhausianismo s.m.
wellhausianista adj. s.2g.
wellhausianístico adj.
wellhausiano adj.
wellingtoniano adj.
wellsita s.f.
weloganita s.f.
welshita s.f.
welwítschia s.f.
welwitschiáceo adj.
welwitsquiácea s.f.
welwitsquiáceo adj.
wenkita s.f.
wenzelita s.f.
wermlandita s.f.
werneriano adj.
wernerita s.f.
wernerítico adj.
wesleyanismo s.m.
wesleyanista adj. s.2g.
wesleyanístico adj.
wesleyano adj. s.m.
weslienita s.f.
westerveldita s.f.
westfalense adj. s.2g.
westfaliano adj. s.m.
westfalite s.f.
westgrenita s.f.
westminsteriano adj.
westphalense adj. s.2g.
whartonita s.f.
wherryita s.f.
whewellita s.f.
whiteheadiano adj.
whiterita s.f.
whiterítico adj.
whitleyito s.m.
whitlockita s.f.
whitmaniano adj.
whitneyíta s.f.
wickelcamacita s.f.
wickenburguita s.f.
wickmanita s.f.
wiclefismo s.m.
wiclefista adj. s.2g.
wiclefístico adj.
wiechnewita s.f.
wiechnewítico adj.
wielandiano adj.
wielandielácea s.f.
wielandieláceo adj.
wigândia s.f.
wightmanita s.f.
wigwam s.m.
wildiano (*uà-il*) adj. s.m.
wilkeíta s.f.
wilkmanita s.f.
willcoxita (*cs*) s.f.
willemita s.f.
willemítico adj.
willemseíta s.f.
williamsita s.f.
williamsônia s.f.
williamsoniácea s.f.
williamsoniáceo adj.
willughbeia (*é*) s.f.
willyamita s.f.
wilsoniano adj.
wiltshireíta s.f.
winchellita s.f.
winchita s.f.
windsoriano adj.
windsurfe s.m.
windsurfista adj. s.2g.
winklerita s.f.
winnipegiano adj.
wino s.m.
winstanleyíta s.f.
wintera s.f.
winterácea s.f.
winteráceo adj.
wirchówia s.f.
wirchowiano adj.
wirsungiano adj.
wirsungorrafia s.m.
wirsunguiano adj.
wisconsiniano adj. s.m.
wistéria s.f.
withamita s.f.
witherita s.f.
witherite s.f.
witherítico adj.
witmarsumano adj. s.m.
witmarsunense adj. s.2g.
wittgensteiniano adj.
wittichenita s.f.
wittingita s.f.
wittita s.f.
wodanita s.f.
wodginita s.f.
woelchita s.f.
woelsendorfita s.f.
woerthita s.f.
wöhlerita s.f.
wolfachita s.f.
wolfeíta s.f.
wólffia s.f.
wolffiano adj.
wolffliniano adj.
wólfia s.f.
wolfiano adj.
wolframato s.m.
wolfrâmio s.m.
wolframita s.f.
wolframítico adj.
wolfsbergita s.f.
wolftonita s.f.
wollastonita s.f.
wollastonítico adj.
wolof adj. s.2g. s.m.
won s.m.
woodhouseíta s.f.
woodruffita s.f.
woodwardita s.f.
woolfiano adj.
worcesteriano adj.
wordsworthiano adj.
wormiano adj.
wórmio adj.
wrightiano adj.
wroewolfeíta s.f.
wronskiano adj. s.m.
wucheréria (*que*) s.f.
wuchereríase (*que*) s.f.
wulfenita s.f.
wulfenítico adj.
wulffenita s.f.
wulffenítico adj.
wundtiano adj.
würmiano adj.
württemberguense adj. s.2g.
wurtzita s.f.
wurtzítico adj.
wustita s.f.
wüstita s.f.
wycliffismo s.m.
wycliffista adj. s.2g.
wycliffístico adj.
wyllieíta s.f.
wyomingiano adj.
wyomingítico adj.
wyomingito s.m.

Xx

x (*xis*) s.m. num.
xá s.m. "soberano"; cf. *chá*
xabândar s.m.
xabandaria s.f.
xabânder s.m.
xabariri s.m.
xábega s.f.
xabepa s.m.
xabraque s.m.
xabrega s.f.
xabregano adj. s.m.
xaca adj. s.2g. s.m.
xacamecra adj. s.2g.
xácara s.f. "narrativa em verso"; cf. *chácara*
xacatuala s.f.
xaco s.m.
xacoco (*ô*) adj. s.m.
xácoma s.f.
xacotéu adj. s.2g.
xacoto (*ô*) s.m.
xacra s.f.
xacriabá adj. s.2g.
xador s.m.
xadrez (*ê*) s.m.
xadrezado adj.
xadrezar v.
xadrezinho adj. s.m.
xadrezista adj. s.2g.
xafarraz s.m.
xágara s.f.
xai s.m.
xaia s.f. "planta"; cf. *xaiá*
xaiá s.f. "ave"; cf. *xaia*
xaile s.m.
xailemanta s.f.
xaimão s.m.
xaimel s.m.
xairel s.m.
xairelado adj.
xais s.m.
xajá s.f.
xalavar s.m.
xale s.m. "manto"; cf. *chale*
xalemanta s.m.
xalmas s.f.pl.
xalostocita s.f.
xalostocítico adj.
xalostoquita s.f.
xalostoquítico adj.
xama adj. s.2g. "povo"; cf. *chama* s.m.f. s.2g. e fl. do v. *chamar*
xamã s.m.
xamacoco (*ô*) adj. s.m.
xamanismo s.m.
xamanista adj. s.2g.
xamanístico adj.
xamata s.m.f.
xamate s.m. "xeque-mate"; cf. *chá-mate*
xambá s.m.
xambaré s.m.
xambioá adj. s.2g.
xambioazense adj. s.2g.
xambioense adj. s.2g.
xambivá adj. s.2g.
xambouqueiro adj.
xambreense adj. s.2g.
xambregado adj.
xambuje s.m.
xampu s.m.
xandanga s.f.
xangaia s.f.
xangó s.m. "peixe"; cf. *xangô*
xangô s.m. "orixá"; cf. *xangó*
xanindavá adj. s.2g.
xantação s.f.; cf. *chantação*
xantado adj.; cf. *chantado*
xantalina s.f.
xantamida s.f.
xantamido s.m.
xantamílico adj.
xantar v. "tornar em xantato"; cf. *chantar*
xantarsenita s.f.
xantático adj.
xantato s.m.
xantazarina s.f.
xanteína s.f.
xantelasma s.m.
xanteloma s.m.
xantematina s.f.
xantemia s.f.
xantêmico adj.
xantena s.f.
xanterina s.f.
xântia s.f.
xântica s.f.
xânticas s.f.pl.
xântico adj. s.m.
xantidase s.f.
xantídase s.f.
xantídeo adj. s.m.
xantídio s.m.
xantidrol s.m.
xantílico adj.
xantilina s.f.
xantina s.f.
xantino s.m.
xantínon s.m.
xantinoxidase (*cs*) s.f.
xantinuria s.f.
xantinúria s.f.
xantinúrico adj.
xântio s.m.
xantiosita s.f.
xantipa s.f.
xantisma s.f.
xantita s.f.
xantitano s.m.
xanto s.m. "pedra preciosa"; cf. *chanto*
xantoarsenita s.f.
xantoarsenite s.f.
xantocarpo adj.
xantocéfalo adj. s.m.
xantócera s.f.
xantocianopsia s.f.
xantocistina s.f.
xantócomo s.m.
xantoconita s.f.
xantoconito s.m.
xantocreatina s.f.
xantocreatinina s.f.
xantocroia (*ó*) s.f.
xantocromático adj.
xantocromia s.f.
xantocrômico adj.
xantoderme adj.
xantodermia s.f.
xantodérmico adj.
xantodermo adj.
xantodoncia s.f.
xantodonte adj.2g.
xantofibroma s.m.
xantofícea s.f.
xantofila s.f.
xantofilita s.f.
xantóforo s.m.
xantofosia s.f.
xantofótico adj.
xantogastro adj.
xantogenato s.m.
xantogênico adj.
xantogênio s.m.
xantógeno s.m.
xantoglobulina s.f.
xantógnato adj.
xantógrafo adj.
xantoleucito s.m.
xantolino s.m.
xantolita s.f.
xantólito s.m.
xantoma s.m.
xantomatose s.f.
xantomatósico adj.
xantomatótico adj.
xantomonadina s.f.
xantona s.f.
xantonoto adj.
xantopicrina s.f.
xantopicrito s.m.
xantopirita s.f.
xântopo adj.
xantópode adj.2g.
xantoproteico (*é*) adj.
xantoproteína s.f.
xantopse s.f.
xantopsia s.f.
xantopsidracia s.f.
xantopsidrácico adj.
xantopsina s.f.
xantopterina s.f.
xantóptero adj. s.m.
xantóptico adj.
xantopucina s.f.
xantopurpurina s.f.
xantoquimo s.m.
xantorramnina s.f.
xantorreia (*é*) s.f.
xantorreico (*é*) adj.
xantorriza s.f.
xantorrizo adj.
xantortita s.f.
xantortito s.m.
xantose s.f.
xantosia s.f.
xantoso (*ô*) adj.; f. (*ó*); pl. (*ó*)
xantospermo adj.
xantóspilo adj.
xantossarcoma s.m.
xantossiderita s.f.
xantossiderito s.m.
xantossoma s.m.
xantostromina s.f.
xantostrumarina s.f.
xantotitânio s.m.
xantotoxina (*cs*) s.f.
xantoxenita s.f.
xantoxilácea (*cs*) s.f.
xantoxiláceo (*cs*) adj.
xantoxílea (*cs*) s.f.
xantoxileno (*cs*) s.m.
xantoxilina (*cs*) s.f.
xantóxilo (*cs*) adj. s.m.
xantungue s.m.
xanturia s.f.
xantúria s.f.
xantúrico adj.
xanturo s.m.
xantúsia s.f.
xantusiídeo adj. s.m.
xanxereense adj. s.2g.
xanxim s.m.
xaodi adj. s.2g.
xaorô s.m.
xapacura adj. s.2g.
xapanã s.m.
xapatá s.m.
xapecoense adj. s.2g.
xaperu adj. s.2g.
xapetubense adj. s.2g.
xapinzinhense adj. s.2g.
xapoeirada s.f. "xaropada"; cf. *chapoeirada*
xaponã s.m.
xapotense adj. s.2g.
xapotoense adj. s.2g.
xapuriense adj. s.2g.
xaputa s.f.
xaqueador (*ô*) adj. s.m.
xaquear v.
xáquema s.f.
xaquetar v.
xaque-xaque s.m.; pl. *xaque-xaques*
xaquiaísmo s.m.
xaquiaísta adj. s.2g.
xaquiaístico adj.
xáquima s.f.
xara s.f. "seta", etc.; cf. *chara* e *xará*
xará adj. s.m. s.2g. "pessoa com o mesmo nome de outra"; cf. *chara* e *xara*
xarada s.f. "estação do ano do calendário hindu"; cf. *charada*
xarafim s.m.
xarafo s.m.
xarapa s.2g. "xará"; cf. *charapa*
xarapim s.2g.
xaraque s.m.
xarau s.m.
xarça s.f.
xarda s.f. "dança"; cf. *charda*
xarel s.m.
xarelete (*ê*) s.m.
xarém s.m.
xareta (*ê*) s.f. "rede"; cf. *chareta* (*ê*)
xaretado adj.
xaretar v.
xaréu s.m. "peixe", "capa"; cf. *charéu*
xaréu-branco s.m.; pl. *xaréus-brancos*
xaréu-do-nordeste s.m.; pl. *xaréus-do-nordeste*
xaréu-dourado s.m.; pl. *xaréus-dourados*
xaréu-pequeno s.m.; pl. *xaréus-pequenos*
xaréu-preto s.m.; pl. *xaréus-pretos*
xaréu-roncador s.m.; pl. *xaréus-roncadores*
xaréu-vaqueiro s.m.; pl. *xaréus-vaqueiros*
xaria s.2g.
xarifa s.f.
xarifado s.m.
xarife s.m.
xarifino adj.
xarifo s.m.
xarimbote s.m.
xaroco (*ô*) s.m.
xaropada s.f.
xaropar v.
xarope adj. s.2g. s.m.
xaropear v.
xaropento adj.
xaroposo (*ô*) adj.; f. (*ó*); pl. (*ó*)
xarrasca s.f. "aparelho de pesca"; cf. *charrasca*
xarroco (*ô*) s.m.
xarroco-bicudo s.m.; pl. *xarrocos-bicudos*
xarroco-do-brasil s.m.; pl. *xarrocos-do-brasil*
xarroco-maior s.m.; pl. *xarrocos-maiores*
xarroco-menor s.m.; pl. *xarrocos-menores*
xartante s.m.
xaru s.m.
xátria s.m.
xauá s.2g.
xauã s.m.
xauim s.m.
xauter s.m.
xavante adj. s.2g.
xavantense adj. s.2g.
xavantinense adj. s.2g.
xavantino adj. s.m.
xavássana s.m.
xavecada s.f.
xavecar v.
xaveco s.m.
xávega s.f.
xavequeiro s.m.
xavier adj.2g. s.f.
xavieriano adj.
xavierismo s.m.
xavierista adj. s.2g.
xavierístico adj.
xaxado s.m.
xaxará s.m.
xaxim s.m.
xaxinense adj. s.2g.
xé s.m. "almiscareiro"; cf. *ché*
xebândar s.m.
xébero adj. s.m.
xebre (*ê*) adj.2g.
xecado s.m.
xecar v. "dar xeque ao rei"; cf. *checar*
xeique s.m.
xelim s.m. "moeda"; cf. *chelim*
xelipa s.f.
xelma s.f.
xelro s.m.
xema s.m.
xem-xem s.m.; pl. *xem-xens*
xenacanto s.m.
xenagia s.f.
xenagogo (*ô*) s.m.
xenarca s.m.
xenartra s.f.
xenartro adj. s.m.

xendengue adj.2g.
xendi s.m.
xendim s.m.
xenelasia s.f.
xenelásico adj.
xenelático adj.
xenêntese s.f.
xenentésico adj.
xenentético adj.
xengani s.m.
xengo s.m.
xênia s.f.
xenicídeo adj. s.m.
xênico adj.
xenilamina s.f.
xenilo s.m.
xenim s.m.
xênio s.m.
xenismo s.m.
xenobálano s.m.
xenobibliografia s.f.
xenobibliográfico adj.
xenobionte s.2g.
xenobiose s.f.
xenoblástico adj.
xenoblasto s.m.
xenocálamo s.m.
xenocálepo s.m.
xenocéfalo s.m.
xenoclorode s.m.
xenodermíneo adj. s.m.
xenodiagnóstico s.m.
xenódoco s.m.
xenodonte s.m.
xenodoquia s.f.
xenoenxerto s.m.
xenofilia s.f.
xenofílico adj.
xenofilismo s.m.
xenófilo adj. s.m.
xenofobia s.f.
xenofóbico adj.
xenofobismo s.m.
xenófobo adj. s.m.
xenofonia s.f.
xenofônico adj.
xenoforídeo adj. s.m.
xenóforo s.m.
xenoftalmia s.f.
xenoftálmico adj.
xenogamia s.f.
xenógamo adj.
xenogêneo adj.
xenogênese s.m.
xenogenético adj.
xenogenito s.m.
xenógeno adj.
xenoglossia s.f.
xenografia s.f.
xenográfico adj.
xenógrafo s.m.
xenol s.m.
xenolita s.f.
xenolítico adj.
xenólito s.m.
xenologia s.f.
xenológico adj.
xenomania s.f.
xenomaníaco adj. s.m.
xenômano adj. s.m.
xenomenia s.f.
xenomênico adj.
xenômero s.m.
xenomórfico adj.
xenomorfismo s.m.
xenomorfo adj.
xênon s.m.
xenônio s.m.
xenoparasitismo s.m.
xenoparoquiano s.m.
xenope s.m.
xenopelta s.m.
xenopeltídeo adj. s.m.
xenopéltis s.m.2n.
xenopiteco s.m.
xenoplastia s.f.
xenoplástico adj.
xênopo s.m.
xenópode s.m.
xenopodídeo adj. s.m.
xenopsila s.f.
xenopterígio adj. s.m.
xenóptero s.m.
xenos s.m.2n.
xenoterapia s.f.
xenoterápico adj.
xenotima s.f.
xenotímico adj.
xenotímio s.m.
xenotimo adj. s.m.
xenotransplante s.f.
xenotropismo s.m.
xenungulado adj. s.m.
xenxã s.m.
xepa (*ê*) s.f.
xepeiro s.m.
xeque s.m. "chefe árabe", etc.; cf. *cheque*
xequear v.
xequedé s.m.
xeque-mate s.m.; pl. *xeques-mate* e *xeques-mates*
xequeré s.m.
xeque-xeque s.m.; pl. *xeque-xeques*
xera (*ê*) s.2g.
xerardização s.f.
xerardizar v.
xerasia s.f.
xerásico adj.
xerasita s.f.
xerasite s.f.
xerasito s.m.
xeré s.f.
xereca s.f.
xereletão s.m.
xerelete (*ê*) s.m.
xerém s.m.
xerém do sertão s.m.
xerengue s.m.
xerenzense adj. s.2g.
xereré s.m.
xererê s.m.
xererém s.m.
xererete (*ê*) s.m.
xereta (*ê*) adj. s.2g.; cf. *xereta*, fl. do v. *xeretar*
xeretar v.
xeretear v.
xereteiro adj. s.m.
xereuense adj. s.2g.
xerez (*ê*) s.m.
xerga (*é* ou *ê*) s.f.
xergão s.m.
xeri s.m.
xerifado s.m.
xerife s.m.
xerim s.m.
xerimbabo s.m.
xeríneo adj. s.m.
xeringosa s.f.
xeripana s.f.
xero (*ê*) s.m. "xará"; cf. *cheiro* s.m. e fl. do v. *cheirar*
xerocação s.f.
xerocado adj.
xerocador (*ô*) adj. s.m.
xerocar v.
xerocável adj.2g.
xerocópia s.f.; cf. *xerocopia*, fl. do v. *xerocopiar*
xerocopiar v.
xerocopista adj. s.2g.
xeroderma s.f.
xerodermia s.f.
xerodérmico adj.
xerodermosteose s.f.
xerodermosteótico adj.
xeródero s.m.
xerofagia s.f.
xerofágico adj.
xerófago adj. s.m.
xerófila s.f.
xerofilia s.f.
xerofílico adj.
xerófilo adj. s.m.
xerófita s.f.
xerofítico adj.
xerofitismo s.m.
xerófito adj. s.m.
xerofobia s.f.
xerofórmio s.m.
xeroftal s.m.
xeroftálico adj.
xeroftalmia s.f.
xeroftálmico adj.
xerogel s.m.
xerografado adj.
xerografar v.
xerografia s.f.
xerográfico adj.
xerógrafo s.m.
xeroma s.m.
xeromenia s.f.
xeromênico adj.
xeromórfico adj.
xeromorfo adj.
xeronema s.f.
xeroquilia s.f.
xerorradiografia s.f.
xerorradiográfico adj.
xerose s.f.
xerossomo s.m.
xerostomia s.f.
xerostômico adj.
xerótea s.f.
xeróteo adj.
xerótico adj.
xerotina s.f.
xeroto s.m.
xerotocia s.f.
xerotribia s.f.
xerotríbico adj.
xerotropismo s.m.
xerox (*cs*) adj. s.2g.
xérox (*cs*) adj. s.2g.
xeroxar (*ocs*) v.
xerpa adj. s.2g.
xerva s.f.
xestóbio s.m.
xeta (*ê*) s.f. "beijo"; cf. *cheta* (*ê*) e *xetá*
xetá adj. s.2g. "indígena"; cf. *cheta* (*ê*) e *xeta* (*ê*)
xetrar v.
xéu s.2g.
xeura s.f.
xevá s.m.
xexé s.m. "máscara de carnaval"; cf. *cheché*
xexelento adj.
xexeta (*ê*) adj. s.2g.
xexéu s.m.
xexéu-bauá s.m.; pl. *xexéus-bauás*
xexéu-de-bananeira s.m.; pl. *xexéus-de-bananeira*
xexéu do mangue s.m. "fedor"
xexéu-do-mangue s.m. "espécie de ave"; pl. *xexéus-do-mangue*
xi s.m. interj.
xiba s.2g. "batuque"; cf. *chiba*
xibamba s.m.
xibanze s.m.
xibará adj. s.2g.
xibaró s.m.
xibatã s.f.
xibé s.m.
xibembe s.m.
xibimba s.2g.
xibio s.m.
xibiu s.m.
xibolete s.m.
xibungo s.m.
xicá s.m.
xiça s.f.
xicaca s.f.
xícara s.f.
xicarada s.f.
xicarado adj.
xícara-e-pires s.f.; pl. *xícaras-e-pires*
xicarar v.
xicareiro s.m.
xicarista s.2g.
xicriabá adj. s.2g.
xicrim adj. s.2g.
xicrinha s.f.
xicu s.m. "ave"; cf. *chicu*
xicua s.f.
xicuala s.f.
xidura s.f.
xié s.m.
xiela s.f.
xiele s.f.
xifídeo adj. s.m.
xifídio s.m.
xifidria s.f.
xifiídeo adj. s.m.
xífio s.m.
xifocerco (*ê*) s.m.
xifócero s.m.
xifocostal adj.2g.
xifodídimo adj. s.m.
xifódimo adj. s.m.
xifodinia s.f.
xifodonte s.m.
xifofilo adj.
xifóforo s.m.
xifoide (*ó*) adj.2g.
xifoideia (*é*) adj. f. de *xifoideu*
xifóideo adj.
xifoideu adj.; f. *xifoideia* (*é*)
xifoidiano adj.
xifoidite s.f.
xifonita s.f.
xifopagia s.f.
xifopágico adj.
xifópago adj. s.m.
xifopagotomia s.f.
xifopagotômico adj.
xiforranfo s.m.
xiforrinco s.m.
xifosfera s.m.
xifossomela s.f.
xifossomo s.m.
xifosternal adj.2g.
xifosterno s.m.
xifóstoma s.m.
xifosurídeo adj. s.m.
xifosuro adj. s.m.
xifratracto s.m.
xifu s.m.
xigogo s.m.
xiismo s.m.
xiista adj. s.2g.
xiístico adj.
xiita adj. s.2g.
xiítico adj.
xil s.m.
xila s.m. "imundície"; cf. *chila*
xilana s.f.
xilária s.f.
xilariácea s.f.
xilariáceo adj.
xilário s.m.
xilarmônica s.f.
xilarmônico s.m.
xilato s.m.
xiléboro s.m.
xilema s.m.
xilemático adj.
xilembe s.m.
xilena s.f. "gênero de inseto"; cf. *chilena*
xilênico adj.
xilênio s.m.
xileno s.m. "hidrocarboneto benzênico"; cf. *chileno*
xilenol s.m.
xilente s.m.
xílico adj.
xilidina s.f.
xilil s.m.
xililênico adj.
xilileno s.m.
xilílico adj.
xilim s.f.
xilina s.f.
xilindró s.m.
xilino adj.
xiliônulo s.m.
xilita s.f. "poliálcool"; cf. *cheelita*
xilite s.f.
xilitol s.m.
xilo s.m. "xílon", "celulose"; cf. *chilo*
xiloalоés s.m.2n.
xilobálsamo s.m.
xilóbio s.m.
xiloboro s.m.
xilocaína s.f.
xilocampa s.f.
xilocarpo adj. s.m.
xilocloro s.m.
xilocola s.f.
xilócopa s.m.
xilocopídeo adj. s.m.
xilócopo adj. s.m.
xilocriptita s.f.
xilocriptite s.f.
xilódia s.f.
xilódromo s.m.
xilofagia s.f.
xilofágico adj.
xilófago adj. s.m.
xilófane s.m.
xilófano s.m.
xilófilo adj. s.m.
xilófito s.m.
xilofone s.m.
xilofônio s.m.
xilofonista adj. s.2g.
xilofono s.m.
xiloforia s.f.
xilofória s.f.
xilóforo s.m.
xilofragma s.m.
xilogênio s.m.
xiloglifia s.f.
xiloglífico adj.
xilóglifo s.m.
xilografia s.f.
xilográfico adj.
xilógrafo s.m.
xilogravação s.f.
xilogravador (*ô*) adj. s.m.
xilogravar v.
xilogravável adj.2g.
xilogravura s.f.
xilogravurista adj. s.2g.
xiloide (*ó*) adj.2g.
xiloídico adj.
xiloidina s.f.
xilol s.m.
xilólatra s.2g.
xilolatria s.f.
xilolátrico adj.
xilólico adj.
xilolita s.f.
xilolite s.m.
xilólito s.m.
xilologia s.f.
xilológico adj.
xilologista adj. s.2g.
xilólogo s.m.
xiloma s.m.
xilomancia s.f.
xilomante s.2g.
xilomântico adj.
xilomático adj.
xilometria s.f.
xilométrico adj.
xilômice adj.2g.
xilomicete adj.2g.
xilômige s.f.
xílon s.m.
xilônico adj.
xilonite s.f.
xilópala s.f.
xiloperta s.f.
xilopertela s.f.
xilopertoide (*ó*) adj.2g. s.m.
xilópia s.f.
xilopiáceo adj.
xilopirografia s.f.
xilopirográfico adj.
xilopirogravura s.f.
xiloplastia s.f.
xilopódico adj.
xilopódio s.m.
xilopolita adj. s.2g.
xiloporose s.f.
xiloporótico adj.
xilopsoco s.m.
xiloquinona s.f.
xiloretina s.f.
xilórgão s.m.
xilorretina s.f.
xilose s.f.
xilosido s.m.
xilosma s.m.

xilossistro s.m.
xilósteo s.m.
xilostroma s.m.
xiloteca s.f.
xilotilo s.m.
xilotipia s.f.
xilotípico adj.
xilotipografia s.f.
xilotipográfico adj.
xilotipurgia s.f.
xilotomia s.f.
xilótomo adj. s.m.
xilotreco s.m.
xilréu s.m.
ximaana adj. s.2g.
ximabanda s.f.
ximana adj. s.2g.
ximando s.m.
ximangada s.f.
ximangata s.m.
ximango s.m. "gavião"; cf. *chimango*
ximango-branco s.m.; pl. *ximangos-brancos*
ximango-carrapateiro s.m.; pl. *ximangos-carrapateiros*
ximango-do-campo s.m.; pl. *ximangos-do-campo*
ximanguismo s.m.
ximanguista adj. s.2g.
ximano adj. s.m.
ximão s.m.
ximarona s.f.
ximarra s.f.
xima-xima s.f.; pl. *xima-ximas*
ximbalau s.m.
ximbaúva s.f.
ximbé adj.2g.
ximbelo s.m.
ximbeque s.m.
ximbéu s.m.
ximbeva adj.2g.
ximbica s.f.
ximbicar v.
ximbile s.m.
ximbira s.f.
ximbirra s.f.
ximbo s.m. "cavalo"; cf. *ximbó*
ximbó s.m. "árvore"; cf. *ximbo*
ximboré s.m.
ximboto s.m.
ximbra s.f.
ximbuá adj. s.2g.
ximbuia s.f.
ximburé s.m.
ximburetinga s.m.
ximburu s.m.
ximbute s.m.
ximenézia s.f.
ximênia s.m.
ximinim adj. s.2g.
ximosita s.f.
xiname s.f.
xinane s.m.
xinapre s.m.
xine s.m. "letra arábica"; cf. *chine*, fl. do v. *chinar*
xinga s.f.
xingação s.f.
xingadela s.f.
xingado adj.
xingador (*ô*) adj. s.m.
xingamento s.m.
xinganja s.f.
xingante adj.2g.
xingar v.
xingaraviz s.m.
xingatório adj.
xingo s.m. "xingamento"; cf. *xingó*
xingó s.m. "peixe"; cf. *xingo*
xinguense (*gu-en*) adj. s.2g.
xinguvo s.m.
xinosita s.f.
xintá s.m.
xintó s.m.
xintoísmo s.m.
xintoísta adj. s.2g.
xintoístico adj.
xintureira s.f.
xinxarel s.m.
xinxilha s.m.
xinxim s.m.
xipa s.f.
xipaia adj. s.2g. s.m. "indígena brasileiro"; cf. *chipaia*
xipalada s.f.
xipamida s.f.
xipante s.m.
xipinauá adj. s.2g.
xipipi s.m.
xipo s.m. "cinto"; cf. *chipo*
xipoca adj. s.2g. s.f.
xiputa s.f.
xíqua s.f.
xiquexique s.m. "planta"; cf. *xique-xique*
xique-xique s.m. "ganzá"; pl. *xique-xiques*; cf. *xiquexique*
xiquexique-do-cerrado s.m.; pl. *xiquexiques-do--cerrado*
xiquexique-do-sertão s.m.; pl. *xiquexiques-do-sertão*
xiquexiquense adj. s.2g.
xíquia s.f.
xiquitano adj. s.m.
xira s.m.f.
xirabo adj. s.2g.
xiraz s.m.
xiré s.m.
xiri s.f.
xirianá adj. s.2g.
xiribana s.f.
xiricaá s.m.
xiríctis s.m.2n.
xiricuano adj. s.m.
xiricume adj. s.2g.
xiridácea s.f.
xiridáceo adj.
xiridal adj.2g.
xiridale s.f.
xíride s.f.
xirimbeira s.f.
xiripana s.f.
xiriquano adj. s.m.
xiririca adj.2g. s.f.
xíris s.f.2n.
xiriúba s.f.
xiriubeira s.f.
xiró s.m.
xiru s.m.
xirua s.f.
xiruba s.f.
xiruzada s.f.
xis s.m.2n.
xisboia (*ó*) adj. s.m.
xisgaravis s.m.
xismalóbio s.m.
xistáceo adj.
xistarca s.m.
xistarco s.m.
xistarquia s.f.
xístico adj. s.m.
xistificabilidade s.f.
xistificação s.f.
xistificador (*ô*) adj.
xistificante adj.2g.
xistificar v.
xistificável adj. s.2g.
xisto s.m.
xistocarpo adj.
xistóforo s.m.
xistoide (*ó*) adj.2g.
xistoquímica s.f.
xistoquímico adj.
xistosa s.f.
xistose s.f.
xistosidade s.f.
xistoso (*ô*) adj. "capaz de dividir-se em finas lâminas"; cf. *chistoso* (*ô*) f. (*ó*); pl. (*ó*)
xistossomíase s.f.
xistossomo s.m.
xistossomose s.f.
xistra s.f.
xistro s.m.
xistrócera s.m.
xistrócero s.m.
xistrópode adj.2g. s.m.
xitende s.m.
xitoto s.m.
xitu s.m.
xitúngulo s.m.
xiú s.m.
xiunzo s.m.
xivaísmo s.m.
xivaísta adj. s.2g.
xivaístico adj.
xivaíta adj. s.2g.
xivamudrá s.m.
xivanti s.m.
xivor (*ô*) s.m.
xixá s.m.
xixá-bravo s.m.; pl. *xixás--bravos*
xixá-do-norte s.m.; pl. *xixás--do-norte*
xixá-fedegoso s.m.; pl. *xixás--fedegosos*
xixá-fedorento s.m.; pl. *xixás--fedorentos*
xixarro s.m.
xixe s.m.
xixebalense adj. s.2g.
xixeusense adj. s.2g.
xixi s.m.
xixica s.f. "gorjeta"; cf. *chichica*
xixi de anjo s.m.
xixilado adj.
xiximeco s.m.
xi-xi-xi s.m.; pl. *xi-xi-xis*
xixuão s.m.
xizinho s.m.
xiziro s.m.
xó interj.; cf. *chó*
xô interj.
xoano s.m.
xocar v. "enxotar"; cf. *chocar*
xoclengue adj. s.2g.
xocó adj. s.2g.
xodó s.m.
xodoense (*dô*) adj. s.2g.
xofo s.m.
xofrango s.m.
xofrango-brita-ossos s.m.; pl. *xofrangos-brita-ossos*
xofrango-quebranta-osso s.m.; pl. *xofrangos-quebranta--osso*
xofunga s.f.
xogum s.m.
xógum s.m.
xogunado s.m.
xogunal adj.2g.
xogunato s.m.
xolra s.f.
xomana adj. s.2g.
xomberga s.f.
xona s.f. "etnia africana"; cf. *chona*
xonaltita s.f.
xonaltite s.f.
xonaltito s.m.
xongas pron. indef.
xoninense adj. s.2g.
xoninhas adj. s.2g.2n.
xonotlita s.f.
xontaquiro adj. s.m.
xopotó adj. s.2g.
xorá s.m.
xordo (*ô*) adj.
xorém adj.2g. s.m.
xorlo s.m.
xoroca s.f.
xororó s.m.
xostrão s.m.
xotar v. "enxotar", "expulsar"; cf. *chotar*
xote s.m. "dança"; cf. *xote* (*ô*)
xote (*ô*) interj.; cf. *xote*
xote-carreirinho s.m.; pl. *xotes-carreirinhos*
xote de duas damas s.m.
xote-inglês s.m.; pl. *xotes--ingleses*
xótis s.m.2n.
xoxo (*ô*) s.m. "beijoca"; cf. *chocho* (*ô*)
xoxô interj. s.m.
xoxota s.f.
xrâmana s.m.
xrâmane s.m.
xuá s.m.
xuarézia s.f.
xuatê s.m.
xubabá s.m.
xubará s.m.
xubregas adj. s.2g.2n.
xucrice s.f.
xucrismo s.m.
xucro adj.
xucuru adj. s.2g.
xucuruense adj. s.2g.
xudairo s.m.
xué s.m. "espécie de sapo"; cf. *chué*
xuê s.m.
xué-açu s.m.; pl. *xués-açus*
xuê-guaçu s.m.; pl. *xuês--guaçus*
xuetar v.
xuiense (*u-i*) adj. s.2g.
xumberga s.f.
xumbergado adj.
xumbergar v.
xumbregação s.f.
xumbregar v.
xumbunga s.f.
xumbutar v.
xumi adj. s.2g.
xundaraua s.2g.
xungo adj.
xupeense adj. s.2g.
xuqueense adj. s.2g.
xuqueri s.m.
xurdir v.
xuri s.m.
xúria s.f.
xurreira s.f.
xurro s.m. "damasco"; cf. *churro*
xuru s.m.
xurumbambo s.m.
xuxiapom s.m.
xuxo s.m. "peixes"; cf. *chucho*

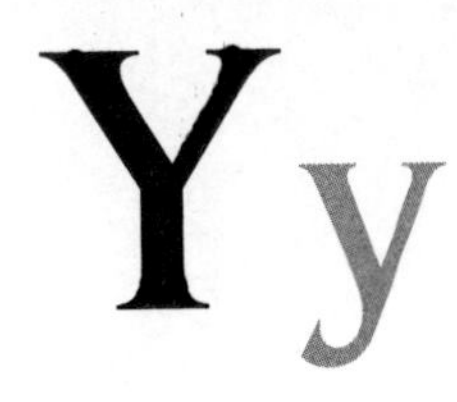

y (*ipsilo*, *ípsilo*, *ipsílon*, *ípsilon*, *ipsilone*) s.m.
yag s.m.
yagi s.f.
yalhoy s.m.
yamaskita s.f.
yamaskítico adj.
yamaskito s.m.
yanavi s.m.
yeatmanita s.f.
yeatsiano adj.
yedlinita s.f.
yenita s.f.
yersínia s.f.
yersiníase s.f.
yersinose s.f.
yftisita s.f.
yixunita s.f.
yoderita s.f.
yofortierita s.f.
yokosukaíta s.f.
yorkense adj. s.2g.
yorkino adj. s.m.
yoshimuraíta s.f.
yttérbico adj.
yttérbio s.m.
ytterbita s.f.
ytterbítico adj.
yttrocerita s.f.
yttrocerítico adj.
yttrocolumbita s.f.
yttrocolumbítico adj.
yttrocrasita s.f.
yttrocrasítico adj.
yttrofluorita s.f.
yttrofluorítico adj.
yttrotantalita s.f.
yttrotantalítico adj.
yugawaralita s.f.
yuksporita s.f.

Z z

z (*zê*) s.m.
zabalé s.m.
zabaneira s.f.
zabaneiro adj.
zabelê s.2g.
zabelo adj.
zaberma s.m.
zabiano s.m.
zabiapunga s.m.
zabocaio s.m.
zabra s.f.
zabro s.m.
zabucaí s.m.
zabucaio s.m.
zabucajo s.m.
zabumba s.m. s.2g.
zabumba-branca s.f.; pl. *zabumbas-brancas*
zabumbada s.f.
zabumbar v.
zabumba-roxa s.f.; pl. *zabumbas-roxas*
zabumbeiro s.m.
zaburreira s.f.
zaburreiro s.m.
zaburro adj. s.m.
zaburro-vermelho s.m.; pl. *zaburros-vermelhos*
zaca s.m.
zacaí s.m.
zacariense adj. s.2g.
zacateque adj. s.2g.
zacinto s.m.
zaco s.m.
zacônio s.m.
zácoro s.m.
zacum s.m.
zadruga s.f.
zafarrancho s.m.
zafimeiro adj.
zafira s.f.
zaga s.f.
zagaia s.f.
zagaiada s.f.
zagaiador (*ô*) adj. s.m.
zagaiar v.
zagaieiro s.m.
zagaio s.m.
zagal s.m.; f. *zagala*
zagala s.f. de *zagal*
zagalejo (*ê*) s.m.
zagalesco (*ê*) adj.
zagaleta (*ê*) s.f.
zagalete (*ê*) s.m.
zagaleto (*ê*) s.m.
zagalotada s.f.
zagalotar v.
zagalote s.m.
zagalotear v.
zagão s.m.
zagari s.m.
zagatai s.m.
zagaté s.m.
zaglosso s.m.
zagonal s.m.
zagor (*ô*) s.m.
zagorrino adj. s.m.
zagorro (*ô*) adj. s.m.
zagrão s.m.
zagre s.m. "eczema"; cf. *zagré*
zagré s.m. "vinho"; cf. *zagre*
zagrebino adj. s.m.
zagrento adj.
zagu s.m.
zagucho adj.
zagueiro s.m.
zagunchada s.f.
zagunchado adj.
zagunchador (*ô*) adj. s.m.
zagunchar v.
zaguncho s.m.
zaibatsu s.m.
zãibo adj.
zaida s.f.
zaidi s.m.
zaidita adj. s.2g.
zâimbo adj.
zaimo s.m.
zaine s.m.
zainfe s.f.
zaino adj. s.m.
zaipana s.m.
zaira s.f.
zaire s.m.
zairense adj. s.2g.
zairiano adj. s.m.
zaírida adj.2g. s.m.
zairismo s.m.
zairista adj. s.2g.
zairita adj. s.2g.
zal s.m.
zalaca s.f.
zalcibatina s.f.
zaluanda s.f.
zalumar v.
zaluzânia s.f.
zama s.f.
zamak s.m.
zamaque s.m.
zamba s.f.
zambaio adj. s.m.
zambana s.m.
zambé s.m.
zambê s.m.
zambeiro adj.
zambelê s.m.
zambelô s.m.
zambembe adj.2g.
zambeta (*ê*) adj.2g.
zambeto (*ê*) s.m.
zâmbi s.m. "divindade na umbanda"; cf. *zambi*
zambi s.m. "zumbi"; cf. *zâmbi*
zambiampongo s.m.
zambiampungo s.m.
zambiano adj. s.m.
zambiapombo s.m.
zambiapongo s.m.
zambiapunga s.f.
zambiapungo s.m.
zambiense adj. s.2g.
zâmbio adj. s.m.
zambiuapongo s.m.
zambiupombo s.m.
zambo adj. s.m.
zamboa (*ô*) s.f.
zamboada s.f.
zamboeira s.f.
zamboeiro s.m.
zamboninita s.f.
zamboque s.m.
zamborina s.f.
zamborra (*ô*) s.f.
zamborrada s.f.
zamboto (*ô*) s.m.
zambozino s.m.
zambra s.f.
zambralho s.m.
zambrana s.m.
zambro adj.
zambucal s.m.
zambuco s.m.
zambugal s.m.
zambuja s.f.
zambujal s.m.
zambujeira s.f.
zambujeiro s.m.
zambujo s.m.
zambulá s.m.
zambulha s.f.
zambulheira s.f.
zambulho s.m.
zambumba s.f.
zambureque s.m.
zamburrada s.f.
zamburrinha s.f.
zamena s.f.
zâmenis s.2g.2n.
zamense adj. s.2g.
zâmia s.f.
zamiácea s.f.
zamiáceo adj.
zamiapombo s.m.
zamicro s.m.
zamorano adj. s.m.
zamorim s.m.
zampador (*ô*) adj. s.m.
zampar v.
zamparina s.f.
zamparinado adj.
zamparinar v.
zamuco adj. s.2g. s.m.
zamumo s.m.
zana s.f.
zanaga adj. s.2g.
zanago adj. s.m.
zanagra adj. s.2g.
zanal s.m.
zanaloína s.f.
zanata s.f.
zanatense adj.2g.
zancarrão s.m.
zancleia (*é*) s.f. de *zancleu*
zancleu adj. s.m.; f. *zancleia* (*é*)
zânclida adj.2g. s.m.
zanclídeo adj. s.m.
zanclo s.m.
zanclógnata s.f.
zanclóstomo s.m.
zandavalense adj. s.2g.
zande adj. s.2g. s.m.
zaneta adj. s.2g.
zanetense adj. s.2g.
zanga s.f.
zanga-burrinha s.f.; pl. *zanga-burrinhas*
zanga-burrinho s.m.; pl. *zanga-burrinhos*
zangadiço adj.
zangado adj.
zangador (*ô*) adj. s.m.
zangalete (*ê*) s.m.
zangalhão s.m.; f. *zangalhona*
zangalhar v.
zangalho s.m.
zangalhona s.f. de *zangalhão*
zangamento s.m.
zanganito s.m.
zângano s.m.
zângão s.m. "macho da abelha"; cf. *zangam*, fl. do v. *zangar*; pl. *zangãos*
zangão s.m.; pl. *zangãos* e *zangões*
zangar v.
zangaralhão s.m.; f. *zangaralhona*
zangaralheiro s.m.
zangaralhona s.f. de *zangaralhão*
zangarelha (*ê*) s.f.
zangarelhar v.
zangarelho (*ê*) s.m.
zangarilha s.f.
zangarilhão s.m.
zangarilhar v.
zangarilho s.m.
zangarinheiro s.m.
zangarinho s.m.
zangarrão adj. s.m.; f. *zangarrona*
zangarreado s.m.
zangarreador (*ô*) adj. s.m.
zangarrear v.
zangarreio s.m.
zangarreiro s.m.
zangarrona adj. s.f. de *zangarrão*
zanga-tempo s.m.; pl. *zanga-tempos*
zanglo s.m.
zangonagem s.f.
zangonal s.m.
zangonar v.
zangorrear v.
zangorriana s.f.
zangorrino s.m.
zangorro (*ô*) s.m.
zangrineiro s.m.
zanguerelhar v.
zanguerrear v.
zanguinheiro s.m.
zanguizama s.f.
zanguizarra s.f.
zanguizarrar v.
zanguizarrear v.
zangulhar v.
zangunar v.
zangurinheiro s.m.
zangurrar v.
zangurriana s.f.
zangurrina s.f.
zanho adj.
zaniapombo s.m.
zaniquélia s.f.
zanizo s.m.
zannichéllia s.f.
zannichelliácea s.f.
zannichelliáceo adj.
zanoio adj. s.m.
zanolho (*ô*) adj. s.m.
zanolídeo adj. s.m.
zanônia s.f.
zanquim s.m.
zante s.m.
zântio s.m.
zantóxilo (*cs*) s.m.
zanzação s.f.
zanzado adj.
zanzador (*ô*) adj.
zanzamento s.m.
zanzar v.
zanzarilhar v.
zanzibar adj. s.2g. s.m.
zanzibarense adj. s.2g.
zanzibariano adj. s.m.
zanzibarita adj. s.2g.
zanzino s.m.
zanzo s.m.
zaori adj. s.2g.
zão-zão s.m.; pl. *zão-zãos*
záparo adj. s.m.
zape s.m. interj.
zápete s.m.
zapetrape s.m.
zapo s.m.
zapodídeo adj. s.m.
zaporogo adj. s.m.
zapota s.f.
zapote s.m.
zapoteca adj. s.2g.
zapotecano adj. s.m.
zapotilha s.f.
zapotilheiro s.m.
zapupe s.m.
zaqueu s.m.
zarabatana s.f.
zarabatanada s.f.
zarabona s.f.
zaracoteia s.f.
zaraga s.f.
zaragalhada s.f.
zaragalhar v.
zaragata s.f.
zaragateiro adj. s.m.
zaragatoa (*ô*) s.f.
zaragatoa-maior s.f.; pl. *zaragatoas-maiores*
zaragatoa-menor s.f.; pl. *zaragatoas-menores*
zaragolhada s.f.
zaragota (*ô*) s.f.
zaralha s.f.
zaralhice s.f.
zarambelho (*ê*) s.m.
zarandalha s.f.
zaranga adj. s.2g. s.f.
zaranguilhar v.
zaranza adj. s.2g. s.f.
zaranzação s.f.
zaranzado adj.
zaranzador (*ô*) adj.
zaranzamento s.m.
zaranzar v.
zarão s.m.
zarapelho (*ê*) s.m.
zarapilheira s.f.
zarapulho s.m.
zarasca s.f.
zaratempo interj.
zaratense adj. s.2g.
zaratita s.f.
zaratite s.f.
zaravatana s.f.
zaravatanada s.f.
zarba s.f.
zarca s.f.
zarcão adj. s.m.
zarco adj.

zarcônio s.m.
zaré adj.2g.
zarelha (*ê*) s.f.
zarelhar v.
zarelho (*ê*) s.m.; cf. *zarelho*, fl. do v. *zarelhar*
zareta (*ê*) adj. s.2g.
zargo adj.
zargunchada s.f.
zargunchador (*ô*) adj. s.m.
zargunchar v.
zarguncho s.m.
zarigão s.m.
zaro adj. s.m.
zaroca s.f.
zarolhar v.
zarolhice s.f.
zarolho (*ô*) adj. s.m.; cf. *zarolho*, fl. do v. *zarolhar*
zarona s.f.
zarpado adj.
zarpamento s.m.
zarpar v.
zarro adj. s.m.
zaruco adj. s.m.
zarugane s.m.
zarza s.f.
zarzagânia s.f.
zarzagitânia s.f.
zarzedo (*ê*) adj. s.m.
zarzuela s.f.
zarzuelesco (*ê*) adj.
zarzuelista adj. s.2g.
zás interj.
zás-trás interj.
zastre s.m.
zatu s.m.
zaucnéria s.f.
zauia s.f.
zavada s.f.
zavaneira s.f.
zavar v.
zavônia s.f.
zavra s.f.
zazagitânia s.f.
zazerino adj.
zazinta s.f.
zazo s.m.
zazumba s.m.
zazumbar v.
zé s.m. "indivíduo sem importância"; cf. *zê*
zê s.m. "nome da letra z"; cf. *zé*
zeagonita s.f.
zeagonite s.f.
zeagonito s.m.
zearalenona s.f.
zeasita s.f.
zeasito s.m.
zebedeu s.m.
zebeleense adj. s.2g.
zebelina s.f.
zebo (*ê*) s.m.
zebra (*ê*) s.f.; cf. *zebra*, fl. do v. *zebrar*
zebrado adj. s.m.
zebradura s.f.
zebrainho s.m.
zebral adj.2g.
zebrandim s.m.
zebrante adj.2g.
zebrar v.
zebrário adj.
zebrina s.f.
zebrinha s.f.
zebrino adj.
zebro (*ê*) s.m.; cf. *zebro*, fl. do v. *zebrar*
zebroide (*ó*) adj. s.2g.
zébrulo s.m.
zebrum adj.2g.
zebruno adj.
zebrura s.f.
zebu adj.2g. s.m.
zebuado adj.
zebuador (*ô*) adj. s.m.
zebuar v.
zebueiro s.m.
zebuicultor (*u-i* ... *ô*) s.m.
zebuicultura (*u-i*) s.f.
zebuíno adj. s.m.
zebuzeiro adj. s.m.
zecora s.f.
zé-cuecas s.m.2n.
zé da véstia s.m.
zé de quinca s.m.
zé-dias s.m.; pl. *zés-dias*
zedoária s.f.
zedoarina s.f.
zé-doquense adj. s.2g.; pl. *zé-doquenses*
zé dos anzóis s.m.
zé dos anzóis carapuça s.m.
zé do vale s.m.
zefa s.f.
zefarovichita s.f.
zé faz formas s.m.2n.
zefir s.m.
zefiranto s.m.
zefire s.m.
zefirino adj.
zéfiro adj. s.m.
zé-godes s.m.2n.
zé-goelas s.m.2n.
zegoniar v.
zegri adj. s.2g.
zégrio adj. s.m.
zegulo s.m.
zeia (*é*) s.f.
zeida adj.2g. s.m.
zeide adj.2g. s.m.
zeídeo adj. s.m.
zeiforme adj.2g. s.m.
zeimão adj. s.m.
zeína s.f.
zeirã s.m.
zeísmo s.m.
zéjel s.m.
zejelesco (*ê*) adj.
zejélico adj.
zelação s.f.
zelado adj.
zelador (*ô*) adj. s.m.
zelador de inquice s.m.
zelador de santo s.m.
zeladoria s.f.
zelandense adj. s.2g.
zelandês adj. s.m.
zelandiense adj. s.2g.
zelante adj.2g.
zelar v.
zelcova s.f.
zelha (*ê*) s.f.
zeliense adj. s.2g.
zelindense adj. s.2g.
zellerita s.f.
zelo (*ê*) s.m.; cf. *zelo*, fl. do v. *zelar*
zelose s.f.
zelosia s.f.
zeloso (*ô*) adj.; f. (*ó*); pl. (*ó*)
zelota adj. s.m.
zelote adj.2g. s.m.
zelotipia s.f.
zelotípico adj.
zelotismo s.m.
zema s.f.
zemannita s.f.
zembel s.m.
zembro adj.
zemia s.f.
zemindar s.m.
zemindaria s.f.
zen adj.2g. s.m.
zenabre s.m.
zenaga adj. s.2g.
zenaida s.f.
zenana s.m.
zenar s.m.
zenata adj. s.2g.
zen-budismo s.m.; pl. *zen-budismos*
zen-budista adj.2g. s.2g.; pl. *zen-budistas*
zen-budístico adj.; pl. *zen-budísticos*
zenda adj.2g. s.m.
zenda-avesta s.m.
zendavesta s.m.
zende adj.2g. s.m.
zende-avesta s.m.
zendicismo s.m.
zendicista adj. s.2g.
zendicístico adj.
zendique s.m.
zendismo s.m.
zendista adj. s.2g.
zendístico adj.
zenepro s.m.
zenéria s.f.
zeneta adj. s.2g.
zenetense adj.2g.
zengue-zengue s.f.; pl. *zengue-zengues*
zenha s.f.
zênia s.f.
zeniar s.m.
zenido s.m.
zé-ninguém s.m.; pl. *zés-ninguém*
zenique s.m.
zenir v.
zenismo s.m.
zenista adj. s.2g.
zenístico adj.
zenital adj.2g.
zenite s.m.
zênite s.m.
zenlim s.m.
zenóbia s.f.
zenocêntrico adj.
zenográfico adj.
zenônico adj.
zenonismo s.m.
zenonista adj. s.2g.
zenonístico adj.
zensita s.f.
zenzema s.f.
zenzeral s.2g.
zenzezeiro s.m.
zenzila s.f.
zeofagia s.f.
zeofágico adj.
zeófago adj. s.m.
zeofilita s.f.
zeólita s.f.
zeólita do cabo s.f.
zeólita-mimética s.f.; pl. *zeólitas-miméticas*
zeolítico adj.
zeolitiforme adj.2g.
zeólito s.m.
zeometria s.f.
zeométrico adj.
zeômetro s.m.
zeomorfo adj. s.m.
zeoscopia s.f.
zeoscópico adj.
zeoscópio s.m.
zeotrópico adj.
zeotropismo s.m.
zeótropo adj. s.m.
zé-pagante s.m.; pl. *zé-pagantes* e *zés-pagantes*
zepelim s.m.
zé-pereira s.m.; pl. *zé-pereiras* e *zés-pereiras*
zé-piegas s.2g.; pl. *zés-piegas*
zé-povinho s.m.; pl. *zé-povinhos* e *zés-povinhos*
zé-povo s.m.; pl. *zé-povos* e *zés-povos*
zé-pregos s.m.2n.
zé-prequeté s.m.; pl. *zé-prequetés* e *zés-prequetés*
zé-quitolas s.m.2n.
zé-quitólis s.m.2n.
zerado adj.
zerapilha s.f.
zerapilharia s.f.
zerar v.
zerbada s.f.
zerbo s.m.
zerci s.m.
zerdo s.m.
zeré adj. s.2g.
zerê adj. s.2g.
zerecheia s.f.
zerechia s.f.
zerena-da-groselheira s.f.; pl. *zerenas-da-groselheiras*
zerenamora s.f.
zéreta s.f.
zeribanda s.f.
zeribando s.m.
zerinho adj. s.m.
zéripula s.f.
zerna s.f.
zernense adj. s.2g.
zero num. s.m.
zero-quilômetro adj.2g.2n. s.m.2n.
zeroscópio s.m.
zerovalente adj.2g.
zerumba s.f.
zerumbete (*ê*) s.m.
zervanismo s.m.
zervanista adj. s.2g.
zervanístico adj.
zervatana s.f.
zerzulho s.m.
zesto s.m.
zeta s.m.
zetacismo s.m.
zetacista adj. s.2g.
zetética s.f.
zetético adj.
zetkzerita s.f.
zeto s.m.
zé-tranquilino (*ü*) s.m.; pl. *zés-tranquilinos* (*ü*)
zettajoule s.m.
zeugita adj. s.2g. s.f.
zeugitano adj. s.m.
zeugma s.m.
zeugmático adj.
zeugo s.m.
zeugobrânquio adj. s.m.
zeugóforo s.m.
zeugogeossinclinal adj.2g.
zeugogeossinclíneo adj. s.m.
zeugogeossinclínico adj.
zeunerita s.f.
zeunerite s.f.
zeunerito s.m.
zêuxia (*cs*) s.f.
zeuxina (*cs*) s.f.
zeuxita (*cs*) s.f.
zeuxite (*cs*) s.f.
zeuxito (*cs*) s.m.
zeuzera s.f.
zé vai na burra s.m.2n.
zevro (*ê*) s.m.
zexmênia (*cs*) s.f.
zeylanita s.f.
zeyringita s.f.
zezé s.m.
zezeação s.f.
zezeísmo s.m.
zezereiro s.m.
zezinha s.f.
zezinho s.m.
zhemchuzhnikovita s.f.
ziânida adj. s.2g.
ziar v. s.m.
zibelina s.f.
zibeta s.m.
zicha s.f.
zichar v.
zicho s.m.
zicurato s.m.
zidovudina s.f.
ziéria s.f.
ziesita s.f.
zifídeo adj. s.m.
zifiídeo adj. s.m.
zífio s.m.
ziga adj. s.2g.
zigadeno s.m.
zigadita s.f.
zigadite s.f.
zigadito s.m.
zigapofisário adj.
zigapófise s.f.
zigena s.f.
zigênida adj.2g. s.m.
zigenídeo adj. s.m.
zigentoma adj. s.m.
zígio adj. s.m.
zigita s.m.
zignema s.m.
zignemal adj.2g.
zignemale s.f.
zignematácea s.f.
zignematáceo adj.
zignematal adj.2g.
zignematale s.f.
zignêmea s.f.
zignêmeo adj.
zignia s.f.
zigóbata s.m.
zigóbato s.m.
zigobrânquio adj. s.m.
zigocacto s.m.
zigócero adj. s.m.
zigocisto s.m.
zigodactilia s.f.
zigodactílico adj.
zigodáctilo adj. s.m.
zigodatilia s.f.
zigodatílico adj.
zigodátilo adj. s.m.
zigodonte adj.2g.
zigofilácea s.f.
zigofiláceo adj.
zigofílea s.f.
zigofíleo adj.
zigofilo s.m.
zigofiúro adj. s.m.
zigóforo s.m.
zigogênese s.f.
zigognático s.m.
zigoma s.m.
zigomatauricular adj.2g. s.m.
zigomático adj.
zigômato adj.
zigomatoauricular adj.2g. s.m.
zigomatolabial adj.2g. s.m.
zigomatomaxilar (*cs*) adj.2g. s.m.
zigomicete s.m.
zigomiceto s.m.
zigomicose s.f.
zigomicotina s.f.
zigomorfia s.f.
zigomórfico adj.
zigomorfismo s.m.
zigomorfo adj.
zigo-opórico adj.
zigo-óporo s.m.
zigopétalo s.m.
zigóptero adj. s.m.
zigose s.f.
zigosfera s.f.
zigosidade s.f.
zigosporângio s.m.
zigospório s.m.
zigósporo s.m.
zigóstase s.f.
zigóstata s.m.
zigostilo s.m.
zigote s.m.
zigoteno s.m.
zigótico adj.
zigoto (*ó* ou *ô*) s.m.
zigue-zagar v.
zigue-zague s.m.; pl. *zigue-zagues*
ziguezagueante adj.2g.
ziguezaguear v.
zigue-zigue s.m.; pl. *zigue-zigues*
ziguizira s.f.
zigurate s.2g.
zigurato s.m.
zil s.m.
zila s.f.
zílea s.f.
zíleo adj.
zilórgano s.m.
zimapanito s.m.
zimase s.f.
zímase s.f.
zimba adj. s.2g.
zimbi s.f.
zimbo s.m.
zimboque s.m.
zimboriado adj.
zimbório s.m.
zimbrada s.f.
zimbradura s.f.
zimbral s.m.

zimbrão s.m.
zimbrar v.
zimbre s.m.
zimbreiro s.m.
zimbrense adj. s.2g.
zimbro s.m.
zimeose s.f.
zímico adj.
zimidrólise s.f.
zimidrolítico adj.
zimina s.f.
zimodiagnóstico s.m.
zimóforo adj.
zimogenia s.f.
zimogênico adj.
zimogênio s.m.
zimógeno adj.
zimo-hidrólise s.f.
zimo-hidrolítico adj.
zimoidrólise s.f.
zimoidrolítico adj.
zimólise s.f.
zimolítico adj.
zimologia s.f.
zimológico adj.
zimologista adj. s.2g.
zimólogo s.m.
zimoma s.m.
zimometria s.f.
zimométrico adj.
zimômetro s.m.
zimonemose s.f.
zimoplasma s.m.
zimoplasmático adj.
zimoplástico adj.
zimoproteico (*é*) adj.
zimoproteína s.f.
zimoquímica s.f.
zimoquímico adj.
zimoscopia s.f.
zimoscópico adj.
zimoscópio s.m.
zimose s.f.
zimosimetria s.f.
zimosimétrico adj.
zimosímetro s.m.
zimotecnia s.f.
zimotécnico adj. s.m.
zimotermia s.f.
zimotérmico adj.
zimótico adj.
zimurgia s.f.
zimúrgico adj.
zina s.f.
zinabrado adj.
zinabrar v.
zinabre s.m.
zinavrado adj.
zinavrar v.
zinavre s.m.
zincado adj.
zincador (*ô*) adj. s.m.
zincagem s.f.
zincalismo s.m.
zincaluminita s.f.
zincaluminito s.m.
zincar v.
zincato s.m.
zincazurita s.f.
zincazurito s.m.
zíncico adj.
zíncida adj.2g. s.m.
zincífero adj.
zincita s.f.
zincite s.f.
zincito s.m.
zinco s.m.
zincoalcoíla s.m.
zincocalcografia s.f.
zincocalcográfico adj.
zincografar v.
zincografia s.f.
zincográfico adj.
zincógrafo s.m.; cf. *zincografo*, fl. do v. *zincografar*
zincogravado adj.
zincogravador (*ô*) s.m.
zincogravar v.
zincogravura s.f.
zincogreenockita s.f.
zincomelanterita s.f.
zinconise s.f.
zincorrosasita s.f.
zincoschefferita s.f.
zincose s.f.
zincosita s.f.
zincosito s.m.
zincotavita s.f.
zincoteca s.f.
zincotipia s.f.
zincotipista adj. s.2g.
zincsilita s.f.
zindiquismo s.m.
zinebra s.f.
zineco s.m.
zineira s.f.
zineto (*ê*) adj.
zinga s.f.
zingador (*ô*) s.m.
zingamocho (*ô*) s.m.
zingana s.f.
zingar v.
zingarear v.
zingarela s.f.
zingarelado adj.
zingarelo s.m.
zingarilho s.m.
zíngaro adj. s.m.
zingiber s.m.
zingiberácea s.f.
zingiberáceo adj.
zingiberal adj.2g.
zingiberale s.f.
zingo adj. s.m.
zingoiné adj.
zingoma s.m.
zingração s.f.
zingrador (*ô*) adj. s.m.
zingramento s.m.
zingrar v.
zinguerrear v.
zinha s.f.
zinho s.m.
zínia s.f.
zinideira s.f.
zinido adj. s.m.
zinidor (*ô*) adj.
zinir v.
zinjantropo s.m.
zinkenita s.f.
zinnaeíta s.f.
zínnia s.f.
zinnwaldita s.f.
zinnwaldítico adj.
zinostatina s.f.
zinote s.m.
zinvaldita s.f.
zinvaldítico adj.
zínzaro s.m.
zinzilular v.
zinzolinar v.
zinzolino adj. s.m.
zio s.m.
ziombre s.m.
zipa s.f.
zipar v.
zipe s.m.
zipedede s.m.
zipeíta s.f.
zipeíto s.m.
zípela s.f.
zíper s.m.
zipla s.f.
zippeíta s.f.
zippeíto s.m.
zípula s.f.
ziquizira s.f.
zirbal adj.2g.
zirbeiro s.m.
zirbo s.m.
zirbuada s.f.
zircalói s.m.
zircão s.m.
zircofilita s.f.
zircona s.f.
zirconato s.m.
zircônia s.f.
zircônico adj.
zirconífero adj.
zirconila s.f.
zirconilo s.m.
zircônio s.m.
zirconiobetafita s.f.
zirconioschorlomita s.f.
zirconita s.f.
zirconite s.f.
zirconoide (*ó*) adj.2g. s.m.
zirconolita s.f.
zircossulfato s.m.
zirfesita s.f.
ziriano adj. s.m.
zírida adj. s.2g.
zirita adj. s.2g.
zirkelita s.f.
zirkita s.f.
zirklerita s.f.
zirlita s.f.
zirlito s.m.
zirneira s.f.
zirrar v.
zirro s.m.
zirsinalita s.f.
zirzelim s.m.
zita s.f.
zito s.m.
zitógala s.f.
zizaneiro adj. s.m.
zizânia s.f.
zizaniar v.
zizanista adj. s.2g.
zízia s.f.; cf. *zizia*, fl. do v. *ziziar*
ziziamento s.m.
ziziar v.
zizífico adj.
zizifino s.m.
zízifo s.m.
zizífora s.f.
zi-zio s.m.; pl. *zi-zios*
zizíxia (*cs*) s.f.
zloti s.m.
zlóti s.m.
zoa (*ô*) s.f.
zoacantose s.f.
zoada s.f.
zoadeira s.f.
zoadeiro s.m.
zoadento adj.
zoamido s.m.
zoamilia s.f.
zoamilina s.f.
zoamílio s.m.
zoanafilactogênico adj.
zoanafilactogênio s.m.
zoanafilactógeno s.m.
zoantário adj. s.m.
zoante adj.2g.
zoantídeo adj. s.m.
zoanto s.m.
zoantropia s.f.
zoantrópico adj.
zoantropo (*trô*) s.m.
zoantroponose s.f.
zoantroponótico adj.
zoar v.
zoarcídeo adj. s.m.
zoarco s.m.
zoário s.m.
zoarismo s.m.
zoarista adj. s.2g.
zoarístico adj.
zoaro s.m.
zoarquia s.f.
zobaida s.f.
zodariídeo adj. s.m.
zodário s.m.
zodiacal adj.2g.
zodíaco s.m.
zoé s.f.
zoécia s.f.
zoécio adj. s.m.
zoecologia s.f.
zoecológico adj.
zoecologista adj. s.2g.
zoecólogo s.m.
zoeia (*é*) s.f.
zoeira s.f.
zoeiro s.m.
zoela adj. s.2g.
zoeletricidade s.f.
zoelétrico adj.
zoematina s.f.
zoerastia s.f.
zoerástico adj.
zoética s.f.
zoético adj.
zoga s.f.
zogada s.f.
zogó s.m.
zogue-zogue s.m.; pl. *zogue--zogues*
zoião s.m.
zoiatra s.2g.
zoiatria s.f.
zoiátrico adj.
zoiatro s.m.
zoiatrologia s.f.
zoiatrológico adj.
zoiatrologista adj. s.2g.
zoiatrólogo s.m.
zoico (*ó*) adj.
zoide (*ó*) adj.2g. s.m.
zoidiogamia s.f.
zoidiogâmico adj.
zoidiógamo adj. s.m.
zoilismo s.m.
zoilo s.m.
zoina adj. s.2g. s.f.
zoiodina s.f.
zoipar v.
zoipeira s.f.
zoipeirão s.m.; f. *zoiperona*
zoipeiro adj.
zoiperona s.f. de *zoiperão*
zoisita s.f.
zoísmo s.m.
zoísta adj. s.2g.
zoístico adj.
zoíto s.m.
zola s.f.
zolaico adj.
zolaísmo s.m.
zolaísta adj. s.2g.
zolaístico adj.
zolaniano adj.
zolérnia s.f.
zolesco (*ê*) adj.
zolismo s.m.
zolista adj. s.2g.
zolístico adj.
zollérnia s.f.
zolota s.m.
zolulo s.m.
zomba s.f.
zombação s.f.
zombada s.f.
zombadeira s.f.
zombadela s.f.
zombado adj.
zombador (*ô*) adj. s.m.
zombal adj. s.2g.
zombar v.
zombaria s.f.
zombatório adj.
zombável adj.2g.
zombeirão adj. s.m.; f. *zombeirona*
zombeiro adj. s.m.
zombeirona adj. s.f. de *zombeirão*
zombetar v.
zombetear v.
zombeteiro adj. s.m.
zombi s.m. "deidade"; cf. *zumbi*
zomidina s.f.
zomol s.m.
zomoterapêutica s.f.
zomoterapêutico adj.
zomoterapia s.f.
zomoterápico adj.
zom-zom s.m.; pl. *zom-zons*
zona s.f.
zonação s.f.
zonada s.f.
zonado adj.
zonagem s.f.
zonal adj.2g.
zonalidade s.f.
zonar v. adj.2g.
zonário s.m.
zonchadura s.f.
zonchar v.
zoncho s.m.
zoneação s.f.
zoneado adj.
zoneador (*ô*) adj.
zoneamento s.m.
zonear v.
zoneiro adj. s.m.
zonense adj. s.2g.
zoneografia s.f.
zoneográfico adj.
zonestesia s.f.
zonestésico adj.
zonestético adj.
zongalonga adj. s.2g.
zongão s.m.
zongo s.m.
zoniforme adj.2g.
zoníptilo s.m.
zonite s.m.f.
zonitídeo adj. s.m.
zonito s.m.
zonoclorita s.f.
zonofone s.m.
zonofônico adj.
zonofônio s.m.
zonografia s.f.
zonográfico adj.
zonógrafo adj. s.m.
zonograma s.m.
zonote s.m.
zonotilta s.f.
zontró s.m.
zónula s.f.
zônula s.f.
zonular adj.2g.
zonulite s.f.
zonulocotomia s.f.
zonulótomo s.m.
zonurídeo adj. s.m.
zonuro s.m.
zonzar v.
zonzear v.
zonzeira s.f.
zonzo adj.
zonzonar v.
zonzonear v.
zoo (*ô*) s.m.
zooanafilactógeno s.m.
zooantropia s.f.
zooantrópico adj.
zooantroponose s.f.
zooantroponótico adj.
zoobento s.m.
zoobentônico adj.
zoobia s.f.
zoóbico adj.
zoóbio adj.
zoobiologia s.f.
zoobiológico adj.
zoobiólogo s.m.
zoobiose s.f.
zoobiótico adj.
zooblasto s.m.
zoocárpea s.f.
zoocarpo s.m.
zoocécida s.f.
zoocecídia s.f.
zoocecídio s.m.
zooclorela s.f.
zoococcina s.f.
zoococina s.f.
zoocoria s.f.
zoocórico adj.
zoócoro adj.
zoocorografia s.f.
zoocorográfico adj.
zoocorógrafo s.m.
zoocresia s.f.
zoocréstico adj.
zoocultura s.f.
zoocultural adj.2g.
zoodinâmica s.f.
zoodinâmico adj.
zoódomo s.m.
zooecologia s.f.
zooecológico adj.
zooecologista adj. s.2g.
zooecólogo s.m.
zooelectricidade s.f.
zooeléctrico adj.
zooeletricidade s.f.
zooelétrico adj.

zooematina s.f.
zooerastia s.f.
zooerástico adj.
zooética s.f.
zoofagia s.f.
zoofágico adj.
zoofagínea s.f.
zoofagíneo adj.
zoófago adj. s.m.
zoofilia s.f.
zoofílico adj.
zoófilo adj. s.m.
zoofitantráceo adj.
zoofitário adj. s.m.
zoofitia s.f.
zoofítico adj. s.m.
zoófito adj. s.m.
zoofitografia s.f.
zoofitográfico adj.
zoofitógrafo s.m.
zoofitoide (ó) adj.2g.
zoofitolítico adj.
zoofitólito s.m.
zoofitologia s.f.
zoofitológico adj.
zoofitologista adj. s.2g.
zoofitólogo s.m.
zooflagelado adj. s.m.
zoofobia s.f.
zoofóbico adj.
zoófobo adj. s.m.
zoofonia s.f.
zoofônica s.f.
zoofônico adj.
zoofórico adj.
zoóforo s.m.
zoofulvina s.f.
zoogameta s.m.
zoogâmeta s.m.
zoogamia s.f.
zoogâmico adj.
zoogênese s.f.
zoogenia s.f.
zoogênico adj.
zoogênio s.m.
zoógeno adj.
zoogeografia s.f.
zoogeográfico adj.
zoogeógrafo s.m.
zoogleal adj.2g.
zoogleia (*é*) s.f.
zoogleico (*é*) adj.
zooglifite s.f.
zooglifito s.m.
zoogonia s.f.
zoogônico adj.
zoogonídio s.m.
zoógono adj.
zoogonologia s.f.
zoogonológico adj.
zoografar v.
zoografia s.f.
zoográfico adj.
zoógrafo s.m.; cf. *zoografo*, fl. do v. *zoografar*
zoo-hematina s.f.
zooiatra s.2g.
zooiatria s.f.
zooiátrico adj.
zooiatro s.m.
zooiatrologia s.f.
zooiatrológico adj.
zooiatrologista adj. s.2g.
zooiatrólogo s.m.
zooidal adj.2g.
zooide (*ó*) adj.2g. s.m.
zoolagnia s.f.
zoólatra adj. s.2g.
zoolatria s.f.
zoolátrico adj.
zoolatrologia s.f.
zoolatrológico adj.
zoólea s.f.
zoólico adj.
zoólite s.m.
zoolítico adj.
zoolitífero adj.
zoólito s.m.
zoolitóforo adj.
zoologia s.f.
zoológico adj. s.m.
zoologista adj. s.2g.
zoólogo s.m.
zoolografia s.f.
zoolográfico adj.
zoológrafo s.m.
zoomagnético adj.
zoomagnetismo s.m.
zoomancia s.f.
zoomania s.f.
zoomaníaco adj. s.m.
zoômano adj. s.m.
zoomante s.2g.
zoomântico adj.
zoomastigino s.m.
zoomefitismo s.m.
zoômetra s.2g.
zoometria s.f.
zoométrico adj.
zoomimético adj.
zoomimia s.f.
zoomímico adj.
zoomorfia s.f.
zoomórfico adj.
zoomorfismo s.m.
zoomorfista adj. s.2g.
zoomorfístico adj.
zoomorfita s.f.
zoomorfite s.f.
zoomorfo adj.
zoomorfose s.f.
zoonato s.m.
zoonecrófago adj. s.m.
zoônico adj.
zoonimia s.f.
zoonímia s.f.
zoonímico adj.
zoônimo s.m.
zoonita s.f.
zoonitado adj.
zoonito s.m.
zoonomia s.f.
zoonômico adj.
zoonomista adj. s.2g.
zoônomo s.m.
zoonose s.f.
zoonosologia s.f.
zoonosológico adj.
zoonosologista adj. s.2g.
zoonosólogo s.m.
zoonosopatologia s.f.
zoonosopatológico adj.
zoonosopatologista s.m.
zoonosopatólogo s.m.
zoonótico adj.
zooparasita s.m.
zooparasito s.m.
zoopatia s.f.
zoopático adj.
zoopatologia s.f.
zoopatológico adj.
zoopatologista adj. s.2g.
zoopatólogo s.m.
zoopedia s.f.
zoopédico adj.
zooplancto s.m.
zooplâncton s.m.
zooplanctonte s.m.
zooplasma s.m.
zooplasmático adj.
zooplasta s.m.
zooponia s.f.
zoopônica s.f.
zoopônico adj.
zoopraxinoscópio (*cs*) s.m.
zoopraxioscópio (*cs*) s.m.
zooprofiláctico adj.
zooprofilático adj.
zooprofilaxia (*cs*) s.f.
zoopse s.f.
zoopsia s.f.
zoopsicologia s.f.
zoopsicológico adj.
zoopsicologista adj. s.2g.
zoopsicólogo s.m.
zoópside s.f.
zoópsis s.f.2n.
zoóptico adj.
zooquímica s.f.
zooquímico adj.
zoorística s.f.
zoorístico adj.
zooscopia s.f.
zooscópico adj.
zoose s.f.
zoosfera s.f.
zoosperma s.m.
zoospermo s.m.
zoosporângio s.m.
zoosporangióforo s.m.
zoosporango s.m.
zoospórea s.f.
zoospóreo adj.
zoospória s.f.
zoospórico adj.
zoospório s.m.
zoósporo s.m.
zoossema s.m.
zoossemático adj.
zoossemema s.m.
zoossemêmático adj.
zoossemêmico adj.
zoossêmico adj.
zoossemiótica s.f.
zoossemioticista adj. s.2g.
zoossemiótico adj.
zoossensitinogênio s.m.
zoossensitinógeno s.m.
zoossuccívoro adj. s.m.
zoossucívoro adj. s.m.
zoostatística s.f.
zoostatístico adj.
zoosterol s.m.
zootáctico adj.
zootático adj.
zootaxia (*cs*) s.f.
zootáxico (*cs*) adj.
zootaxonomia (*cs*) s.f.
zootaxonômico (*cs*) adj.
zootaxonomista (*cs*) adj. s.2g.
zooteca s.f.
zootecnia s.f.
zootécnica s.f.
zootécnico adj. s.m.
zootecnista adj. s.2g.
zooteísmo s.m.
zooteísta adj. s.2g.
zooteístico adj.
zooterapêutica s.f.
zooterapêutico adj.
zooterapia s.f.
zooterápico adj.
zoótica s.f.
zoótico adj.
zootipólito s.m.
zootomia s.f.
zootômico adj.
zootomista adj. s.2g.
zootoxina (*cs*) s.f.
zootrofia s.f.
zootrófico adj.
zootropia s.f.
zootrópico adj.
zootrópio s.m.
zooxantela (*cs*) s.f.
zooxantélico (*cs*) adj.
zooxantina (*cs*) s.f.
zopeiro adj. s.m.
zopilote s.m.
zópiro s.m.
zopissa s.f.
zoplicone s.m.
zopo (*ô*) adj. s.m.
zoque adj. s.2g.
zorame s.m.
zoráptero adj. s.m.
zorate adj. s.2g.
zorateló s.m.
zoratelô s.m.
zorato adj. s.m.
zorgita s.f.
zorgite s.f.
zorgito s.m.
zori s.f.
zorilha s.m.
zorite s.m.
zórlito s.m.
zornal adj.2g.
zornão adj. s.m.
zornar v.
zórnia s.f.
zoró adj. s.2g. s.m. "povo"; cf. *zorô*
zorô s.m. "guisado"; cf. *zoró*
zoroastreia (*é*) adj. s.f. de *zoroastreu*
zoroastreu adj.; f. *zoroastreia* (*é*)
zoroastrianismo s.m.
zoroastrianista adj. s.2g.
zoroastrianístico adj.
zoroastriano adj. s.m.
zoroástrico adj.
zoroastrismo s.m.
zoroastrista adj. s.2g.
zoroastrístico adj.
zorongo s.m.
zorra (*ô*) s.f.
zorracha s.f.
zorragar v.
zorrague s.m.
zorral s.m.
zorrão s.m.
zorreira s.f.
zorreiro adj. s.m.
zorrila s.f.
zorrilho s.m.
zorro (*ô*) adj. s.m.
zorzal s.m.
zorzaleiro adj.
zorzico s.m.
zósima s.f.
zósimo s.m.
zoster s.m.
zóster s.m.
zostera s.f.
zosterácea s.f.
zosteráceo adj.
zostérea s.f.
zostéreo adj.
zosterícola adj.2g.
zosteropídeo adj. s.m.
zote adj. s.2g.
zoteca s.f.
zótica s.f.
zótico adj.
zotismo s.m.
zoupar v.
zoupeira s.f.
zoupeirão s.m.; f. *zoupeirona*
zoupeiro adj.
zoupeirona s.f. de *zoupeirão*
zoupo s.m.
zoura s.f.
zourar v.
zovineiro adj. s.m.
zoxazolamina (*cs*) s.f.
zozó s.m.
zozô s.m.
zuaga adj. s.2g.
zuago s.m.
zuaque s.m.
zuarte s.m.
zuate s.m.
zuavo s.m.
zuca adj.2g. s.m.f.
zucar v.
zucarínia s.f.
zuche adj. s.2g.
zuco adj. s.m.
zucutar v.
zúfio s.m.
zuído s.m.
zuidoiro s.m.
zuidouro s.m.
zuinária s.f.
zuinglianismo s.m.
zuinglianista adj. s.2g.
zuinglianístico adj.
zuingliano adj. s.m.
zuir v.
zulaque s.m.
zular v.
zulo adj. s.m.
zulu adj. s.2g.
zum s.m.
zumara s.f.
zumático adj. s.m.
zumba interj.
zumbaia s.f.
zumbaiador (*ô*) adj. s.m.
zumbaiar v.
zumbaieiro s.m.
zumbaioso (*ô*) adj.; f. (*ó*); pl. (*ó*)
zumbar v.
zumbente adj.2g.
zumbi s.m. "fantasma, chefe"; cf. *zombi*
zumbiaponga s.2g.
zumbideira s.f.
zumbido adj. s.m.
zumbidor (*ô*) adj. s.m.
zumbidora (*ô*) s.f.
zumbiense adj. s.2g.
zumbificar v.
zumbir v. s.m.
zumbo s.m.
zumbrar v.
zumbrido adj.
zumbrir-se v.
zúmico adj.
zum-zum s.m.; pl. *zum-zuns*
zum-zum-zum s.m.; pl. *zum-zum-zuns*
zunaco s.m.
zunargo adj. s.m.
zuncho adj.
zunda s.m.
zundo s.m.
zunga s.2g.
zungão s.m.
zungar v.
zúngaro adj. s.m.
zungo s.m.
zungu s.m.
zungueira s.f.
zunhi adj. s.2g. s.m.
zuniada s.f.
zunida s.f.
zunideira s.f.
zunido adj. s.m.
zunidor (*ô*) adj. s.m.
zuniita s.f.
zuniite s.f.
zuniito s.m.
zunimento s.m.
zuninga s.f.
zunir v.
zunja s.2g.
zunzar v.
zunzinir v.
zunzunar v.
zunzunir v.
zupa interj.
zupador (*ô*) adj. s.m.
zupar v.
zúquete interj.
zur s.m.
zura adj. s.2g.
zuraco adj. s.m.
zuranti s.m.
zuraque s.m.
zurazo adj. s.m.
zurbada s.f.
zurca s.f.
zureta (*ê*) adj. s.2g.
zurina adj. s.2g. s.m.
zuriquenho adj. s.m.
zuriquense adj. s.2g.
zurna s.m.
zurnó adj.2g.
zurpa s.f.
zurpilhar v.
zurra s.f.
zurracha s.f.
zurrada s.f.
zurradela s.f.
zurrador (*ô*) adj. s.m.
zurrapa s.f.
zurrapada s.f.
zurrar v.
zurraria s.f.
zurre interj.
zurreira s.f.
zurro s.m.
zuruarrã adj. s.2g. s.m.
zuruó adj.2g.
zurupar v.
zurva s.f.
zurvada s.f.
zurvanada s.f.
zurzida s.f.
zurzidela s.f.

zurzido adj.
zurzidor *(ô)* adj. s.m.
zurzidura s.f.
zurzinada s.f.
zurzir v.
zus interj.
zussmanita s.f.
zuzá s.m.
zuzara s.f.
zvyagintsevita s.f.
zwieselita s.f.
zwinglianismo s.m.
zwinglianista adj. s.2g.
zwinglianístico adj.
zwingliano adj. s.m.
zwitteríon s.m.
zwitteriônico adj.
zykaíta s.f.

Palavras estrangeiras

A

aardvark s.m. afr.
aardwolf s.m. afr.
ablaut s.m. al.
abstract s.m. ing.
accelerando s.m. adv. it.
accentus s.m. lat.
accordatura s.f. it.
ace s.m. ing.
affaire s.m. fr.
agrément s.m. fr.
aileron s.m. fr.
allegretto s.m. it.
allegro s.m. adv. it.
angledozer s.m. ing.
anima s.f. lat.
animus s.m. lat.
anschauung s.m. al.
anschluss s.m. al.
antidoping s.m. ing.
antispam s.m. ing.
apartheid s.m. ing.
apfelstrudel s.m. al.
aplomb s.m. fr.
apparat s.m. rus.
apparatchik s.m. rus.
appassionato adj. s.m. it.
appoggiatura s.f. it.
apport s.m. fr.
approach s.m. ing.
apud prep. lat.
argot s.m. fr.
arpeggiatura s.f. it.
assemblage s.f. fr.
assembler s.m. ing.
atelier s.m. fr.
aufldärung s.f. al.
autocross s.m. ing.
avant-première s.f. fr.

B

baby s.m. ing.
baby-beef s.m. ing.
baby-doll s.m. ing.
baby-sitter s.2g. ing.
back s.m. ing.
backbone s.m. ing.
backdrop s.m. ing.
backgammon s.m. ing.
background s.m. ing.
backhand s.m. ing.
backland s.m. ing.
backlight s.m. ing.
backup s.m. ing.
bacon s.m. ing.
badine s.f. fr.
badland s.f. ing.
badminton s.m. ing.
band-aid s.m. ing.
banner s.m. ing.
barmaid s.f. ing.
barman s.m. ing.
bar-mitzvá s.m. hebr.
barn s.m. ing.
baseball s.m. ing.
bas-fond s.m. fr.
basketball s.m. ing.
bateau-mouche s.m. fr.
bauhaus adj.2g.2n. al.
bayeux s.f.2n. fr.
beagle s.m. ing.
beatnik s.2g. ing.
beige adj.2g.2n. s.m. fr.
benedictus s.m. lat.
berceuse s.f. fr.
bergère s.f. fr.
best-seller s.m. ing.
betting s.m. ing.
bias s.m. ing.
bidon s.m. fr.
big adj.2g.2n. ing.
bikini s.m. ing.
bill s.m. ing.
biofeedback s.m. ing.
bip s.m. ing.
biscuit s.m. fr.
bise s.f. fr.
biseauté adj. fr.
bisque s.f. fr.
bit s.m. ing.
bitter s.m. ing.
black s.m. ing.
blackout s.m. ing.
blague s.f. fr.
blanquette s.f. fr.
blasé adj. s.m. fr.
blazer s.m. ing.
blend s.m. ing.
blitz s.f.2n. al.
blitzkrieg s.f. al.
blocause s.2g. al.
blocausse s.2g. al.
blog s.m. ing.
blonde s.m. fr.
blowup s.m. ing.
blue s.m. ing.
blues s.m.2n. ing.
bluff s.m. ing.
blush s.m. ing.
bob s.m. ing.
bodegón s.m. esp.
body-board s.m. ing.
body-boarder adj. s.2g. ing.
boiler s.m. ing.
boîte s.f. fr.
bold s.m. ing.
bonbonnière s.f. fr.
bond s.m. ing.
bon-vivant s.m. fr.
boogie-woogie s.m. ing.
bookmaker s.m. ing.
boom s.m. ing.
booster s.m. ing.
boot s.m. ing.
bordeaux s.m. fr.
bordereau s.m. fr.
bort s.m. ing.
boudoir s.m. fr.
boulevard s.m. fr.
boulle s.m. fr.
bouquet s.m. fr.
bourbon s.m. fr.
bourrée s.f. fr.
boutade s.f. fr.
boutique s.f. fr.
boxeur s.m. fr.
boy s.m. ing.
brandade s.f. fr.
brandy s.m. ing.
brasserie s.f. fr.
break s.m. ing.
breakfast s.m. ing.
bremsstrahlung s.m. al.
brevet s.m. fr.
bridge s.m. ing.
brie s.m. fr.
briefing s.m. ing.
bris s.m. hebr.
brise-bise s.m. fr.
brise-soleil s.m. fr.
broadcast s.m. ing.
broadcasting s.m. ing.
broadside s.m. ing.
brownie s.m. ing.
browning s.m. ing.
browser s.m. ing.
brunch s.m. ing.
brunette s.f. fr.
budget s.m. ing.
buffer s.m. ing.
buffering s.m. ing.
buffet s.m. fr.
bug s.m. ing.
bunker s.m. ing.
bureau s.m. fr.
burlesque s.m. fr.
bush s.m. ing.
bushido s.m. jap.
bushmen s.m.pl. ing.
businessman s.m. ing.
button s.m. ing.
bye-bye s.m. interj. ing.
by-pass s.m. ing.
byte s.m. ing.

C

cab s.m. ing.
cabaretier s.m. fr.
cache s.m. ing.
call-girl s.f. ing.
camaïeu s.m. fr.
camber s.m. ing.
cameraman s.m. ing.
campanile s.m. it.
camping s.m. ing.
campus s.m. lat.
caniche s.m. fr.
cantabile adj. s.m. it.
cantata s.f. it.
caput s.m. lat.
cardan s.m. fr.
carnet s.m.fr.
carpaccio s.m. it.
càrpano s.m. it.
carrière s.f. fr.
carrying s.m. ing.
cartoon s.m. ing.
cash s.m. ing.
cashmere s.m. ing.
cassoulet s.m. fr.
cast s.m. ing.
casting s.m. ing.
castrato s.m. it.
catch s.m. ing.
catch-as-catch-can s.m.ing.
catering s.m. ing.
cattivo adj. s.m. it.
caucus s.m. ing.
causerie s.f. fr.
causeur s.m. fr.
causeuse s.f. fr.
céladon s.m. fr.
celebret s.m. lat.
center-forward s.m. ing.
centum num. lat.
cerealia s.m. lat.
cermet s.m. ing.
chaclik s.m. rus.
chagrin s.m. fr.
chaise-longue s.f. fr.
chalá s.f. hebr.
chambertin s.m. fr.
champignon s.m. fr.
changeant adj. fr.
changer-de-dame s.m. fr.
changez-de-dame s.m. fr.
chantilly s.m. fr.
chanuca s.f. hebr.
chardonnay s.m. fr.
charge s.f. fr.
charleston s.m. ing.
charter s.m. ing.
chartreuse s.f. fr.
chasselás s.f. fr.
chat s.m. ing.
chateaubriand s.m. fr.
châtelaine s.f. fr.
chauffage s.m. fr.
chauffeur s.m. fr.
chazan s.m. hebr.
checking s.m. ing.
check-up s.m.ing.
cheddar s.m. ing.
chef s.m. fr.
chef-d'oeuvre s.m. fr.
chemise s.2g. fr.
chemisier adj.2g.2n. s.m. fr.
cherry s.m. ing.
chester s.m. ing.
chez prep. fr.
chianti s.m. it.
chic adj.2g. s.m. fr.
chicano adj. s.m. esp.
chiffrier s.m. fr.
chihuahua adj. s.2g. esp.
chip s.m. ing.
chippendale adj.2g. s.m. ing.
chômamge s.m. fr.
chop-suey s.m. chin.
chow-chow s.m. ing.
chutney s.m. ing.
ciao interj. it.
cielito s.m. esp.
cinemascope s.m. ing.
cinquecento s.m. it.
cirrus s.m.2n.
civet s.m. fr.
clearance s.m. ing.
clearing s.m. ing.
clip s.m. ing.
clipper s.m. ing.
cloche s.f. fr.
cloisonné adj. fr.
close s.m. ing.
close-shot s.m. ing.
closet s.m. ing.
close-up s.m. ing.
clou s.m. fr.
clown s.m. ing.
club s.m. ing.
clumber adj. s.2g. ing.
cocker spaniel s.m. ing.
cockpit s.m. ing.
cocktail s.m. ing.
cocotte s.f. fr.
cogito s.m. lat.
cognac s.m. fr.
collant adj. s.m. fr.
collie s.m. ing.
colón s.m. esp.
coloratura adj. s.2g. it.
colored adj. s.2g. ing.
colt s.m. ing.
commodity s.f. ing.
communard s.f. fr.
compact-disc s.m. ing.
compagnonnage s.m. fr.
complainte s.f. fr.
complot s.m. fr.
comptoir s.m. fr.
comunero s.m. esp.
conarium s.m. lat.
concierge s.2g. fr.
condom s.m. ing.
condottiere s.m. it.
condottiero s.m. it.
conduíte s.2g. fr.
confiteor s.m. lat.
connaisseur s.m. fr.
consommé s.m. fr.
container s.m. ing.
conteur s.m. fr.
continuum s.m. lat.
copyright s.m. ing.
coquette adj. s.f. fr.
coquille s.m.f. fr.
corbeille s.f. fr.
cordon-bleu s.m. fr.
corned-beef s.m. ing.
corner s.m. ing.
corn-picker s.m. ing.
corn-picker-sheller s.m. ing.
corn-sheller s.m. ing.
corpus s.m. lat.
cortile s.m. it.
cosnommé s.m. fr.
coterie s.f. fr.
côte-rôtie s.f. fr.
cotillon s.m. fr.
cotswold s.m. ing.
cottage s.m. ing.
couché adj. s.m. fr.
coudé adj. fr.
counter-card s.m. ing.
counter-display s.m. ing.
counterglow s.m. ing.
coup-d'état s.m. fr.
coup-de-foudre s.m. fr.
coup-de-grâce s.m. fr.
coup-de-main s.m. fr.
coup-de-maître s.m. fr.
coup-de-poing s.m. fr.
coup-de-théâtre s.m. fr.
coupé adj. s.m. fr.
couplet s.m. fr.
coupon s.m. fr.
court-bouillon s.m. fr.
couvade s.f. fr.
covenant s.m. ing.
cover-coat s.m. ing.
cover-crop s.m. ing.
cover-girl s.f. ing.
cowboy s.m. ing.
cowpox s.m. ing.
coxsackie s.m. ing.
crack s.m. ing.
cracking s.m. ing.
crapouillot s.m. fr.
crau s.f. fr.
craw-craw s.m. ing.
crawl s.m. ing.
crayon s.m. fr.
crémant adj. s.m. fr.
crevasse s.f. fr.
criadilla s.f. esp.
cricket s.m. ing.
cri-du-chat s.m. fr.
criss-cross s.m. ing.
criterium s.m. lat.
croissant s.m. fr.
cromlech s.m. ing.
crooner s.2g. ing.
croquis s.m. fr.
croskill s.m. ing.
cross-country s.m. ing.
crossing-over s.m. ing.
cross-section s.f. ing.
croupier s.m. fr.
croupon s.m. fr.
croûte s.f. fr.
crown s.m. ing.
crown-glass s.m.ing.
crudités s.f.pl. fr.
cruiser s.m. ing.
crux s.f. lat.
cueca s.f. esp.
cuesta s.f. esp.
cul-de-lampe s.m. fr.

cul-de-sac s.m. fr.
cult adj.2g.2n. ing.
curriculum s.m. lat.
curry s.m. ing.
cursus s.m. lat.

D

dachshund s.m. al.
dancing s.m. ing.
dasein s.m. al.
datum s.m. lat.
deadline s.m. ing.
dealer s.2g. ing.
déboulé s.m. fr.
debriefing s.m. ing.
début s.m. fr.
debye s.m. ing.
deck s.m. ing.
décor s.m. fr.
découpage s.m. fr.
default s.m. ing.
deficit s.m.2n. lat.
dégagé s.m. fr.
dégagement s.m. fr.
dégradé adj. s.m. fr.
déjà-vu s.m. fr.
délavé adj. fr.
deleatur s.m. lat.
delikatessen s.f.pl. al.
delivery s.f. ing.
délivrance s.f. fr.
démanché s.m. fr.
démarche s.f. fr.
demi-monde s.m. fr.
demi-vierge s.f. fr.
démodé adj. fr.
denier s.m. fr.
denotatum s.f. lat.
derby s.m. ing.
derrick s.m. ing.
derroche s.m. esp.
desdichado adj. esp.
deshabillé s.m. fr.
desideratum s.m. lat.
design s.m. ing.
designatum s.m. lat.
designer s.2g. ing.
desktop s.m. ing.
détente s.f. fr.
détraqué adj.2g. s.2g. fr.
développé s.m. fr.
dewar s.m. ing.
diablerie s.f. fr.
dictum s.m. lat.
diesel adj.2g s.m. ing.
diet adj.2g.2n. ing.
dime s.m. ing.
dimmer s.m. ing.
dirham s.m. ár.
diseur s.m. fr.
diseuse s.f. fr.
display s.m. ing.
distemper s.m. ing.
divertissement s.m. fr.
dobermann s.m. al.
docar s.m. ing.
dogcart s.m. ing.
dojo s.m. jap.
dolce adj.2g. it.
dolcemente adv. it.
donjuán s.m. esp.
doping s.m. ing.
doppler s.m. ing.
dossier s.m. fr.
doublé adj. s.m. fr.
download v. ing.
downtime s.m. ing.
draft s.m. ing.
drawback s.m. ing.
dreadnought s.m. ing.
drink s.m. ing.
drive s.m. ing.
drive-in s.m. ing.
driver s.m. ing.
drops s.m.2n. ing.
drugstore s.m. ing.
drumlin s.m. ing.
dry adj.2g.2n. s.m. ing.
dry-farming s.m. ing.
duce s.m. it.
dumping s.m. ing.
durée s.f. fr.

E

e-book s.m. ing.
écarté s.m. fr.
ecce-homo s.m.2n.
éclair s.m. fr.
écran s.m. fr.
ecstasy s.m. ing.
edam s.m. hol.
egrete s.f. fr.
élan s.m. fr.
elohim s.m. hebr.
elul s.m. hebr.
e-mail s.m. ing.
emmenthal s.m. fr.
endomarketing s.m. ing.
enjambement s.m. fr.
ensalada s.f. esp.
ensaladilla s.f. esp.
ensemble s.m. fr.
entente s.f. fr.
entourage s.m. fr.
entrechat s.m. fr.
entrecôte s.m. fr.
erg s.m. fr.
erratum s.m. lat.
ersatz s.m. al.
escargot s.m. fr.
esfiha s.f. ár.
establishment s.m. ing.
étagère s.f. fr.
expert s.2g. fr.
expertise s.f. fr.
eyelinner s.m. ing.

F

factoring s.m. ing.
fade s.m. ing.
fade-in s.m. ing.
fade-out s.m. ing.
fading s.m. ing.
faille s.f. fr.
fairway s.m. ing.
faisandé adj. fr.
fanfreluche s.f. fr.
farad s.m. ing.
faraday s.m. ing.
fast-food s.f. ing.
fauteuil s.m. fr.
fedayin s.m. ár.
feedback s.m. ing.
feeder s.m. ing.
feeling s.m. ing.
féerie s.f. fr.
fermata s.f. it.
ferryboat s.m. ing.
ficelle s.f. fr.
fil-à-fil s.m.fr.
filet s.m. fr.
finesse s.f. fr.
flamberge s.f. fr.
flamboyant adj. s.m. fr.
flan s.m. fr.
flap s.m. ing.
flash s.m. ing.
flashback s.m. ing.
flat s.m. ing.
flint-glass s.m. ing.
flip s.m. ing.
flip-flop s.m.2n. ing.
flirt s.m. ing.
flou adj. s.2g. fr.
flush s.m. ing.
flûte s.f. fr.
flutter s.m. ing.
flyback s.m. ing.
fog s.m. ing.
folium s.m. lat.
fonda s.f. esp.
fondant s.m. fr.
fondue s.f. fr.
fontange s.f. fr.
foot s.m. ing.
footing s.m. ing.
foramina s.m.pl. lat.
forfait s.m. fr.
fortran s.m. ing.
forward adv. ing.
foul s.m. ing.
foulard s.m. fr.
four s.m. ing.
fourrure s.f. fr.
fox-blue s.m. ing.
foxhound s.m. ing.
foyer s.m. fr.
frame s.m. ing.
franchise s.f. ing.
franchising s.f. ing.
frappé adj. fr.
free-lance adj.2g. s.m. ing.
free-lancer adj. s.2g. ing.
freeware s.m. ing.
freezer s.m. ing.
frisson s.m. fr.
front s.m. fr.
fugato s.m. it.
fumoir s.m. fr.
funk s.m. ing.
fusain s.m. fr.
fuseau s.m. fr.

G

gadget s.m. ing.
gag s.f. ing.
gaijin s.m.pl. jap.
galuchat s.m. fr.
game s.m. ing.
gang s.f. ing.
gap s.m. ing.
garage s.f. fr.
garamond s.m. fr.
garçonnière s.f. fr.
garden-party s.m. ing.
gauche adj. s.2g. fr.
gauleiter s.m. al.
gay adj. s.2g. ing.
gefite fish s.m. iíd.
gentleman s.m. ing.
gestalt s.f. al.
getter s.m. ing.
geyser s.m. ing.
ghost-writer s.2g. ing.
gigabit s.m. ing.
gigabyte s.m. ing.
girl s.f. ing.
glacis s.m. fr.
glamour s.m. ing.
glasnost s.m. rus.
glide s.m. ing.
globe-trotter s.m. ing.
gnocchi s.m. it.
goal s.m. ing.
goalkeeper s.m. ing.
gobelet s.m. fr.
gobelin adj.2g. s.m. fr.
golf s.m. ing.
gordon s.m. ing.
gospel s.m. ing.
gouda s.m. hol.
gourmand s.m. fr.
gourmet s.m. fr.
goy s.2g. hebr.
gradatim adv. lat.
grand-guignol s.m. fr.
grapefruit s.m. ing.
gray s.m. ing.
green s.m. ing.
greisen s.m. al.
grenadine s.f. fr.
grenat adj.2g.2n. s.m. fr.
greyhound s.m. ing.
grid s.m. ing.
grill s.m. ing.
grillroom s.m. ing.
groom s.m. ing.
gros-grain s.m. fr.
ground s.m. ing.
groupie s.2g. ing.
gruyère adj.2g. s.m. fr.
guipure s.f. fr.
gulag s.m. rus.

H

habadin s.2g.2n. hebr.
habanera s.f. esp.
habeas corpus loc. subst. lat.
habillé adj. fr.
habitat s.m.2n. lat.
habitué adj. s.m. fr.
habitus s.m.2n. lat.
hacienda s.f. esp.
hack s.m. ing.
hacker s.m. ing.
haddock s.m. ing.
hadith s.m. ár.
hagadá s.f. hebr.
haikai s.m. jap.
half-back s.m. ing.
hall s.m. ing.
halle s.f. fr.
halloween s.m. ing.
hamster s.m. ing.
hamus s.m.2n. ár.
handball s.m. ing.
handicap s.m. ing.
hanukah s.m. hebr.
happening s.m. ing.
hard adj. ing.
hardcore s.m. ing.
hardware s.m. ing.
harrier s.m. ing.
hartley s.m. ing.
haute-gomme s.f. fr.
hazkarah s.f. hebr.
headhunter s.m. ing.
headphone s.m. ing.
hédge s.m. ing.
hélas interj. fr.
hereford adj. s.2g.2n. ing.
hi-fi s.m. ing.
high-life s.m. ing.
high-tech s.m. ing.
hip interj. ing.
hinterland s.m. al.
hip-hop s.m.2n. ing.
hippie adj. s.2g. ing.
hit s.m. ing.
hobby s.m. ing.
hockey s.m. ing.
holding s.f. ing.
holter s.m. ing.
homo s.m. lat.
homus s.m.2n. ár.
hooligan s.m. ing.
hornpipe s.m. ing.
hors-concours adj. s.2n. fr.
hors-d'oeuvre s.m.2n. fr.
horsepower s.m. ing.
hors-ligne adj.2g.2n. fr.
host s.m. ing.
hostess s.f. ing.
hot adj. ing.
hovercraft s.m. ing.
huaca s.f. esp.
huapango s.m. esp.
huérfago s.m. esp.
humoresque s.f. fr.
humour s.m. ing.
husky s.m. ing.
hybris s.f. greg.
hydrofoil s.m. ing.
hyperlink s.m. ing.

I

ibidem adv. lat.
iceberg s.m. ing.
id s.m. lat.
idem pron. lat.
impeachment s.m. ing.
impedimenta s.m.pl. lat.
imperator s.m. lat.
impériale s.f. fr.
impromptu s.m. fr.
incipit s.m. lat.
incontinenti adv. lat.
infectum s.m. lat.
infinitum s.m. lat.
influenza s.f. it.
in-octavo s.m. lat.
input s.m. ing.
inro s.m. jap.
insight s.m. ing.
intaglio s.m. it.
intelligentsia s.f. rus.
inter prep. lat.
intercapedo s.f. lat.
intermezzo s.m. it.
interview s.m. ing.
intruder s.m. ing.
isospin s.m. ing.
it s.m. ing.
item adv. lat.

J

jack s.m. ing.
jacquerie s.f. fr.
jaen s.m. esp.
jam session s.m. ing.
jazz s.m. ing.
jazz-band s.m. ing.
jazzman s.m. ing.
jeans s.m.2n. ing.
jenny s.f. ing.
jeton s.m. fr.
jeu-de-mots s.m. fr.
jin s.m.pl. ár.
jingle s.m.ing.
job s.m. ing.
jodel s.m. al.
jogger s.2g. ing.
jogging s.m. ing.
joruri s.m. jap.
jota s.f. esp.
joystick s.m. ing.
jube domine s.m. lat.
judica s.m. lat.
juste-milieu s.m. fr.

K

kadisch s.m. aram.
kadosh s.m. hebr.
kaiser s.m. al.
karma s.m. sânsc.
kana s.m. jap.
kart s.m. ing.
karting s.m. ing.
kacher adj.2g.2n. hebr.
kashrut s.f. hebr.
kelpie s.m. ing.
kernicterus s.m. lat.
kersey s.m. ing.
ketchup s.m. ing.
keuper s.m. al.
kibutz s.m. hebr.
kilt s.m. ing.
king s.m. ing.

kirsch s.m. al.
kitsch adj.2g. s.2n. al.
kjökkenmödding s.m. din.
Klaxon s.m. ing.
know-how s.m. ing.
knockout s.m. ing.
koiné s.f. gr.
kosher adj.2g.2n. iíd.
kümmel s.m. al.
kyogen s.m. jap.

L

lacrima-christi s.m. lat.
lady s.f. ing.
laika adj s.2g. rus.
laissez-aller s.m.2n. fr.
laissez-faire sm.2n. fr.
laissez-passer s.m. fr.
lambert s.m. ing.
laptop s.m. ing.
larghetto s.m. it.
laser s.m. ing.
lavallière s.f. fr.
layout s.m. ing.
layoutman s.m. ing.
lead s.m. ing.
leader s.m. ing.
leasing s.m. ing.
legato adj. s.m. it.
liard s.m. fr.
lied s.m. al.
liftvan s.m. ing.
limaçon s.m. fr.
limes s.m. lat.
lingerie s.f. fr.
link s.m. ing.
liptak s.m. esl.
liseuse s.f. fr.
living s.m. ing.
llano s.m. esp.
load s.m. ing.
lob s.m. ing.
lobby s.m. ing.
lockout s.m. ing.
locus s.m. lat.
loggia s.f. it.
loghouse s.f. ing.
log in s.m. ing.
log off s.m. ing.
log on s.m. ing.
long-play s.m. ing.
long-playing adj. s.m. ing.
loop s.m. ing.
looping s.m. ing.
loran s.m. ing.
lorgnon s.m. fr.
löss s.m. al.
lotta s.f. fin.
loure s.f. fr.
louré s.m. fr.
lunik s.m. rus.

M

mackintosh s.m. ing.
madeleine s.f. fr.
mademoiselle s.f. fr.
maestoso adj. adv. it.
magnificat s.m. lat.
maharishi s.m. sâns.
mahatma s.m. sâns.
maître s.m. fr.
make-up s.m. ing.
mambo s.m. esp.
management s.m. ing.
manager s.2g. ing.
manucure s.f. fr.
manoir s.m. fr.
manucure s.f. fr.
marchand s.2g. fr.
marginalia s.m.pl. lat.
mariachi s.m. esp.
marketing s.m. ing.
marshmallow s.m. ing.
martenot s.m. fr.
match s.m. ing.
matzá s.f. hebr.
matzeiva s.f. hebr.
maxwell s.m. ing.
mayday s.m. ing.
mazal s.m. hebr.
media s.f. ing.
médoc s.m. fr.
meeting s.m. ing.
ménage s.m. fr.
menu s.m. fr.
merchandising s.m. ing.
mésalliance s.f. fr.
métier s.m. fr.
mezzosoprano s.2g. it.
mezzotinta s.m. it.
mi-carême s.f. fr.
midrash s.m. hebr.
mignon adj. s.m. fr.
mignonne adj. s.f. fr.
mikado s.m. jap.
mike s.m. ing.
mikvá s.f. hebr.
milady s.f. ing.
milk-shake s.m. ing.
milord s.m. ing.
minbar s.m. ár.
minhag s.m. hebr.
minian s.m. hebr.
mini-show s.m. ing.
mini-system s.m. ing.
minnesang s.m. al.
minesänger s.m. al.
minnesinger s.m. al.
mise-en-plis s.2g.2n. fr.
mise-en-scène s.f. fr.
mise-en-train s.f. fr.
miserere s.m. lat.
miss s.f. ing.
mister s.m. ing.
mistress s.f. ing.
mitzvá s.f. hebr.
modem s.m.2n. ing.
moderato s.m. it.
modus s.m. lat.
mohair s.m. ing.
mohel s.m. hebr.
moiré s.m. fr.
morbus s.m. lat.
morgan s.m. ing.
motocross s.m.2n. ing.
motu s.m. lat.
mouse s.m. ing.
mousse s.f. fr.
movietone s.m. ing.
muffin s.m. ing.
muguet s.m. fr.
multiplet s.m. ing.
multistandard s.m. ing.
musette s.f. fr.
music-hall s.m. ing.

N

naïf adj. s.2g. fr.
nanoampère s.m. fr.
nebulium s.m. lat.
nécessaire s.m. fr.
nègre s.m. fr.
negroni s.f. it.
net s.f. ing.
netsuke s.m. jap.
network s.f. ing.
new-look s.m.2n. ing.
newmarket s.m. ing.
nómos s.m. gr.
nuance s.f. fr.
nurse s.f. ing.
nurture s.f. ing.
nylon s.m. ing.

O

office boy s.m. ig.
off-line adj.2g.2n. ing.
offset s.m. ing.
offside s.m. ing.
o.k. adj. adv. ing.
ombudsman s.m. sue.
on-line adv. ing.
opus s.m. lat.
organum s.m. lat.
origami s.m. jap.
ossobuco s.m. it.
ostinato s.m. it.
outboard s.m. ing.
outcaste s.m. ing.
outline s.m. ing.
output s.m. ing.
outrigger s.m. ing.
outsider s.2g. ing.
ouverture s.f. fr.
overall s.m. ing.
overblowing s.m. ing.
overbooking s.m. ing.
overdose s.f. ing.
overflow s.m. ing.
overhead s.m. ing.
overlay s.m ing.
oxford s.m. ing.

P

paddock s.m. ing.
paella s.f. esp.
pager s.m. ing.
palmier s.m. fr.
panaché s.m. fr.
pandit s.m. sâns.
panneau s.m. fr.
panzer s.m.f. al.
papier-mâché s.m. fr.
pappus s.m. lat.
parking s.m. ing.
parole s.f. fr.
parterre s.f. fr.
partisan s.m. fr.
parvenu s.m. fr.
pas-de-deux s.m. fr.
pas-de-quatre s.m. fr.
pasodoble s.m. esp.
passacaglia s.f. it.
passamezzo s.m. it.
passe-partout s.m.2n. fr.
passe-pied s.m.2n. fr.
passim adv. lat.
pastis s.m. fr.
pastrami s.m. ing.
patchwork s.m. ing.
pater s.m. lat.
páthos s.m.2n. gr.
patronnesse s.f. fr.
pattern s.m. ing.
pecorino s.m. it.
pedigree s.m. ing.
peignoir s.m. fr.
pellet s.m. ing.
pembroke s.m. ing.
pendant s.m. fr.
pendentif s.m. fr.
penny s.m. ing.
peppermint s.2g. ing.
perfectum s.m. lat.
performance s.f. ing.
pessach s.m. hebr.
petenera s.f. esp.
petit-beurre s.m. fr.
petit-four s.m. fr.
petit-pois s.m. fr.
petit-suisse s.m. fr.
physis s.f. gr.
pianoforte s.m. it.
picardan s.m. fr.
pickles s.m.pl. ing.
pickup s.m. ing.
pidgin s.m. ing.
pièce-de-résistance s.f. fr.
pied-de-poule s.m. fr.
piercing s.m. ing.
pilotis s.m.2n. fr.
pincenez s.m. fr.
pinscher s.2g. al.
pinup s.f. ing.
pipeline s.m. ing.
pit-bull s.m. ing.
pixel s.m. ing.
pizza s.f. it.
pizzaiolo s.m. it.
pizzicato s.m. it.
placet s.m. lat.
plafonnier s.m. fr.
plaid s.f. ing.
plantation s.f. ing.
play s.m. ing.
playback s.m. ing.
playboy s.m. ing.
playground s.m. ing.
play-off s.m. ing.
plié s.m. fr.
plush s.m. ing.
pochade s.f. fr.
poché adj. fr.
pogron s.m. iíd.
pointer s.m. ing.
pole-position s.f. s.2g. ing.
poltergeist s.m. al.
ponticello s.m. it.
poodle s.m. ing.
pool s.m. ing.
porte-bonheur s.m.2n. fr.
portland s.m. ing.
portoro s.m. it.
poseur adj. s.m. fr.
positronium s.m. ing.
positurae s.f.pl. lat.
poster s.m. ing.
potin s.m. fr.
pot-pourri s.m. fr.
pound s.m. ing.
poundal s.m. ing.
premier s.m. fr.
première s.f. fr.
prêt-à-porter adj.2g.2n. s.m. fr.
primo adv. lat.
primum adv. lat.
prise s.f. fr.
pro forma adv. adj. lat.
pro labore s.m. lat.
promenade s.f. fr.
protus s.m. lat.
pschent s.m. egíp.
pub s.m. ing.
pueblo s.m. esp.
puff s.m. ing.
pug s.m. ing.
pullman s.m. ing.
punch s.m. ing.
punk adj. s.2g. ing.
purée s.f. fr.
putsch s.m. al.
putt s.m. ing.
putter s.m. ing.
putting s.m. ing.
puttino s.m. it.
putto s.m. it.
puzzle s.m. ing.

Q

quadrimomentum s.m. lat.
quadrivium s.m. lat.
quanta s.m.pl. lat.
quantum s.m. lat.
quark s.m. ing.
quarkonium s.m. ing.
quart s.m. ing.
quérable adj.2g. fr.
quiche s.2g. fr.
quid s.m. lat.
quodlibet s.m. lat.
quorum s.m. lat.

R

racing s.m. ing.
rack s.m. ing.
racle s.f. fr.
raclette s.f. fr.
radicchio s.m. it.
raffiné adj. fr.
rafting s.m. ing.
raglan s.2g.2n. ing.
ragtime s.m. ing.
raid s.m. ing.
rail s.m. ing.
railroad s.m. ing.
railway s.m. ing.
rallentando adv. it.
rallye s.m. ing.
ranking s.m. ing.
ranz s.m. al.
rapper s.m. ing.
rapport s.m. fr.
rash s.m. ing.
raté adj. s.m. fr.
rattan s.m. ing.
rave s.m. ing.
raver s.m. ing.
ravigote s.f. fr.
raviόli s.m. it.
raygrass s.m. ing.
rayon s.m. ing.
reblochon s.m. fr.
recamier s.m. fr.
receiver s.m. ing.
recepisse s.m. lat.
réchaud s.m. fr.
récit s.m. fr.
record s.m. ing.
referee s.m. ing.
referendum s.m. lat.
reggae s.m. ing.
reich s.m. al.
relais s.m.2n. fr.
relax s.m.2n. ing.
release s.m. ing.
remake s.m. ing.
rendez-vous s.m. fr.
rentrée s.f. fr.
replay s.m. ing.
repoussé adj. s.m. fr.
reprise s.f. fr.
reps s.m. fr.
resort s.m. ing.
restaurateur s.m. fr.
rétro adj.2g.2n. s.m. fr.
réveillon s.m. fr.
revival s.m. ing.
rhazal s.m. ár.
riesling s.m. al.
ring s.m. ing.
rink s.m. ing.
ripieno s.m. it.
ritardando adv. s.m. it.
ritenuto adj. it.
rocaille s.m. fr.
rock s.m. ing.
rock-and-roll s.m. ing.
rollover s.m. ing.
romagnolo s.m. it.
roman-fleuve s.m. fr.
rooter s.m. ing.
rosé adj. s.2g. fr.
rôtisserie s.f. fr.
rouge s.m. fr.
rougeot s.m. fr.
rough s.m. ing.
roulade s.f. fr.
roulé adj. fr.
roulotté s.m. fr.
round s.m. ing.
roux adj. s.m.2n. fr.

royalty s.m. ing.
rubato adj. s.m. it.
rubber s.m. ing.
ruche s.f. fr.
rush s.m. ing.

S

sabaoth s.m. lat.
samizdat s.m. rus.
sanctus s.m.2n. lat.
sans-culotte adj. s.2g. fr.
sashimi s.m. jap.
sauvignon s.m. fr.
savoir-faire s.m.2n. fr.
savoir-vivre s.m.2n. fr.
scanner s.m. ing.
scat s.m. ing.
schedule s.m. ing.
scherzando adv. it.
scherzo s.m. it.
schilling s.m. al.
scholar s.m. ing.
schottisch s.m. al.
sciolto adj. it.
scooter s.m. ing.
scordatura s.f. it.
scotch s.m. ing.
scout s.m. ing.
scrambler s.m. ing.
scraper s.m. ing.
script s.m. ing.
scuba s.m. ing.
sealed-beam adj. s.m. ing.
sedan s.m. ing.
self s.m. ing.
self-made man s.m. ing.
self-service s.m. ing.
set s.m. ing.
setter s.m. ing.
settimino s.m. it.
sex appeal s.m. ing.
sexy adj.2g.2n. ing.
sforzando s.m. adj. it.
sfumato s.m. it.
sgraffiti s.m.pl. it.
shalom s.m. interj. hebr.
shamisen s.f. jap.
shampoo s.m. ing.
shareware s.m. ing.
sharpie s.m. ing.
sheik s.m. ing.
sheriff s.m. ing.
shiatsu s.m. jap.
shilling s.m. ing.
shimmy s.m. ing.
shopping center s.m. ing.
short s.m. ing.
show s.m. ing.
showbiz s.m. ing.
show business s.m. ing.
showcase s.m. ing.
showroom s.m. ing.
shoyu s.m. jap.
shunt s.m. ing.
sic adv. lat.
sidecar s.m. ing.
sir s.m. ing.
site s.m. ing.
sivan s.m. hebr.
skate s.m. ing.
skater adj. s.2g.
skating s.m. ing.
sketch s.m. ing.
skinhead s.2g.
slack s.m. ing.
slalom s.m. nor.
slang s.m. ing.
slide s.m. ing.
slogan s.m. ing.
smash s.m. ing.
smoking s.m. ing.
smorzando s.m. adv. it.
snipe s.m. ing.
soave s.m. it.
software s.m. ing.
soi-disant adj.2g.2n. fr.
soirée s.f. fr.
sommier s.m. fr.
sostenuto adj. it.
soubrette s.f. fr.
soul s.m. ing.
spa s.m. ing.
spaghetti s.m.2n. it.
spalla s.m. it.
spaniel s.2g. ing.
sparring s.m. ing.
spartito s.m. it.
speaker s.2g. ing.
speech s.m. ing.
spencer s.m. ing.
spiccato s.m. it.
spin s.m. ing.
spinnaker s.m. ing.
spin-off s.m. ing.
spinone s.m. it.
spleen s.m. ing.
sportsman s.m. ing.
sportswoman s.f. ing.
spot s.m. ing.
sprag s.m. ing.
spray s.m. ing.
sprint s.m. ing.
sprinter s.m. ing.
sprue s.m. ing.
sputinik s.m. rus.
squash s.m. ing.
squeeze s.m. ing.
squid s.m. ing.
stabile s.m. lat.
staccato s.m. it.
staff s.m. ing.
stand s.m. ing.
standard adj.2g.2n. s.m. ing.
stand-by adj.2g. s.m. ing.
standing adj.2g.2n. s.m. ing.
stanhope s.m. ing.
star s.2g. ing.
starlet s.f. ing.
star-system s.m. ing.
starter s.m. ing.
starting-block s.m. ing.
statim adv. lat.
stator s.m. ing.
status s.m.2n. lat.
steak s.m. ing.
steeplechase s.m. ing.
step s.m. ing.
steward s.m. ing.
stick s.m. ing.
stokes s.m.2n. ing.
stonewashed adj.2g.2n. ing.
stop s.m. ing.
stop-and-go adj.2g.2n. ing.
store s.m. ing.
stout s.f. ing.
stracchino s.m. it.
strambotto s.m. it.
strass s.m.2n. fr.
stress s.m. ing.
stretch adj.2g.2n. ing.
stretching s.m. ing.
stretta s.f. it.
stretto s.m. it.
striptease s.m. ing.
strogonoff s.m. rus.
stud s.m. ing.
supply-side adj.2g.2n. s.m.2n. ing.
superavit s.m.2n. lat.
supra adv. lat.
surf s.m. ing.
surfing s.m. ing.
sursis s.m. fr.
sushi s.m. jap.
swap s.m. ing.
sweepstake s.m. ing.
swing s.m. ing.

T

tableau s.m. fr.
tacet s.m. lat.
tailleur s.m. fr.
talavera s.2g. esp.
tambourin s.m. fr.
tandem s.m. ing.
tanka s.m. jap.
taper s.m. ing.
tartine s.f. fr.
tavolatura s.f. it.
taxi-girl s.f. ing.
tchernoziom s.m. rus.
tchervonets s.m.2n. rus.
teckel s.2g. al.
tee s.m. ing.
teenager s.2g. ing.
tee-shirt s.f. ing.
teflon s.m. ing.
telemarketing s.m. ing.
teleprompter s.m. ing.
tenuta s.f. it.
tenuto adj. it.
teotókos s.f. gr.
terrier s.m. ing.
tertius s.m. lat.
testudo s.f. lat.
tête-à-tête s.m. fr.
tête-bêche adj. adv. fr.
thesaurus s.m. lat.
thinner s.m. ing.
thriller s.m. ing.
ticket s.m. ing.
timer s.m. ing.
time-sharing s.m. ing.
timing s.m. ing.
tiramisu s.m. it.
tishrei s.m. heb.
toast s.m. ing.
toddy s.m. ing.
toffee s.m. ing.
tofu s.m. jap.
toilette s.f. fr.
tomahawk s.m. ing.
tondero s.m. esp.
toner s.m. ing.
too s.m. ing.
top s.m. ing.
topless adj. s.2g. ing.
tópos s.m. gr.
torculus s.m. lat.
toreador s.m. esp.
tory adj. s.2g. ing.
tour s.m. fr.
touring s.m. ing.
tournedos s.m.2n. fr.
tournée s.f. fr.
tournure s.f. fr.
trade-union s.f. ing.
trailer s.m. ing.
train s.m. fr.
training s.m. ing.
tramway s.m. ing.
tranche s.f. fr.
transfer s.m. ing.
trash s.m. ing.
trattoria s.f. it.
travelling s.m. ing.
treedozer s.m. ing.
trekking s.m. ing.
tremolo s.m. it.
trend s.m. ing.
trial s.m. ing.
tricinium s.m. lat.
tricot s.m. fr.
trivium s.m. lat.
troika s.f. rus.
trolley s.m. ing.
trottoir s.m. fr.
troupe s.f. fr.
trousse s.f. fr.
trouvaille s.f. fr.
tsunami s.m. jap.
tuner s.m. ing.
turf s.m. ing.
turgor s.m. lat.
turgor s.m. lat.
turnover s.m. ing.
tutti s.m.pl. it.
tutu s.m. fr.
tweed s.m. ing.

U

umlaut s.m. al.
underground s.m. ing.
underwriting s.m. ing.
upgrade s.m. ing.
upload s.m. ing.
up-to-date adj.2g. ing.

V

van s.f. ing.
vaudeville s.m. fr.
veduta s.f. it.
veilleuse s.f. fr.
veld s.m. hol.
vendeuse s.f. fr.
vermeil adj. fr.
vernier s.m. fr.
vernissage s.m. fr.
versus prep. lat.
vibrato s.m. it.
vide s.f. lat.
videobook s.m. ing.
videogame s.m. ing.
videolaser s.m. ing.
videomaker s.m. ing.
videowall s.m. ing.
viking adj.2g. ing.
violone s.m. it.
vis s.f. lat.
vis-à-vis adj.2g. adv. prep. fr.
vison s.m. fr.
vitaglass s.m. ing.
vitrine s.f. fr.
vivace adv.2g. it.
vocalise s.m. fr.
vocoder s.m. ing.
voile s.2g. fr.
vol-au-vent s.m. fr.
volley s.m. ing.
volleyball s.m. ing.
voyeur s.m. fr.

W

wad s.m. ing.
waffle s.m. ing.
waiver s.m. ing.
wakashan s.m. ing.
walkie-talkie s.m. ing.
walkover s.m. ing.
warrant s.m. ing.
web s.f. ing.
webmaster s.2g. ing.
week-end s.m. ing.
weltanschauung s.f. al.
western s.m. ing.
western-blot s.m. ing.
westpolitik s.f. al.
whig adj. s.2g. ing.
whiskey s.m. ing.
whisky s.m. ing.
winchester s.m.f. ing.
wombat s.m. ing.
workaholic adj. s.2g. ing.
workshop s.m. ing.
workstation s.2g. ing.
wow s.m. ing.
write-off s.m. ing.

Y

yacht s.m. ing.
yachting s.m. ing.
yachtsman s.m. ing.
yaki-mono s.m. jap.
yakisoba s.m. jap.
yakuza s.f. jap.
yang s.m. chin.
yard s.f. ing.
yashiro s.m. jap.
yearling s.m. ing.
yen s.m. jap.
yeti s.m. tibet.
yin s.m. chin.
yin-yang s.m. chin.
yorkshire-terrier s.m. ing.
yuppie adj. s.2g. ing.
yurtzeit s.m. hebr.

Z

zabaione s.m. it.
zamacueca s.f. esp.
zeitgeist s.m. al.
zeste s.m. fr.
zloty s.m. pol.
zoom s.m. ing.

Reduções mais correntes

As reduções adiante relacionadas alfabeticamente merecem os reparos preliminares seguintes.

Desde o advento do manuscrito, a prática das abreviações (em sentido amplo) se vem incrementando. No passado, elas podiam ser consideradas mais ou menos estáveis e comuns (abreviaturas) ou mais ou menos episódicas (abreviações). Desde o século XIX, porém, apareceram três grupos amplos que, em conjunto, podem ser chamados *reduções* ou *braquigrafias*: a) reduções tradicionais mais ou menos fixas (*V.*, por *você*, *V.M.*, por *Vossa Mercê*, *Sr.*, por *Senhor*), chamadas abreviaturas; b) reduções feitas especialmente para uso em certa obra especializada (abreviações); e c) reduções convencionadas internacionalmente, ditas símbolos (nesse sentido pertinentes), como é o caso das usadas no sistema metrológico internacional ou na química, etc. (e que se caracterizam por terem uso de letra maiúscula com valor especial, mas sem ponto-final redutor nem indicação de flexões). Mas, já do século XIX para cá, os nomes intitulativos designativos de associações, sociedades, empresas, companhias, firmas e afins passaram também a ser objeto de reduções, tal como antes já se fazia, em trabalhos eruditos, com os títulos de obras de referência (dicionários, enciclopédias, etc.), quando repetidamente citados. Essas reduções podem ser chamadas siglas: especializadamente se vem convencionando que, quando uma sigla tem caráter de *palavra* ou *vocábulo*, seja dita siglema (Petrobras) e, quando não o tenha, seja dita sigloide (EE.UU.A. ou EUA). As siglas em grande número se fazem pelas letras iniciais do intitulativo (URSS, UNESCO) ou por letras e sílabas iniciais (Sudam, de Superintendência de Desenvolvimento da Amazônia), ou por combinações arbitrárias. Entra-se, assim, em certas reduções em que se podem misturar letras e elementos ideográficos, gerando uma série de signos, sinais e logotipos, e mesmo índices e ícones.

A seguir, dá-se o resultado de uma coleta relativamente ampla de reduções em uso em livros publicados em português no século XX, exclusive as que correspondem a nomes intitulativos de países, estabelecimentos, empresas, livros e afins, para os quais já há dicionários gerais especializados.

Notar-se-á, por fim, que na lista abaixo uma palavra pode estar reduzida de duas ou mais formas. Isso deriva do fato de que, consoante for o número de palavras reduzidas em determinada(s) obra(s), as reduções poderão ser mais ou menos fortes: em última análise, numa só dada obra, busca-se economizar o mais possível com as reduções, mas, concomitantemente, diminuir o mais possível as ambiguidades e obscuridades nessas reduções.

A

A ampere(s), ampère(s)
a are(s)
A argônio
a assinado(a)
Å decimilimícron(s)
A. aceite
A. alto (música)
a. arroba(s)
a. assinado(a)
A. austral
A. autor
a.al. alto-alemão
A.B. *Artium Baccalaureus*, bacharel de artes, bacharel em artes
a.c. *anni currentis* ou *anno currente*, do corrente ano
A.C. *anno Christi*, no ano de Cristo, na era cristã
a.C. antes de Cristo
a.c.e. misto anestésico de álcool, clorofórmio e éter
A.D. aguarda deferimento
A.D. *anno Domini*, no ano do Senhor, na era cristã
a.d. *ante diem*, antes do dia
A.H. *anno Hegirae*, no ano da Hégira, na era islâmica
a.H. antes da Hégira
A.M. *anno mundi*, no ano do mundo
a.m. *ante meridiem*, antes do meio-dia
A.M. *Artium Magister*, mestre de artes, mestre em artes
a.m.a. *ad multos annos*, por muitos anos
A.M.D.G. *Ad Maiorem Dei Gloriam*, para a maior glória de Deus
a.p. a protestar (comércio)
A.R. ascensão reta
a.s. anglo-saxão
a.-s. anglo-saxão
a.t. *a tempo* (música)
A.t. *a tempo* (música)
A.U.C. *anno urbe condita*, no ano da fundação da cidade
A.V. avaria marítima
A.V.C. *ab urbe condita*, da fundação da cidade (de Roma)
A.V.C. *anno urbe condita*, no ano da fundação da cidade (de Roma)
A/C ao(s) cuidado(s)
a/c aos cuidados
ãã aná. em partes iguais
aa assinados(as)
AA estação meteorológica
aa. assinados(as)
AA. autores
AAA artilharia antiaérea
AAA cubo (em matemática antiga)
AAA nas moedas e monumentos romanos: *aurum, argentum et aes* (ouro, prata e bronze)
AAA nas moedas e monumentos romanos: os três Augustos
AAA número de área (em meteorologia)
ab init. *ab initio*, a partir do início, desde o início
Ab. abade
Ab.e abade
abc. abecedário
abis. abissínio
abissín. abissínio
abl. ablativo
abr. abreviatura
abr. abril
abrev. abreviação
abrev. abreviadamente
abrev. abreviado
abrev. abreviatura
abs. absolutamente
abs. absoluto
âbs. grau absoluto
absol. absoluto
abstr. abstrato
abstrsmo abstracionismo
abus. abusivamente
ac acre(s)
Ac actínio
ac. acorde
ac. acusativo
ac. ft *acre-foot* (*feet*), acre-pé
acad. academia
acad. acadêmico
academ. academicismo
acadêm. acadêmico
acadsmo academicismo
acc. *accessit* (classificação escolar inferior ao prêmio)
accel. *accelerando*, acelerando
acep. acepção
acepç. acepção, acepções
açor. açorianismo
açor. açoriano
acus. acusativo
acúst. acústica
ad fin. *ad finem*, até o fim
ad infin. *ad infinitum*, até o infinito, inumeravelmente
ad init. *ad initium*, no início, logo no início
ad int. *ad interim*, interinamente, no ínterim
ad lib. *ad libitum*, à vontade, a gosto
ad loc. *ad locum*, ao lugar, para o lugar
ad val. *ad valorem*, pelo valor
ad. adágio
ad. adiado
adag. *adagio*, lentamente
adapt. adaptação
add *adde* ou *addatur*, junta, junte-se
adit. aditiva
adj. adjetivo
adj. bif. adjetivo biforme
adj. s.2g. adjetivo e substantivo de dois gêneros
adj. s.2g.2n. adjetivo e substantivo de dois gêneros e dois números
adj. s.f. adjetivo e substantivo feminino
adj. s.m. adjetivo e substantivo masculino
adj. unif. adjetivo uniforme
adj.2g. adjetivo de dois gêneros
adj.2g. s.f. adjetivo de dois gêneros e substantivo feminino
adj.2g. s.m. adjetivo de dois gêneros e substantivo masculino
adj.2g.2n. adjetivo de dois gêneros e dois números
adjet. adjetivamente
adm. administração
adm. administrativo
adm. ecl. administração eclesiástica
adm. púb. administração pública
adm. rom. administração romana
admdor administrador
admir. admiração
admirdor administrador
admor admirador
admr. admiração
admrdor admirador
admstrdor administrador
adv. adverbial
adv. advérbio
Adv. advocacia
adv. af. advérbio de afirmação
adv. conf. advérbio de confirmação
adv. design. advérbio de designação
adv. dúv. advérbio de dúvida
adv. excl. advérbio de exclusão
adv. interr. advérbio interrogativo
adv. lug. advérbio de lugar
adv. lugar advérbio de lugar
adv. mod. advérbio de modo
adv. modo advérbio de modo
adv. neg. advérbio de negação
adv. num. advérbio numeral
adv. quant. advérbio de quantidade
adv. rel. advérbio relativo
adv. temp. advérbio de tempo
Adv.º advogado
adv.º advogado
adverb. adverbialmente
advoc. advocacia
aer. aeronáutica
aer. aerovia
aer. mil. aeronáutica militar
aerof. aerofotogrametria
aeron. aeronáutica
aerost. aerostática
aet. *aetate*, na idade de
aetat. *aetate*, na idade de
af.o afeiçoado
af.o afetuoso
afér. aférese
afl. afluente
afls. afluentes
afor. aforismo
afr. africânder
afr. africanismo
afr. africano(a)
afric. africanismo
afrolus afro-lusitano
afrolus. afro-lusitanismo
Ag *argentum*, prata
ag. agosto
ág. e fl. águas e florestas
ag.to agosto
agl. aglomerado
agl. aglutinação
agn. agnome
ago. agosto
agr. agrário
agr. agricultura
agric. agricultura
agrim. agrimensura
agrol. agrologia
agron. agronomia
Ah ampere(s)-hora, ampère(s)-hora
aj. ajudante
aj.te ajudante
Al alumínio
Al. alameda (toponimicamente)
al. alemão
al. *alias, aliter*, por outras palavras, de outro modo
al. hist. alusão histórica
al. lit. alusão literária
al. mit. alusão mitológica
alat. alatinado
alb. albanês
alb. albardilha, cutelaria
alent. alentejanismo
alent. alentejano
alentej. alentejano
alf. alfabético
alf. alfabeto
alf. alferes
alf. ar. alfabeto arábico
alf. aráb. alfabeto arábico
alf. cir. alfabeto cirílico
alf. gr. alfabeto grego
alf. hebr. alfabeto hebraico
alf. lat. alfabeto latino
alfaiat. alfaiataria
álg. abst. álgebra abstrata
alg. algarismo
alg. algarvio
álg. álgebra
álg. mod. álgebra moderna
álg. sup. álgebra superior
algar. algarismo
algv. algarvio
alm. almanaque
ALM. almirante
alm. almirante
alm. almude(s)
alm. esqdra almirante de esquadra
Alm. Esqdra almirante de esquadra
Alm.te almirante
alop. alopatia
alp. alpinismo
alq alqueire(s)
alq. alquimia
alquil. alquilaria
als. alsaciano
alt. alentejano
alt. altanaria
alt. alteração
alt. alterado
alt. altitude
alt. alto
alt. altura
alt.-al. alto-alemão
altan. altanaria
alter. alteração
altern. alternação
altit. altitude
alto-al. alto-alemão
alus. alusão
alus. alusivo
alus. lit. alusão literária
alusão lit. alusão literária
alv. alvará
alv. alvenaria
alveit. alveitaria
alven. alvenaria
Am amerício
am. advérbio de modo
am. americano
am.a amiga
am.o amigo
amár. amárico
amer. americanismo
amer. americano
An ânodo
an. anais
an. anual
anál. análise
anal. analítico
anal. analogia
anal. analógico
anál. clín. análise(s) clínica(s)
anál. mat. análise matemática
anam. anamita
anarq. anarquismo
anat. anatomia
and. andamento (música)
and. *andante*, andante
anes. anestesiologia
ang. angolar
angl. anglicismo
angl.-sax. anglo-saxão
angol. angolismo
anim. animal
anôn. anônimo
ansp.a anspeçada
ant. a.-al. antigo alto-alemão
ant. alt.-al. antigo alto-alemão
ant. antigamente
ant. antigo(a)
ant. antiquado
ant. antônimo
ant. biz. antiguidade bizantina
ant. clás. antiguidade clássica
ant. egíp. antiguidade egípcia
ant. gr. antiguidade grega
ant. hebr. antiguidade hebraica
ant. mex. antiguidade mexicana
ant. or. antiguidade oriental
ant. rom. antiguidade romana
antec. antecedente
antig. antiguidade
antiq. antiquado
antiq. antiquário
antol. antologia
antôn. antônimo
anton. antonomásia
antonom. antonomásia
antr. antroponímia
antr. antropônimo
antr. f. antropônimo feminino
antr. m. antropônimo masculino
antrop. antropologia
antropogr. antropografia
antropol. antropologia
antropon. antroponímia
antropôn. antropônimo
antropôn. fem. antropônimo feminino
antropôn. masc. antropônimo masculino
anu. anuário
ap. apartamento
ap. apêndice
ap. aprovado
ap. *apud*, em, de, entre
apart. apartamento
apênd. apêndice
apic. apicultura
apl. aplicado
apóc. apócope
aport. aportuguesado
aport. aportuguesamento
aportg. aportuguesamento
aportug. aportuguesamento
aprox. aproximadamente
aprox. aproximativa
apt. apartamento
apt.º apartamento
apto apartamento
aq. aquavia
Ar argônio
ár. árabe
ar. arábico
Ar. tang. arco cuja tangente é
ara. arameu
aráb. arábico
aracn. aracnídeo
aram. aramaico
aram. arameu
arb. arboricultura
arboric. arboricultura
arc. arcaico
arc. arcaísmo
Arc. cos. arco cujo cosseno é
Arc. sen. arco cujo seno é
arc.o arcebispo
arcaic. arcaico
arceb. arcebispado
arceb. arcebispo
arcebd. arcebispado
arcip. arciprestado
arcip. arcipreste
arcipd. arciprestado
ard. ardosieiras
arg. argentino
arit. aritmética
aritm. aritmética
aritmol. aritmologia
arm. ant. armamento antigo
arm. armamento(s)
arm. armaria
arm. armênio
arq. ant. arquitetura antiga
arq. arqueologia
arq. arquivo
arq. col. bras. arquitetura colonial brasileira
arq. hidr. arquitetura hidráulica
arq. rel. arquitetura religiosa
arq. rom. arquitetura romana
arqueol. arqueologia
arquid. arquidiocese
arquip. arquipélago
arquit. arquitetura
arquit. hidr. arquitetura hidráulica
arquit. hidrául. arquitetura hidráulica

arquit. mil. arquitetura militar
arquit. nav. arquitetura naval
arquit. naval arquitetura naval
arr arroba(s)
arr. *arrondissement(s)* (divisão administrativa francesa, belga e argelina)
art. artigo
art. artilharia
art. artilheiro
art. artístico
art. dec. arte(s) decorativa(s)
art. def. artigo definido
art. dom. arte(s) doméstica(s)
art. dram. arte dramática
art. gráf. arte(s) gráfica(s)
art. ind. artigo indefinido
art. indef. artigo indefinido
art. mil. arte militar
art. plást. artes plásticas
art.o artigo
arte dec. arte decorativa
arte dram. arte dramática
arte mil. arte militar
artes. artesanato
artesan. artesanato
artilh. artilharia
artíst. artístico
aru. aruaque
As ampere(s)-segundo, ampère(s)-segundo
As arsênio
às v. às vezes
as. asiático
ascet. ascetismo
asiát. asiático
ásio-lus. ásio-lusitano
asolus. ásio-lusitanismo
asolus. ásio-lusitano
asp. aspirante
asp.te aspirante
ass. assimilação
assem. assembleia
assemb. assembleia
assim. assimilação
assist. assistência
assoc. associação
ast. asturiano
astr. astrônimo
astr. astronomia
astr. astronômico
astr.f. astrônimo feminino
astr.f.pl. astrônimo feminino plural
astr.m. astrônimo masculino
astr.m.pl. astrônimo masculino plural
astrol. astrologia
astron. astronáutica
astrôn. astrônimo
astron. astronomia
astrôn. fem. astrônimo feminino
astrôn. masc. astrônimo masculino
astronáut. astronáutica
astroním. astronímia
At astatínio
At astatino
at. ativo
át. átomo
át. átono
at.o atencioso
at.o atento
at.te atenciosamente
ativ. atividade
atl. atletismo
atlt. atletismo
atm. atmosfera
atôm. atômico
atom. atomística
atr. através
atual. atualidade
atualid. atualidade
atualm. atualmente
Au *aurum*, ouro
au. adjetivo uniforme
aum. aumentativo
aus. austral
austr. austral
austr. austríaco
austral. australiano
aut. automobilismo
aut. automóvel
auto. automobilismo
auto. automóvel
autom. automobilismo
autom. automóvel
automat. automatismo
aux. auxiliar
aux.o auxílio
av. avenida
Av. avenida (toponimicamente)
av. aviação
av. aviador
AVC acidente vascular cerebral
aven. avenida
aviaç. aviação
avic. avicultura
ax. axiônimo
axiôn. axiônimo
Az azoto

B

b bária(s) (unidade de pressão)
B beco (toponimicamente)
b bom
B boro
b braça(s)
b. baixo
B. beato
B. boreal
b. lat. baixo-latim
B. Lit. *Baccalaureus Literarum* (*Litterarum*), bacharel de letras, bacharel em letras
B.A. *Baccalaureus Artium*, bacharel de artes, bacharel em artes
B.a. *balneum arenae*, banho de areia
b.-art. belas-artes
b.-artes belas-artes
B.B. bombordo
B.eis bacharéis
B.el bacharel
b.f. boas-festas
B.F. boas-festas
b.i.d. *bis in die*, duas vezes ao dia
b.-lat. baixo-latim
B.-letr. belas-letras
B.m. *balneum mariae*, banho-maria
B.o beco (toponimicamente)
B.T.U. *british thermal unit*, unidade termal britânica
B.V. *balneum vaporis*, banho de vapor
B.V. barlavento
B/L *bill of lading*, nota de embarque
Ba bário
bact. bacteriologia
bacter. bacteriologia
bacteriol. bacteriologia
bal. balanço
bal. balística
balíst. balística
bált. báltico
Bar bária
Bar. barão
bárb. bárbaro
basq. basquetebol
bat. bateria
BB bombordo
bbl. *barrel(s) of petroleum*, barril ou barris de petróleo
Be berilo, berílio
beir. termo beirão
bel.-art. belas-artes
beng. bengali
berb. berbere
Bi bismuto
bíb. bíblico
Bíbl. Bíblia
bíbl. bíblico
bibl. bibliografia
bibl. bibliográfico
bibl. bibliônimo
bibl. biblioteca
bibl.f. biblônimo feminino
bibl.m. biblônimo masculino
bibl.m.pl. biblônimo masculino plural
bibliof. bibliofilia
bibliog. bibliografia
bibliogr. bibliografia
bibliol. bibliologia
bibliôn. fem. biblônimo feminino
bibliôn. masc. biblônimo masculino
bibliot. biblioteca
bibliot. biblioteconomia
bibliotec. biblioteconomia
bibliotecon. biblioteconomia
biblog. bibliografia
biblol. bibliologia
biblon. biblionímia
bilh.e bilhete
bim. bimensal
bimen. bimensal
biodim. biodinâmica
biofís. biofísica
biogên. biogênese
biogen. biogenético
biogeo. biogeografia
biogeog. biogeografia
biogeogr. biogeografia
biogr. biografia
biol. biologia
biol. ger. biologia geral
biom. biometria
bioq. bioquímica
bioquím. bioquímica
biot. biotaxia
biotip. biotipologia
biotipol. biotipologia
birm. birmanês, birmano, birmão
birrel. birrelativo
bisp. bispado
bispd. bispado
bitr. bitransitivo
bitrans. bitransitivo
Bk berkélio, berquélio
bm. baixa-mar
boêm. boêmio
bol. boletim
boliv. boliviano
bomb. bombeiros
bor. boreal
bord. bordado, arte de bordar
borg. borguinhão
borr. indústria de borracha
bot. botânica
bot. botânico
Br bromo
br. brasileirismo
br. brasileiro
br. brochado(s)
br. brochura
Brão barão
bras. brasileirismo
bras. brasileiro
brasil. brasileiro
bret. bretão
Brig. brigadeiro
brig. brigadeiro
Brig.o brigadeiro
brit. britânico
brom. bromatologia
bromat. bromatologia
btl. batalhão
bu *bushel(s)*, alqueire(s)
bud. budismo
búlg. búlgaro
bur. burocracia
burl. burlesco
buroc. burocracia
BV barlavento

C

C carbono
C coulomb(s)
C. calçada (toponimicamente)
c. canto(s) (de poema)
c. capital
C. carta
c. *cave* (cuidado)
c. cena (de peça teatral)
c. cento(s)
c. cerca de; *circa* (no sentido temporal)
c. *circa*, cerca, em torno de, por volta de
C. código
C. comarca
C. comum (em botânica)
c. conto(s) (de réis)
C. Mil. código militar
C.A.A. contração anódica de abertura
C.Ág. código de águas
c.-alm. contra-almirante
C.-Alm. contra-almirante
C.B. *Chirurgiae Baccalaureus*, bacharel de cirurgia, bacharel em cirurgia
C.C. Código Civil
c.c. confere
c.c. conforme
C.Com. Código Comercial
C.D. *compact disc*, disco compacto
C.de conde
C.de conde
C.dessa condessa
C.dessa condessa
C.el coronel
c.el coronel
C.el coronel
c.el coronel
C.G.S. centímetro grama e segundo
C.H. componente horizontal
C.I.F. *cost, insurance and freight*, custo, seguro e frete
C.ia companhia
C.ia companhia
c.-riq. costa-riquenho
C.ta comandita
c.v. cavalo(s)-vapor
C.V. componente vertical
c/ com
c/ conta (comercialmente)
c/a conta aberta
c/c conta-corrente
Ca cálcio
ca centiare(s)
cab. cabala
cabo-verd. cabo-verdianismo
caç. caçadores (do exército)
cad. cadência
cad. caderno
caf. cafre
cal caloria(s)
cal caloria(s)-grama
cal. calão
cal. calçados
cal. calendário
calç. calçada (toponimicamente)
cálc. cálculo
cálc. vect. cálculo vectorial
cálc. vet. cálculo vetorial
calcog. calcografia
calcogr. calcografia
cald. caldaico, caldeu
calig. caligrafia
caligr. caligrafia
calor. calorimetria
calorim. calorimetria
calv. calvinismo
calvin. calvinismo
câm. câmara
can. canadense
canad. canadense
canal. canalização
canaliz. canalização
cant. cantão
cant. cantaria
cap. capital
cap. capitão
cap. capítulo
Cap. capítulo
cap. capoeira
Cap. Corv. capitão de corveta
cap. corv. capitão de corveta
Cap. Fr. capitão de fragata
cap. frag. capitão de fragata
Cap.ão capitão
cap.ão capitão
Cap.M.G. capitão de mar e guerra
cap.m.g. capitão de mar e guerra
Cap.-ten. capitão-tenente
cap.-ten. capitão-tenente
capac. capacidade
capit. capitalismo
capix. capixaba
caps. capítulos
capt. capitão
car. caribe
card. cardeal
card. cardiologia
carn. carniceiro
carp. carpintaria
carp. carpinteiro
carr. carroçaria
cart. cartaginês
cart. cartografia
cart. cartonado(s)
cartogr. cartografia
cast. castelhano
casuís. casuística
casuíst. casuística
cat. catalão
cat. catálogo
Cat. catolicismo
cat. católico
cat. morf. categoria morfológica
catal. catálise
catar. catarinense
catarin. catarinense
categ. categoria
Catol. catolicismo
catól. católico
Catolic. catolicismo
catóp. catóptrica
catópt. catóptrica
caus. causal
causal. causalidade
causal. causalismo
causalid. causalidade
cav. cavalaria
cav. cavaleiro
Cav.o cavaleiro
Cb colômbio
cb. cabo
cc. comarca
Cd cádmio
cd candela(s)
CDB certificado de depósito bancário
CD-ROM *compact disc read only*, disco compacto com memória para ser lido
Ce cério
ce. celamim, celamins
cear. cearense
celt. celta
célt. céltico
cên. cênico
cenog. cenografia
cent. centavo(s)
cênt. cêntimo(s), centimo(s)
centr. central
cer. cerâmica
cerâm. cerâmica

cerv. cervejaria
cest. cestaria
cet. par. *ceteris paribus*, sendo iguais (semelhantes, equivalentes) às outras coisas
Cf califórnio
cf. *confer*, compara
cf. *confer*, confere, verifica
cf. confronte com
cfr. confira
cfr. confronte
cg centigrama(s)
cg centigrama-força
cg* centigrama-força
cgf centigrama-força
cgr centígrado(s)
ch. *chain(s)*, cadeia(s)
Ch.B. *Chirurgiae Baccalaureus*, bacharel de cirurgia, bacharel em cirurgia
ch.e chantre
Ch.M. *Chirurgiae Magister*, mestre de cirurgia, mestre em cirurgia
chanc. chancelaria
chancel. chancelaria
chap. chapelaria
chapel. chapelaria
chil. chileno
chin. chinês
chul. chulismo
chul. chulo
Cia. companhia
ciber. cibernética
cibern. cibernética
cicl. ciclismo
cid. cidade(s)
ciênc. ciência(s)
ciênc. oc. ciências ocultas
cienc. pol. ciência política
cient. científico
cig. cigano
cin. cinegética
cin. cinema
cineg. cinegética
cinem. cinema
cinem. cinematografia
cinematogr. cinematografia
cing. cingalês
cinol. cinologia
cinz. cinzelaria
cir. cirurgia
circ. circo, atividades circenses
círc. círculo
circunscr. circunscrição
cirurg. cirurgia
cit. citação
cit. *citatus, citata, citatum*, citado, citada, citado (neutro)
citol. citologia
citt. *citati, citatae, citata*, citados, citadas, citados (neutro)
cl centilitro(s)
Cl cloro
Cl. clérigo
clas. classicismo
clás. clássico
cláss. clássico
clich. clicheria
clim. climatologia
climatol. climatologia
clín. clínica
cm centímetro(s)
Cm cúrio
cm.g* centímetro-grama-força
cm/s centímetro(s) por segundo
cm/s/s centímetro(s) por segundo por segundo
cm2 centímetro(s) quadrado(s)
cm3 centímetro(s) cúbico(s)
Co cobalto
cob. cobertura
cob. cobra
cód. águas código de águas
cód. civ. código civil
cód. civil código civil
cód. códice
cód. código
cód. com. código comercial
cód. cont. código de contabilidade
cód. fl. código florestal
cód. just. mil. código de justiça militar
cód. mil. código militar
cód. pen. código penal
cód. penal código penal
cód. proc. civ. código processual civil
cód. proc. código de processo
cód. proc. pen. código processual penal
cód. trab. código do trabalho
códs. códices
cogn. cognome
col. colaborador
col. coleção
Col. colégio
col. coletivo
col. coluna
col. part. coleção particular
Col.º colégio
colet. coletivamente
colet. coletivismo
colet. coletivo
coletsmo coletivismo
colomb. colombiano
cols. coleções
cols. colunas
com. comandante
com. comendador
com. comercial
com. comércio
com. comum
com. comuna
com. comunismo
Com.dor comendador
com.e comadre
Com.or comendador
comb. combinação
comb. combinatório
comb. combustão
comb. combustível
combin. combinação
combinat. combinatório
combust. combustível
comdor. comendador
comend. comendador
comerc. comercial
comerc. comércio
comp. companhia (militarmente)
comp. comparativo
comp. composto
comp.e compadre
comp.t *composuit*, compôs
compar. comparado
compar. comparativamente
compar. comparativo
compl. complemento
compr. comprimento
compt. computadores eletrônicos
comte comandante
comte. comandante
comunic. comunicação
Côn. cônego
côn. cônego
con. *contra*, contra, em oposição
Côn.º cônego
conc. concani
conc. conceito
conc. concelho(s) (divisão administrativa)
concess. concessiva
concret. concretismo
cond. condado
cond. condicional
cond. condutor
conf. conferência
Confed. confederação
confed. confederação
confeit. confeitaria
confl. confluência
confls. confluências
cong. conguês
conhec. conhecimento(s)
conj. adit. conjunção aditiva
conj. adv. conjunção adversativa
conj. advers. conjunção adversativa
conj. alt. conjunção alternativa
conj. cau. conjunção causal
conj. caus. conjunção causal
conj. causal conjunção causal
conj. comp. conjunção comparativa
conj. compar. conjunção comparativa
conj. conc. conjunção concessiva
conj. conces. conjunção concessiva
conj. concl. conjunção conclusiva
conj. cond. conjunção condicional
conj. condic. conjunção condicional
conj. conf. conjunção conformativa
conj. conjuga, conjugue
conj. conjugação
conj. conjunção
conj. conjuntivo
conj. cons. conjunção consecutiva
conj. consec. conjunção consecutiva
conj. coord. conjunção coordenativa
conj. expl. conjunção explicativa
conj. fin. conjunção final
conj. final conjunção final
conj. int. conjunção integrante
conj. integr. conjunção integrante
conj. prop. conjunção proporcional
conj. sub. conjunção subordinativa
conj. subord. conjunção subordinativa
conj. temp. conjunção temporal
conjug. conjugação
conq. conquiliologia
conquil. conquiliologia
conquiliol. conquiliologia
cons. conselheiro
cons. consoante
cons.º conselheiro
consel. conselheiro
conselh. conselheiro
conseq. consequente
const. constitucionalista
Const. constituição
const. constituição
const. construção
const. nav. construção naval
const. rur. construção rural
constel. constelação
constr. construção
constr. nav. construção naval
constta constitucionalista
cont. contabilidade
cont. contemporâneo
cont. *contra*, contra, em oposição
Cont.dor contador
Cont.or contador
contab. contabilidade
contemp. contemporâneo
contr. contra, em oposição
contr. contração
contr. contrário
contr. contrata
coord. coordenativa
cop. copiado
cop. copulativo
copul. copulativo
copulat. copulativo
coq. *coque* ou *coquatur*, coze, coza-se
cor. coreano
cor. coroa(s) (moeda)
cor. corografia
Cor. corolário
cor. correios
coreog. coreografia, coregrafia
coreogr. coreografia
corog. corografia
corogr. corografia
corr. correção
corr. correios
corr. corrução
corr. corrupção
corr. corruptela
corr. corrutela
correi. correição
corresp. correspondência
corrup. corrupção
corrup. corruptela
corrupt. corruptela
corrut. corrutela
cos. cosseno
cosec. cossecante
cosm. cosmetologia
cosm. cosmografia
cosm. cosmologia
cosmog. cosmogonia
cosmog. cosmografia
cosmogr. cosmografia
cosmol. cosmologia
cost. costura
costa-ric. costa-ricense
costa-riq. costa-riquenho
cot. costangente
côv. côvado
cp. compare, coteje, confronte
Cr cromo
Cr$ cruzeiro
cr. croata
cr.a criada
cr.º criado
créd. crédito
cresc. *crescendo*, crescendo, em crescendo
cresc.te crescente
crim. criminologia
criminol. criminologia
cript. criptônimo
criptog. criptografia
crist. cristalografia
crist. cristandade
crist. cristianismo
cristal. cristalografia
cristalogr. cristalografia
cristand. cristandade
cristian. cristianismo
crôn. crônica
cron. cronologia
cron. cronológico
cron. cronônimo
cron.f. cronônimo feminino
cron.f.pl. cronônimo feminino plural
cron.m. cronônimo masculino
cron.m.pl. cronônimo masculino plural
cronol. cronologia
cronom. cronometria
cronôn. fem. cronônimo feminino
cronôn. masc. cronônimo masculino
crust. crustáceo(s)
cruz. cruzamento
Cs césio
ctv. centavo(s)
Cu *cuprum*, cobre
cu.ft. *cubic foot (feet)*, pé(s) cúbico(s)
cu.in. *cubic inch(es)*, polegada(s) cúbica(s)
cu.yd. *cubic yard(s)*, jarda(s) cúbica(s)
cul. culinária
culin. culinária
cult. cultismo
cult. cultura
cump.to cumprimento
curt. curtume(s)
cut. cutelaria
cutel. cutelaria
cv. centavo
cvs. centavos
Cx. caixa
cx. caixa
cyat. *cyathus*, copo de vidro

D

d *denarius*, denário
D dever (comercialmente)
d dia(s)
d dina(s)
d dinheiro
d dioptria
D dólar(es)
D. declinação
d. *denarius*, denário
D. densidade
d. depois de
D. deve (comercialmente)
D. dever (comercialmente)
D. digno
d. dinheiro(s) (moeda)
d. diplomata
D. direita (marcação teatral)
D. distrito
d. dom
D. dom
D. dona
d. dona
D.ª dona
D.A. direita alta (marcação teatral)
D.B. direita baixa (marcação teatral)
D.C. *da capo*, do início, repita-se a partir do início
d.C. depois de Cristo
D.C. depois de Cristo
D.C.C. duração da contração catódica
d.-cm dina por centímetro
d.e deve
D.G. *Dei gratia*, pela graça de Deus
D.G. Deus guarde
D.P. diferença de potencial
D.r doutor
D.r M. doutor de medicina, doutor em medicina
D.ra doutora
D.V. *Deo uolente*, querendo Deus, se Deus quiser
d/ dia(s) (comercialmente)
d/cm2 dina por centímetro quadrado
d/cm3 dina por centímetro cúbico
d/d dias de data (comercialmente)
d/v dias de vista (comercialmente)
Da. dona
dactilog. dactilografia
dactilogr. dactilografia
dactilos. dactiloscopia
dactilosc. dactiloscopia
dad. dadaísmo
dag decagrama(s)
dal decalitro(s)
dam decâmetro(s)
dam2 decâmetro(s) quadrado(s)
dasim. dasimetria
dason dasonomia
dast decastéreo(s)
dat. dativo
DD. Digníssimo

DD. distritos
DDT diclorodifeniltricloretana (inseticida)
Dec. *decoctio*, decocção
dec. decoração
dec. decreto
decl. declinação
declin. declinação
decor. decoração
Decr. decrescendo
decr. decreto
decresc. *decrescendo*, decrescendo, em decrescendo
ded.o dedicado
ded.o devotado
def. defectivo
def. definido
defect. defectivo
defin. definição
definit. definitivo
del. *delineauit*, *delineavit*, desenhou
del.t *delineauit*, *delineavit*, desenhou
dele. *deleatur*, apague-se, destrua-se, elimine-se
dem. demonstrativo
democ. democrático
democr. democracia
demog. demografia
demogr. demografia
demonstr. demonstrativo
dens. densidade
dep. departamento
depr. depreciativamente
depr. depreciativo
deprec. depreciativo
deps. departamentos
der. derivação
der. derivado(s)
deriv. derivação
deriv. derivado(s)
derm. dermatologia
des. desenho
des. destilar
des. desusado
Des.dor Desembargador
Des.or Desembargador
desc. desconto
Desemb. desembargador
desemb. desembargador
desemb. desembocadura
desemboc. desembocadura
desen. desenho
desin. desinência
desp. despesa
desp. desporto(s)
despor. desporto(s)
desus. desusado
det. detalhe
det. determinativo
determ. determinativo
dev. deverbal
dev.º devotado
dez. dezembro
dez.º dezembro
dg decigrama(s)
dg decigrama-força
dg* decigrama-força
dgf decigrama-força
dgr decígrado(s)
di dioptria
diác. diácono
dial. dialetal
dial. dialeto
dialet. dialetal
dialét. dialética
dic. dicionário
did. didática
did. didático
didát. didática
diet. dietética
diet. dietético
dif. diferente
Dig.mo Digníssimo
dim. diminuendo, a diminuir
dim. diminutivo
dimin. *diminnendo*, diminuindo
dimin. diminutivo
din. dinamarquês
din. dinâmica
dinam. dinamarquês
dinâm. dinâmica
dinâm. dinâmico
dioc. diocese
dipl. diploma
dipl. diplomacia
diplom. diplomática
dir. adm. direito administrativo
dir. ant. direito antigo
dir. can. direito canônico
dir. civ. direito civil
dir. com. direito comercial
dir. comerc. direito comercial
dir. cons. direito consuetudinário
dir. const. direito constitucional
dir. consuet. direito consuetudinário
dir. corp. direito corporativo
dir. crim. direito criminal
dir. direita
dir. direito
dir. ecl. direito eclesiástico
dir. ecles. direito eclesiástico
dir. fam. direito de família
dir. feud. direito feudal
dir. fis. direito fiscal
dir. int. direito internacional
dir. intern. direito internacional
dir. mar. direito marítimo
dir. marít. direito marítimo
dir. parl. direito parlamentar
dir. pen. direito penal
dir. pol. direito político
dir. proc. direito processual
dir. públ. direito público
dir. rom. direito romano
dir. rur. direito rural
dir. trab. direito do trabalho, direito trabalhista
disc. discurso
disfem. disfemismo
diss. dissertação
docs. documentos
docum. documentação
dog. dogmática
dog. dogmático
dogm. dogmática
dogm. dogmatismo
dogmát. dogmática
dól. dólar(es)
dom. doméstico
dom. dominicano
dom. domínico
domin. dominicano
domín. domínico
dór. dórico
Dr. doutor
dr. o dinheiro (comercialmente)
Dr.a doutora
Dr.as doutoras
Dra. doutora
dram. dramático
drav. dravídico
Drs. doutores
dst decistéreo(s)
DST doença sexualmente transmissível
dual. dualismo
dualid. dualidade
dur. dureza
dur. duriense
DVD *digital versatile disk*, disco versátil digital
Dy *dysproposium*, dispropósito
dyn dina(s)
dz. dúzia(s)

E

e base dos logaritmos neperianos
e erg(s)
e excentricidade
e. de f. estrada de ferro
E. editor
E. equação do tempo
E. equivalente eletroquímico
E. esquerda (marcação teatral)
E. esquerdo (andar)
E. Estado
e. Estado
E. Este
E.A. esquerda alta (marcação teatral)
E.B. esquerda baixa (marcação teatral)
E.B. estibordo
E.C. era cristã
e.c.f. é cópia fiel
E.D. espera deferimento
E.E.M.P. enviado extraordinário e ministro plenipotenciário
E.E.P. embaixador extraordinário e plenipotenciário
e.f. estrada de ferro
e.g. *exempli gratia*, por exemplo
E.M. em mão, em mãos
E.-M. Estado-Maior
e.-m. Estado-Maior
E.M.P. em mão própria, em mãos próprias
E.N.E. És-Nordeste
E.R. espera resposta
E.R.M. espera receber mercê
E.S.E. És-Sudeste
e/s. erg(s) por segundo
ecd. ecdótica
ecl. eclesiástico (termo)
ecl. eclético
écl. écloga(s)
ecles. eclesiástico
ecol. ecologia
econ. dom. economia doméstica
econ. economia
econ. emp. economia de empresa, economia empresarial
econ. ext. economia de exploração, economia extrativa
econ. fin. economia financeira
econ. fl. economia florestal
econ. pol. economia política
econ. rur. economia rural
ed. edição
ed. *edidit*, editou
ed. edifício
ed. editado
ed. educação
edd. *ediderunt*, editaram
edif. edifício
educ. educação
educ. fís. educação física
educ. nac. educação nacional
EE. editores
EE. Estados
efem. efeméride
egíp. egípcio
el. adj. elemento adjetivo
el. adj. elemento adjuntivo
el. adv. elemento adverbial
el. antr. elemento antroponímico
el. antropon. elemento antroponímico
el. art. elemento articular
el. comp. elemento de composição
el. nom. elemento nominal
el. nom.f. elemento nominal feminino
el. nom.f.pl. elemento nominal feminino plural
el. nom.m. elemento nominal masculino
el. nom.m.pl. elemento nominal masculino plural
el. part. elemento participial
el. partic. elemento participial
el. prot. elemento protético
el. protét. elemento protético
el. subst. elemento substantivo
el. top. elemento toponímico
el. topon. elemento toponímico
el.s. elemento substantivo
el.s.f. elemento substantivo feminino
el.s.f.pl. elemento substantivo feminino plural
el.s.m. elemento substantivo masculino
el.s.m.pl. elemento substantivo masculino plural
elem. elemento
eletr. eletricidade
eletr. eletricista
eletrodin. eletrodinâmica
eletrol. eletrologia
eletrom. eletrometria
eletrôn. eletrônica
eletrot. eletroterapia
elipt. elipticamente
elipt. elíptico
Em.ª Eminência
Em.mo Eminentíssimo
Em.mº Eminentíssimo
Emb. Embaixador
emb. Embaixador
emb. embalagem
emb. embrulho
Emb.or Embaixador
embal. embalagem, acondicionamento
embr. embriologia
embriol. embriologia
emigr. emigração
emol. emolumento(s)
emp. empresa
empír. empírico
empr. empresa (organização da)
emprés. empréstimo (que se toma)
enc. encadernação
enc. encadernado(s)
enc. encíclica
encícl. encíclica
encicl. enciclopédia
encicl. enciclopédico (desenvolvimento)
encicl. enciclopedismo
End. tel. endereço telegráfico
endoc. endocrinologia
ENE És-Nordeste
energ. energia
energét. energética
enf. enfermagem
enf. enfermeiro(a)
eng. civ. engenharia civil
eng. elétr. engenharia elétrica
eng. eletrôn. engenharia eletrônica
eng. engenharia
eng. engenheiro(a)
eng. hidr. engenharia hidráulica
eng. ind. engenharia industrial
eng. nucl. engenharia nuclear
Eng.º engenheiro
eng.º engenheiro
enol. enologia
ens. ensino
ent. entomologia
entom. entomologia
entomol. entomologia
enx. enxadrismo
epig. epigrafia
epigr. epigrafia
epíst. epístola(s)
eq. dom. equipamento doméstico
Eq. equação
eq. equatoriano
equat. equatoriano
equit. equitação
equiv. equivalente(s)
Er érbio
erg/s erg(s) por segundo
ergol. ergologia
erud. erudito
Es einstênio
Esc. escadas (toponimicamente)
Esc. escadinhas (toponimicamente)
esc. escocês
Esc. escola
esc. escrópulo(s)
esc. escudo(s)
escand. escandinavo
escoc. escocês
escol. escolar
escol. escolástica
escol. escolástico
escolást. escolástica
escr. escrito
escr. escritor
escul. escultura
escult. escultura
ESE És-Sudeste
esgr. esgrima
esl. eslavo
esl. eslavônico
eslav. eslavo
eslov. eslovaco
eslov. esloveno
esot. esoterismo
esp. espanhol
esp. especial
esp. espécie
esp. espiritismo
espec. especial
especialm. especialmente
especif. especificação
específ. específico
espect. espectroscopia
espectrogr. espectrografia
espel. espeleologia
espeleol. espeleologia
espet. espetáculo(s)
espir. espiritismo
espir. espiritualismo
espirit. espiritismo
espiritual. espiritualismo
esport. esporte(s)
esq. esquerdo(a)
est. estação
est. estado(s)
est. estância(s) (de poema)
est. estante(s)
est. estética
Est. estrada (toponimicamente)
est. estrofe(s)
estad. estadismo
estad. estadista
estat. estatística
estatíst. estatística
estenog. estenografia
estenogr. estenografia
estereogr. estereografia
estét. estética
estét. estético
estil. estilística
estim. estimativa de
eston. estoniano
estr. estrada
estr. estratigrafia
estrang. estrangeiro
estrangeir. estrangeirismo
estrat. estratégia
estratég. estratégia
estrem. estremenho
estrut. estrutura
estud. estudante
et al. *et alibi*, e em outro lugar
et al. *et alii*, *et aliae*, *et alia*, e outros, e outras, e outros (neutro)

et cat. *et caterua, et caterva*, e a turba
et seq. *et sequens*, e o seguinte
et seqq. *et sequentes, et sequentia*, e os seguintes (masculino ou feminino), e os seguintes (neutro)
et. ética
et. etíope
et. etiópico
et.m.pl. etnônimo masculino plural
etc. *et cetera*, etcétera
etim. etimologia
etim. pop. etimologia popular
etimol. etimologia
etióp. etiópico
étn. étnico
etn. etnônimo
etnog. bras. etnografia brasileira
etnog. etnografia
etnogr. etnografia
etnol. bras. etnologia brasileira
etnol. etnologia
etnolog. etnologia
etol. etologia
Eu európio
euf. eufemismo
euf. eufonia
eufêm. eufêmico
eufem. eufemismo
eufon. eufonia
eufôn. eufônico
eufor. euforia
eur. europeu
ex. exemplar(es)
ex. exemplo(s)
ex. exemplo, em exemplo, por exemplo
ex. exército
Ex.ª Excelência
Ex.ma Excelentíssima
Ex.mo Excelentíssimo
excl. exclamação
excl. exclamativo
exclam. exclamação
exclam. exclamativo
exclamat. exclamativo
excurs. excursionismo
exe. exército
exérc. exército
exp. experiência
exp. experimental
exp. expressão
exper. experiência
exper. experimental
experim. experimental
expl. explosivo
explet. expletivo
explor. exploração
explos. explosivo(s)
export. exportação
expr. expressão
expr. expressivo
express. expressivo
expression. expressionismo
ext. extensão
ext. extensivo
ext. extrato
extens. extensivo
extrat. extrativo

F

F farad(s)
F flúor
f fot(s)
f. feminino
f. folha
f. fólio
f. forma(s)
f. formação
f. forte
f. frase
F. frente (marcação teatral)
F. fulano
F. fundo (marcação teatral)
f.adv. forma adverbial
f.aport. forma aportuguesada
F.D. *fidei defensor*, defensor da fé
F.E.M. força eletromotriz
F.M.M. força magnetomotriz
f.nom. forma nominal
F.º filho (comercialmente)
f.º fólio
F.O.B. *free on board*, livre a bordo
f.ºr.º *folio recto*, na frente do fólio
f.os fólios
f.ºv.º *folio verso*, no verso do fólio
f.paral. forma paralela
f.parl. forma paralela
f.port. forma portuguesa
f.r. *folio recto*, fólio reto
f.red. forma reduzida
F.S.A. *fac.* ou *fiat secundum artem*, faz ou faça-se segundo a arte
f.v. *folio verso*
f.verb. forma verbal
fáb. fábrica
fac. faculdade
falc. falcoaria
falcoar. falcoaria
fam. familiar
farm. farmacêutico
farm. farmácia
farmac. farmacologia
farmac. farmacopeia
farmacol. farmacologia
farmacop. farmacopeia
fasc. fascículo(s)
fascs. fascículos
fauv. fauvismo
Fe ferro
fed. federação
fed. federal
feder. federação
feit. feitiçaria
fem. feminino
fem. feminismo
fen. fenício
fenom. fenomenalismo
fenôm. fenômeno
fer. ferrovia
ferrad. ferradoria
ferrov. vias férreas, ferrovias
feud. feudal
feud. feudalidade
feud. feudalismo
fev. fevereiro
fev.º fevereiro
FF *fortissimo* (música)
ff *fortissimo*, fortíssimo (música)
ff. folhas
ff. fólios
fg. figura
fg. frigoria(s)
fig. figura
fig. figuradamente
fig. figurado
figd. figurado
figur. figurado
figurat. figurativismo
figurat. figurativo
figurativ. figurativismo
fil. filologia
fil. filosofia
fil. filtrar
filat. filatelia
filol. filologia
filos. filosofia
fin. final
fin. finança(s)
fin. públ. finança(s) pública(s)
finl. finlandês
fís. atôm. física atômica
fís. física
fís. mat. física matemática
fís. méd. física médica
fís. nucl. física nuclear
fis. veg. fisiologia vegetal
fís.-quím. físico-química
fisc. fiscal
fisc. fiscalidade
fisioc. fisiocracia
fisioc. fisiocratismo
fisiocr. fisiocracia
fisiocrat. fisiocratismo
fisiol. fisiologia
fisiol. veg. fisiologia vegetal
fisl. fisiologia
fispat. fisiopatologia
fitog. fitogeografia
fitog. fitografia
fitogr. fitografia
fitol. fitologia
fitopat. fitopatologia
fitossoc. fitossociologia
fl. dr. *fluid dram*(s)
fl. dram. *fluid dram*, dracma fluida
fl. flexão (verbal)
Fl. flora
fl. florestal
fl. florim, florins (moeda)
fl. *floruit*, floresceu
fl. folha
fl. fólio
fl. oz. *fluid ounce(s)*, onça(s) fluida(s)
fl. sc. *fluid scruple(s)*, escrúpulo(s) fluido(s)
flam. flamengo
flex. flexão, flexões
flex. flexional
flex. flexivo
flor. floricultura
floric. floricultura
fls. folhas
flum. fluminense
flumin. fluminense
fluv. fluvial
Fm férmio
fm. adv. forma adverbial
fm. forma(s)
fm. nom. forma nominal
fm. paral. forma paralela
fm. verbal forma verbal
fo. fólio
fog. fogueiro
fol. folha
folc. bras. folclore brasileiro
folc. folclore
folcl. folclore
folh. folheto
fols. folhas
fon. fonética
fon. fonologia
fonét. fonética
fonol. fonologia
for. forense
form. formação
fórm. fórmula
form. formulário
form. port. formação portuguesa
formul. formulário
fort. fortificação
fos. fólios
fós. fóssil
fot. fotografia
fot. fotógrafo
foto. fotografia
fotoan. fotoanálise
fotoanál. fotoanálise
fotogr. fotografia
fotom. fotometria
fov. fovismo
Fr frâncio
fr. francês
fr. franco(s) (moeda)
fr. frase
Fr. Frei
fr. fruto
fr. prov. frase proverbial
fr.-maç. franco-maçonaria
frânc. frâncico
franc. franco
freg. freguesia(s) (divisão administrativa)
frenol. frenologia
freq. frequentativo
frig. frigorífico
frut. fruticultura
fs. fac-símile
fs. folhas
fss. fac-símiles
ft. *foot* (*feet*), pé(s)
ft.p. min. *foot* (*feet*) *per minute*, pé(s) por minuto
fulv. fulvismo
fund. fundação
fut. conj. futuro do conjuntivo
fut. futebol
fut. futuro
fut. ind. futuro do indicativo
fut. pret. futuro do pretérito
fut. subj. futuro do subjuntivo
futb. futebol
futeb. futebol
futeb. futebolismo
futur. futurismo
futur. futurologia

G

g gauss
G gauss
g grado(s)
g grama(s)
g grama(s)-força
g* grama(s)-força
g*/cm3 grama(s)-força por centímetro cúbico
g. gênero(s)
g. grado(s) (da circunferência)
g. grau(s)
g. quím. guerra química
G.al General
g.de grande
G.de Of. Grande Oficial
G.M. Guarda-Marinha
g.m. guarda-marinha
g.-m. guarda-marinha
G.M.T. *Greenwich Meridian Time*, hora do meridiano de Greenwich
G.P. *Gloria Patri*, Glória ao Pai
g/cm3 grama(s) por centímetro cúbico
g/m3 grama(s) por metro cúbico
G/P ganhos e perdas
Ga gálio
gaél. gaélico
gal. galego
gal. galicismo
gal. *gallon(s)*, galão(galões)
galic. galicismo
galv. galvanismo
gar. garimpo
gasc. gascão
gaul. gaulês
gav. gaveta
Gd gadolínio
Ge germânio
gen. genealogia
Gen. General
gen. general
gên. gênero(s)
gen. genitivo
gen. genovês
geneal. genealogia
genét. genética
genét. genético
genov. genovês
geo. ant. geografia antiga
geo. bras. geografia brasileira
geo. econ. geografia econômica
geo. fís. geografia física
geo. geografia
geo. hum. geografia humana
geod. geodésia
geof. geofísica
geof. geofísico
geofís. geofísica
geog. geografia
geog. pol. geografia política
geogn. geognosia
geogr. geografia
geogr. geográfico(s)
geol. geologia
geom. anal. geometria analítica
geom. ded. geometria dedutiva
geom. descr. geometria descritiva
geom. dif. geometria diferencial
geom. geometria
geomor. geomorfologia
geomorf. geomorfologia
geon. geonímia
geôn. geônimo
ger. geral
ger. gerúndio
germ. germânico
germ. germanismo
gf grama(s)-força
gin. ginástica
ginást. ginástica
ginec. ginecologia
ginecol. ginecologia
gír. cig. gíria de ciganos
gír. esc. gíria escolar
gír. fut. gíria futebolística
gír. gat. gíria de gatunos
gír. gíria
gír. pol. gíria policial
gíria lad. gíria de ladrões
gliptog. gliptografia
gliptogr. gliptografia
gliptol. gliptologia
gliptot. gliptoteca
gloss. glossário
glót. glótica
glót. glótico
glotol. glotologia
gn. guinéu (moeda)
gnom. gnomônica
gót. gótico
gov. governador
Gov. governador
gov. governadoria
gov. governo
Gov. governo
gr grado(s)
gr. biz. grego bizantino
gr. *grade(s)* (medida)
gr. *grain(s)*, grão(s)
gr. grão(s) (peso)
gr. grátis
gr. grau(s)
gr. grego
gr. grosa(s)
gr. mod. grego moderno
gráf. gráfico
graf. grafologia
grafol. grafologia
grafosc. grafoscopia
gram. gramática
grav. gravura
grd. grande
groen. groenlandês
groenl. groenlandês
gt. *gutta*, gota
guar. guarani
guat. guatemalteco, guatemalense
guatem. guatemalteco, guatemalense
guin. guinéu, guineense
gutt. *gutta*, gota
guz. guzarate

H

H haver
H *henry* (*henries*)
h *henry*, unidade de indutância
H hidrogênio
h hora(s)
H. haver (comercialmente)
h. homem
h.c. *honoris causa*, por honra, honorariamente
h.cont. história contemporânea
H.I.S. *hic iacet sepultus* (*sepulta*), aqui jaz sepulto(a), sepultado(a)
H.J.S. *hic jacet sepultus* (*sepulta*), aqui jaz sepulto(a), sepultado(a)
h.mod. história moderna
h.n. história natural
H.P. *horsepower*, cavalo-vapor
H.P.-h. *horse-power-hour(s)*, cavalo-vapor por hora(s)
h.sag. história sagrada
ha hectare(s)
hab. habitante(s)
hag. hagiografia
hag. hagiônimo
hagiog. hagiografia
hagiogr. hagiografia
hagiol. hagiológico
haplol. haplologia
hast. hastim(ins)
HD *hard disc*, disco rígido
HDD *hard discs*, discos rígidos
HDL *high density lipoprotein*, lipoproteína de alta densidade
He hélio
hebd. hebdomadário
hebr. hebraico
hebr. hebreu
helm. helmintologia
helmin. helmintologia
helmintol. helmintologia
hem. hematologia
heort. heortônimo
heort.f. heortônimo feminino
heort.f.pl. heortônimo feminino plural
heort.m. heortônimo masculino
heort.m.pl. heortônimo masculino plural
heortôn. fem. heortônimo feminino
heortôn. masc. heortônimo masculino
her. heráldica
herál. heráldica
herál. heráldico
heráld. heráldica
herb. herbário
herd.o herdeiro
herp. herpético
herp. herpetologia
herpét. herpético
herpet. herpetografia
herpetogr. herpetografia
herpetol. herpetologia
het. heteronímia
het. heterônimo
Hf háfnio
hg hectograma(s)
Hg *hidrargirium*, mercúrio
hib. hibridismo
híb. híbrido
hibr. hibridismo
híbr. híbrido
hibrid. hibridismo
hidr. fl. hidrografia fluvial
hidr. hidráulica
hidrául. hidráulica
hidrod. hidrodinâmica
hidrog. hidrografia
hidrogr. hidrografia
hidrol. hidrologia
hidrom. hidrometria
hidrost. hidrostática
hidrot. hidroterapia
hier. hierônimo
hier. hierosolimitano
hier.f. hierônimo feminino
hier.f.pl. hierônimo feminino plural
hier.m. hierônimo masculino
hier.m.pl. hierônimo masculino plural
hierôn. hierônimo
hierosolim. hierosolimitano
hig. higiene
higr. higrometria
hind. hindu
hind. hindustani
híp. hípico
hip. hipismo
hip. hipótese
hip. hipotético
hipiat. hipiatria
hipnot. hipnoterapia
hipnot. hipnotismo
hipnoter. hipnoterapia
hipoc. hipocorístico
hipocor. hipocorístico
hipol. hipologia
hipót. hipótese
hipot. hipotético
hisp. hispânico
hisp.-am. hispano-americano
hisp.-amer. hispano-americano
hisp.-lat. hispano-latino
hisp-ár. hispano-árabe
hist. ant. história antiga
hist. bíb. história bíblica
hist. bíbl. história bíblica
hist. Bras. história do Brasil
hist. col. história colonial
hist. contemp. história contemporânea
hist. ecl. história eclesiástica
hist. ecles. história eclesiástica
hist. filos. história da filosofia
hist. gr. história grega
hist. história
hist. inst. história das instituições
hist. mar. bras. história marítima brasileira
hist. mar. história marítima
hist. mil. história militar
hist. mod. história moderna
hist. nat. história natural
hist. rel. história religiosa
hist. rom. história romana
hist. sagr. história sagrada
histol. histologia
historiog. historiografia
historiogr. historiografia
HIV *human immunodeficiency virus*, vírus da imunodeficiência humana
hl hectolitro(s)
hm hectômetro(s)
hm2 hectômetro(s) quadrado(s)
Ho hólmio
hol. holandês
hom. homeopatia
hom. homônimo
homeo. homeopatia
homeop. homeopatia
homof. homofonia
homog. homografia
homogr. homografia
homon. homonímia
homôn. homônimo
hon. honorário
hond. hondurenho, hondurense
hort. horticultura
hort. *hortus*, horto, jardim
hortic. horticultura
hot. hotentote
hot. hotentotismo
hotent. hotentote
hpz hectopiezo
humor. humorístico
húng. húngaro
hw hectowatt
hW hectowatt internacional

I

i intransitivo
I iodo
i unidade imaginária (matemática)
I. igreja
I. intensidade de corrente
I.D. *Iuris Doctor*, doutor de direito, doutor em Direito
I.D. *Iurum Doctor*, doutor de direitos, doutor em direitos
i.e. *id est*, isto é
iat. *yachting*, iatismo
ib. ibero
ib. *ibidem*, no mesmo lugar
ibér. ibérico
ibid. *ibidem*, no mesmo lugar
iconog. iconografia
iconogr. iconografia
iconol. iconologia
ict. ictiologia
ictiol. ictiologia
id. *idem*, o mesmo
id.q. *idem quod*, o mesmo que
idiot. idiotismo
idol. idolatria
idolol. idololatria
igr. igreja
Il. ilustração
Il.ma ilustríssima
Il.mo ilustríssimo
ilum. luz e iluminação
ilus. ilusionismo
ilus. ilustração, ilustrações
ilusion. ilusionismo
ilustr. ilustrado
imigr. imigração
imit. imitação
imp. imperfeito
imp. imperial
imp. império
imp. *imprimatur*, imprima-se
imp. ind. imperfeito do indicativo
imp. subj. imperfeito do subjuntivo
imper. conj. imperfeito do conjuntivo
imper. imperativo
imperat. imperativo
imperf. imperfeito
imperf. ind. imperfeito do indicativo
imperf. subj. imperfeito do subjuntivo
impes. impessoal
impes. impessoalmente
impess. impessoal
import. importação
impr. imprensa
impr. impropriamente
impres. impressionismo
impression. impressionismo
improp. impropriamente
impror. impropriamente
In 12.o em doze (24 páginas em cada folha)
In 16.o em dezesseis (32 páginas em cada folha)
In 18.o em dezoito (36 páginas em cada folha)
In 24.o em vinte e quatro (48 páginas em cada folha)
In 32.o em trinta e dois (64 páginas em cada folha)
In 4.o em quatro (8 páginas em cada folha)
In 64.o em sessenta e quatro (128 páginas em cada folha)
In 8.o em oitavo (16 páginas em cada folha)
In fol. *in folio* (4 páginas em cada folha)
In índio
In loc. *in loco*, no lugar, nesse mesmo lugar
In pl. *in plano* (duas páginas em cada folha)
In. *in folio* (4 páginas em cada folha)
in. *inch(es)*, polegada(s)
inc. incoativo
inc. inculto
incoat. incoativo
incóg. incógnito, de forma não-conhecida
ind. aç. indústria açucareira
ind. ag. indústria agrícola
ind. ext. indústria extrativa
ind. gás indústria do gás
ind. indefinido
ind. indeterminado
ind. indiano
ind. indicativo
índ. índice
ind. indígena
índ. índio
ind. indireto
ind. indo
ind. indonésio
ind. indostano, industano
ind. indústria
ind. mad. indústria madeireira
indef. indefinido
indet. indeterminado
indian. indianismo
indian. indiano
indiv. indivíduo(s)
indoch. indo-chinês
indon. indonésio
indost. indostano
indum. indumentária
indust. industano
indúst. indústria
inf. infantaria
inf. infante
inf. infantil
inf. inferior
inf. infinitivo
inf. infinito
inf. infixo
inf. infra, abaixo
inf. *infundatur*, infunda-se
inf. pess. infinitivo pessoal
infan. infantil
infant. infantil
infant. infantilismo
infer. inferioridade
infin. infinitivo
infin. infinito
infinit. infinitivo
infinitiv. pes. infinitivo pessoal
infl. influência
inform. informação
ing. inglês
ing.-n.-am. inglês-norte-americano
ingl. inglês
ins. insular
inscr. inscrição, inscrições
insep. inseparável
inst. ag. instrumento(s) agrícola(s)
inst. instituição
inst. instituto
inst. pol. instituições políticas
inst. púb. instrução pública
instit. instituição
int. intransitivo
integr. integralismo
intens. intensivo
interamn. interamnense
interj. excl. interjeição exclamativa
interj. interjeição
interj. interjetivo
interj. voc. interjeição vocativa
interjet. interjetivamente
intern. internacional
internac. internacional
interr. interrogativo
interrog. interrogação
interrog. interrogativo
interrogat. interrogativo
intj. interjeição
intr. intransitivamente
intr. intransitivo
intrans. intransitivo
inus. inusitado
inv. invariável
inv. invenção
invar. invariável
invariav. invariavelmente
invenç. invenção
invest. investigação
investig. investigação
Io iônio
iog. ioga
iog. ioguismo
Ir irídio
Ir. irmão (um religioso, não sacerdote)
ir. ironia
iran. iraniano
iraq. iraquiano
irl. irlandês
iron. ironia
iron. ironicamente
irôn. irônico
irr. irregular
irr. irregularmente
irreg. irregular(es)
isl. islandês
islam. islamita
island. islandês
isr. israelita
israel. israelita
it. italianismo
it. italiano
it. itálico
ít. ítalo
ital. italianismo
ital. italiano
itál. itálico
italian. italianismo
italian. italiano
iug. iugoslavo

J

j jornal
J *joule(s)* internacional
j *joule(s)*, unidade de energia no trabalho
J.D. *Juris Doctor*, doutor de direito, doutor em direito
J.D. *Jurum Doctor*, doutor de direitos, doutor em direitos
J.r *junior*, júnior
J.z juiz
J/s *joule(s)* por segundo
jam. jamaicano
jan. janeiro
jan.o janeiro
jap. japonês
jard. jardinagem
jardin. jardinagem
jav. javanês
jaz. minas e jazidas
jes. jesuitismo
joalh. joalheria, joalharia
joc. jocosamente
joc. jocoso
jog. jogo
jorn. jornal
jorn. jornalismo
Jr. *iunior*, júnior
jud. judaico

jud. judaísmo
jud. judeu
jul. julho
jun. junho
jur. jurídico
jur. jurisprudência
juris. jurisprudência
jurisp. jurisprudência
jurispr. jurisprudência
just. mil. justiça militar

K

K *kalium*, potássio
K.O. *knock-out*, fora de combate
kA quiloampere(s), quiloampère(s)
kc quilociclo(s)
kC quilocoulomb(s)
kcal quilocaloria(s)
kg quilograma(s)
kg* quilograma(s)-força
kg*/cm2 quilograma(s)-força por centímetro quadrado
kg*/cm3 quilograma(s)-força por centímetro cúbico
kg*/dm3 quilograma(s)--força por decímetro cúbico
kg*/m2 quilograma(s)-força por metro quadrado
kg*/m3 quilograma(s)-força por metro cúbico
kg*m quilogrâmetro(s)
kg*m/s quilogrâmetro(s) por segundo
kg/cm2 quilograma(s) por centímetro quadrado
kg/dm3 quilograma(s) por decímetro cúbico
kg/m2 quilograma(s) por metro quadrado
kg/m3 quilograma(s) por metro cúbico
kgf quilograma(s)-força
kgf/cm2 quilograma(s)-força por centímetro quadrado
kgf/m3 quilograma(s)-força por metro cúbico
kgfm quilogrâmetro(s)
kgfm/s quilogrâmetro(s) por segundo
kgm quilogrâmetro(s)
kgm/s quilogrâmetro(s) por segundo
kj quilojoule(s)
kJ quilojoule(s)
kJ quilojoule(s) internacional
kl quilolitro(s)
km quilômetro(s)
km/h quilômetro(s) por hora
km2 quilômetro(s) quadrado(s)
km3 quilômetro(s) cúbico(s)
Kr criptônio
kV quilovolt(s)
kVA quilovolt(s)-ampere, quilovolt(s)-ampère
kw quilowatt(s)
kW quilowatt(s)
kW quilowatt(s) internacional
kWh quilowatt(s)-hora
kwh quilowatt(s)-hora
kWh quilowatt(s)-hora internacional

L

l *linea*, linha
l litro(s)
l. lançado (comercialmente)
L. largo (toponimicamente)
l. letra(s) (comercialmente)
L. *liber*, livro
l. linha(s)
l. livro
l. loja
l.c. *loco citato*, no lugar citado
l.c. *locus citatus*, lugar citado
L.c. lua cheia
L.da licenciada
L.da limitada
L.do licenciado
L.L.B. *Legum Baccalaureus*, bacharel de leis, bacharel em leis
L.L.D. *Legum Doctor*, doutor de leis, doutor em leis
L.n. lua nova
l.º livro
L.P. *long-playing*
L.Q. *lege, quaeso*, lê, por favor
La lantânio
lab. laboratório
labor. laborterapia
laborat. laboratório
labort. laborterapia
lact. lacticínios
lâm. lâmina (prancha)
lanç. lançamento
lanc. lanceiro(s) (do exército)
lap. lapão
lap. lapidaria
lap. lapidário
lapid. lapidário
larg. largura
lat. bárb. latim bárbaro
lat. cien. latim científico
lat. ecl. latim eclesiástico
lat. hip. latim hipotético
lat. hipotét. latim hipotético
lat. ing. latinização inglesa
lat. latim
lat. latinismo
lat. latino
lat. latitude
lat. mediev. latim medieval
lat. tard. latim tardio
lat. vulg. latim vulgar
lat. vulgar latim vulgar
latit. latitude
latoar. latoaria
lb. libra (moeda) e libra-peso
leg. fin. legislação financeira
leg. legislação
leg. legislativo
lég. légua
leg. soc. legislação social
legisl. legislação
légs. léguas
leit. leitura
let. letão, leto, letonês, letônio
lex. lexicografia
Li lítio
lib. libanês
lib. *liber*, livro
Lic.do licenciado
lig. ligação
lim. limnologia
lin. linimento
líng. língua
ling. linguagem
ling. linguística
linguíst. linguística
líq. líquido
lit. cat. liturgia católica
lit. literal
lit. literário
lit. literatura
lit. *litteraliter*, literalmente
lit. lituano, lituânio
lit. liturgia
liter. literalidade
liter. literalmente
liter. literatura
literal. literalidade
literat. literatura
litog. litografia
litogr. litografia
litol. litologia
Litt.D. *Litterarum Doctor*, doutor de letras, doutor em letras
lituan. lituano, lituânio
litur. liturgia
liturg. liturgia
liturgia catól. liturgia católica
liv. livro
Livr. livraria
livr. livraria
livr. livro
ll. *lineae*, linhas
lm lúmen (lumens ou lúmenes)
lm/m2 lúmen por metro quadrado
loc. adj. locução adjetiva
loc. adv. lat. locução adverbial latina
loc. adv. locução adverbial
loc. adv. mod. locução adverbial modal
loc. adv. temp. locução adverbial temporal
loc. cit. *loco citato*, no lugar citado
loc. cit. *locus citatus*, lugar citado
loc. conj. locução conjuntiva
loc. fam. locução familiar
loc. int. locução interjetiva
loc. local
loc. localidade
loc. locativo
loc. locução, locuções
loc. prep. locução prepositiva
loc. pron. pess. locução pronominal pessoal
loc.s. locução substantiva
loc.v. locução verbal
log. logaritmo
lóg. lógica
logar. logaritmo
logíst. logística
lomb. lombardo
long. longitude
loq. *loquitur*, fala
LP *long-play*
lr. lira(s) (moeda)
Lt.da limitada
Ltd. limitada
Ltda. limitada
ltda. limitada
Lu lutécio
ludol. ludologia
lug. lugar
lund. lundês
lunf. lunfardo
lus. lusitano, luso
lusit. lusitanismo
luso-afr. luso-africanismo
luso-asit. luso-asiaticismo
lut. luta
luv. luvaria

M

µ mícron (mícrons, mícrones)
µµ micromícron (micromícrons, micromícrones)
µA microampere(s), microampère(s)
µrd microrradiano(s)
µv microvolt(s)
µ microhm(s)
m d'água metro(s) de coluna d'água
m martelo(s) (medida)
m metro(s)
M milha(s) marítima(s) internacional (internacionais)
m milimícron (milícrons, milimícrones)
m minuto(s) (de tempo)
M molécula
m. mais
m. mão(s) (de papel)
m. masculino
M. massa
M. meridiano
m. mês, meses
m. mile(s)
M. misture
m. moio(s)
M. *monsieur*, senhor
M. município
m. us. mais usado
m.ª mesma
M.ª mestra
m.ª minha
m.a.-al. médio alto-alemão
M.al Marechal
m.alt.-al. médio alto-alemão
M.B. *Medicinae Baccalaureus*, bacharel de medicina, bacharel em medicina
m.ço março
M.D. *Medicinae Doctor*, doutor de medicina, doutor em medicina
M.D. Muito Digno
m.d.c. máximo divisor comum
M.e madre
M.e mestre
M.es marquês
M.esa marquesa
m.f. *mezzo forte*, meio forte
m.kg metro(s)-quilograma(s)--força
m.kg* metro(s)--quilograma(s)-força
m.kgf metro(s)-quilograma(s)-força
M.lle *mademoiselle*, senhorita
m.m.c. mínimo múltiplo comum
M.me *madame*, senhora
M.mo Meritíssimo
m.º maio
m.º mesmo
m.or morador
m.-q.-perf. ind. mais-que--perfeito do indicativo
m.q.perf. mais-que-perfeito
m.-q.-perf. mais-que-perfeito
M.T.S. metro, tonelada, segundo
m.ta muita
m.to muito
m/ meus, minhas (comercialmente)
m/a meu aceite (comercialmente)
m/c minha carta
m/c minha conta
m/d meses de data (comercialmente)
m/l minha letra (comercialmente)
m/min metro(s) por minuto
m/o minha ordem (comercialmente)
m/p meses de prazo (comercialmente)
m/s metro(s) por segundo
m/s metro(s) por segundo
m/s meu(s), minha(s) (comercialmente)
m/s2 metro(s) por segundo ao quadrado
m2 metro(s) quadrado(s)
m3 metro(s) cúbico(s)
mA miliampere(s), miliampère(s)
Ma miriare(s)
maç. maçonaria
maçon. maçonaria
mad. madeirense
madeir. madeirense
mag. magia
magn. magnetismo
magnet. magnetismo
magnit. magnitude
mai. maio
maiúsc. maiúscula
Maj. major
maj. major
Maj.-Brig. Major-Brigadeiro
maj.-brig. major-brigadeiro
mal. malabar
mal. malabárico
mal. malaio
Mal. marechal
mal. marechal
malab. malabar
malab. malabárico
malac. malacologia
malacol. malacologia
malai. malaiala
malg. malgaxe
malh. malharia
mamal. mamalogia
man. manípulo
manuf. manufatura
maomet. maometano
map. mapuche
máq. ag. máquina agrícola
máq. máquina
maq. maquinista
maquinof. maquinofatura
mar. ant. marinha antiga
mar. marata
mar. março
mar. marinha
mar. mil. marinha militar
mar.g. marinha de guerra
maranh. maranhense
marc. marcenaria
march. marchantaria
marchet. marcheteria
marg. marginal
marin. marinharia
marinh. marinharia
marn. marnotagem
marn. marnoto
marr. marroquino
marroq. marroquino
martin. martinicano
marx. marxismo
masc. masculino
mat. fin. matemática financeira
mat. matemática
mat. matéria
mat. pl. matéria plástica
mat. sup. matemática superior
matad. matadouro
matem. matemática
mater. materiais
material. materialismo
matogros. mato-grossense
mato-gros. mato-grossense
máx. máximo
Mb megabária(s)
Mb megabit(s)
MB megabyte(s)
Mc megaciclo(s)
mcal milicaloria(s)
mct. macuta(s)
Md/cm2 megadina(s) por centímetro(s) quadrado(s)
md/dm megadina(s) por decímetro(s)
Mdyn megadina(s)
mec. mecânica (ciência)
mecân. mecânica (maquinismo)
mecan. mecanografia
mecanogr. mecanografia
med. ant. medicina antiga
med. leg. medicina legal
med. medicina
méd. médico
med. nucl. medicina nuclear
med. san. medicina sanitária

med. trab. medicina do trabalho
méd. vet. médico veterinário
mediev. medieval
mediev. medievalismo
medv. medieval
mem. memento
mem. memória
mem. memorial
memo. *memorandum*, memorando
memor. *memorandum*, memorando
mens. mensal
mer. meridiano
mer. meridional
merc. mercado
merc. mercúrio
mercad. mercadologia
merid. meridiano
merid. meridional
met. metalurgia
met. metátese
met. meteorologia
metáf. metáfora
metaf. metaforicamente
metaf. metafórico
metafís. metafísica
metafór. metafórico
metal. metalurgia
metalog. metalografia
metalur. metalurgia
metát. metátese
meteor. meteorologia
meton. metonímico
métr. métrica
metr. metrificação
metrif. metrificação
metrol. metrologia
mex. mexicano
mexic. mexicano
Mg magnésio
mg miligrama(s)
mgf miligrama(s)-força(s)
mgr milígrado(s)
mH milihenry(s)
mi milha(s) marítima(s) internacional(internacionais)
mi. minhoto
micol. micologia
microbiol. microbiologia
microfot. microfotografia
microg. micrografia
microl. micrologia
microm. micrometria
microsc. microscopia
microscóp. microscópico
mil milha
mil. milênio
mil. militar
min minuto(s) (de tempo)
min. mineral
min. mineralogia
mín. mínimo
min. ministro
miner. mineração
miner. mineralogia
ming. minguante
minh. minhoto (termo)
minúsc. minúsculo
mist. misticismo
míst. místico
mit. esc. mitologia escandinava
mit. ger. mitologia germânica
mit. mitologia
mit. mitológico
mit. mitônimo(s)
mit. rom. mitologia romana
mit. sem. mitologia semítica
mit.f. mitônimo feminino
mit.f.pl. mitônimo feminino plural
mit.gr. mitologia grega
mit.m. mitônimo masculino
mit.m.f. mitônimo masculino e feminino
mit.m.pl. mitônimo masculino plural
mitol. mitologia
mitôn. fem. mitônimo feminino
mitôn. masc. mitônimo masculino
mitôn. mitônimo
mk. marco(s) (moeda)
ml mililitro(s)
Ml mirialitro(s)
Mlle *mademoiselle*, senhorita
mm de mercúrio milímetro(s) de coluna de mercúrio
mm milímetro(s)
Mm miriâmetro(s)
MM. meritíssimo
MM. *messieurs*, senhores
MM. municípios
mm2 milímetro(s) quadrado(s)
mm3 milímetro(s) cúbico(s)
Mme *madame*, senhora
mme *madame*, senhora
mMin. ministro
Mn manganês
Mo molibdênio
moag. moagem
mob. mobília
mob. mobiliária
mob. mobiliário
moçamb. moçambicanismo
mod. *moderato*, moderado, moderadamente
mod. modernamente
mod. modernismo
mod. moderno
mod. modismo
mod. modo
moed. moedas
mol molécula, molécula-grama
mon. mongol
mon. monografia
monog. monografia
monogr. monografia
Mons. monsenhor
mons. monsenhor
mont. montaria
montanh. montanhismo
mor. moral
mor. moralismo
moralid. moralidade
morf. morfema
morf. morfologia
morfol. morfologia
morfol. veg. morfologia vegetal
moto. motociclismo
mov. movimento
Mr. *mister*, senhor
Mrs. *mistress*, senhora
MS. *manuscriptus*, manuscrito, códice, autógrafo, apógrafo
ms. *manuscriptus*, manuscrito, códice, autógrafo, apógrafo
Ms. *manuscriptus*, manuscrito, códice, autógrafo, apógrafo
mss *manuscripti*, manuscritos, códices, autógrafos, apógrafos
mth militermia
mun. municipal
mun. município
mús. concr. música concreta
mus. museologia
mus. museu
mús. música
Mus.B. *Musicae Baccalaureus*, bacharel de música, bacharel em música
Mus.D. *Musicae Doctor*, doutor de música, doutor em música
mus.h. *music hall*, teatro de variedades
museol. museologia
Mv mendelévio
mV milivolt(s)
M megohm(s)

N

N newton(s)
N nitrogênio
N Norte
N. da D. nota da direção
N. da E. nota da editora
N. da R. nota da redação
N. do A. nota do autor
N. do D. nota do diretor
N. do E. nota do editor
N. do T. nota do tradutor
n. neutro
n. nome
N. Norte
n. número(s)
n.b. *nota bene*, nota bem
N.B. *nota bene*, nota bem
N.E. Nordeste
N.N. abreviatura com que se oculta um nome em programas, cartazes, subscrições, etc.
N.N.E. Nor-Nordeste
N.N.O. Nor-Noroeste
N.N.W. Nor-Noroeste
N.o número ou *numero*, *numerus*
n.o número ou *numero*, *numerus*
N.O. Noroeste
N.Obs. *nihil obstat*, nada obsta
n.p. nome próprio
N.P. nosso padre
n.p.loc. nome próprio locativo
n.p.pers. nome próprio personativo
n.pr. nome próprio
N.R.P. nosso reverendo padre
N.S. Nosso Senhor
N.S.P. Nosso Santo Padre
N.Sr.a Nossa Senhora
N.SS.P. Nosso Santíssimo Padre
N.T. nota do tradutor
N.T. Novo Testamento
N.W. Noroeste
n/ nosso(s), nossa(s) (comercialmente)
n/c nossa carta (comercialmente)
n/c nossa casa (comercialmente)
n/c nossa conta (comercialmente)
n/ch nosso cheque
n/l nossa(s) letra(s) (comercialmente)
n/o nossa ordem (comercialmente)
n/s nosso saque (comercialmente)
Na *natrium*, sódio
nac. nacional
nac. nacionalismo
nap. napolitano
nat. natação
nat. naturalismo
natur. naturalismo
náu. náuatle
náua. náuatle
náut. náutica
náut. náutico
nav. fluv. navegação fluvial
nav. mar. navegação marítima
nav. marít. navegação marítima
nav. navegação
nav.fl. navegação fluvial
naz. nazismo
Nb nióbio
NCr$ cruzeiro novo
Nd neodímio
Ne neônio
NE Nordeste
neerl. neerlandês
neg. negativo
neoár. neoárico
neoguin. neoguinéu, neoguineense
neol. neologia
neol. neologismo
neolog. neologismo
neozel. neozelandês
nep. nepalês
neur. neurologia
neutr. neutralmente
Ni níquel
nicar. nicaraguense
nicarag. nicaraguense
nig. nigeriano
niger. nigeriano
NNE Nor-Nordeste
NNO Nor-Noroeste
NNW Nor-Noroeste
No nobélio
NO Noroeste
nob. em bom sentido, nobilitativamente
nobil. nobiliarquia
nom. nominal
nom. nominativo
nom.-acus. nominativo-acusativo
nome pr. nome próprio
non seq. *non sequitur*, não se segue
nor. norueguês
nórd. nórdico
norm. normalização
norm. normando
normat. normativo
nort.-am. norte-americano
norueg. norueguês
notic. noticiário
nov. novembro
nov.o novembro
Np netúnio
num. card. numeral cardinal
num. distr. numeral distributivo
num. frac. numeral fracionário
num. fracc. numeral fraccionário
num. mult. numeral multiplicativo
num. numeral
núm. número
num. ord. numeral ordinal
numis. numismática
numism. numismática
nutr. nutrição
nutr. nutrologia
NW Noroeste

O

o m.q. o mesmo que
O Oeste
O oxigênio
O. Oeste
O.D.C oferece(m), dedica(m), consagra(m)
o.d.c. oferece(m), dedica(m), consagra(m)
O.K. presumivelmente *all correct*, tudo correto, tudo bem
O.N.O. Oés-Noroeste
o/ ordem (comercialmente)
ob. cit. obra citada
ob. *obiit*, morreu
Ob. oboé
ob. obra(s)
obed. obediente
obg.mo obrigadíssimo
obr. púb. obras públicas
Obr. Púb. obras públicas
obr.mo obrigadíssimo
obr.o obrigado
obs. observa, observe
obs. observação
obsol. obsoleto
obst. obstetrícia
obstet. obstetrícia
oC grau centesimal, centígrado ou Celsius
oc. ocidental
ocean. biol. oceanografia biológica
ocean. oceanografia
oceanogr. oceanografia
ocid. ocidental
ocid. ocidente
ocul. oculista
ocul. ocultismo
ocult. ocultismo
odont. odontologia
odontol. odontologia
Of. oferece(m)
of. oferece(m)
of. oficial
of. ofício
ofid. ofidismo
oft. oftalmologia
oftalm. oftalmologia
oftalmol. oftalmologia
oK grau(s) Kelvin
olig. oligarquia
onç. onça(s) (peso)
oneol. oneologia
ONO Oés-Nordeste
onom. onomástica
onom. onomástico
onom. onomatopeia
onom. onomatopeico
onomást. onomástica
onomat. onomatopeia
onomatop. onomatopeico
op. cit. *opere citato*, na obra citada
op. cit. *opus citatum*, obra citada
op. laud. *opus laudatum*, obra citada
op. *opus*
opp. citt. *opera citata*, obras citadas
ópt. óptica
ópt. óptimo
optat. optativo
or. gr. origem grega
or. lat. origem latina
or. oriental
or. origem
orat. oratória
ord. ordem
ord. ordinal
ord. ordinariamente
ordin. ordinal
ordin. ordinário
org. organismo
org. organização
org. pol. organização política
organiz. organização
orig. origem
orig. original
orig. originário
origin. originalmente
origin. originário
orign. originariamente
orn. ornitologia
ornit. ornitologia
ornitol. ornitologia
orog. orografia
orogr. orografia
orôn. orônimo
ort. ortografia
ortogr. ortografia
ortográf. ortográfico
ortop. ortopedia
Os ósmio
ostr. ostreicultura
otorr. otorrinolaringologia
otorrin. otorrinolaringologia
otorrino. otorrinolaringologia
our. ourivesaria
ouriv. ourivesaria
out. outubro

out.º outubro
oz. onça(s) (peso)

P

p palmo(s) (medida)
p pé(s) (medida)
p pedra(s) (peso de linho)
P *phosphorus*, fósforo
p. anal. por analogia
p. arom. planta aromática
p. bien. planta bienal
p. comp. por comparação
p. exag. por exagero
p. ext. ou abrev. por extenso ou abreviadamente
p. fl. planta florestal
p. forrag. planta forraginosa
p. frutíf. planta frutífera
p. herb. planta herbácea
p. hist. pré-história
p. iron. por ironia
p. med. planta medicinal
p. meton. por metonímia
p. opos. por oposição
p. orn. planta ornamental
P. Padre
p. *pagina*
p. página
p. *penny* (moeda)
p. piastra(s)
p. planta (vegetal)
p. por (comercialmente)
p. pouco
P. praça (toponimicamente)
p. pronominal
p. próprio
p. próximo (comercialmente)
p. têxt. planta têxtil
p. us. pouco usado(s)
p. ven. planta venenosa
p.a para
p.ae. *partes aequales*, partes iguais
p.al. por alusão
P.B. peso bruto
p.c. pacote(s)
P.C.C. por cópia conforme
P.D. pede deferimento
P.D. pede deferimento
P.e Padre
p.e. *partes aequales*, partes iguais
p.e. peso específico
P.E.F. por especial favor
P.E.O. por especial obséquio
p.ex. por exemplo
p.ext. por extensão
p.f. *più forte*, mais forte
p.f. ponto de fusão
P.F. por favor
p.f. prato feito
p.f. próximo futuro (referido a mês)
p.f.v. por favor, volte
P.H. pêndulo horizontal
p.i. partes iguais
P.J. pede justiça
P.L. peso líquido
P.M. Padre Mestre
p.m. peso molecular
P.M. Polícia Militar
P.M. por mão
p.m. *post meridiem*, depois do meio-dia
p.m. *post mortem*, depois da morte
P.M. Prefeitura Municipal
P.M.E. por mercê especial
P.M.O. por muito obséquio
p.m.o.m. pouco mais ou menos
P.M.P. por mão própria
P.N. Padre-Nosso, Pai-Nosso
P.N.A.M. Padre-Nosso e Ave-Maria
P.P. para protestar
p.p. por procuração
p.p. próximo passado
P.P.S. *post post scriptum*, depois do que foi escrito depois
p.per. planta perene
P.R. *populus romanus*, o povo romano
P.R. Príncipe Real
P.R.J. pede recebimento e justiça
P.S. *post scriptum*, pós-escrito
p.s. puro-sangue
P.V. pêndulo vertical
p/ para
p/ por
p/c por conta
Pa protoactínio
pa. peso atômico
pa.g. passo(s) geométrico(s)
pag. paganismo
pag. *pagina*
pág. página
pagg. *paginae*
págg. páginas
págs. páginas
pal. palavra(s)
paleob. paleobotânica
paleog. paleografia
paleogr. paleografia
paleont. paleontologia
paleontol. paleontologia
paleoz. paleozoologia
pals. palavras
pan. panamenho
pan. panificação
pan.-amer. pan-americanismo
panam. panamenho
papel. papelaria
paq. paquistanês, paquistano, paquistanense
par. paraense
par. parônimo
par. parte
Pár.º pároco
paraens. paraense
parag. paraguaio
paraib. paraibano
paral. paralela(s)
paral. paralelo(s)
paran. paranaense
paras. parasitologia
parassint. parassintético
parl. parlamentar
parn. parnasianismo
parnas. parnasianismo
parôn. parônimo
part. apass. partícula apassivadora
part. aux. partícula auxiliar
part. expl. partícula expletiva
part. participa, participe
part. particípio
part. partícula
part. pass. particípio passado
part. pres. particípio presente
partic. particípio
partic. particularmente
pass. passado
pass. *passim*, aqui e ali, em diversos lugares
pass. passivo
passm. passamanaria
passr. passaricultura
passt. passatempos
past. pastelaria
pat. an. patologia animal
patol. patologia
pátr. pátrio
patr. patronímico
patr.f. patronímico feminino
patr.f.pl. patronímico feminino plural
patr.m. patronímico masculino
patr.m.pl. patronímico masculino plural
patron. patronímico
patrôn. patrônimo
paul. paulista
paulist. paulistano
Pb *plumbum*, chumbo
PC *personal computer*, computador pessoal
pç. peça(s)
pça. peça
Pd paládio
pdl. *poundal* (medida)
Pe padre
pec. pecuária, criação de animais
ped. pediatria
ped. pedologia
pedag. pedagogia
pediat. pediatria
pedol. pedologia
pedr. pedreiras
pej. em mau sentido, pejorativamente
pej. pejorativo
pel. couros, pelaria, curtimento
pent. penteados
peq. pequeno
per. persa
pér. pérsico
per. peruano
perf. ind. perfeito do indicativo
perf. perfeito
perf. perfuração
perfum. perfumaria
períf. perífrase
perífr. perífrase
pern. pernambucano
pernamb. pernambucano
pers. persa
pérs. pérsico
pers. personativo
perspect. perspectiva
perspectiv. perspectivismo
peruv. peruviano
pesc. pescaria
pesq. pesquisa(s)
pess. pessoa(s)
pess. pessoal
pet. petrografia
petr. indústria do petróleo
petr. petrografia
petrog. petrografia
petrogr. petrografia
petrol. petrologia
petroq. petroquímica
PF prato feito
pf. *pfennig* (moeda)
pg. pago
pg. pagou
Ph.B. *Philosophiae Baccalaureus*, bacharel de filosofia, bacharel em filosofia
Ph.D. *Philosophiae Doctor*, doutor de filosofia, doutor em filosofia
piaui. piauiense
piauien. piauiense
picar. picaria
píl. pílula(s)
pint. pintura
pinx. *pinxit*, pintou
pinx.t *pinxit*, pintou
pirot. pirotecnia
pirot. pirotécnica
pirotec. pirotecnia
pirotéc. pirotécnica
pisc. piscicultura
piscic. piscicultura
pizz. *pizzicato*, beliscado
pk *peck(s)* (medida)
pl. plural
pl. reg. plural regular
planej. planejamento
plat. platino
pleb. Plebeísmo
PM Polícia Militar
Pm *promethium*, promécio
pm. preamar
pm. preia-mar
pneu. pneumologia
Po polônio
poes. poesia
poét. poética
poét. poético
pol. polaco
pol. polegada(s) (medidas)
pol. polonês
políc. polícia
polin. polinésio
polít. política
polít. político
pop. população
pop. popular, populares
pop. popularmente
pop. termo popular
popul. população
por anal. por analogia
por anton. por antonomásia
por catacr. por catacrese
por disfem. por disfemismo
por espec. por especialização
por ext. por extensão
por hipál. por hipálage
por hipérb. por hipérbole
por limit. por limitação
por metáf. por metáfora
por meton. por metonímia
por restr. por restrição
por sinéd. por sinédoque
port. português
port. portuguesismo
porto-riq. porto-riquenho
posit. positivismo
poss. possessivo
possess. possessivo
pot. *potio*, poção
pot. potologia
potam. potamônimo
pov. povoação
pov. povoado
pp. páginas
pp. *pianissimo*, suavissimamente
pp. precipitado
pq porque
Pr praseodímio
pr. pronominal
pr. próprio
prác. prácrito
prát. prático
prec. precedente
preced. precedente
precis. precisamente
pred. predicativo
predic. predicativo
Pref. prefeito
pref. prefeito
Pref. prefeitura
pref. prefeitura
pref. prefixo
pré-hist. pré-história
prep. preposição
prep. prepositivo
prepos. prepositivo
pres. conj. presente do conjuntivo
pres. ind. presente do indicativo
pres. presente
Pres. presidente
pres. presidente
pres. subj. presente do subjuntivo
presb.º presbítero
presc. prescrição
presid. presidência
Presid. Presidência
presid. presidente
Presid. presidente
prest. prestidigitação
pret. pretérito
prev. previdência
prev. soc. previdência social
prim. primitivamente
prim. primitivo
primit. primitivo
princ. principal
princip. principado
priv. privativo, em caráter privado
pro temp. *pro tempore*, para o tempo em que for oportuno
probl. problema(s)
problem. problemático
proc. dados processamento de dados
proc. processo
proc. processualística
proc. procuração
proc. procurador
prod. produção
Prof. professor
prof. professor
Prof.ª professora
prof.ª professora
Prof.as professoras
prof.as professoras
profis. profissão
profiss. profissão
profission. profissionalismo
Profs. professores
profs. professores
prom. vend. promoção de vendas
pron. dem. pronome demonstrativo
pron. ind. pronome indefinido
pron. int. pronome interrogativo
pron. interr. pronome interrogativo
pron. pess. compl. pronome pessoal complemento
pron. pess. pronome pessoal
pron. pess. suj. pronome pessoal sujeito
pron. poss. pronome possessivo
pron. pronome
pron. pronominal
pron. pronominalmente
pron. refl. pronome reflexivo
pron. reflex. pronome reflexivo
pron. rel. pronome relativo
pronon. pronominal
pronún. pronúncia
propag. propaganda
propos. proposição
propr. propriamente
pros. prosódia
pros. prosônimo
pros.f. prosônimo feminino
pros.m. prosônimo masculino
prosc. proscênio
prosôn. prosônimo
prost. prostético
prostét. prostético
prót. prótese
prot. protético
prot. protocolo
protest. protestante
protest. protestantismo
protét. protético
protoc. protocolo
protoz. protozoários
prov. port. provincianismo português
prov. provedor
prov. provençal
prov. proverbial
prov. proverbialmente
prov. provérbio
prov. província(s)
prov. provincial
prov. provincialismo
prov. provincianismo
prov. provisão
prov. provisório
provav. provavelmente
provb. provérbio
provç. provençal
provc. província
proven. provençal
provenç. provençal
provinc. provincial
prox. *proximo mense*, no próximo mês
PS *post scriptum*
pseud. pseudônimo
psic. an. psicologia animal

psic. psicanálise
psic. psicologia
psic. soc. psicologia social
psican. psicanálise
psicofisl. psicofisiologia
psicogn. psicogonia
psicol. psicologia
psicopat. psicopatologia
psiq. psiquiatria
psiquiat. psiquiatria
Pt platina
pt ponto
pto. precipitado
pts. pontos
Pu plutônio
pub. publicação
public. publicação
public. publicidade
pug. pugilismo
pug. *pugillus*, punhado
pulv. *pulvis*, pó
px.t *pinxit*, pintou
pz piezo(s) (medida)

Q

q que
q. que
q. quintal ou quintais (peso)
q.b. quantidade bastante (em receitas médicas)
q.do quando
Q.E.D. *quod erat demonstrandum*, o que devia ser demonstrado
q.e.d. *quod erat demonstrandum*, o que se devia demonstrar
Q.G. quartel-general
Q.-G. quartel-general
q.i.d. *quinquies in die*, cinco vezes ao dia
q.l. *quantum libet*, quanto se queira
q.p. *quantum placet*, à vontade
q.s. *quantum satis*, quanto satisfaça
q.s.i.d. *quinquies in die*, cinco vezes ao dia
q.ta quanta
q.to quanto
q.v. *quantum vis*, quanto queiras
q.v. queira ver
q.v. queira voltar
q.v. *quod uide* (*quod vide*), o qual se veja
ql. quilate(s)
qq.v. *quae uide* (*quae vide*), os quais se vejam
qual. qualificativo
qualif. qualificativo
quant. quantidade
quant. suff. *quantum sufficit*, quanto baste
quantit. quantitativo
quart. quarteirão
quart. quartilho(s) (medida)
quest. questionário
quí. quíchua
quích. quíchua
quím. ant. química antiga
quím. biol. química biológica
quím. ger. química geral
quím. ind. química industrial
quím. org. química orgânica
quím. química
quimb. quimbundo
quinz. quinzenal
quinzen. quinzenário
quir. quiromancia
quirom. quiromancia

R

r ângulo reto
R resistência
R$ real (moeda)
R&I *regina et imperatrix*, rainha e imperatriz
R&I *rex et imperator*, rei e imperador
R. planta rara
r. raiz
r. raro
R. *recipe*, recebe, toma
r. reflexo
r. regência
r. réis (moeda)
R. reprovado (classificação escolar)
R. réu (em linguagem forense)
R. *rex, regina*, rei, rainha
R. rua (toponimicamente)
R.ª rainha
R.e *recipe*, recebe, toma
R.I.P. *requiescat in pace*, descanse em paz
R.M. *Reichmarck* (moeda)
R.no reino
R.P. Reverendo Padre
R.P.M. Reverendo Padre Mestre
r.p.m. rotação por minuto
r.p.s. rotação por segundo
r.s réis (moeda)
R.S.A. recomendado a Santo Antônio
R.S.V.P. *répondez, s'il vous plait*, respondei, por favor
r/c rés-do-chão
Ra rádio
rac. racional
rac. racismo
racion. racionalismo
racional. racionalismo
rad. radial
rad. radiano(s)
rad. radical
rad. radicalismo
rád. rádio
rad. radiograma
rad. *radix*, raiz
rad/s radiano(s) por segundo
radical. radicalismo
radioat. radioatividade
radiod. radiodifusão
radiodif. radiodifusão
radiog. radiograma
radiogr. radiografia
radiol. radiologia
radiot. radiotécnica
radiot. radioterapia
radiotec. radiotecnia
radiotéc. radiotécnica
radiotécn. radiotécnica
radioter. radioterapia
rall. *rallentando*, ficando progressivamente mais vagaroso
Rb rubídio
rb rublo(s) (moeda)
Rd. rádio (medida)
rdfot radiofoto(s)
rdlux radiolux (medida)
Re rênio
real. realidade
real. realismo
realid. realidade
rec. receita
rec.º recebido (comercialmente)
recip. reciprocidade
recíp. recíproco
recípr. recíproca
recípr. recíproco
red. pop. redução popular
red. redução
red. reduzido
ref. referência
ref. referente
ref. reformado
ref. reformismo
ref.te referente
refl. refletido
refl. reflexivo
refl. reflexo
reform. reformismo
reg. regência
reg. região
reg. regimento
reg. regional
reg. registro
reg. regular
reg.º registrado
reg.º regulamento
regim. regimento
region. regionalismo
regress. regressivo
rel. relatividade
rel. relativo
rel. relatório
rel. religião
relaç. relação
relat. relatividade
relat. relativo
relat. relatório
relativ. relatividade
relig. religião
reloj. relojoaria
rem. remo
Rem.te remetente
rep. repartição
rep. reprovado
rep. república
repart. repartição
repert. repertório
report. reportagem
repúb. república
res. reserva (militarmente)
res. residência
rest. restrito
restr. restritivamente
restr. restritivo
restrit. restritivo
result. resultado
ret. retórica
retór. retórica
retrosp. retrospectivo
rev. reverendo
Rev. Reverendo
rev. revista
Rev.a Reverência
Rev.do Reverendo
Rev.mo Reverendíssimo
Rev.o Reverendo
revers. reversível
rg. registro
Rh *rhodium*, ródio
rib. ribeira
rib. ribeirão
rib. ribeiro
rit. *ritardando*, retardando
Rn radônio
rod. rodésio
rod. rodovia
rol. rolandiano
rom. romântico
rom. romano
rom. romeno
romn. romeno
rot. roteiro
rs réis (moeda)
Ru rutênio
rub rublo(s) (moeda)
rub. rubrica
rum. rumeno
rup rupia(s) (moeda)
rur. rural
rur. ruralismo
rural. ruralismo
rus. russo
russ. russo
rúst. rústico

S

s segundo(s) de tempo
s sobre (depois da palavra cheque)
S sul
S *sulphur*, enxofre
S. estéreo
S. Santa
S. Santo
S. São
S. segundo
s. segundo
s. substantivo(s)
S. Sul
s.2g. substantivo de dois gêneros
s.2g.2n. substantivo de dois gêneros e dois números
S.A. sociedade anônima
S.A. Sua Alteza
S.A.C. Sua Alteza Cristianíssima
S.A.F. Sua Alteza Fidelíssima
S.A.I. Sua Alteza Imperial
S.A.R. Sua Alteza Real
S.A.R.L. sociedade anônima de responsabilidade limitada
S.A.S. Sua Alteza Sereníssima
S.A.t.g. Santo Antônio te guie
S.B. *Scientiae Baccalaureus*, bacharel de ciência, bacharel em ciência
S.C. sentidas condolências
S.Carid.e Sua Caridade
S.D. *Scientiae Doctor*, doutor de ciência, doutor em ciência
s.d. sem data
s.d. *sine die*, sem data marcada
S.E. salvo erro
S.E. Sudeste
S.E. Sueste
S.E.O. salvo erro ou omissão
s.e.o. salvo erro ou omissão
S.Em.a Sua Eminência
S.Em.as Suas Eminências
S.Ex.a Rev.ma Sua Excelência Reverendíssima
S.Ex.a Sua Excelência
S.Ex.as Rev.mas Suas Excelências Reverendíssimas
S.Ex.as Suas Excelências
s.f. substantivo feminino
s.f.2n. substantivo feminino de dois números
s.f.f. se faz favor
s.f.m. substantivo feminino e masculino
s.f.pl. substantivo feminino plural
S.G. Sua Graça
S.G. Sua Grandeza
S.H. Sua Honra
S.I.D. *Scientiae Iuridicae Doctor*, doutor de ciência jurídica, doutor em ciência jurídica
S.I.D. *sexties in die*, seis vezes ao dia
S.Il.ma Sua Ilustríssima
S.Il.mas Suas Ilustríssimas
S.J.D. *Scientiae Juridicae Doctor*, doutor de ciência jurídica, doutor em ciência jurídica
s.l.n.d. sem lugar nem data
s.loc. *suo loco*, em seu lugar
S.M. *Scientiae Magister*, mestre de ciência, mestre em ciência
S.M. Sua Majestade
s.m. substantivo masculino
s.m.2n. substantivo masculino de dois números
S.M.A. Sua Majestade Áulica
S.M.F. Sua Majestade Fidelíssima
s.m.f. substantivo masculino e feminino
S.M.I. Sua Majestade Imperial
S.M.J. salvo melhor juízo
s.m.j. salvo melhor juízo
s.m.pl. substantivo masculino plural
s.n. *sine die*, sem dia
s.o servo
S.O. Sudoeste
s.o.s. *save our soul, save our ship*, salve nossa alma, salve nosso navio, em apelo de socorro
S.O.S. *save our soul, save our ship*, salve nossa alma, salve nosso navio, em apelo de socorro
S.or Sênior
S.or Sóror
S.P. Santo Padre
S.P. sentidos pêsames
S.P. serviço público
s.p. *sine prole*, sem filhos
S.P. Sua Paternidade
s.p. substantivo próprio
s.p.loc. substantivo próprio locativo
s.p.pers. substantivo próprio personativo
S.P.Q.R. *Senatus Populusque Romanus*, o Senado e o Povo Romano
s.r senhor
S.r *senior*, mais velho
S.R. sem residência
s.r. sem residência
S.R. serviço da República
S.res senhores
S.res senhores
S.res senhores
S.Rev.a Sua Reverência
S.Rev.ma Sua Reverendíssima
S.Rev.mas Suas Reverendíssimas
S.rta senhorita
S.S. *steamer ship*, barco a vapor
S.S. Sua Santidade
S.S. Sua Senhoria
S.S.a Sua Senhoria
S.S.A.A. Suas Altezas
S.S.as Suas Senhorias
S.S.E. Su-Sueste
S.S.O. Su-Sudoeste
S.S.W. Su-Sudoeste
S.T.D. *Sacrae Theologiae Doctor*, doutor de teologia sacra, doutor em teologia sacra
S.T.L. *Sacrae Theologiae Licentiatus*, licenciado de teologia sacra, licenciado em teologia sacra
S.ta Santa
S.ta Santa
S.ta senhorita
S.to Santo
S.to Santo
S.V. *sede vacante*, na vacância da Sé
S.V. sotavento
s.v. *sub uoce* (*sub voce*), sob a voz, sob o verbete
S.V.P. *s'il vous plait*, por favor
s.vv. *sub uocibus* (*sub vocibus*) sob as vozes, sob os verbetes
S.W. Sudoeste
s/ sem
s/ seu, sua, seus, suas
s/a seu aceite (comercialmente)
s/c sua carta (comercialmente)
S/C sua casa
s/c sua casa (comercialmente)

s/c sua conta (comercialmente)
s/d sem data
s/f seu favor
s/l n/d sem lugar nem data
s/l seu lançamento (comercialmente) e sem local
s/l sobreloja
s/l sua letra (comercialmente)
s/o sua ordem (comercialmente)
S/R sem residência
s/r sem residência
sab. saboaria
sac. sacerdote
sal. salina(s)
sal. salineira(s)
sals. salsicharia
sân. sânscrito
sâns. sânscrito
sânscr. sânscrito
sap. sapataria
sapat. sapataria
Sarg. Sargento
Sarg.-Aj. Sargento-Ajudante
Sarg.-Aj.te Sargento-Ajudante
sát. sátira(s)
Sb *stilbium*, antimônio
Sb. *stilb(s)* (candela por centímetro quadrado)
Sc *scandium*, escândio
sc. *scilicet*, a saber, quer dizer
Sc.B. *Scientiae Baccalaureus*, bacharel de ciências, bacharel em ciências
Sc.D. *Scientiae Doctor*, doutor de ciência, doutor em ciência
Sc.I.D. *Scientiae Iuridicae Doctor*, doutor de ciência jurídica, doutor em ciência jurídica
Sc.J.D. *Scientiae Juridicae Doctor*, doutor de ciência jurídica, doutor em ciência jurídica
Sc.M. *Scientiae Magister*, mestre de ciência, mestre em ciência
sc.t *sculpsit*, esculpiu
Sc.T.D. *Scientiae Theologicae Licentiatus*, licenciado de ciência teológica, licenciado em ciência teológica
sch. *schilling(s)*, xelim ou xelins (moeda)
scl.t *sculpsit*, esculpiu
scr. sânscrito
scrps.t *scripsit*, escreveu
scul. *sculpsit*, esculpiu
Se selênio
SE Sudoeste
SE Sueste
sec. secante
sec. secretaria
sec. secretário(a)
séc. século
secr. secretaria
secr. secretário(a)
sécs. séculos
sect. sectarismo
seg segundo(s)
seg. púb. segurança pública
seg. seguinte
seg. segundo
seg. seguro(s)
seg. soc. seguro social
segg. seguintes
segs. seguintes
sel. seleção
sem. semana(s)
sem. semântica
sem. semelhante(s)
sem. semestre(s)
sem. seminário
sem. semítico
semânt. semântica
semic. semicantão
semin. seminário
semiol. semiologia
semít. semítico
semit. semitismo
sen. seno
sent. sentença
sent. sentido
sep. separado
septent. septentrional
seq. *sequens* (masculino, feminino ou neutro), seguinte
seqq. *sequentes* (masculino ou feminino), *sequentia* (neutro), seguintes
sér. sérvio
ser.-cr. servo-croata
serg. sergipano
seric. sericicultura
seric. sericultura
sericic. sericicultura
serr. serralharia
serr. serralheiro
serralh. serralharia
serv. serviço
sérv. sérvio
set. setembro
set. setentrional
set.o setembro
setent. setentrional
sf. *sforzando*, imprimindo progressivamente mais intensidade
sg. singular
sh *shilling(s)*, xelim ou xelins (moeda)
sh.tn. *short ton(s)*, tonelada(s) curta(s) (medida)
Si silício
siam. siamês
sib. siberiano
sid. siderurgia
sider. siderotécnica
sider. siderurgia
siderogr. siderografia
siderotéc. siderotécnica
sigil. sigilografia, esfragística
sign. siginificação
sign. significa, que significa
signif. significante
síl. sílaba
silog. silogismo
silv. silvicultura
silvic. silvicultura
simb. simbólico
símb. símbolo
simb. simbologia
simból. simbólica
simbol. simbolismo
simbol. simbologia
simpl. simplesmente
sin. ger. sinônimo geral, sinônimos gerais
sin. sinaleiro
sin. sinônimo(s)
sing. singular
sinon. sinonímia
sinôn. sinônimo(s)
sint. sintaxe
sínt. síntese
sint. sintético
sir. siríaco
sír. sírio
sist. sistema
sist. sistemática
sit. situado
Sm samário
Sn *stagnum*, estanho
Snr. senhor
Snr.a senhora
SO Sudoeste
soc. sociedade
Soc. sociedade (comercialmente)
soc. sociologia
social. socialismo
sociol. sociologia
sól. sólido
son. sonoplastia
sor. sorologia
Sór. sóror
sost. *sostenuto*, sustentado
sov. soviético
soviét. soviético
sp. *species* (singular), espécie
spp. *species* (plural), espécies
sq.ft. *square foot (feet)*, pé(s) quadrado(s)
sq.in. *square inch(es)*, polegada(s) quadrada(s)
sq.m. *square mile(s)*, milha(s) quadrada(s)
sq.rd. *square rod(s)*, vara(s) quadrada(s)
sq.yd. *square yard(s)*, jarda(s) quadrada(s)
Sr *strontium*, estrôncio
Sr. senhor
Sr. *senior*, o mais velho
Sr.a senhora
Sr.as senhoras
Sr.es senhores
sr.es senhores
Sr.ta senhorita
Sres. senhores
SS. Santíssimo(a)
SS. Santos
ss. seguintes
SS.AA.CC. Suas Altezas Cristianíssimas
SS.AA.FF. Suas Altezas Fidelíssimas
SS.AA.II. Suas Altezas Imperiais
SS.AA.RR. Suas Altezas Reais
SS.AA.SS. Suas Altezas Sereníssimas
SS.Ex.as Rev.mas Suas Excelências Reverendíssimas
SS.Ex.as Suas Excelências
SS.GG. Suas Graças
SS.GG. Suas Grandezas
SS.HH. Suas Honras
SS.Il.mas Suas Ilustríssimas
SS.MM. Suas Majestades
SS.MM.AA. Suas Majestades Áulicas
SS.MM.FF. Suas Majestades Fidelíssimas
SS.MM.II. Suas Majestades Imperiais
SS.PP. Suas Paternidades
SS.Rev.as Suas Reverências
SS.Rev.mas Suas Reverendíssimas
SS.S.as Suas Senhorias
SS.SS. Suas Santidades
SS.SS. Suas Senhorias
SSE Su-Sueste
SSO Su-Sudoeste
SSW Su-Sudoeste
st estéreo(s)
stac. *staccato*, destacado, com parada súbita
St-Cu estrato-cúmulo
sth *sthenos*, esteno
Sto Santo
Sto. Santo
sub. subjuntivo
sub. subúrbio
subafl. subafluente
subafls. subafluentes
Subdiác. subdiácono
subj. subjuntivo
subjunt. subjuntivo
subord. subordinativa
subst. substantivamente, de modo substantivado
subst. substantivo
subvar. subvariante
Suc. sucessor(es) (comercialmente)
suc. sucursal
sue. sueco
suec. sueco
suf. nom. sufixo nominal
suf. sufixal
suf. sufixo
suf. verb. sufixo verbal
sul. sulista
sul-af. sul-africano
sul-afr. sul-africano
sul-amer. sul-americano
sup. superfície
sup. superior
sup. superlativo
sup. supino
sup. *supra*, acima
sup.e suplicante
super. superioridade
superf. superfície
superl. abs. sint. superlativo absoluto sintético
superl. superlativo
supl. suplemento
suprf. superfície
suprl. superlativo
suprs. superstição
surr. surrealismo
surreal. surrealismo
SV sotavento
SW Sudoeste

T

T sinal para o farmacêutico transcrever para o rótulo a forma como se deve administrar o remédio
t tonelada(s)
t tonelada(s)-força
t* tonelada(s)-força
t*/m3 tonelada(s)-força por metro cúbico
T. tara
T. tempo
T. termo
t. termo(s)
t. tomo(s)
T. travessa (toponimicamente)
t.c. transitivo circunstancial
t.d. e circ. transitivo direto e circunstancial
t.d. e i. transitivo direto e indireto
t.d. transitivo direto
t.geogr. sign. termo geográfico que significa
t.i. transitivo indireto
t.i.d. *ter in die*, três vezes ao dia
T.P. tuberculose pulmonar
T.P.M. tensão pré-menstrual
T.S.F. telefonia sem fios
T.S.F. telegrafia sem fios
T.te C.el tenente-coronel
t.te c.el tenente-coronel
T.te tenente
t.te tenente
T.te-C.el tenente-coronel
t.te-c.el tenente-coronel
t/m3 tonelada por metro cúbico
t/m3 tonelada(s) por metro cúbico
Ta tantálio
tab. fumos, tabacaria
tab. tabela
táb. táboa
tai. taino
taí. taíno
tail. tailandês
tam. tamul
tâm. tâmul
tan. tanoaria
tang. tangente
tanoar. tanoaria
taquigr. taquigrafia
tát. tática
taur. tauromaquia
taurom. tauromaquia
taxid. taxidermia
Tb térbio
tb. também
Tc tcnécio
tc teclar
Te telúrio
teat. teatro
teatr. teatro
tec. tecelagem
tec. tecidos
téc. técnica
tec. tecnologia
tecel. tecelagem
técn. técnica
tecn. tecnologia
tecnog. tecnografia
tecnogr. tecnografia
tecnol. tecnologia
tect. tectônico
tel. telefone
tel. telefonia
tel. telegrafista
tel. telegrama
tele. telefone
telec. telecomunicações
telecom. telecomunicações
telef. telefone
telef. telefonia
telef.s. fios telefonia sem fios
teleg. telégrafos
telegr. telegrafia
telégr. telégrafo
telem. telemetria
telev. televisão
temp. temperatura
temp. *tempore*, no tempo
temper. temperatura
Ten. Tenente
ten. tenente
Ten.-Cel. tenente-coronel
ten.-cel. tenente-coronel
teol. teologia
teôn. teônimo
teor. teorema
teos. teosofia
ter. teratologia
terap. terapêutica
terap. terapia
terapêut. terapêutica
terat. teratologia
teratol. teratologia
térm. térmico
term. terminação
term. terminologia
termin. terminologia
terminol. terminologia
termod. termodinâmica
termodinâm. termodinâmica
termom. termometria
terr. território
territ. território
tes. tesoureiro
test. testemunha
test.o testamento
têxt. têxtil, têxteis
tf tonelada(s)-força (medida)
th termia
Th *thorium*, tório
Ti titânio
tib. tibetano
tibet. tibetano
tint. tintura
tint. tinturaria
tip. tipografia
tipogr. tipografia
tipol. tipologia
tir. tiragem
tít. título
Tl tálio
Tm *thulium*, túlio
ton. tonel ou tonéis
tôn. tônico
tóp. tópico
top. topônimo(s)
top.f. topônimo feminino
top.f.pl. topônimo feminino plural
top.m. topônimo masculino
top.m.f. topônimo masculino e feminino
top.m.pl. topônimo masculino plural
topog. topografia
topogr. topografia
topol. topologia

topon. toponímia
topôn. topônimo
torp. torpedeiro
tosc. toscano
tox. toxicologia
toxiol. toxiologia
tr. transitivo
trab. trabalho
trabalh. trabalhismo
trad. bras. tradução brasileira
trad. tradução
trad. traduzido
tradic. tradicional
tradic. tradicionalismo
tráf. tráfego
trans. transitivamente
trans. transitivo
transit. transitivo
transj. transjordano
transm. transmontanismo, termo de Trás-os-Montes
transm. transmontano
transmont. transmontano
transobj. transobjetivo
transp. transportes
trat. tratado
trat. tratamento
Trav. travessa (toponimicamente)
trem. *tremolo*, com tremor, trêmulo
trib. tribunal
trib. tributário
trib. tributos
trig. trigonometria
trigon. trigonometria
trim. trimestral
trim. trimestre(s)
trimest. trimestral
trit. triticultura
triv. trivial
trop. tropical
tt tomos
TT. termos
Tu túlio
tun. tunisino
tunis. tunisiano
tunis. tunisino
tup. tupi
tupi-guar. tupi-guarani
tur. turismo
turc. turco
turism. turismo
tv. televisão

U

U urânio
u. e c. usos e costumes
u.e. uso externo
u.i. *ubi infra*, lugar abaixo mencionado
u.i. uso interno
u.inf. *ubi infra*, lugar abaixo mencionado
u.s. *ubi supra*, lugar acima mencionado
u.sup. *ubi supra*, lugar acima mencionado
ucr. ucraíno
ucraín. ucraíno
ucran. ucraniano
ult. *ultimo* (*mense*), no mês passado
umb. umbanda
un. unidade
un. uniforme
unif. uniforme
univ. universal
univ. universidade
univers. universidade
urb. urbanismo
urb. urbanista
urb. urbano
urban. urbanista
urol. urologia
urug. uruguaio
us. usado(s)
us. usa-se
usual. usualmente
util. utilidade
util. utilitarismo
utilid. utilidade
utilit. utilitarismo
utop. utopismo
utópi. utópico

V

V vanádio
v vara(s) (medida)
v vela(s) internacional
V volt internacional
v volt(s)
V volt(s)
v. sup. *uide* (*vide*) supra, vê, veja acima
v. *uersus* (*versus*), contra
v. *uersus* (*versus*), verso (de poemas)
V. *uide* (*vide*)
v. *uide* (*vide*)
V. *uidete* (*videte*)
v. *uidete* (*videte*)
v. vapor
V. vê
v. vê
V. vede
v. vede
V. veja
v. veja
V. vejam
v. vejam
V. veja-se
v. veja-se
V. velocidade
v. ver
v. verbal
v. verbo(s)
v. verso
V. vila
v. vila
V. viola
V. Virgem
V. visto(s), vista(s)
V. você
v. você
V.a vila
V.a viúva
V.A. Vossa Alteza
V.-Alm. vice-almirante
v.-alm. vice-almirante
V.Carid.e Vossa Caridade
V.de visconde
V.dessa viscondessa
V.E.mas Vossas Eminências
V.E.ma Vossa Eminência
V.Ex.a Rev.ma Vossa Excelência Reverendíssima
V.Ex.a Vossa Excelência
V.Ex.as Rev.mas Vossas Excelências Reverendíssimas
V.Ex.as Vossas Excelências
V.Ex.ma Vossa Excelentíssima
v.g. *uerbi* (*verbi*) *gratia*, por amor da palavra, por exemplo
V.G. Vossa Graça
V.G. Vossa Grandeza
V.H. Vossa Honra
v.i. vela internacional
v.i./cm2 vela por centímetro quadrado
V.Il.ma Vossa Ilustríssima
v.l. *varia* (*uaria*) *lectio*, lição vária
V.M. Vossa Majestade
V.M.as Vossas Mercês
V.M.ce Vossa Mercê
V.Mag.a Vossa Magnificência
v.o verso (lado posterior)
v.o verso, face par de um fólio
v.or venerador
V.P. Vossa Paternidade
V.Rev.a Vossa Reverência
V.Rev.as Vossas Reverências
V.Rev.ma Vossa Reverendíssima
V.Rev.mas Vossas Reverendíssimas
v.s. *uide* (*vide*) *supra*, vê acima
V.S. Vossa Santidade
V.S. Vossa Senhoria
V.S.a Il.ma Vossa Senhoria Ilustríssima
V.S.a Vossa Senhoria
V.S.as Il.mas Vossas Senhorias Ilustríssimas
V.S.as Vossas Senhorias
v.s.f.f. volte, se faz favor
V.S.Ilma Vossa Senhoria Ilustríssima
V.S.S. valha sem selo
v/ vosso(s), vossa(s) (comercialmente)
v/c vossa conta (comercialmente)
v/o vossa ordem (comercialmente)
VA volt-ampere, volt-ampère
vad. vademeco
vadm. vademeco
val. valão
var. pros. variante prosódica
var. variação
var. variante(s)
var. variedade
vasc. vasconço
vb. verbo (no vocábulo)
vc você
vc. violoncelo
VCD *video compact disk*, disco de vídeo compacto
VCR *video cassette recorder*, gravador de videocassete
veg. inf. vegetais inferiores (salvo congumelos)
veg. vegetal
vel. velocidade
veloc. velocipedia
ven. venatório
ven.or venerador
venat. venatório
venez. veneziano
venez. venezuelano
venezuel. venezuelano
verb. verbal
verb. verbete
verb. verbo
verbal. verbalismo
vern. vernaculismo
vern. vernáculo
veros. verossimilhança
veross. verossimilhança
vers. versificação
versif. versificação
vet. veterinária
vet. veterinário
veter. veterinária
VHF *very high frequency*, frequência muito alta
VHS *video home system*, sistema doméstico de vídeo
Vi virgínio
vid. *uide* (*vide*), vê
vid. *uidete* (*videte*), vede
Vid. *vide* (veja), vê
vid. *vide* (veja), vê
vidr. vidraria, fábrica de vidros
Vig. Vigário
vig. vigário
Vig.o vigário
vig.o vigário
vin. vinicultura
vin. vinificação
vinic. vinicultura
viol. violino
VIP *very important person*, pessoa muito importante
vit. viticultura
vitic. viticultura
vitr. vitral
viz. *uidelicet* (*videlicet*), convém ver, veja-se
vl. violino
vm.ce vosmecê, vossemecê
vm.ces vosmecês, vossemecês
vo. verso, face par de um fólio
voc. pop. *uoce* (*voce*) *populi*, na voz do povo
voc. vocabulário
voc. vocábulo
voc. vocalismo
voc. vocativo
vog. vogal
vol. esp. volume específico
vol. *uolumen* (*volumen*), volume
vol. volume
volat. volataria
voll. *uolumina* (*volumina*), volumes
vols. volumes
vox. pop. *uox* (*vox*) *populi*, a voz do povo
vs. *uersus* (*versus*), contra
vulc. vulcânico
vulg. vulgar
vulg. vulgarmente
VV. S.as Il.mas Vossas Senhorias Ilustríssimas
vv. *uersi* (*versi*), versos (de poemas)
VV.AA. Vossas Altezas
VV.Carid.es Vossas Caridades
VV.Ex.as Vossas Excelências
VV.Ex.mas Vossas Excelentíssimas
VV.GG. Vossas Graças
VV.HH. Vossas Honras
VV.Il.mas Vossas Ilustríssimas
VV.LL. *uariae* (*variae*) *lectiones*, lições várias
VV.M.ces Vossas Mercês
VV.Mag.as Vossas Magnificências
VV.MM. Vossas Majestades
VV.PP. Vossas Paternidades
VV.Rev.as Vossas Reverências
VV.Rev.mas Vossas Reverendíssimas
VV.S.as Vossas Senhorias
VV.SS. Vossas Senhorias
VV.SS.Il.mas Vossas Senhorias Ilustríssimas

W Oeste
w *watt*
W watt internacional
W *Wolfram*, volfrâmio tungstênio
W. Oeste
W.C. *water-closet*, toalete
W.N.W Oés-Noroeste
Wh watt(s)-hora
wh watt-hora
Wh watt-hora internacional
WNW Oés-Noroeste
Ws watt(s)-segundo
ws watt-segundo
Ws watt-segundo internacional
WSW Oés-Sudoeste
WWW *world wide web*, rede de extensão mundial

X

x incógnita (em matemática)
X. abreviatura com que se encobre um nome
X. indicação de autor anônimo
X.P.T.O. excelente, magnífico, sem-par
X.Y.Z. abreviatura com que se encobre um nome
Xe xênio
Xe xenônio
xenof. xenofobia
xerog. xerografia
xerogr. xerografia
xilog. xilogravura
xin. xintoísta

y segunda incógnita (em matemática)
Y *yttrium*, ítrio
Yb *ytterbium*, itérbio
yd *yard(s)*, jarda(s)
yd.p.sec. *yard(s) per second*, jarda(s) por segundo

Z

z terceira incógnita (em matemática)
Z. abreviatura com que se encobre um nome
zend. zenda
zend. zende
Zn zinco
zo. zoologia
zool. zoologia
zoot. zootecnia
zootec. zootecnia
zootéc. zootécnica
Zr zircônio

A Global Editora agradece o apoio
da Suzano Papel e Celulose
e da Prol Editora Gráfica
nesta edição.